Leon Levițchi   Andrei Bantaș

Dicționar ENGLEZ-ROMÂN

Leon Levițchi   Andrei Bantaș

DICȚIONAR
ENGLEZ
ROMÂN

70.000 CUVINTE

Teora

Titlul: **Dicționar englez-român 70000 de cuvinte**

Copyright © 2004, 1999 Teora

Toate drepturile asupra acestei cărți aparțin Editurii **Teora**.
Reproducerea integrală sau parțială a textului din această carte
este interzisă fără acordul prealabil scris al Editurii **Teora**.

Teora
Calea Moșilor nr. 211, sector 2, București, Romania
fax: 021/210.38.28
e-mail: office@teora.ro

Teora – Cartea prin poștă
CP 79-30, cod 72450 București, Romania
tel: 021/252.14.31
e-mail: cpp@teora.ro

Copertă: Gheorghe Popescu
Tehnoredactare: Techno Media
Director Editorial: Diana Rotaru

Președinte: Teodor Răducanu

NOT 6522 DIC ENGLEZ ROMAN 70000 CUV.
ISBN 973-20-0058-9

Printed in Romania

PREFAȚĂ LA EDIȚIA 1992

Dicționarul de față constituie o versiune mult îmbunătățită a celui de proporții medii din 1971, mult amplificată (numărul de cuvinte crescând la 70.000) și totodată restructurată după o concepție mai nouă, superioară celei din dicționarele tradiționale, dominantă încă în **Dicționarul englez-român enciclopedic** apărut la Editura Academiei în 1974.

După o experiență amplă și îndelungată, după consultarea și folosirea a noi și noi dicționare bilingve sau specializate (anglo-franceze, anglo-germane și toată gama celor anglo-ruse), profesorul Leon Levițchi nu numai că absorbise o vastă experiență de muncă lexicografică, dar și elaborase o concepție nouă. Își expusese principiile unei lexicografii bilingve cât mai eficace într-un articol programatic din **Mélanges linguistiques...** și prelucrase aceste principii printr-o muncă asiduă de proporții uriașe, mai ales la **Dicționarul englez-român** (enciclopedic), la care am avut onoarea să-i fiu colaborator. Din nefericire, moartea năprasnică l-a răpus în noiembrie 1991, lipsindu-ne de finalizarea monumentalei sale creații.

Avem astăzi bucuria de a pune acest dicționar englez-român la dispoziția publicului român și străin.

Concepția profesorului Levițchi aplicată la acest dicționar se caracterizează în principal prin următoarele aspecte:

(a) Este **realistă**, pentru că se bazează numai pe contexte reale, pe care le interpretează din punct de vedere gramatical tot prin prisma realităților limbii, și nu a unor precepte gramaticale tradiționaliste, uneori închistate (de exemplu, tratarea cuvântului englezesc **as**, a prepozițiilor **up** și **down** etc.).

(b) Este **mobilă și elastică**, adaptând atât interpretarea gramaticală, cât și pe cea semantică, de la un context la altul.

(c) **Contextualizarea** este a treia latură – și poate cea mai importantă – a acestei concepții, pentru că nimic nu este preluat din dicționare fără o raportare la contexte.

(d) Concepția este totodată și **rațională**, pentru că ține seama de toate deosebirile, nuanțele, discriminările și interdicțiile contextuale și mai ales ale registrelor stilistice, care constituie și ele realități ale limbii. (Se remarcă astfel indicațiile stilistice, cele referitoare la „falșii prieteni" etc.).

Personal, mi-aș îngădui să-i sfătuiesc pe toți cititorii – elevi, studenți, profesori, traducători, marele public – să profite din plin de concepția lexicografică levițchiană și anume:

– să asigure interpretarea corectă a sensurilor oferite în dicționar prin urmărirea atentă a indicațiilor stilistice și a diferitelor semne din lista alăturată, pentru a obține maximum de randament;

– ca atare, în învățarea lexicului trebuie acordată o importanță redusă cuvintelor cu restricții de utilizare (jargon, învechit, arhaic, poetic) în sensul că, fiind folosite mai rar, este mai puțin necesar să fie învățate;

– la cuvintele polisemantice, cu multe traduceri, este mai bine să fie străbătute toate sensurile până la capăt, pentru a vedea care sunt mai potrivite contextului respectiv;

Atenție!

Verbele cu prepoziție sau cu particulă adverbială, cuvintele compuse, combinațiile de cuvinte mai libere sau mai fixe sunt date în ordine strict alfabetică (nu s-a mai recurs la metoda învechită a cuiburilor de cuvinte).

S-a utilizat un sistem economicos de punctuație (eliminarea punctului – cu excepția unor prescurtări curente, ca: *etc.* – folosirea barei oblice pentru sinonime, a semnului ↓ pentru „mai ales" etc.; v. **Listele de prescurtări și semne**).

Specificările gramaticale sunt succinte (*vi* verb intranzitiv, *cu gen* cu genitivul etc.); nu sunt trecute formele de plural regulate (în *-s* și *-es*), precum și excepțiile obișnuite (*-y -ies, -f -ves, man – men* etc.).

Andrei Bantaș

LISTA PRESCURTĂRILOR

ac	acuzativ	
adj	adjectiv(al)	
adj adv	adjectiv adverbial	
adv	adverb(ial)	
afirm	afirmativ	
agr	agricultură	
alim	(termen) alimentar	
amer	americanism	
anat	anatomie	
ant	antonim(ic)	
aprox	aproximativ	
arheol	arheologie	
arhit	arhitectură	
art	articol	
art hot	articol hotărât	
art nehot	articol nehotărât	
astr	astronomie	
atr	atribut(iv)	
augm	augmentativ	
auto	auto(mobilism)	
autom	automatică	
av	aviație	
bibl	(termen) biblic	
biol	biologie	
bis	(termen) bisericesc	
bot	botanică	
brit	britanic	
ch	chimie	
cib	cibernetică	
cin	cinema	
com	comerț	
comp	comparativ; comparație	
cond	condițional	
conj	conjuncție	
constr	construcții	
d.	despre	
dat	dativ	
dem	demonstrativ	
dim	diminutiv	
ec	economie	
el	electricitate	
elev	(stil) elevat	
ent	entomologie	
etc.	et caetera	
F	(stil) familiar	
farm	farmaceutică	
fem	feminin	
ferov	(termen) feroviar	
fig	(termen) figurat; folosit figurat	
filoz	filozofie	
fin	finanțe	
fiz	fizică	
fizl	fiziologie	

fon	fonetică	
fot	fotografie	
fr	(termen) francez	
gastr	gastronomie	
gen	genitiv	
geogr	geografie	
geol	geologie	
geom	geometrie	
germ	(termen) german	
gram	gramatică	
hidr	hidrologie	
hort	horticultură	
iht	ihtiologie	
impers	(verb etc.) impersonal	
ind	(modul) indicativ	
inf	infinitiv	
interog	interogativ	
interj	interjecție	
invar	invariabil	
ist	istorie; istoria...	
it	(termen) italian	
înv	(termen) învechit	
jur	(termen) juridic	
lat	(termen) latin	
lingv	lingvistică	
lit	literatură	
log	logică	
masc	masculin	
mat	matematică	
med	medicină	
met	metalurgie	
meteor	meteorologie	
metr	metrică, versificație	
mil	(termen) militar	
min	minerit	
minr	mineralogie	
mit	mitologie	
muz	muzică	
nav	navigație	
neg	negativ	
nom	nominativ	
num	numeral	
num card	numeral cardinal	
num ord	numeral ordinal	
od	odinioară (azi, noțiune perimată)	
opt	optică	
orn	ornitologie	
P	(termen) popular	
parl	(termen) parlamentar	
part adv	particulă adverbială	
pas	pasiv	
peior	(termen) peiorativ	
pers	persoană; personal	

pict	pictură	
pl	plural	
pol	politică	
poligr	poligrafie	
pos	posesiv	
pr	pronume	
pred	predicativ	
pref	prefix	
prep	prepoziție	
presc	prescurtare; prescurtat	
pret	preterit, Past Tense	
prez	prezent	
prop	propoziție	
prov	proverb	
psih	psihologie	
pt	pentru	
ptc	participiu trecut	
rad	radiofonie	
rec	reciproc	
refl	reflexiv	
reg	regionalism	
rel	religie	
ret	retorică	
rus	(termen) rusesc	
S	(termen) savant	
s	substantiv	
scot	(termen) scoțian	
sg	singular	
silv	silvicultură	
sl	slang, argoul din limba engleză	
smb	somebody (cineva)	
smth	something (ceva)	
span	(termen) spaniol	
suf	sufix	
superl	superlativ	
școl	(termen) școlar	
tehn	tehnică	
tel	telecomunicații	
telev	televiziune	
text	industria textilă	
top	topografie	
turc	(termen) turcesc	
umor	umoristic	
v.	vezi	
vet	medicina veterinară	
vi	verb intranzitiv	
vânăt	(termen) vânătoresc	
voc	vocativ	
vr	verb reflexiv	
vt	verb tranzitiv	
vulg	vulgar	
zool	zoologie	

PREFAȚĂ LA PRIMA EDIȚIE

Actualul dicționar englez-român pe care îl prezentăm consultanților din România și din străinătate, atât prin proporțiile sale, cât și prin caracterul specializat al elaborării, poate fi folosit de către traducători, studenți, elevi, ghizi, interpreți și marele public, precum și de către cercetători, tehnicieni și specialiști în diverse domenii, datorită unei serii de inovații și norme tehnice de redactare care îl fac accesibil tuturor.

Ca atare, fondul de circa 70.000 de articole de dicționar (cuvinte, compuși, abrevieri, nume proprii și geografice, prefixe și sufixe) este înfățișat cu următoarele particularități:
- ordinea strict alfabetică a articolelor de dicționar (astfel, din cuiburi au fost scoase și așezate alfabetic atât cuvintele compuse, cât și cuvintele urmate de elemente obligatorii, de pildă verbele cu particulă adverbială sau cu prepoziție: **bring, bring out, bring along, bring around, bring away, bring back, bring down, bringer, bring forth, bring forward, bring home** etc.);
- un sistem economicos de punctuație (eliminarea punctului – cu excepția unor prescurtări curente, ca: *etc.* – folosirea barei oblice pentru sinonime etc.; v. **Listele de prescurtări și semne**);
- succinte specificări gramaticale (*vi* verb intranzitiv, *cu gen* cu genitivul etc.); nu sunt trecute formele de plural regulate (în *-s* și *-es*), precum și excepțiile obișnuite (*-y -ies, -f -ves, man – men* etc.).
- folosirea a trei tipuri de literă: aldinele pentru tot ce este text englezesc, precum și cifre romane și arabe; litera obișnuită – pentru tot ce este text românesc – traducere; litera cursivă – pentru explicații, specificări gramaticale, prescurtări, denumirile latine ale plantelor etc.

Contribuția autorilor la alcătuirea prezentului dicționar este următoarea:

Leon Levițchi redactarea literelor A, B, C, D, E, F, J, K, L, M, N, O, P, S, W, X, Y, Z;

Andrei Bantaș redactarea literelor G, H, I, Q, R, T, U, V;

Transcrierea fonetică a fost făcută de Veronica Focșeneanu.

Prof. Dr. Leon L. Levițchi

LISTA SEMNELOR DE PUNCTUAȚIE

, (virgula) separă cuvintele sinonime, de exemplu: **count** a număra, a socoti, a calcula.
; (punct și virgulă) separă cuvintele care pot fi cuprinse în același sens, dar care, totuși, se deosebesc prea mult pentru a fi sinonime în înțelesul obișnuit al termenului, de exemplu: **bank** *s* terasament; val; banc (de nisip).
() (parantezele rotunde) includ explicații, specificări de un ordin sau altul etc.; dacă textul respectiv este tipărit cu aceleași caractere ca și cel care precedă parantezele, el se constituie sinonim în combinație cu acesta, de exemplu: bon (de casă), citește *bon* sau *bon de casă*.
„ (ghilimelele) arată că unitățile lexicale respective nu sunt consolidate în limbă sau reprezintă variante stilistice necorespunzătoare, dar apropiate sau foarte apropiate ca sens.
: (două puncte) arată că textul care urmează are o valoare explicativă, de ilustrare.

LISTA SEMNELOR SPECIALE

/ (bara oblică) desparte sinonime care în contextul respectiv se pot înlocui, de exemplu: **to sleep like a top/log**, citește: **to sleep like a top** sau **to sleep like a log**.
// (bara oblică dublă) desparte anumite combinații lexicale sau expresii de sensurile cuibului, întrucât este foarte dificil de stabilit de care anume din ele se atașează.
< intensiv; traducerea astfel marcată implică o intensificare a noțiunii în sens cantitativ sau calitativ, de exemplu: uimitor, < uluitor.
> diminuat; traducerea astfel marcată implică o diminuare a noțiunii în sens cantitativ sau calitativ, de exemplu: uluitor, > uimitor.
↓ mai ales.
← valoarea stilistică respectivă privește exclusiv cuvântul sau expresia din limba engleză, de exemplu: **brash** *adj* ← *F* obraznic, nerușinat (familiar în limba engleză, neutru în limba română).
→ valoarea stilistică respectivă privește exclusiv cuvântul sau expresia din limba română, de exemplu: **die** *vi* a muri, *F* → a da ortul popii („a muri" este neutru din punct de vedere stilistic – ca și „die" – iar „a da ortul popii" este familiar).
– valoarea stilistică neutră, de exemplu: *F* → pescheș, plocon, – dar, cadou.
Semnele cursive în transcrierea fonetică sunt facultative și reprezintă sunete care pot fi omise (elidate).

A

A, a [ei], *pl* **A's, As, as, Aes, aes** [eiz] **I** *s* **1** (litera) A, a; **from A to Z** de la A la Z, de la început până la sfârșit **2 A** *muz* (nota) la **3 A** film nepotrivit pentru copiii sub 14 ani **4 A** *presc de la* **ampere 5 A** școl (nota zece, „foarte bine") **II** *adj* **A** prim, (de categoria) întâi

a [ə], accentuat [ei] *(folosit înaintea sunetelor consonantice și semiconsonantice),* **an** [ən], *accentuat* [æn], *(folosit înaintea sunetelor vocalice) art nehot* **1** un; o *(în anumite situații nu se traduce)*: **a man** un om; un bărbat; **a woman** o femeie; **a wood** o pădure; **a yellow cover** o copertă galbenă; **what a man!** ce om! **what an idea!** ce idee! **she is a student** (ea) e studentă; **a little wine** puțin vin, un pic de vin; **a nightingale is a singing bird** privighetoarea e (o) pasăre cântătoare; **in a few weeks** peste câteva săptămâni **2** un (al doilea); o (a doua); **a Byron of his age** un Byron al epocii sale **3** un oarecare; o oarecare; un anume; o anume; **a Mr Smith** un oarecare/anume Smith **4** un (acelaşi); o (aceeași); **three of a kind** trei de același/un fel **5** *prepozițional* pe; pentru; **four times a day** de patru ori pe zi

a- *pref* **1** *(în adj ca* **abed, afire, ajar***)* în; pe; la *etc.* **2** *(negativ)* a-, ne-, i- *etc:* **amoral** amoral

A-1 ['ei'wʌn] *adj* **1** *nav* de categoria/ clasa I **2** de prima calitate, foarte bun, *F* prima **3** sănătos, perfect; în perfectă stare

aardvark ['ɑ:d,vɑ:k] *s zool* porcul termitelor *(Orycteropus sp.)*

Aaron ['ɛərən] *s* **1** *bibl* Aaron **2** a ~ ← *rar* prelat, înaltă față duhovnicească

ab- *pref* a-, ab-: **abnormal** anormal

A.B. *presc de la* **1 able-bodied 2 Bachelor of Arts**

aba [ə'bɑ:] *s* aba; dimie

abaca ['æbəkə] *s bot* abaca, cânepă de Manila *(Musa textilis)*

aback [ə'bæk] *adv* **1** ← *înv* înapoi; pe spate; în spate; **to be taken ~** *fig* a fi surprins/uimit/<uluit **2** *nav* mascat

abacus ['æbəkəs], *pl și* **abaci** ['æbəsai] *s* **1** abac **2** *tehn, arhit* abacă

Abaddon [ə'bædən] *s bibl și fig* gheenă, iad

abaft [ə'bɑ:ft] *adv nav* (în)spre pupa

abandon [ə'bændən] **I** *vt* **1** a abandona, a părăsi, a lăsa (pentru totdeauna); a lăsa în părăsire **2** a abandona, a lăsa, a părăsi, a renunța la; a nu mai *face ceva;* a se lepăda de **II** *vi sport* a abandona **III** *s* abandon; degajare

abandoned [ə'bændənd] *adj* **1** abandonat, părăsit; lăsat în voia soartei **2** ← *rar* stricat, destrăbălat **3** *(d. veselie etc.)* nestăpânit, nestăvilit

abandonment [ə'bændənmənt] *s* **1** abandonare, părăsire; *jur* abandon **2** singurătate

abandon oneself to [ə'bændən wʌn'self tə] *vr cu prep* a se lăsa în voia *cu gen,* a se lăsa pradă *cu dat*

abase [ə'beis] **I** *vt* a înjosi, a degrada; a umili **II** *vr* a se înjosi, a se degrada; a se umili

abasement [ə'beismənt] *s* **1** înjosire, degradare; umilire **2** deprimare, apăsare

abash [ə'bæʃ] *vt* a rușina, a face de rușine/ocară; a jena, a stânjeni

abashed [ə'bæʃt] *adj* **1** stingherit, jenat, fâstâcit **2** rușinat, făcut de ocară

abashment [ə'bæʃmənt] *s* **1** rușine, ocară; rușinare **2** stinghereală, jenă, fâstâceală

abask [ə'bɑ:sk] *adj, adv* ← *înv* **1** la soare **2** (scăldându-se) în soare

abate [ə'beit] **I** *vt* **1** a micșora, a reduce *(taxe etc.)* **2** *jur* a abroga, a desființa, a anula **II** *vi* a scădea, a descrește, a se micșora; *(d. vânt, dureri etc.)* a slăbi, a se domoli, a se potoli

abatement [ə'beitmənt] *s* **1** micșorare, descreștere; scădere; reducere **2** *ec* reducere, rabat **3** slăbire, diminuare, micșorare; potolire, domolire

abater [ə'beitə'] *s tehn* amortizor

abat-jour [æbə'ʒuə'] *s fr* abajur

abat(t)is ['æbətis] *s mil* abatiză

abattoir ['æbətwɑ:'] *s* abator, zalhana

abat-vent [,ɑ:bɑ:'vɑ:ŋ] *s fr* **1** jaluzele **2** apărătoare de coș/horn

abb [æb] *s text* **1** urzeală **2** lână inferioară (obținută) din deșeuri **3** țesătură/material din deșeuri de lână

abbacy ['æbəsi] *s* titlul, funcția *sau* jurisdicția unui abate

abbatial [ə'beiʃəl] *adj* de abate *sau* abație

abbess ['æbis] *s* superioara unei mănăstiri, stareță

abbey ['æbi] *s* **1** ↓ *od* abație; mănăstire **2** (↓ *în compuși)* biserică; catedrală *(a unei abații)*

abbot ['æbət] *s* egumen, stareț

abbreviate [ə'bri:vieit] *vt* **1** a abrevia, a prescurta *(cuvinte)* **2** a rezuma, a prezenta pe scurt *(o carte, texte etc.)* **3** a scurta *(o vizită)*

abbreviation [ə,bri:vi'eiʃən] *s* **1** abreviere, abreviație, prescurtare **2** prezentare succintă/pe scurt; rezumat

ABC ['ei'bi:si:] *s* **1** ABC, alfabet **2** abecedar, *înv* → azbuche **3** *fig* alfabet, elemente de bază, rudimente **4** „mersul trenurilor"

abdicate ['æbdikeit] **I** *vt* a abdica de la *(tron etc.),* a renunța la; a se lepăda de **II** *vi* **(from)** a abdica (de la)

abdication [,æbdi'keiʃən] *s* **(of)** abdicare (de la); renunțare (la), lepădare (de)

abdomen ['æbdəmen] *s* abdomen, pântece, burtă

abdominal [æb'dɔminəl] *adj* abdominal

abdominous [,æb'dɔminəs] *adj* pântecos, burtos

abducent [æb'dju:sənt] *adj anat* abductor

abduct [æb'dʌkt] *vt* a răpi *(persoane)*

abduction [æb'dʌkʃən] *s* răpire, rapt

abductor [æb'dʌktə'] *s* **1** răpitor *(al unei persoane)* **2** *anat* (mușchi) abductor

abeam [ə'bi:m] *adj, adv nav* (la) travers

abecedarian [,eibi:si:'dɛəriən] **I** *s* **1** persoană care învaţă abecedarul **2** *înv* învăţăcel, – novice, începător **II** *adj* **1** alfabetic, în ordine alfabetică **2** de abecedar; ca un abecedar **3** elementar, rudimentar

abed [ə'bed] *adv* ← *înv* în pat; la pat; culcat

Abel ['eibl] *bibl* Abel

Aberdeen [,æbə'di:n] *oraş în Scoţia*

Aberdonian [,æbə'dounian] *adj* din (oraşul) Aberdeen

aberrance [æ'berəns] *s* **1** aberaţie; anomalie **2** abatere; vină, greşeală

aberrancy [æ'berənsi] *s v.* **aberrance**

aberrant [æ'berənt] *adj* **1** aberant; anormal **2** greşit, eronat; care se abate de la regulă *etc.*

aberration [,æbə'reiʃən] *s* **1** aberaţie; anomalie **2** denaturare **3** rătăcire; **in a moment of** ~ într-un moment de rătăcire **4** abatere, vină, greşeală

abet [ə'bet] *vt* **1** (**in**) a ajuta, a sprijini, a fi complicele *cuiva* (la, în) **2** (**in**) a instiga, a aţâţa, a stârni (să; la)

abetter, abettor [ə'betə'] *s* instigator; complice

abeyance [ə'beiəns] *s* suspensie; aşteptare; **in ~ a** *jur* fără stăpân, al nimănui; fără pretendent **b** în suspensie; în aşteptare **c** (*d. o lege*) abrogat temporar **d** amânat; **to fall in(to)** ~ a cădea în desuetudine

abhor [əb'hɔ:'] *vt* a nu putea suferi, a detesta, a-i fi scârbă de; a urî

abhorrence [əb'hɔrəns] *s* aversiune, dezgust, scârbă, silă

abhorrent [əb'hɔrənt] *adj* (**to**) dezgustător, scârbos, oribil (pentru)

abhorrent from [əb'hɔrənt frəm] *adj cu prep* incompatibil cu

abhorrent to [əb'hɔrənt tə] *adj cu prep* (diametral) opus *cu dat*

abidance [ə'baidəns] *s* **1** rămânere, continuare **2** ← *înv* şedere, domiciliere

abidance by [ə'baidəns bai] *s cu prep* respectare *cu gen;* supunere faţă de

abide [ə'baid], *pret şi ptc* **abode** [ə'boud] **I** *vi* **1** a rămâne, a sta; a zăbovi **2** a trăi, a locui, a sălăşlui

3 a stărui, a persevera **II** *vt* a răbda, a suferi, a suporta

abide by [ə'baid bai] *vi cu prep* **1** a rămâne fidel/credincios *cu dat*, a menţine *cu ac*, a nu da îndărăt de la, a rămâne la; a lua *cu ac* asupra sa **2** a aştepta (*rezultate etc.*); a accepta *cu ac*, a se împăca cu

abiding [ə'baidiŋ] *adj* **1** trainic, de durată **2** stăruitor, perseverent

abigail ['æbigeil] *s înv* slujnică, – servitoare

ability [ə'biliti] *s* **1** capacitate, aptitudine **2** posibilitate, putinţă; **to the best of one's** ~ pe cât se poate, pe măsura posibilităţilor cuiva **3** înzestrare, dăruire, talent **4** *pl* posibilităţi (↓ intelectuale)

-ability *suf* -abilitate, -ibilitate: **probability** probabilitate

ab initio [,æbi'niʃiou] *lat* ab initio, de la început

abiogenesis [,eibaioʊ/dʒenisis] *s biol* abiogeneză

abirritant [æb'iritənt] *s, adj med* calmant

abject ['æbdʒekt] *adj* **1** abject, de plâns, mizer(abil) **2** abject, ticălos, mizerabil **3** extrem, cumplit, nemaipomenit; ~ **poverty** sărăcie lucie

abjection [æb'dʒekʃən] *s* **1** ticăloşie, mârşăvie, faptă abjectă **2** degradare, umilinţă, înjosire **3** izgonire **4** *biol* respingere

abjectly ['æbdʒektli] *adv* (în mod) abject

abjectness ['æbdʒektnis] *s* (stare de) mizerie, stare de plâns

abjuration [,æbdʒuə'reiʃən] *s* abjurare, abjuraţie, renegare *sau* renunţare ↓ publică

abjure [əb'dʒuə'] *vt* **1** a abjura, a se lepăda de, a renega ↓ public **2** a nega, a tăgădui

ablation [æb'leiʃən] *s* **1** îndepărtare, excludere **2** *med* ablaţiune, extirpare; amputare **3** *geol* ablaţiune

ablative ['æblətiv] *s gram* (cazul) ablativ

ablaut ['æblaut] *s lingv* ablaut, apofonie

ablaze [ə'bleiz] *adj, adv* **1** aprins, cuprins de flăcări, în flăcări **2** *fig* (**with**) strălucind, scânteind (de)

ablaze with [ə'bleiz wið] *adj cu prep* arzând/clocotind de; foc şi pară de (*mânie*)

able ['eibl] *adj* **1** capabil, apt, în stare (*de ceva*) **2** capabil, înzestrat, dotat; competent; calificat **3** reuşit, izbutit; < excelent

-able *suf* -abil, în stare de: **capable** capabil

able-bodied ['eibl'bɔdid] *adj* valid; apt (↓ *pt serviciul militar*)

ablet ['æblit] *s iht* obleţ, sorean (*Alburnus lucidus*)

able to ['eibl tə] *adj cu inf* în stare să, capabil să; **to be ~ do smth** a fi în stare să facă ceva, a putea face ceva

ablush [ə'blʌʃ] *adj, adv* îmbujorat, înroşit, roşu; congestionat

ablution [ə'blu:ʃən] *s* **1** abluţiune, spălare rituală **2** *pl* ← *elev sau umor* spălat; baie

ably ['eibli] *adv* cu pricepere; competent; cum trebuie

-ably *suf* -abil: **miserably** mizerabil

abnegate ['æbnigeit] *vt* a-şi interzice, a renunţa la, a se lăsa de

abnegation [,æbni'geiʃən] *s* **1** (**of**) renunţare (la), lepădare (de) **2** abnegaţie; spirit de sacrificiu

Abner ['æbnə'] *nume masc*

abnormal [æb'nɔ:məl] *adj* **1** anormal **2** aberant **3** necorespunzător; greşit

abnormality [,æbnɔ:'mæliti] *s* **1** deviere; abatere (*de la regulă etc.*) **2** anomalie **3** diformitate

abnormally [æb'nɔ:məli] *adv* (în mod) anormal, aberant *sau* greşit

abnormity [æb'nɔ:miti] *s v.* **abnormality**

aboard [ə'bɔ:d] **I** *adv* **1** *nav* la sau pe bord; **to go** ~ a se îmbarca; a merge la bord; **to take** ~ a ambarca; **to fall** ~ a se ciocni (*cu un alt vas*); **to fall** ~ **with smb** ← *înv* a se certa cu cineva **2** *nav* de-a lungul ţărmului/coastei **3** *amer* în vagoane **II** *prep nav* pe *sau* la bordul (*unui vas*)

abode¹ [ə'boud] *pret şi ptc de la* **abide**

abode² *s* **1** ← *înv* rămânere, şedere **2** ← *înv sau elev* reşedinţă, domiciliu, locuinţă; **to take up one's** ~ **somewhere** a se stabili undeva (*cu domiciliul*); **of/with no fixed** ~ *jur* fără domiciliu stabil

abolish [ə'bɔliʃ] *vt* **1** a aboli (*sclavia etc.*); a desfiinţa **2** *jur* a abroga **3** *poetic* a zdrobi, a nimici

abolition [ˌæbəˈliʃən] *s* **1** abolire; desființare **2** *jur* abrogare **3** *poetic* nimicire, zdrobire, sfărâmare

abolitionist [ˌæbəˈliʃənist] *s ist* aboliționist

abomasum [ˌæbəˈmeisəm] *pl și* **abomasa** [ˌæbəˈmeisə] *s zool* cel de-al patrulea stomac al rumegătoarelor

A-bomb [ˈeibɔm] *s* bombă atomică

abominable [əˈbɔminəbl] *adj* abominabil, îngrozitor, oribil; urât

abominable snow-man [əˈbɔminəbl ˈsnouˌmæn] *s* ← F Yeti, omul zăpezilor

abominably [əˈbɔminəbli] *adv* (în mod) abominabil, îngrozitor

abominate [əˈbɔmineit] *vt* a nu putea suferi; a-i fi silă de; a detesta

abomination [əˌbɔmiˈneiʃən] *s* **1** (of) dezgust, scârbă (față de, pentru) **2** rușine, ocară; mârșăvie, ticăloșie **3** ceva foarte respingător; monstru; monstruozitate

aboriginal [ˌæbəˈridʒinəl] *s, adj* autohton, indigen, băștinaș, *rar* → aborigen

aborigine [ˌæbəˈridʒini] *s* **1** indigen, autohton (↓ *din Australia)* **2** plantă *sau* animal autohton

abort [əˈbɔːt] **I** *vt* **1** a provoca un avort *(cuiva)* **2** a avorta, a da afară *(fătul)* **II** *vi* **1** a avorta **2** *fig* a avorta, a eșua, a nu reuși

abortion [əˈbɔːʃən] *s* **1** avort **2** avorton, stârpitură; monstru **3** eșec, nereușită, insucces

abortive [əˈbɔːtiv] *adv* **1** *med, bot* abortiv **2** nereușit, neizbutit; zadarnic

aboulia [eiˈbuːliə] *s v.* **abulia**

abound [əˈbaund] *vi* a abunda, a fi din belșug

abound in/with [əˈbaund in/wið] *vi cu prep* a fi plin de, a abunda în; a musti de

about [əˈbaut] **I** *adv* **1** (de jur) împrejur; în jur/preajmă; în toate părțile; în toate direcțiile; **all ~** peste tot; **rumours were ~** umblau zvonuri, se zvonea (peste tot) **2** nu departe, pe aici/aproape, în *sau* prin apropiere; **Tom is somewhere ~** Tom e pe undeva pe aici **3** cam, aproximativ, în jur de; **it's ~ five o'clock** e aproximativ ora cinci, să tot fie (ora) cinci; **4** aproape, ca și; **I'm ~ ready** mai am puțin și sunt

gata, sunt aproape gata, sunt ca și gata **5** invers, în direcție opusă; **~ turn!** *mil* stânga-mprejur! **6** ← *înv* în circumferință **II** *prep* **1** în jurul/preajma *cu gen,* (de jur) împrejur *cu gen;* în toate părțile *sau* direcțiile *cu gen;* (pe) lângă; pe la; prin; pe; **to wander ~ the streets** a rătăci pe străzi; a bate străzile; **papers scattered ~ the room** hârtii împrăștiate prin cameră/toată camera **2** nu departe de, aproape de, lângă; **my spectacles must be ~ here** ochelarii mei trebuie să fie undeva pe aici **3** din jurul, dimprejurul *cu gen;* **the fence ~ the garden** gardul care împrejmuiește grădina **4** la; asupra *(cu gen);* cu; **he had no money ~ him** nu avea bani la el; **he had all the documents ~ him** avea toate documentele la/cu el; asupra lui **5** despre, de, cu privire la, în ceea ce privește; **what do you know ~ her?** ce știi despre ea? **who told you ~ it?** cine ți-a spus asta? **tell us ~ what happened** spune-ne ce s-a întâmplat, povestește-ne despre cele întâmplate; **be quick ~ it!** grăbește-te! mai repede! fă-o repede! **what/how ~** *cu s sau forme în* -*ing*? **a** ce se mai aude despre...? ce mai face...? cum stăm cu...? **b** ce-ai zice de...? n-ar strica un..., nu-i așa? **how ~ another glass?** mai iei un pahar? **III** *adj* **1** sculat, în picioare; activ **2** prezent; pe aici; prin preajmă; **the flu is ~** bântuie gripa

about-face [əˈbautˈfeis] *s amer* schimbare radicală

about sledge (hammer) [əˈbaut ˈsledʒ (ˈhæmə)] *s* baros

about to [əˈbaut tə] *adj cu inf* pe punctul de a, gata să; cât pe ce să; **I was ~ fall** (era) cât pe ce/ gata să cad, puțin a lipsit să cad

above [əˈbʌv] **I** *adv* **1** sus; mai sus; la etaj; deasupra; deasupra capului; de deasupra; **the clouds ~** norii de deasupra **2** *(într-un text etc.)* mai sus; mai înainte; anterior; **the quotation mentioned ~** citatul amintit mai înainte **3** în cer; pe cer; în înalturi **4** pe o treaptă mai înaltă *(ca funcție)* **5** în susul apei **6** mai mult; mai mulți;

a hundred and ~ o sută și mai mulți/bine **II** *prep* **1** deasupra *(cu gen),* peste; dincolo de; mai sus de; **~ sea level** deasupra nivelului mării; **they were flying ~ the clouds** zburau deasupra norilor **2** mai presus de, mai mult decât; deasupra *(cu gen),* dincolo de; care depășește; **~ all** mai presus de toate/decât orice; **it is ~ me** (e o chestiune care) mă depășește; **~ oneself a** prea încrezător în sine; automulțumit **b** emoționat la culme; surescitat **3** înainte de **III** *adj (într-un text etc.)* de mai sus/ înainte, anterior; precedent; **see the ~ quotation** vezi citatul de mai sus **IV** *s* **the ~** cele de mai sus/înainte

aboveboard [əˈbʌvˈbɔːd] **I** *adv* pe față, deschis, cinstit **II** *adj* deschis, cinstit, fățiș

above-ground [əˈbʌvgraund] *adj* **1** viu, în viață **2** de pe suprafața pământului

above-mentioned [əˈbʌvˈmenʃənd] *adj* amintit/menționat mai sus/ înainte, de mai sus/înainte

abovestairs [əˈbʌvˌsteəz] *adv* **1** sus, la etaj **2** *fig* la putere; la conducere

abp. *presc de la* **archbishop**

abr. *presc de la* **1** abridge **2** abridged

abracadabra [ˌæbrəkəˈdæbrə] *s* **1** abracadabra, formulă magică **2** galimatie, vorbe fără sens, prostii

abradant [əˈbreidənt] *adj, s* abraziv

abrade [əˈbreid] *vt* **1** a răzui; a scoate *(prin răzuire)* **2** *tehn* a șlefui, a poliza

Abraham [ˈeibrəhæm] *nume masc* Avra(a)m

abranchiate [əˈbræŋkiit] *adj iht, zool* abranhial, fără branhii

abrasion [əˈbreiʒən] *s* **1** roadere, abraziune; răzuire **2** *tehn* șlefuire, polizare

abrasive [əˈbreisiv] *adj, s* abraziv

abreast [əˈbrest] *adv* **1** în (același) rând; alături; **three ~** câte trei în rând; **to be/to keep ~ of/with** *fig* a fi la pas cu, a se ține la pas cu; a fi la înălțimea *cu gen* **2** *nav* (of) (la) travers (de)

abridge [əˈbridʒ] *vt* **1** a prescurta *(un text etc.);* a rezuma; a abrevia **2** a scurta *(o ședință etc.);* a micșora, a limita

abridg(e)ment [ə'bridʒmənt] *s* **1** scurtare, reducere, micşorare; limitare **2** rezumat; conspect; adaptare *(a unei piese etc.)*

abridge of [ə'bridʒ əv] *vt cu prep* a lipsi/a priva de

abroach [ə'brout∫] *adj, adv (d. un butoi etc.)* deschis, desfăcut

abroad [ə'brɔ:d] *adv* **1** în străinătate, peste hotare; **from ~** de peste hotare, din străinătate **2** peste tot, pretutindeni; **to spread ~** *(d. ştiri etc.)* a se răspândi, a se împrăştia **3** departe de ţintă; departe de adevăr; **all ~ a** cu totul greşit **b** zăpăcit; pierdut **4** ← *înv* afară, plecat (de acasă), dus (de acasă)

abrogate ['æbrougeit] *vt elev* a abroga, – a desfiinţa

abrogation [,æbrou'gei∫ən] *s elev* abrogare, – desfiinţare

abrupt [ə'brʌpt] *adj* **1** abrupt, râpos, prăpăstios; accidentat **2** brusc, neaşteptat **3** aspru, tăios; nepoliticos **4** *(d. stil)* abrupt; aspru

abruptly [ə'brʌptli] *adv* **1** brusc, pe neaşteptate **2** aspru, tăios

abruptness [ə'brʌptnis] *s* **1** aspect/ caracter accidentat/abrupt **2** discontinuitate (în idei) **3** bruscheţe, duritate, asprime **4** caracter abrupt/aspru *(al stilului)*

abs *presc de la* **1 absent 2 absolute 3 abstract**

abscess ['æbsis] *s* abces; bubă

abscissa [æb'sisə], *pl şi* **abscissae** [æb'sisi:] *s mat* abscisă

abscission [æb'siʒən] *s* **1** *med* abscizie; amputare **2** *bot* cădere *(a frunzelor etc.)*

abscond [əb'skɔnd] *vi* **(from)** a fugi, a se ascunde (de)

absence ['æbsəns] *s* **(of)** absenţă *(cu gen)*, lipsă (de *sau cu gen*)

absence of mind ['æbsəns əv 'maind] *s* neatenţie, lipsă de atenţie, nebăgare de seamă

absent ['æbsənt] *adj* **1** **(from)** absent, care lipseşte (de la) **2** absent, neatent, distrat **3** absent, lipsă, inexistent

absentee [,æbsən'ti:] *s* **1** absent **2** absenteist

absenteeism [,æbsən'ti:izəm] *s* absenteism

absently ['æbsəntli] *adv* absent, dus pe gânduri; neatent

absent-minded ['æbsənt'maindid] *adj* distrat, neatent, preocupat (de ale sale)

absent oneself from [æb'sent wʌn'self from] *vr cu prep* **1** a absenta/a lipsi de la **2** a se eschiva de la

absinth(e) ['æbsinθ] *s* **1** *bot* pelin (alb) *(Artemisia absinthium)* **2** absint

absit ['æbsit] *s univ* aprobare de a nu frecventa cursurile

absolute ['æbsəlu:t] **I** *adj* **1** absolut, deplin, total, perfect; complet; necondiţionat; nelimitat **2** absolut, pur, curat **3** categoric, sigur, incontestabil **4** absolut, primordial **II** *s* **the ~** absolutul

absolutely ['æbsə'lu:tli] *adv* **1** (în mod) absolut; în întregime; pe deplin, întru totul; necondiţionat; nelimitat **2** categoric, sigur, indiscutabil

absolute majority ['æbsəlu:tmə'dʒɔriti] *s* majoritate absolută

absolute zero ['æbsəlu:t 'ziərou] *s fiz* zero absolut

absolution [,æbsə'lu:∫ən] *s* **1** **(from, of)** eliberare, dispensă, scutire (de) **2** *rel* iertare de păcate/a păcatelor, dezlegare de păcate

absolutism ['æbsəlu:tizəm] *s pol* absolutism

absolve [əb'zɔlv] *vt* **(from, of)** a scuti, a ierta, a dezlega (de); a elibera (de)

absolvent [əb'zɔlvənt] *s* persoană care iartă, scuteşte *etc. v.* **absolve**

absonant ['æbsounənt] *adj* **1** disonant; discordant **2** contrar, opus **3** iraţional

absorb [əb'sɔ:b] *vt şi fig* a absorbi; **he was ~ed in thoughts** era adâncit/cufundat în gânduri **2** *tehn* a consuma **3** *tehn* a amortiza **4** *tehn* a aspira

absorbability [əb'sɔ:bə'biliti] *s* **1** absorbţie, absorbire **2** capacitate de absorbţie

absorbable [əb'sɔ:bəbl] *adj* care poate fi absorbit *sau* aspirat

absorbency [əb'sɔ:bənsi] *s* capacitate de absorbţie

absorbent [əb'sɔ:bənt] **I** *adj* absorbant **II** *s* absorbant; agent de absorbţie

absorbing [əb'sɔ:biŋ] *adj* **1** *fiz* absorbant **2** *fig* absorbant, captivant, fascinant

absorption [əb'sɔ:p∫ən] *s* **1** *fiz* absorbţie, absorbire **2** *fig* **(in)** absorbire, captivare (de către)

absorptive [əb'sɔ:ptiv] *adj* absorbant; de absorbţie

abstain [əb'stein] *vi* **(from)** a se abţine, a se reţine (de la); a se înfrâna (de la), a se stăpâni

abstainer [əb'steinər] *s* **1** abstinent (↓ *de la băutură*) **2** abstenţionist

abstemious [æb'sti:miəs] *adj* **1** abstinent, cumpătat *(la mâncare sau băutură)* **2** *(d. mâncare)* frugal, sărăcăcios

abstention [əb'sten∫ən] *s* **(from)** obţinere, reţinere (de la)

abstentious [əb'sten∫əs] *adj* care se abţine; abstinent

absterge [əb'stə:dʒ] *vt* a spăla, a curăţa

abstergent [əb'stə:dʒənt] **I** *adj* **1** detergent, curăţitor **2** *med* purgativ; dezinfectant **II** *s* **1** detergent **2** *med* purgativ; dezinfectant

abstinence ['æbstinəns] *s* **(from)** abţinere (de la); abstinenţă; cumpătare (la)

abstinent ['æbstinənt] *adj* abstinent; cumpătat, moderat

abstract I ['æbstrækt] *adj* **1** *(d. idei, cuvinte, numere etc.)* abstract **2** abstract; dificil; abscons, abstrus; abstracţionist **II** *s* **1** **the ~** abstractul; **in the ~** în abstract; teoretic; virtual **2** *lingv* (cuvânt) abstract; abstracţiune **3** sumar; rezumat; compendiu; conspect **III** [æb'strækt] *vt* **1** a separa, a despărţi; a extrage; **to ~ gold from ore** a separa aurul de minereu, a extrage aurul din minereu **2** a abstrage **3** a abstractiza **4** a rezuma; a face un rezumat din *sau cu gen;* a conspecta **5** a înstrăina, a fura

abstracted [æb'stræktid] *adj* absent, distrat, neatent

abstractedly [æb'stræktidli] *adv* (în mod) neatent, distrat

abstractedness [æb'stræktidnis] *s* **1** separare, despărţire **2** neatenţie

abstracter [æb'stræktər] *s* **1** persoană care face conspecte, extrase, rezumate, compendii *etc.* **2** referent

abstraction [æb'stræk∫ən] *s* **1** abstragere **2** abstracţi(un)e; noţiune abstractă; teorie **3** *arte* compoziţie abstractă **4** sustragere, furt

abstractionism [æb'strækʃənizəm] *s* abstracţionism

abstractionist [æb'strækʃənist] *s* abstracţionist

abstractive [æb'stræktiv] *adj* 1 capabil de a abstractiza; de natură abstractivă 2 format prin abstragere

abstract noun ['æbstrækt ˌnaun] *s gram* substantiv abstract

abstruse [əb'stru:s] *adj* abstrus, confuz, abscons

absurd [əb'sə:d] I *adj* 1 absurd, lipsit de sens/noimă, iraţional, ilogic 2 prostesc; nesăbuit; caraghios, ridicol II *s* the ~ absurdul

absurdist theatre [əb'sə:dist 'θiətəʳ] *s* teatrul absurdului

absurdity [əb'sə:diti] *s* absurditate; prostie, nonsens

absurdly [əb'sə:dli] *adv* 1 (în mod) absurd, iraţional, prosteşte 2 până la ridicol

abulia [ə'bju:liə] *s psih* abulie, lipsă de voinţă

abundance [ə'bʌndəns] *s* 1 abundenţă, prisos, belşug 2 bogăţie

abundant [ə'bʌndənt] *adj* abundent, îmbelşugat

abundant in [ə'bʌndənt in] *adj cu prep* care abundă în/de, bogat în

abundantly [ə'bʌndəntli] *adv* din abundenţă/belşug; cu prisosinţă

abuse I [ə'bju:z] *vt* 1 a abuza de, a face abuz de; a folosi în mod abuziv 2 a abuza de *(cineva);* a ultragia; a maltrata 3 a profera injurii la adresa/pe seama cuiva, a înjura; a vorbi de rău; a insulta, a ofensa II [ə'bju:s] *s* 1 abuz, exces 2 abuz de putere *etc.* 3 folosire abuzivă/greşită 4 ultraj, ultragiu; maltratare 5 invective, insulte, injurii, vorbe de ocară 6 ← *înv* înşelăciune, amăgire

abusive [ə'bju:siv] *adj* 1 abuziv, greşit, întrebuinţat/folosit greşit, eronat; exagerat 2 abuziv, arbitrar, samavolnic; ilegal 3 *(d. limbaj etc.)* injurios, insultător, de ocară 4 care foloseşte un limbaj injurios

abusively [ə'bju:sivli] *adv* 1 (în mod) abuziv, greşit 2 (în mod) abuziv, samavolnic, arbitrar 3 într-un limbaj injurios

abut [ə'bʌt] I *vi* 1 (on, upon) a se mărgini, a se învecina, a se hotărnici (cu) 2 (against) a se sfârşi, a se termina (cu, prin) II *vt* a se sfârşi la; a se mărgini cu

abutment [ə'bʌtmənt] *s* 1 (on, upon) mărginire, învecinare (cu) 2 *tehn* punct de sprijin; zid de sprijin; contrafort; pilă de pod

abuttals [ə'bʌtəlz] *s pl* hotare, margini

abutting [ə'bʌtiŋ] *adj atr* mărginaş, vecin, limitrof

abysm [ə'bizəm] *s poetic* hău, genune, – prăpastie

abysmal [ə'bizməl] *adj şi fig* abisal

abyss [ə'bis] *s* 1 abis, prăpastie, genune 2 adâncime abisală

abyssal [ə'bisəl] *adj* abisal; de necuprins

Abyssinia [ˌæbi'siniə] *ţară* Abisinia, Etiopia

Abyssinian [ˌæbi'siniən] *adj, s* abisinian, etiopian

-ac *suf* -ac: **elegiac** elegiac; **cardiac** cardiac

A.C. *presc de la* 1 Air Corps 2 ante Christum 3 Army Corps

A/C, a/c *presc de la* 1 account 2 account current

acacia [ə'keiʃə] *s* 1 *bot* acacia (veritabilă) *(Acacia sp.)* 2 *bot* salcâm *(Robinia pseudoacacia)* 3 gumă arabică

academic [ˌækə'demik] I *adj* 1 academic; universitar 2 academic; teoretic; savant; pretenţios 3 academic; pedant; scolastic II *s* 1 membru al unui colegiu *sau* al unei universităţi; profesor; cadru de predare 2 *pl* discuţii pur teoretice

academical [ˌækə'demikəl] *adj v.* **academic I, 1**

academicals [ˌækə'demikəlz] *s pl* ţinută academică, haine academice (↓ *la unele colegii)*

academician [ə'kædə'miʃən] *s* academician

academicism [ˌækə'demisizəm] *s* 1 A ~ filosofie academică 2 formalism academic

academy ['əkædəmi] *s* 1 the A~ Academia (lui Platon) 2 academie 3 academie; universitate

acanthus [ə'kænθəs], *pl şi* **acanthi** [ə'kænθai] *s* 1 *bot* acant, talpa ursului *(Acanthus sp.)* 2 *arhit* acant(ă)

Acapulco [ˌaːkaː'puːlkou] *port în Mexic*

acatalectic [æˌkætə'lektik] *adj metr* acatalectic

acc. *presc de la* 1 acceptance 2 accepted 3 accompanied (by) 4 accompaniment 5 according

(to) 6 account; account current 7 accusative

accede [æk'si:d] *vi* 1 (to) a consimţi (să), a fi de acord (cu; să), a subscrie (la) 2 a-şi lua funcţia/serviciul în primire, a fi instalat; **to ~ to the throne** a se urca pe tron; a urma la tron 3 ← *rar* a se apropia

accedence [æk'si:dəns] *s* (to) 1 instalare (în *funcţie);* luare în stăpânire *(cu gen);* urcare *(pe tron);* aderare (la o *organizaţie)* 2 consimţământ, consimţire (la); aprobare *(cu gen)*

accelerando [ækˌselə'rændou] *adv muz* accelerando

accelerate [æk'seləreit] I *vt* a accelera; a grăbi, a iuţi II *vi* a se accelera; a prinde viteză

acceleration [ækˌselə'reiʃən] *s* 1 accelerare; grăbire, iuţire 2 *fiz* acceleraţie

accelerator [ækˌselə'reitəʳ] *s* 1 *tehn* accelerator 2 *av* manetă de gaze 3 *ch* catalizator

accelerometer [ækˌselə'rɔmitəʳ] *s tehn* accelerometru

accent I ['æksənt] *s* 1 *lingv, muz, metr* accent 2 accent, subliniere, scoatere în evidenţă 3 accent, fel particular de a vorbi/a pronunţa 4 trăsătură distinctivă, particularitate 5 *pl* garnitură *(la rochie etc.)* 6 *poetic* slovă, – cuvânt, vorbă; *pl poetic* slove, – vorbire, limbă 7 *metr* ictus, accent ictic II [æk'sent] *vt* 1 *lingv* a accentua 2 a accentua, a sublinia, a scoate în relief/evidenţă

accent mark ['æksənt ˌmaːk] *s lingv, poligr* accent *(semn)*

accentuate [æk'sentjueit] *vt* 1 a accentua *(grafic sau în rostire)* 2 a accentua, a sublinia, a scoate în relief/evidenţă

accentuation [æk'sentju'eiʃən] *s* accentuare *(în diverse sensuri);* subliniere, scoatere în relief/evidenţă

accept [æk'sept] I *vt* 1 a accepta, a primi 2 a accepta, a recunoaşte, a admite, a socoti adevărat 3 a accepta, a lua asupra sa; a-şi asuma răspunderea pentru *(sau cu gen)* 4 *ec etc.* a recepţiona II *vi* a accepta, a primi; a fi de acord

acceptability [əkˌseptə'biliti] *s* caracter acceptabil, posibilitate de acceptare

acceptably [ˌək'septəbli] *adv* (în mod) acceptabil

acceptance [ək'septəns] *s* 1 acceptare; primire 2 aprobare 3 *lingv* accepție, sens, înțeles

acceptancy [ək'septənsi] *s v.* **acceptance**

acceptation [ˌæksep'teiʃən] *s* 1 *lingv* accepție, semnificație, sens 2 ← *înv* acceptare

accepted [ək'septid] *adj* acceptat; convențional

access ['ækses] *s* 1 (to) acces (la); intrare (la; în); **easy** *sau* **difficult of** ~ ușor *sau* greu accesibil 2 *înv sau elev* (of) atac, criză, izbucnire (de)

accessary [ək'sesəri] *adj, s v.* **accessory**

accessibility [ək'sesə'biliti] *s* accesibilitate

accessible [ək'sesəbl] *adj* 1 accesibil; abordabil 2 influențabil

accessible to [æk'sesəbl tə] *adj cu prep* care nu e indiferent la, supus *cu dat*; ~ **bribery** coruptibil, care poate fi mituit

accession [ək'seʃən] *s* 1 avansare, promovare; urcare; ~ **to the throne** urcare pe tron 2 suplimentare, adaos, spor; creștere 3 acces, intrare 4 (to) acord (la, pentru); încuviințare *(cu gen);* aprobare *(cu gen)*

accessary [ək'sesəri] **I** *adj* accesoriu, secundar, auxiliar, adițional **II** *s* 1 accesoriu; piesă adițională/auxiliară; adaos 2 *pl* mijloace auxiliare; accesorii 3 *jur* complice

accidence ['æksidəns] *s* 1 *gram* morfologie 2 elemente (de bază), rudimente

accident ['æksidənt] *s* 1 accident; întâmplare; **by** ~ din întâmplare, întâmplător, accidental, incidental 2 accident, întâmplare nenorocită; nenorocire 3 accident de teren; denivelare

accidental [ˌæksi'dentəl] **I** *adj* accidental, întâmplător, incidental; fortuit **II** *s muz* accident

accidentally [ˌæksi'dentəli] *adv* din întâmplare, întâmplător, accidental, incidental

accident insurance ['æksidənt in'ʃuərəns] *s* asigurare împotriva accidentelor

accident-prone ['æksidəntproun] *adj* predispus la accidente

acclaim [ə'kleim] **I** *vt* 1 a aclama; a întâmpina cu urale; a aplauda 2 *fig* a saluta; a saluta numirea *(cuiva într-o funcție);* **they** ~**ed him their leader** l-au salutat ca șef al lor **II** *vi* a aclama; a aplauda **III** *s v.* **acclamation 1**

acclamation [ˌæklə'meiʃən] *s* 1 aprobare zgomotoasă/cu urale 2 *pl* ovații, aclamații, urale

acclamatory [ə'klæmətəri] *adj* aprobator; de aprobare

acclimate [ə'klaimit] **I** *vt* (to) a aclimatiza, a adapta (la) **II** *vr, vi* (to) a se aclimatiza, a se adapta (la); a se împăca (cu)

acclimation [ˌæklai'meiʃən] *s* (to) aclimatizare, adaptare (la)

acclimatization [əˌklaimətai'zeiʃən] *s v.* **acclimation**

acclimatize [ə'klaimətaiz] *vt, vr, vi v.* **acclimate**

acclivity [ə'kliviti] *s* 1 pantă, povârniș 2 rampă 3 *fig* dificultate, piedică

acclivous [ə'klaivəs] *adj* în pantă, abrupt, povârnit

accolade ['ækəleid] *s* 1 *od* acoladă 2 răsplată, premiu, distincție 3 *muz* acoladă

accommodate [ə'kɔmədeit] **I** *vt* 1 (to) a acomoda, a potrivi, a ajusta (la) 2 a găzdui; a adăposti; a avea grijă de; *mil* a încartirui 3 a cuprinde, a avea loc pentru; **the car** ~**s four people** în mașină încap patru persoane 4 (with) a ajuta (cu); **he** ~**d me with money** m-a ajutat bănește/cu bani **II** *vr, vi* (to) a se acomoda (cu, la), a se adapta (la); a se ajusta (la)

accommodating [ə'kɔmədeitiŋ] *adj* 1 îndatoritor, curtenitor, prevenitor; grijuliu 2 *(d. condiții etc.)* acceptabil

accommodation [əˌkɔmə'deiʃən] *s* 1 (to) acomodare (la); potrivire, ajustare (la) 2 aplanare *(a unui diferend)* 3 ajutor, înlesnire 4 *pl* locuință; casă și masă 5 *fin* împrumut 6 *loc (în tren, la hotel)*

accommodation train [əˌkɔmə'deiʃən trein] *s amer* tren care oprește la toate stațiile; tren personal

accompaniment [ə'kʌmpənimənt] *s* 1 *muz* acompaniament; ison; hang 2 *fig* însoțitor; pereche; accesoriu

accompanist [ə'kʌmpənist] *s muz* acompaniator

accompany [ə'kʌmpəni] **I** *vt* 1 *muz* a acompania 2 *fig* a acompania; a însoți, a întovărăși; a conduce 3 *fig* a însoți, a avea loc odată cu **II** *vi muz* a acompania

accompanying [ə'kʌmpəniiŋ] *adj* însoțitor, întovărășitor

accomplice [ə'kɔmplis] *s* complice

accomplish [ə'kɔmpliʃ] *vt* 1 a face, a efectua, a realiza; a săvârși 2 a desăvârși; a duce la capăt/bun sfârșit

accomplished [ə'kɔmpliʃt] *adj* 1 sfârșit, terminat 2 desăvârșit 3 expert 4 educat, cult(ivat)

accomplishment [ə'kɔmpliʃmənt] *s* 1 facere, săvârșire, efectuare, realizare 2 desăvârșire; ducere la bun sfârșit; **he is known for his** ~ **in educating the younger generation** e cunoscut pentru felul în care izbutește să educe tânăra generație 3 *pl* talent(e), înzestrări; pregătire artistică; rafinament 4 *tehn* randament

accord [ə'kɔ:d] **I** *vt* 1 (with) a pune de acord (cu); a face să concorde (cu) 2 ← *elev* a acorda, a da *(permisiunea etc.)* **II** *vi* (with) a concorda (cu) **III** *s* 1 acord, unanimitate, armonie; înțelegere; **with one** ~ unanim, în unanimitate; într-un glas 2 acord, asentiment, aprobare, consimțământ; **of one's own** ~ de bună voie, nesilit (de nimeni) 3 acord, concordanță cu; **in** ~ **with** în concordanță cu

accordance [ə'kɔ:dəns] *s* concordanță, conformitate; **in** ~ **with** în conformitate/concordanță cu; potrivit cu *sau cu dat*

accordant [ə'kɔ:dənt] *adj* concordant; ~ **with** care concordă cu; în concordanță cu

according [ə'kɔ:diŋ] *adj* conform, potrivit

according as [ə'kɔ:diŋ æz] *conj* 1 în măsura în care 2 după cum 3 în funcție de; dacă

accordingly [ə'kɔ:diŋli] *adv* în consecință, prin urmare; drept care; de aceea

according to [ə'kɔ:diŋ tə] *prep* după; potrivit *cu dat;* ținând seama de; în funcție de

accordion [əˈkɔːdiən] *s muz* acordeon

accordionist [əˈkɔːdiənist] *s muz* acordeonist

accost [əˈkɔst] *vt* a acosta *(pe cineva);* a aborda

accouchement [əˈkuːʃmɑːŋ] *s fr* naștere

accoucheur [ˌækuːˈʃəːʳ] *s fr* ginecolog, mamoș, obstetrician

accoucheuse [ˌækuːˈʃəːz] *s fr* ginecologă, mamoșă, obstetriciană, moașă

account [əˈkaunt] **I** *s* **1** relatare; raport; dare de seamă; istorisire, povestire; descriere; prezentare; **by/from all ~s** după cum se știe *sau* se spune; după părerea generală; **by one's own ~** după propria sa relatare, după spusele sale (proprii) **2** socoteală; explicație; **to call/to bring smb to ~** a trage pe cineva la răspundere, a cere cuiva socoteală; **to give an ~ of one's absence** a explica motivul pentru care a lipsit; **to give a good ~ of oneself** a se achita (în mod) onorabil (de o sarcină *etc.*), a face față onorabil **3** *ec* cont; **on smb's ~ a** *ec* în contul cuiva **b** pe socoteala cuiva; **to open an ~ with** a deschide un cont la *(bancă etc.);* **to settle/to square ~s with smb a** a se achita, a-și plăti datoriile față de cineva **b** *fig* a se răfui cu cineva **4** *ec* factură; notă de plată **5** folos, profit, beneficiu; **to turn/to put smth to (good) ~** a folosi ceva cu profit; a realiza un câștig de pe urma a ceva; a folosi ceva în propriul său interes; **to lay one's ~ for/on/with smth** a conta *sau* a miza pe ceva **6** valoare, preț; importanță, însemnătate; **of small ~** de mică valoare *sau* importanță; fără valoare *sau* importanță; **to take smth into ~, to take ~ of smth** a ține cont/seama de ceva, a lua ceva în considerare; **to leave smth out of ~, to take no ~ of smth** a nu ține cont/seama de ceva, a nu lua ceva în considerare **7** motiv, cauză, pricină; **on ~ of** din cauza/pricina *(cu gen)*, datorită *(cu dat);* ținând seama de; având în vedere *(cu ac);* **on no ~, not on any ~** în nici un caz;

cu nici un chip; sub nici o formă; în ruptul capului; **on this/that ~** din această cauză/pricină, pentru acest motiv; **on what ~?** de ce? din ce cauză? **II** *vt (cu adj)* a considera, a socoti; a declara *(vinovat etc.)* **III** *vr (cu adj)* a se considera, a se socoti *(fericit etc.)*

accountability [əˌkauntəˈbiliti] *s* **1** responsabilitate, răspundere **2** *ec* caracter decontabil, decontabilitate

accountable [əˈkauntəbəl] *adj* **1** explicabil **2** (**for**) răspunzător (de/pentru); **to be ~ for one's actions** a răspunde de faptele sale

accountably [əˈkauntəbli] *adv* (în mod) explicabil

accountancy [əˈkauntənsi] *s* profesia de contabil, contabilitate

accountant [əˈkauntənt] *s* **1** contabil **2** funcționar la contabilitate **3** *jur* reclamat, pârât

accountant-general [əˈkauntənt ˌdʒenərəl] *s* contabil-șef

accountantship [əˈkauntəntʃip] *s* **1** contabilitate **2** *v.* **accountancy**

account book [əˈkaunt ˈbuk] *s fin* registru contabil

account current [əˈkaunt ˈkʌrənt] *s fin* cont curent

account for [əˈkaunt fəʳ] *vi cu prep* **1** a explica, a lămuri, a motiva, a justifica *cu ac;* **how do you ~ it?** cum îți explici asta? **2** a da socoteală/seama de *(cheltuieli etc.);* a răspunde pentru *(o eroare etc.)* a se răfui cu; a face de petrecanie *cuiva*

accounting [əˈkauntiŋ] *s* **1** contabilitate; ținerea registrelor (contabile) **2** ← *rar* explicație; **there is no ~ for tastes** gusturile nu se discută

accouter, accoutre [əˈkuːtəʳ] *vt ↓ mil* a echipa, a îmbrăca

accoutrement [əˈkuːtrəmənt] *s* **1** ↓ *mil* echipare, îmbrăcare **2** ↓ *pl mil* echipament (↓ *de piele)*

Accra [əˈkrɑː] *capitala Ghanei*

accredit [əˈkredit] *vt* **1** *pol* a acredita, a împuternici **2** a acredita, a face demn de crezare

accredited with [əˈkreditid wið] *adj cu prep* socotit/privit ca răspunzător pentru *(ceea ce a spus etc.)*

accrete [əˈkriːt] **I** *vi* a concrește, a crește împreună **II** *vt* a crește împreună cu

accretion [əˈkriːʃən] *s* **1** concreștere **2** depozitare **3** creștere, adaos, spor **4** acumulare **5** *hidr* rambleu natural

accrue [əˈkruː] **I** *vi* ← *elev* a spori, a crește, a se mări **II** *vt ec* a marca/a înregistra o sporire *(cu gen)*

acct. *presc de la* **account**

accumulate [əˈkjuːmjuleit] **I** *vt* a acumula, a strânge, a aduna **II** *vi* a se acumula, a se strânge, a spori, a se aduna

accumulation [əˌkjuːmjuˈleiʃən] *s* **1** acumulare, strângere **2** cantitate (mare), volum (de lucru *etc.*)

accumulative [əˈkjuːmjulətiv] *adj* **1** strângător, adunător **2** cumulativ **3** lacom; strângător; zgârcit, avar

accumulator [əˌkjuːmjuˈleitəʳ] *s* **1** *tehn* acumulator; *cib* sumator **2** colecționar **3** acaparator; zgârcit, avar

accuracy [ˈækjurəsi] *s* acuratețe, precizie, exactitate; acribie

accurate [ˈækjurit] *adj* exact, precis, corect; acurat, îngrijit

accurately [ˈækjuritli] *adv* cu acuratețe/precizie/exactitate; îngrijit

accursed [əˈkəːst] *adj* **1** (care a fost) blestemat **2** *fig* blestemat, afurisit, al naibii; ticălos, mizerabil

accursedly [əˈkəːstli] *adv* al naibii (de)

accurst [əˈkəːst] *adj v.* **accursed**

accusation [ˌækjuˈzeiʃən] *s* **1** acuzare, învinuire **2** acuzație, învinuire; vină

accusative [əˈkjuːzətiv] *gram* **I** *adj* acuzativ **II** *s* (cazul) acuzativ

accusatorial [əˌkjuːzəˈtɔːriəl] *adj jur* incriminator, de acuzare

accusatory [əˈkjuːzətəri] *adj* **1** acuzator, învinovățitor **2** *jur v.* **accusatorial**

accuse [əˈkjuːz] **I** *vt* (**of**) a acuza, a învinui (de) **II** *vi* a acuza, a învinovăți

accused, the [əˈkjuːzd, ði] *s* **1** acuzatul, pârâtul **2** acuzații, pârâții

accuser [əˈkjuːzəʳ] *s jur* acuzator, pârâș

accusing [əˈkjuːziŋ] *adj* care acuză/învinovățește, acuzator; plin de reproș

accusingly [əˈkjuːziŋli] *adv* acuzator; pe un ton de reproș

accustomed [ə'kʌstəmd] *adj* obiș-nuit, uzual

accustomed to [ə'kʌstəmd tə] I *adj cu prep* obișnuit/deprins cu II *adj cu inf* obișnuit/deprins să

accustom to [ə'kʌstəm tə] I *vt cu prep* a obișnui/a deprinde cu II *vr cu prep* **to accustom one-self to** a se obișnui/a se de-prinde cu

ace [eis] I *s* 1 as *(la cărți)* 2 unu *(la zaruri sau domino)* 3 serviciu imparabil *(la tenis)* 4 *av, sport* as 5 as, campion; expert 6 fărâmă, părticică; **within an ~ of** la un pas de; cât pe ce să, mai-mai să II *adj* de prim rang, de prima calitate

acerb [ə'sə:b] *adj* 1 astringent, acru 2 *fig* aspru, tăios, caustic

acerbity [ə'sə:biti] *s* 1 asprime, caracter tăios *(al felului de a vorbi etc.)* 2 gust acru, acrime, acreală

acetaldehyde [,æsi'tældihaid] *s ch* acetaldehidă

acetate ['æsitit] *s ch* acetat

acetic [ə'si:tik] *adj ch* acetic

acetic acid [ə'si:tik 'æsid] *s ch* acid acetic

acetify [ə'setifai] *ch* I *vt* a oxida II *vi* a se oxida

acetone ['æsitoun] *s ch* acetonă

acetylene [ə'setili:n] *s ch* acetilenă

Achaean [ə'ki:ən] *s, adj ist* aheu

ache [eik] I *s* durere *(continuă, surdă)* II *vi* 1 a-l durea, a avea dureri de; **my head ~s** mă doare capul; **I ~ all over** mă doare peste tot 2 **(for, with)** a-i fi dor (de), a tânji *(după)*; **she was aching to go** o chinuia dorința de a pleca

achene [ə'ki:n] *s bot* achenă

Acheron ['ækərɔn] *mit* Aheron

achievable [ə'tʃi:vəbəl] *adj* realizabil

achieve [ə'tʃi:v] *vt* 1 a realiza, a efectua, a face, a înfăptui; a duce la bun sfârșit 2 a atinge *(un scop);* a dobândi *(un succes)*

achievement [ə'tʃi:vmənt] *s* 1 reali-zare, efectuare, îndeplinire 2 realizare; creație; lucru realizat

Achilles [ə'kili:z] *mit* A(c)hile

Achilles' heel [ə'kili:z ,hi:l] *s* călcâiul lui A(c)hile, punct slab/ vulnerabil

Achilles' tendon [ə'kili:z ,tendən] *s anat* tendonul lui A(c)hile

achromatic [,ækrə'mætik] *adj fiz* acromatic

acicular [ə'sikjulə'] *adj bot* acicular

acid ['æsid] I *adj* 1 acid, acru 2 *fig* mușcător, tăios, aspru, caustic; acru; **~ looks** mină acră; **~ remark** remarcă tăioasă/ustu-rătoare *sau* amară II *s ch* acid

acid-fast ['æsidfɑ:st] *adj ch (d. culori)* acido-rezistent

acidic [æ'sidik] *adj ch* acid; de acid

acidify [ə'sidifai] *vt ch* a acidula; a oxida

acidity [ə'siditi] *s* aciditate

acid-proof ['æsidpru:f] *adj* aci-do-rezistent, anti-acid

acid test ['æsid ,test] *s* 1 *ch* încer-care cu acid 2 *fig* încercare grea, ordalie, proba focului

acid value ['æsid ,vælju:] *s ch* indice de aciditate

-acious *suf* -ace, -acios: **tenacious** tenace; **fallacious** falacios

-acity *suf* -acitate: **tenacity** tena-citate

ack-ack ['æk'æk] *s* ← *F rar* tun antiaerian

ackemma [æk'emə] *F presc de la* **ante meridiem**

acknowledge [ək'nɔlidʒ] *vt* 1 a re-cunoaște, a admite, a socoti ade-vărat 2 a recunoaște, a accepta; a aproba 3 a recunoaște, a mărturisi 4 a confirma *(primirea etc.);* a adeveri, a certifica 5 a fi recunoscător pentru, a mulțumi pentru; a aduce mulțumiri pentru 6 a răspunde la *(salut, zâmbet etc.)*, a recunoaște *(pe cineva)* prin zâmbet, salut *etc.*

acknowledged [ək'nɔlidʒd] *adj* recunoscut, bine cunoscut

acknowledg(e)ment [ək'nɔlidʒ-mənt] *s* 1 recunoaștere, luare în considerare; **in ~ of his activity** ca/drept recunoaștere a activi-tății sale 2 recunoaștere, mărtu-risire 3 recunoaștere, acceptare; aprobare 4 confirmare; adeve-rire, certificare 5 recunoștință; mulțumiri 6 răspuns *(la salut, la un gest frumos etc.)*

acme ['ækmi] *s* 1 *fig* culme, vârf, apogeu, punct culminant 2 *med* punct critic; criză; paroxism

acne ['ækni] *s med* acnee

acock [ə'kɔk] *adj, adv* 1 *(d. șapcă etc.)* pe o ureche, strengărește 2 ca să atragă atenția, provocator

acolyte ['ækəlait] *s* 1 *bis* acolit 2 *fig* acolit; ajutor; slujitor; părtaș; complice 3 *astr* satelit

aconite ['ækənait] *s bot* aconit, omeag *(Aconitum, ↓ A. napellus)*

acorn ['eikɔ:n] *s bot* ghindă

acotyledon [ə,kɔti'li:dən] *s bot* acotiledonată

acoustic(al) [ə'ku:stik(əl)] *adj* acustic

acoustician [,æku:'stiʃən] *s* 1 acustician, specialist în acustică 2 persoană care se ocupă de întreținerea aparaturii acustice

acoustics [ə'ku:stiks] *s pl* 1 *ca sg fiz* acustică 2 *ca pl* acustică *(a unei săli etc.)*

acquaintance [ə'kweintəns] *s* 1 **(with)** cunoaștere *(cu gen)*, cunoștințe, informații (despre); familiarizare (cu); **he has some ~ with music** are oarecare cunoștințe de muzică, e întru-câtva familiarizat cu muzica 2 cunoștință, faptul de a cunoaș-te pe cineva; **on our closer ~** când ne vom cunoaște mai bine; **to make smb's ~, to make the ~ of smb** a face cu-noștință cu cineva 3 cunoscut, cunoștință

acquaintanceship [ə'kweintənsʃip] *s* 1 **(with)** faptul de a cunoaște *(cu ac)*, cunoaștere *(cu gen)* 2 **(among, with)** cunoștințe, cu-noscuți (printre)

acquainted [ə'kweintid] *adj pl* cu-noscuți, care se cunosc (între ei)

acquainted with [ə'kweintid wið] *adj cu prep* 1 care a luat cunoștință de, familiarizat cu, la curent cu 2 care a făcut cunoștință cu; care cunoaște *pe cineva*

acquaint with [ə'kweint wið] I *vt cu prep* a familiariza cu, a introduce în, a informa despre; a comunica *cu ac* II *vr cu prep* **to acquaint oneself with** a se familiariza cu, a se pune la curent cu, a se introduce în; a cunoaște *cu ac*

acquiesce [,ækwi'es] *vi* **(in)** a consimți, a accepta *(→ tacit, fără entuziasm) cu ac;* a fi (până la urmă) de acord (cu)

acquiescence [,ækwi'esəns] *s* accep-tare, consimțire *(↓ tacită, silită)*

acquiescent [,ækwi'esənt] *adj* care acceptă/consimte fără să dis-cute; care nu protestează, su-pus, docil

acquiescently [ˌækwi'esəntli] *adv* supus, fără să se împotrivească

acquirable [ə'kwaiərəbəl] *adj* care se poate obţine/dobândi

acquire [ə'kwaiə^r] *vt* 1 a căpăta, a dobândi; a-şi însuşi *(cunoştinţe etc.);* a-şi forma *(gustul etc.)* 2 a câştiga *(faimă etc.)*

acquired [ə'kwaiəd] *adj* căpătat, dobândit, obţinut *(prin muncă, îndemânare etc.);* însuşit, câştigat

acquirement [ə'kwaiəmənt] *s* 1 dobândire, căpătare; însuşire *(a cunoştinţelor etc.)* 2 *pl* deprinderi; cunoştinţe dobândite/căpătate

acquisition [ˌækwi'ziʃən] *s* 1 *v.* **acquirement** 1 2 *şi fig* achiziţie

acquisitive [ə'kwizitiv] *adj* 1 strângător; acaparator; lacom 2 receptiv 3 studios; asiduu

acquisitiveness [ə'kwizitivnis] *s* 1 spirit de acaparare; lăcomie 2 receptivitate 3 caracter studios; dorinţă de a învăţa, de a şti *etc.*

acquit [ə'kwit] I *vt* 1 ← *înv* a achita, a plăti *(o datorie etc.)* 2 *jur* a achita *(pe cineva)* 3 *fig* **(from, of)** a scuti (de); a elibera (de) II *vr* 1 **(of)** a se achita (de); a scăpa (de); **he ~ted himself of his duty** şi-a îndeplinit datoria *sau* sarcina 2 a se achita, a se comporta *(bine, rău etc.)*

acquittal [ə'kwitəl] *s jur* achitare

acre ['eikə^r] *s* 1 acru, *aprox* pogon *(= 4047 m²)* 2 *pl* pământuri, moşie

acreage ['eikəridʒ] *s* suprafaţă măsurată în acri

acred ['eikəd] *adj* 1 cu pământ; având pământ 2 întins, mare, de/cu multe pogoane

acrid ['ækrid] *adj* 1 înţepător, usturător *(la gust);* neplăcut, supărător 2 *fig* tăios, caustic, muşcător, sarcastic

acrimonious [ˌækri'mouniəs] *adj* 1 acrimonios, acru; caustic, muşcător, aspru 2 *înv v.* **acrid**

acrimony ['ækriməni] *s* acrimonie; causticitate, sarcasm

acrobat ['ækrəbæt] *s* 1 acrobat; echlibrist 2 *fig* echilibrist

acrobatic [ˌækrə'bætik] *adj* acrobatic, de acrobat

acrobatics [ˌækrə'bætiks] *s pl* 1 *ca sg* acrobaţie, arta acrobatului 2 acrobaţii

acronym ['ækrənim] *s* acronim

acropolis [ə'krɔpəlis], *pl şi* **acropoles** [ə'krɔpəli:z] 1 *od* acropolă, citadelă, fortăreaţă 2 **the A~** *ist* Acropole

across [ə'krɔs] I *adv* 1 de-a curmezişul, în curmeziş, transversal; de la o margine la cealaltă; **the river is ten feet ~** râul are o lăţime de zece picioare/e lat de zece picioare 2 pe partea cealaltă; pe ţărmul opus; dincolo; **he couldn't jump ~** nu reuşea să sară pe partea cealaltă 3 cruciş, în cruce; **with legs ~** picior peste picior; **with arms ~** cu braţele încrucişate 4 *(la cuvinte încrucişate)* orizontal II *prep* 1 peste; deasupra *cu gen;* de la o margine la alta *cu gen;* **a bridge ~ the river** un pod peste un râu 2 peste, dincolo de; pe *sau* de cealaltă parte a străzii; peste drum 3 de-a curmezişul *cu gen;* peste; de-a lungul şi de-a latul *cu gen;* **~ country** drept, direct, în linie dreaptă, fără ocol(uri); **she sat with her arms ~ her breast** şedea cu braţele încrucişate pe piept 4 *(cu diferite verbe)* peste; de; **to come ~ smb** a da de/peste cineva, a întâlni întâmplător pe cineva

acrostic [ə'krɔstik] *s* acrostih

acroter [ə'kroutə^r], *pl şi* **acroteria** [ˌækrou'teriə] *s arhit* acroter(iu)

act [ækt] I *s* 1 act, fapt, faptă; acţiune; manifestare; pas; **~ of grace** gest de curtoazie/amabilitate; **to catch smb in the (very) ~** a prinde pe cineva asupra faptului 2 curs, desfăşurare, proces; **in the ~ of reading** în cursul lecturii 3 act, document; hotărâre; *şi* **A~** lege 4 act *(al unei piese);* număr *(într-un spectacol ↓ de circ);* **to put on an ~** *F* a face pe nebunul, – a se preface; *F* a se maimuţări, a se fandosi II *vt* 1 a interpreta; a interpreta/a juca rolul *(cu gen);* a interpreta/a juca rolul de *(bufon etc.);* **to ~ a part** a juca/a interpreta un rol; **to ~ Lear** a juca/a interpreta rolul lui Lear 2 *fig* a juca rolul de, a face pe; **to ~ the fool** a face pe prostul, a se purta prosteşte III *vi* 1 a juca; a interpreta un rol 2 *fig* a juca teatru, a se preface 3 *(d. piese)* a avea

calităţi dramatice *sau* scenice; a fi reprezentabil 4 a funcţiona, a merge; **the pump did not ~ well** pompa nu funcţiona cum trebuie 5 a acţiona; a trece la acţiune; **the police refused to ~** poliţia a refuzat să acţioneze 6 a se comporta, a se purta; a proceda 7 **(on, upon)** *med* a avea efect *(asupra – cu gen)*

actability [ˌæktə'biliti] *s (d. piese, roluri)* calitatea de a putea fi jucat *sau* reprezentat

actable ['æktəbəl] *adj* care se poate juca *(pe scenă),* reprezentabil

Actaeon [æk'ti:ən] *mit* Acteon

act as ['ækt æz] *vi cu prep* a servi ca/de/drept; a îndeplini funcţia de; a fi; **he ~ed as a go-between** a servit ca mijlocitor, a făcut pe mijlocitorul; **the pill ~ed as a stimulent** hapul servea drept stimulent

act for ['ækt fə^r] *vi cu prep* 1 a reprezenta *cu ac;* a acţiona în numele *cu gen* 2 a servi drept/de/ca

acting ['æktiŋ] I *adj atr* 1 activ; operativ; eficace 2 înlocuitor, interimar; suplinitor; temporar, provizoriu 3 *teatru* scenic; pentru scenă; dramatic II *s* 1 *teatru, cin etc.* joc, interpretare; reprezentare; artă dramatică 2 *fig* joc; mască; prefăcătorie

actinia [æk'tiniə], *pl şi* **actiniae** [æk'tini:] *s zool* actinie *(Actiniaria)*

actinic [æk'tinik] *s fiz, chim* actinic

actinism ['æktinizəm] *s fiz* actinism, fotosensibilitate

actinotherapy [ˌæktinou'θerəpi] *s med* actinoterapie

actinouranium [ˌæktinouˌjuə'reiniəm] *s ch* actinouraniu

action ['ækʃən] *s* 1 acţiune, faptă; manifestare; pas 2 măsură; măsuri; **to take prompt ~** a lua măsuri urgente, a lua imediat/de urgenţă măsuri 3 *pl* fapte; purtare, comportare 4 comportare *(a unei maşini etc.),* comportament, funcţionare 5 acţiune, influenţă, înrâurire; eficacitate 6 acţiune; efect, rezultat 7 activitate, funcţionare; proces; **out of ~** care nu mai funcţionează; scos din funcţiune; stricat; **to put/to set in ~** a pune în funcţiune 8 acţiune, subiect, fir narativ (principal) *(într-o lucrare literară)* **9** ↓ *sg tehn* părțile mobile ale unei mașini *sau* ale unui instrument **10** *mil* acțiune; ciocnire; luptă, bătălie **11** *gram* acțiune **12** *jur* acțiune; proces; punere sub acuzare; **to bring/to enter/to lay an ~ against smb** a intenta proces cuiva **13 the ~** *sl* activitatea cea mai intensă sau distracția cea mai mare dintr-un oraș, câmp de activitate etc.

actionable ['ækʃənəbəl] *adj jur* pasibil de acțiune judiciară

action painting ['ækʃən ,peintiŋ] *s* artă pictură-acțiune, pictură gestuală, gestualism

Actium ['æktiəm] *cap* în Grecia antică

activate ['æktiveit] *vt* **1** *ch* a activa **2** a face radioactiv **3** *mil* a forma și a completa; a crea; a organiza **4** a activiza, a dinamiza

activation [,ækti'veiʃən] *s* activ(iz)are; dinamizare

activator ['æktiveitəʳ] *s ch* activator, activant

active ['æktiv] **I** *adj* **1** activ; harnic, energic; vioi; eficient; plin de viață; neobosit **2** *(d. vulcani etc.)* activ, în activitate **3** *(d. legi etc.)* în vigoare **4** *ch* activ, care intră ușor în reacție **5** *med etc.* activ, eficace **6** *ec* activ; productiv **7** *gram* activ; tranzitiv **8** *mil* activ; **on ~ duty/list** în serviciul militar activ **9** radioactiv **II** *s* the ~ *gram* diateza activă

actively ['æktivli] *adv* (în mod) activ *etc. v.* **active I**

activeness ['æktivnis] *s* caracter activ, dinamism; zel

active service ['æktiv 'səːvis] *s mil* **1** serviciu militar activ **2** serviciu militar pe front; stagiu de front

active sun ['æktiv 'sʌn] *s astr* soare activ

active voice ['æktiv 'vɔis] *s gram* diateza activă

activist ['æktivist] *s* **1** *pol* activist **2** persoană activă/energică **3** partizan/adept al măsurilor energice **4** muncitor care a determinat creșterea productivității muncii

activity [æk'tiviti] *s* **1** activitate; mișcare; funcționare **2** activitate, energie, dinamism, vioiciune **3**

acțiune, influență **4** *pl* activități; îndeletniciri, preocupări

activize ['æktivaiz] *vt* a activ(iz)a, a dinamiza

act of God ['ækt əv 'gɔd] *s jur* **1** forță majoră **2** calamitate naturală

act on ['ækt ɔn] *vi cu prep* **1** a acționa asupra, a avea efect asupra *cu gen*, a influența *cu ac* **2** a proceda în conformitate cu; a ține seama de; a asculta de; a da ascultare *sau* urmare *cu dat*

actor ['æktəʳ] *s* **1** actor; interpret **2** făcător; realizator; participant (↓ activ)

act out ['ækt 'aut] *vt cu part adv* a exprima prin gesturi, comportare *etc.* mai curând decât prin cuvinte

actress ['æktris] *s* actriță; interpretă

Acts (of the Apostles), the ['ækts (əv ði ə'posəlz), ði] *s pl ca sg bibl* Faptele apostolilor

actual ['æktjuəl] *adj* **1** real, adevărat **2** *tehn, ec* efectiv **3** actual, prezent

actuality [,æktju'æliti] *s* **1** realitate; existență; stare (reală) de lucruri **2** *pl* realități, fapte (reale) **3** ↓ *arte* veridicitate; realism

actually ['æktjuəli] *adv* **1** într-adevăr, în realitate **2** de fapt; oricât ar părea de ciudat; în ciuda așteptărilor; totuși, cu toate acestea **3** în momentul de față, în prezent, actualmente

actuary ['æktjuəri] *s* **1** actuar, statistician al unei societăți de asigurări **2** *jur* grefier

actuate ['æktjueit] *vt* **1** a pune în mișcare; a activ(iz)a, a impulsiona, a dinamiza; a stimula, a stârni; a împinge; a determina, a hotărî **2** *tehn* a acționa

act up ['ækt 'ʌp] *vi cu part adv F* a-și face de cap, a merge aiurea *etc.*, – a funcționa prost

act upon ['ækt ə'pon] *vi cu prep v.* **act on**

act up to ['ækt 'ʌp tə] *vi cu part adv și prep* a proceda în conformitate cu *principiile sale*, a nu-și dezminți *principiile etc.*

acuity [ə'kjuiti] *s* acuitate, agerime, ascuțime *(a vederii etc.)*

acumen [ə'kju:mən] *s* pătrundere, discernământ, perspicacitate

acuminate I [ə'kju:minit] *adj bot* acuminat, ascuțit **II** [ə'kju:mineit] *vt* a ascuți

acupuncture ['ækju,pʌŋktʃəʳ] *s med* acupunctură

acute [ə'kju:t] **I** *adj* **1** *(d. minte sau simțuri)* ascuțit, ager, pătrunzător **2** *(d. durere)* acut; ascuțit; puternic **3** *(d. lipsă etc.)* acut, pronunțat **4** *(d. boli)* acut; de scurtă durată **5** *(d. sunete)* acut, ascuțit **6** *(d. unghi, accent etc.)* ascuțit **7** *(d. probleme)* acut, arzător, la ordinea zilei **II** *s lingv* accent ascuțit

acute accent [ə'kju:t 'æksənt] *s lingv* accent ascuțit

acute angle [ə'kju:t 'æŋgl] *s geom* unghi ascuțit

acutely [ə'kju:tli] *adv* (în mod) acut, cu acuitate; urgent

acuteness [ə'kju:tnis] *s v.* **acuity**

-acy *suf* -ație, -acie, -at *etc.*: **democracy** democrație; **pharmacy** farmacie; **celibacy** celibat

acyclic [ə'saiklik] *adj ch* aciclic

ad *presc de la* **advertisement**

ad- *pref* ad-, a- *etc.*: **to admit** a admite; **advance** avansare, înaintare

ad. *presc de la* **adverb**

A.D. *presc de la* **anno Domini** e.n., al erei noastre

Ada ['eidə] *nume fem*

adage ['ædidʒ] *s* adagiu; zicală; proverb

adagio [ə'da:dʒiou] *s, adj, adv muz* adagio

Adam ['ædəm] *nume masc; bibl* Adam; **not to know smb from ~ F** a nu avea habar cum arată cineva, – a nu cunoaște pe cineva

adamant ['ædəmənt] **I** *s* **1** adamant; diamant **2** *fig* granit, stâncă; piedică de netrecut **3** ← *înv* magnet **II** *adj* **1** (ca) de fier, foarte tare **2** *fig* ferm, (de) neclintit, hotărât

adamantine ['ædə'mæntain] *adj* **1** de adamant; adamantin **2** *v.* **adamant II**

Adamic [ə'dæmik] *adj* adamic

Adam's ale ['ædəmz 'eil] *s* ← *înv F* apă chioară; poșircă; – apă

Adam's apple ['ædəmz ,æpl] *s anat* mărul lui Adam

adapt [ə'dæpt] **I** *vt* **1** (**to; for**) a adapta (la; pentru); a ajusta, a potrivi (la) **2** *(d. o piesă etc.)* a adapta; **~ed from the French** adaptare din (limba) franceză **II** *vr* (**to**) a se adapta (la) **III** *vi* (**to**) a se adapta; a se ajusta (la)

adaptability [ə,dæptə'biliti] *s* (**to**) adaptabilitate (la)

adaptable [ə'dæptəbəl] *adj* (**to**) adaptabil, care se adaptează (ușor) (la)

adaptation [,ædæp'teiʃən] *s* 1 (**to; for**) adaptare (la; pentru); potrivire, ajustare (la) 2 adaptare; prelucrare; *muz* aranjament muzical

adaptator [,ædəp'teitə'] *s cin* adaptator

adapted [ə'dæptid] *adj* 1 adaptat; prelucrat; simplificat 2 potrivit, nimerit 3 adaptat, ajustat

adapter, adaptor [ə'dæptə'] *s* 1 adaptator 2 *tehn* (manșon de) reducție

A-day ['ei'dei] *s mil* ziua declanșării atacului; ziua declanșării atacului nuclear

adays [ə'deiz] *adv* ← *înv* ziua, în timpul zilei

ADC *presc de la* **aide-de-champ**

add [æd] **I** *vt* 1 (**to**) a adăuga (la); a mai pune; ~ **to this the fact that** adaugă la (toate) acestea și faptul că; **she ~ed some wood to the fire** mai puse câteva lemne pe foc 2 (**to**) a aduna (cu); ~ **five to seven** adună cinci cu șapte 3 a adăuga, a mai spune: **"All right," he ~ed** − Foarte bine, adăugă el 4 *ch* a adiționa **II** *vi* a aduna, a face o adunare

addend ['ædənd] *s* 1 *mat* termen al adunării 2 *ch* adend

addendum [ə'dendəm], *pl* **addenda** [ə'dendə] *s lat* 1 addenda, adaos (la o lucrare) 2 anexă 3 *ch* adend 4 *ec* completare, act adițional

adder ['ædə'] *s* 1 *zool* viperă, năpârcă *(Vipera berus)* 2 *tehn* sumator

adder's tongue ['ædəz tʌŋ] *s bot* limba șarpelui *(Ophioglossum sp.)*

addict ['ædikt] *s* vicios; **opium ~** opioman, consumator de opiu; **alcohol ~** alcoolic, dipsoman

addicted to ['ədiktid tə] *adj cu prep* 1 (care s-a) dedat *unui viciu*, pradă *unui viciu*; stăpânit de *alcool etc.* 2 căruia îi place *(lectura etc.)*

addict oneself to [ə'dikt wʌn,self tə] *vr cu prep* a se deda *unui viciu*, a cădea în patima *cu gen*

add in ['æd 'in] *vt cu part adv* a include, a cuprinde

adding machine ['ædiŋ mə,ʃi:n] *s tehn* mașină de adunat; calculator; sumator

Addis Ababa ['ædis 'æbəbə] *capitala Etiopiei* Addis Abeba

Addison ['ædisən], **Joseph** *scriitor englez (1672 -1719)*

Addison's disease ['ædisnəz di'zi:z] *s med* boala lui Addison

addition [ə'diʃən] *s* 1 *mat* adunare 2 adaos; plus; spor; completare, adăugire, întregire; **in ~** în plus, pe lângă acestea; **in ~ to** în afară de, pe lângă; precum și 3 dependință; acaret

additional [ə'diʃənəl] *adj* adițional, suplimentar, în plus; de adaos

additionally [ə'diʃənəli] *adv* pe deasupra, în plus; la acestea

additive ['æditiv] **I** *adj ch etc.* aditiv; cumulativ **II** *s tehn* aditiv

addle ['ædəl] **I** *adj (d. ouă)* stricat **II** *vt* a zăpăci *(mintea)* **III** *vi* 1 (*d. ouă*) a se strica 2 *(d. minte)* a se zăpăci

addle-brained ['ædəl,breind] *adj* zăpăcit; fără minte; < nebun, smintit

addle-headed ['ædəl'hedid] *adj v.* **addle-brained**

address I [ə'dres] *vt* 1 (**to**) a adresa *(o scrisoare, o plângere etc.)* *(cuiva)* 2 a se adresa *(cuiva);* a vorbi *(cuiva);* **he ~ed the audience** s-a adresat publicului **II** [ə'dres], *amer* ['ædres] *s* 1 adresă 2 (**to**) luare de cuvânt; cuvântare, discurs (în fața − *cu gen*) 3 tact; îndemânare 4 fel de a vorbi *sau* de a se purta; ținută; comportare 5 *pl* curte; **to pay one's ~es to a lady** a se purta galant cu o doamnă; a-i face curte unei doamne

addressed [ə'drest] *adj* 1 adresat; expediat 2 cu adresa (menționată) pe plic

addressee [,ædre'si:] *s* adresant, destinatar

addresser [ə'dresə'] *s* expeditor

address oneself to [ə'dres wʌn'self tə] *vr cu prep* 1 a se adresa *cuiva* 2 a se apuca de *(lucru);* a căuta să rezolve *(dificultăți etc.)*

add to ['æd tə] *vi cu prep* a se adăuga la; a spori *cu ac*

adduce [ə'dju:s] *vt* (**for**) a aduce *(dovezi, argumente etc.* − în sprijinul − *cu gen);* a cita

adduction [ə'dʌkʃən] *s* 1 citare; invocare 2 *fizl* aducțiune

adductor [ə'dʌktə'] *s anat* mușchi aductor

add up ['æd 'ʌp] **I** *vt cu part adv* mat a aduna **II** *vi cu part adv* 1 *mat* a da totalul așteptat 2 a avea înțeles/noimă; a se potrivi; **these things just don't ~** *F* toate acestea nu prea au nici cap nici coadă/nu prea se potrivesc; toate acestea se nimeresc ca nuca în perete

-ade *suf* -adă, -ată *etc:* **blockade** blocadă; **brocade** broca(r)t

Adela ['ædilə] *nume fem*

Adelaide I ['ædəleid] *nume fem* Adelaida, Adelina, Adela **II** ['ædəlid] *oraș în Australia*

ademption [ə'dempʃən] *s jur* ademp-țiune

Aden ['eidn] *golf și oraș în Arabia*

adenitis [,ædə'naitis] *s med* ade-nită

adenoids ['ædinɔidz] *s pl med* vegetații adenoide, polipi

adenoma [,ædə'noumə], *pl și* **adenomata** [,ædə'noumətə] *s med* adenom

adept ['ædept] **I** *și* [ə'dept] *adj* (**at, in**) expert, având o înaltă calificare (în) **II** *s* (**at, in**) expert, specialist (în)

adeptly ['ədeptli] *adv* ca un expert; cu foarte multă pricepere

adeptness ['ədeptnis] *s* pricepere *sau* calificare deosebită *(într-o specialitate)*

adequacy ['ædikwəsi] *s* 1 caracter adecvat/potrivit/corespunzător, adecvare, adecvație 2 acceptabilitate 3 proporționalitate

adequate ['ædikwit] *adj* 1 (**to**) corespunzător, adecvat *(cu dat); (d. o definiție etc.)* exact 2 (**for**) destul, suficient (pentru); doar atât cât trebuie; îndestulător; mulțumitor, acceptabil

adequately ['ædikwitli] *adv* 1 (în mod) adecvat, corespunzător, (așa) cum trebuie, (așa) cum se cuvine 2 competent, cu competență 3 mulțumitor, satisfăcător; suficient, destul, îndeajuns

ad fin., ad finem [æd 'fainim] *lat* până la sfârșit; la sfârșit

adhere [əd'hiə'] *vi* 1 (**to**) a se lipi (la); a adera (la) 2 (**to**) a adera (la), a se alătura *(cu dat)*

adherence [əd'hiərəns] *s* **1** (**to**) aderență (la); adeziune (la) **2** (**to**) *fig* adeziune (la); aderare (la)

adherence to [əd'hiərəns tə] *s cu prep* **1** credință/loialitate față de **2** strictă respectare *cu gen*

adherent [əd'hiərənt] **I** *adj* aderent, adeziv, lipicios, cleios **II** *s* aderent, sprijinitor, susținător, partizan

adhere to [əd'hiə tə] *vi cu prep* a rămâne fidel/credincios *cu dat*

adhesion [əd'hi:ʒən] *s* **1** adeziune; aderență; lipire **2** *fig* adeziune; consimțământ

adhesion to [əd'hi:ʒən tə] *s cu prep* credință/loialitate față de

adhesive [əd'hi:siv] **I** *adj* **1** adeziv; lipicios, cleios **2** trainic; de durată **3** insistent, sâcâitor, pisălog **II** *s* adeziv

adhesiveness [əd'hi:sivnis] *s* adezivitate, aderență

adhesive tape [əd'hi:siv ,teip] *s* **1** *med* leucoplast **2** *tehn* bandă adezivă/izolantă

ad hoc [æd 'hɔk] *lat* **I** *adv* ad hoc, numai pentru cazul acesta, numai pentru un anumit scop **II** *adj* ad hoc, special

adiabatic [,eidjə'bætik] *adj fiz etc.* adiabatic

adieu [ə'dju:] *fr* **I** *interj* adio! bun rămas! rămas bun! cu bine! **II** *pl și* **adieux** [ə'dju:z] *s* adio, bun rămas

Adige, the ['ædidʒi:, ði] *fluviu în Italia* Adige(le)

ad inf., ad infinitum [,æd infi'naitəm] *lat* ad infinitum, la infinit

adipose ['ædipous] *adj anat* adipos

Adirondacks, the [,ædi'rɔndæks, ði] *munți în S.U.A.*

adjacency [ə'dʒeisənsi] *s* **1** adiacență; vecinătate, apropiere **2** *pl* împrejurimi, preajmă **3** contiguitate **4** *rad, telev* program *sau* anunț după o emisiune

adjacent [ə'dʒeisənt] *adj* **1** (**to**) învecinat, vecin (cu); apropiat (de) **2** *geom* adiacent

adjacently [ə'dʒeisəntli] *adv* învecinat, alături, în apropiere

adject [ə'dʒekt] *vt ← rar* a anexa, a adăuga

adjectival [,ædʒik'taivəl] **I** *adj* **1** *gram* adjectival; atributiv, relativ **2** (*d. stil*) încărcat de adjective **II** *s gram* predicat nominal

adjective ['ædʒiktiv] **I** *s* **1** *gram* adjectiv **2** lucru secundar; accesoriu **II** *adj* **1** *gram* adjectival; atributiv, relativ **2** secundar; accesoriu; dependent **3** complementar

adjoin [ə'dʒɔin] **I** *vt* a se învecina cu **II** *vi* a se învecina

adjoining [ə'dʒɔiniŋ] *adj* învecinat, vecin

adjourn [ə'dʒə:n] **I** *vt* a amâna; a suspenda, a întrerupe (*o ședință etc.*) **II** *vi* (*d. o ședință etc.*) a se amâna, a fi amânat; a se suspenda, a fi suspendat/întrerupt

adjournment [ə'dʒə:nmənt] *s* **1** amânare; suspendare, întrerupere (*a unei ședințe, hotărâri etc.*) **2** perioadă de amânare, prorogare *etc.*

adjourn to [ə'dʒə:n tə] *vi cu prep F* a o lua spre, – a se muta la *sau* în, a se duce la

Adjt. *presc de la* **adjutant**

adjudge [ə'dʒʌdʒ] *vt* **1** a declara, a recunoaște, a considera (*pe cineva falit etc.*) **2** (**to**) a adjudeca, a atribui (*cu dat*) **3** *jur* a condamna; a adjudeca

adjudg(e)ment [ə'dʒʌdʒmənt] *s* **1** adjudecare, atribuire **2** *jur* condamnare; sentință, hotărâre judecătorească

adjudicate [ə'dʒu:di,keit] **I** *vt* **1** *jur* a judeca (*un proces*) **2** (**to**) a adjudeca, a atribui (*cu dat*) **3** *jur* a da (*o sentință*)

adjunct ['ædʒʌŋkt] **I** *s* **1** adjunct; ajutor **2** (**to**) complinire, adaos, anexă (la) **3** *gram* complement circumstanțial; atribut; adjunct **II** *adj* (**to**) subordonat (*cu dat*); legat (de), conexat (cu)

adjunctive [ə'dʒʌŋktiv] *adj* folosit ca adjunct, complement *etc. (v.* **adjunct)**

adjuration [,ædʒuə'reiʃən] *s* **1** rugăminte stăruitoare; implorare **2** jurământ

adjure [ə'dʒuə] *vt* a conjura, a ruga stăruitor, a implora

adjust [ə'dʒʌst] **I** *vt* **1** (**to**) a ajusta (la); a potrivi (după; la), a regla (după) **2** a pune în ordine; a ajusta (*un costum etc.*) **3** a pune la punct, a sistematiza; a unifica (*ortografia etc.*) **4** a aplana (*o ceartă*) **II** *vr, vi* (**to**) a se adapta (la)

adjustable [ə'dʒʌstəbl] *adj* ajustabil; adaptabil; reglabil

adjuster [ə'dʒʌstə] *s tehn* ajustor; reglor; instalator **2** dispozitiv de reglare

adjusting [ə'dʒʌstiŋ] *adj tehn* ajustabil, reglabil

adjustment [ə'dʒʌstmənt] *s* **1** ajustare; potrivire; reglare; sistematizare; unificare; aplanare **2** *com* reducere (*a prețului*) **3** *mil* corecție **4** păsuire, amânare

adjutant ['ædʒətənt] **I** *s* **1** *mil* adjutant; aghiotant **2** ajutor; asistent **II** *adj* ajutător

Adjutant General ['ædʒətənt ,dʒenərəl] *s mil* aghiotant general, general aghiotant

adjuvant ['ædʒəvənt] **I** *adj* **1** ajutător, auxiliar **2** folositor, util **II** *s* **1** ajutor, sprijin (*persoană sau lucru*) **2** *med* adjuvant

ad-lib [æd'lib] **I** *vt, vi ← F* a improviza **II** *adj ← F* improvizat

ad lib., ad libit., ad libitum [,æd 'libitəm] *lat* ad libitum, în voie, liber, după inspirație

ad litteram [æd 'litəræm] *lat* ad litteram, literal

Adm. *presc de la* **1 Admiralty 2 Admiral**

adm. *presc de la* **administrator**

adman ['æd,mæn] *s sl* om care se ocupă cu reclamele

admass ['ædmæs] *s ← rar F* **1** reclamă în masă (*dăunătoare societății*) **2** mase influențate de prea multe reclame

admeasure [æd'meʒə] *vt* **1** a măsura, a distribui (în mod egal) **2** a stabili limitele *sau* proporțiile *cu gen*

admeasurement [æd'meʒəmənt] *s* **1** măsurare; distribuire, distribuție **2** mărime, dimensiuni

administer [əd'ministə] **I** *vt* **1** a conduce, a administra; a avea în grijă **2** (**to**) a administra, a da (*o bătaie, un medicament – cu dat*) **3** a pune în funcțiune *sau* acțiune **4** (**to**) a da, a acorda (*ajutor etc. – cu dat*) **5** (**to**) a lua (*jurământul – cu dat*) **II** *vi* a fi administrator

administer to [əd'ministə tə] *vi cu prep* a avea grijă de, a satisface nevoile *etc.*

administration [əd,minis'treiʃən] *s* **1** conducere, administrare **2** administrație **3** administrare, dare (*a unui medicament etc.*) **4** luare, prestare (*a jurământului*) **5 the A~** administrația/guvernul S.U.A. **6** *psih* efectuare (*a unui test*)

administrative [əd'ministrətiv] *adj* administrativ; executiv

administratively [əd'ministrətivli] *adv* pe cale administrativă

administrator [əd'ministreitəʳ] *s* 1 administrator 2 (bun) organizator 3 conducător *(de stat, al unei întreprinderi etc.)* 4 *jur* executor testamentar

administratrix [əd'ministreitriks], *pl* și **administratrices** [əd'ministreitrisi:z] *s* 1 administratoare 2 conducătoare 3 *jur* executoare testamentară

admirable ['ædmərəbl] *adj* admirabil, minunat, splendid

admiral ['ædmərəl] *s nav* 1 amiral 2 (vas) amiral

admiral of the fleet ['ædmərəl əv ðə 'fli:t] *s nav* amiral al flotei

admiralty ['ædmərəlti] *s nav* 1 funcția de amiral 2 amiralitate

admiration [‚ædmə'reiʃən] *s* 1 (of, for) admirație (pentru, față de) 2 obiect al admirației

admire [əd'maiəʳ] *vt* 1 a admira, a prețui în mod deosebit 2 a admira, a privi cu admirație

admirer [əd'maiərəʳ] *s* admirator; iubitor *(de muzică etc.)*

admiring [əd'maiəriŋ] *adj atr* plin de admirație; admirativ

admissibility [ədmisə'biliti] *s* admisibilitate; posibilitate

admissible [əd'misəbl] *adj* admisibil; acceptabil; posibil

admission [əd'miʃən] *s* 1 (to) acces, intrare (în) 2 (to) taxă de intrare (în) 3 (to) admitere, primire, intrare (în); acceptare 4 recunoaștere *(a unui fapt);* **by/on smb's own** ~ după propria mărturisire a cuiva 5 *tehn* admisi(un)e; intrare; sosire

admissive [əd'misiv] *adj* admisibil, legal, permis

admit [əd'mit] *vt* 1 (**in, into, to**) a lăsa să intre (în), a permite accesul/intrarea *(cuiva)* (în); **no window to** ~ **air** nici o fereastră prin care să intre aerul; **she was** ~**ted to** (**the**) **hospital** a fost internată în spital; **the ticket** ~**s one** biletul e valabil pentru o singură persoană 2 a oferi spațiu pentru; a găzdui; **the hall** ~**s only 300 people** în sală încap numai 300 de persoane 3 a recunoaște, a mărturisi 4 a recunoaște temeinicia *sau* valabilitatea *cu gen* 5 a admite, a lăsa, a permite,

a îngădui; a recunoaște (ca valabil); **this law** ~**s no exception** legea aceasta nu admite nici o excepție

admit of [əd'mit əv] *vi cu prep* a permite, a îngădui; **this question** ~**s of no delay** chestiunea/problema aceasta nu suferă/nu îngăduie nici o amânare

admittance [əd'mitəns] *s* ← *elev* 1 *v.* **admission** 1, 3 2 *el* admitanță

admitted [əd'mitid] *adj* admis, recunoscut, acceptat

admittedly [əd'mitidli] *adv* 1 după cum este recunoscut de toată lumea; după cum se știe 2 (în mod) evident 3 firește, (e) adevărat, ce e drept

admit to [əd'mit tə] I *vi cu inf* a recunoaște că II *vi cu prep* 1 a permite intrarea/accesul în 2 *(d. un balcon etc.)* a da în(spre)

admix [əd'miks] I *vt* a amesteca II *vi* a se amesteca

admixture [əd'mikstʃəʳ] *s* 1 amestec 2 adaos, spor; ingredient

admonish [əd'moniʃ] *vt* 1 (**against, for**) a preveni, a pune în gardă (împotriva – *cu gen*), a atrage atenția *cuiva* (asupra) 2 a sfătui, a povățui 3 ← *înv* a (re)aminti *cuiva (cu ac)* 4 a dojeni, a admonesta

admonishing [əd'moniʃiŋ] *adj* dojenitor, mustrător

admonishment [əd'moniʃmənt] *s v.* **admonition**

admonition [‚ædmə'niʃən] *s* 1 prevenire, avertisment 2 sfat, povață 3 dojană, admonestare

admonitory [əd'monitəri] *adj* 1 care pune în gardă, de avertisment 2 dojenitor, mustrător

ad nauseam [æd 'no:zi‚æm] *lat* ad nauseam, până la dezgust

ado [ə'du:] *s* 1 zarvă, agitație, tevatură, scandal; **much** ~ **about nothing** mult zgomot pentru nimic, mai mare daraua decât ocaua; **without much/more/ further** ~ fără să stea mult pe gânduri, fără multă tevatură 2 greutate, caznă; **with much** ~ cu multă trudă/osteneală

adobe [ə'doubi] *s* chirpici; argilă slabă

adolescence [‚ædoʊ'lesns] *s* adolescență; tinerețe

adolescent [‚ædoʊ'lesnt] I *s* adolescent; tânăr II *adj atr* de adolescent; tânăr; tineresc

Adolph ['ædolf] *nume masc* Adolf

Adonis [ə'dounis] *s* 1 *mit* 2 *fig* Adonis, Făt-Frumos, tânăr chipeș

adopt [ə'dopt] *vt* 1 a adopta, a înfia, a lua de suflet 2 a adopta, a îmbrățișa; a accepta, a primi; a lua; a aproba; **to** ~ **a plan** a adopta un plan

adoptability [ə‚doptə'biliti] *s* acceptabilitate

adoptable [ə'doptəbl] *adj* adoptabil; acceptabil

adopted [ə'doptid] *adj* 1 adoptat; acceptat, recunoscut 2 adoptiv 3 *lingv (d. cuvinte)* împrumutat

adopter [ə'doptəʳ] *s* 1 tată adoptiv; mamă adoptivă 2 *jur* tăinuitor

adoption [ə'dopʃən] *s* 1 adoptare, adopție, înfiere 2 adoptare, îmbrățișare; acceptare; aprobare

adorable [ə'do:rəbl] *adj* 1 vrednic de adorare/adorație 2 *F* adorabil, extraordinar, – fermecător

adoration [‚ædə'reiʃən] *s* adorare; adorație

adore [ə'do:ʳ] I *vt* 1 a adora; a venera 2 a adora, a iubi cu înfocare; a idolatriza 3 *F* a adora, a nu mai putea după, a se da în vânt după II *vi* a adora

adorer [ə'do:rəʳ] *s* adorator; închinător

adorn [ə'do:n] *vt* a înfrumuseța, a împodobi; a adăuga frumusețe la

adornment [ə'do:nmənt] *s* 1 înfrumusețare, împodobire 2 podoabă; podoabe

adown [ə'daun] ← *poetic* I *adv* 1 jos 2 în jos II *prep* în josul *(cu gen)*

ad rem [æd'rem] *lat* ad rem, la subiect

adrenal [ə'dri:nəl] *anat* I *adj* suprarenal II *s* glandă suprarenală

adrenalin [ə'drenəlin] *s ch, med* adrenalină

Adrian ['eidriən] *nume masc*

Adrianople [‚eidriə'noupəl] *oraș în Turcia* Adrianopol, Edirne

Adriatic (Sea), the [‚eidriætik ('si:), ði] Marea Adriatică, Adriatica

adrift [ə'drift] *adj, adv* 1 *nav* în derivă, în voia valurilor 2 *fig* în voia valurilor; la voia întâmplării; în voia soartei; **to be all** ~ a fi cu totul descumpănit; a nu ști (deloc) ce să facă; **to turn smb** ~ **a** a da afară din casă, a arunca în stradă **b** a concedia, a da afară

adroit [ə'drɔit] *adj* (**at, in**) înde-
mânatic, iscusit, priceput, dibaci,
abil (la)

adroitly [ə'drɔitli] *adv* abil, cu
abilitate/dexteritate/îndemânare

adroitness [ə'drɔitnis] *s* dexteritate,
îndemânare, abilitate

adsorb [əd'sɔːb] *vt ch* a adsorbi

adsorbent [əd'sɔːbənt] *s ch* adsor-
bent

adsum ['ædsum] *lat* adsum, sunt
prezent/aici

adulate ['ædəleit] *vt* a adula, a flata,
a linguşi (↓ *pt* a câştiga favoruri)

adulation [,ædju'leiʃən] *s* adulare,
adulaţie, linguşire, flatare

adulator ['ædjuleitəʳ] *s* adulator,
linguşitor, *F →* lingău

adulatory [,ædju'leitəri] *adj* adulator,
măgulitor, linguşitor

adult ['ædʌlt] I *adj* adult, matur; copt
II *s* 1 (om) adult, om matur 2
animal adult; plantă adultă

adulterate I [ə'dʌltəreit] *vt* (**with**) a
amesteca (cu); a falsifica, a
contraface (cu); *F ←* a boteza
(cu) II [ə'dʌltərit] *adj* 1 *v.* **adul-
terated** 2 adulter

adulterated [ə'dʌltəreitid] *adj* ames-
tecat; falsificat, contrafăcut

adulteration [ə,dʌltə'reiʃən] *s* falsifi-
care *(a unui aliment etc.)*

adulterer [ə'dʌltərəʳ] *s* soţ adulter

adulteress [ə'dʌltəris] *s* soţie adulteră

adulterine [ə'dʌltərain] *adj* 1 adulter
2 adulterin

adulterous [ə'dʌltərəs] *adj* adulter

adultery [ə'dʌltəri] *s* adulter

adumbral [æd'ʌmbrəl] *adj* umbros,
umbrit

adumbrate ['ædʌmbreit] *vt* 1 a pre-
vesti în linii mari; a schiţa, a da o
idee vagă despre (↓ *evenimente
viitoare)* 2 a (ad)umbri

adumbration [,ædʌm'breiʃən] *s* 1
schiţare; schiţă, contur 2 pre-
vestire (vagă), semn 3 (ad)um-
brire; umbră

Adv. *presc de la* **advocate**

adv *presc de la* 1 **ad valorem** 2
adversus *lat* împotriva *(cu gen)*
3 **adverb** 4 **adverbial** 5 **adver-
tisement**

ad val., ad valorem ['æd və'lɔːrem]
lat ad valorem, după/la valoare

advance [əd'vɑːns] I *vt* 1 a împinge
în faţă; a muta, a mişca *(un pion
etc.)* 2 a avansa, a promova *(pe
cineva)* 3 a promova *(interese*

etc.) 4 a face *(propuneri etc.);* a
prezenta *(un plan, dovezi etc.);*
a formula *(pretenţii etc.)* 5 a
ridica, a mări, a urca *(preţuri
etc.);* a spori 6 a contribui la; a
încuraja; a grăbi *(creşterea etc.)*
7 a devansa 8 a avansa, a da
(bani) ca avans II *vi* 1 a înainta,
a avansa, a merge înainte 2 a
înainta, a avansa, a progresa; a
face progrese 3 a avansa, a
promova, a fi promovat/avansat
4 *(d. preţuri etc.)* a creşte, a se
urca III *s* 1 înaintare, mers
înainte; avans 2 avansare, pro-
movare 3 dezvoltare, progres,
mers înainte 4 avans *(bănesc);*
acont; arvună 5 urcare, creştere
(a preţurilor etc.) 6 *com* supra-
ofertă 7 *mil* înaintare 8 *tehn*
avans 9 *pl* avansuri, curte

advanced [əd'vɑːnst] *adj* 1 din faţă;
din frunte; avansat, înaintat 2
înaintat în vârstă, vârstnic; bătrân
3 avansat, înaintat; progresist;
modern 4 *(d. elevi etc.)* avansat

advancement [əd'vɑːnsmənt] *s* 1
înaintare, avansare, mers înainte
2 înaintare; progres; propăşire;
îmbunătăţire, perfecţionare,
dezvoltare; succes

advance money [əd'vɑːns 'mʌni] *s
com* avans, acont; arvună

advantage [əd'vɑːntidʒ] I *s* 1 avan-
taj; profit; beneficiu, profit; folos;
to smb's ~ în avantajul/folosul
cuiva; **to turn smth to ~** a între-
buinţa ceva cu folos; a valorifica
ceva; **to take ~ of smth** a folosi
ceva în avantajul său/în propriul
său avantaj, a profita de ceva;
to take ~ of smb a se folosi de
cineva *(ca de o unealtă etc.)* 2
avantaj, privilegiu; situaţie pri-
vilegiată; superioritate; **to ~**
avantajat; într-o lumină favo-
rabilă; **to have the ~ of smb** a fi
avantajat faţă de cineva; a şti mai
mult decât celălalt; **to take smb
at ~** a lua pe cineva prin sur-
prindere; **to gain/to win/to give
smb an ~ over smb else** a
avantaja pe cineva faţă de
altcineva, a face ca cineva să fie
avantajat faţă de altcineva II *vt* a
avantaja; a fi în avantajul *cuiva*

advantageous [,ædvən'teidʒəs] *adj*
1 avantajos; favorabil 2 folositor,
util

advantageously [,ædvən'teidʒəsli]
adv (în mod) avantajos

advent ['ædvent] *s* 1 sosire, venire;
apariţie; **since the ~ of the car**
de la apariţia automobilului 2 **A~**
venirea/naşterea lui Cristos; a
doua venire a lui Cristos; jude-
cata de apoi 3 **A~** postul Cră-
ciunului

Adventist ['ædventist] *adj, s rel*
adventist

adventitious [,ædven'tiʃəs] *s* 1
întâmplător, accidental, inciden-
tal 2 *bot* adventiv

adventive [æd'ventiv] *bot* I *adj*
adventiv II *s* plantă adventivă

Advent Sunday ['ædvent 'sʌndi] *s*
prima duminică din postul Cră-
ciunului

adventure [əd'ventʃəʳ] I *s* 1 aventură;
peripeţie 2 întâmplare 3 aven-
tură, întreprindere riscantă; risc
4 experienţă, trăire 5 ← *înv*
pericol, primejdie II *vt* 1 a risca;
a se aventura în 2 a cuteza, a
îndrăzni III *vi* ← *înv* a se întâmpla

adventurer [əd'ventʃərəʳ] *s* 1 aven-
turier; iubitor de aventuri 2 spe-
culant

adventuresome [əd'ventʃəsəm] *adj*
aventuros

adventuress [əd'ventʃəris] *s* 1
aventurieră 2 speculantă

adventurous [əd'ventʃərəs] *adj* 1
aventuros; cutezător, îndrăzneţ
2 primejdios, periculos, riscant

adverb ['ædvəːb] *s gram* adverb

adverbial [əd'vəːbiəl] *gram* I *adj*
adverbial; circumstanţial II *s*
complement circumstanţial

adverbially [əd'vəːbiəli] *adv gram*
adverbial, ca adverb

adverbial modifier [əd'vəːbiəl
'mɔdifaiəʳ] *s gram* complement
circumstanţial

adversary ['ædvəsəri] *s* 1 adversar,
potrivnic, oponent 2 inamic,
duşman 3 **the A~** diavolul,
Necuratul, Neprietenul

adversative [əd'vəːsətiv] *adj gram*
adversativ

adverse ['ædvəːs] *adj* (**to**) nefa-
vorabil, potrivnic (pentru *sau cu
dat);* ostil (faţă de *sau cu dat)*

adversely ['ædvəːsli] *adv* nefavo-
rabil; (în mod) ostil

adversity [əd'vəːsiti] *s* 1 adversitate,
potrivnicie 2 necaz(uri); ispitire
(< grea); nenorocire, calamitate

advert [əd'və:t] *s* ← *F* reclamă; anunţ *(în ziar etc.)*

advertise ['ædvətaiz] **I** *vt* **1** a face reclamă pentru *sau cu dat;* a anunţa *(în ziar, prin radio etc.)* **2** ← *înv* a preveni, a avertiza **II** *vi* a face reclamă *(în ziar etc.);* a da un anunţ la ziar

advertise for ['ædvətaiz fəˈ] *vi cu prep* a publica un anunţ privitor la

advertisement [əd'və:tismənt] *s* reclamă; anunţ *(în ziar etc.)*

advertising ['ædvətaiziŋ] **I** *s* reclamă; publicitate **II** *adj* de publicitate

advertiz... *v.* **advertis...**

advert to [əd'və:tə] *vi cu prep* **1** a se referi la; a menţiona, a aminti *cu ac* **2** a atrage atenţia asupra *cu gen*

advice [əd'vais] *s* **1** fără *pl* sfat, povaţă; recomandare; îndemn; sfaturi, poveţe; îndemnuri **2** *pl* ↓ *com* informaţii; raport

advisability [əd,vaizə'biliti] *s* recomandabilitate; oportunitate

advisable [əd'vaizəbl] *adj* **1** recomandabil, de dorit; oportun **2** judicios; înţelept

advisably [əd'vaizəbli] *adv* (în mod) judicios, înţelept

advise [əd'vaiz] **I** *vt* **1** a sfătui, a povăţui; a recomanda *cuiva;* a îndemna **2** a informa, a încunoştinţa, a notifica **II** *vi* **1** a da sfaturi **2** (**with**) a se sfătui, a se consulta (cu)

advised [əd'vaizd] *adj* ← *înv* **1** informat, încunoştinţat **2** voit, intenţionat **3** prudent, precaut

advisedly [əd'vaizədli] *adv* **1** judicios; după matură chibzuinţă **2** ← *rar* plănuit; intenţionat, cu bună ştiinţă

adviser, *amer* **advisor** [əd'vaizəˈ] *s* sfătuitor; consilier; consultant

advisory [əd'vaizəri] *adj* **1** care dă sfaturi; împuternicit să dea sfaturi/recomandări **2** consultativ

advisory body [əd'vaizəri 'bɔdi] *s* consiliu

advisory committee [əd'vaizəri kə'miti] *s* comisie de experţi

advocacy ['ædvəkəsi] *s* (**of**) sprijinire *(cu gen),* pledoarie (pentru, în favoarea – *cu gen);* propagandă (pentru, în favoarea – *cu gen)*

advocate I ['ædvəkit] *s* **1** avocat (pledant) **2** (**of**) *fig* sprijinitor, susţinător, adept *(cu gen)* **II**

['ædvəkeit] *vt* a susţine, a sprijini; a pleda în favoarea *cu gen*

advocatory [,ædvə'keitəri] *adj* de avocat, avocăţesc

advt. *presc de la* **advertisement**

adze [ædz] *s* teslă

Ae, ae *presc de la* **at the age of** la vârsta de

Aeacus ['i:kəs] *mit* Eac

A.E. and P. *presc de la* **Ambassador Extraordinary and Plenipotentiary**

aedile ['i:dail] *s ist Romei* edil

Aegean (Sea), the [i'dʒi:ən('si:), ði] Marea Egee

Aegeus ['i:dʒiəs] *mit* Egeu

aegis ['i:dʒis] *s fig* scut, pavăză, egidă; **under the ~ of** sub egida *cu gen*

Aelfric ['ælfrik] *scriitor anglo-saxon (955?-1020?)*

-aemia *suf* -emie: **anaemia** anemie

Aeneas [i'ni:æs] *mit* Enea

Aeneid [i'ni:id, ði] *lit* Eneida

aeolian harp [i:'oulien hɑ:p] *s* harfă eoliană

Aeolus ['i:ouləs] *mit* Eol

aeon ['i:ən] *s* eon

aerate ['eiəreit] *vt* **1** a aera, a aerisi; a ventila **2** a gazifica **3** a umple cu aer

aeration [,eiə'reiʃən] *s* **1** aerare, aerisire; ventilaţie **2** *tehn* afinare

aerial ['eəriəl] **I** *adj* **1** aerian; de aer; de suprafaţă; atmosferic **2** *şi fig* aerian, eteric, uşor, vaporos **3** *fig* diafan; suav; ireal, nepământesc **4** *av* aerian, de aviaţie **II** *s rad* antenă

aerial antenna ['eəriəl æn'tenə] *s rad* antenă exterioară

aerially ['eəriəli] *adv* în aer

aerial navigation ['eəriəl nævi'geiʃən] *s av* navigaţie aeriană, aeronautică

aerial railway ['eəriəl 'reilwei] *s* funicular

aerie ['eəri] *s v.* **eerie**

aero- *pref* aero-: **aeroplane** aeroplan

aerobatics [eərə'bætiks] *s pl av* **1** *ca sg* zbor acrobatic **2** acrobaţii aeriene/aviatice

aerobe [eə'roub] *adj biol* aerob

aerodrome ['eərədroum] *s av* aerodrom

aerodynamic(al) [,eərouˌdai'næmik(əl)] *adj* aerodinamic

aerodynamics [,eərouˌdai'næmiks] *s pl ca sg fiz* aerodinamică

aerolite ['eərəlait] *s* aerolit, meteorit

aerology [eə'rolədʒi] *s* **1** aerologie **2** meteorologie

aeromechanics [,eərouˌmi'kæniks] *s pl ca sg* aeromecanică

aeronaut ['eərənɔ:t] *s av* aeronaut

aeronautic(al) [,eərə'nɔ:tik(əl)] *adj av* aeronautic

aeronautics [,eərə'nɔ:tiks] *s pl ca sg* aeronautică, aviaţie aeriană

aeropause ['eərə,pɔ:z] *s* aeropauză *(regiune la 20-200 km deasupra pământului)*

aeroplane ['eərəplein] *s* aeroplan, avion

aerosol ['eərəsɔ:l] *s ch* aerosol

aerostat ['eərəstæt] *s av* aerostat; dirijabil; balon

aery ['eəri] *adj poetic* aerian, eteric

Aeschylus ['i:skiləs] *scriitor grec* Eschil *(525-456 î.e.n.)*

Aesculapius [,i:skju'leipiəs] *mit* Esculap, Asclepios

Aesop ['i:səp] *scriitor grec* Esop *(620-564 î.e.n.)*

aesthete ['i:sθi:t] *s* estet

aesthetic(al) [i:s'θetik(əl)] *adj* estetic; frumos

aesthetically [i:s'θetikəli] *adv* (din punct de vedere) estetic; cu mult gust

aesthetician [,i:sθi'tiʃən] *s* estetician

aesthetics [i:s'θetiks] *s pl ca sg* estetică

aestivate ['i:stiveit] *vi* a-şi petrece vara

Aetna ['etnə] *munte* Etna

Af. *presc de la* **1** Africa **2** African

A.F. *presc de la* **1** Air Force **2** Anglo-French

afar [ə'fɑːˈ] *adv* ← *poetic* departe, în depărtare; **from ~** de departe

afear(e)d [ə'fiəd] *adj înv* temător; – speriat

a few [ə 'fjuː] **I** *adj* câţiva *sau* câteva; nişte; unii *sau* unele; **in ~ hours** peste câteva ore; **~ people** câţiva oameni; unii; **quite ~, a good ~, not ~** destul de mulţi *sau* multe, nu puţini *sau* puţine **II** *pr* câţiva *sau* câteva; unii *sau* unele

affability [,æfə'biliti] *s* afabilitate, bunăvoinţă, cordialitate

affable ['æfəbl] *adj* afabil, binevoitor, cordial

affably ['æfəbli] *adj* afabil, cu bunăvoinţă, cordial

affair [ə'fɛə] *s* **1** afacere, chestiune, treabă, problemă; **~s of state** afaceri/treburi de stat; **it is an ~ of a few days** e o chestiune de câteva zile; **mind your own ~s!** vezi-ți de treburile tale! vezi-ți de ale tale! *F* nu te băga unde nu-ți fierbe oala! **2** *pl com* afaceri **3** *F* chestie, treabă; **this is a complicated ~** e o chestiune complicată **4** întâmplare, *F* afacere, poveste **5** legătură amoroasă **6** *mil* hărțuială; încăierare; luptă; ciocnire **7** întrunire; serată; clacă; șezătoare

affair of honour [ə'fɛə əv 'ɔnə] *s* chestiune de onoare; duel

affect [ə'fekt] **I** *vt* **1** a simula; a afișa **2** a ține la, a-i plăcea; a folosi *(expresii pompoase etc.)* **3** a influența (în rău), a afecta; a avea un efect dăunător asupra *cu gen* **4** a afecta, a tulbura, a îndurera; a supăra; a emoționa **5** *med* a ataca **II** *s psih* afect

affectation [,æfek'teiʃən] *s* **1** afectare, comportare nefirească **2** paradă; poză

affected [ə'fektid] *adj* **1** afectat, nenatural, nefiresc, prefăcut **2** tulburat, afectat, îndurerat

affecting [ə'fektiŋ] *adj* mișcător; tulburător; patetic

affection [ə'fekʃən] *s* **1** afecțiune, dragoste, iubire **2** sentiment **3** *med* afecțiune; boală **4** însușire, (proprietate) caracteristică

affectionate [ə'fekʃənit] *adj* **1** afectuos, drăgăstos, iubitor; tandru **2** *(d. salutări etc.)* cordial **3** atașat; devotat

affectionately [ə'fekʃənitli] *adv* **1** afectuos, cu afecțiune, cu dragoste; tandru **2** *(în scrisori)* cu salutări cordiale

affiance [ə'faiəns] *vt* ← *înv* a promite în căsătorie; a logodi

affiant [ə'faiənt] *s jur* martor care întărește verbal un afidavit

affidavit [,æfi'deivit] *s jur* afidavit, depoziție sub jurământ

affiliate [ə'filieit] **I** *vt* **1** a primi ca membru; a recunoaște ca filială **2** a stabili originea, sursa *sau* paternitatea *(unei opere etc.)* **3** *jur* a stabili legal paternitatea *cu gen* **4** (**to**) a lega (de), a face legătura dintre ... (și) **II** *vr* (**with**) a se asocia (cu), a se afilia (la)

affiliation [ə,fili'eiʃən] *s* **1** primire ca membru; recunoaștere ca filială **2** calitate de membru *(într-o organizație etc.)*; apartenență **3** (**to**) afiliere (la); înscriere (în) **4** stabilirea originii, surselor, legăturilor *sau* paternității **5** *jur* stabilirea legală a paternității

affinage [ə'finidʒ] *s tehn* rafinare; afinare

affinal [ə'fainəl] *adj* **1** înrudit prin alianță/căsătorie **2** *fig* înrudit, cu o aceeași origine

affined [ə'faind] *adj* (**to**) legat (de), înrudit (cu)

affinity [ə'finiti] *s* **1** afir.itate, înrudire prin alianță **2** (**with**) afinitate, legătură, înrudire (cu); asemănare, potrivire (cu) **3** afinitate, atracție, simpatie **4** *ch* afinitate

affirm [ə'fə:m] **I** *vt* **1** a afirma (↓ din nou), a declara, a susține (cu tărie) **2** a confirma; a ratifica **II** *vi jur* a da o declarație solemnă *(dar nu sub prestare de jurământ)*

affirmance [ə'fə:məns] *s* **1** afirmare; afirmație **2** confirmare, adeverire **3** *jur* confirmare a unei sentințe de către o instanță superioară

affirmation [,æfə:'meiʃən] *s* **1** afirmare, susținere **2** confirmare; ratificare **3** afirmație (↓ repetată); declarație (↓ solemnă) **4** *jur* declarație solemnă *(dar fără prestare de jurământ)*

affirmative [ə'fə:mətiv] **I** *adj* **1** afirmativ; pozitiv **2** *gram* afirmativ **3** dogmatic **4** *mat* pozitiv **II** *s* afirmativ; **to answer in the ~** a răspunde afirmativ

affirmatively [ə'fə:mətivli] *adv* (în mod) afirmativ, pozitiv

affirmatory [ə'fə:mətəri] *adj* ← *elev* afirmativ

affix I [ə'fiks] *vt* (**to**) a atașa (la); a pune (pe); a adăuga (la); a aplica *(ștampila etc.)* (pe) **II** ['æfiks] *s lingv* afix

affixation [,æfiks'eiʃən] *s* **1** atașare; punere; adăugare; aplicare **2** *lingv* afixație

afflatus [ə'fleitəs] *s* inspirație *(poetică etc.)*; avânt, elan

afflict [ə'flikt] **I** *vt* a chinui; a tulbura profund; a năpăstui **II** *vr* (**at**) a fi profund tulburat, a nu mai putea de supărare (de; din cauza – *cu gen*)

afflicted [ə'fliktid] *adj* chinuit; profund tulburat; care suferă cumplit

afflicted with [ə'fliktid wið] *adj* cu *prep* suferind/bolnav de

affliction [ə'flikʃən] *s* **1** nefericire, nenorocire; jale; chin, durere **2** ordalie, ispitire (grea); năpastă

affluence ['æfluəns] *s* **1** belșug, abundență, afluență; prisos **2** bogăție, bogății; avere

affluent ['æfluənt] **I** *adj* **1** bogat, avut, cu stare **2** îmbelșugat, abundent **3** (**in**) bogat (în), plin (de) **II** *s* afluent

afford [ə'fɔ:d] *vt* **1** a-și permite, a-și îngădui, a avea mijloacele necesare pentru; **they couldn't ~ a car** nu-și puteau permite să cumpere o mașină; **I cannot ~ the time** nu am când, timpul nu-mi permite **2** a da *(o producție, o recoltă, bucurie, satisfacții etc.)*; a oferi; a prileju; a aduce *(un câștig etc.)*; **it ~ed a great pleasure to all those who were present** a fost o mare plăcere pentru toți cei de față; **the tree ~ed them a shelter from the rain** pomul i-a adăpostit de ploaie, s-au adăpostit de ploaie sub pom

affordable [ə'fɔ:dəbl] *adj* posibil; disponibil

afforest [ə'fɔrist] *vt* a împăduri

afforestation [ə,fɔris'teiʃən] *s* împădurire

affray [ə'frei] *s* ← *elev* încăierare *(într-un loc public)*; scandal, larmă, zarvă

affricate ['æfrikit] *s lingv* africată

affright [ə'frait] *vt* ← *înv* a speria; a înfricoșa

affront [ə'frʌnt] **I** *vt* **1** a aduce un afront cuiva, a ofensa, a jigni **2** a înfrunta, a sfida **II** *s* afront, insultă, jignire

affusion [ə'fju:ʒən] *s* **1** ← *elev* stropire, udare **2** *med* afuziune, aspersiune

Afghan ['æfgæn] **I** *s* **1** afgan **2** ← *înv* (limba) afgană **II** *adj* afgan

Afghanistan [æf'gænistæn] *țară* Afganistan

afield [ə'fi:ld] *adv* **1** departe (↓ de casă); la o mare depărtare; **far ~** foarte *sau* prea departe **2** pe, la *sau* spre câmp **3** pe câmpul de luptă **4** rătăcit, pe un drum greșit

afire [ə'faiəʳ] *adj, adv* pe foc, arzând; în flăcări

A.F.L. *presc de la* **American Federation of Labor** Confederația Americană a Muncii

aflame [ə'fleim] *adj, adv* în flăcări

afloat [ə'flout] *adj, adv* **1** plutind, care plutește; dus de apă **2** *nav* la bord; pe bord **3** pe mare; **how long did you spend ~?** cât timp ai petrecut pe mare *sau* ai fost marinar? **4** acoperit de apă; inundat **5** *(d. zvonuri etc.)* în circulație, care circulă **6** *(d. o activitate)* în toi **7** fără datorii

aflower [ə'flauəʳ] *adj, adv* ← *poetic* înflorit, în floare

aflush [ə'flʌʃ] *adj, adv* îmbujorat

aflush with [ə'flʌʃ wið] *adj, adv cu prep* la același nivel cu

aflutter [ə'flʌtəʳ] *adj, adv* **1** fluturând **2** agitat, neliniștit; cuprins de neastâmpăr

afoam [ə'foum] *adj, adv* ← *poetic* înspumat, în spume

afoot [ə'fut] *adj, adv* **1** sculat, în picioare **2** în mișcare, în plină activitate **3** ↓ *peior* pus la cale, plănuit, urzit; pregătit **4** ← *înv* pe jos

afore [ə'fɔːʳ] ← *înv* **I** *adv* **1** înainte, în față **2** (mai) înainte **II** *prep* în fața, înaintea, dinaintea *cu gen* **III** *conj* înainte de *(cu inf)*, înainte ca să

afore-mentioned [ə'fɔːˌmenʃənd] *adj* mai sus amintit/menționat

aforetime [ə'fɔːˌtaim] *adv* ← *înv* demult; altădată, odinioară

Afr. *presc de la* **1 Africa 2 African**

A.-Fr. *presc de la* **Anglo-French**

afraid [ə'freid] *adj pred* **1** (of) căruia îi e teamă, care se teme, temător (de); **to be ~ of** a-i fi teamă/frică de, a se teme de; **to be ~ to do smth** a-i fi teamă/frică să facă ceva, a se teme să facă ceva; **I am ~ a** mă tem, mi-e frică/teamă **b** mă tem; regret, îmi pare rău **c** parcă, s-ar părea; cred; **I'm ~ we are late** mă tem că am întârziat **2** speriat

afresh [ə'freʃ] *adv* ← *elev* iar(ăși), din nou

Africa ['æfrikə] *continent*

African ['æfrikən] *adj, s* african

Afrikaans [ˌæfri'kɑːns] *s lingv* afrikaans, taal *(dialect olandez vorbit în Africa de Sud)*

aft [ɑːft] **I** *adv* la pupa; din pupa; spre pupa **II** *adj* de la pupa

after ['ɑːftəʳ] **I** *prep* **1** *(temporal)* după; la sfârșitul *cu gen;* nu mai devreme de; **~ 7 o'clock** după ora șapte; **~ that** după aceea; ulterior; mai târziu; **he will be here the day ~ tomorrow** poimâine va fi aici; **~ all** în definitiv, la urma urmei **2** *(ca ordine sau succesiune)* după; în urma *cu gen;* **five comes ~ four** cinci vine/urmează după patru **3** *(intensiv)* după; unul după altul; în șir; **year ~ year went by** trecea an după an, anii treceau unul după altul **4** *(spațial)* după; în urma *cu gen;* în spatele *cu gen;* înapoia *cu gen;* dinapoia *cu gen;* **shut the door ~ you** închide ușa după tine **5** în urma *cu gen;* ca/drept urmare *cu gen;* după; **~ what I have seen** după cele ce-am văzut, în urma celor văzute **6** în ciuda *cu gen,* cu tot, toată *sau* toate, după; **~ all his efforts, he did not succeed** cu toate eforturile sale/în ciuda eforturilor sale, nu a reușit **7** în maniera/felul/stilul *cu gen,* după; **a painting ~ Gainsborough** un tablou după Gainsborough **8** după, în conformitate cu; conform cu *sau cu dat;* **a man ~ my own heart** un om pe placul meu, un om cum îmi place mie; **~ a fashion** într-un fel, până la un punct **9** după; în urmărirea/căutarea *cu gen;* **they ran ~ him** alergau după el/în urmărirea lui, îl căutau (de zor); **she inquired ~ you** a întrebat de tine; s-a interesat de tine **10** după (numele *cuiva);* **the child was named ~ his cousin** copilul a fost botezat după vărul său, copilului i s-a dat numele vărului său **II** *adv* **1** *(temporal)* după aceea; mai târziu, ulterior, pe urmă; **soon ~** curând după aceea **2** *(ca ordine)* ← *rar* în urmă/spate **III** *conj* după ce; când; **he arrived ~ I (had) left** a venit după ce am plecat eu **IV** *adj atr* **1** viitor; ulterior; de mai târziu; următor; **she felt better in ~ years** s-a simțit mai bine în anii care au urmat **2** din spate, de dinapoi; **the ~ deck** puntea din spate/de la prova

after-birth ['ɑːftəˌbəːθ] *s* **1** copil născut din părinți în vârstă **2** *anat* placentă

after-body ['ɑːftəˌbɒdi] *s nav* jumătatea pupa

after-born ['ɑːftəˌbɔːn] *adj* **1** născut mai târziu; mai tânăr **2** postum

afterbrain ['ɑːftəˌbrein] *s anat* creier posterior; metencefal

aftercrop ['ɑːftəkrɒp] *s agr* a doua recoltă

after-damp ['ɑːftədæmp] *s min* gaze de explozie

afterdays ['ɑːftədeiz] *s pl* zilele următoare; perioadă viitoare

after-deck ['ɑːftədek] *s nav* puntea pupa

after-effect [ˌɑːftəri'fekt] *s* **1** efect ulterior **2** *fiz* remanență

after-game ['ɑːftəgeim] *s* **1** partidă de revanșă **2** *fig* nouă încercare/tentativă; nou mijloc

after-glow ['ɑːftəglou] *s* **1** amurg **2** senzație *sau* sentiment pe care ți-l lasă ceva

after-grass ['ɑːftəgrɑːs] *s* otavă

after-life ['ɑːftəlaif] *s* **1** viață de dincolo (de mormânt) **2** viața/anii de mai târziu

aftermath ['ɑːftəˌmæθ] *s* **1** *v.* **aftergrass 2** *fig* urmare, consecință (↓ *neplăcută)* **3** *fig* urmași, continuatori

afternoon [ˌɑːftə'nuːn] **I** *s* după-amiază **II** *adj atr* de după-amiază

afternoons [ˌɑːftə'nuːnz] *adv amer* după-amiaza, în fiecare după-amiază

after-pains ['ɑːftəpeinz] *s pl med* contracții puerperale, răsuri

afterpeak ['ɑːftəpiːk] *s nav* picul pupa, afterpic

afters ['ɑːftəz] *s pl* ceea ce se servește după masa de bază; felul doi *sau* dulce, desert

after-shave (lotion) ['ɑːftəʃeiv ('louʃən)] *s* loțiune după bărbierit

afterswarm ['ɑːftəswɔːm] *s* al doilea roi

after-thought ['ɑːftəθɔːt] *s* **1** gând/idee care vine prea târziu; reflexie târzie; **he had the ~** ideea i-a venit prea târziu (în minte) **2** răspuns întârziat; explicație tardivă **3** tertip; truc

aftertime ['ɑːftətaim] *s* viitor

afterward ['ɑːftəwəd] *adv amer v.* **afterwards**

afterwards ['ɑːftəwədz] *adv* după aceea; mai târziu, ulterior

after-world, the ['ɑːftəwəːld, ði] *s* lumea de dincolo (de mormânt)

Ag. *presc de la* **1 argentum 2 August**

ag. *presc de la* **agriculture**

A.G. *presc de la* **1 Adjutant General 2 Attorney General**

aga ['ɑːgə] *s turc od* agă

again [ə'gen, ə'gein] *adv* **1** din nou, iar(ăşi); încă o dată; încă pe atât(a); **you must never do that** ~ să nu mai faci asta/aşa niciodată; **time and** ~, **~ and** ~ mereu, întruna, necontenit, fără încetare/ întrerupere; **to be oneself** ~ a-şi reveni; a se reface; **now and** ~ din când în când, din vreme în vreme; uneori; **as much** ~ încă (o dată) pe atât; de două ori mai mult; **once/yet** ~ încă o dată **2** iar, din nou, ca altădată **3** iarăşi, pe de altă parte; **these** ~ **are not worse** (şi) nici acestea nu sunt mai rele; pe de altă parte, nici astea nu-s mai proaste **4** (şi) iarăşi, în afară de asta, pe lângă acestea; şi apoi; unde mai pui

against [ə'genst, ə'geinst] *prep* **1** împotriva, (în) contra *cu gen;* ~ **the wind** în contra vântului; în bătaia vântului; ~ **the current** împotriva/(în) contra curentului; ~ **his will** împotriva voinţei sale; **to fight** ~ **the enemy** a lupta împotriva duşmanului; **to vote** ~ **a bill** a vota împotriva unui proiect de lege **2** *(cu verbe exprimând ciocnirea)* de, în; **he hit his head** ~ **the wall** s-a lovit cu capul de zid; **the rain beat** ~ **the window** ploaia bătea în fereastră **3** pe fondul *sau* fundalul *cu gen;* prin contrast cu; în comparaţie cu; ~ **a white background** pe un fond alb; **the picture looked good** ~ **the green wall** tabloul se potrivea/ armoniza cu peretele verde **4** pentru; în vederea *cu gen;* **to store up food** ~ **winter** a face provizii pentru iarnă/în vederea iernii **5** *(exprimând sprijinirea)* de; lângă; **place the ladder** ~ **the wall** sprijină scara de perete // **over** ~ în faţa *cu gen,* vizavi de

Agamemnon [,ægə'memnən] *mit*

agape [ə'geip] *adj, adv* căscat, cu gura căscată; larg căscat

agar (-agar) ['eigɑːʳ] *s biol* agar-agar

agaric [æ'gærik] *s bot* ciupercă lamelară *(Agaricaceae sp.)*

agate ['ægit] *s* **1** *minr* agat **2** *poligr* corp de literă de 5 1/2 puncte **3** talisman

Agatha ['ægəθə] *nume fem* Agat(h)a

agave [ə'geivi] *s bot* agavă *(Agave sp.)*

agaze [ə'geiz] *adj, adv* privind cu ochii mari, uimit, cuprins de uimire

age [eidʒ] **I** *s* **1** vârstă, etate; **he is 12 years of** ~ are 12 ani; **what's your** ~? ce vârstă ai? câţi ani ai? **I have a daughter of your** ~ am o fiică de vârsta dumitale; **she doesn't look her** ~ nu-i dai vârsta pe care o are; **to come of** ~ a deveni major; **under** ~ minor; **he lived till old** ~ a trăit până la adânci bătrâneţi; **what** ~**s are her children?** ce vârstă au copiii ei? **2** vârstă, perioadă a vieţii; **middle** ~ vârsta de mijloc **3** bătrâneţe, vârstă înaintată; **his back was bent with** ~ avea spatele încovoiat de bătrâneţe **4** vechime; **this wine lacks** ~ vinul ăsta nu are vechime **5** perioadă, epocă; vârstă; **the Age of Chaucer** epoca lui Chaucer **6** *geol* eră; epocă; **the Iron Age** epoca fierului **7** *pl fig F* veşnicie, car de ani; **it's been** ~**s/an** ~ **since we met** ne cunoaştem de o groază de ani; **I haven't seen you for** ~**s** nu te-am (mai) văzut de o veşnicie/un car de ani **8** *(la cărţi)* protos **II** *vt* **1** a îmbătrâni, a face să îmbătrânească **2** a lăsa să se învechească *(vinul etc.)* **III** *vi* **1** a îmbătrâni **2** *(d. vin etc.)* a se învechi; a îmbătrâni

-age *suf* -aj: **passage** pasaj

aged *adj* **1** [eidʒd] în vârstă de; ~ **fifteen** (în vârstă) de 15 ani **2** [eidʒd] copt; *(d.vin etc.)* vechi **3** ['eidʒid] în vârstă, bătrân

age group ['eidʒ ,gruːp] *s* grupă de vârstă

ageing ['eidʒiŋ] *s şi tehn* maturizare; îmbătrânire; uzură

ageless ['eidʒlis] *adj* **1** care nu (mai) îmbătrâneşte **2** veşnic, etern, nemuritor; peren

agency ['eidʒənsi] *s* **1** *ec, com* agenţie **2** organ; organizaţie; instituţie **3** agent, factor activ; forţă, putere; influenţă; **by/through**

the ~ **of** prin; sub acţiunea, cu ajutorul, prin intermediul *cu gen*

agenda [ə'dʒendə] *s pl şi ca sg* agendă, ordine de zi; plan

agenesis [ei'dʒenəsis] *s* **1** *fizl* agenezie **2** *med* sterilitate; impotenţă

agent ['eidʒənt] *s* **1** agent *(al unei societăţi etc.);* reprezentant; intermediar, mijlocitor; persoană de încredere **2** agent (secret); spion **3** agent, factor; mijloc

agent provocateur [a'ʒɑːŋ ,provo-kə'tœːʳ], *pl* **agents provocateurs** [a'ʒɑːŋ ,provokə'tœːʳ] *s fr* agent provocator

age of consent ['eidʒ əv kən'sent] *s* vârstă matrimonială

age of discretion ['eidʒ əv dis'kre-ʃən] *s* vârstă de la care omul răspunde de faptele sale *(14 ani)*

age of fishes ['eidʒ əv 'fiʃiz] *s geol* devonian

age-old ['eidʒould] *adj* străvechi

Agesilaus [ə,dʒesi'leiəs] *rege spartan* Agesilau *(400-360 î.e.n.)*

agglomerate I [ə'gloməreit] *vt* a aglomera, a aduna, a strânge, a masa; a comasa **II** [ə'gloməreit] *vi* a se aglomera, a se aduna, a se strânge; a se comasa **III** [ə'glomərət] *s* **1** aglomerare **2** *geol* aglomerat **IV** [ə'glomərət] *adj* aglomerat, adunat

agglomeration [ə,glomə'reiʃən] *s* **1** aglomerare, îngrămădire, masare; comasare **2** *tehn* aglomerare; sintetizare

agglutinate [ə'gluːtineit] **I** *vt* a lipi, a încleia **II** *vi* **1** a se aglutina, a se lipi, a se uni **2** *lingv* a se aglutina

agglutination [ə'gluːti'neiʃən] *s* **1** aglutinare, (a)lipire **2** *lingv, med* aglutinare **3** conglomerat

agglutinative [ə'gluːtinətiv] *adj lingv* aglutinant

aggrandize [ə'grændaiz] *vt* **1** a mări, a extinde, a lărgi **2** a întări autoritatea *cu gen,* a face mai autoritar *sau* puternic **3** a îmbogăţi **4** a ridica în grad, a avansa, a promova **5** a (pro)slăvi, a preamări

aggrandizement [ə'grændizmənt] *s* **1** mărire, extindere, lărgire **2** întărire, consolidare (a autorităţii) **3** îmbogăţire **4** ridicare în grad, avansare, promovare **5** (pro)slăvire, preamărire

aggravate ['ægrəveit] *vt* **1** a agrava, a înrăutăți; a îngreuna **2** a intensifica, a mări, a spori **3** *F* a bate la cap, a plictisi; a scoate din sărite

aggravation [,ægrə'veiʃən] *s* **1** agravare, înrăutățire; îngreunare **2** necaz(uri), bătaie de cap; supărare

aggregate I ['ægrigeit] *vt* **1** a aglomera, a îngrămădi, a masa, a strânge **2** (**to**) a afilia (la); a înscrie (în) **3** a se ridica la *(o cifră)* II ['ægrigeit] *vi* a se aglomera, a se îngrămădi, a se strânge III ['ægrigət] *s* **1** total; totalitate; **in the ~** în total; în totalitate **2** *tehn* agregat **3** *mat* mulțime; colecție; familie; component IV ['ægrigət] *adj* **1** total; în total; adunat la un loc; tot, întreg **2** *lingv etc.* colectiv

aggregation [,ægri'geiʃən] *s* **1** aglomerare, îngrămădire, acumulare **2** *tehn etc.* agregat; masă; conglomerat

aggregative [,ægri'geitiv] *adj* **1** (luat) ca un tot; total **2** gregar

aggress [ə'gres] *vi* ← *elev* **1** a începe o ceartă **2** a porni atacul

agression [ə'greʃən] *s* **1** agresiune; atac **2** *psih* agresivitate

aggressive [ə'gresiv] *adj* **1** agresiv; pornit; bătăios **2** *(d. arme)* ofensiv **3** energic; activ; întreprinzător **4** amenințător **5** care nu se teme de oponenți

aggressively [ə'gresivli] *adv* **1** agresiv; pe un ton agresiv **2** (în mod) energic

aggressiveness [ə'gresivnis] *s* agresivitate; comportare provocatoare

aggressor [ə'gresəʳ] *s* agresor; provocator; atacant

aggrieve [ə'gri:v] *vt* **1** a îndurera/a mâhni profund **2** a insulta, a jigni, a ofensa **3** a nedreptăți; a face o nedreptate *cuiva*

aggrieved [ə'gri:vd] *adj* **1** profund mâhnit/îndurerat **2** jignit, ofensat **3** nedreptățit, căruia i s-a făcut o nedreptate

agha ['a:gə] *s turc od* agă

aghast [ə'ga:st] *adj pred* (**at**) înspăimântat, înfricoșat (de)

agile ['ædʒail] *adj* agil, sprinten, vioi, iute, activ

agilely ['ædʒailili] *adv* cu agilitate, sprinten, iute

agility [ə'dʒiliti] *s* agilitate, vioiciune, sprinteneală

Agincourt ['ædʒinkɔ:t] *oraș în Franța* Azincourt

agio ['ædʒiou] *s fin* agio; diferență de curs; joc de bursă

agiotage ['ædʒətidʒ] *s fin* agiotaj

agist [ə'dʒist] *jur* I *vt* **1** a duce la păscut *(vite)* pentru a provoca daune **2** a impune, a pune impozit pe II *vi* a paște vitele pe un teren arendat

agitate ['ædʒiteit] I *vt* **1** *și fig* a agita, a tulbura **2** *fig* a agita *(o idee)* II *vi* (**for**) a face agitație (pentru); a face propagandă (pentru)

agitated ['ædʒiteitid] *adj și fig* agitat, tulburat

agitation [,ædʒi'teiʃən] *s* **1** agitație, frământare, neliniște, tulburare; surescitare **2** dezbatere publică/ deschisă **3** agitare, clătinare, scuturare **4** *pol* agitație; mobilizare (revoluționară *etc.*); propagandă

agitator [,ædʒi'teitəʳ] *s* **1** agitator; propagandist **2** *tehn* agitator, amestecător

Aglaia [ə'gla:iə] *nume fem*

aglare [ə'glɛəʳ] *adj, adv* ← *înv* orbitor, strălucitor

agleam [ə'gli:m] *adj, adv* ← *înv* licărind, lucind, lucitor

aglet ['æglit] *s* vârf metalic *(de șiret, găitan etc.)*

aglow [ə'glou] *adj, adv* (**with**) roșu, îmbujorat (de)

agnail ['ægneil] *s* **1** pieliță în jurul unghiei **2** *med* panarițiu

agnate ['ægneit] I *s* agnat, rudă în linie paternă II *adj* **1** înrudit în linie paternă **2** înrudit, apropiat, de o aceeași natură

agnatic [æg'nætik] *adj v.* **agnate II**

Agnes ['ægnis] *nume fem* Agnes(a)

agnomen [æg'noumen], *pl* **agnomina** [æg'nɔminə] *s lat* **1** agnomen, supranume *(la romani)* **2** poreclă

agnostic [æg'nɔstik] *adj, s și filos* agnostic

agnosticism [æg'nɔstisizəm] *s și filos* agnosticism

ago [ə'gou] *adv* acum, în urmă (cu); **three days ~** acum trei zile, cu trei zile în urmă; **long ~** de mult, cu mult timp în urmă; **how long ~ did they leave?** când au plecat? cât să fie de când au plecat?

agog [ə'gɔg] *adj pred* **1** ← *înv* (**on, upon, for, about**) pasionat (de, după), dornic (de) **2** pe jar/ ghimpi, într-o stare de așteptare încordată; surescitat, înnebunit; nerăbdător

-agogue *suf* -agog: **pedagogue** pedagog

a-going [ə'gouiŋ] *adj, adv* ← *înv* în mișcare/mers

agonic [ə'gɔnik] *adj mat* agonic

agonistic [,ægə'nistik] *adj* **1** atletic **2** polemic

agonize ['ægənaiz] I *vt* a chinui, a tortura II *vi* **1** a agoniza, a fi în agonie **2** (**after**) a lupta din răsputeri, a se zbate (pentru) **3** (**over**) a suferi cumplit (din pricina/cauza – *cu gen*)

agonizing ['ægənaiziŋ] *adj* chinuitor, foarte dureros

agonizingly ['ægənaiziŋli] *adv* (în mod) chinuitor; chinuitor de

agony ['ægəni] *s* **1** agonie, chinurile morții **2** suferință grozavă, chin cumplit; **he suffered agonies from his broken arm** brațul fracturat îi pricinuia dureri atroce **3** izbucnire *(a unui sentiment)*, acces **4** luptă crâncenă // **to pile on/to put on/to turn on the ~** *sl* a se văita exagerat, a căuta să-și atragă compasiunea altora văitându-se exagerat

agony column ['ægəni ,kʌləm] *s* ← *F* rubrica deceselor; rubrica pierderilor *(în ziare)*

agony wagon ['ægəni ,wægən] *s* ← *F* ambulanță

agoraphobia [,ægərə'foubjə] *s med* agorafobie

agr. *presc de la* **1** agricultural **2** agriculturist **3** agriculture

agraffe [ə'græf] *s și tehn* agrafă

agrarian [ə'grɛəriən] I *adj* **1** agrar; agricol **2** *bot* sălbatic II *s* **1** latifundiar **2** partizan al reformelor agrare

agree [ə'gri:] I *vi* **1** (**to**) a accepta (până la urmă) *(cu ac)*, a consimți, a subscrie (până la urmă) (la); **he didn't ~ to my proposal** nu a fost de acord cu propunerea mea **2** (**on, about, with smb**) a fi de acord, a fi de aceeași părere (cu privire la, în privința/asupra – *cu gen* cu cineva); **they ~d with us** erau de acord cu noi;

we ~d on the project am căzut *sau* am fost de acord cu privire la proiect 3 *(cu inf,* **that)** a fi de acord, a cădea de acord, a consimți (să); **they ~d that they should ask him** au fost de acord (că trebuie) să-l întrebe; **we ~d to differ** am renunțat la încercarea de a ajunge la o înțelegere, am recunoscut că nu ne putem înțelege/că nu putem cădea de acord **II** *vt* a accepta (până la urmă), a consimți la, a aproba, a încuviința

agreeable [ə'gri:əbl] *adj* **1** plăcut, agreabil; < minunat, încântător **2** **(to)** dispus să accepte/primească/încuviințeze/aprobe *(cu ac);* favorabil *(cu dat);* **is he ~?** e dispus? acceptă? **I am not ~ to the suggestion** nu-mi surâde propunerea, nu sunt de acord cu sugestia **3** bun, potrivit, corespunzător, adecvat

agreeably [ə'gri:əbli] *adv* **1** (în mod) plăcut, agreabil **2** bine, (în mod) corespunzător

agreed [ə'gri:d] *adj* **1** *pred* de acord, care s-au înțeles **2** *(d. preț etc.)* (asupra căruia s-a) convenit **3** stabilit, hotărât; **at the ~ place** în locul stabilit **4** *ca interj* de acord! perfect! ne-am înțeles! *F* s-a făcut!

agreement [ə'gri:mənt] *s* **1** acord, înțelegere; învoială; **in ~ with** de acord cu; **there was no ~ about what to do** părerile erau (foarte) împărțite cu privire la ceea ce trebuia făcut **2** *gram* acord

agree with [ə'gri: wið] *vi cu prep* **1** a concorda cu; a se potrivi cu, a nu se deosebi de **2** *(d. mâncăruri etc.)* F a nu se împăca cu; **the fish did not ~ me** peștele nu mi-a priit, nu m-am împăcat cu peștele; **wine does not ~ her** vinul îi face rău/nu-i face bine **3** *gram* a se acorda cu

Agricola [ə'grikələ] *general roman (37-93 e.n.)*

agricultural [,ægri'kʌltʃərəl] *adj* agricol

agriculturalist [,ægri'kʌltʃərəlist] *s* **1** agricultor **2** agronom

agriculture [,ægri,kʌltʃəʳ] *s* **1** agricultură **2** agronomie

agriculturist [,ægri'kʌltʃərist] *s v.* **agriculturalist**

Agrippa [ə'gripə] *general roman (63-12 î.e.n.)*

agro- *pref* agro-: **agrobiology** agrobiologie

agrobiologic(al) ['ægroubaiə'lɔdʒik(əl)] *adj* agrobiologic

agrobiology [,ægrou,bai'ɔlədʒi] *s* agrobiologie

agrologic(al) [,ægrə'lɔdʒik(əl)] *adj* agrologic

agrology [ə'grɔlədʒi] *s* agrologie

agronomic(al) [,ægrə'nɔmik(əl)] *adj* agronomic

agronomics [,ægrə'nɔmiks] *s pl ca sg* agronomie

agronomist [ə'grɔnəmist] *s* **1** agronom **2** student în agronomie

agronomy [ə'grɔnəmi] *s* **1** agronomie **2** agricultură

aground [ə'graund] *adj, adv nav* eșuat; (pus) pe uscat

agt. *presc de la* **agent**

ague ['eigju:] *s* **1** *med* febră (↓ *cauzată de malarie);* malarie, friguri **2** frisoane; răceală **3** *fig* friguri, febră; zbucium

ah [ɑː] *interj* a! ah! vai! of! ha! aha! etc.

a.h. *presc de la* **ampere-hour**

aha [ɑː'hɑ] *interj (exprimă ↓ satisfacția, triumful)* aha! ha! așa! bravo!

Ahasuerus [,əhæzju'iərəs] *bibl* Ahasverus

ahead [ə'hed] *adv, adj* **1** *(spațial)* înainte, în față; în frunte; din față; din frunte; **the road ~** drumul din față; **go ~!** a înaintați! mergeți înainte/mai departe! nu staționați! **b** continuați! nu vă opriți! *F* dați-i drumul! **to get ~** a-i merge bine; a reuși **2** *(temporal)* dinainte; pe viitor; de viitor; **to plan ~** a planifica dinainte *sau* pentru viitor

ahead of [ə'hed əv] *prep* **1** *(spațial)* în fruntea, înaintea *cu gen;* din fruntea, dinaintea *cu gen;* în fața *cu gen;* din fața *cu gen* **2** *(temporal)* înaintea, în fața *cu gen;* dinaintea, din fața *cu gen* **3** *fig* mai bun decât; superior *cu dat*

aheap [ə'hi:p] *adj, adv* ← *înv* grămadă; cu grămada

ahem [ə'hem] *interj (pt a-ți drege vocea, pt a atrage atenția, pt a exprima îndoiala etc.)* hm!

ahoy [ə'hɔi] *interj nav* alo! atenție! hei!

Ahriman ['ɑːrimən] *mit*

aid [eid] **I** *vt (mai formal ca* **help)** a ajuta, a sprijini, a da ajutor *cu dat* **II** *vi* a ajuta, a da ajutor **III** *s* **1** sprijin; ajutor; **they went to the ~ of the wounded** au plecat să-i ajute pe răniți; **what is the money in ~ of?** pentru ajutorarea cui sunt banii? în folosul cui sunt banii? **by/with the ~ of** cu ajutorul *cu gen;* cu sprijinul *cu gen* **2** ajutor *(persoană sau obiect)* **3** *pl* mijloace auxiliare; **visual ~s** mijloace vizuale/video **4** proteză **5** *pl mil* trupe auxiliare; ajutoare; întăriri **6** *înv* dajdii, – dări, impozite // **what is** *cu* **s in ~ of?** de ce este...? ce rost are...? ce caută...?

Aida [ɑː'iːdə] *muz*

aide [eid] *s* ajutor; consilier

aide-de-camp ['eidə'kɑːŋ], *pl* **aides-de-camp** ['eidzdə'kɑːŋ] *s mil* aghiotant *(al unui general)*

aide-memoire ['eidme'mwɑːʳ] *s fr* agendă, bloc-notes, notes

aidful ['eidful] *adj* ← *înv* de ajutor, folositor

aigret(te) ['eigret] *s* **1** *orn* egretă *(Egretta sp.)* **2** egretă, panaș

ail [eil] **I** *vi* ← *F* a se simți slăbit; a fi bolnav **II** *vt* ← *rar* a pricinui durere *(cuiva),* a durea; **what ~s you?** ce te doare? ce te supără?

Aileen ['eiliːn] *nume fem* Elena

aileron ['eilərən] *s av* eleron; aripioară

ailing ['eiliŋ] *adj* suferind, bolnav

ailment ['eilmənt] *s* indispoziție, durere (ușoară)

aim [eim] **I** *vi* **1** *(at)* a ochi, a ținti (în) **2** *(at)* a ținti, a căuta să lovească (în); a ataca *(cu ac)* **3** *(at)* a ținti, a năzui (la, spre), a urmări *(cu ac);* **he ~ed to be a poet** năzuia să devină poet; **she ~s high** țintește departe, vrea să ajungă departe/sus, intenționează să ajungă departe **II** *vt* **1** *(at)* a ochi cu *(pușca etc.)* (în); a îndrepta *(pușca)* (spre) **2** *(at)* a îndrepta *(satira etc.)* (împotriva, contra – *cu gen)* **III** *s* **1** *mil etc.* țintă, obiectiv **2** *mil* cătare **3** *fig* țintă, scop; obiectiv; intenție

aimless ['eimlis] *adj* fără țintă/scop

aimlessly ['eimlisli] *adv* fără țintă; la întâmplare; razna; de colo până colo

aimlessness ['eimlisnis] *s* lipsa unui țel; lipsă de finalitate

ain't *contras din* **1** *F*=**am not 2** *vulg,* *reg* = **is not; are not; have not; has not**

air [εə'] **I** *s* **1** aer, văzduh; atmosferă; **by** ~ pe calea aerului; par/ prin avion; cu avionul; **in the** ~ **a** în aer *sau* atmosferă **b** *fig* în aer, care se simte **c** *fig (d. zvonuri etc.)* care circulă; care se aude **d** *fig* nefinisat; nepus la punct; nedefinitivat; nesigur; **to clear the** ~ **a** a aerisi o încăpere *etc.*, a lăsa să intre puțin aer **b** a lămuri lucrurile; a risipi orice îndoială; **into thin** ~ *F* pe apa sâmbetei; – dus/plecat de-a binelea; dispărut; **on the** ~ *rad* în emisie; **to take the** ~ a lua aer, a face o plimbare; **to walk/to tread on** ~ a fi în al nouălea cer; **to be at the** ~ ← *rar* **a** ← *F* a se strădui în zadar **b** *F* a tăia frunză la câini, a bate apa în piuă **2** adiere, boare **3** aer, înfățișare, mină **4** *fig* atmosferă; mediu **5** *pl* aere, importanță; poză; **to give oneself** ~**s, to put on** ~**s (and graces)** a-și da aere, a se fandosi **6** mers *(al calului)* **7** *muz* arie, melodie; cântec **II** *vt* **1** a aerisi, a aera; a ventila **2** a zvânta, a usca, a pune să se usuce **3** a exprima, a expune *(public)* **III** *adj atr* pneumatic; aerian; de aer *etc.*

air ball ['εə bɔ:l] *s* balon *(jucărie)*

air base ['εə beis] *s av* bază aeriană/ aviatică

air bed ['εə bed] *s* saltea pneumatică

air bladder ['εə ,blædə'] *s* **1** *iht* bășică **2** bășică de aer

air-borne ['εəbɔ:n] *adj mil* aeropurtat

air brake ['εə breik] *s tehn* frână pneumatică/cu aer (comprimat)

air bridge ['εə bridʒ] *s mil* pod aerian

air-built ['εə,bilt] *adj* imaginar; fantastic

air castles ['εə ,kɑ:slz] *s pl* himere, castele în Spania

air-conditioned ['εəkən'diʃənd] *adj* cu aer condiționat

air-cool ['εəku:l] *vt tehn* a răci cu aer

Air Corps ['εə'kɔ:] *s mil amer* ← *înv* forțele aeriene

aircraft ['εəkrɑ:ft] *s sg și pl* avion; avioane; aparat de zbor; aparate de zbor

aircraft carrier ['εəkrɑ:ft 'kæriə'] *s mil, nav, av* vas purtător de avioane

air cushion ['εə ,kuʃən] *s* pernă de aer

airfield ['εəfi:ld] *s av* aerodrom

air force ['εə fɔ:s] *s av* forță aeriană; aviație militară

air gauge ['εə geidʒ] *s tehn* manometru

air gun ['εə gʌn] *s mil* armă pneumatică

air hole ['εə houl] *s* **1** *av* gol de aer **2** *tehn* orificiu de ventilare

airily ['εərili] *adv* **1** (în mod) grațios, cu grație; eteric; diafan **2** fără să-i pese/să se sinchisească; cu inima ușoară

airiness ['εərinis] *s* **1** caracter aerian *sau* diafan; grație **2** veselie; lipsă de griji **3** ușurătate; nepăsare

airing ['εəriŋ] *s* **1** aerisire, aerare; ventilație **2** plimbare, ieșire la aer

air lane ['εə lein] *s av* rută aeriană

airless ['εəlis] *adj* **1** neaerisit, lipsit de aer; îmbâcsit **2** calm, liniștit, fără vânt

air letter ['εə 'letə'] *s* scrisoare par avion

airlift ['εəlift] *s av* **1** pod aerian **2** transport aerian

air line ['εə lain] *s av* linie aeriană

air liner ['εə 'lainə'] *s av* avion de linie

air mail ['εə 'meil] *s* poștă aeriană

air-mail ['εəmeil] *vt* a expedia par avion/prin poșta aeriană

airmanship ['εəmənʃip] *s av* **1** navigație aeriană **2** pregătire de zbor **3** măiestrie aviatică

air map ['εə mæp] *s* hartă aeronautică/de zbor

air-minded ['εə ,maindid] *adj* preocupat de problemele aviației

air-monger ['εə,mʌŋgə'] *s* fantezist; visător

airpark ['εəpɑ:k] *s* aerodrom particular

air pillow ['εə ,pilou] *s* pernă pneumatică/cu aer

air pipe ['εə ,paip] *s tehn* conductă de aer/ventilație

airplane ['εəplein] *s* aeroplan; avion

air pocket ['εə ,pɔkit] *s av* gol/pungă de aer

airport ['εəpɔ:t] *s av* aeroport

airpost ['εə,poust] *s* poștă aeriană

air-proof ['εəpru:f] *adj* ermetic, etanș la aer

air pressure ['εə ,preʃə'] *s* presiune atmosferică

air pump ['εə ,pʌmp] *s tehn* pompă de aer

air raid ['εə reid] *s av mil* atac/raid aerian

air route ['εə ru:t] *s av* rută/linie aeriană

airscrew ['εə,skru:] *s av* elice

air shaft ['εə ,ʃɑ:ft] *s* **1** *min* puț de aeraj/aerisire **2** *tehn* canal de aeraj/aerisire/ventilare; coș de aeraj; burlan de aerisire

airshed ['εəʃed] *s av* hangar

airship ['εə,ʃip] *s av* dirijabil

air show ['εə ,ʃou] *s* **1** expoziție aviatică **2** paradă de aviație

air-sick ['εə,sik] *adj* care are rău de altitudine

air space ['εə ,speis] *s* **1** *av* spațiu aerian **2** *tehn* cameră de aer

air stone ['εə ,stoun] *s* meteorit

airstream ['εə,stri:m] *s* jet de aer

air threads ['εə ,θredz] *s pl* funigei

air-tight ['εə,tait] *adj* etanș la aer, ermetic

air vessel ['εə, vesəl] *s* **1** *tehn* cameră de aer **2** *ch* rezervor/colector de aer **3** *ent* trahee

airway ['εəwei] *s* **1** *av* linie aeriană **2** *min* galerie de aeraj

airworthy ['εəwə:ði] *adj av* capabil de zbor

airy ['εəri] *adj* **1** situat în aer; de sus; înalt **2** (bine) aerisit; cu acces la aer **3** de *sau* din aer **4** aerian, eteric; grațios; diafan **5** vesel, voios, vioi **6** ușuratic, neserios **7** *fig* gol, găunos, de nimic, fără miez **8** care-și dă aere, afectat, fandosit, sclifosit **9** ireal, fantastic

aisle [ail] *s* **1** *arhit* navă laterală *(în biserici)* **2** trecere, interval; coridor; pasaj **3** *constr* aripă **4** alee

aitch [eitʃ] *s* (litera) H, h; (sunetul) h; **to drop one's** ~**es** *(d. oameni inculți etc.)* a nu rosti sunetul h **(house,** *rostit* [aus] *în loc de* [haus] *etc.)*

aitchbone ['eitʃboun] *s* **1** *anat* osul sacru **2** bucată de carne din coapsă *(de vacă)*

ajar [ə'dʒɑ:'] *adj, adv* întredeschis

Ajax ['eidʒæks] *mit* Aiax

akene [ə'ki:n] *s bot* achenă

akimbo [ə'kimbou] *adj, adv (d. mâini)* în șold

akin [ə'kin] *adj pred* **1** **(to)** înrudit (cu) **2** *fig* **(to)** înrudit, asemănător (cu), apropiat (de)

al- *pref* al-: **alchemy** alchimie; **alliteration** aliterație
-al *suf* ↓ -al: **theatrical** teatral
al. *presc de la* 1 **alii** alții, alte persoane 2 **alias**
Ala. *presc de la* **Alabama**
Alabama [,ælə'bæmə] 1 *stat în S.U.A.* 2 **the ~** *fluviu în S.U.A.*
alabaster ['æləbɑːstə] *s minr* alabastru
alack [ə'læk] *interj înv* vai și amar! – vai!
alacrity [ə'lækriti] *s* zel, râvnă; promptitudine
Alan ['ælən] *nume masc*
Alaric ['ælərik] *rege vizigot (370?-410)*
alarm [ə'lɑːm] I *s* 1 *mil etc.* alarmă; semnal de alarmă 2 panică; teamă, frică; **to feel/to take ~** a fi cuprins de panică, a se speria II *vt* 1 *mil etc.* a alarma, a pune în stare de alarmă 2 a alarma, a speria; a neliniști, a tulbura 3 a avertiza, a preveni
alarm clock [ə'lɑːm 'klɔk] *s (ceas)* deșteptător
alarmed [ə'lɑːmd] *adj* alarmat, în stare de alarmă; speriat
alarming [ə'lɑːmiŋ] *adj* alarmant; îngrijorător; primejdios, periculos
alarmingly [ə'lɑːmiŋli] *adv* 1 (în mod) alarmant, îngrijorător; periculos 2 alarmant/îngrijorător de
alarmist [ə'lɑːmist] *adj, s* alarmist
alarum [ə'lɛərəm] *s mil* ← *înv sau poetic* alarmă
alarums and excursions [ə'lɛərəmz ənd iks'kə:ʃənz] *s pl* ← *înv* larmă, zarvă, freamăt, agitație
alas [ə'lɑːs] *interj* ← *elev* vai!
Alaska [ə'læskə] *stat al S.U.A.*
alb [ælb] *s bis* stihar
Alb. *presc de la* 1 **Albania** 2 **Albanian** 3 **Albany**
Albania [æl'beiniə] *țară*
Albanian [æl'beiniən] I *adj* albanez II *s* 1 albanez, *înv* → arnăut 2 (limba) albaneză
Albany ['ɔːlbəni] *capitala statului New York*
albatross ['ælbətrɔs] *s orn* albatros *(Diomedea sp.)*
albeit [ɔːl'biːit] *conj* ← *elev* deși, cu toate că; chiar dacă
Albert ['ælbət] *nume masc*
Alberta [æl'bəːtə] 1 *nume fem* 2 *provincie în Canada*
albinism ['ælbinizəm] *s fizl, bot* albinism
albino [æl'biːnou] *s* albinos

Albion ['ælbiən] *poetic* Albion, Englitera, – Anglia
album ['ælbəm] *s* 1 album 2 *tel* bandă de lungă durată, album, l.p.
albumen ['ælbjumin] *s* 1 *ch* albumină 2 albuș (de ou)
albumin ['ælbjumin] *s ch* albumină
albuminoid [æl'bjuːmi,nɔid] *adj ch* albuminoid
albuminous [æl'bjuːminəs] *adj ch* albuminos
Alcaeus [æl'siːəs] *poet grec* Alceu *(620-580 î.e.n.)*
Alcestis [æl'sestis] *ist, lit* Alcesta
alchemist ['ælkimist] *s* alchimist
alchemy ['ælkimi] *s* alchimie
Alcibiades [,ælsi'baiədiz] *general atenian* Alcibiade *(450-404 î.e.n.)*
Alcmene [ælk'miːniː] *mit* Alcmena
alcohol ['ælkəhɔl] *s* alcool; spirt
alcoholic [,ælkə'hɔlik] *adj s* alcoolic
alcoholism ['ælkəhɔlizəm] *s* alcoolism
alcoholometer [,ælkəhɔ'lɔmitə] *s ch* alcoolmetru
Alcoran, the [,ælkɔ'rɑːn, ði] *s rel* Coranul
Alcott ['ɔːlkət], **Amos Bronson** *filosof american (1799-1888)*
Alcott, Louisa May *romancieră americană (1832-1888)*
alcove ['ælkouv] *s* 1 alcov; firidă; nișă 2 boltă *(de viță)*; chioșc
Alcuin ['ælkwin] *scriitor anglo-saxon (735-804)*
Ald. *presc de la* **alderman**
Aldebaran [æl'debərən] *astr stea*
aldehyde ['ældihaid] *s ch* aldehidă
alder ['ɔːldə] *s bot* anin *(Alnus sp.)*
alderman ['ɔːldəmən] *s* 1 *(în Anglia și Irlanda)* membru (vârstnic) al unui consiliu municipal *sau* orășenesc 2 *od* prefect al unui shire
Aldrich ['ɔːldritʃ], **Thomas Bailey** *scriitor american (1836-1907)*
ale [eil] *s (unul din diferitele tipuri de)* bere (englezească) *(↓ blondă)*
aleatory ['eiliətəri] *adj* aleatoriu, întâmplător; stocastic
alee [ə'liː] *adv nav* sub vânt
alehouse ['eilhaus] *s* ← *înv* cârciumă, bodegă
alembic [ə'lembik] *s* alambic
Aleppo [ə'lepou] *oraș în Siria* Alep
alert [ə'ləːt] I *adj* 1 sprinten, vioi, ager, alert 2 atent, prevăzător, grijuliu; vigilent II *s* alarmă, alertă; **to be on the ~** a fi în alertă/alertat

III *vt* 1 → *mil* a alarma, a scoate în alarmă; a pune în stare de alarmă 2 a alerta, a alarma, a preveni
alertly [ə'ləːtli] *adv* cu vioiciune; prompt
alertness [ə'ləːtnis] *s* 1 (stare de) alertă; prevedere, vigilență 2 vioiciune, agerime
Aleutian Islands, the [ə'luːʃən 'ailəndz, ði] Insulele Aleutine
A level ['ei 'levəl] *s* nivel superior *(↓ în sistemul de învățământ englez – v.* GCE*)*
alewife ['eilwaif] *s* cârciumăreasă, crâșmăriță
Alexander [,ælig'zɑːndə] *nume masc, ist etc.* Alexandru
Alexandra [,ælig'zɑːndrə] *nume fem*
Alexandria [,ælig'zɑːndriə] *oraș în Egipt*
alexandrine [,ælig'zændrain] *adj, s metr* alexandrin
Alexis [ə'leksis] *nume masc* Alexe
alfalfa [æl'fælfə] *s bot* lucernă *(Medicago sativa)*
Alfred ['ælfrid] *nume masc*
Alfred the Great ['ælfrid ðə 'greit] *rege și scriitor anglo-saxon* Alfred cel Mare *(849-899)*
alfresco [æl'freskou] *I* *adv* în aer liber, afară II *adj* în aer liber, de afară
Alg. *presc de la* 1 **Algerian** 2 **Algiers**
alg. *presc de la* **algebra**
alga ['ælgə], *pl* **algae** ['ældʒiː] *s bot* algă
algebra ['ældʒibrə] *s* algebră
algebraic(al) [ældʒi'breiik(əl)] *adj* algebric
Algeria [æl'dʒiəriə] *țară*
Algerian [æl'dʒiəriən] *adj, s* algerian
Algernon ['ældʒənən] *nume masc*
algesia [æl'dʒiːziə] *s med* algezie
Algiers [æl'dʒiəz] *capitala Algeriei* Alger
Algonquian [æl'gɔŋkwːən] *adj, s geol* algonkian
algorithm ['ælgou,riðəm] *s mat* algoritm
Alhambra [æl'hæmbrə] *palat în Spania*
Ali ['æli] *nume masc*
alias ['eiliæs] I *s* nume de împrumut; nume fals II *adv* alias, numit și, cunoscut și ca
Ali Baba ['æli 'bɑːbə] *lit*
alibi ['ælibai] *s* 1 *jur* alibi 2 *fig F* alibi, – scuză, pretext
Alice ['ælis] *nume fem* Alice, Alis, Alisa
alidade ['ælideid] *s top* alidadă

alien ['eiljən] **I** *s* **1** străin *(care nu a primit încă cetățenia țării)* **2** persoană din afară **3** extraterestru **II** *adj* **1** străin, din altă țară *sau* de alt neam **2** străin, al altuia **3** (**to**) străin (de *felul nostru de a gândi etc.*); ciudat, straniu (pentru) **4** extraterestru

alienable ['eiliənəbl] *adj* care poate fi înstrăinat, alienabil

alienate ['eiliəneit] *vt* **1** *jur* a aliena, a înstrăina **2** (**from**) a înstrăina, a îndepărta (de)

alienation [,eiljə'neiʃən] *s* **1** *jur* alienare, înstrăinare **2** (sentiment de) alienare **3** (**from**) înstrăinare, îndepărtare (de) **4** *med* alienație; boală mintală

alienism ['eiljənizəm] *s* **1** cetățenie străină **2** psihiatrie

alienist ['eiljənist] *s med* alienist, psihiatru

alien to ['eiljən tə] *adj cu prep* străin de; contrar *(firii cuiva etc.)*

alight [ə'lait] **I** *vi* **1** (**from**) a coborî, a se da jos (din; de pe *cal)* **2** (**on, upon**) *(d. păsări)* a coborî (în zbor), a se așeza, a poposi (pe) **3** *av* a ateriza; a ameriza **II** *adj pred* **1** aprins; arzând **2** luminat

alight on/upon [ə'lait ɔn/ə,pɔn] *vi cu prep* **1** *v.* **alight I**, **2** ← *elev* a se întâlni întâmplător cu, a întâlni din întâmplare *cu ac*, a da peste/de

alight with [ə'lait wið] *adj cu prep (d. față etc.)* radiind/aprins/luminat de

align [ə'lain] **I** *vt* **1** a alinia, a pune/a așeza în rând; a îndrepta **2** *tehn* a centra; a îndrepta traseul *cu gen* **3** *fig* (**with**) a pune de acord (cu) **4** *fig* a alinia, a include, a înscrie, a cuprinde *(într-o grupare etc.)* **II** *vi* (**with**) a se alinia (cu), a fi în linie (cu) **III** *vr* (**with**) a se pune de acord, a se înțelege (cu)

alignment [ə'lainmənt] *s* **1** aliniere; reglare; îndreptare **2** *tehn* aliniament, centrare **3** *tehn* direcție **4** paralelism **5** *fig* grupare, aliniere

align oneself with [ə'lain wʌn'self wið] *vr cu prep* **1** *v.* **align III 2** a colabora cu

alike [ə'laik] **I** *adj pred* la fel, asemenea; asemănător *sau* asemănători; **they are very much ~** seamănă foarte mult (unul cu altul); **they are more ~ than you**

can imagine seamănă (între ei) mai mult decât îți poți închipui **II** *adv* în mod egal *sau* aproape egal, la fel *sau* aproape la fel; **I treat them all ~** îi tratez pe toți la fel, mă port la fel cu ei toți

aliment ['ælimənt] **I** *s* **1** ← *elev* alimente, hrană **2** *jur* întreținere; pensie alimentară *(în Scoția)* **II** *vt* **1** *jur* a da pensie alimentară *(cuiva)* **2** *elev* a nutri, – a hrăni

alimentary [,æli'mentəri] *adj* **1** alimentar; de alimentație **2** nutritiv, hrănitor

alimentary canal/duct [,æli'mentəri kə'næl/,dʌkt] *s anat* tub digestiv

alimentation [,ælimen'teiʃən] *s* **1** alimentare, hrănire **2** alimentație, hrană

alimony ['æliməni] *s* **1** *jur* pensie alimentară *(dată fostei soții)* **2** ← *înv* întreținere; hrană, alimente

Aline [æ'li:n] *nume fem* Alina

aline... *v.* **align...**

aliquant ['ælikwənt] *adj mat* alicvant

aliquot ['ælikwɔt] *adj mat* alicot

a little [ə'litl] **I** *adv* **1** ceva, puțin, întrucâtva; **~ younger** ceva mai tânăr **2** câtva timp, puțin, F → un pic; **wait ~** așteaptă puțin **II** *adj* **1** puțin *sau* puțină; ceva; niște; F → un pic de; **give me ~ water please** dă-mi puțină/F → un pic de apă, te rog **2** puțin *sau* puțină, nu mult *sau* multă; de scurtă durată; câtva *sau* câtăva; **I shall stay with him ~ while** o să stau cu el câtva timp **III** *s, pr* **1** ceva, puțin; o cantitate oarecare; **to know ~ of everything** a ști câte ceva din toate **2** câtva/puțin timp, câtăva/puțină vreme; **after ~** după un timp; ceva mai târziu

alive [ə'laiv] **I** *adj pred* **1** viu, în viață; **no man ~** nimeni pe lume, nici un muritor **2** plin de viață, vioi, activ; energic; **she is still very much ~** e încă foarte activă **3** existent; valabil; viabil **II** *adv cu însuflețire*; **look ~** mai repede! grăbește-te!

alive to [ə'laiv tə] *adj cu prep* care e conștient de, care își dă seama de; care înțelege/pricepe *cu ac*; receptiv la

alive with [ə'laiv wið] *adj cu prep* plin/acoperit de *(ființe);* care colcăie de; mișunând/furnicând de; **the garden was ~ bees** grădina era întesată de albine

alizarin(e) [ə'lizərin] *s ch* alizarină

alkali ['ælkəlai], *pl* și **alkalies** ['ælkəlaiz] *s ch* bază, alcaliu

alkalimeter [,ælkə'limitər] *s ch* alcalimetru

alkaline ['ælkəlain] *adj ch* alcalin, leșietic

alkaloid ['ælkəlɔid] *s ch* alcaloid

Alkoran, the [ælkɔ'ra:n, ði] *s rel* Coranul

all [ɔ:l] **I** *adj* **1** tot, toată, toți *sau* toate; întreg *etc.*; fiecare; oricare; orice; **~ my friends** toți prietenii mei; **~ day long** cât e ziua de mare, toată ziua; **~ the corn in the field** tot grâul de pe câmp; **on ~ fours** în patru labe; de-a bușilea; **~ the home (that) he had** tot căminul pe care îl avea; ăsta îi era căminul, nimic altceva; **not ~ food is good to eat** nu orice aliment este bun de mâncat; **answer ~ the questions on the blackboard** răspundeți la toate întrebările de pe tablă; **beyond ~ doubt** dincolo de orice îndoială, fără (nici o) îndoială; **of ~ people** numai la el *etc.* nu m-aș fi gândit; oricine numai nu el *etc.*; ultimul *etc.* la care ne-am fi așteptat; surprinzător **2** tot, maxim; **with ~ speed** cu cea mai mare grabă; cu maximă viteză **3** tot; numai; **I am ~ ears** sunt numai urechi **4** curat, pur; neamestecat; **~ wool** lână pură **II** *pr* **1** tot, toate; **that is ~** asta e tot; **~ or nothing** totul sau nimic; **~ in ~** *F* una peste alta, – în general, în linii mari; **~ that (good etc.)** *F* chiar așa de (bun etc.); **and ~** *F* și câte și mai câte; – și toate celelalte; și toți ceilalți; și restul; **~ of** *cu num F* nici mai mult nici mai puțin decât *cu num;* ... cu totul; **not at ~ a** deloc, defel, câtuși de puțin, nicidecum **b** *(ca răspuns la "thank you")* n-aveți pentru ce! pentru puțin/nimic! **at ~ cât de cât**, cumva; **if at ~** dacă se poate pune astfel problema; dacă poate fi vorba de așa ceva; **for ~ I know** după câte știu; **in ~** în total; **it isn't so/as cold as ~ that** *F* (păi) nu e chiar așa de frig **2** toți, toată lumea; **~ agreed to the proposal** toți s-au declarat de acord cu propunerea, toți au fost (până la urmă) de acord cu propunerea **III** *adv* **1** cu totul, complet, în întregime; cu desăvârșire; ~ **worn out** complet epuizat, cu desăvârșire frânt (de oboseală); **she sang ~ through the night** a cântat (absolut) toată noaptea **2** *sport* pentru fiecare (echipă); **the score of the football match was 2 ~** scorul a fost egal – doi la doi/ două goluri la două // ~ **cu comp** cu atât mai *(bun, bine etc.)*; ~ **the worse** cu atât mai rău; ~ **the more so as** cu atât mai mult cu cât; ~ **along** ← *F* tot timpul; ~ **but** aproape *(gata etc.)*; ~ **over** a peste tot; de sus până jos **b** ↓ *amer* pretutindeni, peste tot, în tot locul; **not ~ there** *F* greu de cap; bătut în cap; ~ **the same** chiar așa (stând lucrurile); totuși; **it's ~ the same to me** mi-e egal, mi-e totuna, mi-e indiferent; nu mă deranjează; ~ **up** *F* caput, – ruinat; ~ **told** în total; unul peste altul **IV** *s* tot, bunuri, avere; **my ~** tot ce am, toate câte îmi aparțin

all- *pref* atot-; pan-; **all-American** panamerican; **all-seeing** atotvă- zător, atoatevăzător

Allah ['ælə] *rel* Allah

Allahabad [ˌæləha'ba:d] *oraș în India*

all-American [ˌɔ:lə'merikən] *adj* **1** panamerican **2** (format) numai din americani **3** fabricat *etc.* în întregime în S.U.A.

Allan ['ælən] *nume masc*

Allan-a-dale ['ælənə'deil] *lit tovarăș al lui Robin Hood*

all-around ['ɔ:lə'raund] *adj atr* multi- lateral

allay [ə'lei] *vt* ← *elev* a domoli, a potoli *(setea, mânia etc.)*

all clear ['ɔ:l 'kliə] *s* semnal, strigăt *etc.* anunțând că pericolul a trecut; ~! liber!

allegation [ˌæli'geiʃən] *s* alegație; declarație, afirmație *(nedove- dită)*

allege [ə'ledʒ] *vt* a declara, a afirma *(fără dovezi)*; a pretinde

alleged [ə'ledʒd] *adj* **1** pretins; necon- firmat; bănuit **2** așa-zis/numit

allegedly [ə'ledʒədli] *adv* după cum se pretinde/spune, chipurile

Allegheny, the [ˌælə'geini, ði] *fluviu în S.U.A.*

Allegheny Mountains, the [ˌælə- 'geini 'mauntinz, ði], **the Alleghe- nies** Munții Alegani

allegiance [ə'li:dʒəns] *s* **(to)** supu- nere (față de); credință, loialitate (față de)

allegoric(al) [ˌæle'gɔrik(əl)] *adj* alegoric; figurat

allegorically [ˌæle'gɔrikəli] *adv* (în mod) alegoric; figurat

allegorist ['æligərist] *s* alegorist

allegorize ['æligəraiz] **I** *vt* a alego- riza, a da un sens alegoric *(cu dat)* sau a explica prin alegorii **II** *vi* **(upon)** a vorbi/a se exprima în alegorii *(despre)*

allegretto [ˌæli'gretou] *s, adv muz* allegretto

allegro [ə'leigrou] *s, adv muz* allegro

alleluia [ˌæli'lu:jə] *s, interj rel* aliluia

allemande ['ælma:nd] *s muz* ale- mandă

all-embracing ['ɔ:lim'breisiŋ] *adj* atotcuprinzător

Allen ['ælin] *nume masc*

allergic [ə'lə:dʒik] *adj* **(to)** alergic (la)

allergy ['ælədʒi] *s* **(to)** alergie (la)

alleviate [ə'li:vieit] *vt* a ușura, a alina *(dureri etc.)*; a îndulci

alleviation [ə,li:vi'veiʃən] *s* ușurare, alinare *(a durerii etc.)*; îndulcire

alley ['æli] *s* **1** alee *(în parc etc.)*; cărare **2** alee, uliță, stradă *(îngustă)* **3** trecere *(printre rân- duri)*, interval, culoar **4** *(la popi- ce)* culoar **5** fundătură

alleyway ['æliwei] *s* gang, pasaj strâmt; alee, uliță, stradă (strâmtă)

All Fools' Day ['ɔ:l 'fu:lz dei] *s* ziua păcălelilor *(1 aprilie)*

all-fours ['ɔ:l'fɔ:z] *s* **1** cele patru labe *(ale animalelor)*; **on ~** în patru labe, de-a bușilea **2** potrivire întocmai; ~ **with** ← *F* care se potrivește întocmai cu **3** ← *F* orice joc de cărți în doi

all hail ['ɔ:l'heil] *interj* ← *înv* sănă- tate (la toți)!

Allhallowmas ['ɔ:l'hæloumæs] *s rel* Ziua tuturor sfinților *(1 noiembrie)*

Allhallows [ˌɔ:l'hælouz] *s v.* **Allhal- lowmas**

alliance [ə'laiəns] *s* **1 (with)** alianță (cu); **in ~ (with)** aliat *sau* aliați (cu) **2 (with)** alianță, înțelegere, colaborare (cu) **3 (with)** înrudire (cu) **4** uniune; federație

allied [ə'laid] *adj* **1 (with)** *mil* aliat (cu) **2 (with)** aliat (cu), de partea *(cu gen)*, susținând cauza *(cu gen)* **3 (to)** apropiat (de), înrudit (cu); asemănător (cu)

alligator ['æligeitə] *s zool* aligator *(Alligator sp.)*

all-important ['ɔ:lim'pɔ:tənt] *adj* deo- sebit/extrem de important; indis- pensabil, fără de care nu se poate

all in ['ɔ:l 'in] *adj F* stors, vlăguit, frânt

all-in ['ɔ:lin] *adj* **1** inclus, inclusiv **2** *sport* fără restricții, liber

all-inclusive ['ɔ:lin'klu:siv] *adj* atotcuprinzător

alliteration [ə,litə'reiʃən] *s* aliterație

alliterative [ə'litərətiv] *adj* aliterativ, cu aliterații

all-knowing ['ɔ:l'nouiŋ] *adj* atotcu- noscător

allo- *pref* alo-: **allomorph** alomorf

allocate ['æləkeit] *vt* a aloca, a destina; a distribui, a repartiza

allocation [ˌælə'keiʃən] *s* **1** alocare, destinare; distribuire, repartizare **2** alocație

allocution [ˌælou'kju:ʃən] *s* alocu- ți(un)e; cuvântare ocazională scurtă

allodial [ə'loudjəl] *adj od* alodial, de alodiu

allomorph ['æloumo:f] *s lingv etc.* alomorf

allopathist [ə'lɔpəθist] *s med* alopat

allopathy [ə'lɔpəθi] *s med* alopatie

allot [ə'lɔt] *vt* **1** a aloca, a repartiza; a distribui; a destina; a acorda; **each speaker was ~ted ten minutes** fiecărui vorbitor i s-au acordat zece minute **2** a repartiza, a da, a încredința *(o sarcină etc.)*

allotment [ə'lɔtmənt] *s* **1** alocare, repartizare; distribuire **2** alocație; repartiție; distribuție **3** parte, participație **4** *fig* parte, soartă **5** (lot de) teren arendat

allotropic [ˌælə'trɔpik] *adj ch* alo- trop

allotropy [ə'lɔtrəpi] *s ch* alotropie

all out ['ɔ:l 'aut] *adv F* pe rupte, – din răsputeri; cu toată energia

all-out ['ɔ:laut] *adj F* nebunesc, – dis- perat, suprem, extraordinar; **an ~ attempt** o încercare care ne-a spetit/deșelat

all over ['ɔ:l 'ouvə] *adv* **1** peste tot; în toate părțile **2** la capăt/sfârșit; terminat **3** *F* de sus până jos; din cap până în picioare; – din toate punctele de vedere; leit, *F* bucă- țică ruptă

all-over, allover ['ɔ:l'ouvə] *adj (d. un desen etc.)* acoperind întreaga suprafață

allow [ə'lau] *vt* **1** a permite, a îngădui *(ceva, cuiva; să – cuiva);* a lăsa *(pe cineva să);* a da voie *(să – cuiva);* **I didn't ~ him to go there** nu i-am dat voie/nu l-am lăsat să se ducă acolo; **he was not ~ed to smoke** nu i s-a permis să fumeze; **I was ~ed into the room** mi s-a dat voie să intru în cameră **2** a permite, a face posibil; **this gate ~s access to the garden** prin această poartă se poate intra în grădină; **the money will ~ us to buy another car** cu acești bani o să ne putem cumpăra o altă mașină **3** a permite *cuiva* să intre *sau* să iasă; a permite accesul *cu gen;* **dogs are not ~ed in the hall** este interzis să se intre cu câini în sală **4** a da, a acorda *(↓ bani sau timp)* **5** a recunoaște, a nu tăgădui, a nu contesta; **I ~ that I was wrong** recunosc că nu am avut dreptate **6** a lua în considerare, a ține seama de

allowable [ə'lauəbəl] *adj* **1** permis, îngăduit; admisibil; acceptabil **2** legal

allowably [ə'lauəbli] *adj* cu îngăduință

allowance [ə'lauəns] *s* **1** alocație; plată *(regulată);* rație; tain **2** *amer* bani de buzunar **3** sumă fixă de bani *(în cadrul unei excursii organizate de către o societate etc.);* indemnizație **4** *com* reducere, rabat **5** recunoaștere; luare în considerare; **make ~ for his age** gândiți-vă (și) la vârsta pe care o are, țineți cont (și) de vârsta lui **6** faptul de a permite; permisiune

allowedly [ə'lauədli] *adv* după cum se recunoaște/știe

allow for [ə'lau fər] *vi cu prep* a avea în vedere *cu ac,* a ține seama de, a nu pierde din vedere *cu ac;* **has everything been allowed for in the project?** s-a ținut cont de toate elementele în proiect? proiectul prevede toate elementele (necesare)? **~ his youth** nu uita că e tânăr, ține cont de tinerețea lui

allow of [ə'lau əv] *vi cu prep* a permite (ca posibil), a îngădui *cu ac;* **the facts allowed of no other explanation** faptele nu permiteau (nici) o altă explicație, faptele nu făceau posibilă (nici) o altă interpretare

alloy I ['ælɔi] *s* **1** *met, poligr* aliaj **2** probă *(a unui metal prețios)* **3** *fig* ← *înv* amestec, adaos *(nedorit);* **pleasure without ~** plăcere neumbrită de nimic II [ə'lɔi] *vt* **1** *met* a alia **2** *fig* a strica, a umbri *(fericirea etc.)*

all-powerful ['ɔ:l'pauəful] *adj* atotputernic, omnipotent

all-purpose ['ɔ:l'pə:pəs] *adj, atr* utilizabil în orice condiții; bun la toate

all right ['ɔ:l 'rait] I *adj pred* **1** perfect, foarte bun, în regulă/ordine; bun; satisfăcător; acceptabil; **your grammar is ~ but you make a lot of pronunciation mistakes** *F* stai bine cu gramatica, dar faci multe greșeli de pronunție **2** bine, sănătos **3** în perfectă stare II *adv* **1** foarte bine, cum trebuie **2** *F* ce mai încoace și încolo, – sigur, categoric; **she's ill ~ e** bolnavă, ce mai; **I'll be there at five ~** voi fi neapărat acolo la cinci **3** destul de bine, mulțumitor, *F* nu prea rău III *interj* foarte bine! perfect! *F* în regulă/ordine! s-a făcut!

all round ['ɔ:l 'raund] *adv* *F* pe toate părțile, – din toate punctele de vedere

all-round ['ɔ:l'raund] *adj* priceput la toate *(↓ sporturile);* (d. sportivi) absolut

all-rounder ['ɔ:l'raundər] *s sport* sportiv absolut

All Saints' Day ['ɔ:l 'seints dei] *s rel* Ziua tuturor sfinților *(1 noiembrie)*

allseed ['ɔ:lsi:d] *s bot* **1** știr *(Chenopodium polyspermum)* **2** troscot, sporiș *(Polygonum aviculare)*

All Souls' Day ['ɔ:l 'soulz dei] *s rel* *(↓ la catolici)* Ziua morților *(2 noiembrie)*

allspice ['ɔlspais] *s bot* cuișoare englezești *(Pimenta officinalis)*

all-star ['ɔ:lsta:r] *adj atr (d. un film etc.)* jucat exclusiv *sau* în majoritate de actori de mâna întâi

all-time ['ɔ:l'taim] *adj atr* **1** *(d. o activitate etc.)* care ocupă tot timpul; neîntrerupt **2** neîntrecut, fără pereche/egal, minunat

allude to [ə'lu:d tə] *vi cu prep* a face aluzie la; a se referi la; a avea în vedere *cu ac*

allure [ə'ljuər] I *vt* **1** a atrage; a momi, a ademeni, a ispiti **2** a fermeca, a vrăji II *s* atracție, farmec, vrajă

allurement [ə'ljuəmənt] *s* **1** atracție, farmec, vrajă, ispită **2** ispitire, ademenire

alluring [ə'ljuəriŋ] *adj* atrăgător; ispititor, ademenitor; încântător, minunat, fascinant

alluringly [ə'ljuəriŋli] *adv* (în mod) îmbietor, ispititor

allusion [ə'lju:ʒən] *s* **(to)** aluzie (la); referire (la)

allusive [ə'lju:siv] *adj* **1** **(to)** plin de aluzii (la adresa); aluziv **2** **(to)** cuprinzând o aluzie *sau* aluzii (la adresa); aluziv **3** plin de conotații; alegoric; simbolic

allusively [ə'lju:sivli] *adv* în mod aluziv

alluvial [ə'lju:viəl] *adj* aluvionar; aluvial

alluvium [ə'lju:viəm], *pl* și **alluvia** [ə'lju:vjə] *s* **1** *geol* aluviu, holocen **2** aluviune; formație aluvială **3** *agr* teren aluvionar

all-work ['ɔ:l'wə:k] *s* treburi gospodărești

ally I [ə'lai] *vt* **(to, with)** a alia *(state, familii)* (cu); a înrudi (cu); a încuscri (cu); a uni (cu) II [ə'lai] *vi* **(with, to)** a se alia (cu) III ['ælai] *s* și *fig* aliat

ally oneself with/to [ə'lai wʌn'self wið/tə] *vr cu prep* și *fig* a se alia cu; a se înrudi cu; a se uni cu

alma mater ['ælmə ,meitər] *s lat* alma mater

almanac ['ɔ:lmənæk] *s* almanah; calendar

almighty [ɔ:l'maiti] I *adj* **1** atotputernic **2** *F* formidabil, extraordinar II *s* **the A~** *rel* Atotputernicul

almond ['a:mənd] I *s* **1** *bot* migdal *(Amygdalus communis)* **2** migdală II *adj atr* (ca) de migdală; migdalat

almoner ['a:mənər] *s* împărțitor de pomeni *sau* daruri

almost ['ɔ:lmoust] *adv* aproape (că); cât pe ce/gata-gata/mai-mai să; **~ everybody** aproape toți/toată lumea; **she ~ fainted** aproape că a leșinat, puțin a lipsit să leșine, cât pe ce să leșine, gata-gata/mai-mai să leșine

alms [a:mz] *s pl* pomană, milostenie

alms gift ['ɑ:mz 'gift] *s* pomană; dar

alms giving ['ɑ:mz 'givin] *s v.* **alms**

almshouse ['ɑ:mzhaus] *s* **1** azil de binefacere **2** spital pentru săraci *sau* invalizi

almsman ['ɑ:mzmən] *s* om care trăiește din pomeni; pomanagiu; milog, cerșetor

alodium [ə'ləʊ:diəm], *pl* și **alodia** [ə'ləʊ:diə] *s* od alodiu, bun alodial

aloe ['æləʊ] *s* **1** *bot* aloe *(Aloe sp.)* **2** sabur, suc de aloe

aloft [ə'lɔft] *adv poetic* în înalt(uri), – sus

aloha [ə'ləʊhə] *interj amer* **1** noroc! salut! **2** la revedere! cu bine!

alone [ə'ləʊn] *adj pred, adv* **1** singur; în singurătate; stingher; neînsoțit; neajutat (de nimeni); el însuși, ea însăși *etc.;* **all ~** absolut/cu desăvârșire singur; singur-singurel; **let/leave me ~** (mai) lasă-mă în pace; lasă-mă singur; **let ~** ca să nu mai vorbim despre, fără să mai vorbim/amintim de **2** singur, doar, numai; exclusiv; **he ~ can do it** numai el poate să facă asta; **time ~ will show who is right** numai timpul va arăta cine are dreptate

along [ə'lɔn] **I** *prep* **1** de-a lungul *cu gen;* în lungul *cu gen;* pe; **~ the fence** de-a lungul gardului; **we were walking ~ the street** ne plimbam pe stradă; **there were trees ~ the road** erau pomi de-a lungul drumului; **~ here** pe aici, în direcția asta; **~ there** pe acolo, în direcția aceea **2** de-a lungul, în cursul/timpul *cu gen* **II** *adv* **1** *(pt a întări un verb de mișcare)* înainte; mai departe; **move ~!** circulați! nu stați pe loc! **they rode ~** călăreau mai departe; **get ~ (with you)!** a *F* șterge-o (de aici)! valea! **b** *F* fugi de-aici (că nu se poate)! **all ~** tot timpul; de la început până la sfârșit **2** în lung(ime); în rând **3** încoace, aici; încolo, acolo; **come ~ and see us** vino/treci pe la noi **4** cu alții *sau* cu sine; **I took my brother ~ (with me)** l-am luat (și) pe fratele meu (cu mine); **he took the camera ~** luă (și) aparatul de fotografiat (cu el)

alongside [ə'lɔnsaid] **I** *adv* **1** *nav* bord la bord; acostat **2** alături, unul lângă altul **3** pe margine; de-a lungul *cu gen;* **we towed the boat ~** am remorcat barca de-a lungul țărmului **II** *prep* lângă, alături de

alongside of [ə'lɔnsaid əv] *prep* chiar lângă, chiar alături de

along with [ə'lɔn wið] *adv* cu *prep* împreună cu; o dată cu

aloof [ə'lu:f] **I** *adv* **(from)** departe (de); și *fig* la distanță (de) **II** *adj pred* **1** depărtat; îndepărtat **2** *fig* distant, rece; rezervat

aloofness [ə'lu:fnis] *s* distanță, răceală; rezervă

aloud [ə'laʊd] *adv* **1** (cu voce) tare **2** *(a râde etc.)* zgomotos; cu hohote **3** *F* grozav (de), strașnic, al naibii

alp [ælp] *s* **1** munte înalt **2** pășune alpină *(↓ în Elveția)*

alpaca [æl'pækə] *s* **1** *zool* alpaca *(Lama pacos)* **2** text alpaca; țesătură imitație de alpaca

alpenhorn ['ælpənhɔ:n] *s muz* bucium

alpenstock ['ælpənstɔk] *s* alpenștoc, baston de alpinist

alpha ['ælfə] *s* (litera) alfa

alpha and omega ['ælfə ənd 'əʊmigə] *s* **1** alfa și omega, începutul și sfârșitul **2** parte principală *sau* foarte necesară; cheie

alphabet ['ælfəbit] *s* **1** alfabet **2** ← *înv* abecedar **3** rudimente, elemente (de bază)

alphabetic(al) [,ælfə'betik(əl)] *adj* alfabetic

alphabetically [,ælfə'betikəli] *adv* alfabetic, în ordine alfabetică

alphabetize ['ælfəbətaiz] *vt* a așeza în ordine alfabetică

alpha particle ['ælfə,pɑ:tikl] *s fiz* particulă alfa; helion

Alpheus [æl'fi:əs] *mit* Alfeu

Alphonso [æl'fɔnzəʊ] *nume masc* Alfons

alphorn ['ælphɔ:n] *s muz* bucium

alpine ['ælpain] *adj* alpin; de munte

alpinist ['ælpinist] *s* alpinist

Alps, the ['ælps, ði] (Munții) Alpi

already [ɔ:l'redi] *adv* deja; și; **she had ~ gone** plecase deja; **I've been there ~** am mai fost acolo, am fost acolo (mai) înainte; **have you drunk your tea ~?** ți-ai și băut ceaiul?

Alsace ['ælsæs] *ist provincie în Franța* Alsacia

also ['ɔ:lsəʊ] *adv* de asemenea/asemeni; și; pe lângă acestea, în plus; **not only... but (also)...** nu numai..., ci și... ; atât..., cât și...

also-ran ['ɔ:lsəʊræn] *s* **1** *sport* cal neclasificat printre primii trei **2** concurent care nu a reușit *(într-o competiție);* candidat care nu a reușit *(în alegeri)*

alt. *presc de la* **1** alternate **2** alternating **3** altitude **4** alto

alt [ælt] *s muz* sunet înalt

Altai Mountains, the [ɑ:l'tai 'mauntinz, ði] Munții Altai

altar ['ɔ:ltər] *s bis* și *fig* altar; **to lead to the ~** a duce la altar/în fața altarului

altar boy ['ɔ:ltə bɔi] *s (la catolici)* acolit; băiat care dă ajutor în biserică

altar piece ['ɔ:ltə ,pi:s] *s* piesă de artă într-un altar

alter ['ɔ:ltər] **I** *vt* **1** a transforma, a modifica, a schimba **2** a castra **II** *vi* a se schimba, a se transforma; **you have ~ed since I last saw you** te-ai schimbat (mult) de când te-am văzut ultima oară

alteration [,ɔ:ltə'reiʃən] *s* transformare, modificare, schimbare **2** rezultat al modificării *etc.*

altercate ['ɔ:ltəkeit] *vi* **(with)** a avea o altercație (cu); a se certa serios, a avea un schimb de cuvinte grele (cu)

altercation [,ɔ:ltə'keiʃən] *s* altercație, ceartă serioasă, schimb de cuvinte grele

alter ego ['æltər'i:gəʊ] *s lat* alter ego

alternate **I** [ɔ:l'tə:nit] *adj* **1** alternativ, alternant, schimbător **2** intermitent **3** *amer* de rezervă/schimb; suplimentar, adițional **4** *geom, bot* altern **5** fiecare al doilea; **he works on ~ days** lucrează din două în două zile **II** ['ɔ:ltənit] *s amer* locțiitor, înlocuitor; supleant **III** ['ɔ:ltəneit] *vi* a alterna, a se schimba (unul cu altul); a se succeda, a urma unul după altul **IV** ['ɔ:ltəneit] *vt* a alterna, a face să alterneze

alternate angles [ɔ:l'tə:nit 'ænglz] *pl geom* unghiuri alterne

alternately [ɔ:l'tə:nitli] *adv* alternativ; succesiv

alternator ['ɔ:ltə,neitər] *s əl* alternator

Althea [æl'θiə] *nume fem* Alteea

altho [ɔːlˈðou] *conj amer v.* **although**

althorn [ˈæltho:n] *s muz* althorn

although [ɔːlˈðou] *conj* deşi, cu toate că, în ciuda faptului că; chiar dacă

altimeter [ælˈtimiːtər] *s av etc.* hipsometru; altimetru

altitude [ˈæltitjuːd] *s* **1** altitudine, înălţime **2** *astr* altitudine **3** *fig* poziţie înaltă; rang înalt

altitudinal [ˌælˈtiˈtjuːdinəl] *adj* altitudinal, de altitudine

alto [ˈæltou] *muz* **I** *s* **1** alto *(voce, instrument)* **2** contralto **3** altist **II** *adj atr* de alto; alto

altogether [ˌɔːltəˈgeðər] **I** *adv* **1** cu/ întru totul, cu desăvârşire, total, complet; în întregime **2** în total, cu totul **3** în general (vorbind), una peste alta; până la urmă **II** *s* **1** întreg, total(itate) **2** the ~ *F* pielea goală, – nud; **in the ~** în pielea goală, – nud, gol, dez-brăcat

alto-relievo [ˈæltouˈriːliːvou] *s arte* alto-relief, relief înalt

altruism [ˈæltruizəm] *s* altruism

altruist [ˈæltruist] *s* altruist

altruistic [ˌæltruˈistik] *adj* altruist

altruistically [ˌæltruˈistikəli] *adv* altruist; cu sentimente altruiste

alum [ˈæləm] *s ch* alaun

alum. *presc de la* **aluminium**

alumina [əˈluːminə] *s ch, minr* alumină; oxid de aluminiu

aluminium [ˌæljuˈminiəm] *s* alu-miniu

aluminize [əˈluːminaiz] *vt* a trata *sau* a acoperi cu aluminiu

aluminous [əˈluːminəs] *adj* **1** *ch* de aluminiu, aluminos **2** de alaun, de piatră acră **3** *minr* de alumină

aluminum [ˌæljuˈminəm] *s amer v.* **aluminium**

alumna [əˈlʌmnə], *pl* **alumnae** [əˈlʌmniː] *s* fostă elevă *sau* stu-dentă; absolventă

alumnus [əˈlʌmnəs], *pl* **alumni** [əˈlʌmnai] *s* fost elev *sau* student; absolvent

Alva(h) [ˈælvə] *nume masc*

alveolar [ælˈviələr] *adj* alveolar

alveole [ˈælvioul] *s biol* alveolă

alveolus [ælˈviələs], *pl* **alveoli** [ælˈviəlai] *s anat* alveolă

alway [ˈɔːlwei] *adv înv, poetic v.* **always**

always [ˈɔːlwəz] *adv* **1** (în)totdea-una, veşnic; în orice împrejurare

2 *(cu forme verbale continue are ↓ sens depreciativ)* mereu, încontinuu, fără întrerupere; **he's ~ grumbling** aşa e el: bombăne întruna; nu mai isprăveşte cu bombănitul

am [əm *formă slabă,* æm *formă tare*] *prez ind de la* **to be** *pers I sg* sunt

Am. *presc de la* **1** America **2** American

a.m., A.M. *presc de la* ante meridiem

A.M. *presc de la* **Artium Magister,** *v.* **Master of Arts** *şi* **M.A.**

amability [ˌæməˈbiliti] *s* amabilitate

amain [əˈmein] *adv* ← *înv, poetic* **1** cu tărie, din răsputeri, tare, puternic, vârtos **2** în grabă; cu grabă **3** brusc, pe neaşteptate

amalgam [əˈmælgəm] *s* **1** *met* amal-gam **2** *fig* amalgam, ames-tec(ătură)

amalgamate [əˈmælgəmeit] **I** *vt* **1** *met* a amalgama **2** *fig* a amalgama, a amesteca; a combina, a îmbina **3** *com etc.* a contopi, a fuziona, a unifica; a extinde, a mări **II** *vi* **1** *met* a se amalgama **2** *fig* a se amesteca; a se îmbina, a se com-bina **3** *com etc.* a fuziona, a se contopi; a se extinde, a se mări

amalgamation [ə,mælgəˈmeiʃən] *s* **1** *met* amalgamare **2** *fig* ameste-care, amalgamare; îmbinare, combinare **3** *com etc.* fuzionare, fuziune, contopire, unificare; mărire, extindere

amalgamator [ə,mælgəˈmeitər] *s tehn* amestecător; amalgamor

amandin [əˈmændin] *s* amandină

amanuensis [ə,mænjuˈensis], *pl* **amanuenses** [ə,mænjuˈensiːz] *s* **1** secretar particular **2** copist

amaranth [ˈæmərænθ] *s* **1** *bot* ama-rant (Amaranthum sp.) **2** *poetic* floare veşnică, floare care nu se veştejeşte

amass [əˈmæs] **I** *vt* a strânge/a adu-na în cantităţi mari *(bani, bunuri etc.)* **II** *vi poetic* a veni grămadă/ grămezi-grămezi; a se strânge grămadă; *P →* a se buluci

amateur [ˈæmətəːʳ] **I** *s* **1** amator, diletant **2** amator, diletant, nepri-ceput, novice, începător **II** *adj atr* de amator *sau* amatori

amateurish [ˌæməˈtəːriʃ] *adj* de amator *sau* amatori, prost, slab

amateurishly [ˌæməˈtəːriʃli] *adv* ca un amator, fără pricepere

amateurishness [ˌæməˈtəːriʃnis] *s* diletantism, nepricepere

amatory [ˈæmətəri] *adj elev* şi ← *poetic* erotic, amoros; – de dra-goste

amaze [əˈmeiz] **I** *vt* a uimi, < a ului; **it ~ed me to hear that she had given up the idea** am fost foarte mirat când am auzit că a renunţat la această idee **II** *s poetic v.* **amazement**

amazed [əˈmeizd] *adj* uimit, < uluit

amazement [əˈmeizmənt] *s* uimire, surprindere, < uluire; **to my ~** spre surprinderea mea; **in ~** cuprins de uimire, uimit; **in mute ~** mut de uimire

amazing [əˈmeiziŋ] **I** *adj (↓ apre-ciativ)* surprinzător, uimitor, < ului-tor; minunat; extraordinar **II** *adv amer F* teribil (de), grozav (de), nemaipomenit (de)

amazingly [əˈmeiziŋli] *adv* (în mod) surprinzător, uimitor, < uluitor; surprinzător/uimitor de

Amazon [ˈæməzən] *s* **1** *mit* ama-zoană **2** a~ amazoană; femeie voinică; femeie-soldat **3** the ~ Fluviul Amazoanelor

Amazonian [ˌæməˈzouniən] *adj* **1** şi a~ de amazoană **2** din regiunea Fluviului Amazoanelor

Amb. *presc de la* **ambassador**

ambassador [æmˈbæsədər] *s* **1** *pol* ambasador **2** reprezentant, trimis, sol

ambassador at large [æmˈbæsə-dərətˈlaːdʒ] *s* ambasador *ale cărui împuterniciri nu se limitează la teritoriul unui anumit stat*

ambassador extraordinary [æm-ˈbæsədərikˈstrɔːdinəri] *s* ambasa-dor extraordinar *(având misiuni speciale)*

ambassadorial [æm,bæsəˈdɔːrial] *adj* de ambasador

ambassador plenipotentiary [æmˈbæsədə ,plenipoˈtenʃəri] *s* amba-sador plenipotenţiar

ambassadress [æmˈbæsədris] *s* **1** *pol* ambasadoare **2** soţie de ambasador

amber [ˈæmbəʳ] **I** *s* **1** chihlimbar; ambră **2** culoare de chihlimbar **3** *bot* pojarniţă (Hypericum perfo-ratum) **II** *adj atr* chihlimbariu, de culoarea chihlimbarului

ambergris [ˈæmbəgriːs] *s* ambră cenuşie

ambi- *pref* ambi-: **ambivalent** ambivalent

ambidexter [,æmbi'dekstə'] *s* persoană ambidextră

ambidextrous [,æmbi'dekstrəs] *adj* ambidextru

ambience ['æmbiəns] *s* ambianță

ambient ['æmbiənt] *adj* ambiant, înconjurător

ambiguity [,æmbi'gju:iti] *s* 1 ambiguitate, caracter ambiguu 2 ambiguitate, expresie ambiguă/echivocă/cu dublu înțeles

ambiguous [æm'bigjuəs] *adj* 1 ambiguu; cu două înțelesuri, cu dublu înțeles, echivoc 2 vag, neclar; obscur 3 problematic, dubios, îndoielnic

ambiguously [æm'bigjuəsli] *adv* cu dublu înțeles; în doi peri; vag; pe un ton ambiguu *etc.*

ambiguousness [æm'bigjuəsnis] *s* ambiguitate; echivoc

ambit ['æmbit] *s* 1 ← *elev* limită, hotar; plafon 2 *elev* sferă, – domeniu

ambition [æm'bi∫ən] *s* 1 ambiție; râvnă; sete de glorie *sau* putere; vanitate 2 dorință puternică, năzuință fierbinte 3 obiect al ambiției; obiect râvnit

ambitious [æm'bi∫əs] *adj* 1 ambițios, plin de ambiție; vanitos 2 (**of**) lacom (de); râvnitor (la) 3 (*d. stil*) pompos, pretențios

ambivalent ['æmbi'veilənt] *adj* 1 *ch* bivalent 2 *psih* ambivalent

amble ['æmbl] I *vi* a merge în buiestru, *fig* a merge agale II *s* 1 buiestru 2 *fig* mers agale/încet

ambler ['æmblə'] *s* buiestraș

Ambrose ['æmbrouz] *nume masc* Ambrozie

ambrosia [æm'brouziə] *s* 1 *mit* ambrozie, hrana zeilor din Olimp 2 *fig* ceva ce are un gust *sau* un miros delicios; lucru savuros

ambrosial [æm'brouziəl] *adj* ambroziac; delicios, savuros

ambulance ['æmbjuləns] *s* 1 ambulanță 2 *mil* spital militar de campanie 3 punct medical

ambulance airplane ['æmbjuləns ,ɛəplein] *s av* avion sanitar

ambulance train ['æmbjuləns trein] *s ferov* tren sanitar

ambulant ['æmbjulənt] *adj* ambulant; care se deplasează

ambulatory ['æmbjulətəri] I *adj* 1 *med* ambulator(iu) 2 ambulator(iu), mișcător; ambulant II *s arhit* arcadă (↓ în mânăstiri)

ambuscade [,æmbəs'keid] *s, vi, vt* v. **ambush**

ambush ['æmbu∫] I *s* 1 ambuscadă; pândă 2 *mil* atac executat prin surprindere de poziție acoperită 3 *mil* unitate de ambuscadă II *vt* a ataca din ambuscadă III *vi* a ataca/a acționa din ambuscadă

ameba [ə'mi:bə], *pl și* **amebae** [ə'mi:bi:] *s zool* amibă

ameer [ə'miə'] *s* emir

Amelia [ə'mi:liə] *nume fem*

ameliorate [ə'miliəreit] I *vt* a ameliora, a îmbunătăți II *vi* a se ameliora, a se îmbunătăți

amelioration [ə,mi:liə'rei∫ən] *s* ameliorare, îmbunătățire

Amen ['a:mən] *mit* Amon

amen ['a:'men] *s, interj* amin

amenable [ə'mi:nəbl] *adj* 1 ascultător, supus, docil; de înțeles 2 răspunzător, responsabil

amenable to [ə'mi:nəbəl tə] *adj cu prep* 1 capabil de a fi influențat de *sau* călăuzit de (*rațiune etc.*); care înțelege de (*rațiune etc.*) 2 răspunzător în fața (*legii etc.*), supus față de 3 verificabil prin, care se poate verifica prin 4 ahtiat după, foarte iubitor de 5 predispus la (*boli*) 5 care poate fi influențat de

amenably [ə'mi:nəbli] *adv* cu supunere; ascultător

amend [ə'mend] I *vt* 1 a îmbunătăți, a pune la punct, a perfecționa 2 a amenda (*un text, un proiect de lege*) II *vi* a se îndrepta, a se corija, a se schimba în bine

amendament [ə'mendmənt] *s* 1 îmbunătățire; corectare, corijare 2 amendare (*a unui text, a unui proiect de lege*) 3 amendament 4 *agr* ameliorare

amends [ə'mendz] *s pl* compensație, despăgubire; **to make ~ for** a compensa, a despăgubi *cu ac*; a căuta să repare greșeala de a fi făcut *ceva*

amenity [ə'mi:niti] *s* 1 caracter plăcut/agreabil 2 *și pl* confort; comodități, înlesniri 3 *pl* plăceri, satisfacții, bucurii 4 *pl* frumuseți, splendori (*ale naturii etc.*)

Amer. *presc de la* 1 **America** 2 **American**

amerce [ə'mə:s] *vt* 1 a amenda (*în mod arbitrar*) 2 a pedepsi

America [ə'merikə] *continent; stat*

American [ə'merikən] I *adj* american II *s* 1 american 2 varianta americană a limbii engleze

American eagle [ə'merikən 'i:gəl] *s* vultur (pleșuv) (*pe stema Statelor Unite*)

American English [ə'merikən 'ingli∫] *s* engleza americană, varianta americană a limbii engleze

American football [ə'merikən 'fut,bɔ:l] *s sport* fotbal american (*înrudit cu rugby, mingea fiind eliptică*)

Americanism [ə'merikənizəm] *s* americanism

Americanization [ə,merikənai'zei∫ən] *s* americanizare

americanize [ə,merikənaiz] I *vt* a americaniza II *vi* a se americaniza

American leopard [ə'merikən 'lepəd] *s zool* jaguar (*Panthera onca*)

American plan [ə'merikən 'plæn] *s amer* sistem folosit în hoteluri, potrivit căruia în plată se includ camera, serviciul și masa

American Revolution, the [ə'merikən revə'lu:∫ən, ði] *s* 1 Revoluția americană (*1763-1783*) 2 Războiul de independență american (*1775-1783*)

americium [,æmə'risiəm] *s ch* americiu

amethyst ['æmiθist] *s* 1 *minr* ametist 2 violet; purpuriu

amiability [,eimiə'biliti] *s* bunăvoință, căldură, prietenie; afabilitate; amabilitate

amiable ['eimiəbl] *adj* 1 binevoitor, cald, prietenos; afabil; amabil 2 ← *înv* de dorit/râvnit

amiably ['eimiəbli] *adv* cu bunăvoință, cald, prietenos; afabil; amabil

amicable ['æmikəbl] *adj* 1 amical, prietenos 2 pașnic, rezolvat *etc.* pe cale pașnică

amicably ['æmikəbli] *adv* 1 amical, prietenește, ca între prieteni 2 pașnic, pe cale pașnică, prin bună înțelegere

amid [ə'mid] *prep poetic* v. **amidst**

amide ['æmaid] *s ch* amidă

amidships [ə'mid,∫ips] *adv nav* la mijlocul/centrul navei

amidst [ə'midst] *prep* ← *elev, poetic* în mijlocul *cu gen,* printre; *poetic* în sânul *cu gen*

amine ['æmin] *s ch* amină

amino-acid ['æminou'æsid] *s ch* acid aminic, aminoacid

amir [ə'miə^r] *s* emir

amiss [ə'mis] **I** *adv* **1** rău, prost, greșit; **to judge smth** ~ a judeca ceva (în mod) greșit; **to take smth** ~ a interpreta ceva greșit; a lua ceva în nume de rău **2** într-un moment nepotrivit **3** ← *rar* nu se știe unde; rătăcit; pierdut; **my spectacles have gone** ~ mi-au dispărut ochelarii, nu știu unde-mi sunt ochelarii **II** *adj pred* **1** rău, greșit, prost; fals; imperfect; care nu e în ordine; **there's nothing** ~ **with you** n-ai (absolut) nimic, ești perfect sănătos; **is something** ~? ceva nu este în ordine? ce s-a întâmplat? **2** (↓ *cu negații*) deplasat, nelalocul lui, rău; nedorit; nerecomandabil; nepotrivit; inoportun; **a good word may not be** ~ un cuvânt bun/o vorbă n-ar strica

amity ['æmiti] *s elev* amiciție, – relații prietenești, prietenie; **in** ~ **(with)** în relații amicale/de prietenie (cu)

ammeter ['æmitə^r] *s el* ampermetru

Ammon ['æmən] *mit* Amon

ammonia [ə'mouniə] *s ch* **1** amoniac **2** ← *F* amoniac (diluat), hidrat de amoniu

ammoniac [ə'mouniæk] *adj ch* amoniacal

ammonite ['æmənait] *s geol* amonit

ammonium [ə'mouniəm] *s ch* amoniu

ammonium chloride [ə'mouniəm 'klɔraid] *s ch* țipirig, clorură de amoniu

ammunition [,æmju'niʃən] *s* **1** *mil* muniție; stoc de muniție **2** *fig* muniție, arsenal *(de idei etc.)*

amnesia [æm'ni:ziə] *s med* amnezie, pierderea memoriei

amnesty ['æmnəsti] **I** *s* **1** amnistie **2** amnistiere **3** trecere cu vederea **II** *vt* **1** a amnistia **2** a trece cu vederea, a nu ține seama de, a ierta

amn't ['æmnt] *F* am not

amoeba [ə'mi:bə], *pl* **amoebae** [ə'mi:bi:] *s zool* amibă

amok [ə'mɔk] *adj, adv v.* **amuck**

Amon ['ɑ:mən] *mit*

among [ə'mʌŋ] *prep* **1** printre; între; dintre; din *sau* în mijlocul *cu gen;* în sânul *cu gen;* din sânul *cu gen;* **I looked for your paper** ~ **my books** am căutat lucrarea dumitale printre cărțile mele; **one** ~ **a thousand** unul dintr-o mie; unul la o mie; **I was** ~ **the crowd** eram (și eu) în mulțime; **you are** ~ **friends here** ești între prieteni aici, aici ești înconjurat de prieteni **2** la; ~ **the ancient Greeks** la vechii greci **3** unul din(tre); dintre; **this car is** ~ **the best in the world** este una din cele mai bune mașini din lume **4** între; împreună cu; **the teachers discussed the matter** ~ **themselves** profesorii au discutat problema/chestiunea între ei/ împreună **5** *(a împărți etc.)* între **6** dintre; de partea *cu gen;* **you were** ~ **those who criticized him** (și) tu ai fost dintre cei care l-au criticat

amongst [ə'mʌŋst] *prep v.* **among**

amoral [æ'mɔrəl] *adj elev* amoral

amorality [,æmə'ræliti] *s* **1** amoralitate, absența responsabilității morale **2** imoralitate

amorous ['æmərəs] *adj* **1** amoros, erotic; de dragoste; senzual; *F* → iubăreț **2** (of) îndrăgostit (de) **3** drăgăstos, iubitor, tandru

amorously ['æmərəsli] *adv* tandru, cu dragoste

amorousness ['æmərəsnis] *s* **1** faptul de a fi îndrăgostit **2** fire iubăreață *sau* senzuală **3** senzualitate, senzualism **4** sentimentalism

amortizable [ə'mɔ:tizəbl] *adj fin* amortizabil

amortization [ə,mɔ:ti'zeiʃən] *s* **1** *fin* amortizare **2** *jur* alienare, înstrăinare *(a unei proprietăți funciare)*

amortize [ə'mɔ:taiz] *vt* **1** *fin* a amortiza **2** *jur* a aliena, a înstrăina *(o proprietate funciară)*

amount [ə'maunt] *s* **1** cantitate; volum; **a small** ~ **of work** un volum mic/redus de muncă; **it offered a fair** ~ **of resistance** opunea o rezistență considerabilă **2** sumă; **large** ~**s of money** mari sume de bani **3** sumă; total; *fin* capitalul plus dobânda

amount to [ə'maunt tə] *vi cu prep* **1** a se ridica la (un total de), a atinge; a forma, a alcătui; **his debt** ~**ed to ten pounds** datoria lui se ridica la (numai) zece lire; **his debt** ~**ed to a thousand pounds** datoria lui se ridica la (nu mai puțin de) o mie de lire **2** a fi egal cu, a echivala cu; a însemna (în mod practic); **his criticism** ~**s to nothing** critica lui nu înseamnă/nu reprezintă (practic) nimic, critica lui nu are (practic) nici o valoare/importanță; **I'm afraid that hint** ~**s to a refusal** mă tem că această aluzie echivalează cu un refuz

amour [ə'muə^r] *s* **1** *rar* amor, legătură amoroasă **2** *rar* amantă, *P* → ibovnică, țiitoare

amour-propre [ə'muə'prɔp^r] *s fr* amor propriu, mândrie personală

amp. *presc de la* **1** amperage **2** ampere *sau* amperes

amperage ['æmpiridʒ] *s el* intensitatea în amperi a unui curent electric, *rar* → amperaj

ampere, ampère ['æmpɛə^r] *s el* amper

ampere-hour ['æmpɛər'auə^r] *s el* amperoră

amperometer [,æmpə'rɔmitə^r] *s el* ampermetru

amphi- *pref* amfi-: **amphibrach** amfibrah

amphibian [æm'fibiən] *adj, s zool, av etc.* amfibiu

amphibious [æm'fibiəs] *adj* **1** *zool, av etc.* amfibiu **2** *fig* amfibiu, cu o natură dublă

amphiboly [æm'fibəli] *s ret* amfibolie, amfibologie

amphibrach ['æmfibræk] *s metr* amfibrah

amphibrachic [,æmfi'brækik] *adj metr* amfibrahic

amphitheatre ['æmfi,θiətə^r] *s* **1** *arhit* amfiteatru **2** *univ* amfiteatru, sală de curs în plan înclinat

Amphitryon [æm'fitriən] *mit* Amfitrion

amphora ['æmfərə], *pl și* **amphorae** ['æmfəri:] *s* amforă

ample ['æmpl] *adj* **1** amplu, vast, larg, cuprinzător, mare; **an** ~ **garden** o grădină întinsă/largă/ mare; **an** ~ **plan** un plan amplu/ vast/cuprinzător **2** abundent, îmbelșugat; din belșug; mai mult decât suficient; **they had** ~

money for the trip aveau destui bani/bani F berechet pentru excursie *sau* călătorie **3** suficient, destul, îndestulător; adecvat, potrivit, cât trebuie

ampleness ['æmplnis] *s* **1** amploare, lărgime; vastitate; extindere **2** bogăţie; belşug, abundenţă

amplification [,æmplifi'keiʃən] *s* **1** amplificare, extindere, lărgire, mărire **2** adaos, material adiţional *(într-un raport etc.)* **3** exagerare **4** *ret* amplificare, *lat* amplificatio

amplifier ['æmplifaiəʳ] *s tehn* amplificator

amplify ['æmplifai] *vt* **1** a explica amănunţit/în detaliu, a dezvolta **2** a amplifica, a mări, a dezvolta, a lărgi, a extinde *(puterea, autoritatea etc.)* **3** a adăuga material adiţional/suplimentar la **4** ← *rar* a exagera **5** *tehn* a amplifica

amplify on/upon ['æmplifai ɔn/ ə,pɔn] *vi cu prep* a dezvolta *(o temă etc.),* a stărui în amănunt asupra *cu gen*

amplitude ['æmplitju:d] *s* **1** *tehn, astr* amplitudine **2** *mat* unghi polar; argument **3** *v.* **ampleness 1 4** plenitudine; abundenţă, belşug, bogăţie **5** rază de acţiune

amplitude modulation ['æmplitju:d,mɔdju'leiʃən] *s tel* modulaţie de amplitudine

amply ['æmpli] *adv* **1** amplu **2** abundent, din belşug/abundenţă **3** amănunţit, detaliat

ampoule ['æmpu:l], **ampule** [,æm-'pu:li:] *s* fiolă; flacon

amputate ['æmpjuteit] *vt med* a amputa

amputation [,æmpju'teiʃən] *s med* amputare; amputaţie

amputee [,æmpju'ti:] *s med* persoană căreia i-a fost amputat un membru

Amsterdam ['æmstədæm] *capitala constituţională a Olandei*

amt. *presc de la* **amount**

amuck [ə'mʌk] **I** *adj pred* cuprins de amoc; **to run ~** a fi cuprins de amoc **II** *adv* într-un acces de amoc; fiind cuprins de amoc; **to run ~** a alerga sub influenţa amocului

Amu Darya, the ['eimu 'da:riə, ði] *fluviu în fosta U.R.S.S.* Amu Daria

amulet ['æmjulet] *s* amuletă; talisman

Amundsen ['a:mundsən] *explorator norvegian (1872-1928)*

Amur, the [ə'muəʳ, ði] *fluviu în fosta U.R.S.S.*

amusable [ə'mju:zəbəl] *adj* care poate fi distrat/amuzat uşor

amuse [ə'mju:z] **I** *vt* a amuza, a distra; **the story ~d us a lot** povestirea ne-a amuzat grozav **II** *vr* **(with)** a se amuza, a se distra (cu); **the boys ~d themselves by making snowmen** băieţii se distrau/jucau făcând oameni de zăpadă

amused [ə'mju:zd] *adj* amuzat; **I was ~ to find him there** mi s-a părut nostim să-l găsesc acolo; **an ~ expression on her face** o expresie amuzată pe faţa ei

amusedly [ə'mju:zdli] *adv* amuzat

amusement [ə'mju:zmənt] *s* **1** amuzament, distracţie, haz; veselie; **to everybody's ~** spre amuzamentul/hazul tuturor; **I listened to his account in ~** îi ascultam relatarea amuzat **2** amuzare, distrare **3** distracţie, amuzament, obiect de amuzament/atracţie; **there were many ~s at the fair** erau multe distracţii la bâlci **4** plăcere, desfătare, încântare

amusement park [ə'mju:zmənt 'pa:k] *s* parc de distracţii

amusing [ə'mju:ziŋ] *adj* amuzant, distractiv; hazliu, nostim; plăcut

amusingly [ə'mju:ziŋli] *adv* (în mod) amuzant, distractiv; hazliu, nostim

Amy ['eimi] *nume fem*

amygdala [ə'migdələ], *pl* **amygdalae** [ə'migdəli:] *s anat* amigdală

amygdalitis [,æmig'dælitis] *s med* amigdalită

amyl ['æmil] *s ch* amil

an[1] [ən], *formă tare* [æn] *art nehot (v. art nehot* a) *(se foloseşte înaintea sunetelor vocalice):* **~ honest man** un om cinstit; **~ eye** un ochi; **~ R.A.F. officer** un ofiţer de la R.A.F. (=Royal Air Force)

an[2] [ən, æn] *conj* **1** *reg* şi **2** ← *înv* dacă

an- *pref* an-; ad-: **anaesthet[i]c** anestetic; **annotation** adnotare

-an *suf* -an: **Italian** italian

an. *presc de la* **1** anno **2** anonymous

ana ['a:nə] *s* culegere de anecdote, amintiri *etc.* (↓ *de către sau despre o persoană)*

Anabaptist [,ænə'bæptist] *s rel* anabaptist

anabiosis [,ænəbai'ousis] *s biol* anabioză

anabolism [ə'næbɔlizəm] *s biol* anabolism

anachorite [ə'nækərait] *s* anahoret, schimnic

anachronic [,ænə'krɔnik] *adj* anacronic

anachronism [ə'nækrənizəm] *s* anacronism

anachronistic [ə,nækrə'nistik] *adj* anacronic

anachronize [ə'nækrənaiz] *vt* a prezenta anacronic; a folosi anacronisme în

anacoluthon [,ænəkə'lu:θɔn], *pl* **anacolutha** [,ænəkə'lu:θə] *s ret, gram* anacolut

anaconda [,ænə'kɔndə] *s zool* **1** anaconda *(Eunectes murinus)* **2** şarpe uriaş

Anacreon [ə'nækriən] *poet grec (570-478 î.e.n.)*

anacreontic [ə,nækri'ɔntik] *adj metr* anacreontic

anaemia [ə'ni:miə] *s med* anemie

anaemic [ə'ni:mik] *adj* anemic

anaerobe [ə'neiroub] *s* microorganism anaerob, ↓ bacterie anaerobă

anaerobic [,ænei'roubik] *adj* anaerob

anaesthesia [,ænis'θi:zjə] *s* anestezie

anaesthetize [æ'ni:sθitaiz] *vt* a anestezia

anagenesis [,ænə'dʒenisis], *pl* **anageneses** [,ænə'dʒenisi:z] *s fizl* anageneză, regenerare a ţesuturilor

anaglyph ['ænəglif] *s* **1** *arhit* anaglif **2** *mat* anaglif(ă)

anal ['einəl] *adj anat* anal

anal. *presc de la* **1 analogous 2 analogy 3 analysis**

analgesic [,ænæl'dʒesik] *adj med* analgezic, calmant

analogical [,ænə'lɔdʒikəl] *adj* analogic, produs prin analogie

analogism [ə'nælɔdʒizəm] *s* analogism; raţionament prin analogie; gândire analogică

analogize [ə'nælədʒaiz] *vt* a explica prin analogii

analogous [ə'næləgəs] *adj* **(to, with)** analog, asemănător (cu)

analogously [ə'næləgəsli] *adv* în mod analog/asemănător; prin analogie

analogue ['ænəlɒg] *s* lucru analog

analogue computer ['ænəlɒg ˌkəm-'pju:təˈ] *s autom* calculator analogic

analogy [əˈnælədʒi] *s* 1 (**to, with; between**) analogie, asemănare (cu; între); **by ~ with, on the ~ of** prin analogie cu 2 explicație prin analogii 3 *lingv* analogie

analysable ['ænəlaizəbəl] *adj* analizabil

analyse ['ænəlaiz] *vt* 1 a analiza, a cerceta, a examina minuțios; a studia; a diseca 2 *gram* a analiza sintactic; a face analiza sintactică *cu gen* 3 ↓ *amer* a face psihanaliza *cu gen*

analysis [əˈnælisis], *pl* **analyses** [əˈnælisi:z] *s* 1 *ch etc.* analiză 2 analiză, cercetare, examen minuțios, examinare minuțioasă; studiere, studiu; disecare; **in the last ~** în ultimă analiză/instanță 3 *gram* analiză sintactică 4 ↓ *amer* psihanaliză

analyst ['ænəlist] *s* 1 analist, specialist în analize 2 *ch* chimist analist, chimist de laborator 3 ↓ *amer* psihanalist

analytic(al) [ˌænəˈlitik(əl)] *adj* analitic

analytically [ˌænəˈlitikəli] *adv* (în mod) analitic

analytics [ˌænəˈlitiks] *s pl ca sg* 1 *log* analitică 2 *mat* analiză matematică

analyze [ˌænəˈlàiz] *vt amer v.* **analyse**

anamnesis ['ænæmˈni:sis] *s med* anamneză

anap(a)est ['ænəpi:st] *s metr* anapest

anap(a)estic ['ænəˈpi:stik] *adj metr* anapestic

anaphora [əˈnæfərə] *s ret* anaforă

anarch ['ænɑ:k] *s* anarhist

anarchic(al) [æˈnɑːkik(əl)] *adj* anarhic

anarchically [æˈnɑːkikəli] *adv* (în mod) anarhic

anarchism ['ænəkizəm] *s* anarhism

anarchist ['ænəkist] *s* anarhist

anarchy ['ænəki] *s* anarhie

Anastasia [ˌænəˈsteisiə] *nume fem*

anastigmat [əˈnæstigmæt] *s opt* anastigmat

anastigmatic [əˌnæstigˈmætik] *adj opt* anastigmatic

anastomosis [ˌænəstəˈmousis], *pl* **anastomoses** [ˌænəstəˈmousi:z] *s med, bot, zool* anastomoză

anastrophe [əˈnæstrəfi] *s ret* anastrofă, inversiune

anat. *presc de la* 1 **anatomy** 2 **anatomical** 3 **anatomist**

anathema [əˈnæθimə] *s* 1 *rel* anatemă, blestem, afurisenie 2 *rel* persoană anatemizată 3 *fig* blestem, pacoste, năpastă

anathematize [əˈnæθimətaiz] *vt* 1 *rel* a anatemiza, a afurisi; a arunca anatema asupra *(cu gen)* 2 a blestema

Anatolia [ˌænəˈtouliə] *regiune în Turcia*

anatomic(al) [ˌænəˈtɔmik(əl)] *adj* anatomic

anatomically [ˌænəˈtɔmikəli] *adv* din punct de vedere anatomic

anatomist [əˈnætəmist] *s* 1 anatomist; autopsier 2 critic

anatomization [əˌnætəmaiˈzeiʃən] *s* 1 disecție 2 *fig* analiză amănunțită, cercetare minuțioasă, studiu detaliat

anatomize [əˈnætəmaiz] *vt* 1 a diseca; a face disecția *cu gen* 2 *fig* a analiza; a cerceta; a critica

anatomy [əˈnætəmi] *s* 1 anatomie 2 disecție 3 *fig* analiză amănunțită; critică minuțioasă 4 *fig* mecanism (intim) 5 ← *înv, F* țâr, schelet (ambulant)

Anaxagoras [ˌænækˈsægərəs] *filosof grec (500-428 î.e.n.)*

anc. *presc de la* **ancient**

-ance *suf* -anță: **dissonance** disonanță

ancestor ['ænsistəˈ] *s* strămoș, străbun

ancestral [ænˈsestrəl] *adj* ancestral, strămoșesc, străbun

ancestress ['ænsistris] *s* străbună

ancestry ['ænsistri] *s* 1 strămoși, străbuni 2 obârșie, neam

anchor ['æŋkəˈ] **I** *s* 1 *nav* ancoră; **at ~** la ancoră, ancorat; **to be/to lie/ to ride/to stand at ~** a sta la ancoră, a fi ancorat; **to cast/to drop ~** a fundarisi ancora, a arunca ancora; **to weigh ~** a a ridica ancora **b** *fig* a relua lucrul început; **the ~ comes home a** ancora derapează **b** *fig* nu merge (treaba) 2 *fig* ancoră de salvare, liman, speranță, nădejde 3 *tehn* ancoră; balon de ancorare

II *vt* 1 *nav* a ancora 2 a întări, a prinde, a fixa *(un cort etc.)* 3 *fig* a se încrede în; a se lăsa în seama *cu gen;* **to ~ one's hope in/on** a-și pune speranțele în **III** *vi* 1 *nav* a ancora 2 *fig* a se statornici; a se liniști, a se cuminți

anchorage ['æŋkəridʒ] *s* 1 *nav* ancoraj, loc de ancorare 2 *nav* ancoraj, ancorare; staționare la ancoră 3 *nav* taxe de ancoraj 4 *tehn* fixare, consolidare; ancorare 5 *fig* liman, adăpost, refugiu 6 *fig* sprijin de nădejde

anchoress ['æŋkəris] *s* anahoretă, sihastră, pustnică

anchorite ['æŋkərait] *s* anahoret, schimnic, pustnic, sihastru

anchorless ['æŋkəlis] *adj* 1 *nav* fără ancoră 2 *fig* fără cârmă, dus de valuri/curent

anchovy ['æntʃəvi] *s iht, alim* anșoa

ancient ['einʃənt] **I** *adj* 1 antic; străvechi, din vechime, foarte vechi 2 demodat, învechit 3 ← *înv sau umor* bătrân, vârstnic **II** *s* 1 antic; clasic; **the ~s and the moderns** anticii și modernii, cei antici/vechi și cei moderni 2 ← *înv* bătrân, moșneag 3 *înv* stindard, – drapel 4 *înv* stegar

anciently ['einʃəntli] *adv* în antichitate/vechime

ancillary [ænˈsiləri] **I** (**to**) ajutor, sprijin *(cu gen);* subordonat *(cu dat);* ancilar **II** *s* ajutor, asistent; subordonat

-ancy *suf* -anță; -anție; -ancie: **constancy** constanță; **chiromancy** chiromancie

and [ænd, ənd] **I** *conj* 1 *(copulativ)* și, precum și, atât... cât și; **he ~ his sister** el și sora lui 2 *(copulativ-retoric, pt a sublinia o enumerare)* și; *(adesea nu se traduce);* **black ~ blue ~ red** negru, albastru și roșu 3 *(adversativ)* dar, însă; și, iar; totuși; **he promised to come ~ he didn't** a promis că va veni, și/dar/totuși nu a venit 4 *(conclusiv)* și; așa că; de aceea; deci, așadar; **it's all a joke ~ I don't care** totul e doar o glumă, așa că nu mă sinchisesc 5 *(disjunctiv)* jur sau, ori; fie..., fie; **for State ~ county purposes** pentru scopuri statale sau districtuale 6 *(legând sinonime)* și; *(uneori nu se traduce)*

far ~ away a cu mult **b** hotărât, categoric; **her lord ~ master** domnul și stăpânul ei **7** *(final)* (ca) să, pentru a; și; **try ~ speak to him** încearcă să vorbești cu el; **go ~ fetch a piece of paper** du-te și adu o bucată de hârtie **8** *(legând comparative identice)* din ce în ce mai, tot mai; **better ~ better** din ce în ce mai bine, tot mai bine **9** *(în hendiade calitative, altele decât finale) (nu se traduce);* **sanity ~ reason** judecată/rațiune sănătoasă; **the room was nice ~ cool** în cameră era o răcoare plăcută **10** *(în propoziții opoziționale)* pe câtă vreme, în timp ce; **now he drives in a car, ~ before he just walked** acum merge cu mașina, în timp ce/pe când altădată mergea pe jos **11** *(consecutiv)* încât; **why should we be such hard pedants ~ magnify a few forms?** *(Emerson)* de ce să fim atât de pedanți încât să preamărim niște forme? **12** *(condițional)* ← *înv* dacă, de; **an(d) he knew** dacă ar ști **13** *(expletiv)* ← *P (nu se traduce);* **Stephen was ~ a worthy man** Stephen era un om de toată lauda **II** *prep* **1** cu; și; **bread ~ butter** pâine cu unt **2** *(pt a exprima măsurători)* ← *înv* pe; **nine ~ seven inches** nouă incii pe șapte

Andalusia [ˌændəˈluːziə] *ist* provincie în *Spania* Andaluzia

Andaman Islands, the [ˈændəmən ˈailəndz, ði] Insulele Andamane

andante [ænˈdænti] *s, adj, adv muz* andante

andantino [ˌændænˈtiːnou] *s, adj, adv muz* andantino

Andersen [ˈændəsən], **Hans** *scriitor danez (1805-1875)*

Anderson [ˈændəsən], **Sherwood** *scriitor american (1876-1941)*

andesite [ˈændəzait] *s minr* andezit

Andes (Mountains), the [ˈændiːz ˌmauntinz, ði] (Munții) Anzi

andiron [ˈændaiən] *s* suport (de fier) pentru lemne *(pe foc)*

Andorra [ænˈdɔrə] *stat și oraș în Pirinei*

Andrew [ˈændruː] *nume masc* Andrei

Andreyev [aːnˈdreiev], **Leonid** *scriitor rus* Andreev *(1871-1919)*

andro- *pref* andro-: **androgynous** androgin

Androcles [ˈændrəkliːz] *mit* Androcle

androgyne [ˈændrədʒain] *s bot* plantă androgină

androgynous [ænˈdrɔdʒinəs] *adj bot* androgin

Andromache [ænˈdrɔməki] *mit* Andromaca

Andromeda [ænˈdrɔmidə] *mit, astr*

-ane *suf* -an: **methane** metan

anear [əˈniər] ← *înv, poetic* **I** *prep* lângă, aproape de **II** *adv* aproape

anecdotal [ˌænikˈdoutəl] *adj* anecdotic

anecdote [ˈænikdout] *s* anecdotă; snoavă; povestire, istorioară

anemia [əˈniːmiə] *s med* anemie

anemic [əˈniːmik] *adj* **1** *med* anemic **2** *fig* anemic, fără viață

anemically [əˈniːmikəli] *adv* (în mod) anemic, fără viață

anemograph [əˈneməgrəf] *s meteor* anemograf

anemometer [ˌæniˈmɔmitər] *s meteor* anemometru

anemone [əˈneməni] *s bot* anemonă *(Anemone sp.)*

anent [əˈnent] *prep scot* ← *înv* despre, în ceea ce privește, privitor la

aneroid [ˈænərɔid] *adj meteor* aneroid

anesthesia [ˌænisˈθiːziə] *s* anestezie

anesthetize [əˈnisθətaiz] *vt* a anestezia

anet [ˈænet] *s bot* mărar *(Anethum graveolens)*

aneurism [ˈænjərizəm] *s med* anevrism

anew [əˈnjuː] *adv* ← *poetic* **1** din nou, iar(ăși); încă o dată **2** într-un chip/mod nou

anfractuous [ænˈfræktjuəs] *adj* **1** *elev* anfractuos, – sinuos, întortocheat, șerpuit **2** *fig* ← *elev* încurcat, încâlcit, complicat

angel [ˈeindʒəl] *s* **1** *rel* înger **2** *rel* înger păzitor; spirit ocrotitor **3** *fig* înger; comoară; frumusețe **4** ← *înv* susținător, sprijinitor; mecena **5** *od* monedă engleză de aur

Angela [ˈændʒilə] *nume fem*

angelic [ænˈdʒelik] *adj rel și fig* angelic, îngeresc, de înger

Angelica [ænˈdʒelikə] *nume fem*

angelica [ænˈdʒelikə] *s bot* angelică, aglică *(Angelica sp.)*

angelical [ænˈdʒelikəl] *adj v.* **angelic**

angelically [ænˈdʒelikəli] *adv* îngerește, angelic; ca un înger

Angelina [ˌændʒiˈliːnə] *nume fem* Angelina, Anghelina

angel-like [ˈeindʒəllaik] *adj* (ca) de înger

Angelus, angelus [ˈændʒiləs] *s bis* Angelus

anger [ˈæŋgər] **I** *s* **1** *(at)* supărare, mânie, furie, nemulțumire profundă (față de) **2** acces de mânie/furie **II** *vt* a supăra, a mânia, a înfuria

Angers [ˈæŋdʒəz] *oraș în Franța*

Angevin(e) [ˈændʒivin] *s, adj ist, geogr* angevin

angina [ænˈdʒainə] *s med* **1** ang(h)ină **2** *v.* **angina pectoris**

angina pectoris [ænˈdʒainə ˈpektəris] *s med* ang(h)ină pectorală

angiocarp [ˈændʒiəkaːp] *s bot* angiocarp

angiosperm [ˈændʒiəspəːm] *s bot* angiosperm

Angl. *presc de la* **Anglican**

angle [ˈæŋgl] **I** *s* **1** *geom etc.* unghi; **at an ~** înclinat; în pantă **2** *constr etc.* colț **3** *fig* ← *F* unghi, punct de vedere **4** *fig* ← *F* situație; latură, aspect **5** undiță **II** *vt* **1** a denatura, a prezenta într-o lumină falsă **2** a pescui/a prinde cu undița **III** *vi* a pescui cu undița

angle bracket [ˈæŋgl ˈbrækit] *s* **1** colțar de fixare, guseu **2** *constr* cornieră de asamblare **3** paranteze în unghi

angle for [ˈæŋgl fə] *vi cu prep* ↓ *peior* a căuta să obțină, a vâna *cu ac*

angle of convergence [ˈæŋgl əv kənˈvəːdʒəns] *s fiz* unghi de convergență

angle of deflection [ˈæŋgl əv diˈflekʃən] *s fiz* unghi de deviație

angle of incidence [ˈæŋgl əv ˈinsidəns] *s fiz* unghi de atac/incidență

angle of reflection [ˈæŋgl əv riˈflekʃən] *s fiz* unghi de reflexie

angle of refraction [ˈæŋgl əv riˈfrækʃən] *s fiz* unghi de refracție

angler [ˈæŋglə] *s* pescar/pescuitor cu undița, undițar

Angles [ˈæŋglz] *s pl ist* angli

angleworm [ˈæŋglwəːm] *s* râmă *(folosită ca nadă la undiță)*

Anglican [ˈæŋglikən] *adj, s* **1** *rel* anglican **2** *amer* englez

Anglicanism [ˈæŋglikənizəm] *s rel* anglicanism

Anglicism ['æŋglisizəm] *s* **1** *lingv* anglicism **2** trăsătură, obicei *etc.* tipic englezesc; caracteristică englezească

anglicization, anglicisation [ˌæŋglisai'zeiʃən] *s* anglicizare

anglicize, anglicise [ˌæŋglisaiz] *vt* a angliciza

angling ['æŋgliŋ] *s* pescuit cu undița

anglistics [æŋ'glistiks] *s pl ca sg* anglistică; filologie engleză

Anglo-American ['æŋglouə'merikən] *adj, s* anglo-american

Anglo-Catholic ['æŋglou'kæθəlik] *adj, s rel* anglo-catolic

Anglo-Indian ['æŋglou'indjən] *adj, s* anglo-indian

Anglo-Norman ['æŋglou'nɔːmən] *ist* **I** *adj* anglo-normand **II** *s* **1** anglo-normand **2** *lingv* dialectul anglo-normand

anglophil(e) ['æŋgloufail] *s* anglofil

anglophilia [ˌæŋglou'fiːljə] *s* anglofilie, anglomanie

anglophobe ['æŋgloufoub] *s* anglofob

Anglo-Saxon ['æŋglou'sæksən] **I** *adj* **1** *ist* și *lingv od* anglo-saxon **2** anglo-saxon, englez(esc) **II** *s* **1** *ist* anglo-saxon **2** *lingv od* (limba) anglo-saxonă, engleza veche **3** anglo-saxon, englez

Angola [æŋ'goulə] *stat în Africa*

angora [æŋ'gɔːrə] *s* **1** *text* angora **2** *v.* **Angora cat 3** *v.* **Angora goat 4** *v.* **Angora rabbit**

Angora cat [æŋ'gɔːrə kæt] *s zool* pisică de Angora (*Felix domestica angorensis*)

Angora goat [æŋ'gɔːrə ˌgout] *s zool* capră de Angora (*Capra hircus angorensis*)

Angora rabbit [æŋ'gɔːrə ˌræbit] *s zool* iepure de Angora (*Lepus cuniculus angorensis*)

angrily ['æŋgrili] *adv* supărat, cu supărare, mânios

angry ['æŋgri] *adj* **1** (**at, about**) supărat, mâniat, mânios, înfuriat, furios (de; din cauza/pricina – *cu gen*); **to make smb** ~ a supăra, a mânia, a înfuria pe cineva; ~ **with smb** supărat pe cineva **2** (*d. o rană etc.*) inflamat **3** (*d. mare etc.*) înfuriat, furios; (*d. nori*) de furtună; amenințător

angstrom, Angstrom ['æŋgstrəm] *s fiz* angstrom

anguish ['æŋgwiʃ] **I** *s* chin, suferință (↓ *morală*) **II** *vt* a chinui, a tortura;

a pricinui o durere nespusă (*cuiva*) **III** *vi* a suferi, a fi chinuit (↓ *moralicește*)

anguished ['æŋgwiʃt] *adj* chinuit, îndurerat grozav (↓ *moralicește*); ~ **cries** strigăte de durere

angular ['æŋgjulə] *adj* **1** unghiular, angular; ascuțit; cu colțuri *sau* muchii ascuțite **2** (*d. cineva*) deșelat, slab, costeliv **3** lipsit de grație *sau* ușurință, stângaci; rigid; din topor

angularity [ˌæŋgju'læriti] *s* **1** unghiularitate; caracter ascuțit; incidență oblică **2** unghi; ascuțiș

angularly ['æŋgjuləli] *adv* **1** în unghi ascuțit **2** (în mod) stângaci; ca din topor

anhydride [æn'haidraid] *s ch* anhidridă

anhydrous [æn'haidrəs] *adj ch* anhidru; deshidratat; uscat

anigh [ə'nai] ← *înv* **I** *adv* aproape, în apropiere **II** *prep* în preajma/ apropierea *cu gen*, lângă

anil ['ænil] *s* **1** *bot* anil, indigotier (*Indigofera tinctoria*) **2** indigo (*culoare și colorant*)

anile ['ænail] *adj* **1** de babă, de femeie bătrână, băbesc **2** senil, bicisnic, neputincios

aniline ['ænili:n] *s ch* anilină

aniline dye ['ænili:n dai] *s ch* colorant de anilină

anility [æ'niliti] *s* **1** bătrânețe (*la femei*) **2** ramolire, senilitate (*la femei*)

animadversion [ˌænimæd'vəːʃən] *s* (**on, upon**) ← *elev* comentariu nefavorabil, observație *sau* observații critice (la adresa/pe socoteala – *cu gen*); critică (la adresa/pe socoteala – *cu gen*), criticare (*cu gen*)

animadvert about/on/upon [ˌænimæd'vəːt ə,baut/ɔn/ə,pon] *vi cu prep* a face remarci critice la adresa/pe socoteala *cu gen*, a căuta nod în papură *cu dat*

animal ['æniməl] **I** *s* **1** animal; dobitoc; fiară **2** *fig* animal; brută; bestie, fiară; dobitoc **3** *zool* mamifer **II** *adj* **1** animal, de animal *sau* animale; animalier **2** *fig* de animal/brută/dobitoc; bestial **3** *fig* animalic; carnal, senzual

animal black ['æniməl 'blæk] *s ch* cărbune animal

animal char ['æniməl 'tʃɑːr] *s ch* cărbune de oase

animalcule [ˌæni'mælkjuːl] *s* animalcul, vietate extrem de mică

animal husbandry ['æniməl 'hʌzbəndri] *s* creșterea vitelor; zootehnie

animalism ['æniməlizəm] *s* **1** animalitate **2** senzualitate **3** *filos* animalism

animalist ['æniməlist] *s* **1** *filos* animalist **2** senzualist **3** pictor, sculptor *sau* grafician animalier

animality [æni'mæliti] *s* animalitate

animal kingdom ['æniməl 'kiŋgdəm] *s* regnul animal

animal spirits ['æniməl 'spirits] *s pl* vitalitate, vigoare, forță vitală

animate I ['ænimeit] *vt și fig* a anima, a însufleți **II** ['ænimit] *adj v.* **animated**

animated ['ænimeitid] *adj și fig* animat, însuflețit

animated cartoon ['ænimeitid kaː'tuːn] *s* (film de) desene animate

animation [ˌæni'meiʃən] *s* **1** animație, însuflețire; viață; veselie **2** animare, aducere la viață **3** viață, ființare, existență **4** realizarea unui film de desene animate

animative [ˌæni'meitiv] *adj* **1** însuflețitor, animator **2** animistic

animator ['ænimeitə] *s* **1** animator, însuflețitor **2** persoană care lucrează la realizarea filmelor de desene animate

animism ['ænimizəm] *s* **1** animism **2** *filos* spiritualism

animist ['ænimist] *s* **1** animist, adept al animismului **2** *filos* spiritualist

animistic [ˌæni'mistik] *adj* **1** animist **2** *filos* spiritualist

animosity [ˌæni'mɔsiti] *s* (**against, towards; between**) animozitate, ură puternică (față de; împotriva – *cu gen;* între); dușmănie (față de; împotriva – *cu gen;* între)

animus ['æniməs] *s* **1** *v.* **animosity 2** impuls; intenție; râvnă, zel, avânt

anion ['ænaiən] *s ch* anion

anise ['ænis] *s bot* **1** anason, anison (*Pimpinella anisum*) **2** *v.* **aniseed**

aniseed ['ænisiːd] *s bot* (sămânță de) anason, anison

Anita [ə'niːtə] *nume fem*

Ankara ['æŋkərə] *capitala Turciei*

ankle ['æŋkl] *s anat* gleznă

ankle bone ['æŋkl,boun] *s anat* astragal, arșic

anklet ['æŋklit] *s* **1** inel ornamental purtat în jurul gleznei **2** șosetă *(scurtă până la gleznă, purtată de femei)*

ankylose ['æŋkilous] *vt med* a anchiloza

Ann [æn] *nume fem* Ana

ann. *presc de la* **1** annual **2** annuity

Anna ['ænə] *nume fem* Ana

Annabel(le) [ˌænə'bel] *nume fem* Anabela

annalist ['ænəlist] *s* analist, autor de anale; cronicar

annals ['ænəlz] *s pl* **1** anale, *înv* → letopiseț; cronică **2** documente istorice *(în general)*, anale

Annam ['ænæm] *regiune în Vietnam* Anam

Anne [æn] *nume fem* Ana

anneal [ə'ni:l] *vt* **1** *met* a căli; a normaliza **2** *tehn* a emaila, a smălțui **3** *fig* a căli, a oțeli, a întări

Annette [ə'net] *nume fem* Aneta

annex I [ə'neks] *vt* **1** (to) a anexa, a alătura, a adăuga (la) **2** (to) a anexa, a alipi *(un teritoriu)* (la) **3** *umor* a subtiliza, a sfeterisi, – a fura **II** ['æneks] *s* **1** anexă; adaos; completare **2** anexă, dependință

annexation [ˌænek'sei∫ən] *s* **1** anexare, alăturare, adăugare **2** anexare, alipire, anexiune *(a unui teritoriu)*

annexment [ə'neksmənt] *s* anexă, adaos

annihilate [ə'naiəleit] *vt* **1** a anihila; a nimici; a distruge total **2** *fig* a anihila, a anula; a spulbera; a reduce la zero

annihilation [əˌnaiə'lei∫ən] *s* **1** anihilare; nimicire; distrugere totală **2** *fig* anihilare, anulare; spulberare; reducere la zero

anniversary [ˌæni'və:səri] **I** *s* **1** aniversare **2** aniversare, sărbătorire *(a unei aniversări)* **II** *adj* aniversar; comemorativ

anno Domini ['ænou 'dɔminai] *lat* după Cristos, al erei noastre, e.n.

annotate ['ænouteit] *vt* a adnota, a face adnotări/note/însemnări la *sau* pe marginea *cu gen*

annotation [ˌænou'tei∫ən] *s* **1** adnotare, acțiunea de a adnota **2** adnotare, însemnare, notă explicativă

annotator ['ænouteitə'] *s* adnotator

announce [ə'nauns] *vt* **1** a anunța; a proclama; a vesti; a declara **2** a

vesti, a trăda *(sosirea primăverii etc.)*; a fi un semn *cu gen*

announcement [ə'naunsmənt] *s* anunț, înștiințare; vestire

announcer [ə'naunsə'] *s tel* crainic, spicher

annoy [ə'nɔi] *vt* **1** a supăra, a necăji **2** a supăra, a deranja; a plictisi; a nu da pace *cuiva;* a bate capul *cuiva*

annoyance [ə'nɔiəns] *s* **1** supărare, iritare **2** supărare, deranj **3** necaz, neplăcere **4** om plictisitor/ insuportabil/enervant **5** pacoste, calamitate, belea

annoying [ə'nɔiŋ] *adj* supărător, enervant; plictisitor; insuportabil

annual ['ænjuəl] **I** *adj* anual, de fiecare an **II** *s* **1** *bot* plantă anuală **2** publicație anuală; carte publicată anual **3** anuar

annually ['ænjuəli] *adj* anual, în fiecare an; an de an

annuity [ə'nju:iti] *s fin* anuitate; rentă

annul [ə'nʌl] *vt* a anula; a desființa; a declara nul și neavenit

annular ['ænjulə'] *adj* inelar; rotund

annulment [ə'nʌlmənt] *s* anulare; desființare

annunciation [əˌnʌnsi'ei∫ən] *s* **1** anunțare, vestire **2** the A~ *rel* Buna Vestire

annunciator [ə'nʌnsieitə'] *s tel* indicator telefonic; anunțător

anode ['ænoud] *s el* anod

anodic [æ'noudik] *adj el* anodic

anodyne ['ænoudain] *farm* **I** *adj* analgezic, calmant **II** *s* calmant

anoint [ə'nɔint] *vt* **1** a unge *(o rană etc.)* **2** *rel* a mirui; a unge *(rege etc.)*

anointment [ə'nɔintmənt] *s* ungere; miruire

anomalous [ə'nɔmələs] *adj* **1** anormal; aberant **2** neregulat **3** inconsecvent; contradictoriu

anomalous finite [ə'nɔmələs 'fainait] *s gram* verb personal cu forme aberante; verb defectiv

anomalously [ə'nɔmələsli] *adv* (în mod) aberant, anormal, neregulat *sau* inconsecvent

anomaly [ə'nɔməli] *s* anomalie

anon¹ *presc de la* **anonymous**

anon² [ə'nɔn] *adv* ← *înv, poetic* (în) curând, în scurtă vreme; numaidecât, imediat, fără întârziere; **ever and ~** din când în când, din vreme în vreme

anonymity [ˌænə'nimiti] *s* anonimat, caracter anonim

anonymous [ə'nɔniməs] *adj* **1** *(d. cineva)* anonim, necunoscut; fără nume **2** *(d. cineva)* anonim, neștiut, necunoscut, obscur **3** *(d. lucrări)* anonim, al cărui autor nu este cunoscut

anonymously [ə'nɔniməsli] *adv* anonim; fără adresă, fără semnătură *etc.*

anopheles [ə'nɔfili:z] *s sg și pl ent* (țânțar) anofel *(Anopheles sp.)*

anorak ['ænəræk] *s* hanorac

anorexia [ˌænə'reksiə] *s med* anorexie, inapetență

anorganic [ˌænɔ:'gænik] *adj ch* anorganic

another [ə'nʌðə'] **I** *adj* **1** un alt *sau* o altă; încă un *sau* încă o; mai ... un *sau* mai ... o; **give him ~ slice** mai dă-i o felie; **~ two weeks** încă/alte două săptămâni **2** un alt *sau* o altă; diferit, deosebit; **he looked at the difficulty ~ way** vedea altfel dificultatea, vedea dificultatea într-altfel/într-un mod diferit; **that's ~ pair of shoes** *F* asta e altă poveste, altă gâscă în altă traistă; **I'll see you ~ time** o să te văd altă dată **3** un alt *sau* o altă; un al doilea *sau* o a doua; **~ Cromwell** un al doilea Cromwell **II** *pr* (un) altul; (o) alta; încă unul *sau* una; **he has taken ~ of my dictionaries** iar mi-a luat un dicționar, mi-a mai luat un dicționar; **to die for ~** a muri pentru altul; a muri de dragul altuia; **they love one ~** se iubesc (unul pe altul); **they hurled insults at one ~** își aruncau insulte (unul altuia), se împroșcau cu insulte

ans. *presc de la* **answer**

anserine ['ænsərain] *adj* **1** *orn* de gâscă **2** *fig ← elev* prost, nătâng

answer ['ɑ:nsə'] **I** *s* **1** răspuns; replică; **in ~ to** ca/drept răspuns la; **to give no ~** a nu da nici un răspuns; a nu răspunde **2** *fig* (to) răspuns, replică, ripostă (la); contramăsură **3** (to) *fig* răspuns (la *un argument, o învinuire etc.*) **4** (to) răspuns (la), soluție *(cu gen);* rezolvare *(cu gen); mat etc.* rezultat **5** *jur* apărare **6** lucrare scrisă *(la un examen)* **II** *vt* **1** a răspunde, a da un răspuns *(cuiva);* a replica *(cuiva);* a riposta, a da o ripostă *(cuiva); ~ me!* răspunde-mi! **2** a răspunde la, a da un răspuns la *sau cu dat;* a replica la; **I didn't ~ her question** nu i-am răspuns la întrebare **3** a răspunde la *(telefon, semnal, bătaia în uşă etc.)* **4** *fig* a reacţiona la **5** *fig* a corespunde *cu dat,* a răspunde la *sau cu dat,* a satisface; a fi bun, de ajuns *etc.* pentru; **this apparatus will ~ our needs** aparatul acesta e bun pentru ceea ce ne trebuie **6** *fig* a răspunde la *(o învinuire etc.)* **7** a rezolva, a soluţiona *(o problemă etc.);* a răspunde la **8** a îndeplini *(o sarcină etc.)* **III** *vi* **1** a răspunde, a da un răspuns; a replica; a riposta **2** *(d. planuri etc.)* ← *rar* a reuşi; **the experiment did not ~ at all** experienţa a fost un eşec total

answerable [ˈɑːnsərəbəl] *adj* **1** *(d. o întrebare etc.)* la care se poate răspunde, la care se poate da un răspuns **2 (for)** răspunzător (pentru; de) **3** corespunzător

answerableness [ˈɑːnsərəbəlnis] *s* **1** posibilitatea de a răspunde *sau* de a riposta **2** răspundere, responsabilitate

answer back [ˈɑːnsəˈbæk] *vi cu part adv* a întoarce vorba; a răspunde urât

answer for [ˈɑːnsəfə] *vi cu prep* **1** a răspunde de; a avea răspunderea *cu gen* **2** a fi (ţinut) răspunzător pentru, a răspunde pentru

answer to [ˈɑːnsə tə] *vi cu prep* **1** a corespunde *cu dat* **2** a răspunde la *(numele de...)*

ant [ænt] *s ent* furnică *(Formicidae)*

an't [ænt] *F reg pentru* **1 am not 2 is not 3 have not 4 has not**

-ant *suf* -ant: **occupant** ocupant

Antaeus [ænˈtiːəs] *mit* Anteu

antagonism [ænˈtægənizəm] *s* **1** antagonism; conflict; duşmănie **2 (to)** opoziţie, rezistenţă (faţă de)

antagonist [ænˈtægənist] *s* opozant, adversar, potrivnic

antagonistic [æn,tægəˈnistik] *adj* antagonist, advers, opus, potrivnic

antagonistically [æn,tægəˈnistikəli] *adv* (în mod) antagonist, advers, contrar

antagonize [ænˈtægənaiz] **I** *vt* **1** a-şi face un duşman din; a-şi atrage duşmănia *cuiva* **2** a contracara;

a lupta împotriva *cu gen* **II** *vi* a se opune; a rezista; a riposta

antarctic [ænˈtɑːktik] **I** *adj* antarctic **II** *s* **the A~** Antarctica

Antarctica [æntˈɑːktikə] *regiune sau continent*

Antarctic Circle, the [æntˈɑːktik ˈsəːkl, ði] *s* Cercul polar de sud

Antarctic Ocean, the [æntˈɑːktik ˈouʃən, ði] *s* Oceanul Antarctic, „Mările Sudului"

ant bear [ˈænt ˈbɛəʳ] *s zool* **1** (urs) furnicar *(Myrmecophaga jubata)* **2** porcul termitelor *(Orycteropus sp.)*

ante- *pref* anti-; ante-: **antecedent** antecedent; **antechamber** anticameră

ant eater [ˈænt,iːtəʳ] *s v.* **ant bear**

antecede [,æntiˈsiːd] *vt* a precede

antecedence [,æntiˈsiːdəns] *s* precedenţă, anterioritate

antecedent [,æntiˈsiːdənt] **I** *adj* precedent, anterior **II** *s* **1** antecedent, faptă *etc.* anterioară **2** *gram, log, mat* antecedent **3** precedent **4** *pl* antecedente; trecut; **the glorious ~s of a nation** trecutul glorios al unui popor **5** *pl* strămoşi, străbuni

antecedently [,æntiˈsiːdəntli] *adv* mai înainte, anterior; a priori

antechamber [ˈænti,tʃeimbəʳ] *s* **1** anticameră **2** *tehn* antecameră

antedate [ˈæntiˈdeit] *vt* **1** a antedata **2** a fi, a exista *sau* a se petrece înainte de; a premerge *cu dat;* a anticipa

antediluvially [ˈæntidiˈluːviəli] *adv* înainte de Potop

antediluvian [ˈæntidiˈluːviən] *adj* antediluvian, dinainte de Potop

antelope [ˈæntiloup] *s* **1** *zool* antilopă *(Antilopinae sp.)* **2** (piele de) antilopă

ante meridiem [ˈænti məˈridiəm] *lat* ← *rar* antemeridian, a.m., înainte de amiază

antenatal [ˈæntiˈneitəl] *med* **I** *adj* prenatal **II** *s* examen prenatal

antenna [ænˈtenə] *s* **1** *pl* **antennae** [ænˈteni] *ent* antenă **2** *pl* **antennas** [ænˈtenəz] *tel* antenă

antepenult [ˈæntipiˈnʌlt] *s lingv* (silabă) antepenultimă

antepenultimate [ˈæntipiˈnʌltimit] **I** *adj* **1** al treilea de la sfârşit/capăt **2** *lingv* antepenultim **II** *s lingv* (silabă) antepenultimă

anterior [ænˈtiəriəʳ] *adj* **1** anterior, precedent, de mai înainte **2** anterior, din faţă, de dinainte

anteriority [,æntiəriˈoriti] *s* anterioritate; precedenţă

anteriorly [ænˈtiəriəli] *adv* anterior, mai înainte

anteroom [ˈæntiru(ː)m] *s* anticameră

ante up [ˈæntiʌp] *vt cu part adv amer sl* a plăti

anthem [ˈænθəm] *s* **1** *bis* imn; motet; cantată; cântec bisericesc **2** imn; imn de slavă; imn naţional

anther [ˈænθəʳ] *s bot* anteră

ant hill [ˈænt hil] *s* muşuroi de furnici

anthological [,ænθəˈlodʒikəl] *adj lit* antologic

anthologist [ænˈθolədʒist] *s lit* antologist; antologator

anthologize [ænˈθolədʒaiz] *vt lit* a antologa, a include într-o antologie; a întocmi o antologie *cu gen*

anthology [ænˈθolədʒi] *s lit* antologie; florilegiu

Anthony [ˈæntəni] *nume masc* Antoniu; Anton

anthracene [ˈænθrəsiːn] *s ch* antracen

anthracite [ˈænθrəsait] *s minr* antracit

anthrax [ˈænθræks] *s med* **1** carbuncul/furuncul antracoid **2** antrax, pustulă malignă, *P* → dalac

anthropo- *pref* antropo-: **anthropology** antropologie

anthropocentric [,ænθrəpouˈsentrik] *adj* antropocentric

anthropoid [ˈænθrəpoid] **I** *adj* **1** *zool* antropoid **2** *fig* care arată ca o maimuţă **II** *s zool* antropoid

anthropoid ape [ˈænθrəpoid eip] *s zool* antropoid, maimuţă antropoidă

anthropological [,ænθrəpəˈlodʒikəl] *adj* antropologic

anthropologically [,ænθrəpəˈlodʒikəli] *adv* (din punct de vedere) antropologic

anthropologist [,ænθrəˈpolədʒist] *s* antropolog

anthropology [,ænθrəˈpolədʒi] *s* antropologie

anthropometric(al) [,ænθrəpəˈmetrik(əl)] *adj* antropometric

anthropometrically [,ænθrəpəˈmetrikəli] *adv* (din punct de vedere) antropometric

anthropomorphic(al) [,ænθrəpəˈmɔːfik(əl)] *adj* antropomorfic

anthropomorphically [ˌænθrəpə-'mɔːfikəli] *adv* (din punct de vedere) antropomorfic

anthropomorphism [ˌænθrəpə-'mɔːfizəm] *s* antropomorfism

anthropophagous [ˌænθrə'pofəgəs] *adj* antropofag, mâncător de oameni

anthropophagus [ˌænθrə'pofəgəs], *pl* **anthropophagi** [ˌænθrə'pofəgai] *s* antropofag, canibal

anthropophagy [ˌænθrə'pofədʒi] *s* antropofagie, canibalism

anti- *pref* anti-: **anticyclone** anticiclon

anti ['ænti] *s F* „Ghiță contra", – cârtitor; opozant continuu

antiaerial [ˌænti'ɛəriəl] *adj mil* antiaerian

anti-aircraft [ˌænti'ɛəkraːft] *mil* I *adj* antiaerian II *s* foc antiaerian

antibiosis [ˌæntibai'ousis] *s biol, med* antibioză

antibiotic [ˌæntibai'ɔtik] *adj, s med* antibiotic

antibody ['ænti,bɔdi] *s biol* anticorp

antic ['æntik] I *adj* 1 caraghios; grotesc 2 straniu, ciudat 3 comic, de râs, nostim; buf II *s pl* bufonerii, caraghioslâcuri; pozne

anticathode [ˌænti'kæθoud] *s fiz* anticatod

antichrist ['æntikraist] *s rel* anticrist

anticipant [æn'tisipənt] I *adj* 1 anticipativ 2 prevenitor, îndatoritor II *s* persoană care anticipează/presimte viitorul

anticipate [æn'tisipeit] I *vt* 1 a anticipa, a prevedea; a ști dinainte; a bănui, a se aștepta la 2 a fi înaintea *cuiva*; a o lua înaintea *cuiva;* a premerge; a întrece 3 a folosi, a cheltui *etc.* înainte de vreme/anticipat 4 a anticipa, a satisface dinainte *(necesitățile cuiva etc.)*, a avea dinainte grijă de 5 a grăbi *(un deznodământ etc.)*, a precipita II *vi* a anticipa; a ști dinainte; a prevedea, a bănui

anticipation [æn,tisi'peiʃən] *s* 1 anticipare, prevedere; **in ~ of** anticipând, prevăzând *cu ac* 2 anticipație; **thanking you in ~** mulțumindu-vă cu anticipație/anticipat 3 presimțire, bănuială; prevestire 4 speranțe, perspective 5 *ec, com* plată anticipată; avans

anticipative [æn'tisipeitiv] *adj* 1 înclinat să anticipeze *sau* să facă presupuneri 2 anticipativ, cu caracter de anticipație

anticipatory [æn'tisipeitəri] *adj* 1 *v.* **anticipative 2** 2 anticipat; anterior, precedent 3 prematur

anticlerical [ˌænti'klerikəl] *adj* anticlerical

anticlericalism [ˌænti'klerikəlizəm] *s* anticlericalism

anticlimax [ˌænti'klaimæks] *s* 1 *ret* anticlimax, gradație descendentă/inversă 2 cădere/prăbușire spectaculoasă *(după o carieră strălucită etc.);* revers 3 revenire la proza cotidiană 4 trecere bruscă de la ceva serios, pasionant, nobil *etc.* la ceva stupid, neinteresant *etc.*

anticline ['æntiklain] *s geol* anticlinal

anticorrosive [ˌæntikə'rousiv] *adj tehn* anticoroziv

anticyclone [ˌænti'saikloun] *s* anticiclon

antidemocratic ['ænti,demə'krætik] *adj* antidemocratic

antidote ['æntidout] *s med și fig* antidot

antifascist [ˌænti'fæʃist] *s, adj* antifascist

antifreeze ['æntifriːz] *s tehn* antigel, anticongelant

antifriction [ˌænti'frikʃən] *s tehn* antifricțiune

anti-gas ['ænti'gæs] *adj mil* antichimic

antigen ['æntidʒən] *s fiz* antigen

Antigone [ˌæn'tigəni] *mit* Antigona

antigravity [ˌænti'græviti] *s fiz* antigravitație

anti-hero [ˌænti'hiərou] *s lit* anti-erou

anti-imperialistic ['æntiim,piəriə-'listik] *adj* antiimperialist

Antilles, the [æn'tiliːz, ði] *geogr* Insulele Antile

antilogarithm [ˌænti'lɔgəriðəm] *s mat* antilogaritm

antimacassar [ˌæntimə'kæsə'] *s* 1 husă *(de mobilă)* 2 față de masă; mileu, șervețel *(pe măsuță)*

antimasque [ˌænti'maːsk] *s teatru* antimască, interludiu comic

antimatter [ˌænti'mætə'] *s fiz* antimaterie

antimony ['æntiməni] *s ch* antimoniu, stibiu

antineutron [ˌænti'njuːtrən] *s fiz* antineutron

antinomy [æn'tinəmi] *s* 1 antinomie 2 paradox 3 opoziție; contradicție; conflict

Antiochia [ˌæntiou'kaiə] *ist* Antiohia

Antiochus [æn'taiəkəs] *nume masc ist* Antioh

antipapal [ˌænti'peipəl] *adj* antipapal

antiparticle [ˌænti'paːtikl] *s fiz* antiparticulă

antipathetic(al) [æn,tipə'θetik(əl)] *adj* opus; contradictoriu

antipathetical to [æn,tipə'θetikəltə] *adj cu prep* care nu poate suporta/suferi *cu ac*

antipathy [æn'tipəθi] *s* (**to, towards, against; between**) antipatie (față de; între); aversiune (pentru, față de; între)

antipersonnel [ˌænti,pə:sə'nel)] *adj mil* contra infanteriei

antiphon ['æntifən] *s bis* antifon

antipodal [æn'tipədəl] *adj* 1 antipodal 2 ← *umor* australian (și neozeelandez)

antipode ['æntipoud] *s și fig* antipod

antipodes ['æntipoudz] *s pl* 1 antipozi 2 două lucruri diametral opuse 3 **the A~** ← *umor* Australia (și Noua Zeelandă)

antiproton [ˌænti'proutən] *s fiz* antiproton

antiquarian [ˌænti'kⱱɛəriən] I *adj* 1 de anticariat; de aᴢʜivă 2 de anticar 3 care cumpără și vinde cărți vechi *sau* rare II *s v.* **antiquary**

antiquary [æn'tikwəri] *s* anticar, colecționar de antichități

antiquated ['ænti,kweitid] *adj* învechit, vechi, demodat; scos din uz

antique [æn'tiːk] I *adj* ← *elev* 1 vechi (și valoros) 2 antic, clasic, vechi 3 vechi, de altădată/odinioară 4 învechit, demodat II *s* 1 obiect vechi (și de preț); obiect de anticariat 2 obiect de artă antic; lucrare literară antică 3 **the ~** arta veche, ↓ arta clasică 4 *poligr* (caractere) egipțiene

antiquity [æn'tikwiti] *s* 1 antichitate; vechime 2 antichitate, vremuri vechi/antice; trecut îndepărtat 3 antichitatea clasică, anticii 4 *pl* antichități; vechituri

anti-Semite [ˌænti'semait] *s* antisemit

anti-Semitic [ˌæntise'mitik] *adj* antisemit

anti-Semitism [ˌænti'semitizəm] *s* antisemitism

antiseptic [ˌænti'septik] *adj, s med* antiseptic

antislavery [ˌænti'sleivəri] *adj atr* antisclavagist

antisocial [ˌænti'souʃəl] *adj* **1** antisocial **2** huliganic **3** anarhist **4** egoist **5** nesociabil; retras; rezervat

antistrophe [æn'tistrəfi] *s lit, ret* antistrofă

antistrophic [ˌænti'strɔfik] *adj lit, ret* antistrofic

antitank [ˌænti'tæŋk] *adj mil* antitanc

antithesis [æn'tiθisis], *pl* **antitheses** [æn'tiθisi:z] *s* **1** *ret* antiteză **2** antiteză, opoziţie; opunere; contrastare **3** deosebire fundamentală

antithetic(al) [ˌænti'θetik(əl)] *adj* antitetic; opus

antithetically [ˌænti'θetikəli] *adv* (în mod) antitetic

antitoxic [ˌænti'tɔksik] *adj med* antitoxic

antitoxin [ˌænti'tɔksin] *s med* antitoxină

antitrades [ˌænti'treidz] *s pl* (vânturi) contraalizee

antiwar [ˌænti'wɔ:ʳ] *adj atr* antirăzboinic

antler ['æntlə'] *s* corn de cerb

Antoinette [ˌæntwa:'net] *nume fem* Antoaneta

Antonia [æn'touniə] *nume fem* Antonia; Antoaneta

Antony ['æntəni] *nume masc* Antoniu; Anton

antonym ['æntənim] *s lingv, ret* antonim

antonymous [æn'tɔniməs] *adj lingv, ret* antonimic

Antwerp ['æntwə:p] *provincie şi oraş* în Belgia

anus ['einəs] *s anat* anus

anvil ['ænvil] *s şi anat* nicovală

anxiety [æŋ'zaiəti] *s* **1** (for) grijă, îngrijorare, teamă, nelinişte (din cauza – *cu gen*) **2** motiv de nelinişte **3** *med* anxietate **4** ← *F* dorinţă puternică, sete; **her ~ to please** dorinţa ei de a mulţumi pe toată lumea

anxious ['æŋkʃəs] *adj* **1** (for, about) îngrijorat, neliniştit (de; din cauza – *cu gen*) **2** care produce îngrijorare; de grijă; de nelinişte; de tensiune/încordare; neliniştitor, îngrijorător; **the period of the child's illness was ~ for the whole family** perioada cât a fost copilul bolnav a pus pe jar

întreaga familie **3** doritor; nerăbdător; **I am ~ to know your viewpoint** aş dori să cunosc punctul dumitale de vedere; de-abia aştept să-ţi aflu punctul de vedere; **the shopgirl was ~ to please (everybody)** vânzătoarea căuta/se străduia să-i mulţumească pe toţi; **I was ~ for them to go** de-abia aşteptam să plece **4** care provoacă nelinişte, grijă etc.; neliniştitor; rău; **to have an ~ period** a trece printr-o perioadă grea de zbucium; **to be on the ~ seat** *amer* a sta ca pe jar/ghimpi; a nu şti ce-l aşteaptă; a fi neliniştit; a fi chinuit de remuşcări

any ['eni] **I** *adj* **1** (în prop afirm) orice; oricare; toţi; **~ child knows that** orice copil ştie asta; până şi un copil ştie asta **2** (în prop afirm) indiferent care, orice, oricare; **at ~ time** la orice oră; **at ~ rate** în orice caz, oricum; **under ~ circumstances** în orice împrejurări, indiferent de situaţie/împrejurări; **~ colour will do** orice culoare e bună, nu contează culoarea; **~ size you wish** orice mărime/număr doriţi **3** (în prop interog) vreo, ceva, nişte; **is there ~ hope left?** mai e vreo speranţă? **are there ~ letters for me?** e vreo scrisoare pentru mine? **4** (în prop condiţionale, dubitative etc.) puţin, ceva, câtava *F→* un pic; **if you have ~ time** dacă ai puţin timp; dacă ai timp, dacă-ţi permite timpul **5** (cu negaţii) nu; nici un *sau* nici o; nu... deloc; **I hadn't ~ money about me** nu aveam bani cu mine; nu aveam nici un ban la mine, nu aveam deloc bani la mine **6** (cu negaţii) chiar orice fel, orice, oricare; oarecare; **this isn't (any) ordinary beer** nu e o bere oarecare/obişnuită **II** *pr* **1** (în prop afirm) oricine; oricare; toţi; **the solution was known by any (of them) except myself** toţi cunoşteau soluţia în afară de mine **2** (în prop afirm) indiferent care, oricare; **take ~ (of them) you like** luaţi-l pe cel care vă place/pe oricare vă place **3** (în prop interog) ceva; câtăva; câţiva; câteva; unii; unele;

(adesea nu se traduce); **did you speak to ~ of them?** ai vorbit cu vreunul din ei? **would you like ~ more?** mai doriţi (puţină – supă etc.)? **4** (în prop condiţionale, dubitative etc.) puţin, ceva, câtva, *F→* un pic; vreunul; vreuna; **if ~ think so they are mistaken** dacă sunt unii care gândesc astfel, greşesc; **he has very few friends, if ~** are foarte puţini prieteni, dacă şi asta nu e prea mult spus; are foarte puţini prieteni, aş spune chiar deloc; **if there are ~ left** dacă mai sunt, dacă au mai rămas **5** (cu negaţii) nimic; de nici un fel; nici unul *sau* nici una; (adesea nu se traduce); **no, I didn't see ~** nu, n-am văzut (pe nici unul, nimic etc.) **III** *adv* **1** (cu comp) cât de cât, câtuşi de puţin, întrucâtva; măcar; **will he be ~ the happier for it!** (parcă) o să-l facă asta cât de cât fericit! **2** (cu negaţii) deloc, defel, câtuşi de puţin; **he was never ~ good** n-a fost niciodată ceva de capul lui; **I don't feel ~ better for having slept** deşi am dormit, nu mă simt deloc mai bine; **Joe can't work ~** *amer* Joe nu (mai) poate munci deloc

anybody ['eniˌbɔdi] *pr* **1** (în prop afirm) toţi, toată lumea; oricine; oricare (din ei etc.) **~ can do it** oricine poate face asta **2** (în prop interog) cineva; **is ~ there?** e cineva acolo? **3** (în prop condiţionale, dubitative etc.) cineva, vreun om, vreo persoană etc.; **if ~ knows him** dacă îl cunoaşte cineva; **she can do it if ~ (can)** dacă este cineva care poate face asta, (apoi) dânsa e(ste) (aceea) **4** (cu negaţii) nimeni; **there wasn't ~ in the office** nu era nimeni în birou **5** (un) cineva, o personalitate; **if you want to be ~ you must work hard** dacă vrei să devii cineva/să-ţi câştigi un nume, trebuie să munceşti mult

anyhow ['enihau] *adv* **1** oricum, la întâmplare, fără grijă; în dezordine; **he threw down Ms clothes just ~** şi-a aruncat hainele cât colo/la întâmplare/cum s-a nimerit/pe unde a apucat **2** oricum, oricum/indiferent cum ar sta lucrurile; orice s-ar întâmpla, oricare ar fi situaţia; **but we shall go and see her** ~ oricum însă, ne vom duce să o vedem **3** *(cu negaţii)* deloc, defel, în nici un caz, sub nici o formă; **I couldn't get in** ~ n-am putut intra cu nici un chip

any old how ['eni ould hau] *adv sl v.* **anyhow 1**

anyone ['eniwʌn] *pr v.* **anybody**

anyplace ['enipleis] *adv amer* **1** oriunde **2** undeva

anyroad ['eniroud] *adv reg v.* **anyway**

anything ['eniθiŋ] **I** *pr* **1** *(în prop afirm)* orice; **she would do** ~ **for her children** ar face/ar fi în stare să facă orice pentru copiii ei; ~ **but** orice, numai nu...; ~ oricum, numai nu...; **the room is** ~ **but warm** numai călduroasă nu e camera asta; **like** ~ *(pt a întări verbe de mişcare) sl* grozav, de mama focului, al naibii; **or** ~ sau altceva; sau ceva de felul ăsta; **if he speaks rudely to you or** ~, **just keep silent** dacă-ţi vorbeşte răstit sau ceva în genul ăsta, tu să taci; **as easy, strong, nice** *etc.* **as** ~ *F* extraordinar/ nemaipomenit/teribil de uşor, puternic, drăguţ *etc.* **2** *(în prop interog, condiţionale, dubitative etc.)* ceva; **if you need** ~ **they will help you** dacă o să ai nevoie de ceva, ei o să te ajute; **do you want** ~ **else?** mai doriţi ceva? **if he is** ~ **of a gentleman he will apologize** dacă e cât de cât manierat, se va scuza; **hardly** ~ mai nimic; o nimica toată; **do you see** ~ **of him?** îl mai vezi din când în când? **if** ~ dacă e vorba pe-aşa, la drept vorbind; mai curând; **if** ~ **she is more stupid than he** adevărul este că e mai proastă decât el **3** *(cu negaţii)* nimic; **you can't believe** ~ **he says** nu trebuie/poţi să crezi nimic din ceea ce spune; **I haven't heard** ~ n-am auzit nimic **II** *adv* într-o măsură oarecare, cât de cât; **is her dress** ~ **like mine?** rochia ei seamănă măcar puţin cu a mea?

anytime ['enitaim] *adv* **1** oricând; la orice oră **2** în orice împrejurare

anyway ['eniwei] *adv* **1** oricum (ar sta lucrurile) **2** totuşi, cu toate acestea

anywhen ['eniwen] *adv* ← *înv* oricând

anywhere ['eniwɛər] *adv* **1** *(în prop afirm)* oriunde; în orice loc; peste tot, pretutindeni; **it's a plant that grows** ~ e o plantă care creşte oriunde *sau* peste tot **2** indiferent unde, oriunde, în orice loc; **sit** ~ **you like** şezi unde vrei; ~ **near** ← *F* cât de cât, într-o măsură oarecare; **his sister isn't** ~ **near as clever as he is** soră-sa nu e nici pe departe atât de deşteaptă ca el **3** *(în prop interog, condiţionale, dubitative etc.)* undeva; **did they go** ~ **last night?** au ieşit/ fost undeva aseară? **if** ~ dacă mai există un asemenea loc; (aproape) nicăieri în altă parte; **you will find the manuscript in the central library if** ~ biblioteca centrală e singurul loc unde poţi găsi manuscrisul; dacă există un loc unde se găseşte manuscrisul, acesta e biblioteca centrală **4** *(cu negaţii)* nicăieri; **I couldn't find the book** ~ n-am reuşit să găsesc cartea nicăieri

anywhither ['eni,wiðər] *adv* ← *înv* **1** undeva **2** în orice direcţie

A one ['ei 'wʌn] *adj F* (clasa) prima, întâia

aorist ['ɛərist] *s gram* aorist

aorta [ei'ɔːtə] *s anat* aortă

Ap. *presc de la* **1** apostle **2** April

apace [ə'peis] *adv* ← *poetic şi înv* în graba mare; iute, repede

Apache [ə'pætʃi] *s apaş (membru al unui trib amerindian din S.U.A.)*

apache [ə'pɑː.ʃ] *s* apaş, derbedeu *(parizian)*

apanage ['æpənidʒ] *s v.* **appanage**

apart [ə'pɑːt] **I** *adv* **1** (**from**) separat (de); departe (de); **the farm is** ~ **from the village** ferma e separată/departe de sat; **he lived** ~ **from his wife** nu locuia împreună cu nevastă-sa, trăia separat de soţia sa; **the two houses are a mile** ~ cele două case se află la o depărtare/o distanţă de o milă una de alta; **the newcomer stood** ~ **from the other guests** nou-venitul se ţinea de o parte/ la distanţă de ceilalţi invitaţi **2** în bucăţi; **to tear a cooked chicken** ~ a rupe un pui fript în bucăţi **3** aparte; de o parte; la o parte; **he took me** ~ m-a luat de

o parte; **joking** ~ lăsând gluma la o parte **4** în parte, separat **II** *adj* **1** separat, izolat, fără legătură; independent; deosebit; **he is a man** ~ **from all others** e un om deosebit de toţi ceilalţi **2** cu/ având păreri diferite, neasemănători; **in all other respects they are very far** ~ în toate celelalte privinţe se deosebesc foarte mult între ei

apart from [ə'pɑːt frəm] *adv cu prep* **1** cu excepţia *cu gen*, exceptând *cu ac*, dacă nu ţinem seama de, lăsând la o parte *cu ac*, făcând abstracţie de **2** nu numai; nu mai vorbesc de; pe lângă; ~ **that he is pretty grumpy** pe lângă asta, mai e şi ţâfnos

apartheid [ə'pɑː.theid] *s pol* apartheid

apartment [ə'pɑːtmənt] *s* **1** cameră, odaie *(↓ mare sau luxoasă)* **2** ↓ *amer* apartament; locuinţă; etaj **3** apartament mare şi costisitor **4** *pl* camere mobilate

apartment house [ə'pɑːtmənt haus] *s amer* bloc, imobil *(format din apartamente)*

apathetic [,æpə'θetik] *adj* apatic; indiferent

apathetically [,æpə'θetikəli] *adv* apatic, cu indiferenţă, indiferent, nepăsător, rece

apathy ['æpəθi] *s* apatie; indiferenţă

apatite ['æpətait] *s minr* apatită

ape [eip] **I** *s* **1** *zool* maimuţă (antropoidă) **2** *fig peior* maimuţă, imitator; **to act/to play the** ~ **a** a fi (ca) o maimuţă, a imita pe alţii **b** a se maimuţări, a face pe clovnul; *F* → a face pe nebunul

apeak [ə'piːk] *adv nav* la pic; vertical, drept

Apennines, the ['æpinainz, ði] (Munţii) Apenini

aperient [ə'piəriənt] *adj, s med* ← *rar* laxativ

aperitif [ɑː,peri'tiːf] *s fr* (puţină) băutură înainte de masă *(↓ vin)*

aperitive [ə'peritiv] *adj, s v.* **aperient**

aperture ['æpətjuər] *s* **1** deschizătură (mică), orificiu; gaură **2** vizor

apex ['eipeks], *pl* **apices** ['eipisiːz] *s* **1** vârf; culme; creştet **2** *fig* vârf, culme, apogeu, punct culminant **3** *sl* bostan, tigvă, – cap

aphaeresis [ə'fiərisis], *pl* **aphaereses** [ə'fiərisiːz] *s lingv* afereză

aphasia [ə'feiziə] *s med* afazie

aphelion [ə'fi:liən] *s astr* afeliu

aphesis ['æfisis] *s lingv* afereză a unei vocale atone

aphonia [ə'founiə] *s med* afonie

aphonic [ə'fɒnik] *adj med* afon, care şi-a pierdut vocea

aphorism ['æfərizəm] *s* aforism

aphoristic [ˌæfə'ristik] *adj* aforistic

aphoristically [ˌæfə'ristikəli] *adv* aforistic, sub formă de aforisme

aphrodisiac [ˌæfrou'diziæk] *adj, s farm* afrodisiac

Aphrodite [ˌæfrə'daiti] *mit* Afrodita

aphtha ['æfθə], *pl* **aphthae** ['æfθi:] *s* 1 *med* mărgăritărel, mugurel 2 *pl med* aftă 3 *vet* febră aftoasă

apiarist ['eipiərist] *s* apicultor, prisăcar

apiary ['eipiəri] *s* stupină, prisacă

apiculate [ə'pikjulit] *adj bot* apiculat

apiculture ['eipikʌltʃəʳ] *s* apicultură, albinărit

apiece [ə'pi:s] *adv* 1 bucata, de/per bucată 2 de fiecare (persoană)

apish ['eipiʃ] *adj* 1 (ca) de maimuţă 2 *fig* de maimuţă 3 *fig* prost; răutăcios; afectat *etc.*

apishly ['eipiʃli] *adv* ca o maimuţă

apishness ['eipiʃnis] *s* maimuţăreală

aplomb [ə'plɒm] *s* aplomb; încredere în sine *(în momente grele)*

apocalypse [ə'pokəlips] *s* 1 revelaţie; prezicere profetică 2 **the A~** *bibl* Apocalipsa, Apocalipsul

apocalyptic [əˌpokə'liptik] *adj bibl* şi *fig* apocaliptic

apocalyptically [əˌpokə'liptikəli] *adv* apocaliptic, profetic

apocarpous [ˌæpə'ka:pəs] *adj bot* apocarp

apocope [ə'pokəpi] *s lingv* apocopă

apocrypha [ə'pokrifə] *s pl* scrieri apocrife

apocryphal [ə'pokrifəl] *adj* apocrif; nesigur; neautentic

apodeictic [ˌæpə'daiktik] *adj v.* **apodictic**

apodictic [ˌæpə'diktik] *adj log* apodictic; indiscutabil

apodosis [ə'podəsis] *s gram* apodoză

apogee ['æpoudʒi:] *s* 1 *astr* apogeu 2 *fig* apogeu, culme, punct culminant

Apollo [ə'pɒlou] *mit* Apolo

Apollonian [ˌæpə'louniən] *adj* apolinic

apologetic [əˌpolə'dʒetik] **I** şi **apologetical** [əˌpolə'dʒetikəl] *adj* apologetic, de scuză *sau* apărare **II** *s* 1 apologie, apărare formală *(a unei teorii etc.)* 2 *pl ca sg rel* apologetică

apologist [ə'polədʒist] *s* apologet; susţinător, apărător

apologize [ə'polədʒaiz] *vi* **(to)** a se scuza (faţă de), a cere scuze *(cuiva)*

apology [ə'polədʒi] *s* 1 scuze, iertare; **I must make an ~ to him** trebuie să-i cer scuze/iertare 2 apărare; justificare; explicare; apogie *(a unei teorii etc.)* 3 scuză, justificare; **in ~ for** ca/drept scuză pentru 4 *F* surogat, imitaţie fără valoare; **an ~ for a house** o casă – dacă i se poate spune aşa; **an ~ for a meal** o mâncare ca vai de lume; **this drawing is an ~ for a map** desenul ăsta vrea să fie o hartă

apophysis [ə'pofisis] *s anat, bot* apofiză

apoplectic(al) [ˌæpə'plektik(əl)] *adj med* apoplectic

apoplexy ['æpəpleksi] *s med* apoplexie, *P* → dambla

apostasy [ə'postəsi] *s rel etc.* apostazie

apostate [ə'postit] *s rel etc.* apostat

apostatize [ə'postətaiz] *vi rel* a deveni apostat, a se lepăda de credinţă

apostle [ə'posl] *s* 1 *rel* apostol 2 *fig* apostol; propovăduitor; apărător

apostleship [ə'poslʃip] *s rel* şi *fig* apostolat

apostolic(al) [ˌæpə'stolik(əl)] *adj rel* apostolic

apostolically [ˌæpə'stolikəli] *adv rel* apostolic(eşte)

apostrophe [ə'postrəfi] *s* 1 apostrof 2 *ret* apostrofă

apostrophize [ə'postrəfaiz] *vt* 1 a pune apostrof la 2 a se adresa *(cuiva)*

apothecaries' weight [ə'poθikəriz 'weit] *s* greutate farmaceutică

apothecary [ə'poθikəri] *s înv* spiţer, – farmacist, droghist

apothegm, apophthegm ['æpəθem] *s* apoftegmă, maximă, sentinţă, adagiu

apotheosis [əˌpouθi'ousis], *pl* **apotheoses** [əˌpouθi'ousi:z] *s* 1 *od* apoteoză, trecere în rândul zeilor 2 *fig* slăvire, glorificare, apoteoză 3 *fig* model perfect; chintesenţă; ideal suprem

apotheosize [əˌpoθiousaiz] *vt* 1 *od* a zeifica, a trece în rândul zeilor 2 *fig* a slăvi, a preamări, a glorifica

appal, *amer* ↓ **appall** [ə'po:l] *vt* a îngrozi, a înspăimânta, a înfricoşa

Appalachian Mountains, the [ˌæpə'leitʃiən mauntinz, ði] Munţii Apalaşi

appalling [ə'po:liŋ] *adj* 1 groaznic, înspăimântător, înfricoşător 2 *F* îngrozitor *(de prost etc.)*

appallingly [ə'po:liŋli] *adv F* îngrozitor (de)

appanage ['æpənidʒ] *s* 1 *od* apanaj 2 *fig* apanaj, ceea ce este propriu cuiva; însuşire firească, atribut

appar. *presc de la* **apparently**

apparatus [ˌæpə'reitəs], *pl* şi **apparatus** [ˌæpə'reitəs] *s* 1 aparat; dispozitiv; instrument 2 aparataj, aparatură, aparate 3 *anat* aparat, sistem 4 *fig* aparat *(de stat etc.);* sistem 5 aparat (de gimnastică)

apparel [ə'pærel] **I** *s* 1 *înv, poetic* veşminte, vestminte, – straie, haine 2 *(cu atribut)* ↓ *amer* îmbrăcăminte, haine; **ready-to-wear ~ com** confecţii *înv* → îmbrăcăminte de gata **II** *vt* 1 *poetic* a înveşmânta, a găti; a îmbrăca *(↓ în haine scumpe, frumoase etc.)* 2 *fig poetic* a înveşmânta, a împodobi, – a înfrumuseţa

apparent [ə'pærənt] *adj* 1 evident, clar, aparent, vizibil, indiscutabil 2 aparent; iluzoriu, fals; pretins; părelnic

apparently [ə'pærəntli] *adv* 1 se pare, s-ar părea, după câte se pare, (în mod) aparent 2 (în mod) evident, clar, limpede, aparent

apparition [ˌæpə'riʃən] *s* 1 apariţie, fantomă, umbră, duh; nălucă, nălucire, vedenie 2 apariţie, ivire *(↓ neaşteptată)*

appeal [ə'pi:l] **I** *vt jur* a deferi unei instanţe superioare **II** *vi* 1 **(to; for)** a apela (la; pentru), a face (un) apel (la; pentru); **he did not like ~ing, but he was almost ruined** nu-i plăcea să apeleze la alţii, dar era aproape ruinat; **has he ~ed to you?** a apelat la tine? ţi-a cerut ajutorul? **they ~ed to their enemies for mercy** au cerşit îndurare/milă de la duşmanii lor 2 **(to)** a plăcea *(cuiva);*

a fi interesant (pentru); a prezenta interes (pentru); **she is too old to** ~ e prea bătrână ca să mai atragă/să mai prezinte atracție **3** *jur* (**to**) a face apel/ recurs (la); **he intends to** ~ (**to a higher count**) are de gând să facă apel/recurs (la o instanță superioară) **III** *s* **1** *jur* apel; recurs; drept de apel **2** apel, chemare; rugăminte **3** interes; atracție; < farmec

appeal for [ə'piːl fəʳ] *vi* cu prep a cere *cu ac; fig* a cerși *cu ac*

appealing [ə'piːliŋ] *adj* **1** (*d. ochi etc.*) rugător, < implorator **2** mișcător, emoționant **3** atrăgător, interesant; < plin de farmec

appealingly [ə'piːliŋli] *adv* **1** rugător, < implorator **2** mișcător, emoționant

appeal to [ə'piːl tə] *vi cu prep* **1** a apela la, a căuta sprijin în **2** a apela la, a se folosi de; a recurge la; a invoca *cu ac* **3** a apela la; a ruga *pe cineva;* a solicita *pe cineva*

appear [ə'piəʳ] *vi* **1** a apărea, a se ivi, a se vedea, a fi văzut; a se prezenta, a se înfățișa (privirii/ ochilor); **clouds ~ed in the sky** nori apărură pe cer **2** a părea; a arăta; **it ~s to me you are right** mi se pare/îmi pare că ai dreptate; **you ~ well today** arăți bine astăzi; **it ~ed (to be) true** părea (să fie/a fi) adevărat **3** a apărea, a-și face apariția *(în public etc.)* **4** (*d. o carte etc.*) a apărea, a se tipări; a se publica; a fi/a apărea pe piață/în vitrine *etc.* **5** *jur* a compărea, a apărea, a se înfățișa **6** (*d. o idee etc.*) a apărea, a se întâlni, a se găsi; a exista **7** (**from**) a reieși, a rezulta, a se deduce (din)

appearance [ə'piərəns] *s* **1** apariție, ivire; venire; **to make an** ~ a-și face apariția, a apărea **2** înfățișare (exterioară), exterior; aer **3** apariție; manifestare; ieșire *(pe scenă etc.)* **4** apariție, publicare; tipărire **5** fenomen **6** aparență, impresie; *pl* aparențe; **he gave the** ~ **of being busy** făcea impresia că e ocupat, părea ocupat; **~s are deceptive** aparențele înșală; **to/by/from all ~s** după toate aparențele, judecând după

aparențe, după câte s-ar părea; **to keep up ~s** a păstra aparențele **7** ← *înv v.* **apparition 1**

appearingly [ə'piəriŋli] *adv* după aparențe, aparent

appease [ə'piːz] *vt* **1** a liniști, a domoli, a potoli; a astâmpăra *(setea etc.)* **2** a liniști, a calma *(pe cineva);* a aduce la sentimente mai bune; a împăca, a împăcui

appeasement [ə'piːzmənt] *s* **1** liniștire, domolire **2** împăciuire **3** împăciuitorism

appellant [ə'pelənt] *adj, s jur înv* → apelant

appellate court [ə'pelit kɔːt] *s jur* curte de apel

appellation [,æpe'leiʃən] *s* apelativ, nume; calificativ

appellative [ə'pelətiv] **I** *adj* **1** *gram înv* apelativ, – comun **2** expresiv **II** *s* **1** *gram înv* substantiv apelativ/– comun **2** *v.* **appellation**

appellee [,æpə'liː] *s jur* intimat (la recurs)

append [ə'pend] *vt* **1** (**to**) a atașa, a anexa (↓ la *un text);* a adăuga (la); a prevedea cu **2** a pune, a aplica *(o semnătură etc.)*

appendage [ə'pendidʒ] *s* **1** anexă; adaos, apendice **2** fenomen însoțitor

appendicitis [ə,pendi'saitis] *s med* apendicită

appendix [ə'pendiks], *pl și* **appendices** [ə'pendisiːz] *s* **1** *anat* apendice **2** apendice, supliment, adaos; anexă *(la o lucrare)*

apperception [,æpə'sepʃən] *s psih* apercepție

appertain to [,æpə'tein tə] *vi cu prep* **1** a aparține *cu dat,* a privi *cu ac* **2** a privi *cu ac;* a se referi la

appetence [æpitəns] *s v.* **appetency 2**

appetency [æpitənsi] *s* **1** (**of, for, after**) poftă, dorință, *F* → poftă (de) **2** înclinare naturală/firească, impuls firesc **3** instinct/ apetit sexual, *S* libido **4** *ch etc.* afinitate

appetite [æpitait] *s* **1** poftă de mâncare, apetit; < foame; **to have an** ~ a avea poftă de mâncare, a-i fi foame **2** (**for**) poftă, dorință, *F*→ chef (de); **she has no** ~ **for work** nu-i place/ surâde munca, nu-i place să muncească; **to whet smb's** ~ și *fig* a ațâța pofta cuiva

appetizer [æpitaizəʳ] *s* aperitiv; ceva ce stimulează pofta de mâncare *(inclusiv o plimbare)*

appetizing [æpitaiziŋ] *adj* **1** care stimulează pofta de mâncare **2** gustos; delicios; apetisant

appetizingly [æpitaiziŋli] *adv* apetisant, stârnind pofta

applaud [ə'plɔːd] **I** *vt* **1** a aplauda, a răspunde prin aplauze la *(un spectacol etc.)* **2** *fig* a aplauda, a saluta, a întâmpina cu bucurie **II** *vi* a aplauda, a bate din palme

applaudingly [ə'plɔːdiŋli] *adv* **1** cu aplauze **2** (în mod) aprobator **3** laudativ

applause [ə'plɔːz] *s fără pl* aplauze, vie aprobare

apple [æpl] *s bot* **1** măr *(Malus sp.)* **2** măr *(fructul);* **the** ~ **of discord** *fig* mărul discordiei; **the** ~ **of smb's eye** *fig* lumina ochilor cuiva, tot ce are mai scump cineva

apple cart [æpl kɑːt] *s* căruță *sau* cărucior cu mere *(de vânzare);* **to upset smb's** ~ *fig* a strica/a răsturna planurile cuiva

applejack [æpldʒæk] *s amer* băutură tare din suc de mere

apple pie [æpl pai] *s* plăcintă cu mere; **in** ~ **order** *F* șnur, – în ordine desăvârșită

apple sauce [æpl sɔːs] *s* **1** marmeladă *sau* gem de mere **2** *F* tâmpenii, bazaconii, aiureli **3** *F* tămâiere; vorbe dulci

appliance [ə'plaiəns] *s tehn* dispozitiv; instrument; instalație

applicability [,æplikə'biliti] *s* (**to**) aplicabilitate, folosire (la)

applicable [æplikəbl] *adj* **1** (**to**) aplicabil, care se poate aplica (la, *sau* cu dat) **2** potrivit, adecvat, bun

applicant [æplikənt] *s* aplicant, solicitant, petiționar

application [,æpli'keiʃən] *s* **1** (**to**) aplicare (la); folosire (la) **2** (**to**) aplicabilitate, posibilitate de a fi folosit/aplicat (la, pentru) **3** cerere, solicitare; **the book may be had on** ~ cartea se poate obține la cerere **4** cerere (scrisă), petiție; **she wrote several ~s for jobs** a scris mai multe cereri de angajare (în serviciu) **5** aplicare *(a unui medicament etc.);* punere **6** *med* medicament (aplicat); bandaj; pansament; compresă

7 (to) aplicare, punere, așezare; fixare; adăugare (la) **8** aplicație, talent, aptitudine **9** efort, sârguință, râvnă, silință

applied [ə'plaid] *adj (d. o știință etc.)* aplicat(iv), practic

appliqué [æ'pli:kei] *s fr* aplicație, broderie aplicată, dantelă

apply [ə'plai] **I** *vt* **1 (to)** a aplica (la), a pune (pe); **to ~ some medicine to smb's wound** a aplica/ a pune un medicament pe rana cuiva **2** a aplica, a folosi; a se folosi de; a recurge la; **to ~ force** a folosi forța; a recurge la forță **3** a-și concentra *(mintea etc.)* **II** *vi (d. un principiu etc.)* a avea aplicabilitate, a fi aplicabil, a se aplica

apply for [ə'plai fəʳ] *vi cu prep* a se adresa pentru; a cere, a solicita, a dori *cu ac*

apply oneself to [ə'plai wʌn'self tə] *vr cu prep* **1** a se consacra, a se dedica *cu dat* **2** a-și îndrepta atenția asupra, a se concentra asupra *cu gen*, a se ocupa intens de **3** a munci intens la

apply to [ə'plai tə] *vi cu prep* **1** a apela la, a face apel la, a recurge la; a se adresa *cu dat* **2** a se aplica la *sau cu dat*, a se referi la; **this does not ~ you** nu ți se aplică dumitale; nu se referă la dumneata

appoggiatura [ə,pɔdʒə'tuərə] *s muz* apogiatură

appoint [ə'pɔint] *vt* **1** a numi *(într-o funcție etc.)*; **they ~ed him (to be) secretary** l-au numit/a fost numit secretar **2** a înființa, a organiza, a institui *(o comisie etc.)* **3** a stabili, a fixa *(o dată etc.)*; a hotărî; a statornici **4** ← *rar* a înzestra, a dota; a mobila

appointed [ə'pɔintid] *adj* **1** *(d. loc, dată etc.)* convenit, fixat, stabilit; hotărât **2** numit *(într-o funcție)* **3** *(în combinații de cuvinte)* prevăzut cu cele necesare; mobilat; **it wasn't a very well-~ room** nu era o cameră prea bine mobilată

appointee [ə,pɔin'ti:] *s* **1** persoană numită într-un post **2** *jur* beneficiar

appointive [ə'pɔintiv] *adj (d. un post etc.)* obținut/căpătat prin numire *(nu prin concurs)*

appointment [ə'pɔintmənt] *s* **1** înțelegere asupra locului și orei de întâlnire; anunțare; **the mana-**ger will only see you by ~ directorul o să te primească numai dacă anunți **2** întâlnire, întrevedere; rendez-vous **3** numire *(într-un post)* **his ~ as chairman/ to be chairman** numirea sa ca președinte **4** post, funcție **5** *pl* amenajări; confort, mobilier **6** *pl* înlesniri

apportion [ə'pɔ:ʃən] *vt* a împărți, a distribui, a repartiza; a aloca

apportionment [ə'pɔ:ʃənmənt] *s* împărțire, distribuire, distribuție, repartizare, repartiție; alocare

apposite ['æpəzit] *adj* **(to, for)** ← *elev* corespunzător (cu *sau cu dat*), potrivit (pentru; cu); oportun, binevenit

apposition [,æpə'ziʃən] *s* **1** *gram* apoziție; **close ~** apoziție simplă; **loose ~** apoziție dezvoltată **2** alăturare; combinare, îmbinare; îngemănare **3** aplicare, punere, fixare

appraisal [ə'preizəl] *s* stabilire; evaluare, apreciere, estimare

appraise [ə'preiz] *vt* a stabili valoarea, calitatea, condiția *etc. cu gen;* a evalua, a aprecia, a estima

appraisement [ə'preizmənt] *s v.* **appraisal**

appraiser [ə'preizəʳ] *s* apreciator, evaluator

appreciable [ə'pri:ʃəbl] *adj* **1** care poate fi apreciat/evaluat/estimat **2** apreciabil, considerabil, serios; mare

appreciably [ə'pri:ʃəbli] *adv* (în mod) considerabil, apreciabil

appreciate [ə'pri:ʃieit] **I** *vt* **1** a aprecia, a fi recunoscător pentru **2** a aprecia, a prețui, a recunoaște valoarea *etc. cu gen* **3** a aprecia, a-și da seama pe deplin de, a fi perfect conștient de **II** *vi* a crește/ a spori ca valoare/din punctul de vedere al valorii

appreciated [ə'pri:ʃieitid] *adj* **1** apreciat; stimat; recunoscut **2** valoros, de valoare

appreciatingly [ə'pri:ʃieitiŋli] *adv* (în mod) apreciativ

appreciation [ə,pri:ʃi'eiʃən] *s* **1** apreciere, evaluare **2** apreciere, caracterizare **3** apreciere, părere; punct de vedere **4** apreciere, prețuire; < înaltă apreciere **5** apreciere, recunoaștere; recunoștință **6** înțelegere **7** recenzie

favorabilă **8** creștere, spor, urcare *(a valorii);* scumpire

appreciative [ə'pri:ʃiətiv] *adj* **1** recunoscător **2** înțelegător **3** apreciativ; favorabil; laudativ

appreciatively [ə'pri:ʃiətivli] *adv* apreciativ; favorabil; laudativ

appreciatory [ə'pri:ʃieitəri] *adj v.* **appreciative**

apprehend [,æpri'hænd] *vt* **1** a aresta, *F →* a pune mâna pe **2** ← *rar* a se teme de, a-i fi teamă de; a fi neliniștit din cauza *cu gen* **3** a presimți **4** ← *înv* a înțelege, a pricepe

apprehendingly [,æpri'hændiŋli] *adv* cu aprehensiune; cu teamă

apprehensibility ['æpri,hensi'biliti] *s rar* comprehensiune, – înțelegere

apprehension [,æpri'henʃən] *s* **1** *și pl* aprehensiune, teamă, temeri; neliniște, anxietate; presimțire urâtă/proastă **2** înțelegere, pricepere **3** idee, părere, opinie; concepție **4** arestare

apprehensive [,æpri'hensiv] *adj* **1** **(of)** temător, căruia îi este frică/ teamă (de); neliniștit (din cauza – *cu gen*) **2** ager; inteligent

apprehensively [,æpri'hensivli] *adv v.* **apprehendingly**

apprentice [ə'prentis] **I** *s* ucenic; novice, începător **II** *vt* a da (pe cineva) la ucenicie

apprenticeship [ə'prentisʃip] *s* **1** ucenicie; noviciat; perioadă de pregătire **2** loc liber de ucenic

apprise [ə'praiz] *vt* ← *rar* **(of; that)** a încunoștința, a înștiința, a informa (despre; că); a preveni, a avertiza (asupra – *cu gen;* că)

appro ['æprou] *s* : **on ~ com** ← *F* de probă; ca mostră

approach [ə'proutʃ] **I** *vi* a se apropia; a veni, a sosi; a nu fi departe; **the time is ~ing when** se apropie timpul când **II** *vt* **1** a se apropia de, a nu fi departe de; a fi în vecinătatea *cu gen* **2** *fig* a se apropia de, a nu fi departe de *(perfecțiune etc.),* a nu avea mult până la **3 (about)** a aborda, a vorbi cu (în legătură cu) **4** *fig* a se apropia de, a semăna cu; a fi aproape egal cu; a se învecina cu, a fi vecin cu **5** *fig* a aborda *(o problemă etc.),* a trata, a se ocupa de **III** *s* **1** apropiere; sosire; venire; **at the ~ of night** la apropierea nopții **2** intrare, acces; cale de acces; **all ~es to the town** toate intrările în oraș, toate căile de acces spre oraș **3** *pl* avansuri; demersuri **4** *pl* împrejurimi **5** (mod de) abordare; interpretare; manieră, mod **6** *fig* apropiere, asemănare **7** *sport* avânt

approachability [ə,prəutʃə'biliti] *s* accesibilitate

approachable [ə'prəutʃəbl] *adj* **1** *(d. un munte etc.)* accesibil; care nu e greu de atins **2** *(d. cineva)* ← *F* accesibil, abordabil; prietenos

approbate ['æprəubeit] *vt* ← *rar* a aproba; a sancționa

approbation [,æprə'beiʃən] *s* ← *elev* **1** aprobare; laudă **2** aprobare oficială; confirmare; sancționare

approbatory ['æprou,beitəri] *adv* ← *elev* **1** aprobator; apreciativ **2** laudativ

appropriate I [ə'prouprieit] *vt* **1** (**for**) a aloca (pentru); a destina (pentru) **2** a-și însuși, a lua, a fura **II** [ə'proupriit] *adj* **1** (**for, to**) potrivit, adecvat, nimerit (pentru) **2** (**to**) propriu *(cu dat)*

appropriately [ə'proupriitli] *adv* **1** (în mod) corespunzător, potrivit, adecvat **2** oportun, nimerit

appropriateness [ə'proupriitnis] *s* **1** caracter potrivit, potrivire, adecvare **2** oportunitate, caracter oportun

appropriation [ə,proupri'eiʃən] *s* **1** alocare; destinare **2** bani alocați, sumă alocată; fonduri **3** însușire, luare, furt

Appropriation Bill [ə,proupri'eiʃən bil] *s* proiect de lege financiar *(pt alocații bugetare)*

approvable [ə'pru:vəbl] *adj* care merită să fie aprobat; lăudabil

approval [ə'pru:vəl] *s* **1** aprobare, sancționare **2** aprobare, consimțământ; asentiment **3** confirmare // **on ~** *com* de probă; ca mostră

approve [ə'pru:v] **I** *vt* a aproba (oficial); a sancționa; a confirma **II** *vr* a se dovedi, a arăta că este; **he ~d himself a good teacher** se dovedi a fi un bun profesor

approved [ə'pru:vd] *adj* **1** aprobat; ratificat; acreditat **2** recunoscut; acceptat

approved school [ə'pru:vd 'sku:l] *s* școală pentru delincvenți minori

approve of [ə'pru:v əv] *vi cu prep* a aproba *cu ac*, a fi de acord cu; a încuviința *cu ac*; **I cannot ~ his behaviour** nu pot fi de acord cu comportarea lui

approvingly [ə'pru:viŋli] *adv* aprobator; pe un ton aprobator

approx *presc de la* **1 approximate 2 approximately**

approximate I [ə'prɔksimit] *adj* aproximativ, aproape exact **II** [ə'prɔksimeit] *vt* a fi aproximativ (de) *(o cifră etc.)*, a fi aproape egal cu, a fi aproape la fel cu, a se apropia de; a corespunde aproape întru totul *cu dat*

approximately [ə'prɔksimitli] *adv* **1** (în mod) aproximativ, cu aproximație **2** aproximativ, cam; în jur de; în jurul *cu gen*

approximate to [ə'prɔksimeit tə] *vi cu prep* a se apropia de, a fi aproximativ (la fel) ca, a se apropia de

approximation [ə,prɔksimei ʃən] *s* **1** aproximare **2** aproximație; cifră aproximativă; calcul etc. aproximativ

appurtenance [ə'pə:tinəns] *s* **1** apartenență; proprietate **2** *pl* accesorii; piese anexe; aparatură **3** adaos **4** *jur* drept *sau* privilegiu adițional

Apr. *presc de la* **April**

apricot ['eiprikɔt] *s* **1** *bot* cais, zarzăr *(Prunus armeniaca)* **2** caisă, zarzără

April ['eiprəl] *s* aprilie, april, *P →* Prier

April fool ['eiprəl 'fu:l] *s* persoană păcălită de 1 aprilie

April Fools' Day ['eiprəl 'fu:lz dei] *s* ziua păcălelilor *(1 aprilie)*

a priori ['ei prai'ɔ:rai] *adj, adv lat* a priori

apron ['eiprən] *s* **1** șorț **2** *teatru* avanscenă **3** *tehn* apărător; paravan; prag; dig **4** *tehn* bancă rulantă **5** *nav* contraetravă

apron stage ['eiprən ,steidʒ] *s v.* **apron 2**

apron strings ['eiprən ,striŋz] *s pl:* **to be tied to one's mother's ~** *fig* a fi legat/a se ține de fusta mamei

apropos ['æprəpou] **I** *adv fr* **1** la subiect **2** oportun, la timpul potrivit, când trebuie **3** în locul potrivit, unde trebuie **4** apropo, fiindcă veni vorba **II** *adj* oportun, potrivit, nimerit

apropos of ['æprəpou əv] *prep fr* apropo de; în legătură cu, privitor la

apse [æps] *s arhit* absidă

apsis ['æpsis], *pl* **apsides** [æp'sai-di:z] *s arhit* absidă

apt [æpt] *adj* **1** potrivit, nimerit; **an ~ remark** o remarcă potrivită/binevenită **2** (**at**) priceput, isteț (la, când e vorba de); competent (în); capabil

apt. *presc de la* **apartment**

apterous ['æptərəs] *adj biol* apter, fără aripi

aptitude ['æptitju:d] *s* (**for**) aptitudine (pentru); talent (pentru, la); capacitate (pentru); **an ~ test** un test de aptitudini

aptitude for ['æptitju:d fə'] *s cu prep* aptitudini pentru, înclinație spre/pentru

aptly ['æptli] *adv* **1** (în mod) corespunzător, cum trebuie; (în mod) competent, cu competență **2** repede, ușor, fără efort

aptness ['æptnis] *s* **1** aptitudine; pricepere; competență **2** oportunitate, caracter oportun **3** adecvare, caracter potrivit/nimerit

apt to ['æpt tə] *adj cu inf* **1** care poate să **2** gata să; predispus la; capabil de

apyretic [,æpai'retik] *adj med* afebril

aqua fortis ['ækwə 'fɔ:tis] *s ch* apă tare, acid azotic/nitric concentrat

aqualung ['ækwəlʌŋ] *s tehn* acvalung

aquamarine [,ækwəmə'ri:n] *s* **1** *minr* acvamarin **2** bijuterie de acvamarin **3** culoare albastru-verde

aquaplane ['ækwəplein] **I** *s sport* acvaplan **II** *vi* **1** *sport* a se deplasa cu acvaplanul **2** *auto* a merge/a se deplasa fără să atingă solul *(pe un drum lunecos)*

aqua regia ['ækwə 'ri:dʒiə] *s ch* apă regală

aquarelle [,ækwə'rel] *s pict* acuarelă

aquarium [ə'kwɛəriəm], *pl și* **aquaria** [ə'kwɛəriə] *s* acvariu

Aquarius [ə'kwɛəriəs] *s* **1** *astr (și zodie)* Vărsător **2** persoană născută în zodia Vărsătorului

aquatic [ə'kwætik] **I** *adj* **1** *(d. plante, animale)* acvatic, de apă **2** *(d. sporturi)* care se practică pe apă, acvatic, de apă

aquatically [ə'kwætikəli] *adv* în apă; pe apă

aquatint ['ækwətint] *s arte, poligr* acvatintă

aqua vitae ['ækwə 'vaiti:] *s* băutură alcoolică tare; spirt

aqueduct ['ækwidʌkt] *s* apeduct

aqueous ['eikwiəs] *adj* **1** apos; saturat cu apă **2** acvatic, de apă

aquiline ['ækwilain] *adj* **1** acvilin, (ca) de vultur **2** (*d. nas*) acvilin, coroiat **3** (*d. privire*) acvilin, pătrunzător

Aquitaine ['ækwitein] *ist* Aquitania

ar [ɑ:ʳ] *s* ar (*o sută de metri pătrați*)

-ar *suf* **I** *adjectival* -ar: **polar** polar **II** *substantival* -ar; -er; -or *etc.*: **vicar** vicar; **beggar** cerșetor

Ar. *presc de la* **1 Arabic 2 argentum** *ch* argint

a.r. *presc de la* **anno regni** în anul domniei

Arab ['ærəb] **I** *s* **1** arab **2** cal pursânge arab **II** *adj v.* **Arabian I**

Arabella [,ærə'belə] *nume fem*

arabesque [,ærə'besk] **I** *s* **1** *arte, poligr* arabesc **2** *muz* arabescă **II** *adj* **1** maur, arab **2** fantastic

Arabia [ə'reibiə] *peninsulă*

Arabian [ə'reibiən] **I** *adj* din Arabia, arăbesc, arab **II** *s v.* **Arab I** 1-2

Arabian Nights, the [ə'reibiən 'naits, ði] *s lit* O mie și una de nopți

Arabic ['ærəbik] **I** *adj* (*d. limbă sau literatură*) arab **II** *s* (limba) arabă

Arabic numeral ['ærəbik'nju:mərəl] *s* cifră arabă

arable ['ærəbl] **I** *adj* arabil **II** *s* teren arabil

Araby ['ærəbi] ← *înv, poetic* Arabia

arachnid [ə'ræknid], *pl și* **arachnidae** [ə'ræknidi:] *s ent* arahnidă

Aral, Lake ['ɑ:rəl, 'leik] Lacul Aral

Aramaic [,ærə'meiik] *s od* limba aramaică

Ararat ['ærəræt] *munte în Turkestan*

araucaria [,æro:'kɛəriə] *s bot* araucarie, pin-de-Chile (*Araucaria sp.*)

arbiter ['ɑ:bitəʳ] *s* **1** *fig* arbitru (*al eleganței etc.*) **2** *rar v.* **arbitrator**

arbitrage ['ɑ:bitridʒ] *s* ← *înv v.* **arbitration**

arbitrarily ['ɑ:bitrərili] *adv* **1** (în mod) arbitrar, samavolnic, după bunul plac **2** despotic, absolut

arbitrariness ['ɑ:bitrərinis] *s* **1** caracter arbitrar/samavolnic **2** despotism

arbitrary ['ɑ:bitrəri] *adj* **1** arbitrar, samavolnic; despotic **2** arbitrar, făcut la întâmplare; capricios **3** întâmplător, accidental

arbitrate ['ɑ:bitreit] **I** *vt* a rezolva prin arbitraj; a arbitra **II** *vi* a arbitra, a fi arbitru/judecător

arbitration [,ɑ:bi'treiʃən] *s* arbitrare, arbitraj; **to go to** ~ a se adresa unui arbitru, a apela/a recurge la un arbitru

arbitrator ['ɑ:bitreitəʳ] *s* arbitru (*într-o dispută etc.*); judecător imparțial

arboreal [ɑ:'bɔ:riəl] *adj* arboricol

arboreous [ɑ:'bɔ:riəs] *adj* **1** (ca) de arbore **2** păduros

arborescent [,ɑ:bə'resnt] *adj* arborescent

arboretum [,ɑ:bə'ri:təm], *pl și* **arboreta** [,ɑ:bə'ri:tə] *s* parc dendrologic

arborist ['ɑ:bərist] *s* **1** dendrolog **2** arboricultor

arborization [,ɑ:bəri'zeiʃən] *s* arborizație; flori de gheață

arbour, *amer* **arbor** ['ɑ:bəʳ] *s* frunzar, umbrar (↓ *cu o bancă*); chioșc, pavilion, pergolă

arc [ɑ:k] **1** *s tehn, geom etc.* arc; el arc electric **II** *vi* **1** *tehn* a forma un arc **2** *el* a produce scântei **3** a se arcui

arcade [ɑ:'keid] *s* **1** *arhit* arcadă **2** pasaj (*cu magazine*)

Arcadia [ɑ:'keidiə] *s* **1** *od* Arcadia **2** *fig* loc patriarhal; viață la țară; scenă rustică

Arcadian, arcadian [ɑ:'keidiən] *adj* arcadian, idilic, pastoral; de o simplitate rustică

arcanum [ɑ:'keinəm], *pl* **arcana** [ɑ:'keinə] *s* **1** ↓ *pl* arcană, taină **2** ← *înv* elixir

arch¹ [ɑ:tʃ] **I** *s* **1** *constr* arc; cupolă; pod, punte; boltă **2** curcubeu **II** *vi* a se arcui

arch² *adj* **1** de frunte; extraordinar, nemaipomenit, neîntrecut **2** viclean, șmecher, șiret

arch- *pref* arhi-; arh-: **archangel** arhanghel

Arch. *presc de la* **archbishop**

archaeological [,ɑ:kiə'lɔdʒikəl] *adj* arheologic

archaeologically [,ɑ:kiə'lɔdʒikəli] *adv* din punct de vedere arheologic

archaeologist [,ɑ:ki'ɔlədʒist] *s* arheolog

archaic [ɑ:'keiik] *adⁱ* arhaic, străvechi; învechit

archaically [ɑ:'keiikəli] *adv* ca arhaism

archaism ['ɑ:keiizəm] *s lingv* arhaism

archaize ['ɑ:keiaiz] *vt* a arhaiza

archangel ['ɑ:k,eindʒəl] *s* **1** *rel* arhanghel **2** *bot* ang(h)elică (*Archangelica officinalis*)

archbishop ['ɑ:tʃ'biʃəp] *s bis* arhiepiscop

archbishopric ['ɑ:tʃ'biʃəprik] *s bis* arhiepiscopie

archdeacon ['ɑ:tʃ'di:kən] *s bis* arhidiacon

archdeaconry ['ɑ:tʃ'di:kənri] *s bis* arhidiaconie

archdiocese ['ɑ:tʃ'daiəsi:z] *s bis* arhiepiscopie

archduchess ['ɑ:tʃ'dʌtʃis] *s* arhiducesă

archduke ['ɑ:tʃ'dju:k] *s* arhiduce

arched [ɑ:tʃt] *adj* **1** arcuit; boltit **2** cu arcade; cu bolți

arch-enemy ['ɑ:tʃ'enimi] *s* **1** cel mai mare dușman **2 the A~** Satan(a), diavolul

archeolog... *v.* **archaeolog...**

archer ['ɑ:tʃəʳ] *s* arcaș

archery ['ɑ:tʃəri] *s* tragere cu arcul

archetype ['ɑ:kitaip] *s* **1** arhetip; prototip **2** model; exemplu perfect

arch-father ['ɑ:tʃ'fɑ:ðəʳ] *s* strămoș, străbun

archi- *pref* arhi-: **archiepiscopal** arhiepiscopal

Archibald ['ɑ:tʃibəld] *nume masc*

archiepiscopacy [,ɑ:kii'piskəpəsi] *s bis* arhiepiscopat, arhiepiscopie

archiepiscopal [,ɑ:kii'piskəpəl] *adj bis* arhiepiscopal

archiepiscopate [,ɑ:kii'piskəpit] *s bis v.* **archiepiscopacy**

archimandrite [,ɑ:ki'mændrait] *s bis* arhimandrit

Archimedes [,ɑ:ki'mi:di:z] *matematician și fizician grec* Arhimede (*287-212? î.e.n.*)

arching ['ɑ:tʃiŋ] *s* **1** arcuire **2** sistem de arcuri **3** *sport* arcuire

archipelago [,ɑ:ki'peləgou], *pl* **archipelago(e)s** [,ɑ:ki'peləgouz] *s* arhipelag

architect ['ɑ:kitekt] *s* **1** arhitect **2** *fig* arhitect; planificator; creator; inițiator

architectonic(al) [,ɑ:kitek'tɔnik(əl)] *adj* **1** arhitectonic; de construcție; arhitectural **2** structural

architectonically [,ɑ:kitek'tɔnikəli] *adv* din punct de vedere arhitectonic *sau* structural

architectonics [,ɑ:kitek'tɔniks] *s pl ca sg* arhitectonică

architectural [,ɑ:ki'tektʃərəl] *adj* arhitectural; arhitectonic

architecturally [,ɑ:ki'tektʃərəli] *adv* din punct de vedere arhitectural

architecture ['ɑ:kitektʃəʳ] *s* 1 arhitectură 2 stil arhitectural 3 *fig* structură, construcție; arhitectură; țesătură

architrave ['ɑ:kitreiv] *s arhit* arhitravă

archives ['ɑ:kaivz] *s pl* arhivă; arhive naționale *sau* ale statului

archivist ['ɑ:kivist] *s* arhivar

archly ['ɑ:tʃli] *adv* viclean, cu viclenie; șiret

archway ['ɑ:tʃwei] *s* arcadă; alee *sau* galerie acoperită

-archy *suf* -arhie: **monarchy** monarhie

arc lamp ['ɑ:k ,læmp] *s el* lampă cu arc

arctic ['ɑ:ktik] I *adj* arctic, polar, nordic II *s* 1 **the A~** Arctica, regiunea arctică 2 *pl amer* șoșoni *(foarte călduroși)*

Arctic Circle, the ['ɑ:ktik 'sə:kl, ði] *s* Cercul polar arctic

Arcturus ['ɑ:k'tjuərəs] *astr*

arc welding ['ɑ:k'weldiŋ] *s met* sudare cu arc electric

-ard *suf augm ca în* **sluggard** (mare) leneș

Arden ['ɑ:dn] *s* 1 *regiune păduroasă în Warwickshire* 2 *fig* ținut romantic

ardency ['ɑ:dənsi] *s elev v.* **ardour**

Ardennes [ɑ:'den] *ținut în Belgia și Franța* Ardeni

ardent ['ɑ:dənt] *adj* 1 înflăcărat, aprins, pătimaș, pasionat; arzător; mistuitor; **~ love** dragoste aprinsă, iubire pătimașă; **~ follower** partizan/susținător înflăcărat 2 înfocat, aprig 3 care arde, arzător 4 *nav* ardent

ardently ['ɑ:dəntli] *adv* cu ardoare/înflăcărare, pătimaș, aprins

ardent spirits ['ɑ:dənt 'spirits] *s pl* băuturi spirtoase

ardour, *amer* **ardor** ['ɑ:dəʳ] *s* 1 ardoare, patimă, pasiune, înflăcărare; zel; râvnă 2 căldură (mare), fierbințeală

arduous ['ɑ:djuəs] *adj* 1 (d. muncă etc.) intens, stăruitor; greu, dificil 2 greu de urcat; râpos, prăpăstios; abrupt

arduously ['ɑ:djuəsli] *adv* 1 cu greutate; cu efort, cu multă cazină 2 energic, neobosit

arduousness ['ɑ:djuəsnis] *s* greutate; străduință

are[1] [əʳ *formă slabă,* ɑ:ʳ *formă tare*] *prez de la* **be** ești; suntem; sunteți; sunt

are[2] [ɑ:ʳ] *s ar (o sută de metri pătrați)*

area ['ɛəriə] *s* 1 arie; suprafață; **the ~ under the table** partea/porțiunea de sub masă 2 zonă, regiune 3 *fig* sferă, domeniu 4 *mat* arie 5 *tehn* areal 6 curte interioară

areal ['ɛəriəl] *adj* regional, zonal

areca ['ærikə] *s bot* areca *(Areca sp.)*

arena [ə'ri:nə], *pl și* **arenae** [ə'ri:ni:] *s* 1 *sport etc.* arenă 2 *teatru* scenă rotundă *(fără avanscenă)* 3 *fig* arenă, scenă

arenaceous [,ærə'neiʃəs] *adj* nisipos

aren't [ɑ:nt] *prez neg de la* **be** *contras din* **are not** 1 nu ești; nu suntem; nu sunteți; nu sunt 2 ← F nu sunt (eu), ↓ *interog;* **I'm your brother, ~ I?** sunt fratele tău, nu?

areole [æ'riələ] *s med* areolă

areology [,æri'ɔlədʒi] *s astr* areologie

Areopagus, the [,æri'ɔpəgəs, ði] *s ist* Areopag(ul)

Ares ['ɛəri:z] *mit* Ares, Marte

arête [ə'ret] *s fr* creastă muntoasă ascuțită

Arethusa [,æri'θju:zə] *mit* Aretuza

argent ['ɑ:dʒənt] *adj poetic* argintiu, – de culoarea argintului; de argint

Argentina [,ɑ:dʒən'ti:nə] *țară*

Argentine ['ɑ:dʒəntain] I *s* 1 **the ~** Argentina 2 argentinian, locuitor din Argentina II *adj* argentinian, din Argentina

argil ['ɑ:dʒil] *s minr* caolin

argillaceous [,ɑ:dʒi'leiʃəs] *adj* argilos, humos

argon ['ɑ:gɔn] *s ch* argon

Argonaut ['ɑ:gənɔ:t] *s mit* argonaut

argosy ['ɑ:gəsi] *s* 1 *od* vas mare comercial 2 *poetic* corabie, – vas, navă 3 *poetic* corăbii, – flotă

argot ['ɑ:gou] *s lingv* argou; jargon

arguable ['ɑ:gjuəbl] *adj* 1 discutabil, care se poate discuta; îndoielnic, dubios 2 demonstrabil, care se poate demonstra *sau* susține

arguably ['ɑ:gjuəbli] *adv* 1 după cum se poate demonstra 2 sub semnul întrebării; este îndoielnic, nu se poate afirma categoric

argue ['ɑ:gju:] I *vi* 1 a argumenta, a aduce argumente; a pleda; a judeca; **she ~s well** știe să argumenteze, știe să-și susțină punctul de vedere 2 (**with**) a discuta (cu); a discuta aprins (cu), a se certa (cu) II *vt* 1 a discuta *(o problemă)*, a aduce argumente pentru *sau* contra cu *gen* 2 (**that**) a susține (prin argumente, argumentat) (că); a căuta să arate/să demonstreze (că)

argue into ['ɑ:gju:, intə] *vt cu prep* convinge *(pe cineva)* aducând argumente; **he argued them into his decision** i-a convins prin argumente că hotărârea lui este bună

argue out of ['ɑ:gju:, aut əv] *vt cu prep* a convinge *(pe cineva)* să renunțe la/să nu mai sprijine *cu ac etc.;* **he argued them out of their decision** i-a convins prin argumente că hotărârea lor nu este bună/că trebuie să renunțe la hotărârea lor

argument ['ɑ:gjumənt] *s* 1 argument; dovadă; rațiune; motiv; **unconvincing ~s** argumente neconvingătoare 2 argumentare, argumente, dovezi, rațiuni 3 discuție; dispută, discuție aprinsă; ceartă, sfadă 4 *lit* sumar, compendiu, rezumat (scurt) 5 *mat* variabilă independentă

argumentation [,ɑ:gjumen'teiʃən] *s* 1 argumentare; argumentație 2 discuție; dispută, discuție aprinsă; ceartă

argumentative [,ɑ:gju'mentətiv] *adj* 1 căruia îi place să argumenteze *sau* să discute 2 certăreț 3 discutabil; îndoielnic 4 cu multe argumente; argumentat; logic

argumentatively [,ɑ:gju'mentətivli] *adv* (în mod) argumentat; pe bază de argumente

argumentative of [,ɑ:gju'mentətiv əv] *adj cu prep* care dovedește/demonstrează *cu ac*, care pledează pentru

Argus ['ɑ:gəs] *mit*

Argus-eyed ['ɑ:gəs'aid] *adj* cu ochii în patru, vigilent

argy-bargy [ˈɑːdʒiˈbɑːdʒi] *s* ← *F* ceartă zgomotoasă *(dar nu prea serioasă); F* trăncăneală

Argyll [ɑːˈgail] *od comitat în Scoția*

aria [ˈɑːriə] *s muz* arie

Ariadne [ˌæriˈædni] *mit* Ariadna

Ariadne's clew [ˌæriˈædniz kluː] *s fig* firul Ariadnei

Arian [ˈɛəriən] *adj, s* arian

-arian *suf* -arian: **vegetarian** vegetarian

arid [ˈærid] *adj* **1** *agr* arid, sterp; uscat; nefertil, neroditor **2** *fig* arid, sterp, steril **3** *fig* sec, neinteresant; plicticos, plictisitor

aridity [əˈriditi] *s* **1** *agr* ariditate; uscăciune **2** *fig* ariditate, sterilitate **3** *fig* lipsă de viață *sau* antren; caracter neinteresant/ plicticos/plictisitor

aridly [ˈæridli] *adv* (în mod) arid; neinteresant

Aries [ˈɛəriːz] *s* **1** *astr* Berbec **2** persoană născută în zodia Berbecului

aright [əˈrait] *adv* ← *elev* corect, bine; cum trebuie; **to set** ~ a repara; a pune la punct; **have you understood me** ~? m-ai înțeles corect? ai înțeles ce am vrut să spun?

Ariosto [ˌæriˈɔstou] *scriitor italian (1474-1533)*

-arious *suf* -ar: **hilarious** hilar

arise [əˈraiz], *pret* **arose** [əˈrouz], *ptc* **arisen** [əˈrizn] *vi* **1** *(d. o problemă etc.)* a se ridica, a se ivi, a apărea; *(d. vânt)* a se stârni **2** ← *rar* a se înălța, a se ridica **3** ← *înv sau poetic* a se scula (în picioare), a se ridica **4** *(d. soare etc.) poetic* a se înălța; – a răsări **5** ← *poetic* a se scula din morți, – a învia **6** *poetic* a se ridica, a se scula *(cu arma în mână etc.);* a se burzului

arise from [əˈraiz frəm] *vi cu prep* a reieși/a decurge din

arisen [əˈrizn] *ptc de la* **arise**

aristarch [ˈæristɑːk] *s elev* aristarh, – critic erudit și sever

aristocracy [ˌærisˈtɔkrəsi] *s și fig* aristocrație

aristocrat [ˈæristəkræt] *s* **1** *și fig* aristocrat **2** *com* produs superior

aristocratic [ˌæristəˈkrætik] *adj* aristocratic

aristocratically [ˌæristəˈkrætikəli] *adv* ca un aristocrat; aristocratic

Aristophanes [ˌærisˈtɔfəniːz] *scriitor grec* Aristofan *(448?-380 î.e.n.)*

Aristotelian [ˌæristəˈtiːliən] *adj* aristotelic

Aristotle [ˌæristɔtl] *filosof grec* Aristotel *(384-322 î.e.n.)*

arithmetic I [əˈriθmətik] *s* aritmetică **II** [ˌæriθˈmetik] *adj* aritmetic

arithmetical [ˌæriθˈmetikəl] *adj* aritmetic

arithmetically [ˌæriθˈmetikəli] *adv* cu ajutorul aritmeticii, prin calcule aritmetice

arithmetical progression [ˌæriθ-ˈmetikəl prəˈgreʃən] *s* progresie aritmetică

arithmetician [əˌriθməˈtiʃən] *s* aritmetician

arithmetic mean [əˈriθmətik ˈmiːn] *s* medie aritmetică

Arizona [ˌæriˈzounə] *stat în S.U.A.*

ark [ɑːk] *s* **1** *rel* arcă, arca lui Noe **2** corabie mare

Ark. *presc de la* **Arkansas**

Arkansas 1 [ˈɑːkənsɔː] *stat în S.U.A.* **2 the** ~ [ˈɑːkənsɔː] *și* [əˈkænzəs] *fluviu în S.U.A.*

Arkhangelsk [ˌɑːˈkɑːngelsk] *regiune, port și golf în fosta U.R.S.S.* Arhanghelsk

Ark of the Covenant, the [ˈɑːk əv ðə ˈkʌvənənt, ði] *s rel* chivotul legii

Arkwright [ˈɑːkrait] *inventator englez (1732-1792)*

arm¹ [ɑːm] *s* **1** *anat* braț; mână; **under one's** ~ sub braț; **with open** ~s cu brațele deschise; ~ **in** ~ braț la braț; **to keep smb at** ~**'s length** a ține pe cineva la distanță; **babe in** ~s copil mic, copil care nu poate încă umbla; **the (long)** ~ **of the law** forța/puterea legii; **to run/to rush/to fly into smb's** ~s a se arunca în brațele cuiva **2** *zool* labă din față **3** mânecă **4** *geogr* braț *(de mare etc.)* **5** cracă, creangă (mare) **6** *tehn* braț; umăr; latură; pârghie **7** *fig* ramură; filială **8** *fig* domeniu, sferă

arm² [ɑːm] *s* **1** *pl* armă; armament; **to bear** ~s *poetic* a fi ostaș/oștean, a fi soldat, a-și face serviciul militar; **to lay down one's** ~s *și fig* a depune armele; **in** ~s înarmat; **under** ~s *mil* sub arme; înarmat; **to take up** ~s a *mil* ← *elev* a deveni soldat **b** a lua/a ridica armele; **up in** ~s a cu arma în mână; răzvrătit, răsculat **b** *fig*

gata de luptă *sau* ceartă; pus pe ceartă **2** *pl* armoarii, blazon **3** *mil* (fel de) armă *(cavalerie etc.)* **II** *vt* **1** *și fig* a înarma **2** *nav etc.* a arma, a pune armătura la **III** *vr, vi* (**with**) *și fig* a se înarma (cu)

armada [ɑːˈmɑːdə] *s sp* **1** *nav* flotă; escadră **2** *av* flotă aeriană; escadră **3 the (Spanish/Invincible) A~** *ist* Invincibila Armada *(care a atacat Anglia în 1588)*

armadillo [ˌɑːməˈdilou] *s zool* armodial, tatu *(Dasypus sp.)*

armament [ˈɑːməmənt] *s* **1** înarmare **2** *adesea la pl* armament, arme **3** *adesea la pl* armament defensiv **4** *adesea la pl* forță armată; forțe armate **5** *tehn* armare

armature [ˈɑːmətjuə] *s* **1** *mil* blindaj, armătură; garnitură **2** *mil* armament defensiv **3** *tehn* cursor; rotor **4** *el* indus; corp de iluminat **5** *zool* pinteni

armband [ˈɑːmbænd] *s* banderolă; brasardă

armchair [ˈɑːmtʃɛə] *s* fotoliu, *înv →* fotel; ~ **politician** politician de salon; ~ **critic** critic care nu cunoaște realitățile *sau* dificultățile reale

arme blanche [ˈɑːm ˈblɑːnʃ] *s fr* **1** armă albă **2** cavalerie

armed¹ [ɑːmd] *adj* cu/având brațe (↓ în cuvinte compuse); **long-**~ cu brațe lungi

armed² *adj* înarmat; ~ **to the teeth** înarmat până în dinți

armed chair [ˈɑːmd ˈtʃɛə] *s* fotoliu

armed forces [ˈɑːmd ˈfɔːsiz] *s pl mil* forțe armate/militare

armed power [ˈɑːmd ˈpauə] *s mil* forțe armate; putere militară

armed services [ˈɑːmd ˈsəːvisiz] *s pl mil* forțe armate; categorii de forțe ale armatei (↓ în timp de pace)

armed struggle [ˈɑːmd ˈstrʌgl] *s mil* luptă armată, război

Armenia [ɑːˈmiːniə] *republică în fosta U.R.S.S.*

Armenian [ɑːˈmiːniən] **I** *adj* armean; armenesc **II** *s* **1** armean **2** (limba) armeană

arm file [ˈɑːm ˈfail] *s tehn* pilă de braț

armful [ˈɑːmful] *s* braț *(ceea ce se poate ține într-un braț);* **an** ~ **of hay** un braț de fân; **flowers by the** ~ *fig* brațe întregi de flori, nesfârșite buchete de flori; flori peste flori

armhole ['ɑːmhoul] *s* **1** manșură, gaura mânecii **2** *anat* subsuoară, S → axilă

arming ['ɑːmiŋ] *s mil* înarmare

armipotence [,ɑːmi'poutəns] *s mil* putere militară, forță armată

armistice ['ɑːmistis] *s mil* armistițiu, încetarea operațiunilor militare

Armistice Day ['ɑːmistis dei] *s ist* Ziua armistițiului *(după primul război mondial – 11 noiembrie 1918)*

armless ['ɑːmlis] *adj* **1** fără braț *sau* brațe; ciung **2** fără crengi **3** neînarmat

armlet ['ɑːmlit] *s* **1** braț mic *(de râu etc.)* **2** brățară **3** banderolă

armor ['ɑːmə*r*] *s amer v.* **armour**

armorial [ɑː'mɔːriəl] *adj* armorial, heraldic

armory ['ɑːməri] *s* **1** *mil* fabrică/uzină de armament **2** *amer v.* **armoury** **3** heraldică **4** ← *înv* armoarii, stemă

armour ['ɑːmə*r*] **I** *s* **1** armură; blindaj; armătură **2** *mil* trupele blindate de tancuri **3** *mil* tancuri **4** *nav* chiurasă **II** *vt* **1** *și mil* a blinda **2** *mil* a înarma **3** *mil* a fortifica

armour-clad ['ɑːməklæd] **I** *adj* blindat **II** *s nav* cuirasat

armoured ['ɑːməd] *adj* **1** *mil* blindat **2** *mil* de tancuri **3** *tehn* armat; blindat

armoured car ['ɑːməd kɑː*r*] *s mil* vehicul blindat, autoblindat

armoured division ['ɑːməd di'viʒən] *s mil* divizie (blindată) de tancuri

armoured skin ['ɑːməd 'skin] *s mil* blindaj

armourer ['ɑːmərə*r*] *s* **1** *mil* (tehnic) armurier **2** proprietarul unei uzine de armament

armour piercer ['ɑːmə 'piəsə*r*] *s mil* proiectil perforant

armour plate ['ɑːmə 'pleit] *s mil* blindaj

armour-plated ['ɑːmə'pleitid] *adj mil* blindat

armoury ['ɑːməri] *s* **1** *mil* arsenal; depozit de armament **2** sală de arme; muzeu de arme **3** uzină/ fabrică de armament

armpit ['ɑːmpit] *s anat* subsuoară, S → axilă

arms race ['ɑːmz reis] *s* cursa înarmărilor

army ['ɑːmi] *s* **1** *mil* armată, *înv, poetic* → oaste, oștire; **to enter/ to go into/to join the** ~ a intra în armată; a-și face stagiul militar **2** *fig* organizație **3** *fig* mulțime; armată; puzderie; **the ~ of unemployed** armata șomerilor; ~ **of insects** nor de insecte; **the whole ~ of words** întreaga masă a vocabularului

army corps ['ɑːmi 'kɔː] *s mil* corp de armată

army list ['ɑːmi 'list] *s mil* lista de evidență a ofițerilor din armata de uscat *(în Anglia)*

arnica ['ɑːnikə] *s bot* arnică, buruiană de leac *(Arnica montana)*

Arnold ['ɑːnəld], **Matthew** *scriitor englez (1822-1888)*

arn't [ɑːnt] *contras din* **are not**

a-roar [ə'rɔː*r*] *adj, adv* răcnind; urlând; zbierând

aroma [ə'roumə] *s* **1** aromă; parfum; buchet **2** *fig* aer; parfum; **a city with the ~ of Paris** un oraș care are ceva din atmosfera/aerul Parisului

aromatic [,ærou'mætik] *adj* aromat; parfumat

aromatically [,ærou'mætikəli] *adv* ca o aromă

aromatization [ə,roumətai'zeiʃən] *s* **1** aromare; parfumare **2** *ch* aromatizare

aromatize [ə'roumətaiz] *vt* **1** a aroma; a parfuma **2** *ch* a aromatiza

arose [ə'rouz] *pret de la* **arise**

around [ə'raund] **I** *adv* **1** de jur împrejur; peste tot; în toate părțile; **to look** ~ a se uita în jur; **to lie** ~ (d. lucruri) a fi răspândit peste tot **2** *amer sau* ← *F* prin preajmă/ apropiere, nu departe, pe undeva pe-aici; **stick** ~ nu te depărta, stai pe-aici **3** *amer sau* ← *F* peste tot, dintr-un loc în altul; *F* pe ici și colo; **I'll show you** ~ să-ți arăt câte ceva; să-ți arăt împrejurimile **4** *amer sau F* ca la, preț de, ~ cam; în jur de; în jurul *(cu gen)*; **there were** ~ **a hundred people** erau ca la o sută de oameni, să fi tot fost vreo sută de oameni **5** ↓ *amer* împrejur, în direcția opusă; **to turn** ~ a se întoarce (cu fața îndărăt); a se răsuci **6** ↓ *amer* de jur împrejur, în circumferință **7** ← *F* în viață; în activitate; existent; disponibil // **to have been** ~ *F* a fi

trecut prin ciur și prin dârmon; a fi umblat ca găina în jurul casei; a avea un pic de experiență; *F* a fi ros ca alba de ham; **up and** ~ *amer* sculat din pat după boală **II** *prep* **1** în jurul, de jur împrejurul *cu gen*; **they sat** ~ **the fire** ședeau în jurul focului; ~ **the clock** zi și noapte, 24 de ore **2** ← *F* nu departe de, pe lângă, în apropiere de; **she lived somewhere** ~ **Edinburgh** locuia pe undeva pe lângă Edinburgh **3** dintr-un loc în altul; prin; prin toate părțile *cu gen*; de jur împrejurul *cu gen*; **he had travelled** ~ **the world for a couple of years** călătorise prin lume câțiva ani **4** *(temporal)* pe la; în jurul *cu gen*; ~ **seven o'clock** pe la (ora) șapte, în jurul orei șapte **5** având ca bază *(o teorie etc.)*, în jurul *(unei idei etc.)* **6** pentru a nu trece pe lângă; pentru a se sustrage de la; **they went** ~ **the town** au ocolit orașul, nu au trecut prin centrul orașului; **he got** ~ **the taxes** s-a sustras de la plata impozitelor

around-the-clock [ə'raundðə'klɔk] *adj atr* **1** de o zi și o noapte, de 24 de ore **2** *fig* neîntrerupt, încontinuu

arouse [ə'rauz] **I** *vt* **1** a trezi, a deștepta *(din somn)* **2** *fig* a trezi, a deștepta, a stârni; **to ~ smb's pity** a stârni mila cuiva; **he ~d my curiosity** mi-a stârnit/trezit curiozitatea **II** *vi* a se trezi, a se deștepta

arpeggio [ɑː'pedʒiou] *s muz* arpegiu

arquebus ['ɑːkwibəs] *s mil od* archebuză

arr. *presc de la* **1** *muz* **arranged 2 arrive 3 arrival**

arrack ['æræk] *s arab* arac *(băutură alcoolică foarte tare)*

arraign [ə'rein] *vt* **1** *jur* a da în judecată *(pt o vină foarte gravă)* **2** *fig* a acuza, a ataca, a critica aspru

arraignment [ə'reinmənt] *s* **1** *jur* dare în judecată penală; punere sub acuzare **2** critică aspră; acuzare, învinuire

arrange [ə'reindʒ] **I** *vt* **1** a aranja, a rândui, a pune în ordine **2** a clasifica **3** a aranja, a dichisi **4** a aranja, a pregăti; a pune la cale; a plănui; **he had** ~**d a taxi** aranjase să vină un taxi; **I have** ~**d to meet him later** am aranjat/stabilit să mă întâlnesc cu el mai târziu **5** a aranja, a împăca **6** *muz* a aranja; a prelucra **7** *lit* a adapta; a prelucra **II** *vr (d. cineva)* a se aranja, a se dichisi; a se face frumos

arrange about [ə'reindʒə,baut] *vi cu prep* a se înțelege cu privire la; a comanda *(un taxi etc.)*

arrange for [ə'reindʒ fəʳ] *vi cu prep* a aranja să vină *etc. (un taxi etc.)*, a comanda *(un taxi etc.)*

arrangement [ə'reindʒmənt] *s* **1** aranjare, potrivire, rânduire, punere în ordine **2** clasificare **3** ordine, rânduială **4** aranjament, mod de a aranja, așeza, distribui *etc.* **5** aranjament, înțelegere, învoială; acord **6** *pl* aranjamente, măsuri, pregătiri; amenajări **7** *muz* aranjament **8** *lit* adaptare; prelucrare **9** *tehn* reglare; poziție

arrant ['ærənt] *adj* **1** elev notoriu, inveterat, – fără margini **2** *elev* cras, – curat; ~ **nonsense** absurdități crase/F → patentate

arras ['ærəs] *s* **1** goblen; tapiserie **2** perdea (despărțitoare); **behind the ~** *fig* pe după perdea; pe ascuns

array [ə'rei] **I** *s* **1** sortiment bogat *(de mărfuri);* expoziție **2** *fig* mulțime, abundență, grămadă, multitudine **3** *fig* șir, serie **4** *mil* ordine de bătaie; formație, rând, ordine **5** *mil* armată, *înv* → oaste, oștire; detașament; unitate **6** îmbrăcăminte, haine, ținută (↓ *pt ocazii festive)* **7** *jur* listă de jurați **8** *mat* șir, serie; sistem **9** *autom* matriță **II** *vt* **1** *mil* ← *elev* a așeza în ordine de bătaie **2** *poetic* a învešmânta, a găti, – a îmbrăca **III** *vr poetic* a se învešmânta, a se găti, – a se îmbrăca

arrearage [ə'riəridʒ] *s* **1** rămânere în urmă **2** rest; rezervă, rezerve **3** datorii

arrears [ə'riəz] *s pl* **1** restanță, restanțe, datorii neplătite; **in ~ a** dator (↓ *pt sume plătite regulat)* **b** (↓ *d. bani)* datorat **2** restanță, muncă neefectuată; rămânere în urmă

arrest [ə'rest] **I** *s* **1** arestare; **several ~s** mai multe arestări **2** (stare de) arest; interdicție; **under ~** sub arest, în stare de arest **3** *tehn* oprire; încetare; frânare; împiedicare **II** *vt* **1** a aresta; a pune sub interdicție **2** a opri, a împiedica;

a pune capăt *(unei epidemii etc.)* **3** a reține *(atenția etc.),* a atrage *(privirile etc.)* **4** *tehn* a fixa; a decupla; a opri; a frâna

arrester [ə'restəʳ] *s* **1** persoană care arestează **2** *tehn* separator; reazem; obturator; opritor

arresting [ə'restiŋ] *adj* **1** care frânează/oprește **2** izbitor, frapant; impresionant; captivant

arrestive [ə'restiv] *adj* **1** v. **arresting 2 2** *gram* restrictiv, limitativ

arrival [ə'raivəl] *s* **1** venire, sosire; ivire, apariție **2** nou-venit **3** nou-născut

arrive [ə'raiv] *vi* **1** (**at; in; upon**) a sosi, a veni (la; în); a ajunge (la; în); **they ~d at a village** au sosit într-un sat; **they ~d in London** au sosit la Londra; **the police ~d upon the scene** poliția a sosit la locul accidentului, crimei *etc.;* **the holidays have ~d at last** în sfârșit a venit vacanța **2** a fi recunoscut, a se impune **3** *(d. un nou-născut)* a veni pe lume **4** ← *înv* a se petrece, a se întâmpla, a avea loc

arrive at [ə'raiv ət] *vi cu prep* a ajunge la, a realiza *(o înțelegere etc.);* a atinge *(o vârstă etc.);* a căpăta *(o avere etc.)*

arriviste [,a:ri'vi:st] *s* arivist, carierist

arrogance ['ærəgəns] ⌐ aroganță, înfumurare, trufie insult⸰⁺oare

arrogant ['ærəgənt] *adj* arogant, semeț, încrezut, înfumurat; trufaș

arrogantly ['ærəgəntli] *adv* (în mod) arogant, cu aroganță, trufaș, sfidător

arrogate to ['ærougeit tə] *vt cu prep* **1 ~ oneself** a-și aroga, a-și atribui cu de la sine putere **2** a atribui cuiva *(ceva),* a pune pe seama cuiva *(ceva)*

arrogation to [,ærouˈgeiʃən tə] *s cu prep* **1** arogare sieși **2** atribuire cuiva

arrow ['ærou] *s* **1** săgeată; **as straight as an ~** drept ca săgeata **2** semn de direcție, săgeată **3** *fig* săgeată, împunsătură **4** *tehn* săgeată; cui de lemn; pană

arrowhead ['ærouˌhed] *s* **1** vârf de săgeată **2** *mat* semnul „<"

arrow-headed ['ærouˈhedid] *adj* ascuțit; cu vârful în formă de săgeată

arrowy ['æroui] *adj* **1** (ca) de săgeată; cu vârful în formă de săgeată; ascuțit **2** plin de săgeți **3** iute ca săgeata **4** *fig* ascuțit, tăios, caustic

arse [a:s] *s* **1** ← *vulg* șezut, fund, dos **2** ← *vulg, sl* om prost și plicrisitor

arse about/around ['a:s ə,baut/ ə,raund] *vi cu part adv* ← *vulg F* → a târnosi mangalul, a tăia frunză la câini, a tândăli

arsenal ['a:sənl] *s* **1** *mil* arsenal **2** depozit de arme **3** *fig* arsenal, mijloace de luptă

arsenate ['a:sinit] *s ch* arseniat

arsenic *ch* **I** ['a:snik] *s* **1** arsen **2** arsenic, P → șoricioaică **II** [a:'senik] *adj* de arsen, arsenicat; arsenios; arsenic

arsenic acid ['a:snik æsid] *s ch* acid arsenic

arsenical [a:'senikəl] *adj ch* v. **arsenic II**

arsis ['a:sis], *pl* **arses** ['a:si:z] *s* **1** *metr* arsis, silabă neaccentuată **2** *fon* arsis, accent tonic

arson ['a:sn] *s jur* incendiere premeditată

art[1] [a:t] *s* **1** artă, ↓ pictură **2** *și fig* artă, meșteșug, îndemânare **3** meserie **4** pricepere; cunoaștere **5** ↓ *pl* viclenie, viclešug, șiretlic // **to have/to be ~ and part in** a fi părtaș *sau* complice la; a fi deplin răspunzător de

art[2] *înv de la* **be**, *pers 2 sg prez;* **thou ~** (tu) ești

-art *suf augm:* **braggart** fanfaron

art. *presc de la* **1 article 2 artificial 3 artist**

Artaxerxes [,a:təgˈzə:ksi:z] *rege al Persiei* Artaxerxe(s) *(464-424 î.e.n.)*

artefact [a:tifækt] *s v.* **artifact**

artel [a:'tel] *s fin, com* artel

Artemis [a:timis] *mit* Artemis, Diana

arterial [a:'tiəriəl] *adj* **1** *anat* arterial **2** *(d. drumuri)* principal

arterial highway [a:'tiəriəl 'haiwei] *s* arteră/cale principală; autostradă

arteriosclerosis [a:'tiəriousklə-'rousis] *s med* arterioscleroză

artery ['a:təri] *s* **1** *anat* arteră **2** arteră, drum principal, cale principală; magistrală

artesian well [a:'ti:ziən 'wel] *s* fântână arteziană

artful ['ɑːtful] *adj* 1 șiret, viclean, șmecher 2 dibaci, priceput; îndemânatic 3 făcut cu dibăcie/ pricepere 4 artificial; imitativ

artfully ['ɑːtfuli] *adv* 1 cu viclenie/ șiretenie, viclean 2 cu pricepere/ îndemânare, meșteșugit 3 (în mod) artificial

artfulness ['ɑːtfulnis] *s* viclenie, șiretenie

art gallery ['ɑːt 'gæləri] *s* galerie de artă

arthritis [ɑː'θraitis] *s med* artrită

arthritism ['ɑːθritizəm] *s med* artritism

arthropoda [ɑː'θrɔpədə] *s pl ent* artropode

Arthur ['ɑːθəʳ] *nume masc, mit, ist* (regele) Arthur

Arthurian [ɑː'θjuəriən] *adj ist, lit* arthurian, referitor la regele Arthur

artichoke ['ɑːtitʃouk] *s bot* anghinare *(Cynara scolymus)*

article ['ɑːtikl] **I** *s* 1 articol, obiect de comerț 2 articol *(de ziar etc.)* 3 articol, punct; paragraf 4 *pl* prevederi; contract; **to be under ~s** a fi legat printr-un contract; **to serve one's ~s** a-și face ucenicia 5 *gram* articol; **definite ~** articol hotărât; **indefinite ~** articol nehotărât // **in the ~s of death** în agonie; în clipa morții **II** *vt* 1 a expune/a prezenta punct cu punct 2 a lega/a obliga prin contract; a da la ucenicie 3 ← *înv* a învinui, a acuza

articulate I [ɑː'tikjuleit] *vt* 1 a articula, a pronunța/a rosti clar 2 *fon* a articula 3 a articula, a lega **II** [ɑː'tikjuleit] *vi* 1 și *fon* a articula 2 a se articula **III** [ɑː'tikjulit] *adj* 1 articulat, pronunțat/rostit clar 2 *fig* limpede, clar; clar formulat 3 care se exprimă clar 4 *tehn* articulat 5 *zool* articulat; inelat

articulated [ɑː'tikjuleitid] *adj* (bine) articulat

articulateness [ɑː'tikjulitnis] *s* caracter articulat/clar *(ca exprimare)*

articulation [ɑː,tikju'leiʃən] *s* 1 *anat, fon* articulație 2 *fon* articulare, pronunțare, pronunție 3 exprimare (↓ *prin cuvinte);* expresie 4 *tehn* articulație; axă a circulației; balama; șarnieră

artifact ['ɑːtifækt] *s* 1 *biol* artefact 2 *geol* resturi/rămășițe/vestigii de

cultură materială a omului preistoric 3 lucru/obiect făcut de om (↓ *ceva folositor)*

artifice ['ɑːtifis] *s* 1 artificiu, meșteșug, abilitate 2 invenție, născocire 3 șiretlic, viclenie, șmecherie, truc

artificer [ɑː'tifisəʳ] *s* 1 meșteșugar; meseriaș 2 mecanic 3 inventator 4 *mil* artificier

artificial [ɑːti'fiʃəl] **I** *adj* 1 artificial, făcut de om; **~ flowers** flori artificiale 2 artificial, nenatural, nefiresc; simulat, prefăcut 3 fictiv, născocit **II** *s pl* 1 *agr* îngrășăminte aɪtificiale 2 imitații

artificial horizon [ɑː'fiʃəl hə'raizən] *s astr* orizont artificial

artificial insemination [ɑːti'fiʃəl insemi'neiʃən] *s biol* îr sămânțare artificială

artificiality [,ɑːtifiʃi'æliti] *s* 1 artificialitate; caracter artificial/nenatural/nefiresc 2 artificialitate, superficialitate

artificially [,ɑːti'fiʃəli] *adv* 1 (în mod) artificial; cu efort uman 2 (în mod) artificial, nefiresc, nenatural 3 (în mod) artificial, superficial

artificial respiration [ɑːti'fiʃəl ,respi'reiʃən] *s med* respirație artificială

artillery [ɑː'tiləri] *s* 1 *mil* artilerie 2 *mil* mijloace de foc ale artileriei

artillery fire [ɑː'tiləri ,faiəʳ] *s mil* foc/ trageri de artilerie

artilleryman [ɑː'tilərimən] *s mil* artilerist, *înv* → tunar

artisan [,ɑːti'zæn] *s* artizan, meșteșugar, meseriaș (↓ *calificat)*

artist ['ɑːtist] *s* 1 artist plastic, ↓ pictor 2 *fig* artist, maestru 3 actor; cântăreț

artiste [ɑː'tist] *s* 1 artist de estradă; cântăreț; dansator 2 ← *umor* artist, maestru

artistic [ɑː'tistik] *adj* 1 artistic; de artă 2 *(d. fire etc.)* de artist 3 (ca) de artist, frumos, < minunat 4 căruia îi place arta

artistically [ɑː'tistikəli] *adv* 1 (în mod) artistic 2 din punct de vedere artistic

artistry ['ɑːtistri] *s* 1 artă, vocație artistică 2 artă, desăvârșire artistică, măiestrie (artistică); frumusețe

artless ['ɑːtlis] *adj* 1 simplu, deschis, necomplicat, direct 2 simplu,

firesc, natural, neprefăcut; naiv 3 neartistic, grosolan, aspru, simplu; brut, neprelucrat; neșlefuit; nefinisat; primitiv 4 neștiutor, naiv, ignorant; sărac cu duhul

artlessly ['ɑːtlisli] *adv* 1 (în mod) simplu, direct, deschis; pe față, fără ocol(ișuri) 2 (în mod) firesc, natural, cu naturalețe, neprefăcut 3 fără artă, grosolan; primitiv

artlessness ['ɑːtlisnis] *s* 1 simplitate; caracter direct/deschis 2 naturalețe, (caracter) firesc; lipsă de prefăcătorie 3 simplitate, lipsă de artă, finisare, finețe *etc.*

art nouveau [,ɑː nuː'vou] *s fr* arte arta nouă

Artois [ɑːr'twɑː] *ist, provincie* în Franța

arts [ɑːts] *s pl* ↓ *univ* discipline umane/umaniste, științe umaniste

arts and crafts ['ɑːts ənd 'krɑːfts] *s pl* arte manuale *(legătoria, țesătoria, olăritul etc.)*

arty ['ɑːti] *adj peior* 1 care pretinde că îl interesează arta 2 care se pretinde cunoscător într-ale artelor 3 pretins artistic; de diletant

arty-crafty ['ɑːti,krɑːfti] *adj* ↓ *amer* care confecționează *sau* folosește exagerat obiecte *sau* haine făcute în casă

arum (lily) ['ɛərəm('lili)] *s bot* rodul pământului *(Arum maculatum)*

-ary *suf (substantival sau adjectival)* -ar: **military** militar; **secondary** secundar

Aryan ['ɛəriən] *adj, s* arian

as [əz *formă slabă,* æz *formă tare*] **I** *adv* 1 la fel de, tot atât de; nu mai puțin; **that copy is ~ good** exemplarul acela este la fel de bun; **~ well** la fel; și; de asemenea; **I thought ~ much!** *F* cred și eu! te cred! încape vorbă! 2 și **such ~** ← *elev* ca de pildă/ exemplu, cum ar fi; **various plants, (such) ~ flowers** diferite plante, cum ar fi florile **II** *conj* 1 *(cu adj) și* **as... as** *(cu adj și adv)* tot atât de... ca (și), la fel de... ca și, ca (și), întocmai ca (și), precum; **(~) red ~ a rose** roșu ca un trandafir/bujorul; **he runs ~ fast ~ his friend** aleargă la fel de repede ca și prietenul lui; **do it ~ well ~ you can** fă-o cât mai

bine/cât de bine poți; ~ **far - a**
(spațial) până la **b** *fig* în măsura
în care; ~ **long** ~ atâta timp/
vreme cât; ~ **much** ~ **ten kilos**
nu mai puțin de zece kilograme;
~ **soon** ~ de îndată ce; ~ **far**
back ~ **1900** încă în 1900; **the**
work is ~ **much** ~ **done** treaba
e ca și făcută; lucrarea e ca și
terminată; **one is** ~ **hard-work-**
ing ~ **the other is lazy** pe cât
de leneș e unul, pe atât de mun-
citor e celălalt **2** cum, așa cum,
în felul în care; **it happened** ~ **I**
had told you s-a întâmplat
(întocmai) cum ți-am spus;
do ~ **I do** fă cum fac (și) eu, fă
ca mine; **Arthur's knights** ~
described by Malory cavalerii
regelui Arthur, așa cum sunt
descriși de Malory; **Byron** ~
compared with other poets în
comparație cu alți poeți, Byron;
you live in the same building
~ **my brother** locuiești în ace-
eași clădire cu fratele meu,
locuiești în clădirea în care
locuiește și fratele meu **3** (pe)
când, în timp/vreme ce; ~ **he**
switched off the light the
telephone rang pe când stingea
lumina, sună telefonul **4** deși, cu
toate că; **tired** ~ **she was, she**
went on working deși era obosi-
tă, a continuat să lucreze **5** pentru
că, fiindcă, deoarece, întrucât,
cum; ~ **it was getting dark the**
children returned home deoa-
rece începea să se întunece,
copiii s-au întors acasă **6 so...** *(adj*
sau adv) **as** *(cu inf)* ca să; și; **so**
~ **not to be caught** ca să nu fie
prins; **be so kind** ~ **to answer**
the following question fii bun și
răspunde(-mi) la următoarea
întrebare // ~ **it were** ca să zicem/
spunem așa; cum ar fi, cum s-ar
spune; ~ **against** în comparație
cu; spre deosebire de; ~ **from**
exact la *(o dată stabilită etc.);* ~
(it) is *F*așa cum este, – în starea
în care se află; ~ **it is** așa cum
stau lucrurile, în realitate; ~ **of**
right de drept; conform legii; ~
yet până acum; deocamdată **III**
prep **1** ca, în calitate de; ~ **a**
friend ca prieten **2** ca; până la;
they left together ~ **one man**
au plecat cu toții (până la ultimul),

au plecat toți odată **IV** *pr relativ*
(*cu* **such, the same** *și* **so**) care;
such exceptions ~ **occur in the**
text excepțiile care se întâlnesc
în text; **she is the same** ~ **she**
used to be a rămas aceeași
care a fost, a rămas neschim-
bată, e tot așa cum era
as- *pref* a-: **assimilation** asimilare
AS *presc de la* **Anglo-Saxon**
asbestine [æz'bestain] *adj* de azbest
asbestos [æz'bestɔs] *s min* azbest
ascend [ə'send] **I** *vt* a urca (pe), a
sui, a se sui pe, a se urca pe; **to**
~ **the throne** a se urca pe tron **II**
vi a (se) urca, a se sui; a se ridica
ascendancy [ə'sendənsi] *s* (**over**)
ascendent, influență (asupra –
cu gen)
ascendant [ə'sendənt] **I** *s* **1** ascen-
dent, influență **2** horoscop **3**
strămoș, străbun **II** *adj* **1** ascen-
dent; care răsare; care se ridică
2 dominant, stăpânitor
ascendency [ə'sendənsi] *s v.* **ascend-**
ancy
ascendent [ə'sendənt] *s, adj v.*
ascendant
ascension [ə'senʃən] *s* **1** ascen-
siune; urcare, suire; înălțare **2**
the A~ *rel* Înălțarea
ascensional [ə'senʃənl] *adj* **1** ascen-
sional, ascendent, suitor, urcător
2 ascensional, de ascensiune
ascent [ə'sent] *s* **1** ascensiune,
urcuș; urcare **2** *fig* evoluție;
ascensiune
ascertain [,æsə'tein] *vt* ← *elev* a
stabili, a lămuri, a se convinge
de; a constata; **those present**
~**ed that he was dead** toți cei
de față au constatat că e mort
ascertainable [,æsə'teinəbl] *adj* care
poate fi stabilit/constatat
ascertainment [,æsə'teinmənt] *s*
stabilire, constatare
ascetic [ə'setik] **I** *s* ascet; pustnic,
schimnic **II** *adj* ascetic, de ascet/
pustnic/schimnic
ascetical [ə'setikəl] *adj v.* **ascetic II**
ascetically [ə'setikəli] *adv* ca un
ascet/pustnic
asceticism [ə'setisizəm] *s* ascetism;
sihăstrie
Ascham [ˈæskəm], **Roger** *autor*
englez (1515-1568)
Asclepius [æsˈkliːpiəs] *mit* Ascle-
pios, *cf* Esculap
ascorbic acid [əsˈkɔːbik ˈæsid] *s ch*

acid ascorbic, vitamina C
Ascot [ˈæskət] *s* **1** hipodrom în
Anglia, lângă Windsor **2** a~
cravată cu capătul foarte lat
ascribable to [əsˈkraibəbl tə] *adj cu*
prep care poate fi atribuit *cu dat*
ascribe to [əsˈkraib tə] *vt cu prep* a
atribui *cu dat*, a pune pe seama
cu gen
ascription of smth to [əsˈkripʃən əv
ˈsʌmθiŋ tə] *s cu prep* atribuire a
ceva *cu dat*
-ase *suf* -ază: **amylase** amilază
asepsis [əˈsepsis] *s med* asepsie
aseptic [əˈseptik] *adj med* aseptic;
sterilizat
aseptically [əˈseptikəli] *adv med* în
condiții de asepsie
asexual [æˈseksjuəl] *adj* **1** *biol*
asexuat **2** indiferent față de
relațiile sexuale
asexuality [,eisekʃuˈæliti] *s* **1** *biol*
caracter asexuat **2** indiferență
față de relațiile sexuale
as for [ˈæz fəʳ] *prep uneori peior* cât
despre, dacă e vorba de(spre),
în ceea ce privește; **I'd like to**
stay there one or two days, but
~ **staying a month – that is out**
of the question mi-ar plăcea să
stau acolo vreo zi-două, dar o
lună – nici vorbă de așa ceva
as from [ˈæz frəm] *prep* începând cu
(data de); exact la *(data stabilită)*
ash¹ [æʃ] *s* **1** scrum **2** *și pl* scrum;
cenușă; **the house burnt to ~es**
casa a ars până în temelii **3** *pl*
cenușă, pulbere, țărână, rămă-
șițe pământești **4** *fig* paloare (↓
cadaverică)
ash² *s bot* frasin (*Fraxinus sp.*)
ashamed [əˈʃeimd] *adj pred* **1** (**of**)
rușinat (de), căruia îi este rușine
(de); **he should be** ~ **to use**
such words ar trebui să-i fie
rușine să folosească asemenea
cuvinte **2** rușinat, jenat, care se
sfiește
ashamedly [əˈʃeimədli] *adv* cu jenă,
sfios; rușinat
Ashanti [əˈʃænti] *ist veche țară în*
Africa Așanti
ash bin [ˈæʃ bin] *s* **1** ↓ *amer* ladă de
gunoi **2** *tehn* cenușar
ash can [ˈæʃ kæn] *s amer* ladă de
gunoi
ashen¹ [ˈæʃn] *adj* **1** de cenușă **2**
palid ca un mort, cadaveric **3** sur,
cenușiu

ashen² *adj bot* de frasin

a-shiver [ə'ʃivəʳ] *adj pred* tremu-rând, dârdâind

ashlar ['æʃləʳ] *s constr* piatră cioplită

ashman ['æʃmən] *s amer* gunoier

ashore [ə'ʃɔːʳ] **I** *adv* pe *sau* la țărm; pe uscat; **all ~ that's going ~!** toți vizitatorii sunt rugați să coboare (pe țărm) *(din vas)* **II** *adj pred* de pe țărm/coastă

ash pan ['æʃ pæn] *s* ladă de gunoi

ash pit ['æʃ pit] *s min* cenușar; haldă de cenușă

ash pot ['æʃ pot] *s* ← *înv* scrumieră

ash tray ['æʃ trei] *s* scrumieră

Ashurbanipal [ˌaːʃuːrˈbaːnipaːl] *rege al Asiriei* Assurbanipal *(669-662 î.e.n.)*

Ash Wednesday ['æʃ 'wenzdi] *s rel* anglicană Miercurea cenușii *(cea cu care începe postul Paștelui)*

ashy ['æʃi] *adj* **1** de cenușă; ca de cenușă **2** palid ca un mort, cadaveric

Asia ['eiʃə] *continent*

Asia Minor ['eiʃə 'mainəʳ] *geogr* Asia Mică

Asian ['eiʃən] *adj, s* asiatic

Asiatic [ˌeiʃi'ætik] *adj, s* asiatic

aside [ə'said] **I** *adv* **1** de o parte; la o parte; într-o parte **2** *fig* deoparte; **she put the book ~** a lăsat cartea deoparte **3** *fig* lăsând la o parte; **joking ~** lăsând gluma la o parte **4** *fig* deoparte; în *sau* ca rezervă **II** *s* **1** *teatru* aparteu **2** remarcă făcută în șoaptă **3** *lit* digresiune

aside from [ə'said frəm] *prep* ↓ *amer* cu excepția *cu gen*, lăsând la o parte *cu ac*, exceptând *cu ac*

as if [æz 'if] *conj* **1** ca și cum, de parcă; **it looks ~ it may snow** parcă vrea să ningă, aduce a zăpadă, așa cum arată, o să ningă; **they ran ~ trying escape** fugeau de parcă/ca și cum ar fi vrut să scape (de ceva); **~ you didn't know him!** (de) parcă nu l-ai cunoaște! **~ his life were/ was in danger** de parcă i-ar fi viața în pericol **2** că; **it seemed ~ the day would never end** părea că ziua nu se mai sfâr-șește

asinine ['æsinain] *adj* **1** *zool* asinin, de măgar **2** *fig* stupid, idiot, de nătâng, *F* ← de bou

-asis *suf* -asis: **psoriasis** psoriasis

ask [aːsk] **I** *vt* **1** a întreba *(pe cineva)*, a pune o întrebare *sau* întrebări *(cuiva)*; a chestiona; **she ~ed them who they were** (ea) i-a întrebat cine sunt; **let me ~ you another question** să-ți pun o altă întrebare; **I ~ed him about his health** l-am întrebat de sănă-tate/cum stă cu sănătatea/cum se (mai) simte **2** a cere *(un sfat etc.)*; **I ~ed their advice** le-am cerut sfatul **3** (**for**) a cere *(cuiva) (ceva)*, a ruga *(pe cineva)* (pen-tru; să); **I ~ed them for advice** le-am cerut sfatul, i-am rugat să-mi dea un sfat; **you shouldn't ~ him for money** n-ar trebui să-i ceri bani/să ceri bani de la el; **I ~ed him to wake me at seven** l-am rugat să mă scoale la șapte **4** a cere, a căuta, a umbla după *(hatâruri etc.)* **5** a cere, a pretinde *(un preț etc.)* **6** a cere, a reclama, a necesita; **my new job ~s a great deal** (**of me**) noul meu serviciu mă solicită extraordinar (de mult); **to ~ complete obe-dience** a cere/a pretinde supu-nere desăvârșită **7** a invita, a pofti; a ruga să vină *etc.*; **to ~ smb for dinner** a invita pe cineva la masă; **I ~ed them** (**to come**) **over** i-am invitat/poftit la mine (acasă) **II** *vi* a întreba

ask about ['aːsk ə,baut] *vi cu prep* a întreba de, a se interesa de, a se informa despre, a se informa cu privire la; **he asked about your health** s-a interesat de sănătatea dumitale, a întrebat cum o duci cu sănătatea

ask after ['aːsk ,aːftəʳ] *vi cu prep* a întreba de/a se interesa de sănă-tatea *(cuiva)*; **she asked after you** a întrebat cum te (mai) simți/ cum o (mai) duci cu sănătatea

askance [əs'kæns] *adv* **1** strâmb; pieziș; într-o parte **2** *fig* strâmb, chiorâș; bănuitor; **to look ~ at smb** a se uita chiorâș/bănuitor la cineva

askant [əs'kænt] *adv înv v.* **askance**

askew [əs'kjuː] *adv v.* **askance 1**

ask for ['aːsk fəʳ] *vi cu prep* **1** a cere *(credite etc.)*, a avea nevoie de; **I asked for his advice** i-am cerut sfatul, l-am rugat să-mi dea un sfat **2** a cere, a solicita, a nece-sita, a pretinde, a reclama *(mun-că, ascultare etc.)* **3** a întreba de, a se interesa de; **has anybody asked for me?** a întrebat cineva de mine? // **to ~ trouble** a o căuta cu lumânarea, a-și băga capul sănătos sub evanghelie, a și-o face singur; **you asked for it** asta ai vrut (asta ai căpătat); așa-ți trebuie

asking ['aːskiŋ] *s* cerere; rugăminte; **music for the ~** muzică la cerere

aslant [ə'slaːnt] **I** *adv, adj* strâmb, pieziș; aplecat; într-o rână; într-un peș **II** *prep* ← *rar* pieziș pe; aplecat pe; de-a curme-zișul *cu gen*

asleep [ə'sliːp] *adj pred* **1** adormit, care doarme; **to fall ~** a adormi; **sound ~** adormit buștean **2** *(d. mână, picior)* amorțit

as long as ['æz lɔŋ æz] *conj* **1** atâta timp cât, atâta vreme cât **2** (numai și) numai dacă; **you may take this novel ~ you promise to give it back in a week's time** poți să iei romanul ăsta numai cu condiția să-l aduci înapoi pes-te o săptămână **3** *amer* fiindcă, deoarece; dat fiind că; **~ you are off duty, we may go out together** pentru că nu ești de serviciu/ești liber, am putea ieși împreună

as of ['æz əv] *prep v.* **as from; ~ right** de drept; (în mod) legal, după lege

as opposed to [æz ə'pouzd tə] *prep* spre deosebire de; cu totul altfel decât

asp¹ [æsp] *s* **1** *zool* șarpele african „haie" *(Naja haje)* **2** *zool* cobră *(Naja tripudians)* **3** *zool* vipera aspis *(Vipera aspis)* **4** *poetic* aspidă; – viperă; năpârcă; șarpe veninos

asp² *s bot poetic v.* **aspen I**

asparagus [əs'pærəgəs] *s bot* spa-ranghel *(Asparagus sp.)*

aspect ['æspekt] *s* **1** ← *elev* înfă-țișare, ↓ expresia feței, mină **2** aspect, latură, parte; **there are many other ~s of the problem** mai sunt și alte aspecte/laturi ale problemei **3** poziție; așezare; vedere; **the house has a south-ern ~** casa e orientată către sud **4** *gram* aspect **5** *astr* aspect **6** *pl* perspective

aspectual [æ'spektʃuəl] *adj gram* aspectual

aspectually [æ'spektʃuəli] *adv gram* ca aspect, din punct de vedere al aspectului

aspen ['æspən] **I** *bot* plop tremurător *(Populus tremula)* **II** *adj atr* **1** de plop tremurător **2** *fig* tremurând, cuprins de tremur

asperges [æs'pə:dʒi:z] *s bis* aghez-muire, stropire cu agheazmă

asperity [æs'periti] *s* **1** asperitate, asprime *(a unei suprafețe)* **2** asprime, severitate; asperitate; duritate **3** *pl* accidente de teren; denivelări **4** asprime *(a climei etc.)* **5** *pl* potrivnicii, greutăți **6** *loc* aspru; parte aspră

asperse [əs'pə:s] *vt* a defăima, a vorbi de rău, a împroșca cu noroi

aspersion [əs'pə:ʃən] *s* **1** (with) defăimare (prin) **2** ← *elev, rar* remarcă răutăcioasă; **to cast ~s on/upon** a defăima *cu ac*, a vorbi de rău pe socoteala *cu gen;* a face remarci răutăcioase la adresa *cu gen* **3** stropire

asphalt ['æsfælt] **I** *s* asfalt; bitum **II** *vt* a asfalta; a bituminiza

asphodel ['æsfədel] *s bot* asfodel *(Asphodelus sp.)*

asphyxia [æs'fiksiə] *s* asfixie; asfi-xiere, sufocare

asphyxiate [æs'fiksieit] **I** *vt* a asfixia, a sufoca; a înăbuși **II** *vi* a se asfixia, a se sufoca

aspic¹ ['æspik] *s* aspic, piftie

aspic² *s* ↓ *poetic* aspidă, – viperă, năpârcă

aspidistra [ˌæspi'distrə] *s bot* Aspi-distra sp.

aspirant [ə'spaiərənt] *s* (for, after) aspirant (la); pretendent, can-didat (la)

aspirate I ['æspireit] *vt* **1** a aspira, a absorbi **2** *fon* a aspira **II** ['æspi-reit] *vi fon* a aspira **III** ['æspirit] *adj fon* aspirat **IV** ['æspirit] *s fon* sunet aspirat; H aspirat; litera H

aspiration [ˌæspi'reiʃən] *s* **1** aspi-rație, năzuință, dorință puternică/arzătoare; străduință; ambiție, râvnă **2** aspirație, inspirație, inhalare a aerului **3** *fon* aspirare, aspirație **4** *fon v.* **aspirate IV**

aspirator ['æspireitə'] *s tehn* aspi-rator; pompă aspiratoare

aspiratory ['æspireitəri] *adj* **1** de aspirație/inspirație/inhalare (a

aerului) **2** *tehn* aspirator, care aspiră, de aspirație/aspirare

aspire [əs'paiə'] *vi* (to, after) a aspira, a năzui (la), a tinde (spre)

aspirin ['æspirin], *pl și* **aspirin** ['æspirin] *s* aspirină

aspiring [əs'paiəriŋ] *adj* **1** plin de aspirații, care aspiră **2** *tehn* aspirator, absorbant

asquint [əs'kwint] *adv* (↓ *cu verbul* **to look**) chioráș, chiondoráș, cru-ciș; *fig* bănuitor, cu suspiciune

as regards [æs ri'ga:dz] *prep* **1** în ceea ce privește, cu privire la **2** din punctul de vedere *(al mărimii etc.)*

ass¹ [æs] *s* **1** *zool* măgar *(Equus asi-nus)* **2** *fig* Fbou, – prost, nătâng, idiot; **to play/to act the ~** a face pe caraghiosul *sau* pe nebunul; **to make an ~ of oneself** a se purta ca un prost/< idiot; a se face de râs; **to be an ~ for one's pains** a rămâne cu buza umflată; a nu primi nimic pentru trudă

ass² *s amer* ← *vulg v.* **arse; a bit of ~ a** fată **b** act sexual

ass. *presc de la* **1 assistant 2 association**

assail [ə'seil] *vt* **1** *mil* a asalta **2** a asalta, a ataca violent *(cu lovituri sau vorbe)* **3** a încerca să înfrân-gă/învingă *(dificultăți);* a înfrunta cu hotărâre **4** a se apuca de *(ceva)* cu hotărâre

assailable [ə'seiləbl] *adj* atacabil, care poate fi atacat; vulnerabil

assailant [ə'seilənt] *s* ← *elev* atacator

Assam [æsæm] *stat în India*

assassin [ə'sæsin] *s* ucigaș *(al unui om politic etc.)*

assassinate [ə'sæsineit] *vt* a ucide, a asasina *(pt bani sau motive politice)*, a suprima

assassination [əˌsæsi'neiʃən] *s* ucidere, asasinat, asasinare, suprimare *(pt bani sau motive politice)*

assault [ə'sɔ:lt] **I** *s* **1** *mil* atac, asalt, năvală; desant **2** (on) atac (asupra, împotriva – *cu gen)* **3** *jur* act de violență; ultraj; viol; insultă și amenințare fizică **II** *vt* **1** *mil* a asalta, a ataca **2** a ataca brusc și violent; a asalta **3** *jur* a ultragia; a viola; a insulta și a amenința fizic

assault and battery [ə'sɔ:ltən,bætəri] *s jur* act de violență; molestare

(și ultraj); amenințare și vio-lentare

assay I [ə'sei] *s* **1** *met* prelevare a unei probe **2** *tehn* probă (pentru analiză) **3** *tehn* test, probă, analiză **II** ['æsei] *vt* **1** *tehn* a testa, a analiza; a face analiza *cu gen* **2** ← *elev* a încerca *(*↓ *ceva dificil sau imposibil)*

assegai ['æsigai] *s* assagai, suliță lungă de lemn cu vârf metalic *(în Africa de Sud)*

assemblage [ə'semblidʒ] *s* **1** grup de oameni; adunare **2** grup de obiecte; colecție *(*↓ *de articole prețioase sau pt expoziție);* sortiment ales **3** adunare, strân-gere; acumulare **4** *mat* mulțime **5** *tehn* asamblare; montare **6** *tehn* grup; agregat

assemble [ə'sembl] **I** *vt* **1** a aduna, a strânge; a convoca **2** a pune/a așeza în ordine **3** *tehn* a asam-bla; a monta **II** *vi (d. oameni)* a se aduna, a se strânge

assembly [ə'sembli] *s* **1** adunare, întrunire, întâlnire *(pt un țel anumit);* sfat, consiliu; ședință **2** *mil* adunare; concentrare **3** *rel* sinod *(al bisericii reformate)* **4** *pol, jur* corp legislativ *(*↓ *corpul legislativ inferior)* **5** *tehn* asam-blare, montare **6** *tehn* grup; agregat

assembly line [ə'sembli 'lain] *s tehn* linie de asamblare

assemblyman [ə'semblimən] *s pol, jur* membru al unui corp legislativ

assembly room [ə'sembli ru:m] *s* **1** sală (publică) *(pt întruniri, con-certe etc.)* **2** *tehn* hală de montaj

assent [ə'sent] **I** *s* consimțământ, asentiment, învoire; acceptare; acord; **with one ~** ← *elev* cu aprobarea tuturor; în unani-mitate; **by common ~** cu apro-barea generală *(adesea tacită)* **II** *vi* (to) ← *elev* a se declara de acord (cu), a consimți; **I won't ~ to your plan** nu voi subscrie la planul tău

assert [ə'sə:t] **I** *vt* **1** a afirma cu pu-tere, a susține; a sublinia; **he ~ed the charge to be incorrect** a susținut că acuzația este falsă **2** a-și afirma *(drepturile etc.)*, a avea pretenții la; a apăra prin cuvinte **3** a-și impune *(auto-ritatea etc.);* a arăta, a manifesta

II *vr* **1** a se impune, a se afirma; a-și impune autoritatea **2** a se afirma, a atrage atenția asupra sa, a se remarca **3** a insista asupra drepturilor sale; a căuta să-și impună punctul de vedere

assertion [ə'sə:ʃən] *s* **1** afirmare cu putere, susținere; subliniere **2** afirmare *(a drepturilor etc.);* apărare **3** impunere *(a autorității sale etc.)* **4** afirmație categorică; pretenție

assertive [ə'sə:tiv] *adj* **1** afirmativ; asertoric; categoric, insistent; hotărât **2** dogmatic **3** plin de sine, încrezut, îngâmfat

assertively [ə'sə:tivli] *adv* **1** afirmativ **2** (în mod) insistent

assertiveness [ə'sə:tivnis] *s* **1** caracter afirmativ *etc.* v. **assertive 1-2 2** insistență

Asses' bridge, the ['æsiz 'bridʒ, ði] *s geom* puntea măgarilor, Pons Asinorum

assess [ə'ses] *vt* **1** a evalua, a estima, a aprecia; a stabili, a fixa *(preț, pagube etc. în vederea impunerii)* **2** *fig* a aprecia valoarea *(unei opere literare etc.),* a judeca meritele *etc. (cu gen)*

assessable [ə'sesəbl] *adj* **1** estimabil, evaluabil **2** impozabil

assessment [ə'sesmənt] *s* **1** evaluare, estimare, apreciere; stabilire, fixare *(a valorii unei case etc. în vederea impunerii)* **2** *fig* apreciere a valorii *(unui text etc.)* **3** *fin* valoare; preț **4** *fin* impozit; taxă **5** *fig* părere, opinie; **what is your ~?** dumneata ce părere ai?

assessor [ə'sesəʳ] *s* **1** *ec, fin* evaluator **2** *jur* consilier juridic **3** funcționar supus/docil

asset ['æset] *s* **1** bun de preț, lucru valoros; calitate, însușire; **good health is a great ~** sănătatea e mare lucru/e un lucru de preț; **beauty is her only ~** frumusețea e singura ei avere *sau* calitate **2** ↓ *pl ec* bunuri; avere; investiție **3** *pl ec* activ; **~s and liabilities** activ și pasiv **4** articol *(de opis etc.)* **5** *pl jur* succesiune; moștenire; valoarea bunurilor ce se împart creditorilor în caz de faliment

asseverate [ə'sevəreit] *vt ← elev* a afirma solemn și categoric, a declara solemn; a susține în mod hotărât/categoric

asseveration [ə,sevə'reiʃən] *s ← elev* declarație solemnă și categorică

assiduity [,æsi'dju:iti] *s* **1** *elev* asiduitate, – străduință, perseverență **2** *pl elev* asiduitate; – curte

assiduous [ə'sidjuəs] *adj* **1** asiduu, stăruitor, insistent; atent *(cu o femeie)* **2** asiduu, stăruitor, insistent, perseverent

assiduously [ə'sidjuəsli] *adv* (în mod) asiduu, stăruitor, insistent; cu asiduitate; curtenitor

assiduousness [ə'sidjuəsnis] *s* v. **assiduity**

assign [ə'sain] *vt* **1** a atribui, a da (ca parte); a aloca; a destina *(o cameră etc.)* **2** *jur* a da, a ceda *(proprietate, drepturi);* a acorda **3** a fixa, a stabili, a hotărî *(o dată etc.)* **4** a stabili, a trasa *(o sarcină)* **5** a preciza; a delimita **6** a numi în *(o funcție);* **he ~ed me the job** mi-a încredințat mie funcția aceasta, m-a numit pe mine în această funcție

assignation [,æsig'neiʃən] *s* **1** stabilire, fixare; trasare *(a unei sarcini)* **2** atribuire; alocare; destinare **3** precizare; delimitare **4** *jur* cedare; transfer **5** întâlnire, rendez-vous *(în taină)*

assignee [,æsi'ni:] *s* **1** reprezentant; împuternicit; agent *(al unei firme etc.)* **2** *jur* cesionar; moștenitor de drept

assignment [ə'sainmənt] *s* **1** numire; **~ to a position** numire într-o funcție **2** sarcină, datorie **3** alocare, distribuire **4** detașare **5** *amer școl* temă (acasă), lecție

assimilate [ə'simileit] **I** *vt* **1** a asimila; a omologa; a egaliza, a face egal **2** *alim* a asimila, a digera **3** *bot etc.* a asimila; a absorbi **4** a asimila, a-și însuși *(cunoștințe etc.);* a înțelege *sau* a folosi cum trebuie **5** *fon* a asimila **II** *vi și biol* a se asimila, a fi asimilat

assimilate to [ə'simileit tə] *vt cu prep* a asimila cu, a aduce la același numitor cu; a adapta la; a echivala cu

assimilation [ə,simi'leiʃən] *s* **1** asimilare; omologare; egalizare **2** *alim* asimilare; digerare; asimilație, digestie **3** *bot* asimilare; absorbire; asimilație; absorbție **4**

asimilare, însușire *(a cunoștințelor etc.)* **5** *fon* asimilare; asimilație

Assisi [ə'si:zi] *oraș în Italia*

assist [ə'sist] **I** *vt* **1** (**with**) a ajuta (cu *bani etc.*); (la *matematică etc.*); a sprijini (cu) **2** a asista, a colabora cu; a fi ajutorul *(cuiva)* **II** *vi* **1** a ajuta, a da o mână de ajutor **2** (**at**) a asista *(ca martor)* (la)

assistance [ə'sistəns] *s* ajutor; sprijin, *rar* → asistență

assistant [ə'sistənt] *s* **1** ajutor, asistent **2** (↓ **shop-~**) vânzător

assist in [ə'sist in] *vi cu prep* a participa la, a lua parte la *(o activitate)*

assizes [ə'saizz] *s jur* **1** proces cu juri **2** *pl;* și *ca sg* sesiune periodică a curții cu juri *(avea loc în comitatele Angliei până în 1971)*

assn. *presc de la* **association**

assoc. *presc de la* **1** associated **2** association

associate I [ə'souʃieit] *vt* **1** (**with**) *com* a asocia, a face să se asocieze (cu) **2** (**with**) a asocia, a lega *(idei etc.)* (cu), a stabili o asociație/o legătură *(a unei idei etc.)* (cu) **II** [ə'souʃieit] *vi, vr* **1** (**with**) *com* a se asocia **2** (**with**) a se asocia, a se uni (cu); a se alia (cu) **3** (**with**) a se asocia, a se înhăita (cu); a avea de-a face (cu) **III** [ə'souʃiit] *adj* asociat; legat; unit **IV** [ə'souʃiit] *s* **1** asociat; partener, tovarăș **2** membru *(cu drepturi limitate)* al unei asociații, societăți *etc.*

associated [ə'souʃieitid] *adj* **1** asociat **2** care conlucrează

Associated Press [ə'souʃieitid 'pres] *agenție de presă din S.U.A.*

associate professor [ə'souʃiit prə'fesəʳ] *s univ amer* ↓ *înv* → profesor agregat

association [ə,sousi'eiʃən] *s* **1** asociere; unire; legare **2** asociație; societate; uniune **3** legătură; prietenie **4** *psih* asociație *(de idei)* **5** v. **association football**

association football [ə,sousi'eiʃən 'futbɔ:l] *s sport* fotbal *(după regulile Asociației Naționale de Fotbal din Anglia)*

associative [ə'souʃiətiv] *adj mat etc.* asociativ

assonance ['æsənəns] *s* **1** *metr* asonanță **2** analogie, asemănare relativă

assort [ə'sɔ:t] **I** *vt* **1** a sorta, a împărți pe categorii; a grupa; a clasifica **2** *com* a asorta; a aproviziona **II** *vi* **1** (**with**) a se asorta, a se potrivi (cu) **2** (**with**) a se potrivi, a fi conform (cu); a se armoniza, a merge mână în mână (cu); **his behaviour ~s well with his character** cum îi e caracterul, așa îi e și purtarea

assorted [ə'sɔ:tid] *adj* **1** asortat, variat, diferit **2** (*în combinații de cuvinte*) potrivit (unul cu altul); făcut unul pentru altul; **George and Ann are an ill-~ pair** George și Ana nu sunt o pereche potrivită/< sunt o pereche cu totul nepotrivită

assortment [ə'sɔ:tmənt] *s* **1** sortare; grupare; clasificare **2** *com* asortiment; amestec; varietate

asst *presc de la* **assistant**

assuage [ə'sweidʒ] *vt elev* a diminua, – a domoli, a alina (*durere, suferință*), *poetic* → a stinge (*dorul etc.*)

Assuan [ˌæsu'æn] *oraș în Egipt*

assume [ə'sju:m] **I** *vt* **1** a presupune, a crede, a bănui; a deduce; a înțelege; **I ~ that you have not met her** bănuiesc *sau* înțeleg că n-ai făcut cunoștință cu ea; **I ~d the child (to be) able to write** credeam că băiețașul știe să scrie **2** a lua în primire (*un post*); a-și asuma, a lua asupra sa (*responsabilități*); a-și aroga (*drepturi*) **3** a-și lua, a-și da (*aere*); a simula, a pretinde că are; **he ~d a well-informed manner** își dădea aere de om bine informat; făcea pe cunoscătorul **4** a lua, a căpăta (*o formă etc.*) **II** *vi ← rar* a-și da aere, a fi încrezut

assumed [ə'sju:md] *adj* **1** fictiv, fals; asumat, arogat, pretins **2** presupus, bănuit

assuming [ə'sju:miŋ] *adj* încrezut, îngâmfat, plin de sine

assumption [ə'sʌmpʃən] *s* **1** presupunere, supoziție; bănuială; ipoteză; **on the ~ that** presupunând/admițând că; pe baza *cu gen;* pe motiv că **2** luare, preluare *(a puterii etc.);* asumare, aro-

gare **3** simulare; mască, fațadă **4** *log* premisă majoră **5 the A~** *rel* Adormirea Maicii Domnului

assurance [ə'ʃuərəns] *s* **1** încredere (în sine); siguranță **2** asigurare, încredințare; **in spite of her ~s** în ciuda asigurărilor ei **3** chezășie, garanție **4** asigurare (*la o societate de asigurări*)

assure [ə'ʃuə'] **I** *vt* **1** (**of**) a asigura, a încredința (de); **he ~d me that there was no risk in that** m-a asigurat că nu e nici un risc în asta **2** a asigura (*la o societate de asigurări, ↓ în caz de deces*) **II** *vr* (**of**) a se convinge, a se încredința (de)

assured [ə'ʃuəd] **I** *adj* **1** asigurat, garantat, sigur **2** încredințat, sigur, convins **3** îngâmfat, încrezut **4** asigurat (*la o societate de asigurări*) **II** *s* **the ~** asiguratul *sau* asigurații (*unei societăți de asigurări*)

assuredly [ə'ʃuədli] *adv* **1** cu siguranță, sigur, fără îndoială, categoric **2** cu (multă) siguranță; cu aplomb

assuredness [ə'ʃuədnis] *s* **1** siguranță, certitudine **2** fermitate **3** încredere (în sine); îngâmfare, trufie; aplomb

Assyria [ə'siriə] *ist imperiu* Asiria

Assyrian [ə'siriən] *adj, s ist* asirian

astart [ə'sta:t] *adv* din senin, brusc, pe neașteptate

aster ['æstə'] *s bot* ochiul-boului (*Aster sp.*)

-aster *suf*-astru: **poetaster** poetastru

asterisk ['æstərisk] *s poligr* asterisc, steluță

asterism ['æstərizəm] *s* **1** *astr* asterism, constelație **2** *poligr* trei steluțe

astern [əs'tə:n] *adv* **1** *nav* la pupa; în pupa **2** *nav* înapoi; **full speed ~** cu toată viteza înapoi

asteroid ['æstərɔid] *s* **1** *astr* asteroid **2** *zool* asteroid, stea de mare

asthenia [æs'θi:niə] *s med* astenie

asthma ['æsmə] *s med* astm(ă)

asthmatic [æs'mætik] *adj, s med* astmatic

as though [æz 'ðou] *conj v.* **as if**

astigmatic [ˌæstig'mætik] *adj med* astigmatic

astigmatism [əs'tigmətizəm] *s med* astigmatism

astir [əs'tə:'] *adj pred* **1** în mișcare;

în picioare **2** în picioare, sculat (*din pat*) **3** (**at, with**) în freamăt, fremătând (de), agitat (din cauza – *cu gen*), tulburat (de; din cauza – *cu gen*); emoționat (de; din cauza – *cu gen*); pe jar/jăratic (din cauza – *cu gen*)

as to ['æz tə] *prep* **1** cu privire la, în ceea ce privește, cât privește; **~ his coming here, the idea doesn't appeal to me** cât despre venirea lui aici, (ideea) nu-mi surâde **2** (*în prop dubitative, interogative sau cu caracter argumentativ*) despre; (*adesea nu se traduce*); **they could not decide ~ how to reply** nu se puteau hotărî cum (anume) să răspundă **3** din punctul de vedere al, sub raportul (*culorii etc.*)

astonish [əs'tɔniʃ] *vt* a uimi, a surprinde

astonished [əs'tɔniʃt] *adj* uimit, surprins; plin de uimire

astonishing [əs'tɔniʃiŋ] *adj* uimitor, surprinzător; remarcabil

astonishingly [əs'tɔniʃiŋli] *adv* uimitor/surprinzător de

astonishment [əs'tɔniʃmənt] *s* uimire, surprindere; **much to my ~** spre marea mea surprindere

astound [əs'taund] *vt* a ului, a surprinde peste măsură; a șoca

astounding [əs'taundiŋ] *adj* uluitor; izbitor; șocant

astr. *presc de la* **1 astronomy 2 astronomical 3 astronomer**

astrachan [ˌæstrə'kæn] *s, adj v.* **astrakhan**

a-straddle [ə'strædl] *adj, adv* călare, cu picioarele desfăcute

astragal ['æstrəgəl] *s anat, arhit* astragal

astrakhan [ˌæstrə'kæn] **I** *s* (blană *sau* haină de) astrahan **II** *adj* (de) astrahan

astral ['æstrəl] *adj astr* astral; stelar, sideral

a-strand [ə'strænd] *adj, adv ← elev* pe țărm/uscat; eșuat

astray [ə'strei] **I** *adv* **1** pe un drum greșit; razna; **unfortunately they went ~** din nefericire s-au rătăcit/au rătăcit drumul **2** *fig* pe un drum greșit, pe căi greșite; alăturea cu drumul; razna; **to go/ to run ~** a o apuca pe căi greșite, a apuca pe o cale greșită/pe un drum greșit **II** *adj pred* **1** răzlețit; împrăștiat **2** *fig* rătăcit

astride [ə'straid] I *adv* 1 călare 2 cu picioarele răschirate/desfăcute II *adj pred* 1 călare 2 răschirat, desfăcut III *prep* 1 călare pe; ~ **a horse** călare pe un cal 2 ← *rar* peste; **there was a bridge** ~ **the river** era un pod peste râu

astringency [əs'trindʒənsi] *s* 1 astringență 2 *fig* severitate, asprime

astringent [əs'trindʒənt] *adj* 1 astringent 2 *fig* sever, aspru; caustic, tăios

astringently [əs'trindʒəntli] *adv* cu severitate/asprime, tăios, caustic

astro- *pref* astro-: **astronomy** astronomie

astrodome ['æstrouˌdoum] *s av* astrodrom

astrogate ['æstrəgeit] *vi* a călători cu o navă spațială

astrogator ['æstrəgeitəʳ] *s v.* **astronaut**

astrography ['æstrəgrafi] *s* astrografie

astrolabe ['æstrouˌleib] *s astr* astrolab

astrologer [əs'trɔlədʒəʳ] *s* astrolog; cititor în stele

astrological [ˌæstrə'lɔdʒikəl] *adj* astrologic

astrologically [ˌæstrə'lɔdʒikəli] *adv* din punct de vedere astrologic

astrology [əs'trɔlədʒi] *s* astrologie

astron. *presc de la* 1 astronomy 2 astronomical 3 astronomer

astronaut ['æstrənɔːt] *s* astronaut, cosmonaut

astronautics [ˌæstrə'nɔːtiks] *s pl ca sg* astronautică

astronomer [əs'trɔnəməʳ] *s* astronom

astronomic [ˌæstrə'nɔmik] *adj rar v.* **astronomical**

astronomical [ˌæstrə'nɔmikəl] *adj* 1 astronomic 2 *fig (d. cifre)* astronomic, colosal, uriaș

astronomically [ˌæstrə'nɔmikəli] *adv* din punct de vedere astronomic

astronomical year [ˌæstrə'nɔmikəl jəːʳ] *s* an astronomic/sideral

astronomy [əs'trɔnəmi] *s* astronomie

astrophysics ['æstrou'fiziks] *s pl ca sg* astrofizică

astroscope ['æstrouskoup] *s astr* astroscop

Asturias [æs'tuəriæs] *ist provincie spaniolă* Asturia

astute [əs'tjuːt] *adj* 1 șiret, viclean, abil 2 perspicace, isteț, ascuțit la minte

astutely [əs'tjuːtli] *adv* 1 cu șiretenie/viclenie/abilitate 2 în mod perspicace

astuteness [əs'tjuːtnis] *s* 1 șiretenie, viclenie, abilitate 2 perspicacitate, istețime

Astyanax [əs'taiənæks] *mit* Astianax

Asunción [ə'sunsi'oun] *capitala Paraguayului*

asunder [ə'sʌndəʳ] *adj*, *adv* 1 răzleț; în direcții diferite; care încotro; **to rush** ~ a fugi/a se năpusti care încotro 2 departe unul de altul; răzleț(it); **the two places lay far** ~ cele două localități erau foarte departe una de alta; **wide** ~ **as pole and pole** diametral opus; **the war forced them** ~ războiul i-a răzlețit/despărțit 2 *(în.)* bucăți; în două; **to cut** ~ a tăia (în) bucăți; a tăia în două; a înjumătăți; **her heart was torn** ~ i se frânsese inima, îi era inima frântă/zdrobită

Aswan [ˌæs'wæn] *v.* **Assuan**

a-swarm with [ə'swɔːm wið] *adj cu prep* ← *poetic* mișunând/furnicând de; plin de

a-swing [ə'swiŋ] *adj*, *adv* ← *poetic* legănat, legănându-se

a-swoon [ə'swuːn] *adj*, *adv* ← *poetic* leșinat

asylum [ə'sailəm] *s* 1 azil, refugiu, adăpost 2 azil *(de bătrâni etc.)* 3 azil *(politic)* 4 ← *rar* ospiciu, spital de alienați

asymmetric(al) [ˌæsi'metrik(əl)] *adj* asimetric

asymmetrically [ˌæsi'metrikəli] *adv* (în mod) asimetric

asymmetry [æ'simitri] *s* asimetrie, lipsă de simetrie

at [ət *formă slabă,* æt *formă tare*] *prep* 1 *(spațial, cu verbe statice)* la; în; ~ **Dover** la Dover; **they stopped** ~ **London** s-au oprit la/în Londra, au făcut o oprire la/în Londra; ~ **the door** la ușă; în fața ușii; ~ **the end of the street** la capătul străzii; ~ **the butcher's** la măcelărie; ~ **my uncle's (house)** (acasă) la unchiul meu; ~ **home** acasă 2 *(spațial, cu verbe de mișcare)* la; în; împotriva *cu gen;* asupra *cu gen;* spre, către; **they arrived** ~ **the village later** au ajuns în sat mai târziu; **the robber ran** ~ **him with a knife** hoțul s-a repezit la

el/s-a năpustit asupra lui cu un cuțit; **he aimed his gun** ~ **the bird** ochi cu pușca pasărea; **he shot** ~ **the passer-by** trase (cu arma) în trecător fără să-l nimerească; **I threw the ball** ~ **him** am aruncat cu mingea în el *(cf* **I threw the ball to him** i-am aruncat mingea); **up and** ~ **them, boys!** pe ei, băieți! 3 *(temporal)* la; în; în timpul *cu gen;* de; ~ **seven** (o'clock) la (ora) șapte; ~ **dawn/daybreak** în zori; ~ **night** noaptea; ~ **Christmas** de Crăciun; ~ **that time** pe atunci, în acea vreme; ~ **any moment** în orice clipă, din clipă în clipă, dintr-o clipă în alta; ~ **the end of the 19th century** la sfârșitul sec. al XIX-lea; ~ **the age of 75** la vârsta/etatea de 75 de ani; ~ **all times** totdeauna, oricând; **at first** la început, inițial; ~ **last** în cele din urmă; până la sfârșit 4 *(cu cuvinte care arată preocuparea, activitatea, situația, poziția etc.)* la; ~ **work** la lucru/muncă; în activitate; ~ **lunch** la masă; prânzește *etc.;* **what is he** ~ **now?** a ce face acum? cu ce se mai ocupă (acum)? la ce (mai) lucrează acum? b ce mai are de gând (să facă)? **they were** ~ **war** a erau în război b *fig* erau în conflict; erau certați; se războiau; **he is** ~ **school now** e la școală/lecții acum, învață acum; ~ **liberty** liber, în (stare de) libertate 5 *(cu cuvinte care arată sursa etc.)* de la; din; **to get information** ~ **the fountain-head** a căpăta informații chiar de la sursă 6 din cauza/pricina *cu gen,* datorită *cu dat;* de; **he was astonished** ~ **what he saw** a fost/a rămas uimit de ceea ce a văzut; **they laughed** ~ **his stupidity** râdeau de prostia lui; **I was angry** ~ **his behaviour** m-a supărat purtarea lui 7 pe seama/socoteala *cuiva,* de; **to laugh** ~ **smb** a face haz pe socoteala cuiva, a-și râde de cineva 8 *(cu cuvinte care arată modul acțiunii)* la; *(uneori se traduce prin gerunzii);* ~ **a gallop** la/în galop; ~ **a run** fugind, în fugă, < în fuga mare; ~ **a speed of 90 miles an hour** cu o viteză de

90 de mile pe oră **9** *(cu cuvinte care arată prețul, cifre etc.)* la; cu; **~ ten shillings a pound** cu zece șilingi livra; **~ a price of** la un preț de; **~ a word from me** la un singur cuvânt de-al meu; **~ a gulp** dintr-o înghițitură

at. *presc de la* **1** atmosphere **2** atomic **3** attorney

atabal ['ætəbæl] *s od* tobă maură

atabrine ['ætəbrin] *s med* atebrină

Atacama Desert, the [ˌɑːtɑː'kɑːmɑː 'dezət, ði] Deșertul Atacama

at all [ət'ɔːl] *adv* **1** vreodată, cândva; mai; **does he come here ~?** mai vine pe aici? **2** cât de cât, într-o măsură oarecare; **if ~** dacă se poate vorbi despre așa ceva; **not ~ a** deloc, defel, câtuși de puțin, nicidecum **b** *(ca răspuns la o scuză)* nu face nimic

ataman ['ætəmən] *s* hatman *(de cazaci)*

Ataturk ['ætətɑːk] *om de stat turc (1881-1938)*

atavism ['ætəvizəm] *s* atavism, ereditate îndepărtată

atavistic [ˌætə'vistik] *adj* atavic

atchoo [ə'tʃuː] *interj amer* hapciu!

ate [et], *amer ↓* [eit] *pret de la* eat

-ate *suf* **I** *verbal (cf verbele de la conjugarea I în română):* **to orchestrate** a orchestra **II** *adjectival* -at: **proportionate** proporționat **III** *substantival* -at: **protectorate** protectorat

atelier [ə'teliei] *s fr* atelier *(de pictură etc.);* studio

atheism ['eiθiizəm] *s* ateism

atheist ['eiθiist] *s* ateu

atheistic(al) ['eiθiistik(əl)] *adj* ateist, de ateu, *înv →* ateu

atheistically ['eiθiistikəli] *adv* din punct de vedere ateist

atheling ['æθiliŋ] *s od* nobil *sau* principe anglo-saxon

Athena [ə'θiːnə] *mit* Atena, *cf* Minerva

athen(a)eum [ˌæθi'niːəm] *s* **1** club științific *sau* literar **2** bibliotecă; sală de lectură **3** revistă literară *sau* de artă **4** ateneu **5 A~** *mit* Ateneu

Athenian [ə'θiːniən] *adj, s* atenian

Athens ['æθinz] *capitala Greciei* Atena

atherosclerosis [ˌæθərəskliə'rousis] *s med* ateroscleroză

athirst [ə'θɜːst] *adj pred ← înv, poetic* însetat

athirst for [ə'θɜːst fəʳ] *adj pred cu prep fig înv, poetic* setos de, – însetat de

athlete ['æθliːt] *s sport* **1** sportiv **2** atlet

athletic [æθ'letik] *adj sport* **1** sportiv; de sport **2** atletic

athletic field [æθ'letik ˌfiːld] *s sport* **1** stadion **2** teren de sport

athletics [æθ'letiks] *s pl sport* **1** *ca sg* sport; gimnastică, educație fizică **2** *ca sg* atletism **3** jocuri sportive

at-home [ət'houm] *s ← rar* primire de oaspeți; întrunire *(la domiciliu);* petrecere; **a small ~** un mic cocteil, o mică întâlnire prietenească; un ceai

Athos, Mount ['æθɔs, 'maunt] Muntele Athos

athwart [ə'θwɔːt] *← rar* **I** *adv* de-a curmezișul; cruciș; oblic; perpendicular **II** *prep* de-a curmezișul *cu gen;* de la un cap la celălalt *cu gen*

-atic *suf* -atic: **dramatic** dramatic

-ation *suf* -ație, -ațiune; -are: **constellation** constelație; **realization** realizare

atishoo [ə'tiʃuː] *interj* hapciu!

-ative *suf* -ativ; -ar: **demonstrative** demonstrativ; **authoritative** autoritar; autorizat

Atl. *presc de la* **Atlantic**

Atlanta [ət'læntə] *capitala statului Georgia din S.U.A.*

Atlantic [ət'læntik] **I** *s* the **~** (Oceanul) Atlantic **II** *adj* atlantic

Atlantic Ocean, the [ət'læntik ouʃən, ði] (Oceanul) Atlantic

Atlantis [ət'læntis] *ist, mit* Atlantida

Atlas ['ætləs] *mit*

atlas¹ ['ætləs] *s* atlas (geografic)

atlas² *s text* atlaz

Atlas Mountains, the ['ætləs 'mauntinz, ði] Munții Atlas

atm. *presc de la* **1** atmosphere **2** atmospheric

atmosphere ['ætməsfiəʳ] *s* **1** atmosferă; aer **2** *fig* atmosferă; ambianță **3** *fiz* atmosferă

atmospheric [ˌætməs'ferik] *adj* **1** atmosferic **2** *fig (d. muzică etc.)* care creează o atmosferă de mister; de o frumusețe stranie

atmospheric pressure [ˌætməs'ferik 'preʃəʳ] *s fiz* presiune atmosferică

atmospherics [ˌætməs'feriks] *s pl rad* paraziți

At. No. *presc de la* **atomic number**

atoll ['ætɔl] *s geogr* atol

atom ['ætəm] *s* **1** *ch* atom **2** *fig F* pic, strop; urmă; **not an ~ of truth** nici un pic de adevăr

atom bomb ['ætəm 'bɔm] *s mil* bombă atomică

atomic [ə'tɔmik] *adj* atomic; nuclear

atomically [ə'tɔmikəli] *adv* pe bază de atomi; din atomi

atomic bomb [ə'tɔmik bɔm] *s mil* bombă atomică

atomic energy [ə'tɔmik 'enədʒi] *s* energie atomică/nucleară

atomic furnace [ə'tɔmik fəːnis] *s* reactor nuclear

atomic mass [ə'tɔmik mæs] *s fiz* masă izotopică; masă atomică

atomic number [ə'tɔmik nʌmbəʳ] *s fiz* număr atomic

atomic pile [ə'tɔmik 'pail] *s* reactor (nuclear)

atomic power [ə'tɔmik 'pauəʳ] *s* energie atomică/nucleară

atomics [ə'tɔmiks] *s pl ca sg* **1** fizică atomică/nucleară, atomistică **2** energie nucleară/atomică

atomic weight [ə'tɔmik weit] *s ch* greutate/masă atomică

atomism ['ætəmizəm] *s filos* atomism

atomist ['ætəmist] *s filos* atomist

atomize ['ætəmaiz] *vt* **1** *fiz* a atomiza; a pulveriza **2** a pulveriza *(un lichid)*

atomizer ['ætəmaizəʳ] *s* pulverizator

atom smasher ['ætəm 'smæʃəʳ] *s fiz* accelerator de particule

atomy ['ætəmi] *s* **1** atom **2** *fig* pitic, năpârstoc **3** *fig F* schelet ambulant, „pielea și osul"

atonal [æ'tounl] *adj muz* atonal

atonally [æ'tounəli] *adv muz* atonal

atone [ə'toun] **I** *vi* (**for**) a se căi (de, pentru), a plăti (pentru), a avea remușcări (pentru) **II** *vt* a ispăși, a expia *(un păcat etc.)*

atonement [ə'tounmənt] *s* **1** ispășire; căință, remușcare **2** (**for**) răscumpărare (pentru); compensație (pentru)

atop [ə'tɔp] *← poetic* **I** *adv* în vârf; sus; pe culme **II** *prep* în vârful *cu gen;* pe culmea *cu gen;* **~ the waves** pe crestele valurilor

-atory *suf* -ator; -iv: **declamatory** declamator; **laudatory** laudativ

atrabilarious [ˌætrəbi'lɛəriəs] *adj v.* **atrabilious**

atrabilious [ˌætrə'biliəs] *adj* **1** *med* atrabilar **2** *fig* melancolic, ipohondru; posomorât

Atreus ['eitriəs] *mit* Atreu

atrium ['ɑːtriəm] *s arhit* atriu(m)

atrocious [ə'trouʃəs] *adj* **1** atroce, cumplit, fioros; feroce **2** *fig F* mizerabil, care nu face doi bani, – foarte prost

atrociously [ə'trouʃəsli] *adv* **1** (în mod) atroce, cumplit, crâncen **2** *fig F* (în mod) mizerabil **3** *F* îngrozitor de, cumplit de *(prost etc.)*

atrocity [ə'trɔsiti] *s* **1** atrocitate, ferocitate, cruzime nemaipomenită **2** faptă atroce/cumplită/groaznică **3** *fig F* mizerie, porcărie

atrophy ['ætrəfi] **I** *s* **1** *med* atrofie; atrofiere **2** *fig* slăbire, vlăguire; deteriorare **II** *vt* a atrofia **III** *vi* a se atrofia

atropine ['ætrəpin] *s ch* atropină

att. *presc de la* **attorney**

attaboy ['ætə'bɔi] *interj amer sl* bravo! bun băiat! strașnic!

attach [ə'tætʃ] *vt* **1** (**to**) a atașa (de); a prinde, a lega, a fixa (de); a anexa (la); **to ~ a stamp to a letter** a lipi un timbru pe o scrisoare, a pune un timbru pe o scrisoare; **to ~ documents to a letter** a anexa acte/documente la o scrisoare; **to ~ a seal to a document** a aplica ștampila pe un document; **to ~ one's signature** a-și pune semnătura, a semna, a se iscăli **2** (**to**) a acorda, a da, a atribui *(importanță etc.)* **3** *jur* a aresta, a pune sub stare de arest **4** *jur* a popri, a pune poprire/sechestru pe

attaché [ə'tæʃei] *s pol* atașat (de ambasadă)

attaché case [ə'tæʃei 'keis] *s* servietă diplomat

attached [ə'tætʃt] *adj* **1** atașat; anexat **2** *jur* arestat **3** *mil* afectat; alocat; de întărire/sprijin **4** *mat* asociat

attached to [ə'tætʃt tə] *adj cu prep* atașat/legat de; credincios față de

attachment [ə'tætʃmənt] *s* **1** (**to**) atașare (de; la); prindere, fixare, legare (de); anexare (la) **2** intrare în vigoare **3** (**to**) atașament (față de); credință (față de); dragoste (pentru, față de); prietenie (față de) **4** *jur* poprire; sechestru **5** *jur* arestare; ordin de arestare; punere sub stare de arest **6** *tehn* accesoriu; remorcă **7** *tehn* dispozitiv

attach oneself to [ə'tætʃ wʌn'self tə] *vr cu prep* **1** a se alătura *cu dat*

2 a se atașa de, a se apropia de, a se lega de

attach to [ə'tætʃ tə] *vi cu prep* **1** *elev* a incumba *cuiva*; a fi pus în sarcina *cuiva*; **no blame ~es to his act** fapta lui nu merită să fie condamnată; **no guilt ~es to him for the accident** nu are nici o vină în acest accident, nu este implicat câtuși de puțin în accident **2** ← *elev* a decurge din, a reieși din; a fi o consecință *cu gen*

attack [ə'tæk] **I** *vt* **1** *mil etc.* a ataca; a asalta **2** a ataca, a critica; a vorbi *sau* a scrie împotriva *cu gen* **3** a ataca; a dăuna *cu dat*, a face rău la *sau cu dat*, a avea un efect dăunător asupra *cu gen* **4** *fig* a ataca; a se apuca energic de; a se repezi asupra *(fripturii etc.)* **II** *vi mil etc.* a ataca, a întreprinde un atac **III** *s* **1** *mil etc.* atac; asalt **2** *med* atac; criză **3** atac (verbal *sau* în scris), critică **4** *muz* atac; început **5** abordare; mod de rezolvare

attain [ə'tein] *vt* **1** a reuși să ajungă la *(o funcție etc.)*, a atinge *(după eforturi)*; **he ~ed the opposite shore** (până la urmă) a ajuns pe malul celălalt; **to ~ an ideal** a-și realiza (până la urmă) un ideal **2** a ajunge la, a trăi până la, a atinge *(o vârstă)*

attainable [ə'teinəbl] *adj* realizabil; la care se poate ajunge, care poate fi atins

attainder [ə'teində] *s jur* privare de drepturi civile și de proprietate *(pt o crimă deosebit de gravă)*

attainment [ə'teinmənt] *s* **1** realizare, câștigare, dobândire **2** ↓ *pl* deprinderi; cunoștințe; achiziții; **a man of varied ~s** un om multilateral

attain to [ə'tein tə] *vi cu prep* ← *elev* a realiza *cu ac*, a ajunge la; a-și împlini *(dorința etc.)*

attar ['ætə] *s* ulei eteric, ↓ ulei de trandafir

attempt [ə'tempt] **I** *vt* **1** a încerca; a încerca să facă; a încerca să ia *(un examen)*; **to ~ (to do) a difficult task** a încerca să ducă la bun sfârșit o sarcină dificilă; **to ~ a settlement of the dispute** a încerca să soluționeze conflictul **2** ← *înv* a duce în ispită, – a ispiti, a ademeni **3** a atenta la *(viața cuiva)* **II** *s* **1** încercare,

tentativă; experiență, probă **2** atentat; **~ on smb's life** atentat la viața cuiva

attend [ə'tend] **I** *vt* **1** a fi prezent/de față la, a frecventa *(cursuri etc.)* **2** a însoți; a escorta; a întovărăși **3** *fig (d. succes, pericol etc.)* a însoți; a avea parte de; *(d. ghinion etc.)* a urmări **4** a îngriji, a avea grijă de; a trata; a avea sub îngrijirea sa; **there was a doctor who ~ed him** era un doctor care îl îngrijea **5** a fi în slujba *(cuiva)*, a sluji **II** *vi* a fi prezent; a frecventa

attendance [ə'tendəns] *s* **1** frecvență; prezență **2** public, auditoriu **3** îngrijire; grijă; tratament; **a nurse in ~ on the sick man** o infirmieră care îl îngrijea pe bolnav

attendant [ə'tendənt] **I** *s* **1** însoțitor; îngrijitor; slujitor, servitor **2** persoană prezentă **II** *adj* **1** însoțitor; întovărășitor; concomitent; accesoriu; **~ difficulties** dificultăți inerente **2** gata să dea o mână de ajutor

attendant circumstances [ə'tendənt 'sə:kəmstænsiz] *s pl* circumstanțe accesorii; incidente secundare

attend on [ə'tend ɔn] *vi cu prep* a însoți *(pe cineva);* a fi în serviciul *cuiva*

attend to [ə'tend tə] *vi cu prep* **1** a avea grijă de, a se ocupa de; a da ajutor *cuiva*, a ajuta *cuiva;* **are you being attended to, sir?** sunteți servit, domnule? **2** a se ocupa de; a da urmare *cu dat;* a îndeplini *cu ac;* **he had an urgent matter to ~** avea de rezolvat o chestiune urgentă; avea o chestiune urgentă; trebuia să se ocupe de o problemă urgentă; **his instructions will be attended to** instrucțiunile sale vor fi aduse la îndeplinire

attend upon [ə'tendə,pɔn] *vi cu prep* v. **attend on**

attent [ə'tent] *adj* ← *înv* atent, grijuliu

attention [ə'tenʃən] *s* **1** atenție; băgare de seamă, luare aminte; concentrare; **to pay ~ to** a acorda atenție *cu dat;* a fi atent la; **he called my ~ to the style of the book** mi-a atras atenția asupra stilului cărții; **to attract ~** a atrage atenția (asupra sa);

do not let your ~ wander fii atent, concentrează-te; adună-ţi gândurile; **to slip smb's ~** a scăpa atenţiei cuiva; **he is all ~** e cât se poate de atent; e numai ochi şi urechi **2** atenţie, îngrijire, grijă; **she received immediate ~ from the doctor** doctorul i-a dat imediat primele îngrijiri **3** atenţie, grijă, preocupare; interes **4** ↓ *pl* ← *rar* atenţii, amabilităţi; **to pay one's ~s to a young lady** a face curte unei domnişoare **5** *mil* atenţie; poziţia de drepţi; **~!** drepţi! **to call to ~** a da comanda pentru luarea poziţiei de drepţi; **to come to ~** a lua poziţia de drepţi; **~ to orders!** atenţie la ordine!

attentive [ə'tentiv] *adj* **1** atent, care ascultă *etc.* cu atenţie; concentrat **2** (**to**) atent, grijuliu, curtenitor, prevenitor (cu, faţă de) **3** (**to**) politicos (cu, faţă de)

attentively [ə'tentivli] *adv* (în mod) atent, cu atenţie

attentiveness [ə'tentivnis] *s* atenţie

attenuant [ə'tenjuənt] *adj farm* diluant

attenuate [ə'tenjueit] *vt* **1** *elev* atenua, – a slăbi, a micşora **2** *tehn* a slăbi, a subţia; a înmuia; a dilua; a amortiza

attenuation [ə,tenju'eiʃən] *s* **1** *elev* atenuare, – slăbire, micşorare **2** *tehn* subţiere; înmuiere; diluare; amortizare

attest [ə'test] *vt* **1** ← *rar* a atesta, a fi o dovadă *(cu gen);* a trăda; a demonstra **2** *jur* a atesta, a confirma; a întări **3** *jur* a obliga să presteze un jurământ **4** *mil* a înrola în serviciu militar sub prestare de jurământ **5** ← *înv* a lua drept martor

attestation [,ætes'teiʃən] *s* **1** *jur* atestare, confirmare **2** *jur* depoziţie sub prestare de jurământ *(a martorului)* **3** *jur* autentificare, legalizare **4** *mil* depunerea jurământului

attest to [ə'test tə] *vi cu prep* a demonstra *cu ac,* a fi o dovadă/ o mărturie *cu gen*

Att. Gen. *presc de la* **Attorney General**

Attic ['ætik] *adj* **1** *od* atic; atenian **2** *(d. stil)* atic; clasic; simplu

attic ['ætik] *s* **1** mansardă, pod al casei; atic **2** mezanin **3** *pl*/**the ~s** etajul de sus (al casei) **4** *fig F* dovleac, căpăţână, – cap

Attica ['ætikə] *provincie antică în Grecia* Attica

Attila [ə'tilə] *conducător al hunilor (434-453)*

attire [ə'taiər] **I** *s poetic* strai(e), veşminte, veşmânt **II** *vt poetic* a înveşmânta, a găti, – a îmbrăca

attitude ['ætitjuːd] *s* **1** atitudine, ţinută *(a corpului)* **2** atitudine; sentimente; comportare, purtare **3** atitudine, părere, poziţie; punct de vedere **4** *fig* poză; **to strike an ~** a poza; a lua o atitudine dramatică

attitudinize [,æti'tjuːdinaiz] *vi* a poza, a face pe interesantul, a se comporta teatral

attorney [ə'təːni] *s* **1** *jur* ↓ *amer* avocat **2** *jur* împuternicit; **power(s) of ~** împuternicire de a acţiona în numele altcuiva **3** *jur* jurist **4** *jur* procuror

attorney-at-law [ə'təːniæt'lɔː] *s jur* ↓ *amer* avocat

Attorney General [ə'təːni 'dʒenrəl], *pl* **Attorneys General** [ə'tə:-niz'dʒenrəl] *sau* **Attorney Generals** [ə'tə:ni 'dʒenerəlz] *s jur* **1** magistrat suprem *(al unui stat)* **2** avocat al statului **3** procuror general **4** ministru de justiţie şi procuror general *(în S.U.A.)*

attract [ə'trækt] **I** *vt* **1** *fiz* a atrage; a avea forţă de atracţie asupra *cu gen* **2** *fig* a atrage, a ispiti, a ademeni **3** *fig* a atrage ⟨după *sau* la sine) a fi urmat de; a fi ascultat de; a fi urmărit de *(mulţi spectatori etc.)* **II** *vi* a atrage, a fi atrăgător; a avea farmec

attractable [ə'træktəbl] *adj* care poate fi atras

attraction [ə'trækʃən] *s* **1** atragere **2** *fiz* atracţie; forţă de atracţie **3** *fig* atracţie; punct de atracţie **4** *fig* atracţie, farmec

attractive [ə'træktiv] *adj* **1** *fiz* atractiv, de atracţie **2** *fig* atrăgător, atractiv; frumos; simpatic, plăcut, agreabil; < încântător **3** *fig (d. o idee etc.)* atrăgător, îmbietor, atractiv, care surâde cuiva; interesant

attractively [ə'træktivli] *adv* (în mod) plăcut, atrăgător, interesant

attractiveness [ə'træktivnis] *s* caracter atrăgător/îmbietor/ispititor/ interesant; atracţie, farmec

attribute ['ætribjuːt] *s* **1** atribut, însuşire, calitate, proprietate **2** *fig* atribut, simbol **3** *gram* atribut

attribute to [ə'tribjuːt tə] *vi cu prep* a atribui *cu dat,* a pune pe seama *cu gen*

attribution [,ætri'bjuːʃən] *s* **1** atribuire; **the ~ of "Thomas More" to Shakespeare is still debatable** atribuirea piesei „Thomas More" lui Shakespeare nu a fost încă dovedită/este încă o problemă discutabilă **2** competenţă, drept **3** *v.* **attribute 1**

attributive [ə'tribjutiv] *gram* **I** *adj* atributiv; relativ **II** *s* atribut

attrition [ə'triʃən] *s* **1** frecare, roadere; ştergere **2** uzură; **war of ~** *mil* război de uzură

attrition mill [ə'triʃən mil] *s tehn* moară cu pietre

attune [ə'tjuːn] *vt muz* (**to**) a acorda (după)

attune to [ə'tjuːn tə] *vt cu prep* **1** *fig* a acorda după, a pune de acord cu **2** a deprinde/a obişnui cu; **attune your ears to modern music** obişnuieşte-ţi urechea cu muzica modernă

atty. *presc de la* **attorney**

atween [ə'twiːn] *adv, prep* ← *înv v.* **between**

at.wt. *presc de la* **atomic weight**

atypical [,ei'tipikəl] *adj* atipic

atypically [,ei'tipikəli] *adv* (în mod) atipic

auberge [ou'bɛəʒ] *s fr* hotel

aubergine ['əubəʒiːn] *s bot* (pătlăgea) vânătă *(Solanum melongena)*

Aubrey ['ɔːbri] *nume masc*

auburn ['ɔːbən] *adj* (↓ *d. păr)* castaniu-auriu; roşcat-cafeniu; roşcat

Auckland ['ɔːklənd] *port în Noua Zeelandă*

auction ['ɔːkʃən] **I** *s* **1** *ec* licitaţie, *înv* → mezat **2** *(la unele jocuri de cărţi)* licitaţie **II** *vt* a vinde la licitaţie

auctioneer [,ɔːkʃə'niər] *s* adjudecător *(la o licitaţie)*

audacious [ɔː'deiʃəs] *adj* **1** cutezător, temerar **2** nepoliticos, nerespectuos, îndrăzneţ; insolent

audaciously [ɔː'deiʃəsli] *adv* **1** cutezător, cu temeritate **2** nepoliticos, nerespectuos, cu insolenţă

Auden ['ɔ:dn], **Wyston Hugh** *poet englez din S.U.A. (1907-1973)*

audibility [,ɔ:də'biliti] *s fiz* audibilitate

audible ['ɔ:dəbl] *adj* 1 audibil, care se poate auzi 2 *fiz* fonic; acustic

audibly ['ɔ:dəbli] *adv* ca să poată fi auzit; tare; cu voce tare; clar, răspicat

audience ['ɔ:diəns] *s* 1 auditoriu; asistență; public; spectatori; ascultători 2 audiență 3 *jur* audiere

audio- *pref* audio-: **audiofrequency** audiofrecvență

audiofrequency [,ɔ:diə'frikənsi] *s fiz* audiofrecvență

audiometer [,ɔ:di'ɔmitər] *s fiz* audiometru; fonometru

audio-visual [,ɔ:diou'viʒuəl] *adj* audiovizual

audit ['ɔ:dit] I *s* 1 *fin* revizie contabilă 2 *fin* bilanț (anual) 3 *fig* socoteală, socoteli II *vt fin* a revizui d'n punct de vedere contabil; a face o revizie contabilă *(cu gen)*

auditing committee ['ɔ:ditiŋ kə'miti] *s* comisie de revizie

audition [ɔ:'diʃən] *s* 1 audiere, ascultare 2 auz, ureche; simț muzical 3 probă; concurs *(la teatru etc.)* 4 *muz* audiție

auditor ['ɔ:ditər] *s* 1 *fin* revizor contabil 2 *rar* auditor, – ascultător; spectator; ascultător

auditorium [,ɔ:di'tɔ:riəm] *s* auditoriu, sală *(de teatru etc.)*

auditory ['ɔ:ditəri] *adj* auditiv

Audrey ['ɔ:dri] *nume fem*

au fait [,ou'fei] *adj fr* (with) pe deplin la curent/familiarizat (cu), pe deplin informat (despre; asupra – *cu gen)*

au fond [ou 'fɔ:n] *adv fr* în fond, în definitiv, la urma urmelor

Aug. *presc de la* **August**

aug. *presc de la* 1 **augment** 2 **augmentation** 3 **augmentative**

Augean stables, the [ɔ:'dʒi(:)ən 'steiblz, ði] *s pl mit* grajdurile lui Augias

auger ['ɔ:gər] *s* sfredel, burghiu spiral

aught [ɔ:t] I *pr* ← *înv sau poetic* ceva; orice; **for ~ I know** după câte știu II *adv* ← *înv sau poetic* 1 într-o privință oarecare 2 într-o măsură oarecare III *s mat* zero, nulă

Augier [ɔ'ʒiəi] *dramaturg francez (1820-1889)*

augment [ɔ:g'ment] I *vt elev* a augmenta, – a crește, a ridica, a mări, a spori II *vi* ← *elev* a crește, a spori, a se ridica

augmentation [,ɔ:gmen'teiʃən] *s* 1 *elev* augmentare, – sporire, creștere 2 ← *elev* spor, creștere

augmentative [ɔ:g'mentətiv] *lingv* I *adj* augmentativ II *s* (afix) augmentativ

augur ['ɔ:gər] I *s* 1 *od* augur 2 *fig* prevestitor, proroc, profet II *vt* a prezice, a prevesti, a proroci III *vi* **to ~ well** a fi de bun augur

augury ['ɔ:gjuri] *s* 1 *od* augur, prevestire a augurilor 2 augur, semn, prevestire; presimțire

August ['ɔ:gəst] *s* august, *P* ← Gustar

august[1] ['ɔ:gʌst] *adj* august, maiestuos; solemn; impunător

august[2] ['ɔ:gəst] *vi* ← *rar* a se coace

Augustan [ɔ:'gʌstən] *adj* 1 *ist* din perioada lui August(us) 2 *ist lit engleze* din perioada lui Addison și Pope *sau* a reginei Anne *(1702-1714)* 3 *lit* clasic; neoclasic

Augustin [ɔ:'gʌstin] *nume masc*

Augustine 1 *nume masc* Augustin 2 (Saint) ~ Sf. Augustin *(354-450)*

Augustus [ɔ:'gʌstəs] 1 *nume masc* August 2 *ist* împărat roman August(us) *(27 î.e.n.-14 e.n.)*

auk [ɔ:k] *s orn* alca; pinguin nordic *(Alcidae sp.)*

auld lang syne [,ɔ:ld læŋ zain] *s scot* „frumoasele vremuri de altădată"; *numele unui cântec pe această temă*

aunt [a:nt] *s* mătușă, *F* → tanti; **my ~!** *F* ei poftim! sfinți din Ceruri! măi să fie! fir-ar să fie!

auntie, aunty ['a:nti] *s dim de la* **aunt** mătușică, tanti

Aunt Sally ['a:nt 'sæli], *pl* **Aunt Sallies** ['a:nt 'sæliz] *s* 1 *sculptură în lemn a unei femei în care lumea aruncă fel de fel de lucruri ca să se amuze* 2 *fig* cal de bătaie

aura ['ɔ:rə] *s* 1 aură 2 aureolă, nimb 3 adiere, boare 4 emanație

aural ['ɔ:rəl] *adj* auditiv; acustic

Aurelia [ɔ:'ri:liə] *nume fem*

Aurelius [ɔ:'ri:liəs], **Marcus** *împărat roman* Marc Aureliu *(161-180)*

aureola [ɔ:'riələ], **aureole** ['ɔ:rioul] *s* 1 *astr* aureolă, halou 2 *fig* aureolă, nimb

aureomycin [,ɔ:riou'maisin] *s med* aureomicină

au revoir ['ou rev'wa:r] *interj fr* la revedere!

auricle ['ɔ:rikl] *s anat* 1 auricul 2 auriculă

auricular [ɔ:'rikjulər] *adj* 1 *anat* auricular 2 auditiv; acustic 3 spus/ șoptit la ureche; tainic, secret

auriferous [ɔ:'rifərəs] *adj* aurifer, care conține aur

Auriga [ɔ:'raigə] *astr* Auriga, Vizitiul

aurochs ['ɔ:rɔks] *s zool* zimbru *(Bos primigenius)*

aurora [ɔ:'rɔ:rə] *s* 1 *pl și* **aurorae** [ɔ:'rɔ:ri:] *poetic* auroră, zori (de zi), revărsatul zorilor 2 *fig* zori; primăvară 3 **A~** *nume fem, mit*

aurora australis [ɔ:'rɔ:rə ɔ:s'treilis] *s* aurora australă

aurora borealis [ɔ:'rɔ:rə ,bɔ:ri'eilis] *s* aurora boreală

Aus. *presc de la* 1 **Austria** 2 **Austrian**

auscultate ['ɔ:skəlteit] *vt, vi med* a ausculta

auspices ['ɔ:spisi:z] *s pl* 1 patronaj, protecție; auspicii 2 auspicii, semne bune/favorabile

auspicious [ɔ:s'piʃəs] *adj* 1 favorabil, prielnic; promițător 2 norocos

auspiciously [ɔ:s'piʃəsli] *adv* 1 (în mod) favorabil, prielnic; promițător 2 sub bune auspicii

Aussie ['ɔ:si] *s* ← *F* australian

Austen ['ɔstin], **Jane** *scriitoare engleză (1775-1817)*

austere [ɔs'tiər] *adj* 1 auster, sobru, aspru, grav, sever 2 *(d. stil etc.)* auster, sobru; simplu; fără ornamente

austerely [ɔs'tiəli] *adv* (în mod) auster, sobru, cu austeritate

austerity [ɔs'teriti] *s* 1 austeritate, sobrietate; severitate; gravitate 2 austeritate, simplitate *(a stilului etc.)* 3 austeritate, restricții, privațiuni; economii; **they practised various austerities to keep the wolf from the door** recurgeau la tot felul de economii ca să-și ducă zilele

Austin ['ɔstin] *nume masc* Augustin

austral ['ɔ:strəl] *adj* austral, sudic

Australasia [ˌɔstrəˈleiʃə] Australasia: **a** insulele din Pacificul de sud-vest **b** Australia, Noua Zeelandă și insulele din jur **c** Australia, Noua Zeelandă, Noua Guinee, Arhipelagul Malaiez și insulele de la sud de ecuator între 100-180⁰ longitudine estică **d** Oceania

Australasian [ˌɔstrəˈleiʃən] **I** *adj* din Australasia **II** *s* locuitor din Australasia

Australia [ɔsˈtreiljə] *continent*

Australian [ɔsˈtreiliən] *adj, s* australian

Australian Rules football [ɔsˈtreiliən ˈruːlz ˈfutbɔːl] *s sport* fotbal australian *(asemănător cu rugby; participă 2 echipe a câte 18 jucători)*

Austria [ˈɔ(:)striə] *țară*

Austria-Hungary [ˈɔ(:)striəˈhʌŋgəri] *ist* Austro-Ungaria

Austrian [ˈɔ(:)striən] *adj, s* austriac

Austro-Hungarian [ˈɔ(:)strouhʌŋˈgɛəriən] *adj ist* austro-ungar

autarchy [ˈɔːtɑːki] *s* **1** autarhie; autocrație **2** *v.* **autarky**.

autarky *s* **1** autarhie, țară care nu importă și nu împrumută fonduri din străinătate **2** autarhie *(ca sistem al unei astfel de țări)*

auth. *presc de la* **1 author 2 authorized**

authentic [ɔːˈθentik] *adj* **1** autentic, veritabil, adevărat; original **2** demn de încredere **3** ← *F* sincer

authentically [ɔːˈθentikəli] *adv* (în mod) autentic

authenticate [ɔːˈθentikeit] *vt* **1** *lit etc.* a stabili paternitatea *sau* autenticitatea *(cu gen)* **2** a adeveri; a certifica; a autentifica

authentication [ɔːˌθentiˈkeiʃən] *s* **1** stabilirea paternității *sau* autenticității *(unui manuscris etc.)* **2** adeverire; certificare; autentificare

authenticity [ɔːθenˈtisiti] *s* **1** autenticitate; originalitate **2** ← *F* sinceritate, franchețe

author [ˈɔːθər] *s* **1** autor; scriitor **2** autor; creator; inițiator

authoress [ˈɔːθris] *s* ← *rar* autoare; scriitoare

authoritarian [ˌɔːθɔriˈtɛəriən] *adj* **1** autoritar; căruia îi place să comande; sever **2** *pol* autoritarist **II** *s* **1** *pol* autoritarist **2** persoană

autoritară; persoană căreia îi place să comande; persoană severă

authoritative [ɔːˈθɔritətiv] *adj* **1** autoritar, poruncitor; de comandă/poruncă **2** care se bucură de autoritate; influent **3** demn de încredere, pe care te poți bizui, de nădejde; competent

authoritatively [ɔːˈθɔritətivli] *adv* **1** (în mod) autoritar, poruncitor **2** cu autoritate/competență **3** cu fermitate/hotărâre

authoritativeness [ɔːˈθɔritətivnis] *s* **1** caracter autoritar/poruncitor **2** autoritate, prestigiu; competență

authority [ɔːˈθɔriti] *s* **1** autoritate; putere; drept; competență **2** *pl* autorități, reprezentanți ai puterii de stat **3** împuternicire; delegație; acreditare **4** autoritate, prestigiu, vază, considerație **5** autoritate, persoană competentă într-un domeniu; specialist; expert **6** *fig* sursă autorizată/competentă/calificată

authorization [ˌɔːθəraiˈzeiʃən] *s* **1** autorizați(un)e; permisiune (oficială) **2** autorizare, împuternicire **3** autorizație *(ca document)*

authorize [ˈɔːθəraiz] *vt* **1** a autoriza, a împuternici; a delega **2** a permite; a aproba *(fonduri etc.)* **3** ← *rar* a justifica, a motiva

authorized [ˈɔːθəraizd] *adj* **1** autorizat, împuternicit; delegat **2** autorizat; aprobat; sancționat

Authorized Version, the [ˈɔːθəraizd ˈvəːʃn, ði] *s* Biblia lui James *(traducerea engleză din 1611 a Bibliei)*

authorless [ˈɔːθəlis] *adj* fără autor; anonim

authorship [ˈɔːθəʃip] *s* **1** paternitate *(literară etc.)* **2** scris, profesiunea de scriitor *(↓ de scriitor care urmărește câștiguri bănești)*

autism [ˈɔːtizəm] *s med* autism

autistic [ɔːˈtistik] *adj med* autist(ic)

auto [ˈɔːtou] *s* ↓ *amer* ← *F* mașină, automobil

auto- *element de compunere* auto: **automobile** automobil; **autosuggestion** autosugestie

autobahn [ˈoutəbɑːn] *s auto germ* autostradă *(în Germania și Austria)*

autobiographic(al) [ˈɔːtouˌbaiouˈgræfik(əl)] *adj* autobiografic

autobiographically [ˈɔːtouˌbaiouˈgræfikəli] *adv* din punct de vedere autobiografic

autobiography [ˌɔːtoubaiˈɔgrəfi] *s* autobiografie

autochange [ˈɔːtoutʃeindʒ], **autochanger** [ˈɔːtouˈtʃeindʒər] *s tel* mecanism de schimbare automată *(a casetelor în casetofon)*

autochthon [ɔːˈtɔkθən] *s* autohton, indigen; băștinaș

autochthonous [ɔːˈtɔkθənəs] *adj* autohton, indigen; băștinaș

auto court [ˈɔːtou kɔːt] *s* motel

autocracy [ɔːˈtɔkrəsi] *s* autocrație; autarhie

autocrat [ˈɔːtəkræt] *s* **1** autocrat; monarh absolut **2** persoană autocratică, dictator, stăpân

autocratic [ˌɔːtəˈkrætik] *adj* autocrat(ic); despotic

autocratically [ˌɔːtəˈkrætikəli] *adv* (în mod) autocratic; despotic; de mână forte

auto-da-fé [ˈɔːtoudɑːˈfei] *s od* autodafe

autodidact [ˈɔːtoudaiˌdækt] *s* autodidact

autoeroticism [ˌɔːtouiˈrɔtisizəm] *s* masturbare, onanism

autoerotism [ˌɔːtouˈerətizəm] *s v.* **autoeroticism**

autogenous [ɔːˈtɔdʒənəs] *adj* autogen

autogiro, autogyro [ˈɔːtouˈdʒaiərou] *s av* autogir

autograph [ˈɔːtəgrɑːf] **I** *s* autograf **II** *vt* **1** a scrie cu mâna sa proprie **2** a semna personal pe; a-și pune autograful pe

autograph book [ˈɔːtəgrɑːfˈbuk] *s* carte de aur pentru autografe

autographic(al) [ˌɔːtəˈgræfik(əl)] *adj* autografic

autolysis [ɔːˈtɔlisis] *s ch* autoliză

automat [ˈɔːtəmæt] *s* (în S.U.A.) restaurant (cu serviciu) automat; bufet automat

automate [ˈɔːtəmeit] *vt* a automatiza

automatic [ˌɔːtəˈmætik] **I** *adj* **1** automat; automatizat; mecanic **2** *fig* automat, mașinal; involuntar **3** *(d. creșterea salariului etc.)* automat, de la sine **II** *s* armă automată

automatically [ˌɔːtəˈmætikəli] *adv* (în mod) automat, automatic; de la sine

automatic machine [ˌɔːtəˈmætik məˈʃiːn] *s* automat *(↓ pt bilete, bomboane)*

automatic pilot [ˌɔːtəˈmætik ˈpailət] *s av* pilot automat

automation [ɔːtə'meiʃən] *s* auto-matizare

automatism [ɔː'tɒmətizəm] *s psih* automatism

automaton [ɔː'tɒmətən], *pl și* **automata** [ɔː'tɒmətə] *s* **1** automat; robot **2** sistem automat **3** *fig* robot

automobile ['ɔːtəməbiːl] *s* ↓ *amer* automobil

Automobile Association ['ɔːtəmə-biːl ə,sousi'eiʃən] *s club britanic al automobiliștilor*

automotive ['ɔːtə'moutiv] *adj* **1** auto; autopropulsat **2** *tehn* pentru motoare cu ardere internă

autonomous [ɔː'tɒnəməs] *adj* **1** *pol* autonom, care se autoguver-nează **2** *fizl* neuro-vegetativ

autonomously [ɔː'tɒnəməsli] *adv* (în mod) autonom

autonomy [ɔː'tɒnəmi] *s pol* autono-mie; autoguvernare

autopsy ['ɔːtəpsi] *s med* autopsie

auto-racing [,ɔː'tou'reisin] *s sport* cursă automobilistică

auto-road ['ɔːtəroud] *s* autostradă

autostrada ['ɔːtə,stra:də] *s* auto-stradă

autosuggestion ['ɔːtousə'dʒestʃən] *s* autosugestie

autotype ['ɔːtətaip] *poligr* **I** *s* **1** imagine cu raster; autotipie **2** facsimil **II** *vt* a multiplica prin autotipie

autumn ['ɔːtəm] *s* toamnă; **the ~ of one's life** *fig* toamna vieții (cuiva)

autumnal [ɔː'tʌmnəl] *adj* de toam-nă, tomnatic, *elev* → autumnal

aux. *presc de la* **auxiliary**

auxiliary [ɔːg'ziliəri] **I** *adj* **1** auxiliar; ajutător **2** suplimentar, adițional **3** *gram* auxiliar **II** *s* **1** ajutor (*persoa-nă*); auxiliar (*obiect*) **2** *pl mil* trupe auxiliare; armată aliată; merce-nari **3** *mil* mercenar **4** *nav* navă auxiliară **5** *tehn* dispozitiv/aparat auxiliar **6** *gram* verb auxiliar

auxiliary verb [ɔːg'ziliəri və:b] *s gram* verb auxiliar

Av. *presc de la* **Avenue**

av. *presc de la* **1** average **2** avoir-dupois

a.v., A/V *presc de la* **ad valorem**

avail [ə'veil] **I** *vt* **1** a da, a oferi, a prileju; **money ~ed him little happiness** banii i-au oferit/dat prea puțină fericire **2** a folosi, a fi de folos *cu dat;* **to ~ smb**

nothing a nu fi de nici un folos cuiva, a nu-i folosi la nimic cuiva **II** *vi* a ajuta, a fi de folos; a avea rost **III** *s* folos, ajutor; efect; rost, noimă; **of no/little ~, to no ~, without ~** fără nici un folos, degeaba, în zadar, zadarnic; fără rost

availability [ə,veilə'biliti] *s* **1** folos, utilitate **2** disponibilitate, exis-tență; posibilitate **3** *amer pol* perspective; popularitate (*a unui candidat etc.*)

available [ə'veiləbl] *adj* **1** disponibil, existent; care se găsește **2** dis-ponibil, la îndemână; prezent **3** (*d. cineva*) care poate fi vizitat *sau* văzut; accesibil; abordabil; liber, neocupat; **the manager is not ~ for the time being** directorul e ocupat/prins pentru moment

avail oneself of [ə'veil wʌn'self əv] *vr cu prep* ← *elev* a se folosi de, a nu scăpa (nici un) (*prilej etc.*)

avalanche ['ævəlaːnʃ] *s* **1** avalanșă **2** *fig* mulțime, năvală, noian, avalanșă (*de scrisori, lucruri sosite pe neașteptate*)

avant-garde [,ævɔːŋ'gaːd] *fr arte* **I** *s* avangardă; avangardism **II** *adj* avangardist, de avangardă

avarice ['ævəris] *s elev* avariție, – zgârcenie; *elev* cupiditate, – lă-comie

avaricious [,ævə'riʃəs] *adj elev* avar, – zgârcit; *elev* cupid, – lacom, hrăpăreț

avariciously [,ævə'riʃəsli] *adv elev* parcimonios; cu parcimonie, – cu zgârcenie; – lacom, cu lăcomie

avast [ə'vaːst] *interj nav* stop (așa)! stai așa!

avatar [,ævə'taːr] *s* **1** *mit* avatar **2** *fig* avatar, metamorfoză, trans-formare

avaunt [ə'vɔːnt] *interj* ← *înv* piei (din fața mea)! pleacă! să nu vă văd!

Ave. *presc de la* **Avenue**

avenge [ə'vendʒ] **I** *vt* a răzbuna; **the soldiers ~d their major's death on the town** soldații au răzbunat moartea maiorului pustiind orașul, soldații s-au răzbunat pe oraș pentru moar-tea maiorului **II** *vr* (**on, upon**) a se răzbuna (pe)

avengeful [ə'vendʒful] *adj* răzbu-nător

avenger [ə'vendʒər] *s* răzbunător

avenue ['ævinjuː] *s* **1** alee (*cu pomi*) (↓ *care duce către o casă*) **2** drum *sau* stradă cu pomi **3** bulevard, stradă mare; magistrală **4** *fig* cale, mijloc, posibilitate; **to explore every ~** a examina/a cerceta toate posibilitățile // **~ of ap-proach** *mil* cale de acces

aver [ə'və:r] *vt* **1** ← *elev* a afirma (cu tărie/subliniat), a sublinia, a declara ritos **2** *jur* a dovedi

average ['ævərid3] **I** *s* **1** valoare medie; medie; **on ~** în medie **2** nivel mediu; **above ~** deasupra nivelului mediu, peste nivelul mediu; **below ~** sub nivelul mediu, submediocru **II** *adj* **1** mediu, reprezentând media/o medie; **what is the ~ snowfall in January?** care este media căderilor de zăpadă în ia-nuarie? **2** mediu, obișnuit; normal; mediocru; **~ readers** cititorii de rând/obișnuiți **III** *vt* **1** a calcula/a face media *cu gen* **2** a totaliza o medie de, a ajunge la o medie de; **she ~d 8 hours work a day** lucra 8 ore în medie pe zi

average out ['ævərid3 'aut] *vi cu part adv* ← *F* a se compensa, a se echilibra; **his successes and failures averaged out in the end** până la urmă/una peste alta, a avut cam tot atâtea succese cât și eșecuri

averment [ə'və:mənt] *s* **1** ← *elev* subliniere, afirmație/declarație ritoasă **2** *jur* dovadă; justificare

averse to [ə'və:s tə] *adj cu prep* ← *elev sau umor* care este contra/ împotriva *cu gen;* care se opune *cu dat;* care nu este de acord cu; căruia nu-i place *ceva;* **~ war** împotriva războiului; **~ drinking** căruia nu-i place băutura; **well, I am not ~ a glass of wine** de, nu refuz un pahar de vin

aversion [ə'və:ʃən] *s* **1** (**to**) aversiune (pentru), dezgust (față de, pentru), silă (de); **to take an ~ to smb** a încerca *sau* a simți aversiune *sau* antipatie pentru cineva **2** obiect al aversiunii *sau* antipatiei

aversive [ə'və:siv] *adj* **1** care evită lucrurile neplăcute, durerea *etc.* **2** (*d. tratament etc.*) care vindecă prin sublinierea efectelor nocive *etc.;* de convingere; de explicare

avert [ə'və:t] *vt* **1** (**from**) a-şi întoarce, a-şi îndepărta *(privirile, gândurile etc.)* (de la) **2** a preveni, a evita, a înlătura *(accidente etc.);* a preîntâmpina **3** a para *(o lovitură);* a se feri de

aviary ['eiviəri] *s* aviariu; coteţ *sau* colivie mare pentru păsări

aviation [ˌeivi'eiʃən] *s* **1** aviaţie, aeronautică **2** industrie de avioane

aviator ['eivieitə'] *s* ← *înv* aviator; pilot

Avicenna [ˌævi'senə] *doctor şi filosof arab din Persia (980-1037)*

aviculture ['eivikʌltʃə'] *s* avicultură, creşterea păsărilor

avid ['ævid] *adj* **1** (**of**) avid (de); lacom **2** *fig* pasionat; ~ **reader** cititor pasionat

avid for ['ævid fə'] *adj cu prep* avid/ însetat de *(glorie etc.);* doritor de

avidity [ə'viditi] *s fig* aviditate, sete, pasiune

avidly ['ævidli] *adv fig* cu aviditate; cu pasiune/sete/nesaţ

aviso [ə'vaisou] *s nav* avizo; crucişător neescortat

avitaminosis [ˌævitæmi'nousis] *s med* avitaminoză

avn. *presc de la* **aviation**

avocation [ˌævou'keiʃən] *s* preocupare *(în afara serviciului etc.),* pasiune, *rar →* hobby

Avogadro's law [ˌɑ:və'gɑ:drouz 'lɔ:] *s fiz* legea lui Avogadro

avoid [ə'vɔid] *vt* **1** a evita, a ocoli; a se feri de, a se sustrage de la; **he ~ed me systematically** mă evita/ocolea (în mod) sistematic; **he ~ed giving us an answer** a evitat/s-a ferit să ne dea un răspuns, a căutat (< pe toate căile) să nu ne dea un răspuns **2** *jur* a anula *(o decizie etc.);* a declara nul şi neavenit

avoidable [ə'vɔidəbl] *adv* care poate fi evitat

avoidance [ə'vɔidəns] *s* **1** evitare; sustragere, eschivare **2** *jur* anulare

avoirdupois [ˌævədə'pɔiz, ˌævwɑ:dju:'pwɑ:] *s* **1** *od greutate engleză folosită în comerţ, dar nu pt metale preţioase şi articole farmaceutice (1 pound =16 ounces etc.)* **2** *amer* greutate (la cântar) *(↓ a unei persoane)*

avouch [ə'vautʃ] **I** *vt ← elev* a afirma, a declara; a confirma, a întări, a adeveri **II** *vr cu adj sau cu inf şi adj ← elev* a se recunoaşte *cu adj;* a recunoaşte că este *cu adj;* **he ~ed himself (to be) defeated** a recunoscut că este învins; s-a dat bătut

avouch for [ə'vautʃ fə'] *vi cu prep ← elev* a garanta pentru, – a pune mâna în foc pentru

avow [ə'vau] **I** *vt* **1** ← *elev* a recunoaşte, a mărturisi; a declara deschis/făţiş; **did he ~ his guilt?** şi-a recunoscut vina/vinovăţia? **2** *jur* a confirma **II** *vr cu inf sau cu adj v.* **avouch II**

avowal [ə'vauəl] *s ← elev* recunoaştere *(făţişă);* mărturisire; **to make (an) ~ of one's mistakes** a-şi recunoaşte greşelile

avowed [ə'vaud] *adj elev* declarat, – mărturisit

avowedly [ə'vauədli] *adv ← elev* **1** pe faţă, făţiş, deschis; limpede, clar, evident **2** după cum se recunoaşte (în general)

avuncular [ə'vʌnkjulə'] *adj* **1** ← *elev* de unchi; ca de unchi **2** *umor* cămătar

aw [ɔ:] *interj* **1** *(exprimă dezgustul)* brr! pfui! o! **2** *(exprimă simpatia)* o! vai!

await [ə'weit] **I** *vt* **1** a aştepta; a fi în aşteptarea *cu gen;* **he was ~ing my reply** aştepta răspunsul meu **2** a i se pregăti *cuiva,* a aştepta *(pe cineva);* **what fate ~s her?** ce soartă o aşteaptă? ce viitor i se pregăteşte? **II** *vi* a aştepta, a fi în aşteptare

awake [ə'weik] **I** *pret şi ptc* **awoke** [ə'wouk] *şi* **awaked** [ə'weikt] *vt* **1** a trezi, a deştepta; a scula *(din somn)* **2** *fig* a trezi, a deştepta; a evoca; a reînvia; **to ~ old memories** a trezi vechi amintiri **3** *fig* a trezi, a deştepta, a stârni *(interesul etc.);* a stimula; **to ~ smb to a sense of duty** a trezi în cineva simţul datoriei **II** *pret şi ptc* **awoke** [ə'wouk] *şi* **awaked** [ə'weikt] *vi* **1** a se trezi, a se deştepta, a se scula *(din somn)* **2** *fig* a se trezi, a se deştepta; a căpăta viaţă; **old memories awoke in him** i se treziră/se deşteptară vechi amintiri **III** *adj pred* treaz, sculat (din somn); **wide ~** treaz de-a binelea

awaken [ə'weikən] *vt, vr v.* **awake I, II**

awakening [ə'weikəniŋ] *s* **1** trezire, deşteptare; sculare (din somn) **2** *fig* trezire, deşteptare; evocare; reînviere **3** *fig* trezire, deşteptare; stimulare; stârnire; **after his ~ to social injustice** după ce a devenit conştient de nedreptăţile sociale // **rude ~** deziluzie adâncă/profundă, trezire la realitate

awaken to [ə'weikən tə] **I** *vt cu prep* a face să înţeleagă *(pericolul etc.),* a face conştient de **II** *vi cu prep v.* **awake to II**

awake to [ə'weik tə] **I** *adj pred cu prep* conştient de; care îşi dă seama de; **he was ~ his faults** era conştient de greşelile sale; îşi recunoştea greşelile; **wide ~** cât se poate de conştient de; foarte sensibil la **II** *pret şi ptc* **awoke to** [ə'wouk tə] *şi* **awaked to** [ə'weikt tə] *vi cu prep* a începe să înţeleagă *cu ac,* a începe să-şi dea seama de

award [ə'wɔ:d] **I** *vt* **1** a acorda, a da *(un premiu etc.);* a conferi **2** ← *înv* a păzi, a apăra **II** *s* **1** răsplată *sau* pedeapsă *(hotărâtă de un juriu etc.);* premiu; recompensă; **he received the highest ~** a primit cel mai înalt premiu, cea mai mare distincţie etc. **2** acordare, conferire *(a unui premiu etc.)* **3** decizie, hotărâre *(a unui arbitru etc.)* **4** *jur* daune; compensaţie; recompensă

aware [ə'wɛə'] *adj pred* **1** (**of**) conştient, care îşi dă seama (de); **I am perfectly ~ of the difficulties** sunt pe deplin/perfect conştient de dificultăţi, îmi dau perfect de bine seama de greutăţi; **are you ~ how I feel?** îţi dai seama de ceea ce simt? **2** pregătit, calificat; priceput; **he is an artistically ~ person** e o persoană competentă în ale artei **3** înţelegător; sensibil **4** ← *înv* vigilent

awash [ə'wɔʃ] *adj pred* **1** *(d. drumuri etc.)* acoperit de apă; spălat de apă **2** sub apă; în apă

away [ə'wei] **I** *adv* **1** departe; încolo; în altă parte; într-o altă direcţie; **how long will you be ~?** cât timp o să fii plecat? **go ~!** pleacă (pe-aici încolo)! du-te de aici! vezi-ţi de drum! **he's ~ from**

home e plecat de acasă, nu e acasă; ~ **with you!** *F* șterge-o! ia-ți valea! ~ **with it!** *F* ia-l de aici! să nu-l (mai) văd! **far** ~ departe; < foarte departe **2** la o depărtare de; **the house is two miles** ~ casa e la o depărtare de două mile (de aici) **3** demult, de mult timp, de multă vreme; ~ **back in the forties** demult, (încă) în anii patruzeci **4** cu mult; ~ **behind** cu mult în urmă II *part adv* **1** *(exprimă plecarea dintr-un loc, deplasarea; uneori e greu de stabilit dacă e part adv sau adv, ca în cazul verbului* **to go away** *„a pleca pe-aici încolo", dar și „a pleca"):* **to run** ~ a fugi *(dintr-un loc),* a-și lua tălpășița; a dezerta; **to fly** ~ a zbura (în altă parte); a-și lua zborul **2** *(exprimă desprinderea):* **all his old friends fell** ~ **from him** toți vechii lui prieteni l-au părăsit/s-au lepădat de el **3** *(exprimă așezarea etc. în alt loc):* **put your tools** ~ puneți uneltele deoparte **4** *(exprimă schimbarea direcției):* **he looked** ~ privi în altă parte, își mută privirile; **he turned** ~ **from them** le întoarse spatele; **to get** ~ **from the subject** a se depărta de subiect **5** *(exprimă înlăturarea sau punerea în afara drumului etc.):* **clear the snow** ~ curățați zăpada **6** *(exprimă darea în vileag, renunțarea la posesiune proprie):* **to give** ~ **a secret** a divulga/a trăda un secret **7** *(exprimă micșorarea și terminarea):* **the noise faded** ~ **in the distance** zgomotul se stingea în depărtare **8** *(exprimă caracterul imediat al acțiunii):* **fire** ~! *F* dă-i drumul! zi-i! spune ce ai de spus! **9** *(exprimă caracterul neîntrerupt al acțiunii):* **they worked** ~ **all night** au muncit toată noaptea (fără întrerupere/fără să se odihnească) // **right** ~ ↓ *amer* chiar acum, imediat, pe loc III *interj* **1** (hai,) pleacă de aici! **2** hai (să mergem)! IV *adj sport (d. un meci)* jucat pe terenul adversarului; **an** ~ **match** un meci jucat în deplasare *(ant* **a home match***)*

awe [ɔ:] I *s* sentiment de respect amestecat cu teamă și uimire;

evlavie; venerație; înfiorare; sentiment copleșitor al propriei micimi II *vt* a copleși; a inspira *cuiva* un sentiment de respect amestecat cu teamă și uimire; a înfiora

awe-inspiring [ˈɔ:inˈspaiəriŋ] *adj* copleșitor, care inspiră respect, teamă și uimire; care îți dă fiori, care te înfioară

awe-inspiringly [ˈɔ:inˈspaiəriŋli] *adv* inspirând respect, teamă și uimire

awe into [ˈɔ:ˌintə] *vt cu prep* a fi atât de copleșitor, impunător *etc.* încât te obligă să *(taci etc.);* **the temple** ~**d us into silence** templul era atât de impunător încât am amuțit

awesome [ˈɔ:səm] *adj* copleșitor; teribil

awe-stricken [ˈɔ:strikən] *adj* copleșit; cuprins de respect, teamă și uimire; cuprins de un sentiment de venerație/evlavie

awe-struck [ˈɔ:strʌk] *adj v.* **awe-stricken**

awful [ˈɔ:ful] *adj* **1** grozav, crâncen, strașnic, teribil; ~ **tragedy** tragedie cumplită **2** *F* mizerabil, îngrozitor (de rău *etc.*); afurisit; ~ **weather** vreme mizerabilă/îngrozitoare/afurisită; **he was** ~ **about the matter** în chestiunea aceasta s-a purtat mizerabil **3** *înv v.* **awesome** și **awe-struck**

awfully *adv* **1** [ˈɔ:fuli] groaznic, teribil, înspăimântător **2** [ˈɔ:fli] *F* grozav de, extraordinar de, nemaipomenit de; ~ **nice people** oameni grozavi/teribil de drăguți

awfulness [ˈɔ:fulnis] *s* **1** caracter impunător/impozant; solemnitate **2** caracter teribil, grozăvie *(a situației etc.)*

awhile [əˈwail] *adv* ← *elev sau poetic* (pentru) scurtă vreme, câtăva/puțină vreme, puțin, câtva

awkward [ˈɔ:kwəd] *adj* **1** stângaci, neîndemânatic; **he is still an** ~ **skater** e încă un patinator neîndemânatic; **the child is** ~ **with a knife and fork** copilul nu știe să țină în mână cuțitul și furculița **2** impropriu, nepotrivit; rău; incomod; **the mechanism is** ~ **to handle** e un mecanism greu de mânuit; **Monday is rather** ~ **for me** nu prea îmi convine/mă aranjează lunea **3** *(d. cineva)*

dificil; încăpățânat; periculos; **don't be** ~! fii om de înțeles! ~ **customer** *F* tip periculos **4** jenant, stingheritor; *(d. tăcere etc.)* apăsător **5** greu, dificil; încurcat

awkward age [ˈɔ:kwədˈeidʒ] *s* pubertate

awkwardish [ˈɔ:kwədiʃ] *adj* **1** cam stângaci **2** cam jenant

awkwardly [ˈɔ:kwədli] *adv* **1** (în chip) stângaci, neîndemânatic, cu neîndemânare, fără pricepere **2** cu greutate

awkwardness [ˈɔ:kwədnis] *s* **1** stângăcie, neîndemânare; lipsă de îndemânare *sau* grație **2** jenă, stânjeneală; situație jenantă

awl [ɔ:l] *s* sulă

A.W.L., a.w.l. *presc de la* **absent without leave** absent nemotivat

awn [ɔ:n] *s bot* mustață *(a spiculii)*

awning [ˈɔ:niŋ] *s constr* cort; marchiză; tendă

awoke [əˈwouk] *pret și ptc de la* **awake I, II**

awoken [əˈwoukən] *ptc de la* **awake I, II** *rar*

awry [əˈrai] I *adj pred* **1** strâmb **2** strâmbat **3** greșit **4** anapoda II *adv* strâmb; cum nu trebuie, anapoda

ax [æks] *s, vt amer v.* **axe**

ax. *presc de la* **1** axiom **2** axis

axe [æks] I *s* secure, topor; **to get the** ~ **a** a fi decapitat, a i se tăia capul **b** a fi dat afară *(din serviciu),* *F* a căpăta pașaportul **c** a fi scos/tăiat din buget; **to give the** ~ **to a** a da afară, a concedia, *F* a da plicul *cuiva* **b** a scoate din buget; **to have an** ~ **to grind** *F* a trage spuza pe turta sa; – a urmări interese personale și ↓ egoiste II *vt F* a tăia de pe listă, – a șterge din buget

axes [ˈæksi:z] *pl și de la* **axis**

axillary [ækˈsiləri] *adj bot, anat* axilar

axiom [ˈæksiəm] *s* axiomă

axiomatic [ˌæksiəˈmætik] *adj* **1** *log* bazat pe o axiomă *sau* pe mai multe axiome, axiomatic **2** axiomatic, evident, care nu trebuie demonstrat

axiomatically [ˌæksiəˈmætikəli] *adv* (în mod) axiomatic

axis [ˈæksis], *pl* **axes** [ˈæksi:z] **1** *mat, geogr* axă **2** *tehn* ax, osie **3** **the A~ ist pol** Axa *(Berlin – Roma sau Berlin – Roma – Tokio)*

axle [æksl] *s tehn* ax, osie, arbore
axle bearing ['æksl 'bɛəriŋ] *s* **1** *ferov* lagăr de osie **2** *auto* lagăr al axului
axle pin ['æksl pin] *s tehn* fus; fuzetă
axle tree ['æksl tri:] *s v.* **axle**
axolotl ['æksə,lotl] *s zool* unul din tipurile de amfibii care trăiesc în lacurile de munte din Mexic și vestul S.U.A.
ax stone ['æksstoun] *s minr* nefrit
axunge ['æksʌndʒ] *s* untură (↓ de gâscă *sau* de porc)
ay [ai] *reg, scot sau înv* **I** *adv* întotdeauna; mereu; veșnic; *înv* pururi; **for** (**ever and**) ~ *înv*

pentru vecie, de-a pururi, – pentru totdeauna **II** *interj* vai! aoleu!
ayah ['aiə] *s (în India și Pakistan)* doică/nursă indiană
aye[1] [ei, ai] *adv v.* **ay I**
aye[2] [ai] **I** *s* da, răspuns afirmativ; **the ~s have it** majoritatea au votat pentru **II** *interj* da!
Ayr [ɛəʳ] *oraș și comitat în Scoția*
azalea [ə'zeiliə] *s bot* azalee (*Azalea sp.*)
Azerbaijan, Azerbaidzhan [,ɑ:zerbai'dʒɑ:n] *republică din fosta U.R.S.S. și provincie în Iran*
azimuth [æziməθ] *s astr* azimut

azimuthal [,æzi'mju:θəl] *adj astr* azimutal
azoic [ə'zouik] *adj geol* **1** *și* **A~** azoic **2** azoic, lipsit de animale *sau* fosile
azote [ə'zout] *s ch* azot, nitrogen
azotic [ə'zɔtik] *adj ch* azotic
azotize [ə'zoutaiz] *vt ch etc.* a nitrura
Aztec [æz'tek] *adj, s* aztec
azure ['æʒəʳ] **I 1** *ch* albastru de azur **2** *poligr* azuriu **3** *poetic* azur, albastrul cerului **II** *adj și poetic* azuriu, albastru-deschis
azygous ['æzigəs] *adj anat* azigos, impar

B

B, b [bi:], *pl* **bs, b's** [bi:z] *s* **1** (litera) B, b **2** B *muz* (nota) si

B. *presc de la* **1** Bible **2** British **3** Boston **4** bacillus

b. *presc de la* **1** bachelor **2** book **3** brother **4** born **5** battery

B.A. *presc de la* **1** Bachelor of Arts **2** British Academy

baa [ba:] **I** *s* behăit **II** *vi* a behăi **III** *interj* behehe! beee!

baa-lamb ['ba:læm] *s (în limbajul copiilor)* mielușel, mielușea; mieluț; mieluță

babbit(t) ['bæbit] *s tehn* babbit, aliaj de antifricțiune

Babbit ['bæbit] *s* burtă-verde, filistin *(după un personaj al lui Sinclair Lewis)*

babble ['bæbl] **I** *vi* **1** a gânguri, a ugui **2** a bolborosi; a se bâlbâi **3** a murmura, a susura **4** a flecări, a trăncăni **II** *vt* **1** a îngăima **2** a da de gol, a divulga **III** *s* **1** gângurit, uguit **2** bolborosit; bâlbâială **3** murmur, susur **4** flecăreală, pălăvrăgeală

babbler ['bæblə'] *s* flecar, palavragiu

babe [beib] *s poetic v.* **baby; ~s in the wood** oameni naivi/creduli; **~s and sucklings** naivi, prostănaci; oameni neexperimentați; începători

Babel [beibəl] *s* **1** (turnul) Babel **2** b~ babilonie, zăpăceală, harababură **3** b~ gălăgie, larmă

Bab el Mandeb [ba:b el'ma:ndeb] *s* strâmtoare Bab-el-Mandeb

baboon [bə'bu:n] *s* **1** *zool* babuin *(Papio leucophaeus)* **2** *fig* maimuțoi, maimuță

baboonery [bə'bu:nəri] *s* **1** colonie de maimuțe **2** *fig* maimuțăreală

baby ['beibi] *s* **1** copil (mic), copilaș; prunc; sugaci; **to give smb the ~** *F* a lega pe cineva de mâini și de picioare **2** pui *(de animal)* **3** *F* păpuș(ic)ă, drăguță, fată (frumoasă)

babybeef ['beibi'bi:f] *s amer* **1** vițel sau vițea grasă *(de un an sau doi)* **2** carne de vițel

babyhood ['beibihu:d] *s* prima copilărie; pruncie

babyhouse ['beibihaus] *s* casă de păpuși

babyish ['beibiiʃ] *adj* copilăresc; copilăros

babyishness ['beibiiʃnis] *s* copilărie; naivitate

baby-like ['beibilaik] *adj* de copil; copilăresc; copilăros

Babylon ['bæbələn] *s* **1** *ist* Babilon **2** *fig* babilonie

baby-sitter ['beibi sitə'] *s* persoană care supraveghează copilul când părinții lipsesc de acasă

bacca ['bækə] *s bot* bacă

baccalaureate [bækəlɔ:riit] *s* titlul de **bachelor**; *aprox* licențiat

baccara(t) [bækəra:] *s fr* bacara, maca

bacchanal [bækənəl] *adj* bahic, dionisiac; de bacanală; desfrânat

Bacchanalia [bækə'neiljə] *s pl* **1** *ist* bacanale **2** și b~ orgie, chef monstru; dezmăț

Bacchant ['bækənt] *s* **1** bacantă **2** b~ femeie stricată

Bacchante [bə'kænti] *s* bacantă

bacchic ['bækik] *adj* bahic, de beție

Bacchus ['bækəs] *mit* Bachus

baccy ['bæki] *s F* tutunaș, tutunel

Bach [ba:h], **Johann Sebastian** *compozitor german (1685-1750)*

bachelor ['bætʃlə'] *s* **1** celibatar, cavaler, holtei **2** *aprox* licențiat

bachelorhood ['bætʃləhu:d] *s* celibat, burlăcie

bachelorship ['bætʃləʃip] *s. v.* **bachelorhood**

bacillar [bə'silə'] *adj* bacilar

bacillary [bə'siləri] *adj* bacilar

bacilliform [bə'silifo:m] *adj biol* baciliform, bacteriform

bacillus [bə'siləs], *pl* **bacilli** [bə'silai] *s* bacil

back [bæk] **I** *s* **1** spate, spinare; **to put one's ~ into** a-și pune tot sufletul în, a lucra cu râvnă la; **with one's ~ against the wall** la strâmtoare, încolțit; **scratch my ~ and I'll scratch yours** *prov* o mână spală pe alta **2** (parte din) spate, dos **3** parte de jos; fund **4** versant opus *(al muntelui etc.)* **5** spetează, spătar **6** *fig* fund, străfund, tainiță **7** *fig* spate, sprijin **8** muchie, talpă *(a topo-rului)* **9** creastă *(de deal, de vale)*

II *adj pred* **1** din urmă/spate, dindărăt; ultim **2** vechi, de demult **3** înapoiat **III** *adv* **1** înapoi, îndărăt, în spate; **~ and forth** înainte și înapoi; **~ again** încă o dată **2** în urmă, mai înainte; demult, altădată; **30 years ~** acum 30 de ani înapoi; din nou **4** *(a ține ceva etc.)* ascuns, secret **IV** *vt* **1** și *fig* a sprijini, a susține **2** a încăleca **3** a căptuși **4** *com* a andosa, a gira **5** a paria pe *(un cal)* **V** *vi* **1** a merge înapoi; a da îndărăt **2** *nav (d. vânt)* a schimba direcția

backache ['bækeik] *s* durere în spate/de șale

backbit ['bækbit] *pret de la* **backbite**

backbite ['bækbait], *pret* **backbit** ['bækbit], *ptc* **backbitten** ['bækbitən] **I** *vt* a calomnia, a vorbi de rău *(în spate)* **II** *vi* a calomnia, a bârfi

backbiter ['bækbaitə'] *s* calomniator, clevetitor

backbitten ['bækbitən] *ptc de la* **backbite**

backbone ['bækboun] *s* **1** șira spinării, coloană vertebrală **2** *fig* coloană vertebrală, temelie **3** *fig* tărie de caracter, fermitate **4** *ferov* cale ferată principală

back-breaker ['bæk ‚breikə'] *s F* **1** sarcină *sau* problemă foarte dificilă **2** corvoadă, caznă, – muncă istovitoare

back-breaking ['bæk ‚breikiŋ] *adj* istovitor, care te spetește/deznoadă, – de ocnaș

back-country ['bæk‚kʌntri] *s* colț uitat de lume; văgăună; fundătură

backdoor ['bækdɔ:'] *s* ușă din spate, intrare din dos

back down ['bæk daun] *vi cu part adv F* a o lăsa mai moale; – a bate în retragere

backdown ['bækdaun] *s și fig* retragere, capitulare

backed [bækt] *adj* **1** sprijinit, susținut **2** *(d. scaun etc.)* cu spate/spetează **3** *text* cu fir de căptușeală **4** *tehn* cu cilindri de susținere **5** *în cuvinte compuse*: cu spatele...: **straight-~** cu spatele drept

backer ['bækə^r] *s* **1** sprijin(itor), susţinător **2** parior **3** *com* andosant, girant

backfall ['bækfɔ:l] *s* **1** povârniş, pantă **2** cădere pe spate

backfire ['bæk,faiə^r] *s auto* rateu

backfisch ['bækfiʃ] *s germ F* fetişcană, codană

back formation ['bækfɔ:,meiʃən] *s lingv* derivare regresivă

backgammon [,bæk'gæmən] I *s* (joc de) table II *vt* a face marţ

background ['bækgraund] *s* **1** fund; fond; fundal; plan din fund; **to relegate to the ~** a împinge pe ultimul plan **2** loc retras, colţ îndepărtat **3** atmosferă; condiţii; mediu; decor **4** cunoştinţe; formaţie; **to have a fine ~** a avea o pregătire serioasă **5** *muz* acompaniament **6** *teatru etc.* zgomot de fond

back-hair ['bæk 'hɛə^r] *s* păr lung (la femei), cosiţă, coadă

backhand ['bækhænd] *s* **1** dosul palmei **2** lovitură dată cu dosul palmei **3** scriere aplecată spre stânga **4** *tenis* rever

back-handed ['bæk,hændid] *adj* **1** (dat) cu dosul palmei **2** (d. scris) înclinat spre stânga **3** (d. un compliment etc.) nesincer, fals **4** nesigur, şovăielnic

back-hander ['bæk,hændə^r] *s* **1** lovitură *sau* prindere cu dosul mâinii **2** *F* un pahar (de vin) prea mult **3** *sl* lovitură pe la spate

backhead ['bækhed] *s anat* ceafă

back house ['bækhaus] *s* **1** casă din fund **2** *amer F* latrină, privată

backing ['bækiŋ] *s* **1** sprijin, ajutor **2** *constr* zidărie de umplutură; rambleiere **3** intrare de serviciu **4** retragere, dare înapoi

back land ['bæk lænd] *s mil* spatele frontului, hinterland

back leg ['bæk leg] *s* **1** picior din spate **2** *constr* consolă

backless ['bæklis] *adj* fără spetează

back log ['bæklɔg] I *s* **1** butuc solid din foc *sau* vatră **2** rezervă **3** sarcini nerezolvate; materiale neprelucrate II *vi* a se acumula, a se strânge

backmost ['bækmoust] *adj* cel mai din urmă/spate, ultim

back number ['bæk,nʌmbə^r] *s* **1** număr (de ziar etc.) vechi **2** ← *F* (om) înapoiat, (om) retrograd

back out ['bæk'aut] *vi cu part adv F* a o lăsa mai moale; – a bate în retragere

back page ['bæk peidʒ] *s* pagina a doua; contrapagină

back road ['bæk roud] *s* **1** drum lateral **2** drum de ţară (neasfaltat)

back-room ['bækru:m] I *adj atr* **1** de culise, secret **2** reprezentând un secret militar II *s* **1** cameră din spate/fund **2** loc de întâlnire (al conspiratorilor etc.) **3** laborator secret; birou de cercetări secrete

back saw ['bæk sɔ:] *s* ferăstrău cu coadă

back scene ['bæk si:n] *s* partea din fund a scenei

back seat ['bæk si:t] *s* loc în spate/fund

back-set ['bækset] I *s* **1** dare înapoi, pas înapoi **2** curent turbinar II *vt* a ara (toamna)

backsheesh, backshish ['bækʃi:ʃ] *s* bacşiş

backshift ['bækʃift] *s min* schimbul doi

back shop ['bæk ʃop] *s tehn* atelier auxiliar

backside ['bæksaid] *s* **1** parte din spate **2** şezut, dos

backsight ['bæksait] *s mil* înălţător (la o armă de foc)

backslang ['bækslæŋ] *s* jargon în care cuvintele sunt rostite pe dos (de ex. **nam** pentru **man**)

backslid ['bæk'slid] *pret de la* **backslide**

backslidden ['bæk'slidən] *ptc de la* **backslide**

backslide ['bæk'slaid], *pret* **backslid** ['bæk'slid], *ptc* **backslidden** ['bæk'slidən] *vi* **1** *rel* a se lepăda de credinţă **2** a cădea în păcat din nou

back slum ['bækslʌm] *s* speluncă

backstage ['bæksteidʒ] I *adv teatru* **1** în fundul scenei **2** în culise; în cabinele actorilor II *adj* **1** *teatru* din fundul scenei; din culise **2** *fig* de culise; secret

backstairs ['bækstɛəz] I *s pl* **1** scară din dos **2** *fig* sforării, maşinaţii (de culise) II *adj atr fig* de culise; secret

backstay ['bækstei] *s* **1** *nav* pataraţină **2** *auto* tirant

back street ['bæk stri:t] *s* stradă dosnică *sau* periferică

back stroke ['bæk strouk] *s* **1** lovitură cu dosul palmei **2** înot pe spate; mişcare întoarsă a braţelor (la înot) **3** *tehn* mers înapoi; recul

back talk ['bæk tɔ:k] *s F* răspuns obraznic

back up ['bæk ʌp] *vt cu part adv şi fig* a sprijini, a susţine; a întări

back vowel ['bæk, vauəl] *s fon* vocală posterioară; vocală guturală

backward ['bækwəd] I *adv amer v.* **backwards** II *adj* **1** invers; îndreptat înapoi **2** întârziat **3** înapoiat; retrograd; leneş **4** sfios, ruşinos

backwardness ['bækwədnis] *s* **1** rămânere în urmă; întârziere **2** creştere înceată **3** înapoiere; caracter retrograd **4** sfială

backwards ['bækwədz] *adv* **1** înapoi, îndărăt, în spate **2** invers; de-a-ndoaselea; de-a-ndărătelea **3** pe spate

backwash ['bækwoʃ] *s* **1** apă aruncată de elicea unei ambarcaţii *sau* de vâsle **2** contracurent (de apă) **3** *fig* fierbere, clocot, agitaţie

backwater ['bæk,wo:tə^r] *s* **1** *v.* **backwash** 1; siaj **2** *v.* **backwash** 2 **3** golf (de râu); braţ mort; răstoacă

backwoods ['bækwu:dz] *s pl* **1** păduri, regiune păduroasă (depărtată de centrele populate) **2** regiune izolată; văgăună

backwoodsman ['bækwu:dzmən] *s* **1** locuitor din desişul pădurii **2** membru puţin activ al Camerei Lorzilor **3** (d. provinciali) sălbatic, urs

backwort ['bækwe:t] *s bot* tătănească (Symphitum officinale)

backyard ['bækja:d] I *s* curte *sau* grădină în spatele casei II *adj atr* local, regional

bacon ['beikən] *s* bacon; slănină; **to bring home the ~** a *F* a da lovitura; a lua potul **b** ← *F* a-şi câştiga existenţa; **to save one's ~** *F* a-şi salva pielea

Bacon ['beikən], **Francis** *filosof englez (1561-1626)*

Baconian [bei'kouniən] I *adj filoz* baconian II *s* **1** filosof baconian **2** *lit* adept al teoriei potrivit căreia Bacon a scris opera lui Shakespeare

bact. *presc de la* **bacteriology**

bacteria [bæk'tiəriə] *s pl* bacterii

bactericide [bæk'tiəriəsaid] *s* bactericid

bacteriological [bæk,tiəriə'lɔdʒikəl] *adj* bacteriologic, bacterian

bacteriologist [bæk,tiəri'ɔlədʒist] *s* bacteriolog

bacteriology [bæk,tiəri'ɔlədʒi] *s* bacteriologie

bacterium [bæk'tiəriəm], *pl* **bacteria** [bæk'tiəriə] *s* bacterie

bad¹ [bæd], *comp* **worse** [wə:s], *sup* **worst** [wə:st] **I** *adj* 1 rău, prost; urât; **in the ~ sense of the word** în sensul rău al cuvântului; **~ news** știre proastă; **in ~ taste** de prost gust; **the light is ~** lumina e proastă/slabă 2 stricat, imoral, destrăbălat; vicios; **~ woman** femeie stricată 3 *(d. limbaj etc.)* urât, necuviincios 4 *(d. mâncare etc.)* stricat; stătut 5 *(d. aer etc.)* stricat, viciat 6 bolnav; **~ tooth** dinte bolnav/stricat; **to feel ~** a nu se simți bine, a se simți prost; **to be in ~ health** a sta prost cu sănătatea; a avea o sănătate șubredă; a fi bolnav 7 *(d. miros etc.)* urât, neplăcut, rău 8 *(d. vreme etc.)* rău, nepotrivit, nefavorabil 9 *(d. fumat etc.)* dăunător, vătămător, rău 10 fals, calp; nevalabil 11 prost, greșit, incorect; inexact; **~ grammar** a greșeală gramaticală, solecism **b** exprimare negramaticală; **~ laws** legi nedrepte/strâmbe; **he speaks ~ English** vorbește prost englezește 12 neizbutit, nereușit; nesatisfăcător, prost, rău 13 *F* al naibii, grozav, strașnic; **is the pain very ~?** te doare rău? **~ mistake** greșeală grosolană 14 rău, răutăcios, hain, hapsân **II** *s* 1 **the ~** cei/oamenii răi 2 **the ~ fin** deficit; pierderi; **£100 to the ~** deficit *sau* datorie de 100 de lire // **to take the ~ with the good** a îndura cu stoicism capriciile soartei; **to go to the ~** **a** a se abate din drumul drept/din calea dreaptă **b** a sfârși prost **c** a cădea prost **III** *adv* *F* *v.* **badly**

bad² *pret înv de la* **bid I**

bade [bæd, beid] *pret de la* **bid I**

bad egg ['bæd eg] *s F* soi rău, – om de nimic

bad form ['bæd fɔ:m] *s* lipsă de maniere; proastă creștere

badge [bædʒ] **I** *s* 1 semn (distinctiv); marcă, emblemă; insignă 2 *fig* simbol, semn **II** *vt* a însemna, a marca

badgeless ['bædʒlis] *adj* fără insignă

badgeman ['bædʒmən] *s* cerșetor *(cu autorizație)*

badger ['bædʒə'] **I** *s zool* bursuc, viezure *(Meles meles)* **II** *vt* a plictisi, a bate la cap; a nu lăsa în pace

badger dog ['bædʒədɔg] *s zool* cotei, baset

badger fly ['bædʒəflai] *s* muscă *(artificială, pentru pescuit)*

badger-legged ['bædʒəlegd] *adj* cu picioare scurte și strâmbe

badlands ['bædlændz] *s pl* 1 *agr* teren sterp/neroditor 2 *geol* teren puternic erodat

badly ['bædli], *comp* **worse** [wə:s], *sup* **worst** [wə:st] *adv* 1 rău, prost; greșit; urât 2 foarte mult, grozav; *v. și* **bad¹ I**

badminton ['bædmintən] *s sport* badminton

badness ['bædnis] *s* 1 proastă calitate 2 stare proastă 3 caracter vătămător

bad-tempered ['bæd'tempəd] *adj* irascibil, țâfnos

baff [ba:f] *s* lovitură *(ușoară)* cu mâna

Baffin Bay ['bæfin bei] Marea Baffin

baffle ['bæfl] **I** *vt* 1 a dejuca, a zădărnici, a împiedica; a înșela 2 a zăpăci, a încurca 3 a face de rușine/ocară; **it ~s all description** nu se poate descrie în cuvinte, întrece orice închipuire 4 a arunca într-o parte și în alta **II** *vi* **(with)** a se lupta în zadar (cu), a se împotrivi zadarnic *(cu dat)* **III** *s* 1 necaz, șicană 2 *tehn* șicană; ecran; tobă de eșapament

baffled ['bæfld] *adj* 1 zăpăcit, încurcat; nedumerit 2 *(d. o problemă etc.)* încurcat, complicat

baffling ['bæfliŋ] *adj* 1 greu, dificil, complicat, derutant 2 *(d. vânt etc.)* nefavorabil 3 *(d. cineva)* enigmatic

bag [bæg] **I** *s* 1 sac; desagă; săculeț; traistă; tolbă; **a ~ of bones** *F* numai pielea și osul, oase înșirate; **to let the cat out of the ~** a-l lua gura pe dinainte, a trăncăni;

~ and baggage cu cățel și cu purcel 2 valiză, geamantan 3 geantă, poșetă 4 balon 5 capsulă 6 *pl* pungi *(la ochi)* 7 *F* nădragi, – pantaloni 8 *pl* bogăție; saci de bani 9 valiză diplomatică 10 uger 11 *pl F* berechet, o groază 12 ← *F* concediere, dare afară 13 *sl* gagică; muiere; muierușcă **II** *vt* 1 a pune în sac; a îndesa 2 a face *(o colecție etc.)* 3 a împușca *(o cantitate de vânat)* 4 *F* a sfeterisi, a umfla, – a fura **III** *vi* a se umfla; a se pungi

B.Ag. *presc de la* **Bachelor of Agriculture**

bagatelle [,bægə'tel] *s fr* fleac, bagatelă

Bagdad [bæg'dæd] *capitala Irakului*

baggage ['bægidʒ] *s* 1 *amer* bagaj 2 *mil* echipament *(portabil)* 3 *mil* tren, convoi 4 pușcancă, codană 5 *glum* diavoliță, zgâtie, drăcoaică 6 târfă, fleoarță 7 pierde-vară; palavragiu 8 vorbe goale, palavre

baggageman ['bægidʒmən] *s amer* hamal

baggagemaster ['bægidʒ,ma:stə'] *s ferov amer* conducător de vagon de bagaje

baggageroom ['bægidʒ'ru:m] *s* magazie de bagaje

bagged [bægd] *adj* 1 vârât într-un sac 2 atârnând ca un sac, lăbărțat; pungit

bagginess ['bæginis] *s* 1 umflare; pungire 2 *fig* vorbe umflate, bombasticism

baggy ['bægi] *adj* 1 umflat, lăbărțat, atârnând ca un sac 2 puhav, buhav, buged; pleoștit 3 *fig* umflat, sforăitor, bombastic

Baghdad [bæg'dæd] *v.* **Bagdad**

bagman ['bægmən] *s* 1 negustor ambulant 2 ← *F* comis-voiajor

bagpipe ['bægpaip] *s* cimpoi

bagpiper ['bægpaipə'] *s* cimpoier

B.Agr. *presc de la* **Bachelor of Agriculture**

bah [ba:] *interj (exprimă silă etc.)* pfui! ptiu! pii!

Bahama Islands, the [bə'ha:mə ,ailəndz, ðə] Insulele Bahama

Bahamas, the [bə'ha:məz, ðə] Insulele Bahama

Bahia [bə'hi:ə] *port în Brazilia*

Bahrein Islands, the [ba:'rein 'ailəndz, ðə] Insulele Bahrein

Baikal, Lake [bai'ka:l, leik] Lacul Baikal

bail¹ [beil] **I** *s* **1** cauțiune; garanție, zălog, chezășie; **on** ~ pe cauțiune **2** garant; chezaș; **to go/to become** ~ **for** a garanta pentru, a se pune chezaș pentru **II** *vt* a lua pe garanție *sau* cauțiune

bail² mâner, toartă

bail³ stănoagă

bail⁴ I *s* ispol; lingură, căuș; găleată **II** *vt* a scoate cu ispolul *(apa)*

bailiff ['beilif] *s* **1** aprod, ușier **2** vătaf; vechil, epistat **3** inspector/supraveghetor de ape **4** *(în evul mediu)* judecător

bailment ['beilmənt] *s* **1** eliberare pe cauțiune **2** cauțiune; chezășie, garanție **3** mărfuri depuse în păstrare cu garanție

bailsman ['beilzmən] *s* garant, chezaș

Bairam [bai'ra:m] *s* sărbătoare musulmană

bairn [bɛən] *s scot* copil

bait [beit] **I** *s* **1** *și fig* momeală; nadă **2** ispită, tentație **3** insecticid; otravă **4** gustare *(în călătorie)*, popas **5** nutreț, mâncare *(pt cai)* **6** hăituire **II** *vt* **1** a pune momeală în *sau* la **2** a prinde cu undița, cu momeala *etc.* **3** a momi, a ademeni, a ispiti, a tenta **4** a hăitui, a goni cu câinii; a încolți **5** *fig* a nu da pace *cuiva*, a nu lăsa în pace, a zădărî **III** *vi* **1** a poposi, a face o haltă **2** a îmbuca ceva, a lua o gustare **3** a hrăni caii *(în drum)*

baithouse ['beithaus] *s* han

baize [beiz] *s* aba, dimie

bake [beik] **I** *vt* **1** a coace *(în cuptor)* **2** a usca la soare **3** a arde *(cărămidă)* **II** *vi* **1** a se coace; a se întări **2** a se prăji *(la soare)*, a se bronza

baked clay ['beikt klei] *s* teracotă

bakehouse ['beikhaus] *s* **1** brutărie **2** cuptor **3** rafinărie *(de zahăr)*

bakelite ['beiklait] *s* bachelită

baker ['beikə'] *s* brutar

baker's dozen ['beikəz 'dʌzən] *s* duzina dracului, treisprezece

bakery ['beikəri] *s* brutărie

bakestone ['beikstoun] *s* podea, vatră *(de cuptor)*

baking ['beikiŋ] **I** *adj atr* **1** de copt **2** *(d. soare etc.)* arzător, torid **II** *s* coacere *etc.* v. **bake**

baking powder ['beikiŋ 'paudə'] *s* praf de copt

baking soda ['beikiŋ ˌsoudə] *s* bicarbonat de sodiu

baksheesh ['bækʃi:ʃ] *s* bacșiș

Baku [ba:'ku:] *capitala Azerbaidjanului*

bal. *presc de la* **balance**

balalaika [ˌbælə'laikə] *s* balalaică

balance ['bæləns] **I** *s* **1** balanță, cântar; **to be/to hang/to swing in the** ~ *fig* a fi în cumpănă, a atârna de un fir de păr **2** echilibru; stabilitate; cumpăt **3 the B~** *astr* Cumpăna, Balanța **4** greutate, pondere **5** cumpănă, nesiguranță, șovăială **6** cântărire, cumpănire, considerare **7** *ec* balanță, bilanț; **to strike a** ~ *și fig* a face bilanțul **II** *vt* **1** a cântări, a cumpăni, a aprecia **2** a aprecia, a compara **3** (**by, against, with**) a contrabalansa (cu); a contrapune *(cu dat)* **4** a se echilibra **5** a egala, a fi egal cu **6** *ec* a echilibra *(bugetul)* **III** *vi* **1** a fi în echilibru **2** a se balansa **3** a avea fluctuații **4** *fig* a șovăi, a ezita **5** *ec* a se balansa

balance account ['bæləns əˌkaunt] *s ec* rest, sold

balance beam ['bæləns bi:m] *s* brat de balanță

balance bridge ['bæləns bridʒ] *s* pod basculant

balanced ['bælənst] *adj și fig* **1** cumpănit, echilibrat **2** armonios, simetric

balance level ['bæləns ˌlevl] *s* nivelă *(cu bulă de aer)*

balance master ['bæləns ˌma:stə'] *s* acrobat, echilibrist

balance pan ['bæləns pæn] *s* platan, taler

balancer ['bælənsə'] *s* **1** acrobat, echilibrist **2** *tehn* compensor, egalizator

balance sheet ['bæləns ʃi:t] *s ec* balanță, bilanț

balance weight ['bæləns weit] *s* contragreutate

balance wheel ['bæləns wi:l] *s* **1** *tehn* volant **2** balansier *(la ceas)*

Balaton ['ba:la:tɔ:n] *lac în Ungaria*

Balboa [ba:l'bouə] *explorator spaniol (1475-1517)*

balconied ['bælkənid] *adj* cu balcon *sau* balcoane

balcony ['bælkəni] *s constr, teatru* balcon

bald [bɔ:ld] *adj* **1** chel, pleșuv **2** gol, golaș; fără pene *etc.* **3** sărăcăcios; fără podoabe, neînfrumusețat; simplu **4** *(d. stil)* plat, sec, incolor, monoton **5** *(d. adevăr)* gol, curat **6** fățiș; sincer **7** *(d. animale)* cu pată albă în frunte, țintat

baldachin ['bɔ:ldəkin] *s* baldachin

balderdash ['bɔ:ldədæʃ] *s* prostii, tâmpenii; vorbe de clacă

bald-faced ['bɔ:ld 'feist] *adj* **1** v. **bald 7 2** *sl* sfruntat, nerușinat

bald head ['bɔ:ld hed] *s* chel(bos)

bald-headed ['bɔ:ld'hedid] *adj* **1** chel, pleșuv **2** cu o pată albă în frunte, țintat

baldly ['bɔ:ldli] *adv* **1** sărăcăcios, sărac **2** deschis, fățiș

baldness ['bɔ:ldnis] *s* **1** chelie, pleșuvie **2** sărăcie; lipsă de podoabe *etc.* **3** monotonie, caracter incolor *(al stilului)*

baldric ['bɔ:ldrik] *s* **1** cingătoare, curea *(pt sabie etc.)* **2** centură; bandulieră

Baldwin ['bɔ:ldwin] *nume masc, ist etc.*

bale [beil] **I** *s* **1** balot *(de marfă)*; pachet (mare); colet; teanc **2** *pl* marfă **II** *vt* a împacheta, a ambala; a balota

Balearic Islands, the [ˌbæli'ærik 'ailəndz, ðə] Insulele Baleare

baleen [bə'li:n] *s* fanon, (os de) balenă

balefire ['beilfaiə'] *s* foc mare *(în aer liber)*; rug

baleful ['beilful] *adj* ← *poetic* **1** dăunător, vătămător; otrăvitor **2** *(d. privire etc.)* rău(tăcios), încruntat **3** ← *înv* trist, mâhnit, îndurerat

Bali ['ba:li] *insulă*

balk [bɔ:k] **I** *s* **1** grindă; bară **2** hat; fâșie de pământ nearat **3** obstacol, piedică **4** *nav* travers **5** **the ~s** apartament la mansardă **6** înfrângere; decepție **II** *vt* **1** a (în)grămădi **2** a omite, a scăpa (din vedere); a evita; a pierde *(ocazia)* **3** a împiedica, a opri; a stânjeni **4** a refuza *(o sarcină etc.)* **III** *vi* **1** a se sustrage *(de la o sarcină)* **2** a se împotrivi, a se opune; a se proțăpi **3** a aduce argumente contrarii **4** a dezamăgi, a decepționa

Balkan ['bɔːlkən] *adj* balcanic

Balkan Mountains, the ['bɔːlkən 'mauntinz, ðə] Munţii Balcani

Balkan Peninsula, the ['bɔːlkən pi'ninsjulə, ðə] Peninsula Balcanică

Balkans, the ['bɔːlkənz, ðə] Balcanii; ţările balcanice

balking ['bɔːlkiŋ] *adj atr* 1 duşmănos, potrivnic 2 *(d. cai)* năravaş

ball¹ [bɔːl] **I** *s* 1 sferă, glob; bilă 2 globul pământesc; corp ceresc 3 minge; balon; **to have the ~ at one's feet** a fi stăpân pe situaţie; a avea sorţi de izbândă; **to keep the ~ rolling a** a nu lăsa să lâncezească conversaţia **b** a-i da înainte, a nu se opri, a continua *(să facă ceva)* 4 glonte 5 ghem 6 chiftea 7 *nav* traversă de punte 8 *pl vulg* boaşe, – testicule 9 *vet* pilulă **II** *vt* a strânge/a face ghem **III** *vi* a se face ghem

ball² *s* bal

ballad ['bæləd] *s* baladă *(↓ populară); cântec bătrânesc*

ballade [bæ'laːd] *s* 1 *lit* baladă *(poezie lirică medievală cu structură fixă)* 2 *muz* baladă

ballad maker ['bæləd ,meikəʳ] *s* autor de balade

ballad meter ['bæləd ,miːtəʳ] *s* metru de baladă *(versurile 1 şi 3 – tetrametri iambici nerimaţi; versurile 2 şi 4 – trimetri iambici ritmaţi)*

ballad monger ['bæləd,mʌŋgəʳ] *s* 1 *od* autor *sau* vânzător de balade 2 *peior* poetastru, poet de duzină

ballast ['bæləst] **I** *s* 1 balast, lest, savură 2 *fig* element de stabilitate/echilibru **II** *vt* 1 a încărca cu balast 2 *fig* a da stabilitate *cu dat*

ball bearing ['bɔːl,bɛəriŋ] *s tehn* rulment/lagăr cu bile

ball clay ['bɔːl klei] *s* argilă plastică

ballerina [,bælə'riːnə] *s* balerină

ballet ['bælei] *s* balet

ballet dancer ['bælei,daːnsəʳ] *s* baletist *sau* baletistă; balerină

ballet master ['bælei,maːstəʳ] *s* maestru de balet

ball iron ['bɔːl ,aiən] *s met* fier pudlat/ sudat

ballista [bə'listə], *pl* **ballistae** [bə'listi(ː)] *s ist, mil* balistă

ballistic [bə'listik] *adj mil* balistic

ballistic missile [bə'listik 'misail] *s mil* rachetă balistică

ballistics [bə'listiks] *s pl ca sg mil* balistică

ball lightning ['bɔːl,laitniŋ] *s* fulger globular

balloon [bə'luːn] **I** *s* 1 *av* balon, aerostat 2 *ch* balon (de sticlă) **II** *vt* a înălţa, a ridica **III** *vi* 1 a se ridica cu balonul 2 a se umfla

balloon apron [bə'luːn 'eiprən] *s mil* baraj de baloane

ballooncar [bə'luːnkaːʳ] *s av* nacelă de aerostat

balloon flask [bə'luːn flaːsk] *s* balon de sticlă

ballot ['bælət] **I** *s* 1 bilă (de vot); buletin de vot 2 vot, scrutin 3 voturi exprimate 4 tragere la sorţi **II** *vi* 1 a vota, a-şi depune votul 2 a trage la sorţi **III** *vt* a vota, a alege

ballotage ['bælətidʒ] *s* balotaj

ballot box ['bælət bɔks] *s* urnă de vot(are)

ballot paper ['bælət'peipə'] *s* buletin de vot

ball room ['bɔːl ruːm] *s* sală de bal *sau* de dans

ball-shaped ['bɔːl ʃeipt] *adj* sferic, rotund

ball-up ['bɔːlʌp] *s* talmeş-balmeş, harababură

bally ['bæli] *sl* **I** *adj F→* afurisit, dat/ al dracului, al naibii **II** *adv F→* al dracului/naibii (de)

ballyhoo ['bælihuː] *s* 1 tevatură, zarvă 2 *← F* reclamă *sau* propagandă zgomotoasă 3 vorbe goale, baloane de săpun, cai verzi pe pereţi, gogoşi

ballyrag ['bæliræg] *vt sl v.* bullyrag

balm [baːm] *s* 1 balsam; sedativ 2 parfum, aromă, balsam 3 *fig* balsam, mângâiere 4 *bot* melisă, roiniţă *(Mellisa officinalis)*

balmy ['baːmi] *adj* 1 balsamic, alinător; răcoritor 2 îmbălsămat, înmiresmat, parfumat 3 *amer sl* bătut în cap, nerod, tont

balneary ['bælniəri] *adj* balnear

balneological [,bælniə'lɔdʒikəl] *adj* balneologic

balneologist [,bælni'ɔlədʒist] *s* (medic) balneolog

balneotherapy ['bælniou'θerəpi] *s* balneoterapie

balsa ['bɔːlsə] *s bot* balsa, lemn de plută *(Ochroma lagopus)*

balsam ['bɔːlsəm] *s* 1 balsam; răşină aromată 2 *bot* bucuria casei *(Impatiens balsamina)*

balsam fir ['bɔːlsəm fəʳ] *s bot* brad canadian *(Abies balsamea)*

balsamic [bɔːl'sæmik] *adj* 1 balsamic, de balsam 2 alinător, calmant

balsamine ['bɔːlsəmin] *s bot* canale, bucuria casei *(Impatiens balsamina)*

Baltic ['bɔːltik] *adj* baltic

Baltic Sea, the ['bɔːltik siː, ðə] Marea Baltică

Baltimore ['bɔːltimɔːʳ] *oraş în S.U.A.*

Baluchistan [bə'luːtʃistaːn] *regiune în Pakistan şi Iran* Belucistan

baluster ['bæləstəʳ] *s* 1 *constr* balustru 2 *pl* balustradă

balustrade [,bæləs'treid] *s* balustradă; parapet

Balzac ['bælzæk], **Honoré de** *scriitor francez (1799-1850)*

bamboo [bæm'buː] *s bot* bambus *(Bambusa sp.)*

bamboozle [bæm'buːzl] *vt* 1 *F* a trage pe sfoară, – a păcăli 2 *← F* a încurca, a zăpăci

ban¹ [bæn] **I** *vt* 1 a interzice, a pune sub interdicţie/în afara legii; a opri; a prohibi 2 a blestema, a afurisi 3 a osândi, a condamna **II** *s* 1 interzicere, interdicţie; **under a ~** sub interdicţie; prohibit 2 exilare, surghiun 3 blestem, afurisenie, anatemă 4 condamnare publică, oprobriu

ban² *s ist* ban *(guvernator)*

ban³ [baːn], *pl* **bani** ['baːni] *s* ban *(1/100 dintr-un leu)*

banal [bə'naːl] *adj* banal, de rând, comun

banality [bə'næliti] *s* banalitate; loc comun

banana [bə'naːnə] *s* 1 *bot* banan *(Musa sapientum)* 2 banană 3 măscărici, paiaţă 4 *← F* nas

Banat(e), the [bə'naːt, ðə] *provincie în România* Banat

band¹ [bænd] **I** *s* 1 legătură; bandă; fâşie; cordon, centură; sfoară 2 *fig* legătură morală; obligaţie, îndatorire 3 *tehn* curea de transmisie 4 *tehn* bandă rulantă 5 *rad* lungime de undă 6 *pl înv* fiare, – cătuşe, lanţuri **II** *vt* a lega

band² **I** *s* 1 ceată, grup; pâlc 2 bandă; şleahtă 3 *mil* detaşament 4 *muz* formaţie muzicală; orchestră; fanfară **II** *vi* a se uni; a se coaliza

bandage ['bændidʒ] **I** *s* bandaj, pansament; legătură *(pt ochi)* **II** *vt* a bandaja, a pansa; a lega la *(ochi)*

bandanna [bæn'dænə] *s* basma *sau* cravată cu buline

bandbox ['bændbɒks] *s* cutie *(de carton, pentru pălării etc.)*; **he looked as if he had just come out of a ~** arăta ca scos din cutie

band conveyer ['bænd kɒn'veiə'] *s tehn* transportor cu bandă

bandeau ['bændou] *s fr* panglică pe cap, bentiță

bandelet ['bændilit] *s arhit* bandeletă

banderole ['bændəroul] *s* **1** stegleț; flamură **2** banderolă **3** *arhit* spiră, volută

band iron ['bænd‚aiən] *s met* oțel lat/ balot

bandit ['bændit], *pl* și **banditti** [bæn'diti] *s* bandit, tâlhar; răufăcător

bandmaster ['bænd‚mɑ:stə'] *s muz* dirijor, capelmaistru

bandog ['bændɒg] *s* **1** câine de lanț; câine rău **2** câine polițist **3** *fig* câine, om rău

bandoleer [‚bændə'liə'] *s* **1** bandulieră **2** cartușieră

bandoline ['bændəli:n] *s* fixativ; briliantină

band saw ['bænd sɔ:] *s* ferăstrău-bandă/panglică

bandsman ['bændzmən] *s* orchestrant; membru al unei orchestre *sau* fanfare

bandstand ['bændstænd] *s* estradă pentru orchestră *sau* fanfară

Bandung [bɑ:n'duːŋ] *oraș în Indonezia*

band wagon ['bænd‚wægən] *s* **1** trăsură sau camion cu muzicanți *(al unui circ etc.)* **2** *pol* ← *F* partidă/ parte învingătoare **3** mișcare de masă **4** modă, vogă; **to get into the ~** *F* a se da cu cel mai tare

bandwidth ['bændwidθ] *s rad* lărgime de bandă/a benzii

bandy[1] ['bændi] *vt* **1** a schimba, a face schimb de; a-și arunca unul altuia *(mingea, cuvinte)*; a-și arunca *(priviri)* **2** a se răspândi; a trece din gură în gură

bandy[2] *s sport* hochei pe iarbă

bandy[3] *adj* îndoit în afară, întors; răsfrânt; crăcănat

bandy-legged ['bændilegd] *adj* cu picioare strâmbe *(în formă de „()")*

bane [bein] *s* **1** nenorocire, urgie, năpastă **2** ← *poetic* blestem **3** ← *înv* otravă ucigătoare **4** ← *înv* omor, ucidere

baneful ['beinful] *adj* otrăvitor, nociv; ucigător; primejdios

banewort ['beinwə:t] *s bot* mătrăgună, beladonă *(Atropa belladona)*

bang[1] [bæŋ] **I** *vt* **1** a trânti cu zgomot *(ușa etc.)*, a izbi **2** a bate, a lovi **3** *F* a lăsa de căruță/– în urmă, – a întrece **II** *vi* **1** *(d. ușă etc.)* a se închide cu zgomot **2** a bubui; a pocni; a răsuna **III** *s* lovitură, izbitură; bubui(ură); pocnet, pocnitură **IV** *adv* **1** cu un bubuit *sau* pocnet **2** brusc, deodată; drept, direct **V** *interj* bang! poc! tronc! trosc!

bang[2] **I** *vt* a tunde cu breton; a tunde *(coada sau coama calului)* **II** *s* breton

bang[3] *s v.* **bhang**

Bangalore [‚bæŋgə'lɔ:'] *oraș în India*

banged [bæŋd] *adj F* cherchelit, afumat

Bangkok [bæŋ'kɒk] *capitala Thailandei*

bangle-eared ['bæŋgl'iəd] *adj* cu urechi clăpăuge

bang-up ['bæŋ'ʌp] *adj, adv F* (clasa) prima

banish ['bæniʃ] *vt* **1** a exila, a surghiuni, a expulza **2** a izgoni, a alunga, a proscrie **3** *fig* a îndepărta, a alunga *(un gând etc.)*

banishment ['bæniʃmənt] *s* **1** exilare, surghiunire **2** exil, surghiun

banister ['bænistə'] *s v.* **baluster**

banjo ['bændʒou] *s* **1** *muz* banjo **2** *tehn* cutie de viteze; carter

bank[1] [bæŋk] **I** *s* **1** mal, țărm *(↓ al unei ape curgătoare)*; dig, zăgaz **2** terasament; val; banc *(de nisip)*; aluviune **3** troian, nămete **4** *tehn* baterie; grup de mașini **5** *av* viraj **6** *min* abataj; gură de mină **II** *vt* **1** a îndigui, a zăgăzui **2** a îngrămădi în jurul *cu gen* **III** *vi av* a se înclina

bank[2] **I** *s* **1** *fin* (casă de) bancă **2** bancă *(la cărți)*; **to break the ~** a sparge banca **3** magazie, depozit **II** *vt* a depune la bancă **III** *vi* a fi bancher; a avea acțiuni la bancă

bankable ['bæŋkəbl] *adj ec* care poate fi scontat

bank account ['bæŋk ə‚kaunt] *s fin* cont bancar

bank bill ['bæŋk bil] *s fin* bancnotă, bilet de bancă; poliță

banker[1] ['bæŋkə'] *s* **1** *fin* bancher; director al unei bănci **2** (persoană care ține) banca *(la cărți)* **3** funcționar la bancă **4** crupier

banker[2] *s* **1** lucrător la terasamente **2** varniță; cutie cu mortar

bankerdom ['bæŋkədəm] *s* **1** ← *F* bancheri, lumea bancherilor **2** interese bancare

bank fence ['bæŋk fens] *s* rambleu, val

bank holiday ['bæŋk 'hɒlədi] *s* sărbătoare bancară *(în Anglia, Lunea Paștelui, Sf. Treime, prima luni din august și 26 decembrie)*

banking[1] ['bæŋkiŋ] **I** *s* **1** activitate bancară **2** afaceri/tranzacții bancare **II** *adj atr* de bancă, bancar

banking[2] *s* îndiguire, zăgăzuire

bankinghouse ['bæŋkiŋ haus] *s fin* (casă de) bancă

bank note ['bæŋk nout] *s fin* bancnotă, bilet de bancă

bankocracy [bæŋ'kɒkrəsi] *s peior* marea finanță; puterea bancherilor

bank on ['bæŋk ɒn] *vi cu prep* ← *F* a conta/a se bizui pe

bank rate ['bæŋk reit] *s fin* scont bancar; taxă de scont

bankrupt ['bæŋkrʌpt] **I** *s* **1** falit, om ruinat **2** om veșnic dator **II** *adj* falit, insolvabil; ruinat; **to go ~** a da faliment **III** *vt* a (a)duce la faliment, a ruina

bankruptcy ['bæŋkrʌptsi] *s* **1** faliment, bancrută **2** *fig* faliment, ruină, decădere

bankseat ['bæŋksi:t] *s* pilon, stâlp (de pod)

bank side ['bæŋk said] *s* **1** pantă a/ povârniș al țărmului **2** marginea țărmului

banks oil ['bæŋks ɔil] *s* untură de pește

bank stock ['bæŋk stɒk] *s fin* capital al unei bănci

bank upon ['bæŋk ə‚pɒn] *vi cu prep v.* **bank on**

banner ['bænə'] *s* și *fig* drapel, stindard, steag

banns [bænz] *s pl* publicații de căsătorie, strigări

banquet ['bæŋkwit] **I** *s* banchet, ospăț **II** *vi* a petrece, a face chef, a benchetui; a da un banchet **III** *vt* a da un banchet în cinstea *(cuiva)*

banquet hall ['bæŋkwit hɔːl] *s* sală de banchete/ospețe

banqueter ['bæŋkwitəʳ] *s* participant la un banchet

banquette [bæŋˌket] *s* **1** trotuar **2** banchetă; bancă

bans [bænz] *s pl v.* **banns**

banshee/banshie ['bænˈʃiː] *s* zână prevestitoare de moarte *(în folclorul irlandez și scoțian)*

bantam ['bæntəm] *s* **1** *orn* găină sau cocoș de Bantam **2** *fig* pitic, om mic de statură

bantam car ['bæntəm kɑːʳ] *s mil auto* jeep

bantam weight ['bæntəm weit] *s sport* categoria cocoș

banter ['bæntəʳ] **I** *vt* a necăji, a tachina; a lua în râs **II** *vi* a face haz *(pe socoteala cuiva)* **III** *s* zeflemea, luare peste picior, persiflare

banterer ['bæntərəʳ] *s* zeflemist

banteringly ['bæntəriŋli] *adv* zeflemisitor; în zeflemea

banting ['bæntiŋ] *s* cură de slăbire

bantling ['bæntliŋ] *s* ← *înv* odraslă, progenitură

Bantu ['bænˈtuː] **I** *s* **1** (negru) bantu **2** limbile bantu **II** *adj* bantu

baobab ['beiəbæb] *s bot* baobab *(Adansonia digitata)*

baptism ['bæptizəm] *s rel și fig* botez; botezare

baptismal [bæpˈtizməl] *adj atr* de botez

baptismal font [bæpˈtizməl ˈfont] *s bis* cristelniță

baptist ['bæptist] *s* **1** persoană care botează **2** *rel* baptist **3** **the B~** Ioan Botezătorul

baptist(e)ry ['bæptistri] *s bis* baptisteriu *(la catolici)*; cristelniță

baptize [bæpˈtaiz] *vt* **1** *bis* a boteza; a creștina drob a da un nume *cuiva*, a boteza **3** *fig* a purifica; a inița

bar¹ [bɑːʳ] **I** *s* **1** bară; drug; bârnă **2** bucată; lingou; calup *etc.* **3** bară; zăvor **4** *pl* zăbrele, gratii **5** barieră, piedică, obstacol; discriminare **6** *sport* bară **7** banc de nisip; aluviune **8** *muz* bară **9** *muz* măsură; tact **10** dungă; fâșie; geană **II** *vt* **1** a bara, a împiedica, a bloca **2** a zăvorî, a închide **3** a interzice, a opri **4** (**from**) a ține departe (de); a despărți (de); a alunga (de la, de lângă) **5** a obiecta împotriva *cu gen* **6** a exclude **7** a vărga, a dunga **III** *prep*

cu excepția *cu gen*, în afară de; **to cross the ~** a dormi somnul de veci, a se petrece, a muri

bar² *s* **1** bar, bufet **2** tejghea

bar³ *s jur* **1** bară, banca acuzaților **2** curte, tribunal, judecătorie; judecată **3** *fig* judecată; critică **4** **the ~/B~** barou; avocatură; **to be called to the ~** a se face avocat

bar⁴ *s fiz* bar

bar. *presc de la* **1** barometer **2** barrister **3** barrel

B.Ar. *presc de la* **Bachelor of Architecture**

barathrum ['bærəθrəm] *s* **1** hău, abis, genune **2** gheenă, iad

barb¹ [bɑːb] *s* **1** *bot* mustață **2** *iht* mustăți *(la unii pești)* **3** *vet* afte **4** fulg *(de pană)* **5** plastron, jabou **6** cârlig *(de undiță)* **7** *fig* înțepătură; aluzie răutăcioasă **8** vârf; ascuțiș

barb² *s* cal de Barbaria

Barbados [bɑːˈbeidouz] *insulă în Antile*

Barbara ['bɑːbərə] *nume fem*

barbarian [bɑːˈbɛəriən] *adj, s și fig* barbar

barbarianism [bɑːˈbɛəriənizəm] *s* barbari, lumea barbară

barbaric [bɑːˈbærik] *adj* **1** barbar, sălbatic; primitiv **2** grosolan; incult; nerafinat

barbarism ['bɑːbərizm] *s* **1** barbarie; lipsă de civilizație; purtare necivilizată; incultură (crasă) **2** barbarie, acțiune barbară **3** *lingv* barbarism

barbarity [bɑːˈbæriti] *s* **1** purtare necivilizată **2** ignoranță (totală), incultură (crasă) **3** barbarie, cruzime, sălbăticie **4** lipsă de gust (totală), grosolănie

Barbarossa [ˌbɑːbəˈrosə] *porecla lui Frederic I (al Germaniei, 1123-1190)*

barbarous ['bɑːbərəs] *adj* **1** barbar; sălbatic; cumplit; feroce **2** barbar, necioplit; necivilizat; incult

Barbary ['bɑːbəri] **I** Barbaria, statele berbere **II** *adj* berber

barbecue ['bɑːbikjuː] *s* **1** grătar mare (în aer liber) **2** carne friptă la grătar **3** petrecere la care se servește carne friptă la grătar

barbed ['bɑːbd] *adj* **1** țepos, ghimpat **2** *fig* înțepător, usturător

barbed wire ['bɑːbd waiəʳ] *s* sârmă ghimpată

barbel ['bɑːbəl] *s iht* mreană *(Barbus fluviatilis)*

bar bells ['bɑːbelz] *s pl sport* haltere

barber ['bɑːbəʳ] *s* bărbier, frizer

barberry ['bɑːbəri] *s bot* dracilă *(Berberis vulgaris etc.)*

barber's shop ['bɑːbəz ˈʃop] *s* frizerie

barbican ['bɑːbikən] *s od* **1** fortificație exterioară avansată **2** turn de pază

barbital ['bɑːbitəl] *s med* barbital

barbotage ['bɑːbətidʒ] *s ch* barbotaj

barcarol(l)e ['bɑːkəroul] *s muz* barcarolă

Barcelona [ˌbɑːsiˈlounə] *oraș în Spania*

bard¹ [bɑːd] *s* **1** *lit* bard **2** *fig* bard, rapsod, poet

bard² bucată/felie de slănină

bardish ['bɑːdiʃ] *adj* **1** de bard **2** *fig* poetic

Bard of Avon, the ['bɑːd əv eivən, ðə] bardul de pe Avon *(epitet dat lui Shakespeare)*

Bardolatry [bɑːˈdolətri] *s* idolatrizarea lui Shakespeare, „bardolatrie"

bare¹ [bɛəʳ] **I** *adj* **1** gol, despuiat, neacoperit; cu capul descoperit **2** gol, pustiu, deșert **3** *el* neizolat **4** desfrunzit, gol **5** sterp, neroditor **6** (**of**) sărac (în), lipsit (de) **7** gol, sărac; sec; simplu **8** ros, tocit; jerpelit **9** simplu, numai; **a ~ possibility** doar o posibilitate (nimic mai mult) **II** *vt* **1** a dezgoli, a despuia, a dezbrăca **2** *fig* a dezvălui, a da în vileag/la iveală

bare² *pret înv de la* **bear¹**

bareback ['bɛəbæk] *adj, adv* fără șa

barebacked ['bɛəbækt] *adj* **1** *v.* **bareback 2** cu spatele gol; despuiat până la brâu

barebodied ['bɛəbodid] *adj* gol, în pielea goală

barefaced ['bɛəfeist] *adj* **1** cu fața descoperită **2** deschis, fățiș; sincer **3** obraznic, nerușinat **4** fără barbă; imberb; spân

barefacedly ['bɛəˌfeistli] *adv* **1** pe șleau, de la obraz, fără menajamente **2** cu nerușinare, obraznic

barefacedness ['bɛəˌfeistnis] *s* neobrăzare, nerușinare

barefoot ['bɛəfut] *adj, adv* desculț

barefooted ['bɛəfutid] *adj* desculț, în picioarele goale

barehanded ['bɛəˈhændid] *adj* **1** cu mâinile goale *(neînarmat)* **2** *fig F* rupt în coate, traistă-goală, – sărac

bareheaded ['bɛəˈhedid] *adj, adv* cu capul descoperit/gol

barelegged ['bɛə'legd] *adj* v. **bare-footed**

barely ['bɛəli] *adv* 1 sărăcăcios *(mobilat etc.)* 2 numai, doar; nu... decât 3 deschis, pe față

barenecked ['bɛə'nekt] *adj* cu gâtul gol; decoltat

bareness ['bɛənis] *s* 1 goliciune, nuditate 2 *și fig* caracter sterp; sărăcie, lipsă

Barents Sea, the ['bærənts 'si:, ðə] Marea Barents

barfly ['ba:flai] *s sl* chefliu, stâlp de cafenea

bargain ['ba:gin] I *s* 1 afacere, tranzacție, târg; **to make the best of a bad ~** a se împăca cu situația; a face haz de necaz; a nu-și pierde capul; **a ~ is a ~** vorba (dată) face mai mult decât banii **b** vorba dată e învoială curată; **to strike a ~** a a încheia/a face un târg; a se înțelege **b** a cumpăra ieftin, a face o afacere; **to bind the ~** a da un avans/*P→* o arvună; **it's a ~ at this price** e un adevărat chilipir la prețul ăsta; **into the ~** pe deasupra, bașca 2 cumpărătură, lucru cumpărat 3 câștig, profit II *vt* 1 a negocia, a se târgui pentru 2 a face troc cu III *vi* 1 a încheia un târg, a cădea la învoială; a face o afacere 2 (**for**) a se tocmi (pentru)

bargain away ['ba:gin ə'wei] *vt cu part adv* 1 a vinde în pierdere 2 *fig* a vinde, a trăda

bargainee ['ba:gini:] *s* 1 persoană care se tocmește 2 afacerist; chilipirgiu 3 *jur* cumpărător (de pământ)

bargainer ['ba:ginəʳ] *s* v. **bargainor**

bargain for ['ba:gin fəʳ] *vi cu prep* a se aștepta la; a conta pe; **I didn't ~ that** la asta nu m-am așteptat

bargain maker ['ba:gin 'meikəʳ] *s* misit, samsar; mijlocitor

bargain off ['ba:gin 'ɔf] *vt cu part adv* a scăpa de, a se descotorosi de

bargain on ['ba:gin ɔn] *vi cu prep* a conta/a se bizui pe

bargainor ['ba:ginəʳ] *s jur* vânzător (de pământ)

bargain sale ['ba:gin seil] *s com* desfacere; sold

barge ['ba:dʒ] I *s nav* barcă *sau* vas de agrement; șlep; barcă (cu pânze); șalupă; ceam; șalandă II *vi* a se mișca greoi, a se târî

bargee [ba:'dʒi:] *s* barcagiu, luntraș (de șlep)

barge in ['ba:dʒ'in] *vi cu part adv* 1 a intra fără să bată la ușă 2 a se băga în conversație

barge into ['ba:dʒ,intə] *vi cu prep* a da de/peste, a se lovi de

bargeman ['ba:dʒmən] *s* v. **bargee**

Bari ['ba:ri] oraș în Italia

baric ['ba:rik] *adj* 1 *ch* baric 2 barometric

bar in ['ba:r in] *vt cu part adv* a închide *sau* a zăvorî înăuntru

baring [bɛəriŋ] *s* 1 despuiere, dezgolire 2 dezvăluire, dare la iveală 3 *min* dezvelire a unui zăcământ; descopertă

bar iron ['ba:r ‚aiən] *s met* fier în bare

barite ['bɛərait] *s minr* barit(in)ă

baritone ['bæritoun] *adj, s muz* bariton

barium ['bɛəriəm] *s ch* bariu

bark¹ [ba:k] I *vi* 1 (**at**) a lătra (la), a bate, a hămăi; **to ~ up the wrong tree** a greși adresa; a fi pe o urmă greșită 2 (**at**) a urla, a zbiera, a se răsti (la) 3 *fig* a tuși (↓ răgușit) 4 *sl* a face reclamă *cu dat* strigând II *s* 1 lătrat, hămăit; *fig* strigăte, răcnete; **his ~ is worse than his bite** numai gura e de el 2 țăcănit, lătrat *(de mitralieră etc.)* 3 *F* tignafes, – tuse răgușită

bark² I *s* 1 scoarță, coajă (de copac); **to go/to come between the ~ and the tree** a se amesteca unde nu-i fierbe oala (↓ în certurile dintre soți); **to talk the ~ off a tree** *amer* a-i face cuiva capul calendar 2 chinchină 3 *sl* cherestea, – piele, toval II *vt* 1 a scoate coaja *(unui copac)*, a coji 2 a tăbăci 3 a jupui *(pielea)*

bark³ *s* 1 *nav* barc 2 *poetic* corabie mică cu pânze

barkeeper ['ba:ki:pəʳ] *s* 1 proprietar de bar 2 barman

barker¹ ['ba:kəʳ] *s* 1 câine lătrător; *fig* persoană care strigă *etc.*; **great ~s are no biters** *prov* câinele care latră nu mușcă 2 *F* cățea, – armă de foc *(care țăcăne)*

barker² *s* 1 cojitor 2 *tehn* cojitoare, mașină de cojit

barkhans ['ba:kænz] *s pl* barcane, dune semicirculare

barkie ['ba:ki] *s sl* 1 film sonor 2 cinema sonor

barking ['ba:kiŋ] I *adj atr* lătrător, care latră; **~ dogs don't bite** *prov* câinele care latră nu mușcă II *s* lătrat, hămăit

barley ['ba:li] *s bot* orz *(Hordeum)*

barleycorn ['ba:liko:n] *s* bob de orz

Barleycorn John personificare a unor băuturi din malț (bere și whisky)

barm [ba:m] *s* drojdie de bere

barmaid ['ba:meid] *s* chelneriță la bar; bufetieră

barman ['ba:mən] *s* barman; bufetier

barmy ['ba:mi] *adj* 1 în fermentație; spumos 2 *și* **~ on the crumpet** *sl* țăcănit, scrântit la bilă, țicnit, sărit, sonat

barn ['ba:n] *s* 1 hambar, pătul; șură, șopron; grajd; ocol 2 clădire neaspectuoasă, „cazarmă" 3 *amer* depou de tramvaie

Barnabas ['ba:nəbəs] *nume masc*

Barnaby ['ba:nəbi] *v.* **Barnabas**

barnacle ['ba:nəkl] *s* 1 *orn* gâscă cu gât alb *(Branta leucopsis)* 2 *zool* mai multe specii de scoică *(Lepas anatifera etc.)* 3 *fig F* lipitoare, scai

barnacles ['ba:nəklz] *s pl* 1 iavașa; clește 2 *fig F* iavașale, – ochelari 3 *fig* botniță; cătușe

barney ['ba:ni] *s sl* pungășie; „lovitură" pusă la cale

barnstorm ['ba:nsto:m] *vi* a colinda țara dând reprezentații teatrale, ținând discursuri etc. în hambare etc.

barnstormer ['ba:nsto:məʳ] *s* 1 actor ambulant 2 actoraș, actor de mâna a doua

barn swallow ['ba:n ,swolou] *s orn* rândunică de casă *(Hirundo rustica)*

barnyard ['ba:n,ja:d] *s* 1 arie, bătătură 2 ocol, curte de vite

barograph ['bærougra:f] *s fiz* barograf

barometer [bə'romitəʳ] *s fiz și fig* barometru

barometric(al) [‚bærə'metrik(əl)] *adj* barometric

baron ['bærən] *s* 1 baron; nobil *(de rang inferior)* 2 *amer* magnat

baronage ['bærənidʒ] *s* 1 baron 2 baronie, titlu de baron

baroness ['bærənis] *s* baroneasă, baroană; soție de baron

baronet ['bærənit] *s* baronet

baronetcy ['bærənitsi] *s* baronie, titlul *sau* rangul de baronet

baronial [bə'rouniəl] *adj* de baron

baronship ['bærənʃip] *s* baronie, titlu de baron

barony ['bærəni] *s* 1 titlul *sau* rangul de baron, baronie 2 domeniile unui baron

baroque [bə'rouk] *adj*, *s arhit etc.* baroc

baroscope ['bærəskoup] *s fiz* baroscop

barosphere ['bærosfiə'] *s* barosferă

barouche [bə'ru:ʃ] *s* landou; caleaşcă cu patru locuri

barrack ['bærək] *s* 1 baracă 2 *pl ca sg* cazarmă 3 clădire uriaşă; cazarmă

barrackroom ['bærək 'ru:m] *s* cazarmă

barrackroom language ['bærək-'ru:m 'læŋgwidʒ] *s* limbaj cazon/ de cazarmă

barrage ['bæra:ʒ] I *s* 1 baraj; dig 2 *mil* (foc de) baraj II *vt* a face un baraj împotriva *cu gen*

barrator ['bærətə'] *s* 1 cârcotaş 2 (↓ *d. judecători*) şperţar

barratry ['bærətri] *s* 1 şicană; intrigi 2 *jur*, *nav* baraterie

barred [ba:d] *adj* 1 închis; barat; îngrădit 2 despărţit prin grilaj

barrel ['bærəl] *s* 1 butoi; butoiaş; baril; **to tap the ~** *amer* a fura (din) banii statului 2 baril (măsură de capacitate): în *Anglia* – 163,65 l; în *S.U.A.* – 119 l; măsură de greutate: aprox. 89 kg

barrelhead ['bærəlhed] *s* fund de butoi; **on the ~** cu bani gheaţă/ peşin

barrelhouse ['bærəlhaus] *s* 1 crâşmă, local ieftin 2 jazz de calitate inferioară

barrelled ['bærəld] *adj* 1 depozitat în butoi 2 (*d. săgeţi*) cu două vârfuri 3 *în cuvinte compuse*: cu... ţevi; **single ~ gun** puşcă cu o singură ţeavă

barrel organ ['bærəl 'ɔ:gən] *s* flaşnetă

barren ['bærən] I *adj* 1 sterp, steril; neroditor; arid 2 *fig* sărăcăcios, fără conţinut; searbăd; plictisitor II *s pl* loc viran; teren neproductiv

barrenness ['bærənis] *s* 1 ariditate, sterilitate 2 sărăcie 3 lipsă de conţinut

barrette [ba:'ret] *s* agrafă de păr

barricade [,bæri'keid] I *s* 1 baricadă 2 barieră, piedică II *vt* 1 a baricada 2 a opri, a împiedica, a bara

Barrie ['bæri], **James** *scriitor scoţian (1860-1937)*

barrier ['bæriə'] *s* 1 barieră 2 barieră, poartă (*a oraşului*) 3 graniţă, hotar, limită 4 *fig* barieră, piedică, obstacol

barrier keeper ['bæriə:,ki:pə'] *s* cantonier

barrier lake ['bæriə,leik] *s* lac de acumulare

barring ['ba:riŋ] *prep* cu excepţia *cu gen*, în afară de

barrister ['bæristə'] *s* 1 avocat pledant 2 *amer* avocat

barrister-at-law ['bæristərət'lɔ:] *s v.* **barrister 1**

bar room ['ba:ru:m] *s* bar, bufet (*la hotel etc.*)

barrow[1] ['bærou] *s* tumul(us); gorgan

barrow[2] *s* 1 roabă, tăraboanţă; cărucior 2 targă

Bart. *presc de la* **baronet**

bartender ['ba:,tendə'] *s* bufetier, barman

barter ['ba:tə'] I *s* schimb în natură, troc, trampă II *vi* a face troc III *vt* şi *fig* (**for**) a vinde (pe, în schimbul – *cu gen*)

barter away ['ba:tərə'wei] *vt cu part adv v.* **barter III**

Bartholomew [ba:'θɔləmju:] *nume masc* Bartolomeu

barton ['ba:tən] *s* 1 curte (*de fermă*) 2 *agr* curte de păsări

barysphere ['bærisfiə'] *s geol* barisferă

barytone ['bæritoun] *adj*, *s muz* bariton

B.A.S. *presc de la* 1 Bachelor of Agricultural Science 2 Bachelor of Applied Science

basal ['beisl] *adj* de bază, fundamental

basalt ['bæsɔ:lt] *s minr* bazalt

basaltic [bə'sɔ:ltik] *adj* de bazalt, bazaltic

bascule ['bæskju:l] *s tehn* piesă basculantă

base[1] [beis] I *s* 1 şi *fig* bază, temelie, fundament 2 *fig* esenţă; esenţial 3 *mil*, *sport etc.* bază 4 *sport* start, punct de plecare 5 *ch* bază 6 *lingv* rădăcină; tulpină 7 *arhit* piedestal II *adj atr* de la bază; de bază; fundamental III *vt* a întemeia; a pune bazele *cu gen*

base[2] *adj* 1 josnic, mârşav, ticălos; infam 2 de rând, comun; de

proastă calitate, prost 3 (*d. monede*) fals

baseball ['beisbɔ:l] *s sport* baseball

baseboard ['beisbɔ:d] *s constr* 1 scândură de podea 2 şipcă de perete, reazem, bordură

base-born ['beisbɔ:n] *adj* umil, de origine umilă

Basedow's disease ['ba:zidouz di'zi:z] *s med* boala lui Basedow, Basedow

baseless ['beislis] *adj* 1 fără bază/ temelie 2 *fig* neîntemeiat

baselessness ['beislisnis] *s* netemeinicie

basely ['beisli] *adv* josnic, infam

basement ['beismənt] *s constr* fundament, temelie; subsol; pivniţă

baseness ['beisnis] *s* josnicie, infamie

base on ['beis ɔn] *vt cu prep fig* a baza pe; a justifica prin

base oneself on/upon ['beis wʌn-'selfɔn/ə,pɔn] *vr cu prep* a se baza pe

base-rate ['beisreit] *s ec* plată tarifară

bases ['beisi:z] *pl de la* **basis**

base upon ['beisə,pɔn] *vt cu prep v.* **base on**

bashaw [bə'ʃɔ:] *s* paşă

bashful ['bæʃful] *adj* ruşinos, sfios, timid

bashfulness ['bæʃfulnis] *s* ruşine, ruşinare, sfială

bashi-bazouk [,bæʃibə'zu:k] *s ist* başbuzuc

Bashkir [bæʃ'kiə'] *s* 1 başchir 2 (limba) başchiră

basic ['beisik] *adj* 1 de bază, fundamental 2 *ch* bazic

basically ['beisikəli] *adv* fundamental, esenţialmente

Basic English ['beisik 'ingliʃ] *s* „engleza de bază" (*vocabular de 850 de cuvinte, preconizat de Charles Ogden*)

basicity [,bei'sisiti] *s ch* bazicitate

basic research ['beisik ri'sə:tʃ] *s* cercetare fundamentală

basic word stock ['beisik 'wəd stɔk] *s lingv* fond principal de cuvinte

Basil ['bæzl] *nume masc* Vasile

basil *s bot* busuioc (*Ocimum basilicum*)

basilica [bə'zilikə] *s* bazilică

basilisk ['bæzilisk] *s mit* bazilisc, vasilisc

basin ['beisn] *s* **1** lighean; chiuvetă; castron **2** bazin, rezervor **3** *anat etc.* bazin **4** *geogr* golf (mic)

basis ['beisis], *pl* **bases** ['beisi:z] *s fig* bază, temelie, temei; punct de plecare; **to lay the ~ of** a pune bazele *cu gen*

bask [ba:sk] **I** *vi* (**in**) a se încălzi (la); a se tolăni (la) **II** *vt* a încălzi

basket ['ba:skit] **I** *s* **1** coș, coșniță; **to be left in the ~** a rămâne nefolosit; a rămâne pe dinafară **2** coș (*de trăsură*) **3** *av* nacelă **II** *vt* a arunca la coș

basket ball ['ba:skit bɔ:l] *s sport* **1** baschet **2** minge de baschet

basketful ['ba:skitful] *s* (**of**) coș (*plin cu...*)

basketry ['ba:skitri] *s* împletituri (*de nuiele*)

Basque [ba:sk] **I** *s* **1** basc **2** (limba) bască **II** *adj* basc

bas relief ['bæsri,li:f] *s* basorelief

bass[1] [beis] *muz* **I** *s* bas **II** *adj atr* de bas

bass[2] [bæs] *s iht* biban (*Perca fluviatilis*)

bass clef ['beis klef] *s muz* cheia de bas/fa

bass drum ['beis drʌm] *s muz* toba mare

basset ['bæsit] *s zool* (câine) baset, cotei

bass horn ['beis hɔ:n] *s muz* **1** bastubă **2** bashorn

bassinet [,bæsi'net] *s* **1** coș (*pt copii*) **2** cărucior împletit

basso ['bæsou] *s muz v.* **bass**[1]

bassoon [bə'su:n] *s muz* fagot

bass relief ['bæs ri,li:f] *s* basorelief

bast [bæst] *s bot* bast, liber

bastard ['bæstəd] **I** *s* **1** bastard, copil nelegitim **2** *agr* hibrid, corcitură **3** *sl* lepădătură, ticălos, nemernic, fiu de cățea, jigodie **4** *sl* tip, individ **II** *adj* **1** bastard, nelegitim **2** stricat, fals, prost **3** hidos; monstruos

bastard acacia ['bæstəd ə'keiʃə] *s bot* salcâm (*Robinia pseudoacacia*)

bastardize ['bæstədaiz] **I** *vt jur* a declara nelegitim **II** *vi* a degenera

bastardy ['bæstədi] *s* **1** naștere nelegitimă; condiție de bastard **2** desfrâu, destrăbălare

baste[1] [beist] *vt* a unge, a stropi (*carnea*) cu untură (*în timpul prăjitului*)

baste[2] *vt* a însăila, a înșulări

baste[3] *vt* **1** a bate zdravăn, a burduși (cu bățul) **2** a critica; a asalta (cu întrebări *etc.*); a certa

Bastil(l)e, the [bæs'ti:l, ðə] *ist* Bastilia

bastinade [,bæsti'neid] *s, vt v.* **bastinado**

bastinado [,bæsti'neidou] **I** *pl* **bastinadoes** [,bæsti'neidouz] *s* **1** bastonadă **2** baston **II** *vt* a bate la tălpi

bastion ['bæstiən] *s mil și fig* bastion

bat[1] [bæt] *s* **1** băț; bâtă, ciomag; paletă **2** *text* meliță **3** lovitură (*cu ciomagul etc.*) **4** ← *F* pas, ritm; **full ~** cu toată viteza, în plină viteză

bat[2] *s zool* liliac (*Vespertilio sp.*); **to have ~s in one's/the belfry** *F* a avea sticleți la cap, a-i lipsi o doagă

bat. *presc de la* **1** battery **2** battalion

batata [bə'ta:tə] *s bot* batată, cartof dulce (*Batatas edulis*)

batch [bætʃ] *s* **1** rând (*de pâine*), cuptor; **of the same ~** *fig* din același/dintr-un aluat **2** grămadă; teanc; pachet **3** *met* șarjă; grupă **4** *ec* serie; partidă; lot

batchy ['bætʃi] *adj sl* țăcănit, scrântit

bate[1] [beit] *vi* a fremăta, a fi în freamăt

bate[2] *vi v.* **abate**

bated ['beitid] *adj:* **with ~ breath a** ținându-și răsuflarea; cu răsuflarea întretăiată **b** cu voce joasă/scăzută

bat-eyed ['bætaid] *adj fig* mărginit, limitat; fără orizont

Bath [ba:θ] *oraș în Anglia;* **go to ~!** *F* du-te naibii!

bath I *pl* **baths** [ba:ðz] *s* **1** baie, îmbăiere **2** baie, cadă; scăldătoare **3** (cameră de) baie; *și pl* baie publică **4** *și pl* băi, stațiune balneară **5** *tehn* baie **II** *vi* a face baie **III** *vt* a spăla, a îmbăia

Bath/bath chair ['ba:θtʃɛə'] *s* fotoliu pe rotile (*pt bolnavi*)

bathe [beið] **I** *vt* **1** a scălda, a spăla **2** (*d. ape*) a scălda, a uda **3** *fig* a scălda (*în lumină etc.*), a învălui **II** *vi* a se scălda (*în mare etc.*) **III** *s* baie, scăldat (*în mare, râu etc.*)

bathing ['beiðiŋ] *s* **1** baie; îmbăiere, scăldare **2** caracteristicile apei (*temperatura etc.*)

bathing gown ['beiðiŋ gaun] *s* halat de baie

bathing place ['beiðiŋ pleis] *s* scăldătoare, loc de scăldat; plajă

bathing resort ['beiðiŋri,zɔ:t] *s* stațiune balneară (*pe litoral*)

bathing suit ['beiðiŋ sju:t] *s* costum de baie

bathing tent ['beiðiŋ tent] *s* cort de plajă

bathometer [bə'θɔmitə'] *s nav* batometru

Bathonian [bæ'θouniən] *adj* din (orașul) Bath

bathos ['beiθɔs] *s* **1** *ret* gradație inversă, batos **2** patos fals; sentimentalism (↓ ieftin) **3** *fig* cădere, prăbușire **4** *fig* culme (*a prostiei etc.*); abis

bathroom ['ba:θru(:)m] *s* (cameră de) baie

bathtub ['ba:θtʌb] *s* **1** cadă **2** *auto sl* mașină mare

Bathurst ['bæθə:st] *oraș în Australia*

bath wrap ['ba:θ ræp] *s* halat de baie

bating ['beitiŋ] *prep înv* fără numai (de), – exceptând, (în) afară de

batiste [bæ'ti:st] *s text* batist

batman ['bætmən] *s mil* ordonanță

bat-minded ['bæt,maindid] *adj* prost, nătâng; mărginit

baton ['bætən] *s* **1** baston; baston de cauciuc **2** *muz* baghetă **3** *sport* ștafetă

batrachians [bə'treikiənz] *s pl zool* batracieni, amfibieni

batt. *presc de la* **1** battery **2** battalion

battalion [bə'tæliən] *s mil* **1** batalion; *amer și* divizion de artilerie **2** *pl* oști(ri), armate

batten ['bætn] **I** *vt* a îngrășa **II** *vi* **1** a se îngrășa; a crește exagerat **2** (*d. sol*) a deveni roditor **3** *fig* a huzuri (↓ pe socoteala altuia)

batter ['bætə'] **I** *vt* **1** a bate zdravăn **2** a dărâma, a demola **3** a bătători **4** a sfărâma, a zdrobi **5** a bate (*unt*); a frământa (*aluat*) **6** *met* a lamina, a bate **7** *mil* a distruge; a face breșe în **8** *fig* a critica aspru, a ataca fără cruțare **II** *vi* a bate/a ciocăni puternic **III** *s* **1** aluat (*nefermentat*) **2** *constr* taluz; înclinare **3** *constr* lut laminat **4** *mil* foc puternic de artilerie

batter about ['bætər ə'baut] *vt cu part adv v.* **batter I, 1**

batter down ['bætə'daun] *vt cu part adv v.* **batter I, 2**

battered ['bætəd] *adj* 1 bătucit, bătătorit; tasat 2 ponosit, uzat 3 *(d. pălării)* turtit, boţit 4 *(d. vase)* ciocănit 5 *poligr* deteriorat, stricat

batter in ['bætər'in] *vt cu part adv v.* **batter I, 4**

battering ram ['bætəriŋræm] *s mil od* berbece

battery ['bætəri] *s* 1 *jur* bătaie 2 *mil* baterie; divizion 3 *el* acumulator; baterie; element galvanic

batting [bætiŋ] *s* vatelină; vată

battle ['bætl] **I** *s* 1 *mil* bătălie, luptă; bătaie; conflict; **to do ~** a se lupta; **to fight a losing ~** *fig* a duce o luptă sortită eşecului, a se căzni în zadar 2 bătaie, luptă; întrecere **II** *vi* (**for**) a (se) lupta (pentru)

battle array ['bætlə,rei] *s mil* ordine de bătaie

battle axe ['bætl æks] *s mil od* secure (de luptă); halebardă

battle cruiser ['bætl,kru:zə'] *s nav* crucişător de linie

battle cry ['bætl krai] *s* 1 strigăt de luptă 2 *fig* lozincă

battledore ['bætldo:'] *s* 1 mai de bătut rufe 2 paletă *(de volan)* 3 badminton

battle field ['bætlfi:ld] *s mil* câmp de luptă/bătălie

battle fleet ['bætlfli:t] *s nav* flotă militară

battle ground ['bætl graund] *s* 1 *mil* v. **battle field** 2 *fig* obiect de ceartă/discuţie

battlement ['bætlmənt] *s* parapet; creastă de zid

battle order ['bætl,o:də'] *s mil* 1 dispozitiv de luptă 2 ordin de luptă 3 ţinută de campanie

battle plane ['bætl plein] *s av* avion de luptă

battleship ['bætlʃip] *s nav* vas de linie; cuirasat

battue [bæ'tju:] *s fr* 1 goană, hăituire 2 măcel, masacru

batty ['bæti] *adj* 1 *zool* (ca) de liliac 2 *sl* ţăcănit, care are sticleţi la cap

bauble ['bo:bl] **I** *s* 1 jucărie; bibelou 2 *fig* fleac, nimic **II** *adj atr* de nimic, neînsemnat, fără valoare

baubling ['bo:bliŋ] *adj v.* **bauble II**

Baucis ['bo:sis] *mit*

Baudelaire [boud'lɛə'], **Charles** *poet francez (1821-1867)*

baulk [bo:k] *s v.* **balk**

bauxite ['bo:ksait] *s minr* bauxită

Bavaria [bə'vɛəriə] *land în Germania*

Bavarian [bə'vɛəriən] *adj, s* bavarez

bawd [bo:d] *s* mijlocitoare, codoaşă; patroană a unei case de toleranţă

bawdry ['bo:dri] *s* pornografie, obscenităţi

bawdy ['bo:di] *adj* pornografic, obscen

bawdy house ['bo:di haus] *s* bordel, casă de toleranţă

bawl [bo:l] **I** *vi* (**at**) a ţipa, a striga, a zbiera (la) **II** *s* ţipăt, strigăt, zbieret

bawl out ['bo:l'aut] *vt cu part adv* 1 *F* a zbiera/a urla la 2 a profera *(înjurături etc.)*

bay¹ [bei] *s* baie; golf

bay² *s* 1 *constr* travee; arcadă; deschidere; nişă, firidă 2 *ferov* staţie terminus *(pe o linie secundară)*

bay³ **I** *vi* a lătra, a hămăi **II** *vt* a lătra la **III** *s* 1 lătrat, hămăit 2 *fig* necaz, strâmtoare, ananghie; **to be at ~** a fi încolţit, a fi la strâmtoare; **to hold/to keep smb at ~** a ţine pe cineva în şah; a avea pe cineva la mână

bay⁴ **I** *adj* murg **II** *s* (cal) murg

bay⁵ *s* 1 *bot* dafin, laur *(Laurus nobilis)* 2 *pl* (cunună de) lauri

bayadere [,ba:iə'diə'] *s* baiaderă

bay laurel ['bei,lorəl] *s bot* 1 dafin, laur *(Laurus nobilis)* 2 (o)leandru *(Nerium oleander)*

bayonet ['beiənit] **I** *s* baionetă; **at the point of the ~** în vârful baionetei **II** *vt* a străpunge cu baioneta

bay window ['bei,windou] *s v.* **bow window**

baza(a)r [bə'za:'] *s* 1 bazar (oriental) 2 magazin universal 3 bazar de binefacere

bazooka [bə'zu:kə] *s mil amer* bazuca

B.B.C. *presc de la* **British Broadcasting Corporation** Corporaţia de radio britanică

B.C. *presc de la* 1 **before Christ** înainte de Cristos, înaintea erei noastre 2 **Bachelor of Chemistry** 3 **Bachelor of Commerce**

B.C.E. *presc de la* 1 **Bachelor of Civil Engineering** 2 **Bachelor of Chemical Engineering**

B.C.L. *presc de la* **Bachelor of Civil Law**

B.C.S. *presc de la* **Bachelor of Chemical Science**

bd. *presc de la* 1 **bond** 2 **board** 3 **bound**

B.D. *presc de la* 1 **Bachelor of Divinity** 2 **bills discounted**

bdellium ['deliəm] *s* bdeliu(m) *(răşină)*

be [bi:], *pret* **was** [wəz], *pret pl şi pers 2* **were** [wə], *ptc* **been** [bi:n] **I** *v aux* 1 *(formează timpuri continui şi pasive)* a fi; **I am asking** întreb *(în momentul de faţă);* **she was asking** *(ea)* întreba; **they will be asking** *(ei)* vor întreba; **I am asked** sunt întrebat; **he had been asked** *(el)* fusese întrebat; **I am told** mi se spune 2 *(formează perfectul prezent cu unele verbe, în locul lui „to have");* **he is come** *(el)* a venit **II** *v mod v.* **be to III** *vi* 1 *(copulă)* a fi; **is he a teacher?** *(el)* este profesor? 2 a fi, a exista, a fiinţa; **I think therefore I am** cuget, deci exist; **there is** este, se află, se găseşte, există; **there are** sunt, se află, se găsesc, există 3 a fi, a se împlini *(un număr de ani etc.);* **he'll ~ five next month** o să fie de/împlineşte cinci ani luna viitoare 4 a fi, a costa, a face; **how much is a pair?** cât e/face/costă perechea?

be- *pref* **I** *verbal* 1 *(„complet"; „peste tot");* **to besprinkle** a stropi 2 *(privativ);* **to bereave** a lipsi, a văduvi 3 *(„a face");* **to befriend** a împrieteni **II** *adjectival („cu");* **bewhiskered** cu favoriţi *sau* mustăţi

B.E. *presc de la* 1 **Bank of England** 2 **Bachelor of Education** 3 **Bachelor of Engineering** 4 **Board of Education**

b.e., B.E. *presc de la* **bill of exchange**

be about to *vi cu prep şi inf* a fi gata să, a fi pe punctul de a; a se pregăti să

beach [bi:tʃ] **I** *s* 1 ţărm de mare *(cu pantă lină);* litoral; plajă *(la ţărmul mării, al unui lac etc.)* 2 *nav* zonă de maree 3 banc de nisip; **on the ~** *F* în pom, – la strâmtoare 4 *mil* punct de debarcare **II** *vt* 1 *nav* a pune pe uscat 2 *nav* a descărca pe ţărm **III** *vi nav* a eşua

beach head ['biːtʃhed] *s mil* cap de pod

Beach-la-mar [ˌbiːtʃləˈmaːʳ] *s dialect* englez din Polinezia

beacon ['biːkən] **I** *s* **1** semnal (luminos) **2** *nav* far; baliză **3** *fig* far (călăuzitor) **4** *fig* semn, avertisment **II** *vi* a lumina, a străluci (ca un far) **III** *vt* **1** a aprinde; a lumina **2** *fig* a lumina calea *cuiva*

Beaconsfield ['biːkənzfiːld] *v.* **Disraeli**

bead [biːd] *s* **1** mărgea; perlă, mărgăritar; bob, boabă **2** pic(ătură), strop **3** băşică (de aer) **4** *pl bis* mătănii

bead frame ['biːd freim] *s* abacă, socotitor

beadle ['biːdl] *s* **1** ← *înv* paracliser **2** pedel *(la universităţi)*

bead roll ['biːd roul] *s* listă lungă; catalog

beadsman ['biːdzmən] *s* persoană plătită ca să se roage în locul altcuiva

beady ['biːdi] *adj* **1** cu mărgele **2** de mărgea; ca mărgelele **3** rourat **4** băşicat, cu băşici

beagle ['biːgl] *s* **1** copoi *cu picioare scurte (pt vânat mic)* **2** *fig* copoi, agent

beak [biːk] *s* **1** cioc, plisc **2** vârf; cioc **3** *sl* nas *(↓ mare şi coroiat)* **4** cioc *(de ibric etc.);* vârf ascuţit **5** *nav* pinten, epiu

beaked [biːkt] *adj* **1** cu cioc; cu vârf **2** în formă de cioc

beaker ['biːkəʳ] *s* **1** pocal, cupă **2** pahar de laborator

beak head ['biːk hed] *s nav* taie mare

beam [biːm] **I** *s* **1** grindă, bară, traversă **2** (braţ de) balanţă **3** *agr* grindei *(de plug)* **4** rază; mănunchi de raze **5** *fig* nimb, aureolă **6** *nav* lăţime *(a navei)* **7** *nav* traversă de punte; traversă mobilă **8** *nav* travers

beam compass ['biːm ˌkʌmpəs] *s tehn* şubler

beam end ['biːm end] *s nav* capăt de traversă; **on one's ~** într-o situaţie dificilă *sau* fără ieşire

beamful ['biːmful] *adj* cu raze; luminos, strălucitor

beaming ['biːmiŋ] *adj* **1** *v.* **beamful 2** radios, vesel

beamy ['biːmi] *adj* **1** strălucitor, radios **2** masiv, greoi

bean [biːn] *s* **1** *bot* fasole *(Pha-*seolus vulgaris) **2** *bot* bob *(Vicia faba)* **3** *F* dovleac, bostan, – cap // **not to have a ~** *F* a nu avea o leţcaie, a fi lefter; **full of ~s** plin de viaţă, energic

bean feast ['biːn fiːst] *s F* chiolhan, zaiafet, petrecere *(zgomotoasă)*

bear¹ [bɛəʳ] *s* **1** *zool* urs *(Ursus aretos);* **catch the ~ before you sell his skin** *prov* nu vinde pielea ursului din pădure; **to take a ~ by the tooth** a se vârî singur în gura lupului; **(as) cross/surly as a ~ (with a sore head)** cu o falcă în cer şi una în pământ, supărat foc **2** *fig* urs, om ursuz **3** *met* urs; bloc **4** cârpă *(pt şters podelele)*

bear², *pret* **bore** [bɔːʳ], *ptc* **borne** [bɔːn] *şi (la* **I**, **2) born I** *vt* **1** a purta, a duce, a căra; a ţine **2** a naşte, a da naştere la; **she has borne two children** a născut doi copii; **two children that had been born** se născuseră doi copii **3** a purta, a avea, a fi înarmat cu *(o armă etc.)* **4** a avea, a duce, a suporta; a se bucura de; **to ~ comparison** a suferi comparaţie **5** a suferi, a suporta, a răbda **6** a exercita *(un drept etc.)* **7** a răspândi, a colporta *(zvonuri etc.)* **8** a suporta *(cheltuieli etc.)* **9** a permite, a îngădui *(o interpretare etc.)* **II** *vr* a se comporta; a se ţine **III** *vi* **1** a rezista, a ţine **2** a naşte; a rodi, a da rod

bearable ['bɛərəbl] *adj* suportabil

bear against ['bɛərəˌgenst] *vi cu prep* a se sprijini de

bear along ['bɛərəˌlɔŋ] *vt cu prep* a trage, a târî *(după sine)*

bear away ['bɛərəˈwei] **I** *vt cu part adv* **1** a lua, a duce *(cu sine);* a îndepărta **2** a câştiga *(victoria etc.)* **II** *vi cu part adv* a se îndepărta

bear back ['bɛəˈbæk] *vi cu part adv* a da înapoi

bearberry ['bɛəberi] *s bot* strugurii ursului *(Arctostaphylos uvaursi)*

beard [biəd] **I** *s* **1** barbă; ţăcălie; **to grow a ~** a-şi lăsa barbă; **to laugh in one's ~** a râde în barbă/ pe sub mustaţă **2** barbă *(de capră etc.)* **3** *tehn* şanfren; cârlig **4** *sl* beatnic, *F* bărbos, pletos **5** *bot* radiculă; mustaţă **II** *vt* **1** a trage de barbă **2** a înfrunta, a sfida; **to ~ a lion in his den** *fig*

a intra în vizuina leului/gura lupului *(de bunăvoie)*

bearded ['biədid] *adj* cu barbă; bărbos

beardless ['biədlis] *adj* **1** fără barbă; spân **2** *fig* imberb, tânăr

bear down ['bɛəˈdaun] *vt cu part adv* a înfrânge, a doborî; a veni de hac *cuiva*

bear down upon ['bɛəˈdaunəˌpɔn] *vi cu part adv şi prep* a se repezi/ a se năpusti asupra *cu gen*

bearer ['bɛərəʳ] *s* **1** purtător; cel ce poartă, susţine *etc. (v.* **bear²** **I**, **III) 2** pom fructifer **3** *ec* purtător **4** *tehn* reazem; piesă portantă; purtător

bear forth ['bɛəˈfɔːθ] *vt cu part adv* a da, a produce, a aduce

bear garden ['bɛə ˌgaːdn] *s* **1** loc pentru divertisment cu urşi dresaţi **2** bâlci; loc pentru întruniri zgomotoase

bearing ['bɛəriŋ] **I** *adj* purtător (de); producător (de) *etc. (v.* **bear²** **I) II** *s* **1** purtare, ducere, dus **2** naştere; producere; facere; rod; rodire **3** comportare, purtare **4** aer, înfăţişare; ţinută **5** răbdare, toleranţă, tolerare; **past/beyond all ~** insuportabil, intolerabil; depăşind orice limită **6** legătură, relaţie, raport; **it has no ~ on our problem** nu are nici o legătură cu problema noastră **7** sens, semnificaţie, importanţă **8** *pl* poziţie; direcţie; **to take one's ~s** a stabili locul unde te afli; a se orienta **9** *tehn* rulment; lagăr; cuzinet **10** *tehn* apăsare **11** *av, nav* relevment

bearing ball ['bɛəriŋ bɔːl] *s tehn* bilă de rulment

bearish ['bɛəriʃ] *adj* **1** (ca) de urs; greoi **2** grosolan, bădăran

bear leader ['bɛə ˌliːdəʳ] *s* ursar

bear off ['bɛəˈɔːf] *vt cu part adv* **1** a abate; a da la o parte **2** a lua, a dobândi *(un premiu)*

bear on ['bɛər ɔn] *vi cu prep* **1** a se rezema de/pe **2** a avea legătură/ contingenţă cu; a se referi la

bear out ['bɛər aut] **I** *vt cu part adv* a confirma, a adeveri **II** *vi cu part adv* a se apăra; a se împotrivi, a rezista

bear's breech ['bɛəz ˌbriːtʃ] *s bot* talpa ursului *(Acanthus longifolius)*

bear's ear ['bɛəz iəʳ] *s bot* urechea ursului *(Primula auricula)*

bear's foot ['bɛəz fu:t] *s bot* spânz *(Helleborus odorus)*

bearskin ['bɛəskin] *s* **1** piele de urs **2** căciulă din blană de urs *(purtată de soldații englezi)*

bear towards ['bɛə tə‚wɔːdz] *vi cu prep* a fi îndreptat spre

bear up ['bɛər 'ʌp] **I** *vt cu part adv* a sprijini, a susține; a încuraja **II** *vi cu part adv* a rezista; a face față

bear upon ['bɛər ə‚pɔn] *vi cu prep v.* **bear on**

bear with ['bɛə wið] *vi cu prep* **1** a suporta, a răbda *cu ac* **2** a fi îngăduitor/indulgent cu

beast [biːst] *s* **1** animal, dobitoc; vită; fiară **2** *fig* bestie, fiară **3** *fig* dobitoc, vită

beastliness ['biːstlinis] *s* **1** animalitate; dobitocie **2** *fig* bestialitate **3** *fig* porcărie, murdărie

beastly ['biːstli] **I** *adj* **1** animalic; de dobitoc; de fiară **2** *fig* bestial, de fiară **3** *F* groaznic, înfiorător; afurisit, blestemat **II** *adv* **1** animalic; ca un animal **2** *fig* bestial, ca o fiară **3** *F* al naibii, al dracului

beast of burden ['biːst əvˈbəːdn] *s* animal de povară

beast of prey ['biːstəvˈprei] *s* animal de pradă

beat [biːt] **I** *pret* **beat** [biːt], *ptc* **beaten** [biːtn] *vt* **1** a bate; a lovi; a ciomăgi; **to ~ to death** a omorî în bătaie; **to ~ to a jelly** a bate măr, a face chiseliță; **to ~ black and blue** a bate până la sânge, a bate măr; **to ~ the air/the wind** *fig* a se bate cu morile de vânt; a căra apa cu ciurul; a vorbi în vânt/de pomană **2** *muz* a bate *(măsura)* **3** a bate, a marca *(orele etc.)*; a suna **4** a bate, a pisa; a sfărâma **5** a scutura **6** a frământa **7** *(d. valuri etc.)* a bate în, a se lovi de **8** a bate, a bătători *(un drum etc.)* **9** *fig* a bate, a învinge, a înfrânge, a întrece **10** *fig* a depăși, a întrece **II** *(v. ~ I)* *vi* **1** a bate, a ciocăni *(la ușă etc.)* **2** a bate, a pulsa **3** *(d. tobe)* a bate, a *(ră)*suna **4** *(d. ceas)* a bate, a ticăi **5** *(d. valuri)* a lovi, a izbi; *(d. vânt)* a bate; a urla; a se zbuciuma **III** *s* **1** lovitură **2** bătaie *(a ceasului, tobei etc.)* **3** *muz* măsură; ritm **4** pulsație, bătaie **5**

rond, patrulare **6** *fig* competență; domeniu **7** goană, hăituială

be at ['biː ət] *vi cu prep* **1** a avea de gând să **2** a se ocupa de, a fi ocupat cu

beat about ['biːtə‚baut] *vi cu prep* a căuta *cu ac*, a da târcoale *cu dat;* **to ~ the bush** a o lua pe ocolite; a bate câmpii

beataxe ['biːtæks] *s agr* rariță, mușuroitor

beat back ['biːt 'bæk] *vt cu part adv* a respinge *(inamicul etc.)*

beat down ['biːt'daun] **I** *vt cu part adv* **1** a înfrânge, a reduce la tăcere *(opoziția etc.)* **2** a reduce, a face să lase din *(preț)* **3** *(d. grindină etc.)* a culca la pământ *(grâul etc.)* **II** *vi cu part adv* a șovăi, a ezita

beaten ['biːtn] **I** *ptc de la* **beat I II** *adj* **1** bătut; învins, înfrânt **2** bătut, bătătorit **3** obosit, frânt; uzat **4** umblat; încercat, cu experiență **5** *mil* bătut *(de artilerie etc.)*

beater ['biːtəʳ] *s* **1** persoană care bate etc. *(v.* beat I*)* **2** bătător, meliță; mai **3** pisălog **4** *agr* îmblăciu; bătător **5** gonaci, bătăiaș, hăitaș

beater engine ['biːtər‚endʒin] *s tehn* holendru

beat from ['biːt frəm] *vi cu prep* a alunga/a izgoni din

beatify ['biː'ætifai] *vt* **1** a face fericit **2** *rel* a beatifica; a canoniza

beating ['biːtiŋ] *s* **1** bătaie; batere; lovire; **to get a good/sound ~** a căpăta/a primi o bătaie zdravănă **2** înfrângere **3** fâlfâit, bătaie a aripilor

beating engine ['biːtiŋ endʒin] *s tehn* holendru

beat into ['biːt ‚intə] *vt cu prep și fig* a băga/a vârî în

beatitude [biːˈætitjuːd] *s* beatitudine, fericire supremă

beatnik ['biːtnik] *s* beatnic, bitnic *(tânăr non-conformist și boem)*

beat off ['biːtˈɔːf] *vt cu part adv* a respinge *(un atac etc.)*

beat out ['biːt'aut] *vt cu part adv* **1** a scoate; a face să iasă **2** a bate, a bătători *(un drum)* **3** a explica, a lămuri

Beatrice ['biːtris] *nume fem*

beat to ['biːt tə] *vi cu prep mil* a chema la *(arme)*

beat up ['biːt'ʌp] **I** *vt cu part adv* **1** a bate zdravăn **2** *mil* a recruta **3** *mil* a lua cu asalt **II** *vi* **1** a se

ridica; a ieși la suprafață **2** a se face bine, a se înzdrăveni

beau [bou], *pl* **beaux** [bouz] *s fr* amorez, crai

Beaufort's scale ['boufɔtsskeil] *s meteor* scară Beaufort

Beaumarchais [bomaː(r)'ʃei] *dramaturg francez (1732-1799)*

Beaumont ['boumənt], **Francis** *dramaturg englez (1584-1616)*

beauteous ['bjuːtjəs] *adj poetic* mândru, nurliu, răpitor

beautiful ['bjuːtəful] **I** *adj* frumos; minunat; mândru; admirabil **II** *s* **the ~** frumosul

beautifully ['bjuːtəfuli] *adv* frumos, minunat, splendid

beautify ['bjuːtifai] *vt* a înfrumuseța; a împodobi

beauty ['bjuːti] *s* **1** frumusețe; mândrețe; splendoare **2** frumusețe, femeie frumoasă **3** frumusețe, vino-ncoace, nuri, grație

beauty-of-the-night ['bjuːti əvðə'nait] *s bot* barba împăratului *(Mirabilis jalapa)*

beauty parlor ['bjuːti‚paːləʳ] *s amer* salon de coafură

beauty shop ['bjuːtiʃɔp] *s* salon de coafură

beauty sleep ['bjuːti sliːp] *s* **1** somnul dintâi *(înainte de miezul nopții)* **2** somn de zi *(înainte de masă, înaintea unei petreceri etc.)*

beauty spot ['bjuːti spɔt] *s anat* aluniță

beaux [bouz] *pl de la* **beau**

beaux-arts ['bouz'aːts] *s pl fr* belle-arte, arte frumoase

beaver¹ ['biːvəʳ] *s ist* coif *(care acoperă și fața);* vizieră *(de coif)*

beaver² *s* **1** *zool* castor, biber *(Castor fiber)* **2** blană *sau* pălărie de castor

be away ['biː ə'wei] *vi cu part adv* a fi plecat; a nu fi acasă

bebop ['biːbɔp] *s muz* bebop, bibab, bop *(stil de jazz)*

becalm [bi'kaːm] *vt* a liniști, a potoli, a calma

became [bi'keim] *pret de la* **become**

because [bi'kɔz] *conj* pentru că, fiindcă, deoarece, întrucât, cum

because of [bi'kɔz əv] *prep* din cauza/pricina *cu gen*

beck¹ [bek] **I** *s* semn (cu ochiul, capul *sau* mâna); gest; salut; **to be at smb's ~ and call** a fi la ordinele/cheremul cuiva **II** *vi, vt înv v.* **beckon**

beck² *s* pârâu (↓ *cu albie pietroasă*)

becket ['bekit] *s nav* ochi; zbir

Becket, Thomas *arhiepiscop de Canterbury (1118-1170)*

Beckett, Samuel *dramaturg și romancier irlandez (n. 1906)*

beckon ['bekən] **I** *vi* a face semn (cu capul, ochiul *sau* mâna) **II** *vt* a face *cuiva* semn (cu capul, ochiul *sau* mâna)

beckon away ['bekən ə'wei] *vt cu part adv* a face *cuiva* semn să plece

beckon back ['bekən 'bæk] *vt cu part adv* a face *cuiva* semn să se întoarcă

becloud [bi'klaud] *vt și fig* a înnora, a întuneca

become [bi'kʌm], *pret* **became** [bi'keim], *ptc* **become** [bi'kʌm] **I** *vi* a deveni, a ajunge, a se face **II** *vt* a i se potrivi, a-i veni/a-i sta bine *cuiva*

become of [bi'kʌməv] (*v.* **become**) *vi cu prep* a se întâmpla cu, a deveni; **what has ~ her?** ce s-a întâmplat cu ea? ce a devenit (ea)? ce face (ea)? cu ce se ocupă (ea)?

becoming [bi'kʌmiŋ] **I** *s* devenire **II** *adj* **1** potrivit, care se potrivește, care vine bine **2** care șade bine, cuvenit

becomingly [bi'kʌmiŋli] *adv* **1** cum trebuie/se cuvine; frumos, potrivit; la înălțime **2** cu gust

becomingness [bi'kʌmiŋnis] *s* **1** înfățișare atrăgătoare **2** bună cuviință, decență

bed [bed] **I** *s* **1** pat; așternut; culcuș; **to go to ~** *și fig* a se duce la culcare, a se culca; **to leave one's ~** *fig* a se scula din pat, a se face bine/sănătos; **she was brought to ~ of a girl** (ea) a născut o fată; **as you make your ~ so you must lie on it** *prov* cum îți vei așterne, așa vei dormi **2** strat, răzor **3** *tehn* pat; strat; batiu, cadru **4** *constr* fundație, temelie **5** *met* hală de turnare **6** albie (*de râu*) **7** fund (*de mare*) **8** *ferov* terasament **II** *vt* **1** a culca (*în pat*) **2** a sădi, a planta; a răsădi **III** *vi* **1** a se culca **2** a rămâne peste noapte, a înnopta

bedaub [bi'dɔ:b] *vt* **1** a mânji, a murdări **2** a împopoțona

bedazzle [bi'dæzl] *vt* a orbi, a-ți lua ochii

bed bug ['bed bʌg] *s ent* ploșniță (*Cimex lecturarius*)

bedchamber ['bed,tʃeimbəʳ] *s ← înv* dormitor

bed clothes ['bed klouðz] *s pl* rufărie de pat; așternut

bedding ['bediŋ] *s* **1** așternut (*de pat*) **2** așternut (*pt vite*) **3** bază, fundament; suprafață de sprijin **4** *geol* stratificare; strat

Bede, the Venerable [bi:d, ðə've-nərəbl] *istoric și prozator englez* Venerabilul Bede (*673-735*)

bedeck [bi'dek] *vt* a înfrumuseța, a găti, a împodobi

bedevil [bi'devl] *vt* **1** a chinui, a tortura; a-și bate joc de **2** a scoate din minți, a vrăji **3** a înrăi, a face rău (*pe cineva*)

bedevilment [bi'devəlmənt] *s* **1** chinuire; batjocorire **2** înnebunire, scoatere din minți; vrajă

bedew [bi'dju:] *vt* a (în)roura; a broboni; a stropi

bedfast ['bedfɑ:st] *adj* țintuit la pat

bedfellow ['bed,felou] *s* **1** tovarăș de pat **2** tovarăș; asociat

Bedford ['bedfəd] *oraș în Anglia*

Bedfordshire ['bedfədʃiəʳ] *comitat în Anglia*

bedgown ['bedgaun] *s* cămașă de noapte (*pt femei*)

bed head ['bed hed] *s* capul patului

bedight [bi'dait] *adj, ptc ← înv* învăluit, învelit, acoperit

bedim [bi'dim] *vt* a întuneca, a încețoșa (↓ *vederea*)

bedizen [bi'daizn] *vt* a înzorzona, a împopoțona

bedlam ['bedləm] *s* balamuc, casă de nebuni

bedlamite ['bedləmait] *adj, s* nebun, smintit

bed linen ['bed,linin] *s* rufărie de pat; așternut

bedmate ['bedmeit] *s* **1** tovarăș de pat **2** soț; soție

Bedouin ['beduin] *s* **1** beduin **2** nomad

bedpan ['bedpæn] *s* **1** vas pentru încălzit patul **2** ploscă (*pt bolnavi*)

bed plate ['bed pleit] *s tehn* placă de bază

bedpost ['bedpoust] *s* picior de pat; stâlp de pat; **between you and me and the ~** între patru ochi, între noi doi

bedraggle [bi'drægl] *vt* **1** a mânji, a murdări **2** a uda leoarcă

bedrid(den) ['bed,ridn] *adj* țintuit la pat

bedrock ['bedrɔk] *s* **1** *geol* rocă-mamă; rocă de bază **2** *fig* temelie solidă/trainică **3** *fig* adânc, străfunduri **4** *fig* principii de bază/fundamentale

bedroom ['bedru(:)m] *s* dormitor, cameră de culcare

bed setee ['bed se'ti:] *s* canapea-pat, recamier

bedside ['bedsaid] *s* căpătâiul/marginea patului; **to watch at smb's ~** a veghea la căpătâiul cuiva

bed-sore ['bedsɔ:ʳ] *s med* escară

bed spread ['bed spred] *s* cuvertură (*de pat*)

bedstead ['bedsted] *s* **1** pat **2** scheletul patului

bedstone ['bedstoun] *s* **1** *met* vatră de furnal **2** *constr* piatră cuzinet

bedstraw ['bedstrɔ:] *s bot* sânziene, drăgaică (*Galium mollugo etc.*)

bed table ['bed,teibl] *s* măsuță de noapte, noptieră

bedtime ['bedtaim] *s* oră de culcare

bedtime story ['bedtaim 'stɔ(:)ri] *s și fig* basm pentru adormit copiii

bee [bi:] *s* **1** *ent* albină (*Apis*); **(as) busy as a ~** harnic ca o albină; **to have a ~ in one's/the bonnet** *F* a avea o păsărică, a-i lipsi o doagă **2** *fig* albină, om harnic **3** *amer* clacă; șezătoare

bee bread ['bi: bred] *s* păstură

beech [bi:tʃ] *s bot* fag (*Fagus sp.*)

beechen ['bi:tʃən] *adj* de/din fag

beechmast ['bi:tʃmɑ:st] *s bot* jir

beechwood ['bi:tʃwu:d] *s* făget, pădure de fagi

bee culture ['bi:,kʌltʃəʳ] *s* apicultură

bee eater ['bi: ,i:təʳ] *s orn* prigoare, furnicar (*Meropidae*)

beef [bi:f] *s* **1** carne de vită **2** *F* osânză, – **carne** (*la om*) **3** ← *F* putere, forță (musculară)

beefeater ['bi:f,i:təʳ] *s* **1** mâncător de carne; carnivor **2** *soldat din garda regală engleză* **3** *amer sl* englez

beef head ['bi:fhed] *s sl* tâmpit, bătut în cap

beef-headed ['bi:f,hedid] *adj sl* bătut în cap, tâmpit

beefiness ['bi:finis] *s* **1** corpolență; soliditate **2** putere (musculară)

beefsteak ['bi:f'steik] *s* biftec, mușchi în sânge

beef tea ['bi:f'ti:] *s* bulion (de carne), supă de vacă *(concentrată)*

beef-witted ['bi:f,witid] *adj sl v.* **beef-headed**

beefy ['bi:fi] *adj* 1 cărnos 2 vânjos, musculos

bee garden ['bi: ,gɑ:dən] *s* stupină, prisacă

beehive ['bi:haiv] *s* stup

beehouse ['bi:haus] *s* stup

bee keeper ['bi: ,ki:pəʳ] *s* apicultor, prisăcar

bee keeping ['bi: ,ki:piŋ] *s* apicultură

bee line ['bi: lain] *s* linie dreaptă; **in a ~** în linie dreaptă; **to make a ~ for** a o lua drept spre

Beelzebub [bi:'elzibʌb] Belzebut

bee master ['bi: ,mɑ:stəʳ] *s v.* **bee keeper**

been [bi:n] *ptc de la* **be**

beer ['biəʳ] *s* 1 bere; **he thinks no small ~ of himself** se crede grozav, se crede buricul pământului 2 *pl* (halbă *sau* pahar de) bere

beerhouse ['biəhaus] *s* berărie, bodegă; braserie

beery ['biəry] *adj* 1 (ca) de bere 2 cu bere 3 amețit de bere; mirosind a bere

beer yeast ['biə ji:st] *s* drojdie de bere

beestings ['bi:stiŋz] *s pl* coraslă

beeswax ['bi:zwæks] I *s* ceară de albine II *vt* a cerui, a da cu ceară

beeswing ['bi:zwiŋ] *s* pojghiță (fină) pe vinul vechi

beet [bi:t] *s bot* sfeclă *(Beta vulgaris)*

Beethoven, Ludwig van ['beithouvn, 'lu:dvig vɑ:n] *compozitor german (1770-1827)*

beetle[1] ['bi:tl] *s* 1 gândac; gâză 2 *ent* cărăbuș *(Melolontha vulgaris)*

beetle[2] I *s tehn* ciocan de lemn, mai; compactor II *vt* a bătători cu maiul

beetle[3] *vi* a atârna mult în afară

beetle-browed ['bi:tl braud] *adj* 1 cu sprâncene dese/stufoase 2 *fig* încruntat

beetle head ['bi:tl hed] *s* prost, *F* cap de lemn

beet root ['bi:t ru:t] *s bot v.* **beet**

beet sugar ['bi:t ,ʃugəʳ] *s* zahăr de sfeclă

bef. *presc de la* **before**

befall [bi'fɔ:l], *pret* **befell** [bi'fel], *ptc* **befallen** [bi'fɔ:lən] *vt* a se întâmpla *(cuiva)*

befallen [bi'fɔ:lən] *ptc de la* **befall**

befell [bi'fel] *pret de la* **befall**

befit [bi'fit] *vt* 1 a se potrivi, a ședea bine *cuiva* 2 a se cădea *(ca cineva să...)*

befitting [bi'fitiŋ] *adj* potrivit, nimerit; cuvenit

befool [bi'fu:l] *vt* a prosti, a înșela, a duce

be for ['bi: fəʳ] *vi cu prep* 1 a fi pentru 2 a înlocui *cu ac* 3 a fi în sarcina *cuiva,* a incumba *cuiva* 4 a fi în drum spre

before [bi'fɔ:ʳ] I *adv* 1 înainte, în față; în frunte 2 (mai) înainte; altădată; odinioară; deja; **long ~** cu mult înainte, cu multă vreme în urmă II *prep* 1 înaintea, în fața, din fața, dinaintea *cu gen;* în prezența *cu gen,* de față cu 2 *(temporal)* înaintea, dinaintea *cu gen,* înainte de; până (la); **~ now** până acum; **~ long** curând, peste puțin timp, în scurtă vreme 3 *fig* înaintea *cu gen;* mai mult decât III *conj* 1 înainte de a, înainte ca 2 până ce/când 3 mai curând/ degrabă, decât să

beforehand [bi'fɔ:hænd] I *adv* dinainte, anticipat II *adj* pripit

befoul [bi'faul] *vt* a mânji, a murdări

befriend [bi'frend] *vt* 1 a ajuta 2 a se purta ca un (adevărat) prieten cu

befuddle [bi'fʌdl] *vt* a îmbăta, a ameți

beg [beg] I *vt* 1 a ruga, a se ruga de, a solicita, < a ruga fierbinte/ stăruitor; a cere *cuiva;* **I ~ your pardon a** iertați-mă (vă rog), scuzați **b** pardon, cum ați spus? **c** da' de unde! nici vorbă/pomeneală! să am iertare! **I ~ to report** permiteți să raportez; **I ~ to say** îmi dați voie să spun; **I ~ to differ** dați-mi voie să nu fiu de acord 2 a cerși, a umbla după II *vi* 1 a cerși, a se milogi, a cere de pomană 2 *(of)* a ruga, a cere (de la)

began [bi'gæn] *pret de la* **begin**

beget [bi'get], *pret* **begot** [bi'gɔt], *ptc* **begotten** [bi'gɔtən] *vt* ← *înv* 1 (d. un tată) a zămisli, a procrea, a naște 2 *fig* a zămisli, a da naștere la, a pricinui

begetter [bi'getəʳ] *s* ← *înv* 1 părinte, tată 2 *fig* autor; vinovat

beggar ['begəʳ] I *s* 1 și *fig* cerșetor, milog, calic 2 *F* băiat, cetățean, tip II *vt* 1 a sărăci, a pauperiza 2 *fig* a întrece, a lăsa în urmă; **it ~s all description** nu se poate descrie în cuvinte

beggarhood ['begəhud] *s* 1 sărăcie, mizerie 2 cerșetori(me)

beggarliness ['begəlinis] *s* 1 cerșetorie 2 sărăcie lucie

beggarly ['begəli] I *adj* sărac, mizer, jalnic II *adv* ca un cerșetor

beggary ['begəri] *s* 1 cerșetorie, cerșit 2 cerșetori(me) 3 sărăcie lucie; lipsă

begin [bi'gin], *pret* **began** [bi'gæn], *ptc* **begun** [bi'gʌn] I *vt* a începe, a porni; a se apuca de; a debuta în II *vi* a începe, a porni; **to ~ with** din capul locului, de la bun început; în primul rând; ca să începem cu începutul

beginner [bi'ginəʳ] *s* începător; novice

beginning [bi'giniŋ] *s* 1 început; debut; pornire; **from the ~** de la început 2 origine, izvor, început, obârșie 3 început, punct de plecare 4 *pl* principii (fundamentale); elemente de bază

begird [bi'gə:d], *pret și ptc* **begirt** [bi'gə:t] *vt* (**with**) a încinge, a înconjura (cu)

begirt [bi'gə:t] *pret și ptc de la* **begird**

be going to ['bi 'gouiŋ tə] *v mod; vi cu inf* a avea de gând să, a fi pe cale să, a avea intenția de a/să; *(adesea înlocuiește viitorul I)*

begone [bi'gɔn] I *adj (în compuși)* cuprins, prins; **woe-~** cuprins de jale, zdrobit (de durere) II *interj* pleacă! ieși! afară!

begonia [bi'gouniə] *s bot* begonia, țigancă *(Begonia semperflorens)*

begot [bi'gɔt] *pret de la* **beget**

begotten [bi'gɔtən] *ptc de la* **beget**

begrime [bi'graim] *vt* a mânji, a murdări; a umple

begrudge [bi'grʌdʒ] *vt* a avea pică pe; a invidia, a pizmui

beguile [bi'gail] *vt* 1 a momi, a ademeni; a înșela 2 a face (pe cineva să facă ceva) 3 a omorî *(vremea),* a face să treacă

begun [bi'gʌn] *ptc de la* **begin**

behalf [bi'hɑ:f] *s* 1 nume; **on his ~** în numele lui 2 folos, interes; **in ~ of** în folosul *cu gen,* pentru

behave [bi'heiv] **I** *vi* **1** a se purta, a se comporta; a se purta frumos/ cum trebuie **2** *(d. lucruri)* a se comporta; a funcționa, a lucra **II** *(v. ~ I) vr:* ~ **yourself!** fii cuminte! poartă-te frumos!

behaviorism [bi'heivjərizəm] *s psih* behaviorism, psihologia comportamentului

behaviorist [bi'heivjərist] *s, adj psih* behaviorist

behaviour [bi'heivjəʳ] *s* **1** purtare, comportare, conduită; bună purtare **2** ținută; înfățișare; aer **3** mers **4** *tehn* comportare; regim

behead [bi'hed] *vt* a tăia capul *cuiva*, a decapita

beheld [bi'held] *pret și ptc de la* **behold**

behest [bi'hest] *s* **1** *înv* făgadă, – făgăduială **2** *poetic* poruncă

behind [bi'haind] **I** *adv* **1** în urmă, în spate, îndărăt; dindărăt; **to stay/ to remain** ~ a rămâne în urmă **2** *fig* în urmă; **to lag** ~ a rămâne în urmă; a nu corespunde; a nu face față **II** *prep* **1** în spatele, îndărătul, înapoia, în urma *cu gen;* din spatele, dindărătul *cu gen* **2** *(temporal)* în urma *cu gen;* după; **the bus is** ~ **time** autobuzul întârzie **3** *fig* în urma *cu gen,* după; ~ **the times** înapoiat, care nu e în pas cu vremea **III** *s F* dos; fund, spate

behindhand [bi'haindhænd] *adj pred* **1** întârziat **2** înapoiat, rămas în urmă

behind-thought [bi'haind'θɔːt] *s* gând ascuns

behold [bi'hould] **I** *pret și ptc* **beheld** [bi'held] *vt* a vedea, a zări; a privi **II** *interj înv* iată! când colo, ce să vezi?

beholden [bi'houldən] *adj* ← *înv* îndatorat; recunoscător

beholder [bi'houldəʳ] *s* privitor, spectator, martor

behoof [bi'huːf] *s elev* folos, interes; **in/for/on smb's** ~ în folosul cuiva

behoove [bi'huːv] *vt* a fi de datoria *cuiva,* a se cuveni *(ca cineva să...)*

beige [beiʒ] **I** *adj* bej **II** *s* (culoarea) bej

being ['biːiŋ] **I** *s* **1** existență, fiintare, ființă; viață; **to come into** ~ a a se înfăptui **b** a veni pe lume, a

se naște; **to call/to bring into** ~ a chema la viață; a da viață *cu dat* **2** ființă, făptură, creatură **3** ființă, esență, străfund **4** faptul de a fi *(undeva);* prezență; **my** ~ **here shouldn't bother you** prezența mea aici n-ar trebui să te deranjeze **II** *adj* existent, în ființă; prezent; **for the time** ~ pentru moment, deocamdată

being that ['biːiŋðət] *conj* deoarece, întrucât

Beirut [bei'ruːt] *capitala Libanului*

beknight [bi'nait] *vt și ist* a face cavaler

Bel. *presc de la* **1** Belgian **2** Belgium

belated [bi'leitid] *adj* **1** întârziat, tardiv **2** pe care l-a apucat noaptea (pe drum)

belaud [bi'lɔːd] *vt* a preamări, a proslăvi

belay [bi'lei], *pret și ptc* **belaid** *sau* **belayed** *vt* **1** *nav* a amara **2** *constr* a pardosi *(cu scânduri)*

bel canto [bel'kaːntou] *s muz it* bel canto

belch [beltʃ] **I** *vi* **1** a râgâi; a vărsa, a vomita **2** a erupe **II** *vt* **1** a da afară, a vărsa; a zvârli **2** a erupe **3** a rosti, a profera *(înjurături)* **III** *s* **1** râgâială, eructație; vărsătură, vomitare **2** erupție

belch forth [,beltʃ'fɔːθ] *vt cu part adv v.* **belch II**

belch out ['beltʃ'aut] **I** *vt v.* **belch II** **II** *vi v.* **belch I 2**

beldam(e) ['beldəm] *s* **1** ← *înv* bătrânică, băbuță **2** babă, babă-hârcă, muma-pădurii

beleaguer [bi'liːgəʳ] *vt* **1** a asedia; a împresura **2** *fig* a asedia; a înconjura

beleaguerment [bi'liːgəmənt] *s* asediu, asediere; împresurare

belemnite ['beləmnait] *s geol* belemnit

Belfast [bel'faːst] *capitala Irlandei de Nord*

belfry ['belfri] *s* clopotniță; turn, foișor

Belgian ['beldʒən] *adj, s* belgian

Belgic ['beldʒik] *adj* belgic, belgian

Belgium ['beldʒəm] Belgia

Belgrade [bel'greid] *capitala Iugoslaviei* Belgrad

Belgravia [bel'greiviə] *s* lume aristocratică *(din cartierul Belgravia, Londra)*

Belgravian [bel'greiviən] *adj* aristocratic, select

Belial ['biːliəl] *s* diavol, drac; duh rău

belie [bi'lai] *vt* **1** a calomnia, a vorbi de rău **2** a dezminți, a dezice **3** a înșela *(speranțele)*

belief [bi'liːf] *s* **1** **(in)** credință (în); crezare (în); încredere (în) **2** credință, convingere; părere

believable [bi'liːvəbl] *adj* vrednic de crezare, de crezut

believe [bi'liːv] **I** *vt* **1** a crede (în); a da crezare *cu dat* **2** **(that)** a crede, a socoti; a fi de părere (că) **II** *vi* **1** **(in)** a crede (în) **2** a crede, a socoti; **I** ~ **so** așa cred/socotesc

believer [bi'liːvəʳ] *s* **1** credincios **2** credul **3** partizan, apărător

belike [bi'laik] *adv* ← *înv* (se prea) poate

Belinda [bi'lində] *nume fem*

belittle [bi'litl] *vt* a micșora, a minimaliza

bell[1] [bel] *s* **1** clopot; clopoțel; sonerie; talangă; *pl* zurgălăi; **(as) clear as a** ~ *(d. sunet)* cristalin, curat; **to answer the** ~ a se duce să deschidă (ușa); **to bear the ~s** a fi în frunte; a fi în fruntea bucatelor; **to crack the** ~ *F* a face o boacănă/– o gafă **2** *tehn* pâlnie **3** *bot* caliciu **4** *geol* dom **5** *sport* halteră

bell[2] **I** *s* boncăluit, muget *(al cerbului)* **II** *vi* a boncălui, a boncăni

Bella ['belə] *nume fem*

belladonna [,belə'dɔnə] *s bot* mătrăgună, beladona *(Atropa belladonna)*

bellboy ['belbɔi] *s amer* băiat de serviciu *(la hotel)*

bell clapper ['bel ,klæpəʳ] *s* limbă de clopot

belle [bel] *s fr* frumoasă, mândră

belles lettres ['bel 'letʳ] *s pl fr* beletristică

bell flower ['bel ,flauəʳ] *s bot* **1** clopoțel, campanulă *(Campanula sp.)* **2** zarnacadea, narcis galben *(Narcissus pseudonarcissus)*

bell glass ['bel glaːs] *s* clopot de sticlă

bellicose ['belikous] *adj* războinic, belicos

belligerence [bi'lidʒərəns] *s* stare de război, beligeranță

belligerent [bi'lidʒərənt] *adj, s* beligerant

Bellini, Vincenzo [be'li:ni: vin'tʃentzɔ] *compozitor italian (1801-1835)*

bellman ['belmən] *s od* pristav, crainic

bell mouth ['bel mauθ] *s tehn* mufă, manșon; capăt lărgit

Belloc, Hilaire ['belɔk hi'lɛəʳ] *scriitor englez (1870-1953)*

bellow ['belou] **I** *vi* **1** a mugi; a rage **2** *fig* a zbiera, a urla **II** *s* **1** muget; răget **2** *fig* zbieret, urlet **3** *pl tehn* foale

bell push ['bel puʃ] *s* buton de sonerie

bell ringer ['bel riŋəʳ] *s* clopotar

bell tower ['bel tauəʳ] *s* clopotniță

bell wether ['bel weðəʳ] *s* **1** berbec cu talangă **2** *fig* ghid de nădejde

bellwort ['belwə:t] *s bot v.* **bell flower 1**

belly ['beli] **I** *s* **1** burtă, pântece; stomac; **a hungry ~ has no ears** *prov* pântecele gol n-are urechi de ascultat, vorbele nu țin de foame **2** *nav* burtă; cală **3** *geol* umflare a stratului **4** *av* fuselaj **II** *vt* a umfla **III** *vi* a se umfla

belly-ache ['belieik] **I** *s* durere de burtă/stomac **II** *vi* (**about**) a se văicări/plânge (de)

belly band ['beli ‚bænd] *s* **1** brâu; chingă **2** *nav* centură de siguranță; curea **3** *med* centură abdominală

bellyful ['beliful] *s* **1** plin, cantitate suficientă (↓ *d. alimente*) **2** burtă plină **3** om sătul

belly out ['beli aut] *vi cu part adv* a se umfla

belong [bi'lɔŋ] *vi* **1** a fi, a se afla, a se găsi; **the ashtray ~s on that table** locul scrumierei este pe masa aceea **2** *amer* a fi din, a locui în **3** a fi bun/de trebuință/ necesar; **a telephone ~s in every house** telefonul e o necesitate în fiecare casă

belongings [bi'lɔŋiŋz] *s pl* **1** lucruri, obiecte, bunuri; catrafuse; avere **2** neamuri, rude **3** acareturi, dependințe

belong to [bi'lɔŋ tə] *vi cu prep* a aparține *cu dat*, a ține de, a fi proprietatea *cu gen*, a fi al *cu gen*

belong with [bi'lɔŋ wið] *vi cu prep amer* a avea legătură cu; a ține de

Belorussia [‚bjelə'rʌʃə] *v.* **Byelorussia**

beloved I [bi'lʌvd] *adj pred, ptc* iubit, îndrăgit **II** [bi'lʌvid] *adj atr* iubit,

îndrăgit, drag, scump **III** [bi'lʌvid] *s* iubit, drăguț, mândru; iubită; drăguță, mândră

below [bi'lou] **I** *adv* **1** dedesubt, jos; mai jos; **to go ~** a coborî *(în cabină etc.)*; **here ~** pe (acest) pământ **2** la subsol(ul paginii) **3** mai în vale **4** mai jos/departe; în cele ce urmează **II** *adj* **1** de jos; de mai jos; dedesubt; **the place ~** iadul **2** inferior; **the court ~** *jur* instanța inferioară **III** *prep* **1** dedesubtul *cu gen*, sub; în josul *cu gen;* dincolo de **2** inferior *cu dat;* sub; **it is ~ me** nu este de demnitatea mea

belt [belt] *s* **1** curea, centură, cordon; cingătoare, brâu; **to tighten one's ~** și *fig* a(-și) strânge cureaua **2** *tehn* curea de transmisie **3** *mil* cartușieră **4** *fig* centură, zonă, regiune **5** *constr* brâu

belt conveyer ['belt kən'veiəʳ] *s tehn* transportor cu bandă

belt drive ['belt draiv] *s tehn* transmisie prin curea

belting ['beltiŋ] *s* **1** bătaie cu cureaua **2** *tehn* curea fără sfârșit **3** *tehn* transmisie prin curea

belt line ['belt lain] *s amer* linie de centură

belt saw ['belt sɔ:] *s* ferăstrău-panglică

beluga [bə'lu:gə] *s iht* **1** delfin alb *(Delphinapterus leucas)* **2** morun alb *(Acipenser transmontanus)*

belvedere [belvidiəʳ] *s it constr* **1** belvedere, foișor **2** pavilion, chioșc

bemire [bi'maiəʳ] *vt* și *fig* a murdări, a mânji

bemoan [bi'moun] **I** *vi* a se plânge, a se văita, a se văicări **II** *vt* a (de)plânge, a boci după

bemock [bi'mɔk] *vt* a-și râde de, a-și bate joc de

bemuse [bi'mju:z] *vt* a uimi, a ului, a năuci; a ameți; a îmbăta

bench [bentʃ] *s* **1** bancă; laviță; banchetă **2** scaun judecătoresc **3 the B~** magistratura; Curtea, tribunalul **4** loc în parlament **5** zid, val **6** *tehn* banc de lucru; treaptă; banchetă; reper **7** *geol* terasă

benchboard ['bentʃbɔ:d] *s el* tablou de comandă

bencher ['bentʃəʳ] *s* **1** magistrat vechi **2** membru al Camerei Comunelor **3** vâslaș, lopătar

bench land ['bentʃ lænd] *s* banc de nisip

bench mark ['bentʃ mɑ:k] *s top* cotă de nivel

bench saw ['bentʃ sɔ:] *s* ferăstrău mecanic

bench show ['bentʃʃou] *s amer* expoziție de câini *sau* pisici

bench warrant ['bentʃ 'wɔrənt] *s jur* mandat de arestare *(emis de tribunal)*

bend [bend] **I** *pret și ptc* **bent** [bent] *vt* **1** a îndoi, a încovoia; a (a)pleca; a strâmba; a întinde *(un arc)* **2** (**to, on, upon**) a-și încorda, a-și îndrepta *(gândurile etc.)* (spre, către, asupra) **3** *fig* a supune, a subjuga **4** *nav* a fixa, a lega **II** (*v. ~* **I**) *vi* **1** a se îndoi, a se încovoia; a se (a)pleca; a se strâmba; a se întinde **2** *fig* a se supune, a se pleca; a îngenunchea; a ceda **III** *s* **1** îndoire, încovoiere; (a)plecare; strâmbare **2** cot(itură), meandră; curbură; **to take a ~** *auto* a face un viraj **3** *tehn* cot; ramificație **4** *nav* nod; buclă de parâmă **5** *fig* înclinație; aspirație

bender ['bendəʳ] *s* **1** persoană care îndoaie (ceva) **2** clește **3** *amer* ← *F* picior **4** *amer sl* chef, petrecere **5** *constr, hidr* mașină/presă de îndoit

bending ['bendiŋ] *s* îndoire, aplecare etc. (*v.* **bend I, II**)

beneath [bi'ni:θ] **I** *adv* mai jos, dedesubt **II** *prep* **1** dedesubtul *cu gen*, sub, mai jos de **2** *fig* inferior *cu dat*, sub

Benedict ['benidikt] *nume masc*

Benedictine [‚benidikti:n] *s rel* benedictin *(călugăr din ordinul Benedictinilor)*

benediction [‚benidikʃən] *s* **1** binecuvântare, blagoslovire **2** *fig* fericire; noroc

benefaction [‚benifækʃən] *s* binefacere; milostenie

benefactor [‚benifæktəʳ] *s* binefăcător; donator

benefactress ['benifæktris] *s* binefăcătoare, donatoare

benefic [bi'nefik] *adj* binefăcător; prielnic

beneficience [bi'nefisəns] *s* **1** milă, caritate **2** operă de caritate/binefacere; milostenie, danie, dar

beneficent [bi'nefisənt] *adj* 1 generos, darnic 2 binefăcător, salutar; prielnic, priincios; folositor

beneficent owner [bi'nefisənt ounə'] *s jur* uzufructuar

beneficial [ˌbeni'fiʃəl] *adj* 1 binefăcător, folositor, util 2 avantajos, profitabil

beneficiary [ˌbeni'fiʃəri] *s* 1 *ec* beneficiar 2 funcţionar superior; dregător; persoană sus-pusă 3 *amer* bursier

benefit ['benifit] I *s* 1 beneficiu, câştig, folos; ajutor; avantaj; uzufruct; **for the ~ of** în folosul cu *gen*, pentru 2 binefacere, faptă bună 3 beneficiu, privilegiu, drept special 4 ajutor reciproc II *vi* (**by**) a beneficia, a folosi, a trage foloase (de pe urma) III *vt* a folosi, a aduce foloase/beneficii cuiva – cu *gen*

benefit night ['benifit'nait] *s teatru* spectacol de binefacere; reprezentaţie dată în beneficiul unui actor

benefit society ['benifit sə,saiəti] *s* 1 societate de ajutor reciproc 2 societate de binefacere

Benelux ['benilʌks] *Belgia, Olanda şi Luxemburg*

Benét, Stephen Vincent [be'nei ,sti:vən 'vinsənt] *scriitor american (1898-1943)*

benevolence [bi'nevələns] *s* 1 bunăvoinţă; mărinimie 2 binefacere

benevolent [bi'nevələnt] *adj* 1 binevoitor 2 bun, prielnic, favorabil 3 mărinimos, bun la suflet, milostiv

benevolent institution [bi'nevələnt insti'tju:ʃən] *s* instituţie de binefacere

Bengal [beŋ'gɔ:l] I *regiune în India şi Bangladesh* II *adj* din Bengal, bengalez

Bengal light [beŋ'gɔ:l lait] *s* foc bengal

benight [bi'nait] *vt şi fig* a întuneca

benighted [bi'naitid] *adj* 1 prins noaptea pe drum; întârziat 2 *fig* întunecat; înceţoşat 3 ignorant

benign [bi'nain] *adj* 1 *med* benign 2 blând, blajin 3 (*d. climă*) blând, dulce 4 (*d. cer*) senin 5 (*d. pământ*) roditor, fertil

benignity [bi'nigniti] *s* 1 blândeţe, bunătate 2 bunăvoinţă

Benjamin ['bendʒəmin] *nume masc cf* Veniamin

Bennet(t) ['benit] *v.* Benedict

Bennett, Arnold ['benit, a:nəld] *scriitor englez (1867-1931)*

Ben Nevis ['ben'ni:vis] *munte în Scoţia*

bent¹ [bent] *pret şi ptc de la* bend I, II

bent² *s* 1 *bot* iarba câmpului/vântului (*Agrostis*); iarbă 2 câmpie, şes

bent³ I *s* 1 cot(itură), curbură 2 pantă 3 (**for**) *fig* înclinaţie, aplecare, aptitudine (pentru); tendinţă (spre, către) II *adj* îndoit; aplecat; curbat

bent axle ['bent æksl] *s tehn* arbore/ax cotit

Bentham, Jeremy ['benθəm, 'dʒerəmi] *filosof englez (1748-1832)*

Benthamite ['benθəmait] *s* utilitarist, adept al teoriilor lui Bentham

benthos ['benθəs] *s biol* bentos

bent wood furniture ['bentwu:d fə:nitʃə'] *s* mobilă curbată

benumb [bi'nʌm] *vt şi fig* a amorţi; a toci

benumbed [bi'nʌmd] *adj* 1 amorţit, înţepenit; rebegit 2 *fig* amorţit; inert

benzene ['benzi:n] *s ch* benzen

benzine ['benzi:n] *s* neofalină; benzină

benzoic acid [ben'zouik 'æsid] *s ch* acid benzoic

benzol ['benzɔl] *s ch* benzol

benzyl ['benzi:l] *s ch* benzil

be off [bi: 'ɔ:f] *vi cu part adv* a pleca; a porni

be on [bi: ɔn] *vi cu part adv* 1 (*d. un spectacol etc.*) a se juca, a se reprezenta; a rula 2 (*d. lumină etc.*) a fi aprins; a fi deschis

be out [bi: aut] *vi cu part adv* 1 a fi plecat, a nu fi acasă 2 (*d. lumină etc.*) a fi stins; a fi închis

Beowulf ['beiəwulf] *epopee naţională engleză*

bequeath [bi'kwi:ð] *vt* 1 a lăsa prin testament 2 a lăsa posterităţii

bequeather [bi'kwi:ðə'] *s* testator

bequest [bi'kwest] *s* 1 testament 2 *şi fig* moştenire

berate [bi'reit] *vt* ↓ *amer* a ocărî, a mustra/a dojeni aspru

Berber [bə:bə] I *s* berber II *adj* (de) berber

bereavement [bi'ri:vmənt] *s* 1 pierdere grea 2 răpire

bereave of [bi'ri:v əv], *pret şi ptc* **bereft of** [bi'reft əv] *vt cu prep* 1 a lipsi/a deposeda/a priva/a văduvi de 2 a răpi cu *ac*

bereft of [bi'reft əv] *pret şi ptc de la* **bereave of**

Berenice [ˌberi'naisi:] *nume fem*

beret ['berei] *s* beretă, basc

bergamot ['bə:gəmɔt] *s bot* (pară) pergamută

Bergen ['bə:gən] *oraş în Norvegia*

Bergmann tube ['bə:gmən tju:b] *s el* tub Bergmann

Bergson ['bə:gsən], **Henri** *filosof francez (1859-1941)*

beriberi ['beri'beri] *s med* beri-beri

Bering Sea, the ['beriŋ si:, ðə] *Marea Bering*

Berkeley 1 ['ba:kli], **George** *filosof şi scriitor irlandez (1685-1753)* 2 ['bə:kli] *localitate în S.U.A., unul din localurile Universităţii Statului California*

Berkshire ['ba:kʃiə'] *comitat în Anglia*

Berlin [bə:'lin] *oraş în Germania*

berlin *s* berlină, cupeu cu patru locuri

Berlioz, Hector ['bɛəliouz, 'hektə] *compozitor francez (1803-1869)*

Bermudas, the [bə:'mju:dəz, ðə] *Insulele Bermude, Bermudele*

Bern [bə:n] *v.* Berne

Bernard ['bə:nəd] *nume masc*

Berne [bə:n] *capitala Elveţiei* Berna

Bernese Alps, the [bə:'ni:z 'ælps, ðə] *Alpii Bernezi*

berried ['berid] *adj* cu boabe

berry ['beri] *s* 1 *bot* boabă, bob, grăunţe; bacă; *pl* boboase 2 boabă de cafea

berserker ['bə:sə:kə'] *s* 1 erou/luptător scandinav 2 fanatic 3 *fig* om violent *sau* fioros; **to run/to go ~** a-l apuca furiile, a fi cuprins de amoc

berth [bə:θ] I *s* 1 *nav* dană; loc de staţionare; **to keep a wide ~ of a** a se ţine departe/la distanţă de **b** a ocoli cu grijă cu *ac* 2 *nav etc.* cabină; cuşetă; pat 3 *fig* post, slujbă II *vt nav* a ancora

Bertha ['bə:θə] *nume fem* Berta

Bertram ['bə:trəm] *nume masc*

Bertrand ['bə:trənd] *nume masc*

Berwick ['berik] *comitat în Scoţia*

beryl ['beril] *s minr* beril

beryl green ['beril gri:n] *s minr* verde de smarald

beryllium [be'riliəm] *s ch* beriliu

beseech [bi'si:tʃ], *pret și ptc* **besought** [bi'sɔ:t] *vt* a ruga stăruitor/fierbinte, a implora

beseeching [bi'si:tʃiŋ] *adj* rugător, de implorare

beseem [bi'si:m] **I** *vt* a prinde bine; a sta/a ședea bine *cuiva* **II** *vi* a părea

beseem to [bi'si:m tə] *vi cu inf* a se cădea/a se cuveni să; a fi cu cale/potrivit să

beset [bi'set], *pret și ptc* **beset** *vt* **1** a împresura; a asedia; a înconjura; a hăitui **2** *fig* a asalta, a bombarda, a copleși *(cu întrebări etc.)*

besetting [bi'setiŋ] *adj* chinuitor; obsedant

beshrew [bi'ʃru:] *vt* a blestema; ~ **my heart!** să fiu al naibii! zău!

beside [bi'said] *prep* **1** lângă, aproape de, în apropiere de, nu departe de; la **2** *fig* pe lângă, față de, în comparație cu **3** *fig* în afară de; mai presus de; ~ **the question** indiscutabil, în afară de orice îndoială **4** *fig* în afara *cu gen*, dincolo de; **he was ~ himself with joy** nu mai putea de bucurie, își ieșise din piele de bucurie

besides [bi'saidz] **I** *adv* de altfel/altminteri; în plus; pe lângă toate acestea; mai mult decât atât **II** *prep* **1** pe lângă, în afară de **2** nu numai, și, nu numai..., ci și..., inclusiv **3** cu excepția *cu gen*, în afară de

besiege [bi'si:dʒ] *vt* **1** *mil* a asedia; a împresura **2** *fig* a asalta, a bombarda; a năpădi

besieger [bi'si:dʒəʳ] *s mil* asediator

beslave [bi'sleiv] *vt* a înrobi, a subjuga

beslobber [bi'slɔbəʳ] *vt* a umple cu *sau* a mânji cu scuipat

beslubber [bi'slʌbəʳ] *vt* a mânji (↓ *cu ceva uleios*)

besmear [bi'smiəʳ] *vt și fig* a mânji, a murdări

besmirch [bi'smə:tʃ] *vt și fig* a păta, a mânji, a murdări; a spurca

besoil [bi'sɔil] *vt și fig* a murdări, a păta

besom ['bi:zəm] *s* **1** târn, mătură de nuiele **2** *bot* mătură *(Sorghum vulgare)*

besot [bi'sɔt] *vt* **1** a tâmpi, a prosti **2** a suci capul *cuiva; a* înnebuni **3** *(d. vin etc.)* a îmbăta, a ameți

besought [bi'sɔ:t] *pret și ptc de la* **beseech**

bespangle [bi'spæŋgl] *vt* **1** a împodobi cu fluturași *etc. (o rochie etc.)* **2** *fig* a smălțui

bespatter [bi'spætəʳ] *vt* **1** a împrosca **2** *fig* a împroșca cu noroi, a ponegri

bespeak [bi'spi:k], *pret* **bespoke** [bi'spouk], *ptc* **bespoken** [bi'spoukən] *vt* **1** a reține *(un loc etc.);* a comanda *(un costum etc.)* **2** a atrage, a reține, a țintui *(atenția etc.)* **3** a trăda, a vădi, a dovedi *(interesul etc.)* **4** a prevesti

bespectacled [bi'spektəkld] *adj* cu ochelari

bespoke [bi'spouk] *pret de la* **bespeak**

bespoke department [bi'spouk di'pa:tmənt] *s com* secție de comenzi

bespoken [bi'spoukən] *ptc de la* **bespeak**

besprinkle [bi'spriŋkl] *vt* **(with)** a stropi (cu)

Bess [bes] *nume fem v.* **Elizabeth**

Bessarabian [besə'reibjən] *adj, s* basarabean

Bessemer converter ['besimə kən'vɜ:-təʳ] *s met* convertizor Bessemer

best [best] **I** *superl de la* **good** *adj* cel mai bun; superior; excelent; neîntrecut, fără pereche, minunat **II** *superl de la* **well** *adv* cel mai bine; cel mai mult **III** *s* maximum; cel mai înalt grad *etc.;* **I'll try to do my ~** voi încerca să fac tot ceea ce este posibil; **to get the ~ of it** a a obține maximum de randament *etc.* **b** a ieși învingător; **to make the ~ of smth** a trage cât mai mult folos de pe urma a ceva **b** a se obișnui/a se împăca/a se deprinde cu ceva; **to the ~ of my remembrance** după câte îmi aduc aminte **IV** *vt F* a învinge, a bate, a înfrânge

best boy ['best'bɔi] *s F* drăguț, – iubit

best girl ['best'gə:l] *s F* drăguță, – iubită

bestial ['bestiəl] *adj* **1** bestial, de fiară **2** animalic, senzual **3** de dobitoc, prostesc

bestiality ['besti'æliti] *s* **1** bestialitate **2** senzualitate

bestiary ['bestiəri] *s lit* bestiar

bestir [bi'stə:ʳ] **I** *vt* **1** a ațâța, a stârni, a provoca **2** a înviora **II** *vr* a se mișca (vioi)

best maid ['best meid] *s* domnișoară de onoare

best man ['best mæn] *s* cavaler de onoare

bestow [bi'stou] *vt* a pune, a așeza; a depozita

bestowal [bi'stouəl] *s poetic* dar, răsplată

bestow on/upon [bi'stou ɔn/ə'pɔn] *vt cu prep* **1** a (acor)da, a conferi *cuiva* **2** a (acor)da, a dedica *cu dat* **3** a împărți, a repartiza *cu dat*

bestridden [bi'stridn] *ptc de la* **bestride**

bestride [bi'straid], *pret* **bestrode** [bi'stroud], *ptc* **bestridden** [bi'stridn] *vt și fig* a încăleca

bestrode [bi'stroud] *pret de la* **bestride**

best-seller ['best'seləʳ] *s* **1** (mare) succes de librărie **2** articol foarte căutat *(pe piață)*

bet [bet] **I** *s* **1** rămășag, prinsoare, pariu; **to stand a ~** a face rămășag **2** miză **II** *vt* **1** a face rămășag/pariu pe **2** a face rămășag/pariu cu *(cineva)* **III** *vi* **(on)** a face rămășag/prinsoare (pe)

bet. *presc de la* **between**

beta [bi:tə] *s* beta *(literă grecească)*

beta decay ['bi:tə di'kei] *s fiz* dezintegrare beta

betake [bi'teik], *pret* **betook** [bi'tuk], *ptc* **betaken** [bi'teikn] **oneself to** *vr cu prep* **1** a recurge la; a se adresa *cu dat* **2** a se dedica, a se consacra *(studiilor etc.)* **3** a se duce la; a se îndrepta spre; a-și căuta un refugiu în

betatron ['bi:tətrɔn] *s fiz* betatron

bethink [bi'θiŋk], *pret și ptc* **bethought** [bi'θɔ:t] *vr* a-și aminti *(de, că)*

Bethlehem ['beθli,hem] Betleem

betid [bi'tid] *pret și ptc de la* **betide**

betide [bi'taid], *pret și ptc* **betid** [bi'tid] **I** *vt* a se întâmpla *cuiva;* **woe ~ you if** vai (și amar) de tine dacă **II** *vi* a se întâmpla, a surveni; **whate'er ~** orice s-ar întâmpla, întâmplă-se ce s-o întâmpla

betimes [bi'taimz] *adv* **1** *poetic* devreme; din vreme, la timp **2** ← *poetic* (în) curând **3** *amer* uneori, câteodată

betitle [bi'taitl] *vt* a acorda un titlu *cuiva*

be to ['bi: tə] *vi mod cu inf* a urma să; a trebui să; **he was to come earlier** urma/trebuia să vină mai devreme

betoken [bi'toukən] *vt* 1 a însemna, a marca, a arăta 2 a (pre)vesti

betony ['betəni] *s bot* crețișor, vindeca *(Betonica officinalis)*

betray [bi'trei] I *vt, vi și fig* a trăda, a înșela II *vr* 1 a se trăda; a se demasca 2 a-l lua gura pe dinainte

betrayal [bi'treiəl] *s și fig* trădare, înșelare

betroth [bi'trouð] *vt* a logodi

betrothal [bi'trouðəl] *s* logodnă; promisiune în căsătorie

betrothed [bi'trouðd] *adj* logodit; promis în căsătorie

Betsy ['betsi] *nume fem v.* **Elizabeth**

better[1] ['betər] I *comp de la* **good** *adj* 1 mai bun; superior; preferabil 2 *(o parte etc.)* mai mare II *comp de la* **well** *adv* mai bine; **all the ~** cu atât mai bine; **he feels ~** se simte mai bine; **I know ~** știu eu mai bine; pe mine nu mă duci (cu una cu două) III *s* 1 ↓ *pl* superior 2 superioritate; avantaj; **to get the ~ of a** a învinge, a întrece *pe cineva* **b** a învinge *(o boală etc.)* IV *vt* 1 a îmbunătăți; a corija, a îndrepta 2 a mări, a spori 3 a depăși, a întrece V *vi, vr* a se îndrepta; a se îmbunătăți; a progresa

better[2] *s* parior; jucător *(la curse etc.)*

better hand ['betə'hænd] *s* avantaj, superioritate

betterment ['betəmənt] *s* îmbunătățire; progres; îndreptare

bettermost ['betəmoust] *adj* cel mai bun

better sort, the ['betə,sɔ:t, ðə] *s ← F* oamenii de seamă

betting office ['betiŋ 'ɔfis] *s* agenție de pariuri

Betty ['beti] *nume fem v.* **Elizabeth**

between [bi'twi:n] I *prep* între *(două obiecte);* dintre; printre; la mijlocul *cu gen;* **~ ourselves** între noi (doi) II *adv* la mijloc; între unul și altul; **rare and far ~** la mare distanță unul de altul; **in ~ a** între unul și altul **b** între timp/acestea

betwixt [bi'twikst] I *prep ← înv v.* **between** I II *adv:* **~ and between a** la jumătate de drum **b** așa și așa, nici prea-prea nici foarte-foarte

bevel ['bevəl] I *s* 1 *tehn* echer mobil 2 *tehn* fațetă, teșitură II *adj* înclinat; oblic III *vt* a tăia oblic; a teși IV *vi* a fi oblic; a se înclina

beverage ['bevəridʒ] *s* băutură *(preparată)*

Beverl(e)y ['bevəli] *nume fem și geogr*

bevy ['bevi] *s* 1 stol (↓ de prepelițe) 2 *fig* grup; întrunire, adunare (↓ de fete)

bewail [bi'weil] I *vt* a plânge după, a jeli II *vi* a (se) jeli, a se tângui

beware [bi'wɛər] I *vt* a se feri/a se păzi de II *vi* **(of)** a se feri, a se păzi (de); a fi atent (la)

bewilder [bi'wildər] *vt* 1 a tulbura; a rătăci 2 a zăpăci; a ului

bewildered [bi'wildəd] *adj* tulburat; zăpăcit; uluit

bewilderment [bi'wildəmənt] *s* 1 tulburare; consternare 2 zăpăceală; uluire

bewitch [bi'witʃ] *vt și fig* 1 a vrăji 2 a fermeca, a fascina, a încânta

bey [bei] *s turc ist* bei

beyond [bi'jɔnd] I *prep* 1 dincolo de; peste; de/pe partea cealaltă a *cu gen* 2 după trecerea a *cu gen* după, peste 3 peste, mai presus de; care depășește; **~ measure** peste măsură; **it is ~ me** mă depășește 4 pe lângă, în afară de II *adv* 1 dincolo; pe partea cealaltă 2 (încă) mai înainte; **in the days of Milton and ~** în timpul lui Milton și mai înainte 3 mai departe; mai încolo; în depărtare; la distanță 4 pe lângă acestea; mai mult decât atât III *adj* 1 de dincolo; din partea cealaltă 2 din depărtare IV *s:* **the ~** viața de apoi, lumea de dincolo; **at the back of ~** *F* la naiba-n praznic, unde a dus mutul iapa

Beyrouth [bei'ru:t] *capitala Libanului* Beirut

bezel ['bezl] *s* tăiș (↓ oblic, al unei pietre prețioase)

B.F. *presc de la* **Bachelor of Finance**

B.F.A. *presc de la* **Bachelor of Fine Arts**

B.G. *presc de la* **Brigadier General**

bhang [bæŋ] *s* hașiș

bi- *pref* bi-: **bifurcate** bifurcat

biannual [bai'ænjuəl] *adj* bianual

bias ['baiəs] I *s* 1 înclinare, tendință; direcție 2 preferință, predilecție, simpatie 3 părtinire, favorizare 4

psih predispoziție; prejudecată 5 *tel* polarizare II *vt și fig* a înclina, a apleca

bib[1] [bib] *s* bărbiță, bavetă

bib[2] *vi* a bea zdravăn, *F* a trage la măsea

Bib. *presc de la* 1 **Bible** 2 **Biblical**

bibber ['bibər] *s* bețiv(an)

Bible, the [baibl, ðə] *s* Biblia

biblical ['biblikəl] *adj* biblic

bibliographer [,bibli'ɔgrəfər] *s* bibliograf

bibliographic(al) [,bibliɔ'græfik(əl)] *adj* bibliografic

bibliography [,bibli'ɔgrəfi] *s* bibliografie

bibliophile ['biblioufail] *s* bibliofil

bicameral [bai'kæmərəl] *adj pol* bicameral

bicarbonate [bai'ka:bənit] *s ch* bicarbonat

bice [bais] *s* smalț, glazură

bicentenary [,baisen'ti:nəri] *adj, s* bicentenar

bicephalous [bai'sefələs] *adj* bicefal

biceps ['baiseps] *s anat* biceps

bichloride [,bai'klɔ:raid] *s ch* biclorură, diclorură

bichromate ['bai'kroumit] *s ch* bicromat

bicker ['bikər] I *vt* 1 a se certa, a se sfădi; a se ciorovăi; a se contrazice 2 a se bate, a se lupta 3 a zăngăni; a zornăi; a pocni; a trosni 4 a murmura, a susura; a răpăi II *s* 1 ceartă, sfadă, gâlceavă; discuție 2 încăierare, bătaie 3 zăngănit; zornăit; pocnet; trosnet 4 murmur; răpăit

bickerer ['bikərər] *s* certăreț, târâie-brâu

bicoloured [bai'kʌləd] *adj* bicolor

biconcave [bai'kɔnkeiv] *adj opt* biconcav

biconvex [bai'kɔnveks] *adj fiz* biconvex

bicuspid [bai'kʌspid] *anat* I *adj* bicuspid II *s* premolar

bicycle ['baisikl] *s* bicicletă

bicycling ['baisikliŋ] *s* ciclism

bicyclist ['baisiklist] *s* (bi)ciclist

bid [bid] I *pret* **bade** [bæd, beid] *sau* **bid** [bid], *ptc* **bidden** ['bidən], *rar* **bid** *vt* 1 a ruga, a se ruga de, < a implora, a ruga stăruitor 2 a invita, a pofti 3 a oferi, a da 4 a ura, a dori; **to ~ joy** a ura fericire 5 a porunci, a ordona 6 a proclama, a anunța oficial II (*v. ~* I) *vi*

1 a licita, a participa la o licitație **2 (for)** a face o ofertă (pentru) **III** *s* **1** licitație; ofertă **2** încercare, tentativă **3** *amer* invitație

bidden ['bidən] *ptc de la* **bid**

bidder ['bidə'] *s* **1** ofertant *(la licitație)* **2** persoană care invită *etc. (v.* **bid I)**

bidding ['bidiŋ] *s* **1** ofertă *(și la licitație)* **2** ordin, poruncă; cerere **3** licitație, mezat

bide [baid], *pret* **bode** [boud], *și* **bided** ['baidid], *ptc* **bided** ['baidid] **I** *vi* **1** a aștepta, a sta (în așteptare) **2** a continua, a dăinui **3** a locui, a sta **II** *vt* **1** a aștepta; a fi în așteptarea *cu gen* **2** a înfrunta, a da față cu **3** a răbda, a suporta

bidet ['bi:dei] *s* bideu

biding ['baidiŋ] *s* așteptare; oprire, haltă

biennial [bai'eniəl] *adj* bienal

bier [biə'] *s* catafalc; năsălie, targă

bifurcate I ['baifə:kit] *adj* bifurcat **II** ['baifə:keit] *vi* a se bifurca

bifurcation [,baifə:'keiʃən] *s* bifurcare; bifurcație

big [big] **I** *adj* **1** mare, voluminos; masiv; gros; solid; înalt; voinic **2** mare, vârstnic, major **3** însărcinată, gravidă **4** mare, important, însemnat; mândru, falnic **5** mândru, îngâmfat **II** *adv* ← *F* cu lăudăroșenie; dându-și importanță

bigamy ['bigəmi] *s* bigamie

Big Bear, the ['big bɛər, ðə] *s astr* Ursa Mare

big-bellied ['bigbelid] *adj* **1** pântecos, burtos **2** ← *F* cu burtă mare, – însărcinată

Big-Ben ['big'ben] *s* „Marele Ben" *(orologiul din turnul parlamentului englez)*

big-bug ['bigbʌg] *s sl* știab, grangur

biggish ['bigiʃ] *adj* măricel

bight [bait] *s* golf; cot (de râu)

bigness ['bignis] *s* **1** mărime; grosime; soliditate **2** *fig* măreție; strălucire

bigot ['bigət] *s* bigot; fanatic

bigoted ['bigətid] *adj* bigot; fanatic, intolerant

bigotry ['bigətri] *s* bigotism; fanatism; intoleranță

bigwig ['bigwig] *s F* mărime, știab, – persoană simandicoasă

big with ['bigwið] *adj cu prep* plin cu, încărcat de

bike [baik] *s presc de la* **bicycle**`

bikini [bi'ki:ni] *s* costum de baie *(de damă)* foarte sumar, bikini

bilabial [bai'leibiəl] *adj fon* bilabial

bilateral [bai'lætərəl] *adj* bilateral; cu două laturi

bilberry ['bilbəri] *s bot* **1** afin *(Vaccinium myrtillus)* **2** afină

bile [bail] *s* **1** *anat* fiere, bilă **2** *fig* iritabilitate, irascibilitate

bile calculus ['bail,kælkələs] *s med* calcul biliar

bilge [bildʒ] **I** *s* **1** *nav* santină; gurnă **2** burtă *(a butoiului)* **3** *F* vorbe de clacă, fleacuri, verzi și uscate **II** *vt* a desfunda *(un butoi)* **III** *vi nav* a lua apă în santină

bilge water ['bildʒ,wɔ:tə'] *s nav* apă de santină

biliary ['biliəri] *adj anat* biliar

bilingual [bai'liŋgwəl] *adj* bilingv

bilingualism [bai'liŋgwəlizm] *s* bilingvism

bilious ['biljəs] *adj* **1** *anat* biliar **2** *med* suferind de tulburări la bilă **3** *fig* coleric; supărăcios, irascibil

-bility *suf* -bilitate: **probability** probabilitate

bilk [bilk] **I** *vt* **1** a nu plăti *(datorii etc.)* **2** a înșela, a păcăli; a escroca **II** *s* escroc

Bill [bil] *nume masc, dim de la* **William**

bill¹ [bil] **I** *s* **1** proiect de lege; lege; document **2** listă; inventar; certificat **3** *jur* reclamație, plângere; cerere, petiție; proces **4** socoteală; cont; factură; notă de plată; cambie, poliță **5** afiș; anunț, înștiințare, aviz **6** *amer* bancnotă **II** *vt* **1** a înregistra, a trece pe o listă **2** a înștiința, a anunța *(printr-un afiș etc.)*

bill² **I** *s* **1** cioc, plisc **2** *geogr* cap **3** cozoroc **II** *vi:* **to ~ and coo** a se giuguli

bill³ *s* **1** secure, topor; satâr **2** târnăcop **3** *od* halebardă **4** foarfece de grădină

bill broker ['bil,broukə'] *s* agent de schimb *(neoficial)*

billet¹ ['bilit] **I** *s* **1** bilet, notă **2** *mil* ordin de încartiruire **3** *mil* încartiruire; cantonament **II** *vt mil* a încartirui, a caza

billet² *s* **1** *met* lingou, bloc **2** scurtătură, retevei

billet doux [,bilei'du:], *pl* **billets-doux** [,bilei'du:z] *s fr* scrisoare de dragoste

billhook ['bilhuk] *s* foarfece de grădină, cosor

billiard cue ['biljədkju:] *s* tac de biliard

billiardist ['biljədist] *s* jucător de biliard

billiards ['biljədz] *s pl ca sg* biliard

Billie ['bili] *nume fem*

Billingsgate ['biliŋzgit] *s* **1** piață de pește în Londra **2** b~ mahalagism; limbaj de mahala

billion ['biljən] *s* **1** bilion **2** *amer* miliard

billionaire [,biljə'nɛə'] *s amer* miliardar

billman ['bilmən] *s* **1** lucrător cu târnăcopul **2** *ed* halebardier

bill of credit ['bilə'kredit] *s fin* acreditiv, scrisoare de credit

bill of entry ['bilə'entri] *s fin* declarație vamală

bill of exchange ['biləviks'tʃeindʒ] *s fin* poliță, tratá, cambie

bill of fare ['bilə'fɛə'] *s* listă de mâncăruri, meniu

bill of lading ['bilə'leidiŋ] *s* **1** *nav* conosament **2** *amer ferov* foaie de expediție

Bill of Rights, the ['bilə'raits, ðə] *s ist* Declarația drepturilor omului *(1689)*

bill of sale ['bilə'seil] *s jur* ipotecă

billow ['bilou] ← *poetic* **I** *s* **1** talaz, brizant, val mare **2** mare **II** *vi (d. valuri)* a se ridica, a se umfla

billowy ['biloui] *adj* ← *poetic* **1** *(d. mare)* înfuriat, agitat **2** *(d. teren)* neregulat, accidentat

bill poster ['bil,poustə'] *s* **1** afișier; avizier **2** panou de afișaj

billy ['bili] *s* **1** vână de bou, baston de cauciuc **2** prieten, tovarăș

billyboy ['biliboi] *s nav* vas de cabotaj

billycock ['bilikɔk] *s* gambetă

billy goat ['bili gout] *s* țap; ied

bimbashi ['bimbəʃi] *s turc od* ofițer turc, bimbașa

bimensal [bai'mensəl] *adj* bilunar

bimestrial [bai'mestriəl] *adj* **1** bimestrial **2** care durează două luni

bi-monthly ['bai'mʌnθli] **I** *adj* **1** bimestrial **2** bilunar, bimensual **II** *adv* o dată la două luni **III** *s* publicație bimensuală

bimotored [bai'moutəd] *adj av* bimotor

bin [bin] *s* 1 dulăpior; ladă; cutie 2 ladă de gunoi 3 *tehn* cupă, buncăr 4 *agr* hambar; siloz

binary ['bainəri] *adj* binar

bind [baind] **I** *pret și ptc* **bound** [baund] *vt* 1 a lega; a cetlui; a înfăşa; **fast ~, fast find** *prov* paza bună trece primejdia rea 2 *și fig* a lega, a strânge, a uni 3 *tehn* a lega, a întări, a consolida; a propti 4 *med* a lega, a bandaja 5 *fig* a prinde; a pune în fiare/lanţuri 6 a lega, a face *(un nod)* 7 a da, a încredinţa; **to ~ apprentice** a da la ucenicie 8 a obliga, a sili; a determina **II** *s* 1 legătură; panglică; fâşie 2 *muz* legătură

bind down ['baind'daun] *vt cu part adv* a sili, a constrânge

binder ['baində'] *s* 1 legător (de cărţi) 2 *constr* liant, mortar 3 legătură; panglică; bandă; şnur; sfoară; funie 4 *tehn* şarnieră 5 *agr* maşină de legat snopi

bindery ['baindəri] *s poligr* legătorie

bind in ['baind'in] *vt cu part adv* a lega; a fereca

binding ['baindin] **I** *adj* 1 liant, care leagă 2 obligator; care obligă **II** *s* 1 legătură; legare 2 copertă 3 bandaj 4 tiv

bind oneself to ['baindwan'self tə] *vr* 1 *cu inf* a se obliga să, a-şi lua obligaţia de a 2 *cu prep* a se lega prin

bind out ['baind'aut] *vt cu part adv* a da la ucenicie *sau* învăţătură

bind over ['baind'ouvə'] *vt cu part adv* a obliga, a sili

bind up ['baind'ʌp] *vt cu part adv și fig* a lega

bindweed ['baindwi:d] *s bot* rochiţa rândunelei, volbură *(Convolvulus sp.)*

binge [bindʒ] *s F* chef, chiolhan

bingo ['biŋgou] 1 un fel de loto 2 *sl* brandy; rachiu

binoculars [b(a)i'nɔkju:ləz] *s pl* binoclu *(de câmp)*

binomial [bai'noumiəl] *s mat* binom

binoxide [bai'nɔksaid] *s ch* bioxid

bio- *prefix* bio-: **biochemistry** biochimie

biobibliography [ˌbaioubibli'ɔgrəfi] *s* biobibliografie

biochemic(al) [ˌbaiou'kemik(əl)] *adj* biochimic

biochemistry [ˌbaiou'kemistri] *s* biochimie

biog. *presc de la* 1 **biographer** 2 **biography**

biogenesis [ˌbaiou'dʒenisis] *s* biogeneză

biogenetic [ˌbaioudʒi'netik] *adj* biogenetic

biographer [bai'ɔgrəfə'] *s* biograf

biographic(al) [ˌbaiou'græfik(əl)] *adj* biografic

biography [bai'ɔgrəfi] *s* biografie

biol. *presc de la* 1 **biological** 2 **biologist** 3 **biology**

biologic(al) [ˌbaiə'lɔdʒik(əl)] *adj* biologic

biological warfare [ˌbaiə'lɔdʒikəl-'wɔ:fɛə'] *s* război bacteriologic

biologist [bai'ɔlədʒist] *s* biolog

biology [bai'ɔlədʒi] *s* biologie

biophysics [ˌbaiou'fiziks] *s pl ca sg* biofizică

bioplasm ['baiouplæzəm] *s* bioplasmă

biosphere ['baiəˌsfiə'] *s* biosferă

biosynthesis [ˌbaiə'sinθisis] *s biol* biosinteză

biotechnics [ˌbaiə'tekniks] *s pl ca sg* biotehnică

biotic [bai'ɔtik] *adj* biotic, viu

biotope ['baiətoup] *s biol* biotop

biparous ['bipərəs] *adj* 1 bipar, care dă naştere la două fiinţe odată 2 *bot* cu ramuri bifurcate

bipartisan [bai'pa:tizən] *adj* bipartizan

bipartite [bai'pa:tait] *adj* bipartit

biped ['baiped] *adj, s* biped

bipetalous [bai'petələs] *adj bot* bipetal

biphase [bai'feiz] *adj atr el* difazic

biplane ['baiˌplein] *s av* biplan

bipod ['baipəd] *s mil* biped; crăcană

biquadrate [bai'kwɔdrit] *s mat* pătratul pătratului; puterea a patra

birainy [bai'reini] *adj* cu două anotimpuri ploioase

birch [bə:tʃ] *s* 1 *bot* mesteacăn *(Betula verrucosa)* 2 nuia; vergea

birchen ['bə:tʃən] *adj* de/din mesteacăn

bird [bə:d] *s* 1 pasăre; **~s of a feather flock together** *prov* cine se aseamănă se adună; **it is the early ~ that catches the worm** *prov* cine se scoală de dimineaţă departe ajunge; **a ~ in the hand is worth two in the bush** *prov* nu da vrabia din mână pe cioara din par 2 *F* tip, cetăţean, individ

bird cherry ['bə:d,tʃeri] *s bot* 1 mălin negru, sălbatic *(Prunus padus)* 2 cireş *(Prunus avium)*

bird dog ['bə:d dɔg] *s zool* prepelicar

birder ['bə:də'] *s* crescător de păsări, avicultor

bird-eyed ['bə:daid] *adj fig* cu ochi de vultur

bird fancier ['bə:d,fænsiə'] *s* 1 iubitor de păsări 2 păsărar; negustor de păsări; avicultor

bird grass ['bə:dgra:s] *s bot* şovar de munte *(Pos trivialis)*

bird house ['bə:dhaus] *s* colivie *(mare)*, volieră; coteţ de păsări

birdie ['bə:di] *s dim de la* **bird** păsăr(u)ică, păsărea

bird of ill omen ['bə:dəv'il'oumən] *s fig* cobe

bird of Jove ['bə:dəv'dʒouv] *s* ← *poetic* vultur

bird of Juno ['bə:dəv'dʒu:nou] *s* ← *poetic* păun

bird of passage ['bə:dəv'pæsidʒ] *s* pasăre călătoare/migratoare

bird of peace ['bə:dəv'pi:s] *s* ← *poetic* porumbel

bird of prey ['bə:dəv'prei] *s* pasăre de pradă

bird of wonder ['bə:dəv,wʌndə'] *s* pasărea Phoenix

bird seed ['bə:dsi:d] *s* seminţe pentru canari; mei

bird's eye ['bə:dz ai] *s bot* 1 şopârliţa *(Veronica chamaedris)* 2 ruscuţă tomnatică *(Adonis autumnalis)*

bird's-eye view ['bə:dzai'vju:] *s* 1 vedere panoramică; panoramă 2 *fig* privire de ansamblu/generală

bird's nest ['bə:dznest] **I** *s* cuib de pasăre **II** *vi* a căuta cuiburi de pasăre

Birmingham ['bə:miŋəm] *oraş în Anglia*

birth [bə:θ] *s* 1 naştere, născare, facere; **to give ~ to** a naşte, *cu ac* a da naştere la 2 *fig* început, origine, obârşie

birth certificate ['bə:θsə',tifikit] *s* certificat de naştere

birth control ['bə:θkən,troul] *s* măsuri anticoncepţionale

birthday ['bə:θdei] *s* zi de naştere, aniversare

birth land ['bə:θlænd] *s* patrie

birth mark ['bə:θma:k] *s* semn de naştere; aluniţă

birthplace ['bə:θpleis] *s* loc natal, locul naşterii; patrie

birth rate ['bəːθreit] *s* natalitate
birth right ['bəːθrait] *s* dreptul primului născut; drept câstigat prin nastere
birthwort ['bəːθwəːt] *s bot* mărul lupului *(Aristolochia sp.)*
bis [bis] *adv* 1 bis 2 idem
Biscay, the Bay of ['biskei, ðəˈbei əv] Golful Biscaya
biscuit ['biskit] *s* 1 pesmet, posmag 2 biscuit
bisect [bai'sekt] *vt* a împărți/a tăia în două
bisectrix [bai'sektriks], *pl* **bisectrices** [bai'sektrisiːz] *s mat* (linie) bisectoare
bishop ['biʃəp] *s* 1 episcop, arhiereu 2 *(la sah)* nebun 3 *băutură din vin si fructe*
bishopric ['biʃəprik] *s* 1 episcopie, eparhie 2 episcopat
bisk [bisk] *s* 1 supă de raci, peste *sau* pasăre 2 bulion de rosii
Bismarck ['bizmaːk] *cancelar prusac (1815-1898)*
bismuth ['bizməθ] *s ch* bismut
bison ['baisn] *s zool* 1 bizon *(Bos americanus)* 2 bour *(Bos bison)*
bisque [bisk] *s* supă concentrată (↓ *de raci);* cremă de legume
bissextile [bi'sekstail] I *adj* bisect II *s* an bisect
bistoury ['bistəri] *s med* bisturiu
bisulphate [bai'sʌlfeit] *s ch* bisulfat
bisyllabic [bisi'læbik] *adj* bisilabic
bit[1] [bit] *pret si ptc de la* **bite** I
bit[2] *s* bucată mică, bucățică; pic, strop, fărâmă; părticică; **a ~** ceva; putin; **~ by ~** putin câte putin; **not a ~** deloc, câtusi de putin; **a ~ younger** ceva/întrucâtva mai tânăr; **every ~ a** cu totul, în întregime, complet **b** întocmai; **the devil a ~** *F* pe naiba, nici un pic; **to do one's ~** a-si face datoria
bit[3] *s* 1 zăbală 2 ascutis, tăis 3 floare *(a cheii)*
bitbrace ['bitbreis] *s tehn* burghiu cu coarbă
bitch [bitʃ] *s* 1 cătea 2 *zool* femelă 3 *peior* cătea, târfă
bite [bait] I *pret* bit [bit], *ptc* **bitten** ['bitn] *sau* bit [bit] *vt* 1 a musca; a apuca cu gura/dintii; **to ~ the dust/the ground** *fig* a musca tărâna 2 a mânca, a arde, a coroda; a ustura 3 a calomnia, a defăima, a ponegri 4 *F* a trage

pe sfoară, – a păcăli II *(v. ~* I) *vi* 1 a musca 2 *tehn* a prinde 3 *nav (d. ancoră)* a musca 4 a arde; a ustura III *~* 1 muscătură; muscare 2 (urmă de) muscătură 3 roadere, ardere, corodare 4 *F* tragere pe sfoară, – păcăleală 5 îmbucătură 6 *tehn* prindere; îmbucare
bite at ['bait ət] *vi* cu prep 1 a da să muste din 2 a da să apuce *cu ac;* a se întinde după 3 *fig* a împunge, a întepa *cu ac;* a-si râde de
bite away ['baitəˈwei] *vt* cu part adv a roade; a uza, a strica
bite in ['bait'in] *vt* cu part adv a tine în sine, a ascunde *(un gând etc.)*
bite off ['bait'ɔːf] *vt* cu part adv a roade din
biter ['baitə] *s* 1 animal care muscă 2 pungas, escroc; **the ~ bit** păcăliciul păcălit
bite through ['bait'θruː] *vt* cu part adv a despica; a desface în două muscând
biting ['baitiŋ] *adj* 1 muscător, ascutit, usturător 2 *fig* muscător, caustic, ascutit
bitt [bit] *s nav* bintă
bitten ['bitn] *ptc de la* **bite** I, II; **once ~ twice shy** *prov* cine s-a fript cu ciorbă/zeamă suflă si în iaurt; **he is ~ with her** *F* e îndrăgostit lulea de ea, moare după ea
bitter ['bitə] I *adj* 1 amar 2 *fig* amar, dureros; crud, chinuitor, aspru 3 înversunat II *s* 1 amar, amărăciune 2 bere amară 3 *pl* bitter, aperitiv amar III *vt* a face amar, a amărî
bitter almond ['bitər'aːmənd] *s* migdală amară
bitter cress ['bitəkres] *s bot* crusețea *(Barbarea vulgaris)*
bitter earth ['bitərəːθ] *s ch* magnezie
bitter ender ['bitər'endə] *s amer ←* *F* om intransigent/principial; încăpătânat
bitterly ['bitəli] *adv* amar; cu amărăciune
bittern ['bit(ə)n] *s orn* buhai de baltă, bâtlan de stuf *(Botaurus stellaris)*
bitterness ['bitənis] *s* amărăciune, amar
bitter orange ['bitər'ɔrindʒ] *s bot* 1 portocal *(Cotrus aurantium)* 2 portocală
bitter salt ['bitəsɔːlt] *s* sare amară

bitter-tongued ['bitə'tʌŋd] *adj* caustic, sarcastic
bitumen ['bitjumin] *s* bitum, asfalt
bituminiferous [bi,tjumi'nifərəs] *adj* bituminos
bituminize [bi'tjuminaiz] *vt* a asfalta
bituminous [bi'tjuːminəs] *adj* bituminos
bivalent ['bai,veilənt] *adj ch* bivalent
bivocal [bai'voukəl] *s fon* diftong
bivouac ['bivuæk] *s* bivuac
biweekly ['bai'wiːkli] I *adj* 1 bilunar, care apare o dată la două săptămâni 2 care apare de două ori pe săptămână II *adv* 1 o dată la două săptămâni 2 de două ori pe săptămână
Bizet, George [bi'zei, dʒɔːdʒ] *compozitor francez (1838-1875)*
bizonal [bai'zounl] *adj* privind două zone; bizonal
bizzare [bi'zaː] *adj* straniu, bizar; excentric
Björnson ['bjɔːnsən], **Björnsterne** *scriitor norvegian (1832-1910)*
bk. *presc de la* 1 book 2 bank
B.L. *presc de la* 1 Bachelor of Letters 2 Bachelor of Laws
b.l., **B/L** *presc de la* bill of lading
B.L.A. *presc de la* Bachelor of Liberal Arts
blab [blæb] I *vi* a vorbi fără rost, a spune verzi si uscate, a trăncăni; a-l lua gura pe dinainte; a vorbi mai mult decât trebuie II *vt* a-i scăpa *(un secret)*, a destăinui III *s* palavragiu, gură-spartă
blabber ['blæbə] *s* 1 *v.* blab III 2 bârfitor; persoană indiscretă
black [blæk] I *adj* 1 negru; brun; oaches; **(as) ~ as coal** negru ca tăciunele; **the pot calls the kettle ~** *prov* râde dracul de porumbe negre (si pe sine nu se vede) 2 negru, întunecat, închis 3 *fig* negru (la chip); supărat foc; deznădăjduit; abătut la culme II *s* 1 negru; negreată 2 negru, om de culoare neagră 3 negru, doliu III *vt* 1 a înnegri; a colora *sau* a vopsi în negru; a văcsui 2 *fig* a defăima, a ponegri
black alder ['blæk 'ɔːldə] *s bot* anin negru *(Alnus glutinosa)*
black and white ['blækən(d)'wait] *s* 1 desen în penită 2 (film în) alb si negru // **in ~** scris, în formă scrisă
black art ['blæk'aːt] *s* magie neagră

black beetle ['blækbi:tl] *s ent* gândac negru de casă *(Periplaneta orientalis)*

black berry ['blækbəri] *s bot* 1 mur *(Rubus fricticosus)* 2 coacăz negru *(Ribes nigrum)*

blackbird ['blækbə:d] *s orn* mierlă *(Turdus merula)*

blackboard ['blækbɔ:d] *s şcol* tablă

black book ['blæk'buk] *s* 1 registru de amenzi 2 *şi fig* listă neagră 3 carte de magie

black coal ['blæk koul] *s* cărbune de piatră

blackcock ['blækkɔk] *s orn* cocoş de munte, gotcan *(Tetrao urogallus)*

black coffee ['blæk'kɔfi] *s* cafea neagră *(fără zahăr)*

black currant ['blæk'kʌrənt] *s bot* coacăz negru *(Ribes nigrum)*

Black Death, the ['blæk'deθ, ðə] *s ist* epidemie de ciumă în Europa *(1348-1349)*

black dog ['blæk'dɔg] *s* ← *F* mahmureală *(după chef)*

black earth ['blæk'ə:θ] *s agr* cernoziom

blacken ['blækən] *vt* 1 a înnegri; a întuneca 2 a defăima, a ponegri, a calomnia

blacken out ['blækən'aut] *vt cu part adv* a scoate *(un text)*

black eye ['blæk'ai] *s* vânătaie la ochi, ochi învineţit

black-eyed ['blækaid] *adj* cu ochii negri

black face ['blæk'feis] *s poligr* caractere aldine *sau* gotice

black-faced ['blækfeist] *adj* cu faţa neagră; brunet

Black Friar ['blæk'fraiə'] *s* călugăr dominican

black frost ['blæk'frɔst] *s ger* uscat

blackguard ['blægɑ:d] I *s* ticălos, escroc, netrebnic II *adj* josnic, ticălos; vulgar III *vt* a vorbi urât cu *sau* despre; a înjura; a ponegri

black-haired ['blækhɛəd] *adj* cu părul negru

black-hearted ['blæk'hɑ:tid] *adj* hain, hain/negru la suflet

black hole ['blækhoul] *s* 1 închisoare, temniţă, *F* pârnaie 2 carceră 3 *astr* gaură neagră

blacking ['blækiŋ] *s* vacs, cremă de ghete

blackish ['blækiʃ] *adj* negricios

black-jack ['blæk'dʒæk] I *s* 1 cană *(pentru bere)* 2 steag negru *(al piraţilor)* 3 *bot amer* stejar *negru (Quercus marilandica)* 4 *amer* ← *F* ciomag, bâtă 5 *minr* blendă II *vt amer* 1 a ciomăgi 2 *fig* a constrânge, a forţa

black lead ['blæk'led] *s* 1 grafit 2 creion *(negru)*

blackleg ['blækleg] *s* 1 escroc, şarlatan 2 spărgător de grevă; neparticipant la o grevă

blacklist ['blæklist] *vt pol* a trece pe lista neagră

black list ['blæk'list] *s* listă neagră

black magic ['blæk'mædʒik] *s* magie neagră

blackmail ['blækmeil] I *s* şantaj II *vt* a şantaja

blackmailer ['blækmeilə'] *s* şantajist

Black Maria ['blækmə'raiə] *s* ← *F* dubă

black market ['blæk'mɑ:kit] *s* bursă neagră

blackness ['blæknis] *s* 1 negreală; întunecime, întuneric 2 *fig* ticăloşie, infamie

black oil ['blæk'oil] *s* păcură

black-out ['blækaut] *s* 1 *mil* alarmă aeriană; camuflaj 2 *teatru* stingerea luminilor 3 *el* întreruperea curentului 4 *foto* negru 5 *tel* mascare 6 *fig* asuprire, prigoană; înăbuşire 7 *fig* amnezie, pierdere a memoriei

black out ['blæk'aut] I *vt cu part adv* 1 a camufla *(ferestrele etc.)* 2 a scoate *(un text)* 3 a cenzura, a tăia 4 *el* a întrerupe; a scoate din circuit II *vi cu part adv av* a-şi pierde cunoştinţa

black pudding ['blæk'pudiŋ] *s* caltaboş cu sânge

Black Sea, the ['blæk'si:, ðə] Marea Neagră

black sheep ['blækʃi:p] *s şi fig* oaie neagră

blackshirt ['blækʃə:t] *s* cămaşă brună, fascist

blacksmith ['blæksmiθ] *s* fierar, potcovar

black swan ['blæk swɔn] *s orn* lebădă neagră *(Chenopsis atrata)*

blacktail ['blækteil] *s iht* ghigorţ *(Acerina cernua)*

blackthorn ['blækθɔ:n] *s bot* porumbar *(Prunus spinosa)*

black tiger ['blæk taigə'] *s zool* puma *(Felis concolor)*

blackwash ['blækwɔʃ] I *s* 1 vopsea neagră 2 ponegrire II *vt* 1 a vopsi în negru 2 a defăima, a bârfi

blackwater fever ['blæk,wɔtə'fi:və'] *s med* febră hemoglobinurică

blackwort ['blækwə:t] *s bot* tătăneasă *(Symphytum officinale)*

bladder ['blædə'] *s* 1 *anat* băşică, băşica udului 2 *sport* balon, băşică 3 *fig F* fluieră-vânt; cap sec

bladderwort ['blædəwə:t] *s bot* otrăţel de apă *(Utricularia vulgaris)*

bladdery ['blædəri] *adj* cu băşici; băşicat

blade [bleid] *s* 1 foaie, frunză; fir (de iarbă) 2 lamă, tăiş; lamă (de ras) 3 pană, ic 4 pală, paletă 5 pânză (de ferăstrău) 6 *F* băiat, flăcău, individ, cetăţean; **a cunning** ~ un mare şmecher/vulpoi

blade bone ['bleidboun] *s anat* omoplat

bladed ['bleidid] *adj bot* cu frunze, foliat

blah [blɑ:] *s sl F* ← tâmpenii, prostii

blain [blein] *s* bubă, buboi, abces

Blake [bleik], **William** *poet englez (1751-1827)*

blamable ['bleiməbl] *adj* condamnabil, de blamat

blame [bleim] I *vt* (**for**) a învinovăţi, a acuza (pentru, de); a mustra, a blama (pentru); **I'm ~d if** *F* să mă ia naiba dacă II *s* 1 mustrare, dojană, repros 2 vină, învinuire; răspundere; **to bear the** ~ a lua vina asupra sa; **to put/to lay the** ~ **(up) on smb** a da/a arunca vina asupra cuiva

blameable ['bleiməbl] *adj v.* **blameable**

blameful ['bleimful] *adj v.* **blamable**

blameless ['bleimlis] *adj* 1 nevinovat; neprihănit 2 perfect, ireproşabil

blameworthy ['bleimwə:ði] *adj* vrednic de dojană, condamnabil

Blanc, Mont ['blɑ:ŋ, mɔnt] *munte în Elveţia*

Blanch(e) [blɑ:ntʃ] *nume fem*

bland [blænd] *adj* 1 prevenitor, curtenitor; prietenos; afabil 2 *(d. medicamente)* liniştitor; care nu irită *etc.* 3 *(d. climă)* blând, dulce 4 stupid, fără haz

blandish ['blændiʃ] *vt* 1 a dezmierda, a alinta 2 a linguşi, a flata

blandishment ['blændiʃmənt] *s* 1 dezmierdare 2 lingușire

blandly ['blændli] *adv* afabil; prietenos; cu blândețe

blank [blæŋk] I *adj* 1 gol, pustiu 2 liber; curat; nescris 3 viran 4 gol, sec 5 *(d. privire, expresie)* inexpresiv, absorbit 6 total, deplin, complet, desăvârșit II *s* 1 loc/spațiu gol/liber 2 bilet *(de loterie)* necâștigător 3 spărtură 4 gol; tabula rasa 5 *și fig* țintă 6 *tehn* semifabricat 7 *met* bloc, lingou; țaglă 8 *min* steril, gol 9 *ec* formular, blanchetă 10 *mil* cartuș orb/de exercițiu 11 *mat* rubrică

blank bill ['blæŋk'bil] *s fin* poliță în alb

blank cartridge ['blæŋk'ka:tridʒ] *s mil v.* **blank II** 10

blank cheque ['blæŋk'tʃek] *s fin* cec în alb

blank endorsement ['blæŋk in'dɔ:smənt] *s fin* andosament în alb

blanket ['blæŋkit] I *s* 1 cuvertură, pătură *(↓ de lână moale);* **to put a wet ~ on smb** *fig* a turna un duș rece peste cineva; **to get between the ~s** ← *F* a se culca; **on the wrong side of the ~** *fig* nelegitim, din flori 2 cioltar, valtrap 3 *geol, min* pătură, acoperire 4 *constr* îmbrăcăminte (asfaltică) II *vt* 1 a acoperi/a înveli cu o pătură 2 *mar* a azvârli în sus cu pătura 3 a stinge, a înăbuși *(focul)* 4 *amer* a cuprinde, a include 5 *nav* a masca

blanketed ['blæŋkitid] *adj* 1 învelit în plapumă 2 învelit, învăluit *(în ceață etc.)*

blanketing ['blæŋkitiŋ] *s* 1 material pentru fețe de plapumă 2 *fiz* producere de combustibil atomic

blankly ['blæŋkli] *adv* 1 cu privirea în gol, absent, pierdut; indiferent; inexpresiv 2 cu desăvârșire, completamente

blank page ['blæŋk peidʒ] *s* pagină goală

blank verse ['blæŋkvə:s] *s metr* vers alb *(pentametru iambic nerimat)*

blank wall ['blæŋkwɔ:l] *s* perete orb

blare [blɛəʳ] I *vt* a trâmbița, a anunța zgomotos II *s* 1 trâmbițat, proclamare zgomotoasă 2 urlete, zbierete 3 strălucire orbitoare; culoare foarte vie

blasé ['blɑːzei] *adj fr* blazat

blaspheme [blæs'fi:m] I *vi* a blasfemia, a huli, a cârti II *vt* a cârti împotriva *cu gen*

blasphemer [blæs'fi:məʳ] *s* blasfemiator, hulitor

blasphemous ['blæsfiməs] *adj* blasfemiator, hulitor

blasphemy ['blæsfimi] *s* blasfemie, hulă

blast [blɑːst] I *s* 1 suflu, rafală (de vânt); vijelie 2 detunătură, explozie 3 *tehn* insuflare; suflare 4 *tehn* aer insuflat 5 sunet *(al unui instrument de suflat)* 6 distrugere *(provocată de furtună)* 7 influență dăunătoare/proastă 8 îmbolnăvire neașteptată; boală *sau* molimă neașteptată 9 *fig* năpastă; blestem 10 *bot* tăciune, mălură 11 *sl* (un) telefon *(chemare)* 12 ← *F* înjurătură, sudalmă 13 *amer F* chiolhan, chef 14 *mil* flacără la gura țevii II *vt* 1 *și fig* a distruge, a ruina, a strica 2 a arunca în aer, a exploda 3 a blestema; **~ him!** *sl F* să-l ia naiba/dracu! III *vi* 1 a huli, a blasfemia; a blestema 2 a se ofili, a se usca 3 a zbiera; a răsuna

blasted [blɑːstid] *adj* 1 *și fig* distrus, stricat 2 *F* blestemat, al naibii

blast furnace ['blɑːst fə:nis] *s met* cuptor înalt, furnal

blasting ['blɑːstiŋ] *adj* 1 distrugător, stricător 2 exploziv; explozibil

blastoderm ['blɑːstoudə:m] *s biol* blastoderm

blast off ['blɑːst'ɔ(:)f] *vt cu part adv (d. nave spațiale)* a se desprinde de pământ

blast pipe ['blɑːst paip] *s tehn* conductă de aer

blasty ['blɑːsti] *adj* cu vânt, vântos

blatancy ['bleitənsi] *s* 1 zgomot, vacarm, larmă; țipete 2 *fig* caracter țipător; ostentație; aroganță

blatant ['bleitənt] *adj* 1 zgomotos, gălăgios 2 *fig* țipător; ostentativ; arogant 3 *fig* strigător la cer, flagrant; **a ~ lie** o minciună sfruntată

blather ['blæðəʳ] I *s* vorbe goale, vorbărie, flecăreală; prostii II *vi* a vorbi verzi și uscate, a trăncăni; a spune prostii

blaze¹ [bleiz] I *s* 1 foc, flacără, vâlvătaie 2 revărsare *(de lumină etc.);* lumină *sau* culoare vie 3 izbucnire *(a focului, a unei pasiuni etc.);*

explozie 4 *fig* slavă, strălucire, glorie 5 *pl sl* iad, focul iadului; **go to ~s!** *F* du-te la naiba/dracu! **what the ~s does he want?** *F* ce dracu/naiba (mai) vrea? **like ~s** *F* grozav, al naibii; de mama focului II *vt* 1 a arde, a pune pe foc 2 a trâmbița; a da în vileag III *vi* 1 a arde cu flacără vie; a străluci 2 *fig* a străluci, a luci; a radia

blaze² I *s* 1 pată albă, stea, țintă *(pe fruntea animalelor)* 2 semn, răboj *(pe copaci)* II *vt* 1 a însemna, a cresta *(copaci)* 2 a marca *(drumul)* prin crestături pe copaci; **to ~ the trail a** a-și croi/a-și face drum (prin pădure) crestând copacii **b** *fig* a fi deschizător de drum **c** *fig* a-și face/a-și croi drum

blaze abroad ['bleizə'brɔ:d] *vt cu part adv v.* **blaze¹ II, 2**

blaze away at ['bleiz ə'weiət] *vi cu part adv și prep* 1 *mil* a trage foc continuu asupra *cu gen* 2 *F* a se da la, a sări cu gura la

blaze forth ['bleiz 'fɔ:θ] *vt cu part adv v.* **blaze¹ II, 2**

blazer¹ ['bleizəʳ] *s* 1 zi cu mult soare 2 blazer, sacou sport *(↓ multicolor)*

blazer² *s* gură-spartă, om care vorbește mult

blaze up ['bleiz'ʌp] *vi cu part adv* 1 a izbucni în flăcări 2 *fig* a avea o izbucnire *(de mânie),* a exploda

blazing ['bleiziŋ] *adj atr* 1 arzând, aprins, în flăcări 2 evident; flagrant; sfruntat 3 *F* blestemat, afurisit, al naibii

blazon ['bleizn] I *s* 1 heraldică 2 blazon, armoarii, stemă 3 *fig* descriere, prezentare 4 *fig* reclamă, publicitate II *vt* 1 a descrie, a prezenta 2 a face reclamă/publicitate *cu dat*

blazon abroad ['bleiznə'brɔ:d] *vt cu part adv v.* **blazon II, 2**

blazonry ['bleiznri] *s* 1 stemă, blazon 2 heraldică 3 reclamă, publicitate

-ble *suf* -bil: **intelligible** inteligibil

bleach [bli:tʃ] I *vt* 1 a înălbi; a albi; a vărui 2 a decolora; a oxigena; a curăța, a spăla II *vi* a păli III *s* 1 albire, decolorare 2 decolorant

bleachery ['bli:tʃəri] *s text* albitorie; spălătorie chimică

bleak¹ [bli:k] *s iht* albișoară, obleț *(Alburnus lucidus)*

bleak² *adj* **1** gol, pustiu; fără vegetație **2** sumbru, deprimant, mohorât; trist **3** ofilit; palid **4** *(d. vânt etc.)* aspru, rece, tăios

bleakness ['bli:knis] *s* **1** paloare, ofilire, decolorare **2** vreme aspră/rece; vreme închisă/posomorâtă **3** tristețe, mohoreală **4** pustietate, ariditate; locuri sterpe

bleaky ['bli:ki] *adj v.* **bleak²** 1

blear [bliəʳ] **I** *adj* **1** *(d. priviri etc.)* încețoșat, întunecat **2** întunecat; obscur; neclar **II** *vt* a încețoșa, a întuneca *(privirile etc.)*

blear-eyed ['bliəraid] *adj* **1** cu ochii urduroși **2** cu ochii împăienjeniți **3** *fig* miop; mărginit

bleary ['bliəri] *adj* cețos, întunecat, încețoșat

bleat [bli:t] **I** *vi* **1** a behăi **2** *fig* a vorbi pe un ton plângăreț **II** *s* behăit

bleb [bleb] *s* bășică; pustulă

bled [bled] *pret și ptc de la* **bleed**

bleed [bli:d] *pret și ptc* **bled** [bled] **I** *vi* **1** a sângera; a fi rănit; **my heart ~s** *fig* îmi sângerează inima, mi se rupe inima **2** a-și vărsa sângele; a muri **3** *fig F* a fi stors de bani/jecmănit **4** *bot* a secreta rășină **II** *vt* **1** a lua sânge *cu dat* **2** a însângera; a răni **3** a goli; a lăsa să curgă **4** *fig F* a suge, a slei

bleeder ['bli:dəʳ] *s* **1** persoană care ia sânge **2** *med* hemofil **3** *fig ←F* escroc, jecmănitor; parazit **4** *tehn* supapă de siguranță

bleeding¹ ['bli:diŋ] *adj și fig* care sângerează; rănit

bleeding² **I** *s* **1** hemoragie, sângerare **2** recoltare de sânge **3** *hidr* picurare a apei din infiltrație **4** *tehn* evacuare, golire

bleeding heart ['bli:diŋ 'hɑ:t] *s bot* cerceii-doamnei *(Dicentra spectabilis)*

bleep [bli:p] *s* semnal *(↓ al unui satelit artificial)*

blemish ['blemiʃ] **I** *s* **1** cusur, neajuns, lipsă **2** stigmat, pată rușinoasă **II** *vt* a păta, a necinsti, a dezonora

blench¹ [blentʃ] **I** *vt* a albi, a înălbi **II** *vi* a albi, a se face alb, a păli

blench² *vi* a da înapoi, a bate în retragere; a șovăi

blend [blend] **I** *pret și ptc* **blended** ['blendid] *sau* **blent** [blent] *vt* **1** a amesteca, a combina, a îmbina;

a asorta **2** *fig* a îmbina, a amalgama, a amesteca **II** *(v. ~ I)* *vi* **1** a se amesteca; a se uni; a se combina, a se îmbina **2** *(d. culori etc.)* a se asorta, a se potrivi, a se armoniza **3** *fig* a se îmbina, a se amalgama **III** *s* **1** amestec, combinație; îmbinare **2** potrivire, armonie **3** *lingv* cuvânt „telescopat" *(de ex. „motel", format din „motor" și „hotel")*

blende [blend] *s minr* blendă

blender ['blendəʳ] *s tehn* malaxor, amestecător

blent [blent] *pret și ptc de la* **blend I, II**

bless [bles], *pret și ptc* **blessed** [blest] *sau poetic* **blest** [blest] **I** *vt* **1** *și fig* a binecuvânta, a blagoslovi; a da binecuvântarea *cu dat* (**God**) ~ **you!** Domnul să te aibă în pază! rămâi cu bine! **of course not,** ~ **you!** *ironic* nici vorbă, scumpule! ~ **me!** ~ **my heart/soul!** Dumnezeule! cerule! vai de mine! **2** a face cruce *cuiva* **3** a (prea)slăvi, a ridica în slăvi **4** a ferici, a face fericit **5** a binecuvânta; a fi recunoscător, a mulțumi *cu dat* **6** *ironic* a blagoslovi, a blestema **II** *vr* a se minuna, a se cruci // **I haven't a penny to ~ myself with** *F* n-am o lețcaie, n-am o para chioară

blessed [blest] *adj* **1** binecuvântat, blagoslovit **2** care are de toate; fericit; norocos; **the whole ~ day** *F* toată ziulica **3** *ironic F* afurisit, blestemat; **I'm ~ if** *F* să mă ia naiba, să fiu al naibii dacă **4** *rel* (prea)fericit, slăvit

blessedness ['blesidnis] *s* fericire; noroc; stare fericită

Blessed Virgin, the ['blesid 'və:dʒin, ðə] Sfânta Fecioară (Maria)

blessing ['blesiŋ] *s* **1** binecuvântare, blagoslovire **2** binecuvântare, noroc, fericire; **what a ~ that** ce noroc că; **a ~ in disguise** partea bună a unei nenorociri *etc.;* un necaz *sau* o nenorocire care până la urmă se dovedește a fi un lucru bun

bless with ['bles wið] *vt cu prep* a binecuvânta cu, a înzestra cu; a dărui *cuiva (ceva)*

blest [blest] *poetic, pret și ptc de la* **bless I;** *adj v.* **blessed**

blether ['bleðəʳ] *vi v.* **blather II**

blew [blu:] *pret de la* **blow**

blight [blait] **I** *s* **1** *bot* tăciune, mălură, mană; parazit **2** *bot* degerare **3** năpastă, pacoste; nenorocire; pieire **4** supărare, inimă rea; dezamăgire **II** *vt* **1** a vătăma, a strica **2** *și fig* a nimici, a ruina, a distruge

blighter ['blaitəʳ] *s* **1** distrugător; nimicitor **2** *F* tip, individ, cetățean **3** *F* pacoste, belea, – om plicticsitor

blimey ['blaimi] *interj vulg* la naiba/dracu! ptiu! ei, drăcia draculu!

blimp [blimp] *s amer cin* blindaj insonor *(al aparatului de filmat)*

blind [blaind] **I** *adj* **1** orb, fără vedere, nevăzător; ~ **of one eye** chior; **(as)** ~ **as a bat** cu desăvârșire orb, orb ca noaptea; **to be ~ to** *fig* a fi orb la, a nu vedea; **when the devil is ~** *F* la paștile cailor, – niciodată **2** obtuz, întunecat (la minte); fără judecată; nechibzuit **3** neclar, neciteț **4** *(d. un perete etc.)* orb **5** mat, nelustruit **6** *bot* fără floare, neînflorit **7** *F* (beat) criță, beat mort **II** *s* **1** **the ~** orbii, nevăzătorii **2** *pl* storuri; jaluzele **3** *pl* ochelari de cal **4** pretext, scuză; praf în ochi **5** *min* orb **6** *fot* diafragmă **III** *adv* orbește, la întâmplare/nimereală **IV** *vt* **1** *și fig* a orbi; a lua vederea *cu gen* **2** *fig* a eclipsa, a umbri

blind alley ['blaind 'æli] *s* **1** fundătură **2** *fig* impas, punct mort

blind coal ['blaindkoul] *s* cărbune care arde mocnit

blinded ['blaindid] *adj și fig* orbit

blinders ['blaindəz] *s pl* ochelari pentru cai

blind flying ['blaind'flaiiŋ] *s av* zbor fără vizibilitate

blindfold ['blaindfould] **I** *adj, adv* cu ochii legați, legat la ochi **II** *vt și fig* a lega la ochi

blind gut ['blaindgʌt] *s anat* cec(um)

blinding ['blaindiŋ] **I** *adj* orbitor **II** *s* orbire

blind letter ['blaind'letəʳ] *s* scrisoare fără numele adresantului

blindly ['blaindli] *adv* orbește, ca orbii; prostește

blindman's buff ['blaindmænz bʌf] *s* de-a baba oarba, de-a mijoarca

blindman's holiday ['blaindmænz 'holədi] *s ←umor* amurg

blindness ['blaindnis] *s și fig* orbire

blind shell ['blaind 'ʃel] *s mil* proiectil neexplodat

blind spot ['blaind spot] *s* **1** *anat* pată albă/oarbă **2** *tehn, av* punct mort **3** *rad* zonă moartă/de tăcere **4** *fig* punct slab/nevralgic

blind worm ['blaind 'wə:m] *s zool* șarpe de casă *(Anguis fragilis)*

blink [bliŋk] **I** *vi* **1** a clipi *(din ochi)* **2** (**at**) *fig* a se uita chiorâș (la), a privi chiorâș *(cu ac)* **3** (**at**) *fig* a închide ochii (la) **4** a sclipi, a luci **II** *vt* **1** a privi la *(cineva, ceva)* printre gene/cu ochii pe jumătate închiși **2** *fig* a nu vrea să vadă, a închide ochii la; a ocoli *(o întrebare etc.)* **III** *s* **1** clipit, clipire **2** privire furișă **3** sclipire; licărire **4** clipit(ă)

blinkard ['bliŋkəd] *s* **1** persoană care clipește *(tot timpul)* **2** și *fig* miop **3** *fig* prost, netot

blinker ['bliŋkə'] *s* **1** *v.* **blinkard 2** *pl v.* **blinders 3** *pl* ochelari de protecție

blip [blip] **I** *s* **1** *tel* vârf de ecou; pip; impuls scurt **2** imagine pe ecranul radarului **II** *vt* *F* a plesni *(pe cineva)*, a arde una *cuiva*

bliss [blis] *s* fericire; beatitudine; extaz

blissful ['blisful] *adj* **1** fericit; care aduce fericire **2** *rel* (prea)fericit, slăvit, binecuvântat

blister ['blistə'] **I** *s* **1** bășică; pustulă **2** *med* vezicator; emplastru **3** *tehn* bulă de aer, gol, suflură **II** *vt* **1** a bășica; a arde, a ustura **2** *med* a aplica un vezicator pe **3** *fig* a critica aspru/usturător **III** *vi* a se bășica

blister beetle ['blistə,bi:tl] *s ent* cantaridă, gândac de frasin *(Litta vesicatoria)*

blistered ['blistəd] *adj* bășicat, cu bășici

blister gas ['blistə gæs] *s mil* gaz vezicant

blistery ['blistəri] *adj v.* **blistered**

blithe [blaið] *adj* vesel, voios; lipsit de griji

blithesome ['blaiðsəm] *adj v.* **blithe**

B. Litt. *presc de la* **1** Bachelor of Letters **2** Bachelor of Literature

blitz [blits] *s germ mil* război-fulger; atac prin surprindere; atac aerian masiv; bombardament puternic

blitzkrieg ['blitskri:g] *s* **1** *mil* blitzkrieg, război fulger **2** *fig* bombar-

dare neașteptată *(propagandistică etc.)*

blizzard ['blizəd] *s* **1** viscol, furtună de zăpadă **2** vifor, vijelie

B.L.L. *presc pentru* **Bachelor of Laws**

bloat [blout] **I** *vt* **1** a umfla, a umple cu aer **2** a afuma *(pește)* **II** *vi* **1** a se umfla, a se umple cu aer **2** a se inflama **3** *fig* a se grozăvi, a se umfla în pene

bloated ['bloutid] *adj* **1** umflat; buhav **2** *fig* excesiv, exagerat **3** *fig* înfumurat, umflat în pene **4** *(d. pește)* afumat

bloater ['bloutə'] *s* pește afumat *(↓ hering)*

blob [blob] *s* picătură, strop *(↓ de substanță vâscoasă)*

blobber-lipped ['blobə'lipt] *adj* buzat, cu buze groase

bloc [blok] *s pol* bloc; grupare

block [blok] **I** *s* **1** butuc; buștean **2** bloc (mare) de piatră, lespede **3** bloc; *(în S.U.A.)* corp de case; cvartal **4** *fig* (om) prost, cap sec **5** bloc, grămadă; **in the ~** în bloc **6** barieră; obstacol, piedică **7** *pol* bloc; grupare **8** *met* bloc de oțel; blum **9** *tehn* sabot **10** *tehn* scripete **11** *min* bloc, pilier **12** *poligr* clișeu **13** calapod, calotă **14** butuc; eșafod **15** bloc-notes, carnet (de note/notițe) **16** *med* blocare **II** *vt* **1** a bloca; a opri, a împiedica; a pune piedici în calea *(cu gen)* **2** *tel* a bloca **3** *sport* a stopa; a bloca

blockade [blo'keid] **I** *s* **1** *mil* blocadă; **to raise the ~** a ridica blocada **2** baricadă **II** *vt* **1** *mil* a supune unei blocade **2** *fig* a bloca, a împiedica

blockage ['blokidʒ] *s* blocare; înfundare

blockhead ['blokhed] *s* **1** (om) prost, netot, dobitoc, cap de lemn, cap sec **2** calapod, calotă

blockhouse ['blokhaus] *s* **1** *mil* cazemată; fort **2** *constr* casă de bârne; baracă

block in ['blok 'in] *vt cu part adv* a schița, a creiona

blockish ['blokiʃ] *adj* prostănac, netot

block letter ['blok'letə'] *s poligr* **1** fractur **2** *pl* majuscule *sau* litere de tipar; verzale

block out ['blok 'aut] *vt cu part adv* **1** a schița *(un plan etc.)* **2** a retușa

block signal ['blok,signəl] *s ferov* semnal de bloc

block slip ['blok slip] *s* cupon *(dintr-un carnet de cecuri)*

block type ['blok taip] *s poligr* bloc

block up ['blok 'ʌp] *vt cu part adv* **1** a umple *(cu cărămidă etc.)* **2** *tehn etc.* a bloca, a zăvorî

block vote ['blok vout] *s pol* vot reprezentativ

bloke [blouk] *s F* cetățean, individ, tip

blond [blond] **I** *adj* blond, bălai **II** *s* (bărbat) blond

blonde [blound] **I** *adj v.* **blond II** *s* (femeie) blondă, blondină

blood [blʌd] *s* **1** sânge; **to let ~** a sângera; a lua sânge; **in cold ~** *fig* cu sânge rece **2** *fig* sânge, neam, viță **3** *fig* sânge, viață; vlagă **4** *fig* vărsare de sânge, omor

blood-and-thunder ['blʌdən'θʌndə'] *adj* ← *F* melodramatic; de senzație

blood-and-thunder tragedies ['blʌdən'θʌndə,trædʒədiz] *s pl* tragedii sângeroase *(ca ale lui Thomas Kyd)*

blood bath ['blʌd ba:θ] *s fig* baie de sânge

blood bond ['blʌd bond] *s* legătură de sânge

blood brother ['blʌd,brʌðə'] *s* **1** frate de sânge **2** frate de cruce

blood-coloured ['blʌd,kʌləd] *adj* sângeriu

blood-curdling ['blʌd,kə:dliŋ] *adj* înspăimântător, înfiorător

blood donor ['blʌd ,dounə'] *s med* donator de sânge

blooded ['blʌdid] *adj* **1** *(în cuvintele compuse)* cu sânge(le) ...; **cold-~** cu sânge rece **2** pur sânge; de viță/neam **3** însângerat

blood feud ['blʌd fju:d] *s* dușmănie ancestrală

blood group ['blʌd gru:p] *s* grupă sanguină

blood horse ['blʌd ho:s] *s* (cal) pur sânge

bloodhound ['blʌdhaund] *s* **1** copoi **2** *fig* copoi, agent

bloodily ['blʌdili] *adv* sângeros; prin vărsare de sânge

bloodiness ['blʌdinis] *s* **1** însângerare **2** *fig* sete de sânge

bloodless ['blʌdlis] *adj* 1 fără sânge 2 anemic, anemiat 3 *fig* sleit, vlăguit, ofilit 4 indiferent, apatic; nesimțitor 5 *fig* fără vărsare de sânge

blood letting ['blʌd,letiŋ] *s med* sângerare; luare de sânge; flebotomie

blood-minded ['blʌd'maindid] *adj* sângeros, însetat/setos de sânge

blood poisoning ['blʌd,poizəniŋ] *s med* infectare a sângelui, septicemie

blood pressure ['blʌd,preʃəʳ] *s fizl* tensiune arterială

blood pudding ['blʌd,pudiŋ] *s v.* **black pudding**

blood relation ['blʌd ri,leiʃən] *s* rudă de sânge

bloodshed ['blʌdʃed] *s fig* vărsare de sânge, măcel

bloodshot ['blʌdʃot] *adj (d. ochi)* injectat, congestionat, înroșit

blood-stained ['blʌd steind] *adj și fig* pătat *sau* mânjit de sânge

bloodstone ['blʌdstoun] *s minr* hematit, blutstein

blood sucker ['blʌd,sʌkəʳ] *s* 1 *zool* lipitoare *(Hirudo officinalis)* 2 *fig* lipitoare, parazit, exploatator

blood test ['blʌd test] *s* analiza sângelui, hemogramă

bloodthirsty ['blʌd 'θə:sti] *adj* setos de sânge, sângeros

blood transfusion ['blʌdtrænsˈfjuːʒən] *s med* transfuzie de sânge

blood vessel ['blʌd,vesl] *s anat* vas sanguin

bloodwort ['blʌdwəːt] *s bot* sorbestrea *(Sanguisorba officinalis)*

bloody ['blʌdi] I *adj* 1 însângerat, plin de sânge 2 sângeros, setos de sânge 3 *vulg* al dracului/naibii, dat dracului II *adv vulg* al dracului/naibii

bloom¹ [bluːm] *s met* blum

bloom² I *s* 1 înflorire, floare; **in ~** în (plină) floare 2 *fig* culoare, bujori, roșeață 3 *fig* înflorire, prosperitate II *vi* 1 a înflori, a fi în floare 2 *fig* a înflori, a prospera

bloomers ['bluːməz] *s pl* pantaloni bufanți *(femeiești)*

blooming ['bluːmiŋ] *adj* 1 în floare, înflorit 2 *fig* înfloritor

bloomy ['bluːmi] *adj v.* **blooming**

blossom ['blosəm] I *s* 1 floare; flori, inflorescență *(↓ de pomi fructiferi)* 2 *fig* înflorire II *vi* 1 a înflori; a îmboboci 2 *fig* a înflori; a propăși; a se dezvolta

blot [blot] I *s* 1 pată *(↓ de cerneală)* 2 *fig* pată, stigmat II *vt* 1 *și fig* a pata, a murdări, a mânji 2 *fig* a șterge, a spăla III *vi* 1 a pata, a face pete 2 a se păta

blotch [blotʃ] *s* 1 *bot* umflătură 2 pată 3 *fig* pată *(rușinoasă)*

blotchy ['blotʃi] *adj* 1 cu umflături 2 cu pete, pătat

blot out ['blot 'aut] *vt cu part adv* 1 a șterge *(ceva scris, din memorie etc.)* 2 *(d. nori etc.)* a acoperi, a întuneca 3 a ucide; a distruge

blotter ['blotəʳ] *s* 1 sugativă, sugătoare; tampon 2 registru *(de încasări etc.)*

blotting paper ['blotiŋ,peipəʳ] *s* (hârtie) sugativă, sugătoare

blouse [blauz] *s* bluză *(de lucru etc.)*

blow¹ [blou] I *pret* **blew** [bluː], *ptc* **blown** [bloun] *vi* 1 *(d. vânt)* a sufla, a bate 2 a suna; a răsuna 3 a sări în aer, a exploda // **~ high, ~ low** orice s-ar întâmpla; **to ~ hot and cold** *fig* a fi schimbător (ca vântul), a-și schimba mereu părerea II *(v.* **blow¹** I) *vt* 1 a sufla în, a ațâța (focul) 2 a sufla în, a cânta la; **to ~ one's own trumpet** *fig* a se lăuda singur, a-și face reclamă singur 3 a face, a da drumul la *(baloane de săpun)* III *s* 1 răsuflare; suflu 2 *auto* explozie de cauciuc

blow² *s* 1 lovitură, izbitură; pocnitură; pumn; ghiont; **to strike/ to deal a ~ at** *și fig* a lovi; a da o lovitură *cu dat* 2 *fig* lovitură, nenorocire

blow³ [blou] I *pret* **blew** [bluː], *ptc* **blown** [bloun] *vi* a înflori, a da în floare II *s* 1 floare; inflorescență 2 înflorire

blow about ['blou ə'baut] *vi cu part adv* a răspândi, a colporta *(zvonuri)*

blow abroad ['blou ə'brɔːd] *vt cu part adv v.* **blow about**

blow back ['blou bæk] *s* recul *(al armei)*

blower ['blouəʳ] *s* 1 suflător, persoană care suflă; gornist, trâmbițaș 2 *met* suflantă, ventilator 3 *sl* telefon

blow-fly ['blou, flai] *s ent* muscă de carne *(Calliphora)*

blow-hole ['blou'houl] *s* 1 *met* suflură 2 *min* gură de mină

blow in ['blou 'in] *vi cu part adv* a apărea brusc; a da buzna

blowing ['blouiŋ] *adj* înfloritor, prosper

blown [bloun] *ptc de la* **blow¹,³**

blow off ['blou 'ɔːf] *vt cu part adv* 1 a evacua *(aburul etc.)* 2 a sufla 3 ← *F* a alunga, a îndepărta, a scăpa de *(sentimente apăsătoare)*

blow-off ['blouɔ(ː)f] *s* evacuare *(a apei etc.)*

blow out ['blou 'aut] I *vt cu part adv* 1 a stinge *(suflând, lumina etc.)* 2 a-și zbura *(creierii)* II *vi cu part adv* 1 *(d. un cauciuc)* a exploda 2 *(d. abur etc.)* a țâșni, a ieși cu putere; a erupe 3 *(d. o siguranță etc.)* a (se) arde

blow over ['blou 'ouvəʳ] *vi cu part adv (d. vremea urâtă, primejdii etc.)* a trece

blowpipe ['bloupaip] *s* 1 *tehn* conductă de aer 2 *met* arzător, aparat de sudură

blow up ['blou'ʌp] I *vt cu part adv* 1 a umple cu aer *sau* gaz 2 *F* a muștrului; a face albie de porci 3 *fot* a mări II *vi cu part adv* 1 a exploda, a face explozie; a sări în aer 2 *(d. vânt)* a se stârni 3 *F* a-și ieși din sărite, a-i sări muștarul III ['blouʌp] *s* 1 *fot* mărire; fotografie mărită 2 explozie; izbucnire

blowzy ['blauzi] *adj* 1 rumen la față; gras și rumen 2 despletit; neglijent

blubber ['blʌbəʳ] I *vi* a plânge cu hohote; ↓ *peior* a se smiorcăi II *s* hohote de plâns; ↓ *peior* smiorcăit, smiorcăială

blubbered ['blʌbəd] *adj* umflat de plâns

blubber-lipped ['blʌbə,lipt] *adj* cu buze(le) ieșite în afară

bludgeon ['blʌdʒən] I *s* bâtă, ciomag; *(↓ cu vârful gros)* măciucă II *vt* a lovi cu bâta *etc.*; a ciomăgi

blue [bluː] I *adj* 1 albastru; azuriu; siniliu; vânăt 2 *(d. față etc.)* albastru, vânăt; palid; pământiu 3 vânăt, învinețit 4 *fig* scârbos, indecent, porcos 5 *fig* amărât, abătut; posac 6 *pol* conservator //

once in a ~ moon o dată la o mie de ani; **things look** ~ *F* e cam albastru, situația e cam albastră **II** *s* **1** albastru, culoare albastră **2** albăstreală, sineală **3** the ~ azur, seninul cerului **4** the ~ marea, albastrul mării **5** *pol* conservator **6** *pl* tristețe, ipohondrie, melancolie; **to have the ~s** a fi cuprins de ipohondrie/melancolie **7** *pl muz* blues *(cântece triste ale negrilor)* **III** *vt* **1** a albăstri **2** a da cu sineală *(rufele)*

Bluebeard ['bluːbiəd] *s și fig* Barbă Albastră

bluebell ['bluːbel] *s bot* clopoței *(Campanula sp.)*

blueberry ['bluːbəri] *s bot* afin, coacăz negru *(Vaccinium myrtillus)*

blue blood ['bluː'blʌd] *s* **1** *med* sânge venos **2** *fig* sânge albastru/nobil

blue-blooded ['bluː'blʌdid] *adj fig* cu sânge albastru

bluebonnet ['bluː'bɔnit] *s* **1** bonetă scoțiană (albastră) **2** scoțian **3** *bot v.* **bluebottle**

blue book ['bluː'buk] *s* **1** *pol* Carte Albastră *(a unei comisii parlamentare)* **2** *amer* listă de persoanelor de răspundere în S.U.A. **3** *amer auto* ghid auto

bluebottle ['bluː'bɔtl] *s bot* albăstrea, vinețele *(Centaurea cyanus)*

blue brick ['bluː'brik] *s* cărămidă arsă, clincher

blue devils ['bluː'devəlz] *s pl* **1** *med* delirium tremens **2** ipohondrie, deprimare, melancolie

blue-eyed ['bluaid] *adj* **1** cu ochi albaștri **2** *amer* ← *F* inocent; naiv

blueness ['bluːnis] *s* albăstrime, albăstreală

blue paper ['bluː'peipə'] *s* hârtie heliografică

blueprint ['bluː'print] **I** *s* plan; schiță, proiect **II** *vt* a întocmi un plan *cu gen*

blue ribbon ['bluː'ribən] *s* **1** panglică albastră *(a ordinului Jartierei)* **2** locul întâi; premiul întâi

blue stocking ['bluː'stɔkiŋ] *s* femeie „savantă"/prețioasă, snoabă intelectuală; pedantă

bluestone ['bluːstoun] *s* piatră vânătă, sulfat de cupru

blue vitriol ['bluː'vitriəl] *s v.* **bluestone**

bluff¹ [blʌf] *s* bluf(f), mistificare; cacialma

bluff² **I** *s* mal abrupt și înalt; faleză **II** *adj v.* **bluffy**

bluffer ['blʌfə'] *s* **1** mistificator; cacialmist **2** fanfaron, lăudăros

bluffy ['blʌfi] *adj* **1** râpos; abrupt **2** *fig* deschis, sincer, care nu știe prea multe

bluish ['bluːiʃ] *adj* albăstrui, albăstriu

blunder ['blʌndə'] *s* (greșeală) boacănă; gafă **II** *vt* **1** a strica, a nu face cum trebuie **2** a căuta dibuind *(drumul)* **III** *vi* **1** a face o greșeală/boacănă, a face o gafă **2** a bâjbâi, a dibui

blunder against ['blʌndər ə,genst] *vi cu prep* a se poticni de

blunder away ['blʌndər ə,wei] *vt cu part adv* a scăpa, a pierde *(un prilej)*

blunderbuss ['blʌndəbʌs] *s* **1** *ist, mil* espingolă **2** gafeur, *F* calcă-n străchini

blunderer ['blʌndərə'] *s* **1** gafeur **2** ageamiu; cârpaci **3** prost, tont, netot

blunderhead ['blʌndəhed] *s F* bleg, tâmpit

blundering ['blʌndəriŋ] *adj* **1** care face greșeli, boacăne *sau* gafe **2** nepriceput; ageamiu **3** greșit

blunder into ['blʌndər,intə] *vi cu prep* a se poticni de, a se lovi de

blunder out ['blʌndər'aut] *vt cu part adv* a-i ieși din gură, a trânti *(o prostie)*

blunder upon ['blʌndər ə,pɔn] *vi cu prep* a da de/peste, a întâlni întâmplător *cu ac*

blunt [blʌnt] **I** *adj* **1** neascuțit, bont **2** *fig* necioplit, aspru, grosolan; nesimțitor **3** *fig* obtuz, greoi, greu de cap **4** *fig* direct, tăios, fără menajamente **II** *vt și fig* a toci **III** *vi și fig* a se toci

blunt angle ['blʌnt'æŋgl] *s geom* unghi obtuz

bluntly ['blʌntli] *adv* pe față, fără menajamente, direct

bluntness ['blʌntnis] *s* **1** lipsă de ascuțime; ciunteală **2** *fig* asprime, grosolănie **3** *fig* obtuzitate, prostie, îngustime **4** *fig* caracter tăios/direct; franchețe

blur [blə:'] **I** *vt* **1** *și fig* a păta, a murdări **2** a estompa; a umbri; a înnegura, a întuneca **II** *s și fig* pată

blurb [blə:b] *s* prezentare-reclamă *(a unei cărți)*

blurred [blə:d] *adj* **1** mâzgălit (cu cerneală) **2** cețos, neclar, vag

blurry ['blə:ri] *adj* **1** neclar, estompat, vag **2** pătat; plin de pete

blurt out ['blə:t 'aut] *vt cu part adv* a scoate, a trânti, a-i scăpa *(un cuvânt etc.)*

blush [blʌʃ] **I** *vi* **(at, for)** a roși, a se înroși (de; din cauza – *cu gen*); **not to ~ to do smth** a nu-i fi rușine/a nu se sfii să facă ceva **II** *s* **1** roșeață, îmbujorare **2** vedere, privire; **at (the) first ~** la prima vedere

blushful ['blʌʃful] *adj* **1** rumen, roșu **2** rușinos, sfios

bluster ['blʌstə'] **I** *vi* **1** *(d. furtună)* a urla, a mugi **2** a zbiera, a vocifera, a vorbi tare **3** a face pe grozavul, a se lăuda **II** *vt* a intimida; a teroriza **III** *s* **1** urlete, mugete *(ale furtunii)* **2** gălăgie, scandal, zarvă **3** lăudăroșenie, fanfaronadă **4** amenințări deșarte; frondă

blusterer ['blʌstərə'] *s* **1** lăudăros, fanfaron **2** certăreț, târâie-brâu; terorist

blustering ['blʌstəriŋ] *adj atr* **1** lăudăros **2** furtunos, impetuos, năvalnic

blvd. *presc de la* **boulevard**

-bly *suf adverbial* -bil: **considerably** considerabil

B.M. *presc de la* **1** Bachelor of Medicine **2** Bachelor of Music **3** British Museum

Bn. *presc de la* **1** Baron **2** battalion

b.o. *presc de la* **1** back order **2** bad order **3** box office

boa ['bouə] *s zool* șarpe boa *(Boa constrictor)*

Boadicea [,bouədi'siə] *regină a britonilor (?-62)*

Boanerges [,bouə'nə:dʒiz] *s fig* predicator *sau* orator zgomotos

boar [bɔ:'] *s zool* **1** vier, porc nejugănit **2** (porc) mistreț *(Sus scrofa)*

board¹ [bɔ:d] **I** *s* **1** scândură **2** masă *(↓ cea pe care se mănâncă)* **3** masă; mâncare, hrană **4** poliță, raft **5** *pl teatru* scenă **6** carton; copertă **7** afișier; avizier **8** *nav, av* bord; **on ~ a** pe bord/vas; la bord **b** *amer* în vagoane; **to go by the ~ a** a cădea, a se prăbuși **b** *fig* a fi aruncat peste bord **9** *tehn* panou, tablou **10** *constr* pardoseală, cofraj **II** *vt* **1** a acoperi cu scânduri, a pardosi (cu scânduri) **2** a ține în pensiune **3** *nav* a aborda, a urca pe/la bord; *amer* a urca în vagoane **III** *vi* a fi în pensiune

board² *s* conducere; administrație; departament; comitet; colegiu; minister

boardable ['bɔːdəbl] *adj* abordabil, accesibil

board and lodging ['bɔːd ənˈlɔdʒiŋ] *s* masă și casă, pensiune

boarder ['bɔːdəʳ] *s* **1** pensionar, persoană care stă în pensiune **2** elev intern

boarding ['bɔːdiŋ] *s* **1** *constr* pardosire cu scânduri; îmbrăcăminte de scânduri **2** *nav* abordare; urcare la bord **3** întreținere, pensiune

boarding house ['bɔːdiŋ haus] *s* pensiune, internat

boarding school ['bɔːdiŋ skuːl] *s* pension; școală cu internat

Board of Directors ['bɔːd əv diˈrektəz] *s* direcție; comitet de conducere

Board of Examiners ['bɔːd əv igˈzæminəz] *s* comisie de examen

Board of Health ['bɔːd əv ˈhelθ] *s* Ministerul Sănătății

Board of Trade ['bɔːd əv ˈtreid] *s* **1** Ministerul Comerțului *(în Anglia)* **2** Camera de Comerț *(în S.U.A.)*

boarish ['bɔːriʃ] *adj* **1** porcesc, de porc **2** *fig* porcesc, porcos, animalic

boast [boust] **I** *s* **1** laudă de sine, fălire; **to make (a) ~ of** a se lăuda/a se făli cu; **great ~, small roast** *prov* vorba multă, sărăcia omului **2** mândrie, fală *(obiect al mândriei)* **II** *vi* **(of, about)** a se lăuda, a se mândri, a se făli (cu) **III** *vt* **1** a lăuda **2** a se lăuda/a se mândri/a se făli cu **3** a avea, a dispune de

boaster ['boustəʳ] *s* lăudăros, fanfaron

boastful ['boustful] *adj* lăudăros

boat [bout] *s* **1** ambarcațiune; barcă; luntre; șalupă; vas; corabie; submarin; **to have an oar in another's ~** *fig* a se amesteca în treburile altuia; **to be in the same ~** *fig* a fi în aceeași situație cu cineva; **to sail in the same ~** *fig* a lucra mână în mână cu cineva; a fi o apă și un pământ **2** vas/recipient în formă de luntre

boat bridge ['bout bridʒ] *s* ponton, pod de vase

boater ['boutəʳ] *s* barcagiu, luntraș; vâslaș

boatful ['boutful] *s* pasageri, echipajul *sau* încărcătura unui vas; persoanele *sau* încărcătura dintr-o barcă

boat hook ['bout huk] *s* cange; harpon

boating ['boutiŋ] *s* **1** canotaj **2** plimbare cu barca

boatman ['boutmən] *s* barcagiu, luntraș

boat race ['bout reis] *s* concurs de canotaj; regată

boat song ['bout sɔːŋ] *s muz* barcarolă

boatswain ['bousn] *s nav* șef de echipaj; nostrom; boțman

boat swing ['bout swiŋ] *s* leagăn, dulap

boat-tailed ['bout teild] *adj* în formă de luntre; aerodinamic

Bob [bɔb] *dim de la* **Robert**

bob¹ *s* **1** *tehn* greutate *(a pendulului etc.)* **2** *tehn* bob **3** plută *(la undiță)* **4** momeală *(în cârlig)* **4** ciorchine; mănunchi **5** moț; smoc *(de păr)*; păr tăiat scurt **6** *sport* bob **7** *nav* sondă **8** *muz* refren **9** păcăleală, farsă, festă **II** *vt* **1** a băga, a vârî *(capul)* **2** ← *F* a pune, a așeza *(cu un gest brusc)* **3** a tăia scurt *(părul etc.)* **4** a face *(o reverență scurtă)* **III** *vi* a pluti *(încoace și încolo)*, a se legăna *(pe apă)*

bob² *s* și *pl* sl șiling

bobbed [bɔbd] *adj* tuns/tăiat scurt

bobbin ['bɔbin] *s* **1** bobină; mosor; țeavă **2** *tehn* tambur de troliu **3** *el* bobină

bobby ['bɔbi] *s F* curcan, – polițist; jandarm

bobby soxer ['bɔbiˈsʌksəʳ] *s amer* ← *F* fetișcană, codană

bobolink ['bɔbolink] *s orn* bobolinc *(Dolichonyx oryzivorus)*

bobsled ['bɔbsled] *s v.* **bobsleigh**

bobsleigh ['bɔbslei] *s* **1** *sport* bob **2** sanie de transportat bușteni

bobtail ['bɔbteil] *s* **1** coadă tăiată, ciot **2** cal *sau* câine cu coada tăiată

bob up ['bɔbˈʌp] *vi cu part adv* a apărea/a se ivi pe neașteptate

Boccaccio [bɔˈkaːtʃiou], **Giovanni** *scriitor italian (1313-1375)*

bock [bɔk] *s* bere neagră tare *(nemțească)*

bode¹ [boud] *pret de la* **bide**

bode² *vt* a prevesti, a proroci; a fi semn de

bodeful ['boudful] *adj* cobitor, prevestitor de rău

bodega [bouˈdiːgə] *s span* **1** băcănie **2** magazin de vinuri; pivniță de vinuri

bodement ['boudmənt] *s* augur, semn prevestitor; profeție

bodice ['bɔdis] *s* corsaj; sutien

bodiless ['bɔdilis] *adj* fără trup; imaterial

bodily ['bɔdili] **I** *adj* trupesc, corporal, fizic **II** *adv* **1** personal, în persoană **2** în întregime; ca un întreg

boding ['boudiŋ] *adj* rău-prevestitor, de rău augur

bodkin ['bɔdkin] *s* **1** sulă **2** *text* ac de năvădit **3** ← *înv* pumnal

body ['bɔdi] **I** *s* **1** corp, trup; **to keep ~ and soul together** a-și ține zilele, a trăi de azi pe mâine **2** corp neînsuflețit, cadavru **3** persoană, individ, om **4** înfățișare fizică, fizic **5** corp, parte principală **6** *tehn* batiu **7** *bis* naos, navă **8** *bot* tulpină *(de pom)* **9** *auto* caroserie **10** *av* fuzelaj **11** grup; corp; *mil* unitate **12** *pol etc.* organ; organizație **13** masă, mulțime; majoritate **14** alambic; retortă **15** *astr* corp ceresc, astru **16** sistem; totalitate **II** *vt* a întruchipa; a da trup *cu dat*

body corporate ['bɔdiˈkɔːpərit] *s jur* corporație

bodyguard ['bɔdigaːd] *s* gardă personală; *F →* gorilă

bodying ['bɔdiiŋ] *s ch* polimerizare

body politic ['bɔdi politik] *s pol* stat

body snatcher ['bɔdiˌsnætʃəʳ] *s* hoț de cadavre *(↓ pt disecție)*

body type ['bɔdi taip] *s poligr* literă de rând

Boeotia [biˈouʃiə] *ist* Beoția

Boer ['bouəʳ] **I** *s* bur **II** *adj* al burilor, de buri

Boer War, the ['bouə wɔːr, ðə] Războiul Burilor *(1899-1902)*

Boethius [bouˈiːθiəs] *filosof latin (480?-524?)*

bog [bɔg] *s* mlaștină, mocirlă

bogey ['bougi] *s* sperietoare, gogoriță

boggle ['bɔgl] **I** *vi* **1** **(at)** a se speria (de) **2** **(at)** a ezita, a șovăi (în privința – *cu gen*); a avea scrupule (cu privire la) **3** a lucra prost/ de mântuială **II** *vt* a cârpăci; a lucra de mântuială la

boggler ['bɔglə'] s 1 (om) fricos, laş 2 lucrător prost, cârpaci

boggy ['bɔgi] adj mlăştinos, mocirlos

bogie ['bougi] s 1 v. **bogy 2** ferov boghiu, cărucior

bog land ['bɔg lænd] s ţinut mlăştinos/mocirlos

bog ore ['bɔg ɔːʳ] s minr limonit

Bogota [ˌbougəˈtɑː] capitala Columbiei

bog trotter ['bɔg 'trɔtəʳ] s ← peior irlandez

bogus ['bougəs] adj atr fals; fictiv, născocit

bogy ['bougi] s 1 **B~** diavolul, dracul, Necuratul 2 fantomă, nălucă 3 sperietoare, gogoriţă

Bohemia [bouˈhiːmiə] s 1 ist provincie în fosta Cehoslovacie Boemia 2 boemă; viaţă de boem

Bohemian [bouˈhiːmiən] I adj 1 din Boemia 2 boem 3 ţigănos II s 1 locuitor din Boemia 2 boem 3 ţigan 4 ist husit

boil[1] [bɔil] s med furuncul, abces

boil[2] I vi 1 a fierbe, a clocoti; a da în clocot 2 fig a fierbe, a clocoti; a face spume la gură II vt a fierbe; a pune la fiert III s 1 fierbere 2 punct de fierbere 3 met (perioada de) primă afinare

boil away ['bɔil ə'wei] I vt cu part adv 1 a lăsa să scadă la foc 2 fig a prescurta; a scurta (o poveste etc.) II vi cu part adv a scădea din fierbere; a se evapora

boil down ['bɔil 'daun] vt cu part adv v. **boil away**

boil down to ['bɔil 'dauntə] vi cu part adv şi prep a se reduce (în ultimă instanţă) la

Boileau ['bwɑːlou], **Nicolas** scriitor francez (1636-1711)

boiled ['bɔild] adj fiert; clocotit

boiler ['bɔiləʳ] s 1 tehn cazan (cu aburi); boiler; fierbător 2 tehn căldare 3 pl verdeţuri bune de fiert

boiler house ['bɔiləhaus] s tehn sala cazanelor

boiling ['bɔiliŋ] adj 1 care fierbe; care clocoteşte 2 fig care fierbe/clocoteşte; în fierbere; înflăcărat

boiling point ['bɔiliŋ point] s punct de fierbere

boil off ['bɔil 'ɔːf] vt cu part adv a vaporiza, a elimina prin vaporizare

boil over ['bɔil 'ouvəʳ] I vi cu part adv 1 a se revărsa 2 a da în foc 3 fig a se revărsa; a nu se mai putea stăpâni, a izbucni II vt cu part adv a distila, a alambica

boil up ['bɔil'ʌp] vi cu part adv a fierbe, a clocoti

boisterous ['bɔistərəs] adj 1 violent, nestăpânit 2 gălăgios; turbulent

Bol. presc de la 1 **Bolivia** 2 **Bolivian**

bold [bould] adj 1 îndrăzneţ, cutezător, curajos, neînfricat; **to put a ~ face on** a se apuca cu curaj de (o problemă etc.) 2 obraznic, neruşinat; **to make ~ with** a-şi permite cam mult faţă de 3 abrupt, râpos; stâncos 4 (d. scris etc.) apăsat; reliefat; citeţ 5 fig mare; puternic; îndrăzneţ, cutezător; (d. imaginaţie etc.) bogat

bold face ['bould feis] s poligr (caractere) aldine

bold-faced ['bould feist] adj 1 obraznic, neruşinat 2 poligr (tipărit) cu (caractere) aldine

bold-hearted ['bould'hɑːtid] adj curajos, cutezător, îndrăzneţ

bold letter ['bould'letəʳ] s poligr (literă) aldină

boldly ['bouldli] adv 1 cu curaj/îndrăzneală 2 obraznic, impertinent 3 în pantă abruptă

boldness ['bouldnis] s 1 îndrăzneală, cutezanţă, curaj 2 obrăznicie, neobrăzare, impertinenţă 3 caracter abrupt (al ţărmului) 4 caracter proeminent, proeminenţă 5 caracter ţipător

bole[1] [baul] s bot trunchi; tulpină

bole[2] s minr bolus, argilă fină

bolero [bəˈlɛərou] s muz bolero

boletus [bouˈliːtəs] s bot ciupercă, burete (Boletus sp.)

Boleyn ['bulin], **Anne** soţia lui Henric VIII al Angliei

bolide ['boulaid] s bolid, meteor

Bolingbroke ['bɔliŋbruk] scriitor englez (1678-1751)

Bolivia [bəˈliviə] ţară

Bolivian [bəˈliviən] adj, s bolivian

bollard ['bɔləd] s 1 nav baba de cheu, bolard 2 constr, drumuri bornă, opritor

Bologna [bəˈlounjə] s 1 oraş în Italia 2 salam de Bologna (afumat, din carne de vacă, porc şi viţel)

Bolshevik ['bɔlʃivik] I s bolşevic II adj bolşevic; de bolşevic

Bolshevist ['bɔlʃivist] s, adj v. **Bolshevik**

bolster ['boulstəʳ] I s 1 pernă (mare) 2 tehn cuzinet; suport 3 compresă II vt 1 şi fig a sprijini, a susţine 2 a aţâţa, a instiga; a îndemna

bolsterer ['boulstərəʳ] s susţinător, sprijinitor

bolster up ['boulstər'ʌp] vt cu part adv fig a susţine, a sprijini

bolt[1] [boult] I s 1 săgeată 2 fulger trăsnet; **a ~ from the blue** fig o lovitură de trăsnet; o lovitură de teatru 3 zăvor; lacăt; broască 4 tehn şurub, bolţ, bulon 5 tehn pivot; piron 6 fugă, goană 7 bucată, cupon (de stofă) II vi a o lua la fugă/goană; a fugi mâncând pământul III vt a zăvorî; a fixa cu un şurub etc. (v. ~ I, 3-5) IV adv ca o săgeată

bolt[2] I s sită, grătar II vt 1 a cerne, a da prin sită 2 fig a cerne, a cerceta, a examina

bolter ['boultəʳ] s tehn sită, grătar

bolt nut ['boult nʌt] s tehn piuliţă

bolt rope ['boult roup] s nav grandee

bolus ['bouləs] s 1 bulgăre (de pământ etc.) 2 farm bol

bomb [bɔm] I s şi fig bombă II vt av a bombarda

bombard [bɔm'bɑːd] vt 1 mil, av a bombarda 2 fig a bombarda, a asalta

bombardier [ˌbɔmbəˈdiəʳ] s av bombardier, avion de bombardament

bombardment [bɔm'bɑːdmənt] s mil, fiz bombardament

bombast ['bɔmbæst] s bombasticism, stil bombastic

bombastic [bɔm'bæstik] adj bombastic, umflat, preţios

Bombay [bɔm'bei] oraş în India

bomber ['bɔməʳ] s av bombardier, avion de bombardament

bombing ['bɔmiŋ] s mil 1 bombardament, lansare de bombe 2 aruncare de grenade

bomb-proof ['bɔm pruːf] s mil adăpost antiaerian; cazemată

bombshell ['bɔmʃel] s mil bombă; proiectil

bomb thrower ['bɔmˌθrouəʳ] s 1 mil aruncător de bombe sau grenade 2 fig anarhist

bona fide ['bounə 'faidi] adj, adv lat de bună credinţă

bonanza [bou'nænzə] *s amer fig* mină de aur, comoară; noroc neașteptat

Bonaparte ['bounəpɑ:ti] *v.* **Napoleon**

bon-bon ['bɔnbɔn] *s* bomboană

bond[1] [bɔnd] *s ist* iobag, șerb

bond[2] I *s* **1** legătură; relație **2** *pl* lanțuri, cătușe, fiare **3** *pl fig* lanțuri, cătușe; robie **4** obligație, datorie **5** *ec* obligațiune; contrachitanță; bon **6** *ec* gaj, garanție **7** *tehn* fixare, legare, legătură **8** *ch* valență **9** *ch* liant II *vt* **1** a fixa, a întări *(cărămizi etc.)* **2** *ec* a amaneta; a ipoteca **3** *ec* a emite *(bonuri)*

bondage ['bɔndidʒ] *s* **1** *ist* iobăgie, șerbie; robie **2** *fig* robie, sclavie; dependență; servitute

bonded ['bɔndid] *adj* **1** *fin* asigurat cu bonuri *sau* obligații **2** depozitat la vamă

bondland ['bɔndlænd] *s ist* pământ dat cu arendă pentru clacă/ robotă

bondless ['bɔndlis] *adj* neîncătușat, liber

bondman ['bɔndmən] *s ist* iobag; șerb; rob

bondsman ['bɔndzmən] *s ist v.* **bondman**

bone [boun] I *s* **1** os, ciolan; **wet to the** ~ ud până la piele; **to make old** ~**s** a ajunge la adânci bătrânețe; **to have a** ~ **to pick with smb** *fig* a avea ceva de împărțit cu cineva; a avea o răfuială cu cineva; **to feel in one's** ~**s** a simți, a presimți; **to make no** ~**s about** a nu se jena să; a nu-și face scrupule în privința *(cu gen)* **2** *pl* schelet **3** *pl* corp, trup **4** *pl* ← *F* zaruri; arșice **5** castaniete II *vt* a scoate oasele din

bone black ['bounblæk] *s* cărbune de oase/animal

boned [bound] *adj* osos, cu oase; *(în cuvinte compuse)* cu oase(le)...

bone dust ['boun dʌst] *s* făină de oase

bone glue ['boun glu:] *s* clei de oase

boneless ['bounlis] *adj* **1** fără oase **2** curățat de oase **3** *fig* fără coloana vertebrală

bone-meal ['bounmi:l] *s* făină de oase

bone of contention ['boun əv kən'tenʃən] *s* mărul discordiei

bone-shaker ['boun ʃeikə[r]] *s* **1** vehicul de tip vechi *(bicicletă, trăsură, mașină etc.)* **2** *(d. vehicule)* rablă, droagă, vechitură

bonfire ['bɔnfaiə[r]] *s* foc în aer liber

bon mot ['bɔŋ'mou] *s* vorbă de duh/ spirit

Bonn [bɔn] *capitala Germaniei*

bonnet ['bɔnit] *s* **1** bonetă; beretă; scufie **2** *tehn* capac, manta **3** *auto* capotă; hușă

bonny ['bɔni] *adj scot* frumos, mândru

bonus ['bounəs] *s ec* primă; tantiemă; premiu

bony ['bouni] *adj* **1** osos, din oase **2** osos, ciolănos

bonze [bɔnz] *s rel și fig* bonz

boo [bu:] I *interj* **1** *(reproduce mugetul)* muu! **2** *(pt a alunga păsări)* hâș! **3** *(exprimă dezacordul etc.)* nuu! II *vi* a protesta; a huidui III *vt* a huidui

booby ['bu:bi] *s* găgăuță, prost, neghiob

boodle ['bu:dl] *s* **1** gloată, mulțime; șleahtă **2** *F* șperț, – mită **3** ← *F* bani falși

boogie-woogie ['bugi'wugi] *s* boogie-woogie *(stil de muzică de jazz; dans modern)*

book [buk] I *s* **1** carte; volum; cărțulie; broșură; **by the** ~ ca la carte, după tipic; **to know off** ~ a ști pe de rost; **to mind one's** ~**s** a studia cu râvnă; **to bring/ to call to** ~ a trage la răspundere, a cere socoteală **2 the B**~ Biblia, Sfânta Carte **3** *lit* carte; cânt, canto **4** caiet **5** (bloc)notes, carnet **6** listă; tabel; inventar; **to be on the** ~**s** a fi (trecut) pe listă; **to be in smb's bad/black** ~**s** *fig* a fi pe lista neagră a cuiva, a fi prost văzut de cineva II *vt* **1** a înregistra, a trece într-un registru **2** a lua *sau* a elibera *(bilete)*; a reține *(locuri la un spectacol)* **3** a invita, a angaja *(un vorbitor etc.)*; a aștepta *(pe cineva, ca invitat etc.)*

bookbinder ['buk,baində[r]] *s* legător de cărți

bookbinding ['buk,baindiŋ] *s* legatul cărților

bookcase ['buk,keis] *s* dulap pentru cărți, bibliotecă

bookie ['buki] *s* **1** *F* book-maker **2** compilator **3** lucrător în domeniul cărților *(tipograf, legător etc.)*

book in ['buk 'in] I *vt cu part adv* a ponta la venire *(un salariat)* II *vi cu part adv* a semna în condică la venire

booking office ['bukiŋ 'ɔfis] *s ferov etc.* casă de bilete

booking order ['bukiŋ 'ɔ:də[r]] *s ec* foaie de comandă

bookish ['bukiʃ] *adj* livresc, savant, pedant

bookishness ['bukiʃnis] *s* caracter livresc, pedanterie

bookkeeper ['buk,kipə[r]] *s fin* contabil

bookkeeping ['buk,ki:piŋ] *s fin* contabilitate

bookless ['buklis] *adj* **1** fără știință de carte **2** fără cărți

booklet ['buklit] *s* cărțulie, broșură; carte broșată

book maker ['buk meikə[r]] *s* **1** compilator **2** *sport* bookmaker

bookman ['bukmən] *s* om al cărții; cărturar

bookmark ['buk,mɑ:k] *s* semn de carte

Book of Common Prayer, the ['buk əv'kɔmən 'preə, ðə] *s* Cartea de rugăciuni *(a bisericii anglicane)*

book-read ['bukred] *adj (d. cineva)* citit

book review ['bukri,vju:] *s* recenzie a unei cărți; recenzii asupra cărților nou-apărute

bookseller ['buk,selə[r]] *s* vânzător de cărți, librar

bookshop ['buk,ʃɔp] *s* librărie

bookstall ['buk,stɔ:l] *s* stand de cărți; chioșc de ziare

bookstand ['buk,stænd] *s* **1** *v.* **bookstall 2** raft *sau* etajeră pentru cărți

bookstore ['buk,stɔ:[r]] *s amer* librărie

book trade ['buk'treid] *s* **1** industria cărții **2** comerț cu cărți **3** librari, vânzători de cărți

bookworm ['buk,wə:m] *s* **1** *ent* molie de cărți **2** *fig* șoarece de bibliotecă

boom[1] [bu:m] I *s* **1** bubuit, detunătură **2** reclamă zgomotoasă **3** vâlvă, senzație **4** înviorare; redresare **5** avânt, prosperitate; perioadă de succes II *vi* **1** a bubui **2** a hurui **3** a bâzâi, a zumzăi **4** a face/a produce vâlvă/ senzație **5** *(d. prețuri)* a crește vertiginos **6** a înflori; a prospera III *vt* a face reclamă în jurul, *(cu gen)*, a trâmbița

boom² *s* **1** *nav* estacadă **2** *nav* ghiu, tangon, bigă **3** *tehn* săgeată, braț
boomerang ['bu:mə‚ræŋ] *s* bumerang
boon¹ [bu:n] *s* **1** favoare, hatâr; dar **2** binefacere, fericire **3** avantaj
boon² *adj atr* **1** ← *înv* darnic, mărinimos, generos **2** vesel, plăcut
boon companion ['bu:n kəm'peinjən] *s* tovarăș de chef/petreceri; prieten bun
boor [buər] *s* **1** țăran **2** *fig* țăran, țărănoi, bădăran **3** bur
boorish ['buəriʃ] *adj* **1** țărănesc **2** *fig* de țăran/bădăran; grosolan, grobian
boorishness ['buəriʃnis] *s* mojicie, bădărănie
boost [bu:st] **I** *vt* **1** a ridica, a sălta **2** *fig* a mări, a ridica *(prețuri etc.)* **3** *fig* a sprijini/a susține cu căldură **4** *fig* a mări, a intensifica **II** *s* **1** sprijin, ajutor **2** mărire, creștere, sporire *(a prețurilor etc.)*
booster ['bu:stə'] *s* **1** ajutor, sprijin; susținător **2** agent de publicitate **3** *rad* amplificator **4** *auto* servomotor, motor auxiliar
boot¹ [bu:t] ← *înv* **I** *s* folos, câștig // **to ~** în plus, pe deasupra **II** *vt* a fi de folos *cuiva;* **what ~s it?** are vreun rost? la ce bun? **III** *vi* a folosi; a avea rost; **it ~s not** nu are (nici un) rost
boot² *s* **1** gheată; bocanc; ciubotă, cizmă; **to die in one's ~s** a a nu muri de moarte bună **b** a muri la datorie; **to get the ~** *F* a primi pașaportul, a primi un picior în spate, – a fi dat afară, a fi concediat; **to have one's heart in one's ~s** a nu mai putea de frică; a i se muia picioarele; **to lick the ~s of** *fig* a linge tălpile *cuiva* **2** *od* obezi **II** *vt* **1** a lovi cu piciorul **2** a pune cizmele *cuiva* **3** *F* a da pașaportul *cuiva*, – a da afară
bootblack ['bu:t‚blæk] *s amer* lustragiu, văcsuitor de ghete
bootee ['bu:ti:] *s* botină; ghetuță; botoșel
Boötes [bououti:z] *s astr* Boarul
booth [bu:ð, bu:θ] *s* **1** tarabă; dugheană; baracă; chioșc **2** cabină *(telefonică etc.)*
bootjack ['bu:tdʒæk] *s* trăgătoare de cizme
bootlace ['bu:t‚leis] *s* șiret (de ghete)
bootlast ['bu:t‚la:st] *s* calapod

bootleg ['bu:tleg] *amer* ← *F* **I** *vt* a vinde la negru/pe sub mână *(băuturi)* **II** *vi* a vinde băuturi la negru/pe sub mână **III** *s tehn* cot
bootlegger ['bu:t‚legə'] *s amer* ← *F* contrabandist *(de băuturi)*
bootless ['bu:tlis] *adj* fără rost; zadarnic, inutil
bootlessly ['bu:tlisli] *adv* fără rost; zadarnic, inutil
bootlessness ['bu:tlisnis] *s* zădărnicie, inutilitate
bootlick ['bu:tlik] *vt amer sl* a linge tălpile *cuiva*
bootlicker ['bu:tlikə'] *s amer* lingău
boots ['bu:ts] *s pl ca sg* băiat de serviciu *(la hotel)*
boot top ['bu:t tɔp] *s* carâmbul cizmei
boot tree ['bu:t tri:] *s* calapod
booty ['bu:ti] *s* pradă, captură
booze ['bu:z] **I** *vi* *F* a o face lată; a se bețivi, – a bea vârtos **II** *s* **1** *F* băuturică, pahar, strop, – băutură **2** chef, zaiafet, chiolhan **3** *F* „bombă", – cârciumă *(mică și proastă)*
boozer ['bu:zə'] *s F* sugativă, suge-bute, – băutor serios
boozy ['bu:zi] *adj F* pilit, afumat, – beat
bop [bɔp] *s muz v.* **bebop**
bo-peep ['bou'pi:p] *s* jocul de-a v-ați ascunselea
bor. *presc de la* **1 boron 2 borough**
bora ['bourə] *s* (vântul) bora
boracic acid [bə'ræsik ‚æsid] *s* acid boric
borage ['bɔridʒ] *s bot* limba-mielului *(Borago officinalis)*
Bordeaux [bɔ:'dou] *s* **1** oraș în Franța **2** bordo *(vin)*
border ['bɔ:də'] **I** *s* **1** hotar, graniță, frontieră; limită; margine **2** mal, țărm *(de lac)* **3** *fig* hotar; linie de despărțire **4** margine, bordură; chenar **5** *arhit* friză **II** *vt* **1** a mărgini, a hotărnici, a se mărgini cu **2** a tivi
borderer ['bɔ:dərə'] *s* locuitor de la graniță; vecin
borderland ['bɔ:dəlænd] *s* **1** zonă de frontieră **2** *fig* vecinătate; zonă de contact; regiune intermediară
borderline ['bɔ:dəlain] *s* **1** (linie de) frontieră **2** *fig* hotar; linie de despărțire **3** *mat* limită
border on ['bɔ:dər ɔn] *vi cu prep și fig* a se mărgini/a se învecina cu; *fig* a fi vecin cu

border stone ['bɔ:də stoun] *s constr* bordură
border upon ['bɔ:dər ə‚pɔn] *vi cu prep v.* **border on**
bore¹ [bɔ:'] *pret de la* **bear**
bore² **I** *vt* **1** *tehn* a sfredeli, a perfora, a găuri; a fora; a aleza **2** *fig* a-și face/a-și croi *(drum)* cu greu **3** *fig* a plictisi, a bate la cap, a enerva **II** *vi tehn* a se sfredeli **III** *s* **1** *tehn* gaură făcută cu sfredelul, sfredelitură; alezaj **2** *min* sondă **3** *min* foraj, forare **4** *mil*, *tehn* calibru **5** muncă plicticoasă **6** persoană plictisitoare, pacoste
boreal [bɔ:riəl] *adj* boreal, nordic
boreal aurora ['bɔ:riəl ɔ:'rɔrə] *s* auroră boreală
Boreas ['bɔriæs] *s* **1** *mit* Boreas **2** *fig* Boreas, vânt de nord
bored [bɔ:d] *adj* plictisit
boredom [bɔ:dəm] *s* plictiseală; urât
borer [bɔ:rə'] *s* **1** *min* (muncitor) perforator; sondor **2** *tehn* sfredel, burghiu **3** *ent* orice vierme care găurește lemnul
boric ['bɔ:rik] *adj ch* boric
boring ['bɔ:riŋ] *adj* **1** *tehn* sfredelitor, pentru sfredelit **2** plicticos, plictisitor
boring mill ['bɔ:riŋ mil] *s tehn* mașină de găurit/alezat
Boris ['bɔris] *nume masc*
born [bɔ:n] **I** *ptc de la* **bear II** *adj* **1** născut **2** înnăscut
borne *ptc de la* **bear**
Borneo ['bɔ:niou] *s* insulă
boron ['bɔ:rɔn] *s ch* bor
borough ['bʌrə] *s* **1** *ist* burg; cetate; oraș întărit **2** târg, orășel
borrow ['bɔrou] *vt* **1** **(of, from)** a împrumuta, a lua cu împrumut (de la) **2** *fig* **(of, from)** a împrumuta, a-și însuși (de la); a imita (după)
borrower ['bɔrouə'] *s* **1** persoană care ia cu împrumut **2** *ec* debitor
borsch [bɔrʃ] *s rus* borș, ciorbă
borzoi ['bɔ:zɔi] *s rus* ogar
boscage ['bɔskidʒ] *s* boschet; frunzar; crâng
bosh¹ [bɔʃ] *s* **1** *met* pântecele furnalului **2** *tehn* baie pentru răcirea instrumentelor
bosh² *s F* prostii, fleacuri, tâmpenii
bosk [bɔsk] *s v.* **boscage**
boskage ['bɔskidʒ] *s v.* **boscage**
bosky ['bɔski] *adj* împădurit; umbrit, umbros
bos'n ['bousn] *s v.* **boatswain**

Bosnia ['bɔzniə] *regiune în fosta Iugoslavie*

bosom ['buzəm] **I** *s* **1** piept, sân **2** *fig* sân; străfund **II** *vt fig* a ascunde, a tăinui

bosom friend ['buzəm frend] *s* prieten intim

Bosphorus, the ['bɔsfərəs, ðə] (strâmtoarea) Bosfor

Bosporus, the ['bɔspərəs, ðə] *v.* **Bosphorus, the**

boss¹ [bɔs] **I** *s F* jupân; șef; – patron, stăpân **II** *vt F* a fi șeful *(cu gen),* – a conduce **III** *vi F* a face pe șeful

boss² *s* **1** cucui; umflătură; gheb, cocoașă **2** *met* ieșind, convexitate **3** *min* umflătură **4** butuc *(al roții)* **5** *arhit* ornament, ciubuc

bossage ['bɔsidʒ] *s arhit* bosaj

boss-eyed ['bɔs aid] *adj* sașiu, cu privire crucișă, zbanghiu

bossy ['bɔsi] *adj* **1** cucuiat **2** cocoșat; cu ghebe **3** ieșit în afară, reliefat **4** autoritar; despotic

Boston ['bɔstən] *oraș în S.U.A.*

boston *s* boston *(joc de cărți, vals)*

Boswell ['bɔzwel], **James** *scriitor scoțian (1740-1795)*

bot *presc de la* **1** botanical **2** botany **3** botanist

botanic(al) [bə'tænik(əl)] *adj* botanic

botanical garden [bə'tænikəl 'ga:dn] *s* grădină botanică

botanist ['bɔtənist] *s* botanist

botanize ['bɔtənaiz] *vt* a botaniza

botany ['bɔtəni] *s* botanică

Botany Bay ['bɔtəni bei] *s* **1** golful Botany **2** *înv* ocnă; (loc de) surghiun

botch [bɔtʃ] **I** *vt* **1** a cârpăci, a cârpi **2** *fig* a cârpăci; a lucra prost la; a strica **II** *vi* a lucra ca un cârpaci **III** *s* **1** petic **2** *fig* cârpeală; lucru de mântuială

botcher ['bɔtʃəʳ] *s și fig* cârpaci

botfly ['bɔtflai] *s ent* tăun *(Tabanus bovinus)*

both [bouθ] **I** *adj* amândoi, ambii; cei doi; amândouă, ambele; cele două; **on ~ sides of the street** pe ambele părți ale străzii, pe o parte și alta a străzii **II** *pr* amândoi, ambii; cei doi; amândouă, ambele; cele două; **~ of them are interesting** amândouă *(cărțile etc.)* sunt interesante **III** *conj:* **~ ... and ...** atât..., cât și..., nu numai..., ci și...; și..., și...; **he was ~ a poet and a prose writer** a fost (și) poet, și prozator, a fost

nu numai poet, ci și prozator

bother ['bɔðəʳ] **I** *vt* a plictisi; a necăji; a supăra; a bate la cap; **don't ~ me!** (mai) lasă-mă în pace! **(oh,) ~ it!** *F* la naiba/dracu! ei drăcie! **II** *vi* **(about)** a-și face griji, a se necăji, a se neliniști (din cauza – *cu gen*)

botheration [,bɔðə'reiʃən] **I** *s F* bătaie de cap, – deranj **II** *interj F* la naiba/dracu!

bothersome ['bɔðəsəm] *adj* plicticos, plictisitor, supărător; neplăcut

Bothnia, the Gulf of ['bɔθniə, ðə 'gʌlf əv] Golful Botnic

bottine [bɔ'ti:n] *s* botină, cizmuliță

bottle¹ ['bɔtl] **I** *s* **1** sticlă, clondir; flacon; butelie; **to crack a ~ of wine** a destupa *sau* a bea o sticlă de vin **2** *fig* băutură; vin; rachiu; **to take to the ~** a se apuca de băutură **II** *vt* a turna în sticle; a îmbutelia

bottle² *s ← înv* snop *(↓ de fân)*

bottle grass ['bɔtl gra:s] *s bot* mohor *(Setaria viridis)*

bottleneck ['bɔtlnek] *s* **1** gât de sticlă **2** drum îngustat; gâtuire, strangulare *(a circulației)* **3** *ec* gâtuire a producției

bottle up ['bɔtl 'ʌp] *vt cu part adv* **1** a stânjeni, a încurca *(circulația)* **2** a-și stăpâni, a-și înfrâna *(supărarea etc.)*

bottom ['bɔtəm] **I** *s* **1** fund; parte de jos; bază; capăt; poale *(de munte);* **to touch ~** a atinge fundul, a da de fund **b** *fig* a atinge fondul/ miezul chestiunii **c** *fig* a bea paharul *(amărăciunilor)* până la fund; **to go to the ~** a se duce la fund, a se scufunda; **to have no ~** *fig* a nu avea sfârșit, a nu se mai isprăvi **2** *constr* bază, fundament, temelie **3** *nav* fund; carenă **4** fund *(de scaun)* **5** ← *vulg* șezut **6** *fig* bază; fond, miez; **from the ~ of the heart** din adâncul inimii **II** *adj atr* **1** de la fund, de jos **2** dindărăt, din spate **3** *fig* inferior **4** *fig* fundamental, principal, esențial **III** *vt* **1** a pune fund la *(butoi etc.)* **2** a atinge fundul *cu gen* **3** a goli până la fund

bottom land ['bɔtəm lænd] *s* pământ aluvionar; luncă (inundabilă)

bottomless ['bɔtəmlis] *adj* **1** fără fund; fără fundament **2** *fig* fără

sfârșit/margini

bottomless pit, the ['bɔtəmlis 'pit, ðə] *s* iadul, gheena

bottommost ['bɔtəmmoust] *adj* cel mai de la fund; cel mai din fund; ultim

bottom on ['bɔtəm ɔn] *vt cu prep fig* a întemeia/a baza pe

boudoir ['bu:dwa:ʳ] *s fr* budoar

bouffant [bu:'fa:nt] *adj fr* bufant

bough [bau] *s* creangă, cracă

bought [bɔ:t] *pret și ptc de la* buy

bougie ['bu:ʒi:] *s* lumânare de ceară

bouillon [bu:'jõ:ŋ] *s fr* bulion *(↓ de vacă)*

boulder ['bouldəʳ] *s* **1** galet, piatră rotundă **2** bolovan; lespede; *geol* bloc eratic

boulevard ['bu:lva:ʳ] *s* bulevard

Boulogne [bu'lɔin] *oraș în Franța*

bounce [bauns] **I** *vi* **1** *(d. o minge etc.)* a sări; a ricoșa **2** a sări, a sălta; a țopăi **3** *fig* a face pe grozavul, a se fuduli; a se lăuda **II** *vt* **1** a face să sară *(mingea etc.)* **2** a trânti *(ușa etc.),* a izbi **III** *s* **1** salt, săritură; ricoșeu **2** izbitură, lovitură puternică **3** *fig* laudă, fanfaronadă; nerușinare **IV** *adv* **1** *(a închide ușa etc.)* cu zgomot **2** brusc; val-vârtej, buzna **V** *interj* poc! trosc!

bounce into ['bauns ,intə] *vi cu prep* a da buzna în, a intra val-vârtej în

bounce into *cu* -ing ['bauns 'intə +iŋ] *vt cu prep și* -ing a sili *(pe cineva)* prin intimidare *să (facă ceva)*

bouncer ['baunsəʳ] *s* **1** exagerare; minciună gogonată **2** lăudăros, fanfaron **3** munte de om; namilă

bouncing ['baunsiŋ] *adj atr* viguros, robust, plin de viață

bound¹ [baund] **I** *pret și ptc de la* **bind II** *adj* **1** legat, atașat, prins **2** *(d. o carte)* legat **3** *fig* obligat, nevoit, silit **4** constipat

bound² *vi* **1** a sări, a sălta; a țopăi **2** a alerga în salturi **II** *vt* a face să sară *(mingea etc.)* **III** *s* salt, săritură; ricoșeu

bound³ **I** *s* **1** *↓ pl* hotar, graniță; limită; margine; **within ~s** cu măsură, ponderat; în limitele bunei cuviințe; **to know no ~s** *fig* a nu cunoaște margini/hotar; **that passes the ~s!** (asta e) culmea! **2** piatră de hotar **II** *vt* **1** a marca hotarul *cu gen,* a hotărnici **2** a delimita; a restrânge

boundary ['baundəri] s frontieră, hotar, graniță; limită; margine

boundary light ['baundəri lait] s auto lumină de poziție

boundary line ['baundəri lain] s (linie de) frontieră

boundary stone ['baundəri stoun] s bornă; piatră de hotar

bounden ['baundən] I ptc ← înv de la bind II adj 1 îndatorat, obligat 2 obligator; **my ~ duty** sfânta mea datorie

bounder ['baundəʳ] s F 1 țopârlan, – bădăran, mojic 2 porc, – mizerabil, ticălos

bound for ['baund fəʳ] adj cu prep nav cu destinația (Dover etc.)

boundless ['baundlis] adj 1 fără margini, nemărginit 2 fig nețărmurit

boundlessness ['baundlisnis] s nemărginire; infinitate

bound on ['baund on] vi cu prep a se mărgini/a avea hotar comun cu; a se învecina cu

bound to ['baund tə] adj cu inf ← F hotărât/decis să

bound upon ['baund ə,pon] vi cu prep v. bound on

bound up with ['baund 'ʌp wið] ptc cu part adv și prep fig strâns legat/atașat de; având strânse legături cu

bounteous ['bauntiəs] adj 1 darnic, mărinimos, generos 2 bogat, îmbelșugat

bounteousness ['bauntiəsnis] s 1 larghețe, dărnicie, mărinimie 2 bogăție, îmbelșugare

bountiful ['bauntiful] adj v. **bounteous**

bounty ['baunti] s 1 v. **bounteousness** 2 dar, cadou 3 ec bonificație; gratificație; primă; premiu

bouquet ['bukei] s 1 buchet, mănunchi (de flori) 2 buchet, aromă (a vinului etc.)

Bourbon ['buəbən] casă domnitoare franceză

bourg [bəːg] s 1 ist burg, oraș medieval 2 târg

bourgeois [,buəʒwɑ:] I s 1 și pol burghez 2 ist orășean; târgoveț II adj (de) burghez

bourgeoisie [,buəʒwɑ:'zi:] s burghezie

bourgeois-landlord [,buəʒwɑ:,-lændlɔːd] adj atr burghezo-moșieresc

bourn¹ [buən] s 1 hotar, graniță 2 fig poetic tărâm, – domeniu

bourn² s pârâu, izvor

bourne s v. **bourn¹,²**

bournous ['buənəs] s burnuz

bousy ['bu:zi] adj F v. **boozy**

bout [baut] s 1 rând, dată; dus-întors; tur 2 prindere, apucare 3 acces, criză (de boală etc.) 4 încăierare, bătaie 5 chef, petrecere

bovine ['bouvain] adj 1 bovin; de bou; de vacă; de vită 2 fig greoi/greu/tare de cap

bovines ['bouvainz] s pl bovine, vite cornute

bow¹ [bau] s nav proră, prova

bow² I vi 1 a se îndoi, a se încovoia, a se apleca 2 (**to**) a se închina (cuiva), a se înclina (în fața – cu gen), a face o plecăciune (cuiva) 3 (**to**) fig a se înclina (în fața – cu gen); a se supune (cu dat), a îngenunchea (înaintea – cu gen) II vt 1 a înclina (capul); a pleca (fruntea) 2 fig a copleși, a doborî, a încovoia III s aplecare, închinăciune, plecăciune

bow³ [bou] s 1 mil etc. arc; **to draw/to bend a ~** a încorda/a întinde un arc; **to draw the long ~** fig F a spune brașoave/gogoși, a îndruga minciuni 2 tehn, constr, el, mat arc 3 muz arcuș 4 curcubeu 5 fundă, rozetă, nod

bow anchor ['bau ,æŋkəʳ] s nav ancoră de prova

bowdlerize ['baudləraiz] vt a expurga (o carte), a scoate pasajele obscene din

bow down ['bau 'daun] vi cu part adv a se închina/a se pleca adânc

bowels ['bauəlz] s pl 1 intestine, mațe 2 fig inimă, milă

bower ['bauəʳ] s 1 umbrar, boltă (de verdeață), frunzar, chioșc 2 poetic sălaș, lăcaș 3 înv alcov

bowery ['bauəri] adj cu pomi; umbros

bowie knife ['boui 'naif] s amer cuțit lung de vânătoare

bow instrument ['bou ,instrumənt] s muz instrument cu coarde și arcuș

bowl¹ [boul] s 1 vas; vază; strachină; castron 2 lighean 3 cupă, potir, pocal 4 scobitură, adâncitură (a lingurii etc.)

bowl² I s 1 glob, sferă, minge, bilă (de lemn) 2 pl joc cu bile (de lemn) 3 pl amer (joc de) popice II vt 1 a arunca, a rostogoli (o bilă) 2 a face să meargă repede și lin III vi 1 a juca bile sau amer popice 2 a se rostogoli 3 a călători într-un vehicul rapid și lin

bowl along ['boul ə'loŋ] vi cu part adv (d. o trăsură etc.) a goni, a merge repede

bow-legged ['boulegd] adj cu picioare strâmbe/încovoiate

bowler (hat) ['boulə (hæt)] s pălărie melon

bowline ['boulin] s nav bulină, parâmă; prova

bowling ['bouliŋ] s 1 joc cu bile (de lemn, descentrate) 2 amer (joc de) popice

bowling alley ['bouliŋ ,æli] s amer popicărie

bowl off ['boul 'ɔ:f] vi cu part adv sport a ieși din joc

bowl out ['boul 'aut] vt cu part adv sport a scoate din joc

bowl over ['boul 'ouvəʳ] vt cu part adv a doborî; a scoate din luptă

bowman¹ ['boumən] s nav om în prova

bowman² s arcaș

bow saw ['bou sɔ:] s joagăr, ferăstrău cu coardă

bowse [bauz] vt nav a vira cu palanul

bowshot ['bouʃot] s 1 tragerea săgeții 2 distanța până unde zboară o săgeată

bowsprit ['bousprit] s nav bompres

bow string ['bou striŋ] s coardă de arc

bow tie ['bou tai] s papion

bow window ['bou 'windou] s bovindou, nișă cu fereastră arcuită

bow wow ['bau 'wau] I vi a lătra II s lătrat III interj ham! ham!

box¹ [boks] I s 1 cutie (de diferite dimensiuni); cutiuță; tabacheră; casetă, < lacră 2 ladă, cufăr 3 capră (de trăsură) 4 boxă (pt cai) 5 bancă (la tribunal) 6 teatru lojă 7 gheretă; baracă; cabană 8 min vagonet (de cărbuni) 9 poligr cutie; căsuță, magazie 10 met ramă de turnare, cuvă 11 mat rubrică 12 cadou, dar (oferit într-o cutie) 13 pușculiță 14 fig casă, fonduri 15 F belea, – necaz; ananghie; strâmtoare; **in a (tight) ~** la (mare) ananghie, la strâmtoare II vt a pune într-o cutie etc.; a împacheta

box² I *s* lovitură cu palma *sau* cu pumnul; palmă; pumn; ~ **on the ear** palmă II *vt* **1** *sport* a boxa cu **2** a lovi cu pumnul *sau* cu palma; **he ~ed my ear** mi-a tras o palmă, m-a pălmuit III *vi sport* a boxa, a face box

box³ *s bot* merișor (turcesc), cimișir *(Buxus sempervirens)*

box calf ['bɔks kɑ:f] *s* box de vițel *(piele)*

boxcar ['bɔkskɑ:ʳ] *s amer ferov* vagon de marfă *(acoperit)*

boxer ['bɔksəʳ] *s sport* boxer

boxful ['bɔksful] *s* cutie *sau* ladă *(plină)*

boxing¹ ['bɔksiŋ] *s sport* box

boxing² *s* împachetare

Boxing Day ['bɔksiŋ dei] *s* ziua cadourilor *(26 decembrie)*

boxing gloves ['bɔksiŋ glʌvz] *s pl sport* mănuși de box

boxing match ['bɔksiŋ mætʃ] *s sport* meci de box

box off ['bɔks 'ɔ:f] *vt cu part adv* a despărți printr-o îngrăditură

box office ['bɔks ,ɔfis] *s teatru etc.* casă de bilete

box pleat ['bɔks pli:t] *s text* cută dublă

box seat ['bɔks si:t] *s teatru etc.* loc în lojă

box switch ['bɔks switʃ] *s el* comutator, șalter

box up ['bɔks ʌp] *vt cu part adv* a îndesa, a înghesui

boxwood ['bɔkswud] *s bot v.* **box³**

box wrench ['bɔks rentʃ] *s tehn* cheie tubulară

boy [bɔi] I *s* **1** băiat; tânăr; **my ~** băiete, prietene; **old ~** *F* bătrâne, – prietene; **from a ~** din copilărie **2** băiat, fiu, fecior **3** *nav mus* **4 the ~** *sl* șampanie

boyar [bou'jɑ:ʳ] *s ist* boier; nobil

boycott ['bɔikɔt] I *vt* a boicota II *s* boicot; boicotare

boyhood ['bɔihud] *s* copilărie; adolescență

boyish ['bɔiiʃ] *adj* **1** băiețesc, de băiat; de copil, copilăresc **2** *fig* copilăros, naiv

Boyle [bɔil], **Robert** *fizician și chimist englez (1627-1691)*

boy scout ['bɔi skaut] *s* cercetaș

bp. *presc de la* **1** birthplace **2** bishop

B.P. *presc de la* **1 Bachelor of Pharmacy 2 Bachelor of Philosophy**

b.p. *presc de la* **boiling point**

Br. *presc de la* **1 Britain 2 British**

br. *presc de la* **1 brother 2 branch**

bra [brɑ:] *s F v.* **brassière**

brace¹ [breis] *s nav* braț (de vergă)

brace² I *s* **1** *pl* pereche; doi de același fel **2** scoabă; proptea; proteză **3** *pl* bretele **4** *tehn* coarbă (cu pieptar) **5** *poligr* acoladă II *vt* **1** a lega strâns, a fixa **2** a sprijini, a propti **3** *fig* a întări *(corpul etc.);* a stimula III *vr* **(to)** a-și aduna/a-și încorda toate puterile (pentru)

brace and bit ['breis ən 'bit] *s* burghiu plat

bracelet ['bræslit] *s* **1** brățară **2** *pl* ← *F* cătușe

bracer ['breisəʳ] *s* **1** *sport* apărătoare pentru braț **2** scoabă, legătură, întăritură

brace up ['breis ʌp] *vi cu part adv* **(for) 1** a-și aduna/a-și încorda toate puterile (pentru) **2** a-și lua inima în dinți (pentru)

brach [brætʃ] *s* ← *înv* cățea

brachial ['breikiəl] *adj anat* brahial

brachiopoda [,brækiou,poudə] *s pl zool* brahiopode

brachylogy [brə'kilɔdʒi] *s lingv* brahilogie, exprimare concisă

bracing ['breisiŋ] I *adj (d. aer)* înviorător, întăritor II *s tehn* întărire, consolidare; fixare

bracing wire ['breisiŋ,waiəʳ] *s av* hobană

bracken ['brækən] *s bot* numeroase soiuri de ferigă

bracket ['brækit] I *s* **1** paranteză (dreaptă) **2** *tehn* braț, brățară; furcă; consolă **3** *nav* brachet, guseu, colțar **4** *met* guseu **5** *fig* clasă, categorie II *vt* **1** a pune în paranteze (drepte) **2** *tehn* a fixa (cu scoabe); a întări, a consolida **3** *nav* a brața **4** *fig* a trata la fel, a pune pe același picior

bracket seat ['brækit si:t] *s teatru* strapontină

brackish ['brækiʃ] *adj* **1** sălciu, puțin cam sărat **2** neplăcut la gust; grețos

bract [brækt] *s bot* bractee

brad [bræd] *s* cui fără floare, caia

brae [brei] *s scot* povârniș, pantă

brag [bræg] *vi* **(of, about)** a se lăuda, a se făli (cu), a face paradă (de)

braggadocio [,brægə'doutʃiou] *s* **1** *v.* **braggart 2** lăudăroșenie, fanfaronadă

braggart ['brægət] *s* lăudăros, fanfaron

Brahma ['brɑ:mə] *zeitate hindusă*

Brahman ['brɑ:mən] *rel* I *s* brahman II *adj* brahman(ic)

Brahmanism ['brɑ:mənizəm] *s rel* brahmanism

Brahmaputra, the [,brɑ:mə'pu:trə, ðə] *fluviu*

Brahmin ['brɑ:min] *s* **1** *rel* brahman **2** persoană cultă (↓ *trufașă)* de origine aristocratică

Brahminic(al) [brɑ:'minik(əl)] *adj rel* brahman(ic)

Brahms, Johannes ['brɑ:mz, jou'hæniz] *compozitor german (1833-1897)*

braid [breid] I *s* **1** cosiță, pleată **2** *text* panglică împletită; șnur; șiret **3** panglică; bentiță **4** tresă II *vt* **1** a împleti *(părul etc.)* **2** a lega cu o panglică *(părul)* **3** a pune o panglică *etc.* la **4** *el* a bobina

brail [breil] *s nav* (de velă aurică) strângător

Braila [brə'i:lɑ:] *oraș* Brăila

Braille [breil] *s* scrierea Braille

brain [brein] I *s anat* creier; *și pl fig* creier, judecată, minte; *pl* ← *F* aptitudini intelectuale; **to beat one's ~s** *F* a-și frământa creierii, *F* a-și bate capul; **to have smth on the ~** a fi obsedat de ceva, a nu-i (mai) ieși ceva din cap; **to crack one's ~(s)** *F* a se țicni, a se țăcăni, a se scrânti (la cap); **to blow out one's ~s** a-și zbura creierii; **to use one's ~s** a se gândi, a judeca, *F* a-și pune mintea la contribuție II *vt* a sparge capul *(cuiva)*

brain box ['brein bɔks] *s anat* cutie craniană, craniu

brain convolution ['brein ,kɔnvə'lu:ʃən] *s anat* circumvoluție cerebrală

brain cortex ['brein ,kɔ:tiks] *s anat* scoarță cerebrală

brain drain ['brein drein] *s fig* export de creier/inteligență

brain fever ['brein ,fi:vəʳ] *s med* encefalomielită, inflamație a creierului

brainless ['breinlis] *adj fig* fără minte/cap, descreierat

brain pan ['breɪn pæn] *s anat v.* **brain box**

brainsick ['breɪnsɪk] *adj* nebun, alienat mintal, *vulg* → bolnav la cap

brain storm ['breɪn stɔːm] *s* 1 tulburări mintale/psihice 2 *umor F* idee grozavă, – inspirație fericită 3 *F* idee trăsnită

brains trust ['breɪnz trʌst] *s* 1 *v.* **brain trust** 2 *rad* „poșta ascultătorilor" *(în Anglia)*

brain trust ['breɪn trʌst] *s amer* trustul creierelor *(grup de experți)*

brain tunic ['breɪn tjuːnɪk] *s anat* membrană cerebrală

brain twister ['breɪn ˌtwɪstəʳ] *s amer* problemă încurcată, *F* încuietoare

brainwash ['breɪnwɔʃ] *vt pol* a îndoctrina forțat; a influența mentalitatea *cuiva;* a prelucra, *F* a spăla creierul *cuiva*

brain wave ['breɪn weɪv] *s* 1 *F* idee grozavă, găselniță, – idee strălucită/fericită 2 *fizl* curent cerebral

brain work ['breɪn wəːk] *s* activitate cerebrală; muncă intelectuală

brain worker ['breɪn wəːkəʳ] *s* muncitor intelectual

brainy ['breɪnɪ] *adj F* cu cap, deștept, care are ceva în cap

braise [breɪz] *vt* a fierbe înăbușit *(carne etc.)*

brake[1] [breɪk] *s bot v.* **bracken**

brake[2] *s* desiș, hățiș, tufăriș

brake[3] I *s* 1 *tehn* frână; dispozitiv de frânare 2 *fig* frână, piedică II *vt* 1 *tehn* a frâna 2 a împiedica, a stăvili

brake[4] I *s* 1 *text* meliță 2 *tehn* malaxor 3 *agr* boroană, grapă mare II *vt* 1 *text* a melița 2 *agr* a boroni, a grăpa 3 a frământa *(aluatul)*

brake block ['breɪk blɔk] *s tehn* sabot de frână

brake drum ['breɪk drʌm] *s tehn* tambur/tobă de frână

brake-gear ['breɪk gɪəʳ] *s tehn* mecanism de frânare

brake lever ['breɪk ˌliːvəʳ] *s auto* levier/pârghie de frână

brakeman ['breɪkmən] *s amer ferov* frânar

brakesman ['breɪksmən] *s ferov v.* **brakeman**

brake wheel ['breɪk(h)wiːl] *s tehn* roată de frână

braking ['breɪkɪŋ] *s tehn* frânare

braky ['breɪkɪ] *adj* plin de tufișuri *sau* ferigi

bramble ['bræmbl] *s bot* mur, rug *(Rubus fructicosus)*

brambleberry ['bræmblberɪ] *s bot* mură

bran [bræn] *s* tărâțe; **much ~ and little meal** mai mare daraua decât ocaua; vorbă multă, sărăcia omului

branch [brɑːntʃ] I *s* 1 creangă, cracă, ramură, ram 2 *fig* ramură, ramificație 3 afluent; braț de râu 4 *pol* organizație de bază 5 filială, sucursală 6 *fig* ramură, branșă; domeniu, sferă; câmp de activitate 7 *tehn* derivație; branșament 8 *fig* ramură, linie, neam II *vt* a împărți, a diviza III *vi* 1 a se ramifica; a se bifurca 2 a se lărgi, a se întinde, a se extinde

branch bank ['brɑːntʃ bæŋk] *s fin* sucursală a unei bănci

branch box ['brɑːntʃ bɔks] *s el* cutie de derivație

branch circuit ['brɑːntʃ ˈsəːkɪt] *s el* circuit derivat

branched ['brɑːntʃt] *adj și fig* ramificat

branch forth ['brɑːntʃ ˈfɔːθ] *vi cu part adv v.* **branch III**

branchiae ['bræŋkɪə] *s pl iht* branhii

branchiate ['bræŋkɪeɪt] *adj zool, iht* branhiat

branch light ['brɑːntʃ laɪt] *s* candelabru

branch line ['brɑːntʃ laɪn] *s ferov* cale ferată secundară

branch office ['brɑːntʃ ˈɔfɪs] *s* sucursală, filială

branch out ['brɑːntʃ ˈaut] *vi cu part adv v.* **branch III**

branch pipe ['brɑːntʃ paɪp] *s tehn* branșament, țeavă de derivație

branchy ['brɑːntʃɪ] *adj* rămuros

brand [brænd] I *s* 1 *com, ec* marcă, clasă, sort 2 *ec* marcă de fabrică 3 semn făcut cu fierul (roșu), danga; stigmat 4 *fig* stigmat, pată (rușinoasă) 5 *bot* tăciune; mălură 6 tăciune aprins 7 ← *înv* faclă, torță; rază II *vt* 1 a arde cu fierul roșu, a însemna 2 *fig* a înfiera, a stigmatiza

brandish ['brændɪʃ] *vt* a flutura, a roti, a învârti *(sabia etc.)*

brandling ['brændlɪŋ] *s zool* râmă *(Lumbricus terrestris)*

brand-new ['brænd 'njuː] *adj* nou-nouț

brandy ['brændɪ] *s* brandy; rachiu; coniac

bran-new ['bræn 'njuː] *adj* nou-nouț

branny ['brænɪ] *adj* 1 cu tărâțe 2 ca tărâțele

brant [brænt] *s orn* specie de gâscă sălbatică *(Branta sp.)*

brash[1] [bræʃ] *s* 1 jărăgai, arsură *(pe gât)* 2 ↓ ← *reg* aversă, ploaie torențială

brash[2] I *s* morman de sfărâmituri; moloz; resturi II *adj* 1 ← *F* grăbit, pripit; nesăbuit 2 ← *F* obraznic, nerușinat 3 *amer* fragil; fărâmicios

Brasil [brə'zɪl] Brazilia

Brașov [brɑː'ʃɔv] *oraș în România*

brass [brɑːs] *s* 1 alamă; ← *înv* bronz 2 *muz* alămuri 3 *F* sunători, – bani de metal 4 ← *F* obrăznicie, nerușinare; **to have the ~ to** a avea nerușinarea/ neobrăzarea să

brassard [bræ'sɑːd] *s* brasardă

brass band ['brɑːs bænd] *s* fanfară

brass hat ['brɑːs hæt] *s mil sl* ofițer superior

brassière ['bræsɪəʳ] *s fr* brasieră; sutien

brassily ['brɑːsɪlɪ] *adv* cu nerușinare, fără (pic de) rușine

brass tacks ['brɑːs 'tæks] *s pl* ← *F* esență, esențial; detalii/aspecte practice

brassware ['brɑːswɛəʳ] *s* vase de alamă, alămuri

brass winds ['brɑːs 'wɪndz] *s pl muz* alămuri, suflători de alamă

brassy ['brɑːsɪ] *adj* 1 de/din alamă 2 *(d. sunet)* metalic 3 *fig* de bronz/granit, neclintit 4 *fig* ← *F* obraznic, neobrăzat

brat [bræt] *s* 1 puști, pici 2 strengar, copil neastâmpărat

Bratislava [ˌbrætɪ'slɑːvə] *oraș în fosta Cehoslovacie*

bravado [brə'vɑːdou] *s* bravadă, fanfaronadă

brave [breɪv] I *adj* 1 brav, curajos, viteaz 2 frumos, arătos; minunat, splendid II *vt* a brava, a înfrunta; a sfida; a provoca

bravely ['breɪvlɪ] *adv* cu curaj, vitejește

bravery ['breɪvərɪ] *s* 1 curaj, vitejie, bravură 2 strălucire, splendoare, lux

bravo[1] ['brɑː'vou] *interj* bravo!

bravo[2] *s it* ucigaș plătit

brawl [brɔ:l] **I** s încăierare, ceartă **II** vi **1** a se încăiera, a se certa **2** (d. ape) a bolborosi; a murmura

brawler ['brɔ:lər] s scandalagiu, bătăuș

brawn [brɔ:n] s **1** mușchi, musculatură **2** forță musculară

brawny ['brɔ:ni] adj musculos, vânjos

bray¹ [brei] **I** vi (d. măgari) a zbiera, a rage **II** vt a rosti zbierând **III** s **1** zbieret, răget (de măgar) **2** sunet neplăcut; scrâșnet; hârșâit; bubuit

bray² vt a pisa, a măcina

brayer ['breiər] s **1** pisălog **2** poligr val ungător

Braz. presc de la **1** Brazil **2** Brazilian

brazen ['breizən] adj **1** de alamă; de bronz **2** fig (d. ton) metalic **3** fig nerușinat, neobrăzat

brazen age, the ['breizən eidʒ, ðə] s epoca de bronz

brazen-faced ['breizən feist] adj v. brazen 3

brazenness ['breiznnis] s nerușinare, impertinență, neobrăzare

brazier¹ ['breizjər] s alămar

brazier² s mangal (vas)

Brazil [brə'zil] Brazilia

Brazilian [brə'ziliən] adj, s brazilian

brazil wood [brə'zil wud] s bot lemn roșu (Caesalpinia sp.)

Brazzaville ['bræzə,vil] capitala statului Congo

Br.E. presc de la **British English**

breach [bri:tʃ] s **1** spărtură, deschizătură; breșă **2** fig ruptură; spărtură, breșă; întrerupere **3** mil breșă **4** fig încălcare (a legii etc.); ~ of discipline încălcare a disciplinei, act de indisciplină; ~ of promise nerespectare/călcare a unei promisiuni; ~ of trust jur abuz de încredere

bread [bred] **I** s **1** pâine; to have one's ~ buttered on both sides a avea de toate și cu prisos; a-și permite orice lux; to break ~ a a mânca b rel a se împărtăși; to know on which side one's ~ is buttered a-și cunoaște (foarte bine) interesele; to take the ~ out of smb's mouth fig a lua pâinea (de la gura) cuiva; as I live by ~! ← înv pe legea mea! pe cuvânt de onoare! **2** fig pâine, hrană, mâncare **II** vt a găti cu pesmet

bread and butter ['bred ən 'bʌtər] s **1** pâine cu unt **2** fig pâine; mijloace de trai

bread-and-butter adj atr ← F **1** de copil, copilăresc; necopt **2** banal; cotidian, de fiecare zi **3** practic **4** prozaic

bread basket ['bred ,bɑ:skit] s **1** coș de pâine **2** fig grânar

bread-crumb ['bred krʌm] **I** s **1** miez (de pâine) **2** pl firimituri (de pâine) **II** vt a face „pané" (pui, pește etc.)

breadstuff ['bredstʌf] s **1** făină **2** pl produse de panificație

breadth [bredθ] s **1** lățime, lărgime **2** fig lărgime (a orizontului) **3** fig mărinimie, generozitate

breadthways ['bredθweiz] adv v. breadthwise

breadthwise ['bredθwaiz] adv în lățime/lat

bread winner ['bred ,winər] s susținător al familiei, cap de familie

bread winning ['bred ,winiŋ] s pâine, câștigarea existenței

break [breik] **I** pret **broke** [brouk], ptc **broken** [broukn] vt **1** a sparge, a sfărâma; a frânge, a rupe; a strica; a zdrobi; to ~ smb's head a sparge capul cuiva; to ~ the ice și fig a sparge gheața; to ~ one's neck și fig a-și frânge gâtul; to ~ ground a a desțeleni pământul; a ara pământul b fig a pune o temelie c fig a croi un nou făgaș; a deschide o nouă pagină **2** fig a întrerupe; a înceta; a opri; to ~ one's journey a-și întrerupe călătoria; to ~ smb's sleep a trezi pe cineva din somn; a strica somnul cuiva; a tulbura somnul cuiva **3** a dezlega, a desface (un nod etc.) **4** fig a frânge, a zdrobi; a strica; a sfărâma; he broke her heart i-a frânt/i-a zdrobit inima **5** fig a renunța la, a se lepăda de (un obicei etc.) **6** fig a începe, a desface (o sticlă etc.) **7** fig a sparge (o grevă) **8** fig a slăbi, a înfrânge (rezistența etc.) **9** fig a slăbi, a micșora (intensitatea) **10** fig a domestici, a îmblânzi; a dresa (un cal etc.) **11** fig a (în)călca (legea etc.) **12** ec a ruina, a face să dea faliment **13** fig a nu îndeplini, a căl-

ca (o promisiune etc.) **14** fig a depăși, a întrece (limitele etc.) **15** fig a distruge, a ruina (sănătatea etc.) **16** fig a exprima, a comunica, a prezenta (o chestiune etc.); to ~ one's mind to smb a se destăinui cuiva, a-și deschide inima/sufletul cuiva; to ~ a piece of news to smb a comunica cuiva o știre **17** mil a degrada (un ofițer) **18** od a tortura, a chinui (pe roată) **19** tehn a concasa **20** tehn a degrada **21** sport a bate (un record) **22** a fugi/a evada din (închisoare) **II** (v. ~ I) vi **1** a se sparge, a se sfărâma; a se frânge; a se rupe; a se strica; a se zdrobi **2** a se descompune, a se dezagrega; a se strica **3** fig a se întrerupe; a se opri, a conteni; a lua sfârșit; the meeting broke at seven întrunirea/ mitingul luă sfârșit la șapte **4** (d. vreme) a se schimba, a se strica sau a se ameliora; (d. ger) a se muia **5** a se lumina; day was ~ing se crăpa de ziuă, se lumina de ziuă **6** (d. nori) a se risipi, a se împrăștia **7** (d. o ceartă etc.) a izbucni **8** (d. voce) a se schimba; a fi în schimbare **9** (d. sănătate etc.) a-l părăsi; a slăbi **III** s **1** ruptură; spărtură; deschizătură; despicătură; crăpătură; breșă **2** luminiș, poiană **3** trecere bruscă; schimbare (a vocii) **4** evadare, fugă (a unui condamnat) **5** izbucnire; revărsat (al zorilor) **6** școl pauză, recreație **7** amer gafă; boacănă **8** amer prăbușire, crah **9** geol falie **10** min rupere **11** poligr cratimă, liniuță **12** poligr fine/ sfârșit de alineat **13** amer sl punct sau moment hotărâtor

breakable ['breikəbl] adj fragil

break adrift ['breik ə'drift] vi cu adv nav și fig a fi dus de curent

breakage ['breikidʒ] s **1** spargere, sfărâmare; frângere, rupere; stricare; zdrobire **2** despăgubire, compensație; reducere, rabat **3** pagubă, pierdere (din cauza spargerii etc.)

break asunder ['breik ə'sʌndər] **I** vt cu adv a rupe în două; a sparge în două **II** vi cu adv a se rupe în două; a se sparge în două

break away ['breik ə'wei] *vi cu part adv* a pleca brusc; a scăpa, a fugi

breakdown ['breikdaun] *s* **1** epuizare (totală); colaps **2** ruină, prăbușire **3** *auto* pană **4** eșuare, întrerupere *(a negocierilor)* **5** dezmembrare; împărțire, divizare **6** *ch* descompunere **7** *mil* breșă, spărtură **8** *tehn* măcinare, concasare

break down ['breik 'daun] **I** *vt cu part adv* **1** a sfărâma, a distruge **2** *și fig* a dărâma, a doborî **3** *fig* a ruina, a distruge, a nimici **4** a împărți, a diviza; a scinda **5** *ch* a descompune **II** *vi cu part adv* **1** a se deranja, a se strica, a nu mai funcționa **2** a izbucni în lacrimi **3** a suferi un colaps; *(d. sănătate)* a se șubrezi **4** a suferi o înfrângere

breaker ['breikəʳ] *s* **1** persoană *sau* obiect care sparge *etc.;* spărgător **2** *tehn* concasor **3** brizant, talaz **4** *el* întrerupător

breakfast ['brekfəst] **I** *s* micul dejun, gustare de dimineață **II** *vi* a lua micul dejun

break forth ['breik 'fɔ:θ] *vi cu part adv* **1** (**into**) a izbucni (în – *lacrimi etc.*) **2** a izbucni, a exclama

break in ['breik'in] **I** *vi cu part adv* **1** a întrerupe **2** a domestici, a îmblânzi **3** a deschide cu zgomot *(ușa)* **II** *vi cu part adv* **1** a se năpusti, a da năvală/buzna; a intra cu forța *sau* pe neașteptate **2** a căpăta acces **3** a întrerupe conversația, a se băga în vorbă

break into ['breik ˌintə] *vi cu prep* **1** a intra cu forța în; a sparge *(o casă)* **2** a întrerupe *cu ac* **3** a începe brusc *cu ac*

break in upon ['breik 'in ə,pɔn] *vi cu part adv și prep* a fi un intrus în; a deranja, a tulbura *cu ac*

break loose ['breik 'lu:s] *vi cu adj* a scăpa, a se elibera, a fugi

breakneck ['breiknek] *adj atr (d. viteză)* periculos; amețitor

break of day ['breik əv 'dei] *s* revărsatul zorilor

break off ['breik 'ɔ:f] *vi cu part adv* **1** (**from**) a se rupe (de), a se desface (de; din); a se rupe legăturile (cu) **2** a se întrerupe, a se opri *(din vorbă)*

break open ['breik 'oupən] **I** *vi cu adj (d. ușă etc.)* a se deschide **II** *vt*

cu adj **1** a deschide cu forța, a sparge *(ușa etc.)* **2** a deschide, a desface *(o scrisoare etc.)*

break out ['breik'aut] *vi cu part adv* **1** *(d. războaie etc.)* a izbucni, a se dezlănțui, a începe; a erupe **2** a izbucni, a exclama **3** a fugi, a scăpa; a evada

breakpromise ['breik,prɔmis] *s* persoană care nu se ține de cuvânt

break stone ['breik stoun] *s* **1** pietriș **2** *bot* iarba-surzilor *(Saxifraga aizoon)* **3** *bot* ochii-șoarecelui *(Saxifraga adscendens)*

breakthrough ['breikθru:] *s* **1** *și mil* breșă, spărtură **2** schimbare a vremii *(spre bine)*, înseninare **3** *fig* realizare, progres

break through ['breik 'θru:] **I** *vt cu part adv* **1** a răzbate prin; a învinge *(dificultăți)* **2** a aplica *(legea)* **II** *vi cu part adv* a ieși, a apărea, a se ivi

break up ['breik 'ʌp] **I** *vt cu part adv* **1** a deșteleni, a ara întâia oară **2** a ridica *(ședința)* **3** a deschide *(un butoi etc.)* **4** a închide *(școlile pentru vacanță)* **II** *vi cu part adv* **1** a se despărți, a se dispersa, a se risipi **2** *(d. gheață etc.)* a se sparge, a se sfărâma **3** *(d. vreme etc.)* a se însenina **4** *(d. drumuri)* a se strica **5** *(d. o ședință etc.)* a lua sfârșit; *(d. școli)* a se închide *(pentru vacanță)*

break-up ['breik ʌp] *s* **1** *fig* prăbușire, cădere, ruină **2** înseninare *(a vremii)* **3** închidere a școlilor *(pentru vacanță)* **4** terminare, încheiere

breakwater ['breik'wɔ:təʳ] *s* dig *(de larg)*, sparge val

bream [bri:m] *s iht* plătică *(Abramis brama)*

breast [brest] **I** *s* **1** piept; **to make a clean ~ of smth** *fig* a recunoaște/ a mărturisi ceva pe față/deschis; **to make a clean ~ of it** a-și descărca sufletul/inima, a spune tot ce are pe suflet **2** ↓ *pl* sân, piept **3** piept *(al unei cămăși)* **4** pieptar **5** platoșă **6** *agr* cormană **II** *vt* a da piept cu, a înfrunta

breastbone ['brestboun] *s anat* osul pieptului, stern

breast high ['brest 'hai] *adj* până la piept, până la înălțimea pieptului

breast pin ['brest pin] *s* broșă; ac de cravată

breastplate ['brestpleit] *s* **1** platoșă, pieptar **2** *tehn* blindaj frontal **3** presen, chingă *(la cal)*

breast stroke ['brest strouk] *s* bras *(la înot)*

breastwork ['brestwə:k] *s* parapet; balustradă

breath [breθ] *s* **1** respirație, răsuflare, suflu; **to draw ~ a** a respira, a răsufla **b** a trăi, a exista; **to hold one's ~** a-și ține răsuflarea; **out of ~** gâfâind; **below one's ~** *fig* în șoaptă, încet; **to take ~** a răsufla, a se odihni; **in the same ~** în aceeași clipă; **to take a deep ~** a ofta adânc; **to take smb's ~ away** *fig* a tăia răsuflarea cuiva, *F →* a lăsa pe cineva cu gura căscată; **to draw one's last ~** a-și da sufletul/duhul **2** suflu, boare, adiere **3** *fig* pată; stigmat

breathe [bri:ð] **I** *vi* **1** a respira, a răsufla **2** *fig* a trăi, a exista **3** *(d. vânt)* a sufla, a adia **4** a aspira, a trage aer în piept **5** a murmura; a vorbi în șoaptă **II** *vt* **1** a respira, a inspira, a trage în piept *(aer etc.);* **to ~ one's last** a-și da sufletul/duhul **2** *muz* a sufla în, a cânta din **3** a sufla, a rosti, a spune *(o vorbă)* **4** a lăsa să răsufle, a lăsa să se odihnească **5** a obosi, a epuiza

breathed [bri:ðd] *adj fon* surd

breathe into ['bri:ð ,intə] *vt cu prep* a insufla *cu dat;* **to breathe life into** a însufleți *cu ac;* a înviora *cu ac*

breather ['bri:ðəʳ] *s* **1** suflare, ființă, făptură **2** ← *F* exercițiu de respirație **3** ← *F* clipă de odihnă; pauză

breathing ['bri:ðiŋ] **I** *adj* **1** care respiră; viu **2** veridic; viu **II** *s* **1** respirație, răsuflare **2** dorință tainică/ascunsă **3** adiere, suflare, boare **4** *fon* sunet aspirat; aspirare

breathing space ['bri:ðiŋ speis] *s și fig* clipă de răgaz

breathless ['breθlis] *adj* **1** liniștit, fără vânt **2** cu sufletul la gură, gâfâind **3** fără suflare, mort

breath-taking ['breθ teikiŋ] *adj* care îți taie răsuflarea; uluitor, extraordinar, captivant

breccia [,bretʃiə] *s geol* brecie

bred [bred] *pret și ptc de la* **breed**

breech [bri:tʃ] *s* **1** *anat* șezut **2** *mil* culată **3** *pl* pantaloni de sport; pantaloni scurți; pantaloni bufanți; *F* nădragi, – pantaloni

breechblock ['bri:tʃblɔk] *s* închizător *(la tunuri)*

breech sight [bri:tʃ sait] *s mil* înălțător

breed [bri:d] **I** *s* soi, rasă; neam **II** *pret și ptc* **bred** [bred] *vt* **1** *și fig* a naște, a da naștere la **2** a crește, a educa **3** a crește, a prăsi **III** (*v.* ~ **II**) *vi* **1** a se reproduce, a se prăsi **2** a crește, a se dezvolta **3** *fig* a lua naștere, a-și avea originea

breeder ['bri:dəʳ] *s* **1** crescător *(de animale etc.)* **2** animal de prăsilă

breeding ['bri:diŋ] *s* **1** *biol* reproducere, înmulțire **2** creștere *(a animalelor etc.)* **3** bună creștere; educație, creștere

breeze[1] [bri:z] *s ent* tăun *(Tabanus sp.)*

breeze[2] **I** *s* **1** adiere, boare; *nav* briză **2** *F* scandal, tărăboi; – ceartă **II** *vi* a adia, a sufla lin

breezy [bri:zi] *adj* **1** răcoros; răcorit de o adiere **2** vioi; degajat; plin de vervă

brethren ['breðrin] *s pl de la* **brother** frați *(într-o comunitate);* ← *înv* frați *(de sânge)*

Breton ['bretən] *adj, s* breton ˙

brevet ['brevit] *s* **1** *mil* grad onorific **2** *av* brevet de zbor

breviary ['bri:viəri] *s bis* breviar

brevity ['breviti] *s* **1** scurtime; caracter trecător *(al vieții)* **2** concizie, exprimare concisă

brew [bru:] **I** *vt* **1** a fierbe, a fabrica *(bere)* **2** a fierbe *(ceai);* a pregăti *(punch etc.)* **3** *fig* a pune la cale, a urzi **II** *vi* **1** a fabrica bere *etc.* **2** *fig* a se pregăti, a se apropia; a se pune la cale; **a storm was ~ing** se apropia o furtună **III** *s* infuzie

brewage ['bru:idʒ] *s* **1** fierbere, fabricare *(a berii)* **2** fierbere *(a ceaiului)* **3** fiertură; infuzie

brewer ['bru:əʳ] *s* fabricant de bere, berar

brewery ['bru:əri] *s* fabrică de bere

Brian ['braiən] *nume masc*

briar[1,2] ['braiəʳ] *s v.* **brier[1,2]**

Briareus [brai'ɛəriəs] *mit* Briareu

bribable ['braibəbl] *adj* care poate fi mituit, coruptibil

bribe [braib] **I** *s* mită, șperț **II** *vt* a mitui, a da mită *cuiva;* a cumpăra; a corupe

bribeless ['braiblis] *adj* integru, incoruptibil

briber ['braibəʳ] *s* mituitor

bribery ['braibəri] *s* mită, mituire, luare *sau* dare de mită

bribetaker ['braib,teikəʳ] *s* persoană care ia mită, *F* ← șperțar

bric-a-brac ['brikəbræk] *s fr* **1** antichități; rarități **2** bibelouri

brick [brik] **I** *s* **1** cărămidă; **to drop a ~** *fig* a face o gafă; **like a cat on hot ~s** ca pe jăratic/ghimpi **2** bucată; tabletă; calup; brichetă **3** *F* băiat de zahăr **II** *vt* a construi din cărămidă; a pava cu cărămidă

brick field ['brik fi:ld] *s* cărămidărie

brick kiln ['brik kiln] *s* cuptor de ars cărămidă

bricky ['briki] *adj* **1** făcut din cărămizi **2** plin de cărămizi **3** cărămiziu

brickyard ['brikjɑ:d] *s* cărămidărie

bridal ['braidl] **I** *s* nuntă **II** *adj* **1** de mireasă **2** de nuntă; nupțial

bride [braid] *s* mireasă; **to give away the ~** a conduce mireasa la altar, a fi tatăl miresei

bride cake ['braid keik] *s* tortul miresei

bridegroom ['braidgru:m] *s* mire

bridesmaid ['braidzmeid] *s* domnișoară de onoare

bridesman ['braidzmən] *s* cavaler de onoare

bridewell ['braidwel] *s* casă de corecție; închisoare

bridge [bridʒ] **I** *s* **1** pod; punte; ponton **2** *nav* punte, covertă; punte de comandă; pasarelă; castel central **3** *anat* rădăcina nasului; vomer **4** *muz* căluș, scăunel **5** bridge **6** *med* punte, bridge **II** *vt* **1** a construi un pod *sau* o punte peste **2** *fig* a împăca, a concilia; a învinge *(o dificultate);* a trece peste

bridgehead ['bridʒhed] *s mil, fig* cap de pod

Bridge of Sighs, the ['bridʒ əv 'saiz, ðə] *s* Puntea Suspinelor

Bridges ['bridʒiz], **Robert** *poet englez (1844-1930)*

bridging ['bridʒiŋ] *s* **1** arcuire **2** *tehn* blocare a șarjei în furnal **3** *drum* tablier de pod, proptea; planșeu **4** *el* șuntare

bridging work ['bridʒiŋ wə:k] *s* construcție de poduri

bridle ['braidl] **I** *s* **1** frâu, căpăstru; **to give the horse the ~** a da frâu calului **2** *fig* frâu (liber) **3** *tehn* bridă, colier **4** *nav* labă-de-gâscă **II** *vt* **1** a pune frâu *(calului)* **2** *fig* a ține în frâu; a înfrâna

bridle hand ['braidl hænd] *s* mâna stângă

bridle rein ['braidl rein] *s* frâu; căpăstru

brief [bri:f] **I** *adj* scurt, concis; **in ~** pe scurt **II** *s* **1** rezumat, compendiu **2** *jur* punctaj al unui dosar **3** *pl* chiloți, șort **III** *vt* **1** a rezuma, a expune pe scurt **2** *jur* a încredința un proces *(unui avocat)* **3** a da ultimele instrucțiuni *cuiva*

brief case [bri:f keis] *s* servietă, geantă

briefless ['bri:flis] *adj (d. un avocat)* fără clientelă

briefly ['bri:fli] *adv* concis, pe scurt, în câteva cuvinte

brier ['braiəʳ] *s* **1** *bot* măceș, trandafir sălbatic *(Rosa canina)* **2** mărăcini, mărăciniș

briery ['braiəri] *adj* plin de mărăcini; plin de spini; spinos

brig [brig] *s nav* bric

Brig. *presc de la* **1 brigade 2 brigadier**

brigade [bri'geid] *s mil etc.* brigadă; detașament

brigadier [,brigə'diəʳ] *s mil* general *sau* comandant de brigadă

brigadier general [,brigə'diə'dʒenrəl] *s amer mil* general de brigadă

brigand ['brigənd] *s* tâlhar *(de drumul mare)*, brigand

brigandage ['brigəndidʒ] *s* tâlhărie, brigandaj

brigantine ['brigəntain] *s nav* brigantină

bright [brait] *adj* **1** strălucitor; luminos; senin; sclipitor; lucitor; *(d. culori etc.)* viu, aprins **2** străveziu, limpede, clar **3** *fig uneori ironic* inteligent; luminat; ager; spiritual; strălucit; strălucitor **4** *fig* strălucit, minunat, nemaipomenit, grozav **5** *fig* vesel; optimist **6** bun, prielnic, favorabil; promițător

brighten ['braitən] **I** *vt* **1** a face să strălucească; a lumina **2** a ațâța *(focul)* **3** *fig* a lumina; a înviora; a însenina; a bucura **4** a polei, a lustrui **II** *vi* **1** *și fig* a se lumina, a se însenina **2** *fig* a prinde curaj

brightness ['braitnis] *s* 1 strălucire, luciu 2 limpezime, claritate 3 *fig* strălucire, splendoare 4 *fig* inteligență *(scânteietoare);* perspicacitate, pătrundere; vioiciune *(a spiritului)* 5 *fiz* luminozitate

Brighton ['braitən] *oraș în Anglia*

Bright's disease ['braits di'zi:z] *s med* boala lui Bright, nefrită

brill [bril] *s iht* calcan *(Bothus rhombus)*

brilliance ['briljəns] *s* 1 strălucire; iradiere 2 *fig* strălucire; splendoare; măreție; pompă

brilliancy ['briljənsi] *s v.* brilliance

brilliant ['briljənt] **I** *adj* 1 strălucitor, luminos; scânteietor 2 *fig* strălucitor; splendid; măreț 3 *fig* strălucit, eminent; genial **II** *s* briliant

brilliantine [,briljən'ti:n] *s* brilliantină

brim [brim] **I** *s* 1 margine *(de pahar etc.)* 2 margine, bordură; țărm, mal 3 bor *(de pălărie)* **II** *vi* a fi plin ochi/până sus

brimful ['brimful] *adj* plin până sus

brim over ['brim 'ouvə'] *vi* (**with**) a deborda (de); a se revărsa (peste margini)

brimstone ['brimstoun] *s* pucioasă, sulf

brindled ['brindld] *adj* vărgat, dungat *(pe un fond cenușiu)*

brine [brain] **I** *s* 1 apă sărată; apă de mare; saramură 2 *fig* mare; ocean **II** *vt* a săra

bring [briŋ], *pret și ptc* **brought** [brɔ:t] *vt* 1 a aduce (cu sine); a lua, a duce 2 a aduce, a cauza, a produce; **that brought him a supplementary income** aceasta i-a adus un venit suplimentar 3 *jur* a intenta *(un proces);* a depune *(o plângere)*

bring about ['briŋ ə'baut] *vt cu part adv* 1 a aduce (cu sine), a determina, a cauza, a prileji 2 a îndeplini, a înfăptui

bring along ['briŋ ə'lɔŋ] *vt cu part adv* a aduce cu sine

bring around ['briŋ ə'raund] *vt cu part adv v.* bring round

bring away ['briŋ ə'wei] *vt cu part adv* a lua/a duce cu sine

bring back ['briŋ 'bæk] *vt cu part adv* a readuce, a înapoia, a aduce înapoi

bring down ['briŋ'daun] *vt cu part adv* 1 a aduce jos, a coborî 2 a doborî *(un avion etc.)* 3 a răni; a omorî 4 a micșora, a reduce

(prețuri etc.) // **to ~ the house** *teatru etc.* a stârni aplauze furtunoase; a sări rampa

bringer ['briŋə'] *s* aducător

bring forth ['briŋ'fɔ:θ] *vt cu part adv* 1 a naște, a da naștere la; a produce *(rod)* 2 *fig* a aduce (cu sine); a da naștere la; a cauza, a pricinui

bring forward ['briŋ'fɔ:wə:d] *vt cu part adv* 1 a pune în lumină; a prezenta, a înfățișa 2 a favoriza; a recomanda 3 *fin* a reporta, a trece

bring home ['briŋ'houm] *vt cu adv* 1 a duce, a aduce *sau* a conduce acasă 2 *fig* a explica, a lămuri, a clarifica

bring in ['briŋ'in] *vt cu part adv* 1 a importa 2 a introduce 3 a aduce *(un venit etc.)* 4 a prezenta *(o propunere etc.)* 5 *jur* a declara *(vinovat etc.)*

bring into ['briŋ,intə] *vt cu prep* 1 a aduce în; a pune în *(pericol)* 2 a aduce pe *(lume)* 3 *fin* a trece în *(registre)* 4 a pune de *(acord)* // **to ~ notice** a face cunoscut, a aduce la cunoștință; **to ~ disrepute** a compromite, a discredita

bring off ['briŋ'ɔf] *vt cu part adv* 1 a săvârși, a realiza 2 a salva

bring on ['briŋ'ɔn] *vt cu part adv* 1 a aduce (încoace) 2 a atrage după sine; a pricinui, a cauza

bring oneself to ['briŋwʌn,selftə] *vr cu inf* a se hotărî să

bring out ['briŋ'aut] *vt cu part adv* 1 a destăinui; a înfățișa; a clarifica, a limpezi 2 a prezenta *(o piesă etc.);* a publica, a tipări 3 a scoate în lume *(o fată)*

bring over ['briŋ 'ouvə'] *vt cu part adv* a face *(pe cineva)* să-și schimbe părerile *etc.;* a convinge; a câștiga de partea sa

bring round ['briŋ 'raund] *vt cu part adv* 1 a (re)pune pe picioare, a însănătoși 2 a câștiga de partea sa, a convinge

bring through ['briŋ'θru:] *vt cu part adv v.* bring round

bring to ['briŋtə] **I** *vt cu inf* a face/a determina să; a hotărî/a convinge să **II** *vt cu prep fig* a duce la; a aduce în; **to ~ beggary** a aduce la sapă de lemn; **to ~ nothing** a distruge, a nimici; **to**

~ light a aduce la lumină **III** *vt* 1 *nav* a opri, a face să se oprească *(un vas)* 2 a readuce în simțiri

bring together ['briŋtə'geðə'] *vt cu part adv fig* a împăca, a reconcilia

bring up ['briŋ 'ʌp] *vt cu part adv* 1 a ridica, a înălța 2 a vomita, a vărsa 3 a educa, a crește 4 a aduce în discuție 5 a opri

brink [briŋk] *s* margine *(↓ a unei prăpăstii);* mal abrupt; **on the ~ of the grave** *fig* la un pas de moarte, cu un picior în groapă

brinkmanship ['briŋkmənʃip] *s* politică pe marginea prăpastiei

briny ['braini] **I** *adj* sărat; foarte sărat **II** *s* **the ~** *F* marea

brioche ['bri(:)ouʃ] *s* brioșă

briquette [bri'ket] *s* 1 cărămidă; țiglă 2 brichetă *(de cărbune)*

Brisbane ['brizbən] *oraș în Australia*

brisk [brisk] *adj* 1 activ, vioi, energic; sprinten 2 *(d. aer)* proaspăt, înviorător 3 *(d. ton)* aspru

brisket ['briskit] *s* piept, garf *(de animal)*

briskness ['brisknis] *s* vioiciune, energie

bristle ['brisl] **I** *s* țep, ghimpe, ac; păr *(de porc etc.)* **II** *vt* a zbârli **III** *vi* 1 a se zbârli 2 *fig* a se zbârli, a se supăra

bristle grass ['brislgra:s] *s bot* mohor, țeposică *(Setaria sp.)*

bristle with ['brisl wið] *vi cu prep* a fi plin de, a geme de

Bristol ['bristl] *oraș în Anglia*

Brit. *presc de la* 1 **Britain** 2 **British**

Britain ['britn] 1 Marea Britanie; Anglia 2 *ist* Britania

Britannia [bri'tæniə] *lat v.* **Britain** 1

Britannic [bri'tænik] *adj (↓ în titlul diplomatic al monarhului englez)* britanic

Briticism ['britisizəm] *s* 1 *lingv* anglicism 2 trăsătură *(de caracter etc.)* tipic britanică

British ['britiʃ] **I** *adj* britanic, englezesc **II** *s* 1 *ist* (limba) britonă 2 *lingv* (limba) engleză britanică 3 **the ~** englezii, poporul englez

British Empire, the ['britiʃ'empaiə', ðə] *s ist* Imperiul britanic

British English ['britiʃ ,ingliʃ] *s* (limba) engleză britanică

Britisher ['britiʃə'] *s amer* englez; cetățean britanic

British Isles, the ['britiʃ'ailz, ðə] Insulele britanice

British Museum, the ['britiʃmju:-'ziəm, ðə] Muzeul britanic

Briton ['britn] s 1 englez 2 istbrit(on)

Brittany ['britəni] ist provincie în Franţa Bretagne

brittle ['britl] adj 1 fragil, sfărâmicios 2 (d. persoane) dificil

brittleness ['britlnis] s fragilitate

Brno ['bə:nou] oraş în fosta Cehoslovacie

bro. presc de la **brother**

broach [broutʃ] I s 1 frigare, ţepuşă 2 tehn broşă, alezor 3 amer broşă 4 deschizătură, spărtură II vt 1 a desfunda (un butoi) 2 a mări, a lărgi (o gaură) 3 a pune pe tapet, a arbora, a pune în discuţie (o problemă etc.) 4 tehn a broşa, a aleza

broad [brɔ:d] I adj 1 larg, lat, întins; spaţios, încăpător 2 senin, limpede; **in ~ daylight** în plină zi, ziua-n amiaza mare 3 vădit, clar, limpede, transparent; **a ~ hint** o aluzie transparentă/clară 4 fig larg, cuprinzător, extins 5 fig larg, îngăduitor, tolerant 6 fig mare, principal, general; **a ~ outline** o schiţă generală, linii generale 7 (d. o glumă) picant, fără perdea; grosolan 8 fon (d. accent) pronunţat II adv 1 pe faţă, deschis, fără reticenţe 2 pe deplin, complet; **~ awake** pe deplin treaz, treaz de-a binelea III s amer sl damă; femeie

broad arrow ['brɔ:d'ærou] s săgeată cu vârful lat (ca semn oficial pe obiectele proprietate a statului englez)

broad ax(e) ['brɔ:d'æks] s bardă

broad-backed ['brɔ:d'bækt] adj spătos, lat în spate

broadbrow ['brɔ:dbrau] s ← F 1 om simplu 2 om cu vederi largi

broadcast ['brɔ:dka:st] I pret şi ptc **broadcast** vt 1 a (radio)difuza, a transmite (prin radio) 2 a răspândi, a difuza II (v. ~ I) vi a vorbi, a cânta etc. la radio III adj radiodifuzat, transmis prin radio IV s 1 emisiune radiofonică 2 program de radio 3 discurs etc. radiodifuzat

broadcaster ['brɔ:dka:stə'] s amer 1 rad crainic, spicher 2 rad transmiţător; emiţător 3 radpost de radio-emisie 4 agr semănătoare

broadcasting ['brɔ:dka:stiŋ] s 1 rad radio; radiodifuziune 2 agrsemănat prin împrăştiere

broadcasting receiver ['brɔ:dka:stiŋri'si:və'] s rad radioreceptor

broadcasting station ['brɔ:dka:stiŋ'steiʃən] s rad staţie de radiodifuziune, post de radio

broadcloth ['brɔ:dklɔ(:)θ] s text postav negru subţire (dublu lat)

broaden ['brɔ:dn] I vt a lărgi, a mări, a extinde II vi a se lărgi, a se mări, a se extinde

broad gauge ['brɔ:d geidʒ] s ferov ecartament lat

broadish ['brɔ:diʃ] adj cam larg; cam lat

broad jump ['brɔ:d dʒʌmp] s sport amer săritură în lungime

broadly ['brɔ:dli] adv în mare, în linii mari

broad-minded ['brɔ:d'maindid] adj cu vederi sau orizonturi largi

broad-mindedness ['brɔ:d'maindidnis] s vederi largi; orizont larg

broadness ['brɔ:dnis] s 1 lărgime, lăţime 2 vulgaritate, grosolănie

broad piece ['brɔ:d pi:s] s od monedă de 20 şilingi (din aur bătut)

broad seal ['brɔ:d si:l] s sigiliu de stat

broadsheet ['brɔ:dʃi:t] s 1 poligr foaie cu text tipărit pe o singură parte 2 foaie volantă; pamflet

broad-shouldered ['brɔ:d'ʃouldəd] adj lat în umeri, spătos

broadside ['brɔ:dsaid] s 1 nav bord, flanc, bordee 2 nav tunurile de pe bordul unui vas; salvă de bord 3 fig salvă; potop, ploaie (de înjurături etc.) 4 poligr v. **broadsheet 1**

broadsword ['brɔ:dsɔ:d] s paloş, sabie lată

Broadway ['brɔ:dwei] s 1 stradă în New York 2 teatrele bulevardiere din New York 3 b~ stradă principală

broadways ['brɔ:dweiz] adv în lat/ lăţime

broadwise ['brɔ:dwaiz] adv v. **broadways**

Brobdingnag ['brɔbdiŋ'næg] ţara uriaşilor din „Călătoriile lui Gulliver" (J. Swift)

brocade [brə'keid] s text brocart

brochure ['brouʃuə'] s poligr broşură

brock [brɔk] s zool bursuc, viezure (Meles meles)

brocket ['brɔkit] s zool cerb de doi ani

brogue[1] [broug] s pantof (din piele netăbăcită, ornamentat); bocanc; pantof de golf

brogue[2] s 1 pronunţie irlandeză (a limbii engleze) 2 pronunţie dialectală

broil[1] [brɔil] I vt a frige, a coace (la foc) II vi 1 a se frige, a se coace (la foc) 2 fig a se înfierbânta; a arde, a se consuma III s 1 fript, frigere, coacere (la foc) 2 friptură; (carne friptă la) grătar 3 arşiţă, fierbinţeală

broil[2] s ceartă, sfadă; zarvă; încăierare

broiler[1] ['brɔilə'] s 1 grătar; tigaie 2 pui etc. bun de fript (la foc, la grătar) 3 ← F caniculă, arşiţă; zi foarte călduroasă

broiler[2] s scandalagiu, târâie-brâu

broke [brouk] I pret de la **break I, II** II adj 1 sl lefter, pe geantă 2 sl falit, ruinat

broken ['broukən] I ptc de la **break I, II** II adj 1 sfărâmat, spart 2 fig dărâmat, distrus; frânt 3 fig călcat în picioare, nerespectat 4 (d. voce) spart 5 întrerupt, întretăiat

broken-down ['broukən'daun] adj 1 cu sănătatea distrusă, dărâmat; epuizat 2 distrus, stricat 3 nefolositor

broken-hearted ['broukən'ha:tid] adj cu inima frântă/zdrobită, zdrobit (de durere)

brokenly ['broukənli] adv 1 întrerupt, intermitent; din când în când 2 (a dormi etc.) neliniştit; cu întreruperi 3 cu inima frântă/zdrobită

broken number ['broukən 'nʌmbə'] s mat fracţie

broken wind ['broukən 'wind] s vet tignafes, emfizem pulmonar (la cai)

broker ['broukə'] s 1 negustor de vechituri, telal 2 comisionar, agent; misit, samsar 3 curtier, agent de bursă 4 înv verigaş, – codoş

brokerage ['broukəridʒ] s samsarlâc, misitie; curtaj

brolly ['brɔli] s sl umbrelă

bromate ['broumeit] s ch bromat

Bromfield ['brɔmfi:ld], **Louis** romancier american (1896-1956)

bromic acid ['broumik'æsid] s ch acid bromic

bromide ['broumaid] *s ch* bromură

bromine ['broumi:n] *s ch* brom

bronchia ['brɔŋkiə] *s pl anat* bronhii, plămâni

bronchitis [brɔŋ'kaitis] *s med* bronșită

bronchopneumonia ['brɔŋkounjuː'-mounjə] *s med* bronhopneumonie

Brontë ['brɔnti], **Charlotte** *romancieră engleză (1816-1855)*

Brontë, **Emily** *romancieră engleză (1818-1848)*

bronze [brounz] **I** *s* **1** bronz **2** articole/obiecte de bronz **II** *adj* de/din bronz **III** *vt* a bronza **IV** *vi* *(d. cineva)* a se bronza

Bronze Age, the ['brounz eidʒ, ðə] *s geol* Epoca de bronz

brooch [broutʃ] *s* broșă; agrafă

brood [bruːd] **I** *s* **1** pui (clociți) **2** *peior* neam; soi; progenitură **II** *vt* **1** a cloci, a scoate *(pui)* **2** *fig* a pune la cale **III** *vi* **1** a cloci ouă *sau* pui **2** *fig* a cugeta, a se gândi, a medita **3** a avea gânduri negre, a fi deprimat **4** *fig* a se pregăti, a se pune la cale

brooder ['bruːdə'] *s* **1** clocitoare, incubator **2** *fig* persoană care cugetă mult **3** *fig* uneltitor

brook[1] [bruk] *s* pârâu, gârlă

brook[2] *vt* (↓ *în prop neg)* a suferi, a suporta; a accepta

Brooke, Rupert ['bruk, 'ruːpət] *poet englez (1887-1915)*

brooklime ['bruklaim] *s bot* bobornic *(Veronica beccabunga)*

Brooklyn ['bruklin] *cartier din New York*

broom [bruːm] **I** *s* **1** mătură; **new ~s sweep clean** *prov* sita nouă cerne bine **2** *bot* grozamă, mătură *(Cytisus, Genista sp.)* **II** *vt* a mătura

broom rape ['bruːm reip] *s bot* verigel *(Orobanche sp.)*

broomstick ['bruːmstik] *s* coadă de mătură

bros. *presc de la* **brothers**

broth [brɔ(ː)θ] *s* supă, bulion

brothel ['brɔθl] *s* bordel, lupanar

brother ['brʌðə'] *s* **1** frate **2** *pl* **brethren** ['breðrən] frate (din aceeași comunitate); confrate; tovarăș

brother-german ['brʌðə'dʒəːmən] *s* frate bun/de sânge

brotherhood ['brʌðəhud] *s* **1** frăție; fraternitate **2** breaslă, tagmă

brother-in-arms ['brʌðərin'ɑːmz] *s mil* tovarăș de arme

brother-in-law ['brʌðərin'lɔː] *s* cumnat

brotherliness ['brʌðəlinis] *s* comportare de frate

brotherly ['brʌðəli] **I** *adj* frățesc, de frate **II** *adv* frățește

brotherwort ['brʌðəwəːt] *s bot* cimbrișor, cimbru de câmp *(Thymus serpyllum)*

brougham ['bruːəm] *s* cupeu *(cu două sau patru locuri, cu un singur cal)*

brought [brɔːt] *pret și ptc de la* **bring**

brow [brau] *s* **1** sprânceană; **to knit one's ~s** a-și încrunta sprâncenele **2** ← *poetic* frunte; expresie **3** margine de deal *sau* pantă

browbeat ['braubiːt], *pret* **browbeat** ['braubiːt], *ptc* **browbeaten** ['braubiːtn] *vt* **1** a se uita amenințător la **2** a intimida; a speria **3** a teroriza

brown [braun] **I** *adj* **1** brun, cafeniu; brunet, oacheș; murg **2** bronzat, ars de soare; pârlit; bătut de vânt **II** *s* culoare închisă; brun; cafeniu; maro; ocru **III** *vt* a colora în brun *sau* cafeniu; a înnegri

brown bear ['braun'bɛə'] *s zool* urs brun *(Ursus arctos)*

brown bread ['braun bred] *s* pâine neagră

brown coal ['braun koul] *s* lignit, cărbune brun

brownie ['brauni] *s* spiriduș *(binevoitor)*

Browning ['brauniŋ], **Elizabeth Barrett** *poetă engleză (1806-1861)*

Browning, Robert *poet englez (1812-1889)*

brownstone ['braunstoun] *s* gresie de construcție

brown study ['braun stʌdi] *s* reverie, visare; meditație (sumbră)

brown sugar ['braun'ʃugə'] *s* zahăr nerafinat

brownwort ['braunwəːt] *s bot* buberic *(Scrophularia nodosa)*

browse [brauz] **I** *vt* a mânca; a roade (din); a mușca din; a paște **II** *vi* **1** (**on**) a mânca *(cu ac)*, a roade (din *sau* cu ac) **2** a răsfoi cărțile *etc.* **III** *s* lăstare, mlădițe

Bruce [bruːs] *nume masc*

Bruce, Robert (the) *rege al Scoției (1306-1329)*

Bruges [bruːʒ] *oraș în Belgia*

Bruin, bruin ['bruːin] *s* Moș Martin

bruise [bruːz] **I** *vt* **1** a zgâria, a juli; a face o vânătaie/vânătăi/contuzii cuiva; a stâlci **2** *(d. grindină)* a bate, a atinge *(fructe)* **II** *s* **1** vânătaie, contuzie; umflătură **2** julitură, zgârietură

bruiser ['bruːzə'] *s sport* boxer (↓ *care lovește puternic)*

bruit [bruːt] **I** *s* **1** zvonuri, vorbe **2** sunet suspect *(la examinarea bolnavului)* **II** *vt* a răspândi/împrăștia zvonuri despre

brume [bruːm] *s* ceață, negură

brummagem ['brʌmidʒəm] *s* ← *F* lucru ieftin; lucru prost *sau* fals

brumous ['bruːməs] *adj* cețos, neguros

brunch [brʌntʃ] *s* ← *F* gustare între micul dejun și prânz

brunette [bruː'net] *s* brunetă

Brunswick ['brʌnzwik] *oraș în Germania* Braunschweig

brunt [brʌnt] *s* toi, foc *(al luptei)*, atac principal; greu; **to bear the ~** a duce greul *(luptei etc.)*

brush[1] [brʌʃ] **I** *s* **1** perie **2** pensulă, penel **3** *fig* penel, arta pictorului **4** coadă stufoasă *(↓ de vulpe)* **5** periat, periere, dat cu peria **6** *fig* finisare; stilizare **7** *mil* ciocnire cu inamicul *(scurtă)* // **to make a ~** *F* a o șterge, a spăla putina **II** *vt* **1** a peria, a șterge cu peria **2** a atinge ușor *(cu coada etc.)* **III** *vi* **1** a peria **2** (**by**) *fig* a fugi (< mâncând pământul), a goni (pe lângă)

brush[2] *s* tufiș; tufișuri, desiș

brush aside ['brʌʃə'said] *vt cu part adv v.* **brush away**

brush away ['brʌʃə'wei] *vt cu part adv* **1** a mătura (din cale) **2** *fig* a da la o parte, a nu lua în considerare

brush off ['brʌʃ ɔ(ː)f] *vt cu part adv amer* a concedia, a da afară

brush-up ['brʌʃʌp] *s* **1** periat **2** *fig* lustru; stilizare; finisare

brush up ['brʌʃʌp] *vt cu part adv* **1** a curăța, a peria; a lustrui **2** *fig* a finisa; a lustrui **3** *fig* a împrospăta *(memoria);* a pune la punct

brushwood ['brʌʃwud] *s* **1** tufăriș, tufe, desiș **2** vreascuri, uscături

brushwork ['brʌʃwəːk] *s* **1** lucru cu pensula; pictură **2** stil pictural

brushy ['brʌʃi] *adj* 1 ca peria, ca de perie 2 stufos, des

brusque [brusk] *adj* brusc; răstit

Brussels ['brʌslz] *capitala Belgiei* Bruxelles

Brussels sprouts ['brʌslz sprauts] *s pl bot* verzişoare, varză de Bruxelles *(Brassica oleracea bullata)*

brutal ['bru:tl] *adj* brutal; sălbatic, violent

brutality [bru:'tæliti] *s* brutalitate, sălbăticie, violenţă

brutalize ['bru:təlaiz] I *vt* 1 a abrutiza, a îndobitoci 2 a brutaliza; a se purta brutal cu II *vi* a se abrutiza, a se îndobitoci

brutally ['bru:təli] *adv* (în mod) brutal, sălbatic

Brute [bru:t] Brut *rege legendar al Britaniei*

brute [bru:t] I *adj* 1 de brută/animal/dobitoc; animalic 2 brutal; sălbatic, inuman 3 senzual, animalic 4 inconştient II *s* 1 *şi fig* animal, dobitoc 2 *fig* brută, bestie

brutify ['bru:tifai] *vt* a îndobitoci, a abrutiza

brutish ['bru:tiʃ] *adj* 1 de brută/fiară, sălbatic 2 de animal/dobitoc, animalic 3 inconştient

Brutus ['bru:təs] *om de stat roman (85?-42 î.e.n.)*

Bryant ['braiənt], **William Cullen** *poet american (1794-1878)*

Brython ['briðən] *ist* brit(on) din Cornwall, Wales *sau* Cumbria

B.S. *presc de la* 1 **Bachelor of Science** 2 **Bachelor of Surgery**

B.Sc. *presc de la* **Bachelor of Science**

Bt. *presc de la* **Baronet**

B.T(h). *presc de la* **Bachelor of Theology**

bu. *presc de la* 1 **bureau** 2 **bushel**

bub [bʌb] *s* ← *F* bere tare

bubble ['bʌbl] I *s* 1 băşică, bulă; balon; balon de săpun 2 *fig* balon de săpun; himeră II *vt* 1 a face băşici/bule 2 *şi fig* a fierbe, a clocoti III *vt* a amesteca, a agita

bubbly ['bʌbli] *adj* cu băşici; care scoate băşici, spumos

bubonic plague [bju:'bɔnik'pleig] *s med* ciumă bubonică

buccaneer [,bʌkə'niəʳ] *s* corsar, pirat

buccinator ['bʌksineitəʳ] *s anat* buccinator

Bucephalus [bju'sefələs] *ist* Bucefal

Bucharest [,bu:kə'rest] *capitala României* Bucureşti

buck[1] [bʌk] I *s* 1 *zool* bărbătuş, mascul; ţap; berbec; căprior; iepuroi 2 *fig* fante, marţafoi 3 copită, lovitură cu copita 4 *amer* indian; negru II *vt* 1 a lovi cu capul *(↓ la fotbal)* 2 a împunge (cu capul) 3 *tehn* a sfărâma, a mărunţi

buck[2] *s* ↓ *amer sl* dolar

buck[3] *amer* I *s* capră *(de tăiat lemne)* II *vt* a tăia cu ferăstrăul

buck[4] *s* leşie

buck[5] *s sport* capră

bucket ['bʌkit] *s* 1 găleată, vadră; hârdău; căuş; saca; **to kick the ~** *sl* a da ortul popii, a o mierli 2 *tehn* benă de excavator

bucketful ['bʌkitful] *s* găleată (plină); **it is raining in ~s** *fig* plouă cu găleata/băşici

bucket shop ['bʌkit ʃɔp] *s* bursă neagră; bursă unde au loc pariuri ilegale *etc.*

bucket wheel ['bʌkit(h)wi:l] *s tehn* roată cu cupe

buckeye ['bʌkai] *s bot* castan porcesc *(Aesculus sp.)*

buckhound [bʌkhaund] *s zool* ogar *(pt vânatul cerbilor)*

Buckingham Palace ['bʌkiŋəm-'pælis] *s* palatul Buckingham

Buckinghamshire ['bʌkiŋəmʃiəʳ] *comitat în Anglia*

buckish ['bʌkiʃ] *adj* fandosit, sclivisit

buckle ['bʌkl] I *s* 1 cataramă 2 *tehn* îndoitură, curbură II *vt* 1 a încătărăma, a fixa/a prinde într-o cataramă 2 a curba, a încovoia, a îndoi III *vi* 1 a se curba, a se încovoia, a se îndoi 2 a se bomba, a se umfla

buckle down ['bʌkl'daun] *vi cu part adv* (to) a lucra/a munci din greu (la)

buckle down to ['bʌkl'dauntə] *vi cu part adv şi prep* a se apuca cu hotărâre de *(o treabă)*

buckle on ['bʌkl'ɔn] *vt cu part adv* a încătărăma

buckler ['bʌkləʳ] *s* 1 scut *(mic, rotund)* 2 *fig* scut, pavăză

buckle under ['bʌkl 'ʌndəʳ] *vi cu part adv* ← *F* a se supune; a ceda

buckram ['bʌkrəm] I *s* 1 *text* vatir 2 *poligr* pânză groasă (de legătorie) 3 *fig* formalitate, ceremonie;

rigiditate II *adj (d. stil etc.)* rigid; formal

bucksaw ['bʌksɔ:] *s* ferăstrău cu arc/coardă

buckshot ['bʌkʃɔt] *s* poşuri, alice mari

buckskin ['bʌkskin] *s* 1 piele de căprioară 2 *pl* pantaloni *sau* pantofi din piele de căprioară

buckthorn ['bʌkθɔ:n] *s* 1 *bot* paţachină, cruşin *(Rhamnus frangula)* 2 verigariu, părul ciutei *(Rhamnus cathartica)*

bucktooth ['bʌktu:θ] *s* dinte ieşit în afară

buck up ['bʌk 'ʌp] *vi cu part adv* ← *F* a încuraja; a reface, a remonta

buckwheat ['bʌkwi:t] *s bot* hrişcă *(Fagopyrum sagittatum)*

bucolic [bju:'kɔlik] I *adj* 1 bucolic; pastoral, idilic 2 rural, rustic II *s* 1 bucolică; poezie pastorală 2 ← *umor* ţăran; provincial

Bucovina ['bu:kə'vi:nə] *regiune în România şi în Ucraina*

bud [bʌd] I *s* 1 *bot* mugur, boboc; **in ~** *şi fig* în mugure; **to nip in the ~** *fig* a înăbuşi în germen/faşă 2 *v.* **buddy** II *vi şi fig* a înmuguri, a îmboboci

Budapest ['bju:də'pest] *capitala Ungariei* Budapesta

Buddha ['budə] *rel* Buddha *(563?-483? î.e.n.)*

Buddhism ['budizəm] *s rel* budism

Buddhist ['budist] *adj, s rel* budist

budding ['bʌdiŋ] *adj atr* 1 *bot* care înmugureşte/îmboboceşte 2 *fig* în devenire

budding knife ['bʌdiŋ naif] *s* cuţit de altoit

buddy ['bʌdi] *s amer* 1 *F* amic, camarad, tovarăş, prieten 2 pui(şor)

budge [bʌdʒ] *în prop neg* I *vi* a se mişca, a se clinti, a se urni II *vt* a mişca, a urni, a clinti

budget ['bʌdʒit] I *s* 1 *ec* buget; **to open/to introduce the ~** a prezenta bugetul 2 *fig* rezervă; sac, tolbă *(de ştiri etc.)* II *vt ec* a aloca/a repartiza din buget

budgetary ['bʌdʒitəri] *adj ec* bugetar

budgetary deficit ['bʌdʒitəri 'defisit] *s ec* deficit bugetar

Buenos Aires ['bwenəs 'aiəriz] *capitala Argentinei*

BUF-BUL

buff [bʌf] **I** s **1** piele de bivol *sau* bou **2** ← *F* piele (goală); **in** ~ în pielea goală **3** culoarea pielii; galben închis **II** *vt* a lustrui cu piele

Buffalo ['bʌfəlou] *oraş în S.U.A.*

buffalo I s *zool* **1** bivol *(Bos bubalus);* bivol indian *(Bubalus bubalis);* bivol african *(Synceros caffer);* ← *P* bizon american *(Bison americanus)* **2** *mil* maşină blindată amfibie **II** *vt amer sl* **1** a speria, a băga frica în; a intimida **2** a trage pe sfoară, – a păcăli

buffer¹ ['bʌfəʳ] s **1** *tehn, ferov* amortizor; tampon **2** *auto* bară de protecţie **3** *tehn* frână **4** *ch* soluţie-tampon **5** *pol* stat-tampon

buffer² s *sl* nătărău, găgăuţă, cap sec

buffer state ['bʌfə steit] s *pol* stat-tampon

buffet¹ ['bʌfit] **I** s **1** lovitură, pumn; ghiont **2** *fig* lovitură, nenorocire **II** *vi* a boxa **III** *vt* **1** a lovi; a înghionti **2** *fig* a lovi; a năpăstui

buffet² ['bufei] s **1** bufet, bar; restaurant cu bufet **2** bufet, servantă

buffet car ['bufeika:ʳ] s *ferov* vagon cu bufet

buffoon [bʌ'fu:n] s bufon, măscărici

buffoonery [bʌ'fu:nəri] s bufonerie, caraghioslâc

bug [bʌg] **I** s **1** ploşniţă **2** ↓ *amer* insectă; gândac; cărăbuş **3** ← *F* microb, bacterie **4** *amer sl* microfon secret **5** defect, deficienţă // **big** ~ ştab, grangur, mare mahăr **II** (*şi* ~ **up**) *vt sl* a instala microfoane ascunse pentru a supraveghea în secret

Bug, the [bʌg, ðə] *fluviu în fosta U.R.S.S.*

bugaboo ['bʌgəbu:] s **1** gogoriţă, sperietoare **2** coşmar; sabie a lui Damocles; spaimă (↓ neîntemeiată)

bugbear ['bʌgbɛəʳ] s *v.* bugaboo

bugger ['bʌgəʳ] s **1** *jur şi* ← *vulg* pederast, homosexual **2** *vulg* porc (de câine), nemernic, ticălos

buggery ['bʌgəri] s *jur şi* ← *vulg* pederastie

buggy ['bʌgi] s trăsurică cu un cal *(cu două roţi în Anglia, cu patru în S.U.A.)*

bughouse ['bʌghaus] **I** s *F* balamuc, – casă de nebuni **II** *adj atr F* ţăcnit, smintit

bug hunter ['bʌg,hʌntəʳ] s ← *F* entomolog

bugle¹ ['bju:gl] **I** s **1** corn de vânătoare **2** *mil* goarnă, trompetă **II** *vi* a sufla din corn *sau* goarnă

bugle² s *bot* vineriţă *(Ajuga sp.)*

bugle call ['bju:glkɔ:l] s sunet de goarnă *sau* corn

bugler ['bju:gləʳ] s *mil* gornist

bugles ['bju:glz] s *pl* mărgele *(tubulare, negre)*

bugloss ['bju:glɔs] s *bot* limba-boului, miruţa *(Anchusa officinalis)*

build [bild] **I** *pret şi ptc* built [bilt] *vt* **1** a clădi, a construi, a ridica, a zidi; **to** ~ **castles in the air** *fig* a clădi castele în Spania **2** *fig* a clădi, a făuri, a crea, a face **II** (*v.* ~ **I**) *vi* **1** a clădi, a construi **2** a fi arhitect **III** s **1** construcţie, structură **2** formă; stil **3** model **4** statură; conformaţie

builder ['bildəʳ] s **1** constructor; arhitect; antreprenor; zidar **2** *fig* ziditor, creator, făuritor

build in ['bild'in] *vt cu part adv* a zidi, a închide cu un zid

building ['bildiŋ] s **1** construire, zidire **2** *fig* făurire, creare **3** clădire, construcţie; casă; edificiu **4** *pl* dependinţe, acareturi

building contractor ['bildiŋ kən'træktəʳ] s *constr* antreprenor, constructor

building engineer ['bildiŋ endʒi'niəʳ] s **1** inginer constructor **2** *constr* şef de şantier

building ground ['bildiŋ graund] s teren *sau* şantier de construcţie

building-in ['bildiŋ,in] s *constr* înzidire

building lumber ['bildiŋ,lʌmbəʳ] s *constr* lemn fasonat

building pit ['bildiŋ pit] s *constr* excavaţie

building-up ['bildiŋʌp] s **1** formare, creştere; excrescenţă **2** *tehn* montaj, asamblare; asamblaj

building yard ['bildiŋjɑ:d] s **1** *constr* şantier **2** *nav* şantier naval

build-up ['bildʌp] s **1** creştere, dezvoltare, progres **2** acumulare; creştere, sporire, intensificare **3** *amer* ← *F* reclamă/ publicitate zgomotoasă **4** *mil* concentrare, masare

build up ['bild'ʌp] *vt cu part adv* **1** a construi/a clădi treptat, a construi, a clădi, a zidi **2** *fig* a întări, a întrema, a înzdrăveni **3** *fig* a face/a realiza treptat, a înjgheba **4** *fig* a acumula, a strânge, a aduna **5** a zidi cu cărămidă *etc.* *(o uşă etc.)*

build upon ['bild ə,pɔn] **I** *vt cu prep* a pune *(speranţe etc.)* în, a-şi baza *(speranţele etc.)* pe **II** *vi cu prep* a se baza/a se bizui pe, a conta pe

built [bilt] *pret şi ptc de la* build **I II**

built-in ['biltin] *adj constr* înzidit, încastrat, încorporat

built-up ['biltʌp] *adj* **1** *constr* construit, clădit **2** cu multe construcţii/clădiri **3** *(d. beton etc.)* prefabricat

Bukovina [bu:kə'vi:nə] *v.* Bucovina

bulb [bʌlb] **I** s **1** *bot, anat* bulb; ~ **of the eye** globul ocular **2** băşică, bulă, balon **3** rezervor *(de termometru etc.)* **4** bec (electric) **5** *el* lampă cu incandescenţă **6** *med* umflătură **II** *vi* a se umfla, a se bulbuca

bulbed ['bʌlbd] *adj* cu bulbi *etc.* (*v.* **bulb I**); bulbos

bulbous ['bʌlbəs] *adj* bulbos

Bulgar ['bʌlgɑ:ʳ] *adj, s ist* bulgar

Bulgaria [bʌl'gɛəriə] *ţară*

Bulgarian [bʌl'gɛəriən] **I** *adj* bulgar, bulgăresc **II** s **1** bulgar **2** (limba) bulgară

bulge [bʌldʒ] **I** s **1** umflătură, protuberanţă; umflare, bombare, convexitate; ieşitură, burtă **2** cocoaşă *(a unei curbe de drum)* **3** *fig* creştere *(a preţurilor etc.)* **II** *vi* **1** a se umfla; a ieşi/a se proiecta în afară; a se bomba **2** a se umfla, a se puhăvi **III** *vt* a umfla; a umple, a ticsi *(o pungă etc.)*

bulging ['bʌldʒiŋ] *adj* proeminent; umflat; bulbucat; protuberant; ieşit în afară

bulgy ['bʌldʒi] *adj v.* bulging

bulk [bʌlk] **I** s **1** volum, mărime **2** grosime **3** mulţime, masă; majoritate, gros **4** *ec* grămadă, vraf; încărcătură; **in ~ a** în mari cantităţi; cu ridicata, en gros **b** *(d. marfă etc.)* în vrac, desfăcut **II** *vt* a umple; a îndesa, a îngrămădi; a vărsa în **III** *vi* (**with**) a se umfla (de) // **to ~ large a** a avea volum **b** a avea importanţă

bulk carrier ['bʌlk ˌkæriəʳ] s *nav* navă de mărfuri în vrac

bulkhead ['bʌlkhed] s 1 *constr* perete despărţitor; batardou 2 acoperiş (al unei scări etc.)

bulk plant ['bʌlk plɑːnt] s depozit de petrol

bulk production ['bʌlk prə'dʌkʃən] s *ec* producţie de masă

bulky ['bʌlki] adj 1 mare, voluminos; voinic 2 greoi; mătăhălos

bull¹ [bul] I s 1 taur; buhai; bivol (şi masculul altor animale mari); **to take the ~ by the horns** *fig* a lua taurul de coarne; **a ~ in a china-shop** *fig* om greoi şi stângaci, urs, elefant 2 **the B~** *astr* Taurul 3 speculant la bursă 4 *sl* copoi; – poliţai; detectiv II vi *fin* 1 (d. valori) a se ridica 2 a specula ridicarea valorilor (la bursă)

bull² s bulă (papală)

bull³ s greşeală (amuzantă) de exprimare

bulla ['bulə] s 1 bulă (papală) 2 *med* băşică

bull bait(ing) ['bul 'beit(iŋ)] s od asmuţire a taurilor (cu câini)

bull calf ['bul kɑːf] s tăurean

bulldog ['buldɔg] s 1 buldog 2 *univ* însoţitor al unui „proctor"

bulldoze ['buldouz] vt F a băga în sperieţi; – a intimida; – a teroriza

bulldozer ['bul'douzeʳ] s 1 ← F om care intimidează *sau* terorizează pe altul, tiran 2 *constr* buldozer

bullet ['bulit] s 1 *mil* glonţ, glonte; cartuş 2 plumb (de undiţă, plasă)

bullet-headed ['bulit ˌhedid] adj (d. cineva) cu capul rotund (ca o bilă)

bulletin ['bulitin] s buletin (de ştiri, medical etc.)

bullet-proof ['bulit pruːf] adj rezistent la gloanţe; blindat

bullfight ['bulfait] s luptă cu tauri, coridă

bullfighter ['bulˌfaitəʳ] s toreador

bullfinch ['bulfintʃ] s *orn* botgros (Pyrrhula pyrrhula)

bullfrog ['bulfrɔg] s *zool* broască-bou (americană) (Rana cotesbiana)

bullhead ['bulhed] s 1 *iht* somn-pitic (Ameiurus nebulosus) 2 *iht* zglăvoacă (Cottus gobio) 3 F cap sec, tâmpit

bull-headed ['bulhedid] adj 1 cu cap (ca) de taur 2 *fig* îndărătnic, încăpăţânat

bullion ['buljən] s 1 aur *sau* argint în stare nativă 2 lingou de aur *sau* argint 3 panglică, dantelă *sau* ciucure de aur *sau* argint

bullish ['buliʃ] adj 1 (ca) de taur 2 *fin* cu tendinţă urcătoare (la bursă) 3 *fig* tare de cap; încăpăţânat, îndărătnic 4 *fig* optimist

bull-necked ['bul'nekt] adj cu gâtul scurt şi gros, cu ceafă de taur

bullock ['bulək] s taur jugănit, bou

bull ring ['bul riŋ] s arenă pentru coride

bull roarer ['bul rɔːrəʳ] s hârâitoare (jucărie)

bull's eye ['bulzai] s 1 *nav* hublou, ferestruică rotundă *sau* ovală 2 *constr* ochi de bou 3 *auto* ochi de pisică, reflector din spate 4 *tehn* nod în sticlă 5 lupă 6 *mil* (cercul din) centrul ţintei

bulltrout ['bultraut] s *iht* păstrăv european (Salmo trutta)

bull-voiced ['bul vɔist] adj cu voce de taur/stentor

bullweed ['bulwiːd] s *bot* vineţele, floarea grâului (Centaurea cyanus)

bully¹ ['buli] I s 1 om certăreţ/gâlcevitor, târâie-brâu; bătăuş 2 lăudăros, fanfaron; farfara 3 om care intimidează pe alţii; tiran II vt 1 a intimida 2 a nu lăsa în pace 3 a brusca III adj F prima, excelent IV adv foarte, grozav de

bully² s conserve de carne de vacă

bullying ['buliiŋ] adj neobrăzat, neruşinat, sfruntat

bullyrag ['buliræg] vt a intimida; a tiraniza

bulrush ['bulrʌʃ] s *bot* rogoz, pipirig (Scirpus sp.); trestie; papură

bulwark ['bulwək] I s 1 zid, val; bastion 2 dig, zăgaz 3 *nav* parapet, spargeval 4 *fig* bastion, apărător II vt 1 a întări cu un zid etc. (v. ~ I 1-3) 2 *fig* a fi (ca) un bastion pentru

Bulwer-Lytton ['bulwə'litən], **Edward** romancier şi dramaturg englez (1803-1873)

bum¹ [bʌm] I s 1 F puturos, – leneş, trântor; – om de nimic; – vagabond 2 *sl* chiolhan, chef II vi 1 F a tăia frunză la câini, – a trândăvi,

a nu face nimic 2 ← F a umbla cu cerşitul, a trăi din mila altora 3 *sl* a suge, a bea vârtos III adj *sl* de calitate proastă/inferioară, prost, mizerabil

bum² s *vulg* dos, şezut

bum bailiff [bʌm'beilif] s ← *peior* aprod

bumble bee ['bʌmbl biː] s *ent* bondar, bărzăune (Bombus terrestris)

bumbledom ['bʌmbldəm] s ← F birocratism, spirit funcţionăresc

bumble-footed ['bʌmbl futid] adj cu picioarele strâmbe

bumbling ['bʌmbliŋ] adj cu ifose, care-şi dă importanţă

bumbo ['bʌmbou] s punch rece

bum boat ['bʌm bout] s *nav* barcă de provizii

bump [bʌmp] I s 1 ciocnire; lovitură, izbitură 2 umflătură, cucui, protuberanţă 3 accident de teren; *pl* teren accidentat, F hârtoape 4 dans modern II vt (against, on, upon) a lovi, a izbi (de) III adv brusc, pe neaşteptate IV *interj* tronc! poc! zdup!

bump against ['bʌmpə,genst] vi cu prep a se ciocni/a se izbi de

bumper ['bʌmpəʳ] I s 1 pahar plin, cupă plină 2 *auto* bară de protecţie 3 *text etc.* amortizor 4 ← F persoană, obiect *etc.* neobişnuit de mare; F dihanie, matahală, monstru II vt a umple (paharul) până sus III adj atr foarte bogat; neobişnuit (de mare), record

bumpily ['bʌmpili] adv cu smucituri

bumpiness ['bʌmpinis] s caracter accidentat (al terenului); hopuri

bump into ['bʌmp ,intə] vi F a se întâlni nas în nas cu (cineva)

bumpkin ['bʌmpkin] s bădăran, ţopârlan

bumptious ['bʌmpʃəs] adj îngâmfat, plin de sine

bumptiousness ['bʌmpʃəsnis] s îngâmfare, fudulie

bumpy ['bʌmpi] adj (d. drumuri) cu hopuri/hârtoape

bun¹ [bʌn] s chec (↓ cu stafide); **it takes the ~** F asta e culmea, asta le bate pe toate // **in a ~** (d. păr) cu coc

bun² s (↓ în basme) urechilă, iepurilă

bunch [bʌntʃ] I s 1 mănunchi, legă-tură; ciorchine *(de struguri);* bu-chet *(de flori)* 2 ← F grup, ceată, mănunchi II *vt* a strânge, a înmă-nunchea, a lega; a aduna III *vi* a se strânge, a se înmănunchea

bunch flower ['bʌntʃ ˌflauəʳ] s *bot* specie de crin *(Melanthium virginicum)*

bunch grass ['bʌntʃ graːs] s *bot* iarbă care creşte în mănunchiuri

bunching ['bʌntʃiŋ] s *auto* tren de vehicule

bunch onion ['bʌntʃ 'ʌnjən] s ceapă verde

bunch planting ['bʌntʃ ˌplaːntiŋ] s *agr* semănat în cuiburi

bunchy ['bʌntʃi] *adj* 1 care creşte în mănunchiuri 2 ieşit în afară; umflat; cocoşat

bunco ['bʌŋkou] s *sl* joc de noroc (↓ joc de cărţi) la care se trişează

buncom.be ['bʌŋkəm] s *amer* F vorbărie (goală), pălăvrăgeală

bundle ['bʌndl] I s 1 legătură; maldăr; snop 2 ghem *(de nervi etc.)* 3 pachet 4 *fiz* fascicul, grup 5 sul, val *(de hârtie)* II *vi* a se grăbi

bundle away ['bʌndləˈwei] *vi cu part adv* F v. **bundle off** I

bundle off ['bʌndl 'ɔːf] F I *vi cu part adv* a o şterge, a o lua din loc II *vt cu part adv* a expedia; a da paşaportul *cuiva*

bung [bʌŋ] I s 1 cep, vrană 2 *tehn* obturator II *vt* a astupa, a pune cep la *(un butoi)*

bungalow ['bʌŋgəlou] s bungalou, casă cu verandă *(la parter)*

bunghole ['bʌŋhoul] s cep, vrană

bungle ['bʌŋgl] I *vt* a face de mântuială; a cârpăci; a lucra prost la II *vi* a lucra de mântuială/ ca un cârpaci III s treabă de cârpaci/mântuială; **to make a ~ of it** a strica toată treaba

bungler ['bʌŋgləʳ] s lucrător prost, cârpaci

bungling ['bʌŋgliŋ] s cârpăceală, lucru prost/de mântuială

bunk¹ [bʌŋk] s F v. **buncombe**

bunk² s pat *(de cazarmă)*; prici; cuşetă

bunker ['bʌŋkəʳ] s 1 *nav* buncăr 2 *tehn* buncăr, rezervor 3 siloz 4 *sport* obstacol (↓ *de nisip)* pe terenul de golf 5 *mil* buncăr, adăpost

bunkum ['bʌŋkəm] s F v. **buncombe**

bunny ['bʌni] s iepuraş, urechilă, Rilă-lepurilă

bunt¹ [bʌnt] s *nav* baza vergii; burta pânzei

bunt² I *vt* a împunge; a lovi cu capul *sau* cu coarnele II s împun-sătură, lovitură *(cu capul sau cu coarnele)*

bunt³ s *bot* mălură *(Tilletia tritici)*

bunting¹ ['bʌntiŋ] s *orn* presură *(Emberiza sp.)*

bunting² s 1 pânză pentru steaguri 2 steaguri 3 *nav* astar

buntline ['bʌntlain] s *nav* cargă, cargafund

Bunyan ['bʌnjən], **John** *scriitor englez (1628-1688)*

buoy [bɔi] I s 1 *nav* baliză, geaman-dură 2 *nav* centură de salvare II *vt* 1 *nav* a baliza 2 *nav* a menţine la suprafaţă 3 *fig* a încuraja, a susţine, a sprijini; a înviora, a remonta

buoyage ['bɔidʒ] s *nav* balizare

buoyancy ['bɔiənsi] s 1 *nav* plutire, flotabilitate 2 *fiz* forţă ascen-sională 3 *fig* vioiciune; optimism, bună dispoziţie

buoyant ['bɔiənt] *adj* 1 *nav* plutitor, flotabil 2 *fig* vioi; optimist, plin de viaţă 3 *(d. valori la bursă)* în urcare

buoy boat ['bɔi bout] s *nav* balizor; navă de balizaj

buoy rope ['bɔi roup] s *nav* gripie, saulă de geamandură

bur [bəːʳ] s 1 *bot* ghimpe, scai, ţep 2 *bot* scai(ete) *(Cirsium lanceola-tum);* **to stick like a ~** a se ţine scai 3 *fig* scai; belea, pacoste

bur. *presc de la* **bureau**

burbot ['bəːbət] s *iht* mihalţ *(Lota lota)*

burden¹ ['bəːdn] I s 1 povară, sarcină, greutate 2 *fig* povară, sarcină, răspundere 3 *fig* durere 4 *tehn* sarcină; şarjă II *vt* 1 a încărca 2 *fig* a încărca, a împo-văra; a asupri

burden² s 1 *muz, lit* refren 2 *fig* subiect (principal), temă

burdensome ['bəːdənsəm] *adj* greu, apăsător, oneros

burdock ['bəːdɔk] s *bot* 1 brustur(e), lipan *(Arctium lappa)* 2 scai(ete) *(Cirsium lanceolatum)*

bureau [bjuəˈrou], *pl şi* **bureaux** [bjuəˈrouz] s 1 birou, masă de lucru 2 birou; oficiu; departa-ment; secţie

bureaucracy [bjuəˈrɔkrəsi] s 1 birocraţie, birocratism 2 birocraţi

bureaucrat ['bjuəroukræt] s birocrat

bureaucratic ['bjuərouˈkrætik] *adj* birocratic

bureaucratism [bjuəˈrɔkrətizəm] s birocratism, birocraţie

burette [bjuəˈret] s *ch etc.* biuretă

burg [bəːg] s 1 *ist* burg, oraş întărit 2 *amer* ← F oraş; sat

burgee ['bəːdʒiː] s *nav* ghidon, pavilion de club *sau* companie

burgeon ['bəːdʒən] *poetic* I s mugur, boboc; mlădiţă II *vi* 1 *bot* a înmu-guri, a îmboboci 2 *fig* a înflori, a se dezvolta

burgess ['bəːdʒis] s *od* 1 cetăţean *(cu drept de vot)* 2 membru al parlamentului reprezentând un **borough** *sau* o universitate

burgher ['bəːgəʳ] s *od* cetăţean, „bürger"

burglar ['bəːgləʳ] s spărgător, hoţ

burglarious [bəːˈglɛəriəs] *adj* tâlhă-resc, de spărgător; de spargere

burglary ['bəːgləri] s *(furt cu)* spargere

burgomaster ['bəːgəˌmaːstəʳ] s primar *(în Olanda etc.)*

Burgundy ['bəːgəndi] s 1 *ist* provin-cie în Franţa 2 **b~** vin (roşu) de Burgundia

burial ['beriəl] s îngropare, înmor-mântare

burial feast ['beriəl fiːst] s praznic *(la înmormântare)*

burial ground ['beriəl graund] s loc de înmormântare; cimitir

burial place ['beriəl pleis] s v. **burial ground**

burial stone ['beriəl stoun] s piatră funerară

burial yard ['beriəl jaːd] s v. **burial place**

burke [bəːk] *vt* a sugruma, a stran-gula

Burke, Edmund *om de stat, orator şi eseist englez (1729-1797)*

burl [bəːl] *text* I s nod *(în stofă)* II *vt* a scoate nodurile din

burlap ['bəːlæp] s pânză pentru ambalaj

burlesque [bəːˈlesk] I s 1 burlescă, satiră; parodie 2 *muz* burlescă 3 *amer* (teatru de) varietăţi 4 *amer* farsă II *vt* a parodia; a carica-turiza

burliness ['bəːlinis] s corpolenţă, musculatură dezvoltată, vânjo-şie

burly ['bə:li] *adj* solid, voinic, zdravăn

Burma ['bə:mə] *ţară* Birmania

Burmese [bə:'mi:z] I *adj* birman II *s* 1 birman 2 (limba) birmană

burn[1] [bə:n] *s scot* pârâiaș, izvoraș

burn[2] I *pret și ptc* **burnt** [bə:nt] *și* **burned** [bə:nd] *vt* 1 a arde; a pune pe foc; **to ~ one's boats/bridges** *fig* a-și tăia orice posibilitate de retragere *sau* retractare; **to ~ the midnight oil** a lucra până noaptea târziu; **to ~ one's fingers** *fig* a-și frige degetele, a se arde 2 *med* a arde, a cauteriza 3 a arde *(mâncarea)*, a afuma 4 *tehn* a arde, a prăji, a calcina 5 *ch* a oxida 6 a arde, a ustura *(gura etc.)* 7 *(d. soare)* a arde, a prăji; a pârli 8 *fig* a arde, a mistui II *(v. ~ I) vi* 1 a arde, a fi aprins; a fi în flăcări 2 a arde, a dogori; a fi încins 3 a arde, a lumina 4 *(d. obraji etc.)* a arde, a fi aprins; *(d. cineva)* a arde, a avea temperatură/febră 5 *fig* **(with)** a arde *(de nerăbdare etc.)* III *s* 1 arsură 2 semn cu fierul roșu, danga

burnable ['bə:nəbl] *adj* care arde, inflamabil

burn away ['bə:n ,ə'wei] *vt cu part adv* a arde, a distruge prin foc

burn down ['bə:n 'daun] I *vt cu part adv* a arde până în temelii, a distruge prin foc II *vi cu part adv* a arde până în temelii, a fi mistuit de foc

burner ['bə:nəʳ] *s tehn* arzător, duză (de injecție)

burnet ['bə:nit] *s bot* sorbestrea *(Sanguisorba officinalis)*

burning ['bə:niŋ] I *adj* 1 *(d. o problemă etc.)* arzător 2 de ardere; incandescent 3 fierbinte II *s* 1 ardere 2 *tehn* călire; prăjire; calcinare 3 *ch* oxidare 4 *înv* fierbințeală, – temperatură

burning oil ['bə:niŋ oil] *s* petrol lampant

burning-out ['bə:niŋaut] *s* ardere (completă)

burning point ['bə:niŋ point] *s* 1 *ch* temperatură de aprindere/inflamabilitate 2 *fiz* focar 3 *met* temperatură de ardere

burnish ['bə:niʃ] I *vt* a șlefui, a poliza; a lustrui II *vi* a se șlefui; a se lustrui III *s* lustru, strălucire

burnisher ['bə:niʃəʳ] *s* 1 lustruitor; șlefuitor 2 *tehn* polizor

burnous [bə:'nu:s] *s* burnuz

burn out ['bə:n'aut] *vi cu part adv* a arde complet

Burns [bə:nz], **Robert** *poet scoțian (1759-1795)*

burnt [bə:nt] I *pret și ptc de la* **burn**[2] I, II II *adj* 1 ars; calcinat 2 *fig* care s-a ars/fript

burnt brick ['bə:nt brik] *s* cărămidă arsă

burnt gas ['bə:nt gæs] *s tehn* gaz de ardere

burnt steel ['bə:nt sti:l] *s met* oțel ars

burn up ['bə:n 'ʌp] *vt, vi cu part adv* a arde complet

burr[1] [bə:ʳ] *s v.* **bur**

burr[2] *s astr* halo lunar

burr[3] I *s* 1 *fon* pronunțare velară a lui „r" 2 (h)uruit *(de mașină etc.)* II *vi* a pronunța „r" velar

burr[4] *s tehn* bavură de găurit

burrow ['bʌrou] I *s și fig* vizuină, adăpost II *vi* a se ascunde într-o vizuină

burrow into ['bʌrou ,intə] *vi cu prep* a scormoni prin

bursar ['bə:səʳ] *s* 1 casier; trezorier, vistiernic 2 bursier *(al unei universități scoțiene)*

bursary ['bə:səri] *s* 1 casă; trezorerie, vistierie 2 bursă, stipendiu (↓ *într-o universitate scoțiană)*

burse ['bə:s] *s* 1 pungă, portofel 2 bursă (↓ *într-o universitate scoțiană)*

burst [bə:st] I *pret și ptc* **burst** [bə:st] *vi* a plesni, a crăpa; a se desface; a exploda II *(v. ~ I) vt* a arunca în aer, a face să explodeze; a distruge III *s* 1 explozie 2 *fig* explozie; cascadă ; ropot 3 *fig* izbucnire; avânt 4 *fig* apariție, ivire (bruscă) 5 *mil* rafală 6 *F* chef, petrecere, chiolhan

burster ['bə:stəʳ] *s* 1 om care aruncă ceva în aer 2 exploziv, încărcătură explozivă 3 vijelie, furtună *(în Australia)*

burst forth ['bə:st 'fɔ:θ] *vi cu part adv* a țâșni, a izbucni

burst forth from ['bə:st 'fɔ:θ frəm] *vi cu part adv și prep* 1 a se desprinde brusc de 2 a evada din

burst forth into ['bə:st 'fɔ:θ ,intə] *vi cu part adv și prep* a izbucni în; a începe; a începe să; **to ~ laughter** a izbucni în râs

bursting ['bə:stiŋ] I *s* explozie; izbucnire; plesnire, crăpare II *adj* exploziv; pe punctul de a plesni/crăpa

bursting shell ['bə:stiŋ ʃel] *s mil* obuz brizant

burst interval ['bə:st'intə:vəl] *s tehn* rază de explozie

burst into ['bə:st ,intə] *vi cu prep* 1 a izbucni în; a începe *cu ac;* **he ~ laughter** (el) izbucni în râs, începu să râdă 2 a năvăli în *(odaie etc.)*

burst in upon ['bə:st in ə,pɔn] *vi cu part adv și prep* a da buzna peste cineva

burst on ['bə:st ɔn] *vi cu prep* a izbi *(auzul)*

burst open ['bə:st 'oupn] I *vi cu adj* a se deschide brusc II *vt cu adj* a forța *(o ușă etc.)*

burst out ['bə:st'aut] *vi cu part adv (d. un război etc.)* a izbucni, a se dezlănțui // **he ~ crying** izbucni în plâns

burst up ['bə:st 'ʌp] *vi cu part adv* a suferi o înfrângere *sau* un accident

burst-up ['bə:stʌp] *s ← F* ruină, crah, faliment

burst upon ['bə:st ə,pɔn] *vi cu prep* a se ivi pe neașteptate în *(văzul cuiva etc.)*

burst with ['bə:st wið] *vi cu prep* 1 a crăpa/a nu mai putea de *(invidie etc.)* 2 *(d. crengi etc.)* a se rupe de *(rod)*

burstwort ['bə:stwə:t] *s bot* feciorică *(Herniaria glabra)*

burthen ['bə:ðən] *s ←* *înv, poetic* refren

Burton ['bə:tən], **Robert** *autor englez (1577-1640)*

burton *s nav* palanc simplu

burweed ['bə:wi:d] *s bot* turtiță, asprișoară *(Galium aparine)*

bury ['beri] I *vt* 1 a îngropa, a înmormânta; **to ~ alive** a îngropa de viu 2 *fig* a îngropa, a ascunde, a tăinui; **he buried his face in his hands** își ascunse fața în mâini II *vi (d. animale)* a se îngropa *(în pământ)*

burying ground ['beriŋ graund] *s* cimitir

bury oneself in ['beri wʌn'self in] *vr cu prep fig* a se îngropa în; a fi cufundat în

bus [bʌs] *s* 1 autobuz; **to miss the ~** *fig* a pierde autobuzul/trenul 2 *← F* mașină, automobil

bus boy ['bʌs bɔi] *s amer* picolo

busby ['bʌzbi] *s mil* căciulă de husar, artilerist *sau* genist

bush¹ [buʃ] **I** s 1 tufă, tufiş; **to beat about/around the ~** fig a se învârti în jurul problemei, F a bate câmpii 2 coadă stufoasă 3 regiune cu tufişuri **II** vi a se acoperi cu tufişuri

bush² s 1 tehn ştuț de țeavă 2 tehn bucşă, cuzinet 3 tel fişă

bush buck ['buʃ bʌk] s zool antilopă de pădure (Tragelaphus sylvaticus)

bushel¹ ['buʃl] s aprox baniță; buşel (36,36 l în Anglia, 35,23 l în S.U.A.); **to hide one's light under a ~** bibl a ascunde lumina sub oboroc

bushel² vt amer a repara; a transforma (haine)

bushel(l)er ['buʃlə'] s amer croitor

bush hammer ['buʃ ˌhæmə'] s constr ciocan de cioplit piatră

bushing ['buʃiŋ] s tehn bucşă, mufă; lagăr

Bushman ['buʃmən] s 1 boşiman 2 (limba) boşimană

bushman s locuitor al tufişurilor (în Australia)

bushwood ['buʃwud] s tufişuri, tufăriş

bushy ['buʃi] adj 1 cu tufişuri, acoperit cu tufişuri 2 (d. barbă etc.) stufos

busily ['bizili] adv preocupat; aferat

business ['biznis] s 1 afacere; tranzacție (comercială); comerț, negoț; **man of ~ a** om de afaceri **b** însărcinat, mandatar; **line of ~** com branşă; **to go into ~** a intra în comerț, a se face comerciant; **~ is ~** prov afacerile sunt afaceri, frate-frate, dar brânza-i pe bani 2 afaceri, comerț, activitate comercială; **~ is slack** activitatea comercială stagnează; afacerile merg prost 3 întreprindere comercială, firmă 4 magazin; prăvălie 5 afacere, chilipir 6 afacere; treabă, ocupație; chestiune, problemă; **he is on ~** e plecat cu treburi/în interes de serviciu; **mind your own ~!** vezi-ți de treaba ta! nu te băga/amesteca! **my ~ is with him** F am treabă cu el; **I mean ~ a** vorbesc serios **b** vreau să mă apuc (serios) de treabă; **what's her ~ here?** F ce caută (ea) aici? **the ~ of the day** ordinea de zi 7 profesie, ocupație, meserie 8 treabă, datorie,

obligație; **that's your ~** e datoria/ obligația dumitale 9 F treabă, afacere, poveste, chestie; **it was a terrible ~** a fost o poveste/ chestie îngrozitoare 10 teatru gestică, gesturi şi mimică

business hours ['biznis auəz] s pl ore de lucru, program în birouri şi magazine; ore când magazinele sunt deschise

business interests ['biznis ˌintrists] s pl com interese de afaceri

business-like ['biznis laik] adj 1 (d. scrisori etc.) de afaceri 2 practic 3 metodic; calculat; precis 4 expeditiv

businessman ['biznismən] s 1 comerciant, negustor 2 om de afaceri; afacerist

business manager ['biznis ˌmæni-dʒə'] s director comercial

business night ['biznis nait] s pol seară sau noapte de şedințe (a parlamentului)

busk¹ [bʌsk] s fanon, os de balenă (sau alt material pt corsete)

busk² vi ↓ scot a se pregăti; a se îmbrăca

busker ['bʌskə'] s cântăreț ambulant; flaşnetar

buskin ['bʌskin] s 1 botină 2 coturn 3 teatru tragedie

busman ['bʌsmən] s 1 şofer de autobuz 2 taxator de autobuz

busman's holiday ['bʌsmənz 'holə-di] s vacanță petrecută (cam) cu aceleaşi preocupări ca şi acelea de fiecare zi

buss [bʌs] ← înv **I** s sărut(are) **II** vt a săruta

bust¹ [bʌst] s 1 bust 2 piept de femeie

bust² sl **I** vt 1 a face felul cuiva, a curăța (pe cineva) 2 a arunca în aer; a sparge; a nimici, a face praf 3 – a lovi **II** vi 1 a sări în aer 2 a da faliment 3 a crăpa, a muri; a se face praf **III** s 1 chiolhan, chef 2 ceartă

bustard ['bʌstəd] s orn dropie (Otis tarda)

buster ['bʌstə'] s 1 amer sl bombă; chestie tare; ceva neobişnuit, enorm etc. 2 bombă care distruge tot 3 individ, tip

bustle¹ ['bʌsl] **I** vt a îndemna, a zori **II** vi a nu avea astâmpăr, a umbla de colo până colo, a se agita **III** interj mişcă! dă-i zor! **IV** s zarvă, freamăt, agitație

bustle² s turnură (la rochie)

bustle about ['bʌsl ə'baut] vi cu part adv v. **bustle¹ II**

bustler ['bʌslə'] s om care nu-şi găseşte astâmpăr

bustling ['bʌsliŋ] adj agitat, în freamăt; aferat

busy ['bizi] **I** adj 1 harnic, activ; **(as) ~ as a bee** harnic ca o albină 2 **(at, in, with)** ocupat, prins (cu); **the doctor is a ~ man** doctorul este un om ocupat 3 (d. o stradă etc.) aglomerat, plin de lume 4 (d. o zi etc.) plin, încărcat; greu 5 plictisitor, sâcâitor, insistent; băgăcios 6 (d. telefon) ocupat **II** vt a da de lucru cuiva

busy body ['bizi bodi] s (om) băgăcios, om băgăreț; om sâcâitor, F pacoste

busy-bodyish ['bizi ˌbodiiʃ] adj indiscret, băgăreț, sâcâitor

busy oneself about/with ['bizi wʌn'self ə,baut/wið] vr cu prep a se ocupa cu, a-şi petrece timpul cu, a vedea de

busy tone ['bizi toun] s tel ton de „ocupat"

but [bʌt forma tare, bət, bt forme slabe] **I** conj 1 dar, însă; ci; şi; totuşi, cu toate acestea; **I'd like to go with you ~ I can't right now** aş vrea să mă duc cu voi, dar nu pot chiar în momentul ăsta; **not John, ~ Jack** nu John, ci Jack; **not only... ~ also...** nu numai..., ci/dar şi...; **~ then** (dar) pe de altă parte; să nu uităm însă 2 (după prop neg sau interog) fără să; decât; **I never see this painting ~ I remember poor T.** nu mă uit niciodată la tabloul acesta fără să-mi amintesc de bietul T.; **I cannot ~ laugh** nu pot decât să râd, nu pot să nu râd; **what could I do ~ accept?** puteam face altceva decât să accept? **I cannot help ~ think that he is right** (n-am încotro) trebuie să recunosc că are dreptate; **he could not choose ~ go** n-a putut să facă altceva decât să plece; ce putea face altceva decât să plece? n-avea de ales – trebuia să plece 3 (după prop neg) ca să nu; **he is not so weak ~ he can work an hour or two** nu e atât de slab/debil ca să nu poată munci o oră-două 4 (după prop neg) fără a, fără să; **he never comes ~ he**

quarrels with somebody nu vine niciodată fără să se certe cu cineva 5 *(după prop neg)* că; **there's no doubt ~ he'll return tonight** nu e nici o îndoială că se va întoarce diseară **II** *adv* numai, doar; **the child is ~ five years old** copilul are numai cinci ani; **~ yesterday** nu mai departe de ieri; **there is ~ one way out** nu există decât o singură ieșire **III** *prep (în)* afară de; cu excepția *cu gen*; **all ~ him** toți cu excepția lui, toți afară de el; **the last ~ one** penultimul **IV** *pr rel neg (după prop neg)* care să nu; **there was not one of them ~ wished to give a lift** nu era nici unul printre ei care să nu vrea să dea o mână de ajutor

but-and-ben ['bʌt ənd'ben] *s* cabană cu două camere

butane ['bju:tein] *s ch* butan

butcher ['butʃəʳ] **I** *s* **1** măcelar; **at the ~'s** la măcelărie **2** *fig* măcelar, călău, casap **3** *fig* lucrător prost, cârpaci **II** *vt* **1** a înjunghia, a sacrifica, a tăia *(animale)* **2** a ucide, a omorî, a măcelări, a căsăpi **3** *fig* a masacra, a denatura **4** *fig* a face de mântuială

butcher bird ['butʃə bə:d] *s orn* lupul vrăbiilor, sfrâncioc *(Lanius sp.)*

butcherliness ['butʃəlinis] *s* sete de sânge, cruzime

butcherly ['butʃəli] *adj* sângeros; fioros, cumplit

butcher's bill ['butʃəzbil] *s fig* cheltuieli de război

butcher's broom ['butʃəz brum] *s bot* ghimpe, angelică *(Ruscus aculeatus)*

butcher's prickwood ['butʃəz ,prikwud] *s bot* crușin *(Rhamnus frangula)*

butcher's stall ['butʃəz stɔ:l] *s* măcelărie

butcher's work ['butʃəz wə:k] *s* masacru, măcel

butchery ['butʃəri] *s* **1** abator, zalhana **2** măcelărie **3** *fig* masacru, măcel

but for ['bʌt fəʳ] *prep* fără; dacă n-ar fi (la mijloc); dacă n-ar fi fost (la mijloc); **~ him I don't know what might have happened** dacă nu ar fi fost el, nu știu ce s-ar fi putut întâmpla

butler ['bʌtləʳ] *s* majordom; chelar

Butler, Samuel 1 *poet englez (1612-1680)* **2** *romancier englez (1835-1902)*

butt¹ [bʌt] **I** *s* **1** țâțână; balama **2** *tehn* încheietură, joantă, îmbinare **3** capăt gros *(al unui obiect)* **4** muc/capăt de țigară **5** *mil* pat de pușcă **6** împunsătură *(cu capul etc.)* **7** *fig* cal de bătaie **8** *fig* țintă, scop **II** *vt* a împunge *(cu capul etc.)* **III** *vi* **1** a împunge **2** a se proiecta în afară, a ieși în afară

butt² *s iht* calcan *(Pleuronectidae sp.)*

butt³ *s* butoi (mare), poloboc *(ca măsură: 490 l)*

butt against ['bʌt ə'genst] *vi cu prep* a împunge *cu ac*

butt against into ['bʌt ə'genst ,intə] *vi cu part adv și prep* a se lovi/a se izbi de

butt at ['bʌt ət] *vi cu prep* a împunge *cu ac*

butt end ['bʌt end] *s* **1** *v.* **butt¹** 1, 2 **2** *fig* final, sfârșit **3** *fig* parte principală, esență

butter ['bʌtəʳ] **I** *s* **1** unt; **he looks as if ~ would not melt in his mouth** nici usturoi n-a mâncat, nici gura nu-i miroase **2** *fig* lingușire, lingușiri, tămâiere **II** *vt* **1** a unge cu unt; **he knows on which side his bread is ~ed** își cunoaște (el) interesele, nu-l duci cu una cu două; **fine words ~ no parsnips** *prov* fapte, nu vorbe; vorbele frumoase nu fac varza grasă **2** *fig* a tămâia, a linguși

butterball ['bʌtəbɔ:l] *s* **1** gogoloș de unt **2** *fig* grăsun, buftea

butter bean ['bʌtə bi:n] *s bot* fasole neagră *(Phaseolus lunatus)*

butter boat ['bʌtə bout] *s* untieră

butterbur ['bʌtəbə:ʳ] *s bot* captalan, brustur *(Petasites officinalis)*

butter churn ['bʌtə tʃə:n] *s* putinei de unt

buttercup ['bʌtəkʌp] *s bot* piciorul cocoșului *(Ranunculus acer etc.)*

butter dairy ['bʌtə dɛəri] *s* untărie

butter daisy ['bʌtə ,deizi] *s v.* **buttercup**

butter dish ['bʌtə diʃ] *s* untieră

butter-fingered ['bʌtə,fiŋgəd] *adj ← F* neîndemânatic, stângaci

butter-fingers ['bʌtə,fiŋgəz] *s pl ca sg F* neîndemânatic, om cu două mâini stângi

butter flower ['bʌtə ,flauəʳ] *s v.* **buttercup**

butterfly ['bʌtəflai] *s* **1** *ent* fluture **2** *sport* fluture *(stil de înot)* **3** *fig* om superficial; femeie frivolă *etc.* **4** *tehn* fluture

butterfly valve ['bʌtəflai vælv] *s tehn* drosel, fluturaș

butterine ['bʌtərin] *s* margarină

butter knife ['bʌtə naif] *s* cuțit pentru unt

butter man ['bʌtəmən] *s* vânzător de unt

buttermilk ['bʌtəmilk] *s* **1** zer; janț **2** lapte bătut

butter up ['bʌtər ʌp] *vt cu part adv* a tămâia, a linguși

butterwort ['bʌtəwə:t] *s bot* foaie grasă *(Pinguicula sp.)*

buttery ['bʌtəri] **I** *adj* **1** de unt, din unt; untos **2** *fig* lingușitor **II** *s* bufet, cantină; cămară *(la universități)*

buttery hatch ['bʌtəri hætʃ] *s* ferestruică *(prin care se servește mâncarea de la bucătărie)*

but that ['bʌt ðət] *conj* **1** *(după prop neg)* ca să nu; încât; **he is not so stupid ~ he can understand** nu e atât/așa de prost ca/încât să nu înțeleagă **2** că; **I do not doubt ~ it is true** nu mă îndoiesc că este adevărat **3** dacă nu; **I would have helped him ~ I was short of money** l-aș fi ajutat dacă n-aș fi fost în pană de bani

butt in ['bʌt 'in] *vi cu part adv* a se băga în vorbă, a interveni în conversație; a întrerupe pe cineva

butting plough ['bʌtiŋ plau] *s agr* rariță

butt into ['bʌt ,intə] *vi cu prep* a se ciocni/a se izbi de

butt joining ['bʌt ,dʒɔiniŋ] *s tehn* înnădire cap la cap

buttock ['bʌtək] *s* **1** *anat* fesă, bucă **2** *pl* șezut, spate

button ['bʌtn] **I** *s* **1** nasture, bumb; **not to care a ~** *fig F* a nu-i păsa nici cât negru sub unghie **2** buton; **to press the ~** a apăsa pe buton **3** *tehn* buton, pastilă **II** *vt* **1** a coase nasturi la **2** a încheia cu nasturi, a încheia nasturii de la

button-down ['bʌtn daun] *adj atr* cu gulerul răsfrânt, deschis la gât

buttoned ['bʌtənd] *adj* cu nasturi

buttonhole ['bʌtnhoul] I s 1 butonieră 2 floare la butonieră II vt fig a ține (pe cineva) de vorbă apucându-l de nasturi

button on ['bʌtn ɔn] adj atr (d. guler etc.) care se încheie cu nasturi

button switch ['bʌtn switʃ] s el întrerupător cu buton

button up ['bʌtn 'ʌp] vt cu part adv v. button II, 2

button-up ['bʌt ʌp] adj atr (d. cămăși etc.) închis cu nasturi până la gât

butt out ['bʌt 'aut] vi cu part adv a se proiecta în afară, a ieși în afară

buttress ['bʌtris] I s 1 constr sprijin, contrafort; proptea 2 fig sprijin; proptea; stâlp II vt 1 constr a sprijini, a susține, a propti 2 fig a sprijini, a susține

buttress up ['bʌtris 'ʌp] vt cu part adv v. buttress II, 2

butt welding ['bʌt ˌweldiŋ] s met sudare cap la cap

butyl ['bju:til] s ch butil

butyric acid [bju:'tirik 'æsid] s ch acid butiric

buxom ['bʌksəm] adj (d. femei) 1 sănătoasă; durdulie; rumenă; plină de viață 2 bună (la suflet); inimoasă

buy [bai], pret și ptc **bought** [bɔ:t] I vt 1 (from, at, of) a cumpăra (de la) 2 fig a cumpăra, a corupe, a mitui II vi a face cumpărături

buy back ['bai 'bæk] vt cu part adv a răscumpăra

buyer ['baiəʳ] s cumpărător

buy in ['bai'in] vt cu part adv 1 a acapara, a cumpăra toată cantitatea de (mărfuri etc.) 2 a face provizii de, a cumpăra mari cantități de

buying capacity ['baiiŋ kə'pæsiti] s ec putere de cumpărare

buy off ['bai 'ɔ:f] vt cu part adv fig a cumpăra, a mitui

buy out ['bai 'aut] vt cu part adv a cumpăra toată cantitatea de

buy over ['bai 'ouvəʳ] vt cu part adv fig a cumpăra, a mitui

buy up ['bai 'ʌp] vt cu part adv v. buy out

buzz¹ [bʌz] I vi 1 a bâzâi, a zumzăi 2 a (h)urui 3 (d. urechi) a țiui II s 1 bâzâit, zumzet 2 (h)uruit 3 zvon 4 ← F telefon; **give me a ~** dă-mi un telefon, sună-mă

buzz² vt a bea până la ultimul strop, a scurge (o sticlă etc.)

buzzard ['bʌzəd] s 1 orn șorecar, uliul șopârlelor (Buteo buteo) 2 om hrăpăreț

buzzer ['bʌzəʳ] s 1 gânganie care bâzâie, bărzăune 2 sirenă 3 claxon 4 el summer; buzzer 5 sonerie

buzzer call ['bʌzə kɔ:l] s tel apel telefonic

buzz wig ['bʌz wig] s F stab, mare mahăr, – persoană importantă

bvt. presc de la 1 brevet 2 brevetted

bx. presc de la box sau boxes

by [bai] I prep 1 (chiar) lângă, foarte aproape de, alături de; în imediata vecinătate a cu gen; în preajma cu gen; **~ my side** lângă mine, alături de mine; **side ~ side** unul lângă altul 2 pe lângă: pe la; prin; **he went ~ the school** a trecut pe lângă școală; **he went ~ Bucharest** a trecut prin București 3 pe (un drum etc.) 4 cu; pe; **~ train** cu trenul; **~ plane** cu avionul; **~ air** cu avionul, pe calea aerului 5 până (la), până cel mai târziu, nu mai târziu de; **it will be ready ~ next Monday** va fi gata până lunea viitoare; **~ now** până acum; deja 6 în timpul cu gen; pe (lumină etc.); **to travel ~ night** a călători noaptea 7 la (lumina soarelui etc.) 8 pe (oră etc.), cu (ora, ziua etc.); **he was paid ~ the hour** era plătit cu ora 9 cu; de; câte; pe; **step ~ step** pas cu pas, treptat; **little ~ little** puțin câte puțin 10 după, după cum arată (ceasul etc.), potrivit cu dat 11 câte (unul etc.) 12 (cu un pr refl): **he lives ~ himself** trăiește singur 13 după; de la; din; **~ blood** după neam 14 de (către); **a play ~ Shakespeare** o piesă de Shakespeare; **the example given ~ the teacher** exemplul dat de (către) profesor 15 în (creion etc.), cu (creionul etc.) 16 cu (forța etc.); prin intermediul cu gen 17 prin; cu ajutorul, prin mijlocirea/intermediul cuiva 18 din (memorie etc.) 19 după (ureche etc.) 20 după; prin; din (vedere etc.) 21 pe (legea mea

etc.) 22 (în măsurători) pe; **seven ~ five** șapte pe cinci 23 mat cu; **to multiply three ~ ten** a înmulți trei cu zece 24 mat la, prin; **to divide ten ~ five** a împărți zece la cinci 25 de; **I seized him ~ the hand** l-am apucat de mână II adv 1 alături, aproape, în apropiere, în imediata apropiere 2 de/la o parte; **to lay/to put ~** și fig a pune deoparte

by- pref 1 alăturat, apropiat; **by-stander** spectator 2 lateral: **by-street** stradă laterală 3 auxiliar: **by-product** produs auxiliar/ secundar

by and by ['baiən'bai] adv 1 curând (după aceea) 2 treptat(-treptat), încetul cu încetul

by-and-by s viitor

by and large ['bai ən la:dʒ] adv amer în general (vorbind)

by-blow ['bai blou] s 1 accident, întâmplare, caz neprevăzut 2 copil nelegitim, bastard

by-channel ['bai'tʃænl] s canal lateral

by-corner ['bai 'kɔ:nəʳ] s ascunziș, adăpost

by dint of ['bai 'dint əv] prep în virtutea cu gen

bye [bai] s ceva întâmplător sau auxiliar

bye-bye ['bai 'bai] I interj F pa, – la revedere II s (în limbajul copiilor) nani, somn

bye-elections ['bai i'lekʃənz] s pl alegeri parțiale

Byelorussia [ˌbjelou'rʌʃə] s fosta Bielorusie (în prezent Belarus)

Byelorussian [ˌbjelou'rʌʃən] I adj belarus II s 1 bielorus, belarus 2 (limba) belarusă

by-end ['baiend] s 1 gând ascuns, intenție ascunsă 2 interes special

by far [bai'fa:ʳ] adv (cu) mult; de departe; **better ~** (cu) mult mai bun; **~ the best** de departe cel mai bun, infinit mai bun

bygone ['baigɔn] I adj atr trecut, apus; **in ~ days** altădată, pe vremuri II s pl trecut; ceea ce a fost; neînțelegeri etc. de altădată; **let ~s be ~s** să uităm ce a fost, să dăm uitării trecutul

by-key ['baiki:] s șperaclu

by-lane ['bailein] s uliță dosnică

by-law ['bailɔ:] *s* **1** statut local; decizie/hotărâre a organelor locale **2** dispoziție executivă

by means of [bai 'mi:nz əv] *prep* cu ajutorul *cu gen*, prin

byname ['baineim] *s* poreclă

by-pass ['baipɑ:s] **I** *s* **1** ocolire; drum ocolit; ocol **2** canal derivat/secundar **3** *agr* canal de scurgere **4** *el* șunt, derivație **II** *vt* **1** a ocoli, a înconjura; a evita **2** a înconjura, a împrejmui **3** *fig* a ocoli, a evita **4** *el* a șunta

bypath ['baipɑ:θ, *pl* 'baipɑ:ðz], *s* **1** cărare/potecă izolată **2** drum lateral **3** *fig* cărare ocolită *sau* întortocheată **4** drum particular

by-play ['baiplei] *s teatru* intrigă secundară; pantomimă

by-plot ['baiplɔt] *s teatru* intrigă secundară

by-product ['bai'prɔdʌkt] *s* produs secundar, derivat

Byrd [bə:d], **Richard** *explorator american (1888-1957)*

byre ['baiəʳ] *s* staul, ocol

by reason of [bai' ri:zən əv] *prep* datorită *cu dat*, în virtutea *cu gen*, din cauza *cu gen*

by-road ['bai roud] *s* **1** drum lateral **2** drum direct

Byron ['baiərən], **George** *poet englez (1788-1824)*

Byronic [bai'rɔnik] *adj* **1** byronian **2** cinic

bystander ['bai,stændəʳ] *s* spectator, martor

by-street ['bai ,stri:t] *s* stradă laterală

by the by(e) ['bai ðə 'bai] *adv* apropo, în treacăt fie zis

by-way ['bai wei] *s* **1** drum secundar **2** drum direct, scurtătură **3** *fig* tertip **4** *fig* capitol mai puțin cunoscut *(din literatură etc.)*

byword ['baiwə:d] *s* **1** proverb, zicală **2** întruchipare, personificare; persoană care a ajuns de pomină, cal de bătaie; obiect de batjocură

Byzantine [bi'zæntain] *adj, s* bizantin

Byzantine Empire, the [bi'zæntain 'empaiəʳ, ðə] *ist* Imperiul bizantin

Byzantium [bi'zænʃiəm] *ist* Bizanț

C

C, c [si:] **I** s **1** (litera) C, c **2** *muz* (nota) do **II** adj al treilea

C. presc de la **1** Catholic **2** Chancellor **3** Congress **4** Court **5** Corps **6** Conservative

C., c presc de la **1** candle **2** carbon **3** capacity **4** case **5** cathode **6** cent sau cents **7** centigrade **8** centime **9** centimetre **10** century **11** chapter **12** chief **13** church **14** circa **15** copy **16** copyright **17** cubic

c. presc de la **1** child **2** circa

ca. presc de la **1** cathode **2** circa

C.A. presc de la **1** Central America **2** Coast Artillery **3** Court of Appeal

C.A., c.a. presc de la **1** chief accountant **2** commercial agent **3** consular agent

C/A presc de la current account

cab [kæb] **I** s **1** cabrioletă; birjă **2** < taxi(metru) **3** auto cabina şoferului **4** birjar **II** vi F a lua o birjă/o trăsură sau un taxi

cabal [kə'bæl] **I** s **1** cabală, intrigă, intrigi, maşinaţii **2** ← rar clică (politică) **II** vi a complota; a urzi intrigi

cabalistic(al) ['kæbə'listik(əl)] adj cabalistic, ezoteric, mistic

caballine ['kæbəlain] adj cabalin, cavalin, ecvestru

cabaret ['kæbə,rei] s **1** cabaret; bar **2** cârciumă, tavernă **3** servantă (măsuţă) **4** spectacol de cabaret

cabbage¹ ['kæbidʒ] s **1** bot varză (de iarnă) (Brassica oleracea capitata) **2** căpăţână de varză **3** varză (gătită) **4** F tolomac; – om insensibil, impasibil sau nepăsător

cabbage² **I** s resturi din stofa clientului (rămase la croitor) **II** vt, vi a fura, a şterpeli, a sfeterisi

cabbage butterfly ['kæbidʒ,bʌtəflai] s ent fluture alb de varză (Pieris brassicae)

cabbage head ['kæbidʒ,hed] s **1** căpăţână de varză **2** fig F cap sec, nătărău, dobitoc

cabbage lettuce ['kæbidʒ'letis] s bot lăptuci (Lactuca sativa capitata)

cabbage tree ['kæbidʒ,tri:] s bot numeroase varietăţi de palmier

cabbala [kə'bɑ:lə] s **1** rel cabala **2** cabalistică

cabby ['kæbi] s ← F v. cab driver

cab driver ['kæb'draivə'] s **1** birjar **2** şofer de taxi

cabin ['kæbin] **I** s **1** casă simplă; bordei; baracă **2** nav etc. cabină **II** vt a înghesui (într-un spaţiu neîncăpător)

cabin boy ['kæbin,bɔi] s nav asistent-camerist

cabin class ['kæbin,klɑ:s] s nav clasa a doua

cabined ['kæbind] adj **1** prevăzut cu cabine **2** înghesuit; ticsit **3** lapidar; concis

cabinet ['kæbinit] s **1** cabinet (de lucru), birou **2** vitrină; dulap; bufet; servantă **3** cabinet, guvern **4** pol întrunirea cabinetului (de miniştri) **5** cutie (de radio etc.), combină

cabinet council ['kæbinit'kaunsl] s pol consiliu de miniştri

cabinet maker ['kæbinit'meikə'] s tâmplar de mobilă fină, ebenist

Cabinet Minister ['kæbinit'ministə'] s pol ministru plin

cabinet piano ['kæbinit'pjænou] s muz pianină

cab it ['kæbit] vt cu pron F v. cab **II**

cable ['keibəl] **I** s **1** cablu, odgon, frânghie/funie groasă **2** nav cablu, parâmă; lanţ; cablu de ancoră; cablu submarin; **to slip the** ~ a filarisi lanţul 2 nav cablu, ancablură (=185 m în Anglia, 219 m în S.U.A.) **4** tel cablu **5** tel cablogramă; telegramă **II** vt **1** a fixa cu un cablu etc. (v. ~ **I, 1-2**) **2** tel a telegrafia **III** vi tel a telegrafia

cable car ['keibəl,kɑ:'] s cabină de funicular

cablegram ['keibəl,græm] s v. **cable I, 5**

cable length ['keibəl,leŋθ] s v. **cable I, 3**

cable railway ['keibəl'reilwei] s funicular, teleferic

cable's length ['keibəlz,leŋθ] s v. **cable I, 3**

cablet ['keiblit] s nav garlin

cableway ['keibəl,wei] s **1** funicular, teleferic **2** constr macara-funicular

cabman ['kæbmən] s v. **cab driver**

caboodle [kə'bu:dəl] s: **the whole** ~ s/a toată gaşca/şleahta/banda **b** tot calabalâcul

caboose [kə'bu:s] s **1** nav cambuză; bucătărie **2** amer ferov vagon de serviciu

cabotage ['kæbə,tɑ:ʒ] s nav cabotaj

cabotinage ['kæbətinidʒ] s cabotinaj, cabotinism

cabrage ['kæbridʒ] s av cabraj

cab rank ['kæb,ræŋk] s ↓ amer **1** staţie de birje **2** staţie de taxiuri

cabriolet ['kæbriou'lei] s cabrioletă

cabstand ['kæb,stænd] s v. **cab rank**

ca'canny [kə'kæni] s grevă perlată; rezistenţă pasivă

cacao [kə'kɑ:ou] s **1** bot (arborele de) cacao (Theobroma cacao) **2** boabe de cacao **3** cacao (băutură)

cachalot ['kæʃə,lot] s zool caşalot (Physeter macrocephalus)

cache [kæʃ] s fr depozit secret (↓ de arme etc.)

cachectic [kə'kektik] adj med caşectic, epuizat

cachet ['kæʃei] s fr **1** semn de autenticitate; semn distinctiv **2** med caşet(ă)

cachexy [kə'keksi] s med caşexie, epuizare

cachou ['kæʃu:] s v. **catechu**

cackle ['kækəl] **I** vi **1** (d. găini) a cotcodăci; (d. gâşte) a gâgâi **2** fig a trăncăni, a flecări **3** (at) fig a râde pe înfundate (de) **II** s **1** cotcodăcit; gâgâit **2** flecăreală, pălăvrăgeală **3** râs pe înfundate, chicotit

cackler ['kæklə'] s **1** găină care cotcodăceşte; gâscă care gâgâie **2** fig flecar, palavragiu, gură-spartă

cacophonous [kə'kɔfənəs] adj cacofonic

cacophony [kə'kɔfəni] s cacofonie

cactus ['kæktəs], pl şi **cacti** ['kæktai] s bot cactus (Cactaceae sp.)

cad [kæd] s **1** mojic, bădăran **2** ticălos, nemernic

cadastral [kə'dæstrəl] *adj* cadastral

cadaver [kə'deivə'] *s med* cadavru

cadaverous [kə'dævərəs] *adj* cadaveric; de cadavru; (ca) de mort

caddie ['kædi] *s v.* **caddy¹**

caddish ['kædiʃ] *adj* **1** mojic, necioplit **2** ticălos, mârşav

caddishness ['kædiʃnis] *s* grosolănie; vulgaritate

caddy¹ ['kædi] *s* **1** băiat, flăcăiaş **2** băiat care strânge mingile la tenis *sau* golf

caddy² *s* cutie pentru ceai

cade [keid] *s bot* ienupăr *(Juniperus oxycedrus)*

cadence ['keidəns] *s* cadenţă, ritm; metru

cadent ['keidənt] *adj* **1** ← *poetic* căzător, care cade **2** *poetic* picurat **3** ritmic, cadenţat

cadenza [kə'denzə] *s muz* cadenţă

cadet [kə'det] *s* **1** *mil, nav* cadet **2** fiu mai mic; fiul cel mai mic, mezin **3** începător, boboc

cadet corps [kə'det kɔ:] *s mil* corpul cadeţilor

cadge [kædʒ] ← *F* **I** *vi* a cerşi, a umbla cu cerşitul **II** *vt* a cerşi, a cere; a obţine prin cerşit

cadger ['kædʒə'] *s* cerşetor, milog

cadi ['kɑ:di] *s* cadiu

Cadiz [kə'diz] *oraş în Spania*

cadmium ['kædmiəm] *s ch* cadmiu

Cadmus ['kædməs] *mit*

cadre ['kɑ:də'] *s* **1** cadru; activist **2** *fig* cadru; plan

caduceus [kə'dju:siəs] *s mit* caduceu

caducity [kə'dju:siti] *s* **1** caducitate, caracter trecător **2** bătrâneţe; senilitate

caducous [kə'dju:kəs] *adj bot etc.* caduc, căzător

caecum ['si:kəm], *pl* **caeca** ['si:kə] *s anat* cec(um)

Caedmon ['kædmən] *poet englez (sec. VII)*

Caen [kɑ:ŋ] *oraş în Franţa*

Caerphilly [kɛə'fili] *s* un fel de brânză din Ţara Galilor *(albă ca smântâna)*

Caesar ['si:zə'] *s ist* cezar, împărat roman

Caesar, Julius ['si:zə', 'dʒu:liəs] *împărat roman (100-44 î.e.n.)*

ceasarean [si'zɛəriən] *adj v.* **caesarian**

caesarian operation/section [si-'zɛəriən, ɔpə'reiʃən/'sekʃən] *s med* (operaţie) cezariană

caesium ['si:ziəm] *s ch* cesiu

caesura [si'zjuərə] *s metr* cezură

café ['kæfei] *s* **1** *(în Anglia)* ceainărie; cafe, restaurant mic *(fără băuturi alcoolice)* **2** *(în afara Angliei)* restaurant; bar **3** cafenea **4** cafea

cafeteria [ˌkæfi'tiəriə] *s* bufet cu autoservire

caffeine ['kæfi:n] *s* cafeină, cofeină

caftan ['kæf,tæn] *s* caftan

cage [keidʒ] **I** *s* **1** colivie; cuşcă **2** închisoare, temniţă **3** (cabină de) lift **4** coş *(la baschet)* **II** *vt* a băga într-o colivie

cageling ['keidʒliŋ] *s* pasăre de colivie

cagey ['keidʒi] *adj amer* ← *F* **1** rezervat; ascuns, închis **2** precaut, prevăzător **3** viclean; şmecher

cagily ['keidʒili] *adv* ← *F* rezervat; evaziv; pe ascuns

caginess ['keidʒinis] *s* caracter ascuns, secret

cahoot [kə'hu:t] *s* ↓ *amer sl* tovărăşie; **to be in ~s with** a fi mână în mână cu; **to go ~ (s)** a merge, a împărţi pe din două

Caiaphas ['kaiə,fæs] *bibl* Caiafa

caic [kai'i:k] *s* caiac

caiman ['keimən] *s zool* caiman *(Caiman sp.)*

Cain [kein] *bibl*

caique [kai'i:k] *s* caic

cairn [kɛən] *s* **1** piatră de hotar; morman de pietre **2** tumul (celtic)

cairngorm ['kɛən,gɔ:m] *s minr* cuarţ fumuriu

Cairo ['kairou] **1** *capitala Egiptului* **2** *oraş în S.U.A.*

caisson [kə'su:n] *s tehn, mil* cheson; camion de muniţii

caitiff ['keitif] *s* ← *înv* **1** fricos; mişel, laş **2** nemernic, ticălos

cajole [kə'dʒoul] *vt* a linguşi; a amăgi prin linguşiri; **to ~ smth out of smb** a smulge/a obţine prin linguşiri ceva de la cineva; **to ~ smb into doing smth** a determina pe cineva să facă ceva, prin linguşiri

cajolement [kə'dʒoulmənt] *s* linguşire, flatare; ademenire prin vorbe dulci

cajoler [kə'dʒoulə'] *s* linguşitor

cajolery [kə'dʒouləri] *s v.* **cajolement**

cajoling [kə'dʒoulin] *adj* **1** linguşitor, măgulitor, mieros **2** ademenitor, ispititor

cake [keik] **I** *s* **1** prăjitură; cozonac; chec; tort; pesmet *(ca prăjitură);* turtă; **to sell like hot ~ s** a se vinde ca pâinea caldă; **to take the ~** *amer F* a lua lozul/potul; **you cannot eat your ~ and have it** *prov* şi cu varză grasă/unsă şi cu slănina în pod nu se poate **2** bucată; calup; turtă; bulgăre; brichetă **3** pojghiţă; crustă **4** turtă *(de in etc.)* **5** cheag (de sânge) // **a piece of ~** *sl* nimic mai uşor, treabă uşoară **II** *vt* a da *cu dat* formă de tort etc. *(v. v. I, 1-2)* **III** *vi* a se întări, a se prinde coajă; a se încheia, a se lipi *(de pantof etc.)*

cake bread ['keik,bred] *s* **1** pâinişoară cu lapte **2** franzeluţă

caked coal ['keik,koul] *s min* cărbune cocsificat

cakes and ale ['keiksənd'eil] *s pl* **1** plăcerile vieţii **2** petreceri; petrecere, chef; veselie; viaţă fără griji

cakewalk ['keik,wɔ:k] **I** *s* cakewalk **II** *vi* a dansa în stilul „cakewalk"

caky ['keiki] *adj* (ca) de turtă, ca turta

Cal. *presc de la* **1** California **2 large calorie(s)**

cal. *presc de la* **1** calendar **2** caliber **3 small calorie(s)**

calabash ['kælə,bæʃ] *s* **1** *bot* tigvă *(Lagenaria vulgaris)* **2** vas *etc.* făcut dintr-o tigvă

calaboose ['kælə,bu:s] *s amer* închisoare (mică)

Calabria [kə'læbriə] *regiune în Italia*

Calais ['kælei] *oraş în Franţa*

calamary ['kælə,mæri] *s zool* calmar, sepie *(Loligo)*

calamine ['kæləmain] *s minr* calamină, galmei

calamitous [kə'læmitəs] *adj* funest, catastrofal, dezastruos

calamitously [kə'læmitəsli] *adv* (în mod) dezastruos; ca o calamitate

calamity [kə'læmiti] *s* calamitate, nenorocire, năpastă, pacoste

calamity howler [kə'læmiti'haulə'] *s* cobe, piază-rea

calamus ['kæləməs] *s* **1** *bot* obligeană *(Acorus calamus)* **2** *od* pană de trestie

calash [kə'læʃ] *s od* caleaşcă

calcareous [kæl'kɛəriəs] *adj ch etc.* calcaros

calcedony [kæl'sedəni] *s minr* calcedonie

Calchas ['kælkæs] *mit*

calciferous [kæl'sifərəs] *adj ch etc.* calcaros

calcification [,kælsifi'keiʃən] *s* 1 *ch etc.* calcificare; pietrificare 2 *med* calcifiere, calcificare, osificare

calcify ['kælsi,fai] I *vt ch etc.* a calcifica; a pietrifica II *vi* 1 *ch etc.* a se calcifica, a se întări, a se împietri 2 *med* a se calcifi(c)a; a se osifica

calcination [,kælsi'neiʃən] *s* 1 *ch etc.* calcinare, ardere 2 *fig* purificare, curățire

calcinator [,kælsi'neitəʳ] *s ch etc.* calcinator

calcine ['kælsain] I *vt* 1 *ch etc.* a calcina, a arde; a oxida 2 *fig* a purifica, a curăța II *vi ch etc.* a se calcina; a se preface în var

calcite ['kælsait] *s minr* calcit

calcium ['kælsiəm] *s ch* calciu

calcium bicarbonate ['kælsiəmbai'ka:bənit] *s ch* bicarbonat de calciu

calcium carbide ['kælsiəm'ka:baid] *s ch* carbură de calciu, carbid

calcspar ['kælk,spa:ʳ] *s minr* calcit; spat de Islanda

calculable ['kælkjuləbəl] *adj* calculabil; previzibil

calculably ['kælkjuləbli] *adv* atât cât se poate calcula

calculate ['kælkju,leit] I *vt* 1 a calcula, a socoti; a număra 2 *fig* a calcula; a chibzui, a judeca 3 *fig amer* a presupune; a-și închipui; a anticipa, a prevedea II *vi* a calcula, a socoti; a număra

calculated ['kælkju,leitid] *adj* 1 calculat, socotit 2 calculat; premeditat

calculated for ['kælkju,leitid fəʳ] *adj cu prep* destinat pentru; bun pentru

calculate on/upon ['kælkju,leiton/ə,pɔn] *vi cu prep* a conta pe, a se bizui pe

calculating ['kælkjuleitiŋ] *adj atr* 1 de calculat; pentru calculat 2 *fig* precaut, prevăzător; chibzuit, calculat

calculatingly ['kælkjuleitiŋli] *adv* 1 (în mod) prudent, precaut, grijuliu 2 (în mod) chibzuit, calculat, cu socoteală

calculating machine ['kælkjuleitiŋ mə'ʃi:n] *s tehn* mașină de calculat

calculation [,kælkju'leiʃən] *s* 1 calculare, socotire; calcul, socoteală 2 *fig* apreciere, estimare, evaluare 3 *fig* chibzuire, cumpănire

calculator ['kælkju,leitəʳ] *s* 1 calculator *(persoană)* 2 *tehn* calculator; mașină de calculat; aritmometru

calculus ['kælkjuləs] *pl* și **calculi** ['kælkju,lai] *s med, mat* calcul

Calcutta [kæl'kʌtə] *oraș în India*

Calderon [,kʌlde'rɔn] **de la Barca** *scriitor spaniol (1600-1681)*

caldron ['kɔ:ldrən] *s v.* **cauldron**

Caldwell ['kɔ:ldwel], **Erskine** *scriitor american (n. 1903)*

Caledonia [,kæli'douniə] *înv, poetic* Caledonia, – Scoția

Caledonian [,kæli'douniən] *adj, s înv, poetic* caledonian, – scoțian

Caledonian Canal, the [,kæli'douniən kə'næl, ðə] Canalul Caledonian

calefaction [,kæli'fækʃən] *s tehn* calefacție; incandescență

calendar ['kælindəʳ] I *s* 1 calendar; almanah 2 listă, tabel; opis; catalog 3 *pol amer* listă de ședințe II *vt* a trece în calendar

calendar year ['kælində,jə:ʳ] *s* an; an calendaristic

calender ['kælindəʳ] I *s poligr* calandru, mangal II *vt* a calandra; a presa, a călca

calendered paper ['kælindəd,peipəʳ] *s* hârtie satinată

calends ['kælindz] *s pl ist* calende; **on/at the Greek** ~ la calendele grecești, *F* → la paștele cailor

calf¹ [ka:f] *s* 1 vițel; **in/with** ~ *(d. vacă)* cu vițel, gestantă 2 piele de vițel 3 *zool* pui *(de elefant, balenă etc.)* 4 *fig F* vițel, nătărău

calf² *s anat etc.* pulpă; gambă

calf leather ['ka:f,leðəʳ] *s* piele de vițel

calf love ['ka:f,lʌv] *s* dragoste de licean

calf's foot ['ka:fs,fut] *s* piftie din picioare de vițel

calfskin ['ka:f,skin] *s* piele de vițel

calf's teeth ['ka:fs,ti:θ] *s pl anat* dinți de lapte

Caliban ['kæli,bæn] *s fig* monstru, namilă

caliber ['kælibəʳ] *s amer v.* **calibre**

calibrate ['kæli,breit] *vt tehn, mil* calibrare

calibrator ['kæli,breitəʳ] *s tehn* (aparat) etalon

calibre ['kælibəʳ] *s* 1 *tehn* calibru, diametru interior 2 *fig* calibru 3 *fig* valoare

calico ['kæli,kou] *pl* **calico(e)s** ['kæli,kouz] *s* stambă (neimprimată), pânză crudă

California [,kæli'fɔ:niə] *stat în S.U.A.*

Californian [,kæli'fɔ:niən] *adj, s* californian

Caligula [kə'ligjulə] *împărat roman (12-41)*

calipers ['kælipəz] *s pl amer v.* **callipers**

caliph ['keilif] *s ist* calif

caliphate ['keili,feit] *s ist* califat

calisthenics [,kælis'θeniks] *s pl amer v.* **callisthenics**

calk¹ [kɔ:k] *vt* a calchia *(un desen)*

calk² I *s* caia, cui de potcoavă; crampon II *vt tehn* a călăfătui, a etanșa

calkin ['kɔ:kin] *s* caia, cui de potcoavă

call [kɔ:l] I *vt* 1 a chema, a striga 2 a chema, a numi; a zice, a spune, a denumi; a boteza; **she is ~ed Mary** numele ei este Mary, o cheamă/îi zice Mary; **what do you ~ that in Romanian?** cum i se spune/i se zice pe/în românește? 3 a aduna, a strânge; a convoca *(o ședință)* 4 a atrage *(atenția cuiva)* 5 a deștepta, a trezi *(din somn)* 6 a considera, a socoti, a numi; **I ~ that a rude answer** consider că este un răspuns nepoliticos 7 a telefona cuiva, a suna *(pe cineva)* 8 *scot sl* a vorbi urât despre *(cineva)* II *vi* 1 a striga; a țipa 2 *(d. pisici)* a mieuna; *(d. lupi)* a urla; *(d. ciori)* a croncăni etc. 3 a telefona, a da un telefon 4 a face o vizită scurtă, a trece *(pe la cineva)* III *s* 1 chemare; strigăt; apel 2 apel (nominal), strigare a catalogului 3 invitație; sugestie, propunere 4 *com* căutare, solicitare 5 apel telefonic; chemare telefonică; convorbire telefonică, telefon 6 chemare, somație *(pentru neplată etc.)* 7 *mil* chemare sub arme 8 nevoie, necesitate 9 cauză, motiv; **he had no ~ to do that a**

nu avea nici un motiv să facă asta **b** nu avea nici un drept să facă asta **10** *fig* chemare, glas; **the ~ of one's native places** chemarea locurilor natale **11** vizită scurtă (↓ oficială); vizită (profesională *sau* de afaceri) **12** *nav* escală **13** *sport* decizie a arbitrului **14** strigăt; urlet; mieunat; croncănit *etc.*//**within ~** în apropiere, aproape *(în așa fel încât să audă când este strigat);* **at ~** la dispoziție/ordin

call about ['kɔːlə,baut] *vi cu prep* a veni pentru

call again ['kɔːlə'gen] *vi cu adv* a veni din nou, a reveni

calla lily ['kælə 'lili] *s bot* cală *(Zantedeschia aethiopica)*

call away ['kɔːl ə'wei] *vt cu part adv* **1** a spune *cuiva* să plece *sau* să iasă **2** a abate, a distrage *(atenția)*

call back ['kɔːl'bæk] **I** *vt cu adv sau part adv* **1** a rechema, a chema înapoi **2** a lua înapoi; a retracta, a retrage *(cuvântul)* **3** *fig* a rechema la viață, a reînvia **4** a mai telefona *cuiva*, a suna din nou *(pe cineva)* **II** *vi cu part adv* **1** a reveni; a mai face o vizită **2** a reveni cu un telefon, a mai telefona

call bell ['kɔːl,bel] *s* **1** sonerie **2** deșteptător

call box ['kɔːl bɔks] *s* cabină telefonică

call boy ['kɔːl ,bɔi] *s* **1** băiat de serviciu **2** *nav* mus **3** *teatru* băiat care anunță actorii când să intre pe scenă

call by at ['kɔl:'bai ət] *vi cu part adv și prep F* a da o raită prin *(magazine etc.)*/pe la

call down ['kɔːl'daun] *vt cu part adv* **1** a chema, a invoca **2** *sl* a trage *cuiva* un perdaf/o săpuneală, a săpuni, – mustra; a ocărî

caller ['kɔːlə'] *s* vizitator, oaspete, musafir

call for ['kɔːl fə'] *vi cu prep* **1** a veni după **2** a întreba de(spre) **3** a vizita, a trece pe la **4** a cere, a reclama, a atrage după sine

call forth ['kɔːl 'fɔːθ] *vt cu part adv* a provoca, a determina, a atrage după sine

calligrapher [kə'ligrəfə'] *s* caligraf

calligraphic [kæli'græfik] *adj* caligrafic

calligraphist [kə'ligrəfist] *s* caligraf

calligraphy [kə'ligrəfi] *s* caligrafie, scris

call in ['kɔːl'in] *vt cu part adv* **1** a scoate din circulație, a retrage de pe piață **2** a invita, a pofti **3** a pune sub semnul *(întrebării)* **4** *mil* a chema sub drapel/arme **5** a cere/a pretinde plata *(sumei datorate etc.)*

calling ['kɔːliŋ] *s* **1** chemare; apel; strigăt *sau* strigăte **2** chemare, vocație **3** profesie, meserie, îndeletnicire

calling card ['kɔːliŋ ,kaːd] *s* carte de vizită

calling day ['kɔːliŋ dei] *s* zi de primire

calling signal [,kɔːliŋ 'signəl] *s tel* semnal de apel

call into ['kɔːl intə] *vt cu prep* a chema la (viață); **to ~ play** a pune în joc/mișcare

Calliope [kə'laiəpi] *mit* Caliope

callipers ['kælipəz] *s pl tehn* șubler; compas de exterior

callisthenics [,kælis'θeniks] *s pl ca sg* gimnastică ritmică/suedeză; antrenament fizic

call loan/money ['kɔːl,loun/,mʌni] *s fin* împrumut condiționat *(plătibil la cerere)*

call number ['kɔːl'nʌmbə'] *s tel* număr de telefon

call off ['kɔːl 'ɔ(ː)f] *vt cu part adv* **1** a rechema, a chema înapoi **2** a anula, a revoca; a contramanda **3** a opri, a întrerupe

call-off ['kɔːl,ɔ(ː)f] *s* **1** rechemare **2** anulare, reziliere **3** oprire, întrerupere

call on ['kɔːlɔn] *vi cu prep* **1** a trece pe la; a face *cuiva* o vizită scurtă **2** a apela la; a solicita *cu ac* **3** a invita, a pofti *cu ac* **4** a da cuvântul *cuiva* **5** a trebui să pună în aplicare/să folosească *(forța etc.)*

call oneself ['kɔːlwʌn,self] *vr cu complinire* a-și spune, a zice că este; **do you still call yourself my friend?** și mai spui că-mi ești prieten?

callosity [kə'lɔsiti] *s* **1** calozitate, învârtoșare *(a pielii);* bătătură **2** *fig* învârtoșare; asprime; cruzime

callous ['kæləs] *adj* **1** *(d. piele)* învârtoșat, îngroșat, bătătorit **2** *fig* împietrit, aspru, dur; crud

callousness ['kæləsnis] *s v.* **callosity**

call out ['kɔːl 'aut] **I** *vi cu part adv* a vorbi tare; a striga **II** *vt cu part adv* **1** a striga *(nume)* **2** a provoca la duel **3** a chema; a convoca; a ordona *(soldaților etc.)* să vină în ajutor **4** a chema la grevă **5** *mil* a chema sub drapel/arme

call over ['kɔːl'ouvə'] *vt cu part adv* **1** a chema încoace *(pe partea aceasta a străzii etc.)* **2** a striga *(catalogul, numele)*

callow ['kælou] *adj* **1** fără pene, golaș **2** *fig* tânăr, crud, novice

call sign ['kɔːl,sain] *s* **1** *tel* indicator de apel **2** *nav* indicativ de apel

call together ['kɔːl tə'geðə'] *vt cu part adv* a strânge; a chema; a convoca

call-up ['kɔːl,ʌp] *s* **1** *mil* chemare sub arme; mobilizare **2** *mil* rezerviști chemați sub arme **3** *tel* apel

call up ['kɔːl 'ʌp] *vt cu part adv* **1** a chema (la telefon), a suna **2** *fig* a evoca, a deștepta, a trezi **3** *mil* a chema sub arme/drapel

callus ['kæləs] *s* **1** *med* calus **2** bătătură **3** *bot* nod

calm [kɑːm] **I** *adj* **1** calm, fără vânt; frumos, senin **2** *fig* calm, liniștit, potolit; cu sânge rece **II** *s* **1** calm, acalmie **2** *fig* liniște, pace, calm **III** *vt și fig* a calma, a liniști, a potoli, a domoli

calmative ['kælmətiv] *s, adj med* calmant

calm belt ['kɑːm ,belt] *s geogr* zonă de calm (ecuatorial)

calm down ['kɑːm daun] **I** *vt cu part adv v.* **calm III II** *vi cu part adv și fig* a se calma, a se liniști, a se potoli, a se domoli

calming ['kɑːmiŋ] *adj atr* liniștitor, calmant

calmly ['kɑːmli] *adv* calm, cu calm, liniștit; cu sânge rece

calmness ['kɑːmnis] *s* **1** calm, liniște **2** *fig* calm; liniște sufletească

calomel ['kælə,mel] *s ch* calomel

calor gas ['kælə ,gæs] *s* aragaz

caloric [kə'lɔrik] *adj* caloric

calorie ['kæləri] *s* calorie

calorific [,kælə'rifik] *adj fiz* calorific; termic; caloric

calorifics [,kælə'rifiks] *s pl ca sg fiz* termotehnică

calorifier [kə'lɔri,faiə'] *s* calorifer

calorimeter [,kælə'rimitə^r] *s fiz* calorimetru

calory ['kæləri] *s* calorie

calotte [kə'lɔt] *s tehn etc.* calotă

caltrap, caltrop ['kæltrəp] *s* **1** *mil od* bucăți de fier cu vârfuri ascuțite *(pt a opri înaintarea dușmanului)* **2** *bot* colțul-babei *(Tribulus terrestris)*

calumet ['kælju,met] *s* calumet, pipa păcii *(la indieni)*

calumniate [kə'lʌmni,eit] **I** *vt* a calomnia, a defăima **II** *vi* a bârfi, a cleveti

calumniatory [kə'lʌmniətəri] *adj* calomniator, defăimător

calumny ['kæləmni] *s* calomnie, defăimare; clevetire

Calvary ['kælvəri] *s* **1** *rel* Golgota **2** c~ *fig* calvar; patimi; chin

calve [ka:v] *vi*, *vt (d. vacă)* a făta

calves [ka:vz] *pl de la* **calf**[1, 2]

Calvin ['kælvin] **1 John** *reformator protestant (1509-1564)* **2** *nume masc*

Calvinism ['kælvi,nizəm] *s rel* calvinism

calvinist ['kælvinist] *adj*, *s rel* calvin(ist)

calyces ['kæli,si:z] *pl de la* **calyx**

Calypso [kə'lipsou] *s* **1** *mit* Calipso **2** *muz* calipso

calyx ['keiliks], *pl și* **calyces** ['kæli-,si:z] *s bot* caliciu, potir

cam [kæm] *s tehn* camă; excentric

camaraderie [,kæmə'ra:dəri] *s fr* camaderie, spirit tovărășesc

Camb. *presc de la* **Cambridge**

camber ['kæmbə^r] **I** *s* curbură; bombament; convexitate **II** *vt* **1** a curba; a bomba **2** a îndoi

cambium ['kæmbiəm] *s bot* cambiu

Cambodia [kæm'boudiə] *țară înv* Cambodgia, – Kampucia

Cambria ['kæmbriə] ← *poetic* Țara Galilor, Wales

Cambrian ['kæmbriə] **I** *adj* **1** velș, din Țara Galilor **2** *geol* cambrian **II** *s* **the ~** *geol* cambrian

Cambrian Mountain, the ['kæmbriən 'mauntinz, ðə] Munții Cambrieni

cambric ['keimbrik] *s text* chembrică, batist

Cambridge ['keimbridʒ] *oraș în* Anglia

Cambridgeshire ['keimbridʒʃiə^r] *comitat în* Anglia

Cambyses [kæm'baisi:z] *rege al* perșilor Cambise *(?-522 î.e.n.)*

came [keim] *pret de la* **come**

camel ['kæməl] *s* **1** *zool* cămilă *(Camelus);* it's the last straw that broke the ~ 's back *prov* ultima picătură varsă paharul **2** *tehn* macara, gruie

camel bird ['kæməl bə:d] *s orn* struț *(Struthio camelus)*

camel driver ['kæməl 'draivə^r] *s* conducător de cămile

camel hair ['kæməl, heə^r] *s* păr de cămilă

camellia [kə'mi:liə] *s bot* camelie *(Camellia; Thea japonica)*

camelopard ['kæmilə,pa:d] *s zool* ← *înv* girafă

Camelot ['kæmi,lɔt] *orașul legendar al regelui Arthur*

camel's hair ['kæməlz ,heə^r] *s* păr de cămilă

cameo ['kæmi,ou] *s* camee, medalion

camera ['kæmərə] *s* **1** aparat de fotografiat **2** *jur* cameră de chibzuință **3** cameră de televiziune

cameraman ['kæmərə,mæn] *s* **1** fotograf **2** operator cinematografic **3** vânzător de aparate de fotografiat

Cameroons [,kæmə'ru:nz] Camerun *(parte a Nigeriei; od partea de nord a Camerunului britanic)*

Cameroun [kʌm'run] *(Republica Unită)* Camerun

cam gear ['kæm ,giə^r] *s tehn* mecanism cu came; excentric

camiknickers ['kæmi,nikəz], **camiknicks** ['kæmi,niks] *s pl* combinezon-pantalon

Camille [kə'mi:l] *nume fem of* Camelia

camion ['kæmiən] *s* ← *rar* camion

camisole ['kæmi,soul] *s od* camizol; scurtă (↓ *cu broderii, pt femei*)

Camoës/Camoëns [kə'mɔins], **Luiz Vaz de** *poet portughez (1524-1580)*

camomile ['kæməmail] *s bot* mușețel, romaniță *(Matricaria chamomilla)*

camouflage ['kæmə,fla:ʒ] **I** *s* **1** *mil* camuflaj; camuflare **2** *fig* mască, paravan **II** *vt mil și fig* a camufla, a masca

camp [kæmp] **I** *s* **1** lagăr, tabără; bivuac **2** *fig* lagăr, tabără **3** *amer* casă în pădure **II** *vi* **1** a ridica o tabără; a campa **2** a locui într-o tabără

campaign [kæm'pein] **I** *s* **1** *mil* campanie; expediție **2** *fig* campanie *(de presă etc.)* **II** *vi* **1** *mil* a participa la o campanie *sau* expediție **2** *fig* a participa la o campanie **3** *fig* a organiza o campanie

campaigner [kæm'peinə^r] *s* **1** *mil* combatant, participant la o campanie; **old ~ a** veteran **b** *fig* om care a trecut prin multe **2** *pol* susținător, sprijinitor *(al unui candidat);* agent electoral **3** *fig* organizator al unei campanii *(de presă etc.)*

Campania [kæm'peiniə] *regiune în Italia*

campanile [,kæmpə'ni:li], *pl și* **campanili** [,kæmpə'ni:lai] *s constr* campanilă, clopotniță

campanology [,kæmpə'nɔlədʒi] *s* **1** arta de a face clopote **2** arta de a trage clopotele

campanula [kæm'pænjulə] *s bot* campanulă, clopoțel *(Campanula sp.)*

camp bed ['kæmp ,bed] *s* pat de campanie; pat pliant

camp chair ['kæmp ,tʃeə^r] *s* scaun pliant

campeachy wood [kæm'pi:tʃi wud] *s bot* (lemn de) băcan

camper ['kæmpə^r] *s* **1** vilegiaturist **2** *amer* autovehicul special construit pentru campări

camp fever ['kæmp,fi:və^r] *s med* tifos exantematic

camp fire ['kæmp,faiə^r] *s* foc de tabără

camp follower ['kæmp 'fɔlouə^r] *s* **1** *mil* vivandieră **2** *pol* partizan; satelit (politic)

camp ground ['kæmp ,graund] *s* **1** loc de tabără **2** *amer* teren pentru întruniri religioase

camphor ['kæmfə^r] *s ch* camfor

camphorated ['kæmfəreitid] *adj ch* camforat; de camfor

camping ['kæmpiŋ] *s* **1** drumeție; excursie **2** camping; campare; campament; turism

campion ['kæmpjən] *s bot* **1** opățel *(Lychnis hemoxalis)* **2** gușa porumbului *(Silene inflata)*

camp it out ['kæmp it'aut] *vt cu „it" și part adv sl teatru* a juca nenatural *(cu exagerări)*

camplate ['kæmpleit] *s tehn* disc cu came

camp meeting ['kæmp ,mi:tiŋ] *s rel* adunare/-întrunire religioasă în aer liber

camp out ['kæmp'aut] *vi cu part adv* 1 a sta într-o tabără 2 a dormi *(peste noapte)* în aer liber *sau* în cort 3 a merge cu cortul

camp site ['kæmp sait] *s* loc de tabără

camp stool ['kæmp ,stu:l] *s* scaun pliant, scăunel

campus ['kæmpəs] *s amer* cetate universitară; clădirile centrale și terenul unei universități, al unui colegiu *sau* al unei școli

cam shaft ['kæm ʃa:ft] *s tehn* arbore cu came

can[1] [kæn] *forma tare*, [kən] *forma slabă, pret* **could** [kud] *v mod def* 1 a putea, a fi în stare, a fi capabil; **he cannot but** nu poate să nu, nu poate decât să; **I can't help laughing** nu pot să nu râd, nu mă pot abține să nu râd 2 a ști, a se pricepe; a cunoaște; **~ you speak French?** (știi să) vorbești franțuzește? 3 a fi posibil, a fi cu putință, a se putea; **~ he have done such a thing?** e posibil/se poate să fi făcut el așa ceva? 4 ← *F (în loc de* **may**) a putea, a avea voie 5 a trebui; **if you talk like this, you ~ leave the room** dacă vorbești în felul ăsta, te rog să pleci din cameră 6 a fi posibil, a (se) putea; **what ~ they want with me?** ce (mai) vor de la mine? ce au cu mine? 7 *(în rugăminți)* a vrea; **~ you hold on a minute please?** vrei să mai rămâi puțin la aparat?

can[2] [kæn] **I** *s* 1 cană; canistră, bidon 2 cutie de conserve **II** *vt* a conserva, a pune în cutii de conserve

Can. *presc de la* 1 **Canada** 2 **Canadian**

Canaan ['keinən] *bibl* Canaan, Pământul Făgăduinței

Canada ['kænədə] *țară*

Canadian [kə'neidiən] *adj, s* canadian

canal [kə'næl] *s* 1 *geogr* canal *(artificial)* 2 *anat* canal; tub; duct

canalization [,kænəlai'zeiʃən] *s* sistem de canale; canalizare

canalize ['kænə,laiz] *vt* 1 a lega prin canale 2 a canaliza, a înzestra cu canale *(o localitate)* 3 a canaliza, a îndrepta *(apa)* într-o singură direcție 4 a transforma într-un canal *(uneori* navigabil) 5 *fig* a canaliza, a îndrepta spre un țel anumit

canal lock [kə'næl ,lok] *s* ecluză

canapé ['kænəpi] *s* canapea

canard [kæ'na:d] *s fr* știre falsă

canary [kə'nɛəri] *s bot* canar *(Serinus canaria)*

Canary Island, the [kənɛəri 'ailəndz, ðə] Insulele Canare

canasta [kə'næstə] *s* canastă *(joc de cărți)*

Canberra ['kænbərə] *capitala Australiei*

cancan ['kæn,kæn] *s fr* cancan *(dans)*

cancel ['kænsəl] **I** *vt* 1 a șterge, a tăia, a radia 2 a contramanda, a anula; a rezilia 3 a neutraliza, a contrabalansa 4 a compensa **II** *s poligr* refacerea unei pagini; retipărire

cancellated ['kænsi,leitid] *adj* reticular; spongios

cancellation [,kænsi,leiʃən] *s* 1 ștergere, radiere 2 contramandare, anulare; reziliere 3 neutralizare, contrabalansare 4 compensare

cancel out ['kænsəl'aut] *vt cu part adv* a echilibra; a neutraliza; a reduce la același numitor

cancer ['kænsə] *s* 1 *med* cancer, carcinom 2 *fig* pacoste, urgie, năpastă, blestem

cancerous ['kænsərəs] *adj med* canceros

cancroid ['kæŋkroid] *adj, s med etc.* cancroid

candelabrum [,kændi'la:brəm] *pl și* **candelabra** [,kændi'la:brə] *s* candelabru; policandru; lustră

candent ['kændənt], **candescent** [kæn'desənt] *adj* 1 incandescent *(până la alb)* 2 luminos, strălucitor

candid ['kændid] *adj* 1 sincer, neprefăcut; onest, cinstit 2 imparțial, nepărtinitor

candidacy ['kændidəsi] *s* candidatură

candidate ['kændi,deit] *s* candidat; pretendent

candidature ['kændidətʃə] *s* candidatură

candid camera ['kændid ,kæmərə] *s* aparat de fotografiat miniatural

candidly ['kændidli] *adv* (în mod) sincer, cinstit

candidness ['kændidnis] *s* sinceritate, franchețe

candied ['kændid] *adj* 1 zaharisit 2 glasat 3 *(d. vorbe etc.)* dulce, mieros

candied sugar ['kændid ,ʃugə] *s* zahăr candel

candle ['kændəl] *s* 1 lumânare; **to hold a ~ to smb** *fig* a ajuta pe cineva **b** a cânta cuiva în strună; **to hold a ~ to the devil** *fig* **a** a duce pe cineva pe căi greșite **b** a intra în cârdășie cu dracul; a fi complice; **he is not fit to hold a ~ to** *fig* nu este vrednic nici să sărute tălpile cuiva; **to burn the ~ on both ends** *fig* a face *sau* a se apuca de prea multe (treburi) o dată *și* el lumânare, muc

candle bomb ['kændəl ,bom] *s mil, av* bombă luminoasă

candle end ['kændəl ,end] *s* 1 muc *sau* capăt de lumânare 2 *pl fig* nimicuri, fleacuri

candlelight ['kændəl,lait] *s* 1 lumină de lumânare 2 lumină artificială 3 *fig* amurg, înserare

candle lighter ['kændəl ,laitə] *s* paracliser

Candlemas ['kændəlməs] *s rel* Întâmpinarea Domnului, Stretenie

candle power ['kændəl ,pauə] *s el* lumânare, watt

candlestick ['kændəl,stik] *s* sfeșnic

candlewick ['kændəl,wik] *s* muc de lumânare

candor ['kændə] *s amer v.* **candour**

candour ['kændə] *s* 1 sinceritate, franchețe 2 imparțialitate, nepărtinire

candy [kændi] **I** *s* 1 zahăr candel 2 *amer* bomboană 3 drops **II** *vt* a fierbe în zahăr; a zaharisi; a glasa **III** *vi* a se zaharisi

candy floss ['kændi ,flos] *s alim* vată pe băț/de zahăr

candytuft ['kændi,tʌft] *s bot* limba-mării *(Iberis sp.)*

cane [kein] **I** *s* 1 *bot* trestie de zahăr *(Saccharum officinarum)* 2 *bot* costrei *(Sorghum vulgare)* 3 *bot* trestie de mare; stuf *(Calamus sp.)* 4 baston; nuia **II** *vt* a bate cu bățul

canephorus [kə'nefərəs] *pl* **canephori** [kə'nefərai] *s arhit* caneforă

cane sugar [kein ,ʃugə] *s* zahăr de trestie

canicular [kə'nikjulər] *adj* canicular, de caniculă

canine ['keinain] I *adj* canin; câinesc II *s anat* (dinte) canin

canine madness ['keinain ,mædnis] *s med* turbare

canine tooth ['keinain ,tuθ] *s* (dinte) canin

canister ['kænistər] *s* cutie de tablă *(pt ceai etc.)*

canister shot ['kænistə,ʃɔt] *s mil* mitralie

canker ['kæŋkər] I *s* 1 *med* gangrenă, plagă; ulcer 2 *bot* tăciune, mălură II *vt* 1 a roade, a mânca 2 și *fig* a molipsi, a infecta

cankerous ['kæŋkərəs] *adj* 1 *med* ulceros; șancroid 2 vătămător, dăunător 3 molipsitor, infecțios

canker worm ['kæŋkə ,wə:m] *s* 1 *zool* omidă *(Geometridae sp.)* 2 *fig* vierme care roade; necaz *etc.*

canna ['kænə] *s bot* belșiță, cană *(Canna indica)*

cannabis ['kænəbis] *s* 1 *bot* cânepă *(Cannabis sativa)* 2 *bot* cânepă indiană *(Apocynum cannabium)* 3 hașiș; marijuana; bhang

canned [kænd] *adj* conservat *(în cutii de conserve)*

canned food ['kænd ,fu:d] *s* conserve

cannery ['kænəri] *s* fabrică de conserve

Cannes [kæn] *oraș în Franța*

cannibal ['kænibəl] *s* canibal, antropofag

cannibalism ['kæniba,lizəm] *s* canibalism

cannibalistic [,kænibə'listik] *adj* canibal, de canibal

cannibalize ['kæniba,laiz] I *vt* a demonta *(o mașină uzată)* pentru a se folosi de piese II *vi* a demonta mașini

cannikin ['kænikin] *s* 1 cutie de tinichea *sau* de lemn 2 căniță *(de tinichea sau de lemn)*

canning factory ['kæniŋ ,fæktəri] *s v.* **cannery**

cannon[1] ['kænən] *s* 1 *pl* și ~ tun; artilerie 2 *tehn* bucșă, cuzinet

cannon[2] I *s* carambol II *vt* a carambola III *vi* 1 a carambola, a face un carambol 2 a sări într-o parte *(datorită unei ciocniri)*

cannonade [,kænə'neid] *mil* I *s* canonadă, foc de artilerie II *vt* a bombarda cu artileria III *vi* a trage cu tunul

cannon ball ['kænən ,bɔ:l] *s mil od* ghiulea

cannon barrel ['kænən ,bærəl] *s mil* țeavă de tun

cannon bit ['kænən,bit] *s* zăbală

cannon bone ['kænən ,boun] *s anat* tibie, fluierul piciorului

cannoneer [,kænə'niər] *s mil* tunar, artilerist

cannon fodder ['kænən ,fɔdər] *s fig* carne de tun

cannon shot ['kænən ,ʃɔt] *s mil* 1 bubuit *sau* lovitură de tun 2 obuz 3 bătaie a artileriei

cannot ['kænɔt] *neg de la* **can[1]**; *(ca ant al lui* **must***)* a nu se putea, a fi imposibil; **he ~ have gone out** nu se poate să fi plecat *sau* ieșit //~ **(help/choose) but** a nu putea să nu, a trebui să, a fi silit să *(recunoască etc.)*

canny ['kæni] *adj* 1 deștept; pe care nu-l păcălești ușor *(↓ când e vorba de bani)* 2 șmecher; șiret 3 *scot* bun; frumos 4 *scot* norocos 5 *scot* practic; chibzuit; grijuliu

canoe [kə'nu:] I *s* canoe; **to paddle one's own** ~ a se descurca singur, a face cum îl taie capul II *vt* 1 a traversa/a străbate *(o apă)* cu o canoe 2 a transporta/a duce *(mărfuri)* cu o canoe

canoeing [kə'nu:iŋ] *s sport* canotaj

canon[1] ['kænən] *s bis* canonic, preot

canon[2] *s* 1 canon, regulă 2 *rel* canon; texte religioase autentice 3 *lit* canon; scrieri autentice 4 *muz* canon 5 *bis* canonic

cañon ['kænjən] *s geogr* canion

canonical [kə'nɔnikəl] I *adj* 1 *rel* canonic 2 autorizat, valabil, recunoscut II *s pl bis* odăjdii

canonization [,kænənai'zeiʃən] *s rel* canonizare, sanctificare

canonize ['kænə,naiz] *vt rel* a canoniza, a sanctifica

canoodle [kə'nu:dəl] *vi sl* a se giuguli, a se drăgosti

canopy ['kænəpi] I *s* 1 baldachin; polog; *înv* ← uranisc; acoperiș, acoperământ; coviltir 2 umbrar, boltă 3 *fig* boltă (cerească) II *vt* a acoperi cu un baldachin *etc.* *(v. ~* I*)*

canst [kænst] *v mod pers* 2 *sg înv bibl* poți

cant[1] [kænt] I *s* 1 ton plângăreț, sclifoseală 2 milogeală 3 jargon; limbaj secret 4 ipocrizie, prefăcătorie, fățărnicie 5 ipocrit, prefăcut, fățarnic II *vi* 1 a se milogi; a se tângui, a vorbi tânguindu-se 2 a vorbi în jargon *sau* într-un limbaj secret 3 a vorbi una și a face alta; a se purta ipocrit

cant[2] I *s* 1 înclinare, înclinație 2 margine tăiată piezis 3 împunsătură, lovitură II *vi* a se întoarce (pe o parte), a se răsturna III *vt* 1 a întoarce pe o parte, a răsturna 2 a tăia piezis; a teși

Cant. *presc de la* **Canterbury**

can't [ka:nt] *contras din* **cannot**, *v.* **can[1]**

Cantab. *presc de la* **Cantabrigian**

Cantabrigian [,kæntə'bridʒən] I *adj* din Cambridge *sau* de la universitatea din Cambridge II *s* student *sau* absolvent al universității din Cambridge

cantaloup(e) ['kæntə,lu:p] *s bot* cantalup, pepene galben *(Cucumis melo cantalupensis)*

cantankerous [kæn'tæŋkərəs] *adj* arțagos, supărăcios; certăreț

cantata [kæn'ta:tə] *s muz* cantată

canteen [kæn'ti:n] *s* 1 cantină; bufet *(de cazarmă etc.)* 2 *mil* bucătărie de campanie 3 *mil* gamelă 4 *mil* tacâm 5 sufertaș 6 bidon, canistră

canter[1] ['kæntər] I *s* galop mic II *vi* a merge în galop mic

canter[2] *s* 1 persoană care vorbește în jargon *sau* într-un limbaj secret 2 prefăcut, ipocrit

Canterbury ['kæntəbəri] *oraș în Anglia*

canterbury *s* etajeră *(pt ziare etc.)*

cantharis ['kænθəris], *pl* **cantharides** [kæn'θæri,di:z] *s ent* gândac/cățel de frasin *(Lytta vesicatoria)*

cant hook ['kænt ,hu:k] *s* țapină, cange pentru bușteni

canticle ['kæntikəl] *s bis* 1 imn, cântare bisericească 2 the (C ~ of) C ~ *s bibl* Cântarea Cântărilor

cantilever ['kænti,li:vər] *s constr* contrafișă, grindă în consolă

cantilevered ['kænti,livəd] *adj constr* în consolă

canting ['kæntiŋ] *adj atr* 1 ipocrit, prefăcut 2 ticălos, mârșav 3 care vorbește tânguitor 4 care vorbește păsărește/într-un limbaj neînțeles

canto ['kæntou] *s* 1 *lit* cânt, canto 2 *muz* canto 3 *muz* (voce de) soprano

Canton [kæn'tɔn] *oraș în China*

canton ['kæntən] *s* canton *(diviziune administrativă)*

cantonal ['kæntənəl] *adj* cantonal, de canton

Cantonese [,kæntə'ni:z] *adj* din Canton

cantonize [,kæntə'naiz] *vt* a împărți în cantoane

cantonment [kən'tu:nmənt] *s mil* cantonament

cantor ['kæntɔ:ʳ] *s bis* dascăl, cantor, țârcovnic

cant over ['kænt 'ouvəʳ] *vi cu part adv (d. scaune etc.)* a sta strâmb/ înclinat

cantus ['kæntəs] *s și pl* cântec, melodie

Canuck [kə'nʌk] *s amer* canadian francez

Canute [kə'nju:t] *rege al Angliei (994?-1035)*

canvas ['kænvəs] *s* 1 *text* canava, canafas, pânză groasă; prelată; pânză de vele 2 *nav* velatură, pânze 3 pânză, tablou 4 *fig* canava; țesătură; plan // **under ~ a** în corturi **b** *nav* cu (toate) pânzele sus

canvass I *vt* 1 a cerceta, a examina 2 a sonda *(pe cineva);* a se adresa *(cuiva)* 3 a dezbate, a discuta, a analiza 4 *pol* a umbla după, a căuta să câștige *(voturi)* 5 *pol etc.* a cutreiera *(un ținut etc. pt subscripții, voturi etc.)* **II** *vi* 1 *pol* a face propagandă electorală 2 a căuta subscripții, comenzi *etc.* 3 a discuta, a dezbate o problemă **III** *s* 1 examinare amănunțită, cercetare atentă 2 discuție, dezbatere 3 *pol* propagandă electorală

canvasser ['kænvəsəʳ] *s* 1 *pol* agent electoral 2 agent comercial

cany ['kæni] *adj* (ca) de trestie

canyon ['kænjən] *s geogr* canion

canzonet [,kænzə'net] *s muz* canțonetă

caoutchouc ['kautʃu:k] *s* cauciuc

cap [kæp] **I** *s* 1 șapcă; tichie; beretă; bonetă, scufie; ~ **in hand** umil, supus; cu musca pe căciulă; **the ~ fits him** *fig* se simte cu musca pe căciulă; **to set one's ~ at** ← *F (d. o femeie)* a pune gând rău

cuiva, a vâna *(un mire);* **to put on one's thinking ~** a se gândi serios, a cugeta; *F→* a-și pune picioarele în apă rece 2 pălărie *(de ciupercă)* 3 înveliș; capac 4 *tehn* calotă; cap; vârf 5 *fig* șef, căpetenie 6 *fig* om cu tocă *(universitar);* om cu cască *etc.* **II** *vt* 1 a pune *cuiva* șapca *etc.* pe cap *(v. ~* I, 1, 3, 4) 2 a înveli, a acoperi *(cu un capac etc.)* 3 *fig* a încununa, a încorona 4 *fig* a întrece, a depăși; **that ~ s it all!** *F* asta pune capac la toate!

cap. *presc de la* **capital** (literă) majusculă

capability [,keipə'biliti] *s* 1 capacitate, aptitudine, pricepere 2 talent, înzestrare; *pl* posibilități 3 *tehn* randament, productivitate

capable ['keipəbəl] *adj* 1 capabil, apt, priceput; competent 2 eficient 3 *jur* capabil, având capacitatea legală

capableness ['keipəbəl,nis] *s v.* **capability**

capable of ['keipəbəl əv] *adj cu prep* 1 capabil de, în stare de; care nu se dă în lături de la; **he is ~ anything** e capabil/în stare de orice 2 susceptibil de, care se pretează la; ~ **translation** traductibil

capably ['keipəbli] *s* cu pricepere *sau* îndemânare; cu competență, competent

capacious [kə'peiʃəs] *adj* 1 încăpător, voluminos 2 *fig* larg, cuprinzător

capaciousness [kə'peiʃəsnis] *s* volum, capacitate, cuprindere

capacitance [kə'pæsitəns] *s el* capacitanță

capacitate for [kə'pæsiteit fəʳ] *vt cu prep* a face apt pentru, a califica pentru

capacity [kə'pæsiti] *s* 1 capacitate, volum, spațiu; **filled to ~** plin până la refuz 2 *tehn* capacitate; putere; productivitate, randament; sarcină 3 *fig* capacitate; aptitudine, înzestrare 4 *jur și fig* competență 5 *fig* calitate; **in my ~ as** în calitatea mea de, ca

cap and bells ['kæp ən ,belz] *s* tichia bufonului/prostului

cap and gown ['kæp ən ,gaun] *s univ* ținută universitară, „tichie și robă"

cap-a-pie [,kæpə'pi:] *adv* din cap până în picioare, de sus până jos

caparison [kə'pærisən] **I** *s* 1 pătură pentru cai, cioltar 2 găteală, podoabă **II** *vt* 1 a acoperi cu un cioltar 2 a găti, a împodobi

cape¹ [keip] *s geogr* cap; promontoriu

cape² *s* capă, pelerină

Cape Coloured ['keip 'kʌləd] *s* mulatru *(în Africa de Sud)*

Cape of Good Hope, the ['keip əv ,gud 'houp, ðə] Capul Bunei Speranțe

caper¹ ['keipəʳ] *s bot* caper *(Capparis spinosa)*

caper² **I** *s* 1 tumbă, salt 2 poznă, ștrengărie; **to cut a ~** *v.* **II,** 2, 3 escapadă **II** *vi* 1 a sări, a se da de-a tumba; a zburda 2 a face prostii, jiumbușlucuri *etc.*

capercaillie [,kæpə'keilji] *s orn* cocoș sălbatic/de munte *(Tetrao urogallus)*

Capetown ['keip,taun] *oraș în Africa de Sud*

Cape Verde Islands, the ['keip 'və:d 'ailəndz, ðə] Insulele Capului Verde

capillarity [,kæpi'læriti] *s fiz* capilaritate

capillary [kə'piləri] *adj anat, fiz* capilar

capillary attraction [kə'piləri ə'trækʃən] *s* 1 *ch* atracție capilară; capilaritate 2 *fiz* efect capilar

capital¹ ['kæpitəl] *s* 1 *fin* capital 2 *fig* venit, sursă

capital² **I** *adj* 1 principal, fundamental, esențial, capital 2 excelent, nemaipomenit, minunat 3 *jur* capital; penal **II** *s* 1 capitală 2 literă mare, majusculă

capital³ ['kæpitəl] *s arhit* capitel

capital expenditure ['kæpitəl ik'spenditʃəʳ] *s ec* cheltuieli de investiție

capital gains ['kæpitəl ,geinz] *s pl ec* profituri realizate din vânzarea investițiilor capitale

capital goods ['kæpitəl ,gudz] *s pl ec* mijloace de producție

capital investment ['kæpitəl in'vestmənt] *s ec* investiție capitală

capitalism ['kæpitə,lizəm] *s* capitalism

capitalist [,kæpitə,list] *adj s* capitalist

capitalistic [,kæpitəl'istik] *adj* capitalist

capitalization [,kæpitəlai'zei∫ən] *s* **1**
ec capitalizare; transformare în
capital **2** valorificare; rentabi-
lizare

capitalize[1] ['kæpitə,laiz] *vt* **1** *ec* a
capitaliza, a transforma în capital
2 a valorifica, a fructifica; a
rentabiliza

capitalize[2] *vt* a scrie, a tipări *etc.* cu
majuscule

capitalize on ['kæpitəlaizon] *vi cu
prep* **1** a scoate venituri din; a-şi
face un capital din **2** a folosi în
avantajul său *cu ac*

capital letter ['kæpitəl,letə'] *s* literă
mare, majusculă

capital levy ['kæpitəl,levi] *s fin* **1** im-
pozit pe capital **2** confiscarea unei
părţi din avere de către stat

capitally ['kæpitəli] *adv* **1** *jur* la pe-
deapsa cu moartea **2** excelent,
minunat

capital punishment ['kæpitə l
,pʌni∫mənt] *s jur* pedeapsă capi-
tală/cu moartea

capital treason ['kæpitəl,tri:zən] *s
jur* înaltă trădare

capitation [,kæpi'tei∫ən] *s* **1** calcu-
lare pe cap de om **2** capitaţie,
impozit pe cap de locuitor

Capitol ['kæpitəl] *s* **1** *ist* Capitoliu **2**
capitoliu *(clădirea Congresului
S.U.A.)*

capitulate [kə'pitju,leit] *vi* a capitula,
a se preda

capitulation [kə'pitju'lei∫ən] *s* ca-
pitulare

capitulum [kə'pitjuləm], *pl* **şi capi-
tula** [kə'pitjulə] *s bot* capitul

capmaker ['kæp,meikə'] *s* şepcar

capon ['keipən] *s* clapon

caponize ['kepə,naiz] *vt* a claponi, a
castra *(cocoşi)*

capote [kə'pout] *s* **1** manta cu glugă
2 *mil* manta **3** bonetă *(din epoca
victoriană)* **4** capot **5** *auto* capotă

cap paper ['kæp ,peipə'] *s* hârtie de
împachetat

capped ['kæpt] *adj* **1** cu şapcă *etc.*
(*v.* **cap I, 1-4**) **2** *(în cuvinte
compuse)* acoperit cu...; **cloud-~**
acoperit cu nori

caprice [kə'pri:s] *s* **1** capriciu, toană,
moft **2** *muz* capriciu

capricious [kə'pri∫əs] *adj* **1** capri-
cios, cu toane **2** capricios,
schimbător, inconstant

Capricorn ['kæpri,kɔ:n] *s astr*
Capricornul, Ţapul

caprine ['kæprain] *adj* caprin, de capră

capriole ['kæpri,oul] *s* săritură de pe
loc *(a calului),* capriolă

caproic acid [kə'prouik ,æsid] *s ch*
acid caproic

capron ['keiprən] *s* capron

caps. *presc de la* **capital letters**
(litere) majuscule

cap shore ['kæp ,∫ɔ:'] *s nav* epon-
tilă, pontil

capsicum ['kæpiskəm] *s bot* ardei
gras *(Capsicum annuum)*

capsize [kæp'saiz] **I** *vt* a răsturna *(o
trăsură etc.)* **II** *vi* a se răsturna

capstan ['kæpstən] *s nav* cabestan;
vinci

capstone ['kæp,stoun] *s arhit* cheia
bolţii

capsular ['kæpsjulə'] *adj* **1** capsular
2 capsulat

capsulated ['kæpsju,leitid] *adj bot
etc.* capsular; cu capsule

capsule ['kæpsjul] **I** *s* **1** *bot etc.*
capsulă **2** *mil* capsă (detonantă)
3 rezumat; compendiu **II** *vt* **1** a
capsula **2** a rezuma, a condensa

captain ['kæptin] **I** *s* **1** personalitate
de frunte; conducător, şef; co-
mandant **2** *mil* căpitan **3** căpitan/
comandant de oaste *sau* oşti **4**
nav căpitan, comandant (al
navei) **5** *sport etc.* căpitan *(de
echipă)* **6** şeful clasei **7** briga-
dier; şef de echipă **II** *vt* a fi
căpitanul *(echipei etc.)*

captaincy ['kæptinsi] *s v.* **captainship**

captain of industry ['kæptin əv
'indəstri] *s* magnat (industrial)

captain of the day ['kæptin əv ðə 'dei]
s mil ofiţer de serviciu

captain's bridge ['kæptinz ,bridʒ] *s
nav* pasarelă de comandă, pun-
tea comandantului

captainship ['kæptin,∫ip] *s* **1** *mil*
gradul de căpitan **2** conducere;
arta de a conduce

captation [kæp'tei∫ən] *s* linguşire,
străduinţa de a se vârî sub pielea
cuiva

caption ['kæp∫ən] *s* **1** *poligr* titlu *(de
capitol, paragraf etc.)* **2** *poligr*
legendă *(la o ilustraţie etc.)* **3** *cin,
telev* generic; titlu; subtitlu

captious ['kæp∫əs] *adj* **1** *(d. o
problemă etc.)* delicat, penibil **2**
pedant; greu de mulţumit, dificil;
insidios

captiously ['kæp∫əsli] *adv* (în mod)
insidios *sau* prea critic

captiousness ['kæp∫əsnis] *s* **1**
caracter delicat *(al unei proble-
me etc.)* **2** atitudine de criticastru
3 caracter insidios

captivate ['kæpti,veit] *vt* a captiva,
a atrage, a fermeca, a subjuga

captivating ['kæpti,veitiŋ] *adj* capti-
vant, fermecător

captivation [,kæpti'vei∫ən] *s* **1** *fiz*
captare **2** *fig* captivare, fermecare

captive ['kæptiv] **I** *adj* captiv, prins,
luat prizonier **II** *s* prizonier, prins,
captiv

captive audience ['kæptiv,ɔ:diəns]
s red, telev ascultători *sau* spec-
tatori nelipsiţi

captive baloon ['kæptiv bə'lu:n] *s av*
balon captiv

captivity [kæp'tiviti] *s* **1** captivitate,
prizonierat; robie **2** *fig* robie; mreje

captor ['kæptə'] *s* **1** persoană care
ia pe cineva în captivitate **2** tâl-
har, bandit; *nav* corsar, pirat

capture ['kæpt∫ə'] **I** *s* **1** captură; prin-
dere, capturare **2** pradă, trofeu
II *s* **1** a prinde, a lua în captivitate,
a captura **2** a captura, a lua ca
pradă **3** *fiz* a capta, a prinde

capuchin ['kæpjut∫in] *s* **1** manta cu
glugă **2** C ~ *(călugăr)* capucin

car [ka:'] *s* **1** maşină, automobil;
autoturism **2** vagon *(de tramvai);
ferov amer* vagon **3** vagonet **4**
av nacelă **5** *amer* cabină *(de lift
etc.)* **6** *poetic* caretă, rădvan; —
car de luptă *sau* triumf **7** ← *înv*
car, căruţă; haraba

carabine ['kærə,bain] *s v.* **carbine**

carabineer [,kærəbi'niə'] *s mil*
carabinier

Caracalla [,kærə'kælə] *împărat
roman (188-217)*

Caracas [kə'rækəs] *capitala Vene-
zuelei*

caracol(e) ['kærə,koul] *s* răsucire pe
loc *(a calului)*

caraf(f)e [kə'ræf] *s* garafă, sticlă

caramel ['kærəməl] *s* **1** caramel;
zahăr ars **2** caramelă

carapace ['kærə,peis] *s zool* carapace

carat ['kærət] *s* carat

caravan ['kærə,væn] *s* **1** caravană;
convoi **2** căruţă *(↓ cu coviltir)* **3**
casă mobilă/pe roate **4** *auto* rulotă

caravanserai [,kærə'vænsə,rai] *s* **1**
caravanserai **2** hotel mare

caravel ['kærə,vel] *s nav od* caravelă

caraway ['kærə,wei] *s bot* chimen
(Carum carvi)

carbarn ['ka:,ba:n] *s amer* depou de tramvaie

carbide ['ka:baid] *s ch* carbid

carbine ['ka:bain] *s mil* carabină

car body ['ka:,bodi] *s auto* caroserie

carbohydrate [,ka:bou'haidreit] *s ch* hidrat de carbon, hidrocarbonat

carbolic [ka:'bolik] *adj ch* carbolic, fenic

carbolic acid [ka:'bolik,æsid] *s ch* acid fenic, fenol

carbon [ka:bən] *s* 1 *ch* carbon 2 *minr* cărbune pur *(din punct de vedere chimic)*; diamant 3 *el* cărbune, electrod 4 *poligr* (hârtie) carbon, indigo

Carbonari [,ka:bə'na:ri] *s pl it ist* carbonari, cărbunari

carbonate ['ka:bə,neit] *s ch* carbonat

carbonated ['ka:bə,neitid] *adj (d. apă)* gazos

carbonation [,ka:bə'neiʃən] *s* saturare cu acid carbonic

carbon black ['ka:bən ,blæk] *s* negru de fum

carbon copy ['ka:bən,kopi] *s* 1 copie cu indigo 2 *fig* copie fidelă

carbon dating ['ka:bən ,deitiŋ] *s* datare pe baza carbonului

carbon dioxide ['ka:bən dai,oksaid] *s ch* bioxid de carbon

carbonic acid [ka:'bonik ,æsid] *s ch* acid carbonic

carboniferous [,ka:bə'nifərəs] *adj geol etc.* carbonifer

carbonization ['ka:bənai'zeiʃən]s *ch* carbonizare; carbonificare; coc-sificare

carbonize ['ka:bə,naiz] *vt ch* a carboniza; a carbonifica; a cocsifica

carbon monoxide ['ka:bən mo'noksaid] *s ch* oxid de carbon

carbon paper ['ka:bən ,peipər] *s poligr* (hârtie) carbon, indigo

carborundum [ka:bə'rʌndəm] *s tehn* carborundum

carboy [ka:,boi] *s* recipient/balon de sticlă *(pt acizi etc.)*

carbuncle ['ka:,bʌŋkəl] *s* 1 *med* carbuncul; buboi 2 *vet* cărbune, dalac 3 *minr* carbunculul

carburet ['ka:bju,reit] *vt* a carbura

carburetter, carburettor [,ka:bju-'retər] *s tehn* carburator

carcajou ['ka:kə,dʒu:] *s zool* 1 puma, cuguar *(Felis concolor)* 2 polifag american *(Gulo luscus)*

carcas, carcase ['ka:kəs] *s* 1 *(peior pentru oameni)* stârv, hoit 2 *F* schelet/cadavru ambulant 3 *tehn* carcasă; caroserie; corp 4 ruine, dărâmături

carcinogen [ka:'sinədʒən] *s med* carcinogen

carcinoma [,ka:si'noumə], *pl* și **carcinomata** [ka:si'noumətə] *s med* carcinom

card¹ [ka:d] *s* 1 carte (de joc); *pl* (joc de) cărți; **to get one's ~ s** *F* a primi plicul, – a fi concediat; **to play one's ~ s well** *F* a juca tare; **one's best/strongest ~** *fig* cartea cea mai tare a cuiva, argumentul cel mai puternic al cuiva; **on /amer in the ~ s** ← *F* probabil; **to throw down/up one's ~ s** a pune jos/a etala cărțile **b** *fig* a se declara învins; **to put/to lay one's ~ s on the table** și *fig* a da cărțile pe față 2 carnet; agendă; **to have a ~ up one's sleeve** a avea un gând ascuns, *F* → a cloci ceva 3 carte de vizită 4 fișă; tichet; bilet; cartonaș 5 carte poștală 6 carnet de membru 7 buletin *(de identitate etc.)* 8 felicitare 9 cartelă 10 program sportiv 11 meniu 12 *F* tip, cetățean, – individ, ins 13 mucalit

card² *text* I *s* cardă, darac II *vt* a carda, a dărăci

Card. *presc de la* **Cardinal**

cardamom ['ka:dəməm] *s bot* nuc-șoară *(fruct de Elettaria cardamomum și Amomum cardamon)*

cardan ['ka:dən] *s tehn* cardan, cruce cardanică

cardboard ['ka:d,bo:d] I *s* carton, mucava II *adj atr* 1 de carton 2 *fig* nefiresc, nenatural; ireal

card-carrying ['ka:d,kæriiŋ] *adj atr* având calitatea de membru plin *(↓ al unui partid)*

card catalogue ['ka:d,kætələg] *s* fișier; cartotecă

carder ['ka:dər] *s text* 1 muncitor la carde, dărăcitor 2 mașină de cardat, cardă

card file ['ka:d,fail] *s v.* **card catalogue**

cardiac ['ka:di,æk] I *adj anat* de cord, cardiac II *s* 1 ← *F* cardiac, bolnav de inimă 2 *fig* mângâiere, alinare

Cardiff ['ka:dif] *oraș în Țara Galilor*

Cardigan [ka:digən] 1 *oraș în Cardiganshire* 2 *v.* **Cardiganshire**

cardigan *s* 1 *text* fang 2 cardigan, gen de vestă *sau* haină tricotată

Cardiganshire ['ka:digən,ʃiər] *comitat în Țara Galilor*

cardinal ['ka:dinəl] I *adj* 1 de bază, principal, cardinal 2 roșu aprins, cardinal 3 *atr bis* de cardinal II *s* 1 *bis* cardinal 2 (roșu) cardinal, roșu aprins 3 *pl* puncte cardinale, roza vânturilor 4 *orn* (pasărea) cardinal *(Cardinalis virginiansis)* 5 numeral cardinal

cardinalate ['ka:dinə,leit] *s bis* 1 rang/demnitate de cardinal 2 colegiu al cardinalilor

cardinal bird ['ka:dinəl bə:d] *s orn v.* **cardinal II.**, 4

cardinal number ['ka:dinəl,nʌmbər] *s* numeral cardinal

cardinal point ['ka:dinəl,point] *s* 1 *geogr* punct cardinal 2 *fig* punct cardinal, reper de bază

cardinalship ['ka:dinəlʃip] *s v.* **cardinalate 1**

cardinal winds ['ka:dinəl,windz] *s pl geogr* vânturi cardinale

card index ['ka:d,indeks] *s* fișier; cartotecă

carding frame ['ka:diŋ,freim] *s text* cardă

cardiograph ['ka:diəgræf] *s med* cardiograf

cardioid ['ka:di,oid] *s mat* cardioidă

cardiology [,ka:di'olədʒi] *s med* cardiologie

carditis [ka:daitis] *s med* cardită

card player ['ka:d plɛər] *s* jucător de cărți

card sharp(er) ['ka:d,ʃa:pər] *s* trișor (la cărți)

card vote/voting ['ka:d,vout/,voutiŋ] *s* vot/votare prin reprezentanți *(↓ ai sindicatelor)*

care [kɛər] *s* 1 grijă, îngrijire; **in ~ of** în grija/seama *cuiva*; **under the ~ of a doctor** sub îngrijirea unui doctor; **to take ~ of smth** a avea grijă de ceva 2 grijă, necaz(uri), supărare; bătaie de cap; neliniște; **free from ~** fără griji, lipsit/ scutit de griji 3 grijă, atenție, băgare de seamă; prevedere; **have a ~!** **take ~!** ai grijă! fii atent! **take ~ not to meet him** caută să nu te întâlnești cu el, fere-te de o întâlnire cu el; **to take**

~ of a a avea grijă de **b** *sl fig* a avea grijă de, a bate *sau* a ucide *pe cineva;* **to take into** ~ (↓ *d. organizații de stat)* a lua sub protecție și îngrijire (↓ *copii);* **to take much ~** a se strădui, a-și da toată osteneala **II** *vi* **1** (**about, for, of**) a se îngriji, a avea grijă (de) **2** ↓ *în prop neg și interog* a-i păsa, a se sinchisi; **I don't ~ a fig/a straw** *etc. F* nu-mi pasă nici atâtica, – nu-mi pasă câtuși de puțin, puțin îmi pasă; **what do I ~?** ce-mi pasă mie? în ce măsură mă privește (pe mine)? **for all I ~** eu unul, în ceea ce mă privește

careen [kə'ri:n] *nav* **I** *s* **1** carenă **2** canarisire, înclinare **II** *vt* a canarisi, a înclina în carenă **III** *vi* a se canarisi, a se înclina într-o parte

careenage [kə'ri:nidʒ] *s nav* canarisire, carenare, abatere în carenă

career [kə'riə'] **I** *s* **1** carieră, profesiune **2** înaintare, progres(e) **3** viață, existență; calea vieții **4** fugă, goană; viteză; galop **II** *vi* a goni, a zbura

career girl [kə'riə,gə:l] *s* femeie pentru care contează în primul rând cariera

careerism [kə'riərizəm] *s* carierism, arivism

careerist [kə'riərist] *s* carierist, arivist

care for ['kɛə fə'] *vi cu prep* **1** a arăta interes pentru; a-i plăcea *cu nom;* a iubi; **he cares for her** ține la ea, o iubește, îi este dragă; **I don't ~ this wine** nu-mi place vinul ăsta **2** a dori; **would you ~ a glass of wine?** doriți un pahar de vin? **3** a avea grijă de, a se îngriji de

carefree [kɛə,fri:] *adj* **1** lipsit de/fără griji; nepăsător **2** iresponsabil

careful ['kɛəful] *adj* **1** atent, grijuliu; prudent; **be ~** fii atent, fii cu băgare de seamă **2** *(d. un lucru făcut)* atent, grijuliu, minuțios, migălos; **a ~ examination** o examinare atentă, o cercetare temeinică **3** econom, < zgârcit **4** migălos, foarte atent, scrupulos

carefully ['kɛəfuli] *adv* **1** atent, cu grijă; prudent **2** atent, minuțios, meticulos, cu migală

carefulness [kɛəfulnis] *s* **1** atenție, grijă, băgare de seamă; prudență **2** atenție, grijă, migală, minuțiozitate, acuratețe

care-laden ['kɛəleidən] *adj* împovărat de griji

careless ['kɛəlis] *adj* **1** lipsit de/fără griji; nepăsător **2** neatent; indolent; neglijent **3** ușuratic, flușturatic **4** firesc, natural

carelessly ['kɛəlisli] *adv* **1** neatent, neglijent; fără băgare de seamă **2** fără să-i pese/să se sinchisească; ușuratic; nechibzuit **3** fără să vrea, neintenționat, întâmplător

carelessness ['kɛəlisnis] *s* **1** lipsă de griji; nepăsare **2** indolență; neglijență; neatenție **3** nepăsare, indiferență

caress [kə'res] **I** *vt și fig* a mângâia, a dezmierda **II** *s* mângâiere, dezmierdare

caret ['kærit] *s poligr* semn de omisiune

caretaker ['kɛə,teikə'] **I** *s* persoană care are grijă de ceva; responsabil; păzitor; îngrijitor **II** *adj atr* provizoriu, interimar

care to ['kɛə tə] *vi cu inf în prop neg și interog* a vrea să, a dori să, a avea poftă să

Carew [kə'ru:], **Thomas,** *poet englez (1595?-1645?)*

care-worn ['kɛə ,wɔ:n] *adj* ros de griji

carex ['kæriks], *pl* **carices** ['kærisiz] *s bot* rogoz *(Carey sp.)*

carfare ['ka:fɛə'] *s amer* taxă *(la tramvai)*

carfax ['ka:fæks] *s* intersecție, răscruce *(a 4 sau mai multe drumuri)*

cargo ['ka:gou], *pl* **cargoes** ['ka:gouz] *s nav* încărcătură, caric

Caribbean [,kæri'biən] *adj* din regiunea Mării Caraibilor

Caribbean Sea, the ['kæri'biən 'si:, ðə] Marea Caraibilor/Antilelor

caribou ['kæri,bu:] *s zool* caribu *(Rangifer caribou)*

caricature ['kærikə,tjuə'] **I** *s* caricatură; parodie; parodiere; satiră, arta caricaturizării **II** *vt* a caricaturiza, a parodia; a satiriza

caricaturist [,kærikə' tjuərist] *s* caricaturist

carices ['kærisiz] *pl de la* **carex**

caries ['kɛərii:z] *s med* carie *(osoasă, dentară)*

carillon [kə'riljən] *s* zvon de clopote; carilon

Carinthia [kə'rinθiə] *provincie în Australia* Carintia

carioca [,kærioukə] *s* carioca *(dans)*

carious ['kæriəs] *adj med* cariat, cu carii

Carl [ka:rl] *nume masc* Carol

carl(e) [ka:l] *s* **1** ← *înv* țăran; iobag; șerb **2** *scot sau* ← *înv* țăran, bădăran, țărănoi

Carlisle [ka:'lail] *oraș în Anglia*

carload ['ka:,loud] *s* **1** car, căruță *(ca încărcătură)* **2** *ferov amer* vagon *(ca încărcătură)*

Carlyle [ka:'lail], **Thomas** *scriitor și filosof englez (1795-1881)*

carman ['ka:,mən] *s* **1** căruțaș; șofer **2** *amer* manipulant, vatman

Carmelite ['ka:mə,lait] *s bis* (călugăr) carmelit

carmine ['ka:main] *adj, s* carmin

carnage ['ka:nidʒ] *s* măcel, carnaj

carnal ['ka:nəl] *adj* **1** carnal, trupesc **2** senzual **3** material, pământesc

carnality [ka:'næliti] *s* pofte trupești, senzualitate; voluptate

carnation [ka:'neiʃən] *s* **1** ← carnație **2** ← *înv* ten **3** *bot* garoafă de grădină (↓ *roșie) (Dianthus caryophyllus)*

carnelian [ka:'ni:ljən] *s minr* carneol

carney ['ka:ni] *s* ← *F* vorbe dulci/ mieroase

carnival ['ka:nivəl] *s* **1** *bis* carnaval **2** carnaval; petrecere **3** parc de distracții *(cu carusel etc.)*

carnivore ['ka:ni,vɔ:'] *s* **1** *zool* (animal) carnivor **2** *bot* plantă carnivoră

carnivorous [ka:'nivərəs] *adj zool, bot* carnivor

carob ['kærəb] *s bot* **1** roșcov *(Ceratonia siliqua)* **2** roșcovă

Carol ['kærəl] **1** *nume masc v.* **Charles 2** *nume fem v.* **Caroline[1]**

carol I *s* **1** cântec vesel; cântec de laudă, imn **2** colind(ă) **3** ciripit **II** *vi* **1** a cânta cântece vesele **2** a colinda **3** a ciripi **III** *vt* a cânta, a slăvi prin cântece

Carolinas, the [,kærə'lainəz, ðə] *Carolina de Nord și de Sud (S.U.A.)*

Caroline[1] ['kærə,lain] *nume fem* Carolina

Caroline[2] *adj* carolin *(privind domnia lui Charles I sau II din Anglia sec. XVII)*

Caroline Islands, the ['kærə,lain 'ailəndz, ðə] Insulele Caroline

Carolinian [kærə'liniən] *adj* **1** *v.* **Caroline²** **2** din statul Carolina *(S.U.A.)*

carol singer ['kærəl 'siŋəʳ] *s* colindător

carotid [kə'rɒtid] *s anat* (artera) carotidă

carousal [kə'rauzəl] *s* chef, petrecere

carouse [kə'rauz] *vi* a chefui, a bea, a petrece

carousel [,kærəsəl] *s* **1** căluşei, carusel **2** *av* ↓ *amer* bandă rulantă *(pentru bagaje)*

carouser [kə'rauzəʳ] *s* chefliu

carp¹ [kɑːp] *vi* (**at**) a critica *(pe cineva)*, a găsi pricină *(cuiva);* a cicăli *(pe cineva)*

carp² *s iht* crap *(Cyprinus carpio)*

carpal ['kɑːpəl] *adj anat* carpian

car park ['kɑː,pɑːk] *s auto* (loc de) parcare

Carpathian [kɑː'peiθiən] *adj* carpatic, carpatin, din Carpaţi

Carpathian Mountains, the [kɑː'peiθiən 'mauntiz, ðə] Munţii Carpaţi

Carpathians, the [kɑː'peiθiənz, ðə] Munţii Carpaţi

carpel ['kɑːpəl] *s bot* carpelă

carpenter ['kɑːpintəʳ] **I** *s* dulgher, tâmplar **II** *vi* a fi dulgher/tâmplar

carpentry ['kɑːpintri] *s* dulgherie, tâmplărie; lemnărie

carper ['kɑːpəʳ] *s* **1** criticastru **2** gâlcevitor

carpet ['kɑːpit] **I** *s* **1** covor; carpetă; **to beat the ~ s** a bate covoarele; **to be on the ~** *fig* **a** a fi pe tapet, a fi la ordinea zilei **b** *F* a fi luat la refec, a fi săpunit/ – criticat; **to walk the ~** *fig* a fi criticat, *F* a primi un perdaf; **to sweep smth under the ~** ← *F* a ţine ceva ascuns/secret **2** *fig* covor *(de iarbă etc.)* **3** *constr* îmbrăcăminte *(a drumului)* **II** *vt* **1** a aşterne cu covoare **2** *fig* a aşterne, a acoperi *(cu flori etc.)* **3** *fig F* a lua la refec/rost, a muştrului, a săpuni

carpet bag ['kɑːpit,bæg] *s* geantă de voiaj

carpet bagger ['kɑːpit,bægəʳ] *s* **1** călător cu traista-n băţ **2** vânturălume, aventurier **3** trepăduş politic **4** aventurier, escroc

carpeting ['kɑːpitiŋ] *s text* stofă (↓ de lână) pentru covoare

carpet knight ['kɑːpit,nait] *s* **1** erou de salon **2** învârtit, parvenit **3** *mil* soldat mobilizat pe loc

carpet slipper ['kɑːpit ,slipəʳ] *s* papuc

carpet sweeper ['kɑːpit swiːpəʳ] *s* aspirator (de praf)

carping ['kɑːpiŋ] *adj atr* cârcotaş, şicanator

car pool [kɑː'puːl] *s auto* ↓ *amer* folosire în comun a unor maşini *(pt economii)*

carport ['kɑːpɔːt] *s auto* şopron

carpus ['kɑːpəs], *pl* **carpi** [kɑːpai] *s anat* carp, încheietura mâinii

Carrara marble [kə 'rɑːrə'mɑːbl] *s* marmură de Carrara

carrel(l) ['kærəl] *s* cameră *sau* loc rezervat pentru studiu individual *(într-o bibliotecă etc.)*

carriage ['kæridʒ] *s* **1** trăsură; caleaşcă, caretă, echipaj **2** *ferov* vagon *(de pasageri)* **3** vagonet **4** *tehn* suport; sanie *(de strung);* car *(al maşinii de scris)* **5** *tehn* şasiu; ramă **6** *mil* afet *(de tun)* **7** transport; cărăuşie; costul transportului **8** ţinută, alură; aer, înfăţişare **9** ← *înv* purtare, conduită, comportare **10** îndeplinire, executare **11** votare *(a unui proiect de lege)*

carriageable ['kæridʒəbəl] *adj* **1** *(d drum etc.)* carosabil, practicabil **2** transportabil

carriage-and-four ['kæridʒən'fɔːʳ] *s* trăsură cu patru cai

carriage-and-pair ['kæridʒən'pɛəʳ] *s* trăsură cu doi cai

carriage body ['kæridʒ,bɒdi] *s* caroserie

carriage examiner ['kæridʒig'zæminəʳ] *s ferov* revizor de vagoane

carriage forward ['kæridʒ,fɔːwəd] *adv com* cu plata la primitor

carriage frame ['kæridʒ,freim] *s ferov* şasiu de vagon

carriage free ['kæridʒ,friː] *adv, adj ec* franco, gratuit, fără plată

carriage horse ['kæridʒ,hɔːs] *s* cal de trăsură

carriage way ['kæridʒ,wei] *s* parte carosabilă *(a drumului)*

carrick bend ['kærik,bend] *s nav* nod de împreunare

Carrie ['kæri] *nume fem dim de la* **Caroline**

carrier ['kæriəʳ] *s* **1** persoană care transportă ceva; căruţaş, cărăuş; hamal; comisionar; barcagiu;

luntraş; purtător **2** *av, nav* portavion **3** porumbel mesager **4** *med* agent microbian **5** *av* avion de transport **6** portbagaj *(la bicicletă etc.)* **7** *tehn* susţinător, crampon; sanie; consolă **8** *tehn* transportor

carrier bag ['kæriə bæg] *s com* pungă (de plastic *sau* hârtie)

carrier dog ['kæriə,dɒg] *s* **1** câine de povară **2** *tehn* conveier, transportor

carrier frequency ['kæriə'friːkwənsi] *s el* frecvenţă purtătoare

carrier pigeon ['kæriə,pidʒən] *s v.* **carrier 3**

carriole ['kæri,oul] *s* **1** sanie canadiană *(trasă de câini)* **2** cariolă, trăsură cu un cal; docar

carrion ['kæriən] **I** *s* **1** stârv, hoit **2** carne stricată **3** *fig* murdărie, porcărie **II** *adj atr* **1** care se hrăneşte cu stârvuri **2** *şi fig* putred, stricat

carrion crow ['kæriən,krau] *s orn* cioară (neagră) *(Corvus corone)*

carrot ['kærət] *s* **1** *bot* morcov *(Daucus carota)* **2** *pl* ← *F* păr roşu *sau* roşcat **3** *pl* ← *F* persoană cu păr roşu *sau* roşcat

carroty ['kæroti] *adj* **1** roşu; roşcat **2** cu părul roşu *sau* roşcat

carrousel [,kærə'sel] *s* **1** căluşei, carusel **2** *od* turnir

carry ['kæri] **I** *vt* **1** a duce, a purta, a căra; **she carried her baby on her back** îşi ducea copilul în spate/cârcă **2** a duce, a transporta; a căra **3** *(d. pilaştri etc.)* a (sus)ţine, a sprijini; a suporta **4** *agr (d. un teren etc.)* a întreţine, a hrăni, a nutri (vite *etc.*) **5** ← *F* a avea grijă de, a întreţine; a ajuta *(băneşte)*, a subvenţiona **6** a purta, a avea asupra sa *(arme etc.)* **7** a transmite, a răspândi *(boli)* **8** *(d. un magazin etc.)* a avea, a dispune de, a avea de vânzare **9** *mat* a ţine; **write seven and ~ one** scrie şapte şi ţine unu **10** *fin* a reporta **11** a avea, a conţine, a cuprinde; **to ~ weight** *fig* a avea greutate *sau* importanţă; **the report carries new data** raportul conţine date noi **12** a tipări, a publica *(articole etc.)* **13** *rad, telev* a difuza, a transmite **14** *F* a rezista la *(o anumită cantitate de băutură)*, a duce, – a bea *(fără să ameţească)* **15** a atrage după sine, a face posibil *sau* necesar, a antrena; **one decision carries another** o hotărâre luată înlesnește/face posibilă o altă hotărâre; **his crime carried a severe punishment** crima lui a fost pedepsită aspru, ca urmare a crimei sale a fost pedepsit aspru **16** a câștiga simpatia, aprobarea *sau* sprijinul *(alegătorilor etc.);* a cuceri, a fermeca **17** a impune, a face să reușească, să fie votat, aprobat *etc.;* **to ~ one's point** a-și impune punctul de vedere; **the bill was carried unanimously** proiectul de lege a fost votat în unanimitate **18** a spori, a mări, a continua *sau* a duce mai departe în spațiu, timp *sau* ca gradare; a face să ajungă *(într-o situație etc.);* a împinge; a forța; **to ~ things too far** a duce/a împinge lucrurile prea departe; **his ability carried him to the top of his profession** priceperea lui l-a dus spre cele mai înalte culmi profesionale **19** a nu părea că are *(o anumită vârstă)* **20** *mil* a cuceri *(o poziție);* **to ~ the day** a repurta victoria **21** *mil* a prezenta *(arma)* // **to ~ all/everything before one** a avea succes deplin; a câștiga/a repurta o victorie completă **II** *vr* **1** *(d. cineva)* a se ține *(bine etc.)* **2** a se comporta, a se purta **III** *vi* **1** a (putea) ajunge până la o anumită distanță; *mil* a bate; **his voice does not ~** nu are o voce destul de puternică; **his gun did not ~ to the hill** bătaia puștii lui nu ajungea până la deal **2** *(d. o femeie)* a fi însărcinată/gravidă **3** *zool* a urma să nască/să fete **4** *(↓ d. o lege, un plan)* a fi votat *sau* aprobat **5** a se bucura de succes, a avea succes **IV** *s* **1** distanță *(până unde ajunge vocea);* sonoritate **2** *mil* bătaie *(a unei arme de foc);* traiectorie *(a unui proiectil)* **3** *mil* poziție pe timpul deplasării **4** *autom* report, transfer **5** transportul unei ambarcațiuni pe porțiunea de uscat dintre două ape

carry about ['kæri ə'baut] *vt cu part adv* a duce/a purta (cu sine) de colo până colo

carryall ['kæri,ɔːl] *s* **1** sac de mână

(tip sport) **2** camion cu bănci laterale

carry along ['kæri ə'lɔŋ] *vt cu part adv* **1** a lua/a duce cu sine **2** a duce mai departe

carry away ['kæri ə'wei] *vt cu part adv* **1** a duce (cu sine *sau* după sine) **2** *fig* a transporta, a entuziasma **3** *fig* a ispiti, a ademeni **4** *fig* a smulge, a răpi

carry back ['kæri 'bæk] *vt cu part adv* a (re)aminti (cuiva) trecutul

carry forth ['kæri 'fɔːθ] *vt cu part adv* a arăta; a prezenta, a expune

carry-forward ['kærifɔwəd] *s ec fin* report

carry forward ['kæri 'fɔːwəd] *vt cu part adv* **1** a duce mai departe, a continua **2** *fin* a reporta

carrying ['kæriiŋ] *adj* **1** purtător; care aduce **2** de transport; portant

carrying capacity ['kæriiŋ kə'pæsiti] *s tehn* portanță

carrying-off ['kæriiŋɔːf] *s* îndepărtare; abatere, deviere

carryings-on ['kæriiŋzɔn] *s pl F* nebunii, ștrengării

carry off ['kæri 'ɔ(ː)f] *vt cu part adv* **1** a lua/a duce cu sine **2** a îndepărta, a înstrăina; a răpi **3** a face/a executa bine și cu ușurință; a câștiga *(o victorie, un premiu etc.);* **to carry it off well** a se descurca, a ieși bine, a izbândi **4** a cauza moartea *cuiva*

carry on ['kæri ɔn] **I** *vt cu part adv* **1** a continua, a duce mai departe **2** a conduce *(un proces);* a se ocupa cu, a fi angajat în *(o afacere);* a întreprinde *(o acțiune)* **II** *vi cu part adv* **1** a continua; a lucra mai departe **2** *F* a se da în spectacol; a face pe nebunul

carry on with ['kæri ɔn 'wið] *vi cu part adv și prep F* a se încurca cu, – a avea o legătură amoroasă cu

carry-out ['kæri,aut] *s amer* magazin cu preparate culinare

carry out ['kæri 'aut] *vt cu part adv* a duce la bun sfârșit; a îndeplini, a realiza; a face

carry-over ['kæri,ouvə] *s* **1** surplus; rest, rămășiță **2** *fin* report **3** influență *(a unei munci asupra alteia)*

carry over ['kæri 'ouvə] *vt cu part adv* **1** a duce/a trece dincolo **2** *fin* a reporta

carry through ['kæri 'θruː] **I** *vt cu part adv* **1** *v.* **carry out 2** a ajuta, a sprijini *(pe cineva);* a scoate din încurcătură **II** *vi cu part adv* a continua (să existe), a nu dispărea

carry up ['kæri 'ʌp] *vt cu part adv* **1** a ridica, a construi **2** *fin, mat* a reporta **II** *vi cu part adv* a rămâne, a persista, a continua

car shed ['kaː ,ʃed] *s* **1** *auto* garaj **2** *amer* depou *(de tramvaie, de vagoane)*

carsick ['kaː,sik] *adj* care suferă de rău de automobil *sau* tren

cart [kaːt] **I** *s* **1** căruță, car; haraba; furgon; **to put the ~ before the horse** *fig* a pune carul înaintea boilor; **to be in the ~** *sl* a fi în pom; – a fi într-o situație grea *sau* neplăcută **2** cotigă; cărucior de transport; roabă **II** *vt* **1** a duce cu căruța *etc. (v. ~ I)* **2** *F* a zvânta în bătaie, a burduși **3** ← *F* a duce, a căra, a târî *etc.* cu mâna

cartage ['kaːtidʒ] *s* **1** cărăușie, transport cu tracțiune animală **2** plată pentru transport *(cu tracțiune animală)*

Cartagena [,kaːtə'dʒiːnə] *oraș în Spania*

carte blanche ['kaːt 'blaːntʃ] *s fr* **1** formular *(necompletat)* **2** *fig* semnătură în alb; deplină libertate de acțiune

cartel [kaː'tel] *s* **1** *ec* cartel **2** *pol* cartel *(electoral)* **3** *mil* convenție referitoare la schimbul de prizonieri

carter ['kaːtə] *s* cărăuș; cărăuș

Cartesian [kaː'tiːziən] *adj, s filoz* cartezian

cartful ['kaːtful] *s* (of) car plin (cu), căruță(de), căruța plină (cu)

Carthage ['kaːθidʒ] *ist* Cartagina

Carthaginian [,kaːθə'dʒiniən] *adj, s ist* cartaginez

cart horse ['kaːt ,hɔːs] *s* cal de ham

cartilage ['kaːtilidʒ] *s anat* cartilaj, zgârci

cartilaginous [,kaːti'lædʒinəs] *adj* cartilaginos

cartload ['kaːt,loud] *s v.* **cartful**

cartman ['kaːtmən] *s* căruțaș, cărăuș

cartographer [kaː'tɔgrəfə] *s* cartograf

cartography [kaː'tɔgrəfi] *s* cartografie

cartomancy ['kaːtə,mænsi] *s* ghicit/dat în cărți

carton ['ka:tən] *s* **1** (cutie de) carton **2** cartuș de țigări **3** *și mil* centru al unei ținte

cartoon [ka:'tu:n] *I s* **1** caricatură **2** *cin* desen animat; film cu desene animate **3** *pict* carton *II vt și fig* a caricaturiza; *fig* a satiriza

cartoonist [ka:'tu:nist] *s* caricaturist

cartouche [ka:'tu:ʃ] *s* **1** *arhit, tehn* cartuș **2** *mil* cartușieră

cartridge ['ka:tridʒ] *s* **1** *mil* cartuș **2** *fot* cartuș, rolfilm; casetă cu peliculă fotografică

cartridge bag ['ka:tridʒ ,bæg] *s mil* garguză de încărcătură

cartridge belt ['ka:tridʒ ,belt] *s mil* **1** cartușieră, patrontaș **2** cingătoare pentru cartușe

cartridge box ['ka:tridʒ ,bɔks] *s mil* **1** cutie *sau* ladă cu cartușe **2** ladă cu muniții

cartridge case ['ka:tridʒ ,keis] *s mil* dulie, tub de cartuș

cartridge clip ['ka:tridʒ ,klip] *s* lamă de cartușe

cartridge fuse ['ka:tridʒ ,fju:s] *s el* siguranță fuzibilă

cartridge paper ['ka:tridʒ ,peipə'] *s* hârtie pentru cartușe

cartridge pouch ['ka:tridʒ ,pautʃ] *s* cartușieră

cartridge starter ['ka:tridʒ,sta:tə'] *s auto* demaror cu cartuș

cart road ['ka:t ,roud] *s* drum de care

cart wheel ['ka:t ,wi:l] *s* **1** roată de car/căruță **2** *sport* tumbă, roata **3** *av* tonou

cart whip ['ka:t ,wip] *s* bici *(lung)*

cartwright ['ka:t,rait] *s* rotar, caretaș

caruncle ['kærəŋkə'l] *s med, bot* umflătură, excrescență

carve [ka:v] *I vt* **1** a tăia, a ciopli, a sculpta, a grava **2** a tăia *(carnea)* *II vi* a tăia, a ciopli, a grava

carvel ['ka:vəl] *s nav od* caravelă

carven ['ka:vən] *ptc* ← *înv de la* **carve**

carve out ['ka:v 'aut] *vt cu part adv* **1** a tăia, a sfârteca, a dezmembra **2** *fig* a-și croi *(drum în viață etc.)*, a-și făuri *(soarta etc.)*; a-și face *(o carieră etc.)*

carver ['ka:və'] *s* **1** cioplitor; gravor; sculptor **2** cuțit de sculptat în lemn **3** cuțit de tăiat carne

carve up ['ka:v 'ʌp] *vt cu part adv* **1** a tăia *(porții etc.)* **2** *fig* a împărți, a diviza *(un teritoriu etc.)* **3** *sl* a răni cu cuțitul, a tăia

carving knife ['ka:viŋ,naif] *s v.* **carver 2**

car wash ['ka:,wɔʃ] *s auto* spălare (a mașinii)

car washer ['ka:,wɔʃə'] *s auto* aparat de spălat mașini

caryatid [,kæri'ætid], *pl și* **caryatides** [,kæri'æti,di:z] *s arhit* cariatidă

caryophyllaceous [,kærioufi'leiʃəs] *adj bot* cariofilat

caryopsis [,kæri'ɔpsis], *pl* **caryopsides** [,kæri'ɔpsi,di:z] *s bot* cariopsă

Casablanca [,kæsə'blæŋkə] *oraș în* **Maroc**

cascade [kæs'keid] *I s* cascadă mică, cădere de apă *(↓ în trepte)* *II vt* a face să se reverse/să cadă potop *III vi* a se revărsa/a cădea potop

cascara [kæs'ka:rə] *s farm* un fel de laxativ (slab)

case[1] [keis] *s* **1** caz, întâmplare; incident; accident; situație; **a ~ in point** un caz tipic, un exemplu potrivit/nimerit; **he is a hard ~** (el) este un caz dificil; **as the ~ stands** așa/după cum se prezintă cazul/lucrurile; **in ~ of** în cazul *cu gen,* în caz de; **in that ~** în acest caz; **in any ~** în orice caz; **the ~ is this** lucrurile se prezintă astfel/în felul următor; **that alters the ~** asta schimbă lucrurile/situația; **as the ~ may be** după cum e cazul/situația; **it wasn't the ~** nu era cazul; **in ~ a** în cazul când; dacă **b** ca nu cumva (să); pentru orice eventualitate; **just in ~** *amer* a numai dacă, numai în cazul când **b** pentru orice eventualitate; **in a sorry ~** într-un hal fără de hal **2** caz, problemă; **a ~ of conscience** un caz/o problemă de conștiință **3** *jur* caz, proces **4** *jur* probe; **he has a good ~** dreptatea este de partea sa **5** *med* caz; pacient **6** *gram* caz **7** *amer F* figură, – om ciudat *etc.* **8** *sl* prost, tâmpit // **to put the ~ that** a sugera că

case[2] *I s* **1** cutie; recipient **2** teacă; toc; înveliș; husă **3** ladă; dulap; vitrină **4** *poligr* casă de culegere, scoarță **5** carcasă *(a ceasornicului etc.)* **6** *constr* schelet *(de clădire)*; rámă, pervaz *II vt* **1** a pune într-o cutie, ladă *etc.* *(v. ~* **I., 1-5)** **2** a înveli, a acoperi *(cu o* husă *etc.)* **3** *sl* a cerceta *(locul viitoarei spargeri etc.)*

case book ['keis ,buk] *s* **1** *jur* listă de precedente **2** *med* agendă *sau* listă de pacienți

casefy ['keisi,fai] *vi* a se brânzi

caseharden ['keis,ha:dn] *vt* **1** *met* a cementa *(prin împachetare)* **2** *fig* a învârtoșa, a căli, a înăspri, a face nesimțitor

casehardened ['keis,ha:dnd] *adj fig* învârtoșat, nesimțitor

case history ['keis ,histəri] *s* **1** *jur* antecedente **2** *med* anamneză

casein ['keisiin] *s ch* cazeină

case knife ['keis ,naif] *s* **1** cuțit de vânătoare **2** cuțit de masă

case law ['keis ,lɔ:] *s jur* precedent juridic; lege bazată pe precedente; jurisprudență

casemate ['keis,meit] *s mil* cazemată

casement ['keismənt] *s* **1** toc, ramă (de fereastră) **2** înveliș, învelitoare; cadru

caseous ['keisiəs] *adj* brânzos, ca brânza

casern(e) [kə'zə:n] *s mil* cazarmă

case shot ['keis ,ʃɔt] *s mil* șrapnel; mitralie

case system ['keis ,sistim] *s jur* (sistem de) învățare a dreptului pe bază de exemple practice și precedente

case work ['keis ,wə:k] *s* studiul condițiilor de viață a familiilor sărace și ajutorarea lor

case worm ['keis ,wə:m] *s ent* crisalidă, nimfă

cash [kæʃ] *I s* **1** bani; **to be in ~** a avea bani, a dispune de bani; **out of ~** fără bani, *F* lefter **2** bani peșin/gheață; *fin* numerar; monedă *II vt* **1** a încasa; a schimba în bani *(un cec)* **2** a plăti (în numerar)

cash advance ['kæʃ əd,va:ns] *s* acont în bani

cash and carry ['kæʃ ənd ,kæri] *s com* achitare a mărfii și transportarea ei de către cumpărător

cash book ['kæʃ ,buk] *s fin* registru de casă

cash crop ['kæʃ ,krɔp] *s agr* recoltă destinată vânzării *(nu uzului personal)*

cash desk ['kæʃ ,desk] *s com* casă *(într-un magazin)*

cashew ['kæʃu:] *s bot* mahon, acaju *(Anacardium occidentale)*

cash flow [ˈkæʃ ˌfləu] *s fin* circuit financiar

cashier I [kæˈʃiəʳ] *s* casier **II** [kæˈʃiəʳ] *vt* **1** a îndepărta din serviciu *etc.*, a da afară **2** a elimina, a îndepărta

cashier's cheque [kæˈʃiəz ˌtʃek] *s fin* bilet de bancă; cec

cash in [ˈkæʃ ˌin] **I** *vt cu part adv* a încasa *(un cec etc.)* **II** *vi cu part adv F* a da ortul popii, – a muri

cash in on [ˈkæʃ ˈin ɔn] *vi cu part adv și prep* a profita de *(vreme frumoasă etc.)*

cashmere [ˈkæʃmiəʳ] *s* **1** (lână de) cașmir **2** șal de cașmir

cash note [ˈkæʃ ˌnout] *s ec* notă de plată

cash register [ˈkæʃ ˌredʒistəʳ] *s fin* casă de înregistrare *(mașină)*

cash sale [ˈkæʃ ˌseil] *s* vânzare contra numerar

casing [ˈkeisiŋ] *s* **1** înveliș; husă; toc, teacă **2** *constr* ramă; pervaz

casino [kəˈsi:nou] *s* **1** cazinou **2** reședință de vară *(în Italia)*

cask [ka:sk] *s* butoi, butie, poloboc; butoiaș

casket [ˈka:skit] *s* **1** lădiță; cutie; casetă; *poetic →* lacră, lăcriță **2** coșciug *(↓ scump)*

Caspian Sea, the [ˈkæspiən ˌsi:, ðə] Marea Caspică

casque [kæsk] *s ←poetic* coif

Cassandra [kəˈsændrə] *s* **1** *mit* Casandra **2** *fig* Casandra – persoană prevestitoare de rău *(de ale cărei sfaturi nimeni nu ține seama), peior →* cobe

cassation [kæˈseiʃən] *s jur* casare

cassava [kəˈsa:və] *s bot* manioca *(Manihot sp.)*

casserole [ˈkæsəˌroul] *s* caserolă

cassia [ˈkæsiə] *s bot* cassia *(Cassia sp.)*

cassino [kəˈsi:nou] *s* cazinou *(joc de cărți)*

Cassiopeia [ˌkæsiəˈpi:ə] *astr* Casiopeea

cassiterite [kəˈsitəˌrait] *s minr* casiterit

cassock [ˈkæsək] *s bis* sutană

cassowary [ˈkæsəˌwɛəri] *s orn* cazuar *(Casuarius casuarius)*

cast [ka:st] **I** *s* **1** aruncare, azvârlire **2** risc; șansă; **the last ~** ultima șansă **3** *teatru* distribuție **4** *tehn* formă *(de gips etc.);* matriță **5** formă, înfățișare, aspect *(al unui*

obiect) **6** colorit, nuanță **7** expresie *(a feței)*, mină **8** model **9** fig tip; structură *(a minții etc.)* **10** înclinare, aplecare **11** *tehn* șarjă **II** *pret și ptc* **cast** [ka:st] *vt* **1** a arunca, a (a)zvârli; **to ~ dust in(to) smb's eyes** *fig* a arunca praf în ochii cuiva **2** *zool* a lepăda *(pielea etc.)* **3** a făta **4** a pierde *(potcoava)* **5** a da *(votul)* **6** (**at, on, upon**) a îndrepta *(privirile)* (spre, către; asupra – *cu gen*) **7** a arunca, a răspândi *(lumina etc.)* **8** a arunca, a îndepărta *(ceva nefolositor)* **9** *tehn* a turna *(în forme etc.)* **10** *teatru* a distribui *(roluri)* **11** *jur* a condamna la plata despăgubirilor **III** *pret și ptc* **cast** [ka:st] *vi* **1** *(d. lemn)* a se strâmba, a se scoroji; *(d. stofă)* a se strânge, a intra la apă **2** a arunca undița **3** *tehn* a se modela; a căpăta o formă **4** *nav* a naviga în voltă; a se abate sub vânt

castability [ˌka:stəˈbiliti] *s tehn* capacitatea de a fi turnat

cast about [ˈka:st əˈbaut] *vt cu part adv* a arunca peste tot

cast about for [ka:st əˈbaut fəʳ] *vi cu part adv și prep* **1** a căuta *ceva* peste tot **2** *fig* a căuta, a încerca să găsească *(o scuză etc.)*

cast about to [ˈka:st əˈbaut tə] *vi cu part adv și inf* a plănui să, a intenționa să

castanets [ˌkæstəˈnets] *s pl* castaniete

cast around for [ˈka:st əˈraund fəʳ] *vi cu part adv și prep v.* **cast about for**

cast aside [ˈka:st əˈsaid] *vt cu part adv* **1** a arunca **2** a desconsidera; a nu ține seama de **3** a se lepăda de; a se descotorisi de; a renunța la

castaway [ˈka:stəˌwei] **I** *s* **1** paria; dezmoștenit al soartei **2** *nav* naufragiat **II** *adj atr* **1** *și fig* netrebuincios, nefolositor, inutil **2** *nav* naufragiat

cast away [ˈka:st əˈwei] *vt cu part adv* **1** a arunca **2** a risipi, a irosi **3** *fig* a înlătura, a scăpa de, a se descotorisi de // **to be ~** a naufragia

cast down [ˈka:stˈdaun] **I** *vt cu part adv* **1** a descuraja, a deprima **2** a-și pleca *(ochii)* **II** *adj* abătut, deprimat, necăjit

caste [ka:st] *s* **1** *și fig* castă **2** strat social; clasă socială **3** sistem bazat pe caste **4** poziție socială **5** poziție socială privilegiată **6** *fig* castă, cerc închis

castellan [ˈkæstilən] *s* castelan

castellated [ˈkæstiˌleitid] *adj* **1** crenelat **2** ca un castel, cu turnuri

caster [ˈka:stəʳ] *s* **1** aruncător **2** *met* turnător **3** creuzet

caster sugar [ˈka:stə ˌʃugəʳ] *s* zahăr pudră

casthouse [ˈka:stˌhaus] *s met* turnătorie

castigate [ˈkæstiˌgeit] *vt* **1** a pedepsi **2** *fig* a dojeni sever, a critica aspru **3** *fig* a amenda *(un text);* a corecta, a îndrepta

castigation [ˌkæstiˈgeiʃən] *s* **1** pedeapsă; corecție **2** dojană/mustrare severă/aspră **3** amendare *(a unui text);* corectare, îndreptare

Castile [kæˈsti:l] *ist* regat în Spania Castilia

Castilian [kæˈstiljən] **I** *adj* castilian **II** *s* **1** castilian **2** *lingv* castiliană; spaniolă

casting [ˈka:stiŋ] **I** *s* **1** aruncare, azvârlire; lepădare **2** calcul *(prealabil)* **3** *teatru etc.* distribuire a rolurilor **4** scorojire *(a lemnului)* **5** *min* transport *(de rocă)* **6** vărsătură, borâtură **7** *met* piesă turnată **II** *adj* **1** aruncător **2** *(d. vot)* hotărâtor

cast iron [ˈka:st ˈaiən] *s met* fontă *(de turnătorie)*

castle [ˈka:səl] **I** *s* **1** castel; **~ s in Spain/the air** *fig* castele în Spania **2** turn *(la șah)* **II** *vi* a face rocadă

castle builder [ˈka:səl ˌbildəʳ] *s fig* visător, făuritor de planuri

cast-off [ˈka:st ˌɔ(:)f] **I** *s* **1** lucru lăsat de o parte, lucru netrebuincios; vechitură **2** paria, proscris **II** *adj atr* aruncat; netrebuincios

cast off [ˈka:st ˈɔ(:)f] **I** *vt cu part adv* **1** a arunca; a lăsa, a părăsi, a se lepăda de **2** a izgoni; a proscrie **II** *vi cu part adv nav* a mola, a da parâma

castor[1] [ˈka:stəʳ] *s* **1** *zool* castor, biber *(Castor fiber)* **2** pălărie din blană de castor *sau* iepure

castor[2] *s* **1** solniță; piperniță; oțetar **2** rotiță, rotilă *(la mobilă)*

Castor and Pollux [ˈka:stər ən ˈpɔləks] *mit, astr* Castor și Pollux

castor oil ['kɑːstər ‚ɔil] *s ch* ulei de ricin

castor-oil plant ['kɑːstər‚ɔil 'plɑːnt] *s bot* ricin *(Ricinus communis)*

castor sugar ['kɑːstə ‚ʃugəʳ] *s v.* **caster sugar**

cast out ['kɑːst'aut] *vt cu part adv* a alunga, a izgoni; a îndepărta

castrate [kæ'streit] *vt* **1** *med, zool* a castra; *zool* și a jugăni **2** *fig* a emascula; a îndepărta esențialul din *(texte etc.)*

castration [kæ'streiʃən] *s* **1** *med, zool* castrare; *zool* și jugănire **2** *fig* emasculare

cast up ['kɑːst'ʌp] *vt cu part adv* **1** a arunca în sus *(privirile etc.)* **2** a da afară *(vomitând)* **3** a aduna; a totaliza

casual ['kæʒuəl] **I** *adj* **1** întâmplător, accidental; neintenționat **2** nepăsător, delăsător; neglijent; neatent **3** *(d. ținută)* neoficial **4** ocazional; provizoriu, temporar; neregulat **II** *s* **1** pesoană angajată temporar **2** ținută/haine de stradă; costum sportiv

casualism ['kæʒuəlizəm] *s filoz* cazualism

casually ['kæʒuəli] *adv* **1** întâmplător, accidental **2** neglijent; neatent **3** *(îmbrăcat etc.)* ca de fiecare zi, neoficial **4** ocazional; provizoriu

casualness ['kæʒuəlnis] *s* nepăsare, delăsare; neglijență

casualty ['kæʒuəlti] *s* **1** accident grav, dezastru, sinistru **2** caz nenorocit; avarie **3** rănit, accidentat; mort; victimă **4** *pl* ↓ *mil* pierderi

casuist ['kæʒjuist] *s* cazuist; sofist

casuistic(al) [‚kæʒju'istik(əl)] *adj* cazuistic, sofist

casuistry ['kæzjuistri] *s* cazuistică; sofisticărie; jocuri de cuvinte

casus belli ['kɑːsus 'beliː] *s lat* casus belli, pretext pentru război

cat [kæt] **I** *s* **1** pisică, mâță *(Felis domestica);* **to lead a ~ and dog life** a trăi precum câinele cu pisica; **to let the ~ out of the bag** *F* a-l lua gura pe dinainte; a se scăpa cu vorba; **to see which way the ~ jumps** a aștepta să vadă dincotro bate vântul; **that ~ won't jump** *F* figura asta nu merge/prinde; **to turn ~in the pan** ← *F* a deveni transfug; **to**

grin like a Cheshire ~ ← *F* a zâmbi prostește (cu gura până la urechi); **when the ~ 's away the mice will play** *prov* când pisica nu-i acasă șoarecii joacă pe masă; **enough to make a ~ laugh** să mori de râs nu alta, să râzi să te prăpădești; (even) **a ~ may look at a king** *aprox* (până) și cei mai umili au unele drepturi; **like a ~ on hot bricks**/*amer* **on a hot tin roof** ca pe ace/ghimpi/jar; **to rain ~s and dogs** a ploua cu găleata; **there's not enough/ no room to swing a ~** *sl* n-ai unde să te miști/întorci; **a ~ has nine lives** pisica are șapte vieți **2** *zool* felină **3** pisica-cu-nouă-cozi, gârbaci cu nouă șfichiuri **4** *fig* cață; gură rea; femeie răutăcioasă **5** *nav* gheară de pisică **6** *sl* iubitor de jazz **7** individ, tip **II** *vt* a bate cu pisica-cu-nouă-cozi

cat. *presc de la* **catalogue**

cata- *pref* cata-; **catalysis** cataliză

catabolism [kə'tæbə‚lizəm] *s biol* catabolism

catachresis [‚kætə'kriːsis], *pl* **catachreses** [‚kætə'kriːsiːz] *s lingv* catacreză

cataclysm ['kætə‚klizəm] *s* **1** cataclism; dezastru **2** *rel* potop

cataclysmal [‚kætə'klizməl] *adj* de cataclism, dezastruos

cataclysmic [‚kætə'klizmik] *adj v.* **cataclysmal**

catacombs ['kætə‚koumz] *s pl* catacombe

catafalque ['kætə‚fælk] *s* catafalc

Catalan ['kætə‚læn] **I** *adj* catalan, din Catalonia **II** *s* **1** catalan **2** (limba) catalană

catalectic [‚kætə'lektik] *adj metr* catalectic

catalepsy ['kætə‚lepsi] *s med* catalepsie

cataleptic ['kætə'leptik] *adj med* cataleptic

catalog ['kætə‚lɔg] *s, v amer v.* **catalogue**

catalogue ['kætə‚lɔg] **I** *s* **1** catalog **2** listă *(de prețuri etc.)* **3** *amer univ* plan de învățământ; programă analitică **II** *vt* a cataloga; a trece într-un catalog

cataloguize ['kætə‚lɔgaiz] *vt* **1** a cataloga **2** a înscrie într-un catalog

Catalonia [‚kætə'louniə] *regiune în Spania*

Catalonian [‚kætə'louniən] *adj, s v.* **Catalan**

catalysis [kə'tælisis], *pl* **catalyses** [kə'tælisiːz] *s ch* cataliză

catalyst ['kætə‚list] *s ch* catalizator

catamaran [‚kætəmə'ræn] *s* **1** *nav* catamaran **2** *fig* megeră, femeie gâlcevitoare

cataplasm ['kætə‚plæzəm] *s med* cataplasmă

catapult ['kætə‚pʌlt] **I** *s* **1** *mil, av* catapultă **2** praștie **II** *vt* **1** a catapulta; a azvârli **2** a lovi cu praștia în **3** a azvârli, a arunca **III** *vi* a se mișca repede; *F* → a o zbughi, a o șterge

cataract ['kætə‚rækt] *s* **1** cataractă; cascadă mare **2** ploaie torențială, potop, rupere de nori **3** *med* cataractă

catarrh [kə'tɑː] *s med* catar nazal, guturai

catarrhal [kə'tɑːhəl] *adj med* cataral

catastrophe [kə'tæstrəfi] *s* **1** catastrofă; sinistru; nenorocire **2** deznodământ *(într-o tragedie)*

catastrophic [‚kætə'strɔfik] *adj* catastrofic; dezastruos

catatonic [‚kætə'tɔnik] *adj, s med* catatonic, cataleptic

cat burglar ['kæt‚bə:gləʳ] *s* spărgător/hoț care se cațără pe burlane *etc.*

catcall ['kæt‚kɔːl] *vi* a huidui, a fluiera

catch [kætʃ] **I** *pret și ptc* **caught** [kɔːt] *vt* **1** a prinde, a apuca; **he caught the ball** prinse mingea; **to ~ one's breath a** a-și recăpăta răsuflarea **b** a i se opri/a i se tăia (brusc) răsuflarea; **~ me (doing that)!** *F* altul, nu eu; eu să fac așa ceva? **2** a prinde *(trenul etc.);* a ajunge la timp la **3** *fig* a (cu)prinde, a molipsi **4** *fig* a prinde, a cuceri; a reține; a atrage *(privirea etc.)* **5** *fig* a prinde, a înțelege, a pricepe **6** a prinde, a se îmbolnăvi de **7** *și fig* a lua *(foc)* **8** a-și prinde *(degetul etc.)* **9** a prinde, a captura; a vâna; a pescui *etc.* **II** (*v. ~ I*) *vi* **1** *(d. roți etc.)* a prinde **2** *(d. o haină etc.)* a se prinde, a se agăța; **his coat caught on a nail** haina i se agăță de un cui **3** *(d. o boală)* a fi molipsitor, a se răspândi **4** a lua foc, a se aprinde **III** *s* **1** prindere, apucare; capturare **2**

captură, pradă 3 câştig; venit; folos 4 şiretlic, viclenie, truc 5 pauză, întrerupere; **by ~ es** cu întreruperi; în salturi 6 *muz* canon 7 *tehn* cleşte de prins 8 *tehn* zăvor; clichet, clanţă, opritor; cârlig 9 *agr* şanţ de scurgere // **that's the ~** *F* aici e aici/buba

catchable ['kætʃəbəl] *adj* care poate fi prins

catch-all ['kætʃˌɔːl] *s amer* 1 debara, magazie 2 ladă de vechituri

catch-as-catch-can ['kætʃ əz 'kætʃ ˌkæn] *s sport* luptă în care sunt permise orice mişcări ("apucă cum poţi")

catch at ['kætʃ ət] *vi cu prep* 1 a încerca să apuce *cu ac*, a încerca să se prindă de; a se prinde de 2 *fig* a se agăţa cu disperare de 3 *fig* a se bucura de

catch away ['kætʃə'wei] *vt cu part adv* a lua/a duce cu sine

catch crop(s) ['kætʃˌkrɔp(s)] *s agr* culturi intercalate

catcher ['kætʃəʳ] *s* 1 prinzător; persoană *sau* lucru care prinde ceva 2 *tehn* capcană; clichet de blocare 3 *text* opritor

catchily ['kætʃili] *adv* (în mod) atrăgător

catching ['kætʃiŋ] *adj* 1 *med şi fig* molipsitor, contagios 2 (*d. vreme*) schimbător, instabil

catch it ['kætʃ it] *vt cu pron F* a o încasa, a vedea pe dracu'

catch line ['kætʃˌlain] *s* 1 *teatru* replică cu poantă 1 *poligr* colontitlu

catchment ['kætʃmənt] *s* 1 prindere, prins, capturare 2 *tehn* bazin de recepţie 3 zonă în care oamenii ţin de o instituţie centrală (*spital, şcoală etc.*)

catchment area ['kætʃmənt ˌɛəriə] *s v.* catchment 2-3

catch on ['kætʃˌɔn] *vi cu part adv* 1 a deveni popular; a fi la modă 2 a înţelege, a pricepe *cu ac*

catch out ['kætʃˌaut] *vt cu part adv* a demasca; a prinde (cu mâţa în sac)

catchpenny ['kætʃˌpeni] *s* marfă proastă/ordinară

catchphrase ['kætʃˌfreiz] *s* 1 lozincă 2 formulă goală; vorbă frumoasă fără tâlc/înţeles

catchpole ['kætʃˌpoul] *s* 1 aprod (judecătoresc) 2 ajutor de şerif

catch up ['kætʃˌʌp] *vt cu part adv* 1 şi *fig* a ajunge (*pe cineva*) din urmă 2 a prinde, a prelua (*o idee etc.*)

catch-up ['kætʃˌʌp] *s v.* catsup

catch up with ['kætʃˌʌp wið] *vi cu part adv şi prep* şi *fig* a ajunge *pe cineva* din urmă

catchword ['kætʃˌwəːd] *s* 1 cuvânt *sau* expresie la modă 2 lozincă 3 parolă 4 *teatru* replică 5 *poligr* colontitlu, titlu de pagină 6 articol de dicţionar

catchy ['kætʃi] *s* 1 (*d. o melodie etc.*) care prinde repede; care se reţine uşor 2 atrăgător, frumos, plăcut 3 înşelător, amăgitor; viclean, şmecher 4 (*d. vânt*) puternic, năprasnic

cate [keit] *s* delicatese, mâncăruri alese

catechetics [ˌkæti'ketiks] *s pl ca sg rel* catihetică

catechism ['kætiˌkizəm] *s* 1 *bis* catehism 2 *fig* şir de întrebări

catechist ['kætikist] *s bis* catihet

catechization [ˌkætikai'zeiʃən] *s bis* catehizare

catechize ['kætiˌkaiz] *vt bis* a catehiza

catechu ['kætitʃuː] *s ch, bot* catechu

catechumen [ˌkæti'kjuːmen] *s* 1 *bis* catehumen 2 *fig* începător, novice

categorical [ˌkæti'gɔrikəl] *adj* 1 categoric; hotărât; absolut; direct 2 care ţine de o categorie

categorically [ˌkæti'gɔrikəli] *adv* 1 categoric, hotărât 2 pe categorii

categorize ['kætigəˌraiz] *vt* a clasifica, *F →* a categorisi

category ['kætigəri] *s* categorie; clasă

catena [kə'tiːnə] *s fig* şir, lanţ

catenation ['kætiˌneiʃən] *s* lanţ, şir, înlănţuire

cater ['keitəʳ] I *vt amer ← F* a furniza provizii pentru (*un banchet etc.*) II *vi* a se îngriji de mâncare şi băutură (*pt o petrecere*)

cater cousin ['keitəˌkʌzən] *s* 1 rudă îndepărtată 2 prieten bun/intim

caterer ['keitərəʳ] *s* 1 furnizor (↓ *de alimente*) 2 director *sau* proprietar de restaurant, hotel *etc.*

cater for ['keitə fəʳ] *vi cu prep* 1 a furniza provizii/alimente pentru *sau cu dat* 2 a satisface, a mulţumi (*gustul publicului etc.*);

a căuta să placă *cu dat;* a ţine cont/seama de; a lua în considerare *cu ac*

caterpillar ['kætəˌpiləʳ] *s* 1 *zool* omidă 2 *tehn* şenilă 3 *fig* lipitoare, exploatator

caterpillar tractor ['kætəˌpilə 'træktəʳ] *s tehn* tractor cu şenile

cater to ['keitə tə] *vi cu prep amer v.* cater for 2

caterwaul ['kætəˌwɔːl] I *s* 1 mieunat 2 *fig* larmă, scandal II *vi* mieuna, a miorlăi

cat-eyed ['kætˌaid] *adj* cu ochi de pisică (*care vede şi pe întuneric*)

catfish ['kætˌfiʃ] *s iht* drac-de-mare (*Trachinus draco*)

catgut ['kætˌgʌt] *s tehn* catgut, coardă de maţ de oaie *etc.*

catharsis [kə'θɑːsis] *s* 1 *lit* catarsis 2 *med* purgare

Cathay [kæ'θei] *← înv, poetic* China

cathedral [kə'θiːdrəl] *s* catedrală, dom

Catherine ['kæθrin] *nume fem* Ecaterina

Catherine wheel ['kæθrin ˌwiːl] *s* roată de foc (*ca joc de artificii*)

catheter ['kæθitəʳ] *s med* cateter

catheterize ['kæθitəˌraiz] *vt med* a cateteriza

cathode ['kæθoud] *s el* catod

cathode rays ['kæθoud reiz] *s pl fiz* raze catodice

cathodic(al) [kə'θɔdik(əl)] *adj fiz* catodic

catholic ['kæθəlik] I *adj* 1 *rel* C ~ catolic, P → papistaş 2 *fig* universal; larg 3 *fig* tolerant; lipsit de prejudecăţi II *s* C ~ *rel* catolic, P → papistaş

Catholicism [kə'θɔliˌsizəm] *s rel* catolicism

catholicity [ˌkæθə'lisiti] *s* 1 C ~ *rel* catolicism 2 *fig* universalitate 3 *fig* toleranţă; lipsă de prejudecăţi

Catholicize [kə'θɔliˌsaiz] *vt rel* a cataliciza

cation ['kætaiən] *s fiz* cation

catkin ['kætkin] *s bot* mâţişor

catlike ['kætˌlaik] *adj* (ca) de pisică; felin

cat nap ['kætˌnæp] *s* pui de somn; somn iepuresc

cat nip ['kætˌnip] *s bot* iarba-mâţei, cătuşnică (*Nepeta cataria*)

Cato ['keitou] 1 consul roman (*234-149 î.e.n.*) 2 filozof roman (*95-46 î.e.n.*)

cat-o'-nine-tails ['kætə'nainteilz] *s sg şi pl v.* cat I, 3

catoptric(al) [kə'tɔptrik(əl)] *adj fiz* catoptric

catoptrics [kə'tɔptriks] *s ca sg fiz* catoptrică

cat's cradle ['kæts ‚kreidəl] *s* „moara", joc cu sfoara *(trecută pe după degete)*

cat's eye ['kæts ‚ai] *s auto* ochi de pisică

Catskill Mountains, the ['kætskil 'mauntinz, ðə] Munții Catskill

cat's paw ['kæts ‚pɔ:] *s* **1** labă de pisică **2** *fig* slugă, unealtă **3** *nav* briză ușoară **4** *nav* gură de știucă *(nod)*

catsup ['kætsʌp] *s* sos picant *(din ciuperci, roșii etc.)*

cat tail ['kæt ‚teil] *s bot* papură *(Typha latifolia)*

cattiness [kætinis] *s* **1** răutate; ură **2** perfidie, falsitate, prefăcătorie **3** agilitate

cattish ['kætiʃ] *adj* **1** pisicesc, felin **2** *fig* rău, răutacios **3** *fig* perfid, prefăcut, fals **4** agil

cattle ['kætəl] *s ca pl* vite; bovine; **many head of** ~ multe capete de vite

cattle cake ['kætəl 'keik] *s agr* turtă oleaginoasă

cattle house ['kætəl 'haus] *s* staul, cojar

cattleman ['kætəlmən] *s amer* **1** crescător de vite **2** cioban

cattle run ['kætəl ‚rʌn] *s agr* pășune, islaz *(mare)*

catty ['kæti] *adj v.* **cattish**

cat walk ['kæt ‚wɔ:k] *s pol* **1** *auto* mers foarte încet **2** *constr, nav* pasarelă

Caucasian [kɔ:'keiziən] *adj, s* caucazian

Caucasus, the ['kɔ:kəsəs, ðə] *masiv muntos, regiune* Caucaz

caucus ['kɔ:kəs] *s* **1** *amer* întrunire preelectorală *(pt numirea candidaților)* **2** întrunire a conducătorilor de partid **3** comitet local de partid

caudal [kɔ:dəl] *adj zool* caudal

caudate ['kɔ:deit] *adj zool* caudat, cu coadă

caudex ['kɔ:deks], *pl și* **caudices** ['kɔ:di‚si:z] *s bot* rizom

caudle ['kɔ:dəl] *s* băutură caldă pentru bolnavi

caught [kɔ:t] *pret și ptc de la* catch **I, II**

caught up in ['kɔ:t'ʌp in] *ptc (de la* **catch up**) *și prep* **1** absorbit de, cufundat în **2** implicat *(fără voie)* în

caul [kɔ:l] *s* **1** scufie; plasă pentru păr **2** *anat* epiploon **3** *anat și fig* căiță

cauldron ['kɔ:ldrən] *s și fig* cazan

cauliflower ['kɔli‚flauəʳ] *s bot* conopidă *(Brassica oleracea)*

caulk [kɔ:k] *vt tehn* a călăfătui; a știmui

caulker ['kɔ:kəʳ] *s tehn* călăfătuitor; știmuitor

causal ['kɔ:zəl] **I** *adj* cauzal **II** *s gram* conjuncție cauzală

causality [kɔ:'zæliti] *s* cauzalitate

causally ['kɔ:zəli] *adv* (din punct de vedere) cauzal

causative ['kɔ:zətiv] *adj* **1** cauzal **2** *gram* cauzativ

cause [kɔ:z] **I** *s* **1** cauză, pricină; temei **2** motiv; temei; justificare; **there is no ~ for anxiety** nu există nici un motiv de neliniște; **to give smb ~ for** a da cuiva motiv de **3** *fig* cauză *(dreaptă etc.)*; **to make common ~ with** a face cauză comună cu; **the ~ of peace** cauza păcii **4** *jur* caz, proces **5** *fig* problemă, chestiune **II** *vt* **1** a cauza, a stârni *(tulburare etc.)* **2** a cauza, a pricinui; **to ~ smb a loss** a cauza cuiva o pierdere

causeless ['kɔ:zlis] *adj* **1** fără cauză **2** nemotivat, nejustificat

causelessly ['kɔ:zlisli] *adv* fără cauză *sau* motiv

cause list ['kɔ:z ‚list] *s jur* listă de procese

causer ['kɔ:zəʳ] *s* **1** vinovat **2** cauză, pricină

causerie ['kouzəri] *s* șuetă

cause to ['kɔ:z tə] *vt cu inf* a face *(pe cineva, ceva)* să; **he caused me to go** m-a silit să plec; **to cause smb to be informed** a informa/a înștiința pe cineva

causeway ['kɔ:z‚wei] *s* **1** dig rutier **2** șosea

caustic ['kɔ:stik] *adj* **1** *ch* caustic **2** *fig* caustic, mușcător; sarcastic

caustically ['kɔ:stikəli] *adv fig* caustic, mușcător, sarcastic

causticity [‚kɔ:s'tisiti] *s ch și fig* causticitate

caustic soda ['kɔ:stik soudə] *s ch* sodă caustică, hidrat de sodiu

cauterization ['kɔ:tərai'zeiʃən] *s tehn, ch* **1** băițuire **2** *și med* cauterizare

cauterize ['kɔ:tə‚raiz] *vt tehn, ch* **1** a băițui **2** *și med* a cauteriza

cautery ['kɔ:təri] *s med* **1** cauterizare **2** cauter

caution ['kɔ:ʃən] **I** *s* **1** prudență, precauție, prevedere; atenție **2** avertisment; semnal de alarmă **3** *F* păcală; – excentric, original **4** *F* grozăv(en)ie, – lucru extraordinar **II** *vt* (**against**) a preveni, a avertiza (împotriva – *cu gen*); **he was ~ ed not to be late** i s-a atras atenția să nu întârzie

cautionary ['kɔ:ʃənəri] *adj* care previne/avertizează; care dă povețe

cautioner ['kɔ:ʃənəʳ] *s scot jur* garant

cautious ['kɔ:ʃəs] *adj* precaut, prevăzător, prudent; atent

cautiously ['kɔ:ʃəsli] *adv* (în mod) precaut, cu prudență

cautiousness ['kɔ:ʃəsnis] *s v.* **caution I**

cavalcade [‚kævəl'keid] *s* **1** cavalcadă **2** șir *(de mașini etc.)* **3** serie, suită *(de întâmplări etc.)*

cavalier [‚kævə'liəʳ] **I** *s* **1** călăreț; cavalerist **2** *și od* cavaler **3** *și C ~ ist* cavaler, regalist *(partizan al lui Charles I)* **II** *adj* **1** mândru, trufaș **2** egoist **3** nesăbuit; ușuratic **4** curtenitor *(cu femeile)*

cavalry ['kævəlri] *s ↓ ca pl mil* **1** cavalerie, *înv* → călărași **2** ↓ *amer* (vehicule) blindate ușoare

cavalryman ['kævəlrimən] *s mil* cavalerist, *înv* → călăraș

cavatina [‚kævə'ti:nə] *s muz* cavatină

cave [keiv] **I** *s* **1** peșteră, grotă, cavernă, *poetic* → hrubă **2** cavitate, depresiune **3** pivniță **II** *vt* a săpa; a scobi **III** *vi F v.* **cave in II**

caveat ['keiviæt] *s* **1** avertisment, prevenire **2** protest **3** *jur* protest; suspendare *(a unui proces)*

cave in ['keiv'in] **I** *vt cu part adv* a face să se prăbușească/să cadă **II** *vi cu part adv* **1** a se prăbuși, a cădea **2** *F* a se bătut, – a ceda, a depune armele

caveman ['keivmən] *s geol* om al cavernelor/peșterilor, troglodit

cavendish ['kævəndiʃ] *s* tutun presat

cavern ['kævən] *s* **1** *v.* **cave I 1 2** *med* cavernă

cavernous ['kævənəs] *adj* **1** cu (multe) peșteri **2** *med* cu caverne, cavernos **3** *(d. voce)* cavernos **4** *(d. ochi)* vârât în fundul capului

cavernously ['kævənəsli] *adv* cu o voce cavernoasă

caviar(e) ['kævi,aːʳ] *s* icre *(ca aliment); ~* **to the general** mărgăritare înaintea porcilor, *aprox (a strica)* orzul pe gâște

cavil ['kævil] **I** *vt* a cicăli, a critica pentru nimicuri; a găsi nod în papură *(cuiva)* **II** *s* cicăleală, șicană

cavil about/at ['kævil ə,baut/ət] *vi cu prep* a critica; a găsi neajunsuri *cu dat*, a se lega de

caviller ['kævilə] *s* cicălitor, cârcotaș

cavity ['kæviti] *s* **1** cavitate, depresiune **2** *med* cavitate; cavernă **3** *geol* gol carstic, vid

cavity wall ['kæviti ,woːl] *s constr* zid cu goluri

cavort [kə'voːt] *vi F* a țopăi, – a sări; a dansa

cavy ['keivi] *s zool* cobai *(Cavia)*

caw [koː] **I** *vi* a croncăni **II** *s* croncănit

Caxton ['kækstən], **William** *primul tipograf englez (1422?-1491)*

cay [kei] *s* recif coralier

Cayenne [kei'en] *capitala Guyanei Franceze*

cayenne (pepper) [kei'en ('pepəʳ)] *s bot* ardei (roșu)

cayman ['keimən], *și pl* **caymans** ['keimənz] *s zool* caiman, *specie de aligator (Caiman sp.)*

C battery ['siː 'bætəri] *s el* baterie C

cc. *presc de la* **chapters**

c.c. *presc de la* **cubic centimetre(s)**

C.C., c.c. *presc de la* **1** carbon copy **2** chief clerk **3** city council **4** civil court **5** country council

C.E. *presc de la* **1** Chemical Engineer **2** Chief Engineer **3** Civil Engineer **4** Church of England

cease [siːs] **I** *vi* a înceta, a se opri, a conteni **II** *vt* a înceta (cu), a conteni cu **III** *s ← rar* încetare; **without ~** fără încetare

cease fire ['siːs,faiəʳ] *s mil* încetarea focului; armistițiu

ceaseless ['siːslis] *adj* neîncetat, continuu

ceaselessly ['siːslisli] *adv* neîncetat, (în)continuu, fără încetare

Cecil ['sesəl] *nume masc*

Cecile ['sesil] *v.* **Cecilia**

Cecilia [si'siːljə] *nume fem*

Cecily ['sisili] *v.* **Cecilia**

cecity ['siːsiti] *s med* cecitate

cecum ['siːkəm] *s v.* **caecum**

cedar ['siːdəʳ] *s bot* cedru *(Cedrus sp.)*

cedarn ['siːdən] *adj ← poetic* de cedru; ca cedrul

cedar of Lebanon ['siːdər əv 'lebənən] *s bot* cedru de Liban *(Cedrus libani)*

cede [siːd] *vt* a ceda *(drepturi etc.) cuiva*

cedilla [si'dilə] *s poligr* sedilă

Cedric ['siːdrik] *nume masc*

ceiling ['siːliŋ] *s* **1** tavan, plafon, **2** *av* plafon de zbor **3** plafon al norilor **4** *fig* plafon, limită

celandine ['selən,dain] *s bot* **1** negelariță, rostopască *(Chelidonium majus)* **2** untișor, grâușor *(Ranunculus ficaria)*

Celebes ['selibiːz] *insulă în Indonezia*

celebrant ['selibrənt] *s bis* preot (catolic) care celebrează liturghia

celebrate ['seli,breit] *vt* **1** a sărbători, a celebra; a comemora **2** a celebra, a oficia

celebrated ['seli,breitid] *adj* celebru, renumit, vestit

celebration [,seli'breiʃən] *s* **1** sărbătorire, celebrare; comemorare **2** sărbătoare, festivitate **3** celebrare, oficiere

celebrity [si'lebriti] *s* **1** celebritate, reputație, faimă **2** celebritate, persoană care se bucură de renume

celerity [si'leriti] *s* iuțeală, rapiditate

celery ['seləri] *s bot* țelină *(Apium graveolens); ↓* frunze de țelină

Celeste [si'lest] *nume fem*

celestial [si'lestiəl] *adj* ceresc, *poetic* celest

celestial body [si'lestiəl ,bodi] *s* corp ceresc, astru

Celestial Empire, the [si'lestiəl 'empaiəʳ, ðə] *s od* Imperiul Ceresc, China

celestial horizont [si'lestiəl hə'raizən] *s astr* orizont ceresc/matematic

celestial sphere [si'lestiəl ,sfiəʳ] *s* bolta cerească/cerului

Celestine ['selistain] *nume fem*

Celia ['siːliə] *nume fem*

celibacy ['selibəsi] *s* celibat, burlăcie

celibate ['selibit] **I** *s* celibatar *(↓ care a jurat să nu se căsătorească)* **II** *adj* celibatar

cell [sel] *s* **1** *anat etc.* celulă **2** receptacul **3** celulă *(de închisoare)* **4** chilie **5** *el* celulă; pilă electrică **6** *tehn* cameră, colivie; element **7** *← poetic* mormânt, gropă **8** *pol* celulă

cellar ['seləʳ] **I** *s* **1** pivniță, beci **2** pivniță *(de vinuri)* **II** *vt* a ține/a păstra în pivniță

cellarage ['seləridʒ] *s* **1** pivnițe, beciuri **2** păstrare/ținere în pivniță **3** plată/chirie pentru păstrare în pivniță

cellarer ['selərəʳ] *s bis* chelar

cellaress ['seləris] *s bis* chelăreasă

cellaret [,selə'ret] *s* despărțitură pentru sticle *(într-un bufet etc.)*; bar *(mobilă)*

Cellini [tʃi'liːni], **Benvenuto** *sculptor italian (1500-1571)*

cellist, 'cellist ['tʃelist] *s* violoncelist

cello, 'cello ['tʃelou] *s* violoncel

cellophane ['seləfein] *s* celofan

cellular ['seljuləʳ] *adj* **1** celular **2** poros, spongios

cellular tissue ['seljulə 'tisjuː] *s anat* țesut celular

celluloid ['selju,loid] *s* **1** celuloid **2** *amer* film

cellulose ['selju,louz] *s* celuloză

cellulose acetate ['selju,louz ,æsiteit] *s ch* acetat de celuloză

Celsius degree ['selsiəs di'griː] *s fiz* grad Celsius

Celt [kelt] *s* celt

Celtic ['keltik] **I** *adj* celtic **II** *s* (limba) celtă

cement [si'ment] **I** *s* **1** ciment **2** mastic, liant **3** *med* ciment, plombă **4** *fig* legătură; sudură **II** *vt* **1** a cimenta, a cementa; a lega **2** *fig* a cimenta, a consolida, a întări

cementation [,siː.men'teiʃən] *s și fig* cimentare, întărire

cement mixer [si'ment 'miksəʳ] *s tehn* amestecător de ciment

cemetery ['semitri] *s* cimitir

cen. *presc de la* **1** central **2** century

-cene *suf* -cen: **Miocene** Miocen

ceno- *pref* ceno-: **cenotaph** cenotaf

cenobite ['siː,nou,bait] *s bit* cenobit

cenotaph ['senə,taːf] *s* cenotaf

Cenozoic [,siː,nou'zouik] *adj geol* Cenozoic

cense [sens] *vt* a tămâia *(o încăpere etc.)*

censer ['sensə'] s cădelniță

censor ['sensə'] I s 1 ist Romei cenzor 2 lit etc. cenzor 3 univ supraveghetor (la Oxford) 4 critic 5 ← înv criticastru II vt a cenzura

censorial [sen'sɔ:riəl] adj de cenzor

censorious [sen'sɔ:riəs] adj critic; sever, aspru, necruțător

censoriously [sen'sɔ:riəsli] adv (în mod) foarte critic; necruțător; acuzator

censoriousness [sen'sɔ:riəsnis] s obiceiul de a critica sever

censorship ['sensə,ʃip] s 1 calitatea sau funcția de cenzor 2 cenzură

censurable ['senʃərəbəl] adj care merită să fie criticat, condamnabil

censure ['senʃə'] I s dezaprobare; blam; vote of ~ on smb vot de blam împotriva/la adresa cuiva II vt a condamna, a blama, a critica

census ['sensəs] s recensământ

cent [sent] s cent (1/100 dintr-un dolar) // per ~ la sută

cent. presc de la 1 centigrame 2 centimetre 3 century

centaur ['sentɔ:'] s 1 mit centaur 2 the C~ astr Centaurul

Centaurus [sen'tɔ:rəs] s v. centaur 2

centaury ['sentɔ:ri] s bot centaurea, dioc (Centaurium sp.)

centavo [sen'ta:vou] s centavo (monedă în țări din America Latină)

centenarian [,senti'nɛəriən] I adj centenar; de o sută de ani II s persoană în vârstă de o sută de ani (sau peste o sută de ani)

centenary [sen'ti:nəri] s, adj centenar

centennial [sen'teniəl] I adj 1 centenar 2 care are loc o dată la o sută de ani II s centenar

center ['sentə'] s, v amer v. centre

centesimal [sen'tesiməl] adj mat centezimal

centigrade ['senti,greid] s fiz centigrad

centigram(me) ['senti,græm] s centigram

centilitre ['senti,li:tə'] s centilitru

centime ['sʌn,ti:m] s centimă (1/100 dintr-un franc francez)

centimetre ['senti,mi:tə'] s centimetru

centipede ['senti,pi:d] s zool centiped

central ['sentrəl] I adj 1 central, din sau de lângă centru 2 fig central, fundamental, esențial, principal 3 accesibil; situat în apropiere 4 med privitor la sau legat de sistemul nervos central II s ← rar amer centrală (telefonică)

Central America ['sentrəl ə'merikə] America Centrală

central heating ['sentrəl 'hi:tiŋ] s încălzire centrală

centralism ['sentrə,lizəm] s centralism

centrality [sen'træliti] s poziție centrală

centralization ['sentrəlai'zeiʃən] s centralizare; concentrare

centralize ['sentrə,laiz] I vt a centraliza; a concentra II vi a se centraliza; a se concentra

centrally ['sentrəli] adv la sau lângă centru

central nervous sistem ['sentrəl 'nə:vəs 'sistim] s anat sistemul nervos central

Central Power, the ['sentrəl 'pauəz, ðə] s ist Puterile Centrale

centre ['sentə'] I s 1 centru; mijloc; punct central 2 constr cintru 3 fiz centru; nucleu 4 tehn vârf 5 sport centru II vt 1 a pune/a așeza în centru 2 (on) a concentra (asupra – cu gen) 3 tehn a centra, a centrui 4 sport a centra

centre bit ['sentə,bit] s tehn burghiu de centrare

centreboard ['sentə,bɔ:d] s nav derivor central

centred ['sentəd] adj poligr etc. centrat

centre forward ['sentə 'fɔ:wəd] s sport centru înaintaș

centre in ['sentər in] vi cu prep v. centre on

centre of attraction ['sentər əv ə'trækʃən] s fig centru al atracției

centre of gravity ['sentər əv 'græviti] s fiz centru de greutate

centre on ['sentər ɔn] vi cu prep a se concentra asupra cu gen, a se afla în centrul (discuției etc.)

centre piece ['sentə ,pi:s] s 1 vază ornamentală (așezată la mijlocul mesei) 2 obiect principal (dintr-un grup)

centre round ['sentə ,raund] vi cu prep v. centre on

centre upon ['sentərə,pɔn] vi cu prep v. centre on

centricity [sen'trisiti] s centricitate

centrifugal [sen'trifjugəl] tehn I adj centrifug II s centrifugă

centrifuge ['sentri,fju:dʒ] s tehn centrifugă

centripetal [sen'tripitəl] adj centripet

centrist ['sentrist] adj, s pol centrist

centrum ['sentrəm], pl și centra ['sentrə] s 1 centru 2 geol epicentru

centuple ['sentjupəl] I adj însutit II vt a însuti, a mări de o sută de ori

centurion [sen'tjuəriən] s ist Romei centurion, sutaș

century ['sentʃəri] s 1 secol, veac, o sută de ani 2 sport etc. o sută de puncte etc. 3 ist Romei centurie

ceorl [tʃɛəl] s ist țăran liber (la anglo-saxoni, între sclav și than)

cephalalgia [,sefə'lældʒiə] s med cefalalgie, cefalee, durere de cap

cephalalgic [,sefə'lældʒik] s med analgezic (contra durerilor de cap)

cephalic [si'fælik] adj anat cefalic

cephalitis [,sefə'laitis] s med cefalită

cephalopod ['sefələ,pod] s zool cefalopod

ceramics [si'ræmiks] s 1 ca sg ceramică 2 ca pl obiecte de ceramică

Cerberus ['sə:bərəs] s 1 mit Cerber 2 fig cerber, paznic crud

cere [siə] s orn ceroma

cereal ['siəriəl] s 1 pl cereale 2 fulgi de ovăz etc. (pt micul dejun)

cereal crops ['siəriəl ,krɔps] s pl cereale

cerebellum ['seri'beləm] s anat cerebel, creierul mic

cerebral ['seribrəl] adj 1 anat cerebral 2 cerebral; intelectual; mintal; rațional

cerebration [,seri'breiʃən] s gândire; activitate mintală sau intelectuală

cerebro-spinal [,seribrou 'spainəl] adj anat cerebro-spinal

cerebrum ['seribrəm], pl și cerebra ['seribrə] s anat creierul mare

cerecloth ['siə,klɔθ] s 1 mușama 2 înv lințoliu, giulgiu

cerement ['seəmənt] s ↓ pl lințoiu, giulgiu

ceremonial [ˌseri'mouniəl] **I** *adj* de ceremonie; formal; convenţional; ritual **II** *s* **1** ceremonial, forme de etichetă; ritual **2** ceremonie

ceremonious [ˌseri'mouniəs] *adj* **1** de ceremonial *sau* ceremonie **2** ceremonios; manierat (↓ *până la exagerare)*

ceremoniously [ˌseri'mouniəsli] *adv* ceremonios

ceremony ['seriməni] *s* **1** ceremonie; ceremonial; ritual; solemnitate **2** ceremonie, formalitate; politeţe (↓ *exagerată); to stand on* ~ a fi protocolar; a se formaliza

Ceres ['siəri:z] *mit*

ceric ['siərik] *adj ch* ceric, al ceriului, de ceriu

cerise [sə'ri:z] *adj* cireşiu, de culoarea cireşii

cerium ['siəriəm] *s ch* ceriu

cerous ['siərəs] *adj ch* ceros

cert [sə:t] *s sl* lucru absolut sigur

cert. *presc de la* **1** certificate **2** certified

certain ['sə:tən] **I** *adj* **1** *atr* anumit, anume; oarecare; **on** ~ **conditions** în anumite condiţii; **there was a** ~ **hesitation in his voice** avea o anumită/oarecare ezitare în glas **2** sigur, precis, cert, categoric, neîndoios; **a** ~ **cure** tratament sigur; **what I tell you is** ~ ceea ce-ţi spun e sigur **3** (*d. cineva)* *pred* sigur, convins; **they are** ~ **to come later** este sigur că vor veni mai târziu, vor veni cu siguranţă mai târziu; **to make** ~ **of smth** a se convinge/a se încredinţa de ceva **II** *s:* **for** ~ în mod sigur **III** *pr* unii *sau* unele; ~ **of the problems discussed** unele din problemele discutate

certainly ['sə:tənli] *adv* **1** sigur, fără îndoială, cu certitudine, negreşit, neîndoielnic **2** (*ca răspuns la întrebări*) (de)sigur, bineînţeles, cum să nu, fireşte, da; ~ **not** nicidecum, de fel, *F→* nici vorbă, da' de unde

certainty ['sə:tənti] *s* **1** fapt cert/sigur; **for a** ~ (în mod) sigur, cu precizie; **to a** ~ negreşit, neapărat **2** siguranţă; încredinţare; convingere

certes ['sə:tiz] *adv* ← *înv* fără îndoială, negreşit

certifiable ['sə:tiˌfaiəbəl] *adj* care poate fi constatat, constatabil

certificate [sə'tifikit] *s* **1** recipisă; certificat; adeverinţă; extras (*de naştere etc.)* **2** *amer* diplomă; atestat

certificated [sə'tifikeitid] *adj (d. cineva)* cu diplomă

certificate of deposit [sə'tifikit əv di'pɔzit] *s ec* recipisă de depunere

certificate of health [sə'tifikit əv 'helθ] *s* certificat medical

certification [ˌsə:tifi'keiʃən] *s* certificare, adeverire; atestare

certificatory [sə:ˌtifi'keitəri] *adj* adeveritor, confirmator, care certifică

certified ['sə:tiˌfaid] *adj* **1** adeverit, confirmat **2** garantat, asigurat **3** verificat

certified mail ['sə:tiˌfaid'meil] *s amer* scrisoare recomandată; scrisori recomandate

certified milk ['sə:tiˌfaid ˌmilk] *s amer* lapte verificat în laborator

certified public accountant ['sə:tiˌfaid ˌpʌblik ə'kauntənt] *s amer fin* contabil cu diplomă; revizor-contabil

certify ['sə:tiˌfai] *vt* **1** a certifica, a adeveri; a atesta **2** a verifica **3** *ec* a garanta **4** a elibera (*cuiva)* un certificat medical (↓ *de îmbolnăvire psihică)*

certify to ['sə:tiˌfai tə] *vi cu prep* a dovedi, a atesta *cu ac*

certitude ['sə:tiˌtju:d] *s rar v.* **certainty**

cerulean [si'ru:liən] *adj* azuriu, albastru ca cerul

cerumen [si'ru:men] *s* cerumen, ceară în urechi

ceruse [sə'ru:s] *s ch* ceruză

cerusite ['siərəˌsait] *s minr* ceruzit

Cervantes [sə'vænti:z], **Miguel de** *scriitor spaniol (1547-1616)*

cervical ['sə:vikəl] *adj anat* cervical

cervix ['sə:viks], *pl şi* **cervices** [sə'vaisi:z] *s anat* **1** gât; ceafă, grumaz **2** col uterin

Cesarean [si'zɛəriən] *adj v* **Caesarean**

cesium ['si:ziəm] *s ch* cesiu

cessation [se'seiʃən] *s* încetare, oprire, contenire

cession ['seʃən] *s jur* cesiune, cesionare

cessionary ['seʃənəri] *s jur* cesionar

cesspit ['ses,pit] *s v.* **cesspool**

cesspool ['ses,pu:l] *s* **1** hazna; groapă de gunoi; canal (de scurgere) **2** *fig* cloacă, mocirlă

cestoid ['sestɔid] *s zool* panglică, cordea (*Cestodes sp.)*

cesura [si'zjuərə] *s metr* cezură

cetacean [si'teiʃən] *zool* **I** *adj* de cetaceu **II** *s* cetaceu

Ceuta ['θeutə] *port în Maroc*

Cevennes, the [se'ven, ðə] *(Munţii) Ceveni*

Ceylon [si'lɔn] *stat în Asia* Sri Lanka, Ceylon

Ceylonese [ˌselə'ni:z] *adj, s* ceylonez; singalez

Cezanne [se'zʌn], **Paul** *pictor francez (1839-1900)*

cf. *presc de la* **confer** compară

cg. *presc de la* **centigramme**

C.G., c.g. *presc de la* **1** centre of gravity **2** commanding general

cgm. *presc de la* **centigram(me)**

Ch. *presc de la* **1** China **2** Chinese

Ch., ch. *presc de la* **1** chancery **2** chaplain **3** child; children **4** churc **5** chief

ch. *presc de la* **chapter**

c.h. *presc de la* **1** courthouse **2** customhouse

cha-cha ['tʃɑ:tʃɑ:], **cha-cha-cha** ['tʃɑ:tʃɑ:'tʃɑ:] *s* cha-cha-cha (*dans modern)*

Chaco ['tʃʌkɔ] *regiune în America de Sud*

Chad [tʃæd] *stat şi lac în Africa* Ciad

chafe [tʃeif] **I** *vt* **1** a freca; a uza prin frecare; a introduce (*o substanţă)* prin frecare; a încălzi *etc.* prin frecare (↓ *cu mâinile)* **2** a freca, a roade (*piciorul etc.)* **3** *fig* a supăra, a enerva, a irita; a înfierbânta **II** *vi* **1** (**on, against**) a se freca, a se roade (de), a se uza **2** *fig* a se supăra, a se enerva; a se înfierbânta **III** *s* **1** rosătură **2** frecare **3** *fig* supărare, enervare, iritare

chafer ['tʃeifər] *s ent* **1** cărăbuş (*Melolontha vulgaris)* **2** gândac

chaff [tʃɑ:f] **I** *s* **1** pleavă **2** şişcă, paie tocate **3** *fig* lucru de nimic; prostie **4** *fig* tachinare; glumă **II** *vt* a tachina

chaffer ['tʃæfər] **I** *vi* **1** (**about**) a se târgui (cu privire la), a se tocmi (pentru) **2** a sporovăi, a flecări **II** *s* (**about**) târguială (cu privire la)

chaffinch ['tʃæfintʃ] *s orn* piţigoi (*Fringilla coelebs)*

chaffy ['tʃæfi] *adj* **1** cu pleavă; plin de pleavă **2** *fig* prost, fără valoare

chafing dish ['tʃeifiŋ͵diʃ] s 1 vas pentru cărbuni; făraş 2 vas încălzit; vas cu încălzitor; vas electric (care menţine mâncarea caldă)

chagrin ['ʃægrin] I s amărăciune, supărare, întristare II vt (↓ pas) a supăra, a mâhni, a amărî

chain [tʃein] I s 1 lanţ; lănţişor, lănţug 2 pl lanţuri, fiare; cătuşe 3 pl fig lanţuri, cătuşe; robie, sclavie; captivitate 4 geogr catenă, lanţ 5 tehn lanţ (66 picioare = 20,12 m) 6 ch lanţ, catenă 7 fig lanţ, serie; legătură 8 fig reţea; sistem 9 fig grup(are); concern II vt 1 a lega cu un lanţ; a pune (un câine etc.) în lanţ 2 a pune în lanţuri; a fereca 3 fig a pune în lanţuri; a lega; a înrobi

chain brake ['tʃein breik] s tehn frână cu lanţ

chain bridge ['tʃein 'bridʒ] s pod susţinut de lanţuri

chain broadcasting ['tʃein 'brɔːdkɑːstiŋ] s rad emisiune transmisă de mai multe posturi

chain cable ['tʃein keibəl] s nav lanţ de ancoră

chain gang ['tʃein ͵gæŋ] s (grup de) deţinuţi prinşi în cătuşe sau lanţuri unul de altul

chainless ['tʃeinlis] adj poetic neînlănţuit, – liber

chainlet ['tʃeinlit] s lănţişor

chain mail ['tʃein meil] s od za(le)

chain plate ['tʃein ͵pleit] s nav placă lanţ

chain pump ['tʃein ͵pʌmp] s tehn elevator cu cupe

chain reaction ['tʃein ri'ekʃən] s ch şi fig reacţie în lanţ

chain saw ['tʃein ͵sɔː] s ferăstrău cu lanţ

chain-smoke ['tʃein ͵smouk] vi a fuma ţigară după ţigară

chain store ['tʃein ͵stɔːʳ] s magazin dintr-o serie de magazine de acelaşi tip (aparţinând aceleiaşi firme)

chain wale ['tʃein ͵weil] s nav portsart

chainwork ['tʃein͵wəːk] s „lănţişor" (împletitură cu croşeta)

chair ['tʃeəʳ] I s 1 scaun (↓ cu spetează); take a ~ luaţi loc (↓ pe scaun) 2 univ catedră 3 loc de onoare; fotoliu prezidenţial; to take the ~ a a prezida b a

deschide lucrările (unei conferinţe etc.) 4 amer scaun electric II vt 1 a aşeza (pe un scaun) 2 a instala (într-un post) 3 a purta în triumf

chair bed ['tʃeə͵bed] s fotoliu-pat

chair car ['tʃeə͵kɑːʳ] s ferov amer vagon-salon

chair lift ['tʃeə͵lift] s funicular cu scaune

chairman ['tʃeəmən] s preşedinte (↓ al unei adunări)

chairmanship ['tʃeəmənʃip] s preşedinţie

chairperson ['tʃeə͵pəːsən] s preşedinte sau preşedintă

chairwoman ['tʃeə͵wumən] s preşedintă (↓ a unei adunări)

chaise [ʃeiz] s od 1 caleaşcă 2 poştalion, diligenţă

chaise cart ['ʃeiz ͵kɑːt] s trăsură cu două roţi

chaise longue ['ʃeiz ͵lɔŋ] s şezlong

chalcedony [kæl'sedəni] s minr calcedonie

chalcography [kæl'kɔgrəfi] s poligr arta gravurii în cupru

Chaldaic [kæl'deik] adj, s v. Chaldean

Chaldea [kæl'diːə] ist Caldeea

Chaldean [kæl'diːən] I adj caldeean II s 1 caldeean 2 (limba) caldeeană

Chaldee [kæl'diː] s, adj v. Chaldean

chaldron ['tʃɔːldrən] s od măsură pt cărbuni (32, 36 etc. „bushels")

chalet ['ʃælei] s fr 1 colibă de cioban (în Elveţia) 2 cabană (în munţi); vilă (în stil elveţian) 3 vespasiană

chalice ['tʃælis] s 1 poetic cupă, potir 2 bis potir 3 bot caliciu, potir

chalk [tʃɔːk] I s 1 cretă, înv → tibişir; minr calcar; var; (as) like as ~ to cheese, as different as ~ and cheese aprox ca de la cer la pământ; F departe griva de iepure 2 însemnare (făcută) cu creta; punct (la jocuri); însemnare; not by a long ~ F nici vorbă, da' de unde, aiurea II vt 1 a amenda/a trata cu var; a fertiliza, a îngrăşa 2 a însemna, a desena, a murdări etc. cu creta

chalkiness ['tʃɔːkinis] s caracter sau aspect cretaceu

chalk out ['tʃɔːk'aut] vt cu part adv 1 a însemna, a nota 2 a schiţa, a

plănui 3 a trece la război, a pune (ceva) la socoteală

chalkstone ['tʃɔːk͵stoun] s 1 minr calcar, piatră de var 2 med nod artritic, tofus 3 med artritic (persoană)

chalk up ['tʃɔːk 'ʌp] vt cu part adv 1 a înregistra, a obţine (↓ puncte într-un joc) 2 a înregistra, a ţine cont de (greşeli etc.)

chalky ['tʃɔːki] adj 1 calcaros; de cretă; cu cretă 2 alb ca varul

challenge ['tʃælindʒ] I s 1 provocare, chemare (la întrecere etc.) 2 punere sub semnul întrebării 3 pretenţie; cerere; deziderat 4 mil somaţie; parolă 5 nav etc. semnal de recunoaştere 6 jur recuzare (a unui martor etc.) II vt 1 a provoca, a chema (la luptă, întrecere etc.) 2 a cere, a pretinde cuiva 3 a necesita, a reclama (atenţia etc.) 4 a se îndoi de, a pune sub semnul întrebării, a pune în discuţie; a contesta 5 mil a soma; a cere cuiva parola 6 jur a recuza

challenger ['tʃælindʒəʳ] s 1 persoană care cheamă la întrecere etc., sport şalanger 2 pretendent 3 persoană care contestă ceva

challenging ['tʃælindʒiŋ] adj 1 interesant 2 competitiv 3 fascinant

chalybeate ['kæli͵bait] adj (d. un izvor etc.) feruginos

cham [kæm] s 1 ← înv han (titlu) 2 fig conducător, dictator

chamber ['tʃeimbəʳ] s 1 ← înv cameră, odaie, ↓ dormitor 2 pl camere/apartament de închiriat (mobilat, pt holtei) 3 cameră sau sală de primire 4 sală de şedinţe 5 pol cameră 6 pl birou judecătoresc 7 tehn, fot cameră de încărcare; camera cartuşului; camera de ardere (la rachete)

chamber concert ['tʃeimbə ͵kɔnsət] s concert de muzică de cameră

chambered nautilus ['tʃeimbəd nɔːtiləs] s zool nautilus (Nautilus)

chamberlain ['tʃeimbəlein] s şambelan

chamber-maid ['tʃeimbə 'meid] s 1 femeie de serviciu (la hotel) 2 amer şi fată în casă, servitoare

chamber muzic ['tʃeimbə ͵mjuːzik] s muzică de cameră

chamber of commerce ['tʃeimbər əv 'kɔməs] *s* cameră de comerț

chamber orchestra ['tʃeimbər 'ɔkistrə] *s* orchestră de muzică de cameră

chamber pot ['tʃeimbə ˌpɔt] *s* oală de noapte

chameleon [kə'miːliən] *s* **1** *zool* cameleon *(Chamaeleo sp.)* **2** *fig* cameleon, persoană schimbătoare

chameleonic [kə,miːli'ɔnik] *adj fig* de cameleon, schimbător

chamfer [tʃæmfəʳ] *tehn* **I** *s* **1** jgheab **2** teșitură, fațetă **II** *vt* a teși

chamois *s* **1** ['ʃæmwaː] *sg și pl zool* capră neagră/de munte *(Rupicapra rupicapra)* **2** ['ʃæmi] piele șamoa/de căprioară

champ¹ [tʃæmp] **I** *vt* **1** a mesteca, a rumega *(lacom sau cu zgomot)* **2** *(d. cai)* a mușca *(frâul)* **II** *vi* a mesteca, a rumega *(lacom sau cu zgomot)*

champ² *s* ← *F* campion

Champagne [ʃæm'pein] *ist provincie în Franța*

champagne *s* **1** șampanie **2** vin spumos *(alb)*

champaign ['tʃæmpein] *s* ținut șes; câmp deschis

champion ['tʃæmpiən] **I** *s* **1** luptător; atlet **2** *fig* campion, luptător, apărător **3** campion, as; învingător **4** om *sau* animal remarcabil **II** *vt* a apăra; a lupta pentru **III** *adj atr* excelent, minunat, de frunte **IV** *adv reg F* extraordinar

championship ['tʃæmpiən,ʃip] *s* **1** titlu de campion **2** campionat **3** *fig* apărare *(a unei cauze etc.)*

Chan(c). *presc de la* **1 Chancellor 2 Chancery**

chance [tʃaːns] **I** *s* **1** întâmplare; **by ~** din întâmplare, întâmplător, cumva **2** noroc, șansă; soartă; **take your ~** încearcă-ți norocul; **a game of ~** un joc de noroc **3** risc **4** șansă, ocazie (favorabilă), prilej favorabil; posibilitate; **give me another ~ a** iertați-mă de data aceasta **b** mai dați-mi o șansă **5** bilet de loterie // **on the ~ of** în speranța că; cu gândul că/de a; **(the) ~ s are that** ← *F* probabil că **II** *vt* a risca; **we ~ d not finding anybody at home** riscam să nu găsim pe nimeni acasă; **to ~**

one's arm, ← *rar*, **to ~ it** a-și încerca norocul, a merge la noroc **III** *adj atr* întâmplător, incidental

chance child ['tʃaːns tʃaild] *s* copil nelegitim/din flori

chanceful ['tʃaːnsful] *adj* plin de întâmplări, bogat în evenimente

chancel ['tʃaːnsəl] *s bis* spațiul din jurul altarului rezervat preotului și coriștilor

chancellery ['tʃaːnsələri] *s* **1** *(în diferite sensuri)* cancelariat **2** funcționarii dintr-un cancelariat

chancellor ['tʃaːnsələʳ] *s* **1** cancelar **2** prim secretar de ambasadă **3** *univ* rector

Chancellor of the Exchequer ['tʃaːnsələr əv ði eks'tʃkəʳ] *s* ministru de finanțe *(în Anglia)*

chancel table ['tʃaːnsəl 'teibəl] *s bis* pristol

chance on ['tʃaːns ɔn] *vi cu prep v.* **chance upon**

chancery ['tʃaːnsəri] *s* **1** calitatea *sau* funcția de „Lord Chancellor" **2** C~ competența (juridică) a unui „Lord Chancellor"; **in ~ a** *jur* (aflat) în cercetarea unui „Lord Chancellor" **b** *fig* la strâmtoare, într-o situație deznădăjduită/fără ieșire **3** arhivă

chance that ['tʃaːns ðæt] *vi cu conj (și prop subiectivă) (subiectul fiind* it) a se întâmpla; **it ~d that we were at home** s-a întâmplat să fim acasă, întâmplarea a făcut să fim acasă

chance to ['tʃaːns tə] *vi cu inf* a se întâmpla *(ca cineva)*; **we ~d to be at home** s-a întâmplat să fim acasă

chance upon ['tʃaːns ə,pɔn] *vi cu prep* a da de/peste; a întâlni din întâmplare *cu ac*

chancre ['tʃæŋkəʳ] *s med* șancru

chancroid ['ʃæŋkrɔid] *s med* șancru moale

chancy ['tʃaːnsi] *adj* ← *F* risca(n)t; nesigur

chandelier [,ʃændi'liəʳ] *s* candelabru

chandler ['tʃaːndləʳ] *s* ← *înv* **1** fabricant *sau* negustor de lumânări, lumânărar **2** negustor de mărunțișuri

chandlery ['tʃaːndləri] *s* **1** depozit *sau* prăvălie de lumânări **2** negoț cu mărunțișuri **3** prăvălie cu mărunțișuri

change [tʃeindʒ] **I** *vt* **1** a schimba; a înlocui; **to ~ one's clothes** a-și schimba hainele, a se schimba; **to ~ trains** a schimba trenul; **to ~ hands** a trece din mână în mână, a trece dintr-o mână în alta; a-și schimba proprietarul; **to ~ step** a schimba pasul; **to ~ gear(s)** *auto* a schimba viteza **2** a schimba, a modifica; a transforma; a altera; **the witch ~ d the dwarf into a stone** vrăjitoarea l-a prefăcut/l-a preschimbat pe pitic în piatră; **I've ~d my mind** m-am răzgândit, mi-am schimbat/mutat gândul; **she ~d colour** se schimbă la față; făcu fețe-fețe **3** a schimba *(bani)* **II** *vi* **1** a se schimba, a se modifica; a se transforma; **he has ~d a lot** s-a schimbat foarte mult, nu mai este ce-a fost; **he has ~d for the better** s-a schimbat în bine; **caterpillars ~ into butterflies** omizile se transformă/se prefac; se preschimbă în fluturi **2** a schimba trenul, a lua un alt tren, a face o transbordare **3** a se schimba, a-și schimba îmbrăcămintea **4** *auto* a schimba viteza **III** *s* **1** schimbare, înlocuire **2** schimbare, modificare; transformare; alterare; **~ for the better** schimbare în bine **3** schimbare, variație, noutate; **for a ~** pentru variație, de dragul variației/schimbării **4** schimbare a hainelor **5** schimb *(ca îmbrăcăminte)* **6** bani de schimb **7** mărunțiș *(bani)*; rest **8** *ferov etc.* transbordare **9** *muz* variație, modulație **10** ← *F* menopauză // **to get no ~ of smb** ← *F* a nu primi nici un ajutor de la cineva; **to ring the ~s** a face variații pe aceeași temă

Change, change *presc de la* **Exchange**

changeability [tʃeindʒə'biliti] *s* **1** schimbare, variabilitate **2** inconstanță, nestatornicie

changeable ['tʃeindʒəbəl] *adj* schimbător; nestatornic

changeableness ['tʃeindʒəbəlnis] *s v.* **changeability**

changeably ['tʃeindʒəbli] *adv* când într-un fel, când altfel

changeful ['tʃeindʒful] *adj* plin de schimbări; schimbător; nestatornic

change gear ['tʃeindʒ'giəʳ] *s auto* schimbător *sau* cutie de viteze

changeless ['tʃeindʒlis] *adj* ne-schimbător, constant

changelessly ['tʃeindʒlisli] *adv* fără schimbare, neschimbat

changeling ['tʃeindʒliŋ] *s* copil schimbat *(înlocuit de spiriduși)*

change of life ['tʃeindʒ əv 'laif] *s* menopauză

change-over ['tʃeindʒ,ouvəʳ] *s* schim-bare; transformare; refacere

change over ['tʃeindʒ 'ouvəʳ] *vi cu part adv* a face o schimbare radicală

channel ['tʃænəl] I *s* 1 albie, matcă *(de râu etc.)* 2 *geogr* canal (↓ *natural)* 3 *nav* senal 4 canal, canal navigabil; pasă; rigolă; braț 5 *fig* cale, canal, făgaș 6 *tehn* șanț, crestătură, canelură 7 *rad* canal II *vt* 1 a-și face, a-și croi *(drum)* 2 *tehn* a cresta, a scobi 3 *fig* a canaliza, a îndrepta

Channel, the ['tʃænəl, ðə] Canalul Mânecii

chanson [ʃaːŋˈsoːŋ] *s fr* cântec

chanson de geste [ʃaːŋˈsoːŋ də ˈʒest] *s fr* poem eroic în franceza veche *(sec XI-XIII)*

chant [tʃaːnt] I *s* 1 ↓ *poetic* cânt(ec) 2 *bis* psalmodie; psalmodiere; psalm 3 cântec monoton 4 lozin-că scandată II *vt* 1 ← *poetic* a cânta 2 *bis* a psalmodia 3 a cânta *sau* a povesti monoton 4 *poetic* a cânta, a slăvi, a prea-slăvi 5 a scanda *(o lozincă)*

chanter ['tʃaːntəʳ] *s* 1 ← *poetic* cântăreț 2 corist 3 dirijor de cor

chantey ['ʃænti] *s amer v.* **chanty**

chanticleer [,tʃænti'kliəʳ] *s* ← *poetic* cocoș, P → cântător

chantry ['tʃaːntri] *s bis* 1 bani pentru liturghii *sau* parastase *(lăsați de testator)* 2 capelă votivă

chanty ['ʃænti] *s* cântec marinăresc

chaos ['keios] *s* 1 haos *(primar)* 2 prăpastie, abis 3 *fig* haos; ne-orânduială; confuzie; anarhie

chaotic(al) [kei'ɔtik(əl)] *adj* haotic

chaotically [kei'ɔtikəli] *adv* (în mod) haotic

chap¹ [tʃæp] *s* ↓ *pl* 1 falcă *(la animale; umor – la oameni)* 2 obraz // **to lick one's ~ s** *fig* a-și linge buzele

chap² *s F* băiat, flăcău, cetățean

chap³ I *vt* 1 a face să crape *(pielea etc.)* 2 a fărâmița, a pisa II *vi (d. piele etc.)* a crăpa III *s* crăpătură

chap. *presc de la* 1 **chapter** 2 **chaplain**

chaparajos [,ʃæpə'reious] *s pl* pantaloni de piele *(purtați de cowboys)*

chapbook ['tʃæp,buk] *s* 1 ediție ieftină de cântece populare, balade, snoave *etc.* 2 carte *sau* broșură ieftină

chapel ['tʃæpəl] *s* 1 *bis* capelă, paraclis 2 *muz* capelă 3 ← *înv* tipografie; colectiv *sau* adunare a muncitorilor tipografi

chaperon(e) ['ʃæpə,roun] I *s* 1 însoțitoare *(a unei fete tinere)* 2 damă de companie II *vt* a însoți *(o fată tânără)*

chap-fallen ['tʃæp fɔːlən] *adj v.* **chopfallen**

chapiter ['tʃæpitəʳ] *s arhit* capitel de coloană

chaplain ['tʃæplin] *s* 1 capelan 2 preot; preot militar

chaplet ['tʃæplit] *s* 1 cunună *(pt cap)* 2 șirag de perle 3 *bis* mătănii

chapman ['tʃæpmən] *s* 1 negustor de mărunțișuri 2 ← *înv* negustor 3 ← *înv* cumpărător

Chapman, George *dramaturg englez (1559?-1634)*

chaps [tʃæps] *F presc de la* **cha-parajos**

chapter ['tʃæptəʳ] *s* 1 capitol; **to the end of the ~** până la capăt/sfâr-șit 2 *fig* capitol, episod, pagină 3 *fig* temă, subiect 4 *bis* adunare de canonici 5 filială *(a unui club etc.)* 6 *amer* asociație studențească

char¹ [tʃaːʳ] I *s* 1 *pl* treabă casnică, muncă menajeră 2 ↓ *pl* muncă cu ziua II *vi* a munci cu ziua

char² I *s* mangal, cărbune de lemn II *vt* 1 a carboniza, a preface în cărbune 2 a frige, a prăji *(la foc mic)*, a pârli

char³ *s sl* ceai

char *presc de la* **charwoman**

char-a banc, char-à-banc ['ʃærə,bæŋ] *s* 1 autobuz pentru excursii (↓ *deschis)* 2 brec

character ['kæriktəʳ] I *s* 1 caracter, fire, natură 2 caracter, forță morală; **a man of ~** un om de caracter 3 caracter, aspect, fel; trăsături; trăsături caracteristice 4 personaj; erou 5 caracterizare

(făcută în vederea unei angajări etc.) 6 reputație, (re)nume 7 calitate, rol; funcție; **in his ~ of representative** în calitatea sa de reprezentant 8 *poligr* literă II *adj* 1 capabil să interpreteze un rol dificil *sau* neobișnuit 2 *(d. un rol)* dificil *sau* neobișnuit III *vt* ← *rar* a descrie, a zugrăvi, a carac-teriza

characteristic ['kærktə'ristik] I *adj* (**of**) caracteristic, tipic, specific (pentru) II *s* (trăsătură) carac-teristică, particularitate

characteristical [,kærktə'ristikəl] *adj v.* **characteristic** I

characteristically [,kærktə'ristikəli] *adv* (în mod) caracteristic/tipic

characterization [,kærktərai'zeiʃən] *s* 1 caracterizare 2 *lit* creare de personaje

characterize ['kærktə,raiz] *vt* 1 a caracteriza, a descrie; a pre-zenta 2 a caracteriza; a constitui caracteristicile *cu gen*

characterless ['kærktəlis] *adj* lipsit de trăsături distinctive; comun, de rând, șters, fără personalitate

charactery ['kærktəri] *s* ↓ ← *poetic* 1 exprimare (a gândirii) prin simboluri 2 (sistem de) simboluri

charade [ʃə'raːd] *s* șaradă

charbon ['ʃaːbən] *s vet* dalac

charcoal ['tʃaːkoul] I *s* 1 cărbune de lemn, mangal 2 cărbune pentru desen 3 desen în cărbune II *vt* a desena în cărbune

charcoal burner ['tʃaːkoul bəːnəʳ] *s* cărbunar

chare [tʃeəʳ] *s, v v.* **char¹**

charge [tʃaːdʒ] I *s* 1 învinuire, acuzare, acuzație; **to bring a ~ of murder against smb** a acuza pe cineva de crimă; **on a ~ of** sub acuzația de; **to lay smth to smb's ~** a acuza/a învinui pe cineva de ceva, a da/a arunca vina pe cineva pentru ceva 2 *mil* șarjă, atac 3 preț, plată, cost; **what is the ~?** cât costă? cât e prețul? **there is no ~** nu costă nimic; **free of ~** a gratis b gratuit 4 *el etc.* sarcină de încărcare 5 *tehn* sarcină; șarjă; încărcătură 6 sarcină, grijă; păstrare; supra-veghere; ocrotire; **to have ~ of smth** a avea ceva în grijă; **to leave smth in smb's ~** a lăsa ceva în grija/seama cuiva; **this**

sector is in/under the ~ of another engineer de sectorul acesta răspunde un alt inginer; **to give smb in** ~ a da pe cineva pe mâna poliției **7** *bis* pastorală **8** *bis* turmă **II** *vt* **1** a încărca *(arma, acumulatorul etc.)* **2** *tehn* a încărca, a șarja; a alimenta **3** a încărca, a completa; a umple *(paharul etc.)* **4** *mil* a șarja, a ataca (↓ *cu cavaleria)* **5 (for)** a cere (un preț) (pentru); **how much do you ~ for it?** cât ceri pe asta? cât costă/face asta? **6 (with)** a acuza, a învinovăți, a învinui (de); **he has been ~d with murder** fusese acuzat de crimă **7** a cere, a pretinde *(ascultare etc.)* **8 (with)** a însărcina (cu), a încredința *(cuiva)* (o misiune etc.) **III** *vi* **1** a cere/a pretinde plată **2** *mil* (↓ *d. cavalerie)* a ataca

chargé [ˈʃɑ:ʒei] *s fr v.* **chargé d'affaires**

chargeable [ˈtʃɑ:dʒəbəl] *adj* **1 (with)** răspunzător (de); învinuit (de) **2** impozabil; bun de plată

charge account [ˈtʃɑ:dʒ əˈkaunt] *s fin amer* cont curent

charged [tʃɑ:dʒd] *adj* **1** controversat; mult discutat **2** emoționat

chargé d'affaires [ˈʃɑ:ʒeidæˈfɛə'] *s fr pol* însărcinat cu afaceri

charge hole [ˈtʃɑ:dʒ ˌhoul] *s tehn* gură de încărcare

chargeless [ˈtʃɑ:dʒlis] *adj* **1** fără plată, gratis **2** neimpozabil

charger¹ [ˈtʃɑ:dʒə'] *s* **1** *tehn* încărcător, alimentator; dozator **2** acuzator **3** *mil* ← *înv* cal de luptă **4** *mil* încărcător, alimentator; lamă de cartușe

charger² *s* ← *înv* **1** tavă, platou **2** farfurie întinsă

charge sheet [ˈtʃɑ:dʒ ˌʃi:t] *s* listă de delicte; cazier *(la poliție)*

charily [ˈtʃɛərili] *adv* precaut, cu grijă

chariness [ˈtʃɛərinis] *s* **1** precauție, prevedere, grijă **2** economie

chariot [ˈtʃæriət] **I** *s* **1** *od* car de luptă; car de triumf **2** *od* caretă, șaretă **3** *poetic* rădvan **II** *vt* a duce într-un car de luptă *etc.* (v. ~ I) **III** *vi* a merge cu un car de luptă *etc.* (v. ~ I)

charioteer [ˌtʃæriəˈtiə'] *s* **1** ← *poetic* vizitiu **2 the C~** *astr* Cărăușul

charisma [kəˈrizmə], *pl și* **charismata** [ˌkəˈrizmətə] *s* **1** farmec personal **2** *rel* har

charitable [ˈtʃæritəbəl] *adj* **1** caritabil; filantropic **2** indulgent, înțelegător **3** binevoitor; generos, darnic, mărinimos

charitably [ˈtʃæritəbli] *adv* cu mărinimie

charity [ˈtʃæriti] *s* **1** caritate, milă; dragoste (creștinească); filantropie; **(as) cold as** ~ nesimțitor, rece, ca un sloi de gheață; ~ **begins at home** *prov aprox* mai aproape dinții decât părinții; drag mi-e de tine, dar de mine mi se rupe inima **2** instituție filantropică **3** indulgență

charity school [ˈtʃæriti ˌsku:l] *s od* școală cu internat pentru copiii săraci

charivari [ˌʃɑ:riˈvɑ:ri] *s* tămbălău, larmă asurzitoare

charlady [ˈtʃɑ:ˌleidi] *s umor v.* **charwoman**

charlatan [ˈʃɑ:lətən] *s* **1** șarlatan, escroc **2** medic șarlatan; vraci

charlatanism [ˈʃɑ:lətənizəm] *s* șarlatanie, escrocherie

Charlemagne [ˈʃɑ:ləˌmein] Carol cel Mare (768-814; 800-814)

Charles [tʃɑ:lz] *nume masc* Carol

Charles's Wain [ˈtʃɑ:lzizˈwein] *s astr* Carul/Ursa mare

Charleston [ˈtʃɑ:lstən] *s* charleston *(dans)*

Charley [ˈtʃɑ:li] *dim de la* **Charles**

Charlie [ˈtʃɑ:li] *dim de la* **Charles**

charlock [ˈtʃɑ:lok] *s bot* muștar de câmp *(Sinapsis arvensis)*

Charlotte [ˈʃɑ:lət] *nume fem*

charlotte *s* șarlotă *(prăjitură)*

charm [tʃɑ:m] **I** *s* **1** vrajă, farmec; *pl* farmece; **to work like a** ~ a avea mare succes; a face minuni **2** amuletă; talisman; fetiș **3** *fig* farmec, vrajă, nuri, vino-ncoace; (putere de) atracție **II** *vt și fig* a fermeca, a vrăji; a fascina

charmed [tʃɑ:md] *adj și fig* fermecat, vrăjit; fascinat

charmer [ˈtʃɑ:mə'] *s* **1** vrăjitor **2** îmblânzitor de șerpi **3** persoană fermecătoare

charming [ˈtʃɑ:miŋ] *adj* fermecător, încântător, fascinant

charmingly [ˈtʃɑ:miŋli] *adj* minunat, fermecător

charnel house [ˈtʃɑ:nəl ˌhaus] *s*

casă *sau* capelă mortuară; osuar

Charon [ˈkɛərən] *mit* Caron

charring [ˈtʃɑ:riŋ] *s* **1** carbonizare **2** ardere (a cărbunilor)

chart [tʃɑ:t] **I** *s* **1** hartă marină **2** schemă, diagramă; tabel; grafic **II** *vt* **1** a trece pe o hartă, diagramă *etc.* (v. ~ I) **2** a schița, a trasa; a planui

charter [ˈtʃɑ:tə'] **I** *s* **1** cartă *(a drepturilor etc.)* **2** *od* hrisov; uric **3** *jur* privilegiu; drept **4** statut **5** *nav* charter, navlosire **6** închiriere *(a unui autobuz etc.)*; cursă specială *(cu plată redusă)* **II** *vt* **1** a acorda/a da o cartă *etc.* (v. ~ I, 1-5) *(cuiva)* **2** ← *F* a închiria, a da cu chirie **3** *nav* a navlosi, a afreta **4** *auto, av* a da în folosință, a pune la dispoziție *(la cerere)* **5** *auto av* a angaja (pt un transport)

charterage [ˈtʃɑ:təridʒ] *s* **1** acordare a unei carte *etc.* (v. **charter I**, 1-4) **2** ← *F* închiriere **3** *nav* navlosire; navlu

chartered [ˈtʃɑ:təd] *adj* **1** privilegiat **2** concesionat **3** *nav* navlosit, afretat **4** *(d. avion, autobuz)* închiriat; comandat **5** confirmat *(printr-un hrisov etc.)*

chartered accountant [ˈtʃɑ:tədəˈkauntənt] *s fin* revizor-contabil

Charterhouse [ˈtʃɑ:təˌhaus] *azil, ulterior școală în Londra*

charter member [ˈtʃɑ:tə ˌmembə'] *s amer* membru fondator *(al unei organizații)*

Charter of the United Nations, the [ˈtʃɑ:tər əv ðəju:ˈnaitidˈneiʃənz, ðə] *s* Carta Națiunilor Unite/Carta O.N.U.

charter party [ˈtʃɑ:təˌpɑ:ti] *s nav* contract de navlosire

Chartism [ˈtʃɑ:tizəm] *s ist* cartism *(mișcare politică în Anglia, 1836-1848)*

Chartist [ˈtʃɑ:tist] *adj, s ist* cartist (v. **Chartism**)

chartless [ˈtʃɑ:tlis] *adj* **1** fără hartă *etc.* (v. **chart I**, 1-2) **2** *fig* neîndrumat; fără busolă **3** neînregistrat pe hartă

chartographer [kɑ:ˈtogrəfə'] *s v.* **cartographer**

chartreuse [ʃɑ:ˈtrə:z] *s fr* chartreuse *(lichior)*

charwoman [ˈtʃɑ:ˌwumən] *s* femeie (năimită) cu ziua; servitoare

chary ['tʃɛəri] *adj* 1 (**in, of**) prudent, prevăzător (când este vorba de) 2 (**of**) econom (la); zgârcit (la)

Charybdis [kə'ribidis] *strâmtoare în Sicilia* Caribda

chase[1] [tʃeis] I *vt* 1 a vâna 2 *fig* a vâna; a urmări, a alerga după; a nu slăbi din ochi 3 *fig* a îndepărta, a izgoni; a risipi *(teama etc.)* II *vi* 1 a vâna 2 a alerga (↓ *cât îl țin picioarele*), a fugi III *s* 1 vânătoare 2 loc de vânătoare 3 vânători, participanți la o vânătoare 4 vânat 5 animale sălbatice, sălbăticiuni 6 urmărire; hăituire; **to give ~ to** a urmări *cu ac* 7 animal *sau* om urmărit 8 *nav* vas urmărit

chase[2] I *s* 1 *tehn* jgheab, șanț, renură 2 *tehn* cadru de modelare 3 tranșee II *vt tehn* a șănțui, a grava

chase about ['tʃeisəbaut] I *vi cu part adv* a alerga de colo până colo, a nu-și găsi astâmpăr II *vi cu prep* a alerga (de colo până colo) prin

chase away ['tʃeisə'wei] *vt cu part adv fig* a alunga, a izgoni, a îndepărta

chaser[1] ['tʃeisəʳ] *s* 1 urmăritor 2 *nav* vas de escortă 3 *av* avion de vânătoare

chaser[2] *s* gravor *(în metal)*

chasm ['kæzəm] *s* 1 crăpătură, spărtură 2 *și fig* prăpastie, abis 3 *fig* întrerupere 4 deosebire; distanță

chasseur [ʃæ'sə:ʳ] *s fr* 1 vânător *(profesionist)* 2 țintaș 3 lacheu cu livrea

chassis ['ʃæsi] *s sg și pl* 1 *tehn* șasiu 2 *mil* șasiu, cadru, echipament de rulare

chaste [tʃeist] *adj* 1 cast, pur; virtuos 2 decent 3 modest 4 *(d. stil etc.)* sobru, sever 5 necăsătorit

chasten ['tʃeistən] *vt* 1 a pedepsi 2 a liniști, a calma, a modera 3 a îmbunătăți, a purifica *(stilul etc.)*

chastise [tʃæs'taiz] *vt* a pedepsi aspru (↓ *prin bătaie*)

chastisement [tʃæs'taizmənt] *s* pedeapsă; pedeapsă disciplinară; pedeapsă aspră (↓ *prin bătaie)*

chastity ['tʃæstiti] *s* 1 castitate; virtute; virginitate 2 decență 3 modestie 4 sobrietate, simplitate *(a stilului etc.)*

chastity belt ['tʃæstiti ,belt] *s od* centură de castitate

chasuble ['tʃæzjubəl] *s bis* sfită

chat [tʃæt] I *vi* a sta de vorbă, a vorbi de una și de alta, a sporovăi II *s* șuetă, discuție prietenească

château ['ʃætou], *pl* **châteaux** ['ʃætouz] *s fr* 1 castel 2 vilă *(la țară)*

chatelain ['ʃætə,lein] *s fr* castelan

chatelaine *s fr* 1 castelană 2 stăpâna casei; gospodină 3 cârlig pentru chei

Chatham ['tʃætəm] *oraș în Anglia*

chattel ['tʃætəl] *s* ↓ *od* sclav

chattels ['tʃætlz] *s pl* avere mobilă, bunuri mobile; acareturi

chatter ['tʃætəʳ] I *s* 1 flecăreală, pălăvrăgeală, sporovăială 2 ciripit 3 murmur, susur 4 clănțănit *(de dinți)* 5 răpăit *(de lovituri)*; țăcănit II *vi* 1 a flecări, a pălăvrăgi, a sporovăi 2 a ciripi 3 a murmura, a susura 4 a clănțăni *(din dinți)* 5 a răpăi; a țăcăni

chatterbox ['tʃætə,bɔks] *s* 1 limbut, F gură-spartă 2 *amer sl* „cățea", – mitralieră

Chatterton ['tʃætətən], **Thomas** *poet englez (1752-1770)*

chattiness ['tʃætinis] *s* limbuție

chatty ['tʃæti] *adj* 1 guraliv, flecar 2 *(d. conversație etc.)* prietenos, liber

chat up ['tʃæt'ʌp] *vt cu part adv* F a intra în vorbă cu (↓ *o fată)*

Chaucer ['tʃɔ:səʳ], **Geoffrey** *poet englez (1340-1400)*

chauffeur ['ʃoufəʳ] I *s* șofer *(angajat de cineva)* II *vt* a duce *(pe cineva)* cu mașina peste tot

chaunt [tʃɔ:nt] *s v. înv v.* **chant**

chauvinism ['ʃouvi,nizəm] *s* 1 șovinism 2 rasism 3 credință în superioritatea sexului de care aparține cineva

chauvinist ['ʃouvinist] *s, adj* șovin(ist)

chauvinistic [,ʃouvi'nistik] *adj* șovin(ist)

chaw [tʃɔ:] *vt, vi* ← *vulg* a mesteca, a rumega

chaw-bacon ['tʃɔ:,beikən] *s* topârlan, bădăran

Ch. E. *presc de la* **Chemical Engineer**

cheap [tʃi:p] I *adj* 1 ieftin, care costă puțin; *(d. preț și)* convenabil; (**as**) **~ as dirt** F „ieftin ca braga";

~ trips excursii ieftine, excursii cu tarif redus; **~ and nasty** ieftin și prost; **to make oneself ~** a se face de râs; a scădea în ochii altora 2 *fig* ieftin, dobândit ușor 3 *fig* ieftin, comun, banal, de rând, fără valoare 4 *fig* superficial 5 *pred* prost 6 *pred* rușinat, jenat *etc.*; **he felt ~ a** se simțea prost, nu se simțea în apele lui **b** se simțea rușinat II *adv* ieftin, la un preț convenabil III *s:* **on the ~** ← F (la un preț) ieftin

cheapen ['tʃi:pən] I *vt* 1 a ieftini 2 a deprecia, a vorbi depreciativ despre II *vi* a se ieftini

cheaply ['tʃi:pli] *adv* ieftin

cheapness ['tʃi:pnis] *s* ieftinătate

Cheapside ['tʃi:psaid] *s stradă, od piață în Londra*

cheat [tʃi:t] I *vt* 1 a înșela, a amăgi, a păcăli; **he ~ed them (out) of one pound** l-a înșelat cu o liră; **to ~ smb into believing smth** a face pe cineva să creadă ceva *(neadevărat)* 2 a ocoli, a scăpa de *(moarte etc.)* II *vi* a înșela, a trișa; **he ~ed at cards** trișa la cărți III *s* 1 înșelăciune, amăgire; escrocherie 2 înșelător; pungaș, escroc

check [tʃek] I *s* 1 oprire bruscă, întrerupere 2 piedică, oprire, frânare 3 *(la șah)* șah 4 control, verificare 5 sigiliu de control; semn; etichetă; contramarcă; bon; recipisă 6 *ec amer* cec 7 *amer* fisă *(la jocurile de cărți)* 8 carou, pătrat 9 stofă în carouri 10 crăpătură *(în lemn etc.)* 11 *tehn* ventil II *vt* 1 a opri brusc, a întrerupe; a frâna 2 a opri, a împiedica 3 a controla, a verifica 4 a respinge, a da înapoi 5 a bifa 6 a da la garderobă *(haine)*; a înregistra la bagaje 7 a despica, a crăpa 8 a imprima în model ecosez 9 a da șah *(cuiva)* III *vr* 1 a se opri 2 a se răzgândi, a-și muta gândul IV *vi* 1 *(d. calculator etc.)* a corespunde, a coincide; a fi întocmai 2 *fin amer* a completa un cec 3 *(d. vopsea etc.)* a crăpa 4 a da șah

check book ['tʃek,buk] *s amer* carnet de cecuri

checked [tʃekt] *adj* în carouri; ecosez

checker ['tʃekəʳ] *s v amer v.* **chequer**

checkers ['tʃekəz] *s amer v.* **che-quers**

check in ['tʃek'in] *vi cu part adv amer* **1** a reține locuri *(la hotel etc.)* **2** a se prezenta, a fi prezent *(la aeroport etc.)* **3** a se înregistra **4** *sl* a da ortul popii

checking account ['tʃekiŋ ə'kaunt] *s amer fin* cont curent

checkless ['tʃeklis] *adj* **1** de nestăvilit **2** irezistibil

check list ['tʃek ˌlist] *s* **1** listă alfabetică **2** catalog **3** listă electorală

check man ['tʃek‚mən] *s* **1** controlor *(de tren etc.)* **2** socotitor

checkmate ['tʃek‚meit] **I** *s* **1** și *interj* șah-mat **2** *fig* înfrângere totală **II** *vt* **1** a face șah-mat *(pe cineva)* **2** *fig* a zdrobi, a înfrânge cu desăvârșire

check nut ['tʃek ‚nʌt] *s tehn* contrapiuliță

check-off ['tʃek‚ɔ(:)f] *s* reținere din salariu *(↓ pt sindicat)*

check off ['tʃek'ɔ(:)f] *vt cu part adv* **1** a reține *(↓ cotizații sindicale)* din salariu **2** a bifa, a însemna

check-out ['tʃek‚aut] *s* **1** *com* casă *(într-un magazin cu autoservire)* **2** control, verificare **3** oră de plecare *(din hotel)* **4** rezultat satisfăcător **4** *tehn* (oră de) terminare a zilei de muncă **6** *tehn* deconectare

check out ['tʃek'aut] *vi cu part adv amer* a pleca de la hotel

check over ['tʃek'ouvə'] *vt cu part adv* a examina, a cerceta

check point ['tʃek ‚pɔint] *s* **1** *mil* punct de reper **2** *mil etc.* punct de control

check rod ['tʃek ‚rɔd] *s tehn* sondă

check roll ['tʃek ‚roul] *s* listă nominală

check room ['tʃek ‚ruːm] *s* garderobă, vestiar

checkrow ['tʃek‚rou] *s agr* semănat în șah/pătrat

check taker ['tʃek ‚teikə'] *s teatru etc.* controlor de bilete

check up ['tʃek'ʌp] *vt cu part adv* a controla, a verifica

check-up ['tʃek'ʌp] *s* control, verificare

check up on ['tʃek'ʌpɔn] *vi cu part adv și prep* a examina, a cerceta *(dosarul cuiva etc.)*

check valve ['tʃek ‚vælv] *s tehn* ventil/supapă de închidere/ reținere

cheddar (cheese) ['tʃedə(tʃiːz)] *s* varietate de brânză *(compactă, nesfărâmicioasă)*

cheek [tʃiːk] **I** *s* **1** obraz; ~ **by jowl** **a** tête-à-tête; obraz lângă obraz; *F* → bot în bot **b** în strânsă legătură unul cu altul **c** unul lângă altul; înghesuiți; **to say with one's tongue in one's** ~ a vorbi nesincer, a minți **2** *fig* nerușinare, neobrăzare; **to have the ~ to say smth** a avea nerușinarea/ neobrăzarea de a spune ceva **3** *tehn* față *(de macara)* **4** *nav* falcă de coloană **II** *vt* ← *F* a se purta obraznic cu, a fi necuviincios cu

cheek bone ['tʃiːk ‚boun] *s anat* (os) maxilar

cheeked [tʃiːkt] *adj (în adj compuse)* cu obraji(i)...: **rosy-~** cu obrajii trandafirii, roz în obraji

cheekily ['tʃiːkili] *adv* ← *F* cu nerușinare, fără rușine

cheekiness ['tʃiːkinis] *s* neobrăzare, tupeu, obrăznicie

cheeky ['tʃiːki] *adj* ← *F* obraznic, nerușinat; **don't be ~!** nu fi obraznic! nu te obrăznici! **a ~ little hat** o pălărioară obraznică/ ștrengărească

cheep [tʃiːp] **I** *vi (d. păsărele)* a piui **II** *s* piuit

cheer [tʃiə'] **I** *vt* **1** a bucura; a înveseli **2** a încuraja, a îmbărbăta; a ridica moralul *(cu gen)* **3** a aclama, a întâmpina cu urale, a ovaționa; a aplauda **II** *vi* **1** a se bucura; a se înveseli **2** a prinde curaj/inimă **3** a aclama **III** *s* **1** aprobare, încuviințare, acord **2** *pl* urale, aclamații, ovații; aplauze **3** încurajare, îmbărbătare **4** dispoziție, stare sufletească; **to be of good ~** a fi bine dispus; **what ~?** ← *înv* cum te simți? **5** mâncare; ospăț; **good ~** chef, petrecere **6** ← *înv* chip, față, înfățișare

cheerful ['tʃiəful] *adj* **1** voios, vesel, bine dispus; **a ~ song** un cântec vesel **2** *(d. o casă etc.)* primitor, prietenos; luminos **3** *(d. cineva)* neobosit

cheerfully ['tʃiəfuli] *adv* **1** voios, cu voioșie **2** cu dragă inimă

cheerfulness ['tʃiəfulnis] *s* voioșie, veselie, bună dispoziție

cheerily ['tʃiərili] *adv v.* **cheerfully**

cheeriness ['tʃiərinis] *s v.* **cheer-fulness**

cheerio ['tʃiəri'ou] *interj* ← *F* **1** la revedere! salut! **2** *(ridicând paharul)* ← *rar* noroc! în sănătatea dumitale!

cheer leader ['tʃiə ‚liːdə'] *s sport* persoană care dă semnalul pentru aclamații

cheerless ['tʃiəlis] *adj* trist, posomorât, mohorât, întunecat

cheerlessly ['tʃiəlisli] *adv* trist, cu tristețe

cheerlessness ['tʃiəlisnis] *s* tristețe, aspect posomorât

cheerly ['tʃiəli] *adv* ← *înv v.* **cheerfully**

cheer up ['tʃiə 'ʌp] **I** *vi cu part adv* a prinde curaj/inimă; a se însenina, a se înveseli **II** *vt cu part adv* a încuraja, a îmbărbăta; a înveseli

cheery ['tʃiəri] *adj* voios, vesel; plin de viață, însuflețit

cheese[1] [tʃiːz] *s* brânză; **green ~** brânză proaspătă; **say ~!** *fot* zâmbiți, vă rog!

cheese, the[2] [tʃiːz, ðə] *s sl* ceea ce trebuie

cheese cake [tʃiːz keik] *s* **1** plăcintă cu brânză; pateu cu brânză **2** *bot* nalbă *(Malva silvestris)* **3** *sl* fotografie *sau* fotografii cu femei goale

cheese it [tʃiːz it] *vt cu pr sl* **1** gura! tacă-ți fleanca! **2** șterge-o! valea! stânga-mprejur!

cheesemonger ['tʃiːz‚mʌngə'] *s* brânzar, negustor *sau* vânzător de brânză

cheese off [‚tʃiːz'ɔ(:)f] *vt cu part adv sl* a obosi, a plictisi

cheese paring ['tʃiːz ‚pɛəriŋ] *s* **1** coajă de brânză **2** zgârcenie **3** *pl* resturi, rămășițe

cheesy ['tʃiːzi] *adj* **1** brânzos; ca brânza **2** *F* fercheș, – elegant, șic **3** *sl* ieftin, de rând

cheetah ['tʃiːtə] *s zool* ghepard *(Acinonyx jubatus etc.)*

chef [ʃef] *s fr* **1** bucătar șef **2** bucătar

chef d'oeuvre [ʃe'dœːv'] *pl* **chefs d'oeuvre** [ʃe'dœːv'] *s fr* capodoperă

cheiroptera [‚kaiə'rɔptərə] *s pl zool* cheiroptere

Chekhov ['tʃekɔf], **Anton** *scriitor rus* Cehov *(1860-1904)*

Chelsea [tʃelsi] *district în Londra*

chem. *presc de la* **1** chemical **2** chemist **3** chemistry

chemic ['kemik] *adj* 1 alchimic 2 ← *înv* chimic

chemical [kemikəl] I *adj* chimic II *s* preparat chimic

chemical engineering ['kemikə l endʒi'niəriŋ] *s* tehnologie chimică

chemically ['kemikəli] *adv* (din punct de vedere *etc.*) chimic

chemical warfare ['kemikəl ,wo:fɛə'] *s* război chimic

chemise [ʃə'mi:z] *s* cămaşă *(de femeie)*

chemisette [,ʃemi'zet] *s* şemizetă, cămăşuţă

chemism ['kemizəm] *s ch* chimism

chemist ['kemist] *s* 1 chimist 2 farmacist

chemistry ['kemistri] *s* 1 chimie 2 proprietăţi chimice

chemist's (shop) ['kemists(ʃop)] *s* farmacie

chemotherapy [,kemou'θerəpi] *s ch* chimioterapie

chenille [ʃə'ni:l] *s* şnur, găitan

Cheops ['ki:ops] *faraon al Egiptului* Keops *(cca 2900 î.e.n.)*

cheque [tʃek] *s fin* cec; **blank ~ a** cec în alb **b** *fig* mână liberă

cheque book ['tʃek ,buk] *s fin* carnet de cecuri

chequer ['tʃekə'] I *vt* 1 a stria 2 *text* a imprima în model ecosez 3 *fig* a împestriţa; a varia, a diferenţia II *s* 1 *pl* tablă de şah *(ca firmă de hotel)* 2 *amer* (joc de) dame

chequered ['tʃekəd] *adj* 1 striat; în carouri 2 *fig* pestriţ, amestecat, variat

chequers ['tʃekəz] *s* 1 dame *(joc)* 2 tablă de şah 3 stofă/material în carouri

chequer-wise ['tʃekə,waiz] *adv* în formă de tablă de şah

cherish ['tʃeriʃ] *vt* 1 a nutri *(o speranţă, un gând)* 2 a-i fi drag, a iubi; a preţui, a aprecia; a ţine la *(o idee etc.)* 3 a îngriji, a cultiva cu grijă *(plante)*

chernozem ['tʃə:nou,zem] *s agr* cernoziom

Cherokee ['tʃerə,ki:] *indian dintr-un trib din sudul S.U.A.*

cheroot [ʃə'ru:t] *s* ţigară de foi *(cu capetele tăiate)*

cherry ['tʃeri] I *s* 1 *bot* vişin *(Prunus Padus sp.)* 2 vişină; **a second/ another bite at the ~** o a doua şansă de a face *sau* a obţine ceva 3 *v.* **sweet cherry** II *adj* vişiniu

cherry brandy ['tʃeri'brændi] *s* lichior de vişine; vişinată

cherry-merry ['tʃeri,meri] *adj* 1 ← *F* vesel, bine dispus 2 *F* cu chef

cherry pie ['tʃeri ,pai] *s* plăcintă cu vişine

cherry stone ['tʃeri ,stoun] *s* sâmbure de vişină

cherry tree ['tʃeri ,tri:] *s v.* **cherry I, 1**

chersonese ['kə:sə,ni:s] *s* peninsulă

chert [tʃə:t] *s minr* şist silicios

cherub ['tʃerəb], *pl* şi **cherubim** ['tʃerəbim] *s* şi *fig* heruvim; înger

cherubic [tʃə'ru:bik] *adj* de heruvim; angelic, îngeresc

cherubically [tʃə'ru:bikəli] *adj* ca un heruvim; îngereşte

cherubim ['tʃerəbim] *s pl de la* **cherub**

chervil ['tʃə:vil] *s bot* asmăţui *(Anthriscus cerefolium)*

Cheshire ['tʃeʃə'] *comitat în Anglia*

chess [tʃes] *s* (jocul de) şah; **a game of ~** o partidă de şah

chess apple ['tʃes ,æpəl] *s bot* sorb *(Sorbus torminalis)*

chessboard ['tʃes,bo:d] *s* tablă de şah

chessman ['tʃes,mæn] *s* piesă, figură *(la jocul de şah)*

chess player ['tʃes ,pleiə'] *s* jucător de şah, şahist

chest [tʃest] *s* 1 ladă, cufăr; scrin 2 dulap 3 birou *(cu sertare)* 4 *anat* piept; **to have a cold in one's ~** a avea guturai, a fi răcit; **to get smth off one's ~** a recunoaşte ceva în mod sincer; a-şi descărca sufletul/inima; a-şi lua o piatră de pe inimă 5 casă, fonduri *(ale unei societăţi)*

chested ['tʃestid] *adj (în cuvinte compuse)* cu pieptul...: **hollow-~** cu pieptul supt

Chester ['tʃestə'] *oraş în Anglia*

chesterfield ['tʃestə,fi:ld] *s* 1 *un fel de* palton *(lung pe talie, cu guler de catifea)* 2 canapea *(capitonată, cu speteze)*

chestnut ['tʃes,nʌt] I *s* 1 *bot* castan *(Castanea sp.)* 2 castană; **to pull smb's ~s out of the fire** *fig* a scoate castanele din foc pentru cineva 3 *bot* castan sălbatic/porcesc *(Aesculus hippocastanum)* 4 castaniu, culoare castanie 5 (cal) roib 6 *F* glumă răsuflată II *adj* castaniu

chest-of-drawers ['tʃestʌ'dro:əz] *s* comodă, scrin *(cu sertare)*

chest trouble ['tʃest ,trʌbl] *s med* boală de plămâni cronică

chest wheel ['tʃest,wi:l] *s tehn* roată cu cupe

chesty ['tʃesti] *adj* 1 *(d. tuse)* ← *F* din piept 2 ← *F* pieptos, cu pieptul mare 3 *F* cu nasul sus, care se umflă în pene, – fudul

cheval glass [ʃə'væl ,gla:s] *s* oglindă *(înaltă, cu rame mobile)*

chevalier [,ʃevə'liə'] *s* 1 cavaler *(← al legiunii de onoare franceze)* 2 *şi ist* cavaler

Cheviot ['tʃi:viət] *s* 1 oaie *(din rasa)* „Cheviot" 2 *text* şeviot

Cheviot Hills, the ['tʃi:viət ,hilz, ðə] Munţii Cheviot/Şeviot

chevron ['ʃevrən] *s mil* galon

chevy ['tʃevi] *vt* 1 a hăitui *(vânatul)* 2 *fig sl* a bate la cap; a cicăli

chew [tʃu:] I *vt* 1 a rumega, a mesteca 2 *fig* a pune la cale, a urzi, a cloci II *vi* 1 a rumega, a mesteca; **to bite off more than one can ~** a încerca imposibilul; a încerca să facă mai mult decât poate; **to ~ the fat** *F* a pălăvrăgi, a vorbi de una şi de alta; **to ~ the rag a** *F* a se văicări **b** *amer v.* **to ~ the fat** 2 *fig* a rumega, a cugeta III *s* 1 rumegat, mestecat 2 tutun de mestecat

chewed-up ['tʃu:dʌp] *adj sl* supărat, necăjit

chewing gum ['tʃu:iŋ ,gʌm] *s* gumă de mestecat

chew out ['tʃu:'aut] *vt cu part adv* ↓ *amer F* a bate la cap; – a certa, a dojeni

chew over ['tʃu:'ouvə'] *vt cu part adv* ← *F* a rumega, a se gândi la

chg. *presc de la* **charge**

chiaroscuro [ki,a:rə'skuərou] *s arte* clarobscur

chiasmus [kai'æzməz] *s ret* chiasm

chibouk [tʃi'bu:k] *s* ciubuc, pipă

chic [ʃi:k] *s, adj fr* şic

Chicago [ʃi'ka:gou] *oraş în S.U.A.*

chicane [ʃi'kein] I *s v.* **chicanery** II *vi* 1 a face şicane 2 a umbla cu tertipuri III *vt* 1 a şicana, a sâcâi 2 a păcăli 3 a obţine prin tertipuri

chicanery [ʃi'keinəri] *s* 1 tertipuri, chiţibuşuri 2 şicane

chick [tʃik] *s* 1 puişor, pui, păsăruică 2 puişor, copilaş 3 *sl* puştoaică

chicken ['tʃikin] *s* **1** pui (de găină), *amer* și găină *sau* cocoș; **don't count your ~s before they are hatched** *prov* nu vinde pielea ursului din pădure **2** (carne de) pui **3** pui *(de pasăre)* **4** *fig* pui(șor), odor, copilaș **5** *fig* F puști *sau* puștoaică, – tânăr *sau* tânără fără experiență; **she is no ~** nu mai e copil/tânără **6** (om) laș *sau* fricos

chicken broth ['tʃikin ˌbrɔθ] *s* supă de pui

chicken feed ['tʃikin ˌfi:d] *s amer* **1** hrană pentru pui **2** *sl* bani mărunți, mărunțiș **3** *sl* sumă mică de bani

chicken-hearted ['tʃikin ˌha:tid] *adj* fricos, laș

chicken liver ['tʃikin ˌlivəʳ] *s amer* fricos, laș

chicken pox ['tʃikin ˌpɔks] *s med* vărsat de vânt, varicelă

chickling ['tʃikliŋ] *s* pui(șor)

chick pea ['tʃik ˌpi:] *s bot* năut *(Cicer arietinum)*

chickweed ['tʃik,wi:d] *s bot* studeniță *(Arenaria sp.)*

chicly ['ʃikli] *adj* cu șic, elegant

chicory ['tʃikəri] *s* **1** *bot* cicoare *(Cichorium intybus)* **2** cicoare *(surogat de cafea)*

chid [tʃid] *pret* și *ptc de la* **chide**

chidden ['tʃidn] *ptc de la* **chide**

chide [tʃaid], *pret* **chid** [tʃid] și **chided** ['tʃaidid], *ptc* **chid** [tʃid] *sau* **chided** ['tʃaidid] și **chidden** ['tʃidn] **I** *vt* a mustra, a certa **II** *vi* a se certa, a se sfădi

chief [tʃi:f] **I** *s* **1** șef, căpetenie, cap, conducător **2** *nav* ofițer întâi; ofițer secund; șef mecanic **3** ← *înv* parte principală // **in ~** îndeosebi; în special/particular **II** *adj atr* de frunte/căpetenie; conducător; principal **III** *adv înv v.* **chiefly**

chiefess ['tʃi:fis] *s* șefă, conducătoare

chief justice ['tʃi:f ˌdʒʌstis] *s* președinte de tribunal

chiefless ['tʃi:flis] *adj* fără conducător

chiefly ['tʃi:fli] *adv* **1** mai ales, mai cu seamă, îndeosebi **2** în cea mai mare parte

chief of staff ['tʃi:f əv ˌsta:f] *s mil* șef de stat major

chieftain ['tʃi:ftən] *s* **1** căpetenie *(de trib etc.)* **2** căpitan *(de haiduci)* **3** *poetic* căpetenie *(de oaste)*, căpitan

chieftaincy ['tʃi:ftənsi] *s* funcție *sau* demnitate de căpetenie *(de trib etc.) etc. v.* **chieftain**

chieftainship ['tʃi:ftənʃip] *s v.* **chieftaincy**

chiffon [ʃi'fɔn] *s fr* **1** *text* șifon **2** *pl* parură, găteală

chiffon(n)ier [ˌʃifə'niəʳ] *s* **1** șifonier; scrin; comodă **2** servantă

chigger ['tʃigəʳ] *s v.* **chigoe**

chignon ['ʃi:njɔn] *s* coc, conci

chigoe ['tʃigou] *s zool* purice de nisip *(Tunga penetrans)*

chilblain ['tʃilblein] *s* degerătură

chilblained ['tʃil,bleind] *adj* cu degerături

child [tʃaild], *pl* **children** ['tʃildrən] *s* **1** copil; prunc; sugar, sugaci; **from a ~** (încă) din copilărie; **with ~** însărcinată; **a burnt ~ dreads the fire** *prov* cine s-a fript cu ciorbă suflă și-n iaurt **2** copil, băiat *sau* fată; fiu *sau* fiică; **she had three ~ren** avea trei copii **3** *fig* copil, persoană imatură; **innocent as a ~** nevinovat ca un prunc; **4** *jur* copil legitim **5** copil, urmaș, vlăstar **6** produs, rezultat

child bearing ['tʃaild ˌbɛəriŋ] *s* naștere, facere

childbed ['tʃaild,bed] *s* lăuzie; patul lăuzei

child birth [tʃaild bə:θ] *s* **1** naștere, facere **2** natalitate

childe [tʃaild] *s* → *înv, poetic* tânăr de neam, *rar* → infante

childhood ['tʃaildhud] *s* copilărie; **second ~** a doua copilărie

childish ['tʃaildiʃ] *adj* **1** copilăresc, de copil; naiv **2** copilăros; neastâmpărat **3** prost, fără minte

childishly ['tʃaildiʃli] *adv* copilărește; ca un copil

childishness ['tʃaildiʃnis] *s* caracter copilăros; copilărie

childless ['tʃaildlis] *adj* fără copii

childlike ['tʃaildlaik] *adj* de copil; nevinovat/inocent ca un prunc

childly ['tʃaildli] *adj* ← *poetic v.* **childish 1**

children ['tʃildrən] *s pl de la* **child**

child's play ['tʃaildz plei] *s fig* jucărie, lucru foarte ușor, bagatelă, fleac

Chile ['tʃili] *țară*

Chilean ['tʃiliən] **I** *adj* chilian **II** *s* **1** chilian, locuitor din Chile **2** limba spaniolă din Chile

Chile saltpeter ['tʃili 'sɔ:lt,pi:təʳ] *s agr* salpetru de Chile

chili ['tʃili] *s bot* ardei american/de Cayene *(Capsicum frutescens)*

chiliad ['kili,æd] *s* **1** o mie; o mie de lucruri **2** o mie de ani, mileniu

Chilian ['tʃiliən] *adj, s v.* **Chilean**

chill [tʃil] **I** *s* **1** frig; răcoare; **the news put a ~ into us all** *fig* știrea ne-a înghețat/împietrit/înfiorat pe toți **2** temperatură scăzută *(a apei etc.);* **to take the ~ off smth** a încălzi ceva; **3** răceală; **to catch a ~** a răci **4** *pl* friguri; malarie **5** *fig* răceală, rezervă **6** *tehn* răcitori pentru forme; dispozitiv de răcire **II** *adj* **1** *(d. vreme etc.)* rece, friguros **2** *(d. cineva)* înfrigurat, înghețat **3** *fig* rece, distant; *(d. privire etc)* care (te) îngheață; *(d. atmosferă)* deprimant **III** *vt* **1** a răci, a face să se răcească; a lăsa să se răcească **2** a înfrigura, a îngheța; **he was ~ed to the bone** frigul îl pătrunse până la oase, era înghețat **3** *fig* a descuraja; a tăia aripile *(cuiva)*; a distruge *(speranțe)* **4** *tehn* a răci, a congela; a căli **IV** *vi* **1** a se răci; a se răcori **2** a-i fi frig, a îngheța

chilled [tʃild] *adj* **1** răcit; pus la rece; congelat **2** înfrigurat, înghețat

chiller ['tʃiləʳ] *s* poveste, roman *etc.* de groază

chilli ['tʃili] *s v.* **chili**

chillily ['tʃilili] *adv fig* rece, cu răceală

chilliness ['tʃilinis] *s* **1** frig, temperatură scăzută **2** *fig* răceală

chilly¹ ['tʃili] *s v.* **chili**

chilly² *adj* **1** *(d. vreme etc.)* rece, răcoros **2** înfrigurat, înghețat, rebegit **3** *fig* rece, distant **4** *fig* descurajator; deprimant

Chiltern hundreds, the ['tʃiltən 'hʌndridz, ðə] *pl* prerogativă regală *(nominală);* **to apply for ~** a renunța la calitatea de membru al parlamentului

chimaera [kai'miərə] *s mit* și *fig* himeră

chime¹ [tʃaim] **I** *s* **1** ↓ *pl* dangăt *sau* bătaie de clopote, clopote **2** *muz* clopoței, carillon **3** muzică, melodie **4** armonie **II** *vt* **1** a bate, a trage *(clopotele)* **2** *(d. pendulă)* a bate *(ceasul)* **III** *vi* **1** *(d. clopot, pendulă)* a bate; a răsuna, a suna 2 (**with**) *fig* a se potrivi, a se acorda (cu) 3 *fig* a vorbi melodios, ritmat *sau* sacadat 4 a psalmodia 5 *muz (d. un instrument, în orchestră)* a intra, a-și face intrarea

chime² *s tehn* gardian

chime in ['tʃaim 'in] *vi cu part adv* 1 *F* a se băga, a se amesteca *(într-o discuție)* 2 (**with**) ← *F* a se potrivi, a coincide (cu)

chimera [kai'miərə] *s v.* **chimaera**

chimeric(al) [kai'merikə l] *adj* 1 himeric, fantastic, ireal 2 himeric, iluzoriu; absurd; imposibil

chimerically [kai'merikəli] *adv* (în mod) himeric, fantastic

chimney ['tʃimni] *s* 1 șemineu, cămin 2 coș, horn; burlan de coș; gură de vânt 3 sticlă de lampă 4 crater *(de vulcan)* 5 crăpătură în stâncă *(prin care se poate urca și coborî)*

chimney breast ['tʃimni'brest] *s constr* coronament de coș

chimney corner ['tʃimni,kɔ:nər] *s* loc lângă cămin

chimney piece ['tʃimni,pi:s] *s* consolă de cămin

chimney pot ['tʃimni,pɔt] *s* registru de fum, clapă de reglaj *(la coș)*

chimney stack ['tʃimni,stæk] *s* 1 coș, horn 2 coș/horn comun *(pt mai multe sobe)*

chimney stalk ['tʃimni ,stɔ:k] *s v.* **chimney stack** 2

chimney sweep ['tʃimni,swi:p] *s* coșar, hornar

chimney sweeper ['tʃimni,swi:pər] *s v.* **chimney sweep**

chimp [tʃimp] *s F v.* **chimpanzee**

chimpanzee [,tʃimpæn'zi:] *s zool* cimpanzeu *(Pan troglodytes)*

chin [tʃin] I *s anat* bărbie; **up to the ~** *fig* până peste urechi/cap; **to take it on the ~** a nu se pierde cu firea, a nu se descuraja, a ține capul sus; **keep your ~** capul sus; nu te pierde cu firea! nu te lăsa II *vi amer sl* a trăncăni, – a flecări

Chin. *presc de la* 1 **China** 2 **Chinese**

China ['tʃainə] *țară*

china *s* 1 porțelan 2 porțelanuri, articole *sau* vase de porțelan; **to break ~** a întoarce toate cu susul în jos, a face vraiște

China clay ['tʃainə,klei] *s minr* caolin

China crepe ['tʃainə,kreip] *s text* crepdeșin

China ink ['tʃainə,iŋk] *s* tuș; tuș de desen

Chinaman ['tʃainəmən] *s* 1 ↓ ← *ironic* chinez 2 **c~** negustor de porțelanuri

China Sea, the ['tʃainə,si:, ðə] Marea Chinei

Chinatown ['tʃainə,taun] *s* cartier chinezesc *(în orașele din afara Chinei)*

chinaware ['tʃainə,wɛər] *s v.* **china** 2

Chinawoman ['tʃainə'wumən] *s* chinezoaică

chinch [tʃintʃ] *s ent amer* ploșniță *(Cimex lecturarius)*

chinchilla [tʃĭn'tʃilə] *s zool* șinșilă *(Chinchilla laniger)*

chin-chin ['tʃin'tʃin] *interj F* hai noroc! bună!

chine [tʃain] *s* 1 *anat* șira spinării 2 bucată de la spate; mușchi; vrăbioară; fileu 3 creastă, coamă *(de munte)*

Chinese [tʃai'ni:z] I *adj* chinez(esc) II *s* 1 chinez 2 (limba) chineză 3 **the ~** chinezii

Chinese Empire, the [tʃai'ni:z 'empaiər, ðə] *s ist* Imperiul Chinei

Chinese lantern [tʃai'ni:z 'læntən] *s* lampion (chinezesc)

Chinese puzzle [tʃai'ni:z'pʌzl] *s fig* problemă complicată, enigmă

Chinese red [tʃai'ni:z'red] *s ch* cromat de plumb roșu

Chinese Wall, the [tʃai'ni:z 'wɔ:l, ðə] *s* Zidul Chinezesc

Chinese white [tʃai'ni:z 'wait] *s ch* alb de zinc

chink¹ [tʃiŋk] I *s* 1 zăngănit; zornăit; clinchet 2 târâit *(al greierilor)* 3 *sl* lovele, biștari, sunători, parale II *vi, vt* a zăngăni, a zornăi

chink² I *s* crăpătură, spărtură *(într-un zid etc.)* II *vt constr* a cala cu piatră spartă

chink³ *s* râs cu hohote, hohote de râs

chink⁴ *s sl* chinez

chinless ['tʃinlis] *adj* 1 fără bărbie 2 *fig F* fără șira spinării, fără caracter, laș

Chinook [tʃi'nu:k] *s amer* 1 numele unui trib indian din S.U.A. 2 limba acestui trib 3 vânt cald și umed

chintz [tʃints] *s text* creton, pânză de bumbac *(cerată)*

chinwag ['tʃin,wæg] *s sl* taifas, pălăvrăgeală

chip [tʃip] I *s* 1 așchie; surcică; **to have a ~ on one's shoulder** a fi *F* cu capsa pusă/cu ârțag 2 șindrilă, draniță; șipcă 3 fărâmă, fragment; ciob, hârb 4 felie subțire *(de măr, cartof etc.)*; **fish and ~s** pește cu cartofi prăjiți/pai 5 fisă *(la jocuri)* 6 *fig* copil, vlăstar, odraslă; **a ~ off the old block** e leit taică-său, *aprox* așchia nu sare departe de pom 7 *fig* lucru fără valoare, nimic, fleac // **when the ~s are down** *F* când e la o adică; **to pass/to cash in one's ~s** *F* a da ortul popii II *vt* 1 a așchia 2 a dăltui, a ciopli 3 a ciobi; a sparge marginile *(farfuriei etc.)* 4 a tăia felii subțiri *(cartofii etc.)* III *vi* 1 a se așchia 2 a se fărâmița, a se face fărâme; a se sparge; **this china ~s easily** porțelanul acesta se sparge ușor/e foarte fragil

chip away ['tʃip ə'wei] *vt cu part adv* a sparge/a sfărâma bucată cu bucată/bucățica cu bucățica

chip away at ['tʃip ə'weiət] *vi cu part adv și prep* a distruge/a nărui fărâmă cu fărâmă *sau* puțin câte puțin *cu ac*

chip ax(e) ['tʃip,æks] *s* teslă, topor de dulgher

chipboard ['tʃip,bɔ:d] *s tehn* placă aglomerată *(din așchii de lemn)*

chip bonnet ['tʃip ,bɔnit] *s* pălărie de paie

chip in ['tʃip 'in] *vi cu part adv* a interveni, a se amesteca *(într-o discuție etc.)*; a intra *(în joc)*

chipmunk ['tʃip,mʌŋk] *s zool amer* veveriță cu fălci *(Tamias și Eutamias sp.)*

chipped beef ['tʃipt 'bi:f] *s* carne de vită tăiată felii, uscată *sau* afumată, servită ↓ cu smântână

Chippendale ['tʃipən,deil] *s* mobilă Chippendale *(stil englez sec. XVIII)*

chipper¹ ['tʃipər] *adj* ← *F* voios, bine dispus

chipper² *vi* 1 a ciripi 2 *F* a pălăvrăgi, a trăncăni

chippy ['tʃipi] I *adj* 1 *(d. cuțit)* tocit, bont 2 *(d. farfurii etc.)* ciobit, hârbuit 3 *sl* mahmur II *s amer el* fleoarță, fleandură, – prostituată

chirk [tʃə:k] *amer* F I *adj* voios, vesel II *vt* a înveseli, a înviora

chirk up ['tʃəːk'ʌp] *vi cu part adv amer* ← *F* a se înveseli, a se bine dispune

chiromancer ['kairə,mænsəʳ] *s* chiromant

chiromancy ['kairə,mænsi] *s* chiromanție

Chiron ['kairən] *mit*

chiropodist [ki'rɔpədist] *s* pedichiurist

chiropody [ki'rɔpədi] *s* pedichiură

chiropter [kai'rɔptəʳ] *s zool* chiropter

chirp [tʃəːp] I *vt, vi* 1 a ciripi 2 *(d. greieri)* a țârâi II *s* 1 ciripit 2 țârâit

chirper ['tʃəːpəʳ] *s* 1 pasăre ciripitoare 2 prunc care gungureşte

chirpily ['tʃəːpili] *adv* cu veselie, voios

chirpiness ['tʃəːpinis] *s* veselie, voioşie

chirpy [tʃəːpi] *adj* vesel, voios, bine dispus

chirr [tʃəːʳ] *vi (d. greieri)* a țârâi

chirrup ['tʃirəp] *v, s v.* **chirp**

chirurgian [ki'ruːrdʒiən] *s med* ← *înv* chirurg

chisel ['tʃizəl] I *s* daltă; cuțit II *vt* a dăltui; a cizela

chisel bit ['tʃizəl,bit] *s tehn* tăiş de daltă

chisel in ['tʃizəl'in] *vi cu part adv F* a se băga, a se amesteca *(într-o discuție etc.)*

chiseller ['tʃizələʳ] *s* 1 dăltuitor 2 *sl* şarlatan, escroc

chit¹ [tʃit] *s* 1 pici, puşti, băieţaş 2 fetiţă; fată; femeiuşcă (↓ *obraznică)*

chit² *s* ← *F* 1 notă, scrisoare scurtă 2 bon, notă; notă de plată 3 recomandare; caracterizare 4 dispoziţie scrisă, ordin 5 adeverinţă, dovadă

chit-chat ['tʃit ,tʃæt] *s* 1 taifas, conversaţie uşoară 2 *F* pălăvrăgeală, trăncăneală; bârfă, vorbe

chitin ['kaitin] *s zool* chitină

chitter ['tʃitəʳ] I *vi* a ciripi II *s* 1 ciripit 2 flecăreală, pălăvrăgeală

chitterlings ['tʃitəliŋz] *s pl* măruntaie (↓ *de porc)*

chitty ['tʃiti] *adj* 1 mic, mititel, firav 2 de copil

chivalric ['ʃivəlrik] *adj v.* **chivalrous**

chivalrous ['ʃivəlrəs] *adj* 1 de cavaler, cavaleresc 2 galant, politicos 3 curajos, vitejesc

chivalry ['ʃivəlri] *s* 1 *ist* cavalerism; cavaleri 2 comportare de cavaler

chive [tʃaiv] *s bot* arpagic *(Allium schoenoprasum)*

Chloe, Chloë ['klɔui] *nume fem*

chloral ['klɔːrəl] *s ch* cloral

chlorate ['klɔːreit] *s ch* clorat

chloric acid ['klɔːrik ,æsid] *s ch* acid cloric

chloride ['klɔːraid] *s ch* clorură

chlorine ['klɔːriːn] *s ch* clor

chlorite ['klɔːrait] *s ch, minr* clorit

chloroform ['klɔːrə,fɔːm] *ch* I *s* cloroform II *vt* a cloroformiza

chlorophyl(l) ['klɔːrəfil] *s bot* clorofilă

chloropicrin [,klɔːrou'pikrin] *s ch* cloropicrină

chlorosis [klɔː'rousis], *pl* **chloroses** [klɔː'rousiːz] *s med, bot* cloroză

chlorous acid ['klɔːrəs ,æsid] *s ch* acid cloros

chm(n). *presc de la* **chairman**

chock [tʃɔk] *s* 1 *tehn* sabot, frână 2 pană, ic 3 *constr* capră 4 *min* stivă în abataj; stâlp de lemn 5 *nav* cavalet, suport II *vt* a opri *sau* a sprijini cu pene *etc.* (v. ~ I)

chock-a-bloc ['tʃɔkə'blɔk] *adj* ← *F* plin până sus; ticsit, plin

chockfull ['tʃɔkful] *adj* plin, complet, întesat, ticsit

chock up ['tʃɔk 'ʌp] *vt cu part adv* a umple până sus

chocolate ['tʃɔkəlit] I *s* 1 ciocolată, şocolată 2 *pl* bomboane de ciocolată II *adj* 1 de ciocolată 2 ciocolatiu, de culoarea ciocolatei

choice [tʃɔis] I *s* 1 alegere, selecţie, selectare; opţiune; **to take one's ~** a alege; **of one's own free ~** după propria sa alegere; **for/by ~** de preferinţă; cu precădere, îndeosebi; **to give smb his ~** a lăsa pe cineva să aleagă 2 predilecţie, preferinţă; persoană aleasă *sau* lucru ales; **you are his ~** alegerea lui a căzut asupra dumitale 3 alternativă, posibilitate de a alege; **I have no ~** nu am de ales 4 (a)sortiment 5 partea cea mai bună/aleasă/ frumoasă, ceea ce este mai bun; elită; **here is the ~ of the library** aici sunt cărţile cele mai valoroase ale bibliotecii II *adj atr* 1 ales, cel mai bun; cel mai valoros; superior; rar 2 fin; elegant; de bun gust; rafinat 3 *(d. cuvinte etc.)* ales cu grijă

choiceful ['tʃɔisful] *adj* alegător, mofturos, pretenţios

choicely ['tʃɔisli] *adv* cu migală, migălos

choiceness ['tʃɔisnis] *s* 1 însuşire aleasă 2 rafinament

choir ['kwaiəʳ] I *s* 1 cor; grup de cântăreţi; capelă 2 ansamblu coral; ansamblu de cântece şi dansuri 3 *bis* cor *(loc destinat corului); aprox* strană II *vt, vi* ← *poetic* a cânta în cor

choir boy ['kwaiə ,bɔi] *s bis* băiat din corul bisericesc

choir master ['kwaiə ,maːstəʳ] *s* dirijor de cor

choke [tʃouk] I *vt* 1 a sugruma, a strangula, a înăbuşi 2 a înăbuşi, a sufoca 3 a înăbuşi, a năpădi *(vegetaţia)* 4 a stinge *(focul)* 5 a acoperi cu nisip *sau* noroi 6 *fig* a înăbuşi *(sentimente etc.)* 7 a ticsi, a umple până sus 8 *tehn* a strangula, a gâtui II *vi* 1 a se sufoca, a se înăbuşi; a se îneca *(din cauza tusei etc.)* 2 a se bloca; a se închide III *s* 1 sugrumare, strangulare 2 *tehn* duză; drosel 3 *auto* clapetă de pornire 4 *auto* şoc 5 *el* bobină cu reactanţă 6 *tehn* strangulare, gâtuire

choke back ['tʃouk 'bæk] *vt cu part adv* a-şi stăpâni, a-şi înăbuşi *(un sentiment etc.)*

choke coil ['tʃouk ,kɔil] *s el* bobină de impedanţă/cu reactanţă

choke down ['tʃouk 'daun] *vt cu part adv* a înghiţi cu greutate

chokefull ['tʃoukful] *adj v.* **chockfull**

choke off ['tʃouk 'ɔ(:)f] *vt cu part adv* 1 a se descotorosi de, a scăpa de *(cineva)* 2 a face *(pe cineva)* să renunţe la *(o încercare etc.)*

choker ['tʃoukəʳ] *s* 1 ucigaş *(prin strangulare)* 2 *F* ← *înv* guler tare (↓ *la preoţi)* 3 salbă, colier *(strâmt)*

choke up ['tʃouk 'ʌp] *vt cu part adv* 1 *(d. buruieni etc.)* a înăbuşi, a năpădi 2 a umple până sus, a ticsi

chokeweed ['tʃouk,wiːd] *s bot* verigel *(Orobanche sp.)*

choking ['tʃoukiŋ] 1 înăbuşitor, sufocant 2 *fig (d. voce)* sugrumat *(de emoţie etc.)*

choky ['tʃouki] *adj* 1 înăbuşitor, sufocant 2 *(d. fructe)* acru; verde, necopt

choler ['kɔlə'] s 1 ← *înv* fiere 2 mânie, supărare, furie 3 irascibilitate, iritabilitate

cholera ['kɔlərə] s *med* holeră

choleric ['kɔlərik] *adj* 1 iritabil, supărăcios, coleric 2 mânios, furios

cholerically ['kɔ'lerikəli] *adv* cu enervare; irascibil

cholesterol [kə'lestə,rɔl] s *ch* colesterol

choline ['kouli:n] s *ch* colină

choose [tʃu:z], *pret* **chose** [tʃouz], *ptc* **chosen** ['tʃouzən] **I** *vt* 1 a alege, a selecta; **he chose the biggest apple** alese mărul cel mai mare 2 a alege *(prin vot etc.)*; **they chose him as their leader** l-au ales pe el ca şef/în calitate de conducător 3 a alege, a hotărî; a prefera; **he chose to stay** a preferat să rămână 4 a vrea, a voi; **she did not ~ to participate** nu a vrut să participe // **there's little/not much to ~ between them** seamănă grozav unul cu altul; *F* ce mi-e unul, ce mi-e altul **II** *vi* a alege, a putea alege, a putea avea posibilitatea *sau* libertatea de a alege; **do as you ~** fă cum crezi/îţi place; **I cannot ~ but go** (n-am încotro), trebuie să plec

chooser ['tʃu:zə'] s persoană care alege

choos(e)y ['tʃu:zi] *adj* ← *F* mofturos, dificil, *rar* → lingav

chop[1] [tʃɔp] **I** *vt* a tăia în bucăţi; a ciopli; a tăia *(lemne)*; a hăcui, a toca **II** *vi* a ciopli; a tăia lemne **III** s 1 lovitură de topor *etc.* 2 cotlet *(cu os; ↓ de porc sau oaie)*

chop[2] s *(↓ în China şi India)* ştampilă, pecete *(oficială)*

chop[3] s 1 ↓ *pl* falcă, maxilar 2 *pl* ← *umor* gură; **to lick one's ~s** a-şi linge buzele 3 *pl* gură *(de canal, tun etc.)*

chop[4] **I** s 1 ↓ *pl* schimbare, transformare; **~s and changes** schimbări, transformări 2 şovăială, ezitare 3 schimb *(de mărfuri etc.)* **II** *vt* a schimba, a transforma

chop at ['tʃɔpət] *vi cu prep* a se repezi la; a căuta să apuce *cu ac*

chop away ['tʃɔp ə'wei] *vt cu part adv* a tăia, a reteza

chop back ['tʃɔp'bæk] *vi cu part adv (d. vânt etc.)* a-şi schimba brusc direcţia

chop-chop ['tʃɔp 'tʃɔp] *adv F* fuga, repede

chop down ['tʃɔp'daun] *vt cu part adv* a tăia, a doborî *(prin tăiere)*

Chopin, ['ʃɔpæn] **Frédéric** *compozitor polonez (1810-1849)*

chop in ['tʃɔp 'in] *vi cu part adv F* a se vârî/a se băga în vorbă, – a interveni *(în conversaţie)*

chop into ['tʃɔp ,intə] *vi cu prep F* a se vârî/a se băga în *(vorbă etc.)*

chop off ['tʃɔp'ɔ(:)f] *vt cu part adv* 1 a reteza; a despica 2 a ciopli 3 a toca

chopped ['tʃɔpt] *adj* 1 tocat; fărâmiţat 2 retezat 3 crestat 4 scobit

chopper ['tʃɔpə'] s 1 satâr 2 *amer* tăietor de lemne 3 maşină de tocat 4 *el* întrerupător 5 *sl* elicopter

chopping[1] ['tʃɔpiŋ] *adj* voinic, viguros

chopping[2] **I** *adj* 1 *(d. valuri etc.)* mărunt, mic, scurt 2 *nav (d. mare)* confuz **II** s 1 tăiere *etc.* (v. **chop**[1] **I**) 2 *nav* valuri scurte, mare confuză

choppy[1] ['tʃɔpi] *adj (d. vânt)* schimbător, variabil

choppy[2] *adj* 1 plin de crăpături, crăpat 2 v. **chopping**[2] **I**

chopstick ['tʃɔp,stik] s beţigaş de mâncat *(la chinezi)*

chop through ['tʃɔp ,θru:] *vt cu part adv* a tăia, a despica

chop up ['tʃɔp 'ʌp] **I** *vt cu part adv* 1 a tăia bucăţi *(lemn)* 2 a toca **II** *vi cu part adv* a se despica, a se desface

choral ['kɔ:rəl] *adj* coral, de *sau* pentru cor

choral(e) [kɔ'ra:l] s *muz* coral

choralist ['kɔrəlist] s *muz* 1 corist 2 compozitor de lucrări corale

chord[1] [kɔ:d] s 1 ← *poetic* strună, coardă; **to strike a ~** a evoca amintiri; a avea răsunet în sufletul cuiva; **to touch/to strike the right ~** *fig* a atinge coarda simţitoare/punctul sensibil 2 *constr* coardă; funie

chord[2] **I** s 1 *muz* acord 2 *pict* gamă de culori **II** *vi muz* a se armoniza, a se acorda

chore [tʃɔ:'] s 1 ↓ *pl* treburi casnice, munci menajere; dereticat 2 *fig* sarcină grea *sau* neplăcută

chorea [kɔ'riə] s *med* coree

choreographer [,kɔri'ɔgrəfə'] s coregraf

choreography ['kɔri'ɔgrəfi] s coregrafie

choriamb ['kɔri,æmb] s *metr* coriamb

choriambic [,kɔri'æmbik] *adj metr* coriambic

choric ['kɔrik] *adj* coral, de cor

chorine [kɔ'ri:n] s *amer* ← *F* coristă

chorist ['kɔrist] s corist

chorister ['kɔristə'] s 1 corist 2 *amer* dirijor de cor

choroid ['kɔ:rɔid] s *anat* membrană coroidă

chortle ['tʃɔ:təl] **I** *vi* a chicoti, a râde pe înfundate **II** s chicotit

chorus ['kɔ:rəs] **I** s 1 *(în teatrul grec)* cor 2 *muz* cor; cântăreţi, corişti 3 cor, prolog *(personaj care recită prologul şi epilogul, ↓ în drama elisabetană)* 4 *muz* bucată/compoziţie pentru cor; coral 5 *fig* cor, ansamblu; **in ~** în cor, toţi odată 6 *muz, lit* refren **II** *vt, vi* a cânta/a scanda *etc.* în cor

chorus girl ['kɔ:rəs,gə:l] s coristă *sau* dansatoare *(într-o comedie muzicală sau revistă)*

chose [tʃouz] *pret de la* **choose**

chosen ['tʃouzən] **I** *ptc de la* **choose II** *adj* ales; select

chough [tʃʌf] s *orn* specie de cioară *(cu cioc şi labe roşii) (Pyrrhocorax sp.)*

chouse [tʃaus] *F* **I** s păcăleală, şmecherie **II** *vt* a păcăli, a trage pe sfoară

chow [tʃau] s 1 ciau-ciau *(rasă de câini chinezească)* 2 *amer sl* haleală, – mâncare

chow-chow ['tʃau 'tʃau] s *F fig* amestecătură, ghiveci

Chr. *presc de la* 1 **Christ** 2 **Christian**

chrestomathy [kres'tɔməθi] s crestomaţie; antologie; culegere de texte

chrism ['krizəm] s *bis* 1 mir 2 miruire, miruit 3 confirmare

Christ [kraist] Hristos, Crist(os)

Christabel ['kristəbel] *nume fem*

christen ['krisən] *vt* 1 *bis* a boteza 2 a boteza, a numi 3 *F* a boteza, – a începe, a folosi pentru prima oară

Christendom ['krisəndəm] s creştinătate, lumea creştină

christening ['krisəniŋ] s *bis* botezare; botez

Christhood ['kraisthud] s mesianism

Christian¹ ['kristʃən] *nume masc*
Cristian

Christian² l *adj* 1 creștin, creștinesc
2 *fig F* creștinesc, de creștin,
– uman ll *s* 1 creștin 2 *fig* (suflet
de) creștin, om bun, om de
omenie

Christiana [ˌkristi'aːnə] *nume fem*
Cristina

Christianity [ˌkristi'æniti] *s* 1 *v.*
Christendom 2 creștinism,
religia creștină

Christianization [ˌkristiənai'zeiʃən]
s bis creștinare

Christianize ['kristʃəˌnaiz] *bis* l *vt* a
creștina; a boteza ll *vi* a se
creștina; a se boteza

Christian name ['kristʃən ˌneim] *s*
prenume, nume mic/de botez

Christmas ['krisməs] *s* Crăciun; **to
wish smb a merry/a happy** ~ a
ura cuiva sărbători fericite

Christmas box ['krisməsˌbɔks] *s*
cadou/dar de Crăciun, cutie cu
daruri de Crăciun

Christmas Eve ['krisməsˌiːv] *s*
ajunul Crăciunului

Christmassy ['krisməsi] *adj* de
Crăciun

Christmas tide ['krisməsˌtaid] *s*
perioada Crăciunului (de la 25
decembrie până la 6 ianuarie)

Christmas tree ['krisməsˌtriː] *s* pom
de Crăciun

Christopher ['kristəfəʳ] *nume masc*
Cristofor

chromate ['kroumeit] *s ch* cromat

chromatic [krə'mætik] *adj muz, pict*
cromatic

chromatic scale [krə'mætik ˌskeil] *s
muz* gamă cromatică

chrome [kroum] *s ch* crom

-chrome *suf* -crom: **polychrome**
policrom

chrome yellow ['kroum ˌjelou] *s ch*
galben de crom

chromic acid ['kroumik ˌæsid] *s ch*
acid cromic

chromium ['kroumiəm] *s ch* crom

chromo- *pref* cromo-: **chromo-
isomer** cromoizomer

chromolithography [ˌkroumuli-
'θɔgrəfi] *s poligr* cromolitografie

chromosome ['kroumə.soum] *s ch*
cromozom

chromosphere ['kroumə.sfiəʳ] *s astr*
cromosferă

chron. *presc de la* 1 **chronology** 2
chronological

chronic ['krɔnik] *adj* 1 *med* cronic,
vechi 2 (d. fumători etc.) vechi,
înrăit, inveterat 3 (d. vreme) amer
F groaznic, a naibii

chronically ['krɔnikəli] *adv* cronic;
obișnuit; continuu

chronicle ['krɔnikəl] l *s* 1 cronică;
letopiseț 2 cronică; poveste,
narațiune ll *vt* a face cronica *cu
gen;* a nota, a semnala, a înre-
gistra

chrono- *pref* crono-: **chronology**
cronologie

chronograph ['krɔnəˌgraːf] *s fiz*
cronograf

chronologic(al) [ˌkrɔnə'lɔdʒik(əl)]
adj cronologic

chronologically [ˌkrɔnə'lɔdʒikəli]
adv cronologic; în ordine crono-
logică

chronology [krə'nɔlədʒi] *s* 1 crono-
logie 2 tabel cronologic

chronometer [krə'nɔmitəʳ] *s* crono-
metru; ceas de precizie

chrysalid ['krisəlid] *s ent, zool*
crisalidă

chrysalides [kri'sælidiːz] *pl de la*
chrysalis

chrysalis ['krisəlis], *pl și* **chrysa-
lides** [kri'sælidiːz] *s ent* crisalidă

chrysanthemum [kri'sænθəməm] *s
bot* crizantemă, tufănică (Chry-
santhemum indicum)

chrysolite ['krisəˌlait] *s minr* crisolit;
olivină

Chrisostom ['krisəstəm] *rel* Ioan-Gu-
ră-de-Aur

chs. *presc de la* **chapters**

chub [tʃʌb] *s și ca pl* iht clean
(Leuciscus cephalus)

chubbiness ['tʃʌbinis] *s* rotunjime
a feței, obraji bucălați

chubby ['tʃʌbi] *adj* bucălat, cu
obrajii bucălați; dolofan

chuck¹ [tʃʌk] l *s* 1 (bucată de) lemn,
scurtură 2 *tehn* mandrină de
strângere 3 *tehn* manșon; suport
ll *vt tehn* a strânge, a prinde (în
mandrină)

chuck² l *vt* 1 a mângâia, a strânge,
a apuca (pe cineva ↓ sub bărbie)
2 a arunca, a azvârli (cu o miș-
care rapidă) 3 F a scăpa de, a se
descotorosi de ll *s* 1 apucare de
bărbie 2 aruncătură; aruncare;
azvârlire 3 *sl* haleală, – mâncare

chuck³ *s* antricot (de vită)

chuck⁴ l *vi* a cotcodăci ll *s* cotco-
dăcit lll *interj* ~! ~! ~! pui! pui! pui!

chuckfull ['tʃʌk.ful] *adj v.* **chockfull**

chuckle ['tʃʌkəl] l *vi* 1 a râde pe
înfundate, a chicoti 2 a râde
satisfăcut; a se bucura; a jubila
**she was chucking at/over her
success** se bucura de succesul
pe care-l avusese 3 a cotcodăci;
a gâgâi ll *s* 1 râs pe înfundate,
chicotit 2 râs satisfăcut; bucurie;
jubilare 3 cotcodăcit; gâgâit

chucklehead ['tʃʌkəl.hed] *s F*
tâmpit, tont

chuckle-headed ['tʃʌkəl.hedid] *adj
F* tâmpit, bătut în cap

chuck out ['tʃʌk aut] *vt cu part adv*
1 F a da (pe ușă) afară 2 F a se
descotorosi de; – a arunca

chuff [tʃʌf] *s* 1 țăran 2 *fig* țăran,
țărănoi

chuffy ['tʃʌfi] *adj* bădăran, necioplit

chug [tʃʌg] l *vi* (d. locomotivă etc.) a
pufăi ll *s* pufăit (al locomotivei etc.)

chum [tʃʌm] ← F l *s* 1 *univ*
tovarăș de cameră 2 tovarăș;
prieten; prieten bun/intim; frate
de cruce ll *vi* 1 (with) a locui în
aceeași cameră (cu) 2 a fi buni
prieteni; **he ~med (up) with
John** era bun prieten cu John

chummage ['tʃʌmidʒ] *s* ← F găz-
duire în aceeași cameră

chumery ['tʃʌməri] *s* 1 coabitare 2
locuință *sau* cameră comună

chummily ['tʃʌmili] *adv* ← F priete-
nește, ca buni prieteni

chummy ['tʃʌmi] ← F l *adj* 1 to-
vărășesc, de tovarăș 2 priete-
nesc, de prieten; prietenos, so-
ciabil ll *s* prieten (bun)

chump [tʃʌmp] *s* 1 bulgăre 2 *constr*
butuc, bloc 3 capăt gros (al unui
obiect) 4 F nerod, tont, găgăuță
5 F bilă, dovleac, – cap; **to be
off one's** ~ a-i lipsi o doagă, a fi
într-o dungă

chunk [tʃʌŋk] *s* 1 *v.* **chump** 1 – 3 2
← F bucată mare; halcă (de
carne), porție uriașă 3 *amer* om
scund și îndesat

chunky ['tʃʌŋki] *adj amer* (d. cine-
va) scund și îndesat

church [tʃəːtʃ] *bis* l *s* 1 biserică;
capelă; paraclis; **to go to** ~ a
se duce la biserică 2 slujbă,
serviciu divin 3 biserică (orto-
doxă etc.), rit ll *vt* 1 a face o sluj-
bă *sau* o moliftă pentru 2 a duce
la biserică (pomana) noului
născut

churchdom ['tʃəːtʃdəm] *s* **1** autorități bisericești/ecleziastice **2** cin, ordin preoțesc

church-goer ['tʃəːtʃ 'gouəʳ] *s* om bisericos, persoană care obișnuiește să se ducă la biserică, *aprox* credincios

church house ['tʃəːtʃ,haus] *s* **1** casă parohială **2** casă de rugăciuni

churchless ['tʃəːtʃlis] *adj* **1** fără biserică **2** care nu frecventează biserica

churchman ['tʃəːtʃ,mən] *s* **1** față bisericească, cleric; preot **2** teolog **3** om bisericos **4** membru al unei biserici

Church of England, the ['tʃəːtʃ əv 'iŋglənd, ðə] *s* biserica anglicană

Church of Rome, the ['tʃəːtʃ əv 'roum, ðə] *s* biserica romano-catolică

church service ['tʃəːtʃ ,səːvis] *s bis* slujbă, serviciu divin

church text ['tʃəːtʃ ,tekst] *s* scriere engleză gotică *(neagră)*

churchwarden [tʃəːtʃ'wɔːdən] *s* **1** *bis* epitrop; staroste **2** ← *F* pipă lungă *(de lut)*

churchy ['tʃəːtʃi] *adj* bisericos

churchyard ['tʃəːtʃ,jaːd] *s* cimitir, loc de veci

churl [tʃəːl] *s* **1** bădăran, necioplit, mojic **2** țăran **3** *ist* țăran liber, răzeș **4** zgârcit, avar

churlish ['tʃəːliʃ] *adj* **1** grosolan, necioplit, mojicesc; vulgar **2** zgârcit, avar **3** încăpățânat, îndărătnic **4** *(d. muncă)* greu, neplăcut

churlishly ['tʃəːliʃli] *adv* ca un bădăran, mojicește

churlishness ['tʃəːliʃnis] *s* bădărănie, mojicie; vulgaritate

churn [tʃəːn] **I** *s* **1** putinei; aparat de bătut untul **2** amestecător, agitator *(aparat)* **3** *și fig* vârtej, volbură, freamăt, agitație **II** *vt* **1** a alege, a bate *(untul)* **2** a învolbura *(apa)*, a înspuma; a agita, a tulbura **III** *vi* a alege/a bate untul

churner ['tʃəːnəʳ] *s* aparat de bătut untul

churn milk ['tʃəːn ,milk] *s* zer

churr [tʃəːʳ] *vi* **1** *(d. insecte)* a bâzâi, a zumzăi **2** *(d. păsări)* a ugui

chut [tʃʌt] *interj (exprimă nerăbdarea)* ah! asta-i bună! ei! ei hai (o dată)! păi!

chute [ʃuːt] **I** *s* **1** cădere de apă, cascadă **2** *min* jgheab, rostogol **3** plan înclinat, pantă **II** *vt min* a folosi jgheabul pentru

'**chute** *presc F de la* **parachute**

'**chutist** *presc F de la* **parachutist**

Chuvash [tʃuʹvaːʃ] **I** *adj* ciuvaș **II** *s* **1** ciuvaș **2** (limba) ciuvașă

chyle [kail] *s fizl* chil

CIA ['siːaiei] *presc de la* **Central Intelligence Agency** Agenția Centrală de Informații *(în S.U.A)*

cibarious [siʹbɛəriəs] *adj* alimentar; comestibil; nutritiv

C.I.C. *presc de la* **Commander in Chief**

cicada [siːkaːdə], *pl și* **cicadae** [siʹkaːdiː] *s ent* cicadă, greier *(Cicadina sp.)*

cicatrice ['sikətris] *s* cicatrice

cicatrix ['sikətriks], *pl* **cicatrices** [,sikəʹtraisiːz] *s* cicatrice

cicatrization [,sikətraiʹzeifən] *s med* cicatrizare

cicatrize ['sikə,traiz] *med* **I** *vt* a cicatriza **II** *vi* a se cicatriza, a se vindeca

Cicely ['sisəli] *nume fem* Cecilia

Cicero ['sisə,rou] *orator roman (104-43 î.e.n.)*

cicerone [,sisəʹrouni], *pl și* **ciceroni** [,sisəʹrounai] *s* ghid, cicerone

Ciceronian [,sisəʹrouniən] *adj (d. stil)* elegant

-cidal *suf* -cid: **fungicidal** fungicid

-cide *suf* -cid: **homicide** homicid

cider ['saidəʳ] *s* cidru; suc de mere; **all talk and no ~** vorbă multă, treabă puțină

Cie., cie. *presc de la* **company**

C.I.F., c.i.f. *presc de la* **cost, insurance, and freight**

cigar [siʹgaːʳ] *s* țigară de foi, trabuc

cigarette [,sigəʹret] **I** *s* țigaretă, țigară **II** *vt* a oferi o țigară *(cuiva)*

cigarette holder [,sigəʹret,houldəʳ] *s* țigaret, *F →* șpiț

cigarette lighter [,sigəʹret,laitəʳ] *s* brichetă *(pt țigări)*

cigarette paper [,sigəʹret,peipəʳ] *s* foiță, hârtie pentru țigarete

cilia ['siliə] *s pl biol etc.* cili

ciliary ['siliəri] *adj biol etc.* ciliar

cinch [sintʃ] *s amer F* chestie sigură; treabă ușoară

cinchona [siŋʹkounə] *s* **1** *ch* coajă de China **2** *med* chinină

Cincinnati [,sinsiʹnæti] *oraș în S.U.A.*

cincture ['siŋktʃəʳ] **I** *s* cingătoare, brâu **II** *vt* a încinge

cinder ['sindəʳ] *s* **1** zgură **2** tăciune· sau tăciuni **3** ↓ *pl* cenușă

Cinderella [,sindəʹrelə] *și fig* Cenușăreasa

cinecamera ['sini,kæmərə] *s* aparat de filmat

cinema ['sinimə] *s* **1** cinema(tograf) **2** film **3** cinematografie

cinemactor [,siniʹmæktəʳ] *s amer* actor de cinema

cinemactress [,siniʹmæktris] *s amer* actriță de cinema

cinemagazine ['sini,mægəʹziːn] *s cin* jurnal de actualități

cinematograph [,siniʹmætə,graːf] *s ← înv* aparat de filmat

cinematographer [,sinimə'tɔgrəfəʳ] *s* operator cinematografic *(pt imagine)*

cinematographic [,sini,mætəʹgræfik] *adj* cinematografic

cinematography [,sinimæʹtɔgrəfi] *s* cinematografie

Cinerama [sinəʹraːmə] *s* cinerama *(proiecție cinematografică a 3 imagini pe ecran lat)*

cineraria [,sinəʹrɛəriə] *s bot* cineraria *(Cineraria sp.)*

cinerarium [,sinəʹrɛəriəm], *pl* **cineraria** [,sinəʹrɛəriə] *s* columbar(iu)

cinerary ['sinərəri] *adj* cinerar, de cenușă

cinerator ['sinə,reitəʳ] *s* crematoriu

Cingalese [,siŋgəʹliːz] **I** *adj* singalez, ceilonez **II** *s* **1** singalez, ceilonez **2** (limba) singaleză/ceiloneză

cingle ['siŋgl] *s ← rar* cingătoare, brâu

cinnabar ['sinə,baːʳ] *s minr* cinabru, *pict* chinovar

cinnamon ['sinəmən] *s* **1** scorțișoară **2** (culoare) cafeniu deschis

cinq(ue) [siŋk] *s* cinci *(la cărți etc.)*

cinquecento [tʃiŋkwiʹtʃentou] *s it* cinquecento

cinquefoil ['siŋk,fɔil] *s bot* sclipeți *(Potentilla erecta)*

cinque Ports, the [siŋk 'pɔːts, ðə] *s pl ist* cele cinci porturi *(Dover, Sandwich, Romney, Hastings, Hythe)*

C.I.O., CIO *presc de la* **Congress of Industrial Organizations**

cipher ['saifə^r] **I** *s* **1** cifru; cod (secret); **in** ~ cifrat **2** cifră arabă **3** nulă, zero **4** *fig* nulitate, nimic; **to stand for** ~ a fi o nulitate **5** monogramă **II** *vt* a cifra, a exprima cifrat

cipher out ['saifər'aut] *vt cu part adv* **1** a socoti, a calcula *(aritmetic)* **2** a descifra *(un document etc.)*

cir., circ., *presc de la* **1** circa **2** circular **3** circulation **4** circumference

circa ['sə:kə] **I** *adv* cam, aproximativ **II** *prep* în jurul *cu gen;* în preajma *cu gen*

circadian [sə:'keidiən] *adj biol* legat de o perioadă de 24 de ore

Circassian [sə:'kæsiən] **I** *adj* cherchez **II** *s* **1** cerchez **2** (limba) cercheză

Circe ['sə:si] *lit* personaj din Odiseea

circle ['sə:kəl] **I** *s* **1** *geom* cerc; circumferință **2** *fig* cerc, inel **3** manej *(de circ),* arenă **4** *teatru* rang; **dress** ~ balcon I **5** ciclu; rotație; curs **6** cerc, sferă *(de influență etc.)* **7** cerc *(de prieteni etc.)* **8** coroană, diademă **9** *astr* orbită, mișcare de rotație **10** *tehn* platou de mare diametru **II** *vt* **1** a se învârti în jurul *cu gen;* **the spacecraft ~d the earth** nava cosmică s-a învârtit în jurul pământului/globului, nava cosmică a înconjurat pământul **2** *mil etc.* a înconjura; a încercui **3** a da târcoale *cu dat,* a se învârti în jurul *cu gen* **4** a încorona, a încununa **III** *vi* a se învârti; a se mișca în cerc

circlet ['sə:klit] *s* **1** cerculeț, cerc mic **2** inel **3** brățară **4** coroniță; cununiță; diademă

circle-wise ['sə:kəl,waiz] *adj* în cerc, circular

circuit ['sə:kit] **I** *s* **1** mișcare circulară/de rotație **2** circumferință **3** itinerar, drum, circuit **4** *mat* pseudovarietate **5** *el* circuit, lanț, schemă **II** *vt* a merge de jur împrejurul *cu gen,* a înconjura **III** *vi* a se învârti

circuit breaker ['sə:kit ,breikə^r] *s el* întrerupător, disjunctor

circuit closer ['sə:kit ,klouzə^r] *s el* contactor, conector

circuitous [sə'kju:itəs] *adj* **1** *(d. drum)* ocolit **2** *fig* indirect, ocolit

circular ['sə:kjulə^r] **I** *adj* **1** circular, în formă de cerc; ~ **motion** mișcare circulară **2** *geom* circular, de cerc **3** *geom* de arc **4** *(d. un ordin etc.)* circular **II** *s* **1** circulară **2** reclamă; prospect

circular arc ['sə:kjulə,a:k] *s geom* arc de cerc

circular cable ['sə:kjulə,keibl] *s tehn* cablu rotund

circular curve ['sə:kjulə,kə:v] *s geom* arc de cerc

circularity [,sə:kju'læriti] *s* caracter circular

circularize ['sə:kjulə,raiz] *vt* **1** a face circular *sau* rotund **2** a trimite circulare *cu dat*

circular letter ['sə:kjulə ,letə^r] *s* circulară

circular line ['sə:kjulə,lain] *s mat* circumferință

circularly ['sə:kjuləli] *adv* în cerc; circular

circular measure ['sə:kjulə,meʒə^r] *s mat* radiant

circular saw ['sə:kjulə,sɔ:] *s* ferăstrău circular/disc

circular table ['sə:kjulə ,teibəl] *s tehn* masă rotundă

circulate ['sə:kju,leit] **I** *vi* **1** a se roti, a avea o mișcare circulară **2** a circula, a avea răspândire **3** a rula; a merge, a funcționa **II** *vt* **1** a circula, a pune în circulație **2** *fin* a gira *(o poliță)*

circulating library ['sə:kju,leitiŋ ,laibrəri] *s* bibliotecă de împrumut

circulating medium ['sə:kju,leitiŋ 'midiəm] *s* mediu de circulație; valută; unitate monetară

circulation [,sə:kju'leiʃən] *s* **1** circulație, mișcare, deplasare **2** mișcare circulară; rotație **3** *fin* circulație; **to be in** ~ *(d. bani etc.)* a circula, a fi în circulație; **to withdraw from** ~ a retrage din circulație *(bani etc.)* **4** *fizl* circulația sângelui **5** tiraj *(al unui ziar etc.)* **6** circulație, răspândire

circulator ['sə:kjuleitə^r] *s* propagator, răspânditor

circum- *pref* circum-: **circumnavigation** circumnavigare

circumambience [,sə:kəm'æmbiəns] *s* mediul înconjurător/ambiant

circumambient [,sə:kəm'æmbiənt] *adj* înconjurător, ambiant

circumambulate [,sə:kəm'æmbju,leit] **I** *vt* a merge în jurul *(cu gen),*

a înconjura **II** *vi* **1** a umbla de jur împrejur **2** *fig* a face digresiuni, a ocoli subiectul

circumambulatory [,sə:kəm'æmbju,leitəri] *adj* ocolit, cu digresiuni

circumcise ['sə:kəm,saiz] *vt bis* a circumcide, a tăia împrejur

circumcision [,sə:kəm'siʒən] *s bis* circumcizie, tăiere împrejur

circumference [sə'kʌmfərəns] *s mat etc.* circumferință; perimetru

circumferential [sə,kʌmfə'renʃəl] *adj* circumferențial; circular; de centură

circumflex ['sə:kəm,fleks] *adj (s. accent)* circumflex

circumfluent [sə'kʌmfluənt] *adj (d. mare etc.)* înconjurător

circumfluous [sə'kʌmfluəs] *adj* **1** *v.* **circumfluent** **2** înconjurat de apă

circumfuse [,sə:kəm'fju:z] *vt ← elev* **1** a vărsa, a turna **2** a scălda

circumgyration [,sə:kəmdʒai'reiʃən] *s* rotire, învârtire *(în jurul propriului ax)*

circumjacent [,sə:kəm'dʒeisənt] *adj* înconjurător, așezat împrejur

circumlocution [,sə:kəmlə'kju:ʃən] *s* **1** circumscriere **2** *ret* perifrază; digresiune

circumnavigate [,sə:kəm'nævigeit] *vt nav* a circumnaviga, a înconjura

circumnavigation [,sə:kəmnævi'geiʃən] *s nav* navigație în jurul lumii

circumpolar [,sə:kəm'poulə^r] *adj astr* circumpolar

circumrotate [,sə:kəmrou'teit] *vi* a se roti, a se învârti *(ca o roată)*

circumrotation [,sə:kəmrou'teiʃən] *s* **1** rotire în jurul axului **2** rotație completă

circumscribe ['sə:kəmskraib] *vt* **1** a trage o linie în jurul *cu gen; geom* a circumscrie **2** a circumscrie, a delimita; a limita, a restrânge **3** a defini

circumscription [,sə:kəm'skripʃən] *s* **1** circumscriere; delimitare **2** limită, hotar, margine

circumsolar [,sə:kəm'soulə^r] *adj astr* circumsolar

circumspect ['sə:kəm,spekt] *adj* circumspect, prevăzător, precaut

circumspection [,sə:kəm'spekʃən] *s* circumspecție, prudență, precauție

circumstance ['sə:kəmstəns] *s* 1 ↓ *pl* circumstanță, împrejurare; **~s alter cases** totul depinde de împrejurări; trebuie procedat de la caz la caz; **in/under the ~s** în aceste împrejurări, astfel stând lucrurile, aceasta fiind situația; **in/under no ~s** în nici un caz, nicidecum; niciodată; **the ~ that** faptul că 2 *pl* situație materială/financiară; **in reduced/straitened ~s** strâmtorat, în jenă financiară; sărac; **in easy ~s** având o bună situație materială, cu dare de mână; bogat 3 formalități, ceremonii; **without any ~** fără nici o formalitate; fără multă vorbă 4 amănunt, detaliu 5 mediu (ambiant/ înconjurător)

circumstantial [,sə:kəm'stænʃən] I *adj* 1 (d. descrieri etc.) amănunțit, detaliat 2 condiționat de împrejurări 3 neesențial 4 incidental 5 suplimentar, adițional 6 *ec* economic; **~ prosperity** prosperitate economică II *s* 1 amănunt, detaliu 2 *pl* ceea ce nu este esențial

circumstantiality [,sə:kəmstænʃi-'æliti] *s* 1 caracter amănunțit/ detaliat 2 caracter neesențial/ incidental 3 amănunte, detalii; împrejurări

circumstantially [,sə:kəm'stænʃiəli] *adv* amănunțit, în amănunțime, detaliat

circumstantiate [,sə:kəm'stænʃi,eit] *vt* a descrie amănunțit

circumstantiation [,sə:kəm'stænʃi-'eiʃən] *s* descriere amănunțită; precizare

circumvallate [,sə:kəm'væleit] *vt od* a înconjura cu un zid/val *sau* șanț (de apărare)

circumvallation [,sə:kəmvæ'leiʃən] *s ist* circumvalație

circumvent [,sə:kəm'vent] *vt* 1 a dejuca (un plan) 2 a se sustrage (prevederilor unei legi etc.) 3 a înșela, a amăgi

circumvention ['sə:kəmvenʃən] *s* 1 dejucare (a unui plan) 2 sustragere (de la prevederile unei legi etc.); escamotare 3 înșelare, amăgire 4 viclenie, șiretenie

circumvolution ['sə:kəmvəlu:ʃən] *s* 1 circumvoluți(un)e 2 rotire, învârtire 3 răsturnare, transfor-

mare 4 îndoire, încovoiere 5 *fig* înconjur, ocol(iș)

circus ['sə:kəs] *s* 1 circ 2 piață (rotundă, cu străzi radiale) 3 *geol* căldare 4 arenă; manej (al circului)

cirque [sə:k] *s* 1 spațiu circular 2 ← *poetic* cerc

cirrhosis [si'rousis] *s med* ciroză

cirro-cumulus [,sirou'kju:mjuləs] *s* nor cirrocumulus

cirro-stratus [,sirou'streitəs] *s* nor cirrostratus

cirrus ['sirəs] *s* nor cirrus

cisalpine [sis'ælpain] *adj* cisalpin

cisatlantic [sisə'tlæntik] *adj* din partea europeană a Oceanului Atlantic

cislunar [sis'lu:nəʳ] *adj* între Pământ și Lună

cismontane [sis'montein] *adj* 1 cisalpin; (de) la sud de Alpi 2 de partea aceasta a munților

Cistercian [si'stə:ʃən] *s bis* călugăr cistercian

cistern ['sistən] *s* cisternă, bazin, rezervor

cit. *presc de la* 1 citation 2 cited 3 citizen

cit [sit] *s* ← *înv peior* orășean; negustor

citadel ['sitədəl] *s* 1 *od* citadelă, fortăreață (care apăra un oraș); cetate 2 *fig* adăpost, refugiu, liman

citation [sai'teiʃən] *s* 1 *jur* citație 2 citare, menționare (↓ a unei afirmații) 3 *mil amer* citare (prin ordin de zi) 3 enumerare, înșiruire (de fapte)

cite [sait] *vt* 1 *jur* a cita 2 a cita, a menționa, a aminti (↓ pt a susține o teză etc.) 3 *mil amer* a cita (prin ordin de zi) 4 a enumera, a înșirui (fapte)

citeable ['saitəbəl] *adj* care poate fi citat

cithara ['siθərə] *s muz od* un fel de liră (triunghiulară)

cither ['siθəʳ] *s v.* **cithern**

cithern ['siθən] *s muz od* 1 *v.* **cithara** 2 un fel de liră *sau* chitară (în sec. XV-XVIII)

citied ['sitid] *adj* ← *poetic* 1 cu orașe, plin de orașe 2 ca un oraș

citify ['siti,fai] *vt* 1 a urbaniza 2 *fig* a cizela (un provincial)

citizen ['sitizən] *s* 1 cetățean 2 orășean

citizen of the world ['sitizən əv ðə'wə:ld] *s* „cetățean al lumii", cosmopolit

citizenry ['sitizənri] *s* cetățeni

citizenship ['sitizən,ʃip] *s* cetățenie

citrate ['sitreit] *s ch* citrat

citric ['sitrik] *adj ch* citric

citrine ['sitrin] I *adj* de culoarea lămâii II *s* 1 *minr* citrin 2 culoare de lămâie

citron ['sitrən] *s* 1 *bot* arbore de lămâie (Citrus medica) 2 citronadă 3 coajă de lămâie; coajă de fructe zaharisite

citron melon ['sitrən ,melən] *s bot* specie de pepene verde (Citrullus vulgaris)

citrous ['sitrəs] *adj* citric

citrus ['sitrəs] *s bot* citru(s); plantă citrică II *adj atr* citric

cittern ['sitə:n] *s* 1 *v.* **cithare** 2 *v.* **cithern** 2

city [siti] *s* 1 oraș (mare sau vechi; în S.U.A., cu conducere locală) 2 **the C~** „City" (orașul vechi al Londrei; districtul comercial și financiar al Londrei; lumea comercială și financiară a Londrei)

city arab ['siti ,ærəb] *s sl* haimana, copil al străzii

city article ['siti ,ɑ:tikl] *s fin* buletin de bursă (în ziare)

city-born ['siti ,bɔ:n] *adj* născut la oraș

city-bred ['siti bred] *adj* crescut la oraș

city council ['siti ,kaunsəl] *s* consiliu municipal

city editor ['siti editəʳ] *s* 1 redactor comercial și financiar 2 *amer* redactor local

city father ['siti ,fɑ:ðəʳ] *s* consilier municipal; edil

city folk ['siti ,fouk] *s* ← *F* orășeni

city hall ['siti ,hɔ:l] *s* ↓ *amer* primărie (a unui oraș)

cityish ['sitiiʃ] *adj* orășenesc, de orășean (d. haine etc.)

city man ['siti mæn] *s* om de afaceri din „City" (v. city 2)

city planning ['siti ,plæniŋ] *s* urbanistică, urbanism

cityscape ['siti,skeip] *adj* ← *F* peisaj urban(istic)

city water ['siti ,wɔ:təʳ] *s* apă de conductă

civ. *presc de la* 1 civil 2 civilian

civet ['sivit] *s* 1 *zool* zibetă (Viverra sp.) 2 secreția zibetei

civet cat ['sivit,kæt] *s v.* **civet 1**

civic ['sivik] *adj* civic, cetăţenesc

civic centre ['sivik ,sentə'] *s* zona *(dintr-un oraş)* unde se află instituţiile

civicism ['sivisizəm] *s* civism

civic-minded ['sivik,maindid] *adj* cu o înaltă conştiinţă civică/cetăţenească

civics ['siviks] *s pl ca sg* instituţie civică

civies ['siviz] *s pl v.* **civvies**

civil ['sivəl] *adj* **1** civil, de cetăţean, cetăţenesc **2** civil *(nu „militar")* **3** *jur* civil *(nu „penal")* **4** politicos, bine crescut

civil case ['sivəl 'keis] *s jur* proces civil

civil defence ['sivəl d'ifens] *s mil* apărare civilă *(↓ împotriva unui atac atomic)*

civil disobedience ['sivəl ,dizə'bi:diəns] *s* nesupunere civică

civil engineer ['sivəl endʒi'niə'] *s* inginer constructor

civil engineering ['sivəl endʒi'niəriŋ] *s constr* construcţii (civile)

civilian [si'viljən] **I** *s* **1** civil; *pl* populaţie civilă **2** *jur* specialist în dreptul civil *sau* roman **II** *adj atr* **1** civil **2** *(d. haine etc.)* civil, *înv* → particular

civility [si'viliti] *s* **1** politeţe, amabilitate; **in ~** (în mod) politicos, cu amabilitate **2** ← *înv* civilizaţie; cultură

civilizable ['sivi,laizəbəl] *adj* care poate fi civilizat

civilization [,sivilai'zeiʃən] *s* **1** civilizaţie; cultură **2** lumea civilizată

civilize ['sivi,laiz] *vt* a civiliza

civilized ['sivi,laizd] *adj* **1** civilizat **2** educat; cult

civil law ['sivəl lɔ:] *s jur* **1** dreptul roman **2** dreptul civil

civil list ['sivəl list] *s* listă civilă *(alocaţii bugetare pt rege sau regină şi alte persoane)*

civilly ['sivəli] *adv* (în mod) politicos

civil marriage ['sivəl mæridʒ] *s jur* căsătorie civilă

civil rights ['sivəl ,raits] *s pl jur* drepturi civile

civil servant [,sivəl ,sə:vənt] *s* funcţionar de stat

civil service ['sivəl sə:vis] *s* **1** administraţie civilă **2** *amer* calitate *sau* post de funcţionar

civil-spoken ['sivəl spoukən] *adj* ← *F* politicos, curtenitor

civil war ['sivəl wɔ:'] *s* **1** război civil **2 the C~ W~** Războiul civil din S.U.A. *(1861-1865)*, Războiul de secesiune

civil year ['sivəl,jə:'] *s astr* an civil

civism ['sivizəm] *s* civism, virtuţi civice

civvies ['siviz] *s pl sl* haine civile

civvy street ['sivi stri:t] *s mil sl* viaţă civilă, *F* → civilie

cl. *presc de la* **1 centilitre 2 class 3 clause**

c. l. *presc de la* **civil law**

clabber ['klæbə'] **I** *s* lapte covăsit **II** *vi (d. lapte)* a se covăsi

clack [klæk] **I** *s* **1** trosnet, pocnitură **2** vorbărie, pălăvrăgeală **3** *tehn* supapă, clapetă **4** pocnitoare **II** *vi* **1** a trosni, a pocni **2** a pălăvrăgi, a vorbi *(↓ tare)* **3** a cotcodăci; a cloncăni

clack valve ['klæk ,vælv] *s tehn* supapă, clapetă

clad [klæd] *înv, poetic* **I** *pret şi ptc de la* **clothe II** *adj* îmbrăcat, *poetic* înveşmântat

claim [kleim] **I** *vt* **1** a cere, a pretinde *(despăgubiri etc.);* a reclama *(drepturi etc.);* a revendica *(drepturi, o victorie etc.)* **2** a afirma, a susţine, a pretinde; **he ~s to be the best player** pretinde/susţine că este cel mai bun jucător **3** a reclama, a solicita *(atenţia)* **II** *s* **1** pretenţie; revendicare; **to put in a ~ for damages** a cere/a pretinde despăgubiri/daune; **to lay ~ to smth** a revendica drepturi asupra unui lucru; **to raise a ~** a formula pretenţii/revendicări; **to jump a ~** *jur* a prelua ilegal un teren **2** drept *(de a cere ceva)*

claimant ['kleimənt] *s v.* **claimer**

claimer ['kleimə'] *s* **1** pretendent **2** *jur* reclamant, pârâş

Claire [klɛə'] *nume fem* Clara

clairvoyance [klɛə'vɔiəns] *s* **1** clarviziune **2** *fig* clarviziune; discernământ, perspicacitate

clairvoyant [klɛə'vɔiənt] *adj* **1** clarvăzător **2** *fig* clarvăzător; perspicace

clam¹ [klæm] **I** *s zool* moluscă comestibilă; **(as) happy as a ~** în culmea fericirii **II** *vi* a căuta moluşte comestibile

clam² *s* frig umed

clamant ['kleimənt] *adj* **1** zgomotos, gălăgios **2** *(d. o nedreptate etc.)* strigător la cer

clamber ['klæmbə'] **I** *vi* a se căţăra; a se agăţa **II** *vt* a se căţăra pe **III** *s* ascensiune dificilă

clamberer ['klæmbərə'] *s bot* plantă agăţătoare

clambering plant ['klæmbəriŋ ,pla:nt] *s v.* **clamberer**

clamminess ['klæminis] *s* caracter lipicios, adezivitate

clammy ['klæmi] *adj* **1** lipicios, cleios **2** rece şi umed

clamor ['klæmə'] *s, v amer v.* **clamour**

clamorous ['klæmərəs] *adj* **1** zgomotos; care vociferează **2** neîntârziat, urgent, care nu suferă întârziere

clamour ['klæmə'] **I** *s* **1** zgomot, larmă, *înv* → clamoare **2** vociferări, proteste zgomotoase **II** *vi* a striga; a vocifera **III** *vt* a exprima zgomotos

clamour against ['klæmərə,genst] *vi cu prep* a se ridica împotriva *cu ac;* a protesta împotriva *cu ac*

clamour down ['klæmə'daun] *vt cu part adv* a sili *(pe cineva)* să tacă prin vociferări; a huidui *(pe cineva)*

clamour for ['klæməfə'] *vi cu prep* **1** a cere *cu ac* **2** a manifesta pentru *(pace etc.)*

clamour out ['klæmər'aut] *vi cu part adv* a protesta zgomotos

clamp¹ [klæmp] **I** *s* **1** *tehn* cârlig; clemă; clamă; şurub de strângere **2** *nav* galoş, tachet **II** *tehn* a strânge, a prinde, a întări, a fixa

clamp² *s* grămadă, stivă, morman

clamp³ *vi* **1** a călca apăsat **2** a tropăi, a bocăni

clampdown ['klæmp,daun] *s* ← *F* limitare; interzicere

clamp down ['klæmp 'daun] *vi cu part adv* ← *F* a deveni mai sever; a stabili limite

clamshell ['klæm,ʃel] *s tehn* benă, macara cu graifăr

clan [klæn] *s* **1** clan, trib *(↓ scoţian)* **2** clică, gaşcă

clandestine [klæn'destin] *adj* clandestin; tainic, secret

clandestinity [,klændəs'tiniti] *s* caracter secret; ilegalitate; clandestinitate

clang [klæŋ] **I** s 1 zăngănit *(de arme)* 2 dangăt *(de clopote)* 3 clinchet *(de pahare)* **II** vi 1 a zăngăni 2 a răsuna **III** vt 1 a face să răsune 2 a ciocni *(pahare)* 3 a zăngăni *(arme)*

clangor ['klæŋgər] s amer v. **clangour**

clangorous ['klæŋgərəs] adj zăngă-nitor

clangour ['klæŋgər] s 1 sunet metalic 2 clinchet *(de pahare)* 3 zăngănit *(de arme)*

clank [klæŋk] **I** vt a zăngăni *(lanțuri, săbii)* **II** s zăngănit *(de lanțuri, săbii)*

clannish ['klæniʃ] adj 1 de clan, tribal 2 de clică/bisericuță

clansman ['klænzmən] s membru al unui clan

clap¹ [klæp] **I** s 1 pocnet, pocnitură 2 (bubuit de) tunet 3 pl aplauze **II** vt 1 a pocni din 2 a aplauda 3 a trânti cu zgomot *(ușa, un capac etc.)* 4 a bate din *(aripi)* 5 a bate *(pe cineva pe umăr etc.)* 6 ← F a închide, a întemnița 7 a îndesa *(pălăria pe cap etc.)* 8 a pune repede *(cătușe etc.)* 9 a pune *(impozite etc.)* **III** vi 1 a pocni; a trosni 2 a aplauda, a bate din palme

clap² s med vulg sculament, – ble-noragie

clapboard ['klæp,bɔːd] s draniță, șindrilă

clap on ['klæp'ɔn] vt cu part adv ← F a-și pune repede *(pălăria etc.)*

clapped out ['klæpt,aut] adj 1 F sleit, frânt 2 F rablagit, – vechi, uzat

clapper ['klæpər] s 1 limbă de clopot 2 persoană care aplaudă 3 pârâitoare, huruitoare 4 ← F limbă *(de om)*

clapper box ['klæpə,bɔks] s ferov reazem rabatant

clap to ['klæptə] vt cu prep a trânti cu zgomot *(ușa)*

claptrap ['klæp,træp] **I** s 1 teatru efect teatral; gag 2 frază sforăi-toare 3 reclamă *(zgomotoasă)* **II** adj atr 1 în căutare de efecte ieftine, ieftin 2 înșelător, amă-gitor

clap up ['klæp'ʌp] vt cu part adv a închide, a întemnița

claque [klæk] s teatru asistență plătită

Clara ['klærə] nume fem

Clare ['klɛər] num fem Clara

clarence ['klærəns] s od șaretă *(închisă cu 4 locuri)*

clarendon ['klærəndən] s poligr egipțiene seminegre

claret ['klærət] **I** s 1 vin roșu (sec), ↓ de Bordeaux 2 (culoare) bordo **II** adj (roșu) bordo

Clarice ['klæris] nume fem Clara v. **Clara**

clarification [,klærifi'keiʃən] s 1 și fig clarificare, limpezire 2 cură-țire, purificare; decantare

clarifier ['klæri,faiə] s tehn agent de limpezire

clarify ['klærifai] **I** vt 1 și fig a cla-rifica, a limpezi 2 a curăța, a pu-rifica; a decanta **II** vi 1 și fig a se clarifica, a se limpezi 2 a se cu-răța, a se purifica; a se decanta

clarinet [,klæri'net] s muz clarinet

clarinet(t)ist [,klæri'netist] s muz clarinetist

clarion ['klæriən] **I** s 1 ← poetic corn; goarnă 2 ← poetic sunet de corn sau de goarnă **II** vt a vesti zgomotos, a trâmbița

clarionet [,klæriə'net] s muz clarinet

Clarissa [klə'risə] nume fem v. **Clara**

clarity ['klæriti] s claritate, limpe-zime; transparență

clarts [klɑːts] s scot noroi, im

clary ['klɛəri] s bot iarbă Sf. Ion *(Salvia sclarea)*

clash [klæʃ] **I** vi 1 a se izbi, a se lovi, a se ciocni 2 a zăngăni 3 a răsuna 4 fig a se ciocni, a fi în conflict, a fi în dezacord 5 fig (d. culori etc.) a nu se potrivi, a nu se asorta; a nu se armoniza 6 a coincide, a avea loc în același timp **II** vt a trânti cu zgomot *(ușa etc.)* **III** s 1 ciocnire, lovire 2 zăngănit *(de arme)* 3 dangăt *(de clopot)* 4 fig ciocnire *(de inte-rese etc.)*; conflict 5 fig nepo-trivire *(a culorilor etc.)* lipsă de armonie

clasp [klɑːsp] **I** vt 1 a strânge/a fixa în scoabe, cârlige etc. 2 a încă-tărăma 3 a strânge *(la piept, mâinile etc.)*; a îmbrățișa **II** s 1 tehn scoabă; cârlig; clamă 2 cataramă 3 încuietoare; agrafă 4 strângere *(la piept, a mâinii etc.)*; îmbrățișare

clasp knife ['klɑːsp,naif] s briceag; cuțit cu prăsele

clasp pin ['klɑːsp,pin] s ac de siguranță

class [klɑːs] **I** s 1 clasă, categorie; cerc *(de probleme etc.)* 2 calita-te, clasă *(superioară)*; distincție 3 ferov etc. clasă; **first ~** clasa I 4 clasă (socială); castă 5 clasă, categorie, rang; **a second-~ hotel** un hotel de clasa a II-a/de rangul al II-lea 6 școl clasă 7 gram clasă, categorie; parte de vorbire 8 **the ~es** clasele sus-puse *(ale societății)* 9 promoție 10 mil contingent **II** vt 1 a clasifica 2 a împărți pe clase sau grupe **III** vi a aparține unei clase

class presc de la 1 **classic(al)** 2 **classification**

classable ['klɑːsəbəl] adj clasificabil

class book ['klɑːs,buk] s școl catalog; condică

class-conscious ['klɑːs,kɔnʃəs] adj având conștiință de clasă

class consciousness ['klɑːs,kɔn-ʃəsnis] s conștiință de clasă

class fellow ['klɑːs,felou] s școl coleg de clasă

class hatred ['klɑːs,heitrid] s ură de clasă

classic ['klæsik] **I** adj 1 de primă clasă, perfect, desăvârșit 2 (de-venit) clasic, vestit, binecunoscut 3 clasic *(privind antichitatea greacă și romană)* 4 lit, arte clasic, care poate fi luat ca model 5 *(ant romantic)* clasic, simplu, sobru etc. 6 de bază, funda-mental, esențial 7 clasic, tradi-țional, tipic **II** s 1 clasic; autor cla-sic 2 lucrare clasică 3 partizan al autorilor clasici 4 **the ~s** filologia clasică; limbile clasice; literatura clasică

classical ['klæsikəl] adj 1 v. **classic** I, 2-3 și 6-7 2 *(d. cultură etc.)* umanistic 3 *(d. stil etc.)* clasic 4 versat în problemele antichității clasice

classicise ['klæsi,saiz] v v. **clas-sicize**

classicism ['klæsi,sizəm] s 1 arte etc. clasicism 2 studiul limbilor și literaturilor clasice 3 formație clasică 4 expresie latină sau greacă

classicist ['klæsisist] s clasicist; specialist în clasici; adept al clasicismului

classicize ['klæsi,saiz] **I** vt a clasi-ciza, a face clasic **II** vi a imita stilul clasic

classifiable ['klæsifaiəbl] *adj* clasificabil

classification [ˌklæsifi'keiʃən] *s* 1 clasificare 2 sistem de clasificare

classified ['klæsiˌfaid] *adj* 1 clasificat 2 *amer mil* secret

classified ad ['klæsiˌfaid 'æd] *s* mica publicitate

classifier ['klæsifaiəʳ] *s* clasificator

classify ['klæsiˌfai] *vt* 1 a clasifica 2 *amer mil* a declara *sau* a considera secret

classless ['klɑːslis] *adj* fără clasă, în afara unei clase

classlessness ['klɑːslisnis] *s* 1 absență a claselor sociale 2 neapartenență la o clasă (socială)

class list ['klɑːsˌlist] *s univ* împărțire pe grupe de studiu

classman ['klɑːsmən] *s univ* (↓ Oxford) student care și-a luat examenele *(trei „honours")* cu distincție

classmate ['klɑːsˌmeit] *s școl* coleg de clasă

class meaning ['klɑːsˌmiːniŋ] *s gram* sens/înțeles al unei categorii gramaticale

class name ['klɑːsˌneim] *s gram* substantiv comun

class number ['klɑːsˌnʌmbəʳ] *s* simbol, semn *(al unei cărți dintr-o bibliotecă)*

classroom ['klɑːsˌruːm] *s școl* clasă *(încăpere)*

class struggle ['klɑːsˌstrʌgəl] *s pol* luptă de clasă

class warfare ['klɑːsˌwɔːfɛəʳ] *s v.* **class struggle**

classy ['klɑːsi] *adj sl* (clasa) prima, grozav; elegant

clastic ['klæstik] *adj geol* clastic, detritic

clatter ['klætəʳ] I *vi* 1 a zăngăni, a zdrăngăni; a zornăi 2 *(d. trăsuri etc.)* a (h)urui 3 *(d. berze)* a clămpăni 4 *fig F* a trăncăni, a turui, a flecări II *s* 1 zăngănit, zdrăngănit; zornăit 2 (h)uruit *(de trăsură etc.)* 3 clămpănit *(al berzei)* 4 *fig F* trăncănit, trăncăneală, flecăreală

Claude [klɔːd] *nume masc* Claudiu

Claudia [klɔːdiə] *nume fem*

Claudius ['klɔːdiəs] *împărat roman (268-270)*

clause [klɔːz] *s* 1 *gram* propoziție *(ca parte dintr-o frază)* 2 *jur etc.* clauză; punct, articol

claustrophobia [ˌklɔːstrə'foubiə] *s med* claustrofobie

claustrophobic [ˌklɔːstrə'foubik] *adj med* de *sau* privitor la claustrofobie

clavecin ['klævisin] *s muz od* clavecin

clavichord ['klæviˌkɔːd] *s muz od* clavicord

clavicle ['klævikəl] *s anat* claviculă

clavier [klə'viəʳ] *s muz* claviatură

claw [klɔː] I *s* 1 *zool* gheară; clește *(al racului)* 2 *peior* gheară, – mână; degete 3 *tehn* gheară, dinte; foarfece 4 *tehn* clichet II *vt* 1 a-și înfige ghearele în; a apuca cu ghearele; ~ **me and I'll ~ thee** *prov* o mână spală pe alta (și amândouă fața) 2 a zgâria; a râcâi III *vi* (**at**) a se apuca cu mâinile (de)

claw hammer ['klɔːˌhæməʳ] *s tehn* ciocan cu vârf spintecat

clay [klei] *s* 1 argilă, lut, humă, pământ galben 2 pământ, țărână 3 noroi, tină, im 4 *fig* pământ, țărână, pulbere 5 *fig* trup, carne

clay-bearing ['kleiˌbɛəriŋ] *adj* argilos, cu argilă

clay-brained ['kleiˌbreind] *adj* prost, *F* bătut în cap

clay-cold ['kleiˌkou ̣.] *adj* rece, fără viață

clayey ['kleii] *adj* argilos; cu argilă; de argilă

claymore ['klei'mɔːʳ] *s* 1 *od* sabie pentru două mâini *(la scoțieni)* 2 *mil* mină *(vârâtă în pământ)*

clay pigeon ['kleiˌpidʒin] *s mil sl* țintă ușoară

clay soil ['kleiˌsɔil] *s* sol argilos

-cle *suf* -cul; **particle** particulă

clean [kliːn] I *adj* 1 curat, îngrijit; dereticat 2 curat, căruia îi place curățenia 3 curat, pur, neamestecat 4 *(d. hârtie etc.)* curat, nescris 5 *fig (d. nume etc.)* curat, nepătat, imaculat; **to have a ~ record** a avea/a se bucura de o bună reputație 6 imun 7 *(d. trăsături etc.)* clar (conturat), pronunțat 8 *(d. margine)* neted 9 *fig* curat, pur, inocent, nevinovat, neprihănit 10 *fig (d. o lovitură etc.)* frumos; dibaci, iscusit II *adj* 1 cu totul/desăvârșire, total; I ~ **for got about it** am uitat cu totul despre asta 2 drept, exact, tocmai; **he hit me ~ in the eye**

m-a lovit drept în ochi III *s* curățenie, dereticare IV *vt* 1 a curăți, a curăța 2 a lustrui *(ghetele)* 3 a spăla *(rufele, aurul)* 4 a șterge, a îndepărta *(murdăria etc.)* 5 a curăța de bani

clean-cut ['kliːnˌkʌt] *adj* 1 *(d. trăsături etc.)* clar (conturat), proeminent, pronunțat 2 bine format/alcătuit 3 clar, precis, exact

clean down ['kliːn'daun] *vt cu part adv* a curăța de sus până jos *(un perete etc.)*

cleaner ['kliːnəʳ] *s* 1 persoană care face curățenie 2 aspirator electric 3 *tehn* dăltuitor

clean-fingered ['kliːnˌfiŋgəd] *adj* 1 cu degete curate 2 *fig* cinstit, integru, incoruptibil

clean-handed ['kliːnˌhændid] *adj* 1 mâinile curate 2 *fig* nevinovat, inocent

cleaning ['kliːniŋ] *s* 1 curățenie; dereticat; măturat 2 decantare, limpezire 3 epurare; purjare 4 *silv* depresare 5 *agr* sortare

cleaning lady/woman ['kliːniŋ'leidi/ 'wumən] *s* femeie cu ziua

cleanliness ['klinlinis] *s* curățenie; ordine

cleanly[1] [klenli] *adj* 1 curat, îngrijit 2 căruia îi place curățenia, curat

cleanly[2] ['klinli] *adv* curat, îngrijit

cleanness ['kliːnnis] *s* curățenie; puritate

clean off ['kliːn'ɔ(ː)f] *vt cu part adv* a curăța, a curăți, a șterge

clean out ['kliːn'aut] *vt cu part adv* 1 a curăți, a curăța 2 a goli, a deșerta 3 *F* a curăța, a ușura *(de bani);* a nu lăsa nimic în, a goli, a devasta *(un magazin etc.)*

cleanse [klenz] *vt* 1 (**from**) a curăța, a curăți *(de)* 2 a dezinfecta 3 *med* a curăța, a purga

cleanser ['klenzəʳ] *s* 1 substanță de curățat 2 curățitoare, racletă

clean-shaven ['kliːnˌʃeivən] *adj* bine ras/bărbierit

clean sweep ['kliːnˌswiːp] *s* 1 schimbare totală/radicală 2 victorie completă

clean-up ['kliːnˌʌp] *s* 1 curățenie, dereticat 2 *sl* profit enorm

clean up ['kliːn'ʌp] I *vt cu part adv* 1 a curăți, a curăța *(temeinic)* 2 a pune în ordine, a rândui II *vi cu part adv* a termina o treabă începută

clear [kliə'] **I** *adj* **1** limpede, clar, luminos; *(d. cer)* senin **2** limpede, transparent **3** *(d. câștiguri, conștiință etc.)* curat **4** *(d. trecere etc.)* liber; ~ **from suspicion** în afara oricărei bănuieli **5** întreg, plin, complet; **a ~ year** un an întreg **6** *(d. privire)* calm, senin **7** *(d. sensuri etc.)* clar, limpede, lipsit de echivoc **8** *(d. minte etc.)* limpede, clar **II** *adv* **1** *(a arde etc.)* strălucitor, cu lumină puternică **2** ← *F* în întregime, cu totul, total **3** liber; **keep ~ of the gate** lăsați poarta liberă, nu stați în apropierea porții **III** *vt* **1** a curăța *(atmosfera, masa etc.);* a strânge de pe *(masă);* a strânge *(vasele, tacâmurile);* **to ~ one's throat** a-și drege glasul **2** a curăța, a evacua; a elibera, a lăsa liber *(trecerea etc.)* **3** a risipi, a îndepărta *(bănuieli etc.)* **4** a clarifica, a limpezi *(o chestiune etc.)* **5** a plăti, a achita *(datoriile)* **6** a lămuri *(pe cineva)* **7** a trece pe lângă **8** *(d. cai etc.)* a trece *sau* a sări peste *(un obstacol etc.)* **9** a câștiga netto; a câștiga suficient pentru a face față *(cheltuielilor)* **10** a defrișa *(păduri)* **IV** *vi* **1** a se limpezi, a deveni limpede; *(d. cer, vreme)* a se însenina; a se lumina **2** *(d. ceață etc.)* a se risipi, a se ridica **V** *s:* **in the ~ a** *F* pe verde, – liber, în libertate **b** *F* a scăpa de datorii

clearance ['kliərəns] *s* **1** curățenie; curățire **2** defrișare *(a unei păduri)* **3** verificare; epurare **4** îndepărtare, înlăturare *(a obstacolelor, a dificultăților)* **5** loc liber; luminiș **6** *constr* lumină **7** *tehn* interstițiu, spațiu, joc **8** *ec* cliring **9** *nav* lichidare în vamă **10** lovitură de la poartă *(la fotbal)* **11** *v.* **clearance sale**

clearance sale ['kliərəns,seil] *s com* vânzare cu preț redus; solduri

clear away ['kliərə'wei] **I** *vt cu part adv* a curăța *(zăpada, masa);* a îndepărta **II** *vi cu part adv (d. ceață)* a se risipi

clear-cut ['kliə,kʌt] *adj v.* **clean-cut**

clear-eyed ['kliər,aid] *adj* **1** cu ochi luminoși **2** *fig* perspicace, clarvăzător; realist

clear-headed ['kliə,hedid] *adj* cu capul limpede

clearing ['kliəriŋ] *s* **1** curățire **2** limpezire, înseninare *(a vremii)* **3** defrișare *(a unei păduri)* **4** *ferov* deblocare **5** *fin* cliring, decontare

clearing house ['kliəriŋ,haus] *s fin* birou de cliring/decontare

clearing station ['kliəriŋ,steiʃən] *s mil* punct de evacuare

clearly ['kliəli] *adv* **1** (în mod) clar, limpede **2** *(ca răspuns)* clar, evident, bine înțeles

clearness ['kliənis] *s* **1** *și fig* claritate, limpezime **2** libertate *(în mișcări etc.)* **3** curățenie; aspect îngrijit

clear off ['kliər'ɔ(:)f] **I** *vt cu part adv* a libera, a evacua; a strânge *(masa)* **II** *vi cu part adv* **1** *(d. nori etc.)* a se risipi, a se îndepărta **2** *F* a o șterge, a spăla putina, a se evapora **3** *(d. vreme)* a se însenina, a se face frumos

clear oneself of ['kliə wʌn'self əv] *vr cu prep* a se dezvinovăți de, a demonstra că nu este vinovat de

clear out ['kliər'aut] **I** *vt cu part adv* **1** a curăța *(un vas etc.)* **2** a lua; a îndepărta, a scoate; a duce în altă parte; a alunga, a izgoni **3** *F* a curăța, a ușura *(de bani)* **II** *vi cu part adv v.* **clear off II** **2** **clear-sighted** ['kliə,saitid] *adj* **1** cu vedere ageră **2** *fig* pătrunzător; perspicace, clarvăzător

clear sightedness ['kliə,saitidnis] *s* perspicace, clarviziune

clear up ['kliər'ʌp] **I** *vt cu part adv* **1** a curăța, a face curățenie/curat în; a pune în ordine **2** a încheia *(socoteli etc.);* a plăti *(datorii etc.)* **3** a limpezi, a lămuri, a explica, a clarifica **II** *vi cu part adv* **1** *(d. vreme)* a se însenina, a se face frumos **2** a se lămuri, a se clarifica **3** *(d. necazuri etc.)* a se isprăvi, a se termina, a lua sfârșit

clear water ['kliə ,wɔ:tə'] *s tehn* apă disponibilă

cleat [kli:t] *s* **1** *tehn* pană; scoabă; șipcă **2** *el* izolator cu clemă **3** *min* țăruș **4** *nav* tachet de împănare; pană

cleavable ['kli:vəbəl] *adj* care se poate despica, scinda etc. *(v.* **cleave)**

⋆**cleavage** ['kli:vidʒ] *s* **1** despicare; scindare **2** *fig* despărțire, scindare, separare; diferențiere; împărțire *(a societății pe clase etc.)* **3** *mil* clivaj **4** ← *F* decolteu

cleave [kli:v], *pret* **cleft** [kleft], **cleaved** [kli:vd] *sau* **clove** [klouv], *ptc* **cleft** [kleft], **cleaved** [kli:vd] *sau* **cloven** ['klouvən] **I** *vt* **1** a despica, a spinteca, a tăia în două; a scinda **2** a desface, a despărți **3** *fig* a despica *(aerul, valurile)* **4** *fig* a croi *(un drum prin pădure etc.)* **II** *(v. ~ I)* *vi* a se despica; a se desface

cleaver ['kli:və'] *s* **1** satâr **2** topor, secure **3** tăietor de lemne

cleave to ['kli:vtə] *vi cu prep* **1** a se lipi de, a sta (strâns) lipit de **2** a rămâne fidel/credincios *cu dat*, a nu se lepăda de

clef [klef] *s muz* cheie

cleft [kleft] **I** *pret și ptc de la* **cleave II** *adj* despicat; **in a ~ stick** la strâmtoare; strâns cu ușa **III** *s* despicătură, crăpătură, fisură

clemantis ['klemətis] *s bot* viță albă, curpen alb *(Clematis sp.)*

clemency ['klemənsi] *s* **1** clemență, îndurare, milă **2** îngăduință, bunăvoință, indulgență **3** blândețe *(a climei)*

clement ['klemənt] *adj* **1** clement, îndurător **2** îngăduitor, indulgent **3** *(d. climă)* blând; temperat

Clement ['klemənt] *nume masc*

clemently ['kleməntli] *adv* **1** cu clemență **2** îngăduitor

clench [klentʃ] *vt* **1** a agăța **2** a strânge *(cu cleștele etc.);* a apăsa, a presa **3** a strânge *(pumnii)*, a strânge din *(dinți)* **4** a închide *(ermetic)* **5** *fig* a încorda *(nervii etc.)* **6** *fig* a hotărî definitiv; a parafa *(o înțelegere)* **II** *vi* **1** a se agăța **2** a se strânge, a se comprima **III** *s* **1** strângere *(a pumnului etc.)* **2** *tehn* scoabă; clemă **3** argument hotărâtor

clencher ['klentʃə'] *s v.* **clench III 3**

Cleopatra [,kli:ə'pætrə] *regină a Egiptului (69-30 î.e.n.)*

clepsydra ['klepsidrə] *s od* clepsidră

cleptomania [,kleptou'meiniə] *s* cleptomanie

cleptomaniac [,kleptou'meini,æk] *s* cleptoman

clerestory ['kliə,stɔ:ri] *s constr* luminător, lucarnă

clergy ['klə:dʒi] *s* **1** cler **2** *ca pl* preoți; **three ~** trei preoți

clergyman ['klə:dʒimən] *s* preot

clergyman's week ['klə:dʒimən ,wi:k] s vacanţă în care intră două duminici

cleric ['klerik] s cleric, preot, faţă bisericească

clerical ['klerikəl] I adj 1 clerical 2 (d. activitate etc.) de cancelarie/birou; de redactare II s 1 v. **cleric** 2 pol membru (în parlament) al unui partid clerical 3 ← F haină preoţească

clericarism ['klerikə,lizəm] s 1 principii clericale 2 pol clericalism

clerihew ['kleri,hju:] s strofă umoristică (de 4 versuri; primul cuprinde numele unei persoane vestite)

clerk [klɑ:k] I s 1 secretar; copist 2 funcţionar, înv → amploiat 3 com vânzător 4 cleric 5 savant II vi a fi funcţionar

clerkly ['klɑ:kli] adj 1 de secretar; de copist 2 (d. scris) caligrafic 3 bisericesc; clerical

clerk of works ['klɑ:kəv'wə:ks] s constr şef de şantier

Cleveland ['kli:vlənd] oraş în S.U.A.

clever ['klevər] adj 1 deştept, inteligent; spiritual; isteţ; ~ ~ care vrea să pară deştept; **too ~ by half** peior prea deştept 2 (d. o soluţie) inteligent, ingenios 3 talentat, înzestrat 4 abil, îndemânatic, dibaci

clever dick ['klevə,dik] s sl peior deştept, firoscos

cleverish ['klevəriʃ] adj destul de deştept etc. (v. **clever**)

cleverly ['klevəli] adv inteligent, cu inteligenţă, deştept

cleverness ['klevənis] s 1 deşteptăciune, inteligenţă; isteţime 2 ingeniozitate 3 dăruire, înzestrare 4 abilitate, îndemânare, dibăcie

clevis ['klevis] s tehn gambet, capăt de furcă, inel; toartă

clew [klu:] I s 1 ghem; jurubiţă 2 fig fir călăuzitor, urmaş, făgaş 3 nav colţ de scotă II vt a face ghem; a înfăşura

clew line ['klu:,lain] s nav contrascotă

cliché ['kli:ʃei] s 1 poligr clişeu 2 fig clişeu, banalitate; expresie stereotipă

click [klik] I s 1 pocnet, ţăcănit; păcănit; zgomot (de clanţă etc.) 2 tel pârâitură, pocnitură 3 tehn clichet 4 fon clic II vi 1 a pocni, a ţăcăni; a păcăni; a se închide etc. cu zgomot 2 tel a pârâi 3 a plescăi (cu limba) 4 F a da lovitura, a-i pune Dumnezeu mâna în cap; – a avea un mare succes 5 ← F a se potrivi, a se împăca, a fi de acord III vt 1 a pocni, a ţăcăni; a păcăni 2 fon a rosti cu un clic

clickety clank/click ['kliketi ,klæŋk/klik] s ţăcănit (al roţilor de tren etc.)

client ['klaiənt] s 1 jur client (al unui avocat) 2 com client, muşteriu, cumpărător 3 ist client 4 protejat, favorit; trepăduş

clientage ['klaiəntidʒ] s 1 clientelă, clienţi 2 relaţii între clienţi şi patron

clientèle [,kli:ã:n'tel] s fr v. **clientage**

client state ['klaiənt,steit] s pol (stat) satelit

cliff [klif] s 1 faleză, ţărm stâncos 2 stâncă în mare 3 pantă, costişă; terasă

cliff-hanger ['klif,hæŋər] s rad, telev serial cu „suspans" (la fiecare episod)

cliffy ['klifi] adj stâncos

Clifton ['kliftən] nume masc

climacteric [klai'mæktərik] I s 1 med climacteriu, menopauză 2 fig criză, perioadă critică II adj 1 med climacteric, de menopauză 2 fig critic; crucial; periculos

climacterical [,klaimæk'terikəl] adj v. **climacteric** II

climactic(al) [klai'mæktik(əl)] adj culminant, de vârf

climatal ['klaimətəl] adj climateric

climate ['klaimit] s 1 climă, climat 2 fig climat, atmosferă, ambianţă

climatic(al) [klai'mætik(əl)] adj climateric, climatic

climatology [,klaimə'tolədʒi] s climatologie

climax ['klaimæks] I s 1 culme, punct culminant, apogeu 2 rel culminaţie; gradaţie II vi (in, with) a culmina (cu)

climb [klaim] I vt a urca (pe), a se urca pe, a sui; a se căţăra pe; a face o ascensiune pe II vi 1 a (se) urca, a (se) sui; a se căţăra; a face o ascensiune 2 (d. plante) a se căţăra 3 (d. un drum) a urca 4 fig a urca, a se ridica III s 1 urcare, căţărare, ascensiune 2 av ascensiune 3 loc greu accesibil, înălţime mare

climbable ['klaiməbəl] adj (d. înălţimi) accesibil

climb-down ['klaim,daun] s 1 coborâş, coborâre 2 fig cedare (într-o ceartă); recunoaştere a înfrângerii

climb down ['klaim'daun] I vi cu part adv 1 a (se) coborî; a se da jos 2 fig a cădea, a coborî 3 fig a ceda (într-o ceartă) II vt cu part adv a coborî (muntele etc.) III vi cu prep a coborî (pe) (panta unui deal etc.)

climber ['klaimər] s 1 alpinist 2 bot plantă agăţătoare 3 ← F carierist, arivist

climbing ['klaimiŋ] I 1 adj urcător etc. (v. **climb** I, II) 2 bot agăţător II s 1 urcare; căţărare 2 alpinism

climbing irons ['klaimiŋ,aiənz] s pl tel gheare de picior (pt urcat pe stâlpi)

climb up ['klaim'ʌp] v. **climb** I, II

clime [klaim] s 1 poetic tărm, tărâm, – regiune 2 ← poetic domeniu, sferă 3 ← poetic atmosferă, ambianţă 4 ← poetic climă

clinch [klintʃ] I vt 1 a ţintui, a nitui 2 fig a rezolva (o chestiune etc.); a încheia (o afacere) 3 (la box) a apuca, a prinde II vi a se prinde, a se agăţa (strâns) III s 1 nituire 2 nav nod de bulină 3 scoabă 4 calambur, joc de cuvinte

clincher ['klintʃər] s 1 scoabă; clamă 2 dovadă hotărâtoare/decisivă; argument decisiv/hotărâtor

cline [klain] s biol ansamblu de caracteristici exprimând o tranziţie

cling [kliŋ], pret şi ptc **clung** [klʌŋ] vi a adera; (şi to ~ **together**) a se ţine laolaltă/împreună, a forma un tot

clinging ['kliŋiŋ] adj 1 agăţător, care agaţă sau se agaţă 2 (d. îmbrăcăminte) strâns (pe corp)

cling to ['kliŋtə] vi cu prep 1 a se ţine de; a nu lăsa din mână cu ac 2 a se apuca, a se prinde de 3 fig a adera la; a rămâne credincios cu dat, a fi partizanul/adeptul cu gen

clingy ['kliŋi] adj 1 lipicios; aderent, adeziv 2 v. **clinging**

clinic ['klinik] *s med* 1 clinică 2 spital particular 3 practică a studenților în medicină *(la o clinică)* 4 personalul unei clinici

clinical ['klinikəl] *adj med* clinic

clinical record ['klinikəl‚rekɔːd] *s med* antecedente

clinical thermometer ['klinikəlθə-'mɔmitə'] *s med* termometru clinic

clinician [kli'niʃən] *s med* clinician

clink¹ [kliŋk] I *vt* 1 a ciocni *(paharul)* 2 a zornăi; a zăngăni 3 a rima *(cuvinte)* 4 a face *(rime)* II *vi* 1 a zornăi; a zăngăni 2 *(d. cuvinte)* a rima III *s* 1 ciocnit *(de pahare);* clinchet 2 zornăit; zăngănit 3 potrivire *(a cuvintelor);* rimă

clink² *s sl* gros, pârnaie, zdup, – închisoare

clink-clank ['kliŋk‚klæŋk] *s* 1 cling-cling 2 zăngănit

clinker¹ ['kliŋkə'] *s* 1 *tehn* clincher, bulgăre de zgură 2 zgură 3 lavă stinsă

clinker² *s sl* persoană extraordinară; lucru extraordinar *etc.;* F grozăvie

clinkety clank ['kliŋketi ‚klæŋk] *s v.* **clickety clank**

clinking ['kliŋkiŋ] *adj* F strașnic, grozav (de)

clinkstone ['kliŋk‚stoun] *s minr* fonolit

clinometer [klai'nɔmitə'] *s* clinometru

Clio ['klaiou] *mit*

clip¹ [klip] I *vt* 1 a tunde (↓ *oi)* 2 a tăia; a reteza; a perfora *(bilete)* 3 a tăia marginile *(cu gen)*, a teși 4 a prescurta *(cuvinte)* 5 a îmbrățișa, a cuprinde 6 a apuca, a prinde II *s tehn* 1 scoabă, bridă, colier 2 clamă; agrafă, clips

clip² ← F I *s* mers rapid II *vi* a merge repede, a fugi

clip board ['klip‚bɔːd] *s* planșetă cu clame *(pt hârtii)*

clip bolt ['klip‚boult] *s tehn* crampon

clip-on ['klipɔn] *adj atr* (de) prins cu clipsuri, clame *sau* agrafe

clipper¹ ['klipə'] *s* 1 persoană care tunde (oi) *(v.* **clip** *etc.)* 2 clește (↓ *de tăiat)* 3 foarfece *sau* mașină de tuns (oi) 4 *și pl* cleștișor de unghii 5 *tel* nivelator, limitator

clipper² *s* 1 *nav, auto* cliper 2 *av* avion transoceanic

clippie ['klipi] *s sl* taxatoare *(de autobuz)*

clipping ['klipiŋ] I *adj* 1 tăietor; tăios, ascuțit 2 *sl* (clasa) prima, grozav 3 *sl (d. oră)* fix, exact II *s* 1 tundere, tăiere 2 perforare 3 tăietură din ziar 4 *pl* deșeuri, resturi *(ale unui material tăiat cu foarfeca etc.)*

clique [kliːk] *s* clică, gașcă, bisericuță

cliquey ['kliːki] *adj* F *v.* **cliquish**

cliquish ['kliːkiʃ] *adj* de clică/gașcă/ bisericuță

cliquy ['kliːki] *adj v.* **cliquish**

clitoris ['klitəris] *s anat* clitoris

clk. *presc de la* 1 **clock** 2 **clerk**

cloaca [klou'eikə] *s* 1 *zool, orn* cloacă 2 cloacă, hazna; canal 3 *fig* cloacă, mocirlă

cloak [klouk] I *s* 1 mantie, manta 2 *fig* mantie, înveliș II *vt* 1 a acoperi/a înveli cu mantaua 2 *fig* a ascunde, a acoperi

cloak-and-dagger [kloukæn‚dægə'] *adj atr* de capă și spadă

cloakroom ['klouk‚ruːm] *s* 1 vestiar, garderobă 2 *ferov* casă de bagaje 3 toaletă, closet (↓ *public)*

clobber ['klɔbə'] I *vt sl* 1 a bate măr, a zvânta în bătaie 2 a învinge, a bate 3 *fig* a ataca/a critica mereu II *s sl* catrafuse, țoale

cloche [klɔʃ] *s* 1 clopot de sticlă *sau* plastic *(pt plante)* 2 *od* pălărie *(de damă)* cloș

clock¹ [klɔk] I *s* 1 ceas(ornic) *(dar nu de mână);* pendulă, orologiu; ceas de masă; deșteptător; **around/round the ~** zi și noapte (↓ *fără întrerupere, douăzeci și patru de ore);* **to put the ~ back** a da ceasul înapoi (cu o oră *sau* două) *(în țările care modifică oficial ora la începutul iernii și verii)* **b** a reveni la idei, planuri *etc.* de altădată; **to put the ~ on/ forward/***amer* **ahead** a da ceasul înainte (cu o oră *sau* două) *(în țările care modifică oficial ora la începutul iernii și verii);* **to run cut/to kill the ~** – *amer sport* a ține/a păstra mingea/balonul până la sfârșitul jocului; **to sleep the ~ round** a dormi cel puțin 12 ore; **to watch the ~** F a se uita mereu la ceas *(pt a ști cât a mai rămas până la terminarea lucrului);* **to work against the ~** a lucra foarte repede *(pt a termina ceva înainte de timpul fixat);* **it is seven o'~** e ora șapte; **what o'~ is it?** ce oră e? 2 *cib* schemă de sincronizare 3 *tehn* vitezometru; tabometru 4 *auto* ← F kilometraj

5 *sl* mutră, *bot* II *vt* 1 a cronometra, a ponta 2 *sl* a pocni, a trage una *cuiva;* **to ~ smb one** *sl* a-i trage una cuiva

clock² *s* baghetă *(la ciorapi)*

clock card ['klɔk ‚kɑːd] *s* atu, as *(la cărți)*

clock face ['klɔk‚feis] *s* cadran de ceasornic

clock in [klɔk'in] I *vi cu part adv* a începe munca/lucrul (↓ *la ore regulate)* II *vt cu part adv* a ponta *(ora sosirii)*

clockmaker ['klɔk‚meikə'] *s* ceasornicar

clock off ['klɔk'ɔ(ː)f] *vt și vi cu part adv v.* **clock out**

clock on ['klɔk'ɔn] *vt cu part adv v.* **clock in**

clock out ['klɔk'aut] I *vt cu part adv* a ponta *(ora plecării)* II *vi cu part adv* a termina lucrul/munca (↓ *la ore regulate)*

clock tower ['klɔk‚tauə'] *s* turn cu (patru) orologii

clock watch ['klɔk ‚wotʃ] *s* ceas de buzunar cu sonerie; ceasornic cu sonerie mare

clockwise ['klɔk‚waiz] I *adj atr* dextrogir, cu filet dreapta II *adv* în sensul acelor ceasornicului

clockwork ['klɔk‚wəːk] I *s* mecanism de ceasornic; **like ~** ca pe unt; ușor; regulat; fără probleme II *adj atr* 1 *(d. jucării)* mecanic, automat 2 punctual, exact, precis

clod [klɔd] *s* 1 cocoloș, bulgăre, bucată *(de pământ sau lut)* 2 pământ, țărână 3 *fig* trup, corp 4 F tâmpit, idiot

cloddish ['klɔdiʃ] *adj* 1 bulgăros, bolovănos 2 *fig* greoi, stângaci, neîndemânatic 3 F (de) tâmpit, idiot

cloddishness ['klɔdiʃnis] *s* F tâmpenie, idioțenie

cloddy ['klɔdi] *adj v.* **cloddish**

clodhopper [klɔd‚hopə'] *s* 1 F țopârlan, mocofan, ghiorlan; țăranoi 2 *pl* ← *umor* ghete mari și grosolane

clodpoll ['klɔd‚poul] *s v.* **clod** 4

clog [klɔg] I *s* 1 piedică, obstacol 2 sabot; pantof cu talpă de lemn *sau* cauciuc II *vt* 1 a împiedica, a opri, a stânjeni 2 a înfunda, a astupa, a umple *(un orificiu etc.)* 3 a împovăra, a supraîncărca III *vi (d. un orificiu etc.)* a se astupa, a se umple, a se înfunda

cloggy ['klɔgi] *adj* **1** care se face cocoloaşe **2** cleios, lipicios; dens

cloister ['klɔistə'] *s* **1** mănăstire **2** viaţă de mănăstire/călugăr **3** *fig* sihăstrie, izolare **4** *arhit* arcadă

cloistered ['klɔistəd] *adj fig* sihastru, retras

cloistral [klɔistrəl] *adj* **1** de mănăstire, monarhal **2** *v.* **cloistered**

clomb [kloum] *pret şi ptc înv de la* **climb**

clonic ['klounik] *adj med* clonic

close[1] [klous] **I** *adj* **1** închis; împrejmuit, îngrădit **2** închis; încuiat **3** ascuns; tainic, secret; **to keep/ to lie ~** *(d. contact etc.)* a nu se arăta **4** *(d. contact etc.)* strâns **5** *(d. aer etc.)* închis, viciat **6** *(d. arest etc.)* sever **7** *(d. un prieten etc.)* apropiat, intim **8** atent, amănunţit, detaliat, minuţios **9** *(d. o traducere etc.)* exact, fidel **10** *(d. atenţie)* concentrat **11** *(d. apropiere etc.)* mare, strâns **12** *(d. îmbrăcăminte etc.)* strâns *(pe corp)* **13** *(d. ţesături etc.)* des, compact **14** *(d. stil)* concis, lapidar **15** *(d. o competiţie etc.)* cu şanse aproape egale, strâns **16** apropiat *(în spaţiu sau timp)* **17** zgârcit, avar **18** *(d. păr)* (tăiat) scurt **19** *fon* închis **II** *adv* **1** strâns, apropiat **2** aproape, mai-mai, cât pe ce **3** *(tuns)* scurt

close[2] [klouz] **I** *vt* **1** a închide; a împrejmui, a îngrădi **2** a închide; a încuia; a zăvorî; **to ~ one's eyes to smth** *fig* a închide ochii la ceva; **to ~ the door to smb** şi *fig* a închide cuiva uşa **3** a închide, a astupa *(o intrare etc.)*; a bloca **4** a închide *(frontierele)*; a interzice trecerea prin **5** a termina, a isprăvi, a sfârşi, a încheia **6** a încheia *(un târg etc.)* **7** a strânge *(rândurile)* **II** *vi* **1** *(d. uşi etc.)* a se închide **2** a se închide **3** *(d. spectacole etc.)* a se termina, a lua sfârşit; a se încheia **4** a se încăiera, a se lua la bătaie **III** *s* **1** sfârşit, capăt, încheiere; încetare; **to come to a ~** a se sfârşi, a se încheia; **to bring to a ~** a termina, a isprăvi, a duce la bun sfârşit; **to draw to a ~** *a v.* **to bring to a ~ b** a se apropia de sfârşit **2** închidere *(a magazinelor etc.)* **3** încăierare, bătaie **4** *muz* cadenţă

close[3] [klous] *s* loc/teren îngrădit; îngrăditură, împrejmuire; curte

close-at-hand ['klousət,hænd] *adj atr* **1** vecin, învecinat, apropiat **2** apropiat, iminent

close attack ['klous ə'tæk] *s mil* atac de la mică distanţă

close by ['klous,bai] *adv* foarte aproape, în apropiere

close call [,klous'kɔːl] *s amer F v.* **close shave**

closed [klouzd] *adj* **1** închis; împrejmuit, îngrădit **2** închis; încuiat **3** terminat, isprăvit; *(d. şedinţe etc.)* închis **4** închis *(pt public)*; restrâns; exclusiv **5** *fon* închis

closed chain ['klouzd,tʃein] *s ch* nucleu, ciclu

closed circuit ['klouzd ,səːkit] *s el* circuit închis

closed network ['klouzd ,netwəːk] *s el* reţea închisă

close-down ['klouz,daun] *s* încetarea muncii *(din cauza închiderii întreprinderii)*

close down ['klouz'daun] **I** *vt cu part adv* **1** a închide *(uşa etc.)* **2** a reprima; a lua măsuri represive împotriva *(cu gen)* **3** a înceta *(o activitate)*, a întrerupe **II** *vi cu part adv* a se opri, a înceta

closed shop ['klouzd,ʃɔp] *s fabrică, uzină etc. al cărei proprietar angajează numai membri ai unor anumite sindicate*

close-fisted [,klous'fistid] *adj* zgârcit, avar

close-fitting ['klous,fitiŋ] *adj (d. îmbrăcăminte)* strâns *(pe corp)*

close-grained ['klous,greind] *adj* microgranular, cu granulaţie mică

close-handed ['klous,hændid] *adj (d. luptă)* corp la corp

close-hauled [,klous'hɔːld] *adj nav* cu vânt strâns

close in ['klouz'in] **I** *vt cu part adv* a închide; a împrejmui **II** *vi cu part adv* **1** a se apropia; a veni, a sosi **2** *mil* a ataca; a strânge împrejmuirea **3** *(d. zile etc.)* a se micşora, a se scurta

close in upon ['klouz'in ə,pɔn] *vi cu part adv şi prep* a da peste, a năvăli peste

close-knit ['klous,nit] *adj* apropiaţi, strâns legaţi *(prin obiceiuri etc.)*

close-lipped ['klous ,lipt] *adj* tăcut, taciturn

closely ['klousli] *adv* **1** atent, cu grijă, minuţios, de aproape **2** de aproape, din apropiere **3** strâns, unul lângă altul

closely-knit ['klousli,nit] *adj v.* **close-knit**

close-mouthed ['klous,mauðd] *adj* rezervat, reticent; discret

closeness ['klousnis] *s* **1** apropiere, vecinătate **2** aer închis, atmosferă viciată **3** densitate; caracter compact **4** zgârcenie, avariţie **5** izolare, sihăstrie **6** stricteţe *(a observaţiei etc.)*

close order ['klous 'ɔːdə'] *s mil etc.* rânduri strânse, formaţie strânsă

closeout ['klousaut] *s com* lichidare, desfacere totală, dezmembrare

close out ['klouz'aut] *vt cu part adv amer com* a vinde la preţuri reduse; a căuta să lichideze

close quarters ['klous 'kwɔːtəz] *s* **1** contact nemijlocit/strâns **2** luptă strânsă **3** înghesuială

close season ['klous 'siːzən] *s* sezon în care vânatul *sau* pescuitul este interzis

close shave ['klous ,ʃeiv] *s ← F* scăpare ca prin urechile acului

closet ['klɔzit] **I** *s* **1** cameră, odaie *(retrasă, privată)* **2** cămară, magazie **3** dulap *(în perete)* **4** birou, cabinet *(de lucru)* **5** toaletă, closet **II** *adj atr* **1** secret; privat, particular **2** teoretic, abstract, nepractic **III** *vt* **1** a închide *(pe cineva)*, a zăvorî *(într-o încăpere etc.* ↓ *pt a discuta)* **2** a ascunde, a pune într-un loc sigur

close thing ['klous,θiŋ] *s* accident *sau* eşec evitat în ultimul moment

close to ['klousto] *adv cu prep* în jur de, cam de, de circa // **~ home** aproape de adevăr (↓ *vizând pe cineva)*

close-up ['klous,ʌp] *s* **1** fotografie de aproape; gros *sau* prim-plan **2** *telev* detaliu de prim-plan **3** *amer* examen atent/minuţios, analiză detaliată

close up ['klouz'ʌp] **I** *vt cu part adv* **1** *(în diferite sensuri)* a închide **2** a lichida **3** a termina, a isprăvi, a încheia **4** a strânge *(rândurile)* **II** *vt cu part adv* **1** *(d. o rană)* a se închide, a se vindeca **2** *mil etc.* a strânge rândurile

close with ['klouz wið] *vi cu prep* **1** a se apropia de **2** a încheia *(o afacere etc.)* cu **3** a se lua la trântă *etc.* cu

closing ['klouziŋ] **I** *adj atr* de închidere; ultim **II** *s* **1** încheiere, sfârșit, capăt **2** închidere *(a magazinelor etc.)*

closing price ['klouziŋ‚prais] *s fin* prețul acțiunilor la închiderea bursei

closing time ['klouziŋ‚taim] *s* oră de închidere

closure ['klouʒər] *s* **1** închidere *(în diferite sensuri)* **2** închidere, încheiere, sfârșit **3** pol încheierea dezbaterilor *(parlamentare)*

clot [klɔt] **I** *s* **1** bulgăre, ghem, cocoloș **2** cheag, coagul de sânge **3** *sl* tâmpit, nătărău, prost **II** *vi* **1** *(d. sânge etc.)* a se coagula, a se închega **2** a se face bulgări/cocoloașe **III** *vt* a lăsa să se coaguleze

cloth [klɔθ] *s* **1** pânză, postav, stofă; **bound in ~** legat în pânză **2** bucată de pânză/postav/stofă **3** cârpă *(de șters praful)* **4** față de masă; **to lay the ~** a pune/a așterne masa **5 the ~** clerul, preoți **6** *nav* forță

cloth binding ['klɔθ‚baindiŋ] *s poligr* legătură în pânză

clothe [klouð] *ptc și* **clad** [klæd] **I** *vt* **1** a îmbrăca **2** *fig* a învesmânta; a găti **II** *vr* a se îmbrăca

clothes [klouðz] *s pl* **1** îmbrăcăminte, haine, *poetic* → veșminte, straie **2** rufărie, lenjerie *(de pat)*

clothes basket ['klouðz‚ba:skit] *s* coș de rufe

clothes horse ['klouðz‚hɔ:s] *s* **1** uscător pentru rufe **2** *sl* persoană preocupată de îmbrăcăminte

clothes line ['klouðz‚lain] *s* frânghie de rufe

clothes peg/pin ['klouðz peg/pin] *s* cârlig de rufe, sclimpuș

clothes press ['klouðz‚pres] *s* dulap de haine, garderobă

clothes tree ['klouðz‚tri:] *s* cuier *(în formă de pom)*

clothier ['klouðiər] *s* **1** fabricant de stofe **2** vânzător de manufactură **3** croitor

clothing ['klouðiŋ] *s* **1** îmbrăcăminte **2** înveliș; *tehn* îmbrăcăminte, căptușeală

cloth shears ['klɔθ ‚ʃiəz] *s pl* foarfece pentru stofă

clotted cream ['klɔtid ‚kri:m] *s* smântână groasă *(obținută prin încălzirea laptelui; ↓ în Anglia)*

cloture ['kloutʃər] *s* ↓ *amer v.* **closure 3**

clou [klu:] *s fr* poantă

cloud [klaud] **I** *s* **1** nor; **every ~ has a/its silver lining** *prov* tot răul e spre bine; nu este rău fără bine; **to be in the ~s, to have one's head in the ~s** *fig* a fi cu capul în nori; **to drop from the ~s** *fig* a cădea din cer **2** *fig* nor *(de lăcuste etc.)*; potop, noian **3** *fig* nor, umbră, supărare, mâhnire **4** *fig* umbră, pată; **to be under a ~** a fi bănuit/suspectat **b** a fi căzut în dizgrație **5** *fig* văl *(al nopții etc.)* **6** nervură *(în marmură)* **II** *vt* **1** a înnora **2** *fig* a înnora, a umbri **3** *fig* a umbri, a păta **4** *text* a marmora **III** *vi* **1** a se înnora; a se întuneca **2** *fig* a se întuneca, a se mohorî

cloudbank ['klaud‚bæŋk] *s* masă de nori de joasă altitudine

cloudberry ['klaud‚beri] *s bot* mur pitic *(Rubus chamaemorus)*

cloud-build ['klaud‚bilt] *adj* fantezist, imaginar, nerealist

cloud burst ['klaud‚bə:st] *s* rupere de nori, ploaie torențială

cloud-capped ['klaud‚kæpt] *adj (d. munți)* acoperit de nori

cloud castle ['klaud ‚ka:səl] *s fig* castele în Spania

cloud compeller ['klaud kəm'pelər] *s ← umor* fumător

cloud drift ['klaud‚drift] *s* nori purtați de vânt

cloudiness ['klaudinis] *s* înnourare; nebulozitate

cloudland ['klaud‚lænd] *s* **1** țară/tărâm de basm *sau* vis **2** teorii fanteziste

cloudless ['klaudlis] *adj* fără nori, senin

cloudlet ['klaudlit] *s* nouraș

cloud nine ['klaud‚nain] *s*: **on ~** în al nouălea cer

cloud rack ['klaud‚ræk] *s* nor purtat *sau* nori purtați de vânt

cloudy ['klaudi] *adj* **1** noros; înnourat **2** *(d. lichide)* tulbure **3** *fig (d. idei etc.)* tulbure, neclar, confuz **4** *fig (d. vedere)* tulbure, încețoșat

clough [klʌf] *s* **1** ravină, prăpastie **2** *geogr* pas, trecătoare; defileu

clout [klaut] **I** *s* **1** ← *F* palmă *(lovitură)* **2** țintă *(la tragere cu arcul)* **3** scutec **II** *vt* **1** ← *F* a trage o palmă *cuiva*, a pălmui **2** a înfășa

clove¹ [klouv] *pret înv de la* **cleave**

clove² *s bot* **1** arbore de cuișoare *(Eugenia caryophyllata)* **2** cuișoară

clove³ *s* cățel *(de usturoi)*

clove hitch ['klouv‚hitʃ] *s nav* foarfecă simplă

cloven ['klouvən] **I** *ptc înv de la* **cleave II** *adj* despicat

cloven hoof [‚klouvən 'hu:f] *s* copită despicată *(↓ de drac);* **to show the ~** a-și da arama pe față

cloven-hoofed [‚klouvən 'hu:fd] *adj* **1** cu copitele despicate **3** *fig* drăcesc, satanic

clove pink ['klouv ‚piŋk] *s bot* specie de garoafă *(Dianthus caryophyllus)*

clover ['klouvə] *s bot* trifoi *(Trifolium sp.);* trifoi roșu *(Trifolium pratense);* **to be/to live in ~** *fig* a huzuri, a trăi pe moale; a înota în bani

cloverleaf ['klouvə‚li:f] *s* intersecție în formă de frunză de trifoi

clow [klau] *s hidr* poartă de ecluză

clown [klaun] **I** *s* **1** clovn; *od* măscărici, nebun **2** *înv* țăran **3** țăranoi, bădăran **II** *vi* a face pe clovnul/bufonul

clownery ['klaunəri] *s* clovnerie; clovnerii

clownish ['klauniʃ] *adj* **1** de clovn **2** de bădăran, mojicesc

clownishness ['klauniʃnis] *s* **1** clovnerie **2** bădărănie, mojicie

cloy [klɔi] **I** *vt* **1** a sătura, a ghiftui, a îmbuiba **2** a scârbi, a dezgusta **II** *vi* a face greață, a face să ți se aplece

club¹ [klʌb] **I** *s* club; **in the ~** *sl (↓ d. o femeie nemăritată)* borțoasă; **join the ~!** *sl* noi cu ai noștri! **II** *vi* a se strânge, a se întruni

club² **I** *s* **1** ciomag, bâtă, băț **2** *sport* bătător **3** *pl* treflă *(la cărți)* **4** *av* manșă **II** *vt* a bate *(cu bățul),* a ciomăgi

club(b)able ['klʌbəbəl] *adj* ← *F* **1** demn de a intra într-un club **2** sociabil

clubby ['klʌbi] *adj* ← *F* prietenos; sociabil

clubfoot ['klʌb,fut] *s* picior strâmb

club-footed [,klʌb 'futid] *adj* cu picioare strâmbe

club house ['klʌb ,haus] *s* club, clădire unde se întrunesc membrii unui club

clubman ['klʌbmən] *s* membru al unui club

club-shaped ['klʌb ,ʃeipt] *adj* îngroșat la un capăt

club steak ['klʌb ,steik] *s* mușchi *(de vacă etc.)*

club together ['klʌb tə'geðə'] *vi cu adv* a pune mână de la mână

cluck [klʌk] **I** *vi* a cloncăni **II** *vt* a exprima aprobator, dezaprobator *sau* cu interes **III** *s* cloncănit

clucking hen ['klʌkiŋ,hen] *s* cloșcă

clue [klu:] *s* **1** cheie *(a unei enigme etc.)* **2** urmă, punct de reper *(în căutarea cuiva etc.)* **3** fir *(al unei povestiri)* // **not to have a ~** *F* a nu avea habar/idee

clued up ['klu:d'ʌp] *adj cu part adv* **(about, on)** *F* pus la punct, – foarte bine informat (despre), la curent (cu)

clue in ['klu: 'in] *vt cu part adv* a da o cheie *cuiva*, a face să înțeleagă

Cluj [klu:ʒ] *oraș în* România

clump [klʌmp] **I** *s* **1** grămadă, masă **2** grup; pâlc *(de pomi)* **3** tropăit **II** *vi* a tropăi

clumpish ['klʌmpiʃ] *adj* greoi, mătăhălos

clumpy ['klʌmpi] *adj* **1** *v.* **clumpish** **2** cu pâlcuri de pomi

clumsily ['klʌmzili] *adv* cu stângăcie; fără grație

clumsiness ['klʌmzinis] *s* **1** stângăcie; lipsă de grație **2** grosolănie **3** lipsă de tact

clumsy ['klʌmzi] *adj* **1** stângaci, neîndemânatic **2** aspru, din topor, grosolan **3** lipsit de tact

clung [klʌŋ] *pret și ptc de la* **cling**

cluster ['klʌstə'] **I** *s* **1** mănunchi, buchet *(de flori)* **2** mănunchi, mână, grămăjoară **3** ciorchine *(de struguri)* **4** grup; pâlc *(de pomi)* **5** mulțime, grămadă **6** roi *(de albine)* **7** *astr* roi/îngrămădire de stele **8** *mat* fascicul **II** *vi* **1** a forma un grup; a se strânge, a se aduna **2** a crește mănunchiuri *sau* sub formă de tufe

clutch[1] [klʌtʃ] **I** *vt* **1** a apuca/a prinde cu mâna *sau* gheara **2** a apuca *sau* a ține strâns **II** *s* **1** apucare,

strângere, strânsoare; **to make a ~ at smth** a da să apuce ceva **2** *pl și fig* gheare **3** *tehn* cârlig, cuplaj **4** *tehn* ambreiaj **5** *sl* ananghie, belea, strâmtoare

clutch[2] **I** *vt* a cloci **II** *s* ouă *(pe care șade cloșca)*

clutch at ['klʌtʃ ət] *vi cu prep* a se agăța/a se apuca de

clutter ['klʌtə'] **I** *s* **1** dezordine, neorânduială **2** talmeș-balmeș; zăpăceală, confuzie **3** larmă, zarvă **II** *vt* a pune în neorânduială, a arunca unul peste altul; a zăpăci; a murdări **III** *vi* **1** a alerga încoace și încolo **2** a face larmă/zgomot **3** a vorbi repede și nedeslușit

Clyde [klaid] **1** *nume masc* **2** **the ~** *râu în Scoția*

Clyt(a)emnestra [,klaitəm'ni:strə] *mit* Clitemnestra

cm. *presc de la* **centimetre(s)**

c.m. *presc de la* **1 corresponding member 2 court-martial**

cml. *presc de la* **commercial**

C/N *presc de la* **1 circular note 2 credit note**

Cnut [kə'nju:t] *v.* **Canute**

co- *pref* co-: **co-author** coautor

Co., co. *presc de la* **1 company 2 country**

C.O. *presc de la* **Commanding Officer**

c.o., c/o *presc de la* **1 care of 2 carried over** report

coach [koutʃ] **I** *s* **1** caretă; *od* diligență **2** autobuz pentru excursii **3** *ferov* vagon de pasageri *(obișnuit)* **4** meditator, *înv* → repetitor **5** antrenor; instructor **II** *vt* **1** a duce cu careta *etc.* (v. ~ I, 1-3) **2** a medita *(pe cineva)* **3** a antrena; a instrui

coach-and-four ['koutʃ ən ,fɔ:'] *s* caretă cu patru cai

coach box ['koutʃ,bɔks] *s* capră *(a vizitiului)*

coach class ['koutʃ ,klɑ:s] *s ferov amer* clasa a doua

coachee ['koutʃi:] *s înv* surugiu, – vizitiu

coacher ['koutʃə'] *s* meditator, *înv* → repetitor

coachman ['koutʃmən] *s* vizitiu

coadjutor [kou'ædʒutə'] *s* asistent, ajutor

coagulant [kou'ægjulənt] *s ch* coagulant

coagulate [kou'ægju,leit] **I** *vt* a coagula, a închega **II** *vi* **1** a se coagula, a se închega **2** *(d. alimente)* a se gelifica

coagulation [kou,ægju'leiʃən] *s* **1** coagulare, închegare **2** brânzire

coal [koul] **I** *s* **1** cărbune; cărbuni; huilă; **to carry/to take ~s to Newcastle** *fig* a căra apă la puț; **to haul/to call smb over the ~s** *fig F* a trage o săpuneală/un perdaf cuiva, a săpuni pe cineva; **to heap ~s of fire on smb's head** a pedepsi pe cineva prin iertare **2** tăciune **II** *vt* a preface în cărbune, a carboniza

coal-bearing ['koul ,bɛəriŋ] *adj* cu cărbuni, carbonifer

coal cutter ['koul ,kʌtə'] *s min* haveză

coal deposit ['koul di'pɔzit] *s min* zăcământ de cărbuni

coalesce [,kouə'les] *vi* **1** *biol etc.* a concrește; a se suda **2** a fuziona, a se întrepătrunde

coalescence [,kouə'lesəns] *s* **1** *biol etc.* concreștere; sudare **2** fuzionare, întrepătrundere

coal face ['koul,feis] *s min* front de lucru; abataj

coalfield ['koul,fi:ld] *s* bazin carbonifer

coal gas ['koul ,gæs] *s* gaz de huilă/ iluminat

coaling ['kouliŋ] *s* **1** încărcarea cărbunilor **2** aprovizionare cu cărbuni

coaling station ['kouliŋ 'steiʃən] *s nav* port de buncăr, stație de buncherare

coalition [,kouə'liʃən] *s* coaliție; alianță temporară

coalitionist [,kouə'liʃənist] *s* membru al unei coaliții

coalman ['koulmən] *s* (muncitor) cărbunar

coal mine ['koul,main] *s* mină de cărbuni

coal oil ['koul ,ɔil] *s* ulei de huilă

coal pit ['koul,pit] *s v.* **coal mine**

coal tar ['koul ,tɑ:'] *s ch* gudron de huilă/cărbune

coaly ['kouli] *adj* **1** de cărbune, cărbunos **2** cum e cărbunele; negru ca tăciunele

coaming ['koumiŋ] *s nav* ramă de bocaport

coarse [kɔ:s] *adj* **1** *(d. postav etc.)* aspru, grosolan **2** brut, neprelucrat **3** macrogranular, cu bobul mare, *P*→ mașcat **4** inferior, de proastă calitate **5** vulgar, grosolan, necioplit **6** nedelicat, nepoliticos; aspru

coarse fish ['kɔ:s,fiʃ] *s* pește de apă dulce *(cu excepția somonului)*

coarse-grained ['kɔ:s,greind] *adj* **1** macrogranular, cu granulație mare; cu bobul mare; cu fire groase **2** *v.* **coarse 5-6**

coarsely ['kɔ:sli] *adv* grosolan; nepoliticos; aspru

coarsen ['kɔ:sən] *vi* **1** a se înăspri, a deveni mai aspru **2** *fig* a deveni vulgar *etc.* (*v.* **coarse 5-6**)

coast [koust] **I** *s* **1** coastă, țărm de mare; litoral; **the ~ is clear** *fig* drumul e liber; nu e nici un pericol *sau* obstacol **2** graniță, hotar, limită **3 the C~** *amer* coasta Pacificului **4** *amer* pârtie, pistă de sănius **II** *vt nav* a pilota de-a lungul *sau* în apropierea coastei **III** *vi* **1** *nav* a naviga de-a lungul *sau* în apropierea coastei; a face navigație costieră **2** *tehn (d. motor)* a merge în gol **3** *amer* a se da cu săniuța

coarseness ['kɔ:snis] *s* asprime, caracter aspru *etc.* (*v.* **coarse**)

coastal ['koustəl] *adj* de coastă

coastal command ['koustəl kə-'ma:nd] *s* pază a litoralului

Coastal Eastern ['koustəl 'i:stən] *s* limba engleză americană vorbită în regiunea de coastă a Noii Anglii

coast artillery ['koust a:'tiləri] *s mil* artilerie de coastă

coaster ['koustəʳ] *s* **1** *nav* cabotier, navă de cabotaj **2** farfurioară *sau* suport de argint *(pt pahare etc.)*

coaster brake ['koustə,breik] *s auto* roată de frână liberă

coastguard ['koust,ga:d] *s* **1** pază a litoralului **2** *mil* unitate militară pe litoral; gardă de coastă; grăniceri de coastă

coasting ['koustiŋ] *s nav* cabotaj

coasting ship ['koustiŋ,ʃip] *s v.* **coaster 1**

coast line ['koust,lain] *s* linie de coastă

coastman ['koustmən] *s* locuitor de pe coastă

Coast Range, the ['koust ,reinʒ, ðə] lanț de munți în S.U.A. *(de-a lungul Pacificului)*

coastward(s) ['koustwədz] *adv* spre coastă/litoral, în direcția coastei

coastwise ['koustwaiz] *adv* de-a lungul coastei

coat [kout] **I** *s* **1** haină *(bărbătească)*, veston, *rar* → surtuc; sacou; **cut your ~ according to your cloth** *prov* întinde-te cât te ține plapuma; **to turn one's ~** *fig* a-și schimba pielea, *F* a o întoarce; a trece de partea dușmanului **2** jachetă *(de damă)*; **~ and skirt** costum de damă, taior **3** palton, mantou **4** blană *(de animal)*; lână *(de oaie)*; piele; pene; penaj *(la păsări)* **5** înveliș; strat *(de vopsea)*; *tehn* căptușeală, îmbrăcăminte, manta **6** *el* armătură **7** *v.* **coat of arms II** *vt* **1** a înveli, a acoperi **2** a acoperi cu un strat de legătură, de vopsea *etc.*; a vopsi; a unge; a căptuși

coat dress ['kout ,dres] *s* robe-manteau

coated ['koutid] *adj* **(with)** acoperit (cu); căptușit (cu)

coated paper ['koutid,peipəʳ] *s* hârtie cretată

coatee [kou'ti:] *s* jachetă scurtă *(strâmtă)*

coating ['koutiŋ] *s* **1** *tehn* înveliș, manta, strat **2** *constr* tencuială, cămășuială **3** stofă de palton

coat of arms ['kout əv 'a:mz] *s* blazon, stemă

coat of mail ['kout əv'meil] *s* (cămașă de) zale, za

coat tail ['kout,teil] *s pl* pulpană; **on smb's ~** *fig* ↓ *amer* atârnând de pulpana cuiva; cu ajutorul cuiva

co-author [kou'ɔ:θəʳ] *s* coautor

coax [kouks] *vt* **1** a convinge, a reuși să convingă *(prin lingușiri, vorbe bune etc.)*: **she ~ed the child to drink the milk/into drinking the milk** l-a făcut/l-a convins pe copil să bea laptele **2** a obține, a căpăta *(prin lingușiri etc.)*; **to ~ smth out of smb** a smulge ceva de la cineva

coaxial [kou'æksiəl] *adj mat* coaxial

cob¹ [kɔb] *s* **1** *orn* bărbătușul lebedei, *rar* → lebădoi **2** grămadă, morman **3** știulete, cocean **4** *constr* argilă amestecată cu paie **5** *bot* nucă *(↓ mare)*

cob² *vt* **1** a lovi, a bate **2** a arunca, a azvârli

cobalt ['koubɔ:lt] *s ch* cobalt

cobalt blue ['koubɔ:lt 'blu:] *s ch* albastru de cobalt

cobaltic [kou'bɔ:ltik] *adj ch* cobaltic

cobble¹ ['kɔbəl] *vt* a cârpi, a repara *(ghete etc.)*

cobble² *s* **1** *constr* bolovan (de pavaj) **2** *geol* galeți, bolovani

cobbler ['kɔbləʳ] *s* **1** cizmar, cârpaci **2** *fig* cârpaci, meșter prost

cobblestone ['kɔbəl,stoun] *s v.* **cobble² 1**

cobeligerent [,koubi'lidʒərənt] *s* cobeligerant

cobnut ['kɔb,nʌt] *s* alună

cobra ['koubrə] *s zool* cobră *(Naja sp.)*

cobweb ['kɔb,web] *s* **1** păienjeniș, pânză de păianjen; **I have a ~ in my throat** mi s-a uscat gâtul/gâtlejul **2** *text* țesătură fină **3** *fig* păienjeniș, urzeli

cobwebby ['kɔb,webi] *adj* **1** plin de/acoperit de păienjeniș **2** *fig* împăienjenit, încețoșat

coca ['koukə] *s bot* coca *(Erythroxylon coca)*

coca-cola [,koukə'koulə] *s* coca-cola

cocain(e) [kə'kein] *s* cocaină

cocainize [kou'kei,naiz] *vt med* a anestezia cu cocaină

cocci ['kɔksai] *pl de la* **coccus**

coccus ['kɔkəs], *pl* **cocci** ['kɔksai] *s med* coc

coccyx ['kɔksiks], *pl* **coccyges** [kɔk'saidʒi:z] *s anat* coccis, os coccigian

Cochin-China ['koutʃin'tʃainə] *ist* stat în Indochina Cochinchina; *azi, regiune în Vietnam*

cochineal [,kɔtʃi'ni:l] *s* cârmâz *(vopsea)*, roșu de coșenilă

cochlea ['kɔkliə] *s anat* melc *(în urechea internă)*

cock¹ [kɔk] *s* căpiță *(conică)*

cock² **I** *s* **1** *orn* cocoș, *P*→ cântător; **to live like fighting ~s** a mânca numai mâncăruri alese; a trăi minunat, a huzuri; **that ~ won't fight!** *F* nu se-nghite; nu se prinde! **2** *orn (în cuvinte compuse)* bărbătuș; **cocksparrow** vrăbioi **3** cucurigu, cântatul cocoșului; **we sat till the second ~** am stat până la al doilea priveghi **4** *sl* șef **5** *constr* cocoș de vânt, sfârlează; roza vânturilor **6** *mil* cocoș (de armă), trăgaci; **to go off at half ~** a *F* a-i sări muștarul, a-l apuca pandaliile, a-și ieși din sărite **b** *(d. o ceremonie etc.)* ← *F* a începe prea devreme/înainte de ora fixată **7** *tehn* robinet; ventil **8** ← *vulg* penis **II** *vt* a **1** a ridica *(trăgaciul, sprânceana etc.); to* **~ one's nose** *fig* a ridica nasul, a face pe grozavul; **to ~ a snook/ snoot at/to smb** *F* a-i da cuiva cu tifla **2** a pune pe o ureche *(pălăria etc.)*

cockade [kɔ'keid] *s* cocardă

cock-a-doodle-doo ['kɔkə,du:dəl-'du:] *s* **1** cucurigu **2** ← *F* cocoș

cock-a-hoop ['kɔkə'hu:p] *adj atr* **1** care jubilează, triumfător **2** îngâmfat, plin de sine

Cockaigne [kɔ'kein] *s* țara unde curge lapte și miere, țară de basm; **the land of ~** ← *peior* Londra și împrejurimile

cockalorum [,kɔkə'lɔ:rəm] *s* și *fig* cocoșel

cock-and-bull story ['kɔkən,bul 'stɔri] *s* basmul cu cocoșul roșu

cockatoo [,kɔkə'tu:] *s orn* cacadu *(Kakatoe sp.)*

cockatrice ['kɔkətris] *s* bazilisc

cockboat ['kɔk,bout] *s nav* barcă de pescuit

cockchafer ['kɔk,tʃeifə'] *s ent* cărăbuș *(Melolontha vulgaris)*

cockcrow ['kɔk,krou] *s* cântatul cocoșilor, *P* → cântători; zori

cocked [kɔkt] *adj* **1** ridicat; pus pe o ureche **2** *(d. pălării)* în trei colțuri

cocked hat ['kɔkt,hæt] *s* **1** pălărie în trei colțuri; tricorn **2** *nav* triunghi al erorilor

cocker ['kɔkə'] *vt* a alinta, a răsfăța *(copiii)*

cockerel ['kɔkərəl] *s orn* și *fig* cocoșel

cock-eyed ['kɔk,aid] *adj* **1** sașiu, cu privirea încrucișată **2** *sl* într-o parte, șui **3** *sl* nebunesc, tâmpit **4** *sl* cherchelit, beat

cock fight ['kɔk ,fait] *s* luptă de cocoși

cock horse ['kɔk,hɔ:s] *s* cal/căluț de lemn

cockily ['kɔkili] *adv* ca un cocoș

cockiness ['kɔkinis] *s* tanțoșie, fudulie

cockish ['kɔkiʃ] *adj* **1** de cocoș, cocoșesc **2** arogant; încrezut

cockle¹ ['kɔkəl] *s bot* **1** și *fig* buruiană; neghină **2** sălbăție, zizanie *(Lolium temulentum)*

cockle² *s* **1** moluscă *(comestibilă)* **2** bărcuță, barcă mică // **the ~s of one's heart** sentimentele sale, coarda sa simțitoare

cockle³ I *s* îndoitură, pliu **II** *vt* a îndoi, a plia; a șifona

cocklebur ['kɔkəl,bə:'] *s bot* scaiete *(Xanthium sp.)*

cockle shell ['kɔkəl,ʃel] *s* **1** cochilie de moluscă **2** *nav* barcă mică, bărcuță, luntre

cockloft ['kɔk,lɔft] *s* mansardă

cockney, uneori **Cockney** ['kɔkni] *s* **1** cockney, londonez *(↓ din* **East End***)* **2** cockney, dialect londonez *(↓ din* **East End***)*

cockneydom ['kɔknidəm] *s* regiune în care locuiesc cockney-ii *(în* **East End,** *Londra)*

cockneyese ['kɔkni:z] *s* dialectul cockney

cock of the walk ['kɔk əv ðə,wɔ:k] *s* personaj de frunte *(într-o societate),* „gaie mare"

cockpit ['kɔkpit] *s* **1** arenă pentru luptele de cocoși **2** *fig* loc, localitate *etc.* unde au avut loc multe bătălii **3** *nav* cocpit **4** *av* carlingă, locul pilotului

cockroach ['kɔk,routʃ] *s ent* șvab, gândac de bucătărie *(Blattidae sp.)*

cockscomb ['kɔkskoum] *s* **1** creastă de cocoș **2** *od* tichia prostului/ măscăriciului/nebunului **3** filfizon, fante

cockshead ['kɔkshed] *s bot* sparcetă *(Onobrychis caput-galli)*

cocksure [,kɔk'ʃuə'] *adj* **1** *(of)* absolut sigur *(de)* **2** încrezut, fudul **3** *(d. evenimente)* inevitabil

cockswain ['kɔksən, 'kɔk,swein] *s v.* **coxswain**

cocksy ['kɔksi] *adj* **1** încrezut, infatuat **2** obraznic

cocktail ['kɔkteil] *s* **1** cocktail **2** cal cu coada tăiată

cocktail dress ['kɔkteil,dres] *s* rochie *(scurtă)* pentru ocazii festive

cocktail lounge ['kɔkteil,laundʒ] *s* bar de hotel

cock-up ['kɔk ,ʌp] *s* **1** *sl* zăpăceală totală **2** *poligr* literă de sus

cocky ['kɔki] *adj* v, **cocksy**

coco ['koukou] *s bot* **1** cocotier *(Cocos nucifera)* **2** nucă de cocos

cocoa ['koukou] *s* **1** *bot* arborele de cacao *(Theobroma cacao)* **2** cacao

cocoanut ['koukə,nʌt] *s* nucă de cocos

coconut *s v.* **cocoanut**

coconut palm/tree ['koukə,nʌt 'pɑ:m/'tri:] *s v.* **coco 1**

cocoon [kə'ku:n] **I** *s text* cocon, gogoașă de mătase **II** *vt* ← *rar* a acoperi cu o husă

cocotte [kou'kɔt] *s fr* cocotă

cod¹ [kɔd] *s iht* cod, batog *(Gadus morrhua)*

cod² *vt sl* a-și bate joc de, a-și râde de

C.O.D., c.o.d. *presc de la* **cash on delivery** (contra) ramburs

coda ['koudə] *s* **1** *muz* coda **2** *lit* pasaj final *(întrucâtva independent)*

coddle ['kɔdəl] *vt* **1** a fierbe înăbușit **2** a opări **3** *fig* a menaja; a răsfăța

code [koud] **I** *s* **1** *jur* cod, codice **2** cod *(secret),* cifru; semnal **3** *fig* cod *(moral etc.)* **II** *vt* a codifica, a cifra

co-debtor ['kou,detə'] *s fin* codebitor

coded ['koudid] *adj* codificat, cifrat

codeine ['koudi:n] *s ch* codeină

codex ['koudeks], *pl* **codices** ['koudi,si:z] *s* manuscris *sau* (colecție de) manuscrise vechi, codice

codfish ['kɔd,fiʃ] *s v.* **cod¹**

codger ['kɔdʒə'] *s* ← *F* moșneag

codices ['koudi,si:z] *pl de la* **codex**

codicil ['kɔdisil] *s* **1** *jur* codicil **2** *fig* adaos, anexă

codification [,koudifi'keiʃən] *s* codificare; cifrare

codify ['koudi,fai] *vt* a codifica; a cifra

codling ['kɔdliŋ] *s* **1** măr mic și necopt **2** *iht* cod/batog mic

cod-liver oil ['kɔd,livər 'ɔil] *s* untură de pește

codswallop ['kɔdz,wɔləp] *s sl* tâmpenii, vorbe fără sens

coed, co-ed [,kou 'ed] *presc de la* **coeducational student** *s* studentă *sau* elevă dintr-un colegiu *sau* dintr-o școală de ambele sexe

co-education [,kouedju'keiʃən] *s* învățământ mixt

coefficent [,koui'fiʃənt] *s* coeficient, indice, factor

coelenterate [si'lentə,reit] *adj, s zool* celenterat

coenobite ['si:nou,bait] *s* călugăr, cenobit

coequal [kou'i:kwəl] *adj* egal *(cu altul)*

coerce [kou'ə:s] *vt* **1** a constrânge, a sili, a obliga; **to ~ into silence** a sili/a face să tacă **2** a asupri, a oprima **3** a impune cu forța *sau* prin amenințări

coercion [kou'ə:ʃən] *s* constrângere; putere de a constrânge

coercive [kou'ə:siv] *adj* de constrângere; coercitiv

coercively [kou'ə:sivli] *adv* prin constrângere

coeval [kou'i:vəl] **I** *adj* 1 contemporan 2 de aceeași vârstă **II** *s* 1 contemporan 2 persoană de o aceeași vârstă *(cu cineva)*

coexist [,kouig'zist] *vi* a coexista

coexistence [,kouig'zistəns] *s* coexistență

coexistent [,kouig'zistənt] *adj* coexistent

coffee ['kɔfi] *s* 1 cafea 2 *bot* arborele de cafea *(Coffea sp.)*

coffee bar ['kɔfi,ba:ʳ] *s* bar expres

coffee bean ['kɔfi,bi:n] *s* boabă de cafea

coffee break ['kɔfi,breik] *s* pauză scurtă *(în producție)*

coffee cup ['kɔfi,kʌp] *s* ceașcă pentru cafea

coffee grinder ['kɔfi,graindəʳ] *s* râșniță de cafea

coffee house ['kɔfi,haus] *s* cafenea

coffee mill ['kɔfi,mil] *s* râșniță de cafea

coffee pot ['kɔfi,pɔt] *s* cafetieră; ibric pentru cafea

coffee room ['kɔfi,ru:m] *s* cafenea *sau* restaurant într-un hotel

coffee set ['kɔfi,set] *s* serviciu de cafea

coffee shop ['kɔfi,ʃɔp] *s amer v.* **coffee room**

coffee tree ['kɔfi,tri:] *s v.* **coffee 2**

coffer ['kɔfəʳ] *s* 1 ladă *(metalică)*; cufăr, sipet 2 *constr* cheson 3 *pl* vistierie, tezaur

coffer dam ['kɔfə,dæm] *s constr* batardou

coffin ['kɔfin] *s* 1 coșciug, sicriu 2 cornet *(de hârtie)* 3 *zool* copită 4 *min* mină părăsită 5 cisternă de transport 6 *nav* navă scoasă din uz; navă inutilizabilă 7 *poligr* fundament

coffret ['kɔfrit] *s* lădiță, cufăraș

cog[1] [kɔg] *s* 1 zimț, dinte *(de roată)* 2 roată dințată 3 *tehn* camă; prag 4 *fig F* rotiță, – slujbaș neînsemnat

cog[2] **I** *vt* a înșela, a trișa **II** *vi* 1 a juca cu zaruri false 2 a înșela, a trișa

cog[3] *s* barcă de pescuit

cogency ['koudʒənsi] *s* caracter convingător, putere de convingere

cogent ['koudʒənt] *adj (d. argumente etc.)* convingător; serios

cogged ['kɔgd] *adj* zimțat, dințat

cogger ['kɔgəʳ] *s sl* ← *înv* măsluitor, trișor; pungaș

cogitate ['kɔdʒi,teit] *vi (on, upon)* a cugeta, a medita (la)

cogitation [,kɔdʒi'teiʃən] *s* 1 gândire, cugetare 2 gând, idee

cogitative ['kɔdʒitətiv] *adj* 1 gânditor, capabil să gândească 2 gânditor, meditativ

cognac ['kɔnjæk] *s* coniac

cognate ['kɔgneit] **I** *adj* 1 înrudit 2 *fig* înrudit, asemănător **II** *s* 1 *jur* rudă 2 *lingv* cuvânt înrudit 3 *lingv* limbă înrudită

cognation [kɔg'neiʃən] *s* 1 *jur* cognațiune 2 *lingv* înrudire a cuvintelor

cognition [kɔg'niʃən] *s* cunoaștere; percepție

cognitive ['kɔgnitiv] *adj* de cunoaștere; cognitiv

cognizable ['kɔgnizəbəl] *adj* cognoscibil

cognizance ['kɔgnizəns] *s* 1 cunoaștere; cunoștință; **to take ~ of smth** a lua cunoștință de ceva; **to have ~** a avea cunoștință 2 sferă de cunoștințe 3 competență; **it is within his ~** este de competența lui 4 trăsătură distinctivă, semn particular

cognizant ['kɔgnizənt] *adj* 1 știutor; **(of)** care știe (despre), informat (despre; asupra – *cu gen*) 2 *jur etc.* competent

cognomen [kɔg'noumen], *pl* și **cognomina** [kɔg'nouminə] *s* 1 nume (de familie) 2 poreclă

cognoscenti [,kɔnjou'ʃenti] *s pl it* cunoscători, experți

cognoscible [kɔg'nɔsəbəl] *adj* cognoscibil

cogwheel ['kɔg,wi:l] *s* roată zimțată/dințată

cohabit [kou'hæbit] *vi* a conviețui, *rar* → a conlocui

cohabitant [kou'hæbitənt] *s* conlocuitor; colocatar

cohabitation [kou,hæbi'teiʃən] *s* conviețuire

coheir [kou'ɛəʳ] *s jur* comoștenitor

coheiress [kou'ɛəris] *s jur* comoștenitoare

cohere [kou'hiəʳ] *vi* 1 a se lipi; a se lega, a se uni 2 *fig* a se lega, a avea înțeles; a se înlănțui (logic)

coherence [kou'hiərəns] *s* 1 *fiz* coerență 2 *fig* coerență, legătură (logică), înțeles

coherency [kou'hiərənsi] *s v.* **coherence**

coherent [kou'hiərənt] *adj* 1 *fiz* coerent 2 *fig* coerent, având legătură *sau* înțeles; clar, inteligibil; consecvent; logic

coherently [kou'hiərəntli] *adv* (în mod) coerent

cohesion [kou'hi:ʒən] *s* și *fig* coeziune

cohesive [kou'hi:siv] *adj* 1 *fiz* coeziv; de coeziune 2 *fig* legat, strâns (înlănțuit)

cohort ['kouhɔ:t] *s* 1 *ist, mil* cohortă 2 *fig* grup, ceată *(de partizani etc.)* 3 complice 4 partizan, adept

coif [kɔif] *s* 1 *od* coif 2 scufie, bonetă 3 glugă *(de călugăriță)*

coiffeur [kwa:'fə:ʳ] *s* coafor

coiffure [kwa:'fjuəʳ] *s fr* coafură

coil [kɔil] **I** *vt* a înfășura; a bobina; a răsuci **II** *vi* 1 a se înfășura; a se bobina; a se răsuci 2 a șerpui **III** *s* 1 colac *(de frânghie)* 2 spirală; bobină, rolă; serpentină 3 *el* bobină 4 ← *înv* zbucium, freamăt 5 bucluc, necaz

coin [kɔin] **I** *s* 1 monedă; ban; monedă de aur; **to pay smb in his own ~** a plăti cuiva cu aceeași monedă 2 *tehn* poanson **II** *vt* 1 a bate *(monedă)*; **to ~ money** *F* a face bani 2 *fig* a născoci, a fabrica, a inventa 3 *lingv* a inventa *(cuvinte)*

coinage ['kɔinidʒ] *s* 1 fabricare de bani/monede 2 *ec* sistem monetar 3 *lingv* cuvânt nou inventat; expresie nou inventată 4 *lingv* invenție de cuvinte *sau* expresii; **words of modern ~** neologisme

coincide [,kouin'said] *vi* **(with)** a coincide (cu); a corespunde *(cu dat)*

coincidence [kou'insidəns] *s* 1 coincidență, potrivire 2 coincidență, întâmplare

coincident [kou'insidənt] *adj* 1 **(with)** care coincide, identic, comun (cu) 2 **(with)** corespunzător *(cu dat)*, potrivit (cu; *cu dat)*

coincidental [kou,insi'dentəl] *adj* 1 *v.* **coincident** 2 întâmplător, accidental

coincidentally [kou,insi'dentəli] *adv* printr-o coincidență; întâmplător

coiner ['kɔinəʳ] *s* **1** fabricant de bani, ↓ falsificator de bani **2** *fig* născocitor

coition [kou'iʃən] *s* coit, raport sexual

coitus ['kouitəs] *s* v. **coition**

coke[1] ['kouk] **I** *s* cocs **II** *vt* a cocsifica

coke[2] *s amer* **1** *F* coca-cola **2** *sl* cocaină

coke plant ['kouk ‚plɑ:nt] *s ch* cocserie

Col. *presc de la* **1** Colonel **2** Colombia **3** Colorado

col. *presc de la* **1** collector **2** colony **3** colour

colander ['kɔləndəʳ] *s* strecurătoare

co-latitude [kou'læti‚tju:d] *s* colatitudine

Colchis ['kɔlkis] *od ţară în Trans-caucazia* Colchida

cold [kould] **I** *adj* **1** *(d. vreme)* rece; răcoros; ~ **weather** vreme rece/friguroasă **2** *(d. cineva)* rece; îngheţat; **it made my blood run** ~ *fig* îmi îngheţă *sau* îmi îngheţase sângele în vine; **as ~ as ice/stone** rece ca gheaţa **3** *(d. cineva)* înfrigurat; îngheţat; rebegit; **I am** ~ mi-e frig **4** *fig (d. o primire etc.)* rece, < glacial; neprietenos **5** *fig (d. culori etc.)* rece **6** *fig (d. miros etc.)* slab, abia perceptibil **7** *fig* mort **8** *(d. ştiri)* neinteresant **9** rece; realist; obiectiv **10** leşinat, fără cunoştinţă **II** *s* **1** frig, vreme rece, temperatură scăzută; **don't stay outside in the** ~ nu sta afară în frig **2** frig; senzaţie de frig; **to shiver with** ~ a tremura/< a dârdâi de frig **3** răceală; guturai; **to catch (a)** ~ a răci; **to have a** ~ a fi răcit; **the pupils were absent with ~s** elevii absentau din cauza răcelii

cold blood ['kould‚blʌd] *s fig* sânge rece; **in** ~ *adv* cu sânge rece

cold-blooded ['kould'blʌdid] *adj fig* cu sânge rece; impasibil, nepăsător, calm

cold-bloodedly [‚kould'blʌdidli] *adv* **1** cu sânge rece **2** premeditat

cold-bloodedness [‚kould‚blʌdidnis] *s fig* sânge rece

cold comfort ['kould‚kʌmfət] *s* slabă consolare

cold cream ['kould ‚kri:m] *s* cremă grasă *(pt faţă, gât sau mâini)*

cold cuts ['kould ‚kʌts] *s pl* felii de carne rece *(de diferite tipuri)*

cold feet ['kould ‚fi:t] *s pl* ← *F* laşitate, pierdere a curajului; frică

cold hardening ['kould hɑ:dəniŋ] *s tehn* ecruisare

cold-hearted ['kould 'hɑ:tid] *adj* fără inimă, cu inima împietrită

coldish ['kouldiʃ] *adj* **1** cam rece; răcoros **2** foarte rece

cold-livered ['kould'livəd] *adj* impasibil, indiferent; netulburat

coldly ['kouldli] *adv fig* rece, cu răceală

coldness ['kouldnis] *s* **1** frig **2** *fig* răceală

cold shoulder ['kould 'ʃouldəʳ] *s fig* primire rece; **to give smb the** ~ a face cuiva o primire rece

cold war, the ['kould 'wɔːʳ, ‚ðə] *s pol* războiul rece

cole [koul] *s bot* **1** varză *(Brassica sp.)* **2** rapiţă *(Brassica napus)*

coleoptera [‚kɔli'ɔptərə] *s pl ent* coleoptere

Coleridge ['koulridʒ], **Samuel Taylor** *poet englez (1772-1834)*

colewort ['koul‚wə:t] *s v.* **cole**

colic ['kɔlik] *s med* colică

Colin ['kɔlin] *nume masc*

coliseum [‚kɔli'siəm] *s* **1** teatru mare, amfiteatru **2 the C~** Colloseum *(din Roma)*

colitis [kɔ'laitis] *s med* colită

coll. *presc de la* **1** colleague **2** collective **3** collector **4** collection **5** college **6** colloquial

collaborate [kə'læbə‚reit] *vi* a colabora; a coopera

collaboration [kə‚læbə'reiʃən] *s* colaborare; cooperare

collaborationist [kə‚læbə'reiʃənist] *s* colaboraţionist

collaborator [kɔ'læbə‚reitəʳ] *s* colaborator

collage [kə'lɑ:ʒ] *s* **1** *pict* colaj **2** fotomontaj

collapse [kə'læps] **I** *vi* **1** a se prăbuşi, a cădea, a se dărâma **2** *(d. o masă etc.)* a se strânge, a fi pliabil **3** *(d. cineva)* a fi dărâmat/o ruină **4** *fig (d. planuri etc.)* a se nărui, a se prăbuşi **5** *med* a suferi un colaps **II** *s* **1** prăbuşire, dărâmare *(a unei case etc.)* **2** *fig* prăbuşire, ruină, faliment **3** *med* colaps

collapsible [kə'læpsəbəl] *adj* pliant, pliabil

collar ['kɔləʳ] **I** *s* **1** guler; **to take smb by the** ~ a lua/a apuca pe cineva de guler **2** zgardă **3** *tehn* şaibă;

manşon; brăţară; guler **4** *el* manşon *(de cablu)* **5** gâtar, spătar *(de ham);* **to work against the** ~ a munci din greu; a face muncă grea **6** colier *(scurt)* **II** *vt* **1** a lua/a apuca de guler **2** *fig F* a pune şaua pe, a încăleca **3** *sport* a opri *(pe adversar)*

collar bone ['kɔlə‚boun] *s anat* claviculă, *P* → lingura pieptului

collarette [‚kɔlə'ret] *s* **1** guleraş de dantelă, blană *etc.* **2** capă, etolă

collate [kɔ'leit] *vt* a colaţiona, a confrunta

collateral [kɔ'lætərəl] **I** *adj* **1** colateral, secundar, lăturalnic; ~ **reading** lectură suplimentară/facultativă **2** *(d. rudenie etc.)* colateral **3** paralel **II** *s* rudă *sau* înrudire colaterală

collation [kɔ'leiʃən] *s* **1** colaţionare, confruntare **2** gustare, aperitiv

colleague ['kɔli:g] *s* **1** coleg **2** asociat, partener

collect[1] [kə'lekt] **I** *vt* **1** a strânge, a aduna; a colecta **2** a colecţiona *(timbre etc.)* **3** *ec* a strânge, a încasa *(taxe etc.)* **4** *fig* a-şi aduna *(gândurile etc.);* **to** ~ **one's faculties** a-şi veni în fire; a se linişti **5** ← *F* a trece *(pe la cineva etc.)* ca să ia *(un obiect uitat)* **II** *vr* a-şi veni în fire, a se linişti **III** *vi* **1** a se strânge, a se aduna, a se îngrămădi **2** a fi colecţionar; a face colecţii **IV** *adv, adj* **1** (contra) ramburs **2** cu taxă inversă

collect[2] ['kɔlekt] *s bis* scurtă rugăciune *(la catolici şi anglicani)*

collected [kə'lektid] *adj* **1** adunat (la un loc); *(d. opere)* complet **2** *fig* liniştit, calm, stăpânit

collectedness [kə'lektidnis] *s fig* calm, stăpânire de sine **2** concentrare

collection [kə'lekʃən] *s* **1** strângere, adunare; colecţionare **2** colecţie **3** grămadă, morman *(de praf etc.)* **4** colectă *(de bani)*

collective [kə'lektiv] **I** *adj* şi *gram* colectiv **II** *s* **1** colectiv; grup social; obşte **2** *gram* substantiv colectiv

collective bargaining [kə'lektiv 'bɑ:giniŋ] *s* tratative între sindicate şi patron

collective farm [kə'lektiv ˌfɑːm] *s* gospodărie colectivă

collective farmer [kə'lektiv ˌfɑːmə'] *s* (țăran) colectivist

collective leadership [kəlektiv 'liːdəʃip] *s* conducere colectivă

collectively [kə'lektivli] *adv* (în mod) colectiv; cu participarea tuturor

collective security [kə'lektiv si'kjuə-riti] *s pol* securitate colectivă

collectivism [kə'lekti,vizəm] *s* colectivism

collectivity [ˌkolek'tiviti] *s* 1 colec-tivitate, obște 2 popor, națiune 3 colectivism

collectivization [kəˌlektivai'zeiʃən] *s* colectivizare

collectivize [kə'lekti,vaiz] *vt* 1 a colectiviza 2 a trece/a transfera pe seama bunului public

collector [kə'lektə'] *s* 1 persoană care strânge ceva 2 colecționar 3 *constr* colector, rezervor, bazin 4 *el* colector

collector's item [kə'lektəz 'aitəm] *s* articol/obiect pentru colecționari

Colleen ['koliːn] *s* 1 *nume fem* 2 c~ *irlandez* fată

college ['kolidʒ] *s* 1 *univ* colegiu; *aprox* facultate 2 *univ* universitate (mică) 3 *univ* academie (comercială, de marină etc.) 4 *amer* școală superioară; institut 5 colegiu (electoral, al avocaților etc.); corporație 6 *sl* gros, ră-coare, închisoare

collegial [kə'liːdʒiəl] *adj univ* de colegiu

collegian [kə'liːdʒiən] *s univ* student *sau* membru al unui colegiu

collegiate [kə'liːdʒiit] *univ* I *adj* de *sau* pentru colegiu; universitar; academic; studențesc II *s* student al unui colegiu

collegiate church [kə'liːdʒiit 'tʃəːtʃ] *s* biserică cu mai mulți preoți (dar nu catedrală)

collide [kə'laid] *vi și fig* (with) a se ciocni (de)

collie ['koli] *s* „collie", câine ciobă-nesc scoțian

collier ['koliə'] *s* 1 *min* miner la cărbune 2 *nav* navă de cărbuni, cărbunar

colliery ['koljəri] *s min* mină de cărbuni

collimator ['koli,meitə'] *s fiz* coli-mator

Collins ['kolinz] 1 William *poet englez (1721-1759)* 2 Wilkie *romancier englez (1824-1889)*

collision [kə'liʒən] *s* 1 ciocnire 2 *fig* ciocnire, conflict

collision course [kə'liʒən 'koːs] *s* direcție/linie (de conduită)/curs care poate duce la o ciocnire/un conflict

collocate ['kolə,keit] *vi lingv* (with) a se îmbina, a se asocia (în sintagmă) (cu)

collocation [ˌkolə'keiʃən] *s* 1 aşe-zare, distribuire 2 *lingv* grup de cuvinte; sintagmă

colloid ['koloid] *s ch* coloid

colloidal [ko'loidəl] *adj ch* coloidal

collop ['koləp] *s* bucățică ↓ de carne

colloq. *presc de la* 1 colloquial 2 colloquialism 3 colloquially

colloquial [kə'loukwiəl] *adj* (d. vorbire, stil etc.) vorbit, de conversație; familiar

colloquialism [kə'loukwiə,lizəm] *s* cuvânt *sau* expresie din limbajul de conversație

colloquially [kə'loukwiəli] *adv* în limba vorbită, în stilul familiar

colloquy ['koləkwi], *pl* colloquies ['koləkwiz] *s* conversație (for-mală), colocviu

collusion [kə'luːʒən] *s* conveniență, înțelegere secretă

collyrium [ko'liəriəm] *s med* colir

collywobbles ['koli,wobəlz] *s pl* 1 *med* ← *F* crampe stomacale 2 *F* chiorăit (al mațelor)

Colo. *presc de la* Colorado

colocynth ['koləsinθ] *s bot* colo-chintă (Citrullus colocynthis)

Cologne [kə'loun] *oraş în Germania* Köln, Colonia

Colombia [kə'lombiə] *țară în America de Sud* Columbia

colon¹ ['koulən] *s anat* colon, intes-tinul gros

colon² *s poligr* două puncte

colonel ['kəːnəl] *s mil* colonel

colonelcy ['kəːnəlsi] *s mil* gradul de colonel

colonial [kə'louniəl] *adj* colonial

colonialism [kə'louniə,lizəm] *s* colonialism

Colonial Office, the [kə'louniəl 'ofis, ðə] *s* Ministerul Coloniilor (în Anglia)

Colonies, the ['koləniz, ðə] *s pl ist* cele 13 colonii britanice care inițial au format Statele Unite

colonization [ˌkolənai'zeiʃən] *s* colonizare

colonize ['kolənaiz] I *vt* a coloniza II *vi* a se stabili într-o colonie

colonizer ['kolənaizə'] *s* 1 coloni-zator 2 colonist

colonnade [ˌkolə'neid] *s arhit* colo-nadă

colony ['koləni] *s pol. biol etc.* colonie

colophon ['kolə,fon] *s poligr* casetă (a unei cărți)

color ['kʌlə'] *s, v amer v.* colour

Colorado [ˌkolə'rɑːdou] *stat, fluviu* (the ~) şi deşert în S.U.A.

Colorado beetle [ˌkolə'rɑːdou 'biːtl] *s ent* gândac de Colorado (Lepti-notarsa decemlineata)

coloratura [ˌkolərə'tuərə] *s muz* coloratură

colossal [kə'losəl] *adj* colosal, enorm, uriaş, imens

colossally [kə'losəli] *adv* colosal (de)

Colosseum, the [ˌkolə'siəm, ðə] *s* Colosseum (la Roma)

colossus [kə'losəs], *pl și* colossi [kə'losai] *s* colos, gigant

colour ['kʌlə'] I *s* 1 culoare; colorit; ton; nuanță; out of ~ decolorat 2 culoare, vopsea; substanță colorată; pigment; to paint in dark ~s *fig* a descrie în culori sumbre/mohorâte *sau* negre 3 culoare, roșeață, roșu (în obraji); to gain ~ a căpăta/a prinde culoare; to lose ~ a deveni palid, a-și pierde culoarea din obraji; to have a high ~ a fi roșu în obraji/la față; off ~ a palid, fără culoare b indispus, prost dispus, abătut; to lose ~ a-și pierde culoarea, a deveni palid; to change ~ *fig* a face fețe-fețe; a se schimba la față; 4 *fig* culoare, lumină, perspectivă; to give/to lend ~ to smth *fig* a prezenta/a înfățișa ceva ca veridic/adevărat; to put a false ~ on smth, to give (a) false ~ to smth *fig* a prezenta ceva într-o lumină falsă; to come out in one's true ~s *fig* a apărea în adevărata sa lumină 5 *pl* punct de vedere, poziție 6 caracter, natură 7 *fig* pretext; under (the) ~ of sub pretextul *cu gen* 8 *pl* steag, drapel, stindard; to join the ~s *mil* a fi chemat sub arme/drapel, a pleca la armată; to desert the ~s *mil* a dezerta;

to come off with flying ~s și mil a ieși victorios, a învinge; **to get/ to win one's ~s** sport a fi selecționat (să joace într-o echipă); **to lower one's ~s** a ceda (până la urmă) 9 pl semn distinctiv, insignă, cocardă etc. 10 muz timbru 11 fig fel, soi, categorie; **buildings of a certain ~** construcții de o anumită categorie/ clasă 12 jur drept legitim 13 pl ← înv figuri retorice, tropi **II** vt **1** a colora, a vopsi 2 fig a înfrumuseța, a prezenta în culori frumoase/îmbietoare 3 fig a influența; a da un anumit colorit cu dat **III** vi **1** a se colora 2 (d. cineva, d. obraji) a se înroși, a se îmbujora

colour-blind ['kʌlə ,blaind] adj med daltonist, S → acromatopsic

colour-blindness ['kʌlə ,blaindnis] s med daltonism S → acromatopsie

coloured ['kʌləd] adj 1 colorat 2 de culoare (d. un popor etc.)

colourful ['kʌləful] adj fig plin de culoare; pitoresc

colouring ['kʌlərin] s 1 substanță colorată 2 culoare 3 colorit

colourist ['kʌlərist] s pict colorist

colourless ['kʌləlis] adj fără culoare; palid

colour-printing ['kʌlə ,printin] s poligr policromie; tipar în culori

colour scheme ['kʌlə ,ski:m] s îmbinare de culori

colporteur ['kɔl,pɔːtər] s fr vânzător ambulant de cărți ieftine (↓ religioase)

colt [koult] s 1 zool mânz 2 fig tânăr neexperimentat, novice

colter ['koultər] s agr fier/cuțit de plug

coltish ['koultiʃ] adj (ca) de mânz, jucăuș, neastâmpărat

coltsfoot ['koults,fut], pl **coltsfoots** ['koults,futs] s bot podbal (Tussilago farfara)

columbary ['kɔləmbəri] s porumbar, coteț de porumbei

Columbia [kə'lʌmbiə] 1 nume de orașe în S.U.A. 2 the ~ fluviu în S.U.A. și Canada 3 ← poetic Statele Unite

columbine ['kɔləm,bain] s bot căldărușă (Aquilegia sp.)

Columbus [kə'lʌmbəs] 1 **Cristopher** explorator de origine italiană Columb (1446?-1506) 2 nume de orașe în S.U.A.

column ['kɔləm] s 1 constr coloană, stâlp; pilastru 2 mil etc. coloană, șir 3 fig stâlp, reazem 4 coloană (de cifre, de ziare etc.) 5 amer rubrică (de ziar); articol (↓ zilnic), editorial 6 stivă

columnar [kə'lʌmnər] adj columnar; în formă de coloană

columned ['kɔləmd] adj 1 ← poetic cu coloane 2 în formă de coloană

columnist ['kɔləmnist] s amer foiletonist (în ziar); editorialist

colza ['kɔlzə] s bot rapiță (Brassica napus)

colza oil ['kɔlzə,ɔil] s ulei de rapiță

com- pref com-: **to command** a comanda; **compact** compact

Com. presc de la 1 **Commander** 2 **Communist** 3 **Commission** sau **Committee** 4 **Commissioner**

com. presc de la 1 **common** sau **commonly** 2 **comma** 3 **commerce** 4 **comedy** 5 **communication** 6 **community**

coma ['koumə] s med, fiz comă

co-mate ['koumeit] s tovarăș; însoțitor

comatose ['koumə,touz] adj med comatos

comb [koum] **I** s 1 pieptene 2 text spată, darac; meliță 3 creastă (de cocoș etc.) 4 creastă (de val) 5 fagur(e) **II** vt 1 a pieptăna 2 text a pieptăna, a dărăci; a melița 3 fig a examina/a cerceta amănunțit; a scotoci **III** vi (d. valuri) a se sparge

comb. presc de la **combination**

combat ['kɔmbæt] **I** vt a lupta împotriva/contra (cu gen); a combate **II** vi (**against**) a (se) lupta (împotriva – cu gen) **III** s 1 mil luptă, bătălie (↓ hotărâtoare) 2 luptă (în doi); duel

combatant ['kɔmbətənt] s 1 mil combatant 2 luptător 3 duelgiu

combative ['kɔmbətiv] adj gata de luptă; dornic de luptă; combativ

comber ['koumər] s 1 text muncitor la mașina de pieptănat; dărăcitor 2 amer val mare, talaz, brizant

combination [,kɔmbi'neiʃən] s 1 combinare, îmbinare; combinație; unire, **in** ~ **with** a intra în combinație cu, a se asocia cu 2 motocicletă cu ataș 3 text combinezon 4 pl flanelă de corp 5 ch etc. combinație 6 lingv îmbinare/ combinație de cuvinte, grup de cuvinte; sintagmă 7 cifru secret

combination lock [,kɔmbi'neiʃən 'lɔk] s lacăt sau broască cu cifru secret

combinative ['kɔmbi,neitiv] adj combinatoriu

combine I [kəm'bain] vt a combina, a îmbina; a uni; a amesteca **II** (v. ~ I) vi a se combina, a se îmbina; a se uni; a se amesteca **III** ['kɔmbain] s 1 agr combină 2 comunitate de interese 3 amer cartel; sindicat

combings ['kouminz] s pl deșeuri de la pieptănat

combo ['kɔmbou] s muz ← F mică formație de jazz sau muzică de dans

comb out ['koum,aut] vt cu part adv 1 a pieptăna 2 fig a percheziționa

comb-out ['koum,aut] s 1 pieptănat, pieptănare 2 fig verificare (a funcționarilor etc.); epurare; triere

combustible [kəm'bʌstəbəl] **I** adj combustibil; inflamabil **II** s combustibil; carburant

combustion [kəm'bʌstʃən] s 1 ardere, combustie 2 ch acidificare 2 fig freamăt, zarvă

combustion engine [kəm'bʌstʃən ,endʒin] s tehn motor cu combustie internă

come [kʌm] **I** pret **came** [keim], pct **come** [kʌm] vi 1 a sosi, a veni; a ajunge; a se apropia; **when did he ~?** când a venit/sosit sau ajuns? **have they ~ yet?** au și venit? ~ **this way** vino pe aici; **they came before the Court** s-au prezentat/s-au înfățișat înaintea instanței; **to ~ and go** și fig a veni și a pleca; **to ~** (d. zile etc.) care va veni 2 a se întâmpla, a se petrece; a avea loc; a fi; **how did it ~ that he was absent?** cum se face că el nu a fost de față? **how ~s (that)?** F cum se face? cum adică? – de ce? ~ **what may** fie ce-o fi, întâmplă-se ce s-o întâmpla 3 a proveni, a veni, a-și avea obârșia, a se trage; **he ~s from the country** el vine de la țară; **he ~s from London** vine de la Londra, e născut la Londra; **she ~s of a poor family** s-a născut într-o familie de oameni săraci/nevoiași, descinde dintr-o familie de oameni săraci/nevoiași; **that ~s from your carelessness** asta

(e) numai din cauza neglijenței dumitale 4 (**to**) a reveni *(cuiva)*, a fi soarta *(cuiva)*, a avea parte (de); **this task ~s to me** este o sarcină care îmi revine mie; **ill luck came to him** ghinionul lui; îl paștea nenorocul 5 a se face, a deveni; **to ~ undone** *(d. nasturi etc.)* a se desface; a se desprinde; **his dream came true** visul i s-a adeverit *sau* i s-a împlinit 6 a lua/a căpăta o anumită formă; **butter will not ~** nu iese unt(ul) 7 a-i fi *(greu etc.)* 8 a se găsi, a fi (disponibil); **these shirts ~ in three sizes** avem cămăși de trei mărimi 9 *sl* a ejacula II *vt F* a face pe *(savantul etc.)* III *interj* 1 hai! haide! ei hai! 2 (ei, hai) lasă!

come about ['kʌm ə'baut] *vi cu part adv* a se întâmpla; **how did that ~?** cum s-a întâmplat (asta)?

come across ['kʌm ə‚krɔs] *vt cu prep* a da de/peste; a întâlni (din întâmplare) *cu ac*

come after ['kʌm ‚ɑːftəʳ] *vi cu prep* a căuta *cu ac*, a fi în căutarea *cu gen*

come again ['kʌm ə'gen] *vi cu adv* 1 a veni din nou 2 a se întoarce, a reveni

come along ['kʌm ə'lɔŋ] I *vi cu part adv* 1 a veni cu cineva, a însoți pe cineva; **~!** vino cu mine! 2 ← *F* a face progrese, a progresa II *interj* hai(de)! haidem! haideți!

come amiss to smb ['kʌmə'mis tə'sʌmbədi] *vi cu adv și dat* a deranja pe cineva, a-i veni cuiva peste mână; **nothing comes amiss to him** se împacă cu toate, nimic nu-l scoate din ale lui, nu-i pasă de nimic

come around ['kʌm ə'raund] *vi cu part adv v.* **come round**

come at ['kʌmət] *vi cu prep* 1 a ajunge la, a căpăta acces la 2 a ataca *cu ac*; a se repezi la

come-at-table ['kʌm ət 'teibəl] *adj* accesibil, abordabil

come-back ['kʌm ‚bæk] *s* 1 ← *F* revenire *(la putere etc.)* 2 *amer* plată; răzbunare 3 *amer* replică, ripostă

come back ['kʌm 'bæk] *vi cu part adv* 1 a se întoarce, a reveni 2 ← *F* a-și reveni, a se face bine 3 ← *F* a răspunde, a riposta

come before ['kʌmbi'fɔːʳ] I *vi cu part adv* 1 a fi (fost) înainte, a premerge 2 a fi în frunte II *vi cu prep* 1 a fi (fost) înainte *cu gen*, a premerge *cu dat* 2 a fi în fruntea, a fi înaintea *cu gen*

come by ['kʌm bai] *vi cu prep* 1 a dobândi, a căpăta *cu ac*; a câștiga 2 a vizita *cu ac*

comedian [kə'miːdiən‚] *s* 1 autor de comedii 2 *teatru* actc. de comedie, comedian

comedown ['kʌm‚daun] *s* 1 cădere; scădere, micșorare; înrăutățire 2 dezamăgire, deziluzie

come down ['kʌm 'daun] *vi cu part adv* 1 a veni, a sosi (↓ din capitală într-o localitate de provincie) 2 *(d. ploaie etc.)* a cădea 3 a coborî; a se lăsa în jos; **to ~ to earth** *fig* a coborî pe pământ, a reveni la realitate 4 a se transmite *(prin tradiție)* 5 *fig* a decădea, a coborî; a se degrada; **to ~ in the world** a o duce mai prost; a scăpăta 6 *com* a se ieftini 7 *sl* a nu mai simți efectele drogării 8 *univ* a pleca de la universitate (↓ *Oxford și Cambridge*) *(cu sau fără terminarea studiilor)* // **to ~ in favour of/on the side of** a se hotărî să sprijine *cu ac*

come down on/upon ['kʌm 'daun ɔn/ə‚pɔn] *vt cu part adv și prep* 1 *și fig* a se năpusti/a se repezi asupra *cuiva* 2 a pedepsi pe *cineva* 3 a certa aspru, a face cu ou și cu oțet

come down with ['kʌm 'daun wið] *vi cu part adv și prep* a se îmbolnăvi, a căpăta o boală infecțioasă

comedy ['kɔmidi] *s și fig* comedie

comedy of manners ['kɔmidi əv 'mænəz] *s* comedie de moravuri

come forward ['kʌm 'fɔːwəd] *vi cu part adv* a-și oferi serviciile

come in ['kʌm 'in] *vi cu part adv* 1 a intra; a pătrunde 2 *(d. tren etc.)* a sosi 3 a-și lua postul în primire 4 a începe să fie folosit *sau* la modă 5 *fig* a se maturiza, a se coace 6 a se dovedi *(util etc.)* 7 a juca un rol, a avea un cuvânt de spus; **where do I ~?** (și) eu ce rol am? (și) cu mine ce se întâmplă?

come in for ['kʌm'in fəʳ] *vi cu part adv și prep F* a se alege cu, – a căpăta *cu ac*

come in on ['kʌm 'in ɔn] *vi cu part adv și prep* a participa la, a lua parte la

come into ['kʌm ‚intə] *vi cu prep* 1 a intra în *(vigoare, joc etc.)* 2 a căpăta, a dobândi *cu ac*; **to ~ one's own** a-și impune personalitatea, a arăta de ce este capabil, a-și arăta adevărata valoare 3 a veni în *(existență etc.)* 4 *mil* a ocupa *(o poziție etc.)*

come it ['kʌm it] *vt cu pron* ← *F* a pricepe, a înțelege; **I can't ~** mă depășește, nu pricep

comeliness ['kʌmlinis] *s* drăgălășenie, farmec, grație; frumusețe

comely ['kʌmli] *adj* drăgălaș, grațios; frumos; atrăgător

Comenius [kə'meiniəs], **John Amos** *pedagog morav (1592-1670)*

come of ['kʌm əv] *vi cu prep* a se întâmpla cu, *(d. cineva)* a deveni; **what will ~ him?** ce-o să facă? ce-o să ajungă? unde o să ajungă?

come-off ['kʌm‚ɔ(ː)f] *s* încheiere; rezultat, urmare

come off ['kʌm 'ɔːf] I *vi cu part adv* 1 a se desprinde, a se desface 2 a se întâmpla, a se petrece, a se desfășura 3 a reuși, a izbuti 4 a se achita; a se descotorosi II *vi cu prep (d. nasturi etc.)* a se desprinde din/de // **~ it!** *F* terminăl! isprăvește! *(nu mai minți etc.)*

come-on ['kʌm ɔn] *s* ispită, ademenire

come on ['kʌm 'ɔn] I *vi cu part adv* 1 a progresa; a se îmbunătăți 2 *teatru* a apărea pe scenă, a-și face apariția pe scenă II *vi cu prep* a da de/peste, a întâlni *(din întâmplare)* III *interj* 1 hai(de); haidem! haideți! 2 dă-i drumul! 3 te rog!

come out ['kʌm 'aut] *vi cu part adv* 1 a reieși, a deveni clar 2 a-și face debutul *(pe scenă etc.)*; a ieși în public 3 *(d. o carte etc.)* a apărea, a fi publicat 4 a ieși *(primul, într-o competiție etc.)* 5 a face grevă 6 *(d. pete etc.)* a ieși 7 a se termina, a ieși *(bine, prost)*; **this sum won't ~** *F* totalul nu iese

come out for ['kʌm 'aut fəʳ] *vi cu part adv și prep* a se declara de partea *cu gen*

come over ['kʌm,ouvə'] *vi cu prep* **1** *(d. sentimente etc.)* a cuprinde *pe cineva* **2** a trece pe la *cineva*

comer ['kʌmə'] *s* nou venit; persoană care vine

come round ['kʌm 'raund] *vi cu part adv* **1** a trece pe la cineva **2** a se face bine, a se însănătoşi **3** *(d. lucruri)* a se îndrepta, a merge mai bine

comestible [kə'mestibə l] *adj* comestibil

comet ['kɔmit] *s astr* cometă

come through ['kʌm 'θru:] *vi cu part adv* **1** a rezista, a ţine piept; a rezista până la capăt **2** a se descurca, a ieşi dintr-o încurcătură

come to ['kʌm tə] **I** *vi cu prep* **1** a-i reveni *cuiva, (d. ceva)* a moşteni **2** a se ridica la, a se cifra la; **the bill comes to five shillings** nota de plată se ridică la cinci şilingi; **it comes to a great deal of money** costă foarte mult/foarte mulţi bani **3** a-şi veni în *(fire)* **II** *vi cu inf* a ajunge să; **he came to know** ajunse să cunoască *cu ac* **III** *vi cu part adv* a-şi veni în fire

come under ['kʌm ,ʌndə'] *vi cu prep* **1** a ţine de *(o categorie)*, a se subsuma *(unei categorii)* **2** a fi supus *(unei influenţe)*

come up ['kʌm'ʌp] *vi cu part adv (d. o problemă etc.)* a se ridica, a se pune

come upon ['kʌmə,pɔn] *vi cu prep v.* **come on II**

come up to ['kʌm 'ʌp tə] *vi cu part adv şi prep şi fig* a ajunge până la

come up with ['kʌm 'ʌp wið] *vi cu part adv şi prep* a ajunge din urmă, a egala *cu ac*

comfit ['kʌmfit] *s* **1** bomboană **2** *pl* fructe zaharisite

comfort ['kʌmfət] **I** *s* **1** mângâiere, alinare; sprijin **2** tihnă, odihnă **3** confort **II** *vt* a mângâia, a alina; a consola

comfortable ['kʌmftəbəl] *adj* **1** *şi fig* confortabil **2** tihnit, liniştit, comod **3** *fig* liniştitor **4** *(d. venituri etc.)* bunişor, bunicel, considerabil

comfortably ['kʌmftəbli] *adv* confortabil *etc. (v.* **confortable 2-3)**

comfortably off ['kʌmftəbli 'ɔ:f] *adj* destul de bogat

comforter ['kʌmfətə'] *s* **1** mângâietor, alinător **2** fular *(de lână)*; eşarfă *(de lână)* **3** cuvertură

comforting ['kʌmfətiŋ] *adj* **1** mângâietor, alinător **2** încurajator

comfrey ['kʌmfri] *s bot* tătăneasă *(Symphytum officinale)*

comfy ['kʌmfi] *adj* ← *F contras din* **comfortable** confortabil, comod

comic ['kɔmik] **I** *adj* **1** teatru comic, de comedie **2** comic, umoristic; nostim, caraghios **II** *s* **1** the ~ comicul **2** *cin* comedie **3** *pl amer* comicsuri **4** comedian **5** *peior* caraghios; paiaţă

comical ['kɔmikəl] *adj v.* **comic I**

comicality [kɔmi'kæliti] *s* comic *(al unei situaţii etc.)*

comic opera ['kɔmik 'ɔpərə] *s muz* operă comică; operetă

coming ['kʌmiŋ] **I** *adj* care vine; viitor **II** *s* **1** venire, sosire **2** apropiere **3** **C ~** *rel* a doua venire a lui Hristos

coming of age ['kʌmiŋəv 'eidʒ] *s* majorat

coming-out ['kʌmiŋaut] *s* ieşire în societate *(a unei tinere aristocrate)*

comity ['kɔmiti] *s* **1** prietenie; curtoazie; bună înţelegere **2** societate bazată pe bună înţelegere şi respect

comm. *presc de la* **1** committee **2** communication **3** commonwealth **4** commentary **5** commander

comma ['kɔmə] *s* **1** *poligr* virgulă **2** pauză *(scurtă)*

command [kə'mɑ:nd] **I** *vt* **1** a comanda, a ordona, a porunci *(cuiva, să facă ceva)* **2** a pretinde, a cere; **to ~ silence** a cere/a ordona să se facă linişte **3** *mil etc.* a comanda, a avea sub comanda sa **4** a stăpâni, a fi stăpân pe *(situaţie etc.)* **5** a avea, a dispune de *(bani etc.)* **6** a impune *(respect etc.)* **7** *(d. un deal etc.)* a domina **8** *(d. o marfă etc.)* a aduce *(un câştig etc.)* **II** *vr* a fi stăpân pe sine, a şti să se stăpânească **III** *vi* **1** a comanda, a porunci **2** *mil* a comanda, avea comanda **3** a cuprinde *(cu vederea)*, a vedea; **as far as the eye ~s** cât se poate vedea (cu ochii), cât vezi cu ochii **IV** *s* **1** ordin, poruncă **2** *mil* ordin; comandă **3** ordine, dispoziţie; autoritate; **under smb's ~** sub conducerea cuiva; la ordinele cuiva, în subordinea cuiva; **at smb's ~** la dispoziţia/ordinele cuiva; **at the**

word of ~ când se dă ordin(ul) **4** *şi fig* stăpânire; **he has a good ~ of English** stăpâneşte temeinic engleza **5** rază vizuală, câmp de vedere

commandant ['kɔmən,dænt] *s mil* comandant

commandeer [,kɔmən'diə'] *vt mil* **1** a rechiziţiona **2** a lua cu forţa în armată

commander [kə'mɑ:ndə'] *s* **1** *mil* comandant **2** comandant, şef *(al unei expediţii etc.)*

commander-in-chief [kə'mɑ:ndərin-'tʃi:f] *s mil* comandant suprem

commanding [kə'mɑ:ndiŋ] *adj* **1** aflat la comandă, comandant **2** dominant **3** impresionat

commandite [kə'mɑ:ndit] *s com* societate în comandită

commandment [kə'mɑ:ndmənt] *s* comandament, lege; poruncă; **the ten ~s** *rel* cele zece porunci

command module [kə'mɑ:nd 'mɔdju:l] *s tehn* modul de comandă

commando [kə'mɑ:ndou], *pl* **commando(e)s** [kə'mɑ:ndouz] *s mil* detaşament de diversiune; trupe comandos

command paper [kə'mɑ:nd 'peipə'] *s* document prezentat parlamentului, din ordinul suveranului

command performance [kə'mɑ:nd pə'fɔ:məns] *s teatru* spectacol de gală *(cerut de şeful statului)*

command post [kə'mɑ:nd 'poust] *s mil* post de comandă

commeasurable [kə'meʒərəbəl] *adj* comensurabil

commemorate [kə'memə,reit] *vt* a comemora; a sărbători *(un eveniment)*

commemoration [kə,memə'reiʃən] *s* comemorare; sărbătorire; **in ~ of** în amintirea *cu gen*

commemorative [kə'memərətiv] *adj* comemorativ

commence [kə'mens] *vt, vi* a începe

commencement [kə'mensmənt] *s* **1** început; începere **2** *univ* ziua acordării diplomelor (↓ *la Cambridge, Dublin etc.)*

commend [kə'mend] *vt* a lăuda *(pe cineva, munca etc.)*; a recomanda, a vorbi în termeni elogioşi despre // **to ~ one's soul to God** a-şi încredinţa sufletul Domnului

commendable [kə'mendəbəl] *adj* lăudabil, vrednic de laudă

commendably [kə'mendəbli] *adv* (în mod) lăudabil

commendation [,kɔmen'deiʃən] *s* laudă; cuvinte elogioase; recomandare

commendatory [kə'mendətəri] *adj v.* **commendable**

commensurable [kə'mensərəbəl] *adj* comensurabil

commensurate [kə'mensərit] *adj* (**with, to**) corespunzător (cu *sau* cu dat); proporțional (cu)

comment ['kɔment] **I** *s* 1 comentariu, explicații, lămuriri 2 comentariu, comentarii, observații *(critice)* **II** *vi* 1 (**on, upon**) a face comentarii (asupra – *cu gen*, despre, cu privire la), a comenta *(o carte etc.)* 2 (**on, upon**) a face comentarii *(pe seama comportării cuiva etc.)*, a comenta *(purtarea cuiva etc.)*, a discuta *(despre)*

commentary ['kɔməntəri] *s și fig* comentariu

commentator ['kɔmən,teitər] *s* comentator; adnotator

commerce ['kɔmə:s] *s* comerț (↓ *între țări*)

commercial [kə'mə:ʃəl] **I** *adj* 1 comercial 2 rentabil 3 de serie, produs de serie, de larg consum **II** *s telev, rad* reclamă *(plătită)*

commercialese [kə'mə:ʃə,li:z] *s* stil *sau* limbaj comercial

commercialism [kə'mə:ʃəlizəm] *s* 1 spirit comercial, mercantilism 2 expresie folosită în limbajul/stilul comercial 3 practică comercială

commercialization [kə,mə:ʃəlai-'zeiʃən] *s* comercializare

commercialize [kə'mə:ʃə,laiz] *vt* a comercializa

commercial letter [kə'mə:ʃəl 'letər] *s* scrisoare comercială

commercial traveller [kə'mə:ʃəl 'trævələr] *s* comis-voiajor, voiajor comercial

commination [,kɔmi'neiʃən] *s* amenințare (↓ *cu pedeapsa divină*)

comminatory ['kɔminətəri] *adj* 1 amenințător 2 demascator, denunțător

commingle [kɔ'miŋgəl] **I** *vt* a amesteca **II** *vi* a se amesteca

comminute ['kɔmi,nju:t] *vt* a sfărâma, a pulveriza; a mărunți

comminution [,kɔmi'nju:ʃən] *s* sfărâmare, zdrobire, pulverizare

commiserable [kə'mizərəbəl] *adj* de plâns, vrednic de milă

commiserate [kə'mizə,reit] *vt* a compătimi, a-i fi milă de

commiserate with [kə'mizə,reit wið] *vi cu prep* a compătimi pe *(cineva)*, a-i fi milă de *(cineva)*, a simpatiza cu *(cineva)*

commiseration [kə,mizə'reiʃən] *s* compătimire, compasiune, milă

commissar ['kɔmi,sa:r] *s pol od* comisar *(în fosta U.R.S.S)*

commissariat [,kɔmi'sɛəriət] *s mil* intendență, serviciu de aprovizionare

commissary ['kɔmisəri] *s* 1 *pol* comisar; împuternicit 2 *mil* ofițer cu aprovizionarea 3 *mil* magazin militar 4 *pol od* comisariat *(în fosta U.R.S.S)*

commission [kə'miʃən] **I** *s* 1 comisie; **to be on the ~** a face parte din comisie, a fi în comisie 2 împuternicire, mandat 3 comision, însărcinare 4 comitere, săvârșire *(a unei crime)* 5 funcție *(încredințată cuiva);* mandat; delegație 6 *ec* comision 7 ordin; brevet, diplomă // **in ~** gata, pregătit, în stare de funcționare **II** *vt* 1 a împuternici; a da mandat *(cuiva);* a însărcina, a autoriza 2 a comanda *(ceva)* 3 a da în funcțiune; a inaugura 4 *nav* a arma *(o navă)*

commissionaire [kə,miʃə'nɛər] *s* 1 comisionar; curier 2 portar *(la hotel)*

commissioned [kə'miʃənd] *adj mil (d. ofițeri)* înaintat în grad prin ordin regal *(în Anglia)* sau prezidențial *(în S.U.A.)*

commissioner [kə'miʃənər] *s* 1 *pol* comisar; împuternicit 2 membru al unei comisii (↓ *guvernamentale)*

commit [kə'mit] **I** *vt* a comite *(o crimă, o prostie etc.)*, a săvârși, a face, a înfăptui **II** *vr* 1 a se compromite 2 a se obliga, a-și asuma o obligație; *F→* a se lega la cap

commitment [kə'mitmənt] *s* 1 angajament, obligație 2 înmânare; transmitere 3 *pol* discutarea unui proiect de lege într-o comisie 4 arest

commit oneself to [kə'mit wʌn-,selftə] *vr cu inf* a se obliga să, a-și lua angajamentul să, a se atașa de

committal [kə'mitəl] *s* 1 arest, arestare 2 (**to**) sprijinire *(cu gen)* 3 înmormântare, îngropare

committed [kə'mitid] *adj (d. un scriitor etc.)* de idei; militând pentru o idee; atașat

committee [kə'miti] *s* comitet; comisie

committeeman [kə'mitimən] *s* membru al unui comitet *sau* al unei comisii

commit to [kə'mit tə] *vt cu prep* a încredința, a da *cu dat* // **to ~ the flames** a încredința flăcărilor, a arunca în flăcări; **to commit smb to prison** a trimite pe cineva la închisoare, a închide pe cineva; **to commit smth to writing/paper** a încredința ceva hârtiei, a scrie ceva; **to commit smth to memory** a învăța ceva pe de rost

commixture [kə'mikstʃər] *s* 1 amestec 2 amestecare

commode [kə'moud] *s* comodă; scrin

commodious [kə'moudiəs] *adj* 1 comod, ușor de mânuit, practic 2 încăpător, spațios

commodity [kə'mɔditi] *s* 1 lucru folositor; obiect de uz *(curent)* 2 *com* articol de comerț; *pl* mărfuri

commodity paper [kə'mɔditi ,peipər] *s fin* poliță autentică

commodore [kə'mə,dɔ:r] *s nav* comodor

common ['kɔmən] **I** *adj* 1 comun; folosit de toți; general; **to make ~ cause** a face cauză comună; **~ interests** interese comune 2 comun, obișnuit, de rând; **the ~ people** oamenii de rând 3 *(d. limbaj etc.)* comun; trivial, vulgar; **as ~ as muck/dirt** extraordinar/ grozav de vulgar 4 *mat* comun 5 *gram (d. substantive)* comun; *(d. gen)* ambigen 6 comun, unanim; **by ~ assent** cu aprobarea unanimă **II** *s* islaz (comunal); **right of ~** dreptul de a poseda pământ; **in ~** în comun; **to have smth in ~ with** *și fig* a avea ceva în comun cu; **out of the ~** ieșit din comun, neobișnuit

commonage ['kɔmənidʒ] *s* 1 drept de folosință în comun 2 folosință în comun (↓ *a unui islaz)* 3 *v.* **commonalty**

commonalty ['kɔmənəlti] *s* **1** the ~ poporul **2** breaslă, corporație

common carrier ['kɔmən 'kæriəʳ] *s* societate de transport în comun

common denominator ['kɔmən di'nɔmineitəʳ] *s* *mat* numitor comun

common divisor ['kɔmən di'vaizəʳ] *s* *mat* divizor comun

commoner ['kɔmənəʳ] *s* **1** om din popor **2** *univ* student nebursier **3** *pol* membru al Camerei Comunelor

common fraction ['kɔmən 'frækʃən] *s mat* fracție comună

common law ['kɔmən 'lɔ:] *s jur* **1** drept comun **2** drept cutumiar, cutumă

commonly ['kɔmənli] *adv* **1** de obicei, în mod obișnuit **2** prost, rău; mediocru; slab

Common Market, the ['kɔmən 'ma:kit, ðə] *s pol* Piața Comună

common noun ['kɔmən 'naun] *s gram* substantiv comun

common-or-garden ['kɔmənɔ:-'ga:dən] *adj* comun, prin nimic deosebit, obișnuit

commonplace ['kɔmən,pleis] **I** *s* banalitate, loc comun **II** *adj* banal, obișnuit; neinteresant, insipid

commonplace book ['kɔmən, pleis 'buk] *s* caiet de însemnări/note

Common Prayer Book ['kɔmən 'prɛə 'buk] *s bis* carte de rugăciuni (oficială la anglicani)

common room ['kɔmən 'ru:m] *s școl, univ* cancelarie

commons ['kɔmənz] *s pl* **1** the ~ poporul; *ist* starea a treia **2** porție, rație; **to be on short** ~ a nu avea de-ale mâncării, a nu avea ce mânca

common school ['kɔmən'sku:l] *s amer* școală elementară (publică)

common sense ['kɔmən'sens] *s* judecată sănătoasă; simțul realității; simț practic

common stock ['kɔmən,stɔk] *s* **1** *ec* capital/fond inițial **2** *fig* fond comun

commonweal ['kɔmən,wi:l] *s* **1** binele public/obștesc **2** *înv* v. **commonwealth**

commonwealth ['kɔmən,welθ] *s* **1** republică; stat; comunitate de națiuni; federație **2** bunăstare generală **3** the C~ *ist* Republica engleză (1649-1660)

commorancy ['kɔmərənsi] *s jur* habitare

commorant ['kɔmərənt] *s jur* habitant, rezident; chiriaș

commotion [kə'mouʃən] *s* **1** freamăt, agitație, tulburare **2** *și fig* zguduire **3** *fig* gălăgie, zgomot, zarvă

communal ['kɔmjunəl] *adj* **1** comunal **2** (folosit în) comun

communard ['kɔmjuna:d] *s ist* comunard

commune¹ [kə'mju:n] **I** *vi* **1** (with) a fi în strânsă legătură (cu); a comunica; a sta de vorbă intim (cu) **2** *bis* a se împărtăși **II** *s* conversație intimă

commune² *s* **1** comunitate **2** comună (primitivă etc.) **3** the C~ (of **Paris**) Comuna din Paris **4** the ~ poporul, oamenii simpli

communicability [kə,mju:nikə'biliti] *s* comunicabilitate, transmisibilitate

communicable [kə'mju:nikəbəl] *adj* **1** comunicabil, transmisibil **2** *med* infecțios, molipsitor

communicate [kə'mju:ni,keit] **I** *vt* a comunica, a transmite (un mesaj etc.) **II** *vi* **1** (with) (d. cineva, d. camere etc.) a comunica **2** *bis* a împărtăși, a se cumineca

communication [kə,mju:ni'keiʃən] *s* **1** comunicare, transmitere **2** comunicare, anunț; informație, știre; raport **3** *tel* etc. legătură **4** mijloc de comunicație; drum; șosea; cale ferată etc.; legătură

communication cord [kə,mju:ni-'keiʃən 'kɔ:d] *s ferov* semnal de alarmă

communications activity [kə.mju:-ni'keiʃənz ək'tiviti] *s* telecomunicații

communicative [kə'mju:nikətiv] *adj* comunicativ, sociabil; vorbăreț

communion [kə'mju:njən] *s* **1** participare **2** comuniune, legătură strânsă, unire; **to hold** ~ **with oneself** *poetic* a sta de vorbă cu sine (↓ d. *probleme morale);* **to have/to hold** ~ **with smb** a avea relații cu cineva **3** comunitate, procesiune în comun **4** *bis* cuminecătură, împărtășanie **5** *rel* confesiune, credință, rit

communiqué [kə'mju:nikei] *s fr mil* etc. comunicat

communism ['kɔmju,nizəm] *s* comunism

communist ['kɔmjunist] *s* comunist

communistic [,kɔmju'nistik] *adj* comunist

Communist Manifesto, the ['kɔmjunist mæni'festou, ðə] *s* Manifestul comunist (1848)

Communist Party, the ['kɔmjunist 'pa:ti, ðə] *s* Partidul Comunist

communitarian [kə,mju:ni'tɛəriən] *s* membru al unei organizații etc. comuniste

community [kə'mju:niti] *s* **1** the ~ poporul; opinia publică **2** comunitate; obște (scriitoricească etc.) **3** comunitate, proprietate/posesiune în comun **4** comunitate, asemănare (de interese etc.)

community centre [kə'mju:niti 'sentəʳ] *s amer* cămin cultural; ateneu

community chest [kə'mju:niti'tʃest] *s amer* fonduri publice de binefacere

community singing [kə'mju:niti 'siŋiŋ] *s* cântat în cor (la reuniuni)

community theatre [kə'mju:niti 'θiətəʳ] *s amer* teatru de amatori/neprofesioniști

communize ['kɔmju,naiz] *vt pol* a comuniza

commutable [kə'mju:təbəl] *adj* care se poate schimba; interșanjabil

commutation [,kɔmju'teiʃən] *s* **1** înlocuire (a plății în natură prin plată în bani etc.) **2** *el* comutare, comutație **3** *mat* permutare **4** comutare (de pedeapsă) **5** *amer* navetă (la tren etc.)

commutation ticket [,kɔmju'teiʃən 'tikit] *s amer* abonament (la tren etc.)

commutator ['kɔmju,teitəʳ] *s el* comutator; colector

Como ['koumou] *lac în Italia*

comp. *presc de la* **1 companion 2 comparative 3 compare 4 compound(ed) 5 compiled**

compact¹ ['kɔmpækt] *s* înțelegere, acord, învoială

compact² [kəm'pækt] **I** *adj* **1** compact, dens; îngrămădit, înghesuit **2** (d. stil) concis, lapidar **II** *vt* a face compact; a consolida

compact³ ['kɔmpækt] *s* pudrieră

compacted [kəm'pæktid] *adj* compact(at)

compact of [kəm'pækt əv] *adj cu prep* plin de

companion [kəm'pænjən] *s* **1** tovarăș *(de drum),* însoțitor **2** interlocutor **3** tovarăș, asociat, partener **4** complice **5** tovarăș *(de viață etc.)* **6** pereche *(a unui obiect)* **7** ghid, manual *(al grădinarului etc.)*

companionable [kəm'pænjənəbəl] *adj* prietenos, sociabil

companion-in-arms [kəm'pænjənin'a:mz] *s mil* tovarăș de arme, camarad

companionship [kəm'pænjənʃip] *s* v. **company 1**

companionway [kəm'pænjən,wei] *s nav* scară de tambuchi

company ['kʌmpəni] *s* **1** tovărășie, societate, companie; **in ~ with** în societatea/tovărășia *cu gen*; împreună cu; **to keep/to bear smb ~** a ține cuiva tovărășie/de urât; a însoți pe cineva; **to part ~ (with)** a se despărți (de); a pleca (de lângă); **to keep ~ with smb** a avea relații cu cineva *(↓ de sex opus);* **to keep bad ~** a fi într-o societate/companie proastă; **he is good ~** e plăcut să fii în societatea lui; e un interlocutor interesant; **to know a man by his ~** *aprox* spune-mi cu cine te însoțești ca să-ți spun cine ești; **two is ~ but three is none** *prov* unde sunt doi al treilea e de prisos **2** asociați *(ai unei întreprinderi)* **3** vizitatori, vizite, musafiri; **we're expecting ~ next Sunday** așteptăm musafiri duminica viitoare **4** *ec, com* societate, companie; întreprindere; **a theatrical ~** o companie de teatru **5** *mil* companie **6** *nav* echipaj

company manners ['kʌmpəni ,mænəz] *s pl* ← *F* deferență, respect deosebit; maniere alese

compar. *presc de la* **comparative**

comparable ['kɔmpərəbəl] *adj* comparabil

comparative [kəm'pærətiv] **I** *adj* **1** comparat, comparativ, comparatist **2** comparativ, relativ; aproximativ; **~ comfort** confort relativ **3** *gram* comparativ **II** *s gram* (gradul) comparativ

comparative linguistics [kəm-'pærətiv liŋ'gwistiks] *s ca sg* lingvistică comparată

comparatively [kəm'pærətivli] *adv* comparativ, relativ; aproximativ

compare [kəm'pɛəʳ] **I** *vt* **1 (to)** a compara (cu), a face/a stabili o comparație (între); a asemui (cu) *(noțiuni diferite);* **shall I ~ thee to a summer's day?** *(Shakespeare)* să te asemui cu o zi de vară? **2 (with)** a compara (cu) *(noțiuni identice sau asemănătoare);* **~ the two translations** compară cele două traduceri **3** a compara, a face schimb de *(impresii etc.)* **4** *gram* a forma gradele de comparație *(cu gen)* **II** *vi* **(with)** a se compara, a fi comparabil, a se putea compara (cu) **III** *s* ← *poetic* comparație, asemuire; **beyond/past/without ~** fără pereche, neîntrecut, fără egal; *adv* neasemuit de

comparison [kəm'pærisən] *s* **1** comparație; asemuire; **to make a ~ between** a face o comparație între; **there's no ~ between them** nu se compară *(unul cu celălalt);* **in ~ with** în comparație cu; **by ~** prin comparație; dacă îi *sau* le compari; **to bear/to stand ~ with** a se compara cu, a se putea compara cu, a suferi comparație cu **2** *gram* comparație **3** asemănare

compartment [kəm'pa:tmənt] *s* **1** *constr* compartiment; cabină **2** *ferov* compartiment **3** *fig* compartiment; sector

compartmentalize [kɔm,pa:t'mentə-'laiz] *vt* a compartimenta, a împărți pe compartimente

compass ['kʌmpəs] **I** *s* **1** *și fig* busolă **2** *pl (și* **a pair of ~ es)** compas **3** rază, cuprins, întindere **4** *muz* diapazon, registru **5** *fig* margine, margini, limită; **beyond his ~** mai presus de el, mai presus de posibilitățile sale; **within the ~ of a lifetime** într-o viață de om, în limitele vieții omenești **II** *vt* **1** a realiza, a atinge *(un scop etc.)* **2** a înțelege, a sesiza **3** a pune la cale *(ceva rău),* a urzi, a complota

compassion [kəm'pæʃən] *s* **(for, on)** compasiune, milă, compătimire, îndurare (pentru, față de)

compassionate [kəm'pæʃənət] *adj* plin de compasiune, milos, compătimitor

compassionate leave [kəm-'pæʃənət 'li:v] *s* permisie *sau* concediu (scurt) pentru motive personale

compassionately [kəm'pæʃənətli] *adv* compătimitor

compatibility [kəm,pætə'biliti] *s* compatibilitate

compatible [kəm'pætəbəl] *adj* **(with)** compatibil (cu)

compatriot [kəm'pætriət] *s* compatriot

compeer ['kɔmpiəʳ] *s* ← *elev* **1** egal *(al cuiva)* **2** tovarăș, camarad

compel [kəm'pel] *vt* **1** a obliga, a sili, a constrânge **2** a impune *(ascultare etc.)*

compelling [kəm'peliŋ] *adj* **1** care constrânge, *rar* → constrângător **2** *și fig* irezistibil; *fig* captivant, fascinant **3** convingător **4** riguros

compendious [kəm'pendiəs] *adj* concis, rezumativ

compendium [kəm'pendiəm], *pl și* **compendia** [kəm'pendiə] *s* compendiu, rezumat; schiță

compensate ['kɔmpen,seit] **I** *vt* a compensa, a despăgubi, a recompensa **II** *vi* **(for)** a plăti despăgubiri (pentru)

compensate for ['kɔmpen,seit fəʳ] *vi cu prep* a compensa *cu ac,* a fi o compensație pentru

compensation [,kɔmpen'seiʃən] *s* **1** compensație; despăgubire; plată; recompensă; indemnizație; **in ~ for** drept compensație pentru **2** *amer* salariu, leafă

compensator ['kɔmpen,seitəʳ] *s el* compensator, egalizor

compensatory [,kɔmpen'seitəri] *adj* **1** compensator **2** *el* compensat, egalizator

compère ['kɔmpɛəʳ] *s teatru* comper; *rad, telev* prezentator; realizator de emisie

compete [kəm'pi:t] *vi* a concura; a se întrece

competence ['kɔmpitəns] *s* **1** competență, pricepere; calificare **2** stare (materială)

competency ['kɔmpitənsi] *s* v. **competence**

competent ['kɔmpitənt] *adj* competent, priceput; calificat

competently ['kɔmpitəntli] *adv* competent, cu competență

competition [,kɔmpi'tiʃən] *s* **1** *ec etc.* concurență **2** concurență, rivalitate **3** competiție, întrecere *(sportivă etc.);* **to be in ~ with** a fi în întrecere cu **4** concurs; examen de concurs

competitive [kəm'pititiv] *adj* **1** competitiv; de concurenţă **2** de întrecere/competiţie

competitor [kəm'petitəʳ] *s* concurent; rival

compilation [ˌkɔmpi'leiʃən] *s* **1** compilare; alcătuire, redactare *(a unui dicţionar etc.)* **2** compilaţie

compile [kəm'pail] *vt* **1** a compila **2** a strânge *(materiale etc.)* **3** a redacta, a face, a alcătui *(un dicţionar etc.)*

complacence [kəm'pleisəns] *s v.* **complacency**

complacency [kəm'pleisənsi] *s* **1** mulţumire, satisfacţie **2** mulţumire de sine, automulţumire **3** ← *rar* complezenţă

complacent [kəm'pleisənt] *adj* **1** mulţumit, satisfăcut; mulţumit de sine **2** afabil, serviabil, prevenitor

complacently [kəm'pleisəntli] *adv* mulţumit, satisfăcut

complain [kəm'plein] *vi* **1** (of, about) a se plânge, < a se văita (de) **2** a aduce o acuzaţie; a intenta proces **3** *poetic* a se tângui; a suspina

complainant [kəm'pleinənt] *s jur* reclamant, acuzator

complaint [kəm'pleint] *s* **1** nemulţumire, plângere **2** *jur* plângere; reclamaţie; **to lodge a ~ against smb** a înainta o plângere *sau* reclamaţie împotriva cuiva **3** *med* durere; boală *(cronică)*

complaisance [kəm'pleizəns] *s* complezenţă, curtoazie

complaisant [kəm'pleizənt] *adj* curtenitor, prevenitor, politicos, complezent

complement ['kɔmplimənt] **I** *s* **1** complement; complinire, completare **2** complet; set; garnitură (completă) **3** *mat, gram* complement **4** *nav* echipaj, efectivul personalului navei **II** *vt* a completa, a complini

complementary [ˌkɔmpli'mentəri] *adj* complementar; complinitor

complementary angles [ˌkɔmpli-'mentəri 'æŋlz] *s pl mat* unghiuri complementare

complete [kəm'pli:t] **I** *adj* **1** complet, tot, întreg; **~ set of works** opere complete **2** total, desăvârşit **3** complet, terminat, încheiat **II** *vt* **1** a sfârşi, a termina, a isprăvi, a încheia **2** a desăvârşi, a perfecţiona

completely [kəm'pli:tli] *adv* **1** complet, în întregime, cu totul **2** total, pe de-a întregul, cu totul, complet

completeness [kəm'pli:tnis] *s* caracter complet; deplinătate; desăvârşire

completion [kəm'pli:ʃən] *s* **1** terminare, isprăvire, încheiere **2** desăvârşire, perfecţionare, împlinire **3** îndeplinire *(a dorinţelor etc.)*

complex ['kɔmpleks] **I** *adj* **1** complex; complicat; dificil **2** *gram (d. cuvinte)* „complex"; format prin afixaţie; format dintr-un element principal şi altele secundare **3** *gram (d. fraze)* format prin subordonare **II** *s şi med* complex

complexion [kəm'plekʃən] *s* **1** ten; culoarea feţei *(uneori şi a ochilor şi părului)* **2** *fig* înfăţişare, aspect; trăsătură; **to put a fresh ~ on smth** a da o nouă înfăţişare unui lucru

complexity [kəm'pleksiti] *s* **1** complexitate **2** complicaţie

complex sentence ['kɔmpleks 'sentəns] *s gram* frază compusă prin subordonare

compliance [kəm'plaiəns] *s* **1** conformitate, acord; **in ~ with your wish** potrivit dorinţei dvs, în conformitate cu dorinţa dvs **2** îngăduinţă, maleabilitate; ascultare

compliant [kəm'plaiənt] *adj* îngăduitor, maleabil; ascultător, supus

compliantly [kəm'plaiəntli] *adv* cu îngăduinţă; ascultător

complicacy ['kɔmplikəsi] *s* complicaţie

complicate ['kɔmpliˌkeit] **I** *vt* a complica; a încurca **II** *vi* a se complica; a se încurca

complicated ['kɔmpliˌkeitid] *adj* complicat; complex; dificil

complicatedly ['kɔmpliˌkeitidli] *adv* (în mod) complicat

complicatedness ['kɔmpliˌkeitidnis] *s* caracter complicat

complication [ˌkɔmpli'keiʃən] *s* **1** complicare **2** complicaţie; încurcătură **3** *med* complicaţie

complicity [kəm'plisiti] *s* complicitate

compliment ['kɔmplimənt] **I** *s* **1** compliment; măgulire; laudă; **to pay/to make a ~** a face un compliment; **with the ~s of the season** sărbători fericite! **to fish/**

to angle for ~s a aştepta complimente, felicitări *sau* laude **2** *pl* complimente, urări de bine, salutări; **give him my ~s** transmite-i complimente din partea mea **3** ← *înv* dar, cadou **II** *vt* **1** a complimenta, a face complimente *cuiva* **2** (on) a felicita (pentru *sau* cu ocazia – *cu gen*)

complimentary [ˌkɔmpli'mentəri] *adj* **1** laudativ, măgulitor **2** de felicitare **3** *(d. bilete etc.)* gratuit; de favoare

complin(e) ['kɔmplin] *s bis* ultima slujbă de peste zi; vecernie *(la catolici)*

comply [kəm'plai] *vi* (**with**) a ceda; a fi de acord (cu); a se supune *(cu dat)*; **to ~ with the rules** a respecta regulamentul, a se supune regulamentului

compo ['kɔmpou] *s* **1** *met* aliaj **2** *constr* mortar *(din nisip şi ciment)* **3** *tehn presc de la* **composition** structură

component [kəm'pounənt] **I** *adj* component, alcătuitor **II** *s* **1** element component/alcătuitor, parte componentă, element **2** *tehn* reper

comport [kəm'pɔ:t] **I** *vr* a se comporta, a se purta **II** *vi* (**with**) a se potrivi (cu)

comportment [kəm'pɔ:tmənt] *s* comportare, conduită

compose [kəm'pouz] **I** *vt* **1** a compune, a forma, a alcătui **2** a compune, a redacta, a scrie **3** *poligr* a culege **4** a-şi stăpâni *(o pornire etc.)*, a-şi domoli, a-şi potoli *(furia etc.)* **5** a aplana *(o ceartă)*, a pune capăt *cu dat* **II** *vr* a se stăpâni, a se linişti, a-şi veni în fire **III** *vi* **1** *şi muz* a compune **2** *poligr* a culege

composed [kəm'pəuzd] *adj (d. cineva)* liniştit, calm, netulburat

composedly [kəm'pouzdli] *adj* cu calm, liniştit

composer [kəm'pouzəʳ] *s muz* compozitor

composing [kəm'pouziŋ] *adj* **1** component, alcătuitor **2** *med* liniştitor, calmant

composing stick [kəm'pouziŋ'stik] *s poligr* culegar, vingalac

composite ['kɔmpəzit] **I** *adj* compus; complex; compozit; mixt **II** *s* **1** amestec **2** compus **3** *poligr* fotomontaj

composition [,kɔmpə'ziʃ ə n] *s* **1** compunere; formare; alcătuire **2** *lit, muz* compoziție **3** *şcol* compoziție, compunere **4** amestec **5** structură, alcătuire; constituție *(a cuiva)* **6** *ch* compoziție **7** caracter, fire *(a unei persoane)* **8** înțelegere, acord; compromis **9** *poligr* culegere **10** *jur* compromis, tranzacție

compositor [kəm'pɔzitə ͬ] *s poligr* zețar, culegător

compos mentis ['kɔmpəs 'mentis] *adj lat* sănătos la minte, în toate mințile

compost ['kɔmpɔst] *agrl s* compost **II** *vt* a trata cu compost

composure [kəm'pou3ə ͬ] *s* liniște, calm; pace (sufletească)

compotation [,kɔmpə'teiʃ ə n] *s* ← *rar* petrecere, chef

compotator ['kɔmpə'teitə ͬ] *s* ← *rar* petrecăreț, cheflu

compote ['kɔmpout] *s fr* compot

compound I [kəm'paund] *vt* **1** a compune, a amesteca, a combina, a îmbina **2** a compune, a alcătui, a face un întreg din **3** a ridica, a construi, a clădi **4** a pune capăt *(unei certe)*, a aplana *(o ceartă, un diferend)* **5** a aranja; a regla *(conturi etc. ↓ prin compromis);* a ajunge la un compromis cu *(creditorii)* **6** a spori **II** [kɔmpaund] *adj* **1** compus; complex **2** *med* cu complicații **III** ['kɔmpaund] *s* **1** compus; amestec; combinație, îmbinare **2** *lingv* cuvânt compus **3** (element) component **4** *gram (d. fraze)* format prin coordonare

compound sentence ['kɔmpaund 'sentəns] *s gram* frază compusă prin coordonare

compound with [kəm'paund wið] *vi cu prep* (**for**), a cădea de acord (asupra – *cu gen*), a se învoi (cu privire la)

comprehend [,kɔmpri'hend] *vt* **1** a înțelege, a pricepe **2** a cuprinde, a include

comprehensible [,kɔmpri'hensəbəl] *adj* inteligibil

comprehension [,kɔmpri'henʃ ə n] *s* **1** înțelegere, comprehensiune **2** cuprindere, includere

comprehensive [kɔmpri'hensiv] *adj* **1** cuprinzător; larg; încăpător **2** multilateral **3** inteligent, comprehensiv

compress I [kəm'pres] *vt* a comprima, a presa; a strânge **II** [kɔm'pres] *s med* compresă

compressed [kəm'prest] *adj (d. aer etc.)* comprimat

compressible [kəm'presəbə l] *adj* compresibil

compression [kəm'preʃ ə n] *s* **1** comprimare, presare; strângere **2** *mat* racordare

compressor [kəm'presə ͬ] *s* **1** persoană *sau* lucru care presează **2** *tehn* compresor

comprisal [kəm'praizəl] *s* **1** includere **2** compendiu; conspect

comprise [kəm'praiz] *vt* a cuprinde, a include; a număra, a avea *(ca membri etc.)*

compromise ['kɔmprə,maiz] **I** *s* **1** compromis **2** compromitere **II** *vt* **1** a compromite; a periclita, a pune în joc **2** a rezolva printr-un compromis, a ajunge la un compromis în legătură cu **3** a renunța la *(principii etc.)* **III** *vi* a face un compromis *sau* compromisuri

compromiser ['kɔmprə,maizə ͬ] *s* adept al compromisului; împăciuitorist

comptometer [kɔmp'tɔmitə ͬ] *s* mașină de calculat

comptroller [kən'troulə ͬ] *s* ↓ *ec* controlor, revizor

compulsion [kəm'pʌlʃ ə n] *s* **1** constrângere, silire; **under** ~ sub constrângere; constrâns **2** dorință nestăpânită; viciu

compulsive [kəm'pʌlsiv] *adj* **1** v. **compulsory 2** *(d. fumat etc.)* care a devenit un viciu

compulsorily [kəm'pʌlsərili] *adv* (în mod) obligatoriu

compulsoriness [kəm'pʌlsərinis] *s* caracter obligatoriu, obligativitate

compulsory [kəm'pʌlsəri] *adj* **1** obligatoriu; cerut, care se cere **2** de constrângere, coercitiv

compunction [kəm'pʌŋkʃ ə n] *s* remușcare, mustrare de conștiință; scrupule

compunctious [kəm'pʌŋkʃəs] *adj* care-și face mustrări de conștiință

computable [kəm'pju:təbə l] *adj* calculabil

computation [,kɔmpju'teiʃ ə n] *s* calcul, socoteală; evaluare, apreciere, estimare

compute [kəm'pju:t] *vt, vi* a calcula,

a socoti; a evalua, a estima

computer [kəm'pju:tə ͬ] *s cib* calculator; mașină de calculat

computerize [kəm'pju:təraiz] *vt tehn* a computeriza

Comr. *presc de la* **Commissioner**

comrade ['kɔmrid] *s* **1** tovarăș, prieten bun **2** tovarăș, partener, asociat **3** *pol* tovarăș

comrade-in-arms ['kɔmrid in,ɑ:mz] *s mil* tovarăș de arme/luptă

comradely ['kɔmridli] *adv* tovărășesc

comradeship ['kɔmrid,ʃip] *s* tovărășie; prietenie

con¹ [kɔn] **I** *adv* contra, împotriva **II** *s* vot, argument *etc.* contra

con² *vt* ← *înv* a învăța pe de rost, *F* a toci

con³ *vt nav* a pilota *(o navă)*

con⁴ *presc sl de la* **confidence trick**

con- *pref* con-: **to concede** a concede

Con. *presc de la* **Consul**

con. *presc de la* **1** contra **2** conclusion **3** connection **4** consul

Conan [kounən] *nume masc*

conc. *presc de la* **1** concentration **2** concentrated **3** concerning

concatenation [kɔn,kæti'neiʃ ə n] *s* înlănțuire

concave ['kɔnkeiv] *adj* concav

concavity [kɔn'kæviti] *s* concavitate

conceal [kən'si:l] *vt* (**from**) a ascunde, a tăinui (de)

concealment [kən'si:lmənt] *s* **1** ascundere, tăinuire **2** *mil* mascare **3** ascunziș, loc ascuns; **in** ~ ascuns

concede [kən'si:d] **I** *vt* **1** a concede, a încuviința, a recunoaște; **to** ~ **defeat** a se recunoaște învins, a se da bătut **2** a ceda **II** *vi* **1** a face o concesie *sau* concesii **2** *sport* a se recunoaște învins

conceit [kən'si:t] *s* **1** încredere în sine; vanitate; îngâmfare, trufie **2** părere favorabilă; **to be out of** ~ **with smth** a fi plictisit *sau* dezgustat de ceva **3** idee, părere, gând **4** vorbă de duh/spirit **5** fantezie, marotă **6** *od* comparație neașteptată *sau* stranie *(↓ în poezia engleză din sec XVI și XVII)*

conceited [kən'si:tid] *adj* încrezut, îngâmfat, vanitos; plin de sine

conceitedly [kən'si:tidli] *adv* cu îngâmfare, încrezut

conceivable [ˌkən'siːvəbl] *adj* de conceput, imaginabil

conceivably [ˌkən'siːvəbli] *adv* de presupus, în măsura în care se poate imagina

conceive [ˌkən'siːv] I *vt* 1 *şi fig* a concepe, a zămisli 2 a concepe, a-şi imagina, a-şi închipui 3 a concepe, a înţelege; a pricepe 4 a plănui, a pune la cale 5 a simţi, a nutri *(un sentiment)* II *vi (d. o femeie)* a concepe

conceive of [ˌkən'siːv əv] *vi cu prep* a se gândi la; a concepe, a imagina; a-şi forma o idee despre

concentrate ['kɔnsən,treit] I *vt* 1 a concentra, a strânge la un loc, a aduna 2 *mil, ch* a concentra 3 *fig* a-şi concentra *(gândurile, eforturile etc.)* II *vi* 1 a se concentra, a se aduna, a se strânge 2 **(on, upon)** *fig* a se concentra *(asupra – cu gen)* III *s* (produs) concentrat

concentrated ['kɔnsəntreitid] *adj ch etc.* concentrat

concentration [ˌkɔnsən'treiʃən] *s* 1 concentrare; strângere, adunare 2 *ch* concentrare, concentraţie 3 *fig* concentrare *(a atenţiei etc.)*

concentration camp [ˌkɔnsən'treiʃən'kæmp] *s mil, pol* lagăr de concentrare

concentre [kɔn'sentər] ← *elev* I *vt* 1 a concentra 2 a centra II *vi* a se concentra

concentric(al) [kɔn'sentrik(əl)] *adj geom etc.* concentric

concentricity [ˌkɔnsən'trisiti] *s* caracter concentric

concept ['kɔnsept] *s* concept, noţiune abstractă *sau* generală; idee

conception [kən'sepʃən] *s* 1 *fizl* concepţie 2 *fizl* concepere; zămislire; embrion, făt 3 înţelegere, comprehensiune; **beyond my ~** mai presus de înţelegerea mea 4 concepţie; părere, punct de vedere 5 idee, noţiune; concept 6 concepere; începere, început; plan

conceptual [kən'septjuəl] *adj* 1 conceptual; abstract 2 schematic

conceptualism [kən'septjuəlizəm] *s filoz* conceptualism

conceptualize [kən'septjuə,laiz] *vt* a conceptualiza, a elabora un concept din

concern [kən'səːn] I *vt* 1 a privi, a afecta, a avea legătură cu; **it doesn't ~ me** pe mine nu mă

privește; mie nu-mi pasă; **as ~s** cât priveşte, în ceea ce priveşte; **to whom it may ~** *(în scrisori)* tuturor celor în drept *sau* interesaţi 2 a preocupa; a îngrijora, a nelinişti II *s* 1 participare, interes; **to have a ~ in a business** a participa la o tranzacţie/afacere 2 contingenţă, legătură, relaţie; **it is no ~ of his** asta nu-l priveşte; asta nu are nici o legătură cu el 3 importanţă, semnificaţie; **a matter of great ~** o chestiune de mare importanţă 4 preocupare, grijă; nelinişte; **to feel ~ about** *smth* a fi îngrijorat de ceva; **with deep ~** cu profundă mâhnire 5 *com* companie; firmă, întreprindere; **paying ~** întreprindere lucrativă 6 *com* participare

concerned [kən'səːnd] *adj* 1 **(in)** implicat (în); **as far as I am ~** în ceea ce mă priveşte; cât este vorba despre mine; **where the children are ~** când este vorba de copii 2 preocupat; îngrijorat, neliniştit

concernedly [kən'səːndli] *adv* cu îngrijorare

concerning [kən'səːniŋ] *prep* despre, privitor la, privind, în ceea ce priveşte

concernment [kən'səːnmənt] *s* 1 importanţă, însemnătate 2 participare, interes 3 preocupare; grijă, îngrijorare

concern oneself about/in/with [kən'səːn wʌn,self ə'baut/in/wið] *vr cu prep* a se ocupa de; a se preocupa de, a arăta interes pentru

concert I ['kɔnsəːt] *s* 1 *muz* concert *(ca spectacol)* 2 *fig* acord, armonie, concordanţă, înţelegere; **to act in ~** a acţiona în acelaşi sens, a acţiona în comun II [kən'səːt] *vt* a plănui împreună, a aranja împreună

concerted [kən'səːtid] *adj* pus de acord, conjugat; concertat

concertina [ˌkɔnsə'tiːnə] *s muz* concertină

concertino [ˌkɔntʃə'tiːnou] *s muz* concertino

concert master ['kɔnsəːt 'maːstər] *s muz* concertmaistru

concerto [kən'tʃɛətou] *s muz* concert *(lucrare muzicală)*

concession [kən'seʃən] *s* 1 concesie, îngăduinţă; cedare 2 *jur*

concesiune

concessionaire [kən,seʃə'nɛər] *s jur* concesionar

concessive [kən'sesiv] *adj* 1 concesiv; îngăduitor 2 *gram* concesiv

conch [kɔŋk] *s* 1 scoică *(de mare)* 2 cochilie *(de scoică)*

concha ['kɔŋkə], *pl* **conchae** ['kɔŋkiː] *s anat* conchie, pavilion *(al urechii)*

conchology [kɔŋ'kɔlədʒi] *s* conchiliologie

concierge [ˌkɔnsi'ɛəʒ] *s fr* portar, ↓ portăreasă *(la bloc)*

conciliate [kən'sili,eit] *vt* 1 a împăca, a concilia; a linişti *(pe cineva)* 2 a câştiga dragostea, respectul *etc.* cuiva

conciliatory [kən'siljətəri] *adj* împăciuitor, conciliator

concillium [kən'siliəm], *pl* **concillia** [kən'siliə] *s lat* consiliu

concinnity [kən'siniti] *s* ← *elev* 1 graţie, frumuseţe *(a stilului)* 2 ornament stilistic

concise [kən'sais] *adj* 1 *(d. cineva)* concis; **I'll try to be ~** voi căuta să fiu concis/scurt 2 *(d. stil etc.)* concis, laconic; *(d. o informare etc.)* scurt, succint

concisely [kən'saisli] *adv* concis, succint; pe scurt

conciseness [kən'saisnis] *s v.* **concision**

concision [kən'siʒən] *s* concizie, caracter concis/succint

conclave ['kɔŋkleiv] *s* 1 *bis* conclav 2 *fig* conclav, adunare secretă

conclude [kən'kluːd] I *vt* 1 a încheia, a termina, a sfârşi 2 a conchide, a deduce 3 a hotărî, a stabili; a încheia *(pace, un tratat etc.)* II *vi* a încheia, a isprăvi, a termina

conclusion [kən'kluːʒən] *s* 1 încheiere, terminare, capăt, sfârşit; **bring to a ~** a termina, a încheia, a sfârşi *(ceva)*; **in ~** în încheiere; în concluzie 2 concluzie; rezumat; deducţie; **to draw a ~** a trage o concluzie; **I came to the ~ that he wasn't right** am ajuns la concluzia că nu are/avea dreptate; **a foregone ~** lucru hotărât dinainte; părere preconcepută; **to jump at/to a ~** a ajunge la o concluzie pripită 3 încheiere *(a unui tratat etc.)* // **to try ~s with smb** a se măsura cu cineva, a se întrece cu cineva

conclusive [kən'klu:siv] *adj* **1** de încheiere, *rar* → concluziv; definitiv; decisiv; final **2** *(d. dovezi etc.)* convingător

conclusively [kən'klu:sivli] *adv* în concluzie/încheiere

concoct [kən'kɔkt] *vt* **1** a amesteca; a fierbe la un loc *(băuturi)* **2** *fig* a născoci, a inventa *(o scuză, o minciună etc.)*

concoction [kən'kɔkʃən] *s* **1** fiertură, amestec **2** *fig* născocire, invenție

concomitance [kən'kɔmitəns] *s* caracter concomitent, simultaneitate

concomitant [kən'kɔmitənt] **I** *adj* concomitent, simultan; însoțitor **II** *s* **1** fenomen însoțitor *sau* secundar; circumstanță concomitentă **2** simptom

concomitantly [kən'kɔmitəntli] *adv* concomitent, simultan

concord ['kɔnkɔ:d] *s* **1** armonie, înțelegere **2** *gram* acord **3** *muz* armonie

concordance [kən'kɔ:dəns] *s* **1** concordanță, acord, privire; **in ~ with** în concordanță cu **2** *indice alfabetic de cuvinte și expresii dintr-o carte sau autor (↓ clasic)*

concordant [kən'kɔ:dənt] *adj* **1** **(with)** concordant, care concordă *(cu)*, care corespunde *(cu dat)* **2** *muz* armonic

concordantly [kən'kɔ:dəntli] *adv* corespunzător; în concordanță

concordat [kɔn'kɔ:dæt] *s* **1** acord, înțelegere **2** *bis* concordat

concourse ['kɔnkɔ:s] *s* **1** aglomerare, aglomerație; afluență, îmbulzeală **2** mulțime; grămadă **3** sală *sau* loc deschis unde se adună publicul **4** *amer* hol *(principal)*; sală *(într-o gară etc.)*

concrescence [kən'kresəns] *s biol* concrescență

concrete¹ ['kɔnkri:t] **I** *adj* concret; material; palpabil **II** *s* **1** *constr* beton **2** *filos* noțiune concretă **III** *vt constr* a betona, a cimenta

concrete² [kən'kri:t] *vi* a se solidifica, a forma o masă compactă

concretion [kən'kri:ʃən] *s* **1** concreștere; concrescență **2** solidificare; coagulare **3** masă compactă **4** *med* concrement; calcul biliar *etc.* **5** *geol* concrețiune

concretize ['kɔnkri,taiz] *vt* a concretiza

concubinage [kɔn'kju:binidʒ] *s* concubinaj

concubine ['kɔŋkju,bain] *s* concubină, *P* → ibovnică

concupiscence [kən'kju:pisəns] *s* senzualitate, *elev* → concupiscență

concupiscent [kən'kju:pisənt] *adj* *elev* concupiscent, carnal, – senzual

concur [kən'kə:'] *vi* **1** a coincide, a se întâmpla în același timp **2** **(with)** a fi de aceeași părere, a fi de acord **(cu)** **3** a concura, a contribui; **everything ~s to bring about this change** totul concură pentru a determina această schimbare

concurrence [kən'kʌrəns] *s* **1** coincidență; concurs *(de împrejurări)* **2** acord, potrivire *(în păreri)*

concurrent [kən'kʌrənt] *adj* **1** **(with)** simultan **(cu)** **2** convergent **3** asemănător, analog **4** *mat etc.* concurent

concurrently [kən'kʌrəntli] *adv* simultan, în același timp; totodată

concuss [kən'kʌs] *vt med* a zdruncina *(creierul)*, a provoca o comoție la

concussion [kən'kʌʃən] *s* **1** zguduire; ciocnire; șoc **2** *med* comoție, șoc

cond. *presc de la* **1** conductor **2** conductivity

condemn [kən'dem] *vt* **1** *jur* a condamna, a găsi vinovat **2** *fig* a condamna, a critica, a dezaproba **3** *nav* a confisca *(o navă etc.)* **4** *tehn* a condamna *(un drum etc.)*

condemnable [kən'demnəbəl] *adj* condamnabil, de condamnat

condemnation [,kɔndem'neiʃən] *s* condamnare, acuzare

condemnatory [,kɔndem'neitəri] *adj jur* acuzator

condemned [kən'demd] *adj* **1** condamnat, osândit **2** *tehn* condamnat; cu circulație oprită **3** *dat* la rebut, rebutat

condemned cell [kən'demd 'sel] *s* celulă pentru cei condamnați la moarte

condensable [kən'densəbəl] *adj fiz* condensabil

condensation [,kɔnden'seiʃən] *s* **1** condensare **2** *tehn* condensație,

condensat **3** concluzie, lapidaritate *(a stilului)*

condense [kən'dens] **I** *vt* **1** *fiz* a condensa, a comprima, a face mai dens **2** *fig* a condensa, a exprima succint; a prescurta, a rezuma **II** *vi fiz* a se condensa, a se comprima

condensed [kən'denst] *adj (d. lapte etc.)* condensat

condenser [kən'densər] *s* **1** *el* condensator **2** *fiz* condensor

condescendence [,kɔndi'sendəns] *s v.* **condescension I**

condescending [,kɔndi'sendiŋ] *adj* **1** condescendent, binevoitor **2** *(d. aer etc.)* protector

condescend to [,kɔndi'send tə] **I** *vi cu inf* **1** *(în sens pozitiv)* a binevoi să, a găsi de cuviință să, a se osteni să **2** *(în sens negativ)* a binevoi să, *F* → a catadicsi să **II** *vi cu prep fig* a coborî până la; a se degrada până acolo încât să *(facă ceva)*

condescension [,kɔndi'senʃən] *s* **1** condescendență, bunăvoință, amabilitate **2** aer, caracter *etc.* protector

condign [kən'dain] *adj (d. pedeapsă etc.)* meritat, cuvenit; potrivit

condignly [kən'dainli] *adv* pe drept

condiment ['kɔndimənt] *s* condiment, ingredient

condition [kən'diʃən] **I** *s* **1** condiție; stipulație; clauză; **on ~** condiționat; **(up)on ~ that** cu condiția ca; **on ~ of** cu condiția *cu gen*; **on no ~** sub nici un motiv, în nici un caz **2** condiție, stare; situație; **the ~ of his health** starea/condiția sănătății sale; **in every ~ of life** în orice situație din viață; **to change one's ~** a se căsători **3** *pl* condiții, împrejurări; **under existing ~s** în condiții ale existente/date **4** *log* antecedent **5** *gram* propoziție condițională **6** *sport* condiție bună, formă; **in ~** în formă **7** ← *înv* stare sufletească **8** ← *înv (trăsătură)* caracteristică **9** *amer școl, univ* reexaminare; corigență **II** *vt* **1** a condiționa, a formula condiții în legătură cu **2** a condiționa *(aerul)* **3** a determina, a produce *(schimbări etc.)* **4** *sport* a pregăti, a antrena **5** *școl amer* a da/a trece un examen de corigență la *(o materie)*

conditional [kən'diʃənəl] **I** adj **1** (**on, upon**) condiţionat, limitat (de) **2** gram condiţional **II** s gram **1** (modul) condiţional **2** (propoziţie) condiţională

conditionally [kən'diʃənəli] adv condiţionat

conditional sentence [kən'diʃənəl 'sentəns] s gram propoziţie condiţională

conditioned [kən'diʃənd] adj **1** condiţionat; limitat; determinat **2** făcut, alcătuit, format; **best-~** de cea mai bună calitate; **he was not ~ to do it** nu era dispus să facă aşa ceva, F→ nu avea chef să facă aşa ceva

conditioned air [kən'diʃənd 'ɛəʳ] s aer condiţionat

conditioned reflex [kən'diʃənd ri'fleks] s fizl reflex condiţionat

conditioning [kən'diʃəniŋ] s **1** condiţionare (a aerului etc.) **2** sport călire; exerciţii (pt îmbunătăţirea condiţiei fizice) **3** prelucrare **4** tehn întocmirea fişelor tehnice (pt maşini)

condole [kən'doul] vi (**with**) a-şi exprima simpatia/< compătimirea (faţă de); a suferi (alături de)

condolence [kən'doulens] s simpatie, < compătimire; **to present one's ~s to smb** a prezenta cuiva condoleanţe

condominium [ˌkɒndə'miniəm] s **1** jur posesiune în comun; devălmăşie; coposesie **2** pol condominiu

condonation [ˌkɒndou'neiʃən] s **1** ← elev iertare; trecere cu vederea **2** jur absolvire

condone [kən'doun] vt a ierta, a acuza

condor ['kɒndɔːʳ] s orn condor, ↓ condor din Anzi (Sarcorhamphus gryphus)

condottiere [ˌkɒndɔ'tjɛəri], pl **condottieri** [ˌkɒndɔ'tjɛəriː] s **1** od condotier **2** aventurier

conduce to/towards [kən'djuːs tə/tə'wɔːdz] vi cu prep a duce/a contribui la; a cauza cu ac

conducive to [kən'djuːsiv tə] adj cu prep favorabil cu dat, care duce la; care cauzează/determină cu ac

conduct I ['kɒndʌkt] s **1** conducere; dirijare; supraveghere **2** purtare, comportare, conduită **II** [kən'dʌkt] vt **1** a conduce; a escorta **2** a

conduce; a dirija; a supraveghea **3** muz a conduce, a dirija **4** el a conduce **III** [kən'dʌkt] vr a se purta, a se comporta **IV** [kən'dʌkt] vi a conduce; a fi conducător

conductance [kən'dʌktəns] s el conductanţă, conductibilitate

conduction [kən'dʌkʃən] s **1** el conducţie **2** propagare, transmitere

conductive [kən'dʌktiv] adj fiz conductiv; conductibil

conductivity [ˌkɒndʌk'tiviti] s el, fiz conductivitate

conductor [kən'dʌktəʳ] s **1** conducător; director; responsabil **2** muz dirijor **3** taxator; (în S.U.A. şi) ferov conductor **4** el conductor, vână **5** tehn dispozitiv de ghidare **6** min coloană de ghidaj

conductress [kən'dʌktris] s **1** conducătoare; directoare; responsabilă **2** muz dirijoare **3** taxatoare; (în S.U.A. şi) ferov conductoare

conduit ['kɒndit] s **1** conductă, ţeavă, tub; canal **2** el conductor **3** gang subteran (secret)

cone [koun] s **1** g -m con **2** orice obiect în formă Je con **3** bot con (de brad) **4** tehn con; pivot; pâlnie; fus

cone flower ['koun ˌflauəʳ] s bot ruji galbeni (Rudbeckia laciniata)

coney ['kouni] s v. cony

conf. presc de la **1** lat confer **2** conference

confab presc F de la **1** confabulate **2** confabulation

confabulate [kən'fæbjuˌleit] vi (**with**) a discuta, a sta de vorbă, F→ a sta la taifas (cu)

confabulation [kənˌfæbju'leiʃən] s discuţie, conversaţie, F→ taifas

confection [kən'fekʃən] s **1** confecţionare **2** text confecţie **3** dulciuri; pl bomboane **4** farm bomboană, pastilă

confectioner [kən'fekʃənəʳ] s cofetar

confectionery [kən'fekʃənəri] s **1** dulciuri, articole de cofetărie **2** amer cofetărie

confederacy [kən'fedərəsi] s **1** confederaţie, ligă **2 the C~** ist S.U.A. Statele confederative (11 state sudiste, în 1860-1865)

confederate I [kən'fedərit] adj confederartiv, federativ **II** [kən'fedərit] s **1** membru al unei

confederaţii sau federaţii; aliat **2** complice (la o crimă etc.) **3** ist S.U.A. partizan al Statelor confederative (v. şi **confederacy** 2) **III** [kən'fedəˌreit] vi a se uni într-o confederaţie sau federaţie; a se alia; a se asocia

confederation [kənˌfedə'reiʃən] s confederaţie; federaţie; ligă; alianţă

confederative [kən'fedərətiv] adj confederativ

confer [kən'fəːʳ] **I** vt **1** a da, a acorda, a conferi **2** lat imperativ compară, comp., cf. **II** vi (**with**) a discuta, a sta de vorbă (cu); a se consulta, a se sfătui (cu)

conference ['kɒnfərəns] s **1** conferinţă; congres; adunare **2** şedinţă **3** discuţii, consultări

conferment [kən'fəːmənt] s conferire, acordare (a unui grad etc.)

confess [kən'fes] **I** vt **1** a mărturisi, a recunoaşte (o vină etc.) **2** bis a spovedi, a confesa **II** vi **1** bis a-şi recunoaşte vina, crima etc.; a face mărturisiri **2** bis a se spovedi

confessed [kən'fest] adj mărturisit, declarat

confessedly [kən'fesidli] adv (în chip) mărturisit, deschis; potrivit părerii generale

confession [kən'feʃən] s **1** mărturisire, recunoaştere **2** bis spovedanie, confesiune **3** mărturisire de credinţă; crez, credinţă **4** bis confesiune, rit, credinţă

confessional [kən'feʃənəl] s bis confesional

confession of faith [kən'feʃən əv 'feiθ] s v. **confession** 3

confessor [kən'fesəʳ] s bis confesor, duhovnic

confess to [kən'fes tə] vi cu prep a mărturisi, a recunoaşte cu ac

confetti [kən'feti] s ca sg confeti

confidant [ˌkɒnfi'dænt] s confident

confidante [ˌkɒnfi'dænt] s confidentă

confide in [kən'faid in] vi cu prep a se încrede în, a avea încredere în

confidence ['kɒnfidəns] s **1** convingere fermă, încredinţare 2 siguranţă, certitudine **3** (**in**) încredere (în) **4** (sentiment de) încredere (în sine) **5** confidenţă; secret; **to take smb into one's ~** a-i încredinţa cuiva secretele sale; **in strict ~** strict confidenţial

confidence game ['kɔnfidəns 'geim] *s* abuz de încredere; înșelătorie, escrocherie *(bazată pe specularea încrederii cuiva)*

confidence man ['kɔnfidəns ˌmən] escroc, pungaș, șarlatan

confidence trick ['kɔnfidəns ˌtrik] *s* truc, șiretlic; înșelătorie

confident ['kɔnfidənt] **I** *adj* **1** (of) încrezător (în), convins, încredințat (de) **2** sigur de sine, încrezător în sine **II** *s* confident

confidential [ˌkɔnfi'denʃəl] *adj* **1** confidențial, secret, tainic **2** (care se bucură) de încredere **3** încrezător, credul, lesne încrezător *(în oameni)*

confidentially [ˌkɔnfi'denʃəli] *adv* confidențial, în secret

confide to [kən'faid tə] *vt cu prep* **1** a încredința *(un secret etc.) (cuiva)* **2** a încredința *(un obiect) cuiva*, a lăsa/a da în seama/grija *(cuiva)*

confiding [kən'faidiŋ] *adj* încrezător *(în oameni)*

configuration [kənˌfigju'reiʃən] *s* **1** configurație; formă, aspect **2** structură **3** *top* poziție *(a terenului)*

confine I [kən'fain] **I** *vt* **1** a limita, a restrânge *(subiectul etc.)* **2** a închide *(într-o colivie, cameră, închisoare etc.)*; a aresta; a priva de libertate; a ține închis **3** *pas* **to be ~d** (of) *(d. o femeie)* a naște *cu ac* **II** ['kɔnfain] *s* **1** *pl* limită, hotar, graniță **2** *sl* pârnaie, răcoare, – închisoare

confinement [kən'fainmənt] *s* **1** închidere; privare de libertate; aruncare în închisoare; detențiune; arest **2** limitare, restrângere *(a subiectului etc.)* **3** naștere; lăuzie

confine oneself to [kən'fain wʌn'self tə] *vr cu prep* a se limita la

confirm [kən'fəːm] *vt* **1** a întări, a consolida *(autoritatea etc. cuiva)* **2** a întări, a confirma, a adeveri; a atesta; a ratifica **3** *bis* a confirma, a unge cu mir

confirmation [ˌkɔnfə,mei'ʃən] *s* **1** întărire, consolidare *(a autorității cuiva etc.)* **2** întărire, confirmare, adeverire; atestare; ratificare **3** *bis* confirmare

confirmative [kən'fəːmətiv], **confirmatory** [kən'fəːmətəri] *adj elev* confirmator, – adeveritor

confirmed [kən'fəːmd] *adj* **1** confirmat **2** convins, inveterat, înrăit **3** *(d. boli)* cronic

confiscate ['kɔnfiˌskeit] *vt* a confisca; a rechiziționa

confiscation [ˌkɔnfis'keiʃən] *s* confiscare; rechiziționare

confiture ['kɔnfiˌtjuəʳ] *s* dulceață

conflagration [ˌkɔnflə'greiʃən] *s* **1** incendiu de mari proporții **2** *fig* conflagrație

conflate [kən'fleit] *vt* a combina *(variante de text)*

conflation [kən'fleiʃən] *s* combinare *(a variantelor de text)*

conflict I ['kɔnflikt] *s* **1** conflict; luptă, bătălie **2** conflict, ciocnire; contradicție **II** [kən'flikt] *vi* (with) a fi în conflict (cu); a fi în contradicție (cu)

conflicting [kən'fliktiŋ] *adj (d. opinii etc.)* contradictoriu

confluence ['kɔnfluəns] *s* **1** confluență *(a două râuri etc.)* **2** afluență *(de oameni)*, mulțime, potop **3** încrucișare *(de drumuri etc.)*

confluent ['kɔnfluənt] **I** *adj* **1** *(d. cursuri de apă)* confluent **2** *med* aderent **II** *s* afluent

conflux ['kɔnflʌks] *s v.* **confluence**

conform [kən'fɔːm] **I** *vt* a pune de acord, a armoniza, **II** *vi* a se acorda, a fi în acord/concordanță

conformable [kən'fɔːməbəl] *adj* **1** conform; concordant; corespunzător **2** (with) comparabil, asemănător (cu) **3** ascultător, supus **4** *geol* concordant

conformably [kən'fɔːməbli] *adj* (în mod) corespunzător

conformation [ˌkɔnfɔːˌmei'ʃən] *s* **1** conformație; formă, aspect; structură **2** (to) conformare (la), asculare (de), respectare *(a legii etc.)* **3** (to) adaptare (la)

conformist [kən'fɔːmist] *s* conformist

conformity [kən'fɔːmiti] *s* **1** conformitate, concordanță, caracter corespunzător; **in ~ with** potrivit *cu dat*, în conformitate cu, de acord cu **2** concordanță, asemănare, potrivire **3** (to) confirmare (la), acceptare *(cu gen)*; supunere (la) **4** *rel* respectarea dogmelor bisericii anglicane **5** *geol* concordanță

conform oneself to [kən'fɔːm wʌn'self tə] *vr cu prep* a se conforma, a se supune *cu dat*

conform to [kən'fɔːm tə] **I** *vt cu prep* a-și potrivi, a-și modela, a-și ajusta *(convingerile etc.)* după; modelul – *cu gen* **II** *vi cu prep* a se conforma, a se supune *(obiceiurilor etc.)*

confound [kən'faund] *vt* **1** a amesteca, a încurca, a încâlci **2** a zăpăci, a încurca *(pe cineva)* **3** ← *rar* a confunda, a lua drept altul **4** a înjura; a blestema **5** a irosi, a consuma **6** ← *înv* a înfrânge; a distruge // **~ it!** *F* la naiba/dracu'! drăcia dracului!

confounded [kən'faundid] *adj* **1** zăpăcit, amețit **2** amestecat, încurcat **3** *F* afurisit, al naibii **4** groaznic, scârbos, îngrozitor

confoundedly [kən'faundidli] *adv F* al naibii (de), îngrozitor (de)

confound with [kən'faund 'wið] *vt cu prep* a confunda cu, a lua drept

confraternity [kɔnfrə'təːniti] *s* frăție; uniune; ligă

confrere ['kɔnfrɛəʳ] *s* confrate; coleg

confront [kən'frʌnt] *vt* **1** a înfrunta *(primejdii etc.)*, a se afla în fața *cu gen*; a privi în față *(moartea etc.)*; **to be ~ed with** a trebui să facă față *cu dat* **2** a se opune, a rezista *cu dat* **3** a confrunta *(martori etc.)*, a pune față în față **4** *(d. o clădire etc.)* a fi în fața *cu gen*, a fi vizavi de **5** a confrunta, a compara

Confucianism [kən'fjuːʃə'nizəm] *s rel* confucianism

Confucius [kən'fjuːʃəs] *filosof chinez (551?-479 î.e.n.)*

confuse [kən'fjuːz] *vt* **1** a confunda, a lua drept altul **2** a amesteca, a încurca *(lucruri, idei etc.)* **3** a zăpăci, a lăsa perplex *(pe cineva)* **4** a intimida; a rușina **5** a ruina

confused [kən'fjuːzd] *adj* **1** confuz, încurcat, tulburat; zăpăcit, perplex **2** *(d. o idee etc.)* confuz, neclar, nedeslușit, încurcat

confusedly [kən'fjuːzidli] *adv* **1** confuz, tulburat; zăpăcit **2** (în mod) confuz; în dezordine

confusion [kən'fjuːʒən] *s* **1** confuzie, încurcătură; talmeș-balmeș, dezordine **2** confuzie *(mintală)*, zăpăceală; tulburare; perplexitate **3 the C~** *bibl* amestecul limbilor

confutation [ˌkɔnfjuː'teiʃən] *s* respingere *(a unor argumente etc.)*, infirmare

confute [kən'fjuːt] *vt* 1 a respinge; a dezaproba 2 a arăta falsitatea *sau* netemeinicia *(unui argument etc.)*; a combate *(ceva, pe cineva)*

Cong. *presc de la* 1 **Congress** 2 **Congressional**

conga ['kɔŋgə] *s* conga *(dans, muzică)*

congé ['kɔnʒei] *s fr* permisiune de a pleca, salut reverenţios *(la plecarea de la suveran);* **to give smb his** *sau* **her** ~ a concedia pe cineva, a pofti (brusc) pe cineva să plece

congeal [kən'dʒiːl] **I** *vt* 1 a congela 2 a coagula **II** *vi* 1 a se congela 2 a se coagula, a se închega

congealment [kən'dʒiːlmənt] *s* 1 congelare 2 coagulare, închegare

congelation [ˌkɔndʒi'leiʃən] *s v.* **congealment**

congenerous [kɔn'dʒenərəs] *adj* 1 ← *elev* înrudit, asemănător 2 *fizl (d. muşchi)* care participă la aceeaşi mişcare

congenial [kən'dʒiːnjəl] *adj* 1 **(with)** înrudit, apropiat, având afinităţi (cu); de acelaşi fel (cu) 2 simpatic, atrăgător, plăcut

congenial to [kən'dʒiːnjəl tə] *adj cu prep* potrivit pentru, care se potriveşte cu, corespunzător *cu dat*

congenital [kən'dʒenitəl] *adj med* congenital, înnăscut

conger (eel) [kɔŋgəʳ (iːl)] *s iht* ţipar-de-mare *(Conger vulgaris)*

congeries [kɔn'dʒiəriːz] *s şi pl* adunătură, amestecătură, grămadă

congest [kən'dʒest] *vt fizl, circulaţie* a congestiona

congested [kən'dʒestid] *adj* 1 *fizl* congestionat 2 *(d. străzi etc.)* congestionat, aglomerat

congestion [kən'dʒestʃən] *s* 1 *med* congestie 2 congestionare, aglomerare 3 suprapopulare 4 grămadă, îngrămădire, mulţime

conglomerate I [kən'glɔmə,reit] *vt* a congestiona, a aglomera **II** [kən'glɔmə,reit] *vi* a se congestiona, a se aglomera **III** [kən'glɔmərit] *s geol, fig* conglomerat **IV** [kən'glɔmərit] *adj* 1 aglomerat; congestionat 2 *geol* conglomerat; detritic

conglomeration [kən,glɔmə'reiʃən] *s* 1 congestionare, aglomerare 2 amestec, amestecătură, conglomerat

Congo, the ['kɔŋgou, ðə] *s* 1 (Republica) Congo 2 *(fluviu)* Congo

Congolese [ˌkɔŋgə'liːz] *adj, s* congolez

congratulate [kən'grætju,leit] **I** *vt* **(on)** a felicita, *înv* ← a hiritisi (cu ocazia – *cu gen,* pentru) **II** *vr* **(on)** a se felicita (pentru)

congratulation [kən,grætju'leiʃən] *s* **(on)** felicitare (pentru); **I offered him my ~s upon his success** l-am felicitat pentru succes; **~s!** a felicitări! cele mai bune urări! la mulţi ani! *etc.* **b** bravo!

congratulatory [kən'grætjuleitəri] *adj atr (d. un discurs etc.)* de felicitare; de bune urări

congregate I ['kɔŋgri,geit] *vt* a strânge, a aduna, a întruni **II** *vi* a se strânge, a se aduna, a se întruni **III** ['kɔŋgrigit] *adj atr* adunat, strâns; colectiv

congregation [ˌkɔŋgri'geiʃən] *s* 1 adunare, întrunire 2 *bis* parohieni, enorie, credincioşi 3 *bis* congregaţie 4 *univ* şedinţă a senatului *(la Cambridge)*

congregational [ˌkɔŋgri'geiʃənəl] *adj bis* de enorie, al enoriei

Congregationalism [ˌkɔŋgri'geiʃənə,lizəm] *s rel* independenţă; congregaţionalism *(drept de autoconducere pt fiecare parohie)*

congress ['kɔŋgres] *s* 1 congres; adunare generală 2 **the C~** Congresul S.U.A.

congressional [kɔn'greʃənəl] *adj* de la, pentru *etc.* un congres; congresional; ~ **debates** dezbateri în cadrul unui congres

congressman ['kɔŋgresmən] *s* 1 congresist, membru al unui congres 2 congressman, membru al Congresului S.U.A.

Congreve ['kɔŋgriːv], **William** *autor dramatic englez (1670-1729)*

congruence ['kɔŋgruəns] *s* 1 acord, concordanţă, congruenţă 2 *mat* congruenţă

congruent ['kɔŋgruənt] *adj* 1 corespunzător, potrivit, adecvat, congruent 2 *mat* congruent

congruently ['kɔŋgruəntli] *adv* (în mod) corespunzător *sau* congruent

congruity [kən'gruːiti] *s v.* **congruence 1**

congruous ['kɔŋgruəs] *adj v.* **congruent**

conic ['kɔnik] *adj geom* de con; conic

conical ['kɔnikəl] *adj* conic, de formă conică; ca un con

conical projection ['kɔnikəl prə'dʒekʃən] *s geogr* proiecţie conică

conifer ['kounifəʳ] *s bot* conifer

coniferous [kə,nifərəs] *adj bot* conifer, purtător de conuri

conj. *presc de la* 1 **conjugation** 2 **conjunction**

conjecturable [kən'dʒektʃərəbəl] *adj* imaginabil, de presupus

conjectural [kən'dʒektʃərəl] *adj* ipotetic, de presupus; nesigur; neîntemeiat

conjecture [kən'dʒektʃəʳ] **I** *s* 1 presupunere, bănuială; suspiciune 2 ipoteză **II** *vt, vi* a bănui, a presupune

conjoin [kən'dʒɔin] **I** *vt* a uni, a îmbina, a lega **II** *vi* a se uni, a se îmbina

conjoint [kən'dʒɔint] *adj* unit; *(d. acţiuni etc.)* comun

conjointly [kən'dʒɔintli] *adv* în comun, mână în mână

conjugal ['kɔndʒugəl] *adj* conjugal

conjugality [ˌkɔndʒu'gæliti] *s elev* matrimoniu, – căsnicie

conjugate I ['kɔndʒugit] *adj* 1 unit; împerecheat 2 *mat* conjugat 3 *lingv (d. cuvinte)* având aceeaşi rădăcină şi sens apropiat; paronim(ic) 4 *ch* a combina **II** ['kɔndʒugit] *s lingv* cuvânt cu aceeaşi rădăcină şi sens apropiat; paronim **III** ['kɔndʒugeit] *vt* 1 a uni, a îmbina, a lega; a împerechea 2 *gram* a conjuga

conjugation [ˌkɔndʒu'geiʃən] *s* 1 unire, îmbinare; legare; împerechere 2 *fiz, gram* conjugare

conjunction [kən'dʒʌŋkʃən] *s* 1 *gram, astr* conjuncţie 2 unire, îmbinare, legătură; **in ~ with** în legătură cu 3 conjunctură; coincidenţă

conjunctive [kən'dʒʌŋktiv] **I** *adj* 1 de legătură; conjunctiv 2 *gram (d. pronume etc.)* conjunctiv **II** *s gram* (modul) conjunctiv

conjunctively [kən'dʒʌŋktivli] *adv* 1 împreună, în comun 2 *gram* printr-o conjuncţie

conjunctivitis [kən,dʒʌŋkti'vaitis] *s med* conjunctivită

conjunctly [kən'dʒʌŋktli] *adv* în comun, împreună; de comun acord

conjuncture [kən'dʒʌŋktʃəʳ] *s* conjunctură, concurs de împrejurări

conjuration [,kɔndʒuə'reiʃən] *s* invocare *(a duhurilor);* magie; incantație

conjure ['kʌndʒəʳ] I *vt* 1 a invoca, a chema, a conjura *(duhuri etc.)* 2 a face *(ca cineva sau ceva)* să apară *(prin formule magice, prestigitație etc.)* 3 a vrăji, a fermeca 4 a evoca *(amintiri etc.)* 5 [kən'dʒuəʳ] *înv* a conjura, a ruga fierbinte/stăruitor, a implora II *vi* a se ocupa cu magia; a face farmece; a chema duhuri; **a name to ~ with** nume foarte influent *sau* important

conjure away ['kʌndʒər ə'wei] *vt cu part adv* a alunga/a îndepărta prin vrăji

conjurer ['kʌndʒərəʳ] *s* 1 vrăjitor, P → solomonar 2 prestidigitator, scamator

conjure up ['kʌndʒər ʌp] *vt cu part adv* 1 *v.* **conjure I** I 2 a rechema, a evoca *(amintiri etc.)* 3 *fig* a pregăti foarte repede *(o gustare etc.)*

conjuror ['kʌndʒərəʳ] *s v.* **conjurer**

conk [kɔŋk] I *s* 1 nas 2 cap, F dovleac, căpățână 3 lovitură în cap II *vt* a lovi în cap III *vi* 1 a se duce la culcare 2 a leșina

conked-out ['kɔŋktaut] *adj sl* scos din circulație, bun de dat la gunoi

conk out ['kɔŋk'aut] *vi cu part adv sl* 1 *(d. motor etc.)* a se strica 2 F → a da ortul popii, *vulg* a o mierli, – a muri

con man ['kɔn ,mæn] *s sl amer v.* **confidence man**

Conn. *presc de la* **Connecticut**

connate ['kɔneit] *adj* 1 înnăscut, din naștere, congenital 2 născut în același timp 3 înrudit, apropiat 4 *geol* interstițial

Connaught ['kɔnɔ:t] *provincie în Irlanda*

connect [kə'nekt] I *vt* 1 **(with, to)** a lega (de, cu), a uni (cu); *tehn* a conecta (cu) 2 **(with)** *fig* a lega, a asocia (cu) II *vi* **(with)** a fi în legătură (cu)

connected [kə'nektid] *adj* 1 unit, legat 2 *(d. o povestire etc.)* închegat; coerent; înlănțuit logic 3 înrudit; ~ **by marriage** încuscrit; **well** ~ având rude *sau* cunoștințe cu dare de mână *sau* influență

connectedly [kə'nektidli] *adv* logic; coerent

connecter, conector [kə'nektəʳ] *s tehn* piesă de legătură

Connecticut [kə'nektikət] 1 *stat în S.U.A.* 2 **the** ~ *fluviu în S.U.A.*

connecting [kə'nektiŋ] *adj* de legătură

connecting gear [kə'nektiŋ ,giəʳ] *s tehn* angrenaj de transmisie

connecting line [kə'nektiŋ ,lain] *s ferov* linie ferată de joncțiune

connecting pipe [kə'nektiŋ paip] *s tehn* racord, branșament

connecting rod [kə'nektiŋ rɔd] *s auto* bară de direcție

connecting shaft [kə'nektiŋ ,ʃɑ:ft] *s tehn* arbore de transmisie

connecting terminal [kə'nektiŋ ,tə:minəl] *s el* bornă de legătură

connection [kə'nekʃən] *s* 1 *și fig* legătură; **I don't see the ~ between the two ideas** nu văd legătura dintre cele două idei; **in ~ with a** în legătură cu **b** *(d. mijloace de locomoție)* având legătură cu; **in this ~** în legătură cu acestea 2 *ferov etc.* legătură; corespondența 3 *com* clientelă, clienți 4 *pl* rude; cunoscuți; relații; legături *(influențe)* 5 legătură sexuală

connective [kə'nektiv] I *adj* 1 de legătură; conectiv; conjunctiv 2 *gram* de legătură, conectiv II *s gram* conectiv, conector, cuvânt de legătură *(conjuncție, prepoziție)*

connective tissue [kə'nektiv 'tisju:] *s anat* țesut conjunctiv

connexion [kə'nekʃən] *s v.* **connection**

connexity [kə'neksiti] *s* conexiune, legătură

connivance [kə'naivəns] *s* coniventă, complicitate

connive [kə'naiv] *vi* **(with)** a fi de coniventă, a avea o înțelegere (tacită) (cu)

connive at [kə'naiv ət] *vi cu prep* a se (pre)face că nu vede *cu ac,* a închide ochii la; a îngădui, a permite *cu ac*

connoisseur [,kɔni'sə:ʳ] *s* cunoscător *(↓ în artă)*

connotation [,kɔnə'teiʃən] *s* conotație, subtext, ceea ce se subînțelege *(asociații, modalitate etc. a unui cuvânt)*

connotative ['kɔnə,teitiv] *adj* conotativ

connotatively ['kɔnə,teitivli] *adv* din punct de vedere conotativ

connote [kɔ'nout] *vt* 1 *(d. cuvinte)* a sugera *(asociații etc.),* a implica și ideea de 2 a implica, a atrage după sine

connubial [kə'nju:biəl] *adj* elev matrimonial, conjugal

conoid ['kounɔid], **conoidal** [kou-'nɔidəl] *geom* I *s* conoid, trunchi de con II *adj* conic

conquer ['kɔŋkəʳ] I *vt* 1 a cuceri, a pune stăpânire pe, a câștiga 2 *fig* a cuceri, a câștiga *(faimă etc.)* II *vi* a învinge, a fi victorios, a birui

conqueror ['kɔŋkərəʳ] *s* 1 cuceritor; învingător, **2 the C~** William Cuceritorul *(duce de Normandia; i-a învins pe anglo-saxoni în bătălia de la Hastings, 1066)*

conquest ['kɔŋkwest] *s* 1 *și fig* cucerire; **to make a ~ of a woman** a cuceri o femeie 2 **the C ~** cucerirea Angliei de către normanzi *(după bătălia de la Hastings, 1066)*

conquistador ['kɔn,kwistədɔ:ʳ] *s ist* conchistador

Conrad ['kɔnræd] 1 *nume masc* 2 **Joseph** ~ *romancier englez (1858-1924)*

Cons. *presc de la* 1 **Constitution** 2 **Consul**

cons. *presc de la* 1 **consolidated** 2 **consonant** 3 **constitutional**

consanguine [kɔn'sæŋgwin] *adj v.* **consanguineous**

consanguineous [,kɔnsæŋ'gwiniəs] *adj* înrudit prin sânge; consanguin

consanguinity [,kɔnsæŋ'gwiniti] *s* 1 înrudire prin sânge 2 *fig* înrudire, afinitate

conscience ['kɔnʃəns] *s* conștiință, cuget; **to have a clear** ~ a avea cugetul curat, a avea conștiința curată; **to have smth on one's** ~ a avea ceva pe conștiință; **in all** ~ **a** cinstit vorbind, ca să fiu cinstit **b** negreșit, neapărat; **for** ~ **(')** **sake** pentru liniștirea conștiinței; **my ~!** Dumnezeule; Cerule! // **to have the ~ to do smth** a avea neobrăzarea de a face ceva

conscienceless ['kɔnʃənslis] *adj* lipsit de/fără conștiință

conscience money ['kɔnʃəns mʌni] *s* despăgubire plătită din motive de conștiință

conscience-stricken ['kɔnʃəns 'strikn] *adj* care are mustrări de conștiință

conscientious [ˌkɔnʃi'enʃəs] *adj* **1** conștiincios, scrupulos **2** onest, cinstit

conscientiously ['kɔnʃi'enʃəsli] *adv* cu conștiinciozitate, conștiincios

conscientious objector [ˌkɔnʃi-'enʃəs əb'dʒektər] *s* persoană care refuză să satisfacă serviciul militar din cauza convingerilor *(politice sau religioase)*

conscious ['kɔnʃəs] *adj* **1** conștient, lucid; treaz; **she was ~ to the last** a fost conștientă până în ultima clipă **2** conștient, inteligent, gânditor **3** *(d. o minciună etc.)* conștient, intenționat; făcut cu bună știință, voit **4** (of) conștient, care își dă seama, care are cunoștință (de); **I am ~ of his plans** știu ce planuri are, îmi dau seama de planurile sale

conscious *adj* *(în cuvinte compuse)* care are conștiința de: **class-~** care are conștiință de clasă

consciously ['kɔnʃəsli] *adv* (în mod) conștient, lucid

consciousness ['kɔnʃəsnis] *s* **1** (of) cunoștință, știință (despre) **2** conștiență, cunoștință; **to lose ~** a-și pierde cunoștința **3** conștiință *(de clasă etc.)*

conscript *mil* **I** [kən'skript] *vt* **1** a încorpora, a chema sub arme, a lua la armată, a recruta **2** *și fig* a mobiliza **II** ['kɔnskript] *adj* chemat sub arme **III** ['kɔnskript] *s* recrut

conscription [kən'skripʃən] *s mil* **1** încorporare, recrutare **2** *și fig* mobilizare **3** serviciu militar

consecrate ['kɔnsiˌkreit] *vt* **1** *bis* a sfinți, a târnosi **2** *fig* a consacra, a dedica *(viața, activitatea etc.)*

consecration [ˌkɔnsi'kreiʃən] *s* **1** *bis* sfințire; târnosire **2** consacrare, dedicare

consecution [ˌkɔnsi'kju:ʃən] *s* **1** succesiune *(↓ logică)* **2** desfășurare

(a evenimentelor etc.)

consecutive [kən'sekjutiv] *adj* **1** consecutiv, succesiv **2** *gram* consecutiv

consecutively [kən'sekjutivli] *adv* (în mod) consecutiv

consensus [kən'sensəs] *s* consens, acord; părere generală

consent [kən'sent] **I** *vi* (to) a consimți (să), a-și da consimțământul (la; să), a încuviința *(cu ac;* să) **II** *s* consimțământ; încuviințare; permisiune, îngăduință; **by general ~** cu aprobarea tuturor; **silence gives ~** *prov* tăcerea înseamnă consimțire; **with one ~** unanim

consentaneous [ˌkɔnsən'teiniəs] *adj* ← *elev* **1** adecvat, concordant; corespunzător **2** unanim

consentant [kɔn'sentənt] *adj* ← *elev* care consimte

consentient [kən'senʃənt] *adj* ← *elev* **1** unanim, general **2** (to) care consimte (la)

consequence ['kɔnsikwəns] *s* **1** consecință, urmare; **to take the ~s** a suporta consecințele; **in ~ (of)** drept urmare *(cu gen)*; mulțumită, datorită *(cu dat)* **2** importanță, însemnătate; **a man of ~** un om important, un om de vază; **it's of no ~** n-are nici o importanță, nu contează

consequent ['kɔnsikwənt] *adj* **1** logic **2** consecvent **3** îndelungat, de durată

consequential [ˌkɔnsi'kwenʃəl] *adj* **1** *v.* **consequent 2** *(d. cineva)* care-și dă importanță/aere **3** important

consequently ['kɔnsikwəntli] *adv* în consecință, prin urmare, de aceea

consequent on/upon ['kɔnsikwənt ɔn/ə,pɔn] *adj cu prep* care rezultă din; care este o urmare/o consecință *cu gen*

conservancy [kən'sə:vənsi] *s* **1** comitet pentru controlul și protecția apelor **2** protecția/protejarea naturii

conservation [ˌkɔnsə'veiʃən] *s* **1** păstrare; conservare; menținere **2** *v.* **conservancy**

conservatism [kən'sə:vəˌtizəm] *s* conservatorism

conservative [kən'sə:vətiv] *adj, s și pol* conservator

Conservative and Unionist Party, the [kən'sə:vətiv ənd 'ju:niənist

'pa:ti, ðə] *s pol* Partidul Conservator din Marea Britanie

conservatoire [kən'sə:və,twa:r] *s fr muz* conservator

conservator ['kɔnsə,veitər] *s* **1** paznic; apărător **2** custode, păzitor *(al râurilor, pădurilor)* **3** [kən'sə:vətər] tutore

conservatory [kən'sə:vətri] *s* **1** seră **2** *muz* conservator

conserve [kən'sə:v] **I** *vt* **1** a conserva *(fructe etc.)* **2** a păstra; a conserva; a menține *(obiceiuri etc.)* **II** *s pl* fructe zaharisite; gem; dulceață; zaharicale; dulciuri

consider [kən'sidər] **I** *vt* **1** a se gândi la; a intenționa; **we are ~ing going to the seaside** ne gândim să mergem la mare **2** a se gândi la, a avea în vedere, a lua în considerare, a nu pierde din vedere; **you should ~ his age** ar trebui să aveți în vedere vârsta lui, ar trebui să țineți cont de vârsta lui **3** a considera, a crede, a socoti; **I ~ that you are wrong** consider/cred/socotesc că nu ai dreptate; **he ~ed it wise to stop** a socoti cu cale să se oprească; **he is ~ed (to be) a good physician** este considerat/socotit (drept) un doctor bun **II** *vr* a se considera, a se socoti, a se crede **III** *vi* a judeca, a se gândi

considerable [kən'sidərəbəl] *adj* considerabil, însemnat, remarcabil

considerably [kən'sidərəbli] *adv* considerabil, mult

considerate [kən'sidərit] *adj* **1** (to, towards) atent (cu); prevenitor, politicos (cu) **2** plin de tact; delicat **3** circumspect; prudent

considerately [kən'sidəritli] *adv* (în mod) atent, prevenitor

considerateness [kən'sidəritnis] *s* caracter atent/curtenitor; amabilitate

consideration [kənˌsidə'reiʃən] *s* **1** considerație, stimă, respect; **in ~ of** *sau* **out of ~ for** din considerație pentru; ținând seama de; **2** atenție, (luare în) considerare; judecată; apreciere; **to take smth into ~** a lua în considerare, a ține seama de ceva; **to leave smth out of ~** a nu lua ceva în considerare, a nu ține seama de ceva; **his proposal is still under** ~ propunerea lui se mai analizează încă **3** considerent; motiv; argument; **on no** ~ sub nici un motiv, în nici un caz **4** răsplată, recompensă, plată; compensație **5** ← *rar* importanță, însemnătate

considered [kən'sidəd] *adj* **1** chibzuit, gândit **2** *amer* apreciat, prețuit, la preț // **all things** ~ ținându-se seama de toate (elementele)

considering [kən'sidəriŋ] *prep* **1** privitor/referitor la, cu privire la **2** având în vedere, ținând seama de

consign [kən'sain] *vt fin* a depune *(bani etc.)*

consignation [ˌkɔnsig'neiʃən] *s* **1** *com* expediere de mărfuri prin consignație **2** *fin* vânzare a unei sume depozitată în bancă

consignee [ˌkɔnsai'ni:] *s com* destinatar

consigner [kən'sainər] *s com* expeditor

consignment [kən'sainmənt] *s ec* consignație, consemnare

consignor [kən'sainər] *s v.* **consigner**

consign to [kən'sain tə] *vt cu prep* **1** a da pe mâna *cu gen*, a încredința *cu dat*; a lăsa în grija/ seama cuiva; **to consign smb to jail** a trimite pe cineva la închisoare **2** a da *cu dat*, a pune la îndemâna *cuiva*, a da în folosința *cuiva* **3** a încredința *(memoriei etc.)* **4** a expedia (prin consignație) *(mărfuri etc.)*

consistence [kən'sistəns] *s v.* **consistency 1**

consistency [kən'sistənsi] *s* **1** consistență; soliditate; densitate **2** *fig* consecvență; logică

consistent [kən'sistənt] *adj* **1** consistent; solid; dens **2** consecvent; logic **3** (**with**) concordant (cu); comparabil (cu)

consist in [kən'sist in] *vi cu prep* a sta în, a consta în; a se reduce la

consist of [kən'sist əv] *vi cu prep* a consta/a se compune din, a fi alcătuit/compus din

consistory [kən'sistəri] *s bis* consistoriu

consist with [kən'sist wið] *vi cu prep* a fi în acord cu, a fi compatibil cu

consociate [kən'souʃieit] *s* ← *rar* **1** asociat, partener **2** complice, părtaș

consolation [ˌkɔnsə'leiʃən] *s* mângâiere, consolare

consolation prize [ˌkɔnsə'leiʃən praiz] *s* premiu de consolare

consolatory [kən'sɔlətəri] *adj* de consolare; consolator, *rar* → consolant

console[1] [kən'soul] *vt* a consola, a mângâia; a îmbărbăta, a încuraja

console[2] ['kɔnsoul] *s constr* consolă

console receiver ['kɔnsoul ri'si:vər] *s* televizor mobilă

console table ['kɔnsoul teibl] *s* consolă, măsuță sprijinită de perete

consolidate [kən'sɔliˌdeit] *s vt* **1** *și fig* a întări, a consolida **2** a unifica, a contopi *(societăți etc.)* **3** *ec* a consolida **II** *vi* **1** *și fig* a se întări, a se consolida **2** *(d. societăți etc.)* a se unifica, a se contopi, a fuziona

consolidated fund [kɔn'sɔliˌdeitid ˌfʌnd] *s fin* fond consolidat

consolidation [kənˌsɔliˈdeiʃən] *s* **1** *și fig* întărire, consolidare **2** unificare, contopire, fuziune *(a unor societăți etc.)* **3** *ec* consolidare

consols ['kɔnsɔlz] *s pl fin* bonuri de rentă consolidată

consommé [kən'sɔmei] *s fr* supă „consommé" *(de carne, concentrată)*

consonance ['kɔnsənəns] *s* **1** acord, armonie, potrivire **2** *muz* armonie

consonancy ['kɔnsənənsi] *s v.* **consonance**

consonant ['kɔnsənənt] **I** *adj* **1** *muz* armonios **2** (**with, to**) *fig* pus de acord (cu); în acord, care concordă (cu) **3** cu rimă; cu asonanță **4** *fon* consonantic **II** *s fon* consoană

consonantal [ˌkɔnsə'næntəl] *adj fon* consonantic

consort I ['kɔnsɔ:t] *s* **1** *(↓ în cuvinte compuse)* consort: **the prince** ~ prințul consort **2** însoțitor, tovarăș **3** consoartă, soție; soț // **in** ~ **with** împreună cu *(cineva)* **II** [kən'sɔ:t] *vi* (**with**) a se asocia, a se întovărăși, ↓ a se înhăita (cu)

consortium [kən'sɔ:tiəm], *pl* **consortia** [kən'sɔ:tiə] *s ec* consorțiu

conspectus [kən'spektəs] *s* conspect; privire generală

conspicuous [kən'spikjuəs] *adj* care sare în ochi; izbitor; remarcabil; **to make oneself** ~ a se remarca, a atrage atenția asupra sa; ~ **by one's absence** care strălucește prin absență

conspicuous consumption [kən'spikjuəs kən'sʌmpʃən] *s* risipă ostentativă *(pt a-și arăta înalta poziție socială)*

conspicuously [kən'spikjuəsli] *adv* (în mod) vădit; izbitor (de)

conspicuousness [kən'spikjuəsnis] *s* caracter izbitor/evident

conspiracy [kən'spirəsi] *s* conspirație; uneltire

conspirator [kən'spirətər] *s* conspirator; uneltitor

conspiratorial [kənˌspirə'tɔ:riəl] *adj* conspirativ; de conspirație

conspiratorially [kənˌspirə'tɔ:riəli] *adv* (în mod) conspirativ

conspire [kən'spaiər] **I** *vi* (**against**) a conspira, a unelti (împotriva – *cu gen*) **II** *vt* a pune la cale *(distrugerea cuiva)*

const. *presc de la* **1** constant **2** constitution

constable ['kɔnstəbəl] *s* **1** polițist, polițai, sergent; **to outrun the** ~ a cheltui mai mult decât îi îngăduie mijloacele; a se îngloda în datorii **2** *od* conetabil **3** administrator *(al unui castel regal)* **4** ajutor de șerif

Constable ['kɔnstəbəl] **John** *pictor englez (1776-1837)*

constabulary [kən'stæbjuləri] **I** *adj* polițienesc, de poliție **II** *s* polițiști; forță polițienească

Constance ['kɔnstəns] *nume fem și lac în Elveția* Constanța

constancy ['kɔnstənsi] *s* constanță, statornicie; fidelitate, credință

constant ['kɔnstənt] **I** *adj* **1** constant, stabil, permanent **2** constant, statornic, neschimbător; fidel, credincios **II** *s mat* constantă

Constantine ['kɔnstən,tain] *nume masc* Constantin

Constantinople [ˌkɔnstænti'noupəl] *oraș în Turcia od* Constantinopol(e), Istanbul

constantly ['kɔnstəntli] *adv* **1** constant, permanent **2** mereu, întruna

Constantsa [kɔn'stʌntsə] *oraș în România* Constanța

constellate ['kɔnsti,leit] *vi* 1 *astr* a forma o constelație 2 a forma mănunchiuri, buchete *etc.*

constellation [,kɔnsti'leiʃən] *s* 1 *astr* constelație 2 *fig* pleiadă

consternation [,kɔnstə'neiʃən] *s* 1 consternare 2 groază, spaimă

constipate ['kɔnsti,peit] *vt med* a constipa, *P* → a încuia

constipation [,kɔnsti'peiʃən] *s med* constipație

constituency [kən'stitjuənsi] *s* 1 alegători, votanți 2 circumscripție electorală 3 *com* clienți, clientelă; abonați

constituent [kən'stitjuənt] I *adj* 1 constitutiv, component 2 *pol* constituant II *s* 1 constituent, parte constitutivă/componentă 2 *lingv* constituent imediat 3 *pol* alegător, votant

constituent assembly [kən'stitjuənt ə'sembli] *s* adunare constituantă

constitute ['kɔnsti,tju:t] *vt* 1 a numi (*pe cineva, o comisie etc.*) 2 a constitui, a forma, a alcătui 3 a institui, a forma (*o comisie etc.*); a autoriza (*funcționarea etc.*)

constitution [,kɔnsti'tju:ʃən] *s* 1 *pol* constituție 2 *pol* sistem de guvernământ 3 constituție (*fizică*); organism 4 structură, alcătuire

constitutional [,kɔnsti'tju:ʃənəl] I *adj* 1 *pol* constituțional 2 constitutiv; esențial, de bază 3 *med* organic II *s* ← *F* plimbare

constitutionalism [,kɔnsti'tju: ʃənəlizəm] *s pol* 1 constituționalism 2 sistem constituțional de guvernământ

constitutionally [,kɔnsti'tju:ʃənəli] *adv* și *pol* (din punct de vedere) constituțional

constitutional monarchy [,kɔnsti:tju:ʃənəl'mɔnəki] *s* monarhie constituțională

constitutive ['kɔnsti,tju:tiv] *adj* constitutiv, component; de bază

constr. *presc de la* **construction**

constrain [kən'strein] *vt* a constrânge, a sili, a obliga

constrained [kən'streind] *adj pred* (*d. voce etc.*) forțat; nenatural

constrainedly [kən'streindli] *adv* împotriva voinței sale, constrâns

constraint [kən'streint] *s* 1 constrângere; **to act under ~** a acționa sub constrângere 2 jenă,

stinghereală; sfială 3 stăpânire, înăbușire (*a sentimentelor*) 4 detenție

constrict [kən'strikt] *vt* a strânge, a comprima; a contracta

constriction [kən'strikʃən] *s* 1 strângere, comprimare; contractare 2 apăsare (*în piept etc.*)

constrictive [kən'striktiv] *adj anat* constrictor

constrictor [kən'striktər] *s anat* mușchi constrictor

construct [kən'strʌkt] *vt* 1 a construi, a clădi 2 *fig* a construi (*o propoziție etc.*) 3 a imagina; a crea (*o teorie etc.*)

construction [kən'strʌkʃən] *s* 1 construire (*a unei case, propoziții etc.*) 2 construcție, clădire 3 interpretare, explicație; **don't put the wrong ~ on my statement** nu interpreta greșit ceea ce am declarat/spus 4 *gram* construcție

constructional [kən'strʌkʃənəl] *adj* (*d. un defect etc.*) de construcție

constructive [kən'strʌktiv] *adj* 1 *constr* de construcție 2 (*d. un efort etc.*) constructiv 3 (*d. un refuz etc.*) indirect; implicit

constructively [kən'strʌktivli] *adv* (în mod) constructiv

constructiveness [kən'strʌktivnis] *s* caracter constructiv

constructor [kən'strʌktər] *s constr* constructor

construe [kən'stru:] I *vt* 1 a interpreta, a explica, a tălmăci (*un text*); a traduce 2 a interpreta; a-și face o anumită părere despre (*atitudinea cuiva etc.*) 3 *gram* a analiza sintactic II *vi gram* a fi analizabil (sintactic)

consubstantial [,kɔnsəb,stænʃəl] *adj elev* consubstanțial

consubstantiality [,kɔnsəb,stænʃi-'æliti] *s elev* consubstanțialitate

consubstantiation [,kɔnsəb,stænʃi-'eiʃən] *s rel* transsubstanțiune

consuetude ['kɔnswitju:d] *s* 1 obicei, deprindere 2 lege nescrisă

consul ['kɔnsəl] *s pol od* consul

consular ['kɔnsjulər] *adj* 1 *pol* consular, de consul 2 *od* de consul

consulate ['kɔnsjulit] *s pol* consulat

consulship ['kɔnsjulʃip] *s* consult, demnitate *sau* funcție de consul

consult [kən'sʌlt] I *vt* 1 a consulta (*un avocat, harta etc.*); a se sfătui cu (*cineva*) 2 a ține cont/seama de, a lua în considerație (*interesele cuiva etc.*) II *vi* (**with**) a se consulta (cu)

consultant [kən'sʌltənt] *s* consultant; specialist

consultation [,kɔnsəl'teiʃən] *s* 1 și *med* consultație 2 *med* consult 3 discuție; conferință

consultative [kən'sʌltətiv] *adj* consultativ

consultatory [kən'sʌltətəri] *adj* consultativ

consumable [kən'sju:məbəl] *adj* consumabil, care poate fi consumat *sau* distrus

consume [kən'sju:m] I *vt* 1 a consuma, a mânca *sau* a bea 2 a consuma, a uza, a folosi (*energie etc.*) 3 (*d. cineva*) a consuma, a irosi, a cheltui (*bani etc.*) 4 (*d. foc etc.*) a mistui, a consuma // **to be ~d with** a se consuma din cauza *cu gen*, a nu mai putea de, a arde de (*curiozitate etc.*) II *vi* (**with**) a se consuma (de; din cauza – *cu gen*); a slăbi, a se stinge (de; din cauza – *cu gen*)

consume away [kən'sju:m ə'wei] *vi cu part adv v.* **consume** II

consumedly [kən'sju:midli] *adv* extraordinar (de)

consumer [kən'sju:mə] *s* consumator

consumer(s') goods [kən'sju:mə(z) 'gudz] *s pl ec* bunuri de consum

consumership [kən'sju:məʃip] *s* consum (public)

consummate I [kən'sʌmit] *adj* desăvârșit, perfect II ['kɔnsə,meit] *vt* 1 a desăvârși, a perfecționa 2 a încheia, a completa

consummation [,kɔnsə'meiʃən] *s* 1 desăvârșire, perfecționare 2 desăvârșire, perfecțiune 3 sfârșit, final, încheiere; rezultat

consumption [kən'sʌmpʃən] *s* 1 consum; cheltuială; cerere 2 *med* slăbire, emaciere 3 *med* tuberculoză, ftizie 4 distrugere, nimicire

consumptive [kən'sʌmptiv] I *adj* 1 istovitor, epuizant 2 *med* tuberculos, bolnav de tuberculoză II *s med* bolnav de tuberculoză

cont. *presc de la* 1 **containing** 2 **continent** 3 **continue(d)** 4 **contract** 5 **contra**

contact I ['kɔntækt] *s* **1** atingere; *şi fig* contact, legătură; **to come into** ~ a veni în contact; **to make** ~ **with** a lua contact cu *(inamicul etc.);* **out of** ~ **with each other** care au pierdut contactul *(între ei);* despărţiţi **2** *fig* legătură, contact; cunoştinţă; **he made many useful** ~**s** a stabilit multe legături utile, a cunoscut multe persoane utile **3** intermediar, mijlocitor **4** *el* contact; cuplare; **to break** ~ a întrerupe contactul **5** *el* întrerupător, şaltăr **6** *mat* tangenţă **II** [kɔn'tækt] *vt* **1** a pune în contact, a stabili un contact între **2** a contacta, a stabili legături cu; a sta de vorbă cu; a coresponda cu; a lua legătura cu **3** a fi în contact/legătură cu

contact breaker ['kɔntækt ,breikə'] *s el* ruptor

contact lens ['kɔntækt ,lenz] *s opt* lentilă de contact

contagion [kən'teidʒən] *s* **1** *med* infecţie, contagiune, molipsire **2** *med* boală contagioasă/molipsitoare; molimă, *înv* → contagiune **3** *fig* molipsire, contaminare

contagious [kən'teidʒəs] *adj* **1** *med* contagios, molipsitor, infecţios **2** *fig* molipsitor, contagios

contagiously [kən'teidʒəsli] *adv* (în mod) contagios

contagiousness [kən'teidʒəsnis] *s* caracter contagios/molipsitor

contain [kən'tein] **I** *vt* **1** a conţine, a cuprinde, a include **2** a înfrâna, a-şi stăpâni *(o pornire etc.)* **3** *mat* a fi divizibil prin, a se împărţi la **4** *mat* a fi egal cu **II** *vr* a se stăpâni, a se reţine

contained [kən'teind] *adj* liniştit, calm, reţinut

container [kɔn'teinə'] *s* recipient, vas; canistră; container

containerize [kən'teinə,raiz] *vt tehn* a folosi containere pentru

contaminate [kən'tæmi,neit] *vt* **1** a murdări, a polua; a strica **2** a contamina; a face radioactiv **3** *fig* a corupe, a strica

contamination [kən,tæmi'neiʃən] *s* **1** murdărie, poluare **2** *şi lingv* contaminare

contd. *presc de la* **continued**

contemn [kən'tem] *vt* a dispreţui, a trata cu dispreţ

contemp. *presc de la* **contemporary**

contemplate ['kɔntem,pleit] **I** *vt* **1** a contempla, a privi îndelung **2** a studia, a considera, a examina **3** a se aştepta la **4** a intenţiona, a avea de gând (să); a-şi pune în gând *(ceva, să)* **II** *vi* a medita, a gândi

contemplation [,kɔntem'pleiʃən] *s* **1** contemplare; contemplaţie **2** contemplaţie, meditaţie **3** studiere, studiu, examinare **4** presupunere; intenţie; aşteptare; **he has a new book in** ~ intenţionează să scrie un nou volum

contemplative ['kɔntem,pleitiv] *adj* contemplativ, meditativ

contemporaneity [kən,tempərə-'ni:iti] *s* contemporaneitate

contemporaneous [kən,tempə-'reiniəs] *adj* (**with**) contemporan (cu)

contemporaneousness [kən,tempə'reiniəsnis] *s* **1** actualitate, contemporaneitate **2** simultaneitate, sincronism

contemporary [kɔn'tempreri] **I** *adj* **1** contemporan; **Dickens was** ~ **with Thackeray** Dickens a fost contemporan cu Thackeray **2** simultan, concomitent **3** modern, contemporan **II** *s* **1** contemporan **2** persoană de aceeaşi vârstă

contempt [kən'tempt] *s* **1** (**for**) dispreţ (pentru, faţă de); dispreţuire, nescotire *(cu gen);* bravare; **to hold/to have smb in** ~ a dispreţui pe cineva; **in** ~ **of** în ciuda *cu gen,* nesocotind *cu ac* **2** oprobriu, ruşine, ocară; **to fall into** ~ a se face de ruşine; a cădea în dizgraţie **3** *jur v.* ~ **of court**

contemptible [kən'temptəbəl] *adj* vrednic de dispreţ, de dispreţuit

contempt of court [kən'tempt əv 'kɔ:t] *s jur* **1** ofensă la adresa curţii, sfidare a curţii **2** neîndeplinirea sentinţei judecătoreşti **3** absenţă, contumacie

contemptuous [kən'temptjuəs] *adj* dispreţuitor, plin de dispreţ

contemptously [kən'temptjuəsli] *adj* dispreţuitor, cu dispreţ

contend [kən'tend] **I** *vi* **1** a (se) lupta; a se întrece, a rivaliza, a fi rival; **to** ~ **for a prize** a lupta/a se întrece/a concura pentru un premiu; **to** ~ **with difficulties** a

lupta cu greutăţile **2** a disputa (în contradictoriu), a se certa **II** *vt* (**that**) a susţine, a afirma (că)

content¹ [kən'tent] **I** *adj* mulţumit, satisfăcut **II** *vt* a mulţumi, a satisface **III** *vr* a se mulţumi **IV** *s* ← *poetic* mulţumire, satisfacţie

content² ['kɔntent] *s* **1** *pl* conţinut; capacitate, volum; ceea ce se află într-o cameră *etc.* **2** *pl* cuprins, tablă de materii **3** conţinut *(ant* formă*);* substanţă

contented [kən'tentid] *adj v.* **content¹**

contentedness [kən'tentidnis] *s* (stare de) mulţumire, satisfacţie

contention [kən'tenʃən] *s* **1** luptă; întrecere **2** controversă, dispută, discuţie; ceartă **3** subiect de dispută **4** argument *(într-o dispută)* **5** punct de vedere; afirmaţie

contentious [kən'tenʃəs] *adj* **1** gâlcevitor, arţăgos; cârcotaş **2** *(d. o problemă etc.)* litigios; discutabil, de discutat

contentiously [kən'tenʃəsli] *adv* în contradictoriu

contentiousness [kən'tenʃəsnis] *s* pornire spre ceartă, arţag

contentment [kən'tentmənt] *s* mulţumire, satisfacţie

conterminous [kən'tə:minəs] *adj* **1** (**to, with**) având acelaşi hotar (cu) **2** coincident, care coincide (cu)

contest I ['kɔntest] *s* **1** luptă; întrecere; competiţie **2** controversă, dispută **II** [kən'test] *vt* **1** a contesta, a tăgădui, a nega **2** a lupta pentru *(orice palmă de pământ etc.);* a căuta să câştige **3** a dezbate, a disputa **III** [kən'test] *vi* a (se) lupta, a se întrece

contestant [kən'testənt] *s* luptător, concurent, rival; potrivnic

context ['kɔntekst] *s şi fig* context; **in this** ~ în acest context; în aceste împrejurări

contextual [kən'tekstjuəl] *adj* contextual

contextually [kən'tekstjuəli] *adv* ţinând seama de context

contiguity [,kɔnti'gju:iti] *s* contiguitate, vecinătate, apropiere

contiguous [kən'tigjuəs] *adj* contiguu, învecinat, apropiat

contiguously [kən'tigjuəsli] *adv* unul lângă altul; în vecinătate

continence ['kɒntinəns] s 1 reținere, stăpânire 2 abstinență (↓ *sexuală*)

continent ['kɒntinənt] I s continent II *adj* 1 reținut, stăpânit 2 abstinent (↓ *sexualicește*)

continental [ˌkɒnti'nentəl] *adj*, s continental; **not worth a ~** *amer F* care nu face cât o ceapă degerată, bun de nimic, – fără valoare

continental breakfast [ˌkɒnti'nentəl 'brekfəst] s mic-dejun continental (*nu englezesc*)

Continental Divide, the [ˌkɒnti'nentəl di'vaid, ðə] Cumpăna continentală a apelor (*Munții Stâncoși*)

continental drift [ˌkɒnti'nentəl ˌdrift] s *geol* deriva continentelor

continental quilt [ˌkɒnti'nentəl 'kwilt] s plapumă din puf

continental shelf ['kɒnti'nentəl 'ʃelf] s *geogr* platformă continentală

contingence [kən'tindʒəns] s v. **contingency**

contingency [kən'tindʒənsi] s întâmplare, accident; împrejurare neprevăzută

contingent [kən'tindʒənt] I *adj* 1 întâmplător, accidental 2 posibil 3 neprevăzut 4 neesențial II s *mil* contingent

continual [kən'tinjuəl] *adj* 1 continuu, neîntrerupt (*în timp*) 2 continuu, repetat

continually [kən'tinjuəli] *adv* 1 continuu, fără întrerupere 2 continuu, mereu, repetat

continuance [kən'tinjuəns] s 1 continuare, urmare 2 durată 3 continuitate; constanță, permanență 4 rămânere (*în acelaşi loc etc.*) 5 *jur* amânare

continuation [kənˌtinju'eiʃən] s 1 continuare, urmare 2 prelungire 3 reînnoire 4 *pl sl* nădragi, pantaloni

continuation school [kənˌtinju'eiʃən-'sku:l] s şcoală complementară

continue [kən'tinju:] I *vt* 1 a continua, a urma; a duce mai departe; a nu renunța (la; să) 2 a relua (*o activitate*) 3 a menține (*într-un post*) 4 *jur* a amâna II *vi* 1 a continua, a urma; a nu se opri, a merge mai departe 2 a rămâne (*în aceeaşi funcție etc.*) 3 a continua, a relua discuția *etc.* 4 a dura, a continua, a dăinui

continuity [ˌkɒnti'nju:iti] s 1 continuitate; permanență 2 şir neîntrerupt, înlănțuire neîntreruptă 3 *cin* listă de montaj; scenariu regizoral

continuity writer [ˌkɒnti'nju:iti 'raitə'] s *cin* autor de scenarii

continuous [kən'tinjuəs] *adj* 1 continuu, neîntrerupt (*în timp sau spațiu*) 2 *gram* (*d. aspect*) continuu, progresiv

continuously [kən'tinjuəsli] *adv* continuu, mereu

continuum [kən'tinjuəm], *pl* **continua** [kən'tinjuə] s 1 întreg, tot organic 2 şir neîntrerupt 3 *met* continuu

contort [kən'tɔ:t] *vt* 1 a strâmba, a contorsiona; a suci, a răsuci 2 şi *fig* a schimonosi, a deforma

contortion [kən'tɔ:ʃən] s 1 strâmbare; contorsionare; sucire, răsucire; contorsiune 2 şi *fig* schimonosire, deformare 3 *med* luxație, scrântire

contortionist [kən'tɔ:ʃənist] s acrobat

contour ['kɒntuə'] I s 1 contur; schiță 2 *tehn* contur, perimetru 3 *top* contur, curbă de nivel II *vt* a contura

contour line ['kɒntuə ˌlain] s *geogr* curbă de nivel, izohipsă

contour map ['kɒntuə mæp] s *geogr* hartă cu curbe de nivel

contr. *presc de la* 1 **contract** 2 **contrary** 3 **control** 4 **controller**

contra ['kɒntrə] *adv* contra, împotriva

contra- *pref* contra-, anti-: **to contradict** a contrazice; **contraceptive** anticoncepțional

contraband ['kɒntrəˌbænd] s contrabandă

contrabandist ['kɒntrəˌbændist] s contrabandist

contrabass [ˌkɒntrə'beis] s *muz* contrabas

contrabassist [ˌkɒntrə'beisist] s *muz* contrabasist

contraception [ˌkɒntrə'sepʃən] s *med* măsuri anticoncepționale

contraceptive [ˌkɒntrə'septiv] *adj*, s *med* anticoncepțional

contraclockwise ['kɒntrə'klɒkwaiz] *adj*, *adv* contrar direcției acelor de ceasornic

contract I ['kɒntrækt] s 1 contract, învoială, înțelegere; **to sign a ~** a semna un contract; **to enter into a ~ with smb** a încheia un contract cu cineva; **by ~** prin contract, pe bază de contract 2 *ec* contract, acord 3 *lingv* contragere; formă contrasă II [kən'trækt] *vt* 1 a contracta (*muşchii etc.*), a-şi încrunta (*fruntea*) 2 *lingv* a contrage; a prescurta 3 a contracta, a face (*datorii*) 4 a micşora, a reduce (*cheltuieli etc.*) 5 a contracta, a încheia pe bază de contract 6 a contracta, a căpăta (*o boală*) III *vi* 1 a încheia un contract 2 a se contracta, a se micşora; (*d. o vale etc.*) a se îngusta, a se strâmta

contractant [kən'træktənt] s *jur* parte (contractantă)

contracted [kən'træktid] *adj* 1 contractat, dobândit 2 contras; micşorat; îngustat *etc.* 3 (*d. frunte*) încruntat 4 *fig* îngustat, limitat (*ca orizont*)

contractible [kən'træktibəl] *adj* contractibil; care se poate contrage *etc.* (v. **contract II**)

contractile [kən'træktail] *adj biol etc.* contractil

contract in [kən'trækt in] *vi cu part adv* a declara/a promite (↓ *oficial*) că va participa

contraction [kən'trækʃən] s 1 contractare (*a muşchilor etc.*), contracție 2 *lingv* contragere; prescurtare 3 contractare (*de datorii etc.*) 4 micşorare, reducere; strâmtare, îngustare 5 contractare, încheiere pe bază de contract

contract out [kən'trækt 'aut] *vi cu part adv* a declara (↓ *oficial*) că nu va participa

contract out of [kən'trækt 'aut əv] *vi cu prep* a rezilia un contract privitor la

contractual [kən'træktjuəl] *adj* contractual

contradict [ˌkɒntrə'dikt] *vt* 1 a contrazice (pe cineva, ceva); **the reports ~ed each other** ştirile sau rapoartele se contraziceau/erau contradictorii 2 a fi în contradicție cu; a contraveni, a nu corespunde *cu dat;* **his action ~ his principles** faptele sale sunt în contradicție cu principiile sale

contradiction [ˌkɒntrə'dikʃən] s 1 contradicție, contrazicere; **~ in terms** contradicție în termeni 2 dezmințire (↓ *oficială*) 3 contrast, opoziție; **in** ~ **to** în *sau* prin contrast cu **4** discrepanță, nepotrivire, contradicție **5** afirmație contradictorie

contradictious [ˌkɔntrə'dikʃəs] *adj* **1** căruia îi place să contrazică **2** contradictoriu

contradictory [ˌkɔntrə'diktəri] *adj* contradictoriu; care se bate cap în cap

contradictory to [ˌkɔntrə'diktəritə] *adj cu prep* incompatibil cu; care nu corespunde *cu dat;* care se bate cap în cap cu

contradistinction [ˌkɔntrədi'stiŋkʃən] *s* contrast; deosebire: **in** ~ **to** ← *elev* spre deosebire de

contradistinguish [ˌkɔntrədi'stiŋgwiʃ] *vt* a contrasta, a deosebi prin contrast

contrahent ['kɔntrəhənt] **I** *adj* contractant **II** *s* parte contractantă

contraindication ['kɔntrəˌindi'keiʃən] *s med* contraindicație

contralto [kən'træltou] *s muz* contralto

contraposition [ˌkɔntrəpə'ziʃən] *s* **1** contrapunere; opoziție; antiteză **2** *log* contrapoziție

contraption [kən'træpʃən] *s F* drăcie, șmecherie, – invenție

contrapuntal [ˌkɔntrə'pʌntəl] *adj muz* contrapunctic, polifonic

contrariety [ˌkɔntrə'raiəti] *s* contradicție, contrazicere; opoziție

contrarily[1] ['kɔntrərili] *adv* invers, de-a-ndoaselea

contrarily[2] [kən'trɛərili] *adv* mofturos, cu mofturi/toane

contrariwise ['kɔntrɛəriˌwaiz] *adv* **1** dimpotrivă, din contră **2** în sens opus, în direcție contrarie **3** invers, de-a-ndoaselea

contrary[1] ['kɔntrəri] **I** *adj* **1** contrar, opus; ~ **terms** termeni contrari **2** *(d. vânt)* din față, din direcție opusă **3** *(d. vreme)* nefavorabil, urât **4** *F* contra, – în opoziție; încăpățânat, îndărătnic **II** *s* contrar; opus; *lingv* antonim; **the** ~ **of 'good' is 'bad'** opusul/antonimul lui "good" este "bad"; **on the** ~ dimpotrivă, din contră; **to the** ~ în sens contrar; altfel, diferit; împotrivă; **to interpret by contraries** a interpreta invers

contrary[2] [kən'trɛəri] *adj* dificil; năzuros, greu de mulțumit

contrary to ['kɔntrəri tə] **I** *adj cu prep*

contrar *cu gen* **II** *adv cu prep* contrar *cu gen;* în ciuda *cu gen*

contrast I ['kɔntræst] *s* contrast, opoziție; deosebire, diferență; **in** ~ **with** spre deosebire de; prin *sau* în contrast cu; în comparație cu **II** [kən'trɑst] *vt* a contrasta, a opune; a compara **III** [kən'træst] *vi* a contrasta, a forma un contrast

contrastimulant [ˌkɔntrə'stimjulənt] *s med* sedativ

contrastive analysis [kən'træstiv ə'nælisis] *s lingv* analiză contrastivă

contravene [ˌkɔntrə'viːn] *vt* **1** a contraveni *(legii etc.)* **2** *fig* a contraveni *cu dat*, a contrazice

contravention [ˌkɔntrə'venʃən] *s* **1** *jur* contravenție **2** încălcare *(a legii etc.)*

contratemps ['kɔːntrəˈtɑːŋ] *s fr* complicație neprevăzută; nenorocire; accident

contribute [kən'tribjuːt] **I** *vt* **1** *(to)* a contribui cu *(bani etc.)* **2** *(to)* a colabora cu *(articole etc.)* (la), a scrie *(articole etc.)* (pentru, la) **II** *vi (to)* a contribui, a-și aduce contribuția (la)

contribute to [kən'tribjuːtə] *vi cu prep* **1** a contribui la, a-și avea partea de vină *cu gen* ce privește **2** a colabora la *(o revistă etc.)*

contribution [ˌkɔntri'bjuːʃən] *s* **1** *(to)* contribuție (la); participare (la) **2** *(to)* colaborare *(la o revistă etc.);* articol **3** *ec* impozit; taxă

contributor [kən'tribjutər] *s* **1** *ec* contribuabil **2** *(to)* colaborator *(la o revistă etc.)*

contributory [kən'tribjutəri] *adj* **1** *(to)* care contribuie (la) **2** *(d. fonduri etc.)* rezultat din contribuții

contrite ['kɔntrait] *adj* chinuit de remușcări, pocăit

contritely ['kɔntraitli] *adv* pocăit, plin de remușcări/căință

contrition [kən'triʃən] *s* remușcare, remușcări, căință

contrivance [kən'traivəns] *s* **1** inventivitate **2** născocire, plan **3** invenție, născocire **4** viclenie, șiretenie, șmecherie **5** mecanism, mașinărie; dispozitiv; aparat

contrive [kən'traiv] **I** *vt* **1** a inventa, a născoci, a descoperi *(un aparat, o metodă etc.)* **2** *(to)* a reuși, a izbuti (să) **II** *vi* a face/a făuri planuri

control [kən'troul] **I** *vt* **1** *ec etc.* a controla, a verifica **2** *ec* a norma *(consumul)* **3** *ec* a reglementa **4** a controla, a dirija, a conduce **5** a stăpâni, a controla, a înăbuși *(durerea etc.)* **6** a combate *(dăunători etc.)* **7** *tehn* a comanda, a controla; a regla; a manipula; a manevra **II** *vr* a se controla; a se stăpâni **III** *s* **1** *și fin* control, verificare, revizie; normare; reglare; ~ **of traffic** controlul circulației; **under** ~ sub control; controlat; **out of** ~ în afară de (orice) control; necontrolat **2** control, conducere, stăpânire; **to lose** ~ **of** a pierde controlul asupra *cu gen*; **he has no** ~ **over his class** nu are nici o autoritate în fața clasei; **in** ~ care conduce *sau* răspunde de ceva; **in the** ~ **of** în mâinile, la bunul plac *cu gen*; la dispoziția/ ordinele *cu gen* **3** combatere *(a insectelor etc.)* **4** *av* comandă **5** *tehn* mecanism de ghidare **6** stăpânire de sine, control

controllable [kən'troulə bl] *adj* **1** controlabil **2** reglabil

controller [kən'troulər] *s* **1** *ec etc.* controlor; revizor; inspector **2** *el* controler, regulator, aparat de comandă

control sample [kən'troul 'sɑːmpl] *s tehn* probă-martor

controversial [ˌkɔntrə'vɛːʃəl] *adj* **1** controversat; discutabil **2** căruia îi place polemica

controversialist [ˌkɔntrə'vɛːʃəlist] *s* polemist

controversy ['kɔntrəvəːsi] *s* controversă, discuție în contradictoriu; **to carry on/to hold a** ~ **with against smb on/about smth** a avea o controversă cu cineva cu privire la ceva; **facts that are beyond** ~ fapte ce nu pot fi controversate, fapte indiscutabile

controvert ['kɔntrəvəːt] *vt* a contrazice, a tăgădui, a nega

contumacious [ˌkɔntju'meiʃəs] *adj* **1** neascultător, nesupus **2** încăpățânat, îndărătnic **3** *jur* care nu dă urmare unei citații, care nu se prezintă la proces

contumaciously [ˌkɔntju'meiʃəsli] *adv* cu încăpățânare; refuzând să asculte *(de cineva)*

contumacy ['kɔntjuməsi] *s* **1** neascultare, nesupunere **2** încăpăţânare, îndărătnicie **3** *jur* contumacie, absenţă de la proces

contumelious ['kɔntju'mi:liəs] *adj* neruşinat, obraznic

contumeliously ['kɔntju'mi:liəsli] *adv* cu neruşinare, obraznic

contumely ['kɔntjumli] *s* **1** insolenţă, neobrăzare **2** insultă

contuse [kən'tju:z] *vt* **1** a freca; a rade; a măcina, a pisa **2** *med* a contuziona

contusion [kən'tju:ʒən] *s* **1** frecare; radere; măcinare, pisare **2** *med* contuzie

conundrum [kə'nʌndrəm] *s* enigmă; ghicitoare umoristică *(bazată pe jocuri de cuvinte)*

convalesce [ˌkɔnvə'les] *vi med* a fi în convalescenţă, a merge spre vindecare

convalescence [ˌkɔnvə'lesəns] *s med* convalescenţă

convalescent [ˌkɔnvə'lesənt] *adj, s med* convalescent

convection [kən'vekʃən] *s* **1** trimitere, transmisie **2** *fiz* convecţie **3** *el* curent de convecţie

convector [kən'vektəʳ] *s constr* convector

convene [kən'vi:n] I *vt* **1** a chema, a convoca **2** *jur* a cita II *vi* a se aduna, a se strânge *(în vederea unui scop)*

convener [kən'vi:nəʳ] *s* convocator, membru al unui comitet *etc.* care convoacă *(pe ceilalţi la şedinţe)*; organizator

convenience [kən'vi:niəns] *s* **1** oportunitate; comoditate; **at your** ~ când vă convine/aranjează când vă este convenabil; **at your earliest** ~ când îţi convine cel mai devreme; la prima ocazie, cu primul prilej **2** comoditate, confort; *pl* înlesniri **3** toaletă, closet **4** avantaj; profit; **to make a ~ of smb** a abuza de serviciile cuiva *sau* de bunătatea cuiva; **it is a great** ~ este foarte avantajos; **for the** ~ **of** în interesul *cu gen* **5** interes; **marriage of** ~ căsătorie de interes

conveniency [kən'vi:niənsi] *s v.* **convenience**

convenient [kən'vi:niənt] *adj* **1** confortabil; comod; uşor (de făcut) **2** convenabil, avantajos

conveniently [kən'vi:niəntli] *adv* (în mod) convenabil

convenient to [kən'vi:niənt tə] *adj cu prep* în apropierea *cu gen*, lângă, aproape de

convent ['kɔnvənt] *s bis* mănăstire (↓ de maici)

conventicle [kən'ventikəl] *s* **1** *bis* casă de rugăciune *(a sectanţilor din Anglia)* **2** *od* întrunire secretă (↓ cu caracter religios)

convention [kən'venʃən] *s* **1** convenţie; congres; adunare **2** *şi pol* convenţie, acord, înţelegere **3** convenţie, obicei; uzaj

conventional [kən'venʃənəl] *adj* **1** convenţional, tradiţional **2** convenţional, normal, standard **3** bazat pe o convenţie/un acord **4** artificial, nenatural **5** curtenitor; monden

conventionalism [kən'venʃənəˌlizəm] *s* convenţionalism; rutină

conventionality [kən,venʃə'næliti] *s* **1** *v.* **conventionalism 2** *pl* convenienţe (sociale)

conventionally [kən'venʃənəli] *adv* (în mod) convenţional

converge [kən'və:dʒ] *vi şi fig* a converge

convergence [kən'və:dʒəns] *s* convergenţă

convergent [kən'və:dʒənt] *adj* convergent

conversable [kən'və:səbəl] *adj* **1** comunicativ, sociabil **2** plăcut în conversaţie

conversance [kən'və:səns] *s* familiaritate, bună cunoaştere *sau* orientare

conversant with [kən'və:sənt wið] *adj cu prep* îndeaproape, familiarizat cu; care este un bun cunoscător *cu gen*

conversation [ˌkɔnvə'seiʃən] *s* **1** conversaţie, discuţie, *F→* taclale; **to make** ~ a sta de vorbă; a vorbi verzi şi uscate **2** *pl pol* tratative **3** purtare, comportare **4** relaţii (sociale); viaţă mondenă **5** *jur* adulter; ← *înv* relaţii sexuale **6** *artă* scenă de gen

conversational [ˌkɔnvə'seiʃənəl] *adj* **1** (↓ d. limbaj) de conversaţie **2** guraliv, vorbăreţ

conversationally [ˌkɔnvə'seiʃənəli] *adv* într-un stil familiar, în stilul limbii vorbite

conversazione ['kɔnvərˌsætsi'ouni], *pl şi* **conversazioni** ['kɔnvə ˌsætsi'ouni] *s* **1** seară literară *(organizată de o asociaţie literară etc.)* **2** serată

converse¹ [kən'və:s] I *vi* a discuta, a sta de vorbă, a conversa II *s* discuţie, conversaţie

converse² ['kɔnvə:s] I *adj* **1** opus, contrar; invers **2** reciproc II *s* **1** opus, contrar **2** parte întregitoare **3** *mat* teoremă reciprocă **4** *log* judecată conversă

conversely [kən'və:sli] *adv* invers; dimpotrivă

conversion [kən'və:ʃən] *s* **1** (**into**) transformare, prefacere, preschimbare (în) **2** *rel* convertire **3** *gram* conversiune, schimbarea categoriei gramaticale **4** *ec* convertire, conversiune **5** *jur* însuşire ilegală *(a unor pământuri)*

convert I [kən'və:t] *vt* **1** a transforma, a preface **2** *rel* a converti **3** *ec* a converti, a preschimba **4** *jur* a-şi însuşi, a-şi apropia *(ilegal, pământuri)* II ['kɔnvə:t] *s* **1** *rel* convertit **2** *pol* transfug

converter [kən'və:təʳ] *s tehn* convertizor

convertibility [kɔn,və:tə'biliti] *s* **1** posibilitate de a fi transformat **2** *ec* convertibilitate

convertible [kən'və:təbəl] I *adj* **1** transformabil **2** *ec etc.* convertibil II *s auto* limuzină decapotabilă

convex ['kɔnveks] *adj* convex

convexity [kən'veksiti] *s* convexitate

convey [kən'vei] *vt* **1** a transporta *(pasageri, mărfuri)* **2** a transmite *(energie etc.)*, a conduce, a duce, a propaga **3** a comunica, a exprima; a da *(o idee despre ceva)*; **it does not** ~ **anything to my mind** mie asta nu-mi spune nimic **4** *jur* a transfera *(o proprietate)*

conveyance [kən'veiəns] *s* **1** transportare, transport **2** mijloc de transport; trăsură **3** transmitere, transmisie; propagare; conductibilitate **4** comunicare *(de idei)* **5** mijlocire, intermediu **6** *jur* transfer, cesiune **7** *tehn* conveier **8** *el* conductă

conveyancer [kən'veiənsəʳ] *s jur* avocat care se ocupă de cesiuni

conveyer [kən'veiəʳ] *s tehn* conveier, transportor

convict I [kən'vikt] *vt* **1** *jur* a dovedi că *(cineva)* este vinovat; a declara vinovat *(pe cineva)* **2** *jur* a condamna **3** *fig* a condamna, a osândi **II** ['kɔnvikt] *s* condamnat; ocnaș

conviction [kən'vikʃən] *s* **1** *jur, fig* condamnare **2** convingere, încredințare; siguranță; **to carry ~** a fi convingător; **to act from ~** a acționa din convingere; **it is my ~ that** convingerea mea este că, sunt convins că **3** *pl* convingeri, opinii; crez

convince [kən'vins] *vt* **(of)** a convinge (de); a încredința (de)

convinced [kən'vinst] *adj* **1 (of)** convins, sigur, încredințat (de) **2** convins, hotărât, ferm; înveterat

convincible [kən'vinsəbəl] *adj* ușor de convins; credul

convincing [kən'vinsiŋ] *adj* convingător

convincingly [kən'vinsiŋli] *adv* (în mod) convingător; cu convingere

convivial [kən'viviəl] *adj* **1** de petrecere/chef **2** petrecăreț; vesel, bine dispus; sociabil

conviviality [kən,vivi'æliti] *s* **1** veselie *(la o petrecere)* **2** ospitalitate **3** petrecere, chef

convocation [,kɔnvə'keiʃən] *s* **1** convocare **2** adunare (↓ eclezinstică sau academică)

convoke [kən'vouk] *vt* a convoca *(parlamentul etc.)*

convolute ['kɔnvə,luːt] *adj* înfășurat, răsucit; bobinat

convoluted ['kɔnvə,luːtid] *adj* **1** *(d. coarne etc.)* răsucit **2** *fig* întortocheat, încurcat

convolution [,kɔnvə'luːʃən] *s* **1** răsucire; spirală **2** *mat, anat* convoluție

convolvulus [kən'vɔlvjuləs], *pl și* **convolvuli** [kən'vɔlvjulai] *s bot* volbură *(Convolvulus sp.)*

convoy I ['kɔnvɔi] *s* **1** însoțire; protecție; escortă **2** *mil* convoi; transport; coloană *(de mașini etc.)* **3** *nav* convoi; transport **4** cortegiu funebru **II** [kɔn'vɔi] *vt* a escorta (↓ *nave)*

convulse [kən'vʌls] *vt* **1** a zgudui *(pământul etc.)* **2** *fig* a zgudui, a tulbura profund **3** *pas* **a** a se convulsiona **b** a se strâmba, a nu mai putea *(de râs etc.)* **4** *fig* a face să se strâmbe *(de râs etc.)*

convulsion [kən'vʌlʃən] *s* **1** *fizl* convulsi(un)e; **to go into ~s** a fi cuprins de convulsii; a avea un acces **2** *pl* râs nestăpânit/cu hohote **3** zguduire *(a pământului etc.);* cutremur **4** *fig* convulsi(un)e, zvârcolire, frământare; zguduire

convulsive [kən'vʌlsiv] *adj* convulsiv

convulsively [kən'vʌlsivli] *adv* (în mod) convulsiv; cu convulsiuni

cony ['kouni] *s* **1** *zool* iepure de casă **2** ← *înv* găgăuță, nerod

coo [kuː] *vi* a ugui, a gânguri

cook [kuk] **I** *s* bucătar *sau* bucătăreasă; **too many ~s spoil the broth** *prov* copilul cu prea multe moașe rămâne cu buricul netăiat **II** *vi* **1** a găti; a fierbe; a coace; a prăji *etc.*; **to ~ smb's goose** *fig F* a mânca fript pe cineva **2** *F* a ticlui, – a falsifica *(documente);* *F* a ticlui, – a născoci *(o poveste)* **III** *vi* **1** *(d. cineva)* a găti; a fi bucătar *sau* bucătăreasă **2** *(d. bucate)* a se găti, a se fierbe *etc. (ușor, repede etc.)*

Cook [kuk], **James** *explorator englez (1728-1779)*

cook book ['kuk,buk] *s amer* carte de bucate

cooker ['kukəʳ] *s* **1** *v.* **cooking stove 2** vas, oală, **3** fruct bun de gătit

cookery ['kukəri] *s* artă culinară, gastronomie

cookery book ['kukəri,buk] *s* carte de bucate

cookie ['kuki] *s v.* **cooky¹**

cooking ['kukiŋ] *adj* bun de gătit, copt *etc.*

cooking stove ['kukiŋ,stouv] *s* mașină de gătit; plită

cooking utensils ['kukiŋ ju:'tenslz] *s pl* vase de bucătărie

cookout ['kuk,aut] *s* **1** picnic **2** gătit în aer liber *(la un picnic)*

cookshop ['kuk,ʃɔp] *s* birt; ospătărie

cook up ['kuk'ʌp] *vt cu part adv F* a ticlui, – a urzi

cooky¹ ['kuki] *s* **1** prăjitură uscată; fursec; pricomigdală; biscuit **2** *amer sl* tip, cetățean, individ **3** *amer sl* femeie atrăgătoare/ nurlie

cooky² *s* ← *F* bucătăreasă

cool [kuːl] **I** *adj* **1** nici cald, nici rece; *(d. vreme, îmbrăcăminte etc.)* răcoros; **the tea's not ~ enough**

to drink ceaiul nu s-a răcit îndeajuns ca să-l beau; **to get ~** *(d. vreme etc.)* a se răcori; *(d. mâncare etc.)* a se răci **2** *(d. cineva)* răcorit, căruia nu-i este cald **3** *fig* calm, liniștit, imperturbabil; nepăsător, indiferent; **keep ~!** fii calm! păstrează-ți calmul! **4** *fig* rece, neprietenos; **a ~ reception** o primire rece **5** *fig* neobrăzat, insolent, obraznic *(într-o manieră calmă)* **6** *(d. cifre)* rotund; în cap; **a ~ three miles** trei mile bune **7** *F →* grozav, strașnic **II** *s* **the ~** răcoarea, aerul răcoros *(al serii etc.)* **III** *vt* a răcori; **to ~ one's heels** *fig* a face anticameră; a aștepta foarte mult **IV** *vi* a se răcori; a se răci

coolant ['kuːlənt] *s tehn* lichid de răcire

cool down ['kuːl'daun] **I** *vi cu part adv* a se calma, a se liniști, a-i pieri entuziasmul *etc.* **II** *vt cu part adv* a calma, a liniști, a potoli

cooler ['kuːləʳ] *s* **1** răcitor; frigorifer **2** băutură răcoritoare

cool-headed ['kuːl,hedid] *adj* calm, imperturbabil

coolie ['kuːli] *s* culi, hamal *(în Orient)*

cooling ['kuːliŋ] **I** *adj* **1** răcoritor **2** refrigerent, de răcire **II** *s* răcire, refrigerare

coolish ['kuːliʃ] *adj* cam răcoros

cool off ['kuːl'ɔːf] *vi și vt cu part adv v.* **cool down**

coomb [kuːm] *s* râpă; prăpastie

coon [kuːn] *s* ↓ *amer sl* negru

coop [kuːp] *s* **1** coteț *(de păsări,* ↓ *de găini)* **2** închisoare; loc îngrădit, închis *etc.*

co-op ['kou,ɔp] *presc F de la* **cooperative II 1**

coop., co op. *presc de la* **cooperative**

cooper ['kuːpəʳ] *s* dogar

Cooper ['kuːpəʳ], **James Fenimore** *romancier american (1789-1851)*

cooperage ['kuːpəridʒ] *s* dogărie

co-operant [kou'ɔpərənt] *adj* care cooperează, cooperativ; binevoitor

co-operate [kou'ɔpə,reit] *vi* a coopera; a conlucra

co-operation [kou,ɔpə'reiʃən] *s* **1** cooperare; conlucrare **2** *ec* cooperație

co-operative [kouˈɔpərətiv] **I** *adj* **1** comun, de cooperare/conlucrare **2** *ec* cooperatist **II** *s* **1** *com* cooperativă *(de consum)* **2** *agr* cooperativă

co-operator [kouˈɔpəreitəʳ] *s* **1** colaborator **2** *ec* cooperator

coopery [ˈkuːpəri] *s* dogărie

coop in [ˈkuːpˈin] *vt cu part adv* a închide, a zăvorî; a întemnița

co-opt [kouˈɔpt] *vt* a coopta

co-optation [ˌkouɔpˈteiʃən] *s* cooptare

coop up [ˈkuːpˈʌp] *vt cu part adv v.* **coop in**

coordinate I [kouˈɔːdinit] *adj* **1** și *gram* coordonat **2** *mat* de coordonate **3** egal, de același fel **II** [kouˈɔːdinit] *s* **1** *mat* coordonată **2** *pl* complet *(îmbrăcăminte pt femei)* **III** [kouˈɔːdineit] *vt* a coordona, a pune de acord **IV** [kouˈɔːdineit] *vi* a se coordona, a fi coordonat; a funcționa armonios

coordinate clause [kouˈɔːdiˌneit ˈklɔːz] *s gram* propoziție coordonată

coordinately [kouˈɔːdiˌneitli] *adv* (în mod) coordonat

coordinating conjunction [kouˈɔːdiˌneitiŋkənˈdʒʌŋkʃən] *s gram* conjuncție coordonatoare

coordination [kouˌɔːdiˈneiʃən] *s* **1** coordonare; punere de acord **2** *gram* coordonare

coot [kuːt] *s* **1** *orn* lișiță *(Fulica atra)* **2** *orn* rață neagră nord-americană *(Oidemia sp.)* **3** *F* găgăuță, tâmpit

cop[1] [kɔp] *s F* curcan, sticlete, – polițist

cop[2] *vt* a prinde asupra faptului *(furând etc.)*; **to ~ a plea** a **a** recunoaște o vină și a cere iertare **b** ↓ *amer* a recunoaște o vină mai ușoară ca să scape de proces pentru o vină mai gravă

cop. *presc de la* **1** copyright(ed) **2** copper

coparcenery [kouˈpaːsənəri] *s jur* **1** drept egal la moștenire **2** moștenire în indiviziune

copartner [kouˈpaːtnəʳ] *s* copărtaș; tovarăș, partener

cope[1] [koup] *s* **1** *bis* sfită **2** manta, mantie **3** *fig* mantie; acoperământ; boltă *(cerească)*

cope[2] *vt F v.* **cope with**

cope[3] *vi* a se descurca, a face față unei situații

copeck [ˈkoupek] *s* copeică

Copenhagen [ˌkoupənˈheigən] *capitala Danemarcei* Copenhaga

coper [ˈkoupəʳ] *s* geambaș, negustor de cai

Copernicus [kəˈpəːnikəs], **Nicolaus** *astronom polonez (1473-1543)* Copernic

cope with [ˈkoup wið] *vi cu prep* a face față *cu dat*, a învinge *cu ac*

copier [ˈkɔpiəʳ] *s* **1** copist **2** mașină de copiat/reprodus

coping [ˈkoupiŋ] *s constr* creastă, coamă *(de zid etc.)*

copious [ˈkoupiəs] *adj* **1** copios, bogat, îmbelșugat, abundent **2** *(d. un scriitor)* prolific **3** prolix

copiously [ˈkoupiəsli] *adv* copios, abundent, din belșug

copiousness [ˈkoupiəsnis] *s* **1** belșug, abundență **2** bogăție de idei **3** prolixitate

cop it [ˈkɔp it] *vi cu pr sl* **1** a o păți, a da de dracu **2** *vulg* a o mierli, a da ortul popii

copolymer [kouˈpɔliməʳ] *s ch* copolimer

cop-out [ˈkɔpaut] *s sl* nehotărâre, șovăială; sustragere, eschivare

cop out [ˈkɔp ˈaut] *vi cu part adv sl* a se eschiva, a se sustrage; a da bir cu fugiții

copper[1] [ˈkɔpəʳ] **I** *s* **1** cupru, aramă **2** monedă de cupru *sau* bronz **3** cazan de aramă **II** *vt met* a cupra, a arămi

copper[2] *s F v.* **cop**[1]

copper beech [ˈkɔpə biːtʃ] *s bot* fag roșu *(Fagus silvatica atrorubens)*

copper-bottomed [ˈkɔpəˌbɔtəmd] *adj* singur *(din toate punctele de vedere)*; apărat; acoperit, cu acoperire

copperhead [ˈkɔpəˌhed] *s zool* șarpe-mocasin *(Agkistrodon mokasen)*

copper nose [ˈkɔpə ˌnouz] *s* nas roșu *(de bețiv)*

copperplate [ˈkɔpəˌpleit] **I** *s* **1** *met* placă de cupru **2** *poligr* clișeu de cupru **II** *vt met* a cupra, a arămi

coppersmith [ˈkɔpəˌsmiθ] *s* arămar

copper sulphate [ˈkɔpə ˈsʌlfit] *s ch* sulfat de cupru; piatră vânătă

coppery [ˈkɔpəri] *adj* de aramă

coppice [ˈkɔpis] *s* crâng, dumbravă; *silv* subarboret

copra(h) [ˈkɔprə] *s* copra

co-production [kouprəˈdʌkʃən] *s cin* coproducție

copse [kɔps] *s v.* **coppice**

Copt [kɔpt] *s rel* copt

Coptic [ˈkɔptik] **I** *adj rel* copt **II** *s* (limba) coptă

copula [ˈkɔpjulə], *pl și* **copulae** [ˈkɔpjuˌliː] *s* **1** *gram* copulă, verb copulativ **2** *anat* ligament

copulate [ˈkɔpjuˌleit] *vi* a se împreuna, a se împerechea

copulation [ˌkɔpjuˈleiʃən] *s* împreunare, împerechere, copulație

copulative [ˈkɔpjulətiv] *gram* **I** *adj* copulativ, de legătură **II** *s* cuvânt de legătură

copy [ˈkɔpi] **I** *s* **1** copie; imitație; reproducere **2** exemplar; **advance ~** *poligr* (exemplar) semnal **3** manuscris, ciornă; text; **rough ~** ciornă; schiță; **fair ~** ciornă definitivă, manuscris pus la punct **4** material *(pt ziare etc.)*; **her resignation will make good ~** demisia ei o să fie un material excelent *(pt ziar)* **II** *vt* **1** a copia, a face o copie după; a transcrie **2** *școl* a copia *(problema etc.)* **3** *fig* a copia, a imita **III** *vi* **1** a copia; a face o copie; a transcrie un text *etc.* **2** *școl* a copia **3** a imita; a maimuțări

copy-book [ˈkɔpiˌbuk] *s* **1** *od* caiet de caligrafie; caiet; **to blot one's ~** *F* a-și strica firma **2** *poligr* fasciculă

copyboy [ˈkɔpiˌbɔi] *s* tânăr care face muncă necalificată la redacție

copy cat [ˈkɔpiˌkæt] *s* **1** ← *F* imitator **2** *școl* ← *F* elev care copiază

copy down [ˈkɔpiˈdaun] *vt cu part adv* a copia *(de pe tablă)*

copy editor [ˈkɔpiˌeditəʳ] *s* redactor *(de ziar)*

copyhold [ˈkɔpiˌhould] *s jur od* arendă sau proprietate financiară condiționată de prevederi trecute în cărțile domeniului feudal; pământ astfel arendat sau stăpânit

copyholder [ˈkɔpiˌhouldəʳ] *s* **1** *jur od* persoană care deține un „copyhold" **2** *poligr* tenaclu

copyst [ˈkɔpiist] *s* **1** copist **2** imitator

copy out [ˈkɔpiˈaut] *vt cu part adv* **1** a copia întocmai; a copia în întregime **2** a transcrie pe curat

copy paper [ˈkɔpi ˌpeipəʳ] *s* hârtie indigo/carbon

copyright ['kɒpi,rait] **I** *s* drepturi de autor **II** *vt* a asigura, a apăra *etc.* drepturile de autor *(o carte)*

copywriter ['kɒpi,raitəʳ] *s* autor de reclame

coquetry ['koukitri] *s* cochetărie

coquette [kou'ket] **I** *s* cochetă **II** *vi* (**with**) a cocheta (cu), a flirta (cu)

coquette with [kou'ket wið] *vi cu prep fig* a cocheta cu *(o idee etc.)*

coquettish [kou'ketiʃ] *adj* cochet

cor [kɔːʳ] *interj sl* haiti! ei poftim! nemaipomenit!

cor. *presc. de la* **1 correct 2 corner 3 coroner 4 corresponding 5 correspondent 6 correspondence 7 corpus**

Cora ['kɔːrə] *nume fem*

coracle ['korəkəl] *s* luntre pescărească *(mică, din lojniță de salcie, folosită în Țara Galilor și Irlanda)*

coral ['korəl] **I** *s* coral, mărgean **II** *adj* coraliu, roșu ca mărgeanul

coralliferous [,kɔrə'lifərəs] *adj* coralier

coral reef ['korəl ,riːf] *s* recif de corali

Coral Sea, the ['korəl,siː, ðə] Marea Coralilor

coralwort ['korəlwəːt] *s bot* colțișor *(Cardamins bulbifera)*

coram ['kɔːræm] *prep lat* în fața/ prezența *cu gen*

Coran [kɔ'rɑːn] *s rel* Coran

cor anglais [kɔːr'ɑːŋglei] *s fr muz* corn englez

corbel ['kɔːbəl] *s constr* consolă; nișă; centură

cord [kɔːd] *s* **1** sfoară, șnur; șiret; cordon **2** frânghie, funie; cablu **3** *anat* coardă **4** *muz* coardă *(groasă)*

cordage ['kɔːdidʒ] *s nav* parâme; tachelaj

cordial ['kɔːdiəl] **I** *adj* **1** cordial, prietenos, afectuos **2** *med* cardiotonic; întăritor; învigorător **II** *s* **1** *med* tonicardiac, cardiotonic **2** întăritor **3** gustare; dușcă de băutură

cordiality [,kɔːdi'æliti] *s* cordialitate, afecțiune

cordially ['kɔːdiəli] *adv* cordial, cu cordialitate

Cordilleras, the [,kɔːdil'jɛərəz, ðə] Munții Cordillieri

cordite ['kɔːdait] *s ch* cordit

Cordoba ['kɔrdəbə] *nume de orașe* în Spania și Argentina

cordon ['kɔːdən] *s* **1** cordon; brâu **2** cordon panglică *(distincție)* **3** cordon *(polițienesc)*

cordon off ['kɔːdən'ɔːf] *vt cu part adv* a despărți *sau* a ține la distanță printr-un cordon *(polițienesc)*

corduroy ['kɔːdə,rɔi] *s* **1** *text* catifea cord **2** *pl* pantalon de catifea cord

corduroy road ['kɔːdə,rɔi 'roud] *s* drum din bârne *(pe terenuri mlăștinoase)*

core [kɔːʳ] **I** *s* **1** miez *(al unui fruct)* **2** *fig* miez, inimă; esență, *poetic* lamură **3** *tehn* umflătură, protuberanță **4** *el* miez *(din tole)* **II** *vt* a scoate miezul *(unui fruct)*

coreless ['kɔːlis] *adj* gol, fără miez

co-religionist [,kouri'lidʒənist] *s* coreligionar

co-respondent [,kouri'spɒndənt] *s jur* complice la adulter *(într-un proces de divorț)*

coriander [,kɔri'ændəʳ] *s bot* coriandru *(Coriandrum sativum)*

Corinne [kɔ'riːn] *nume fem* Corina

Corinth ['kɔrinθ] *oraș și golf în Grecia* Corint

Corinthian order [kə'rinθiən ɔːdəʳ] *s arhit* ordin corintic

Corinthians [kə'rinθiənz] *s pl bibl* Corinteni

Coriolanus [,kɔriə'leinəs] *tragedie de Shakespeare* Coriolan

Cork [kɔːk] *oraș în Irlanda*

cork [kɔːk] **I** *s* **1** dop (de plută); bușon **II** *(coaja arborelui de)* plută **3** plută *(la undiță)* **II** *vt* **1** a astupa cu un dop **2** *fig* a ascunde, a tăinui

corkage ['kɔːkidʒ] *s* taxă aplicată băuturilor aduse de consumatori *(în hoteluri și restaurante)*

corked [kɔːkt] *adj (d. vin)* cu miros de dop

corker ['kɔːkəʳ] *s* **1** *F* minciună gogonată **2** ← *F* dovadă hotărâtoare **3** *tehn* mașină pentru astuparea sticlelor cu dopuri

corkscrew ['kɔːk,skruː] *s* tirbușon

cork up ['kɔːk'ʌp] *vt cu part adv* a-și stăpâni, a-și reprima sentimentele

corky ['kɔːki] *adj* de *sau* ca de plută

cormorant ['kɔːmərənt] *s* **1** *orn* cormoran, corb de mare *(Phala-cro-coracidae sp.)* **2** *fig* mâncăcios, mâncău **3** *fig* (om) hrăpăreț

corn[1] [kɔːn] **I** *s* **1** grăunte, bob **2** grâne, cereale **3** grâu **4** *amer* porumb **5** *(în Scoția și Irlanda)* ovăz **6** *amer* rachiu de porumb **7** *sl* glumă nesărată, calambur ieftin **II** *vt* **1** a granula **2** a săra *(carnea)* **3** *F* a chercheli, a afuma, – a îmbăta

corn[2] *s* bătătură *(↓ la picior);* **to tread on smb's ~** *fig* a călca pe cineva pe bătătură; a atinge punctul sensibil al cuiva

-corn *suf* -corn: **Capricorn** Capricorn

Corn. *presc de la* **1 Cornish 2 Cornwall**

corn bread ['kɔːn ,bred] *s amer* turtă de mălai

corn chandler ['kɔːn ,tʃændləʳ] *s* vânzător *(cu amănuntul)* de grâne și furaje

corn cob ['kɔːn,kɒb] *s amer* cocean (de porumb), știulete *(fără boabe)*

corncrake ['kɔːn,kreik] *s orn* cristei *(Crex crex)*

cornea ['kɔːniə] *s anat* cornee

corn ear ['kɔːn ,iəʳ] *s amer* știulete, cocean de porumb, ciocălău

corned beef ['kɔːnd ,biːf] *s* carne sărată de vită

Corneille [kɔr'nej], **Pierre** *scriitor francez (1606-1684)*

cornel ['kɔːnəl] *s bot* coarnă *(Cornus sp.)*

Cornelia [kɔː'niːliə] *nume fem*

cornelian [kɔː'niːliən] *s minr* cornalină

Cornelius [kɔː'niːliəs] *nume masc* Corneliu

corner ['kɔːnəʳ] **I** *s* **1** colț; ungher; **at a street ~** la un colț de stradă; **just round the ~** *F* la doi pași, – foarte aproape; **in a ~ of the room** într-un colț/ungher al camerei; **to turn the ~ a** a face colțul **b** *fig* a ieși dintr-o încurcătură, a scăpa de un necaz; a trece de momentul critic *(al bolii etc.);* **to cut off a ~** *fig* a o lua de-a dreptul, a scurta drumul; **to be in a tight ~** *fig* a **F** a fi la ananghie/strâmtoare; a da de greu **b** *F* a fi în pasă proastă; **to drive smb in to a ~** *fig* a încolți/ *F* a înghesui pe cineva **2** *fig* colț (ascuns), ungher (ascuns/tainic); loc retras **3** *fig* colț, ungher, loc, parte *(a țării etc.);* **the four ~ of the earth** cele patru zări/

poetic → vânturi **4** *ec* stocare/ acaparare de mărfuri *(pt a le monopoliza etc.)* **5** corner *(la fotbal)* **II** *vt* **1** a încolți; *F* a înghesui **2** *ec* a stoca, a acapara *(mărfuri etc.)*

cornered ['kɔ:nəd] *adj (în cuvinte compuse)* cu... colțuri; **three-~** cu trei colțuri

corner stone ['kɔ:nə ,stoun] *s* **1** *constr* piatră (fasonată) de colț; piatră fundamentală **2** *fig* temelie, bază, *bibl* piatra din capul unghiului

cornerwise ['kɔ:nə,waiz] *adv* de-a curmezișul; pieziș; în diagonală

cornet ['kɔ:nit] *s* **1** *muz* cornet **2** *mil od* cornet, stegar de cavalerie **3** cornet *(de hârtie)*

corn field ['kɔ:n ,fi:ld] *s* **1** lan, ogor, holdă **2** *amer* lan de porumb

corn flag ['kɔ:n ,flæg] *s bot* gladiolă *(Gladiolus communis)*

corn flakes ['kɔ:n ,fleiks] *s pl* „corn flakes", *anumite cereale (ovăz, grâu, secară etc.) preparate sub formă de fulgi sau firișoare prăjite și servite la micul dejun (↓ cu lapte)*

corn flour ['kɔ:n ,flauə'] *s amer* făină de porumb *sau* orez *(sau alte câteva cereale)*

corn flower ['kɔ:n ,flauə'] *s bot* **1** neghină *(Agrostemma githago)* **2** albăstrea, vinăţea *(Centaurea cyanus)*

cornice ['kɔ:nis] *s arhit* cornişă; coronament

Cornish ['kɔ:niʃ] *adj* din Cornwall

Cornish pastry ['kɔ:niʃ ,pæstri] *s* pateu cu carne și cartofi

Corn Laws ['kɔ:n ,lɔ:z] *s pl od legi prin care se impuneau taxe vamale exorbitante pentru importul grâului (au fost abrogate în 1846)*

corn meal ['kɔ:n ,mi:l] *s amer v.* **corn flour**

corn poppy ['kɔ:n ,pɔpi] *s bot* mac roşu *(Papaver rhoeas)*

corn stalk ['kɔ:n ,stɔ:k] *s amer* tulpină de porumb, strujean

corn stone ['kɔ:n ,stoun] *s geol* calcar silicios

cornucopia [,kɔ:nju'koupiə] *s* **1** *mit* cornul abundenţei **2** *fig* abundenţă, belşug

Cornwall ['kɔ:n ,wɔ:l] *comitat în Anglia*

corny¹ ['kɔ:ni] *adj* **1** cerealier, de cereale; de grâne **2** mănos, bogat în grâne **3** *amer F* prăfuit, – de modă veche **4** *amer F* răsuflat, – banal **5** *amer* ← *F* dulceag, sentimental

corny² *adj* cu bătături

corolla [kə'rɔlə] *s bot* corolă, potir

corollary [kə'rɔləri] *s* corolar

corona [kə'rounə], *pl şi* **coronae** [kə'rouni:] *s* **1** *astr* coroană solară **2** *el, fiz* corona

coronach ['kɔrənək] *s* **1** *(în Scoţia)* bocet *(executat la cimpoi)* **2** *(în Irlanda)* bocet *(la moartea cuiva)*

coronal ['kɔrənəl] **I** *s* cunună, ghirlandă **II** *adj* anat, *bot* coronal

coronary ['kɔrənəri] *adj* anat coronar

coronary thrombosis ['kɔrənəri θrɔm'bousis] *s med* tromboză coronară

coronation [,kɔrə'neiʃən] *s* încoronare

coroner ['kɔrənə'] *s* coroner *(în Anglia medic legist şi judecător de instrucţie care cercetează cazurile de deces violent sau neaşteptat; în S.U.A. idem, în faţa juriului)*

coronet ['kɔrənit] *s* **1** coroană *(a unui nobil)* **2** diademă **3** *şi fig* cunună

Corp. *presc de la* **Corporal**

corp(n). *presc de la* **corporation**

corpora ['kɔ:pərə] *pl de la* **corpus**

corporal¹ ['kɔ:pərəl] *s mil* caporal

corporal² *adj* corporal, trupesc

corporal³ *s bis* antimins

corporality [,kɔ:pə'ræliti] *s* corporalitate, materialitate

corporate ['kɔ:pərit] *adj* corporativ, corporatist; colectiv; care ţine de o corporaţie; comun

corporately ['kɔ:pəritli] *adv* în (mod) colectiv

corporation [,kɔ:pə'reiʃən] *s* **1** corporaţie; breaslă **2** *amer ec* societate pe acţiuni **3** *F* burduhan, – pântec(e) **4** municipalitate

corporator ['kɔ:pəreitə'] *s* membru al unei corporaţii

corporeal [kɔ:'pɔ:riəl] *adj* corporal, trupesc; material, fizic

corps [kɔ:] *s sg şi pl* [kɔ:z] corp *(diplomatic, expediţionar etc.)*

corps de ballet ['kɔ:də'bælei] *s fr* corp de balet

corpse [kɔ:ps] *s* cadavru, leş

corpulence ['kɔ:pjuləns] *s* corpolenţă, trupeşie

corpulency ['kɔ:pjulənsi] *s v.* **corpulence**

corpulent ['kɔ:pjulənt] *adj* corpolent, trupeş, gras

corpus ['kɔ:pæs], *pl* **corpora** ['kɔ:pərə] *s* **1** ← ↓ *umor* corp, trup **2** cadavru, leş **3** corp(us) *(de legi)*; culegere *(de legi, cărţi)* **4** parte principală; fond **5** *ec* fond de bază, capital

Corpus Christi ['kɔ:pəs'kristi] *s bis* Joia Verde *(la catolici)*

corpuscle ['kɔ:pʌsəl] *s* **1** corpuscul **2** *fiz* electron

corpus delicti ['kɔ:pəs di'liktai], *pl* **corpora delicti** ['kɔ:pərə di'liktai] *s jur* **1** corp delict **2** dovezi peremptorii privind săvârşirea unui delict *sau* a unei crime

corr. *presc de la* **1** corrected **2** correspondent **3** correspondence **4** corresponding

corral [kɔ:rɑ:l] **I** *s* **1** îngrăditură *(pt animale)*; ţarc **2** tabără *(înconjurată de căruţe)* **II** *vt* a înconjura cu căruţe *(o tabără)*

correct [kə'rekt] **I** *adj* corect, exact; just; corespunzător **II** *vt* **1** a corecta *(greşeli etc.)* **2** a îndrepta, a regla; a potrivi *(ceasul)* **3** a pedepsi *(un copil etc.)*

correction [kə'rekʃən] *s* **1** corectare *(a greşelilor etc.)*, îndreptare, corijare; **to speak under ~** a vorbi admiţând posibilitatea că a greşit **2** pedeapsă **3** *jur* corecţie; **house of ~** casă de corecţie; ← *înv* închisoare **4** corectură **5** *ch etc.* rectificare

correctitude [kə'rektitju:d] *s* corectitudine; cinste

corrective [kə'rektiv] **I** *adj* **1** care corectează **2** *fiz etc.* de corecţie **II** *s* corectiv; rectificare

correctly [kə'rektli] *adv* **1** (în mod) corect; bine; cum se cuvine **2** corect, politicos

correctness [kə'rektnis] *s* **1** corectitudine; exactitate, precizie **2** corectitudine, atitudine corectă; cinste

corrector [kə'rektə'] *s tehn, poligr* corector

correl. *presc de la* **correlative**

correlate ['kɔri,leit] *vt* **(with)** a corela, a pune în corelaţie (cu)

correlation [,kɔri'leiʃən] *s* corelare; corelaţie, corespondenţă

correlative [kɒ'relətiv] **I** *adj și gram* corelativ **II** *s* **1** corelat **2** *gram* cuvânt corelativ

correlatively [kɒ'relətivli] *adv* (în mod) corelativ

correlativity [kɒ,relə'tiviti] *s* corelativitate

correspond [,kɒri'spɒnd] *vi* **1** (**with**) a coresponda, a purta corespondență (cu) **2** (**with, to**) a corespunde (cu *sau* cu *dat*), a se potrivi *(cu dat)*, a se armoniza (cu) **3** (**to**) a corespunde *(cu dat)*, a fi asemănător (cu)

correspondence [,kɒri'spɒndəns] *s* **1** corespondență, concordanță; asemănare **2** corespondență, schimb de scrisori

correspondence course [,kɒri'spɒndəns'kɒ:s] *s* curs prin corespondență

correspondent [,kɒri'spɒndənt] **I** *s* **1** corespondent, echivalent **2** corespondent *(la un ziar etc.)* **3** persoană cu care cineva este în corespondență, *rar* → corespondent **II** *adj* (**to, with**) corespunzător (cu *sau* cu *dat*)

corresponding [,kɒri'spɒndiŋ] *adj* **1** (**to**) corespunzător *(cu dat)* **2** *(d. un membru)* corespondent **3** analog, similar, asemănător **4** *(d. un secretar etc.)* însărcinat cu corespondența **5** *ch, mat* corespondent

correspondingly [,kɒri'spɒndiŋli] *adv* (în mod) corespunzător

corresponsive [,kɒri'spɒnsiv] *adj* ← *înv* corespunzător

corridor ['kɒri,dɒ:ʳ] *s și fig* coridor

corridor train ['kɒri,dɒ:'trein] *s ferov* tren ale cărui vagoane au compartimente și culoare

corrigendum [,kɒri'dʒendəm], *pl* **corrigenda** [,kɒri'dʒendə] *s* **1** eroare, greșeală **2** *pl* erată

corrigible ['kɒridʒibəl] *adj* corigibil, care se poate îndrepta

corroborate [kə'rɒbə,reit] *vt* a corobora, a confirma, a întări

corroboration [kə,rɒbə'reiʃən] *s* coroborare, confirmare, întărire

corrode [kə'roud] **I** *vt* a coroda, a roade; a oxida **II** *vi* a se coroda, a se roade; a se oxida

corrosion [kə'rouʒən] *s* **1** *tehn, geol* coroziune; corodare **2** *tehn* ruginire **3** *tehn* gripare

corrosive [kə'rousiv] **I** *adj* **1** *ch etc.* corosiv **2** *fig* mușcător, corosiv, usturător **II** *s ch* corosiv

corrugate ['kɒru,geit] **I** *vt* **1** a încreți, a zbârci *(fruntea etc.)* **2** *met* a ondula; a stria **II** *vi* **1** *(d. fruntea etc.)* a se încreți, a se zbârci **2** *met* a se ondula; a se stria

corrugated board ['kɒru,geitid 'bɒ:d] *s* carton ondulat

corrugated iron ['kɒru,geitid'aiən] *s met* tablă ondulată

corrugation [,kɒru'geiʃən] *s* cută *sau* cute; *met* ondulare, striere

corrupt [kə'rʌpt] **I** *adj* **1** corupt, imoral, depravat; *(d. cineva)* venal; care ia mită **2** *(d. aer)* viciat **3** *(d. un text etc.)* deformat **II** *vt* **1** a corupe *(pe cineva, un text etc.)*; a mitui *(pe cineva)* **2** a priva/a lipsi de drepturi civile **III** *vi* **1** a decădea *(moralicește)* **2** *(d. bucate)* a se strica

corruptibility [kə,rʌptə'biliti] *s* **1** coruptibilitate; venalitate **2** alterabilitate **3** *și fig* putreziciune

corruptible [kə'rʌptəbəl] *adj* coruptibil, care poate fi corupt *sau* mituit

corruption [kə'rʌpʃən] *s* **1** putrezire, descompunere *(a unui cadavru etc.)* **2** *fig* descompunere (morală); corupție; putreziciune; depravare **3** *fig* denaturare, falsificare *(a unui text etc.)*

corsage [kɒ:'sɑ:ʒ] *s* **1** corsaj, laibăr **2** *amer* buchet prins la corsaj

corsair ['kɒ:sɛəʳ] *s* **1** corsar, pirat **2** *nav* (vas) corsar

corse [kɒ:s] *s înv, poetic v.* **corpse**

corselet ['kɒ:slit] *s* **1** *v.* **corset 2** *od* za(le), cămașă de zale

corset ['kɒ:sit] *s uneori pl* corset

Corsican ['kɒ:sikən] *adj, s* corsican

corslet ['kɒ:slit] *s* **1** *v.* **corset 2** *v.* **corselet 2**

cortège [kɒ:'teiʒ] *s fr* cortegiu, procesiune, alai

Cortes ['kɒ:tez] *s pl pol* córtes *(organ legislativ în Spania)*

cortex ['kɒ:teks], *pl* **cortices** ['kɒ:ti,si:z] *s* **1** *anat* scoarță cerebrală, cortex cerebral **2** *bot* coajă *(de arbori)*

cortical ['kɒ:tikəl] *adj anat etc.* cortical

cortisone ['kɒ:ti,soun] *s med* cortizon

corundum [kə'rʌndəm] *s minr* corindon

coruscate ['kɒrə,skeit] *vi* a scânteia, a străluci

coruscating [,kɒrə'skeitiŋ] *adj și fig* scânteietor, strălucitor; ~ **style** stil scânteietor

coruscation [,kɒrə'skeiʃən] *s și fig* scânteiere, strălucire

corvée ['kɒ:vei] *s fr* **1** *od* clacă, robotă **2** clacă; muncă voluntară **3** *fig* corv(o)adă, muncă grea și neplăcută

corvette [kɒ:'vet] *s nav* corvetă *(odinioară mic vas de război cu două rânduri de tunuri; azi, vas de patrulare și escortă)*

Corybant ['kɒ:rəbænt] *s* **1** *mit* Coribant **2** c~ *fig* chefliu, petrecăreț

Corydon ['kɒridən] *s* **1** *lit* Coridon, – păstor **2** flăcău, țăran tânăr

corymb ['kɒrimb] *s bot* corimb

coryphaeus [,kɒri'fi:əs], *pl* **coryphaei** [,kɒ:ri'fi:ai] *s* **1** *lit od* corifeu **2** *fig* corifeu, conducător, fruntaș

coryza [kə'raizə] *s med* guturai

cos[1] [kɒz] *conj F v.* **because**

cos[2] *presc de la* **cosine**

cosecant [kou'si:kənt] *s mat* cosecantă

cosh [kɒʃ] *s sl* măciucă, bâtă

cosher[1] ['kɒʃəʳ] *vt* a răsfăța, a dezmierda

cosher[2] *vi F* a trăncăni, a flecări

cosignatory [kou'signətəri] *s* contrasemnatar; cosemnatar

cosily ['kouzili] *adv v.* **cozily**

cosine ['kou,sain] *s mat* cosinus

cosmetic [kɒz'metik] **I** *adj* **1** cosmetic **2** *fig peior* care ascunde/acoperă ceva rău *sau* urât **II** *s* (preparat) cosmetic

cosmetician [,kɒzmi'tiʃən] *s* cosmetician

cosmic ['kɒzmik] *adj* **1** cosmic; universal **2** *fig* cosmic, vast, grandios **3** ← *rar* armonios

cosmically ['kɒzmikəli] *adv* în plan cosmic; din punct de vedere cosmic

cosmic rays ['kɒzmik ,reiz] *s pl fiz* raze cosmice

cosmo- *pref* cosmo-: **cosmography** cosmografie

cosmogony [kɒz'mɒgəni] *s astr* cosmogonie

cosmology [kɒz'mɒlədʒi] *s astr* cosmologie

cosmonaut ['kɒzmə,nɒ:t] *s* cosmonaut

cosmopolitan [,kɒzmə'pɒlitən] *adj, s* cosmopolit

cosmopolitanism [ˌkɔzmə'pɔlitə-nizəm] *s* 1 cosmopolitism 2 urbanizare

cosmopolite [kɔz'mɔpəˌlait] *s* cosmopolit

cosmos ['kɔzmɔs] *s* cosmos; univers

cosmotron ['kɔzməˌtrɔn] *s fiz* cosmotron

co-sponsor [kou'spɔnsəʳ] *s* coautor *(al unei rezoluții etc.)*

Cossack ['kɔsæk] **I** *s* cazac **II** *adj* căzăcesc

cosset ['kɔsit] **I** *s* 1 miel favorit 2 *fig* (copil) favorit 3 *ca adresare* scumpule! dragule! **II** *vt* a mângâia, a dezmierda

cost[1] [kɔst] **I** *pret și ptc* cost [kɔst] *vt* 1 a costa, a face; **what does it ~?** cât costă/face? **it ~ him five shillings** l-a costat cinci șilingi 2 a evalua; a prețui, a stabili prețul *cu gen* 3 *fig* a costa, a cere, a reclama *(timp etc.)* 4 *fig* a costa, a pricinui, a cauza *(oboseală etc.)* 5 *fig* a costa *(viața)* **II** *(v. ~ I)* *vi* 1 *și fig* a costa, a avea de plătit; **it ~ him dearly** l-a costat scump, a plătit scump; **~ what it may** oricât ar costa, cu orice preț 2 *sl* a-l costa mult, a fi scump pentru **III** *s* 1 cost; sumă cheltuită *sau* sume cheltuite; preț, valoare; **the ~ of living** costul vieții; **~s of production** cheltuieli de producție; **to count the ~** *fig* a socoti/a se gândi (cam) cât poate să-l coste; **at all ~s, at any ~** *fig* cu orice preț, orice s-ar întâmpla, neapărat; **at smb's ~** *și fig* pe socoteala cuiva; **I have learnt that to my own ~** am învățat aceasta cu prețul unei experiențe amare; **at the ~ of his life** cu prețul/sacrificiul vieții sale 2 *fig* cheltuială, pierdere *(de vreme)* 3 *pl* cheltuieli 4 *pl jur* cheltuieli de judecată

cost[2] *vt* a calcula prețul ce urmează a fi cerut pentru *(o muncă etc.)*

costal ['kɔstəl] *adj anat* costal

co-star ['kou'stɑː] *cin, telev* **I** *s* unul dintre protagoniștii binecunoscuți **II** *vi* **(with)** a fi unul dintre protagoniștii binecunoscuți *(ai filmului)* (alături de) **III** *vt* *(d. un film)* a avea printre protagoniștii binecunoscuți pe

costard ['kʌstəd] *s* 1 măr (mare) 2 *înv F* căpățână, dovleac, ~ cap

Costa Rica ['kɔstə'riːkə] *stat în America Centrală*

Costa Rican ['kɔstə'riːkən] *adj, s* costarican

coster(monger) ['kɔstə(ˌmʌngəʳ)] *s* vânzător de fructe, legume *sau* pește *(la un stand, pe stradă)*; zarzavagiu

costive ['kɔstiv] *adj* 1 care suferă de constipație; constipat 2 *fig ← înv* constipat; necomunicativ 3 *amer F* piperat; ~ scump, costisitor

costiness ['kɔstinis] *s* preț ridicat; scumpete

costly ['kɔstli] *adj* 1 scump, costisitor 2 *fig* prețios, valoros; scump; rar 3 splendid, măreț

costmary ['kɔstˌmɛəri] *s bot* calomfir *(Tanacetum balsamita)*

cost price ['kɔst ˌprais] *s ec* preț de cost

cost reduction ['kɔst ri'dʌkʃən] *s ec* reducere de preț

costume ['kɔstjuːm] *s* 1 costum *(național etc.)*; fel de a se îmbrăca, stil vestimentar 2 costum *(↓ de damă)*

costume ball ['kɔstjuːm'bɔːl] *s* bal costumat

costume jewellery ['kɔstjuːm 'dʒuəlri] *s* bijuterii false dar de efect

costumier [kə'stjuːmiəʳ] *s* costumier

cosy ['kouzi] *adj v.* cozy

cot[1] [kɔt] *s* 1 pat/pătuț de copil 2 *amer* pat de campanie

cot[2] *s* 1 șopron, adăpost *(pt vite)* 2 *← poetic* căsuță, căscioară; vilă; cabană

cot[3] *presc de la* cotangent

cotangent [kou'tændʒənt] *s mat* cotangentă

cote [kout] *s* 1 *v.* cot[2] 1 2 porumbar 3 coteț *(pt păsări)*

Côte d'Azur, the [kɔt dʌ'zjuːr, ðə] Coasta de Azur

cotemporary [kou'tempərəri] *adj, s* contemporan

co-tenancy [kou'tenənsi] *s* coarendă

coterie ['koutəri] *s* 1 cerc *(literar etc.)* 2 coterie; gașcă

coterminous with [kou'tə:minəs wið] *adj ← elev* având frontieră comună cu, învecinându-se cu

cothurnus [kou'θə:nəs], *pl* **cothurni** [kou'θə:nai] *s* coturn

cotili(i)on [kə'tiljən] *s* cotilion *(dans)*

cottage ['kɔtidʒ] *s* 1 casă țărănească; bordei 2 casă la țară; reședință de vară; vilă

cottage cheese ['kɔtidʒ ˌtʃiːz] *s* brânză de vaci *(presată)*

cottage hospital ['kɔtidʒ 'hɔspitəl] *s* spital mic *(↓ la țară)*

cottage industy ['kɔtidʒ 'indəstri] *s* artizanat

cottage loaf ['kɔtidʒ ˌlouf] *s* pâine dublă *(în formă de prescură)*

cottage piano ['kɔtidʒ ˌpiænou] *s muz* pianină

cottage pie ['kɔtidʒ ˌpai] *s* musaca de cartofi

cottager ['kɔtidʒəʳ] *s* țăran

cottar, cotter ['kɔtəʳ] *s scot* argat *(la un fermier)*

cotter ['kɔtəʳ] *s tehn* dorn, știft, pană

cotter pin ['kɔtə ˌpin] *s tehn* cui spintecat

cotton ['kɔtən] **I** *s* 1 *bot, text* bumbac 2 țesătură de bumbac, stambă 3 vată 4 bumbăcel, ață de bumbac; ață; **a needle and ~** ac și ață **II** *vi* **(with)** *F* a o duce bine (cu), ~ a se împăca, a se înțelege (cu)

cotton bale ['kɔtənˌbeil] *s* balot de bumbac

cotton candy ['kɔtən ˌkændi] *s* vată de zahăr

cotton cloth ['kɔtən ˌklɔθ] *s* țesătură de bumbac

cotton mill ['kɔtən ˌmil] *s* filatură de bumbac

cotton on ['kɔtən 'ɔn] *vi cu part adv* **(to)** *F* a pricepe, a înțelege *(cu ac)*

cotton print ['kɔtən ˌprint] *s* stambă imprimată

cotton seed ['kɔtən ˌsiːd] *s* sămânță de bumbac

cottonseed oil ['kɔtənˌsiːd ˌɔil] *s* ulei extras din semințe de bumbac

cotton (up) to ['kɔtən('ʌp)tə] *vi (cu part adv și) cu prep ↓ F* a se împrieteni cu, a se apropia de *(cineva)*

cotton wool ['kɔtən 'wuːl] *s* vată

cottony ['kɔtəni] *adj* de *sau* ca de bumbac

cotyledon [ˌkɔti'liːdən] *s bot* cotiledon

cotyledonous [ˌkɔti'liːdənəs] *adj bot* cotiledonat

couch [kautʃ] **I** *s* 1 sofa, divan, canapea; cușetă 2 ~ *↓ poetic* pat, culcuș 3 bârlog; vizuină **II** *vt* 1 a exprima, a formula; a redacta;

the reply was ~ed in cold terms răspunsul era formulat în termeni reci 2 a lăsa în jos, a coborî *(lancea, pt a ataca)* III *vi* 1 a se culca; a sta culcat 2 *(d. animale)* a se ascunde

couchant ['kautʃənt] *adj (d. un animal, pe stemă)* culcat și privind în sus

couchette [ku:'ʃet] *s ferov* cușetă

couch grass ['kautʃ,gra:s] *s bot* pir *(Agropyron repens)*

cougar ['ku:gəʳ] *s zool* cuguar, puma *(Felis concolor)*

cough [kɔf] I *vi* a tuși II *vt* a expectora *(tușind)* III *s* tuse; tușit; **to have a** ~ a tuși

cough down ['kɔf daun] *vt cu part adv* a sili *(un vorbitor)* să tacă *(tușind)*

cough drop ['kɔf ,drɔp] *s* bomboană contra tusei

cough out ['kɔf 'aut] *vt cu part adv* v. **cough II**

cough up ['kɔf ʌp] *vt cu part adv* v. **cough II 2** *sl* a da de gol *(intenții etc.)*, a da pe față *(adevărul etc.)*, a spune 3 *sl* a fi silit să scoată *(bani)*

could [kud] *pret și cond prez de la* **can¹**

couldn't ['kudənt] *contras din* **could not**

couldst [kudst] *înv, poetic pers II sg pret și cond prez de la* **can¹**

coulisse [ku:'li:s] *s fr tehn, teatru* culisă

coulomb ['ku:lɔm] *s el* coulomb

coulter ['koultəʳ] *s agr* cuțit/fier de plug

council ['kaunsəl] I *s* 1 consiliu, sfat; ~ **of physicians** consult *(medical)* 2 **C~** Consiliu de coroană *(secret)* 3 *bis* sinod; *bibl* sinedriu II *adj atr* 1 de consiliu 2 *(d. construcții)* proprietate a conducerii locale

council board ['kaunsəl ,bɔ:d] *s* 1 masă de consiliu 2 ședință de consiliu

council chamber ['kaunsəl 'tʃeimbəʳ] *s* cameră de consiliu

council estate ['kaunsəl is'teit] *s* cartier de locuințe *(cu spații verzi)* construit de conducerea locală

council house ['kaunsəl 'haus] *s* casă într-un **"council estate"**

councillor ['kaunsələʳ] *s* membru al unui consiliu, consilier, *înv →* sfetnic

councillorship ['kaunsiləʃip] *s* calitatea de membru al unui consiliu

councilman ['kaunsəlmən] *s* consilier *(↓ orășenesc)*

council of war ['kaunsələv ,wo:ʳ] *s* consiliu de război

counsel ['kaunsəl] I *s* 1 sfat, povață; îndemn; **to ask ~ of smb** a cere sfatul cuiva; **to keep one's own** ~ a nu-și divulga gândurile, planurile *etc.*; a ține ceva secret 2 consfătuire, sfat; discuție, dezbatere; **to take/to hold ~ with smb** a se sfătui/a se consulta cu cineva, a consulta pe cineva; **to take ~ together** a se sfătui/a se consulta (între ei) 3 sfătuitor, povățuitor; consultant 4 *jur* consilier juridic; *(în S.U.A. și Irlanda)* avocat; *pl invar* avocați II *vt* 1 a sfătui, a povățui *(pe cineva)* 2 a recomanda *(ceva)*; **do you ~ our going there?** ne sfătuiești să mergem acolo? III *vi* a se sfătui, a se consulta; a discuta

counsellor ['kaunsələʳ] *s* 1 sfătuitor, povățuitor 2 *(în S.U.A. și Irlanda)* avocat

count¹ [kaunt] *s* conte

count² [kaunt] I *vt* 1 a număra; a socoti; a calcula 2 a socoti, a pune la socoteală; a lua în considerare; **ten in all, not ~ing the children** zece în total, fără copii/ fără a socoti copiii 3 a socoti, a considera; **we ~ it a great honour** considerăm aceasta drept o mare cinste II *vi* 1 a număra; a socoti; a calcula 2 a fi trecut la socoteală, a fi inclus; a fi luat în considerare; a conta; **his opinion doesn't** ~ părerea lui nu contează; **to** ~ **for little** a conta prea puțin; a avea puțină importanță; **to** ~ **for nothing** a nu conta câtuși de puțin, a nu avea nici o importanță III *vr* a se considera, a se socoti *(fericit etc.)* IV *s* 1 numărătoare, numărare; calcul; **to lose ~ of** a nu mai ști numărul *(cărților etc.)* 2 *fig* seamă, socoteală, considerație, cont; **to take no ~ of what people say** a nu ține cont/seama de ceea ce spune lumea 3 total, sumă 4 *jur* cap de acuzare

countable ['kauntəbəl] *adj* numărabil

count-down ['kaunt,daun] *s ↓ astr* numărătoare inversă

count down ['kaunt'daun] *vi cu part adv ↓ astr* a face numărătoarea inversă

countenance ['kauntinəns] *s* 1 înfățișare, față, chip; mină; expresie; **to keep one's** ~ **a** a rămâne calm, a nu se trăda **b** a-și stăpâni râsul, a se ține să nu râdă; **in** ~ liniștit, calm; stăpânit; **to put smb out of** ~ **a** a face pe cineva să-și piardă calmul, a scoate pe cineva din ale sale **b** a pune pe cineva în încurcătură; a tulbura pe cineva 2 *fig* simpatie, sprijin; aprobare, încuviințare; **to give/to lend ~ to smb** a sprijini *sau* a încuraja pe cineva; **to be in** ~ a se bucura de favoare

counter¹ ['kauntəʳ] *s* 1 tejghea; **over the** ~ fără rețetă medicală; **under the** ~ *fig* pe sub tejghea 2 ghișeu

counter² *s* 1 fisă *(la jocuri)* 2 piesă *(la jocul de dame)* 3 *el* contor 4 calculator *(persoană sau aparat)*

counter³ I *adv* invers, în direcție opusă; împotrivă II *adj* opus, contrar; invers; **to run ~ to smb's interests** a fi împotriva intereselor cuiva III *s* opus, contrar; contracarare; antidot IV *vt* 1 a se opune *cu dat* 2 a contrazice 3 a contracara 4 a para *(o lovitură)*

counter- *pref* contra-: **counter attack** contraatac

counteract [,kauntər'ækt] *vt* a contracara; a neutraliza; a reacționa la

counteraction [,kauntər'ækʃən] *s* 1 opoziție, opunere 2 contracarare; neutralizare; reacție

counter-attack ['kauntərə,tæk] *mil* contraatac II *vt, vi* a contraataca

counter-balance I ['kauntə,bæləns] *s* 1 *tehn* contragreutate 2 *fig* contrabalansare; contracarare; compensație II [,kauntə 'bæləns] *vt fig* a contrabalansa; a contracara

counterblast ['kauntə,bla:st] *s (↓ în stilul gazetăresc)* ripostă violentă și imediată

counter-blow ['kauntə,blou] *s* contralovitură

counter-clockwise ['kauntə, klɔkwaiz] *adv* în sensul opus direcţiei acelor ceasornicului

counter-demonstration ['kauntə ,demən'streiʃ ə n] *s* contrademonstraţie

counter-espionage ['kaunter ,espiə- ,naːʒ] *s* contraspionaj

counterfeit ['kauntəfit] I *adj* contrafăcut, fals II *s* contrafacere III *vt* a contraface, a falsifica

counter-foil ['kauntə,fɔil] *s* 1 cupon, talon *(al unei chitanţe etc.)* 2 tichet/recipisă de bagaje

counter-intelligence ['kauntərin 'telidʒəns] *s* contraspionaj

counter-irritant [,kauntər'iritənt] *s med* substanţă revulsivă

counterman ['kauntəmən] *s* barman

countermand [,kauntə'maːnd] *vt* a contramanda

countermarch ['kauntə,maːtʃ] *s mil* marş de întâlnire

countermark ['kauntə,maːk] *s* contramarcă

countermeasure ['kauntə,meʒər] *s* contramăsură

counter-mine ['kauntə,main] *s mil* contramină

countermove ['kauntə,muːv] *s v.* **countermeasure**

counter-offensive ['kauntərə,fensiv] *s mil* contraofensivă

counterpane ['kauntə,pein] *s* cuvertură; plapumă *(tighelită)*

counterpart ['kauntə,paːt] *s* 1 copie; duplicat 2 **(to)** pereche, replică *(cu gen);* echivalent; întregire, cumpănire, complement *(cu gen)* 3 *fig* copie fidelă

counterplot ['kauntə,plɔt] *s* contrauneltire

counterpoint ['kauntə,point] *s muz* contrapunct

counterpoise ['kauntə,pɔiz] I *s* 1 *tehn* contragreutate 2 *fig* contracarare 3 *fig* echilibru II *vt* a contracara; a echilibra

counter-propaganda ['kauntə prɔpə'gændə] *s* contrapropagandă

Counter Reformation ['kauntə refə'meiʃən] *s rel* Contrareformă *(în bis catolică, sec XVI)*

counter-revolution ['kauntə revə- 'luːʃən] *s* contrarevoluţie

countersign ['kauntə,sain] I *s* 1 *mil etc.* parolă 2 contrasemnătură II *vt* a contrasemna

countersink ['kauntə,siŋk] *tehn* I *s* 1 a adânci 2 a zencui; a cresta II *s* 1 adâncitor 2 zencuitor

counter-tenor ['kauntə'tenər] *s muz* 1 alto 2 altist

counter test ['kauntə,test] *s* contraprobă

countervail ['kauntə,veil] *vt* a contracara

counterweight ['kauntə,weit] *s* contragreutate

countess ['kauntis] *s* contesă

count in ['kaunt 'in] *vt cu part adv F* a trece *(şi pe cineva)* la socoteală, – a include, a nu uita, a nu omite

counting frame ['kauntiŋ ,freim] *s* abac

counting house ['kauntiŋ ,haus] *s* 1 birou, oficiu 2 contabilitate *(ca secţie)*

count off ['kaunt'ɔːf] *vt cu part adv amer* a numerota

count on ['kauntən] *vi cu prep* a conta pe, a se bizui pe; a avea încredere în

count out ['kaunt'aut] *vt cu part adv* 1 a pune jos *(bancnote, la numărare)* 2 *fig* a nu socoti, a nu pune la socoteală; a exclude *(prin tragere la sorţi)* 3 *pol* a amâna, a proroga *(parlamentul) (în Camera Comunelor, când sunt prezenţi mai puţin de 40 de membri)*

countrified ['kʌntri,faid] *adj* rustic, rural; provincial

country ['kʌntri] I *s* 1 ţară; stat 2 ţară, patrie; loc natal; **he returned to his (own)** ~ s-a întors în ţara/patria sa 3 **the** ~ ţara, poporul, naţiunea; **to go/to appeal to the** ~ a dizolva parlamentul şi a fixa alegeri generale 4 **the** ~ ţară, provincie; **he lives in the** ~ trăieşte la ţară 5 ţinut, regiune; zonă II *adj atr* de ţară; rural, rustic; provincial

country and western ['kʌntriənd 'westən] *s* muzică populară în stilul celor din sudul şi vestul S.U.A.

country box ['kʌntri,bɔks] *s* vilă mică; căsuţă în afara oraşului

country club ['kʌntri,klʌb] *s* club cu teren la ţară

country cousin ['kʌntri,kʌzn] *s* „văr de la ţară", provincial

country dance ['kʌntri,daːns] *s* 1 *od* contradanţ 2 dans ţărănesc

country folk ['kʌntri,fouk] *s ca pl* oameni de la ţară; ţărani

country gentleman ['kʌntri 'dʒentlmən] *s* proprietar *(înstărit)* de pământ *(care locuieşte la ţară)*

country house ['kʌntri 'haus] *s* casă la ţară; vilă la ţară

countryman ['kʌntrimən] *s* 1 compatriot 2 om de la ţară, ţăran

country party ['kʌntri 'paːti] *s pol* partid agrar

countryseat ['kʌntri,siːt] *s* reşedinţă de la ţară *(a unui proprietar de pământ);* conac

countryside, the ['kʌntri,said, ðə] *s* 1 provincia, regiunile rurale 2 populaţia rurală

country town ['kʌntri,taun] *s* oraş de provincie

country-wide ['kʌntri,waid] *adj* 1 al poporului, naţional, public 2 de pretutindeni; general; din întreaga ţară

countrywoman ['kʌntri,wumən] *s* 1 compatrioată 2 femeie de la ţară, ţărancă

count upon ['kaunt ə,pɔn] *vi cu prep v.* **count on**

county ['kaunti] *s (în Anglia)* comitat, district; *(în S.U.A.)* district, *aprox* judeţ *(unitate administrativă mai mică decât un stat)*

county borough ['kaunti'bʌrə] *s* oraş cu mai mult de 50.000 locuitori *(având independenţă administrativă)*

county road ['kaunti 'roud] *s* drum vicinal

county seat/town ['kaunti'siːt/taun] *s* capitală/reşedinţă districtuală

coup[1] [kuː] *s fr fig* lovitură; reuşită

coup[2] [kaup] *vt scot* a răsturna

coup d'état ['kuː dei'taː] *s fr pol* lovitură de stat

coup de théatre ['kudə te'aːtr] *s fr fig* lovitură de teatru

coupe[1] ['kuː pei] *s od* cupeu, trăsură închisă cu două locuri

coupé[2], **coupe** ['kuː pei] *s* 1 automobil închis cu două locuri 2 *ferov* compartiment cu două locuri

couple ['kʌpəl] I *s* 1 pereche, doi; **a** ~ **of books** două cărţi 2 cuplu, pereche, soţ şi soţie *sau* viitori soţ şi soţie 3 pereche de dansatori, parteneri de dans 4 **a** ~ **(of)** câţiva, câteva; **he returned in a** ~ **of minutes** se întoarse

peste câteva minute **II** *vt* **1** a
împerechea; a lega, a uni **2** *fig* a
lega, a asocia *(două idei etc.)* **3**
biol a împerechea **4** *tehn, el* a
cupla **5** *auto* a cupla, a ambreia,
a conecta **III** *vi* **1** a se împe-
rechea **2** *biol* a se împerechea;
a se împreuna
couple on ['kʌpəl'ɔn] *vt cu part adv*
a ataşa *(vagoane etc.)*
coupler ['kʌplə'] *s* **1** *auto* ambreiaj
2 *tehn* cuplaj, cuplare **3** *ferov*
aparat de cuplare *sau* manipu-
lant care cuplează vagoane
couplet ['kʌplit] *s metr* distih rimat
coupling ['kʌpliŋ] *s* **1** împerechere,
cuplare; legare **2** *fig* legătură,
asociere **3** *tehn* manşon, mufă;
gheară **4** *ferov* aparat de cuplare
coupon ['kuːpɔn] *s* **1** *fin* cupon *(de
dobânzi)* **2** talon **3** bon *(de casă)*
courage ['kʌridʒ] *s* curaj; bravură,
vitejie; cutezanţă; **to pluck up/
to muster up/to take ~** a prinde
curaj; **not to have the ~ to** a nu
avea curajul să; **to take one's ~
in both hands** a-şi lua inima în
dinţi; **to have the ~ of one's
convictions** a avea curajul
opiniilor *(proprii)*
courageous [kə'reidʒəs] *adj* curajos;
brav; viteaz; cutezător
courageously [kə'reidʒəsli] *adv*
curajos, cu curaj
courier ['kuəriə'] *s* **1** curier; comisio-
nar **2** mesager *(diplomatic);* agent
course [kɔːs] **I** *s* **1** curs, desfă-
şurare; scurgere; durată, timp;
the ~ of events cursul eveni-
mentelor; **in the ~ of** în cursul/
timpul *cu gen;* **in ~ of** în curs/
proces de *(dezvoltare etc.);* **in
the ~ of time** cu timpul; în cele
din urmă; **in the ~ of nature** în
firea lucrurilor; **in due ~** la timpul
cuvenit/potrivit **2** curs, mers;
direcţie *(a unui râu etc.);* **on ~** pe
direcţie; **off ~** abătut din drum;
to stay the ~ a nu se lăsa, a nu
se da bătut, a continua ceva
până la capăt; **the law must
take its ~** legea trebuie să-şi
urmeze cursul; **of ~** bineînţeles,
desigur, fireşte; **a matter of ~**
ceva ce se subînţelege, ceva
firesc/normal **3** linie de conduită;
mod de a acţiona **4** purtare,
comportare, conduită **5** fel, mod,
manieră, chip **6** fel de mâncare

7 *sport* pistă; teren **8** ciclu, şir,
serie; **~ of lectures** ciclu/serie de
prelegeri **9** *univ* curs **10** *med*
cură **11** *ec, com* cursul pieţei;
puls, tendinţă **12** *fin* curs *(valutar)*
13 *constr* rând de zidărie **14** *tel*
traiectorie **15** *nav* cap, cursă **II**
vi **1** a urma un curs/o direcţie **2** a
circula; a se mişca repede, a
alerga; *(d. lichide)* a curge **III** *vt*
1 *(şi d. câini, la vânătoare)* a
alerga după, a urmări; *vânat şi
fig* a hăitui **2** a trece prin, a
traversa
courser ['kɔːsə'] *s* **1** cal de curse; ←
poetic gonaci, cal care aleargă
iute **2** *vânăt* hăitaş **3** *vânăt* ogar
coursing ['kɔːsiŋ] *s* vânătoare de
iepuri cu câini
court [kɔːt] **I** *s* **1** *jur* curte; jude-
cătorie; tribunal; **to be out of ~**
a *jur* a pierde dreptul de a fi
audiat **b** *fig* a-şi pierde forţa,
vigoarea, interesul *etc.; (d. o
carte etc.)* a se învechi; **to rule/
to put out of ~** a nu lua în
considerare *cu ac;* **to take smb
to ~** a intenta proces cuiva, a da
pe cineva în judecată **2** curte,
ogradă **3** teren de joc *sau* de
sport **4** curte, palat; reşedinţă *(a
unui nobil etc.);* **to go to (be
presented at) ~** a fi introdus/
prezentat la curte **5** curte; avan-
suri; **to pay ~ to** ← *rar* a face
curte cuiva; a face curte unei
femei, a curta o femeie **6** stradă
(↓ înfundată), intrare, fundătură
7 motel **II** *vt***1** a curta *(o femeie),*
a face curte *(unei femei)* **2** a face
curte cuiva, a căuta să intre în
graţiile cuiva; a măguli *(pe
cineva)* **3** a căuta să-şi atragă
(simpatia etc.) **4** a atrage *(asupra
sa) (o nenorocire etc.)*
court card ['kɔːt ˌkɑːd] *s* figură *(la
jocul de cărţi)*
courteous ['kɔːtiəs] *adj* curtenitor,
prevenitor; bine crescut
courteously ['kɔːtiəsli] *adv* (în mod)
curtenitor
courteousness ['kɔːtiəsnis] *s* curte-
nie, curtoazie
courtesan [ˌkɔːti'zæn] *s* curtezană;
prostituată, femeie de moravuri
uşoare
courtesy ['kɔːtisi] *s* curtoazie,
politeţe; etichetă; **by ~** a din
curtoazie **b** prin favoare; gratuit;

by (the) ~ of prin bunăvoinţa *cu
gen,* mulţumită *cu dat*
court house ['kɔːt ˌhaus] *s amer*
tribunal, curte de justiţie
courtier ['kɔːtiə'] *s* curtean
courtliness ['kɔːtlinis] *s* **1** curtenie,
politeţe **2** demnitate **3** măgulire,
linguşiri **4** eleganţă
courtly ['kɔːtli] *adj* **1** curtenesc, de
curte **2** curtenitor, politicos,
prevenitor **3** măgulitor, linguşitor
4 căutat, afectat
court-martial ['kɔːt'mɑːʃəl], *pl*
courts-martial ['kɔːts'mɑːʃəl] *s
jur* curte marţială
court of arbitration ['kɔːtəv ɑːbi
'treiʃən] *s jur* (curte de) arbitraj
Court of Session, the ['kɔːtəv 'seʃən,
ðə] *s jur* Curtea supremă *(pt
procese civile, în Scoţia)*
Court of St. James, the ['kɔːtəv sən
'dʒeimz, ðə] *s* curtea regală
(britanică)
court room ['kɔːt ˌruːm] *s jur* sală
de şedinţe
courtship ['kɔːtʃip] *s* curte *(făcută
unei femei)*
courtyard ['kɔːtˌjɑːd] *s* curte, ogradă
couscous ['kuːskuːs] *s alim* cuş-cuş
cousin ['kʌzən] *s* **1** văr *sau* veri-
şoară, vară **2** rudă, rubedenie;
neam **3** *(d. limbi)* soră **4** formulă
de adresare a suveranilor către
alţi suverani sau către nobili
cousin Betty ['kʌzən 'beti] *s* smintit,
om slab de minte
cousin-german ['kʌzən'dʒə:mən], *pl*
cousins-german ['kʌzənz'dʒə:-
mən] *s* văr primar *sau* verişoară/
vară primară
cousinly ['kʌzənli] *adj* ca de *sau* de
văr *sau* verişoară
couturier [kuː'tuəriˌei] *s fr* croitor *sau*
croitoreasă de lux
cove¹ [kouv] *s sl înv* tip, individ,
cetăţean
cove² *s* **1** *geogr* golfuleţ, golf mic **2**
constr var nears
coven ['kʌvən] *s* sabat, întrunire a
vrăjitoarelor *(↓ 13 la număr)*
covenant ['kʌvənənt] *s* **1** învoială,
acord; legământ **2** *bibl* legământ;
făgăduinţă; testament; **Land of
the C~** Pământul Făgăduinţei **3**
the C~ *ist* acord între parla-
mentul Scoţiei şi cel al Angliei de
a menţine şi extinde presbi-
terianismul în Anglia (1643) **4** *jur*
acord formal *(ratificat)*

convenanted ['kʌvənəntid] *adj* legat printr-un acord

convenanter ['kʌvənəntəʳ] *s* 1 semnatar al unui acord 2 C~ partizan al „Covenant"-ului

Covent Garden ['kʌvənt ga:dən] 1 *cea mai mare piață de zarzavaturi și flori din Londra* 2 *opera din Londra*

Coventry ['kɔvəntri] *oraș în Anglia;* **to send smb to ~** a nu (mai) vrea să aibă de-a face cu cineva; a ostraciza pe cineva; a refuza să mai vorbească cu cineva

cover ['kʌvəʳ] I *vt* 1 a acoperi; a ascunde; a înveli; **snow ~ed the ground** pământul era acoperit de/cu zăpadă, zăpada acoperea pământul; **he ~ed his face in/ with his hands** își acoperi fața cu mâinile; își îngropă fața în mâini; **he laughed to ~ his nervousness** *fig* râse ca să-și ascundă/ca să nu-și trădeze nervozitatea; **apples ~ed with fruit** meri încărcați de rod; **to ~ the retreat** *mil* a acoperi retragerea 2 **(from)** a apăra, a feri *(de lovituri etc.)* 3 a acoperi, a cuprinde, a îngloba, a trata *(un subiect etc.)* 4 a acoperi *(un spațiu, o suprafață);* a străbate, a parcurge *(o distanță)* 5 a înlocui *(pe cineva)* 6 a cloci 7 a asigura *(la o societate de asigurări)* 8 *mil etc.* a ochi, a îndrepta pușca *etc.* spre 9 *(d. bani)* a acoperi, a fi suficient pentru II *vr fig* a se acoperi *(de glorie etc.)* III *vi (d. vopsea etc.)* a forma un strat gros IV *s* 1 înveliș; învelitoare 2 capac 3 toc; teacă; cutie 4 învelitoare, pătură 5 plic; **under plain ~** în(tr-un) plic simplu/obișnuit; **under separate ~** în(tr-un) plic separat 6 copertă, scoarță; **to read a book from ~ to ~** a citi o carte din scoarță în scoarță 7 adăpost, refugiu; loc retras; **under ~ a** adăpostit, ferit **b** secret, tainic; **to break ~** a ieși din ascuniș/ascunzătoare; **to take ~** a se adăposti, a se ascunde 8 *fig* pretext; mască; paravan 9 serviciu *(de masă)*, tacâm 10 *și tehn* căptușeală 11 *fig* văl, perdea 12 *fin* acoperire *(a unui cec etc.)* 13 *constr* plafon, tavan 14 *fiz etc.* anvelopă, cămașă 15 *met etc.* coajă, peliculă

coverage ['kʌvəridʒ] *s* 1 acoperire, cuprindere 2 zonă de acțiune 3 *ec* acoperire *(în aur etc.)* 4 **(of)** *rad, telev* reportaj (despre) 5 *poligr* putere de acoperire

coveralls ['kʌvər,ɔ:lz] *s* ← *F* salopetă; haină de lucru

cover charge ['kʌvə 'tʃa:dʒ] *s* plată suplimentară, taxă specială *(la baruri de noapte etc.)*

covered ['kʌvəd] *adj* 1 acoperit; închis 2 cu capul acoperit

covered wagon ['kʌvəd 'wægən] *s* căruță cu coviltir *(a coloniștilor din S.U.A în sec. XIX)*

cover girl ['kʌvə 'gə:l] *s* fată frumoasă *(de pe sau ca de pe copertile de reviste)*, cadră

covering ['kʌvəriŋ] *s* 1 învelire *etc.* (*v.* **cover** I) 2 înveliș, învelitoare (*v.* **cover** IV)

covering letter ['kʌvəriŋ 'letəʳ] *s* 1 scrisoare însoțitoare *sau* lămuritoare 2 *fin* scrisoare de trăsură

coverlet ['kʌvəlit] *s* învelitoare; cuvertură; plapumă

coverlid ['kʌvəlid] *s v.* **coverlet**

cover over ['kʌvər 'ouvəʳ] *vt cu part adv* a astupa *(o gaură etc.)*

covert ['kʌvət] I *s* 1 adăpost, refugiu *(pt animale sălbatice);* pădure, tufiș *etc.* 2 *text* covercot II *adj fig* ascuns; tainic; **~ glance** privire pe furiș

cover up ['kʌvər 'ʌp] *vt cu part adv* 1 a ascunde *(↓ bine)*, a pune la loc sigur 2 a-și ascunde *(sentimentele etc.)* 3 *constr* a acoperi, a căptuși

cover up for ['kʌvər 'ʌpfəʳ] *vi cu part adv și prep* a se da drept vinovat în locul altcuiva

covet ['kʌvit] *vt* 1 a râvni, a dori cu înfocare 2 a invidia

covetous ['kʌvitəs] *adj* 1 **(of)** râvnitor (la), foarte doritor (de) 2 zgârcit; acaparator 3 invidios, pizmaș

covetously ['kʌvitəsli] *adv* 1 râvnitor 2 cu zgârcenie 3 cu invidie

covetousness ['kʌvitəsnis] *s* 1 *fig* **(of)** sete (de) 2 zgârcenie 3 invidie, pizmă

covey ['kʌvi] *s* stol *(↓ de potârnichi sau prepelițe)*

cow [kau] I *s* 1 vacă; **when the ~s come home** *F* la sfântu-așteaptă 2 femelă *(de elefant, ren etc.)* II *vt* a speria; a intimida; a aduce

la ascultare *(prin intimidare)*

coward ['kauəd] I *s* (om) fricos, laș II *adj* fricos, laș

cowardice ['kauədis] *s* 1 frică 2 lașitate

cowardliness ['kauədlinis] *s v.* **cowardice**

cowardly ['kauədli] I *adj* fricos, temător 2 laș; mișel II *adv* (ca un) laș

cowberry ['kaubəri] *s bot* merișor *(Vaccinium vitis-idaea)*

cow-boy ['kau,bɔi] *s* 1 văcar 2 *amer* cowboy

cow catcher ['kau ,kætʃəʳ] *s amer ferov* 1 curățitor de linie 2 bot de locomotivă

cower ['kauəʳ] *vi* 1 a se ghemui *(la foc etc.)* 2 a se face mic *(de frică etc.)* 3 a se umili, a se înjosi

cowhered ['kau,hə:d] *s* cioban *(la vite)*

cow house ['kau ,haus] *s* grajd *(pt vite);* staul

cowish ['kauiʃ] *adj* încet (în mișcări), greoi

cowl [kaul] *s* 1 sutană cu glugă 2 glugă 3 *tehn* capac; apărătoare de coș 4 *auto* torpedo; capotă 5 *av* carenaj

cow leech ['kau ,li:tʃ] *s* ← *umor* (doctor) veterinar

cowman ['kaumən] *s amer* crescător de vite

co-worker ['kou'wə:kəʳ] *s* colaborator

cowpat ['kau,pæt] *s* grămadă de bălegar

Cowper ['ku:pəʳ], **William** *poet englez (1731-1800)*

cow-pox ['kau,pɔks] *s vet* variola taurinelor, vărsat

cowrie, cowry ['kauri] *s* 1 *specie de scoică/astracod (Cypridae sp.)* 2 ghioc

cowshed ['kau,ʃed] *s* staul de oi

cowslip ['kau,slip] *s bot* 1 ciuboțica cucului *(Primula veris)* 2 *amer* calcea calului *(Calthea palustris)*

cox *presc F de la* **coxswain**

coxcomb ['kɔks,koum] *s v.* **cocks-comb**

coxswain ['kɔksən] *s nav* 1 cârmaci, timonier 2 șef de barcă

coy [kɔi] *adj* sfios, rușinos, timid

coyness ['kɔinis] *s* sfială, timiditate

coyote ['kɔiout] *s pl și invar zool* lup de prerie *(Canis latrans)*

coz [kʌz] *s* ← *F* văr, *F* verișor *sau* vară, *F* verișoară

coze [kouz] *vi* a discuta prietenește

cozenage ['kʌznidʒ] *s* înșelăciune, amăgire

cozener ['kʌznəʳ] *s* pungaș, escroc

cozen into ['kʌzən ˌintə] *vt cu prep* a convinge, a ademeni *(pe cineva)* să *(facă ceva)*

cozen out of ['kʌzən autəv] *vt cu prep* a smulge de la *cineva* prin înșelăciuni

cozily ['kouzili] *adv amer* comod, tihnit

coziness ['kouzinis] *s amer* comoditate, tihnă

cozy ['kouzi] **I** *adj amer* comod, confortabil, tihnit **II** *s* învelitoare *(pt ceainic)*

CP *F presc de la* **Communist Party**

cp. *presc de la* **compare** compară *sau* comparați

c.p. *presc de la* **candle power**

cpd. *presc de la* **compound**

CP'er [ˌsiːpiːəʳ] *s* ← *F* membru al partidului comunist

cr. *presc de la* **1** credit **2** creditor **3** crown

crab [kræb] **I** *s* **1** *zool* crab *(Carcinus maenas);* homar; rac **2** the C~ Cancerul, Racul; zodia Cancerului/Racului **3** *nav* cabestan *(mic, manual)* **4** *tehn* cărucior de macara **5** măr sălbatic; măr acru **6** ← *F* om urâcios și nemulțumit **II** *vi* **1** a prinde raci **2** (**about**) ← *F* a fi veșnic nemulțumit, a se plânge mereu (de) **III** *vt* ← *poetic* a acri; a face ursuz

crab apple ['kræb ˌæpəl] *s v.* **crab I, 5**

Crabbe ['kræb], **George** *poet englez (1752-1832)*

crabbed ['kræbid] *adj* **1** *(d. cineva)* arțăgos, iritabil; acru; ursuz, morocănos **2** greu de înțeles; *(d. scris)* neciteț, ilizibil

crabby ['kræbi] *adj v.* **crabbed¹**

crabways ['kræbweiz], **crabwise** ['kræbwaiz] *adv* ca racul; într-o parte, în lături; cu stângăcie

crack [kræk] **I** *s* **1** pocnet; pocnitură; trosnet; trosnitură **2 a fair ~ of the whip** ← *F* șansă de a izbuti; mână de ajutor; bubuit; bubuitură **3** deschizătură îngustă; **the door was opened just a** ~ ușa era ușor întredeschisă **4** crăpătură, spărtură, fisură; **at the ~ of dawn** la revărsatul zorilor **5** lovitură zdravănă; pumn zdravăn; palmă/*F* scatoalcă zdravănă **6** (**at**) ← *F* încercare (de *cu inf);* **that**

was my first ~ at writing poetry a fost prima mea încercare de a scrie versuri **7** vorbă de duh, spirit; glumă, răspuns *sau* remarcă spirituală **8** schimbare bruscă a vocii, voce spartă **9** *sl înv* spargere *sau* spărgător **10** *mat cot;* curbură **11** *met* îndoitură **II** *adj* **1** de calitate superioară, excelent, *F* formidabil, calitatea întâi **2** foarte îndemânatic *sau* priceput; *(d. țintași etc.)* de elită **III** *vt* **1** a pocni din, a trosni din, a face să pocnească **2** a crăpa, a face să crape/plesnească, a face o crăpătură *sau* crăpături în **3** a sparge, a deschide *(un seif etc.);* **to ~ a crib** *sl* a prăda/a jefui o casă **4** ← *F* a destupa *(o sticlă)* **5** a strica, a deteriora; a întrerupe **6** a schimba brusc *(vocea, direcția etc.)* **7** a pocni, a lovi; a se lovi cu *(capul etc.);* **he ~ed his head against the wall** s-a lovit/pocnit/izbit cu capul de perete **8** a descoperi secretul/taina *(cu gen)* **9** ← *F* a ști să spună (o glumă), a spune în mod amuzant **10** *min* a craca (petrolul) // **~ed up to be** *F* (așa) cum i s-a dus vestea; **this pub's not all it's ~ed up to be** restaurantul ăsta nu e chiar așa de grozav cum se spune **IV** *vi* **1** a pocni, a trosni **2** a plesni, a crăpa **3** *(d. semințe etc.)* a crăpa, a se desface, a se deschide **4** *(d. nivel, voce, direcție etc.)* a se schimba brusc *sau* radical **5** a da greș, a nu reuși; a-și pierde controlul *sau* eficacitatea **6** *F* a se dărâma, ~ a claca **7** *min (d. petrol)* a se descompune prin cracare // **to get ~ing** a se face în grabă *sau* repede; *F* a fi făcut de mântuială

crack-brained ['kræk breind] *adj F* țicnit, țăcănit; *(d. idei etc.)* aiurit, ~ nebunesc

crack-down ['kræk ˌdaun] *s* (**on**) interzicere *(cu gen);* măsuri de stăvilire *(cu gen)*

crack down ['kræk 'daun] *vi cu part adv* (**on**) a deveni mai sever/aspru (cu), a adopta o atitudine mai severă (față de)

cracked [krækt] *adj F* țicnit, țăcănit ~ smintit, nebun; *F* bătut în cap, prost ca noaptea, bătut cu leuca

cracker ['krækəʳ] *s* **1** spărgător de

nuci **2** *min* instalație de cracare **3** pișcot; biscuit; *pl și* uscățele **4** plesnitoare; petardă; *pl* artificii **5** (bomboană) plesnitoare **6** *amer peior* sărăntoc *(alb)* (↓ *din Georgia sau Florida)* **7** *școl* minciună **8** ← *F* femeie foarte frumoasă

crackers ['krækəz] *adj pred F v.* **cracked**

cracking ['krækiŋ] *s tehn* cracare *(a petrolului)*

crackle ['krækəl] *vi (d. lemne uscate care ard etc.)* a pocni, a trosni

crackleware ['krækəlˌwɛəʳ] *s* (vase de) ceramică smălțuită

crackling ['krækliŋ] *s* **1** pocnituri, trosnituri **2** piele de porc prăjit

crack open ['kræk'oupən] *vi cu adj (d. semințe)* a crăpa, a se desface

crackpot ['kræk,pɔt] *adj, s F* trăsnit, ~ excentric

cracksman ['kræksmən] *s* spărgător (↓ *de seifuri)*

crack-up ['krækʌp] *s med* **1** ← *F* prăbușire; colaps **2** ← *F* deranjament psihic; psihoză

crack up ['kræk 'ʌp] *vi cu part adv v.* **crack IV, 6**

Cracow ['krækau] *oraș în Polonia* Cracovia

-cracy *suf* -crație: **democracy** democrație

cradle ['kreidəl] **I** *s* **1** leagăn; **from the ~** *fig* din leagăn, din fragedă pruncie **2** *fig* leagăn *(al unei civilizații etc.)* **3** furcă *(de telefon)* **4** furcă **5** *ferov* cuzinet de reazem **6** *hidr* jgheab **7** *min* leagăn **8** *el* rețea de protecție legată la pământ **II** *vt* **1** a legăna *(un copil)* **2** *tel* a lăsa, a pune jos *(receptorul)*

craft [krɑːft] *s* **1** meserie, meșteșug; **the potter's ~** meseria olarului; olărie **2** măiestrie, dexteritate **3** breaslă; corporație; uniune **4** the C~ (franc)masoneria **5** ambarcațiune; barcă, vas *etc.; pl invar* ambarcațiuni; bărci, vase *etc.* **6** avion **7** vehicul aerospațial **8** viclenie, șiretenie, înșelătorie

-craft *suf diverse traduceri (implică ideea de meserie, pricepere etc.)* **handicraft** artizanat; **witchcraft** vrăjitorie

craft brother ['krɑːft ˌbrʌðəʳ], *pl* ~ **brethren** ['krɑːft 'breðrən] *s* **1** tovarăș de meserie **2** (franc)mason

craftily ['krɑːftili] *adv* cu șiretenie; prin viclenii/tertipuri

craftiness ['krɑːftinis] *s* viclenie, șiretenie; abilitate

craftsman ['krɑːftsmən] *s* **1** meseriaș, meșteșugar **2** artist, maestru

craftsmanship ['krɑːftsmənʃip] *s* măiestrie, artă

crafty ['krɑːfti] *adj* viclean, șiret; abil

crag [kræg] *s* țanc, pisc

cragged ['krægid], **craggy** ['krægi] *adj* **1** stâncos **2** abrupt, râpos

Craiova [krʌˈjɔvʌ] *oraș în România*

crake [kreik] *s orn* cârstei de baltă *(Rallus aquaticus)*

cram [kræm] **I** *vt* **1** (**into**) a îndesa, a înghesui (în) **2** a umple *(până la refuz)*, a ticsi *(un spațiu)* **3** a ghiftui, a îmbuiba; a sătura **4** a îndopa, a îngrășa *(o pasăre)* **5** a băga în cap *(cunoștințe etc.)*, a umple capul cuiva cu **6** a toci *(o materie)* **II** *vi* **1** a se ghiftui; a mânca hulpav *sau* prea mult **2** a toci, a învăța mecanic; a îngrășa porcul în ajun **III** *s* **1** înghesuială, aglomerație **2** toceală

crambo ['kræmbou] *s* **1** poezie pe rime date *(și ca joc)* **2** *peior* versuri proaste

cram-full ['kræm,ful] *adj F* ticsit, – plin până la refuz

crammer ['kræmə'] *s* **1** meditator **2** tocilar

cramp¹ [kræmp] **I** *s* **1** *fizl* contracție (musculară) **2** *pl* crampe, colici **3** *med* paralizie locală **II** *vt med* a provoca crampe cuiva

cramp² **I** *s* clamă; agrafă; scoabă **II** *vt* a prinde/a fixa în/cu scoabe; a strânge

cramped [kræmpt] *adj* înghesuit; strâns

crampfish ['kræmp,fiʃ] *s iht* torpilă *(Torpedo marmorata)*

crampiron ['kræmp,aiən] *s tehn* scoabă; clamă; crampon

crampon ['kræmpən] *s* crampon, colțar *(pt ghete)*

cranberry ['krænberi] *s bot* **1** merișor *(Vaccinium vitis idaea)* **2** răchițele *(Vaccinium oxycoccus)*

crane [krein] **I** *s* **1** *orn* cocor *(Gruidae sp.)* **2** macara; *nav* și granic **II** *vt* a-și întinde *(gâtul)* **III** *vi* a ezita

Crane, Hart *poet american (1899-1932)*

crane's bill, cranesbill ['kreinz,bil] *s bot* priboi, pălăria cucului *(Geranium sp.)*

cranial ['kreiniəl] *adj anat* cranial, al craniului

cranium ['kreiniəm], *pl* și **crania** [kreiniə] *s anat* craniu

crank¹ [kræŋk] *tehn* **I** *s* manivelă; vinci, cric **II** *vt* **1** a întoarce; a manevra, a manipula **2** a îndoi

crank² [kræŋk] **I** *s* **1** mantie, idee fixă **2** întorsătură/turnură de frază ciudată **3** joc de cuvinte **4** maniac; (om) excentric **II** *adj atr* **1** bine dispus, vesel **2** *(d. un mecanism)* dereglat **3** *(d. sănătate)* șubred, șubrezit

crankshaft ['kræŋk,ʃɑːft] *s tehn* arbore cotit, vilbrochen

cranky ['kræŋki] *adj* **1** *(d. un mecanism)* dereglat **2** excentric, ciudat; maniac **3** irascibil, supăracios **4** *nav* lipsit de stabilitate

cranny ['kræni] *s* spărtură, crăpătură *(într-un zid etc.)*

crap¹ [kræp] **I** *vi* ← *vulg* a defeca **II** *interj sl* aiurea! prostii!

crap² *s și la pl* joc de noroc cu zaruri, barbut

crape [kreip] **I** *s* **1** *text* crep **2** *fig* doliu **II** *vt* a ondula *(părul)*

crapulence ['kræpjuləns] *s* **1** beție **2** mahmureală

crapulent ['kræpjulənt] *adj v.* **crapulos**

crapulous ['kræpjuləs] *adj* **1** bețiv **2** mahmur

crash¹ [kræʃ] *s text* învelitoare, pânză de protecție

crash² **I** *vi* **1** *(d. avioane)* a se prăbuși **2** a se sfărâma, a se distruge, *F→* a se face praf; **the bus ~ed into a tree** autobuzul a fost avariat într-un pom **3** *(d. farfurii etc.)* (a cădea și) a se sparge **4** (**through**) a trece, a-și face loc (cu zgomot) (prin) **5** *fig* a da greș; a da faliment, a se prăbuși, a se ruina **II** *vt* **1** *av* a doborî **2** a sfărâma, a distruge, a nimici **III** *s* **1** *av, auto* accident; *av* prăbușire **2** sfărâmare, distrugere; nimicire **3** *fig* prăbușire, ruină **4** bubuit *(de tunet etc.)* **5** trosnet, zgomot **IV** *adj* **1** *(d. regim)* sever **2** *(d. un curs)* intensiv **V** *adv* cu zgomot **VI** *interj* poc! trosc!

crash barrier ['kræʃ ,bæriə'] *s drumuri* grilaj de protecție

crash helmet ['kræʃ ,helmit] *s auto* cască de protecție

crashing ['kræʃiŋ] *adj F* total, – fără pereche; *F* (bun) de legat

crash-land ['kræʃ,lænd] *vi av* a ateriza forțat cu maximă prudență

crass [kræs] *adj* **1** *(d. prostie etc.)* cras, total **2** prost ca noaptea, bătut în cap, tâmpit

crassitude ['kræsitjuːd] *s* prostie crasă

-crat *suf* -crat: **aristocrat** aristocrat

crate [kreit] **I** *s* **1** coș mare; ladă *(din șipci)* **2** *sl* avion **3** *sl* mașină, automobil **II** *vt* a pune *sau* a împacheta într-un coș *sau* ladă *(din șipci)*

crater ['kreitə'] *s* **1** *geol* crater **2** *mil* pâlnie *(de obuz)*

cravat [krəˈvæt] *s fr* **1** cravată **2** fular; eșarfă

crave [kreiv] *vt* **1** a râvni, a dori cu înfocare **2** a implora *(iertare etc.)*

crave for ['kreiv fə'] *vi cu prep* a nu mai putea de dorul *cu gen*, a dori fierbinte

craven ['kreivən] *s, adj* fricos; **to cry ~** a se preda

cravenly ['kreivənli] *adv* (în mod) laș; fricos

cravenness ['kreivənis] *s* frică; lașitate

craving ['kreiviŋ] *s și fig* poftă; *fig* sete

craw [krɔː] *s* **1** *orn* gușă **2** *peior* burdihan, – stomac

crawfish ['krɔː,fiʃ] *s v.* **crayfish**

crawl [krɔːl] **I** *vi* **1** a se târî; a se furișa; *(d. oameni și)* a merge de-a bușilea **2** *(d. trenuri etc.)* a merge foarte încet **3** (**to**) a se linguși (pe lângă); a măguli, a linguși *pe cineva* **4** a simți furnicături; a i se face pielea găinii **II** *s* **1** mișcare înceată; **to go at a ~** a merge încet, a se târî ca melcul **2** *sport* craul

crawler ['krɔːlə'] *s* **1** *zool* reptilă; târâtoare **2** *fig* lingușitor, om servil **3** *auto* camion *sau* tractor pe șenile

crawl with ['krɔːlwið] *vi cu prep* a fi plin de, a mișuna de

crayfish ['krei,fiʃ] *s zool* rac împlătoșat *(Astacidae sp.)*

crayon ['kreiən] *s* **1** creion colorat **2** cretă colorată **3** *pict* pastel

craze [kreiz] **I** *vt* a scoate din minți, a înnebuni **II** *s* **1** manie, nebunie **2** modă; **to be the ~** a fi la modă, a se bucura de mare trecere

crazed [kreizd] *adj* nebun, dement

crazily ['kreizili] *adv* nebunește; ca un nebun

craziness ['kreizinis] *s* nebunie, demență

crazy ['kreizi] *adj* **1** nebun, dement; smintit; **like ~** *sl* ca nebun, nebunește **2** *(d. o acțiune)* nebunesc, prostesc **3** *(d. construcții)* crăpat, fisurat; gata să se prăbușească **4** nebun, mânios, supărat foc; tulburat; descumpănit; dezechilibrat

crazy about/on ['kreiziə ,baut/ɔn] *adj cu prep F* nebun/înnebunit după, care se dă în vânt după

crazy bone ['kreizi ,boun] *s anat amer* epicondilul median humeral

crazy paving ['kreizi ,peiviŋ] *s* pietriș amestecat *(pt alei)*

creak [kri:k] **I** *vi* a scârțâi **II** *s* scârțâit

creaky ['kri:ki] *adj* **1** scârțâit **2** scârțâitor, care scârțâie

cream [kri:m] **I** *s* **1** frișcă; cremă; caimac; spumă **2** cremă *(de fructe, de față etc.)* **3** *fig* cremă, elită **4** cremă, alifie **II** *adj atr* (de culoare) crem **III** *vt* a lua crema, caimacul *etc.* de pe

cream cheese ['kri:m ,tʃi:z] *s* brânză grasă

cream-coloured ['kri:m ,kʌləd] *adj* crem, alb-gălbui

creamed [kri:md] *adj gastr* bătut

creamer ['kri:mə'] *s* cană pentru frișcă

creamery ['kri:məri] *s* **1** lăptărie **2** fabrică de unt

cream of lime ['kri:mə 'laim] *s* lapte de var

cream puff ['kri:m ,pʌf] *s* **1** *gastr* choux a la crème **2** fleac, prostie

creamy ['kri:mi] *adj* **1** cu cremă **2** *(de culoare)* crem **3** *(d. voce)* moale, catifelat

crease [kri:s] **I** *vt* a îndoi, a plisa **II** *vi* a face cute **III** *s* cută, pliu; îndoitură

creasy ['kri:si] *adj* îndoit, cu pliuri/cute

create [kri:'eit] **I** *vt* **1** a crea; a face **2** a face, a numi; a acorda titlul de *(baron etc.)* **3** a crea, a face, a lăsa *(o impresie etc.)* **4** a stârni *(un sentiment etc.)* **II** *vi* **1** a crea **2** ← *F* a se frământa, a se zbuciuma

creation [kri:'eiʃən] *s* **1** creare, facere **2 the C~** *bibl* Facerea; **to beat/to lick (all)** ~ a fi culmea; a întrece toate așteptările **3** numire; acordare a unui titlu *etc.* **4** creație, operă **5** creație, model *(de rochie etc.)*

creative [kri:'eitiv] *adj* creator; inventiv

creatively [kri:'eitivli] *adv* (în mod) creator

creativeness [kri:'eitivnis] *s* putere creatoare, creativitate

creativity [,kri:ə'tiviti] *s v.* **creativeness**

creator [kri:'eitə'] *s* **1** creator; autor; inventator **2 the C~** *bibl* Creatorul, Ziditorul (lumii)

creature ['kri:tʃə'] *s* **1** creatură, făptură, ființă **2** *amer* animal domestic **3** *fig* rob, sclav, unealtă **4 the ~** ← *umor* băutură (spirtoasă), ↓ whisky

creature comforts ['kri:tʃə ,kʌmfəts] *s pl* bunuri pământești; plăceri lumești

crèche [kreʃ] *s fr* creșă

credence ['kri:dəns] *s* crezare; **letter of ~** scrisoare de recomandare; **to give ~ smb** a da crezare cuiva

credential [kri:'denʃəl] *s* **1** încredere **2** scrisoare de recomandare **3** legitimație **4** *pl* scrisori de acreditare

credibility [,kredi'biliti] *s* **1** credibilitate; probabilitate; posibilitate; veridicitate **2** crezare; credit

credibility gap [,kredi'biliti gæp] *s* deosebirea dintre ceea ce promite și face un politician

credible ['kredibəl] *adj* verosimil, credibil, de crezut; plauzibil

credibly ['kredibli] *adv* din surse bine informate

credit ['kredit] **I** *s* **1** *fin* credit **2** credit, influență, trecere **3** credit, încredere; crezare; **do you give ~ to what he says?** crezi în ceea ce spune? dai crezare celor ce spune? **4** nume (bun), reputație, renume; **a man of the highest ~** un om care se bucură de cea mai bună reputație **5** cinste, onoare; aprobare; **to do ~ to** a face cinste *cu dat;* **to be in high ~ with** a se bucura de mare trecere pe lângă; a se bucura de mare respect din partea *cu gen;* **to smb's ~ a** spre cinstea cuiva **b** *(d. lucrări etc.)* la activ **6** *ec* credit, *înv* → veresie; **to buy smth on ~** a cumpăra ceva pe credit; **letter of ~** scrisoare de credit **7** *ec, fin* avans **8** *fin* datorie **II** *vt* **1** *fin* a credita; a împrumuta *(pe cineva)* **2** a da

crezare *cu dat,* a crede în; a pune pe seama *cu gen*

creditable ['kreditəbəl] *adj* lăudabil, vrednic de laudă

creditably ['kreditəbli] *adv* în mod lăudabil

credit account ['kreditə,kaunt] *s fin* credit, cont creditor

credit balance ['kredit ,bæləns] *s fin* sold creditor

credit card ['kredit'kɑ:d] *s com* carnet al cărui posesor poate cumpăra mărfuri etc. pe care le va achita ulterior; carte de credit

credit item ['kredit'aitəm] *s fin* articol de vechituri

credit note ['kredit ,nout] *s com* certificat de garanție

creditor ['kreditə'] *s ec* creditor

credit titles ['kredit 'taitəlz] *s pl cin, telev* generic

credit to ['kredit tə] *vt cu prep* a trece în contul *cu gen*

credit with ['kredit wið] *vt cu prep* **1** *fin* a credita *(pe cineva)* cu **2** *fin* a acorda cuiva un credit de **3** *fig* a acorda, a atribui *cuiva cu ac*

credo ['kri:dou] *s* **1** crez; convingeri **2 the C~** *rel* Crezul

credulity [kri'dju:liti] *s* credulitate

creduluous ['kredjuləs] *adj* credul, lesne crezător

creduluously ['kredjuləsli] *adv* (în mod) credul

creduluousness ['kredjuləsnis] *s* credulitate

creed [kri:d] *s* **1** crez, mărturisire de credință; **the C~** Crezul **2** crez, principii *(de bază)*

creek [kri:k] *s* **1** golf mic, golfuleț **2** ↓ *amer* pârâu

creel [kri:l] *s* **1** coș *(↓ pt pește)* **2** *ec* uzină furnizoare **3** *text* ramă

creep [kri:p] **I** *pret și ptc* **crept** [krept] *vi* **1** a se târî; a merge de-a bușilea; a se furișa, a se strecura **2** *(d. plante)* a se cățăra **3** *fig* a se strecura, a veni; **a feeling of drowsiness crept over him** îl cuprinse o stare de somnolență **4** a se cutremura, a se înfiora; a simți furnicături pe piele; **it made my flesh/blood ~** am simțit că mi se face pielea ca de găină **5** a se dilata **II** *s* **1** târâre; furișare **2 the ~s** *F* piele de găină, fior(i); **the sight of the rats gave him the ~s** la vederea șobolanilor i se făcu pielea găinii **3** dilatare

creeper ['kriːpəʳ] s 1 animal târâtor; vierme 2 plantă târâtoare *sau* agăţătoare 3 *pl* ← *vulg* păduchi 4 *tehn* cărucior; burghiu; dragă 5 *nav* gheară de pisică

creep in ['kriːpˈin] *vi cu part adv şi fig* a se strecura *(undeva)*

creep into ['kriːp ˌintə] *vi cu prep şi fig* a se strecura în

creepy ['kriːpi] *adj* 1 *(d. animale etc.)* târâtor 2 care te înfioară, care îţi dă fiori

creepy-crawly ['kriːpiˌkrɔːli] *s* ← *F* insectă târâtoare

creese [kriːs] *s* pumnal malaiez

cremate [kriˈmeit] *vt* a arde, a preface în cenuşă; a incinera

cremation [kriˈmeiʃən] *s* cremare; incinerare

crematorium [ˌkreməˈtɔːriəm] *s* crematoriu

crematory ['kremətəri] *s* crematoriu

crenelated ['kreniˌleitid] *adj* cu creneluri, crenelat

Creole ['kriːoul] *s* creol *sau* creolă

creosote ['kriəˌsout] *s ch* creozot

crêpe, crepe [kreip] *s text* crep

crepe paper ['kreipˌpeipəʳ] *s* hârtie creponată

crepe-satin ['kreipˌsætin] *s text* crep satin

crepitate ['krepiˌteit] *vi* a pârâi; a trosni; a scârţâi

crepitation [ˌkrepiˈteiʃən] *s* pârâit; trosnet(e); scârţâit

crept [krept] *pret şi ptc de la* **creep** I

crepuscular [kriˈpʌskjuləʳ] *adj* crepuscular, de amurg

crepuscule ['krepəskjuːl] *s* crepuscul; amurg

crescendo [kriˈʃendou] *s, adj, adv muz* crescendo

crescent ['kresənt] *s* 1 semilună, secera lunii; ultimul pătrar al lunii 2 semicerc 3 *corn*; franzelă în formă de semicerc

cress [kres] *s bot* 1 căltunaş, condurul doamnei *(Tropaeolum malus)* 2 creson, hreniţă *(Lepidium sativum)*

crest [krest] I *s* 1 creastă *(de cocoş etc.)* 2 coamă *(de cal etc.)* 3 podoabă, ↓ panaş de coif 4 ← *poetic* coif 5 creastă, culme, vârf *(de munte etc.)* 6 *fig* culme, apogeu 7 *constr* coama/muchia acoperişului 8 *hidr* prag II *vt* a ajunge în vârful *(muntelui etc.)*

crested ['krestid] *adj* cu creastă

crest-fallen ['krestˌfɔːlən] *adj fig* descurajat, abătut, supărat, mâhnit

cretaceous [kriˈteiʃəs] I *adj* 1 cretos 2 C~ *geol* cretacic II *s* the C~ *geol* Cretacicul

Cretan ['kriːtən] *adj, s* cretan

Crete [kriːt] *insula* Creta

cretin ['kretin] *s* cretin, idiot, imbecil

cretinism ['kretiˌnizəm] *s* cretinism

cretinous ['kretinəs] *adj* de cretin, idiot

cretonne [kreˈton] *s text* creton

crevasse [kriˈvæs] *s* crevasă, crăpătură *(↓ în gheţari)*

crevice ['krevis] *s* crăpătură, fisură

crew[1] [kruː] *pret de la* **crow**

crew[2] *s* 1 *nav, av* echipaj 2 brigadă *(de muncitori)* 3 grup, ceată; companie; echipă 4 *mil* servanţi

crewman ['kruːmən] *s* membru al echipajului *sau* brigăzii

crib [krib] I *s* 1 iesle 2 pătuţ, pat *(de copil) (cu pereţi)* 3 bojdeucă, chichineaţă; odăiţă, cameră mică 4 *sl* bombă, cârciumă 5 *sl* casă, locuinţă; magazin, prăvălie 6 *şcol* fiţuică 7 furtişag 8 traducere literală; iuxtă 9 ← *F* plagiat 10 *drumuri* fundaţie de piloţi 11 *hidr* crepină 12 *sl* casă care urmează a fi prădată/jefuită II *vt* 1 a închide; a înghesui, a vârî 2 *şcol* a copia 3 ← *F* a plagia III *vi* şcol a copia

cribbage ['kribidʒ] *s* 1 cribbage *(joc de cărţi pt 2, 3 sau 4 persoane)* 2 ← *F* plagiat

cribble ['kribl] *s minr* grătar

crick [krik] *med* I *s* entorsă; ~ **in one's back** lumbago, P → durere în şale II *vt* a întinde; a scânti

cricket[1] ['krikit] *s ent* greier *(de casă) (Gryllus domesticus);* **as chirpy/ lively as a** ~ vioi, plin de viaţă

cricket[2] *s* 1 *sport* cricket 2 *fig* comportare frumoasă/cavalerească/cinstită; **it is not** ~ nu e frumos/corect

cricketer ['krikitəʳ] *s* jucător de cricket

crier ['kraiəʳ] *s* 1 plângăcios 2 persoană care strigă etc. (v. **cry** I) 3 vestitor; crainic

crime [kraim] *s* 1 delict; infracţiune; nelegiuire 2 crimă; asasinat, ucidere 3 *fig* crimă; mârşăvie, ticăloşie

Crimea, the [kraiˈmiə, ðə] *peninsulă* în fosta U.R.S.S. Crimeea

Crimean [kraiˈmiən] *adj* din Crimeea

Crimean War, the [kraiˈmiən ˌwɔːʳ, ðə] *s ist* Războiul Crimeii (1854-1856)

crime fiction ['kraimˌfikʃən] *s lit* romane poliţiste

crimeful ['kraimful] *adj* criminal

criminal ['kriminəl] I *adj* 1 criminal; penal 2 *F* de o nedreptate strigătoare la cer II *s* criminal; asasin, ucigaş

criminal conversation ['kriminəl ˌkɔnvəˈseiʃən] *s jur* adulter

criminalist ['kriminəlist] criminalist

criminalistics [ˌkriminəˈlistiks] *s pl ca sg* criminalistică

criminality [ˌkrimiˈnæliti] *s* criminalitate

criminally ['kriminəli] *adv* 1 (în mod) criminal 2 penal

criminologist [ˌkrimiˈnɔlədʒist] *s* criminalist

criminology [ˌkrimiˈnɔlədʒi] *s* criminologie

crimp [krimp] *vt* 1 *text* a încreţi, a plisa 2 a încreţi, a ondula *(părul)*

crimplene ['krimpliːn] *s text* un fel de stofă artificială neşifonabilă

crimpy ['krimpi] *adj* încreţit, ondulat

crimson ['krimzən] I *s* roşu intens/ aprins, stacojiu II *adj* (de un) roşu intens/aprins, stacojiu III *vt* 1 a colora *sau* a vopsi într-un roşu intens/aprins 2 a împurpura, a înroşi IV *vi* a se împurpura, a se înroşi

crimson lake ['krimzən ˌleik] *s* lac de un roşu închis

cringe [krindʒ] *vi v.* **cower**

cringer ['krindʒəʳ] *s* linguşitor, servil

crinkle ['krinkəl] I *vt* a încreţi; a mototoli II *s* încreţitură; fald, pliu

crinkly ['krinkli] *adj* încreţit; *(d. păr şi)* creţ

crinkum-crankum ['krinkəm 'krænkəm] *s F* chestie complicată/ încurcată

crinoline ['krinəlin] *s od* crinolină; malacof

cripple ['kripəl] I *s* infirm, schilod, invalid II *vt* 1 a schilodi; a mutila; a paraliza 2 *fig* a strica; a paraliza *(activitatea etc.)*

crisis ['kraisis], *pl* **crises** ['kraisiːz] *s* 1 *med, ec etc.* criză 2 *fig* criză; moment de răscruce, moment crucial

crisp [krisp] **I** *adj* **1** *(d. prăjituri etc.)* crocant **2** fragil **3** *(d. zăpadă)* întărit, înghețat **4** *(d. aer etc.)* rece; răcoros, proaspăt, înviorător **5** *(d. păr)* creț; ondulat **6** *(d. stil)* vioi; clar, precis **7** *(d. conversație etc.)* însuflețit, vioi, animat **II** *vt* **1** a prăji bine *(până când devine crocant)* **2** a încreți, a ondula *(părul etc.)* **III** *vi* **1** a deveni crocant **2** a se încreți, a se ondula

crispness ['krispnis] *s* caracter crocant, fragil *etc. v.* **crisp I**

crisps [krisps] *s pl* cartofi pai

criss-cross ['kris‚krɔs] **I** *adj* încrucișat; în zigzag **II** *adv* încrucișat; de-a curmezișul **III** *vt* a încrucișa, a pune de-a curmezișul; a împleti

crit. *presc de la* **1 criticism 2 critical**

criterion [krai'tiəriən], *pl* **criteria** ['krai'tiəriə] *s* criteriu

critic ['kritik] *s lit etc. și fig* critic

critical ['kritikəl] *adj* **1** *lit etc. și fig* critic **2** *fig* critic, hotărâtor, decisiv; culminant **3** *fig* critic, periculos, risca(n)t

critically ['kritikəli] *adv* (în mod) critic

critical point ['kritikəl 'pɔint] *s fiz și fig* punct critic

critical temperature ['kritikəl 'tempritʃəʳ] *s fiz* temperatură critică

criticaster ['kriti‚kæstəʳ] *s* criticastru; intrigant

criticism ['kriti‚sizəm] *s* **1** *lit etc.* critică **2** critică, criticare; dezaprobare **3** articol critic

criticize ['kritisaiz] **I** *vt* **1** *lit etc.* a critica, a emite păreri critice despre **2** a critica; a dezaproba **II** *vi* a critica

critique [kri'ti:k] *s* **1** *lit* critică; arta de a critica **2** cercetare critică; eseu critic; articol critic

croak [krouk] **I** *s* **1** croncănit *(al corbului)* **2** orăcăit *(al broaștelor)* **II** *vi* **1** *(d. corbi)* a croncăni **2** *(d. broaște)* a orăcăi **3** a bombăni, a murmura **4** a vorbi răgușit *sau* dogit **5** *fig* a cobi **6** *sl* a da ortul popii, a o mierli, a muri **III** *vt sl* a face felul cuiva, a ucide

croaker ['kroukəʳ] *s* **1** pasăre croncănitoare **2** persoană cu voce răgușită **3** *fig* cobe **4** ← *înv* doctor

Croat ['krouæt] *s* **1** croat **2** (limbă) croată

Croatia [krou'eiʃə] *Republica* Croația

Croatian [krou'eiʃən] **I** *adj* croat **II** *s* **1** croat **2** (limba) croată

crochet ['krouʃei] *fr* **I** *s* **1** croșetă **2** produs croșetat **II** *vt, vi* a croșeta

crock [krɔk] **I** *s* **1** ciob, hârb **2** *fig* mârțoagă, cal prăpădit **3** *fig auto F* rablă, – mașină uzată **4** *fig F* hârb, – moșneag neputincios *sau* babă neputincioasă **II** *vt și ~* **up** *fig (d. boală etc.)* a slăbi, a ruina, a distruge

crockery ['krɔkəri] *s* olărie; vase de lut *sau* faianță

crocodile ['krɔkə‚dail] *s* **1** *zool* crocodil *(Crocodylus sp.)* **2** ← *F* șir, rând *(↓ de școlărițe care ies la plimbare)*

crocodile tears ['krɔkə‚dail 'tiəz] *s pl fig* lacrimi de crocodil

crocus ['kroukəs] *s* **1** *bot* șofran *(Crocus sp.)* **2** *ch* șofran, roșu de lustruit

Croesus ['kri:səs] *s fig* Cresus, nabab, om foarte bogat

croft [krɔft] *s* grădină; mic teren pe lângă casă

crofter ['krɔftəʳ] *s* mic arendaș *(↓ în Scoția)*

cromlech ['krɔmlek] *s* cromleh, monument megalitic

Cromwell ['krɔmwel], **Oliver** *om de stat englez (1599-1659)*

crone [kroun] *s* **1** babă **2** ← *rar* moș(neag) **3** oaie bătrână

crony ['krouni] *s* prieten bun/apropiat

crook [kruk] **I** *s* **1** cârjă; băț îndoit **2** cârlig; cange **3** cot, cotitură; meandră *(de râu)* **4** cocoașă, gheb **5** pungaș, escroc **II** *vt* a îndoi, a încovoia **III** *vi* a se îndoi, a se încovoia

crooked ['krukid] *adj* **1** *(d. cineva)* încovoiat, cocoșat, adus de spate **2** îndoit, încovoiat **3** *fig* necinstit; *(d. mijloace etc.)* oneros, reprobabil

crookedly ['krukidli] *adv* pe căi necinstite

crookedness ['krukidnis] *s* **1** încovoiere **2** strâmbăciune, strâmbătate **3** necinste; caracter reprobabil

Crookes tube ['kruks 'tju:b] *s el* tub Crookes

croon [kru:n] *vt, vi* **1** a fredona; a cânta încet **2** a cânta cu (< prea mult) sentiment

crooner ['kru:nəʳ] *s* interpret de cântece sentimentale; cântăreț de estradă

crop [krɔp] **I** *s* **1** *agr* recoltă; seceriș; **a good ~ of potatoes** o recoltă bună/frumoasă de cartofi; **heavy ~** recoltă bogată **2** *pl agr* semănături, culturi; lanuri, holde **3** *agr* cultură, semănătură; **land under/ in ~** pământ cultivat; **out of ~** necultivat, nesemănat **4** *fig* serie; masă, număr mare; recoltă **5** păr tăiat scurt **6** *orn* gușă **7** bici, cravașă **8** *min* afloriment **9** *nav* curbura traversei **II** *vt* **1** *agr* a recolta, a culege, a strânge **2** *agr* a cultiva, a crește **3** a tăia (scurt); a tunde **4** a paște *(iarbă etc.)* **III** *vi* **1** *agr* a strânge recolta **2** *geol* a ieși la suprafață **3** a paște **4** a da/a produce o recoltă

crop dusting ['krɔp ‚dʌstiŋ] *s agr* stropire cu insecticide

crop-eared ['krɔp‚iəd] *adj* **1** *(d. animale)* cu urechile tăiate **2** tuns scurt

crop out ['krɔp 'aut] *vi cu part adv* a ieși la suprafață

cropper ['krɔpəʳ] *s* **1** *agr* culegător; secerător **2** *agr* secerătoare *(mașină);* combină **3** *agr* plantă care dă recolte bogate **4** mașină de tuns *(părul)* **5** ← *F* cădere, căzătură; **to come a ~ a** a cădea, a se prăbuși **b** *fig* a suferi o înfrângere; a ieși rău

crop rotation ['krɔp rou'teiʃən] *s agr* asolament, rotație *(a culturilor)*

crop spraying ['krɔp ‚spreiiŋ] *s v.* **crop dusting**

crop up ['krɔp 'ʌp] *vi cu part adv* **1** *(d. dificultăți etc.)* a se ivi/a apărea pe neașteptate **2** a se aduna, a se acumula **3** *v.* **crop out**

croquet ['kroukei] *s* crochet *(joc)*

croquette [krou'ket] *s gastr* crochetă

croquis ['krouki:] *s fr* crochiu, schiță; ciornă

crosier ['krousiəʳ] *s bis* cârjă de episcop

cross [krɔs] **I** *s* **1** *rel* cruce, cruciliță; **to be nailed on the ~** a fi țintuit pe cruce, a fi crucificat **2** *rel* cruce, semnul crucii; **to make the sign of the ~** a-și face semnul crucii, a se închina **3** *bis* crucifix **4** cruce, cruciliță *(ca semn grafic);* **put a ~ against**

each item înseamnă fiecare articol cu (câte) o cruce **5** *fig* cruce, suferințe; > necaz, neplăcere; **to take up one's** ~ a-și lua crucea, a fi pregătit pentru suferințe; **to bear one's** ~ a-și purta crucea **6** cruce *(ca distincție)* **7** ← *F* comportare necinstită **8** *zool etc.* încrucișare; hibrid; *agr* și bastard **9** încrucișare *(de drumuri)*, răscruce; intersecție **10** *tehn* cruce; fiting **II** *adj* **1** *atr* transversal , în cruce **2** *fig* (**with**) supărat (pe); certat (cu); **as ~ as two sticks** *F* a supărat foc; cătrănit **b** căruia îi sare muștarul foarte repede, – irascibil, supăracios **3** *atr (d. vânt)* potrivnic, contrariu **4** *atr zool etc.* încrucișat, hibrid **III** *vt* **1** a face *(cuiva)* semnul crucii; a face semnul crucii pe; **to ~ one's heart (and hope to die)** *F* a promite *(cu mâna pe inimă)* **2** a încrucișa *(degetele etc.); to keep one's fingers ~ed* *fig* a ține pumnii *(cuiva)*; a scuipa în sân **3** a intersecta, a încrucișa cu, a tăia **4** a traversa, a străbate *(un ținut, un râu etc.)*; a traversa, a fi așezat peste *(un râu etc.)* **5** *(d. scrisori etc.)* a se încrucișa cu; **to ~ each other** a se încrucișa *(pe drum)* **6** *zool etc.* a încrucișa; *bot* a hibridiza **7** a se pune în calea *(planurilor etc. cuiva);* a se opune *cu dat;* a contrazice **8** a însemna *sau* a șterge cu o cruce **9** a pune linioară la *(litera t);* **to ~ one's t's and dot one's i's** a fi atent până (și) la cele mai mici detalii **IV** *vr* a-și face cruce/semnul crucii, a se închina **V** *vi* **1** a trece dintr-o parte în alta; a se întinde dintr-o parte în alta; **we ~ed from Calais to Folkestone** am traversat canalul de la Calais la Folkestone **2** a se întâlni, a se încrucișa (pe drum)

cross-bar ['krɔs ˌbɑːʳ] *s tehn* traversă; bară transversală

cross-beam ['krɔs ˌbiːm] *s constr* grindă frontală; traversă

cross-benches ['krɔs ˌbentʃiz] *s pl pol (în parlamentul englez)* locuri pentru deputății care nu votează nici cu guvernul, nici cu opoziția

crossbill ['krɔs,bill] *s orn* forfecuță galbenă *(Loxia)*

cross bones ['krɔs,bounz] *s pl* două oase încrucișate *(↓ și un cap de mort)*

crossbow ['krɔs,bou] *s od* arbaletă

cross-bred ['krɔs,bred] *s, adj* hibrid

cross-breed ['krɔs,briːd] **I** *vt* v. **cross III 6 II** *s* hibrid

cross-breeding ['krɔs ,briːdiŋ] *s biol* încrucișare, hibridizare

cross-bun ['krɔs,bʌn] *s* pâinișoară însemnată cu o cruce *(se mănâncă ↓ în Vinerea Mare)*

crosscheck ['krɔs,tʃek] *vt* a verifica folosind alte surse *sau* metode

cross-country ['krɔs,kʌntri] **I** *s* **1** cros, alergare pe teren variat **2** *av* raid; survol **II** *adj atr (d. autovehicule)* care poate circula pe orice teren

cross-country race ['krɔs ,kʌntri 'reis] *s sport* cros

cross-cut ['krɔs,kʌt] **I** *adj* transversal **II** *s* **1** secțiune transversală **2** drumul cel mai scurt, scurtătură **3** *min* galerie transversală

cross-cut saw ['krɔs ,kʌt 'sɔː] *s* ferăstrău transversal; beschie

cross division ['krɔs di'viʒən] *s* clasificare după mai multe trăsături caracteristice

cross-examination ['krɔs ig,zæmi-'neiʃən] *s jur* interogatoriu contradictoriu

cross examine ['krɔs ig'zæmin] *vt jur* a supune unui interogatoriu contradictoriu

cross-examiner ['krɔs ig'zæminəʳ] *s jur* persoană care participă la un interogatoriu contradictoriu

cross eye ['krɔs,ai] *s med* strabism

cross fire ['krɔs ,faiəʳ] *s mil* foc încrucișat

cross-grained ['krɔs ,greind] *adj* **1** cu fibră transversală **2** *fig* încăpățânat, îndărătnic; dificil

cross-hatched ['krɔs ,hætʃt] *adj text* cu carouri; pepit

cross hatching ['krɔs ,hætʃiŋ] *s tehn* hașurare încrucișată

cross hawse ['krɔs ,hɔːz] *s nav* lanțuri încrucișate

crossing ['krɔsiŋ] *s* **1** traversare *etc.* *(v. cross III)* **2** intersecție, încrucișare de drumuri **3** *ferov* punct de încrucișare **4** *ferov* inimă de macaz

cross jack ['krɔs ,dʒæk] *s nav* velă în cruce

cross-legged ['krɔs ,legd] *adj* cu picioarele încrucișate; picior peste picior

cross light ['krɔs ,lait] *s* **1** lumini care se întretaie **2** *fig* tratare a unui subiect din mai multe unghiuri

cross link ['krɔs ,liŋk] *s auto* articulație cardanică

crossly ['krɔsli] *adv* supărat, îmbufnat

cross off ['krɔs 'ɔːf] *vt cu part adv* a șterge *(de pe listă etc.)*

cross out ['krɔs 'aut] *vt cu part adv* a șterge, a tăia *(cu creionul etc.)*

crossover ['krɔs,ouvəʳ] *s* **1** *ferov* macaz de încrucișare **2** *tehn* reducție

cross patch ['krɔs ,pætʃ] *s* ← *F* om supărăcios/iritabil

crosspiece ['krɔs,piːs] *s* **1** *tehn* traversă; cruce **2** obiect așezat de-a curmezișul altuia

cross-purpose ['krɔs,pəːpəs] *s* intenție contrară, țel opus; **to be at ~s** a acționa unul împotriva altuia datorită unei confuzii

cross-question ['krɔs ,kwestʃən] *vt* v. **cross-examine**

crossroad ['krɔs,roud] *s* **1** drum transversal; stradă transversală **2** drum lateral; stradă laterală **3** *pl* intersecție, încrucișare de drumuri; și *fig* răscruce; **at the ~s** *fig* la răscruce

cross section ['krɔs ,sekʃən] *s* secțiune transversală

cross stich ['krɔs ,stitʃ] *s text* stih „cruciulițe"

cross swell ['krɔs ,swel] *s nav* hulă contrarie

cross talk ['krɔs ,tɔːk] *s* **1** *rad* diafonie **2** schimb de replici spirituale *(↓ între actori și comici)*

cross tie ['krɔs ,tai] *s ferov* traversă

cross trees ['krɔs ,triːz] *s pl nav* crucetă; traversă de gabie

crosswise ['krɔs,waiz] *adv* în cruce; diagonal; de-a curmezișul

crossword (puzzle) ['krɔs,wəːd ('pʌzəl)] *s* joc de cuvinte încrucișate

crotch [krɔtʃ] *s* **1** crăcană **2** bifurcare

crotchet ['krɔtʃit] *s* **1** *muz* pătrime **2** idee năstrușnică/ciudată, fantezie; toană; capriciu, moft

crotchety ['krɔtʃiti] *adj* **1** plin de idei năstrușnice; original, excentric **2** arțăgos, gâlcevitor

crouch [krautʃ] *vi* **1** a se ghemui *(↓ d. animale, ca să sară)* **2** *fig* a se ploconi

croup[1] [kru:p] *s med* crup, angină difterică

croup[2] *s* **1** crupă *(a calului)* **2** crupă, partea de jos a cruponului

croupier ['kru:piəʳ] *s* crupier

crouton ['kru:tɔn] *s fr gastr* cruton

crow [krau] **I** *s* **1** *orn* cioară *(Corvus sp.)*, ↓ cioară neagră *(Corvus corone)*; cioară de câmp, corb de seceriş *(Corvus fragilegus)*; **as the ~ flies** în linie dreaptă; **to eat ~** *amer* F a înghiți hapul **2** cântecul cocoșului, cucurigu **3** strigăt/țipăt de bucurie *(al unui copilaș)* **II** *pret* **crew** [kru:] *sau* **crowed** [kroud], *ptc* **crowed** [kroud] *vi* **1** *(d. cocoș)* a cânta **2** *(d. un copilaș)* a scoate un strigăt *sau* strigăte de bucurie **3** a se lăuda, a se făli **4** a jubila, a triumfa

crowbar ['krou,ba:ʳ] *s* rangă, drug de fier

crowd [kraud] **I** *s* **1** mulțime, masă; **the ~** masele, mulțimea, poporul; **he might pass in the ~** nu este mai rău decât alții; poate trece neobservat **2** îmbulzeală, înghesuială **3** mulțime, grămadă *(de obiecte)* **4** ← F grup, companie, societate **II** *vt* **1** a umple, a înțesa; a ticsi; **she had ~ed the room with furniture** umpluse/ticsise camera cu mobilă **2** ← F a presa, a zori *(pe cineva, pt neplata datoriei etc.)* **3** a împinge *(înainte)*, a presa **4** *nav* a întinde toate *(pânzele)* **III** *vi* **1** a se îngrămădi, a se strânge **2** a se înghesui, a se îmbulzi

crowded ['kraudid] *adj* **1** aglomerat; ticsit, plin **2** suprapopulat

crowd out ['kraud 'aut] *vt cu part adv* a nu permite intrarea *sau* publicarea *cu gen* din cauza lipsei de spațiu

crowfoot ['krou,fut] *pl* **crowfoots** ['krou,futs] *s bot* **1** piciorul cocoșului *(Ranunculus pedatus)* **2** priboi *(Geranium sp.)*

crown [kraun] **I** *s* **1** coroană; *fig* coroană, sceptru, autoritate regală; **to wear the ~** a purta coroana **2** coroană, cunună *(de lauri etc.)* **3** creștet *(al capului)* **4** calotă, fund *(de pălărie)* **5** coroană *(dentară sau a dintelui)* **6** *od* coroană, monedă de cinci șilingi **7** creastă, culme, vârf **8** *fig* punct culminant, apogeu; încununare **9** *nav* coroană *(nod)* **II** *vt* **1** a încorona *(ca rege sau regină)* **2** a încununa, a pune o cunună pe *(creștet etc.)* **3** *fig* a încununa *(eforturi etc.)*; a încheia, a sfârși; **to ~ all** pe deasupra, culmea **4** *(d. o pădure etc.)* a înconjura *(un vârf de munte etc.)*

crown cork ['kraun ,kɔ:k] *s* dop de metal

crown court ['kraun ,kɔ:t] *s jur* curte de justiție criminală *(în Anglia)*

crowned [kraund] *adj* **1** încoronat **2** în formă de coroană **3** sferic; bombat

crowned head ['kraund ,hed] *s* cap încoronat

crown gear ['kraun ,giəʳ] *s tehn* coroană dințată

crown jewels ['kraun ,dʒu:əlz] *s pl* bijuteriile coroanei

crown land ['kraun ,lænd] *s* domeniu al coroanei

crown prince ['kraun ,prins] *s* prinț moștenitor/de coroană

croun wheel ['kraun ,wi:l] *s tehn* coroană pentru lanț

crown witness ['kraun ,witnis] *s jur* martor principal al acuzării

crow over ['krou ,ouvəʳ] *vi cu prep* a se bucura de *(înfrângerea etc. cuiva)*

crow's foot ['krouz ,fut] *s* **1** *pl* riduri *(la ochi)* **2** *nav* labă de gâscă

crow's nest ['krouz ,nest] *s* **1** cuib de cioară **2** *nav* cuibul corbului

Croydon ['krɔidən] *oraș în Anglia*

croze [krouz] *s tehn* gardin

crozier ['krouʒəʳ] *s v.* **crosier**

cruces ['kru:si:z] *pl de la* **crux**

crucial ['kru:ʃəl] *adj* crucial; hotărâtor, decisiv; critic

crucially ['kru:ʃəli] *adv* în mod hotărâtor

crucible ['kru:sibəl] *s* **1** creuzet **2** ordalie

crucifix ['kru:sifiks] *s* crucifix

crucifixion [,kru:si'fikʃən] *s* răstignire pe cruce, crucificare

cruciform ['kru:si,fɔ:m] *adj* cruciform, în formă de cruce

crucify ['kru:si,fai] *vt* a răstigni, a crucifica

crude [kru:d] *adj* **1** brut, neprelucrat **2** crud, necopt; imatur **3** *fig* grosolan, brut, nefinisat **4** *fig (d. cineva)* prost crescut, needucat, necultivat; lipsit de gust **5** *(d. culori)* țipător **6** *(d. fapte, realitate)* crud, neînfrumusețat

crudeness ['kru:dnis] *s v.* **crudity**

crudity ['kru:diti] *s* **1** caracter brut *etc. (v.* **crude)** **2** remarcă *etc.* grosolană

cruel ['kru:əl] *adj* crud, nemilos; chinuitor

cruelly ['kru:əli] *adv* crud, cu cruzime, fără milă

cruelness ['kru:əlnis] *s v.* **cruelty 1**

cruelty ['kru:əlti] *s* **1** cruzime; ferocitate, barbarie **2** cruzime, faptă crudă

cruet ['kru:it] *s* **1** oțetar, sticluță pentru oțet *sau* untdelemn **2** *bis* potir

cruet stand ['kru:it ,stænd] *s* oțetar, olivieră, serviciu pentru oțet, undelemn *etc.*

cruise [kru:z] **I** *vi* **1** *nav* a face o croazieră **2** *nav* a încrucișa, a patrula pe mare **3** a călători *(de plăcere)*; a drumeți **4** *auto* a merge cu viteză economică **5** *av* a zbura în regim de croazieră **6** *mil, av etc.* a executa raiduri **II** *s* **1** *nav* croazieră **2** *nav* navigare, plutire

cruiser ['kru:zəʳ] *s nav* **1** iaht *sau* motonavă de croazieră **2** crucișător; vas de război rapid

cruising ['kru:ziŋ] *adj auto etc. (d. viteză)* economic; de croazieră

crumb [krʌm] *s* **1** fărâmă, fărâmitură **2** *fig* fărâmă, pic **3** miez de pâine

crumble ['krʌmbəl] **I** *vt* a face fărâme, a fărâmița **II** *vi* **1** a se face fărâme, a se fărâma **2** a se dărâma, a se preface în ruine **3** *fig* a se spulbera, a se stinge, a se destrăma, a se năpusti

crumbly ['krʌmbli] *adj* (s)fărâmicios

crumpet ['krʌmpit] *s* **1** un fel de lipie *(se servește fierbinte și cu unt deasupra)* **2** *sl* dovleac, căpățână, cap **3** F femei, muieri *(ca obiect al dorințelor sexuale)*

crumple ['krʌmpəl] **I** *vt* a mototoli *(hârtie, stofă)*; a șifona *(stofă)* **II** *vi* a se mototoli

crumple up ['krʌmpəl'ʌp] *vt cu part adv fig* a nimici, a distruge *(o armată etc.)*

crunch [krʌntʃ] **I** *vt* a roade, a ronțăi *(un os)* **II** *vi (d. zăpadă, pietriș etc.)* a scârțâi *(sub picioare)* **III** *s* **1** ronțăit **2** scârțâit

cruor ['kru:ə'] *s* sânge închegat; cheag de sânge

crupper ['krʌpə'] *s* 1 pofil *(curea de cal)* 2 crupă *(a calului)*

crusade [kru:'seid] I *s* 1 *ist* cruciadă 2 *fig* cruciadă, campanie II *vi* a lua parte la o cruciadă *sau* campanie; *fig* a duce o campanie/luptă

crusader [kru:'seidə'] *s ist* cruciat

cruse [kru:z] *s* ← *înv* ulcior, oală *(de lut)*

crush [krʌʃ] I *vt* 1 a strivi *(o cutie etc.)*; a stoarce *(struguri etc.)*; a zdrobi *(sub apăsare)*; a măcina 2 a mototoli, a șifona *(stofă)* 3 *fig* a zdrobi, a nimici *(inamicul etc.)*; a supune, a aduce la ascultare 4 *fig* a paraliza; a rușina; a copleși 5 a-și face, a-și croi *(drum)* 6 a îmbrățișa II *vi* 1 a se îmbulzi, a se înghesui; a-și face/a-și croi drum, a răzbate 2 a se mototoli, a se șifona III *s* 1 înghesuială, îmbulzeală 2 strivire; apăsare 3 ← *F* întrunire/petrecere zgomotoasă 4 *fig* lovitură zdrobitoare 5 suc, zeamă *(de portocale etc.)* 6 *sl* dragoste aprinsă

crush barrier ['krʌʃ ˌbæriə'] *s* grilaj, îngrăditură *(la marginea străzii)*

crush down ['krʌʃ 'daun] *vt cu part adv* 1 a zdrobi; a măcina; a fărâmița 2 *fig* a zdrobi *(rezistența etc.)*

crushing ['krʌʃiŋ] *adj fig* zdrobitor; copleșitor; imbatabil

crushingly ['krʌʃiŋli] *adv* (în mod) zdrobitor

Crusoe, Robinson ['kru:sou, 'robinsən] *roman de Daniel Defoe*

crust [krʌst] I *s* 1 coajă *(de pâine)*; **to earn one's** ~ a munci pentru o bucată de pâine 2 coajă, crustă, înveliș 3 *sl* cherestea, – obraz II *vt* a acoperi cu o crustă/ o coajă III *vi* a se acoperi ca o crustă/o coajă; a prinde coajă

crustacean [krʌs'teiʃən] *s zool* crustaceu

crusted ['krʌstid] *adj* 1 cu coajă, acoperit cu o crustă 2 *fig* învechit, prăfuit

crustily ['krʌstili] *adv* ursuz, supărat; tăios

crusty ['krʌsti] *adj* 1 *v.* **crusted** 1 2 *(d. pâine)* tare; uscat 3 *fig* aspru; *(d. cineva)* supărăcios, iritabil; ursuz 4 *(d. o remarcă etc.)* tăios, usturător

crutch [krʌtʃ] *s* 1 cârjă *(a unui invalid)*; **to got on ~es** a merge în cârje 2 suport; furcă 3 *nav* furchet 4 *fig* sprijin, proptea

crux [krʌks], *pl și* **cruces** ['kru:si:z] *s* 1 esență *(a unei probleme etc.)* 2 punct dificil, dificultate 3 C~ *astr* Crucea Sudului

cry [krai] I *vi* 1 a țipa; a plânge; a se văita, a se jeli; **to ~ to sleep** a plânge până când adoarme 2 *(d. unele păsări etc.)* a țipa; *(d. unele animale)* a urla; a lătra; a zbiera 3 a striga; **to ~ for help** a striga după ajutor; **to ~ after smb** a striga după cineva, a striga pe cineva; **to ~ on/upon smb** a implora pe cineva // **for ~ing out loud** *sl* pentru Dumnezeu! fie-ți milă! la naiba! mii de draci! II *vt* 1 a exclama, > a spune, < a striga; **"Help! help!" he cried** – Ajutor! ajutor! strigă el; **"Oh yes" she cried** – Ba da, exclamă *sau* spuse ea 2 a anunța cu glas tare *(ceva, că)* 3 a face reclamă *(unor mărfuri)* cu glas tare III *s* 1 strigăt *sau* strigăte; țipăt 2 plânset, acces de plâns; **let her have her ~ out** las-o să plângă până când se liniștește; **to have a good ~** a plânge până când îi trece/până când se liniștește; *F →* a-i trage un plânset 3 strigăt *(de luptă etc.)*; chemare *(la o luptă etc.)* 4 țipăt *(al unor păsări)* 5 zvon, vorbe; **on the ~** după cât se aude; **the popular ~** glasul poporului // **a far/a long ~** o bucată bună de drum; o distanță considerabilă; **much ~ and little wool** *prov* vorbă multă sărăcia omului; mult zgomot pentru nimic; **to be in full ~ a** *(d. o haită de câini de vânătoare)* a lătra *(care mai de care)* **b** a vocifera, a cere *sau* a protesta zgomotos *(în parlament etc.)*

cry away ['krai ə'wei] *vi cu part adv* a plânge în hohote

cry-baby ['krai beibi] *s* copil plângăcios

cry down ['krai 'daun] *vt cu part adv* 1 a micșora, a diminua *(meritele etc.)* 2 a critica, a judeca 3 a înăbuși prin strigăte

cry for ['krai fə'] *vi cu prep* 1 a plânge după; a dori, a râvni; a cere; **to ~ the moon** a vrea luna de pe cer 2 a avea mare nevoie de

crying ['kraiiŋ] *adj* 1 care plânge 2 strigător la cer, revoltător; nemaipomenit

cry off ['krai 'ɔ:f] I *vt cu part adv* a renunța la, a retrage, a retracta II *vi cu part adv* a nu se ține de o promsiune; a nu respecta o înțelegere; a da îndărăt

cry oneself to ['krai wʌn,self tə] *vr cu prep* a plânge până când *(adoarme)*

cry out ['krai 'aut] I *vi cu part adv* 1 a striga, < a zbiera 2 a se plânge cu glas tare II *vt cu part adv* a exclama; **to cry one's eyes/ heart out** a plânge amar; a plânge în hohote

cry out for ['krai 'aut fə'] *vi cu part adv și prep* a avea mare nevoie de

crypt [kript] *s* criptă

cryptic(al) ['kriptik(əl)] *adj* criptic; secret, ascuns; obscur

cryptogam ['kriptou,gæm] *s bot* criptogamă

cryptogram ['kriptou,græm] *s* criptogramă

cryptography [krip'tɔgrəfi] *s* criptografie, scriere secretă

crystal ['kristəl] *s* 1 *minr* cristal, *poetic →* cleștar 2 articol *sau* articole de cristal 3 *fig* cristal, cleștar, luciu *(al apei)* 4 *fiz* cristal 5 *amer* sticlă *(de ceas)*

crystal-clear [kristəl ˌkliə'] *adj* limpede ca cristalul

crystal detector ['kristəl di'tektə'] *s tel* detector cu cristal *sau* cuarț

crystal gazing ['kristəl 'geiziŋ] *s* ghicit în cristal

crystal glass ['kristəl ˌgla:s] *s* sticlă de cristal

crystalline ['kristəlain] *adj* cristalin, transparent, limpede

crystallize ['kristə,laiz] I *vt* 1 *fiz* a cristaliza 2 *gastr* a glazura; a zaharisi 3 *fig* a cristaliza; a da o formă definitivă *cu dat* II *vi* 1 *fiz* a se cristaliza 2 *fig* a se cristaliza, a căpăta o formă definitivă

crystallography [ˌkristə'lɔgrəfi] *s* cristalografie

cs. *presc de la* **case** *sau* **cases**

C.S., c.s. *presc de la* 1 **capital stock** 2 **civil service**

Ct. *presc de la* **Count**

ct. *presc de la* 1 **cent** 2 **centum** o sută 3 **certificate** 4 **court**

ctr. *presc de la* **centre**

cu. *presc de la* **cubic**

cub [kʌb] *s* **1** pui *(de animal)*, cățel, lupușor *etc.* **2** copil prost crescut **3** novice, *F* ageamiu

Cuba ['kju:bə] *s* insulă și stat

Cuban ['kju:bən] *adj, s* cubanez

cubature ['kju:bətʃəʳ] *s* cubatură

cubbing ['kʌbiŋ] *s* vânătoare de *(anumiți)* pui de animale *(↓ pui de vulpe)*

cubby-hole ['kʌbi ,houl] *s* ungher tihnit

cube [kju:b] **I** *s geom, fiz, mat* cub; **the ~ of 10** 10 la cub, 10 la puterea a treia **II** *vt* **1** *mat* a ridica la cub **2** *gastr* a tăia *sau* a prăji *etc.* sub formă de cuburi *(morcovii etc.)*

cube root ['kju:b ,ru:t] *s mat* rădăcină cubică

cube sugar ['kju:b ʃugəʳ] *s* zahăr cubic

cubic ['kju:bik] *adj mat geom etc.* cubic

cubical ['kju:bikəl] *adj* **1** în formă de cub **2** *v.* **cubic**

cubicle ['kju:bikəl] *s* nișă, firidă; mic dormitor *(separat printr-un paravan etc.)*

cubism ['kju:bizəm] *s* cubism

cubist ['kju:bist] *s* cubist

cubit ['kju:bit] *s od* cot (= 45 cm)

cub reporter ['kʌbri'pɔ:təʳ] *s* reporter *(de ziar)* tânăr și fără experiență

cuckold ['kʌkəld] **I** *s* (bărbat) încornorat **II** *vt* a încornora, a pune coarne *(unui bărbat)*

cuckoldry ['kʌkəldri] *s* ← *rar* situația de bărbat încornorat

cuckoo ['kuku:] *s orn* cuc *(Cuculus canorus)*

cuckoo clock ['kuku:'klɔk] *s* ceas/pendulă cu cuc

cuckoopint ['kuku: ,paint] *s bot* rodul pământului *(Arum maculatum)*

cuckoo song ['kuku:'sɔŋ] *s* cântecul cucului

cu. cm. *presc de la* **cubic centimetre**

cucumber ['kju: ,kʌmbəʳ] *s bot* castravete *(Cucumis sativus)*; **(as) cool as a ~** ← *F* calm, stăpânit, cu sânge rece

cud [kʌd] *s* rumegat, mestecat; **to chew the ~** *F* a rumega îndelung; a se cufunda în gânduri; a medita

cudbear ['kʌd ,bɛəʳ] *s* turnesol

cuddle ['kʌdəl] **I** *vt* a strânge (drăgăstos) în brațe *(↓ un copil)*; a îmbrățișa; a alinta, a dezmierda **II** *vi* **1 (to)** a se lipi *(de cineva);* a se strânge/a se cuibări la pieptul *(cuiva)* **2** a se ghemui, a se încolăci

cuddlesome ['kʌdəlsəm] *adj* care se cere mângâiat, dulce, drăgălaș

cuddly ['kʌdli] *adj* **1** *v.* **cuddlesome** **2** căruia îi place să fie mângâiat, răsfățat, strâns la piept *etc.*

cuddy ['kʌdi] *s nav* cabină *(de șlep)*

cudgel ['kʌdʒəl] **I** *s* bâtă, măciucă; retevei; **to take up the ~s for** *fig* a sări în apărarea cuiva **II** *vt* a ciomăgi; **to ~ one's brains** *fig* a-și frământa creierii; a-și bate capul

cue¹ [kju:] *s* **1** *teatru* replică; **to take one's ~ from smb** a imita/a maimuțări pe cineva **2** *cin* titlu **3** aluzie; semn; sugestie; **to take up the ~** a înțelege aluzia *sau*

cue² *s* tac *(la biliard)*

cuff¹ [kʌf] **I** *s* **1** manșetă **2** cătușă **II** *vt* a pune în cătușe

cuff² **I** *vt* a pălmui, a lovi cu palma **II** *s* palmă, lovitură cu palma

cu. ft. *presc de la* **cubic foot** *sau* **feet**

cuirass [kwi'ræs] *s* chiurasă, za

cuisine [kwi'zi:n] *s fr* bucătărie

cul-de-sac ['kʌldə,sæk] *s* **1** *drumuri* fundătură **2** *fig* impas; situație fără ieșire

-cule *suf* -cul: **animalcule** animalcul

culinary ['kʌlinəri] *adj* **1** culinar; de bucătărie **2** bun de gătit

cull [kʌl] **I** *vt* **1** a strânge, a culege *(flori etc.)* **2** a alege, a selecta *(texte etc.);* a spicui **3** a alege pentru sacrificare *(un animal bolnav, slab sau neproductiv) (pt că e bolnav, slab sau neproductiv)* **II** *s* **1** alegere pentru sacrificare *(a unui animal)* **2** animal sacrificat

cullender ['kʌlindəʳ] *s* strecurătoare

culminate ['kʌlmi,neit] *vi* **(in)** a culmina (în, prin), a ajunge la un punct culminant

culmination [,kʌlmi'neiʃən] *s* **1** culminare; punct culminant **2** *astr* culminație

culpability [,kʌlpə'biliti] *s* culpabilitate, vină

culpable ['kʌlpəbəl] *adj* culpabil, vinovat

culprit ['kʌlprit] *s* **1** *jur* acuzat, pârât **2** vinovat

cult [kʌlt] *s rel, fig* cult

cultivate ['kʌlti,veit] *vt* **1** *agr* a cultiva, a lucra *(pământul)* **2** *agr* a cultiva, a crește *(legume etc.)* **3** *fig* a cultiva, a căuta să dezvolte *(prietenia etc.);* a cultiva, a căuta să câștige prietenia *sau* bunăvoința *(cuiva)* **4** *fig* a cultiva, a educa, a instrui *(mintea etc.)*

cultivated ['kʌlti,veitid] *adj* **1** *agr* cultivat; *(d. plante)* de cultură **2** *(d. cineva)* cultivat, cult; educat; rafinat

cultivation [,kʌlti'veiʃən] *s* **1** *agr* cultivare; cultură *(a plantelor)* **2** cultivare, dezvoltare *(a intelectului etc.)* **3** educație, cultură

cultivator ['kʌlti,veitəʳ] *s agr* cultivator *(persoană, mașină)*

cultural ['kʌltʃərəl] *adj* cultural; de cultură

culturally ['kʌltʃərəli] *adv* din punct de vedere cultural

culture ['kʌltʃəʳ] **I** *s* **1** *agr* cultură *(agricolă);* semănătură **2** *agr* cultură, creștere, cultivare **3** *zool etc.* creștere *(a vitelor etc.);* **~ of bees** albinărit, apicultură **4** *biol* cultură; colonie *(de bacterii etc.)* **5** cultură; nivel intelectual, dezvoltare intelectuală; **a centre of ~** un centru de cultură/cultural **II** *vt* a cultiva

cultured ['kʌltʃəd] *adj v.* **cultivated**

culver ['kʌlvəʳ] *s orn* porumbel sălbatic

culvert ['kʌlvət] *s* **1** *constr* canal; rigolă **2** *hidr* apeduct; galerie de apă **3** *drumuri* podeț tubular

-cum- *prep lat (între 2 substantive)* (împreună) cu; **a bed-cum-sitting room** cameră de zi și dormitor

cumber ['kʌmbəʳ] ← *rar* **I** *vt* a îngreuna, a împovăra, a fi o povară pentru; a stânjeni, a încurca **II** *vr* a se încărca, a se împovăra

Cumberland ['kʌmbələnd] **1** comitat în Anglia **2 the ~** râu în S.U.A.

cumbersome ['kʌmbəsəm] *adj* greu, împovărător, stânjenitor

Cumbria ['kʌmbriə] *vechi regat celtic*

cumbrous ['kʌmbrəs] *adj v.* **cumbersome**

cumin ['kʌmin] *s bot* chimion *(Cuminum cuminum)*

cummerbund ['kʌməbʌnd] *s* brâu, centură (lată) *(↓ în India)*

cumulate ['kju:mju,leit] *vt* a cumula; a acumula

cumulative ['kju:mjulətiv] *adj* și *jur* cumulativ

cumulatively ['kju:mjulətivli] *adv* prin cumulare; luate împreună

cumulonimbus [,kju:mjulou'nimbəs] *s* cumulonimbus

cumulus ['kju:mjuləs] *s* (nor) cumulus

cuneiform ['kju:ni,fɔ:m] I *adj* cuneiform II *s* cuneiforme; scriere cuneiformă

cunning ['kʌniŋ] I *adj* 1 viclean, șiret 2 deștept, priceput, isteț; îndemânatic; inventiv 3 *amer F* grozav, – frumos, atrăgător; elegant II *s* 1 viclenie, șiretenie 2 deșteptăciune, pricepere, iscusință; îndemânare; inventivitate

cunningly ['kʌniŋli] *adv* cu viclenie/șiretenie

cup [kʌp] I *s* 1 ceașcă; **to drink a ~ of tea** a bea o ceașcă de ceai 2 *sport* cupă 3 *fig* pahar, cupă *(a amărăciunilor etc.)* 4 cupă, potir 5 *bot* caliciu, potir 6 vin; **to be in one's ~s** a fi amețit *sau* beat, a fi băut un pahar 7 *med* ventuză II *vt* 1 a face *(mâna)* căuș 2 *med* a pune ventuze *(cuiva)*

cupbearer ['kʌp,bɛərə'] *s* paharnic

cupboard ['kʌbəd] *s* 1 bufet, dulap 2 șifonier, garderob

cupboard love ['kʌbəd,lʌv] *s* dragoste nesinceră/interesată

cupel ['kju:pəl] I *s met* creuzet II *vt tehn* a cupela

cup final ['kʌp fainəl] *s sport* partidă finală

cupful ['kʌpful] *s* ceașcă *(conținutul unei cești)*

Cupid ['kju:pid] *s mit* și *fig* Cupidon, Amor

cupidity [kju:'piditi] *s* lăcomie, cupiditate

cupola ['kju:pələ] *s* 1 *constr* cupolă; dom 2 *tehn* calotă 3 *met* cubilou 4 *mil, nav* turelă

cuppa ['kʌpə] *s* ← *F* ceașcă de ceai

cupped [kʌpt] *adj* în formă de cupă/potir

cupric ['ku:prik] *adj ch* cupric

cur [kə:'] *s* 1 javră, potaie; câine rău 2 *fig* bădăran, mojic 3 *fig* ticălos, fricos, laș

cur. *presc de la* 1 **current** 2 **currency**

curability ['kjuərə'biliti] *s med* curabilitate

curable ['kjuərəbəl] *adj med* curabil, vindecabil

curacao ['kjuərə'sou] *s* curaçao (lichior)

curacy ['kjuərəsi] *s bis* funcția de preot, preot paroh *sau* ajutor de preot paroh

curate ['kjuərit] *s bis* preot; preot paroh; ajutor de (preot) paroh

curative ['kjuərətiv] *med* I *adj* curativ, tămăduitor II *s* remediu, *F* → leac

curator [kjuə'reitə'] *s* 1 custode *(la un muzeu)* 2 *jur* curator; tutore

curatorship [kjuə'reitə,ʃip] *s* funcția de custode *sau* curator

curb [kə:b] I *s* 1 zăbală; strună 2 *fig* frâu, stavilă 3 *amer* bordură a trotuarului II *vt* 1 a struni *(calul)* 2 *fig* a stăpâni, a înfrâna *(nerăbdarea etc.);* a struni *(pornirile etc.)*

curcuma ['kə:kjumə] *s bot* curcuma *(Curcuma longa)*

curd [kə:d] *s* 1 cheag; lapte bătut 2 ↓ *pl* brânză dulce de vacă

curdle ['kə:dəl] I *vt* a coagula, a închega; **it ~s your blood** îți îngheață sângele în vine II *vi* a se coagula; *(d. sânge)* a se închega; *(d. lapte)* a se covăsi

curdy ['kə:di] *adj* coagulat; închegat; *(d. lapte)* covăsit

cure [kjuə'] I *vt* 1 *med* și *fig* a vindeca, ↓ *poetic* → a tămădui; a îndrepta *(un rău)* 2 a înlătura, a îndepărta; a curma; a stârpi 3 a conserva *(alimente);* a săra; a afuma 4 *tehn* a condiționa; a trata termic II *s* 1 *med* cură, tratament 2 *med* și *fig* vindecare, ↓ *poetic* → tămăduire; îndreptare *(a unui rău)* 3 *med* remediu, leac 4 conservare *(a alimentelor)* 5 *bis* preoție; funcția de preot

curé ['kjuərei] *s* preot de la țară *(în Franța)*

cure-all ['kjuər'ɔ:l] *s* leac universal, panaceu

cureless ['kjuəlis] *adj* nevindecabil, incurabil

curer ['kjuərə'] *s* vindecător, *poetic* → tămăduitor

curettage [kjuə'retidʒ] *s med* raclare, chiuretare

curfew ['kə:fju:] *s* 1 *mil* stare de asediu; interdicție de a ieși din casă *(după o anumită oră)* 2 *mil* stingere 3 *od* semnal de stingerea luminilor; tocsin, clopot de alarmă

curia ['kjuəriə] *s ist* și *bis* curie

curie [kju:'ri:] *s fiz* curie

curio ['kjuəriou] *s* raritate, obiect rar/ de anticariat

curiosity [,kjuəri'ɔsiti] *s* 1 curiozitate, dorință de a ști 2 curiozitate, indiscreție 3 curiozitate, lucru neobișnuit; ciudățenie

curious ['kjuəriəs] *adj* 1 curios, care vrea să știe; doritor; **I'm ~ to know what he said** sunt curios să știu ce-a spus, aș vrea să știu ce-a spus 2 curios, indiscret 3 curios, ciudat, neobișnuit; straniu; bizar 4 *(d. o cercetare etc.)* minuțios, amănunțit; migălos

curiously ['kjuəriəsli] *adv* 1 straniu, curios 2 cu interes, curios 3 neobișnuit (de)

curium ['kjuəriəm] *s ch* curiu

curl [kə:l] I *vt* 1 a ondula *(părul)* 2 a încreți *(suprafața apei)* 3 a strâmba din *(nas)* 4 a încolăci II *vi* 1 a se ondula, a se încreți; a se face valuri-valuri, *rar* → a se vălui 2 *(d. fum etc.)* a se încolăci III *s* 1 buclă; *pl* păr ondulat *sau* creț 2 spirală; colac *(de fum);* vârtej 3 ondulație

curler ['kə:lə'] *s* bigudiu

curlew ['kə:lju:] *s orn* corlă *(Numenius arquatus)*

curlicue ['kə:li,kju:] *s* parafă

curliness ['kə:linis] *s* crețuri; ondulație

curling iron ['kə:liŋ ,aiən] *s* fier de frezat/coafat

curling pins ['kə:liŋ,pinz] *s pl* clame pentru prins părul

curling tong ['kə:liŋ,tɔŋ] *s v.* **curling iron**

curl paper ['kə:l peipə'] *s* papiotă, *pl* și moațe

curl up ['kə:l'ʌp] I *vt cu part adv* 1 a încreți; a răsuci 2 a trânti la pământ, a doborî 3 *fig* a doborî, a dărâma II *vr cu part adv* a se ghemui; a se face covrig III *vt cu part adv* a se răsuci; a se încreți

curly ['kə:li] *adj* 1 *(d. păr)* creț, ondulat 2 încrețit; neregulat; *geol* fibros

curly-pate ['kə:li,peit] *s* ← *F* om cu părul creț

curmudgeon [kə:'mʌdʒən] *s* 1 bădăran, țopârlan, mocofan 2 zgârcit, *F* → zgârie-brânză

curmudgeonly [kə:'mʌdʒənli] *adj* 1 bădăran, mojic 2 zgârcit

currant ['kʌrənt] *s* 1 stafidă neagră 2 *bot* coacăz *(Ribes sp.)*

currency ['kʌrənsi] *s* **1** *fin* valută; etalon monetar **2** *fin* valoare, mijloc de plată **3** *fin* curs (valutar) **4** *fin* valabilitate **5** circulație, întrebuințare; **to gain ~** a căpăta răspândire; a intra în uz/circulație; **in common ~** folosit de toată lumea, intrat în uz/circulație, comun, răspândit

current ['kʌrənt] **I** *adj* **1** curent, uzitat, comun, răspândit; **~ coin** și *fig* monedă curentă **2** curent, în curs; **the ~ month** luna aceasta/curentă/în curs **3** curent, actual, prezent **4** *el* circulant **II** *s* **1** curent, curgere; flux; șuvoi **2** *el* curent **3** *fig* curent (de opinie etc.) **4** *fig* curs, desfășurare (a evenimentelor etc.); mers, curs (al vieții)

current account ['kʌrəntə'kaunt] *s fin* cont curent

current density ['kʌrənt 'densiti] *s tehn* densitate de curent

current expenses ['kʌrənt iks-'pensiz] *s pl* cheltuieli curente

currently ['kʌrəntli] *adv* **1** (în mod) curent, obișnuit; frecvent **2** acum, în prezent

curricle ['kʌrikəl] *s* cabrioletă, brișcă (cu doi cai)

curriculum [kə'rikjuləm], *pl* și **curricula** [kə'rikjulə] *s școl, univ* **1** plan de învățământ; programă analitică **2** orar

curriculum vitae [kə'rikjuləm'vi:tai] *s lat* curriculum vitae, scurtă autobiografie

currish ['kə:riʃ] *adj* **1** grosolan **2** prost crescut

curry[1] ['kʌri] *s* curry (praf din curcuma și mirodenii); mâncare gătită cu curry

curry[2] *vt* a țesăla (un cal); **to ~ favour with smb** a căuta să intre în grațiile cuiva, a se linguși pe lângă cineva; a se da bine pe lângă cineva

currycomb ['kʌri,koum] *s* țesală

curse [kə:s] **I** *s* **1** blestem **2** înjurătură **3** *fig* blestem, pacoste, năpastă, nenorocire **4 the ~** *sl* menstruație // **not to give/to care a (tinker's) ~** *sl* a nu-i păsa câtuși de puțin, a-l durea în cot **II** *vt* **1** a blestema **2** a înjura **3** *pas* **to be ~d with** a fi blestemat să aibă parte de; a suferi din pricina *cu gen* **III** *vi* **1** a blestema **2** a înjura

cursed [kə:st] *adj* **1** blestemat **2** *fig* blestemat, afurisit; *F* al naibii, al dracului

cursive ['kə:siv] **I** *adj* **1** (*d. scris*) cursiv **2** *poligr* cursiv, italic **II** *s poligr* cursive, italice

cursively ['kə:sivli] *adv poligr* cu litere cursive

cursor ['kə:sə'] *s* cursor; glisor

cursorily ['kə:sərili] *adv* fugitiv, în grabă; superficial

cursory ['kə:səri] *adj* (*d. o cercetare etc.*) fugitiv, rapid; superficial

curst [kə:st] *adj v.* **cursed**

curt [kə:t] *adj* (*d. cineva*) concis, scurt; nepoliticos; (*d. un răspuns etc.*) scurt, concis; tăios

curtail [kə:'teil] *vt* **1** a (pre)scurta (un cuvânt) **2** a scurta, a tăia, a reteza **3** *fig* a scurta (vacanța etc.); a reduce, a micșora (cheltuieli etc.)

curtailment [kə:'teilmənt] *s* scurtare; reducere, micșorare

curtail of [kə:'teiləv] *vt cu prep* a lipsi/a priva de

curtain ['kə:tn] **I** *s* **1** perdea; draperie; **to draw the ~s** a trage perdelele; **to draw a ~ over smth** *fig* a nu mai vorbi despre ceva; a îngropa ceva în uitare **2** *teatru* cortină; **the ~ rises** cortina se ridică; **to lift the ~ a** a ridica cortina **b** *fig* a ridica vălul; **the ~ drops/falls** cade cortina; **behind the ~** *fig* în culise **3** *fiz* ecran (*subțire*) **4** perdea (*de fum, ceață*) **5** *pl sl* caput, sfârșit, ↓ sfârșitul vieții **II** *vt* a pune perdele la (*ferestre*)

curtain call ['kə:tn ,kɔ:l] *s* chemare la rampă (a unui actor etc.)

curtain fire ['kə:tn ,faiə'] *s mil* perdea de foc, foc de baraj

curtain lecture ['kə:tn ,lektʃə'] *s* perdaf conjugal

curtain off ['kə:tn'ɔ:f] *vt cu part adv* a despărți cu/prin perdele

curtain raiser ['kə:tn ,reizə'] *s* piesă scurtă (↓ într-un act) jucată înainte de începerea spectacolului

Curtis ['kə:tis] *nume masc*

curtly ['kə:tli] *adv* (a răspunde etc.) scurt, tăios

curts(e)y ['kə:tsi] **I** *s* reverență **II** *vi* a face o reverență

curvature ['kə:vətʃə'] *s* **1** curbură **2** curbă, cot; *auto* viraj

curve [kə:v] **I** *s* **1** (linie) curbă ; *mat* curbură; arc; linie **2** curbă; cot; **to take a ~** *auto* a lua o curbă **3** *fiz etc.* grafic; diagramă **II** *vt* **1** a curba; a îndoi; a bomba **2** a arcui, a bolti **III** *vi* **1** a se curba; a se îndoi; a se bomba **2** a se arcui, a se bolti

curved [kə:vd] *adj* **1** curbat; îndoit; strâmb **2** curb

curvet [kə:'vet] **I** *s* curbetă **II** *vi* (*d. cai*) a face o curbetă

cushion ['kuʃən] **I** *s* **1** pernă (de divan) **2** *tehn* pernă, saltea; tampon, amortizor **3** bandă, mandanea (la masa de biliard) **II** *vt* **1** a pune o pernă *sau* perne sub **2** *tehn* a amortiza **3** *fig* a mușamaliza

cushiony ['kuʃəni] *adj* ca o pernă; moale ca perna

cushy ['kuʃi] *adj sl* (*d. un post*) tihnit, comod; (*d. muncă*) ușor, care nu cere efort

cusp [kʌsp] *s* **1** vârf, pisc (de munte) **2** promontoriu, cap **3** corn (al lunii) **4** *mat* punct de inflexiune

cuspidor ['kʌspidɔ:'] *s amer* scuipătoare

cuss [kʌs] *sl/* **I** *s* **1** înjurătură; **it's not worth a tinker's ~** nu face doi bani, nu face o ceapă degerată **2** (*d. cineva*) peior *F* pacoste, pedeapsă, năpastă **3** individ, tip **II** *vi* a înjura

cussed ['kʌsid] *adj sl* **1** afurisit, al naibii/dracului **2** încăpățânat, îndărătnic

cussedly ['kʌsidli] *adv sl* cu încăpățânare

cussedness ['kʌsidnis] *s* ← *F* îndărătnicie, încăpățânare

custard ['kʌstəd] *s* un fel de cremă (din lapte, ouă, zahăr și arome)

custodian [kʌ'stoudiən] *s* **1** custode (la muzeu) **2** *jur* custode, tutore **3** paznic

custodianship [kʌ'stoudiənʃip] *s* calitatea *sau* funcția de custode *etc. v.* **custodian**

custody ['kʌstədi] *s* **1** custodie, grijă; păstrare **2** arest, închisoare; **in ~** reținut, închis; **to take into ~** a aresta

custom ['kʌstəm] **I** *s* **1** obicei, datină **2** obicei, obișnuință, deprindere **3** uzanțe, convenții **4** *ec* impozit; taxă; plată **5** client, cumpărător **6** *com* comenzi **7** *pl ec* vamă, taxe vamale **8** *pl* vamă, punct vamal **II** *adj, atr com* de comandă

customarily [ˈkʌstəmərili] *adv* (în mod) obișnuit

customary [ˈkʌstəməri] *adj* obișnuit, uzual

custom-built [ˈkʌstəmˌbilt] *adj amer com* comandă

customer [ˈkʌstəmə^r] *s* **1** cumpărător, client, mușteriu **2** *F* tip, individ; **a queer** ~ un tip ciudat

custom-house [ˈkʌstəmˌhaus] *s* ↓ *amer v.* **customs house**

custom-made [ˈkʌstəmˌmeid] *adj com* (făcut) de comandă

customs duty [ˈkʌstəmzˈdjuːti] *s* taxă vamală

customs house [ˈkʌstəmz haus] *s* vamă, punct vamal; clădirea vamei

customs union [ˈkʌstəmz ˌjuːniən] *s* uniune vamală

cut [kʌt] **I** *pret și ptc* **cut** [kʌt] *vt* **1** a tăia; a croi; a reteza; a tunde *(părul);* a cosi *(iarba);* a secera *(grâul);* a recolta, a strânge; **to ~ to/in pieces a** a tăia în bucăți; a hăcui **b** *fig* a distruge, a nimici; **to ~ short** a tăia *sau* a tunde scurt; ~ **your coat according to your cloth** întinde-te cât te ține plapuma **2** a tăia, a deschide *(un tunel),* a croi **3** a tăia, a grava **4** a răni, a jigni; **to ~ smb dead/cold** a se preface că nu vede pe cineva; a întoarce spatele cuiva **5** a lipsi de la *(școală, o prelegere etc.)* **6** *F* a tăia *(leafa etc.),* – a reduce; a restrânge; **to ~ short** a scurta; **to ~ a long story short a** pe scurt, ca să nu mai lungesc vorba/povestea **b** a întrerupe *(pe cineva)* **7** *(d. vânt)* a îngheța; a sfichiui, a biciui **8** *fig* a paraliza, a lovi **9** a săpa *(o groapă)* **10** a tăia, a întretăia, a intersecta **11** *vet* a castra, a jugăni **12** a tăia *(cărțile)* **13** *sl* a înceta, a termina cu *(gălagia etc.)* **14** ← *F* a face *(o înregistrare)* // **to ~ it fine/close a** a reține numai strictul necesar **b** a lipsi puțin ca să întârzie **II** *(v. ~ I) vr* **1** a se tăia **2** a se elibera tăind frânghia *etc.* **I ~ myself free with my axe** am scăpat tăind funia *etc.* cu toporul **III** *(v. ~ I) vi* **1** a tăia; **this knife does not ~ well** cuțitul acesta nu taie bine **2** a se tăia; a se aschia **3** *F* a o șterge, a spăla putina **IV** *adj* **1** tăiat;

retezat; tuns; cosit; secerat **2** gravat // ~ **and dried a** pregătit dinainte; gata, în formă definitivă **b** banal, comun, ordinar **V** *s* **1** tăietură; rană **2** reducere, micșorare, scădere **3** tăietură *(dintr-un ziar),* decupaj **4** bucată; felie **5** *drumuri* de bleu; tranșee **6** *silv* tăiere, doborâre **7** *poligr* clișeu; gravură; vinietă **8** *ch* fracțiune de distilare **9** *text* croială **10** remarcă jignitoare; jignire, ofensă **11** ignorare *(a cuiva)* **12** *sport* lovitură rapidă *(la tenis, cricket)* // **a short** ~ drum direct; scurtătură; **a ~ above smb** ← *F* superior *(cuiva),* mai presus de cineva

cut adrift [ˈkʌt əˈdrift] *vi adv* **1** *nav* a tăia cablul de ancoră **2** *nav* a naviga în derivă **3** *fig* a se elibera, a deveni independent

cutaneous [kjuːˈteiniəs] *adj* dermic, de piele; cutanat

cut at [ˈkʌtət] *vi cu prep* **(with)** a da să lovească în *cineva* (cu)

cut away [ˈkʌt əˈwei] **I** *vt cu part adv* a tăia, a reteza; a despărți **II** *vi cu part adv F* a o șterge, a spăla putina

cutback [ˈkʌtˌbæk] *s* **1** retezare, scurtare, tăiere **2** *amer* reducere, micșorare **3** *cin, lit* secvență de film *sau* pasaj introdus mai târziu în text; *cin* lipitură

cut back [ˈkʌtˈbæk] *vt cu part adv* **1** a scurta, a reteza *(pomi)* **2** *ch* a dilua

cut down [ˈkʌt ˈdaun] *vt cu part adv* **1** doborî *(copaci),* a tăia **2** a ucide, a omorî *(cu sabia etc.)* **3** *fig* a secera **4** a mai reduce din *(țigări etc.)*

cute [kjuːt] *adj* **1** ← *F* deștept, isteț **2** *amer F* cu vino-ncoace, – drăguț, atrăgător

cut glass [ˈkʌt ˌglɑːs] *s* sticlă șlefuită

cuticle [ˈkjuːtikəl] *s bot* cuticulă

cut-in [ˈkʌtˈin] *s cin* insert

cut in [ˈkʌtˈin] **I** *vt cu part adv* **1** a întrerupe **2** *auto* a face o triplare periculoasă **3** *poligr, cin* a insera **II** *vi cu part adv* **1** a interveni, a se amesteca **2** *auto* a face o triplare periculoasă

cut it out [ˈkʌtˈitˈaut] *vt cu pr și part adv amer* ← *F* a termina, a înceta să mai lucreze

cutlas(s) [ˈkʌtləs] *s* **1** cosor *(de tăiat tufișuri etc.)* **2** *od* hanger

cutlery [ˈkʌtləri] *s* **1** cuțiterie, cuțite **2** tacâmuri *(cuțite, furculițe și linguri)*

cutlet [ˈkʌtlit] *s* **1** cotlet *sau* antricot *(de vițel sau berbec)* **2** crochetă *(de carne sau pește)* **3** bucată mică de carne pentru o persoană

cut loose [ˈkʌt ˈluːs] *vi cu adv F* a-și da drumul, – a vorbi fără reținere

cut-off [ˈkʌtˌɔːf] *s* **1** drum scurt/drept, scurtătură **2** *tehn* întrerupere; separare **3** *hidr* pinten; vatră **4** limită fixă; punct de oprire

cut off [ˈkʌt ˈɔːf] *vt cu part adv* **1** a tăia, a separa, a despărți; a reteza *(capul cuiva)* **2** a opri brusc; a întrerupe **3** a închide, a acoperi; a împiedica *(vederea etc.)* **4** a dezmoșteni **5** a omorî *sau* a răni grav **6** a izola *(un oraș etc.)*

cut open [ˈkʌt ˈoupn] *vt cu adj* a tăia, a spinteca

cut-out [ˈkʌt ˌaut] *s* **1** *el* întrerupător **2** profil, contur, schiță

cut out [ˈkʌt ˈaut] **I** *vt cu part adv* **1** a tăia, a îndepărta prin tăiere, a separa **2** a îndepărta, a scoate, a elimina **3** ← *F* a termina, a sfârși, a isprăvi; a întrerupe *(legăturile etc.)* **II** *vi cu part adv auto* **1** a depăși **2** *(d. motor)* a se opri brusc

cut out for [ˈkʌt ˌaut fə^r] *adj cu prep* potrivit/nimerit pentru; pe măsură *cu gen*

cutpurse [ˈkʌtˌpəːs] *s* ← *înv* hoț de buzunare, pungaș

cut rate [ˈkʌt ˌreit] *s amer* preț redus

cutter [ˈkʌtə^r] *s* **1** tăietor *(de lemne etc.)* **2** *nav* cuter; șalupă; vedetă **3** *geol* fisură transversală **4** *tehn* cuțit de așchiat; freză **5** *min* haveză **6** *poligr* mașină de tăiat hârtie

cutthroat [ˈkʌtˌθrout] **I** *s* ucigaș, asasin **II** *adj atr* pe viață și pe moarte

cut through [ˈkʌt ˈθruː] *vi cu part adv* **1** a-și croi drum, a război **2** a o lua de-a dreptul, a merge pe drumul cel mai scurt

cut-through [ˈkʌt ˌθruː] *s* drum de-a dreptul, scurtătură

cutting [ˈkʌtiŋ] *adj* **1** *(d. vânt)* tăios; rece, înghețat **2** *fig* tăios, usturător; sarcastic **3** *tehn* tăietor, de tăiere

cutting room ['kʌtiŋ ,ru:m] *s cin* cameră de decupaj; sală de montaj

cuttlefish ['kʌtəl,fiʃ] *s zool* sepie *(Sepia officinalis)*

cut-up ['kʌtʌp] *s F fig* bufon, măscărici; poznaș; hâtru bun de glume

cut up ['kʌt 'ʌp] *vt cu part adv* **1** a tăia în bucăți; a hăcui **2** *sl* a face harcea-parcea **3** a distruge, a face să sufere mult

cutwater ['kʌt,wɔ:təʳ] *s nav* pinten

cutworm ['kʌt,wə:m] *s zool* omidă *(care mănâncă plante tinere) (Noctuidae)*

cwt. *presc pt* **hundredweight**

-cy *suf* -re, -ie *etc.*: **hesitancy** ezitare, șovăire

Cy. *presc de la* **County**

cy. *presc de la* **1** **capacity 2 currency 3 cycles**

cyanic acid [sai'ænik 'æsid] *s ch* acid cianic

cyanite [saiə,nait] *s minr* disten

cyanogen [sai'ænədʒin] *s ch* cian

cyanosis [,saiə'nousis] *s med* cianoză

Cybele ['sibili] *mit* Cibele

cybernetic [,saibə'netik] *adj* cibernetic

cybernetics [,sibə'netiks] *s pl ca sg* cibernetică

Cyclades, the ['siklə,di:z, ðə] *insule* Cicladele

cyclamen ['sikləmən] *s bot* **1** ciclamen, ciclamă *(Cyclamen auropaeus)* **2** ciclamen/ciclamă sălbatică *(Cyclamen sp.)*

cycle ['saikəl] **I** *s* **1** ciclu; timp; perioadă **2** *lit etc.* ciclu; serie **3** bicicletă; tricicletă; motocicletă **II** *vi* **1** a încheia un ciclu de dezvoltare; a trece printr-un ciclu **2** a merge cu bicicleta, tricicleta *sau* motocicleta

cyclecar ['saikəl,ka:ʳ] *s auto* automobil pitic; microturism

cyclic(al) ['saiklik(əl)] *adj* ciclic

cyclic bond ['saiklik ,bond] *s ch* legătură în ciclu

cycling ['saikliŋ] *s* ciclism

cyclist ['saiklist] *s* biciclist; motociclist

cyclo- *pref* ciclo-: **cyclotron** ciclotron

cycloid ['saikloid] *s mat* cicloidă

cycloidal ['saikloidəl] *adj* cicloidal

cyclometer [sai'klomitəʳ] *s tehn* contor de rotații/ture

cyclometry [sai'klomitri] *s* **1** ciclometrie **2** *ferov* măsurare circulară

cyclone ['saikloun] *s* ciclon

cyclonic [sai'klonik] *adj* de *sau* ca de ciclon

cyclopaedia [,saiklou'pi:diə] *s* enciclopedie *(↓ privind un singur domeniu)*

cyclopaedic [,saiklou'pi:dik] *adj* enciclopedie *(v. și* **cyclopaedia**)

Cyclopean [,saiklou'pi:ən] *adj* **1** (ca) de ciclop **2** uriaș, gigantic **3** *tehn* ciclopian

Cyclops ['saiklops] *s mit* ciclop

cyclorama [,saiklou'ra:mə] *s tehn* panoramă mișcătoare

cyclostyle ['saiklə,stail] *s poligr* ciclostil

cyclotron ['saiklə,tron] *s* **1** *fiz* ciclotron **2** *tel* rezonator magnetic

cyder ['saidəʳ] *s* cidru

cygnet ['signit] *s* lebădă tânără, pui de lebădă

cylinder ['silindəʳ] *s* **1** *geom etc.* cilindru **2** butelie **3** tăvălug; tambur **4** *auto* cuzinet; cilindru

cylindric(al) [si'lindrik(əl)] *adj* cilindric

cymbal ['simbəl] *s muz* **1** tal(g)er, cinel, chimval **2** țambal

cymbalist ['simbəlist] *s muz* **1** țimbalist, cinelist **2** țambalagiu

Cymbeline ['simbili:n] *piesă de* Shakespeare

Cymric ['kimrik] **I** *adj* cimric, velș, galic **II** *s* grupul briton de limbi celtice *(velșa, bretona, dialectul din Cornwall)*

Cymry, the ['kimri, ðə] *s pl* cimri, celții cimrici; velșii

Cynewulf ['kiniwulf] *poet anglo-saxon (sec VIII)*

cynic ['sinik] **I** *adj v.* **cynical II** *s* cinic

cynical ['sinikəl] *adj* cinic; sarcastic; batjocoritor

cynically ['sinikəli] *adv* cinic, cu cinism

cynicism ['sinizəm] *s* cinism

cynosure ['sinə,zjuəʳ] *s fig* **1** stea

cycloid ['saikloid] *s mat* cicloidă

călăuzitoare 2 centrul atenției

Cynthia ['sinθiə] *s* **1** *nume fem* **2** *mit* Selene, Luna

cypher ['saifəʳ] *s*, *v v.* **cipher**

cypress ['saipres] *s bot* chiparos, *poetic* → chipru *(Cupressus sp.)*

Cyprian ['sipriən] **I** *adj* **1** cipriot, din Cipru **2** *fig* destrăbălat, dezmățat **II** *s* cipriot *sau* cipriotă

Cypriot ['sipriət], **Cypriote** ['sipri,out] *adj s* cipriot

Cyprus ['saiprəs] *insulă* Cipru

Cyrenaica [,sairə'neiikə] **1** *od* Cirenaica *(țară în Africa)* **2** regiune în Libia

Cyril ['sirəl] *nume masc aprox* Chiril(ă)

Cyrillic [si'rilik] *adj* cirilic, chirilic

Cyrus ['sairəs] Cirus *(rege al Persiei, 600?-529 î.e.n.)*, P → Chir împărat

cyst [sist] *s anat, med* chist

cystectomy [si'stektəmi] *s med* cistectomie

cystic ['sistik] *adj med* cistic

cysticercus [,sisti'sə:kəs] *s* cisticerc

cystitis [si'staitis] *s med* cistită

cystoscope ['sistə,skoup] *s* cistoscop

cystoscopy [sis'toskəpi] *s med* cistoscopie

cytogenetics [,saitədʒi'netiks] *s pl ca sg biol* citogenetică

cytology [sai'tolədʒi] *s biol* citologie

cytopathology [,saitəpə'θolədʒi] *s med* citopatologie

cytoplasm ['saitə,plæzəm] *s biol* citoplasmă

czar [za:ʳ] *s* **1** *od* țar **2** *fig* autocrat; despot

czardas ['tʃa:dæʃ] *s* ceardaș *(dans, muzică)*

czarevich ['za:rivitʃ] *s od* țarevici

czarina [za:'ri:nə] *s od* țarină

czarism ['za:rizəm] *s* **1** *od* țarism **2** *fig* autocrație; despotism

Czech [tʃek] **I** *adj* ceh, *rar* ← cehesc **II** *s* **1** ceh **2** (limba) cehă

Czechoslovak ['tʃekoʊslouvæk] **I** *adj od* cehoslovac **II** *s* locuitor din fosta Cehoslovacie; ceh

Czechoslovakia [,tʃekouslou'vækiə] *s* fosta Cehoslovacie

Czechoslovakian [,tʃekouslou'vækiən] *adj, s v.* **Czechoslovak**

D

D, d [di:] *s* **1** (litera) D, d **2** *muz* (nota) re

D. *presc de la* **1 Doctor 2 Democrat(ic) 3 December 4 Dominus** Domnul, Dumnezeu **5 Dutch 6 Duchess 7 Department**

d. *presc de la* **1 daughter 2 date 3 denarius (penny) 4 diametre 5 died 6 director 7 deputy 8 dollar**

dab¹ [dæb] **I** *vt* **1** a atinge (ușor); a lovi; a tampona **2** a vârî, a băga *(cu degetele)* **3** a ciuguli **4** a unge *(cu o alifie etc.)*, a acoperi cu un strat subțire **II** *s* **1** atingere (ușoară); lovitură, tamponare **2** strat subțire aplicat pe ceva **3** pată (de vopsea)

dab² *s* (at) cunoscător (în ale – *cu gen*), expert (în)

dab³ *s iht specie de* calcan *(Pleuronectes limanda)*

dab at ['dæbət] **I** *vi cu prep*: **to ~ smb with smth** a înfige ceva *(degetul etc.)* în cineva **II** *vt cu prep*: **to dab smth at smb** a ochi cu ceva în cineva

dabble ['dæbl] **I** *vt* a-și bălăci *(mâinile etc.)*; a înmuia; a stropi **II** *vi* a se bălăci; a se stropi

dabble at/in ['dæblət/in] *vi cu prep fig* a se ocupa printre altele (și) de; a face și *cu ac*

dabbler [dæblə*ʳ*] *s peior* amator, diletant

dabby ['dæbi] *adj* ud; umed, jilav; slinos

dabchick ['dæb,tʃik] *s orn* (cu)fundac *(Podiceps sp.)*

dabster ['dæbstə*ʳ*] *s* **1** ← *F* specialist, expert **2** *F* cârpaci, cizmă, – nepriceput

da capo [daː ˈkaːpou] *adv muz* da capo

dace [deis] *s iht* clean *(Leuciscus leuciscus)*

dachshund ['dæks,hund] *s* (câine) baset

Dacia ['deiʃiə] *teritoriu populat altădată de daci*

Dacian ['deiʃiən] **I** *adj* dac(ic) **II** *s* dac

dacoit [dæ'kɔit] *s* tâlhar, bandit *(în India, Birmania)*

dactyl ['dæktil] *s metr* dactil

dactylic [dæk'tilik] *adj metr* dactilic

dad [dæd] *s v.* **daddy**

Dadaism ['daːdaːizəm] *s lit* dadaism

daddy ['dædi] *s F* tăticu(țu)

daddyism ['dædiizəm] *s amer* cultul strămoșilor

daddy-long-legs ['dædi'lɔŋlegz] *s ent* orice insectă cu picioare lungi, țânțăroi *(Tipula oleracea)*

dado ['deidou], *pl* **dadoes** ['deidouz] *s arhit* soclu; piedestal

D.A.E. *presc de la* **Dictionary of American English**

daedal ['diːdəl] *adj atr* **1** ingenios **2** complicat, încurcat

Daedalus ['diːdələs] *mit* Dedal

daemon ['diːmən] *s* demon; diavol

daemonic [di'mɔnik] *adj* demonic, demoniac

daffodil ['dæfədil] *s bot* zarnacadea, coprină, narcis galben *(Narcissus pseudonarcissus)*

daffy ['dæfi] *adj amer F* țicnit, sărit, smintit

daft [daːft] *adj* **1** nebun, scrântit **2** prostănac, tâmpit

dagger ['dægə*ʳ*] *s* **1** pumnal; hanger; **to look ~s at smb** a arunca cuiva priviri ucigătoare, a străpunge pe cineva cu privirea **2** *poligr* cruciuliță, semn de notă în text

dago ['deigou] *s* ← *peior* meridional

daguerreotype [də'gerou,taip] *s* dagherotip

dahlia ['deiljə] *s bot* dalie, gheorghină *(Dahlia variabilis)*

Dail Eireann ['dɔil 'ɛərən] *s* Camera Deputaților *(în Irlanda)*

daily ['deili] **I** *adj* zilnic, cotidian, de fiecare zi; obișnuit; **one's ~ bread** *fig* pâinea de fiecare zi, *bibl* pâinea cea de toate zilele **II** *adv* zilnic, în fiecare zi **III** *s* **1** ziar care apare în fiecare zi, cotidian **2** ← *F* femeie cu ziua *(care vine în fiecare zi)*

daily dozen ['deili,dʌzən] *s* gimnastică zilnică

daintily ['deintili] *adv* **1** elegant **2** grațios, cu grație

daintiness ['deintinis] *s* **1** eleganță **2** grație **3** sensibilitate exagerată; mofturi, *F* ← fasoane

dainty ['deinti] **I** *adj* **1** drăguț, drăgălaș, nostim **2** grațios, plin de grație **3** elegant **4** minunat, extraordinar **5** dificil, mofturos *(la mâncare etc.)*, *P →* lingav **6** gingaș, sensibil **7** *(d. mâncare)* ales, gustos **8** *(d. preparate culinare)* aspectuos **II** *s* delicatesă; bucățică delicioasă; trufanda

dairy ['dɛəri] *s* lăptărie *(fermă, magazin)*

dairy cattle ['dɛəri,kætl] *s* vaci de lapte

dairy farm ['dɛəri faːm] *s* fermă de lapte

dairy maid ['dɛəri meid] *s* lăptăreasă

dairyman ['dɛərimən] *s* **1** lăptar **2** muncitor la o fermă de lapte

dais ['deiis] *s* **1** podium, estradă; catedră **2** baldachin, *poetic →* uranisc

Daisy [deizi] *nume fem*

daisy ['deizi] *s bot* **1** bănuței, părăluțe *(Bellis perennis)*; **as fresh as a ~** vioi, în formă; **to be under the daisies** *sl* a fi mort **2** margaretă aurată *(Chrysanthemum leucanthemum)*

dak [daːk] *s* oameni/hamali *sau* cai de schimb *(în India, Pakistan)*

Dakota [də'koutə] *s* indian dintr-un trib Sioux

dal. *presc de la* **decalitre**

Dalai Lama ['dælai'laːmə] *marele preot al lamaiștilor*

dale [deil] *s* ← *poetic* vale; vâlcea

dalesman ['deilzmən] *locuitor al unei văi (↓ în partea de nord a comitatului Yorkshire)*

Dallas ['dæləs] *oraș în S.U.A.*

dalliance ['dæliəns] *s* **1** pierdere de timp, distracție; joacă, amuzament **2** amânare, zăbovire, zăbavă **3** flirt; cochetărie

dally ['dæli] **I** *vi* **1** a(-și) pierde vremea, *F* a tăia frunze la câini; a se ține de fleacuri **2** a se distra; a se prosti, a face prostii; a glumi; **to ~ with an idea** a cocheta cu o idee **II** *vt* a amâna, a tărăgăna

dally away ['dæli ə'wei] *vt cu part adv* a(-și) pierde (vremea) cu fleacuri

Dalmatia [dæl'meiʃə] *regiune în Iugoslavia* Dalmația

Dalmatian [dæl'meiʃən] **I** *adj* dalmatin; dalmatic **II** *s* **1** dalmat **2** câine dalmațian

Dalton ['dɔ:ltən], **John** *chimist și fizician englez (1766-1844)*

daltonian [dɔ:l'tounien] *adj med* daltonian

daltonism ['dɔ:ltə,nizəm] *s med* daltonism

dam[1] [dæm] *s* **1** *zool* femelă; ursoaică; lupoaică *etc.* **2** *înv, peior* mamă **3** damă *(la jocul de dame)*, pion **4** *pl* (joc de) dame

dam I *s* **1** *hidr* baraj, dig **2** *dig*, zăgaz **II** *vt hidr* a zăgăzui, a stăvili

damage ['dæmidʒ] **I** *s* **1** pagubă; rău; stricăciuni **2** *pl* despăgubiri, compensație **3** ← *F* preț, cost; **what's the ~?** cât costă/*F* face? **II** *vt* **1** a deteriora, a defecta, a strica, *tehn* a avaria **2** ← *F* a vătăma *(o parte a corpului)* **3** *fig* a discredita

damask ['dæməsk] **I** *s* **1** *text* damasc **2** *met* oțel de Damasc **II** *vt* **1** *text* a îmbrăca *(mobilă etc.)* în damasc **2** *met* a da o culoare închisă *(oțelului)*

damask rose ['dæməsk rouz] *s bot* trandafir italian *(Rosa damascena)*

damask steel ['dæməsk sti:l] *s met* oțel de Damasc

dame [deim] *s* **1** ← *înv* doamnă **2** ← *înv* profesoară **3** ← *umor* femeie în vârstă, matroană; babă **4** *P* țață; lele; femeie

damme [dæm] *interj P* să mă ia naiba/dracu'!

damn [dæm] **I** *vt* **1** *rel* a osândi **2** a blestema; a înjura; **~ it all!** *F* la naiba! la dracu! drace! drăcia dracului! **~ you!** *F* naiba să te ia; du-te dracului! **3** a condamna; a critica; a considera fără valoare; **to ~ a play** a primi cu răceală o piesă **II** *s* **1** blestem; înjurătură **2** cantitate neglijabilă // **not to care a ~** *F* a nu-i păsa nici cât negru sub unghie, a-l durea în cot, – a nu-i păsa câtuși de puțin; **it's not worth a ~** *F* nu face doi bani, nu face nici cât o ceapă degerată

damnable [dæmnəbl] *adj* **1** condamnabil **2** *F* groaznic, al naibii

damnably [dæmnəbli] *adv* **1** (într-un mod) condamnabil **2** *F* grozav de, al naibii

damnation [dæm'neiʃən] *s* **1** *rel* (veșnică) osândă, chinurile iadului, *rar* → damnațiune **2** *fig* distrugere, ruină

damned [dæmd] **I** *adj* **1** *rel* osândit la chinurile iadului, damnat **2** *F* afurisit, al naibii **II** *s* **the ~** *rel* păcătoșii, damnații **III** *adv F* al naibii (de), grozav de

Damocles ['dæmə,kli:z] *mit* Damocles; **the sword of ~** *fig* sabia lui Damocles

damp [dæmp] **I** *adj* **1** umed; ud; jilav; igrasios **2** *fig* deprimat, descurajat **II** *s* **1** umezeală; igrasie **2** *tehn* amortizare **3** min gaz de mină **4** *fig* deprimare, descurajare **5** *fig* duș rece **6** ← *înv* ceață **III** *vt* **1** a umezi; a stropi, a uda **2** a stinge (focul) **3** *fig* a potoli, a domoli *(elanul etc.)* **4** *vr F* a trage o dușcă, a bea un păhărel

damp down ['dæmp'daun] *vt cu part adv* a face mai mic (focul); a stinge

dampen ['dæmpən] *vt v.* damp III 3

damper ['dæmpər] *s* **1** *tehn auto* amortizor **2** *el* atenuator **3** registru de coș/fum **4** *fig* domeniu, sferă

damping ['dæmpiŋ] *s* **1** umezire **2** aburire **3** *tehn* amortizare

dampish ['dæmpiʃ] *adj* cam umed

dampness ['dæmpnis] *s* **1** umiditate; umezeală **2** igrasie

damp off ['dæmp'ɔ:f] *vi cu part adv bot* a putrezi din cauza excesului de umiditate

damsel ['dæmzəl] *s* ← *înv* fată; domnișoară

damson ['dæmzən] *s bot* goldan *(Prunus insititia)*

dam up ['dæm'ʌp] *vt cu part adv* a stăvili, a(-și) stăpâni *(sentimente etc.)*

Dan. *presc de la* **Danish**

dan [dæn] *s* ← *înv* domn; domnul

Danaides [də'neii,di:z] *mit* Danaide

dance [da:ns] **I** *vi* **1** a dansa, *înv* → a dănțui; (la țară) a juca **2** *fig* a dansa, a juca, a sări *(de bucurie etc.)* **II** *vt* **1** a dansa *(un vals etc.)* **2** *fig* a legăna (un copil) **III** *s* **1** dans, *înv* → danț; (la țară) joc; horă; **to lead smb a (pretty) ~** *F* a-i scoate cuiva peri albi/sufletul; a-i da cuiva de furcă **b** a juca pe cineva pe degete; a duce pe

cineva de nas **c** a purta pe cineva de colo până colo **2** muzică de dans **3** serată dansantă; bal

dance hall [da:nshɔ:l] *s* sală de dans

dancer [da:nsər] *s* **1** dansator; balerin; dansatoare, balerină **2** *pl sl* scară

dancing [da:nsiŋ] **I** *adj atr* de dans **II** *s* dans

dancing girl [da:nsiŋgə:l] *s* dansatoare (de profesie); baiaderă

dancing hall ['da:nsiŋhɔ:l] *s* sală de dans

dancing malady ['da:nsiŋ,mælədi] *s med* coree

dancing master ['da:nsiŋ,ma:stər] *s* profesor *sau* maestru de dans

dancing party ['da:nsiŋ,pa:ti] *s* serată dansantă

dandelion ['dændi,laien] *s bot* păpădie *(Taraxacum officinale)*

dander ['dændər] *s*: **to get one's ~ up** *F* a-i sări muștarul/țandăra, – a se înfuria

dandle [dændl] *vt* **1** a legăna în brațe *sau* pe genunchi *(un copil)* **2** a răsfăța, a răzgâia

dandruff ['dændrəf] *s* mătreață

dandy ['dændi] **I** *s* filfizon, spilcuit, dandy **II** *adj F* grozav, clasa prima

dandyish ['dændiiʃ] *adj* de filfizon/spilcuit

dandyism ['dændiizəm] *s* aere de filfizon; comportare de filfizon

Dane [dein] *s* danez

Danegeld ['dein,geld] *s* **1** *od* dare plătită de anglo-saxoni pt a întreține apărarea împotriva năvălitorilor danezi **2** *înv* dare pe pământ

Danelaw, Danelagh [dein,lɔ:] *s ist* **1** legea danică *(în Anglia sec X)* **2** teritoriu unde era aplicată această lege

danger ['deindʒər] *s* pericol, primejdie; **in ~** în pericol/primejdie; **out of ~** în afară de pericol, în afara oricărei primejdii; **a ~ to** o amenințare pentru

dangerous ['deindʒərəs] *adj* periculos, primejdios; riscant

dangerously ['deindʒərəsli] *adv* (în mod) periculos

dangle ['dæŋgl] **I** *vt* **1** a legăna; a bălăbăni **2** *fig* a ispiti, a momi, a ademeni **II** *vi* **1** a se legăna; a se bălăbăni **2** a atârna, a fi spânzurat

dangle around ['dæŋglə'raund] *vi cu part adv* a umbla creanga, a umbla fără rost

dangler ['dæŋglə^r] *s* **1** obiect care atârnă **2** om fără căpătâi; încurcă-lume; fluieră-vânt

dangler after women ['dæŋglərɑ:ftə-'wimin] *s F* vânător de fuste, crai(don)

dangling ['dæŋgliŋ] *adj atr gram* independent; izolat

Daniel ['dænjəl] *nume masc*

Danish ['deiniʃ] **I** *adj* danez **II** *s* **1** danez **2** (limba) daneză

dank [dæŋk] *adj* rece, umed (și neplăcut)

D'Annunzio [dʌn'untsjɔ], **Gabriele** *scriitor italian (1863-1938)*

Dante Alighieri ['dænti ali'gje:ri] *poet italian (1265-1321)*

Dantean ['dæntiən] *adj* dantesc

Danube, the [ðə 'dænju:b, ðə] Dunărea

Danubian [dæn'ju:biən] *adj* dunărean, danubian

Daphne ['dæfni] *mit* Dafnis

dapper ['dæpə^r] *adj* **1** *(d. un om mic de statură)* activ, energic **2** pus la punct; spilcuit

dapple ['dæpl] *vt* a acoperi cu picățele, a puncta

dappled ['dæpld] *adj* cu picățele; pătat

dapple-grey ['dæpl grei] *adj* cenușiu bătând în alb

Darby and Joan ['dɑ:bi ən 'dʒoun] *s* pereche fericită (↓ *în vârstă)*

dare [dɛə^r], *pret rar și* **durst** [də:st] **I** *vi* a cuteza, a avea curaj; a se aventura; a risca **II** *v mod (cu inf scurt, fără -s la pers 3 sg prez;* ↓ *în prop interog, neg, condiționale și dubitative)* **1** a îndrăzni, a cuteza; a avea curajul, a se aventura; ~ **you climb up that hill?** nu ți-e frică să urci dealul acela? **2** a avea îndrăzneala, a îndrăzni, a cuteza, a avea neobrăzarea // **I** ~ **say** cred, consider, îndrăznesc să spun; **I** ~ **swear** sunt convins; pot să jur **III** *vt* **1** *(cu inf lung sau scurt)* a îndrăzni, a cuteza; a avea curajul, a se aventura; **she did not** ~ **(to) switch on the light** nu avea curajul să aprindă lumina, îi era frică să aprindă lumina **2** a înfrunta, a risca (ceva) **3** *(cu ac cu inf)* a desfide

dare-devil ['dɛə,devəl] **I** *adj atr* temerar; îndrăzneț, cutezător, neînfricat, aventuros **II** *s* persoană care nu se dă înapoi de la nimic, om temerar, *F* un drac și jumătate

daring ['dɛəriŋ] **I** *adj* îndrăzneț, cutezător; temerar; riscat **II** *s* îndrăzneală, cutezanță

Darius [də'raiəs] *rege al Persiei (588-486 î.e.n.)*

dark [dɑ:k] **I** *adj* **1** întunecos, întunecat; învăluit în întuneric; **it is getting** ~ se întunecă; se înserează; se face noapte; **a** ~ **room** o cameră întunecoasă **2** închis, de culoare închisă; *(d. păr, ochi)* negru; cu părul negru; brunet, smead, oacheș; ~ **blue** albastru-închis **3** *fig* ascuns, misterios, tainic; obscur, neclar; **to keep smth** ~ a ține ceva în secret; **to keep** ~ a se ascunde *(de ochii lumii etc.)* **4** *fig* (d. o faptă) urât; ticălos, murdar **5** *fig* (d. un aspect *etc.)* întunecat; mohorât, posomorât; neplăcut; trist; jalnic; **a** ~ **page in his life** o pagină neagră în viața sa **6** *fig* supărat, mânios **II** *s* **1** întuneric; căderea întunericului; seară; noapte; **in the** ~ în *sau* pe întuneric; **after** ~ după ce se întunecă, după căderea/lăsarea întunericului **2** *fig* întuneric, ignoranță, ↓ *poetic* → neștiință; **I am in the** ~ **about** it nu știu nimic despre aceasta **3** *pict* umbră

Dark Ages, the [,dɑ:k'eidʒiz, ðə] *s pl* evul mediu timpuriu *(sec VI-XII sau IV-X)*

darken ['dɑ:kən] **I** *vt* **1** *(d. nori etc.)* a întuneca, a acoperi *(cerul etc.)* **2** *fig* a face obscur (sensul), a îngreuna *(înțelegerea)* **3** *fig* a întuneca *(perspectivele);* a eclipsa, a umbri // **not to** ~ **smb's door** a nu călca pragul cuiva **4** a-și face/înnegri *(ochii)* **II** *vi* și *fig* a se întuneca

darkey ['dɑ:ki] *s* ← *peior F* negru

dark horse ['dɑ:k,hɔ:s] *s* **1** cal de curse cu aptitudini necunoscute sau nebănuite **2** *fig* ↓ *pol* candidat cu puțini susținători

darkie ['dɑ:ki] *s v.* **darkey**

darkish ['dɑ:kiʃ] *adj* cam întunecat/ întunecos

dark lantern ['dɑ:k,læntən] *s* lanternă camuflată

darkling ['dɑ:kliŋ] ← *poetic* **I** *adj* **1** aflat *sau* care se petrece în întuneric **2** întunecos; întunecat; nedeslușit **II** *adv* în întuneric

darkly ['dɑ:kli] *adv* pe ascuns, în secret/taină; misterios

darkness ['dɑ:knis] *s* **1** întuneric, obscuritate **2** culoare închisă **3** *fig* orbire **4** *fig* întuneric, ignoranță **5** *fig* caracter ascuns/secret; mister

dark room ['dɑ:k,ru(:)m] *s fot* cameră obscură

darksome ['dɑ:ksəm] *adj* ← *poetic* întunecat, întunecos; mohorât, posomorât

darky ['dɑ:ki] *s v.* **darkey**

darling ['dɑ:liŋ] **I** *s* **1** iubit, drag, scump; **my** ~! dragul meu (drag) **2** preferat, favorit; **the** ~ **of fate** răsfățatul soartei **II** *adj art* **1** *F* scump, ~ drag; favorit **2** ← *F* încântător, minunat

darn[1] [dɑ:n] **I** *vt* a țese, a stopa; a cârpi, a drege **II** *s* țesătură, cârpitură

darn[2] *vt, s F v.* **damn**

darned [dɑ:nd] *adj, adv F v.* **damned**

darnel ['dɑ:nəl] *s bot* zizanie, sălbăție *(Lolium temulentum)*

darning needle ['dɑ:niŋ,ni:dl] *s* **1** ac de stopat **2** *v.* **dragonfly**

dart [dɑ:t] **I** *s* **1** suliță; lance **2** săgeată; **(as) straight as a** ~ drept ca o săgeată **3** salt, săritură; **to make a** ~ **for** a se repezi asupra *(cu gen)*/la **II** *vt* și *fig* a arunca, a azvârli *(o săgeată, o privire etc.);* a străfulgera cu (privirea) **III** *vi* **(at)** a se repezi *(asupra – cu gen,* la), a se arunca *(asupra – cu gen);* a fugi, a zbura; a țâșni

Dartmoor ['dɑ:t,muə^r] *vestită închisoare în Devon, Anglia*

Darwin ['dɑ:win], **Charles Robert** *naturist englez (1809-1882)*

Darwinian [dɑ:'winiən] *adj, s* darwinist

Darwinism ['dɑ:wi,nizəm] *s* darwinism

dash [dæʃ] **I** *vt* **1** a lovi *(cu violență)*, a izbi **2** a arunca, a azvârli *(cu forță)*; a lansa **3** *fig* a distruge *(speranțe, planuri etc.)*, a nimici, a spulbera **4** *fig* a descuraja **5** a sublinia **II** *vi* **1** a alerga repede, a fugi, a goni, a zbura **2** a se ivi pe neașteptate; a țâșni 3 *(d. valuri)* a se sparge; **the waves ~ed against the rocks** valurile se spărgeau de stânci **III** *s* 1 mișcare violentă; aruncătură; săritură; salt; **he made a ~ for the loaf** se aruncă asupra franzelei; **at one ~** dintr-o dată; **at a ~** repede, iute 2 plescăit, zgomot *(al valurilor etc.)* 3 *poligr* pauză; linie de dialog 4 *sport* cursă/alergare scurtă 5 energie; hotărâre; **a man of skill and ~** un om priceput și energic 6 înfățișare atrăgătoare, frumusețe 7 *fig* amestec, adaos; pic, ceva; **there is a romantic ~ in this painting** este ceva romantic în tabloul acesta, tabloul acesta are ceva romantic în el 8 schiță; ciornă 9 *tel* Morse 10 *tehn* ciocnire, șoc, izbitură, lovitură 11 *constr* grindă **IV** *interj* **F** la naiba! drace!

dashboard ['dæʃbɔːd] *s auto, av* tablou de bord

dasher ['dæʃəʳ] *s* 1 persoană care produce senzație 2 **F** flușturatic 3 **F** fanfaron 4 bătător *(pt bătut laptele în putinei)* 5 ← **F** om energic *sau* hotărât

dashing ['dæʃiŋ] *adj* 1 energic, hotărât; activ 2 *(d. un atac etc.)* impetuos, năvalnic 3 *(d. un călăreț etc.)* neînfricat, curajos 4 spilcuit, elegant

dash it ['dæʃit] *vt cu pron v.* **dash IV**

dash off ['dæʃˈɔːf] *vt cu part adv* a scrie *sau* a desena repede/la iuțeală

dastard ['dæstəd] **I** *s* laș, mișel; ticălos; persoană care lucrează pe la spate **II** *adj v.* **dastardly**

dastardly ['dæstədli] *adj* laș, mișel, mișelesc; ticălos

dat. *presc de la* **dative**

data ['deitə] *s pl și ca sg* date; fapte

date[1] [deit] *s bot* 1 curmal *(Phoenix dactylitera)* 2 curmală

date[2] **I** *s* 1 dată, zi; **what is the ~ today?** ce dată e astăzi? în ce zi suntem? **the paper of today's ~** ziarul de astăzi 2 dată, timp, vreme; epocă, perioadă; **ruins of Roman ~** ruinele din epoca/vremea romanilor 3 întâlnire, întrevedere; rendez-vous; **to make a ~** *amer* a fixa o întâlnire 4 băiat *sau* fată cu care-ți dai

întâlnire // **up to ~** la zi; contemporan; modern; **out of ~** învechit; demodat **II** *vt* 1 a data *(o scrisoare etc.)* 2 a data, a fixa în timp 3 ← **F** a avea o întrevedere/întâlnire cu (cineva) **III** *vi* a se învechi; a se demoda

date back to ['deitˈbæktə] *vi cu part adv și prep* a data încă din (vremea – *cu gen*)

dated ['deitid] 1 datat 2 învechit; demodat

date from ['deit frəm] *vi cu prep* a date din (vremea – *cu gen*)

dateless ['deitlis] *adj* 1 nedatat 2 *poetic* nesfârșit; – imemorial; fără moarte

date line ['deit,lain] *s* linie de delimitare a zilei/datei pe glob; 180⁰ Greenwich

dative ['deitiv] *adj, s gram* dativ

datum ['deitəm], *pl* **data** ['deitə] *s* 1 *cib etc.* dată, informație 2 *pl v.* **data**

dau. *presc de la* **daughter**

daub [dɔːb] **I** *vt* 1 *constr* a tencui; a unge; a mânji 2 a vopsi 3 a mânji, a murdări; a împroșca 4 a mâzgăli **II** *vi* a mâzgăli, a picta prost **III** *s* 1 tencuială 2 mâzgălitură, pictură proastă *sau* desen prost

dauber ['dɔːbəʳ] *s* mâzgălitor, pictor prost

daubery [dɔːbəri] *s* lucru de cârpaci, ↓ pictură proastă *sau* desen prost, mâzgălitură

daughter ['dɔːtəʳ] *s* fiică, fată, copilă

daughter-in-law ['dɔːtərinˈlɔː], *pl* **daughters-in-law** ['dɔːtəzinˈlɔː] *s* noră

daughterly ['dɔːtəli] *adj* de fiică; filial

daunt [dɔːnt] *vt* a descuraja; a speria; a intimida

daunted ['dɔːntid] *adj* descurajat; speriat; intimidat; **nothing ~** *v.* **dauntless**

dauntless ['dɔːntlis] *adj* neînfricat, curajos, brav

dauphin, the ['dɔːfin, ðə] *s od* moștenitorul tronului Franței

davenport ['dævən,pɔːt] *s* 1 ← *înv* birou, masă de scris (mică) 2 *amer* șezlong; divan, canapea

David ['deivid] *nume masc*

Davis Strait, the ['deivis streit, ðə] Strâmtoarea Davis

davit ['dævit] *s nav* gruie

Davy ['deivi], **Sir Humphrey** *chimist englez (1778-1829)*

Davy lamp ['deivilæmp] *s min* lampă de siguranță „Davy"

daw [dɔː] *s v.* **jackdaw**

dawdle ['dɔːdəl] *vi* a-și pierde vremea/timpul, **F→** a tăia frunze la câini

dawdle away ['dɔːdəlˈwei] *vt cu part adv* a-și (pe)trece/a-și irosi (timpul)

dawn [dɔːn] **I** *vi* 1 a miji/a se crăpa de ziuă 2 *fig* a începe; a se ivi, a apărea **II** *s* 1 zori, auroră 2 *fig* zori, început

dawn on/upon ['dɔːn ɔn/ə,pɔn] *vi cu prep* a se limpezi, a-i deveni clar (cuiva); **it suddenly dawned (up) on me that** deodată mi-a trecut prin minte ideea că; deodată m-am lămurit că

day [dei] *s* 1 zi; ~ **and night** zi și noapte; **all (the) ~** toată ziua, ziua/**F→** ziulica întreagă; **by ~** ziua, în timpul zilei; **before ~** până a se face ziuă, înainte de revărsatul zorilor; **all ~ long** cât e ziua/**F→** ziulica de mare; **by the ~** cu ziua; **every other ~ , ~ about** din două în două zile, o dată la două zile; **the present ~** ziua de astăzi, prezentul; **the ~ before yesterday** alaltăieri; **the ~ after tomorrow** poimâine; **the other ~** (mai) deunăzi; **a few ~s ago, the other ~** acum câteva zile **one ~** într-o (bună) zi; **some ~** într-o zi *(cu referire la viitor)*; cândva; **one of these ~s** într-una din zilele acestea, ~ **by/after ~ , from ~ to ~** zi după zi; în fiecare zi; **this ~ week** peste o săptămână; ~ **off** zi liberă (de la serviciu); ~ **out a** zi liberă *(a servitoarei etc.)* **b** zi petrecută în altă parte *(nu acasă)*; **every ~** în fiecare zi, zilnic; **five times a ~** de cinci ori pe zi; **high/banner ~** (zi de) sărbătoare; **one's natal ~** ziua de naștere a cuiva 2 ↓ *pl* zile, vreme, timp; **in those ~s** în zilele acestea, (pe) atunci, în vremea aceea; **in my school ~s** când eram elev; **in ~s of old, in older ~s** în zilele de altădată, odinioară, altădată, **better ~s** zile/timpuri mai bune 3 viață; perioadă, epocă, timp; **colonialism has had its ~** colonialismul și-a trăit traiul; **she was a beauty in her ~** a fost o frumusețe în tinerețea ei **4 the ~** victoria, succesul; **the ~ is ours** am învins, victoria/izbânda e de partea noastră; **to carry the ~** a ieși victorios, a izbândi **5** *min* suprafață // **if a ~** exact, nici mai mult nici mai puțin; **to make a ~ of it** a petrece de minune, a se distra foarte bine; **to save the ~** a salva situația; **let us call it a ~** ajunge pentru (ziua de) azi

day book ['dei‚buk] *s* **1** jurnal zilnic **2** *fin* registru de facturi **3** *fin* registru jurnal

day boy ['dei bɔi] *s* elev extern

daybreak ['deibreik] *s* zori, auroră, revărsat de zori

day dream ['dei‚dri:m] *s* visare, reverie; fantezie

day-dreamer ['dei‚dri:mə'] *s* visător; fantezist

day fly ['dei‚flai] *s ent* muscă efemeră *(Ephemera vulgata)*

day labourer ['dei‚leibərə'] *s* muncitor cu ziua, zilier

daylight ['dei‚lait] *s* lumina zilei, zi; zori

day lily ['dei‚lili] *s bot* crin galben *(Hemerocallis)*

day long ['dei‚lɔŋ] **I** *adj atr* de o zi (întreagă) **II** *adv* toată ziua, cât e ziua de mare

dayman ['deimən] *s* muncitor cu ziua, zilier

Day of judgement, the ['dei əv 'dʒʌdʒmənt] *s rel* Ziua Judecății (de) Apoi

daypeep ['deipi:p] *s* primele vestiri ale zilei

dayroom ['deiru:m] *s* **1** cameră folosită ziua **2** *mil* cameră de odihnă

day school ['dei‚sku:l] *s* școală de zi *(fără internat; ant duminicală)*

daysman ['deizmən] *s* **1** zilier; muncitor cu ziua **2** ← *înv* mijlocitor; arbitru

day spring ['dei‚spriŋ] *s* zori, auroră

day star ['dei‚sta:'] *s* **1** luceafărul de dimineață **2** *poetic* luminătorul zilei, – soarele

daytime ['dei‚taim] *s* zi, timpul zilei; **in the ~** ziua; pe lumină

day-to-day ['deitə'dei] *adj atr* de zi cu zi, zilnic

day work ['dei‚wə:k] *s* **1** muncă zilnică; munca zilei, munca de peste zi **2** lucru cu ziua

daze [deiz] **I** *vt* **1** a ului **2** a zăpăci, a năuci **II** *s* **1** uluire **2** zăpăceală

dazed [deizd] *adj* **1** uluit **2** zăpăcit, năuc(it)

dazzle ['dæzl] *vt* **1** a orbi cu lumina *sau auto* cu farurile **2** *fig* a orbi; a lua vederea/vederile *(cuiva)*

dazzling ['dæzliŋ] *adj fig* orbitor, care îți ia vederea

db. *presc de la* **decibel**

dbl. *presc de la* **double**

D.C.L. *presc de la* **Doctor of Civil Law**

D.D. *presc de la* **1** demand draft **2 Divinitatis Doctor** doctor în teologie

dd., d/d *presc de la* **delivered**

d-d *presc de la* **damned**

D-Day ['di:‚dei] *s ist* Ziua debarcării în Franța *(6 iunie 1944)*

D.E. *presc de la* **Doctor of Engineering**

de- *pref de-:* **decline** declin

deacon ['di:kən] *s bis* diacon

deaconess ['di:kənis] *s bis* femeie care îngrijește de săracii și bolnavii unei parohii

dead [ded] **I** *adj* **1** mort; decedat, ↓ *bis* răposat; **~ men tell no tales** *prov* morții nu vorbesc; **to wait for a ~ man's shoes** a aștepta să moară cineva *(ca să-i capete moștenirea)* **2** *fig* mort; fără viață; inactiv, fără activitate; **in the ~ hours of the night** în ceasurile târzii ale nopții, în toiul nopții; **~ season** sezon mort **3** *(d. o parte a corpului)* amorțit, *F* → „mort"; înghețat **4** total, complet; exact, precis; **I am in ~ earnest** vorbesc foarte serios; **to run on a ~ level** a alerga absolut la fel, a alerga fără să se distanțeze unul de altul; **a ~ calm** un calm absolut, o liniște desăvârșită; **a ~ loss** o pierdere totală; **in the ~ centre** exact în centru **5** stricat, care nu mai funcționează, care nu mai este bun, inutilizabil; **a ~ match** un chibrit stricat/ars; **to go ~** *(d. telefon etc.)* a se strica, a nu mai merge, a nu mai funcționa **6** monoton, neinteresant, plictisitor **7** mat, fără luciu **8** *fig* mort; frânt *(de oboseală)*; **~ with hunger** mort de foame, hămesit; **with cold** complet înghețat, *F* → bocnă **9** neaerisit; *(d. aer)* stătut **10** *el* fără curent/tensiune **11** *(d. sol)* arid, sterp **12** *(la*

bridge) mort **II** *s pl* **the ~** morții, cei morți, ↓ *bis* răposații

dead-alive ['dedə'laiv] *adj* **1** fără viață, mort, lipsit de energie; monoton; plictisitor de moarte **2** mâhnit, deprimat

dead and alive ['dedəndə'laiv] *adj* mai mult mort decât viu *v. și* **dead-alive**

dead-beat ['ded‚bi:t] *adj F* mort, frânt *(de oboseală)*

dead-born ['ded‚bɔ:n] *adj și fig* născut mort

dead centre ['ded‚sentə'] *s tehn* punct mort

deaden ['dedən] **I** *vt* **1** *fig* a lipsi de viață; a lipsi de strălucire, a umbri, a întuneca **2** a înăbuși, a amortiza *(zgomote)* **3** a curma *(durerea)*, a alina, a potoli **4** a micșora, a potoli, a diminua *(forța etc.)*

dead end ['ded‚end] *s* **1** fundătură **2** *ferov etc.* capăt terminus **3** impas

dead eye ['ded‚ai] *s* **1** *tehn* gașă, inimioară **2** *nav* cap de berbec

deadfall ['ded‚fɔ:l] *s* arcană

dead flat ['ded‚flæt] *s nav* cuplu maestru

dead head ['ded‚hed] *s nav* **1** baba *(de lemn)*; geamandură de ancoră; căpățână **2** călător fără bilet

dead letter ['ded‚letə'] *s* **1** literă moartă **2** scrisoare care nu ajunge la destinație *(din cauza adresei greșite)*

deadline ['ded‚lain] *s* **1** limită, hotar, margine **2** *ec etc.* termen final **3** *el* linie neutră

dead load ['ded‚loud] *s tehn* **1** greutate proprie **2** încărcare moartă

deadlock ['ded‚lɔk] *s* **1** *tehn* oprire totală **2** *fig* impas, punct mort

deadly ['dedli] **I** *adj* **1** mortal, de moarte; fatal; **~ blow** lovitură mortală **2** *(d. paloare etc.)* (ca) de mort, cadaveric **3** *(d. dușman etc.)* de moarte, înverșunat **II** *adv* **1** mortal, de moarte; ca un mort/cadavru **2** extrem de, foarte

deadly nightshade ['dedli'naitʃeid] *s bot* mătrăgună, iarba codrului *(Atropa belladona)*

dead man ['dedmən] *s F* cadavru, – sticlă goală/băută

dead march ['ded‚ma:tʃ] *s muz* marș funebru

deadness ['dednis] *s* 1 absenţă a oricărui semn de viaţă; moarte 2 torpoare, toropeală; lâncezeală 3 (to) apatie, indiferenţă (faţă de) 4 stagnare *(a afacerilor etc.)* 5 monotonie; uniformitate

dead point ['ded,point] *s tehn* punct mort

dead reckoning ['ded,rekəniŋ] *s* 1 *ec* calcul, estimare 2 *astr* astronomic 3 *nav* estimă 4 presupunere, bănuială

Dead Sea, the ['ded'si:, ðə] Marea Moartă

dead set on ['ded setɒn] *adv cu adj şi prep (cu -ing)* absolut hotărât să

dead to ['dedtə] *adj cu prep* mort pentru; nesimţitor la; care nu (mai) simte *cu ac*

dead wall ['ded'wɔ:l] *s constr* calcan, perete fără deschizături

dead weight ['ded weit] *s* greutate moartă; dara

dead wind ['ded'wind] *s nav* vânt contrar/din prova

deadwood ['dedwud] *s* 1 *silv* căzătură de arbori; ramuri uscate *(pe arbori)* 2 *fig* povară, pacoste; lucru de prisos

deaf [def] *adj* 1 surd; ~ of/in one ear surd de o ureche 2 (to) *fig* surd (la), care nu vrea să audă *sau* să asculte *(cu ac)*

deaf adder ['def'ædə'] *s amer* şarpe neveninos

deaf aid ['def eid] *s med* aparat auditiv

deaf-and-dumb ['defən'dʌm] *adj* surdo-mut

deaf dumbness ['def,dʌmnis] *s med* surdo-mutitate

deafen ['defn] *vt* 1 şi *fig* a asurzi 2 a înăbuşi, a amortiza (sunete)

deafening ['defniŋ] *adj şi fig* asurzitor

deafly ['defli] *adj* 1 surd 2 neclar; slab; abia (audibil)

deaf-mute ['def'mju:t] *s* surdo-mut

deafness ['defnis] *s* surzenie

deal[1] ['di:l] *s* 1 ↓ *atr* pin; brad 2 scândură (de brad)

deal[2] *s* ← *rar* cantitate neprecisă; a good/a great ~ a (of) foarte mult; F → o grămadă (de) b *adv* mult *(mai bine etc.)*

deal[3], *pret şi ptc* dealt [delt] I *vt* 1 a împărţi, a distribui; a face (cărţile) 2 a da, a administra; to ~ smb

a blow a lovi pe cineva II *vi (v. ~ I)* a face/a da cărţile/F → cartea III *s* 1 afacere, tranzacţie; to do/to make a ~ with smb *F* a face o afacere cu cineva 2 mod de a trata; comportare, conduită 3 servit, datul cărţilor 4 *pol* sistem de măsuri *(guvernamentale)*

dealable ['di:ləbl] *adj* cu care se poate discuta/trata; maleabil; înţelegător

deal by ['di:l bai] *vi cu prep* to deal well by smb a trata bine pe cineva; to deal badly by smb a trata prost pe cineva

dealer ['di:lə'] *s* negustor, comerciant

deal in ['di:l in] *vi cu prep* a face comerţ/negoţ cu

dealing ['di:liŋ] *s* 1 comportare, atitudine; fair ~ comportare corectă 2 *pl* legături comerciale, tranzacţii 3 distribuire, împărţire 4 datul cărţilor

dealt [delt] *pret şi ptc de la* deal I, II

deal with ['di:lwið] *vi cu prep* 1 a avea legături comerciale cu, a face afaceri cu 2 a avea legături cu; he is easy to ~ nu este un om dificil, te înţelegi uşor cu el 3 a se purta/a se comporta cu; a trata *cu ac*; his way of dealing with pupils felul său de a se purta cu elevii 4 a se ocupa de, a trata despre; a fi vorba despre; this novel deals with town planning cartea aceasta se ocupă de/tratează despre urbanistică, în această carte este vorba despre urbanistică

dean [di:n] *s* 1 *univ, jur şi fig* decan 2 *bis anglicană* vicar; preot paroh; protopop

deanery ['di:nəri] *s bis anglicană* calitatea de „dean"

dear ['diə'] I *adj* 1 scump, costisitor; a ~ shop un magazin scump; un magazin de lux 2 drag, scump, < nepreţuit; to hold ~ a ţine foarte mult la; a preţui *(cu ac)* 3 *(ca formă de adresare* ↓ *în scrisori)* dragă; stimate *sau* stimată; Dear Mr Smith Stimate d-le Smith II *adv* scump; to sell ~ a vinde scump, a vinde la un preţ ridicat III *s* iubit *sau* iubită, F dragoste; come, my ~! draga mea *sau* dragul meu! vino, iubitule *sau* iubito/scumpule *sau*

scumpo; there's a ~! hai, fii drăguţ *sau* drăguţă! te rog! isn't she a ~? nu e adorabilă/F scumpă? IV *interj* oh ~! ~ me! vai de mine! Dumnezeule! ah! vai!

dearth [də:θ] *s* 1 lipsă; foamete 2 ← *înv* scumpete

dear-bought ['diə bɔ:t] *adj* care a costat mult

dearly ['diəli] *adv* 1 *(a plăti etc.)* scump 2 *(a iubi etc.)* foarte mult 3 (în mod) serios, cu toată seriozitatea

dearness ['diənis] *s* 1 afecţiune, dragoste; prietenie 2 scumpete; preţ ridicat

deary ['diəri] *s (ca adresare)* scumpule *sau* scumpo, dragă

death [deθ] *s* 1 moarte; oficial → deces; at ~'s door pe moarte, gata să moară; în pericol de a muri; bored to ~ *fig* plictisit de moarte 2 moarte; ucidere, asasinat; condamnare la moarte; to sentence smb to ~ a condamna pe cineva la moarte; to put/to do smb to ~ a omorî *sau* a executa pe cineva 3 *fig* moarte, sfârşit; the ~ of my hopes spulberarea/nimicirea speranţelor mele 4 *fig* moarte, mormânt, cauza morţii; he'll be the ~ of me *F* o să mă vâre în mormânt

death bed ['deθ,bed] *s* patul morţii

death bell ['deθ,bel] *s* dangăt de înmormântare

death blow ['deθ,blou] *s* lovitură mortală; lovitură de graţie

death chamber ['deθ,tʃeimbə'] *s* cameră mortuară

death duty ['deθ,dju:ti] *s jur* taxă de moştenire

deathful ['deθful] *adj* 1 mortal, de moarte 2 *(d. linişte etc.)* de mormânt, mormântal

deathless ['deθlis] *adj* nemuritor, fără moarte

deathlessness ['deθlisnis] *s* nemurire

deathlike ['deθlaik] *adj* (ca) de moarte; ~ silence tăcere mormântală

deathly ['deθli] I *adj* 1 mortal; fatal 2 *(d. tăcere etc.)* mormântal II *adv* extrem de

death mask ['deθ,ma:sk] *s* mască mortuară

death penalty ['deθ,penəlti] *s* pedeapsă cu moartea

death rate ['deθ,reit] *s* mortalitate

death rattle ['deθ,rætl] *s* horcăit de moarte

death's head ['deθs,hed] *s* cap de mort

death trap ['deθ,træp] *s* loc extrem de periculos

death warrant ['deθ,wɔrənt] *s* **1** ordin de execuție **2** pedeapsă capitală/cu moartea

death watch ['deθ,wɔtʃ] *s* **1** priveghi (la căpătâiul mortului) **2** santinelă lângă un condamnat la moarte **3** *ent* car *(Anobium sp.)*

deb presc *F de la* **débutante**

debâcle [dei'bɑ:kl] *s fr* **1** dezgheț; topire a zăpezilor **2** cădere *(a guvernului)* **3** dezastru, calamitate, sinistru

debar from [di'bɑ:frəm] *vt cu prep* a exclude de la, a nu da (cuiva) voie să

debark [di'bɑːk] *vt nav* a debarca; a descărca *(de pe un vas)*

debarkation [,dibɑ:'keiʃən] *s* debarcare

debarment [di'bɑːmənt] *s* **(from)** interzicere (de a)

debarras [di'bærəs] *vt* a scăpa, a scoate din dificultate

debase [di'beis] *vt* **1** *și fig* a devaloriza **2** *fig* a corupe, a perverti

debasement [di'beismənt] *s* **1** *și fig* devalorizare **2** *fig* corupție, pervertire

debatable [di'beitəbl] *adj* **1** discutabil; controversat **2** *(d. pământ etc.)* disputat

debate [di'beit] **I** *s* **1** ↓ *pol* dezbatere; dezbateri, discuții **2** polemică, discuții; controversă; **beyond** ~ indiscutabil, categoric **II** *vt* ↓ *pol* a dezbate, a discuta **III** *vi* **1** a discuta **2** a polemiza **3** a se gândi, a cugeta

debater [di'beitəʳ] *s* participant la discuții *sau* dezbatere

debauch [di'bɔ:tʃ] **I** *vt* a corupe, a strica; a deprava **II** *s* **1** depravare **2** orgie

debauchee [,debɔ:'tʃi:] *s* depravat

debauchery [di'bɔ:tʃəri] *s* **1** depravare **2** *pl* orgii

debenture [di'bentʃəʳ] *s fin* obligațiune, titlu de creanță

debile ['di:bail] *adj înv* bicisnic, neputincios; – debil, slab

debilitate [di'biliteit] *vt* a slăbi, a debilita

debilitating [di'biliteitiŋ] *adj med* epuizant, istovitor

debilitation [di,bili'teiʃən] *s med* **1** slăbire, debilitare **2** slăbiciune, < extenuare

debility [di'biliti] *s* debilitate, slăbire

debit ['debit] *fin* **I** *s* debit **II** *vt* a debita

debonair [,debə'nɛəʳ] *adj* voios, vesel, bine dispus

debouch [di'bautʃ] *vi mil* a ieși în loc deschis

debouch into [di'bautʃ ,intə] *vi cu prep* a se revărsa în

Debrecen ['debretsen] *oraș în Ungaria* Debrecen

debrief [di'bri:f] *vt* a chestiona, a interoga *(un cosmonaut întors din zbor etc.);* a asculta raportul *(unui reprezentant oficial trimis în străinătate etc.)*

debris, débris ['deibri] *s* **1** dărâmături; sfărâmituri **2** grohotiș

debt [det] *s* **1** datorie *(bănească etc.);* **to be in ~** a fi dator; a avea datorii **2** *rel* păcat

debtee [deti:] *s* creditor

debtless ['detlis] *adj* fără datorii

debtor ['detəʳ] *s* **1** *fin* debitor, datornic **2** *fig* datornic

debunk [,di:'bʌŋk] *vt* ← *F* a dezvălui, a arăta în adevărata sa lumină; a demitiza; a da pe față

Debussy [dəbjusi:], **Achille Claude** *compozitor francez (1862-1918)*

debut, début ['deibu:] *s* debut *(în teatru etc.)*

debutante, débutante ['debju:tɑ̃:nt] *s* **1** debutantă **2** domnișoară *sau* doamnă introdusă pentru prima oară în înalta societate

Dec. *presc de la* **December**

dec. *presc de la* **1** **decimetre 2** **declension 3 declaration 4 decrease**

deca *pref* deca-: **decagon** decagon

decadal ['dekədəl] *adj* **1** alcătuit din zece (elemente) **2** care are loc o dată la zece ani

decade ['dekeid] *s* **1** (grup de) zece **2** deceniu, zece ani

decadence ['dekədəns] *s* decădere, decadență

decadency ['dekədənsi] *s v.* **decadence**

decadent ['dekədənt] *adj, s* decadent

decagon ['dekəgən] *s geom* decagon

decagonal [di'kægənəl] *adj geom* decagonal

decagram(me) ['dekəgræm] *s* decagram

decahedral ['dekə'hi:drəl] *adj geom* decaedric

decahedron ['dekə'hi:drən] *s geom* decaedru

decalcification ['di:,kælsifi'keiʃən] *s* decalcifiere, decalcificare

decalcify [di:'kælsifai] *vt* a decalcifica

decalitre, decaliter ['dekə,li:təʳ] *s* decalitru

Decalog(ue), the ['dekələg, ðə] *s rel* Decalogul, Cele zece porunci

Decameron, the [di'kæmərən, ðə] *s lit* Decameronul

decamp [di'kæmp] *vi* **1** a fugi (în taină), *F* a o șterge **2** a ridica tabăra

decampment [di'kæmpmənt] *s* **1** ridicare a taberei **2** plecare grăbită; fugă

decant [di'kænt] *vt* a decanta *(vin);* a filtra, a transvaza

decantation [,dikən'teiʃən] *s* decantare; filtrare

decanter [di'kæntəʳ] *s* **1** *tehn* decantor, aparat de distilat **2** garafă, carafă

decapitate [di'kæpiteit] *vt* a tăia capul *(cuiva)*, a decapita

decapitation [di'kæpi'teiʃən] *s* tăiere a capului, decapitare

decapod ['dekəpɔd] *s zool* decapod

decarbonize [di:'kɑ:bənaiz] *vt* **1** *met* a decarbura **2** *geol* a decarboniza

decasyllabic ['dekəsi'læbik] *adj metr* decasilabic

decasyllable ['dekəsiləbəl] *s metr* vers decasilabic

decathlon [di'kæθlən] *s sport* decatlon

decay [di'kei] **I** *vi* **1** a putrezi, a descompune **2** a se strica; *(d. case etc.)* a se dărăpăna; a se ruina **3** *(d. familie, un stat etc.)* a se destrăma, a se descompune; a decădea **4** *(d. forțe)* a slăbi, a scădea **5** *(d. sănătate)* a se subrezi **6** *(d. dinți)* a se strica, a se caria **7** *(d. cineva)* a slăbi, a se sfriji; a îmbătrâni; a se îmbolnăvi; a-l părăsi puterile **II** *s* **1** a putrezire, descompunere **2** dărăpănare; ruină **3** *fig* destrămare, descompunere; decădere **4** slăbire *(a forțelor)* **5** subrezire *(a sănătății)* **6** cariere *(a dinților)* **7** stare de slăbiciune *(a cuiva);* îmbătrânire; îmbolnăvire; lipsă de putere **8** *fiz* dezintegrare *(atomică)*

decayed [di'keid] *adj* **1** stricat; putred, putrezit **2** învechit **3** decăzut; destrămat

decease [di'si:s] ↓ *jur* **I** *s* deces, moarte **II** *vi* a deceda, a muri

deceased [di'si:st] **I** *adj* decedat, mort **II** *s* **the** ~ decedatul, mortul *sau* morții, cei morți

deceit [di'si:t] *s* **1** înşelăciune, înşelare, amăgire **2** minciună, inducere în eroare

deceitful [di'si:tful] *adj* **1** necinstit, fals; incorect; mincinos **2** *(d. aparențe etc.)* înşelător, amăgitor

deceitfully [di'si:tfuli] *adv* **1** (în mod) necinstit **2** (în mod) trădător

deceitfulness [di'si:tfulnis] *s* **1** caracter necinstit, necinste; falsitate **2** fățărnicie, ipocrizie

deceive [di'si:v] **I** *vt* a înşela, a amăgi; a induce în eroare; **we were ~d into believing that** ne-au făcut să credem că; **his hopes were ~d** speranțele i-au fost înşelate **II** *vr* a se înşela; a se minți singur

deceiver [di'si:vər] *s* înşelător, amăgitor; escroc

decelerate [di:'selə,reit] *auto, tehn* **I** *vt* a reduce viteza *(cu gen); a frâna **II** *vi* a reduce viteza; a frâna

deceleration [di:selə'reiʃən] *s tehn* decelerare, încetinire

decelerator [di:'selə,reitər] *s tehn* reductor

December [di'sembər] *s* (luna) decembrie, *P* → îndrea

decency ['di:sənsi] *s* **1** bună-cuviin- ță, decență **2** ← *F* amabilitate, politețe

decennary [di'senəri] *s* deceniu

decennial [di'seniəl] *adj* decenal, care are loc din zece în zece ani

decennium [di'seniəm], *pl* **decennia** [di'seniə] *s* deceniu

decent ['di:sənt] *adj* **1** cuviincios, decent, la locul lui **2** *(d. venituri etc.)* mulțumitor, destul de bun/ frumos **3** *(d. cineva)* bun; cum- secade; amabil, serviabil; săritor **4** *(d. o lucrare etc.)* bun, făcut cum trebuie; < foarte bun, cât se poate de bun **5** modest *(îmbră- cat)* **6** adecvat, corespunzător

decently ['di:səntli] *adv* decent, cu decență; **he's doing** ~ o duce bine, se descurcă

decentralization [di:,sentrəlai- 'zeiʃən] *s pol* descentralizare

decentralize [di:'sentrəlaiz] *vt pol* a descentraliza

decentre [di:'sentər] *vt tehn* a des- centra

deception [di'sepʃən] *s* înşelăto- rie, înşelăciune; minciună; vi- clenie

deceptive [di'septiv] *adj* amăgitor, înşelător

deceptiveness [di'septivnis] *s* aparență înşelătoare, aparențe, caracter iluzoriu

decern [di'sə:n] *vt* a discerne, a deosebi

decession [di'seʃən] *s* **1** plecare **2** despărțire, separare **3** micşo- rare, diminuare

decibel ['desibel] *s fiz* decibel

decidable [di'saidəbəl] *adj mat* rezolvabil

decide [di'said] **I** *vt* **1** a decide, a hotărî *(luarea de măsuri, soarta războiului etc.)* **2** (to) a decide, a hotărî (să), a lua hotărârea (de a, să); a se hotărî, a se decide (să) **3** a lua o hotărâre cu privire la *(ceva)* **4** a rezolva *(o ches- tiune)* **5** a hotărî, a determina *(pe cineva)* **II** *vi* **1** a hotărî, a lua o hotărâre/decizie **2** a se hotărî, a se fixa; a alege; **to** ~ **between two possibilities** a alege între două posibilități

decided [di'saidid] *adj* **1** *(d. păreri etc.)* precis, clar, bine stabilit; *(d. superioritate etc.)* categoric, net; hotărât **2** *(d. cineva)* hotărât, ferm

decidedly [di'saididli] *adv* **1** cu hotărâre, ferm **2** categoric, indis- cutabil *(mai bun etc.)*

decide on [di'said ɔn] *vi cu prep* a alege *cu ac*, a-şi fixa alegerea asupra *(cu gen)*

deciduous [di'sidjuəs] *adj bot* foios

decigram(me) ['desigræm] *s* deci- gram

decilitre ['desi,li:tər] *s* decilitru

decimal ['desiməl] *mat* **I** *adj* decimal **II** *s* fracție zecimală

decimal fraction ['desiməl'frækʃən] *s v.* **decimal II**

decimate ['desimeit] *vt* a decima

decimation [,desi'meiʃən] *s* deci- mare

decimetre [,desi'mi:tər] *s* deci- metru

decipher [di'saifər] *vt* **1** a descifra **2** *tel etc.* a decodifica

decision [di'siʒən] *s* **1** hotărâre, decizie; concluzie; **to arrive at/ to come to a** ~ a lua o hotărâre/ o decizie **2** *jur* hotărâre; sentință **3** tărie, fermitate; energie; **a man who lacks** ~ un om şovăitor/ nehotărât

decisive [di'saisiv] *adj* **1** *(d. o bătălie etc.)* hotărâtor, decisiv **2** *(d. un răspuns etc.)* hotărât, precis, ferm

decisively [di'saisivli] *adv* în mod hotărâtor/decisiv

deck [dek] **I** *s* **1** *nav* punte; **to clear the** ~ **s** *(pe un vas de război)* a se pregăti de luptă **b** *fig* a se pregăti de acțiune; **on** ~ **a** pe punte **b** *fig amer* ← *F* gata, pregătit, la post/datorie **2** *auto* imperială, platformă de sus **3** *constr* tablier de pod **4** pachet *(de cărți de joc)* **II** *vt* a împodobi, a orna *(cu flori, steaguri etc.)*

deck cabin ['dek,kæbin] *s nav* cabină de punte

deck chair ['dek'tʃɛər] *s nav* şezlong *(pe punte)*

decker ['dekər] *s nav* **1** (în cuvinte compuse) cu ... punți; **two** ~ vas cu două punți **2** vas cu punte **3** marinar *sau* ← *F* pasager de punte

decking ['dekiŋ] *s constr* duşumea, podea

deckle-edged ['dekl'edʒd] *adj* **1** *(d. hârtie)* cu marginile netăiate **2** *(d. o carte)* cu foile netăiate

declaim [di'kleim] *vi, vt* a declama, a recita

declaim against [di'kleimə,genst] *vi cu prep* a vorbi cu înflăcărare împotriva *(cu gen)*, a ataca vehement *cu ac*

declamation [,deklə'meiʃən] *s* **1** declamație, declamare; recitare **2** *muz* frazare corectă **3** discurs public **4** discurs patetic

declamatory [di'klæmətəri] *adj* **1** declamator; oratoric **2** *peior* declamator, bombastic

declaration [,deklə'reiʃən] *s* **1** declarație *(de război, vamală etc.)* **2** proclamație

Declaration of Independence, the [,deklə'reiʃənəvindi'pendəns, ðə] *s ist* Declarația de Independență *(a S.U.A., 4 iulie 1776)*

declarative [di'klærətiv] *adj gram* enunțiativ

declare [di'klɛəʳ] I vt 1 a declara (*război etc.*), a anunța în mod solemn *sau* public (*rezultatele alegerilor etc.*) 2 a declara, a afirma solemn *sau* în mod public; **he ~d that he was not guilty** a declarat că nu este vinovat 3 a declara (*venituri la vamă*) 4 a declara, a face mărturisiri de (*dragoste etc.*) 5 a declara, a considera (*pe cineva capabil etc.*); **he was ~d an invalid** a fost declarat bolnav II vr 1 a se declara (*adeptul etc.*), a se socoti, a se considera (*nevinovat etc.*) 2 a-și expune/a-și exprima punctul de vedere 3 a-și arăta adevărata fire/adevăratul caracter, a se arăta în adevărata sa lumină III vi 1 a se explica; I ~! într-adevăr! asta-i bună! zău așa! 2 a face o declarație

declare against [di'klɛərə,genst] vi cu prep a se declara împotriva (*cu gen*)

declaredly [di'klɛəridli] adv în mod declarat

declare for [di'klɛəfəʳ] vi cu prep a se declara pentru; a se declara în favoarea (*cu gen*)

declassé [,deiklɑ:'sei] adj fr declasat

declassed [di:'klɑ:st] adj declasat

declassify [di'klæsifai] vt a nu mai ține secret, a da publicității (*documente etc.*)

declension [di'klenʃən] s gram declinare

declination [,dekli'neiʃən] s nav etc. declinație

decline [di'klain] I vt 1 a declina (*o răspundere etc.*), a refuza 2 gram a declina II vi 1 (*d. soare etc.*) a apune, a asfinți 2 a fi în declin, a decădea 3 (*d. prețuri etc.*) a scădea, a se micșora 4 gram a declina 5 a se înclina, a se apleca III s 1 decădere, declin; slăbire; **to fall into a ~/a** slăbi, a fi bolnav (↓ *de tuberculoză*) 2 min surpare, prăbușire 3 fig amurg, asfințit (al vieții) 4 pantă

declivitous [di'klivitəs] adj (*d. o pantă*) abrupt, înclinat

declivity [di'kliviti] s 1 caracter abrupt, înclinație mare 2 povârniș, pantă

declivous [di'klaivəs] adj povârnit, înclinat, în pantă

declutch ['di:'klʌtʃ] vt 1 auto a debreia 2 ferov a decupla

decoct [di'kɔkt] vt a extrage prin fierbere

decoction [di'kɔkʃən] s 1 fiertură 2 ch decocție

decode [di'koud] vt a decodifica

décolleté [dei'kɔltei] adj fr decoltat

decolorant [di:'kʌlərənt] adj, s decolorant

decolorate [di:'kʌləreit] vt a decolora

decompose [,di:'kəm'pouz] I vt 1 a descompune; a analiza 2 a desface, a destrăma 3 a descompune, a dezagrega; a face să putrezească II vi 1 (**into**) a se descompune (în); a se desface (în) 2 a se descompune, a putrezi

decomposition [,di:kɔmpə'ziʃən] s 1 descompunere; analiză 2 desfacere, destrămare 3 putrezire; dezagregare; descompunere

decompression [,di:kəm'preʃən] s tehn 1 decompresiune 2 decuplare

decontaminate [,di:kən'tæmi,neit] vt a decontamina, a dezinfecta

decontamination [,di:kəntæmi'neiʃən] s decontaminare, dezinfectare

decontrol [,di:kən'troul] vt ec 1 a scuti de controlul de stat 2 a debloca (*o marfă*)

décor ['deikɔ:] s fr 1 decorați(un)e (*a unei camere etc.*) 2 teatru decor

decorate ['dekɔ,reit] vt 1 a împodobi, a ornamenta; a pavoaza, a decora (*o stradă etc.*) 2 a vărui; a tencui; a tapeta (*pereții etc.*) 3 mil etc. a decora

decoration [,dekə'reiʃən] s 1 decorați(une), ornamentație, ornament *sau* ornamente; decorare, ornamentare 2 văruire; tencuire; tapetare 3 mil etc. decorare; decorație

decorative ['dekərətiv] adj decorativ, ornamental

decorator ['dekə,reitəʳ] s decorator

decorous ['dekərəs] adj decent, cuviincios; corect

decorously ['dekərəsli] adv (în mod) decent, cuviincios

decorticate [di:'kɔ:ti,keit] vt a decortica, a coji, a descoji, a dezghioca

decortication [di:'kɔ:ti,keiʃən] s decorticare, cojire

decorticator [di:'kɔ:ti,keitəʳ] s agr mașină de decorticat

decorum [di'kɔ:rəm] pl și **decora** [di'kɔ:rə] s 1 decență, bună-cuviință 2 etichetă, pl maniere, conveniențe 3 potrivire, adecvare

decoy ['di:kɔi] I s 1 atrapă; rață folosită ca momeală; momeală 2 capcană, cursă 3 mil machetă; țintă falsă; lucrare falsă 4 agent plătit/provocator II vt a momi, a ademeni, a atrage (*într-o capcană etc.*)

decrease I [di'kri:s] vt a face să descrească, a micșora, a diminua; a reduce, a scădea II [di'kri:s] vi a descrește, a se micșora, a se diminua; a se reduce, a scădea III ['di:kri:s] s descreștere, micșorare; reducere, scădere; **on the ~** în descreștere/scădere

decree [di'kri:] I s 1 decret, hotărâre; ordin; ordonanță 2 jur sentință; hotărâre (judecătorească) 3 fig poruncă; lege II vt 1 a decreta, a hotărî 2 a hotărî, a stabili

decree law [di'kri: lɔ:] s jur decret cu putere de lege

decree nisi [di'kri: 'naisai] s jur sentință de divorț provizorie

decrement ['dekrimənt] s descreștere, fiz atenuare

decrepit [di'krepit] adj 1 (*d. cineva*) slăbit de bătrânețe, ramolit, rar → decrepit 2 (*d. ceva*) uzat, vechi; ponosit

decrepitude [di'krepi,tju:d] s slăbiciune (*din cauza bătrâneții*), neputință, rar → decrepitudine

decrescendo [,di:kri'ʃendou] adv, adj, s muz descrescendo

decretive [di'kri:tiv] adj 1 de decret 2 având putere de decret

decry [di'krai] vt 1 a critica fățiș; a defăima 2 a deprecia, a minimaliza (*valoarea etc.*)

decuman ['dekjumən] adj (↓ *d. valuri*) foarte mare, enorm

dedicate ['dedikeit] vt bis a sfinți, a târnosi (*o biserică*)

dedicate to ['dedikeit tə] vt cu prep 1 a consacra, a dedica *cu dat* 2 a dedica, a închina (*versuri etc.*) *cu dat*

dedication [,dedi'keiʃən] s 1 consacrare, dedicare 2 dedicare, închinare (*a unor versuri etc.*) 3 dedicație 4 dăruire

deduce [di'dju:s] *vt* (**that**) a deduce, a trage concluzia (că)

deducible [di'dju:sibl] *adj* care se poate deduce

deductive [di'dʌktiv] *adj log* deductiv

Dee, the [di:, ðə] *râu în Scoția*

deed [di:d] *s* 1 faptă, acțiune; manifestare 2 ispravă, faptă vitejească *etc.* 3 realitate, fapt; **in ~** în fapt, într-adevăr 4 *jur* act, document

deem [di:m] *vt* a socoti, a considera, a crede

deep [di:p] I *adj* 1 adânc; **~ water** apă adâncă; mare adâncime; **in ~ water(s)** *fig* la strâmtoare, încurcat 2 *fig* adânc, profund; **a ~ thinker** un gânditor profund; **in a ~ sleep** cufundat într-un somn adânc/profund, adormit profund; **to my ~ regret** spre marele/ profundul meu regret 3 complicat, greu (de înțeles) 4 *fig* cufundat, adâncit; **~ in debt** afundat în datorii, plin de datorii; **~ in thought** cufundat în meditație, absorbit în gânduri 5 având o adâncime de, adânc de; **ten metres ~** adânc de zece metri 6 *(d. voce etc.)* jos, profund 7 *(d. culori etc.)* intens, pronunțat 8 *(d. un secret etc.)* extraordinar, insondabil 9 *(d. cineva)* ascuns, misterios II *s* 1 **the ~** ← *poetic* marea 2 adâncime, adânc III *adv* adânc; la mare adâncime; **still waters run ~** *prov* apele line sunt adânci; apa lină sapă adânc; **to dig ~** a săpa adânc

deep-drawn ['di:pdrɔ:n] *adj (d. un suspin)* adânc

deepen ['di:pn] *și fig* I *vt* a adânci II *vi* a se adânci

deepfreeze [,di:p'fri:z] I *vt tehn* a subrăci, a congela II *s* congelator

deep-laid ['di:pleid] *adj (d. planuri etc.)* secret/tainic și stabilit până în cele mai mici amănunte

deeply ['di:pli] *adv și fig* adânc, în adâncime; până în străfunduri; **I ~ regret that** regret profund că

deepmost ['di:pmoust] *adj* cel mai adânc

deep-mouthed ['di:p'mauðd] *adj* 1 care latră răgușit *sau* tare 2 *(d. mare)* mugind

deep-rooted ['di:p'ru:tid] *adj* 1 (adânc) înrădăcinat 2 înrăit, înveterat

deep-seated ['di:p'si:tid] *adj v.* **deep-rooted**

deer ['diə'] *s și ca pl* cerb; căprioară

deerskin ['diə,skin] *s* piele de cerb *sau* căprioară

def. *presc de la* 1 **definition** 2 **defined** 3 **definite** 4 **defendant**

deface [di:'feis] *vt* 1 a strica, a deteriora 2 a șterge, a face ilizibil 3 a discredita; a strica reputația *(cuiva)* 4 a desfigura

defacement [di'feismənt] *s* 1 stricare; deteriorare 2 ștergere *(a cuvintelor etc.)* 3 desfigurare

de facto [di: 'fæktou] *adj, adv lat* de facto, de fapt

defalcate ['di:fæl,keit] *vt* a delapida, a sustrage *(bani etc.)*

defalcation [,di:fæl'keiʃən] *s* delapidare, înstrăinare *(de bani etc.)*

defamation [,defə'meiʃən] *s* 1 defăimare, calomniere 2 calomnie

defamatory [di'fæmətəri] *adj* defăimător, calomniator

defame [di'feim] *vt* a defăima, a calomnia, a bârfi

default [di'fɔ:lt] I *s* 1 absență, lipsă; **in ~ of a** în absență *cu gen* b din lipsă de 2 vină; neîndeplinire a obligațiilor *(↓ financiare)* 3 *jur* neprezentare; contumacie II *vt* 1 a nu îndeplini *(o obligație)* 2 *fin* a nu (putea) plăti 3 *jur* a condamna pentru neprezentare; a condamna în contumacie 4 *sport* a nu se prezenta la *(o probă);* a pierde prin neprezentare la *(o probă)* III *vi* 1 a nu-și îndeplini o obligație *sau* obligațiile 2 *fin* a fi în restanță/ întârziere cu plata 3 *jur* a nu se prezenta *(la proces);* a pierde procesul prin neprezentare

defaulter [di'fɔ:ltə'] *s* 1 persoană care nu și-a îndeplinit obligația *sau* obligațiile 2 *com* falit; persoană insolvabilă 3 *jur* persoană care nu s-a prezentat în instanță 4 ↓ *mil* delicvent

defeasible [di'fi:zəbl] *adj* ↓ *jur* care poate fi anulat

defeat [di'fi:t] I *vt* 1 a învinge, a înfrânge, a birui 2 *fig* a nărui, a distruge *(speranțe etc.)* 3 *jur* a anula; a declara nul și neavenit II *s* 1 înfrângere 2 *jur* anulare

defeatism [di'fi:tizəm] *s* defetism

defeatist [di'fi:tist] *s* defetist

defecate ['defi,keit] *vt* a defeca

defect [di'fect] I *s* 1 defect, lipsă, imperfecțiune; cusur 2 *tehn* defect, deranjament II *vi a* dezerta; a cere azil politic; a trece în tabăra dușmană

defection [di'fekʃən] *s* 1 defecțiune, deranjament 2 **(from)** dezertare (de la); renunțare (la); cerere de azil politic 3 încălcare *(a unor principii)*

defective [di'fektiv] *adj* 1 imperfect, nedesăvârșit; cu lipsuri/defecte 2 insuficient; nedeplin 3 *(d. memorie)* prost, slab 4 *(d. cineva)* nedezvoltat din punct de vedere psihic/intelectual; anormal 5 *gram (d. unele verbe)* defectiv

defence [di'fens] *s* 1 *mil* apărare 2 apărare; protecție; *fig* scut, pavăză 3 mijloc de apărare *sau* autoapărare; box, scrimă *etc.* 4 *jur* apărare 5 *jur* pledoarie 6 *sport* apărare

defenceless [di'fenslis] *adj* neapărat, fără apărare, lipsit de apărare

defencelessness [di'fenslisnis] *s* lipsă de apărare

defenceman [di'fensmən] *s sport* apărător

defend [di'fend] I *vt* 1 a apăra; a proteja, *rar →* a protegui; a feri *(pe cineva);* **they ~ed their country** și-au apărat țara 2 a apăra, a susține *(idei etc.)* II *vr* a se apăra

defendant [di'fendənt] *s jur* acuzat, inculpat, pârât *(în Anglia, într-un proces civil;* în *S.U.A.,* într-un *proces penal)*

defender [di'fendə'] *s* 1 apărător; luptător *(pentru pace etc.)* 2 *sport* campion care își apără titlul

Defender of the Faith [di'fendər əv ðə 'feiθ] *s „Apărător al Credinței" (titlu ereditar al suveranilor Angliei)*

defense [di'fens] *s amer v.* **defence**

defensibility [di,fensə'biliti] *s* 1 posibilitate de apărare 2 posibilitate de justificare; justificabilitate

defensible [di'fensəbl] *adj* care poate fi apărat

defensive [di'fensiv] I *adj* defensiv; de apărare II *s mil și fig* defensivă

defer [diˈfəːʳ] *vt* 1 (**to**) a amâna (până la); a suspenda (până la) 2 (**-ing, to**) a întârzia (să)

deference [ˈdefərəns] *s* deferenţă, stimă/consideraţie deosebită, > stimă, consideraţie, respect; **in ~ to** din respect pentru

deferential [ˌdefəˈrenʃəl] *adj* respectuos, plin de respect

deferentially [ˌdefəˈrenʃəli] *adv* respectuos, cu (< profund) respect

deferment [diˈfəːmənt] *s* amânare; întârziere

deferred [diˈfəːd] *adj* 1 amânat; întârziat 2 *tehn* încetinit; cu întârziere

defer to [diˈfəː tə] *vi cu prep* a ţine cont de părerea *(cuiva)*, a respecta *(părerea cuiva etc.)*

defiance [diˈfaiəns] *s* sfidare; **in ~ of a** sfidând *cu ac* **b** în ciuda/pofida *cu gen*; **to set the law at ~** a sfida legea; **to bid ~ to** a provoca, a sfida pe cineva

defiant [diˈfaiənt] *adj* sfidător, provocator; insolent, obraznic

defiantly [diˈfaiəntli] *adv* sfidător, provocator; obraznic

deficiency [diˈfiʃənsi] *s* 1 deficienţă, lipsă; omisiune; **in ~** în cantitate insuficientă 2 defect, neajuns, cusur 3 *fin* deficit, manco

deficient [diˈfiʃənt] *adj* insuficient, nedeplin, deficient; **to be ~ in smth** a-i lipsi ceva; **mentally ~** deficient mintal, *P →* slab de minte; **~ in courage** căruia îi lipseşte curajul, fricos

deficit [ˈdefisit] *s fin* deficit, manco

defile[1] [diˈfail] *vt* 1 a murdări; a contamina; a polua (ape) 2 *fig* a pângări, a profana

defile[2] [ˈdiːfail] *s geogr* defileu, trecătoare

defile[3] [diˈfail] *vi mil* a defila *sau* a merge în marş (↓ *într-un singur rând)*

defilement [diˈfailmənt] *s* 1 murdărie; contaminare; poluare 2 *fig* pângărire, profanare

defiler [diˈfailəʳ] *s* profanator

definable [diˈfainəbl] *adj* care poate fi definit

define [diˈfain] *vt* 1 a defini, a da o definiţie *(cu dat)* 2 a defini, a preciza *(o atitudine etc.)* 3 a defini, a caracteriza; a descrie; a lămuri, a explica

definite [ˈdefinit] *adj* 1 precis, clar, limpede, desluşit, hotărât, *rar →* definit 2 *gram* definit, hotărât 3 categoric, precis, stabilit; **it's ~ he'll attend** a stabilit că va participa

definite article [ˈdefinit ˈɑːtikl] *s gram* articol hotărât

definitely [ˈdefinitli] *adv* 1 precis, clar 2 precis, categoric, hotărât (lucru), bineînţeles

definition [ˌdefiˈniʃən] *s* 1 definire; precizare; caracterizare 2 definiţie; **to give a ~ of a word** a da definiţia unui cuvânt, a defini un cuvânt 3 *rad, telev* claritate 4 claritate, contur clar

definitive [diˈfinitiv] *adj* 1 definitiv, final; decisiv, hotărâtor 2 definitoriu, care defineşte

definitively [diˈfinitivli] *adv* (în mod) definitiv, irevocabil

definitude [diˈfinitjuːd] *s* precizie; claritate

deflate [diˈfleit] I *vt* 1 a dezumfla *(o anvelopă etc.)*, a goli 2 *fig* a reduce, a scădea, a micşora *(ca importanţă etc.)* II *vi* 1 *(d. un pneu etc.)* a se dezumfla 2 *fig* a se micşora; a scădea; a-şi pierde din importanţă

deflation [diˈfleiʃən] *s* 1 dezumflare 2 *fig* reducere, micşorare, scădere 3 *ec* deflaţie

deflect [diˈflekt] I *vt* 1 (**from**) a devia, a întoarce (de la); a strâmba 2 *fiz* a refracta II *vi* 1 (**from**) a devia, a se abate, a se întoarce (de la) 2 *fiz* a se refracta

deflection [diˈflekʃən] *s* şi *fig* deviere, abatere

deflector [diˈflektəʳ] *s* 1 *tehn* deflector 2 *hidr* nas de amorsare

deflexion [diˈflekʃən] *s v.* **deflection**

deflower [diːˈflauəʳ] *vt* 1 a deflora, a dezvirgina; a sili 2 *fig* a strica, a distruge

Defoe [diˈfou], **Daniel** *romancier englez (1659?-1731)*

deforce [diˈfɔːs] *vt jur* a pune stăpânire pe proprietatea *(cuiva)*, a lua în stăpânire o proprietate *(a cuiva)*

deforest [diːˈfɔrist] *vt silv* a despăduri

deforestation [diːˌfɔristˈteiʃən] *s silv* despădurire

deform [diˈfɔːm] *vt* 1 a deforma, a sluţi, a urâţi 2 a desfigura 3 *fig* a deforma, a denatura

deformation [ˌdiːfɔːˈmeiʃən] *s* 1 deformat, sluţit, urâţit 2 *fig* denaturat, deformat 3 diform, slut, urât 4 groaznic, abominabil; fioros

deformed [diˈfɔːmd] *adj* 1 deformat, sluţit, urâţit 2 *fig* denaturat, deformat 3 diform, slut, urât 4 groaznic, abominabil; fioros

deformity [diˈfɔːmiti] *s* 1 deformare, deformaţie 2 deformitate 3 urâţenie, sluţenie

defraud [diˈfrɔːd] *vt* 1 a înşela; a escroca 2 (**of**) a deposeda, a lipsi, a priva (de)

defray [diˈfrei] *vt* a plăti, a acoperi; a rambursa *(cheltuieli)*

defrayal [diˈfreiəl] *s v.* **defrayment**

defrayment [diˈfreimənt] *s* plată, acoperire; rambursare *(a cheltuielilor)*

defrock [ˈdiːfrɔk] *vt bis* a caterisi

defrost [diːˈfrɔst] *vt* a decongela; *tehn* a dejivra

defroster [diːˈfrɔstəʳ] *s auto* aparat de dejivrare (a parbrizului)

deft [deft] *adj* îndemânatic, abil; iute de mână

deftly [ˈdeftli] *adv* cu abilitate/dexteritate

deftness [ˈdeftnis] *s* îndemânare, abilitate; dexteritate

defunct [diˈfʌŋkt] I *adj* 1 defunct, răposat, mort 2 scos din uz 3 apus, de altădată II *s* **the ~** defunctul, răposatul

defunction [diˈfʌŋkʃən] *s* deces, moarte

defy [diˈfai] *vt* 1 a desfide; a provoca; **I ~ you to do it** te desfid să faci aşa ceva, încearcă să faci (una ca) asta dacă poţi! 2 a sfida, a înfrunta; a încălca (legea); a dispreţui, a nu ţine cont de; a brava 3 a nu avea *(soluţie etc.)*; **this problem defies solution** problema aceasta nu are nici o soluţie/este de nerezolvat

deg. *presc de la* **degree** *sau* **degrees**

degeneracy [diˈdʒenərəsi] *s* degenerare; degenerescenţă

degenerate I [diˈdʒenərit] *s, adj* degenerat II [diˈdʒenəreit] *vi* a degenera

degeneration [diˌdʒenəˈreiʃən] *s* degenerare

deglutition [ˌdiːgluˈtiʃən] *s fizl* deglutiţie, înghiţire

degradation [ˌdegrə'deiʃən] *s* **1** *mil* degradare **2** retrogradare *(în funcţie)* **3** degradare, stricare, deteriorare **4** degradare (morală), depravare, descompunere; corupţie **5** degradare, înjosire; umilire **6** *tehn, ch* degradare

degrade [di'greid] **I** *vt* **1** *mil* a degrada **2** a retrograda *(în funcţie)* **3** a degrada, a strica, a deteriora **4** a degrada *(moraliceşte);* a deprava, a descompune; a corespunde **5** a degrada, a înjosi; a umili **6** *tehn, ch* a degrada **II** *vr* a se degrada; a se înjosi

degraded [di'greidid] *adj* depravat, descompus moraliceşte

degrading [di'greidiŋ] *adj* degradant, înjositor

degree [di'gri:] *s* **1** *mat* grad, ordin, rang **2** *fiz, ch* grad, treaptă; **water boils at 100⁰ C,** apa fierbe la 100⁰ Celsius **3** grad, măsură; treaptă; **by ~s** treptat, încetul cu încetul; **not in the least** ~ câtuşi de puţin, deloc, defel; **in some** ~ într-o oarecare măsură, până la un punct; **to what ~?** în ce măsură? **to a certain** ~ până la un punct, într-o anumită măsură; **to the highest** ~ în cel mai înalt grad; **to a high ~, to the last** ~ extrem (de), extraordinar (de), foarte; **a ~ more** ceva/un pic mai mult **4** treaptă (socială), clasă, rang **5** *univ* grad; titlu *(academic)* **6** *gram* grad *(de comparaţie)* **7** *geogr* grad *(de longitudine sau latitudine)*

dehiscent [di'hisənt] *adj bot* dehiscent

dehumanize [di:'hju:mə,naiz] *vt* a dezumaniza

dehydrate [di:'haidreit] *vt* a deshidrata

deice [di:'ais] *vt tehn* a dejivra, a dezgheţa

deicer [di:'aisəʳ] *s auto* instalaţie de dejivraj

deictic ['daiktik] *adj gram* deictic, demonstrativ

deification [ˌdi:ifi'keiʃən] *s* **1** deificare, zeificare **2** *fig* divinizare

deify ['di:i,fai] *vt* **1** a deifica, a zeifica **2** *fig* a diviniza

deign [dein] *vt* **1** (**to**) a condescinde, a binevoi *F→* a cataclisi (să) **2** a condescinde/a binevoi/*F→* a

cataclisi să dea *(un răspuns);* a învrednici *(pe cineva)* cu *(un răspuns)*

deionize ['di:'aiənaiz] *vt ch* a deioniza

deism ['di:izəm] *s rel, filoz* deism

deist ['di:ist] *rel, filoz* deist

deistic(al) [di'i:stik(əl)] *adj rel, filoz* deistic

deity ['di:iti] *s* **1** divinitate; zeu *sau* zeiţă **2 the D** ~ Dumnezeu

deject [di'dʒekt] *vt* a demoraliza, a descuraja, a deprima, a întrista

dejected [di'dʒektid] *adj* demoralizat; descurajat, deprimat, abătut

dejectedly [di'dʒektidli] *adv* cu mâhnire profundă, deprimat

dejection [di'dʒekʃən] *s* **1** demoralizare, descurajare, deprimare, tristeţe, melancolie **2** *fizl* defecare, defecaţie **3** *fizl* excremente, fecale

dejecture [di'dʒektʃəʳ] *s* excremente, fecale

de jure [dei'dʒuərei] *lat* de jure, de drept

Dekker ['dekəʳ], **Thomas** *autor dramatic englez (1572?-1632?)*

del. *presc de la* **1** delete **2** delegate

de la Mare [dəla: 'meəʳ], **Walter John** *poet şi autor dramatic englez (1873-1956)*

delator [di'leitəʳ] *s* delator, informator

Delaware ['delə,weəʳ] **1** *stat în S.U.A.* **2 the** ~ *fluviu în S.U.A.*

delay [di'lei] **I** *vt* a întârzia; a amâna **II** *vi* a întârzia; **don't** ~! nu întârzia! **III** *s* întârziere; amânare; **without** ~ fără întârziere, neîntârziat

deleatur [ˌdi:li'eitəʳ] *s poligr* deleatur

delectable [di'lektəbl] *adj ← ↓ glumeţ* încântător, minunat

delectation [di'lek'teiʃən] *s* delectare, desfătare

delegacy ['deligəsi] *s* delegaţie

delegate I ['deli,geit] *vt* a delega **II** ['deli,git] *s* delegat

delegation [ˌdeli'geiʃən] *s* **1** delegare **2** delegaţie

delenda [di'lendə] *s pl lat* **1** obiecte ce urmează a fi înlăturate, aruncate *etc.* **2** *poligr* pasaje ce urmează a fi scoase

delete [di'li:t] *vt* **1** a şterge *(cu guma etc.)* **2** a elimina

deleterious [ˌdeli'tiəriəs] *adj* dăunător, vătămător, nesănătos

deletion [di'li:ʃən] *s* **1** ştergere *(cu guma etc.)* **2** ştersătură **3** eliminare

delft(ware) ['delft(weəʳ)] *s* porţelan(uri) *(↓ de Delft)*

Delhi ['deli] *capitala Indiei*

Delia ['di:liə] *nume fem*

deliberate I [di'libərit] *adj* **1** voit, intenţionat **2** gândit dinainte, plănuit **3** prevăzător, precaut **4** lent, încet, domol *(în mişcări etc.),* greoi **II** [di'libə,reit] *vt* a discuta, a chibzui, a se sfătui cu privire la **III** [di'libə,reit] *vi* (**on, upon, over, about**) a delibera (asupra – *cu gen,* cu privire la)

deliberately [di'libəritli] *adv* **1** dinadins, intenţionat, voit, cu premeditare **2** gândit, cu grijă, atent **3** încet, fără grabă

deliberateness [di'libəritnis] *s* **1** premeditare; bună ştiinţă **2** chibzuinţă; grijă, atenţie **3** caracter nepripit, chibzuinţă

deliberation [diˌlibə'reiʃən] *s* **1** deliberare; consfătuire, dezbatere **2** prudenţă, grijă **3** înceti-neală *(în mişcări etc.)*

deliberative [di'libərətiv] *adj pol etc.* deliberativ; consultativ

delicacy ['delikəsi] *s* **1** delicateţe, gingăşie **2** fineţe; rafinament **3** caracter delicat *(al unei situaţii etc.)* **4** fragilitate **5** sensibilitate, sănătate şubredă **6** delicatesă, mâncare fină/aleasă **7** indulgenţă, îngăduinţă

delicate ['delikit] *adj* **1** delicat, gingaş, fin **2** delicat, plăpând, slăbuţ **3** delicat, graţios **4** *(d. culori etc.)* delicat, discret, dulce, atenuat **5** *(d. mâncăruri)* delicat, fin, ales **6** *(d. cineva)* delicat; atent; prevenitor **7** *(d. o problemă etc.)* delicat, gingaş **8** delicat, fragil; fărâmicios **9** indulgent, îngăduitor

delicately ['delikitli] *adv* delicat, cu delicateţe

delicatessen [ˌdelikə'tesən] *s pl germ* **1** delicatese, alimente fine/gustoase **2** alimente preparate *(↓ carne, murături, peşte afumat)* **3** *ca sg* bufet; magazin alimentar

delicious [di'liʃəs] *adj* **1** *(d. mâncăruri)* delicios, savuros **2** *fig* delicios, încântător, fermecător

deliciously [di'liʃəsli] *adv* delicios, minunat

deliciousness [di'liʃəsnis] *s* **1** gust delicios **2** *fig* caracter minunat, splendoare

delict [di'likt] *s jur* delict

deligation [ˌdeli'geiʃən] *s med* aplicare a unei ligaturi

delight [di'lait] **I** *s* plăcere, bucurie, < încântare, desfătare; **to take ~ in smth** a-i face plăcere cuiva, a găsi plăcere în ceva, < a-l încânta ceva; **to the ~ of** spre încântarea *cu gen* **II** *vt* a face plăcere *(cuiva)*, < a încânta, a desfăta

delighted [di'laitid] *adj* încântat; foarte bucuros, fericit; **I am ~ to meet you** sunt încântat de cunoștință

delightful [di'laitful] *adj* încântător, minunat

delightfully [di'laitfuli] *adv* minunat, fermecător, încântător

delight in [di'laitin] *vi cu prep* a-i face (< grozavă) plăcere să; a-i plăcea *(ceva)* < foarte mult

delightsome [di'laitsəm] *adj v.* **delightful**

Delilah [di'lailə] *bibl* Dalila

delimit [di'limit] *vt* a delimita

delimitate [di'limiteit] *vt* a delimita

delimitation [diˌlimi'teiʃən] *s* delimitare

delineate [di'linieit] *vt* **1** *și fig* a schița, a contura **2** *fig* a descrie, a zugrăvi

delineation [diˌlini'eiʃən] *s* **1** *și fig* schițare, conturare **2** *fig* descriere, zugrăvire

delineator [di'liniˌeitə'] *s* **1** proiectant **2** patron

delinquency [di'liŋkwənsi] *s* **1** abatere de la datorie, prevari-cațiune **2** *jur* criminalitate **3** *jur* delict; crimă

delinquent [di'liŋkwənt] *s jur* delic-vent

deliquesce [ˌdeli'kwes] *vi* **1** *ch* a se lichefia; a se topi **2** *fig* a dispărea, a se topi, a se mistui

deliquescence [ˌdeli'kwesns] *s* **1** *ch* delicvescență **2** *fig* disparíție

deliquescent [ˌdeli'kwesnt] *adj* delicvescent

deliration [ˌdelə'reiʃən] *s* aberație mintală; delir; nebunie

delirious [di'liriəs] *adj* delirant; frenetic; nebun

deliriously [di'liriəsli] *adv* **1** în delir **2** nebunește, delirând; frenetic **3** fără șir/legătură

deliriousness [di'liriəsnis] *s* **1** stare de delir, delir(are) **2** incoerență (verbală)

delirium [di'liriəm], *pl* **și deliria** [di'liriə] *s* (stare de) delir; frenezie

delitescent [ˌdeli'tesənt] *adj med* latent

deliver [di'livə'] *vt* **1** a scăpa, a salva, ↓ *rel*, a mântui, a izbăvi; a elibera **2** a transmite, a duce *(un mesaj etc.)*; a distribui *(corespondența)*; a livra *(mărfuri)* **3** a rosti, a ține *(un discurs etc.)*; a ține *(o prelegere)* **4** a preda *(o cetate etc.)* **5** a ceda *(drepturi etc.)* **6** *med* a moși **7** *mil* a porni *(un atac)*; a da *(o lovitură)*; a arunca *(bombe)* **8** pas; **to be ~ed of** *(d. o femeie)* a naște *(un copil)*

deliverance [di'livərəns] *s* **1** scăpare, salvare, ↓ *rel* mântuire, izbăvire; eliberare **2** declarație (oficială); părere exprimată (în) public **3** *jur* verdict

deliver oneself of [di'livərwʌn'self əv] *vr cu prep* a exprima, a rosti *cu ac*

deliver over/up [di'livər'ouvə/'ʌp] *vt cu part adv* a transmite, a preda

delivery [di'livəri] *s* **1** livrare; furnizare; distribuire *(a corespondenței etc.)* **2** transmitere, predare; înmânare **3** alimentare *(cu apă etc.)* **4** *med* naștere **5** *tehn* debit; randament; producție **6** *sport* serviciu **7** fel de a rosti *(un discurs)*; dicțiune

delivery bill [di'livəri 'bil] *s ec* foaie de livrare

delivery car [di'livəri 'ka:'] *s* furgo-netă, camionetă

delivery pipe [di'livəri 'paip] *s* conductă de scurgere; țeavă *sau* canal de evacuare

delivery value [di'livəri 'vælju:] *s tehn* capacitate de transport

delivery van [di'livəri 'væn] *s v.* **delivery car**

dell [del] *s* vale mică, vâlcea *(↓ cu pomi)*

delouse [di:'laus] *vt* a despăduchea

Delphi ['delfi] *od oraș în Grecia* Delfi

Delphic ['delfik] *adj* delfic

delphinium [del'finiəm] *s bot* nemți-șor (de munte) *(Delphinium sp.)*

delta ['deltə] *s* **1** *geogr* deltă **2** (litera) delta

deltaic [del'teiik] *adj* deltaic, for-mând o deltă

deltoid (muscle) ['deltoid ('mʌsl)] *s anat* (mușchi) deltoid

delude [di'lu:d] **I** *vt* **1** a înșela, a induce în eroare **2** a nemulțumi **II** *vr* a se amăgi

deluge ['delju:dʒ] **I** *s* **1** potop, inundație **2 the D~** *bibl* Potopul **3** *fig* potop, noian, revărsare **II** *vt* **1** a inunda, a îneca **2** *fig* a năpădi, a împresura

delusion [di'lu:ʒən] *s* **1** iluzie; **to be/ to labour under a ~** a greși, a se înșela **2** *și fig* miraj **3** înșelă-ciune, înșelătorie **4** *med* manie

delusive [di'lu:siv] *adj* înșelător, amăgitor; iluzoriu

delusively [di'lu:sivli] *adv* (în mod) iluzoriu

delusiveness [di'lu:sivnis] *s* carac-ter amăgitor/înșelător

delve in (to) ['delv ˌin(tə)] *vi cu prep* a se îngropa în *(documente)*, a cerceta/a studia amănunțit *cu ac*

Dem. presc de la **Democrat(ic)**

demagnetization [di:ˌmægnətai-zeiʃən] *s* demagnetizare

demagnetize [di:'mægnəˌtaiz] *vt* a demagnetiza

demagogic(al) [ˌdemə'gɔdʒik(əl)] *adj* demagogic

demagogically [ˌdemə'gɔdʒikəli] *adv* (în mod) demagogic

demagogue ['deməˌgɔg] *s* demagog

demagogy ['deməˌgɔgi] *s* demago-gic

demand [di'ma:nd] **I** *vt* **1** a cere, a pretinde; < a cere cu insistență; a dori să afle *(numele cuiva etc.)*; **they ~ed help** cereau ajutor; doreau să fie ajutați **2** a cere, a necesita, a reclama, a avea nevoie de; **this work ~s pa-tience** munca aceasta cere răbdare, este nevoie de răbdare pentru o asemenea muncă **II** *s* **1** cerere, dorință, solicitare, reven-dicare, < pretenție **2** cerere, căutare; necesar; **to be in great ~** a avea mare căutare; **on ~** *com* la cerere; **supply and ~** *ec* cerere și ofertă **3** întrebare; investigație, cercetare **4** *fig* solicitare; **I have many ~s on my time** sunt foarte ocupat/ solicitat, am foarte multe de făcut; **I have many ~s on my purse** am multe cheltuieli **5** *jur* drept, pretenție juridică **6** *fin* aviz de plată

demandant [di'mɑːndənt] *s jur* reclamant

demand bill [di'mɑːnd,bil] *s ec* poliță plătibilă la vedere

demarcate ['diːmɑː,keit] *vt* a demarca, a delimita

demarcation [,diːmɑː'keiʃən] *s* demarcare, delimitare

démarche ['deimɑːʃ] *s fr pol* demers

demark [di'mɑːk] *vt v.* **demarcate**

demean oneself [di'miːn wʌn,self] *vr* **1** a se înjosi, a se degrada **2** ← *înv* a se purta, a se comporta

demeanour [di'miːnəʳ] *s* purtare, conduită, comportare

dementation [,dimen'teiʃən] *s* demență, nebunie

demented [di'mentid] *adj* **1** dement, nebun **2** *fig F* nebun, tâmpit

démenti ['demɑːŋ'ti] *s fr pol* dezmințire

dementia [di'menʃə] *s med* demență, nebunie

demently [di'mentli] *adv* nebunește, ca un dement

demerit [di'merit] *s* **1** defect, lipsă, scădere **2** *școl* notă proastă

demesne [di'mein] *s* **1** *jur* proprietate funciară; domeniu, moșie **2** *jur* pământuri administrate chiar de către proprietar **3** regiune, teritoriu **4** *fig* domeniu, sferă

Demeter [di'miːtəʳ] *mit* Demeter, Ceres

demi- *pref* demi-, semi: **demiurge** demiurg; **demigod** semizeu

demigod ['demi,gɔd] *s mit și fig* semizeu

demijohn ['demi,dʒɔn] *s* damigeană

demilitarization [diː,militərai'zeiʃən] *s* demilitarizare

demilitarize [diː'militə,raiz] *vt* a demilitariza

demimondaine [,demi'mɔndein] *s fr* demimondenă

demimonde [,demi'mɔnd] *s fr* „demimond", lume interlopă

demi-rep ['demi,rep] *s F* damă, – cocotă, demimondenă

demise [di'maiz] *s jur* deces

demission [di'miʃən] *s* **1** demitere, concediere **2** demisie

demister [di'mistəʳ] *s auto* dispozitiv contra aburirii

demiurge ['demiə:dʒ] *s* demiurg

demob *presc F de la* **demobilize**

demobilize [diː'moubilaiz] *vt mil* a demobiliza

democracy [di'mɔkrəsi] *s* democrație

democrat ['demə,kræt] *s pol* democrat

democratic [,demə'krætik] *adj* democratic

democratically [,demə'krætikəli] *adv* (în mod) democratic

democratization [di,mɔkrətai'zeiʃən] *s* democratizare

democratize [di'mɔkrətaiz] *vt* a democratiza

Democritus [di'mɔkritəs] *filosof grec* Democrit *(460?-362?)*

démodé [,deimou'dei] *adj fr* demodat

demographic [,diːmou'græfik] *adj* demografic

demography [diː'mɔgrəfi] *s* demografie

demolish [di'mɔliʃ] *vt* **1** a dărâma, a demola **2** *fig* a distruge, a zdrobi *(argumente etc.)* **3** *fig F* a curăța, a devora

demolition [,demə'liʃən] *s* **1** dărâmare, demolare **2** *fig* distrugere; zdrobire

demon ['diːmən] *s* demon; **he's a ~ for work** muncește extraordinar; **a regular ~** *F* un diavol (împielițat)

demoniac(al) [di'mɔniəkəl] *adj* crunt, cumplit, hain, demonic; diavolesc, satanic

demonic [di'mɔnik] *adj* **1** demonic; diavolesc **2** inspirat, înzestrat, dăruit

demonstrable ['demənstrəbl] *adj* demonstrabil

demonstrant [di'mɔnstrənt] *s* demonstrant, manifestant

demonstrate ['demənstreit] **I** *vt* **1** a demonstra, a dovedi, a arăta **2** a prezenta *(un model etc.)* **3** a manifesta *(sentimente)* **II** *vi* a demonstra, a manifesta

demonstration [,demən'streiʃən] *s* **1** demonstrare *etc.* (*v.* **demonstrate**) **2** demonstrație, dovadă, probă **3** demonstrație, manifestație

demonstrative [di'mɔnstrətiv] *adj* **1** (d. *materiale etc.*) demonstrativ **2** doveditor, convingător **3** demonstrativ, ostentativ **4** expansiv, exuberant **5** *gram* demonstrativ, deictic

demonstratively [di'mɔnstrətivli] *adv* (în mod) demonstrativ

demonstrativeness [di'mɔnstrətivnis] *s* **1** evidență; caracter evident **2** expansivitate; lipsă de reținere

demonstrator ['demən,streitəʳ] *s* **1** demonstrant, manifestant **2** prezentator; demonstrator

demoralization [di,mɔrəlai'zeiʃən] *s* **1** demoralizare **2** corupere; depravare, corupție, imoralitate

demoralize [di'mɔrə,laiz] *vt* **1** demoraliza; a slăbi moralul *(cuiva)* **2** a deprava, a corupe

Demosthenes [di'mɔsθə,niːz] *om de stat atenian* Demostene *(384?-322)*

demote [di'mout] *vt amer* a degrada; a retrograda *(în funcție)*

demotic [di'mɔtik] *adj* **1** demotic **2** popular, vulgar

demount [di'maunt] *vt* **1** *tehn* a demonta **2** *constr* a demola, a dărâma

demountable [di'mauntəbl] *adj tehn* demontabil

demur [di'məːʳ] **I** *vi* **1** a șovăi, a ezita **2** a obiecta, a ridica obiecții; a protesta; a murmura; **he ~red to the proposal** obiectă împotriva acestei propuneri; **he ~red at working so late** nu era de acord să muncească atât de târziu **II** *s* **1** șovăire, ezitare **2** obiecție; protest; **without ~** fără împotrivire

demure [di'mjuəʳ] *adj* **1** sfios, modest **2** așezat **3** afectat; mofturos; năzuros **4** care face pe modestul

demurely [di'mjuəli] *adv* **1** cu sfială, sfios; cu modestie; cu seriozitate; reținut **2** cu sfială prefăcută, cu falsă modestie

demureness [di'mjuənis] *s* **1** sfială, modestie **2** seriozitate **3** afectare; mofturi, nazuri **4** modestie prefăcută

den [den] *s* **1** și *fig* ascunziș *(al fiarelor sălbatice);* vizuină, bârlog **2** peșteră, grotă, hrubă **3** *fig F* bârlog, – cameră retrasă *(de lucru)*

Den. *presc de la* **Denmark**

denationalization [diː,næʃənəlai-'zeiʃən] *s* deznaționalizare

denationalize [diː'næʃənə'laiz] *vt* a deznaționaliza

denatured alcohol [diːneitʃəd 'ælkəhɔl] *s* spirt denaturat

denazify [diː'næzifai] *vt pol* a denazifica

Denbighshire ['denbi,ʃiəʳ] *comitat în Anglia*

dendritic [den'dritik] *adj bot* dendritic, arborescent

dendrologic(al) [,dendrɔ'lɔdʒik(əl)] *adj* dendrologic

dendrology [den'drɔlədʒi] *s* dendrologie

deniable [di'naiəbəl] *adj* care poate fi negat; contestabil

denial [di'naiəl] *s* **1** legare, tăgăduire; contestare **2** dezmințire **3** refuz; **to take no ~** a nu accepta un refuz **4** renegare

denigrate ['denigreit] *vt* a denigra, a defăima

denigration [,deni'greiʃən] *s* denigrare, defăimare

denim ['denim] *s text* dril

Denis ['denis] *nume masc*

denizen ['denizn] *s* **1** cetățean, locuitor **2** străin naturalizat **3** obișnuit *(al casei)* **4** *lingv* împrumut

Denmark ['denmɑːk] Danemarca

Dennis ['denis] *nume masc*

denominate [di'nɔmi,neit] *vt* a (de)numi

denomination [di,nɔmi'neiʃən] *s* **1** denumire, nume **2** valoare *(a banilor)* **3** *rel* confesiune; sectă

denominational [di,nɔmi'neiʃənəl] *adj rel* confesional

denominative [di'nɔminətiv] *adj gram* denominativ

denominator [di'nɔmi,neitəʳ] *s mat* numitor *(al unei fracții)*

denotation [,di:nou'teiʃən] *s* sens, înțeles *(exact)*, *lingv* denotație

denote [di'nout] *vt* **1** a denota, a indica, a însemna **2** a denota, a trăda, a dovedi

denotement [di'noutmənt] *s* **1** indicare, arătare **2** denotație, sens, înțeles **3** semn, indicație

denotive [di'noutiv] *adj* **1** indicativ, indicator **2** denotativ, semnificativ

dénouement [dei'nuːmɑːŋ] *s fr lit* deznodământ

denounce [di'nauns] *vt* **1** a acuza, a învinui **2** a denunța, a pârî **3** a denunța *(un tratat etc.)*

dense [dens] *adj* **1** dens, des, compact; **~ forest** codru des; **~ fog** ceață deasă **2** *(d. rânduri etc.)* strâns, compact **3** *fig* mare, profund; **~ ignorance** ignoranța crasă **4** *fig F* tâmpit, greu de cap, – opac, obtuz

densely ['densli] *adv* **1** dens; compact **2** la culme, extrem de

denseness ['densnis] *s* caracter dens/compact

density ['densiti] *s* **1** *ch și fig* densitate, concentrație **2** desime *(a pomilor etc.)* **3** *fig F* tâmpenie, – opacitate, obtuzitate

dent [dent] **I** *s* **1** *tehn* dinte, zimț **2** semn, urmă *(de lovitură etc.)* **II** *vt* a tăia; a cresta

dent. *presc de la* **1** dental **2** dentist

dental ['dentəl] *adj* **1** *med* dentar **2** *fon* dental

denticle ['dentikəl] *s* **1** dințișor, dinte mic **2** *arhit* denticul

denticulate [den'tikjulit] *adj* denticulat; dințat; zimțat

dentifrice ['dentifris] *s* praf *sau* pastă de dinți

dentilabial [,denti'leibiəl] *adj fon* labiodental

dentist ['dentist] *s* dentist

dentistry ['dentistri] *s* dentistică, stomatologie

dentition [den'tiʃən] *s* dentiție

denture ['dentʃəʳ] *s* danтură falsă, proteză dentară

denudation ['denju,deiʃən] *s* **1** dezgolire, despuiere **2** *geol* denudare, afloriment

denude [di'njuːd] *vt* a dezgoli, a dezveli, a descoperi, a despuia; a desfrunzi *(pomi)*

denude of [di'njuːd əv] *vt cu prep* a lipsi/a priva de

denunciation [di,nʌnsi'eiʃən] *s* **1** acuzare, învinuire; denunțare **2** denunț, *rar* → pâra **3** denunțare *(a unui tratat etc.)*

deny [di'nai] **I** *vt* **1** a nega, a tăgădui; a respinge, a contesta; **there is no ~ing the fact that** nu poate fi tăgăduit faptul că **2** a renega, a nu recunoaște *(semnătura etc.)* **3** a renunța la, a se lepăda de **4** a refuza; **he denies me nothing** nu-mi refuză nimic; **he had been denied admittance** i se refuzase intrarea/accesul **II** *vr* a-și refuza *(ceva)* **III** *vi* a nega, a tăgădui

deny oneself to [di'nai wʌn,self tə] *vr cu prep* a refuza să primească *(pe cineva spunând că nu este acasă)*

deodar ['diːou,dɑːʳ] *s bot* deodar, cedru de Himalaya *(Cedrus deodara)*

deodorant [di'oudərənt] *s* dezodorizant

deodorize [di:'oudə,raiz] *vt* a dezodoriza

deoxidize [di:'ɔksi,daiz] *vt met* a dezoxida

dep. *presc de la* **1** department **2** deputy **3** departure **4** deposit **5** depot

depart [di'pɑːt] **I** *vi* **1** a pleca; a porni **2** a muri, a pleca dintre cei vii **II** *vt* ↓ *ferov* a pleca din *(stația X)* // **to ~ this life** a muri, a pleca din viața aceasta

departed [di'pɑːtid] **I** *adj* plecat; stins, apus **II** *s* **the ~** răposatul, mortul *sau* răposații, morții

depart from [di'pɑːt frəm] *vi cu prep fig* a se depărta de; a se lepăda de *(tradiții etc.)*; a-și schimba *(planurile)*; a-și călca *(vorba, promisiunea)*

department [di'pɑːtmənt] *s* **1** *com* raion, secție **2** departamental; ministerial

department store [di'pɑːtmənt stɔːʳ] *s com* **1** magazin universal **2** depozit; antrepozit

departure [di'pɑːtʃəʳ] *s* **1** plecare; pornire **2** punct de plecare; abordare; linie de conduită **3** **(from)** îndepărtare *(de la)*, părăsire, abandonare *(cu gen)*

depasturage [di'pɑːstjuridʒ] *s* **1** pășunat, păscut **2** dreptul de a folosi pământul ca pășune

depasture [di'pɑːstʃəʳ] **I** *vt* **1** a paște; a duce la păscut **2** a folosi ca pășune **II** *vi* a paște

depend [di'pend] *vi* **1** *jur* a fi în suspensie, a fi pendinte **2** a depinde, a fi condiționat; **it all ~s how you reply** totul depinde de felul cum răspunzi; **it all ~s, that ~s F** depinde, o să vedem; știu și eu?

dependable [di'pendəbəl] *adj* demn de încredere; de nădejde; vrednic de crezare

dependant [di'pendənt] *s v.* **dependent I**

dependence [di'pendəns] *s* **1** **(on, upon)** dependență *(de)*; subordonare *(față de)*; subjugare **2** încredere, bizuire; **to place/to put ~ in smb** a avea încredere în cineva, a se bizui pe cineva **3** *fig* sprijin, nădejde, ajutor

dependency [di'pendənsi] *s* **1** *v.*
dependence **1 2** *pol* teritoriu
dependent; colonie

dependent [di'pendənt] **I** *s* **1** persoană dependentă de altcineva
2 *od* vasal **3** servitor, slugă **II** *adj*
1 dependent, subordonat **2**
atârnat, care atârnă **3** *gram*
secundar, subordonat

dependent clause [di'pendənt klɔːz]
s gram propoziție secundară/
subordonată

dependent on/upon [di'pendənt ɔn/
ə,pɔn] *adj cu prep* **1** care se
bazează pe; care trăiește din
(veniturile altuia etc.) **2** condiționat de, în funcție de

depend on/upon [di'pend ɔn/ə,pɔn]
vi cu prep **1** a depinde de, a se
sprijini pe, a se baza pe; a trăi
din; a trăi pe spinarea *(cuiva)* **2**
a depinde/a atârna de, a fi
condiționat de **3** a se bizui pe, a
avea încredere în, a conta pe;
depend (up)on it fii sigur, te
încredințez

depersonalize [di'pəːsnə,laiz] *vt* a
depersonaliza

depict [di'pikt] *vt* **1** a înfățișa, a
zugrăvi, a reprezenta *(prin pictură, sculptură etc.)* **2** a zugrăvi, a
descrie *(prin cuvinte)*

depiction [di'pikʃən] *s* **1** descriere,
zugrăvire, pictare **2** desen;
tablou; pictură

depictive of [di'piktiv əv] *adj cu prep*
care descrie/zugrăvește *cu ac*

depicture [di'piktʃəʳ] *vt* a-și închipui,
a-și imagina

depilate ['depi,leit] *vt* a depila, a
scoate părul de pe

depilation [,depi'leiʃən] *s* depilare

depilatory [di'pilətəri] **I** *adj* depilator **II** *s* substanță depilatoare

deplane [di'plein] *vt, vi* a coborî din
avion

deplenish [di'pleniʃ] *vt* a goli

deplete [di'pliːt] *vt* **1** a deșerta, a
goli; a seca **2** *fig* a slei, a epuiza
(forțele etc.)

depleted [di'pliːtid] *adj* **1** sărăcit;
sleit; epuizat **2** golit

depletion [di'pliːʃən] *s* **1** deșertare,
golire; secare **2** *fig* epuizare **3**
med sângerare, emisie de sânge
4 sărăcie

depletive [di'pliːtiv] *med* **I** *adj* **1**
purgativ **2** care produce hemoragie **II** *s* purgativ

deplorable [di'plɔːrəbəl] *adj* deplorabil, jalnic; regretabil

deplore [di'plɔːʳ] *vt* a deplânge, a
deplora

deploy [di'plɔi] *vt mil* a desfășura
(forțele); a dispune în formație de
luptă

deployment [di'plɔimənt] *s mil*
desfășurare *(a forțelor)*

deponent [di'pounənt] *s* **1** *gram* verb
deponent **2** *jur* martor care face
o depoziție sub jurământ

depopulate [di'pɔpju,leit] *vt* a
depopula

depopulation [di,pɔpju'leiʃən] *s*
depopulare

deport [di'pɔːt] **I** *vt* a deporta; a exila
II *vr* a se purta, a se comporta

deportation [,di:pɔː'teiʃən] *s* deportare; exilare

deportee [,di:pɔː'ti] *s* deportat; exilat

depose [di'pouz] **I** *vt* a concedia, a
da afară *(dintr-o slujbă);* a detrona *(un monarh)* **II** *vi* **(to** și **-ing)**
jur a depune, a mărturisi *(↓ sub
jurământ)* **(că)** **III** *vt* **(that)** *jur* a
depune mărturie, a mărturisi *(↓
sub jurământ)* **(că)**

deposit [di'pɔzit] **I** *s* **1** *geol* zăcământ; depozit, sediment; strat **2**
ch sediment; precipitat **3** *ec*
depozit; depunere; bani depuși
la bancă **4** depozit, strat **II** *vt* **1**
ch a depune; a precipita **2** *geol*
a sedimenta **3** *ec* a depune, a
depozita **4** a pune, a așeza; a
depune *(ouă, icre etc.)* **5** a
depune *(mâl etc.)*

depositary [di'pɔzitəri] *s fin* depozitar

deposition [,depə'ziʃən] *s* **1** concediere; detronare *(a unui monarh)*
2 *jur* depoziție **3** *ec* depunere,
depozitare **4** *geol* sedimentare **5**
depunere *(de mâl etc.)*

depositor [di'pɔzitəʳ] *s fin* deponent,
depunător

depository [di'pɔzitəri] *s v.* **depositary**

depot *s* **1** ['depou] magazie; hambar
2 ['di:pou] *amer* gară, stație de
cale ferată

depraved [di'preivd] *adj* depravat;
vicios; corupt

depravity [di'præviti] *s* **1** depravare;
destrăbălare **2** viciu

deprecate ['depri,keit] *vt* a critica
aspru; a se ridica împotriva *cu
gen*

deprecatingly ['depri,keitiŋli] *adv*
depreciativ; peiorativ; dezaprobator

deprecation [,depri'keiʃən] *s* criticare aspră, condamnare; critică
aspră; protest

deprecatory [,depri'keitəri] *adj* **1**
dezaprobator **2** *lingv* depreciativ,
peiorativ

depreciable [di'priːʃəbəl] *adj* care
se poate deprecia

depreciate [di'priːʃi,eit] **I** *vt* **1** a
deprecia, a devaloriza (moneda), a reduce valoarea *cu gen* **2**
fig a deprecia; a subestima **II** *vi*
a se deprecia, a se devaloriza

depreciatingly [di'priːʃi,eitiŋli] *adv*
depreciativ; în termeni depreciativi; fără respect

depreciation [di,priːʃi'eiʃən] *s* **1** *ec*
depreciere, devalorizare **2** *fig*
depreciere; subestimare; desconsiderare

depreciative [di'priːʃiətiv] *adj*
depreciativ, < disprețuitor

depreciatory [di'priːʃiətəri] *adj v.*
depreciative

depredation [,depri'deiʃən] *s* **1**
prădare, jefuire; jaf, prădăciune
2 pustiire, devastare; ravagii

depress [di'pres] *vt* **1** a apăsa, a
presa *(un buton etc.)* **2** a prăbuși,
a scufunda *(roci etc.)* **3** a deprima; a întrista, a amărî **4** a slăbi,
a micșora *(activitatea etc.)* **5** a
coborî *(ochii, vocea),* a lăsa în jos
(ochii)

depressed [di'prest] *adj* **1** apăsat,
presat **2** deprimat, abătut; trist **3**
(d. activitate etc.) slăbit, redus,
micșorat **4** *(d. voce)* coborât; *(d.
ochi)* plecat, lăsat în jos

depressed areas [di'prest 'ɛəriəz] *s
pl ec* zone/regiuni de depresiune
(economică)

depressed classes [di'prest 'klɑːsiz]
s pl pol paria, clase lipsite de
drepturi

depression [di'preʃən] *s* **1** apăsare,
presare *(pe un buton etc.)* **2**
geogr depresiune; șes, câmpie;
căldare **3** *ec* depresiune (economică); stagnare **4** *meteor*
depresiune atmosferică **5** adâncitură, groapă *(în drum etc.)* **6**
depresiune *(sufletească);* tristețe

depressive [di'presiv] *adj fig* deprimant

deprivation [ˌdepri'veiʃən] s 1 privare, lipsire 2 pierdere 3 concediere, dare afară (din serviciu)

deprive [di'praiv] vt a concedia, a da afară (din serviciu)

deprived of [di'praivd əv] adj cu prep privat/lipsit/văduvit de

deprive of [di'praiv əv] vt cu prep a lipsi/a priva/a văduvi de

depth [depθ] s 1 adâncime; constr și înălțime; **to go/to get out of one's ~ a** a da de adânc/apă adâncă **b** fig a fi depășit (ca informație etc.); a vorbi în necunoștință de cauză **c** fig a pierde terenul de sub picioare 2 adâncime, profunzime (a sentimentelor etc.) 3 the ~ fig toiul; **in the ~ of night** în toiul nopții; **in the ~ of winter** în toiul iernii, în plină iarnă; **in the ~s of the forest** în inima codrului 4 mizerie, sărăcie cumplită

depth bomb/charge ['depθ 'bɔm/'tʃaːdʒ] s nav, mil bombă de adâncime

depth rudder ['depθ 'rʌdəʳ] s av profundor

deputation [ˌdepju'teiʃən] s delegație; solie; înv → deputăție

depute [di'pjuːt] vt a delega; a împuternici

deputize ['depju̦taiz] vt 1 a alege (pe cineva) deputat 2 amer v. **depute**

deputize for ['depju̦taiz fəʳ] vi cu prep a reprezenta cu ac, a vorbi în numele cu gen

deputy ['depjuti] s 1 deputat 2 fig reprezentant; delegat

De Quincey [də 'kwinsi], **Thomas** eseist englez (1785-1 859)

der. presc de la 1 **derivation** 2 **derived** 3 **derivative**

deracinate [di'ræsi̦neit] vt și fig a dezrădăcina

derail [di'reil] vt ferov etc. a face să deraieze; **to be ~ed** a deraia

derailment [di'reilmənt] s ferov etc. deraiere

derange [di'reindʒ] vt 1 a deranja, a răvăși, a răscoli 2 a deranja, a stingheri, a incomoda (pe cineva) 3 a deranja; a deregla; a strica 4 a strica (planuri etc.), a tulbura, F → a da peste cap 5 a zdruncina nervii (cuiva), a scoate din minți

deranged [di'reindʒd] adj 1 deranjat; răvășit, în dezordine 2 alienat mintal

derangement [di'reindʒmənt] s 1 deranjament; deranj, dezordine 2 dereglare, dezorganizare 3 deranjament mintal

derate [diː'reit] vt ec a reduce impozitele locale cu gen

Derby ['daːbi] s 1 oraș în Anglia 2 derby (cursă de cai anuală ↓ de la Epsom) 3 **d~** ['dəːbi] amer melon (pălărie)

Derbyshire ['daːbi̦ʃiəʳ] comitat în Anglia

derelict ['derelikt] I adj 1 nav (d. epave) abandonat 2 neglijent; superficial II s nav epavă abandonată

dereliction [ˌderi'likʃən] s 1 abandonare, părăsire 2 delicvență

deride [di'raid] vt a-și bate joc/a-și râde de; a ridiculiza

derision [di'riʒən] s 1 luare în derâdere; bătaie de joc, batjocorire 2 batjocură, cal de bătaie

derisive [di'raisiv] adj 1 ironic; batjocoritor 2 de râs, ridicol; jalnic

derisively [di'raisivli] adv ironic; în bătaie de joc

derisory [di'raisəri] adv v. **derisive**

derivant [di'raivənt] s med substanță revulsivă

derivate ['derivit] adj derivat; secundar

derivation [ˌderi'veiʃən] s 1 lingv derivare, origine; etimologie 2 origine, proveniență, obârșie 3 derivat 4 el derivație, branșament

derivative [di'rivətiv] I adj derivat II s 1 ch, lingv derivat 2 mat derivată, număr derivat

derive [di'raiv] vt a căpăta, a câștiga (un venit); a primi, a căpăta, a dobândi (satisfacții etc.)

derived [di'raivd] adj 1 derivat; secundar 2 lingv derivat

derive from [di'raiv frəm] I vt cu prep 1 a primi/a căpăta/a obține de la 2 a moșteni (trăsături etc.) de la 3 lingv a arăta că (un cuvânt) derivă din 4 pas lingv a deriva din; **this word is ~d from Greek** cuvântul acesta derivă din greacă II vi cu prep 1 lingv a deriva/a proveni din sau de la 2 a se trage din, a proveni din, a-și avea obârșia în

dermatitis [ˌdəːmə'taitis] s med dermatită

dermatologist [ˌdəːmə'tɔlədʒist] s med dermatolog

dermatology [ˌdəːmə'tɔlədʒi] s med dermatologie

dermatosis [ˌdəːmə'tousis] s med dermatoză

dermic ['dəːmik] adj med dermic

dernier cri ['dərnje 'kri] s fr ultima modă; ultimul cuvânt

derogate from ['derə̦geit frəm] vi a diminua, a micșora (merite etc.), a știrbi (reputația cuiva)

derogation [ˌderə'geiʃən] s fig diminuare, micșorare; știrbire

derogatory [di'rɔgətəri] adj 1 (from, to) defavorabil (cu dat), păgubitor, dăunător (pentru); **to be ~ to/from smth** a prejudicia ceva, a fi păgubitor pentru ceva 2 (d. înțeles etc.) peiorativ

derrick ['derik] s 1 min turlă, turla sondei 2 nav bigă de marfă 3 tehn macara

derrick crane ['derik krein] s tehn macara de manevră

derring-do ['deriŋ'duː] s cutezanță nesăbuită; nesocotință

derry ['deri] s 1 cuvânt fără înțeles în vechile balade, „tra-la-la" 2 baladă (veche)

dervish ['dəːviʃ] s derviș

Derwent, the ['dəːwənt, ðə] numele mai multor râuri din Anglia

descale ['diː'skeil] vt 1 a coji, a decortica 2 met a decapa, a îndepărta zgura de pe

descant[1] ['deskænt] s muz 1 cântec, melodie 2 soprano

descant[2] [dis'kænt] vi (on, upon) a vorbi pe larg, a nu mai termina de vorbit (↓ laudativ) (despre)

Descartes ['dei̦kaːt], **René** filosof francez (1596-1650)

descend [di'send] I vi 1 a (se) coborî, a se da jos; a merge la vale 2 a coborî, a se lăsa în jos II vt a coborî (dealul etc.)

descendant [di'sendənt] s 1 urmaș, descendent 2 ch produs (al unei reacții)

descend from [di'send frəm] I vt cu prep pas: **to be descended from** v. ~ II 1 II vi cu prep 1 a descinde din, a coborî din, a se trage din 2 a se transmite din, a coborî din (tată în fiu)

descend on [di'send ɔn] vi cu prep v. **descend upon**

descend to [di'send tə] *vi cu prep* **1** a trece la *(amănunte)* **2** *fig* a coborî până la, a se înjosi până la; a se degrada într-atâta încât să recurgă la *(crimă etc.)*

descend upon [di'send ə,pɔn] *vi cu prep* **1** a se repezi la; a se năpusti asupra *(cu gen); a ataca cu ac*; a năvăli în **2** *(d. molimă)* a se abate asupra *(cu gen)*

descent [di'sent] *s* **1** coborâre, coborâş, descindere **2** origine, obârşie; provenienţă **3** pantă, povârniş **4** intrare *(într-o mină etc.)* **5** decădere, prăbuşire *(morală)* **6** moştenire *(a unor bunuri, a unor trăsături etc.)* **7** **(on, upon)** atac *(↓ prin surprindere)* (asupra – *cu gen*)

describable [dis'kraibəbl] *adj* care poate fi descris

describe [dis'kraib] **I** *vt* **1** a descrie, a prezenta, a înfăţişa, a zugrăvi; a caracteriza **2** a descrie *(o curbă, o traiectorie)* **II** *vr* **(as)** a-şi spune, a-şi zice *(doctor etc.)*, a se prezenta (ca)

description [di'skripʃən] *s* **1** descriere, prezentare, înfăţişare, zugrăvire; caracterizare; **beautiful beyond all** ~ nespus de frumos; **beyond** ~ de nedescris; **to baffle/to beggar/to defy** ~ a nu putea fi descris, a fi de nedescris **2** fel, categorie, *F* teapă; **people of this** ~ oamenii de genul/felul ăsta

descriptive [di'skriptiv] *adj* descriptiv

descriptive geometry [di'skriptiv dʒi'ɔmitri] *s* geometrie descriptivă

descry [di'skrai] *vt* a zări, a vedea *(↓ în depărtare)*

Desdemona [,dezdi'mounə] *personaj shakespearian*

desecrate ['desikreit] *vt* a pângări, a profana

desecration [,desi'kreiʃən] *s* pângărire, profanare

desert[1] **I** ['dezət] *s* **1** pustiu, deşert **2** loc pustiu, pustietate **II** ['dezət] *adj* pustiu, nelocuit **III** [di'zə:t] *vt* **1** a părăsi, a abandona, a lăsa; **his courage** ~**ed him** curajul îl părăsi **2** a dezerta de la *(datorie)*, a se sustrage de la *(sau cu dat)* **IV** [di'zə:t] *vi mil* a dezerta

desert[2] [di'zə:t] *s* ↓ *pl* merit(e); **to get one's** ~**s** a primi ceea ce merită/ceea ce i se cuvine

deserted [di'zə:tid] *adj* părăsit, pustiu, gol

deserter [di'zə:təʳ] *s mil* dezertor

desertion [di'zə:ʃən] *s* **1** părăsire, abandonare **2** *mil* dezertare

deserve [di'zə:v] **I** *vt* a merita, a fi vrednic de **II** *vi:* **to** ~ **well of one's country** a binemerita de la patrie; **to** ~ **well** a merita să fie răsplătit, a merita toată lauda; **to** ~ **ill** a merita să fie pedepsit

deserved [di'zə:vd] *adj* meritat, < binemeritat

deservedly [di'zə:vidli] *adv* după merit; pe bună dreptate

deserving [di'zə:viŋ] *adj* **1** *(d. cineva)* merituos **2** *(d. ceva)* meritat

deserving of [di'zə:viŋ əv] *adj cu prep* care merită *cu ac*

déshabillé [,deizæ'bi:ei] *adj fr* dezbrăcat

desiccate ['desi,keit] *vt* a deshidrata *(fructe etc.)*

desiccation [,desi'keiʃən] *s* deshidratare

desiccator ['desikeitəʳ] *s tehn* desicator

desideratum [di,zidə'reitəm], *pl* **desiderata** [di,zidə'ra:tə] *s* deziderat, dorinţă

design [di'zain] **I** *vt* **1** a desena, **2** a proiecta, a plănui; a schiţa **3** a destina, a meni **4** a se aştepta la *(un rezultat etc.)* **II** *vi* **1** a desena **2** a proiecta, a executa un proiect *sau* proiecte **III** *s* **1** desen **2** proiect, plan; schiţă **3** tip, model **4** scop, ţel, ţintă; intenţie; plan; **to have** ~**s on/against** a pune gând rău *cu dat;* **by** ~ cu intenţie, intenţionat

designate I [,dezig,neit] *vt* **1** a desemna; a numi *(într-un post)* **2** a desemna, a indica; a denumi, a marca **II** ['dezignit] *adj atr (aşezat după s)* desemnat, numit *(dar care nu a intrat încă în funcţie)*

designation [,dezig'neiʃən] *s* **1** desemnare; numire **2** desemnare, indicare; denumire, marcare **3** scop, menire, destinaţie **4** titlu; profesiune

designed [di'zaind] *adj* intenţionat

designedly [di'zainidli] *adv* cu intenţie, intenţionat, cu bună ştiinţă

designer [di'zainəʳ] *s* **1** desenator **2** proiectant **3** intrigant; complotist, uneltitor

designing [di'zainiŋ] *adj* uneltitor, care urzeşte intrigi

desinence ['desinəns] *s gram* desinenţă

desirability [di,zaiərə'biliti] *s* oportunitate

desirable [di'zaiərəbl] *adj* de dorit, dezirabil; oportun; bun

desire [di'zaiəʳ] **I** *vt* **1** a dori, a vrea, < a râvni; **it leaves much to be** ~**d** lasă mult de dorit **2** a dori, a cere; **it is** ~**d that** este de dorit ca **II** *s* **1** dorinţă *(↓ fierbinte);* > vrere; < poftă; **a** ~ **for doing/to do smth** dorinţa de a face ceva **2** dorinţă; rugăminte; cerere; **at the** ~ **of the manager** la dorinţa/cererea directorului **3** dorinţă, obiect al dorinţei; poftă

desirous [di'zaiərəs] *adj* doritor, dornic; ~ **to do/of doing smth** doritor să facă ceva

desist from [di'zist frəm] *vi cu prep* a nu mai, a înceta de a mai *cu inf*

desk [desk] *s* **1** masă de scris, birou **2** *şcol* bancă, pupitru **3** *muz, el* pupitru

desolate I ['desəlit] *adj* **1** *(d. un loc)* pustiu, părăsit; lăsat în părăsire; sterp, neroditor **2** părăsit, singur, lăsat în părăsire; nefericit **II** ['desəleit] *vt* **1** a pustii, a devasta **2** a lăsa în părăsire, a abandona, a lăsa singur; a face nefericit

desolation [,desə'leiʃən] *s* **1** pustiire, devastare **2** ruină; paragină **3** părăsire; singurătate

despair [dis'pɛəʳ] *s* deznădejde, desperare; **to drive smb to** ~ a aduce pe cineva la desperare; **he is the** ~ **of all his teachers** *fig* e desperarea tuturor profesorilor săi

despairing [dis'pɛəriŋ] *adj* desperat, deznădăjduit

despairingly [dis'pɛəriŋli] *adv* cu desperare

despair of [dis'pɛər əv] *vi cu prep* a pierde speranţa/nădejdea *cu gen*, a nu mai spera în; **his life was despaired of** *(d. un bolovan)* starea lui este desperată

despatch [dis'pætʃ] *v, s v.* **dispatch**

desperado(e)s [,despə'ra:dou], *pl* **desperado(e)s** [,despə'ra:douz] *s amer* desperat; cuţitar; bandit; criminal

desperate ['despərit] *adj* 1 și *fig* desperat, deznădăjduit; **in a ~ condition** într-o stare desperată 2 *(d. un gest etc.)* desperat, nebunesc; nesăbuit 3 grozav, teribil, extraordinar

desperately ['despəritli] *adv* desperat, cu desperare

desperation [,despə'reiʃən] *s v.* **despair**

despicable ['despikəbəl] *adj* vrednic de dispreț; condamnabil

despicably ['despikəbli] *adv* într-un mod vrednic de dispreț

despisal [di'spaizl] *s* dispreț

despise [di'spaiz] *vt* a disprețui; **the cake is not to be ~d** prăjitura (aceasta) nu e de lepădat

despite [di'spait] **I** *prep* în ciuda *cu gen*, cu tot *(sprijinul etc.)* **II** *s* ← *rar* ciudă; **in ~ of** *v.* **~ I**

despite of [di'spait əv] *prep v.* **despite I**

despiteous [de'spitiəs] *adj* crud, nemilos, neîndurător

despoliation [di,spouli'eiʃən] *s* spoliere, jefuire, prădare

despond [di'spond] *vi* a dispera, a-și pierde speranța

despondence [di'spondəns] *s v.* **despondency**

despondency [di'spondənsi] *s* 1 disperare, deznădejde 2 melancolie

despondent [di'spondənt] *adj* deznădăjduit; deprimat, abătut

despond of [di'spond əv] *vi cu prep* a-și pierde speranța în, a nu mai spera în

despot ['despot] *s* despot; tiran

despotic(al) [des'potik(əl)] *adj* despotic; de tiran

despotism [despə,tizəm] *s* despotism; tiranie

desquamate ['deskwə,meit] *vt* a descuama

dessert [di'zə:t] *s* desert, dulce

dessert spoon [di'zə:t ,spu:n] *s* linguriță de desert

destination [,desti'neiʃən] *s* destinație

destine ['destin] *vt* a destina, a meni; a soroci

destined for ['destind fə'] *adj cu prep* cu destinația

destiny ['destini] *s* destin, soartă

destitute ['desti,tju:t] **I** *adj* fără mijloace, sărac, nevoiaș **II** *s* the ~ cei lipsiți, nevoiașii, săracii

destitute of ['desti,tju:t əv] *adj cu prep* lipsit de, fără, care nu se bucură de

destitution [,desti'tju:ʃən] *s* lipsă nevoie; sărăcie; mizerie

destrer ['destrə'] *s* ← *înv* cal de luptă

destrier ['destriə'] *s* ← *înv* cal de luptă

destroy [di'stroi] *vt* 1 a distruge, a dărâma; a demola *(clădiri)* 2 *fig* a distruge; a nimici; a ruina; a nărui *(speranțe etc.)*

destroyable [dis'troiəbl] *adj* care poate fi distrus; netrainic; șubred

destroyer [dis'troiə'] *s* și *nav* distrugător

destructible [di'strʌktəbəl] *adj* care poate fi distrus

destruction [di'strʌkʃən] *s* distrugere; nimicire

destructive [di'strʌktiv] *adj* distrugător, distructiv; nimicitor

destructively [di'strʌktivli] *adv* (în mod) distrugător

destructiveness [di'strʌktivnis] *s* caracter distrugător

desuetude [di'sju:i,tju:d] *s* desuetudine; **to fall into ~** a cădea în desuetudine

desultory ['desəltəri] *adj* 1 nesistematic, neorganizat 2 sporadic; întâmplător

det. *presc de la* **detachment**

detach [di'tætʃ] **I** *vt* 1 a detașa, a desprinde, a separa 2 a detașa *(pe cineva, undeva)* **II** *vr* a se detașa

detachable [di'tætʃəbl] *adj* detașabil, separabil

detached [di'tætʃt] *adj* 1 detașat, separat 2 imparțial, nepărtinitor, neinfluențat; indiferent

detachedly [di'tætʃidli] *adv* 1 detașat, separat 2 fără părtinire, imparțial

detachment [di'tætʃmənt] *s* 1 detașare, desprindere, separare 2 detașare *(într-un alt serviciu etc.)* 3 independență; imparțialitate; indiferență 4 *mil* detașament

detail ['di:teil] **I** *s* 1 detaliu, amănunt; **to go/to enter into ~s** a intra în amănunte 2 *tehn* reper **II** *vt* a detalia; a înfățișa; a descrie *etc.* amănunțit/în amănunt

detailed ['di:teild] *adj* 1 detaliat, amănunțit; complet 2 total

detain [di'tein] *vt* 1 a reține; a face să aștepte *sau* să întârzie 2 a reține *(bani)* 3 a reține *(un suspect etc.)* 4 a împiedica, a stingheri *(circulația etc.)*

detainee [,di:tei'ni:] *s* persoană reținută *(ca suspectă etc.)*

detect [di'tekt] *vt* 1 a descoperi, a detecta; a identifica 2 a constata, a găsi

detectable [di'tektəbl] *adj* detectabil

detection [di'tekʃən] *s* 1 descoperire, detectare; identificare 2 *tel* detecție

detective [di'tektiv] *s* detectiv

detective novel/story [di'tektiv 'novəl/'stori] *s* roman polițist

detention [di'tenʃən] *s* reținere *(a unui suspect etc.);* detenție

deter [di'tə:'] *vt* **(from)** a împiedica, a opri (de la)

detergency [di'tə:dʒənsi] *s tehn* capacitate de spălare

detergent [di'tə:dʒənt] *s* detergent, produs de curățat

deteriorate [di'tiəriə,reit] **I** *vt* a strica, a înrăutăți, a deteriora **II** *vi* a se strica; a se înrăutăți, a se deteriora

deterioration [di,tiəriə'reiʃən] *s* stricare; înrăutățire, deteriorare

deteriorative [di'tiəriərətiv] *adj* care deteriorează/înrăutățește; stricător; < distrugător

determent [di'tə:mənt] *s* 1 intimidare 2 mijloc de intimidare

determinant [di'tə:minənt] **I** *adj* determinant, hotărâtor **II** *s* 1 factor determinant/hotărâtor 2 *mat* determinant

determinate [di'tə:minit] *adj* 1 determinat, precizat; precis; limitat 2 definitiv

determinately [di'tə:minitli] *adv* 1 cu precizie, precis 2 definitiv 3 cu hotărâre, în mod hotărât

determination [di,tə:mi'neiʃən] *s* 1 determinare, stabilire, precizare 2 hotărâre; fermitate; **with ~** cu hotărâre, ferm 3 *mat* determinare; definire; calcul

determinative [di'tə:minətiv] **I** *adj* 1 determinant, hotărâtor 2 *gram* determinant **II** *s gram* determinant

determine [di'tə:min] **I** *vt* 1 a determina, a stabili, a preciza, a fixa; a constata 2 a determina, a condiționa *(creșterea etc.)* 3 a determina, a hotărî, a face *(pe* cineva să facă ceva); a convinge **4** a (se) hotărî, a (se) decide; a lua hotărârea (de a) **II** *vi* a se hotărî, a se decide

determined [di'tə:mind] *adj* **1** hotă-rât, plin de hotărâre **2** hotărâtor **3** hotărât, stabilit, fixat

determiner [di'tə:minə^r] *s gram* determinant

deterrent [di'terənt] **I** *adj* de intimi-dare **II** *s v.* **determent**

detest [di'test] *vt* a detesta, a urî, a nu putea suferi

detestable [di'testəbəl] *adj* detes-tabil, odios, scârbos, execrabil

detestableness [di'testəblinis] *s* caracter *sau* aspect detestabil

detestably [di'testəbli] *adv* (în mod) detestabil, odios

detestation [,di:tes'teiʃən] *s* **1** detestare; ură; scârbă; **to hold in** ~ a detesta, a urî **2** obiect *sau* persoană care provoacă scârbă, *F* scârbă

dethrone [di'θroun] *vt* a detrona

dethronement [di'θrounmənt] *s* detronare

detonate ['detə'neit] *vi* a detona; a exploda

detonation [,detə'neiʃən] *s* **1** detu-nătură **2** detonaţie; explozie

detonator ['detəneitə^r] *s* **1** detonant **2** amorsă; capsă detonantă **3** *ferov etc.* semnal de ceaţă

detour, détour ['di:tuə^r] *s* înconjur, ocol

detract from [di'trækt frəm] *vi cu prep* a micşora, a diminua *cu ac,* a scădea din *(merite etc.)*

detraction [di'trækʃən] *s* micşorare, diminuare *a meritelor etc.)*

detractor [di'træktə^r] *s* detractor

detrain [di:'trein] **I** *vt* a da jos din tren **II** *vi* a coborî din tren

detriment ['detrimənt] *s* detriment; pagubă; **to the** ~ **of** în detri-mentul *cu gen*

detrimental [,detri'mentəl] *adj* **(to)** păgubitor, dăunător (pentru)

detrition [di'triʃən] *s* uzură prin frecare

detritus [di'traitəs] *s geol* rocă detritică; grohotiş

Detroit [də'trɔit] *oraş în S.U.A.*

de trop [də 'trou] *adj pred fr* prea mult, excesiv; de prisos, nedorit

deuce¹ [dju:s] *s* **1** doi *(la cărţi, zaruri)* **2** *fig* ghinion, neşansă **3** *sport* egalitate de puncte *(la tenis)*

deuce² **I** *s*: **the** ~ *F* dracul; **the** ~ **take it!** dracu' să-l ia! **what the** ~ **is he doing there?** ce dracu/naiba face acolo? **there'll be the** ~ **to pay** să vezi drăcie; să vezi ce-o să iasă, să vezi buclucul dracului **II** *interj F* drăcie! la naiba! ei drăcie!

deuced [dju:st] *adj F* al naibii/dracului

deucedly ['dju:sidli] *adv F* al dra-cului/naibii (de)

deuterium [dju:'tiəriəm] *s ch* deu-teriu

Deuteronomy, the [,dju:tə'rɔnəmi, ðə] *s bibl* Deuteronomul

devaluate ['di:vælju:eit] *vt ec* a devaloriza

devaluation [,di:vælju'eiʃən] *s ec* devalorizare

devalue ['di:vælju:] *vt ec* a deva-loriza (↓ *aur)*

devastate ['devəsteit] *vt* a devasta, a pustii

devastation [,devəs'teiʃən] *s* devas-tare, pustiire

develop [di'veləp] **I** *vt* **1** a dezvolta; a face să crească; a extinde; a face mai bun, mai tare, mai util *etc.* **2** a stimula *(dezvoltarea)* **3** a dezvolta, a desfăşura; a ex-pune amănunţit; **to** ~ **the plot of a story** a dezvolta subiectul unei povestiri **4** a manifesta *(o ten-dinţă etc.),* a da semne de; a începe; a contracta; **he** ~**ed a cough** a contractat o tuse, a început să tuşească **5** *fot* a developa **6** *mil* a începe *(atacul)* **7** *mat* a desfăşura (în serie) **8** *agr etc.* a valorifica **II** *vi* **(into)** a se dezvolta, a se transforma (în) **III** *vi* **1** a se dezvolta; a creşte; a progresa, a evolua **2** **(that)** *amer* a se constata (că); a deveni cunoscut (că) **3** a se dezvolta, a se mări; a lua proporţii

developer [di'veləpə^r] *s fot* revelator; developator

developing [di'veləpiŋ] *adj* în curs de dezvoltare

development [di'veləpmənt] *s* **1** dezvoltare, extindere; creştere; sporire; mărire **2** dezvoltare, progres; perfecţionare; evoluţie **3** dezvoltare, desfăşurare **4** *fot* developare **5** *ch* degajare **6** *constr* şantier **7** *constr* proiect **8** *constr* lucrare, construcţie

9 element, dată; împrejurare; întâmplare, eveniment **10** *agr etc.* valorificare *(a unui teren)* **11** schimbare; prefacere

developmental [di,veləp'mentl] *adj* de dezvoltare, al dezvoltării

deviate ['di:vieit] **I** *vt* **(from)** a devia, a abate (de la) **II** *vi* **(from)** a devia, a se abate (de la)

deviation [,di:vi'eiʃən] *s* abatere, deviere

deviationism [,di:vi'eiʃə,nizəm] *s pol* deviaţionism

deviationist [,di:vi'eiʃənist] *adj, s pol* deviaţionism

device [di'vais] *s* **1** mecanism, dispozitiv; aparat; instrument **2** *ec* deviz **3** plan, schemă, proiect **4** procedeu *(stilistic etc.)* **5** truc, şiretlic; **to leave smb to his own** ~**s** a lăsa pe cineva de capul lui/în voia lui **6** dorinţă; vrere, voie

devil [devəl] **I** *s* **1 the D**~ diavolul, Satan(a) **2** diavol, drac; **go to the** ~**!** *F* du-te la dracu/naiba! du-te dracului; **to go to the** ~ *F* a ajunge la sapă de lemn, – a ajunge prost; *F* a se duce de râpă, **the** ~**!** *F* drace! la naiba! **give the** ~ **his due** plăteşte-i cu aceeaşi monedă, nu te lăsa mai prejos; **to go to the** ~ a se duce de râpă; a se nenoroci; **between the** ~ **and the deep (blue) sea** între ciocan şi nicovală; **the** ~ **take it!** ← *rar F* la naiba! drace! fir-ar al naibii (să fie)! **to play the** ~ **with** *F* a face ca naiba/dracul *(părul, hainele etc.),* – a răvăşi, a strica; **the** ~ **of it** ceva ce nu poate fi mai rău, mai prost *etc.;* **the** ~ **and all to do** o gălăgie infernală; **the** ~ **to pay** *F* buclucul naibii; **there'll be the** ~ **to pay if he finds us here** *F* dacă ne găseşte aici am dat de dracu'; **this car is the very** ~ **to get started** *F* a naibii maşină, nu vrea deloc să pornească; **the** ~ **he can't** *etc. F* ← *rar F* pe dracu' nu poate! *etc.;* **the/a** ~ **of a business** *etc. F* treabă *etc.* grea, neplăcută, complicată *etc.* al dracului; **the** ~ **a bit** *F* nici un pic/strop; **the** ~ **is in her** are pe dracu în ea; **the** ~ **is not so black as he is painted** *prov* nu e dracu chiar atât de negru cum se spune; **the** ~ **rebuking sin**

prov râde dracu de porumbe negre și pe sine nu se vede; **speak/talk of the ~ and his imps appear** *prov* vorbești de lup și lupul la ușă; **when the ~ is blind** la paștele cailor **3** *fig* drac, diavol, om rău; **she is the (very) ~** e o adevărată drăcoaică **4** *F* om dat dracului, – energic, întreprinzător *etc.* **5** *F* drac de copil, împielițat **6** *F* chef, – bună dispoziție; avânt; entuziasm; **without much ~** *F* în dorul lelii, – fără tragere de inimă **7** *F* tip, băiat, – om, individ; **a poor ~** *F* un amărât; **a lucky ~** *F* un băftos **8** întruchipare, personificare *(↓ a unui viciu)* **9** stare sufletească, dispoziție; **the blue ~s** ipohondrie; urât **10** *F* „negru", – persoană tocmită să scrie pentru altul **11** mâncare de carne *sau* pește prăjit, puternic condimentată **12** simun; trombă **13** *text* desfibrator **14** *nav* harmuz între chilă și babord **II** *vt* **1** a preface într-un drac; a îndrăci **2** *gastr* a condimenta puternic **III** *vi* a face pe „negrul", a scrie pentru altul

devildom ['devəldəm] *s* **1** tărâmul de jos; iad **2** puterea diavolului **3** influență diabolică

devilish ['deviliʃ] *adj* drăcesc, diavolesc; infernal; afurisit

devilishly ['deviliʃli] *adv* **1** drăcește, diavolește, diabolic **2** *(cu adj și adv) F* al dracului/naibii de

devilishness ['deviliʃnis] *s* fire *sau* răutate diabolică/drăcească

devil-may-care ['devilmei'kɛəʳ] *adj* zvăpăiat, nebunatic, flușturatic; nepăsător

devilment ['devəlmənt] *s* **1** drăcii, drăcovenii, pozne **2** tărăboi, scandal, larmă; petrecere zgomotoasă

devilry ['devəlri] *s* **1** perfidie, viclenie **2** bucurie diabolică **3** ștrengării, pozne, năzbâtii **4** magie neagră **5** draci, diavoli, drăcime

devil's advocate ['devəlz 'ædvəkit] *s* **1** „avocat al diavolului" *(om care apără o cauză nedreaptă sau susține lucruri în care nu crede pt a-și verifica ideile prin dezbateri)* **2** criticastru; cârciobar, cârcotaș, *F* „Ghiță contra"

devil's bones ['devəlz 'bounz] *s pl* ← *F* zaruri

devil's daughter ['devəlz 'dɔ:təʳ] *s F* scorpie, – femeie afurisită

devil worship ['devəl 'wə:ʃip] *s* cultul diavolului

devious ['di:vjəs] *adj* **1** *(d. drum etc.)* ocolit, care nu e drept; lăturalnic **2** *(d. cineva)* nesincer, prefăcut; necinstit **3** *(d. un pas, o atitudine etc.)* greșit

devise [di'vaiz] *vt* **1** a inventa, a născoci; a ticlui; a plănui **2** ← *înv* a avea de gând, a se gândi // **to ~ and bequeath** *jur* a testa, a lăsa prin testament

devitalization [di:,vaitəlai'zeiʃən] *s* devitalizare, vlăguire

devitalize [di:'vaitəlaiz] *vt* a devitaliza, a vlăgui

devitrify [di:'vitrifai] *vt tehn* a devitrifica

devoid of [di'vɔidəv] *adj cu prep* ← *elev* lipsit de, fără; **~ pity** lipsit de milă, nemilos, crud; **~ inhabitants** fără locuitori; nepopulat; depopulat

devolution [,di:və'lu:ʃən] *s* **1** cedare *(a unei funcții, sarcini etc.)* **2** *biol* degenerare

devolve on/upon [di'vɔlv ɔn/ə,pɔn] *vi cu prep* a reveni, a cădea în sarcina/seama *(cuiva)*

Devon ['devən] *v.* **Devonshire**

Devonian, the [də'vouniən,ðə] *s geol* devonian

Devonshire ['devənʃiəʳ] *comitat în* Anglia

devoted [di'voutid] *adj* **(to)** devotat, credincios, loial *(cu dat);* iubitor *(de)*

devotedly [di'voutidli] *adv* cu dăruire

devotedness [di'voutidnis] *s* consacrare; dăruire

devotee [,devə'ti:] *s* **1** iubitor, mare amator, pasionat **2** *bis* habotnic; bisericos

devote oneself to [di'vout wʌn'self tə] *vr cu prep* a se dedica, a se consacra *cu dat*

devote to [di'vout tə] *vt cu prep* a dedica, a consacra *(energie etc.) cu dat*

devotion [di'vouʃən] *s* **1 (to)** devotament (față de) **2 (to)** dedicare *(cu dat);* consacrare **3 (to)** dragoste (pentru) **4** *pl bis* rugăciuni

devotional [di'vouʃənəl] *adj bis* religios; cucernic, evlavios

devour [di'vauəʳ] *vt* **1** a devora; a mânca lacom **2** *fig* a înghiți, a citi pe nerăsuflate *(un roman etc.)*

devoured by [di'vauəd bai] *adj cu prep* ros de *(curiozitate);* absorbit de *(lectură etc.),* cufundat în *(studiu etc.)*

devout [di'vaut] *adj* **1** evlavios, pios, cucernic **2** devotat **3** *(d. dorințe etc.)* sincer

devoutly [di'vautli] *adv* **1** cu evlavie, pios, cucernic **2** (în mod) sincer

dew [dju:] *s* **1** rouă **2** picături *(de transpirație etc.)* **3** *fig* prospețime; noutate

dewdrop ['dju:drɔp] *s* strop/picătură de rouă

Dewey ['dju:i], **John** *filosof american (1859-1952)*

dewlap ['dju:,læp] *s zool* gușă; salbă

dewless ['dju:lis] *adj* ← *poetic* uscat; ofilit

dewy ['dju:i] *adj* **1** înrourat **2** *fig* înviorător; proaspăt

dexter ['dekstəʳ] **I** *s* parte din dreapta **II** *adj* drept, din dreapta **III** *adv* pe dreapta; în partea dreaptă

dexterity [deks'teriti] *s* dexteritate

dexterous ['dekstrəs] *adj* abil, îndemânatic; iute de mână

dexterously ['dekstrəsli] *adv* cu îndemânare

dextral ['dekstrəl] *adj* **1** drept, din dreapta **2** deprins să se folosească de mâna dreaptă

dextrin(e) ['dekstrin] *s ch* dextrină

dextrose ['dekstrous] *s ch* dextroză

dextrous ['dekstrəs] *adj v.* **dexterous**

D.F. *presc de la* **Dean of the Faculty**

dg. *presc de la* **decigramme**

di- *pref* di-; bi-: **dicotyledon** dicotiledon; **dibasic** dibazic

di(a). *presc de la* **diametre**

dia *pref* dia-: **diacritical** diacritic

diabetes [,daiə'bi:tis] *s med* diabet

diabetic [,daiə'betik] *adj, s med* diabetic

diabolic(al) [,daiə'bɔlikəl] *adj* diabolic, drăcesc

diabolically [,daiə'bɔlikəli] *adv* diabolic, drăcește

diabolize [dai'æbə,laiz] *vt* **1** a îndrăci, a înfuria; a înrăi **2** a aduce sub influența diavolului **3** a înfățișa ca diavolesc/diabolic

diachronic [,daiə'krɔnik] *adj lingv etc.* diacronic

diachronically [,daiə'krɔnikəli] *adv lingv etc.* diacronic

diacid [dai'æsid] *s ch* acid dibazic

diacritic(al) [,daiə'kritik(əl)] *adj poligr* diacritic, de pronunție

diacritical mark [,daiə'kritikəl ma:k] *s poligr* semn diacritic/de pronunție

diadem ['daiədem] *s* diademă

diaeresis [dai'erisis] *s lingv* diereză; tremă

diag. *presc de la* **diagram**

diagnose ['daiəg,nouz] *vt med* a diagnostica

diagnosis [,daiəg'nousis], *pl* **diagnoses** [,daiəg'nousi:z] *s med* diagnostic, *rar →* diagnoză

diagnostic [,daiəg'nɔstik] *med* **I** *adj* de diagnostic **II** *s* 1 diagnostic 2 simptom

diagnostically [,daiəg'nɔstikəli] *adv* 1 cu ajutorul diagnosticului 2 din punct de vedere al diagnosticului

diagnostician [,daiəgnɔs'tiʃən] *s med* diagnostician

diagnostics [,daiəg'nɔstiks] *s pl ca sg med* diagnostic, *rar →* diagnoză

diagonal [dai'ægənəl] **I** *adj* diagonal; oblic **II** *s* diagonală; secțiune diagonală

diagonally [dai'ægənəli] *adv* diagonal

diagram ['daiə,græm] *s* diagramă; grafic; schemă

diagrammatic [,daiəgrə'mætik] *adj* grafic

diagrammatically [,daiəgrə'mætikəli] *adv* sub formă de diagramă; schematic

dial ['daiəl] **I** *s* 1 cadran; scală 2 *meteor* busolă 3 *tel* disc cu numere 4 *tehn* rondelă de potrivire 5 *rad* scală 6 *sl* mutră, – față **II** *vt tel* 1 a forma (un număr) 2 a forma numărul (poliției etc.)

dial *presc de la* 1 **dialect(al)** 2 **dialectic(al)**

dialect ['daiə,lekt] *s* 1 dialect 2 regionalism 3 limbaj; limbă (ca parte a unei familii de limbi)

dialectal [,daiə,lektl] *adj* dialectal

dialectally [,daiə'lektli] *adv* (din punct de vedere) dialectal

dialectic [,daiə'lektik] *filoz* **I** *adj* dialectic **II** *s* dialectică

dialectical [,daiə'lektikəl] *adj* dialectic

dialectically [,daiə'lektikəli] *adv* (în mod) dialectic; din punct de vedere dialectic

dialectical materialism [,daiə'lektikəl mə'tiəriəlizəm] *s filos* materialism dialectic

dialectician [,daiələk'tiʃən] *s* dialectician; logician

dialecticism [,daiə'lektisizəm] *s* 1 expresie *sau* locuțiune dialectică 2 dialectică, folosirea dialecticii

dialectics [,daiə'lektiks] *s pl ca sg filoz* dialectică

dialectology [,daiələk'tɔlədʒi] *s* dialectologie

dialling ['daiəliŋ] *s* 1 *tel* rețea, cadran; centrală 2 gradare (a unui cadran) 3 stabilirea orei după un cadran solar 4 formarea numărului de telefon

dialogic(al) [,daiə'lɔdʒik(əl)] *adj* dialogic, dialogat

dialogize [dai'ælədʒaiz] *vi* (**with**) a dialoga, a conversa (cu)

dialogue ['daiəlɔg] *s* dialog; conversație; discuție

dialphone ['daiəlfoun] *s* telefon automat

dial tone ['daiəl toun] *s tel* ton (de centrală)

dialysis [dai'ælisis], *pl* **dialyses** [dai'ælisi:z] *s ch* dializă

diam. *presc de la* **diameter**

diameter [dai'æmitəʳ] *s geom* diametru

diametrical [,daiə'metrikəl] *adj mat și fig* diametral

diametrically [,daiə'metrikəli] *adv* diametral (opus etc.)

diamine ['daiə,mi:n] *s ch* diamină

diamond ['daiəmənd] *s* 1 *minr* diamant; ~ **cut** ~ *prov* cui pe cui se scoate 2 *poligr* diamant, literă de corp 4 3 *nav* romb 4 caro (la jocul de cărți)

diamond wedding ['daiəmənd 'wediŋ] *s* nuntă de diamant

Diana [dai'ænə] *s* 1 *nume fem* 2 *mit* Diana, Artemis 3 *fig poetic* Selene, – luna

diapason [,daiə'peizən] *s* 1 *muz* diapazon 2 *fig* gamă, cuprindere

diaper ['daiəpəʳ] *s* 1 *text* pânză cu desene geometrice 2 șervet 3 *Amer* scutec

diaphanous [dai'æfənəs] *adj* diafan; transparent

diaphragm ['daiə,fræm] *s anat etc.* diafragmă

diaphysis [dai'æfisis], *pl* **diaphyses** [dai'æfisi:z] *s anat* diafiză

diarist ['daiərist] *s* persoană care ține un jurnal zilnic

diarrh(o)ea [,daiə'riə] *s med* diaree

diary ['daiəri] *s* 1 jurnal zilnic; jurnal intim 2 carnet de notițe/însemnări; calendar (de buzunar)

diastase ['daiə,steis] *s ch* diastază

diastole [dai'æstəli] *s fizl* diastolă

diathermal [,daiə'θə:məl] *adj* diatermic

diathermy ['daiəθə:mi] *s med* diatermie

diatomic [,daiə'tɔmik] *adj ch* 1 biatomic 2 bibazic

diatonic [,daiə'tɔnik] *adj muz* diatonic

diatribe ['daiətraib] *s lit* 1 diatribă; cuvântare *sau* scriere violentă 2 critică răutăcioasă

dib [dib] *vt* 1 a lovi ușor; a atinge ușor 2 a ciocăni

dibasic [dai'beisik] *adj ch* dibazic

dibble ['dibəl] *s agr* plantator, cotonoagă

dice [dais] **I** *s pl de la* **die**[1] zaruri; **to play** ~ a juca zaruri **II** *vt* a tăia (morcovi etc.) în cuburi

dichotomy [dai'kɔtəmi] *s log etc.* dicotomie

Dick [dik] *dim de la* **Richard**

dick [dik] *s sl* agent, detectiv

dickens, the ['dikinz, ðə] *s F* dracu; **how the ~?** cum dracu'/ naiba?

Dickens ['dikinz], **Charles** romancier englez (1812-1870)

Dickensian [di'kenziən] *adj* dickensian, referitor la Dickens

dicker with ['dikə wið] *vi cu prep amer* a se târgui cu

dickey ['diki] *s ← F* 1 jabou 2 loc în spate (în mașină)

Dickinson ['dikinsn], **Emily** poetă americană (1830-1886)

dicky ['diki] *s v.* **dickey**

dicky bird ['diki bə:d] *s* (în limbajul copiilor) păsăr(u)ică

dicotyledonous ['dai,kɔti'li:dənəs] *adj bot* dicotiledonat

dict. *presc de la* **dictionary**

dicta ['diktə] *s pl de la* **dictum**

dictaphone ['diktəfoun] *s tel* dictafon

dictate [dik'teit] **I** *vt, vi și fig* a dicta **II** *și* ['dikteit] *s* dictat, ordin

dictation [dik'teiʃən] *s* 1 dictare; **at the teacher's ~** sub dictarea profesorului 2 ordin, poruncă

dictator [dikʃteitəʳ] *s și fig* dictator

dictatorial [ˌdiktəˈtɔːriəl] *adj* de dictator, dictatorial

dictatorship [dikˈteitəˌʃip] *s* dictatură

diction [ˈdikʃən] *s* **1** selecție a vocabularului **2** stil, manieră de a se exprima *(oral sau în scris);* dicțiune

dictionary [ˈdikʃənəri] *s* dicționar

dictum [ˈdiktəm], *pl și* **dicta** [ˈdiktə] *s* **1** dicton, aforism, maximă **2** declarație oficială **3** *jur* punct de vedere, părere

did [did] *pret de la* **do**[1]

didactic [diˈdæktik] *adj* didactic; moralizator

didactically [diˈdæktikəli] *adv* de manieră didactică; moralizator

didacticism [diˈdæktisizəm] *s* didacticism

diddle [ˈdidl] *vt F* a păcăli, a trage pe sfoară

Diderot [ˈdiːdərou], **Denis** *filosof francez (1713-1784)*

didn't [ˈdidnt] *contras din* **did not**

Dido [ˈdaidou] *mit* Didona

didst [ˈdidst] *pret înv pers 2 sg de la* **do**[1]

die[1] [dai] *s* **1** *pl* **dice** [dais] zar; **the ~ is cast** zarurile sunt aruncate **2** *pl* **dies** [daiz] *tehn* matriță, stanță; poason

die[2] *vi* **1** a muri, a deceda, ↓ *bis →* a răposa; **to ~ of hunger** a muri de foame; **to ~ from a wound** a muri din cauza unei răni **2** *fig* **(for)** a muri, a nu mai putea *(după; de dorul – cu gen)* **3** *fig (d. glorie etc.)* a muri, a pieri, a se stinge, a asfinți

die away [ˈdai əˈwei] *vi cu part adv (d. zgomot etc.)* a se auzi din ce în ce mai slab, a se stinge; *(d. vânt etc.)* a se potoli, a se domoli

die down [ˈdai ˈdaun] *vi cu part adv* **1** *v.* **die away 2** *bot* a se ofili *(de sus în jos)*

die-hard [ˈdaihɑːd] **I** *adj atr* încăpățânat, inveterat, înrăit **II** *s* încăpățânat, conservator inveterat, refractar

dielectric [ˌdaiiˈlektrik] *adj el* dielectric; izolator

die off [ˈdai ˈɔːf] *vi cu part adv* a muri unul câte unul

die out [ˈdai ˈaut] *vi cu part adv* **1** *v.* **die away 2** *(d. obiceiuri etc.)* a pieri, a se stinge

dieresis [daiˈerisis], *pl* **diereses** [daiˈerisiːz] *s poligr etc.* diereză

Diesel engine [ˈdiːzəl ˈendʒin] *s* **1** *tehn* motor Diesel **2** *ferov* locomotivă (cu motor) Diesel

diet[1] [ˈdaiət] *s pol* dietă

diet[2] **I** *s* dietă, regim alimentar; hrană **II** *vt* a pune la regim *(pe cineva),* a recomanda o dietă *(cuiva)* **III** *vr* a ține regim *(alimentar)* **IV** *vi* a fi la regim, a respecta un regim alimentar

dietary [ˈdaiətəri] **I** *s* dietă, regim alimentar **II** *adj* dietetic

dietetic(al) [ˌdaiiˈtetik(əl)] *adj* dietetic

dietetics [ˌdaiiˈtetiks] *s pl ca sg* dietetică

differ [ˈdifəʳ] *vi* **1** **(from)** a diferi, a se deosebi, a fi diferit (de) **2** **(from, with)** a nu fi de acord (cu), a avea o altă părere (decât) **3** **(with)** a se certa (cu)

difference [ˈdifərəns] *s* **1** diferență, deosebire; **it makes no ~ to me** îmi este egal, mi-e indiferent; **it made all the ~** asta a schimbat totul, asta a dat o cu totul altă înfățișare lucrurilor; **does that make any ~?** ce importanță are (asta)? schimbă asta lucrurile? **to make a ~ between** a face o diferență/o deosebire între; a trata (în mod) diferit **2** diferend, neînțelegere

different [ˈdifərənt] *adj* **1** diferit, deosebit, altfel; **that is quite ~** asta e cu totul altceva **2** diferit, variat; alt; **a lot of ~ things** fel de fel de lucruri **3** neobișnuit, special

differential [ˌdifəˈrenʃəl] **I** *adj* diferențial; deosebit; distinctiv **II** *s* **1** *tehn* diferențial **2** *mat* diferențială

differential calculus [ˌdifəˈrenʃəl ˈkælkələs] *s mat* calcul diferențial

differential gear [ˌdifəˈrenʃəl ˈgiəʳ] *s tehn* mecanism de diferențial

differentially [ˌdifəˈrenʃəli] *adv* (în mod) diferențiat

differentiate [ˌdifəˈrenʃiˌeit] **I** *vt* **1** a diferenția, a deosebi, a distinge **2** a face să se deosebească **II** *vi* a se diferenția, a se deosebi, a se distinge

differentiation [ˌdifəˌrenʃiˈeiʃən] *s* diferențiere, deosebire

difficult [ˈdifikəlt] *adj* **1** dificil, greu; complicat **2** *(d. cineva)* dificil,

greu de mulțumit; capricios; susceptibil

difficulty [ˈdifikəlti] *s* dificultate, greutate; problemă; necaz; **to be in difficulties** a avea dificultăți materiale, a fi strâmtorat

diffidence [ˈdifidəns] *s* **1** neîncredere în sine **2** modestie, sfială; rezervă

diffident [ˈdifidənt] *adj* **1** neîncrezător în sine **2** modest, sfios; rușinos; rezervat

diffidently [ˈdifidəntli] *adv* cu modestie, sfios

diffract [diˈfrækt] *vt fiz* a difracta (o rază)

diffraction [diˈfrækʃən] *s fiz* difracție

diffractive [diˈfræktiv] *adj fiz* de difracție

diffuse I [diˈfjuːs] *adj* **1** *(d. stil etc.)* confuz, prolix **2** *(d. lumină)* difuză **II** [diˈfjuːz] *vt și fig* a împrăștia, a răspândi, a difuza **III** [diˈfjuːz] *vi și fig* a se împrăștia, a se răspândi, a se propaga

diffused [diˈfjuːzd] *adj* **1** *fiz* difuz, neclar **2** *(d. păreri etc.)* răspândit

diffuser [diˈfjuːzəʳ] *s și tehn* difuzor

diffusion [diˈfjuːʒən] *s și fig* răspândire, difuzare

diffusive [diˈfjuːsiv] *adj* difuz

dig [dig] **I** *pret și ptc* **dug** [dʌg] *vt* **1** a săpa *(pământul, o groapă, cartofii etc.)* **2** a băga, a vârî, a înfige *(furculița etc.)* **3** a înghionti, a atinge *(cu coatele pe cineva)* **4** *fig* a scoate, a extrage *(↓ cu greutate) (fapte etc.)* **5** a înțelege, a aprecia **II** *v. ~* **I** *vi* **1** a săpa; a face săpături **2** ← *F* a munci intens; a învăța intens, *F* a toci **III** *s* **1** săpătură *sau* săpături **2** ghiont, împunsătură **3** ← Fironie; aluzie răutăcioasă **4** *pl F* bârlog, – casă, locuință

digenesis [daiˈdʒenisis] *s biol* digeneză

digenetic [ˌdaiʒiˈnetik] *adj biol* digenetic

digest I [ˈdaidʒest] *s* **1** rezumat; compendiu **2** „digest" **II** [diˈdʒest] *vt* **1** a digera, a mistui **2** *fig* a digera, a înțelege, a-și însuși *(cele citite etc.)* **3** a sistematiza, a clasifica **4** a-și însuși, a acapara *(un teritoriu etc.)* **III** [diˈdʒest] *vi* **1** a digera, a mistui **2** *(d. alimente)* a se digera

digestible [diˈdʒestbl] *adj* digerabil

digestion [di'dʒestʃən] *s* digestie; mistuire
digestive [di'dʒestiv] *adj* digestiv
digger ['digəᵣ] *s* 1 săpător 2 *sl* australian
digging ['digiŋ] *s* 1 săpare, săpat; săpătură; săpături; excavare 2 *pl ca și sg* mină; zăcăminte 3 *pl F* bârlog, – casă, locuință 4 *pl amer* ← *F* loc, zonă, regiune; preajmă 5 *geol* graben 6 *min* puț de exploatare 7 *mil* tranșee
digging-in ['digiŋin] *s mil* îngropare în teren
dight [dait] *adj* ← *înv, poetic* împodobit, înfrumusețat
digit ['didʒit] *s* 1 cifră *(de la 0 la 9)* 2 *anat* deget *(de la mână sau picior)*
digital ['didʒitəl] *adj* 1 numeric, cifric 2 *anat etc.* digital
digitally ['didʒitəli] *adv* cu degetele
digitate ['didʒi,teit] *adj bot etc.* digitat
diglyph ['daiglif] *s arhit* diglifă
dignified ['digni,faid] *adj* demn, plin de demnitate; respectabil
dignify ['digni,fai] *vt* 1 a distinge, a evidenția 2 a învrednici; a face vrednic de
dignitary ['dignitəri] *s* demnitar, ↓ *bis* prelat
dignity ['digniti] *s* demnitate; atitudine demnă; prestigiu; **beneath one's** ~ care nu este de demnitatea cuiva
dig oneself in ['dig wʌn,self 'in] *vr cu part adv* 1 a se îngropa, a se adăposti *(într-o tranșee etc.)* 2 *fig* ← *F* a se instala temeinic într-un post *etc.*
dig out ['dig 'aut] *vt cu part adv* a dezgropa
digraph ['daigrɑːf] *s lingv* diagraf
digress [dai'gres] *vi* (**from**) a se abate, a devia (de la *un subiect*); a face digresiuni
digression [dai'greʃən] *s* digresiune
dig up ['dig 'ʌp] *vt cu part adv* 1 a săpa; a râcâi; a scormoni 2 a scoate săpând, a dezrădăcina *(un pom)* 3 a dezgropa, a excava 4 *fig* a dezgropa, a scoate la lumină
dihedral [,dai'hiːdrəl] *adj, s geom* diedru
dike [daik] *s* 1 *geol* filon 2 șanț, canal de scurgere 3 val, întăritură de pământ 4 *fig* piedică, obstacol

dilapidated [di'læpideitid] *adj* 1 *(d. clădiri etc.)* în ruină, dărăpănat 2 *(d. mașini etc.)* stricat, *F* → rablagit 3 *(d. haine)* ponosit, ros, uzat 4 *fig* stricat 5 *fig* ruinat
dilapidation [di,læpi'deiʃən] *s* 1 (stare de) ruină, dărăpănare 2 stricăciune; uzură 3 *fig* ruină
dilatable [dai'leitəbəl] *adj* dilatabil, extensibil
dilate [dai'leit] **I** *vt* a dilata; a mări, a extinde **II** *vi* a se dilata; a se mări, a se extinde
dilate on/upon [dai'leit ɔn/ə,pɔn] *vi cu prep* a se extinde asupra *(unui subiect),* a dezvolta/a prezenta pe larg *(un subiect)*
dilation [dai'leiʃən] *s* 1 dilatare, extindere 2 *fig* extindere, dezvoltare *(a unui subiect)*
dilatory ['dilətəri] *adj* încet; zăbavnic
dilemma [di'lemə] *s* dilemă; situație dificilă
dilettante [,dili'tɑːnti], *pl și* **dilettanti** [,dili'tɑːnti] *s* diletant, amator
dilettanteism [dili'tæntiizəm] *s* diletantism, amatorism
dilettantism [dili'tæntizəm] *s v.* **dilettanteism**
diligence[1] ['dilidʒəns] *s* sârguință, osteneală, *rar* ← diligență
diligence[2] *s od fr* diligență; poștalion
diligent ['dilidʒənt] *adj* harnic, sârguincios, silitor
diligently ['dilidʒəntli] *adv* cu sârguință, silitor
dill [dil] *s bot* mărar *(Anethum graveolens)*
dilly-dally ['dili 'dæli] *vi* a-și pierde vremea, a umbla de colo până colo, *F* a tăia frunză la câini
dilute [dai'luːt] *vt* 1 *ch etc.* a dilua 2 *fig* a slăbi, a micșora, a atenua; a dilua
dilution [dai'luːʃən] *s* 1 diluare; slăbire, micșorare, atenuare 2 soluție diluată
dim [dim] **I** *adj* 1 *(d. lumină)* slab; obscur; mat 2 slab luminat; întunecos; întunecat; abia perceptibil; estompat, vag 3 *(d. vedere)* slab 4 *(d. intelect)* nedezvoltat, redus 5 *(d. idei etc.)* vag, neclar; *(d. amintiri etc.)* șters, nebulos 6 *(d. cineva)* F zăpăcit, – confuz
dim. *presc de la* 1 **dimension** 2 **diminutive**

dime [daim] *s* monedă de argint în S.U.A. și Canada valorând 10 cenți; **a ~ a dozen** F ieftin ca braga
dimension [di'menʃən] *s* 1 dimensiune, măsură; proporții 2 *tehn* dimensionare, măsurare
dimensional [di'menʃənəl] *adj* dimensional
dimetric [dai'metrik] *adj* 1 *mat* dimetric 2 *minr* tetragonal
diminish [di'miniʃ] **I** *vt* 1 a diminua, a micșora 2 a slăbi, a diminua **II** *vi* 1 a se diminua, a se micșora 2 a se micșora, a slăbi, a nu mai avea aceeași putere
diminuendo [di,minju'endou] *adj, adv, s muz* diminuendo
diminution [,dimi'njuːʃən] *s* 1 diminuare, micșorare, scădere 2 micșorare, slăbire
diminutive [di'minjutiv] **I** *adj* 1 foarte mic; miniatural 2 *lingv* diminutival **II** *s lingv* diminutiv
dimity ['dimiti] *s text* rips
dimly ['dimli] *adv* 1 *(a se vedea etc.)* slab; nedeslușit, neclar 2 *fig* vag, neclar
dimorphism [dai'mɔːfizəm] *s ch etc.* dimorfism
dim-out ['dimaut] *s mil* camuflaj parțial
dimple ['dimpl] *s* 1 gropiță *(în obraz etc.)* 2 adâncitură 3 încrețitură, ondulare *(a valului)*
din [din] **I** *s* larmă, zarvă, gălăgie **II** *vi* a răsuna; a face zgomot
Dinah ['dainə] *nume fem* Dina
dinar ['diːnɑːᵣ] *s* dinar
Dinaric Alps, the [di'nærik 'ælps, ðə] munți Alpii Dinarici
dine [dain] **I** *vt* 1 a oferi o masă *(prânz, cină) cuiva;* a ospăta, *P* → a omeni; a da de mâncare *cu dat* 2 *(d. un restaurant etc.)* a avea un număr de *(atâtea)* locuri, a deservi **II** *vi* a mânca, a lua masa; *(ziua)* a prânzi; *(seara)* a cina; **to ~ out** a lua masa în altă parte; a mânca în oraș; **to ~ off/on pork** a mânca carne de porc la masă
diner ['dainəᵣ] *s* 1 persoană care ia masa 2 *ferov* vagon-restaurant
ding [diŋ] *s* zvon de clopot *sau* clopote; dangăt
ding-dong ['diŋ'dɔŋ] **I** *s* dangăt; ding-dong, bing-bang **II** *adj atr* 1 *(d. repetiții)* monoton; sacadat 2 *(d. o întrecere etc.)* cu sorți schimbători

dingey ['diɲi] s v. **dinghy**

dinghy ['diɲi] s nav șalupă; șalupă mică

dinginess ['dindʒinis] s și fig murdărie

dingle ['diŋgl] s vale îngustă (împădurită)

dingy ['dindʒi] adj 1 șters; spălăcit; învechit; ponosit 2 murdar, prăfuit; afumat 3 prost îmbrăcat; zdrențaros 4 (d. reputație etc.) pătat; dubios

dining car ['daɪnɪŋ kɑːʳ] s vagon-restaurant

dining hall ['daɪnɪŋ hɔːl] s sală de mese (la internat etc.)

dining room ['daɪnɪŋ ruːm] s sufragerie

din into ['din,intə] vt cu prep a băga (o idee etc.) în capul (cuiva), a face (pe cineva) să priceapă (ceva)

dinky ['diŋki] adj F 1 nostim, drăguț, frumușel 2 mic, nesemnificativ

dinner ['dinəʳ] s 1 masă (principală); prânz; cină 2 dineu, masă de gală

dinner dress ['dinə dres] s rochie de seară

dinner jacket ['dinə ,dʒækit] s smoching

dinner service/set ['dinə sə:vis/set] s serviciu/tacâmuri de masă

dinosaur ['daɪnə,sɔːʳ] s zool dinozaur

dint [dint] s 1 zimț, dinte 2 ieșitură, proeminență // by ~ of în virtutea cu gen, datorită cu dat

diocesan [daɪ'ɔsisən] adj bis diocezan

diocese ['daɪəsis] s bis diocezã

Diocletian [,daɪə'kliːʃən] împărat roman Diocletian (245-313)

diode ['daɪoud] s el diodă

Diogenes [daɪ'ɔdʒi,niːz] filosof grec Diogene (412-323 î.e.n.)

Diomede [,daɪə,miːd] v. **Diomedes**

Diomedes [,daɪə'miːdiːz] mit Diomede

Dionysia, the [,daɪə'niʒiə, ðə] s pl ist sărbătorile dionisiace

Dionysiac [,daɪə'nizi,æk] adj dionisiac; bachic

Dionysos, Dionysus [,daɪə'naɪsəs] mit Dyonisos, Bachus

diopter, dioptre [daɪ'ɔptəʳ] s opt dioptrie

diorama [,daɪə'rɑːmə] s dioramă

dioxide [daɪ'ɔksaɪd] s ch bioxid, dioxid

dip [dip] I pret, ptc și **dipt** [dipt] vt 1 a afunda, a (s)cufunda; a înmuia; a vârî (într-un lichid); he ~ped his pen into the ink își înmuie penița/tocul în cerneală 2 a băga, a vârî, a afunda (mâna, în nisip etc.) 3 a scoate (apă etc.) 4 a pleca, a înclina (capul, pt a saluta) 5 nav a coborî (pavilionul, pt a saluta) 6 auto a micșora lumina (farurilor) 7 bis a boteza (în apă) II (v și ~ I) 1 a se afunda, a plonja; a se (s)cufunda (și a ieși la suprafață) 2 a se scufunda brusc 3 fig a se afunda, a se (s)cufunda 4 a se povârni, a se înclina 5 min etc. a se prăbuși III s 1 afundare, (s)cufundare; înmuiere; vârâre (într-un lichid); to have/to take a ~, to go for a ~ a face o baie (scurtă, în mare etc.); a se arunca în apă 2 nav coborâre a pavilionului (ca salut) 3 povârniș, pantă (a drumului etc.) 4 fiz declinație magnetică 5 lumânare de seu

dipetalous [daɪ'petələs] adj bot dipetal

diphase ['daɪ,feiz] adj el bifazic; difazic

diphenyl [daɪ'fiːnaɪl] s ch difenil

diphtheria [dip'θiəriə] s med difterie

diphtheric [dip'θerik] adj med difteric

diphtheritic [,dipθə'ritik] adj med difteric

diphthong ['difθɔŋ] s fon diftong

diphthongal [dif'θɔŋgl] adj fon de diftong, a unui diftong; având caracter de diftong

diphthongization [,difθɔŋgaɪ'zeɪʃən] s fon diftongare

diphthongize ['difθɔŋg,aɪz] fon I vt a diftonga II vi a se diftonga

dip into ['dip ,intə] vi cu prep a scruta cu ac; a-și arunca ochii asupra (cu gen)

diple ['dipli] s poligr semnul „>"

diplegia [daɪ'pliːdʒiə] s med diplegie, paralizie bilaterală

diploma [di'ploumə] s 1 școl, univ diplomă; certificat 2 document oficial sau istoric

diplomacy [di'plouməsi] s 1 pol diplomație 2 fig diplomație; tact; abilitate

diplomaed [di'ploumd] adj cu diplomă; titrat

diplomat ['diplə,mæt] s 1 pol diplomat 2 fig diplomat; persoană plină de tact sau abilitate

diplomatic [,diplə'mætik] adj 1 pol diplomatic 2 fig diplomat(ic), abil, dibaci; plin de tact

diplomatically [,diplə'mætikəli] adv 1 pol din punct de vedere diplomatic 2 pol pe cale diplomatică 3 fig diplomat(ic), cu abilitate

diplomatic corps [,diplə'mætik 'kɔ:] s pol corp diplomatic

diplomatics [,diplə'mætiks] s pl ca sg 1 pol diplomație, arta diplomației 2 diplomatică (disciplină a istoriei)

diplomatist [di'ploumətist] s v. **diplomat**

dip needle ['dip ,niːdl] s fiz înclinometru

dipole ['daɪ,poul] s fiz dipol

dipper ['dipəʳ] s 1 cupă, benă; căuș; polonic 2 constr canciog 3 rel baptist 4 sl ← înv hoț de buzunare

dipsomania [,dipsou'meiniə] s med dipsomanie

dipsomaniac [,dipsou'meini,æk] s med dipsoman

dipt [dipt] pret și ptc de la **dip** I, II

diptera ['diptərə] s pl ent diptere

diptych ['diptik] s diptic

dire [daɪəʳ] adj 1 groaznic, cumplit, fioros 2 grozav, nemaipomenit; ~ poverty sărăcie cumplită/lucie

direct [di'rekt] I adj 1 direct, drept; neocolit; in a ~ line în linie dreaptă, de-a dreptul 2 direct, nemijlocit; personal; to be in ~ contact with a fi în contact direct // legătură directă cu; ~ descendant descendent/urmaș direct 3 direct, fățiș; sincer; neocolit; neșovăitor 4 direct, exact, diametral (opus); a ~ contradiction o contradicție flagrantă 5 gram direct II vt 1 a dirija; a conduce (o întreprindere etc.); a controla, a supraveghea (munca etc.) 2 a îndruma (pe cineva), a arăta calea (cuiva) 3 muz a dirija 4 a ordona (cuiva, ceva), a porunci (cuiva); the officer ~ed his men to advance ofițerul le ordonă oamenilor săi să înainteze; he ~ed an advance to be made ordonă înaintarea, ordonă să se înainteze III vi 1 a ordona, a fi cel care ordonă, a fi obișnuit să ordone 2 muz a dirija

direct action [di'rekt æk∫ən] *s pol etc.* acțiune directă

direct current [di'rekt'kʌrənt] *s el* curent continuu

direct discourse [di'rekt di'skɔ:s] *s gram* vorbire directă

direction [di'rek∫ən] *s* 1 direcție, sens; orientare; **in the ~ of** în direcția *cu gen;* **in a southerly ~** în direcția sud, spre sud; **to have a good sense of ~** a avea simțul orientării 2 ↓ *pl* directivă, indicație, normă, instrucțiune 3 *pl* adresă *(pe plic etc.)* 4 conducere; îndrumare; control; **we worked under his ~** lucram sub conducerea lui 5 direcție, conducere 6 *fig* direcție, sens; tendință 7 *fig* direcție, linie; sferă, domeniu 8 *teatru etc.* regie

directional [di'rek∫ənəl] *adj* direcțional; dirijat

directon finder [di'rek∫ən 'faində'] 1 *tehn* indicator de direcție 2 *tel* radio-goniometru

directive [di'rektiv] I *adj* 1 indicator, arătător 2 dirijat, condus II *s* directivă, instrucțiune

directly [di'rektli] I *adv* 1 direct, drept, exact, tocmai; **he is looking ~ at us** se uită drept la noi 2 imediat, neîntârziat, fără întârziere 3 imediat, îndată, peste puțin timp; **I'll be back ~** mă întorc îndată/imediat 4 în linie dreaptă II *conj* ← *F* (de) îndată ce, cum

direct object [di'rekt 'ɔbdʒikt] *s gram* complement direct

Directoire, the [direk'twa:ʳ, ðə] *s ist Franței* Directorat

director [di'rektə'] *s* 1 director; conducător 2 administrator 3 *bis* duhovnic 4 *muz* dirijor 5 *teatru etc.* regizor 6 *tehn* aparat de comandă

directorate [di'rektərit] *s* 1 directorat, funcție de director 2 direcție, conducere

directorship [di'rektə∫ip] *s* directorat; direcție

directory [di'rektəri] *s* registru/carte de adrese; carte de telefon

directress [di'rektris] *s* directoare, femeie-director

directrix [di'rektriks], *pl și* **directrices** [di'rektrisi:z] *s* 1 *v.* **directress** 2 *mat* curbă dreaptă directoare

direct speech [di'rekt 'spi:t∫] *s gram* vorbire directă

direct tax [di'rekt tæks] *s ec* impozit direct

direct to *sau* **towards** [di'rekt tə/ tə,wɔ:dz] *vt cu prep* a îndrepta/a dirija spre/către

direful ['daiəful] *adj* ← *elev, poetic* îngrozitor, teribil, groaznic

dirge [də:dʒ] *s* 1 bocet *(de înmormântare);* cântec funebru 2 *bis* parastas

dirigibility [,diridʒə'biliti] *s tehn* maniabilitate

dirigible [di'ridʒibəl] *s av* dirijabil; balon dirijabil

diriment ['dirimənt] *adj* care anulează *(o învoială etc.)*

dirk [də:k] *s* 1 pumnal *(scurt)* 2 *nav* balansină de ghiu

dirt [də:t] *s* 1 murdărie; gunoi; < scârnăvie; noroi; praf; **(as) cheap as ~ a** *F* ieftin ca braga **b** *F* care nu face doi bani, ← lipsit de valoare; **to treat smb like ~** *F* a trata pe cineva ca pe un nimic; **to fling/ to throw ~ at smb** *fig* a împroșca pe cineva cu noroi; **to eat ~** ← *F* a-și pune cenușă pe cap 2 pământ, sol, teren *(↓ afânat)* 3 *geol* rocă sterilă; gangă 4 *fig* murdărie, *F* < porcărie; indecență, pornografie, obscenitate; faptă murdară, ticăloșie

dirt-cheap ['də:tt∫i:p] *adj v.* **(as) cheap as dirt** *(v.* **dirt** 1)

dirtily ['də:tili] *adv* murdar

dirtiness ['də:tinis] *s și fig* murdărie

dirt track ['də:t træk] *s sport* pistă *(de zgură etc.)* pentru motociclete

dirty ['də:ti] I *adj* 1 murdar; plin de noroi, praf *etc.* 2 *fig* murdar, indecent, pornografic, obscen 3 *(d. o rană)* infectat 4 *fig* murdar, necinstit, ticălos, mârșav 5 *nav (d. vreme)* urât II *vt* a murdări; a păta III *vi* a se murdări; a se păta

dis- *pref* dis-, des-, dez, ne-, de- *etc.* **dispersed** dispersat; **disintegration** dezintegrare; **displacement** deplasare

dis. *presc de la* 1 **distance** 2 **distant** 3 **distribute**

disability [,disə'biliti] *s* 1 neputință; incapacitate 2 invaliditate 3 *jur* incapacitate; lipsă de drepturi

disable [dis'eibəl] *vt* 1 a slăbi; a face neputincios, inapt *etc.*; a incapacita; a schilodi 2 *jur* a lipsi de drepturi *(pe cineva)* 3 *mil* a scoate din luptă *sau* acțiune

disabled [dis'eibəld] *adj* inapt; invalid; infirm; schilod; *mil* scos din luptă

disablement [dis'eibəlmənt] *s* 1 incapacitate 2 invaliditate 3 stricare, scoatere din funcție

disabuze [,disə'bju:z] *vt* a deschide ochii *(cuiva)*, a scăpa *(pe cineva)* de idei greșite, prejudecăți *etc.*

disaccord [,disə'kɔ:d] I *s* 1 dezacord; nepotrivire 2 neconcordanță II *vi* a nu fi de acord

disaccredit [,disə'kredit] *vt* a discredita

disaccustom to [,disə'kʌstəm tə] *vt cu prep* a dezobișnui *(pe cineva)* de

disadvantage [,disəd'va:ntidʒ] *s* 1 dezavantaj; inconvenient; situație dezavantajoasă; **to be at a ~** a fi dezavantajat 2 prejudiciu, detriment, pagubă, daune

disadvantageous [,disædva:n'teidʒəs] *adj* dezavantajos; nefavorabil; neconvenabil

disadvantageously [,disædva:n'teidʒəsli] *adv* dezavantajos

disaffected [disə'fektid] *adj* nemulțumit; nesociabil; neprietenos

disaffected to [,disə'fektid tə] *adj cu prep* neloial *cu dat*

disaffection [,disə'fek∫ən] *s* 1 nemulțumire 2 lipsă de loialitate, necredință

disafforest [,disə'fɔrist] *vt* a despăduri

disagree [,disə'gri:] *vi* 1 a nu corespunde, a nu coincide, a se contrazice 2 a nu fi de acord; a nu cădea de acord; a nu se înțelege; a avea păreri diferite; **I ~ with you** nu sunt de acord cu tine 3 a se certa, a se sfădi

disagreeable [,disə'griəbəl] *adj* dezagreabil, neplăcut; < respingător

disagreeably [,disə'griəbli] *adv* (în chip) neplăcut

disagreement [,disə'gri:mənt] *s* 1 necorespondență, diferență; contradicție 2 dezacord, păreri diferite 3 ceartă, sfadă 4 *gram* dezacord, lipsă de acord

disagree with [,disə'gri: wið] *vi cu prep (d. hrană, climă etc.)* a nu-i prii *cuiva,* a nu fi bun/potrivit pentru

disallow [,disə'lau] *vt* a respinge *(pretenții etc.)*, a nu recunoaște

disallowance [ˌdisəˈlauəns] *s* **1** refuz; respingere **2** interzicere

disanimate [disˈænimeit] *vt* **1** a demoraliza; a fi ca un duş rece pentru **2** a lua viaţa *cu gen*

disannul [ˌdisənʌl] *vt* a anula cu desăvârşire, a nimici

disappear [ˌdisəˈpiəʳ] *vi* **1** a dispărea, a se face nevăzut, a nu se mai vedea **2** a dispărea, a pieri, a se stinge, a muri

disappearance [ˌdisəˈpiərəns] *s* dispariţie

disappoint [ˌdisəˈpɔint] *vt* **1** a dezamăgi, a decepţiona, a deziluziona **2** a înşela *(speranţe)*

disappointed [ˌdisəˈpɔintid] *adj* **(to; at; in)** dezamăgit, decepţionat, deziluzionat (să; de)

disappointedly [ˌdisəˈpɔintidli] *adv* dezamăgit, cu amărăciune

disappointed of [ˌdisəˈpɔintid əv] *adj cu prep* lipsit/privat de

disappointment [ˌdisəˈpɔintmənt] *s* dezamăgire, decepţie, deziluzie

disapprobation [ˌdisæprouˈbeiʃən] *s* dezaprobare, condamnare

disapprobative [ˌdisəˈproubeitiv] *adj* dezaprobator

disappropriate [ˌdisəˈprouprieit] *vt* a dezîmproprietări, a lipsi de dreptul de proprietate

disapproval [ˌdisəˈpruːvəl] *s* dezaprobare

disapprove [ˌdisəˈpruːv] *vt* a dezaproba, a nu fi de acord cu, < a condamna

disapprove of [ˌdisəˈpruːv əv] *vi cu prep v.* **disapprove**

disapprovingly [ˌdisəˈpruːviŋli] *adv* (în mod) dezaprobator

disarm [disˈaːm] *vt, vi mil şi fig* a dezarma

disarmament [disˈaːməmənt] *s mil* dezarmare

disarrange [ˌdisəˈreindʒ] *vt* **1** a răvăşi, a deranja **2** a dezorganiza **3** a strica, a da peste cap *(planuri etc.)*

disarrangement [ˌdisəˈreindʒmənt] *s* **1** răvăşire, deranjare **2** dezorganizare **3** stricare; dejucare *(a planurilor etc.)* **4** confuzie, zăpăceală

disarray [ˌdisəˈrei] **I** *s* **1** neorânduială, dezordine; zăpăceală; dezorganizare **2** neglijenţă, fel neglijent de a se îmbrăca **II** *vt* **1**

a pune în neorânduială; a zăpăci; a dezorganiza **2** ← *poetic* a dezbrăca

disarticulate [ˌdisaːˈtikjuˌleit] *vt* a dezarticula; a desface

disassimilation [ˌdisəˌsimiˈleiʃən] *s fizl* dezasimilare, denutriţie

disassociate [ˌdisəˈsouʃiˌeit] *vt* **(with, from)** a disocia, a separa, a despărţi (de)

disaster [diˈzaːstəʳ] *s* dezastru, nenorocire, calamitate; sinistru

disastrous [diˈzaːstrəs] *adj* dezastruos; nenorocit, funest; fatal

disastrously [diˈzaːstrəsli] *adv* (în mod) dezastruos

disavow [ˌdisəˈvau] *vt* **1** a nega, a tăgădui, a nu recunoaşte **2** a dezavua

disavowal [ˌdisəˈvauəl] *s* **1** negare, tăgăduire, nerecunoaştere **2** dezavuare

disband [disˈbænd] **I** *vt* **1** *mil* a demobiliza, a lăsa la vatră **2** a dizolva, a desfiinţa, a lichida *(o asociaţie etc.)* **II** *vi* **1** *mil* a se împrăştia; a pleca la vatră **2** *(d. o asociaţie etc.)* a se dizolva, a se desfiinţa

disbandment [disˈbændmənt] *s mil* dizolvare, împrăştiere; trecere în revistă a militarilor în termen

disbar [disˈbaːʳ] *vt jur* a exclude din barou

disbelief [ˌdisbiˈliːf] *s* **1** necredinţă, lipsă de credinţă **2** neîncredere

disbelieve [ˌdisbiˈliːv] *vt* **1** a nu crede în, a nu avea credinţă în **2** a nu se încrede în, a nu avea încredere în; a nu da crezare *cu dat*

disbelieve in [ˌdisbiˈliːv in] *vi cu prep v.* **disbelieve**

disbranch [disˈbraːntʃ] *vt* **1** a tăia ramurile *(unui pom)* **2** a tăia, a desprinde

disburden [disˈbəːdn] **I** *vt* a despovăra, a uşura; **to ~ one's mind** a-şi despovăra cugetul; a-şi descărca sufletul **II** *vr* **(of)** a-şi uşura/a-şi despovăra cugetul (de); a spune ce are pe suflet

disburse [disˈbəːs] *vt* a plăti *(bani)*

disbursement [disˈbəːsmənt] *s* **1** plată **2** bani plătiţi, sumă plătită

disc [disk] *s* **1** *tehn, anat etc.* disc **2** disc, placă rotundă **3** disc, placă *(de patefon etc.)*

disc. *presc de la* **discount**

discard [disˈkaːd] *vt* **1** a îndepărta; a înlătura; a lepăda; a renunţa la **2** a decarta *(o carte de joc)*

discern [diˈsəːn] **I** *vt* **1** a distinge, a zări (cu greutate), a desluşi **2** *fig* a distinge, a discerne, a deosebi; a face o deosebire între; **I ~ed no difference** n-am văzut/n-am constatat nici o deosebire **II** *vi* a discerne, a judeca limpede

discernible [diˈsəːnəbl] *adj* care se poate zări/desluşi; vizibil; perceptibil

discernibly [diˈsəːnəbli] *adv* (în mod) perceptibil *sau* vizibil

discerning [diˈsəːniŋ] *adj* cu discernământ, pătrunzător

discernment [diˈsəːnmənt] *s* discernământ; putere de discernământ; judecată limpede

discharge [disˈtʃaːdʒ] **I** *vt* **1** *ferov, nav etc.* a descărca; a goli **2** a descărca *(o armă)*, a trage un foc din **3** a despovăra, a lua povara de pe **4** a concedia, a da afară *(din slujbă)* **5** a elibera; a da drumul *(cuiva) (din închisoare etc.)* **6** *mil* a elibera; a scuti de serviciul militar **7** a emite, a emana; a scoate *(fum etc.)*, a elimina *(impurităţi etc.)* **8** *(of)* a disculpa, a dezvinovăţi (de) **9** *el* a descărca **10** *ec* a plăti, a achita *(o datorie)* **II** *vr* **(of)** a scăpa, a se elibera, a se uşura *(de o povară etc.)* **to ~ oneself in laughter** a izbucni în râs **III** *vi* **1** *(of)* a scăpa, a se elibera, a se uşura *(de o povară etc.)* **2** *(d. o armă)* a se descărca **3** *(d. o rană)* a supura, a puroia **IV** *s* **1** descărcare *(a unui vas etc.)* **2** împuşcătură, foc; salvă **3** concediere, dare afară, licenţiere **4** eliberare *(a unui deţinut etc.)* **5** *jur* achitare; reabilitare **6** plată, achitare *(a unei datorii)* **7** îndeplinire *(a unei obligaţii etc.)* **8** scurgere, debit *(al apei etc.)* **9** supurare *(a unei răni; puroi)* **10** *tehn* eşapament **11** *tehn* debit; consum **12** eliminare; emanaţie, emanare **13** *el* descărcare

discharge oneself into [disˈtʃaːdʒ wʌnˈself intə] *vr cu prep (d. ape curgătoare)* a se vărsa în

disc harrow [ˈdisk ˌhærou] *s agr* plug cu discuri

disciple [diˈsaipl] *s* discipol; elev

disciplinable ['disi,plinəbl] *adj* **1** ascultător **2** pasibil de pedeapsă

disciplinarian [,disipli'nɛəriən] *s* **1** partizan al disciplinei **2** educator *sau* profesor sever **3** *od rel* partizan al prezbiterianismului **4** persoană care menține disciplina; **he is no** ~ nu știe să mențină disciplina

disciplinary ['disi,plinəri] *adj* disciplinar; ~ **measures** măsuri disciplinare

discipline ['disiplin] I *s* **1** disciplină; ordine **2** disciplină, ramură *(a unei științe)* **3** pedeapsă II *vt* **1** a disciplina; a aduce la ordine **2** a disciplina, a antrena *(mintea etc.)* **3** a pedepsi

disclaim [dis'kleim] *vt* **1** a nu recunoaște (ca al său); a renunța la *(drepturi etc.)* **2** a nega, a tăgădui; a repudia

disclaimer [dis'kleimə^r] *s* nerecunoaștere; tăgăduire, negare; renunțare *(la drepturi etc.)*; repudiere

disclose [dis'klouz] *vt* **1** a destăinui, a dezvălui, a releva; a divulga; a aduce la cunoștință, a face cunoscut **2** a arăta, a scoate la lumină, a înfățișa *(conținutul unui pachet etc.)*

disclosure [dis'klouʒə^r] *s* destăinuire, dezvăluire; aducere la cunoștință, divulgare

discobolus [dis'kobələs] *s sport* discobol

discolour [dis'kʌlə^r] I *vt* a decolora II *vi* a se decolora

discolo(u)ration [dis,kʌlə'reiʃən] *s* decolorare

discomfit [dis'kʌmfit] *vt* **1** a strica *(planuri etc.)* **2** a încurca, a pune în încurcătură, a face să se jeneze; < a rușina

discomfiture [dis'kʌmfitʃə^r] *s* **1** încurcătură, confuzie, jenă **2** stricare *(a unor planuri etc.)*

discomfort [dis'kʌmfət] I *s* **1** lipsă de comfort **2** strâmtoare, jenă (financiară); lipsuri **3** greutate, dificultate, asperitate, potrivnicie **4** jenă, stinghereală; rușine II *vt* a deranja, a tulbura, a stingheri; a jena

discomfortable [dis'kʌmfətəbəl] *adj* **1** neplăcut, dificil, greu, supărător **2** stânjenit, stingherit, jenat **3** incomod **4** întristător, mâhnitor

discommend [,diskə'mend] *vt* a dezaproba, a nu fi de acord cu

discommode [,diskə'moud] *vt* v. **discomfort** II

discommodity [,diskə'moditi] *s* dezavantaj, inconvenient

discompose [,diskəm'pouz] *vt* a tulbura liniștea *(cuiva)*; a tulbura, a stingheri

discomposure [,diskəm'pouʒə^r] *s* tulburare, neliniște

disconcert [,diskən'sə:t] *vt* **1** a tulbura, a zăpăci, a deconcerta **2** a răsturna, a strica *(planuri etc.)*

disconnect [,diskə'nekt] *vt* **1** a desface; a separa; a detașa **2** *el* a deconecta

disconnected [,diskə'nektid] *adj* **1** desfăcut; separat, detașat **2** *el* deconectat **3** *fig* fără legătură, incoerent

disconnectedly [,diskə'nektidli] *adv* **1** fără legătură; dezlânat; nelogic **2** izolat, separat

disconnectedness [,diskə'nektidnis] *s* **1** lipsă de legătură; lipsă de logică, ilogicitate **2** izolare

disconsolate [dis'konsəlit] *adj* nemângâiat, neconsolat, nefericit

discontent [,diskən'tent] I *adj* nemulțumit; nesatisfăcut II *s* nemulțumire III *vt* a nemulțumi

discontented [,diskən'tentid] *adj* v. **discontent** I

discontentedly [,diskən'tentidli] *adv* nemulțumit, cu nemulțumire

discontentment [,diskən'tentmənt] *s* nemulțumire

discontinuance [,diskən'tinjuəns] *s* încetare, întrerupere

discontinue [,diskən'tinju:] I *vt* **1** a înceta, a întrerupe **2** a renunța la, a se lepăda de *(un obicei etc.)* **3** *jur* a înceta; a suspenda *(ancheta etc.)* **4** *jur* a retrage *(o plângere)* II *vi* a se opri; a înceta, a nu mai continua

discontinuity [dis,konti'nju:iti] *s* **1** lipsă de continuitate, discontinuitate **2** întrerupere

discontinuous [,diskən'tinjuəs] *adj* discontinuu; întrerupt

discord I ['disko:d] *s* **1** discordie, ceartă, neînțelegere; conflict **2** dezacord, nepotrivire **3** *muz* dezacord; disonanță **4** zgomot, gălăgie, larmă II [dis'ko:d] *vi* **1** a fi în dezacord, a nu se înțelege **2** *muz* a fi discordant *sau* disonant

discordance [dis'ko:dəns] *s* v. **discord** I

discordant [dis'ko:dənt] *adj* **1** discordant, distonant, nepotrivit; în dezacord **2** certăreț, gâlcevitor **3** *muz* discordant; strident

discount I ['diskaunt] *s* **1** *ec* reducere, rabat; remiză; **at a** ~ **a** *ec* sub valoarea nominală **b** *ec (d. mărfuri)* fără căutare, care nu se cere **c** *fig* care nu are căutare; fără valoare **2** *fin* scont, disconto II *și* [dis'kaunt] *vt* **1** *ec* a deconta **2** *fin* a sconta **3** a micșora valoarea *(cu gen)*; a nu ține cont de **4** a nu crede decât în parte *(ceea ce i se spune etc.)*, a crede numai pe jumătate

discountenance [dis'kauntinəns] *vt* **1** a dezaproba, a descuraja; a nu sprijini, a nu susține **2** a deconcerta, a încurca, a zăpăci, a fâstâci **3** a împiedica realizarea *cu gen*

discourage [dis'kʌridʒ] *vt* a descuraja; a tăia elanul (cuiva)

discourage from [dis'kʌridʒ frəm] *vt cu prep și -ing* a convinge să nu *(facă ceva)*, a face să renunțe la *(ceva)*

discouragement [dis'kʌridʒmənt] *s* **1** descurajare **2** (**to**) piedică, obstacol (pentru)

discouraging [dis'kʌridʒiŋ] *adj* **1** descurajator **2** deprimant; trist

discourse [dis'ko:s] *s* **1** vorbire **2** tratat **3** prelegere; conferință **4** predică **5** ← *înv* conversație, discuție; **to hold** ~ **with** a sta de vorbă cu

discourse upon [dis'ko:s ə,pon] *vi cu prep* a discuta despre; a vorbi/ a conferenția despre

discourteous [dis'ko:tiəs] *adj* prost crescut; nepoliticos

discourtesy [dis'ko:tisi] *s* proastă creștere; nepolitețe

discover [di'skʌvə^r] *vt* **1** a descoperi **2** a găsi, a afla; a constata

discoverer [di'skʌvərə^r] *s* descoperitor

discovery [di'skʌvəri] *s* descoperire

Discovery Day [di'skʌvəri 'dei] *s* Ziua descoperirii Americii *(12 octombrie)*

discredit [dis'kredit] I *vt* **1** a discredita; **he was ~ed with the public** a fost discreditat în ochii publicului **2** a nu da crezare *cu dat* II *s* **1** discredit; compromitere;

pierderea încrederii; **to bring ~ on smb** a discredita pe cineva **2** neîncredere, lipsă de încredere; îndoială, bănuială; **to throw/to cast ~ on** a arunca o umbră de îndoială asupra *(cu gen)*

discreditable [dis'kreditəbəl] *adj* compromițător; < rușinos

discreditably [dis'kreditəbli] *adv* (în mod) rușinos

discreet [di'skri:t] *adj* **1** discret **2** prudent, prevăzător **3** modest, simplu **4** înțelept

discreetly [di'skri:tli] *adv* (în mod) discret; cu grijă, atent

discrepancy [di'skrepənsi] *s* discrepanță, dezacord, nepotrivire, < contradicție *(între două afirmații etc.)*

discrepant [di'skrepənt] *adj* nepotrivit, discordant, < contradictoriu

discrete [dis'kri:t] *adj* **1** diferit, alcătuit din elemente diferite; eterogen **:** individual, distinctiv **3** *filoz* abstract

discretely [dis'kri:tli] *adv* **1** discontinuu **2** răzleț; separat

discretion [di'skreʃən] *s* **1** libertatea de a dispune/de a hotărî; (putere de) judecată; maturitate (de gândire); **years of ~** *vârsta la care cineva este răspunzător de faptele sale (în Anglia, de la 14 ani în sus);* **you have full ~** ai toată libertatea de acțiune, poți proceda cum vrei **2** prevedere, precauțiune; **~ is the best part of valour** *prov* „mai bună este prevederea decât cutezanța" **3** discreție, rezervă **4** înțelepciune

discretionary [di'skreʃənəri] *adj* discreționar

discriminate I [di'skriminit] *adj* distinctiv, deosebit II [di'skrimi-ˌneit] *vt* **(from)** a distinge, a deosebi (de) III [di'skrimi,neit] *vi* a distinge, a deosebi

discriminate against [di'skrimi,neit ə,genst] *vi cu prep* a face deose-bire între, a distinge între

discriminate in favour of [di'skri-mi,neit in'feivər əv] *vi cu locuțiu-ne prepozițională* a favoriza *(pe cineva),* a fi de partea *(cuiva)*

discriminating [di'skrimi,neitiŋ] *adj* **1** *(d. tarife etc.)* discriminatoriu; preferențial **2** *(d. un semn)* distinctiv **3** *(d. gust etc.)* fin

discrimination [di,skrimi,neiʃən] *s* **1** discriminare, deosebire, dis-tincție **2** discriminare, putere de a discrimina, discernământ

discriminative [di'skriminətiv] *adj* **1** distinctiv, caracteristic, spe-cial **2** care știe să diferențieze/distingă; rafinat; subtil

discrown [dis'kraun] *vt* a detona

disculpate [dis'kʌlpeit] *vt* a exculpa, a scoate de sub acuzare

discursive [di'skə:siv] *adj* **1** *log* discursiv **2** discursiv, care se dispersează; diluat

discursiveness [dis'kə:sivnis] *s* discursivitate

discus ['diskəs], *pl și* **disci** ['diskai] *s sport* **1** disc **2 the ~** aruncarea discului

discuss [di'skʌs] *vt* **1** a discuta, a judeca *(o problemă etc.)* **2** ← *F* a se înfrupta din; a mânca *sau* a bea cu poftă/cu nesaț

discussion [di'skʌʃən] *s* discuție; **to come up for ~** a fi pus pe tapet; a veni în discuție; **under ~** (aflat) în discuție

discus throw, the ['diskəs 'θrou, ðə] *s sport* aruncarea discului

disdain [dis'dein] I *vt* a disprețui; a privi de sus, a desconsidera; a respinge, a refuza *(cu dis-preț)* II *s* dispreț; desconsi-derare

disdainful [dis'deinful] *adj* dispre-țuitor, < batjocoritor

disdainfully [dis'deinfuli] *adv* dis-prețuitor, cu dispreț, < batjo-coritor

disease [di'zi:z] I *s* boală, *elev →* maladie II *vt și fig* a îmbolnăvi; a molipsi, a infecta

diseased [di'zi:zd] *adj* **1** bolnav **2** bolnăvicios

disembark [ˌdisim'ba:k] *vt, vi nav* a debarca

disembarkation [dis,emba:'keiʃən] *s nav* debarcare

disembarrass of [ˌdisim'bærəs əv] *vt cu prep* a despovăra de; a elibera de; a scuti de

disembarrass oneself of [ˌdisim-'bærəs wʌn'self əv] *vr cu prep* a se elibera de; a se descotorosi de, a scăpa de

disembodied [ˌdisim'bɔdid] *adj* fără trup; imaterial

disembodiment [ˌdisim'bɔdimənt] *s* descărnare, spiritualizare

disembosom [ˌdisim'buzəm] *vt* a destăinui *(un secret)*

disembosom oneself to [ˌdisim-'buzəm wʌn'self tə] *vr cu prep* a se destăinui cuiva, a-și deschide sufletul *cuiva*

disembowel [ˌdisim'bauəl] *vt* a scoate mațele/intestinele *(cu gen),* a eviscera

disembroil [ˌdisim'brɔil] *vt și fig* a descurca, a descâlci

disenchant [ˌdisin'tʃa:nt] *vt* **1** a scăpa de vrajă **2** *fig* a aduce la realitate

disenchantment [ˌdisin'tʃa:ntmənt] *s* **1** eliberare de vrajă **2** *fig* aducere la realitate

disencumber [ˌdisin'kʌmbər] *vt* a ușura de o sarcină/povară/piedici *etc.*

disenfranchise [ˌdisin'fræntʃaiz] *vt* a lipsi/a priva de drepturi *(civile)*

disengage [ˌdisin'geidʒ] *vt* **(from)** a elibera; a scuti *(de o obligație etc.)*

disengaged [ˌdisin'geidʒd] *adj (d. o masă etc.)* liber, neocupat

disengagement [ˌdisin'geidʒmənt] *s* **(from)** eliberare (de); scutire (de)

disentangle [ˌdisin'tæŋgəl] I *vt* **1** a descâlci, a desface *(o jurubiță etc.)* **2** *fig* a descâlci, a lămuri, a clarifica **3 (from)** *fig* a scoate *(din încurcătură etc.)* II *vi* a se descâl-ci, a se desface

disentanglement [ˌdisin'tæŋgəlmənt] *s* **1** descâlcire, desfacere **2** *fig* descâlcire, lămurire, clarificare

disequilibrium [ˌdisi:kwi'libriəm] *s* dezechilibru; instabilitate

disestablish [ˌdisi'stæbliʃ] *vt* **1** a încălca, a nu ține seama de *(ceva stabilit)* **2** *bis* a despărți *(biserica)* de stat

disestablishment [ˌdisis'tæbliʃmənt] *s* **1** încălcare *(a ceva stabilit)* **2** *bis* despărțire/separare *(a bise-ricii)* de stat

disfavour [dis'feivər] I *s* **1** dizgrație; **to fall into ~** a cădea în dizgrație **2** dezaprobare; **to regard smth with ~** a nu privi ceva cu ochi buni II *vt* a nu privi cu ochi buni, a dezaproba

disfiguration [dis,figjuə'reiʃən] *s* desfigurare

disfigure [dis'figər] *vt* **1** a desfigura; a poci, a sluți **2** a strica, a deforma, a diforma

disfigurement [dis'figəmənt] *s* **1** desfigurare; pocire, sluţire **2** stricare, deformare, diformare

disforest [dis'fɔrist] *vt* a despăduri

disfranchise [dis'fræntʃaiz] *vt v.* **disenfranchise**

disfrock [dis'frɔk] *vt bis* a caterisi, *F →* a răspopi

disgorge [dis'gɔːdʒ] *vt* **1** a vărsa, a vomita, a da afară **2** a vărsa *(lavă)* **3** a goli, a deşerta

disgorge into [dis'gɔːdʒ ‚intə] *vi cu prep (d. râuri etc.)* a se vărsa în

disgrace [diz'greis] **I** *s* dizgraţie; ruşine; ocară; **to fall into ~** a cădea în dizgraţie; **he is the ~ of the family** este ruşinea familiei **II** *vt* **1** a face de ocară, a fi o ruşine pentru **2** a face de ruşine **3** a dizgraţia, a arunca în dizgraţie

disgraceful [dis'greisful] *adj* ruşinos, de ocară; condamnabil

disgracefully [dis'greisfuli] *adv* (în mod) ruşinos

disgruntled [dis'grʌntəld] *adj* **(at smth; with smb)** nemulţumit *(de ceva sau de cineva)*

disguise [dis'gaiz] **I** *vt* **1** a deghiza, a masca **2** a ascunde, a tăinui; **there is no disguising the fact that** nu poate fi ascuns faptul că **II** *s* **1** deghizare; travesti(re); **in ~ a** deghizat; mascat **b** ascuns, tăinuit **2** *fig* mască, aparenţă înşelătoare

disguisedly [dis'gaizidli] *adv* deghizat, mascat; incognito

disgust [dis'gʌst] **I** *s* **(at)** dezgust, silă, scârbă (pentru, faţă de) **II** *vt* a dezgusta; a scârbi; a produce silă/scârbă *(cuiva)*

disgusted [dis'gʌstid] *adj* **(at, by, with)** dezgustat, scârbit (de)

disgustedly [dis'gʌstidli] *adv* cu dezgust/scârbă

disgustful [dis'gʌstful] *adj* dezgustător, respingător, scârbos

disgusting ['dis'gʌstiŋ] *adj v.* **disgustful**

disgustingly [dis'gʌstiŋli] *adv* **1** (în mod) dezgustător **2** dezgustător de *(murdar etc.)*

dish [diʃ] **I** *s* **1** farfurie; strachină; blid, vas **2 the ~es** vasele, vesela; **to wash up the ~es** a spăla vasele **3** (fel de) mâncare; **standing ~** fel de mâncare, invariabil **4** *tehn* disc **5** concavitate

II *vt* **1** a pune *sau* a servi în farfurie *etc.* (*v.* **~ I, 1**) **2** a da formă concavă *cu dat* **3** *tehn* a ambutisa **4** *F* a da peste cap, – a dejuca, a răsturna *(planurile cuiva)*; a păcăli, a înşela *(speranţe etc.)*

dishabille [‚disæ'biːl] *s fr* neglijeu; capot; halat

dish cloth ['diʃ ‚klɔθ] *s* cârpă de (şters) vase

dishearten [dis'haːtən] *vt* a descuraja; a demoraliza; a întrista, a mâhni

dishevelled [di'ʃevəld] *adj* **1** *(d. păr)* despletit; încâlcit, nepieptănat; răvăşit **2** cu părul despletit *etc.* (**v, ~1**) **3** *(d. haine)* neîngrijit, în neorânduială; murdar

dishful ['diʃful] *s* farfurie *etc.* (*v.* **dish I, 1**) *(plină cu mâncare etc.)*

dishonest [dis'ɔnist] *adj* necinstit, murdar

dishonestly [dis'ɔnistli] *adv* (într-un mod) necinstit, murdar

dishonesty [dis'ɔnisti] *s* necinste; rea credinţă; murdărie; ticăloşie

dishonour [dis'ɔnəʳ] **I** *s* dezonoare, ruşine, ocară; **to bring ~ on** a face de râs *cu ac* **II** *vt* **1** a dezonora, a face de râs/ruşine/ocară **2** a necinsti, a silui *(o fată)* **3** a batjocori; a insulta **4** *fin* a nu onora

dishonourable [dis'ɔnərəbəl] *adj* lipsit de onoare; ruşinos; ticălos, mârşav

dishonourably [dis'ɔnərəbli] *adv* (în mod) ruşinos, scandalos; ticălos

dish out ['diʃ 'aut] *vt cu part adv* a împărţi *(mâncarea)*

dish up ['diʃ 'ʌp] *vt cu part adv* **1** *v.* **dish II, 1 2** a servi *(masa)* **3** *fig* a servi, a oferi *(argumente etc.)* **4** *← F* a şti/a se pricepe să spună *(o anecdotă etc.)*

dish water ['diʃ ‚wɔːtəʳ] *s* lături, zoaie

disillusion [‚disi'luːʒən] **I** *vt* **1** a dezamăgi, a deziluziona, a deceptiona **2** a distruge iluziile *(cuiva)* **II** *s* pierdere a iluziilor; dezamăgire, deceptie

disillusionment [‚disi'luːʒənmənt] *s v.* **disillusion II**

disincentive [‚disin'sentiv] *s* mijloc de intimidare *sau* constrângere

disinclination [‚disinkli'neiʃən] *s* **(for)** antipatie, aversiune < repulsie (pentru, faţă de); **I know his ~ to meet people** ştiu că nu-i place societatea

disinclined for [‚disin'klaind fəʳ] *adj* **cu prep** fără tragere de inimă pentru, care simte antipatie/ aversiune/< repulsie pentru; *F →* fără chef de

disinclined to [‚disin'klaind tə] *adj* **cu inf** care nu este dispus să, *F →* care nu are chef să

disinfect [‚disin'fekt] *vt* a dezinfecta; a steriliza

disinfectant [‚disin‚fektənt] *adj, s* dezinfectant

disinfection [‚disin'fekʃən] *s* dezinfectare, dezinfecţie, sterilizare

disinflation [‚disin'fleiʃən] *s fin* deflaţie

disingenuous [‚disin'dʒenjuəs] *adj* nesincer; viclean; necinstit

disinherit [‚disin'herit] *vt* a dezmoşteni

disinheritance [‚disin'heritəns] *s* dezmoştenire

disintegrate [dis'inti‚greit] **I** *vt* a descompune, a dezintegra; a dezagrega; a destrăma; a fărâmiţa, a sfărâma **II** *vi* a se descompune, a se dezintegra; a se fărâmiţa, a se sfărâma

disintegration [dis‚inti'greiʃən] *s* descompunere, dezintegrare; fărâmiţare, sfărâmare

disinter [‚disin'təːʳ] *vt* a dezgropa, a deshuma

disinterested [dis'intristid] *adj* **1** dezinteresat; imparţial, obiectiv **2** indiferent, nepăsător

disinterestedly [dis'intristidli] *adv* **1** (în mod) dezinteresat **2** cu indiferenţă, nepăsător

disinterestedness [dis'intristidnis] *s* **1** absenţa vreunui interes personal; imparţialitate, obiectivitate **2** indiferenţă, nepăsare

disinterment [‚disin'təːmənt] *s* dezgropare, deshumare

disject [dis'dʒekt] *vt* a împrăştia, a risipi; a dispersa

disjoin [dis'dʒɔin] *vt* a desparţi, a separa; a desface

disjoint [dis'dʒɔint] *vt* **1** a dezmembra; a desface în părţi componente **2** a tranşa, a tăia felii **3** **(from)** a despărţi, a separa (de) **4** a scrânti, a luxa

disjointed [dis'dʒɔintid] *adj* **1** dezmembrat **2** *(d. scriere, stil)* incoerent **3** scrântit, luxat

disjointedly [dis'dʒɔintidli] *adv* fără legătură

disjunct [dis'dʒʌŋkt] *adj* dezmembrat; desfăcut; nelegat

disjunction [dis'dʒʌŋkʃən] *s* 1 dezmembrare; desfacere; separare 2 *log* disjuncţie 3 disjungere

disjunctive [dis'dʒʌŋktiv] *adj şi gram* disjunctiv

disk [disk] *s v.* **disc**

dislike [dis'laik] I *vt* a nu-i plăcea, < a nu putea suferi II *s* (**for, of, to**) antipatie, aversiune, < repulsie (pentru, faţă de)

dislocate ['dislokeit] *vt* 1 a disloca, a scrânti, a luxa 2 a disloca, a (stră)muta; a desprinde 3 *fig* a dezorganiza, a încurca

dislocation [,dislə'keiʃən] *s* 1 dislocare 2 *fig* dezorganizare

dislodge [dis'lɔdʒ] *vt* 1 a îndepărta; a deplasa, a mişca din loc 2 a scoate (*din bârlog etc.*)

dislodgement [dis'lɔdʒmənt] *s* 1 îndepărtare; deplasare 2 scoatere (*din bârlog etc.*)

disloyal [dis'lɔiəl] *adj* (**to**) neloial, necredincios (faţă de *sau cu dat*); trădător (faţă de)

disloyalty [dis'lɔiəlti] *s* (**to**) lipsit de loialitate, necredinţă (faţă de)

dismal ['dizməl] *adj* 1 întunecat, posomorât, mohorât; deprimat; trist, jalnic 2 groaznic, fioros, îngrozitor

dismally ['dizməli] *adv* 1 apăsător, mohorât; de rău augur; deprimant 2 lugubru

dismantle [dis'mæntəl] *vt* 1 *tehn* a demonta 2 *constr* a demola

dismast [dis'mɑːst] *vt nav* a dezarbora; a scoate catargurile (unui vas)

dismay [dis'mei] I *s* 1 spaimă, groază; panică; **struck with ~** îngrozit, cuprins de panică 2 disperare, exasperare II *vt* 1 a îngrozi, a înspăimânta 2 a demoraliza, < a exaspera

dismember [dis'membər] *vt* a dezmembra; a rupe, a sfâşia *etc.* în bucăţi

dismemberment [dis'membəmənt] *s* dezmembrare

dismiss [dis'mis] I *vt* 1 a concedia, a licenţia, a da afară 2 a da drumul (*cuiva*), a lăsa să plece 3 a îndepărta, a alunga (*gânduri negre etc.*) 4 *jur* a respinge II *vi:* ~! *mil etc.* rupeţi rândurile

dismissal [dis'misəl] *s* 1 concediere, licenţiere, destituire 2 eliberare 3 concediu; vacanţă 4 pauză, repaus 5 îndepărtare, alungare (*a gândurilor negre etc.*) 6 *şi jur* respingere

dismission [dis'miʃən] *s* 1 înlăturare, îndepărtare 2 eliberare (*din închisoare*) 3 eliminare; expulzare; concediere

dismount [dis'maunt] I *vt* 1 a da jos (*de pe cal etc.*) 2 *tehn* a demonta 3 a scoate montura (*cu gen*) II *vi* a se da jos (*de pe cal, bicicletă etc.*)

disobedience [,disə'biːdiəns] *s* neascultare; nesupunere

disobedient [,disə'biːdiənt] *adj* neascultător; nesupus

disobediently [,disə'biːdiəntli] *adv* neascultător, nesupus

disobey [,disə'bei] *vt* a nu da ascultare, a nu se supune (*cu dat*)

disoblige [,disə'blaidʒ] *vt* a nu ţine seama/cont de dorinţa, interesele *etc.* (*cuiva);* a fi nepoliticos faţă de; a face ceva în ciuda (*cuiva*)

disobliging [,disə'blaidʒiŋ] *adj* necurtenitor, nepoliticos; care nu ţine cont de alţii

disorder [dis'ɔːdər] *s* 1 dezordine, neorânduială; zăpăceală; confuzie 2 dezordine (publică), tulburare 3 *med* dereglare, tulburare, deranjament II *vt* 1 a deranja; a dezorganiza 2 *med* a deregla; a îmbolnăvi

disordered [dis'ɔːdəd] *adj* 1 deranjat, în neorânduială; dezorganizat 2 *med* bolnav; (*d. stomac*) deranjat 3 *med* bolnav mintal, alienat

disorderly [dis'ɔːdəli] I *adj* 1 *v.* **disordered** 1 2 neîngrijit, dezordonat 3 (*d. sănătate*) şubrezit, şubred 4 nedisciplinat, neastâmpărat; turbulent 5 (*d. comportare etc.*) necuviincios, urât, < huliganic II *adv* 1 în neorânduială 2 nedisciplinat 3 (*a se comporta etc.*) necuviincios, urât; < huliganic

disorderly house [dis'ɔːdəli 'haus] *s* 1 bordel 2 tripou

disorganization [dis,ɔːgə,nai'zeiʃən] *s* dezorganizare

disorganize [dis'ɔːgənaiz] *vt* a dezorganiza

disorientate [dis'ɔːrien,teit] *vt şi fig* a dezorienta

disorientation [dis,ɔːrien'teiʃən] *s şi fig* dezorientare

disown [dis'oun] *vt* a nu recunoaşte (*paternitatea etc.*), a refuza să recunoască; a nega (*autoritatea cuiva);* a renega

disparage [di'spæridʒ] *vt* 1 a discredita; a compromite; a vorbi de rău pe seama (*cu gen*) 2 a subaprecia

disparagement [di'spæridʒmənt] *s* discreditare, compromitere

disparagingly [di'spæridʒiŋli] *adv* cu dispreţ; compromiţător

disparate ['dispərit] I *adj* disparat; cu totul diferit; incompatibil II *s* lucru cu totul diferit

disparity [di'spæriti] *s* disparitate, deosebire, diferenţă; nepotrivire, neconcordanţă

dispassion [dis'pæʃən] *s* lipsă de pasiune, indiferenţă

dispassionate [dis'pæʃənit] *adj* 1 calm, liniştit, imperturbabil 2 imparţial, obiectiv, drept

dispatch [di'spætʃ] I *vt* 1 a trimite, a expedia; *tehn* a dispeceriza 2 a trimite repede, *F* a expedia (*o chestiune etc.*) 3 *F* a trimite pe lumea cealaltă, a expedia, – a omorî; a executa II *vi* ← *înv* a se grăbi III *s* 1 trimitere, expediere 2 depeşă (diplomatică); raport oficial; telegramă, corespondenţă (*trimisă unui ziar*) 3 grabă, rapiditate, iuţeală; promptitudine; **to act with ~** a acţiona prompt

dispatch bearer [di'spætʃ 'bɛərər] *s* curier diplomatic

dispatch box [di'spætʃ 'bɔks] *s* 1 valiză pentru corespondenţă oficială 2 *poligr* cutie de expediţie

dispatcher [di'spætʃər] *s* 1 expeditor 2 dispecer

dispel [di'spel] *vt* a risipi, a împrăştia (*norii, îndoielile etc.*)

dispensable [di'spensəbəl] *adj* facultativ; neesenţial

dispensary [di'spensəri] *s* 1 farmacie 2 dispensar 3 ambulanţă

dispensation [dispen'seiʃən] *s* 1 împărţire (*a hranei, dreptăţii etc.*); distribuire (*a hranei etc.*) 2 *jur etc.* dispensă; scutire 3 *rel* voie (*a cerului);* dezlegare 4 sistem religios, religie

dispensatory [di'spensətəri] *s* farmacopee

dispense [di'spens] *vt* **1** a împărți, a distribui *(hrană etc.);* a împărți, a face *(dreptate)* **2** a prepara *(medicamente)* **3** a prescrie *(o rețetă)* **4** (**from**) *jur etc.* a dispensa; a scuti (de)

dispenser [di'spensəʳ] *s* **1** împărțitor, distribuitor *(de hrană etc.)* **2** farmacist

dispense with [di'spens wið] *vi cu prep* a se dispensa de, a nu avea nevoie de; a se descurca (și) fără

dispeople [dis'pi:pl] *vt* a depopula

dispersal [di'spə:səl] *s* **1** dispersare; împrăștiere **2** împărțire, distribuție

disperse [di'spə:s] **I** *vt* a împrăștia; *și fiz* a dispersa **II** *vi* a se împrăștia; *și fiz* a se dispersa

dispersed [di'spə:st] *adj* dispersat; dispers

dispersedly ['dispə:stli] *adv* peste tot; ici și colo

dispersion [di'spə:ʃən] *s v.* **dispersal**

dispersiveness [di'spə:sivnis] *s fiz* dispersivitate

dispirit [di'spirit] *vt* a descuraja; a demoraliza

dispirited [dispi'ritid] *adj* descurajat; demoralizat; abătut

dispiritedly [di'spiritidli] *adv* abătut

displace [dis'pleis] *vt* **1** a deplasa, a (stră)muta; a pune într-un alt loc; a transfera **2** a înlocui; a pune la locul *(cu gen)*

displaced person [dis'pleist pə:sn] *s* persoană strămutată; deportat

displacement [dis'pleismənt] *s* **1** deplasare; (stră)mutare; transfer(are) **2** înlocuire **3** *nav* deplasament

display [di'splei] **I** *vt* **1** a etala, a expune, a prezenta **2** a manifesta, a da dovadă de **II** *s* **1** etalare, expunere, prezentare **2** expoziție **3** manifestare *(a curajului etc.)* **4** laudă; **to make great ~ of generosity** a face (< mare) caz de generozitatea sa, a se lăuda cu generozitatea sa

displease [dis'pli:z] *vt* a nu plăcea *(cuiva);* a nu fi pe placul *(cuiva);* a nemulțumi, < a supăra, a irita

displeased [dis'pli:zd] *adj* (**at, with**) nemulțumit (de), < supărat (din cauza – *cu gen*)

displeasing [dis'pli:ziŋ] *adj* (**to**) neplăcut (pentru)

displeasingly [dis'pli:ziŋli] *adv* cu nemulțumire/< supărare

displeasure [dis'pleʒəʳ] *s* nemulțumire, < supărare

disport oneself [di'spo:t wʌn,self] *vr* a se distra, a se amuza

disposable [di'spouzəbəl] *adj* disponibil; la îndemână

disposal [di'spouzəl] *s* **1** dispoziție, dispunere, așezare; ordine **2** (**of**) înlăturare, îndepărtare, evacuare, eliminare *(cu gen)* **3** dispoziție, ordine; **at his ~** la dispoziția lui; la îndemâna lui; **to place smth at smb's ~** a pune ceva la dispoziția cuiva **4** transfer *(de proprietăți etc.);* vânzare; cedare *(de bunuri)*

dispose [di'spouz] *vt* **1** a dispune, a așeza; a aranja **2** *fig* a aranja, a orândui; a pune la punct **3** *fig* a folosi, a întrebuința; a da o întrebuințare *(cu dat)*

disposed [di'spouzd] *adj (în cuvinte compuse)* dispus; **well ~ towards** favorabil *cu dat*

disposed to [di'spouzd tə] *adj cu inf* dispus să; gata să; înclinat să

dispose of [di'spouz əv] *vi cu prep* **1** a dispune de, a fi stăpân pe **2** a înlătura; a scăpa de; a lichida; a respinge *(un argument)*

disposition [,dispə'ziʃən] *s* **1** *v.* **disposal 1 2** ↓ *pl mil* dispozitiv **3** *v.* **disposal 3 4** (**to**) dispoziție, înclinație (spre, către) **5** fire, natură, caracter; **he is of a cheerful ~** este/are o fire veselă **6** *v.* **disposal 4 7** *pl* pregătiri *(pt o campanie etc.)*

dispossess [,dispə'zes] *vt* (**of**) a deposeda (de); a lipsi (de)

dispossession [,dispə'zeʃən] *s* (**of**) deposedare (de); lipsire (de)

dispraise [dis'preiz] *vt* a dezaproba, < a condamna

disproof [dis'pru:f] *s* combatere, contestare; dovadă de contrariu

disproportion [,disprə'po:ʃən] **I** *s* disproporție **II** *vt* a disproporționa

disproportionate [,disprə'po:ʃənit] *adj* (**to**) disproporționat *(față de, în comparație cu)*

disproportionately [,disprə'po:ʃənitli] *adv (în mod)* disproporționat

disprove [dis'pru:v] *vt* a dovedi/a demonstra netemeinicia *(cu gen)*

disputable [di'spju:təbəl] *adj* discutabil; litigios

disputant [di'spju:tənt] persoană care ia parte la o dispută *sau* dezbatere/discuție

disputation [,dispju'teiʃən] *s* **1** dispută, discuție; litigiu **2** discuții, dezbateri **3** arta argumentării

dispute [di'spju:t] **I** *vt* **1** a contesta, a pune în discuție **2** a se opune, a opune rezistență *(cu dat)* **3** a disputa *(victoria etc.),* a lupta pentru, a încerca să câștige **II** *vi* (**about, on**) a se certa (pentru) **III** *s* **1** dispută, discuție, dezbatere, controversă; **beyond/past/ without ~** indiscutabil, în afară de orice îndoială **2** ceartă, sfadă

disqualification [dis,kwolifi'keiʃən] *s* descalificare

disqualify [dis'kwoli'fai] *vt* a descalifica; a face inapt

disquiet [dis'kwaiət] **I** *vt* a neliniști, a tulbura **II** *s* neliniște, agitație, frământare

disquieting [dis'kwaiətiŋ] *adj* neliniștitor, alarmant

disquietingly [dis'kwaiətiŋli] *adv* alarmant de *(mare ca procentaj etc.)*

disquietude [dis'kwaii,tju:d] *s* neliniște, frământare

disquisition [,diskwi'ziʃən] *s* **1** (**on**) expunere (pe larg) *(asupra – cu gen)* **2** cercetare amănunțită, studiu temeinic

Disraeli [diz'reili], **Benjamin** *om de stat și scriitor englez (1804-1881)*

disregard [,disri'ga:d] **I** *vt* a neglija, a nu lua în seamă, a nu ține seama de; a nu arăta considerație *(cuiva)* **II** *s* **1** (**of**) indiferență, nepăsare (față de), neglijare, desconsiderare *(cu gen)* **2** (**for**) lipsă de considerație (față de *cineva*)

disrelish [dis'reliʃ] *v, s v.* **dislike**

disrepair [,disri'pɛəʳ] *s* stare proastă *(a unei clădiri etc.)*

disreputable [dis'repjutəbəl] *adj* **1** rău famat, de proastă reputație **2** *(d. un obiect)* urât; uzat

disreputably [dis'repjutəbli] *adv (în mod)* rușinos, urât, scandalos

disrepute [,disri'pju:t] *s* proastă reputație; nume rău; **to fall into ~** a-și pierde bunul (re)nume

disrespect [,disri'spekt] *s* (**for**) lipsă de respect/considerație (față de)

disrespectful [,disri'spektful] *adj* (**to**) nerespectuos, lipsit de respect (față de), nepoliticos (cu)

disrespectfully [,disri'spektfuli] *adv* nerespectuos, nepoliticos

disrobe [dis'roub] *vt* a dezbrăca *(↓ ca ceremonial pt demnitari)*

disroot [dis'ru:t] *vt şi fig* a dezrădăcina

disrupt [dis'rʌpt] *vt* 1 *şi fig* a distruge, a sfărâma; a dezmembra 2 *fig* a submina 3 *min* a disloca; a sparge

disruption [dis'rʌpʃən] *s* 1 *şi fig* distrugere; dezmembrare 2 *fig* submininare 3 *min* dislocare; spargere *(a pietrei etc.)* 4 *el* descărcare

disruptive [dis'rʌptiv] *adj* 1 *şi fig* distrugător 2 *fig* de subminare 3 *el* disruptiv

dissatisfaction [,dissætis'fækʃən] *s* nemulţumire; insatisfacţie

dissatisfactory [,dissætis'fæktəri] *adj* nesatisfăcător, nemulţumitor; care stârneşte nemulţumirea

dissatisfied [dis'sætisfaid] *adj* (**with**) nemulţumit (de), > nesatisfăcut (de)

dissatisfy [dis'sætis,fai] *vt* a nemulţumi

dissect [di'sekt] *vt* 1 a diseca; a face o disecţie *(cu gen)* 2 *fig* a diseca, a analiza

dissection [di'sekʃən] *s* 1 disecţie 2 *fig* analiză, cercetare 3 obiect al disecţiei

dissemble [di'sembəl] I *vt* 1 a disimula, a masca, a camufla, a ascunde 2 a se face că nu observă; a trece sub tăcere 3 a simula, a da impresia falsă de II *vi* a se preface; a simula

dissembler [di'semblə^r] *s* făţarnic, prefăcut, ipocrit

disseminate [di'semi,neit] *vt* 1 a semăna, a disemina 2 a răsplăti, a propaga, a difuza *(ştiri etc.)*

dissemination [di,semi'neiʃən] *s* 1 semănare, diseminare 2 răspândire, propagare, difuzare *(a unor idei etc.)*

dissension [di'senʃən] *s* disensiune; neînţelegere, neînţelegeri, < vrajbă

dissent [di'sent] I *vi* 1 (**from**) a avea o altă părere *sau* alte păreri (decât), a se deosebi în păreri (de), a nu fi de acord (cu) 2 *rel* a fi disident *(faţă de biserica anglicană)* II *s* 1 dezacord; părere diferită *sau* păreri diferite; opoziţie 2 *rel* disidenţă

dissertation [,disə'teiʃən] *s* (**on, upon**) dizertaţie (despre; asupra – *cu gen*)

disservice [dis'sə:vis] *s* deserviciu; < rău

dissidence ['disidəns] *s v.* **dissent** II

dissident ['disidənt] *s* disident

dissimilar [di'similə^r] *adj* (**to**) deosebit (de), neasemănător (cu)

dissimilarity [disimi'læriti] *s v.* **dissimilitude**

dissimilation [,disimi'leiʃən] *s fon* disimilaţie

dissimilitude [,disi'mili,tju:d] *s* lipsă de asemănare, nepotrivire, deosebire

dissimulate [di'simju,leit] *vt, vi v.* **dissemble**

dissimulation [di,simju'leiʃən] *s* 1 disimulare, mascare, camuflare 2 simulare; prefăcătorie, ipocrizie

dissipate ['disi,peit] I *vt* 1 a risipi, a împrăştia *(norii, bănuielile etc.)* 2 a risipi, a irosi, a cheltui II *vi* 1 *(d. nori etc.)* a se risipi, a se împrăştia, a dispărea, a pieri 2 a duce o viaţă uşuratică, a o duce tot în petreceri; a fi desfrânat

dissipated ['disi,peitid] *adj* uşuratic; dezmăţat, desfrânat

dissociate [di'souʃi,eit] I *vt* 1 a disocia, a despărţi, a separa 2 *ch, fiz* a disocia II *vr* a se disocia, a se despărţi III *vi ch, fiz* a se disocia

dissociate oneself from [di'souʃi,eit wʌn'self frəm] *vr cu prep* a se disocia de; a nu recunoaşte *cu ac*

dissociation [di,sousi'eiʃən] *s* 1 disociere, despărţire, separare 2 *psih, ch etc* disociaţie

dissolubility [di,sɔlju'biliti] *s ch* solubilitate

dissoluble [di'sɔljubəl] *adj* 1 solubil 2 *(d. căsătorie etc.)* care se poate desface; anulabil; netrainic

dissolute ['disə,lu:t] *adj* dezmăţat, desfrânat

dissolution [,disə'lu:ʃən] *s* 1 *ch* dizolvare 2 topire *(a gheţii, a zăpezii)* 3 dizolvare *(a parlamentului etc.)*; desfacere *(a unei căsătorii etc.)* 4 dezintegrare, fărâmiţare *(a unui stat etc.)* 5 *com, ec* lichidare

dissolve [di'zɔlv] I *vt* 1 *ch etc.* a dizolva, a topi 2 a dilua 3 a evapora 4 a dizolva *(parlamentul etc.)* 5 *com, ec* a lichida 6 a

anula; a desfiinţa 7 a descompune; a dezintegra 8 a clarifica, a elucida II *vi* 1 *ch etc.* a se dizolva, a se topi 2 a se dilua 3 a se evapora 4 *(d. parlament etc.)* a se dizolva 5 *com, ec* a se lichida 6 a se anula; a se desfiinţa 7 a se descompune; a se dezintegra 8 a dispărea, a pieri

dissonance ['disənəns] *s* 1 *muz* disonanţă, dezacord 2 *fig* dezacord, nepotrivire; stridenţă; distonanţă

dissonant ['disənənt] *adj* 1 *muz* disonant 2 *fig* nepotrivit; strident; distonant

dissuade [di'sweid] *vt* (**from**) a sfătui să nu (facă *ceva*), a căuta să schimbe părerea *(cuiva)* (cu privire la); a deconsilia (de); I ~d **him from making such experiments** l-am sfătuit *sau* l-am convins să nu facă astfel de experienţe

dissuasion [di'sweiʃən] *s* 1 deconsiliere 2 prevenire, avertisment

dissylabic [,disi'læbik] *adj* bisilabic

dissymetric(al) [,disi'metrik(əl)] *adj* asimetric; disimetric

dissymetry [di'simitri] *s* asimetrie; disimetrie

dist. *presc de la* 1 **distance** 2 **distinguish** 3 **discount** 4 **district**

distaff ['dista:f] *s* 1 furcă *(de tors)* 2 **the ~** femeile; **on the ~ side** după mamă, din partea mamei

distance ['distəns] I *s* 1 distanţă; depărtare; *tehn* şi interval; deschidere; **it is a great ~ off** e la o distanţă mare, e foarte departe; **it is no ~ at all** e foarte aproape, e la doi paşi; **at a ~** de la distanţă, din depărtare; **in the ~** în depărtare; **to keep smb at a ~** *fig* a ţine pe cineva la distanţă; **to keep one's ~** *fig* a se ţine la distanţă 2 *fig* distanţă, răceală; rezervă 3 *pict* perspectivă 4 *muz* interval 5 timp, interval, perioadă 6 destrămare, moarte II *vt* a se distanţa de, a lăsa în urmă

distant ['distənt] *adj* 1 (în)depărtat; **three kilometres ~** la o distanţă/ o depărtare de trei kilometri; **a ~ cousin of mine** *fig* un văr depărtat de-al meu 2 *fig* depărtat; vag, aproximativ, oarecare; **a ~ resemblance** o vagă asemănare 3 *fig* distant, rece, rezervat

distantly ['distəntli] *adv* 1 la distanță 2 în depărtare 3 *fig* la distanță; rezervat 4 *(înrudit etc.)* de departe; vag

distaste [dis'teist] *s* antipatie, aversiune; silă

distasteful [dis'teistful] *adj* neplăcut, dezagreabil

distastefully [dis'teistfuli] *adv* fără plăcere; < în silă

distemper[1] [dis'tempə^r] *s pict* culoare tempera

distemper[2] I *s* 1 boală; indispoziție, stare maladivă 2 proastă dispoziție, indispoziție 3 *vet* răpciugă II *vt* a îmbolnăvi; a tulbura *(o funcție)*

distempered [dis'tempəd] *adj* bolnav; indispus

distend [di'stend] I *vt* a umfla; a dilata II *vi* a se umfla; a se dilata

distension, distention [di'sten∫ən] *s* 1 umflare; dilatare 2 umflătură; bubă

distich ['distik] *s metr* distih

distil(l) [dis'til] I *vt* 1 *ch* a distila 2 *fig* a extrage, a scoate *(esențialul)* 3 a picura, a lăsa să cadă picătură cu picătură II *vi* 1 *ch* a se distila 2 a picura, a cădea picătură cu picătură

distillation [‚disti'lei∫ən] *s ch* 1 distilare 2 distilat

distiller [dis'tilə^r] *s ch* distilator; alambic

distillery [dis'tiləri] *s ch etc.* distilerie

distinct [dis'tiŋkt] *adj* 1 distinct, deslușit, clar, limpede 2 distinct, deosebit, diferit; individual 3 anume, precis, distinct 4 ← *poetic* felurit, divers, diferit

distinction [dis'tiŋk∫ən] *s* 1 distincție, deosebire, diferență; **all without ~** toți fără excepție, absolut toți; **a ~ without a difference** deosebire aparentă, nici o deosebire 2 distincție, finețe, eleganță 3 distincție, individualitate, personalitate, originalitate 4 distincție, semn distinctiv 5 superioritate, calități alese; renume, celebritate 6 distincție; decorație; răsplată

distinctive [dis'tiŋktiv] *adj* distinctiv, caracteristic, specific

distinctively [dis'tiŋktivli] *adv* (în mod) caracteristic, distinctiv

distinctly [dis'tiŋktli] *adv* deslușit, clar, limpede; vădit, vizibil

distinctness [di'stiŋktnis] *s* caracter distinct; claritate

distinguish [di'stiŋgwi∫] I *vt* 1 (**between**) a distinge, a deosebi (între); **to ~ one from the other** a distinge/a deosebi pe unul de celălalt 2 a distinge, a deosebi, a percepe, a desluși; a vedea; a auzi 3 a distinge, a deosebi, a remarca 4 a distinge, a deosebi, a caracteriza II *vr* (**by**) a se distinge, a se remarca, a se evidenția (prin)

distinguishable [di'stiŋgwi∫əbl] *adj* care se (poate) distinge; remarcabil

distinguish between [di'stiŋgwi∫ bi'twi:n] *vi cu prep* a distinge/a deosebi între

distinguished [di'stiŋgwi∫t] *adj* 1 distins, deosebit, remarcabil; ales; vestit, renumit 2 *(d. cineva)* distins, plin de distincție

distort [dis'sto:t] *vt* 1 a deforma; a strâmba, a desfigura 2 *fig* a denatura; a prezenta într-o lumină falsă

distorted [dis'sto:tid] *adj* 1 strâmbat, deformat; strâmb 2 *fig* denaturat

distortion [dis'sto:∫ən] *s* 1 deformare, strâmbare, desfigurare 2 *fig* denaturare 3 mișcare convulsivă 4 *med* distorsiune, răsucire

distract [di'strækt] *vt* 1 (**from**) a distrage, a abate *(atenția etc.)* (de la) 2 a zăpăci, a produce confuzie în 3 a sminti, a înnebuni

distracted [di'stræktid] *adj* (**with, by**) zăpăcit, < înnebunit (de); **you will drive him ~** ai să-l scoți din minți, ai să-l înnebunești

distractedly [di'stræktidli] *adv* 1 tulburat; zăpăcit; confuz 2 nebunește, la nebunie

distraction [di'stræk∫ən] *s* 1 nebunie; **to love to ~** a iubi la nebunie; **to be driven to ~** a înnebuni, a face să-și iasă din minți 2 zăpăceală, confuzie *(a minții)* 3 distragere a atenției; absență 4 ceva ce atrage atenția *(și te oprește de la lucru etc.)* 5 distracție, amuzament

distraint [di'streint] *s jur* sechestru, sechestrare

distrain upon [di'strein ə‚pɒn] *vi cu prep jur* a pune sechestru pe

distrait [di'strei], *fem* **distraite** [di'streit] *adj fr* distrat, neatent

distraught [di'stro:t] *adj* 1 distrat, neatent, < zăpăcit 2 *fig* nebun, înnebunit; **~with grief** nebun/ înnebunit de durere/mâhnire

distress [di'stres] I *s* 1 suferință, durere, nefericire 2 epuizare, istovire, extenuare; neputință 3 catastrofă; avarie; nenorocire; pericol, primejdie; naufragiu 4 *jur* v. **distraint** II *vt* 1 a face să sufere; a produce suferință *(cu dat)* 2 *jur* a pune sechestru pe III *vr* a se frământa, < a se chinui, a se da de ceasul morții

distressed [di'strest] *adj* 1 abătut, supărat, < nenorocit, nefericit 2 *(d. o zonă etc.)* sinistrat; atins de flagel *etc.*; înfometat 3 avariat

distressful [di'stresful] *adj* 1 chinuitor; nenorocit, nefericit 2 *(d. cineva)* amărât, nenorocit

distribute [di'stribju:t] *vt* 1 a împărți, a distribui; a repartiza; a difuza; a da 2 a împrăștia *(pe o suprafață îngrășământ etc.)* 3 a distribui, a clasifica

distribution [‚distri'bju:∫ən] *s* 1 împărțire; distribuire; repartizare; difuzare 2 împrăștiere *(pe o suprafață)* 3 distribuire, distribuție, clasificare

distributive [di'stribjutiv] *adj* 1 de distribuire/împărțire 2 *gram, mat, psih* distributiv

distributively [di'stribjutivli] *adv* individual

distributor [di'stribjutə^r] *s* 1 împărțitor; *și tehn* distribuitor 2 *agr* marcotă 3 *text* depunător

district ['distrikt] *s* 1 district, raion, sector; ocol; ținut; zonă; 2 cartier; circumscripție, sector *(într-un oraș)* 3 *amer* circumscripție electorală 4 *fig* domeniu, sferă

distrust [dis'trʌst] I *s* neîncredere, suspiciune; bănuială II *vt* a nu avea încredere în, a se îndoi de, a bănui, a suspecta

distrustful [dis'trʌstful] *adj* (**of**) neîncrezător (în), bănuitor (cu privire la)

distrustfully [dis'trʌstfuli] *adv* neîncrezător, cu neîncredere; bănuitor

distrustfulness [dis'trʌstfulnis] *s* (**of**) neîncredere (în); bănuială (cu privire la)

disturb [di'stə:b] **I** *vt* **1** a tulbura, a deranja, a răvăşi, a răscoli; a dezorganiza **2** a deranja, a incomoda, a stânjeni **3** a tulbura; a strica liniştea *(cuiva)* **4** a strica *(planuri etc.)* **II** *vr* a se deranja; **don't ~ yourself!** nu vă deranjaţi!

disturbance [di'stə:bəns] *s* **1** tulburare *(a liniştii etc.);* nelinişte **2** *pl* tulburări; dezordini **3** *tehn etc.* deranjament, defectare; tulburare; perturbare; anomalie **4** *geol etc.* dislocare

disunion [dis'junjən] *s* **1** despărţire, separare **2** despărţire; dezbinare, *rar →* dezunire; < vrajbă, ceartă **3** lipsă de unire, *rar →* dezunire; dezacord

desunite [,disju'nait] **I** *vt* **1** **(from)** a despărţi, a separa (de) **2** *fig* a despărţi, a dezbina **II** *vi* **1** a se despărţi, a se separa **2** *fig* a se despărţi, a se dezbina

disunity [dis'ju:niti] *s* **1** *v.* **disunion 2** lipsă de unitate

disuse I [dis'ju:z] *vt* a nu mai folosi, a nu mai întrebuinţa **II** [dis'ju:s] *s* nefolosire, neîntrebuinţare; scoatere din uz

disutility [,disju:'tiliti] *s* lipsă de utilitate, inutilitate

disyllabic [,disi'læbik] *adj* bisilabic, de două silabe

disyllable [di'siləbəl] *s* cuvânt *sau* metru de două silabe

ditch [ditʃ] **I** *s* **1** şanţ, canal; rigolă **2** *constr* jgheab, cunetă **3** *mil* tranşee **II** *vt* **1** a săpa un şanţ în *sau* în jurul/împrejurul *(cu gen)* **2** a arunca în şanţ **3** *ferov* a face să deraieze **4** *sl* a se descotorosi de, a scăpa de

ditch water ['ditʃ 'wɔ:tər] *s* apă stătătoare (din şanţuri); **(as) dull as ~ ←** *F* grozav de plictisitor/ neinteresant

dither ['diðər] **I** *vi* **1** a tremura, < a dârdâi **2 ←** *F* a şovăi, a ezita, a nu şti ce să facă **II** *s* tremur(at), < dârdâit; *F* tremurici; **he is all of a ~, he has the ~** *s F* l-a apucat tremuriciul/bâţâiala

dithyramb ['diθiræm] *s* ditiramb

dithyrambic [,diθi'ræmbik] *adj* ditirambic; entuziast

dittany ['ditəni] *s bot* frăsinel *(Dictamnus albus)*

ditto ['ditou] *s, adv* idem; **to say ~ to smb ←** *F* a zice „da" la ceea ce spune cineva, a fi de acord cu cineva

ditty ['diti] *s* cântec *(simplu, scurt)*

diuresis [,daiju'ri:sis] *s med* diureză

diuretic [,daiju'retik] *adj med* diuretic

diurnal [dai'ə:nəl] *adj* **1** zilnic, de fiecare zi **2** *astr etc.* diurn

diurnally [dai'ə:nəli] *adv* **1** zilnic, în fiecare zi **2** ziua, în timpul zilei

Div. *presc de la* **Divinity**

div. *presc de la* **1** **divide 2 dividend 3 division 4 divine 5 divorced**

divagate ['daivəgeit] *vi* a divaga, a se abate de la subiect

divagation [,daivə'geiʃən] *s* divagare, divagaţie

divalent [dai'veilənt] *adj ch* bivalent, divalent

divan [di'væn] *s* **1** *ist* divan **2** divan, canapea **3** cameră de fumat

divan-bed [di'væn bed] *s* cuşetă

dive [daiv] **I** *vi* **1** a plonja; a se arunca în apă **2** a se arunca cu capul în jos **3** *(d. scafandri)* a se scufunda; *(d. submarine)* a intra în imersiune **4** *av* a coborî în picaj **5 (into)** a dispărea brusc, a se ascunde (în) **II** *s* **1** plonjare, plonjă; săritură cu capul în jos **2** scufundare, afundare **3** *av* picaj **4** dispariţie bruscă **5** adăpost sub pământ **6** cale ferată subterană **7** *fig* scufundare; **to take a ~ into smth** a se scufunda/a se afunda în ceva *(lectură etc.)* **8** pivniţă; tavernă, local la subsol **9 ↓** *amer F* bombă; ~ speluncă

dive-bomb ['daivbɔm] *vt av, mil* a bombarda în picaj

diver ['daivər] *s* **1** scafandru; scufundător; plonjor **2** *orn* (s)cufundar, bodârlău *(Podiceps cristatus)* **3 ←** *F* hoţ de buzunare

diverge [dai'və:dʒ] *vi* **(from)** a se abate, a devia, a diverge (de la), a diferi (de)

divergence [dai'və:dʒəns] *s* **(from)** abatere, deviere de la; *tehn şi* divergenţă (faţă de)

divergency [dai'və:dʒənsi] *s v.* **divergence**

divergent [dai'və:dʒənt] *adj* **(from)** care se abate (de la); *tehn şi* divergent (faţă de); diferit (de)

divers ['daivəz] *adj ←* *înv* diferit, mai mulţi; **in ~ places** în mai multe locuri, în diferite locuri

diverse [dai'və:s] *adj* **1 (from)** diferit, deosebit (de), altfel (decât) **2** felurit, variat, divers

diversely [dai'və:sli] *adv* **1** în diferite direcţii **2** în diferite moduri/feluri, divers

diversification [dai,və:sifi'keiʃən] *s* diversificare; varietate

diversified [dai'və:si,faid] *adj* diversificat; divers, variat, felurit

diversify [dai'və:si,fai] *vt* a diversifica, a varia

diversion [dai'və:ʃən] *s* **1** deviere, abatere **2** *tehn etc.* branşament, ramificaţie **3** distracţie, amuzament **4** *mil, pol* diversiune

diversionary [dai'və:ʃənəri] *adj mil, pol* diversionist

diversionist [dai'və:ʃənist] *s mil, pol* diversionist

diversity [dai'və:siti] *s* **1** diversitate, varietate **2** nepotrivire, diferenţă, deosebire

divert [dai'və:t] *vt* **1 (from)** a abate (de la); a devia (de la) **2 (from)** a distrage atenţia *(cuiva, de la)* **3** a distra, a amuza

divertimento [,divə:ti'mentou], *pl* **divertimenti** [,divə:ti'menti] *s muz* divertisment

diverting [dai'və:tiŋ] *adj* distractiv, amuzant

divest [dai'vest] *vt* **(of)** a dezbrăca (de); a despuia (de)

divest of [dai'vest əv] *vt cu prep* a lipsi/a priva/a deposeda de

divest oneself of [dai'vest wʌn'self əv] *vr cu prep* a scăpa de, a se dezbăra de

divide [di'vaid] **I** *vt* **1 (among, between)** a împărţi (între), a distribui; a repartiza **2 (from)** a despărţi, a separa (de), a diviza **3** *mat* a împărţi, a diviza; **~ ten by two, ~ two into ten** împarte zece la doi **4** *fig* a despărţi, a separa; a izola; a înstrăina **II** *vi* **1** a se despărţi, a se separa; a se izola; a se înstrăina **2** a nu fi de acord, a avea păreri diferite **3** *mat* a se împărţi, a fi divizibil; **eight~s by two** opt este divizibil cu doi **4** *parl* a vota **III** *s* cumpăna apelor

divided [di'vaidid] *adj* **1** *şi mat* împărţit, divizat **2** despărţit, separat

divided circle [di'vaidid 'sə:kl] *s tehn* cerc de divizare

dividend ['divi,dend] *s* **1** *mat* deîm-părţit **2** *ec* dividend

dividend warrant ['divi,dent ,wɔrənt] *s ec* cupon de dividend

divider [di'vaidər] *s* **1** *mat* divizor **2** *tehn* piesă de ramificaţie **3** *tehn* mecanism de divizare **4** *pl* compas

divination [,divi'neiʃən] *s* **1** divinaţie; prezicere, previziune; ghicire **2** presimţire **3** pronostic

divine [di'vain] **I** *adj* **1** divin; dumnezeiesc **2** profetic **3** *F* divin; – superb; minunat **II** *s* **1** teolog **2** *înv* faţă bisericească, – preot, cleric **III** *vt, vi* a prezice

Divine Comedy, the [di'vain 'kɔmidi, ðə] *s* Divina Comedie *(poem de Dante)*

divinely [di'vainli] *adv* **1** divin, prin puterea divină **2** suprem, extra-ordinar (de)

diviner [di'vainər] *s* profet, proroc; augur

diving bell ['daiviŋ bel] *s tehn* clopot scufundător

diving dress ['daiviŋ dres] *s* costum de scafandru

divinify [di'vinifai] *vt* a diviniza, a zeifica

divining rod [di'vainiŋ rɔd] *s* vergea magică *(pt descoperirea izvoa-relor etc.)*

divinity [di'viniti] *s* **1** divinitate, caracter divin **2** divinitate, dumnezeire; zeu **3 the D~** divinitatea, Dumnezeu **4** studiul religiei; teologie

divinize ['divinaiz] *vt* a diviniza, a zeifica

divisibility [di,vizi'biliti] *s* divizi-bilitate

divisible [di'vizəbəl] *adj şi mat* divizibil; **twelve is ~ by two** doisprezece este divizibil cu doi

division [di'viʒən] *s* **1 (among, between)** împărţire, divizare (între), distribuire, distribuţie; repartizare, repartiţie **2 (from)** despărţire, separare (de) **3** *mat* împărţire; divizare, diviziune **4** *fig* despărţire, separare; izolare; înstrăinare **5** *mil* divizie **6** linie despărţitoare; hotar **7** *fig* dez-acord, păreri opuse; neînţelegeri **8** sector, compartiment; secţie; diviziune *(administrativă)*; cir-cumscripţie **9** *parl etc.* numă-rătoare a voturilor; votare **10** categorie *(de funcţionari)* **11** *sport* divizie

division line [di'viʒən lain] *s drumuri* linie de despărţire *(a două fire de circulaţie)*

divisor [di'vaizər] *s mat* divizor; împărţitor

divorce [di'vɔ:s] **I** *s* **1** *jur* divorţ; **to sue for a ~** a intenta acţiune de divorţ **2** *fig* despărţire, separare, *rar →* divorţ; ruptură **II** *vt* **1** *jur* a divorţa *(pe cineva)* **2** a se despărţi *(prin divorţ)* de *(cineva)* **3** *fig* a se despărţi/a se separa de; a rupe cu

divorcé [di'vɔ:sei] *s fr* bărbat divorţat

divorcée [divɔ:'si:] *s fr* femeie divorţată

divorcement [di'vɔ:smənt] *s jur* divorţ

divulgation [,daivʌl'geiʃən] *s* divul-gare

divulge [dai'vʌldʒ] *vt* a divulga; a da în vileag, a da pe faţă, a dezvălui

divulgement [dai'vʌldʒmənt] *s v.* divulgence

divulgence [dai'vʌldʒəns] *s* divul-gare; dare în vileag

divulsion [dai'vʌlʃən] *s* rupere, sfâşiere

divvy ['divi] *s sl* parte, porţie, *F* ciozvârtă, halcă

Dixie ['diksi] *s amer* statele sudice *(din S.U.A.)*

dixie, dixy ['diksi] *s mil ← F* cazan

dizen ['daizən] *vt ← F* a găti, a împodobi

dizzily ['dizili] *adv* ameţitor

dizziness ['dizinis] *s* ameţeală; vârtej

dizzy ['dizi] **I** *adj* **1** ameţit; zăpăcit, năucit **2** *(d. înălţimi etc.)* ameţitor **3** *F* bătut în cap, tâmpit, – prost, neghiob **II** *vt* a ameţi; a zăpăci, a năuci

Djakarta [dʒə'ka:tə] *capitala Indo-neziei*

dk. *presc de la* **1** dock **2** deck

dkg. *presc de la* decagramme

dkl. *presc de la* decalitre

dkm. *presc de la* decametre

dl. *presc de la* decilitre

D.Lit(t) *presc de la* Doctor Lit(t)e-rarum doctor în litere, filologie

dm. *presc de la* decimetre

Dnepr, the ['dni:pr, ðə] *fluviu în fosta U.R.S.S.* Nipru

Dnestr, the ['dni:stər, ðə] *fluviu în fosta U.R.S.S* Nistru

Dnieper, the ['dni:pr, ðə] *v.* Dnepr, the

Dniester, the ['dni:stər, ðə] *v.* Dnestr, the

do¹ [du:] **I** *pret* **did** [did] *v auxiliar (pt formarea prop inter şi neg la prez şi pret);* **~ you speak English?** vorbiţi englezeşte? **did he come in time?** a venit la timp? **I don't know them** nu-i cunosc; **she didn't say a word** nu scoase/nu rosti o vorbă; **don't you think he is right?** nu crezi că are dreptate? **II** *pret* **did** [did] *v modal (pt subliniere):* **~ tell me the truth!** te rog, spune-mi adevărul! insist să-mi spui adevărul; **but he did help us** ba da, ne-a ajutat **III** *pret* **did** [did] *v. înlocuitor:* **I play chess better than I did** joc mai bine şah (acum) decât altădată; **he sings beautifully, doesn't he?** cântă foarte frumos, nu-i aşa? **IV** *pret* **did** [did], *ptc* **done** [dʌn] *vt* **1** a face, a se ocupa cu: **what is he doing there?** ce face (el) acolo? **no sooner said than done** zis şi făcut **2** a face, a săvârşi, a înfăptui **3** a studia, a învăţa *(istoria etc.)* **4** a rezolva *(cores-pondenţa, o problemă de mate-matică etc.)* **5** a aranja, a pune în ordine *(florile etc.);* a face *(părul etc.)* **6** a face curăţenie în *(cameră etc.);* a curăţa; a peria *(părul etc.)* **7** *(d. bărbier etc.)* a servi **8** a face, a căuta să facă: **to ~ one's best/utmost** a face tot posibilul, a face tot ce-i stă în putinţă **9** a face, a termina, a isprăvi **10** a face, a străbate, a parcurge *(un număr de kilometri etc.);* a merge cu viteza de **11** a juca, a interpreta; a interpreta rolul de *(gazdă etc.)* **12** *F* a trage pe sfoară, – a păcăli, a înşela **13** *← F* a întreţine, a găzdui *(la un hotel etc.)* **14** *F* a face *(munţii etc.);* – a vizita; a trece pe la; a vedea **15** a pregăti; a frige, a fierbe *etc.* cum trebuie **16** a traduce, a tălmăci; a reda **V** *(v. ~ IV)* *vi* **1** a face, a fi activ; a lucra, a munci; a acţiona; **~ , don't talk!** fă/acţionează/munceşte, nu vorbi! **2** a se purta, a se com-porta; a proceda **3** a face; a fi util *sau* convenabil pentru cineva; **a change of air will ~ me well** o schimbare de aer o să-mi facă bine/o să-mi priască **4** *(la timpuri perfecte)* a termina, a isprăvi; **I have done** am terminat/isprăvit **5** a o duce, a-i merge, a se simți *(bine etc.)* **6** a fi bun, potrivit, nimerit *etc.*; **that won't ~** *F* nu merge, nu ține **7** a fi suficient; a ajunge **that will ~!** ajunge! destul **8** a se petrece, a avea loc; **what's ~ ing there?** ce se petrece acolo? **VI** *s* **1** *F* chef, – petrecere; serată **2** *sl*/înșelătorie, escrocherie, pungășie

do² ['ditou] *presc de la* **ditto**

do³ [dou] *s muz* (nota) do

do-all ['du'ɔ:l] *s* factotum, „fată în casă la toate"

doat [dout] *vi v.* **dote**

do away with ['du:ə'wei wið] *vi cu part adv și prep* **1** a scăpa de; a termina/a isprăvi cu **2** a distruge, a nimici; a termina/a isprăvi cu

dobbin ['dobin] *s* cal de ham; cal care trage *(↓ bătrân)*

Dobru(d)ja, (the) [do'brudʒə, (ðə)] *provincie sau regiune în România* Dobrogea

Dobson ['dobsən], **Austin** *poet englez (1840-1921)*

do by ['du:bai] *vi cu prep* a se purta, a se comporta; **do as you would be done by** poartă-te cu alții așa cum ai dori să se poarte și alții cu tine

doc [dok] *s* ← *F* doctor

doc. *presc de la* **document**

docent [dou'sent] *s amer* **1** *univ* conferențiar **2** ghid de muzeu *(care ține și conferințe)*

docile ['dousail] *adj* docil, ascultător; blând

docilely ['dousailili] *adv* (în mod) docil, cu docilitate

docility [dou'siliti] *s* docilitate, ascultare; blândețe

dock¹ [dok] **I** *s* **1** *nav* bazin; doc **2** *ferov* platformă de încărcare **II** *vt nav* a andoca **III** *vi nav* a intra în bazin; a acosta

dock² *s jur* boxă, bancă *(a acuzaților)*

dock³ *s bot* ștevie, măcriș *(Rumex sp.)*

dock⁴ **I** *s* **1** partea cărnoasă a cozii **2** ciot *(de coadă)* **II** *vt* **1** a tăia, a scurta *(coada)* **2** *fig* a tăia, a reduce, a micșora *(salariul etc.)*

dockage¹ ['dokidʒ] *s nav* taxă de andocare

dockage² *s și fig* tăiere, reducere, micșorare

docker ['dokəʳ] *s nav* docher

docket ['dokit] *s* **1** etichetă **2** chitanță de plată a taxelor vamale **3** rezumat, sumar *(al unui document)* **4** *jur* evidență a sentințelor **5** agendă de birou

dock of ['dok əv] *vt cu prep* a lipsi/a priva de

dockyard ['dok,jɑ:d] *s nav* șantier (naval)

doctor ['doktəʳ] **I** *s* **1** *med* doctor, medic **2** doctor *(în litere etc.)* **II** *vt* **1** *F* a doftorici, – a îngriji de; a da îngrijire medicală *(cuiva)* **2** *F* a boteza *(vinul etc.)*; – a falsifica *(datele etc.)*

doctoral ['doktərəl] *adj* **1** de doctor **2** *univ* de doctorat *(în științe etc.)*

doctoral dissertation ['doktərəl dizə'teiʃən] *s univ* teză de doctorat

doctorate ['doktərit] *s univ* doctorat

doctorship ['doktəʃip] *s* **1** doctorat, titlu de doctor **2** calitatea de doctor *(în științe etc.)*

doctress ['doktis] *s* **1** ← *rar* doctoriță **2** ← *F* soție *sau* fiică de doctor

doctrinaire [,dokti'nɛəʳ] **I** *s* doctrinar **II** *adj* doctrinar; teoretic

doctrinal [dok'trainl] *adj* dogmatic

doctrine ['doktrin] *s* **1** doctrină, învățătură **2** crez, doctrină, dogmă

document ['dokjumənt] **I** *s* **1** document; act; certificat **2** *fig* document, dovadă **II** *vt* a sprijini/a confirma prin acte/documente

documentarian [,dokjumen'tɛəriən] *s* adept al metodelor documentare *(în cinematografie etc.)*

documentary [,dokju'mentəri] **I** *adj* documentar **II** *s* (film) documentar

documentation [,dokjumen'teiʃən] *s* documentare

dodder¹ ['dodəʳ] *vi* **1** a tremura *(de bătrânețe etc.)* **2** a târși picioarele

dodder² *s bot* cuscută *(Cuscuta europaea)*

dodderer ['dodərəʳ] *s* (bătrân) neputincios; *F* ramolit

doddery ['dodəri] *adj* neputincios; *F* ramolit

dodecagon [dou'dekə,gon] *s geom* dodecagon

dodecahedral [,doudekə'hi:drəl] *adj geom* dodecaedric

dodecahedron [,doudekə'hi:drən] *s geom* dodecaedru

Dodecanese, the [,doudikə'ni:z, ðə] *grup de insule în Marea Egee* Dodecanez

dodge [dodʒ] **I** *vt* a evita, a ocoli; a para *(o lovitură)*; a eluda *(legea etc.)*; a scăpa de **II** *vi* **1** a se feri, a se da în lături **2** (**behind**) a se ascunde *(în spatele – cu gen)* **3** a recurge la tertipuri; a se eschiva **III** *s* **1** ferire, evitare, ocolire; salt în lături **2** *F* șmecherie, tertip; truc **3** *F* șmecherie, drăcie; – mecanism; – plan; – metodă **4** *sport* fentă

dodger ['dodʒəʳ] *s* **1** om care știe să se descurce; șmecher **2** *amer* reclamă, anunț

dodgery ['dodʒəri] *s* înșelătorie, escrocherie; truc

dodo ['doudou], *pl* **dodo(e)s** ['doudouz] *s* **1** *orn* dront *(Didus ineptus)* **2** *fig* ← *F* om cu vederi învechite

doe [dou] *s zool* **1** cerboaică; căprioară **2** iepuroaică

doer ['du:əʳ] *s* **1** făcător; executant **2** persoană activă

does [dʌz] *pers 3 sg prez de la* **do I-IV**

doe skin ['dou,skin] *s* piele de căprioară

doesn't ['dʌznt] *contras de la* **does not**

doest [dʌst] *pers 2 sg înv de la* **do I-IV**

doeth [dʌθ] *pers 3 sg înv de la* **do I-IV**

doff [dof] *vt* ← *înv* a dezbrăca *(haina etc.)*, a scoate *(haina, pălăria)*

do for ['du:fəʳ] **I** *vt cu part adv* **1** *și fig F* a distruge; a ruina **2** *F* a face felul *(cuiva)*, – a omorî, a ucide **II** *vi cu prep* **1** ← *F* a fi în serviciul *(casnic) cu gen*; a se ocupa de gospodăria *cu gen; old Mrs G. has been doing for us for twenty years* bătrâna d-na G. ne ajută în casă de douăzeci de ani; *he is doing for himself* își face menajul singur; se descurcă singur **2** a dobândi *cu ac*, a face rost de *(hrană etc.)*

dog [dog] **I** *s* **1** *zool* câine *(Canidae sp.)*; câine de casă *(Canis familiaris)*; câine de vânătoare *etc.*; < dulău, zăvod; *peior* > javră, potaie; **to lead a ~'s life** a duce o viață de câine; a fi veșnic hărțuit; **to lead smb a ~'s life** a face cuiva zile fripte, a otrăvi cuiva zilele; **~ eat ~** întrecere *sau* competiție sălbatică/pe viață și pe moarte, „care pe care"; **~ does not eat ~** *prov* corb la corb nu-și scoate ochii; **to give/to throw smth to the ~s a** a arunca ceva la câini **b** *fig* a jertfi/a sacrifica ceva **c** *fig* a arunca ceva încolo; **to go to the ~s a** *(d. cineva)* a ajunge rău/prost **b** *(d. ceva)* a se duce de râpă, *F* a se duce pe copcă, a se duce dracului; **to die a ~'s death, to die like a ~** a muri ca un câine; **give a ~ a bad name and hang him** *prov* vorba clevetitoare moarte n-are; **to help a lame ~ over the stile** a ajuta pe cineva la nevoie/strâmtoare; a scoate pe cineva din încurcătură; **let sleeping ~s lie** *prov* nu deștepta câinele care doarme, nu călca șarpele care doarme; **not to have even a ~'s change** a nu avea nici cea mai mică șansă; **love me, love my ~** *prov* dacă mă iubești, iubește și ce-i al meu; **a ~ in the manger** câinele grădinarului, „nici mie, nici ție"; **to be the under ~ a** a fi învins/ înfrânt **b** a fi un învins (în viață) **c** a fi supus/umil; **to be top ~ a** a învinge, a ieși învingător; a fi stăpân pe situație **b** a conduce, a fi în frunte **2** *zool* mascul; vulpoi; lup; șacal **3 the ~s** ← *F* cursă de ogari **4** ← *înv* nenorocit, amărât **5** *F* individ, cetățean, – persoană; **a sly ~** un vulpoi, o vulpe, un șmecher **6** *constr* pârghie de fier; scoabă, crampon **7** *tehn* piedică; declic; gheară, dinte; camă; opritor; sabot **8** *tel* jack **II** *vt***1** a lua urma *(cu gen);* a merge/a călca pe urmele *(cu gen)* **2** a urmări; a nu lăsa în pace

dog ape ['dɔg ,eip] *s zool* pavian, babuin *(Papio sp.)*

dog bane ['dɔg ,bein] *s bot* chendir *(Apocynum sp.)*

dogberry ['dɔgberi] *s bot v.* **dog rose**

dog biscuit ['dɔg ,biskit] *s* pesmet pentru câini

dogcart ['dɔg,ka:t] *s* docar

dog days ['dɔg ,deiz] *s pl* zilele lui Cuptor; (zile) caniculare

doge [doudʒ] *s od* doge

dog-eared ['dɔg,iəd] *adj (d. o filă etc.)* cu colțul îndoit *sau* cu colțurile îndoite

dog fight ['dɔg ,fait] *s* **1** încăierare între câini **2** *fig* încăierare **3** *av* ← *F* luptă aeriană *(între avioane de vânătoare)*

dog fish ['dɔg ,fiʃ] *s iht* rechin mic *(Squalidae etc. sp.)*

dogged ['dɔgid] *adj* încăpățânat, stăruitor, perseverent

doggedly ['dɔgidli] *adv* cu încăpățânare, stăruitor

doggedness ['dɔgidnis] *s* încăpățânare, stăruință, perseverență

doggerel ['dɔgərəl] *s metr* versuri neregulate; versuri proaste

doggery ['dɔgəri] *s* **1** comportare ordinară **2** câini (care mușcă) **3** gloată, mulțime **4** *sl* bombă, – tavernă

doggie ['dɔgi] *s* câinișor; cățeluș

doggish ['dɔgiʃ] *adj* **1** de câine, câinesc **2** *fig* de câine; crud, hain **3** *F* umflat în pene, – țanțoș

doggo ['dɔgou] *adv sl*: **to lie ~** a sta (↓ *la pândă)* fără să se miște

doggy ['dɔgi] **I** *s v.* **doggie II** *adj v.* **doggish 1, 3**

dog house ['dɔg ,haus] *s* coteț de câine

dog Latin ['dɔg ,lætin] *s* latină stricată

dogma ['dɔgmə], *pl* și **dogmata** ['dɔgmətə] *s* dogmă; doctrină

dogmatic(al) [dɔg'mætik(əl)] *adj* **1** dogmatic **2** categoric, fără apel **3** dictatorial

dogmatically [dɔg'mætikəli] *adv* (în mod) dogmatic

dogmatism ['dɔgmətizəm] *s* dogmatism

dogmatize ['dɔgmə,taiz] *vt, vi* a dogmatiza

dog-poor ['dɔgpuər] *adj* sărac lipit (pământului), *F* → cu traista-n băț

dog rose ['dɔg rouz] *s bot* trandafir sălbatic, măceș *(Rosa canina)*

dog's age ['dɔgz eidʒ] *s amer F* veșnicie, – vreme îndelungată

dog's-eared ['dɔgz,iəd] *adj v.* **dog-eared**

dog show ['dɔg ,ʃou] *s* expoziție canină

Dog Star, the ['dɔg ,sta:ʳ, ðə] *s astr* Sirius

dog-tired ['dɔg'taiəd] *adj* frânt de oboseală

dog watch ['dɔg wɔtʃ] *s nav* cartul 4-6 *sau* 6-8

dogwood ['dɔgwud] *s bot* **1** corn *(Cornus sp.)* **2** sânger *(Cornus sanguinea)*

do in ['du: 'in] *vt cu part adv sl F* – a face felul *(cuiva)*, a curăța *(pe cineva),* – a omorî *(pe cineva)*

doings ['du:iŋz] *s pl* **1** comportare, purtare; acțiuni, *F* → trebăluieli, isprăvi **2** larmă, zarvă, gălăgie

do-it-yourself ['du:itjɔ:'self] *s* ← *F* deprinderea de a face lucrurile casnice singur

doldrums ['dɔldrəmz] *s pl* **1 in the ~** trist, abătut, *F* → întors pe dos, în toane rele/proaste **2** *meteor* calmuri ecuatoriale

dole [doul] **I** *vt* **1** a da *(ceva)* de pomană **2** a cheltui împotriva voinței sale **II** *s* **1** pomană; dar *(mic);* subvenție, ajutor; **to be on the ~** a primi subvenții *(de la stat)* **2** ajutor de șomaj **3** ← *înv* soartă, noroc **4** ← *înv* parte; porțiune

doleful ['doulful] *adj* jalnic, trist; melancolic

dolefully ['doulfuli] *adv* jalnic, cu jale; tânguios

dole out ['doul'aut] *vt cu part adv* a împărți/a distribui cu economie/ *F* → cu târâita

dolerite ['dɔlə,rait] *s minr* dolerit

dolichocephalic [,dɔlikousi'fælik] *adj* dolicefal

dolichocephalous [,dɔlikou'sefələs] *adj* dolicocefal

doll [dɔl] *s* **1** păpușă **2** *fig* păpușă *(copil drăguț; fată sau femeie frumoasă, dar prostuță)*

dollar ['dɔləʳ] *s* **1** dolar **2 the ~s** banii; bogăția, averea

dollop ['dɔləp] *s* ← *F* bucată *(mare și informă);* halcă *(de carne)*

dolly ['dɔli] *s* **1** păpușică **2** *auto, constr* mic șasiu rulant **3** *ferov* locomotivă pe cale ferată îngustă **4** *met* nicovală; matriță, ștanță **5** *el* păpușă *(la pile electrice)*

dolmen ['dɔlmən] *s arheol* dolmen

dolomite ['dɔlə,mait] *s minr* dolomit, magnezit

Dolomites, the ['dɔlə,maits, ðə] Alpii Dolomiți

dolorous ['dɔlərəs] *adj* trist; jalnic

dolour ['dɔləʳ] *s* ← *poetic* durere, jale; tristețe

dolphin ['dɔlfin] *s iht* delfin *(Delphinus delphis)*

dols. *presc de la* **dollars**

dolt [doult] *s* imbecil, prost, neghiob

doltish ['doultiʃ] *adj* greu de cap; stupid, prost

doltishness ['doultiʃnis] *s* prostie, mărginire, tâmpenie

-dom *suf substantival (exprimă condiția etc);* **kingdom** regat; **wisdom** înțelepciune

dom. *presc de la* **1** domestic **2** dominion

domain [də'mein] *s* **1** domeniu, moșie **2** *fig* domeniu, sferă

dome [doum] *s* **1** *constr* dom, cupolă, boltă; acoperiș **2** *constr* dom, catedrală impunătoare **3** *tehn* capac, calotă **4** *auto* dom, calotă, capotă

domesday ['du:mzdei] *s v.* **doomsday**

Domesday Book, (the) ['du:mz,dei buk, (ðə)] *s registru cadastral întocmit în Anglia în 1086*

domestic [də'mestik] **I** *adj* **1** domestic, casnic **2** *(d. animale)* domestic, de casă **3** *(d. afaceri, știri etc.)* (cu caracter) intern **4** indigen, băștinaș **5** de familie, conjugal **6** casnic, atașat căminului **II** *s* **1** servitor, slugă **2** *pl ec* produse indigene

domesticable [də'mestikəbl] *adj* care poate fi domesticit

domesticate [də'mestikeit] *vt* **1** a domestici, a îmblânzi *(animale);* a cultiva; a aclimatiza *(plante)* **2** a civiliza **3** a deprinde *(pe cineva)* cu gospodăria **4** a face să se atașeze de casă/cămin

domestication [də,mesti'keiʃən] *s* domesticire

domestic fuel [də'mestik 'fjuəl] *s* cărbune menajer

domestic gas [də'mestik 'gæs] *s ch* gaz aerian

domestic industry [də'mestik 'indəstri] *s* industrie casnică

domesticity [,doumes'tisiti] *s* **1** viață casnică; viață de familie **2** *pl* treburi casnice *sau* gospodărești

domestic soap [də'mestik 'soup] *s* săpun de rufe

domicile ['dɔmisail] *s* domiciliu; reședință

domiciliary [,dɔmi'siliəri] *adj* domiciliar; (făcut) la domiciliu

dominance ['dɔminəns] *s* predominare; influență, înrâurire

dominant ['dɔminənt] **I** *adj* **1** dominant, care domină; conducător; hotărâtor **2** dominant, principal,

caracteristic, specific **II** *s muz* dominantă

dominate ['dɔmineit] *vt* **1** a domina, a stăpâni; a ține sub influența sa **2** a domina, a întrece prin înălțime **3** a predomina asupra *(cu gen)*

dominate over ['dɔmineit ,ouvəᵊ] *vi cu prep v.* **dominate 1, 3**

domination [,dɔmi'neiʃən] *s* **1** dominare, dominație, stăpânire **2** predominare

domineering [,dɔmi'niəriŋ] *adj* **1** despotic, obișnuit să comande **2** superior, mândru, îngâmfat **3** *(d. un munte etc.)* înalt, care domină *(împrejurimile etc.)*

domineer over [dɔmi'niər ,ouvəᵊ] *vi cu prep* a se purta despotic/ tiranic cu; a trata de sus *(cu ac)*

Dominic ['dɔminik] *nume masc*

Dominica [,dɔmi'ni:kə] *insulă în Indiile Vestice*

dominical [də'minikəl] *adj* duminical

Dominican [də'minikən] *s, adj* dominican

Dominican Republic, the [də'minikən ri'pʌblik, ðə] *Republica Dominicană*

dominie ['dɔmini] *s scot* învățător

dominion [də'minjən] *s* **1** *pol* dominion **2** *pl* domenii **3** dominație, stăpânire; guvernare

domino ['dɔminou], *pl* **domino(e)s** ['dɔmi,nouz] *s* **1** domino *(îmbrăcăminte sau persoană)* **2** *pl* domino *(joc)*

don¹ [dɔn] *s* **1** *univ* membru al consiliului unui colegiu *(la Oxford și Cambridge)* **2** expert, cunoscător, specialist **3** persoană distinsă **4** don, domn *(în Spania)*

don² *vt* ← *înv* a îmbrăca, a pune

Don, the [dɔn, ðə] **1** *fluviu în fosta U.R.S.S.* **2** *râu în Anglia* **3** *râu în Scoția*

doña ['dɔnjə] *s span* **1** dona **2** femeie; doamnă **3** iubită

Donald ['dɔnld] *nume masc*

donate [dou'neit] *vt* **(to)** a dona *(cu dat);* a face o donație *(cu dat);* a contribui *(la)*

donation [dou'neiʃən] *s* **1** donare, dăruire **2** donație; contribuție

done [dʌn] **I** *ptc de la* **do IV II** *adj* **1** terminat, isprăvit **2** bine gătit *sau* prăjit **3** obosit, ostenit, < sleit, extenuat

Donegal [,dɔni,gɔ:l] *comitat în Irlanda*

Donets, the [dɔ'njets, ðə] *râu în fosta U.R.S.S.* Doneț

donjon ['dʌndʒən] *s arhit* donjon, turn fortificat (al unui castel)

Don Juan ['dɔn 'dʒu:ən] **1** *lit etc.* Don Juan **2** *fig* Don Juan, don-juan, crai

donkey ['dɔŋki] *s* **1** măgar, asin **2** *fig* nătărău, prost *F→* bou, tâmpit **3** încăpățânat, *F→* catâr **4** *tehn* troliu cu tambur dublu *(montat pe tractor)*

donkey engine ['dɔŋki ,endʒin] *s tehn* motor auxiliar *(mic)*

Donne [dʌn], **John** *poet englez (1573-1631)*

donor ['dounəᵊ] *s* donator *(de sânge etc.)*

Don Quixote ['dɔn ki:'houti:] *lit* Don Quijote

don't [dount] *contras de la* **do not** sau, neliterar, de la **does not**

doodle ['du:dl] *s* **1** mâzgălitură *(făcută într-un moment de neatenție)* **2** *F* găgăuță; fluieră-vânt

doodlesack ['du:dl,sæk] *s muz* cimpoi

doom [du:m] **I** *s* **1** soartă, destin **2** osândă; damnațiune **3** pieire; moarte **4** *rel* Judecata de Apoi; sfârșitul lumii **5** ← *înv* condamnare, sentință **6** ← *înv* statut; decret **II** *vt* **1** a condamna *(la moarte etc.)* **2** *fig* a osândi **3** *fig* a hotărî, a pecetlui *(soarta etc.)*

doomed [du:md] *adj și fig* condamnat

doomsday ['du:mz,dei] *s* **1** *v.* **doom I 4 2** *jur* zi de judecată

Doomsday Book, (the) ['du:mz,dei-buk, (ðə)] *s v.* **Doomsday Book, (the)**

doomsman ['du:mzmən] *s* judecător

Doon, the [du:n, ðə] *râu în Scoția*

door [dɔ:ᵊ] *s* **1** ușă; > ușiță; poartă; > portiță; **next ~** în casa vecină; alături; **three ~s off** trei case mai departe; **from ~ to ~** din ușă în ușă; din casă în casă; **out of ~s** afară; în aer liber; la plimbare; **within ~s** înăuntru; în casă; **next ~ to** *fig* aproape de; în pragul *(falimentului etc.);* **to lay smth at smb's ~** *fig* a pune ceva în seama/ sarcina cuiva; **to show smb the ~** a-i arăta cuiva ușa, a da pe cineva afară; **to answer the ~** a deschide ușa *(când sună sau bate cineva)* **2** *fig* poartă; portiță; ușă; acces **3** *tehn* ușă; oficiu

door arch ['dɔ:r,ɑ:tʃ] *s constr* arcul ușii

door bell ['dɔ:,bel] *s* clopoțel *sau* sonerie de la ușă

doorcase ['dɔ:,keis] *s* toc/pervaz de ușă

door frame ['dɔ: freim] *s v.* **doorcase**

door handle ['dɔ: ,hændl] *s* clanța ușii

door keeper ['dɔ: ,ki:pəʳ] *s* portar; ușier

door mat [dɔ:,mæt] *s* preș *(de șters picioarele)*

door money ['dɔ:,mʌni] *s* taxă de intrare

door nail ['dɔ: ,neil] *s* cui cu cap lat *(pt ornamentarea ușii);* **(as) dead as a** ~ mort de-a binelea

door plate ['dɔ: ,pleit] *s* tăbliță la ușă cu numele locatarului

door post ['dɔ: poust] *s constr* stâlpul ușii

door sill ['dɔ: sil] *s* prag de ușă

doorstep ['dɔ:step] *s* treaptă de la pragul ușii; prag de ușă

door stop ['dɔ: stɔp] *s auto* opritor de ușă

doorway ['dɔ:,wei] *s* ușă, intrare *(în casă etc.)*

door wing ['dɔ: wiŋ] *s constr* canat de ușă

door yard ['dɔ ja:d] *s amer* curte în fața *sau* spatele casei

do out ['du:'aut] *vt cu part adv* a face curățenie în

do over ['du: ouvəʳ] *vt cu part adv* ← *F* a împodobi din nou

dope [doup] I *s* 1 lac de pensulă 2 *tehn* lăcuire, emailare 3 ← *F* drog, narcotic, stupefiant (vătămător) 4 toxicoman 5 *F* tâmpit, gogoman 6 *sl* informație secretă privind șansele de câștig ale cailor (la curse) II *vt* a droga

Dora [dɔ:rə] *nume fem v.* **Dorothea, Theodora**

Doric order, the ['dɔrik ɔ:də, ðə] *s arhit* ordinul doric

Doris ['dɔris] *nume fem*

dorm [dɔ:m] *s F v.* **dormitory**

dormancy ['dɔ:mənsi] *s* 1 (stare de) somnolență 2 inactivitate, stagnare; pace, liniște 3 latență, stare latentă

dormant [dɔ:mənt] *adj* 1 somnolent, < adormit 2 inactiv, care stagnează; liniștit 3 latent, în stare latentă; potențial 4 *(d. un vulcan)* latent, în repaus, inactiv

dormer ['dɔ:məʳ] *s constr* 1 talpa reazemului 2 lucarnă, fereastră de fronton

dormitory ['dɔ:mitəri] *s* dormitor *(comun, într-un internat etc.)*

dormouse ['dɔ:maus], *pl* **dormice** ['dɔ:mais] *s zool* alunar *(Muscardinus avellanarius)*

Dorothea [,dɔrəθiə] *nume fem* Doroteea

Dorothy ['dɔrəθi] *nume fem v.* **Dorothea**

dorsal ['dɔ:səl] *adj anat* dorsal

Dorset ['dɔ:sit] *v.* **Dorsetshire**

Dorsetshire ['dɔ:sitʃiəʳ] *comitat în Anglia*

dorsum ['dɔ:səm], *pl* **dorsa** ['dɔ:sə] *s* spate *(al unui animal);* parte dorsală/din spate

Dortmund ['dɔ:tmənd] *oraș în Germania*

dory ['dɔ:ri] *s nav* pui cu fund plat *(pt pescuit)*

dosage ['dousidʒ] *s* dozaj

dose [dous] I *s* 1 doză 2 *fig* doză, puțin, ceva II *vt* 1 a doza *(medicamente etc.)* 2 a administra un medicament *(cuiva)* III *vi* a lua un medicament *sau* medicamente

Dos Passos ['dɔs pæsos], **John** *romancier american (1896-1970)*

doss [dɔs] *s sl* pat *(↓ într-un azil de noapte)*

doss house ['dɔs,haus] *s sl* azil de noapte

dossier ['dɔsi,ei] *s fr și jur* dosar

dost [dʌst] *pers 2 sg prez înv de la* **do I-IV**

Dostoevski [,dɔstɔi'efski], **Feodor** *romancier rus (1821-1881)*

dot¹ [dɔt] *s* zestre

dot² [dɔt] I *s* 1 *poligr* punct *(de ex. deasupra lui i);* **on the** ~ *F* la țanc, – fix, punctual 2 *tel, muz* punct 3 punct; picățea, bulină II *vt* a puncta; **to** ~ **one's i's and cross one's t's** *fig* a pune punctul pe i; a lămuri totul până în cele mai mici amănunte; a preciza detaliile; ~ **and carry one** *mat* „virgulă și ținem una" *(în limbajul școlarilor);* **to** ~ **and carry (one)** *fig* ← *F* a progresa metodic *sau* treptat

dotage ['doutidʒ] *s* 1 decrepitudine, senilitate 2 *fig* dragoste nebună

dot-and-carry-one ['dɔtən'kæri'wʌn] *s* ← *F* 1 probleme de aritmetică 2 învățător care predă aritmetica

dot-and-dash-code ['dɔtən'dæʃkoud] *s tel* cod Morse

dotard ['doutəd] *s* bătrân senil, boșorog

dotation [dou'teiʃən] *s* dotare, înzestrare

dote on/upon ['dout ɔn/ə,pɔn] *vi cu prep* a iubi nebunește, a ține ca un nebun la

doth [dʌθ] *pers 3 sg prez înv de la* **do I-IV**

doting ['doutiŋ] *adj* 1 senil, 2 (**on, upon**) îndrăgostit nebunește (de)

dotted ['dɔtid] *adj (d. o linie etc.)* punctată

dotted about ['dɔtid ə'baut] *adj cu adv* presărat *sau* răsfirat ici și colo; răzleț

dotted line ['dɔtid 'lain] *s* linie punctată; **to sign on the** ~ a semna fără ezitare; *fig* a semna în alb

dotted with ['dɔtid wið] *adj cu prep* presărat cu; cu... ici și colo, cu... din loc în loc

dottle ['dɔtəl] *s* rest de tutun *(rămas nefumat în pipă)*

dotty ['dɔti] *adj* 1 punctat 2 slab, care se clatină *(↓ pe picioare)* 3 *F* țicnit, țăcănit; tâmpit 4 absurd

double ['dʌbəl] I *adj* 1 dublu, îndoit; de două ori mai mare, mai bun *etc.* 2 dublu; jumelat; pereche; (compus) din două părți *etc.* 3 *(d. un pat etc.)* dublu, pentru două persoane *etc.* 4 îndoit, încovoiat 5 fățarnic, ipocrit, fals; înșelător 6 *(d. bere)* tare 7 *bot* cu mai multe petale II *adv* 1 dublu, îndoit; de două ori mai tare *etc.*; **to see** ~ a vedea dublu 2 *(a călări etc.)* amândoi, câte doi *(pe un cal etc.)* III *s* 1 cantitate dublă; număr dublu 2 pas alergător; fugă; *mil* pas forțat 3 pereche 4 duplicat 5 *pl sport* dublu 6 cotitură, meandră *(a unui râu)* 7 viclenie, șiretenie 8 *teatru etc.* dublură 9 schimbare bruscă a direcției IV *vt* 1 a dubla, a îndoi, a mări/a spori de două ori 2 a îndoi; a împături 3 *nav* a dubla, a trece de *(un cap)* 4 *met* a dubla, a placa 5 *poligr* a dubla, a murdări 6 a strânge, a încleșta *(pumnul)* 7 a duplica, a publica *etc.* în două exemplare 8 a fi dublu *(cu gen)*, a dubla V *vi* 1 a se dubla, a crește îndoit

2 a fugi brusc înapoi **3** a merge în pas alergător *sau mil* forțat **4** *(d. râuri)* a coti, a face o meandră **5** a contra *(la bridge)*

double-acting ['dʌbəl 'æktiŋ] *adj tehn* cu dublă acțiune, cu dublu efect

double-barrelled ['dʌbəl'bærəld] *adj* **1** *(d. arme)* cu două țevi **2** *fig* cu dublu tăiș

double bass ['dʌbəl ,beis] *s muz* contrabas

double bed ['dʌbəl ,bed] *s* pat dublu

double-bedded ['dʌbəl,bedid] *adj (d. camere)* cu două paturi

double-bent ['dʌbəl ,bent] *adj* îndoit în două

double bottom [dʌbəl'botəm] *s* **1** *ferov* planșeu dublu **2** *nav* fund dublu

double-breasted ['dʌbəl'brestid] *adj (d. o haină)* la două rânduri

double chin ['dʌbəl 'tʃin] *s* bărbie dublă

double-cross ['dʌbəl'kros] *vt F* a trage pe sfoară, – a păcăli, a înșela; *F* a fi mai șmecher decât

double dagger ['dʌbəl 'dægə'] *s poligr* cruce dublă

doubler dealer ['dɑːbəl'diːlə'] *s* înșelător; ipocrit, fățarnic, taler cu două fețe

double-dealing ['dɑːbəl diːliŋ] **I** *adj* înșelător, amăgitor; fals, fățarnic **II** *s* înșelătorie; fățărnicie, ipocrizie

double decker ['dʌbəl'dekə'] *s* **1** *nav* vas cu două punți **2** autobuz *sau* tramvai cu etaj

double-dyed ['dʌbəl,daid] *adj fig (d. un ticălos etc.)* înrăit

double-edged ['dʌbəl,edʒd] *adj* și *fig* cu două tăișuri

double ender ['dʌbəl 'endə'] *s* instrument cu două capete

double entendre ['dʌbəl ɑːn'tɑːndrə] *s fr* **1** dublu înțeles/sens **2** cuvânt *sau* expresie cu două înțelesuri

double entry ['dʌbəl 'entri] *s ec* contabilitate dublă

double-faced ['dʌbəlfeist] *adj* **1** cu două fețe, nesincer, fals **2** ambiguu, echivoc

double first ['dʌbəl ,fəːst] *s univ* absolvent cu dip. mă de gradul I la două specialități

double harness ['dʌbəl ,haːnis] *s fig* **1** legătură strânsă **2** căsătorie

double header ['dʌbəl hedə'] *s ferov* tren cu două locomotive

double-hearted ['dʌbəl,haːtid] *adj* fals, nesincer; trădător

double-jointed ['dʌbəl'dʒɔintid] *adj anat* cu articulații *sau* membre neobișnuit de flexibile

double-minded [dʌbəl maindid] *adj* **1** șovăitor, șovăielnic **2** ipocrit, cu două fețe

double-quick [dʌbəl'kwik] *adj, adv* foarte repede/iute/rapid

double salt ['dʌbəl'sɔːlt] *s ch* sare dublă

double sharp ['dʌbəl 'ʃaːp] *s muz* dublu diez

doublet ['dʌblit] *s* **1** pieptar, *un fel de* vestă *(se purta între 1400-1600)* **2** *lingv* dublet **3** dublet, duplicat; pereche **4** *fiz* dublet; lentilă dublă **5** vibrator **6** *tel* (antenă) dipol

double talk ['dʌbəl 'tɔːk] *s* vorbe în doi peri; vorbe cu două înțelesuri

double time ['dʌbəl 'taim] *s mil* marș forțat

double-tongued ['dʌbəl'tʌŋd] *adj* mincinos, fals

double twist ['dʌbəl 'twist] *s text* dublă torsiune

double-u ['dʌbəl'juː] *s F* W.C., – toaletă

double up ['dʌbəl'ʌp] **I** *vt cu part adv* **1** a îndoi, a împături, a strânge **2** a încovoia, a strâmba, a chirci *(de durere etc.)* **3** *F* a da gata, a lichida, – a termina repede **II** *vi cu part adv* **1** a se îndoi, a se împături **2** (**with**) a se strâmba, a se chirci *(de durere etc.)* **3** (**with**) a locui împreună (cu); a trebui să-și împartă locuința *etc.* (cu)

doubly ['dʌbli] *adv* **1** dublu, îndoit; de două ori mai mult *etc.* **2** (câte) doi o dată **3** necinstit, făcând un joc dublu

doubt [daut] **I** *s* **1** îndoială, nesiguranță; bănuială, suspiciune; neîncredere; **there is not much ~ about his innocence** nu prea există îndoieli cu privire la nevinovăția lui; **there is no room for ~** nu încape îndoială; **in ~** nesigur; îndoit; șovăitor; **when in ~** când nu ești sigur, când te îndoiești, când șovăi; **without (a) ~** fără îndoială, neîndoios; **beyond/past (all) ~** în afară de orice îndoială; **no ~** fără îndoială, firește, bineînțeles; **make no ~**

about it nu te îndoi de asta, fii sigur de asta **2** problemă nerezolvată; dificultate **II** *vi* **1** (**of**) a se îndoi, a nu fi sigur (de) **2** a nu se hotărî, a șovăi, a ezita **III** *vt* **1** a se îndoi de, a nu avea încredere în, a pune la îndoială, a pune sub semnul întrebării; **do you ~ my word?** te îndoiești de vorbele mele? pui la îndoială ceea ce-ți spun? **2** (**that, if, whether**) a se îndoi, a nu crede, a nu fi sigur (că); **I don't ~ that she will come too** nu mă îndoiesc/sunt sigur/sunt convins că va veni și ea; **I ~ if/whether that was what he wanted** mă îndoiesc că a dorit asta, nu știu dacă a vrut asta **3** ← *înv* a se teme de; a bănui

doubtable ['dautəbl] *adj* care dă de bănuit, suspect, dubios

doubtful ['dautful] *adj* **1** (**of**) *(d. cineva)* plin de îndoieli (cu privire la); nesigur (de); șovăitor (cu privire la); **are you ~ of success?** te îndoiești de succes? **I am/feel ~ (about) what to do** nu știu ce să fac **2** *(d. sens etc.)* nesigur, incert, imprecis, vag **3** *(d. caracterul cuiva etc.)* suspect; de reputație dubioasă **4** *(d. viitor etc.)* nesigur, care nu oferă siguranță

doubtfully ['dautfuli] *adv* nesigur, șovăitor

doubtfulness ['dautfulnis] *s* **1** caracter îndoielnic; neclaritate; caracter nedefinit/vag **2** șovăire, ezitare, nehotărâre

doubting Thomas ['dautiŋ 'tɔməs] *s fig* Toma necredinciosul

doubtless ['dautlis] **I** *adj* neîndoios, sigur **II** *adv* **1** fără îndoială, firește, bineînțeles **2** *F* se prea poate, – foarte probabil

doubtlessly ['dautlisli] *adv v.* **doubtless II, 1**

doubtlessness ['dautlisnis] *s* certitudine, siguranță

douceur [duː'səː'] *s fr* mită; bacșiș

douche [duːʃ] *s* **1** duș; stropitoare **2** duș *(spălare);* **a cold ~** *fig* un duș rece **3** jet *(de apă)* **4** *med* spălătură

dough [dou] *s* **1** aluat, cocă **2** pastă, masă densă **3** *sl* sunători, lovele, – parale, bani

doughboy ['dou,bɔi] *s amer sl* infanterist *(american)*

doughty ['dauti] *adj* ← *înv* brav, curajos; îndrăzneț

doughy ['doui] *adj* cleios, păstos

Douglas ['dʌgləs] *nume masc*

do up ['du 'ʌp] **I** *vt cu part adv* **1** a pune la punct; a renova; a repara **2** a schimba forma *(unei pălării etc.);* a transforma **3** a-și face *(părul etc.)* **4** a împacheta, a face un pachet din **5** a extenua, a slei **II** *vi cu part adv (d. o rochie etc.)* a avea nasturi; a se prinde în nasturi

dour [duə'] *adj* **1** aspru, sever **2** neînduplecat, încăpățânat **3** mohorât, trist

dourly ['duəli] *adv* cu asprime, neînduplecat

douse [daus] *vr* **1** a vârî în apă; a acoperi cu apă; a arunca apă peste **2** a înmuia într-un lichid

dove [dʌv] *s orn* porumb(el), P → hulub *(Columbidae sp.)*

dove-coloured ['dʌv,kʌləd] *adj* cenușiu-albăstrui

dove cot ['dʌv,kɔt] *s v.* **dove cote**

dove cote ['dʌv ,kout] *s* porumbar, coteț de porumbei; **to flutter the ~s** *fig* a băga în sperieți oamenii pașnici

Dover ['douvə'] *oraș în Anglia*

dovetail ['dʌvteil] **I** *s tehn* coadă de rândunică; îmbinare în coadă de rândunică **II** *vt* **1** *tehn* a îmbina în coadă de rândunică **2** *fig* a îmbina, a potrivi, a face să se potriveasca; a pune de acord **III** *vi* **1** *tehn* a se îmbina în coadă de rândunică **2** *fig* a se îmbina, a se potrivi, a se acorda; a se completa *(reciproc)*

dowager ['dauədʒə'] *s* **1** *jur* văduvă *(↓ a unui nobil sau demnitar)* **2** *F* matroană, – doamnă distinsă *(în vârstă)*

dowdily ['daudili] *adj (a se îmbrăca)* fără gust *sau* neglijent

dowdiness ['daudinis] *s* lipsă de gust *sau* neglijență *(în îmbrăcăminte)*

dowdy ['daudi] **I** *adj* **1** *(d. îmbrăcăminte)* neîngrijit; murdar; demodat; neelegant **2** *(d. cineva)* îmbrăcat fără gust *sau* neglijent **II** *s* femeie îmbrăcată prost *sau* fără gust

dowdyish ['daudiiʃ] *adj* cam dezordonat/neglijent

dowel ['dauəl] *s* **1** *tehn* pivot, știft, cep **2** *constr* ghermea, diblu

dower ['dauə'] **I** *s* **1** zestre **2** moștenire *(ca parte a unei văduve)* **3** *fig* înzestrare, dăruire, dar; talent **II** *vt* **1** a da de zestre *(cuiva)* **2** (with) *fig* a înzestra, a dărui (cu)

dowery ['dauəri] *s v.* **dower I**

do with ['du: wið] *vi cu prep* **1** *cu pr de întărire* a face; a-și petrece timpul; **she didn't know what to ~ herself** nu știe cu ce să-și ocupe/să-și omoare timpul; **what did you ~ yourself on Sunday?** ce-ai făcut duminică? cum ai petrecut duminică? **they did not know what to ~ themselves for joy** nu mai știau ce să facă de bucurie, nu-și mai încăpeau în piele de bucurie **2** a se împăca cu; a se descurca cu; a trăi *sau* a munci cu; **we can't ~ him and his insolence** nu ne împăcăm cu el *sau* nu-l putem suferi, – e un neobrăzat **3** *(cu can și could)* a se împăca cu; a se mulțumi cu, a-i ajunge *(ceva);* **I think we can ~ one copy** cred că ne ajunge un singur exemplar, cred că ne putem mulțumi cu un (singur) exemplar **4** *(cu can și could)* a avea nevoie de, a-i trebui, a nu-i strica *(ceva);* **you could ~ a shave** n-ar fi rău/n-ar strica să te bărbierești

do without ['du: wi,ðaut] *vi cu prep* a se (putea) lipsi de, a se (putea) descurca fără; **I can't ~ his services** nu mă pot lipsi de serviciile lui

Down [daun] *comitat în Irlanda*

down¹ [daun] *s* puf *(la păsări, pe față etc.)*

down² *s* deal neîmpădurit

down³ I *adv* **1** jos; spre pământ; **the sun is ~** soarele a apus; **to go ~** a coborî; **the curtains are ~** perdelele sunt trase; **~ with the enemies of peace!** *fig* jos cu dușmanii păcii **2** jos, la parter; **she isn't ~ yet** nu a coborât încă *(nu s-a îmbrăcat, nu e gata)* **3** jos, la pământ; culcat la pământ; pe pământ; **the lines are ~** firele *(de telegraf)* sunt rupte/la pământ **4** *(d. un râu etc.)* revenit la (nivelul) normal **5** *(exprimă ideea plecării dintr-un loc mai important spre unul mai puțin important);* **we went ~ to Canterbury** ne-am dus *(de la Londra)* la Canterbury **6** chiar, inclusiv; complet, în întregime; **to read a book ~ to the last page** a citi o carte până la ultima pagină **7** încă; **~ from the Middle Ages** încă din evul mediu **8** *(d. bani)* jos, peșin, în numerar **9** *sport* în urmă *(la puncte etc.)* **10** *(d. termometru etc.)* coborât; **the thermometre was ~ by five degrees** termometrul coborâse cu cinci grade **II** *part adv* **1** *(cu verbe indicând coborârea de la un nivel mai ridicat);* **to go ~** a apune, a asfinți; **to climb ~** a coborî, a merge la vale **2** *(cu verbe indicând trecerea de la o poziție verticală la una orizontală);* **to lie ~** a se culca, **to be knocked ~d** a fi trântit, a fi călcat *(de o mașină etc.)* **3** *(cu verbe indicând trecerea la o altă atitudine, poziția fiind inferioară celei precedente);* **to sit ~** a se așeza, a lua loc; **to bend ~** a se apleca, a se înclina; **to kneel ~** a îngenunchea **4** *(cu verbe indicând mișcarea, reducerea activității etc.):* **to die ~** *(d. vânt)* a se domoli; **to calm ~** și *fig* a se potoli, a se liniști; **to burn ~** a arde mai slab; a se stinge **5** *(d. prețuri)* în scădere **6** *(↓ ca expletiv, cu verbe indicând scrierea, notarea etc.):* **to write ~** a scrie; a transcrie; **to note ~** a nota, a însemna **put me ~ for ten s** trece-mă/notează-mă cu zece șilingi **III** *adj* **1** îndreptat în jos; cu capătul în jos **2** coborâtor, descendent **3** situat mai jos, de mai jos; de pe pământ **4** abătut, trist, deprimat; descurajat **5** în pat; bolnav; **he is ~ with the flu** e bolnav de gripă *(stă în pat)* **6** *(d. tendințe etc.)* de coborâre **7** *(d. trenuri etc.)* care merge dinspre un loc mai important, ↓ dinspre capitală *(de ex. de la Londra)* **8** ↓ *amer* care se duce spre un loc mai important ↓ spre capitală *sau* un centru comercial **9** sub tipar, dat la tipar **10** *(d. plată)* numerar **IV** *prep* **1** în josul *(cu gen);* **~ the hill** în josul dealului; **tears ran ~ her face** îi curgeau lacrimi pe obraji **2** mai jos de; în partea de jos *(cu gen)* **3** pe; de-a lungul; **to go ~ the road** a merge pe drum **V** *s*

1 coborâre, coborâș; **the ups and ~s of life** urcușurile și coborâșurile vieții 2 *F* „dinte", – ciudă; – nemulțumire *(împotriva cuiva)* **VI** *vt* 1 a coborî, a lăsa în jos 2 *F* a da pe gât, a da de dușcă *(un pahar)* 3 ← *F* a nimici, a birui *(dușmanii)* 4 ← *F* a lăsa, a pune jos *(uneltele, pt a nu mai lucra, făcând grevă etc.)*

down beat ['daun͵biːt] **I** *s muz* timp tare **II** *adj* posomorât, abătut

downcast ['daunkɑːst] *adj* 1 abătut, deprimat, trist; descurajat 2 *(d. ochi)* plecat, în pământ/jos

down-come ['daunkʌm] *s* 1 umilire; înjosire 2 *fig* cădere, prăbușire

down-comer ['daun 'kʌməʳ] *s* 1 *constr* burlan de scurgere 2 *min* deversor

down draught ['daun'drɑːft] *s* tiraj invers *(al unei sobe)*

down-east ['daun͵iːst] *adj atr amer* ← *F* din Noua Anglie ↓ din Maine

downfall ['daunfɔːl] *s* 1 ploaie torențială, potop 2 ninsoare abundentă 3 și *fig* prăbușire, ruină, distrugere; pieire

downfallen ['daun͵fɔːlən] *adj* și *fig* căzut, prăbușit, ruinat

down-grade ['daungreid] **I** *s* 1 *constr etc.* pantă 2 pantă, povârniș; coastă *(de deal etc.)* 3 *fig* declin, scăpătat, amurg **II** *vt* a micșora, a reduce *(un grad etc.);* a degrada

downhaul ['daunhɔːl] *s nav* cargabas

down-hearted ['daun'hɑːtid] *adj v.* **downcast I**

downhill ['daunhil] **I** *adv* la vale, în jos; în josul dealului; **to go ~ a** *(d. sănătate etc.)* a se înrăutăți **b** *(d. cineva)* a fi în declin, a-i merge prost **II** *s* declin; amurg *(al vieții)*

downiness ['dauninis] *s* caracter *sau* aspect pufos

Downing Street ['dauniŋ striːt] *s* 1 stradă în Londra unde se află Ministerul de Externe britanic *sau* reședința primului ministru 2 *fig* cabinetul/guvernul britanic

down on ['daunɔn] *adj cu prep* supărat pe *(cineva)*

downpour ['daunpɔːʳ] *s* ploaie torențială, aversă

downright ['daunrait] **I** *adv* de-a dreptul, pur și simplu, cu totul **II** *adj* 1 *(d. felul de a fi etc.)* sincer; direct, deschis; fățiș 2 *(d. cineva)* sincer, deschis; onest 3 nimic

altceva decât, categoric, total, *F* → sută la sută; **a ~ no** un „nu" categoric; **all is but a ~ lie** totul nu este decât o minciună; **a ~ nonsense** o absurditate fără margini; prostie curată

downrightness ['daunraitnis] *s* sinceritate, franchețe; onestitate

downrights ['daunraits] *s pl* lână aspră

Downs, the ['daunz, ðə] *dealurile calcaroase, acoperite cu iarbă, din sudul și sud-estul Angliei*

downside ['daunsaid] *s* parte inferioară/de jos

downsman ['daunzmən] *s* locuitor din „the Downs"

downstage ['daunsteidʒ] *teatru* **I** *adv* în avanscenă; în direcția avanscenei **II** *adj atr* în avanscenă

downstairs ['daun'stɛəz] **I** *adv* la parter, jos **II** *adj* de la parter

downstream ['daun'striːm] *adv* în aval, la vale, în josul apei

downthrow ['daunθrou] *s* 1 răsturnare, doborâre 2 *geol* cufundare, falie

downtown ['daun'taun] ↓ *amer* **I** *adv* în *sau* spre partea de jos a unui oraș; în *sau* spre centrul comercial al unui oraș **II** *adj atr* din partea de jos *sau* din centrul comercial al unui oraș **III** *s* centru comercial *(al unui oraș)*

downtrodden ['daun͵trɔdən] *adj* asuprit, împilat

downturn ['daun͵təːn] *s* 1 îndoire; îndoitură 2 scădere a activității *(↓ economice)*

down under ['daun'ʌndəʳ] *adv* ← *F* la antipozi

downward ['daunwəd] **I** *adj* și *fig* coborâtor, descendent; de coborâre **II** *adv amer v.* **downwards**

downwards ['daunwədz] *adv* în jos; **face ~** cu fața în jos; **head ~** cu capul în jos

downwash ['daun͵wɔʃ] *s av* curent descendent

downy ['dauni] *adj* pufos, cu puf; ca puful

dowry ['dauəri] *s v.* **dower I**

dowse ['dauz] *vt v.* **douse**

dowsing rod ['dauziŋ rɔd] *s v.* **divining rod**

doxology [dɔk'sɔlədʒi] *s bis* imn de laudă

doxy¹ ['dɔksi] *s* ← *F* doctrină, teorie; credință

doxy² *s sl înv* târfă, – prostituată

doyen ['dɔiən] *s fr pol* decan *(al corpului diplomatic)*

Doyle [dɔil], **Sir Arthur Conan** *scriitor englez (1859-1930)*

doyl(e)y ['dɔili] *s* șervețel *(↓ de pus sub cești etc.)*

doz. *presc de la* **dozen** *sau* **dozens**

doze [douz] **I** *vi* a moțăi; a dormi ușor **II** *s* moțăială; somn ușor; pui de somn

doze away ['douz ə'wei] *vt cu part adv* a petrece *(timpul)* moțăind

dozen ['dʌzən] *s (cu numerale, la sg)* duzină, doisprezece; **five ~ of bottles** cinci duzini de sticle; **~s of times** de nenumărate ori, de zeci de ori; **by the ~** cu duzina; **a baker's/a devil's/a printer's/a long ~** treisprezece *(bucăți etc.)*, **it is six of one half a ~ of another** e același lucru, e totuna, *F* tot un drac; **to talk nineteen to the ~** a vorbi întruna, *F* a-i merge gura (ca o moară neferecată), a melița

dozenth ['dʌznθ] *adj, num* al doisprezecelea

doze off ['douz 'ɔːf] *vi cu part adv* a adormi ușor/pe jumătate

doze out ['douz 'aut] *vi cu part adv v.* **doze away**

dpt. *presc de la* 1 **department** 2 **deponent**

Dr. *presc de la* **Doctor**

dr. *presc de la* 1 **debit** 2 **debtor** 3 **dram** *sau* **drams**

drab¹ [dræb] **I** *s* 1 *text* stofă de lână de culoare maro-gălbuie 2 (culoare) maro-gălbui **II** *adj* 1 maron-gălbui 2 *fig* cenușiu; monoton; lipsit de strălucire 3 trist, mohorât

drab² *s* 1 femeie murdară/șl(e)ampătă 2 femeie stricată, prostituată, *F* târfă, buleandră

drachm [dræm] *s* 1 drahmă *(monedă în Grecia)* 2 *v.* **dram**

Draconian, draconian [drei'kouniən] *adj* draconic, crunt, inuman > sever, aspru

draconic [drei'kɔnik] *adj* 1 (ca) de balaur 2 și **D ~** *v.* **Draconian**

draff [dræf] *s* borhot; resturi; drojdii; zaț

draft [drɑːft] **I** *s* 1 proiect, schiță, plan; punctaj; concept, ciornă 2 *ec* cec; poliță, trată, cambie; ordin de plată 3 curent *(de aer)*

4 *tehn* tiraj, suflare **5** ↓ *mil* detașament; echipă **6** *mil* recrutare; întărituri **7** atelaj; ham **8** *nav* pescaj **9** *com* scăzământ, reducere *(pt pierderea în greutate etc.)* **II** *vt* **1** a schița, a proiecta; a face o ciornă/un concept *(cu gen);* a elabora, a concepe **2** *jur* a întocmi un proiect de *(lege)* **3** *mil etc.* a recruta; a alege *(un detașament etc.)*

draft animal ['drɑ:ft 'ænɪməl] *s* animal de tracțiune

draft board ['drɑ:ft bɔ:d] *s amer mil* comisie de recrutare

draftee [drɑ:f'ti:] *s mil* tânăr recrutabil

drafter ['drɑ:ftəʳ] *s* **1** cal de tracțiune/ham **2** *text* laminor

drafts [drɑ:fts] *s pl ca sg* (joc de) dame

draftsman ['drɑ:ftsmən] *s* **1** *tehn* proiectant; desenator tehnic **2** *met* modelator, former

drafty ['drɑ:fti] *adj* expus curentului *(de aer)*, care trage

drag [dræg] **I** *vt* **1** a scoate cu greutate *(o cutie dintr-un sertar etc.)* **2** a trage după sine, a târî; **to ~ one's feet a** a-și târî picioarele **b** *fig* a nu se grăbi; a face ceva numai ca să fie făcut; a tândăli **3** a draga *(un râu etc.)*, a curăța *(fundul unei ape)* **4** *agr* a boroni **II** *vi* **1** a se târî, a merge cu greutate **2** *(d. timp)* a se scurge încet; a nu se mai sfârși **3** *și fig* a rămâne în urmă **4** a draga fundul unei ape **III** *s* **1** *tehn* dragă; frână; sabot de frână **2** ← *înv* trăsură cu patru cai **3** *constr* screper; cilindru compresor rutier **4** *fiz* rezistența aerului **5** *fig* piedică, stavilă, obstacol **6** ← *sl* stradă, drum **7** ← *sl* întrecere între automobile

drag anchor ['dræg ,æŋkəʳ] *s nav* ancoră plutitoare

drag boat ['dræg bout] *s tehn* dragă

dragée [dræ'ʒei] *s fr* drajeu

dragging [drægɪŋ] *adj (d. durere etc.)* de lungă durată, sâcâitor, surd

draggled ['drægəld] *adj* târât prin noroi, murdărit

draggle-tailed ['drægəl,teild] *s* femeie murdară/șl(e)ampătă

drag hook ['dræg huk] *s nav* gheară de pisică

drag-in ['drægin] *s el* soluție aderentă

dragline ['dræglain] *s constr etc.* draglină

drag link ['dræg liŋk] *s auto* bară de comandă a direcției

drag net ['drægnet] *s* năvod

dragoman ['drægoumən], *pl și* **dragomans** ['drægoumənz] *s* dragoman, tălmaci, interpret *(↓ în Orient)*

dragon ['drægən] *s* **1** *(în basme etc.)* balaur, zmeu **2** *fig* jandarm, păzitor sever **3** *meteor* zmeu **4** *bibl* șarpe, șacal; diavol **5** *v.* **dragoon 6** ← *înv* carabină **7** ← *înv* carabinier

Dragon, the [drægən, ðə] *s astr* Dragonul

drag on ['dræg 'ɔn] *vi cu part adv (d. timp)* a trece/a se scurge încet, a trena

dragonfly ['drægən'flai] *s ent* libelulă *(Odonata sp.)*

dragon gum ['drægən ,gʌm] *s ch* tragant

dragoon [drə'gu:n] *s mil od* dragon

drag out ['dræg'aut] *vt cu part adv* **1** a scoate *sau* a târî afară **2** a lungi *(o poveste etc.)*

drag rope ['dræg,roup] *s* **1** *tehn* cablu de tracțiune **2** *nav* barbetă; cablu *(de remorcare)*

drag scraper ['dræg ,skreipəʳ] *s tehn* screper cu raclete

drag up ['dræg'ʌp] *vt cu part adv* ← *F* a crește/a educa prost

drain [drein] **I** *s* **1** *constr etc.* drenaj, golire, dren; uscare **2** canal de scurgere; rigolă **3** *agr* asanare, desecare **4** *med* tub de dren **5** *fig* scurgere; flux; cheltuire; epuizare; **all this extra work was a ~ on his strength** toată munca aceasta în plus i-a slăbit forțele **6** *F* dușcă, linie, sorbitură, înghițitură **II** *vt* **1** *constr etc.* a seca, a usca; a drena, a deseca, a asana **2** *fig* a secătui; a slăbi, a epuiza **3** *med* a drena **4** a goli *(un pahar etc.)*, a bea **5** a filtra **III** *vi* **1** a se scurge încetul cu încetul **2** *(d. vase etc.)* a se usca

drainage ['dreinidʒ] *s* **1** drenaj, scurgere; canalizare **2** *constr etc.* drenaj, golire, desecare, asanare **3** *agr* ameliorarea solului, asanare, uscare **4** *med* drenaj **5** impurități, murdărie

drainage basin ['dreinidʒ 'beisn] *s* bazin colector

drainage tube ['dreinidʒ 'tju:b] *s* **1** *med* tub de dren **2** *tehn* conductă de preaplin **3** *constr* țeavă pentru drenaj

drain away ['drein ə'wei] *vi cu part adv v.* **drain III 1**

drainer ['dreinəʳ] *s tehn* rezervor de decantare

draining chest ['dreiniŋ ,tʃest] *s tehn* cuvă de decantare

draining plant ['dreiniŋ ,plɑ:nt] *s tehn* instalație de drenare

drain into ['drein ,intə] *vi cu prep (d. râuri etc.)* a se scurge/a se vărsa în

drainless ['dreinlis] *adj* nesecat; inepuizabil

drake [dreik] *s orn* gâscan, gânsac

Drake [dreik], **Sir Francis** navigator englez (1545?-1 596)

dram [dræm] *s* **1** măsură de greutate farmaceutică (3,888 g); măsură de greutate comercială (1,772 g) **2** *fig* dram, pic, strop; înghițitură

drama ['drɑ:mə] *s* **1** *teatru* dramă; teatru **2** *fig* succesiune de întâmplări dramatice

dramatic [drə'mætik] *adj* **1** *teatru și fig* dramatic **2** melodramatic; teatral **3** de efect; care sare în ochi **4** *(d. creștere etc.)* brusc; sensibil

dramatically [drə'mætikəli] *adv* **1** (în mod) dramatic **2** melodramatic, teatral **3** spectaculos, impresionant; tulburător

dramatics [drə'mætiks] *s pl* ↓ *ca sg* **1** arta dramatică **2** opere dramatice **3** spectacol *(de ↓ amatori)*

dramatis personae ['drɑ:mətis pə'sounai] *s pl teatru* persoanele; distribuție

dramatist ['dræmətist] *s* autor dramatic, dramaturg

dramatization [,dræmətai'zeiʃən] *s teatru și fig* dramatizare

dramatize ['dræmə,taiz] *vt teatru și fig* a dramatiza

dramaturge ['dræmə,tə:dʒ] *s v.* **dramatist**

dramaturgy ['dræmə,tə:dʒi] *s teatru* dramaturgie

drank [dræŋk] *pret de la* **drink I, II**

drape [dreip] **I** *vt* **1** *text* a drapa **2** *fig* a împodobi, a decora *(cu steaguri etc.)* **II** *s* **1** *text* drapaj **2** *pl* draperii; perdele

draper ['dreipəʳ] *s* **1** comerciant de manufactură; postăvar **2** ← *înv* fabricant de manufactură

drapery ['dreipəri] *s* **1** *text* drapaj **2** manufactură, stofe **3** magazin de manufactură **4** *pl* jaluzele **5** *fig* veșmânt, straie

drastic ['dræstik] *adj* drastic, aspru, sever; extrem

drastically ['dræstikəli] *adv* (în mod) drastic

drat [dræt] *interj vulg:* ~ **it!** la dracu'/ naiba! drace! ~ **him!** să-l ia dracu'/naiba! lua-l-ar dracu'/ naiba

dratted ['drætid] *adj vulg* al dracului/ naibii

draught [drɑːft] **I** *s* **1** v. **draft** I 3, 4, 7, 8 **2** scoatere, tragere *(a năvodului)* **3** sorbitură, înghiţitură **at a** ~ dintr-o înghiţitură **II** *vt rar* v. **draft II**

draughtiness ['drɑːftinis] *s* **curent** *(de aer)*; expunere la curent

draughts [drɑːfts] *s pl ca sg* (joc de) dame

draughtsman ['drɑːftsmən] *s* **1** proiectant; desenator tehnic **2** piesă la jocul de dame

draughty ['drɑːfti] *adj* expus la curent

Drava, the ['drɑːvə, ðə] *râu în Europa*

Dravidian [drə'vidiən] *adj, s* dravidian

draw [drɔː] **I** *pret* **drew** [druː], *ptc* **drawn** [drɔːn] *vt* **1** a trage *(un vehicul etc.)*, a târî **2** a trage, a lăsa în jos *(fereastra etc.)* **3** a trage, a mişca, a deplasa *(scaunul etc.)* **4** a încorda *(arcul)*, a trage din *(arc)* **5** a trage afară, a scoate *(cuie, sabia etc.)* **6** a scoate măruntaiele din *(peşte etc.)* **7** a trage, a scoate, a extrage *(un loz, o carte de joc etc.);* **to** ~ **the winner** a câştiga, a trage un bilet câştigător **8** a scoate, a extrage, a lua *(apă etc.)* **9** a trage, a scoate, a deduce *(o învăţătură etc.)* **10** a smulge *(aplauze, lacrimi etc.)* **11** a atrage *(spectatori, atenţia etc.)* **12** a trage, a intinde *(un fir etc.)* **13** a deschide *(paraşuta)* **14** a pune; a îndesa pe ochi *(pălăria etc.)* **15** a primi *(un răspuns)* **16** a inspira, a trage *(aer)*; **to** ~ **a breath** a răsufla; **to** ~ **a sigh** a scoate un oftat/un suspin; **to the last breath** a-şi da ultima suflare **17** a redacta, a formula *(un document etc.)* **18** a desena; a trage *(o linie etc.)*, a trasa; a schiţa **19** *met* a recoace; a decăli **20** a face, a convinge, a determina; **to** ~ **smb to do smth** a convinge/a hotărî pe cineva să

facă ceva **21** ← *F* a face *(pe cineva)* să vorbească *sau* să acţioneze **22** a aduce *(dobândă etc.)* **23** a termina *(o partidă)* la egalitate **24** a îndoi, a plisa; a face cute la **25** a face *(o comparaţie etc.)* // ~ **it mild** *F* uşurel, – nu te pripi **II** *(v.* ~ **I)** *vi* **1** a trage *(în diferite sensuri)* **2** *(d. sobă etc.)* a trage **3** *nav (d. pânze)* a se umfla **4** a se dilata; a se umfla **5** a trage, a fi curent **6** a desena **7** a se macera; a se face infuzia **8** a se strânge, a se contracta **9** a veni; **to** ~ **near** a se apropia **10** a merge pe urma vânatului **III** *s* **1** scoatere, extragere, extracţie; tragere **2** *geogr* mic curs de apă **3** *geogr* depresiune **4** tragere la sorţi; loterie **5** câştig; loz câştigător **6** atracţie; succes; **this is a** ~ e o piesă de succes **7** egalitate; scor egal; joc nul; remiză **8** întrebare care sugerează răspunsul **9** întrebare cu tâlc *(care urmăreşte să smulgă un secret)* **10** *constr* parte mobilă a unui pod

draw aside ['drɔː ə'said] *vt cu part adv* a trage deoparte

draw away ['drɔː ə'wei] **I** *vt cu part adv* **1** a trage deoparte; a da în lături **2** a distrage *(atenţia)* **II** *vi cu part adv* a se îndepărta; a se retrage

drawback ['drɔː,bæk] *s* **1** neajuns, lipsă **2** obstacol, piedică **3** *ec* compensaţie; rambursare, restituire

draw back ['drɔː'bæk] **I** *vt cu part adv şi mil* a retrage **II** *vi cu part adv* a se retrage, a da înapoi

draw bar ['drɔː,bɑːʳ] *s tehn* tijă; bară

drawbridge ['drɔː,bridʒ] *s* **1** pod basculant **2** *nav* scară de acostare, pasarelă

draw down ['drɔː 'daun] *vi cu part adv* **1** a trage (în) jos, a da jos **2** a provoca *(o nenorocire etc.)*

drawee [drɔː'iː] *s ec* tras, persoană care achită o poliţă

drawer *s* **1** ['drɔː] sertar **2** ['drɔːəʳ] *fin* trăgător, persoană care trage o poliţă asupra cuiva **3** ['drɔːəʳ] desenator; proiectant

drawers [drɔːz] *s pl* indispensabili, *F* → izmene

draw fort ['drɔː'fɔːθ] *vt cu part adv* **1** a trage în faţă **2** *fig* a smulge

(un secret etc.)

draw in [drɔː 'in] **I** *vt cu part adv* **1** a atrage, a implica **2** a reduce, a micşora *(cheltuielile etc.)* **II** *vi cu part adv* **1** *(d. o zi)* a se apropia de sfârşit **2** *(d. zile)* a se micşora, a deveni mai scurt

drawing ['drɔːiŋ] *s* **1** tragere *etc.* *(v.* **draw I-II)** **2** desen **3** loterie

drawing board ['drɔːiŋ bɔːd] *s* planşetă de desen

drawing book ['drɔːiŋ ,buk] *s* album *sau* caiet de desen

drawing card ['drɔːiŋ ,kɑːd] *s* ← *F* actor *sau* spectacol foarte popular

drawing knife ['drɔːiŋ ,naif] *s tehn* cuţitoaie

drawing paper ['drɔːiŋ ,peipəʳ] *s* hârtie de desen

drawing room ['drɔːiŋ ,ruːm] *s* **1** salon *(cameră)* **2** recepţie *(oficială)*

draw knife ['drɔː ,naif] *s* v. **drawing knife**

drawl [drɔːl] **I** *vt* a tărăgăna, a rosti tărăgănat; a lungi **II** *vi* a vorbi tărăgănat **III** *s* tărăgănare *(în vorbire)*, vorbire tărăgănată

drawn [drɔːn] **I** *ptc de la* **draw I-II** **II** *adj* **1** *(d. o întrecere etc.)* nedecis **2** desenat **3** retras, scos din circulaţie *etc.* **4** *(d. unt etc.)* topit **5** **(with)** *(d. faţă etc.)* schimonosit, strâmbat *(de durere etc.)*

draw near ['drɔː 'niəʳ] *vi cu adv* a se apropia

draw off ['drɔː 'ɔːf] **I** *vt cu part adv* **1** a retrage *(trupe etc.)* **2** a distrage *(atenţia)* **II** *vi cu part adv* **1** *(d. trupe etc.)* a se retrage **2** a (se) da înapoi

draw on ['drɔː 'ɔn] **I** *vi cu part adv* ↓ *fig* a se apropia **II** *vt cu part adv* **1** a pune (pe sine), a îmbrăca **2** a pricinui, a cauza *(o nenorocire etc.)* **III** *vi cu prep* a se inspira din

draw oneself up ['drɔː wʌn,self 'ʌp] *vr cu part adv* a se ridica ţanţoş, demn *etc.*

draw out ['drɔː 'aut] **I** *vi cu part adv* **1** **(from)** a ieşi (din) **2** *(d. zile)* a se mări, a creşte **II** *vt cu part adv* **1** **(from)** a scoate, a extrage (din) **2** a scoate la lumină; a smulge *(o mărturisire etc.)* **3** a lungi; a dilata **4** a detaşa *(trupe)* **5** a desena; a schiţa

draw-plate ['drɔːˌpleit] *s met* filieră de trefilare

draw shave ['drɔːˌʃeiv] *s tehn* cuțitoaie

draw together ['drɔːtəˈɡeðəʳ] **I** *vt cu part adv* a strânge (laolaltă), a aduna **II** *vi cu part adv* a strânge (laolaltă), a se aduna

draw up ['drɔːˈʌp] **I** *vt cu part adv* **1** a trage (în) sus **2** a trage spre sine, a trage încoace; a atrage **3** a redacta *(un document)* **4** a întocmi *(un bilanț etc.)* **II** *vi cu part adv* **1** a se opri, a sta locului **2** a veni; a se apropia **3** a se posta, a se așeza

draw upon ['drɔːəˌpɔn] *vi cu prep* **1** a lua/a extrage din *(fonduri etc.)* **2** a se inspira din

draw well ['drɔːˈwel] *s* puț, fântână cu ciutură

dray [drei] *s* **1** căruță, camion *(↓ de bere)* **2** *tehn* platformă de încărcare

drayman ['dreimən] *s* camionagiu

Drayton ['dreitən], **Michael** *poet englez (1563-1631)*

dread [dred] **I** *vt* a se teme de, a-i fi frică/< groază de **II** *vi* **(to)** a se teme, a-i fi frică/< groază (să) **III** *s* **1** teamă, frică < groază **2** gogoriță, – sperietoare

dreadful ['dredful] **I** *adj* **1** grozav, teribil, înspăimântător, cumplit **2** *F* groaznic, scârbos, îngrozitor **II** *s* ← *F* roman senzațional

dreadfully ['dredfuli] *adv* **1** îngrozitor, groaznic, cumplit **2** grozav/ teribil (de)

dreadnaught, dreadnought ['dredˈnɔːt] *s nav, mil* cuirasat; vas de război

dream [driːm] **I** *s* **1** vis **2** *fig* vis; reverie, visare **3** *fig* vis, aspirație, năzuință **4** *fig* vis, închipuire, fantezie; iluzie; halucinație **5** *fig* vis, încântare, frumusețe **II** *pret și ptc* **dreamed** [driːmd] *sau* **dreamt** [dremt] *vt* **1** *(that)* a visa (că) **2** *(that)* *fig* a visa, a-și închipui (că) **III** *(v. ~ II)* *vi* **1** *(about)* a visa *(cu ac)* **2** *fig* *(of)* a visa *(cu ac sau la)*, a se gândi (la); a năzui (la) **3** *fig* a visa cu ochii deschiși

dream away ['driːməˈwei] *vt cu part adv* a petrece *(timpul)* visând/în visare

dreamer ['driːməʳ] *s fig* visător; vizionar

dreamful ['driːmful] *adj (d. somn)* plin de vise

dreamily ['driːmili] *adv* visător; ca prin vis

dreaminess ['driːminis] *s* (stare de) visare

dreamland ['driːmlænd] *s* **1** țară de basm, țara minunilor **2** ← *poetic* somn

dreamlike ['driːmlaik] *adj* **1** (ca) de vis, (ca) de basm; fantastic **2** iluzoriu

dream of ['driːməv] *vi cu prep (în prop neg)* a-i trece prin gând să; **I shouldn't ~ doing such a thing** nici prin gând nu mi-ar trece să fac una ca asta

dream reader ['driːmˌriːdəʳ] *s* tălmăcitor de vise

dreamt [dremt] *pret și ptc de la* **dream II-III**

dream up ['driːm ˈʌp] *vt cu part adv F* a născoci, – a inventa

dream world ['driːmwəːld] *s. v.* **dreamland**

dreamy ['driːmi] *adj* **1** plin de vise **2** fantezist, imaginar; nepractic **3** de basm; feeric **4** neclar, vag, neprecis; tulbure

drear [driəʳ] *adj poetic v.* **dreary**

drearily ['driərili] *adv* trist; jalnic

dreariness ['driərinis] *s* tristețe, melancolie; aspect mohorât/trist

dreary ['driəri] *adj* **1** posomorât, mohorât, trist, jalnic **2** plictisitor la culme

dredge [dredʒ] **I** *s* dragă **II** *vt, vi* a draga

dredger ['dredʒəʳ] *s* **1** dragor **2** dragă

dregs [dregz] *s pl* **1** drojdii, zaț, reziduuri **2** *fig* drojdie *(a societății)*

Dreiser ['draisəʳ], **Theodore** *romancier american (1871-1945)*

drench [drentʃ] **I** *vt* **1** a înmuia; a îmbiba **2** a uda până la piele **II** *s* **1** înmuiere; îmbinare **2** *ch* saturare **3** ploaie torențială/*F* cu bășici **4** *tehn* bait

Dresden ['drezdən] *oraș în Germania* Dresda

dress [dres] **I** *s* **1** rochie **2** îmbrăcăminte, haine **II** *vt* **1** a îmbrăca, a pune *(o haină etc.)* **2** a îmbrăca *(pe cineva)* **3** a pregăti, a prepara *(salata etc.)* **4** a găti; a împodobi, a decora, a pavoaza **5** a pieptăna; a face *(părul)* **6** a curăța, a peria *(un cal)* **7** a bandaja *(o*

rană) **8** a tăbăci *(piele)* **9** *tehn* a netezi; a finisa; a curăța; a poliza; a ameliora **10** *mil* a alina **11** *agr* a fertiliza **III** *vr* a se îmbrăca **IV** *vi* **1** a se îmbrăca **2** a se îmbrăca în ținută de gală **3** *mil* a se alinia

dressage ['dresɑːʒ] *s fr* dresaj, dresare

dress circle ['dres ˈsəːkl] *s teatru* balcon I

dress coat ['dres ˈkout] *s* frac

dress down ['dres ˈdaun] *vt cu part adv* **1** *F* a face de două parale, a muștrului, a face cu ou și oțet **2** *F* a atinge, a da *(cuiva)* câteva la spate, a chelfăni, – a bate

dressed-up ['drestʌp] *adj* **1** îmbrăcat de gală **2** gătit, pus la punct

dresser[1] ['dresəʳ] *s* **1** persoană care îmbracă pe cineva; valet; cameristă; *teatru* costumier; *med* soră (medicală) **2** *min* sortator

dresser[2] *s* **1** bufet (de bucătărie) **2** *amer* măsuță de toaletă

dressing ['dresiŋ] *s* **1** îmbrăcat, îmbrăcare **2** *tehn* îndreptare; prelucrare **3** *gastr* sos **4** *gastr* umplutură **5** *med* pansament **6** *agr* îngrășământ **7** *mil* aliniere **8** *min* îmbogățire **9** *nav* pavoazare **10** *F* muștruluială, – mustrare **11** *F* chelfăneală, mamă/toc de bătaie, – bătaie **12** *text* aplicarea unei substanțe de apretare

dressing case ['dresiŋ keis] *s* **1** trusă de toaletă **2** trusă sanitară

dressing-down ['dresiŋ daun] *s v.* **dressing 10-11**

dressing gown ['dresiŋ gaun] *s* halat

dressing room ['dresiŋ ˌru(ː)m] *s* **1** garderobă, vestiar **2** *teatru* camera cu costume

dressing station ['dresiŋ ˌsteiʃən] *s* punct de prim ajutor

dressing table ['dresiŋ ˌteibl] *s* măsuță de toaletă

dressmaker ['dres ˌmeikəʳ] *s* croitoreasă *sau* ← *rar* croitor de dame

dressmaking ['dres ˌmeikiŋ] *s* croitorie de damă

dress out ['dres ˈaut] **I** *vt cu part adv* a îmbrăca de gală; a găti **II** *vi cu part adv* **1** a se îmbrăca de gală/ festiv; a se găti **2** a se îmbrăca

dress rehearsal ['dres riˈhəːsəl] *s teatru* repetiție generală

dress up ['dres ˈʌp] *v cu part adv v.* **dress out**

dressy ['dresi] *adj* **1** căruia îi place să se îmbrace elegant; *F* fercheş, dichisit, pus la punct, – elegant **2** *(d. haine) F* dichisit, pus la punct, – elegant, şic

drew [dru:] *pret de la* **draw** I-II

dribble ['dribl] *vi* **1** a picura, a se scurge **2** a saliva **3** a dribla *(la fotbal)*

drib(b)let ['driblit] *s* **1** sumă mică **2** strop, pic(ătură); **by ~s** câte un pic

dribs and drabs ['dribz ən,dræbz] *s pl F* bucăţele, fărâme, – mici cantităţi

drier ['draiə'] *s tehn* uscător, sicativ

drift [drift] **I** *vi* **1** a fi dus/purtat de vânt *sau* de curent; *nav* a fi în derivă; *av* a devia **2** *(d. nisip, zăpadă etc.)* a se strânge grămezi, a se îngrămădi, a se face mormane; *(d. zăpadă)* a se troieni **3** *fig* a se lăsa în voia soartei, a se lăsa dus de valurile vieţii; a fi pasiv **II** *vt* **1** a lăsa în voia vântului *sau* a curentului **2** *(d. vânt etc.)* a duce/a lua cu sine **3** a abate, a devia, a deplasa **III** *s* **1** curgere *sau* plutire (înceată) **2** tendinţă, direcţie, sens; **I don't understand your ~** nu înţeleg unde vrei să ajungi, *F →* nu înţeleg unde vrei să baţi **3** pasivitate, inactivitate **4** grămadă, morman *(adus de vânt);* troian, nămete *(de zăpadă);* dună *(de nisip)* **5** *nav* derivă de curent **6** *nav* curent de suprafaţă **7** *mil* derivă **8** *geol etc.* aluviune, strat aluvionar **9** *geol* alunecare; mişcare de alunecare **10** *tehn* poanson/matriţă de perforat; alezor **11** *el* derivă de electroni

driftage ['driftidʒ] *s nav* **1** derivă de curent **2** obiecte aruncate de mare pe ţărm

drift anchor ['dri:ft,æŋkə'] *s nav* ancoră de furtună

drift away from ['drift ə'wei frəm] *vi cu part adv şi prep* a se depărta de, a nu mai avea de-a face cu

drift canal ['drift kə'næl] *s* scoc

drifter ['driftə'] *s* **1** *nav* drifter **2** *min* miner la înaintare **3** *amer F* terchea-berchea, pierde-vară

driftless ['driftlis] *adj* fără ţintă, inutil; fără rost

driftway ['driftwei] *s* **1** drum pentru vite **2** *nav* derivă de curent

driftwood ['driftwud] *s* lemn plutind; material lemnos plutitor

drifty ['drifti] *adj* bântuit de vânturi şi viscole

drill[1] [dril] *agr* **I** *s* **1** semănătoare de rânduri **2** boroană **II** *vt* **1** a semăna în rânduri **2** a boroni

drill[2] *s text* **1** inlet, nanchin **2** dril

drill[3] *tehn* **I** *s* **1** burghiu; burghiu spiral **2** maşină de găurit; perforator **II** *vt* a găuri; a perfora

drill[4] **I** *s* **1** exerciţii (fizice), antrenament **2** *mil* instrucţie (cazonă), *F →* muştru **3** exerciţii *(de fonetică etc.)* **II** *vt* **1** a antrena, a face antrenament cu **2** *mil* a instrui, a face instrucţie cu **3** a face exerciţii *(de fonetică etc.)* cu

drill[5] *s zool* maimuţa dril *(Papio leucophaeus)*

drillability [,drilə'biliti] *s min* forabilitate

driller ['drilə'] *s* **1** *şi mil* instructor **2** *mil* miner perforator **3** *min* sondor **4** *tehn* maşină de găurit

drill hammer ['dril,hæmə'] *s tehn* ciocan perforator

drilling ['driliŋ] *s text* dril, nanchin

drilling system ['driliŋ,sistim] *s min* sistem de foraj

drill press ['dril pres] *s tehn* bormaşină, maşină de găurit

drily ['draili] *adv (a spune ceva etc.)* (pe un ton) sec

drink [driŋk] **I** *pret* **drank** [dræŋk], *ptc* **drunk** [drʌŋk] *vt* **1** a bea; a sorbi *(cu sete etc.)* **2** a bea, a cheltui pe băutură *(banii)* **3** a bea pentru *(cineva, ceva);* **to ~ the health of smb** a bea în sănătatea cuiva **4** *(d. plante etc.)* a absorbi, a soarbe *(umezeala etc.)* **5** a inspira *(aer)* **6** a adăpa *(animale)* **II** *(v. ~ I)* *vi* **1** a bea, a fi băutor *sau* beţiv; **to ~ hard/heavily** a bea mult/*F* zdravăn; **to ~ like a fish** *F* a bea ca o sugativă **2** *(d. animale)* a bea, a adăpa **III** *s* **1** băutură; **soft ~s** băuturi nealcoolice **2** *fig* pahar; duşcă; **to have a ~** a bea (un pahar); a se îmbăta **3** înclinaţie spre băutură; beţie; **in ~** beat; **to take to ~** a se apuca de băutură

drinkable ['driŋkəbl] **I** *adj* potabil, **II** *s* ↓ *pl* băutură

drink away ['driŋk ə'wei] *vt cu part adv* a petrece *(timpul)* bând

drink down [driŋk 'daun] *vt cu part adv* **1** a da pe gât, a bea **2** a îmbăta *(pe cineva)* până când cade sub masă

drinker ['driŋkə'] *s* **1** băutor **2** beţiv

drink in ['driŋk'in] *vt cu part adv* a sorbi *(cuvintele cuiva etc.);* a-şi însuşi *(o învăţătură etc.)*

drinking ['driŋkiŋ] *s* **1** băut; adăpat **2** beţie; băutură

drinking bout ['driŋkiŋ,baut] *s* beţie, chef

drinking house ['driŋkiŋ,haus] *s* bar; cârciumă

drinking song ['driŋkiŋ,sɔŋ] *s* cântec de pahar/< beţie

drinking water ['driŋkiŋ,wɔ:tə'] *s* apă potabilă/de băut

drink money ['driŋk,mʌni] *s* bacşiş

drink off ['driŋk'ɔ(:)f] *vt cu part adv* a bea dintr-o înghiţitură/sorbitură, a bea până la fund, a goli

drink oneself ['driŋk wʌn,self] *cu complement circumstanţial vr* a bea până când ... *etc.*: **he drank himself under the table** a băut până când a căzut sub masă; **he drank himself to death** a murit din pricina băuturii

drink up ['driŋk'ʌp] *vt cu part adv v.* **drink off**

Drinkwater ['driŋk,wɔ:tə'], **John** scriitor englez (1882-1937)

drip [drip] **I** *vi* a picura, a se scurge picătură cu picătură; a se prelinge; a şiroi; **to ~ with wet** a fi ud leoarcă **II** *vt* a picura, a lăsa să picure **III** *s* **1** picurare; scurgere **2** picătură, strop **3** *met* infiltraţie **4** *sl* pacoste, belea, – persoană plictisitoare

drip coffee ['drip,kɔfi] *s amer* cafea filtru

drip pan ['drip,pæn] *s auto* recuperator de ulei

dripping ['dripiŋ] **I** *adj* care picură; picurat **II** *adv* leoarcă; **~ wet** ud până la piele **III** *s* grăsimea care se scurge de pe carne când se frige

dripping pan ['dripiŋ pæn] *s* tigaie

dripstone ['drip,stoun] *s* **1** *geol* stalactită; stalagmită **2** *arhit* lăcrimar **3** *ch* filtru din piatră poroasă

drive [draiv] **I** *pret* **drove** [drouv], *ptc* **driven** ['drivən] *vt* **1** a mâna; a goni; a urmări *(vânatul, inamicul);* **to ~ cattle to market** a mâna/a duce vitele la iarmaroc;

to ~ the enemy out of their positions a scoate pe inamic din pozițiile sale; to ~ smb into a corner *fig* a încolți pe cineva; a nu lăsa cuiva nici o ieșire/ scăpare 2 a mâna *(caii)* 3 a conduce *(o mașină etc.)* 4 *tehn* a acționa, a pune în mișcare 5 a duce, a transporta *(pe cineva cu mașina etc. – nu însă cu un vehicul public)* 6 *(d. vânt etc.)* a mâna; a împinge; a duce 7 a bate *(un cui)*; a vârî, a introduce, a băga 8 a lovi *(mingea)* 9 *fig* a împinge, a duce; to ~ smb to despair a aduce pe cineva la disperare; he was ~n by hunger to steal foamea îl împinsese la furt; she drove him mad l-a înnebunit, l-a scos din minți 10 a săpa *(un tunel)* 11 a încheia *(un târg)* 12 a pune la muncă/să muncească; a solicita; a cere eforturi prea mari de la ; a extenua, a obosi 13 a amâna; a prelungi II *(v. ~ I)* *vi* 1 *(d. vizitii etc.)* a mâna 2 *(d. șoferi etc.)* a conduce, a mâna 3 a merge, a călători (cu mașina) 4 *(d. nori etc.)* a se fugări 5 *(d. nave)* a goni 6 *(d. ploaie)* a bate, a răpăi 7 *(d. cineva)* a lovi *sau* a da să loveas- că, a ținti 8 *(d. un automobil)* a merge III *s* 1 mers, cursă *(cu o trăsură sau cu o mașină particu- lară)*, to go for a ~ a face o plimbare *(cu trăsura, cu mașina)* 2 pasaj; drum carosabil 3 urmă- rire *(a vânatului, a inamicului)* 4 energie, forță 5 imbold, stimulent 6 *fig* întrecere, cursă; arma- ments ~ cursa înarmărilor 7 tendință 8 *tehn* propulsie; acțio- nare; mers; regim 9 *mil* atac; lovitură 10 *amer* campanie *(pt înscrierea de noi membri etc.)* 11 efort, strădanie

drive at ['draiv ət] *vi cu prep* 1 a urmări *cu ac*, a căuta să ajungă la; what are you driving at? la ce faci aluzie? unde vrei să ajungi? *F →* încotro bați? 2 a avea intenția de *cu inf*, a vrea să

drive away at ['draiv ə'wei ət] *vi cu part adv și prep* a munci din greu la; a trudi la

drive-in ['draivin] *s amer* cinema, teatru *etc.* în aer liber *(specta- colul putând fi văzut din mașină)*

drive in ['draiv 'in] *vt cu part adv* a mâna *(vitele)* în grajd

drivel ['driv ə l] I *vi* 1 a saliva 2 a spune prostii/năzbâtii, *F →* a aiura II *s* 1 salivă, scuipat 2 prostii, vorbe fără rost, *F →* aiureli

drivel(l)er ['drivələ] *s* idiot, imbecil

driven ['driv ə n] I *ptc de la* drive I-II II *adj (d. zăpadă)* spulberat

driver ['draivə] *s* 1 șofer, conducător *auto* 2 vizitiu; birjar 3 *ferov* mecanic 4 văcar 5 suprave- ghetor de sclavi; *fig* exploatator 6 *tehn* roată motrice; roată dințată cu un număr mic de dinți 7 *tehn* motor 8 *nav* randă 9 *tel* excitator

drive through ['draiv 'θru:] *vt cu part adv jur* a eluda *(legea)*

drive up ['draiv'ʌp] *vt cu part adv* a ridica, a mări *(prețuri)*

driving ['draiviŋ] *s* I *s* 1 drum; deplasare *(cu un vehicul);* plim- bare; ieșire 2 *auto* conducere 3 fel de a conduce *(o mașină etc.)* 4 *tehn* comandă; transmisie 5 *nav* derivă 6 *constr* batere *(a unui pilon)* II *adj* 1 care mână, conduce *etc.* v drive I 2 *(d. perioadă)* furtunos, agitat 3 *(d. vânt etc.)* puternic, grozav

driving anchor ['draiviŋ,æŋkə'] *s nav* ancoră de furtună

driving axle ['draiviŋ,æksl] *s tehn* ax conducător/motor

driving belt ['draiviŋ,belt] *s* 1 *tehn* curea de transmisie 2 *constr* curea de acționare

driving box ['draiviŋ,bɔks] *s* capră *(a vizitiului)*

driving cap ['draiviŋ,kæp] *s constr* inel de protecție

driving force ['draiviŋ,fɔ:s] *s* forță motrice

driving gear(ing) ['draiviŋ,giər(iŋ)] *s tehn* mecanism de antrenare/ acționare

driving wheel ['draiviŋ (h)wi:l] *s tehn* roată motoare/de acționare

drizzle ['drizl] I *vi* a bura, a ploua mocănește II *s* burniță, ploaie mocănească

drogue [droug] *s nav* ancoră de furtună

droll [droul] *adj* nostim; amuzant, distractiv; caraghios

drollery ['drouləri] *s* 1 nostimadă, caraghioslâc 2 glume; distracție, amuzament

drolly ['drouli] *adj* nostim; cara- ghios

dromedary ['drʌmədəri] *s zool* dromader, cămilă cu o cocoașă *(Camelus dromedarius)*

drone [droun] I *s* 1 și *fig* trântor 2 bâzâit, zumzăit 3 discurs *etc.* monoton 4 *av* avion teleghidat 5 *muz* cimpoi II *vi* 1 a bâzâi, a zumzăi 2 a vorbi *etc.* monoton 3 a trândăvi, Fa tăia frunză la câini III *vt* a rosti *etc.* monoton; a fornăi

drool [dru:l] *s, vi v.* drivel

droop [dru:p] I *vi* 1 *(d. cap etc.)* a atârna în jos; *(d. umeri etc.)* a se lăsa în jos 2 *(d. flori etc.)* a se ofili, a se veșteji 3 *fig* a se ofili, a se stinge, a slăbi 4 *fig* a-și pierde vioiciunea *sau* buna-dispoziție 5 *poetic* a asfinți, a amurgi, a scăpăta, – a nu mai fi ce-a fost II *vt* a (a)pleca *(capul etc.)* III *s* 1 (a)plecare *(a capului etc.)* 2 *fig* slăbiciune; molefire; epuizare 3 *fig* pierderea bunei dispoziții *sau* a vioiciunii

droopingly ['dru:piŋli] *adv* cu capul plecat

drop [drɔp] I *s* 1 strop, picătură; in ~s, ~ by ~ cu picătura, picătură cu picătură; încet 2 *pl med* picături 3 *fig* pic, picătură, strop 4 *fig* strop, dușcă, pahar; to have a ~ in one's eye Fa fi cu chef, a fi afumat 5 bomboană, drajeu 6 cădere; scădere; micșorare; reducere *(a drepturilor etc.);* there had been a ~ in tem- perature scăzuse temperatura 7 *teatru* căderea/lăsarea cortinei 8 distanța *(de sus în jos);* a ~ of fifteen feet from the window to the ground o distanță de cinci- sprezece picioare de la fereastră până la sol/pământ 9 *nav* cădere la mijloc *(a velei)* 10 *tel* indicator telefonic 11 cădere, prăbușire *(bruscă)* 12 spânzurătoare, *înv → furci* II *vi* 1 a picura, a se scurge picătură cu picătură 2 a cădea; a pica; a se prăbuși 3 a scădea, a se micșora, a se reduce 4 a se lăsa în jos; a se înclina; a se (a)pleca 5 *vet* a făta *(↓ înainte de vreme)* 6 *vet* a se naște *(↓ înainte de vreme)* III *vt* 1 a picura, a pica; a stropi 2 a lăsa să cadă; a scăpa (din mână *etc.*); don't ~ the baby să nu scapi copilul (din braţe) **3** a arunca, a azvârli; a lansa; ~ **the letter into the pillar-box** a pune scrisoarea la cutie **4** a micşora, a restrânge **5** a scrie; ~ **my a line** scrie-mi câteva rânduri **6** a lăsa, a lepăda; a se lăsa de, a se lepăda de; **he ~ped smoking** s-a lăsat de fumat, a renunţat la fumat **7** *fig* a arunca *(o vorbă etc.)*, a face *(o aluzie etc.)* **8** a întrerupe, a nu mai continua *(conversaţia etc.)*; **let us ~ the subject** să nu mai discutăm pe tema asta; să nu mai vorbim de asta **9** a lăsa, a părăsi *(familia, prietenii)* **10** a lăsa; a sări *(o literă etc.)* **11** a pierde *(bani, ↓ la jocuri de noroc)* **12** *amer* ← *F* a da afară, a concedia **13** *rugby* a înscrie *(a da un gol, cu piciorul)*

drop back ['drɔp 'bæk] *vi cu part adv* **1** *mil etc.* a se retrage **2** a rămâne în urmă

drop behind ['drɔp bi'haind] **I** *vi cu part adv* a rămâne în urmă **II** *vt cu prep* a rămâne în urmă *(cu gen)*

drop curtain ['drɔp ˌkəːtn] *s teatru* cortină *(care se lasă în jos)*

drop hammer ['drɔpˌhæməʳ] *s constr* sonetă

drop in ['drɔp 'in] *vi cu part adv* a trece *(pe la cineva)*

drop keel ['drɔp ˌkiːl] *s nav* derivor

drop leaf ['drɔpˌliːf] *s* extensie *(a unei mese)*

droplet ['drɔplit] *s* picătură *(mică)*

drop letter ['drɔpˌletəʳ] *s amer* scrisoare locală *(pt aceeaşi localitate)*

drop off ['drɔp 'ɔ(ː)f] *vi cu part adv* **1** a pleca; a se îndepărta; a nu se mai vedea **2** ← *F* a adormi **3** a se împuţina **4** a muri

drop out ['drɔp 'aut] **I** *vt cu part adv* **1** a lăsa, a părăsi *(o asociaţie etc.)* **2** a scoate, a elimina *(un cuvânt etc.)* **II** *vi cu part adv* **1** a nu mai concura, a se retrage din competiţie **2** a renunţa; a nu mai lua parte

dropper ['drɔpəʳ] *s* **1** aruncător **2** *zool* setter, prepelicar **3** picător, pipetă **4** momeală *(la undiţă)* **5** breloc **6** *text* lamelă **7** *agr* secerătoare simplă **8** *geol* filon lateral

dropping ['drɔpiŋ] *s* **1** coborâre, lăsare **2** cădere **3** aruncare, azvârlire

dropping bottle ['drɔpiŋ 'bɔtl] *s ch* picurător

dropping glass ['drɔpiŋ glɑːs] *s* picurător, pipetă

droppings ['drɔpiŋz] *s pl* **1** ceva ce cade în picuri; ploaie; grăsime **2** balegă; bălegar

drop press ['drɔp ˌpres] *s met* presă pentru matriţare

drop scene ['drɔp ˌsiːn] *s teatru* scenă finală

drop seat ['drɔp ˌsiːt] *s* scaun rabatabil; strapontină

drop shutter ['drɔp ˌʃʌtəʳ] *s* **1** *tehn* trapă **2** *fot* obturator cu ghilotină

dropsical ['drɔpsikəl] *adj med* hidropic, atins de hidropizie

dropsied ['drɔpsid] *adj* bolnav de hidropizie

dropsonde ['drɔpsɔnd] *s meteor* radiosondă paraşutată

dropsy ['drɔpsi] *s med* hidropizie

drop table ['drɔp ˌteibəl] *s* masă rabatabilă *(în perete)*

dropwise ['drɔpwaiz] *adv* picătură cu picătură

dropwort ['drɔpwəːt] *s bot* aglică *(Filipendula vulgaris)*

droshky ['drɔʃki] *s rus* droşcă, birjă

dross [drɔs] *s* **1** zgură **2** *met* zgură de metal; scorie; ţunder

drossy ['drɔsi] *adj* **1** plin de zgură **2** murdar, impur

drought [draut] *s* **1** secetă; uscăciune **2** ← *înv* sete

droughty ['drauti] *adj* **1** secetos, uscat **2** uscat; arid, sterp **3** ← *înv* însetat

drove[1] [drouv] *pret de la* **drive I-II**

drove[2] *s* **1** turmă, cireadă; cârd **2** cârd, mulţime, gloată

drover ['drouvəʳ] *s* **1** cioban, păstor; văcar **2** negustor de vite **3** *nav* vas în derivă

drown [draun] **I** *vt* **1** a îneca; a scufunda **2** *pas* a se îneca **3** a inunda; a îneca **4** *fig* a înăbuşi *(zgomotul etc.)*, a astupa, a acoperi **5** *fig* a înăbuşi *(durerea etc.)*; a îndepărta, a face să dispară; **to ~ one's worries in drink** a-şi îneca necazurile în băutură **II** *vi* a se îneca

drowned in ['draund in] *adj cu prep* **1** *fig* cufundat în *(somn)* **2** plin de, scăldat în *(lacrimi)*

drown out ['draun 'aut] *vt cu part adv* a sili *(pe cineva)* să plece din cauza inundaţiilor

drowse [drauz] **I** *vi* **1** a fi pe jumătate adormit, a moţăi; a fi cuprins de somnolenţă **2** *fig* a fi adormit *sau* greoi/lent/încet **II** *vt* a moleşi, a face *(pe cineva)* să-i fie somn **III** *s* somnolenţă; moţăială

drowse away ['drauz ə'wei] *vt cu part adv* a-şi petrece *(timpul)*

drowsily ['drauzili] *adv* **1** somnoros; într-o stare de somnolenţă; **2** moleşit, fără vlagă

drowsiness ['drauzinis] *s* **1** somnolenţă, moleşeală **2** *fig* moleşeală, încetineală

drowsy ['drauzi] *adj* **1** somnoros, moleşit **2** adormitor, soporific **3** *fig* moleşit, vlăguit, fără putere/vlagă

drub [drʌb] *vt* **1** a bate *(cu băţul)*, a ciomăgi **2** *fig* a bate, a învinge, a birui *(definitiv etc.)*

drubbing ['drʌbiŋ] *s* **1** bătaie *(cu băţul)*, ciomăgeală **2** *fig* victorie *(decisivă etc.)*, înfrângere *(categorică etc.)*

drub into ['drʌbˌintə] *vt cu prep* a vârî/a băga *(o idee etc.)* în capul *(cuiva)*

drub out of ['drʌb ˌaut əv] *vt cu prep* a scoate *(o idee etc.)* din capul *(cuiva)*

drudge [drʌdʒ] **I** *s* **1** *v.* **drudgery 2** *fig* cal de bătaie, topor de oase; hamal **II** *vi* a face muncă de corvoadă, a trudi

drudgery ['drʌdʒəri] *s* corvoadă, muncă neplăcută *sau* neinteresantă

drudgingly ['drʌdʒiŋli] *adv* stăruitor, cu stăruinţă, asiduu

drug [drʌg] **I** *s* **1** medicament, leac, drog (medicinal) **2** drog, narcotic, stupefiant **3** *şi* ~ **in/on the market** marfă netrebuincioasă/fără căutare *vt* **1** a droga *(pe cineva)* **2** a pune droguri în **3** *vi* a se droga, a lua droguri

drug addict ['drʌg ˌædikt] *s* toxicoman; morfinoman; persoană care ia droguri

drugget ['drʌgit] *s* stofă aspră de lână pentru covoare sau mobilă

druggist ['drʌgist] *s* **1** droghist; farmacist **2** *amer* droghist *(care vinde şi alimente şi băuturi)*

drugstore ['drʌgˌstoːʳ] *s amer* drogherie *(în care se vând şi alimente, băuturi, cărţi etc.)*

Druid ['druːid] *s od* druid *(preot la celţi)*

drum [drʌm] **I** *s* **1** *muz* tobă, *P* → darabană **2** *tehn* tambur, tobă **3** *auto* bidon, canistră **4** *nav* clopot *(de cabestan)* **II** *vi* **1** a cânta la tobă; a bate toba **2** *fig* a bate toba/darabana *(cu degetele)* **III** *vt* a executa *(un ritm etc.)* la tobă

drum beat ['drʌm,biːt] *s* bătaie/răpăit de tobă

drum fire ['drʌm,faiəʳ] *s mil* foc de artilerie continuu

drumhead ['drʌmhed] *s* **1** pielea de pe tobă **2** *anat* membrana timpanică, timpan

drumhead court-martial ['drʌmhed kɔːt'maːʃəl] *s mil* curte marțială

drum into ['drʌm,intə] *vt cu prep* a băga/a vârî *(ceva)* în capul *(cuiva)*

drumlin ['drʌmlin] *s geol* morenă *(lunguiață)*

drum major ['drʌm ,meidʒəʳ] *s mil* tambur major

drummer ['drʌməʳ] *s* **1** toboșar **2** *amer* comis-voiajor

drum out of ['drʌm ,aut əv] *vt cu prep* a scoate *(ceva)* din capul *(cuiva)*

drumstick ['drʌmstik] *s* **1** bețișor de tobă **2** copan

drum up ['drʌm 'ʌp] *vt cu prep adv amer* a convoca *sau* a chema prin bătăi de tobă *(cetățenii etc.)*

drunk [drʌŋk] **I** *ptc de la* **drink I-II II** *adj* beat, îmbătat; ~ **with joy** *fig* îmbătat de succes **III** *s* om beat; persoană în stare de ebrietate

drunkard ['drʌŋkəd] *s* bețiv

drunken ['drʌŋkən] *adj*↓ *atr* **1** beat **2** *(d. o ceartă etc.)* cauzat de beție

drunkenness ['drʌŋkənis] *s* beție; stare de beție/ebrietate

drupe [druːp] *s bot* drupă

Drury Lane ['druəri lein] *stradă în Londra, vestită în sec. XVII și XVIII prin teatrele sale*

druse [druːz] *s geol* druză, geodă

Druses ['druːziz] *s pl rel* druzi *(sectă în Siria și Liban)*

dry [drai] **I** *adj* **1** uscat *(care nu e ud)*; **(as) ~ as a bone** foarte uscat; ~ **land** uscat *(ant „mare")* **2** *(d. fântâni etc.)* secat, fără apă, uscat **3** *(d. climă etc.)* uscat, secetos **4** *(d. vin)* sec **5** însetat, însetoșat **6** *fig* sec, neinteresant, plictisitor **7** *(d. lapte etc.)* praf; uscat, solid **8** *(d. pâine)* gol, fără unt **9** *(d. umor etc.)* sec **10** *(d.*

tuse) uscat **11** *(d. moarte)* pe uscat *(nu prin înec)* **12** *(d. țări etc.)* în care alcoolul este prohibit **13** *(d. date etc.)* sec, nud **14** uscat, zvântat; **he's not even ~ behind the ears** *F* nu i s-a uscat nici cașul la gură **15** *(d. persoane)* rezervat, reținut **II** *vt* **1** a usca, a pune la uscat *(rufe etc.)* **2** a șterge *(mâinile etc.)* **3** a usca, a seca *(o fântână etc.)* **III** *vi* **1** *(d. rufe etc.)* a se usca **2** *(d. o fântână etc.)* a se usca, a seca

Dryad, dryad ['draiəd] *s mit* driadă

dryasdust ['draiəzdʌst] **I** *adj* plicticos, pedant **II** *s* **D~** om pedant și plicticos

dry battery ['drai 'bætəri] *s el* baterie uscată

dry-bulb thermometer ['drai'bʌlb θə,momitəʳ] *s fiz* termometru (cu rezervor) uscat

dry cell ['drai 'sel] *s el* pilă uscată; element uscat

dry-clean ['drai 'kliːn] *vt* a curăța fără apă, a curăța cu solvenți organici

dry-clean ['drai 'kliːn] *vt* a curăța chimic

dry cleaning ['drai 'kliːniŋ] *s* curățire chimică

Dryden ['draidən], **John** *scriitor englez (1631-1700)*

dry-dock ['drai 'dok] *nav* **I** *vt* a ancora **II** *s* doc uscat/plutitor; bazin de radub

dryer ['draiəʳ] *s* **1** *text* uscător; mașină de uscat **2** *poligr* sicativ

dry-eyed ['drai 'aid] *adj* care nu plânge

dry farming ['drai 'faːmiŋ] *s* cultivarea pământului fără irigații

dry fly ['drai ,flai] *s* momeală artificială *(la undiță)*

dry goods ['drai ,gudz] *s pl* **1** marfă uscată *(grâu);* produse pulverulente **2** *amer* manufactură **3** *amer* galanterie **4** *amer* îmbrăcăminte **5** *austr* articole de fierărie

dry measure ['drai ,meʒəʳ] *s* măsură de capacitate *(pt produse pulverulente)*

dryness ['drainis] *s* **1** uscăciune; secetă **2** *fig* uscăciune, caracter sec

dry nurse ['drai 'nəːs] *s* guvernantă

dry pile ['drai 'pail] *s el* pilă uscată; element uscat

dry rot ['drai 'rot] *s silv* încingerea lemnului

dry-salt ['drai soːlt] *vt* a usca și a săra; a conserva

drysalter ['drai,soːltəʳ] *s* **1** negustor de articole chimice și de vopselărie **2** negustor de conserve *etc.*

drysaltery ['drai,soːltəri] *s* **1** magazin de articole chimice și vopselărie **2** magazin de conserve *etc.* **3** comerț cu articole chimice și de vopselărie *sau* cu conserve *etc.*

dry-shod ['drai ,ʃod] *adj* cu picioarele uscate

dry up ['drai 'ʌp] **I** *vt cu part adv* a usca *(lacrimile)* **II** *vi cu part adv* **1** *(d. un râu etc.)* a seca **2** *F* a tăcea din gură; ~! gura! vorba!

D.S., d.s. *presc de la* **dal segno** *it* (repetați) de la acest semn

D.S(c). *presc de la* **Doctor of Science**

D. Surg. *presc de la* **Dental Surgeon**

d.t. *presc de la* **double time**

D.Th(eol) *presc de la* **Doctor of Theology**

Du. *presc de la* **1 Dutch 2 Duke**

duad ['djuːæd] *s* pereche

dual ['djuəl] **I** *adj* duble; compus din doi; împărțit între doi **II** *s gram* (numărul) dual

dualism ['djuːəlizəm] *s* **1** *filoz* dualism **2** dualitate

duality [djuː'æliti] *s* dualitate; dedublare

dualize ['djuːəlaiz] *vt* a împărți în două; a dedubla

dub¹ [dʌb] *vt* **1** a ridica *(pe cineva)* la rangul de cavaler **2** a porecli, a boteza **3** a unge *(pielea, cu grăsime etc.)*

dub² *vt* **1** a teslui, a ciopli **2** *fig* a potrivi; a egaliza; a șlefui

dub³ *vt cin* a dubla; a sincroniza

dubbin ['dʌbin] *s* grăsime pentru piei

dubiety [uʲjuː'baiəti] *s* **1** îndoială, dubiu; incertitudine **2** lucru dubios; afacere dubioasă

dubiosity [,djuːbi'ɔsəti] *s v.* **dubiety**

dubious ['djuːbiəs] *adj* **1** *(d. cineva)* **(of, about, as to)** nesigur, șovăielnic, șovăitor, < sceptic (cu privire la) **2** *(d. caracter etc.)* dubios, suspect; îndoielnic **3** *(d. o remarcă etc.)* vag, ambiguu **4** *(d. rezultat etc.)* nesigur, neprecis

dubiously ['dju:biəsli] *adv* cu ezitare, nesigur; cu suspiciune

dubiousness ['dju:biəsnis] *s v.* **dubiety**

dubitable ['dju:bitəbəl] *adj* îndoielnic, nesigur

dubitation [‚dju:bi'teiʃən] *s ← elev* dubiu, îndoială

Dublin ['dʌblin] *capitala Irlandei*

ducal ['dju:kəl] *adj* ducal, de duce

ducat ['dʌkət] *s* 1 *od* ducat *(monedă de aur)* 2 *sl* bilet, ↓ bilet de intrare

duchess ['dʌtʃis] *s* ducesă

duchy ['dʌtʃi] *s* ducat *(ca provincie)*

duck¹ [dʌk] **I** *s* 1 rață, *dim →* rățușcă; **fine weather for young ~ s →** *F* vreme ploioasă; **like a ~ to water** ca peștele în apă; **in two shakes of a ~ 's tall** cât ai zice pește, cât ai clipi din ochi 2 (carne de) rață 3 *F* comoară, odor, scumpete; **she is a ~ of a girl** e o comoară/bomboană de fată 4 *sl* gagiu, *F →* tip, cetățean, individ 5 afundare, cufundare *(bruscă)* 6 ferire *(a capului)* **II** *vt* 1 a cufunda, a vârî *(brusc)* în apă 2 *← F* a ocoli, a se feri de, a căuta să nu dea ochii cu 3 *← F* a se feri de, a se eschiva de la, a căuta să nu facă

duck² *s text* 1 doc 2 *pl* pantalon de doc 3 *nav* pânză fină de vele

duckbill ['dʌkbil] *s orn* ornitorinc *(Ornithorhynchus anatinus)*

duckboards ['dʌkbɔ:dz] *s* scânduri de mers *(peste un teren mlăștinos etc.)*

ducker ['dʌkə] *s* vânător de rațe

ducket ['dʌkit] *s sl* bilet de loterie

ducking ['dʌkiŋ] *s* 1 plonjare, afundare 2 aplecare (a capului) 3 vânătoare de rațe sălbatice

duckling ['dʌkliŋ] *s* rățușcă, rață tânără

duck-out ['dʌkaut] *s mil* 1 dezertare 2 dezertor

ducks and drakes ['dʌks ən 'dreiks] *s pl* aruncare de pietricele (razant) pe suprafața unei ape *(joc)*; **to play ~ with smth** *F* a arunca ceva pe fereastă/pe apa sâmbetei

duckweed ['dʌkwi:d] *s bot* linte de apă, lintiță *(Lemna minor)*

duct [dʌkt] *s* 1 *anat* canal, tub 2 *tehn* canal, conductă, tub

ductile ['dʌktail] *adj* 1 ductil; elastic, flexibil 2 *met* forjabil

ductility [dʌk'tiliti] *s* ductilitate; flexibilitate

dud [dʌd] *← sl* **I** *s* 1 lucru bun de nimic; *pl F* bulendre 2 om de nimic, *F* neisprăvit 3 *mil ← F* proiectil neexplodat 4 document fals **II** *adj atr* rău, prost; inutil, fără rost

dude [dju:d] *s amer F* filfizon, ‒ fante, dandy

dude ranch ['dju:d ra:ntʃ] *s amer* fermă pentru turiști

dudgeon ['dʌdʒən] *s* supărare, mânie; **in high ~** turbat de mânie, foc și pară de mânie

Dudley ['dʌdli] *nume masc*

duds [dʌds] *s pl F* țoale, boarfe, ‒ haine

due [dju:] **I** *adj* 1 *pred* datorat, de plată, plătibil; **his wages are ~** nu i s-a plătit încă salariul; **the rent is ~ next week** chiria trebuie plătită/achitată săptămâna viitoare 2 *atr* cu venit, corespunzător, potrivit; **with ~ attention** cu atenția cuvenită; **in ~ form** în forma cuvenită; potrivit regulii *sau* uzanțelor; **in ~ course/ time** la timpul potrivit/cuvenit, la momentul potrivit; **after ~ consideration** după o matură chibzuință 3 *pred* așteptat, care trebuie să sosească; **the train was ~ (in) at and over due** trenul trebuia să sosească de mult **II** *s* 1 cele cuvenite, ceea ce i se cade/cuvine cuiva; drept; **to give everyone his ~** a da fiecăruia ce este al lui; **it is my ~** este dreptul meu 2 *pl* taxe *(vamale etc.)*; impozite **III** *adv* drept, direct, exact; **to go ~ south** a merge drept spre sud

duel ['dju:əl] **I** *s și fig* duel **II** *vi* a se duela

duel(l)ist ['dju:əlist] *s* duelist, *înv →* duelgiu

duenna [dju:'enə] *s span* guvernantă *sau* doamnă de companie *(↓ într-o familie spaniolă)*

Duero, the ['dwerɔ, ðə] *fluviu în Peninsula Iberică* Duero, Duoro

duet ['dju:et] *s* 1 *muz* duet, duo 2 *fig* dialog; dispută, controversă

due to ['dju:tə] **I** *adj pred cu prep* 1 datorat *(cu dat)* cauzat de; **his death was ~ cancer** a murit de cancer, moartea lui s-a datorat cancerului; **this invention is ~**

him lui i se datorează/îi datorăm această invenție 2 cuvenit, care se cuvine *(cuiva)*, care este dreptul *(cuiva);* **the first place is ~ him** primul loc i se cuvine lui; **it is ~ him to say that** trebuie să recunoaștem că el; trebuie să spunem în apărarea lui că **II** *adj pred cu inf:* **to be ~** a trebui/a urma să *(facă ceva, în urma unei convenții etc.);* **he is ~ speak next** el urmează să vorbească, el este următorul vorbitor **III** *prep* datorită *cu dat,* din cauza *cu gen*

duff [dʌf] *s v.* **dough**

duffel ['dʌfəl] *s text* sibir

duffel bag ['dʌfəl ‚bæg] *s nav* sac de marinar

duffer ['dʌfə] *s* 1 pungaș, escroc 2 *F* cârpaci, ‒ lucrător prost 3 *F* tâmpit, netot, ‒ prost

duffle ['dʌfəl] *s v.* **duffel**

dug¹ [dʌg] *pret și ptc de la* **dig I-II**

dug² *s* 1 uger, țâță 2 sfârc

dug-out ['dʌg‚aut] *s* 1 *nav* barcă scobită dintr-un trunchi de copac; 2 iaz mic, eleșteu 3 *mil* adăpost 4 *mil ← sl* ofițer reactivat

duke [dju:k] *s* duce

dukedom ['dju:kdəm] *s* ducat *(rang, teritoriu)*

dukery ['dju:kəri] *s* reședința *sau* domeniile unui duce

dulcet ['dʌlsit] *adj* 1 *(d. sunete etc.)* dulce, plăcut; melodios 2 liniștitor, calmant

dulcify ['dʌlsi‚fai] *vt* 1 *fig* a îndulci *(vorba etc.)* 2 a potoli, a calma

dulcimer ['dʌlsimə] *s muz* 1 țambal 2 țiteră

Dulcinea [‚dʌlsi'niə] *personaj în „Don Quijote"*

dull [dʌl] **I** *adj* 1 prost, stupid; obtuz, mărginit 2 mat, nelucios, fără luciu 3 *(d. cineva)* greoi; încet, leneș 4 *(to)* nesimțitor, insensibil (la); indiferent (la) 5 *(d. durere)* surd 6 *(d. cer, vreme)* posomorât, mohorât 7 *(d. culoare)* sumbru, trist, lipsit de strălucire 8 *(d. văz)* slab 9 neclar, cețos, vag 10 *(d. comerț etc.)* care stagnează 11 *(d. o marfă etc.)* fără căutare 12 bont, tocit, neascuțit 13 plictisitor, monoton; neinteresant 14 *(d. foc)* slab; mocnit **II** *vt* 1 a toci, a teși; **to ~ the edge of a rasor** a toci tăișul unui brici 2 a amorți; a potoli; a alina *(durerea)* **3** *met etc.* a mătui **4** *fig* a micșora; a slăbi **III** *vi* **1** a se toci **2** *fig* a se micșora; a slăbi **3** a deveni nesimțitor *sau* indiferent

dullard ['dʌləd] *s* prost(ănac), nerod, nătâng

dullish ['dʌliʃ] *adj* **1** cam greu de cap **2** cam plicticos **3** cam trist/posac

dul(l)ness ['dʌlnis] *s* **1** prostie; obtuzitate, mărginire **2** lene, trândăvie **3** slăbiciune *(a vederii etc.)* **4** deprimare, tristețe **5** caracter plictisitor; plictiseală **6** *ec* stagnare

dull of hearing ['dʌl əv 'hiəriŋ] *adj* surd, *F* tare de ureche

dully ['dʌli] *adv* plictisitor

duly ['dju:li] *adv* **1** cum trebuie, cum se cuvine corect **2** la timp; în timp util; când trebuie

Duma, duma, the ['dumə, ðə] *s ist Rusiei* Duma

Dumas [dju:'ma], **Alexandre** *numele a doi scriitori francezi* **1** *(1803-1870)* **2** *(1824-1895)*

dumb [dʌm] *adj* **1** mut **2** *(d. animale)* necuvântător **3** *fig* mut; ~ **with surprise** mut de uimire; **to be struck ~ with horror** a împietri de groază **4** *amer F* tâmpit, bătut în cap

Dumbarton [dʌm'ba:tən] *oraș și comitat în Scoția*

dumb bells ['dʌm ,belz] *s pl sport* haltere

dumbfound [dʌm'faund] *vt* a ului, < a consterna; a împietri

dumbfounded [dʌm'faundid] *adj* uluit, < consternat; împietrit

dumbly ['dʌmli] *adv* fără să rostească un cuvânt, mut; în tăcere

dumbness ['dʌmnis] *s* **1** muțenie **2** liniște, tăcere

dumb show ['dʌm ʃou] *s teatru* **1** joc mut; mimă **2** pantomimă

dumb waiter ['dʌm weitə'] *s* servantă

dumdum (bullet) ['dʌm dʌm (bulit)] *s mil* glonte dum-dum

dummy ['dʌmi] **I** *s* **1** manechin **2** machetă **3** *fig* manechin, om de paie **4** *fig* marionetă; unealtă **5** mort *(la bridge)* **II** *adj atr* **1** fals; fictiv **2** *(d. cartușe)* de exercițiu

dump [dʌmp] **I** *s* **1** morman, grămadă *(↓ de gunoi)* **2** zgomot surd *(produs de căderea unui obiect greu)* **3** *mil* depozit de muniții **4**

min haldă de steril **5** *tehn* depozit, magazie; parc **II** *vt* **1** a arunca, a azvârli *(gunoi)* **2** a bascula; a răsturna *(un vagonet);* a descărca **3** a arunca cu zgomot

dump cart ['dʌmp ,ka:t] *s* căruță cu basculă; vagonet basculant

dumper ['dʌmpə'] *s* vagonet basculant

dumping ['dʌmpiŋ] *s ec* dumping

dumpish ['dʌmpiʃ] *adj* abătut, trist; melancolic

dumpling ['dʌmpliŋ] *s* **1** găluscă **2** măr în aluat **3** *fig F* bondoc, buftea

dumps [dʌmps] *s pl:* **(down) in the ~** *F* **a** fără chef, căruia nu-i sunt boii acasă **b** a fi cu arțag, a fi cu capsa pusă

dumpy ['dʌmpi] *adj* **1** scurt și îndesat, *F* bondoc **2** trist, abătut, *F* căruia nu-i sunt boii acasă

dun¹ [dʌn] *adj* **1** cenușiu închis **2** ← *poetic* mohorât, posomorât, închis

dun² *vt (d. creditori etc.)* a presa, a plictisi, a nu lăsa în pace

Duncan ['dʌŋkən] *nume masc*

dunce [dʌns] *s* **1** prost, tont, nătâng; copil care învață greu **2** ← *înv* sofist

Dundee [dʌn'di:] *oraș în Scoția*

dunderhead ['dʌndə,hed] *s* prost, netot, nerod, nătâng

dune [dju:n] *s* dună

Dunedin [dʌn'i:din] *oraș în Noua Zeelandă*

dung [dʌŋ] *s* **1** baligă **2** *fig* murdărie **3** *agr* băligar, îngrășământ

dungaree [,dʌŋgə'ri:] *s text* **1** stambă **2** *pl* pantaloni *sau* salopetă de stambă

dungeon ['dʌndʒən] *s* **1** *v.* **donjon 2** închisoare *sau* carceră subterană

dunghill ['dʌŋ,hil] *s* grămadă de băligar

dunghill cock ['dʌŋ,hill'kɔk] *s* cocoș de curte

dungy ['dʌŋi] *adj fig* murdar

dunk [dʌŋk] *vt* a (în)muia

Dunkirk [dʌn'kə:k] *oraș în Franța* Dunkerque

duodecimal [,dju:ou'desiməl] *adj mat* duodecimal

duodenal [,dju:ou'di:nəl] *adj anat* duodenal

duodenum [,dju:ou'di:nəm], *pl* **duodena** [,dju:ou'di:nə] *s anat* duoden

duologue ['dju:ə,lɔg] *s* dialog, conversație între două persoane *(↓ pe scenă)*

dup. *presc de la* **duplicate**

dupe [dju:p] **I** *vt* a înșela, a amăgi, a păcăli **II** *s* prost, neghiob, nătărău

dupeable ['dju:pəbl] *adj* ușor de tras pe sfoară, naiv; credul

dupery ['dju:pəri] *s* înșelătorie, înșelăciune

duple ['dju:pl] *adj* dublu

duplex ['dju:pleks] *adj* **1** dublu **2** *tehn* cu două axe principale **3** dublat, jumelat **4** *tel etc.* duplex

duplex glass ['dju:pleks ,gla:s] *s* sticlă duplex

duplex house ['dju:pleks ,haus] *s* casă cu două apartamente

duplex process ['dju:pleks 'prousis] *s poligr* procedeu duplex

duplicate I ['dju:pli,keit] *vt* **1** a dubla, *rar* → a duplica **2** a face o copie *(cu gen)*, a copia **II** ['dju:plikit] *adj* **1** dublu **2** *(d. o cheie etc.)* de rezervă **3** reprodus întocmai, analog **III** ['dju:plikit] *s* **1** duplicat; copie, reproducere; **in ~** în două exemplare **2** *pl tehn* piese de rezervă

duplication [,dju:pli'keiʃən] *s* **1** dublare **2** duplicat; copie

duplicator ['dju:pli,keitə'] *s* **1** *poligr* aparat de multiplicat **2** *tehn* dispozitiv de copiere

duplicity [dju:'plisiti] *s* duplicitate, ipocrizie, fățărnicie

durability [,djuərə'biliti] *s* durabilitate, trăinicie

durable ['djuərəbəl] *adj* durabil, trainic

durably ['djuərəbli] *adv* (în mod) durabil, trainic

duralumin [dju'ræljumin] *s met* duraluminiu

duramen [dju'reimen] *s silv* duramen

durance ['djuərəns] *s* detențiune, întemnițare *(↓ de lungă durată)*

duration [dju'reiʃən] *s* durată ; **of short ~** scurtă durată

Durban ['də:bən] *oraș în Africa de Sud*

durbar ['də:ba:'] *s* recepție oficială *(în India)*

duress(e) [dju'res] *s jur* **1** privare de libertate; detențiune **2** violență; constrângere; presiune

Durham ['dʌrəm] *comitat și oraș în Anglia*

during ['djuəriŋ] *prep* în timpul/ cursul *cu gen;* ~ **the day** în timpul/cursul zilei, ziua

durmast ['də:ˌmɑːst] *s bot* gorun *(Quercus petraea)*

durometer [dju:'rɔmitəʳ] *s tehn* durometru

durst [də:st] *pret înv de la* **dare**

durum wheat ['djuərəm 'wiːt] *s bot* ghircă, grâu arnăut *(Triticum durum)*

dusk [dʌsk] *s* amurg, crepuscul (de seară)

dusky ['dʌski] *adj* **1** întunecat, întunecos **2** trist, melancolic **3** oacheş, brunet

Düsseldorf ['dusəlˌdɔːf] *oraş în Germania*

dust [dʌst] **I** *s* **1** pulbere, praf, *P →* colb; **to throw ~ in smb's eyes** *fig* a arunca praf în ochii cuiva; **to shake the ~ off one's feet a** a-şi şterge praful de pe picioare **b** *fig* a pleca supărat *sau* indignat; **to raise/to kick up/to make a ~** *fig* **a** a produce (< mare) vâlvă/zgomot; **to bite the ~** *fig* a muşca ţărâna; a fi înfrânt; **to lick the ~** *fig* **a** a muşca ţărâna; a fi înfrânt **b** a se linguşi; **humbled in/to the ~** *fig* **a** la pământ, distrus **b** umilit la culme; **to take smb's ~** *fig amer* a rămâne în urma cuiva; a rămâne în coadă **2** praf, pulbere *(de aur etc.)* **3** *sl F →* sunători, bistari, – bani **4** *poetic* pulbere, ţărână **5** *bot* polen **6** agitaţie, zarvă, freamăt; **the ~ and heat of the day** clipele grele ale luptei/încleştării **7** *v.* **dust brand 8** *fig* fleac, nimic **II** *vt* **1** a şterge praful de pe, a curăţa **2** a prăfui, a umple de praf **3** a pudra *(cu zahăr etc.)*

dust bin ['dʌst ˌbin] *s* ladă de gunoi

dust brand ['dʌst ˌbrænd] *s bot* tăciune *(Ustilago)*

dust chamber ['dʌst ˌtʃeimbəʳ] *s tehn* cameră de desprăfuire

dust colour ['dʌst ˌkʌləʳ] *s* gri-cafeniu

dust cover ['dʌst ˌkʌvəʳ] *s v.* **dust jacket**

duster ['dʌstəʳ] *s* **1** cârpă de şters praful **2** aspirator de praf **3** *min* sondă neproductivă

dust hole ['dʌst ˌhoul] *s* groapă de gunoi

dusting ['dʌstiŋ] *s* **1** desprăfuire, ştergere de praf **2** presărare **3** praf antiseptic **4** pulverizare **5** bătaie, chelfăneală

dust jachet ['dʌst ˌdʒækit] *s* supra-copertă *(la o carte)*

dustless ['dʌstlis] *adj* fără praf; care nu face praf

dustman ['dʌstmən] *s* gunoier

dust-proof ['dʌst ˌpruːf] *adj* etanş la praf

dust storm ['dʌst stɔːm] *s* furtună de praf

dust-up ['dʌst ʌp] *s F* tărăboi, scandal

dusty ['dʌsti] *adj* **1** prăfuit, plin de praf **2** pulverulent; *(d. zahăr etc.)* pudră **3** *(d. un răspuns etc.)* vag, neprecis **4** sec, neinteresant

dusty miller ['dʌsti ˌmiləʳ] *s bot* **1** urechea ursului *(Primula auricula)* **2** flocoşele, curcubeu *(Lychnis coronaria)*

Dutch [dʌtʃ] **I** *adj* **1** olandez **2** *amer şi* german, nemţesc **II** *s* **1** (limba) olandeză; **double ~** (limbă) păsărească **2 the ~** olandezii

Dutch action ['dʌtʃ 'æːkʃən] *s ec* licitaţie cu scăderea preţului *(până când se găseşte un cumpărător)*

Dutch courage ['dʌtʃ 'kʌridʒ] *s* **1** curajul beţivanului **2** băutură

Dutchman ['dʌtʃmən] *s* olandez

Dutch metal ['dʌtʃ 'metl] *s met* tombac

Dutch oven ['dʌtʃ ˌʌvn] *s* făraş *(mic)*

Dutch tile ['dʌtʃ ˌtail] *s* placă de teracotă, cahlă

Dutch treat ['dʌtʃ ˌtriːt] *s* masă, chef *etc.* pentru care plăteşte fiecare în parte/*F* „nemţeşte"

duteous ['djuːtiəs] *adj v.* **dutiful**

dutiable ['djuːtiəbəl] *adj* supus taxelor vamale; impozabil

dutiful ['djuːtiful] *adj* supus, ascultător, respectuos

dutifully ['djuːtifuli] *adv* ascultător, cu supunere

duty ['djuːti] *s* **1** datorie, obligaţie; **to do one's ~** a-şi face datoria **2** îndatoriri, obligaţii *(de serviciu)*; serviciu, răspundere; responsabilitate, **on ~** de serviciu; **off ~ a** *adj* liber *(care nu e de serviciu)* **b** *adv (care vine etc.)* de la serviciu/slujbă **3** folosire, întrebuinţare; **to do ~ for** a fi folosit în locul *(cu gen)*,

a folosi drept/ca **4** *fig* **(to)** respect (pentru, faţă de): **in ~ to** din respect pentru **5** *ec* taxă, ↓ *pl* taxe; taxe vamale

duty-free ['djuːti 'friː] *adj ec* scutit de vamă/taxe vamale

duumvir [dju:'ʌmvəʳ], *pl şi* **duumviri** [dju:'ʌmviˌri] *s ist* duumvir

Dvina, the [dviˈnʌ, ðə] *fluviu în fosta U.R.S.S.*

dwarf [dwɔːf] **I** *s* **1** *şi fig* pitic **2** plantă *sau* animal pipernicit **II** *vt* **1** a împiedica *sau* a opri creşterea/dezvoltarea *(cu gen)* **2** a micşora, a face să pară mai mic

dwarfish ['dwɔːfiʃ] *adj* **1** de pitic **2** pitic, mic **3** nedezvoltat; pipernicit

dwell [dwel], *pret şi ptc* **dwelt** [dwelt] *vi* **1** a locui, a trăi, *poetic* a sălăşlui **2** a rămâne, *poetic* a stărui *(în amintire)*

dweller ['dweləʳ] *s* locuitor

dwelling ['dweliŋ] *s* locuinţă, casă, *poetic* sălaş

dwelling house ['dweliŋ haus] *s constr* locuinţă *(pt o singură familie)*

dwelling place ['dweliŋ ˌpleis] *s* domiciliu, reşedinţă

dwell on ['dwel ɔn] *vi cu prep, pret şi ptc* **dwelt on** a insista/a stărui asupra *(cu gen);* a dezvolta *cu ac*

dwelt [dwelt] *pret şi ptc de la* **dwell**

Dwight [dwait] *nume masc*

dwindle ['dwindəl] *vi* **1** a se micşora, a se face mai mic, a se diminua **2** a-şi pierde importanţa *sau* din importanţă **3** a se înrăutăţi, a se agrava

dwindler ['dwindləʳ] *s* om *sau* animal mic, pitic

dyad [daiæd] *s mat* diadă

dye [dai] **I** *s* **1** colorant, substanţă colorantă; vopsea **2** culoare; nuanţă; **a villain of the blackest/ deepest ~** *fig* un ticălos de cea mai abjectă speţă **II** *vt* **1** a colora, a vopsi *(↓ într-un lichid)* **2** *fig* a colora, a îmbujora *(faţa)* **III** *vi cu sens pas* a se vopsi

d'ye [dju] *F pt* **do you**

dyed-in-the-wool ['daidinðəˈwul] *adj atr* **1** îmbibat/pătruns de vopsea **2** *fig* total, perfect, desăvârşit, complet **3** *fig* înrăit, inveterat

dye house ['dai ˌhaus] *s* vopsitorie

dyeing ['daiiŋ] *s* vopsitorie, vopsit, colorare

dyer ['daiə'] *s* vopsitor

dyer's weed ['daiəz ,wi:d] *s bot* gande *(Reseda luteola)*

dyer's woad ['daiəz ,woud] *s bot* drobuşor *(Isatis tinctoria)*

dyestuff ['daistʌf] *s* colorant, materie colorantă; vopsea

dye wood ['dai ,wud] *s* lemn colorant

dye works ['dai ,wə:ks] *s pl ca sg* vopsitorie, boiangerie

dying ['daiiŋ] **I** *adj* pe moarte, muribund **II** *s* **1** comă **2** moarte **3** *fig* moarte, pieire

dyke [daik] *s v.* **dike**

dynamic(al) [dai'næmik(əl)] *adj* **1** *tehn* dinamic **2** *fig* dinamic, activ, energic **3** *med* dinamic, funcţional

dynamikally [dai'næmikəli] *adv fig* dinamic, activ, energic

dynamics [dai'næmiks] *s pl* **1** *ca sg tehn* dinamică **2** *fig* dinamism, mişcare

dynamism ['dainə,mizəm] *s* **1** *filoz* dinamism **2** *fig* dinamism, mişcare; energie; activitate

dynamyte ['dainə,mait] **I** *s* dinamită **II** *vt* a dinamita

dynamo ['dainə,mou] *s el* dinam; maşină dinamo-electrică

dynamo-electric ['dainə,moui'le:trik] *adj el* dinamoelectric

dynamometer [,dainə'mɔmitə'] *s tehn* dinamometru

dynastic [di'næstik] *adj* dinastic, privitor la dinastie

dynasty ['dinəsti] *s* dinastie

dyne [dain] *s fiz* dină

dysentery ['disəntri] *s med* dizenterie

dysilogistic [,disilə'dʒistik] *adj* dezaprobator, nefavorabil

dysmetria [dis'metriə] *s med* dismetrie

dyspepsia [dis'pepsiə] *s med* dispepsie, indigestie

dyspeptic [dis'peptik] *adj, s med* dispeptic

dysphagia [dis'feidʒiə] *s med* disfagie, greutate la înghiţit

dysplasia [dis'pleiziə] *s med* displazie, anomalie a creşterii

dyspn(o)ea [dis'pniə] *s med* dispnee, respiraţie grea

dystrophy ['distrəfi] *s med* distrofie, dezorganizarea nutriţiei ţesuturilor

dysuria [dis'juəriə] *s med* disurie, greutate la urinare

E

E, e [i:], *pl* **Es, E's, es, e's** [i:z] *s*
1 (litera) E, e **2** *muz* (nota) mi
E. *presc de la* **1 Easter 2 Earl 3
English**
E, E., e., e *presc de la* **east**
E., e. *presc de la* **1 earth 2 engin-
eer(ing) 3 eastern**
each [i:tʃ] **I** *adj* fiecare *(luat în parte);*
~ morning a fiecare dimineață
b în fiecare dimineață; **~and
every** absolut fiecare *sau* toți **II**
pr fiecare, *(d. persoane) rar →*
fiecine; **three shillings ~** trei
șilingi fiecare/bucata **~ other**
unul pe altul; **to ~ other** unul
altuia; **A., B., and C. ~ say they
are right** și A. și B. și C., fiecare
spune că are dreptate
eager ['i:gəʳ] *adj* **1** (for) dornic,
doritor (de); **~ for honours** setos
de onoruri **2** înflăcărat, înfocat,
pasionat **3** *(d. un atac etc.)*
înverșunat; energic
eagerly ['i:gəli] *adv* **1** cu înflăcărare/
înfocare/înverșunare **2** cu sete,
lacom; cu nerăbdare
eagerness ['i:gənis] *s* **1** dorință
(puternică), poftă, sete **2** înflă-
cărare, zel, ardoare, râvnă
eagle ['i:gəl] *s* **1** *orn* vultur *(Aquila
etc. sp.)* **2** monedă de aur de 10
dolari
eagle-eyed ['i:gəlaid] *adj* cu ochi de
vultur
eagle-like ['i:gəllaik] *adj* vulturesc,
(ca) de vultur
eagle nose ['i:gəl nouz] *s* nas acvilin
eagle owl ['i:gəl 'aul] *s orn* bufniță
(Bubo bubo)
eagle stone ['i:gəl stoun] *s minr*
limonit
eaglet ['i:glit] *s orn* pui de vultur
eagre ['eigəʳ] *s* **1** flux **2** mascaret
ealdorman ['ɔ:ldəmən] *s v.* **alder-
man**
ear [iəʳ] **1** *anat* ureche; **about one's
~ a** pe punctul de a se dărâma,
gata să se dărâme **b** de jur
împrejur; **to go in at one ~ and
out at the other** *fig* a intra pe o
ureche și a ieși pe cealaltă; **wet
behind the ~s** *fig sl* cu caș la
gură, mucos; **to set by the ~s** a
incita la ceartă, a asmuți; **to be**

up to the **~s in love** a fi îndră-
gostit lulea/până peste urechi; **to
be up to the ~s in debt** a fi
înglodat în datorii (până peste
cap); **to prick up one's ~s** *și fig*
a-și ciuli urechile **2** *fig* ureche
(muzicală), auz; **to be all ~s** a fi
numai urechi; **to give/to lend ~**
to a-și pleca urechea la; a
asculta *cu ac;* **to play by ~** a
cânta *(la un instrument)* după
ureche; **to turn a deaf ~ to** a nu
vrea să audă de; **to have itching
~s** *fig* a-i plăcea bârfelile/vorbele;
to come to/to reach smb's ~s
a ajunge la urechile cuiva; **to
catch/to gain/to have/to win
smb's ~** a avea trecere la cine-
va, a se bucura de hatârul cuiva;
a nu lăsa indiferent/rece pe
cineva **3** mâner, toartă **4** *bot* spic
5 moț, egretă **II** *vi* a da în spic
earache ['iər,eik] *s med* durere de
urechi, otalgie
earcap ['iə'kæp] *s* apărătoare de
urechi
ear drop ['iə ,drop] *s* cercel
ear drum ['iə ,drʌm] *s anat* timpan
eared ['iəd] *adj* **1** (↓ *în cuvinte
compuse)* cu urechi; **long-~**
urechiat, cu urechi lungi **2** *bot* cu
spic(ul)
ear flap ['iə ,flæp] *s* **1** *anat* lobul/
sfârcul urechii **2** *anat* urechea
externă **3** apărătoare de urechi
earful ['iəful] *s:* **to hear an ~** *F* a
auzi vrute și nevrute; a i se
împuia capul; **if she does that,
she'll get an ~ from me!** *F* dacă
face una ca asta, să vezi ce-o
să-i audă urechile (din gura
mea)!
earing ['iəriŋ] *s nav* **1** împuntătură **2**
baieră de învergare
earl [ə:l] *s* earl, conte *(nobil între
marchiz și viconte)*
Earl(e) [ə:l] *nume masc*
ear lap ['iə ,læp] *s v.* **ear flap**
earldom ['ə:ldəm] *s* calitatea de earl
earless ['iəlis] *adj* **1** fără urechi **2** cu
urechile tăiate **3** fără mâner/
toartă **4** *fig* surd, tare/fudul de
ureche **5** *fig* afon, fără ureche
(muzicală)

earlet ['iəlit] *s* **1** urechiușă **2** ← *înv*
cercel
earliest ['ə:liist] *s:* **at the ~** cel mai
devreme
earliness ['ə:linis] *s* **1** oră matinală
2 apariție timpurie **3** caracter
prematur **4** *agr* precocitate
ear lobe ['iə ,loub] *s anat* lobul
urechii
earlship ['ə:lʃip] *s* titlul de earl/conte
early ['ə:li] **I** *adj* **1** întâi, prim, de (la)
început; **in the ~ days of the
automobile** în primele zile ale
automobilului; **in the ~ 19th
century** la începutul sec. al
XIX-lea; **in the ~ afternoon** la
începutul după-amiezii **2** timpu-
riu, care se petrece *etc.* devreme;
I am an ~ riser obișnuiesc să mă
scol devreme; **it is the ~ bird
that catches the worm** *prov*
cine se scoală de dimineață
departe ajunge **3** timpuriu, pre-
matur, precoce; **~ apples** mere
timpurii **4** grabnic, urgent, neîn-
târziat; **that requires an ~ reply**
aceasta cere un răspuns urgent
5 care a venit înainte de ora
fixată *etc.* ; **I'm afraid we are a
bit ~** cred că am venit puțin cam
devreme; **the bus was five min-
utes ~** autobuzul venise cu cinci
minute mai devreme **II** *adv* **1**
devreme; **~ in the morning**
dis-de-dimineață; **~ in life** în
copilărie; în tinerețe; **as ~ as
1900** încă în *sau* din 1900 **2**
devreme, repede, curând; **I'll do
it as ~ as I can** am să fac
aceasta cât mai curând posibil
3 din timp, de cu vreme **4** prea
devreme; **he came ~ for lunch**
veni prea devreme la masă
early closing (day) ['ə:li 'klouziŋ
('dei)] *s* zi în care magazinele
sunt închise după-masă
early on ['ə:li ɔn] *adv* (încă) demult,
încă la începutul unei perioade
early warning ['ə:li 'wɔ:niŋ] *s mil*
cercetare îndepărtată (de radio-
locație)
earmark ['iəma:k] **I** *s* **1** danga, semn
(la animale) **2** *fig* semn distinctiv;
stigmat **3** colț îndoit *(al unei*

pagini), îndoitură, semn II *vt* **1** a
însemna cu o danga **2** *fig* a
însemna; a stigmatiza **3** a îndoi
(o pagină), a însemna **4** *ec* a
aloca *(fonduri)*

earn [ə:n] **I** *vt* **1** a câştiga *(↓ prin
muncă)*, a agonisi **2** *fig* a câştiga,
a dobândi, a căpăta *(faimă etc.)*
II *vi* a câştiga bani muncind

Earnest ['ə:nist] *nume masc* Ernest

earnest[1] ['ə:nist] **I** *adj* **1** serios, care
nu glumeşte **2** convins, încre-
dinţat; pătruns **3** serios, spus *etc.*
cu toată seriozitatea; important;
grav **4** zelos, înfocat, aprins; *(d.
o dorinţă etc.)* arzător **5** serios,
de onoare, onorabil **II** *s* seriozi-
tate; **in ~** (în mod) serios; **in all ~**
cu toată seriozitatea; **in real ~**
(plouă etc.) de-a binelea; **are
you in ~?** (vorbeşti) serios?

earnest[2] *s* **1** avans, acont **2** *şi fig*
zălog, garanţie, amanet

earnestly ['ə:nistli] *adv* **1** (în mod)
serios; fără glumă; pe un ton
serios **2** sincer, cu toată convin-
gerea

earnest money ['ə:nist ,mʌni] *s*
avans, acont

earnestness ['ə:nistnis] *s* seriozitate
(a unei discuţii, situaţii etc.)

earnings ['ə:niɲz] *s pl* **1** câştiguri,
venit(uri); profituri **2** salariu, leafă

earnings related ['ə:niɲz ri'leitid] *adj*
(d. plăţi, pensii etc.) pe măsura
veniturilor

ear phone ['iə ,foun] *s tel* cască

ear piece ['iə ,pi:s] *s* **1** *v.* **earphone**
2 *tel* pavilionul receptorului **3**
clapă *(de căciulă etc.)* **4** braţ *(de
ochelari)*

ear plug ['iə ,plʌg] *s* astupătoare *(de
urechi)*

ear ring ['iə ,riɲ] *s* cercel

earshot ['iə,ʃɔt] *s* distanţă de la care
se poate auzi un sunet; **within ~**
(de) la o distanţă la care se poate
auzi *(ceva)*

earth [ə:θ] **I** *s* **1** pământ, glob
(pământesc); lume; **on ~** pe
pământ; **how on ~?** *F* cum
naiba? ce Dumnezeu! **why on
~?** *F* la ce naiba? **I brought him
back to ~** l-am readus la realita-
te; **like nothing on ~ a** grozav,
minunat **b** ciudat; *F→* ca altă-aia
c groaznic, scârbos, hidos **2**
pământ, lume pământească **3**
lume, omenire, oameni **4** ţărână,

pământ; uscat; **to fall to (the) ~**
a cădea (la pământ); **down to ~**
fig terestru; prozaic **5** *fig* pământ,
lut, pulbere, ţărână **6** *agr* pământ,
sol, teren **7** vizuină **8** *el* pământ
II *vt* **1** a îngropa **2** *agr* a săpa
pământul în jurul *(rădăcinii)* **3** *el*
a lega la pământ **III** *vi* a se
ascunde sub pământ, în vizuină
etc.

earth bag ['ə:θ ,bæg] *s* sac cu
pământ *sau* nisip

earth balls ['ə:θ ,bɔ:lz] *s pl bot* trufe

earth-born ['ə:θ ,bɔ:n] *adj poetic*
pământean, muritor; născut din
femeie

earth-bound ['ə:θ,baund] *adj* **1**
pământesc, lumesc; legat de
cele pământeşti **2** comun, obiş-
nuit

earth coal ['ə:θ ,koul] *s* cărbune de
pământ

earth-eater ['ə:θ,i:tər] *s* lotofag,
mâncător de pământ

earthen ['ə:θən] *adj* de/din pământ;
de/din lut

earthenware ['ə:θən,wɛər] *s* olărie,
oale; ceramică

earth flax ['ə:θ ,flæks] *s met* asbest

earth flow ['ə:θ ,flou] *s* alunecare
de teren

earth house ['ə:θ ,haus] *s* **1** locuinţă
sub pământ **2** *fig* mormânt

earthliness ['ə:θlinis] *s* **1** caracter te-
restru **2** deşertăciune lumească

earthling ['ə:θliɲ] *s* pământean,
muritor (de rând)

earthly ['ə:θli] *adj* **1** pământesc;
terestru; lumesc; material **2** ← *F*
posibil, imaginabil; **no ~ doubt**
nici cea mai mică îndoială // **not
to have an ~** *F* a nu avea habar,
nici cea mai mică speranţă,
şansă *etc.*

earthly-minded ['ə:θli,maindid] *adj*
preocupat de cele lumeşti

earth magnetism ['ə:θ 'mægnətizəm]
s magnetism terestru

earth nut ['ə:θ ,nʌt] *s bot* **1** trufă
(Tuber sp.) **2** alunele *(Bunium
bulbocastanum)*

earth oil ['ə:θ ,ɔil] *s minr* ţiţei, petrol

earth pitch ['ə:θ ,pitʃ] *s* smoală
minerală

earth plate ['ə:θ ,pleit] *s el* priză de
pământ

earthquake ['ə:θ,kweik] *s* **1** cutre-
mur (de pământ) **2** *fig* cutremur,
zguduire

earth road ['ə:θ ,roud] *s* drum
comunal/de ţară

earth-shaking ['ə:θ,ʃeikiɲ] *adj* care
a zguduit lumea (întreagă)

earth shell ['ə:θ ,ʃel] *s geol* scoarţă
terestră

earth slide ['ə:θ ,slaid] *s v.* **earth
flow**

earth spider ['ə:θ ,spaidər] *s ent*
tarantulă *(Lycosa tarentula)*

earth up ['ə:θ ,ʌp] *vt cu part adv* a
acoperi cu pământ

earthward(s) ['ə:θwədz] *adv* (în)spre
pământ

earth wave ['ə:θ ,weiv] *s* undă
seismică

earth wax ['ə:θ ,wæks] *s minr* ozo-
cherită

earthwork ['ə:θ,wə:k] *s* **1** *constr*
săpături, fundaţii **2** rambleu,
ridicătură de pământ, terasa-
ment **3** *mil* întăritură *(de pământ)*,
meterez

earthworm ['ə:θ,wə:m] *s* **1** *zool*
râmă *(Lumbricus terrestris)* **2** *fig*
râmă, vierme, târâtură

earthy ['ə:θi] *adj* **1** *v.* **earthen 2** *fig*
pământesc, lumesc; trupesc **3** *fig*
brut, aspru, neprelucrat **4** cu
picioarele pe pământ, practic

ear trumpet ['iə ,trʌmpit] *s* cornet
acustic

ear wax ['iə ,wæks] *s* cerumen,
ceară în urechi

earwig ['iə,wig] *s ent* urechelniţă
(Forficula)

ease [i:z] **I** *s* **1** pace, linişti; tihnă;
lipsă de constrângere; **at one's
~** tihnit, în voie, nestingherit; **to
put smb at his ~** a linişti pe
cineva; a lua cuiva o piatră de
pe inimă; **to take one's ~** a se
odihni *(după efort)*, a răsufla; **at
~** *mil etc.* pe loc repaus; **ill at ~**
stingherit, care nu e în largul său,
care se simte prost; **set his
mind at ~** linişteşte-l *(sufleteşte)*
2 (stare de) lenevie, lene; „dolce
farniente" **3** mângâiere, uşurare,
alinare **4** uşurinţă, facilitate; **he
learnt English with ~** a învăţat
englezeşte cu uşurinţă **5** natu-
raleţe, dezinvoltură **II** *vt* **1** a linişti,
a mângâia, a uşura, a alina *(o
durere etc.)* **2** a lărgi *(o haină
etc.)* **3** *F* a uşura *(de bani etc.)* **4**
a slăbi, a da drumul la *(funii etc.)*
5 a micşora, a încetini, a reduce
(viteza) **6** a deştepeni; **he ~d the**

drawer open with a knife deschise sertarul cu un cuțit **III** *vi* **1** a se micșora; a se domoli, a se liniști **2** a înceta, a se opri

ease down ['i:z 'daun] *vi cu part adv* **1** a-și încetini mersul, a merge mai încet **2** *F* a o lăsa mai moale; – a munci mai puțin

easeful ['i:zful] *adj* **1** liniștitor, odihnitor **2** liniștit, tihnit **3** liber, trândav; leneș

easel ['i:zəl] *s pict* șevalet

easeless ['i:zilis] *adj* nemângâiat, neconsolat

easement ['i:zmənt] *s* **1** ajutor, sprijin, suport **2** înlesnire, avantaj **3** *jur* servitute

ease off ['i:z 'ɔ(:)f] *vi cu part adv* **1** v. **case down 2** a pleca, a porni; a se îndepărta **3** a deveni mai ușor

ease up ['i:z 'ʌp] *vi cu part adv* v. **ease down**; **~ on the boy** ← *F* nu te purta atât de sever cu băiatul

easily ['i:zili] *adv* **1** ușor, lesne, cu ușurință **2** liber, nestingherit **3** liniștit, calm

easiness ['i:zinis] *s* **1** liniște, tihnă, pace **2** ușurință, facilitate **3** ușurință, superficialitate **4** naturalețe, dezinvoltură

east [i:st] **I** *s* **1** răsărit, est **2 the E ~** Orientul **3** ← *poetic* vânt de răsărit **II** *adj* estic, răsăritean; oriental **III** *adv* la răsărit, în est; **~ of** la est/răsărit de; **out E ~** în *sau* spre Asia/Orient; **back E ~** *amer* în *sau*/spre estul Statelor Unite

East., east. *presc de la* **eastern**

East Anglia ['i:st 'æŋgliə] Anglia de Est *(districtele Norfolk și Suffolk)*

east-bound ['i:st,baund] *adj (d. vase etc.)* având direcția est

East End ['i:st ,end] *partea de est, sărăcăcioasă, a Londrei*

Easter ['i:stə'] *s* Paște, Paști

Easter egg ['i:stər 'eg] *s* ou de Paște

Easter Eve ['i:stər 'i:v] *s* Sâmbăta Mare

Easter flower ['i:stə 'flauə'] *s bot* dediței *(Pulsatilla sp.)*

eastering ['i:stəriŋ] *adj* înaintând spre est

easterly ['i:stəli] **I** *adj* estic, de est/răsărit **II** *s* vânt de răsărit **III** *adv* spre *sau* dinspre est/răsărit

eastern ['i:stən] **I** *adj* **1** estic, de est/răsărit **2** *(d. un perete etc.)* care dă spre răsărit **II** *s* **E ~** oriental

Eastern Church, the ['i:stən'tʃə:tʃ, ði] *s* biserica ortodoxă

Easterner ['i:stənə'] *s* **1** oriental **2** locuitor din estul S.U.A.

Eastern Europe ['i:stən ,juərəp] Europa răsăriteană

easternmost ['i:stən,moust] *adj* cel mai estic

Eastertide ['i:stə,taid] *s rel* perioada de la Paști până la Înălțare *(uneori până la Rusalii)*

East-European ['i:st,juərə'piən] *adj* din răsăritul Europei

East-India Company ['i:st'indiə 'kʌmpəni] *s ist* Compania Indiilor de Est

easting ['i:stiŋ] *s nav* navigare spre est

East Side ['i:st ,said] *partea de est, sărăcăcioasă a New York-ului*

eastward ['i:stwəd] **I** *adv* spre est, în direcția est **II** *adj* înspre *sau* dinspre est

eastwards ['i:stwədz] *adv* v. **eastward I**

easy ['i:zi] **I** *adj* **1** ușor, simplu, facil; **~ of belief** lesne crezător, credul; **~ to understand** ușor de înțeles **2** *(d. haine)* comod, lejer **3** comod, în largul său; **make yourself ~** fă-te comod/lejer **4** liniștit, fără griji, tihnit; *(d. trai etc.)* lipsit de griji, îndestulat; **in ~ circumstances** cu dare de mână; neducând lipsă de nimic; **by ~ stages** cu popasuri dese *(în călătorie)* **5** care se simte bine, sănătos **6** *(d. mers etc.)* degajat, natural, nesilit **7** blând; înțelegător, îngăduitor **8** nesilit, liber, natural, degajat; **his ~ manner** felul lui degajat de a fi **9** *(d. prețuri)* instabil **10** avantajos, favorabil **11** *(d. o pantă)* dulce, lin **12** *(d. stil)* curgător, natural **13** *(d. emoții)* spontan **14** plăcut; **~ on the ear** plăcut la auz; **~ on the eye** plăcut la vedere // **I'm ~** *F* bucuros; ne-nțelegem noi **II** *adv* **1** ușor, cu ușurință **2** ușor, liniștit, fără grabă; domol; **~ come, ~ go** de haram a venit, de haram s-a dus; **take it ~** ia-o încet/domol, ușor; **(stand) ~** *mil* de voie!

easy chair ['i:zi 'tʃɛə'] *s* fotoliu

easy-going ['i:zi'gouiŋ] *adj* **1** comod, indolent **2** *(d. mers)* lin, negrăbit, lent

easy mark ['i:zi 'mɑ:k] *s* pradă sigură

easy virtue ['i:zi 'və:tju:] *s* ← *înv* moravuri ușoare

eat [i:t], *pret* **ate** [et, eit], *ptc* **eaten** ['i:tn] **I** *vt* **1** a mânca, a se ospăta cu/din; a se hrăni cu; **to ~ one's words** *fig* a-și retrage cuvintele, a retracta **2** *și fig* a mânca, a roade; a distruge; **the wood had been ~en by worms** lemnul fusese mâncat de viermi; **to ~ smb out of house and home** a sărăci pe cineva, a aduce pe cineva la sapă de lemn **II** *vi* **1** a mânca, a lua masa; a se ospăta; **to ~ well** a mânca bine, a avea poftă de mâncare; **to ~ out of smb's hand** *fig* a se supune cuiva întru totul **2** *(d. mâncăruri)* a avea gust (bun), a fi gustos **III** *s pl* ← *F* mâncare (pregătită)

eatable ['i:təbəl] **I** *adj* comestibil, bun de mâncat **II** *s pl* mâncare, bucate, de-ale gurii

eat away ['i:t ə'wei] *vt cu part adv* **1** a mânca până la ultima fărâmă; a înghiți **2** *fig* a mânca, a roade; a distruge

eaten ['i:tən] *ptc de la* **eat**

eater ['i:tə'] *s* mâncător; **the child is a poor ~** copilul mănâncă prost

eatery ['i:təri] *s* ← *F* birt

eating ['i:tiŋ] **I** *adj* **1** care mănâncă **2** bun de mâncat **3** *fig* care roade, chinuitor **II** *s* **1** mâncare, hrană **2** mâncare, mâncat

eating apple ['i:tiŋ 'æpl] *s* măr care poate fi mâncat crud/bun de mâncat

eating house ['i:tiŋ 'haus] *s* restaurant; birt; cantină; pensiune

eat into ['i:t ,intə] *vi cu prep* a înghiți (banii cuiva)

eat up ['i:t 'ʌp] *vt cu part adv* **1** a mânca tot..., a devora **2** a absorbi, a preocupa, a captiva; **to be eaten up with** a fi ros de *(gelozie etc.)*; a nu mai putea de

eau-de-Cologne [,oudəkə'loun] *s fr* (apă de) colonie

eau-de-vie [,oudə'vi:] *s fr* rachiu

eaves [i:vz] *s pl* **1** streașină; jgheab **2** *poetic* pleoape *sau* gene

eavesdrop ['i:vz,drɔp] **1** *vi* a trage cu urechea **2** *vt* a auzi *(ceva)* trăgând cu urechea *sau* fără să vrea

ebb [eb] **I** s 1 reflux; ~ **and flow** flux și reflux 2 *fig* declin, decădere; dare înapoi; schimbare în rău; **at a low ~ a** într-o situație grea, strâmtorat **b** în declin **II** *vi* 1 a se retrage, a fi în reflux 2 *v.* **ebb away**

ebb away ['eb ə'wei] *vi cu part adv fig* a fi în declin; a da înapoi; a se schimba în rău

ebb tide ['eb ,taid] *s* reflux

ebeneous [ə'biniəs] *adj* ebenin, (ca) de abanos

ebon ['ebən] *adj* ↓ *poetic* (ca) de abanos

ebonite ['ebənait] *s ch* ebonit

ebony ['ebəni] **I** *s* 1 *bot* abanos *(Diospyros ebenum)* 2 (lemn de) abanos **II** *adj* (ca) de abanos; negru de abanos

Ebro, the ['i:brou, ði] *fluviu în Spania* Ebrul

ebullience [i'bʌljəns] *s și fig* fierbere, clocot, efervescență

ebullient [i'bʌljənt] *adj* 1 în fierbere/clocot 2 *fig* clocotitor, debordant; exuberant

ebullition [,ebə'liʃən] *s* 1 *și fig* fierbere, clocot 2 *fig* izbucnire, revărsare

E.C. *presc de la* 1 **Engineering Corps** 2 **Established Church**

e.c. *presc de la* **Exempli causa** de dragul exemplului

eccentric [ik'sentrik] **I** *adj* 1 excentric, straniu, ciudat 2 *tehn etc.* excentric **II** *s* 1 excentric, original 2 *tehn* excentric

eccentrically [ik'sentrikəli] *adv* (în mod) excentric

eccentricity [,eksen'trisiti] *s* 1 excentricitate, originalitate, ciudățenie 2 *tehn etc.* excentricitate

eccl. *presc de la* **ecclesiastic**

ecclesiast [i'kli:ziæst] *s* 1 cleric 2 **the E~** *bibl* Ecleziastul

Ecclesiastes, the [i,kli:'zi'æsti:z, ði] *s bibl* Ecleziastul

ecclesiastic [i,kli:zi'æstik] **I** *adj* ecleziastic, bisericesc **II** *s* cleric

ecclesiastically [i,kli:zi'æstikəli] *adv* din punct de vedere ecleziastic/bisericesc

E C G *presc de la* 1 **electrocardiogram** 2 **electrograph**

echelon ['eʃə,lɔn] *fr* **I** *s mil* eșalon **II** *vt* 1 *mil* a eșalona 2 a eșalona, a repartiza, a planifica

echinoderm [i'kaindou,də:m] *s zool* echinoderm

echinus [i'kainəs], *pl* **echini** [i'kainai] *s zool* 1 arici de mare *(Echinus lividus)* 2 arici *(Erinaceus sp.)*

echo ['ekou] **I** *pl* **echoes** ['ekouz] *s* 1 *și fig* ecou, răsunet; *fig* rezultat, urmare; reacție 2 imitație, plagiat 3 **E~ mit** (nimfa) Echo **II** *vi* 1 a avea ecou 2 a răsuna, a răspunde în ecou **III** *vt* a repeta; a imita

echoism ['ekou,izəm] *s* onomatopee

echo sounder ['ekou 'saundə'] *s nav* sondă acustică

éclair [ei'klɛə'] *s* ecler *(prăjitură)*

eclampsia [i'klæmpsiə] *s med* eclampsie

éclat [ei'kla:] *s fr* 1 strălucire; slavă 2 succes; senzație, răsunet

eclectic [i'klektik] **I** *adj* eclectic **II** *s* 1 compilator 2 *filos etc.* eclectic

eclectically [i'klektikəli] *adv* (în mod) eclectic

eclecticism [i'klekti,sizəm] *s* eclectism; eterogenitate

eclipse [i'klips] **I** *s* 1 *astr* eclipsă 2 eclipsare, umbrire **II** *vt* 1 *astr* a eclipsa 2 *fig* a eclipsa, a umbri, a întuneca

ecliptic [i'kliptik] *astr* **I** *adj* ecliptic **II** *s* ecliptică

eclogue ['eklɔg] *s lit* eglogă

ecol. *presc de la* 1 **ecology** 2 **ecologic(al)**

ecologic(al) [,ekə'lɔdʒikəl] *adj biol* ecologic

ecology [i'kɔlədʒi] *s biol* ecologie

econ. *presc de la* 1 **economic** 2 **economy** 3 **economics**

economic [,i:kə'nɔmik] *adj* 1 economic, privitor la economie 2 economic, rentabil 3 practic; aplicat

economical [,i:kə'nɔmikəl] *adj* 1 econom, chibzuit 2 economicos, economic, frugal

economically [,i:kə'nɔmikəli] *adv* 1 cu economie 2 din punct de vedere economic

economics [,i:kə'nɔmiks] *s pl ca sg* știința economiei, economie

economist [i'kɔnəmist] *s* 1 economist 2 om econom; gospodar 3 administrator, *înv* → econom

economize [i'kɔnə,maiz] **I** *vt* 1 a economisi, a strânge, a pune de o parte 2 a valorifica **II** *vi* a face economii; a pune bani de o parte

economizer [i'kɔnə,maizə'] *s* 1 om econom 2 *tehn* preîncălzitor

economy [i'kɔnəmi] *s* 1 economie; gospodărie 2 economie, chibzuire; păstrare 3 economie, structură, organizare 4 sistem economic 5 organizație, societate

ecru ['ekru:] *adj fr* ecru, de culoarea mătăsii nespălate

ecstasied ['ekstəsid] *adj* extaziat, cuprins de extaz

ecstasy ['ekstəsi] *s* extaz, exaltare; transportare; transă; admirație

ecstatic [ek'stætik] *adj* 1 extatic; extaziat 2 încântător, răpitor, minunat

ecstatically [ek'stætikəli] *adv* în extaz

ectoderm ['ektou,də:m] *s anat* ectodermă

ectodermic [,ektou'də:mik] *adj anat* ectodermic

ectopia [ek'toupiə] *s anat* actopie, heterotopie

ectoplasm ['ektou,plæzəm] *s anat* ectoplasmă

Ecuador ['ekwə,dɔ:'] *țară*

ecumenic(al) [,i:kju'menik(əl)] *adj bis* ecumenic

ecumenicalism [,i:kju'menikəlizəm] *s rel* ecumenicalism

ecumenically [,i:kju'menikəli] *adv* (din punct de vedere ecumenic)

eczema ['eksimə] *s med* eczemă

ed. *presc de la* 1 **edition** 2 **edited** 3 **editor**

-ed *suf adjectival* cu..., având... *etc.*: **bearded** cu barbă, bărbos

edacious [i'deiʃəs] *adj* 1 lacom, nesățios 2 alimentar; gastronomic

edacity [i'dæsiti] *s* poftă de mâncare; lăcomie

Edam ['i:dæm] *s* brânză *(olandeză)* de Edam

Edda, the ['edə, ði] *s lit* Edda

Eddington ['ediŋtən], **Sir Arthur Stanley** *astronom englez (1882-1944)*

eddy [edi] **I** *s* 1 volbură, vâltoare, bulboană 2 vârtej *(de praf)* 3 *fiz* resoc 2 *vi* a se învolbura; a se învârteji; a se roti

edelweiss ['eidə l,vais] *s bot* floare-de-colț, albumeală *(Leontopodium alpinum)*

edema [i'di:mə] *s med* edem

edematose [i'demətəs] *adj med* edematos

Eden ['i:dən] *s* **1** Eden, rai, paradis **2** fericire supremă, extaz

Edenic [i'dɛnik] *adj* edenic, paradisiac, de rai

edentate [i'dɛnteit] *adj zool* fără dinți; cu dinți puțini

Edgar ['edgəʳ] *nume masc*

edge [edʒ] **I** *s* **1** margine; muchie; lizieră; **the ~ of a plantation** marginea/liziera unei plantații **2** tăiș, ascuțiș; lamă **to set smb's nerves on ~** *fig* a călca pe nervi (pe cineva), a enerva pe cineva; **to take the ~ off smb's appetite** *fig* a astâmpăra foamea cuiva; **to put an ~ on** a ascuți *cu ac*; **to have the ~ on** ↓ *amer F* a o lua înaintea *(cuiva);* **to set smb's teeth on ~** *F* a scoate pe cineva din sărite; a călca pe cineva pe nervi; **on ~** nervos **3** creastă, creștet, vârf *(de munte)* **4** chenar **5** tiv, tivitură **6** margine, hotar, limită **7** floare *(a cheii)* **8** *fig* agerime, ascuțime a minții **9** ← *poetic* ascuțișul săbiei, sabie **II** *vt* **1** a ascuți *(coasa etc.)* **2** a teși; a tăia marginile *(cu ger);* a netezi **3** a tăia, a tunde *(iarba)* **4** a vârî cu ajutorul penelor *(o ușă etc.)* *fig* a strecura, a vârî, a băga **5** *fig* a stârni, a ațâța; a stimula **III** *vi* a se furișa; a se strecura *(↓ în față)*

edge away ['edʒ ə'wei] *vi cu part adv* a se îndepărta pe furiș, a pleca tiptil

edge bone ['edʒ ˌboun] *s anat* ← *F* osul sacral/sacru

edged [edʒd] *adj* **1** tăios, ascuțit **2** *(în cuvinte compuse)* cu... tăișuri; **two-~ sword** sabie cu două tăișuri

edge iron ['edʒ ˌaiən] *s tehn* fier cornier/colțat

edgeless ['edʒlis] *adj* **1** fără margine *sau* margini **2** bont, tocit, neascuțit

edge oneself into ['edʒ wʌn'self ˌintə] *vr cu prep* a se amesteca în *(vorbă etc.)*

edge out ['edʒ 'aut] **I** *vt cu part adv* **1** a da la o parte/în lături *(cu coatele etc.)* **2** *fig* a înlătura treptat *(pe cineva)* **3** a înfrânge, a învinge *(cu o mică majoritate)* **II** *vi cu part adv* a se furișa tiptil, a se strecura

edge stone ['edʒ ˌstoun] *s constr* piatră de bordură

edge tool ['edʒ ˌtu:l] *s* unealtă ascuțită, instrument ascuțit

edgeways ['edʒweiz] *adv* cu tăișul în față; spre tăiș; **to get a word in ~** a spune/a strecura o vorbă

edgewise ['edʒwaiz] *adv v.* **edgeways**

Edgeworth ['edʒwə:θ], **Maria** *romancieră irlandeză (1767-1849)*

edginess ['edʒinis] *s F* draci, nervi, ← nervozitate

edging ['edʒiŋ] *s* **1** margine; bordură **2** muchie **3** franjuri **4** tiv **5** tivire

edgy ['edʒi] *adj* **1** tăios, ascuțit **2** aspru, colțuros **3** *fig* nervos, iritat **4** *fig* țâfnos, iritabil

edibility [ˌedi'biliti] *s* caracter comestibil

edible ['edibəl] **I** *adj* comestibil, bun de mâncat **II** *s pl* mâncare, de-ale gurii, bucate

edict ['i:dikt] *s* edict, decret

edification [edifi'keiʃən] *s* **1** edificare, construire, ridicare **2** povețe, sfaturi, instrucțiuni

edifice ['edifis] *s și fig* edificiu, construcție

edifier ['ediˌfaiəʳ] *s* mentor, preceptor

edify ['ediˌfai] *vt* a da învățături/sfaturi *(cuiva)*

Edinburgh ['edinbərə] *capitala Scoției*

edit ['edit] *vt* **1** a edita, a pregăti pentru tipar **2** a edita, a scoate *(un ziar);* a publica **3** *poligr* a da bun de cules *(cu dat)* **4** *tel etc.* a redacta *(pe baza materialelor)*

edit. *presc de la* **1** editor **2** edition **3** edited

Edith ['i:diθ] *nume fem*

edition [i'diʃən] *s* **1** ediție *(publicată sub îngrijirea cuiva)* **2** ediție *(a unei cărți, a unui ziar)* **3** *poligr* prezentare grafică *(a unui volum)* **4** *fig* copie, replică

editio princeps [i'diʃiou 'prinseps] *s lat poligr* ediție princeps

editor ['editəʳ] *s* **1** editor de carte; responsabil de ediție **2** redactor șef *(de ziar)*

editorial [ˌedi'tɔ:riəl] **II** *adj* editorial; redacțional **II** *s* articol de fond, editorial

editorial board [ˌedi'tɔ:riəl 'bɔ:d] *s* comitet de redacție

editorialize [ˌedi'tɔ:riəˌlaiz] *vi amer* **1** a-și exprima părerile în articole de fond *F* **2** ↓ *peior* a prezenta informații tendențioase *(în ziare)* **3** a emite o părere *(într-o proble-*

mă controversată) **4** *fig* a da lecții; a vorbi ca la carte

editorially [ˌedi'tɔ:riəli] *adv* în articolul de fond

editorial office [ˌedi'tɔ:riəl 'ɔfis] *s* redacție *(de ziar)*

editorial staff [ˌedi'tɔ:riəl 'sta:f] *s* personal de redacție

editor-in-chief ['editərin'tʃi:f] *s* redactor șef; redactor responsabil

editorship ['editəˌʃip] *s* conducere redacțională

edit out ['edit 'aut] *vt cu part adv poligr* a scoate, a elimina *(cuvinte)*

editress ['editris] *s* **1** editoare de carte, responsabilă de ediție **2** redactoare șefă

Edmond, Edmund ['edmənd] *nume masc* Edmond

Edna ['ednə] *nume fem*

educability [ˌedjukə'biliti] *s* însușirea de a fi educabil

educable ['edjukəbəl] *adj* educabil; maleabil

educate ['edjuˌkeit] **I** *vt* **1** a educa; a crește; a cultiva, a forma; **she had been ~d at Cambridge** își făcuse studiile la Cambridge **2** a educa, a forma, a antrena *(urechea etc.)* **3** a dresa *(un animal)* **II** *vr* a se instrui, a învăța

educated ['edjuˌkeitid] *adj* cult(ivat), educat; instruit; calificat

educated guess ['edjuˌkeitid 'ges] *s* ← *F* preocupare bazată pe oarecare informație

education [ˌedju'keiʃən] *s* **1** educație; creștere; învățătură, pregătire; cultură **2** învățământ; **compulsory ~** învățământ obligatoriu **3** bună creștere, educație, maniere **4** dresaj, dresare

educational [ˌedju'keiʃənəl] *adj* **1** de educație; educativ **2** de învățământ, didactic; pedagogic

educationalist [ˌedju'keiʃənəlist] *s* educator; pedagog; specialist în pedagogie

educationist [ˌedju'keiʃənist] *s v.* **educationalist**

educative ['edjukətiv] *adj* educativ; instructiv

educator ['edjuˌkeitəʳ] *s* educator, pedagog; profesor

educe [i'dju:s] *vt* **1** ← *rar* a dovedi, a manifesta *(talente etc.)* **2** a deduce, a conchide; a trage *(o concluzie)* **3** *ch* a emite, a degaja educible [i'dju:səbəl] *adj* deductibil

educt ['i:dʌkt] *s filos* deducție

eduction [i'dʌkʃən] *s* **1** dovadă, manifestare *(a talentului etc.)* **2** *filos* deducție **3** *ch* emanare, degajare

eduction valve [i'dʌkʃən vælv] *s tehn* supapă de aburi

eductor [i'dʌktə'] *s tehn* ejector

edulcorate [i'dʌlkə'reit] *vt* **1** a îndulci, a edulcora **2** *ch* a purifica, a curăța, a spăla **3** a desăra

edulcoration [i,dʌlkə'reiʃən] *s* îndulcire *etc.* (v. **edulcorate**)

Edward ['edwəd] *nume masc* Eduard

Edwardian [ed'wɔ:diən] *adj* eduardian, din perioada regelui Eduard *(I, II etc.)* al Angliei

Edward the Confessor ['edwəd ðə kən'fesə'] Eduard Mărturisitorul *(rege al Angliei,* 1002-1066)

Edwin ['edwin] *nume masc*

Edwina [e'dwinə] *nume fem*

-ee *suf cu diverse valori:* **refugee** refugiat; **selectee** selecționat; **employee** amploiat

E.E. *presc de la* **1 Electrical Engineer 2 Electrical Engineering**

EEC *presc de la* **European Economic Community** Piața comună

eel [i:l] *s iht* țipar *(Anguilla)*

eel pout ['i:l ,paut] *s iht* mihalț *(Lota lota)*

eel skin ['i:l ,skin] *s* piele de țipar

eel spear ['i:l ,spiə'] *s* furcă pentru prins țipari

eely ['i:li] *adj* **1** (ca) de țipar **2** *fig* care-ți fuge printre degete; greu de prins

e'en [i:n] *adv* ← *poetic* chiar, până și (v. **even II**)

-eer *suf cu diverse valori:* **engineer** inginer; **sonneteer** sonetist

e'er [ɛə'] *adv* ← *poetic* vreodată (v. **ever**)

eerie ['iəri] *adj* **1** sinistru; cumplit, înfiorător **2** bântuit de stafii **3** ciudat, misterios

eeriness ['iərinis] *s* ciudățenie; aspect sinistru *etc.* (v. **eerie 1**)

eery ['iəri] *adj v.* **eerie**

efface [i'feis] **I** *vt* **1** a șterge, a rade *(o inscripție etc.);* **to ~ the memory of** a șterge amintirea *cu gen* **2** *fig* a eclipsa, a umbri, a întuneca **II** *vr* a se da la o parte, a se retrage

effaceable [i'feisəbəl] *adj* care se poate șterge

effacement [i'feismənt] *s și fig* ștergere

effect [i'fekt] **I** *s* **1** efect, consecință, rezultat, urmare; **to have ~** a avea efect/urmări **2** efect, înrâurire, influență **3** efect, acțiune, vigoare *(a unei legi etc.);* valabilitate; **with ~ from this year** intrând în vigoare din acest an; **to carry/to bring into ~** a efectua, a realiza; a pune în aplicare *(instrucțiuni etc.);* **in ~ a** într-adevăr; în mod efectiv **b** de fapt **c** ↓ *jur* în vigoare; **to take ~ a** *jur* a intra în vigoare **b** *med* a-și face efectul **4** scop; **to this ~** în acest scop **5** cuprins, conținut, sens; **to the same ~** în același sens **6** impresie; efect *(de lumină etc.);* **he only did it for ~** a făcut aceasta numai pentru a produce impresie **7** *pl* efecte; bunuri, avere, avut **8** *tehn* efect, putere; productivitate, randament **II** *vt* a efectua, a îndeplini, a executa

effecter [i'fektə'] *s* **1** realizator; executant **2** făptaș **3** parte *(într-o convenție)*

effectible [i'fektəbəl] *adj* realizabil, care se poate efectua

effective [i'fektiv] **I** *adj* **1** eficace; util, folositor **2** *(d. o lege etc.)* având efect/putere, activ; în vigoare **3** efectiv, real **4** de efect, izbitor, frapant **5** *mil etc.* apt, valid **II** *s* **1** *mil pl* efective **2** *fin* disponibil bănesc, numerar

effective current [i'fektiv 'kʌrənt] *s el* curent eficace

effective load [i'fektiv 'loud] *s ferov* încărcătură utilă

effectively [i'fektivli] *adv* **1** în mod eficace *sau* efectiv **2** de fapt

effectiveness [i'fektivnis] *s* **1** eficacitate **2** impresie puternică *(lăsată de un peisaj etc.)*

effective power [i'fektiv 'pauə'] *s tehn* randament

effective range [i'fektiv 'reindʒ] *s mil* bătaie *(a unei arme)*

effectless [i'fektlis] *adj* ineficace, fără efect/rezultat

effectrix [i'fektriks] *s* forță motrice, cauză eficientă

effectual [i'fektjuəl] *adj* **1** eficace **2** real **3** *jur* valabil, în vigoare

effectually [i'fektjuəli] *adv* **1** în mod eficace **2** de fapt

effectualness [i'fektjuəlnis] *s* eficacitate

effectuate [ifektjueit] *vt* a efectua, a realiza, a îndeplini

effectuation [ifektju'eiʃən] *s* efectuare, îndeplinire

effeminacy [i'feminəsi] *s* efeminare; moleșire

effeminate **I** [i'femineit] *vt* a efemina; a moleși **II** [i'feminit] *adj* **1** afemeiat **2** efeminat; moleșit **3** răsfățat, răzgâiat **III** [i'feminit] *s* **1** afemeiat **2** bărbat muieratic/ efeminat

effemination [i'femineiʃən] *s* efeminare; moleșire

effendi [e'fendi] *s* ↓ *turc înv* → efendi

efferent ['efərənt] *adj anat* eferent

effervesce [,efə'ves] *vi* **1** a fi în (stare de) efervescență; a spumega; a fierbe **2** *fig* a fierbe, a clocoti **3** *fig* a nu mai putea de bucurie

effervescence [,efə'vesəns] *s* **1** *ch* efervescență **2** *fig* efervescență, freamăt, agitație

effervescent [,efə'vesənt] *adj* **1** efervescent, în stare de efervescență **2** *(d. băuturi) fig* care fierbe, gazos, clototitor

effervescently [,efə'vesəntli] *adv* cuprins de freamăt/agitație

effete [i'fi:t] *adj* **1** epuizat, uzat, slăbit, stors **2** nerodnic, sterp; inutil **3** răsfățat; efeminat **4** decadent

effeteness [i'fi:tnis] *s* **1** epuizare, uzare, uzură **2** caracter sterp, sterilitate, nerodnicie; inutilitate

efficacious [,efi'keiʃəs] *adj* **1** eficace, folositor, util **2** *fig* rodnic, fructuos, productiv **3** care are efect; în vigoare

efficaciously [,efi'keiʃəsli] *adv* în mod eficace, cu folos

efficaciousness [,efi'keiʃəsnis] *s* eficacitate; randament; folos

efficacity [,efi'kæsiti] *s v.* **efficaciousness**

efficacy ['efikəsi] *s v.* **efficaciousness**

efficiency [i'fiʃənsi] *s* **1** eficiență, eficacitate; operativitate **2** pregătire, calificare, pricepere **3** putere de muncă **4** *tehn* productivitate, randament, debit **5** bună funcționare *(a unei administrații etc.)*

efficient [i'fiʃənt] **I** *adj* **1** eficient, eficace, operativ; care dă randament, productiv **2** capabil, competent, priceput **II** *s* **1** cauză, agent **2** *mat* factor; înmulțitor

efficiently [i'fiʃəntli] *adv* (în mod) eficient

effigy ['efidʒi] *s* efigie; chip, figură

effloresce [,eflɔ:'res] *vi* **1** *bot* a înflori **2** *ch* a prinde floare

efflorescence [eflɔ:'resəns] *s* **1** *bot* eflorescență, îmbobocire **2** *ch* eflorescență; mucegai **3** *med* eflorescență; erupție **4** *fig* înflorire

efflorescent [,eflɔ:'resənt] *adj bot* eflorescent

effluence ['efluəns] *s tehn* scurgere, pierdere

effluent ['efluənt] **I** *adj* care se scurge **II** *s* curs de apă derivat; apă uzată; *hidr* efluent

effluent drain ['efluənt 'drein] *s* canal de scurgere

effluvium [e'flu:viəm], *pl* **effluvia** [e'flu:viə] *s* **1** efluviu, emanație **2** miasmă

efflux ['eflʌks] *s* **1** scurgere, revărsare **2** izvor, sursă **3** scurgere (a timpului etc.)

efort ['efət] *s* **1** efort, sforțare; **to make an ~** a face un efort, a se sforța, a se căzni **2** efort; realizare, rezultat **3** *tehn* efort, travaliu

efortful ['efətful] *adj* **1** plin de efort(uri) **2** care reclamă eforturi

efortless ['efətlis] *adj* **1** care nu face nici un efort **2** ușor, fără efort, facil

effraction [i'frækʃən] *s elev* efracți(un)e

effranchise [e'fræntʃaiz] *vt* a da (cuiva) drept de vot

effrontery [e'frʌntəri] *s* insolență, nerușinare, obrăznicie

effulge [e'fʌldʒ] *vi* **1** a străluci, a luci, a lumina **2** *fig ironic* a străluci

effulgence [e'fʌldʒəns] *s* și *fig* strălucire

effulgent [e'fʌldʒənt] *adj* **1** strălucitor, luminos **2** *fig* strălucitor, radios

effulgently [e'fʌldʒəntli] *adv* cu strălucire, strălucitor

effuse¹ [i'fju:z] **I** *vt* **1** a vărsa, a revărsa **2** *fig* a revărsa, a răspândi, a împrăștia **II** *vi* **1** a se vărsa, a se scurge **2** *fig* a se revărsa, a se răspândi

effuse² [i'fju:s] *adj* larg răspândit

effusion [i'fju:ʒən] *s* **1** efuziune, vărsare, revărsare **2** *fig* efuziune; pornire, avânt

effusive [i'fju:siv] *adj* **1** *fig* expansiv, exuberant **2** *geol* efuziv

effusively [i'fju:sivli] *adv* cu efuziune, călduros

effusiveness [i'fju:sivnis] *s* efuziune, exuberanță

eft [eft] *s zool* salamandră de apă (Triturus cristatus)

eftsoon(s) [eft'su:nz] *adv* ← *înv* **1** curând; îndată **2** iar(ăși), din nou **3** din când în când

Eg. *presc de la* **1** Egypt **2** Egyptian

e.g. *presc de la* exempli gratia

egad [i'gæd] *interj* ← *înv* pe legea mea!

egalitarian [i'gæli'tɛəriən] **I** *adj* egalitar; egalitarist **II** *s* egalitarist

egalitarianism [i'gæli'tɛəriənizəm] *s* egalitarism

egality [i'gæliti] *s* ← *rar* egalitate

Egbert ['egbət] *nume masc*

egest [i'dʒest] *vt med* a evacua

egestion [i'dʒestʃən] *s med* ejecție, evacuare

egg¹ [eg] *s* **1** ou; germen, embrion; **in the ~** în germen/fașă **2** ou (de pasăre); **to put all (one's) ~s in one basket** a miza totul pe o singură carte; **to teach one's grandmother to suck ~s** *fig* a vinde castraveți grădinarului; a învăța oul pe găină; **as sure as ~s is ~s** *F* cum mă vezi și cum te văd, – sigur **3** *ent* ou; lindină **4** *arhit* ovă **5** *mil sl* bombă (↓ de avion); mină, grenadă **6** ← *F* nereușită, eșec **7** *sl* gagiu, individ, tip; **bad ~** hahaleră, ticălos

egg² *vt* (↓ **on**) a stârni, a ațâța, a instiga, a îndemna

egg apple ['eg æpl] *s* (pătlăgea) vânătă

egg beater ['eg ,bi:tə'] *s* tel, bătător de ouă

egg bird ['eg ,bə:d] *s orn* pasăre marină care face ouă comestibile

egg cell ['eg ,sel] *s biol* ovul

egg cup ['eg ,kʌp] *s* pahar pentru ouă, ouar

egg dance ['eg ,da:ns] *s fig* problemă dificilă

egg flip ['eg ,flip] *s v.* **egg nog**

egg fruit ['eg ,fru:t] *s bot* (pătlăgea) vânătă (Solanum melongena)

egg head ['eg ,hed] *s peior* intelectual; savant

egg nog ['eg ,nɔg] *s* băutură alcoolică cu ouă, zahăr și condimente

egg on ['eg 'ɔn] *vt cu part adv* a îndemna stăruitor

egg plant ['eg ,pla:nt] *s v.* **egg fruit**

egg-shaped ['eg ,ʃeipt] *adj* în formă de ou, oval

egg shell ['eg ,ʃel] *s* coajă de ou; **to walk on ~s** *fig* a merge ca pe ouă

egg stone ['eg ,stoun] *s minr* oolit

egg sucker ['eg ,sʌkə'] *s* **1** *orn* ← *P* tucan **2** *sl înv* lingău, – lingușitor

egg-timer ['eg,taimə'] *s* ceasornic cu nisip, clepsidră

egg trot ['eg ,trɔt] *s* trap mărunt

egg whisk ['eg ,wisk] *s v.* **egg beater**

egis ['i:dʒis] *s v.* **aegis**

eglantine ['eglən,tain] *s bot* măceș, răsură (Rosa canina)

ego, the ['i:gou, ði] *s* eul, sinea

egocentric [,i:gou'sentrik] *adj* egocentric

egocentrism [,i:gou'sentrizəm] *s* egocentrism

egoism ['i:gou,izəm] *s* egoism

egoist ['i:gouist] *s* egoist

egoistic(al) ['i:gou'istik(əl)] *adj* **1** egoist **2** vanitos, încrezut

egoistically ['i:gou'istikəli] *adv* (în mod) egoist

egotism ['i:gə,tizəm] *s* **1** *filos* egotism **2** egocentrism

egotist ['i:gətist] *s* **1** *filos* egotist **2** egocentric, egocentrist; individualist

egotize ['i:gətaiz] *vi* a raporta totul la sine

egregious [i'gri:dʒəs] *adj* **1** extraordinar, remarcabil, care iese din comun **2** strident, țipător; (d. o obrăznicie) sfruntat

egress ['i:gres] **I** *s* **1** ieșire; scăpare **2** scurgere; gură **3** *astr* ieșire din penumbră **4** *tehn* eșapament **II** *vi* a ieși, a scăpa

egret ['i:grit] *s.v.* **aigrette**

Egypt ['i:dʒipt] *s* Egipt

Egyptian ['i:dʒipʃən] **I** *adj* egiptean **II** *s* **1** egiptean **2** ← *F* țigară egipteană **3** *poligr* tip egiptean

Egyptologist [,idʒip'tɔlədʒist] *s* egiptolog

Egyptology [,idʒip'tɔlədʒi] *s* egiptologie

eh [ei] *interj* **1** (exprimă grija) ah! vai! aoleo! **2** (exprimă surpriza) ce? cum? nu se poate! **3** (reclamă confirmare) (păi) nu-i așa? ei? ce zici? aud?

E.I. *presc de la* **East India**

eider ['aidə'] *s orn* eider, rață sălbatică din nord (Somateria mollissima)

eiderdown ['aidə‚daun] *s* **1** puf de eider **2** plapumă de puf *(dată la tighel)*

eidolon [ai'doulɔn] *s* **1** fantomă, apariţie **2** *fig* idol

Eiffel Tower, the ['aifəl 'tauəʳ, ði] turnul Eiffel

Eight [eit] **I** *num* opt; **he returned at ~ o'clock** s-a întors la (ora) opt, **~times three is twenty-four** opt ori trei fac douăzeci şi patru **II** *s* opt; formaţie de opt; opt *(la patinaj);* **in ~** *poligr* in octavo

eighteen ['ei'ti:n] *num* optsprezece

eighteenth ['ei'ti:nθ] **I** *num* al opt-sprezecilea **II** *s* optsprezecime

eightfold ['eit‚fould] **I** *adj* **1** format din opt părţi **2** de opt ori mai mare **II** *adv* de opt ori (mai mult)

eighth [eitθ] **I** *num* al optulea; **she is in her ~ year** are opt ani **II** *s* **1** the ~data de opt; **on the ~ of July** la opt iulie **2** optime, a opta parte; **five ~s** cinci optimi **3** *muz* ← *înv* octavă **III** *adv* în al optulea rând; **he arrived ~** a sosit al optulea

eighth note ['eitθ ‚nout] *s muz* optime

eighties, the ['eiti:z, ði] *s pl* al nouălea deceniu, anii 80-90

eightieth ['eiti:θ] **I** *num* al optzecilea **II** *s* a optzecea parte

eightsome ['eitsəm] *s* dans scoţian vioi executat de opt persoane

eighty ['eiti] *num* optzeci

Eileen ['aili:n] *num fem* Elena *v.* **Helen**

Einstein ['ainstain], **Albert** fizician german-american *(1879-1955)*

Eire [ɛərə] Republica Irlanda, Eire

eisteddfod(d) [ais'teðvod] *s* festival de poezii şi cântece *(în Ţara Galilor)*

either ['aiðəʳ] **I** *pr* fiecare, oricare *(din doi);* amândoi, ambii; **~ of these methods is good** este bună oricare din aceste *(două)* metode, sunt bune ambele metode **II** *adj* fiecare; oricare *(din doi)*, ambii, amândoi; fie unul, fie altul din; **on ~ side** pe ambele părţi, pe amân-două părţile, pe o parte şi alta; **in ~ case** în ambele cazuri, şi în-tr-un caz şi în celălalt **III** *conj* **either... or...** sau..., sau..., fie..., fie..., ori..., ori...; **~ he or his brother** sau el sau fratele lui, ori el ori fratele lui, fie el fie fratele lui **IV** *adv (în prop neg)* nici; **I don't**

like it ~ nici mie nu-mi place

ejaculate [i'dʒækjuleit] **I** *vi* a excla-ma; a striga **II** *vt* **1** *med* a da afară, a arunca *(un lichid)* **2** a spune repede *(un cuvânt etc.)*

ejaculation [i‚dʒækju'leiʃən] *s* **1** exclamaţie **2** dare afară, azvâr-lire *(a unui lichid)*

eject [i'dʒekt] *vt* **1** a da afară, a izgoni, a alunga; a destitui **2** a scoate *(fum);* a arunca *(flăcări);* a emite **3** *jur* a evacua **4** *med* a vărsa, a evacua

ejection [i'dʒekʃən] *s* **1** dare afară, izgonire, alungare; destituire, concediere **2** aruncare, ţâşnire *(de vapori etc.)* **3** *med* evacuare; scaun; vomitare **4** materie dată afară; lavă

ejector [i'dʒektəʳ] *s* **1** persoană care evacuează *(un locatar etc.)* **2** *tehn* ejector, aruncător

eke out ['i:k 'aut] *vt cu part adv* a adăuga la; a lungi, a prelungi; *fig* a lungi *(supa etc.)* **to ~ a living** a lega două în curmei, a o duce de azi pe mâine

el [el] *s F v.* **elevated railway**

elaborate **I** [i'læbərit] *adj* **1** lucrat cu grijă; minuţios, amănunţit **2** complicat **II** [i'læbə‚reit] *vt* a elabora, a întocmi amănunţit; a prelucra; a dezvolta **III** *(v. ~ II)* *vi* a intra în amănunte; **he ~d upon the theme** a dezvoltat subiectul, a intrat în amănunte

elaborated [i'læbə‚reitid] *adj* **1** prelucrat cu grijă; elaborat minu-ţios **2** lucrat fin

elaborately [i'læbəritli] *adv* **1** minu-ţios, atent; gândit **2** cu artă, artistic

elaborateness [i'læbəritnis] *s* întoc-mire cu grijă; prelucrare îngrijită *sau* minuţioasă; minuţiozitate

elaboration [i‚læbə'reiʃən] *s* elabo-rare, întocmire, alcătuire, redac-tare; elaborare minuţioasă

élan [ei'lɑ:n] *s fr* **1** avânt, elan, entuziasm, înflăcărare **2** *mil* înaintare rapidă

elapse [i'læps] *vi (d. timp)* a se scurge, a trece

elastic [i'læstik] **I** *adj* **1** elastic, flexibil **2** *fig* flexibil; adaptabil **3** *fig* vesel, optimist; care îşi revine repede **II** *s* gumă; elastic

elastic band [i'læstik ‚bænd] *s* bandă de cauciuc

elasticity [‚ilæ'stisiti] *s* **1** elasticitate, flexibilitate **2** *fig* flexibilitate; adaptabilitate

elate [i'leit] *vt* a ridica moralul *(cuiva);* a înveseli, a dispune; a îmbărbăta; **~d by success** îmbă-tat de succes

elated [i'leitid] *adj* în culmea fericirii, transportat, jubilând

elation [i'leiʃən] *s* **1** bună dispoziţie, moral ridicat; exaltare; jubiliare **2** mândrie, orgoliu

elative ['i:lə‚tiv] *adj* înveselitor; înălţător

Elbe, the [elb, ði] *fluviu* Elba

Elbert ['elbət] *nume masc v.* **Albert**

elbow ['elbou] **I** *s* **1** *anat* cot; **out at ~s** **a** s-a rupt în coate; jerpelit **b** sărac, nevoiaş; **to rub ~s with smb** *fig* a se bate pe burtă cu cineva; **up to the ~s** *fig* până peste cap; **at smb's ~** alături de cineva, gata să sară în ajutor; **at one's ~** la îndemână; **to lift one's ~** *F* a trage la măsea, – a bea **2** cot, cotitură; meandră; curbă **3** *tehn* colţar, vinclu **II** *vt* a împinge cu cotul, a înghionti; a îmbrânci; **to ~ one's way** a-şi face drum cu coatele **III** *vi (d. drum etc.)* a coti, a face cotituri, a şerpui

elbow grease ['elbou ‚gri:s] *s* ← *F* muncă manuală grea *(↓ curăţe-nie, frecat)*

elbow rest ['elbou ‚rest] *s* rezemă-toare pentru braţe; spetează

elbow room ['elbou ‚ru:m] *s* spaţiu, loc destul

elbow sleeve ['elbou ‚sli:v] *s* mâne-cuţă

Elbrus, the [il'bru:s, ði] *munte în Caucaz*

eld [eld] *s* ← *înv* vremuri de demult/ altădată

elder[1] ['eldəʳ] **I** *adj atr (comp de la old)* **1** mai mare, mai în vârstă; mai bătrân; **his ~ brother** fratele lui mai mare/în vârstă **2** anterior, premergător **II** *s pl* **1** superiori **2** strămoşi, străbuni

elder[2] *s bot* soc *(Sambucus nigra)*

elder berry ['eldə ‚beri] *s* boabe de soc

elder gun ['eldə ‚gʌn] *s* puşcoci *(din soc)*

elderly ['eldəli] *adj* cam în vârstă, bătrâior

eldest ['eldist] *adj atr sup de la* **old** cel mai mare, cel mai în vârstă, cel mai bătrân

eldest-born ['eldist,bɔ:n] *s* primul
  născut
eldmother ['eld,mʌðə^r] *s* ← *înv* 1
  bătrână, babă 2 soacră 3 maș-
  teră
El Dorado [el dɔ'ra:dou] *s* 1 *geogr*
  El Dorado, Eldorado 2 *fig* Eldo-
  rado, țara aurului 3 *amer* Cali-
  fornia
Eldred ['eldrid] *nume masc*
eldritch ['eldritʃ] *adj scot* 1 supra-
  natural; misterios, tainic 2 înspăi-
  mântător, grozav
Eleanor ['elinə^r] *nume fem* Eleo-
  nora, Leonora
Eleatic [,eli'ætik] *filos* I *adj* eleatic II
  s eleat
elecampane [,elikæm'pein] *s bot*
  oman, iarbă mare (*Inula hele-
  nium*)
elect [i'lekt] I *vt* 1 a vota, a alege
  (prin vot); **he was ~ed secretary**
  a fost ales secretar 2 a numi
  (*într-o funcție*) 3 a prefera; a
  decide, a hotărî (*să facă ceva*) II
  adj 1 ales; votat; desemnat;
  bride ~ logodnică 2 ales, distins
  III *s* the ~ aleșii, cei aleși
electable [i'lektəbəl] *adj* 1 eligibil,
  care poate fi ales 2 care merită
  să fie ales
electee [,ilek'ti:] *s pol* candidat (care
  a fost) ales
election [i'lekʃən] *s* 1 *și pl* alegeri;
  scrutin; **to hold an ~** a ține
  alegeri (↓ *pt Camera Comu-
  nelor*) 2 *jur* alegere, opțiune 3
  (libertate de) alegere, latitudine
  4 *rel* predestinare
election cry [i,lekʃən ,krai] *s* lozincă
  electorală
electioneer [i,lekʃə'niə^r] *vi* a organi-
  za o campanie electorală
electioneerer [i,lekʃən'iərə^r] *s* agent
  electoral
electioneering [i,lekʃən'iəriŋ] *s pol*
  campanie, agitație *sau* propa-
  gandă electorală
electioneering practices [i,lekʃən-
  'iəriŋ 'præktisiz] *s pl pol* manevre
  electorale
election poster [i'lekʃən 'poustə^r] *s
  pol* afiș electoral
elective [i'lektiv] *adj* 1 electiv; care
  poate alege 2 *pol* electoral
elective affinity [i'lektiv ə'finiti] *s*
  afinitate electivă
elective body [i'lektiv,bɔdi] *s pol*
  corp electoral

elective franchise [i'lektiv 'frænt-
  ʃaiz] *s pol* drept de vot
electively [i'lektivli] *adv* după
  (propria) alegere
electiveness [i'lektivnis] *s pol*
  posibilitate de a alege
elective office [i'lektiv 'ɔfis] *s pol*
  birou de votare
electivity [,ilek'tiviti] *s* 1 alegere 2
  posibilitate de a alege
elector [i'lektə^r] *s* 1 *pol* votant,
  alegător 2 *amer pol* membru al
  colegiului electoral 3 *ist* principe
  elector (*în Germania*)
electoral [i'lektərəl] *adj* electoral
electoral college [i'lektərəl 'kɔlidʒ]
  s amer colegiu electoral (*pt
  alegerea președintelui S.U.A.*)
electoral division [i'lektərəl di'viʒən]
  s pol circumscripție electorală
electoral law [i'lektərəl 'lɔ:] *s pol* lege
  electorală
electoral register/roll [i'lektərəl
  'redʒistə^r/roul] *s pol* listă elec-
  torală
electoral wool [i'lektərəl 'wu:l] *s* lână
  superioară
electorate [i'lektərit] *s* 1 *pol* corp
  electoral, alegători 2 *pol* circum-
  scripție electorală 3 *ist* electorat
  (*în Germania*)
Electra [i'lektrə] *mit*
electress [i'lektris] *s* 1 *pol* votantă,
  alegătoare 2 *ist* soția principelui
  elector (*în Germania*)
electric [i'lektrik] I *adj* 1 *el* electric 2
  fig care electrizează, electrizant
  II *s el* 1 corp electric 2 corp rău
  conducător de electricitate;
  izolator, izolant
electrical [i'lektrikəl] *adj* 1 *el* electric,
  privitor la electricitate 2 *fig*
  încărcat; furtunos
electrical engineering [i'lektrikəl
  ,endʒi'niəriŋ] *s el* electrotehnică
electrically [i'lektrikəli] *adv el*
  electric
electric arc [i'lektrik 'a:k] *s el* arc
  voltaic
electric battery [i'lektrik 'bætəri] *s el*
  baterie electrică
electric bus [i'lektrik ,bʌs] *s* tro-
  leibuz
electric chair [i'lektrik tʃɛə^r] *s* scaun
  electric
electric cooker [i'lektrik kukə^r] *s*
  bucătărie electrică
electrician [ilek'triʃən] *s el* elec-
  trician; instalator electric

electricity [ilek'trisiti] *s* electricitate;
  energie electrică
electricity works [ilek'trisiti 'wə:ks]
  s pl centrală electrică
electric jar [i'lektrik 'dʒa:^r] *s el* butelie
  de Leyda
electric meter [i'lektrik 'mi:tə^r] *s el*
  contor electric; galvanometru
electric razor [i'lektrik 'reizə^r] *s*
  aparat de ras electric
electric shock [i'lektrik 'ʃɔk] *s el* șoc
  electric; electrocutare
electric storm [i'lektrik 'stɔ:m] *s*
  furtună cu descărcări electrice
electric wave [i'lektrik 'weiv] *s el*
  undă electromagnetică
electrifiable [i'lektrifaiəbəl] *adj*
  electrificabil
electrification [i'lektrifi'keiʃən] *s* 1
  electrificare 2 electrizare
electrified [i'lektrifaid] *adj* 1 elec-
  trificat 2 *fig* electrizat; entuzias-
  mat, înflăcărat 3 *amer* „mag-
  netizat", beat
electrifier [i'lektrifaiə^r] *s el* electrizor
electrify [i'lektri,fai] I *vt* 1 a electri-
  fica 2 *și fig* a electriza II *vi* a se
  electriza
electrization [i'lektri'zeiʃən] *s* 1 *el*
  electrificare 2 *și fig* electrizare
electrize [i'lektraiz] *v v.* **electrify**
electro- *pref* electro-: **to electro-
  cute** a electrocuta
electrobiology [i'lektroubai'ɔlədʒi] *s*
  electrobiologie
electrocardiogram [i'lektrou'ka:-
  diou,græm] *s med* electrocar-
  diogramă
electrocardiograph [i'lektrou-
  'ka:diou,gra:f] *s med* electro-
  cardiograf
electrocute [i'lektrə,kju:t] *vt* a
  electrocuta
electrocution [i,lektrə'kju:ʃən] *s* a
  electrocutare
electrode [i'lektroud] *s ec* electrod
electro-deposition [i'lektrou-
  ,depə'ziʃən] *s el* galvanoplastie
electro-dynamic [i,lektroudai-
  'næmik] *adj el* electrodinamic
electro-dynamics [i,lektroudai-
  'næmiks] *s pl ca sg el* electro-
  dinamică
electro-kinetics [i,lektrouki'netiks] *s
  pl ca sg el* electrocinetică
electrolier [i,lektrou'liə^r] *s* lustră
  electrică, candelabru electric
electrolysable [i,lektrou'laizəbəl] *adj*
  electrolitic

electrolyse [i'lektroulaiz] *vt el* a electroliza

electrolysis [ilek'trɔlisis] *s el* electroliză

electromagnet [i,lektrou'mægnit] *s el* electromagnet

electromagnetic [i,lektroumæg-'netik] *adj el* electromagnetic

electrometer [ilek'trɔmitəʳ] *s* electrometru

electrometrical [i'lektrɔ'metrikəl] *adj* electrometric

electrometry [ilek'trɔmitri] *s* electrometrie

electromotive [i,lektrou'moutiv] *el* **I** *adj* electromotor, electromotrice **II** *s* electromotor; locomotivă electrică

electromotor [i,lektrou'moutəʳ] *s v.* **electromotive II**

electron [i'lektrɔn] *s* electron

electron beam [i'lektrɔn 'bi:m] *s el* fascicul electronic

electronegative [i,lektrou'negətiv] *adj el* electronegativ

electron gun [i'lektrɔn 'gʌn] *s fiz* betatron

electronic [ilek'trɔnik] *adj* electronic

electronically [ilek'trɔnikəli] *adv el* cu ajutorul electronilor

electronic calculator [ilek'trɔnik 'kælkjuleitəʳ] *s fiz* mașină de calculat electronică

electronic computer [ilek'trɔnik kəm'pju:təʳ] *s fiz* calculator electronic

electronician [i,lektrou'niʃən] *s* specialist în electronică

electronics [ilek'trɔniks] *s pl ca sg* electronică

electron microscope [i'lektrɔn 'maikrə,skoup] *s* microscop electronic

electropathy [,ilek'trɔpəθi] *s med* electroterapie

electroplate [i'lektrou,pleit] *vt tehn* a galvaniza

electropositive [i,lektrou'pɔzitiv] *adj el* electropozitiv

electroscope [i'lektrou,skoup] *s el* electroscop

electrostatic(al) [i,lektrou'stætik(əl)] *adj el* electrostatic

electrostatics [i,lektrou'stætiks] *s pl ca sg el* electrostatică

electrotechnical [i,lektrou'teknikəl] *adj el* electrotehnic

electrotechnics [i,lektrou'tekniks] *s pl ca sg el* electrotehnică

electrotherapy [i,lektrou'θerəpi] *s med* electroterapie

electrothermics [i'lektrou,θə:miks] *s pl ca sg el* electrotermie

electrotype [i'lektrou,taip] *s poligr* galvanoplastie; electrotipie

electrotypy [i'lektrou,taipi] *s v.* **electrotype**

electuary [i'lektjuəri] *s med* lictar, excipient

eleemosynary [,eli:'mɔsinəri] **I** *adj* **1** filantropic, de binefacere; caritabil **2** care trăiește din pomeni **II** *s* persoană care trăiește din pomeni; pomanagiu

elegance ['eligəns] *s* **1** eleganță **2** ← *F* maniere *sau* haine elegante

elegancy ['eligənsi] *s v.* **elegance**

elegant ['eligənt] *adj* **1** elegant; dichisit; ales, frumos; luxos, rafinat **2** de prima calitate, excelent

elegantly ['eligəntli] *adv* (în mod) elegant; cu eleganță

elegantness ['eligəntnis] *s* eleganță

elegiac [,eli,dʒaiək] **I** *adj* elegiac; trist **II** *s pl* versuri elegiace

elegist ['elidʒist] *s* poet elegiac

elegize [eli,dʒaiz] **I** *vt* **1** a scrie elegii *sau* versuri elegiace pentru **2** a se plânge/a se tângui de **II** *vi* **1** a scrie elegii **2** a se tângui

elegy ['elidʒi] *s* elegie

elem. *presc de la* **1** element *sau* elements **2** elementary

element ['elimənt] *s* **1** element, parte, factor component; fărâmă **2** element al naturii, stihie **3** element, mediu; **in my ~** în elementul/mediul meu; **out of my ~** în afara mediului meu, *F* → ca peștele pe uscat **4** *ch* element **5** *pl* elemente (de bază), rudimente, noțiuni fundamentale; fond *(al unei probleme)* **6** *el* element; pilă **7** *amer av* escadrilă

elemental [,eli'mentəl] **I** *adj* **1** elemental, de stihie, al elementelor **2** elementar, fundamental, de bază, esențial **3** alcătuitor, component **II** *s* spirit al naturii

elementariness [,eli'mentərinis] *s* caracter elementar, simplitate, stare primară

elementary [,eli'mentəri] *adj* **1** elementar, primar, primitiv, simplu **2** *ch* elementar, simplu

elementary particle [,eli'mentəri 'pa:tikl] *s fiz* particulă elementară

elementary school [,eli'mentəri 'sku:l] *s* școală elementară

elementary teacher [,eli'mentəri 'ti:tʃəʳ] *s* învățător, institutor

elephant ['elifənt] *s* **1** *zool* elefant *(Elephas maximus; Loxodonta africana)* **2** *tehn* tablă ondulată

elephant bull ['elifənt 'bul] *s zool* elefant *(mascul)*

elephant calf ['elifənt 'ka:f] *s zool* pui de elefant

elephant cow ['elifənt 'kau] *s zool* elefant *(femelă)*

elephant driver ['elifənt 'draivəʳ] *s* cornac, conducător de elefanți

elephantiasis [,elifən'taiəsis] *s med* elefantiazis

elephantine [,eli'fæntain] *adj* **1** de elefant, elefantin **2** *fig* greoi, mătăhălos; grosolan

elephant's ear ['elifənts 'iəʳ] *s bot* begonie *(Begonia)*

elephant trumpet ['elifənt 'trʌmpit] *s* răget de elefant

Eleusinian mysteries [,elju:'siniən 'mistəriz] *s pl od* misterele din Eleusis/eleusine

elevate ['eli,veit] *vt* **1** *și fig* a ridica, a înălța, *fig* a eleva **2** *fig* a înnobila; a înălța sufletește **3** *fig* a promova, a înainta *(în funcție)* **4** a dispune, a înveseli

elevated ['eli,veitid] *adj* **1** ridicat, înălțat; suspendat **2** *fig* elevat, înalt, superior **3** *F* cherchelit, afumat, cu chef

elevated railway ['eli,veitid 'reilwei] *s ferov* cale ferată aeriană

elevated train ['eli,veitid 'trein] *s ferov* tren aerian

elevation [,eli'veiʃən] *s* **1** ridicătură (de pământ); înălțime; deal, colină *etc.* **2** altitudine, cotă **3** înălțare, ridicare, urcare **4** *fig* elan, avânt; înălțare (a spiritului) **5** *fig* ridicare, urcare (a vocii) **6** *fig* măreție, noblețe, elevație **7** *mat* elevație **8** *mil* vizare **9** umflătură *(pe piele)*

elevator ['eli,veitəʳ] *s* **1** *tehn* elevator; macara **2** *amer* lift, ascensor **3** *av* profundor **4** magazie de cereale

eleven [i'levən] *num* unsprezece

eleven plus [i'levən plʌs] *s (în Anglia, până de curând)* examen pentru copiii de la 11 ani care decidea dacă aceștia vor urma la **grammar school** *sau* la **secondary modern school**

elevenses [i'levənziz] *s pl*← *F* ceai, cafea sau gustare de la ora 11

eleventh ['ilevənθ] *num* al unsprezecelea; **at the ~ hour** în ceasul al unsprezecelea

elf [elf] *s* 1 elf; gnom, spiriduş, silf; zână 2 pitic 3 *fig* drac, împieliţat, ştrengar 4 (om) necăjit

elfin ['elfin] *adj* 1 de elf(i), de spiriduş(i) 2 ca de elfi/zâne/ spiriduşi; vrăjit, fermecat

elfish ['elfiʃ] *adj* ← *rar* ştrengăresc, de ştrengar; de spiriduş; poznaş; răutăcios

elfishly ['elfiʃli] *adv* ştrengăreşte, ca un spiriduş

elfishness ['elfiʃnis] *s* ştrengărie, neastâmpăr

Elgar ['elgɑ:ʳ] *Sir Edward* compozitor englez (1857-1934)

Elia ['i:liə] *pseudonim al lui Charles Lamb*

Elias [i'laiəs] *nume masc*

elicit [i'lisit] *vt* 1 a smulge, a scoate, a extrage 2 *fig* a smulge, a reuşi să obţină *(un răspuns etc.)* 3 a stârni, a provoca *(admiraţia etc.)*

elide [i'laid] *vt* 1 a evita, a ocoli, a nu menţiona 2 *fon* a elida

eligibility [,elidʒi'biliti] *s* 1 *pol* eligibilitate 2 calificare 3 caracter acceptabil, acceptabilitate

eligible ['elidʒəbəl] *adj* 1 **(for)** *pol* eligibil (ca) 2 bun, potrivit, acceptabil; dorit; *(d. un bărbat)* bun de însurătoare; *(d. o fată)* de măritat

Elijah ['ilaidʒə] *nume masc; bibl* Ilie

eliminate [i'limi,neit] *vt* 1 a elimina, a îndepărta, a înlătura 2 *ch, mat etc.* a elimina 3 a distruge, a nimici, a lichida

elimination [i,limi'neiʃən] *s* 1 eliminare, îndepărtare, înlăturare 2 *ch, mat etc.* eliminare 3 distrugere, lichidare

Elinor ['elinəʳ] *nume fem aprox* Eleonora *v.* **Eleanor**

Eliot ['eliət] , **George** *(pseudonim) romancieră engleză (1819-1880)*

Eliot, Thomas Stearns *scriitor american (1888-1965)*

Elisabeth [i'lizəbəθ] *v.* **Elizabeth** 1

Elisha [i'laiʃə] *nume masc* Ilie

elision [i'liʒən] *s* fon eliziune

elite, élite [i'li:t] *s* elită, floare, cremă

elitism [i'li:tizəm] *s pol* elitism

elitist [i'li:tist] *s pol* elitist

elixir [i'liksəʳ] *s* 1 *med* elixir 2 *fig* elixir, leac universal, panaceu 3 *fig* chintesenţă

Eliza [i'laizə] *nume fem*

Elizabeth [i'lizəbəθ] 1 *nume fem* Elisabeta 2 *regină a Angliei:* Elisabeta I *(1533-1603; 1558-1603)*, Elisabeta II *(n. 1926-1952)*

Elizabethan [i,lizə'bi:θən] *adj, s lit, ist* elisabetan

elk [elk] *s zool* elan *(Alces alces)*

ell [el] *s od* cot *(măsură de lungime pt stofe; în Anglia = 114,299 cm; în Scoţia, 94,487 cm)*

Ella ['elə] *nume fem v.* **Eleanor**

Ellen ['elin] *nume fem* Elena *v.* **Helen**

Elliot ['eliət] *nume masc*

ellipse [i'lips] *s mat, lingv* elipsă

ellipsis [i'lipsis], *pl* **ellipses** [i'lipsi:z] *s lingv* elipsă

ellipsoid [i'lipsoid] *s mat* elipsoid

elliptic(al) [i'liptik(əl)] *adj mat, lingv* eliptic

elliptically [i'liptikəli] *adv* (în mod) eliptic

Ellis ['elis] *nume masc v.* **Elisha**

elm [elm] *s bot* ulm *(Ulmus)*

Elmer ['elməʳ] *nume masc*

elocution [,elə'kju:ʃən] *s* 1 elocuţiune, fel de a vorbi, dicţiune 2 elocinţă, elocvenţă, oratorie 3 *peior* emfază, vorbire bombastică

elocutionary [,elə'kju:ʃənəri] *adj* 1 de elocinţă, retoric, oratoric 2 declamator

eloign [i'loin] *vr* a se îndepărta

elongate ['i:loŋgeit] *vt* a (a)lungi, a întinde

elongation ['i:loŋ'geiʃən] *s* 1 (a)lungire 2 depărtare, distanţă 3 *astr* elongaţie

elope [i'loup] *vi* 1 a fugi *(cu iubitul sau iubita)* 2 a fugi pe ascuns

elopement [i'loupmənt] *s* fugă *(↓ în ascuns, cu iubitul sau iubita)*

eloquence ['eləkwəns] *s* elocvenţă, elocinţă, oratorie

eloquent ['eləkwənt] *adj* 1 elocvent, P → meşter la vorbă 2 *fig* elocvent, grăitor, semnificativ

eloquential [elə'kwenʃəl] *adj* retoric, oratoric

eloquently ['eləkwəntli] *adv* 1 oratoric, retoric; elocvent 2 *fig* elocvent, grăitor

Elsa ['elsə] *nume fem*

else [els] *adv* 1 mai, încă, în plus; altul; alt; alta; altă; **nobody**~ nimeni altul; **nothing** ~ nimic altceva; **somebody** ~ altcineva; **something** ~ altceva; **what** ~? altceva? mai doriţi ceva? *etc.*; **somewhere** ~ altundeva, aiurea, în altă parte 2 altfel, altmiteri; că de nu; **or** ~ **a** dacă, nu (cumva); altfel, altminteri **b** altfel, de! ai să vezi! ai s-o păţeşti!

elsewhere [,els'wɛəʳ] *adv* altundeva, aiurea, în altă parte

Elsie ['elsi] *nume fem v.* **Elizabeth 1, Elsa**

Elspeth ['elspeθ] *nume fem scot* Elisabeta *v.* **Elizabeth 1**

elucidate [i'lu:sideit] *vt* a elucida, a lămuri

elucidation [i,lu:si'deiʃən] *s* elucidare, lămurire

elucidative [i'lu:sidətiv] *adj* explicativ, lămuritor

elucidator [i'lu:sideitəʳ] *s* tălmăcitor, interpret

elucidatory [i'lu:sideitəri] *adj v.* **elucidative**

elude [i'lu:d] *vt* a eluda, a ocoli, a se feri de

elusion [i'lu:ʒən] *s* 1 eludare, ocolire, eschivare 2 chichiţă, tertip

elusive [i'lu:siv] *adj* evaziv; pe care nu te poţi bizui; *(d. memorie)* slab

elusory [i'lu:səri] *adj* iluzoriu, aparent, înşelător

eluvium [i'lu:viəm] *s geol* eluviu

Elvira [el'vaiərə] *nume fem*

elvish ['elviʃ] *adj* 1 de basm; vrăjit, fermecat 2 de pitic, piticesc, mic 3 de ştrengar, ştrengăresc

Elysian [i'liziən] *adj fig* de rai/ paradis, paradisiac; ~ **Fields** Câmpiile elizee

Elysium [i'liziəm] *s* 1 *mit* Elizeu 2 *fig* paradis, rai

elytron ['elətron], *pl* **elytra** ['elətrə] *s ent* elitră

Elzevir (type) ['elziviəʳ] *s poligr* caractere elzevir

'em [əm] *pr* ← *F contras din* **them**

E.M. *presc de la* **Engineer of Mines**

emaciate [i'meiʃieit] **I** *vt* a vlăgui, a epuiza, a stoarce **II** *vi* a slăbi; a se atrofia

emaciation [,imeiʃi'eiʃən] *s* epuizare, vlăguire

emanate from ['emə,neit frəm] *vi cu prep* a emana/a proveni de la, a izvorî din

emanation [,emə'neiʃən] s 1 emanaţie 2 radiaţie 3 exalare; miasme 4 fig provenienţă, origine

emancipate [i'mænsi,peit] vt 1 jur a emancipa 2 a elibera (de prejudecăţi etc.)

emancipated [i'mænsi,peitid] adj emancipat

emancipation [i'mænsi,peiʃən] s 1 jur emancipare 2 eliberare, descătuşare

Emancipation Day [i,mænsi'peiʃən 'dei] s ist Ziua dezrobirii negrilor (în sudul S.U.A., 1 ianuarie 1863)

emancipative [i'mænsi,peitiv] adj eliberator

emancipator [i'mænsi,peitər] s eliberator

Emanuel [i'mænjuəl] nume masc

emasculate I [i'mæskjuleit] vt 1 a castra (animale), a jugăni 2 fig a seca, a secătui, a slăbi; a moleşi; a efemina 3 fig a sărăci (de conţinut, un text) II [i'mæskjuleit] vi a se moleşi, a se efemina III [i'mæskjulit] adj 1 castrat, jugănit 2 fig secătuit, slăbit; moleşit; slab, neputincios

emasculation [i,mæskju'leiʃən] s 1 castrare, jugănire 2 fig secare, secătuire, slăbire; moleşire 3 fig neputinţă, slăbiciune 4 fig lit lipsă de conţinut

embalm [im'ba:m] vt 1 a îmbălsăma (un cadavru) 2 a parfuma, a înmiresma

embalmment [im'ba:mənt] s îmbălsămare

embank [im'bæŋk] vt a îndigui, a zăgăzui; a taluza (un drum)

embar [em'ba:r] vt 1 a trimite la închisoare, a întemniţa, a închide 2 a interzice; a împiedica

embarcation [,emba:'keiʃən] s v. embarkation

embargo [em'ba:gou] I pl embargoes [em'ba:gouz] s 1 ec embargo; sechestru; interzicere, prohibiţie 2 fig piedică, oprelişte II vt 1 a pune embargo pe; a sechestra; a rechiziţiona 2 fig a opri, a interzice

embark [em'ba:k] I vt 1 nav a îmbarca; a încărca pe un vas 2 fig a plasa (bani etc.) II vi nav a se îmbarca

embarkation [emba:'keiʃən] s nav .îmbarcare

embarkment [em'ba:kmənt] s 1 nav îmbarcare 2 fig obstacol, piedică

embark on/upon [em'ba:k ɔn/ə,pɔn] vi cu prep a porni pe (calea etc.), a se angaja în

embarrass [im'bærəs] vt şi fig a stânjeni, a jena; a îngreuia, a complica; a împiedica

embarrassed [im'bærəst] adj 1 jenat, încurcat, stânjenit 2 în jenă financiară, strâmtorat (băneşte)

embarrassing [im'bærəsiŋ] adj stânjenitor; jenant; penibil

embarrassingly [im'bærəsiŋli] adv (în chip) jenant, stânjenitor; (în mod) penibil

embarrassment [im'bærəsmənt] s 1 jenă, stingthereală 2 complicaţie, complicaţii, încurcătură 3 jenă financiară, strâmtorare 4 greutate, dificultate, impediment

embassy ['embəsi] s 1 ambasadă 2 funcţie de ambasador

embattle [im'bætəl] vt mil 1 a pune/ a aşeza în linie de bătaie 2 a crenela, a face meterezuri în

embattled [im'bætəld] adj mil, constr crenelat

embayment [im'beimənt] s 1 formare a unui golf 2 golf 3 nişă, firidă

embed [im'bed] vt 1 a băga, a vârî 2 fig a sădi, a întipări

embedment [im'bedmənt] s şi fig sădire

embellish [im'beliʃ] vt a înfrumuseţa, a împodobi

embellishment [im'beliʃmənt] s 1 înfrumuseţare, împodobire 2 ornament, podoabă; podoabe, ornamente

ember[1] ['embər] s 1 cenuşă fierbinte 2 pl tăciuni aprinşi

ember[2] s orn cufundar mare/polar (Gavia immer)

ember day ['embə dei] s bis zi de post (din 12 zile pe an)

embezzle [im'bezəl] vt a delapida, a deturna, a-şi însuşi

embezzlement [im'bezəlmənt] s 1 delapidare, deturnare de fonduri 2 sumă delapidată

embezzler [im'bezlər] s delapidator

embind [im'baind] vt ← rar a lega, a prinde, a fixa

embitter [im'bitər] vt 1 a înfuria, a înrăi, a supăra 2 a irita 3 a mări, a spori (un necaz etc.) 4 a face amar sau mai amar (o băutură) 5 a învenina, a otrăvi (viaţa etc.)

embitterment [im'bitəmənt] s fig agravare, înrăutăţire; înveninare

emblaze [im'bleiz] vt 1 a aprinde, a face să ardă 2 fig a da strălucire (cu dat), a face să strălucească

emblazon [im'bleizən] vt 1 a împodobi cu un blazon 2 fig a înnobila 3 fig a slăvi, a proslăvi

emblem ['embləm] s 1 emblemă, simbol 2 stemă; blazon 3 tip, prototip, mostră

emblematic(al) [,emblə'mætik(əl)] adj emblematic, simbolic

emblematically [,emblə'mætikəli] adv (în mod) emblematic; simbolic

emblematize [em'blemə,taiz] vt a fi emblema (cu gen), a simboliza

embodiment [im'bɔdimənt] s 1 întrupare, încarnare 2 fig întrupare, întruchipare; personificare 3 fig alcătuire, întocmire

embody [im'bɔdi] vt 1 a întrupa, a încarna; a concretiza 2 fig a întrupa; a întruchipa; a personifica, a reprezenta 3 fig a alcătui, a forma

embolden [im'bouldən] vt ← elev a încuraja, a îmbărbăta

embolectomy [,embə'lektəmi] s med embolectomie

embolism ['embə,lizəm] s med embolie

embolus ['embələs] pl emboli ['embəlai] s med embolus

emboly ['embəli] s med invaginaţie

embonpoint ['ɔ:mbɔ:m'pwæŋ] s fr corpolenţă, trupeşie

embosom [im'buzəm] vt 1 a îmbrăţişa, a strânge la piept 2 fig a îmbrăţişa (o idee etc.) a îndrăgi 3 fig a îmbrăţişa, a include, a cuprinde

emboss [im'bɔs] vt 1 text a gofra 2 a dăltui în relief 3 a stampa, a bate (monede) 4 fig a împodobi, a ornamenta (bogat)

embouchure [,a:mbu'ʃuər] s 1 gură (de râu), îmbucătură 2 gură; intrare (într-o vale) 3 muz muştiuc, îmbucătură

embound [im'baund] vt poetic a hotărnici; – a cuprinde, a include

embowed [im'boud] adj arcuit; îndoit

embowel [im'bauəl] vt 1 a scoate măruntaiele din 2 a răscoli (pământul)

embower [im'bauər] vt 1 a adăposti sau a îngropa în verdeaţă 2 fig ← poetic a adăposti, a acoperi

embrace [im'breis] **I** *vt* **1** a îmbrățișa, a strânge la piept **2** *fig* a îmbrățișa, a primi, a accepta, a adopta **3** *fig* a îmbrățișa, a se ocupa de, a studia *(o specialitate)* **4** *fig* a îmbrățișa, a cuprinde, a include **II** *vi* a se îmbrățișa **III** *s* **1** îmbrățișare **2** îmbrățișare amoroasă; act sexual

embraceable [im'breisəbəl] *adj* atrăgător, ademenitor

embracement [im'breismənt] *s* **1** ← *rar* îmbrățișare **2** *fig* îmbrățișare *(a unei idei etc.)*, adoptare

embracery [im'breisəri] *s jur* mituire *(a juraților etc.)*

embracive [im'breisiv] *adj* tandru, calin

embranchment [im'brɑːntʃmənt] *s* **1** ramificație; branșament **2** ramură

embrasure [im'breiʒər] *s* **1** *mil* ambrazură **2** *constr* gol (în zidire), breșă

embrocate ['embrou,keit] *vt med* **1** a unge; a fricționa **2** a pune cataplasme *(cuiva)*

embrocation [,embrou'keiʃən] *s med* **1** ungere; fricționare **2** unguent **3** cataplasme

embroider [im'brɔidər] *vt* **1** a broda **2** *fig* a înflora, a înzorzona

embroideress [im'brɔidris] *s* brodeză

embroidery [im'brɔidəri] *s* **1** brodare **2** broderie **3** *fig* podoabe, zorzoane, înflorituri

embroidery frame [im'brɔidəri 'freim] *s* gherghef

embroil [im'brɔil] *vt* **1** a încurca, a încâlci *(treburi)* **2** a amesteca *(pe cineva într-o afacere)*, a implica

embroilment [im'brɔilmənt] *s* **1** amestecare, implicare **2** încurcătură, zăpăceală, confuzie **3** ceartă, sfadă; încăierare

embrown [im'braun] *vt* a înnegri, a închide la culoare

embryo ['embriou] *s* **1** *biol* embrion, germen; fetus **2** *fig* embrion, germen

embryology [,embri'ɔlədʒi] *s biol* embriologie

embryonal ['embriənəl] *adj biol* embrionar

embryonary ['embriənəri] *adj biol* embrionar

embryonic [,embri'ɔnik] *adj* **1** *biol* embrionar **2** *fig* embrionar, germinal, în germen

embus [im'bʌs] *vt* a urca în autobuz

emcee [,em'siː] *vt amer sl* a prezenta *(un program de radio sau TV)*

emend [i'mend] *vt v.* **emendate**

emendate ['iːmendeit] *vt* a corecta, a îmbunătăți, a amenda *(un text)*

emandation [,iːmen'deiʃən] *s* corectare, amendare *(a unui text)*

emerald ['emərəld] **I** *s* **1** smarald, smaragd **2** *poligr* corp de literă de 6,5 puncte **II** *adj* de smarald/smaragd; de culoarea smaraldului

emeraldine ['emərəldain] *adj* verde ca smaraldul

Emerald Isle, the ['emərəld ail, ði] *s poetic* „Insula de smarald", – Irlanda

emerge [i'məːdʒ] *vi* a se ivi, a apărea; a ieși la iveală/lumină

emergence [i'məːdʒəns] *s* **1** *v.* **emergency 2** ivire, apariție; manifestare

emergency [i'məːdʒənsi] *s* eventualitate; caz neprevăzut; necesitate; caz extrem, împrejurare critică, (caz de) pericol; (caz de) urgență

emergency brake [i'məːdʒənsi 'breik] *s ferov* frână de siguranță

emrgency exit [i'məːdʒənsi'eksit] *s* ieșire în caz de pericol

emergency landing [i'məːdʒənsi 'lændiŋ] *s av* aterizare forțată

emergency man [i'məːdʒənsi mæn] *s sport* jucător de rezervă

emergency powers [i'məːdʒənsi 'pauəz] *s pl* puteri extraordinare

emergent [i'məːdʒənt] *adj* **1** (**from**) care iese/apare (pe neașteptate) (din) **2** care se ivește/apare/survine (pe neașteptate) **3** *pol* (*d. țări*) nou, care și-a dobândit independența; în curs de dezvoltare **4** *fix etc.* emergent

emeritus [i'meritəs] *adj* emerit

emeritus professor [i'meritəs prə-'fesər] *s* profesor emerit *(↓ pensionar)*

Emerson ['eməsən], **Ralph Waldo** *scriitor și filosof american (1803-1882)*

Emery ['eməri] *nume masc*

emery ['eməri] *s* **1** șmirghel **2** *tehn* emeri

emery machine ['eməri mə'ʃiːn] *s tehn* mașină de polizat

emery wheel ['eməri 'wiːl] *s tehn* piatră de polizor

emetic [i'metik] *s med* emetic

-emia *suf* -emie: **leukemia** leucemie

emigrant ['emigrənt] *s* emigrant

emigrate ['emi,greit] *vi* a emigra

emigration [,emi'greiʃən] *s* emigrație, emigrare

emigrator [,emi'greitər] *s* emigrant

emigratory [,emi'greitəri] *adj* **1** care emigrează **2** de emigrare **3** migrator

émigré ['emi,grei] *s fr* emigrant ↓ politic

Emil ['eimil] *nume masc*

Emilia [i'miliə] *nume fem*

Emily ['emili] *nume fem* Emilia

eminence ['eminəns] *s* **1** ridicătură de teren, înălțime; colină; dâmb; deal *etc.* **2** *fig* rang, situație; **to rise to** ~ a se ridica la o situație înaltă; a ajunge cineva **3** *anat* proeminență **4** **E~** *bis* eminența *(titlu al unui cardinal)*

eminent ['eminənt] *adj* **1** *(d. teren)* ridicat, înalt **2** *fig* eminent, distins, ales, remarcabil

eminently ['eminəntli] *adv* **1** în cel mai înalt grad, extraordinar/neobișnuit de **2** *filos* în cel mai înalt sens

emir [e'miə] *s* emir

emirate [e'miərit] *s* emirat

emissary ['emisəri] *s* emisar, trimis, sol

emission [i'miʃən] *s* **1** propagare, răspândire, difuzare **2** *fizl* secreție **3** *ch* emanație, degajare **4** *fiz* emisi(un)e, emanație **5** *fin* emisi(un)e *(de bancnote etc.)*

emissive [i'misiv] *adj* difuzat, emis

emit [i'mit] *vt* **1** a răspândi, a emana, a exala *(miros etc.)* **2** a emite, a radia *(căldură etc.)* **3** a emite, a scoate *(sunete etc.)* **4** *ec* a emite *(bancnote etc.)*

emittance [i'mitəns] *s* emisivitate, putere de emisi(un)e

emitter [i'mitər] *s* emițător; transmițător; emitent

Emma ['emə] *nume fem* Ema

Emmanuel [i'mænjuəl] *nume masc* Emanuel

Emmeline ['emiliːn] *nume fem v.* **Emily**

EmnE *presc de la* **Early Modern English**

emollient [i'mɔljənt] *adj, s med* emolient

emoluments [i'mɔljumənts] *s pl* remunerație, retribuție; indemnizație

emotion [i'mouʃən] *s* **1** sentiment, ↓ *poetic* → simțământ **2** emoție

emotional [i'mouʃənəl] *adj* **1** sentimental, emoțional, afectiv **2** emotiv

emotionalism [i'mouʃənə,lizəm] *s* emoționabilitate; emotivitate

emotionality [i,mouʃə'næliti] *s* emotivitate; sentimentalism

emotionalize [i'mouʃənə,laiz] *vt lit etc.* a trata sentimental

emotionally [i'mouʃənəli] *adv* din punct de vedere afectiv/sentimental

emotioned [i'mouʃənd] *adj* aflat sub impulsul sentimentelor; emoțional

emotionless [i'mouʃənlis] *adj* impasibil, indiferent

emotive [i'moutiv] *adj* **1** emotiv; sentimental **2** emoțional

emotively [i'moutivli] *adv* cu emotivitate

emotiveness [i'moutivnis] *s* emotivitate

emotivity [,imou'tiviti] *s* emotivitate

Emp. *presc de la* **1** Emperor **2** Empire

empale [im'peil] *vt* a trage în țeapă

empanel [im'pænəl] *vt jur* a trece pe lista juriului

empathy ['empəθi] *s* empatie, însimțire

Empedocles [em'pedə,kli:z] *filosof grec* Empedocle *(sec. V î.e.n.)*

empennage [em'penidʒ] *s fr av* ampenaj

emperor ['empərər] *s* împărat

empery ['empəri] *s* **1** *poetic* stăpânire deplină **2** *și fig poetic* împărăție; tărâm

emphasis ['emfəsis], *pl* **emphases** ['emfəsi:z] *s* **1** *fon* accent; accentuare **2** *fig* accentuare, subliniere, scoatere în relief **3** *fig* expresivitate, elocință **4** *poligr* caractere cursive/italice *sau* spațiale

emphasize ['emfəsaiz] *vt* **1** *fon* a accentua, a pune accentul pe **2** *fig* a accentua, a sublinia, a scoate în relief, a reliefa

emphatic [im'fætik] *adj* **1** accentuat, subliniat; insistent, stăruitor; *(d. ton)* autoritar; *(d. un refuz)* categoric, total; *(d. o afirmație etc.)* energic; *(d. culori)* viu, țipător **2** *(d. stil etc.)* emfatic, bombastic **3** *gram* de întărire

emphatically [im'fætikəli] *adv* accentuat, subliniat *etc.* (*v.* **emphatic**)

emphysema [,emfi'si:mə] *s med* emfizem

empire ['empaiər] *s* **1** împărăție; imperiu **2** the E~ imperiul britanic **3** stăpânire, putere

Empire State ['empaiə 'steit] *amer* statul New York

empiric [em'pirik] **I** *adj v.* **empirical II** *s* **1** empirist **2** persoană înclinată spre practicism **3** vraci; doctor șarlatan

empirical [em'pirikəl] *adj* **1** *filos* empiric **2** empiric, practic; pragmatic **3** bazat pe experiență **4** de vraci; băbesc

empirically [em'pirikəli] *adv* (în mod) empiric, practic; pe baza experienței

empiricism [em'piri,sizəm] *s* **1** *filos* empirism **2** empirism, practicism

empirio-criticism [em'piriou 'kritisizəm] *s* empiriocriticism

emplacement [im'pleismənt] *s* **1** așezare, amplasament, poziție **2** *mil* amplasament

emplane [im'plein] **I** *vi* a se urca în avion **II** *vt* a urca în avion

emplanement [im'pleinmənt] *s av* îmbarcare

employ [im'plɔi] **I** *vt* **1** a folosi, a întrebuința **2** a angaja *(personal)* **II** *vr* a se ocupa, a se îndeletnici **III** *s v.* **employment**

employable [im'plɔiəbəl] *adj* **1** apt de muncă **2** utilizabil

employee [em'plɔii:] *s* funcționar, slujbaș

employer [im'plɔiər] *s* **1** patron, stăpân **2** antreprenor

employment [im'plɔimənt] *s* **1** folosire, folosință, întrebuințare **2** ocupație, îndeletnicire, serviciu, slujbă

employment exchange [im'plɔimənt iks'tʃeindʒ] *s* serviciul brațelor de muncă

empoison [im'pɔizən] *vt* **1** a otrăvi **2** *fig* a învenina

emporium [em'pɔ:riəm], *pl și* **emporia** [em'pɔ:riə] *s* **1** emporiu, centru comercial **2** magazin *(mare)*

empower [im'pauə] *vt* **1** a împuternici, a autoriza **2** a permite, a da posibilitate *(cuiva)*

empowerment [im'pauərmənt] *s și jur* împuternicire

empress ['empris] *s* împărăteasă

emptily ['emptili] *adv* fără miez *sau* sens; de dragul de a vorbi

emptiness ['emptinis] *s* **1** spațiu gol; vid **2** (of) lipsă (de) **3** *fig* goliciune, nulitate, deșertăciune

empty ['empti] **I** *adj* **1** gol, neocupat, liber; deșert **2** gol, nelocuit, pustiu **3** *fig* gol, sec **4** *fig* ← F flămând **II** *vt* a goli, a deșerta; a descărca **III** *vi, vr* **1** a se goli, a se deșerta **2** *(d. un râu)* a se vărsa; the Danube empties into the Black Sea Dunărea se varsă în Marea Neagră **IV** *s* **1** casă nelocuită **2** *pl tehn* ambalaj

empty glume ['empti glu:m] *s agr* pleavă, codină

empty-handed ['empti'hændid] *adj fig* cu mâinile goale

empty-headed ['empti'hedid] *adj fig* fără cap, prost; flușturatic; nechibzuit

emptyings ['emptiiŋz] *s pl* depuneri, sedimente

empty set ['empti 'set] *s mat* mulțime vidă

empty trip ['empti 'trip] *s tehn* cursă în gol

empurple [im'pə:pl] *vt poetic* a împurpura

empyreal [,empai'ri:əl] *adj poetic* celest, ceresc

empyrean [,empai'ri:ən] *s mit* empireu, vârful bolții

emu ['i:mju:] *s orn* emu (Dromiceius sp.)

E.M.U., e.m.u. *presc de la* **electromagnetic units**

emulate ['emju,leit] *vt* a rivaliza cu, a căuta să întreacă

emulation [,emju'leiʃən] *s* emulație; întrecere

emulative ['emjulətiv] *adj* **1** de emulație **2** imitativ, de imitație

emulative of ['emjulətiv əv] *adj cu prep* care tinde/năzuiește/aspiră la *(perfecțiune etc.)*

emulous ['emjuləs] *adj* (of) doritor (de), râvnitor (la)

emulsify ['emʌlsi,fai] *ch etc.* **I** *vt* a emulsiona **II** *vi* a forma emulsii

emulsion [i'mʌlʃən] *s ch etc.* emulsie

emulsive [i'mʌlsiv] *adj* **1** *ch etc.* de emulsie **2** lăptos, untos **3** *med* calmant

en- *pref* în- *etc.*: **to encourage** a încuraja; **endemic** endemic

-en *suf* 1 *verbal*: **to strengthen** a întări 2 *adjectival*: **wooden** de lemn

enable to [in'eibəl tə] *vt cu inf* a da *(cuiva)* posibilitatea de a/să, a permite/a îngădui *(cuiva)* să; a îndreptăți *(pe cineva)* să

enabling [in'eibliŋ] *adj atr* 1 care permite *sau* dă posibilitatea 2 *jur* care împuternicește

enact [in'ækt] *vt* 1 a legifera 2 a adopta *(o lege)* 3 a hotărî, a decreta 4 *teatru* a pune în scenă, a juca

enactment [in'æktmənt] *s* 1 legiferare 2 adoptare *(a unei legi)* 3 hotărâre, decret; ordonanță 4 *teatru* punere în scenă, montare

enamel [i'næməl] I *s* 1 smalț, email 2 smalț *(al dintelui)* 3 vase smălțuite II *vt* 1 a smălțui, a emaila 2 *fig* a smălța, a împodobi

enamelled [i'næməld] *adj* 1 smălțuit, emailat 2 satinat

enamour [in'æməʳ] *vt* 1 a face să îndrăgească *sau* să se îndrăgostească 2 *fig* a fermeca, a vrăji

enamoured [in'æməd] *adj* 1 (of) îndrăgostit (de) 2 *fig* (of) îndrăgostit, fermecat, vrăjit (de)

enc. *presc de la* 1 **encyclopaedia** 2 **enclosed**

encage [in'keidʒ] *vt* 1 a închide într-o colivie *sau* cușcă 2 *fig* a închide, a întemnița

encamp [in'kæmp] *vi* a ridica o tabără

encampment [in'kæmpmənt] *s* 1 ridicare a unei tabere 2 tabără, campament

encapsulate [in'kæpsju,leit] *vt* 1 a încapsula, a pune în capsule 2 a rezuma, a prezenta succint *(fapte etc.)*

encarnalize [in'ka:nə'laiz] *vt* 1 a încarna, a întrupa 2 a da un caracter senzual *(cu dat)*

encase [in'keis] *vt* 1 a împacheta, a ambala *(într-o cutie etc.)* 2 a înrăma, a pune într-o ramă 3 a acoperi, a înveli 4 *constr* a cofra

encasement [in'keismənt] *s* 1 împachetare, ambalare 2 ambalaj; cutie; înveliș 3 *constr* cofraj

encash [in'kæʃ] *vt ec* a încasa

encasing [in'keisiŋ] *s* 1 *constr* cofraj 2 *tehn* carcasă, manta

encaustic [in'kɔstik] *pict* I *adj* encaustic II *s* encaustică

-ence *suf substantival* ↓ -ență; **eminence** eminență; **independence** independență

encephalitis [,ensefə'laitis] *s med* encefalită

encephalon [en'sefə,lɔn] *s anat* encefal

enchain [in'tʃein] *vt* 1 a înlănțui, a pune în lanțuri 2 *fig* a încătușa; a captiva; a atrage

enchainment [in'tʃeinmənt] *s* 1 înlănțuire 2 *fig* încătușare

enchant [in'tʃa:nt] *vt* a încânta, a desfăta

enchanter [in'tʃa:ntəʳ] *s și fig* vrăjitor

enchanting [in'tʃa:ntiŋ] *adj* încântător, fermecător

enchantment [in'tʃa:ntmənt] *s* 1 vrajă, farmece 2 *fig* vrajă, farmec

enchantress [in'tʃa:ntris] *s* 1 vrăjitoare 2 *fig* femeie fascinantă, zână

enchase [in'tʃeis] *vt* 1 a șlefui, a cizela 2 a monta *(o piatră prețioasă)*

enchaser [in'tʃeisəʳ] *s* 1 șlefuitor; cizelator 2 bijutier, giuvaergiu

enchisel [in'tʃizəl] *vt* a dăltui

encipher [in'saifəʳ] *vt* a încifra; a codifica

encircle [in'sə:kəl] *vt* a încercui, a înconjura; *mil și* a învălui

encirclement [in'sə:kəlmənt] *s* încercuire, înconjurare; *mil și* învăluire

encircling [in'sə:kliŋ] *adj* împrejmuitor; de încercuire

enclasp [in'kla:sp] *vt* 1 a prinde cu cârlige *sau* în copci 2 a cuprinde *(în brațe)*, a îmbrățișa

enclave ['enkleiv] *s fr* enclavă

enclitic [in'klitik] *gram* I *adj* enclitic II *s* cuvânt enclitic

enclose [in'klouz] *vt* 1 a închide *(într-un țarc etc.)* a îngrădi; a împrejmui 2 a pune, a băga *(într-un plic etc.);* a anexa 3 *ist* a îngrădi *(pământuri obștești)*

enclosure [in'klouʒəʳ] *s* 1 închidere, îngrădire; împrejmuire 2 *ist* îngrădire a pământurilor obștești 3 țarc, ocol 4 curte, ogradă 5 conținut *(al unui plic)*; anexă

encode [in'koud] *vt* a codifica

encomiast [en'koumi,æst] *s* lingușitor; panegirist

encomiastic(al) [en,koumi'æstik(əl)] *adj* laudativ, elogios; lingușitor, encomiastic

encomiastically [en,koumi'æstikəli] *adv* (în mod) encomiastic, laudativ

encomium [en'koumiəm] *s* panegiric, discurs laudativ, elogiu

encompass [in'kʌmpəs] *vt* 1 a înconjura, a închide; a încercui 2 a cuprinde, a conține 3 *(d. griji etc.)* a nu da pace *(cuiva)*, a năpădi, a asalta, a chinui 4 a cauza, a determina

encompassment [in'kʌmpəsmənt] *s* înconjurare; încercuire

encore ['ʌŋkɔ:ʳ] *fr* I *interj* bis! II *s* bis III *vt* a bisa

encounter [in'kauntəʳ] I *vt* 1 a întâlni, a se întâlni cu; a da de *(cineva)* 2 *fig* a se ciocni de, a întâlni rezistență/opoziție din partea *(cuiva)* 3 *fig* a întâmpina *(dificultăți etc.)*, a da de, a se lovi de II *vi* a se întâlni III *s* 1 întâlnire *(întâmplătoare)* 2 *fig* conflict, ciocnire; luptă

encourage [in'kʌridʒ] *vt* 1 a încuraja, a îmbărbăta 2 a încuraja, a sprijini, a favoriza *(un punct de vedere etc.)* 3 a stimula, a instiga, a ațâța

encouragement [in'kʌridʒmənt] *s* 1 încurajare, îmbărbătare 2 încurajare, sprijinire, favorizare 3 stimulare, instigare, ațâțare

encouraging [in'kʌridʒiŋ] *adj și fig* încurajator

encouragingly [in'kʌridʒiŋli] *adv* încurajator

encrimson [in'krimzn] *vt* 1 a înroși, a împurpura 2 a face să se roșească, a îmbujora

encroach [in'kroutʃ] *vi* a depăși limitele rațiunii *sau* posibilului

encroacher [in'kroutʃəʳ] *s și fig* uzurpator

encroachment [in'kroutʃmənt] *s* 1 (upon, on) încălcare, violare *(cu gen)* 2 năvălire 3 *și fig* uzurpare 4 *med* progres rapid *(al unei boli)*

encroach on/upon [in'kroutʃ ɔn/ə'pɔn] *vi cu prep* 1 a încălca, a viola *(cu ac)*; a atenta la 2 a năvăli în 3 *și fig* a uzurpa *(cu ac)* 4 a abuza de *(timpul cuiva etc.)* 5 *(d. bătrânețe etc.)* a-și cere drepturile de la, a nu ierta *(pe cineva)*

encrust [in'krʌst] **I** vt **1** a încrusta; a acoperi *(cu o coajă etc.)* **2** *fig* a împodobi, a înfrumuseța **II** vi a prinde coajă, rugină *etc.*, a se acoperi cu coajă *etc.*

encumber [in'kʌmbər] vt **1** a stânjeni, a împiedica, a îngreuia **2** a încărca *(cu datorii etc.)*, a împovăra **3** a fi o piedică/un obstacol în calea *(cu gen)*

encumbrance [in'kʌmbrəns] s **1** greutate, povară **2** piedică, obstacol **3** *jur* datorie; ipotecă

-ency *suf* -enţă: **dependency** dependenţă

encyclic(al) [en'siklik(əl)] *bis* **1** *adj* enciclic **II** s enciclică

encyclopaedia [en,saiklou'pi:diə] s enciclopedie

encyclopaedic(al) [en,saiklou-'pi:dik(əl)] *adj* enciclopedic

encyclopaedically [en,saiklou-'pi:dikəli] *adv* enciclopedic; multilateral

encyclopaedist [en,saiklou'pi:dist] s enciclopedist

encyclopedia *etc.* v. **encyclopaedia** *etc.*

end [end] **I** s **1** capăt, cap, parte de la sfârşit; **at the ~ of the street** la capătul străzii; **the north ~ of a town** partea de nord a unui oraş; **to begin/to start at the wrong** ~*fig* a începe/a porni greşit; **to get hold of the wrong ~ of the stick** *fig* a înţelege greşit/*F* anapoda; ~ **to** ~ cap la cap; neîntrerupt; ~ **on a** cu capul înainte **b** drept, perpendicular; **on ~ a** drept, perpendicular, vertical **b** neîntrerupt, în şir, la rând; **at a loose** ~ *fig* liber, neavând ce face; **his hair stood on** ~ i se făcuse părul măciucă; **three days on** ~ trei zile în şir/încheiate; **to make both ~s meet** *fig* a o scoate greu la capăt, *P* → a lega cu greu două în trei; **to have smth at one's fingers'~s** *fig* a şti ceva la perfecţie **2** rămăşiţă, rest, capăt; **a cigarette** ~ muc/capăt de ţigară **3** sfârşit, capăt; încheiere, final, fine; hotar, limită, margine; **at the ~ of the day** la sfârşitul zilei; **to put an ~ to** *sau* **to make an ~ of** a pune capăt *cu dat*, a termina, a isprăvi *cu ac*; **to come to an** ~ a se

sfârşi, a se termina, a se isprăvi; a lua sfârşit; **to draw to an** ~ a se apropia de sfârşit; **to be at an** ~ a fi pe sfârşite, a se sfârşi, a se isprăvi; **she was at the ~ of her patience** era la capătul răbdării; **in the** ~ în cele din urmă, la sfârşit; **no** ~ **of** *F* o grămadă, berechet; – fără sfârşit, foarte mulţi, multe *etc.;* **it'll cost you no** ~ **of money** o să te coste o avere; **without** ~ fără sfârşit, nesfârşit, care nu se mai isprăveşte; **and there's an ~ of it!** *F* şi cu asta, basta! **4** sfârşit, moarte, *bibl* → obştescul sfârşit; distrugere; **to come to a bad** ~ a sfârşi prost; **you'll be the ~ of her** *F* ai s-o bagi în mormânt **5** ţintă, scop; **the ~ justifies the means** *prov* scopul scuză mijloacele; **for/to his** ~ în acest scop; **to no** ~ în zadar; **to the ~ that** cu scopul de a/ca **6** urmare, rezultat, concluzie **7** fund *(de butoi etc.)* **8** *sport* extremă **II** vt a sfârşi, a isprăvi, a termina, a încheia **III** vi (**in**) a (se) sfârşi, a se încheia, a se isprăvi (prin *sau* cu); **to ~ in smoke** *fig* a se spulbera; a nu duce la nimic

end-all [`end'ɔ:l`] s sfârşit *(a toate)*

endamage [en'dæmidʒ] vt a strica, a aduce stricăciuni *(cu dat)*

endamagement [en'dæmidʒmənt] s **1** păgubire; stricare **2** pagube, stricăciuni

endanger [in'deindʒər] vt a primejdui, a periclita

end bulb [`end 'bʌlb`] s *anat* bulb terminal

endear [in'diər] **I** vt **1** a face drag, a face să îndrăgească **2** a scumpi **II** vr a se face iubit

endearment [in'diəmənt] s **1** îndrăgire; afecţiune, dragoste **2** dezmierdare, mângâiere **3** farmec, atracţie **4** scumpire

endeavor [in'devər] vt, s *amer* v. **endeavour**

endeavour I vt a se strădui, a încerca, a căuta, a se sili **II** s sforţare, efort, strădanie

ended *adj* **1** [`endid`] sfârşit, terminat, isprăvit; gata; finisat **2** [`ended`] *(în cuvinte compuse)* cu vârful, capătul *etc. de cutare fel;* **round** ~ cu vârful/capătul rotund; **two-** ~ cu două capete

endemic [en'demik] *med* **I** *adj* endemic **II** s boală endemică, endemie

endenizen [en'denizən] vt **1** a da drept la cetăţenie *(cuiva)* **2** a aclimatiza *(o plantă etc.)* **3** *lingv* a pune în circulaţie *(un cuvânt etc.)*

endermic [en'də:mik] *adj med* intradermic

ending [`endiŋ`] **I** *adj* final, de încheiere/sfârşit **II** s **1** sfârşit, final; încheiere **2** *gram* terminaţie; desinenţă

end item [`end 'aitəm`] s *tehn* articol finit

endive [`endaiv`] s *bot* **1** andivă, cicoare de grădină *(Cichorium endivia)* **2** cicoare de vară *(Cichorium intybus)*

endless [`endlis`] *adj* nesfârşit, interminabil, fără sfârşit; infinit, continuu

endless belt [`endlis 'belt`] s *tehn* curea fără sfârşit

endless chain [`endlis 'tʃein`] s *tehn* lanţ fără sfârşit

endlessly [`endlisli`] *adv* fără să se isprăvească, la nesfârşit

endlessness [`endlisnis`] s nemărginire, infinit

endless saw [`endlis 'sɔ:`] s ferăstrău cu panglică

endless track [`endlis 'træk`] s *auto* şenilă

endlong [`endlɔŋ`] *adv* **1** în lungime; de-a lungul **2** vertical; în picioare

end-man [`endmæn`] s *fig* extremist

endmost [`end,moust`] *adj* cel mai îndepărtat

endoblast [`endou,blæst`] s *biol* endoblast, endoderm

endocarditis [,endouka:'daitis] s *med* endocardită

endocardium [,endou'ka:diəm] s *anat* endocard

endocrine [`endou,krain`] *fizl* **1** *adj* endocrin **II** s glandă endocrină

endocrinology [,endoukrai'nɔlədʒi] s *med* endocrinologie

end off [`end 'ɔ(:)f`] vt *cu part adv* a termina *(↓ cu succes)*

endogamous [en'dɔgəməs] *adj biol* endogam

endogenous [en'dɔdʒinəs] *adj fizl, geol* endogen

endomorphic [,endou'mɔ:fik] *adj geol* endomorf

endomorphism [,endou'mɔ:fizəm] s *geol* endomorfism

endophasia [ˌendou'feiziə] *s psih* endofazie, limbaj interior

endoplasm ['endou,plæzəm] *s bot* endoplasm

endorsable [in'dɔːsəbəl] *adj ec* andosabil

endorse [in'dɔːs] *vt* **1** *ec* a andosa **2** a semna pe verso **3** *fig* a aproba, a sprijini, a susține *(un punct de vedere etc.)*, a-și însuși, a subscrie la

endorsee [inˌdɔː'siː] *s ec* andosant *(al unei polițe)*

endorsement [in'dɔːsmənt] *s* **1** *ec* andosare, gir **2** *fig* aprobare, sancționare, sprijinire *(a unui punct de vedere etc.)*

endorser [in'dɔːsəʳ] *s ec* girant

endosmosis [ˌendɔs'mousis] *s fiz* endosmoză

endosperm ['endou,spəːm] *s bot* endospermă

endothelium [ˌendou'θiːliəm] *s fizl* endoteliu

endothermic [ˌendou'θəːmik] *adj ch* endotermic

endow [in'dau] *vt* **1** a înzestra, a dota **2** a lăsa ca moștenire *(cuiva)* **3** *fig* a înzestra, a dărui

endowment [in'daumənt] *s* **1** înzestrare, dotare **2** acordare, dare **3** *fig* înzestrare, talent, dar **4** așezământ, fundație

end paper ['end 'peipəʳ] *s poligr* forzaț

end piece ['end ,piːs] *s* capăt, vârf

end product ['end 'prɔdʌkt] *s* produs finit

end rhyme ['end ,raim] *s metr* rimă finală

end speech ['end ,spiːtʃ] *s* cuvânt de încheiere; epilog

end-stopped/stopt ['end,stɔpt] *adj metr (d. vers)* „compact", exprimând o idee *sau* un segment de gândire închegată *(propoziție sau parte de propoziție)*

endue [in'djuː] *vt* a(-și) pune *(o haină etc.)*, a îmbrăca, a se îmbrăca cu, a se învesmânta în

endue with [in'djuː wið] *vt cu prep* **1** a prevedea cu, a înzestra cu **2** *fig* a înzestra cu; a dărui *cu ac*

end up ['end'ʌp] *vi cu part adv* a sfârși; a-și încheia cartea *etc.*

endurable [in'djuərəbəl] *adj* suportabil

endurance [in'djuərəns] *s* **1** răbdare; suferință **2** rezistență, opoziție **3** rezistență, trăinicie, soliditate **4** durată; longevitate

endure [in'djuəʳ] **I** *vt* a îndura, a răbda, a suporta, a suferi **II** *vi* a dura, a ține, a dăinui

enduring [in'djuəriŋ] *adj* **1** răbdător **2** trainic, de durată, solid

end wall ['end ,wɔːl] *s constr* perete frontal

endways ['endweiz] *adv* **1** cu capul/capătul înainte **2** drept, în picioare **3** în lung, de-a lungul

Endymion [en'dimiən] *mit* Endimion

end zone ['end 'zoun] *s sport* zonă de apărare

enema ['enimə], *pl și* **enemata** ['enimətə] *s med* clismă, clistir

enemy ['enəmi] **I** *s* **1** dușman, inamic, vrăjmaș; **how goes the ~? ←** *F* cât e ceasul? **2** the ~ *bibl* Cel rău, ~ moartea **3** the **E~** *bibl* Cel rău, ~ Necuratul, diavolul **II** *adj atr* inamic, vrăjmaș; ostil

energetic(al) [ˌenə'dʒetik(əl)] *adj* **1** energic **2** *fiz* de energie; energetic

energetically [ˌenə'dʒetikəli] *adv* energic, cu energie

energetics [ˌenə'dʒetiks] *s pl ca sg* energetică

energize ['enə,dʒaiz] *vt* a insufla energie *(cu dat)* a activ(iz)a

energizing ['enə,dʒaiziŋ] *adj* dătător de energie; stimulator

energumen [ˌenə'gjuːmen] *s* **1** energumen, posedat **2** fanatic; maniac

energy ['enədʒi] *s* energie, forță, vigoare

energy supply ['enədʒi sə'plai] *s tehn* alimentare cu energie

energy system ['enədʒi 'sistim] *s el* sistem energetic

enervate **I** ['enə,veit] *vt* a slăbi, a moleși **II** [i'nəːvit] *adj* slăbit, molește, fără vlagă

enervation [ˌenə'veiʃən] *s* slăbire, moleșire

enfeeble [in'fiːbəl] *vt* a slăbi, a debilita

enfeeblement [in'fiːbəlmənt] *s* slăbire, debilitare

enfeoff [in'fiːf] *vt ist* **1** a da o feudă în stăpânirea *(cuiva)* **2** a înfeuda *(un domeniu)*

enfeoffement [in'fiːfmənt] *s ist* **1** înfeudare **2** feudă

enfilade [ˌenfi'leid] *mil* **I** *s* anfiladă **II** *vt* a executa foc de anfiladă împotriva *(cu gen)*

enflame [in'fleim] *vt fig* a aprinde

enflower [in'flauəʳ] *vt poetic* a smălța cu flori

enfold [in'fould] *vt* **1** a înfășura, a înveli **2** *fig* a cuprinde, a îmbrățișa **3** a plia, a îndoi

enforce [in'fɔːs] *vt* **1** a sili, a obliga, a constrânge; a impune *(ascultare etc.)* **2** a aplica *(o lege etc.)* a îndeplini **3** a întări *(cele spuse etc.)*

enforceable [in'fɔːsəbəl] *adj* **1** *jur* executoriu **2** realizabil

enforced [in'fɔːst] *adj* forțat, silit

enforcement [in'fɔːsmənt] *s* **1** forțare, silire; constrângere **2** *jur* executare; intrare în vigoare *(a unui decret etc.)*

enframe [in'freim] *vt* a încadra, a înrăma

enfranchise [in'fræntʃaiz] *vt* **1** a acorda drepturi electorale *(cuiva)* **2** a elibera, a pune în libertate **3** a naturaliza; *și fig* a încetățeni

enfranchisement [in'fræntʃaizmənt] *s* **1** acordare de drepturi electorale **2** eliberare, punere în libertate **3** naturalizare; *și fig* încetățenire

Eng. *presc de la* **1** **English** **2** **England**

eng. *presc de la* **1** **engineer** **2** **engine**

engage [in'geidʒ] **I** *vt* **1** a angaja *(pe cineva în serviciu etc.)*; a tocmi, a năimi **2** *fig* a absorbi; a reține *(pe cineva, atenția etc.)* **3** a angaja, a obliga **4** a logodi **5** *mil* a angaja; a ataca **6** *tehn* a angaja; a angrena; a prinde **II** *vi* **1** a garanta, a fi chezaș **2** (**to**) a se obliga (să), a-și lua obligația (de a); a promite (să, că) **3** *mil* a se angaja, a intra în luptă

engagé [ˌʌŋgæ'ʒei] *adj pol* angajat

engaged [in'geidʒd] *adj* **1** (**in**) angajat (în), prins, ocupat (cu) **2** logodit **3** *tehn* angajat, angrenat

engage for [in'geidʒ fəʳ] *vi cu prep* a răspunde de, a-și lua răspunderea pentru, a garanta pentru

engage in [in'geidʒ in] *vi cu prep* a începe *cu ac*, a se angaja în *(discuție etc.)*; a intra în, a se apuca de *(afaceri etc.)*; a se lansa în

engagement [in'geidʒmənt] *s* **1** angajament, obligație **2** logodnă **3** ocupație, treabă; întâlnire **4** *mil* luptă **5** *tehn* ambreiere, angrenare

engagement ring [in'geidʒmənt 'riŋ] *s* inel de logodnă

engage oneself to [in'geidʒ wʌn,self tə] *vr cu prep* a se angaja (la *patron etc.*)

engage upon [in'geidʒ ə,pɔn] *vi cu prep* a se angaja în, a intra în *(un serviciu etc.)*

engaging [in'geidʒiŋ] *adj* 1 atrăgător, frumos, minunat 2 *tehn* de angrenare

engagingly [in'geidʒiŋli] *adv* (în mod) fermecător

engagingness [in'geidʒiŋnis] *s* atracție, farmec

Engels ['eŋəls], **Friedrich** *filosof german (1820-1895)*

engender [in'dʒendəʳ] *vt* a genera, a da naștere la, a produce

engine ['endʒin] *s* 1 *tehn* mașină; motor 2 *ferov* locomotivă 3 pompă de incendiu 4 aparat *(de tortură etc.)*; mecanism; dispozitiv; unealtă

engine attendant ['endʒin ə'tendənt] *s tehn, ferov* mecanic

engine builder ['endʒin 'bildəʳ] *s* constructor de mașini

engine driver ['endʒin 'draivə'] *s ferov* mecanic (de locomotivă)

engineer [,endʒi'niəʳ] I *s* 1 inginer 2 mecanic, mașinist; tehnician; montor 3 *mil* genist, pionier II *vt* 1 *tehn* a construi, a proiecta 2 *fig* a proiecta, a pune la cale; a aranja

engineering [,endʒi'niəriŋ] *s* 1 inginerie tehnică, tehnologie 2 industria construcțiilor de mașini 3 *mil* geniu 4 *fig* mașinații

engineering education [,endʒi-'niəriŋ edju'keiʃən] *s* învățământ tehnic

engineering library [,endʒi'niəriŋ 'laibrəri] *s* bibliotecă tehnică

engineering works [,endʒi'niəriŋ 'wə:ks] *s pl și ca sg* uzină constructoare de mașini

engineership [,endʒi'niərʃip] *s* profesia *sau* funcția de inginer; profesia/meseria *sau* funcția de tehnician

engine fitter ['endʒin ,fitəʳ] *s* mecanic montor

engine fuel ['endʒin 'fjuəl] *s* carburant

engine house ['endʒin 'haus] *s tehn* sala mașinilor

engineman ['endʒinmən] *s tehn, ferov* mecanic, mașinist

engine room ['endʒin ,ru:m] *s tehn* sala mașinilor

engine trouble ['endʒin ,trʌbl] *s auto* pană de motor

engine works ['endʒin ,wə:ks] *s pl și ca sg* uzină constructoare de mașini

engird [in'gə:d], *pret și ptc* **engirt** [in'gə:t] *vt* a încinge, a înconjura

engirt [in'gə:t] *pret și ptc de la* **eng..d**

England ['iŋglənd] Anglia; Marea Britanie

Englander ['iŋgləndəʳ] *s* englez

English ['iŋgliʃ] I *adj* englez(esc), britanic II *s* 1 (limba) engleză; **Standard** ~ limba engleză literară; **translated from the** ~ tradus din (limba) engleză; **the king's** *sau* **the queen's** ~ limba engleză corectă; **his** ~ **is rather poor** vorbește destul de prost englezește; **what's the** ~ **for "cale"?** cum se spune (la) „cale" pe englezește/în engleză? **in plain** ~ în mod direct, clar, pe înțelesul tuturor *(cf. „românește")* **2 the** ~ englezii 3 *poligr* mitel III *vt* 1 a traduce în engleză 2 a angliciza

English Channel, the ['iŋgliʃ 'tʃænəl, ði] Canalul Mânecii

English horn ['iŋgliʃ 'hɔ:n] *s muz* corn englezesc

Englishism ['iŋgli,ʃizəm] *s* 1 obicei englezesc 2 *lingv* anglicism

Englishman ['iŋgliʃmən] *s* englez

Englishry ['iŋgliʃri] *s* 1 obârșie engleză 2 ← *rar* cetățenie engleză; naționalitate engleză 3 minoritate engleză *(↓ în Irlanda)* 4 cartier englez(esc) 5 englezi

Englishwoman ['iŋgliʃ'wumən] *s* englezoaică

englobe [in'gloub] *vt* 1 a pune într-un glob *sau* într-o sferă 2 a da o formă sferică *(cu dat)* 3 a înghiți, a absorbi *(bacterii etc.)*

engorge [in'gɔ:dʒ] *vt* a înfuleca, a devora

engorgement [in'gɔ:dʒmənt] *s* înfulecare, devorare

engr. *presc de la* 1 **engineer** 2 **engraver**

engraft [in'grɑ:ft] *vt* 1 *bot* a altoi, a grefa 2 *fig* a săpa, a întipări; a sădi 3 *fig* a înviora; a întări

engraftment [in'grɑ:ftmənt] *s* 1 *bot* altoire, grefare 2 *bot* altoi, vlăstar 3 *fig* săpare, întipărire; sădire

engrain [in'grein] *vt fig* a sădi, a întipări

engrave [in'greiv] *vt* 1 a grava, a tăia *(în lemn etc.)* 2 (**on, upon**) *fig* a sădi, a întipări (în)

engraver [in'greivə'] *s* gravor

engraving [in'greiviŋ] *s* 1 gravură 2 *poligr* clișeu

engross [in'grous] *vt* 1 a absorbi, a captiva, a ocupa *(atenția etc.); a* monopoliza 2 a masa, a aduna

engrossing [in'grousiŋ] *adj* captivant

engrossingly [in'grousiŋli] *adv* (în mod) captivant

engulf [in'gʌlf] *vt* 1 a arunca într-o prăpastie *sau* în apă 2 *(d. o prăpastie etc.)* a înghiți 3 *fig F* a hăpăi, – a înghiți

enhance [in'hɑ:ns] *vt* a mări, a spori; a intensifica

enhancement [in'hɑ:nsmənt] *s* mărire, sporire; intensificare

enharmonic [,enhɑ:'mɔnik] *adj muz* enharmonic

enigma [i'nigmə] *s* enigmă; mister

enigmatic(al) [,enig'mætik(əl)] *adj* enigmatic; misterios

enigmatically [,enig'mætikəli] *adv* enigmatic; misterios

enjail [in'dʒeil] *vt* a închide, a întemnița

enjamb(e)ment [in'dʒæmmənt] *s metr* angambament

enjoin [in'dʒɔin] *vt* 1 a impune, a prescrie; a ordona, a porunci; **to ~ a conduct (up) on smb** a impune o conduită cuiva; **he ~ed them to leave** le-a poruncit să plece 2 *jur sau amer* a interzice *(cuiva);* a nu permite *(cuiva);* **the judge ~ed them from selling tobacco** judecătorul le-a interzis să vândă tutun

enjoy [in'dʒɔi] I *vt* 1 a se bucura de, a avea; **he ~s a bad reputation** se bucură de o proastă reputație 2 a gusta, a-i plăcea; < a savura; **did you ~ the picture?** ți-a plăcut/te-a amuzat filmul? II *vr* a se distra, a petrece

enjoyable [in'dʒɔiəbəl] *adj* plăcut, frumos

enjoyment [in'dʒɔimənt] *s* 1 posedare, stăpânire *(cu gen)* 2 plăcere, < desfătare; distracție

enjoyment of [in'dʒɔimənt əv] *s cu gen* stăpânire, posedare a *(unui lucru)*

enkindle [in'kindəl] *vt* **1** a aprinde **2** *fig* a aprinde, a deștepta, a stârni

enlace [in'leis] *vt* a încinge, a înconjura; a îmbrățișa

enlarge [in'lɑːdʒ] **I** *vt* a lărgi, a mări, a spori **II** *vi* a se lărgi, a se mări, a se extinde, a spori

enlarged [in'lɑːdʒd] *adj* **1** (*d. o ședință*) lărgit **2** (*d. o ediție*) adăugit

enlargement [in'lɑːdʒmənt] *s* **1** lărgire, mărire; sporire **2** *constr* anexă; dependințe **3** creștere, dezvoltare **4** *fot* mărire

enlarge on [in'lɑːdʒ ɔn] *vi cu prep v.* **enlarge upon**

enlarger [in'lɑːdʒəʳ] *s fot* aparat de mărit

enlarge upon [in'lɑːdʒ ə,pɔn] *vi cu prep* a scrie *sau* a vorbi pe larg despre; a se extinde asupra (*cu gen*)

enlighten [in'laitən] *vt* **1** a lămuri, a lumina, a informa (*pe cineva*) **2** a lumina; a culturaliza **3** a arunca lumină asupra (*unei probleme*), a lămuri, a explica

enlightened [in'laitənd] *adj* **1** *fig* luminat, instruit, cult **2** *fig* lămurit, edificat

enlightener [in'laitnəʳ] *s* **1** tălmăcitor, interpret, persoană care explică ceva **2** propagandist cultural **3** om bine informat **4** iluminist

enlightenment [in'laitənmənt] *s* **1** *fig* luminare, instrucție, cultură **2** cunoaștere rațională **3** the E~ *filos* iluminism, filosofia luminilor; *lit* iluminism, epoca luminilor (*în Anglia, 1700-1760*)

enlist [in'list] **I** *vt* **1** a înscrie pe o listă, a înregistra **2** *mil* a înrola **3** *fig* a înregimenta, a înrola **II** *vi* **1** *mil* a recruta, a se înrola **2** *fig* a se înregimenta, a se înrola

enlisted man [in'listid 'mæn] *s mil amer* militar (*soldat sau gradat*)

enlistment [in'listmənt] *s* **1** înscriere, înregistrare **2** *mil* recrutare, înrolare

enliven [in'laivən] *vt* a însufleți, a anima, a înveseli (*atmosfera, descrierea etc.*)

enlivening [in'laivənin] *adj* înviorător, însuflețitor

en masse [ã 'mas] *adv fr* în masă; cu toții

enmesh [in'meʃ] *vt* **1** a prinde într-o *sau* ca într-o plasă **2** *fig* a prinde în mreje

enmeshment [in'meʃmənt] *s* încurcătură; situație încurcată/încâlcită

enmity ['enmiti] *s* dușmănie, vrăjmășie; ostilitate, ură; vrajbă; animozitate; antipatie; **to be at ~ with a** a fi în dușmănie cu **b** *fig* a fi certat cu

ennoble [i'noubəl] *vt și fig* a înnobila

ennoblement [i'noubəlmənt] *s și fig* înnobilare

ennui ['ɔnwiː] *s fr* urât, plictiseală

enormity [i'nɔːmiti] *s* **1** enormitate, proporții uriașe/colosale; imensitate **2** monstruozitate, ticăloșie

enormous [i'nɔːməs] *adj* **1** enorm, uriaș, colosal, imens **2** monstruos, crunt, îngrozitor

enormously [i'nɔːməsli] *adv* **1** enorm, colosal **2** grozav/colosal/ enorm (de)

enormousness [i'nɔːməsnis] *s v.* **enormity 1**

Enos [i'nɔs] *nume masc*

enough [i'nʌf] **I** *adj* destul, de ajuns, suficient, îndestulător; **~bread, bread ~** destulă/suficientă pâine; **three are ~** trei ajung, trei sunt suficienți **II** *adv* **1** destul, de ajuns, suficient, îndeajuns; **I have had ~, thank you** am mâncat destul, mulțumesc **2** (*după adj și adv*) destul de, foarte; (*depreciativ*) destul; îndeajuns/suficient de; **the wine is good ~** vinul e destul de bun; **the matter is serious ~** chestiunea e destul de/foarte serioasă; **he was kind ~ to me** a fost destul de drăguț cu mine; **sure ~** bineînțeles, firește; **he writes well ~ a** scrie destul de/foarte bine **b** scrie destul de bine, scrie acceptabil; **curiously/ strangely/oddly ~** oricât de curios ar părea **III** *s, pr* destul; cantitate suficientă/îndestulătoare; **~ and to spare** mai mult decât de ajuns, prea mult; **~ of a fool** destul de prost *sau* nesocotit; **~ has been said on this subject** s-au spus destule despre acest subiect; **~ is as good as a feast** *prov* bogat e cel care se mulțumește cu ce are

enounce [i'nauns] *vt* a enunța, a expune; a proclama

enouncement [i'naunsmənt] *s* enunțare, expunere; proclamare

enplane [en'plein] *vt amer v.* **emplane**

enquire [in'kwaiəʳ] *vt, vi v.* **inquire**

enquiry [in'kwaiəri] *s v.* **inquiry**

enrage [in'reidʒ] *vt* a înfuria, a exaspera, a scoate din sărite

enraged [in'reidʒd] *adj* **1** înfuriat, furios, scos din sărite **2** ← *înv* turbat, bolnav de turbare

enragement [in'reidʒmənt] *s* furie; exasperare

enrapt [in'ræpt] *adj* fermecat, extaziat

enrapture [in'ræptʃəʳ] *vt fig* a vrăji, a fermeca, a extazia

enraptured [in'ræptʃəd] *adj v.* **enrapt**

enrich [in'ritʃ] **I** *vt* **1** a îmbogăți, a chivernisi **2** *fig* a îmbogăți, a înfrumuseța **3** *agr* a îngrășa, a fertiliza **II** *vr* a se îmbogăți, a se chivernisi

enrichment [in'ritʃmənt] *s* **1** îmbogățire **2** *fig* îmbogățire, înfrumusețare

enrobe [in'roub] *vt* a înveșmânta

enrol(l) [in'roul] **I** *vt* **1** *v.* **enlist I 1-3 2** a împacheta; a face sul **II** *vi* *amer școl, univ* a se înscrie

enrol(l)ment [in'roulmənt] *s v.* **enlistment**

en route [ãn 'ruːt] *adv fr* (**to**) în drum (spre)

ensample [en'sɑːmpəl] *s* ← *înv* pildă, exemplu

ensanguined [in'sængwind] *adj* ← *elev* însângerat

ensconce [in'skɔns] **I** *vt* **1** a ascunde, a dosi, a tăinui **2** a instala, a așeza (*confortabil*) **II** *vr* **1** a se ascunde, a se piti **2** a se instala (*confortabil*)

ensemble [ʌn'sʌmbəl] *s fr* ansamblu (*de cântece etc.*); întreg

enshrine [in'ʃrain] *vt* **1** *bis* a pune în raclă **2** *fig* a păstra cu sfințenie (*amintirea cuiva etc.*)

enshroud [in'ʃraud] *vt* **1** a înfășura în giulgiu **2** a înfășura, a înveli **3** *fig* a ascunde, a învălui

ensiform ['ensi,fɔːm] *adj bot* ensiform

ensign ['ensain] *s* **1** drapel, stindard **2** *mil od* port-drapel, stegar **3** semn; insignă

ensilage ['ensilidʒ] *agr* **I** *s* **1** ansilaj, însilozare **2** nutreț însilozat **II** *vt* a însiloza (*nutreț*)

ensile [en'sail] *vt agr* a însiloza *(nutreț)*

ensilver [en'silvə^r] *vt* ← *poetic* a arginta

enslave [in'sleiv] *vt și fig* a înrobi, a subjuga

enslavement [in'sleivmənt] *s și fig* înrobire, subjugare

enslaver [in'sleivə^r] *s* 1 subjugător, tiran 2 *fig* femeie cuceritoare

ensnare [in'snɛə^r] *vt* 1 a prinde în capcană 2 *fig* a prinde în mreje, a ademeni

ensnarement [in'snɛəmənt] *s fig* prindere în mreje, ademenire

ensoul [in'soul] *vt* ← *poetic* 1 a da suflet *(cu dat)*, a însufleți 2 a face loc *(cu dat)* în suflet

ensphere [in'sfiə^r] *vt* a da o formă sferică *(cu dat)*

ensue [in'sju:] *vi* a urma; a decurge, a rezulta

ensuing [in'sju:iŋ] *adj* 1 următor, viitor 2 care decurge *(de aici etc.)*

ensure [en'ʃuə^r] I *vt* 1 a asigura *(îndeplinirea planului, independența etc.)*, a garanta 2 ← *înv* a asigura *(pe viață etc.)* II *vr* (**against**) a se asigura (împotriva), a lua măsuri (împotriva – *cu gen*); a se feri (de)

enswathe [in'sweið] *vt* a înfășa, a înveli în scutece

enswathement [in'sweiðmənt] *s* înfășare

-ent *suf* -ent: **insistent** insistent

entablement [in'teibəlmənt] *s arhit* antablament

entail [in'teil] *vt* 1 a atrage (după sine); a cauza, a determina 2 a impune, a reclama, a necesita

entangle [in'tæŋgəl] *vt* 1 a încurca, a încâlci; a zăpăci 2 *fig* a încurca, a vârî în bucluc 3 *fig* a prinde în mreje, a ademeni

entanglement [in'tæŋgəlmənt] *s* 1 *fig* încurcătură, situație încurcată/ complicată, complicație 2 *fig* complicație sentimentală 3 *mil* rețea de sârmă ghimpată

entelechy [en'teliki] *s filos* entelechie

enter ['entə^r] I *vt* 1 a intra/a pătrunde în; a păși în; **he ~ed the house** intră în casă 2 *fig* a intra în *(cap etc.)*, a trece prin *(minte etc.)* 3 a vârî, a băga, a introduce *(o monedă etc.)* 4 *fig* a intra în, a fi admis la; a se însc.ie în *sau* la 5

a trece pe listă, a înregistra, a înscrie *(numele etc.)* 6 a înainta *(un protest etc.)* 7 *jur* a intenta *(un proces)* 8 a încheia *(o convenție etc.)* 9 a iniția, a introduce *(pe cineva într-un secret etc.)* II *vi* 1 a intra 2 *teatru* „intră" *(pe scenă)*

enteric [en'terik] *adj med* enteric, intestinal

enteric fever [en'terik 'fi:və^r] *s med* febră tifoidă

enter into ['entər intə] *vi cu prep* 1 a intra în *(amănunte)* 2 a începe *(tratative etc.)*, a se angaja în *(discuții)*, a stabili *(relații etc.)* 3 a înțelege *(sentimentele cuiva)*, a intra în *(sufletul cuiva)* 4 a face parte din, a intra în *(calculele cuiva etc.)*

enteritis [,entə'raitis] *s med* enterită

enterocolitis [,entərəkə'laitis] *s med* enterocolită

enterprise ['entə,praiz] *s* 1 întreprindere *(↓ riscată);* proiect, plan *(↓ îndrăzneț)* 2 inițiativă, spirit întreprinzător 3 *ec* întreprindere, antrepriză 4 *tehn* întreprindere; fabrică, uzină *etc.*

enterprising ['entə,praiziŋ] *adj* întreprinzător, cu inițiativă

entertain [entə'tein] I *vt* 1 a primi, a trata *(oaspeți)* 2 a întreține, a conversa cu; a distra, a amuza 3 *fig* a nutri *(speranțe, sentimente etc.)* II *vr* a se distra, a se amuza; a petrece III *vi* a primi vizite/musafiri

entertainer [,entə'teinə^r] *s* 1 gazdă, amfitrion 2 persoană sociabilă; (bun) povestitor *etc.*; animator *sau* animatoare 3 artist de estradă

entertaining [,entə'teiniŋ] *adj* distractiv, amuzant, antrenant; interesant

entertainment [,entə'teinmənt] *s* 1 ospitalitate; găzduire 2 distracție, amuzament 3 reprezentație, spectacol 4 recepție; banchet

enter upon ['entərə,pon] *vi cu prep* 1 *jur* a lua în stăpânire/posesiune *(cu ac)* 2 a intra în, a începe *(o conversație etc.)*

enthral(l) [in'θrɔ:l] *vt ↓ poetic și fig* a înrobi, – a subjuga

enthral(l)ing [in'θrɔ:liŋ] *adj fig* captivant, minunat

enthral(l)ment [in'θrɔ:lmənt] *s și fig* înrobire, subjugare

enthrone [en'θroun] *vt și fig* a întrona

enthronement [en'θrounmənt] *s* întronare, urcare pe tron

enthuse [in'θju:z] *vt* ← *F* a entuziasma

enthusiasm [in'θju:zi,æzəm] *s* entuziasm, avânt, înflăcărare

enthusiast [in'θju:zi,æst] *s* entuziast

enthusiastic(al) [in'θju:zi'æstik(əl)] *adj* 1 *(d. o primire etc.)* entuziast, înflăcărat 2 *(d. cineva)* entuziasmat, înflăcărat

enthusiastically [in'θju:zi'æstikəli] *adv* cu entuziasm/înflăcărare

enthymeme ['enθi,mi:m] *s log* entimemă

entice [in'tais] *vt* a ispiti, a momi, a ademeni, a amăgi

entice from [in'tais frəm] *vt cu prep* a distrage de la

enticement [in'taismənt] *s* 1 ispitire, momire, ademenire 2 atracție, farmec, seducție

enticer [in'taisə^r] *s* ademenitor, seducător

enticing [in'taisiŋ] *adj* ademenitor, ispititor

entire [in'taiə^r] *adj* 1 întreg, tot, deplin 2 întreg, intact; curat, nealterat 3 *(d. animale)* necastrat, nejugănit

entirely [in'taiəli] *adv* în întregime, complet, cu desăvârșire

entireness [in'taiənis] *s v.* **entirety** 1

entirety [in'taiəti] *s* 1 întregime, totalitate, ansamblu 2 *jur* pământuri în indiviziune

entitle [in'taitəl] I *vt* a intitula, a (de)numi II *vr (d. cineva)* a se intitula, a-și spune, a-și zice *(expert etc.)*

entitled to [in'taitəld tə] I *adj cu prep* îndreptățit la, având drept asupra *(cu gen)* II *adj cu inf* îndreptățit să, având dreptul de a/să

entitle to [in'taitəl tə] I *vt cu prep* a da dreptul la; a da drept asupra *(cu gen)* II *vt cu inf* a îndreptăți să, a da *(cuiva)* dreptul de a/să

entity ['entiti] *s filos* entitate

entoblast ['entou,bla:st] *s biol* endoblast, entoblast

entomb [in'tu:m] *vt și fig* a înmormânta, a îngropa

entomologic(al) [,entəmə'lɒdʒik(əl)] *adj* entomologic

entomologist [,entə'mɒlədʒist] *s* entomolog

entomology [,entə'mɒlədʒi] *s* entomologie

entrails ['entreilz] *s pl* **1** *anat* intestine, măruntaie, *F* → mațe **2** *fig* măruntaie, străfund

entrain [in'trein] **I** *vt* a urca *sau* a încărca în tren **II** *vi* a se urca în tren

entrainment [in'treinmənt] *s* ↓ *ch* antrenare

entrance[1] [in'trɑːns] *vt* **1** a aduce în stare de transă **2** *fig* a vrăji, a fermeca

entrance[2] ['entrəns] *s* **1** intrare, pătrundere; acces; **free** ~ intrare gratuită; **no** ~ intrarea interzisă; **to make one's** ~ a-și face intrarea/apariția **2** (*în serviciu etc.*) **3** intrare; ușă; poartă **4** *teatru* intrare (*pe scenă*) **5** intrare, debut, început **6** *geogr* gură (*a unui râu*) **7** *jur* intrare în posesiune

entrance examination ['entrəns ig,zæmi'neiʃən] *s* examen de intrare/admitere

entrance fee ['entrəns 'fiː] *s* **1** taxă de intrare **2** taxă de admitere (*într-o școală etc.*)

entrancement [in'trɑːnsmənt] *s* **1** aducere în stare de transă **2** transă **3** extaz

entrance visa ['entrəns 'viːzə] *s* viză de intrare

entrancing [in'trɑːnsiŋ] *adj* fermecător, încântător, desfătător; fascinant

entrant ['entrənt] *s* **1** candidat; concurent **2** nou angajat **3** nou venit

entrap [in'træp] *vt și fig* a prinde în capcană/cursă

entreat [in'triːt] *vt* a ruga fierbinte/stăruitor, a implora

entreatingly [in'triːtiŋli] *adv* rugător, stăruind fierbinte

entreaty [in'triːti] *s* rugăminte stăruitoare

entrecôte [ãtrə'koːt] *s fr* antricot

entrée [ãtrei] *s fr* **1** intrare, acces; dreptul de a intra **2** antreu, gustare (*după pește și înaintea felului principal – la mese festive*) **3** *amer* felul principal de mâncare

entrench [in'trentʃ] **I** *vt* **1** *mil* a îngropa la teren **2** *mil* a întări (↓ *cu tranșee*) **3** *fig* a întări; a apăra, a proteja **II** *vr* **1** *mil* a se îngropa *sau* a se consolida la teren **2** *fig* a se ascunde (*ca să nu fie observat – după un ziar etc.*)

entrenched [in'trentʃt] *adj* **1** *mil* prevăzut cu tranșee; fortificat **2** *fig* (*d. tradiții etc.*) adânc înrădăcinat; vechi; cu trecut

entrenchment [in'trentʃmənt] *s* **1** *mil* tranșee; șanț **2** *mil* îngropare la teren **3** *mil* consolidare, fortificare **4** ← *înv* încălcare; abuz; **it was an** ~ **upon their rights** a fost o încălcare/o uzurpare a drepturilor lor

entrepreneur [ʌntrəprə'nəː] *s fr* **1** antreprenor **2** impresar

entresol [,ʌntrə'sɔl] *s constr* mezanin

entropy ['entrəpi] *s fiz* entropie

entrust to [in'trʌst tə] *vt cu prep* a încredința (*ceva*) *cu dat*, a da/a lăsa în seama *cu gen*

entrust with [in'trʌst wið] *vt cu prep* a încredința (*cuiva*) (*ceva*), a da/a lăsa (*ceva*) în seama (*cuiva*)

entry ['entri] *s* **1** intrare, acces; pătrundere; ivire, apariție **2** intrare; ușă, poartă *etc.*; trecere; punct de trecere **3** antreu, vestibul **4** înscriere, înregistrare **5** articol de dicționar **6** *ec* post, articol (contabil) **7** *geogr* gură (*a unui râu*) **8** *teatru* intrare (pe scenă) **9** *sport etc.* listă, tablou nominal **10** *jur* intrare în posesiune

entwine [in'twain] **I** *vt* **1** a împleti, a încolăci **2** a îmbrățișa, a cuprinde cu brațele **3** *fig* a îmbina **II** *vi* a se împleti, a se încolăci

entwist [in'twist] *vt* a suci, a răsuci; a împleti

enumerable [i'njuːmərəbəl] *adj mat* numărabil, enumerativ

enumerate [i'njuːmə,reit] *vt* a enumera, a înșira

enumeration [i,njuːmə'reiʃən] *s* enumerare, înșirare

enunciate [i'nʌnsi,eit] *vt* a enunța, a formula

enunciation [i'nʌnsi,eiʃən] *s* enunțare, formulare

envelop [in'veləp] *vt* **1** a înveli, a înfășura **2** *fig* a învălui, a cuprinde **3** *mil* a învălui, a încercui; a împresura

envelope ['envə,loup] *s* **1** plic **2** înveliș, învelitoare; copertă **3** *bot* păhăruș, perigon

envelopment [in'veləpmənt] *s* **1** învelire, înfășurare **2** înveliș

envenom [in'venəm] *vt* **1** a otrăvi (*mâncarea*) **2** *fig* a învenina, a înrăi

envenomed [in'venəmd] *adj* **1** otrăvit **2** *fig* înveninat, otrăvit; veninos

enviable ['enviəbəl] *adj* demn de invidiat

enviably ['enviəbli] *adv* cu invidie

envious ['enviəs] *adj* invidios, pizmaș; ~ **of her beauty** invidios pe frumusețea ei

enviousness ['enviəsnis] *s* invidie, pizmă

environ [in'vairən] *vt* a înconjura, a încinge; a împresura

environment [in'vairənmənt] *s* **1** înconjurare; împresurare **2** împrejurimi, preajmă **3** mediu, ambianță; *fig* atmosferă

environmental [in,vairən'mentəl] *adj* ambiant, înconjurător, de anturaj

environmentalist [in,vairən'mentə,list] *s* **1** ecolog **2** persoană care luptă împotriva poluării mediului

environs [in'vairənz] *s pl* împrejurimi, vecinătate; suburbii

envisage [in'vizidʒ] *vt* **1** a considera, a vedea **2** a prevedea, a preconiza

envoy ['envoi] *s* **1** *pol* trimis, reprezentant; sol, mesager **2** agent (diplomatic)

envoy extraordinary ['envoi iks'trɔːdinəri] *s pol* trimis plenipotențiar

envy ['envi] **I** *s* **1** (**of**) invidie, pizmă (față de) **2** obiect al invidiei **II** *vt* a invidia, a pizmui

envyingly ['enviiŋli] *adv* cu invidie

enwall [in'wɔːl] *vt* a împrejmui cu un zid *sau* cu un perete

enwrap [in'ræp] *vt* **1** a înveli, a înfășura, a împacheta **2** *fig* a ascunde, a tăinui

enzyme ['enzaim] *s ch* enzimă, ferment

Eocene [iːou,siːn] *s geol* eocen

eolithic [,iːou'liθik] *adj geol* eolitic

eon ['iːən] *s* eon

Eos ['iːɔs] *mit*

Epaminondas [e,pæmi'nɔndæs] *general teban* Epaminonda (*418?-362 î.e.n.*)

eparchy ['epaːki] *s bis* eparhie

epaulet(te) ['epə,let] *s mil* epolet

épée ['epei] *s fr* floretă (*la duelat*)

epeirogenetic [i,pairoudʒi'netik] *adj geol* epirogenetic

epenthesis [e'penθisis] *s lingv* epenteză

epenthetic [,epen'θetik] *adj lingv* epentetic

ephebe [i'fiːb] *s* efeb

ephemera [i'femərə], *pl* **ephemerae** [i'feməri:] *s ent* efemeră

ephemeral [i'femərəl] *adj fig* efemer, trecător

ephemerality [i,femər'æliti] *s* caracter trecător, vremelnicie

ephemerally [i'femərəli] *adv* (în mod) efemer

ephemeridae [,efi'meridi:] *s pl ent* efemeride

ephemerides [,efi'meri,di:z] *s pl astr* efemeride

Ephesus ['efisəs] *vechi oraş în Asia Mică* Efes

epi- *pref* epi-: **epidemic** epidemic

epic ['epik] *lit* **I** *adj* epic; eroic **II** *s* poem epic; epopee

epical ['epikəl] *adj v.* **epic I**

epically ['epikəli] *adv* **1** din punct de vedere epic **2** ca într-o epopee

epicarp ['epi,kɑ:p] *s bot* epicarp

epicene ['epi,si:n] **I** *adj* **1** hermafrodit **2** *fig* nedefinit, neprecis **3** *gram* epicen **II** *s* hermafrodit

epicentre ['epi,sentə'] *s geol* epicentru

epicentrum ['epi,sentrəm], *pl* **epicentra** ['epi,sentrə] *s geol* epicentru

epicheirema [,epikai'ri:mə], *pl* **epicheiremata** [,epikai'ri:mətə] *s filos* epicheremă

Epictetus [,epik'ti:təs] *filosof grec* Epictet *(sec. I)*

epicure ['epi,kjuə'] *s filos şi fig* epicurian; gurmand; sibarit

Epicurean [,epikju'ri:ən] **I** *adj* **1** *filos* epicurian **2** *fig* senzual; voluptos **II** *s v.* **epicure**

epicureanism [,epikju'ri:ənizəm] *s filos* epicurism

Epicurus [,epi'kjuərəs] *filosof grec* Epicur *(342?-270 î.e.n.)*

epicyle ['epi,saikəl] *s astr* epiciclu

epidemic [,epi'demik] *med* **I** *adj* epidemic **II** *s* epidemie

epidemiology [,epi,di:mi'ɔlədʒi] *s med* epidemiologie

epidermal [,epi'də:məl] *adj anat* epidermic

epidermis [,epi'də:mis] *s anat* epidermă

epidiascope [,epi'daiə,skoup] *s fiz* epidiascop

epigastric [,epi'gæstrik] *adj anat* epigastric

epigastrium [,epi'gæstriəm] *s anat* epigastru

epigenesis [,epi'dʒenisis] *s biol* epigeneză

epiglottis [,epi'glɔtis] *s anat* epiglotă

epigone ['epi,goun] *s lit* epigon

epigram ['epi,græm] *s* **1** epigramă **2** sentenţă; maximă

epigrammatic [,epigrə'mætik] *adj* epigramatic

epigrammatically [,epigrə'mætikəli] *adv* **1** aforistic **2** în stilul epigramelor

epigrammatist [,epi'græmətist] *s* epigramist

epigraph ['epi,grɑ:f] *s* **1** epigraf **2** citat **3** motto

epigraphic [,epi'græfik] *adj* epigrafic

epigraphy [i'pigrəfi] *s* epigrafie

epilepsy [epi,lepsi] *s med* epilepsie

epileptic ['epi,leptik] *adj, s med* epileptic

epilogue ['epi,lɔg] *s lit şi fig* epilog, încheiere

Epiphany [i'pifəni] *s rel* **1** Bobotează; Noaptea regilor **2** e~ epifanie, manifestare divină

epiphenomenon [,epifi'nɔminɔn], *pl* **epiphenomena** [,epifi'nɔminə] *s med, filos* epifenomen

epiphysis [i'pifisis] *s anat* epifiză

epiphyte ['epi,fait] *s bot* epifit

Epirus [i'paiərəs] *od, regiune în Grecia* Epir

episcopacy [i'piskəpəsi] *s bis* **1** episcopat, episcopi **2** conducerea bisericii de către episcopi

episcopal [i'piskəpəl] *adj bis* episcopal, de episcop

Episcopal Church, the [i'piskəpəl 'tʃə:tʃ, ði] *s rel* biserica episcopală *(din Anglia)*

episcopalian [i,piskə'peiliən] *adj bis* episcopal

episode ['epi,soud] *s* episod; întâmplare

episodic(al) [,epi'sɔdik(əl)] *adj* episodic; ocazional, întâmplător

episodically [,epi'sɔdikəli] *adv* (în mod) episodic

epistemology [i,pisti'mɔlədʒi] *s filos* epistemologie

epistle [i'pisəl] *s* epistolă; scrisoare

epistolary [i'pistələri] *adj* epistolar

epistyle ['epi,stail] *s arhit* epistil

epitaph ['epi,tɑ:f] *s* epitaf

epithalamium [,epiθə'leimiəm] *s* epitalam, cântec *sau* poem nupţial

epithelium [,epi'θi:liəm], *pl şi* **epithelia** [,epi'θi:liə] *s anat* epiteliu

epithet ['epi,θet] *s* epitet; calificativ; poreclă

epitome [i'pitəmi] *s* sumar, rezumat

epitomize [i'pitə,maiz] *vt* a rezuma, a condensa; a conspecta

epizootic [,epizou'ɔtik] *s vet* epizootie

epoch ['i:pɔk] *s* epocă; perioadă; ev

epochal ['ep,ɔkəl] *adj* epocal

epoch-making ['i:pɔk'meikiŋ] *adj* epocal, istoric

epode ['epoud] *s lit* epodă

eponym ['epənim] *s lingv* eponim

eponymus ['i:pɔniməs] *adj lit* eponim

epopee ['epou,pi:] *s lit* epopee; poem epic

epos ['epɔs] *s v.* **epopee**

Epsom salts ['epsəm ,sɔ:lts] *s pl ca sg ch* sare amară

eq. *presc de la* **1 equal 2 equivalent 3 equator 4 equation**

equability [,ekwə'biliti] *s* **1** simetrie, uniformitate; echilibru **2** *fig* echilibru, măsură; calm

equable ['ekwəbəl] *adj* **1** simetric; uniform; regulat; echilibrat **2** *fig* echilibrat, cumpănit; calm, liniştit

equal [i:kwəl] **I** *adj* **1** egal; acelaşi; asemenea; ~ **rights** drepturi egale; **on an ~ footing** pe picior de egalitate **2** egal, echivalent, corespunzător **3** egal; echilibrat; uniform **4** *(d. fire)* liniştit, calm, echilibrat, ponderat; egal **5** imparţial, nepărtinitor **II** *s* egal; pereche; **she has no~** nu are egal/pereche **III** *vt* a egala, a fi egal cu; a se compara cu

equalitarian [i,kwɔli'tɛəriən] *adj* egalitar; egalitarist

equalitarianism [i,kwɔli'tɛəriənizəm] *s pol* egalitarism

equality [i'kwɔliti] *s* egalitate

equalization [,i:kwəlai'zeiʃən] *s* **1** egalizare; egalare; nivelare **2** *mat* punere în ecuaţie

equalize ['i:kwə,laiz] **I** *vt* **1** (**with, to**) a face egal, a aduce la acelaşi nivel (cu) **2** a egaliza, a nivela **II** *vi sport etc.* a egala

equalizer ['i:kwə,laizə'] *s* **1** *tehn* contrabalansier **2** *el* egalizator **3** *sport* gol egalizator **4** *s* pistol, revolver

equally ['i:kwəli] *adv* **1** deopotrivă, în egală măsură, la fel **2** la fel de, tot atât de, nu mai puţin *(atrăgător etc.)* **3** de asemenea, şi **4** (în mod) egal, uniform

equal to ['i:kwəl tə] *adj cu prep* **1** capabil/apt de, în stare de; la înălţimea *cu gen;* corespunzător *cu dat* ; **he is not ~ the task** nu este la înălţimea însărcinării; ~ **the occasion** la înălţimea situaţiei **2** dornic de, care nu are nimic împotriva *(unui pahar de vin etc.)*

equanimity [,i:kwə'nimiti] *s* sânge rece; indiferenţă, nepăsare; calm, stăpânire de sine

equanimous [i:'kwæniməs] *adj* cu sânge rece; indiferent, nepăsător; calm, netulburat

equate [i'kweit] *vt* **1** (**with, to**) a egal(iz)a (cu); a pune pe picior de egalitate (cu) **2** *mat* a pune în ecuaţie

equation [i'kwei∫ən] *s* **1** egal(iz)are **2** echilibru **3** *mat* ecuaţie

equator [i'kweitə^r] *s* ecuator

equatorial [,ekwə'tɔ:riəl] **I** *adj* ecuatorial; foarte fierbinte **II** *s astr* ecuatorial

equatorial doldrums [,ekwə'tɔ:riəl 'dɔldrəmz] *s pl* calm ecuatorial

equerry [i'kweri] *s* **1** *od* mare comis **2** ← *înv* grajduri regale **3** *înv* rândaş **4** ofiţer al palatului

equestrian [i'kwestriən] *adj* ecvestru

equidistance [,i:kwi'distəns] *s mat* echidistanţă

equidistant [,i:kwi'distənt] *adj mat* echidistant

equilateral [,i:kwi'lætərəl] *adj mat* echilateral

equilibrate [,i:kwi'laibreit] *vt* a echilibra; a menţine echilibrul *(cu gen)*

equilibrist [i:'kwilibrist] *s* echilibrist

equilibrium [,i:kwi'libriəm] *s* echilibru

equine ['ekwain] *adj* cabalin, hipic

equinoctial [,i:kwi'nɔk∫əl] **I** *adj* echinocţial **II** *s* **1** linie echinocţială **2** *pl* furtuni echinocţiale

equinoctial line [,i:kwi'nɔk∫əl 'lain] *s* linie echinocţială

equinox ['i:kwi,nɔks] *s astr* echinocţiu

equip [i'kwip] *vt* **1** (**with**) a echipa, a înzestra (cu); a utila (cu) **2** (**with**) *fig* a echipa, a înzestra, a prevedea (cu) **3** a echipa, a îmbrăca

equipage ['ekwipidʒ] *s* **1** echipare, înzestrare **2** *mil etc.* echipament **3** *nav* greement, tachelaj **4** trăsură de gală, echipaj

equipment [i'kwipmənt] *s* **1** *mil etc.* echipare; echipament **2** *tehn* utilaj; instalaţie *sau* instalaţii **3** *ferov* material rulant

equipoise ['ekwipɔiz] **I** *s* **1** şi *fig* echilibru **2** contragreutate **II** *vt* şi *fig.* a echilibra, a cumpăni; a contrabalansa

equipped [i'kwipt] *adj* echipat, înzestrat, utilat

equitable ['ekwitəbəl] *adj* echitabil, drept, just

equitableness ['ekwitəbəlnis] *s* echitate

equitably ['ekwitəbli] *adv* (în mod) echitabil

equitation [,ekwi'tei∫ən] *s* echitaţie

equity ['ekwiti] *s* **1** echitate, dreptate **2** *jur* lege nescrisă; drept natural **3** imparţialitate, nepărtinire **4** *pl fin* dividende

equivalence [i'kwivələns] *s* echivalenţă, corespondenţă

equivalent [i'kwivələnt] *adj, s* echivalent

equivalently [i'kwivələntli] *adv* în mod echivalent

equivocal [i'kwivəkəl] *adj* **1** echivoc, ambiguu; evaziv **2** nesigur, îndoielnic

equivocally [i'kwivəkəli] *adv* ambiguu; în doi peri

equivocate [i'kwivə,keit] *vi* a vorbi în mod echivoc *sau* evaziv; a se sustrage

equivocation [i,kwivə'kei∫ən] *s* echivoc

er [ə:^r] *interj (exprimă o uşoară ezitare în vorbire)*

-er *suf* -or, -oare *etc.:* **dancer** dansator *sau* dansatoare; **drawer** sertar

era ['iərə] *s* eră; epocă

eradiate [i'reidieit] *vi* a iradia; a străluci

eradiation [i,reidi'ei∫ən] *s* iradiere, strălucire

eradicable [i'rædikəbəl] *adj* eradicabil, care poate fi eradicat

eradicate [i'rædi,keit] *vt* şi *fig* a stârpi, a eradica

eradication [i,rædi'kei∫ən] *s* şi *fig* stârpire, eradicare

eradicator [i'rædi,keitə^r] *s* preparat *sau* substanţă care elimină/ şterge *(petele etc.)*

erase [i'reiz] *vt* **1** a rade, a răzui, a şterge *(cu guma etc.)* **2** *fig* a şterge, a îndepărta *(din memorie etc.)*

erasement [i'reizmənt] *s* **1** radere, ştergere **2** *fig* ştergere, îndepărtare

eraser [i'reizə^r] *s* gumă, radieră

erasion [i'reiʒən] *s* **1** *v.* **erasement** **1 2** cuvânt şters

Erasmus [i'ræzməs], **Desiderius** *umanist olandez (1466-1536)*

erasure [i'reiʒə^r] *s* ştersătură, răzătură, răsătură

Erato ['erə,tou] *mit*

Eratosthenes [,erə'tɔsθi'ni:z] *matematician grec,* Eratostene *(sec. III î.e.n.)*

erbium ['ə:biəm] *s ch* erbiu

ere [ɛə^r] *poetic, înv* **I** *prep (temporală)* înaintea *(cu gen)*, înainte de; ~**long** în scurtă vreme, peste puţin timp **II** *conj* înainte ca/de a **III** *adv* mai înainte, mai de mult

Erebus ['eribəs] *mit*

erect [i'rekt] **I** *adj* **1** drept, vertical; în picioare; *(d. păr)* ridicat, măciucă; *(d. cap etc.)* ridicat, înălţat, sus; *(d. coadă)* bârzoi **2** *fig* neclintit; ţanţoş, mândru **3** vigilent, atent **II** *vt* **1** a ridica, a construi, a clădi **2** *tehn* a monta; a asambla **3** *fig* a ridica, a înălţa *(capul etc.)* **4** *fig* a stabili, a construi *(o teorie etc.)* **5** a încuraja, a îmboldi; a da ghes *(cuiva)*

erectile [i'rektail] *adj fizl* erectil

erectly [i'rektli] *adv* drept; vertical

erectness [i'rektnis] *s* poziţie verticală/dreaptă

erector [i'rektə^r] *s constr* constructor

eremite [,eri'mait] *s* pustnic, ermit, schimnic

eremitic(al) [,eri'mitik(əl)] *adj* de pustnic/sihastru

erg [ə:g] *s fig* erg

ergo ['ə:gou] *adv lat* ergo, prin urmare

ergon ['ə:gən] *s fiz* ergon

ergonomics [,ə:gə'nɔmiks] *s pl ca sg amer* ergonomie, biotehnologie

ergot [ə:gət] *s bot* corn de secară *(Claviceps purpurea)*

ergotism ['ə:gə,tizəm] *s* **1** ergotism, mania de a sâcâi **2** *med* ergotism, intoxicaţie cu ergotină

Eric ['erik] *nume masc*

Erie ['iəri] *lac şi canal în S.U.A.*

Erin ['iərin] *poetic* Erin, – Irlanda *(ţară, insulă)*

Erinyes [i'rini,i:z] *mit* erinii, furii

Eritrea [,eri'treiə] *od ţară, azi parte din Etiopia*

Erivan [‚eri'vʌn] *capitala Armeniei* Erevan

ermine ['ə:min] *s* 1 *zool* hermină, cacom *(Mustela erminea)* 2 (blană de) hermină

Ernest ['ə:nist] *nume masc*

Ernestine ['ərnə‚sti:n] *nume fem* Ernestina

erode [i'roud] *vt* a eroda, a roade

erode away [i'roud ə'wei] *vi cu part adv* a se eroda, a se roade

erogenous [i'rɔdʒinəs] *adj* 1 excitabil 2 erotic

Eros ['iərɔs] *mit, astr*

erosion [i'rouʒən] *s* 1 roadere; distrugere 2 *geol* eroziune

erosive [i'rousiv] *adj* 1 care roade; care distruge 2 *geol* eroziv

erotic [i'rɔtik] I *adj* erotic; amoros II *s* 1 erotism 2 poezie erotică 3 senzual, persoană senzuală

erotically [i'rɔtikəli] *adv* din punct de vedere erotic *sau* senzual

eroticism [i'rɔtisizəm] *s* erotism

erotomania [i‚rotou'meiniə] *s* erotomanie

erotomaniac [i‚rotou'meniæk] *s* erotoman

err [ə:ʳ] *vi* 1 a greși, a face o eroare *sau* erori 2 *fig* a greși, a păcătui

errancy ['erənsi] *s* ← *elev* 1 greșeală, rătăcire 2 tendință de a greși/păcătui

errand ['erənd] *s* 1 comision, însărcinare; **to run (on) an ~** a îndeplini un comision 2 scop; misiune; solíe; **what is your ~?** ce te aduce aici?

errand boy ['erənd 'bɔi] *s* curier; comisionar

errant ['erənt] *adj* 1 rătăcitor, pribeag, călător 2 neregulat, care se abate de la normă 3 *fig* aventurier 4 neascultător, nesupus 5 care greșește, vinovat

errata [i'ra:tə] *pl de la* **erratum**

erratic [i'rætik] I *adj* 1 (*d. viață etc.*) dezordonat, neregulat 2 (*d. comportare etc.*) straniu, ciudat; schimbător 3 rătăcitor, pribeag 4 *geol* eratic II *s* 1 (om) original, excentric 2 *geol* bloc eratic

erratically [i'rætikəli] *adv* (în mod) schimbător; neregulat

erratic block [i'rætik 'blɔk] *s v.* **erratic** II 2

erratum [i'ra:təm], *pl* **errata** [i'ra:tə] *s* erată

erring ['ə:riŋ] *adj* 1 care greșește 2 *v.* **erroneous**

erroneous [i'rouniəs] *adj* eronat, greșit; fals

erroneously [i'rouniəsli] *adv* 1 greșit, eronat; fals 2 din greșeală

erroneousness [i'rouniəsnis] *s* caracter eronat; falsitate

error ['erəʳ] *s* 1 eroare, greșeală 2 greșeală, păcat 3 abatere, deviere

ersatz ['ɛəzæts] *s germ* erzaț, surogat

Erse [ə:s] *s* 1 vechea limbă irlandeză 2 limba gaelică din Highlands (*Scoția*)

Erskine ['ə:skin], **John** *romancier american (1879-1951)*

erstwhile ['ə:st‚wail] *adv* ← *înv* odinioară, altădată; demult

eructate [i'rʌkteit] *vi* 1 a râgâi; a vărsa 2 (*d. vulcani*) a erupe

eructation [i‚rʌk'teiʃən] *s* 1 râgâială; vărsătură 2 erupție (*vulcanică*)

erudite ['eru‚dait] *adj, s* erudit, învățat

erudition [‚eru'diʃən] *s* erudiție, învățătură

erupt [i'rʌpt] *vi* 1 (*d. vulcani etc.*) a erupe 2 (*d. boli, războaie etc.*) a izbucni 3 (*d. o eczemă*) a erupe 4 (*d. dinți*) a ieși 5 *fig* a izbucni, a țâșni

eruptive [i'rʌptiv] *adj* 1 *geol, med* eruptiv 2 *fig* eruptiv, gata să izbucnească

Erwin ['ə:rwin] *nume masc*

-ery *suf* -erie, -ie, -ură *etc.*: **bravery** bravură; **lottery** loterie

erysipelas [‚eri'sipiləs] *s med* erizipel, P→ brâncă

escadrille [‚eskə'dril] *s nav* escadră (*de cel mult 8 vase*)

escalade [‚eskə'leid] I *s* 1 escaladare 2 *mil od* luare cu asalt II *vt* 1 și *fig* a escalada 2 *mil od* a lua cu asalt

escalate ['eskə‚leit] I *vt* a extinde, a ascuți, a spori (*un conflict etc.*) II *vi* a se extinde, a se ascuți, a se înteți

escalation [‚eskə'leiʃən] *s* extindere, întețire; sporire; creștere (*a prețurilor etc.*)

escalator ['eskə‚leitəʳ] *s* escalator, scară rulantă

escapable [is'keipəbəl] *adj* care poate fi evitat

escapade [‚eskə'peid] *s* escapadă; ștrengărie

escape [is'keip] I *vi* 1 (**from**) a scăpa, a fugi (din) 2 a-i scăpa (*cuiva*); **his name ~s me** numele lui îmi scapă 3 (*d. cuvinte etc.*) a scăpa, a rosti fără voie II *vt* a scăpa de, a se descotorosi/a se debarasa de III *s* 1 scăpare; fugă; evadare; **to have a narrow ~** a scăpa ca prin urechile acului 2 scurgere, pierdere 3 *tehn* eșapament; evacuare

escapee [i‚skei'pi:] *s* evadat

escape ladder [is'keip 'lædəʳ] *s* scară de salvare *sau* incendiu

escapeless [is'keiplis] *adj* 1 inevitabil 2 fără ieșire

escapement [is'keipmənt] *s* 1 *v.* **escape** III 1-3 2 canal de scurgere

escape steam [is'keip sti:m] *s tehn* abur de eșapament

escape valve [is'keip ‚vælv] *s tehn* supapă de evacuare

escapism [i'skeipizəm] *s și lit* escapism, fugă de realitate

escapist [i'skeipist] *s lit* escapist

escarp [i'ska:p] *s mil* escarpă

escarpment [i'ska:pmənt] *s* 1 coastă, povârniș 2 *mil* escarpă

-escence *suf* -esc; -scență; **opalescence** opalescență

-escent *suf* -esc; -ent: **convalescent** convalescent

eschatology [‚eskə'tɔlədʒi] *s filos* escatologie

escheat [is'tʃi:t] *vt jur* a confisca; a întoarce (*o proprietate*) donatorului

eschew [is'tʃu:] *vt* a evita, a ocoli, a se feri de

eschewal [is'tʃu:əl] *s* evitare, ocolire

escort I ['eskɔ:t] *s* 1 escortă; pază 2 însoțitor; cavaler II [is'kɔ:t] *vt* 1 a escorta; a duce sub escortă 2 *fig* a însoți

escritoire [‚eskri'twa:ʳ] *s fr* birou, masă de scris

esculent ['eskjulənt] *adj* comestibil

escutcheon [i'skʌtʃən] *s* 1 blazon, armorie 2 *arhit* șild

-ese [i:z] *suf* -ez; -eză *etc.*: **Japanese** japonez; japoneză

Eskimo ['eski‚mou], *pl* **Eskimoes** ['eski‚mouz] *s* 1 eschimos 2 limba eschimosă

esophagus [i'sofəgəs], *pl* **esophagi** [i'sofədʒai] *s anat* esofag

esoteric [‚esou'terik] *adj* 1 ezoteric 2 (*d. cineva*) inițiat 3 secret, tainic; confidențial

ESP *presc de la* **extrasensory perception**

esp. *presc de la* **especially**

espalier [i'spæljəʳ] *s fr* spalier

esparto (grass) [e'spɑːtou ('grɑːs)] *s bot* alfa *(Stipa tenacissima etc.)*

especial [i'speʃəl] *adj* ← *elev* special, deosebit

especially [i'speʃəli] *adv* mai ales, îndeosebi, în special

Esperanto [ˌespə'ræntou] *s* (limba) esperanto

espial [i'spaiəl] *s* **1** urmărire; spionare **2** observare; descoperire

espionage [ˌespiə'nɑːʒ] *s* spionaj

esplanade [ˌesplə'neid] *s* esplanadă

espousal [i'spauzəl] *s și la pl* **1** logodnă **2** nuntă

espousal of [i'spauzəl əv] *s cu gen* îmbrățișare a *(unei cauze etc.)*; subscriere la

espouse [i'spauz] *vt* **1** a se însura cu; a se căsători cu **2** *fig* a îmbrățișa, a adopta *(o idee etc.)*; a se dedica *(cu dat)*

espresso [e'spresou] *s* cafea expres

esprit de corps [e'spriː də'kɔː] *s fr* spirit de solidaritate; spirit de castă

espy [i'spai] *vt* a zări; a descoperi; ← *elev* a zări (în depărtare), a desluși, a distinge

Esq. *presc de la* **Esquire** domnului... *(mai formal decât Mr, în adresa de pe plic)*

esquire [i'skwaiəʳ] *s v.* **Esq.**

-ess *suf al substantivelor feminine* -esă, -easă *etc.*; **seamstress** cusătoreasă; **stewardess** stevardesă; **actress** actriță

essay [esei] **I** *s* **1** încercare, tentativă **2** *lit* eseu **3** lucrare; teză **4** experiență, probă **II** *vt* **1** a încerca *(ceva)* **2** a supune unei încercări/probe; a verifica

essayist [eseist] *s lit* eseist

essence [esəns] *s* **1** esență, ființă; miez, substanță; **in~** în esență **2** extract; parfum

essential [i'senʃəl] **I** *adj* **1** esențial, vital, fundamental **2** absolut, extrem **3** volatil, eteric **II** *s* **1** esență, substanță; lucru esențial; parte esențială; bază **2** *pl* lucruri de primă necesitate

essentiality [iˌsenʃi'æliti] *s* esență, caracter esențial

essentially [i'senʃəli] *adv* **1** în esență/fond **2** în primul rând, mai presus de toate

essential oil [i'senʃəl 'ɔil] *s ch* ulei eteric/volatil

Essex ['esiks] *comitat în Anglia*

est. *presc de la* **1** established **2** estimate

establish [i'stæbliʃ] **I** *vt* **1** a stabili, a pune, a așeza **2** a organiza **3** a instala, a plasa *(pe cineva într-o funcție etc.)* **4** a stabili, a statornici, a consacra *(o tradiție etc.)* **5** a întemeia, a fonda; a pune bazele *(cu gen)*; a constitui *(un comitet etc.)* **6** a stabili, a demonstra, a dovedi **II** *vr (d. cineva)* a se stabili, a se instala

established [i'stæbliʃt] *adj* **1** stabilit, demonstrat, dovedit **2** stabilit, existent, consacrat; intrat în uz **3** recunoscut, admis; atestat **4** (bine) cunoscut

Established Church, the [i'stæbliʃt 'tʃəːtʃ, ði] *s* biserica de stat din Anglia

establishment [i'stæbliʃmənt] *s* **1** stabilire, așezare **2** organizare **3** instalare, plasare **4** stabilire, statornicire; consacrare **5** întemeiere, fondare; constituire **6** venit, încasări; salariu, leafă **7** stabiliment **8** instituție; întreprindere **9** schemă *(a personalului)* **10** gospodărie; locuință **11** the E~ biserica oficială *(în Anglia)* **12** the E~ ↓ *peior* cercurile conducătoare/guvernante

estaminet [estʌmi'ne] *s fr* bistrou; local *(mic)*

estate [i'steit] *s* **1** *pol* clasă (socială), stare **2** avere, proprietate, bunuri; moșie **3** stare, condiție

estate agent [i'steit 'eidʒənt] *s* **1** administrator de moșie **2** agent de vânzări și cumpărări de bunuri imobile

estate car [i'steit ˌkɑː] *s auto* mașină „station"/„break"

Estates General, the [i'steits 'dʒenərəl, ði] *s ist* Statele Generale

esteem [i'stiːm] **I** *s* stimă, considerație **II** *vt* **1** a stima, a respecta; a prețui **2** a considera, a socoti *(drept o favoare etc.)*

Estella [es'telə] *nume fem*

ester ['estəʳ] *s ch* ester

Esther ['estəʳ] *nume fem* Estera

esthete ['iːsθiːt] *etc. v.* **aesthete** *etc.*

Esthonia [e'stouniə] Estonia

Esthonian [e'stouniən] **I** *adj* eston **II** *s* **1** eston **2** (limba) estonă

estimable ['estiməbəl] *adj* **1** demn de stimă/respect **2** apreciabil; care se poate aprecia *etc.*

estimate I ['estimit] *s* **1** evaluare, apreciere, prețuire **2** sumă, total *etc.* evaluat **3** părere, opinie **4** *ec* deviz **II** ['estiˌmeit] *vt* a estima, a aprecia

estimation [ˌesti'meiʃən] *s* **1** apreciere, evaluare **2** calcul, socoteală **3** părere, opinie, apreciere **4** respect, stimă; **to hold in ~** a stima, a respecta

estimative ['estimeitiv] *adj* estimativ

estimator ['estiˌmeitəʳ] *s* estimator

estival [i'staivəl] *adj* estival, de vară

Estonia [e'stouniə] *v.* **Esthonia**

Estonian [e'stouniən] *adj, s v.* **Esthonian**

estrade [is'trɑːd] *s* **1** estradă **2** loc ridicat

estrange [i'streindʒ] *vt* (**from**) a îndepărta (de, de la), a înstrăina (de)

estrangement [i'streindʒmənt] *s* (**from**) înstrăinare (de); răcire *(a relațiilor etc.)*

estuary ['estjuəri] *s geogr* estuar

-et *suf* -et *etc.*: **ballet** balet; **floweret** floricică

et al. *presc de la* **et alii** și alții, ș.a.

etamine ['etəˌmiːn] *s text* etamină

etc. *presc de la* **et c(a)etera**

et c(a)etera [it 'setrə] *lat etc.*, etc(a)etera

etch [etʃ] *vt, vi* a grava; a băițui

etcher ['etʃəʳ] *s* gravor

etching ['etʃiŋ] *s* **1** gravare; băițuire **2** gravură

eternal [i'təːnəl] **I** *adj* **1** etern, veșnic; neschimbat **2** *F* veșnic, interminabil **II** *s* the E~ Cel Veșnic, Dumnezeu

eternality [ˌiːtəː'næliti] *s* caracter etern *(al unui adevăr etc.)*

eternalize [i'təːnəˌlaiz] *vt* a imortaliza, *poetic* → a înveșnici

eternally [i'təːnəli] *adv* veșnic; mereu

eternal triangle, the [i'təːnəl 'traiˌæŋgəl, ði] *s fig* veșnicul triunghi

eternity [i'təːniti] *s* eternitate, veșnicie

Etesian winds [i'tiːʒiən ˌwindz] *s pl* vânturi eteziene

ethane ['iːθein] *s ch* etan

Ethel ['eθəl] *nume fem*

Ethelbert ['eθəl,bə:t] *rege al Kentului (552?-616)*

Ethelred ['eθəl,red] *rege al Angliei (968?-1016)*

ether ['i:θəʳ] *s ch, fiz* eter

ethereal [i'θiəriəl] *adj* **1** *ch, fiz* eteric **2** *fig* eteric; aerian; diafan

etherealize [i'θiəriə'laiz] *vt ch, fig* a eteriza; *fig* a face uşor

etherize ['i:θə,raiz] *vt* **1** *med* a narcotiza cu eter **2** *ch* a eteriza

ethic(al) ['eθik(əl)] *adj* etic, moral

ethically ['eθikəli] *adv* din punct de vedere moral/etic

ethics ['eθiks] *s pl ca sg* etică, morală

Ethiopean [,i:θi'oupiən] **I** *adj* etiopian, abisinian **II** *s* **1** etiopian, abisinian **2** (limba) etiopiană

Ethiopia [,i:θi'oupiə] Etiopia, Abisinia

ethnic(al) ['eθnik(əl)] *adj* **1** etnic **2** *amer* exotic

ethnically ['eθnikəli] *adv* din punct de vedere etnic

ethnogeography [,eθnoudʒi'ografi] *s* etnogeografie, geografie etnografică

ethnographer [,eθ'nɔgrəfəʳ] *s* etnograf

ethnographic(al) [,eθnɔ'græfik(əl)] *adj* etnografic

ethnographically [,eθnɔ'græfikəli] *adv* din punct de vedere etnografic

ethnographist [,eθ'nɔgrəfist] *s* etnograf

ethnologist [,eθ'nɔlədʒist] *s* etnolog

ethnology [,eθ'nɔlədʒi] *s* etnologie

ethos ['i:θɔs] *s* etos

ethyl ['i:θail] *s ch* etil

ethylene ['eθi,li:n] *s ch* etilenă

etiolate ['i:tiou,leit] *vt* **1** *bot* a etiola **2** a îngălbeni, a face să pălească; a îmbolnăvi, a slăbi

etiolated [,i:tiou'leitid] *adj* **1** *bot* etiolat **2** palid, galben, îngălbenit

etiolation [,i:tiou'leiʃən] *s bot* etiolare

etiological [,i:tiə'lɔdʒikəl] *adj* etiologic

etiology [,i:ti'ɔlədʒi] *s* etiologie

etiquette ['eti,ket] *s* (norme de) etichetă

Etna, the ['etnə, ði] *munte în Sicilia*

Eton ['i:tən] *oraş în Anglia*

Etonian [i'touniən] *s* student *sau* fost student la Eton

Etruria [i'truəriə] *ist ţară în Peninsula italică*

et seq. *presc de la* **et sequens**

et sequens [et 'si:kwənz] *lat* şi următoarele

Etta ['etə] *nume fem*

-ette *suf fem* ↓ *diminutival* -etă: **statuette** statuetă

ety(m). *presc de la* **1** etymology **2** etymological

etymologer [,eti'mɔlədʒəʳ] *s* etimolog

etymologic(al) [,etimə'lɔdʒikəl] *adj* etimologic

etymologically [,etimə'lɔdʒikəli] *adv* (din punct de vedere) etimologic

etymologicon [,etimə'lɔdʒikɔn] *s* dicţionar etimologic

etymologist [,eti'mɔlədʒist] *s* etimolog

etymologize [,eti'mɔlə,dʒaiz] *vt lingv* a stabili etimologia *(cu gen)*

etymology [,eti'mɔlədʒi] *s* etimologie

etymon ['eti,mɔn] *s lingv* etimon

eucalyptus [,ju:kə'liptəs], *pl şi* **eucalypti** [,ju:kə'liptai] *s* eucalipt *(Eucalyptus sp.)*

Eucharist ['ju:kərist] *s bis* cuminecătură, împărtăşanie

eucharistic(al) ['ju:kəristik(əl)] *adj bis* eucharistic

Euclid ['ju:klid] *s* **1** *matematician grec (sec. III î.e.n.)* **2** geometrie euclidiană

Euclidean [ju:'klidiən] *adj mat* euclidian

Eugene ['ju:dʒi:n] *nume masc* Eugen

Eugenia [ju:'dʒi:niə] *nume fem*

eugenic [ju:'dʒenik] *adj* eugen(et)ic

eugenics [ju:'dʒeniks] *s pl ca sg* eugenie

Eulalia [ju:'leiliə] *nume fem*

eulogia [ju:'loudʒiə] *s bis* artos

eulogism [ju:'lədʒizəm] *s* **1** panegiric **2** proslăvire

eulogistic [,ju:lə'dʒistik] *adj* elogios; laudativ

eulogize ['ju:lə,dʒaiz] *vt* a elogia, a lăuda; a face elogiul *(cuiva)*

eulogy ['ju:lə,dʒi] *s* elogiu, laudă, < preamărire

Eumenides [ju:'meni,di:z] *mit* eumenide, erinii, furii

eunuch ['ju:nək] *s* eunuc, famen

eunuchize ['ju:nəkaiz] *vt* a castra

eupepsia [ju:'pepsiə] *s med* eupepsie

euphemism ['ju:fi,mizəm] *s* eufemism

euphemistic(al) [,ju:fi'mistik(əl)] *adj* eufemistic

euphemistically [,ju:fi'mistikəli] *adv* (în mod) eufemistic

euphonic(al) [ju:'fɔnik(əl)] *adj* eufonic

euphonious [ju:'fɔniəs] *adj* eufonic

euphonium [ju:'founiəm] *s muz* eufoniu

euphony ['ju:fəni] *s* eufonie

euphorbia [ju:'fɔ:biə] *s bot* laptele câinelui *(Euphorbia sp.)*

euphoria [ju:'fɔ:riə] *s şi med* euforie

euphory ['ju:fɔri] *s v.* **euphoria**

euphrasy ['ju:frəsi] *s bot* floare de ochi *(Euphrasia stricta)*

Euphrates, the [ju:'freiti:z, ðə] *fluviu în Asia* Eufrat

Euphrosyne [ju:'frɔzi,ni:] *mit* Eufrosina

euphuism ['ju:fju:,izəm] *s lit, lingv* eufuism, stil afectat/căutat *(după stilul din romanul Euphues, 1579-1580, de John Lyly)*

euphuistic(al) [,ju:fju:'istik(əl)] *adj* eufuistic; afectat, preţios

Eur. *presc de la* **1** Europe **2** European

Eurasia [juə'reiʃə] Europa şi Asia *considerate împreună*

Eurasian [juə'reiʃən] *adj* eurasiatic

eureka [ju'ri:kə] *interj grec* evrica! am găsit!

eurhythmic [ju:'riðmik] *adj* euritmic

eurhythmics [ju:'riðmiks] *s pl ca sg* euritmie

Euripides [ju'ripi,di:z] *autor dramatic grec* Euripide *(sec. III î.e.n.)*

Eurocrat ['juərə,kræt] *s* funcţionar al comunităţii economice europene/Pieţei comune

European [,juərə'piən] *adj, s* european

European Economic Community [,juərə'piən ikə'nomik kə'mju:niti] *s* comunitatea economică europeană, Piaţa comună

Eurydice [ju'ridisi] *mit* Euridice

Eustace ['ju:stəs] *nume masc* Eustaţiu

Eustachian tube [ju:'steiʃən ,tju:b] *s anat* trompa lui Eustaţiu

euthanasia [,ju:θə'neiziə] *s med* eutanasie

Euxine Sea, the ['ju:ksain si:, ðə] ← *înv* Marea Neagră

Eva ['i:və] *nume fem v.* **Eve**

evacuant [i'vækjuənt] *s med* purgativ; emetic

evacuate [i'vækjueit] *vt* **1** a goli, a evacua; a părăsi **2** *med* a purga

evacuation [i,vækju'eiʃən] *s* **1** golire, evacuare; părăsire **2** *med* evacuare, purgare

evacuee [i,vækju'i:] *s* evacuat

evadable [i'veidəbəl] *adj* evitabil

evade [i'veid] **I** *vt* **1** a eluda, a se sustrage de la; a ocoli, a evita **2** a scăpa *(definiției etc.)* **II** *vi* **(from, out of)** a evada, a fugi (din)

evaluate [i'vælju,eit] *vt* **1** a evalua, a prețui; a aprecia **2** *mat* a exprima cifric

Evan ['evən] *nume masc*

evanesce [,evə'nes] *vi* a dispărea, a se pierde *(în depărtare etc.)*

evanescence [,evə'nesəns] *s* **1** dispariție, evanescență **2** caracter trecător

evanescent [,evə'nesənt] *adj* **1** care dispare repede; trecător, efemer; evanescent **2** *mat* infinitezimal **3** foarte mic, mititel

evangelic(al) [,i:væn'dʒelik(əl)] *adj (și d. biserică)* evanghelic

Evangeline [i'vændʒili:n] *nume fem*

evangelist [i'vændʒilist] *s bis* evanghelist

evangelize [i'vændʒi,laiz] *vt rel* a evangheliza

evaporate [i'væpə,reit] **I** *vi* **1** a se vaporiza; a se evapora **2** *fig F* a se evapora, – a dispărea **II** *vt* a vaporiza; a produce evaporarea *(cu gen)*

evaporated [i'væpə,reitid] *adj* evaporat; *(d. lapte)* sterilizat

evaporation [i,væpə'reiʃən] *s* vaporizare; evaporare

evasion [i'veiʒən] *s* evaziune; eschivare; ocolire

evasive [i'veisiv] *adj* evaziv, vag, ocolit; **to take ~ action** *mil (d. avion etc.)* a încerca să scape

evasively [i'veisivli] *adv* evaziv, vag; în doi peri

evasiveness [i'veisivnis] *s* caracter evaziv

Eve [i:v] *nume fem* Eva

eve [i:v] *s* **1** ajun; *fig* ajun, preajmă; **on the ~ of a** în ajunul, în preziua *(cu gen)* **b** *fig* în preajma/pragul/ajunul *(cu gen)* **2** ← *poetic* seară

Evelina [,evi'li:nə] *nume fem v.* **Eveline**

Eveline [i'vlin] *nume fem*

Evelyn *nume fem sau masc*

even[1] ['i:vən] **I** *adj* **1** neted, plan;

șes; întins; ~ **country** ținut șes **2** egal; la același nivel **3** *(d. cifre etc.)* egal **4** *(d. numere)* cu soț, par **5** *(d. socoteli)* lichidat, încheiat **6 (with)** și *fig* chit (cu) **7** *(d. fire)* calm, liniștit; echilibrat **8** drept, echitabil, just **9** *(d. măsurători etc.)* exact, precis **II** *adv* **1** chiar, până și; ~ **a child can understand that** până și un copil poate înțelege asta **2** chiar, întocmai; ~ **so** chiar așa, întocmai; precum zici; ~ **as** întocmai ca **3** tocmai, chiar (în momentul – *cu gen)*; ~ **as he spoke** chiar în momentul când vorbea **4** *(cu comp)* și, chiar, *F→* ba; ~ **worse** și/chiar/*F →* ba mai rău **5** chiar și în cazul, chiar; ~ **if/though she comes** chiar dacă vine, chiar și în cazul când vine **6** ← *înv* (și) anume **III** *vt* **1** *și fig* a nivela, a egaliza **2 (to)** a pune pe aceeași treaptă (cu)

even[2] *s* ← *poetic* seară

even chances ['i:vən 'tʃa:nsiz] *s pl v.* **evens**

even fall ['i:vən ,fo:l] *s poetic* căderea serii, înserare, amurg

even-handed ['i:vən,hændid] *adj fig* nepărtinitor, imparțial

even-handedness ['i:vən,hændidnis] *s fig* nepărtinire, imparțialitate

evening ['i:vniŋ] *s* **1** seară; **in the ~, of an ~** seara; **one ~** într-o seară; **good ~!** bună seara! **2** seară; serată

evening classes ['i:vniŋ 'kla:siz] *s pl școl* curs seral

evening dress ['i:vniŋ ,dres] *s* rochie de seară *sau* haine de seară *(smoching etc.)*

evening gown ['i:vniŋ ,gaun] *s* rochie de seară

evenings ['i:vniŋz] *adv amer* seara, seară de seară, serile

evening school ['i:vniŋ 'sku:l] *s* școală serală

evening service ['i:vniŋ ,sə:vis] *s bis* vecernie

evening star ['i:vniŋ ,sta:ʳ] *s* luceafărul de seară *(↓ Venus)*

evenly ['i:vənli] **I** *adj scot* **1** egal, uniform **2** neted, drept; șes **3** regulat **II** *adv* **1** în mod egal; regulat **2** simetric

even-minded ['i:vən'maindid] *adj* cumpănit, echilibrat, ponderat; egal

evenness ['i:vənnis] *s* **1** netezime; uniformitate **2** calm, echilibru **3** nepărtinire, imparțialitate

even number ['i:vən'nʌmbəʳ] *s* număr pereche

even out ['i:vən 'aut] **I** *vt cu part adv* a face egal, a egaliza; a aduce la același nivel **II** *vi cu part adv* a ajunge egal, a fi adus la același nivel

evens ['i:vənz] *s pl* ← *F* șanse egale (pro și contra)

even song ['i:vən 'sɔŋ] *s bis* slujbă de seară *(la anglicani)*

event [i'vent] *s* **1** întâmplare, caz, accident; eventualitate; **in the ~ of** în eventualitatea *(cu gen)*, în cazul când *(sau cu gen)*; **at all ~s** totuși, oricât, oricum; **in any ~** în orice caz, oricum, orice s-ar întâmpla; **in that ~** în acest caz, atunci; **in either ~** și într-un caz și în altul **2** eveniment **3** *sport* competiție; număr

even-tempered ['i:vən'tempəd] *adj* (cu un temperament) egal, calm; potolit

eventful [i'ventful] *adj* bogat în întâmplări *sau* evenimente; memorabil

eventfully [i'ventfuli] *adv* (în mod) memorabil

eventfulness [i'ventfulnis] *s* (număr mare de) întâmplări

eventide ['i:vən'taid] *s* ← *poetic* seară; înserare

eventless [i'ventlis] *adj (d. o zi etc.)* în care nu s-a întâmplat nimic deosebit; monoton

eventration [,i:ven'treiʃən] *s med* eventrație

eventual [i'ventʃuəl] *adj* **1** final, decisiv, definitiv **2** eventual, posibil

eventuality [i,ventʃu'æliti] *s* eventualitate, posibilitate

eventually [i'ventʃuəli] *adv* **1** în cele din urmă, până la urmă/sfârșit **2** ← *rar* eventual

eventuate [i'ventʃu,eiʳ] *vi amer* a se întâmpla, a avea loc

eventuate in [i'ventʃu,eitin] *vi cu prep* a sfârși prin, a se termina cu

even up ['i:vən 'ʌp] *vt cu part adv* a echilibra; a face egal

ever ['evəʳ] *adv* **1** vreodată, cândva; **he's the nicest man I have ~ met** e omul cel mai drăguț/simpatic pe care l-am cunoscut (vreodată); ~ **and anon** *poetic* din vreme în vreme, – uneori 2 *(ca întăritor):* **to run as ~ one can** a alerga extraordinar de repede; **thank you ~ so much!** mulțumesc foarte mult! mii de mulțumiri! ~ **so long** o veșnicie, *F* un car de ani; **did you ~?** *F* ai mai auzit așa ceva? ai mai pomenit una ca asta? **who ~ can it be?** *F* cine naiba să fie? **never ~** *F* niciodată *(în viața mea etc.)* 3 într-una, mereu, întotdeauna; **for ~ (and a day)** pentru totdeauna, pe veci; ~ **since** (mereu) de atunci încoace; ~ **after** după aceea; până la adânci bătrânețe *(ca final în basme)*

Everard ['evərɑːd] *nume masc*

Everest, the ['evərist, ði] *vârf de munte în Himalaia*

everglade ['evəˌgleid] *s amer* ținut mlăștinos; luncă

evergreen ['evəˌgriːn] *bot* **I** *adj* peren **II** *s* 1 plantă perenă 2 brebenel *(Vinca minor)*

ever-growing [ˌevə'grouin] *adj atr* în creștere/dezvoltare continuă

everlasting [ˌevə'lɑːstin] *adj* 1 veșnic, etern; nemuritor 2 *bot* peren 3 *fig* interminabil, veșnic

everlasting flower [ˌevə'lɑːstin 'flauə] *s bot* imortelă *(Helychrysum bracteatum)*

everlastingly [ˌevə'lɑːstinli] *adv* veșnic; incontinuu

everlastingness [ˌevə'lɑːstinnis] *s* veșnicie, eternitate; nemurire

ever-living [ˌevə'livin] *adj* 1 nemuritor, veșnic 2 inepuizabil, nesfârșit

evermore [ˌevə'mɔːr] *adv* mereu, tot timpul; veșnic

ever-present [ˌevə'preznt] *adj atr* omniprezent

ever-ready [ˌevə'redi] *adj* gata oricând

eversion [i'vəːʃən] *s med* eversiune

every ['evri] *adj (cu verbul la sg)* fiecare; toți; toate ~ **man** fiecare (om), toți (oamenii); ~ **day** în fiecare zi; ~ **second syllable is stressed** este accentuată fiecare a doua silabă, sunt accentuate silabele perechi; ~ **minute (now)** dintr-o clipă în alta; ~ **time I see him** de fiecare dată când îl văd, ori de câte ori îl văd; ~ **other a** din doi în doi *(ani etc.)* **b** *cu sg*

toți ceilalți *(băieți etc.);* ~ **now and then** din când în când

everybody ['evriˌbɔdi] *pr* fiecare; toți, toată lumea; ~ **else** toți ceilalți

everyday ['evriˌdei] *adj atr* 1 zilnic, cotidian, de fiecare zi 2 obișnuit, banal; rutinier

everyone ['evriˌwʌn] *pr v.* **everybody**

everything ['evriˌθin] *pr* tot, toate (lucrurile); **that is ~** asta e tot, ăsta e esențialul; **and ~** *F* și câte și mai câte – și așa mai departe

everyway ['evriˌwei] *adv* 1 în toate părțile *sau* direcțiile 2 *fig* în toate privințele, din toate punctele de vedere

everywhen ['evriˌwen] *adv* ← *elev* întotdeauna, mereu, veșnic

everywhere ['evriˌwɛər] *adv* pretutindeni, peste tot

every which way ['evri ˌwitʃ 'wei] *adv amer F* care încotro

evict [i'vikt] *vt* 1 a evacua, a da afară din casă 2 (**from**) *jur* a recupera legal (de la)

eviction [i'vikʃən] *s* 1 evacuare, dare afară din casă 2 *jur* reluare în posesiune

eviction order [i'vikʃən 'ɔːdər] *s jur* ordin de evacuare

evidence ['evidəns] **I** *s* 1 dovadă, mărturie, semn; probă 2 *jur* mărturie; probatoriu; **false ~** mărturie falsă 3 evidență, caracter evident; claritate; **in ~** prezent, de față; **to fly in the face of ~** a refuza să recunoască un lucru evident **II** *vt* a dovedi, a demonstra, a arăta **III** *vi* (**against**) *jur* a depune mărturie (împotriva – *cu gen*)

evident ['evidənt] *adj* evident, clar

evidential [ˌevi'denʃəl] *adj* 1 evident, clar 2 bazat pe mărturie oculară

evidentially [ˌevi'denʃəli] *adv* 1 pe baza dovezilor 2 în mod evident

evidential of [ˌevi'denʃəl əv] *adj cu prep* care demonstrează/trădează *(interesul etc.)*

evidently ['evidəntli] *adv* în mod evident/clar/limpede, cu claritate

evil ['iːvəl] **I** *adj* 1 rău, hain *(d. limbă etc.)* înveninat, afurisit 2 rău, nefast, funest, dăunător; **to fall on ~ days** a da de zile grele, a trece prin clipe grele *(↓ ca sănătate sau bani);* **in an ~ hour**

într-un ceas rău 3 trist, jalnic; **of ~ memory** de tristă amintire/ memorie **II** *s* 1 rău; necaz, nenorocire; **to put one's finger on the ~** *fig* a pune degetul pe rană 2 ← *înv* păcat **III** *adv* cu răutate; **to speak ~ of smb** a vorbi de rău pe cineva

evil-advised ['iːvəlæd'vaiz] *adj* prost sfătuit

evil-boding ['iːvəl'boudin] *adj* prevestitor de rău; de rău augur

evil doer ['iːvəl 'duːər] *s* răufăcător

evil doing ['iːvəl 'duːin] *s* rău; fărădelege, ticăloșie

evil eye ['iːvəl 'ai] *s* 1 deochi; **to cast the ~ on smb** a deochea pe cineva 2 *fig* influență proastă/ nefastă

evil-hearted ['iːvəl'hɑːtid] *adj* rău la suflet, hain

evil-looking ['iːvəl'lukin] *adj* care nu prevestește nimic bun, de rău augur

evilly ['iːvəli] *adv* 1 cu răutate; cu ochi răi 2 *(a trăi etc.)* în viciu

evil-minded ['iːvəl'maindid] *adj* 1 rău intenționat, cu gânduri rele 2 rău, răutăcios

evil-mindedly ['iːvəl'maindidli] *adv* cu gânduri/intenții rele

evil-mindedness ['iːvəl'maindidnis] *s* intenții/gânduri rele

Evil one, the ['iːvəl 'wʌn, ði] *s* Necuratul, diavolul

evil-speaking ['iːvəl'spiːkin] *adj* calomniator, bârfitor

evil-tempered ['iːvəl'tempəd] *adj* cu un caracter urât, scârbos; arțăgos

evil-tongued ['iːvəl'tʌnd] *adj* rău de gură; hulitor

evince [i'vins] *vt* a dovedi, a demonstra; a da dovadă de; a manifesta, a trăda *(curiozitate etc.)*

evincible [i'vinsəbəl] *adj* demonstrabil

evincive of [i'vinsiv əv] *adj cu prep* care trădează/demonstrează *(cu ac)*

eviscerate [i'visəˌreit] *vt* 1 a scoate măruntaiele din 2 *fig* a lipsi de conținut; a vlăgui, a stoarce

evisceration [iˌvisə'reiʃən] *s* 1 scoatere a măruntaielor 2 *fig* vlăguire, stoarcere

evitable ['evitəbəl] *adj* evitabil

evocation [ˌevə'keiʃən] *s* evocare

evocative [i'vɔkətiv] *adj* evocator

evocatory [i'voukətəri] *adj* evocator

evoke [i'vouk] *vt* a evoca, a trezi, a reaminti; a trezi, a deştepta, a stârni *(interesul etc.)*

evolute ['evə,lu:t] *s mat* evolută, desfăşurată

evolution [,i:və'lu:ʃən] *s* 1 evoluţie dezvoltare, progres, desfăşurare 2 desfăşurare, evoluţie *(a evenimentelor etc.)* 3 degajare *(a gazelor etc.)* 4 *mat* desfăşurare *(a unei curbe)* 5 *mat* extragere *(de rădăcină)* 6 *mil, nav* manevră; desfăşurare, evoluţie 7 *biol* filogenie

evolutional [,i:və'lu:ʃənəl] *adj* evolutiv, de evoluţie

evolutionary [,i:və'lu:ʃənəri] *adj* v. **evolutional**

evolutionism [,i:və'lu:ʃənizəm] *s biol* evoluţionism

evolutionist [,i:və'lu:ʃənist] I *adj* evolutiv II *s biol* evoluţionist

evolve [i'vɔlv] I *vt* a şi *fig* a desfăşura, a dezvolta; a elabora 2 a degaja, a emite *(gaze etc.)* II *vi* a se dezvolta; a se desfăşura

evolvent [i'vɔlvənt] *s mat* evolventă, desfăşurătoare

evulsion [i'vʌlʃən] *s* smulgere, rupere; extracţie

ewe [ju:] *s* oaie

ewe lamb ['ju: ,læm] *s* mieluşea

ewer ['ju:əʳ] *s* cană; ulcior; ibric

ex [eks] I *prep* 1 fără; exclusiv 2 liber; scutit de II *s* ← *F* fost soţ sau fostă soţie

ex- *pref* ex-: **to exterminate** a extermina

ex. *presc de la* 1 **exemple** 2 **except(ed)** 3 **exception** 4 **exchange** 5 **executive** 6 **export** 7 **extra**

exacerbate [ig'zæsə,beit] *vt* 1 a spori, a accentua, *rar* → a exacerba *(durerea etc.)* 2 a supăra, a irita *(pe cineva)*

exacerbation [ig,zæsə'beiʃən] *s* 1 intensificare, exacerbare 2 *med* agravare; paroxism

exact [ig'zækt] I *adj* 1 *(d. lucruri)* exact, precis; riguros; **the ~ same** *(incorect)* chiar acelaşi 2 *(d. oameni)* metodic; punctual; corect II *vt* a pretinde, a cere *(ascultare etc.)*

exacter [ig'zæktəʳ] *s* v. **exactor**

exacting [ig'zæktiŋ] *adj* exigent, pretenţios, sever

exactingness [ig'zæktiŋnis] *s* exigenţă

exaction [ig'zækʃən] *s* 1 cerere, pretenţie 2 lucru cerut/reclamat; sumă pretinsă 3 impunere (fiscală) excesivă

exactitude [ig'zækti,tju:d] *s* exactitate, precizie; acurateţe

exactly [ig'zæktli] *adv* 1 exact, tocmai, chiar; *(d. ore)* exact, fix; **it is ~ 3 o'clock** este ora trei fix; **not ~** nu tocmai *(cu compliniri)*; **he's not ~ lazy** chiar leneş nu e, n-aş (putea) spune că e leneş 2 exact, întocmai, chiar aşa 3 cu exactitate/precizie

exactness [ig'zæktnis] *s* 1 justeţe *(a unei judecăţi etc.)* 2 v. **exactitude**

exactor [ig'zæktəʳ] *s* 1 agent fiscal, perceptor 2 persoană care pretinde ceva 3 storcător *(de bani)*

exact science [ig'zækt 'saiəns] *s* ştiinţă exactă

exaggerate [ig'zædʒəreit] I *vt* a exagera; a amplifica; a intensifica II *vi* a exagera

exaggerated [ig'zædʒəreitid] *adj* exagerat

exaggeration [ig,zædʒə'reiʃən] *s* exagerare; amplificare; intensificare

exaggerative [ig'zædʒərətiv] *adj* 1 predispus la exagerări, înclinat să exagereze 2 exagerat 3 *(d. stil)* pompos, bombastic

exalt [ig'zɔ:lt] *vt* 1 a exalta, a slăvi, a preamări 2 a exalta, a înflăcăra, a aprinde 3 a înălţa, a ridica *(în grad etc.)*

exaltation [,egzɔ:l'teiʃən] *s* 1 exaltare, slăvire, preamărire 2 exaltare, înflăcărare

exalted [ig'zɔ:ltid] *adj* 1 exaltat 2 *(d. stil)* solemn

exaltedly [ig'zɔ:ltidli] *adv* exaltat

exam [ig'zæm] *presc F de la* **examination**

examen [ig'zeimen] *s* cercetare, studiu

examinable [ig'zæminəbəl] *adj* examinabil

examinant [ig'zæminənt] *s* 1 examinator 2 cercetător

examinate [ig'zæminit] *s* examinat; candidat

examination [ig,zæmi'neiʃən] *s* 1 *şcol, univ* examen; **to take an ~ (in)** a da (un) examen (la); **to pass an ~**

a reuşi la un examen, a trece un examen 2 examinare, cercetare; **to hold an ~ into a matter** a cerceta temeinic o problemă 3 inspecţie; control; revizie; verificare; expertiză 4 *jur* interogatoriu 5 *med* examinare; examen (medical)

examination paper [ig,zæmi'neiʃən ,peipəʳ] *s* 1 chestionar 2 lucrare scrisă (la examen)

examine [ig'zæmin] I *vt* 1 *şcol, univ* a examina, a supune *(pe cineva)* unui examen; a asculta *(oral)* 2 a examina, a cerceta *(o problemă etc.)* 3 a inspecta; a controla; a face o revizie *(cu gen)*; a verifica; a face o expertiză *(cu gen)*; 4 *jur* a interoga, a supune *(pe cineva)* unui interogatoriu 5 *med* a examina, a supune *(pe cineva)* unui examen (medical); **he needs his head ~d** *F* nu e zdravăn la cap

examinee [ig,zæmi'ni:] *s* persoană examinată, candidat

examiner [ig'zæminəʳ] *s* 1 examinator 2 *jur* judecător de instrucţie

examining body [ig'zæminiŋ 'bɔdi] *s* comisie de examinare

examining judge [ig'zæminiŋ 'dʒʌdʒ] *s* v. **examiner** 2

example [ig'za:mpəl] *s* 1 exemplu, pildă; model; monstră; precedent; **for ~** de exemplu/pildă; **without ~** fără precedent, nemaiauzit; fără pereche; **a practical ~** un exemplu/caz concret 2 *fig* lecţie; pedeapsă exemplară 3 *fig* exemplu (vrednic de urmat) 4 *mat* exemplu, problemă

exanthema [,eksæn'θi:mə], *pl şi* **exanthemata** [,eksæn'θi:mətə] *s med* exantemă, erupţie

exarch ['eksa:k] *s od* exarh

exasperate [ig'za:spə,reit] *vt* 1 a exaspera, a scoate din sărite; a irita 2 a agrava *(o boală etc.)*

exasperated [ig'za:spə,reitid] *adj* 1 exasperat, scos din fire; furios 2 înrăit

exasperatedly [ig'za:spə,reitidli] *adv* cu exasperare, exasperat

exasperating [ig'za:spə,reitiŋ] *adj* exasperant; enervant

exasperation [ig,za:spə'reiʃən] *s* 1 exasperare 2 iritare, supărare 3 ascuţire; intensificare, înrăutăţire *(a bolii etc.)*

exc. *presc de la* **1 except(ed) 2 exception 3 exchange**

Exc. *presc de la* **Excellency**

Excalibur [ek'skælibəʳ] *s* **1** *lit* sabia regelui Arthur **2** sabie fermecată, paloş fermecat

excandescence [ˌekskən'desəns] *s tehn* călire

ex cathedra [eks 'kə'θi:drə] *lat* ex cathedra, oficial

excavate ['ekskə,veit] *vt* a excava, a săpa, a dezgropa

excavation [ˌekskə'veiʃən] *s* **1** excavaţie, săpătură; *tehn* şi şanţ, gaură *etc.* **2** *min* exploatare (minieră)

excavator ['ekskə,veitəʳ] *s* **1** săpător (de pământ) **2** *constr* excavator

exceed [ik'si:d] *vt şi fig* a depăşi, a întrece; a fi mai bun, mai mare *etc.* decât

exceeding [ik'si:diŋ] *adj* **1** excesiv **2** excepţional

exceedingly [ik'si:diŋli] *adv* **1** (în mod) excesiv **2** extrem de, foarte; extraordinar, teribil, grozav (de)

excel [ik'sel] **I** *vt* a depăşi, a întrece; a fi superior *(cu dat.)* **II** *vi* (**in, at**) a excela, a se distinge, a se remarca (în, la)

excellence ['eksələns] *s* **1** desăvârşire, perfecţiune, măiestrie **2** superioritate **3** virtute

excellency ['eksələnsi] *s* **1** *v.* **excellence 2 E~** Excelenţă *(titlu)*

excellent ['eksələnt] *adj* excelent, minunat, ireproşabil

excellently ['eksələntli] *adv* excelent, minunat, cât se poate de bine

excelsior [ik'selsi,ɔ:ʳ] *interj lat* excelsior! (cât) mai sus!

except [ik'sept] **I** *prep* cu excepţia *cu gen*, (în) afară de; minus, mai puţin **II** *conj inv* fără numai dacă, – dacă nu **III** *vt* a excepta, a exclude, a lăsa la o parte

except against [ik'sept əˌgenst] *vi cu prep* a protesta contra, a obiecta împotriva *cu gen*

excepted [ik'septid] *adj* cu excepţia *cu gen*, exceptând *cu ac*, în afară de; exclusiv; **not ~** inclusiv, excepţie nefăcând nici

except for [ik'sept fəʳ] *prep v.* **except I**

excepting [ik'septiŋ] *prep* exceptând; cu excepţia *cu gen*

exception [ik'sepʃən] *s* **1** excepţie,

abatere (de la regulă); **by way of ~** ca excepţie; în mod excepţional; **the ~ proves the rule** *prov* excepţia confirmă regula; **with the ~ of** cu excepţia *cu gen*, în afară de **2** excepţie, raritate, caz rar/excepţional **3** obiecţie, opoziţie; **to take ~ at smth** a fi jignit/ofensat de ceva; **to take ~ to** a se opune *cu dat*, a avea obiecţii faţă de; a se supăra din cauza *cu gen* **4** *jur* rezervă, excepţiune

exceptionable [ik'sepʃənəbəl] *adj* contestabil, criticabil

exceptional [ik'sepʃənəl] *adj* excepţional, neobişnuit

exceptionally [ik'sepʃənəli] *adv* **1** (în mod) excepţional **2** excepţional de

exceptionless [ik'sepʃənlis] *adj (realizabil etc.)* fără excepţii

exceptive [ik'septiv] *adj* **1** excepţional, formând o excepţie **2** critic, care contrazice mereu

except that [ik'sept θæt] *conj* atât (doar) că

except to [ik'sept tə] *vi cu prep v.* **except against**

excerpt ['eksə:pt] *s* extras, fragment, pasaj

excess [ik'ses] *s* **1** (**of**) surplus, exces, prisos (de); **in ~ of** mai mult decât, în plus, peste **2** exces, abuz; **to ~** fără (nici o) măsură

excess fare [ik'ses 'fɛəʳ] *s ferov etc.* supliment; suprataxă

excessive [ik'sesiv] *adj* **1** excesiv, exagerat; exorbitant **2** extravagant

excessively [ik'sesivli] *adv* **1** excesiv, prea mult **2** excesiv de

excessiveness [ik'sesivnis] *s* caracter excesiv

exch. *presc de la* **exchange**

ex-champion [eks'tʃæmpiən] *s sport* excampion, fost campion

exchange [iks'tʃeindʒ] **I** *s* **1** *ec* schimb **2** *ec* bursă **3** schimb *(cultural etc.)* **4** *tel* centrală (telefonică) **II** *vt* **1** (**for**) a schimba *(ceva)* (pe, pentru) **2** a face schimb de *(cuvinte, locuri etc.)*, a schimba

exchangeable [iks'tʃeindʒəbl] *adj* **1** interşanjabil, cu care se poate face schimb **2** înlocuibil **3** de schimb

exchangeable value [iks'tʃeindʒəbəl vælju:] *s ec* valoare de schimb

exchange for [iks'tʃeindʒ fəʳ] *vi cu prep (d. bani)* a avea valoarea de, a valora

exchange premium [iks'tʃeindʒ 'pri:miəm] *s ec* agio

exchanger [iks'tʃeindʒəʳ] *s* agent de schimb; zaraf

exchange rate [iks'tʃeindʒ reit] *s* curs valutar

exchange value [iks'tʃeindʒ 'vælju:] *s ec* valoare de schimb

exchequer [iks'tʃekəʳ] *s* **1** visteria statului; tezaur **2 the E~** Ministerul de finanţe *(în Anglia)*

exchequer bill [iks'tʃekə 'bil] *s ec* bilet de bancă

excide [ik'said] *vt* **1** *elev* a exciza, a extirpa; **– a** tăia **2** *fig ← elev* a înlătura, a tăia, a scoate

excisable [ik'saizəbəl] *adj* impozabil

excise¹ ['eksaiz] *s* **1** acciz **2 the E~** organ însărcinat cu plata accizelor

excise² [ik'saiz] *vt* a extirpa, a tăia

excise duty ['eksaiz 'dju:ti] *s* acciz

exciseman ['eksaiz,mæn] *s* accizar

excision [ek'siʒən] *s* excizie, tăiere

excitability [ikˌsaitə'biliti] *s* excitabilitate

excitable [ik'saitəbəl] *adj* excitabil; nervos

excitation [ˌeksi'teiʃən] *s* excitaţie

excitative [ik'saitətiv] *adj* excitant

excite [ik'sait] *vt* **1** a excita; a stârni, a provoca **2** *fig* a mişca, a emoţiona **3** *fot* a sensibiliza *(o placă)*

excited [ik'saitid] *adj* **1** excitat; stârnit **2** *fig* mişcat, emoţionat, tulburat

excitement [ik'saitmənt] *s* **1** excitare, exitaţie **2** *fig* emoţie; frământare; freamăt

exciting [ik'saitiŋ] *adj* **1** excitant **2** *fig* emoţionant, mişcător **3** *fig* captivant, foarte interesant

excitingly [ik'saitiŋli] *adv* **1** excitat **2** emoţionat **3** (în mod) captivant

excl. *presc de la* **1 excluding 2 exclamation**

exclaim [ik'skleim] *vt, vi* a exclama; a striga

exclaim against [ikˌskleim ə'genst] *vi cu prep* a protesta (zgomotos) împotriva *(cu gen)*

exclaim at [ik'skleim ət] *vi cu prep* a fi surprins de; a-şi exprima surprinderea faţă de/la vederea *cu gen etc.*

exclamation [,ekskləˈmeiʃən] s exclamaţie

exclamation mark/*amer* **point** [,ekskləˈmeiʃən ˈmaːk/ˈpoint] s semnul exclamării

exclamatory [ikˈsklæmətəri] *adj* exclamativ

exclamatory sentence [ikˈsklæmətəri ˈsentəns] *s gram* propoziţie exclamativă

exclude [ikˈskluːd] *vt* a exclude, a elimina

excluding [ikˈskluːdiŋ] *prep* exclusiv, excluzând

exclusion [ikˈskluːʒən] *s* excludere, eliminare; **to the ~ of** cu excluderea *cu gen*; lăsând la o parte *cu ac*

exclusive [ikˈskluːsiv] **I** *adj* **1** exclusiv; unic **2** întreg, total **3** la modă **4** *amer* superior, de calitate superioară **II** *adv* exclusiv **III** *s* articol exclusiv *sau* în exclusivitate *(al unei firme etc.)*

exclusively [ikˈskluːsivli] *adv* (în mod) exclusiv; numai, doar

exclusiveness [ikˈskluːsivnis] *s* exclusivitate

exclusive of [ikˈskluːsiv əv] *prep* exclusiv, în afară de

excogitate [eksˈkɔdʒi,teit] *vt ← elev* **1** a cerceta/a studia cu atenţie **2** a descoperi după un studiu atent **3** *peior* a născoci, a inventa

excogitation [eks,kɔdʒiˈteiʃən] *s* **1** *elev* excogitaţie, – efort de gândire **2** *← elev* studiu atent **3** *peior* născocire, invenţie

excommunicate [,ekskəˈmjuːni,keit] *vt bis* a excomunica

excomunication [,ekskə,mjuːniˈkeiʃən] *s bis* excomunicare

excoriate [ikˈskɔːri,eit] *vt* **1** a jupui; a coji **2** *fig* a însemna, a marca

excoriation [ik,skɔːriˈeiʃən] *s* jupuire; cojire

excorticate [eksˈkɔːtikeit] *vt* a decortica, a coji

excortication [eks,kɔːtiˈkeiʃən] *s* decorticare; cojire

excrement [ˈekskrimənt] *s* excremente, materii fecale

excrescence [ikˈskresəns] *s* **1** excrescenţă; umflătură *etc.* **2** *fig* excrescenţă

excrescent [ikˈskresənt] *adj fig* de prisos, inutil

excrete [ikˈskriːt] *vt fizl* a excreta

excretion [ikˈskriːʃən] *s fizl* excreţie

excretive [ikˈskriːtiv] *adj fizl* excretor

excretory [ikˈskriːtəri] *adj v.* **excretive**

excruciate [ikˈskruːʃi,eit] *vt* a chinui, a tortura

excruciating [ikˈskruːʃi,eitiŋ] *adj* **1** chinuitor, groaznic **2** *amer F* nemaipomenit, grozav

excruciation [iks,kruːʃiˈeiʃən] *s* chinuire; caznă, tortură

exculpate [ˈekskʌl,peit] **I** *vt* (**from**) a disculpa, a dezvinovăţi (de) **II** *vr* (**from**) a se diculpa, a se dezvinovăţi (de)

exculpation [,ekskʌlˈpeiʃən] *s* disculpare, dezvinovăţire

excursion [ikˈskəːʃən] *s* **1** excursie; călătorie; expediţie; **to go on an ~** a pleca/a merge într-o excursie **2** (**into**) *fig* incursiune (în) **3** *fiz* deviaţie, abatere **4** *fig* digresiune, divagaţie

excursionist [ikˈskəːʃənist] *s* excursionist, drumeţ

excursus [ekˈskəːsəs] *s* digresiune

excusable [iksˈkjuːzəbəl] *adj* scuzabil, care poate fi trecut cu vederea

excusably [iksˈkjuːzəbli] *adv* (în mod) scuzabil

excusatory [iksˈkjuːzətəri] *adj* justificabil

excuse I [iksˈkjuːs] *s* **1** scuză; justificare; **to offer an ~** a se scuza; a se justifica **2** scutire *(de obligaţii)* **II** [iksˈkjuːz] *vt* **1** a scuza, a ierta; a trece cu vederea; a justifica; **~ me!** scuză-mă; iartă-mă! pardon; **may I be ~d?** *şcol* îmi daţi voie (să ies) afară? **2** a ierta, a scuti *(de obligaţii etc.)* **III** [iksˈkjuːz] *vr* a se scuza, a-şi cere iertare; **he ~d himself from the meeting** şi-a cerut voie să lipsească de la şedinţă

excuseless [iksˈkjuːzlis] *adj* de neiertat

ex-directory [,eksdiˈrektəri] *adj* care nu e (trecut) în cartea de telefon; **to go ~** a fi scos din cartea de telefon

exec. *presc de la* **executive**

execrable [ˈeksikrəbəl] *adj* **1** execrabil, scârbos **2** *F* groaznic, înfiorător

execrably [ˈeksikrəbli] *adv* execrabil, mizerabil

execrate [ˈeksi,kreit] **I** *vt* a detesta, a nu putea suferi **II** *vi* a blestema

execration [,eksiˈkreiʃən] *s* **1** oroare, scârbă, repulsie **2** blestem *sau* blesteme **3** *← rar* urâciune, fiinţă *etc.* detestabilă

executant [igˈzekjutənt] *s* executant

execute [ˈeksi,kjuːt] *vt* **1** a executa, a îndeplini, a efectua; a aplica *(legea etc.)* **2** a redacta, a compune, a scrie **3** *jur* a executa *(un testament);* a valida *(un act);* a sancţiona, a viza **4** a executa, a omorî

executer [ˈeksi,kjuːtə^r] *s v.* **executor**

execution [,eksiˈkjuːʃən] *s* **1** executare, îndeplinire, efectuare, realizare; **to put in/to carry into ~** a executa, a îndeplini, a aduce la îndeplinire **2** execuţie, executare; (mod de) interpretare; stil **3** execuţie, omorâre **4** *jur* execuţie, executare; validare *(a unui act)* **5** *fig* distrugere, nimicire **6** *muz* tehnică

execution day [,eksiˈkjuːʃən ˈdei] *s* **1** *jur* ziua judecăţii **2** *← F* zi de spălat

executioner [,eksiˈkjuːʃənə^r] *s* călău, gâde

executive [igˈzekjutiv] **I** *adj* **1** executiv **2** activ **3** *amer* administrativ **II** *s* **1** organ executiv **2** **the ~** puterea executivă **3** **the E~** *amer* preşedintele S.U.A.; guvernatorul *(unui stat);* primarul *(unui oraş)* **4** *amer* director, administrator *(al unei firme)*

executive authority [igˈzekjutiv ɔːˈθɔriti] *s* putere executivă

executive committee [igˈzekjutiv kəˈmiti] *s* comitet executiv

executive officer [igˈzekjutiv ˈɔfisə^r] *s* **1** funcţionar superior **2** *nav* marinar de bord

executive power [igˈzekjutiv ˈpauə^r] *s* putere executivă

executor [igˈzekjutə^r] *s* **1** executant **2** *jur* agent judecătoresc **3** executor testamentar

executorial [ig,zekjuˈtɔːriəl] *adj* executiv; administrativ; executoriu

executory [igˈzekjutəri] *adj* **1** executiv **2** *jur* executoriu

executrix [igˈzekju,triks], *pl* **executrices** [ig,zekjuˈtraisiːz] *s* **1** executoare **2** *jur* executoare testamentară

exegesis [,eksiˈdʒiːsis], *pl* **exegeses** [,eksiˈdʒiːsiːz] *s* exegeză, interpretare, explicare

303

EXE-EXI

exegete ['eksi,dʒi:t] *s* exeget

exegetics [,eksi'dʒetiks] *s pl ca sg* **1** exegeză **2** exegetică

exemplar [ig'zemplə^r] *s* **1** exemplar; tip **2** exemplu, model

exemplarily [ig'zemplərili] *adv* (în mod) exemplar

exemplary [ig'zempləri] *adj* **1** exemplar, model **2** tipic

exemplification [ig,zemplifi,kei∫ən] *s* **1** exemplificare, ilustrare **2** *jur* copie legalizată

exemplify [ig'zemplifai] *vt* **1** a exemplifica, a ilustra **2** *jur* a legaliza; a autentifica

exempli gratia [ig'zemplai 'gra:ti,a:] *lat* de exemplu

exempt [ig'zempt] **I** *vt* (**from**) a scuti, a absolvi, dispensa (de) **II** *adj* (**from**) scutit (de) **III** *s* persoană scutită de impozite *etc.*; privilegiat

exemption [ig'zemp∫ən] *s* (**from**) scutire, dispensare (de); eliberare

exequies ['eksikwiz] *s pl* funeralii; cortegiu funebru

exercise ['eksə,saiz] **I** *s* **1** exercițiu, exercitare; aplicare; folosire (a imaginației etc.) **2** exercițiu, antrenament, practică; **to take ~s** a face exerciții (fizice); a face sport **3** manifestare, dovadă, mărturie (a unei atitudini etc.) **4** exercițiu, temă **II** *vt* **1** a exersa (mușchii etc.), a antrena, a dezvolta **2** a exercita, a folosi (influența etc.) **3** a antrena, a instrui (pe cineva) **4** a-și ocupa (mintea etc.) **5** a pune la încercare (răbdarea etc.) **III** *vr* a se exersa, a se antrena **IV** *vi* **1** a se exersa, a se antrena; a face exerciții **2** *mil* a face instrucție

exercise book ['eksə,saiz 'buk] *s* caiet (de teme)

exercised ['eksə,saizd] *adj* îngrijorat, neliniștit

exert [ig'zə:t] **I** *vt* **1** a-și încorda (puterile etc.) **2** a exercita, a face uz de (influență etc.) **II** *vr* a se sili, a se strădui

exertion [ig'zə:∫ən] *s* efort, străduință

Exeter ['eksitə^r] *oraș în Anglia*

exeunt ['eksi,ʌnt] *vi pers III pl lat teatru* ies, pleacă (de pe scenă)

exfoliate [eks'fouli,eit] *vt* **1** a coji **2** *med* a descuama

exfoliation [eks'fouli,ei∫ən] *s* **1** cojire **2** *med* descuamare, exfoliere

exhalation [,ekshei'lei.∫ən] *s* **1** exalare; evaporare **2** exalație **3** abur *sau* aburi; ceață **4** *fig* izbucnire (de mânie etc.)

exhale [eks'heil] *vt* **1** a exala, a emana, a degaja (vapori etc.); a face să se evapore **2** a expira (aer) **3** *fig* a rosti, a da drumul la (cuvinte); a da frâu liber (mâniei etc.)

exhaust [ig'zɔ:st] **I** *vt* **1** a goli, a deșerta, a scoate; a da drumul la (abur etc.) **2** *fig* a epuiza (un subiect) **3** *fig* a slei, a epuiza, a istovi (pe cineva etc.) **II** *s tehn* **1** eșapament, evacuare **2** țeavă de eșapament

exhaust box [ig'zɔ:st 'bɔks] *s tehn* tobă de eșapament

exhausted [ig'zɔ:stid] *adj* **1** epuizat, sleit, frânt **2** (d. pământ) secătuit, neroditor **3** (d. răbdare etc.) ajuns la limită; sfârșit, istovit

exhauster [ig'zɔ:stə^r] *s tehn* **1** exhaustor **2** ventilator **3** dren

exhaustible [ig'zɔ:stibəl] *adj* epuizabil; mărginit, limitat

exhausting [ig'zɔ:stiŋ] *adj fig* epuizant, istovitor

exhaustingly [ig'zɔ:stiŋli] *adv* (în mod) exhaustiv

exhaustion [ig'zɔ:st∫ən] *s* **1** golire, epuizare *etc.* (v. **exhaust I**) **2** epuizare; capătul puterilor; oboseală mare

exhaustive [ig'zɔ:stiv] *adj* **1** exhaustiv, complet **2** istovitor, epuizant

exhaustively [ig'zɔ:stivli] *adv* (în mod) exhaustiv, complet

exhaustless [ig'zɔ:stlis] *adj* nesecat, inepuizabil

exhaust pipe [ig'zɔ:st paip] *s tehn* țeavă de eșapament

exhaust steam [ig'zɔ:st ,sti:m] *s tehn* abur uzat

exhaust valve [ig'zɔ:st vælv] *s tehn* supapă de eșapament

exhibit [ig'zibit] **I** *vt* **1** a expune, a arăta (la o expoziție etc.) **2** *fig* a arăta, a manifesta, a demonstra **II** *vi* a fi expus (la o expoziție) **III** *s* **1** exponat **2** expunere; expoziție **3** *jur* probă materială

exhibition [,eksi'bi∫ən] *s* **1** expunere, prezentare **2** manifestare; **to make an ~ of oneself** *fig* a se da în spectacol **3** expoziție;

salon; târg de monstre; **on ~** expus; prezentat la expoziție

exhibitionism [,eksi'bi∫ə,nizəm] *s* **1** *med* exhibiționism **2** *fig* laudă de sine

exhibitionist [,eksi'bi∫ənist] *s med* exhibiționist

exhibitionistic [,eksi,bi∫ə'nistik] *adj* exhibiționist

exhibitive of [ig'zibitiv əv] *adj cu prep* care arată *cu ac*; reprezentativ pentru

exhibitor [ig'zibitə^r] *s* expozant

exhilarate [ig'zilə,reit] *vt* a înveseli; a însufleți, a anima

exhilarated [ig'zilə,reitid] *adj* vesel, bine dispus

exhilarating [ig'zilə,reitiŋ] *adj* antrenant, amuzant

exhilaration [ig'zilə,rei∫ən] *s* **1** euforie; veselie; voioșie; bucurie **2** (stare de) beție **3** înviorare (a atmosferei etc.)

exhort [ig'zɔ:t] *vt* **1** a sfătui, a îndemna **2** a susține, a recomanda **3** *bis* a predica

exhortation [,egzɔ:'tei∫ən] *s* **1** povățuire; povață *sau* povețe, sfat *sau* sfaturi, îndemn *sau* îndemnuri **2** *bis* a predica

exhortatory [ig'zɔ:tətəri] *adj* povățuitor

exhumation [,ekshju'mei∫ən] *s* dezgropare, exhumare

exhume [eks'hju:m] *vt* a dezgropa, a exhuma

exigence ['eksidʒəns] *s* **1** nevoie/necesitate imperioasă, imperativ **2** situație critică, criză

exigency ['eksidʒənsi] *s v.* **exigence**

exigent ['eksidʒənt] *adj* **1** urgent, care nu suferă amânare **2** insistent

exigently ['eksidʒəntli] *adv* **1** fără întârziere, urgent **2** (în mod) insistent, stăruitor

exigent of ['eksidʒənt əv] *adj cu prep* care necesită/reclamă *cu ac*

exigible ['eksidʒəbəl] *adj* de încasat, care poate fi încasat

exiguity [,eksi'gju:iti] *s și fig* puținătate; sărăcie

exiguous [ig'zigjuəs] *adj* neînsemnat, mic, puțin (d. mâncare etc.), sărăcacios

exiguously [ig'zigjuəsli] *adv* puțin; insuficient

exignousness [ig'zigjuəsnis] *s* insuficiență

exile ['egzail] **I** *s* **1** exilare, surghiunire; exil, surghiun **2** exilat, surghiunit **II** *vt* a exila, a surghiuni **III** *vr* a pleca din țară, a emigra

exilement [eg'zailmənt] *s* exilare, exil

exist [ig'zist] *vi* **1** a fi, a exista; a trăi **2** a fi, a exista, a se afla

existence [ig'zistəns] *s* **1** existență, ființare, *înv* → ființă; **to come into ~** a apărea; a veni în existență **2** existență, prezență **3** viețuitoare, ființă

existent [ig'zistənt] *adj* existent; prezent; real

existential [,egzi'stenʃəl] *adj* existențial

existentialism [,egzi'stenʃə,lizəm] *s* *filos* existențialism

existentialist [,egzi'stenʃə,list] *adj, s* *filos* existențialist

existing [ig'zistiŋ] *adj* existent; prezent; real; dat

exit ['egzit] *lat* **I** *vi* a ieși, a pleca; *teatru pers III sg* iese; pleacă *(de pe scenă)* **II** *s* **1** ieșire, plecare; **to make/to take one's ~** a pleca; a fugi **2** ieșire, ușă *etc.* **3** *teatru* plecare *(de pe scenă)*, ieșire **4** *fig* moarte

exit visa ['egzit 'vaizə] *s* viză de ieșire

exodus ['eksədəs] *s* **1** exod, plecare în masă **2** **the E~** Exodul

ex officio ['eks ə'fiʃiou] *lat* din oficiu

exogamous [ek'sogəməs] *adj biol* exogam

exogamy [ek'sogəmi] *s biol* exogamie

exogenous [ek'sodʒinəs] *adj bot* exogen

exonerate [ig'zonə,reit] **I** *vt* **1** (from) a scuti, a elibera (de *o obligație etc.*) **2** a achita, a reabilita, a disculpa **II** *vr* a se disculpa, a se dezvinovăți, a se reabilita

exoneration [ig,zonə'reiʃən] *s* achitare, reabilitare

Exonian [ek'souniən] *adj* din Exeter

exophthalmia [,eksof'θælmiə] *s med* exoftalmie

exophthalmic [,eksof'θælmik] *adj med* exoftalmic

exorbitance [ig'zo:bitəns] *s* caracter excesiv, exagerare

exorbitancy [ig'zo:bitənsi] *s* v. **exorbitance**

exorbitant [ig'zo:bitənt] *adj* exorbitant, excesiv

exorbitantly [ig'zo:bitəntli] *adv* excesiv, exagerat (de)

exorcism ['ekso:sizəm] *s* exorcism; vrăji

exorcize ['ekso:,saiz] *vt* **1** a exorciza, a alunga *(duhuri)* **2** a goni duhurile rele din *(cineva)* **3** *fig* a alunga, a goni, a scăpa de *(gânduri etc.)*

exorcizer ['ekso:,saizər] *s* vrăjitor

exordium [ek'so:diəm], *pl și* **exordia** [ek'so:diə] *s ret* exordiu

exosmosis [,eksoz'mousis] *s fiz* exosmoză

exoteric [,eksou'terik] *adv* exoteric; inteligibil; cunoscut

exothermal [,eksou'θə:məl] *adj ch* exotermic

exotic [ig'zotik] **I** *adj* exotic **II** *s* **1** *bot* plantă exotică **2** *lingv* cuvânt exotic

exotically [ig'zotikəli] *adv* (în mod) exotic, de manieră exotică

exoticism [ig'zoti,sizəm] *s* exotism

exp. *presc de la* **1** export **2** expenses **3** express

expand [ik'spænd] **I** *vt* **1** a dilata *(corpuri)*, a umfla, a mări **2** *fig* a extinde, a dezvolta **II** *vi* **1** a se dilata, a se umfla, a se mări **2** *fig* a se extinde, a se dezvolta **3** *fig* a se desfășura; a deveni vorbăreț

expandable [ik'spændəbəl] *adj* dilatabil; expansibil

expander [ik'spændər] *s sport* extensor

expanding [ik'spændiŋ] *adj* care se dilată; extensibil

expand on [ik'spænd on] *vi cu prep* a intra în amănunte despre

expanse [ik'spæns] *s* **1** *și la pl ca sg* întindere, întins *(de ape etc.)* **2** expansiune, lărgire

expansibility [ik,spænsi'biliti] *s* extensibilitate; expansibilitate

expansible [ik'spænsəbəl] *adj* extensibil; expansibil

expansion [ik'spænʃən] *s* **1** expansiune, dilatare, umflare **2** *fig* extindere, extensiune, lărgire; *pol* expansiune **3** întindere, întins, suprafață

expansionism [ik'spænʃə,nizəm] *s pol* politică de expansiune

expansionist [ik'spænʃənist] *adj* expansionist, de expansiune

expansive [ik'spænsiv] *adj* **1** expansiv, de lărgire **2** vast, întins **3** expansiv; comunicativ

expansiveness [ik'spænsivnis] *s* expansivitate

expansivity [,ekspæn'siviti] *s* expansivitate

expatiate on/upon [ik'speiʃi,eit on/ə,pon] *vi cu prep* a se întinde asupra *(cu gen)*, a vorbi *sau* a scrie pe larg despre

expatiation [ik,speiʃi'eiʃən] *s* prolixitate

expatriate¹ [eks'pætri,eit] **I** *vt* a expatria **II** *vr* **1** a se expatria **2** a emigra

expatriate² [eks'pætriit] *s* expatriat; emigrant

expatriation [eks,pætri'eiʃən] *s* **1** expatriere **2** emigrare

expect [ik'spekt] *vt* **1** a aștepta *(ceva, pe cineva)*, a fi în așteptarea *(cu gen)*; **I ~ him to lunch** îl aștept la masă/prânz; **to be ~ing a baby** a aștepta un copil, a fi însărcinată **2** a se aștepta ca; a spera, a nădăjdui; **I ~ to see you** sper să te văd; **I ~ you to come** sper că vei veni, aștept să vii; **I ~ (that) she will not be late** sper (ca ea) să nu întârzie **3** (of, from) a se aștepta la *(ceva, din partea – cu gen)*; **this is just what I ~ed of/from him** tocmai la așa ceva mă așteptam din partea lui **4** a vrea, a dori; a cere, a pretinde; a se bizui pe, a conta pe; **we ~ each of you to do your duty** dorim, înțelegem *sau* cerem ca fiecare din voi să-și facă datoria; **you are ~ed to do it** trebuie să faceți aceasta, vi se cere să faceți aceasta

expectance [ik'spektəns] *s* **1** expectativă; așteptare **2** speranță, nădejde; probabilitate

expectancy [ik'spektənsi] *s* v. **expectance**

expectant [ik'spektənt] **I** *adj* **1** (of) care așteaptă *(cu ac)*; care are perspectivă (de a) **2** răbdător; care nu se grăbește **3** de viitor, în perspectivă **II** *s* **1** persoană care așteaptă *(ceva)* **2** solicitant; candidat

expectant mother [ik'spektənt 'mʌðər] *s* viitoare mamă

expectant policy [ik'spektənt 'polisi] *s pol* politică de temporizare/ expectativă

expectation [,ekspek'teiʃən] *s* **1** așteptare, expectativă **2** speranță, așteptări; *pl* perspective; **in ~ of** în așteptarea *cu gen*;

beyond all ~(s) dincolo de orice așteptări; **according to ~** după cum era de așteptat; **contrary to ~** contrar așteptărilor **3** probabilitate **4** *pl* bani lăsați ca moștenire

expectation of life [ˌekspek'tei∫ən əv 'laif] *s* durata medie a vieții

expected [ik'spektid] *adj* **1** presupus; previzibil; probabil **2** planificat

expectedly [ik'spektidli] *adv* după cum era de așteptat

expecting [ik'spektiŋ] *adj* gravidă; **she is ~ next month** o să nască luna viitoare

expectorant [ik'spektərənt] *s med* expectorant

expectorate [ik'spektə,reit] *vt, vi* a expectora

expectoration [ik,spektə'rei∫ən] *s* **1** expectorare **2** scuipat

expedience [ik'spi:diəns] *s* **1** promptitudine, iuțeală, caracter expeditiv **2** eficacitate; folos, utilitate; oportunitate

expediency [ik'spi:diənsi] *s v.* **expedience**

expedient [ik'spi:diənt] **I** *adj* **1** expeditiv, rapid; eficace, eficient **2** potrivit, indicat, corespunzător **3** folositor, util; avantajos **II** *s* **1** eficacitate **2** inventivitate; expedient; tertip; soluție practică; **he is full of ~s** știe să se descurce (în orice împrejurare)

expedite ['ekspi,dait] **I** *vt* **1** a urgenta, a accelera, a grăbi **2** a rezolva *etc.* fără întârziere **II** *adj* ← *rar* **1** liber, nestânjenit; ușor **2** neîntârziat, rapid, prompt

expedition [ˌekspi'di∫ən] *s* **1** expediție (*științifică etc.*) **2** grabă, iuțeală, promptitudine

expeditionary [ˌekspi'di∫ənəri] *adj* expediționar

expeditionary force [ˌekspi'di∫ənəri 'fɔ:s] *s mil* corp expediționar

expeditious ['ekspi'di∫əs] *adj* **1** expeditiv; prompt; rapid **2** urgent, care nu suferă amânare

expeditiousness [ˌekspi'di∫əsnis] *s* promptitudine; rapiditate

expel [ik'spel] *vt* (**from**) a da afară, a exclude, a elimina (din)

expend [ik'spend] *vt* a folosi, a cheltui (*forță etc.*)

expendable [ik'spendəbəl] *adj* **1** utilizabil; de consum **2** nerecuperabil; ireversibil

expenditure [ik'spendit∫əʳ] *s* cheltuială *sau* cheltuieli; **at his ~** pe cheltuiala lui

expense [ik'spens] *s* **1** cheltuială; **free of ~** a fără cheltuieli **b** *com* franco; **to go to ~** a face cheltuieli **2** preț, cost, socoteală; **at the ~ of his life** *fig* cu prețul vieții (sale); **to laugh at smb's ~** *fig* a râde pe socoteala cuiva

expense account [ik'spens ə'kaunt] *s fin* decont

expensive [ik'spensiv] *adj* scump, costisitor; luxos

expensiveness [ik'spensivnis] *s* **1** cost *sau* preț ridicat **2** scumpete

experience [ik'spiəriəns] **I** *s* **1** experiență (*a vieții etc.*) rutină; **he is a man of ~** e un om cu experiență **2** trăire **3** întâmplare **4** calificare, experiență; măiestrie; cunoaștere **II** *vt* **1** a experimenta **2** a încerca un sentiment de (*durere etc.*) a simți; a trece prin; a încerca

experienced [ik'spiəriənst] *adj* experimentat, cu experiență; călit; calificat

experiential [ik,spiəri'en∫əl] *adj* empiric

experientialism [ik,spiəri'en∫ə,lizəm] *s* empirism

experiment [ik'sperimənt] **I** *s* experiență (*de laborator etc.*), experiment; probă **II** *vi* (**on, upon**) a experimenta, a face experiențe (cu; pe)

experimental [ik,speri'mentəl] *adj* experimental

experimentalism [ik,speri'mentə,lizəm] *s* **1** *filos* empirism; experimentalism **2** experimentare; experiență

experimentalist [ik,speri'mentəlist] *s* experimentator

experimentalize [ik,speri'mentə,laiz] *vi* a experimenta, a face experiențe

experimentally [ik,speri'mentəli] *adv* **1** (în mod) experimental **2** pe bază de experiență **3** din experiență **4** cu titlu de experiență

experimentation [ik,sperimen-'tei∫ən] *s* **1** experimentare **2** verificare

experimenter [ik'speri,mentəʳ] *s* experimentator

expert ['ekspə:t] **I** *s* expert, specialist **II** *adj* expert, cunoscător

expertise [ˌekspə:'ti:z] *s* expertiză

expertly ['ekspə:tli] *adv* ca un expert; cu deosebită pricepere

expertness ['ekspə:tnis] *s* caracter expert; deosebită pricepere

expiate ['ekspi,eit] *vt* a ispăși (*păcate*)

expiation [ˌekspi'ei∫ən] *s* ispășire, expiație

expiatory ['ekspiətəri] *adj* ispășitor, expiator

expiration ['ekspi'rei∫ən] *s* **1** scadență, expirare (*a unui termen etc.*) **2** expirare, răsuflare **3** moarte

expiratory [ik'spaiərətəri] *adj* expirator

expire [ik'spaiəʳ] **I** *vt* a expira (*aerul*) **II** *vi* **1** a expira, a da afară aerul **2** a expira, a muri **3** a expira, a se termina, a se sfârși

expiring [ik'spaiəriŋ] *adj fig* pe moarte; pe sfârșite

explain [ik'splein] **I** *vt* **1** a explica, a lămuri; a interpreta **2** a explica, a justifica, a motiva **II** *vr* a se justifica, a se explica **III** *vi* a da explicații, a se explica

explain away [ik'splein ə'wei] *vt cu part adv* a explica, a lămuri, a desluși, a elucida

explanation [ˌeksplə'nei∫ən] *s* **1** explicare, lămurire; interpretare **2** explicare, justificare, motivare **3** explicație, lămurire

explanatory [ik'splænətəri] *adj* explicativ, lămuritor

expletive [ik'spli:tiv] *adj, s gram* expletiv

explicable ['eksplikəbəl] *adj* explicabil, de înțeles

explicate ['ekspli,keit] *vt* **1** a dezvolta (*o idee etc.*) a expune (*un plan etc.*) **2** a explica, a lămuri pe larg (*un text*)

explication [ˌekspli'kei∫ən] *s* explicare, lămurire; interpretare

explicative [ik'splikətiv] *adj* **1** explicativ; lămuritor; de interpretare **2** clar, lămurit, precis

explicit [ik'splisit] *adj* explicit, clar; evident

explicitly [ik'splisitli] *adv* (în mod) explicit, clar

explode [ik'sploud] **I** *vt* **1** a arunca în aer **2** *fig* a dovedi falsitatea (*cu gen*), a discredita **II** *vi* **1** a face explozie, a exploda **2** *fig* a izbucni (*în râs etc.*)

exploded [ik'sploudid] *adj* **1** explodat **2** *(d. o glumă etc.)* răsuflat; discreditat **3** *tehn* secționat; pe părți componente

explodent [ik'sploudənt] *s fon* (consoană) explozivă

exploder [ik'sploudəʳ] *s min* amorsă

exploit I ['eksplɔit] *s* faptă vitejească, ispravă **II** [ik'splɔit] *vt* **1** a exploata *(o mină etc.)* **2** *fig* a exploata, a abuza de *(cineva)* **3** *fig* a exploata, a cerceta *(resurse etc.)*

exploitation [,eksplɔi'tei∫ən] *s* **1** *min și fig* exploatare **2** publicitate, reclamă

exploiter [iks'plɔitəʳ] *s* exploatator

exploration [,eksplɔː'rei∫ən] *s* explorare, cercetare *(↓ amănunțită);* recunoaștere *(a terenului)*

explorative [eks'plɔːrətiv] *adj v.* **exploratory**

exploratory [ik'splɔrətəri] *adj* **1** ↓ *fig* (cu caracter) de tatonare **2** de probă

explore [ik'splɔː'] *vt* **1** a explora *(un ținut etc.)* **2** a explora, a cerceta, a studia **3** *med* a explora; a sonda; a deschide *(abdomenul etc.)*

explorer [ik'splɔːrəʳ] *s* **1** explorator, cercetător **2** *med* explorator *(sondă etc.)*

explosible [ik'splɔːzəbəl] *adj* explozibil

explosion [ik'splouʒən] *s* **1** *mil, fon etc.* explozie **2** *fig* explozie, izbucnire; hohot *(de râs)*

explosion chamber [ik'splouʒən 't∫eimbəʳ] *s tehn* cameră de explozii

explosion engine [ik'splouʒən 'endʒin] *s tehn* motor cu explozie

explosive [ik'splousiv] **I** *adj* **1** *min etc.* exploziv, explozibil; *mil* și brizant **2** *fon* exploziv **3** *fig* exploziv **4** iute (la mânie), supărăcios **5** controversat **II** *s* **1** exploziv **2** *fon* consoană explozivă

explosive bomb [ik'splousiv 'bɔm] *s mil* bombă explozivă

explosively [ik'splousivli] *adv* (în mod) exploziv

explosiveness [ik'splousivnis] *s* caracter exploziv

Expo [ekspou] *s* expoziție internațională

exponent [ik'spounənt] *s* **1** exponent, factor **2** ghid, interpret; îndrumător **3** model, tip **4** exponat **5** *mat* exponent

exponential [,ekspou'nen∫əl] *adj mat* exponențial

export I [ik'spɔːt] *vt* a exporta **II** ['ekspɔːt] *s* **1** export **2** articol de export **3** ↓ *pl* exporturi, totalul exportului

exportable [ik'spɔːtəbəl] *adj* exportabil

exportation [,ekspɔ'tei∫ən] *s* exportare; export

exporter [ik'spɔːtəʳ] *s* exportator

export trade ['ekspɔːt 'treid] *s ec* comerț de export

expose [ik'spouz] **I** *vt* **1** a expune; a așeza în direcția *(sudului etc.)* **2** a demasca, a da în vileag **3** a expune, a etala *(pt a vinde etc.)* **4** a abandona *(un copil)* **5** a destăinui *(un secret)* **6** *fot* a expune **II** *vr* a se expune *(unui risc etc.)*

exposition [,ekspə'zi∫ən] *s* **1** expunere, prezentare; înfățișare **2** tălmăcire, interpretare **3** ← *rar* expoziție **4** abandonare *(a unui copil)* **5** *fot* expunere

expositive [ik'spozitiv] *adj* **1** expozitiv **2** explicativ, lămuritor

expositor [ik'spozitəʳ] *s* **1** prezentator **2** interpret; comentator

expository [ik'spozitəri] *adj* **1** expozitiv; de expunere **2** explicativ; descriptiv **3** *(d. proză)* științific, retoric *etc. (nu beletristic)*

expostulate [ik'spostju,leit] *vi* a protesta, a obiecta

expostulate with [ik'spostju,leit wið] *vi cu prep* a face observații *(cuiva)*, a critica *(pe cineva);* a mustra, a dojeni

expostulation [ik,spostju'lei∫ən] *s* observație; dojană, mustrare

expostulatory [ik'spostju,leitəri] *adj* mustrător, critic

exposure [ik'spouʒəʳ] *s* **1** prezentare, expunere, înfățișare **2** și *fot* expunere *(la soare etc.)* **3** poziție, așezare; orientare *(a casei etc.)* **4** demascare, dezvăluire **5** buletin meteorologic **6** *geol* denudare, dezgolire; aflorment

expound [ik'spaund] *vt* **1** a expune, a înfățișa, a prezenta **2** a explica, a lămuri

express [ik'spres] **I** *vt* **1** a exprima, a formula, a rosti; **not to be ~ed** de nedescris, indescriptibil **2** a exprima clar/răspicat **3** a expe-

dia urgent *(↓ o scrisoare)* **4** a stoarce **II** *vr* a se exprima **III** *adj* **1** expres, hotărât, formal **2** expres, special **3** exact, precis **4** intenționat **IV** *s* **1** *ferov* (tren) expres; rapid **2** curier, trimis **V** *adv* **1** *v.* **expressly 1 2** *ferov* cu expresul *sau* rapidul **3** prin curier

expressible [ik'spresəbəl] *adj* exprimabil

expression [ik'spre∫ən] *s* **1** *lingv* exprimare; **beyond/past ~** inexprimabil; de nedescris **2** *lingv etc.* expresie **3** expresie, mină **4** expresivitate **5** termen; noțiune

expressionism [ik'spre∫ə,nizəm] *s* expresionism

expressionist [ik'spre∫ənist] *s* expresionist

expressionistic [ik'spre∫ənistik] *adj* expresionist

expressionless [ik'spre∫ənlis] *adj* lipsit de expresie, inexpresiv

expressive [ik'spresiv] *adj* expresiv; grăitor, elocvent

expressively [ik'spresivli] *adv* expresiv

expressiveness [ik'spresivnis] *s* expresivitate

expressive of [ik'spresiv əv] *adj cu prep* care exprimă *cu ac*

expressless [ik'spreslis] *adj* inexprimabil

expressly [ik'spresli] *adv* **1** (în mod) expres, intenționat, dinadins **2** clar, limpede, explicit

Expresso bar [ik'spresou 'bɑː'] *s* bufet expres

expressway [ik'spres,wei] *s amer* autostradă

expropriate [eks'proupri,eit] *vt* a expropria

expropriation [eks,proupri'ei∫ən] *s* expropriere

expropriator [eks,proupri'eitəʳ] *s* expropriator

expulsion [ik'spʌl∫ən] *s* **1** expulzare, izgonire, dare afară **2** *tehn* eșapament, evacuare

expulsion order [ik'spʌl∫ən 'ɔːdəʳ] *s pol* ordin de expulzare

expunge [ik'spʌndʒ] *vt* **1** a șterge, a scoate **2** a distruge, a nimici, a șterge de pe fața pământului **3** a îndepărta, a înlătura *(pe cineva)*

expurgate ['ekspə,geit] *vt* **1** a epura *(o carte)*, a scoate unele pasaje din; a corecta *(un text)* **2** *med* a purga; a da un purgativ *(cuiva)*

expurgation [ˌekspə'geiʃən] *s* **1** epurare, îndepărtare *(a unor pasaje etc. dintr-o carte)* **2** *med* purgativ

exquisite [ik'skwizit] *adj* **1** splendid, excelent, rar, ales **2** *(d. ureche etc.)* extrem de fin **3** *(d. durere etc.)* violent, insuportabil, acut

exquisitely [ik'skwizitli] *adv* **1** splendid, extraordinar, excelent **2** extrem de

exquisiteness [ik'skwizitnis] *s* **1** splendoare; superioritate **2** finețe (extraordinară) *(a auzului etc.)* **3** violență *(a unei dureri etc.)*

exsanguine [ik'sæŋgwin] *adj* anemic; fără sânge

ex-serviceman ['eks'sə:vismən] *s mil* (militar) demobilizat; fost combatant

ext. *presc de la* **1** external **2** extinct **3** extra

extant [ek'stænt] *adj* existent; care se mai găsește, care mai există

extasy ['ekstəsi] *s v.* **ecstasy**

extemporaneous [ikˌstempə'reiniəs] *adj* **1** improvizat, nepregătit **2** prezentat oral *(fără text)* **3** nepremeditat **4** neprevăzut, întâmplător

extemporary [ik'stemporəri] *adj* **1** nepremeditat, negândit dinainte **2** improvizat; făcut în grabă/pripă; provizoriu

extempore [ik'stempəri] **I** *adv* pe nepregătite, improvizat **II** *adj* nepregătit, improvizat

extemporization [ikˌstempərai-'zeiʃən] *s* improvizare; improvizație

extemporize [ik'stempəˌraiz] *vt, vi* a improviza

extemporizer [ik'stempəˌraizəʳ] *s* improvizator

extend [ik'stend] **I** *vt* **1** a întinde, a extinde, a mări; a lungi; a lărgi **2** a prelungi *(viza, un termen etc.)* **3** a răspândi, a extinde *(influența etc.)* **4** a întinde *(funia etc.)* **5** a acorda *(privilegii etc.)* **6** a oferi, a da **II** *vi, vr* a se extinde, a se întinde

extended [ik'stendid] *adj* **1** *și fig* întins, extins **2** *gram (d. propoziții)* dezvoltat

extended order [ik'stendid 'ɔ:dəʳ] *s mil* ordine desfășurată

extendible [iks'tendəbəl] *adj v.* **extensible**

extend to [ik'stend tə] *vt cu dat* a

exprima/a transmite *(mulțumiri etc.)*

extensibility [ikˌstensə'biliti] *s* extensibilitate

extensible [ik'stensəbəl] *adj* extensibil, elastic

extensile [ik'stensail] *adj anat* extensor

extension [ik'stenʃən] *s* **1** extindere, întindere; mărire **2** extensiune, întindere; mărime; lungime **3** prelungire **4** *fig* lărgire, sporire; creștere **5** *constr* extindere; anexă **6** *tehn* prelungitor **7** *univ* cursuri în cadrul universității; cursuri serale **8** acordare *(de ajutor etc.)*; oferire **9** *el* cordon prelungitor **10** *tel* racord **11** *tel* derivație **12** *ferov* linie secundară **13** *tehn* branșament **14** *fig* sferă, volum

extension call [ik'stenʃən 'kɔ:l] *s* convorbire telefonică interurbană

extensive [ik'stensiv] *adj* **1** *și fig* întins, extins, vast **2** *agr* extensiv

extensively [ik'stensivli] *adv* (în mod) extensiv; extins; mult, considerabil

extensiveness [ik'stensivnis] *s* extindere, volum

extensor [ik'stensəʳ] *s anat* mușchi extensor

extent [ik'stent] *s* **1** întindere, extindere, proporții **2** *fig* măsură, grad; **to a certain** ~ într-o anumită măsură, până la un punct; **to what** ~? în ce măsură? cât (de mult)? **to the** ~ **of** până la suma de; **to such an** ~ **that** într-o asemenea măsură încât

extenuate [ik'stenjuˌeit] *vt* **1** a slăbi; a atenua *(o vină etc.)* **2** a găsi circumstanțe atenuante pentru, a căuta să justifice

extenuating circumstances [ik-'stenjuˌeitiŋ 'sə:kəmˌstænsiz] *s pl* circumstanțe atenuante

extenuation [ikˌstenju'eiʃən] *s* slăbire, atenuare *(a unei vini)*

exterior [ik'stiəriəʳ] **I** *adj* exterior, din afară; extern **II** *s* exterior, parte exterioară

exteriority [eksˌtiəri'ɔriti] *s* **1** exterioritate; obiectivitate **2** superficialitate

exteriorization [iksˌtiəriˌɔrai'zeiʃən] *s* exteriorizare

exteriorize [ik'stiəriəˌraiz] *vt* **1** a obiectiva **2** a concretiza, a materializa; a întruchipa

exteriorly [ik'stiəriəli] *adv* **1** la exterior; la suprafață **2** la înfățișare; aparent **3** la prima vedere

exterminate [ik'stə:miˌneit] *vt* a extermina, a distruge, a stârpi

extermination [eksˌtə:mi'neiʃən] *s* exterminare, nimicire, distrugere

external [ik'stə:nəl] **I** *adj* **1** *v.* **exterior I 2** *pol etc.* extern **II** *s pl* **1** exterior, aspect exterior; aparență **2** formă; lucru neesențial **3** împrejurări exterioare

externalize [ik'stə:nəˌlaiz] **I** *vt* a exterioriza; a concretiza *(o idee etc.)* **II** *vi* a se exterioriza, a se materializa, a se concretiza

externally [ik'stə:nəli] *adv* extern, la *sau* dinspre exterior

exterritorial [ˌeksteri'tɔriəl] *adj* extrateritorial

extinct [ik'stiŋkt] *adj* **1** *(d. un vulcan etc.)* stins **2** *fig* stins, apus; mort; uitat

extinction [ik'stiŋkʃən] *s* **1** *și tehn* stingere, extincție **2** *fig* stingere, apus, dispariție **3** *fig* distrugere, nimicire

extinguish [ik'stiŋgwiʃ] *vt* **1** a stinge *(focul etc.)* **2** *fig* a stinge, a potoli, a domoli **3** *fig* a stinge, a distruge, a nimici **4** *jur* a stinge, a achita *(datorii etc.)*

extinguisher [ik'stiŋgwiʃəʳ] *s* stingător, extinctor

extinguishment [ik'stiŋgwiʃmənt] *s* **1** stingere **2** distrugere, nimicire **3** *fig* stingere; dispariție; pieire **4** *jur* anulare *(a unui document)*

extirpate ['ekstəˌpeit] *vt* **1** a stârpi, a extirpa, a distruge **2** *agr* a plivi, a prăși

extirpation [ˌekstə'peiʃən] *s* extirpare, stârpire

extol [ik'stoul] *vt* a preamări, a proslăvi

extolment [ik'stoulmənt] *s* preamărire, proslăvire, ridicare în slăvi; panegiric

extort [ik'stɔ:t] *vt* **1** a stoarce *(bani)* **2** a smulge *(un secret)*

extortion [ik'stɔ:ʃən] *s* stoarcere; jecmănire

extortionate [ik'stɔ:ʃənit] *adj* exorbitant, excesiv

extortionately [ik'stɔ:ʃənitli] *adv* (în mod) excesiv

extortioner [ik'stɔ:ʃənəʳ] *s* jecmănitor; cămătar; speculant

extortionist [ik'stɔːʃənist] *s v.* **extortioner**

extra ['ekstrə] **I** *adj* **1** în plus, suplimentar, extra **2** superior, extra **II** *adv* **1** în plus, peste, suplimentar **2** extrem/exagerat de **III** *s* **1** plată suplimentară **2** *pl* cheltuieli suplimentare **3** calitate superioară **4** *cin* figurant **5** ediție specială *(a unui ziar)*

extra- *pref* extra-: **extraordinary** extraordinar

extra-cellular [ˌekstrə'seljulər] *adj* extracelular

extra-conjugal [ˌekstrə'kɔndʒugəl] *adj* extraconjugal

extract I [iks'trækt] *vt* **1** a extrage, a scoate *(un glonț etc.)* **2** a extrage, a scoate, a lua, a alege, a împrumuta *(citate etc.)* **II** ['ekstrækt] *s* **1** extras, pasaj, fragment **2** *ch* extract, esență

extraction [iks'trækʃən] *s* **1** extragere, scoatere, extracție **2** *v.* **extract II** **2 3** obârșie, neam, origine

extractive [iks'træktiv] *adj* extractiv

extractor [iks'træktər] *s* persoană *sau* instrument *etc.* care extrage; extractor; clește; forceps *etc.*

extracurricular [ˌekstrəkə'rikjulər] *adj* în afara programului; obștesc

extraditable ['ekstrəˌdaitəbəl] *adj (d. o crimă)* care atrage extrădarea

extradite ['ekstrəˌdait] *vt* a extrăda

extradition [ˌekstrə'diʃən] *s* extrădare

extrajudicial [ˌekstrədʒuː'diʃəl] *adj* jur extrajudiciar

extralegal [ˌekstrə'liːgəl] *adj* extralegal

extramarital [ˌekstrə'mæritəl] *adj* extraconjugal

extra-mundane [ˌekstrə'mʌndein] *adj* nepământean; transcedental

extramural [ˌekstrə'mjuərəl] *adj* **1** în afara zidurilor *(unei instituții etc.)*, extern **2** *univ, școl (d. cursuri)* fără frecvență

extraneity [ˌekstrə'neiti] *s* **1** extraneitate **2** caracter neesențial

extraneous [ik'streiniəs] *adj* străin, din afară; care nu e la obiect; neesențial

extraordinarily [ik'strɔːdənrili] *adv* **1** (în mod) extraordinar, nemaipomenit **2** extraordinar/nemaipomenit de

extraordinariness [ik'strɔːdənrinis] *s* caracter extraordinar

extraordinary [ik'strɔːdənri] *adj* **1** extraordinar, nemaipomenit, remarcabil **2** rar; ciudat, neobișnuit **3** *(d. un ambasador)* extraordinar **4** *(d. o sesiune etc.)* extraordinar, excepțional

extra-red [ˌekstrə'red] *adj fiz* ultraroșu

extra-regular [ˌekstrə'regjulər] *adj* care se abate de la regulă; aberant; neregulat

extra-scientific [ˌekstrəˌsaiən'tifik] *adj* inexplicabil din punct de vedere științific

extra-sensory [ˌekstrə'senzəri] *adj* extrasenzorial

extra-terrestrial [ˌekstrəti'restriəl] *adj* extraterestru

extra-territorial [ˌekstrəˌteri'tɔːriəl] *adj* extrateritorial

extraterritoriality [ˌekstrəˌteriˌtɔːri'æliti] *s* extrateritorialitate

extravagance [ik'strævigəns] *s* **1** risipă, cheltuieli excesive **2** extravaganță, excentricitate; ciudățenie

extravagancy [ik'strævigənsi] *s v.* **extravagance**

extravagant [ik'strævigənt] *adj* **1** risipitor, cheltuitor **2** extravagant, excentric **3** ciudat, bizar **4** *(d. prețuri)* excesiv, exorbitant

extravagantly [ik'strævigəntli] *adv* **1** extravagant **2** extrem/excesiv de

extravaganza [ikˌstrævə'gænzə] *s it* **1** *teatru* bufonadă; feerie; spectacol buf **2** *lit* scriere fantastică **3** *v.* **extravagance 2**

extravert ['ekstrəˌvəːt] *s v.* **extrovert**

extra-violet [ˌekstrə'vaiəlit] *adj fiz* ultraviolet

extreme [ik'striːm] **I** *adj* **1** extrem; maxim *sau* minim; cel mai depărtat, cel mai mare *etc.*; ~ **old age** adânci bătrânețe **2** extrem, excesiv; extrem de sever *sau* pretențios *sau* riguros **3** *(d. momente)* din urmă, de sfârșit, dinaintea morții **II** *s* **1** extremă; extremitate, limită, capăt; **in the** ~ la extrem, în cel mai mare grad; extrem de, **to run to an** ~ a cădea într-o extremă; **to go/to run to** ~**s** a recurge la extreme *sau* la măsuri extreme **2** *pl mat* extremi

extremeless [ik'striːmlis] *adj* ← *rar* nemărginit, fără hotare

extremely [ik'striːmli] *adj* **1** la extrem, extraordinar, în cel mai înalt grad **2** extrem/extraordinar de; din cale afară de

extremeness [ik'striːmnis] *s* caracter extrem; extremitate; limită; culme

extremism [ik'striːmizəm] *s* extremism

extremist [ik'striːmist] *s* extremist

extremistic [ˌekstri'mistik] *adj* extremist; extrem

extremity [ik'stremiti] *s* **1** extremitate, capăt, limită **2** *anat* extremități, membre **3** *fig* limită; **to drive smb to** ~ a aduce pe cineva la disperare **4** *fig* strâmtoare, mizerie, sărăcie; situație disperată **5** *pl* măsuri excepționale **6** *fig* agonie, ultimele clipe

extricable [ˌekstrikəbəl] *adj* care poate fi scos *(dintr-o încurcătură etc.)*

extricate ['ekstriˌkeit] **I** *vt* **1** **(from, out of)** a scoate, a scăpa *(pe cineva)* (din) **2** *ch, fiz* a degaja **II** *vr* a scăpa, a se descurca

extrication [ˌekstri'keiʃən] *s* scăpare, descurcare, eliberare

extrinsic(al) [ek'strinsik(əl)] *adj* extrinsec, extern, accesoriu

extrinsically [ek'strinsikəli] *adv* la exterior; extrinsec; fără legătură cu fondul *(problemei etc.)*

extrovert ['ekstrəˌvəːt] *s psih* extrovertit, extravertit

extrude [ik'struːd] *vt* a scoate *sau* a împinge afară

exuberance [ig'zjuːbərəns] *s* **1** abundență, prisos, belșug **2** exuberanță, veselie nestăpânită, expansivitate

exuberant [ig'zjuːbərənt] *adj* **1** *(d. vegetație)* bogat, luxuriant **2** *(d. sănătate etc.)* debordant, excesiv **3** *fig* rodnic, fertil **4** *(d. stil)* încărcat, înflorit; prolix **5** *(d. cineva)* exuberant; expansiv

exuberantly [ig'zjuːbərəntli] *adv* **1** din abundență **2** cu exuberanță

exudation [ˌeksju'deiʃən] *s* transpirație, sudație

exude [ig'zjuːd] *med* **I** *vt* **1** a exsuda, a elimina **2** *fig* a iradia, a împrăștia **II** *vi* a transpira, a asuda

exult [ig'zʌlt] *vi* **1** **(at, over, in)** a jubila, a fi foarte bucuros, *rar* → a exulta (din pricina – *cu gen*) **2** **(over)** a triumfa (asupra – *cu gen*)

exultant [ig'zʌltənt] *adj* **1** vesel, foarte bucuros **2** triumfător

exultantly [ig'zʌltəntli] *adv* jubilând; triumfător

exultation [,egzʌl'teiʃən] *s* veselie, bucurie mare; jubilare

exuviae [ig'zju:vi,i:] *s pl zool* piele, solzi *etc.* lepădați de animale

exuviate [ig'zju:vi,eit] *vi (d. animale)* a năpârli; a-și lepăda pielea; solzii *etc.*

-ey *suf adjectival* -os *etc.*: **clayey** lutos, humos

Eyck [aik], **Jan van** *pictor flamand (1370?-1440?)*

eye [ai] **I** *s* **1** *anat* ochi; **blind in one ~** chior; **to give smb a black ~** a învineți ochiul cuiva; **~s right!** *mil* capul la dreapta! **to be all ~s** *fig* a fi numai ochi; **up to the ~ in work** *fig* având de lucru până peste cap; **mind your ~** ← *F* fii atent, ai grijă; **to see ~ to ~ (with)** a vedea cu aceeași ochi (ca și), a avea aceleași vederi *etc.;* **to make ~s at smb** a face cuiva ochi dulci; a privi drăgăstos la cineva; **to see smth with half an ~** a vedea ceva dintr-o aruncătură de ochi; **to set ~s on** a vedea (în fața ochilor) *cu ac;* **to open smb's ~s** *fig* a deschide cuiva ochii; **he never took his ~s off** nu-și lua ochii de la; urmărea într-una *(cu ac);* **to keep an ~on/upon** a nu pierde din ochi *cu ac,* a supraveghea, a urmări *cu ac;* **in my ~s** *fig* în ochii mei; după părerea mea; **one in the ~ for smb** ← *F* o lovitură *sau* o decepție pentru cineva; **in the public ~** *fig* cunoscut, vestit; **with an ~ to** a ținând seama de **b** în speranța că; **to have an ~ for** *fig* a fi expert în, a se pricepe la; a fi un bun

judecător *cu gen;* **to have an ~ to** *fig* a urmări *cu ac,* a avea în vedere *cu ac;* **before/under one's very ~s** *și fig* chiar sub ochii cuiva; **an ~ for an ~** *fig* ochi pentru ochi; **bright in the ~** *F* cu chef, cherchelit; **to close one's ~s** *și fig* a închide ochii; **with the naked ~** cu ochiul liber; **to catch smb's ~ a** a reține privirea cuiva **b** a-i sări în ochi cuiva **c** a i se da cuvântul cuiva **2** ureche *(de ac)* **3** vizor; ochi *(în ușă)* **4** *bot* ochi **II** *vt* a privi (la), a se uita la; a observa, a cerceta, a urmări

eyeball ['ai,bɔ:l] *s anat* **1** pupilă **2** globul ocular; **~ to ~ (with)** ← *elev sau umor* față în față (cu)

eye bath ['ai ,bɑ:θ] *s v.* **eye cup**

eyebrow ['ai,brau] *s anat* sprânceană; **to raise one's ~s** a ridica sprâncenele; **up to one's ~s** *F* până în gât/peste cap, ~ foarte prins/ocupat

eyebrow pencil ['ai,brau 'pensl] *s* creion *(de sprâncene)*

eye-catching ['ai'kætʃiŋ] *adj* care îți reține privirile

eye-catchingly ['ai'kætʃiŋli] *adv* atrăgător, îmbietor, reținând privirea

eye cup ['ai ,kʌp] *s med* baie de ochi

eyed [aid] *adj (în cuvintele compuse)* cu ochi(i)... : **dark-~** cu ochi negri

eye doctor ['ai 'dɔktər] *s F* doctor de ochi, ~ oculist

eye draught ['ai ,drɑ:ft] *s* schiță de plan; schiță făcută după ochi

eye drop ['ai ,drɔp] *s* **1** ← *poetic* lacrimă **2** *pl* picături de ochi

eyeful ['ai,ful] *s* priveliște atrăgătoare/plăcută; **she was quite an ~** era o priveliște/o încântare s-o privești

eyeglass ['ai,glɑ:s] *s* **1** lentilă; ocular **2** lupă **3** monoclu **4** *pl* ochelari

eyehole ['ai,houl] *s* **1** *anat* orbită, *P* → găvan **2** *bot* ochi **3** crăpătură, deschizătură, ochi

eyelash ['ai,læʃ] *s anat* geană

eyeless ['ailis] *adj* orb

eyelet ['ailit] *s* **1** capsă; cheotoare **2** gaură; ferestruică **3** *dim* ochișor

eyelid ['ai,lid] *s anat* pleoapă

eye opener ['ai 'oupnər] *s* **1** *F* bombă, ~ știre senzațională; ceva ce uimește **2** *sl* dușcă, păhărel

eyepiece ['aipi:s] *s fiz* ocular

eyepit ['ai,pit] *s anat* orbită

eye probe ['ai ,proub] *s med* sondă de ochi

eye service ['ai ,sə:vis] *s* **1** muncă făcută de ochii lumii **2** față, aparență; veselie *etc.* prefăcută

eyeshot ['ai,ʃɔt] *s* câmp de vedere, câmp vizual; **within ~** în câmpul de vedere, observabil

eyesight ['ai,sait] *s* **1** vedere, văz **2** câmp de vedere; orizont **3** *tehn* fereastră/ochi de observație

eye slit ['ai ,slit] *s mil* vizor

eye sore ['ai ,sɔ:'] *s* **1** *med* urcior (la ochi) **2** *fig* spin în ochi

eye tooth ['ai ,tu:θ] *s* **1** *anat* (dinte) canin; **to draw smb's eye teeth** *fig* a pune pe cineva la punct **2** *fig* maturitate, experiență

eye wash ['ai ,wɔʃ] *s* **1** *med* colir, apă de ochi **2** *fig* F apă de ploaie; vorbe dulci, ~ lingușiri

eye-wise ['ai,waiz] *adj* care pare înțelept; superficial

eyewitness ['ai,witnis] *s* martor ocular

eyot [ait] *s* insulă *(într-un râu)*

eyrie, eyry ['iəri] *s* **1** cuib al unei păsări de pradă; cuib de vulturi **2** *fig* cuib retras; fortăreață; castel

Ezekiel [i'zi:kiəl] *bibl* Ezechiel

Ezra ['ezrə] *nume masc*

F

F, f [ef] *s* **1** (litera) F, f **2** *muz* (nota) fa

F *s* notare insuficientă a elevilor

F. *presc de la* **1** February **2** France **3** French **4** Friday **5** Fellow **6** Fahrenheit

F., f. *presc de la* **1** foot *sau* feet **2** father **3** farthing **4** farad **5** feminine **6** following **7** folio **8** franc

fa [fɑː] *s muz* (nota) fa

FA, F.A. *presc de la* **1** Fine Arts **2** Field Artillery

f.a. *presc de la* fire alarm

fab [fæb] *adj F v.* **fabulous**

Fabian ['feibiən] **I** *adj* **1** *pol od* fabian **2** *fig* precaut, prevăzător **3** *pol* care folosește tactica de uzură *sau* așteptare **II** *s pol od* fabianist

Fabianism ['feibiə,nizəm] *s pol od* fabianism *(mișcare cu caracter reformist a socialiștilor englezi)*

fable ['feibəl] **I** *s* **1** fabulă **2** născocire, ficțiune; legendă; mit **3** *fig* fabulație, subiect (al unei lucrări literare) // **he was the ~ of the town** tot orașul vorbea despre el; ajunsese în gura lumii **II** *vt* a născoci, a inventa; a minți

fabled ['feibəld] *adj* fabulos; legendar

fabler ['feiblə'] *s* fabulist

fabric ['fæbrik] *s* **1** *text* material, țesătură, stofă **2** construcție, clădire **3** *fig* eșafodaj, structură, mecanism; sistem **4** *constr* structură, carcasă

fabricant ['fæbrikənt] *s* **1** *amer* fabricant **2** constructor

fabricate ['fæbri,keit] *vt* **1** a fabrica, a produce, a executa **2** a prefabrica **3** a falsifica, a contraface *(un act etc.)* **4** a născoci, a inventa *(o poveste etc.)*

fabricated ['fæbri,keitid] *adj* **1** falsificat, contrafăcut **2** prefabricat **3** născocit, inventat

fabrication [,fæbri'keiʃən] *s* **1** fabricare, producere *etc. (v.* **fabricate***)* **2** contrafacere, fals, document/act contrafăcut **3** născocire, invenție

fabricator ['fæbri,keitə'] *s poetic* făcător, – creator

fabulate ['fæbjuleit] *vi* a spune câte în lună și în stele, a îndruga minciuni

fabulist ['fæbjulist] *s* fabulist

fabulosity [,fæbju'lositi] *s* caracter fabulos/legendar

fabulous ['fæbjuləs] *adj* **1** fabulos, mitic, legendar **2** fantastic, ireal; absurd **3** *F* fantastic, grozav

fabulously ['fæbjuləsli] *adv* de necrezut, extraordinar (de)

fabulousness ['fæbjuləsnis] *s v.* **fabulosity**

façade, facade [fə'sɑːd] *s fr constr* fațadă

face [feis] **I** *s* **1** față, chip; **he fell on his ~** căzu cu fața în jos; **the stone struck him on the ~** piatra îl lovi în față; **to look smb in the ~** a privi pe cineva drept în față/ochi; **~ to ~ (with)** față în față (cu); **to smb's ~** fățiș, deschis, pe față; în fața/prezența cuiva; **don't let me see your ~ again!** să nu te mai văd! piei din fața mea! **to be unable to look smb in the ~** a nu mai putea privi pe cineva în ochi *(de rușine etc.)*; **to show one's ~** a se arăta (la față), a apărea, a se ivi; **right ~!** *mil* la dreapta! **left ~!** *mil* la stânga! **right about ~!** *mil* la dreapta împrejur! **2** expresie, înfățișare, mină; **to have a good ~** a arăta bine, a avea o mină bună; **to make a wry ~ at** a se strâmba la; **to put on a long ~ a** a lua o înfățișare gravă **b** a se întrista la chip **c** a face ochii mari; **to put on a new ~** a-și schimba înfățișarea, a se schimba la față; **to save one's ~** a nu se face de rușine **3** *pl* grimasă, strâmbătură; **to make ~s** a se strâmba, a face strâmbături **4** *fig* neobrăzare, nerușinare; îndrăzneală; **to have the ~ to** a avea nerușinarea/ neobrăzarea să **5** *fig* față, prezență; **in (the) ~ of a** în fața/prezența, sub ochii *cu gen* **b** în ciuda *cu gen* **6** *fig* față, suprafață, aspect exterior; **on the ~ of the earth** pe fața pământului; **on the ~ of things** la prima vedere; judecând superficial **7** vedere din față **8** față *(a unei monede, pagini, a unui material etc.)* **9** cadran (al ceasului) **10** *constr* fațadă **11** *min* front de abataj **12** *poligr* (tip de) literă, caracter; floare **II** *vt* **1** a se întoarce *sau* a sta cu fața spre; a fi orientat spre; **our house ~s the south** casa noastră este orientată/are vedere spre sud **2** a înfrunta, a sfida, a brava; a privi (drept) în față; **~ the enemy** a înfrunta inamicul, a da față cu inamicul; **he doesn't dare to ~ me** nu îndrăznește să dea ochii cu mine; **to ~ the music** a nu avea încotro, *F* a înfrunta mustrarea, critica, greutățile *etc.* fără să crâcnească **3** a recunoaște existența *(unor fapte etc.)*, a nu putea tăgădui/ nega *(evidența)* **4** *fig* a sta *(cuiva)* în față, a aștepta; **the problem that ~s us** problema care ne stă în față/care ni se pune **5** a căptuși *(o haină)* **6** a drege, a cârpi *(o haină)*; a aranja, a pune la punct **7** a colora, a turna esență în *(ceai)* **8** *tehn* a polizza; a freza **9** *tehn* a acoperi (partea din față – *cu gen*); a fățui

faceable ['feisəbəl] *adj* care poate fi privit în față

face-about ['feis'əbaut] *mil* **I** *s* întoarcere la stânga împrejur **II** *vt* a da comanda de „stânga împrejur" *(cuiva)*

face ache ['feis ,eik] *s* nevralgie facială

face card ['feis ,kɑːd] *s* figură *(la cărți de joc)*

face cloth ['feis ,klɔθ] *s* burete *(moale)*

face cream ['feis ,kriːm] *s* cremă de față

faced [feist] *adj (în adjective compuse)* cu fața..., ... la față; **long-~** cu fața prelungă/lunguiață

face fungus ['feis ,fʌŋgəs] *s ← umor* păr pe față, bărbos

face guard ['feis ,gɑːd] *s* mască de protecție

face-harden ['feis,hɑːdən] *vt met* a căli

faceless ['fẹislis] *adj* 1 fără față; cu fața descompusă *sau* mutilată 2 anonim

face lift ['fẹis lift] *s* 1 *med* operație plastică/operatoare 2 *fig* reparație *sau* reparații; înnoire; împrospătare

face lifting ['fẹis ,liftiŋ] *s* chirurgie plastică/estetică

face out ['fẹis 'aut] *vt cu part adv* a înfrunta cu curaj

face pack ['fẹis ,pæk] *s* mască cosmetică

face paint ['fẹis ,peint] *s* ruj; machiaj

face painter ['fẹis ,peintə'] *s* 1 machior; grimer 2 pictor (portretrist)

face piece ['fẹis ,pi:s] *s mil* mască antigaz

face powder ['fẹis ,paudə'] *s* pudră de față

facer ['fẹisə'] *s* 1 lovitură în față 2 *amer* ← *F* greutăți neprevăzute 3 *amer* cană; pahar 4 *amer sl* pahar de whisky *sau* punș

face-saver ['fẹis,seivə'] *s* șiretlic folosit pentru a-și salva reputația

face-saving ['fẹis,seiviŋ] *s* salvarea prestigiului/reputației

facet ['fæsit] *s* 1 *poligr* fațetă 2 *fig* fațetă, aspect; implicație

facetious [fə'si:ʃəs] *adj* 1 care face glume când nu trebuie; glumeț, hazliu; poznaș 2 vesel

facetiously [fə'si:ʃəsli] *adv* glumind, pe un ton de glumă

face value ['fẹis ,vælju:] *s ec* valoare nominală; **to take smth at its ~** *fig* a lua ceva drept bun

face wall ['fẹis ,wo:l] *s* perete de fațadă

face wash ['fẹis ,woʃ] *s* loțiune facială

face work ['fẹis ,wə:k] *s constr* 1 zidărie aparentă 2 îmbrăcare, căptușire

facial ['fẹiʃəl] **I** *adj* 1 facial, al feței 2 de față **II** *s* masaj *sau* tratament facial

facient ['fẹiʃənt] *s mat* factor

facile ['fæsail] *adj* 1 ușor, lesnicios, facil 2 superficial, (făcut) de mântuială 3 (*d. versuri*) curgător 4 (*d. cineva*) accesibil; maleabil; de înțeles 5 (*d. cineva*) simpatic, plăcut; degajat

facilitate [fə'sili,teit] *vt* 1 a ușura, a facilita, a înlesni 2 a promova, a încuraja

facilitation [fə'sili'teiʃən] *s* 1 ușurare, facilitare 2 promovare, încurajare

facility [fə'siliti] *s* 1 ușurință, facilitate 2 talent, dar, aptitudine 3 dezinvoltură, degajare 4 *pl* comodități, înlesniri 5 *pl* condiții favorabile; privilegii, avantaje 6 *tehn* amenajare; instalație; dispozitiv; utilaj

facing ['fẹisiŋ] *s* 1 orientare, înfruntare *etc.* (*v.* **face II**) 2 *pl mil* tresă; galon; vipușcă 3 *pl nav* viraje

facsimile [fæk'simili] **I** *s* reproducere/copie fidelă; **in ~** întocmai, exact **II** *vt* a reproduce în facsimil

fact [fækt] *s* 1 fapt, întâmplare; împrejurare, circumstanță; **stark ~s** fapte nude 2 fapt, realitate; adevăr; **this is a ~ and not a conjecture** acesta este un fapt (real), nu o presupunere; **I know for a ~ that** știu precis/sigur că; **in ~, as a matter of ~** a de fapt, în realitate **b** dealtfel 3 *pl* fapte, date 4 *fig* esență, miez; **the ~ of the matter is that** esența chestiunii stă în aceea că // **the ~ is that** fapt este că; cert este că; **the ~ he could not come is of no importance** faptul că nu a putut veni nu are nici o însemnătate

fact finder ['fækt faində'] *s* persoană care constată fapte(le)

fact finding ['fækt ,faindiŋ] *s* constatare/stabilire a faptelor

faction ['fækʃən] *s* 1 facțiune; fracțiune, partidă 2 bandă, clică 3 sciziune, dezbinare, vrajbă

factional ['fækʃənəl] *adj* de facțiune; răzvrătit

factionalism ['fækʃənə,lizəm] *s* disidență

factioneer [,fækʃə'niə'] *s* fracționist; dizident

factious ['fækʃəs] *adj* 1 răzvrătit, scizionist, dizident; de dezbinare 2 *rel* schismatic

factitious [fæk'tiʃəs] *adj* nefiresc, nenatural, artificial; convențional

factitiousness [fæk'tiʃəsnis] *s* artificialitate

factitive ['fæktitiv] *adj gram* factitiv

fact of life ['fækt əv ,laif] *s* dat, realitate, fapt

factor ['fæktə'] *s* 1 agent, mijlocitor, samsar 2 factor, agent, element 3 *mat* factor; coeficient; divizor

4 *tehn* coeficient (*de siguranță etc.*); factor 5 *biol* genă

factorial [fæk'tɔ:riəl] *adj* de fabrică

factorization [,fæktərai'zeiʃən] *s mat* descompunere în factori, factorizare

factorize ['fæktə,raiz] *vt mat* a descompune în factori

factory ['fæktəri] *s* 1 fabrică; uzină 2 *com* factorie

Factory Acts ['fæktəri ,ækts] *s pl* legislație industrială

factory farm ['fæktəri ,fa:m] *s* fermă industrială

factotum [fæk'toutəm] *s* 1 factotum; om de încredere 2 meșter la toate; „fată în casă la toate"

factual ['fæktʃuəl] *adj* faptic; real, efectiv

facture ['fæktʃə'] *s ec* factură

facultative ['fækəltətiv] *adj* 1 facultativ; opțional 2 întâmplător, accidental 3 privitor la facultăți (fizice, intelectuale)

faculty ['fækəlti] *s* 1 facultate; aptitudine, înzestrare, talent 2 *univ* facultate 3 autoritate, drept 4 *pl* resurse, posibilități, mijloace

fad [fæd] *s* capriciu, toană, moft; manie; marotă

faddish ['fædiʃ] *adj* cu capricii/mofturi *sau* manii

faddishly ['fædiʃli] *adv* (în mod) capricios; ca un maniac

faddist ['fædist] *s* excentric, original; maniac

faddy ['fædi] *adj* ciudat, straniu; excentric

fade [feid] **I** *vi* 1 (*d. flori etc.*) a se ofili, a se veșteji; a păli 2 (*d. culori*) a se șterge, a ieși 3 (*d. stofe*) a se decolora 4 (*d. sunete, lumină*) a se pierde, a se stinge, a muri 5 *v.* **face away II** *vt* a decolora

fade away ['feid ə'wei] *vi cu part adv* (*d. amintiri etc.*) a se șterge, a se stinge; a se estompa

faded ['feidid] *adj* decolorat; șters; îngălbenit; gălbejit

fade-in ['feid,in] *s tel* intrare progresivă

fadeless ['feidlis] *adj fig* de neșters, nepieritor

fadeout ['feid,aut] *s te!* suprimare progresivă

fade out ['feid 'aut] *tel* **I** *vt cu part adv* atenua; a amortiza **II** *vi cu part adv* a dispărea treptat

fading ['feidiŋ] *s* **1** ofilire, veștejire *etc.* (*v.* **fade**) **2** *tel* fading; mixaj; suprapunere

faeces ['fi:si:z] *s pl* **1** sedimente, depuneri **2** (materii) fecale

faerie, faery ['feiəri] *s ← înv* ținut de basm, țară a zânelor

fag [fæg] **I** *vi* **1** a trudi, a munci din greu, a se osteni; **to ~ up a hill** a urca un deal gâfâind **2** a face diferite servicii elevilor mai mari *(în școlile engleze)* **3** a se folosi de serviciile *(elevilor mai mici)(în școlile engleze)* **II** *vt* a obosi, a istovi, a surmena, a slei **III** *s* **1** muncă istovitoare *sau* plicti-sitoare, corvoadă **2** oboseală, surmenaj, epuizare **3** elev mai mic care îi face diferite servicii unuia mai mare *(în școlile engle-ze)* **4** *F* pipă, – țigară

fag away ['fæg ə'wei] *vi cu part adv v.* **fag I 1**

fag end ['fæg ,end] *s* **1** căpețel, muc; rămășiță **2** capăt, extremitate **3** parte finală, sfârșit *(al zilei etc.)*

fagged [fægd] *adj* obosit; *v. și* **fagged out**

fagged out ['fægd aut] *adj* istovit, rupt/frânt de oboseală

faggot ['fægət] *s* **1** sarcină/braț de vreascuri **2** mănunchi de nuiele, fascină **3** snop **4** *od* ardere pe rug **5** *amer* homosexual **6** per-soană neplăcută/antipatică; pisălog

fag out ['fæg 'aut] *vi cu part adv* a istovi, a surmena, a slei

Fah(r). *presc de la* **Fahrenheit**

Fahrenheit ['færən,hait] *s* (termo-metru) Fahrenheit

faience [fai'a:ns] *s* faianță

fail [feil] **I** *s* **1** nereușită, eșec **2** cădere *(la un examen)* // **without ~** negreșit, neapărat **II** *vi* **1** (in) a nu reuși (la; în); a cădea, a nu trece *(la un examen)* **2** *(d. planuri etc.)* a nu reuși; a cădea, a se prăbuși, a se nărui; a nu se îndeplini **3** *(d. vedere etc.)* a slăbi; *(d. sănătate etc.)* a se subrezi **4** *(d. provizii etc.)* a se sfârși, a se isprăvi, a se termina **5** *(d. recoltă etc.)* a fi sub aștep-tări, a nu corespunde așteptărilor **6** *cu dat* a-i lipsi *(cuiva)*; a părăsi *(pe cineva)*; **his courage ~ed him** îl părăsi curajul; **his heart ~ed him** se sperie, *F→* i se făcu

inima cât un purice; **words ~ me** nu am cuvinte *(ca să exprim ceva)*; **time would ~ me** n-o să reușesc, n-o să am timp **7** *com* a da faliment **III** *vt* **1** *(cu inf)* a nu reuși, a nu izbuti (să); **to ~ to pass an examination** a nu reuși să treacă/a nu promova un examen **2** *(d. examinatori)* a nu promova, a nu trece, *F* a trânti, a pica **3** *(cu inf)* a omite, a neglija (să); a uita (să); a nu *(face ceva)*; **he did not ~ to keep his word** s-a ținut de cuvânt; **his prom-ises ~ed to materialize** promi-siunile lui nu s-au concretizat, nu și-a ținut promisiunile; **don't ~ to let me know** să (nu uiți să) mă înștiințezi

failed [feild] *adj* **1** nereușit, neizbutit, ratat **2** falit

fail in ['feil 'in] *vi cu prep* **1** a-i lipsi, a nu avea *(ceva)*; **this play fails in unity** acestei piese îi lipsește unitatea **2** a i se subrezi *(sănă-tatea etc.)*

failing ['feiliŋ] **I** *s* **1** lipsă, neajuns, scădere **2** slăbiciune *(a firii etc.)* **3** nereușită, insucces **II** *prep* în lipsa/absența *cu gen*; în cazul în care lipsește *(ceva sau cineva)*; **~ a reply to my letter** în cazul în care nu voi primi un răspuns la scrisoarea mea **III** *adj* **1** neîndes-tulător, insuficient **2** *(d. vedere etc.)* care slăbește

fail of ['feil əv] *vi cu prep* **1** a nu izbuti să realizeze *ceva* **2** a-i lipsi, a nu avea *ceva*

fail-safe ['feil,seif] *adj tehn* de nădejde, trainic, solid; care nu are opriri; fără bătăi neregulate

failure ['feiljə] *s* **1** absență, lipsă; neajuns **2** sărăcie; insuficiență **3** eșec, nereușită; cădere, prăbu-șire **4** (stare de) slăbiciune, sfâr-șeală, neputință **5** pierdere, pagubă **6** insuficiență, slăbire *(a inimii etc.)* **7** ratat; ghinionist **8** *tehn* avarie; defecțiune, deran-jament; pană **9** *geol* falie, ruptu-ră; dizlocare; surpare, prăbușire

fain [fein] *adv cu inf scurt ← înv, poe-tic* bucuros, cu plăcere; **he would ~ to it** ar face-o cu dragă inimă

faint [feint] **I** *adj* **1** slab, fără putere, sleit, sfârșit **2** fricos, temător **3** mic, slab, neputincios **4** *fig* neclar, estompat, vag **II** *s* leșin,

pierderea cunoștinței **III** *vi* **1** *← poetic* a-și pierde firea/curajul **2** a slăbi; a ameți, a se simți sfârșit; a leșina, a cădea în nesimțire

faint away ['feint ə'wei] *vi cu part adv v.* **faint III 1**

faint-heart ['feint,ha:t] *s* fricos; laș

faint-hearted ['feint,ha:tid] *adj* **1** fri-cos, slab de înger; laș **2** timid, sfios

faint-heartedly ['feint'ha:tidli] *adv* **1** cu frică/teamă **2** cu sfială, sfios

faint-heartedness ['feint'ha:tidnis] *s* **1** frică, teamă; lașitate **2** timidi-tate, sfială

fainting fit ['feitiŋ ,fit] *s* amețeală; leșin

faintly ['feintli] *adv* **1** slab, de-abia; cu voce slabă **2** cu sfială

faintness ['feintnis] *s* **1** (stare de) slăbiciune **2** amețeală, leșin

fain to ['fein tə] *adj pred nu inf ← înv, poetic* **1** bucuros să; dispus/ gata să **2** silit/obligat să

fair¹ [feə] *s* **1** bâlci, iarmaroc, târg; **a day after the ~** prea târziu, la spartul târgului **2** bazar *(filan-tropic)* **3** expoziție, târg

fair² [feə] **I** *adj* **1** *(d. femei) ← înv* frumos, atrăgător, cu vino-ncoace **2** frumos, curat, îngrijit **3** model, exemplar, fără cusur **4** *(d. cer)* senin, fără nori **5** *(d. apă)* limpe-de, clar **6** *(d. un text)* citeț, lizibil, clar **7** *(d. nume etc.)* curat, nepătat **8** bun, natural, firesc **9** frumos, bun, prielnic, priincios, favorabil **10** *(d. cineva)* cinstit; nepărtinitor, imparțial, obiectiv **11** *(d. o sumă etc.)* (destul de) mare, considerabil, respectabil **12** *(d. cineva, d. păr)* blond, bălai, bălan **13** *(d. ten)* alb **14** *(d. prețuri)* rezonabil, acceptabil; conve-nabil; ieftin **15** destul de bun, satisfăcător, mulțumitor **II** *adv* **1** cinstit, corect; drept; echitabil; **to play ~** a juca cinstit/după regulile jocului; a proceda cum trebuie **2** drept, direct, sincer, neocolit **3** *← înv* curtenitor, prevenitor, politi-cos **4** tocmai, exact; **the ball struck him ~ on the nose** mingea îl lovi drept în nas // **to bid/to promise ~** a promite multe, a făgădui marea cu sarea **III** *s ← înv, poetic* **1** fată *sau* femeie frumoasă **2** iubită **3** **the ~** sexul frumos **4** femeie **IV** *vi* *(d. vreme)* a se însenina **V** *vt* a (tran)scrie pe curat

fair copy ['fɛə ˌkɔpi] *s* copie exactă; exemplar corectat

fair-dealing [ˌfɛə'di:liŋ] **I** *adj v.* **fair I, 10 II** *s* cinste; obiectivitate, imparțialitate

fair-faced ['fɛəˌfeist] *adj* **1** *v.* **fair I, 1 2** blond, bălai **3** fățarnic, ipocrit

fair game ['fɛə ˌgeim] *s* **1** vânat legal **2** *fig* pradă ușoară; țintă ușoară

fair-ground ['fɛəˌgraund] *s* loc/teren pentru distracții de bâlci

fair-haired ['fɛəˌhɛəd] *adj* cu părul blond

fairly ['fɛəli] *adv* **1** corect, drept, imparțial, obiectiv **2** destul/îndeajuns de **3** foarte, cât se poate de, extrem de **4** cu totul/desăvârșire **5** citeț, lizibil

fair-minded ['fɛəˌmaindid] *adv v.* **fair I, 10**

fair-mindedness ['fɛəˌmaindidnis] *s* imparțialitate, obiectivitate, co-rectitudine

fairness ['fɛənis] *s* **1** ← *înv* frumu-sețe, vino-ncoace **2** curățenie, aspect îngrijit **3** limpezime, claritate **4** cinste; nepărtinire, imparțialitate, obiectivitate **5** caracter considerabil *(al unei sume etc.)* **6** caracter acceptabil *sau* convenabil *(al unei oferte etc.)*

fair play [ˌfɛə 'plei] *s* **1** *sport* joc corect/regulamentar, sportivitate **2** *fig* joc cinstit; corectitudine; nepărtinire, obiectivitate

fair sex, the ['fɛə ˌseks, ðə] *s* sexul frumos

fair spoken ['fɛə ˌspoukən] *adj* **1** care vorbește frumos **2** care făgăduiește multe **3** curtenitor, politicos

fair trade ['fɛə ˌtreid] *s* **1** comerț (exterior) pe bază de recipro-citate **2** comerț legal **3** ← *umor* contrabandă

fairway ['fɛəˌwei] *s* *nav* șenal navigabil, pasă de navigație

fair-weather ['fɛəˌweðə'] *adj atr fig* de vreme bună

fairy ['fɛəri] **I** *s* zână, nimfă; elf, gnom, silf, vrăjitoare **II** *adj atr* **1** de zână **2** fermecat, de basm, feeric, vrăjit

fairyland ['fɛəriˌlænd] *s* țară de basm, țara minunilor

fairy-like ['fɛəriˌlaik] *adj* vrăjit; feeric; de basm

fairy tale ['fɛəriˌteil] *s* **1** basm (cu zâne) **2** *pl F* basme, povești, gogoși, brașoave

fait accompli [fetacõ'pli] *s fr* fapt împlinit

faith [feiθ] *s* **1** credință; crez; convingere *sau* convingeri **2** credință, crezare, încredere; **good ~ a** bună-credință; intenții cinstite **b** credință, fidelitate; **in good ~** cinstit, fără intenții ascunse; **bad ~ a** rea-credință, necinste **b** trădare; **in bad ~** cu intenții rele; (în mod) ticălos **3** credință, religie, *P* → lege **4** credință, loialitate, lealitate, fidelitate // **to keep one's ~** a-și ține promisiunea

faithful ['feiθful] **I** *adj* **1** credincios; evlavios, cucernic **2** (**to**) credin-cios, fidel, leal, loial *(cu dat)* **3** *(d. o traducere etc.)* fidel, exact, corect **4** credincios, cinstit, onest **II** *s* **the ~** credincioșii; dreptcredincioșii

faithfully ['feiθfuli] *adv* **1** cu cre-dință; cu loialitate; **yours ~** cu stimă, cu toată stima *(formulă de felicitare în scrisori)* **2** *(a traduce etc.)* fidel, cu exactitate, exact

faithfulness ['feiθfulnis] *s* **1** cre-dință; fidelitate, loialitate **2** cinste, onestitate

faith healer ['feiθ ˌhi:lə'] *s* tămă-duitor *(prin rugăciuni)*

faithless ['feiθlis] *adj* **1** necredincios, ateu **2** necredincios, necinstit, neloial **3** mincinos, perfid

faithlessly ['feiθlisli] *adv* necinstit; perfid

faithlessness ['feiθlisnis] *s* **1** necre-dință, ateism **2** necredință, infi-delitate, neloialitate

fake [feik] **I** *vt* **1** a contraface, a fal-sifica **2** a înșela; a înșela buna cre-dință *(a cuiva);* a prosti **3** *sport* a simula **II** *s* **1** contrafacere, fals **2** înșelăciune, escrocherie **3** *sl* im-postor, șarlatan **III** *adj atr* fals; simulat

fakement ['feikmənt] *s F v.* **fake II, 1-2**

faker ['feikə'] *s sl* **1** măsluitor; șarlatan, escroc **2** negustor ambulant

fake up ['feik ˌʌp] *vt cu part adv v.* **fake I, 1-2**

fakir [fə'kiə'] *s* **1** fachir **2** *v.* **faker**

falchion ['fɔːltʃən] *s* **1** *od* iatagan **2** *poetic* paloș, sabie

falcon ['fɔːlkən] *s orn* șoim *(Falco sp.)*

falconet ['fɔːlkəˌnet] *s orn* **1** pui de șoim **2** șoim pitic

falconry ['fɔːlkənri] *s* **1** vânătoare cu șoimi **2** șoimărie, creșterea șoimilor

falderal ['fældiˌræl] *s* **1** bagatele, fleacuri, nimicuri **2** „tra-la-la" *(refren în vechile cântece po-pulare)*

faldstool ['fould ˌstu:l] *s* scaun pliant

fall [fɔːl] **I** *pret* **fell** [fel], *ptc* **fallen** ['fɔːlən] *vi* **1 a** cădea, a pica; a se prăbuși; *(d. cortină etc.)* a se lăsa **2** *(d. o construcție)* a cădea, a se dărâma, a se prăbuși, a se surpa, a se nărui, a se ruina **3** *(d. frunze etc.)* a cădea, a se desprinde **4** *(d. cineva)* a cădea *(în luptă etc.)*, a pieri, a-și pierde viața **5** *(d. vânt etc.)* a se domoli, a se potoli, a scădea în inten-sitate **6** *(d. curaj, prețuri etc.)* a scădea, a se micșora; **his cour-age fell** îl părăsi/își pierdu curajul **7** a decădea *(moralicește);* a se descompune **8** *(d. noapte etc.)* a veni, a se lăsa **9** *(d. față)* a se trage, a se lungi // **to ~ over backwards/oneself to do smth** a se da peste cap ca să facă ceva, a nu mai ști ce să facă pentru *a mulțumi pe cineva etc.* **II** *s* **1** cădere, picare; prăbușire **2** scădere *(a prețului sau valorii)* **3** ↓ *pl* cădere de apă, cascadă **4** povârniș, pantă, înclinare **5** *amer* toamnă **6** *hidr* coloană de apă **7** *nav* curent de palanc **8** *silv* tăiere, abataj **9** luptă, încăierare

fall aboard of ['fɔːl ə'bɔːd əv] *vt cu part adv și prep nav* a aborda cu ac

fall about ['fɔːl ə'baut] *vi cu part adv F* a se prăpădi, a se tăvăli pe jos *(de râs)*

fallacious [fə'leiʃəs] *adj* fals, eronat, greșit, *rar* → falacios

fallaciously [fə'leiʃəsli] *adv* (în mod) eronat, greșit

fall acros ['fɔːl ə,krɔs] *vi cu prep* a da peste/de, a întâlni din întâm-plare

fallacy ['fæləsi] *s* **1** falsitate, eroare, aberație, erezie **2** sofism **3** concluzie greșită/eronată

fallal [fæl'læl] *s* ornament netre-buincios, zorzon

fall among ['fɔːl ə'mʌŋ] *vi cu prep fig* a nimeri în mijlocul (*unor ticăloşi etc.*)

fall away ['fɔːl ə'wei] *vi cu part adv* 1 a se micşora, a se diminua 2 a slăbi, a scădea în greutate 3 *fig* a slăbi, a se ofili

fall away from ['fɔːl ə'wei frəm] *vi cu part adv şi prep* a părăsi cu ac, a se despărţi de

fall back ['fɔːl 'bæk] *vi cu part adv şi fig* a da înapoi, a se retrage

fall back upon/on ['fɔːl 'bæk ə,pɒn/ ɒn] *vi cu part adv şi prep* 1 a reveni/a se întoarce la (*o idee etc.*) 2 a recurge/a apela la, a căuta un sprijin în 3 *mil* a se retrage spre

fall behind(hand) ['fɔːl bi'haind (,hænd)] *vi cu part adv şi (s) fig* a rămâne în urmă

fall down ['fɔːl 'daun] *vi cu part adv* 1 a cădea, a se prăbuşi 2 a cădea la pământ; a se prosterna 3 (*d. haine*) a cădea, a atârna

fall down on ['fɔːl 'daun ɒn] *vi cu part adv şi prep sl* a nu reuşi în

fallen ['fɔːlən] **I** *ptc de la* fall **II** *adj* 1 căzut, prăbuşit 2 căzut, lăsat în jos 3 prosternat 4 *fig* decăzut (*moraliceşte*) 5 *fig* învins, înfrânt 6 *fig* ruinat, distrus 7 *fig* căzut, mort

fall for ['fɔːl fə'] *vi cu prep* 1 *F* a-i cădea *cineva* cu tronc, – a se îndrăgosti de 2 *F* a se da în vânt după, – a-i plăcea *ceva* 3 *F* a fi dus de nas de (*către*), a se lăsa înşelat de

fall foul of ['fɔːl ,faul əv] *vi cu adj şi prep* 1 *nav* a se ciocni de 2 a se certa cu; a avea neplăceri cu

fall guy ['fɔːl ,gai] *s amer* 1 *F* ţap ispăşitor; cal de bătaie 2 *F* gogoman, găgăuţă, *argou* fazan

fallibility [,fæli'biliti] *s* failibilitate; imperfecţiune, nedesăvârşire (*a omului*)

fallible ['fælibəl] *adj* supus greşelii/ greşelilor, failibil, imperfect

fall in ['fɔl 'in] *vi cu part adv* 1 a se prăbuşi, a se dărâma 2 *mil* a se alinia 3 (*d. termene*) a expira, a trece 4 (*d. o datorie*) a fi scadent 5 (*d. un post*) a deveni vacant

falling sickness ['fɔːliŋ ,siknis] *s med* epilepsie

falling star ['fɔːliŋ ,staː'] *s* stea căzătoare; meteor

fall into ['fɔːl ,intə] *vi cu prep* 1 (*d. o carte etc.*) a se împărţi în, a fi alcătuit din (*capitole*) 2 a începe (*ceva*), a se apuca de (*ceva*) 3 a ţine de (*o categorie*), a se subsuma (*unei categorii*) 4 (*d. râuri*) a se vărsa în 5 a fi apucat/cuprins de (*furie etc.*)

fall in with ['fɔːl 'in wið] *vi cu part adv şi prep* 1 a se întâlni pe neaşteptate cu, a da peste 2 a se înţelege cu, a fi de acord cu 3 a se asocia cu; a intra în (*o societate prost famată*)

fall off ['fɔːl 'ɔːf] *vi cu part adv* 1 (*d. încasări etc.*) a se împuţina, a se micşora, a scădea 2 (*d. frunze etc.*) a se desprinde

fall on ['fɔːl ɒn] *vi cu prep* 1 a se repezi la; a se năpusti asupra (*cu gen*) 2 a se apuca de, a se pune pe; a începe *cu ac* 3 *fig* a cădea (*în seama – cu gen*), a reveni *cu dat*

fallopian tube [fə'loupiən ,tjuːb] *s anat* oviduct, trompă uterină

fall-out ['fɔːl,aut] *s* precipitaţii radioactive

fall out ['fɔːl 'aut] *vi cu part adv* 1 a cădea, a se desprinde, a pica 2 a începe să se certe 3 *mil* a ieşi din formaţie 4 a se întâmpla, a se petrece; **it so fell out that** s-a întâmplat că

fall out of ['fɔːl 'aut əv] *vi cu part adv şi prep* a renunţa la, a termina/a isprăvi cu

fallow¹ ['fælou] *adj* galben-cafeniu, roşcat

fallow² **I** *s agr* ogor necultivat; ţelină; pârloagă **II** *vt agr* a deseleni **III** *adj* (*d. cineva*) nedezvoltat

fallow dear ['fælou ,diə'] *s şi ca pl* 1 *zool* cerb lopătar (*Cervus dama*) 2 ← *F* vânat mare

fall through ['fɔːl 'θruː] *vi cu part adv* a da greş, a nu reuşi, a eşua

fall to ['fɔːl tə] **I** *vi cu prep* a începe să *sau cu ac*, a se apuca să *sau* de **II** *vi cu part adv* a începe să mănânce *sau* să atace

fall under ['fɔːl ,ʌndə'] *vi cu prep* 1 *fig* a cădea sub (*influenţa etc. cuiva*) 2 a se împărţi în *sau* după, a se clasifica după

fall upon ['fɔːl ə,pɒn] *vi cu prep v.* **fall on**

false [fɔːls] **I** *adj* 1 fals, greşit, incorect 2 fals, neîntemeiat,

nejustificat 3 fals, trădător, necredincios; nestatornic 4 fals, calp; contrafăcut; artificial **II** *adv* fals; **to play smb ~** a trăda pe cineva

false alarm [,fɔːls ə'laːm] *s* alarmă falsă

false coiner ['fɔːls ,kɔinə'] *s* falsificator de monede

false-faced ['fɔːls,feist] *adj* cu două feţe, fals

false flames ['fɔːls ,fleimz] *s pl* foc bengal

false-hearted ['fɔːls,haːtid] *adj* trădător, înşelător, amăgitor; perfid

false-heartedness ['fɔːls,haːtidnis] *s* perfidie

falsehood ['fɔːls,hud] *s* 1 falsitate, caracter fals 2 minciună, neadevăr 3 trădare, necredinţă, falsitate

falseness ['fɔːlsnis] *s* 1 *v.* **falsehood** 1, 3 2 falsitate, incorectitudine (*a unui citat etc.*) 3 escrocherie, pungăşie

false pretences ['fɔːls pri'tensiz] *s pl* aparenţe false; falsă identitate; impostură

false start ['fɔːls ,staːt] *s* început neizbutit

false teeth ['fɔːls ,tiːθ] *s* dantură falsă

falsetto [fɔːl'setou] *s muz* falsetto

falsework ['fɔːls,wəːk] *s constr* cofraj; schelă

falsies ['fɔːlsiz] *s pl* ← *F* sâni falşi

falsification [,fɔːlsifi'keiʃən] *s* falsificare, contrafacere; răstălmăcire, denaturare (*a spuselor cuiva etc.*)

falsifier ['fɔːlsi,faiə'] *s* falsificator

falsify ['fɔːlsi,fai] *vt* 1 a falsifica, a contraface (*acte*) 2 a răstălmăci, a denatura (*o relatare etc.*) 3 a dezamăgi, a înşela (*speranţele cuiva*)

falsity ['fɔːlsiti] *s* 1 falsitate, caracter fals/eronat/incorect 2 falsitate, perfidie; trădare; necredinţă

Falstaffian [fɔːl'staːfiən] *adj lit* falstaffian, (ca) de Falstaff

falter ['fɔːltə'] *vi* 1 a merge clătinându-se, a se clătina; a se legăna într-o parte şi alta 2 a şovăi, a ezita, a sta pe gânduri 3 a se bâlbâi; a vorbi nedesluşit, a bolborosi 4 (*d. voce*) a tremura 5 (*d. o întreprindere etc.*) a merge prost *sau* din ce în ce mai prost

faltering ['fɔ:ltəriŋ] *adj* **1** șovăitor, șovăielnic, nesigur **2** *(d. voce)* tremurat, tremurător

falter out ['fɔ:ltər 'aut] *vt cu part adv* a îngăima, a bâigui *(o scuză etc.)*

fam. *presc de la* **1 family 2 familiar**

fame [feim] *s* **1** faimă, slavă, renume **2** reputație, (re)nume **3** ← *înv* vorbe, zvon, pomină, buh

famed [feimd] *adj* **(for)** renumit, vestit (prin, pentru); faimos, celebru

familiar [fə'miliər] **I** *adj* **1** familiar, apropiat, intim **2** familiar, bine-cunoscut, obișnuit, comun **3** familiar, neceremonios; ireve-rențios; prea intim *(cu o femeie etc.)* **4** familial, de familie **5** *(d. animale)* domesticit; blând **II** *s* prieten apropiat; prieten al casei

familiarity [fə,mili'æriti] *s* **1** familia-ritate, legătură intimă, prietenie strânsă **2** familiaritate, intimitate, purtare neceremonioasă **3** *pl* familiarități; familiarisme

familiarity with [fə,mili'æriti wið] *s cu prep* bună cunoaștere, stă-pânire *(a unui subiect etc.)*

familiarization with [fə,miljərai-'zeiʃən wið] *s cu prep* **1** familia-rizare cu; deprindere cu **2** învăța-re, însușire *cu gen*

familiarize [fə'miljə,raiz] *vt* a răs-pândi, a pune în circulație *(un termen nou etc.)*

familiarize oneself with [fə'miljə-,raiz wʌn,self wið] *vr cu prep* a se familiariza/a se deprinde cu; a învăța *cu ac*

familiarize with [fə'miljə,raiz 'wið] *vt cu prep* a familiariza/a deprinde cu; a învăța *cu ac (pe cineva)*

familiarly [fə'miliəli] *adv* **1** necere-monios **2** prea intim; ireverențios

familiar to [fə'miliə tə] *adj cu prep* familiar, cunoscut *cuiva*; **this subject is ~ me** subiectul acesta mi-e familiar, cunosc acest subiect

familiar with [fə'miliə wið] *adj cu prep* familiarizat cu; cunoscător *cu gen*; **I am not very ~ this subject** nu sunt prea familiarizat cu acest subiect, nu cunosc prea bine acest subiect

family ['fæmili] *s* **1** familie, neam, viță **2** *zool etc.* familie **3** familie, părinți și copii; **my ~ are early risers** ai mei se scoală devreme;

to start a ~ a avea primul copil; **to run in ~** *(d. calități)* a fi în familie **4** clan *(la scoțieni și irlandezi)* **5** *fig* familie, grup *(de limbi etc.)*

family allowance ['fæmili ə'lauəns] *s* alocație de familie

family circle ['fæmili ,sə:kl] *s* **1** cercul familiei **2** *amer teatru* galerie

family doctor ['fæmili ,doktər] *s* ← *F* medic de medicină generală

family hotel ['fæmili hou'tel] *s* hotel cu prețuri reduse pentru familii

family man ['fæmili ,mæn] *s* **1** familist, om de casă **2** tată de familie **3** om cu familie

family name ['fæmili ,neim] *s* nume (de familie)

family planning ['fæmili ,plæniŋ] *s* controlul natalității

family tree ['fæmili ,tri:] *s* arbore genealogic

family way ['fæmili ,wei] *s:* **in a ~** *F* gravidă, însărcinată, *P* → bor-țoasă

famine ['fæmin] *s* **1** foamete **2** (of) lipsă (de), absență *(cu gen)*

famine fever ['fæmin ,fi:vər] *s med* tifos exantematic; febră recu-rentă

famine-stricken/struck ['fæmin ,strikən/,strʌk] *adj* lovit de foa-mete

famish ['fæmiʃ] **I** *vt* a înfometa; a lipsi de hrană **II** *vi* **1** a flămânzi, a fi hămesit *(de foame)* **2** a muri de foame

famished ['fæmiʃt] *adj* hămesit, înfometat, lihnit (de foame)

famishment ['fæmiʃmənt] *s* foa-mete; inaniție, moarte cauzată de foame; înfometare

famous ['feiməs] *adj* **1** **(for)** vestit, renumit (prin, pentru), faimos, celebru (prin) **2** *F* grozav, straș-nic, calitatea întâi

famously ['feiməsli] *adv F* grozav (de bine); strașnic

fan¹ [fæn] **I** *s* **1** evantai **2** ventilator **3** *agr* vânturătoare **4** aripă *(de pasăre, moară de vânt etc.)* **5** coadă *(de pasăre)* **II** *vt* **1** a face vânt *(cuiva)* **2** *agr* a vântura **3** a ațâța *(focul)*, a sufla în **4** *fig* a ațâța, a stârni, a aprinde *(pa-siuni etc.)* **5** *(d. vânt)* a adia; a răcori **III** *vr* a-și face vânt *(cu evantaiul)*

fan² *s F* microbist; – amator entu-ziast *(de sport, cinema etc.)*; admirator al unei persoane

Fanariot [fə'næriət] *adj, s* fanariot

fanatic [fə'nætik] *adj, s* fanatic

fanatical [fə'nætikəl] *adj* fanatic

fanatically [fə'nætikəli] *adv* fanatic; cu fanatism

fanaticism [fə'næti,sizəm] *s* fana-tism

fancier ['fænsiər] *s* **1** cunoscător, expert, specialist **2** cultivator *sau* crescător de plante *sau* animale pentru obținerea de soiuri deose-bite **3** amator, iubitor *(de animale etc.)* **4** visător, om cu capul în nori

fancies ['fænsiz] *s pl* fursecuri

fanciful ['fænsiful] *adj* **1** exaltat, entuziast **2** fantezist, visător **3** capricios, cu toane **4** straniu, ciudat, bizar **5** fantastic, imagi-nar, ireal **6** lucrat cu fantezie, plin de fantezie

fancifully ['fænsifuli] *adv* bizar, ciudat

fancifulness ['fænsifulnis] *s* **1** caracter capricios **2** caracter fantezist

fanciless ['fænsilis] *adj* lipsit de fantezie/imaginație

fan club ['fæn ,klʌb] *s* club de amatori/pasionați/admiratori *(ai unui actor etc.)*

fancy¹ ['fænsi] **I** *s* **1** fantezie; *(putere de)* imaginație **2** fantezie, plăs-muire, închipuire **3** fantezie, toană, chef, capriciu **4** gust, preferință; < pasiune; **to have a ~ for** a-i plăcea; a prefera; < a fi un mare amator de; **to take a ~ to** a se îndrăgosti de; a îndrăgi *(cu ac)*; **to take/to catch the ~ of** a plăcea *cuiva*; < a cuceri, a fermeca *pe cineva*; **a passing ~** o pasiune trecătoare **5** idee, gând; **I have a ~ that** mă gân-desc că **6** *com* articol de lux **II** *adj atr* **1** ciudat, straniu; fantastic **2** fantezist; de fantezie **3** capri-cios, cu toane **4** extravagant, excentric **5** ornamental **6** de mascaradă; de bal mascat și costumat **7** *(d. flori)* multicolor **8** la modă, modern **9** *(d. animale)* de rasă, pur sânge **10** *(d. preț)* exorbitant, piperat **11** *(d. mărfuri)* de calitate superioară **III** *vt* **1** a-și imagina, a-și închipui, a-și repre-zenta **2** a avea impresia, a socoti, a crede; **I rather ~ (that) he won't come earlier** îmi vine să cred că nu va veni mai devreme **3** a-i plăcea; a fi amator de; **do you ~ my tie?** îți place cravata mea? **4** a socoti, a considera, a ține de; **she had fancied him dead** îl socotise/considerase mort **IV** vr a avea o părere foarte bună despre sine, a fi încrezut, a se crede; **he fancies himself as a writer** se crede scriitor, < are o părere foarte bună despre sine ca scriitor **V** vi a-și imagina, a-și închipui; **(just/only) ~!** închipuiește-ți! dacă poți să-ți închipui așa ceva! spune și tu!

fancy², the s F microbiștii; – amatorii de sport (↓ box)

fancy ball ['fænsi ,bɔ:l] s bal mascat

fancy cakes ['fænsi keiks] s fursecuri

fancy dress ['fænsi ,dres] s costum de bal mascat

fancy-free ['fænsi,fri:] adj neîndrăgostit

fancy goods ['fænsi gudz] s pl articole de modă

fancy man ['fænsi ,mæn] s **1** amator, iubitor (de animale etc.) **2** amant **3** F codoș; pește; întreținut

fancy soap ['fænsi ,soup] s săpun de toaletă

fancy woman ['fænsi wumən] s și ← umor iubită, amantă

fancy work ['fænsi ,wə:k] s **1** lucru de mână, broderie **2** ornamente, podoabe

fandango [fæn'dæŋgou] s muz fandango

fane [fein] s poetic altar, – templu

fanfare [fænfɛəʳ] s fanfară

fanfaronade [,fænfərə'na:d] s **1** fanfaronadă, lăudăroșenie **2** fanfară

fang [fæŋ] s **1** colț (de câine, lup sau mistreț); dinte cu venin (al șarpelui) **2** gheară (de pasăre) **3** tehn dinte; cârlig **4** min galerie de aeraj

fanged [fæŋd] adj (d. câini etc.) colțat, cu colți

fanlight ['fæn,lait] s fereastră în evantai

fan mail ['fæn ,meil] s scrisori ale admiratorilor (unei actrițe etc.)

fanner ['fænəʳ] s **1** agr vânturătoare **2** ventilator

fanny ['fæni] s **1** anat sl vulvă **2** amer sl șezut, dos

fan out ['fæn 'aut] **I** vt cu part adv **1** mil a răspândi în evantai; a răspândi în trăgători **2** tehn a matisa (un cablu) **II** vi cu part adv mil a se răspândi în evantai; a se răspândi în trăgători

fantasia [fæn'teiziə] s **1** muz fantezie **2** fantasia, turnir de călăreți (arabi)

fantastic [fæn'tæstik] adj **1** fantastic; închipuit, imaginar, ireal **2** fantastic, bizar, straniu; excentric, extravagant **3** capricios, cu toane **4** F fantastic, extraordinar

fantastically [fæn'tæstikəli] adv **1** fantastic, ireal **2** F fantastic, – minunat (de)

fantasy ['fæntəsi] s **1** iluzie; joc al închipuirii **2** fantezie, imaginație **3** bănuială/presupunere neîntemeiată, năzărire **4** toană, capriciu **5** muz fantezie

far [fɑ:ʳ] **I** comp **further** ['fə:ðəʳ] și **farther** ['fɑ:ðəʳ], superl **furthest** ['fə:ðəst] și **farthest** ['fɑ:ðəst] adv **1** (în prop interog și neg; în prop afirm, cu **off** și **away** sau cu anumiți determinanți) spațial, temporal și fig departe; **she hadn't gone ~** nu se dusese departe; **how ~ did you go?** până unde v-ați dus? **not ~ from here** nu departe de aici; **as ~ back as 1500** încă în sau din (anul) 1500; **as ~ as the end of the street** până la capătul străzii; **as (so) ~ as I know** după câte știu; **as ~ as I am concerned** în ceea ce mă privește; **in so ~ as** în măsura în care; **~ into the night** până noaptea târziu; **~ and wide/near** pretutindeni, în toate părțile; **~ between** la distanță (unul de altul); rari; puțini; **~ from (being) satisfactory** fig (d. cineva) a ajunge departe; a se face remarcat; **to carry things too ~** fig a împinge lucrurile prea departe; **to go ~ towards/to + -ing** a contribui sau a ajuta la (menținerea etc.); **to go so ~ as to** fig a merge până acolo încât să; **so ~, so good** până aici toate bune; **~ be it from me + inf** departe de mine gândul de + inf; **so ~ from + -ing** în loc de + inf, în loc să **2** (cu adj și adv la comp) (cu) mult, considerabil, infinit, incomparabil; **he is ~ better now**

se simte mult mai bine acum **3** (cu adj și adv la superl) de departe; **she is (by) ~ the most beautiful** e de departe cea mai frumoasă **II** comp **further** ['fə:ðəʳ] și **farther** ['fɑ:ðəʳ], superl **furthest** ['fə:ðəst] și **farthest** ['fɑ:ðəst] adj **1** spațial, temporal elev (în)depărtat; **a ~ land** o țară (în)depărtată; **in the ~ future** în viitorul îndepărtat **2** (d. o călătorie etc.) lung **3** mai depărtat; celălalt; **at the ~ end of the garden** la celălalt capăt al grădinii **4** pol extrem; **a member of the ~ right** membru al unei organizații de extremă dreaptă **III** s: **from ~** de departe; din depărtare; **by ~** (cu adj și adv la comp și superl) (cu) mult etc. (v. ~ **I, 2-3**)

farad ['færəd] s el farad

Faraday ['færə,dei], **Michael** chimist și fizician englez (1791-1867)

faraway ['fɑ:rə,wei] adj atr **1** (în)depărtat **2** fig (d. priviri etc.) dus, absent, pierdut

far beam ['fɑ: ,bi:m] s auto fază mare

far-between ['fɑ:bi'twi:n] adj rar, spațiat

farce¹ [fɑ:s] s **1** teatru farsă **2** fig farsă; batjocură, bătaie de joc

farce² **I** s umplutură, tocătură **II** vt a umple (cu tocătură)

farcial ['fɑ:ʃəl] adj v. **farcical**

farcical ['fɑ:sikəl] adj **1** teatru de farsă; burlesc **2** caraghios, năstrușnic **3** absurd

farcicality [,fɑ:si'kæliti] s **1** caracter de farsă; burlesc **2** caraghioslâc, nostimadă

farcically ['fɑ:sikəli] adv **1** teatru în maniera unei farse; burlesc **2** (în mod) caraghios sau absurd

far cry ['fɑ: ,krai] s distanță bună, drum lung

fare [fɛəʳ] **I** s **1** costul unei călătorii; bilet; **~s, please** taxa, vă rog **2** călător, pasager (într-un vehicul public) **3** mâncare, hrană **II** vi **1** ← elev și rar a-i merge, a o duce; a fi; a se simți; **how did you ~ during your journey?** cum ai călătorit? **it has ~d well with him** i-a mers bine; **you may go farther and ~ worse** prov nemulțumitului i se ia darul; mulțumește-te cu ce ai **2** ← înv a călători; **~ you well!** (mergi cu bine! drum bun!

Far East, the ['fɑːr ,iːst, ðə] *s* Orientul Îndepărtat, Extremul Orient

Far-Eastern [,fɑːr'iːstən] *adj atr* din Orientul Îndepărtat

fare forth ['fɛə 'fɔːθ] *vi cu part adv* ← *înv* a porni, a pleca

farewell [,fɛə'wel] **I** *s* rămas bun; adio; **to make one's ~s** a-şi lua rămas bun/la revedere **II** *interj* la revedere, cu bine; adio

farewell call [,fɛə'wel kɔːl] *s* vizită de adio

farewell to [,fɛə'wel tə] *interj cu prep fig* **1** adio *cu dat* **2** ajunge cu; s-a isprăvit cu

far-famed ['fɑː'feimd] *adj* bine cunoscut, vestit

far-fetched ['fɑː,fetʃt] *adj* **1** *înv* adus de departe **2** *fig (d. comparaţii etc.)* forţat; artificial; exagerat; deplasat

far-flung ['fɑː,flʌŋ] *adj* **1** larg, întins, vast **2** (în)depărtat

far-gone ['fɑː,gɒn] *adj* **1** foarte bolnav, în ultima fază a bolii **2** nebun de-a binelea, *F→* nebun de legat **3** plin de datorii, *F →* dator vândut **4** beat în ultimul hal, *F→* beat mort/criţă **5** îndrăgostit la culme, *F→* îndrăgostit lulea // **~ with child** cu burta la gură

farina [fə'riːnə] *s* **1** făină de cartofi **2** făină **3** praf, pudră

farinaceous [,færi'neiʃəs] *adj* făinos, de făină

farinose ['færi,nous] *adj* farinos, − făinos

farm [fɑːm] **I** *s* **1** fermă, gospodărie **2** locuinţă de fermier; casă (locuită) pe o fermă **3** pepinieră **4** *amer* locuinţă de la ţară **II** *vt* **1** a lucra, a cultiva *(pământul)* **2** a arenda, a lua în arendă **3** a arenda, a da în arendă **4** a creşte, a educa *(copii)* contra plată **III** *vi* a cultiva pământul

farm equipment ['fɑːm i'kwipmənt] *s agr* utilaj agricol

farmer ['fɑːməʳ] *s* **1** fermier, cultivator de pământ; ţăran **2** arendaş **3** proprietar de mină

farmery ['fɑːməri] *s* **1** fermă; curte ţărănească **2** construcţii de fermă

farm hand ['fɑːm ,hænd] *s* muncitor agricol

farm house ['fɑːm ,haus] *s v.* **farm I, 2**

farming ['fɑːmiŋ] *s* **1** lucrare/cultivare a pământului; agricultură **2** arendare, arendă

farm out ['fɑːm 'aut] *vt cu part adv v.* **farm II, 3**

farm practices ['fɑːm ,præktisiz] *s pl* agrotehnică

farm stead ['fɑːm ,sted] *s* **1** fermă *(cu toate dependinţele)*; curtea fermei **2** curte (ţărănească), ogradă

farm yard ['fɑːm ,jɑːd] *s v.* **farm stead 2**

farness ['fɑːnis] *s* depărtare

farness of sight ['fɑːnis əv 'sait] *s* **1** *med* prezbitism **2** *fig* perspicacitate

faro ['fɛərou] *s* faraon *(joc de cărţi)*

far-off ['fɑːr,ɔːf] *adj* (în)depărtat

far-out ['fɑːraut] *adj* **1** *F* aiurea; − ciudat; neobişnuit **2** *F* formidabil, pe cinste

Farquhar ['fɑːkwəʳ], **George** *autor dramatic anglo-irlandez (1678-1707)*

farrago [fə'rɑːgou] *s* amestec(ătură), adunătură

far-reaching ['fɑːriːtʃiŋ] *adj* **1** cuprinzător, vast **2** plin de consecinţe, bogat în consecinţe; de mare răsunet

farrier ['færiəʳ] *s* **1** potcovar **2** (doctor) veterinar

farriery ['færiəri] *s* potcovărie *(loc sau meserie)*

farrow ['færou] **I** *s* purcei (fătaţi o dată de o scroafă) **II** *vt* a făta *(purcei)* **III** *vi* a făta purcei

far-seeing ['fɑː,siːiŋ] *adj fig* care vede departe, clarvăzător, prevăzător

farsight ['fɑː,sait] *s* **1** *med* prezbitism, prezbiţie **2** ← *rar v.* **far-sightedness**

far-sighted [,fɑː'saitid] *adj* **1** *med* prezbit **2** *fig v.* **far-seeing**

far-sightedness [,fɑː'saitidnis] *s* **1** *med* prezbiţie, prezbitizm **2** *fig* clarviziune; prevedere

fart [fɑːt] *vulg* **I** *s* vânt **II** *vi* a da vânturi

farther ['fɑːðəʳ] *comp de la* **far I-II** **I** *adv* **1** mai departe **2** ← *rar* în plus **II** *adj* **1** mai (în)depărtat **2** suplimentar, adiţional

farthermost ['fɑːðə,moust] *adj* cel mai (în)depărtat; extrem

farthest ['fɑːðəst] *superl de la* **far I-II** **I** *adv* cel mai departe **II** *adj* cel mai (în)depărtat; **at (the) ~** **a** cel mai departe **b** cel mai mult **c** cel mai târziu

farthing ['fɑːðiŋ] *s* **1** farthing *(1/4 de penny), aprox* ban, bănuţ, para **2** ← *înv* nimic, fleac

farthingale ['fɑːðiŋ,geil] *s od* crinolină

Far West, the ['fɑː ,west, ðə] Vestul Îndepărtat

fasces ['fæsiːz] *s pl od* fascie

fascia ['feiʃiə], *pl* **fasciae** ['feiʃiiː] *s* **1** fâşie, bandă **2** *med* faşă, pansament **3** *anat* ţesut conjunctiv **4** *arhit* fâşie; cordon, plintă

fascicle ['fæsikəl] *s* **1** *bot* fascicul, mănunchi; ciorchine **2** fasciculă *(a unei publicaţii)*

fascicular [fə'sikjuləʳ] *adj bot* fasciculat

fascinate ['fæsi,neit] **I** *vt* **1** a fascina, a vrăji, a fermeca **2** a fascina *(cu privirea)* **3** a deochea **II** *vi* a fascina, a vrăji

fascinating ['fæsi,neitiŋ] *adj* fascinant, fermecător, încântător

fascinatingly ['fæsi,neitiŋli] *adv* (în mod) fascinant *sau* surprinzător

fascination [,fæsi'neiʃən] *s* fascinaţie, vrajă, farmec

fascism ['fæʃizəm] *s pol* fascism

fascist ['fæʃist] *adj, s pol* fascist

fascistic [fə'ʃistik] *adj pol* fascist

fashion ['fæʃən] **I** *s* **1** fel, mod, chip, manieră; **in/after a ~** într-un anumit fel; într-un anumit sens; nu foarte bine, aproximativ **2** modă; vogă; stil; gust; gen; **to be the ~, to be in ~** a fi la modă; **to be all the ~** a fi foarte popular; **to be in the ~, to follow the ~** a ţine la modă, a căuta să fie monden; **out of ~** demodat, învechit; **to set a ~** *fig* a da tonul; **smb of ~** *înv* din lumea mare/bună **3** croială, fason, formă **4** obişnuinţă, uzanţă **5** *pl* purtare; maniere *(↓ alese)* **II** *vt* **1** *şi fig* a da o înfăţişare/o formă/ un aspect *(cu dat)* **2** *tehn* a forma; a fasona; a modela **3** a transforma, a schimba

fashionable ['fæʃənəbəl] *adj* **1** la modă; modern; elegant; monden **2** distins, de bun gust **3** *(d. cineva)* distins, cu maniere alese **4** *(d. cineva)* rafinat, fin; cult

fashionableness ['fæʃənəbəlnis] *s* **1** eleganţă **2** modă **3** distincţie; maniere alese

fashionably ['fæʃənəbli] *adj* **1** după toate cerinţele modei; elegant; modern **2** fin, cu fineţe

fashion designer ['fæʃən di'zainə'] *s* creator de modele de rochii

fashion-monger ['fæʃən,mʌŋə'] *s* persoană care dă tonul modei; spilcuit

fashion paper ['fæʃən ,peipə'] *s* jurnal de modă

fashion plate ['fæʃən ,pleit] *s* model de rochie *(desen)*

fashion show ['fæʃən ,ʃou] *s* paradă/revistă a modei

fashion to ['fæʃən 'tə] *vt cu prep ← rar* a adapta/a potrivi la

fast¹ [fɑːst] **I** *vi* **1** a posti, a ține post **2 (from)** a se abține *(de la)* **II** *s* **1** post, postire; **to break one's ~ a** a se dedulci, a mânca de dulce/frupt **b** a lua gustarea de dimineață **2** post, durata postului

fast² **I** *adj* **1** tare, rezistent, solid, bine fixat; **the post is ~ in the ground** țărușul *sau* parul este bine înfipt în pământ; **to make ~** a fixa (bine); a întări, a consolida **2** durabil, stabil, trainic; **~ colours** culori durabile **3** *fig* strâns; trainic; fix; **to take (a) ~ hold of** a ține strâns *cu ac;* **a hard and ~ rule** o regulă fixă; **a ~ friendship** o prietenie strânsă/intimă *sau* trainică; **a ~ friend** un prieten apropiat *sau* credincios/statornic **4** isteț, ager, ascuțit **5** tenace, stăruitor **6** dens, compact **7** *(d. microbi, bacterii)* rezistent **II** *adv* **1** strâns, tare, fix; **~ shut** bine închis, închis ermetic; **to stand ~** a nu se mișca/clinti; a se ține tare, a nu ceda; **to stick ~ a** *v.* **to stand ~ b** a nu fi în stare să progreseze; **~ bind, ~ find** *prov* paza bună trece primejdia rea **2** *(a dormi, adormit)* adânc, profund

fast³ **I** *adj* **1** repede, iute; < rapid; **your watch is ~** ceasul tău se grăbește/este înainte; **a ~ horse** un cal iute; **2** frivol, ușuratic, destrăbălat; **~ and loose** neserios; pe care nu te poți bizui; schimbător; **to play ~ and loose (with) a** a proceda în mod iresponsabil (cu) **b** a nu fi consecvent (în, în ceea ce privește) **c** a-și călca *(promisiunea etc.)* **d** a nu fi sincer (cu) **II** *adv* **1** repede, iute, cu grabă; < rapid; **he spoke too ~** a vorbea prea repede; **it was raining ~** ploua tare **2 to live ~** a duce o viață ușuratică/frivolă/< destrăbălată

fast beside/by ['fɑːst bi'said/,bai] *prep* chiar lângă, chiar alături de

fast day ['fɑːst ,dei] *s* zi de post

fasten ['fɑːsən] **I** *vt* **1** a fixa, a atașa, a lega; a asambla; a îmbina **2** a strânge, a întepeni, a fixa, a înclesta **3** *poligr* a broșa; a coase **4** a închide; a încuia *(ușa etc.)* **5** a încheia *(mănușa etc.)* **II** *vi* **1** a se întări, a se solidifica **2** a se fixa, a se prinde; a se lipi **3** *(d. o ușă etc.)* a se închide; a se încuia

fasten down ['fɑːsən 'daun] *vt cu part adv* **(to)** ← *F* a face *(pe cineva)* să hotărască/fixeze *(o dată etc.)*

fastener ['fɑːsənə'] *s* **1** zăvor, încuietoare **2** copcă; agrafă; clamă **3** *tehn* încheietoare; clemă; bridă **4** cârlig de rufe

fasten in ['fɑːsən 'in] *vt cu part adv* a înfige *(pari etc.)*

fastening ['fɑːsəniŋ] *s* **1** fixare, atașare *etc. (v.* **fasten** *I-II)* **2** zăvor; lacăt

fasten on ['fɑːsən ɔn] *vt cu prep* **1** a da *(cu dat – o poreclă etc.)* **2** *fig* a aținti, a ținti; **to fasten one's eyes on** a-și aținti/a-și ținti privirea asupra *(cu gen)*

fasten oneself on/upon ['fɑːsən wʌn,self ɔn/ə,pɔn] *vr cu prep* a-și pune speranțele în, a conta pe *(cineva)*

fasten up ['fɑːsən 'ʌp] *vt cu part adv* a închide *sau* a lega strâns

fasten upon ['fɑːsən ə,pɔn] **I** *vi cu prep* a se agăța de *(o idee, un pretext)* **II** *vt cu prep v.* **fasten on**

fastidious [fæ'stidiəs] *adj* **1** greu de mulțumit, mofturos, cusurgiu, dificil; **he is ~ about his food** e dificil/mofturos la mâncare **2** fin, delicat

fastidiously [fæ'stidiəsli] *adv* **1** cu dispreț, disprețuitor *(față de mâncare etc.);* cu silă **2** fin, cu finețe

fastidiousness [fæ'stidiəsnis] *s* capricii, mofturi

fast-moving ['fɑːst,muːviŋ] *adj* **1** care se mișcă repede/iute, rapid **2** trepidant, palpitant

fastness ['fɑːstnis] *s* **1** soliditate, tărie; trăinicie; rezistență; stabilitate **2** fortăreață, citadelă **3** viteză, rapiditate

fast train ['fɑːst ,trein] *s ferov* (tren) accelerat *sau* rapid/expres

fat [fæt] **I** *adj* **1** gras, unsuros, plin de grăsime **2** gras, plin, durduliu, dolofan **3** *(d. pământ)* gras, roditor, fertil **4** abundent, îmbelșugat **5** *fig* gras, avantajos, profitabil, rentabil **6** *fig* prost, mărginit, redus // **a ~ lot of** *sl* (de) nici un; (de) nici o; **a ~ lot of good that is!** mare ispravă, ce să-ți spun! **II** *s* **1** grăsime, osânză; untură; **the ~ is in the fire** treaba a pornit, nu se mai poate face nimic; Dumnezeu cu mila; **live on one's own ~** *fig* a trăi din osânză/rezerve **2** *fig* cremă, partea cea mai bună, *F* bucățică grasă **3** *F* pleașcă, chilipir **4** *F* sunători, – bani; **to chew the ~** *F* a pune țara la cale; – a vorbi pe socoteala altora **III** *vt* a îngrășa **IV** *vi* a se îngrășa

fatal ['feitəl] *adj* **1** fatal, de neînlăturat, inevitabil **2** fatal; mortal; funest

fatalism ['feitə,lizəm] *s* fatalism

fatalist ['feitəlist] *s* fatalist

fatalistic [,feitə'listik] *adj* fatalist

fatality [fə'tæliti] *s* **1** fatalitate, soartă, destin; determinism **2** nenorocire, calamitate, dezastru, prăpăd **3** *pl* (rubrica de) accidente *(într-un ziar)* **4** caracter mortal *(al unei boli)*

fatally ['feitəli] *adv* **1** fatalmente, în mod fatal **2** fatal, mortal; **~ wounded** rănit mortal/de moarte

Fatal Sisters, the ['feitəl ,sistəz, ðə] *s pl mit* Parcele

Fata Morgana, fata morgana [fata mɔr'gana] *s* Fata Morgana, miraj

fatback ['fæt,bæk] *s amer iht* chefal *(Mugil cephalus)*

fat cat [fæt'kæt] *s amer F* „sac cu bani", – bogătaș *(care subvenționează un partid politic)*

fate [feit] **I** *s* **1** soartă, destin; ursită; **as sure as ~** (în mod) inevitabil, neapărat, negreșit **2** pieire, prăpăd; moarte **II** *vt ← înv* a destina, a meni, a soroci

fated that [feitid ðæt] *ptc de la* **fate II** *cu conj* hotărât/sorocit it **was ~ we should fail** a fost hotărât/sorocit să nu izbutim/să dăm greș; *P* ne-a fost scris să dăm greș

fated to [feitid tə] *ptc de la* **fate II** *cu inf* sortit/menit să; condamnat să

fateful [feitful] *adj* **1** fatal, inevitabil **2** important, hotărâtor *(prin consecinţe)* **3** profetic; fatidic

fatefully ['feitfuli] *adv* **1** fatal **2** prevestitor de rău **3** profetic **4** în mod hotărâtor

fatefulness ['feitfulnis] *s* caracter fatal

Fates, the [feits, ðə] *s* mit Parcele

fathead [fæt,hed] *s* F cap pătrat, tâmpit

fat-headed [fæt,hedid] *adj* tare de cap, bătut în cap, prost

father ['fɑ:ðəʳ] **I** *s* **1** tată, părinte; creator **2** *fig* părinte, creator, întemeietor *(al unui curent etc.)* **3** strămoş, străbun **4** părinte spiritual, duhovnic, preot; **F~ Brown** părintele Brown **II** *vt* **1** *şi fig* a crea; a da naştere la *(sau cu dat);* a zămisli **2** a adopta, a înfia

Father Christmas ['fɑ:ðə krismǝs] *s* Moş Crăciun

father confessor ['fɑ:ðə kǝnfesǝʳ] *s* bis duhovnic

fatherhood ['fɑ:ðə,hud] *s* **1** paternitate **2** autoritate părintească

father-in-law ['fɑ:ðərin'lɔ:] *s* socru

fatherland ['fɑ:ðə,lænd] *s* patrie

fatherlike ['fɑ:ðə,laik] **I** *adj* părintesc, (ca) de tată, patern **II** *adv* părinteşte, ca un tată

fatherliness ['fɑ:ðəlinis] *s* dragoste *sau* grijă de părinte

fatherly ['fɑ:ðəli] *adj, adv* v. **fatherlike**

fathom ['fæðəm] **I** *s* nav stânjen marin, braţ *(= 185 cm)* **II** *vt* **1** nav a sonda, a măsura *(o adâncime)* **2** *fig* a pătrunde, a înţelege **3** *fig* a aprofunda, a cerceta atent

fathomable ['fæðəmǝbəl] *adj* nav sondabil, măsurabil

fathometer [fə'ðɔmitəʳ] *s* nav sondă ultrason

fathomless ['fæðəmlis] *adj* **1** fără fund, insondabil **2** *fig* de neînţeles, incomprehensibil

fathom line ['fæðəm,lain] *s* nav izobată; linie batimetrică

fatidic(al) [fei'tidik(əl)] *adj* fatidic, prevestitor

fatigue [fə'ti:g] **I** *s* **1** oboseală, istovire, extenuare **2** trudă, muncă istovitoare; corvoadă **3** *mil* corvoadă **4** *met* oboseală; durată la oboseală **5** *pl* munci obositoare **II** *vt* a obosi, a istovi, a extenua

fatigue clothes [fə'ti:g ,klouðz] *s pl* tehn haine de lucru; salopetă

fatigue duty [fə'ti:g ,dju:ti] *s mil* corvoadă

fatigueless [fə'ti:glis] *adj* neobosit

fatigue party [fə'ti:g ,pɑ:ti] *s mil* echipă de lucru

fatiguesome [fə'ti:gsəm] *adj* ← *poetic* istovitor, obositor

fatigue uniform [fə'ti:g 'ju:nifɔ:m] *s mil* echipament de lucru

fatiguing [fə'ti:giŋ] *adj* istovitor, epuizant

fat images ['fæt imidʒiz] *s pl* basorelief

fatless ['fætlis] *adj (d. carne)* slab, fără grăsime

fatness ['fætnis] *s* **1** grăsime; caracter gras *sau* uleios **2** corpolenţă, trupeşie **3** fertilitate, rodnicie *(a solului)*

fatted ['fætid] *adj* ← *elev* îngrăşat; **to kill the ~ calf** *bibl şi fig* a tăia/ a înjunghia viţelul cel gras

fatten ['fætn] **I** *vt* **1** a îngrăşa; a pune la îngrăşat; a îndopa *(gâşte etc.)* **2** a fertiliza, a îngrăşa *(solul)* **3** a ridica *(miza, la cărţi)* **II** *vi* **(on)** a se îngrăşa (cu)

fattish ['fætiʃ] *adj* grăsuţ; cam dolofan

fatty ['fæti] *adj* **1** gras; unsuros; uleios **2** gras, obez **3** *(d. sol)* gras, fertil

fatty acid ['fæti ,æsid] *s ch* acid gras

fat type ['fæt ,taip] *s poligr* literă grasă, aldină

fatuity [fə'tju:iti] *s* **1** fatuitate, îngâmfare prostească **2** prostie, imbecilitate

fatuous ['fætjuəs] *adj* **1** infatuat, înfumurat, plin de sine **2** prostesc, fără sens, idiot **3** *(d. o încercare etc.)* inutil, fără sens/rost

fatuously ['fætjuəsli] *adv* **1** fără sens, prosteşte **2** (în mod) inutil, fără rost/sens

fatuousness ['fætjuəsnis] *s* infatuare; prostie

fat-witted ['fæt,witid] *adj* prost, stupid, fără minte

faubourg ['foubuəg] *s fr* suburbie *(a Parisului)*

faucet ['fɔ:sit] *s amer* **1** robinet **2** ventil **3** cana, cep; dop

faugh [fɔ:] *interj* pfui! ptiu! brr!

Faulkner ['fɔ:knəʳ], **William** *romancier american (1897-1962)*

fault [fɔ:lt] **I** *s* **1** neajuns, lipsă; defect; greşeală, eroare; vină; **for ~ of** din lipsă de; **at ~** vinovat; în defect;

to find ~ with smb a găsi vină cuiva; a se plânge de cineva; **I have no ~ to find with your behaviour** nu pot reproşa nimic comportării dumitale; **he's always finding ~** veşnic are ceva de reproşat, este un cârcotaş; **to a ~** prea, din cale afară; prea mult; **2** *sport* minge servită neregulamentar *(la tenis)* **3** pierderea urmei *(vânatului)* **4** *geol* falie; fisură; dizlocare **5** *tehn* avarie; pană; defect **6** *el* scurt-circuit **II** *vt* ← *rar* a blama, a învinui

fault-finder ['fɔ:lt,faindəʳ] *s* critic defăimător, criticastru; cârcotaş, cârciobar

fault-finding ['fɔ:lt,faindiŋ] *adj* cicălitor, şicanator; de criticastru

faultily ['fɔ:ltili] *adv* **1** greşit, incorect **2** defectuos

faultiness ['fɔ:ltinis] *s* imperfecţiune

faultless ['fɔ:ltlis] *adj* **1** fără cusur/ greşeală; perfect, desăvârşit, ireproşabil **2** infailibil

faultlessly ['fɔ:ltlisli] *adv* perfect, ireproşabil

faultlessness ['fɔ:ltlisnis] *s* caracter ireproşabil; perfecţiune, desăvârşire; corectitudine

faulty ['fɔ:lti] *adj* **1** cu lipsuri/defecte **2** greşit, incorect **3** defectuos; stricat, imperfect **4** ← *înv* vinovat

faun [fɔ:n] *s mil* faun

fauna ['fɔ:nə] *s* faună

Faunus ['fɔ:nəs] *mit* Faun, Pan

Faust [faust] *erou din legendele medievale, poem dramatic de Goethe etc.*

Faustus ['faustəs] *erou al unei tragedii de Marlowe*

faux pas [fou'pɑ:] *pl invar s fr* **1** gafă **2** pas greşit

favor ['feivəʳ] *amer* v. **favour...**

favour ['feivəʳ] **I** *s* **1** favoare; hatâr; bunăvoinţă; trecere; **to be in smb's ~, to be in ~ with smb** a fi în graţiile cuiva, a se bucura de favoarea cuiva; **to be out of ~ with smb** a nu mai fi în graţiile cuiva, a nu se mai bucura de bunăvoinţa cuiva; **to stand high in smb's ~** a fi foarte apreciat de cineva, a se bucura de preţuirea cuiva **2** favoare, hatâr; serviciu; dovadă de bunăvoinţă; îndatorire; **do me a ~** fă-mi o favoare; **to ask a ~ of smb** a cere o favoare cuiva; **by ~ of** prin bunăvoinţa *cuiva* *(pe scrisori)* **3** *înv* aprobare, permisiune, îngăduință **4** favoare, avantaj, folos; interes; profit; **in ~ of** în favoarea/avantajul *cu gen;* **I am in ~ of** sunt în favoarea *cu gen,* sunt pentru **5** patronaj; ocrotire; protecție, adăpost; **under ~ of the darkness** la adăpostul/sub protecția întunericului **6** ← *înv* scrisoare; **your ~ of** scrisoarea d*vs.* din **7** distincție; semn; insignă; cocardă **8** ← *înv* chip, față; înfățisare **9** *pl* favoruri (din partea unei femei) **II** *vt* **1** a favoriza; a fi de partea *(cuiva),* a privilegia **2** a sprijini, a susține, a apăra **3** *(d. vreme etc.)* a fi favorabil/prielnic *(cuiva)* **4** a semăna cu, a fi asemănător cu; **the boy ~s his father** băiatul seamănă cu tatăl lui/îi seamănă tatălui său

favourable ['feivərəbl] *adj* **1** favorabil, prielnic, propice **2** binevoitor, amabil

favourable to ['feivərəbl tə] *adj cu prep* favorabil *cu dat,* în favoarea *cu gen,* pentru *ceva*

favourably ['feivərəbli] *adv* **1** (în mod) favorabil **2** binevoitor, amabil

favoured ['feivəd] *adj* favorizat, privilegiat; avantajat

favourite ['feivərit] *adj, s* favorit, preferat

favouritism ['feivəri‚tizəm] *s* favoritism

favour with ['feivə 'wið] *vt cu prep* elev a acorda *(cuiva) (un zâmbet etc.),* a binevoi să dea *(cuiva) (ceva)*

fawn¹ [fɔ:n] **I** *s* cerb tânăr *(până la un an)* **II** *adj atr* cafeniu **III** *vt (d. căprioare)* a făta *(iezi)*

fawn² [fɔ:n] *vi* **1** *(d. câini)* a se gudura, a da din coadă **2** (**on, upon**) *fig* a se linguși, a se gudura *(pe lângă)*

fawner ['fɔ:nə'] *s* linguşitor, lingău

fawning ['fɔ:niŋ] *adj* slugarnic, servil

Fay [fei] *nume fem*

fay [fei] *s poetic* fee, – zână; spiriduș, gnom

f. b. *presc de la* **freight bill**

FBI, F.B.I. *presc de la* **Federal Bureau of Investigation**

F clef, the ['ef ‚klef, ði] *s muz* cheia de fa

fealty ['fi:əlti] *s* **1** credință, fidelitate, loialitate **2** *od* loialitate față de senior

fear [fiə'] **I** *s* **1** frică, teamă; groază, spaimă; neliniște; **in ~** cuprins de frică; **to obey from ~** a asculta de teamă; **he was unable to speak for ~** de frică nu putea vorbi; **for ~ of** de teama/frica *cu gen,* de teamă să nu, ca să nu; **for ~ that/ lest** ca nu cumva, de teamă, ca *(să)* nu; **he didn't speak for ~ that/lest they should recognize him** nu vorbea de teamă ca ei să nu-i recunoască vocea, nu vorbea ca să nu fie recunoscut **2** teamă, temere, îngrijorare; **in ~ of a care** se teme de, căruia îi e teamă de **b** îngrijorat de, căruia îi e teamă pentru; **he is in ~ of his life** se teme că-i este viața în primejdie **3** probabilitate; teamă; **there isn't much ~ of his losing the money** nu prea cred (eu) să-și piardă banii, e puțin probabil să-și piardă banii; **no ~!** *F* nici o grijă! fii pe pace! sigur că nu! **4** venerație, respect profund/adânc; evlavie **II** *vi* a se teme, a-i fi teamă; a fi îngrijorat; a fi speriat; **never (you) ~!** *F* fii pe pace! fii fără grijă! liniștește-te! **III** *vt* **1** a se teme de, a-i fi teamă/frică de; **to ~ the consequences** a se teme de urmări; **I ~ he has failed** mă tem că a căzut *(la examen);* **"Will he get well?" "I ~ not"** – Se va face bine? – Mă tem că nu **2** a venera; a încerca un sentiment de evlavie pentru

fearful ['fiəful] *adj* **1** grozav, teribil, îngrozitor **2** temător, fricos; timid, sfiicios **3** (**of; that**) care se teme, căruia îi este teamă (de; că)

fearfully ['fiəfuli] *adv* **1** grozav, teribil, îngrozitor (de) **2** cu teamă/ frică; timid, sfios, cu sfială

fearfulness ['fiəfulnis] *s* **1** teamă; frică; spaimă, groază; timiditate, sfială **2** venerație, smerenie

fearless ['fiəlis] *adj* neînfricat, fără frică, curajos

fearlessly ['fiəlisli] *adv* neînfricat, fără frică/teamă, cu curaj

fearlessness ['fiəlisnis] *s* curaj, temeritate, cutezanță

fearmonger ['fiə‚mʌŋə'] *s* alarmist, panicard

fearsome ['fiəsəm] *adj* **1** ← *umor* fioros, grozav, teribil **2** intimidat, timorat

feasance ['fi:zəns] *s jur* îndeplinire *(a unei datorii)*

feasibility [‚fi:zə'biliti] *s* posibilitate/ putință de executare/îndeplinire; practicabilitate

feasible ['fi:zəbl] *adj* **1** realizabil **2** posibil **3** probabil

feasibly ['fi:zəbli] *adv* posibil

feast [fi:st] **I** *s* **1** sărbătoare *(religioasă)* **2** petrecere; ospăț; *F →* chef, zaiafet **3** *fig* desfătare, delectare; deliciu **II** *vt* **1** a invita *(pe cineva)* la o petrecere *etc.* (v. **~ I, 2**); *P →* a omeni, – a ospăta **2** *fig* a încânta, a desfăta *(ochii etc.)* **3** a sărbători **III** *vr* a petrece; a se ospăta **IV** *vi* a petrece, a benchetui, *F →* a chefui

feast away ['fi:st ə'wei] *vt cu part adv* a petrece *(noaptea etc.)* chefuind

feast day ['fi:st ‚dei] *s* (zi de) sărbătoare

feasting ['fi:stiŋ] *s* petrecere, *F →* chef

feat [fi:t] *s* **1** faptă vitejească/eroică **2** faptă; ispravă **3** agerime, îndemânare, pricepere

feather ['feðə'] **I** *s* **1** pană *(de pasăre); pl* pene, penaj; **to show/to fly the white ~** *F* a da bir cu fugiții; **(as) light as a ~** ușor ca o pană/un fulg; **in high ~ a** bine dispus, vesel **b** triumfător; **a ~ in one's cap** *fig* ceva cu care cineva se poate mândri; **birds of a ~ flock together** *prov* cine se-aseamănă se-adună; **fine ~s make fine birds** *prov* haina face pe om **2** coamă *(a calului)* **3** *fig* fel, soi, fire **4** *tehn* lambă, feder, cep; pană **II** *vt* **1** a împodobi, a acoperi *sau* a umple cu pene; **to ~ one's nest** *fig F* **a** a-și umple buzunarele **b** a prinde cheag **c** a-și face culcuș moale **2** *tehn* a împreuna, a îmbina *(cu feder etc.)* **III** *vi (d. o pasăre)* a-i crește penele

feather-bed ['feðə‚bed] **I** *s* saltea *sau* plapumă de puf; pilotă **II** *vt* **1** *fig* a efemina; a cocoli **2** *fig* a face *(cuiva)* viața ușoară *sau* mai ușoară

feather bird ['feðə ‚bə:d] *s orn* privighetoare cenuşie *(Sylvia cinerea)*

feather boa ['feðə ‚bouə] *s od* boa *(un fel de șal din pene)*

feather brained ['feðə ‚breind] *adj* prost, prostănac, tont

feather broom ['feðə ‚bru:m] *s* pămătuf *(pt șters praful)*

feathered ['feðəd] *adj* **1** cu pene, împănat **2** *fig* înaripat, avântat **3** *fig* bogat, avut

feather-edged ['feðə,edʒd] *adj* cu vârful ascuțit; ascuțit

feather grass ['feðə ,grɑːs] *s bot* colilie, negară *(Stipa pennata)*

feather-headed ['feðə,hedid] *adj v.* **feather-brained**

featheriness ['feðərinis] *s* **1** pene, penaj **2** lipsă de greutate, caracter ușor *sau* eteric

feathering ['feðəriŋ] *s* **1** pene, penaj **2** caimac

feather weight ['feðə ,weit] *s* **1** *sport* categoria pană *(la box)* **2** *fig* persoană fără greutate/neimportantă

feathery ['feðəri] *adj* **1** *v.* **feathered 1 2** *fig* ușor *(ca o pană)*

featly ['fiːtli] *adj* ← *înv* iscusit, meșteșugit

feature ['fiːtʃər] **I** *s* **1** trăsătură (caracteristică), particularitate; semn distinctiv **2** aspect exterior; aparență, înfățișare; *pl* trăsături *(ale feței)*, fizionomie, față, chip **3** parte a feței *(ca trăsătură caracteristică a cuiva)* **4** articol de ziar *(care atrage atenția)* **5** *amer* număr de atracție *(al unui program)* **6** detaliu *(de teren)* **7** *cin* film de lung metraj **II** *vt* **1** a descrie, a înfățișa, a zugrăvi **2** a fi o trăsătură caracteristică *(cu gen)* **3** *amer* a scoate în relief, a sublinia, a pune în prim plan **4** *amer cin* a prezenta în rolul principal **5** *sl* a semăna cu **6** *com* a expune *sau* a vinde ca articol special

featured ['fiːtʃəd] *adj (în cuvinte compuse)* cu trăsături; **well-~** cu trăsături frumoase, frumos

feature film ['fiːtʃə ,film] *s* film artistic de lung metraj

featureless ['fiːtʃəlis] *adj* **1** lipsit de trăsături caracteristice; inexpresiv **2** inform, fără formă **3** neinteresant

feature report ['fiːtʃə riˈpoːt] *s* reportaj

feature writer ['fiːtʃə ,raitər] *s* autor de reportaje

febricity [fiˈbrisiti] *s med* febrilitate, stare febrilă

febrifugal [,febriˈfjuːgəl] *adj v.* **febrifuge**

febrifuge ['febri,fjuːdʒ] *adj, s med* febrifug, antipiretic

febrile ['fiːbrail] *adj med* și *fig* febril

febrility [fiˈbriliti] *s med* febrilitate, febră

February ['februəri] *s* februarie, *P→* făurar

feckless ['feklis] *adj* inutil, ineficace

fecklessly ['feklisli] *adv* (în mod) ineficace, inutil

fecklessness ['feklisnis] *s* ineficacitate *(a cuiva)*

fecula ['fekjulə] *s ch* feculă, amidon

feculence ['fekjuləns] *s ch* depunere, sediment

fecund ['fiːkənd] *adj* fecund, prolific

fecundate ['fiːkən,deit] *vt* **1** a fecunda, a însărcina **2** a poleniza **3** a face fertil/rodnic, a fertiliza

fecundity [fiˈkʌnditi] *s* și *fig* fecunditate, fertilitate, productivitate

fed [fed] *pret* și *ptc de la* **feed I-II**

Fed. *presc de la* **1 Federal 2 Federation**

federal ['fedərəl] **I** *adj* federal, unional **II** *s* **1** federalist, membru al unei federații *sau* ligi **2** *ist* federalist, unionist *(în războiul civil din S.U.A., 1861-1865)*

Federal Bureau of Investigation, the ['fedərəl 'bjuː,rou əv ,investiˈgeiʃən, ðə] *s* Biroul federal de investigații, serviciul secret al S.U.A.

Federal City, the ['fedərəl ,siti, ðə] *s* Washington

federalism ['fedərəlizəm] *s pol* federalism

federalist ['fedərəlist] *s pol* federalist

federate *pol* **I** ['fedərit] *adj* federativ **II** ['fedəreit] *vt* a uni pe baze federative, a federaliza

federation [,fedəˈreiʃən] *s pol* **1** unire pe baze federative **2** federație; ligă; confederație

federationist [,fedəˈreiʃənist] *s* partizan al ideii de federație

federative ['fedərətiv] *adj pol* federativ

fed up ['fed ˈʌp] *vi cu part adv* (**with**) *fig F* a fi sătul până-n gât/până peste cap (de)

fee [fiː] **I** *s* **1** onorariu, plată, retribuție **2** bacșiș **3** cotizație **4** taxă școlară **5** *od* fief, feudă **II** *vt* ← *înv* a plăti onorariul *(cuiva)*

feeble ['fiːbəl] *adj* **1** slab, debil, plăpând **2** *(d. puls etc.)* slab **3** imperceptibil, neînsemnat; infim, neglijabil **4** inferior, necorespunzător

feeble-minded ['fiːbəl,maindid] *adj* **1** slab la/de minte, sărac cu duhul, prost **2** nehotărât, șovăitor **3** fricos, laș

feeble-mindedness ['fiːbəl'maindidnis] *s* **1** prostie, debilitate mintală **2** nehotărâre, șovăire **3** frică, lașitate

feebleness ['fiːbəlnis] *s* slăbiciune, lipsă de puteri

feebly ['fiːbli] *adv* slab; de-abia perceptibil

feed I [fiːd] *pret* și *ptc* **fed** [fed] *vt* **1** a hrăni, a nutri, a alimenta; a da de mâncare *(cu dat)*; **what do you ~ your dog on?** cu ce-ți hrănești câinele? **2** a paște *(vite)*; a da nutreț *(vitelor)* **3** *tehn* a alimenta, a șarja, a încărca **4** *fig* a hrăni, a întreține, a nutri *(un sentiment)* **5** a servi drept hrană pentru **6** *sport* a pasa (mereu) mingea *(cuiva)* **7** a pune mereu *(monede într-un automat etc.)*; a furniza continuu/în mod regulat *(informații etc.)* **II** *(v. ~ I) vi* **1** *(d. animale)* a mânca; a paște **2** *(d. oameni)* ← *F* a mânca, a se hrăni **III** *s* **1** hrană, alimentație; aliment **2** nutreț, furaj **3** porție, rație *(de nutreț)* **4** *tehn* alimentare

feedback ['fiːd,bæk] *s fiz* reacție/conexiune inversă; **the company welcomed ~ from its customers** *fig* compania saluta ecourile/aprecierile clienților ei

feed bag ['fiːd ,bæg] *s* sac/traistă de ovăz *(la gâtul cailor)*

feed down ['fiːd ˈdaun] *vt cu part adv* a folosi *(pământ)* ca pășune

feeder ['fiːdər] *s* **1** mâncător; **a large/gross ~** un mare mâncăcios; **he is a quick ~** mănâncă foarte repede **2** *geogr* afluent **3** canal de alimentare **4** *el* fider **5** biberon **6** *teatru* personal secundar **7** *tehn* distribuitor; mecanism de avans **8** *met* maselotă

feeder pot ['fiːdə,pot] *s met* gură de alimentare

feeding ['fiːdiŋ] *s* **1** hrănire, alimentare *etc. (v.* **feed I-II***)* **2** *met* orificiu de încărcare **3** *tehn* avans

feeding bottle ['fiːdiŋ ,botl] *s* biberon

feed on ['fiːd ɔn] *vt cu prep* **1** a se hrăni cu **2** *fig* a-și desfăta *(ochii, privirile)* cu

feed to ['fi:d tə] *vt cu prep* a da *(ceva)* să mănânce *cu dat;* **to feed oats to horses** a da cailor ovăz, a hrăni caii cu ovăz

feed up ['fi:d 'ʌp] *vt cu part adv* a îngrășa, a pune la îngrășat

feed upon ['fi:d ə‚pɔn] *vt cu prep v.* **feed on**

feel I [fi:l], *pret și ptc* **felt** [felt] *vt* **1** a pipăi, a atinge; a simți; **to ~ smb's pulse** a lua pulsul cuiva; **to ~ the edge of a knife** a încerca tăișul unui cuțit; **to ~ one's way** a a-și căuta drumul orbecăind; a orbecăi **b** *fig* a căuta o soluție/o cale **c** *fig* a proceda cu prudență; **I can ~ a nail in my shoe** simt un cui în pantof **2** a simți *(un cutremur, neliniște etc.)* **3** a simți; a resimți; a fi sensibil la; a suferi de pe urma *(cu gen);* **he didn't ~ the heat at all** nu simțea căldura deloc; nu-l deranja câtuși de puțin căldura; **he felt the insult keenly** îl durea profund insulta **4** (**to; that**) a simți (că); a fi de părere (că); a-și da seama (că); **we felt the solution to be wrong, we felt that the solution was wrong** simțeam/aveam sentimentul *sau* aveam impresia *sau* eram de părere *sau* ne-am dat seama că soluția este greșită **5** a simți, a aprecia, a gusta *(frumusețea etc.)* **6** *(cu* it*)* a simți; a considera, a socoti; **I ~ it my duty to** consider/socotesc de datoria mea să **7** a presimți **II** *(v. ~* **I)** *vi* **1** a simți, a fi simțitor, a încerca o senzație *sau* un sentiment **2** a se simți, a fi; **to ~ cold** a-i fi frig; **to ~ fine** a se simți bine; **to ~ bad** a se simți prost, a nu se simți bine; **to ~ low** a fi indispus/deprimat; **to ~ quite oneself** a-și reveni, a se simți bine din nou; **to ~ certain** a fi sigur/convins; **to ~ angry** a se supăra **3** a fi *(moale, rece etc.)* la pipăit; **your hand ~s cold** ai mâna rece **III** *s* **1** senzație, atingere, pipăit; **cold to the ~** rece la pipăit; **the cold ~ of an object** senzația rece *(pe care o încerci)* la atingerea unui obiect; **by ~** la pipăit **2** impresie, sentiment, senzație; gust

feel about/around ['fi:l ə'baut/ ə'raund] *vi cu part adv* (**for**) a bâjbâi *(în căutarea – cu gen)*

feel as if/though ['fi:l əz if/ðou] *vt cu conj* **1** a avea senzația/impresia că; **I felt as if/though my head were splitting** aveam senzația/impresia că mi se desface capul *(de durere)* **2** *(d. o parte a corpului)* a părea că, a da impresia că

feeler ['fi:lə'] *s* **1** *ent* antenă **2** *zool* mustață; tentacul **3** *mil* cercetaș; informator; spion **4** *fig* balon de încercare/sondaj; **to throw out/ to put out a ~** a sonda terenul; a căuta să afle gândurile *sau* intențiile cuiva

feel for ['fi:l fə'] *vi cu prep* **1** a căuta *(ceva)* bâjbâind; a căuta *(ceva)* **2** a simpatiza cu *(cineva)*, a fi alături de *(cineva, în durere)*, a compătimi *(pe cineva)*

feeling ['fi:liŋ] **I** *adj* **1** simțitor, sensibil; senzitiv **2** compătimitor, plin de compasiune **3** *(d. o afirmație etc.)* plin de sensibilitate; simțit **II** *s* **1** senzație; simț; **I have no ~ in my legs** nu-mi simt picioarele **2** senzație *(de foame etc.);* sentiment *(de bucurie etc.);* **a ~ that smth was about to happen** sentimentul că trebuia să se întâmple ceva **3** sentiment, emoție; tulburare; **to hurt smb's ~s** a jigni/a răni sentimentele cuiva; **~ ran high** se dezlănțuiseră pasiunile **4** sentimente, dispoziție, atitudine, atmosferă; **the general ~ was against him** era o atitudine generală împotriva lui, toți erau împotriva lui; **good ~** atitudine binevoitoare, bunăvoință; **ill/bad ~** atitudine ostilă, ostilitate **5** sensibilitate; **to hurt smb's ~** a jigni sentimentele cuiva; **to have no hard ~s (about)** a nu purta pică *(cuiva)* *(din cauza – cu gen,* pentru), a fi supărat *(pe cineva – un rival)* *(din cauza – cu gen,* pentru) **6** impresie; **bad ~** impresie proastă

feelingly ['fi:liŋli] *adv* cu sentiment/pasiune

feel like ['fi:l ‚laik] *vi cu prep F* a avea chef/poftă de, – a fi înclinat să, a vrea să; **we'll go for a walk if you ~ it** o să facem o plimbare dacă vrei; **do you ~ like tea?** vrei să bei un ceai? **I don't ~ going**

there n-am poftă/chef să mă duc acolo

feel oneself to be *cu adj* ['fi:l wʌn‚self tə 'bi:] *vr cu* **to be** și *adj* a se simți *(de prisos etc.)*

feel out ['fi:l 'aut] *vt cu part adv* a sonda, a ispiti *(pe cineva)*

feel up to ['fi:l 'ʌp tə] *vi cu prep* ← *F* a fi în stare/capabil de *(un drum lung etc.)*

feel with ['fi:l wið] *vi cu prep fig* a fi alături de, a simpatiza cu

fee-paying ['fi:‚peiiŋ] *adj atr* care plătește *sau* încasează taxe

feet [fi:t] *s pl de la* **foot I**

feeze [fi:z] *s amer F* tămbălău, – zarvă, agitație

feign [fein] *vt* **1** a simula; a pretinde (că); **to ~ illness** a simula boala, a se preface bolnav, *F→* a face pe bolnavul **2** a născoci, a inventa *(o scuză etc.)*

feigned [feind] *adj* **1** prefăcut, simulat **2** născocit, inventat, fictiv

feint [feint] **I** *s* **1** simulacru; prefăcătorie; **he made a ~ of working** a se (pre)face că lucrează **2** manevră, truc, tertip **3** *mil* atac simulat **4** *sport* fentă; fandare **II** *vi* (**at, upon, against**) *mil* a simula un atac (împotriva – *cu gen)*

feldspar ['feld‚spa:'] *s geol* feldspat

Felicia [fi'lisiə] *nume fem*

felicitate [fi'lisiteit] *vt* (**on**) a felicita (pentru; cu ocazia – *cu gen)*

felicitation [fi‚lisi'teiʃən] *s* felicitare; urare

felicitous [fi'lisitəs] *adj* (d. o expresie etc.) fericit, potrivit, nimerit; elocvent; expresiv

felicitously [fi'lisitəsli] *adv* (în mod) fericit

felicity [fi'lisiti] *s* **1** (↓ mare) fericire, binecuvântare **2** noroc, fericire *(de a avea ceva etc.)* **3** expresie *sau* idee fericită **4** perfecțiune, desăvârșire *(a exprimării etc.)* **5** expresie fericită **6** înzestrare, talent *(lingvistic, artistic)*

feline ['fi:lain] **I** *adj* **1** *zool* felin **2** *fig* felin; viclean, fals, prefăcut **II** *s zool* felin

Felix ['fi:liks] *nume masc*

fell¹ [fel] *pret de la* **fall I**

fell² *s min* deșeu

fell³ *vt* **1** *silv* a tăia, a doborî *(pomi)* **2** a doborî, a trânti la pământ *(pe cineva)*

fell⁴ *adj poetic* grozav, – cumplit, crunt

fell⁵ *s* loc pustiu și mlăștinos *(în nordul Angliei)*

fell⁶ *s* **1** piele; blană *(de animal)* **2** smoc *(de păr)*

fellah ['felə], *pl și* **fellaheen, fellahin** [ˌfelə'hiːn] *s arab* felah

feller ['felər] *s P v.* **fellow 1-3**

felloe ['felou] *s* obadă

fellow ['felou] *s* **1** *F* băiat, cetățean, flăcău, – ins, individ; **my dear ~** dragul meu; **poor ~** săracul *(de tine sau de el)* **2** tovarăș; camarad; coleg; **we were ~s at school** am fost colegi de școală; **to be hail-~-well-met with smb** *F* a se bate pe burtă cu cineva, – a fi prieten intim cu cineva **3** pereche; egal; **I shall never find his ~** n-am să mai întâlnesc unul ca el **4** *univ* „fellow": **a** membru al consiliului unui colegiu **b** bursier cu un titlu academic *(care efectuează muncă de cercetare științifică)* **c** membru al unui colegiu *(care locuiește și predă la colegiu)* **5** membru al unei societăți științifce

fellow countryman ['felou 'kʌntrimən] *s* concetățean

fellow creature ['felou 'kriːtʃər] *s* semen

fellow feeling ['felou 'fiːliŋ] *s* (sentiment de) simpatie

fellowship ['felou.ʃip] *s* **1** (sentiment de) tovărășie, camaraderie; frăție **2** corporație, breaslă **3** *univ* calitate de „fellow" *(v.* **fellow 4***)*

fellow traveller ['felou 'trævələr] *s* **1** tovarăș de drum **2** *pol* simpatizant *(↓ al partidului comunist)*

felly ['feli] *s* obadă

felo-de-se ['fiːloudi'siː], *pl* **felo(ne)s-de-se** ['fiːlou.nizdi'siː] *s jur* **1** sinucidere **2** sinucigaș

felon¹ ['felən] *s jur* criminal

felon² *s med* panarițiu subunghial, *P →* sugel

felonious [fi'louniəs] *adj jur și fig* criminal

felony ['feləni] *s jur* crimă

felt¹ [felt] *pret și ptc de la* **feel I-II**

felt² *s text* **1** fetru **2** pâslă **3** postav **4** flanelă

felucca [fe'lʌkə] *s nav od* felucă

fem. *presc de la* **feminine**

female ['fiːmeil] **I** *adj* **1** femeiesc, de sex feminin; **~ slave** sclavă, roabă; **~ child** fată; **~ insect** insectă-femelă **2** al femeilor; pentru femei; **~ suffrage** drept de vot pentru femei **3** *(d. o slăbiciune etc.)* de femeie, femeiesc, feminin **4** *tehn* cu canelură inelară **II** *s* **1** *zool* femelă, femeiușcă **2** femeie, *peior* muiere

female cornel ['fiːmeil 'kɔːnəl] *s bot* sânger *(Cornus sanguinea)*

feme [fem] *s jur* soție

feme covert ['fem 'kʌvət] *s jur* femeie căsătorită

feme sole ['fem 'soul] *s jur* **1** femeie nemăritată; celibatară **2** femeie divorțată **3** văduvă

feminality [ˌfemi'næliti] *s* **1** feminitate **2** *pl* trăsături feminine

femineity [ˌfemi'neiiti] *s* **1** feminitate **2** efeminare

feminine ['feminin] **I** *adj* **1** de femeie, femeiesc; feminin; **~ curiosity** curiozitate de femeie **2** *(d. bărbați)* efeminat **3** *gram, metr* feminin **II** *s* **the ~** *gram* genul feminin

feminine gender, the ['feminin 'dʒendər, ðə] *s gram* genul feminin

feminine rhyme ['feminin ˌraim] *s metr* rimă feminină

femininity [ˌfemi'niniti] *s* **1** feminitate; gingășie **2** femeile, sexul slab

feminism ['femiˌnizəm] *s* feminism

feminist ['feminist] *s* feminist

femur ['fiːmər], *pl și* **femora** ['femərə] *s anat* femur, osul coapsei

fen [fen] *s* **1** mlaștină, baltă, mocirlă **2** ținut mlăștinos *(mai ales din estul Angliei)*, luncă

fence¹ [fens] **I** *s* **1** gard *(de lemn sau metal)*; uluci; țarc; îngrăditură; parapet; balustradă; **to sit on the ~** a nu fi de partea nimănui, a fi neutru; *F* a o scălda; a aștepta să vadă dincotro bate vântul; **to come down on one side or the other of the ~** a sprijini o parte sau alta; **to come down on the right side of the ~** a se da de partea celui mai tare sau de partea câștigătorului **2** *sport* gard **II** *vt* a îngrădi, a înconjura cu un gard

fence² **I** *vi* **1** a se duela, a se bate în duel **2** *sport* a sări un gard **II** *s* **1** scrimă **2** *fig* arta de a dezbate/a discuta

fence³ *s* **1** tăinuitor de lucruri furate **2** loc de păstrare a lucrurilor furate

fence in ['fens 'in] *vt cu part adv* a împrejmui cu un gard, a îngrădi de jur-împrejur

fence off ['fens 'ɔːf] *vt cu part adv* **1** a împrejmui cu un gard **2** a ține la distanță *(dușmanii etc.)* **3** a evita *(consecințele etc.)*

fencer ['fensər] *s* scrimer; duelist

fence with ['fens wið] *vi cu prep* a evita, a ocoli *(răspunsul etc.)*

fencing ['fensiŋ] *s* **1** scrimă **2** dezbatere, discuții **3** îngrăditură; gard

fend [fend] **I** *vt ←* *înv, poetic* a apăra **II** *vi* a rezista

fend away ['fend ə'wei] *vt cu part adv* a para *(o lovitură);* a respinge

fender ['fendər] *s* **1** *auto* aripă; ecran de îngrădire **2** *nav* apărătoare; tranchet **3** *ferov* bot *(de locomotivă)* **4** *min* paravan protector **5** *tehn* amortizor

fender spar ['fendə ˌspaːr] *s nav* tranchet plutitor

fend for oneself ['fend fə wʌn.self] *vi cu prep și pron refl* **1** a-și câștiga singur existența; a se descurca singur **2** a avea grijă de sine

fend off ['fend 'ɔːf] *vt cu part adv v.* **fend away**

fen duck ['fen ˌdʌk] *s orn* rață sălbatică *(Anas sp. etc.)*

Fenian ['fiːniən] *s erou luptător din legendele irlandeze*

fennel ['fenəl] *s bot* secărea, chimen dulce *(Foeniculum vulgare)*

fennel flower ['fenəl ˌflauər] *s bot* cernușcă, negrilică *(Nigella damascena)*

fenny ['feni] *adj* **1** mlăștinos, mocirlos **2** *(d. plante etc.)* de baltă/mlaștină

fenugreek ['fenjuˌgriːk] *s bot* schinduf *(Trigonella foenum)*

feod [fjuːd] *s v.* **fief**

feodal ['fjuːdəl] *adj* feudal

feoff [fef] *s v.* **fief**

feral¹ ['fiərəl] *adj* sălbatic; necivilizat

feral² *adj* **1** de moarte, mortal; fatal **2** de înmormântare, funebru

Ferdinand ['fəːdinənd] *nume masc*

Fergus ['fəːgəs] *nume masc*

ferment I ['fəːment] *s* **1** *ch* ferment **2** *ch* fermentație, fermentare **3** *fig* efervescență, fierbere, agitație; neliniște **II** [fə'ment] *vi* **1** *ch* a fermenta; a dospi **2** *fig* a fierbe, a fi în clocot, a se agita **III** [fə'ment] *vt* **1** *ch* a face să fermenteze **2** *fig* a agita, a instiga

fermentation [,fə:men'teiʃə n] *s v.* ferment I, 2-3

fermium ['fə:miəm] *s ch* fermiu

fern [fə:n] *s bot* ferigă *(Filicineae sp.)*

Fernanda [fə:'nɑːndə] *nume fem*

fern owl ['fə:n ,aul] *s orn* caprimulg, mulgătorul caprelor *(Caprimulgus europaeus)*

ferny ['fə:ni] *adj* **1** (ca) de ferigă **2** plin de ferigi

ferocious [fə'rouʃəs] *adj* **1** feroce, sălbatic, crud **2** *F* cumplit, grozav; ~ **heat** căldură înfiorătoare

ferociously [fə'rouʃəsli] *adv* feroce, cumplit, grozav

ferociousness [fə'rouʃəsnis] *s v.* ferocity

ferocity [fə'rɔsiţi] *s* ferocitate, sălbăticie, cruzime

ferrate ['fereit] *s ch* ferat

ferret ['ferit] *s* **1** *zool* dihor domestic *(Mustela furo)* **2** *fig* spion, *F* copoi

ferret about ['ferit ə'baut] *vi cu part adv* (**among**) a scotoci, a cotrobăi (prin, printre)

ferret for ['ferit fəˈ] *vi cu prep* a căuta (↓ *peste tot) cu ac*

ferret out ['ferit 'aut] *vt cu part adv* **1** a căuta să dea de urma *(cu gen)*, a căuta să afle/să descopere *(un secret)* **2** a da de urma *(cu gen)*, a depista; a afla, a descoperi *(un secret)*

ferriage ['feriidʒ] *s nav* **1** transport cu feribotul **2** taxa transportului cu feribotul

ferric ['ferik] *adj* **1** *ch* feric **2** *met* feruginos

ferric acid ['ferik ,æsid] *s ch* acid feric

Ferris wheel ['feris ,wi:l] *s* scrânciob, *P →* dulap

ferrite ['ferait] *s minr* ferit(ă)

ferro-concrete [,ferou'kɔŋkri:t] *s* beton armat

ferromagnetic [,feroumæg'netik] *adj el* feromagnetic

ferrous ['ferəs] *adj ch* feros

ferrous chloride ['ferəs 'klɔ:raid] *s ch* clorură feroasă

ferruginous [fe'ru:dʒinəs] *adj geol* **1** feruginos **2** feros

ferrule ['feru:l] *s* **1** inel, bandaj, manșon **2** *tehn* inel de siguranță **3** *ferov* linie de centură

ferry ['feri] *nav* **I** *s* **1** feribot **2** pod plutitor **3** *bac*; poron **II** *vt* a transborda cu feribotul *sau* cu bacul

ferry boat ['feri ,bout] *s v.* ferry I

ferry bridge ['feri ,bridʒ] *s nav* transbordor pentru trenuri

ferryman ['ferimən] *s* barcagiu *(↓ pe un bac);* podar

fertile ['fə:tail] *adj* **1** fertil, rodnic, roditor; *(d. ființe)* prolific **2** *fig* fertil; bogat; ~ **imagination** imaginație bogată; **he is ~ in excuses** are întotdeauna o scuză la îndemână **3** fertilizat

fertility [fə:'tiliti] *s* **1** fertilitate, rodnicie, fecunditate **2** *fig* fertilitate; bogăție *(a imaginației etc.)*

fertilization [,fə:tilai'zeiʃə n] *s* **1** *agr* fertilizare *(a solului)* **2** *biol* fecundare

fertilize ['fə:ti,laiz] *vt* **1** *agr* a fertiliza **2** *biol* a fecunda

fertilizer ['fə:ti,laizəˈ] *s agr* îngrășământ *(artificial)*

ferule ['feru:l] *s* linie *(cu care sunt pedepsiți elevii);* nuia

fervency ['fə:vənsi] *s v.* fervour 2

fervent ['fə:vənt] *adj* **1** fierbinte, arzător, aprins **2** *fig* fervent, zelos, pasionat, înflăcărat

fervently ['fə:vəntli] *adv* cu fervoare/zel/râvnă, pasionat

fervid ['fə:vid] *adj v.* fervent

fervour ['fə:vəˈ] *s* **1** fierbințeală; arșiță **2** *fig* fervoare, zel, râvnă, pasiune, înflăcărare

fescue (grass) ['feskju: grɑ:s] *s bot* păiuș *(Festuca sp.)*

-fest *suf pt* formarea unor cuvinte în slang și limba vorbită însemnând „prilej pentru mult" *(dans etc.):* **songfest** ← *F* prilej de a auzi multe cântece

festal ['festəl] *adj* festiv, de sărbătoare; **a ~ occasion** o ocazie festivă, o sărbătoare; ~ **music** muzică veselă *sau* festivă

fester ['festəˈ] **I** *s med* **1** supurație, supurare **2** rană mică purulentă; pustulă, bășicuță **II** *vi* **1** *med* a supura, a puroia **2** a putrezi, a se descompune; a se strica **III** *vt* **1** *med* a face să supureze **2** *fig* a chinui, a măcina, a roade

festival ['festivəl] **I** *s* **1** sărbătoare **2** festivități **3** festival **II** *adj atr* festiv, de sărbătoare

festive ['festiv] *adj* **1** festiv, sărbătoresc, de sărbătoare; ~ **season** perioadă a sărbătorilor, sărbătoare **2** jovial; petrecăreț, cheffliu

festively ['festivli] *adv* ca de sărbătoare, sărbătorește

festivity [fes'tiviti] *s* **1** veselie; petrecere **2** *pl* festivități

festoon [fe'stu:n] **I** *s* ghirlandă; feston **II** *vt* a împodobi cu ghirlande *sau* festoane

fetal ['fi:təl] *adj v.* foetal

fetation [fi:'teiʃə n] *s* graviditate, sarcină

fetch¹ [fetʃ] **I** *vt* **1** a se duce să aducă; a aduce; ~ **a doctor at once** chemați imediat un doctor **2** a scoate *(un suspin)*, a smulge *(lacrimi)* **3** a aduce *(un venit);* a se vinde la/cu *(un anumit preț)* **4** a da, a trage *(o palmă etc.)* **5** *F* a fermeca, a cuceri **6** a atrage *(spectatori etc.)* // **to ~ a sigh** a scoate un suspin/un oftat, a suspina, a ofta **II** *vi* **1** a se duce să aducă ceva; **to ~ and carry** a face servicii mărunte, a fi un trepăduș **2** *(d. câini)* a face aport **III** *s* **1** șmecherie, truc **2** *nav* calea vântului

fetch² *s* spectru, dublu, fantomă

fetch away ['fetʃ ə'wei] *vi cu part adv* a se smulge, a se desprinde, a se elibera

fetching ['fetʃiŋ] *adj ←* *rar* cu vino-ncoace, nurliu, fermecător, minunat

fetch up ['fetʃ 'ʌp] **I** *vt cu part adv* **1** a crește, a educa *(un copil)* **2** a vărsa, a vomita, a da afară **3** a recupera, a recâștiga *(timpul pierdut)* **II** *vi cu part adv* **1** a vomita, a vărsa **2** a se opri **3** *F* a-și face apariția, – **a veni**, a apărea

fetch up against ['fetʃ 'ʌp ə,genst] *vi cu part adv și prep* a se ciocni/a se izbi de

fete, fête [feit] *fr* **I** *s* petrecere, sărbătoare *(↓ campestră)* **II** *vt* a sărbători *(pe cineva)*

fete/fête day ['feit ,dei] *s* zi de naștere *(la catolici)*

fetich ['fi:tiʃ] *s* și *fig* fetiș

fetid ['fetid] *adj* fetid, rău mirositor

fetish ['fetiʃ] *s* și *fig* fetiș

fetishism ['feti,ʃizə m] *s rel, psih* fetișism

fetishist ['fetiʃist] *s rel* fetișist

fetlock ['fet,lok] *s* **1** chişiţă *(la cal);* articulaţia chişiţei **2** smoc de păr lângă copită *(la cal)*

fetor ['fi:tər] *s* miros urât, putoare, duhoare

fetter ['fetər] **I** *s* **1** *pl* lanţuri, fiare, cătuşe **2** *pl* piedică *(la cai)* **3** *fig* piedică, obstacol, oprelişte **II** *vt* **1** a pune în cătuşe/lanţuri/fiare **2** a pune piedică *(unui cal)* **3** *fig* a încătuşa, a lega de mâini şi de picioare

fetterlock ['fetə,lok] *s* **1** *v.* **fetlock 2** *v.* **fetter I, 2**

fettle ['fetəl] **I** *s fig* formă, condiţie; **he was in fine ~** era în formă, era într-o formă bună **II** *vt tehn* a pune în ordine; a pune la punct; a repara

fetus ['fi:təs] *s biol* fetus, făt

feud[1] [fju:d] *s* vrajbă, dihonie *(între două familii);* **at ~ with** certat cu

feud[2] *s ist* feud(ă), fief

feudal ['fju:dəl] *adj* **1** feudal; medieval **2** feudal, amintind de feudalism

feudalism ['fju:də,lizəm] *s* feudalism, *rar* → feudalitate

feudalistic [,fju:də'listik] *adj* **1** feudal; de feudalism **2** care susţine feudalismul

feudality [fju:'dæliti] *s* **1** *v.* **feudalism 2** moşie feudală; fief, feud(ă)

feudalization [,fju:dəlai'zeiʃən] *s* feudalizare

feudalize ['fju:də,laiz] *vt* a feudaliza

feudally ['fju:dəli] *adj* **1** potrivit (legilor) feudalismului **2** sub stăpânire feudală

feudal system ['fju:dəl ,sistim] *s* orânduire feudală, feudalism

feudatory ['fju:dətəri] **I** *adj* **1** *ist* de vasal; **(to)** înfeudat *(cu dat)* **2** *fig* **(to)** supus *(cu dat)* **II** *s ist* **1** vasal **2** fief, feud(ă)

feudist ['fju:dist] *s jur* specialist în dreptul feudal

feuilleton ['fui,ton] *s fr* foileton

fever ['fi:vər] *s* **1** *med* febră, fierbinţeală, temperatură; friguri **2** *fig* febră, friguri, înfrigurare **3** nervozitate; trac

fever blister ['fi:və ,blistər] *s med amer* herpes *(cauzat de febră)*

fevered ['fi:vəd] *adj* **1** *med* febril **2** *fig* febril, înfrigurat

feverfew ['fi:və,fju:] *s bot* iarbă moale, iarba fetei *(Chrysanthemum parthenium)*

fever heat ['fi:və ,hi:t] *s* **1** *med* temperatură (↓ ridicată) **2** punct culminant, maximum, culme *(a agitaţiei etc.)*

feverish ['fi:vəriʃ] *adj* **1** *med* febril; subfebril **2** *(d. un ţinut etc.)* bântuit de friguri **3** *fig* febril, înfrigurat; emoţionat; nervos

feverishly ['fi:vəriʃli] *adv* cu înfrigurare, febril

feverous ['fi:vərəs] *adj v.* **feverish**

fever pitch ['fi:və ,pitʃ] *s* culme a înfrigurării, agitaţiei, emoţiei *etc.*

fever sore ['fi:və ,soː] *s med* herpes

few [fju:] **I** *adj, pr* puţini, nu mulţi; **his friends are ~** are puţini prieteni; **he is a man of ~ words** e un om care vorbeşte puţin, nu e un om care să vorbească mult; **~ of them were present** numai câţiva dintre ei erau de faţă/erau prezenţi; **~ and far between** rari, la intervale rare, la distanţă; **a ~** câţiva *sau* câteva *(v.* **a ~**, *la litera* **a***); **he has a ~ French novels** are câteva romane franţuzeşti; **quite a ~** *F* o grămadă (de), – foarte mulţi *sau* multe; **some ~** unii; un anumit număr **II** *s* **the ~** minoritatea, cei puţini

fewness ['fju:nis] *s* puţinătate, număr mic

Fez [fez] *oraş în Maroc*

fez *s* fes

Fezzan [fe'za:n] *regiune de oaze în Sahara*

ff. *presc de la* **following (pages, verses** *etc.)*

fiancé [fi'ansei] *s fr* logodnic

fiancée [fi'ansei] *s fr* logodnică

fiasco [fi'æskou], *pl* **fiasco(e)s** [fi'æskouz] *s* fiasco, eşec

fiat ['faiət] *s lat* **1** decret; ordin **2** aprobare, consimţământ

fib [fib] **I** *s F* gogoşi, – minciună, născocire *(în legătură cu ceva neimportant)* **II** *vi F* a spune gogoşi, – a spune minciuni *(d. ceva neimportant)*

fibber ['fibər] *s* ← *F* mincinos

fiber ['faibər] *s amer v.* **fibre**

fibre ['faibər] *s* **1** fibră, filament **2** fibră lemnoasă **3** *anat* fibră nervoasă **4** *text* ţesătură **5** *fig* caracter, structură

fibre board ['faibə ,bo:d] *s tehn* placă din fibre; placă fibrolemnoasă

fibre glass ['faibə ,gla:s] *s tehn* sticlă fibroasă

fibriform ['faibri,fo:m] *adj* fibros

fibroma [fai'broumə], *pl şi* **fibromata** [fai'broumətə] *s med* fibrom

fibrositis [,faibrə'saitis] *s med* fibrozită

fibrous ['faibrəs] *adj* fibros

fibula ['fibjulə], *pl şi* **fibulae** ['fibju,li:] *s* **1** *anat* peroneu, fibulă **2** *od* fibulă *(la romani)*

-fic *suf* -fic: **scientific** ştiinţific

-fication *suf* -ficare: **glorification** glorificare

Fichte ['fikte], **Johann** *filosof german (1762-1814)*

fickle ['fikəl] *adj* schimbător, nestatornic, capricios

fickleness ['fikəlnis] *s* nestatornicie, inconstanţă

fictile ['fiktail] *adj* **1** de olărie; de argilă **2** de plastic

fiction ['fikʃən] *s* **1** ficţiune, născocire, invenţie **2** (literatură) beletristică; literatură în proză, – romane **3** imaginaţie, închipuire

fictional ['fikʃənəl] *adj* **1** fictiv; născocit **2** beletristic; în proză **3** imaginativ, de imaginaţie

fictitious [fik'tiʃəs] *adj* fictiv; născocit, inventat, închipuit

fictitiously [fik'tiʃəsli] *adv* (în mod) fictiv

fid. *presc de la* **fiduciary**

fiddle ['fidəl] **I** *s* **1** *muz* scripcă, – vioară; **to play first ~** *fig* a fi vioara întâi; a ocupa un loc principal; **to play second ~** *fig* a juca un rol secundar/de mâna a doua; **(as) fit as a ~** *F* în formă; – sănătos; **with a face as long as a ~** *umor* dezumflat, – cu faţa trasă **2** *nav* masă de ruliu **3** *muz* orice instrument muzical de forma viorii: violă; violoncel; contrabas **4** *sl* şmecherie; escrocherie, pungăşie **II** *vt* **1** *muz F* a cânta la scripcă *(o melodie etc.)* **2** *sl* „a abţigui", a aranja, – a falsifica *(un bilanţ etc.)* **III** *vi* **1** *muz F* a cânta la scripcă/– vioară **2** ← *F* a se juca *(cu creionul etc.)* **3** *F v.* **fiddle about IV** *interj v.* **fiddlesticks**

fiddle about ['fidəl ə'baut] *vi cu part adv F* a tăia frunză la câini; a umbla creanga; – a umbla de colo până colo

fiddle about with ['fidəl ə'baut wið] *vi cu part adv şi prep* ← *F* a se juca cu *(un obiect)*, a nu şti ce să facă cu

fiddle away ['fidəl ə'wei] *vt cu part adv F* a arde *(gazul)*, – a-și pierde, a-și irosi *(vremea)*

fiddle bow ['fidəl ˌbou] *s muz* arcuș de vioară

fiddle case ['fidəl ˌkeis] *s muz* toc/ cutie de vioară

fiddle-de-dee ['fidəldi'di:] **I** *s F* tâmpenii, prostii; vorbe de clacă **II** *interj v.* **fiddlesticks**

fiddle-faddle ['fidəlˌfædəl] **I** *s v.* **feddle-de-dee I II** *interj v.* **fiddlesticks III** *vi F* **1** a tăia frunză la câini, a tândăli **2** a îndruga verzi și uscate

fiddler ['fidlə'] *s F* scripcar, – viorist *(↓ de stradă);* lăutar; **to pay the ~ a** a plăti; a face plata **b** a răspunde de urmări

fiddlestick ['fidəlˌstik] *s muz* arcuș de vioară

fiddlesticks ['fidəlˌstiks] *interj pl F* prostii! aiurea!

fiddle with ['fidəl 'wið] *vi cu prep* **1** ← *F* a se juca cu *(creionul etc.)* **2** *F* a pune mâna pe; **stop fiddling with my spectacles!** mai lasă-mi ochelarii în pace!

fiddling ['fidliŋ] *adj F* **1** *(d. cineva)* care se ține de fleacuri/– prostii **2** *(d. o ocupație)* tâmpit, – fără rost

fidelity [fi'deliti] *s* **1** credință, fidelitate, loialitate, devotament **2** fidelitate, acuratețe *(a unei reproduceri etc.)*

fidget ['fidʒit] **I** *vi* a nu avea astâmpăr, a se vânzoli, *F→* a se foi, a se fâțâi; a fi nervos; **stop ~ing!** mai astâmpără-te! nu te mai mișca atât! **II** *vt* a enerva, a deranja **III** *s* neastâmpărat, zvăpăiat, om care nu-și află locul/care nu are astâmpăr

fidget about ['fidʒit ə'baut] *vi cu part adv v.* **fidget I**

fidgetiness ['fidʒitinis] *s* neastâmpăr, vânzoleală, *F →* fâțâială; nervi

fidgets, the ['fidʒits, ðə] *s* neastâmpăr; **to have ~** *v.* **fidget I**

fidget with ['fidʒit 'wið] *vi cu prep* a se juca *(↓ nervos)* cu *(un obiect)*

fidgety ['fidʒiti] *adj* neastâmpărat, care nu poate sta/care nu stă locului; nervos, agitat

fiducial [fi'du:ʃiəl] *adj* **1** *(d. un punct etc.)* de referință/reper **2** *v.* **fiduciary I, 2**

fiduciary [fi'du:ʃiəri] **I** *adj* **1** *(d. bani, circulație)* fiduciar **2** *(d. cineva)* de încredere/nădejde **II** *s* custode, curator; om de încredere

fie [fai] *interj înv sau umor* rușine! vai!; **~ upon you!** rușine să-ți fie!

fief [fi:f] *s od* fief, feud(ă)

field [fi:ld] **I** *s* **1** câmp; ogor *sau* pășune; **they are working in the ~s** lucrează la câmp **2** câmp, teren *(deschis); flying ~* aerodrom, aeroport **3** *min* zăcământ; câmp; teren; regiune; bazin **4** *fig* sferă, domeniu; **in the ~ of literature** în domeniul literaturii **5** *fig* câmp *(de vedere, magnetic etc.)* **6** câmp de luptă/bătaie *sau* luptă; bătălie; **to conquer the ~** *și fig* a învinge, a fi victorios; **to enter the ~** *și fig* a intra în luptă, a începe lupta; **to hold the ~** a-și menține pozițiile; **to keep the ~** a continua lupta; **to take the ~** a se duce la război; **to lose the ~** a fi învins, a pierde bătălia **7** fond *(al unei picturi)* **8** *sport* participanții la o competiție *sau* cei mai valoroși participanți la o competiție **9** *el, cib* grup; unitate de informație **10** *el* excitație **II** *vt sport* **1** a prinde și a arunca înapoi *(mingea, ↓ la baseball)* **2** a prezenta pe teren *(jucătorii de fotbal etc.)*

field artillery ['fi:ld a:'tiləri] *s mil* artilerie de câmp

field ash ['fi:ld æʃ] *s bot* scoruș *(Sorbus aucuparia)*

field basil ['fi:ld ˌbæzəl] *s bot* busuioc *(Ocimum basilicum)*

field day ['fi:ld ˌdei] *s* **1** *mil* exerciții tactice pe teren; ieșire în teren; manevre **2** zi consacrată vânătorii, excursiilor *etc.* **3** *fig* zi plină de evenimente

field duck ['fi:ld dʌk] *s orn* spurcaci *(Otis tetrax)*

field duty ['fi:ld ˌdju:ti] *s mil* serviciu activ

fielded ['fi:ldid] *adj* care luptă; aflat pe câmpul de luptă

field engine ['fi:ld ˌendʒin] *s* tractor; locomobil

field events ['fi:ld i'vents] *s pl sport* atletism

fieldfare ['fi:ldˌfɛə'] *s orn* sturz *(Turdus pilaris)*

field glass ['fi:ld ˌgla:s] *s* **1** *și la pl* binoclu **2** ocular *(de microscop sau telescop)*

field gun ['fi:ld ˌgʌn] *s mil amer* tun de câmp

field hand ['fi:ld ˌhænd] *s* muncitor agricol *(năimit)*

field hospital ['fi:ld hɔspitəl] *s mil* spital militar de campanie

field husbandry ['fi:ld ˌhʌzbəndri] *s* agricultură; cultivarea pământului

field ice ['fi:ld ˌais] *s* gheață de banchiză

Fielding ['fi:ldiŋ], **Henry** *scriitor englez (1707-1754)*

field magnet ['fi:ld ˌmægnit] *s tel* inductor

field maple ['fi:ld ˌmeipl] *s bot* jugastru *(Acer campestre)*

field marshal ['fi:ld ˌma:ʃəl] *s mil* mareșal

field mouse ['fi:ld ˌmaus] *s zool* șoarece de câmp *(Microtus agrestis etc.)*

field night ['fi:ld ˌnait] *s* seară *sau* noapte memorabilă/de pomină

field officer ['fi:ld ˌɔfisə'] *s amer* ofițer superior *(maior sau colonel)*

field of honour ['fi:ld əv'ɔnə'] *s mil* câmp de luptă

field of vision ['fi:ld əv 'viʒən] *s* câmp vizual/de vedere

field piece ['fi:ld ˌpi:s] *s mil* tun de câmp

field sports ['fi:ld ˌspɔ:ts] *s pl* forme de sport practicate în aer liber: tir, pescuit, vânătoare *etc.*

field-test ['fi:ldˌtest] *vt* a testa în condiții concrete, a testa practic

field work ['fi:ld ˌwə:k] *s* **1** muncă pe/de teren *(↓ a geologului sau topografului)* **2** *mil* lucrare de apărare de campanie **3** *pl mil* sistem de apărare **4** *fig* activitate practică

field worker ['fi:ld ˌwə:kə'] *s* savant, tehnician *etc.* care face muncă de teren

fiend [fi:nd] *s* **1** duh rău; diavol **2** **the F~** Diavolul, Satan **3** *fig* diavol, demon; fiară, zbir **4** ← *F* vicios; **drug ~** narcoman; **cigarette ~** fumător *(pasionat)* **5** ← *F* amator, iubitor *sau* expert, specialist; **he is a ~ at tennis** joacă tenis nemaipomenit de bine

fiendish ['fi:ndiʃ] *adj* **1** diavolesc, drăcesc, hain **2** *F* complicat al naibii **3** *(d. dificultăți, deșteptăciune)* *F* formidabil, extraordinar, al naibii

fiendishly ['fi:ndiʃli] *adv* diavolește, drăcește, hain

fiendishness ['fi:ndiʃnis] *s* cruzime, ferocitate, hainie

fiend-like ['fi:nd,laik] *adj v.* **fiendish**

fierce [fiəs] *adj* 1 *(d. cineva)* feroce, aprig, hain, hapsân; nestăpânit; sălbatic; cumplit; vehement 2 *(d. un animal)* feroce, sălbatic; fioros; *(d. un câine)* rău 3 *(d. căldură, vânt etc.)* grozav, insuportabil, extraordinar 4 *amer* ← *F* groaznic, scârbos, neplăcut 5 activ, energic

fiercely ['fiəsli] *adv* 1 feroce; cu sălbăticie; violent, cu violență 2 grozav, extraordinar; insuportabil

fierceness ['fiəsnis] *s* 1 ferocitate; înverșunare 2 violență, impetuozitate

fierily ['faiəli] *adv* cu înfocare/ pasiune

fieriness ['faiərinis] *s și fig* căldură; foc

fiery ['faiəri] *adj* 1 aprins, arzând; în flăcări; incandescent 2 inflamabil 3 *fig* (ca) de foc; învăpăiat; ~ **eyes** privire fioroasă, „fulgere în priviri" 4 *fig (d. cineva)* înfocat, pătimaș; expansiv 5 irascibil, supărăcios 6 *min* gazifer; gazos

fiesta [fi'estə] *s* fiesta *(sărbătoare religioasă, în Spania)*

Fife [faif] *comitat în Scoția*

fife [faif] *s* fluier *sau* flaut *(folosit cu toba în timpul marșurilor)*

fifer ['faifə'] *s aprox* flautist

Fifeshire ['faifə,ʃiə'] *v.* **Fife**

fifteen ['fif'ti:n] *num* cincisprezece

fifteenth ['fif'ti:nθ] *num* cincisprezece(le)a

fifth [fifθ] *num* cinc(il)ea

fifth column, the ['fifθ ,kɔləm, ðə] *s fig* coloana a cincea

fifthly ['fifθli] *adv* în al cincilea rând

fifth wheel ['fifθ 'wi:l] *s fig* a cincea roată la căruță

fiftieth ['fifti:θ] *num* cincizec(il)ea

fifty ['fifti] *num* cincizeci; **to go ~-~ with smb** a face/a merge pe din două cu cineva; **in the fifties** în anii '50

fig¹ [fig] *s* 1 *bot* smochin *(Ficus carica)* 2 smochină; **to care a ~** *F* a-l durea în cot, – a nu-i păsa câtuși de puțin; **a ~ for** *F* la naiba/ dracu' cu

fig² I *s* 1 *F* țoale, – îmbrăcăminte, haine; **in full ~** ← *F* în ținută de

galã; în toaletă de seară 2 ← *F* dispoziție, stare de spirit II *vt* a găti, a împodobi

fig. *presc de la* 1 **figurative** 2 **figuratively** 3 **figure** *sau* **figures**

fight [fait] I *pret și ptc* **fought** [fɔ:t] *vt* 1 a (se) lupta împotriva *(cu gen)*/cu, a se bate cu; a combate *(o epidemie etc.)* 2 a duce *(o luptă)*; a se bate în *(duel)* 3 *jur* a apăra *(un proces)* 4 a câștiga prin luptă, a cuceri; **to ~ one's way** a-și croi/a-și face drum, a răzbate 5 *mil* a comanda *(trupe)*; a arunca în luptă 6 a asmuți *(câinii, la luptele de câini)* II *(v. ~ I)* vi **(with, against)**, a (se) lupta (împotriva – *cu gen*, cu), a se bate (cu); **they fought for their independence** au luptat pentru independență; **to ~ to a finish** a lupta până la capăt; **to ~ for one's own hand** a lupta pentru propriile sale interese; **to ~ shy of** a evita, a ocoli *cu ac*, a se feri de III *s* 1 luptă, bătălie, înclestare 2 luptă, bătaie, încăierare 3 luptă, întrecere, competiție 4 *fig* luptă, campanie *(împotriva unei epidemii etc.)* 5 spirit de luptă, combativitate; **to show ~** a fi gata de luptă; **to put up a good** *sau* **a bad ~** a se lupta bine *sau* prost

fighter ['faitə'] *s* 1 luptător, combatant 2 *sport* concurent; boxer, pugilist 3 *av* avion de vânătoare

fighter plane ['faitə ,plein] *s av mil* avion de vânătoare

fighting ['faitiŋ] *s* luptă, înclestare; încăierare

fighting chance ['faitiŋ ,tʃɑ:ns] *s* șansă de a învinge *(după o luptă grea)*

fightingly ['faitiŋli] *adv* 1 cu gust de ceartă; provocator 2 militărește; ca un soldat

fighting-mad ['faitiŋ,mæd] *adj* pus pe ceartă; care are chef de bătaie

fight it out ['fait it 'aut] *vt cu pr și part adv și fig* a lupta până la capăt

fight off ['fait 'ɔ:f] *vt cu part adv* a respinge, a izgoni; a ține la distanță; **to ~ a cold** a combate răceala

fight out ['fait 'aut] *vi cu part adv și fig* a lupta până la capăt

figment ['figmənt] *s* plăsmuire, născocire, ficțiune; rod al imaginației

fig out ['fig 'aut] *vt cu part adv* a găti, a împodobi

fig tree ['fig ,tri:] *s v.* **fig¹** 1

fig up ['fig 'ʌp] *vt cu part adv v.* **fig out**

figurability [,figjurə'biliti] *s* capacitate de modelare; plasticitate; maleabilitate

figurable ['figjurəbəl] *adj* care poate fi modelat; plastic; maleabil

figurant ['figjurənt] *s* 1 balerin, baletist 2 *teatru* figurant

figurante [,figju'rant] *s fr* 1 balerină, baletistă 2 *teatru* figurantă

figurative ['figərətiv] *adj* 1 figurat; metaforic 2 plastic, evocator, sugestiv

figuratively ['figərətivli] *adv (într-un sens)* figurat

figure ['figə'] I *s* 1 cifră 2 *pl* aritmetică; **are you good at ~s?** te pricepi la socotit? ești bun la socotit?; **to have a poor head for ~s** *F* a sta prost cu aritmetica 3 preț; **at a high ~** la un preț ridicat 4 figură geometrică 5 diagramă 6 înfățișare exterioară; ținută; formă; **she is dieting to keep her ~** ține regim ca să-și păstreze silueta 7 persoană, figură 8 figură, personalitate 9 *ret* figură de stil 10 figură; ilustrație; desen 11 figură *(de dans etc.)* // **to cut a fine/a good ~** a face o impresie bună; a face figură bună; **to cut a poor/a sorry ~** a face o impresie proastă/penibilă; **to cut no ~** a nu produce nici o impresie; **to cut a ~** *amer* a imita II *vt* 1 a reprezenta *(grafic, prin diagrame etc.)* 2 a-și reprezenta mintal; a-și imagina, a-și închipui 3 a fi un simbol *(cu gen)*, a simboliza 4 a împodobi/a orna cu figuri 5 a exprima în cifre 6 *amer* a socoti, a crede, a considera III *vi* 1 *fig* a juca un rol important 2 a face socoteli; a socoti 3 a figura/a apărea // **that ~s!** *F* așa da/mai merge

figured ['figəd] *adj* 1 fasonat; profilat 2 cu figuri *sau* desene

figured bass ['figəd ,beis] *s muz* bas cifrat

figure head ['figə ,hed] *s nav* 1 galion, figura galionului 2 *fig* conducător/șef *(numai)* cu numele

figure in ['figər 'in] *vt cu part adv* a include, a trece *(costul etc.)*

figure of speech ['figər əv 'spi:tʃ] *s ret* figură de stil

figure on ['figər ɔn] *vi cu prep amer* a conta pe, a se bizui pe

figure out ['figər 'aut] *vt cu part adv* 1 a scădea *(cifre)* 2 a înțelege, a pricepe 3 a ghici; a descifra

figure skating ['figə ,skeitiŋ] *s sport* patinaj artistic

figurine [,figə'ri:n] *s* figurină; statuetă

figwort ['fig,wə:t] *s bot* 1 buberic *(Scrophularia sp.)* 2 grâușor, untișor *(Ranunculus ficaria)*

Fiji Islands, the ['fi:dʒi: ,ailəndz, ðə] Insulele Fiji

filament ['filəmənt] *s* 1 fir, firișor, firicel 2 *bot, el* filament

filamentous [,filə'mentəs] *adj* filamentos

filature ['filətʃər] *s text* filatură

filbert ['filbət] *s bot* 1 alun (↓ *cultivat)* *(Corylus avellana)* 2 alună

filch [filtʃ] *vt* a șterpeli, *F→* a ciordi

file¹ [fail] I *s* 1 pilă 2 ← *F* persoană isteață II *vt* a pili

file² I *s* 1 fișier; cartotecă 2 arhivă 3 dosar; **to keep/to have a ~ on** a strânge/a dispune de informații despre; **on ~** la dosar II *vt* 1 a pune la dosar, în cartotecă *sau* arhivă, a fișa 2 *amer* a prezenta *(un document, demisia etc.)*

file³ I *s* șir; rând; **in Indian ~** în șir indian, câte unul; **the rank and ~ a** trupa **b** *fig* oamenii de rând II *vi* a merge în rând

file away¹ ['fail ə'wei] *vt cu part adv* a pili, a îndepărta prin pilit

file away² *vt cu part adv* 1 a pleca câte unul *sau* câte doi 2 v. **file² II, 1**

file cabinet ['fail ,kæbinit] *s* cartotecă

file-closer ['fail,klouzər] *s mil* încheietor *(de coloană)*

file dust ['fail ,dʌst] *s tehn* pilitură; răzătură

file in ['fail 'in] *vi cu part adv* a intra câte unul *sau* câte doi

file leader ['fail ,li:dər] *s mil* cap de coloană

file out ['fail 'aut] *vi cu part adv* v. **file away**

filer ['failər] *s* 1 înregistrator; secretar 2 *sl* hoț de buzunare

filet ['filit] *vt amer* v. **fillet II, 2**

filial ['filjəl] I *adj* filial, de fiu *sau* fiică II *s* filială

filially ['filjəli] *adv* (în mod) filial

filial piety ['filjəl ,paiəti] *s elev* ascultare/supunere filială

filiation [,fili'eiʃən] *s* 1 filiație, descendență 2 *fig* filiație, derivare 3 *fig* ramură; filială

filibuster ['fili,bʌstər] I *s* 1 *amer* aventurier; pirat, corsar 2 *pol* obstrucție 3 *pol* obstrucționist II *vi amer pol* a fi obstrucționist; a prelungi discuțiile parlamentare etc.

filiform ['fili,fɔ:m] *adj* filiform

filigree ['fili,gri:] I *s* filigran II *adj atr* filigranat

filing cabinet ['failiŋ ,kæbinit] *s* cartotecă; fișier; dulap de acte

filings ['failiŋz] *s pl* v. **file dust**

fill [fil] I *vt* 1 a umple(a) 2 *nav* a umfla *(pânzele)*, a umple(a) *(velele)* 3 a umple(a), a astupa *(o crăpătură etc.)* 4 a plomba *(dinți)* 5 a completa *(un formular etc.)* 6 *fig* a umple *(de admirație etc.)* 7 *fig* a satisface, a mulțumi 8 a umple(a), a ocupa *(un spațiu)* 9 a hrăni, a alimenta; a sătura 10 a ocupa *(un post)*, a deține *(o funcție)* 11 a-și ocupa, a-și umple(a), a-și petrece *(timpul)* 12 a polei II *vi* a se umple III *s* 1 cantitate suficientă; **a ~ of tobacco** o lulea/o pipă de tutun *(cantitatea care intră în găvanul pipei)* 2 săturare, saț; **I've eaten my ~** am mâncat destul, m-am săturat

fillagree ['filə,gri:] *s, adj* v. **filigree**

filled [fild] *adj* (with) plin (de)

filled ground ['fild ,graund] *s constr* teren rambleiat

filler¹ ['filər] *s* filler *(monedă ungară)*

filler¹ *s* 1 persoană *sau* lucru care umple ceva 2 *nav* tanc petrolier 3 *constr* filer 4 *poligr* articol de umplutură 5 *tehn* umplutură

fillet ['filit] I *s* 1 fileu *(pt păr)* 2 file *(mușchi)* 3 *tehn* filet; coamă 4 *arhit* astragal II *vt* 1 a folosi un fileu pentru *(păr)* 2 a tăia fileuri din

fill in ['fil 'in] *vt cu part adv* 1 a umple(a) 2 a completa *(un spațiu liber, o propoziție etc.)*

filling ['filiŋ] *s* 1 umplere, completare *etc. (v. fill I)* 2 plombă 3 umplutură; tocătură

filling station ['filiŋ ,steiʃən] *s auto* stație de benzină

fillip ['filip] I *s* 1 bobârnac 2 *fig* stimulent; avânt 3 fleac, nimic II *vt* 1 a da un bobârnac *(cuiva)* 2 *fig* a stimula, a ajuta, a încuraja; **to ~ smb's memory** a-i aminti cuiva de ceva, a-i ajuta cuiva să-și aducă aminte de ceva

fillister ['filistər] *s* rindea de fălțuit

fill out ['fil 'aut] I *vt cu part adv* 1 a umple 2 a mări, a lărgi; a umfla 3 *amer* a completa *(un formular)* II *vi cu part adv* 1 a se umple; a se completa 2 a se mări, a se lărgi; a se umfla

fill up ['fil 'ʌp] I *vt cu part adv* 1 a umple(a) 2 a ocupa *(un post liber)* 3 a completa *(un formular)* II *vi cu part adv* a se umple(a)

filly ['fili] *s* 1 mânză 2 *fig* fată

film [film] I *s* 1 peliculă, membrană 2 strat, înveliș subțire 3 *fot* peliculă, film 4 film; *pl* cinema(tograf); **to go to the ~s** a se duce la cinema 5 ceață, negură II *vt* 1 a acoperi cu un strat (↓ *izolator)* 2 a filma

filmable ['filməbəl] *adj* filmogenic

film over ['film 'ouvər] *vi cu part adv* a se încețoșa, a deveni neclar

film première ['film 'premieə] *s fr* premieră cinematografică

film star ['film ,sta:ʳ] *s cin* stea

film stock ['film ,stɔk] *s cin* film nefolosit

filmstrip ['film,strip] *s cin* diafilm

filmtest ['film,test] *s cin* testare cinematografică

filmy ['filmi] *adj* 1 cețos, încețoșat, neclar 2 transparent

filter ['filtəʳ] I *s* 1 filtru 2 strecurătoare II *vt* 1 a filtra 2 a strecura 3 *ch* a limpezi *(un lichid)* III *vi* 1 a se filtra 2 a se strecura 3 *ch* a se limpezi 4 *fig (d. știri etc.)* a transpira 5 *fig* a se furișa, a se strecura

filter bed ['filtə ,bed] *s constr* strat filtrant

filter out ['filtər 'aut] *vt cu part adv* a filtra

filter paper ['filtə ,peipəʳ] *s* hârtie de filtru

filter tip ['filtə ,tip] *s* 1 filtru *(de țigară)* 2 țigară cu filtru

filter-tipped ['filtə,tipt] *adj (d. țigări)* cu filtru

filth [filθ] *s* 1 murdărie, noroi 2 *fig* murdărie, ticăloșie 3 *fig* murdărie, dezmăț, obscenitate 4 *fig* cuvinte/vorbe urâte

filthily ['filθili] *adv* 1 murdar, respingător 2 (într-un mod) ticălos

filthiness ['filθinis] *s v.* **filth** 1-3

filthy ['filθi] *adj* 1 murdar 2 *fig* murdar, urât, mârșav, ticălos 3 *fig* dezmățat, imoral, obscen

filthy lucre ['filθi 'lu:kəʳ] *s* ← *elev* bani

filtrate ['filtreit] **I** *s ch* filtrat **II** *vt* a filtra, a strecura

filtration [fil'treiʃⁿ] *s* filtrare; strecurare

fin [fin] *s* 1 aripioară *(de pește)* 2 **F** labă, – mână 3 *tehn* nervură 4 *tehn* muchie 5 *av* stabilizator; derivă

Fin. *presc de la* 1 Finland 2 Finnish

fin. *presc de la* 1 **finance** 2 **financial**

finable ['fainəbⁿl] *adj* pasibil de amendă

final ['fainⁿl] **I** *adj* 1 final, ultim 2 final, hotărâtor, decisiv 3 *gram* final, de scop **II** *s* 1 partidă hotărâtoare/decisivă 2 *și la pl* examen final; examen de absolvire 3 ← **F** ultima ediție *(a unui ziar)*

finale [fi'na:li] *s și fig* final

finalism ['fainə,lizⁿm] *s filos* finalism, teologie

finalist ['fainⁿlist] *s* 1 *sport* finalist 2 candidat *(la un examen)*

finality [fai'næliti] *s* 1 caracter final *sau* definitiv 2 hotărâre, caracter hotărât, fermitate 3 final, sfârșit, încheiere 4 *filos* finalitate, teologism, finalism

finalize ['fainə,laiz] *vt* a da o formă finală *(cu dat)*, a finisa

finally ['fainⁿli] *adv* 1 în încheiere; la sfârșit 2 în sfârșit; în cele din urmă 3 *(în mod)* definitiv

finance [fi'næns] **I** *s* 1 finanțe, științele financiare 2 *pl* finanțe, venituri; **public ~s** veniturile publice, venitul public **II** *vt* a finanța, a plăti

financial [fi'nænʃⁿl] *adj ec* financiar; **~ difficulties** dificultăți financiare; greutăți materiale

financially [fi'nænʃⁿli] *adv* (din punct de vedere) financiar

financial year [fi'nænʃⁿl ,jəʳ] *s* an financiar

financier [fi'nænsiəʳ] *s* financiar, om de finanțe; bancher; capitalist; < magnat

finch [fintʃ] *s orn* cintezoi, cinteză *(Fringilla sp.)*

find [faind] **I** *pret și ptc* **found** [faund] *vt* 1 a găsi, a afla, a descoperi; a dibui; **to ~ one's place** a găsi locul unde s-a oprit *(citind o carte)*; **to ~ one's voice/tongue** a-și recăpăta graiul *(după o emoție etc.)*; **they couldn't ~ the way back** nu știau pe ce drum să se întoarcă, nu mai găseau drumul de întors; **to ~ one's feet a** *(d. copii)* a fi în stare să stea pe picioare și să umble **b** *fig* a sta pe picioarele lui 2 a găsi, a descoperi, a inventa 3 a găsi, a afla, a da de/peste; **he was found dead** fu găsit mort; **to be found** a fi, a se găsi, a se întâlni 4 a găsi, a socoti, a considera; **do you ~ that he is right?** găsești/consideri că are dreptate? **I ~ it difficult to understand her** mi-e greu s-o înțeleg; **I ~ it necessary to help him** găsesc/consider necesar să-l ajut 5 a găsi, a afla, a vedea; **you must take us as you ~ us** ia-ne așa cum suntem 6 a căpăta, a dobândi, a câștiga *(favoarea cuiva, un profit etc.)* 7 a da, a asigura *(cuiva)*; a furniza; **they ~ him in clothes** ei îl îmbracă; **all found** toate de-a gata; casă și masă; toate câte sunt de trebuință 8 *jur* a găsi *(pe cineva, vinovat etc.)* 9 a constata, a găsi; **we found that he had left the house** am constatat că părăsise casa // **to ~ it in oneself/one's heart to do smth** a fi atât de crud încât să facă ceva **II** *(v. ~ I)* *vr* 1 a se realiza; a-și găsi vocația/chemarea 2 a se pomeni, a se găsi; **we found ourselves at the foot of a hill** ne-am pomenit la poalele unui deal 3 a se simți, a o duce 4 a se descoperi pe sine; a-și da seama de propriile resurse/de ceea ce este capabil **III** *s* descoperire *(↓ a unui lucru valoros)*

finder ['faindəʳ] *s* 1 găsitor, aflător; descoperitor 2 *fot* vizor 3 *tel* căutător

fin de siècle [fɛ̃ də sjekl] *s fr* sfârșit de veac/secol *(al XIX-lea)*

find for ['faind fəʳ] *vi cu prep jur (d. juriu etc.)* a se pronunța în favoarea *cuiva*

find in ['faind in] *vt cu prep* a asigura *cuiva (haine etc.)*

finding ['faindiŋ] *s* 1 găsire, aflare etc. *(v.* **find** I*)* 2 *jur* hotărâre; pronunțare, sentință 3 *pl* constatări *(ale unei comisii)* 4 *pl text* furnituri 5 descoperire 6 concluzie

find oneself in ['faind wʌn'self in] *vr cu prep* a-și procura *cu ac*, a-și face rost de; a se îngriji de, a-și cumpăra *cu ac*

find out ['faind 'aut] *vt cu part adv* 1 a constata, a descoperi 2 a dezvălui, a da în vileag, a da la iveală 3 a dezlega *(un mister etc.)* 4 a lămuri, a explica 5 a dibui *(pe cineva)*, a-și face o părere despre

fine¹ [fain] **I** *s* amendă; penalizare **II** *vt* a amenda; a penaliza

fine² *s: in* ~ în fine, pe scurt, într-un cuvânt

fine³ **I** *adj* 1 fin, delicat, gingaș; subțire; **~ silk** mătase fină; **~ thread** ață fină/subțire 2 fin, delicat, fragil, plăpând 3 *(d. nisip etc.)* fin, cu bobul mic; microgranulat 4 *(d. un vârf de creion etc.)* fin, ascuțit 5 *(d. metale)* fin, pur, curat 6 *(d. vreme etc.)* bun, frumos, senin; **one ~ day** într-o bună zi; **one of these ~ days** *F* când nici nu te aștepți, într-o bună zi 7 bun; frumos; plăcut; < minunat, splendid; **to have a ~ time** a petrece/a se distra de minune; **a ~ friend you are!** *ironic* bun/grozav prieten *(ce să spun)!* *F* halal prieten! 8 *(d. o remarcă etc.)* fin, subtil 9 *(d. o problemă etc.)* delicat, gingaș, dificil 10 de calitate superioară 11 *(d. un mecanism)* fin, precis, exact 12 *(d. haine etc.)* frumos; de sărbătoare, festiv 13 *(d. exprimare)* înflorat, înzorzonat; prețios 14 *(d. cineva)* din înalta societate // **not to put too ~ a point on it** ca să vorbim deschis, ca să fiu sincer; ce mai încoace și încolo **II** *adv* 1 *F* grozav, – foarte bine; **that will suit me ~** mă aranjează perfect 2 *(în cuvinte compuse)* fin, delicat *(v.* **fine-spun)** // **to cut/to run it ~** *F* a se da peste cap, a nu mai întârzia o clipă

fineable ['fainəbⁿl] *adj v.* **finable**

fine art ['fain 'ɑːt] *s* obiecte de artă

fine arts, the ['fain ˌɑːt, ðə] *s pl* artele frumoase

fine coal ['fain ˌkoul] *s* cărbune mărunt

fine cut ['fain ˌkʌt] *adj* 1 croit elegant 2 tăiat fin *sau* mărunt

fine down ['fain 'daun] I *vt cu part adv* a reduce, a scădea, a micşora II *vi cu part adv* a se reduce, a scădea, a se micşora

fine drawn ['fain ˌdrɔːn] *adj* 1 cusut fără să se vadă cusătura 2 artificial 3 *şi fig* extrem de fin

fine-grained ['fain ˌgreind] *adj* cu granulaţie fină

fineless ['fainlis] *adj* nemărginit, neţărmurit, nesfârşit

finely ['fainli] *adv* 1 (în mod) fin 2 *(îmbrăcat etc.)* minunat, splendid

fineness ['fainnis] *s* 1 fineţe, delicateţe *etc. (v. fine³ I)* 2 *av* calităţi aerodinamice

fine print ['fain ˌprint] *s* 1 *poligr* litere foarte mici 2 text neclar (↓ *într-un contract)*

finery ['fainəri] *s* podoabe, găteli; găteală

fine-spun ['fain'spʌn] *adj* 1 delicat; fragil 2 extrem de subtil 3 *(d. o teorie etc.)* prea subtil; nepractic

finesse [fi'nes] I *s fr* 1 dibăcie, îndemânare, abilitate 2 fineţe; tact 3 viclenie, şiretenie 4 impas *(la jocul de cărţi)* II *vt* a evita, a se eschiva de la

finger ['fiŋgə'] I *s* 1 deget *(de la mână sau mănuşă)*; **to lay a ~ on** *fig* a pune mâna pe, a atinge *(pe cineva)*, a bate; **to lay/to put one's ~ on** *fig* a pune degetul pe *(rană);* a pune punctul pe i; **his ~s are all thumbs** *fig* scapă toate din mână, e foarte neîndemânatic; **to turn/to twist smb round one's (little) ~** a învârti pe cineva pe degete; **to burn one's ~s** *fig* a-şi frige degetele 2 *tehn* bolţ; ştift 3 ac *(de ceasornic etc.);* indicator II *vt* 1 a atinge cu degetele; a-şi trece degetele peste 2 a lua 3 a fura III *vi muz* a bate măsura

finger board ['fiŋgə ˌbɔːd] *s muz* 1 limbă, gât *(la instrumentele cu coarde)* 2 claviatură, clape

finger breadth ['fiŋgə ˌbredθ] *s* lăţime de un deget

fingered ['fiŋgəd] *adj* 1 *(în cuvinte compuse)* cu degete(le); **thick-~** cu degete(le) groase 2 murdărit, murdar, pe care s-a pus mâna 3 *bot* digitat

finger flower ['fiŋgə ˌflauə'] *s bot* degetar, degeţel roşu *(Digitalis purpurea)*

fingering ['fiŋgəriŋ] *s* 1 atingere cu degetul *sau* cu degetele 2 *muz* digitaţie

finger mark ['fiŋgə ˌmɑːk] *s* urmă de deget; amprentă digitală

finger post ['fiŋgə ˌpoust] *s drum* indicator

finger-print ['fiŋgə ˌprint] I *s* amprentă digitală; urmă de deget II *vt* a lua amprentele *(cuiva)*

fingers-and-thumbs ['fiŋgəzənθʌmz] *s pl bot* ghizdei *(Lotus corniculatus)*

finger tip ['fiŋgə ˌtip] *s* vârf de deget; **to have smth at one's ~s** a avea ceva în degetul cel mic; a şti ceva ca pe degete

finical ['finikəl] *adj* 1 dificil, pretenţios, cusurgiu 2 afectat, preţios

finicality [ˌfini'kæliti] *s* 1 pretenţii, mofturi; sensibilitate exagerată 2 preţiozitate, afectare

finicalness ['finikəlnis] *s v.* finicality

finicking ['finikiŋ] *adj v.* finical

finicky ['finiki] *adj. v.* finical

finish ['finiʃ] I *vt* 1 a sfârşi, a termina, a isprăvi; **to ~ reading a book** a termina de citit o carte 2 a termina *(de mâncat, de băut);* a mânca; a bea 3 *F* a da gata, – a epuiza, a frânge, a speti; a distruge 4 *F* a face felul *(cuiva)*, – a omorî, a ucide 5 a finisa, a desăvârşi II *vi* 1 a sfârşi, a termina, a isprăvi; **have you ~ed with that atlas?** îţi mai trebuie atlasul acela? *F* ai terminat cu atlasul ăla? 2 ← *înv* a muri III *s* 1 sfârşit, fine, final; încheiere; **to fight to the ~** a lupta până la capăt 2 *sport* finiş 3 finisaj, finisare 4 *text* apret 5 *tehn* lăcuire; emailare

finished ['finiʃt] *adj* 1 terminat, isprăvit; perfectat; perfect 2 finisat, pus la punct 3 excelent, minunat; desăvârşit, perfect 4 *F* la pământ, – ruinat, distrus

finisher ['finiʃə'] *s* 1 *constr* finişor *(maşină)* 2 *text* finişor; apretor; cardă finisoare

finishing ['finiʃiŋ] I *s* 1 terminare, isprăvire; sfârşit 2 finisare 3 *tehn* rafinare 4 *text* apretură II *adj* ultim, de finisare; **to give the ~ touches to** a da ultimele tuşe *cu dat*

finishing ink ['finiʃiŋ ˌiŋk] *s poligr* cerneală de retuş

finishing school ['finiʃiŋ ˌskuːl] *s* pension de domnişoare *(unde acestea sunt pregătite pentru viaţa mondenă)*

finishing tool ['finiʃiŋ ˌtuːl] *s tehn* cuţit de finisare

finite ['fainait] I *adj* 1 limitat, finit, mărginit 2 *gram* personal, finit II *s gram* verb personal

fink [fiŋk] *s sl* 1 spărgător de grevă 2 informator, trădător

Finland ['finlənd] Finlanda

Finlay, Finley ['finlei] *nume masc*

Finn [fin] *s* finlandez

Finn. *presc de la* Finnish

finnan haddie/haddock ['finən ˌhædi/ˌhædək] *s scot* batog

finned [find] *adj (d. peşti)* cu aripioare

Finnic ['finik] *adj* finlandez

finnicking ['finikiŋ] *adj v.* finical

finnicky ['finiki] *adj v.* finical

Finnish ['finiʃ] I *adj* finlandez II *s* (limba) finlandeză

Finno-Ugrian ['finou'uːgriən] *adj* fino-ugrian

Finno-Ugric ['finou'uːgrik] *adj* fino-ugric

finny ['fini] *adj* 1 *(d. peşte)* cu aripioare 2 de peşte 3 ← *poetic* plin de peşte, cu peşte mult

fiord [fjɔːd] *s geogr* fiord

fir [fə'] *s bot* 1 brad *(Abies sp.)* 2 pin *(Pinus sp.)* 3 lemn de brad *sau* de pin

fire ['faiə'] I *s* 1 foc; văpaie; flăcări; **there is no smoke without ~** *prov* nu iese fum fără foc; **on ~** pe foc; arzând; în flăcări; **to catch/to take ~** a lua foc, a se aprinde; **to set ~ to smth, to set smth on ~** a da foc la ceva, a pune foc unui lucru; **to set the Thames on ~** *fig* a face ceva nemaipomenit; **to blow (up) a ~** a sufla în foc; **to play with ~** *fig* a se juca cu focul; **one ~ drives out another** cui pe cui se scoate; **to lay a ~** a face/a pregăti focul; **to make a ~** a face/a aprinde focul 2 foc, incendiu

3 *mil* foc; tragere; **to open** ~ a deschide focul; **to cease** ~ a înceta focul; **between two ~s** *şi fig* între două focuri; **to miss** ~ **a** *(d. puşcă etc.)* a nu lua foc, a da rateu **b** *fig* a greşi ţinta, a nu nimeri; **to be under** ~ **a** a se afla sub focul inamic **b** *fig* a fi ţinta atacurilor **4** strălucire, sclipire **5** *fig* căldură, entuziasm, avânt, pasiune, înflăcărare **6** *fig* fierbinţeală, friguri, temperatură **II** *vt* **1** a pune pe foc; a da foc la *(sau cu dat);* a incendia **2** a încălzi, a face focul în *(sobă etc.)* **3** a coace; a arde *(cărămidă etc.)* **4** a detona **5** a împuşca **6** *vet* a arde *(cu fierul)* **7** F a da afară, – a concedia **8** *fig* a înflăcăra *(imaginaţia);* a însufleţi, a înviora **9** a descărca *(o armă)* **10** a trage *(o salvă)* **11** *mil* a trage o salvă în semn de *(salut)* **III** *vi* **1** a începe să ardă, a se aprinde **2** a avea grijă de foc, a întreţine focul **3** a arde *(într-un anumit fel)* **4** a trage *(cu o armă)* **5** a se enerva

fire alarm ['faiər ə'la:m] *s* **1** alarmă de incendiu **2** semnalizator de incendiu

fire arm ['faiər 'a:m] *s* armă de foc

fire away ['faiərə'wei] *vi cu part adv* F a-i da drumul, – a începe *(să vorbească)*

fire ball ['faiə ,bɔ:l] *s* **1** *astr* bolid **2** glob/minge/sferă de foc *(soarele etc.)* **3** fulger sferic **4** *mil* centru *(al unei bombe atomice care a explodat)*

fire bomb ['faiə ,bɔm] *s mil* bombă incendiară

fire box ['faiə ,bɔks] *s tehn* cutie de foc; cameră de ardere; focar

fire brand ['faiə ,brænd] *s* **1** bucată de lemn aprinsă, lemn aprins **2** *fig* instigator, aţâţător

fire break ['faiə ,breik] *s* teren curăţat de copaci pt a opri extinderea unui incendiu

fire brick ['faiə ,brik] *s* cărămidă refractară

fire brigade ['faiə bri'geid] *s* (corp de) pompieri

fire bug ['faiə ,bʌg] *s* incendiator

fire clay ['faiə,klei] *s* argilă refractară

fire company ['faiə ,kʌmpəni] *s v.* **fire brigade**

fire control ['faiə kən'troul] *s mil* reglarea focului

fire cracker ['faiə ,krækə'] *s* pocnitoare *(de la jocurile de artificii)*

fire damp ['faiə ,dæmp] *s min* **1** grizu; gaz de mină **2** metan

fire department ['faiə di'pa:tmənt] *s amer v.* **fire brigade**

fire dog ['faiə ,dɔg] *s* suport *(de fier)* pentru lemne *(în cămin)*

fire drill ['faiə ,dril] *s* exerciţii de evacuare în caz de incediu

fire eater ['faiə i:tə'] *s* **1** „înghiţitor de flăcări" **2** *fig* bătăuş, F cocoş

fire engine ['faiər 'endʒin] *s* pompă de incendiu

fire escape ['faiər is'keip] *s* scară de incendiu *sau* de salvare

fire extinguisher ['faiəreks'tiŋgwiʃə'] *s* extinctor, stingător

fire fly ['faiə ,flai] *s ent* licurici *(Lampyridae sp.)*

fire guard ['faiə ,ga:d] *s* grilaj/grătar pentru foc; apărătoare *(la gura unui cămin)*

fire iron ['faiər ,aiən] *s* vătrai

fireman ['faiəmən] *s* **1** fochist **2** pompier

fire pan ['faiə ,pæn] *s* făraş

fireplace ['faiə,pleis] *s* **1** cămin, şemineu **2** maşină de gătit **3** *tehn* focar

fire plug ['faiə ,plʌg] *s* gură de incendiu

fire power ['faiə pauə'] *s mil* putere de foc

fire proof ['faiə ,pru:f] *adj* neinflamabil, ignifug

fire raising ['faiə ,reiziŋ] *s* incendiu *(provocat)*

fireside ['faiə,said] *s* **1** loc lângă cămin **2** *fig* viaţă de familie; cămin, casă

fire squad ['faiə ,skwɔd] *s v.* **fire brigade**

fire station ['faiə ,steiʃən] *s* remiză de pompieri

fire wall ['faiə ,wɔ:l] *s constr* perete parafoc

fire watcher ['faiə ,wɔtʃə'] *s* pompier de serviciu

fire water ['faiə ,wɔ:tə'] *s* F trăscău, – băutură tare

firewood ['faiə,wu:d] *s* lemne *(de foc)*

firework ['faiə,wə:k] *s* **1** *şi la pl* foc de artificii **2** *pl fig* desfăşurare, torent, năvală *(de vorbe de duh etc.)*

firing ['faiəriŋ] *s* **1** aprindere etc. *(v.* **fire II-III***)* **2** combustibil; lemne **3** *mil* tragere; foc; bombardament **4** lansare *(a unei rachete)*

firing chamber ['faiəriŋ ,tʃeimbə'] *s auto* cameră de ardere

firing line ['faiəriŋ ,lain] *s mil* linie de foc

firing party ['faiəriŋ ,pa:ti] *s mil* **1** pluton de execuţie **2** companie de onoare

firing pin ['faiəriŋ pin] *s mil, tehn* percutor

firkin ['fə:kin] *s* **1** putinei **2** măsură de capacitate *(în Anglia = 40,9 l, în S.U.A. = 34,1 l)*

firm¹ [fə:m] *s com* firmă, casă de comerţ

firm² I *adj* **1** solid, tare, dur; **to be on** ~ **ground** *fig* a simţi pământul sub picioare, a se simţi pe un teren solid **2** compact **3** ferm, neclintit, stabil **4** ferm, hotărât; ~ **measures** măsuri ferme/hotărâte **5** aspru, sever **II** *adv* ferm, neclintit

firmament ['fə:məmənt] *s* firmament, cer

firman [fə:'ma:n] *s od* firman

firmly ['fə:mli] *adv* **1** cu fermitate/hotărâre, ferm, hotărât **2** ferm; strâns; cu putere

firmness ['fə:mnis] *s* **1** fermitate, hotărâre **2** soliditate **3** trăinicie

firry ['fə:ri] *adj* **1** de brad *sau* de pin **2** plin de brazi *sau* de pini

first [fə:st] I *num* prim, întâi; **the ~ form** *şcol* clasa întâi; **on the 1ˢᵗ of March** la întâi martie II *adj* **1** prim, întâi; **the ~ man who arrived** primul care a venit; **at the ~ opportunity** cu prima ocazie, cu primul prilej; **in the ~ place** în primul rând; **the ~ results** primele/cele dintâi rezultate **2** *fig* prim, întâi, cel mai de seamă, principal, de frunte; **he was the ~ scholar of his day** a fost cel mai de seamă savant al timpului său; ~ **violin** *muz* vioara întâi; ~ **things** ~ să începem cu ceea ce este mai important **3 the** ~ *fig* cel mai mic; cea mai mică; **I haven't the ~ idea** nu am nici cea mai mică idee III *adv* **1** primul, înaintea altora; **he came** ~ el a venit primul/cel dintâi **2** pentru prima oară/întâia dată **3** la început, mai întâi; ~ **of all** în primul rând, înainte de toate **4** mai devreme; ~ **or last** mai devreme sau mai târziu **5** mai curând, mai degrabă **IV** *s* **1** început; **at** ~ la început; **from the** ~ (chiar) de la început; **from** ~ **to last** de la început până la sfârșit **2** *pl* mărfuri de calitate superioară **3** viteza I **4** *sport* locul întâi

first aid ['fə:st eid] *s med* prim ajutor

first-born ['fə:st,bɔ:n] *s* primul născut

first-class ['fə:st,kla:s] I *s* clasa întâi II *adj* de clasa întâi; de calitate superioară; superior III *adv ferov* etc. (cu) clasa întâi

first cost ['fə:st ,kɔst] *s ec* preț de cost

first floor ['fə:st flɔ:ʳ] *s* **1** etajul întâi *(în Anglia)* **2** parter *(în S.U.A.)*

first fruits ['fə:st ,fru:ts] *s pl* **1** *agr* primele produse, fructe *etc*. ale anotimpului; trufandale **2** *fig* primele roade

first-hand ['fə:st,hænd] I *s*: **at** ~ direct de la sursă II *adj (obținut)* direct *(de la sursă)* III *adv* direct

First International, the ['fə:st intə'næʃənəl, ðə] *s pol* Internaționala I

first lady, the ['fə:st 'leidi, ðə] *s* soția președintelui S.U.A. sau a unui guvernator din S.U.A.

firstling ['fə:stliŋ] *s* **1** primul sosit *etc*. **2** primul născut **3** *agr* primul produs, fruct *etc*. al anotimpului; trufanda

firstly ['fə:stli] *adv* întâi, în primul rând

first name ['fə:st ,neim] *s* pronume, nume de botez, numele mic

first night ['fə:st ,nait] *s teatru etc*. premieră

first-nighter ['fə:st,naitəʳ] *s* persoană nelipsită de la premiere

first off ['fə:st 'ɔ:f] *adv F* (mai) întâi și întâi, – înainte de toate

first offender ['fə:st ə'fendəʳ] *s jur* persoană judecată pentru prima oară

first-rate ['fə:st,reit] *adj* de prima calitate; de mâna întâi; excelent, minunat

firth [fə:θ] *s geogr* brat de mare *(îngust); (↓ în Scoția)* estuar

fiscal ['fiskəl] *adj ec* **1** fiscal **2** financiar

fiscally ['fiskəli] *adv* din punct de vedere fiscal *sau* financiar

fish [fiʃ] I *s* **1** pește; pești; **to have other** ~ **to fry** *fig* a avea (și) altceva de făcut; **a pretty kettle of** ~ *F* frumoasă treabă/afacere! **neither** ~, **flesh, nor fowl/good red herring** nici albă, nici neagră; nici laie, nici bălaie; nici cal, nici măgar; *F* altă arătare; **all's** ~ **that comes to his net** nu refuză nimic; ia de unde apucă, ia ce se nimerește; **to drink like a** ~ *F* a bea de stinge, a suge ca buretele; **drunk as a** ~ *F* beat turtă **2** *F* cetățean, tip; **a poor** ~ un pierde-vară, – un om de nimic; **a queer/an odd** ~ ←*F* un om ciudat/straniu **3** pește *(ca mâncare)* **4** *nav* pește de loh II *vt* **1** a pescui, prinde *(crapi etc.)* **2** a pescui în, a prinde pește în *(lac etc.)* **3** (out of) a scoate *(din buzunar etc.)* III *vi* **1** a pescui, a prinde *sau* a căuta să prindă pește; **to** ~ **in troubled waters** *fig* a pescui în ape tulburi **2** a umbla după ceva, a căuta să obțină ceva

fish bone ['fiʃ ,boun] *s* os de pește

fish bowl ['fiʃ ,boul] *s* acvariu *(mic)*

fisher ['fiʃəʳ] *s* **1** pescar **2** *nav* barcă pescărească **3** *orn* pescăruș albastru *(Alcedo ispida)*

fisherman ['fiʃəmən] *s* **1** pescar **2** *nav* navă de pescuit

fishery ['fiʃəri] *s* **1** pescuit **2** drept de pescuit **3** loc de pescuit **4** cherhana

fish for ['fiʃ fəʳ] *vi cu prep* a căuta să capete; a umbla după *(complimente)*

fish hawk ['fiʃ ,hɔ:k] *s orn* vultur pescar, vultur de pește *(Pandion haliaetus)*

fish hook ['fiʃ ,hu:k] *s* cârlig de undiță

fishily ['fiʃili] *adv* **1** ca un pește **2** ←*F* suspect

fishing ['fiʃiŋ] *s* **1** pescuit **2** *nav* întăritură *(a unei vergi)* **3** *tehn* îmbinare cu eclise

fishing banks ['fiʃiŋ ,bæŋks] *s pl* bancuri de pește

fishing net ['fiʃiŋ ,net] *s* năvod, plasă *(de prins pește)*

fishing rod ['fiʃiŋ ,rɔd] *s* coadă de undiță; undiță

fishing tackle ['fiʃiŋ ,tækl] *s* unelte de pescuit

fish kettle ['fiʃ ,ketl] *s* oală de fiert pește

fishmonger ['fiʃ,mʌŋgəʳ] *s* negustor de pește

fish oil ['fiʃ ,oil] *s* untură de pește

fish out ['fiʃ 'aut] *vt cu part adv* a găsi, a scoate *(batista etc.) (după ce a căutat-o)*

fish plate ['fiʃ ,pleit] *s ferov* eclisă de joantă/îmbinare

fish slice ['fiʃ ,slais] *s* cuțit de pește

fish tackle ['fiʃ ,tækl] *s nav* palanc de traversieră

fish tail ['fiʃ ,teil] *s* coadă de pește

fish well ['fiʃ ,wel] *s nav* vivieră

fish wife ['fiʃ ,waif] *s* **1** vânzătoare de pește **2** mahalagioaică, *F* țață

fishy ['fiʃi] *adj* **1** de pește; piscicol **2** cu miros *sau* gust de pește **3** *F* care miroase urât, – suspect, dubios; *(d. o relatare)* neverosimil

fissile ['fisail] *adj* ușor de despicat; care se desface ușor; fisi(ona)bil

fission ['fiʃən] *s fiz* fisiune

fissionability [,fiʃənə'biliti] *s fiz* fisi(ona)bilitate

fissionable ['fiʃənəbəl] *adj fiz* fisi(ona)bil

fission bomb ['fiʃən ,bɔm] *s fiz, mil* bombă atomică/de fisiune

fissure ['fiʃəʳ] *s* **1** fisură, crăpătură **2** crăpare; rupere **3** *geol* falie

fissured ['fiʃəd] *adj* cu fisuri/crăpături

fist [fist] I *s* **1** pumn; **he shook his** ~ **at me** îmi arătă pumnul, mă amenință cu pumnul **2** *F* labă, mână **3** ← *umor* scris, ortografie; **he writes a good** ~ scrie frumos, are un scris frumos **4** *poligr* deget *(semn arătător)* II *vt* **1** a lovi cu pumnul *sau* cu pumnii **2** a strânge în mână *(↓ vâsla)*

fisted ['fistid] *adj (în cuvinte compuse)* cu pumnul *sau* cu pumnii; **close-**~ cu pumnii strânși; *fig* zgârcit

fistcuff ['fist,kʌf] *s* **1** *(lovitură de)* pumn **2** *pl sport* box *(fără mănuși)*

fistful ['fistful] *s* pumn *(de boabe etc.)*

fist law ['fist 'lɔ:] *s* legea pumnului

fistula ['fistjulə], *pl* și **fistulae** ['fistju,li:] *s* **1** *med* fistulă **2** *muz* fluier

fistular ['fistjuləʳ] *adj med* fistular

fit¹ [fit] **I** *adj* **1 (for)** bun, potrivit, nimerit, adecvat, corespunzător (pentru); **the fish was not ~ to eat** peștele nu era bun de mâncat; **is it the ~ time for it?** este ora potrivită pentru aceasta? **it was a dinner ~ for a king** a fost o masă împărătească **2** nimerit, potrivit; indicat; cuviincios, frumos; **it is not ~ that you should laugh right now** nu e/șade frumos să râzi tocmai acum; **do as you think ~** fă cum crezi că e (mai) bine; **I don't see/think ~ to reply to his letter** nu cred/consider că e necesar/indicat să răspund la scrisoarea lui **3** gata; pregătit; capabil, în stare; competent; vrednic; **I am ~ for another mile** sunt gata să mai merg o milă; pot să mai merg o milă; **he was ~ to die of shame** îi venea să moară de rușine; **not to be ~ to hold a candle to smb** *F* a nu-i sta cuiva nici la degetul cel mic, ~ a nu se compara cu cineva; **he isn't ~ for work** e inapt pentru muncă; nu poate munci **4** *(d. sportivi)* în formă; sănătos, voinic **II** *vt* **1** a se potrivi *(cuiva);* a corespunde *(cu dat)*, a se potrivi cu, a fi bun pentru; **the coat didn't ~ me** haina nu mi se potrivea, haina îmi stătea prost; **the key doesn't ~ the lock** cheia nu se potrivește cu lacătul; **to ~ the bill** a prinde bine, a merge, a fi binevenit **2** a potrivi, a ajusta *(o haină)* **3** a pregăti, a antrena; **the training ~ted them for long marshes** antrenamentul i-a pregătit pentru marșuri lungi **4** a pune de acord cu, a pune în concordanță cu, a face să corespundă cu *(sau cu dat);* **does the punishment ~ the offence?** este pedeapsa pe măsura infracțiunii? **5** *amer* a pregăti *(pt intrarea în universitate)* **6** *tehn* a monta; a fixa **7** a utila, a echipa **III** *vr* **(for)** a pregăti (pentru); a căuta să corespundă *(îndatoririlor etc.)* **IV** *vi* **1** a fi bun, a corespunde, a se potrivi **2** *(d. haine etc.)* a fi bun, a fi pe măsură, a se potrivi, a-i sta bine; **if the cap**/*amer* **shoe ~s wear it** *F* dacă te simți cu musca pe căciulă, taci și înghite **V** *s* **1**

potrivire; **his coat is a good ~** haina lui e pe măsură, haina i se potrivește **2** *tehn* ajustaj

fit² *s* **1** *med* atac, criză; paroxism; **a ~ of apoplexy** un atac de apoplexie; **fainting ~** leșin; **to give smb a ~** *F* a da cuiva un șoc; **he almost had a ~ when he saw the bill** mai-mai să leșine/să-i vină rău când văzu nota de plată **2** izbucnire; avânt; **in a ~ of enthusiasm** într-o izbucnire de entuziasm; **when the ~ is on him** *înv F* când îl apucă, când îi vine **3** *pl* convulsii; isterie; **to laugh oneself into ~s** a râde cu lacrimi, a nu mai putea de râs; **by ~s and starts** cu întreruperi; *F* pe apucate; când și când

fit³ *s ← înv lit* cânt, canto; parte *(a unei poezii)*

fitch [fitʃ] *s* v. **fitchew**

fitchet ['fitʃit] *s* v. **fitchew**

fitchew ['fitʃu:] *s zool* dihor *(Putorius putorius)*

fitful ['fitful] *adj* **1** *med* spasmodic, convulsiv **2** intermitent, neregulat; sporadic; schimbător; **~ gleams** licăriri

fitfully ['fitfuli] *adv* **1** *med* spasmodic, convulsiv **2** cu intermitențe, neregulat; în răstimpuri

fitfulness ['fitfulnis] *s* neregularitate; instabilitate; intermitență

fit in ['fit 'in] **I** *vt cu part adv* **1 (with)** a potrivi, a face să se potrivească (cu); a ajusta (după) **2** a băga, a vârî, a introduce **II** *vi cu part adv* **(with)** a se potrivi (cu); a coincide (cu); a se armoniza (cu)

fitly ['fitli] *adv* **1** (în mod) potrivit, convenabil **2** la momentul potrivit

fitment ['fitmənt] *s* dispozitiv; accesorii

fitness ['fitnis] *s* **1** conformitate; potrivire, caracter potrivit **2** calificare **3** oportunitate **4** sănătate, condiție fizică (bună)

fit oneself in(to) ['fit wʌn'self ˌin(tə)] *vr cu prep* a se adapta la, a căuta să se obișnuiască cu

fit-out ['fit,aut] *s* echipament

fit out ['fit 'aut] *vt cu part adv* **1** a echipa *(o expediție etc.)* **2** *nav* a arma *(o navă)*

fitted ['fitid] *adj* fixat; instalat

fitted with ['fitid 'wið] *adj* prevăzut cu

fitter ['fitə'] *s* **1** montor; instalator, ajustor **2** creator *(care ajustează o haină)*

fitting ['fitiŋ] **I** *adj* bun, corespunzător, potrivit **II** *s* **1** potrivire, ajustare *etc. (v.* **fit¹** II*)* **2** *tehn* montaj **3** *tehn* șfuț, armătură **4** *tehn* fiting, garnitură **5** *av* ferură **6** *constr etc.* aranjare în stație **7** *pl tehn* piese metalice, accesorii **8** *pl el* corpuri de iluminat **9** *pl* mobilă, mobilier

fit up ['fit 'ʌp] *vt cu part adv* **1** v. **fit out 1-2 2** a înzestra, a prevedea *(cu cele necesare etc.)* **3** *tehn* a monta, a fixa; a ajusta

fit-up ['fit,ʌp] *s* teatru *F* **1** teatru de vară **2** recuzită pentru spectacole în turneu **3** actori aflați în turneu

fitz *pref* fiul lui: **Fitzpatrick**

Fitzgerald [fits'dʒerəld] **1** Edward poet englez (1809-1883) **2** F. Scott romancier american (1896-1940)

five [faiv] *num* cinci

five-day ['faiv,dei] *adj atr* de cinci zile

five-finger ['faiv,fiŋgə'] *s* **1** *zool* stea de mare *(Asteroidea sp.)* **2** v. **cinquefoil**

fivefold ['faiv,fould] *adj, adv* încincit

five o'clock shadow ['faiv ə'klɔk ˌʃædou] *s ← F* barbă crescută în timpul zilei *(după bărbieritul de dimineață)*

fiver ['faivə'] *s ← F* **1** *(bancnotă de)* cinci lire **2** *amer (bancnotă de)* cinci dolari

five-year ['faiv,jə:'] *adj atr* de cinci ani; cincinal

fix [fiks] **I** *vt* **1** a fixa, a consolida; a prinde, a înțepeni *(un par etc.)* **2** *mil* a pune la armă *(baioneta)* **3** a fixa, a stabili, a hotărî *(prețul, data etc.)* **4 (on, upon)** a fixa, a concentra *(atenția etc.* asupra – *cu gen);* a pironi, a aținti *(privirile* asupra – *cu gen)* **5** a fixa, a întipări *(în minte)* **6** a fixa (cu privirea), a se uita fix/insistent la **7** *tehn* a fixa, a bloca **8** *tehn* a monta, a instala, a fixa **9** *fot, ch* a fixa **10** *amer* a aranja; a pune la punct; a pune în ordine; **to ~ a watch** a repara un ceas; **to ~ a salad** a pregăti o salată **11** *amer* a măslui *(rezultatele etc.)* **12** *amer ← F* a pedepsi; a se răzbuna pe

II *vi* **1** a se fixa **2** a se solidifica, a se închega **III** *s* **1** *F* ananghie, belea, bucluc, – greu, strâmtoare; **he is in a nice ~** *F* a dat de belea/bucluc/dracu' **2** *nav* relevment în cruce **3** *amer* ordine; stare de funcționare **4** ←*F* lucru hotărât/fixat **5** *mil etc.* determinarea locului **6** *sl* doză *(de narcotic)*

fixation [fik'seiʃən] *s* **1** *fot etc.* fixare **2** *ch* concentrare; solidificare **3** *psih* complex

fixative ['fiksətiv] **I** *adj* de fixare; fixativ; fixator **II** *s* fixativ

fixed [fikst] *adj* **1** fix, permanent, stabil, nestrămutat, neschimbat **2** *(d. prețuri etc.)* fix, neschimbat, ferm **3** *amer (d. un fapt etc.)* (bine) stabilit **4** *(d. o idee etc.)* fix, obsedant **5** definit, determinat **6** *ch* fix, nevolatil

fixedly ['fiksidli] *adv* **1** fix, neschimbat, stabil, permanent **2** fix, trainic, solid **3** *(a privi etc.)* fix, țintă

fixedness ['fiksidnis] *s* fixitate

fixed point ['fikst ,point] *s tehn* punct fix; reper

fixed star ['fikst ,sta:ʳ] *s astr* stea fixă

fixer ['fiksəʳ] *s* **1** *fot* baie de fixare **2** *amer pol sl* persoană care se ocupă cu aranjarea a fel de fel de afaceri dubioase

fixing bath ['fiksiŋ ,ba:θ] *s fot* baie de fixare

fixings ['fiksiŋz] *sl pl amer* ← *F* **1** accesorii **2** *gastr* garnitură

fixity ['fiksiti] *s* fixitate; stabilitate; permanență

fix on ['fiks ɔn] *vi cu prep* a se fixa asupra *(cu gen)*, a alege *cu ac*

fixt [fikst] *pret și ptc poetic de la* fix **I-II**

fixture ['fikstʃəʳ] *s* **1** *tehn* dispozitiv de fixare/prindere; armătură **2** *tehn* accesoriu **3** *pl constr* dependințe **4** ← *F* persoană sau lucru care stă prea mult într-un loc; **our guest has become a ~** musafirul nostru nici nu se gândește să plece **5** *sport* meci a cărui dată a fost fixată

fix up ['fiks 'ʌp] **I** *vt cu part adv* **1** a aranja *(pe cineva într-un post)* **2** a găzdui *(peste noapte etc.)* **3** a împăca, a aplana *(o ceartă)* **4** a drege, a repara **II** *vi cu part adv*, *amer* a se îmbrăca cu grijă *sau* pentru a anumită ocazie

---

fix upon ['fiks ə,pɔn] *vi cu prep* v. **fix on**

fizgig ['fiz,gig] *s* cochetă, femeie frivolă

fiz(z) [fiz] **I** *s* **1** fâsâit; fierbere, efervescență **2** fluierat, șuierat **3** ← *F* șampanie; băutură spumoasă **4** vioiciune, agilitate, agerime **II** *vi* a fâsâi; a fierbe, a fi în efervescență

fizzle ['fizəl] **I** *s* **1** *v.* **fiz(z) I**, **1 2** eșec, nereușită **II** *vi* a fâsâi; a fierbe *(încet)*

fizzle out ['fizəl 'aut] *vi cu part adv* **1** a slăbi, a se micșora **2** *fig* a deveni neinteresant, a-și pierde interesul **3** ← *F* a sfârși printr-un eșec *(↓ după un început promițător)*

fizzy ['fizi] *adj* ← *F* spumos, gazos

fjord [fjɔ:d] *s geogr* fiord

Fl. *presc de la* **1 Flanders 2 Flemish**

fl. *presc de la* **1 floor 2 flower 3 fluid 4 fluorished** *(d. un scriitor etc. – a „înflorit" în anii...)* **5 florin** *sau* **florins**

Fla. *presc de la* **Florida**

flabbergast ['flæbə,ga:st] *vt F* a face paf, – a ului

flabbily ['flæbili] *adv* moale, slab; fără viață

flabbiness ['flæbinis] *s* moliciune, slăbiciune, lipsă de viață

flabby ['flæbi] *adj* **1** slăbit, flacid, moale **2** *fig* slab, influențabil, lipsit de fermitate

flaccid ['flæsid] *adj* **1** *v.* **flabby 1-2** **2** neputincios, bicisnic

flaccidity [flæ'siditi] *s* **1** *v.* **flabbiness 2** neputință, bicisnicie

flag[1] [flæg] **I** *s* **1** steag; drapel; stindard; pavilion; fanion; **to strike the/one's ~ și fig** a coborî steagul; **to keep the ~ flying a** *fig* a ține steagul sus **b** *fig* a nu se preda, a nu depune armele; **to show the white ~ și fig** a se preda, a depune armele; **under the ~ of** sub protecția *cu gen* **2** *fig* naționalitate **3** *nav* navă comandant/amiral **4** *tehn* trenă, coadă, steag **II** *vt* **1** a pune steaguri pe; a împodobi cu steaguri **2** a face semn/a semnaliza cu steagul *sau* fanionul *(cuiva)* **3** a marca cu stegulețe

flag[2] *s bot* stânjenel, iris *(Iris sp.)*

flag[3] *s constr* **1** dală, pavea **2** lespede, fliză

---

flag[4] *vi* **1** a slăbi, a tânji; a se ofili, a se veșteji **2** *fig (d. interes etc.)* a slăbi, a descrește, a se micșora

flag bridge ['flæg ,bridʒ] *s nav* punte de semnalizare

flag captain ['flæg ,kæptən] *s nav* căpitanul navei amiral

flag day ['flæg ,dei] *s* **1** „Ziua stegulețelor", zi de colectă publică în scopuri filantropice *(când se împart stegulețe de hârtie)* **2** 14 iunie, aniversarea zilei când a fost adoptat steagul S.U.A. (1777)

flagellant ['flædʒilənt] *s* persoană care se autoflagelează

flagellate ['flædʒi,leit] *vt* a flagela, a biciui

flagellation [,flædʒi'leiʃən] *s* flagelare, biciuire

flageolet [,flædʒə'let] *s muz* flajeolet *(instrument)*

flagging[1] ['flægiŋ] *adj* care stagnează; lipsit de viață

flagging[2] *s constr* **1** dale **2** pavaj din dale

flaggy[1] ['flægi] *adj* plin de stânjenei/iriși

flaggy[2] *adj constr* de/din dale

flagman ['flægmən] *s* **1** purtător de steag **2** *ferov* cantonier

flag of distress ['flæg əv dis'tres] *s nav* pavilion de primejdie

flag officer ['flæg 'ɔfisəʳ] *s nav* ofițer-amiral

flag of truce ['flæg əv 'tru:s] *s mil* steag alb de parlamentar

flagon ['flægən] *s* garafă, carafă, sticlă pântecoasă

flag pole ['flæg ,poul] *s* catarg de steag; *nav* baston de pavilion

flagrance ['fleigrəns] *s* **1** caracter flagrant **2** notorietate

flagrancy ['fleigrənsi] *s v.* **flagrance**

flagrant ['fleigrənt] *adj* **1** *(d. violare etc.)* flagrant **2** *(d. un criminal etc.)* notoriu

flagrantly ['fleigrəntli] *adv* (în mod) flagrant

flag salute ['flæg sə'lu:t] *s nav* salutul pavilionului

flagship ['flæg,ʃip] *s nav* navă comandant/amiral

flag staff ['flæg ,sta:f] *s v.* **flag pole**

flag station ['flæg ,steiʃən] *s ferov* haltă

flagstone ['flæg,stoun] *s* lespede/dală de piatră

flagstower ['flægz,tauəʳ] *s nav* turn de semnalizare

flag waving ['flæg ,weiviŋ] s fig **1** șovinism **2** patriotism de paradă

flail [fleil] **I** s agr îmblăciu **II** vt **1** agr a îmblăti, a bate cu îmblăciul **2** fig a bate, a biciui

flair [flɛəʳ] s **1** fler; perspicacitate **2** talent înnăscut, înzestrare; **to have a ~ for languages** a avea talent la învățarea limbilor străine

flak [flæk] s germ mil **1** artilerie antiaeriană **2** focul artileriei antiaeriene

flake [fleik] **I** s **1** fulg (de zăpadă etc.) **2** solz **3** coajă; foiță **4** nav buclă (de parâmă) **II** vi a cădea sub formă de fulgi

flake off ['fleik 'ɔːf] vi cu part adv a se exfolia

flake out ['fleik 'aut] vi cu part adv ← F a leșina

flakiness ['fleikinis] s **1** structură solzoasă, caracter solzos **2** asemănare cu fulgii

flaky ['fleiki] adj **1** ca un fulg, ca fulgii; ca de fulg **2** solzos

flam [flæm] s **1** neadevăr, minciună **2** înșelătorie, escrocherie pungășie

flambeau ['flæmbou], pl și **flambeaux** ['flæmbouz] s torță sau faclă/făclie aprinsă

flamboyant [flæm'bɔiənt] adj **1** ist, arhit flamboiant **2** viu colorat, aprins **3** ornat, împodobit; < înzorzonat **4** (d. exprimare) bombastic, emfatic; plin de exagerări și figuri de stil

flame [fleim] **I** s **1** flacără, văpaie; limbă de foc; **the building was in ~s** clădirea era în flăcări; **to burst into ~** a izbucni în flăcări; **to commit to the ~s** a arde, a pune pe foc; **the ~s of sunset** fig văpaia asfințitului **2** fig foc, patimă, pasiune; înflăcărare **3** fig strălucire **4** ← F iubită sau iubit, dragoste, pasiune **II** vi **1** a arde cu flacără **2** a izbucni în flăcări; a se învăpăia **3** fig a se înflăcăra, a se învăpăia; a se înroși; **his face ~d with excitement** se îmbujoră (la față) de emoție; **his face ~d still redder** se înroși/se îmbujoră și mai mult (la față) **III** vt poetic a învăpăia; ~ a stârni (o emoție)

flame-coloured ['fleim,kʌləd] adj galben-roșu, portocaliu, de culoarea flăcării

flame engine ['fleim ,endʒin] s motor cu gaze

flameless ['fleimlis] adj **1** (care arde) fără flacără **2** fig impasibil, nesimțitor

flamelet ['fleimlit] s flăcăruie

flamen ['fleimen] s od flamen

flame out/up ['fleim 'aut/'ʌp] vi cu part adv **1** a izbucni în flăcări **2** fig (d. un sentiment) a izbucni

flame thrower ['fleim 'θrouəʳ] s mil aruncător de flăcări

flaming ['fleimiŋ] adj **1** în flăcări; cuprins de flăcări **2** strălucitor, orbitor **3** fierbinte, arzător **4** fig aprins, înflăcărat, învăpăiat

flamingo [fləˈmiŋgou], pl **flamingo(e)s** [fləˈmiŋgouz] s orn flamingo (Phoenicopterus ruber)

flammable ['flæməbəl] adj inflamabil

flamy ['fleimi] adj v. **flaming**

flan [flæn] s un fel de tartă cu fructe

Flanders ['flɑːndəz] od țară Flandra

flange [flændʒ] s **1** tehn flanșă, bridă, bordură; ieșitură **2** constr centură, brâu **3** el manșon (de cablu)

flank [flæŋk] **I** s **1** anat parte (a corpului omenesc); coaste, deșert(uri) (la animale) **2** parte; versant; aripă (de clădire); coastă, pantă (a unui deal etc.) **3** mil flanc, extremitate **II** vt **1** mil a flanca; a apăra flancurile (cu gen) **2** a flanca; a fi pe partea (cu gen)

flank on/upon ['flæŋk ɔn/ə,pɔn] vi cu prep a se învecina/a se mărgini cu

flannel ['flænəl] s **1** text flanel **2** flanel(ă) (îmbrăcăminte) **3** cârpă de șters (din flanel) **4** bucată de flanel(ă)

flannelette [,flænəˈlet] s text finet, pânză moltonată

flap [flæp] **I** s **1** clapă (a plicului, buzunarului etc.) **2** bor (al pălăriei) **3** prelungitoare (de masă etc.) **4** limbă (a pantofului) **5** fâlfâit (de aripi etc.); fluturat **6** lovitură; pocnitură, pocnet **7** av flaps **8** ← F tulburare, < panică **II** vi **1** a se bălăbăni, a se bălăngăni; a se mișca încoace și încolo **2** a flutura, a fâlfâi **3** a zbura bătând din aripi **4** a atârna **III** vt **1** a bate din (aripi), a flutura (aripile etc.) **2** a legăna, a mișca **3** a bate, a lovi (cu ceva lat)

flap away ['flæp əˈwei] vt cu part adv a alunga (muștele etc., cu prosopul etc.)

flapdoodle ['flæp,duːdəl] s F prostii, nerozii, tâmpenii

flap-eared ['flæp'iəd] adj cu urechi(le) pleoștite, clăpăug

flap-jack ['flæp,dʒæk] s **1** clătită; un fel de plăcintă (subțire) **2** pudrieră (plată)

flap-mouthed ['flæp,mauθd] adj buzat, cu buze mari

flapper ['flæpəʳ] s **1** apărătoare de muște **2** v. **flap** I, 1-4 **3** tehn placă rabatabilă **4** ← F înv fetișcană, codană **5** sl labă, – mână

flare¹ [flɛəʳ] **I** vi **1** a arde viu și cu flacără inegală; a pâlpâi **2** v. **flare up 1 II** vt a lăsa să pâlpâie (focul etc.) **III** s **1** flacără sau lumină vie și inegală; pâlpâit **2** sclipire (a flăcării) **3** semnal luminos **4** rachetă semnalizatoare **5** nav semnal luminos de pericol

flare² **I** vi a se umfla, a se dilata **II** vt a umfla, a mări, a lărgi; a evaza (o rochie etc.) **III** s **1** evazare (a rochiei etc.) **2** tehn mufă, manșon; pâlnie **3** pl ← F pantaloni evazați

flareback ['flɛə,bæk] s tehn întoarcerea flăcării

flared [flɛəd] s (d. pantaloni etc.) larg, evazat

flare gun ['flɛə ,gʌn] s mil pistol de semnalizare

flare-up ['flɛər,ʌp] s **1** izbucnire a flăcărilor; sclipire (a flăcărilor) **2** semnal luminos **3** scandal, ceartă, sfadă **4** petrecere zgomotoasă

flare up ['flɛər 'ʌp] vi cu part adv a izbucni; a răbufni

flaring¹ ['flɛəriŋ] adj **1** care arde viu și intermitent; pâlpâitor **2** țipător, fără gust, viu colorat

flaring² adj umflat, bombat, ieșit în afară; (d. o rochie etc.) evazat

flash [flæʃ] **I** s **1** fulgerare; scânteiere; strălucire; ~ of lightning fulger; **quick as a ~** (↓ d. o remarcă) prompt, imediat **2** fig licărire, rază (de speranță etc.) **3** zâmbet **4** privire, ocheadă **5** clipă, moment; **in a ~** într-o clipită, cât ai clipi din ochi **6** strălucire exterioară **7** argou al pungașilor **8** tehn jet; inflamare; explozie **9** fot etc. instantaneu

10 *auto* avertizor de lumină 11 *fig* scânteiere, străfulgerare; **a ~ of wit** o sclipire a spiritului; idee spontană 12 *amer* ← F lanternă de buzunar 13 *mil* emblemă *(pe bască)* 14 *v.* **flash light 1 II** *adj* *v.* **flashy III** *vi* 1 a fulgera; a scânteia, a străluci; a licări 2 **(with)** *fig (d. ochi)* a arunca fulgere *(de mânie)* 3 *fig* a trece ca un fulger, a zbura 4 *nav* a ieşi la suprafaţă **IV** *vt* 1 a lumina brusc; a orbi 2 a lumina brusc cu *(un felinar etc.);* a orbi cu 3 **(at)** *fig* a arunca, a azvârli *(o privire) (cuiva)* 4 *fig (d. ochi)* a arunca, a azvârli, a emite; **his eyes ~ fire** îi ieşeau fulgere din ochi 5 a transmite prin radio, telegraf *etc.*

flash across ['flæʃ ə,krɔs] *vi cu prep* a trece (fulgerător) prin *(minte);* **the idea flashed across my mind** mă străfulgeră ideea/ gândul

flashback ['flæʃ,bæk] **I** *s v.* **flareback** 2 privire retrospectivă; amintire 3 *cin* „flashback", *secvenţe intercalate pentru a rezuma întâmplări etc. anterioare* 4 *lit* „flashback", *pasaj sau scenă descriind întâmplări ce precedă acţiunea principală* **II** *vi cu part adv* a se întoarce pe neaşteptate în trecut

flashbulb ['flæʃ,bʌlb] *s fot* bec de bliţ/flaş

flasher ['flæʃər] *s* 1 *tehn etc.* far (cu lumină intermitentă/clipitoare) 2 *sl* exhibiţionist

flash flood ['flæʃ ,flʌd] *s* inundaţie bruscă *(după o ploaie torenţială)*

flashily ['flæʃili] *adv* ţipător; fără gust

flash in the pan ['flæʃ in ðə 'pæn] *s* 1 rateu; împuşcătură neizbutită 2 eşec, nereuşită, fiasco 3 succes de moment

flash into ['flæʃ ,intə] *vi cu prep v.* **flash across**

flash lamp ['flæʃ ,læmp] *s* 1 lanternă de buzunar 2 *tel etc.* lampă de semnalizare 3 *nav* felinar pentru semnale morse 4 blitz

flash light ['flæʃ ,lait] *s* 1 *fot* lumi-nă-fulger; bliţ, flash, flaş 2 *el* far proiector

flashman ['flæʃmən] *s sl* 1 persoană suspectă 2 proxenet

flash-over ['flæʃ,ouvər] *s el* con-turnare

flash point ['flæʃ ,pɔint] *s fiz* temperatură de aprindere

flash through ['flæʃ ,θru:] *vi cu prep v.* **flash across**

flash upon ['flæʃ ə,pɔn] *vi cu prep (d. o idee)* a străfulgera *(pe cineva),* a trece ca un fulger prin mintea *(cuiva)*

flashy ['flæʃi] *adj* 1 strălucitor, orbitor, scânteietor 2 ţipător, fără gust 3 insipid 4 *(d. bani)* fals

flask [flɑ:sk] *s* 1 sticlă, butelie; retortă; flacon 2 *ch* balon 3 sticlă împletită *(cu gât îngust)* 4 ter-mos

flat¹ [flæt] *s* 1 apartament 2 etaj 3 *pl* locuinţă cu apartamente

flat² **I** *adj* 1 plat, întins, neted; lat; **the earth is round, not ~** pă-mântul e rotund, nu plat; **the tyre is ~** cauciucul e/s-a dez-umflat; **~ land** *(ţinut)* şes; **~ nose** nas turtit; **~ hand** mână/ palmă întinsă 2 searbăd, plic-tisitor; monoton, neinteresant 3 *(d. cineva)* plictisitor; neinte-resant; insipid 4 fără vlagă/viaţă; lipsit de energie 5 *ec* care stagnează; slab 6 *(d. farfurii)* întins 7 *(d. băuturi)* stătut; trezit, răsuflat 8 *(d. o glumă)* fără sare, nesărat 9 exact, precis 10 direct, categoric, hotărât; **~ denial** refuz categoric; **that's ~** e categoric, hotărârea e definiti-vă; **~ nonsense** curată prostie; absurditate fără margini 11 *(d. culori)* uniform, fără relief 12 *fot* neclar **II** *adv* 1 lat, întins; **to fall ~ a** a cădea lat **b** *fig (d. o glumă)* a nu fi gustat, a nu avea succes 2 exact, precis; chiar, tocmai; **in ten minutes ~** exact în zece minute 3 *fin* fără dobândă 4 *muz* cu un semiton mai jos 5 *F* total, – complet, cu desăvârşire **III** *s* 1 suprafaţă întinsă; lat; **the ~ of the hand** latul palmei; **on the ~ a** pe drum drept **b** *pict* în două dimensiuni 2 şes, câmpie; întins 3 ţărm jos/coborât 4 baltă; ţinut mlăştinos 5 *tehn* faţetă 6 barcă cu fundul lat 7 *muz* bemol 8 *auto* cauciuc dezumflat 9 *ferov* va-gon platformă 10 pantof fără toc 11 *F* nerod, găgăuţă, – prost **IV** *vi, vt v.* **flatten**

flat boat ['flæt ,bout] *s nav* ambar-caţiune cu fund plat; şlep; ma-honă

flat-bottomed ['flæt,bɔtəmd] *adj* cu fundul plat

flat car ['flæt ,kɑ:r] *s v.* **flat III, 9**

flat fish ['flæt fiʃ] *s* peşte cu corpul lat: plătică, limbă, calcan *etc.*

flatfoot ['flæt,fut] *s med* picior plat, platfus

flat-footed [,flæt'futid] **I** *adj* 1 *med* cu picior plat; cu platfus; **to catch smb ~** *F* **a** a lua pe cineva prin surprindere **b** a prinde pe cineva asupra faptului 2 cu fund(ul) plat 3 *amer sl* hotărât, categoric **II** *adv* *amer sl* pe faţă, deschis, hotărât, categoric

flat-head ['flæt,hed] *s* 1 om cu capul turtit 2 *F* cap sec, tâmpit

flat iron ['flæt ,aiən] *s* 1 fier *sau* oţel lat 2 fier de călcat

flatland ['flætlænd] *s* lume bidimen-sională ipotetică

flatlet ['flætlit] *s* mic apartament

flatly ['flætli] *adv* 1 lat, întins 2 categoric, hotărât

flatness ['flætnis] *s* 1 caracter plan; netezime 2 *tehn* planitate 3 lipsă de gust 4 plictiseală; monotonie 5 caracter categoric, hotărâre, fermitate

flat out ['flæt 'aut] **FI** *adj cu part adv* sleit, frânt, stors, – obosit la culme **II** *adj cu part adv* – din răsputeri, cât îl ţin puterile

flat racing ['flæt ,reisiŋ] *s* cursă (de cai) fără obstacole

flat rate ['flæt reit] *s* preţ global

flat-shaped ['flæt,ʃeipt] *adj* plat, lat

flat spin ['flæt ,spin] *s av* vrilă plată; **to be in a ~** *F* a nu mai şti unde îi este capul

flatten ['flætən] **I** *vt* 1 a nivela, a netezi; a aplatiza 2 a turti **II** *vi* 1 a se nivela, a se netezi; a se aplatiza 2 a se turti 3 a se ruina 4 *(d. vânt)* a se potoli, a se domoli 5 *(d. bere etc.)* a se trezi 6 a deveni plictisitor, monoton, nein-teresant *etc.*

flatten out ['flætən 'aut] *vt cu part adv* 1 a îndrepta, a aplatiza, a netezi 2 a turti 3 a îngrozi; a uimi peste măsură, *F* ← a lăsa lat

flatter ['flætər] **I** *vt* 1 a flata, a măguli, < a linguşi 2 a înfrumuseţa, a face mai frumos *(decât este în realitate etc.);* **this photo ~s him**

fotografia aceasta îl avantajează **3** a fi plăcut la *(vedere etc.)*, a încânta *(ochii etc.)* **4** a mângâia, a satisface *(orgoliul)* **II** *vi* a recurge la lingușiri

flatterer ['flætərə'] *s* lingușitor

flatter oneself that ['flætə wʌn,self 'ðət] *vr cu conj* a-i plăcea să creadă că; a-și închipui că

flattery ['flætəri] *s* măgulire, < lingușire

flatting mill ['flætiŋ ,mil] *s* **1** *text* mașină de călcat **2** *met* laminor cu aplatizare

flattop ['flæt,tɔp] *s sl* vas purtător de avioane, port-avion

flatulence ['flætjuləns] *s* **1** *med* meteorism, gaze **2** *fig* prețiozitate, bombasticism, emfază

flatulency ['flætjulənsi] *s v.* **flatulence**

flatulent ['flætjulənt] *adj* **1** *med* cu gaze *(la stomac)* **2** *med* care produce gaze (la stomac) **3** *fig* prețios, bombastic, emfatic

flatus ['fleitəs] *s* **1** *med* gaze (la stomac); *F→* vânt **2** adiere (de vânt)

flatware ['flæt,wɛə'] *s* **1** tacâm *(furculiță, cuțit și lingură)* **2** farfurii întinse

flatways ['flæt,weiz] *adv* de-a latul

flatwise ['flæt,waiz] *adv v.* **flatways**

Flaubert ['floubɛə'], **Gustave** *romancier francez (1821-1880)*

flaunt [flɔ:nt] **I** *vi* **1** *(d. steaguri)* a flutura/a fâlfâi falnic **2** a umbla țanțoș, a se grozăvi; a se etala; a face caz **II** *vt* a-și expune *(podoabele etc.)*, a face caz de, a-și etala

flautist ['flɔ:tist] *s v.* **flutist**

flavor... ['fleivə'] *amer v.* **flavour...**

flavour ['fleivə'] **I** *s* **1** gust plăcut; buchet *(al vinului)* **2** miros, parfum **3** *fig* iz; vână; trăsătură; parfum **4** condiment, mirodenie, aromă **5** *fig* aer, atmosferă **II** *vt* **1** a aromatiza *(cu condimente)*, a condimenta; a drege **2** *fig* a condimenta, a face picant *sau* interesant *(o povestire etc.)*

flavoured ['fleivəd] *adj* **1** condimentat; picant; dres **2** aromat; având un anumit gust

flavouring ['fleivəriŋ] *s v.* **flavour I, 4**

flavourless ['fleivəlis] *adj* **1** fără gust, lipsit de gust **2** fără miros **3** necondimentat **4** *fig* searbăd, neinteresant

flaw¹ [flɔ:] *s* **1** crăpătură, fisură; ruptură **2** defect **3** *met* sulfură **4** *fig* punct slab, fisură; pată **5** *jur etc.* viciu

flaw² *s* **1** rafală *(de vânt, ploaie sau zăpadă)* **2** *fig* izbucnire *(de pasiune etc.)*

flawless ['flɔ:lis] *adj* fără nici o fisură; perfect, ireproșabil, fără cusur

flawlessly ['flɔ:lisli] *adv* (în mod) perfect, ireproșabil

flax [flæks] *s bot* **1** in *(Linum usitatissimum)* **2** in pitic, ineață *(Linum catharticum)* **3** caier, fuior **4** pânză de in

flaxen ['flæksən] *adj* **1** de in **2** *(d. păr)* ca de in, blond deschis

flax seed ['flæks ,si:d] *s și med* sămânță de in

flaxy ['flæksi] *adj* ca de in

flay [flei] *vt* **1** a jupui *(de piele)* **2** *fig* a jupui, a jefui **3** *fig* a critica sever, *F→* a lua la refec

flayer [fleiə'] *s și fig* jupuitor

flea [fli:] *s ent* purice *(Pulicidae sp.); a* ~ **in one's ear** a dojană/mustrare aspră, *F* săpuneală, refec **b** ripostă, împotrivire **c** răspuns care provoacă iritare; **to send smb away with a ~ in his ear a** a pălmui pe cineva, a trage o palmă cuiva **b** a refuza pe cineva, *F* a da cuiva papucii **c** a certa sever pe cineva, *F* a trage cuiva o săpuneală (zdravănă)

flea bag ['fli: ,bæg] *s* **1** *← rar* sac de dormit **2** *amer* hotel prost și ieftin **3** animal murdar și urât

flea bane ['fli: ,bein] *s bot* puricariță *(Pulicaria vulgaris)*

flea bite ['fli: ,bait] *s* **1** pișcătură de purice **2** *fig* nimic, fleac *(supărător)*

flea-bitten ['fli:,bitən] *adj* **1** pișcat de purici **2** plin/năpădit de purici **3** *fig* nenorocit, prăpădit **4** *(d. cai)* bălțat

fleam [fli:m] *s med* lanțetă

flea market ['fli: ,mɑ:kit] *s* hală de vechituri

flea pit ['fli: ,pit] *s sl* cinema *sau* teatru ieftin și murdar

fleawort ['fli:,wə:t] *s bot* moartea puricelui *(Inula conyza)*

fleck [flek] **I** *s* **1** pată *(pe corp)*; eczemă; pistrui **2** pată *(de culoare sau lumină)* **3** părticică, particulă, fărâmă **II** *vt* a puncta, a acoperi cu pestrițături/picățele; a presăra

flecker ['flekə'] *vt v.* **fleck II**

flection ['flekʃən] *s v.* **flexion**

fled [fled] *pret și ptc de la* **flee**

fledge [fledʒ] **I** *vi* a-i crește pene la aripi, a putea zbura **II** *vt* **1** a crește *(o pasăre)* până când poate zbura **2** a acoperi cu pene *sau* puf

fledged [fledʒd] *adj (d. păsări)* cu pene la aripi; în stare să zboare

fledg(e)ling ['fledʒliŋ] *s* **1** pasăre care poate zbura *(pt că i-au crescut penele)* **2** *fig* tânăr fără experiență, novice, *F→* ageamiu

flee [fli:] **I** *vi* **1** *(from)* a fugi, a pleca fugind, a scăpa cu fuga (din); a dispărea (din) **2** *la pret și ptc (d. viață etc.)* a se sfârși; *(d. un vis etc.)* a se destrăma, a se spulbera **II** *vt* a fugi din; a părăsi *(o țară etc.)*

fleece [fli:s] **I** *s* **1** lână **2** *text* văl *(la cardă)* **3** claie *(de păr)* **4** mici nori cirus **5** ninsoare abundentă **II** *vt* **1** a jefui (de bani) *(↓ prin vicleșug)*, a jecmăni **2** a acoperi, a înveli

fleecy ['fli:si] *adj* ca de lână, lânos

fleer [fliə'] **I** *s* privire disprețuitoare *sau* batjocoritoare **II** *vt* a zâmbi disprețuitor *sau* batjocoritor

fleet¹ [fli:t] *s* **1** *nav, av* flotă **2** *auto* parc de mașini

fleet² **I** *vi* a trece repede, a zbura; a dispărea **II** *adj* **1** iute, repede; ~ **of foot** *← poetic* iute de picior **2** *← poetic* trecător **III** *adv* la mică adâncime

fleet³ *s* **1** golf; > golfuleț **2** pârâu, râuleț

fleeting ['fli:tiŋ] *adj* trecător, care trece repede, *rar →* pasager

fleetingly ['fli:tiŋli] *adv* repede, iute

fleetly ['fli:tli] *adv ← poetic* repede, grăbit

fleetness ['fli:tnis] *s ← poetic* grabă, iuțeală; caracter trecător/efemer

Fleet Street ['fli:t ,stri:t] *s* **1** veche stradă în Londra unde își au sediul redacțiile mai multor ziare **2** *fig* presa britanică

Fleming ['flemiŋ] **1** flamand **2** belgian care vorbește flamanda

Flemish ['flemiʃ] **I** *adj* flamand **II** *s* (limba) flamandă

flense [flens] *vt* a tăia, a jupui *(balene, foci)*

flesh [fleʃ] **I** *s* **1** carne *(vie, crudă)*; **it made my ~ creep** mi s-a încreţit pielea *(de frică)*, m-au trecut fiorii; **to live on ~** *(d. fiare sălbatice)* a se hrăni cu carne; a fi carnivor **2** carne, trup; *fig* muritor; **all ~** tot ce e viu, *poetic* toată făptura; **to go the way of all ~** a se duce pe drum neîntors, a muri; **in the ~** viu, întrupat **3** carne, grăsime; **to put on ~** a se îngrăşa; **to lose ~** a slăbi **4** carne, miez, pulpă *(de fruct)* **5** *fig* pofte trupeşti, senzualitate **II** *vt* **1** a deprinde *(câinii etc.)* cu mirosul sângelui **2** a înroşi cu sânge **3** a îngrăşa, a pune la îngrăşat **4** a descărna, a cărnosi **5** a înfige *(o armă)* **III** *vi* ← *F* a se curba, a se împlini

flesh and blood [ˈfleʃ ən ˌblʌd] *s* fire omenească; **my own ~** carne din carnea mea şi sânge din sângele meu; ai mei

flesh-coloured [ˈfleʃˌkʌləd] *adj* de culoarea cărnii, roşu-deschis

flesh crow [ˈfleʃ ˌkrou] *s orn* cioară cenuşie/neagră *(Corvus corone)*

flesh fly [ˈfleʃ ˌflai] *s ent* muscă de carne/albastră *(Sarcophaga sp.)*

fleshiness [ˈfleʃinis] *s* **1** caracter cărnos; carne **2** corpolenţă, trupeşie

fleshing [ˈfleʃiŋ] *s* **1** *tehn* cărnosire, descărnare **2** *pl* tricou de culoarea pielii *(purtat de acrobaţi etc.)*

fleshless [ˈfleʃlis] *adj* **1** fără carne **2** slab, descărnat

fleshliness [ˈfleʃlinis] *s* senzualitate

fleshly [ˈfleʃli] *adj* **1** trupeş, rotofei **2** *fig* trupesc; lumesc; senzual

fleshmonger [ˈfleʃˌmʌŋgəʳ] *s* **1** negustor de sclavi **2** traficant de carne vie

flesh pot [ˈfleʃ ˌpot] *s* **1** oală pentru fiert carnea **2** *pl* belşug, viaţă îmbelşugată; lux

flesh pots of Egypt [ˈfleʃ ˌpots əv ˈiːdʒipt] *s pl* v. **flesh pot 2**

flesh worm [ˈfleʃ ˌwəːm] *s zool* trichină *(Trichina spiralis)*

flesh wound [ˈfleʃ ˌwuːnd] *s* rană superficială *(care nu atinge osul)*

fleshy [ˈfleʃi] *adj* **1** de carne; cărnos **2** gras, obez **3** al cărnii; trupesc; senzual

Fletcher [ˈfletʃəʳ], **John** *autor dramatic englez (1579-1625)*

fleur-de-lis [ˌfləːdəˈliː], *pl* **fleurs-de-lis** [ˌfləːdəliːz] *s fr bot* săbiuţă, stânjenel, iris *(Iris germanica)*

flew [fluː] *pret de la* **fly I, II**

flex [fleks] **I** *vt* **1** a încovoia, a curba **2** a contracta *(un muşchi)* **II** *s* **1** *el* liţă **2** *mat* inflexiune

flexibility [ˌfleksiˈbiliti] *s* flexibilitate, elasticitate

flexible [ˈfleksibəl] *adj* **1** flexibil, elastic, pliabil; ductil, maleabil **2** *fig* flexibil; elastic **3** *fig* (d. cineva) adaptabil **4** *(d. cineva)* maleabil; îngăduitor

flexibly [ˈfleksibli] *adv* (în mod) flexibil, elastic

flexion [ˈflekʃən] *s* **1** curbură, îndoitură **2** *med* îndoire, flexie **3** *gram* flexiune; desinenţe **4** *mat* curbură; derivata a doua

flexional [ˈflekʃənəl] *adj gram* flexionar

flexionless [ˈflekʃənlis] *adj gram* fără flexiuni; neflexionar

flexure [ˈflekʃəʳ] *s* **1** *tehn* rezistenţă la încovoiere; încovoiere, curbură **2** *geol* flexură, îndoire

flibbertigibbet [ˈflibətiˌdʒibit] *s* **1** om de nimic, fluşturatic **2** palavragiu, *F* gură-spartă

flick [flik] **I** *s* **1** lovitură uşoară, atingere; bobârnac **2** mişcare bruscă; smucitură **3** ← *înv sl* film **4** *pl* ← *F* cinema(tograf) **II** *vt* a pocni, a atinge *(cu biciul etc.)*; a da un sfichi *(calului)*

flick away [ˈflik əˈwei] *vt cu part adv* a îndepărta, a alunga *(muştele)*

flicker [ˈflikəʳ] **I** *s* **1** licăr(ire); pâlpâit **2** tremur **3** *pl sl înv* cinema(tograf) **II** *vi* **1** a miji a licări; a miji **2** a pâlpâi; a tremura **3** a bate/a flutura din aripi

flick knife [ˈflik ˌnaif] *s* briceag mare cu buton

flier [ˈflaiəʳ] *s* v. **flyer**

flight[1] [flait] **I** *s* **1** *şi fig* zbor; **the ~ of birds** zborul păsărilor; **in ~** în zbor; **to take/to wing one's ~** a-şi lua zborul, a zbura; a pleca în zbor; **~ of fancy/imagination** zbor/avânt al imaginaţiei; **~ of wit** sclipire a spiritului; idee spontană **2** stol *(de păsări)* **3** *fig* ploaie *(de săgeţi, gloanţe etc.)*; salvă **4** şir *(de avioane)* **5** zbor, scurgere rapidă *(a timpului)* **6** *sport* şir/rând de bariere/obstacole *(la sărituri)* **7** (şir de) trepte,

rampă de scară **8** şir de ecluze **9** *tehn* eşalon **10** *constr, tehn* etaj // **in the first ~ a** în primele rânduri, în avangardă **b** excelent, remarcabil **II** *vi* (d. păsări) a migra

flight[2] *s* fugă; refugiu, adăpost; **to put the enemy to ~** a pune inamicul pe fugă; **to take (to) ~** a fugi; a se refugia; **the ~ into Egypt** *bibl* fuga în Egipt

flight course [ˈflait ˌkɔːs] *s av* direcţie de zbor

flighted [ˈflaitid] *adj* **1** cu pene **2** ← *înv* zburător

flight engineer [ˈflait ˌendʒiˈniəʳ] *s av* mecanic de zbor

flight formation [ˈflait fɔːˈmeiʃən] *s av* formaţie de zbor

flightiness [ˈflaitinis] *s* nestatornicie

flight leader [ˈflait ˌliːdəʳ] *s av* comandant de patrulă; cap de formaţie

flightless [ˈflaitlis] *adj* care nu poate zbura; inapt pentru zbor

flight lieutenant [ˈflait luːˈtenənt] *s av* căpitan de aviaţie *(în Anglia)*

flight path [ˈflait ˌpɑːθ] *s av* v. **flight course**

flight sergeant [ˈflait ˌsɑːdʒənt] *s av* sergent major de aviaţie

flight test [ˈflait ˌtest] *s av* probă de zbor

flight traffic [ˈflait ˌtræfik] *s av* trafic aerian

flighty [ˈflaiti] *adj* **1** schimbător, nestatornic, capricios; pe care nu te poţi bizui **2** frivol **3** *(d. cai)* sperios **4** smintit, descreierat, *F* într-o ureche

flim-flam [ˈflim ˌflæm] **I** *s* **1** prostii, nerozii, *F* tâmpenii **2** şiretlic, vicleşug, *F* pungăşie **II** *adj atr* **1** prostesc, *F* tâmpit **2** de pungaş/escroc **III** *vt* a înşela, a amăgi; *F* a pungăşi

flimsily [ˈflimzili] *adv* fără bază/temei, nefondat

flimsiness [ˈflimzinis] *s* **1** fragilitate; subţirime **2** *fig* superficialitate; lipsă de substanţă; netemeinicie

flimsy [ˈflimzi] **I** *adj* **1** fragil; slab; subţire **2** neîntemeiat, nefondat, nejustificat **3** de calitate inferioară **II** *s* **1** foiţă, hârtie subţire **2** *sl* bani de hârtie, bancnote **3** *sl* telegramă

flinch [flintʃ] *vi* **1** a tresări *(de durere)*; a se înfiora **2** **(from)** a se abate, a se clinti *(de la datorie etc.)*

flinders ['flindəz] *s pl* bucăți, fărâme; **to break/to fly in** ~ a se face fărâme

Flinders Range, the ['flindəz ,reindʒ, ðə] *lanț de munți în sudul Australiei*

fling [fliŋ] **I** *pret și ptc* **flung** [flʌŋ] *vt* **1** a arunca, a (a)zvârli *(cu violență);* a trânti; **to** ~ **a stone** a arunca cu piatra; **the horse flung his rider** calul îl trânti pe călăreț (la pământ) **2** a lăsa deoparte **3** *fig* a arunca, a azvârli *(vina etc.);* **to** ~ **the past into smb's face** a învinui pe cineva pentru greșeli trecute **4** a împrăștia, a răspândi *(știri, un miros etc.)* **II** *(v.* ~ **I)** *vr* a se arunca, a se azvârli **III** *(v.* ~ **I)** *vi* **1** a se repezi, a se năpusti; a da buzna; **he flung out of the room** se năpusti afară din cameră **2** a vorbi (într-)aiurea; a spune verzi și uscate, a îndruga **IV** *s* **1** aruncare, azvârlire **2** mișcare violentă; smucitură **3** remarcă tăioasă **4** vioiciune; voioșie, veselie **5** veselie, petrecere, distracție; **to have one's** ~ *F* a petrece pe cinste, a o face lată; a-și face de cap **6** dans vioi/< frenetic **7** ← *F* caznă, canon, chin

fling away ['fliŋ ə'wei] *vt cu part adv* a arunca la o parte

fling down ['fliŋ 'daun] *vt cu part adv* a da/a arunca jos

fling off ['fliŋ 'ɔːf] **I** *vt cu prep* a scăpa de, a se descotorosi de **II** *vt cu part adv* a pleca în grabă

fling on ['fliŋ 'ɔn] *vt cu part adv* a-și pune în grabă *(hainele)*

fling oneself into ['fliŋ wʌn'self ,intə] *vr cu prep* a se apuca (↓ temeinic) de *(o treabă)*

fling open ['fliŋ 'oupən] *vt cu adj* a deschide *(o ușă etc.)* cu zgomot

flint [flint] *s* **1** cremene, silex **2** sticlă flint **3** hârtie abrazivă

flint-hearted ['flint,haːtid] *adj* cu inima de piatră

flintlock ['flint,lɔk] *s mil od* plăcă cu cremene

Flintshire ['flintʃiə'] *comitat în Țara Galilor*

flinty ['flinti] *adj* **1** silicios; ca cremenea **2** *fig* dur, insensibil; crud **3** *fig* de neclintit

flip[1] [flip] **I** *vt* a lovi ușor **II** *s* **1** lovitură ușoară; bobârnac **2** ← *F* zbor scurt cu avionul **III** *adj F v.* **flippant**

flip[2] *s* flip, *băutură fierbinte din bere îndulcită și alcool*

flippancy ['flipənsi] *s* **1** frivolitate, neseriozitate, purtare ușuratică **2** lipsă de respect, < obrăznicie, nerușinare

flippant ['flipənt] *adj* **1** frivol, neserios, ușuratic **2** nerespectuos, < obraznic, nerușinat

flippantly ['flipəntli] *adv* **1** frivol, neserios **2** nerespectuos, < obraznic, fără rușine

flipper ['flipə'] *s* **1** *zool* aripă, înotătoare **2** *sl* labă, – mână **3** *auto* bandaj de geantă **4** papuc de scufundător

flipping ['flipiŋ] *adv F* al naibii (de)

flirt [fləːt] **I** *vi* **1** (**with**) a flirta, a cocheta (cu) **2** a se mișca încoace și încolo **II** *vt* **1** a mișca încoace și încolo; a da din *(coadă)* **2** a se juca cu *(evantaiul)* **III** *s* **1** cochetă **2** flirt **3** mișcare iute; aruncare

flirtation [fləː'teiʃən] *s* flirt

flirt with ['fləːt 'wið] *vi cu prep* a cocheta cu *(idei etc.)*

flit [flit] *vi și fig* a trece repede, < a zbura; **time is** ~**ting** timpul zboară

flitch [flitʃ] *s* pulpă de porc sărată și afumată, jambon

flittermouse ['flitə,maus] *s zool* ← *rar* liliac *(Vespertilio murinus)*

flivver ['flivə'] *s sl* **1** automobil ieftin **2** lucru ieftin, mic, neînsemnat *etc., F→* prostie, nimic **3** nereușită, eșec

float [flout] **I** *vi* **1** a pluti *(pe apă, în aer)* **2** a se menține la suprafața apei **3** a trece, a se perinda *(prin minte etc.)* **4** a fi în echilibru **II** *vt* **1** a menține în stare de plutire; a face să plutească **2** a inunda, a îneca **3** *nav* a scoate de pe uscat **4** a realiza, a transpune în fapt *(un proiect etc.)* **5** *ec* a emite, a pune în circulație **III** *s* **1** dop, plută; plutitor, flotor **2** *nav* geamandură; baliză **3** bac; poron; pod plutitor **4** centură de salvare **5** masă plutitoare *(de gheață etc.)* **6** *iht* băsică **7** ↓ *pl teatru* rampă **8** car alegoric

floatable ['floutəbəl] *adj* plutitor

floatage ['floutidʒ] *s* **1** flotabilitate, capacitate de a pluti **2** plutire, plutit **3** *nav* epave maritime, varec

floatation [flou'teiʃən] *s* **1** *v.* **floatage 1-2** **2** *ec* fondarea unei întreprinderi **3** *min* flotație

float boat ['flout ,bout] *s nav* bac; poron

floater ['floutə'] *s* **1** muncitor sezonier **2** *amer* alegător al cărui vot poate fi cumpărat **3** pod plutitor; poron

floating ['floutiŋ] **I** *adj* **1** plutitor **2** *(d. populație)* flotant **II** *s* **1** plutire, plutit **2** plutărit **3** *tehn* regim tampon **4** *pict* neomogenitate a culorilor

floating anchor ['floutiŋ ,æŋkə'] *adj nav* ancoră de furtună

floating bridge ['floutiŋ ,bridʒ] *s* pod de plute/pontoane

floating capital ['floutiŋ ,kæpitəl] *s ec* capital circulant

floating dock ['floutiŋ ,dɔk] *s nav* doc plutitor

floating earth ['floutiŋ ,əːθ] *s min* borchiș

floating ice ['floutiŋ ,ais] *s* sloiuri în derivă; gheață plutitoare; banchiză

floating light ['floutiŋ ,lait] *s nav* far plutitor; geamandură luminoasă

floatingly ['floutiŋli] *adv* **1** plutind, în stare de plutire **2** (în mod) schimbător

floating pile ['floutiŋ ,pail] *s constr* pilon flotant

floating ram ['floutiŋ ,ræm] *s nav* sonetă plutitoare

floating rib ['floutiŋ ,rib] *s med* coastă falsă

floatplane ['flout,plein] *s nav* hidroavion

floatway ['flout,wei] *s* cale de plutărit

float wood ['flout ,wud] *s* lemn plutit

floccus ['flɔkəs], *pl* **flocci** ['flɔksai] *s* smoc *(de păr)*

flock[1] [flɔk] **I** *s* **1** stol *(de păsări)* **2** turmă *(de oi sau capre);* ~**s and herds** oi și vite **3** grămadă *(de oameni),* mulțime, gloată; ceată; stol; **to come in** ~**s** a veni grămadă/grămezi, grămezi **4** *bis* turmă; enoriași, credincioși **II** *vi* a se îngrămădi, a se strânge; a merge *sau* a veni în grup

flock² *s* 1 fulg 2 smoc *(de păr)* 3 *text* ghemotoc

floe [flou] *s* 1 sloi (de gheață) 2 banchiză plutitoare

flog [flɔg] *vt* 1 a bate zdravăn, a biciui; **to ~ a dead horse** a-și irosi vremea; a umbla după potcoave de cai morți 2 *fig* a critica aspru

flogging ['flɔgiŋ] *s* bătaie zdravănă; biciuire; pedeapsă corporală

flog into ['flɔg ,intə] *vt cu prep* a sili *(pe cineva)* să învețe *(ceva)* prin bătaie; a vârî în capul *(cuiva)*

flood [flʌd] **I** *s* 1 inundație; potop; viitură 2 **the F~** *bibl* Potopul 3 flux 4 *fig* potop, noian, șuvoi 5 ← *înv, poetic* mare; lac; râu **II** *vt* 1 a inunda, a îneca, a potopi 2 a revărsa, a face să se reverse 3 *fig* a bombarda, a copleși 4 *fig* a inunda, a umple; **to ~ the market** a inunda piața **III** *vi* 1 *(d. ape)* a se revărsa, a ieși din matcă; a se umfla 2 a se îngrămădi, a veni în număr mare

floodable ['flʌdəbəl] *adj* inundabil

flood basin ['flʌd ,beisn] *s tehn* bazin de umplere

flood control ['flʌd kən'troul] *s* regularizarea viiturilor

flooded area ['flʌdid 'ɛəriə] *s* regiune inundabilă

flood gate ['flʌd ,geit] *s* ecluză (navigabilă); **to open the ~s** *fig* **a** a lăsa cale liberă cuiva **b** a izbucni în lacrimi; a plânge în hohote

flood in ['flʌd 'in] *vi cu part adv* a veni în număr mare; a curge; **applications flooded in** ploua cu cereri

flooding ['flʌdiŋ] *s* 1 inundare 2 inundație; potop 3 *pl* maree; flux 4 *fig* belșug; plinătate 5 *tehn* înecare

floodlight ['flʌd,lait] **I** *s el* 1 proiector; reflector 2 lumină de proiector *sau* reflector **II** *pret și ptc și* **floodlit** ['flʌd,lit] *vt* a lumina cu proiectoare *sau* reflectoare

flood out ['flʌd 'aut] *vi cu part adv* a pleca/a se refugia din cauza inundațiilor

flood plain ['flʌd ,plein] *s* vale inundabilă

flood tide ['flʌd ,taid] *s* flux, maree înaltă

floor [flɔː'] **I** *s* 1 podea, dușumea; planșeu; **to wipe the ~ with F** a da de pământ cu, – a învinge *cu ac* 2 cat, etaj; **the first ~ a** etajul întâi *(în Anglia)* **b** parter *(în S.U.A.)* 3 fund *(de mare etc.)* 4 *constr* nivel 5 *constr* pavaj; dalaj 6 *min* culcuș, vatră 7 *parte a unei săli rezervată membrilor unei adunări*; **to take the ~ a** a lua cuvântul **b** a începe/a deschide dansul; a începe să danseze 8 *amer ec* minimum 9 *nav* varangă **II** *vt* 1 a podi, a pardosi 2 a trânti la pământ, a doborî 3 ← *F* a încurca, a pune în încurcătură/ dificultate; a lăsa perplex 4 ← *F* a rezolva, a găsi o soluție pentru 5 *auto* a apăsa *(acceleratorul)* până la maximum

floorage ['flɔːridʒ] *s* suprafața pardoselii/dușumelii

floor ceiling ['flɔː ,siliŋ] *s nav* paiol

floor cloth ['flɔː ,klɔθ] *s* linoleum

floor covering ['flɔː ,kʌvəriŋ] *s constr* podea

floorer ['flɔːrə'] *s* 1 parchetar 2 ← *F* lovitură zdrobitoare 3 *F* bombă, – știre senzațională

flooring ['flɔːriŋ] *s* 1 *v.* floor I, 1 2 *constr* platelaj, podină 3 *ferov* platelaj pe pod

floor level ['flɔː ,levəl] *s* 1 *constr* nivelul solului 2 *av* cota solului

floor out ['flɔːr 'aut] *vt cu part adv nav* a farda

floor show ['flɔː ,ʃou] *s amer teatru* spectacol în mijlocul publicului

floorwalker ['flɔː,wɔːkə'] *s amer* supraveghetor *sau* administrator al unui magazin universal

floozie, floozy ['fluːzi] *s sl* 1 târfă, – prostituată 2 muiere, – femeie

flop [flɔp] **I** *vi* 1 a cădea cu zgomot 2 *(d. pește etc.)* a se zbate 3 a cădea în genunchi 4 a da/bate din aripi 5 *(d. steag etc.)* a fâlfâi 6 *fig* ← *F* a face o cotitură; a-și schimba convingerile 7 *fig* ← *F* a suferi un eșec, a nu reuși 8 *amer* ← *F* a se prăbuși *(pe un scaun etc., de oboseală)* 9 *amer* ← *F* a adormi **II** *vt* a trânti *(un obiect)* **III** *s* 1 zgomot *(↓ surd)* 2 ← *F* eșec, nereușită, fiasco 3 *amer* ← *F* pălărie cu boruri moi **IV** *adv* 1 cu zgomot 2 chiar, tocmai, direct **V** *interj* poc! trosc! *(la căderea în apă)* pleosc!

floppy ['flɔpi] *adj* 1 lăsat în jos, moale, flasc 2 *(d. stil)* neglijent

Flora ['flɔːrə] *s* 1 *mit* Flora 2 f~ floră

floral ['flɔːrəl] *adj* floral; cu flori; în formă de floare

Florence ['flɔrəns] 1 *nume fem* 2 *oraș în Italia* Florența

Florentine ['flɔrən,tain] *adj, s* florentin

florescence [flɔː'resns] *s bot și fig* (perioadă de) înflorire

floret ['flɔːrit] *s poligr* vinietă

floriculture ['flɔːri,kʌltʃə'] *s* floricultură, cultura plantelor decorative

florid ['flɔrid] *adj* 1 *(d. stil)* înflorit, încărcat 2 *(d. fața cuiva)* roșu *(din naștere)*; sănătos 3 ← *rar* cu multe flori

Florida ['flɔridə] *stat în S.U.A.*

florin ['flɔrin] *s* florin, fiorin *(în Anglia, monedă de 2 șilingi)*

florist ['flɔrist] *s* florar, cultivator *sau* vânzător de flori

floss¹ [flɔs] *s* 1 *text* puf, mătase brută 2 mătase *(a porumbului)*

floss² *s* râu

flossy ['flɔsi] **I** *adj* 1 pufos, ca puful 2 mătăsos, moale 3 *sl* elegant, șic **II** *s sl* femeie *sau* fată îmbrăcată elegant

flotage ['floutidʒ] *s v.* floatage

flotation [flou'teiʃən] *s v.* floatation

flotilla [flə'tilə] *s nav* flotilă

flotsam ['flɔtsəm] *s nav* epave plutitoare

flotsam and jetsam ['flɔtsəm ənd ,dʒetsəm] *s* 1 *nav* epave plutitoare 2 mărunțișuri, nimicuri 3 resturi, rămășițe 4 oameni fără căpătâi

flounce¹ [flauns] **I** *vi* a umbla nervos; a se năpusti, a se repezi; **he ~d out of the room** se năpusti afară din cameră **II** *s* mișcare bruscă/ nestăpânită

flounce² *s* volan *(la rochie)*

flounce off ['flauns 'ɔːf] *vi cu part adv* a pleca în grabă, a se îndepărta în graba mare

flounder¹ ['flaundə'] **I** *vi* 1 a se mișca (cu) greu 2 a se zbate *(în apă)*, a căuta să se mențină la suprafață 3 a se încurca la vorbă, a vorbi cu greutate, a se exprima greu **II** *s* 1 mișcări greoaie 2 zbatere; luptă *(cu valurile etc.)*

flounder² *s iht* plătică *(Pleuronectes plexus)*

flour [flauǝʳ] **I** *s* **1** făină **2** *constr* praf de piatră **II** *vt* a măcina

flourish ['flʌriʃ] **I** *vt* **1** a agita, a flutura *(sabia etc.)* **2** a expune, a etala **3** a împodobi, a orna **II** *vi* **1** *(d. vegetație)* a crește din abundență, a fi luxuriant **2** *fig* a prospera, a propăși, a înflori, a fi înfloritor; a fi în culmea înfloririi, gloriei *etc.* **3** a trăi *(într-o anumită epocă)* **4** a se exprima/a vorbi *sau* a scrie bombastic **5** *muz* a preludia **6** *muz* a intona un acord final **III** *s* **1** ← *rar* înflorire; **in full ~** în plină înflorire **2** agitare, fluturare *(a unei săbii etc.)* **3** parafă **4** înflloritură retorică, expresie bombastică **5** *muz* preludiu **6** *muz* acord final **7** *muz* (sunet de) fanfară

flourishing ['flʌriʃiŋ] *adj* **1** înfloritor, sănătos **2** înfloritor, prosper

flour mill ['flauǝ ˌmil] *s* moară *(de vânt, de apă)*

floury ['flauǝri] *adj* făinos; plin de făină

flout [flaut] **I** *vt* **1** a respinge, a nu ține cont de *(un sfat etc.)* **2** a-și râde de, a lua în râs; a privi cu dispreț **II** *vi* a fi disprețuitor; a-și bate joc **III** *s* **1** neglijare, neluare în seamă **2** dispreț; batjocură **3** insultă

flow [flou] **I** *s* **1** curgere, flux, curent **2** scurgere, vărsare **3** curs *(al unui râu)* **4** debit *(de apă)* **5** *min* erupție *(a petrolului)* **6** *fig* prisos; revărsare *(a unui sentiment etc.)*; **a ~ of angry words** un potop de injurii **7** flux; **ebb and ~** flux și reflux **8** *ec* producție; randament **II** *vi* **1** a curge; a se scurge; **tears ~ed on her cheeks** îi curgeau lacrimi pe obraji **2** *(d. valută etc.)* a se scurge, a pleca **3** *(d. îmbrăcăminte, păr etc.)* a atârna; a flutura **4** *(d. apă)* a se umfla; a inunda **5** *(d. sânge etc.)* a circula, a curge

flow chart/diagram ['flou ˌtʃa:t/ˈdaiǝˌgræm] *s* **1** *tehn* schema procesului tehnologic **2** *mat* program logic **3** organigramă

flower ['flauǝʳ] **I** *s* **1** *bot* înflorire, floare; **in ~** în floare; înflorit; **in the ~ of one's age** în floarea vârstei **2** *bot* floare; **a red ~** o floare roșie **3** *fig* floare, cremă, elită **4** *pl ch* floare *(de sulf etc.)* **II** *vi* a înflori **III** *vt* a împodobi cu flori

flowerage ['flauǝridʒ] *s* **1** flori **2** înflorire

flower bed ['flauǝ ˌbed] *s* strat/răzor de flori

flower-de-luce ['flauǝdǝ'lu:s] *s v.* **fleur-de-lis**

flowered ['flauǝd] *adj* **1** cu flori **2** înflorat, ornamentat cu flori

floweret ['flauǝrit] *s poetic* floricică, floricea

flowerful ['flauǝful] *adj* plin de flori

flower garden ['flauǝ ˌga:dǝn] *s* grădină de flori

flower girl ['flauǝ ˌgǝ:l] *s* vânzătoare de flori, florăreasă

flower head ['flauǝ ˌhed] *s bot* capitul

flowering ['flauǝriŋ] **I** *adj* cu flori, înflorit **II** *s* înflorire

flowerless ['flauǝlis] *adj* care nu produce flori

flower of speech ['flauǝrǝv 'spi:tʃ] *s* figură de stil

flower pot ['flauǝ ˌpɔt] *s* ghiveci (de flori)

flower show ['flauǝ ˌʃou] *s* expoziție de flori, expoflora

flowery ['flauǝri] *adj* **1** acoperit *sau* împodobit cu flori **2** ca o floare **3** *(d. stil)* înflorit; bombastic

flow from ['flou frǝm] *vi cu prep* a izvorî din

flowing ['flouiŋ] *adj* **1** lin, curgător **2** curgător, care curge **3** *(d. caligrafie etc.)* frumos, grațios; regulat

flow into ['flou ˌintǝ] *vi cu prep* a se vărsa în

flown [floun] *ptc de la* **fly I-II**

flow over ['flou ˌouvǝʳ] *vi cu prep* a se revărsa peste; a inunda *cu ac*

flow sheet ['flou ˌʃi:t] *s tehn* flux tehnologic

flow with ['flou wið] *vi cu prep* a abunda de/în

Floyd [flɔid] *nume masc*

flu, the [flu:, ðǝ] *s med* ← *F* gripă

fluctuant ['flʌktjuǝnt] *adj* fluctuant, schimbător, variabil

fluctuate ['flʌktjuˌeit] *vi* **1** a fluctua, a varia, a se schimba **2** *fig* a șovăi, a ezita, a fi nehotărât

fluctuating ['flʌktjuˌeitiŋ] *adj v.* **fluctuant**

fluctuation [ˌflʌktju'eiʃǝn] *s* **1** fluctuație, instabilitate **2** frământare, mișcare continuă *(a valurilor etc)*

flue[1] [flu:] *s* **1** șemineu; coș **2** tiraj, fum **3** *met* tiraj *(al cuptorului)*

flue[2] *s v.* **flu**

fluency ['flu:ǝnsi] *s* fluență, ușurință *(în exprimare)*

fluent ['flu:ǝnt] *adj* fluent, curgător; **he speaks ~ English** vorbește engleza fluent

fluently ['flu:ǝntli] *adv* fluent, curgător

fluff [flʌf] **I** *s* **1** puf; **bit of ~** *sl* femeiușcă, muierușcă **2** *teatru sl* rol învățat prost **II** *vt* **1** a înfoia **2** *F* a rasoli, – a face, a învăța *etc.* prost **III** *vr* a se înfoia

fluffy ['flʌfi] *adj* pufos; (acoperit) cu puf

fluid ['flu:id] *s, adj* fluid; lichid

fluid clutch ['flu:id ˌklʌtʃ] *s auto* ambreiaj hidraulic

fluid flyweel ['flu:id ˌflai,wi:l] *s tehn* cuplaj hidraulic

fluidic [flu:'idik] *adj* fluid; lichid

fluidity [flu:'iditi] *s* **1** fluiditate **2** mobilitate; curgere

fluid ounce ['flu:id ˌauns] *s* uncie lichidă *(0,0284 l)*

fluke[1] [flu:k] *s* ← *F* noroc, întâmplare fericită; **by ~** datorită norocului, printr-un noroc

fluke[2] *s* **1** *iht* orice pește plat, ↓ calcan; **2** *zool* gălbează *(Distomum hepaticum)*

fluke[3] *s* **1** *nav* palmă/vârf de ancoră **2** *nav* zimț *(de harpon)* **3** *min* lingură de lăcărit

fluky *adj* **1** *F* băftos, – norocos **2** izbutit, reușit **3** ← *F* întâmplător, accidental; schimbător

flume [flu:m] *s* **1** jgheab, canal **2** uluc *(pt transportul lemnului)*

flummery ['flʌmǝri] *s* **1** mâncare/hrană ușoară **2** complimente gratuite **3** vorbe goale, vorbărie goală

flummox ['flʌmǝks] *vt F* a lua piuitul *(cuiva)*, a înnebuni, – a buimăci, a consterna

flummoxed ['flʌmǝkst] *adj F* înnebunit, – buimăcit, consternat

flung [flʌŋ] *pret și ptc de la* **fling I**

flunk [flʌŋk] *amer sl* **I** *s* cădere, prăbușire **II** *vi F* a fi trântit *(la examen)* **III** *vt* **1** ↓ *amer F* a fi trântit la *(un examen)* **2** ↓ *amer F* a trânti *(la examen)*

flunkey ['flʌŋki] *s* **1** lacheu *(în livrea)* **2** *peior* lacheu; lingău

flunk out ['flʌŋk 'aut] *vt cu part adv amer F* a fi dat afară, – a fi exmatriculat

flunky ['flʌŋki] *s amer v.* **flunkey**

fluorescence ['fluǝ,resǝns] *s fiz* fluorescență

fluorescent ['fluǝ'resǝnt] *adj fiz* fluorescent

fluorescent lamp [,fluǝ'resǝnt 'læmp] *s el* lampă cu fluorescență; tub luminescent

fluorescent lighting [,fluǝ'resǝnt 'laitiŋ] *s el* iluminat cu luminescență

fluorescent tube [,fluǝ'resǝnt ,tju:b] *s v.* **fluorescent lamp**

fluoride ['fluǝ,raid] *s ch* fluorură

fluorine ['fluǝri:n] *s ch* fluor

fluor spar ['fluǝ ,spɑ:'] *s geol* fluorină

flurried ['flʌrid] *adj* nervos (↓ din pricina grabei), impacientat

flurry ['flʌri] **I** *s* **1** rafală *(de vânt, ploaie sau zăpadă)* **2** neliniște, agitație, tulburare; nervozitate **3** *ec* schimbare bruscă a prețurilor *(la bursă)* **II** *vt* a tulbura, a agita

flush¹ [flʌʃ] **I** *vi* **1** a se înroși, a se îmbujora (la față); a i se urca sângele în obraji **2** a țâșni, a se revărsa **II** *vt* **1** a înroși, a îmbujora **2** a umple de mândrie **3** *(d. un sentiment)* a îmbăta **4** *fig* a incita, a ațâța **5** a îneca; a inunda, a potopi **6** a spăla *(cu un jet puternic de apă)* **III** *s* **1** jet de apă; șuvoi **2** aflux de sânge; îmbujorare; culoare în obraji **3** emoție; sentiment; revărsare, izbucnire *(a unui sentiment)* **4** fierbințeală, temperatură **5** avânt, pornire **6** creștere impetuoasă/năvalnică *(a vegetației etc.)* **7** înflăcărare, impetuozitate, ardoare *(a tinereții etc.)* **IV** *adj* **1** îmbelșugat, bogat, abundent; **to be ~ with money** a fi plin de bani, *F* a avea portofelul doldora **2** *(d. un râu)* umflat **3** (with) darnic, generos (cu) **4** viguros, plin de vigoare, puternic **5** *(d. o lovitură etc.)* drept, direct **V** *adv* **1** (with) la același nivel (cu); pe același plan (cu) **2** *(a lovi etc.)* drept, direct, chiar, exact

flush² *s* culoare (↓ *la pocher*)

flush³ **I** *vt* a speria *(păsări etc.)* **II** *vi* *(d. păsări)* a-și lua brusc zborul

flush from ['flʌʃ frǝm] *vt cu prep* a alunga *(păsări etc.)* din *(pomi etc. ca să fie împușcate)*; a scoate *(hoții etc.)* din *(ascunziș)*

flush out ['flʌʃ 'aut] *vt cu part adv* a scoate din ascunziș/ascunzătoare *(hoți etc.)*

fluster ['flʌstǝ'] **I** *s* agitație, freamăt, tulburare **II** *vi* **1** a fi agitat/nervos; a fi cuprins de neastâmpăr **2** a fi ușor amețit *(de băutură)* **III** *vt* **1** a agita, a tulbura, a neliniști; a stârni **2** a da *(cuiva)* să bea; < a ameți *(dându-i să bea)*

flute [flu:t] **I** *s* **1** *muz* flaut; fluier **2** *constr* canelură **3** *tehn* renură, jgheab, șanț; scobitură **II** *vt* **1** *muz* a executa/a cânta la flaut *sau* fluier **2** *constr* a canela, a nutui **3** *tehn* a moleta, a riflui

fluting ['flu:tiŋ] *s constr* canelură

flutist ['flu:tist] *s muz* flautist

flutter ['flʌtǝ'] **I** *vt* **1** a flutura/a bate din *(aripi)* **2** *fig* a tulbura, a neliniști **II** *vi* **1** a flutura/a bate din aripi **2** a flutura, a fâlfâi **3** *(d. inimă)* a bate repede *sau* neregulat **4** a fi agitat/tulburat/neliniștit; a tremura de emoție, surescitare *sau* frică; a umbla agitat **III** *s* **1** fluturat; fâlfâit **2** nervozitate, neliniște, tulburare; mișcare spasmodică; **in a** ~ agitat, nervos **3** vibrație; trepidație **4** ← *F* risc *(la jocurile de noroc)*; **to have a** ~ a risca

fluty ['flu:ti] *adj* melodios, dulce; plăcut

fluvial ['flu:viǝl] *adj* fluvial, de fluviu

fluviatile ['flu:viǝ,tail] *adj v.* **fluvial**

fluviometer [,flu:viǝ'mi:tǝ'] *s hidr* fluviometru

flux [flʌks] **I** *s* **1** flux; curent; curgere **2** *met* fondant **3** schimbare *sau* mișcare continuă; **in a state of** ~ în schimbare **II** *vt met* a topi

fluxion ['flʌkʃǝn] *s mat* derivată

fly¹ [flai] *s* **1** *ent* muscă; **to break a** ~ **(up) on the wheel** *fig* a trage cu tunul în vrăbii; **there are no flies on him** *sl* a e un om de nădejde; e foarte cinstit, harnic *etc.* **b** nu-l duci cu una cu două **2** *agr* dăunător

fly² [flai] **I** *pret* **flew** [flu:], *ptc* **flown** [floun] *vi* **1** a zbura; a trece în zbor; a plana; **to** ~ **high** *fig* a ținti foarte sus, a avea ambiții mari **2** a alerga, a fugi; > a merge *sau* a trece repede; < a zbura; a se grăbi; **she flew to meet her brother** alergă să-și întâmpine fratele; **to send smb ~ing** a izgoni pe cineva **3** *pret* **fled** [fled] a fugi, a scăpa fugind; a dispărea **4** *av* a zbura **5** *fig (d. timp etc.)* a

zbura, a trece repede **6** *fig (d. bani)* a se duce/a se cheltui repede // **to make the dust/the feathers/the sparks/the fur** ~ a face scandal/tărăboi; a se lua la harță; a se lua la bătaie **II** *vt (v.* ~ **I) 1** a zbura peste *(ocean etc.)* a înălța *(un zmeu)* **3** a transporta pe calea aerului; **they were flown to the capital** au fost duși cu avionul în capitală **4** *av* a pilota *(un avion)* **5** a arbora *(un steag)* **6** *pret* **fled** [fled] a fugi de, a evita, a ocoli **III** *s* **1** zbor; **on the** ~ în zbor; din zbor **2** *od* trăsură/birjă cu un cal **3** *tehn* balansor; pendulă **4** petliță, rever **5** clapă *(la buzunar etc.)* **6** *pl teatru* sufită **7** *tehn* volant

fly³ *adj F* pe care nu-l duci cu una cu două; șmecher

fly at ['flai ǝt] *vi cu prep* **1** a se repezi la; a se năpusti asupra *(cuiva)* **2** a ocărî, < a înjura // **to let** ~ a ataca *(pe cineva, cu o armă, piatră etc.)*; a arunca în *(cineva, cu pietre etc.)*

fly-away ['flaiǝ'wei] **I** *adj atr* **1** *(d. îmbrăcăminte)* larg **2** *(d. cineva)* nestatornic, schimbător **3** gata de zbor **II** *s* **1** persoană nestatornică **2** fugar

fly away ['flai ǝ'wei] *vi cu part adv* **1** a zbura (în altă parte), a pleca în zbor; a-și lua zborul **2** a fugi (în altă parte)

fly bird ['flai ,bǝ:d] *s orn (pasărea)* colibri

fly-bitten ['flai,bitn] *adj* mușcat/ înțepat de muște

fly-blown ['flai,bloun] *adj* **1** plin de larve *sau* ouă de muscă **2** *fig* contaminat; murdărit **3** *(d. carne)* stricat

fly-by-night ['flaibai'nait] *adj atr* **1** iresponsabil **2** insolvabil **3** trecător, pasager

fly catcher ['flai ,kætʃǝ'] *s orn* muscar cenușiu *(Muscicapidae sp)*

flyer ['flaiǝ'] *s* **1** *av* aviator, zburător **2** ceva ce zboară: pasăre, fluture, avion *etc.* **3** *tehn* volant **4** *text* flaier, aripioară **5** *nav* focul săgeții

fly in ['flai 'in] *vt cu part adv* a aduce pe calea aerului

flying ['flaiiŋ] *adj atr* **1** care zboară, zburător **2** grăbit; iute; rapid **3** *av* de *sau* pentru zbor; aerian

flying boat ['flaiiŋ ,bout] *s nav* hidroavion

flying bridge ['flaiiŋ ,bridʒ] *s* pod rotativ/suspendat

flying colours ['flaiiŋ ,kʌləz] *s pl fig* victorie, izbândă

flying fish ['flaiiŋ ,fiʃ] *s iht* peşte zburător

Flying Fortress ['flaiiŋ ,fɔːtris] *s av* fortăreață zburătoare

flying-in ['flaiiŋ,in] *s av* transport aerian

flying disk ['flaiiŋ ,disk] *s* farfurie zburătoare, OZN

flying instruments ['flaiiŋ ,instruː-mənts] *s pl av* instrumente de zbor

flying machine ['flaiiŋ mə'ʃiːn] *s av* avion; maşină zburătoare

flying saucer ['flaiiŋ ,sɔːsər] *s* farfurie zburătoare

flying squad ['flaiiŋ ,skwɔd] *s* brigadă de intervenție *(a poliției)*

flying start ['flaiiŋ ,stɑːt] *s fig* început foarte bun

flying visit ['flaiiŋ ,vizit] *s* vizită scurtă, vizită făcută în trecere

fly into ['flai ,intə] *vi cu prep* 1 a fi cuprins de *(entuziasm etc.);* **to ~ a rage/a passion** a se înfuria 2 a da buzna în // **to ~ pieces** a se face țăndări/fărâme

fly leaf ['flai ,liːf] *s poligr* forzaț

fly off ['flai 'ɔːf] *vi cu part adv* 1 a fugi, a se depărta fugind/în fugă 2 a sări de pe cal *etc.*

fly paper ['flai 'peipər] *s* hârtie de muşte

fly rod ['flai ,rɔd] *s* undiță de prins peşte cu muscă

flysch [fliʃ] *s geol* fliş

fly sheet ['flai ,ʃiːt] *s* pamflet

fly to ['flai tə] *vi cu prep* a lua *(armele)* în mână, a pune mâna pe *(armă)*

flyweight ['flai,weit] *s box* categoria muscă

flywheel ['flai,wiːl] *s* volant

fm. *presc de la* 1 from 2 fathom

F.M. *presc de la* **Field-Marshal**

fo. *presc de la* folio

F.O. *presc de la* 1 field officer 2 **Foreign Office**

foal [foul] **I** *s* mânz **II** *vt (d. iepe)* a făta

foam [foum] **I** *s* 1 spumă 2 material spumos *sau* spongios 3 zgură 4 ← *poetic* mare, întinsul mării **II** *vi* a face spumă; a spumega;

to ~ at the mouth *fig* a face spume la gură

foaminess ['fouminis] *s* caracter spumos; spumă

foam rubber ['foum ,rʌbər] *s* cauciuc spongios/buretos

foamy ['foumi] *adj* spumos; spumegând

fob[1] [fɔb] *s* buzunăraş pentru ceasornic *(la pantaloni)*

fob[2] *vt* a înşela, a păcăli, **F** a trage pe sfoară

F.O.B., f.o.b. *presc de la* **free on board**

fob off ['fɔb 'ɔːf] *vt cu part adv* 1 a scăpa de *(ceva nefolositor)* prin vicleşug *sau* înşelăciune 2 a înşela, a păcăli; **he fobbed me off with promises** m-a înşelat cu promisiuni, m-a dus cu vorba

focal ['foukəl] *adj fiz* focal

focal distance ['foukəl ,distəns] *s fiz* distanță focală

focal lenght ['foukəl ,leŋgθ] *s opt* distanță focală

focal point ['foukəl ,pɔint] *s opt* punct focal; focar

foci ['fouksai] *pl de la* **focus**

fo'c'sle ['fouksəl] *v.* **forecastle**

focus ['foukəs] **I** *pl şi* **foci** ['fouksai] *s* 1 *opt* focar; punct luminos 2 *opt* focalizare 3 epicentru *(al unui cutremur)* 4 *med* focar, centru 5 *fig* centru, punct central; miez; sâmbure; **the ~ of attention** centrul atenției **II** *vt* 1 *opt* a focaliza 2 *fig* (**on**) a concentra *(gândurile, atenția etc.)* (asupra – *cu gen)* **III** *vi* 1 *opt* a se întâlni în focar 2 *fig* ← *F* a se concentra

focus on ['foukəs 'ɔn] *vi cu prep* a se concentra asupra *(cu gen)*, a-şi îndrepta atenția asupra *(cu gen)*/spre

fodder ['fɔdər] **I** *s* nutreț **II** *vt* a da nutreț *(vitelor)*

foe [fou] *s poetic* neprieten, – duşman, inamic

foehn [fəːn] *s meteor* foe(h)n

foeman ['foumən] *s înv, poetic v.* **foe**

foetus ['fiːtəs] *s fizl* fetus, făt

fog[1] [fɔg] **I** *s* 1 ceață, negură, pâclă; **in a ~** *fig* a adv ca prin ceață, nedesluşit **b** *adj* nedumerit, ← zăpăcit 2 abur, ceață, exalație 3 (perdea de) fum 4 *fig* întunecime, întuneric 5 *tel* văl, voal **II** *vt* a încețoşa

fog[2] *s agr* otavă

fog bank ['fɔg ,bæŋk] *s nav* banc de ceață

fog bell ['fɔg ,bel] *s nav* clopot de ceață

fog-bound ['fɔg,baund] *adj nav* imobilizat din cauza ceții

fogger ['fɔgər] *s* 1 negustor de mărunțişuri 2 misit *(în comerțul de fierărie)*

foggey ['fɔgi] *s v.* **foggy**

fogginess ['fɔginis] *s* caracter cețos; ceață

foggy ['fɔgi] *adj* 1 cețos; cu ceață 2 încețoşat; neclar, nebulos

foghorn ['fɔg,hɔːn] *s nav* corn de ceață

fogless ['fɔglis] *adj* fără ceață, clar, senin

fog signal ['fɔg 'signəl] *s nav* semnal fonic de ceață

fogy ['fougi] *s (↓ old ~)* om de modă veche, conservator; înapoiat

fogydom ['fougidəm] *s* 1 oameni de modă veche; (oameni) conservatori 2 concepții, maniere *etc.* învechite

fogyish ['fougiiʃ] *adj* conservator, demodat, învechit

fogyism ['fougiizəm] *s* modă veche; înapoiere; conservatorism

foh [fɔː] *interj v.* **faugh**

foible ['fɔibəl] *s* 1 punct slab; slăbiciune, meteahnă 2 manie, ciudățenie

foil[1] [fɔil] *s* 1 frunză 2 *met* tablă subțire; foiță de metal 3 *poligr* filă, foaie 4 *fig* contrast; termen de comparație

foil[2] *s* floretă

foil[3] *vt* a zădărnici, a împiedica; a răsturna *(planurile cuiva)*

foison ['fɔizən] *s* ← *înv* recoltă bogată; belşug

foist on ['fɔist ɔn] *vt cu prep fig* a vârî *(ceva)* pe gât *(cuiva);* a face *(pe cineva)* să cumpere *(ceva netrebuincios);* **he foisted an old watch on them** i-a făcut să cumpere un ceasornic vechi

foist oneself (up)on ['fɔist wʌn,self (ə'p)ɔn] *vr cu prep* a se strecura/ a se furişa în; a-şi face loc în *(societate etc.)*

foist upon ['fɔist ,əpɔn] *vt cu prep v.* **foist on**

fol. *presc de la* 1 following 2 follo

fold[1] [fould] **I** *s* 1 cută, îndoitură; fald, pliseu 2 *geol* cută *(a solului)* 3 uşă 4 canat, batant, foaie *(de uşă)*

II *vt* **1** a îndoi, a împături; a înfăşura **2** a îndoi, a plisa *(hârtie, o stofă)* **3** a încrucişa *(mâinile)* **4** a strânge, a îmbrăţişa; **he ~ed the child to his breast** strânse copilul la piept **5** *poligr* a cuta, a fălţui **III** *vi* **1** a se îndoi, a se împături **2** *sl (d. o piesă)* a cădea, a nu avea succes

fold² *s* **1** ţarc **2** stână **3** *bis* turmă **4** *bis* biserică // **to return to the ~ a** a se întoarce acasă **b** a reveni la religia de altădată

-fold *suf adj şi adv* de mai multe ori; **tenfold** înzecit

foldaway ['fouldə,wei] *adj atr (d. pat etc.)* pliant

folder ['fouldə'] *s* **1** mapă, dosar **2** *poligr* pliant

fold in ['fould 'in] *vt cu part adv alim* a amesteca/a bate cu lingura

folding door ['fouldiŋ ,dɔ:'] *s* uşă pliantă, uşă cu două canaturi

folding machine ['fouldiŋ mə'ʃi:n] *s poligr* maşină de fălţuit

folding money ['fouldiŋ ,mʌni] *s* bancnotă

fold up ['fould 'ʌp] *vi cu part adv* a da faliment

foliage ['fouliidʒ] *s* frunziş

foliated ['fouliitid] *adj* **1** *bot* înfrunzit **2** lamelar **3** *geol* foliat

foliation [,fouli'eiʃən] *s* **1** *bot* înfrunzire **2** *geol* foliaţie, şistozitate

folio ['fouliou] *s poligr* **1** format in-folio **2** foaie **3** coloncifru

folk [fouk] *s şi ca pl* **1** oameni, lume **2** ← *înv* popor, naţiune // **my ~s** F ai mei; **the old ~s at home** F bătrânii *(părinţii)*

folk belief ['fouk bi'li:f] *s* credinţă populară/a poporului

folk custom ['fouk ,kʌstəm] *s* datină, obicei din popor

folk dance ['fouk ,da:ns] *s* dans popular

Folkestone ['foukstən] *oraş în Anglia*

folk etymology ['fouk eti'mɔlədʒi] *s lingv* etimologie populară

folklore ['fouk,lɔ:'] *s* folclor

folkloric ['fouk,lɔ:rik] *adj* folcloric, de folclor

folklorist ['fouk,lɔ:rist] *s* folclorist

folk music ['fouk ,mju:zik] *s* muzică populară

folk song ['fouk ,sɔŋ] *s* cântec popular

folksy ['fouksi] *adj amer* **1** popular; apropiat de popor **2** sociabil; prietenos

folk tale ['fouk ,teil] *s* basm popular

folkway ['fouk,wei] *s* ↓ *pl* drepturi sau tradiţii ale unui grup social

foll. *presc de la* **following**

follow ['fɔlou] **I** *vi* **1** a urma, a merge în urmă **2** a urma, a continua **3** a urmări; a fi atent **4** a fi prezent; a frecventa **5** a urma, a rezulta // **as ~s** după cum urmează **II** *vt* **1** a urma după *(sau cu dat)*, a merge după; a veni după; **one misfortune ~ed another** a venit o nenorocire după alta **2** a urma, a merge pe *(un drum etc.)* **3** a urmări, a se ţine de; a se ţine pe urmele *(cu gen)* **4** a imita, a se lua după **5** a urmări cu atenţie; a înţelege **6** a urma; a se ocupa cu; a studia; **to ~ the plough** a ara; a fi plugar; **to ~ the law** a fi jurist; **to ~ the sea** a fi marinar **7** a urma; a da ascultare/urmare *(unui sfat etc.)*; **to ~ the fashion** a imita moda **8** a arăta interes pentru **9** a urmări, a fi atent la *(conversaţie etc.)*

follow about/around ['fɔlou ə'baut/ ə'raund] *vt cu part adv* a urma peste tot, a se ţine după cineva

follower ['fɔlouə'] *s* **1** urmăritor **2** succesor, urmaş **3** discipol; adept **4** servitor, slugă **5** *mat* succesor, următor **6** *tehn* element condus *(al unei transmisii)*

following ['fɔlouiŋ] **I** *adj* **1** următor, care urmează; **the ~ example** următorul exemplu **2** însoţitor **II** *pr* **the ~** următoarele, cele ce urmează **III** *prep* după; la sfârşitul *cu gen*

follow-my-leader ['fɔlou,mai'li:də'] *s* joc de copii în care sunt imitate gesturile conducătorului

follow-on ['fɔlou,ɔn] *s* urmare, continuare

follow on ['fɔlou ɔn] *vi cu part adv* a urma, a continua

follow out ['fɔlou 'aut] *vt cu part adv* a realiza, a face; a duce până la capăt; a urma întocmai *(un sfat etc.)*

follow shot ['fɔlou ,ʃɔt] *s tel* scenă prinsă în mişcare

follow through ['fɔlou 'θru:] *vt cu part adv* a urma întocmai *(sfatul doctorului etc.)*

follow-up ['fɔlou,ʌp] **I** *s* urmare, continuare; tratament *etc.* în continuare **II** *adj atr* făcut *etc.* în continuare *sau* în urmă *(cu gen)*

follow up ['fɔlou 'ʌp] *vt cu part adv* **1** a duce la bun sfârşit, a duce până la capăt **2** a urmări până la capăt **3** a urmări atent **4** a fi o urmare a *(cu gen)*

folly ['fɔli] *s* **1** prostie, absurditate **2** prostie; < nebunie **3** construcţie stranie

foment [fə'ment] *vt* **1** *med* a pune cataplasme *(cuiva);* a obloji **2** *fig* a instiga la *(tulburări etc.);* a aţâţa *(nemulţumirea etc.)*

fomentation [,foumen'teiʃən] *s* **1** *med* oblojire **2** instigare; aţâţare

fond [fɔnd] *adj* **1** iubitor, drăgăstos, afectuos **2** îndrăgostit nebuneşte **3** indulgent, îngăduitor **4** de un optimism exagerat **5** *(d. speranţe)* neîntemeiat, nefondat **6** *(d. dorinţe etc.)* drag, scump **7** ← *înv* lesne crezător, credul; naiv; prost

fondant ['fɔndənt] *s* bomboană fondantă

fondle ['fɔndəl] *vt* a mângâia, a dezmierda

fondly ['fɔndli] *adv* **1** drăgăstos, cu dragoste, afectuos **2** (în mod) naiv; prosteşte

fondness ['fɔndnis] *s* **1** dragoste, căldură, cordialitate **2** credulitate, naivitate **3** dragoste exagerată **4** poftă, apetit

fondness for ['fɔndnis fə'] *s cu prep* predilecţie/preferinţă pentru, înclinaţie spre

fond of ['fɔnd əv] *adj cu prep* iubitor/ amator de; căruia îi place *(ceva, cineva);* **she is ~ music** îi place muzica, < e îndrăgostită de muzică

font [fɔnt] *s* **1** *bis* baptisteriu, cristelniţă **2** ← *poetic* izvor **3** ← *înv* fântână

fontal ['fɔntəl] *adj* originar; primar

Foochow ['fu:'tʃau] *oraş în China* Fuciou

food [fu:d] *s* **1** hrană, alimente; alimentaţie **2** hrană, alimente, provizii, merinde

food card ['fu:d ,ka:d] *s* cartelă de alimente

foodful ['fu:dful] *adj* ↓ *poetic* îmbelşugat, bogat

foodless ['fu:dlis] *adj* **1** lipsit de hrană; flămând **2** *(d. un ţinut etc.)* neroditor, sărac

foodstuff ['fu:d,stʌf] *s* aliment, produs alimentar

foody ['fu:di] *adj* comestibil; alimentar; hrănitor, nutritiv

fool¹ [fu:l] **I** *s* **1** prost, neghiob, nătâng, nătărău, *F* tâmpit; *F* fraier; **All Fools Day** ziua păcălelilor *(1 aprilie);* **to make a ~ of smb a** a prosti pe cineva; a duce de nas pe cineva **b** a face pe cineva de râs(ul lumii); **to make a ~ of oneself** a se face de râs; a fi caraghios/ridicol; **to play the ~** *F* a face pe nebunul; **to play the ~ with a** *F* a trage pe sfoară *pe cineva,* a duce, – a prosti, a păcăli **b** ← *F* a strica, a distruge **2** nebun, măscărici, clovn; **a ~ to oneself** un om bun/darnic până la prostie; **(the) more ~ you, him** *etc.* dacă ești, ai fost *etc.* prost, așa îți, îi *etc.* trebuie; **no/nobody's ~** cineva care nu se lasă păcălit cu una cu două; **a ~ and his money are soon parted** banii nu fac casă bună cu nebunii **II** *vt* a prosti, a păcăli, *F* a duce, a trage pe sfoară **III** *vi* **1** a se prosti, a face prostii; a se purta prostește **2** a glumi, a nu fi serios **3** a face (fel de fel de) pozne/boroboațe

fool² *s* cremă de fructe

fool about/amer**around** ['fu:l ə'baut/ ə'raund] *vi cu part adv* *F* a tăia frunză la câini, a tândăli, – a nu-și găsi rostul; a încurca lucrurile

fool away ['fu:l ə'wei] *vt cu part adv* ← *F* **1** a cheltui prostește; a irosi *(bani, vreme)* **2** a pierde *(prilejul)*

fool-born ['fu:l,bɔ:n] *adj* prost din naștere

foolery ['fu:ləri] *s* **1** comportare prostească **2** prostie, faptă prostească

foolhardily ['fu:l,ha:dili] *adv* nebunește, ca nebunii; nesăbuit

foolhardiness ['fu:l,ha:dinis] *s* curaj nebunesc, vitejie nesăbuită; nesăbuință

foolhardy ['fu:l,ha:di] *adj* nesăbuit, temerar; pripit

fooling ['fu:liŋ] *s* **1** prostii, nerozii **2** zburdălnicie, joacă **3** tândăleală, pierdere de vreme

foolish ['fu:liʃ] *adj* **1** prostesc, fără rost; nesăbuit, necugetat; pripit **2** ridicol, < absurd

foolishly ['fu:liʃli] *adv* **1** prostește, fără rost; nesăbuit; pripit **2** (în mod) ridicol, < absurd

foolishness ['fu:liʃnis] *s* **1** prostie, nerozie **2** absurditate

foolproof ['fu:l,pru:f] *adj* **1** nevătămător, lipsit de pericol, inofensiv **2** *tehn* asigurat contra greșelilor de manevrare

foolscap ['fu:l,skæp] *s* **1** tichia prostului **2** *poligr* hârtie concept

fool's errand ['fu:lz 'erənd] *s* lucru inutil, treabă zadarnică; **to send smb on a ~** a pune pe cineva pe drumuri degeaba

fool's paradise ['fu:lz 'pærədaiz] *s* țara unde curge lapte și miere, utopie

fool's parsley ['fu:lz ,pa:sli] *s bot* pătrunjelul câinelui *(Aethusa cynapium)*

foot [fut] **I** *pl* **feet** [fi:t] *s* **1** picior *(de la gleznă în jos),* laba piciorului; **on ~ a** cu piciorul, pe jos **b** *fig (d. o problemă etc.)* care se ridică/ pune; la ordinea zilei; **to be on one's feet a** a sta (în picioare) **b** *fig* a fi în picioare, a fi sănătos **c** *fig* a fi independent; a se întreține singur; **to set smth on ~** *fig* **a** a începe/a inița ceva **b** a pune ceva în funcțiune, a porni ceva **c** a înfăptui/a realiza ceva **d** a restabili mersul normal *(cu gen);* **to put one's ~ down** *fig* a pune piciorul în prag; a nu șovăi; **to put one's ~ into it a** a face o gafă, *F* a o zbârci; **to keep one's feet** a nu cădea *(pe gheață);* **at a ~'s pace** la pas; **fleet/swift of ~** iute de picior; **to fall on one's feet** și *fig* a cădea în picioare; **to have one ~ in the grave** *fig* a fi cu un picior în groapă; **to carry smb off his feet** *fig* a entuziasma *sau* a extazia pe cineva; **to set/to put one's feet on smb's neck** *fig* a subjuga/a înrobi pe cineva; **under ~ a** pe pământ **b** în cale/ drum **c** în stăpânire *sau* sub supravegherea sa; **to find one's feet a** *(d. copii etc.)* a începe să stea în picioare și să umble **b** a se obișnui, a începe să se obișnuiască; **to get a ~ in** *fig* *F* a pune un picior în; – a intra în; **to get/to have cold feet** a-și pierde curajul *sau* entuziasmul *(în ultima clipă);* **not to put a ~ wrong** a nu greși, a nu da greș; **to put one's best ~ forward a** a merge cât mai repede, a întinde

pasul **b** a se strădui cât mai mult, a-și da toată silința **2** parte de jos; poale; **at the ~ of the hill** la poalele dealului; **at the ~ of the page** în partea de jos a paginii, în subsolul paginii **3** picior *(= 30,5 cm)* **4** picior *(de mobilă)* **5** suport; piedestal **6** *metr* picior **7** *mil* infanterie **II** *vi* a dansa **III** *vt* **1** a trece prin *sau* peste **2** a face totalul *(cu gen)* **3** a plăti *(nota)*

footage ['futidʒ] *s cin* lungime *(a unui film)*

foot-and-mouth disease ['futənd- ,mauθdi'zi:z] *s vet* febră aftoasă

football ['fut,bɔ:l] *s* **1** fotbal **2** meci de fotbal

footballer ['fut,bɔ:lə'] *s* fotbalist, jucător de fotbal

foot board ['fut ,bɔ:d] *s* **1** *auto* scară **2** *tehn* pedală, treaptă

footboy ['fut,bɔi] *s od* paj

footbrake ['fut,breik] *s* frână de picior

footbridge ['fut,bridʒ] *s* punte, pod

footcloth ['fut,klɔθ] *s* covoraș, carpetă

footed ['futid] *adj (în cuvinte compuse)* cu... picioare; cu piciorul...; **four-~** cu patru picioare, patruped

footer ['futə'] *s* **1** pieton **2** *sl* fotbal

footfall ['fut,fɔ:l] *s* **1** pas **2** *pl* zgomot de pași

footgear ['fut,giə'] *s* ← *F* **1** încălțăminte **2** ciorapi

foot hill ['fut ,hil] *s geogr* înălțime subalpină

foothold ['fut,hould] *s* **1** reazem, sprijin; punct de sprijin; loc de pus piciorul (↓ la ascensiuni alpine); **to gain a ~** *fig* a se adeveri, a se confirma **2** *mil* avanpost

footing ['futiŋ] *s* **1** reazem *(pt picior);* **to lose one's ~** a (a)luneca **2** bază, fundație, temelie **3** *fig* sprijin, reazem **4** condiție, stare; **on a war ~** în stare de război **5** relație, raport(uri); **on a friendly ~** în relații/raporturi de prietenie **6** *mat* total *(al unei adunări)*

foot it ['fut it] *vt cu pr* ← *F* **1** a merge pe jos, a umbla **2** a dansa

footle ['fu:təl] *vi* *F* **1** a vorbi vrute și nevrute; a nu-i mai tăcea gura **2** a face pe nebunul; – a se purta prostește **3** (**about, around**) a tăia frunză la câini, – a nu face nimic

footle away ['fu:təl ə'wei] *vt cu part adv ← F* a pierde, a irosi *(vremea etc.)*

footless ['futlis] *adj* 1 fără picioare 2 fără sprijin/reazem 3 ← *F* stângaci, neîndemânatic 4 stupid, nefondat

foot lever ['fut ˌli:vəʳ] *s auto* pedală

footlicker ['fut ˌlikəʳ] *s F* lingău, – lingușitor

footlights ['fut ˌlaits] *s pl* 1 *teatru* luminile rampei; rampă; **to appear before the ~** a-și face apariția pe scenă; a fi actor; **to get over the ~** a plăcea publicului, *F →* a sări rampa 2 *fig* teatru

footling ['futliŋ] *adj atr* neînsemnat, de nimic

footloose ['fut ˌlu:s] *adj* liber, de capul lui

footman ['fut ˌmən] *s* 1 lacheu 2 *mil înv* pedestraș, – infanterist

footmark ['fut ˌmɑːk] *s* urmă de picior/pas

foot note ['fut ˌnout] *s* notă de subsol

foot pad ['fut ˌpæd] *s od* tâlhar de drumul mare

foot passenger ['fut ˌpæsindʒəʳ] *s* pieton, trecător

foot path ['fut ˌpɑːθ] *s* cărare, potecă

foot plate ['fut ˌpleit] *s tehn* placă de bază

footprint ['fut ˌprint] *s v.* **footmark**

foot rest ['fut ˌrest] *s* rezemătoare de picior; scăunel pentru picior

foot rope ['fut ˌroup] *s nav* grandee de întinsură

footsie ['futsi] *s (în limbajul copiilor)* piciorel, picioruș; **to play ~ with** *F* a a-și freca picioarele *sau* genunchii cu b a flirta cu c a face afaceri necinstite cu

footslog ['fut ˌslɔg] *vi sl* a târșâi picioarele

foot soldier ['fut ˌsouldʒəʳ] *s sl* pifan, infanterist

footsore ['fut ˌsɔːʳ] *adj* pe care îl dor picioarele

footstep ['fut ˌstep] *s* 1 pas; călcătură 2 urmă de picior/pas 3 *pl* zgomot de pași // **to follow in smb's ~s** a călca pe urmele cuiva

footstool ['fut ˌstu:l] *s* scăunaș, taburet *(pt sprijinirea picioarelor)*

footsure ['fut ˌʃuəʳ] *adj* cu mers sigur; care calcă apăsat

footwalk ['fut ˌwɔːk] *s* trotuar

footwall ['fut ˌwɔːl] *s* 1 zid de fundație 2 *hidr* zid de picior

footway ['fut ˌwei] *s* 1 cărare, potecă 2 trotuar

footwear ['fut ˌwɛəʳ] *s* încălțăminte

footworn ['fut ˌwɔːn] *adj* 1 cu picioarele obosite (de umblat) 2 *(d. scări etc.)* tocit, ros

foozle ['fu:zəl] *← F* I *s* 1 greșeală 2 lucru de mântuială, *F* cârpăceală 3 ghinion *(la joc)* II *vi* a strica, *F* a cârpăci

fop [fɔp] *s* filfizon, dandy

foppery ['fɔpəri] *s* purtare *sau* atitudine de filfizon; scliviseală

foppish ['fɔpiʃ] *adj* sclivisit, de filfizon

for [fɔː; fəʳ] I *prep* 1 pentru; de dragul *cu gen;* **do it ~ me** fă asta pentru mine, fă-o de dragul meu 2 pentru; în folosul *cu gen;* spre binele *cu gen;* **a book ~ children** o carte pentru copii 3 pentru; de partea *cu gen;* **I am ~ the second solution** sunt pentru a doua soluție 4 pentru; în vederea *cu gen;* **to learn ~ an examination** a învăța pentru un examen; **just ~ fun** numai în glumă; **to send ~ a doctor** a trimite după doctor, a chema doctorul; **to go out ~ a walk** a ieși la plimbare 5 pentru; împotriva, (în) contra *cu gen;* **medicine ~ cough** medicament contra tusei 6 la, spre, către; în direcția *cu gen;* **he left ~ Poland** a plecat în Polonia 7 pentru, prin; **famous ~ his inventions** vestit pentru/ prin invențiile sale 8 de; din cauza *cu gen,* datorită *cu dat;* **~ fear** de teamă 9 pentru; în timpul *cu gen;* **~ the present** pentru moment, deocamdată 10 pentru, la prețul de 11 (pe) o distanță de 12 la, pentru *(o anumită oră);* **~ the first time** pentru prima oară 13 *(d. membrii parlamentului)* de *(Oxford etc.),* din partea *cu gen* 14 ca, drept, în calitate de; **they were sold ~ sclaves** erau vânduți ca sclavi 15 pentru, ținând seama de; **he is tall ~ his age** este înalt pentru vârsta lui 16 cât despre, în ceea ce privește; **~ my part** în ceea ce mă privește, eu unul 17 din; **to mary ~ love** a se căsători din dragoste 18 în urma, ca urmare *cu gen;* după;

are you any the better ~ your sleep? te simți mai bine după somn? 19 în ciuda *cu gen;* **~ all that** (și) totuși, cu toate acestea; **~ all his wealth he was not happy** în ciuda averii sale/cu toată averea sa nu era fericit 20 pentru; în schimbul *cu gen;* **plant a new tree ~ every tree you cut down** sădește un pom nou pentru fiecare pom pe care îl tai 21 *(în construcția for cu inf lung);* **it's time ~ me to go** este timpul să plec; **it's ~ you to decide** hotărăște tu // **~ the life of me** *F* pentru nimic în lume; **~ shame!** (să-ți fie) rușine! **to be ~ it** *F* a o încasa, a o păți; **but ~, if it weren't ~** dacă n-ar fi (la mijloc); **there's gratitude ~ you!** grozavă/halal recunoștință! II *conj* pentru că, deoarece, întrucât, fiindcă

for- *pref diferite sensuri:* **to forbid** a interzice *etc.*

for. *presc de la* 1 **foreigner** 2 **forestry**

forage ['fɔridʒ] I *s* nutreț, furaj II *vt* 1 a lua hrană de la/din 2 a pustii, a jefui

forage cap ['fɔridʒ ˌkæp] *s mil* bonetă

forage for ['fɔridʒ ˌfəʳ] *vi cu prep* a căuta *(hrană),* a umbla după *(provizii)*

foramen [fɔ'reimen], *pl și* **foramena** [fɔ'ræminə] *s biol etc.* foramen, orificiu, canal

foraminifer [ˌfɔrə'minifəʳ], *pl* **foraminifera** [ˌfɔrəmi'nifərə] *s zool* foraminifer

forasmuch as [fɔrəz'mʌtʃ əz] *conj ↓ bibl, jur* având în vedere că, întrucât

foray ['fɔrei] I *s* prădăciune; incursiune II *vt* a face o incursiune *sau* incursiuni în; a jefui, a prăda

forbade [fə'bæd] *pret de la* **forbid**

forbear[1] ['fɔːˌbɛəʳ], *pret* **forbore** ['fɔːˌbɔːʳ], *ptc* **forborne** ['fɔːˌbɔːn] I *vt* a se abține de la *sau* de a; a nu...; a căuta să nu... II *vi* 1 a se abține; a se reține 2 a se stăpâni, a se controla

forbear[2] ['fɔːˌbɛəʳ] *s* strămoș, străbun

forbearance [fɔː'bɛərəns] *s* 1 abținere, reținere 2 stăpânire de sine 3 răbdare 4 îngăduință, indulgență

forbearing [fɔ:'bɛəriŋ] *adj* **1** stăpânit, reținut **2** condescendent, indulgent; răbdător

forbearingly [fɔ:'bɛəriŋli] *adv* **1** cu stăpânire de sine, reținut **2** indulgent; cu răbdare, răbdător

forbid [fə'bid], *pret* **forbade** [fə'bæd], *ptc* **forbidden** [fə'bidən] *vt* **1** a opri, a interzice, a nu îngădui, a nu permite **2** a împiedica, a face imposibil **3** a interzice să intre în, a nu permite accesul în *(o țară, o casă)*

forbiddance [fə'bidəns] *s* interdicție, interzicere, opreliște

forbidden [fə'bidən] **I** *ptc de la* **forbid II** *adj* oprit, interzis

forbidding [fə'bidiŋ] *adj* **1** neplăcut, < respingător, scârbos **2** ameninţător **3** groaznic, cumplit

forbiddingly [fə'bidiŋli] *adv* **1** (în mod) dezgustător, respingător **2** amenințător; grozav

forbore [fɔ:'bɔ:ʳ] *pret de la* **forbear**[1]

forborne [fɔ:'bɔ:n] *ptc de la* **forbear**[1]

force [fɔ:s] **I** *s* **1** forţă, putere; **by ~** cu forța; prin forţă; **by ~ of habit** în virtutea obișnuinței, datorită obișnuinței; **owing to the ~ of circumstances** prin forţa împrejurărilor; **the ~s of nature** forţele naturii **2** *mil etc.* forţă; **the armed ~s** forţele armate; **a small ~ of infantery** un mic detașament de infanterie; **in ~** în număr mare **3** *jur* forţă; putere; valabilitate; validitate; **to come into ~** a intra în vigoare **4** *fiz* forţă; intensitate; solicitare, efort **5** influenţă; putere de convingere; forţă, greutate; **the ~ of an argument** forţa/ greutatea unui argument **6** sens exact *(al unei clauze etc.)* **II** *vt* **1** a forţa, a sili, a constrânge; **> a obliga; the enemy was ~d to retreat** inamicul a fost silit să se retragă **2** a viola, a silui *(o femeie)* **3** a forţa *(o ușă, o intrare etc.)*; a pătrunde cu forţa în **4** a-și face, a-și croi *(drum)* **5** a forţa *(mâna cuiva)* **6** a smulge *(o mărturisire etc.)*, a stoarce *(lacrimi)*; **he ~d a smile** se căzni să zâmbească **7** a forţa, a încorda *(vocea etc.)* **8** a forţa creșterea *(unei plante etc.)* **9** *tehn* a strânge, a presa

forced [fɔ:st] *adj* **1** forţat, silit; obligatoriu **2** forţat, nefiresc, artificial

forced landing ['fɔ:st ˌlændiŋ] *s av* aterizare forţată

forcedly ['fɔ:sidli] *adv* cu forţa; prin forţă

forced march ['fɔ:st ˌmɑ:tʃ] *s mil* marş forţat

force-feed ['fɔ:s,fi:d] *vt* **1** a hrăni cu forţa/sila **2** *fig* a îndopa, a ghiftui

force from ['fɔ:s frəm] *vt cu prep* a smulge/a lua cu forţa de la

forceful ['fɔ:sful] *adj* **1** *și fig* puternic, viguros **2** convingător; eficace

forcefully ['fɔ:sfuli] *adv* **1** cu putere/forţă, tare **2** convingător, cu convingere

force into ['fɔ:s ˌintə] *vt cu prep* a vârî, a băga (cu forţa) în; a înfige în

force-land ['fɔ:s,lænd] *vi av* a ateriza forţat

forceless ['fɔ:slis] *adj* slab, fără putere, neputincios

force majeure ['fɔ:s mæ'ʒə:] *s fr* forţă majoră

forcemeat ['fɔ:s,mi:t] *s gastr* umplutură

forceps ['fɔ:sips] *s sg și pl* **1** *med* forceps **2** *și med* pensetă

force through ['fɔ:s 'θru:] *vi cu part adv* a înfige; a perfora

forcible ['fɔ:səbəl] *adj* **1** cu forţa; prin forţă **2** *v.* **forceful 1-2**

forcibly ['fɔ:sibli] *adv* **1** cu forţa; prin forţă **2** *și fig* puternic, viguros **3** convingător; eficace

ford [fɔ:d] **I** *s* vad, trecere prin apă **II** *vt* a trece *(un râu)* cu piciorul/ prin vad

fordable ['fɔ:dəbəl] *adj (d. un râu)* care poate fi trecut cu piciorul

fore [fɔ:ʳ] **I** *adj* din faţă, anterior **II** *adv nav* spre prova; înainte, în faţă **III** *s* parte din faţă; **to the ~ a** în preajmă/apropiere **b** de faţă **c** în faţă, în prim plan **d** *fig* pe primul plan, pe un loc de frunte; **to come to the ~ a** a veni în faţă **b** *(d. bănuieli etc.)* a se trezi; a se ivi, a apărea; a se manifesta **c** *(d. cineva)* a se impune, a se remarca

'fore *contras poetic din* **before**

fore- *pref* înainte de; înaintea *cu gen;* dinaintea: **forenoon** înainte de amiază

fore and aft ['fɔ:r ənd ˌɑ:ft] *adj nav* la prova și la pupa; longitudinal

fore-and-after ['fɔ:rənd,ɑ:ftəʳ] *s nav* ← *F* goeletă

forearm[1] ['fɔ:r,ɑ:m] *s anat* antebraţ

forearm[2] [fɔ:r'ɑ:m] *vt* a înarma dinainte *sau* din vreme

forebear ['fɔ:,bɛəʳ] *s v.* **forebear**[2]

forebode [fɔ:'boud] *vt* **1** a prevesti, a anunţa, a fi un semn de **2** a presimţi, a prevesti *(ceva rău)*

foreboding [fɔ:'boudiŋ] **I** *adj* prevestitor *(↓ de rău)* **II** *s* presimţire, prevestire *(↓ a ceva rău)*

forecarriage ['fɔ:,kæridʒ] *s agr* avantren, *P →* cotigă

forecast ['fɔ:,kɑ:st] **I** *pret și ptc și* **forecast** ['fɔ:,kɑ:st] *vt* **1** a prevedea; a estima; a planifica **2** a prevedea, a prognostica *(starea timpului etc.)* **3** a prevedea, a proroci; a anticipa *vi (v. ~ I)* **1** a prevedea, a prognostica **2** a planifica dinainte **III** *s* **1** *meteor* prognoză, prevedere **2** *← rar* prevedere; prorocire

forecaster ['fɔ:,kɑ:stəʳ] *s* **1** prezicător **2** meteorolog *(care prognostichează starea timpului)*

forecasting ['fɔ:,kɑ:stiŋ] *s* prezicere; prognoză

forecastle ['fouksəl] *s nav* teugă, castel *(de la prova)*

fore-cited [,fɔ:'saitid] *adj* mai sus amintit, amintit anterior

foreclose [fɔ:'klouz] *vt* **1** *jur* a declara prescrisă *(o ipotecă)* **2** *jur* a exclude; a respinge **3** a rezolva dinainte *(o problemă)*

foreclose on [fɔ:'klouz ɔn] *vi cu prep v.* **foreclose**

foreclosure [fɔ:'klouʒəʳ] *s jur* prescriere *(a unei ipoteci)*

forecourt ['fɔ:,kɔ:t] *s* curte *(închisă)* în faţa unei clădiri

fore-dated [fɔ:'deitid] *adj* antedatat

foredestine [fɔ:'destin] *vt* a predestina

foredoom ['fɔ:'du:m] *vt* a condamna dinainte *(un proiect etc.)*

forefather ['fɔ:,fɑ:ðəʳ] *s* strămoș, străbun

forefeeling [fɔ:'fi:liŋ] *s* presimţire

forefinger ['fɔ:,fiŋgəʳ] *s* deget arătător

forefoot ['fɔ:,fut] *s* picior/labă din faţă *(la animale)*

forefront ['fɔ:,frʌnt] *s* **1** prim plan; loc principal **2** centru de activitate **3** *mil* linia întâi

foregate ['fɔ:,geit] *s* intrare *sau* poartă principală

forego [fɔ:'gou], *pret* **forewent** [fɔ:'went], *ptc* **foregone** [fɔ:'gɔ:n] *vt* **1** a preceda; a fi înaintea *(cu gen)* **2** *v.* **forgo**

foregoing [fɔ:'gouiŋ] **I** *adj* anterior, precedent, menționat mai sus/ înainte **II** *s* the ~ cel mai sus menționat, cele mai sus menționate *etc.*

foregone [fɔ:'gɔn] *adj* cunoscut *sau* acceptat/luat dinainte

foregone conclusion [fɔ:'gɔn kən-'klu:ʒən] *s* **1** concluzie *sau* hotărâre știută dinainte/anticipată **2** hotărâre *sau* concluzie inevitabilă

foreground ['fɔ:,graund] *s și fig* prim plan

forehand ['fɔ:,hænd] *adj* **1** (cel mai) din față **2** pregătit *sau* făcut din timp

forehanded ['fɔ:,hændid] *adj* **1** *v.* **forehand 2 2** prevăzător, precaut **3** bine situat, prosper

foreign ['fɔrin] *adj* **1** străin, din altă țară **2** extern; exterior; cu alte țări; ~ **trade** comerț exterior; ~ **policy** politică externă **3** *(d. un corp)* străin **4** *tehn* străin; impur

foreign affairs ['fɔrin ə'fɛəz] *s pl pol* afaceri externe

foreign body ['fɔrin ,bɔdi] *s* corp străin

foreigner ['fɔrinə'] *s* străin, persoană din altă țară

foreignism ['fɔri,nizəm] *s* **1** expresie străină; barbarism **2** obicei străin

Foreign Office, the ['fɔrin ,ɔfis, ðə] *s* Ministerul de Externe *(în Anglia)*

foreign to ['fɔrin tə] *adj cu prep* străin *cu dat,* nefiresc pentru *sau cu dat;* impropriu *cu dat*

foreknew [fɔ:'nju:], *pret de la* **foreknow**

foreknow [fɔ:'nou], *pret* **foreknew** [fɔ:'nju:], *ptc* **foreknown** [fɔ:-'noun] *vt* a ști dinainte

foreknowledge [fɔ:'nɔlidʒ] *s* cunoaștere dinainte, preștiință, previziune

foreknown [fɔ:'noun] *ptc de la* **foreknow**

foreland ['fɔ:lənd] *s geogr* cap; promontoriu

foreleg ['fɔ:,leg] *s zool* picior din față

forelock ['fɔ:,lɔk] *s* **1** buclă/zuluf pe frunte; **to take time/occasion**

by the ~ a nu pierde ocazia/ prilejul **2** *tehn* cui spintecat; șplint

forelook ['fɔ:,luk] *s amer* privire în viitor

foreman ['fɔ:mən] *s* **1** supraveghetor; șef de echipă; brigadier; maistru **2** *jur* primul jurat

foremast ['fɔ:,ma:st] *s nav* arbore trinchet

forementioned [,fɔ:'menʃənd] *adj* mai sus amintit/menționat

foremilk ['fɔ:,milk] *s* colastră

foremost ['fɔ:,moust] **I** *adj* **1** prim; din față; dinainte **2** prim, de frunte, de primă însemnătate **II** *adv* **1** în/pe primul loc **2** în primul rând; **first and** ~ în primul (și în primul) rând, înainte de orice/ toate

forename ['fɔ:,neim] *s (în stilul oficial)* prenume

forenamed ['fɔ:,neimd] *adj* amintit/ menționat anterior

forenoon ['fɔ:,nu:n] *s* înainte de amiază, dimineață; **in the** ~ înainte de amiază, dimineața

forensic [fə'rensik] *adj jur* judiciar; legal

forensic medicine [fə'rensik 'medisin] *s jur* medicină judiciară

foreordain [,fɔ:rɔ:'dein] *vt* a predestina, a orândui

foreordination [,fɔ:rɔ:di'neiʃən] *s* predestinare

forepart ['fɔ:,pa:t] *s* parte din față; parte de la început

forerunner ['fɔ:,rʌnə'] *s* **1** înaintaș, predecesor **2** *fig* vestitor *(al primăverii etc.)*

foresail ['fɔ:,seil] *s nav* trincă, velă de trinchet

foresaw [fɔ:'sɔ:] *pret de la* **foresee**

foresee [fɔ:'si:], *pret* **foresaw** [fɔ:'sɔ:], *ptc* **foreseen** [fɔ:'si:n] *vt* a prevedea; a anticipa

foreseen [fɔ:'si:n] *ptc de la* **foresee**

foreshadow [fɔ:'ʃædou] *vt* a (pre)vesti, a fi un semn de

foreshore ['fɔ:,ʃɔ:'] *s* plajă; țărm *(inundabil)*

foreshorten [fɔ:'ʃɔ:tən] *s vt* **1** a desena reducând dimensiunile *(unei figuri);* a face un racursi al *(cu gen)* **2** a prescurta

foresight ['fɔ:,sait] *s* **1** prevestire, prorocire **2** prevedere, precauțiune; anticipare

foreskin ['fɔ:,skin] *s anat* prepuț

forespeak [fɔ:'spi:k], *pret* **forespoke** [fɔ:'spouk], *ptc* **forespoken** [fɔ:'spoukən] *vt* **1** a prezice; a prevesti **2** a cere dinainte

forest ['fɔrist] **I** *s* **1** codru; pădure **2** *fig* pădure *(de catarge),* mulțime **3** rezervație de vânătoare *(de ex. "Sherwood Forest") (eventual împădurită)* **II** *vt* a împăduri

forestage ['fɔ:,steidʒ] *s teatru* avanscenă

forestall [fɔ:'stɔ:l] *vt* **1** *fig* a o lua înaintea *(cuiva);* a împiedica **2** a strica *(planurile cuiva);* a dejuca **3** *ec* a acapara

forestation [,fɔri'steiʃən] *s* împădurire

forester ['fɔristə'] *s* **1** pădurar; brigadier silvic **2** silvicultor **3** om *sau* animal care trăiește în pădure

forestry ['fɔristri] *s* **1** silvicultură **2** păduri; ținut păduros

foreswear [fɔ:'swɛə'] *vt, vr v.* **forswear**

foretaste ['fɔ:,teist] *s* „avant gout"; anticipare

foretell [fɔ:'tel], *pret și ptc* **foretold** [fɔ:'tould] *vt* a prezice; a spune dinainte; a prevesti

forethought ['fɔ:,θɔ:t] *s* **1** prevedere, grijă **2** anticipare, anticipație (a viitorului)

foretime ['fɔ:,taim] *s* vremuri de altădată, trecut

foretold [fɔ:'tould] *pret și ptc de la* **foretell**

fore top ['fɔ: ,tɔp] *s nav* gabier mic

fore top gallant mast ['fɔ: tɔp 'gælənt 'ma:st] *s nav* arbore zburător

forever [fɔ:'revə'] *adv* **1** pentru totdeauna, pe veci(e) **2** *(cu verbe la forme continue)* mereu, veșnic, întruna

forevermore [fɔ:,revə'mɔ:'] *adv* pe veci(e), în vecii vecilor

forewarn [fɔ:'wɔ:n] *vt* a preveni, a avertiza, a pune în gardă; ~**ed is forearmed** *prov aprox* paza bună trece primejdia rea

forewent [fɔ:'went] *pret de la* **forego**

forewoman [fɔ:'wumən] *s* supraveghetoare; șefă de echipă; brigadieră

foreword ['fɔ:,wə:d] *s* cuvânt înainte, prefață

fore yard ['fɔ: ,ja:d] *s nav* verga trinchet/trincii

forfeit ['fɔ:fit] **I** *vt* **1** a pierde ca ipotecă *sau* garanție; a pierde dreptul asupra *(cu gen)* **2** a-și pierde *(sănătatea etc.);* a nu se mai bucura de *(un nume bun etc.)* **II** *s* **1** confiscare **2** bun confiscat **3** amendă; pedeapsă **4** gaj *(la jocuri)*

forfeiture ['fɔ:fitʃə'] *s* confiscare; pierdere

forfend [fɔ:'fend] *vt* ← *înv* **1** a opri, a interzice **2** a preveni

forgather [fɔ:'gæðə'] *vi* **(with)** a se strânge, a se aduna, a se întâlni (cu)

forgave [fə'geiv] *pret de la* **forgive**

forge¹ [fɔ:dʒ] **I** *s* **1** *met* forjă **2** fierărie, forjărie **II** *vt* **1** *met* a forja **2** a falsifica, a contraface **3** a născoci, a inventa

forge² **(ahead)** ['fɔ:dʒ (ə'hed)] *vi* a înainta cu greu/cu efort sporit

forge man ['fɔ:dʒ ,mæn] *s v.* **forger 1**

forger ['fɔ:dʒə'] *s* **1** *met* forjor **2** falsificator **3** născocitor, plăsmuitor

forgery ['fɔ:dʒəri] *s* fals, falsificare, contrafacere

forget [fə'get], *pret* **forgot** [fə'gɔt], *ptc* **forgotten** [fə'gɔtən] **I** *vt* **1** a uita, a nu-și (mai) aminti; a nu-și (mai) aduce aminte de; **I ~ his name** am uitat cum îl cheamă **2** a uita, a omite, a neglija; **I've forgotten to reply to her letter** am uitat să-i răspund la scrisoare; **not ~ting** fără a uita, ca să nu mai amintim de **II** *vr* **1** a fi altruist, a se gândi numai la alții **2** a-și pierde cunoștința **3** a-l fura gândurile, a fi absorbit de gânduri **4** a uita de sine, a-și pierde controlul **III** *vi* **(about)** a uita (de); **before I ~** să nu uit

forgetful [fə'getful] *adj* **1** uituc, fără ținere de minte **2** neatent, neglijent, zăpăcit **3** care te face să uiți; **~ sleep** somn adânc

forgetfulness [fə'getfulnis] *s* **1** uitare **2** neatenție, neglijență, zăpăceală

forgetful of [fə'getful 'əv] *adj cu prep* care uită, care nu ține minte *cu ac;* **I am ~ dates** nu țin minte/ rețin datele

forgetive [fə'getiv] *adj* inventiv, descurcăreț

forget-me-not [fə'getmi'nɔt] *s bot* nu-mă-uita *(Myosotis palustris)*

forgettable [fə'getəbəl] *adj* care se uită lesne/ușor

forgivable [fə'givəbəl] *adj* scuzabil, care poate fi iertat

forgivably [fə'givəbli] *adv* (într-un mod) scuzabil

forgive [fə'giv], *pret* **forgave** [fə'geiv], *ptc* **forgiven** [fə'givən] **I** *vt* **1** a ierta, > a scuza *(pe cineva sau ceva);* a trece *(ceva)* cu vederea **2** a absolvi/a scuti de, a ierta (de) *(o datorie);* a renunța la *(despăgubiri etc.)* **II** *vi* a ierta; a fi iertător

forgiven [fə'givən] *ptc de la* **forgive**

forgiveness [fə'givnis] *s* iertare, > scuză *sau* scuze

forgiving [fə'giviŋ] *adj* iertător

forgo [fɔ:'gou], *pret* **forwent** [fɔ:'went], *ptc* **forgone** [fɔ:'gɔn] *vt* a se lipsi de, a renunța la, a se abține de la

forgone [fɔ:'gɔn] *ptc de la* **forgo**

forgot [fə'gɔt] *pret de la* **forget**

forgotten [fə'gɔtən] **I** *ptc de la* **forget** **II** *adj* uitat; lăsat în părăsire

forint ['fɔrint] *s* forint *(monedă ungară)*

fork [fɔ:k] **I** *s* **1** furculiță **2** *agr, tehn* furcă **3** *ferov etc.* branșament, bifurcație **4** *muz* diapazon **5** confluență **6** *fig* alternativă **II** *vt* a bifurca **III** *vi* a se bifurca

forked [fɔ:kt] *adj* furcat; bifurcat

forkful ['fɔ:kful] *s* (cât poate lua o) furcă

forklift (truck) ['fɔ:klift (,trʌk)] *s tehn* cărucior, elevator cu furcă

fork out ['fɔ:k 'aut] *vt cu part adv F* a trebui să scoată din buzunar

forlorn [fə'lɔ:n] *adj* ← *înv, poetic* nenorocit; oropsit; părăsit, lăsat în părăsire/pradă uitării; **~ hope a** speranță foarte mică; încercare cu șanse foarte mici de succes **b** detașament de sacrificiu

form [fɔ:m] **I** *s* **1** formă, aspect, înfățișare exterioară; contur; siluetă; **in the ~ of a half-moon** în formă de semilună; **to take the ~ of an object** a lua forma unui obiect; **he has a well-proportioned ~** e bine proporționat la trup/corp **2** formă, expresie, manieră, stil; **in sonnet ~** în formă de sonet; **content and ~** conținut și formă **3** formă, structură, organizare; manieră, modalitate; **~s of**

government forme de guvernământ; **all of them are ~s of matter** toate acestea sunt forme ale materiei **4** *gram* formă *(a cuvântului):* caz; diateză; aspect etc. **5** varietate, specie, formă **6** conveniență, etichetă, politețe; regulă de comportare/conduită; **good ~** bună cuviință; comportare frumoasă **7** formă, ceremonie; ritual **8** formular; blanchetă; **a ~ of application** un formular de cerere; **to fill in/up/ out a ~** a completa un formular **9** formă *(↓ a sportivilor și cailor de curse);* **to be in ~** a fi în formă; **to be out of ~** a nu fi în formă; **on ~** judecând după ultimele performanțe; **Jack was in great ~ last night** *fig* Jack a fost în mare formă aseară *(a fost bine dispus etc.)* **10** bancă *(de lemn)* **11** *școl* clasă; **he is in the 7th ~** e în clasa a VII-a **12** *tehn* formă, model; element; tip; șablon **13** *constr* cofraj lateral *(pt drumuri)* **14** *sl* cazier, dosar // **in due ~** după toate regulile **II** *vt* **1** a da o formă *(cu dat)* a modela, a fasona **2** a forma, a constitui, a alcătui *(un sistem etc.)* **3** a-și forma, a-și face *(o idee)* **4** a forma, a educa; a dezvolta; a disciplina; a antrena **5** a întocmi, a alcătui *(un plan)* **6** a lega *(prietenie)* **7** a fonda, a întemeia *(o societate etc.)* **8** *lingv* a forma *(cuvinte)* **9** *ferov* a forma *(un tren)* **III** *vi* **1** a se forma, a se alcătui **2** a căpăta formă; a lua o formă **3** a se forma, a se crea, a se naște

-form *suf* -form: **cuneiform** cuneiform; **uniform** uniform *sau* uniformă

formal ['fɔ:məl] *adj* **1** formal, făcut de formă **2** de formă, formal; care ține de formă; exterior **3** formal; oficial; protocolar; în ținută de rigoare; **~ dress** ținută de rigoare **4** formalist; ceremonios **5** formal, categoric, precis, expres **6** simetric; geometric; **~ garden** parc englezesc

formaldehyde [fɔ:'mældi,haid] *s ch* aldehidă formică

formalin ['fɔ:məlin] *s ch* formol

formalism ['fɔ:mə,lizəm] *s* formalism

formalist ['fɔ:məlist] *s* formalist

formalistic [,fɔ:mə'listik] *adj* formalist

formality [fɔ:'mæliti] *s* **1** formalitate **2** formalism; pedanterie **3** formalizare

formalize ['fɔ:mə,laiz] *vt* **1** a întocmi după toate formele; a da o formă de rigoare *(cu dat)* **2** a da o formă *(cu dat)*

formally ['fɔ:məli] *adv* **1** (din punct de vedere) formal **2** oficial **3** de formă; de ochii lumii **4** superficial **5** ca formă, din punctul de vedere al formei

format ['fɔ:mæt] *s poligr* format

formation [fɔ:'meiʃən] *s* **1** formare, întocmire, alcătuire; constituire **2** formă, structură; organizare **3** *mil* formație; dispozitiv **4** *geol* formațiune; structură

formative ['fɔ:mətiv] *adj* **1** formator, care formează; de formare **2** *lingv* de formare a cuvintelor

formbook ['fɔ:m,buk] *s sport* evidență a performanțelor anterioare

former ['fɔ:mə'] **I** *adj* **1** fost, trecut, de altădată/odinioară; **in ~ times** altădată, odinioară **2** **the ~** primul, dintâi *(când este vorba de două obiecte)* (ant **the latter**) **II** *pron* **the ~** primul, cel dintâi *(când este vorba de două obiecte)* (ant **the latter**)

formerly ['fɔ:məli] *adv* altădată, odinioară; cândva

formic acid ['fɔ:mik ,æsid] *s ch* acid formic

formicate ['fɔ:mi,keit] *vi* a furnica, a mișuna, a forfoti

formidability [,fɔ:midə'biliti] *s* **1** înfățișare grozavă/cumplită; fiorosenie, caracter fioros/groaznic **2** greutate, dificultate **3** caracter formidabil/extraordinar/ neobișnuit; enormitate

formidable ['fɔ:midəbəl] *adj* **1** teribil, cumplit, grozav **2** formidabil, extraordinar, nemaipomenit

formidableness ['fɔ:midəbəlnis] *s v.* **formidability**

formidably ['fɔ:midəbli] *adv* formidabil, extraordinar

forming ['fɔ:miŋ] *adj* **1** formator **2** formativ

formless ['fɔ:mlis] *adj* fără formă; amorf

formlessness ['fɔ:mlisnis] *s* absența/lipsa formei; caracter amorf

form letter ['fɔ:m ,letə'] *s* scrisoare tip, circulară

form master ['fɔ:m ,ma:stə'] *s școl* (profesor) diriginte

Formosa [fɔ:'mousə] *insulă* Formosa, Taiwan

formula ['fɔ:mjulə], *pl și* **formulae** ['fɔ:mju,li:] *s* **1** *mat, tehn etc.* formulă **2** formulă, formulare **3** formulă *(de salut etc.)*; expresie; *med* rețetă

formulaic [,fɔ:mju'leiik] *adj* plin de formule *sau* șabloane

formularize ['fɔ:mjulə,raiz] *vt v.* **formulate**

formulary ['fɔ:mjuləri] **I** *s* **1** colecție de formule *(rituale etc.)* **2** manual farmaceutic **3** formulă, expresie **II** *adj* **1** formal **2** ritual

formulate ['fɔ:mju,leit] *vt* **1** a formula, a exprima **2** a exprima printr-o formulă

formulation [,fɔ:mju'leiʃən] *s* formulare

form up ['fɔ:m ' ʌp] *vi cu part adv* a ști să deseneze linii regulate

form word ['fɔ:m ,wə:d] *s lingv, gram* **1** element formativ **2** verb auxiliar **3** conectiv, conector; element de legătură

fornication [,fɔ:ni'keiʃən] *s* **1** concubinaj **2** *bibl* păcat trupesc **3** închinare la idoli

fornicator ['fɔ:ni,keitə'] *s* soț adulter

fornicatress ['fɔ:ni'keitris] *s* soție adulteră

forrader ['fɔrədə'] *adv* ← *F* mai departe, înainte

forsake [fə'seik], *pret* **forsook** [fə'suk], *ptc* **forsaken** [fə'seikən] *vt* a lăsa, a se lepăda de, a părăsi, a abandona

forsaken [fə'seikən] *ptc de la* **forsake**

forsook [fə'suk] *pret de la* **forsake**

forsooth [fə'su:θ] *adv* ← *înv, azi ironic* într-adevăr

forswear [fɔ:'swɛə'], *pret* **forswore** [fɔ:'swɔ:'], *ptc* **forsworn** [fɔ:-'swɔ:n] **I** *vt* a se lăsa/a se lepăda de *(un viciu etc.)* **II** *vr* a fi sperjur, a jura strâmb/fals

forswore [fɔ:'swɔ:'] *pret de la* **forswear**

forsworn [fɔ:'swɔ:n] **I** *ptc de la* **forswear** **II** *adj* care a jurat fals/ strâmb

fort [fɔ:t] *s mil* fort; **to hold the ~** *fig* a avea grijă de toate *(în absența cuiva)*

forte[1] ['fɔ:t] *s fig* parte tare *(a cuiva)*

forte[2] ['fɔ:tei] *adj, adv muz* forte

forth [fɔ:θ] *adv* **1** afară; în afară **2** înainte; mai departe; **and so ~** și așa mai departe; **from this day ~** de azi înainte/încolo; **back and ~** încoace și încolo

Forth, the ['fɔ:θ, ðə] *râu în Scoția*

Forth, the Firth of ['fɔ:θ, ðə 'fə:θ əv] *estuar în Scoția*

forthcoming [fɔ:θ'kʌmiŋ] **I** *adj* **1** apropiat; viitor **2** *pred* disponibil, existent; la îndemână **3** *(d. o carte)* care va apărea curând **4** ← *F* prevenitor, amabil; săritor **II** *s* apariție, ivire; apropiere

forthright ['fɔ:θ,rait] **I** *adj* **1** direct, drept **2** direct, sincer, deschis **II** *adv* **1** drept, înainte **2** drept, direct **3** imediat, îndată

fortieth ['fɔ:tiiθ] **I** *num* patruzecilea **II** *s* patruzecime

fortification [,fɔ:tifi'keiʃən] *s* **1** fortificare, întărire **2** *mil* fortificație

fortified wine ['fɔ:ti,faid 'wain] *s* vin alcoolizat

fortifier ['fɔ:ti,faiə'] *s med* fortifiant

fortify ['fɔ:ti,fai] **I** *vt* **1** *mil* a fortifica **2** a consolida, a întări **3** a susține *sau* a întări *(moralul etc.)*; a fortifica *(organismul)* **4** a întări, a corobora *(cu fapte etc.)*; a confirma **5** a adăuga alcool în **II** *vr* a se fortifica; a prinde puteri

fortissimo [fɔ:'tisi,mou] *adj, adv muz* fortissimo

fortitude ['fɔ:ti,tju:d] *s* **1** tărie sufletească/de caracter, forță morală **2** curaj; rezistență

fortitudinous [,fɔ:ti'tju:dinəs] *adj* **1** plin de tărie sufletească, cu stăpânire de sine **2** curajos

fortnight ['fɔ:t,nait] *s* două săptămâni

fortnightly ['fɔ:t,naitli] **I** *adj* **1** de două săptămâni **2** *(d. o publicație)* bilunară **II** *adv* o dată la două săptămâni; bilunar **III** *s* publicație bilunară

fortress ['fɔ:tris] *s mil* fortăreață

fortuitous [fɔ:'tju:itəs] *adj* fortuit, neprevăzut; accidental, întâmplător

fortuitously [fɔ:'tju:itəsli] *adv* (în mod) fortuit; accidental

fortuity [fɔ:'tju:iti] *s* întâmplare, accident; caz fortuit

Fortuna [fɔ:'tju:nə] *mit* (zeița) Fortuna

fortunate ['fɔːtʃənit] I adj 1 norocos, care are noroc; favorizat (↓ de soartă); **he was ~ in life** a avut noroc în viață 2 norocos, favorabil, prielnic; **that was ~ for you** ai avut noroc; **a ~ day** o zi norocoasă II s om norocos

fortunately ['fɔːtʃənitli] adv 1 (în mod) fericit 2 din fericire

fortune ['fɔːtʃən] I s 1 noroc; șansă; întâmplare fericită; succes; **bad/ ill ~** nenoroc, ghinion, neșansă; **to seek one's ~** a-și căuta norocul (umblând în lume); **to try one's ~** a-și încerca norocul; **by good ~** din fericire; printr-o întâmplare fericită; **to have ~ on one's side** a avea norocul de partea sa, a avea noroc, a fi norocos 2 noroc, soartă; **the ~(s) of war** sorții războiului; **to tell ~s** a ghici (în palmă etc.) 3 avere, bogăție; **to make a ~** a se îmbogăți; **to come into a ~** a căpăta o moștenire; **a small ~** F o sumă frumușică II vi ← înv a se întâmpla

fortuned ['fɔːtʃənd] adj 1 norocos 2 bogat, avut

fortune hunter ['fɔːtʃən ˌhʌntəʳ] s 1 vânător de zestre 2 aventurier

fortuneless ['fɔːtʃənlis] adj 1 nenorocos, ghinionist 2 sărac, fără avere 3 fără zestre

fortune teller ['fɔːtʃən ˌteləʳ] s ghicitor, ↓ ghicitoare, cărturăreasă

fortune telling ['fɔːtʃən ˌteliŋ] s ghicit; prezicere a viitorului

forty ['fɔːti] I num patruzeci II s **the forties** anii '40

forty winks ['fɔːti ˌwiŋks] s F pui de somn (↓ după-amiază); **to have ~** a trage un pui de somn

forum ['fɔːrəm] pl și **fora** ['fɔːrə] s 1 ist forum 2 for; tribunal 3 for, adunare

forward ['fɔːwəd] I adj 1 din față, dinainte; **the ~ ranks of a detachment** rândurile din față ale unui detașament 2 înaintat, progresist; de avangardă 3 (d. mișcare etc.) înainte 4 fruntaș, aflat în frunte, din frunte 5 (cu inf) gata, dispus (să) 6 descurcăreț, isteț 7 băgăcios; obraznic, neobrăzat 8 (d. plante) timpuriu; < prea timpuriu, prematur 9 (d. un contract etc.) semnat, încheiat etc. din timp sau cu mult înainte

II adv 1 înainte, mai departe, în continuare; **to go ~** a merge mai departe 2 înainte, în față; **to step ~** a păși în față 3 înainte; spre viitor; în perspectivă; **from this time ~** de acum încolo/înainte // **to put the clock ~** a da ceasul înainte III s sport înaintaș (la fotbal etc.) IV vt 1 a grăbi, a accelera (îndeplinirea unui plan etc.) 2 a promova, a sprijini (o idee etc.) 3 a expedia, a trimite (marfă etc.)

forward axle ['fɔːwəd ˌæksəl] s auto osie din față

forwarder ['fɔːwədəʳ] s 1 tehn transportor; echer 2 ec expeditor, trimitător

forwarding ['fɔːwədiŋ] s 1 trimitere, expediere 2 accelerare, grăbire 3 înaintare

forwarding agent ['fɔːwədiŋ eidʒənt] s com expeditor

forward-looking ['fɔːwəd ˌluːkiŋ] adj care vede în viitor; prevăzător

forwardly ['fɔːwədli] adv 1 în față, înainte 2 spre partea din față, (către) înainte 3 cu grabă; prompt 4 prezumțios; obraznic

forwardness ['fɔːwədnis] s 1 nivel ridicat de dezvoltare sau progres 2 promptitudine 3 prezumție; obrăznicie

forwards ['fɔːwədz] adv v. **forward** II

forwent [fɔː'went] pret de la **forgo**

fosse [fɔs] s 1 mil tranșee 2 șanț; canal

fossette [fɔ'set] s fr anat gropiță

fossil ['fɔsəl] I s 1 geol fosilă 2 fig fosilă, bătrân sau persoană cu idei învechite II adj 1 geol fosil(izat), pietrificat 2 fig învechit, înapoiat, închistat, încuiat

fossiliferous [ˌfɔsi'lifərəs] adj geol fosilifer

fossilization [ˌfɔsilai'zeiʃən] s geol fosilizare

fossilize ['fɔsi,laiz] I vt 1 geol a transforma/a preface în fosilă sau fosile, a pietrifica 2 a închista II vi geol a se fosiliza

foster ['fɔstəʳ] vt 1 a crește (un copil etc.); a avea grijă de, a supraveghea (copii, bolnavi etc.) 2 a nutri (speranțe, un sentiment) 3 a cultiva, a dezvolta (un talent etc.) 4 a încuraja, a favoriza, a stimula

fosterage ['fɔstəridʒ] s 1 creșterea unui copil adoptiv 2 încredințarea

unui copil unor părinți adoptivi; tutelă 3 încurajare, stimulare

foster brother ['fɔstə ˌbrʌðəʳ] s frate de lapte

foster child ['fɔstə ˌtʃaild] s copil adoptiv

foster father ['fɔstə ˌfaːðəʳ] s tată adoptiv

fosterling ['fɔstəliŋ] s copil adoptiv

foster mother ['fɔstə ˌmʌðəʳ] s mamă adoptivă

foster parent ['fɔstə ˌpɛərənt] s părinte adoptiv

fought [fɔːt] pret și ptc de la **fight** I-II

foul [faul] I adj 1 murdar, scârbos, respingător; rău mirositor 2 murdărit, mânjit 3 (d. o rană) purulent 4 (d. o boală) molipsitor, contagios 5 (d. limbă) încărcat, sabural 6 urât, necinstit, murdar, ticălos; trădător; **by fair means or ~** prin orice mijloace 7 (d. limbaj) urât, < necuviincios; obscen, trivial 8 fig rău, urât, scârbos; < groaznic; odios, detestabil; **~ dancer** dansator prost; **~ weather** vreme urâtă, ↓ vânt, < furtună 9 (d. vânt) contrar, din față 10 putred 11 (d. aer) stricat, viciat 12 nav (d. ancoră) încurcat, angajat; împiedicat // **to fall ~ of a** nav a aborda cu ac, a se ciocni de b fig a avea necazuri/de suferit din partea cu gen II s 1 ceva murdar, scârbos etc. (v. ~ I, 1-2) 2 ciocnire; tamponare 3 sport încălcare a regulilor III vt 1 a murdări, a mânji; a îmbâcsi; a polua (aerul) 2 a murdări, a păta (numele, reputația) 3 nav a încurca (ancora)

foulard [fuː'laːd] s fr text 1 fulard 2 fular

foully ['fauli] adv 1 (în chip) murdar 2 fig mișelește, în chip ticălos

foul-mouthed ['faul,mauθd] adj fig spurcat la gură

foulness ['faulnis] s 1 murdărie 2 fig murdărie, ticăloșie 3 fig incorectitudine, caracter incorect (al jocului etc.)

foul play ['faul ˌplei] s 1 joc incorect sau necinstit 2 înșelăciune 3 ticăloșie, mârșăvie; trădare 4 crimă, asasinat

foul-up ['faul,ʌp] s 1 F belea, – necaz; **to be in a ~** a intra la apă, a da de belea 2 tehn defect; pană

foul up ['faul 'ʌp] *vt cu part adv F* a da peste cap; – a strica; *F* a zărvăi, a zăpăci

foumart ['fuːmɑːt] *s zool* dihor puturos *(Putoris foetida)*

found[1] [faund] *pret și ptc de la* **find I-III**

found[2] *vt* **1** a pune temeliile *(cu gen)* **2** a fonda, a întemeia; a înființa **3** a justifica; a documenta, a fonda

found[3] *vt* **1** *met* a topi **2** *tehn* a pili **3** *poligr* a turna

foundation [faun'deiʃən] *s* **1** fondare, întemeiere; înființare **2** fundație; donație **3** *și la pl* fundament, fundație, temelie, bază **4** *fig* bază, temelie; **to lay the ~(s) of** a pune bazele *cu gen* **5** fundație; organizație; asociație; instituție

foundation cream [faun'deiʃən ,kriːm] *s* fond de ten

foundation garment [faun'deiʃən ,gɑːmənt] *s* corset

foundation stone [faun'deiʃən ,stoun] *s* **1** *constr* piatră de fundație **2** *fig* bază, temelie, *înv* → piatra din capul unghiului

founder[1] ['faundər] *s* fondator, întemeietor

founder[2] *s met* turnător, topitor

founder[3] *vi* **1** *nav* a se scufunda, a naufragia **2** *(d. o clădire)* a se scufunda, a se lăsa **3** *(d. un cal)* a se împiedica; < a cădea; a șchiopăta **4** a da greș, a eșua

founder member ['faundə ,membər] *s* membru fondator

foundling ['faundliŋ] *s* copil găsit

found on ['faund ɔn] *vt cu prep* a baza/a fonda pe

foundress ['faundris] *s* fondatoare, întemeietoare

foundry ['faundri] *s* **1** *met* (atelier de) topitorie; turnătorie **2** *met* uzină metalurgică **3** *poligr* topitorie de litere

fount[1] [faunt] *s* izvor

fount[2] *s met* turnare, topire

fountain ['fauntin] *s* **1** izvor; chei **2** fântână arteziană **3** rezervor *(de stilou etc.)* **4** *fig* izvor, sursă; obârșie

fountainhead ['fauntin,hed] *s* **1** v. **fountain 1 2** *fig* izvor primar, sursă directă, origine **3** v. **fountain 3**

fountain pen ['fauntin ,pen] *s* stilou

four [fɔː] **I** *num* patru; ... **and ~** cu patru cai; **for ~ hands** *muz* la/

pentru patru mâini; **to scatter smth to the ~ winds** a arunca/a împrăștia înspre cele patru vânturi; **the ~ corners of the world** cele patru colțuri ale lumii **II** *s* **1** patru, grup *etc.* de patru **2** *nav* ambarcațiune cu patru locuri // **on all ~s** în patru picioare; în patru labe; de-a bușilea

four-cornered ['fɔː,kɔːnəd] *adj* **1** în patru colțuri **2** cu participarea a patru părți; cvadripartit

four cycle ['fɔː ,saikəl] *adj atr tehn* în patru timpi

four-dimensional ['fɔːdai,menʃənəl] *adj* cvadridimensional, cu patru dimensiuni

four-electrode valve ['fɔːri'lektroud vælv] *s tel* tetrodă

four flush ['fɔː ,flʌʃ] *s* cuartă de culoare *(la pocher)*

fourfold ['fɔː,fould] **I** *adj* **1** împătrit; cuadruplu **2** format din patru părți **II** *adv* împătrit; de patru ori mai mult

four-footed ['fɔː,futid] *adj* cu patru picioare, patruped

four-handed ['fɔː,hændid] *adj* **1** cu patru mâini, cuadruman **2** *(d. unele jocuri)* în patru, pentru patru jucători **3** *muz* pentru/la patru mâini

four-in-hand ['fɔːrin'hænd] *s* **1** (atelaj de) patru cai **2** trăsură cu patru cai

four-leaf clover ['fɔːliːf'klʌvər] *s bot* și *fig* trifoi cu patru foi

four-letter word ['fɔː,letə 'wəːd] *s* cuvânt urât/indecent

four-o'clock ['fɔːrə'klɔk] *s bot* noptiță, barba împăratului *(Mirabilis jalapa)*

four part ['fɔː ,pɑːt] *adj atr muz* pentru patru voci

four poster [,fɔː 'poustər] *s* **1** pat cu polog/baldachin **2** *nav* navă cu patru arbori/catarge

fourscore [,fɔː'skɔːr] *num* ← *poetic* optzeci

foursquare [,fɔː'skwɛər] *adj* **1** pătrat **2** ← *F* cinstit, onest **3** ← *F* hotărât, ferm, neclintit

fourteen ['fɔː'tiːn] *num* patrusprezece

fourteenth ['fɔː'tiːnθ] *num* patrusprezecilea

fourth [fɔːθ] **I** *num* patrulea **II** *s* **1** pătrime, a patra parte **2** *muz* cvartă

fourth dimension, the ['fɔːθ dai'menʃən, ðə] *s* (cea de) a patra dimensiune

fourthly ['fɔːθli] *adv* în al patrulea rând *(în enumerări)*

four-wheeler [,fɔː'wiːlər] *s* ← *F* birjă, trăsură *(cu patru roți)*

fowl [faul] **I** *s* **1** pasăre de curte, *pl* orătănii, ↓ găină *sau* cocoș **2** (carne de) găină **3** ← *înv* (orice fel de) pasăre **4** *(numai în cuvinte compuse)* pasăre sălbatică *(mare)* **II** *vi* a prinde *sau* a vâna păsări

fowler ['faulər] *s* păsărar, prinzător *sau* vânător de păsări

fowler's pear ['faulər ,pɛər] *s bot* sorb, scoruș de munte *(Sorbus aucaparia)*

fowling piece ['fauliŋ piːs] *s* pușcă de vânătoare *(pt vânatul păsărilor)*

fox [fɔks] **I** *s* **1** *zool* vulpe *sau* vulpoi *(Vulpes sp);* **he-~** vulpoi; **to set the ~ to keep the gees** *fig* a da oile în paza lupului; **crazy like a ~** ↓ *amer sl* deștept foc; – greu de păcălit **2** (blană de) vulpe **3** *fig* vulpe; vulpoi; șmecher **4** *nav* comandă de bord **II** *vi* a se acri; *(d. bere)* a se trezi

fox brush ['fɔks ,brʌʃ] *s* coadă de vulpe

fox fur ['fɔks ,fəːr] *s* blană de vulpe

foxglove ['fɔks'glʌv] *s bot* **1** degețel roșu *(Digitalis purpurea)* **2** degetar(iță) *(Digitalis sp.)*

foxhole ['fɔks,houl] *s mil* locaș de adăpostire individual

foxhound ['fɔks,haund] *s* câine de vânătoare englezesc, special dresat pentru vânatul vulpilor

fox-hunt ['fɔks,hʌnt] *vi* a lua parte la o vânătoare de vulpi

foxily ['fɔksili] *adv* ca o vulpe, șiret

foxiness ['fɔksinis] *s* **1** comportare de vulpe; șiretenie **2** roșcat, roșu închis **3** *iz*, miros pătrunzător **4** gust acru *(al berii etc.)*

fox-like ['fɔks,laik] *adj* **1** ca de vulpe **2** șiret; prefăcut

fox sleep ['fɔks ,sliːp] *s* somn prefăcut/simulat

foxtail ['fɔks,teil] *s* **1** coadă de vulpe **2** *bot* coada vulpii *(Alopecurus pratensis)*

fox terrier ['fɔks ,teriər] *s* foxterier

foxtrot ['fɔks,trot] **I** *s muz* fox(trot) *(și dans)* **II** *vi* a dansa foxtrot

foxy ['fɔksi] *adj* **1** (ca) de vulpe; șiret; isteț **2** roșcat, roșcovan **3** *(d. o băutură)* acrit; stătut; nefermentat

foyer ['fɔiei] *s teatru* foaier

f.p., fp. *presc de la* **freezing point**

Fr. *presc de la* **1 France 2 French 3 Father 4 Friday**

fr. *presc de la* **1** from **2** franc *sau* francs **3** fragment

fracas ['fræka:] *s sg și pl fr* ceartă/ sfadă zgomotoasă; larmă

fraction ['frækʃən] *s* **1** *mat* fracție **2** fracțiune; pic, părticică; particulă; **not by a ~** nici o iotă **3** *ch* fracțiune; produs de distilare

fractional ['frækʃənəl] *adj* **1** *mat* fracționar **2** mic, neînsemnat **3** *ch* fracționat

fractional currency ['frækʃənəl ˌkʌrənsi] *s ec* monedă divizionară

fractionally ['frækʃənəli] *adv* **1** parțial; în parte **2** (într-un mod) nesemnificativ

fractionary ['frækʃənəri] *adj* **1** *v.* **fractional 2 fragmentar**

fractionize ['frækʃəˌnaiz] *vt* a fracționa

fractious ['frækʃəs] *adj* **1** neastâmpărat, agitat **2** capricios, mofturos **3** neascultător, refractar **4** arțăgos, iritabil, irascibil

fracture ['fræktʃəʳ] **I** *s* **1** *med* fractură **2** rupere, spargere, fracturare; crăpare **3** ruptură, spărtură; fisură, crăpătură **4** *geol* diaclază **5** *fiz* refracție **II** *vt* **1** *med* a fractura **2** a rupe, a sparge; a crăpa; a fisura **III** *vi* **1** *med* a se fractura **2** a se rupe, a se sparge; a se crăpa; a se fisura

frae [frei] *prep scot v.* **from**

fragile ['frædʒail] *adj* **1** fragil; fărâmicios; casant **2** fragil, gingaș; *(d. sănătate)* șubred **3** *(d. fericire etc.)* netrainic, trecător, de scurtă durată

fragility [frə'dʒiliti] *s* **1** fragilitate; caracter fărâmicios **2** fragilitate, caracter gingaș *sau* plăpând **3** netrăinicie, caracter trecător

fragment ['frægmənt] *s* **1** fragment, bucată, bucățică, ciob, hârb; sfărâmătură **2** parte **3** fragment; pasaj

fragmentarily ['frægməntərili] *adv* (în mod) fragmentar

fragmentariness ['frægməntərinis] *s* caracter fragmentar

fragmentary ['frægməntəri] *adj* fragmentar; incomplet

fragmentation [ˌfrægmen'teiʃən] *s* **1** fragmentare **2** *fiz* explozie nucleară

fragmentation bomb [ˌfrægmen-'teiʃən ˌbɔm] *s* bombă explozivă, proiectil brizant

fragmented ['frægməntid] *adj* fragmentar; fragmentat

fragmentize ['frægmənˌtaiz] *vt* a fragmenta

fragrance ['freigrəns] *s* mireasmă, miros plăcut, parfum

fragrant ['freigrənt] *adj* frumos mirositor, parfumat, *poetic* înmiresmat

frail¹ [freil] *adj* **1** *v.* **fragile 2** slab, bolnăvicios, plăpând **3** *fig* slab, supus ispitei

frail² *s* coș de papură

frailty ['freilti] *s* **1** *v.* **fragility 2** slăbiciune (morală)

frame ['freim] **I** *s* **1** *constr* schelet, osatură, corp, construcție **2** și *tehn* cadru, ramă; chenar **3** *tehn* mașină **4** *fiz* sistem de coordonate **5** *poligr* rastel, stativ **6** *cin* cadru **7** *fig* alcătuire, structură; organizare; sistem *(de guvernare etc.)* **8** corp, trup *(de om)* **9** *v.* **frame of mind 10** toc; cercevea **11** *lit* temă **12** *tele* imagine **II** *vt* **1** *tehn* și *fig* a încadra, a înrăma **2** *tehn* a lega, a îmbina **3** a elabora, a întocmi *(un plan etc.);* a forma *(o propoziție etc.);* a avansa, a propune *(o teorie etc.)* **4** a rosti, a pronunța *(cuvinte)* **5** a potrivi; a adapta; a ajusta **6** ← *F* a înscena *(un proces);* a inventa, a născoci *(o acuzație),* a pune *(o vină)* în spatele cuiva; a acuza pe nedrept

frame aerial ['freim ˌɛəriəl] *s tel* antenă (în formă de) cadru

frame breaker ['freim ˌbreikəʳ] *s ist* Angliei sfărâmător de mașini, luddit

frame construction ['freim kən-'strʌkʃən] *s tehn* construcție cu schelet

frameless ['freimlis] *adj* fără ramă/ cadru, neînramat

frame of mind ['freim əv ˌmaind] *s* dispoziție, stare sufletească

frame of reference [freim əv 'refərəns] *s* cadru de referință

frame saw ['freim ˌsɔ:] *s tehn* gater

frame-up ['freimˌʌp] *s* înscenare (↓ judiciară)

frame up ['freim 'ʌp] *vt cu part adv* **1** a pune la cale, a înscena **2** a țese intrigi pe seama *(cuiva),* a cleveti, a bârfi

framework ['freimˌwə:k] *s* **1** *tehn* schelet; ramă; cadru; carcasă **2** *constr* antablament, fermă **3** *fig* cadru, context; **within the ~ of** în cadrul *cu gen*

framing ['freimiŋ] *s* **1** *v.* **framework 1-2 2** *tel* încadrare/reglare *(a imaginii)*

franc [fræŋk] *s* franc *(francez etc.)*

France [frɑːns] Franța

France, Anatole *romancier francez (1844-1924)*

Frances ['frɑːnsis] *nume fem*

franchise ['fræntʃaiz] *s* **1** drept electoral; sufragiu **2** *ist* privilegiu **3** ↓ *amer ec* privilegiu, prioritate; concesie

Francis ['frɑːnsis] *nume masc* Francisc

Franciscan [fræn'siskən] *adj, s bis* franciscan

Franco- *pref* franco-: **Franco-German** franco-german

francolin ['fræŋkoulin] *s orn* potârniche *(Francolinus sp.)*

Francophile ['fræŋkouˌfail] *adj, s* francofil

Francophobe ['fræŋkouˌfoub] *adj, s* francofob

frangible ['frændʒibəl] *adj* fărâmicios, fragil

Frank [fræŋk] *s* **1** *nume masc* **2** *ist* franc

frank I *adj* **1** franc, sincer, deschis **2** clar, evident, fățiș **3** ← *rar* darnic, generos **4** *mat* strict posibil **II** *vt* **1** a franca **2** a franca, a timbra

Frankfurt ['fræŋkfurt] *oraș în Germania*

frankfurter ['fræŋkˌfə:təʳ] *s* cârnăcior (de Frankfurt)

frankincense ['fræŋkinˌsens] *s* tămâie

Frankish ['fræŋkiʃ] *ist* **I** *adj* franc **II** *s* (limba) francă

franklin ['fræŋklin] *s ist* răzeș, mic proprietar de pământ liber *(în Anglia sec. XIV și XV)*

Franklin, Benjamin *om de știință, politician și scriitor american (1706-1790)*

frankly ['fræŋkli] *adv* sincer, deschis; ca să fiu sincer; de fapt

frankness ['fræŋknis] *s* sinceritate, franchețe

frantic ['fræntik] *adj* frenetic, nebun, înnebunit

frantically ['fræntikəli] *adv* frenetic, ca nebun

frappé ['fræpei] *adj fr* frapat, (puțin) rece

frapping ['fræpiŋ] *s nav* parâmă de reținere

Fraser, the ['freizəʳ, ðə] *fluviu în Canada*

fraternal [frə'tə:nəl] *adj* frățesc, de frate

fraternally [frə'tə:nəli] *adv* frățește, ca un frate

fraternity [frə'tə:niti] *s* 1 fraternitate, frăție, *înv* ← frățietate 2 breaslă, tagmă

fraternization [,frætə:nai'zeiʃən] *s* fraternizare

fraternize ['frætə,naiz] *vi* a fraterniza

fratricidal [,frætri'saidəl] *adj* fratricid

fratricide ['frætri,said] *s* fratricid

fratry ['frætri] *s* 1 frăție 2 mănăstire de călugări

Frau [frau] *germ* doamna

fraud [frɔ:d] *s* 1 înșelătorie, înșelăciune, escrocherie 2 escroc, pungaș

fraudful ['frɔ:dful] *adj* de pungaș/escroc; tâlhăresc

fraudster ['frɔ:dstəʳ] *s* pungaș, hoț; șarlatan

fraudulence ['frɔ:djuləns] *s v.* **fraudulency**

fraudulency ['frɔ:djulənsi] *s* înșelătorie, înșelăciune; înșelare

fraudulent ['frɔ:djulənt] *adj* 1 necinstit, de escroc 2 făcut *sau* obținut prin înșelăciune

fraudulently ['frɔ:djuləntli] *adv* prin mijloace necinstite

fraught with ['frɔ:t ,wið] *adj cu prep* plin de *(riscuri etc.);* încărcat cu

Fräulein ['frɔilain] *s germ* 1 domnișoară 2 profesoară de limba germană *(în Anglia)*

fray¹ [frei] *s* 1 ceartă/sfadă zgomotoasă 2 încăierare, bătaie; luptă, conflict

fray² I *s* rosătură II *vt* a roade, a uza *(haine etc.)* III *vi (d. haine etc.)* a se roade

frazzle ['fræzəl] *F* I *s* 1 uzură, roadere *(a unei haine)* 2 oboseală mare, sleire, istovire 3 *alim* scrum, ardere II *vt* 1 a roade, a uza *(haine)* 2 a slei, a speti, a

obosi peste măsură III *vi* 1 *(d. haine)* a se roade, a se uza 2 a fi frânt de oboseală, a se speti

freak [fri:k] *s* 1 idee năstrușnică/trăsnită; capriciu, fantezie; ciudățenie 2 *biol* monstru 3 caracter anormal, anormalitate *(a unui proces)*

freakish ['fri:kiʃ] *adj* 1 năstrușnic, trăsnit; capricios, fantezist; ciudat 2 anormal; < monstruos

freak of nature ['fri:k əv 'neitʃəʳ] *s biol* monstru *(din naștere);* capriciu al naturii

freak out ['fri:k 'aut] *vi cu part adv* ← *F* a fi surescitat *(↓ din cauza drogurilor)*

freaky ['fri:ki] *adj v.* **freakish**

freckle ['frekəl] I *s* pistrui II *vt* a pistruia III *vi* a se umple de pistrui

Freda ['fredə] *nume fem v.* **Frieda**

Frederica [,fredə'ri:kə] *nume fem*

Frederic(k) ['fredrik] *nume masc* Frederic

Fredric(k) *nume masc* Frederic

free [fri:] I *adj* 1 liber; independent, neatârnat; autonom; suveran 2 liber; desfăcut, dezlegat; neîmpiedicat, nestingherit 3 liber, în libertate 4 **(from)** scutit, liber (de) 5 liber, neconvențional 6 liber de prejudecăți; imparțial, nepărtinitor 7 *(d. traduceri, comerț etc.)* liber 8 liber, neocupat 9 liber, nesilit, spontan 10 *(d. mers etc.)* liber, degajat, firesc, natural 11 darnic, generos, mărinimos 12 bogat, îmbelșugat, abundent 13 *(d. un bilet etc.)* gratuit, fără plată 14 *ch* liber 15 *ec* liber; franco // **to make ~ with** a dispune cum vrea de II *adv* 1 gratis, gratuit, fără plată; **for ~** pe gratis 2 (în mod) liber, nestingherit III *vt* **(from, of)** a elibera; a scuti (de)

free agency [,fri: 'eidʒənsi] *s* liber arbitru

free and easy ['fri: ənd 'i:zi] I *adj* 1 neoficial; neconvențional 2 lejer, degajat II *s* ← *F* spectacol *(↓ concert)* în timpul căruia fumatul este permis

freebooter ['fri:,bu:təʳ] *s* jefuitor; pirat, corsar

freeborn ['fri:,bɔ:n] *adj* născut liber

Free Church ['fri: 'tʃə:tʃ] *s* 1 biserică despărțită de stat 2 biserică neconformistă

freedom ['fri:dəm] *s* 1 libertate, independență, neatârnare 2 libertate; drept; privilegiu 3 intimitate; **to take ~s with smb** a-și permite/a-și îngădui libertăți cu cineva

freedom of speech ['fri:dəm əv 'spi:tʃ] *s pol* libertatea cuvântului

freedom of the press ['fri:dəm əv ðə 'pres] *s pol* libertatea presei

freedom of the will ['fri:dəm əv ðə 'wil] *s* libertate de voință; liber arbitru

free fall ['fri: ,fɔ:l] *s fiz, av* cădere liberă

free-for-all ['fri:fəʳɔ:l] *s* 1 competiție la care poate participa oricine 2 încăierare generală

free from ['fri: frəm] *adj cu prep* 1 liber, ferit de *(prejudecăți etc.);* fără *(vină etc.)* 2 scutit de *(taxe etc.)*

free-hand ['fri: ,hænd] *adj atr (d. desen etc.)* de mână

free-handed [,fri:'hændid] *adj* darnic, generos

free-hearted [,fri:'ha:tid] *adj* 1 sincer, deschis 2 mărinimos, generos

free-heartedly [,fri:'ha:tidli] *adv* 1 (în mod) sincer, deschis; din toată inima 2 cu mărinimie, generos

freehold ['fri:,hould] *s* 1 proprietate funciară absolută 2 *ist* alodiu

freeholder ['fri:,houldəʳ] *s* 1 proprietar absolut de pământ *sau* de casă 2 *ist* mic proprietar liber, răzeș

free house ['fri: ,haus] *s* restaurant având diverși furnizori mărunți *(nefiind obligat să vândă mărfurile unei anumite case de comerț)*

free kick ['fri: ,kik] *s sport* lovitură liberă *(cu piciorul)*

free labour [,fri: 'leibəʳ] *s* 1 *ist* munca oamenilor liberi *(nu a sclavilor)* 2 munca oamenilor neînscriși în sindicat 3 muncitori nesindicaliști

free lance ['fri: ,la:ns] *s* 1 *mil od* mercenar 2 *pol* independent 3 corespondent voluntar; scriitor *sau* ziarist (care nu este în serviciul unei numite redacții) 4 liber profesionist

free-liver ['fri:'livəʳ] *s* epicurian

free loader [,fri: 'loudəʳ] *s amer F* linge-blide/-talere; – amator de mâncare și băutură pe seama altuia

free love [ˌfriː'lʌv] s înv amor liber

free lover [ˌfriː'lʌvəʳ] s înv adept al amorului liber

freely ['friːli] adv 1 liber, nestingherit; de voie 2 cu generozitate/ mărinimie

freeman ['friːmən] s 1 om liber (ant sclav) 2 cetățean

freemason ['friːˌmeisən] s francmason

freemasonry ['friːˌmeisənri] s francmasonerie

free of ['friː əv] I adj cu prep 1 în afara (portului etc.), dincolo de 2 fără, scăpat de (ghețuri etc.) II vt cu prep a elibera/a degaja de; a scoate (mirosul etc.) din (cameră etc.)

free port ['friː ˌpɔːt] s nav port liber

free-spoken [ˌfriː'spoukən] adj care vorbește deschis sau fățiș

Free State, the ['friː 'steit, ðə] s Statul liber irlandez

freestone ['friːˌstoun] s min gresie, calcar oolitic

free-thinker [ˌfriː'θiŋkəʳ] s liber-cugetător; ateu

free-thinking/-thought [ˌfriː'θiŋkiŋ/ 'θɔːt] s idei de liber-cugetător; ateism

free trade [ˌfriː'treid] s ec comerț liber

free-trader [ˌfriː'treidəʳ] s ec partizan al comerțului liber

free translation ['friː trɑːn'sleiʃən] s traducere liberă

free verse [ˌfriː'vəːs] s metr vers liber

free wheel [ˌfriː'wiːl] s tehn roată liberă, roata cuplajului, torpedo

free will ['friː 'wil] s v. **freedom of the will**

freeze [friːz] I pret **froze** [frouz], ptc **frozen** ['frouzən] vt 1 a îngheța, a solidifica prin frig; a preface în gheață 2 a îngheța, a congela 3 a îngheța, a face să înghețe de frig (pe cineva); **it froze my blood** mi-a înghețat sângele în vine 4 ec a îngheța, a stabiliza (prețurile etc.) II (v. ~ I) vi 1 a îngheța; a da înghețul; **it froze last night** a înghețat astă noapte 2 a îngheța, a se preface în gheață 3 a îngheța, a se congela 4 a îngheța, a degera, a-i fi foarte frig; **to ~ to death** a muri înghețat/de frig III s 1 îngheț; ger 2 ec înghețare, stabilizare (a prețurilor)

freeze in ['friːz 'in] vt cu part adv a prinde între ghețuri; a imobiliza datorită gheții

freeze on to ['friːz 'ɔn tə] vi cu part adv și prep F a se ține scai/ strâns de; a nu slăbi (cu ac)

freeze out ['friːz 'aut] vt cu part adv 1 ← F a ține la distanță sau a îndepărta (pe cineva) printr-o atitudine rece/glacială 2 ← F a nu include (pe listă etc.) 3 amer a împiedica (întrunirea etc.) din cauza frigului

freeze over ['friːz 'ouvəʳ] vi cu part adv a îngheța, a se acoperi cu gheață

freezer ['friːzəʳ] s 1 răcitor; mașină de înghețat; frigider 2 instalație de congelare

freezing ['friːziŋ] adj și fig rece ca gheața, glacial

freezingly ['friːziŋli] adv rece, cu răceală, glacial

freezing point ['friːziŋ 'pɔint] s fiz punct/temperatură de congelare

freight [freit] I s 1 ec încărcătură, fraht; cheltuieli de transport 2 nav navlu, caric II vt 1 ec a încărca 2 nav a navlosi

freightage ['freitidʒ] s 1 nav navlu; navlosire 2 nav capacitatea utilă a navei 3 încărcătură 4 costul transportului

freight car ['freit 'kɑːʳ] s amer ferov vagon de marfă

freighter ['freitəʳ] s nav cargobot

freight train ['freit ˌtrein] s amer ferov tren de marfă

French [frentʃ] I adj francez, franțuzesc II s 1 (limba) franceză 2 the ~ francezii

French brandy ['frentʃ ˌbrændi] s coniac

French bread ['frentʃ ˌbred] s franzelă (subțire)

French chalk ['frentʃ ˌtʃɔːk] s 1 ch steatit 2 minr (pudră de) talc

French curve ['frentʃ ˌkəːv] s tehn florar

French dressing ['frentʃ ˌdresiŋ] s (condiment din) untdelemn, oțet și muștar

French fry ['frentʃ ˌfrai] s cartofi pai

Frenchify ['frentʃiˌfai] I vt a franțuzi II vi a se franțuzi

Frenchism ['frentʃizəm] s lingv galicism

French leave ['frentʃ ˌliːv] s plecare fără să-ți iei la revedere; **to take ~** F → a o șterge englezește

French-like ['frentʃˌlaik] I adj (ca) de francez II adv franțuzește, de manieră franțuzească

Frenchman ['frentʃmən] s francez

French nail ['frentʃ ˌneil] s cui de sârmă

French pastry ['frentʃ 'peistri] s prăjitură asortată (cu fructe conservate, frișcă etc.)

French red ['frentʃ 'red] s carmin, cârmâz

French Revolution, the ['frentʃ revə'luːʃən, ðə] s Revoluția Franceză (1789)

French telephone ['frentʃ 'telifoun] s trusă de manichiură

French window ['frentʃ 'windou] s 1 fereastră-ușă 2 fereastră cu zăbrele

Frenchwoman ['frentʃˌwumən] s franțuzoaică

Frenchy ['frentʃi] I adj ← F franțuzesc II s peior franțuz sau franțuzoaică

frenum ['friːnəm] s anat fren, frâu

frenzied ['frenzid] adj frenetic, apucat, turbat, nebun

frenzy ['frenzi] s frenezie, turbare, nebunie

freq. presc de la 1 **frequency** 2 **frequent** 3 **frequently**

frequence ['friːkwəns] s v. **frequency**

frequency ['friːkwənsi] s 1 frecvență, repetare deasă; regularitate 2 el, fiz etc. frecvență

frequency modulation ['friːkwənsi ˌmɔːdjuˈleiʃən] s tel modulație de frecvență

frequent I ['friːkwənt] adj des, frecvent; repetat; constant; obișnuit, uzual II [fri'kwent] vt a frecventa, a se duce des la

frequentation [ˌfriːkwenˈteiʃən] s frecventare

frequentative [fri'kwentətiv] adj gram iterativ

frequenter [fri'kwentəʳ] s vizitator frecvent

frequently ['friːkwəntli] adv (în mod) frecvent, des, adesea, adeseori; (în mod) obișnuit

fresco ['freskou], pl **fresco(e)s** ['freskouz] s pict 1 (pictură în) frescă 2 frescă

fresh [freʃ] adj 1 proaspăt; nou; de dată recentă; ~ **eggs** ouă proaspete; **the fish isn't quite ~** peștele nu e foarte proaspăt 2 nesărat, proaspăt; *(d. apă)* dulce; potabilă; de băut **3** pregătit/gătit chiar acum *sau* de curând; proaspăt preparat; **bread ~ from the oven** pâine proaspătă abia scoasă din cuptor; **she made me a ~ pot of tea** mi-a pregătit pe loc un ibric de ceai **4** sosit recent/de curând; ieșit de curând *(de pe băncile școlii etc.)* **5** nou, recent, alt(fel); **to throw ~ light on** a arunca o nouă lumină asupra *(unui subiect etc.)* **6** *(d. haine, hârtie etc.)* curat; nefolosit **7** un alt, o altă *etc.*; reînnoit, în plus, adițional, suplimentar; încă un *sau* o; **she made a ~ attempt** făcu o nouă încercare, mai făcu o încercare **8** un alt, o altă, diferit, schimbat; **he made a ~ start** și-a schimbat felul de viață; a luat viața de la început **9** odihnit; proaspăt, înviorat, refăcut; întărit; împrospătat **10** proaspăt, fraged; tânăr **11** *(d. culori etc.)* proaspăt; viu; curat; strălucitor; *(d. vopsea etc.)* proaspăt, care nu s-a uscat (încă) **12** viu, actual, de actualitate **13** *(d. aer)* proaspăt, neviciat, curat **14** *(d. vânt)* destul de puternic/tare; crescând în intensitate **15** *(d. vreme)* rece și cu vânt **16 (to)** nou (în), neexperimentat (în), neobișnuit (cu); **he's quite ~ to teaching** nu are nici un fel de experiență în predare **17** ← *F* care își permite libertăți *(cu cineva de sex opus)*, indecent; libertin; **he got ~ with my cousin** a început să-și permită cam multe cu verișoara mea **18** ← *rar* băut, amețit

fresh breeze ['freʃ 'briːz] *s* vânt tăricel, *nav* briză rece

fresh-coloured ['freʃˌkʌləd] *adj* rumen; proaspăt

freshen¹ ['freʃən] **I** *vi* (d. vânt) a se înteți; a deveni mai rece **II** *vt* a împrospăta

freshen² **I** *vt* a împrospăta; a înnoi **II** *vi* a se împrospăta

freshening ['freʃənin] *s* **1** împrospătare, înnoire **2** purificare, curățire *(a atmosferei)* **3** *vet* montă, împerechere, împreunare

freshen oneself up ['freʃən wʌnˌselfʌp] *vr cu part adv* a se răcori, a se refrișa, a se înviora *(spălându-se)*

freshen up ['freʃən 'ʌp] **I** *vt cu part adv* **1** a răcori, a înviora *(prin spălat)* **2** a înnoi, a împrospăta; a înviora aspectul *(casei etc.)* **II** *vi cu part adv v.* **refresh oneself up**

freshet ['freʃit] *s* **1** inundație, potop; revărsare **2** *fig* noian, puzderie **3** curent de apă dulce care se varsă în mare **4** *poetic* râuleț

fresh from ['freʃ frəm] *adv cu prep* (venit *etc.*) direct/drept de pe *(băncile școlii)* sau din *(un loc etc.)* sau de la *(țară etc.)*

freshly ['freʃli] *adv* **1** cu forțe proaspete **2** recent, de curând

freshman ['freʃmən] *s* **1** *univ* student din anul I **2** *amer școl* elev în prima clasă **3** începător, novice

freshness ['freʃnis] *s* prospețime; noutate *etc. (v.* **fresh)**

fresh-water ['freʃˌwɔːtər] *adj atr* de apă dulce

fret¹ [fret] **I** *vi* **1** a se neliniști, a fi agitat/nervos, a nu-și afla/găsi locul; **you have nothing to ~ about** nu ai de ce să fii neliniștit; **to ~ and fume** a spumega/a turba de mânie **2** a se roade, a fi ros/mâncat **3** *(d. apă)* a se încreți **II** *vt* **1** a neliniști; a supăra, a irita **2** a roade, a mânca *(fierul etc.)*; a măcina **3** a tulbura; *(d. vânt)* a încreți *(apa)* **III** *s* **1** neliniște; agitație, nervozitate; supărare, iritare **2** roadere; măcinare **3** loc ros/uzat/mâncat

fret² *vt* a trafora

fretful ['fretful] *adj* **1** iritabil, irascibil, arțăgos **2** *(d. vânt)* violent

fret saw ['fret ˌsɔː] *s* ferăstrău de traforaj

fretwork ['fret,wəːk] *s* traforaj

Freud [frɔid], **Sigmund** *psihanalist austriac (1856-1939)*

Freudian ['frɔidiən] *adj, s* freudian

Fri. *presc de la* **Friday**

friability [ˌfraiə'biliti] *s* friabilitate, fragilitate

friable ['fraiəbəl] *adj* friabil, fragil, fărâmicios

friar ['fraiər] *s od* călugăr (↓ *cerșetor, romano-catolic)*

friar's cap ['fraiəz ˌkæp] *s bot* omeag, mărul lupului *(Aconitum sp.)*

friar's cowl ['fraiəz ˌkaul] *s bot* rodul pământului *(Arum maculatum)*

friar skate ['fraiə 'skeit] *s iht* cocoș de mare *(Raja alba)*

friar's lantern ['fraiəz ˌlæntən] *s* flăcărui, focul Sf. Elmo

friary ['fraiəri] *s* mănăstire *(de bărbați)*

fribble ['fribəl] **I** *s* pierde-vară **II** *vi* a nu face nimic, a tândăli, *F* a tăia frunză la câini

Fribourg [friː'buːr] *canton și oraș în Elveția*

fricassee [ˌfrikə'siː] **I** *s* fricase, un fel de tocană **II** *vt* a pregăti fricase din

fricative ['frikətiv] *fon* **I** *adj* fricativ **II** *s* consoană fricativă

friction ['frikʃən] *s* **1** frecare, fricțiune **2** *fig* fricțiune, neînțelegere, divergență, < ceartă

frictional ['frikʃənəl] *adj* de frecare

friction coefficient ['frikʃən ˌkoui-'fiʃənt] *s fiz, tehn* coeficient de frecare

friction facing ['frikʃən ˌfeisin] *s auto* garnitură de frecare

friction gear ['frikʃən ˌgiə] *s tehn* transmisie cu roți de fricțiune

frictionless ['frikʃənlis] *adj tehn* fără frecare

friction tape ['frikʃən ˌteip] *s tehn* bandă de fricțiune

Friday ['fraidi] *s* **1** vineri **2** servitor *sau* însoțitor credincios

fridge [fridʒ] *s* ← *F* frigider (↓ *în casă)*

Frieda ['friːdə] *nume fem* Frida

friend [frend] *s* **1** prieten, amic; **they are good/great ~s** sunt prieteni buni; **to make ~s with** a se împrieteni cu, a se face prieten cu **2** cunoscut, cunoștință **3** coleg; tovarăș **4** *fig* prieten, sfătuitor **5** prieten, simpatizant; ajutor **6** *rel* quaker

friendless ['frendlis] *adj* fără prieteni, singur

friendlessness ['frendlisnis] *s* lipsă de prieteni, singurătate

friendlike ['frendlaik] *adj* prietenos

friendliness ['frendlinis] *s* prietenie, atitudine prietenoasă

friendly ['frendli] **I** *adj* **1** prietenesc, de prieten; amical **2** prietenos, binevoitor, amabil **3** favorabil; prielnic **II** *adv* prietenește, amical, (în mod) prietenesc *sau* prietenos; ca un prieten **III** *s sport* meci amical

friendly society ['frendli sə'saiəti] *s* asociație (↓ *de muncitori)* de întrajutorare *(pe bază de cotizații)*

friendship ['frendʃip] *s* prietenie, amiciţie

Friesian ['fri:ʒən] *adj, s v.* **Frisian**

frieze[1] [fri:z] *s arhit* friză

frieze[2] *s text* **1** sibir, pânză moltonată **2** scamă **3** pluş

frig [frig] *s v.* **fridge**

frigate ['frigit] *s nav od* fregată

frige [fridʒ] *s v.* **fridge**

Frigg [frig] *mit soţia lui Odin*

Frigga ['frigə] *v.* **Frigg**

fright [frait] **I** *s* **1** spaimă; **to give smb a ~** a speria pe cineva; **to have/to get a ~** a trage o spaimă, a se speria **2** *fig* sperietoare; persoană urâtă, *F* ciumă, muma-pădurii **II** *vt ← poetic v.* **frighten**

frighten ['fraitən] *vt* a speria, a vârî în sperieţi, a vârî/a băga groaza în; **to ~ smb into doing smth** a face pe cineva să facă ceva, speriindu-l; **to ~ smb out of his wits** a băga pe cineva în groază, a speria pe cineva de moarte; **to ~ smb out of doing smth** a opri pe cineva să facă ceva, speriindu-l

frightened ['fraitənd] *adj ← F* **(of)** care se teme, temător (de); < speriat (de)

frightful ['fraitful] *adj* **1** înspăimântător, grozav, teribil; **a ~ accident** un accident groaznic **2** *fig* groaznic, înfiorător; odios, scârbos

frightfully ['fraitfuli] *adv* **1** (în mod) îngrozitor, cumplit **2** *F* grozav, teribil (de)

frightfulness ['fraitfulnis] *s* grozăvie, caracter îngrozitor/teribil *(al unei fapte etc.)*

frigid ['fridʒid] *adj* **1** extrem de rece; > rece; < glacial **2** *fizl* frigid **3** *fig* rece, < glacial

frigidaire ['fridʒidɛə] *s* frigider

frigidity [fri'dʒiditi] *s* **1** frig **2** *fizl* frigiditate **3** *fig* răceală

frigidly ['fridʒidli] *adv* rece, cu răceală; impasibil

Frigid Zone, the ['fridʒid 'zoun, ðə] *s* Zona Arctică *sau* Antarctică

frigorific [,frigə'rifik] *adj* **1** frigorific **2** refrigerent

frill [fril] **I** *s* **1** volănaş **2** cută, pliseu **3** *pl* podoabe inutile, zorzoane **4** *pl* afectare; fasoane; **to put on ~s** a se purta afectat, a se fandosi **II** *vt* **1** a pune volănaşe la **2** a cuta, a plisa **3** a tivi

frilled [frild] *adj* cu volănaşe

fringe [frindʒ] **I** *s* **1** *text* margine, bordură; tiv **2** *text* franj; ciucure **3** margine, hotar, lizieră; **on the ~(s) of the wood** la marginea pădurii **4** *opt* tivitură albă **II** *vt* **1** a împodobi cu volănaşe **2** *şi fig* a tivi

fringe benefit ['frindʒ 'benifit] *s* avantaj în plus *(pe lângă leafă)*

frippery ['fripəri] *s şi fig* **1** podoabe ieftine, zorzoane **2** ostentaţie

Frisco ['friskou] *← F pt* San Francisco

frisette [fri'zet] *s* cârlionţi (pe frunte)

Frisian ['friʒən] **I** *adj* frizian **II** *s* **1** frizian **2** (limba) friziană

frisk [frisk] **I** *vi* a zburda, a ţopăi **II** *vt* a flutura, a mişca *(evantaiul etc.)* **III** *s* salt, săritură

friskily ['friskili] *adv* zburând, ţopăind

friskiness ['friskinis] *s* vioiciune, zburdălnicie

frisky ['friski] *adj* zburdalnic, jucăuş, neastâmpărat

frisson [fri'sõ] *s fr* fior, înfiorare

frit [frit] *tehn* **I** *vt* a sinteriza, a aglutina **II** *s* fritä

frith [friθ] *s geogr* estuar

fritter ['fritə] *s* **1** bucată de carne prăjită *sau* friptă **2** *un fel de* clătită *(groasă, ↓ cu felii de fructe)* **3** bucată, fragment

fritter away ['fritərə'wei] *vt cu part adv* a pierde, a irosi, a cheltui *(bani, energie)*

frivol ['frivəl] *vi* a-şi pierde vremea prosteşte

frivol away ['frivəl ə'wei] *vt* a irosi, a pierde prosteşte *(vremea)*

frivolity [fri'voliti] *s* **1** frivolitate, neseriozitate **2** faptă *sau* atitudine neserioasă/frivolă

frivolous ['frivələs] *adj* **1** frivol, neserios, uşuratic **2** *fig* de mică importanţă

frivolously ['frivələsli] *adv* (în mod) frivol, uşuratic

frivolousness ['frivələsnis] *s v.* **frivolity 1**

friz(z) [friz] **I** *vt* a încreţi; a bucla, a cârlionţa **II** *vi* a se încreţi; a se bucla, a se cârlionţa **III** *s* **1** creţuri; bucle, cârlionţi **2** *← rar* perucă

frizz [friz] *vi* a sfârâi *(în tigaie)*

frizzle ['frizəl] *vt, vi, s v.* **friz(z)** **I-II** *şi* **III, 1**

frizzly ['frizli] *adj* încreţit, ondulat

fro [frou] **I** *adv:* **to and ~** încoace şi încolo **II** *prep scot v.* **from**

frock [frɔk] **I** *s* **1** rasă *(de călugăr)* **2** *v.* **frock coat 3** rochiţă *(de fată sau copil)* **4** *od* tunică; manta **5** salopetă; haină de lucru **6** jerseu de lână *(purtat de marinari)* **II** *vt* a îmbrăca în rasă *etc.* *(v. ~ I)*

frock coat ['frɔk ,kout] *s od* redingotă, *rar →* gheroc

frog [frɔg] *s* **1** *zool* broască *(Rana);* **~ in the throat** *fig* răguşeală *(datorită unei iritaţii în gâtlej)* **2** *vet* furcuţă **3** *ferov* inimă de încrucişare/macaz **4** nastur (mare) **5** *← F* francez **6** *tehn* opritor reglabil

frog bit ['frɔg ,bit] *s bot* iarba broaştelor *(Hydrocaris morsus ranae)*

frog fish ['frɔg ,fiʃ] *s iht* **1** guvid *(Gobius)* **2** diavolul mărilor *(Lophius piscatoris)*

frog grass ['frɔg ,gra:s] *s bot* brâncă, iarbă sărată *(Salicornia herbacea)*

froggy ['frɔgi] **I** *adj* **1** de *sau* ca de broască **2** plin de broaşte **II** *s ← F* francez

frogman ['frɔgmən] *s* înotător subacvatic *(cu cască şi încălţăminte specială)*

frogmarch ['frɔg,ma:tʃ] *vt* **1** a sili să meargă cu braţele strânse la spate **2** a duce cu faţa în jos *(cu patru persoane care imobilizează mâinile şi picioarele)*

frolic ['frɔlik] **I** *s* **1** giumbuşluc, şotie **2** joc vesel; distracţie; veselie **3** zburdă **II** *vi* **1** a face giumbuşlucuri **2** a se distra, a petrece, a se veseli **3** a zburda

frolicky ['frɔliki] *adj v.* **frolicsome**

frolicsome ['frɔliksəm] *adj* jucăuş, vesel

from [frɔm; frəm] *prep* **1** *(spaţial)* de la, din; de pe; **to jump ~ the roof** a sări de pe acoperiş; **to come ~ London** a veni de la Londra; **~ tree to tree** din pom în pom **2** *(temporal)* de la; din, < încă din; **~ the week-end** de la sfârşitul săptămânii; **Wordsworth lived ~ 1770 to 1850** Wordsworth a trăit între 1770 şi 1850; **~ early childhood** (încă) din fragedă copilărie; **~ beginning to end** de la început până la sfârşit **3**

(departe) de; de la; **it's a few miles ~ the hill** e la câteva mile depărtare de deal; **he is away ~ home** este plecat de acasă, nu este acasă; **far ~ considering him a genius** departe de a-l considera un geniu **4** din partea *(cuiva)*, de la; **did you receive any letter ~ him?** ai primit vreo scrisoare de la el? **she told me ~ him that he wouldn't be able to attend** mi-a spus din partea lui că (el) nu va putea veni/asista **5** *(arată sursa)* din; de la; după; în urma *cu gen*; **facts learned ~ reading** fapte învățate/reținute din lecturi; **a quotation ~ Shelley** un citat din Shelley; **to judge ~ appearances** a judeca după aparențe; **~ your viewpoint** din punctul tău de vedere; **I've learnt that ~ him** am învățat asta de la el; **vinegar may be made ~ wine** oțetul se poate face din vin **6** *(arată separarea etc.)* de la; din; de; **take the scissors ~ his hand** ia·i foarfeca din mână; **what stopped him ~ comming?** ce l-a împiedicat să vină? **7** *(arată schimbarea)* din; de la; **~ bad to worse** din rău în mai rău, din ce în ce mai rău; **the transition ~ one condition to another** trecerea dintr-o stare în alta/de la o stare la alta **8** din cauza *cu gen*, de; **to suffer ~ toothache** a suferi de durere de dinți; **to do smth ~ necessity** a face ceva de nevoie *sau* din necesitate; **~ what I heard** din câte am auzit **9** *(arată deosebirea)* de; dintre; între; **he cannot tell one ~ the other** nu poate deosebi pe unul de celălalt

from above [frɔm ə'bʌv] **I** *adv* de sus **II** *prep* pe deasupra *(ochelarilor etc.)*

from behind [frɔm bi'haind] **I** *adv* din spate, dindărăt **II** *prep* din spatele, dindărătul *cu gen*

from under [frɔm 'ʌndə'] *prep* pe sub *(ochelari etc.);* de sub *cu ac*

frond [frɔnd] *s* **1** ramură cu frunze **2** frunză *(de palmier etc.)*

frondage ['frɔndidʒ] *s* frunziș; boltă de frunze

Fronde [frɔnd] *s* **1** *ist Franței* frondă **2** f~ *fig* frondă, opoziție violentă *sau* neprincipială

front [frʌnt] **I** *s* **1** the ~ partea din față/(de) dinainte; partea principală; front, față, fațadă; **to come to the ~ a** a veni în față **b** *fig* a se distinge; a deveni vestit, a se face cunoscut; **in ~ a** *adj* din față **b** *adv* în față; **in ~ of** în față, înaintea, dinaintea *cu gen* **2** *mil* front; **to go to the ~** a pleca pe front; **to be sent to the ~** a fi trimis pe front; **a ~ of 100 miles** un front de 100 mile **3** *fig* front, corp comun; opoziție; **a united ~** un front unit **4** țărm de mare, coastă; faleză; **a house on the ~** o casă care dă spre mare, o casă cu vederea spre mare **5** drum *sau* cărare pe țărmul unui lac **6** ← *poetic* frunte; chip, înfățișare **7** plastron; pieptar **8** nerușinare, obrăznicie; **to have the ~ to do smth** a avea neobrăzarea de a face ceva **9** aer, ținută; **to put on a bold ~** a nu-i fi frică *sau* a se preface că nu-i este frică **10** *fig* ← *F* paravan, acoperire **II** *adj atr* din față etc. *(v. și cuvintele compuse cu ~)* **III** *vt* **1** *(d. o clădire)* a da înspre, a avea vederea spre, a fi orientat spre/către **2** ← *înv* a înfrunta *(un pericol etc.)*, a da piept cu; a se opune *(cu dat)*

front. *presc de la* **frontispiece**

frontage ['frʌntidʒ] *s constr* fațadă

frontal ['frʌntəl] **I** *adj mil etc.* frontal **II** *s constr* fronton

frontal attack ['frʌntəl ə'tæk] *s* **1** *mil* atac frontal **2** *fig* atac direct

frontbench ['frʌnt,bentʃ] *s* miniștri *sau* membri marcanți ai opoziției care șed pe banca din față a parlamentului *(în Anglia)*

front door ['frʌnt ,dɔː'] *s* ușa din față

front for ['frʌnt fə'] *vi cu prep* ← *F* a fi un paravan pentru

frontier ['frʌntiə'] *s* **1** frontieră, hotar, graniță **2** ← *înv* fort

frontiersman ['frʌntiəzmən] *s od* **1** locuitor de lângă frontiera de vest a S.U.A. **2** colonist din primele generații *(în S.U.A.)*

frontispiece ['frʌntis,piːs] *s* **1** *poligr, arhit* frontispiciu **2** prefață, cuvânt înainte; introducere

frontless ['frʌntlis] *adj* **1** fără partea din față, fără fațadă **2** ← *rar* nerușinat, neobrăzat, obraznic

frontlet ['frʌntlit] *s* **1** frunte *(de animal)* **2** filacteră

fronton ['frɔntɔn] *s constr* fronton

front page ['frʌnt ,peidʒ] *s poligr* pagină/foaie de titlu

front-rank ['frʌnt,ræŋk] *adj atr* **1** de prim rang; de primă importanță **2** fruntaș **3** cel mai bun

front room ['frʌnt ,ruːm] *s* cameră din față, ↓ cameră de zi

front runner ['frʌnt ,rʌnə'] *s fig* concurent cu cei mai mari sorți de izbândă

front towards/upon ['frʌnt tə'wɔːdz/ ə'pɔn] *vi cu prep (d. o clădire)* a da înspre, a fi orientat spre/către

frore [frɔː'] *adj* ← *poetic* foarte rece, înghețat

frosh [frɔʃ] *s sl v.* **freshman**

frost [frɔst] **I** *s* **1** *ger* îngheț; **15 degrees of ~** minus 15⁰ **2** chiciură **3** *fig* răceală, asprime, severitate **4** ← *F* eșec; cădere *(a unei piese etc.)* **5** plictiseală *(la un spectacol)* **II** *vi* a se acoperi cu gheață, a îngheța **III** *vt* **1** a îngheța; a congela **2** a acoperi cu gheață *sau* chiciură **3** *tehn* a mătui, a glazura; a lua lustrul *(cu dat)* **4** *gastr* a glazura

Frost, Robert Lee *poet american (1875-1963)*

frostbite ['frɔst,bait] **I** *pret* **frostbit** ['frɔst,bit]*, ptc* **frostbitten** ['frɔst,- bitən]* vt* a degera **II** *s* degerătură

frostbitten ['frɔst,bitən] **I** *ptc de la* **frostbite II** *adj* degerat

frost-bound ['frɔst,baund] *adj (d. pământ etc.)* înghețat

frosted ['frɔstid] *adj* **1** acoperit cu gheață *sau* chiciură **2** *tehn* mătuit, glazurat **3** *gastr* glazurat

frost-hardy ['frɔst,haːdi] *adj (d. plante)* rezistent la îngheț/ger

frostily ['frɔstili] *adv fig* glacial, > cu răceală

frostiness ['frɔstinis] *s* **1** înghеț, ger; temperatură ca a gheții **2** *fig* răceală, < glacialitate

frosting ['frɔstiŋ] *s alim* **1** glazurare **2** glazură

frostproof ['frɔst,pruːf] *adj* rezistent la înghеț

frost work ['frɔst ,wəːk] *s* flori de gheață *(pe ferestre etc.)*

frosty ['frɔsti] *adj* **1** *(d. vreme etc.)* geros **2** acoperit cu gheață *sau* chiciură **3** înghеțat **4** *fig* rece, < glacial

froth [frɔθ] **I** *s* **1** spumă *(la bere, apă etc.);* clăbuc **2** spumă, sudoare **3** *fig* nimicuri, fleacuri, vorbe goale; *F* apă de ploaie **II** *vi* a face spumă; a spumega; **to ~ at the mouth** a face spume la gură

frother ['frɔθəʳ] *s tehn* agent spumant, substanță spumogenă

frothy ['frɔθi] *adj* **1** spumos, cu spumă **2** *fig* gol, fără valoare

Froude [fru:d], **James Anthony** *istoric englez (1818-1894)*

frousy, frouzy ['frauzi] *adj v.* **frowzy**

froward ['frouəd] *adj* ← *înv* capricios, mofturos; refractar

frown [fraun] **I** *vi* a se încrunta, a-și încrunta sprâncenele; a privi încruntat; **to ~ at smb** a se încrunta la cineva, a se uita încruntat/aspru la cineva; **to ~ (up)on smth** **a** a se uita încruntat *sau* nemulțumit la ceva **b** a nu fi de acord cu ceva; a-i displăcea ceva **II** *vt* a-și exprima *(nemulțumirea etc.)* încruntându-se **III** *s* încruntătură; privire/căutătură încruntată

frowner ['fraunəʳ] *s* om ursuz/posac

frowning ['frauniŋ] *adj* **1** ursuz, posac; sever, aspru **2** amenințător, care nu aduce nimic bun, prevestitor de rău

frowningly ['frauniŋli] *adv* **1** ursuz; cu asprime **2** amenințător

frowsily ['frauzili] *adv* neglijent; murdar

frowsiness, frowziness ['frauzinis] *s* **1** aer închis/viciat **2** neglijență; murdărie

frowst [fraust] **I** *s* *F* duhoare; – aer închis/stătut **II** *vi* ← *F* a intra într-o cameră neaerisită

frowsty ['frausti] *adj (d. aerul din încăpere)* stătut, închis, înăbușitor

frowzy ['frauzi] *adj* **1** *(d. o încăpere)* cu aer închis/viciat **2** neglijent; murdar; șl(e)ampăt

froze [frouz] *pret de la* **freeze I-II**

frozen ['frouzən] **I** *ptc de la* **freeze I-II** **II** *adj* **1** înghețat, degerat **2** înghețat, congelat **3** (**with**) *fig* înghețat, împietrit *(de groază etc.)* **4** *(d. atitudine etc.)* rece, < glacial; închistat **5** *ec* blocat; înghețat

frozen meat ['frouzən ,mi:t] *s* carne înghețată/congelată

frs. *presc de la* **francs**

F.R.S. *presc de la* **Fellow of the Royal Society**

frt. *presc de la* **freight**

fructiferous [frʌk'tifərəs] *adj bot* fructifer, roditor

fructification [,frʌktifi'keiʃən] *s* **1** *bot* rod; rodire **2** *fig* fructificare

fructify ['frʌkti,fai] **I** *vt* **1** *bot* a face să dea rod/să rodească **2** *fig* a fructifica **II** *vi* **1** *bot* a avea/a purta rod **2** *bot* a deveni roditor **3** *fig* a fi rodnic

fructose ['frʌktous] *s ch* fructoză, levuloză

fructuous ['frʌktjuəs] *adj* roditor; productiv

frugal ['fru:gəl] *adj* **1** *(d. o masă)* frugal, simplu; economic(os) **2** *(d. un preț etc.)* modic, rezonabil **3** *(d. cineva)* econom, cumpătat; **~ of his time** care nu-și pierde/irosește timpul

frugality [fru:'gæliti] *s* economie, cumpătare; austeritate

frugally ['fru:gəli] *adv* frugal; cumpătat

fruit [fru:t] **I** *s* **1** *bot* fruct; rod, poamă; **they grow here different ~s** aici se cultivă diferite fructe **2** fructe; **do you eat much ~?** mâncați multe fructe? **3** *fig* fruct, rod, rezultat; urmare; **his work bore ~** munca lui a dat roade **4** *sl înv* tip, individ **II** *vi bot* a rodi, a da rod

fruitage ['fru:tidʒ] *s* **1** rodire; rod, roade **2** *fig* roade, rod

fruitarian [fru:'tɛəriən] *s* persoană care se hrănește numai cu fructe

fruit-bearing ['fru:t'bɛəriŋ] *adj atr* **1** *bot* roditor **2** *fig* rodnic

fruit cake ['fru:t ,keik] *s* prăjitură cu fructe uscate, nuci *etc.;* **as nutty as a ~ a** *F* prost ca noaptea **b** *F* nebun de legat

fruit cocktail [fru:t 'kokteil] *s* crușon

fruited ['fru:tid] *adj* cu rod, plin de roadă, încărcat de rod

fruiter ['fru:təʳ] *s* **1** pom fructifer **2** pomicultor **3** *nav* vapor pentru fructe

fruiterer ['fru:tərəʳ] *s* **1** vânzător de fructe **2** *v.* **fruiter 3**

fruit farming ['fru:t ,fɑ:miŋ] *s* pomicultură

fruit fly ['fru:t ,flai] *s ent* drosofilă *(Drosophila)*

fruit frame ['fru:t freim] *s* spalier

fruitful ['fru:tful] *adj* **1** *bot* roditor; care dă mult rod **2** *fig* rodnic, fertil, productiv; prolific **3** *fig* profitabil, util, avantajos; promițător

fruitfully ['fru:tfuli] *adv* cu folos, profitabil

fruitfulness ['fru:tfulnis] *s* rodnicie; fertilitate

fruit-growing ['fru:t'grouiŋ] *s* pomicultură

fruition [fru:'iʃən] *s* **1** împlinire, realizare *(a speranțelor etc.);* realizare, atingere *(a unui scop);* rezultat, câștig *(al muncii etc.);* **plans that have come to ~** planuri care s-au îndeplinit/realizat **2** bucurie deplină *(de a stăpâni ceva)* **3** *bot* și *fig* rod, roade

fruit knife ['fru:t ,naif] *s* cuțit pentru fructe

fruitless ['fru:tlis] *adj* **1** *bot* fără rod, neroditor **2** sterp, steril; nerodnic; inutil

fruitlessly ['fru:tlisli] *adv* (în mod) inutil, fără folos, zadarnic

fruitlessness ['fru:tlisnis] *s* neproductivitate; inutilitate

fruit machine ['fru:t mə'ʃi:n] *s sl* un fel de (aparat de) joc de noroc *(cu un braț în care se introduc monede)*

fruit salad ['fru:t ,sæləd] *s* salată de fructe

fruit sugar ['fru:t ,ʃugəʳ] *s v.* **fructose**

fruit tree ['fru:t ,tri:] *s* pom roditor/fructifer

fruity ['fru:ti] *adj* **1** cu miros *sau* gust de fructe **2** *(d. vin)* cu aromă de struguri **3** *(d. voce)* sonor **4** ← *F (d. o carte etc.)* interesant; umoristic, plin de umor; picant

frumenty ['fru:mənti] *s* grâu decorticat fiert în lapte, îndulcit și asezonat cu scorțișoară *etc.*

frump [frʌmp] *s* **1** bărbat *sau* femeie îmbrăcat(ă) prost *sau* demodat **2** femeie arțăgoasă *sau* cicălitoare

frumpish ['frʌmpiʃ] *adj (↓ d. o femeie)* **1** îmbrăcată prost *sau* demodat **2** arțăgoasă; cicălitoare

frumpy ['frʌmpi] *adj v.* **frumpish**

frustrate [frʌ'streit] *vt* **1** a zădărnici *(planuri, intenții);* a dejuca; a pune piedici *(cu dat)* **2** a învinge, a înfrânge *(un adversar);* **to ~ an enemy in his plans** a zădărnici/a dejuca planurile unui inamic **3** a înșela, a amăgi *(așteptările cuiva)*

frustration [frʌ'streiʃən] *s* 1 zădărnicire, dejucare *(a unui plan etc.)* 2 învingere *(a unui adversar)* 3 înșelare *(a așteptărilor)*

frustum ['frʌstəm], *pl și* **frusta** ['frʌstə] *s mat* trunchi *(de con, de piramidă)*

fry¹ [frai] **I** *vt* a prăji, a frige *(în grăsime);* **to have other fish to** ~ a avea alte treburi *(pe cap)* **II** *vi* a se prăji, a se frige *(în grăsime)* **III** *s* carne prăjită; friptură

fry² *s* 1 icre de pește 2 plevușcă, peștișori, caracudă, pești mici 3 *fig glumeț* prichindei, gângănii, – copilași 4 *fig peior* plevușcă, caracudă, – oameni mărunți

fryer ['fraiə'] *s* pui bun de prăjit/*sau* fript

frying pan ['fraiiŋ ‚pæn] *s* tigaie, tingire; **out of the ~ into the fire** *fig* din lac în puț

ft. *presc de la* 1 **foot** *sau* **feet** 2 **fort** 3 **fortification**

fth(m). *presc de la* **fathom**

fuchsia ['fju:ʃə] *s bot* fucsie, cerceluș *(Fuchsia sp.)*

fuchsin ['fu:ksin] *s ch* fucsină

fuddle ['fʌdə] **I** *vt* a îmbăta, < a ameți; a zăpăci *(cu băutură)* **II** *vr* a se îmbăta, > a ameți **III** *s* 1 băutură, < beție; **on the ~** la beție, la un pahar 2 băutură (alcoolică) 3 amețeală, < îmbătare

fuddy-duddy ['fʌdi‚dʌdi] *s* 1 om veșnic nemulțumit; cârcotaș 2 om demodat/cu vederi învechite

fudge [fʌdʒ] **I** *s* 1 născocire, invenție 2 vorbe goale; prostii 3 știri de ultimă oră, „ultima oră" *(în ziare)* **II** *vt* 1 a face de mântuială 2 a născoci, a inventa **III** *interj* prostii! F aiurea!

fudgy ['fʌdʒi] *adj* 1 neastâmpărat, fără astâmpăr 2 supărăcios, irascibil

Fuehrer ['fju:rə'] *ist Germaniei* führer

fuel [fjuəl] **I** *s* combustibil; carburant; **to add ~ to the fire** a pune paie de foc **II** *vt* 1 a alimenta cu combustibil *sau* carburant 2 *fig* a stimula **III** *vi* a se alimenta cu combustibil *sau* carburant

fuel oil ['fjuəl ‚oil] *s* păcură

fug [fʌg] *s* aer îmbâcsit *(↓ de fum de țigară)*

fugacious [fju:'geiʃəs] *adj* care zboară, trecător, efemer

-fuge *suf* -fug: **febrifuge** febrifug

fuggy ['fʌgi] *adj* ← F închis, stătut, stricat

fugitive ['fju:dʒitiv] **I** *adj* 1 fugitiv, trecător, efemer 2 *(d. o lucrare literară)* ocazional 3 *(d. cineva)* fugar; fugit **II** *s* 1 fugar 2 dezertor, evadat 3 refugiat 4 persoană strămutată

fugitiveness ['fju:dʒitivnis] *s* caracter trecător/efemer

fugle ['fju:gəl] *vi* a conduce, a fi conducător *(director, ghid)*

fugleman ['fju:gəlmən] *s* 1 conducător; director; ghid 2 orator 3 organizator 4 *mil* primul *sau* ultimul soldat din flanc

fugue [fju:g] *s muz* fugă

Führer ['fju:rə'] *s v.* **Fuehrer**

Fujiyama, the ['fu:dʒi:‚ɑ:mɑ, ðə] *munte* Fuji Yama

Fukien ['fu:'kjen] *provincie în China* Futzean

-ful *suf* **I** *adjectival* 1 plin de: **eventful** plin de întâmplări 2 -or, -oare; **restful** odihnitor **II** *substantival* – arată că este vorba d. conținutul sau puterea de cuprindere a substantivului la care se atașează: **an armful** un braț *(de fân etc.)*

fulcrum ['fulkrəm], *pl și* **fulcra** ['fulkrə] *s* 1 *fiz* punct de sprijin/reazem; pivot 2 *fig* mijloc de a exercita influență, presiune *etc.*

fulfil, *amer* **fulfill** [ful'fil] **I** *vt* 1 a realiza, a îndeplini, a duce la bun sfârșit *(o sarcină etc.);* a îndeplini *(o datorie, o promisiune etc.);* a îndeplini, a satisface *(o condiție etc.)* 2 a termina; a desăvârși **II** *vr* a se realiza

fulfilment, *amer* **fulfillment** [ful-'filmənt] *s* realizare, îndeplinire *etc. (v. fulfil)*

fulgent ['fʌldʒənt] *adj* ← *poetic* strălucitor; luminos

fulgurate ['fʌlgju‚reit] *vi* a fulgera, a fulgui

full¹ [ful] **I** *adj* 1 plin, < ticsit; încărcat; *(d. o sală etc.)* < întesat de lume, ticsit, aglomerat; ~ **of flowers** plin/*poetic* → smălțat de flori; ~ **to the brim** plin până în vârf, plin ochi 2 F *(d. cineva)* plin, – sătul, care a mâncat pe săturate; F plin, – care a băut destul 3 *(d. o mâncare)* sățios, care ține de

sat; nutritiv 4 *(d. îmbrăcăminte)* larg, lejer 5 *(d. viață)* bogat, îmbelșugat 6 plin; deplin; complet; întreg; **a ~ hour** o oră întreagă; **in ~ blossom** *(d. pomi)* în plină floare; **in ~ vigour** în plină putere *sau* înflorire; **the set is not ~** garnitura *sau* seria nu este completă; **of ~ age** major 7 plin, gras; rotund; ~ **in the face** plin la față **II** *s* 1 plin; întreg; **in ~** complet, în întregime; **write your name in ~** scrie-ți numele întreg; **to the ~** complet; întru totul; pe deplin 2 ful *(la pocher)* **III** *adv* 1 complet(amente); pe deplin; întru totul; ~ **well** foarte bine; ~ **many** ← *înv, poetic* foarte mulți; nenumărați 2 *(a lovi etc.)* drept, direct, tocmai, chiar **IV** *vt* a croi larg *(o haină)* **V** *vi amer (d. lună)* a se face plină

full² *vt text* a da la piuă

full and by ['ful ənd ‚bai] *adv nav* plin și strâns

full-back ['ful‚bæk] *s sport* bec, fundaș *(la fotbal)*

full-blooded ['ful‚blʌdid] *adj* 1 viguros; sănătos 2 pur sânge

full-blown ['ful‚bloun] *adj* 1 *(d. flori)* înflorit, în plină floare 2 *(pe deplin)* dezvoltat; matur

full board ['ful ‚bo:d] *s (la hotel etc.)* toate mesele; întreținere completă

full-bodied ['ful‚bodid] *adj* 1 *(d. vin)* tare 2 puternic, viguros

full circle ['ful ‚sə:kl] *adv* făcând un cerc complet, încheind tot circuitul

full-dress ['ful‚dres] *adj atr* 1 de gală; de ceremonie 2 *(d. o dezbatere etc.)* oficial/formal și pregătit în amănunt

full dress ['ful ‚dres] *s* 1 ținută de rigoare *sau* de gală 2 *mil* uniformă de paradă

fuller¹ ['fulə'] *s text* piuar

fuller² *s tehn* ciocan cu capul rotund

full face ['ful ‚feis] *s poligr* caractere negre/aldine

full-fledged ['ful'fledʒd] *adj* 1 *(d. păsări)* cu pene, în stare să zboare 2 *(pe deplin)* dezvoltat, matur 3 *(d. cineva)* cu drepturi depline

full-grown ['ful'groun] *adj* 1 care a crescut; dezvoltat 2 matur

full-hearted ['ful'hɑːtid] *adj* **1** încrezător (în sine) **2** curajos, viteaz **3** *(d. muncă)* făcut cu tragere de inimă **4** profund mișcat/emoționat

full house [,ful 'haus] *s* **1** ful *(la pocher)* **2** *teatru* sală plină

fulling mill ['fuliŋ ,mil] *s text* piuă cu ciocane

full-lenght [,ful'leŋθ] *adj atr* **1** *(d. un portret)* în mărime naturală **2** *(d. un roman etc.)* neprescurtat

full moon [,ful 'muːn] *s astr* lună plină

fullness ['fulnis] *s* deplinătate, plenitudine *etc.* (v. și **full**[1] I)

full of ['ful əv] *adj cu prep* **1** plin de, având *sau* conținând mult(ă) *sau* mulți *sau* multe; **he is ~ ideas** este plin de idei, are multe idei **2** absorbit de; obsedat de; **she was ~ the news** nu vorbea decât despre aceste vești; **~ himself** plin de sine; **~ his own importance** plin de importanță **3** încărcat de *(onoruri etc.)*

full-rigged [,ful'rigd] *adj* **1** *nav* cu tot greementul **2** echipat complet

full stop ['ful ,stɔp] *s poligr* punct

full swing ['ful ,swiŋ] *s* plină activitate; **in ~** în plină activitate *sau* acțiune

full time [,ful 'taim] *s* zi de lucru plină

full-timer [,ful'taimə[r]] *s* **1** muncitor care efectuează o săptămână completă de lucru **2** elev care frecventează toate orele

full trailer [,ful 'treilə[r]] *s av etc.* remorcă/treiler cu mai multe osii

full up ['ful ʌp] *adj* **1** plin până la refuz **2** sătul până în gât

fully ['fuli] *adv* **1** complet(amente), pe deplin, cu totul; cu desăvârșire **2** chiar, tocmai, exact **3** amplu, bogat **4** cel puțin *(1000 de oameni etc.)*

fulmar ['fulmə[r]] *s orn* pasăre palmipedă din țările nordice *(Fulmarus glacialis)*

fulminate ['fʌlmi,neit] *vi* **1** a fulgera **2** a tuna **3** (**against**) *fig* a (tuna și) fulgera (împotriva *cu gen)*

fulminatory ['fʌlmi,neitəri] *adj fig* fulminant

fulness ['fulnis] *s v.* **fullness**

fulsome ['fulsəm] *adj* (↓ *d. lingușiri)* dezgustător, scârbos

Fulton ['fultən], **Robert** *inventator american (1765-1815)*

fumble ['fʌmbəl] **I** *vi* **1** a dibui, a bâjbâi; a orbecăi; **to ~ in the dark** a orbecăi în întuneric **2** a scotoci, a se căuta **II** *vt* **1** a mânui stângaci/cu stângăcie **2** *sport* a nu prinde, a nu reține *etc. (mingea)* **III** *s* **1** dibuire, bâjbâire; orbecăială **2** scotocire **3** mânuire stângace

fumble at ['fʌmbəl ət] *vi cu prep* a umbla la; a nu nimeri *(gaura cheii etc.)*

fumble for ['fʌmbəl fə[r]] *vi cu prep* a se scotoci *(prin buzunare etc.)* căutând *cu ac*; a bâjbâi după

fume [fjuːm] **I** *s* **1** ↓ *pl* fum, abur *sau* gaz puternic mirositor **2** fum **3** abur, vapori **4** *fig* izbucnire, răbufnire; pornire pătimașă **II** *vt* **1** a afuma **2** a trata cu abur **III** *vi* **1** a fumega **2** a face abur **3** a se preface în fum *sau* abur; a se evapora **4** *fig* a fierbe, a clocoti; **to ~ with anger** a fierbe de mânie; **to ~ and fret** *fig* a fierbe; a fi foc și pară; a fi ca un leu în cușcă **5** ← *umor* a fuma

fume away ['fjuːm ə'wei] *vi cu part adv* v. **fume III**, 3

fumigate ['fjuːmi,geit] *vt* a afuma; a curăța prin afumare; a fumiza

fumigation [,fjuːmi'geiʃən] *s* afumare; fumizare

fun [fʌn] **I** *s* **1** glumă *sau* glume; **in/for ~, for the ~ of it/the thing** neavând altceva mai bun de făcut, în glumă **2** distracție, amuzament; veselie; **we had lots of ~** ne-am distrat/am petrecut de minune; **he is great ~** e foarte amuzant/distractiv; **what ~!** grozav de amuzant! **3** batjocură, ridiculizare; **to make ~ of, to poke ~ at** a-și râde de, a-și bate joc de, a ridiculiza *cu ac* **4** partea amuzantă; **I don't see the ~ of it** nu văd ce e amuzant în asta **II** *vi* ← *F* a se distra, a petrece

funambulist [fjuː'næmbjulist] *s* dansator pe sârmă, echilibrist

function ['fʌŋkʃən] **I** *s* **1** funcți(un)e, post **2** funcție, activitate *(a inimii etc.)* **3** funcție, rol *(al educației etc.)* **4** solemnitate; ceremonie **5** recepție **6** *gram, mat* funcți(un)e **II** *vi* **1** a funcționa *(într-un post)* **2** *(d. un organ etc.)* a funcționa, a îndeplini o funcție **3** *tehn* a funcționa, a lucra, a merge **4** a funcționa, a avea/a îndeplini un rol

functional ['fʌŋkʃənəl] *adj* **1** funcțional; destinat unui scop precis **2** oficial **3** *med* funcțional

functionality [,fʌŋkʃə'næliti] *s* funcționalitate

functionally ['fʌŋkʃənəli] *adv* (din punct de vedere) funcțional

functionary ['fʌŋkʃənəri] *s* ← ↓ *peior* funcționar, slujbaș; persoană oficială

functionate ['fʌŋkʃəneit] *vi* **1** a funcționa **2** a acționa

fund [fʌnd] **I** *s* **1** *ec* fond; capital **2** *pl* fonduri, mijloace bănești; **to be in ~s** a fi în fonduri **3 the ~s** *ec* datoria publică **4** *fig* fond, rezervă, stoc **II** *vt ec* **1** a consolida **2** a plasa în titluri de stat **3** a finanța; a subvenționa

fundament ['fʌndəmənt] *s* **1** parte dorsală, dos **2** anus

fundamental [,fʌndə'mentəl] **I** *adj* fundamental, de primă importanță; esențial; de bază **II** *s* **~s** *pl* reguli *sau* principii fundamentale; rudimente, elemente (de bază)

fundamentally [,fʌndə'mentəli] *adv* esențial(mente); la bază

funeral ['fjuːnərəl] **I** *adj* funerar, funebru, de înmormântare **II** *s* **1** înmormântare, funeralii; procesiune funebră; **it is not my ~** *F* puțin îmi pasă, mă lasă rece; *F* mă doare-n cot; **it's your ~** *F* treaba ta **2** *F* bucluc; – treabă neplăcută

funeral director ['fjuːnərəl di'rektə[r]] *s* organizator de pompe funebre

funeral home/parlour ['fjuːnərəl 'houm/'pɑːlə[r]] *s* birou de pompe funebre

funeral pile ['fjuːnərəl 'pail] *s* rug funerar

funerary ['fjuːnərəri] *adj* funerar

funerary urn ['fjuːnərəri 'əːn] *s* urnă funerară

funereal [fjuː'niəriəl] *adj* **1** funebru, de înmormântare; de doliu **2** lugubru, sinistru

fungi ['fʌndʒai] *pl de la* **fungus**

fungicide ['fʌndʒi,said] *s agr* fungicid

fungoid ['fʌŋgoid] *adj* fungoid

fungology [fʌŋ'gɔlədʒi] *s* micologie

fungous ['fʌŋgəs] *adj* fungos

fungus ['fʌŋgəs], *pl şi* **fungi** ['fʌndʒai] *s* **1** *bot* ciupercă *(Fungus sp.)* **2** *med* fungus; ţesut de granulaţie în plină proliferare **3** *fig* ciupercăraie

funicular (railway) [fju:'nikjuləʳ ('reil,wei)] *s* funicular

funk [fʌŋk] ← *Fl s* **1** frică grozavă; spaimă **2** mare fricos, laş **II** *vi* a-i fi grozav de frică, a nu mai putea de frică

funky ['fʌŋki] *adj* ← *F* **1** speriat, cuprins de panică **2** fricos

funnel ['fʌnəl] *s* **1** pâlnie **2** coş de fum **3** *geol* coş vulcanic

funnelled ['fʌnəld] *adj* în formă de pâlnie *sau* clopot

funnily ['fʌnili] *adv* **1** (în mod) amuzant, distractiv; nostim; caraghios **2** (în mod) straniu, ciudat

funniment ['fʌnimənt] *s* ← *umor* nostimadă, haz, distracţie

funny ['fʌni] **I** *adj* **1** amuzant, distractiv; nostim; caraghios **2** ciudat, straniu **II** *s amer v.* **funny paper**

funny bone ['fʌni ,boun] *s anat* olecran

funny business ['fʌni ,biznis] *s* **1** *F* bişniţă, gheşefturi; – afacere dubioasă **2** *F* caraghioslâcuri; – comportare prostească

funny paper ['fʌni ,peipəʳ] *s amer* pagina veselă *(în ziare)*

fur [fə:ʳ] **I** *s* **1** blană; piele *(de animal);* ~ **and feather** animale cu blană şi păsări; **to make the** ~ **fly** *F* a face un tărăboi îngrozitor **2** *tehn* crustă **3** *med* fuliginozităţi linguale **II** *vt* **1** a îmblăni, a căptuşi cu blană **2** a îmbrăca *(pe cineva)* într-o blană **3** *med* a acoperi *(limba)* cu fuliginozităţi

furbelow ['fə:bi,lou] *s* **1** volan *(la rochie)* **2** *pl peior* zorzoane, – podoabe inutile

furbish ['fə:biʃ] *vt* **1** a lustrui **2** a renova, a reînnoi

furbish up ['fə:biʃ 'ʌp] *vt cu part adv* a înnoi; a pune la punct; *fig* a şlefui

Furies, the ['fjuəriz, ðə] *mit* Furiile

furious ['fjuəriəs] *adj* **1** *(d. cineva)* furios, înfuriat, mânios, < turbat **2** *(d. un atac etc.)* violent, năpraznic, < cumplit **3** *(d. valuri etc.)* furios, năpraznic

furiously ['fjuəriəsli] *adv* cu furie, furios

furiousness ['fjuəriəsnis] *s* furie, turbare

furl [fə:l] **I** *vt* **1** a închide *(umbrela);* a strânge *(pânzele)* **2** a înfăşura **II** *vi* **1** *(d. umbrelă etc.)* a se închide **2** *nav* a strânge velatura

furlong ['fə:,lɔŋ] *s* 1/8 dintr-o milă *(= 201 m)*

furlough ['fə:lou] *s* concediu *(pt militari, diplomaţi, persoane aflate peste hotare)*

furmenty ['fə:mənti] *s v.* **frumenty**

furnace ['fə:nis] *s* **1** *tehn* focar, cuptor **2** *met* cuptor de calcinare, furnal **3** *fig* ispitire, încercare grea; botezul focului

furnish ['fə:niʃ] *vt* **1** (**with**) a aproviziona (cu); a furniza *(cuiva)* **2** a mobila **3** a da, a oferi; a procura *(dovezi etc.)*

furnished ['fə:niʃt] *adj* **1** mobilat **2** *fig* mobilat, garnisit; pus la punct

furnishings ['fə:niʃiŋz] *s pl* **1** mobilier, mobilă **2** *tehn* accesorii **3** *amer* articole de îmbrăcăminte; furnituri de croitorie

furniture ['fə:nitʃəʳ] *s* **1** mobilier, mobilă **2** *tehn* utilaj, inventar **3** *poligr* material de albitură

furniture picture ['fə:nitʃə piktʃəʳ] *s* **1** tablou (executat) pentru vânzare **2** obiect meşteşugăresc/ artizanal de duzină

furore [fju'rɔ:ri] *s it furor* ['fjuərɔ:ʳ] *s* **1** furie, mânie, turbare **2** transă, extaz **3** nebunie, demenţă, furori, entuziasm; **to create a** ~ a face furori, a stârni entuziasm

furrier ['fʌriəʳ] *s* blănar

furriery ['fʌriəri] *s* **1** blănărie **2** blănuri

furring ['fə:riŋ] *s* **1** blană *(pt căptuşeală etc.)* **2** îmblănire **3** şindrilă **4** *tehn* umplutură

furrow ['fʌrou] **I** *s* **1** *agr* brazdă; **to plough a lonely** ~ **a** a acţiona de unul singur; a face cum îl taie capul **b** a-şi vedea singur de drum **2** cută, rid *(↓ pe frunte)* **3** făgaş, urmă *(de roată etc.)* **4** şanţ **5** *fig* brazdă, urmă **6** ← *poetic* câmp arat **II** *vt agr şi fig* a brázda

furrower ['fʌrouəʳ] *s agr* marcator

furry ['fə:ri] *adj* **1** cu blană **2** din blană **3** îmblănit

further ['fə:ðəʳ] **I** *adj comp de la* **far I**; adiţional, suplimentar; în plus; ulterior **II** *adv comp de la* **far II 1** într-o măsură mai mare, mai mult

2 în plus; mai mult (decât atât) **3** *eufemistic* în iad, *F* → la naiba/ dracu'; **I'll see him** ~ **first** *F* nici nu mă gândesc, când şi-o vedea ceafa, la sfântu-aşteaptă **III** *vt* a promova; a încuraja

furtherance ['fə:ðərəns] *s* promovare; încurajare *(a intereselor etc.)*

further education ['fə:ðəredju'keiʃən] *s* învăţământ postşcolar

furthermore ['fə:ðə,mɔ:ʳ] *adv v.* **further II, 2**

furthermost ['fə:ðə,moust] *adj* cel mai (în)depărtat

furthest ['fə:ðist] **I** *adj superl de la* **far I II** *adv superl de la* **far II**; în cea mai mare măsură

furtive ['fə:tiv] *adj* ascuns, tainic; furiş; ~ **glances** priviri furişe; ~ **footsteps** paşi abia auziţi

furtively ['fə:tivli] *adv* **1** pe furiş **2** *(a merge)* tiptil

furtiveness ['fə:tivnis] *s* caracter ascuns/secret; ferire de ochii lumii

furuncle ['fjuərʌŋkəl] *s med* furuncul

fury ['fjuəri] *s* **1** furie, mânie **2** furie, vehemenţă, violenţă **3** furie, megeră **4** *F* ~ *mit* Furie // **like** ~ ← *F* a furios, cu violenţă **b** iute, repede

furze [fə:z] *s bot* grozamă, drob(iţă), genistră *(Ulex şi Genista sp.)*

furzy ['fə:zi] *s* acoperit cu grozamă

fuse [fju:z] **I** *vi* **1** *met etc.* a se topi **2** *fig* a se contopi, a fuziona; a se amalgama, a se amesteca **3** *el (d. lumină)* a se întrerupe **II** *vt* **1** *met etc.* a topi **2** *fig* a contopi, a îmbina, a amesteca **III** *s* **1** *el* siguranţă **2** *min* fitil (Beckford)

fuse cap ['fju:z ,kæp] *s constr* capsă, detonant

fused cement ['fju:zd si'ment] *s* ciment topit

fused lamp ['fju:zd ,læmp] *s* lampă de siguranţă

fusee [fju:'zi:] *s* **1** *mil od* flintă, puşcă cu cremene **2** chibrit *(care arde şi pe vânt)* **3** tambur *(la ceasuri)*

fuselage ['fju:zi,lɑ:ʒ] *s av* fuzelaj

fuselage frame ['fju:zi,lɑ:ʒ 'freim] *s av* cadru

fuse off ['fju:z 'ɔf] *vt cu part adv* a topi, a fluidiza

fuse plug ['fju:z plʌg] *s el* cartuş/ patron de siguranţă

fusibility [ˌfjuːziˈbiliti] *s met* fuzibilitate

fusible [ˌfjuːzəbəl] *adj met* fuzibil

fusiform [ˈfjuːziˌfɔːm] *adj* fusiform

fusil [fjuːzil] *s v.* **fusee 1**

fusillade [ˌfjuːziˈleid] *s* **1** *mil* salvă (de foc) **2** împuşcare în masă **3** *fig* noian, potop; grindină

fusion [ˈfjuːʒən] *s* **1** fuziune, fuzionare, contopire; amestec **2** *fiz* topire, fuziune, fluidizare

fusion bomb [ˈfjuːʒən ˌbɔm] *s mil* bombă termonucleară/cu hidrogen

fuss [fʌs] **I** *s* **1** agitaţie, freamăt; nervozitate inutilă; frământare; **to make a ~ about smth** a face mare caz de ceva, a face zarvă în jurul unui lucru; **to make a ~ of smb** a face mare caz de cineva; a se agita în jurul cuiva **2** protest, obiecţie **3** *amer F* (om) gomos, ~ pedant, om ceremonios **4** ← *F* om veşnic agitat **II** *vt* **1** *F* a bate la cap, a plictisi, ~ a nu lăsa în pace **2** *F* a scoate din sărite, ~ a enerva **III** *vi* **1** (**about**) a se agita, a face zarvă, a se enerva (din cauza ~ *cu gen*) **2** *amer F* a se ciondăni, ~ a se certa, a se sfădi **3** a obiecta, a protesta

fuss about [ˈfʌs əˈbaut] *vi cu part adv* a umbla (agitat) de colo până colo

fussily [ˈfʌsili] *adv* agitat, nervos

fussiness [ˈfʌsinis] *s* nervozitate, agitaţie

fuss over [ˈfʌs ˌouvər] *vi cu prep* a acorda/a da o atenţie exagerată *cu dat*, a face caz de

fussy [ˈfʌsi] *adj* **1** agitat, zbuciumat, nervos; care nu-şi găseşte astâmpăr; aferat **2** (**about**) exagerat, prea grijuliu (cu) **3** împopoţonat, înzorzonat; (*d. stil*) încărcat, cu înflorituri

fustian [ˈfʌstiən] **I** *s* **1** *text* barchet, finet **2** *fig* stil pompos/bombastic; vorbărie goală **II** *adj atr* gol, de nimic; bombastic, emfatic

fustic [ˈfʌstik] *s bot* fustic, lemn galben (*Chlorophora sp.*)

fustigate [ˈfʌstiˌgeit] *vt* **1** a bate cu băţul, *F* a ciomăgi **2** *fig* a critica aspru

fustigation [ˌfʌstiˈgeiʃən] *s* **1** *F* ciomăgeală, ~ bătaie cu băţul **2** *fig F* muştruluială, ~ critică aspră

fustiness [ˈfʌstinis] *s* **1** aspect *sau* miros de mucegai **2** caracter demodat; vechime

fusty [ˈfʌsti] *adj* **1** mucegăit; stricat; încins **2** învechit, demodat; conservator; refractar

fut. *presc de la* **future**

futhark [ˈfuːθɑːk] *s* alfabetul runic

futile [ˈfjuːtail] *adj* **1** inutil, van, zadarnic **2** gol; neserios; superficial

futility [fjuːˈtiliti] *s* **1** inutilitate, zădărnicie **2** neseriozitate; superficialitate

futtock [ˈfʌtək] *s nav* element de coastă din lemn

future [ˈfjuːtʃər] **I** *adj* **1** viitor, care va veni; următor **2** *gram* viitor **II** *s* **1** viitor; timpuri viitoare **2** *gram* (timpul) viitor **3** contract pentru

bunuri *sau* recolte de perspectivă

futureless [ˈfjuːtʃəlis] *adj fig* fără viitor, lipsit de perspective

future life [ˈfjuːtʃə ˌlaif] *s rel* viaţa viitoare

future perfect (tense) [ˈfjuːtʃə ˌpəːfikt (ˈtens)] *s gram* viitorul anterior/II

futurism [ˈfjuːtʃəˌrizəm] *s lit etc.* futurism

futurist [ˈfjuːtʃərist] *s lit etc.* futurist

futuristic [ˌfjuːtʃəˈristik] *adj lit etc.* futurist

futurity [fjuːˈtʃuəriti] *s* **1** viitor **2** stare *sau* acţiune viitoare **3** ideea de viitor **4** *rel* viaţa viitoare

futurology [ˌfjuːtʃəˈrɔlədʒi] *s* futurologie, viitorologie, ştiinţa viitorului

fuze [fjuːz] *s, vi, vt v.* **fuse**

fuzee [fjuːˈziː] *s v.* **fusee**

fuzz [fʌz] **I** *s* **1** *text* puf, perişoare; scamă **2** puf (*pe fructe*) **3** *agr* bărbiţă (*a bobului de grâu*) **II** *vi* a se acoperi cu puf

fuzzily [ˈfʌzili] *adv* (în mod) nedesluşit, neclar, vag; ca prin ceaţă

fuzziness [ˈfʌzinis] *s* **1** caracter *sau* aspect pufos **2** neclaritate

fuzzy [ˈfʌzi] *adj* **1** pufos; cu *sau* de puf; scămoşat **2** neclar, estompat

f.v. *presc de la* **folio verso** pe dosul paginii

-fy *suf* -fica *etc.*: **to electrify** a electrifica; **to liquefy** a lichefia

fyke [faik] *s amer* vârşă

fylfot [ˈfilfɔt] *s* zvastică

fytte [fit] *s lit* ← *înv* cânt, canto

G

G, g [dʒi:] (litera) G, g

G s *muz* (nota) sol

G *presc de la* 1 **German** 2 **Germany**

g *presc de la* 1 **gravity** 2 **gauge** 3 **gram(me), gram(me)s** 4 **guinea** 5 **guard**

G.A. *presc de la* 1 **General Agent** 2 **General Assembly**

Ga. *presc de la* **Georgia**

ga. *presc de la* **gauge**

gab [gæb] **I** s *F* vorbărie (goală), flecăreală, trăncăneală; **to have the gift of the ~** *F* a avea papagal, – a avea darul vorbirii; a fi limbut **II** vi *F* a trăncăni, a vorbi ca o moară stricată/neferecată

gabardine ['gæbə,di:n] s 1 *text* gabardină 2 gabardină, haină 3 îmbrăcăminte de gata

gabber ['gæbə'] s *F* moară stricată, flecar, (om) vorbăreț/limbut

gabble ['gæbəl] **I** vi 1 a flecări, *F* a trăncăni, a vorbi ca o moară stricată 2 a bolborosi, a mormăi **II** vt a bolborosi, a îndruga **III** s 1 flecăreală 2 bolboroseală

gabbler ['gæblə'] s flecar, (om) limbut; v. **gabber**

gabby ['gæbi:] adj *F* limbut, guraliv

gaberdine ['gæbə,di:n] s 1 *ist* veșmânt lung (purtat de evrei în evul mediu), aprox caftan 2 haină 3 îmbrăcăminte 4 *text* gabardină

gable ['geibəl] s *arhit* 1 fronton 2 acoperiș triunghiular 3 partea din zid de sub un acoperiș triunghiular

gabled ['geibəld] adj *arhit* cu fronton sau acoperiș triunghiular

Gabon [gə'bɔn] *țară*

Gabriel ['geibriəl] *nume masc* Gabriel, Gavril

Gabun [gə'bu:n] *țară înv* Gabon

gad [gæd] **I** s 1 strămutare 2 *min* rangă 3 băț; nuia **II** vi a vagabonda, a hoinări **III** interj (*și by ~*) Doamne! Dumnezeule!

gadabout ['gædəbaut] s hoinar, vagabond, pierde-vară

gad about [gæd ə'baut] vi cu part adv *F* a umbla haihui/creanga/lela

gadfly ['gæd,flai] s 1 *ent* tăun (*Tabonus*) 2 ent streche (*Hypoderma*) 3 *fig* pisălog, pacoste

gadget [gædʒit] s 1 ← *F* dispozitiv; unealtă 2 *F* șmecherie, – truc 3 *F* drăcie, prostie, fleac, chestie

gadolinite ['gædəlinait] s *minr, chim* gadolinit, lantanit

gadolinium [gædə'liniəm] s *chim, minr* gadoliniu, Gd

Gael [geil] s 1 gal(ez), celt (din Irlanda, Scoția etc.) 2 scoțian (din regiunea muntoasă)

Gaelic ['geilik] **I** s (limba) gaelică (limbă celtică vorbită în Scoția, Irlanda etc.) **II** adj gaelic

gaff [gæf] **I** s 1 cange, un fel de harpon; **to stand the ~**/sl a îndura chinuri, a trece prin foc/furcile caudine 2 *nav* pic, vergă 3 sl complot, conspirație, lovitură pusă la cale; **to blow the ~**/sl a vinde (poliției etc.) pontul, a-și turna/vinde complicii (la un complot etc.) **II** vt a prinde (pești) cu cangea

gaffe [gæf] s *fr* gafă, *F→* boacănă

gaffer ['gæfə'] s 1 glumeț moșulică, bătrânel, bunicuț; *peior* babalâc, boșorog 2 maistru, șef de echipă

gag [gæg] **I** s 1 căluș 2 *teatru* cârlig; truc 3 *cin* gag, truvai, găselniță 4 *pol* șmecherie, truc, șicană (pt limitarea discuțiilor) **II** vt 1 a pune căluș (cu dat) 2 a reduce la tăcere; a închide gura (cu dat) 3 a face să râgâie/să-i vină pe gât **III** vi 1 a se îneca, a se sufoca 2 a-i veni pe gât, a râgâi 3 sl a spune o glumă/un banc

gaga [ga:ga:] adj sl 1 dus, terminat, *F* gaga, – (bătrân și) ramolit, senil 2 (cam) sonat, plecat (bine), *F* aiurit, într-o ureche

gage[1] [geidʒ] s (instrument de) măsură etc. v. **gauge**

gage[2] s *bot* renclodă, renglotă (*Prunus italica*)

gage[3] **I** s 1 gaj, chezășie 2 provocare la luptă, mănușă aruncată **II** vt înv a lăsa în gaj, a pune chezășie/în joc

gaggle ['gægəl] **I** s și *fig, iron* cârd de gâște; gâștele de pe Capitoliu **II** vi a gâgâi

gagman ['gægmən] s *teatru, cin* născocitor/descoperitor de gaguri/cârlige/trucuri

gagster ['gægstə'] s v **gagman**

gaiety ['geiəti] s 1 veselie (zgomotoasă), bună dispoziție 2 atmosferă veselă 3 petrecere, chef; desfătare 4 înfățișare festivă, eleganță 5 înfățișare veselă

Gail [geil] 1 *nume fem dim de la* Abigail 2 *nume masc*

gaily ['gæili] adv 1 vesel, jovial, bine dispus 2 zgomotos, țipător 3 (ca un) destrăbălat/deșucheat; fără cumpătare 4 (colorat etc.) țipător

gain [gein] **I** s 1 și *fig* câștig; spor 2 avantaj, profit 3 și *pl* câștig(uri), profit(uri); răsplată (a muncii) **II** vt 1 și *fig* a câștiga; a obține, a cuceri; **to ~ the ear of** a fi ascultat cu bunăvoință de; **to ~ one's feet** a o lua la sănătoasa; **to ~ ground** a câștiga teren 2 a ajunge la/pe (țărm etc.); **to ~ the rear of the enemy** a cădea în spatele inamicului; **to ~ momentum** a lua proporții/avânt; **to ~ the upper hand (of)** a cuceri supremația (față de, asupra cu gen); a triumfa (asupra cu gen); **to ~ weight** a câștiga în greutate, a se îngrășa 3 (d. ceasuri) a o lua înainte/a înainta cu (atâtea minute etc.) **III** vi 1 a câștiga; a profita 2 a se îngrășa 3 a crește, a spori 4 (d. ceasuri și fig) a o lua/a merge înainte, a înainta 5 a se face bine, a se însănătoși

gainer ['geinə'] s câștigător; învingător

gainful ['geinful] adj rentabil, avantajos; lucrativ; (bine) plătit

gainings ['geiniŋz] s pl câștig(uri), profit(uri)

gain on ['gei:n ɔn] vi cu prep 1 a se apropia de 2 a ajunge din urmă, a depăși cu ac

gain over ['gein'ouvə'] vt cu part adv 1 a câștiga/a atrage de partea sa; *fig* a cuceri 2 a câștiga sprijinul/simpatia cu gen

gainsay [gein'sei], *pret și ptc* **gain-said** [gein'sed] *vt* **1** a nega, a infirma **2** a contrazice **3** a pune la îndoială/în discuție, a contesta

gainsayer [gein'seiə^r] *s* adversar, oponent; persoană care contra-zice, neagă *sau* contestă

Gainsborough ['geinzbərə], **Thomas** *pictor englez (1727-1788)*

gainst, 'gainst [genst] *prep v.* **against**

gain upon ['gein ə‚pɔn] *vi cu prep v.* **gain on**

gait [geit] **I** *s* **1** umblet, mers **2** pas *(al calului etc.)* **II** *vt.* a învăța *(un cal)* să meargă *(la trap etc.)*

gaiter ['geitə^r] *s* **1** *pl* ghete **2** *pl* jambiere **3** gheată cu marginile elastice **4** șoșon

Gal [gæl] *presc de la* **Galatians**

gal[1] [gæl] *s sl v.* **girl**

gal[2] *s fiz* gal, unitate de accelerație a gravitației

gal. *presc de la* **gallon(s)**

gala ['gɑːlə] **I** *s* **1** festivitate, cere-monie; sărbătorire **2** sărbătoare, festival **3** (spectacol de) gală **II** *adj atr* de gală, festiv, sărbă-toresc

galactic [gə'læktik] *adj astr* galactic

Galahad ['gælə‚hæd] *lit unul din Cavalerii mesei rotunde (în legendele arturiene)*

galantine ['gælən‚tiːn] *s gastr* ga-lantină, rasol (de pasăre) în aspic

galanty show [gə'lænti‚ ‚ʃou] *s înv* pantomimă, *aprox* umbre chine-zești

Galapagos Islands, the [gə'læpəgəs ‚ai:ləndz, ðə] Insulele Galapagos

Galatea [‚gælə'tiə] *mit* Galateea

Galați [gə'lɑːtsi] *oraș în România* Galați

Galatians [gə'leiʃənz] *bibl* (Epistola către) Galateni

Galatz [gə'lɑːts] *v.* **Galați**

galaxy ['gæləksi] *s* **1** *astr* galaxie **2 the ~** *astr* Calea Laptelui/Lactee **3** *fig* pleiadă, constelație, grup

gale [geil] *s* **1** vânt puternic, vijelie; furtună **2** *fig* izbucnire **3** *fig* hohot

galena [gə'liːnə] *s ch, minr* galenă

galenic(al) [gei'lenikə l] *adj farm, chim* galenic

galère [ga'lɛː^r] *s fr* **1** coterie, clică, gașcă, tovărășie **2** încurcătură, neplăcere (neașteptată), bucluc

Galicia [gə'liʃiə] *regiune în Carpații Orientali* Galiția

Galician [gə'liʃiən] *s, adj* galițian

Galilean [‚gæli'liːən] *s* **1** galileu, locuitor din Galilea **2** creștin **3 the ~** Isus Nazariteanul, Isus Cristos

Galilee ['gæli‚liː] *ist regiune în Palestina* Galilea

Galileo Galilei [‚gæli'leiou 'gæli‚lei] *astronom și fizician italian* Gali-leu *(1564-1642)*

galimatias [‚gæli'meiʃiəs] *s* **1** vorbă-rie goală, pălăvrăgeală, **2** băl-măjeală, babilonie, babel, *elev* galimatie

gall[1] [gɔːl] **I** *s* **1** fiere, bilă **2** *fig* amărăciune, tristețe **3** *fig* invidie, pizmă, ranchiună **4** *sl* obrăznicie, tupeu **5** scârbă, lucru scârbos **6** jupuitură, julitură; rosătură **7** *bot* gogoașă de ristic, nucă galică, gală **II** *vt* **1** a juli; a jupui; a roade **2** *fig* a roade, a necăji **3** *fig* a enerva, a supăra, a irita; a învenina

gall[2] *presc de la* **gallon(s)**

gallant ['gælənt] **I** *adj* **1** viteaz, brav, îndrăzneț **2** maiestuos, impu-nător, măreț **3** [și gə'lænt] politi-cos, atent, cavaler; galant, curte-nitor *(cu femeile)* **4** [și gə'lænt] elegant, sclivisit **II** *s* [↓ gə'lænt] **1** dendi, arbitrul eleganței; filfizon, fante **2** bărbat galant/curtenitor; crai(don)

gallantly ['gæləntli] *adv* **1** vitejește, curajos, cu bravură/îndrăzneală/ vitejie **2** măreț, maiestuos **3** [și gə'læntli] cavalerește, curtenitor, atent **4** [și gə'læntli] elegant, sclivisit

gallantry ['gæləntri] *s* **1** bravură, vitejie, eroism; curaj, îndrăzneală **2** galanterie, curtenie, purtare curtenitoare/aleasă **3** *pl* galan-terii, atenții *(față de femei)* **4** idilă; dragoste

gall bladder ['gɔːl ‚blædə^r] *s anat* bășica fierii, *F* fiere, *med* vezica biliară

galleon ['gæliən] *s ist* galion, cora-bie de război

gallery ['gæləri] *s* **1** *arhit* galerie; balcon **2** *teatru* galerie; publicul de la galerie **3** *sport* galerie; suporteri **4** *artă* galerie; sală de expoziții

galley ['gæli] *s* **1** *ist* galeră; **in this ~** la ananghie, în încurcătură, în situație dificilă **2** cambuză,

bucătărie pe vapor *sau* avion **3** *poligr* vingălac **4** *poligr* șpalt

galley proof ['gæli ‚pruːf] *s poligr* șpalt, probă

galley slave ['gæli ‚sleiv] *s* **1** *ist* sclav, rob *(care trage/muncește la galeră)* **2** *fig* rob, sclav, hamal

galley-west ['gæli‚west] *adv:* **to knock ~ a** a face praf (și pulbere) **b** a zăpăci, a încurca

gall fly ['gɔːl ‚flai] *s ent* muscă *(care prin depunerea ouălor produce gogoșile de ristic) (Gynips gallae tinctoriae)*

galliard ['gæljəd] *s muz, ist* ga-liardă

Gallic ['gælik] *adj* **1** *ist* gal(ic) **2** francez, franțuzesc, galic

gallice ['gælisi] *adv lat* (pe) franțu-zește, în franceză

Gallicism, gallicism ['gæli‚sizəm] *s* **1** *lingv* galicism **2** (trăsătură) caracteristică francezilor

galling ['gɔːliŋ] *adj* **1** care (te) roade **2** iritant; supărător, enervant, exasperant

Gallipoli [gə'lipəli] *peninsulă* Gali-poli

gallipot ['gæli‚pɔt] *s farm* borcănaș/ recipient pt alifii *etc.*

gallium ['gæliəm] *s ch* galiu

gallivant ['gæli:‚vænt] *vi F* a umbla haihui/aiurea

gall-nut ['gɔːl‚nʌt] *v.* **gall**[1] **I 7**

Gallomania [‚gælo'meinjə] *s elev* francomanie, galomanie

Gallomaniac [‚gælo'meiniæk] *s adj* francofil, galoman

gallon ['gælən] *s* galon *(măsură de capacitate = 3,34 l sau 4,34 l)*

gallop ['gæləp] **I** *s* **1** galop **2** aler-gare/plimbare la galop **II** *vi* a galopa, a alerga la/în galop **III** *vt* a alerga *(calul)* la/în galop

gallopper ['gæləpə^r] *s* **1** (armăsar) pur sânge, cal de curse **2** călăreț rapid **3** *mil* aghiotant **4** *mil* tun de câmp

Gallophil ['gælofil], **Gallophile** [gælə‚fail] *s, adj* francofil

Gallophobe ['gæloufoub] *s, adj* francofob

Gallo-Roman [‚gælou 'roumən] *adj, s* galo-roman

galloway ['gælə‚wei] *s zool* ponei, căluț scoțian

gallows ['gælouz] *s sg și pl* **1** spânzurătoare **2** spânzurare, (moarte prin) spânzurătoare

gallows bird ['gæləuz ˌbə:d] *s F* spânzurat, criminal condamnat la spânzurătoare

gallows humour ['gæləuz ˌhju:məʳ] *s* umor macabru, glume sinistre

gallows tree ['gæləuz ˌtri:] *s v.* **gallows**

gallstone ['gɔ:lˌstoun] *s med* piatră/ calcul la vezica biliară

Gallup poll ['gæləp ˌpoul] *s* sondaj de opinie, testare (pre-electorală) a opiniei publice

galore [gə'lɔ:ʳ] *adv* berechet, din belșug; pe săturate

galosh [gə'lɔʃ] *s* **1** *brit* galoș **2** *amer* șoșon

galoshed [gə'lɔʃt] *adj* cauciucat

Galsworthy ['gɔ:lzˌwə:ði], **John** *romancier și dramaturg englez (1867-1933)*

galumph [gə'lʌmf] *vi* a galopa triumfător; a trece maiestuos

Galvani [gʌl'va:ni], **Luigi** *fiziolog italian (1737-1793)*

galvanic [gæl'vænik] *adj* **1** *el* galvanic **2** *fig* stimulativ **3** *fig* electrizant; entuziasmant **4** *fig* nervos, iritat

galvanic cell/pile [gæl'vænik'sel/ 'pail] *s el* element galvanic, pilă galvanică

galvanization [ˌgælvənai'zeiʃən] *s* **1** *el* galvanizare **2** *fig* electrizare, entuziasmare

galvanize ['gælvəˌnaiz] *vt* **1** *el* a galvaniza **2** *fig* a electriza, a entuziasma

galvanometer [ˌgælvə'nɔmitəʳ] *s el* galvanometru

Gama ['ga:mə], **Vasco da** ~ *explorator portughez (1469-1524)*

Gambia ['gæmbiə] *țară*

gambit ['gæmbit] *s* **1** *(la șah)* gambit, sacrificiu **2** *fig* inițiativă; acțiune, mișcare

gamble ['gæmbəl] **I** *s* **1** joc de noroc **2** aventură, acțiune riscantă **II** *vi* **1** a juca jocuri de noroc *(↓ cărți)*, a juca pe bani **2** (**on**) *fig* a miza, a conta (pe); a risca **III** *vt* a risca la joc/într-o aventură; a pune în joc; a paria, a miza

gamble away ['gæmbə ə'wei] *vt cu part adv* a pierde/a risipi (la jocuri de noroc)

gambler ['gæmbləʳ] *s* **1** jucător de jocuri de noroc, cartofor **2** escroc **3** aventurier (politic)

gambling house ['gæmbliŋ ˌhaus] *s* tripou, casă de joc, cazinou

gambol ['gæmbəl] **I** *vi* a zburda, a se zbengui, a se juca; a face giumbușuri/giumbușlucuri **II** *s* zburdălnicie, zbenguială, joacă, giumbuș(luc)uri

game [geim] **I** *s* **1** joc **2** sport **3** întrecere sportivă; partidă, meci; **to play the** ~ a juca/a fi corect/ cinstit; **the** ~ **is up** și *fig* partida e pierdută, am pierdut partida *sau* totul **4** *(la tenis)* ghem, joc **5** *pl* materiale sportive **6** joacă, glumă, distracție; farsă, bătaie de joc; **to make** ~ **of** a-și bate joc de, a lua în râs; a ridiculiza **7** plan, intenție; **I could see through his** ~ am văzut eu unde bătea el; i-am citit eu gândurile; **what's his** ~? unde vrea să ajungă? unde bate/țintește el? **8** vânat; animale vânate; pești pescuiți; **I can see bigger** ~ umblu după/urmăresc o pradă mai bogată **9** (carne de) vânat **10** *sl* bișniță, treabă; – afacere, slujbă **II** *adj* **1** brav, neînfricat, curajos, viteaz; **to die** ~ a muri vitejește/ca un erou; a muri cu arma în mână **2** dispus, pregătit, gata (oricând); ~ **for a walk?** (ești dispus să) facem o plimbare? **3** *atr* cinegetic, de vânătoare; referitor la vânat/vânătoare **4** infirm *(↓ șchiop);* invalid **5** rănit, schilod(it) **III** *vi* a juca jocuri de noroc **IV** *vt* a juca/a miza la cărți, ruletă *etc.*

Game Act ['geim ækt] *s ↓ pl v.* **game law**

game bag ['geim ˌbæg] *s* tolbă de vânător

game ball ['gei:m ˌbɔ:l] *s sport* minge de ghem

game book ['geim buk] *s* registru de vânat

game keeper ['gei:m ˌki:pəʳ] *s* paznic de vânătoare/al vânatului

game law ['geim lɔ:] *sl ↓ pl* lege pentru protecția vânatului și împotriva braconajului

game licence ['geim ˌlaisəns] *s* autorizație de vânătoare

gamely ['geimli] *adv* vitejește, curajos, bărbătește

gameness ['geimnis] *s* **1** vitejie **2** bărbăție **3** rezistență, tăria de caracter, virtute

game of chance ['geiməv'tʃa:ns] *s* **1** joc de noroc **2** joc al întâmplării

gamesmanship ['geimzmənˌʃip] *s* (strategie în) calculul probabilităților *sau* teoria jocurilor; strategie (politică *etc.*)

gamesome ['geimsəm] *adj* vesel, bine dispus

gamester ['geimstəʳ] *s v.* **gambler 1**

game(s) theory ['geim(z) 'θiəri] *s* *mat, lit, pol* teoria jocurilor

gamete ['gæmi:t] *s biol* gamet

gametophyte [gə'mi:touˌfait] *s bot* gametofit

gametophytic [ˌgæmitou'fitik] *adj* *bot* gametofit

gamily ['geimili] *adv* vitejește, cu curaj, bărbătește

gamin ['gæmin] *s fr* **1** copil al străzii, golănaș, vagabond **2** spiriduș, duh

gaminess ['geiminis] *s* curaj, îndrăzneală, vitejie, bărbăție

gamma ['gæmə] *s* **1** gamma *(literă grecească)* **2** microgram **3** *fiz* gama *(unitate de măsură a câmpului magnetic)*

gamma globulin ['gæmə 'glɔbjulin] *s med* gamaglobulină

gamma plus ['gæmə ˌplʌs] *s adj* (de) categoria/calitatea a doua spre a treia

gamma rays ['gæmə ˌreiz] *s fiz* raze gama

gammon¹ ['gæmən] **I** *s* **1** marț *(la table)* **2** renghi, festă, păcăleală **II** *vt* a păcăli, a înșela **III** *interj F* vax! prostii!

gammon² *s* șuncă *sau* costiță afumată

gamut ['gæmət] *s* **1** *muz* gamă, scară **2** *fig* gamă, sortiment; varietate

gamy ['geimi] *adj* **1** curajos, viteaz, îndrăzneț, dârz **2** gata (oricând) pregătit, dispus **3** vioi **4** scandalos; corupt, stricat

Gana ['ga:nə] *țară*

gander ['gændəʳ] **I** *s* **1** *orn* gânsac **2** *fig* prostovan, găgăuță, nătâng **3** *sl* gineală, giumbeală; *F* ocheadă; **to take a** ~ **at** *v.* **II II** *vi* (**at**) *sl* a se gini/giumbi/benocla (la)

Gandhi ['gændi], **Mahatma** *filosof și politician indian (1869-1948)*

gandy dancer ['gændiˌda:nsəʳ] *s* *ferov* muncitor la calea ferată

gang [gæŋ] **I** *s* **1** bandă, ceată; organizație de gangsteri/criminali **2** echipă *(de muncitori etc.)*

3 grup **4** serie, șir; ordine **5** set, grup *(de unelte etc.)* **II** *vt* a pune laolaltă; a cupla, a lega **III** *vi* a se aduna, a se strânge, a se înhăita

gang-bang ['gæŋ ˌbæŋ] *s sl* poștă

Ganges, the ['gændʒiːz, ðə] *fluviu* Gange

gang land ['gæŋ ˌlænd] *s amer F* domeniul/tărâmul/țara gangsterilor/mafiei; lumea interlopă

gangle ['gæŋl] *vi* a se bălăbăni, a merge greu și strâmb, a se lălăi

ganglia ['gæŋgliə] *s pl de la* **ganglion**

gangling ['gæŋgliŋ] *adj* v. **gangly**

ganglion ['gæŋgliən], *pl și* **ganglia** ['gæŋgliə] *s* **1** *anat, med* ganglion **2** *fig* centru

ganglionic [ˌgæŋgli'ɔnik] *adj anat, med* ganglionar

gangly ['gæŋgli] *adj* lăbărțat, greoi, bălălău

gang plank ['gæŋ ˌplæŋk] *s nav* pasarela

gangrene ['gæŋgriːn] **I** *s* gangrenă **II** *vt* a cangrena **III** *vi* a se cangrena

gangrenous ['gæŋgrinəs] *adj* gangrenos

gang shag ['gæŋ ˌʃæg] *s v.* **gangbang**

gangster ['gæŋstə'] *s* gangster; membru al unei bande; bandit

gang together ['gæŋtə'geðə'] *vi cu adv* a se înhăita, a se asocia; a umbla în cete

gangue [gæŋ] *s min* gangă, steril

gang up on ['gæŋ ʌp'ɔn] *vi cu part adv și prep* a ataca în bandă *(pe cineva)*

gangway ['gæŋˌwei] **I** *s* **1** *nav* pasarelă **2** interval, loc de trecere *(între scaune)* **II** *interj* (faceți) loc! dați-vă la o parte!

gannet ['gænit] *s orn* gâscă de mare *(Sula basana)*

gantlet ['gæntlit] *s* **1** *ist* v. **gauntlet 1 2** *ferov* încrucișare; pasaj

gantry ['gæntri] *s* **1** pod rulant; macara pășitoare **2** rampă de lansare **3** schelă; estradă; suport; punte

Ganymede ['gæniˌmiːd] *mit* Ganimede

gaol [dʒeil] *înv* **I** *s* temniță **II** *vt* a întemnița

gaol bird ['dʒeil ˌbəːd] *s înv* deținut, ocnaș

gaol break ['dʒeil ˌbreik] *s* evadare (din închisoare)

gaol fever ['dʒeil fiːvə'] *s med, ist* tifos endemic în închisori

gap [gæp] *s* **1** (loc) gol; loc vacant/ liber, spațiu (gol) **2** spărtură, gaură **3** lipsă, lacună; **to fill the ~** a umple un gol **4** omisiune **5** pauză (penibilă) **6** *geogr* trecătoare; chei **7** decalaj, discrepanță, prăpastie, abis **8** întrerupere, hiat **9** diferențiere, discriminare **10** *auto* bujie

GAPA *presc de la* **ground-to-air pilotless aircraft** rachetă teleghidată sol-aer

gape [geip] **I** *vi* **1** a căsca (gura); a căsca de somn **2** a căsca gura de mirare; a privi cu uimire **3** a se căsca, a sta căscat/larg deschis **II** *s* **1** căscare *(a gurii)* **2** uimire, mirare, privire mirată **3** *zool* deschidere a gurii **4** *pl:* **the ~s** (acces de) căscat; plictiseală

gaper ['geipə'] *s* gură-cască; turist mirat *sau* curios

gaping ['geipiŋ] *adj* căscat, larg deschis

gapingly ['geipiŋli] *adv* cu gura căscată; cu uimire, uluit

gap-toothed ['gæptuːθt] *adj* **1** știrb **2** cu strungăreață

gar [gaː'] *s iht* v. **garfish**

garage ['gæraːʒ] *s* **1** garaj **2** ↓ *amer* auto-service, atelier de întreținere și reparații auto

garb [gaːb] **I** *s poetic* veșmânt, veșminte; *elevat* toaletă **II** *vt poetic* a înveșmânta

garbage can ['gaːbidʒ kæn] *s* gunoi (menajer); resturi, deșeuri; murdărie

garbage can ['gaːbidʒ kæn] *s și fig* ladă sau cutie de gunoi

garble ['gaːbəl] *vt* a trunchia, a deforma *(un text etc.)*

garbler ['gaːblə'] *s* persoană care deformează *sau* mutilează un text; falsificator

Garcia Lorca [gaɾˈθiʌ ˈlɔrka], Federico *dramaturg și poet spaniol (1899-1936)*

garçon [gaːrˈsɔːŋ] *s fr* **1** chelner, ospătar **2** tânăr, flăcău

Garden, the ['gaːdn, ðə] *ist* școala/ academia *sau* filosofia lui Epicur

garden ['gaːdn] **I** *s* **1** grădină; **kitchen/market ~** grădină de zarzavat; **everything in the ~ is lovely** totul e bine/perfect/în regulă; **to lead up the ~ (path)**

F a duce cu preșul/zăhărelul/ vorba, a păcăli **2** parc, grădină (↓ botanică *sau* zoologică, *uneori pl*) **3** grădină, terasă *(restaurant, berărie)* **4** zonă/regiune mănoasă; **the ~ of England** comitatul Kent **5** (↓ *pl, în urma unui nume propriu)* stradă, alee; piață **6** *amer* sală mare *(de întruniri etc.)*; arenă; **Madison Square Garden** arena (acoperită) Madison Square **II** *adj bot (numai atrib)* de grădină; grădinăresc, cultivat *(opus lui sălbatic)*; **common or ~** ← *F* obișnuit, banal **III** *vi* a face grădinărit/grădinărie, a se ocupa cu grădinăritul

garden chair ['gaːdn tʃɛə'] *s* scaun/ fotoliu de grădină/paie/răchită

garden city ['gaːdn ˌsiti] *s* oraș cu urbanistică modernă, cu spații verzi; oraș-grădină

gardener ['gaːdnə'] *s* grădinar

gardenesque [ˌgaːdə'nesk] *adj* **1** ca o grădină **2** de grădinărit/de grădinărie

gardenia [gaː'diːniə] *s* gardenie; *arbust înrudit cu* roiba *(Gardenia)*

gardening ['gaːdəniŋ] *s* grădinărit, horticultură

garden party ['gaːdn ˌpaːti] *s* petrecere în grădină; picnic; chermesă

garden roller ['gaːdn ˌroulə'] *s* tăvălug pentru grădină; sul/ mașină pentru netezit gazonul

garden seat ['gaːdn ˌsiːt] *s v.* **garden chair**

Garden State ['gaːdn ˌsteit] *geogr* (Statul) New Jersey

garden stuff ['gaːdn ˌstʌf] *s* legume, zarzavaturi; produse agroalimentare

garden suburb ['gaːdn ˌsʌbəb] *s* suburbie modernă amenajată cu spații verzi

garden village ['gaːdn ˌvilidʒ] *s* așezare modernă cu spații verzi *etc.*

garfish ['gaːˌfiʃ] *s iht* zărgan *(Belone belone)*

Gargantua [gaːˈgæntjuə] *lit* uriaș mâncăcios *(în „Gargantua și Pantagruel" de Rabelais)*

Gargantuan [gaːˈgæntjuən] *adj* **1** uriaș **2** *(d. poftă)* pantagruelic

gargle ['gaːgəl] **I** *s* **1** gargară **2** gâlgâit *(ca de gargară)*; gargariseală **II** *vi* a face gargară, a se gargarisi **III** *vt* a face gargară cu, a folosi pentru gargară

gargoyle ['gɑːgɔil] *s arhit* gargui, cap de balaur *sau* himeră, gură de burlan

Garibaldi [ˌgæri'bɔːldi], **Giuseppe** *militant patriot italian (1807-1872)*

garibaldi [gæri'bɔːldi] *s* **1** cazacă, bluză largă *(de femeie sau copil)* **2** *gastr brit* prăjitură cu coacăze sau alte fructe **3** *iht amer* pește mic din California *(Hypsypops rubicundus)*

garish ['gɛəriʃ] *adj* țipător; de prost gust

garland ['gɑːlənd] **I** *s* **1** ghirlandă **2** antologie, colecție **II** *vt* a împodobi/a orna cu ghirlande

garlic ['gɑːlik] *s* **1** *bot* usturoi *(Allium sativum)* **2** căpățână de usturoi

garment ['gɑːmənt] **I** *s* **1** articol de îmbrăcăminte **2** haine/îmbrăcăminte de gata, confecții **II** *vt* a îmbrăca

garment industry, the ['gɑːmənt 'indəstri, ðə] *s* industria de confecții

garn [gɑːn] *interj F* vax! aiurea! pe dracu!

garner [gɑːnə^r] *vt* **1** a depozita (în hambar); a înmagazina; a însiloza **2** a aduna; a strânge, a culege *(prin muncă)* **3** a stoca **4** a aproviziona; a asorta

garnet ['gɑːnit] **I** *s* **1** *minr* granat **2** grenat, culoare rubinie **II** *adj* **1** cu granate **2** grenat, rubiniu

Garnet ['gɑːnit] *s:* **(All) Sir ~** *sl* mișto, șucar, în regulă, – mulțumitor, ca lumea

garnet paper ['gɑːnit peipə^r] *s tehn* hârtie abrazivă, șmirghel

garnish ['gɑːniʃ] **I** *vt* **1** a garnisi **2** a decora, a împodobi, a înfrumuseța **3** a utila, a înzestra **II** *s gastr* garnitură; decorație

garnishee [ˌgɑːni'ʃiː] **I** *vt jur* **1** a popri; a ține în gaj **2** a emite o ipotecă asupra *(cu gen)* **II** *s* persoană asupra căreia greveză o poprire

garnishment ['gɑːniʃmənt] *s* **1** *jur* ipotecare, poprire **2** poprire din salariu, reținere *(pt datorii)*

garniture ['gɑːnitʃə^r] *s gastr* garnitură; decorație

garotte [gə'rɔt] *vt, s v.* **garrote**

garret ['gærit] *s* mansardă; pod

Garrick ['gærik], **David** *actor, dramaturg și regizor englez (1717-1779)*

garrison ['gærisən] *mil* **I** *s* **1** garnizoană **2** punct/*sau* oraș de garnizoană **II** *vt* a întări cu o garnizoană

garrote [gə'rɔt] **I** *vt* a strangula, a sugruma **II** *s* **1** șbliț, ștreang **2** strangulare, sugrumare

garrulous ['gæruləs] *adj* guraliv, gureș, vorbăreț

garrulousness ['gæruləsnis] *s* limbuție

Garry ['gæri] *nume masc*

garter ['gɑːtə^r] **I** *s* **1** jartieră **2 the G~** ordinul jartierei *(înaltă decorație engleză)* **II** *vt* a prinde cu jartiere; a-și pune jartiere la *(picior)*

Gary ['gæri] **1** *nume masc* **2** *oraș în S.U.A.*

gas [gæs] **I** *s* **1** gaz, corp chimic gazos **2** gaz aerian, gaz de iluminat; gaze **3** abur, văpaie **4** *amer* ← *F* benzină *(auto sau de aviație);* **step on the ~! a** accelerează! **b** *fig* grăbește-te! *F* dă-i bătaie! **5** *med* ← *F* anestezic *sau* narcotic **6** gaz toxic, lacrimogen *etc.* **7** *F* trăncăneală, palavre **8** *sl* grozăvie, minune, bombă; persoană atrăgătoare; lucru grozav, treabă strașnică **II** *adj atr* **1** de gaze; pentru gaze **2** gazos **III** *vt* a gaza **IV** *vi F* a trăncăni, a pălăvrăgi, a vorbi vrute și nevrute

gas chamber ['gæs ˌtʃeimbə^r] *s* cameră de gazare

Gascon ['gæskən] *s, adj* gascon

Gascony ['gæskəni] *ist provincie franceză* Gasconia

gas cooker ['gæs ˌkukə^r] *s* plită cu gaze, aragaz

gas cooled ['gæs ˌkuːld] *adj* răcit cu (un curent de) gaze

gas engine ['gæs ˌendʒin] *s tehn* motor cu gaze

gaseous ['gæsiəs] *adj* gazos

gas fire ['gæs ˌfaiə^r] *s* arzător (de gaze)

gas fitter ['gæs ˌfitə^r] *s* instalator de gaze

gas fittings ['gæs ˌfitiŋz] *s pl* arzător de gaze; încălzitor cu gaze; instalație de gaze

gas gangrene ['gæs ˌgæŋgriːn] *s med* gangrenă gazoasă

gash [gæʃ] **I** *s* **1** tăietură adâncă, spintecătură **2** rană **II** *vt* **1** a spinteca, a tăia **2** a răni

gas helmet ['gæs ˌhelmit] *s v.* **gas mask**

gas holder ['gæs ˌhouldə^r] *s* gazometru; rezervor de gaze

gas house ['gæs ˌhaus] *s* uzină de gaz

gas jet ['gæs ˌdʒet] *s tehn* **1** jet de gaze **2** duză pentru gaz(e)

gasket ['gæskit] *s* **1** *tehn* garnitură, manșon **2** *nav* sachet, baieră

gaslight ['gæs ˌlait] *s* **1** iluminat cu gaz (aerian), lumină de gaz **2** bec/lampă de gaz aerian; felinar cu gaz aerian/de iluminat

gas lighter ['gæs ˌlaitə^r] *s* **1** brichetă cu gaze **2** aprinzător pentru gaze/aragaz

gaslit ['gæs ˌlit] *adj* (i)luminat cu gaz aerian

gas main ['gæs ˌmein] *s* conductă de gaze

gas man ['gæs ˌmæn] *s* **1** instalator de gaze **2** muncitor la uzina de gaz **3** încasator de gaze

gas mantle ['gæs ˌmæntə l] *s tehn* grilă de protecție pentru lampă cu incandescență

gas mask ['gæs ˌmɑːsk] *s* mască de gaz(e)

gas meter ['gæs ˌmiːtə^r] *s* contor de gaze *(adeseori declanșează alimentarea cu gaze prin introducerea unei monede)*

gas motor ['gæs ˌmoutə^r] *s v.* **gas engine**

gasolene, gasoline ['gæsə ˌliːn] *s* **1** gazolină **2** *amer* benzină *(auto sau de aviație)*

gas oven ['gæs ˌʌvən] *s* **1** *v.* **gas cooker 2** *v.* **gas chamber**

gasp [gɑːsp] *vt* **1** a-și pierde răsuflarea; a i se tăia respirația **2** a gâfâi; **to ~ for breath** a avea respirația întretăiată; a nu avea aer; a-și pierde respirația **3** a icni *(de spaimă, durere etc.)* **II** *vt* a bolborosi, a rosti pe nerăsuflate **III** *s* **1** icnit *(de spaimă, durere etc.)* **2** răsuflare întretăiată; **to breathe the/one's last ~** a-și da duhul

gasper ['gɑːspə^r] *s sl* cui de coșciug, – țigară proastă

gas range ['gæs ˌreindʒ] *s amer v.* **gas cooker**

gas ring ['gæs ˌriŋ] *s* ochi de aragaz/de plită cu gaze

gassed [gæst] *adj* **1** gazat **2** *sl* matol, pilit, obosit, – băut, afumat, beat

gasser ['gæsə^r] *s* **1** flecar, palavragiu, moară stricată **2** *sl v.* **gas I 8**

gassiness ['gæsinis] *s* **1** stare gazoasă **2** *F* cioc, bărbi, bărbie-reală; – vorbărie, limbuție

gas station ['gæs ,steiʃən] *s* benzi-nărie, stație de (alimentare cu) benzină

gas stove ['gæs ,stouv] *s* sobă cu gaze

gassy ['gæsi] *adj* **1** gazos **2** umplut cu gaze

gasteropod ['gæstərə,pod] *s, adj v.* **gastropod**

gasthaus ['gɑːsthaus] *s germ* han, mic hotel

gastric ['gæstrik] *adj* gastric; stomacal

gastric juice ['gæstrik 'dʒuːs] *s* suc gastric

gastric ulcer ['gæstrik 'ʌlsər] *s med* ulcer gastric, gastrită acută

gastritis [gæs'traitis] *s med* gastrită

gastro-intestinal [,gæstrouin-'testinəl] *adj* gastro-intestinal

gastronome [,gæstrənoum] *s* gas-tronom, gourmet, specialist în arta culinară

gastronomic(al) [,gæstrə'nomik(əl)] *adj* gastronomic; culinar

gastronomy [gæs'trənəmi] *s* gastro-nomie; artă culinară

gastropod ['gæstrə,pod] *s zool* gasteropod

gas up ['gæs 'ʌp] *vt cu part adv amer* *F v.* **gas II 2**

gasworks ['gæs,wəːks] *s sg și pl* uzină de gaz

gat [gæt] *s sl* pistol, revolver; armă de foc

gate [geit] I *s* **1** poartă; portiță; ~ **of ivory** poarta iluziilor; ~ **of horn** poarta visurilor (adevărate) **2** *geogr* pas, trecătoare **3** *tehn* ecluză; supapă, valvă; vană **4** spectatori *(la meciuri etc.)*; taxă/ bilete de intrare; câștig/încasări de la meciuri **5** *amer (în denu-miri)* stradă **6** *sl* papuci, *F →* pașaport, răvaș de drum; **give him the** ~ dă-i papucii, trimite-l la plimbare II *vt școl, univ* a consemna (ca pedeapsă)

gate crash ['geit kræʃ] *vi* a intra nepoftit *(↓ prin fraudă/fără bilet)*

gate crasher ['geit kræʃər] *s ← F* **1** spectator care intră fără bilet **2** intrus, musafir nepoftit

gate house ['geit ,haus] *s* gheretă/ lojă a portarului

gatekeeper ['geit,kiːpər] *s* **1** portar **2** *entom* fluture mare, maroniu

gateman ['geit,mən] *s v.* **gate-keeper**

gatepost ['geit,poust] *s* stâlp al porții; **between you and me and the** ~ **a** între noi fie vorba **b** rămâne între noi; ți-o spun în mare secret

gateway ['geit,wei] *s* **1** *și fig* poartă de intrare **2** *fig* deschidere, ieșire

gather ['gæðər] I *vt* **1** a strânge, a aduna; **he was** ~**ed to his fa-thers** l-a strâns Dumnezeu la el/ de pe lume, a trecut în lumea drepților **2** a culege, a aduna, a strânge *(recolta etc.)*; a recolta **3** a strânge, a cuprinde; **to** ~ **in one's arms** a strânge la piept/în brațe **4** a face pungă, a pungi; a încreți, a plisa *(o stofă etc.)* **5** *fig* a câștiga, a prinde; a spori; **to** ~ **speed** a prinde/a lua viteză **6** a înțelege; a deduce; a trage concluzia (că); I – **he is not here** bănuiesc că e plecat, nu? după câte înțeleg a plecat **7** a afla, a prinde de veste; I ~ **(that) the film is poor** am auzit/înțeles că filmul e cam prost/slab II *vi* **1** a se aduna, a se strânge, a se întruni **2** a se îmbulzi **3** *med (d. bubă etc.)* a colecta, a coace III *s* pliseu, încrețitură

gatherer ['gæðərər] *s agr* culegător

gather in ['gæðər 'in] *vt cu part adv* a strânge, a aduna *(recolta)*, a secera *(grânele)*

gathering ['gæðəriŋ] *s* **1** întrunire, adunare; sindrofie **2** *med* cop-tură, colectare *(de puroi)*

gather up ['gæðər'ʌp] *vt cu part adv* a aduna, a culege, a strânge (laolaltă)

Gatling (gun) [gætliŋ(gʌn)] *s tip de* mitralieră

gator ['geitər] *s ← F* aligator

G.A.T.T. *presc de la* **General Agreement on Tariffs and Trade** Acordul general pentru tarife și comerț

gauche [gouʃ] *adj fr* stângaci *(în societate)*

gaucheness ['gouʃnis] *s fr* stân-găcie *(în societate)*

gaucho ['goutʃou] *s* cowboy sud-american

gaud [gɔːd] *s* podoabă ieftină, tinichea

gaudily ['gɔːdili] *adv* țipător, arătos dar vulgar

gaudiness ['gɔːdinis] *s* caracter țipător, vulgaritate

gaudy ['gɔːdi] *adj* **1** țipător, bătător la ochi **2** arătos dar ieftin, ordinar, vulgar; de proastă calitate

gauge [geidʒ] I *s* **1** măsură; **to take the** ~ **of** a măsura *cu ac* **2** *ferov* ecartament **3** *tehn* calibru; gaba-rit; jojă **4** aparat *sau* instrument de măsură **5** *și fig* etalon **6** element de comparație, reper II *vt și fig* a măsura; **to** ~ **smb's character** a cântări pe cineva

gaugeable ['geidʒəbl] *adj* măsu-rabil

gauge pressure ['geidʒ preʃər] *s* presiune (internă)

gauger ['geidʒər] *s* **1** măsurător, pontator, normator **2** perceptor; încasator

Gauguin [go'gæn], **Paul** *pictor francez (1848-1903)*

Gaul [gɔːl] *s* **1** *ist* Galia **2** *ist* gal **3** francez

gauleiter ['gau,laitər] *s* **1** gauleiter, conducător nazist (local) **2** *fig* satrap, tiran *(mărunt sau local)*

Gaulish ['gɔːliʃ] *ist* I *s* limba galilor, gală, galeză II *adj* gal(ez), galic

Gaullism ['goulizəm] *s pol* gaulism, sprijinire a politicii generalului de Gaulle

gaunt [gɔːnt] *adj* **1** sfrijit, supt, numai pielea și osul **2** *(d. pământ)* sterp, sărac **3** pustiu; trist

gauntlet ['gɔːntlit] *s* **1** *ist* mănușă de armură; **to take up the** ~ **a** a accepta o provocare **b** a îmbră-țișa o cauză; **to throw down the** ~ **a** a provoca pe cineva (la duel), a lansa o provocare **2** *tehn* mănușă de protecție **3** *tehn* apărătoare pentru încheietura mâinii, manșetă protectoare // **to run the** ~ **a** a fi silit să treacă prin două șiruri de bătăuși **b** *fig* a trece prin furcile caudine

gauntness ['gɔːntnis] *s* slăbiciune cumplită, emaciere

gauntry ['gɔːntri] *s v.* **gantry**

gauss [gaus], *pl* ~ *sau* –**es** *s fiz* gauss, oersted, unitate electro-magnetică

Gautama (Buddha) ['gautəmə (budə)] *rel* Buda

gauze [gɔːz] *s* **1** *text* voal, gaz; tifon **2** *amer* ceață

gauze-like ['gɔːz,laik] *adj* subțire ca tifonul/voalul

gauziness ['gɔːzinis] *s* 1 transparenţă, caracter aerian 2 subţirime extremă; fineţe

gauzy ['gɔːzi] *adj* 1 transparent, subţire ca un voal 2 fin, delicat 3 aerian, imaterial

gave [geiv] *vi pret de la* **give**

gavel ['gævəl] I *s* ciocănaş, ciocănel *(al preşedintelui, judecătorului etc.)* II *vi* a bate cu ciocănaşul *(la licitaţie)*

gavial ['geiviəl] *s zool* gavial *(Gavialis gangeticus)*

gavotte [gə'vɔt] *s muz* gavotă

Gawain [gə'wein] *lit* cavaler al Mesei rotunde *(în ciclul arturian)*

Gawd [gɔːd] *vulg sau sl* I *s* Dumnezeu II *interj* Dumnezeule! Doamne!

gawk [gɔːk] I *s* mocofan, lălâu, prostovan neîndemânatic (şi greoi), bălălău II *vt* a se uita prosteşte, a sta gură de vacă

gawkily ['gɔːkili] *adj* 1 stângaci, neîndemânatic 2 prosteşte, ca un prost

gawkiness ['gɔːkinis] *s* stângăcie, lipsă de îndemânare

gawky ['gɔːki] *adj* 1 stângaci, greoi, lălău 2 nătâng, bleg

gawp [gɔːp] *vi v.* **gawk** II

Gay [gei] 1 *nume fem* 2 **John** dramaturg englez (1685-1732)

gay [gei] *adj* 1 vesel, vioi; jucăuş 2 bătător la ochi, care-ţi ia ochii; viu colorat; strident, ţipător 3 petrecăreţ 4 stricat, desfrânat; imoral; afemeiat; **to go/to become ~** *(d. femei)* a se apuca de prostituţie 5 homosexual, invertit 6 lesbiană, cu înclinaţii homosexuale 7 ↓ *atrib (d. un local etc.)* frecventat de homosexuali

gay dog ['gei 'dɔg] *s* afemeiat, crai(don), donjuan, berbant

gayety ['geiiti] *s v.* **gaiety**

gayly ['geili] *adv v.* **gaily**

gaz. *presc de la* **gazette**

Gaza ['gɑːzə] *oraş şi regiune în Palestina*

gazabo [gə'zeibou] *s v.* **gazebo** 3

gaze [geiz] I *vi* 1 a privi/a se uita lung; a sta şi a privi 2 a privi în gol; a rămâne cu privirea pierdută II *s* privire lungă/insistentă

gazebo [gə'ziːbou] *s* 1 chioşc, pavilion în grădină 2 foişor, turnuleţ 3 *sl* tip, gagiu, moacă, faţă

gazelle [gə'zel] *s zool* gazelă *(Gazella sp.)*

gazette [gə'zet] *s* 1 monitor/buletin oficial 2 ziar, gazetă

gazetteer [ˌgæzi'tiə] *s* listă de denumiri geografice

G.B. *presc de la* **Great Britain**

G.B.S. *presc de la* **George Bernard Shaw**

G.C.D., g.c.d. *presc de la* **greatest common divisor** cel mai mare divizor comun

G.C.E. *presc de la* **General Certificate of Education** diplomă de absolvire a şcolii generale *sau* a liceului

G clef [ˌdʒiː ˌklef] *s muz* cheia sol

Gd *chim presc de la* **gadolinium** gadoliniu

Gdn(s) *presc de la* **garden(s)** parc

G.D.R. *presc de la* **The German Democratic Republic** Republica Democrată Germană

gear [giə] I *s* 1 *tehn* angrenaj; roată dinţată; **in ~** angrenat; cuplat; **out of ~** a *tehn* decuplat b stricat, deranjat c *fig* în dezordine 2 *auto, tehn* viteză; **bottom/ first ~** viteză mică, viteza întâi; **top ~** viteză maximă/superioară; **to shift the ~s** a schimba vitezele 3 echipament; haine; costum, harnaşament 4 mecanism 5 utilaj II *vt* 1 a înzestra cu un mecanism 2 a adapta, a ajusta; **to ~ to smth** a adapta la/pentru *(un scop etc.)* 3 a înhăma

gear box ['giə ˌbɔks] *s tehn* cutie de viteze

gear case ['giə ˌkeis] *v.* **gear box**

gearing ['giəriŋ] *s* 1 *tehn* mecanism; angrenaj 2 înzestrare cu un mecanism

gear lever ['giə ˌliːvə] *s auto* manetă de schimbare a vitezelor, schimbător de viteze

gearshift ['giəʃift] *s* 1 *tehn* mecanism de cuplare; angrenaj 2 *auto* schimbător de viteze

gear up [giər'ʌp] *vt cu part adv v.* **gear** II 3

gear wheel [giə,wiːl] *s* roată dinţată *(la bicicletă)*

gecko ['gekou] *s zool* geko, specie de şopârlă *(Gekkonidae sp.)*

gee¹ [dʒiː] *interj* 1 *F* phii! fain! grozav! straşnic! hoho! 2 dă(i)! die (boală)! 3 cea!

gee² [dʒiː] *s sl* tip, ins, gealat, gagiu, gorobete

gee gee ['dʒiː ˌdʒiː] *s F* căluţ, cal

gee-ho ['dʒiː ˌhou], **gee-up** ['dʒiː ˌʌp] *interj v.* **gee¹** 2

geese [giːs] *s pl de la* **goose** 1

gefilte fish [gə'filtə,fiʃ] *s gastr* ştiucă umplută; peşte umplut

Gehenna [gi'henə] *s* 1 *rel* gheena, iadul 2 *bibl* Valea Gheenei

Geiger counter ['gaigə ,kauntə] *s fiz* contor Geiger (Müller)

geisha ['geiʃə] *s* gheişă

Geissler tube ['gaislə ,tjuːb] *s fiz* tub Geisler/cu cuarţ

geist [gaist] *s germ* 1 spirit, duh 2 intelect, inteligenţă, spirit

gel [dʒel] *fiz, ch* I *s* suspensie (coloidală) II *vi* a forma un gel/o suspensie coloidală

gelatine ['dʒelə,tiːn] *s* gelatină; **~ blasting ~** fulmicoton, exploziv

gelatinous [dʒi'lætinəs] *adj* gelatinos

gelatin paper ['dʒelətin,peipə] *s foto* hârtie cu gelatină; hârtie sensibilă

gelation [dʒi'leiʃən] *s* 1 îngheţare, solidificare prin răcire 2 formare a unui gel/a unei soluţii coloidale

geld [geld] *vt* a jugăni, a castra, a întoarce

gelding ['geldiŋ] *s* animal *(↓ cal)* castrat

gelid ['dʒelid] *adj* 1 îngheţat 2 rece ca gheaţa, glacial

gelignite ['dʒelig,nait] *s* (exploziv cu) fulmicoton

gelly ['dʒeli] *s sl v.* **gelignite**

gem [dʒem] I *s* 1 piatră preţioasă, nestemată 2 bijuterie 3 *fig* nestemată, giuvaer; odor II *vt (şi fig)* a împodobi cu nestemate

geminate ['dʒemi,neit] I *vt* 1 a îngemăna, a împerechea 2 a dubla, a repeta II ['dʒemi,neit] *vi* a se dubla III ['dʒeminit] *adj* îngemănat, împerecheat; pereche

gemination [,dʒemi'neiʃən] *s* 1 îngemănare, împerechere; geminaţie 2 dublare, repetare

Gemini ['dʒemi,nai] *s pl astr* Gemenii

gemsbok ['gemz,bɔk] *s zool* antilopă africană *(Oryx gazella)*

gemütlich [gə'mjuːtlik] *adj germ* 1 vesel; optimist; bine dispus 2 agreabil; confortabil 3 simpatic, plăcut

gemütlichkeit [gə'm(j)uːtlikkait] *s germ* **1** veselie, bună dispoziție **2** caracter agreabil, plăcut *sau* confortabil

Gen. *presc de la* **1** Genesis **2** General

gen. *presc de la* **1** general **2** genitive **3** genus **4** gender

gendarme ['ʒɑːndɑːm] *s* **1** jandarm **2** stâncă; bloc de stânci

gendarmerie [ʒɑː'ndɑːməri] *s* jandarmerie (↓ *în Franța*)

gender ['dʒendə'] *s* **1** *gram* gen **2** *glumeț* sex

Gene [dʒiːn] *nume masc dim de la* **Eugene**

gene [dʒiːn] *s biol* genă

-gene *suf* -gen: **phosgene** fosgen

genealogical [,dʒiːniə'lɔdʒikəl] *adj* genealogic, referitor la familie/ descendență

genealogically [,dʒiːniə'lɔdʒikəli] *adv* genealogic

genealogist [dʒiː'niːælədʒist] *s* specialist în genealogie

genealogy [,dʒiː'niːælədʒi] *s* **1** genealogie, descendență; origine **2** arbore genealogic; viță, obârșie

genera ['dʒenərə] *s pl de la* **genus**

general ['dʒenrəl] **I** *adj* **1** general, universal; ~ **lay-out** plan general; **as a ~ rule** de regulă/obicei; îndeobște, în general **2** (larg) răspândit, obișnuit, comun **3** vag, general, nespecific, nedefinit; **a ~ idea** o idee generală/vagă **4** nespecificat, general **5** principal, șef; **Postmaster G~** ministrul poștelor **II** *s* **1** *mil* general; comandant; domnule general; **full ~** *amer* general de armată **2** *mil od* general onorific **3** general *(ant particular)* // **in ~** în general, în linii mari

general agent ['dʒenrəl 'eidʒənt] *s com* reprezentant general

General Agreement on Tariffs and Trade ['dʒenrəl ə'griːmənt ɔn 'tærifs ənd 'treid] Acordul general pentru tarife și comerț, G.A.T.T.

general assembly ['dʒenrəl ə'sembli] *s* **1** adunare generală; **the UN(O) G~ A~** Adunarea generală ONU **2** adunare pe școală

general confession [dʒenrəl kən'feʃən] *s bis* spovedanie colectivă *(a tuturor enoriașilor)*

General Court ['dʒenrəl ,kɔːt] *s* Adunare legislativă *(în unele state din S.U.A.)*

general dealer ['dʒenrəl 'diːlə'] *s com* proprietar de magazin general/ cu de toate

general delivery ['dʒenrəl di'livəri] *s* **1** poștă/corespondență obișnuită **2** (poștă distribuită în) prima cursă a factorului poștal **3** *amer* post restant

General Headquarters ['dʒenrəl 'hedkwɔːtəz] *s mil* **1** Cartier General; Înalt Comandament **2** Stat Major

general hospital ['dʒenrəl 'hɔspitəl] *s* spital general *(nespecializat)*

generalissimo [,dʒenərə'lisi,mou] *s mil* generalisim

generality [,dʒenə'ræliti] *s* **1** generalitate, considerație cu caracter general **2** universalitate, generalitate, aplicabilitate generală **3** majoritate, masă, gros

generalization [,dʒenrəlai'zeiʃən] *s* **1** generalizare, abstractizare, absolutizare **2** generalități; vorbărie goală **3** *filos* inducție

generalize ['dʒenrə,laiz] **I** *vt* **1** a generaliza; a absolutiza; a abstractiza **2** a răspândi, a generaliza **3** *artă* a stiliza, a schematiza **II** *vi* **1** a generaliza **2** a vorbi în termeni generali

general knowledge ['dʒenrəl 'nɔlidʒ] *s* cunoștințe generale

generally ['dʒenrəli] *adv* **1** în general; îndeobște; ~ **speaking** vorbind în general, în linii mari **2** vag **3** peste tot, pretutindeni **4** în majoritatea cazurilor

general meeting ['dʒenrəl miːtiŋ] *s* adunare generală

General of the Army ['dʒenrəl əv ði 'ɑːmi] *s mil* general de armată, comandantul armatei

General Post Office ['dʒenrəl 'poust 'ɔfis] *s* poștă centrală, oficiu poștal principal

general practice ['dʒenrəl 'præktis] *s med* medicină generală

general practitioner ['dʒenrəl præk'tiʃənə'] *s* generalist, doctor care practică medicina generală

general reader ['dʒenrəl ,riːdə'] *s* cititor obișnuit *(care citește orice, fără preferințe speciale)*

generalship ['dʒenrəl,ʃip] *s* **1** *mil* grad/rang de general **2** *mil și fig* tactică, strategie **3** *fig* tact, abilitate

general staff ['dʒenrəl 'stɑːf] *s mil* stat major (general)

general store ['dʒenrəl 'stɔː'] *s* (mic) magazin universal

general strike ['dʒenrəl 'straik] *s* grevă generală (↓ *din 1926 în Anglia*)

generate ['dʒenə,reit] *vt* **1** a genera, a produce **2** a provoca, a stârni, a da naștere la

generating set ['dʒenə,reitiŋ ,set] *s el* generator

generation [,dʒenə'reiʃən] *s* **1** generație; **the rising ~** tineretul **2** durata unei generații, generație **3** generare, producere, producție

generational [,dʒenə'reiʃənəl] *adj* **1** generativ **2** referitor la (diferența între) generații

generation gap [,dʒenə'reiʃən ,gæp] *s* decalaj între generații; deosebiri de vederi/concepții după (grupa de) vârstă

generative ['dʒenərətiv] *adj* **1** generator; producător **2** referitor la (pro)creație/(re)producție

generative grammar ['dʒenərətiv 'græmə'] *s lingv* gramatică generativă/transformațională

generator ['dʒenə,reitə'] *s* **1** *fiz* generator (↓ *dinam*) **2** *ch* generator, sursă **3** părinte, tată, creator

generic [dʒi'nerik] *adj* **1** generic; general, universal **2** *biol* referitor la gen, generic

generically [dʒi'nerikəli] *adj* generic, (vorbind) în genere

generosity [,dʒenə'rɔsiti] *s* **1** generozitate, mărinimie; dărnicie **2** altruism, spirit de sacrificiu, generozitate **3** noblețe (sufletească), cavalerism **4** (act de) filantropie **5** abundență, bogăție

generous ['dʒenərəs] *adj* **1** generos, mărinimos, darnic **2** (cu suflet) nobil, cavaler, plin de noblețe (sufletească) **3** altruist **4** abundent, bogat, copios

generously ['dʒenərəsli] *adv* **1** generos, mărinimos, cu dărnicie **2** (în mod) altruist; nobil; cu noblețe **3** abundent, bogat, copios

generousness ['dʒenərəsnis] *s v.* **generosity**

Genesis ['dʒenisis] *s bibl* Geneza, Facerea

genesis ['dʒenisis], *pl* **geneses** ['dʒenisiːz] *s* **1** geneză, naștere, origine; apariție **2** geneza, facerea lumii

genetic [dʒi'netik] *adj biol* 1 genetic 2 ereditar

genetically [dʒi'netikəli] *adv biol* (din punct de vedere) genetic

genetic code [dʒi'netik ,koud] *s biol* cod genetic

geneticist [dʒi'netisist] *s* genetician, specialist în genetică/ereditate

genetics [dʒi'netiks] *s pl ca sg* genetică; știința eredității

Geneva [dʒi'ni:və] *oraș și lac în Elveția*

geneva [dʒi'ni:və] *s* gin olandez, băutură de ienupăr

Geneva Convention, the [dʒi'ni:və kən'venʃən, ðə] *s ist* Convenția de la Geneva *(cu privire la prizonieri și răniți, 1864)*

Geneva Cross [dʒi'ni:və ,krɔs] *s* Cruce roșie *(ca semn)*

Geneva protocol [dʒi'ni:və 'proutə-,kɔl] *s* convenția/protocolul de la Geneva *(1925) pentru interzicerea războiului bacteriologic și chimic*

Genevese [,dʒeni'vi:z] *s, adj* genovez

Genevieve ['dʒeni,vi:v] *nume fem* Genoveva

Genghis Khan ['dʒeŋgis 'ka:n] *conducător al mongolilor* Gingis Han *(1161-1227)*

genial[1] ['dʒi:njəl] *adj* 1 plăcut, agreabil 2 favorabil, propice 3 binevoitor, amabil 4 vesel, jovial; jucăuș 5 simpatic, drăguț 6 *(d. climă)* bland, dulce; cald 7 înnăscut, congenital

genial[2] [dʒi'naiəl] *adj anat* referitor la bărbie

geniality [,dʒi:ni'æliti] *s* 1 caracter agreabil/plăcut 2 caracter favorabil 3 bunăvoință, amabilitate, cordialitate; caracter agreabil/ simpatic 4 veselie, voioșie, jovialitate 5 blândețe *(a climei)*

genially ['dʒi:njəli] *adv* 1 plăcut, agreabil 2 favorabil, propice 3 binevoitor, cordial, cu bunăvoință 4 voios, jovial, cu voioșie 5 bland, cu blândețe

-genic *suf* -genic; **telegenic** telegenic

genic ['dʒenik] *adj biol* referitor la gene(tică), genetic

genie ['dʒi:ni], *pl și* **genii** ['dʒi:ni,ai] *s mit* strigoi, vârcolac

genii ['dʒi:ni,ai] 1 *pl de la* **genius** 6 2 *pl de la* **genie**

genista [dʒi'nistə] *s bot* arbust din genul *Genista* (*e.g.* **dyer's broom**)

genital ['dʒenitəl] *adj* genital, de reproducere

genitalia [,dʒeni'teiliə] *s pl v.* **genitals**

genitals ['dʒenitəlz] *s pl* organe genitale/sexuale

genitival [,dʒeni'taivəl] *adj biol* genotipic, tipogenic

genitive ['dʒenitiv] *gram* I *adj* genitiv II *s* 1 (cazul) genitiv 2 substantiv *etc.* în genitiv

genitourinary [,dʒenitou'juərinəri] *adj anat, med* genitourinar

genius ['dʒi:niəs] *s* 1 geniu, genialitate 2 geniu, om genial, minte strălucită 3 înzestrare, dar, geniu; **a man ~** un om genial 4 specific(itate), particularitate 5 înclinație, talent 6 *pl* **genii** ['dʒi:niai] duh, spirit, strigoi, geniu

genius loci ['dʒi:niəs'lousai], *pl* **genii loci** ['dʒi:niai 'lousai] *lat* divinitate locală; duhul locului

genl. *presc de la* **general**

Gennesaret [gi'nesərit] Lacul Ghenizaret, Marea Galileii

Genoa ['dʒenouə] *oraș în Italia* Genova

genocidal ['dʒenou,saidəl] *adj (referitor la)* genocid

genocide ['dʒenou,said] *s* genocid

Genoese [,dʒenou'i:z] *s, adj* genovez

-genous [dʒenəs] *suf* -gen: **endogenous** endogen

genotype ['dʒenou,taip] *s biol* genotip, individualitate genetică

genotypic(al) [,dʒenou'taipik(əl)] *adj biol* genotipic, tipogenic

Genovese [,dʒenə'vi:z] *s, adj* genovez

genre [ʒɑ:nr] *s* 1 gen (literar); specie (literară) 2 *artă* compoziție, pictură/scenă de gen

genre painting ['ʒɑ:nr 'peintiŋ] *s* pictură de gen, compoziție

Gent [hent] *oraș în Belgia* Gand

gent [dʒent] *s vulg* 1 gorobete, F← tip, cetățean 2 amant de pungă, F→ elefant 3 *com pl v.* **gents**

genteel [dʒen'ti:l] *adj* 1 sclivisit, dichisit; cu pretenții (de rafinament) 2 monden, de bonton 3 ← *înv* de o politețe exagerată, afabil

gentian ['dʒenʃən] *s bot* g(h)ențiană, ghintură *(Gentiana)*

Gentile, gentile ['dʒentail] *s, adj* 1 arian, ne-evreu 2 *amer* nemormon 3 *lingv* național, legat de naționalitate

gentility [dʒen'tiliti] *s* 1 dichiseală, împopoțonare 2 (pretenție de) rafinament, afectare (în maniere) 3 caracter aristocratic, aristocrație 4 the ~ mica nobilime

gentle ['dʒentəl] I *adj* 1 bland, dulce, blajin; **(as) ~ as a lamb** bland ca un mielușel 2 gingaș, dulce, tandru 3 prietenos, amabil, gentil 4 moderat; *(d. vânt etc.)* ușor, dulce, bland 5 elegant, ales, distins, nobil; **~ pursuits** ocupații elegante 6 cavaleresc, galant; grațios 7 onorabil 8 docil, supus, ascultător 9 drag, bun; **~ reader** dragă cititorule II *s* larvă, vierme *(ca momeală)* III *vt* 1 a îmblânzi 2 a învăța *(calul)* la mers

gentle art/craft ['dʒentəl'ɑ:t/'krɑ:ft] *s* pescuit amator/cu undița

gentlefolk ['dʒentəlfouk] *s pl* (mică) nobilime, (mică) aristocrație; lume bună, societate aleasă

gentleman ['dʒentəlmən], *pl* **gentlemen** ['dʒentə lmən] *s* 1 domn (distins), gentleman 2 bărbat, domn, om 3 *înv* gentilom // **the gentlemen('s)** *(folosit ca sing)* pisoar, WC bărbați, closet public pentru bărbați

gentleman-at-arms ['dʒentəlmənət-'ɑ:mz] *s* membru al gărzii personale a regelui

gentleman-in-waiting ['dʒentə l-mənin'weitiŋ] *s* curtean, nobil de curte

gentlemanlike ['dʒentə lmən,laik] *adj* 1 distins, elegant, de gentleman 2 bine crescut, politicos, manierat 3 corect, frumos, cum se cuvine

gentlemanliness ['dʒentəlmənlinis] *s* 1 purtare aleasă, ținută onorabilă, maniere distinse 2 caracter de gentleman

gentlemanly ['dʒentə lmənli] *adj v.* **gentlemanlike**

gentleman's agreement ['dʒentəlmənz ə'gri:mənt] *s* acord tacit; convenție nescrisă, înțelegere pe cuvânt de onoare

gentleness ['dʒentə lnis] *s* 1 blândețe, dulceață, bunătate, caracter blajin: **~ of disposition** caracter blajin 2 tandrețe, blândețe, gingășie **3** amabilitate; bună-voință **4** frăgezime, delicatețe, moliciune

gentle sex, the ['dʒentəl ‚seks, ðə] *s* sexul frumos/slab, femeile

gentlewoman ['dʒentəl‚wumən], *pl* **gentlewomen** ['dʒentəl‚wimin] *s* **1** doamnă (nobilă), femeie distin-să, (o adevărată) lady **2** aristo-crată, nobilă, cucoană **3** doamnă de onoare

gently ['dʒentli] *adv* **1** blând, cu blândețe, dulce **2** gingaș, tandru; delicat **3** ușurel, ușor, încetișor; **treat it ~!** ia-o încet(ișor)!

gentry ['dʒentri] *s pl* **1** mica nobili-me/aristocrație, boiernașii de țară **2** *peior* indivizi

gents, Gents [dʒents] *s pl* **1** ← *vulg* bărbați **2** ← *F* closet public, WC (pentru bărbați)

Genua ['dʒenjuə] *oraș în Italia* Genova

genuflect ['dʒenju‚flekt] *vi* **1** a face o genuflexiune, a îndoi genun-chii; *rel* a bate mătănii **2** *fig* a fi servil/umil

genuflection, genuflexion ['dʒenju‚flekʃən] *s* genuflexiune, îndoire a genunchilor; *rel* mătanie

genuine ['dʒenjuin] *adj* **1** veritabil, adevărat; autentic, original; **a ~ pearl** o perlă veritabilă **2** curat, pur, nefalsificat **3** sincer, cinstit, onest, deschis

genuinely ['dʒenjuinli] *adv* **1** cu adevărat, într-adevăr; **he was ~ sorry** se vedea bine că-i pare rău **2** sincer, cinstit

genuineness ['dʒenjuinnis] *s* **1** autenticitate, caracter veritabil **2** adevăr **3** sinceritate, onestitate

genus ['dʒiːnəs], *pl* **genera** ['dʒenərə] *s* **1** *biol etc.* gen, clasă **2** cate-gorie, specie, soi, fel, clasă

-geny *suf* -genie: **endogeny** endo-genie

Geo. *presc de la* **George**

geochemical [‚dʒiːou'kemikəl] *adj* geochimic

geochemistry [‚dʒiːou'kemistri] *s* geochimie

geode ['dʒiːoud] *s geol* geodă

geodesic [‚dʒiːou'desik] **I** *adj* geo-dezic **II** *s* linie geodezică

geodesy [dʒi'odisi] *s* geodezie, agrimensură

geodetic(al) [‚dʒiːou'detik(əl)] *adj* geodezic

geodetic line [‚dʒiːou'detik 'lain] *s geol* linie geodezică

Geoffrey of Monmouth ['dʒefri əv 'monməθ] *cronicar englez (1100-1154)*

geographer [dʒi'ogrəfə^r] *s* geograf

geographic(al) [‚dʒiə'græfik(əl)] *adj* geografic

geographical mile [‚dʒiə'græfikəl 'mail] *s* milă marină, nod *(= 1852 m)*

geography [dʒi'ogrəfi] *s* **1** geografie **2** înfățișare a unui loc, topografie

geoid ['dʒiːoid] *s* glob (terestru)

geologic(al) [‚dʒiə'lodʒik(əl)] *adj* geologic

geologically [‚dʒiə'lodʒikəli] *adv* (din punct de vedere) geologic

geologist [dʒi'olədʒist] *s* geolog

geologize [dʒi'olə‚dʒaiz] **I** *vt* a măsura (geodezic) **II** *vi* a face investigații geologice

geology [dʒi'olədʒi] *s* geologie

geomagnetic [‚dʒiːoumæg'netik] *adj* geomagnetic

geomagnetism [‚dʒiːou'mægni‚tizəm] *adj* magnetism terestru

geometer [dʒi'omitə^r] *s* **1** geometru, geometrician **2** *entom* molie *din familia Geometridae*

geometric(al) [‚dʒiə'metrik(əl)] *adj* geometric

geometric(al) progression [‚dʒiə-'metrik(əl) prə'greʃən] *s mat* pro-gresie geometrică

geometrician [‚dʒiomə'triʃən] *s* geometru, geometrician

geometric tracery [dʒiə'metrik 'treisə-ri] *s arhit* ornamentație traforată (geometric)

geometry [dʒi'omitri] *s* **1** *mat* geo-metric **2** *filos* sistem logic **3** formă; structură **4** *artă* aranja-ment, amplasare, compoziție

geomorphology [‚dʒiːoumoː-'folədʒi] *s geol* geomorfologie

geophone ['dʒiːəfoun] *s geol* de-tector sonic de vibrații

geophysical [‚dʒiːou'fizikəl] *adj* geofizic

geophysics [‚dʒiːou'fiziks] *s pl ca sg* geofizică

geopolitic(al) [‚dʒiːoupə'litikəl] *adj* geopolitic

geopolitics [‚dʒiːou'politiks] *s pl ca sg* geopolitică

George [dʒoːdʒ] *s* **1** *nume masc* George, Gheorghe **2** *numele mai multor regi ai Angliei etc.* **3** *sl* pilot automat, giropilot // **by G~!**

Dumnezeule (mare)! Doamne (ferește)! strașnic!

georgette [dʒoː'dʒet] *s text* voal/mătase/crep georgette

Georgetown ['dʒoːdʒ‚taun] *oraș în Guyana*

Georgia ['dʒoːdʒə] **1** *stat în S.U.A.* **2** *republică ex-sovietică* Geor-gia, Gruzia **3** *nume fem* Geor-geta

Georgian ['dʒoːdʒən] **I** *adj* **1** *ist* georgian, referitor la epoca regilor George ai Angliei *(1714-1830 și 1910-1936)* **2** referitor la statul Georgia din S.U.A. **3** georgian, gruzin **II** *s* **1** contemporan al regilor George ai Angliei **2** locui-tor din statul Georgia din S.U.A. **3** georgian, gruzin

Georgiana [dʒoːdʒi'ɑːnə] *nume fem*

Georgian Republic, the ['dʒoː-dʒənri'pʌblik, ðə] Republica Georgiană, Georgia, Gruzia

Georgina [dʒoː'dʒiːnə] *nume fem* Georgeta, Georgiana

geosphere ['dʒiːou‚sfiə^r] *s geol, geogr* **1** scoarță terestră **2** geo-sferă

geostationary [‚dʒiːou'steiʃə nəri] *adj astr (d. satelit)* geostaționar

geothermal [‚dʒiːou'θəːməl] *adj geogr, geol* geotermic

geotropism [dʒi'otrə‚pizəm] *s biol, bot* geotropism

Ger. *presc de la* **1** German **2** Germany

Gerald ['dʒerəld] *nume masc*

Geraldine ['dʒerəl‚diːn] *nume fem*

geranium [dʒi'reiniəm] *s bot* năpraz-nică, geranium; priboi *(Geranium)*

Gerard ['dʒerɑːd] *nume masc*

gerbera ['gəːbərə] *s bot* gerbera *(Gerbera)*

gerfalcon ['dʒəː‚foːlkən] *s* șoim islandez *(Falco gyrfalca)*

geriatrician [‚dʒeriə'triʃən] *s med* gerontolog, geriatru

geriatrics [‚dʒeri'ætriks] *s pl ca sg med* geriatrie, gerontologie

germ [dʒəːm] **I** *s* **1** *med* microb, agent patogen, germene; bac-terie **2** *biol* germene, embrion; **in ~** în embrion, încă nedezvoltat **3** *și fig* sâmbure, sămânța; nucleu **4** *fig* embrion, început **5** *bot* spor **II** *adj* microbian, bacteriologic **III** *vi fig* **1** a germina **2** a îmboboci, a înmuguri

German ['dʒəːmən] **I** *adj* german, nemțesc **II** *s* **1** german, neamț; germană, nemțoaică **2** (limba) germană/*F* nemțească

german [dʒəːmən] *adj* **1** *(d. rude, mai ales veri)* bun, drept; primar **2** *fig* înrudit, apropiat

germane [dʒəːˈmein] *adj* **1** înrudit, legat, apropiat **2** relevant, pertinent, adecvat

Germania [dʒəːˈmeiniə] *ist* Germania

Germanic[1] [dʒəːˈmænik] **I** *adj* **1** germanic; teutonic **2** german, nemțesc **II** *s lingv* germana comună

germanic[2] [dʒəːˈmænik] *adj ch* cu germaniu

germanium [dʒəːˈmeiniəm] *s ch* germaniu

German measles ['dʒəːmən ˈmiːzəlz] *s med* rubeolă, pojar mai ușor

Germanophil [dʒəːˈmænə‚fil], **Germanophile** [dʒəːˈmænə‚fail] *s, adj* germanofil, *F* ← nemțofil

Germanophobe [dʒəːˈmænə‚foub] *s, adj* germanofob

Germanophobia [dʒəː‚mænəˈfoubiə] *s* germanofobie, *F* ← nemțofobie

German sausage ['dʒəːmən ‚soː-sidʒ] *s gastr* chișcă, cârnat gros picant

German shepherd ['dʒəːmən ‚ʃepəd] *s* câine ciobănesc, *aprox* Saint Bernard

German silver ['dʒəːmən ‚silvər] *s met* alpaca, aliaj alb

Germany ['dʒəːməni] Germania

germ cell ['dʒəːm ‚sel] *s biol* celulă de reproducere

germicidal [‚dʒəːmiˈsaidəl] *adj* germicid, antimicrobian, bactericid

germicide ['dʒəːmi‚said] **I** *s* germicid; antiseptic **II** *adj v.* **germicidal**

germinal ['dʒəːminəl] *adj* **1** germinativ, embrionar **2** *fig* embrionar; incipient; în germene/fașă

germinate ['dʒəːmi‚neit] **I** *vi* a germina, a încolți **II** *vt* **1** și *fig* a face să încolțească **2** a genera, a naște, a da naștere la

germination [‚dʒəːmiˈneiʃən] *s* **1** germinație, încolțire **2** *fig* dezvoltare, creștere

germ theory ['dʒəːm ‚θiəri] *s* **1** *med* teorie microbiană **2** *biol* teorie evoluționistă

germ warfare ['dʒəːm ‚woːˈfɛər] *s* război microbian/bacteriologic

gerontocracy [‚dʒeronˈtokrəsi] *s pol* gerontocrație, guvernare de către bătrâni

gerontology [dʒeronˈtolədʒi] *s med*, *biol* gerontologie, geriatrie

gerrymander ['dʒeri‚mændər] **I** *vt pol* a falsifica, a măslui, a truca *(rezultatele electorale)* **II** *s* falsări/măsluiri electorale

Gershwin ['gəːʃwin], **George** *compozitor american (1898-1937)*

gertcha ['gəːtʃə] *interj vulg, pop* **1** cară-te! du-te dracului/la naiba! **2** aiurea! haida-de! **3** pfui!

Gertrude ['gəːtruːd] *nume fem* Gertruda

gerund ['dʒerənd] *s gram* gerund *(formă în* -ing *cu caracteristici verbale și substantivale)*

gerund-grinder ['dʒerənd‚graindər] *s* ← *înv* profesor de latină

gerundial [dʒiˈrʌndiəl] *adj gram* gerundial, cu gerund

gesso ['dʒesou], *pl* ~**es** ['dʒesouz] *s artă* ghips

Gestalt, gestalt [gəˈʃtælt] *s filos* structură globală

Gestalt psychology [gəˈʃtælt saiˈkolədʒi] *s filos* psihologie globală

Gestapo [geˈstaːpou] *s ist* gestapo

gestate ['dʒesteit] *vt biol* a purta (în pântece), a avea în gestație

gestation [dʒeˈsteiʃən] **I** *s* (perioadă de) gestație, sarcină **II** *adj* de gestație/sarcină

gesticulate [dʒeˈstikju‚leit] **I** *vi* a gesticula, a face gesturi **II** *vt* a exprima prin gesturi

gesticulation [dʒe‚stikjuˈleiʃən] *s* gesticulare; gestică

gesticulatory [dʒeˈstikjuleitəri] *adj* gesticulator, gestic

gesture ['dʒestʃər] **I** *s* **1** gest, mișcare *(a mâinilor)* **2** *fig* gest, acțiune, act **II** *vi* a gesticula, a face gesturi *(↓ expresive)*

gesundheit [gəˈzunt hait] *interj germ* sănătate! noroc! *(după un strănut)*

get[1] [get] **I** *pret și ptc* **got** [got], *ptc amer* **gotten** ['gotən] *vt* **1** a căpăta, a obține, a dobândi, **to** ~ **possession of** a pune mâna pe, a intra în stăpânirea/posesia *(cu gen)* **2** a face rost de, a procura; a găsi; **can you** ~ **the book for me?** îmi poți face rost (și mie) de cartea asta? îmi poți procura și mie cartea? **can you** ~ **me smth to drink?** îmi găsești/dai ceva de băut? **I hope you can** ~ **the time for it** sper să-ți găsești timp (și) pentru asta **3** a primi, a căpăta; **whom did you** ~ **it from?** de la cine ai primit-o/căpătat-o? cine ți-a dat-o? **to** ~ **knowledge of** a primi informații/vești despre, a afla (despre); **we got a letter from her yesterday** ieri am primit o scrisoare de la ea, ñe-a scris ieri **4** a lua; a-și acorda; **I got some rest in January** mi-am luat un mic concediu în ianuarie; **you must** ~ **some sleep** trebuie să dormi/să te odihnești puțin **5** a determina *(să fie făcut)*; a pune *(să facă ceva);* **to** ~ **smb to do smth** a pune pe cineva la treabă/să facă o treabă; **it got me guessing** m-a pus pe gânduri, mi-a dat de gândit **6** a forța, a sili; ~ **him to go** fă-l/silește-l să plece, scoate-l de aici; ~ **your boy to cut his hair** pune-ți băiatul să se tundă **7** a convinge; ~ **her to come tomorrow** poate o poți convinge să vină mâine **8** a realiza, a repurta, a obține *(o realizare, un succes);* **I didn't** ~ **much by it** n-am realizat mare lucru cu asta; **I must** ~ **a shave** trebuie să mă bărbieresc **9** a câștiga *(prin muncă, cu trudă);* **to** ~ **one's/a living** a-și câștiga (cu greu) existența **10** a învăța; a deprinde; **I got it by heart** am învățat-o pe de rost **11** a înțelege, a pricepe, a prinde *(sensul unor vorbe etc.);* **I don't** ~ **you** nu înțeleg ce vrei să spui, nu te înțeleg; **have you got it/me right?** ai înțeles bine/perfect? te-ai lămurit/dumirit? **12** a contracta, a lua *(o boală etc.);* a se molipsi de **13** a suferi, a primi *(o pedeapsă, o lovitură etc.),* a păți *(ceva neplăcut);* **to** ~ **a blow** a suferi/a primi o lovitură; **to** ~ **a fall** și *fig* a cădea; **he got two years** a fost condamnat la/a suferit o condamnare de doi ani **14** a nimeri; a atinge; a lovi; **I got him one in the eye** l-am pocnit drept în ochi **15** a aduna, a culege, a strânge; **to** ~ **friends**

a lega prietenii, a-și face prieteni; **to ~ glory** a se acoperi de glorie; **to ~ fame** a culege lauri; a-și câștiga faimă/renume/glorie **16** a lua *(masa)* **to ~ breakfast** a mânca de dimineață, a lua micul dejun **17** a ajunge să aibă, a căpăta *(o rană etc.)* **18** a determina *(să fie făcut)*, a duce la *(realizarea unui lucru);* **to ~ smth done** a pune să se facă un lucru, a obține realizarea unui lucru; **to ~ the laws obeyed** a obține aplicarea/respectarea legii **19** a prinde; a apuca; a ajunge (în); **they got him at the station** l-au prins/*F →* găbjit la gară; **I can never ~ him on the telephone** nu-l prind niciodată la telefon; **you've got it!** ai nimerit! ai ghicit! **to ~ Budapest** a prinde (postul de radio) Budapesta; **what's got him?** ce l-a apucat? ce i-a venit? **20** ← *F* a învinge, a doborî; **I'll ~ him yet** o să-i vin eu de hac! **21** a cuceri; a captura; **they couldn't ~ the fortress** n-au putut pune mâna pe cetate **22** *sl* a-i face *(cuiva)* de petrecanie, a trimite pe lumea cealaltă **23** *amer* ← *F* a depăși *(înțelegerea cuiva);* **it ~s me how you can speak like that** nu pot înțelege ce te face să vorbești în halul ăsta **24** a duce; a conduce; a trece; **can you ~ me to the airport?** mă poți duce/conduce la aeroport? **to ~ smb/smth on the brain** a nu-și mai putea lua gândul de la cineva/ceva **II** *(v. ~ I)* *vi* **1** a ajunge, a izbuti să vină; **to ~ there a** a izbuti să ajungă **b** ← *F* a izbândi, a izbuti, a reuși; **to ~ as far as** a ajunge până la **2** a veni, a sosi; **they got here yesterday** au sosit/au venit ieri **3** a nimeri, a parveni, a reuși (să ajungă); **how am I to ~ there?** cum o să nimeresc (eu) acolo? **4** *amer* ← *F* a izbuti, a reuși; a răzbate; **without pluck you ~ nowhere** dacă n-ai tupeu nu izbutești în nimic/nu poți ajunge departe **5** *(ca verb copulă, uneori nu se traduce)* a deveni, a ajunge, a se face; **to ~ angry** a se supăra, a se enerva, a-și pierde cumpătul; **to ~ better a** a se face bine/sănătos, a se resta-

bili, a se înzdrăveni **b** a se ameliora, a se îndrepta, a merge mai/spre bine; **it is ~ting dark** se întunecă, se lasă noaptea; **to ~ done with** a termina; a isprăvi; **it is ~ting late** s-a făcut târziu; **to ~ married** a se căsători; **to be ~ting old** a îmbătrâni, a începe să îmbătrânească; **to ~ well** a se face bine/sănătos, a-și reveni (după boală) **6** a începe (să); **to ~ to like smb** a începe să-ți placă (de) cineva, a îndrăgi pe cineva, a începe să-ți fie simpatic cineva; **we got to be friends** ne-am împrietenit, între noi s-a legat o prietenie; **to ~ to work** a se apuca de lucru, treabă **7** a se duce, a merge; a se pune; a se așeza; **~ in the car** urcă-te în mașină **8** *amer vulg (rostit și* [git], ↓ *la imperativ)* a se căra, a o lua din loc **9** a câștiga, a profita **10** a se mări, a spori, a crește **III** *vr* **1** a se face; a se aranja; **to ~ oneself noticed** a se face remarcat/cunoscut, a-și face un nume; a atrage atenția; **to ~ oneself appointed** a-și aranja numirea **2** ← *înv* a se duce *(în forma ~ thee gone!* du-te! pleacă!*)*

get² *s* **1** zămislire; fătare **2** progenitură, pui; animale fătate **3** *sl*/vită încălțată, capsoman – năvleg, zevzec

get about ['get ə'baut] *vi cu part adv* **1** a călători, a voiaja; a umbla, a se deplasa **2** a se învârti/a umbla de colo până colo; **she likes to ~ a great deal a** îi place foarte mult să umble/să se învârtă prin diverse cercuri **b** e foarte mondenă, îi place să iasă în lume **3** *(d. zvonuri etc.)* a circula, a se răspândi; **it is getting about that she will leave the stage** se zvonește că va părăsi scena/că se va retrage din teatru **4** *(d. bolnavi)* a se scula după boală; a ieși (din casă); **has he got about yet?** s-a pus pe picioare? a început să iasă (din casă)?

get above ['get ə'bʌv] **I** *vi cu part adv* a se înălța deasupra celorlalți, a se distinge, a se ridica **II** *vt cu prep* a se înălța deasupra *(cu gen):* **to ~ oneself** a-și da aere, a se umfla în pene, a se grozăvi

get abroad ['get ə'brɔ:d] *vi cu part adv (d. zvonuri)* a se răspândi, a umbla

get across ['get ə'krɔs] **I** *vt cu part adv* a face să treacă/traverseze, a trece *(pe cineva etc.)* dincolo **II** *vi cu part adv* **1** a trece/a traversa cu bine, a ajunge dincolo **2** *teatru* a trece rampa, a cuceri publicul **III** *vt cu prep teatru* a face *(un spectacol)* să treacă rampa

get ahead of ['get ə'hed əv] *vi cu part adv și prep* a o lua înainte *cu gen*

get along ['get ə'lɔn] **I** *vt cu part adv* **1** a transporta, a duce **2** a face să înainteze **II** *vi cu part adv* **1** a înainta, a progresa, a face progrese; **how are you getting along?** cum îți mai merge? cum o mai duci? ce progrese ai mai făcut? **2** a o scoate la capăt, a se descurca; **to ~ well** a se descurca bine, a o scoate la capăt **3** a se înțelege, a se împăca **4** a pleca, a o lua din loc; **~ with you** *F* a șterge-o! întinde-o! **b** fugi cu ursul!

get along with ['get ə'lɔn wið] *vi cu part adv și prep* a se înțelege/a se împăca/a trăi în armonie/a o duce bine cu *(cineva)*

get at ['get ət/æt] *vi cu prep* **1** a ajunge (până) la; a atinge *cu ac;* **the chalet is difficult to ~** e greu de ajuns la cabană; **I can't ~ it** nu-l pot ajunge/apuca **2** a avea acces la; **he is difficult to ~** nu e ușor accesibil, e greu de ajuns la el **3** a găsi, a descoperi, a izbuti să găsească, a ajunge la; **to ~ the truth** a descoperi adevărul *(cu ac)* **4** a insinua *cu ac;* **what are you getting at?** unde bați? unde vrei să ajungi? ce vrei să insinuezi? **5** a pune mâna pe; a obține *cu ac;* a găsi *cu ac;* **I can't ~ the book** nu reușesc să pun mâna pe cartea asta **6** a-și bate joc de, a(-și) râde de; a păcăli *cu ac;* a influența *cu ac*

get-at-able [get'ætəbl] *adj (d. cineva)* accesibil, abordabil

get-at-ableness [get'ætəblnis] *s* accesibilitate, caracter abordabil

getaway ['getə,wei] *s* **1** ← *F* fugă, evadare, scăpare; **to make one's ~** a fugi, a evada **2** *sport* start, plecare; demaraj

get away ['get 'əwei] **I** *vt cu part adv* (**from**) a scoate, a smulge (din, de la); a elibera **II** *vi cu part adv* 1 a scăpa, *fig* a fugi, a evada; **to ~ for the weekend** a scăpa (din oraș) sâmbăta și duminica 2 a pleca, a porni; **~!** șterge-o! cară-te! 3 a dispărea, a se face nevăzut, a fugi; a evada

get away from ['get ə'wei frəm] *vi cu part adv și prep* a scăpa de; a se sustrage de la/din; **you can't ~ it** de asta n-ai cum să scapi; **to ~ a rival** a scăpa de/a lăsa în urmă un concurent

get away with ['get ə'wei wið] *vi cu part adv și prep* 1 a fugi/a dispărea cu; **he got away with the money** a dispărut/s-a făcut nevăzut cu banii 2 a scăpa ușor de *sau* cu // **~ you!** *F* să fim serioși! fugi de-aici! las-o încolo! fii serios/*glum* sonor!

get away with it ['get ə'wei wiðit] *vi cu part adv, prep și pron* a scăpa (de pedeapsă), a ieși basma curată; **you won't ~!** n-ai să scapi așa ușor! de data asta n-o să-ți meargă!

get back ['get 'bæk] **I** *vt cu part adv* 1 a recăpăta, a redobândi; a reintra în posesia (*cu gen*) 2 a recâștiga, a recupera; a reface (*forțele etc.*) 3 a readuce, a aduce înapoi; a face să revină 4 a pune la loc (*un lucru*) 5 a restabili; **to ~ (some of) one's own** a a-și scoate pârleala b a fi chit cu cineva, a plăti cuiva cu vârf și îndesat **II** *vi cu part adv* 1 a se întoarce, a reveni; **to ~ to bed** a se culca la loc 2 a (se) da înapoi/îndărăt

get back at ['get 'bæk ət] *vi cu part adv și prep* ← *F* a-i plăti (*cuiva*) cu vârf și îndesat, a i-o scoate pe nas (*cuiva*)

get beyond ['get bi,jɔnd] *vi cu prep* 1 a depăși *cu ac;* a trece peste 2 a lăsa în urmă, a întrece *cu ac*

get by I ['get'bai] *vi cu part adv* a se strecura, a reuși să treacă **II** ['get bai] *vi cu prep* 1 a trece pe lângă 2 a depăși *cu ac*, a trece peste, a trece dincolo de

get clear of ['get'kliər əv] *vi cu adv și prep* a scăpa (cu bine) de, a depăși (cu bine) (*o dificultate etc.*)

get down ['get daun] **I** *vt cu part adv* 1 a da jos, a coborî 2 a nota, a însemna, a lua note după; **who is getting down the minutes?** cine face procesul verbal? 3 a doborî (la pământ) 4 a înghiți 5 a enerva, *F→* a scoate din pepeni **II** *vi cu part adv* 1 a (se) coborî, a se da jos 2 a descăleca // **~!** (*comandă dată unui câine*) culcat! jos!

get down on ['get daun ɔn] *vi cu part adv și prep* a cădea în (*genunchi*)

get down to ['get daun tə] *vi cu part adv și prep* 1 *și fig* a veni/a coborî/a ajunge la (*fapte etc.*) 2 a se apuca de, a se pune pe; **to ~ one's work** a se apuca serios de lucru/treabă

get forward ['get 'fɔ:wəd] *vt cu adv* 1 a merge mai departe 2 a înainta, a progresa, a avansa

get from ['get frəm] *vi cu prep* a veni de la

get home ['get 'houm] *vi cu adv* a-și reveni, a se redresa (*după o lovitură, pierdere etc.*)

get in ['get 'in] **I** *vt cu part adv* 1 a strânge, a colecta, a aduna 2 a stoca, a face provizii de, a strânge; a aduce 3 a strânge (*recolta*), a aduna (*grânele*) de pe câmp 4 a plasa, a strecura (*o vorbă*) 5 a include în program, a reuși să realizeze 6 a educa, a învăța; **to get one's hand in** a se deprinde să facă ceva 7 a aduce înapoi, a face să se întoarcă 8 a aduce, a chema (*un meseriaș etc.*) 9 *agr* a semăna; a planta **II** *vi cu part adv* 1 a intra, a pătrunde 2 a se infiltra, a se strecura, a ajunge; *fig* a se insinua; **to ~ with smb** a se băga pe sub pielea cuiva 3 a se întoarce (acasă), a reveni 4 a se urca (în tren, în mașină etc.) 5 *pol* a veni la putere 6 *pol* a intra în parlament

get into [get intə] **I** *vt cu prep* 1 a băga/a vârî în; a strecura în 2 a obișnui/a deprinde cu **II** *vi cu prep* 1 *și fig* a intra/a pătrunde în 2 a fi primit în, a căpăta acces la 3 a se înhăita cu 4 a înțelege, a pricepe, a pătrunde *cu ac* 5 a se deprinde/a se învăța/a se obișnui cu; **you will soon ~ (the way of doing) it** o să te deprinzi/obiș-

nuiești repede (s-o faci); **to ~ a bad habit** a lua/a deprinde/a prinde un nărav/obicei prost 6 a se trezi/a ajunge în/la (*bucluc etc.*) 7 a(-și) îmbrăca, a(-și) pune; **to ~ one's clothes** a se îmbrăca, a-și pune/a-și trage hainele pe el 8 a (se) urca în (*vehicul*) 9 (*d. băutură*) a se urca la (*cap*), a-și face efectul asupra (*cu gen*)

get it ['get it] *vt cu pron F* a păți, a o încasa

get next to ['get 'nekst tə] *vi cu adv și prep* 1 a afla (de), a descoperi *cu ac* 2 a se informa asupra *cu gen* 3 a înțelege *cu ac*, a-și da seama de 4 *și fig* a se apropia de

get-off ['get 'ɔ(:)f] *s* 1 *av* decolare 2 ← *F* tertip, șiretlic, chițibuș

get off ['get ,ɔ(:)f] **I** *vt cu part adv* 1 a scoate, a dezbrăca, a se dezbrăca de; **to ~ one's shoes** a se descălța 2 a scoate, a curăța (*o pată etc.*) 3 a scăpa/a se debarasa de 4 a scoate din încurcătură 5 a da drumul la, a trage (*un glonte, un discurs etc.*) 6 a salva (*cu ac*) 7 a isprăvi, a încheia 8 a expedia în grabă, a lichida 9 a învăța pe de rost 10 a coborî, a da jos **II** *vi cu part adv* 1 a (se) coborî, a se da jos, a descinde; a descăleca; **to tell smb where to ~ a** a spune cuiva unde trebuie să coboare **b** *fig* a spune cuiva vreo două (vorbe, de la obraz) 2 a scăpa (ieftin), a ieși basma curată 3 *av* a decola, a-și lua zborul 4 a pleca, a porni 5 a adormi, a ațipi, a-l fura somnul **III** *vi cu prep* 1 a se coborî de pe, a (se) coborî din 2 a părăsi, a lăsa (*cu ac*); a înceta (*cu ac*); **~ it! a** isprăvește! încetează! **b** lasă-te de asta! 3 a scăpa/a se elibera de (*o obligație etc.*) 4 a pleca de pe *sau* de la, a părăsi

get off with ['get 'ɔ(:)f wið] *vi cu part adv și prep* 1 a scăpa/a se alege (doar) cu 2 a se împrieteni cu 3 a cuceri, a da gata (*pe un bărbat*)

get on ['get ɔn] *vi cu part adv* 1 a înainta; a merge înainte; a nu sta pe loc, a merge înainte 2 a îmbătrâni 3 a se descurca, a-i merge (bine); a-și croi drum (cu coatele); **how are you getting on?**

cum îți mai merge? cum te mai descurci/lauzi? **4** a se înțelege, a se împăca; a trăi în armonie **5** a izbuti, a reuși, a ajunge (să facă un lucru) ‖ ['get ɔn] *vi cu prep* **1** a se urca/a se înălța/a se ridica pe; **to ~ one's feet/legs** a se ridica în picioare pentru a vorbi în public; a ține discursuri **2** a încăleca pe; a se sui/a se urca pe ‖ **to ~ smb's nerves** a călca pe cineva pe nervi

get on for ['get ɔn fəʳ] *vi cu part adv și prep* a se apropia de; **it is getting on for midnight** se apropie/e aproape (de) miezul nopții; **it is getting on for a year since I saw him last** e aproape un an de când nu l-am mai văzut

get on in ['get ɔn in] *vi cu part adv și prep* a progresa/a înainta în; a reuși în (viață etc.)

get on to ['get ɔn tu] *vi cu part adv și prep* **1** a ajunge să înțeleagă/ cunoască; **I am beginning to ~ him** încep să-l cunosc mai bine **2** a ajunge la (un subiect etc.)

get on with ['get ɔn wið] *vi cu part adv și prep* **1** a progresa la **2** a izbuti/a reuși la *sau* în **3** a continua, a persevera **4** a se împăca/a se înțelege cu; **he isn't easy to ~** nu e ușor să te înțelegi cu el ‖ **~ you/it!** *F* las-o mai moale! fii serios!

get-out ['get,aut] *s* fugă, scăpare, evadare; **as (all) ~** *amer F* strașnic, al dracului (de)

get out ['get aut] **I** *vt cu part adv* **1** a scoate, a extrage, a smulge, a face să iasă **2** a scoate la iveală **3** a publica, a scoate **4** a pregăti (calul etc.) **5** a rosti, a pronunța **6** a lua de la bibliotecă **7** a rezolva, a soluționa (o problemă) ‖ *vi cu part adv* **1** a ieși (afară); a pleca; **~!** pleacă! ieși! du-te! cară-te! **2** a coborî, a se da jos (din autobuz etc.) **3** a scăpa (cu bine) **4** (d. vești etc.) a transpira, a se afla

get out of ['get'autəv] **I** *vt cu prep* **1** a scoate, a smulge (adevărul etc.) de la; **I couldn't get it out of his head** n-am putut să i-o scot din cap, nu i-am putut-o scoate din cap **2** a stoarce, a smulge (cu ac); a estorca (cu ac) **3** a face să dea/să producă (cu

ac); a câștiga de pe urma (cu gen) **4** a salva de la, a scoate din (o încurcătură etc.); **to get smb out of a habit** a dezvăța/a dezbăra pe cineva de un nărav ‖ *vi cu prep* **1** a ieși din; a se da jos din (vehicul etc.) **2** a pleca din *sau* de la; **~ here!** pleacă/ du-te de aici! **3** a scăpa/a evada din **4** a scăpa de (datorii etc.) ‖ **to ~ sight** a se face nevăzut, a dispărea

get over ['get ouvəʳ] **I** *vt cu part adv* **1** a face (cu ac) să treacă (din-colo); **to get the play over** a face piesa/spectacolul să treacă rampa **2** a termina, a isprăvi, a încheia (cu ac) ‖ *vt cu part adv teatru* a trece rampa, a avea succes de/la public **III** ['get ,ouvəʳ] *vt cu prep* **1** a trece peste, a trece dincolo de, a escalada (cu ac) **2** a străbate, a parcurge, a traversa (cu ac) **3** a se vindeca de, a scăpa de (o boală, o stare etc.) **4** *sl* a scăpa de, a ocoli, a eluda, a evita (cu ac) **5** a uita de, a nu se mai gândi la; a se vindeca de; a birui, a înfrânge, a învinge cu ac, a trece peste

get round ['get 'raund] **I** *vt cu part adv* **1** a înzdrăveni, a face sănă-tos **2** a face să-și vină în fire/să-și revină, a readuce în simțiri ‖ *vi cu part adv* (d. zvonuri etc.) a se răspândi **III** ['get raund] *vi cu prep* **1** a convinge; a duce cu vorba, a ști cum să ia (pe cineva) **2** a ocoli, a evita

get round to ['get 'raund tə] *vi cu adv și prep* a trece/a ajunge pe rând pe la, a lua la rând; **to ~ every patient** a-și vizita toți bolnavii/ pacienții

getter ['getəʳ] **I** *s* **1** *ec* achizitor, procurist **2** *sport* realizator; golgeter (v. **goal ~**) **3** *fiz, ch* substanță de evacuare, purifi-cator, (d)epurator ‖ *vt fiz* a (d)epura, a evacua, a purifica

get-there ['get,ðɛəʳ] *adj* **1** pus pe parvenire; de parvenit **2** lipsit de scrupule

get through ['get θru:] **I** *vt cu part adv* **1** a duce la bun sfârșit, a ter-mina/a încheia cu bine **2** a asi-gura succesul cu gen; a face să treacă; **his constitution got him through** l-a salvat constituția sa

(robustă) **3** a face să treacă (timpul) ‖ *vi cu part adv* **1** a răzbate, a trece (cu bine), a ieși cu bine, a o scoate la capăt; **he got through all right** a izbândit, a izbutit, s-a descurcat **2** a trece (la un examen), a obține note de trecere **III** ['get θru:] *vt cu prep* a face să treacă/să răzbată prin **IV** *vi cu prep* **1** a încheia, a sfârși, a termina *cu ac;* **to ~ one's for-tune** a-și toca averea **2** a trece, a răzbate prin, a străbate *cu ac* **3** a parcurge, a străbate; **how can I ~ all this reading?** cum am să pot parcurge atâtea pa-gini? **4** a face față la; a dovedi *cu ac;* **I have got through an amount of work** am rezolvat o mulțime de treburi

get through to ['get 'θru:tə] *vi cu part adv și prep* **1** a străbate/a ajunge până la; **when did the news ~ you?** când ți-a ajuns la urechi vestea? când ți-a par-venit știrea? **2** a obține legă-tura (telefonică) cu, a găsi la telefon

get through with ['get 'θru: wið] *vi cu part adv și prep* **1** a termina, a isprăvi, a încheia *cu ac* **2** a face față *cu ac,* a o scoate la capăt cu, a reuși să facă *cu ac* **3** a trece prin; a suferi, a îndura *cu ac*

getting ['getiŋ] *s* **1** obținere, căpătare **2** achiziție, achiziționare **3** reali-zare, îndeplinire; **the ~ married** căsătoria; **the ~ (oneself) to bed** culcarea

getting away ['getiŋ ə'wei] *s* **1** fugă; evadare **2** scăpare, eliberare **3** *auto* pornire, demaraj

getting back ['getiŋ 'bæk] *s* **1** în-toarcere, reîntoarcere **2** recăpă-tare, redobândire, reluare (în posesie)

getting in ['getiŋ 'in] *s* **1** recoltare, strângere a recoltei; seceriș **2** strângere, colectare (a impozi-telor etc.)

getting off ['getiŋ ɔ(:)f] *s* **1** pornire; *av* decolare **2** *jur* scăpare, achi-tare **3** urnire (a pietrei din casă) ‖ **~ one's clothes** dezbrăcare

getting out ['getiŋ 'aut] *s* **1** scoatere, smulgere, extracție **2** *mar* lan-sare **3** publicare **4** alcătuire, elaborare, întocmire

getting over ['getiŋ 'ouvəʳ] *s* **1** trecere, străbatere; parcurgere **2** escaladare **3** vindecare, însănătoșire

getting through ['getiŋ 'θru:] *s* **1** trecere, răzbatere **2** pătrundere **3** reușită, succes; promovare

getting together ['getiŋ tə'geðəʳ] *s* **1** culegere, strângere, adunare, colectare **2** întrunire, reunire

getting up ['getiŋ 'ʌp] *s* **1** deșteptare, sculare, trezire **2** pregătire, preparare **3** aranjare, rânduire **4** *teatru* montare, punere în scenă **5** *ec* prezentare; fason **6** găteală, împodobire, F→ împopoțonare; fardare **7** instigare, punere la cale **8** născocire, plăsmuire

get to ['get tə] *vi cu prep* **1** a ajunge la; **where has it got to?** unde o fi (ajuns)? **I don't know where he could have got to** nu știu deloc ce o mai fi cu el **2** a se apuca de, a se pune pe; **I'd like to ~ the job first thing in the morning** vreau să mă apuc de treabă dis-de-dimineață

get-together ['get tə,geðəʳ] *s* reuniune, întrunire, adunare; petrecere

get together ['get tə'geðəʳ] **I** *vt cu part adv* **1** a aduna, a strânge, a pune laolaltă **2** *fig* a-și aduna *(minţile, gândurile)* **II** *vi cu part adv* **1** a se aduna, a se strânge (laolaltă), a se reuni, a se întruni **2** a cădea/ a se pune de acord, a se înțelege

Gettysburg ['getiz,bə:g] *oraș în S.U.A.*

get under I ['get 'ʌndəʳ] *vt cu part adv* **1** a localiza, a stinge *(un incendiu)* **2** a birui, a învinge, a înfrânge *(cu ac);* a veni de hac *(cu dat)* **3** a stăpâni, a supune, a avea în puterea sa *(cu ac)* **II** ['get ʌndəʳ] *vi cu prep* **1** a se băga/a se strecura sub/dedesubtul *cu gen* **2** a trece pe sub/dedesubtul *cu gen*

get up ['get ʌp] *s* **1** toaletă, îmbrăcăminte, ținută; găteală **2** machiaj; fardare; deghizare **3** *ec* prezentare; fason **4** *teatru* montare, punere în scenă **5** prezentare grafică **6** apretare **7** *amer* ← F antren, animaţie

get up ['get ʌp] **I** *vt cu part adv* **1** a sălta; a urca, a ridica, a înălța **2** *nav* a ranflua, a scoate la suprafață **3** a ațâța, a irita **4** a pregăti,

a prepara; a elabora **5** a pune la cale, a pregăti, a organiza **6** a stârni, a ațâța, a monta **7** a născoci, a plăsmui, a inventa **8** a pune în funcţiune **9** a aranja, a găti, a împodobi; a împopoțona **10** a prezenta *(o marfă, o carte)* **11** *teatru* a monta, a pune în scenă **12** *fig* a înscena; a simula **II** *vi cu part adv* **1** a se scula, a se ridica (în picioare) **2** a se scula *(din pat)* **3** a încăleca, a se urca în șa/pe cal **4** *(d. foc, vânt)* a se înteți **5** *(d. mare)* a se agita **6** a se găti, a se aranja // ~! di! die! hai! **III** ['get ʌp] *vt cu prep* a se urca/a se sui/a se cățăra/a se aburca pe

get up to ['get 'ʌp tə] *vt cu part adv și prep* **1** a ajunge (până) la **2** a se apuca de, a se pune pe

GeV *presc de la* **gigaelectronvolt**

gewgaw ['gju:gɔ:] *s* **1** podoabă (ieftină), găteală; *pl* zorzoane **2** fleac, bagatelă

geyser *s* **1** ['gaizəʳ] *geogr* gheizer **2** ['gi:zəʳ] boiler, cazan de baie

G.G. *presc de la* **Governor-General** guvernator general

Ghana ['gɑːnə] *ţară* Ghana

Ghanaian [gɑː'neiən] *s, adj* ganez

Ghanese [gɑː'ni:z] *adj* ganez

Ghanian [gɑː'niən] *s, adj* ganez

ghastliness ['gɑːstlinis] *s* **1** înfăţişare grozavă; caracter înfiorător **2** paloare cadaverică/de mort

ghastly ['gɑːstli] *adj* **1** înspăimântător, înfiorător, oribil **2** teribil, groaznic (de mare) **3** scârbos, dezgustător **4** galben, stins, veșted, ofilit **5** palid ca moartea, alb ca hârtia **6** *(d. zâmbet)* forţat **7** supranatural

Ghent [gent] *oraș în Belgia* Gand

gherkin ['gə:kin] *s* castravecior, cornișon

ghetto ['getou] **I** *s* ghetou **II** *vt* a închide/a concentra într-un ghetou

ghost [goust] *s* **1** duh, stafie, fantomă; *și fig* schelet; **the ~ walks** *sl* se dă leafa; **not the shadow of a ~ (in sight)** (nu se vedea) nici ţipenie de om; **to raise a ~** a stârni o fantomă; **to lay a ~** a potoli/a alunga o fantomă **2** F negru, – autor care scrie sub semnătura altuia **3** duh, suflet; **to give up the ~** a-și da duhul, a da ortul popii **4** schelet, persoană

scheletică/slabă **5** umbră, urmă; iotă, cantitate mică; **not to have/ stand the ~ of a chance** a nu avea nici cea mai mică șansă **6** *fot* imagine secundară/dublă; pată albă

ghost-like ['goust,laik] *adj* spectral, fantomatic

ghostly ['goustli] *adj v.* **ghost-like**

ghost town ['goust ,taun] *s* oraș părăsit/depopulat

ghost word ['goust wə:d] *s lingv* cuvânt inventat *sau* apărut prin eroare/prin etimologie populară

ghost writer ['goust ,raitəʳ] *s v.* **ghost 2**

ghoul [gu:l] *s* **1** vârcolac, vampir **2** jefuitor de cadavre **3** *fig* hienă, șacal, vampir

GHQ *presc de la* **general headquarters**

GI, G.I. *presc de la* **1** galvanized iron **2** *med* gastro intestinal **3** general issue **4** *mil* government issue

GI [dʒi:'ai] **I** *s* soldat american (↓ infanterist) // **to have the ~s** a avea diaree/F cufureală/un deranjament la stomac **II** *adj* **1** de la armată, militar **2** *și fig* cazon **III** *vt* a curăţa, a face curăţenie în

giant ['dʒaiənt] **I** *adj* uriaș, gigantic, colosal **II** *s* **1** uriaș, gigant, colos; **there were ~s in those days** grozave vremuri mai erau! ce vremuri au apucat părinţii noștri! **2** *fig* titan, gigant **3** lucru/obiect gigantic

giantism ['dʒaiən,tizəm] *s biol v.* **gigantism**

Giant's Causeway ['dʒaiənts 'kɔ:zwei] Poteca Urșilor *(coloane de bazalt în nordul Irlandei)*

giaour ['dʒauəʳ] *s* ghiaur, necredincios *(în Coran)*

Gib. *presc de la* **1** Gibraltar **2** Gilbert

gib [gib] *s tehn* scoabă; clemă; pană

gibber ['dʒibəʳ] **I** *vi* **1** a trăncăni, a flecări **2** a vorbi repezit **3** a scoate sunete nearticulate; a bolborosi, a vorbi nedeslușit **II** *s* **1** trăncăneală, flecăreală **2** bolboroseală, vorbire nedeslușită

gibberish ['dʒibəriʃ] *s* **1** *v.* **gibber II 1, 2** **2** galimatic, vorbire păsărească

gibbet ['dʒibit] **I** *s* **1** spânzurătoare **2** *tehn* braț de macara **II** *vt* a spânzura, a executa prin spânzurătoare

Gibbon ['gibən], **Edward** *istoric englez (1737-1794)*

gibbon ['gibən] *s zool* gibon *(Hylobates)*

gibbosity [gi'bɒsiti] *s* **1** gheb, cocoașă **2** protuberanță, umflătură

gibbous ['gibəs] *adj* **1** cocoșat, ghebos **2** proeminent, convex

gibbousness ['gibəsnis] *s* gheb(oșenie)

gibe [dʒaib] **I** *s* **1** batjocură, zeflemea, derâdere **2** glumă, ironie, înțepătură **II** *vi* a-și bate joc **III** *vt* a batjocori; a ironiza; a-și bate joc de, a lua în derâdere

gibe at ['dʒaib ət] *vi cu prep v.* **gibe II**

gibingly ['dʒaibiŋli] *adv* în bătaie de joc

giblets ['dʒiblits] *s pl* măruntaie (de pasăre), potroace

Gibraltar [dʒi'brɔ:ltəʳ] *strâmtoare și oraș*

G.I. bride ['dʒi:'braid] *s* soție de război *(↓ a unui militar american)*

gibus ['dʒaibəs] *s* clac, joben care se strânge

giddap [gi'dæp] *interj F* **1** hai! die! di, boală! **2** mai repede/iute!

giddily ['gidili] *adv* zăpăcit, amețit

giddiness ['gidinis] *s* **1** amețeală, vârtej, vârtejuri **2** zăpăceală; nesocotință, nechibzuință **3** ușurință, frivolitate

giddy ['gidi] **I** *adj* **1** amețit; buimac; beat, îmbătat; **to be ~ with success** *etc.* a fi amețit/îmbătat de succes *etc.;* **I feel ~** m-a luat o amețeală, mi se învârtește capul; **~ with sickness** amețit de boală; **to play the ~ goat/ox** a a umbla aiurea **b** a face pe prostul/ nebunul/bufonul; **my ~ aunt!** a formidabil! nemaipomenit! **b** să mă ia dracul! a dracului treabă! **2** *și fig* amețitor, care dă amețeli **3** zăpăcit, aiurit; nechibzuit, nesocotit **4** flușturatic, nestatornic, inconstant **5** șovăielnic, șovăitor, nesigur **II** *vi* a ameți; a buimăci, a năuci, a zăpăci

Gideon ['gidiən] *s* **1** *nume masc* **2** maniac religios, membru al unei organizații religioase *(care impune răspândirea bibliei)*

gift [gift] **I** *s* **1** cadou, dar; **as a/***înv* **at a** ~ gratis, pe degeaba, *F →* daiboji; **I would not have/take it as a** ~ n-aș lua-o nici dacă mi-ar da-o cadou/de pomană **2** *jur* donație **3** talent, înzestrare, dar (natural); **to have the** ~ **of tongues** a avea inspirație divină; **to have the** ~ **of the gab** a avea darul vorbirii; *peior* a fi limbut/ vorbăreț, a avea limbariță **4** sarcină ușoară, fleac, treabă de copil **5** *ec* primă **6** noiță, pată albă *(pe unghie)* **II** *vt* **1** a dărui, a da cadou/în dar, a face cadou *(cu dat)* **2** *fig* a înzestra *(cu un talent)*

gift away ['gift ə'wei] *vt cu adv* a dărui, a da în dar, a face cadou

gift coupon ['gift 'ku:pɒn] *s* cupon pentru premii

gifted [giftid] *adj* **1** talentat, dăruit, înzestrat **2** iscusit, priceput, capabil

gift horse ['gift hɔ:s] *s* cal de dar; **(you must) never look a** ~ **in the mouth** *prov* calul de dar nu se caută la dinți

gift shop ['gift ,ʃɒp] *s com* magazin de cadouri/suveniruri

gift with ['gift wið] *vt cu prep* **1** a dărui *(ceva, cuiva)*, a face *(ceva)* cadou *(cuiva);* **she gifted me with this book** cartea asta mi-a primit-o/o am cadou de la ea **2** *(d. natură)* a înzestra cu, a hărăzi; **he was gifted with a fine head of hair** natura îl înzestrase cu un păr splendid

gig[1] [gig] *s* **1** cabrioletă, faeton **2** *mar* barcă de bord; șalupă

gig[2] **I** *s* harpon, ostie **II** *vt* **1** a pescui cu harponul, a harpona **2** *fig* a îmboldi, a da pinteni *(cuiva)*

gig[3] *s* ← *F* angajament *(al unui muzicant, de o seară)* **II** *vi* ← *F* a cânta *(cu un angajament provizoriu)*

giga- *prefix* giga- *(de ex.* **gigacalorie)**

gigantesque [ˌdʒaigæn'tesk] *adj* gigantic, uriaș

gigantic [dʒai'gæntik] *adj* gigantic, uriaș

gigantism ['dʒaigæn,tizəm] *s biol* gigantism, dezvoltare anormală

giggle ['gigəl] **I** *vi* a chicoti, a se hlizi **II** *s* **1** chicoteală; **to have (a fit of) the ~s** a avea un râs nestăpânit/un acces de râs; a chicoti/

a râde prostește **2** *F* ocnă, haios, hazos, – mucalit, om cu haz **3** *F* lucru haios/hazos/– cu haz **4** *F* banc, glumă; **he did it for a** ~ a făcut-o de banc/în glumă/de-al dracului

gigman ['gig,mən] *s* **1** vizitiu de cabrioletă/docar **2** harponer, pescar cu harponul **3** *fig* parvenit, ciocoi

gigolo ['ʒigə,lou] *s* **1** gigolo **2** dansator de profesie *(în localuri)*

gigot ['ʒi:gou] *s* jigou *(de berbec)*

gigot-sleeve ['ʒi:gou,sli:v] *s* mânecă bufantă *(de bluză)*

GI Jane [dʒi:'ai'dʒein] *s amer* femeie angajată în armata americană

GI Joe [dʒi:'ai'dʒou] *s amer* militar/ soldat american (infanterist)

Gilbert ['gilbət] *s* **1** *F* cotoi, motan **2** *nume masc*

gilbert ['gilbət] *s fiz, el* gilbert, unitate electromagnetică/dinamică

Gilbert, Sir William Schwenek *dramaturg și libretist englez (1836-1911)*

Gilbert (and Ellice) Islands Arhipelagul/Insulele Gilbert

Gilbertian [gil'bə:tiən] *adj* comic, ridicol; de operetă, operetistic

gild[1] [gild], *pret și ptc și* **gilt** [gilt] *vt* **1** a auri, a polei cu aur **2** *fig* a polei, a înfrumuseța **3** a împodobi, a înfrumuseța, a decora **4** *fig* a îndulci *(hapul etc.)* **5** a mitui, *F →* a unge

gild[2] *s* breaslă, corporație

gilded ['gildid] **I** *adj* **1** aurit, poleit (cu aur) **2** înfrumusețat, împodobit **II** *pret și ptc de la* **gild**[1]

gilded youth ['gildid'ju:θ] *s* tineri nobili și eleganți, tânăra aristocrație; *aprox* bonjuriști

Gilles [dʒailz] *nume masc*

Gill [dʒil] *nume fem ↓* în **Jack and** ~ cuplul tipic de îndrăgostiți, porumbeii

gill[1] [gil] **I** *s ↓ pl* **1** *iht* branhii, urechi **2** *zool* gușă **3** *anat* gușă, bărbie: **rosy about the ~s** rumen la față, cu mină bună; **blue/green/ white/yellow about the ~s** galben/pământiu/verde la față; cu mină proastă **4** *bot* lamelă *(la ciuperci)* **II** *vt* a curăța *(peștele, ciupercile)*

gill[2] *s* **1** viroagă, vâlcea, ravină (împădurită) **2** torent, pârâu de munte

gill³ [dʒil] *s* pahar de băutură (= 111-142 ml)

gill⁴ *s* 1 *peior* femeiușcă, puștoaică, fetișcană 2 *F* nevestică

gillion ['dʒiljən] *s* 1 miliard 2 *fig* mare mulțime/număr

gillyflower ['dʒili,flauəʳ] *s bot* 1 micșunea (ruginită) *(Cheiranthus cheiri)* 2 micsandră *(Mathiola incana)*

gillyflower water ['dʒili,flauə 'wɔ:təʳ] *s* apă de flori

gilt [gilt] I *adj* aurit, poleit, suflat cu aur II *s* poleială, aurire III *pret și ptc de la* **gild¹**

gilt-edged ['gilt,edʒd] *adj* 1 *(d. cărți)* cu marginile (paginilor) aurite/poleite 2 *fig* strașnic de (cea mai bună) calitate, *F* → de mâna întâi, fain 3 *com, ec* sigur, fără riscuri

gilt spurs ['gilt ,spə:z] *s pl înv* emblemă aristocratică/heraldică

gimbals ['dʒimbəlz] *s pl nav* balansiere, suspensie giroscopică *(a busolei etc.)*

gimcrack ['dʒim,kræk] I *s* podoabă ieftină (și strălucitoare), fleac, bagatelă II *adj* 1 ieftin, de nimic, fără valoare, de proastă calitate 2 arătos; țipător, strident

gimlet ['gimlit] I *s* sfredel, burghiu II *vt* 1 a sfredeli, a găuri 2 *fig* a sfredeli/a străpunge cu privirea III *adj* sfredelitor, pătrunzător

gimmick ['gimik] *s* 1 dispozitiv *sau* obiect atrăgător 2 inovație, invenție, expedient; idee genială *sau* năstrușnică 3 șarlatanie, păcăleală

gimp¹ [gimp] *s* șiret; firet, ceapraz; galon

gimp² I *s* 1 schiop 2 schilod, infirm II *vi* a schiopăta, a merge schiop

gimp³ *s* vitalitate, energie, vigoare

gimpy ['gimpi] *adj* schiop, șontorog

gin¹ [dʒin] *s* gin, rachiu de fructe *(↓ de ienupăr);* ~ **(and) tonic** gin tonic, *gin cu apă tonică de chinină și coajă de lămâie;* ~ **and it** cocteil făcut din gin cu vermut

gin² I *vt* 1 *text* mașină *sau* stație de egrenat bumbac 2 capcană, cursă, laț 3 *tehn* macara, scripete, troliu

gin fizz ['dʒin ,fiz] *s* ginfizz, cocteil din gin și lămâie cu sifon

ginger ['dʒindʒəʳ] I *s* 1 *bot* ghimbir, imbir *(Zingiber officinale)* 2 mirodenie preparată din rădăcină de ghimbir 3 culoare roșcată, brun-roșcat 4 bomboană de ghimbir 5 *F* șvung; sare și piper; – însuflețire, elan II *vt* 1 a aromatiza cu ghimbir 2 *fig* a îmboldi; a da pinteni *(cu dat);* a învora

gingerale ['dʒindʒər,eil], **ginger ale/beer** ['dʒindʒər eil/biəʳ] *s* băutură răcoritoare cu ghimbir *(un fel de coca cola)*

ginger bread ['dʒindʒə,bred] *s* 1 turtă dulce 2 *fig* ornamentație extravagantă, podoabe rococo; *arhit* ciubucărie

gingerbread nut ['dʒindʒə,bred 'nʌt] *s* guriță *(de turtă dulce)*

ginger group ['dʒindʒə ,gru:p] *s pol* (nucleu) activ, grup de inițiativă/acțiune

gingerly ['dʒindʒəli] *adv* 1 prudent, precaut, cu tact/prudență, cu băgare de seamă 2 delicat; tiptil II *adj* precaut, prudent, grijuliu

ginger nut/snap ['dʒindʒə 'nʌt/'snæp] *s amer* biscuit/pesmet cu ghimbir/de turtă dulce

ginger pop ['dʒindʒə 'pop] *s F v.* **ginger ale/beer**

ginger up ['dʒindʒər 'ʌp] *vt cu part adv* a stârni, a ațâța *(pe cineva)*

gingery ['dʒindʒəri] *adj* 1 aromatizat/condimentat cu ghimbir 2 *fig* iute din fire, arțăgos, irascibil 3 roșcat *(la păr)*

gingham ['giŋəm] *s* 1 *text* pânză vărgată *sau* cadrilată 2 hârtie cu pătrățele 3 ← *F* umbrelă

gingival ['dʒin'dʒaivəl] *adj anat, med* gingival, al gingiilor, referitor la gingii

gingivitis [dʒindʒi'vaitis] *s med* gingivită

gink [giŋk] *s sl peior* tip, individ, față, gagiu, moacă

gin-mill ['dʒin ,mil] *s amer* cârciumă, bombă

gin-palace ['dʒin ,pælis] *s* local împodobit țipător; *înv* debit de băuturi spirtoase

gin-rummy ['dʒin ,rʌmi] *s* ginrummy, *gen de* remi

ginseng ['dʒinseŋ] *s bot, med, farm* (rădăcină de) ginseng, *plantă medicinală exotică (genul Panax)*

gin sling ['dʒin sliŋ] *s* gin cu apă și zahăr

Gioconda [dʒɔ'kɔndə] *adj (d. zâmbet)* enigmatic

Giotto ['dʒɔtou] **(di Bondone)** *pictor italian (1276-1337)*

gippy ['dʒipi] *s sl* 1 soldat egiptean 2 cioroi, tuciuriu, țigan, – rom 3 țigară egipteană

gipsy ['dʒipsi] I *s* 1 țigan, rom 2 *glumeț* oacheș, – brunet 3 *amer* nomad, vagabond 4 (limba) țigănească II *adj* 1 țigan; țigănesc 2 *fig* câmpenesc, în aer liber III *vi* 1 a trăi/a duce o viață nomadă, a vagabonda 2 a organiza un picnic

gipsydom ['dʒipsidəm] *s* țigănie; țigănime

gipsy table ['dʒipsi ,teibəl] *s* măsuță cu trei picioare

giraffe [dʒi'rɑ:f] *s zool* girafă *(Giraffa camelopardalis)*

gird¹ [gə:d], *pret și ptc și* **girt** [gə:t] I *vt* 1 a încinge, a strânge *(cu o curea sau cu un brâu);* a închinga 2 a înconjura, a împresura, a încinge; a forma un brâu în jurul *(cu gen)* 3 a pregăti, a prepara; a echipa, a înzestra II *vr* a se (pre)găti, a se prepara

gird² I *s* bătaie de joc, ridiculizare, înțepătură II *vt* a ridiculiza, a lua în râs

girder ['gə:dəʳ] *s* 1 *constr* grindă, bârnă, traversă 2 *rad* antenă

girdle¹ ['gə:dəl] I *s* 1 cingătoare; curea 2 *și fig* centură, brâu 3 corset, ghenă, burtieră 4 portjartier 5 *anat* centură II *vi* a încinge, a înconjura

girdle² *s scot* cerc, inel de plită

girdle cake ['gə:dəl ,keik] *s scot* turtă *(coaptă pe plită)*

gird on ['gə:d 'ɔn] *vt cu part adv* a-și încinge; a prinde la curea *(cu ac);* a se încinge cu

gird up for ['gə:d 'ʌp fəʳ] *vt cu part adv și prep* a fi gata de *(luptă etc.)*

girl [gə:l] *s* 1 fată, tânără; domnișoară; fetișcană; **the Johnson ~s** domnișoarele/fetele Johnson; **my old ~!** *glumeț* baba/– nevasta mea ⊙ iubită; **my best ~** logodnica mea 3 fiică 4 servitoare, slujnică 5 vânzătoare *(în magazin)* 6 lucrătoare, muncitoare

girl friend ['gə:l ,frend] *s* 1 prietenă 2 iubită 3 logodnică

Girl Guides ['gə:l ,gaidz] *s pl* Organizația britanică a cercetașelor

girlhood ['gə:lhud] *s* adolescență, tinerețe *(a unei fete)*

girlie ['gə:li] **I** *s* fetiță, fetișcană (↓ *la vocativ)* **II** *adj (d. o revistă etc.)* cu poze de femei (dezbrăcate); decoltat

girlish ['gə:liʃ] *adj* **1** de fată/fetișcană/domnișoară **2** *(d. un băiat)* ca o domnișoară/fată mare, sfios, feciorelnic

girlishness ['gə:liʃnis] *s* aer de domnișoară

girl scout ['gə:l ,skaut] *s* cercetașă *(în S.U.A.)*

Girl Scouts ['gə:l ,skauts] *s pl* Organizația americană a cercetașelor

girly ['gə:li] *s* fetișcană

girly-girly ['gə:li'gə:li] *adj* efeminat; ca o fată mare, feciorelnic

giro ['dʒairou] *s pl* ~s *fin* virament; sistem de transfer și credit

Gironde [ʒi'rõːd] Gironda, estuarul Girondei

girt [gə:t] *pret și ptc de la* **gird**[1]

girth [gə:θ] **I** *s* **1** circumferință; înconjur **2** talie, măsură a taliei **3** chingă, cingătoare *(la cal)* **II** *vt* **1** a închinga, a strânge în chingă *(calul, șaua)* **2** a înconjura, a împrejmui **3** a măsura circumferința *(cu gen)*

gismo ['gizmou] *s (pl* ~**s***) sl v.* **gimmick**

Gissing [gisiŋ], **George Robert** *romancier englez (1857-1903)*

gist [dʒist] *s* **1** esență, fond; **the ~ of the matter** esența chestiunii; **the ~ of a story** punctul central/ poanta unei povești/anecdote **2** punct nevralgic **3** *fig* temei, motiv principal

git [git] *s sl peior* jigodie, javră, păduche, – hahaleră, nemernic

give [giv], *pret* **gave** [geiv], *ptc* **given** ['givən] **I** *vt* **1** a da; a dărui; a dona; a face cadou; **to ~ alms** a face pomeni/filantropie, a da la săraci; **to ~ smb the bird/ bucket/chuck/hoof/kick/push, to ~ smb his walking orders/ papers/tickets** *F* a pune pe liber/ a da afară/a concedia pe cineva; a da cuiva pașaportul/plicul; **to ~ smb the basket/chuck/gate/ push** *F* a da cuiva/unui logodnic papucii/pașaportul/răvaș de

drum, a-i face vânt unui curtezan; **to ~ smb the bag a** *v.* **to ~ smb the sack a** *v.* **to ~ smb the bird b** a lăsa pe cineva încurcat/ la ananghie/în încurcătură **c** ← *înv* a trage chiulul cuiva, a trage pe sfoară pe cineva; **to ~ smb the basket b** a lăsa cu buzele umflate pe cineva; **to ~ smb the sack a** *v.* **to ~ smb the bird b** *v.* **to ~ smb the basket; I gave him what for** *F* i-am dat eu de cheltuială, i-am arătat eu lui **2** *fig* a acorda, a oferi *(căldură sufletească, dragoste);* a investi cu *(autoritate, încredere etc.);* **I gave him my confidence** i-am acordat toată încrederea; i-am făcut confidențe **3** a atribui, a conferi, a acorda, a oferi; **I gave him my daughter's hand** i-am (acor)dat mâna fiicei mele, i-am dat-o pe fiica mea în căsătorie; **she was given the name of Joan** a fost botezată/numită Ioana, am numit-o Ioana **4** a lăsa, a ceda, a acorda; **I gave him three days to think it over** i-am lăsat/dat trei zile de gândire **5** a permite; a acorda; a lăsa *(mână liberă etc.)* **6** a repartiza, a distribui, a aloca **7** a da/a oferi în schimb, a propune pentru schimb; a plăti cu; **I'd give anything/the world for it** aș da orice pentru asta **8** a plăti, a da *(un preț, o sumă);* **what did you ~ for it?** cât ai plătit/dat pe ea? cât te-a costat? **9** a transmite, a remite, a preda; a comunica *(un mesaj, ceva),* a împărtăși; **~ John my love** transmite-i/spune-i lui John complimente din partea mea **10** a transfera *(sub autoritatea altcuiva),* a încredința; **to ~ one's daughter in marriage** a-și da fiica după cineva, a-și mărita fata; **to ~ smb in charge/custody** a da pe cineva pe mâna autorităților/ poliției **11** a rosti, a pronunța; a scoate, a da drumul la, a răspândi; **to ~ a cry** a scoate un strigăt; **to ~ a decision** a pronunța o hotărâre/o sentință, a da un verdict; **to ~ evidence** a depune mărturie; **to ~ a lecture** a ține o prelegere *sau* conferință; **to ~ smb a good day** a ura cuiva

(să aibă) o zi bună; **to ~ it/the case for smb** *sau* **against smb** a pronunța verdictul în favoarea *sau* defavoarea cuiva **12** a face, a produce, a emite; **to ~ light** a lumina; **to ~ a start** a avea o tresărire, a tresări **13** a face, a realiza; **to ~ battle** a opune rezistență, a se lupta; **to ~ smth a push** a împinge ceva **14** a consacra, a dedica, a închina; a jertfi; a sacrifica; **to ~ all one's attention to smth** a acorda toată atenția unui lucru; **to ~ one's life for the country** a se jertfi pentru țară; **to ~ one's mind to study** a se consacra studiilor/ studiului; **I did not ~ it a thought a** nici (o clipă) nu m-am gândit la asta **b** n-am meditat deloc asupra acestei chestiuni **15** a anunța, a comunica, a informa despre; **to ~ smth to the world** a anunța (în) public ceva **16** a îmbolnăvi, a molipsi de, a da, a transmite *(o boală);* **he gave me his sore throat** m-am molipsit/ îmbolnăvit de el de o durere de gât **17** a administra, a da *(o doctorie, împărtășanie)* **18** a lăsa moștenire/prin testament, *jur* a testa, a lega **19** a hărăzi, a oferi, a dărui *(o bucurie etc.);* **~ me the good old (-fashioned) silent films!** ce n-aș da să mai văd filmele mute (de altădată)!; **it was not given to her to see him again** nu i-a fost dat să-l revadă **20** a servi cu, a da, a oferi *(musafirilor, consumatorilor);* **to ~ a party** a da/a face un ceai/o petrecere **21** a ura, a dori; a da *(bună ziua etc.);* **I ~ you my blessings!** te binecuvântez; **to ~ smb the time of day** a da binețe cuiva **22** a ridica paharele/ a toasta/a închina pentru *(cineva);* **I ~ you the chairman** să bem în sănătatea președintelui **23** a duce la, a avea drept rezultat/consecință; *mat* a da ca rezultat **24** a trage, a da *(o lovitură, bătaie)* **25** a furniza, a oferi; a aduce; a expune *(argumente etc.);* **to ~ instances** a oferi exemple (concrete) **26** a arunca *(o privire etc.)* **27** a lăsa, a da *(să înțeleagă etc.)* **28** a concede, a recunoaște, a admite;

to ~ smb right a da dreptate cuiva, a recunoaște că cineva are dreptate 29 a arăta, a indica; a prezenta; to ~ evidence of a da dovadă de; to ~ the facts a prezenta/a expune faptele; the thermometer ~s 104 (degrees Fahrenheit) termometrul arată 40 grade Celsius 30 a prezenta (în public), a interpreta; to ~ a reading a citi în public (poezii etc.) II vi 1 a da de pomană; a face filantropie/donații/pomeni sau cadouri 2 a ceda; a se arăta înțelegător; a se da bătut; to ~ and take a ajunge la o învoială/ un compromis, a-și face concesii reciproce 3 a ceda; a se (în)muia; a cădea, a se prăbuși; my legs gave under me nu m-au mai ținut picioarele; I'm afraid the plank will ~ mă tem să nu cedeze scândura 4 a fi moale/ elastic, a se lăsa; the spring mattress doesn't ~ enough somiera nu e destul de moale 5 a fi supus/a ceda unei influențe; he gave under the pressure a ceda presiunilor (exercitate asupra lui) 6 a se umezi, a se muia de ploaie/umezeală 7 (d. culoare) a ieși (de soare, vreme) 8 (d. vreme etc.) a se îndrepta, a se ameliora, a fi în curs de ameliorare 9 a se usca, a se zvânta 10 → F a se întâmpla/ petrece; a apărea la orizont; a rula, a se juca; what gives? a ce se întâmplă? ce mai mișcă? care-i treaba? mișcarea? b ce rulează/se joacă? II vr 1 a-și da, a-și aroga, a-și atribui; to ~ oneself airs a-și da aere 2 a-și acorda, a-și rezerva; a-și lăsa; to ~ oneself time to do smth a-și acorda/a-și lăsa/a-și rezerva timp pentru a face ceva 3 a-și face, a-și crea; to ~ oneself the trouble to a-și da osteneala de a/să, a se deranja să

give-and-take ['giv-ən 'teik] s 1 concesii reciproce, compromis 2 agitație, luptă; concurență; frecuș 3 schimb(uri)

give-away ['giv ə,wei] s ← F 1 dovadă/probă clară/evidentă (a unui lucru) 2 cadou, dar, pomană 3 destăinuire/mărturisire involuntară 4 trădare; delațiune, denunț

give away ['giv ə'wei] vt cu part adv 1 a da gratis/pe degeaba/de pomană 2 a distribui, a împărți (premii etc.) 3 a preda, a da (mireasa); to ~ the bride a conduce mireasa la altar 4 a trăda, a da de gol

give back ['giv 'bæk] I vt cu part adv 1 a restitui, a înapoia, a da înapoi 2 a reda, a readuce 3 a reflecta, a răsfrânge, a oglindi; a reproduce II vi cu part adv ←înv a bate în retragere, a se retrage

give forth ['giv 'fɔːθ] vi cu part adv 1 a produce, a face, a crea 2 a emite (un sunet) 3 a degaja, a produce, a răspândi (un miros) 4 a răspândi, a reproduce (un zvon etc.)

give in ['giv 'in] I vt cu part adv 1 a preda, a înmâna 2 a anunța, a vesti, a face cunoscut 3 a adăuga, a aduce în plus II vi cu part adv 1 a ceda, a capitula, a se da bătut 2 a se supune, a se pleca

give in to ['giv 'in ,tə] vi cu part adv și prep a ceda/a se pleca în fața cu gen, a se supune la sau cu dat

give into ['giv ,intə] vi cu prep (d. ușă, fereastră) a da înspre/către

given ['givən] I adj 1 dat, oferit, furnizat 2 stabilit, precizat; furnizat; at a ~ moment la un moment dat; in the ~ circumstances în situația dată, în împrejurările date 3 fig croit, făcut; he is not ~ that way nu e felul/genul lui 4 jur făcut, executat, dat 5 stabilit, fixat II prep v. considering

given name ['givən 'neim] s amer nume de botez, nume mic

given to ['givən tə] adj cu prep înclinat spre (minciună etc.)

given up to ['givən 'ʌp tə] adj cu part adv și prep dedat (viciului etc.); înclinat spre

give off ['giv 'ɔ(ː)f] vt cu part adv 1 a răspândi, a emite, a degaja (un miros etc.) 2 a produce, a emite (un sunet)

give oneself away ['giv wʌn,self ə'wei] vr cu part adv 1 a se trăda, a se da (singur) de gol 2 a-și da arama pe față, a arăta cât/ce îi poate pielea

give oneself out for ['giv wʌn,self 'aut fə'] vr cu part adv și prep a se da drept, a face pe, a se

pretinde, a se (auto)intitula

give oneself over to ['giv wʌn,self 'ouvətə] vr cu adv și prep 1 a se lăsa în voia cu gen, a cădea pradă cu dat 2 a se apuca de (băutură etc.)

give oneself to ['giv wʌn,self tə] vr cu prep 1 a se (de)da la, a se apuca de; a se lăsa în voia cu gen 2 a se consacra, a se dedica (cu dat); to ~ study a se dedica studiilor

give oneself up ['giv wʌn,self 'ʌp] vr cu part adv a se preda, a se da singur pe mâna autorităților

give oneself up to ['giv wʌn,self 'ʌp tə] vr cu part adv și prep 1 a se lăsa în voia cu gen, a se abandona cu dat, a se lăsa dus/furat de; a se deda la; to ~ despair a cădea pradă desperării; to ~ drink(ing) a cădea în patima beției 2 a se apuca de, a se pune pe; a se consacra/dedica cu dat 3 a se cufunda în, a se lăsa absorbit de

give out ['giv 'aut] I vt cu part adv 1 a anunța, a declara în (mod) public, a proclama, a face cunoscut, a da de veste; it is given out that se zice sau se anunță că 2 a emite, a răspândi, a produce, a degaja 3 a împărți, a distribui II vi cu part adv 1 a nu mai putea (de oboseală), a fi istovit; her legs gave out n-au mai ținut-o picioarele, nu s-a mai putut ține pe picioare 2 fig a-l părăsi pe cineva; my strength begins to ~ încep să mă părăsească puterile; her patience gave out și-a pierdut răbdarea 3 a se termina, a se isprăvi, a se epuiza

give over ['giv 'ouvə'] vt cu part adv 1 a abandona, a părăsi 2 a înceta, a termina (cu), a renunța la; ~ crying! încetează cu plânsul/lacrimile/plânsetele! 3 a se vindeca/a se lăsa de, a părăsi, a abandona (un nărav)

give over to ['giv 'ouvə tə] vt cu part adv și prep a abandona/a lăsa pe seama cu gen; a lăsa în voia cu gen; given over to despair căzut pradă desperării/deznădejdii

give to ['giv tə] vi cu prep a se desprinde/a se obișnui cu

give up ['giv 'ʌp] **I** *vt cu part adv* **1** abandona, a părăsi; **he gave up the farm** a părăsit/a abandonat ferma **2** a se retrage/a demisiona din; a părăsi *(slujba, afacerile etc.)*, a renunța la; a se lipsi de **3** a ceda *(un loc etc.)*, a lăsa **4** a jertfi, a sacrifica *(viața etc.)* **5** a se lăsa de *(fumat etc.)*, a se opri din, a înceta **6** a se dezice de, a renunța la, a abandona *(convingeri etc.)* **7** a remite, a preda, a înmâna; **to ~ the fortress** a închina cetatea, a se preda **8** a divulga, a denunța; a da pe mâna autorităților **9** a declara/a crede, a socoti pierdut *sau* incurabil; a socoti insolubil/de nerezolvat; **I give it up!** eu mă dau bătut! **he was given up for lost** a fost dat dispărut; **the doctors gave him up** doctorii l-au declarat un caz desperat/nevindecabil **II** *vi cu part adv* **1** a abandona (lupta), a ceda, a se da bătut; **~!** dă-te bătut! renunță! **don't ~!** nu te lăsa! **2** a renunța la orice efort, a nu-și mai bate capul **3** *com* a se retrage din afaceri, a închide magazinul

give upon ['giv ə,pɔn] *vi cu prep (d. ușă, fereastră)* a da înspre

gizmo ['gizmou] *s v.* **gimmick**

gizzard ['gizəd] *s* **1** *orn* pipotă, rânză **2** *fig* gât; **may it stick in your ~** sta-ți-ar în gât! // **to fret one's ~** a se perpeli, a se agita, a se frământa

GK *presc de la* **Greek**

glabrous ['gleibrəs] *adj* **1** spân **2** *bot* fără peri

glacé ['glæsei] *adj fr* **1** glasat, acoperit cu glazură **2** zaharisit **3** înghețat, jivrat **4** lucios, lustruit, glacé **5** *text* satinat

glacial ['gleisiəl] *adj* **1** glacial **2** *geol* glaciar **3** înghețat, rece; geros; tăios **4** *fig* rece, neprietenos, glacial; ostil

glacial epoch/period ['gleisiəl 'i:pɔk/ 'piəriəd] *s geol* epoca glaciară

glaciation [gleisi'eiʃən] *s geol* glaciați(un)e

glacier ['glæsiə] *s geol* ghețar

glad¹ [glæd] *adj* **1** bucuros, < încântat, fericit; **I am ~ to meet you** mă bucur de cunoștință **2** *(d. o perioadă etc.)* aducător de bucurie, fericit, vesel **3** fericit, vesel, voios **4** dispus, bucuros, gata (să facă ceva)

glad² *s F* ↓ *pl bot* gladiolă *(Gladiolus)*

gladden ['glædən] *vt* a bucura, a (în)veseli, a încânta *(privirile etc.)*

glade [gleid] *s* luminiș, poiană

glad eye ['glæd ai] *s F* priviri vesele/ calde/prietenoase; **to give smb the ~** a primi bine/călduros pe cineva

glad hand ['glæd 'hænd] *s* mână prietenească; salut prietenos (de bun venit)

glad-hand ['glæd ˌhænd] *vt* a saluta/ a primi cordial/prietenește

gladiator ['glædi,eitə] *s* **1** *ist* gladiator **2** polemist

gladioli [ˌglædi'oulai] *s pl de la* **gladiolus**

gladiolus [ˌglædi'ouləs], *pl și* **gladioli** [ˌglædi'oulai] *s bot* gladiolă *(Gladiolus imbricatus)*

gladly ['glædli] *adv* **1** bucuros, cu bucurie; cu dragă inimă **2** de bună voie

gladness ['glædnis] *s* bucurie, încântare

glad rags ['glæd ˌrægz] *s pl sl F* ← țoale festive; țol festiv; – haine bune/de sărbătoare/gală; **to put on one's ~** *F* a se pune la marele fix/țol festiv

gladsome ['glædsəm] *adj poetic* bucuros, voios

Gladstone ['glædstən], **William Ewart** *politician englez (1809-1898)*

gladstone (bag) ['glædstən (bæg)] *s* sac de voiaj *(cu două despărțituri)*

Gladys ['glædis] *nume fem*

Glagolitic [ˌglægəlitik] *adj ist* glagolitic

glair ['glɛə] *s* **1** albuș de ou **2** substanță vâscoasă

glamor... *v.* **glamour...**

glamorize ['glæmə,raiz] *vt* **1** a înfrumuseța, a face atrăgător; a da farmec *(cu dat)* **2** *fig* a lăuda, a cânta

glamorous ['glæmərəs] *adj* fermecător, încântător

glamorously ['glæmərəsli] *adv* (în mod) fermecător, încântător

glamour ['glæmə] *s* **1** farmec (misterios), vrajă **2** fascinație, atracție; nuri, sex appeal

glamour girl ['glæmə ˌgə:l] *s F* ↓ *amer* un bujor de fată, fată frumoasă, bomboană, vedetă, *sl* gagică/fustă mișto; bombă

glance [glɑːns] **I** *s* **1** privire (fugară), aruncătură de ochi, căutătură; **at a ~** dintr-o ochire/privire; **to take a ~ at** a se uita (în treacăt) la **2** licăr(ire), rază de lumină **3** carambol(aj) *(la biliard)* **II** *vi* **(at)** a se uita în treacăt (la), a arunca o privire *(cu dat)*

glance off ['glɑːns ˌɔf] *vi cu prep* a ricoșa (de) pe; a aluneca peste *(și fig)*

glance up [glɑːns 'ʌp] *vi cu part adv* a ridica ochii, a privi în sus

gland¹ [glænd] *s anat* **1** glandă **2** *pl* ganglioni (la gât)

gland² *s tehn* manșon

glanders ['glændəz] *s pl ca sg vet* răpciugă

glandular ['glændjulə] *adj* glandular

glans [glænz], *pl* **glandes** ['glændi:z] *s anat* gland *(al penisului etc.)*

glare¹ [glɛə] **I** *s* **1** lumină orbitoare **2** strălucire supărătoare/orbitoare **3** strălucire ieftină, lustru, luciu **4** privire aspră/feroce, căutătură cruntă **II** *vi* **1** a produce o lumină orbitoare, a străluci orbitor, a arde (foarte tare) **2** **(at)** a privi urât/aspru/dușmănos (la)

glare² *adj (↓ d. gheață)* sticlos *(și* strălucitor), neted și lucios

glaring ['glɛəriŋ] *adj* **1** orbitor, de o strălucire orbitoare/care-ți ia ochii **2** *(d. culori)* țipător **3** evident, prea vizibil; bătător la ochi **4** *(d. o greșeală)* grosolan, boacăn **5** *(d. priviri)* feroce, sălbatic

glaringly ['glɛəriŋli] *adv* **1** orbitor, viu, strălucitor **2** țipător, viu **3** evident, vizibil, feroce, aspru, sălbatic

glary ['glɛəri] *adj* strălucitor, orbitor

Glasgow ['glɑːzgou] *oraș în Scoția*

Glaspell ['glæspel], **Susan** *autoare dramatică americană (1882-1948)*

glass [glɑːs] **I** *s* **1** sticlă *(ca material)*, geam(uri) **2** sticlărie, articole de sticlă **3** (conținutul unui) pahar; **to take a ~ too much/many** ← *glumeț* a întrece măsura, a bea prea mult **4** oglindă **5** ochean, binoclu; lunetă; telescop **6** ← *F* barometru **7** *pl* ochelari **II** *adj* de sticlă, făcut din sticlă

glass blower ['glɑːs ˌblouə] *s* sticlar, muncitor la fabrica de sticlă

glass blowing ['glɑːs ˌblouiŋ] *s* fabricarea sticlei

glass case ['glɑːs keis] *s* vitrină *(mobilă)*

glass cloth ['glɑːs ˌklɔθ] *s* **1** glaspapir, (hârtie) șmirghel **2** cârpă de șters paharele

glassful ['glɑːsˌful] *s* (conținutul unui) pahar

glass house ['glɑːs haus] *s* **1** fabrică de sticlă/sticlărie **2** seră // **people who live in ~s should never throw stones** *prov* cine se știe cu musca pe căciulă să tacă din gură

glassily ['glɑːsili] *adv* ca sticla, sticlos

glassiness ['glɑːsinis] *s* aspect *sau* caracter sticlos

glass making ['glɑːs ˌmeikiŋ] *s* fabricarea sticlei

glass paper ['glɑːs peipəʳ] *s* glaspapir, (hârtie) șmirghel

glass silk ['glɑːs ˌsilk] *s* vată de sticlă

glass snake ['glɑːs ˌsneik] *s zool* șopârlă fără labe *(Ophisaurus ventralis)*

glassware ['glɑːsˌwɛəʳ] *s* (articole de) sticlărie

glass wool ['glɑːs ˌwul] *s* vată de sticlă

glass work ['glɑːs wəːk] *s* **1** *v.* **glassware 2** *pl ca sg* fabrică de sticlă/sticlărie

glassy ['glɑːsi] *adj* **1** sticlos, lucios **2** ca sticla, luciu, neted **3** fără expresie/viață, mort, sticlos **4** fragil

Glaswegian [glæzˈwiːdʒən] *adj* din Glasgow *(Scoția)*

Glauber's salt(s) ['glaubəz 'sɔːlt(s)] *s pl ch* sarea lui Glauber, sulfat de sodiu, *F →* sare amară

glaucoma [glɔːˈkoumə] *s med* glaucom

glaze [gleiz] **I** *s* **1** glazură, glasură **2** smalț, email; verniu **3** lustru, luciu **4** ceramică smălțuită, vase emailate **II** *vt* **1** a pune geam/sticlă la *(fereastră, vitrină etc.)* **2** a glasa, a pune glazură la **3** a smălțui, a emaila **III** *vi* a deveni sticlos

glazed frost ['gleizd 'frɔst] *s* polei

glazier ['gleiziəʳ] *s* geamgiu

glazing ['gleiziŋ] *s* **1** meseria de geamgiu **2** (sticlă de) geamuri **3** glazură, glasură

gleam [gliːm] **I** *s* **1** licăr, rază de lumină **2** licărire, rază, urmă;

întrezărire; **a ~ of hope** o licărire/ o rază de speranță **3** strălucire, scânteiere; luciu, lustru **II** *vi* a licări, a străluci (slab)

glean [gliːn] *vt* **1** *agr* a spicui, a culege, a aduna *(spicele/boabele căzute)* **2** *fig* a spicui, a culege, a lua de ici și de colo **3** *fig* a strânge, a aduna, a colecta

gleaner ['gliːnəʳ] *s* spicuitor, culegător de spice/boabe

gleanings ['gliːniŋz] *s pl* **1** spicuiri, spice/boabe culese după seceriș **2** *fig* spicuiri, citate

glee [gliː] *s* **1** veselie; voioșie; bucurie, încântare **2** *muz* piesă pentru cor bărbătesc *(pe trei sau mai multe voci)*

gleeful ['gliːful] *adj* **1** vesel, voios, bucuros **2** zglobiu

gleefully ['gliːfuli] *adv* vesel, voios; bucuros

Gleichschaltung ['glaikʃæltən] *s germ* standardizare

glen [glen] *s* vale îngustă, viroagă, ravină

Glen [glen] *nume masc*

glengarry [glenˈgæri] *s* bonetă scoțiană

Glenn [glen] *nume masc*

gley [glei] *s agr* sol mlăștinos, hlei

glib [glib] *adj* **1** volubil, rapid, fluent; descurcăreț (în vorbe); **he has a ~ tongue** e bun de gură; **he is a ~ talker** *F* are papagal, – te ia repede cu vorba **2** facil, superficial, ușuratic **3** cu aparență de adevăr, credibil; **a ~ excuse** un pretext care stă în picioare **4** nesincer, care nu pornește din inimă

glibly ['glibli] *adj* **1** volubil, curgător, fluent **2** abil, iute, cu istețime **3** superficial, la repezeală **4** credibil, veridic

glide [glaid] **I** *vi* **1** a (a)luneca; a merge ușor (ca și cum ar pluti), a glisa **2** *fig* a se scurge, a trece ușor/pe nesimțite **3** *av* a plana **4** *muz* a face un glissando, a lega notele **II** *s* **1** (a)lunecare **2** *av* planare, zbor planat **3** *lingv* trecere la un alt sunet; sunet de tranziție; diftong **4** *muz* glissando

glide along ['glaid əˈlɔŋ] *vi cu part adv* a pluti, a luneca

glide away ['glaid əˈwei] *vi cu part adv și fig* a trece, a se scurge; a curge

glide by ['glaid 'bai] *vt cu part adv (d. timp)* a trece repede, a se scurge

glide past ['glaid pɑːst] *vi cu part adv* a trece; a se furișa, a se strecura

glide path/slope ['glaid ˌpɑːθ/sloup] *s av* pantă de coborâre, direcție de aterizare

glider ['glaidəʳ] *s* **1** *av* planor **2** leagăn, scrânciob **3** *mar* hidroglisor **4** planorist

glider plane ['glaidə ˌplein] *s av* planor

gliding ['glaidiŋ] **I** *s* **1** (a)lunecare, glisare **2** zbor planat, planare **3** planorism **II** *adj* **1** alunecător, care alunecă, glisant **2** *av* care planează, planat

glim [glim] *s* **1** lumină, luminiță, licăr(ire) **2** *sl* gineală, – privire fugară, ochire

glimmer ['glimə] **I** *s* **1** licăr(ire), scânteiere; pâlpâire **2** *fig* rază, licăr *(de speranță etc.);* bănuială **II** *vi* **1** a licări, a pâlpâi, a luci **2** a se vedea slab, a licări

glimmering ['gliməriŋ] **I** *s v.* **glimmer I 1 II** *adj* pâlpâitor, care licărește, (care luminează) slab

glimpse [glimps] **I** *s* **1** privire (fugară), ochire; **to catch/get a ~ of** a zări, a da cu ochii de, a vedea; **at a ~** dintr-o ochire; la prima vedere **2** străfulgerare, scăpărare, licărire **II** *vt* a zări, a prinde, a da cu ochii de **III** *vi* **1** (at, upon) a arunca o privire/ochire (la *sau* cu dat) **2** a licări, a străluci cu intermitență **3** *poet* a se ivi, a răsări, a se întrezări

glint [glint] **I** *s* **1** licărire, strălucire *(metalică)* **2** *și fig* scânteiere, lumină **II** *vi* a licări, a scânteia, a străluci *(↓ metalic)*

glissade [gliˈsɑːd] **I** *s* **1** (a)lunecare **2** glisadă **II** *vi* **1** a aluneca, a glisa **2** a face o glisadă

glisten ['glisən] *vi* a sclipi, a scânteia, a (stră)luci

glitch [glitʃ] *s sl* pană, defect, defecțiune, cădere

glitter ['glitəʳ] **I** *s* **1** sclipire, scânteiere, strălucire **2** splendoare, fast, pompă, strălucire **II** *vi* a sclipi, a scânteia, a (stră)luci; **all that ~s is not gold** *prov* nu tot ce zboară se mănâncă

gloaming ['gloumiŋ] *s poetic și fig* crepuscul, asfințit, amurg

gloating ['gloutiŋ] *adj* **1** lacom, avid **2** exultând, plin de bucurie (↓ malițioasă)

gloatingly ['gloutiŋli] *adv* **1** lacom; avid **2** cu încântare/bucurie (↓ răutăcioasă)

gloat over/upon/on ['glout ‚ouvər/ ə‚pɔn/ɔn] *vi cu prep* **1** a privi lacom la, a sorbi/a mânca din ochi *cu ac*, a-și desfăta privirile cu **2** a privi cu desfătare/nesaț la; a se bucura de

global ['gloubəl] *adj* **1** global, total **2** mondial; universal

globally ['gloubəli] *adv* **1** global, în bloc/ansamblu **2** total

globe [gloub] *s* **1** glob, sferă **2** glob pământesc/terestru; **use of the ~** → *înv* predarea geografiei și astronomiei; lecții de geografie *sau* astronomie **3** astru, corp ceresc **4** vas pentru pești

globe-trotter ['gloub ‚trɔtər] *s* globtroter, turist care colindă lumea întreagă (pe jos)

globe-trotting ['gloub ‚trɔtiŋ] *s* călătorie (pe jos) prin țări străine, turism (pedestru) de agrement

globose ['gloubous] *adj* sferic, globular *sau* aproape sferic/ globular

globular ['glɔbjulər] *adj* globular, sferic, rotund

globule ['glɔbju:l] *s* **1** globulă **2** pilulă, bulin

glockenspiel ['glɔkən‚spi:l] *s muz germ* (celesta) glockenspiel

glom [glɔm] *sl* **I** *vt* a ciordi, a șterpeli, a zuli; a găbji **II** *vi*: **to ~ on to** *v.* **~ I**

gloom [glu:m] **I** *s* **1** întunecime, amurg, semiîntuneric; < întunecare, întuneric, beznă **2** *fig* tristețe, întristare, mâhnire; **to cast a ~ over/upon** a întrista, a mâhni *cu ac* **3** perspectivă sumbră **II** *vi* și *fig* (d. vreme) a se întuneca, a se posomorî, a se mohorî **III** *vt* **1** a întuneca, a umbri **2** *fig* a mâhni, a întrista

gloomily ['glu:mili] *adv* posomorât, mohorât, trist, melancolic

gloominess ['glu:minis] *s v.* **gloom I, 1-2**

gloomy ['glu:mi] *adj* **1** întunecos, întunecat **2** *fig* sumbru, mohorât; lugubru **3** *fig* posomorât, trist **4** *(d. vreme)* înnorat, posomorât, mohorât

glop [glɔp] *s sl* **1** substanță lichidă vâscoasă **2** lături, zoaie, zoi *(v. și* **slop***)*

Gloria ['glɔ:riə] *nume fem*

gloria ['glɔ:riə] *s* **1** aureolă, nimb **2** **G ~ (Patri)** *rel* doxologie; **~ tibi** ison; **~ (in excelsis)** imn de slavă

glorification [‚glɔ:rifi'keiʃən] *s* **1** glorificare, preaslăvire, preamărire **2** *F* chiolhan, – chef, petrecere; prilej de veselie; **we had a ~ over the event** am sărbătorit evenimentul

glorify ['glɔ:ri‚fai] *vt* **1** a glorifica, a preamări, a proslăvi **2** a cinsti, a onora **3** a (i)lumina, a iradia **4** a pune într-o lumină favorabilă, a face atrăgător

gloriole ['glɔ:ri‚oul] *s v.* **gloria 1**

glorious ['glɔ:riəs] *adj* **1** glorios, victorios **2** splendid, strașnic, grozav, minunat **3** superb, splendid **4** *F* cherchelit, afumat, – băut

gloriously ['glɔ:riəsli] *adv* **1** (în mod) glorios/victorios **2** strălucit, falnic, maiestuos **3** *F* strașnic, grozav

glory ['glɔ:ri] *s* **1** glorie, cinste; **to cover oneself with ~** a se acoperi de glorie/cinste; **to go to ~** *F* a da ortul popii; **to send to ~** *F* a trimite pe lumea cealaltă **2** *fig* (prilej de) mândrie, glorie, fală **3** merit, glorie, (motiv de) mândrie **4** strălucire, splendoare; **in all one's ~** în toată splendoarea (sa) **5** nimb, aureolă

glory box ['glɔ:ri ‚bɔks] *s austral* ladă de zestre

glory-hole ['glɔ:ri ‚houl] *s* **1** *amer min* exploatare la zi; carieră deschisă **2** *sl* harababură; cameră, sertar, cutie *etc.* în mare dezordine

glory in ['glɔ:ri in] *vi cu prep* **1** a se făli/a se mândri cu **2** a se bucura de, a se desfăta cu; a savura *cu ac*

Glos *presc de la* **Gloucestershire**

gloss¹ **I** [glɔs] *s* **1** lustru, luciu **2** *fig* lustru, spoială, luciu, strălucire superficială *sau* aparentă; aparență înșelătoare/amăgitoare; **to put a ~ upon the truth** a polei adevărul **II** *vt* **1** a lustrui; a da lustru *(cu dat)* **2** *fig* a polei; a ascunde sub o înfățișare/strălucire amăgitoare

gloss² *s* **1** observație/notă marginală, adnotare **2** glosă, exegeză, explicație; parafrază **II** *vt* **1** a tălmăci, a interpreta **2** a răstălmăci, a denatura **3** a comenta nefavorabil

glossal ['glɔsəl] *adj anat* lingual, referitor la limbă

glossarial [glɔ'sɛəriəl] *adj* **1** cu caracter de glosar/lexicon **2** interpretativ, cu caracter de glosă

glossary ['glɔsəri] *s* glosar, vocabular

glossator [glɔ'seitər] *s* comentator, interpret *(↓ al textelor juridice medievale);* autor de glose/ comentarii

glosseme ['glɔsi:m] *s lingv* glosem, semem, unitate semantică minimală

glossiness ['glɔsinis] *s* lustru, luciu, strălucire

glossographer [glɔ'sɔgrəfər] *s* comentator, interpret, analist, autor de glose

glossolalia [‚glɔsə'leiliə] *s rel, lit, lingv* glosolalie, putere/capacitate (lingvistică) divină

glossology [glɔ'sɔlədʒi] *s lingv* glosologie, terminologie

gloss over ['glɔs 'ouvər] **I** *vt cu part adv* a polei, a ascunde sub o spoială înșelătoare **II** *vi cu prep* a comenta (răuvoitor/nefavorabil) *cu ac*

gloss paint ['glɔs ‚peint] *s* vopsea strălucitoare, vernis

gloss upon ['glɔs ə‚pɔn] *vi cu prep* a face comentarii/însemnări (răuvoitoare) despre

glossy ['glɔsi] **I** *adj* **1** lucios, lustruit, cu lustru/luciu **2** *fig* fățarnic, ipocrit; mieros **3** încrezut, îngâmfat **II** *s* ← *F* **1** fotografie lucioasă **2** revistă ilustrată/cu poze (atrăgătoare)

glottal ['glɔtəl] *adj anat, lingv* glotal

glottal stop ['glɔtəl 'stɔp] *s lingv* ocluzivă glotală

glottis ['glɔtis] *s anat, lingv* glotă

Gloucester ['glɔstər] *s* **1** brânză de Gloucestershire **2** oraș în Anglia și S.U.A.

Gloucestershire ['glɔstə‚ʃiər] *comitat în Anglia*

glove [glʌv] **I** *s* **1** mănușă; **to be hand and ~ with smb** a a fi prieten la toartă/cataramă cu cineva **b** a se înțelege de minune cu cineva *(la rău)*, a fi în cârdășie cu cineva; **to fit smb like a ~ b** a-i veni cuiva de minune/ca turnat **b** *și fig* a i se potrivi/a-i (con)veni cuiva de minune; **to handle without ~s** a se purta fără mănuși/menajamente; **to pull/draw one's ~s** a-și pune mănușile **2** mănușă de box **3** *fig* mănușă, provocare; **to throw down the ~ to smb** a arunca cuiva mănușa; **to take up the ~** a ridica mănușa **II** *vt* a înmănușa, a pune mănuși *(cu dat)*

glove box ['glʌv ˌbɔks] *s* **1** cutie de mănuși **2** *auto* v. **glove compartment 3** *fiz, ch* cameră izolată pentru manipularea materialelor radioactive

glove compartment ['glʌv kəm'pa:tmənt] *s auto* torpedou, seif

glover ['glʌvəʳ] *s* fabricant *sau* negustor de mănuși

glow [glou] **I** *s* **1** strălucire, lumină (fierbinte), incandescență **2** dogoare, căldură, arșiță, fierbinteală, incandescență; **in a ~** înfierbântat, îmbujorat, aprins (la față) **3** foc, flăcăruie, flacără **4** licărire, scânteiere, strălucire **5** vioiciune, viață, vivacitate **6** *fig* ardoare, foc, flacără, văpaie **7** *fig* înflăcărare, entuziasm **8** *fig* îmbujorare, împurpurare, roșeață (în obraji) **II** *vi* **1** a arde (ca para focului), a fi incandescent/încins **2** a scânteia, a (stră)luci **3** *fig* a radia, a străluci **4** *(d. obraji)* a arde, a se aprinde, a se îmbujora, a se înflăcăra **5** *și fig* a se aprinde, a se încinge

glower ['glouəʳ] **I** *vi* (at) a se uita urât/aspru/< feroce (la), a se încrunta (la) **II** *s* căutătură urâtă/încruntată, privire rea/aspră/fioroasă

glowing ['glouiŋ] *adj* **1** incandescent, aprins, încins până la roșu **2** strălucitor, luminos **3** fierbinte, arzând, dogoritor **4** îmbujorat, roșu, împurpurat *(la față)* **5** *(d. culoare)* viu, strălucitor; **to paint in ~ colours** *fig* a zugrăvi/a descrie/a prezenta în culori favorabile/frumoase

glow worm ['glou ˌwə:m] *s ent* licurici *(Lampyris noctiluca)*

Gluck [gluk], **Christoph Willibald** *compozitor german (1714-1787)*

glucose ['glu:kouz] *s ch* glucoză

glue [glu:] **I** *s* clei **II** *vt* (**up**) a lipi, a încleia; **his eyes were ~d to the door** nu-și mai dezlipea/lua ochii de pe ușă; **they are ~d to each other** sunt (prieteni) nedespărțiți

glue pot ['glu: ˌpɔt] *s* borcan/borcănaș cu clei

glue sniffer ['glu: ˌsnifəʳ] *s* toxicoman *(care inhalează aburi de ciment plastic)*

glue up ['glu: 'ʌp] *vt cu part adv* v. **glue II**

gluey ['glu:i] *adj* lipicios; cleios

glum [glʌm] *adj* **1** întunecat, sumbru, mohorât **2** posac, ursuz, încruntat

glumly ['glʌmli] *adv* posac, ursuz

glumness ['glʌmnis] *s* toane proaste, tristețe, melancolie

glut [glʌt] **I** *vt* **1** (**with/upon/on**) a ghiftui, a umple, a satura (cu); **to ~ one's eyes with the view** a-și desfăta ochii cu priveliștea **2** *fig* a suprasatura, a supraîncărca, a ticsi, a umple **3** *ec* a inunda (piața) **II** *s* **1** îndestulare, sat(ietate), saturare; ghiftuire **2** astupare, închidere, înfundare **3** *ec* supraabundență; supraproducție, excedent, prisos

gluten ['glu:tən] *s ch* gluten

glutinous ['glu:tinəs] *adj* lipicios, cleios

glutton ['glʌtən] *s* (om) lacom, mâncău, căpcăun, gurmand; **he is a ~ for reading** e un cititor vorace

gluttonous ['glʌtənəs] *adj* lacom, mâncăcios; vorace; nesățios

gluttony ['glʌtəni] *s* lăcomie, voracitate

glycerin(e) ['glisərin] *s ch* glicerină

glycine ['glaisi:n] *s ch* glicocol, acid aminoacetic

glycogen ['glaikoudʒən] *s ch* glicogen

glycogenesis [ˌglaikou'dʒenisis] *s ch* glicogeneză, formarea glicogenului din zahăr

glycolysis [glai'kɔlisis], *pl* **~es** [glai'kɔlisi:z] *s ch* glicoliză, fermentație enzimatică

glycosuria [ˌglaikou'sjuəriə] *s med* glicosurie

glyph [glif] *s* hieroglif; literă sculptată/incizată

G.M. *presc de la* **1** general manager **2** guided missile **3** General Motors

gm *presc de la* **gram(me)** *sau* **gram(me)s**

G-man ['dʒi:ˌmæn] *s amer* ← F agent al FBI-ului; polițist, detectiv

G.M.T. *presc de la* **Greenwich Mean Time**

gnarl¹ [na:l] *s bot* nod, ciot

gnarl² *vi* a mârâi, a-și arăta colții

gnarled [na:ld] *adj* **1** *(d. pomi, crengi)* noduros, cioturos; răsucit, strâmb **2** *(d. mâini, degete)* noduros, diform, butucănos

gnash [næʃ] **I** *vt* a scrâșni din *(dinți)* **II** *vi* a scrâșni (din dinți)

gnat [næt] *s ent* țânțar *(Culex)*; **to strain at a ~** a se lupta cu morile de vânt; a face eforturi disproporționate

gnaw [nɔ:] **I** *vi* **1** (**at**) a roade (din), a mânca **2** (**at**) *fig* a roade, a chinui, a frământa *(cu ac)* **3** (**into**) a acorda, a roade, a mânca *(un metal)* **II** *vt* **1** a roade, a mânca, a uza **2** a(-și) mușca *(unghiile etc.)* de furie **3** *fig* a distruge, a nimici

gnocchi ['nɔki] *s pl* găluști/colțunași cu parmezan *etc.*, gnochi

gnome [noum] *s mit* gnom, pitic

gnomic(al) ['noumik(əl)] *adj* gnomic; aforistic

gnomish ['noumiʃ] *adj* ca un gnom/pitic/spiriduș; pitic

gnosis ['nousis] *s filos* gnoză

gnosis *suf* -gnoză: **prognosis** prognoză

gnosticism ['nɔstiˌsizəm] *s filos* gnosticism

G.N.P. *presc de la* **gross national product** PNB, produs național brut

G.N.R. *presc de la* **gunner**

gns presc de la **guineas**

gnu [nu:] *s zool* gnu *(Connochaetes gnu)*

G.O. ['dʒi:'ou] *presc de la* **general order**

go [gou] **I** *pret* **went** [went], *ptc* **gone** [gɔn] *vi* **1** a merge, a umbla; **to ~ on foot** a merge/a umbla pe jos; **to ~ one's (own) way a** a-și vedea (liniștit) de drum **b** a-și urma calea propusă **c** a face lucrurile după capul lui; **to ~ the whole length** *F* hog a duce lucrurile/a merge până la capăt; **to ~ for a walk** a pleca/a ieși la plimbare; **to ~ to the school** a se duce (până) la școală; **to ~**

to school a fi elev; **you are going rather too far** *fig* mergi cam prea departe, te cam întreci cu gluma **2** *cu forme în* **-ing** a se duce la *(vânătoare etc.)*, a umbla după *(vânat etc.)* **3** a merge, a călători, a se deplasa *(cu autobuzul etc.)* **4** a ieși/a umbla în lume **5** a circula, a se răspândi; **as the story ~es** după cum se spune **6** a se duce, a pleca; a se îndepărta; **it comes and ~es a** vine și pleacă **b** nu durează, e un lucru temporar; **~ to hell** du-te naibii/dracului! **7** (**to, as far as**) a duce, a ajunge, a se întinde (la, până la/în); **the road ~es as far as the chalet** drumul duce până la cabană; **to ~ a long way a** a ajunge, a fi suficient/destul **b** (**towards**) a contribui mult/în mare măsură la; a avea un mare efect asupra *(cu gen)* **c** (**with**) a exercita o puternică influență asupra *(cu gen)* **8** *(d. timp etc.)* a se scurge, a merge, a trece **9** a funcționa, a merge, a acționa; a fi în funcțiune; **to get going a** a pune în mișcare/funcțiune; **b** a se pune în mișcare/funcțiune **10** a proceda, a acționa, a se comporta; **I went according to the times** m-am supus vremurilor, am acționat conform imperativului vremurilor; **to ~ halves** *F* a face jumate-jumate **11** a se desfășura, a se petrece, a merge; **all went quite smoothly** totul a mers ca pe roate; **as times ~** așa cum merg lucrurile (în general) **12** a reuși, a izbuti, a merge **13** a intenționa, a avea de gând **14** a dispărea; a pieri, a se duce, a trece; **the clouds have gone** norii s-au risipit; **this will have to ~** asta va trebui să dispară **15** a se duce, a se (pe)trece, a muri, a răposa; **he is gone** s-a prăpădit, s-a dus pe lumea cealaltă **16** ← *F* a fi, a se afla (într-o situație); **to ~ hungry** a rămâne *sau* a fi flămând/nemâncat; **she is far gone with child** *F* e cu burta la gură, – e gravidă **17** a se integra, a intra; a-și avea/a-și găsi locul; a (apar)ține (de), a sta; **where do these books ~?** unde se pun/unde stau cărțile astea? **18** *mat*

a intra, a se cuprinde; **5 into 25 ~es five times** 5 în 25 intră de 5 ori 19 *(d. mărfuri)* a se vinde, a se da; **it went at a shilling the ounce** s-a vândut cu un șiling uncia **20** a se îmbrăca; **she doesn't ~ in colours** se îmbracă numai în negru **21** *(d. un text)* a suna, a glăsui, a spune **22** *(d. clopoțel etc.)* a bate, a suna; **here ~es the second bell** soneria/clopoțelul a sunat a doua oară **II** *(v. ~ I)* *v copulă (deseori nu se traduce)* a deveni, a ajunge; **to ~ yellow** a se îngălbeni; **to ~ bad** a se strica; a se altera; **to ~ mad** a înnebuni, a-și pierde mințile **III** *(v. ~ I)* *vt* **1** a îndeplini, a face; a acoperi, a străbate; **to ~ one better than smb** a întrece pe cineva **2** ← *F* a suporta, a îndura; a accepta; **this I can't ~** asta n-o pot suporta/îndura; **IV** *pl* **goes** [gouz] *s* **1** mișcare, acțiune, agitație; **to be always on the ~ a** a fi în continuă/permanentă agitație **b** a fi mereu pe drumuri **2** *F* modă, vogă; **it's all the ~** e ultima modă, *F* → e ultimul strigăt/răcnet (al modei) **3** încercare, probă; **I'll have a ~ at it** eu am să fac totuși o încercare; ia să încerc eu **4** întâmplare, *F* → poveste; treabă, afacere; **that's a fine ~!** *F* frumoasă afacere/treabă! asta ne mai lipsea! **a rum ~!** *F* încurcată poveste/treabă! **5** *F* târg, învoială, afacere, tranzacție; **(it's) no ~** *F* nu ține (povestea)! (așa) nu merge! **is it a ~?** *F* batem palma? facem târgul? **6** ← *F* reușită, izbândă, succes; **that's/it's no ~!** nu merge! degeaba! inutil! n-ai ce face! **I made a ~ of it!** am izbutit, a fost un succes **7** *F* elan, șvung, curaj, nerv, vervă; **there's lots of ~ in him yet** e încă verde; are încă mult nerv; se ține încă bine **8** *univ* examen; probă

Goa ['gouə] *oraș și regiune în India*
go about ['gou ə'baut] **I** *vi cu part adv* **1** a umbla (de colo până colo), a circula **2** a fi pe picioare, a umbla **3** *(d. zvonuri etc.)* a umbla, a circula **II** *vi cu prep* a umbla după, a se ocupa/a vedea de *(o treabă)*

goad [goud] **I** *s* **1** strămurare, bold **2** *fig* imbold, îndemn **II** *vt* **1** a îmboldi, a îndemna cu strămurarea **2** *fig* a stimula, a îmboldi; a da pinteni *(cu dat)* **3** *fig* a întărâta, a ațâța, a irita
goad on ['goud 'ɔn] *vt cu part adv* a îmboldi (să meargă înainte), a împinge înainte, a da pinteni *cu dat*
go after ['gou ˌɑ:ftə'] *vi cu prep* **1** a merge în urma *cu gen* **2** a urmări *cu ac* **3** a imita, a urma *cu ac*, a se lua după **4** a căuta (să obțină), a urmări *cu ac*, a ținti la
go against ['gou ə,genst] *vi cu prep* **1** a contrazice *cu ac*, a contraveni la *sau cu dat* **2** a contrazice *cu ac*, a se împotrivi la *(sau cu dat)*, a fi împotriva/contra *cu gen* **3** a merge împotriva *(firii etc.)*
go-ahead ['gou ə'hed] **I** *s* (semnal de) cale liberă, *fig* verde *(la stop)*; **to give smb the ~** a da cuiva semnalul de pornire **II** *adj* activ, dinamic, întreprinzător
go ahead ['gou ə'hed] *vi cu part adv* **1** a merge în frunte, a o lua înaintea celorlalți **2** *F* a-i da bătaie; **~!** **a** dă-i bătaie/bice **b** zi-i înainte! continuă! **c** nu te lăsa! nu te da bătut!
go ahead of ['gou ə'hed əv] *vi cu part adv și prep* a o lua înaintea *cu gen*
goal [goul] *s* **1** țintă **2** țel, scop, obiect **3** misiune, sarcină, obiectiv **4** *sport* poartă; but **5** *sport* sosire, finiș
goal average ['goul 'ævəridʒ] *s sport* golaveraj
goal getter ['goul 'getə'] *s sport* golg(h)eter, realizator
goalie ['gouli] *s* ← *F sport* portar
goalkeeper ['goul,ki:pə'] *s sport* portar
goalless ['goullis] *adj* fără țintă/noimă, van, inutil
goal-mouth ['goul ,mauθ] *s sport* spațiul porții
go along ['gou ə'lɔn] *vi cu part adv* a pleca, a se duce, a porni; **~ with you!** *F* a cară-te! șterge-o! întinde-o! **b** lasă-te de bancuri! termină cu prostiile (astea)!
go along with ['gou ə'lɔn wið] *vi cu part adv și prep* a merge mână în mână cu, a se potrivi (bine) cu; **it goes along with what you say** corespunde perfect spuselor dvs.; **we ~ you** vă/te sus-

ținem, suntem de acord cu propunerea dvs./ta

goal-tender ['goul ˌtendəʳ] *s sport amer* portar la hochei

go aside ['gou ə'said] *vi cu part adv* 1 a se da la o parte, a face loc 2 a se abate din drum

go astray ['gouə'strei] *vi cu part adv* 1 a se rătăci, a rătăci, a rătăci drumul 2 a apuca pe căi greșite; a face un pas greșit

go asunder ['gou ə'sʌndəʳ] *vi cu part adv* 1 a se despărți, a se separa 2 a merge care încotro/pe drumuri diferite 3 a se împrăștia 4 a se desface în bucăți

go-as-you-please ['gouəz ju'pli:z] *adj atr* 1 liber, slobod, neîngrădit 2 degajat, lejer, nepăsător 3 nedisciplinat

goat [gout] *s* 1 *zool* capră *(Capra);* țap *(și* he-~); **to get smb's ~** *F* a scoate pe cineva din fire/răbdare; **to play the giddy ~** *F* a face pe nebunul *sau* bufonul 2 *fig* porc, libidinos 3 **the G~** *astr* Capricornul

go at ['go ət] *vi cu prep* 1 a se da/a se repezi/a se năpusti la 2 a se apuca de; a lucra la

goatee [gou'ti:] *s* barbișon, cioc, țăcălie

goat-god ['gout ˌgod] *s mit* zeul Pan

goatherd ['gout,hə:d] *s* păstor de capre

goat's beard ['gouts ˌbiəd] *s bot* barba/țâța caprei *(Tragopogon pratensis)*

goatskin ['gout,skin] *s* 1 piele de capră, șevro; saftian, marochin 2 burduf din piele de capră

goatsucker ['gout,sʌkəʳ] *s orn* mulgătorul caprelor, păpăludă *(Caprimulgus)*

gob [gob] **I** *s* 1 *F* plisc, muzicuță, leoarbă 2 *sl* înghițitură, îmbucătură 3 *sl* scuipat, flegmă 4 grămadă, cantitate mare 5 *amer sl* marinar 6 *sl* moacă, mestecătoare, gură **II** *vi* a scuipa

go back ['gou 'bæk] *vi cu part adv* 1 a se întoarce (din drum), a reveni, a se reîntoarce 2 a regresa, a da înapoi

go back on ['gou 'bæk on] *vi cu part adv și prep* 1 a retracta, a se dezice de 2 a călca, a nu se ține de *(promisiune, cuvânt)*, a nesocoti *cu ac* 3 a se răzbuna pe

gobang [gou'bæŋ] *s* joc (chinezesc sau japonez) pe tabla de șah; șah chinezesc

gobble¹ ['gobə l] *vt* 1 a înfuleca, a hăpăi 2 *amer sl* a pune mâna/gheara pe, a înhăța

gobble² **I** *vi (d. curcani)* a bolborosi **II** *s* bolboroseală *(a curcanului)*

gobbledygook ['gobə ldi,guk] *s* bolboroseală, galimatie; jargon *(oficial)* neinteligibil

go before ['gou bi'fɔ:ʳ] **I** *vi cu part adv* 1 a se bucura de/a avea întâietate/precădere 2 a trece înainte, a merge în frunte **II** *vi cu prep fig* a avea prioritate/întâietate asupra *(cu gen)*/față de

Gobelin (tapestry) ['goubəlin ('tæpistri)] *s* gobelin

go-between ['goubi'twi:n] *s* 1 mijlocitor, codoș; mijlocitoare, codoașă 2 intermediar, mijlocitor; mediator 3 *F* sforar, – intrigant

go between ['gou bi,twi:n] *vi cu prep* 1 a mijloci între 2 a sluji de codoș pentru, a codoși *(cu ac)*

go beyond ['gou bi,jond] *vi cu prep și fig* a depăși, a întrece *cu ac*, a trece de; **to ~ all limits** a întrece orice limită, a se întrece cu gluma; **to ~ oneself** a-și ieși din fire, a-și pierde cumpătul

Gobi, the ['goubi, ðə] deșert în Asia

goblet ['goblit] *s* pocal, cupă

goblin ['goblin] *s* spiriduș, drăcușor

go-by ['gou ,bai] *s* indiferență, răceală, lipsă de atenție; **to give smb the ~ a** a nu da nici o atenție cuiva, a ignora pe cineva **b** a întrece pe cineva, a lăsa pe cineva în urmă; **to get the ~** a fi tratat cu răceală/indiferență

go by I ['gou 'bai] *vi cu part adv* a trece, a se scurge; **in times gone by** în vremuri de demult, în vremuri de mult apuse **II** ['gou bai] *vi cu prep* 1 a trece pe lângă 2 a întrece, a depăși *(cu ac)* 3 *fig* a trece *(cu ac);* **to ~ the name of** a fi cunoscut sub numele de 4 a se călăuzi/a se ghida/a se conduce/a se lua după

G.O.C. (-in-C.) *presc de la* **General Officer Commanding (-in-Chief)** ofițer comandant (suprem)

go-cart ['gou ,ka:t] *s* 1 țarc cu rotile *(pt copiii care învață să meargă)* 2 cărucior de copii 3 trăsurică 4

gocart, automobil mic pentru karting

God [god] *s* Dumnezeu (din ceruri), (Tatăl) Atottiitorul, Tatăl ceresc; **~ Almighty!** Dumnezeule mare/atotputernic! Doamne Dumnezeule! **~ bless you! a** Domnul/Dumnezeu să te aibă în pază! **b** bată-te norocul să te bată! să nu-ți fie de deochi! **c** *(când strănută cineva)* noroc, sănătate! **~ forbid!** ferească Dumnezeu (de mai rău); **it is ~'s truth** e adevărul adevărat; **thank ~!** Slavă Domnului! **~ helping/willing** cu voia/ajutorul celui de sus; **for ~'s sake!** pentru numele lui Dumnezeu! **he is with ~** a trecut/e în lumea celor drepți, l-a strâns Dumnezeu la el; **~ damn!** lua-l-ar dracu! la naiba! fir-ar să fie! **to play ~** a face pe grozavul; a fi însetat de putere; **under ~** cu voia Domnului/Celui de sus

god [god] *s* 1 zeu, zeitate, divinitate; **household ~s** *od* lari și penați, divinități domestice 2 **the ~s** *pl teatru* (spectatorii de la) galerie, *F→* cucurigu

godchild ['god,tʃaild] *s* fin *sau* fină *(la botez)*

God-dam(n) ['god ,dæm], **God damned** ['god ,dæmd] *adj* blestemat, afurisit

god daughter ['god ,do:təʳ] *s* fină *(la botez)*

goddess ['godis] *s* zeiță; zână

godfather ['god,fa:ðəʳ] **I** *s* naș *(la botez);* **to be/to stand ~ to a child** a năși un copil, a fi nașul unui copil **II** *vt și fig* a boteza, a năși

God-fearing ['god,fiəriŋ] *adj* 1 cu frica lui Dumnezeu; evlavios 2 corect

God-forsaken ['godfə,seikən] *adj* părăsit, uitat de Dumnezeu, prăpădit

godhead ['god,hed] *s* divinitate

godless ['godlis] *s* 1 păgân, necredincios, ateu 2 nelegiuit, criminal, păcătos

godlessness ['godlisnis] *s* 1 necredință, păgânism, ateism 2 nelegiuire, ticăloșie

godlike ['god,laik] *adj* 1 dumnezeiesc, divin 2 cucernic, evlavios, credincios

godliness ['godlinis] *s* cucernicie, evlavie

godly ['gɔdli] *adj* evlavios, religios; cu frica lui Dumnezeu

godmother ['gɔd,mʌðəʳ] *s* nașa *(la botez)*

go down I ['gou 'daun] *vi cu part adv* 1 a coborî; a descinde 2 a se coborî, a se lăsa în jos 3 *(d. soare)* a apune, a asfinți 4 *fig* a scăpăta, a apune; a decădea 5 a se scufunda, a se duce la fund; a se îneca 6 a fi înfrânt/învins 7 **(with smb)** a fi acceptat/admis *F* → înghițit (de *cineva*) 8 a scădea (în intensitate), a slăbi; a se liniști, a se ogoi 9 *(d. prețuri etc.)* a scădea 10 a rămâne, a fi amintit *(în istorie)* II ['go daun] *vi cu prep* a coborî pe *(un râu etc.)*, a pluti la vale pe

go down to ['gou'dauntə] *vi cu part adv și prep (d. o cronică etc.)* a merge/a continua până la

godparent ['gɔd,pɛərənt] *s* naș *sau* nașă *(la botez)*

God's acre ['gɔdz ,eikəʳ] *s* cimitir, *F* pogonul lui Dumnezeu

God's book ['gɔdz ,buk] *s* Sfânta Scriptură, Biblia

godsend, a ['gɔd,send, ə] *s* 1 un dar din cer, o (adevărată) mană cerească, o adevărată pomană; *F* → pară mălăiață 2 întâmplare norocoasă, o surpriză fericită/plăcută

godson ['gɔd,sʌn] *s* fin *(prin botez)*

God speed, god speed ['gɔd'spi:d] *interj* 1 noroc! Domnul să te aibă în pază! 2 succes! noroc! **to wish smb ~ a** a ura cuiva drum bun **b** a ura cuiva succes

Godwin ['gɔdwin], **William** *filosof și romancier (1756-1836)*

goer ['gouəʳ] *s* 1 călător; pasager; trecător, pieton 2 *(în cuvinte compuse)* frecventator; amator; **cinema-~** cinefil, spectator pasionat de cinema

Goethe ['gə:tə], **Johann Wolfgang von** *poet și dramaturg german (1749-1832)*

Goethean, Goethian ['gə:ti(:)ən] I *adj* Goethean, referitor la Goethe II *s* admirator *sau* discipol al lui Goethe

go(f)fer ['goufəʳ] I *vt* a gofra; a ondula, a încreți II *s* clește de gofrat/ondulat

go for ['gou fəʳ] *vi cu prep* 1 a se duce după, a se duce să aducă;

a pleca la; **to ~ a walk** a se duce/a pleca la plimbare 2 *și fig* a umbla după, a urmări, a căuta să pună mâna pe/să obțină *cu ac* 3 a intra în *(o funcție, armată etc.)* 4 a ataca, a se lega de, a se da la 5 a prețui, a face, a avea valoarea de, a se vinde cu (prețul de); **to ~ nothing** a nu face doi bani, a nu avea nici o căutare

go forth ['gou 'fɔ:θ] *vi cu part adv* 1 a ieși înainte; a porni, a pleca, a se duce 2 a se răspândi, a ieși la iveală; a-și face apariția

go forward ['gou'fɔ:wəd] *vi cu part adv* 1 a înainta, a avansa 2 a progresa, a face progrese

go free ['gou'fri:] *vi cu part adv* a se (e)libera; a scăpa

go-getter ['gou ,getəʳ] *s amer* ← *F* 1 persoană activă, om energic și intrepid 2 om de succes

goggle ['gɔgəl] I *s* 1 privire holbată *(de spaimă etc.);* holbare 2 *pl* ochelari de protecție *(pt muncă etc.)* 3 *pl sl* bicicletă, – ochelari (mari) 4 *pl* ochelari de cal 5 *vet* capie II *vi* a se holba, a face ochii mari

Gogh [gɔh], **Vincent van** *pictor flamand (1853-1890)*

go in ['gou'in] *vi cu part adv* 1 a intra, a pătrunde (înăuntru) 2 a se înscrie, a se angaja, a se băga *(în luptă, concurs etc.)* 3 a sosi, a veni 4 a parveni, a ajunge 5 *(d. aștri)* a se ascunde

go in for ['gou 'in fəʳ] *vt cu part adv și prep* 1 a se apuca de, a se pune pe; a se îndeletnici/a se ocupa cu; **to ~ farming** a se ocupa cu agricultura 2 a se prezenta/a se înscrie la *(un examen)* 3 a căuta să pară *(un om bine crescut etc.)* 4 a face o pasiune pentru, a se pasiona de; a îndrăgi *cu ac;* **she went in for acting** ținea morțiș să se facă actriță

going ['gouiŋ] I *s* 1 mers, umblat, umblet 2 plecare, dus, ducere; **let's go while the ~ is good** să plecăm cât mai e timp; **heavy ~** mers încet (și dificil); progrese lente 3 (iuțeală/viteză de) mers 4 stare a drumului II *adj* 1 în mers/mișcare/acțiune; care merge/se mișcă; **to set smth ~** a pune ceva în mișcare/acțiune/funcțiune 2 *(în cuvinte compuse)*

care merge *(într-un anumit fel);* **fast ~** rapid, care merge repede 3 existent; în viață 4 *(în cuvinte compuse)* frecventator, care frecventează; **the theatre-~ public** amatorii de teatru, spectatorii obișnuiți ai teatrelor

going-over ['gouiŋ,ouvəʳ] *s* 1 ← *F* cercetare, verificare, inspecție 2 *sl* cafteală, mardeală, – bătaie 3 *amer F* boscorodeală, bombăneală, ocară

goings-on ['gouiŋ,-ɔn] *s pl* 1 întâmplări, fapte; evenimente 2 acțiuni; purtări; comportare

go into ['gou,intə] *vi cu prep* 1 a intra/a pătrunde în; **to ~ Parliament** a ajunge deputat 2 a se ocupa de, a ajunge la; **to ~ details** a intra în amănunte 3 a îmbrăca, a pune *cu ac;* **to ~ mourning** a se îmbraca în negru/doliu 4 a intra în *(tovărășie etc.)* 5 a sări/a se repezi/a se năpusti la

go it ['gou it] *vt cu pr:* **to ~ alone** ← *F* a o face/a merge de unul singur; **to ~ blind(ly)** *F* a merge orbește/cu încăpățânare; **to ~ strong** *F* **a** a merge/a se ține/a-i da tare **b** a o ține tot una și bună **c** a o ține numai în minciuni

goiter, goitre ['goitəʳ] *s med* gușă

goitrous ['goitrəs] *adj med* 1 gușat 2 bazedovian, tiroidian 3 care predispune la gușă

gold [gould] I *s* 1 *și fig* aur; **a heart of ~** o inimă de aur 2 *fig* aur, bani, avere 3 odor, lucru de preț; **a child as good as ~** (un copil cuminte ca) un îngeraș 4 *sport* centrul țintei II *adj* 1 de/din aur 2 auriu, ca aurul 3 blond, bălai

goldarn [gɔl'dɑ:n] *amer sl* I *vt v.* **damn** 2 II *adj v.* **damned**

gold-bearing ['gould,bɛəriŋ] *adj* aurifer

gold beetle ['gould,bi:təl] *s ent v.* **gold bug**

gold bug ['gould,bʌg] *s ent* cărăbuș auriu *(Lessidinae)*

Gold Coast, the ['gould,koust, ðə] *geogr* 1 Coasta de Aur *(a Africii)* 2 ← *înv* Ghana

gold digger ['gould,digəʳ] *s* 1 căutător de aur 2 *fig* vampă; întreținută 3 *fig* vânător de zestre

gold dust ['gould ,dʌst] *s* 1 praf de aur 2 nisip aurifer

golden ['gouldən] *adj* **1** de aur **2** auriu, (ca) de aur; blond, bălai **3** *fig* excelent, minunat, de aur; favorabil; **a ~ opportunity** o ocazie minunată/rară **4** *fig* prosper, înfloritor

golden age ['gouldən 'eidʒ] *s* epocă de aur

golden-ager ['gouldə n'eidʒəʳ] *s* bătrân(ă)

golden balls ['gouldən 'bɔ:lz] *s pl* ist *înv* firmă de cămătar/de munte de pietate

golden boy ['gouldən 'bɔi] *s* băiat/ om/bărbat de succes; personaj foarte popular

golden calf ['gouldən 'ka:f] *s mit fig* vițelul de aur

golden chain ['gouldən 'tʃein] *s bot* salcâm galben *(Laburnum)*

golden disc ['gouldən 'disk] *s muz* discul de aur

golden eagle ['gouldən 'i:gəl] *s ornit* vultur auriu *(Aquila Chrysaëtus)*

golden fleece, the ['gouldən 'fli:s, ðə] *s mit* Lâna de aur

Golden Gate, the ['gouldən 'geit, ðə] Poarta de aur *(în golful San Francisco)*

golden girl ['gouldən 'gə:l] *s* fată/ femeie/vedetă de succes

golden handshake ['gouldən'hænd-ʃeik] *s* indemnizație de concediere *sau* pensionare

Golden Horde ['gouldən 'hɔ:d] *s* ist Hoarda de aur *(a tătarilor, sec. XIII)*

Golden Horn, the ['gouldən' 'hɔ:n, ðə] Cornul de aur *(în Bosfor)*

golden jubilee ['gouldən 'dʒu:bili] *s* jubileu de 50 de ani *(al unui suveran)*

golden mean ['gouldən'mi:n] *s* **1** cale de mijloc **2** „aurea mediocritas"

golden-mouthed ['gouldən 'mauðd] *adj* gură de aur, elocvent, locvace

Golden State ['gouldən 'steit] *geogr* (statul) California

golden wedding ['gouldə n 'wediŋ] *s* nuntă de aur

gold fever ['gould,fi:vəʳ] *s* febra aurului; goana după aur

gold field ['gould ,fi:ld] *s* **1** zăcământ aurifer **2** regiune auriferă; teren aurifer

gold-filling ['gould,filiŋ] *s* **1** îmbrăcare/plombare cu aur *(a unui dinte)* **2** placare/dublare cu aur

gold finch ['gould,fintʃ] *s* **1** *orn* sticlete *(Carduclis elegans)* **2** *fig* ← *F* bogătaș

gold finder ['gould,faindəʳ] *s* căutător de aur

gold fish ['gould,fiʃ] *s iht* caras auriu *(Carassius auratus)*

goldilocks ['gouldi,lɔks] *s bot* mușchi-de-pământ *(Polytrichum commune)*

gold leaf ['gould,li:f] *s* foiță de aur, poleială

gold mine ['gould ,main] *s* mină de aur

Goldoni [gɔl'dɔ:ni], **Carlo** dramaturg italian (1707-1793)

gold plate ['gould ,pleit] *s* tacâmuri și veselă de aur

gold rush ['gould,rʌʃ] *s* goană după aur

goldsmith ['gould,smiθ] *s* aurar, giuvaergiu, bijutier

Goldsmith, Oliver poet, dramaturg și romancier englez (1728-1774)

gold standard ['gould ,stændəd] *s ec* etalon aur

gold washing ['gould ,wɔʃiŋ] *s* spălare a aurului *(la șteamp)*

golem ['goulem] *s* **1** *mit* golem, monstru, leviathan **2** *fig* automat, robot

Golf [gɔlf] *s tel* (litera) G, g

golf [gɔlf] *sport* **I** *s* golf **II** *vi* a juca golf

golf-bag ['gɔlf,bæg] *s sport* trusă (pentru crose și mingi de golf)

golf-ball ['gɔlf,bɔ:l] *s sport* **1** minge de golf **2** ← *F* bilă, sferă la mașina de scris electrică

golf cart ['gɔlf ,ka:t] *s sport* **1** cărucior pentru echipamentul de golf **2** mic autovehicul pentru deplasarea pe terenul de golf

golf club ['gɔlf ,klʌb] *s sport* **1** crosă de golf **2** club (al jucătorilor) de golf

golf course ['gɔlf ,kɔ:s] *s sport* teren de golf

golfer ['gɔlfəʳ] *s* **1** *sport* jucător de golf **2** canadiană, vindiac, jachetă de sport

golf links ['gɔlf ,liŋks] *s pl* teren de golf

golf widow ['gɔlf ,widou] *s* soție de jucător pasionat de golf

Golgotha ['gɔlgəθə] *s* **1** *bibl* Golgota **2** *fig* calvar, chin

Goliath [gə'laiəθ] *s mit fig* goliat, uriaș

gollop ['gɔləp] *F* **I** *vt* a leorbăi, a înfuleca, a da pe gât **II** *s* leorbăială, înghițitură grăbită

golly ['gɔli] *interj amer* ei, asta-i bună! *F* drace! la naiba!

golosh [gə'lɔʃ] *v.* **galosh**

goluptious [gə'lʌpʃəs] *adj* glum încântător, delicios, strașnic

G.O.M. *presc de la* **Grand Old Man** personalitate (remarcabilă)

Gomorra(h) [gə'mɔrə] *bibl* Gomora

gonad ['gɔnæd] *s biol* gonadă

gonadotrophic [,gɔnədou'trɔfik], **gonadotropic** [,gɔnədou'trɔpik] *adj fizl* gonadotrofic

gondola ['gɔndələ] *s* **1** gondolă **2** *av* nacelă **3** *ferov* vagon platformă **4** *com* gondolă, stand cu produse *(în magazin cu autoservire)*

gondola car ['gɔndələ,ka:ʳ] *s amer v.* **gondola 3**

gondolier [,gɔndə'liəʳ] *s* gondolier

gone [gɔn] **I** *ptc de la* **go I II** *adj* **1** plecat, dus; dispărut **2** distrus, ruinat; pierdut, mort; **it's a ~ case/goose** e un caz disperat/ fără speranță; **dead/past and ~** mort de-a binelea **3 (on smb)** îndrăgostit, mort, pierdut (după cineva) **4** înaintat; care a mers departe; **far ~ in drink** beat mort/criță; **far ~ in years** bătrân, încărcat/împovărat de ani; **far ~ with child** cu o sarcină înaintată/avansată *F* cu burta la gură

gone gosse/gosling ['gɔn ,gu:s/ ,gɔzliŋ] *s* ← *F* om sau lucru pierdut; cauză pierdută

goner ['gɔnəʳ] *s sl v.* **gone goose**

gong ['gɔŋ] *s* **1** gong **2** *mil* medalie, decorație

Gongorism ['gɔŋgə,rizəm] *s ist, lte* gongorism, prețiozitate

goniometer [,gouni'ɔmitəʳ] *s* goniometru

goniometry [,gouni'ɔmitri] *s* goniometrie

gonna ['gɔnə] *vi amer sau vulg* o să *(v.* **going to***)*

gonococcus [,gɔnou'kɔkəs], *pl* **gonococci** [,gɔnou'kɔksai] *s med* gonococ, microbul blenoragiei

gonof, gonoph ['gɔnəf] *s amer sl* manglitor, șut, – hoț, pungaș

gonorrhea [,gɔnə'riə] *s med* gonoree, blenoragie

good [gud] **I** *comp* **better** ['betə'], *superl* **best** [best] *adj* **1** bun, de bună calitate **2** în bună stare, bun; solid **3** sănătos; voinic **4** de treabă, cumsecade, bun (la inimă/suflet) **5** frumos, elegant, ales **6** corect, just, drept; **to make ~ a** a compensa, a repara *(o nedreptate, o pagubă)* **b** a-și ține/a-și îndeplini *(o făgăduială)* **6** frumos, arătos, chipeș **7** plăcut, atrăgător, atractiv **8** amabil, binevoitor, agreabil, sociabil; monden; **he is a ~ fellow** e un băiat de viață, e un tip agreabil/sociabil; **to be ~ company** a fi om de lume, a fi agreabil/ plăcut în societate **9 (for)** corespunzător, potrivit, bun, folositor (pentru); **what is it ~ for?** la ce bun? la ce slujește/folosește? **10** valabil; veritabil, autentic; **to hold ~ a** a rămâne valabil/în picioare/în vigoare **b** a rezista **11** *com* solvabil, bun **12** capabil, în stare, apt; **I am ~ for another ten miles** eu mai pot/mai sunt în stare să merg (și) zece mile **13 (at)** priceput, iscusit (la); abil, expert (în); **he is very ~ at mathematics** e foarte bun/priceput/talentat la matematică; **he is always ~ at excuses** nimeni nu-l întrece la pretexte; **he is a very ~ hand at it** se pricepe de minune la asta **14** vrednic, demn, de nădejde; **to be as ~ as one's word** a se ține de cuvânt **15** cuminte, ascultător, respectuos, la locul lui **16** cucernic, pios, evlavios **17** propice, favorabil, prielnic, agreabil; **all in ~ time** toate la timpul/momentul potrivit/ la vremea lor; **to be in the ~ books** a fi bine văzut, a fi în grațiile șefilor **18** *F* strașnic, grozav, fantastic; **that's a ~ one** *glumeț* (ei) asta-i bună! aiurea! **19** *F* considerabil, mare, amplu; **a ~ deal** foarte (mult); din belșug; **a ~ deal of** mult, enorm; o mulțime de **20** serios, zdravăn, solid; **a ~ drubbing/thrashing** o bătaie/ chelfăneală zdravănă; **I have a ~ mind to leave** mă bate gândul să plec, sunt aproape decis să plec **II** *adv* **1** *(ca întăritor)* tare, destul, foarte; **a ~ long time** un timp destul de îndelungat **2** bine, cu adevărat; **as ~ as** aproape, ca și cum/când; **he as ~ as told me so**

mai că mi-a spus-o cu gura lui **III** **s 1** bine; serviciu, ajutor; **to do smb ~** a-i face un bine/un serviciu cuiva **2** folos, avantaj, profit; **much ~ will it do him!** parcă o să-i slujească la ceva! **what is the ~ of it?** la ce/cui o să-i slujească asta? la ce bun?; **it's no ~** n-are nici un rost, e zadarnic; **it will come to no ~** n-o să iasă bine, n-o să sfârșească cu bine **3** bunăstare, fericire **4 the ~** binele; virtutea // **for~ (and all)** pentru totdeauna, definitiv

good and ['gud ənd] *adv F (intensiv, de subliniere)* teribil, strașnic, grozav (de); **it was raining ~ hard** ploua teribil/al dracului; **I was ~ angry** *amer* eram turbat/ foc și pară

good books ['gud 'buks] *s pl*: **to be in the ~** a fi bine văzut; a avea o poziție bună

good bye [,gud 'bai] **I** *interj* la revedere! rămâi cu bine! bun rămas! drum bun! **II** *s* rămas bun; **to wish/to bid smb ~** a-și lua rămas bun de la cineva

good cause ['gud 'kɔːz] *s* **1** cauză bună/frumoasă/dreaptă **2** îndreptățire, justificare, motiv

good day ['gud 'dei] *interj* bună ziua! *(la despărțire, cu o nuanță severă sau cu răceală)*

good faith ['gud 'feiθ] *s* bună-credință, onestitate

good feeling ['gud 'fiːliŋ] *s* înțelegere, sentimente frumoase

good fellow ['gud 'felou] *s* om de treabă/virtuos; om sociabil/ agreabil/de societate

good fellowship ['gud 'felouʃip] *s* sociabilitate, jovialitate, veselie

good-for-nothing ['gudfə,nʌθiŋ], **good-for-nought** ['gudfənɔːt] **I** *adj atr* **1** fără valoare, care nu e bun de/la nimic, care nu face două parale; prost **2** *fig* de nimic, netrebnic **II** *s* secătură, netrebnic

Good Friday ['gud 'fraidi] *s rel* Vinerea Mare/Paștelui

good hand ['gud 'hænd] *s* scris frumos; **to write a ~** a scrie frumos/citeț

good-hearted ['gud'haːtid] *adj* bun (la inimă), blând, de treabă, cumsecade

good-heartedness ['gud'haːtidnis] *s* bunătate, blândețe

Good Hope, the Cape of ['gud houp, ðə'keipəv] Capul Bunei Speranțe

good hour, the ['gud 'auə', ðə] *s* ceasul morții

good-humo(u)r ['gud'hjuːmə'] *s* bună dispoziție; jovialitate

good-humo(u)red ['gud'hjuːməd] *adj* jovial, vesel, bine dispus; simpatic, agreabil

good-humouredly ['gud'hjuːmədli] *adv* **1** jovial, vesel **2** binevoitor, prietenos, amabil

goodish ['gudiʃ] *adj* bunicel, bunișor, destul de bun

Good King Henry ['gud ,kiŋ 'henri] *s bot* spanacul ciobanilor *(Chenopodium bonus-frenricus)*

good liver ['gud 'livə'] *s* epicurean, viveur, om căruia îi place să trăiască bine

good living ['gud 'liviŋ] *s* viață de huzur/belșug, la dolce vita

good looker ['gud 'lukə'] *s* persoană chipeșă, frumusețe, bujor

good-looking ['gud'lukiŋ] *adj* frumos, arătos, chipeș

good looks ['gud 'luks] *s* frumusețe (fizică); înfățișare plăcută

good luck ['gud 'lʌk] *s* noroc (și fericire) (↓ *ca urare*)

goodly ['gudli] *adj* **1** frumușel, arătos, prezentabil **2** bunișor, bunicel **3** *amer* excelent **4** potrivit, convenabil **5** mare, măricel, apreciabil

goodman ['gudmən] *s înv* **1** gospodar; capul familiei **2** domn; stăpân

good money ['gud 'mʌni] *s* **1** bani buni/mulți/prețioși **2** *F* salariu mare, leafă bună

good morning [,gud'mɔːniŋ], *înv* **good morrow** [,gud'mɔrou] *interj* bună dimineața! bună ziua!

good-natured [,gud'neitʃəd] *adj* **1** blajin, bonom, blând (din fire), bun la suflet/inimă **2** prietenos, amabil, înțelegător

good neighbour ['gud'neibə'] *s* vecin de treabă; *fig* samaritean; **~ policy** politică de bună vecinătate

goodness ['gudnis] *s* **1** bunătate, blândețe; inimă bună, mărinimie, generozitate; **to have the ~ to** a avea bunătatea să, a fi atât de bun să; **for ~ sake!** pentru numele lui Dumnezeu! **~ gracious!** (Doamne) Dumnezeule! Doamne sfinte! **I wish to ~ he**

would come! aș da nu știu ce
să vină! **2** calitate bună, valoare
3 curățenie sufletească, puritate,
virtute **4** cucernicie, evlavie

good night [ˌgudˈnait] *interj* **1**
noapte bună! **2** doamne! hei!

good offices [ˌgudˈɔfisiz] *s pl*
bunele oficii (ale cuiva), inter-
venție, mediere

good people, the [ˌgudˈpiːpl, ðə] *s
pl* zânele

good question [ˌgudˈkwestʃən] *s*
întrebare grea/dificilă; *F→* încu-
ietoare; **that's a ~ a** ai dreptate
(să întrebi) **b** greu de răspuns

goods [gudz] *s pl* **1** bunuri (mobile),
lucruri, valori **2** *com* mărfuri,
marfă; articole comerciale; **to
deliver the ~ a** *com* a livra marfa
b *fig* ← *F*-a-și îndeplini misiunea/
îndatorirea; a se ține de cuvânt
3 obiecte, lucruri, efecte (perso-
nale); **~ and chattels** calabalâc
4 *text* țesături, materiale, stofe **5**
ferov, nav încărcătură, marfă;
bagaje, coletărie; **heavy ~** încăr-
cătură grea, cargo; **fast ~ ser-
vices** coletărie rapidă **6** *jur* probe
materiale; corp delict; **to catch
with the ~** a prinde asupra
faptului/în flagrant delict **7** *sl*
calități/însușiri necesare; cele
trebuincioase

goods circulation [ˈgudz səːkjuː -
leiˈʃən] *s ec* circulația mărfurilor/
bunurilor

good sense [ˈgudˈsens] *s* înțelep-
ciune (practică), judecată sănă-
toasă

good-sized [ˈgudˌsaizd] *adj* de
mărime potrivită/corespunză-
toare

good spirits [ˈgudˈspirits] *s pl* bună
dispoziție, veselie; optimism

goods station [ˈgudz ˌsteiʃən] *s
ferov* gară de mărfuri

goods train [ˈgudz ˌtrein] *s ferov*
mărfar, tren de marfă

good-tempered [ˈgudˈtempəd] *adj* **1**
blând, blajin (din fire) **2** bine
dispus, în toane bune

good time [ˈgudˈtaim] *s* distracție
(plăcută), divertisment

good-time [ˈgudˌtaim] *adj* pus pe
distracție, frivol; libertin, imoral;
amator de plăceri

good will [ˈgudˈwil] *s* **1** bunăvoință,
bune intenții; înțelegere **2** *com*
vad

good works [ˈgudˈwəːks] *s pl* opere
filantropice/de caritate

goody [ˈgudi] **I** *s* **1** *amer* bomboană,
pl zaharicale, cofeturi **2** ← *înv*
țață, (mătușă) **II** *interj* strașnic!
grozav! bravo! **III** *adj v.* **goody-
goody I**

goody-goody [ˈgudiˈgudi] *F* **I** *adj* **1**
blegos, – sentimental, ușor de
înduioșat **2** strașnic, grozav,
excepțional **II** *s* **1** fățarnic; miro-
nosiță; – ipocrit, fals cucernic/
virtuos; **to be a ~ a** face pe
sfântul/mironosița **2** bărbat efe-
minat, fătălău

gooey [ˈguːi] *adj sl* **1** unsuros,
lipicios, cleios, grețos **2** *fig*
plângăreț, siropos, dulceag

goof [guːf] *sl* **I** *s* fraier, capsoman **II**
vi **1** a arde gazul (de pomană), a
tăia frunze la câini, a pierde
vremea **2** a face o boacănă, a
încurca lucrurile/borcanele **III** *vt* **1**
a încurca, a zăpăci, a face de
mântuială, a rasoli **2** (↓ *la ptc., d.
un drog)* a matoli, a ameți, a năuci

goof-ball [ˈguːfˌbɔːl] *s sl* **1** drog (↓
pastilă de marijuana) **2** *v.* **goof I**

go-off [ˈgouˌɔ(ː)f] *s* ← *F* **1** plecare,
pornire **2** început, începere **3**
încercare, tentativă

go off I [ˈgouˈɔ(ː)f] *vi cu part adv* **1** (*d.
arme)* a lua foc, a se descărca, a
detona **2** a exploda, a izbucni; a
se aprinde **3** (*d. evenimente)* a se
desfășura, a merge, a se întâmpla;
how did it ~? a mers bine? cum
a mers? **4** (*d. durere etc.)* a slăbi,
a se potoli **5** *fig* a se diminua, a se
micșora **6** a înceta, a conteni **7** a
pleca, a porni; a se pune în
mișcare; **to ~ to sleep** a adormi,
a ațipi **8** a o lua la fugă **9** *teatru* a
ieși din scenă **10** a-și pierde
cunoștința, a leșina **11** *Fa* da ortul
popii **12** *com* a se vinde bine, a fi
la mare preț, *F→* a merge **II** [ˈgou
ɔ(ː)f] *vi cu prep* **1** a se depărta de
(la); **to ~ the rails** a deraia **2** a ieși
din; **to ~ the handle** *fig F*-a-și ieși
din pepeni/sărite

goofy [ˈguːfi] *adj amer sl F* fraier,
tont, bleg

gook [guk] *s amer sl peior* străin,
venetic (↓ *din Asia de est)*

goon [guːn] *s sl* **1** *F* caraghios, clovn
2 bătăuș; spărgător de grevă **3**
cretin, imbecil, găgăuță

go on I [gou ˈɔn] *vi cu part adv* **1** a

se prelungi, a se întinde, a se
lungi **2** a merge înainte/mai
departe; a continua; **~! a** con-
tinuă! dă-i bătaie! mergi mai
departe! nu te opri! **b** haide-
haide! ei ași! las-o mai moale! **3**
a face progrese, a progresa, a
avansa; a merge mai bine **4** a
merge bine, a avea succes, a
reuși **5** *(d. evenimente)* a avea
loc, a se petrece, a se întâmpla
6 *(d. timp, termen etc.)* a trece, a
expira **7** *F* a face pe grozavul, a
fi cu nasul pe sus **II** [ˈgou ɔn] *vi
cu prep* **1** a porni în, a pleca în;
to ~ a journey a porni într-o
călătorie; **to ~ horseback** a încă-
leca, a porni călare **2** a începe;
to ~ strike a intra/a se pune în
grevă // **to ~ one's knees** a se
pune în genunchi, a îngenunchea

go on for [ˈgou ˈɔn fəʳ] *vi cu part adv
și prep* a se apropia de; **I'm
going on for fifty** merg pe
cincizeci de ani; **it was going on
for midnight** era aproape (de)
miezul nopții

go on to [ˈgou ˈɔn tə] *vi cu part adv
și prep* a trece (mai departe) la

goop [guːp] *s sl* capsoman, cap sec,
fraier, față

goose¹ [guːs], *pl* **geese** [giːs] *s* **1** *orn*
gâscă *(Anser cinereus)* **to get
the ~** *fig teatru* a fi fluierat/huiduit;
to cook smb's ~ a i-o coace
cuiva; **all his geese are swans**
a se crede grozav/e foarte încân-
tat de sine/de tot ce face **b**
poleiește/înfrumusețează totul;
**to kill the ~ that lays the golden
eggs** *aprox* a-și tăia craca de
sub el; a-și ucide viitorul; **he
cannot say boo to a ~** e prea
delicat, nu e în stare să alunge o
muscă **2** friptură de gâscă **3** *fig*
gâscă, vacă, gâsculiță; gogo-
man, găgăuță, nătăfleață **4** *amer*
gâdilitură **II** *vt sl Fa* înghionti *sau*
lovi la părțile sensibile/moi

goose² **I** *pl* **gooses** [ˈguːsiz] *s* fier/
mașină de călcat mare/de croi-
tor(ie) **II** *vt* a călca (cu fierul de
croitorie)

gooseberry [ˈguzbəri] *s* **1** *bot* agrișă
2 *sl F* gogoriță; – zvon fals **3**
însoțitor, supraveghetor *(al unei
perechi)*

gooseberry bush [ˈguzbəriˈbuʃ] *s
bot* agriș *(Ribes grossularia)*

goose bumps ['gu:s ,bʌmps] *s pl amer v.* **goose flesh**

goose flesh ['gu:s ,fleʃ] *s* **1** carne de gâscă **2** *fig* piele de gâscă/ găină; **to give smb the** ~ a face cuiva pielea de găină/gâscă

goose foot ['gu:s ,fut], *pl* **goose foots** ['gu:s ,futs] *s bot* spanac sălbatic *(Chenopodium)*

goose girl ['gu:s ,gə:l] *s* gâscăriță, păstoriță de gâște

goose gog ['gu:s ,gog] *s F v.* **gooseberry**

gooseherd ['gu:s,hə:d] *s* gâscar

goose neck ['gu:s ,nek] *s* obiect curbat *(în formă de gât de gâscă)*

goose pimples ['gu:s ,pimplz] *s pl,* **goose skin** ['gu:s 'skin] *s v.* **goose flesh 2**

goose step ['gu:s ,step] *s mil* pas de gâscă *(cu genunchii țepeni)*

goosey ['gu:si] *adj* **1** (ca) de gâscă **2** *fig* mărginit, îngust la minte; stupid

go out ['gou 'aut] *vi cu part adv* **1** a ieși (afară); a pleca; a porni; **to ~ on strike** a se pune în grevă, a declara grevă; **my heart went out to them a** mi s-a topit/muiat inima pentru ei; m-a cuprins mila/ compătimirea pentru ei **b** i-am îndrăgit imediat, mi-au stârnit dragostea; **to ~ to business** a se apuca de/a intra în afaceri **2** a demisiona, a-și da demisia **3** a ieși la iveală; a se afla, a se răspândi **4** a apărea, a se publica, a vedea lumina tiparului **5** a se termina, a se isprăvi **6** a-și da duhul, a se prăpădi, a se stinge din viață **7** *(d. foc, lumină etc.)* a se stinge

go out of ['gou'aut əv] *vi cu prep* a ieși din, a părăsi; **to ~ fashion** a se demoda, a nu mai fi la modă; **it went (clean) out of my head** mi-a ieșit complet din minte, am uitat complet de asta; **to ~ gear/ order** a se strica, a se defecta; **to ~ one's mind** a-și ieși din minți, a-și pierde mințile; **to ~ print** a se epuiza, a nu se mai găsi, a fi epuizat

go over ['gou 'ouvə'] **I** *vi cu part adv* **1** a trece dincolo, a traversa **2** a trece în tabăra adversă/cealaltă, a trece la inamic **3** a se răsturna **II** *vi cu prep* ['gou ,ouvə'] **1** a traversa, a străbate *cu ac*, a trece peste, a trece de partea cealaltă *cu gen* **2** a parcurge (cu privirea), a revedea, a reciti *cu ac* **3** a examina; a cerceta, a studia *cu ac* **4** a recapitula *cu ac* **5** a învinge, a întrece *cu ac*

go over into ['gou 'ouvər intə] *vi cu adv și prep ch* a se transforma în

G O P *presc de la* **the Grand Old Party**

gopher ['goufə'] *amer s* **1** *zool* gofer *(rozător din America, Geonys)* **2** *zool* varietate de popândău *(Citellus)*

Gopher State ['goufə'steit] *amer* statul Minnesota

gorblimey [go:'blaimi] *interj vulg* fir-ar să fie (al dracului)! la naiba! să mă ia dracu!

Gordian knot, the ['go:diən 'not, ðə] *s ist și fig* nodul gordian; **to cut the** ~ a tăia nodul gordian, a rezolva problema

gore[1] [go:'] *s* **1** sânge închegat/ coagulat **2** *poetic* sânge

gore[2] *s* clin *(la rochie)* **II** *vt* a croi cu un clin

gore[3] *vt* **1** a lua în coarne, a împunge cu coarnele **2** a străpunge, a găuri

gorge [go:dʒ] **I** *s* **1** trecătoare, defileu, chei, pas **2** înghițitură **3** stomac, burtă; **my ~ rises at/ against it** îmi vine greață/să vărs când aud de asta **4** mâncare din stomac/burtă; **to cast the ~ at** a arunca/a respinge în scârbă **II** *vt* **1** a înfuleca, a înghiți lacom **2** a ghiftui, a îndopa **III** *vr, vi* (**with**) a se îndopa, a se ghiftui, a se îmbuiba (cu)

gorgeous ['go:dʒəs] *adj* **1** minunat, strălucitor, splendid, bogat **2** luxuriant, abundent

gorgeously ['go:dʒəsli] *adv* splendid, minunat, strălucit(or)

gorgeousness ['go:dʒəsnis] *s* strălucire, splendoare, măreție

gorgio ['go:dʒou] *pl* ~s ne-țigan, persoană de rasă albă

Gorgon ['go:gən] *mit* Gorgonă

gorgon *s* **1** cap de meduză **2** *fig* scorpie, ciumă, iazmă

Gorgonzola [,go:gən'zoulə] *s* brânză *(italienească de tip)* Gorgonzola

gorilla [gə'rilə] *s* **1** *zool* gorilă *(Gorilla gorilla)* **2** *amer sl* bandit, gangster, asasin

gorily ['go:rili] *adv lit* în mod sângeros/sălbatic

Gorki/Gorky ['go:ki], **Maxim** romancier și dramaturg rus *(1868-1936)*

gormandize ['go:mən,daiz] *rar* **I** *vi* a se ghiftui, a se îndopa, a se îmbuiba **II** *vt* a îndopa, a înfuleca, a mânca lacom/hulpav

gormandizer ['go:mən,daizə'] *s* gurmand, mâncău, găman, căpcăun

gormless ['go:mlis] *adj F* prostesc, stupid, idiot, fără noimă

gormlessness ['go:mlisnis] *s F* prostie, tâmpenie, stupiditate, lucru fără noimă

go round ['gou 'raund] *vi cu part adv* **1** a merge de la unul la altul **2** *(d. un pahar etc.)* a trece din mână în mână **3** a face vizite; a se duce din casă în casă **4** a ajunge, a fi suficient pentru toată lumea **5** a face un ocol/înconjur **6** *(d. vânt)* a-și schimba direcția, a se schimba **7** a se rostogoli

gorse [go:s] *s bot v.* **furze**

gory ['go:ri] *adj* **1** însângerat, plin de sânge **2** sângeros, crud

gosh [goʃ] *interj* Doamne! Dumnezeule (mare)!; **by ~!** la naiba!

gosh-awful ['goʃ,o:ful] *adj* teribil

goshawk ['gos,ho:k] *s orn* uliu porumbar *(Astur palumbarius)*

gosling ['gozliŋ] *s* **1** boboc/pui de gâscă **2** *fig* prost, tont

go-slow strike ['gou'slou,straik] *s* grevă scoțiană

Gospel ['gospəl] *s* **1** *rel* Evanghelie; biblie; **to take smb's words for** ~ a lua spusele cuiva drept literă de evanghelie **2** *fig* învățătură, crez, doctrină, teorie **3** *muz* stilul „gospel"

gospel book ['gospəl buk] *s* evangheliar

gospeller ['gospələ'] *s bis aprox* pastor *sau* dascăl care citește Evanghelia; **hot ~** puritan habotnic/înverșunat; propagandist extremist/turbat

gospel oath ['gospəl 'ouθ] *s* jurământ pe evanghelie

gospel side ['gospəl said] *s bis* partea de nord a altarului *(unde se citește Evanghelia)*

gospel song ['gospəl 'son] *s muz* cântec/melodie *sau* cântare în stilul (jazz-ului) „gospel"

gospel truth ['gospəl 'truθ] *s* adevărul adevărat, purul adevăr

gossamer ['gɔsəmə'] **I** s **1** funigel **2** *text* ţesătură ca borangicul, voal, gaz **II** *adj* **1** *text* fin, subţire, transparent **2** *fig* superficial, frivol

gossip ['gɔsip] **I** *vi* **1** a pălăvrăgi, a flecări, a sta la taclale **2** a bârfi; a cleveti **II** s **1** taifas, taclale, şuetă **2** bârfeală, bârfă, clevetire **3** cronica mondenă *(în ziare)* **4** flecar, limbut, vorbăreţ **5** gură spartă, om indiscret **6** bârfitor, clevetitor; mahalagioaică

gossipy ['gɔsipi] *adj* **1** vorbăreţ, guraliv **2** *(d. vorbe)* în vânt, fără rost, deşert, gol

got [gɔt] **I** *pret şi ptc de la* **get II** *particulă de întărire pt* **have** *(pt sensul de posesiune şi funcţie modală) nu se traduce;* **(have you) ~ a match?** ai un foc/ chibrit? **I have ~ to go** trebuie să mă duc

Goth [gɔθ] s **1** *ist* got **2** *fig* barbar, vandal

Goth. *presc de la* **Gothic**

Gotha ['gouθə] *oraş în Germania*

Gotham s *glumeţ* **1** ['goutəm] oraşul unde s-a răsturnat carul cu proşti; **he is a (wise) man of ~** e un nătărău/gogoman/tont fără pereche **2** ['gɔθəm] *amer* (oraşul) New York

Gothamite s *glumeţ* **1** ['goutəmait] nătărău, găgăuţă, haplea **2** ['gɔθəmait] *amer* newyorkez

Gothic ['gɔθik] **I** s **1** (limba) gotică **2** stil gotic **3** scriere gotică; *poligr* caractere gotice **II** *adj* **1** *ist, arhit, poligr* gotic **2** *fig* barbar, de vandal, sălbatic

Gothically ['gɔθikəli] *adv* în stil gotic

Gothicism [gɔθi,sizə m] s ↓ artă caracter/stil gotic

Gothic Revival ['gɔθik ri'vaivəl] s artă, *lit* Renaşterea gotică *(în cultura secolului XIX)*

go through ['gou 'θru:] *vi cu part adv* **1** a merge până la capăt **2** a se realiza, a se îndeplini **3** a se aproba, a fi aprobat/adoptat **4** *com* a se vinde/a merge bine (pe piaţă) **5** *(d. avere etc.)* a se risipi, a se alege praful de ea **II** ['gouθru:] *vi cu prep* **1** a trece prin, a suferi; a se supune *(unui ritual etc.)* **2** a examina/a cerceta amănunţit **3** a percheziţiona, a scotoci; a prăda, a jefui **4** a face faţă *sau cu dat*, a ţine piept *cu dat*

go through with ['gou 'θru:wiδ] *vi cu part adv şi prep* a duce până la capăt/la bun sfârşit

go to ['goutə] *vi cu prep* **1** a se adresa la *sau cu dat;* **to ~ the country** *pol* a ţine alegeri, a consulta corpul electoral; **to ~ law** a se adresa justiţiei **2** a recurge la; **to ~ expenses** a face cheltuieli/a investi **3** a ajunge la; **to ~ pot** a duce de râpă, a se ruina; **to ~ pieces a** a se desface în bucăţi, a se sfărâma **b** *fig* a se pierde cu firea, a fi zdruncinat; **to ~ the bad** a ajunge rău, a se deprava, a se strica de tot **4** a porni la *sau* în; a se apuca de; **to ~ the bar** a se apuca de avocatură; **to ~ sea** a se înrola ca marinar; **to ~ work** a se apuca de lucru/treabă; **to ~ the world** a se căsători

go together ['goutə'geðə'] *vi cu part adv* **1** a merge/a ieşi/a umbla împreună **2** a se întâlni, a se întruni, a se aduna **3** a forma o pereche potrivită **4** a se potrivi, a merge mână în mână, a se îmbina **5** *(↓ by the ears)* F a se părui, a se lua de păr

gotta ['gɔtə] *particulă F sau vulg* **1** *v.* **to have got a** *(cu subst)* **2** *v.* **to have got to** *(cu infinitiv)*

gotten ['gɔtən] *amer, înv, reg ptc de la* get

Götterdämmerung [,gɔtə'demə,run] s *germ* **1** amurgul zeilor **2** *fig pol* prăbuşire, cădere (catastrofală) *(↓ a unui regim politic)*

gouache [gu'a:ʃ] s *artă* guaşă

gouge [gaudʒ] **I** s **1** daltă (semicirculară) **2** scobitură făcută cu dalta **3** *amer ←* F escroc, pungaş **II** *vt* **1** a scobi cu dalta **2** *amer* F a trage pe sfoară, – a escroca, a înşela **3** a estorca, a stoarce prin înşelătorie

gouge out [gaudʒ aut] *vt cu part adv* a scoate *(ochii etc.)*

goulash ['gu:læʃ] s **1** *gastr* gulaş, tocană; mâncare de carne cu legume (foarte condimentată) **2** *(la bridge)* gulaş

go under I ['gou ʌndə'] *vi cu part adv* **1** a se scufunda, a se duce la fund **2** a suferi un insucces, a fi o cădere, a cădea **3** a pieri, a se da la fund, a dispărea **4** a scăpăta, a decădea, a sărăci, a ajunge la sapă de lemn **5** *amer şi F→* a da

ortul popii, a se duce pe lumea cealaltă **II** ['gou ʌndə'] *vi cu prep* a-şi asuma; **to ~ the name of** a-şi lua numele de; a fi cunoscut sub numele de, a trece drept

Gounod ['gu:nou], **Charles François** *compozitor francez (1818-1893)*

go up I ['gou ʌp] *vi cu part adv* **1** a urca, a se înălţa; a creşte **2** a creşte, a se mări, a se ridica **3** a sări în aer, a exploda; **to ~ in flames** a lua foc **4** a merge/a călători spre Londra *sau* spre capitală *sau* spre oraş **5** a se duce, a umbla; **to ~ and down** a umbla în sus şi în jos **II** ['gouʌp] *vi cu prep* **1** a (se) urca pe *(scări etc.);* a se căţăra/a se urca în *(pom etc.)* **2** a naviga în susul *(unui curs de apă)*

go upon [gou ə,pɔn] *vi cu prep* a se sprijini/a se bizui/a se întemeia/ a se baza pe // **to ~ the town** a se prostitua, a deveni femeie de stradă; F a se dărui; **to ~ the highway** a se face tâlhar; **to ~ tick** a cumpăra pe datorie/credit

gourd ['guəd] s **1** *bot* tigvă, tâlv, tărtăcuţă *(Lagenaria vulgaris)* **2** tâlv, (ploscă făcută dintr-o) tigvă

gourmandise [,guəmən'di:z] s **1** lăcomie, obiceiuri de gurmand/ mâncău **2** rafinament gastronomic, obiceiuri de gourmet

gourmet ['guəmei] s gurmet, expert gastronomic în arta culinară

gout [gaut] s *med* gută, podagră

gouty ['gauti] *adj* **1** gutos, suferind de gută/podagră **2** referitor la gută/podagră

gov *presc de la* **1** government **2** governor

govern ['gʌvən] **I** *vt* **1** a guverna, a cârmui, a conduce **2** a administra, a conduce **3** a stăpâni, a ţine în frâu **4** *gram* a guverna **5** a determina, a reglementa **II** *vi* a fi la putere/conducere

governable ['gʌvənəbəl] *adj* supus, ascultător, docil; uşor de mânuit

governance ['gʌvənəns] s **1** guvernare, cârmuire, conducere; administraţie **2** stăpânire, putere, conducere

governess ['gʌvənis] s **1** guvernantă **2** educatoare **3** învăţătoare, institutoare

governess car(t) ['gʌvənis ,ka:(t)] s *ist* şaretă, trăsură *(cu uşă la spate)*

governing ['gʌvəniŋ] *adj* 1 guvernant, de guvernământ 2 la putere, conducător 3 de conducere, de administrație 4 *gram* regent

government ['gʌvənmənt] **I** *s* 1 guvern, putere executivă 2 stat 3 formă de guvernământ 4 guvernare, conducere, (o)cârmuire 5 (**of, over**) stăpânire, control (asupra *cu gen*), dominare (*cu gen*) 6 *gram* regim, regență **II** *adj* 1 de guvernământ, guvernamental 2 de stat, oficial

government agent ['gʌvənmənt 'eidʒənt] *s* 1 agent guvernamental 2 funcționar de stat

governmental [ˌgʌvən'mentəl] *adj pol* guvernamental; de stat

government issue ['gʌvənmənt 'isjuː] *amer* **I** *s* echipament furnizat de guvern/stat **II** *adj* furnizat de guvern/stat

government paper/securities ['gʌvənmənt peipə'/si'kjuːritiz] *s fin* obligații/bonuri de tezaur (*emise de guvern*)

government surplus ['gʌvənmənt 'səːpləs] *s econ* materiale (nefolosite) vândute de guvern/stat

governor ['gʌvənə'] *s* 1 guvernator 2 guvernant, cârmuitor, conducător 3 comandant 4 director/guvernator de închisoare 5 *F* babac, bătrân, – tată 6 ['gʌvnə'] *F* șef, dom' director, – patron 7 *tehn* dispozitiv de comandă automată

governor general ['gʌvənə 'dʒenərəl] *s* guvernator general

govt. *presc de la* **government**

Gower [gauə'], **John** *poet englez (1325-1408)*

go with ['gou wið] *vi cu prep* 1 a merge cu, a însoți, a (con)duce, a petrece; **to ~ the wind** a fi dus/purtat de vânt; a fi ca frunza în vânt 2 a fi în armonie cu 3 a fi în cârdășie/de conivență cu // **to ~ young** a rămâne gravidă/însărcinată/grea

go without [gou wiðaut] *vi cu prep* 1 a se lipsi de, a nu avea nevoie de; **it goes without saying (that)** se înțelege de la sine (că), e la mintea omului/cocoșului (că) 2 a nu avea, a fi lipsit de, a duce lipsă de

gown [gaun] **I** *s* 1 rochie (*lungă, de seară*) 2 togă, robă, mantie, pelerină 3 veșminte (*specifice universităților Oxford, Cambridge etc.*) 4 haine civile 5 **the ~ civilii II** *vt* a îmbrăca în robă **III** *vi* a se îmbrăca în robă

gownsman ['gaunzmən] *s* 1 persoană care poartă o robă; jurist; universitar 2 civil

G.P. *presc de la* 1 **general practitioner** 2 **geometric progression**

gp. *presc de la* **group**

G.P.O. *presc de la* 1 **general post-office** 2 **Government Printing Office**

G.Q. *presc de la* **general quarters**

Gr. *presc de la* 1 **Greece** 2 **Greek**

gr. *presc de la* 1 **grade** 2 **grain** *sau* **grains** 3 **gram(me)** *sau* **gram(me)s** 4 **gravity** 5 **gross**

Graafian follicle/vesicle ['graːfiən 'fɒlikəl/'vesikəl] *s anat, fizl* folicul al lui Graaf

grab [græb] *F* **I** *vt* 1 a înhăța, a înșfăca, a apuca; a pune mâna pe 2 *amer* a șterpeli, a lua **II** *vi* (**at, for**) a întinde mâna (după), a încerca să pună mâna (pe) **III** *s* 1 înhățare, înșfăcare, apucare; **up for ~s** *sl* de pomană, gratis, cât să-l apuci cu mâna 2 *fig* acaparare; lăcomie 3 *tehn* dragă; cupă de excavator

grabber ['græbə'] *s* 1 acaparator; hrăpăreț, pasăre de pradă 2 *sl* șut, – hoț, pungaș 3 *sl* zgârie brânză, cărpănos

grabble ['græbəl] *vi* (**for**) a bâjbâi (după), a căuta pe bâjbâite *cu ac*; a umbla/a se târî în patru labe (după)

grabby [græbi] *adj F* apucător, hrăpăreț; lacom

Gracchus ['grækəs], **Gaius** *om de stat roman (183-121 î.e.n.)*

Grace [greis] *s* 1 *mit pl* cele trei Grații 2 *rel* rugăciune de mulțumire (rostită la începutul *sau* sfârșitul mesei) 3 *bis* (*ca titlu al prelaților*); **His ~** Înalt prea Sfinția Sa 4 (*ca titlu al ducilor*): **Your ~** Alteța Voastră 5 *nume feminin*

grace I *s* 1 grație, farmec, atracție 2 grație, eleganță, suplețe 3 *pl* fasoane, mofturi, aere 4 favoare, hatâr 5 grații, favoruri; bunăvoință, simpatie 6 bună cuviință, politețe, gentilețe; **with a good ~ a** politicos, cuviincios **b** îndatoritor, serviabil; binevoitor; **with a bad/an ill ~ a** nepoliticos, necuviincios **b** cu reavoință; în silă, în scârbă 7 iertare, grație, clemență; îndurare, milostenie 8 păsuire, amânare, termen de grație 9 dispensă de studii *sau* stagiu 10 *rel* har 11 rugăciune de mulțumire; **to say ~s** a rosti o rugăciune de mulțumire **II** *vt* 1 a împodobi, a înfrumuseța 2 a onora, a cinsti

grace-cup ['greis kʌp] *s* potir/pahar (cu vin) al prieteniei/împăcării (*băut la despărțire etc.*)

graceful ['greisful] *adj* 1 grațios, elegant 2 mlădios, suplu, grațios 3 fermecător, atrăgător

gracefully ['greisfuli] *adv* 1 grațios, cu grație 2 elegant, cu eleganță

gracefulness ['greisfulnis] *s* 1 grație, caracter grațios 2 suplețe, mlădiere 3 eleganță, caracter elegant

graceless ['greislis] *adj* 1 lipsit de grație *sau* farmec 2 ← *înv* stângaci, greoi, neîndemânatic 3 stricat, pervers, vicios 4 nerușinat, urât, necuviincios

grace-note ['greis nout] *s muz* înflöritură, appogiatură, notă de coloratură

gracile ['græsail] *adj* zvelt, subțire

gracility [græ'siliti] *s v.* **gracefulness 1, 3**

gracious ['greiʃəs] *adj* 1 binevoitor, condescendent 2 îngăduitor; milostiv, îndurător 3 ← *înv* amabil, îndatoritor 4 grațios, elegant // **~ me! good(ness) ~!** Dumnezeule (mare)! Doamne (Sfinte)!

gracious living ['greiʃəs liviŋ] *s* viață elegantă/luxoasă și decentă, high life

graciousness ['greiʃəsnis] *s* 1 bunăvoință, condescendență 2 clemență, îndurare, milostenie 3 grație, gingășie

grad. *presc de la* **graduate**

gradate [grə'deit] **I** *vt* 1 a grada, a nuanța 2 a așeza într-o anumită ordine/ierarhie **II** *vi* a fi nuanțat, a se nuanța

gradation [grə'deiʃən] *s* 1 gradație, progresie 2 *pl* trepte succesive, grade 3 nuanțare, gradație 4 *lingv* mutație *sau* alternanță vocalică

grade [greid] **I** *s* **1** rang, treaptă; cin; grad; **people of all ~s** oameni de toate rangurile/categoriile; **to be at ~ (with)** *amer* a fi pe picior de egalitate (cu) **2** *amer şcol* clasă **3** *amer şcol, univ* notă, calificativ **4** categorie, clasă, fel, soi **5** *agr* rasă (de vite) ameliorată **6** *geom* grad (al unui unghi etc.) **7** *amer* pantă, înclinaţie, povârniş **8** *amer fig* ascensiune, dezvoltare; **(to be) on the up** *sau* **down ~** a fi în creştere/ ascensiune *sau* scădere/declin; **to make the ~** a ajunge la/a atinge nivelul cerut, a fi la înălţime **II** *vt* **1** a grada **2** a sorta, a clasa, categorisi **3** *agr* a ameliora (o rasă de animale)

grade-crossing ['greid'krɔsiŋ] *s amer* pasaj/trecere de nivel

grader ['greidəʳ] *s* **1** *constr* greder, maşină de profilat drumuri **2** *agr* trior, ciuruitor, selector **3** *amer* elev (într-o anumită clasă); **a seventh-~** elev din clasa a şaptea

grade school ['greid ˌskuːl] *s amer* şcoală primară/elementară

grade up ['greid'ʌp] *vt cu part adv agr, vet* a ameliora (rasele de animale)

Gradgrind ['græd,graind] *s* persoană rece şi practică (personaj din „Hard Times" de Dickens)

gradient ['greidiənt] *s* **1** pantă, povârniş, înclinare **2** *fiz* gradient

gradual ['grædjuəl] *adj* **1** treptat, progresiv **2** gradat, succesiv

gradually ['grædjuəli] *adv* **1** treptat (-treptat), pe încetul; progresiv **2** gradat, succesiv

graduand ['grædju,ænd] *s* doctorand; candidat la un titlu academic

graduate ['grædjuit] **I** *s* **1** licenţiat, absolvent (la unui institut de învăţământ superior), diplomat universitar, titrat **2** *amer şcol* absolvent **3** cilindru/pahar gradat **II** *adj* **1** diplomat, titrat **2** calificat, cu calificare superioară **3** de licenţiat, de diplomat universitar **III** ['grædju,eit] *vi* **1** (from) a-şi lua diploma de stat (la), a fi absolvent (al unui institut de învăţământ superior); **he ~d from the University of London** a absolvit universitatea din Londra **2** a se

transforma treptat (în *altceva*) **IV** ['grædju,eit] *vt* **1** a grada, a diviza, a împărţi **2** a doza, a proporţiona, a grada **3** *şcol* a conferi o diplomă (cu dat); a scoate (absolvenţi)

graduated ['grædju,eitid] *adj* **1** gradat, divizat, împărţit în grade **2** titrat, licenţiat, diplomat (universitar) **3** *amer* absolvent, în posesia unei diplome

graduate nurse ['grædjuit'nə:s] *s amer med* infirmieră calificată

graduate school ['grædjuit skuːl] *s* secţie postuniversitară pentru doctoranzi

graduate student ['grædjuit 'stjuː-dənt] *s amer* absolvent care urmează cursuri postuniversitare

graduation [ˌgrædju'eiʃən] *s* **1** gradare, divizare **2** gradaţie; scară gradată **3** dozare, proporţionare, gradare **4** decernare, acordare (a unei diplome universitare) **5** (from, at) absolvire (a unei şcoli)

graduator ['grædju,eitəʳ] *s* absolvent (al unui curs)

Graecism ['griːsizəm] *s* grecism, elenism, cuvânt grecesc

Graecize ['griːsaiz] *vt* a eleniza, a greciza

Graeco-Roman ['griːkou 'roumən] *adj* greco-roman

graffitto [græ'fiːtou], *pl* **graffitti** [græ'fiːtiː] *s arte* grafită

graft [graːft] **I** *s* **1** *bot* altoi **2** *agr* altoire **3** *med* grefă **4** ↓ *amer* mită, şperţ, ciubuc **5** ↓ *amer* corupţie, venalitate **II** *vt* **1** *agr bot* a altoi **2** *fig* a insufla, a inculca **III** *vi* **1** a altoi pomi *etc.* **2** a face grefe **3** *sl* a se omorî muncind, a munci/a trudi pe rupte, a se deşela **4** ↓ *amer* a lua mită, a fi venal **5** a da mită/şperţ/ciubuc

grafter ['graːftəʳ] *s* **1** *agr* cuţit pentru altoit **2** *agr* specialist în altoire **3** ↓ *amer* şperţar, funcţionar corupt/venal/ciubucar

grafting-clay/wax ['graːftiŋ,klei/ ,wæks] *s agr* amestec pentru acoperirea altoiului/părţii altoite

Graham ['greiəm] **1** nume de familie **2** nume masc

Graham bread ['greiəm ˌbred] *s* pâine (de) Graham

Graham Land ['greiəm ˌlænd] Ţara

lui Graham (în Antarctica)

Grail [greil] *v.* **Holy Grail**

grain [grein] **I** *s* **1** *bot, agr* grăunte, bob; **a ~ of wheat in a bottle of chaff** mult zgomot pentru nimic **2** cereale, grâne **3** *fig* boabă; grăunte (de nisip, de aur etc.); **to receive smth with a ~ of salt** a primi ceva cu rezerve/cu neîncredere **4** dram (=0,0648 gr) **5** *fig* dram, fir, firicel, părticică; **there must be some ~ of truth in it** trebuie să fie măcar un grăunte de adevăr în asta **6** fibră, nervură, fir; **against the ~ a** în răspăr *fig* în contra firii; împotriva caracterului **7** *fig* fire, natură, caracter **8** *tehn* granulaţie, structură granulară **9** ← *înv* vopsea; **dyed in ~ a** vopsit/ bine/trainic/durabil **b** *fig* înnăscut; inveterat, incorigibil **II** *vt* **1** a granula, a măcina, a mărunţi, a fărâmiţa **2** *tehn* a şagrina **3** a vopsi în lungul fibrei

grain alcohol ['grein 'ælkə,hɔl] *s* alcool etilic/din cereale

grained [greind] *adj* **1** granulat, grăunţos **2** zgrunţuros; şagrinat **3** vopsit în lungul fibrei

grain elevator ['grein 'eli,veitəʳ] *s amer* siloz de cereale

graininess ['greininis] *s* granulozitate, granulaţie, caracter granular

graining ['greiniŋ] *s* **1** granulare, granulaţie; cristalizare **2** formare a boabelor/grăunţelor

grain-leather ['grein,leðəʳ] *s* piele de antilopă (cu partea aspră în afară)

grain-side ['grein ,said] *s* partea curăţată de blană a unei piei

grainy ['greini] *adj* granular, grăunţos

gram I [græm] *s* gram **II** *presc de la* **grammar**

gramercy [grə'mə:si] *interj înv* slavă Domnului! bogdaproste! slavă ţie Doamne!

graminaceous [ˌgræmi'neiʃəs] *adj bot* graminaceu, din familia gramineelor

gramineous [grə'miniəs] *adj v.* **graminaceous**

grammalogue ['græməlɔg] *s* **1** *lingv* grafem **2** logogramă **3** semn de cuvânt în stenografie

grammar ['græmə^r] *s* **1** gramatică (teoretică) **2** cunoaștere a gramaticii; **to speak good** ~ a vorbi (corect) gramatical **3** (manual/ carte de) gramatică **4** rudimente, elemente, noțiuni elementare **5** *v.* **grammar school**

grammarian [grə'mɛəriən] *s* **1** gramatician **2** profesor de gramatică

grammar school ['græmə,sku:l] *s* **1** gimnaziu clasic; liceu (clasic) **2** școală pregătitoare *(pentru colegiu)*

grammatical [grə'mætikə l] *adj* gramatical

grammatical gender [grə'mætikə l 'dʒendə^r] *s lingv* gen gramatical *(opus genului natural)*

grammaticalize [grə'mætikəlaiz] *vt* a gramaticaliza; a exprima gramatical

grammatically [grə'mætikəli] *adv* gramatical

grammatical sense [grə'mætikəl ,sens] *s lingv* sens/înțeles literar, bazat numai pe regulile gramaticale

grammaticize [grə'mætisaiz] *vt v.* **grammaticalize**

gramme [græm] *s* gram

gramme calorie ['græm 'kæləri] *s fiz* calorie mică/gram

gramme molecule ['græm 'moli,kju:l] *s ch* moleculă gram

gramophone ['græmə,foun] *s* **1** patefon, gramofon **2** picup

gramophone record ['græmə,foun 'reko:d] *s* disc, placă de patefon

Grampian Hills, the ['græmpiən 'hilz, ðə] Munții Grampieni *(în Anglia)*

grampus ['græmpəs] *s zool* specie de cetaceu *(Grampus griseus)* aprox și fig balenă

gran [græn] *s F* ↓ *(în limbajul copiilor)* mama mare, bunicuța

Granada [grə'na:də] *oraș și provincie în Spania*

granary ['grænəri] *s și fig* grânar, hambar

granat(e) ['grænit] *s minr* granat

grand [grænd] **I** *adj* **1** mare, important; suprem **2** grandios, impresionant, mare; **in the** ~ **style** pe picior mare; în stil mare **3** splendid, maiestuos; somptuos **4** nobil, distins **5** mărinimos, generos **6** principal, mare **7** capital,

principal, foarte important/însemnat **8** total, general; final **9** *F* strașnic, grozav, colosal, formidabil **10** înfumurat, încrezut, prețios **II** *s amer sl* (hârtie de) o mie de dolari // **to do the** ~ *F* a face pe grozavul, a se da mare/ *sl* grande

grandad(dy) ['græn'dæd(i)] *s v.* **grand dad**

grand air ['grænd ,ɛə^r] *s* aer distins, eleganță

grandam ['grændəm] *s* ← *înv* **1** bunică, bunicuță **2** băbuță, bătrânică

grand aunt ['grænd ,a:nt] *s* mătușă de-a doua, soră a unuia din bunici

Grand Canary ['grænd kə'nɛəri] *insulă în Atlantic* Gran Canaria

Grand Canyon ['grænd 'kænjən] Marele Canion *(al râului Colorado)*

grandchild ['græn,tʃaild] *s* **1** nepot *sau* nepoată de bunic **2** *pl* nepoți de bunic

grand dad ['græn,dæd], **granddady** ['græn,dædi] *s F* bunic(uț), tatamare

grand daughter ['græn ,do:tə^r] *s* nepoată de bunic

Grand Duchess ['græn ,dʌtʃis] *s* Mare Ducesă

Grand Duchy ['græn ,dʌtʃi] *s* Mare Ducat

Grand Duke ['græn ,dju:k] *s* Mare Duce

grand dame ['grã:d 'dʌ:m] *s fr* mare doamnă/cucoană

grandee [græn'di] *s* **1** *ist* grande (de Spania) **2** ← *F* nobil, aristocrat, domn

grand entrance ['grænd 'entrəns] *s* intrare/ușă principală

grandeur ['grændʒə^r] *s* **1** grandoare, măreție **2** splendoare, strălucire, glorie **3** măreție, putere **4** mărinimie, generozitate, noblețe sufletească

grandfather ['græn,fa:ðə^r] *s* bunic, tată-mare

grandfather('s) clock ['græn,fa:ðə(z) 'klɔk] *s* pendulă mare

grand finale ['grænd fi'na:li] *s muz și fig* final grandios

grandiloquence [græn'diləkwəns] *s* grandilocvență, retorism, emfază; vorbe umflate

grandiloquent [græn'diləkwənt] *adj*

grandilocvent, bombastic

Grand Inquisitor ['grænd in'kwizitə^r] *s ist* Marele Inchizitor *(religios)*

grandiose ['grændi,ous] *adj* **1** grandios, măreț, maiestuos **2** pompos, pretențios, umflat

Grandisonian [,grændi'souniən] *adj* cavaleresc, magnific, de o mare eleganță și mărinimie *(referire la romanul „Sir Charles Grandison" al scriitorului englez Samuel Richardson, 1689-1761)*

Grand jury ['grænd 'dʒuəri] *s jur* mare juriu *(pentru inculparea unui acuzat)*

grandma ['græn,ma:], **grand mamma** ['grænmə,ma:] *s F* bunicuță, – bunică

grand master ['grænd ,ma:stə^r]*s* mare maestru *(la francmasoni sau la șah)*

grandmother ['græn,mʌðə^r] *s* bunică; **tell that (to) your** ~ *F* asta să i-o spui lui mutu'; **don't teach your** ~ **to suck eggs** s-a găsit oul să învețe găina?

grandmotherly ['græn,mʌðəli] *adj* **1** (ca) de bunică **2** *fig* grijuliu, precaut

Grand National ['græn ,næʃənəl] *s* derbi, cursă anuală *(cu obstacole)*

Grand National Assembly, the ['græn ,næʃənəl ə'sembli, ðə] *s pol* Marea Adunare Națională

grandnephew ['græn,nevju:] *s* strănepot (de unchi), fiu de nepot

grandness ['grændnis] *s* măreție, grandoare

grandniece ['græn,ni:s] *s* strănepoată, fiică de nepot

Grand Old Party, the ['grænd 'ould 'pa:ti, ðə] *s pol amer* partidul republican

grandpa ['græn,pa:], **grandpapa** ['grænpə,pa:] *s F* bunicuț, – bunic, tata mare

grandparent ['græn,pɛərənt] *s* bunic *sau* bunică

grand piano ['grænd pi'ænou] *s* pian cu coadă/de concert

Grand Prix ['grʌn 'pri:] *s* mare premiu *(la curse automobilistice)*

grand question ['grænd 'kwestʃən] *s* problemă majoră/cheie

Grand Rapids ['grænd 'ræpidz] *oraș în S.U.A.*

grand result ['grænd ri'zʌlt] *s* rezultat final; total general

grand siècle [grʌŋ'sjekl] *s fr* secolul de aur *(al clasicismului francez – sec. XVII)*

grand-sire ['græn ,saiəʳ] *s* **1** *zool, biol* strămoş (al unui animal) **2** ← *înv* bunic; strămoş **3** ← *înv* bătrân **4** *muz* tip de carillon

grand slam, the ['grænd 'slæm, ðə] *s* marele şlem *(la bridge)*

grandson ['grænsʌn] *s* nepot de bunic

grand staircase ['grænd 'stɛəkeis] *s* scară principală (monumentală)

grand stand ['grænd ,stænd] *s* tribună centrală; tribuna întâi; tribună oficială

grand sum ['grænd ,sʌm] *s* sumă totală; total general

Grand Turk, the ['græn 'təːk, ðə] *s ist* sultanul (Turciei)

grand uncle ['grænd ,ʌŋkl] *s* frate al bunicului

Grand Vizier, the ['grænd vi'ziəʳ, ðə] *s ist* Marele Vizir

grange [greindʒ] *s* **1** gospodărie, fermă, casă de ţară **2** *amer* asociaţie a fermierilor **3** ← *înv* hambar

granger ['greindʒəʳ] *s* **1** ← *înv* vechil, administrator al unei ferme **2** *amer* fermier, gospodar; membru al unei asociaţii de fermieri

granita [græ'niːtə] *s* îngheţată ieftină (fără ouă) de la automat

granite ['grænit] *s minr* granit; **to bite on ~** *fig* a se lovi de greutăţi de netrecut

granitic [grə'nitik] *adj minr* de granit

grannie, granny ['græni] *s* **1** *F* bunicuţă, – bunică, mamă mare **2** bătrânică, băbuţă, bunicuţă

grant [graːnt] **I** *vt* **1** a acorda, a da; a aloca **2** *jur* a ceda, a da; a dona **3** a încuviinţa, a permite, a îngădui **4** a recunoaşte, a admite, a accepta *(un argument, o probă);* **I ~ you that** recunosc că; **to take for ~ed** a lua drept bun **5** a aproba, a îndeplini *(o rugăminte);* a admite *(o cerere etc.);* **May God ~ that!** să te audă Dumnezeu! **~ed!** s-a făcut! se acceptă! **6** a garanta **II** *s* **1** subvenţie, subsidiu, alocaţie **2** *şcol* bursă **3** alocare, acordare *(a unei subvenţii)* **4** *jur* (act de) donaţie, cesiune; bun transmis/transferat **5** aprobare, admitere *(a unei cereri);* îndeplinire *(a unei*

rugăminţi) **6** încuviinţare, permisiune

grantable ['graːntəbəl] *adj* **1** acordabil, care poate fi acordat **2** permisibil, permis, (de) îngăduit; tolerabil **3** *jur* transmisibil, transferabil

grant-aided school ['graːnt,eidid skuːl] *s* şcoală subvenţionată (de public)

grantee [graːn'tiː] *s* **1** solicitant căruia i se acordă ceva **2** *jur* donatar, persoană căreia i se transmite/transferă un bun

granter ['graːntəʳ] *s* **1** persoană care acordă *sau* aprobă ceva **2** *jur* donator

grant-in-aid ['graːntin'eid] *s* subvenţie guvernamentală *(pt. şcoli etc.)*

grantor [graːn'toːʳ] *s amer* donator

gran turismo ['græn tuə'rizmou] *s it* limuzină/automobil pentru turism

granular ['grænjulə] *adj* granular, granulos, grăunţos

granularity ['grænju'læriti] *s* granulozitate

granulate ['grænju,leit] *vt* a granula; a grăunţa, a fărâmiţa

granulated sugar [,grænju,leitid 'ʃugəʳ] *s* zahăr tos

granulation [,grænju'lei ʃ ə n] *s* **1** granulaţie, structură granuloasă **2** granulare, fărâmiţare, măcinare

granule ['grænjuːl] *s* granulă; grăunte, fir, bob

granulocyte ['grænjulə,sait] *s fizl, med* granulocită

granulometric ['grænjulou'metrik] *adj* granulometric

grape [greip] *s* **1** bob/boabă de strugure **2** *pl* struguri, poamă; **the ~s are sour** *prov* vulpea când nu ajunge la struguri zice că sunt acri **3** *bot* viţă de vie *(Vitis vinifera)* **4** *mil* mitralii

grape brandy ['greip ,brændi] *s* rachiu de vin

grape crusher ['greip ,krʌ ʃ əʳ] *s* teasc, presă *(pt struguri)*

grape fruit ['greip ,fruːt] *s* **1** *bot* pom care produce grepfrutul *(Citrus decumena/paradisi)* **2** grep(frut)

grape gathering ['greip ,gæðəriŋ] *s* culesul viilor

grape grower ['greip ,grouəʳ] *s* viticultor

grape growing ['greip ,grouiŋ] *s* viticultură

grape scissors ['greip ,sizəz] *s pl* foarfecă de vie *(pt tăiat struguri)*

grape shot ['greip ,ʃot] *s mil* mitralii

grape sugar ['greip ,ʃugəʳ] *s ch* zahăr de struguri, dextroză

grape vine ['greip ,vain] *s* **1** *bot* viţă de vie **2** butuc de viţă (de vie) **3** *sport* olandeza *(la patinaj)* **4** *F* radio şanţ, – sursă de zvonuri

graph [graːf] **I** *s* **1** grafic, diagramă **2** şapirograf, aparat de multiplicat **II** *vt* a şapirografia, a multiplica

grapheme ['græfiːm] *s lingv* grafem

graphemic [græ'fiːmik] *adj lingv* grafemic

-grapher *suf* -graf: **historiographer** istoriograf

graphic(al) ['græfik(əl)] *adj* **1** grafic, (în) scris **2** ortografic **3** grăitor, elocvent, viu **4** *fig* plastic, colorat, expresiv

-graphic(al) *suf* -grafic: **biographic(al)** biografic

graphically ['græfikəli] *adv* **1** grafic, în formă scrisă, în scris **2** prin diagrame/grafice **3** grăitor, elocvent, viu **4** plastic, expresiv, colorat, viu

-graphically *suf* -grafic: **telegraphically** telegrafic

graphic arts ['græfik 'aːts] *s pl* arte grafice

graphics ['græfiks] *s pl ca sg* **1** diagramare **2** arte grafice *(combinate cu texte/scriere)*

graphite ['græfait] *s minr* grafit

graphological [,græfə'lodʒikəl] *adj* grafologic

graphologist [græ'folədʒist] *s* grafolog

graphology [græ'folədʒi] *s* grafologie

graph paper ['graːf ,peipəʳ] *s* hârtie milimetrică/cu grilă

-graphy *suf* -grafie: **photography** fotografie

grapling ['græpliŋ] *s v.* **grappling** 4

grapnel ['græpnəl] *s v.* **grappling** 4

grapple ['græpəl] **I** *vi* **1** (**with**) a se lupta (cu), a se încleşta (la)/în luptă (cu), a se lua la trântă (cu) **2** (**with**) *fig* a se lupta (cu o dificultate); a se război (cu); a se apuca serios (de *o treabă etc.*) **II** *vt* **1** a apuca, a prinde, a înşfăca, a înhăţa **2** a prinde cu cangea **III** *s v.* **grappling** 1-3

grappling ['græpliŋ] *s* **1** încleştare; fixare **2** apucare, înhăţare **3** încleştare, luptă **4** *mar* ancoră cu patru *sau* mai multe gheare

grasp [grɑ:sp] **I** *vt* **1** a apuca, aprinde, a înşfăca **2** *fig* a pune stăpânire pe, a apuca, a înhăţa, a lua (cu de-a sila), a smulge; ~ **all, lose all** *prov* cine aleargă după doi iepuri nu prinde nici unul **3** a ţine strâns/cu toată puterea, a nu lăsa din mână **4** a îmbrăţişa, *fig* a pricepe, a înţelege, a sesiza **II** *s* **1** înhăţare, înşfăcare, apucare; gestul de a apuca; **within my** ~ la îndemâna mea, (aproape) cât să-l pot apuca (cu mâna) **2** strânsoare, strângere; **to be in smb's** ~ a fi în puterea cuiva; **to slip from smb's** ~ **a** a scăpa cuiva printre degete **b** a scăpa de sub puterea cuiva **3** *fig* pricepere, înţelegere, pătrundere; stăpânire *(a unor noţiuni etc.);* **it is beyond his** ~ îl depăşeşte, depăşeşte puterea lui de înţelegere; **within smb's** ~ accesibil minţii cuiva, uşor de înţeles pentru cineva **4** stăpânire, dominaţie, putere; **we are all within his** ~ suntem cu toţii în puterea lui, ne are pe toţi în mână **5** îmbrăţişare **6** mâner, coadă *(a unei unelte)* **7** *mil* gâtul patului puştii

grasp at ['grɑ:sp ət] *vi cu prep* **1** a se prinde/a se agăţa/a se apuca de **2** a încerca să prindă/apuce/înhaţe *cu ac* **3** a se ţine cu toată puterea de, a ne se desprinde de **4** *fig* a tinde/a năzui spre **5** *fig* a primi cu bucurie *cu ac,* a se agăţa de *(o speranţă etc.)*

grasping ['grɑ:spiŋ] *adj* **1** hrăpăreţ, apucător, lacom **2** avar, zgârcit

graspingly ['grɑ:spiŋli] *adv* lacom, avid, cu lăcomie

graspingness ['grɑ:spiŋnis] *s* **1** aviditate, lăcomie **2** zgârcenie, avariţie

grass [grɑ:s] **I** *s* **1** *bot* iarbă; **to cut the** ~ **from under smb's feet** a fura/sufla ceva de sub nasul cuiva; **to cut one's own** ~ *sl* a se descurca singur, a-şi câştiga singur existenţa; **to hear the** ~ **grow** *F* a fi dat naibii (de deştept); **keep off the** ~! **a** a nu călca(ţi) pe iarbă **b** nu te obrăznici! **c** nu te băga (unde nu-ţi

fierbe oala); **to let no** ~ **grow under one's feet a** a nu-şi pierde vremea de pomană, a fi activ **b** a fi descurcăreţ, a se descurca (bine/uşor) **2** *bot* plantă ierboasă; buruiană **3** sparanghel; *sl* salată; legume **4** păşunat, păşune; păscut; **to be at** ~ **a** a fi la păscut/păşunat/păşune **b** *fig* a fi la iarbă verde/la odihnă **c** *fig F* a sta cu burta la soare, − a şoma; **to go to** ~ **a** a merge la păscut/păşunat **b** *fig* a pleca în vacanţă/concediu **c** *sl* a muşca ţărâna, a da ortul popii; **go to** ~! *sl* întinde-o! cară-te! şterge-o! **to turn out/to put/to send to** ~ **a** a trimite la păscut/păşunat **b** *fig F* a da plicul *(cuiva),* − a concedia, a destitui **c** *fig* ← *F* a trimite în concediu/vacanţă **5** *min* suprafaţă; **to come to** ~ a ieşi la suprafaţă/din subteran **6** *sl* turnător, paharnic, musär, limbă **7** *sl* marijuana **II** *vt* **1** a duce la păscut, a paşte *(vitele)* **2** a semăna cu iarbă/gazon `3` *fig* a trânti/a doborî (la pământ) **4** *min* a scoate/a aduce la suprafaţ **5** *sl* a turna, a(-şi) vinde *(complicii)* poliţiei **III** *vi* **1** a se acoperi cu iarbă/gazon **2** a se întinde pe iarbă/pământ **3** *sl* a ciripi, a turna

grass court ['grɑ:s ˌkɔ:t] *s sport* teren (de tenis) cu gazon/iarbă

grass cutter ['grɑ:s ˌkʌtər] *s agr* foarfece de tuns iarba

grass cutting ['grɑ:s ˌkʌtiŋ] *s* **1** cositul/tunsul ierbii **2** *av* zbor razant

grass-grown ['grɑ:sˌgroun] *adj* ierbos; acoperit cu iarbă/gazon

grasshopper ['grɑ:sˌhɔpər] *s ent* cosaş, lăcustă (verde) *(Locusta viridissima);* **knee-high to a** ~ *glumeţ* (mare) de-o şchioapă, − mititel **2** *av sl* avionetă *(utilitară sau de observaţie)*

grass land ['grɑ:s ˌlænd] *s* pajişte, păşune

grass plot ['grɑ:s ˌplɔt] *s* spaţiu verde, petec de iarbă/gazon; pajişte mică

grass-roots ['grɑ:s ˌru:ts] *amer s pl* **1** rădăcină a ierbii **2** *fig* ţărănime, fermieri; regiuni rurale; **to go to the** ~ *pol* a merge în mijlocul maselor (de alegători) de la ţară **3** *min* suprafaţă; **at the** ~ la

suprafaţă, la mică adâncime **4** *fig* origine, rădăcină; bază, esenţă; **to tackle the issue at the** ~ a atinge miezul problemei

grass skirt ['grɑ:s ˌskə:t] *s* fustă din frunze/iarbă *(ca a papuaşilor)*

grass snake ['grɑ:s ˌsneik] *s zool* şarpe de casă *(Natrix natrix)*

grass widow ['grɑ:s ˌwidou] *s* **1** *glumeţ* văduvă de paie **2** ← *F* femeie divorţată

grass widower ['grɑ:sˌwidouər] *s glumeţ* văduv de paie

grassy ['grɑ:si] *adj* **1** ierbos, cu iarbă; buruienos **2** (verde) ca iarba

grate¹ [greit] **I** *s* **1** zăbrele, gratii **2** *sl* zdup, pârnaie, − închisoare **3** grilă, grilaj, împrejmuire de zăbrele **4** grătar *(de la sobă sau cămin)* **5** ← *F* cămin, şemineu **II** *vt* a zăbreli, a pune gratii la *(ferestre etc.)*

grate² **I** *vt* **1** a râcâi, a freca (cu zgomot); a zgâria; **to** ~ **one's teeth** a scrâşni din dinţi **2** a rade (pe răzătoare), a răzui **II** *vi* a scârţâi; a scrâşni; a râcâi; **it** ~**s on my ears** *fig* îmi zgârie urechile; **to** ~ **on smb's nerves** *fig* a irita pe cineva

grateful ['greitful] *adj* **1** recunoscător, cu recunoştinţă **2** binevenit, plăcut **3** reconfortant, întăritor; odihnitor

gratefully ['greitfuli] *adv* **1** cu recunoştinţă **2** agreabil, plăcut **3** reconfortant; odihnitor

gratefulness ['greitfulnis] *s* **1** recunoştinţă, gratitudine; mulţumită **2** caracter plăcut *sau* odihnitor

grater ['greitər] *s* **1** răzătoare **2** raşpă, pilă mare

graticule ['græti,kju:l] *s* **1** *opt* grilă (a colimatorului) **2** *geodezie* reţea/grilă reprezentând meridianele şi paralelele

gratification [ˌgrætifi'keiʃən] *s* **1** satisfacţie, mulţumire, plăcere **2** satisfacere, mulţumire **3** gratificaţie, recompensă, primă **4** *peior* ciubuc; mită; bacşiş

gratify ['græti,fai] *vt* **1** a satisface, a împlini *(o dorinţă, o poftă etc.)* **2** a mulţumi; a face pe plac *(cu dat)* **3** *fig* a desfăta, a încânta; a face plăcere *(cu dat)* **4** a recompensa, a răsplăti **5** *peior* a mitui, a da ciubuc/şperţ *(cu dat)*

gratifying ['grætɪ,faɪɪŋ] *adj* **1** plin de satisfacții, care-ți dă o mulțumire **2** plăcut, agreabil, încântător

gratin [grʌ'tɛ̃] *s gastr* gratin, gratinare

grating[1] ['greɪtɪŋ] *s* **1** gratii, zăbrele **2** grătar, grilaj **3** *constr* umplutură, fundație

grating[2] *adj* **1** (*d. sunet*) aspru, supărător, strident, discordant **2** *fig* supărător, enervant

gratis ['greɪtɪs] **I** *adj* gratuit, (pe de) gratis **II** *adv* (pe) gratis, fără bani/plată

gratitude ['grætɪ,tjuːd] *s* recunoștință, mulțumire, gratitudine

gratuitous [grə'tjuːɪtəs] *adj* **1** gratuit, gratis, fără bani/plată, pe degeaba **2** benevol, voluntar **3** arbitrar, nedrept, nejustificat, gratuit

gratuitously [grə'tjuːɪtəsli] *adv* **1** (pe) gratis, fără bani/plată **2** benevol **3** în mod arbitrar, pe nedrept

gratuitousness [grə'tjuːɪtəsnɪs] *s* **1** gratuitate, caracter gratuit **2** caracter arbitrar/gratuit, lipsă de justificare/temei

gratuity [grə'tjuːɪti] *s* **1** gratificație, primă; recompensă **2** bacșiș, *F* → ciubuc

gratulatory ['grætjuleɪtəri] *adj* **1** (cu caracter) de felicitare; festiv **2** ← *înv* recunoscător

grave[1] [greɪv] *s* **1** mormânt, groapă; **to dig one's own** ~ a-și săpa singur groapa; **to have one foot in the** ~ a fi cu un picior în groapă; **to rise from the** ~ a învia din morți; **to sink into the** ~ a muri; **on this side of the** ~ pe lumea asta, în viață; **never on this side of the** ~ pentru nimic în lume, odată cu capul; **to turn in one's** ~ *fig* a se răsuci în mormânt **2** *fig* moarte

grave[2] *adj* **1** grav, serios, îngrijorător, periculos **2** *fig* (cu un aer) grav/solemn/important/plin de importanță; **(as)** ~ **as a judge/an owl** plin de sine, infatuat, umflat în pene **3** *fig* important, serios, urgent **4** (*d. culori*) mohorât, sumbru **5** (*d. haine*) simplu, modest **6** *muz* grav **7** [graːv] *lingv* (*d. accent*) grav

grave[3], *ptc* și **graven** ['greɪvən] *vt* **1** (**in, on**) a întipări, a săpa (în *amintire etc.*); **it is deeply ~d/~n on/in my memory** mi-a rămas (adânc întipărit) în minte **2** ← *înv* a ciopli, a grava **3** ← *înv* a înmormânta

grave clothes ['greɪv klouðz] *s pl* haine de mort; hainele mortului

grave digger ['greɪv ,dɪgər] *s* **1** gropar, cioclu **2** *ent* necrofor, gropar (*Necrophorus*)

grave goods ['greɪv ,gudz] *s pl* obiecte găsite în morminte (antice)

gravel ['grævəl] **I** *s* **1** pietriș, prundiș; **to scratch** ~ *amer F* **a** a se căra, a o lua din loc **b** a o duce de azi pe mâine, a trage targa pe uscat, a-și câștiga cu greu existența **2** nisip (aurifer) **3** *med* litiază renală, pietre/calculi/nisip la rinichi **II** *vi* **1** a prundui, a acoperi cu pietriș **2** *fig* ← *F* a încurca, a zăpăci; a irita

gravel blind ['grævəl blaɪnd] *adj* cu vederea slabă, aproape orb

graveless [greɪvlɪs] *adj* neîngropat, fără mormânt

gravel walk ['grævəl ,wɔːk] *s* alee sau cărare cu pietriș

gravely ['grævəli] *adj* grav, solemn

graven ['greɪvən] *ptc de la* **grave**[2]

graveness ['greɪvnɪs] *s* aer solemn, gravitate

graven image ['greɪvən 'ɪmɪdʒ] *s bibl* și *fig* chip cioplit, idol

Graves [greɪvz], **Robert Ranke** *prozator englez (n. 1895)*

Graves[2] *s*: **Graves' disease** gușă exoftalmică, boala lui Basedow

gravestone ['greɪv,stoun] *s* piatră/lespede de mormânt

graveyard ['greɪv,jaːd] *s* cimitir

graveyard cough ['greɪv,jaːd kɔf] *s glumeț* tuse seacă/urâtă

graveyard watch ['greɪv,jaːd 'wɔtʃ] *s amer* ← *F* gardă/cart de noapte

gravid ['grævɪd] *adj zool, lit* gravidă, însărcinată

gravimetric [,grævɪ'metrɪk] *adj ch* gravimetric

gravimetry [græ'vɪmetri] *s ch* gravimetrie

gravitas ['grævɪtæs] *s lat* pompă, solemnitate *sau* gravitate (în comportare)

gravitate ['grævɪ,teɪt] *vi* **1** (**round**) *fiz* a gravita (în jurul – *cu gen*) **2** (**to, towards**) a gravita (către/spre), a fi atras (de/spre) **3** (**to, towards**) a năzui, a tinde, a aspira (spre/către) **4** a cădea la fund, a trage în jos

gravitation [,grævɪ'teɪʃən] *s* **1** gravitație, atracție universală **2** gravitate, greutate

gravity ['grævɪti] *s* **1** gravitate, importanță, seriozitate **2** *fiz* gravitație **3** *fiz* gravitate, greutate, pondere **4** profunzime, adâncime

gravure [grə'vjuər] *s* fotogravură

gravy ['greɪvi] *s* **1** zeamă/suc de carne **2** sos de friptură; **to dip in the** ~ *amer sl F* → a se înfrupta din banii statului, a băga mâna în banii/vistieria statului, – a delapida/a deturna fonduri

gravy boat ['greɪvi ,bout] *s* sosieră

gravy soup ['greɪvi ,suːp] *s* supă/bulion de carne

gravy train ['greɪvi ,treɪn] *s F* vacă de muls, sursă de câștig ușor

gray [greɪ] *adj s v.* **grey**

Gray, Thomas *poet preromantic englez (1716-1771)*

grayling ['greɪlɪŋ] *s iht* lipan (*Thymallus*)

graze[1] [greɪz] **I** *vi* a paște, a pășuna **II** *vt* a duce la păscut, a paște, a pășuna

graze[2] **I** *vt* **1** a zdreli, a zgâria, a juli, a jupui **2** a atinge ușor **II** *vi* (**along, by, past**) a trece, a merge, a se strecura (pe lângă) **III** *s* **1** jupuitură, zgârietură **2** atingere ușoară

grazier ['greɪziər] *s* crescător de vite, fermier

graziery ['greɪziəri] *s australian* creșterea vitelor, zootehnie

grazing ['greɪzɪŋ] **I** *s* **1** iarbă, nutreț verde **2** păscut, pășunat **II** *adj* **1** care paște **2** *mil* razant

grazing ground/land ['greɪzɪŋ graund/lænd] *s* pășune, izlaz, imaș

grease I [griːs] *s* **1** grăsime; osânză; **to melt one's** ~ *fig* a se zbate/a se frământa în zadar **2** untură, grăsime **3** *tehn* unsoare, lubrifiant **II** [griːz] *vt* **1** a unge (cu grăsime/unsoare), a da cu unsoare **2** *tehn* a gresa, a unge; a lubrifia **3** a păta cu unsoare *sau* grăsime

grease box ['griːs bɔks] *s tehn* cutie/bucșă de unsoare

grease gun ['griːs gʌn] *s tehn* pompă de lubrifiant/ulei

grease paint ['griːs ,peɪnt] *s teatru* fard, machiaj

grease pot ['griːs pot] *s F* nespălat, – om neîngrijit/murdar

greaser ['griːsəʳ] *s* **1** *tehn* gresor, ungător **2** *amer sl* mexican, american de origine spaniolă **3** *sl* javră, jigodie, ticălos **4** *sl* (tânăr) motociclist cu comportări huliganice

greasiness ['griːsinis] *s* **1** caracter unsuros/gras **2** *fig* mieroșenie, ton mieros

greasy ['griːsi] *adj* **1** unsuros, gras **2** pătat de grăsime **3** *fig* murdar, obscen, scabros **4** *fig* mieros **5** noroios, alunecos **6** ['griːzi] soios, murdar

greasy spoon ['griːzi 'spuːn] *s sl* birt ordinar, local împuțit

great [greit] **I** *adj* **1** mare; măreț; grandios; **I have no ~ opinion of him** nu am o părere prea bună despre el **2** mare, considerabil, substanțial, de proporții mari; **a ~ deal** foarte mult, o mulțime; **a ~ many/number** mulți; o mulțime; **the ~(er) part of** cea mai mare parte a *(cu gen)*; **to be ~ friends with smb** a fi prieten bun cu cineva **3** intens, puternic, mare; **a ~ love** o dragoste mare/ puternică **4** ← *F* uriaș, enorm, imens **5** (extrem de) important, vital, esențial; **it is no ~ matter** nu e o chestiune de viață și de moarte, nu e un lucru prea important **6** *(d. un om etc.)* remarcabil, ilustru, de seamă, mare; minunat, excelent **7** iscusit, meșter, priceput; **to be ~ at/on smth** a se pricepe foarte bine la, a fi expert în (materie de); **to be ~ on smth** a avea mare interes pentru, a fi pasionat de **8** *F* strașnic, grozav; **to have a ~ time** a se distra/a petrece minunat; **that's ~!** excelent! strașnic! perfect! **9** aristocrat, nobil; **the ~ world** înalta societate **10** trufaș, arogant **11** îndelungat, lung, de (lungă) durată; **to live to a ~ age** a trăi până la adânci bătrâneți; **a ~ while** multă vreme, un timp îndelungat **II** *s* **1 the ~** a cei mari, marimile **b** bogații, bogătașii **2** total, întreg, gros **III** *interj F* strașnic! grozav!

Great Assize ['greit ə'saiz] *s rel* Ziua Judecății de Apoi

great aunt ['greit ɑːnt] *s v.* **grand aunt**

Great Bear, the ['greit 'bɛəʳ, ðə] *s astr* Carul Mare, Ursa Mare

Great Bear Lake, the ['greit bɛə ,leik, ðə] Lacul Marelui Urs *(în Canada)*

Great Britain ['greit 'britən] Marea Britanie

Great Charter, the ['greit 'tʃɑːtəʳ, ðə] *s ist* Marea Cartă (a Libertății), Magna Charta (Libertatum)

great coat ['greit ,kout] *s* palton

Great Dane ['greit ,dein] *s* (câine) danez

Greater Antilles, the ['greitəræn'tiliːz, ðə] *insule* Marile Antile

Greater Britain ['greitə britən] Marea Britanie cu Irlanda (și insulele înconjurătoare)

Greater London ['greitə lʌndən] Londra cu împrejurimile

Greater Wallachia ['greitə wɔ'leikjə] Muntenia *(inclusiv Oltenia)*

great grandchild ['greit græn,tʃaild] *s* strănepot *sau* strănepoată

great granddaughter ['greit 'græn,dɔːtə] *s* strănepoată

great grandfather ['greit 'græn,fɑːðəʳ] *s* străbunic

great grandmother ['greit 'græn,mʌðəʳ] *s* străbunică

great grandparent ['greit 'græn,pɛərənt] *s* străbunic *sau* străbunică

great grandson ['greit 'græn,sʌn] *s* strănepot

great gun ['greit 'gʌn] *sl* **I** *s* mare mahăr, ștab, grangur **II** *interj* drace! la naiba!

great-hearted ['greit 'hɑːtid] *adj* mărinimos, cu inimă largă; generos

great-heartedness ['greit 'hɑːtidnis] *s* mărinimie, bunătate; suflet larg

great hundred ['greit ,hʌndrid] *s* una sută douăzeci

Great Lakes, the ['greit 'leiks, ðə] Marile Lacuri *(în S.U.A.)*

greatly ['greitli] *adv* **1** foarte (mult), (foarte) tare, în mare măsură; **he was ~ surprised** a fost surprins la culme **2** în stil mare **3** frumos; elegant, distins

great-minded ['greit 'maindid] *adj* **1** cu concepții/vederi largi/nobile, deschis la minte **2** mărinimos, generos

Great Mogul, the [,greit mou'gʌl, ðə] *s ist* Marele Mogul

great nephew ['greit'nevjuː] *s v.* **grand nephew**

greatness ['greitnis] *s* **1** mărime (ieșită din comun) **2** importanță, însemnătate **3** gravitate, seriozitate **4** măreție, mărire **5** aristocrație; rang înalt **6** noblețe (sufletească) **7** vază, faimă

great niece ['greit 'niːs] *s v.* **grand niece**

Great Plains ['greit 'pleinz] *platou în S.U.A. și Canada*

Great Powers, the ['greit 'pauəz, ðə] *s pol* Marile Puteri

Great Rebellion, the ['greit ri'beljən, ðə] *s* perioada revoluției burgheze din Anglia (1642-1651)

greats [greits] *s pl univ* examen de absolvire

Great Salt Lake, the ['greit 'sɔːlt 'leik, ðə] Marele Lac Sărat *(în S.U.A.)*

Great Schism, the ['greit 'sizəm, ðə] *s ist rel* Marea Schizmă

Great Sea, the ['greit 'siː, ðə] Marea Mediterană, Mediterana

Great Seal, the ['greit 'siːl, ðə] *s* Marele Sigiliu *(al statului britanic)*

great-sized ['greit'saizd] *adj* mare, de dimensiuni mari; impresionant

great toe ['greit'tou] *s* degetul mare de la picior

great uncle ['greit'ʌŋkəl] *s v.* **grand uncle**

great unpaid, the ['greit ʌn'peid, ðə] *s glum* magistrați onorifici *(fără salariu)*

great unwashed, the ['greitʌn'wɔʃt, ðə] *s glum* nespălații, golanii, mitocănimea, pleava

Great Wall, the ['greit 'wɔːl, ðə] Marele Zid Chinezesc

Great War, the ['greit 'wɔːʳ, ðə] *s* primul război mondial *(1914-1918)*

greaves[1] [griːvz] *s pl ist* platoșă pentru picioare

greaves[2] *s pl* jumări

grebe [griːb] *s orn* cufundar, corcodel *(Podiceps cristatus)*

Grecian ['griːʃən] **I** *adj* grecesc, elen **II** *s* **1** grec; grecoaică **2** elenist

Grecian fire ['griːʃən'faiəʳ] *s ist* foc grecesc

Grecian gift ['griːʃən 'gift] *s ist* și *fig* dar fățarnic/înșelător/primejdios

Grecian horse ['griːʃən'hɔːs] *s mil* cal troian

Grecian knot ['griːʃən'nɔt] *s ist* coc (ca cel) purtat de femeile elene

Grecian nose ['gri:ʃən 'nouz] *s* nas grecesc (drept)

Grecism ['gri:sizəm] *s* grecism, elenism

Greco, El ['grεkou, el] *pictor spaniol (1548?-1614?)*

Greco-Roman ['gri:kou 'roumən] *adj* greco-roman

Greece [gri:s] Grecia

greed [gri:d] *s* lăcomie, aviditate; ~ **of money** cupiditate, avariție

greedily ['gri:dili] *adv* lacom, avid, cu lăcomie; cu poftă/nesaț

greedy ['gri:di] *adj* **1** (of) lacom, avid (de); dornic (de), ahtiat (după) **2** apucător, hrăpăreț, avar

greedy guts ['gri:di'gʌts] *s pl F* mâncău, găman, mâncăcios, căpcăun; gurmand

Greek [gri:k] **I** *adj* grec, grecesc; elen **II** *s* **1** grec *sau* grecoaică; **when** ~ **meets** ~ când îți găsești nașul **2** (limba) greacă/elină; **to speak** ~ **a** a vorbi grecește **b** fig a vorbi păsărește; **it is (all)** ~ **to me** *F* nu înțeleg o iotă **3** (creștin) ortodox

Greek calends, the ['gri:k 'kælindz, ðə] *s pl glumeț* calendele grecești, sfântul așteaptă

Greek catholic ['gri:k 'kæθəlik] *s, adj rel* greco-catolic

Greek Church, the ['gri:k 'tʃəːtʃ, ðə] *s rel* biserica ortodoxă

Greek fire ['gri:k 'faiəʳ] *s ist* foc grecesc

Greek gift ['gri:k 'gift] *s v.* **Grecian gift**

Greek God ['gri:k 'gɔd] *s* **1** zeu grec/grecesc **2** fig bărbat superb

green [gri:n] **I** *adj* verde; **(as)** ~ **as grass/a gooseberry a** verde ca iarba, de culoarea ierbii **b** fig nevinovat, ca un prunc nou născut; *F* ageamiu **2** înverzit, verde, acoperit de verdeață **3** *(d. față)* (galben-) verde, pământiu **4** verde, crud, necopt **5** proaspăt **6** fig nepriceput, necopt, *F* ageamiu; nevinovat (ca un prunc), feciorelnic **7** *(d. cal)* neînvățat, nedeprins la drum **8** fig verde, în putere, viguros; ~ **old age** bătrânețe viguroasă **9** *(d. iarnă)* blând, fără zăpadă **II** *s* **1** (culoare) verde **2** verdeață, vegetație **3** *pl* verdețuri, legume verzi **4** pajiște; imaș **5** fig tinerețe, vigoare, vlagă; **to be in the** ~ **a** a fi încă

verde/în putere **b** a fi la/în prima tinerețe // **do you see any** ~ **in my eyes?** chiar așa naiv/ *F* fraier mă crezi? **6** *sl* verdeață, verzitură, bani **III** *vt* **1** a înverzi **2** a vopsi în verde

Green [gri:n] **1 Graham** *prozator și dramaturg englez (n. 1904)* **2 Robert** *poet și dramaturg englez (1560?-1592)*

greenback ['gri:n,bæk] *s amer* (bancnotă de un) dolar

Green Beret ['gri:n'bεrei] *s F mil* soldat din trupele de comando (britanice sau americane)

green card ['gri:n'kɑ:d] *s* document de asigurare casco (pentru automobiliști)

green cheese ['gri:n'tʃi:z] *s* **1** urdă **2** caș proaspăt

green cloth ['gri:n'klɔθ] *s* **1** postav verde **2** masă de joc (de biliard)

green crop ['gri:n'krɔp] *s agr* **1** plantă furjeră **2** cultură furajeră, nutreț verde

greenery ['gri:nəri] *s* **1** verdeață, vegetație verde **2** frunziș **3** seră

green-eyed ['gri:n'aid] *adj* **1** cu ochi verzi **2** gelos

green finch ['gri:n'fintʃ] *s orn* florinte, florian *(Fringilla chloris)*

green fly ['gri:n'flai] *s ent* afidă, păduche de plantă *(Aphis)*

green food ['gri:n'fu:d] *s agr* nutreț verde

green frog ['gri:n'frɔg] *s zool* brotac, buratec *(Hyla arbores)*

greengage ['gri:n,geidʒ] *s bot* renglotă, renclodă, prună verzuie

green goods ['gri:n'gudz] *s pl* **1** zarzavat(uri), verdețuri **2** *amer* bani falși

green goose ['gri:n'gu:s] *s* boboc de gâscă

greengrocer ['gri:n'grousəʳ] *s* zarzavagiu, negustor de legume și fructe

greengrocery ['gri:n,grousəri] *s* **1** comerț de legume și fructe **2** zarzavaturi și fructe

green hand ['gri:n'hænd] *s F* ageamiu, boboc, – novice, începător

greenhorn ['gri:n,hɔ:n] *s v.* **green hand**

greenhouse ['gri:n,haus] *s agr* seră

greenish ['gri:niʃ] *adj* verzui

Green Island/Isle, the ['gri:n ,ailənd/ ail, ðə] *s poetic* Irlanda

Greenland ['gri:nlənd] Groenlanda

Greenlandic [gri:n'lændik] **I** *adj* din/ referitor la Groenlanda **II** *s* limba vorbită în Groenlanda

green light ['gri:n'lait] *s* **1** verde *(la stopuri)* **2** fig „drum liber", permisiune, autorizație; mână liberă

green meat ['gri:n 'mi:t] *s* **1** agr nutreț verde **2** carne crudă

greenness ['gri:nnis] *s* **1** verdeață, culoare verde **2** imaturitate, stare necoaptă **3** fig lipsă de maturitate/experiență, nepricepere **4** fig vigoare, putere; tinerețe; prospețime

green room ['gri:n ,ru:m] *s* teatru foaier al artiștilor, cameră de odihnă a actorilor

green sick ['gri:nsik] *adj med* clorotic, suferind de cloroză

green sickness ['gri:n,siknis] *s med* cloroză

greenstone ['gri:n,stoun] *s* **1** minr nefrit **2** geol rocă verzuie

green stuff ['gri:n 'stʌf] *s* verdețuri, zarzavaturi, legume verzi

greensward ['gri:n'swɔ:d] *s* pajiște, gazon; peluză de iarbă/gazon

green table ['gri:n 'teibəl] *s* masă de joc (de noroc)

green turtle ['gri:n 'təːtl] *s zool* broască țestoasă comestibilă *(Chelonia mydas)*

green weed ['gri:n 'wi:d] *s bot* drobiță *(Genista tinctoria)*

Greenwich 1 ['grinidʒ] *cartier al Londrei* **2** ['grεnitʃ] *oraș în S.U.A.*

Greenwich Mean Time ['grinidʒ mi:n 'taim] *s* timpul după meridianul Greenwich, ora GMT

Greenwich Village ['grεnitʃ 'vilidʒ] *cartier (al artiștilor) din New York*

greet [gri:t] *vt* **1** a saluta; a da binețe/bună ziua *(cu dat)* **2** mil a saluta; a da onorul *(cu dat)* **3** a întâmpina; a ieși în întâmpinare *(cu dat)*

greeting ['gri:tiŋ] *s* **1** salut, salutare **2** *(și pl)* complimente, salutări **3** ↓ *pl* urări, felicitări **4** întâmpinare, primire, bun venit

Greg [greg] *nume masculin dim de la* **Gregory**

gregarious [gri'gεəriəs] *adj* **1** gregar; de turmă **2** fig sociabil

grège [greiʒ] *adj, s (culoare)* greige/ gri-beige

Gregorian calendar [gri'gɔ:riən 'kælindəʳ] *s* calendar gregorian

Gregory ['gregəri] *nume masc* Grigore

greige [greiӡ] *adj, s.v.* **grège**

gremlin ['gremlin] *s sl* vârcolac *(care strică mecanismele, motorul etc.)*

grenade [gri'neid] *s mil* **1** *od* grenad(i)er **2** soldat dintr-un regiment de gardă

grenadine[1] [ˌgrenə'di:n] *s* **1** *bot* varietate de garoafă *(Dianthus caryophyllus)* **2** fricando, carne împănată

grenadine[2] *s* **1** *text* grenadină **2** sirop *sau* lichior de rodii

Greta ['gretə] *nume fem dim de la* **Margaret**

Gretna Green marriage ['gretnə ˌgri:n 'mæridӡ] *s* căsătorie clandestină *(fără autorizația părinților)*

grew [gru:] *pret de la* **grow I, II**

grey [grei] **I** *adj* **1** cenușiu, gri, sur **2** *(d. cal)* sur **3** cărunt, încărunțit, sur; **to go/to grow/to turn ~** a încărunți, a îmbătrâni **4** *(d. față)* pământiu, cenușiu, palid **5** *fig* mohorât, întunecat, posomorât **6** *fig* șters, searbăd, monoton **II** *s* **1** gri, cenușiu, culoare cenușie **2** haină gri/cenușie *(ist uniforma sudiștilor 1861-1865)* **3** (cal) sur **4** *zool* bursuc, viezure *sau* alt animal cenușiu **5** *text* țesătură nealbită; **in the ~** nealbit **6** *amer sl* alb, persoană care nu e de culoare **III** *vt* **1** a vopsi (în) cenușiu/gri **2** *fot* a întuneca, a umbri **IV** *vi* **1** a încărunți, a îmbătrâni **2** a se face cenușiu; a se întuneca **3** a amurgi

grey-back ['grei,bæk] *s* **1** animal *sau* pasăre cu spinarea cenușie **2** *ist amer* soldat în armata federală/confederației

grey hair ['grei'hɛər] *s* **1** păr alb/cărunt **2** *fig* bătrânețe; **to bring smb's ~ to the grave** a băga pe cineva în mormânt

grey-haired ['grei'hɛəd] *adj* cărunt, încărunțit

grey-headed ['grei'hedid] *adj* **1** vechi **2** bătrân; veteran; învechit; îmbătrânit; **~ in service** încărunțit în slujbă

grey hen ['grei'hen] *s orn* găinușă de munte *(Tetrao tetrix)*

grey hound ['grei,haund] *s* **1** *zool* ogar, câine de vânătoare **2** *nav* pachebot rapid **3** autobuz pentru curse lungi

greyish ['greiiʃ] *adj* **1** bătând în gri/cenușiu **2** (cam) cărunt

grey mare ['grei'mɛər] *s fig* cață, femeie cicălitoare *(care-și ține bărbatul sub papuc)*

grey matter ['grei'mætər] *s* **1** *anat* materie cenușie **2** *fig* minte, spirit, inteligență

grey monk ['grei'mʌŋk] *s ist* călugăr cistercian

grid [grid] *s* **1** grătar *(pt friptură)* **2** *tehn* grilă; grilaj; rețea **3** caroiaj

griddle ['gridəl] *s* **1** tavă, formă *(pt copt plăcinte)* **2** un fel de clătită friptă pe grătar **3** *min* ciur, sită

gridiron ['grid,aiən] *s* **1** grătar *(pt friptură)* **2** *od* grătar *(ca mijloc de tortură)* **3** grilaj, rețea **4** *amer* teren de rugbi; *fig* meciuri de rugbi; **5** *ferov* triaj **6** *teatru* schelă/capră pentru mânuirea decorurilor

grief [gri:f] *s* **1** mâhnire, supărare, durere; inimă rea **2** necaz, supărare; bucluc; **to bring to ~** a băga în bucluc/necaz; **to come to ~** a a da de bucluc, a avea un necaz, a păți ceva rău **b** a o sfârși prost, a decădea, a ajunge rău **c** *(d. planuri etc.)* a se nărui, a da greș; **Good/great ~!** hait! ꜟoleo! fir-ar să fie! **3** plângere, (motiv de) nemulțumire, supărare

grievance ['gri:vəns] *s* **1** plângere, revendicare, doleanță, F – jalbă **2** nedreptate, abuz; **to redress a ~** a repara o nedreptate

grieve [gri:v] **I** *vt* a mâhni, a necăji, a întrista **II** *vi* **(about, at, for)** a se mâhni, a se întrista (de; din pricina *cu gen)*

grievous ['gri:vəs] *adj* **1** dureros, amarnic; supărător **2** *(d. o pierdere etc.)* greu; cumplit **3** *(d. durere)* cumplit, crunt, chinuitor **4** de plâns, deplorabil, trist, regretabil, grav

grievously ['gri:vəsli] *adv* **1** dureros, cumplit, chinuitor, greu **2** grav, greu, rău *(rănit etc.)*

griff [grif] *s sl* pont, – informație (de încredere)

griffin ['grifin] *s* **1** *mit* grifon, monstru, balaur **2** *fig* cerber, paznic neînduplecat

griffon[1] ['grifən] *s mit v.* **griffin 1**

griffon[2] *s* **1** *orn* vultur gulerat/pleșuv *(Gyps fulvus)* **2** (câine) grifon

grig [grig] *s* **1** *ent* greier (mic) *(Gryllus domesticus);* **(as) merry**

as a ~ din cale-afară de vesel **2** *fig* ștrengar, mucalit **3** *iht* țipar mic *(Anguilla sp.)*

grill [gril] **I** *s* **1** grătar *(pt friptură)* **2** (friptură la) grătar **3** rotiserie, (restaurant cu) grătar **4** *tehn* grilaj; grilă **5** *(filatelie)* ștampilă de obliterare/anulare **II** *vt* **1** a frige la/pe grătar **2** *amer fig* a supune *(pe cineva)* la un interogatoriu sever **3** a oblitera, a anula *(timbre)* **III** *vi* **1** *(d. soare)* a arde, a frige **2** a face plajă, a se prăji, a se pârli

grille ['gril] *s* **1** grilă **2** gard, grilaj **3** *auto* mască *(la motor/radiator)*

grill room ['gril ,ru:m] *s v.* **grill I 3**

grim [grim] *adj* **1** fioros, feroce, înfiorător; crunt, cumplit **2** hain, nemilos, neînduplecator; aspru; **like ~ death a** cu ultima picătură de putere **b** pe viață și pe moarte **3** hotărât; îndârjit; neîmblânzit **4** *(d. luptă)* îndârjit, aspru, înverșunat **5** *(d. o glumă)* macabru, sinistru

grimace [gri'meis] **I** *s* **1** strâmbătură, grimasă, schimonoseală; **to make ~s** a se strâmba, a se schimonosi **2** prefăcătorie, ipocrizie **II** *vi* **1** a se strâmba, a face o strâmbătură, a se schimonosi **2** a face nazuri/mofturi, F→ a se izmeni

grimalkin [gri'mælkin] *s* **1** cotoșman, cotoi bătrân **2** băboi, băbătie, hârcă

grime [graim] **I** *s* **1** funingine, praf de cărbune **2** negreață, murdărie **II** *vt* a înnegri, a murdări *(↓ cu funingine)*

grimly ['grimli] *adv* **1** crunt, feroce; fioros, cumplit **2** neînduplecat, nemilos **3** înverșunat, cu îndârjire **4** sinistru, funest

Grimm's law ['grimz ,lɔ:] *s lingv* legea lui Grimm *(alternanța consonantică în limbile indoeuropene)*

grimness ['grimnis] *s* **1** sălbăticie, ferocitate **2** neîndurare, lipsă de milă/îndurare **3** îndârjire, înverșunare **4** severitate/asprime a înfățișării

grimy ['graimi] *adj* **1** negru/murdar de funingine/cărbune **2** murdar, soios, nespălat **3** tuciuriu, oacheș, brunet

grin [grin] **I** *s* **1** rânjet, rictus **2** surâs, zâmbet (↓ răutăcios) **II** *vi* **1** a rânji, a avea un zâmbet urâcios *sau* răutăcios, a face o grimasă **2** a zâmbi, a surâde; a zâmbi/a râde silit/mânzește; **to ~ and bear it** a se supune cu un zâmbet silit; a-și ascunde supărarea, a face haz de necaz **III** *vt* a manifesta/a exprima printr-un zâmbet; **he grined his assent** a încuviințat printr-un zâmbet *sau* zâmbet

grind [graind] **I** *pret și ptc* **ground** [graund] *vt* **1** a măcina, a râșni **2** a pisa, a mărunți **3** a mesteca **4** a poliza, a ascuți pe/la tocilă; a șlefui, a lustrui; **to ~ one's own axe** *fig* a-și urmări (exclusiv) propriile interese **5** a învârti (cu manivela); **to ~ the organ** a învârti la flașnetă **6** a scrâșni din *(dinți)* **7** a băga pe gât, a îndopa cu *(învățătură)* **8** a împila, a asupri, a oprima, a chinui **II** *(v. ~ I) vi* **1** a se măcina **2** a se freca, a se roade **3** a se subția, a se șlefui, a se ascuți *(prin frecare)* **4** a scârțâi, a scrâșni **5** *fig* a toci, a învăța pe rupte **6** a se ondula, a-și legăna șoldurile **III** *s* **1** măcinare, fărâmițare, mărunțire **2** scârțâit, scrâșnit *(al porții, roților etc.)* **3** corvoadă, muncă nesuferită **4** toceală, buchiseală **5** *univ* (student) tocilar, *F→* tocilă

grind away at ['graind ə'wei ət] *vi cu part adv și prep* **1** a toci/a buchisi la **2** a munci/a lucra serios la

grind down ['graind 'daun] *vt cu part adv* **1** a măcina **2** a șlefui, a poliza **3** *fig* a împila, a asupri, a oprima

grinder ['graində^r] *s* **1** tocilar; șlefuitor **2** piatră de moară, piatră de tocilă/ascuțit; tocilă; polizor **3** râșniță, măcinătoare **4** măsea, molar; *pl și* dinți **5** *sl* meditator, preparator

grinding ['graindiŋ] *adj* **1** care macină/zdrobește/turtește **2** abraziv; de polizat **3** care mestecă **4** care scrâșnește/scârțâie **5** chinuitor, mistuitor, dureros

grinding machine ['graindiŋ mə-,ʃi:n] *s* polizor, mașină de polizat/șlefuit

grinding mortar ['grainding ,mɔ:tə^r] *s* mojar

grinding wheel ['graindiŋ ,wi:l] *s* roată de tocilă; piatră de tocilă/polizor

grindstone ['graind,stoun] *s* **1** piatră de moară **2** (piatră de) tocilă/polizor, piatră de ascuțit; **to keep smb's nose to the ~** *fig* a forța pe cineva să muncească fără întrerupere, a pune pe cineva la caznă; **to keep one's nose to the ~** a munci pe rupte; **to be a sharp hand at the ~** *fig* a fi nemilos/neîndurător/aspru

gringo ['griŋgou] *s span* iancheu, nord-american; anglo-saxon

grip [grip] **I** *s* **1** strânsoare, strângere; apucare, înhățare; **to have a firm ~ of smth** a ține bine în mână ceva **2** *fig* putere, autoritate, dominație; influență; **to hold smb in one's ~** a avea pe cineva în palmă/mână; **to lose one's ~ of/on** a-și pierde puterea asupra; **in the ~ of need** copleșit de nevoi **3** (capacitate de) înțelegere, pătrundere; **to have a good ~ of a subject** a stăpâni bine o chestiune **4** atracție, fascinație, captare a atenției/interesului; **it had a good ~ on the spectators** îi ținea încordați pe spectatori **5** încleștare; încăierare; **to come/to get to ~s with** a se lupta cu/a se lua de/a da piept cu **6** mâner *(de armă, unealtă);* manetă **7** *tehn* gheară, dispozitiv de prindere/apucare **8** *amer* valiză, sac de voiaj **II** *vt* **1** a apuca bine/tare/strâns **2** a ține bine strâns, a nu da drumul la; a se ține bine de **3** a strânge; a prinde; a cuprinde; **icy terrors gripped me** m-a cuprins o groază cumplită, m-au trecut fiorii **III** *vi nav (d. ancoră)* a se prinde de fund

gripe [graip] **I** *vt* **1** a apuca, a înhăța, a înșfăca **2** *fig* a înțelege, a prinde **3** a presa, a apăsa, a strânge **4** a asupri, a împila **5** a chinui; a tortura **6** *sl* a irita, a enerva **7** *nav* a lega de țărm **II** *vi* **1** a fi zgârcit/apucător/lacom **2** *sl* a se smiorcăi, – a se tângui **III** *s* **1** înșfăcare, apucare; strânsoare **2** asuprire, împilare **3** *pl* colici, crampe **4** *pl mar* parâme, odgoane

gripe at ['graipət] *vi cu prep* a apuca, a înhăța, a înșfăca

griper ['graipə^r] *s* **1** harpagon, zgârie-brânză, calic **2** asupritor, împilator

gripe water ['graip ,wɔ:tə^r] *s med înv* poțiune carminativă, carminativ *(pentru sugari)*

griping ['graipiŋ] *adj* **1** apucător, lacom; zgârcit **2** chinuitor, dureros; cumplit

grippe [grip] *s med* gripă

gripping ['gripiŋ] *adj* **1** apucător, lacom, avid **2** *fig* captivant, palpitant

gripsack ['grip,sæk] *s* sac de voiaj, bagaj de mână

grip vice ['grip ,vais] *s tehn* menghină

grisette [gri'zet] *s* grizetă, muncitoare franțuzoaică

grisly ['grizli] *adj* **1** înfiorător, sinistru; groaznic, oribil **2** ← *F* neplăcut, antipatic **3** sever, aspru; < fioros

grisly bear ['grizli ,beə^r] *s v.* **grizzly** **I**

grissini [gri'sini] *s pl* grisine

grist [grist] *s* **1** grăunțe, boabe *(de măcinat);* **to bring ~ to the mill** a fi rentabil/profitabil; **all is ~ that comes to his mill** din toate știe să scoată un profit; **to grind one's ~** a-și vedea (liniștit) de treabă, a-și urmări scopurile **2** grâu măcinat **3** *amer* merinde, provizii **4** *amer* grămadă, mulțime

gristle ['grisəl] *s* zgârci, cartilaj; **in the ~** imatur, crud, necopt

gristly ['grisəli] *adj* plin de zgârciuri, cartilaginos

grist-mill ['grist,mil] *s* moară *(cu uium)*

grit [grit] **I** *s* **1** pietriș, prundiș; nisip mare; **to put/to throw ~ in the machine** a pune bețe în roate **2** *tehn* pilitură; alice *(pt sablare)* **3** *fig* tărie de caracter, hotărâre; energie; curaj **4** *pl* crupe; uruială **II** *vi* a scârțâi, a scrâșni *(ca nisipul)* **III** *vt* a scrâșni din *(dinți)*

gritstone ['grit,stoun] *s geol* gresie *(cu granulație mare)*

gritty ['griti] *adj* **1** nisipos, cu nisip **2** grăunțos, nisipos **3** *fig* hotărât, ferm; curajos, neînfricat

grizzle¹ ['grizəl] **I** *vt, vi* a încărunți, a albi **II** *s* **1** (cal) sur **2** perucă argintie **III** *adj* **1** cenușiu, sur, gri **2** cărunt, încărunțit

grizzle² [grizəl] **I** *vi* **1** a scânci, a se miorlăi **2** *fig* a se plânge **II** *s* ușurare (a inimii); **to have a good ~** a-și ușura sufletul/inima, a-și vărsa focul din inimă

grizzled ['grizə ld] *adj* cărunt, încă-runțit, sur

grizzly ['grizli] **I** *s zool* grizli, urs cenușiu *(Ursus horribilis)* **II** *adj* sur, cărunt

grizzly bear ['grizli ‚bɛəʳ] *s zool v.* **grizzly I**

gro. *presc de la* **gross**

groan [groun] **I** *s* **1** geamăt; oftat; vaiet, vaier **2** *pl* murmure (de dezaprobare), cârteli **3** *zool* boncăluit, boncănit *(al cerbilor)* **II** *vi* **1** a geme; a ofta (adânc); a suspina; **to ~ inwardly** *fig* a suferi în tăcere **2** *fig (d. masă etc.)* a geme, a fi încărcat **3** *(d. cerbi)* a boncălui, a boncăni

groan down ['groun 'daun] *vt cu part adv* a reduce la tăcere prin murmure de dezaprobare

groan for ['groun fəʳ] *vi cu prep* a tânji după, a râvni la

groaning ['grouniŋ] *s* **1** geamăt; gemete **2** murmure dezaprobatoare

groan out ['groun 'aut] *vt cu part adv* a povesti oftând

groan under ['groun ‚ʌndəʳ] *vi cu prep* a fi împilat/asuprit de; a geme sub *(jugul tiraniei etc.)*

groat [grout] *s* **1** *od monedă de argint englezească (= patru pence)* **2** *fig* gologan, ban; **it's not worth a ~** nu face doi bani; **I don't care a ~** puțin îmi pasă, *F* mă doare în cot

groats [grouts] *s pl* crupe *(de grâu, ovăz etc.)*

Grobian ['groubiən] *s* mitocan (lălâu); om greoi, șleampăt (și murdar), mocofan

grocer ['grousəʳ] *s* băcan

grocery ['grousəri] *s* **1** *amer* băcă-nie, magazin de coloniale, alimente *etc.* **2** *pl* coloniale, articole de băcănie

grocery man ['grousərimən] *s amer* băcan

grocery shop ['grousəri ‚ʃop] *s* băcănie, magazin de coloniale

groceteria [‚grousə'tiə riə] *s amer* băcănie cu autoservire

grog [grog] *s* **1** grog, rachiu ames-tecat cu apă **2** băutură tare, alcool

grog blossom ['grog ‚blosə m] *s F umor* nas roșu (de bețivan); inflamație *sau* coșuri din pricina beției

grogginess ['groginis] *s* **1** beție, amețeală **2** amețeală, pierdere a echilibrului

groggy ['grogi] *adj* **1** *sl* matolit, cherchelit; – obosit **2** nesigur pe picioare, amețit **3** *amer* fără echilibru, instabil

grogram ['grogrəm] *s text* grogren

grog shop ['grog ‚ʃop] *s* cârciumă, tavernă

groin [groin] *s* **1** *arhit* boltă în cruce **2** *anat* stinghie, vintre

groom [gru:m] **I** *s* **1** grăjdar, rândaș **2** ← *înv* mire **II** *vt* **1** a țesăla, a îngriji *(caii)* **2** *fig* a ferchezui, a dichisi, a îngriji

groomsman ['gru:mzmən] *s aprox* naș, nun *(la căsătorie)*

groove [gru:v] **I** *s* **1** *tehn* jgheab, uluc; șanț, canelură **2** urmă, făgaș *(de la roți)* **3** *mil* ghint **4** rilă, șanț *(la discuri);* **in the ~** *sl* excelent, strașnic, în mare formă (↓ *d. muzicanți)* **5** *fig* obișnuință, banalitate; monotonie, rutină **II** *vt* **1** a brăzda; a săpa *(șanțuri)* în **2** *mil* a ghintui

grope [group] **I** *vi* **(for, after)** a bâjbâi (după); a orbecăi (după); **to be groping in the dark** *fig* a bâjbâi, a orbecăi prin întuneric; a căuta **II** *vt* a pipăi, a căuta pe dibuite; **to ~ a hen** a căuta o găină de ou

grope in ['group 'in] *vi cu part adv* a intra pe dibuite/bâjbâite

groping ['groupiŋ] *adj* **1** care bâj-bâie; care caută pe dibuite **2** șovăielnic

gropingly ['groupiŋli] *adv* pe dibui-te/pipăite/bâjbâite

grosbeak ['grous‚bi:k] *s orn* botgros *(Coccothraustes coccothraustes)*

grosgrain ['grous‚grein] *s text* grogren, rejansă

gross [grous] **I** *adj* **1** grosolan, vulgar, ordinar **2** trupesc, carnal **3** scabros, obscen **4** *(d. o gre-șeală)* grosolan, boacăn **5** *(d. minciună)* grosolan, gogonat **6** mare, voluminos **7** măcinat mare; mașcat **8** *ec* total, global, brut **9** gros, obez, corpolent; **~ habit of body** obezitate, corpo-lență **10** *(d. vegetație)* abundent, luxuriant **11** *(d. aer)* greu, viciat, stricat **12** *(d. hrană)* prost, ordi-nar **II** *s* **1** gros, toptan, cantitate mare; **in the ~** angro, cu ridicata **2** *com* douăsprezece duzini

gross beak ['grous ‚bi:k] *s v.* **gros-beak**

gross ear ['grous ‚iəʳ] *s* lipsă de ureche muzicală; **to have a ~** a fi afon, a nu avea ureche (muzi-cală)

gross feeder ['grous 'fi:dəʳ] *s* mân-cău, mâncăcios, gurmand

gross-minded ['grous ‚maindid] *s* **1** obscen; vulgar **2** cu o minte de om de rând; grosolan

grossness ['grousnis] *s* **1** groso-lănie, mitocănie **2** vulgaritate, trivialitate **3** caracter grosolan *(al unei minciuni)* **4** gravitate *(a unei greșeli)* **5** grosime **6** desime

grosso modo ['grosou 'moudou] *adv* grosso modo, aproximativ, circa, cam

gross ton ['grous 'tʌn] *s* tonă en-glezească *(= 1016 kg)*

gross weight ['grous 'weit] *s* **1** greutate brută **2** *av* greutate totală

Grosvenor Square ['grouvnə ‚skwɛə] Piața Grosvenor *(cartier aristocratic din Londra)*

grotesque [grou'tesk] **I** *adj* grotesc, ridicol, caraghios **II** *s* **the ~** grotescul

grotesqueness [grou'tesknis] *s* (caracter) grotesc

grotesquerie [grou'teskəri] *s* gro-tesc, caracter grotesc/ridicol

grotto ['grotou], *pl* **grotto(e)s** ['grotouz] *s* grotă, peșteră

grouch [grautʃ] *amer* ← *F* **I** *vi* **1** a mormăi, a bombăni **2** a fi moro-cănos/bosumflat/ursuz **II** *s* **1** toane proaste, proastă dispo-ziție; bosumflare **2** (om) ursuz, morocănos **3** pică, ciudă, necaz

ground¹ [graund] *vt, vi pret și ptc de la* **grind I, II**

ground² **I** *s* **1** suprafață a pămân-tului, pământ, sol, teren; **above ~** în viață, viu; **below ~** mort (și îngropat), dus dintre cei vii; **to be on one's own ~** a fi în elementul/la largul lui; a fi în specialitate; **to bite the ~** a mușca țărâna; **to break fresh/new/the ~** **a** a ara/a desțeleni/a săpa pământul **b** a desțeleni terenul, a deschide drumuri noi **c** a pregăti terenul; **to cover the ~** **a** a parcurge/a acoperi distanța **b** *și fig* a cerce-ta/a explora terenul; **to dash to the ~** a nărui, a distruge, a spulbera; **down to the ~ a** total, pe de-a-ntregul, cu totul **b** din adâncul inimii, din tot sufletul; **to feel the ~ sliding/slipping from under one's feet** a simți că-i fuge pământul de sub picioare; **to find common ~ with smb** a găsi un limbaj comun cu cineva; **to gain ~** a câștiga teren; **to gain ~ on a** a cuceri, a invada *cu ac;* a pune stăpânire pe **b** a se apropia de; a ajunge din urmă *cu ac;* **to hit the ~** a ateriza; **to hold/ to keep/to stand one's ~ a** a se ține tare, a rămâne (dârz) pe poziție, a nu da înapoi **b** a se menține (ferm), a nu ceda; **into the ~** până la epuizare/istovire; pe brânci; până la capăt; **from the ~ up** v. **down to the ~;** **on the ~** pe loc, la fața locului; **thin on the ~** puțini, prea puțin numeroși; **to the ~ a** până la pământ/podea **b** F v. **down to the ~;** **to cover much/the ~ a** trata cum se cuvine o problemă; a face ceea ce trebuie; a acoperi tema; **to cut ~ from under smb's feet** a-i tăia cuiva șansele/perspectivele/ F craca de sub picioare; a contracara argumentele *sau* planurile cuiva; **to kiss the ~ a** a mușca țărâna **b** a fi înfrânt; a se umili; **to lay in the ~** a îngropa, a înmormânta; **to level/to raze to the ~** a face una cu pământul, a șterge de pe fața pământului; **to lose ~ a** și *fig* a pierde teren **b** a-i fugi pământul de sub picioare **c** a nu mai fi la modă, a se perima; **to meet smb on his own ~** a se lupta cu/a combate pe cineva pe propriul său teren; **to tread on delicate ~** a atinge un subiect delicat *sau* un punct nevralgic **2** teren de sport; complex sportiv; poligon; parc de vânătoare **3** *pl* teren din jurul casei; parc, grădină **4** *nav* fund de mare, pământ **5** *pl* zaț, drojdie; sediment, depuneri **6** *artă* fond, grund **7** *teatru, artă* plan; **in the middle ~** pe planul intermediar/al doilea **8** *constr* temelie, fundație **9** *fig* temei, motiv, bază, justificare **10** *el* pământ, masă **II** *vt* **1** a așeza pe o temelie **2** *fig* a întemeia, a baza, a motiva, a justifica, a sprijini, a

susține *(cu fapte etc.)* **3** a pune/ a așeza jos; a depune; **~ arms!** depuneți, arm! **4** a trânti jos/la pământ **5** *școl* a pregăti temeinic *(un elev)*, a preda *(unui elev)* elementele de bază **6** *constr* a pune temelia *(cu dat)* **7** *artă* a grundui **8** *el* a pune la pământ **9** *nav* a arunca pe coastă *(o navă)* **III** *vi* **1** *av* a ateriza **2** *nav* a eșua; a se împotmoli; *(d. ancoră)* a da de fundul mării

groundage ['graundidʒ] *s nav* locație/taxă portuară; contrastalie

ground ash ['graund'æʃ] *s* **1** *bot* puiet de frasin *sau* plop **2** baston de frasin

ground-based ['graund,beist] *adj av* cu baza la/pe sol

ground cherry ['graund,tʃeri] *s bot* **1** vișinel *(Prunus fructicosa)* **2** *amer* păpălău *(Physalis)*

ground colour ['graund,kʌləˈ] *s artă* grund, fond

ground crew ['graund,kru:] *s av* personal terestru/de sol

ground floor ['graund,floˈ] *s* parter

ground ivy ['graund,aivi] *s bot* silnică *(Nepeta glechoma)*

ground law ['graund,lo:] *s* lege fundamentală/de bază

groundless ['graundlis] *adj* nejustificat, nemotivat; arbitrar

groundlessness ['graundlisnis] *s* lipsă de justificare; caracter arbitrar; netemeinicie

ground level ['graund,levəl] *s* **1** *geogr* nivelul solului/pământului **2** *fiz* energie zero *(a atomului etc.)*

groundling ['graundliŋ] *s* **1** *iht* zvârlugă, pește de fund **2** *bot* plantă pitică *sau* agățătoare **3** *teatru* spectator de la parter; spectator obișnuit/fără pretenții

ground nut ['graund,nʌt] *s bot* alună americană, arahidă

ground pine ['graund pain] *s bot* tămâiță-de-câmp *(Ajuga chamaepitys)*

ground plane ['graund,plein] *s geom, artă* proiecție orizontală

ground rule ['graund ru:l] *s* principiu fundamental/esențial/de bază; regulă esențială

groundsel ['graunsəl] *s bot* cruciuliță *(Senecio vulgaris)*

groundsman ['graundzmən] *s sport* îngrijitor al terenurilor *(de cricket etc.)*

ground squirrel ['graund skwirəl] *s zool* specie de veveriță *(Tamias striatus)*

ground state [graund steit] *s fiz* v. **ground level 2**

ground swell ['graund ,swel] *s nav* hulă

ground tax ['graund tæks] *s ec* impozit funciar

ground-to-air missile ['graundtu ɛə 'misail] *s mil* rachetă sol-aer

ground water ['graund wɔ:təˈ] *s geol* (pânză de) apă freatică

ground wave ['graund ,weiv] *s rad* undă terestră

groundwork ['graundwə:k] *s* **1** temelie, fundație **2** *fig* bază, fundament **3** *artă* grund, fond **4** *ferov* infrastructură, terasament

group [gru:p] **I** *s* **1** grup; grupă **2** *pol* grupare, f(r)acțiune **3** *ch* radical, grup **4** *av* formație, grup; *amer* regiment **II** *vi* a se grupa **III** *vt* **1** a grupa, a pune laolaltă **2** a clasifica, a sorta

group captain ['gru:p ,kæptən] *s av* comandant de formație; *amer* colonel de aviație

groupie ['gru:pi] *s av* v. **group captain**

group practice ['gru:p ,præktis] *s* (cabinet de) consult medical; cabinet colectiv

group sex ['gru:p seks] *s* practici sexuale colective, orgie sexuală, F partuză

group therapy [gru:p θerəpi] *s med* terapie colectivă/reciprocă

grouse[1] [graus] *s* și *ca pl orn* **1** cocoș/găinușă de munte *(Tetrao urogallus)* **2** potârniche scoțiană *(Lagopus scoticus)*

grouse[2] ← F **I** *vi* a bombăni, a mormăi, a murmura **II** *s* plângere, nemulțumire

grout[1] [graut] *s* **1** *constr* lapte de var *sau* ciment; tencuială subțire **2** *pl* drojdie, zaț, sediment **3** *pl* terci subțire **II** *vt constr* a lega, a cimenta; a tencui

grout[2] *vt (d. porci)* a râma, a scormoni *(pământul)*

grove [grouv] *s* **1** crâng, dumbravă, pădurice **2** *min* puț/galerie de mină

grovel ['grɔvəl] *vi* **1** a se târî, a umbla în patru labe **2** (**to, before**) a se umili, a se înjosi, a se târî în genunchi (dinaintea, în fața – *cu gen*)

groveller ['grɔvələ'] *s* lingușitor, lingău; trepăduș

grovel(l)ing ['grɔvəliŋ] *adj* umil(it), abject, josnic, sordid, scârbos de servil; (lingușitor ca un) câine bătut; cu spinarea plecată; care se gudură

grow [grou] I *pret* **grew** [gru:], *ptc* **grown** [groun] *vi* 1 a crește; a se mări, a spori 2 a crește, a se dezvolta, a se face/a ajunge mare 3 a se coace, a se maturiza 4 a progresa, a face progrese, a înainta 5 a proveni din, a rezulta din 6 *(d. mare)* a se înfuria, a deveni agitat II *(v. ~ I)* *verb copulă (adeseori nu se traduce)* a deveni, a ajunge, a se face; **to ~ angry** a se supăra, a se înfuria; **to ~ better a** a se ameliora **b** a se îndrepta, a se face bine; **to ~ blind** a-și pierde vederea/văzul, a orbi; **it is ~ing dark** se întunecă, se însera, amurgește; **to ~ easy in one's mind** a-și lua o greutate de pe suflet, a se liniști; **to ~ hot a** a se înfierbânta, a se încălzi (peste măsură) **b** *(d. vreme)* a se face foarte cald; **to ~ less** a se împuțina; a se micșora; **to ~ old** a îmbătrâni, a înainta în vârstă; **as the year ~s old** spre sfârșitul anului; pe măsură ce anul se apropie de sfârșit; **to ~ pale** a se face alb ca varul/hârtia; **to ~ poor** a sărăci; **to ~ red (in the face)** a se înroși, a roși, a se îmbujora la față; **to ~ weary of smth** a se plictisi/a se sătura de ceva; **to ~ well** a se însănătoși, a se face bine, a-și reveni; **to ~ worse a** a se înrăutăți, a se strica **b** a-i merge/a se simți prost; **to ~ yellow** a se îngălbeni; **to ~ young** a întineri III *(v. ~ I)* *vt* 1 a crește, a cultiva, a produce 2 a-și lăsa *(barbă etc.)*, a lăsa să-i crească, a purta

grower ['grouə'] *s agr* cultivator, crescător, producător; **wine-~** viticultor

grow from ['grɔ ɪ frəm] *vi cu prep* a proveni din, ɔ-și avea originea în

grow in ['grou 'in] I *vi cu part adv (d. unghie)* a crește în carne, a fi încarnat II *vi cu prep* 1 a crește/a spori în; **to ~ bulk** a-și spori volumul, a se face mai volu-

minos; **to ~ flesh** a se îngrășa; **to ~ years** a înainta în vârstă, a îmbătrâni 2 a ajunge la *sau* să; **to ~ favour with smb** a cuceri pe cineva, a intra în grațiile cuiva; a crește în ochii cuiva; **to ~ love with smth** a îndrăgi ceva

growing ['grouiŋ] *adj* 1 crescând, din ce în ce mai mare; sporit 2 în (curs de) creștere/dezvoltare

growing pains ['grouiŋ peinz] *s* 1 *med* dificultăți de creștere; dureri nevralgice în perioada de creștere 2 *fig* dificultăți inerente ale începutului

growing years ['grouiŋ ˌjəːz] *s pl* ani de formare/creștere

grow into ['grou ˌintə] *vi cu prep* a ajunge să fie, a deveni; a se preface/a se transforma în; **to ~ fashion** a fi la modă, a se purta; **to ~ favour with smb** a ajunge în grațiile cuiva; **it has grown into a habit with him** a devenit un obicei pentru el; așa s-a deprins; **he has grown into a man** s-a făcut bărbat în toată firea

grow into one ['grou ˌintə 'wʌn] *v.* **grow together**

growl [graul] I *vi* 1 *(d. câini)* a mârâi (amenințător), a hârâi 2 *fig* a mârâi, a mormăi, a bombăni 3 *(d. tunet)* a bubui II *vt* a mârâi; a mormăi III *s* 1 mârâit (amenințător) 2 mormăit, bombănit 3 bubuit *(de tunet)*

growler ['graulə'] *s* 1 om morocănos/ursuz; (om) cârcotaș 2 *amer ←* F cană/urcior pentru bere 3 aisberg, ghețar

grown [groun] *ptc de la* **grow**

grown man ['groun'mæn] *s v.* **grown-up II**

grown-up ['groun ʌp] I *adj* adult, mare, în toată firea II *s* adult, om mare/în toată firea

grown woman ['gˌoun,wumən] *s* adultă, femeie în toată firea

grow on ['grou ɔn] *vi cu prep* a cuceri treptat, a pune (treptat) stăpânire pe; **to ~ smb a** a cuceri pe cineva, a căpăta putere asupra cuiva, a crește în ochii cuiva **b** *(d. sentimente, senzații)* a-l apuca/cuprinde pe cineva; **habit grows on man** omul devine robul obiceiurilor

grow out ['grou'aut] *vi cu part adv* a se face/a crește mare

grow out of ['grou aut əv] *vi cu prep* 1 a ieși din; a scăpa din/de, a depăși; **to ~ a habit** a se dezbăra de un nărav 2 a pieri/a decădea din, a pierde; a ieși din; **to ~ fashion** a se demoda, a nu mai fi la modă; **to ~ favour with smb** a nu mai fi în grațiile cuiva, a decădea din favorurile/simpatia cuiva; **to ~ use** a ieși din uz 3 a rezulta/a crește/a se dezvolta din; a fi o consecință *cu gen*

grow over I ['grou 'ouvə'] *vi cu part adv* 1 a se vindeca, a se face bine, a se însănătoși 2 *(d. rană)* a se vindeca, a se închide II ['grou ouvə'] *vi cu prep* a scăpa/a se vindeca de, a-i trece

growth [grouθ] *s* 1 creștere, dezvoltare; **full ~** dezvoltare deplină 2 sporire, mărire, creștere 3 dezvoltare, propășire, progres 4 cultivare, cultură *(a unei plante)*; **of foreign ~** *(↓ d. o plantă etc.)* adus din străinătate, importat 5 *med* tumoare, excrescență 6 *fig* produs, rezultat

growth industry ['grouθ ˌindəstri] *s ec* industrie care cunoaște o dezvoltare rapidă

growth stock ['grouθ ˌstɔk] *s fin* acțiuni destinate să sporească investițiile/capitalul

grow to ['grou tə] *vi cu prep* 1 a ajunge să fie, a deveni, a se preschimba/a se transforma în 2 a ajunge (până) la; a se apropia de

grow together ['groutə'geðə'] *vi cu adv* 1 a crește împreună/în simbioză 2 a fi strâns legați

grow towards ['grou təwɔ:dz] *vi cu prep* a se apropia de; **it is growing towards morning** se face ziuă, se revarsă zorile

grow up ['grou 'ʌp] *vi cu part adv* 1 a crește (mare), a se face mare, a ajunge om mare/în toată firea 2 a se coace, a crește, a se maturiza 3 a se naște, a lua naștere

grow upon ['grou ə,pɔn] *vi cu prep* *v.* **grow on**

groyne [grɔin] *s* 1 dig, sparge-val 2 *nav* etravă, pinten

grub [grʌb] I *s* 1 *zool* larvă; vierme, râmă 2 *peior* conțopist, mâzgălici 3 om murdar/șleampăt/neglijent 4 *sl* haleală, potol, crăpelniță 5 *sl* jug, hamalâc, trudă, muncă; **to be in ~** a avea de lucru II *vi* 1 a scurma, a râma *(pământul)* **2** a deșteleni, a curăța de rădăcini **3** a dezgropa, a aduce la suprafață; *și fig* a descoperi, a scoate la iveală **4** *sl* a ospăta, a omeni

grubber ['grʌbəʳ] *s* **1** săpător, om care scormonește **2** *agr* plug de deștelenit **3** *sl* fomist, – mâncăcios **4** *școl* tocilar

grubbiness ['grʌbinis] *s* **1** înfățișare murdară/șleampătă/neglijentă; neglijență, murdărie **2** josnicie, mârșăvie

grubbing hoe ['grʌbiŋ ,hou] *s agr* săpăligă, sapă

grubby ['grʌbi] *adj* **1** murdar, soios **2** șleampăt, neglijent **3** josnic, abject **4** *agr* plin *sau* mâncat de viermi

grub-stake ['grʌb,steik] **I** *s fin* materiale, echipament *etc.* oferit în schimbul acțiunilor **II** *vt fin* a furniza *(unei societăți)* materiale, echipament *etc.* în schimbul acțiunilor

Grub Street ['grʌb ,stri:t] *s* **1** *ist* strada scriitorașilor londonezi, cartierul literar al Londrei **2** *fig* literatură ieftină, maculatură **3** ← *F* boemă literară **4** scriitoraș, poetastru, mâzgălici

grub up [grʌb'ʌp] *vt cu part adv* a dezgropa, a scoate la suprafață/ la iveală

grudge [grʌdʒ] **I** *s* **1** pică, ranchiună, râcă; ciudă; dușmănie; **to bear/ to owe smb a ~, to have/**amer **to hold a ~ against smb** a purta pică/sâmbetele cuiva; a avea pică pe cineva **2** răutate **II** *vt* **1** a da *sau* a ceda *sau* a împrumuta (ceva) cu greu; a nu da *sau* a nu acorda *sau* a nu accepta cu dragă inimă; **you won't ~ me a few pounds, will you?** sper că n-ai să-mi refuzi (un împrumut de) câteva lire, nu? **I won't ~ you a quarter of an hour** îți acord cu plăcere un sfert de oră; **she doesn't ~ any effort** nu precupețește/nu-și cruță nici un efort **2** a invidia, a pizmui **III** *vi* **1** a se împotrivi, a se opune **2** a fi invidios/pizmaș

grudger ['grʌdʒəʳ] *s* **1** cusurgiu, cârciogar, cârcotaș **2** invidios, pizmaș

grudgingly ['grʌdʒiŋli] *adv* cu reavoință, în silă; cu zgârcenie

gruel ['gru:əl] **I** *s* terci, fiertură de cereale (de ovăz) **to get/to have/to take one's ~** ← *înv* a F a o încasa (< zdravăn), a primi o săpuneală/papară **b** *F* a fi trimis pe lumea cealaltă **II** *vt sl* **1** a pedepsi aspru **2** *F* → a face de petrecanie *(cu dat)*

gruel(l)ing ['gru:əliŋ] *adj* **1** istovitor, extenuant, chinuitor **2** *amer* înfiorător, groaznic

gruesome ['gru:səm] *adj* de groază, care îți dă fiori/îți îngheață sângele în vine, înspăimântător

gruff [grʌf] *adj* **1** aspru, sever; *(d. voce și)* răgușit **2** morocănos, țâfnos **3** brutal; grosolan

gruffly ['grʌfli] *adv* **1** (cu glas) aspru **2** țâfnos, supărat **3** brutal, grosolan

gruffness ['grʌfnis] *s* **1** asprime, severitate *(a vocii)* **2** țâfnă, îmbufnare, aer morocănos **3** brutalitate, grosolănie

grumble ['grʌmbəl] **I** *vi* **1** a bodogăni, a bombăni, a murmura (nemulțumit), a protesta (nedeslușit) **2** *(d. mațe)* a chiorăi **II** *vt* a mormăi (nemulțumit), a bodogăni, a murmura (printre dinți/în barbă); a mârâi **III** *s* **1** mormăit, bombăneală, mârâit **2** *pl* toane rele/proaste, aer morocănos **3** bubuit de tunet

grumbler ['grʌmbləʳ] *s* cârcotaș, cârciogar, (om) veșnic nemulțumit

grumbling ['grʌmbliŋ] *adj* (veșnic) nemulțumit, care bombăne/ mormăie

grumbling appendix ['grʌmbliŋ ə'pendiks] *s med F* apendice care produce crize intermitente

grump [grʌmp] *s F* **1** persoană morocănoasă, moroi, bursuc, urs **2** *pl* țâfnă, supărare, bosumflare; proastă dispoziție

grumpy ['grʌmpi] *adj* țâfnos, *F* → cu capsa pusă

Grundy, Mrs ['grʌndi, 'misiz] *reprezentantă a moralității convenționale;* **what will ~ say?** ce-o să zică lumea/mahalaua?

Grundyism ['grʌndiizəm] *s* morală/ moralitate convențională; opinie publică, „ce-o să zică lumea?"

grunt [grʌnt] **I** *vi* **1** a grohăi **2** a mormăi, a mârâi **3** a protesta, a murmura **II** *vt* a mormăi, a spune

printre dinți **III** *s* **1** grohăit **2** mormăit, mârâit, murmur

grunter ['grʌntəʳ] *s* **1** *F* ghiță, râmător, – porc **2** (om) veșnic nemulțumit, cârcotaș

gruntled ['grʌntəld] *adj umor* mulțumit, încântat, satisfăcut

Gruyère (cheese) ['gru:jɛəʳ (,tʃi:z)] *s* șvaițer

gr. wt. *presc de la* **gross weight**

gryphon ['grifən] *s mil* grifon

gs. *presc de la* **guineas** lire sterline

G-string ['dʒi:,striŋ] *s* **1** *muz* coarda sol **2** cache-sex, bikini

G-suit ['dʒi:,sju:t] *s* costum de cosmonaut *(rezistent la accelerația gravitațională)*

G.T. *presc de la* **gran turismo** autoturism

gt. *presc de la* **1** great **2** gutta

gtd. *presc de la* **guaranteed**

Guadalajara [,gwa:də lə'ha:rə] **1** *provincie în Spania* **2** *oraș în Mexic*

Guadalquivir, the [,gwa:dəlkwi'viəʳ, ðə] *râu în Spania*

Guadeloupe [,gwa:də'lu:p] *insulă în Indiile de Vest* Guadelupa

guaiacol ['gwaiə,kɔl] *s ch, farm* gaiacol

Guam [gwa:m] *insulă în Pacific*

guana ['gwa:nə] *s zool* iguana *(Iguana tuberculata)*

guano ['gwa:nou] *s geol, agr* guano, îngrășământ fosil

guar. *presc de la* **guaranteed**

guarantee [,gærən'ti:] **I** *vt* **1** a garanta **2** (**from, against**) a asigura (împotriva – *cu gen*) **II** *vi* **1** a depune garanție **2** a se pune chezaș/garant **III** *s* **1** garanție; chezășie **2** *ec* chezășie, garanție, cauțiune, gaj; amanet **3** *ec* garant, girant, chezaș

guarantor [,gærən'tɔ:ʳ] *s jur* garant, girant, chezaș

guaranty ['gærənti] *v.* **guarantee**

guard [ga:d] **I** *s* **1** gardă, (poziție de) apărare; **on ~!** în gardă! **to take one's ~** a se pune în gardă **2** pază, gardă, strajă; **to be on/to mount/to stand ~** a a fi/a sta de gardă/pază/strajă/santinelă **b** a fi în gardă, a fi vigilent, a fi cu ochii în patru; **to relieve ~** *mil* a schimba garda **3** gardă, vigilență; apărare; **to put smb on (his) ~** a pune pe cineva în gardă; **to put/to throw smb off one's ~**

a înșela vigilența cuiva **b** a lua pe cineva prin surprindere **4** *fig* reținere; rezervă; teamă, neîncredere **5** *mil* corp sau regiment de gardă **6** *(la sabie etc.)* gardă, mâner protector **7** *ferov* șef de tren, conducător **8** *od* poștalion, surugiu de diligență **II** *vt* **1** (**from**, **against**) a păzi, a ocroti, a feri (de); *(la șah)* a-și apăra *(piesele)*; *(la joc)* a-și acoperi *(cartea)* **2** a-și măsura *(cuvintele)*, a-și pune lacăt la *(gură)* **3** a escorta, a însoți, a ocroti **III** *vi* **1** (**from**, **against**) a se păzi, a se feri (de) **2** a fi cu ochii în patru, a fi vigilent/ prudent **3** a face de gardă

guard boat ['gɑːd ,bɔut] *s nav* șalupă din paza de coastă

guard chain ['gɑːd ,tʃein] *s* lănțișor de siguranță *(la ceas)*

guarded ['gɑːdid] *adj* **1** păzit, apărat **2** prudent, precaut

guardedly ['gɑːdidli] *adv* (în mod) prudent/măsurat/ponderat, cu precauție/grijă

guardedness ['gɑːdidnis] *s* prudență; precauție, măsură

guardee ['gɑːdi] *s F* soldat din corpul de gardă *(ca model de eleganță/ ținută)*

guard house ['gɑːd,haus] *s mil* corp de gardă

guardian ['gɑːdiən] **I** *s* **1** custode, conservator *(al unui muzeu etc.)* **2** *jur* tutore, epitrop; curator **3** *bis* superior, stareț *(la franciscani)* **II** *adj* păzitor, protector

guardian angel ['gɑːdiən ,eindʒəl] *s* **1** înger păzitor **2** *fig* protector, ocrotitor

guardianship ['gɑːdiən,ʃip] *s* **1** *jur* tutelă **2** pază, supraveghere

guardless ['gɑːdlis] *adj* lipsit de apărare

guard of honour ['gɑːdəv'ɔnər] *s* gardă de onoare

guard rail ['gɑːd ,reil] *s* **1** balustradă, parmaclâc **2** *ferov* șină de ghidare

guard room ['gɑːd ,ruːm] *s mil* corp de gardă

guardsman ['gɑːdzmən] *s* **1** paznic, păzitor, gardian, străjer *mil* santinelă **2** *mil* ofiter sau ostaș dintr-un regiment de gardă

Guarnerius [gwɑːˈnɛəriəs] *s muz* vioară *sau* violoncel Guarnieri

Guatemala [,gwɑːtəˈmɑːlə] *țară* în America Centrală

gubbins ['gʌbinz] *s F* **1** maculatură, prostii, fleacuri, gunoaie, vechituri **2** drăcie, șmecherie, – mecanism **3** prost(ovan), găgăuță, guguștiuc, gutuie

gubernatorial [,gjuːbənəˈtɔriəl] *adj amer* de guvernator; referitor la funcțiile guvernatorilor

gudgeon[1] ['gʌdʒən] *s* **1** *iht* porcușor *(Gobio fluviatilis);* **to swallow a ~** *fig* a mușca din momeală, a cădea în capcană **2** nerod, neghiob, găgăuță

gudgeon[2] *s* **1** *tehn* bolț; bulon; pivot de manivelă **2** balama de cârmă

guelder rose ['geldə ,rouz] *s bot* călin, dârmoz *(Vibusnum opulus)*

guerdon ['gəːdən] ← *poetic* **I** *s* lauri; răsplată, premiu, recompensă; încununare **II** *vt* a răsplăti; a încununa

guéridon ['geiri:,doun] *s* gheridon, măsuță de ornament

guerilla [gəˈrilə] *s* **1** partizan luptător din rezistență **2** război *sau* luptă de partizani; gherilă; rezistență

Guernsey ['gəːnzi] *s* **1** insulă în Canalul Mânecii **2** rasă de vaci cu lapte **3** vacă cu lapte din rasa ~ **4** flanelă de lână

guess [ges] **I** *vt* **1** a ghici, a găsi (răspunsul, adevărul) **2** a presupune, a-și închipui, a bănui **3** *amer* a crede, a socoti, a fi de părere **II** *vi* a face presupuneri, a merge pe ghicite *F →* a da cu presupusul; **to ~ at smth** a face presupuneri într-o privință; **I ~** *amer* cred, bănuiesc, presupun; după părerea mea; **to keep smb ~ing** *F* a ține pe cineva încurcat/ în derută/în suspans **III** *s* **1** presupunere, bănuială; **by ~** pe ghicite; **to be far out in/to miss one's ~** a se înșela, a face presupuneri greșite; **to give/to have/to make a ~** a face o presupunere, a emite o ipoteză, a încerca să ghicească **2** apreciere (estimativă), socoteală; **what is your ~?** la cât/la ce sumă te aștepți? *F →* ia spune, cât dai? **anybody's/anyone's guess** lucru ușor de ghicit, *F →* ghici ciupercă ce-i?

guesstimate [ˈgestimit] *s ←F* bănuială (puternică), apreciere/opinie formată pe ghicite; evaluare aproximativă

guesswork ['geswəːk] *s* **1** ghicit(e); presupuneri, pronosticuri; **by ~** pe ghicite, la nimereală **2** activitate întâmplătoare

guest [gest] *s* **1** musafir, oaspete, invitat; **be my ~** poftim! (dar) te rog (ia)! cu plăcere **2** chiriaș, locatar *(la pensiune, gazdă sau hotel)* **3** *bot, ent* parazit

guest chamber ['gest ,tʃeimbər] *s* **1** cameră de/pentru oaspeți **2** *(la mănăstire)* arhondaric

guest column ['gest ,kɔləm] *s amer* tribună liberă *(la un ziar)*

guest hall ['gest ,hɔːl] *s* salon de recepție

guestimate ['gestəmit] *s v.* **guesstimate**

guest night ['gest ,nait] *s* seara invitaților *(la un club etc.);* ziua porților deschise

guest star ['gest,stɑːr] *s teatru* vedetă (care joacă) în reprezentație

guff [gʌf] *s sl* vorbărie goală, aiureli, prostii, palavre

guffaw [gʌˈfɔː] **I** *s* râs zgomotos; hohot homeric **II** *vi* a râde zgomotos/în hohote

guggle ['gʌgl] *vi, s v.* **gurgle**

Guiana [gaiˈænə] *regiune* în America de Sud

guidable ['gaidəbəl] *adj* care se lasă călăuzit/dirijat

guidance ['gaidəns] *s* **1** conducere, călăuzire **2** îndreptar, ghid

guide [gaid] **I** *s* **1** *și fig* călăuză, ghid **2** *v.* **guide book** **3** îndrumător, sfetnic, consilier **4** *tehn* dispozitiv de ghidare **II** *vt* **1** a călăuzi, a îndruma, a ghida **2** a cârmui, a dirija, a conduce

guide book ['gaid,buk] *s* ghid, călăuză, îndreptar

guide-dog ['gaid,dɔg] *s* câine care conduce un orb

guided missile ['gaidid ,misail] *s mil* rachetă teleghidată

guided tour ['gaidid ,tuər] *s* tur *(al orașului etc.)* care beneficiază de un ghid, tur organizat

guide post ['gaid ,poust] *s* indicator rutier, stâlp indicator

guide rail ['gaid ,reil] *s ferov* șină de ghidare/ghidaj

guiding ['gaidiŋ] *adj* călăuzitor

guiding mark ['gaidiŋ ,mɑːk] *s* reper

Guignolesque [ginjɔˈlesk] *adj* burlesc, de un comic ieftin; Grand Guignol, de circ/bâlci

guild [gild] *s* **1** *ist* breaslă, corporaţie **2** organizaţie, asociaţie, societate

guild brother ['gild ˌbrʌðəʳ] *s ist* membru al unei bresle

guilder ['gildəʳ] *s* gulden, florin (monedă olandeză)

Guildhall ['gild,hɔːl] *s* primăria din Londra

guild-hall *s ist* casa breslelor/corporaţiilor; loc de întrunire a breslei

guildmaster ['gild,mɑːstəʳ] *s ist* staroste de breaslă

guile [gail] *s* **1** înşelăciune, înşelătorie; viclenie, şiretenie; **without ~ a** fără intenţie rea **b** nevinovat, inocent **2** *poetic* prihană, – vinovăţie

guileful ['gailful] *adj* **1** şiret, viclean; înşelător **2** ipocrit, prefăcut, perfid

guileless ['gaillis] *adj* **1** sincer, deschis, franc **2** *poetic* neprihănit, – nevinovat, inocent

guilelessness ['gaillisnis] *s* **1** sinceritate, francheţe **2** *poetic* neprihănire, – nevinovăţie

guillotine ['gilə,tiːn] **I** *s* **1** *od* ghilotină **2** *tehn* maşină de tăiat **3** *pol* limitare a timpului de dezbateri **II** *vt od* a ghilotina

guilt [gilt] *s* **1** vină, culpă **2** (sentiment de) vinovăţie, culpabilitate

guilt complex ['gilt ˌkɔmpleks] *s psih* complex vinovat/al vinovăţiei/culpabilităţii; obsesia vinovăţiei/păcatului

guiltiness ['giltinis] *s v.* guilt 2

guiltless ['giltlis] *adj* **1** nevinovat, inocent **2** curat, neprihănit **3** inofensiv **4** *F* nevinovat, – ignorant, neştiutor

guiltlessness ['giltlisnis] *s* nevinovăţie, inocenţă

guilt-stricken ['gilt,strikən] *adj* cuprins *sau* ros de remuşcări

guilty ['gilti] *adj* (**of**) vinovat, culpabil (de); **to plead ~** *jur* a se recunoaşte vinovat; **to plead not ~** *jur* a se declara nevinovat, a nu se recunoaşte vinovat

Guinea ['gini] *ţară în Africa* Guineea

guinea ['gini] *s* **1** *od* guinee (monedă de aur în valoare de 1 liră şi 1 şiling) **2** guinee (sumă de 21 şilingi, com sau pt onorariile medicilor, avocaţilor şi meditatorilor)

guinea fowl ['gini ,faul] *s orn* pasăre din familia bibilicii (Numida meleagris)

guinea hen ['gini ,hen] *s orn* bibilică, picheriţă (Numida meleagris)

guinea pepper ['gini ,pepəʳ] *s* ciuşcă, ardei iute (Capsicum frutescens longum)

guinea pig ['gini ,pig] *s* **1** *zool* cobai (Cavia cobaya) **2** *fig* cobai, animal de experienţă **3** *fig ←* umor liber profesionist (care-şi primeşte onorariul în guinee) **4** *sl* învârtit, sinecurist

guipure [gi'pjuəʳ] *s* ghipură, broderie de dantelă

guise [gaiz] *s* **1** aspect, înfăţişare **2** aspect înşelător, mască; paravan, pretext; **in the ~ of** sub masca/forma *cu gen* **3** *înv* veşminte, – îmbrăcăminte **4** *← înv* fel, mod, chip

guitar [gi'taːʳ] *s muz* chitară, ghitară

guitarist [gi'taːrist] *s muz* chitarist, ghitarist

gulch [gʌltʃ] *s amer* viroagă, vale creată de un torent

gulf [gʌlf] *s* **1** *geogr* golf **2** *şi fig* prăpastie, abis; **to bridge the ~** a arunca o punte peste abis **3** învolburare, volbură, vârtej

Gulf of Mexico, the ['gʌlf əv 'meksikou, ðə] Golful Mexic

Gulf Stream ['gʌlf ,striːm] Curentul Golfului, Gulf Stream

gull¹ [gʌl] *s orn* martin/pescar mare, pescăruş (Larus argentatus)

gull² **I** *s* naiv, găgăuţă, *F →* fraier **II** *vt* a păcăli, a înşela, a trage pe sfoară

gullet ['gʌlit] *s* **1** *anat* esofag, *F →* gât(iţă) **2** gâtlej **3** *geogr* trecătoare, defileu

gullibility [,gʌlə'biliti] *s* credulitate, naivitate; atitudine de gură-cască

gullible ['gʌləbəl] *adj* **1** naiv, credul, lesne-crezător **2** uşor de păcălit/amăgit

gull into ['gʌl ,intə] *vt cu prep* a momi/a ademeni să facă (ceva)

Gulliver ['gʌlivəʳ] Guliver, *personaj din „Călătoriile lui Guliver" de Jonathan Swift*

gully¹ ['gʌli] *s* **1** făgaş; albie de torent **2** viroagă, vâlcea **3** şanţ, rigolă

gully² *s* cuţitoaie, cuţit mare

gully hole ['gʌli ,houl] *s* puţ de scurgere; gură de canal

gulp [gʌlp] **I** *s* duşcă, sorbitură; înghiţitură lacomă; **at one ~** dintr-o înghiţitură/sorbitură **II** *vt* **1** a înghiţi lacom **2** *fig* a înghiţi, a accepta, a lua drept bun **3** a-şi înghiţi, a-şi stăpâni (lacrimile, emoţiile) **III** *vi* a i se pune un nod în gât, a se îneca

gulp back/down ['gʌlp 'bæk/'daun] *vt cu part adv v.* gulp II

gum¹ [gʌm] **I** *s* **1** gumă; cauciuc **2** *pl* galoşi **3** gumă de mestecat, chewing-gum **4** clei de arbore; secreţie răşinoasă **5** urdoare (la ochi) **6** *bot* eucalipt (Eucalyptus) **7** *min* praf *sau* resturi de cărbune **II** *vt* **1** a lipi, a încleia **2** *amer* a lua peste picior **III** *vi* **1** a se lipi **2** a secreta răşină

gum² *s* gingie; **to have sore ~s** a-l durea gingiile

gum³ *s vulg* Dumnezeu (↓ în imprecaţii); **by ~!** să fiu al dracului/naibii! să mor eu!

gum arabic ['gʌm ,ærəbik] *s* gumă arabică

gumbo ['gʌmbou] *s amer* **1** *bot* bame (Hibiscus esculentus) **2** *geol* gumbo **3** *constr* argilă grea

gum boil ['gʌm ,bɔil] *s med* aftă pe gingie

gum elastic ['gʌmi,læstik] *s* gumi-lastic, cauciuc

gumma ['gʌmə] *s med* gomă (sifilitică)

gummy ['gʌmi] *adj* **1** cleios, vâscos **2** răşinos; care secretă clei/răşină **3** gumat, cu gumă/lipici/clei; lipicios

gumption ['gʌmpʃən] *s ← F* **1** dibăcie, ingeniozitate, pricepere, spirit practic **2** tupeu, curaj, îndrăzneală; iniţiativă

gum shoe ['gʌm ,ʃuː] *s* **1** galoş; şoşon; *pl* încălţăminte de cauciuc **2** om care se furişează; trepăduş **3** *sl* sticlete, copoi; – poliţist; detectiv

gum tree ['gʌm ,triː] *s bot* **1** eucalipt (Eucalyptus) **2** arbore care secretă gumă *sau* răşină

gum up ['gʌm 'ʌp] *vt cu part adv* a împiedica (la mers); a înţepeni; a strica; a deteriora; a face să meargă

gun [gʌn] **I** *s* **1** armă de foc (puşcă de vânătoare) **2** *amer* pistol, revolver **3** tun; **Great ~s!** *F* Dumnezeule mare! Doamne fereşte! **it was blowing great ~s** furtuna urla cumplit, era o furtună cumplită; **to fire off a ~ a** a trage cu tunul, a slobozi un tun **b** *fig* a mustra sever pe cineva **c** *fig* a aduce un argument zdrobitor; **son of a ~** *F umor* păcătos, bandit; pui de lele; **to stick/to stand to one's ~s** şi *fig* a nu ceda teren, a rămâne (ferm) pe poziţie **4** *od* muschetă, flintă **5** *fig* ţintaş, trăgător; vânător **6** *sl* hoţ, pungaş; **to beat/jump the ~ a** *sport* a fura plecarea/pornirea **b** *fig* a acţiona înainte de timpul stabilit/fără permisiune **II** *vt* **1** a vâna, a împuşca **2** *mil* a bombarda cu artileria, a supune tirului artileriei **3** *mil* a înzestra cu artilerie

gunboat ['gʌn,bout] *s mar* canonieră

gun carriage ['gʌn ,kæridʒ] *s mil* afet

gun cotton ['gʌn ,kɔtən] *s ch, mil* fulmicoton

guncrew ['gʌn,kru:] *s mil* servanţi de tun, artilerişti, tunari

gun dog ['gʌn,dɔg] *s* câine de vânătoare *(deprins cu zgomotul puştii)*

gun emplacement ['gʌn im'pleismənt] *s mil* amplasament de artilerie

gun fight ['gʌn ,fait] *s amer* bătaie cu pistoalele/arme de foc

gunfire ['gʌn,faiəʳ] *s* **1** *mil* canonadă, tir de artilerie **2** *nav* (salvă de artilerie pentru) deşteptare *sau* stingere

gun flint ['gʌn ,flint] *s ist* cremene *(la flintă)*

gun for ['gʌn fəʳ] *vi cu prep amer* **1** a vâna cu puşca *cu ac* **2** a urmări cu pistolul *cu ac* pentru a-l împuşca **3** *fig* a căuta, a încerca să obţină *cu ac*

gunlock ['gʌn,lɔk] *s* detonator *(al armei de foc)*

gunman ['gʌnmən] *s amer F* pistolar, – gangster; terorist

gun moll ['gʌn ,mɔl] *s amer sl* complice/iubită a unui gangster

gunnel ['gʌnəl] *s v.* **gunwale**

gunner ['gʌnəʳ] *s* **1** *mil* artilerist, tunar, servant de tun **2** vânător; ţintaş, trăgător **3** *av* mitralior

gunner's daughter ['gʌnəz'dɔ:təʳ] *s ist, nav ← umor* tun *(de care erau legaţi marinarii pentru a fi biciuiţi)*

gunnery ['gʌnəri] *s mil* **1** artilerie (grea) **2** canonadă, tir/foc de artilerie **3** artă/tactică a artileriei

gun pet ['gʌn,pet] *s mil* amplasament de artilerie *sau* mitralieră

gun point ['gʌn ,pɔint] *s* vârful puştii; **at ~** sub ameninţarea puştii/ pistolului

gun powder ['gʌn ,paudəʳ] *s* praf/înv → iarbă de puşcă

Gunpowder Plot ['gʌn,paudə 'plɔt] *s ist* complot neizbutit împotriva regelui Iacob I al Angliei (1605)

gun room ['gʌn ,ru:m] *s* **1** cameră în care se ţin armele de vânătoare; panoplie de arme **2** *nav* sala *sau* popota ofiţerilor inferiori

gun runner ['gʌn,rʌnəʳ] *s* contrabandist de arme

gun running ['gʌn ,rʌniŋ] *s* contrabandă de arme

gunshot ['gʌn,ʃɔt] *s* **1** foc de armă; **within ~** în bătaia puştii; **out of ~** în afara bătăii puştii **2** salvă de tun

gun site ['gʌn ,sait] *s mil* amplasament de artilerie (fortificat)

gun slinger ['gʌn ,sliŋəʳ] *s* puşcaş; trăgător; pistolar

gunsmith ['gʌn,smiθ] *s* armurier

gunstick ['gʌn,stik] *s mil* vergea de puşcă

gun stock ['gʌn ,stɔk] *s* pat de puşcă/armă

gunwale ['gʌnə l] *s nav* copastie, bord

guppy ['gəpi] *s nav* submarin aerodinamic cu periscop

gurgitation [,gə:dʒi'teiʃən] *s* bolboroseală, clocot(ire)

gurgle ['gə:gə l] **I** *vi* **1** a gâlgâi, a bolborosi **2** *(d. apă)* a clipoci **II** *s* gâlgâit, bolborosit; clipocit

gurk [gə:k] *F* **I** *s* râgâială, râgâit **II** *vi* a râgâi **III** *vt* a scoate *(un râgâit etc.)*

Gurkha ['guəka:] *s* (soldat) nepalez

gurnard ['gə:nəd], **gurnet** ['gə:nit] *s iht* rândunică de mare *(Trigla)*

guru ['guru:] *s* preot *sau* predicator hindus

Gus [gʌs] *nume masc dim de la* **Augustus** *sau* **Gustav**

gush [gʌʃ] **I** *vi* **1** a ţâşni, a izbucni **2** a-şi revărsa *(zgomotos)* sentimentele **II** *vt* a împroşca cu *(lichid)* **III** *s* **1** şuvoi, torent, jet **2** *fig* revărsare (a sentimentelor)

gushing ['gʌʃiŋ] **I** *s* ţâşnitură, jet; şuvoi, torent **II** *adj* **1** care ţâşneşte/se revarsă; debordant, revărsat **2** de un sentimentalism exagerat

gusset ['gʌsit] *s* **1** clin *(la haină, rochie etc.)* **2** plastron *(la cămaşă)* **3** *tehn* guseu, îmbucătură, îmbinare

gussy (up) ['gʌsi'ʌp] *vt (cu part adv) sl* a împopoţona, a înfrumuseţa

gust¹ [gʌst] *s* **1** rafală *(de vânt)* **2** *fig* izbucnire, răbufnire

gust² ← *înv poet* gust; simţ (rafinat) al gustului; **to have a ~ of a** a aprecia, a gusta (foarte mult) **b** savoare, gust (bun); parfum

Gustaf ['gu:stʌf] *nume masc*

gustation [gʌ'steiʃən] *s* (de)gustare

gustative ['gʌstətiv], **gustatory** ['gʌstətəri] *adj* gustativ

Gustavus [gu'sta:vəs] *numele mai multor regi ai Suediei*

gusto ['gʌstou] *s* entuziasm, elan, avânt; bucurie; ardoare; **with ~** entuziast, plin de elan; cu încântare/entuziasm/avânt

gusty ['gʌsti] *adj* **1** furtunos, vijelios, impetuos **2** *fig* ţâfnos, iritabil, irascibil

gut [gʌt] **I** *s* **1** maţ, intestin **2** *sl* măruntaie, organe interne; *vulg* burtă, burduhan, stomac; poftă (de mâncare) **3** *med* catgut **4** coardă *(la vioară, rachetă de tenis etc.)* **5** *pl* ← *F* tupeu, curaj; îndrăzneală; virtute; tărie; **he's got plenty of ~s** e tare de înger, e al dracului de îndrăzneţ; **there are no ~s in him** e slab de înger, e un fricos; e cam molâu; **he won't have the ~s to do it** n-o să aibă el tupeul s-o facă **6** trecătoare îngustă, strungă, defileu **II** *vt* **1** a curăţa *(de maţe)*, a scoate maţele din **2** a deşerta, a goli; a scoate **3** *fig* a devasta, a pustii; a jefui

Gutenberg ['gu:tə n,bə:g] **Johann** *inventator german (1400?-1468?)*

guts [gʌts] *vi F* a se lăcomi, a se băga în el (ca într-un spital), a înfuleca

gutsy ['gʌtsi] *adj* **1** lacom, hulpav, mâncăcios **2** curajos, îndrăzneţ

gutta ['gʌtə], *pl* **guttae** ['gʌti:] *s farm* picătură

gutta-percha ['gʌtə'pə:tʃə] *s* gutapercă

gutter ['gʌtəʳ] **I** *s* **1** rigolă, şanţ *(al drumului)* **2** *fig* mocirlă, cloacă **3** *fig* drojdia societăţii, scursuri, lepădături **4** jgheab, uluc **II** *vi* **1** a se scurge **2** *(d. lumânare)* a şiroi de ceară

gutter press ['gʌtə ,pres] *s* presă
bulevardieră/de scandal

guttersnipe ['gʌtə,snaip] *s* haimana,
golan, vagabond; copil al străzii

guttural ['gʌtərəl] I *adj* gutural; din
gât II *s lingv* sunet gutural/din gât

guv [gʌv] *s amer F (la vocativ)* 1
șefu(le)! dom'le! maestre! 2
babalâcule! bătrâne!

guv'nor ['gʌvnəʳ] *s F sau vulg v.*
governor 2, 3

Guy [gai] *nume masc*

guy[1] I *s* 1 *amer F* tip, individ, băiat,
flăcău; **he is a regular ~** e băiat
bun 2 *amer* glumă, banc 3 spe-
rietoare, momâie 4 țață (prost
îmbrăcată), sperietoare II *vt* a
expune batjocurii, a ridiculiza;
a-și bate joc de

guy[2] I *s* otgon, parâmă, sart II *vt* a
fixa cu parâme

guy[3] *s/* I *vi* a o șterge/întinde, a o
lua din loc II *s:* **to do a ~, to give
smb the ~** a-i scăpa (cuiva)
printre degete; a-i da plasă
(cuiva)

Guy Fawkes Day ['gai 'fɔːks,dei] *s*
ziua focurilor de artificii *(5 noiem-
brie, aniversarea complotului din
1605)*

guzzle ['gʌzəl] I *vt* a înghiți hulpav
II *vi* 1 a bea pe rupte, a trage tare

la măsea 2 a se îndopa, a se
ghiftui

Gwen [gwen] *nume fem dim de la*
Gwendolen

Gwendolen, Gwendolyn ['gwendə
lən] *nume fem*

gym [dʒim] *s* 1 *v.* **gymnasium 1** 2
gimnastică

gymnasium [dʒim'neiziəm], *pl* **gym-
nasia** [dʒim'neiziə] *s* 1 sală de
gimnastică/sporturi 2 liceu 3 *od*
gimnaziu

gymnast ['dʒimnæst] *s* gimnast

gymnastic [dʒim'næstik] I *adj* gim-
nastic; de gimnastică II *s pl*
gimnastică

gymnosperm ['dʒimnou,spəːm] *s*
bot gimnospermă

gym shoes ['dʒim,ʃuːz] *s* pantofi de
gimnastică/sport

gyn *presc de la* **gyn(a)ecology**

gyn(a)ecologic(al) [,gainikə-
'lɔdʒik(əl)] *adj med* ginecologic

gyn(a)ecologist [,gaini'kɔlədʒist] *s*
med ginecolog, mamoș

gyn(a)ecology [,gaini'kɔlədʒi] *s*
med ginecologie, boli de femei

-gynous *suf* -gin; **androgynous**
androgin

Gyp, gyp [dʒip] I *s* 1 *sl* pungaș,
șarlatan, escroc 2 *sl* pungășie,
escrocherie 3 *sl* chelfăneală, –

bătaie 4 durere 5 *univ* aprod,
servitor II *vt sl* a escroca, a trage
pe sfoară

gypseous ['dʒipsiəs], **gypsous**
['dʒipsəs] *adj* ghipsos, ca ghipsul/
ipsosul

gypsum ['dʒipsəm] *s* g(h)ips, ipsos

Gypsy, gypsy ['dʒipsi] *s v.* **gipsy**

gyrate [dʒi'reit] *vi* a se învârti, a se
roti

gyration [dʒai'reiʃən] *s* mișcare
giratorie/de rotație, rotație

gyratory ['dʒairətəri] *adj* giratoriu

gyro ['dʒairou] *s F* 1 *v.* **gyroscope**
2 *v.* **gyro-compass**

gyro-compass ['dʒairou'kʌmpəs] *s*
busolă giroscopică; compas
marinăresc

gyropilot ['dʒairə'pailət] *s av* pilot
automat/giroscopic

gyroplane ['dʒairə,plein] *s av* auto-
gir, giroplan

gyroscope ['dʒairə,skoup] *s* giro-
scop

gyroscopic [,dʒairə'skɔpik] *adj*
giroscopic

gyro-stabilizer [,dʒairou'steibi-
,laizəʳ] *s nav* stabilizator giro-
scopic

gyve [dʒaiv] *înv, poetic* I *s* ↓ *pl*
lanțuri, cătușe, fiare II *vt* a înlăn-
țui, a încătușa, a pune în fiare

H

H, h [eitʃ], *pl* **h's, Hs** ['eitʃiz] *s* (litera) H, h; **to drop one's h's** a vorbi incult/agramat, a pronunța vulgar/ordinar/ca la mahala *(cu referire la populația Cockney din mahalalele londoneze)*

h *presc de la* 1 harbo(u)r 2 hard 3 hardness 4 height 5 henry 6 heroin 7 high 8 hit 9 hour(s) 10 house 11 hundred 12 husband

ha¹ *interj* 1 *(arată, uimirea, satisfacția, bucuria)* ha! oho! o! haha! 2 *F (arată nedumerirea)* ha? ce? cum? 3 *(ca un hohot de râs)* hahaha!

ha² *presc de la* hectare(s)

h.a. *presc de la* hoc anno *lat* anul acesta/ăsta

Haakon ['hɑːkɔn] *numele unor regi ai Norvegiei*

Haarlem ['hɑːrlem] *oraș în Olanda*

Habakkuk ['hæbəkək] *s bibl* (cartea lui) Habacuc/Avacum

Habana [ʌ'bʌnʌ] *v.* Havana

habanera [,hæbə'nɛərə] *s muz* habaneră, havaneră *(dans cubanez)*

habeas corpus ['heibiəs 'kɔːpəs] *s jur* (lege *sau* principiu de) habeas corpus

Habeas Corpus Act ['heibiəs 'kɔːpəs ækt] *s ist* Legea Habeas Corpus, Legea pentru garantarea libertății individului *(1679)*

haberdasher ['hæbə,dæʃər] *s* 1 negustor de mărunțișuri 2 *amer* negustor de galanterie bărbătească

haberdashery ['hæbə,dæʃəri] *s com* 1 mărunțișuri; (articole de) mercerie 2 prăvălie de mărunțișuri; mercerie 3 *amer* (magazin de) galanterie bărbătească

habile ['hæbiːl] *adj rar* 1 abil, îndemânatic, iscusit 2 isteț, deștept 3 capabil; competent

habiliment [hə'bilimənt] *s pl* 1 veșminte, haine *(oficiale, sacerdotale etc.)* 2 ← *înv* dichisuri, podoabe

habilitate [hə'bili,teit] *vi* ← *univ* (for) a califica (pentru); a îndreptăți *(la un titlu)*

habilitation [hə,bili'teiʃən] *s* ↓ *univ* calificare superioară

habilitative [hə'bilitətiv] *adj* care-ți conferă o calificare/capacitate (superioară)

habit ['hæbit] **I** *s* 1 obicei, deprindere, obișnuință; **to be in the ~ of** a avea obiceiul să, a fi deprins să; **to break smb of a ~** a dezvăța pe cineva de un obicei, a dezobișnui pe cineva de ceva; **to fall/to get into the ~ of doing smth** a căpăta deprinderea de a face ceva, a se deprinde să facă un lucru; **to get into bad ~s** a căpăta/a (de)prinde năravuri rele, a apuca pe căi greșite; **~ cures ~** *prov* cui pe cui se scoate; **~ is a second nature** *prov* obișnuința e o a doua natură 2 purtare, comportare, conduită 3 mentalitate; psihologie; structură psihică 4 aspect exterior, fizic 5 specific, particularitate, (trăsătură) caracteristică 6 *înv* veșmânt, veșminte, – haine 7 veșminte (de preot *sau* călugăr); **to take the ~** a îmbrăca rasa/sutana, a se călugări 8 costum de călărie **II** *vt* 1 a se îmbrăca cu, a îmbrăca, a pune pe sine 2 *înv* a sălășlui, – a locui

habitability [,hæbitə'biliti] *s* caracter locuibil

habitable ['hæbitəbəl] *adj* locuibil

habit and repute ['hæbit ənd ri'pjuːt] *s jur* notorietate (publică)

habitant ['hæbitənt] *s* locuitor

habitat ['hæbi,tæt] *s* 1 *biol* habitat, areal, arie de răspândire 2 *fig* loc(uință), reședință

habitation [,hæbi'teiʃən] *s* 1 locuire, folosire pentru locuit 2 *elev* reședință, – locuință 3 așezare omenească; colonie

habit-forming ['hæbit ,fɔːmiŋ] *adj* 1 care duce la/formează deprinderi; formativ 2 *med* care duce la obișnuință/dependență

habit of mind ['hæbit əv 'maind] *s* mentalitate, mod de gândire; structură psihică

habitual [hə'bitjuəl] *adj* 1 uzual, obișnuit, comun, curent 2 deprins, obișnuit; năravit

habitually [hə'bitjuəli] *adv* de obicei, (în mod) obișnuit/curent

habitualness [hə'bitjuəlnis] *s* 1 caracter obișnuit/frecvent/repetat 2 obișnuință, deprindere, obicei

habituate [hə'bitju,eit] **I** *vt* (to) a obișnui, a deprinde, a învăța (cu, să) 2 *amer* ← *F* a frecventa, a se duce/a umbla pe la **II** *vr* (to) a se deprinde, a se obișnui (cu, să)

habituation [hə,bitju'eiʃən] *s* (to) deprindere, obișnuire (cu, să), acomodare (la)

habitude ['hæbi,tjuːd] *s* 1 obișnuință, obicei, deprindere 2 psihologie; mentalitate 3 comportare, fel de a fi 4 constituție fizică

habitudinal [,hæbi'tjuːdinəl] *adj* obișnuit, (ținând) de obișnuință, făcut din obișnuință

habitué [hə'bitju,ei] *s fr* client/vizitator permanent, oaspete obișnuit, obișnuit al casei

habitus ['hæbitəs], *pl* ~s 1 ↓ *med* constituție, fizic; tip, structură 2 trup, boi, alcătuire 3 *biol, psih* deprindere, obișnuință, comportament (tipic); comportare 4 mentalitate; capacitate mintală

Habsburg ['hɑːpsbə(ː)g] *v.* Hapsburg

hachure [hæ'ʃjuər] **I** *s* ↓ *pl* hașuri, hașurare **II** *vt* a hașura

hachured [hæ'ʃjuəd] *adj* hașurat

hachuring [hæ'ʃjuəriŋ] *s* hașurare

hacienda [,hæsi'endə] *s* fermă, plantație *(în America Latină)*

hack¹ [hæk] **I** *s* 1 cal de povară/muncă/ham; *od* cal de poștă 2 mârțoagă, gloabă 3 *fig* salahor, argat; sclav, rob, om de corvoadă 4 *fig* salahor/hamal literar, scrib, *F* negru 5 *sl* boarfă, șteoalfă, otreapă; – prostituată; târfă 6 *F* sticlete, copoi, – polițist 7 *amer* birjă; taxi; automobil **II** *vt* 1 a închiria, a da cu chirie (↓ *cai*) 2 a uza, a toci, a strica 3 *fig* a banaliza, a toci 4 a exploata, a pune la muncă grea **III** *vi* 1 a trudi ca un rob, a robi 2 a face muncă de negru, a fi negrul cuiva

3 a călători cu cai închiriați **4** *amer F* a conduce un taxi, a fi șofer de taxi **5** a se banaliza, a se toci, a se uza **IV** *adj* **1** uzat, ros, tocit **2** *fig* banal, obișnuit

hack² [hæk] *vt* **1** a ciopârți, a hăcui; a toca **2** a ciopli **3** a cresta, a știrbi **4** *sport* a faulta **5** *fig* a poci, a stâlci *(vorbele)* **II** *vi* **1** (at) a hăcui *(cu ac);* a toca *(cu ac)* **2** a tuși *(pentru a-și drege glasul)* **III** *s* **1** tăietură, crestătură; știrbitură **2** *tehn* sapă; târnăcop; daltă **3** *min* picon **4** *sport* fault, lovitură la picior **5** tuse seacă

hackamore ['hækə,moː'] *s amer* frâu *(de piele)* pentru domesticit/ îmblânzit caii sălbatici

hack around ['hækə'raund] *vi cu part adv amer* a se învârti fără rost/ țintă, a pierde vremea de pomană, a tăia frunză la câini, a arde gazul (de pomană)

hackberry ['hæk,beri] *s bot amer* **1** ulm american cu fructe ca cireșile *(Celtis sp.)* **2** fruct de ulm american *(v. ~ 1)*

hackbut ['hækbʌt] *s mil od* arche-buză; flintă

hacker ['hækə'] *s* **1** târnăcop; topor de tăiat piatră **2** tăietor de piatră; salahor/muncitor care lucrează cu târnăcopul *sau* toporul

hack hammer ['hæk hæmə'] *s* **1** teslă *(pt spart piatră)* **2** *v.* **hacker 1**

hackie ['hæki] *s amer F* taximetrist; șofer de taxi

hack iron ['hæk ,aiən] *s* **1** târnăcop **2** daltă

hack knife ['hæk,naif] *s tehn* cuțit/ cosor pentru tăiat cabluri

hackle¹ ['hækəl] *text* **I** *s* darac, ragilă *(pt in)* **II** *vt* a dărăci, a pieptăna cu ragila

hackle² *vt reg* **1** a tăia, a hăcui, a ciopârți **2** *fig* a poci, a strica, a stâlci

hackle³ *s* **1** *orn* guler, pene la gât; **with one's ~s up** a zbârlit **b** *fig F* cu fundul în sus, cu capsa pusă **2** muscă artificială *(pt undiță)*

hack man ['hækmən] *s amer* șofer de taxi, taximetrist

hackmatack ['hækmətæk] *s amer* **1** *bot* zadă/lariță americană *(Larix laricina)* **2** *silv* lemn de zadă/ lariță **3** *bot* plop îmbălsămat *(Populus balsamifera)* **4** *silv* lemn de plop *(v. ~ 3)*

hackney ['hækni] **I** *s* **1** cal de închi-riat **2** cal de povară/de muncă **3** birjă, trăsură de piață **4** ← *înv* salahor, om năimit // **to make ~ of** *v.* **III 2 II** *adj atr* de închiriat **III** *vt* **1** a uza, a toci; a freca, a roade **2** *fig* a banaliza, a toci **3** a duce *sau* a plimba cu birja

hackney carriage/coach ['hækni ,kæridʒ/,koutʃ] *s* birjă, trăsură de piață

hackney coachman ['hækni 'koutʃ-mən] *s* birjar, vizitiu, *înv →* muscal *(de trăsură de piață)*

hackneyed ['hæknid] *adj* **1** uzat, tocit, ros **2** *fig* banalizat, tocit, răsuflat

hackney writer ['hækni ,raitə'] *s* scriitoraș *(care face hamalâc literar),* scrib/salahor literar

hack saw ['hæk ,soː] *s tehn* bomfa-ier, ferăstrău pentru metale

hack upon ['hæk ə,pon] *vt cu prep* a roade, a uza, a toci, a strica

hack writer ['hæk ,raitə'] *s* scrib/ salahor literar, (scriitor care face muncă de) negru

had [həd, əd, d *forme slabe,* hæd *formă tare]* *pret și ptc de la* **have I-III**

had better [(h)əd 'betə'] *v. mod cu adv și inf scurt (↓ la pers II, ↓ în formă contrasă* **you'd better***)* ar fi bine/recomandabil/de dorit (să); ar trebui (să); n-ar fi rău (să); **you'd/you had better write it again** n-ar fi rău/ar fi bi-ne/recomandabil/de dorit s-o rescrii; **I'd/I had better go as soon as the rain stops** (cred că) n-ar fi rău/ar fi bine să plec (de) cum stă ploaia

haddock ['hædək] *s iht* egrefin *(Gadus aeglefinus)*

hade [heid] *geol* **I** *s* (unghi de) înclinație **II** *vi* a se înclina, a avea o înclinație

Hades ['heidiːz] *s mit* iad, infern, Hades; Gheena

hadj [hædʒ] *s rel* hagialâc, pelerinaj

Hadji ['hædʒi] *s rel* hagiu; pelerin

hadn't ['hædnt] *contras din* **had not**

had rather [(hə)d'raːðə'] *v mod cu adv (și inf scurt↓ la pers I, rar la pers II, ↓ în formă contrasă* **I'd rather***)* aș prefera (să), (aș face) mai degrabă/curând/repede; **I'd/ I had rather do it at home** prefer/aș prefera s-o/să-l iau și

s-o/să-l fac acasă; (cred că) mi-ar conveni s-o/să-l iau și s-o/să-l fac acasă; mai degrabă/curând l-aș lua să-l fac acasă *etc.;* **I'd rather die than apologize to him** mai bine mor decât să-i cer scuze; nici în ruptul capului nu i-aș cere iertare

Hadrian ['heidriən] *numele mai mul-tor împărați romani* Hadrian(us)

Hadrian's Wall ['heidriənz woːl] *s* zid roman de apărare în nordul Angliei

hadron ['hædrən] *s fiz* hadron, particulă elementară intraactivă

hadronic [hæ'drɔnik] *adj fiz* ha-dronic, referitor la hadroni

had sooner [(hə)d 'suːnə'] *v mod cu adv (și inf scurt↓ la pers I, rar la pers II, ↓ în formă contrasă* **I'd sooner***) v.* **had rather**

hadst [hædst *formă tare,* (h)ədst *formă slabă] pret înv pers II sg de la* **have**

haemal ['hiːməl] *adj v.* **haematic**

haematic [hiːˈmætik] *adj med* he-matic, sanguin

haematin ['hemətin] *s ch* hematină

haematite ['hiːmətait] *s minr* he-matită

haematocele ['hemətou,siːl] *s v.* **haematoma**

haematocrit ['hemətou,krit] *s med* hematocrit

haematology [,hiːmə'tɔlədʒi] *s med* hematologie

haematoma [,hiːmə'toumə] *s med* hematom

haematuria [,hiːmə'tjuriə] *s med* hematurie, sânge în urină

haemoglobin [,hiːmou'gloubin] *s fizl* hemoglobină

haemolysis [hiːˈmɔlisis] *s med* hemoliză

haemophilia [,hiːmou'filiə] *s med* hemofilie

haemoptysis [hiːˈmɔptisis] *s med* hemoptizie

haemorrhage ['heməridʒ] *s med* hemoragie

haemorrhoids ['hemərɔidz] *s pl med* hemoroizi, *F →* trânji

haemostasis [,hiːmou'steisis] *s med* hemostază

haemostat ['hiːmou,stæt] *s med* **1** hemostatic, (medicament) anti-hemoragic **2** pensă hemostatică

haemostatic [,hiːmou'stætik] *adj med* hemostatic

hafiz ['hɑːfiz] *s rel* musulman/ mahomedan care a învățat (bine/ pe de rost) coranul

Hafiz ['hɑːfiz] **, Shaman-un Din Mohamed** *poet liric persan (sec. XIV)*

hafnium ['hæfniəm] *s ch* hafniu

haft [hɑːft] **I** *s* **1** plăsele; mâner *(de cuțit)* **2** coadă, mâner *(de unealtă)* **II** *vt* a pune mâner/coadă *(unei scule)*

hag¹ [hæg] *s* **1** babornițǎ, baba cloanța **2** cață, ciumă, scorpie **3** ← *înv* vrăjitoare **4** *iht* țipar de baltă *(Myxine glutinosa)*

hag² *s* teren mlăștinos

hagberry ['hæg,beri] *s bot* mălin *(Padus racemosa)*

haggard ['hægəd] *adj* **1** supt/tras la față, cu ochii duși în fundul capului; descompus **2** sălbatic *(la înfățișare)*, ca (de) nebun **3** vânat neîmblânzit, sălbatic

haggle ['hægəl] **I** *s* **1** tocmeală, târguială **2** ciorovăială, ceartă, gâlceavă **II** *vi* **(about, over)** **1** a se tocmi (pentru) **2** a se ciorovăi (pentru) **III** *vt* **1** a hăcui, a ciopârți **2** *fig* a sâcâi, a necăji

haggler ['hæglə^r] *s* **1** client care se tocmește mult **2** tăietor

hagiographer [,hægi'ogrəfə^r] *s rel* hagiograf

hagiographic [,hægio'græfik] *adj rel* hagiografic, hagiologic

hagiography [,hægi'ogrəfi] *s rel* hagiografie

hagiolatry [,hægi'olətri] *s rel* hagio- latrie, adorația sfinților

hagiology [,hægi'olədʒi] *s rel* hagio- logie, hagiografie

hagmena [,hɑːgmənei] *s reg v.* **hogmanay**

hag-ridden ['hæg,ridən] *adj* obse- dat, chinuit de coșmaruri

Hague, the [heig, ðə] *capitala Olandei* Haga

Hague Tribunal, the ['heig trai- 'bjuːnəl, ðə] *s* Tribunalul inter- național de la Haga, Curtea de la Haga

hah [hɑː] *interj (exprimă surpriza)* ha! haiti!

haha ['hɑː ,hɑː] **I** *interj* haha! hoho! **II** *s* râs, batjocură; **to give smb the ~** a lua pe cineva în râs/batjocură

Haifa ['haifə] *oraș în Israel*

haiku ['haikuː] *s* (imitație engle- zească a unui) poem japonez de 17 silabe, haik(k)u

hail¹ [heil] **I** *s* **1** grindină, piatră **2** *fig* grindină, ploaie *(de lovituri, gloanțe, insulte etc.)* **II** *vi* **1** a bate piatra/grindina **2** *fig* a cădea/a se abate ca grindina, a cădea ca ploaia; a ploua *(cu insulte, gloanțe etc.)* **III** *vt* a slobozi, a da drumul la, a arunca *(insulte, înjurături etc.)*

hail² **I** *vt* **1** a aclama, a saluta (cu urale), a întâmpina (cu strigăte); a ura bun venit *cu dat;* **they ~ed him president** l-au ales pre- ședinte (prin aclamații); **within ~ing distance** *v.* **within ~** *(v.* **III** 2) **2** a striga, a chema un taxi *sau od* o birjă; a face semn unui taxi *sau od* birjar **3** *nav* a semnaliza *cu dat* **II** *vi ↓ amer* **1** a se saluta; a-și da binețe **2** a striga, a exclama, a izbucni în urale *(în semn de salut)* **III** *s* **1** salutare, binețe, bună ziua; urare **2** che- mare, strigare; **out of ~** prea departe ca să poată fi auzit; **within ~** destul de aproape ca să poată auzi **3** *tel* apel, chemare **4** *nav* semnalizare **5** ← *F* vizită; **to give smb a ~** a trece pe la cineva, a face cuiva o vizită **II** *interj* salut! noroc! bună! hei!

hail down ['heil 'daun] *vt cu part adv v.* **hail¹** **III**

hail-fellow(-well-met) ['heil,felou (,wel 'met)] *s F* prieten la toartă/ cataramă; **to be ~ with every- body** a se bate pe burtă cu toată lumea

hail from ['heil frəm] *vi cu prep* a se trage/a fi (originar) din, a veni de la/din; a fi născut în/la

Hail Mary ['heil mɛəri] *s muz, rel* Ave Maria, imn religios

hailstone ['heil,stoun] *s* grindină, piatră

hailstorm ['heil,stɔːm] *s* furtună *sau* ploaie cu grindină

Hainan ['hai'næn] *insulă și strâm- toare în Marea Chinei de Sud*

hair [hɛə^r] **I** *s* **1** (fir de) păr; **both of a ~** ce mi-e unul, ce mi-e altul; sunt amândoi deopotrivă/seamă; **by a ~, within a ~ of** *fig* la un pas/ milimetru de; *aprox* cât pe-aci să; **in smb's ~** *F* supărător, care-ți stă în ochi/coastă; **to let one's ~ down** a se despleti; a-și lăsa părul în jos; **to turn one's ~ up**

a-și ridica părul, a-și face coafură montantă; **to a ~** din fir în păr, cu de-amănuntul **b** cu exactitate/ precizie; **to hang by a (single) ~** a atârna (doar) de un fir de păr; a fi în mare pericol; **to split ~s** a despica firul în patru; **to take a ~ of the dog that bit you** a bea ca să se dreagă după beție; *aprox* cui pe cui se scoate; **to stroke smb against the ~** *fig* a lua pe cineva în răspăr, a împunge/a necăji pe cineva; **not to touch a ~ of smb's head** *fig* a nu se atinge nici măcar de un fir de păr de pe capul cuiva; a nu supăra cu nimic pe cineva; **not to turn a ~ a** a nu părea obosit, a nu da semne de oboseală/osteneală **b** a nu se tulbura, a nu părea tulburat, a rămâne rece **2** păr (de pe cap); **against the ~ a** în răspăr **b** *fig* (în) contra firii **c** *fig* contra voinței/dorinței *(cuiva);* **in one's ~** a cu capul gol/descoperit **b** ← *înv* fără perucă; **to have ~ about the heels** *fig* a fi mitocan/mojic/ grosolan; **to have one's ~ cut** a se tunde, a se duce să se tundă; **to keep one's ~ on** *sl* a-și ține firea, a nu-și ieși din papuci; **to lose one's ~ a** a cheli, a începe să chelească **b** *fig* ← *F* a-și pierde cumpătul/stăpânirea de sine, a-și ieși din fire/pepeni; **to make smb's ~ curl** a face să i se ridice cuiva părul măciucă (pe cap); **his ~ stood on end** *fig* i s-a făcut părul măciucă; **to stroke smb's ~ the wrong way** *fig* a necăji/a împunge pe cineva **3** păr de ani- mal(e), blană **4** *text* puf, păr **II** *vt* **1** a curăța de păr, a depila **2** a pune păr la *(arcuș)* **III** *vi* ← *F* a-și lăsa părul lung

hair-brained ['hɛə ,breind] *adj v.* **hare-brained**

hair-breadth ['hɛə ,bredθ] *s* **1** grosime a unui fir de păr **2** *fig* fir, fărâmă; **by a ~ a** cât de cât, măcar un pic **b** la un pas/mili- metru; **by/within a ~ of death** la un pas de moarte

hair breadth('s) escape ['hɛə ,bredθ(s) is'keip] *s* salvare mira- culoasă, scăpare ca prin urechile acului; **to have/to make a ~** a scăpa ca prin urechile acului/ca prin minune

hair brush ['hɛə ˌbrʌʃ] *s* perie de păr

hair clipper ['hɛə ˌklipəʳ] *s* maşină de tuns

hair cloth ['hɛə ˌklɔθ] *s* **1** stofă/ material din păr *(de cal, cămilă etc.)* **2** *bis* haină aspră/ascetică *(din păr de cal etc.)*

hair-crack ['hɛə ˌkræk] *s met* fisură fină

hair curler ['hɛə kəːləʳ] *s* bigudiu; *pl* moaţe

haircut ['hɛəˌkʌt] *s* tuns, tunsoare; **to get/to have a ~** a se tunde, a se duce să se tundă

hair-do ['hɛə ˌdu] *s* **1** coafură **2** coafat, coafare; **to get/to have a ~** a se coafa, a se duce la coafor

hair dresser ['hɛə ˌdresəʳ] *s* **1** coafor; coafeză **2** frizer

hair dressing ['hɛə ˌdresiŋ] *s* coafat, coafare

hair drier ['hɛə ˌdraiəʳ] *s* **1** foen **2** cască *(pt uscat părul)*

hair dye ['hɛə ˌdai] *s* vopsea de păr

haired ['hɛəd] *adj* păros, acoperit cu păr

hair felt ['hɛə ˌfelt] *s* pâslă de păr, pâslă aspră

hair grass ['hɛə ˌgrɑːs] *s bot* păiuş *(Aira sp.)*

hairiness ['hɛərinis] *s* **1** păr bogat; piele păroasă, aspect hirsut, *S* pilozitate **2** *fig* stângăcie, caracter greoi/grosolan **3** caracter dificil, ţâfnă; morocănoşenie

hairless ['hɛəlis] *adj* chel, fără păr, pleşuv

hairlike ['hɛəˌlaik] *adj* ca părul; (subţire) ca un fir de păr

hairline ['hɛəˌlain] *s* linie foarte subţire; liniuţă/linie ascendentă *(în caligrafie)*

hairline distinction ['hɛəˌlain disˈtiŋkʃən] *s* distincţie/diferenţiere foarte fină

hairness ['hɛənis] *s* aspect păros/ hirsut, pilozitate

hair net ['hɛə ˌnet] *s* fileu/plasă pentru păr

hair oil ['hɛəʳ ˌɔil] *s* briliantină

hair piece ['hɛə ˌpiːs] *s* meşă (falsă) de păr

hairpin ['hɛəpin] I *s* ac/agrafă de cap/păr II *adj atr* **1** *(d. drum)* cotit, şerpuit **2** *(d. o cotitură)* brusc, periculos

hairpin bend ['hɛəpin 'bend] *s* curbă periculoasă; ac de păr/cap

hair raiser ['hɛə ˌreizəʳ] *s* **1** întâmplare îngrozitoare **2** operă literară cu subiect de groază

hair-raising ['hɛə ˌreiziŋ] *adj* de groază, înfiorător, înspăimântător, care-ţi face părul măciucă

hair restorer ['hɛə risˈtɔːrəʳ] *s med, farm* soluţie capilară/pentru creşterea părului

hair's breadth ['hɛəz ˌbredθ] *s v.* **hair-breadth**

hair-shaped ['hɛə ˌʃeipt] *adj* ca un fir de păr, filiform

hair shirt ['hɛə ˌʃəːt] *s* cămaşă aspră de păr de cal *(pt pocăiţi, asceţi etc.)*

hair sieve ['hɛə ˌsiv] *s* sită fină *(din păr)*

hair splitter ['hɛə ˌsplitəʳ] *s* om care despică firul în patru, chiţibuşar, talmudist

hairsplitting ['hɛə ˌsplitiŋ] I *s* despicare a firului în patru, chiţibuşărie, talmudism II *adj atr* care despică firul în patru, prea/ exagerat de subtil

hair spring ['hɛə ˌspriŋ] *s tehn* arc fin/ spiral; fir de păr *(la ceasornice)*

hair stroke ['hɛə ˌstrouk] *s poligr* linie foarte fină

hair style ['hɛə ˌstail] *s* coafură

hair stylist ['hɛə ˌstailist] *s amer* coafor (de lux)

hair trigger ['hɛə ˌtrigəʳ] *s* trăgaci *(la pistol etc.)*

hair wash ['hɛə ˌwɔʃ] *s* şampon/ loţiune pentru păr

hair weed ['hɛə ˌwiːd] *s bot* mătasea broaştei *(Conferva)*

hair worm ['hɛə ˌwəːm] *s zool, vet* vierme parazit *(Trichastrongylidae sp.)*

hairy ['hɛəri] *adj* **1** din/de păr **2** păros, (acoperit) cu păr; hirsut; **~ about/at/in the heels** necioplit, prost crescut

hairy-heeled ['hɛəri ˌhiːld] *adj sl* mitocănos, necioplit, grosolan, de la ţară

Haiti ['heiti] *insulă în Antile*

hajj [hædʒ] *s v.* **hadj**

hajji ['hædʒi] *s v.* **hadji**

halation [həˈleiʃən] *s fot* voalare; halo

halberd ['hælbəd] *s mil od* halebardă

halberdier [ˌhælbəˈdiəʳ] *s mil od* halebardier

halcyon ['hælsiən] *s orn* alcion *(Alcedo ispida)*

halcyon days ['hælsiən ˌdeiz] *s pl fig* zile fericite *sau* de glorie, zile senine

hale [heil] *adj*; **~ and hearty** bine sănătos; sănătos şi voios

half [hɑːf] I *s* **1** jumătate; doime; **~ past ten** (ora) zece şi jumătate; **by ~** (cu) mult, foarte; **too clever by ~** *ironic* (cu) mult prea deştept; **in ~** jumătate-jumătate, împărţit pe din două; **the larger ~** partea mai mare; **to cry halves** a pretinde (o) parte/cotă egală, a cere împărţeală egală; **to do smth by halves** a face lucrurile pe jumătate; **to go halves** a merge pe din două/*F* fifty-fifty; **the ~ is more than the whole** *prov* mai bine puţin şi bun decât mult şi prost **2** *umor* jumătate, – soţ *sau* soţie **3** *şcol* semestru **4** *sport* repriză, mitan **5** *jur* parte contractuală II *adj* parţial, incomplet; **(pe) jumătate** III *adv* **1** (pe) jumătate, pe din două; **~ as much** pe jumătate; încă o jumătate pe atâta; **not ~** ← *F* a nicidecum, câtuşi de puţin, da de unde **b** *ironic* ba bine că nu; **(it's) not ~ bad** *F* a merge, straşnic, bravo! **b** nu-i rău deloc, – foarte bine, exclent; **I don't ~ like it a** nu-mi place deloc **b** nu-mi miroase a bine **2** parţial, incomplet, oarecum; pe jumătate; **~ recovered** etc. parţial vindecat *etc.*

half-a-crown ['hɑːf ə'kraun] *s v.* **half-crown**

half-alive ['hɑːfə' laiv] *adj* mai mult viu decât mort

half-and-half ['hɑːfən'hɑːf] I *adj atr* **1** incomplet, parţial, insuficient; nu prea mare, moderat; **~ enthusiasm** entuziasm moderat/relativ **2** în părţi egale, jumătate-jumătate II *adv* jumătate-jumătate, pe din două III *s* băuturi amestecate (↓ două sorturi de bere)

half-and-half man ['hɑːfən'hɑːf 'mən] *s* om de nimic, secătură

half-a-pound ['hɑːfə'paund] *s v.* **half-pound**

half-asleep ['hɑːf ə'sliːp] *adj* pe jumătate adormit, toropit de somn, somnoros

half-awake [ˌhɑːfə'weik] *adj pred* pe jumătate treaz; cu ochii întredeschişi

halfback ['hɑ:f,bæk] *s sport* mijlo-caș, half

half-baked ['hɑ:f'beikt] *adj* **1** *(d. mâncare, plăcintă)* pe jumătate crud, (rămas) necopt **2** făcut numai pe jumătate **3** neterminat, nepus la punct **4** *fig* imatur, nematurizat, neisprăvit, necopt *(la minte)*

half-binding ['hɑ:f ,baindiŋ] *s poligr* legătură jumătate piele *(la cărți)*

half-blood ['hɑ:f ,blʌd] *s* **1** frate vitreg *sau* soră vitregă, frate *sau* soră după unul din părinți **2** rudenie după unul din părinți, înrudire dintre frați vitregi **3** metis, corcitură

half-blooded ['hɑ:f ,blʌdid] *adj* **1** corcit, metis **2** *fig* degenerat, stricat

half-boot ['hɑ:f ,bu:t] *s* cizmuliță *(până la jumătatea pulpei)*

half-bred-horse ['hɑ:f ,bred 'hɔ:s] *s* cal jumătate sânge, corcitură

half-breed ['hɑ:f ,bri:d] **I** *s* **1** metis, corcitură *(↓ între europeni și piei roșii)* **2** bastard **3** hibrid, corcitură **4** cal jumătate sânge

half-brother ['hɑ:f ,brʌðəʳ] *s* frate vitreg

half-caste ['hɑ:f ,kɑ:st] *s* metis, corcitură *(↓ între europeni și asiatici)*

half-closed ['hɑ:f ,klouzd] *adj* întredeschis

half-clothed ['hɑ:f ,klouðd] *adj* îmbrăcat sumar/numai pe jumătate

half-cock ['hɑ:f ,kɔk] **I** *s:* **at ~ a** *adj (d. armă)* cu cocoșul tras, despiedicat **b** *adv fig v.* **II** **II** *adv* pripit, fără chibzuială/socoteală **III** *vt* a despiedica *(o armă)*

half-cocked [,hɑ:f'kɔkt] *adj mil* cu cocoșul tras/ridicat

half-conscious [,hɑ:f'kɔnʃəs] *adj* semiconștient, treaz doar pe jumătate

half-crown [,hɑ:f'kraun] *s od* jumătate de coroană, monedă de doi șilingi și jumătate

half-dead [,hɑ:f'ded] *adj* pe jumătate mort, mai mult mort decât viu

half-dime ['hɑ:f,daim] *s amer* (monedă de) cinci cenți

half-dollar ['hɑ:f 'dɔləʳ] *s amer* (monedă de) jumătate de dolar

half-done [,hɑ:f'dʌn] *adj* pe jumătate crud, nefript *sau* nefiert bine

half face ['hɑ:f 'feis] *s* profil

half fare ['hɑ:f 'fɛəʳ] *s ferov* **1** tarif redus **2** jumătate de bilet

half-finished material [,hɑ:f'finiʃt mə'tiəriəl] *s* (produs) semifabricat

half-gone [,hɑ:f 'gɔn] *adj* într-o ureche, țăcănit, (cam) sărit de pe linie

half-hearted [,hɑ:f 'hɑ:tid] *adj* **1** șovăielnic, șovăitor; nehotărât **2** lipsit de entuziasm; făcut fără tragere de inimă; spus cu jumătate de gură **3** fricos; făcut de frică

half-heartedly [,hɑ:f 'hɑ:tidli] *adj* **1** șovăielnic, șovăitor, nehotărât **2** fără entuziasm, fără tragere de inimă; cu jumătate de gură **3** cu frică, fără curaj

half-heartedness [,hɑ:f 'hɑ:tidnis] *s* **1** șovăială, nehotărâre **2** lipsă de entuziasm; aversiune **3** frică, teamă

half-holiday [,hɑ:f 'hɔlidei] *s* jumătate de zi liberă *(↓ joi după masă)*

half hose ['hɑ:f'houz] *s* ciorap scurt, șosetă

half-hourly [,hɑ:f 'auəli] **I** *adj* (cu durata) de o jumătate de oră **II** *adv* din jumătate în jumătate de oră

half-inch [hɑ:f'intʃ] *vt, vi sl* a șuti, a mangli, a șterpeli

half-landing [,hɑ:f 'lændiŋ] *s arhit* semipalier

half-lap ['hɑ:f 'læp] *s tehn* tip de îmbinare (parțial suprapusă), îmbucătură

half-learned [,hɑ:f 'lə:nid] *adj* semidoct, cu o coloratură superficială; neisprăvit

half-length (portrait) [,hɑ:f 'leŋθ ('pɔ:trit)] *s pict* portret numai bust

half-life [,hɑ:f 'laif] *s fiz* timp de înjumătățire, perioadă *(a elementelor radioactive)*

half-light [hɑ:f 'lait] *s* **1** semi-întuneric, penumbră **2** amurg, înserare

half-line [,hɑ:f'lain] *s* **1** *metr* emistih, jumătate de vers **2** *poligr* jumătate de rând **3** *mat* rază; semidreaptă

half mast [,hɑ:f 'mɑ:st] **I** *s* bernă; **at ~** în bernă; *nav* și la jumătatea catargului **II** *vt* a coborî *(pavilionul, steagul)* în bernă

half-measures [,hɑ:f 'meʒəz] *s* măsuri de compromis *(în politică)*, politică inconsecventă/de compromis

half moon [,hɑ:f'mu:n] *s* **1** semilună **2** noiță, pată albă *(pe unghie)*

half mourning [,hɑ:f'mɔ:niŋ] *s* doliu mic

half-naked [,hɑ:f'neikid] *adj* (cam) despuiat, dezgolit, aproape gol

half-nelson [,hɑ:f 'nelsən] *s sport* prindere/priză halfnelson; **to get a ~ on smb** *și fig* a strânge pe cineva ca într-un clește; *fig* a pune mâna pe, a lua în stăpânire

half note [,hɑ:f'nout] *s muz* doime

half-open [,hɑ:f 'oupn] *adj* întredeschis

half pace [,hɑ:f 'peis] *s* **1** *mil* jumătate de pas; pas în contratimp **2** *constr* semipalier, (palier de) odihnă

half-pay [,hɑ:f 'pei] *s mil* jumătate de soldă; **on ~** cu jumătate de soldă

half-pay officer [,hɑ:f 'pei 'ɔfisəʳ] *s mil* ofițer în disponibilitate

halfpenny ['heipni] **I** *s* **1** *pl* **halfpence** ['heipəns] (sumă de) jumătate de peni **2** monedă de jumătate de peni; *fig* gologan, ban; **I am not a ~ the worse** n-am pierdut nimic, n-o duc deloc/cu nimic mai rău **II** *adj atr fig* fără (nici o) valoare

halfpennyworth ['heipəθ] *s* (marfă în) valoare de o jumătate de peni; **a ~ of tea** de o jumătate de peni ceai

half pint [,hɑ:f 'paint] *s* **1** jumătate de pintă/halbă **2** *fig F* ghibirdic, – pitic, pigmeu

half pound ['hɑ:f 'paund] *s* **1** jumătate de funt/livră, *aprox* sfert, litră **2** (monedă de) jumătate de liră

half-price [,hɑ:f'prais] *s* (bilet cu) preț redus; **to get things ~** a obține o reducere de preț la o marfă

half rest [,hɑ:f'rest] *s muz* pauză de o doime

half-seas-over [,hɑ:f 'si:z ouvəʳ] *adj pred* cherchelit, (cam) beat, *F* afumat, abțiguit

half-sister ['hɑ:f ,sistəʳ] *s* soră vitregă

half-slip [,hɑ:f'slip] *s amer* jupon

half-sole [,hɑ:f'soul] **I** *s* pingea **II** *vt* a pingeli

half-sovereign ['hɑ:f sɔvrin] *s* (monedă de) jumătate de liră

half speed [,hɑ:f 'spi:d] *s* viteză redusă

half-staff [,hɑ:f'stɑ:f] *s v.* **half-mast I**

half starved [ˌhɑːf'stɑːvd] *adj* **1** lihnit/ mort de foame **2** nehrănit, prost hrănit

half-step [ˌhɑːf'step] *s muz* semiton

half storey [hɑːf'stɔːri] *s* mansardă

half-term [ˌhɑːf'təːm] *s* vacanță la jumătatea semestrului *sau* trimestrului

half-tide [ˌhɑːf'taid] *s* perioadă de echilibru dintre flux şi reflux

half-timber [ˌhɑːf'timbəʳ] *adj constr* de paiantă; din cherestea şi tencuială

half time [ˌhɑːf'taim] *s* **1** *sport* pauză dintre reprize **2** *sport* repriză, mitan **3** jumătate de normă, program redus; şomaj parţial; **to work ~ a** a avea jumătate de normă **b** a fi şomer parţial

half-timer [ˌhɑːf'taiməʳ], **half-time worker** [ˌhɑːf'taim 'wəːkəʳ] *s* şomer parţial; muncitor cu jumătate de normă

half title [ˌhɑːf'taitl] *s poligr* titlu fals

half tone ['hɑːf ˌtoun] *s* **1** *muz* semiton **2** *poligr* autotipie

half-track ['hɑːf ˌtræk] *s mil* autoblindat cu roţi şi şenile

half truth ['hɑːf'truθ] *s* afirmaţie care ascunde o parte din adevăr, lucru spus (doar) pe jumătate

half way [ˌhɑːf'wei] **I** *adv* la jumătatea drumului, la jumătate de drum; **to meet smb ~ a** a merge/ a ieşi/a veni în întâmpinarea cuiva **b** *fig* a face o propunere de compromis; a veni în întâmpinarea propunerii cuiva **2** parţial, pe jumătate; oarecum **II** *adj* **1** situat la jumătatea drumului **2** parţial, incomplet

halfway house [ˌhɑːf'wei'haus] *s* **1** han **2** *amer* şcoală/instituţie de reeducare

half-weekly [ˌhɑːf'wiːkli] **I** *adj* semihebdomadar **II** *adv* de două ori pe săptămână

half wit ['hɑːf ˌwit] *s* debil mintal; om redus (la minte)

half-witted [ˌhɑːf'witid] *adj* redus (la minte), sărac cu duhul

half-word [ˌhɑːf'wəːd] *s* lucru spus pe jumătate, aluzie, insinuare

half year ['hɑːf'jəːʳ] *s* jumătate de an; semestru

half-yearly ['hɑːf'jəːli] **I** *adj* semestrial; bianual; care are loc de două ori pe an **II** *adv* semestrial, de două ori pe an

Halicarnassus [ˌhælikɑː'næsəs] *od* oraş în Asia Mică Halicarnas

halide ['hælaid] *s ch* haloid

halidom ['hælidəm] *s* sanctuar, lăcaş sfânt; biserică

Halifax ['hæliˌfæks] **1** oraş în Anglia **2** oraş în Canada

halite ['hælait] *s minr* halit, sare gemă

halitosis [ˌhæli'tousis] *s med* halitoză, (h)alenă fetidă; miros rău al gurii

hall [hɔːl] *s* **1** coridor, culoar **2** hol, antreu (mare) **3** sală *(de cursuri, concerte, conferinţe, dans etc.)* **4** amfiteatru; auditoriu **5** salon **6** *jur* sală de judecată, sala tribunalului **7** hală de mărfuri **8** edificiu public, instituţie publică **9** *univ* cămin studenţesc **10** *univ* sufragerie, sală de mese, cantină **11** *univ* masă luată în comun *(la cantină)* **12** conac, casă boierească **13** ← *poetic* palat, castel **14** *sl* music-hol, varieteu

hallbed-room ['hɔːlˌbed 'ruːm] *s* odăiţă, cămăruţă *(cu intrarea de pe coridor)*

Halle ['hʌlə] *oraş* în Germania

Hallé ['hælei], **Sir Charles** *muzician englez (1819-1895)*

halleluiah [ˌhæli'luːjə] *s, interj bis* aleluia

halleluiah girl/lass [ˌhæli'luːjə gəl/ læs] *s* **1** membră a Armatei Salvării **2** *peior* mironosiţă, puritană, afectată

hallelujah [ˌhæli'luːjə] *s, interj v.* **halleluiah**

Halley ['hæli], **Edmund** *astronom englez (1656-1741)*

halliard ['hæljəd] *s nav* fungă

hall-mark ['hɔːl ˌmɑːk] **I** *s* **1** marcaj, marcă *(pt metale preţioase)* **2** *fig* pecete, amprentă, semn distinctiv **3** *fig* particularitate, însuşire caracteristică **II** *vt* **1** a marca *(metale preţioase)* **2** *fig* a-şi pune amprenta/pecetea pe, a marca

hallo [hə'lou] **I** *interj* **1** alo! da! **2** hei! ascultă! pst! **3** vânăt pil! sa! **II** *s* apel, alo **III** *vi* a striga (hei, alo) **IV** *vt* **1** a striga *(ceva)* **2** a chema, a striga (pe/după) *(cineva)* **3** vânăt a asmuţi *(câinii)*

halloa [hə'lou] *interj v.* **hallo I**

Hall of Fame ['hɔːl əv 'feim] *s* Muzeul celebrităţilor americane *(la New York)*

halloo [hə'luː] **I** *interj v.* **hallo I 2, 3 II** *s* **1** strigăt, chemare, strigare, apel **2** *F* hai, – larmă, zarvă, gălăgie **III** *vt v.* **hallo IV IV** *vi* **1** a striga, a scoate strigăte; **don't ~ till you are out of the wood** nu zice hop până n-ai sărit **2** vânăt a striga pil; a asmuţi câinii

hallow[1] ['hælou] *vt* **1** *bis* a sfinţi, a sanctifica **2** *bis* a face sfeştanie *cu dat* **3** a venera, a adora, a se închina la

hallow[2] *interj, vi ← înv v.* **hallo I, III**

hallowed ['hæloud] *adj* **1** sfinţit, sfânt, sacru **2** *fig* sfânt, sacru, < sacrosanct **3** venerat, adorat

Hallowe'en [ˌhælou'iːn] *s rel* ajunul zilei tuturor sfinţilor (31 octombrie)

Hallowmas ['hælouˌmæs] *s rel înv* ziua tuturor sfinţilor (1 noiembrie)

hall porter ['hɔːl ˌpɔːtəʳ] *s* hamal (↓ de hotel)

hall stand ['hɔːl stænd] *s* cuier *(cu suporturi pentru umbrele şi bastoane)*

hall time ['hɔːl taim] *s univ ← F* ora mesei, prânz

hallucinate [hə'luːsiˌneit] **I** *vt* a da halucinaţii *cu dat* **II** *vi* **1** a avea halucinaţii/năluciri **2** ← *F* a se înşela, a greşi

hallucinated [hə'luːsiˌneitid] *adj* halucinat

hallucination [həˌluːsi'neiʃən] *s* halucinaţie, nălucire, iluzie

hallucinatory [hə'luːsineitəri] *adj* iluzoriu, ireal, halucinant

hallucinogen [hə'luːsinəˌdʒen] *s med, ch* substanţă halucinogenă, halucinogen

hallucinogenic [həˌluːsinou'dʒenik] *adj med* halucinogen

hallucinosis [həˌluːsi'nousis] *s med* (demenţă cu) halucinaţii

hall tree ['hɔːl 'triː] *s v.* **hall stand**

hallux ['hæləks], *pl* **halluces** ['hæləsiːz] *s* **1** *anat* deget mare de la picior **2** *zool* deget interior al labei din spate

hallway ['hɔːlˌwei] *s amer* **1** coridor, culoar **2** vestibul, antreu, hol **3** gang

halo ['heilou] **I** *pl* **halo(e)s** ['heilouz] *s* **1** *rel* şi *fig* nimb, aureolă **2** *anat* aureolă *(a sânului)* **3** *astr* nimb, halo **II** *vt* a da un nimb *(cu dat);* a face o aureolă în jurul *(cu gen)*

halogen ['hæləˌdʒen] *s ch* halogen

halogenous [hə'lɒdʒinəs] *adj ch* halogen

haloid ['hælɔid] *s ch* haloid; halogenură

halt¹ [hɔːlt] **I** *vt* **1** a se opri (din mers); a înceta să se miște **2** a se opri, a poposi, a face o haltă/un popas **II** *vt mil* a opri; a ordona *(unei trupe)* să facă o haltă **III** *s* haltă, oprire, popas; **to call a ~ a** *mil* a face (o) haltă **b** a se opri; a se întrerupe; **to cry ~ to** a pune capăt la, a face să înceteze **IV** *interj mil* stai! oprește! stop!

halt² *vi* **1** ← *înv* a șchiopăta **2** *fig* a șchiopăta, a merge prost, a nu prea merge **3** a se clătina, a se împletici **4** *fig* a ezita, a șovăi, a oscila **5** a se bâlbâi, a îngăima (ceva) **II** *adj* ← *înv* șchiop, șontorog **III** *s* ← *înv* șchiopătat, șchiopătare

halter¹ ['hɔːltə'] **I** *s* **1** ștreang; juvăț, funie *(pt spânzurătoare);* **to put a ~ round one's neck** *fig* a-și pune singur ștreangul de gât; **name not a ~ in his house that hanged himself** *prov* nu vorbi de funie în casa spânzuratului **2** *fig* (moarte prin) spânzurătoare **3** căpăstru; pripon; (funie cu) laț **4** bluză care lasă spatele gol **II** *vt* **1** a spânzura; a pune ștreangul de gât *cu dat* **2** a pune căpăstru *(unui cal)* **3** a priponi *(un cal)*

halter² *s* om șovăitor

halter³ *s* **1** opritoare, piedică **2** persoană care oprește

halter⁴ ['hæltiə'], *pl* **halteres** [hæl'tiəri:z] *s ent* halteră, aripă

halting ['hɔːltiŋ] *adj* **1** care șchiopătă; șchiop **2** care se împleticește/se clatină pe picioare **3** *fig* șovăielnic, șovăitor; *(d. vorbire)* împleticit, greoi

haltingly ['hɔːltiŋli] *adv* **1** șchiopătând **2** șovăielnic, șovăitor **3** greoi, împleticindu-se *(la vorbă)*

halva(h) ['hælvaː] *s* halva

halve [haːv] *vt* **1** a înjumătăți, a reduce la jumătate **2** a împărți în părți egale; a tăia *sau* a despărți în două

halves [haːvz] *pl de la* **half¹**

halve together ['haːvtə'geðə'] *vt cu part adv tehn* a îmbuca, a îmbina

halyard ['hæljəd] *s nav* fungă

Ham [hæm] *nume biblic*

ham [hæm] **I** *s* **1** scobitura genunchiului; **to sit/to squat on one's ~s** a ședea/a sta pe vine **2** *pl F* șezut, dos, fund **3** crupă *(la cal)* **4** șuncă, jambon **5** *teatru* cabotin, actor prost **6** *teatru* cabotinism **7** radioamator **8** *sl* fraier, guguștiuc, gâscă, ageamiu **II** *vt teatru* a juca prost/strident, a șarja **III** *vi teatru sl* a fi cabotin, a șarja, a juca strident

ham acting ['hæm ,æktiŋ] *s teatru* cabotinism

ham actor ['hæm ,æktə'] *s teatru* cabotin, actor prost

hamadryad [,hæmə'draiəd] *s* **1** *mit* hamadriadă, nimfă a pădurilor **2** *zool* naja, șarpe cu ochelari *(Naja hamadryas)*

Hamburg ['hæmbəːg] *oraș în Germania*

hamburg *s v.* **hamburger 2**

hamburger ['hæmbəːgə'] *s* **1** hamburger, un fel de cârnaț **2** *amer* chiftea; sandviș cu tocătură

ham chewing ['hæm ,tʃuːiŋ] *s v.* **ham acting**

ham-fisted/handed ['hæm,fistid/ ,hændid] *adj sl* greoi, stângaci, mână de mămăligă

Hamilton ['hæməltən] *nume geogr și de familie*

Hamite ['hæmait] *s* hamit

Hamitic [hæ'mitik] **I** *adj* hamit **II** *s* (limbă) hamită

Hamlet ['hæmlit] *rege danez (legendar) (sec. IX) și fiul acestuia, prinț danez legendar, imortalizat de Shakespeare*

hamlet *s* cătun, sătuc

hammam [hʌ'maːm] *s* baie turcească

hammer ['hæmə'] **I** *s* **1** ciocan; ciocănaș; **between ~ and anvil** *fig* între ciocan și nicovală, între Scylla și Caribda; **up to the ~** *F* clasa întâi, – de mâna întâi; excelent, de prima calitate **2** ciocan *(la pian)* **3** *anat* ciocan, maleus **4** *sport* ciocan; **throwing the ~** aruncarea ciocanului **5** *jur, fin* ciocănașul celui ce conduce licitația; **to come under the ~** a se vinde la licitație/mezat **6** *mil* percutor **II** *vt* a ciocăni, a bate *(cu ciocanul);* **to ~ smth into smb's head** a băga ceva în capul cuiva **2** *v.* **hammer out 3** *fig* a distruge, a bate, a nimici **4** *mil* a bombarda

cu artileria **5** *amer* a ocărî, a mustra, a dojeni, *F* a face cu ou și cu oțet **6** *com* a declara falit **7** *com* a coborî, a reduce *(prețurile)* **III** *vi* **1** a ciocăni, a bate cu ciocanul **2** a bocăni, a ciocăni, a face zgomot

hammer and sickle ['hæmərən'sikl] *s* secera și ciocanul

hammer and tongs ['hæmərən'tʌŋz] *adv* cu însuflețire; din toate puterile, din răsputeri; **to go at smth ~** a se apuca de ceva cu tragere de inimă

hammer at ['hæmər ət] *vi cu prep* **1** a lovi, a ciocăni în *sau* la; **to ~ the door** a bate tare în ușă, a ciocăni (tare) la ușă **2** *fig* a pisa, a pisălogi *(pe cineva);* a sta (băteală) pe capul *(cuiva);* a pistona, a asalta *(pe cineva)* **3** *fig* a lucra cu râvnă la *(ceva)*

hammer away ['hæmərə'wei] *vi cu part adv* **1** (**at smth**) a-și vedea înainte de lucru/treabă; a lucra mai departe *(la ceva)* **2** *(d. tun)* a bubui

hammer away at ['hæmərə'weiət] *vi cu part adv și prep* a hărțui, a pisa, a pisălogi *pe cineva*

hammer blow ['hæmə ,blou] *s* **1** lovitură de ciocan **2** *fig* lovitură de măciucă

hammer bone ['hæmə ,boun] *s anat* ciocan, maleus

hammer cloth ['hæmə ,klɒθ] *s od* capotă pentru vizitiu/surugiu de diligență

hammer down ['hæmə'daun] *vt cu part adv* a turti *(și fig.)* a netezi *(asperități)*

hammer-dressed ['hæmə,drest] *adj tehn* modelat/lucrat cu ciocanul

hammer drill ['hæmə ,dril] *s min* perforator, picomer

hammered glass ['hæməd ,glaːs] *s* sticlă mată, geam mat

hammerer ['hæmərə'] *s* **1** ciocănar **2** ← *umor* geolog

Hammerfest ['hʌmər,fest] *oraș în Norvegia*

hammer head ['hæmə ,hed] *s* **1** cap de ciocan **2** *iht* pește ciocan *(Sphyrna zygaena)* **3** *orn* pasărea fantomă *(Scopus umbretta)* **4** *amer* cretin, idiot, găgăuță

hammer-headed ['hæmə,hedid] *adj* **1** *zool* cu capul în formă de ciocan **2** ← *înv* bătut (cu leuca) în cap, tâmpit

hammering ['hæmərɪŋ] *s* **1** ciocă-
nire, batere cu ciocanul; forjare;
to give smb a good ~ a trage
cuiva o bătaie/chelfăneală zdra-
vănă **2** ciocănituri, bătăi

hammer into ['hæmər ˌintə] *vt cu
prep* a bate/a înfige în

hammerless ['hæmәlis] *adj (d.
arme)* cu cocoșul/percutorul
ascuns

hammer-lock ['hæmәˌlɔk] *sport* **I** *s*
imobilizarea brațului adversa-
rului **II** *vt* a răsuci, a imobiliza
(brațul adversarului)

hammer man ['hæmәmәn] *s* ciocă-
nar, fierar

hammer mill ['hæmә'mil] *s tehn*
moară cu ciocane

hammer out ['hæmәr'aut] *vt cu part
adv* **1** a forja a bate cu ciocanul,
a ciocăni; a fasona **2** *fig* a da
formă *cu dat*, a fasona; a crea **3**
fig a plăsmui, a inventa, a năs-
coci

Hammersmith ['hæmә‚smiθ] *subur-
bie a Londrei*; **he has been at ~**
umor a luat-o (rău) pe coajă, – a
mâncat o bătaie zdravănă

hammersmith *s* fierar, făurar

hammer throw ['hæmәθrou] *s sport*
aruncarea ciocanului

hammer thrower ['hæmә‚θrouәʳ] *s
sport* aruncător de ciocan

hammer toe ['hæmәtou] *s anat*
deget (de la picior) strâmb/îndoit
în jos

hammer together ['hæmәtә'geðәʳ] *vt
cu part adv* a fixa/a prinde la-
olaltă

hammock ['hæmәk] *s* **1** hamac **2**
movilă, ridicătură de pământ,
delușor

hammock chair ['hæmәk ‚tʃɛәʳ] *s*
șezlong; scaun de pânză

hammy ['hæmi] *adj sl* **1** (de) cabotin
2 (de) amator

Hampden ['hæmpdәn], **John** *om
politic englez (1594-1643)*

hamper[1] ['hæmpәʳ] *s* coș de nuiele,
coșniță; gemantan de paie

hamper[2] *vt* **1** a stânjeni, a stingheri,
a împiedica **2** a restrânge, a
limita *(libertatea de acțiune)*

hamper[3] *s nav* accesorii de piele

Hampshire ['hæmpʃiәʳ] *s* **1** *comitat
în Anglia* **2** *rasă de porci*

Hampstead ['hæmpstid] *suburbie a
Londrei*

Hampstead Heath ['hæmpstid'hiːθ]

*s parc de distracții populare în
Londra*

Hampton Court ['hæmptәn'kɔːt] *s
palat lângă Londra*

hamster ['hæmstәʳ] *s* **1** *zool* hârciog
(Cricetus cricetus) **2** hamster,
blană de hârciog

hamstring ['hæmstrɪŋ] **I** *s anat*
tendon de la genunchi, tendon
popliteu **II** *pret și ptc* **hamstrung**
['hæmstrʌn] *vt* **1** a tăia/a reteza
(cu dat) tendoanele de la ge-
nunchi **2** a ologi, a schilodi; a
paraliza **3** *fig* a paraliza, a
împiedica; a contracara **4** *fig* a
lovi pe la spate

hamstrung ['hæmstrʌn] *pret și ptc
de la* **hamstring II**

Hamsun ['hamsun], **Knut** *scriitor
norvegian (1859-1952)*

hanaper ['hænәpәʳ] *s od* coșuleț
pentru hrisoave

hand [hænd] **I** *s* **1** mână; **~ in ~**
mână în mână **b** împreună; în
colaborare; **at ~** a la îndemână/
dispoziție **b** aproape, în apro-
piere **c** *(d. evenimente)* iminent,
apropiat **d** ajuns la destinație;
winter is at ~ iarna e aproape/
bate la ușă; **by ~** (lucrat) manual/
de mână/cu mâna; **by show of
~s** prin ridicare de mâini; **by the
left ~** de mână stângă; nelegitim;
to bring up by ~ a crește cu
biberonul; **on ~** existent, la
îndemână **b** *fin* lăsat în cont **c** *(d.
lucrări)* în curs de execuție; **to
take too much on ~** a se apuca/
a întreprinde prea multe lucruri
deodată; **from ~ to mouth** de azi
pe mâine; **under ~** a stăpânit,
dominat **b** în taină, în secret;
cash in ~ *fin* bani lichizi/în casă;
light in ~ ușor de condus/mâ-
nuit; **to get oneself in ~** a-și
recăpăta stăpânirea de sine; **the
matter/question in ~** chestiu-
nea în discuție; afacerea în curs;
to have an affair well in ~ a fi
stăpân pe problemă; **to keep
one's ~ in** a se menține în formă,
a-și menține practica/exercițiul/
experiența; **in smb's ~** în mâna
cuiva, supus (puterii *sau* contro-
lului) cuiva; **in ~** la dispoziție, sub
control, în atenția cuiva; **on
one's ~s** în grija cuiva; de da-
toria/resortul cuiva; **a man of his
~s** persoană practică/cu simț

practic; **to be off one's ~s** a nu
mai avea grija unui lucru, a
scăpa de (răspundere pentru)
ceva; **on every ~**; **on all ~s** din
toate părțile; **out of ~** a pe
neașteptate, deodată, prin sur-
prindere **b** scăpat de sub control/
din mâinile (cuiva); **to ~** la
îndemână; gata pregătit; **to take
a matter in ~** a lua în mână o
chestiune; **to ask a woman's ~**
a cere mâna unei femei; **to bind
~ and foot** a lega burduf/de
mâini și de picioare; **to fight ~
to ~** a (se) lupta corp la corp; **to
carry things with a high ~** a a
proceda/a fi autoritar *sau* energic
b a lua lumea de sus, a fi aro-
gant; **to get smth off one's ~s**
a scăpa/a se descotorosi de
ceva; a-și lua ceva de pe suflet;
**to get/to have the upper ~ (of
smb)** a căpăta superioritate
(asupra cuiva), a învinge/a
domina (pe cineva); **to give smb
the glad ~** a saluta/a întâmpina
călduros/cu căldură pe cineva;
to have one's ~s full a avea de
lucru până peste cap, a nu-și
vedea capul de treburi/treabă; **to
have a free ~** a avea mâna
liberă; **to hold one's ~(s)** a se
ține deoparte, a nu se băga/
amesteca; **to keep one's ~s in
one's pockets** a sta cu mâinile
în buzunar/sân, a nu face nimic;
to kiss one's ~ to smb a face
bezele cuiva; **to lay ~/violent ~s
upon oneself** a-și face (singur)
seama; **not to lift a ~** a nu mișca
un deget; **to live by one's ~s**
a-și câștiga pâinea (muncind) cu
brațele; **to shake ~s with smb**
a strânge/a da mâna cuiva; **to
suffer at smb's ~s** a suferi de
pe urma cuiva; **to take the law
into one's own ~** a-și face
singur dreptate; **to turn one's ~
at smth** a se apuca (cu râvnă)
de treabă/de ceva; **to wash
one's ~s** și *fig* a se spăla pe
mâini **2** braț; **to fold one's ~s** a
încrucișa brațele, a sta cu brațele
încrucișate; a nu face nimic **3**
zool picior anterior, labă din față
4 îndemânare, dibăcie, dexte-
ritate; antrenament, practică; **to
have a ~ for** a avea îndemânare;
dibăcie pentru, a avea mâna

formată la/pentru; **to be an old ~ (at)** a fi expert în materie, a se pricepe bine (la); **to try one's ~ at** a-și încerca îndemânarea/mâna la **5** *fig arte* mână, autor; pecete, stil, amprentă *(a unui artist)* **6** scris, mână, scriere; semnătură; **under one's ~ (and seal)** sub proprie semnătură **7** proveniență; sursă, izvor *(de informație etc.);* **at first ~** de la prima mână; **at second ~** de ocazie, de la a doua mână; **from good ~s** din surse autorizate, dintr-o sursă sigură **8** stăpânire, posesiune, autoritate; **to change ~s, to go from ~ to ~** a merge/a trece din mână în mână **9** lucrător, muncitor; *pl* mână de lucru; **~s wanted** se caută/se angajează muncitori/mână de lucru; **to take on ~s** a angaja/a tocmi mână de lucru **10** individ, tip, moacă, figură, față *sl* persoană, om **11** *pl nav* echipaj, marinari; **all ~s on deck!** echipajul pe covertă! toată lumea pe punte! **12** (mână de) ajutor; **to give/to lend smb a helping ~** a da cuiva o mână de ajutor **13** profit, câștig, beneficiu **14** conducere, autoritate; control, dirijare; răspundere; **on smb's ~** pe răspunderea cuiva; **to lead/to run an affair** *etc.* **of a sure ~** a conduce o treabă/o afacere *etc.* cu toată autoritatea/cu mână sigură; **with a heavy ~** ca un stăpân/asupritor; **with a high ~** cu aroganță, (în mod) arogant; **to treat smb with a high ~** a lua pe cineva pe sus **15** amestec, participare, mână, rol; **he must have a ~ in it** imposibil să nu aibă un amestec în treaba asta **16** intermediar, intermediu, mână; **to send a note by ~** a trimite un bilet/un bilețel/o scrisoare prin cineva/comisionar **17** parte, latură, direcție; **on the left ~** în stânga; **on all ~s, at every ~** pretutindeni; **on the one ~... on the other (~)** pe de o parte... pe de altă parte **18** *(la ceas)* ac, limbă **19** braț *(de semafor)* **20** *amer sl* aplauze; **he got a big ~** a fost foarte aplaudat, a fost primit/salutat cu aplauze/ovații **21** (măsură de) palmă **22** canti-

tate, lot *(de marfă)* **23** (set de) cărți din mâna unui jucător, mână; **to chuck one's ~ in** a **a** abandona jocul/partida **b** *fig* a depune armele, a se da bătut **24** câștig, profit; avantaj, beneficiu **II** *vt* **1** a înmâna, a preda **2** a expedia, a trimite **3** a conduce, a aduce de mână **4** a urca, a ajuta să urce **5** a. mânui, a manipula, a manevra

hand about ['hænd ə'baut] *vt cu part adv* a da/a transmite din mână în mână, a răspândi, a face să circule

hand and foot ['hændən'fut] *adv* **1** *(d. un om legat)* burduf, fedeleș, de mâini și de picioare **2** total, complet, cu desăvârșire

hand and glove ['hændən'glʌv] *adv* în perfectă înțelegere, în cârdășie

hand ax(e) ['hænd ˌæks] *s od* topor de piatră *(din paleolitic)*

handbag ['hændˌbæg] *s* **1** sac de voiaj **2** geamantanaș, valijoară **3** trusă *(de medic)* **4** poșetă, geantă *(de damă)*

handball ['hændˌbɔ:l] *s* **1** minge **2** sport (jocul de) handbal **3** pară *(la pulverizator)*

hand barrow ['hænd ˌbærou] *s* **1** cărucioară, cărucior *(de zarzavagiu etc.)* **2** targă, brancardă

hand bell ['hænd ˌbel] *s* clopoțel *(pt chemat lumea la masă)*

hand bill ['hændˌbil] *s* manifest, anunț *(care se distribuie trecătorilor)*

handbook ['hændˌbuk] *s* **1** manual, tratat elementar **2** ghid, călăuză, îndreptar **3** *(la curse)* condică de pariuri

handbowl ['hændboul] *s* polonic, lingură mare

handbrake ['hændbreik] *s auto, tehn* frână de mână

hand breadth ['hændˌbredθ] *s* (un) lat de palmă, lățime de o palmă

hand car ['hænd kɑ:ʳ] *s amer ferov* drezină de mână

hand cart ['hænd kɑ:t] *s* **1** cărucioară, cărucior *(cu două roți)* **2** roabă, tărăboanță

handclap ['hændklæp] *s* aplauze, bătăi din palme; **to get a slow ~** a obține cu greu aplauzele, a nu entuziasma publicul

hand-cuff ['hændkʌf] **I** *s pl* cătușe **II** *vt* a pune cătușe (la mâini) *(cu dat)*, a pune în cătușe, a încătușa

hand down ['hænd 'daun] *vt cu part adv* **1** a ajuta să se dea jos, a ajuta la coborâre **2** a coborî *(un obiect)* și a-l înmâna *(cuiva)* **3** a lăsa (moștenire), a transmite *(urmașilor sau din generație în generație)*

hand drill ['hænd ˌdril] *s tehn* sfredel/burghiu de mână

handed ['hændid] *suf (în cuvintele compuse)* cu mâna..., cu mâini(le)...: **left-handed** stângaci

Handel ['hændəl], **George Frederick** *sau* **Georg Friederich** *compozitor englez de origine germană (1685-1759)*

hander ['hændəʳ] *s* remitent, cel ce transmite *(un pachet etc.)*

handfeed ['hændˌfi:d] *vt* a hrăni din palmă, cu mâna, lingurița *sau* biberonul

handful ['hændful] *s* **1** (cât încape într-o) mână, pumn **2** *fig F* belea, pacoste, necaz; **he is (quite) a ~** e tare dificil, e greu de stăpânit, ne dă mare bătaie de cap

hand glass ['hændglɑ:s] *s* **1** lornietă, face-à-main **2** lupă (cu mâner) **3** oglinjoară cu mâner **4** *hort* clopot de sticlă *(pt plante)*

hand grenade ['hænd gri'neid] *s mil* grenadă de mână

handgrip ['hændgrip] *s* **1** apucare cu mâna; strângere în mână/cu mâna **2** *tehn* mâner **3** încleștare, luptă corp la corp; încăierare

handgun ['hændgʌn] *s mil* armă manevrată cu o singură mână

handhold ['hændhould] *s* priză/loc de apucat pentru mână

handicap ['hændiˌkæp] **I** *s* **1** *sport* handicap **2** *fig* dezavantaj, handicap **3** *fig* obstacol, piedică **II** *vt* **1** *sport* a handicapa **2** *fig* a handicapa, a dezavantaja **3** *fig* a stânjeni, a deranja

handicapped child ['hændiˌkæpt 'tʃaild] *s școl* copil handicapat/arierat/înapoiat/cu deficiențe mintale

handicapper ['hændiˌkæpəʳ] *s sport* **1** arbitru/oficial care stabilește handicapurile **2** *amer* gazetar *etc.* care face pronosticuri *(la curse)* pe baza palmaresului

handicraft ['hændi,kra:ft] *s* **1** meşte-şug, meserie; muncă manuală **2** artizanat, artă meşteşugărească **3** îndemânare, artă, pricepere

handicraft article ['hændi,kra:ft 'a:tikl] *s* obiect de artizanat

handicraft cooperative ['hændi, kra:ft kou'operətiv] *s* cooperativă meşteşugărească/de artizanat

handicraft industry ['hændi,kra:ft 'indəstri] *s* producţie meşteşugărească; industrie manuală

handicraftsman ['hændi,kra:ftsmən] *s* meşteşugar, artizan, (bun) meseriaş

handily ['hændili] *adv* **1** cu uşurinţă, uşor, comod **2** cu îndemânare/ abilitate, abil

hand in ['hænd 'in] *vt cu part adv* a înmâna, a remite, a da, a înainta, a prezenta

handiness ['hændinis] *s* **1** comodi-tate, uşurinţă **2** îndemânare, dexteritate

hand it to ['hændit'tu] *vt cu pr şi prep* a se da bătut în faţa *cu gen;* a recunoaşte superioritatea *cu gen*

handiwork ['hændi,wə:k] *s* **1** muncă manuală/artizanală **2** lucru de mână, produs meşteşugăresc

hand jack ['hænd ,dʒæk] *s tehn* cric de mână

handkerchief ['hæŋkətʃif] *s* **1** ba-tistă; **to drop/to throw the ~ to a** a provoca la joc **b** a-şi arăta preferinţa pentru **2** fular, şal; eşarfă, basma

handlamp ['hænd,læmp] *s* lanternă; felinar

hand lathe ['hænd,leið] *s tehn* strung de mână

handle ['hændəl] **I** *s* **1** mâner, coadă; plăsele; **the ~ of the face** *umor* nasometru, felinarul, – nasul; **up to the ~ ←** *F* a cu totul, complet, în întregime **b** din toată inima, din tot sufletul; **to have a ~ to one's name** *fig peior* a purta un titlu oarecare; **to fly to go/to slip off the ~ ←** *F* a-şi pierde cumpătul/ calmul; **to throw the ~ after the blade** a mări şi mai mult risipa, a face o risipă şi mai mare **2** toartă, ureche **3** prilej, ocazie (favorabilă); pretext convenabil **II** *vt* **1** a mânui, a manevra; a manipula; a face să funcţioneze **2** a pune mâna pe, a lua în mână; a pipăi; a atinge cu mâna **3** *fig* a conduce,

a dirija, a comanda **4** a se purta/ a umbla cu, a trata **5** a trata, a discuta, a rezolva *(o problemă etc.)* **6** *com* a face negoţ cu/de, a se ocupa cu negoţul de

handle bar ['hændəl'ba:'] *s* ghidon

handler ['hændlə'] *s* **1** agent, inter-mediar **2** mânuitor; dresor; om care se ocupă de animale *etc.*

handless ['hændlis] *s adj* ciung, fără o mână

hand list ['hænd,list] *s* listă biblio-grafică

hand luggage ['hænd ,lʌgidʒ] *s* bagaj de mână

hand-made ['hænd,meid] *adj* lucrat manual/de mână; artizanal, meşteşugăresc

hand maid(en) ['hænd,meidn] *s înv sau fig* servantă, servitoare, slujnică

hand-me-down ['hændmi'daun] *s* **1 ←** *F* haine vechi/de ocazie/pur-tate **2** *amer* **←** *F* haine de gata

hand-mill ['hænd,mil] *s* râşniţă

hand on ['hænd'ɔn] *vt cu part adv* a transmite/a da mai departe *(torţa, ştafeta etc.)*

hand organ ['hænd ,ɔ:gən] *s muz* flaşnetă, caterincă

hand out ['hænd 'aut] *vt cu part adv* **1** a remite, a elibera, a înmâna, a da **2** a ajuta să coboare *(din trăsură etc.)*, a ajuta la coborâre

handout ['hænd,aut] *s amer* **1** dar, cadou; pomană **2** comunicat de presă, comunicat oficial *(înmâ-nat presei de un purtător de cuvânt)* **3** rezumat, conspect *sau* punctaj distribuit auditorilor de un conferenţiar

hand over ['hænd'ouvə'] *vt cu part adv* **1** a preda, a transmite, a remite **2** a preda, a ceda, a lăsa din mână

hand over fist ['hænd,ouvə 'fist] *adv* **1** până peste cap **2** uşor şi repede, expeditiv

hand over hand ['hænd,ouvə 'hænd] *adv* **1** repede, expeditiv **2** con-ştiincios **3** până peste cap

handpick [,hænd'pik] **I** *s min* picon manual, picomer **II** *vt* a selec-ţiona/a alege/a culege cu băgare de seamă/cu grijă/cu mâna

hand-picked ['hænd'pikt] *adj* **1** ales/ sortat/selecţionat cu mâna/cu grijă **2** *fig* **F** ales pe sprânceană, – selecţionat; de soi; de elită

hand plane ['hænd ,plein] *s tehn* rindea de mână

hand post ['hænd ,poust] *s* indicator rutier/de drumuri, stâlp indicator

hand press ['hænd ,pres] *s poligr* presă/teasc de mână, maşină boston

hand rail ['hænd,reil] *s* **1** balustradă, parmalâc **2** mână curentă, reze-mătoare, bară de mână

hand saw ['hænd,sɔ:] *s tehn* ferăs-trău de mână

hand's breadth ['hændz ,bredθ] *s v.* **hand breadth**

hand scrub ['hænd ,skrʌb] *s amer* periuţă/perie de unghii

handsel ['hænsəl] **I** *s* **1** dar, cadou (↓ *de Anul Nou)* **2** arvună, avans **3** *fig* plăcere/bucurie anticipată **4** gaj, amanet **5** saftea, inaugu-rare (a vânzărilor) **II** *vt* **1** a dărui, a face cadou (↓ *de Anul Nou) (cu dat)* **2** a arvuni *(cuiva)* **3** a face safteaua *(cuiva)*

hand set ['hænd ,set] *s amer* (micro-receptor de) telefon

handshake ['hænd,ʃeik] *s* strângere de mână

handsome ['hændsəm] *adj* **1** (↓ *d. bărbaţi)* frumos, chipeş, arătos, bine făcut **2** prezentabil, arătos, drăguţ **3** *fig* frumos, elegant, nobil; **~ is that ~ does** *prov* omul se judecă după fapte, nu după chip **4** *fig* generos, mărinimos, darnic; **to do the ~ thing a** a face ceea ce se cuvine **b** a fi/a se arăta darnic/generos/mărinimos **5** *(d. o sumă etc.)* însemnat, considerabil, substanţial, frumos

handsomely ['hændsəmli] *adv* **1** frumos; drăguţ **2** frumos, ele-gant, nobil **3** darnic, mărinimos, generos

handsomeness ['hændsəmnis] *s* **1** frumuseţe, drăgălăşenie, graţie **2** eleganţă, nobleţe, distincţie **3** generozitate, dărnicie

handspring ['hændspriŋ] *s sport* voltă *(la gimnastică)*

hand stand ['hænd,stænd] *s sport* stat/susţinere în mâini

hand starter ['hænd,sta:tə'] *s auto* demarare/starter manual/de mână

hand towel ['hænd,tauəl] *s* prosop (mic)

handwork ['hænd,wə:k] *s* lucru de mână

handwriting ['hænd,raitiŋ] *s* scris (de mână): **to see the ~ on the wall** a prevedea/a prevesti o catastrofă; a presimți o nenorocire

handwriting expert ['hænd,raitiŋ'ekspə:t] *s* (expert) grafolog

handwritten ['hænd,ritən] *adj* scris de mână/cu mâna *jur* olograf

handwrought ['hænd,rɔ:t] *adj* lucru manual/de mână/artizanal/meș-teșugăresc

handy ['hændi] *adj* 1 comod, ușor de mânuit 2 la îndemână, apropiat, comod; disponibil 3 (aflat la locul) potrivit/nimerit; care pică tocmai bine; **to come in ~** a veni/ a pica tocmai bine/la țanc/timp; **(as) ~ as a pocket in a shirt** cum nu se poate mai potrivit/nimerit 4 îndemânatic, dibaci, priceput, abil

handy-dandy ['hændi,dændi] *s* „ghici ce am în mână" (joc de copii)

handyman ['hændi,mæn] *s* om priceput la toate

hang[1] [hæŋ], *pret și ptc* **hung** [hʌŋ] **I** *vt* 1 a atârna, a agăța, a suspenda 2 a prinde, a anina, a agăța 3 a lăsa *sau* a face să atârne; a lăsa în jos; **to ~ the/ one's head** a lăsa capul în jos/ piept; a fi abătut *sau* rușinat 4 a pune în cui, a anina, a agăța 5 a prinde/a pune pe perete; a bate/ a prinde (în cuie) 6 *pict* a expune (tablouri);* a aranja într-o expoziție 7 a împodobi cu tablouri (pereții, o cameră etc.) 8 ↓ *jur* a ține în suspensie; a împiedica (↓ jurații) să ia o hotărâre; a întârzia (verdictul) // **to ~ fire** a a avea o explozie întârziată, a nu exploda **b** a fi/a rămâne în suspensie/ nerezolvat **II** *vi* 1 a atârna, a fi atârnat/agățat/suspendat; **to ~ by a hair** *fig* a atârna de un fir de păr, a fi nesigur; a fi periclitat 2 a spânzura, a atârna (în jos); a fi înclinat 3 a se bălăbăni, a se bălăngăni; a oscila, a pendula 4 *fig* a fi în suspensie/așteptare, a rămâne/a pluti în aer, a fi în vânt 5 **(on, upon)** a depinde, a fi dependent/condiționat, a atârna (de); **it all ~s on his decision** totul depinde de hotărârea lui 6 a rămâne, a stărui; a se prelungi;

a persista; **to ~ heavily/heavy** (d. timp) a trece/a se scurge greu/încet 7 a zăbovi, a întârzia (să plece); a nu se da dus 8 a șovăi, a ezita, a fi nehotărât; **to ~ in the balance** a a sta la îndoială/la/pe gânduri **b** (d. victorie) a fi nedecis; a fi în bătaia vântului 9 (d. fenomene atmosferice) a amenința, a se pregăti 10 *artă* (d. tablouri) a fi expus, a se afla, a se găsi; (d. pictori) a avea expus/a expune (un tablou etc.) 11 ↓ *jur* a fi în disensiune, a nu cădea de acord, a nu ajunge la o înțelegere 12 (d. haine) a cădea/a veni bine, a avea o linie frumoasă

hang[2], *pret și ptc* **hanged** [hæŋd] **I** *vt* a spânzura, a executa prin spânzurătoare/spânzurare; **I'll be ~ed if I go!** *F* să mor eu/să mă ia dracul dacă mă duc! **~ it all!** *F* dă-o naibii! ducă-se dracului! **II** *vi* a fi spânzurat, a fi executat prin spânzurătoare; **let it go** – *F* ducă-se dracului/naibii **III** *vr* a se spânzura

hang[3] *s* 1 poziție, așezare 2 felul cum cade (o haină, o rochie etc.); linie 3 ținută, linie, conduită 4 *F* șmecherie, șpil, – pricepere, înțelegere; – esență; **to get the ~ of a thing** a prinde șpilul unui lucru, – a deprinde un lucru, a căpăta îndemânare la ceva 5 ← *F* sens, înțeles, esență; punct nevralgic 6 ← *F* pic(ătură), fărâmiță; **I don't care a ~** *F* puțin îmi pasă, nu-mi pasă nici cât negru sub unghie

hang about ['hæŋ ə'baut] **I** *vi cu part adv* a se învârti (fără rost) de colo până colo, a arde gazul, a tăia frunză la câini, a-și pierde vremea (fără rost) **II** *vi cu prep* a zăbovi în/prin, a se învârti (fără rost) pe la/prin

hangar ['hæŋəʳ] *s* 1 *av* hangar 2 adăpost, șopron

hang around ['hæŋə'raund] *vi cu part adv sau prep v.* **hang about** I, II

hang back ['hæŋ 'bæk] *vi cu part adv* 1 a da înapoi, a bate în retragere 2 a șovăi, a ezita

hangdog ['hæŋ,dɔg] **I** *adj atr* 1 abătut, (ca) de câine bătut 2 învins, bătut 3 (cu un aer) vinovat 4 jalnic, prăpădit **II** *s* 1 prăpădit,

mizerabil, nenorocit 2 *peior* trepăduș, câțel

hanger ['hæŋəʳ] *s* 1 umeraș, umăr (de haine) 2 agățătoare 3 cârlig; cuier 4 persoană care atârnă *sau* spânzură ceva

hanger-on ['hæŋgərɔn], *pl* **hangers-on** ['hæŋgəz,ɔn] *s* 1 pisălog, pacoste 2 lingeblide, parazit

hangfire ['hæŋ,faiəʳ] *s* explozie întârziată

hanging ['hæŋiŋ] **I** *s* 1 spânzurătoare, execuție/moarte prin spânzurătoare 2 spânzurătoare, ștreang 3 suspendare, agățare, atârnare 4 *pl* draperii; tapiserie 5 pantă, înclinație **II** *adj* 1 demn de spânzurătoare, spânzurat 2 atârnat, care atârnă în afară 3 suspendat 4 în pantă 5 înclinat (în jos) 6 de atârnat, de care se poate atârna/agăța ceva

hangman ['hæŋmən] *s* călău (care execută oamenii prin spânzurătoare)

hangman's knot ['hæŋmənz ,nɔt] *s* ștreang, juvăț

hangnail ['hæŋ,neil] *s* pieliță ruptă (la unghie)

hang on ['hæŋɔn] **I** *vi cu prep* 1 a se agăța de, a se ține strâns de; **to ~ smb's lips** *fig* a sorbi cuvintele cuiva 2 a rămâne/a sta în așteptarea *cu gen* **II** ['hæŋ'ɔn] *vi cu part adv* 1 a se ține strâns/tare, a nu se lăsa 2 a persevera, a nu se da bătut (cu una cu două), a insista

hang on to ['hæŋ'ɔntu] *vi cu part adv și prep* a se ține scai de, a nu slăbi *cu ac*

hangout ['hæŋ,aut] *s* ← *F* local frecventat de cineva, local preferat

hang out ['hæŋ'aut] *vi cu part adv* 1 a atârna (afară) 2 a-și pierde vremea/timpul 3 a umbla prin localuri, a nu mai ieși din cârciumi

hangover ['hæŋ,ouvəʳ] *s* 1 mahmureală, proastă dispoziție după beție 2 *fig* rămășițe, vestigii; efecte târzii

hang over ['hæŋ,ouvəʳ] *vi cu prep* 1 a sta/a se ține aproape de 2 a plana asupra *(cu gen)*, a amenința *cu ac*

hangtag ['hæŋ,tæg] *s amer com* etichetă cu instrucțiuni de folosire (prinsă pe un articol de îmbrăcăminte etc.)

hang together ['hæŋtə'geðəʳ] *vi cu adv* **1** a sta/a se ţine laolaltă, a rămâne împreună/uniţi/nedespărţiţi **2** a nu se despărţi, a fi nedespărţiţi; a se înhăita **3** a se îmbina **4** *fig* a avea coerenţă/logică, a sta în picioare

hang up ['hæŋˈʌp] *vt cu part adv* **1** a atârna, a agăţa (sus) **2** a pune *(receptorul)* în furcă **3** a amâna, a ţine în suspensie; a reţine, a întârzia

hang-up ['hæŋˌʌp] *s amer sl* încurcătură (sentimentală); complicaţie, treabă complicată

hang upon ['hæŋ ə,pɒn] *vi cu prep sau part adv* v. **hang on**

hank [hæŋk] *s* **1** scul; jurubiţă **2** împletitură; nod **3** coc

hanker ['hæŋkəʳ] *vi* (**after**) **1** a tânji, a plânge, a suferi (după); a dori *(cu ac)*, a-i fi dor (de) **2** a năzui, a aspira, a ţinti (la, către)

hankerer ['hæŋkərəʳ] *s* doritor, persoană care doreşte/tânjeşte

hankering ['hæŋkəriŋ] *s* (**after**) **1** dor (după) **2** dorinţă (de); aspiraţie, năzuinţă (către)

Hankow ['hæn'kau] *oraş în R.P. Chineză* Hankeu, Wuhan

hanky ['hæŋki] *s* ← *F* batistă, basma

hanky-panky ['hæŋki,pæŋki] *s* **1** hocus pocus, scamatorie, şarlatanie **2** păcăleală, înşelătorie **3** maşinaţie, uneltire, sforărie

Hannah ['hænə] *nume fem* Ana

Hannibal ['hænibəl] *nume masc* Hanibal

Hannover ['hænouvəʳ] *oraş în Germania* Hanovra

Hanoi [hæ'nɔi] *capitala R.D. Vietnam*

Hanover ['hænouvəʳ] *v.* **Hannover**

Hanoverian [,hænə'viəriən] *adj* de Hanovra

Hans [hæns] *nume masc*

Hansard ['hænsɑːd] *s pol* analele parlamentului, *buletin conţinând procesele verbale ale dezbaterilor din parlamentul britanic*

hanse [hæns] *s ist* **1** breaslă, corporaţie **2** ligă hanseatică **3** taxă de primire în breaslă/corporaţie

Hanseatic [,hænsi'ætik] *adj ist* hanseatic

hansel ['hænsəl] *s v.* **handsel I**

Hansen's disease ['hænsənzdi'ziːz] *s med* lepră

hansom (cab) ['hænsəm(kæb)] *s* birjă, trăsură de piaţă, fiacru

Hants *presc de la* **Hampshire**

hap [hæp] ← *înv* **I** *s* **1** providenţă, soartă **2** noroc, şansă **II** *vi* a se întâmpla, a se petrece

ha'penny ['heipni] *s v.* **halfpenny**

haphazard [hæp'hæzəd] **I** *adj atr* **1** întâmplător, ocazional **2** întâmplător, petrecut din întâmplare **II** *adv v.* **haphazardly**

haphazardly [hæp'hæzədli] *adv* întâmplător, din întâmplare

hapless ['hæplis] *adj (d. o întâmplare etc.)* nenorocit, nefericit

haplessly ['hæplisli] *adv* dintr-o/printr-o întâmplare nefericită; din păcate/nefericire

haplography [hæp'lɒgrəfi] *s lingv* omisiune a unei duplicări *(greşeală de ortografie)*

haploid ['hæplɔid] *biol* **I** *adj* haploid, cu un singur set de cromozomi nepereche **II** *s* celulă haploidă; organism haploid

haplology [hæp'lɒlədʒi] *s lingv* haplologie, suprimare a unei silabe prin disimilare totală

haply ['hæpli] *adv* ← *înv* **1** poate, cine ştie **2** întâmplător, din întâmplare

ha'p'orth ['heipəθ] *s* ← *F* valoare *sau* cantitate de o jumătate de penny

happen ['hæpən] *vi* **1** a se întâmpla, a se petrece, a se produce; a avea loc; **what ~s here?** ce se întâmplă/petrece aici? ce e aici? ce faceţi acolo/aici? despre ce e vorba? ce s-a (mai) întâmplat? **what ~ed?** ce s-a întâmplat? ce-ai păţit? ţi s-a întâmplat ceva? ai păţit ceva (rău)? **when did the accident ~?** când s-a produs/întâmplat/când a survenit accidentul? **2** a surveni, a se petrece/întâmpla între timp; **what ~ed then?** (şi apoi) ce s-a mai întâmplat (de atunci)? şi ce a mai fost? s-a mai întâmplat/a mai survenit ceva? **a funny thing ~ed on my way to school** (mi) s-a întâmplat/am păţit ceva ciudat în drum spre şcoală **3** a se nimeri (să fie/să se întâmple), a se brodi, a se întâmpla în mod accidental/din întâmplare/dintr-o simplă coincidenţă; a fi o coincidenţă/un lucru întâmplător; a avea norocul să; **as it ~s, I am in charge here** întâmplător/din întâmplare/oricât de ciudat ar (putea) părea, eu

răspund de ce se întâmplă aici; **as it ~ed, I had the money on me** din întâmplare/fericire/în mod cu totul întâmplător aveam banii/destui bani la mine; întâmplarea/norocul a făcut să am banii la mine/asupra mea; **it ~s to be true** (cu totul) întâmplător/oricât de tare te-ai mira *etc.*, e (adevărul) adevărat/nu e nici o minciună/exagerare la mijloc; **it (so) ~ed that I met him at the station** întâmplarea a făcut să-l întâlnesc/văd la gară; din întâmplare/în mod cu totul întâmplător/accidental l-am întâlnit la gară; aşa s-au brodit lucrurile că ne-am întâlnit la gară **4** (↓ *d. cineva*) a se întâmpla/nimeri să fie; a avea norocul *sau* ghinionul să fie; **she ~s to be my fiancée** întâmplător e (chiar) logodnica mea; întâmplarea face să fie logodnica mea; **I ~ to know it from him** întâmplarea face s-o ştiu chiar de la el/chiar din gura lui; **I ~ed by when he stumbled and fell** tocmai treceam/întâmplarea a făcut să trec pe acolo (tocmai) când s-a împiedicat şi a căzut; **I ~ed across/(upon) an interesting passage** am dat din întâmplare/în mod cu totul întâmplător/accidental peste un pasaj interesant

happening ['hæpəniŋ] *s* **1** întâmplare, eveniment **2** accident, eveniment imprevizibil **3** *teatru* spectacol bazat pe improvizaţii (spontane)

happen on/upon ['hæpənɒn/ə,pɒn] *vi cu prep* a da peste, a se întâlni cu; a nimeri (din întâmplare)

happenstance ['hæpən'stæns] *s* ← *umor* (pură) întâmplare, accident; surpriză

happen to ['hæpəntə] *vi cu prep* **1** a i se întâmpla *cu dat*, a trece prin **2** a deveni, a se întâmpla cu; **what happened to him since?** ce s-a mai întâmplat cu el după aceea? ce mai e cu el?

happily ['hæpili] *adv* **1** fericit, vesel, entuziast; bucuros, cu bucurie **2** din fericire

happiness ['hæpinis] *s* **1** fericire, mulţumire, satisfacţie **2** noroc, bucurie, fericire **3** veselie, jovialitate

happy ['hæpi] *adj* **1** fericit, încântat **2** vesel, jovial, optimist, bine dispus **3** (**about**) bucuros, încântat, mulțumit, satisfăcut (de); **are you ~ about it?** ei, acum ești mulțumit? **4** norocos, fericit, cu noroc; **a ~ turn of events** un (mare) noroc, o întâmplare fericită/norocoasă; o conjunctură favorabilă **5** (foarte) nimerit, potrivit, fericit; strașnic, grozav **6** *F* afumat, cherchelit **7** *ca suf* înnebunit/nebun după ceva; **trigger-~** maniac al pistolului; **girl-~** răsfățat de femei

happy-go-lucky ['hæpi,gou'lʌki] *adj, adv* **1** nepăsător, degajat, fără grijă **2** optimist, încrezător; cu inima ușoară

Hapsburg ['hæpsbə:g] *dinastie germană*

haptic ['hæptik] *adj fizl* legat de simțul pipăitului

harakiri [,hærə'kiri] *s* harachiri

haram ['hɑ:rɑ:m] *s v.* **harem**

harangue [hə'ræŋ] **I** *s* tiradă, discurs; predică moralizatoare **II** *vi* **1** a ține un discurs *sau* discursuri; a perora **2** a ține predici **III** *vt* a ține o predică *(cu dat);* a moraliza; a ocărî

harasment ['hærəsmənt] *s v.* **harassment**

harass ['hærəs] *vt* **1** a hărțui, a necăji, a chinui, a supăra **2** a hărțui *(inamicul);* a face incursiuni în

harassment ['hærəsmənt] *s* **1** hărțuială, hărțuire **2** necăjire, tulburare

Harbin [hɑ:'bi:n] *oraș în R. P. Chineză*

harbinger ['hɑ:bindʒəʳ] *s și fig* vestitor, sol, crainic

harbor... *amer v.* **harbour**

harbour ['hɑ:bəʳ] **I** *s* **1** *nav* port **2** loc adăpostit, adăpost, liman, refugiu **II** *vt* **1** a adăposti; a ocroti, a proteja **2** a conține, a cuprinde **3** *fig* a nutri, a hrăni; a păstra, a ascunde *(sentimente etc.);* **to ~ a grudge against smb** a păstra cuiva pică/dușmănie **4** ↓ *jur* a acorda azil/adăpost *cu dat* **III** *vi* **1** *nav* a ancora/a intra într-un port **2** a se adăposti, a se refugia **3** a sălășlui, a trăi, a locui, a sta **4** a acorda azil unui fugar, a ține (ascuns) un fugar

harbourage ['hɑ:bəridʒ] *s v.* **harbo(u)r I**

harbour dues ['hɑ:bə ,dju:z] *s pl* taxe portuare

harbourless ['hɑ:bəlis] *adj* fără adăpost/ocrotire/protecție

harbour master ['hɑ:bə ,mɑ:stəʳ] *s nav* căpitanul/comandantul portului

hard [hɑ:d] **I** *adj* **1** tare, ferm; dur, solid; compact; rezistent; **as ~ as rock** tare ca piatra/stânca; **a ~ nut to crack** *fig* **a** o problemă grea, o chestiune greu de rezolvat **b** o persoană dificilă/nesupusă/greu de mânuit **2** tare, puternic, voinic, musculos; **(as) ~ as nails a** tare ca fierul/piatra **b** *fig* aspru, fără inimă, împietrit; nesimțitor **3** greu, dificil; aspru; chinuitor; **to learn smth the ~ way** a te lupta cu/a lua în piept greutățile, a nu merge pe căi bătătorite **4** *fig* greu, dificil *(de înțeles etc.);* **he is ~ to please** e greu de mulțumit, e năzuros/mofturos **5** aspru, sever; dur, < crud, sălbatic **6** dureros, greu, aspru; puternic; **a ~ blow** o lovitură grea/dureroasă **7** *(d. vreme)* aspru, rău; friguros **8** greu (de făcut), istovitor, obositor, extenuant; **it's a ~ row to hoe** e o treabă/sarcină (foarte) grea/dificilă **9** harnic, silitor, destoinic; **a ~ worker** un om muncitor/harnic; **to try one's ~est** a munci din răsputeri/pe rupte/pe brânci; a-și da toată osteneala **10** *(d. sunete)* aspru, tare, surd; *fig* neplăcut, supărător, strident, discordant **11** *(d. prețuri)* inaccesibil, ridicat, mare **12** zgârcit, meschin, strâns la pungă **13** *(d. băutură)* alcoolic, tare **14** *(d. medicament)* (prea) puternic, care dă obișnuință **15** *(d. apă)* aspră, care nu săpunește **II** *adv* **1** (cu, din) greu, cu dificultate/mari eforturi; din toate puterile; **to try ~** a-și da toată osteneala; a se lupta din greu; **to study ~** a studia intens; **to think ~** a se gândi intens/profund **2** aspru, sever, cu asprime/severitate; necruțător, fără îngăduință; **to run smb ~** a urmări pe cineva pas cu pas, a nu slăbi pe cineva **3** crunt, rău, îngrozitor, cumplit; **it is raining ~** plouă tare/cu găleata; **to swear ~** a înjura cumplit; **he drinks ~** bea de

stinge **4** imediat, curând; îndeaproape; **to follow ~ after/behind/upon smb** a fi pe urmele cuiva, a urma/a urmări îndeaproape pe cineva **5** rău, greu, prost; **it will go ~ with him a** o să-i fie/vină greu; o s-o ducă prost **b** n-o să-i convină, n-o să-i vină la socoteală; **to be ~ put to it** a fi pus la grea încercare; a fi strâns cu ușa **6** (până se face) tare; **to boil the eggs ~** a face ouă răscoapte, a fierbe ouăle tari **III** *s sl* muncă silnică

hard-and-fast ['hɑ:dən'fɑ:st] *adj* **1** strict, rigid, sever **2** fix, ferm; de neschimbat

hard-back ['hɑ:d,bæk] *s* carte cartonată, exemplar/volum cartonat

hard-backed ['hɑ:d'bækt] *adj (d. o carte)* cartonat

hard bake ['hɑ:d'beik] *s gastr* picromigdală; pralină

hard-bitten ['hɑ:d'bitn] *adj* **1** versat, cu experiență, *F* → hârșit (cu viața), trecut prin ciur și prin dârmon **2** dârz, neînfricat, îndârjit, înverșunat

hardboard ['hɑ:dbɔ:d] *s* plăci aglomerate/fibrolemnoase

hard-boiled ['hɑ:d'bɔild] *adj* **1** răscopt, (fiert) tare **2** *fig* ← *F* aspru, neînduplecat, împietrit, nesimțitor **3** *fig F v.* **hard-bitten 1**

hard-bound ['hɑ:d,baund] *adj v.* **hard-backed**

hard-by ['hɑ:d'bai] *adv* aproape, în apropiere, nu departe

hard cash ['hɑ:d'kæʃ] *s* **1** bani gheață/peșin/lichizi **2** monezi metalice, bani de metal

hard coal ['hɑ:d'koul] *s minr* antracit

hard core ['hɑ:d'kɔ:ʳ] **I** *s și fig* nucleu (solid) **II** *adj* **1** central, principal; care constituie miezul **2** absolut, fără rezerve; total

hard court ['hɑ:d'kɔ:t] *s sport* teren *(de tenis etc.)* cu zgură

hard cover ['hɑ:d'kʌvəʳ] *s v.* **hard-back**

hard-covered ['hɑ:d'kʌvəd] *adj v.* **hard-backed**

hard currency ['hɑ:d'kʌrənsi] *s* valută/monedă forte

hard drinker ['hɑ:d'driŋkəʳ] *s* mare băutor, bețivan, om care trage zdravăn la măsea

hard-earned ['hɑ:d'ə:nd] *adj* câștigat cu greu/trudă/eforturi

harden ['hɑ:dən] **I** *vt* **1** a întări, a face tare **2** a căli **3** *fig* a oțeli, a căli **4** *fig* a consolida, a întări **II** *vi* **1** a se întări **2** *fig* a se oțeli, a se căli **3** *fig* a se îndârji; a se înăspri, a deveni împietrit/nesimțitor **4** (**to**) *fig* a se deprinde/obișnui (cu) **5** (**to**) a deveni inuman/insensibil/ nesimțitor (la)

hardened ['hɑ:dənd] *adj* **1** întărit; rigid **2** consolidat; întărit **3** *fig* împietrit; înăsprit; nesimțitor; îndârjit; neînduplecat **4** *fig* înrăit, inveterat

harden off ['hɑ:dən'ɔ(:)f] *vi cu part adv bot* a deveni rezistent

hard-favoured ['hɑ:d'feivəd] *adj* pocit, urât

hard-featured ['hɑ:d'fi:tʃəd] *adj v.* **hard-favoured**

hard fight ['hɑ:d'fait] *s* luptă dârză/ îndârjită

hard-fisted ['hɑ:d'fistid] *adj* strâns la pungă, avar, zgârcit; meschin

hard-goods ['hɑ:d'gudz] *s pl com* bunuri de folosință îndelungată

hard-handed ['hɑ:d'hændid] *adj* **1** cu mâinile aspre/înăsprite de muncă; cu bătături în palmă **2** *fig* sever, aspru, tiran(ic), despot(ic)

hard-headed [ˌhɑ:d'hedid] *adj* **1** practic, pragmatic **2** lucid **3** insensibil, nesimțitor, împietrit **4** isteț, șiret, viclean **5** încăpățânat, inflexibil

hard-headedly [ˌhɑ:d'hedidli] *adv* **1** (ca un om) practic **2** insensibil, fără inimă/suflet, cu inima împie- trită, fără sentimentalism **3** viclean, cu șiretenie

hard-headedness [ˌhɑ:d'hedidnis] *s* **1** asprime, calozitate **2** *fig* seve- ritate, asprime; tiranie, des- potism

hard-hearted [ˌhɑ:d'hɑ:tid] *adj* **1** împietrit, nesimțitor, insensibil **2** nemilos, crud, neîndurător, fără inimă

hard-heartedly [ˌhɑ:d'hɑ:tidli] *adv* crud, nemilos, fără milă *v.* **hard- headedly**

hard-hit ['hɑ:d'hit] *adj* nenorocit, greu lovit (de soartă); sinistrat

hard land ['hɑ:d 'lænd] *vi astro- nautică* a ateriza/a aseleniza *etc.* periculos/cu viteză mare

hard landing ['hɑ:d 'lændiŋ] *s astro- nautică* aterizare periculoasă (cu viteză mare)

hard line ['hɑ:d 'lain] **I** *s* **1** inflexi- bilitate, intransigență **2** dog- matism, adeziune fermă *(la o politică de mână forte)* **3** *pl* soartă grea; nenorocire, năpastă **II** *adj pol* intransigent, inflexibil, dog- matic; de mână forte

hard liner ['hɑ:d ˌlainər] *s pol* **1** in- transigent, inflexibil, conservator înrăit **2** fanatic; adept al unei politici de mână forte

hard liquor ['hɑ:d ˌlikər] *s* băuturi tari/spirtoase; băutură tare

hard luck ['hɑ:d 'lʌk] *s* **1** ghinion, neșansă **2** *v.* **hard line 3**

hardly ['hɑ:dli] *adv* **1** abia (dacă, de); **there is ~ enough for two** abia dacă ajunge pentru doi **2** prea puțin, mai deloc; **I ~ knew him** nu-l cunoșteam mai deloc; **~ any** mai nici un *sau* nici o; **~ anybody** mai nimeni; **~ ever** mai niciodată; **this is ~ the case** nu e (câtuși de puțin) cazul, nu e deloc așa; **I need ~ say** aproape/ mai că nu e nevoie să spun **3** puțin probabil **4** tocmai, abia; **~ had I arrived when the tele- phone rang** abia/tocmai sosi- sem când a sunat telefonul; nici nu sosisem bine că a și sunat telefonul **5** aspru, cu asprime, rău; crud, sălbatic **6** ← *rar* cu greu(tate)/dificultate

hard money ['hɑ:d ˌmʌni] *s amer* mărunțiș, monezi, bani metalici

hard-mouthed ['hɑ:d,mauðd] *adj* **1** *(d. cal)* insensibil la zăbală, nestrunit, nărăvaș **2** *fig* dificil, năravaș

hardness ['hɑ:dnis] *s* **1** duritate **2** rezistență, soliditate, rigiditate **3** *fig* duritate, asprime, seve- ritate **4** *fig* rigoare, severitate, asprime **5** *fig* dificultate, *pl* ri- gori, greutăți

hard nose ['hɑ:d ˌnouz] *s F* capso- man, catâr, – încăpățânat

hard nose(d) ['hɑ:d ˌnouzd] *adj F* neînduplecat, cu cerbicea tare

hard of hearing ['hɑ:d əv'hiəriŋ] *adj* tare de ureche, (aproape) surd

hard on ['hɑ:d 'ɔn] *prep v.* **hard upon**

hard palate ['hɑ:d ˌpælit] *s anat* palat, palatul tare, cerul gurii

hardpan ['hɑ:d,pæn] *s* **1** *geol* strat compact/rigid **2** *fig* temelie/ fundație solidă

hard put ['hɑ:d ˌput] *adj:* ~ **to it** la ananghie; în mare dificultate/ încurcătură

hard rubber ['hɑ:d ˌrʌbər] *s ch* cauciuc vulcanizat/rigid, ebo- nit(ă)

hard sauce ['hɑ:d ˌsɔ:s] *s gastr* cremă aromată *(pt budincă)*

hard sell ['hɑ:d ˌsel] *s com* ← *F* comerț agresiv

hard-set ['hɑ:d,set] *adj* **1** întărit, consolidat; care a făcut priză **2** rigid, fix **3** incubat, clocit **4** *fig* flămând, înfometat

hard-shell ['hɑ:d,ʃel] *adj* **1** cu coajă tare **2** *fig* ferm, rigid, intratabil, care nu face compromisuri

hardship ['hɑ:d'ʃip] *s* **1** dificultate, greutate; lovitură a soartei **2** privațiuni, greutăți, vitregie a soartei

hard shoulder ['hɑ:d ˈʃouldər] *s auto* bandă suplimentară de circu- lație; refugiu

hard swearing ['hɑ:d ˌsweəriŋ] *s* sperjur, jurământ strâmb

hard tack ['hɑ:d ˌtæk] *s* pesmet marinăresc

hard times ['hɑ:d,taimz] *s pl* vremuri/ timpuri grele/vitrege

hard top ['hɑ:d,tɔp] *a auto* automobil nedecapotabil

hard up ['hɑ:d 'ʌp] *adj* lefter, pe geantă, *F* la sec, păduche, strâmtorat, fără bani

hard up for ['hɑ:d,ʌp fər] *adj cu prep* lipsit de, fără *(bani etc.)*

hard upon ['hɑ:d ə'pɔn] *prep* **1** curând *sau* imediat după; pe urmele *cu gen* **2** chiar în urma/spatele *cu gen*, foarte aproape după

hardware ['hɑ:d,weər] *s* **1** (articole de) fierărie **2** obiecte de uz casnic, articole de menaj **3** *mil* echipament solid **4** arme albe **5** *automatică* echipament, utilaj, hardware

hard water ['hɑ:d ˌwɔ:tər] *s ch* apă dură

hard wheat ['hɑ:d ˌwi:t] *s agr* grâu cu conținut ridicat de gluten

hardwood ['hɑ:dwud] *s* **1** (lemn de) esență tare **2** *bot* copac cu lemn de esență tare

hard words ['hɑ:d ˌwə:dz] *s pl* **1** cuvinte dificile/grele/complicate **2** insulte, ocări, vorbe grele

hard-working ['hɑ:d,wə:kiŋ] *adj* harnic, muncitor, silitor

hardy [ˈhɑːdi] *adj* **1** viguros, robust, vânjos **2** rezistent, viguros **3** îndrăzneţ, curajos, temerar

Hardy, Thomas *scriitor englez (1840-1880)*

hardy annual [ˈhɑːdi ˈænjuəl] *s* **1** *bot* plantă perenă *sau* rezistentă **2** *fig* problemă care revine în fiecare an

hare [hɛəʳ] **I** *s* *zool* iepure de câmp *(Lepus)*; **(as) mad as a March ~** nebun de legat, trăsnit; **to hold/ run with the ~ and hunt with the hounds** a face joc dublu, a se pune bine cu ambele tabere/ şi cu unii şi cu alţii; **first catch the ~ (then cook him)** *prov* nu zi(ce) hop până n-ai sărit; **to start a ~** a aborda/deschide un subiect/o discuţie **II** *vi* a alerga iute/ca un iepure

hare and hounds [ˈhɛərən ˈhaundz] *s pl* joc care constă în urmărirea traseului marcat de echipa adversă prin împrăştierea unor bucăţi de hârtie

hare-bell [ˈhɛə.bel] *s bot* campanulă, clopoţel *(Campanula rotundifolia)*

hare-brained [ˈhɛə.breind] *adj* **1** aiurit, zăpăcit, împrăştiat, zănatic **2** nechibzuit, nesăbuit

hare lip [ˈhɛə .lip] *s med* buză de iepure

harem [ˈhɛərəm], **hareem** [hɑːˈriːm] *s* harem

haricot [ˈhærikou] *s* mâncare/ghiveci de berbec *(cu legume)*

harikari [.hæriˈkɑːri] *s v.* **harakiri**

hark [hɑːk] *vi* **1** (↓ *la imperativ*) **(to)** a asculta *(cu ac)* **2** vânât *(şi ~* **forward, away, off)** a chema câinii

hark back to [ˈhɑːk ˈbæk tə] *vi cu part adv şi prep* **1** vânăt a reveni pe aceeaşi pistă **2** *fig* a reveni mereu la, a pisa *aceeaşi problemă*

harken [ˈhɑːkən] *vi v.* **hark**

Harlem [ˈhɑːləm] *cartier în New York (locuit de negri)*

harlequin [ˈhɑːlikwin] *s* **1** *teatru od* arlechin; clovn **2** *fig* bufon, clovn **3** motiv/desen/tipar bălţat *(ca de arlechin)*

harlequinade [.hɑːlikwiˈneid] *s teatru* arlechinadă; clovnerie, bufonerie

Harley Street [ˈhɑːli .striːt] *s* stradă din Londra cu cabinetele celor :nai buni medici

harlot [ˈhɑːlət] **I** *s* prostituată, târfă, boarfă **II** *vi* a se prostitua, a practica prostituţia, a face trotuarul, *F* a se curvăsări

harlotry [ˈhɑːlətri] *s* **1** prostituţie, *F* curvăsăreală **2** *(colectiv)* prostituate, *F* borfet

harm [hɑːm] **I** *s* **1** vătămare, atingere, rău; **he means no ~** n-are intenţii rele, nu vrea rău nimănui; **it will do you no ~** n-o să-ţi facă nici un rău, n-o să-ţi strice/ dăuneze câtuşi de puţin; **there's no ~ in reading it** nu pierzi nimic dacă o citeşti, n-o să-ţi strice s-o citeşti; **out of ~'s way** ferit de (orice) primejdie, în siguranţă **2** avarie, stricăciune; dăunare **II** *vt* **1** a dăuna *(cu dat)*, a strica *(cu ac sau dat);* a face (un) rău *(cu dat)* **2** a avaria, a răni

harmful [ˈhɑːmful] *adj* **1** dăunător, rău, nociv, stricător **2** periculos, primejdios **3** supărător

harmfully [ˈhɑːmfuli] *adv* (în mod) dăunător/nociv *sau* primejdios

harmfulness [ˈhɑːmfulnis] *s* nocivitate, caracter dăunător, rău

harmless [ˈhɑːmlis] *adj* **1** **(to)** inofensiv, neprimejdios, nepericulos (pentru) **2** nevinovat, inocent **3** *(d. şarpe)* blând, neveninos

harmlessness [ˈhɑːmlisnis] *s* **1** caracter inofensiv/neprimejdios, lipsă de nocivitate **2** nevinovăţie, inocenţă

harmonic [hɑːˈmɔnik] **I** *adj* **1** *muz etc.* armonic, bazat pe armonie; consonant **2** armonios, concordant **3** *mat* armonic **II** *s muz* armonică, ton armonic; armonie

harmonica [hɑːˈmɔnikə] *s muz* **1** armonică, acordeon **2** muzicuţă, armonică de gură

harmonics [hɑːˈmɔniks] *s pl ca sg muz* ştiinţa/arta armoniei

harmonious [hɑːˈmouniəs] *adj* **1** *muz* armonios, plin de armonie **2** *fig* armonios, uniform, omogen, concordant **3** bazat pe înţelegere/armonie **4** muzical, melodios, armonios

harmoniously [hɑːˈmouniəsli] *adv* **1** *muz* armonios, melodios **2** *fig* concordant, (în mod) armonios

harmoniousness [hɑːˈmouniəsnis] *s* **1** armonie, caracter armonios **2** omogenitate; concordanţă

harmonist [ˈhɑːmənist] *s* **1** *muz* specialist în armonie, maestru al armoniei **2** muzician, muzicant

harmonium [hɑːˈmouniəm] *s muz* armoniu, fisarmonică, orgă de cameră

harmonization [.hɑːmənaiˈzeiʃən] *s* **1** armonizare **2** punere de acord/ în armonie

harmonize [ˈhɑːmənaiz] **I** *vt* **1** a armoniza, a face să fie armonic **2** **(with)** a pune de acord, a armoniza (cu); a pune în armonie/concordanţă/consonanţă, a omogeniza **3** *muz* a amplifica armoniile *(cu dat)* **II** *vi* **(with)** a se armoniza. a fi concordant/ armonios (cu)

harmony [ˈhɑːməni] *s* **1** *muz* armonie **2** caracter melodios **3** înţelegere, acord, armonie, concordanţă **4** punere de acord/în concordanţă

harness [ˈhɑːnis] **I** *s* **1** ham(uri), harnaşament **2** *fig* echipament/ haine de lucru; **to be in ~** a îndeplini munca zilnică; **to die in ~** a muri la post **3** *od* armură de protecţie **II** *vt* **1** a înhăma; a pune harnaşamentul *(cu dat)* **2** *fig* a exploata, a utiliza, a valorifica *(un râu, resurse)*

Harold [ˈhærəld] *nume masc*

harp [hɑːp] **I** *s* harpă, harfă **II** *vi* a cânta la harpă

harper [ˈhɑːpəʳ], **harpist** [ˈhɑːpist] *s muz* harpist(ă)

harpings [ˈhɑːpiŋz] *s pl* **1** *nav* (scânduri şi leaţuri folosite ca) întăritură pentru provă **2** *nav* capre pentru cala de construcţie

harpins [ˈhɑːpinz] *s pl v.* **harpings**

harpist [ˈhɑːpist] *s muz* harpist(ă)

harp on [ˈhɑːp ɔn] *vi cu prep* a insista/a stărui asupra *cu gen,* a pisa, a relua mereu *cu ac;* **he is harping (and carping) on it** mereu revine la/piscază chestia asta

harpoon [hɑːˈpuːn] **I** *s* harpon, cârlig **II** *vt* a prinde cu harponul, a harpona

harpsichord [ˈhɑːpsi.kɔːd] *s muz tip* de clavecin

harp upon [ˈhɑːp ə.pɔn] *vi cu prep v.* **harp on**

harpy [ˈhɑːpi] *s* **1** *mit* harpie, monstru rapace **2** *fig* zgripţuroaică, gorgonă; scorpie **3** *fig* jefuitor; lipitoare; lup; pasăre de pradă **4** *fig* pasăre de noapte, femeie de localuri

harquebus ['haːk,wibəs] *s mil od* archebuză; *aprox* flintă

harridan ['hæridən] *s peior* babornița, hoașcă bătrână, băbătie

harrier ['hæriəʳ] *s* 1 câine de vânătoare (care hăituiește vânatul) 2 *pl* hăitași cu câini de vânătoare 3 *orn* heretele de stuf *(Circus aeruginosus)*

Harriet(t), Harriette ['hæriət] *nume fem*

Harrisburg ['hærisbəːg] *oraș în S.U.A.*

Harrison ['hærisən] *nume de familie*

Harris tweed ['hæris twiːd] *s text* tuid, tweed

Harrovian [hə'rouviən] I *adj* legat de școala/liceul din Harrow *(pt fii de bogătași)* II *s* 1 (fost) elev la Harrow 2 locuitor din Harrow

Harrow ['hærou] *s* 1 oraș în Anglia 2 școală/liceu pentru fiii de bogătași

harrow[1] I *s* grapă; **under the ~** *fig* la ananghie, într-o situație grea/disperată II *vt* 1 a grăpa 2 a zgâria, a scrijeli, a cresta 3 *fig* a răni, a jigni (profund); a chinui, a tortura // **to ~ hell** ← *înv. (d. Hristos)* a mântui pe păcătoși

harrow[2] *vt v.* **harry** 1

harrowing ['hærouiŋ] *s agr* grăpat

harrumph [hə'rʌmf] *amer* I *s* 1 gâjâială, hârâială; vorbire aspră și guturală 2 (tuse afectată pentru) dregerea glasului II *vi* 1 a gâjâi, a hârâi, a vorbi aspru și din gât 2 a-și drege glasul (în mod afectat) 3 a protesta zgomotos/vehement

Harry ['hæri] *s* 1 *nume masc dim de la* Henry 2 Satana, Diavolul

harry *vt* 1 a distruge, a strica 2 a jefui, a spolia 3 a necăji, a hărțui, a chinui, a tortura

harsh [haːʃ] *adj* 1 aspru (la pipăit), rugos, cu rugozități 2 *fig* aspru, crud, sever; sălbatic, neîndurător, nemilos; împietrit 3 aspru, dis(t)onant, strident, supărător; ~ **to the ear** care-ți zgârie urechile 4 dezagreabil, respingător

harshly ['haːʃli] *adv* 1 aspru, cu asprime, crud, cu cruzime 2 sever, riguros 3 supărător, dezagreabil, ↓ distonant

harshness ['haːʃnis] *s* 1 asprime, severitate, rigoare, rigurozitate 2 cruzime, sălbăticie

hart [haːt] *s zool* 1 cerb 2 căprior (↓ *de peste cinci ani)*

Harte [haːt], **Francis Brett** *nuvelist american (1836-1902)*

hartebeest ['haːti,biːst] *s zool* antilopă africană *(Alcelaphus caama)*

hartshorn ['haːtsˈhɔːn] *s* corn de cerb

hart's tongue (fern) ['haːts ˌtʌŋ (fəːn)] *s bot* limba-cerbului, năvalnic *(Phyllitis scolopendrium)*

harum scarum ['hɛərəm 'skɛərəm] I *s* 1 aiurit, zăpăcit, buimac, zănatic 2 trăsnaie, aiureală; zăpăceală; purtare aiurită II *adj* 1 aiurit, zăpăcit, tralala, zănatic 2 învălmășit, alandala, în dezordine III *adv* aiurea, nebunește

Harun al-Rashid [hæˈruːn 'ælræʃiːd] *calif al Bagdadului (764?-809)*

Harvard ['haːvəd] 1 *universitate americană (din orașul Cambridge, Statul Massachusetts)* 2 *munte în S.U.A.*

harvest ['haːvist] I *s* 1 seceriș; recoltare, cules, strânsul recoltei 2 recoltă, producție agricolă; **there was a succession of good ~s** au fost câțiva ani buni (pentru recoltă/agricultură) 3 *fig* roade, rezultate, consecințe; răsplată 4 vremea secerișului II *vt* 1 a recolta, a strânge, a culege, a secera *(recolta, grânele)* 2 *fig* a culege, a aduna *(roadele etc.)*

harvest bug ['haːvist ˌbʌg] *s ent* varietate de căpușă *(Trombiculidae sp)*

harvester ['haːvistəʳ] *s* 1 secerător; culegător; muncitor agricol care participă la seceriș 2 combină (de recoltat cereale), secerătoare-legătoare

harvester ant ['haːvistər ˌænt] *s ent* furnică strângătoare *(Messor sp.)*

harvest festival ['haːvist 'festivəl] *s* sărbătoarea (religioasă a) recoltei

harvest fly ['haːvist 'flai] *s ent v.* **cicada**

harvest home ['haːvist ˌhoum] *s aprox* sărbătoarea recoltei

harvestman ['haːvistmən] *s* 1 *ent* păianjen cu picioarele lungi și subțiri *(Phalangida sp)* v. și **daddylong-legs** 2 *v.* **harvester** 1

harvest mite ['haːvist ˌmait] *s v.* **harvest bug**

harvest moon ['haːvist,muːn] *s astr* lună plină *(în preajma echinocțiului de toamnă)*

harvest mouse ['haːvist ˌmaus] *s zool* șoarece de câmp *(Micromys minutus)*

Harvey ['haːvi], **William** *medic englez (1578-1657)*

Harwich ['hæridʒ] *oraș în Anglia*

Harz [haːts] *munți în Germania*

has [həz, əz, z *forme slabe*, hæz *formă tare*] *pers III sg prez de la* **have I-III**

has-been [həz'biːn] *s F* 1 fost, fosilă, edec, decăzut, *înv* tombateră, ruginit 2 – persoană demodată/de modă veche 3 – edec, fosilă, lucru demodat/ieșit din uz

Hasdrubal ['hæzdrubəl] *general cartaginez (în 207 î.e.n.)*

hash[1] [hæʃ] I *vt* 1 a toca *(carnea);* a da prin mașină 2 *fig* a tăia mărunt, a toca, a mărunți II *s* tocătură, carne tocată; **to make a ~ of smth a** a strica/a poci (de tot) ceva **b** a încurca rău lucrurile/ceva; **to settle smb's ~** *F* a-i face cuiva de petrecanie **b** a-i veni de hac cuiva

hash[2] [hæʃ] *s F* hașiș

hasheesh ['hæʃiːʃ] *s* hașiș

Hashemite ['hæʃiˌmait] *adj* hașemit, iordanian

hash house ['hæʃ ˌhaus] *s amer sl* birt (soios), ospătărie (ieftină), local prost

hashish ['hæʃiːʃ] *s* hașiș

hash up ['hæʃ 'ʌp] *vt cu part adv v.* **hash I**

haslet ['hæzlit] *s* carne de fript (↓ *frigărui de porc)*

hasn't ['hæznt] *contras din* **has not**

hasp [haːsp] I *s* 1 balama, țâțână 2 cataramă 3 încuietoare 4 scoabă 5 *text* scul, jurubiță, mănunchi de fire II *vt* a închide *(un geamantan etc.)*

hassle ['hæsəl] *F* I *vi* a se ciondani, a se ciorovăi, a se certa II *s* ciorovăială, ciondăneală, frecuș

hassock ['hæsək] *s* 1 perniță pentru îngenunchiat (↓ *în biserică)* 2 smoc de iarbă

hast [hæst] *înv pers II sg prez de la* **have I-III**

haste [heist] **I** s grabă (exagerată), prip(eal)ă, precipitare; mișcare precipitată, agitație; **to make ~ (to do smth)** a se grăbi (să facă ceva); **make ~!** grăbește-te! mai repede! **more ~, less speed** prov graba strică treaba **II** vi (**to**) a se grăbi (să); a se pripi (să)

hasten ['heisən] **I** vt 1 a grăbi, a zori, a face/a îndemna să se grăbească, a îmboldi 2 a accelera, a grăbi; a face să se producă mai repede/devreme **II** vi a se grăbi, a se zori; a fi grăbit; **to ~ home** a se grăbi să ajungă acasă, a se duce repede acasă

hasten away ['heisən ə'wei] vi cu part adv v. **hasten II**

hastily ['heistili] adv 1 grăbit, repede, în (mare) grabă 2 pripit, în pripă, fără chibzuială, fără să se gândească

hastiness ['heistinis] s 1 grabă, repezeală, pripă 2 pripeală 3 nechibzuială, nechibzuință

Hastings ['heistiŋz] orășel în Anglia

hasty ['heisti] adj 1 grăbit, rapid, iute 2 repezit, pripit 3 iute (la mânie), irascibil 4 nechibzuit, nesăbuit

hasty pudding ['heisti ˌpudiŋ] s 1 budincă sau fiertură de cereale 2 amer mălai (dulce) cu lapte

hat [hæt] **I** s 1 pălărie; (as) black as my ~ negru ca fundul ceaunului/ ca pana corbului; **to pass/to send round the ~** a face o chetă; a umbla cu pantahuza; **to talk through one's ~** F a vorbi aiurea, a spune prostii **b** a îndruga verzi și uscate **c** a face pe grozavul, argou a se da mare/ grande, – a se lăuda; **to take one's ~ off to** și fig a-și scoate pălăria în fața cu gen 2 fig rang (de cardinal etc.) 3 sl gagiu, față, cetățean, tip, individ; **a bad ~** un ticălos **II** vt a pune pălăria pe cap (cuiva), a acoperi cu pălăria

hatable ['heitəbəl] adj antipatic, urăcios, scârbos

hat band ['hæt ˌbænd] s panglică de pălărie

hat block ['hæt blɔk] s calapod pentru pălării

hatch¹ [hætʃ] s 1 partea de jos a unei uși cu două tăblii 2 deschizătură/ ferestruică în perete (între bucătărie și sufragerie etc.) 3 trapă 4 nav tambuchi, bocaport; **under**

~es a sub punte **b** fig pierit, mort, distrus; **down the ~!** beți (paharele) până la fund! noroc! la mulți ani! 5 zăgaz (pt ape mari)

hatch² **I** vt 1 (d. păsări) a scoate (pui) 2 a cloci 3 a incuba 4 (d. ou) a da, a scoate (pui) 5 fig a urzi, a țese, a cloci, a pune la cale **II** vi 1 a scoate pui, a sta cloșcă/pe ouă 2 a ieși din ou **III** s 1 clocire 2 pui ieșiți din ouă; **~es, catches matches and dispatches** nașteri, logodne, căsătorii și decese; rubrica mondenă (în ziare)

hatch³ **I** vt 1 a hașura 2 a acoperi cu linii paralele **II** s 1 hașură 2 linii paralele

hat check ['hæt ˌtʃek] **I** s număr/bon de la garderobă **II** adj de garderobă

hatchery ['hætʃəri] s 1 incubator, crescătorie de pui/păsări 2 crescătorie de pești (↓ păstrăvi)

hatchet ['hætʃit] s secure, baltag, toporișcă; **to burry the ~** a se împăca, a nu se mai dușmăni; **to throw the helve after the ~** a spori pierderile; a face risipă și mai mare

hatchet face ['hætʃit ˌfeis] s față ascuțită/slabă/cât un fir de ață

hatchet job ['hætʃit ˌdʒɔb] s ↓ fig masacru, omor

hatchet man ['hætʃit ˌmæn] s 1 ucigaș tocmit, asasin/criminal plătit/năimit, sicar 2 fig călău, măcelar

hatchway ['hætʃˌwei] s nav tambuchi, bocaport

hate [heit] **I** vt 1 a urî, a nu putea suferi 2 a dușmăni, a purta pică/ sâmbetele cu dat 3 a nu putea suferi/suporta, a avea oroare de (un lucru); a nu-i plăcea; **I ~ to trouble you** regret (mult) că te deranjez; **I ~ you to go away** nu mă pot împăca cu ideea plecării tale; nu vreau să pleci **II** s 1 poetic ură; silă; oroare 2 nesuferit(ă), persoană antipatică/urăcioasă/nesuferită

hateful ['heitful] adj 1 (to) urăcios, odios, antipatic, nesuferit (pentru sau cu dat) 2 ← înv rău(voitor), plin de rea-voință

hatefully ['heitfuli] adv (în mod) odios

hatefulness ['heitfulnis] s 1 caracter odios, urăcios; caracter respingător 2 antipatie (stârnită de

cineva sau ceva)

hatemonger ['heitmʌŋəʳ] s amer ațâțător, instigator (↓ șovin)

hatful ['hætful] s (cât încape într-)o pălărie

hath [hæθ] înv pers III sg prez de la **have I** are; a

hatless ['hætlis] adj cu capul gol/ descoperit; fără pălărie

hatpeg ['hætˌpeg] s v. **hat rack**

hat pin ['hæt ˌpin] s ac de pălărie

hat rack ['hæt ˌræk] s cuier pentru pălării

hatred ['heitrid] s 1 ură; silă; oroare 2 dușmănie, vrajbă, ură; pică, răutate

hatstand ['hætˌstænd] s cuier pentru pălării

hatter ['hætəʳ] s pălărier; (as) mad as a ~ nebun de legat

Hatteras ['hætərəs] insulă și cap în S.U.A.

Hattie ['hæti] nume fem dim de la **Harriet**

hat tree ['hætˌtriː] s cuier pentru pălării

hat trick ['hæt ˌtrik] s sport 1 marcare/înscriere a trei puncte/ goluri într-un meci 2 victorii succesive (la crichet etc.)

hauberk ['hɔːbəːk] s od (haină de) zale

haughtily ['hɔːtili] adv 1 semeț, trufaș, cu semeție 2 de sus, arogant

haughtiness ['hɔːtinis] s 1 semeție, trufie 2 aroganță

haughty ['hɔːti] adj 1 semeț, trufaș; mândru 2 arogant, care te ia de sus 3 demn, plin de demnitate

haul [hɔːl] **I** vt 1 a trage (după sine), a târî; **to ~ down one's flag/ colours** fig a pleca/a coborî steagul, a se preda 2 a transporta (↓ prin cărăușie) **II** vi (at, upon) a-și schimba direcția, a se schimba **III** s 1 tragere, târâre 2 cantitate transportată 3 pradă/ captură (a pescarilor) 4 fig pradă, câștig, profit

haulage ['hɔːlidʒ] s transport; cărăușie

haulier ['hɔːliəʳ] s camionagiu, cărăuș

haulm [hɔːm] s agr tulpini de păioase, legume etc.

haunch [hɔːntʃ] s 1 pulpă, but; șuncă 2 anat pulpă; **to sit on one's ~es** a ședea pe vine

haunt [hɔ:nt] **I** vt **1** a frecventa, a vizita des, a se duce des la; a umbla prin *(anticariate etc.)* **2** *(d. stafii etc.)* a bântui, a reveni la, a vizita; a nu da pace *(cu dat)* **3** *(d. gânduri)* a obseda, a persecuta; a nu da pace *(cu dat)* **4** *(d. remuşcări)* a chinui, a tortura **II** vi a sălăşlui, a rămâne, a sta, a hălădui **III** s **1** loc vizitat adesea/frecventat **2** vizuină **3** speluncă de hoți

haunted ['hɔ:ntid] adj **1** bântuit *(de stafii, strigoi);* **the castle is ~** sunt stafii în castel **2** obsedat, persecutat, torturat, chinuit

Hausa ['hause] s v. **Haussa**

Hausfrau ['hausfrau] s germ gospodină (nemțoaică)

Haus(s)a ['hause] s **1** haus, negru (din Sudan), african **2** (limba) hausă

hautboy ['ouboi] s muz oboi

haute couture [ˌɔ:tkuˈtjuːʳ] s fr **1** croitorie de lux **2** tagma croitoreselor de lux **3** haine luxoase (de damă)

haute cuisine [ˌɔ:t kwiˈzi:n] s fr bucătărie/gastronomie de înalt rafinament *(↓ tradițională franceză)*

haute école [ˌɔ:teˈkɔl] s fr sport înaltă școală de călărie/echitație

hauteur [ouˈtəːʳ] s fr semeție, aroganță

haut monde [ɔˈmɔ̃d] s fr înalta societate, high life

Havana [həˈvænə] s **1** capitala Cubei **2** havană, trabuc, țigară de foi **3** tutun cubanez

have I [əv, v, həv forme slabe, hæv formă tare] pret și ptc had [hæd, həd] v aux pt formarea timpurilor perfecte; **I have written it** (eu) am scris-o **II** [hæv, hæf] v mod (cu inf lung) **1** a trebui (neapărat); v. și **I have (got) to go, I've got to go** trebuie (neapărat) să plec **2** a necesita, a solicita, a cere **3** *(la pret cu adv):* **I had/I'd rather,** v. și **had better, had rather/sooner walk** aș prefera să merg pe jos, mai bine merg pe jos; **you had/you'd better stop** ar fi mai bine/ar trebui să te oprești; **I had as well/gladly/good/soon sleep** mai degrabă mă culc/m-aș culca, prefer să dorm **III** [hæv] vt **1** a avea, a poseda; a

dispune de; **how much money ~ you (got)?** câți bani ai la tine? **to ~ an eye for** a avea ochiul format pentru; a se pricepe la **2** a avea, a cuprinde, a fi înzestrat cu; **he has it in him** (ăsta) e darul/talentul lui, e înzestrat de la natură (cu asta) **3** a avea, a manifesta, a arăta, a dovedi, a da dovadă de; **will you ~ the goodness/kindness to stop talking?** vrei să ai amabilitatea/ești amabil/bun să taci puțin? **4** a avea (în minte), a concepe, a se gândi la; **I ~ (got) no idea about it** habar n-am de asta; **~ you got any notion/idea where I can find him?** n-ai idee/habar unde-l pot găsi? **I ~ no use for it** nu văd la ce mi-ar sluji **5** a avea; a menține, a ține (minte), a reține, a păstra; **to ~ one's eyes on smb** a avea ochii ațintiți asupra cuiva, a nu slăbi din ochi pe cineva; **I had it in mind** o aveam în minte **6** a permite, a îngădui, a tolera, a da voie la; **I won't ~ it, I will ~ none of it** asta nu permit; **I won't ~ you do that** nu te las/nu-ți îngădui să faci una ca asta; **I will not ~ her say such things** nu-i dau voie/nu-i permit să spună asemenea lucruri **7** a avea; a suporta, a îndura; **he had very unpleasant experiences there** a avut foarte mult de suferit/multe de îndurat acolo, a trecut prin multe acolo **8** a suferi, a îndura *(chinuri);* a fi bolnav/suferind de, a suferi de *(o boală)* **9** a avea; a trece prin, a păți, a cunoaște, a întâmpina; **to ~ great difficulties** a se izbi/a trece prin/a avea/a întâmpina mari greutăți; **he had his arm broken a** și-a rupt brațul **b** i-au rupt brațul **10** a se bucura de, a avea, a dispune de; **do you ~ much time for your children?** ai destul timp pentru copii/să te bucuri de copii? **I never had it so good** niciodată nu mi-a mers mai bine/n-am fost mai fericit; **to ~ a good time** a se distra/a petrece bine/de minune **11** a avea; a primi, a căpăta; **~ you (got) any news of/from him?** ai primit/mai ai vreo veste de la/despre el? **I ~ it from him/from**

his own mouth o știu chiar de la el/din gura lui **12** a obține, a căpăta, a face rost de; **there was nothing to be had from him** de la el nu se putea obține nimic; **to ~ one's own back** a se răzbuna, a plăti cu aceeași monedă **13** a lua; a cumpăra; **did you ~ it cheap?** l-ai luat ieftin? **14** a consuma, a lua, a mânca *sau* a bea; **will you ~ gin or whisky?** bei/vrei gin sau whisky? **what can we ~ for lunch?** ce putem mânca/lua la prânz? **15** a naște, a făta, a da naștere la, a avea *(pui)* **16** a susține, a afirma; a zice, a spune, a exprima; **he will ~ it that you are wrong** susține că n-ai dreptate; **legend has it like that** așa spune legenda; **rumour has it that...** umblă zvonul/vorba că...; **as the proverb has it** după cum zice proverbul, vorba proverbului **17** a învinge, a bate, F a prinde, a avea; **you've had me there** F aici m-ai prins; cu asta m-ai dat gata; **the ayes ~ it** majoritatea e pentru, voturile afirmative sunt mai numeroase; **let him ~ it** F trage-i o săpuneală bună **18** a păcăli, a trage pe sfoară, a înșela; F a avea **19** a face; a îndeplini; a încerca; **to ~ a walk** a face o plimbare; **shall I ~ a try?** să fac și eu o încercare? să încerc și eu? **~ it your own way** fie pe a ta **20** *(cauzativ, cu un complement complex)* a determina, a face, a pune să facă; **I had him remove it at once** l-am pus s-o ia imediat de acolo; **you won't ~ them come again, will you?** sper că nu vrei să-i pui pe drumuri a doua oară, nu? **I had him thinking** l-am pus pe gânduri; **to ~ it coming** a și-o face singur/cu mâna lui **21** *(factitiv, cu un complement complex)* a-și face; a-și comanda; **I had a new pair of shoes made** mi-am făcut/comandat o pereche de pantofi; **we had our house painted** ne-am zugrăvit casa; **I had my beard trimmed at the barber's** mi-am potrivit/aranjat barba la frizer **22** *(determinativ cu un complement complex)* a dori, a ține, a voi; **I would ~ you** know that ţin să-ţi spun că/să te informez că, doresc să afli că; **what would you ~ me do?** ce-ai vrea/ce vrei să fac? ce să mă fac? **IV** [hæv] *s F* şmecherie, – escrocherie, înşelăciune; păcăleală, înşelătorie // **the ~s and the ~ nots** cei avuţi şi cei sărmani

have at ['hæv ət] *vi cu prep (↓ la imperativ)* a ataca *cu ac,* a se da/ a se repezi la; **~ him!** *F* şo pe el! arde-l!

have back ['hæv 'bæk] *vt cu part adv* a primi înapoi, a recăpăta; a reintra în posesia *cu gen;* **let me have it back soon!** să mi-l dai repede înapoi! să mi-l înapoiezi curând!

have done ['hæv 'dʌn] *vi cu ptc* **1** (**with**) a termina, a isprăvi, a mântui (cu) **2** (↓ *la imperativ)* a înceta, a sfârşi, a termina, a se opri din; **~!** încetează! termină! opreşte-te!

have down ['hæv 'daun] *vt cu part adv* a găzdui, a avea musafiri/în gazdă; a primi vizita *cu gen;* **we shall have them down in August** o să stea/vină la noi în august

have got to [hɒv/hæv 'gɒ tə] *v mod cu part adv şi inf lung v.* **have to**

have had it [həv 'hæd it] *vt (la inf trecut) cu pr v.* **have it**

have in ['hæv 'in] *vt cu part adv* **1** a chema, a solicita să vină; **he had to have the plumber in** a trebuit să cheme instalatorul **2** a aduce (în casă), a se aproviziona cu, a-şi strânge, a-şi face provizii de, a-şi lua *(lemne, cărbuni etc.)*

have it ['hævit] *vt cu pr:* **I ~** am găsit (soluţia)! acum am înţeles/m-am dumirit; **he has had it** *mil sl* **a** a mierlit-o, a dat ortul popii **b** a ratat/pierdut ocazia **c** a trecut de prima tinereţe, nu mai e chiar aşa de tânăr; **to ~ (away/off)** *sl* a se regula, a face amor/dragoste

have it out with ['hævit 'aut wið] *vt cu pr, part adv şi prep* a discuta deschis cu, a ajunge la o înţelegere cu *cineva* prin discuţii deschise; a da cărţile pe faţă cu

havelock ['hævlɒk] *s amer* şepcuţă *(cu apărătoare pentru ceafă)*

haven ['heivən] *s* **1** *nav* port; loc adăpostit **2** *fig* liman, adăpost,

refugiu; azil; **to reach ~** a ajunge la liman, a fi în siguranţă

haven't ['hævnt] *contras din* **have not**

have nots, the ['hæv 'nɒts, ðə] *s pl* **1** săracii **2** popoarele sărace

have on ['hæv 'ɒn] **I** *vt cu part adv* **1** a purta, a avea pe sine; **did you have nothing on?** erai dezbrăcat? n-aveai nimic pe tine? **2** a avea programat/în program **3** *F* a trage pe sfoară **II** ['hæv ɒn] *vt cu prep* a avea *(superioritate, avantaj etc.)* asupra *(cu gen);* **to have nothing on smb** *amer* **a** a nu fi deloc mai tare ca cineva **b** a nu avea pe cineva la mână

have out ['hæv 'aut] *vt cu part adv* **1** a scoate (la iveală), a face să apară **2** a da pe faţă, a dezvălui **3** a extrage, a scoate *(un dinte)* **4** a duce până la capăt; **let her have her sleep out** las-o să-şi facă somnul

havers ['hævəz] *interj F* vax! aiurea! prostii!

haversack ['hævə,sæk] *s mil* sac de merinde; raniţă

have to [hæv *formă tare,* həv tə *forme slabe]* *v mod cu inf lung (↓ cu part adv)* **got: to have got to** *(arată obligaţia impusă, necesitatea exterioară)* a trebui să, a fi obligat/silit să; a fi necesar să; (**I'm afraid) I ~/I've got to leave at once** (mă tem că) trebuie să plec imediat; mă văd silit/obligat să plec pe dată/fără întârziere; nu am de ales, trebuie să pornesc/plec; **it has/it's got to be done now** lucrul trebuie făcut acum/pe dată; e necesar/trebuie să facem treaba *etc.* fără întârziere; **I had (got) to decide on the spot** trebuia/a trebuit să iau o hotărâre/decizie/să decid (chiar atunci (pe loc); nu puteam întârzia decizia; hotărârea nu suferea amânare/întârziere; **it'll ~ wait** trebuie să mai amânăm (treaba); nu ne putem apuca acum de asta; **what has (got) to be done, has to be done well** ceea ce e de făcut trebuie făcut bine

have up ['hæv 'ʌp] *vt cu part adv* **1** *v.* **have down 2** a aduce în faţa instanţei; a da în judecată, a urmări în justiţie **3** *F* a băga în apă

havoc ['hævək] *s* **1** prăpăd, ravagii, devastare; **to play ~ among/with** a face ravagii/prăpăd printre/în (sânul/rândurile – *cu gen)* **2** distrugeri, pagube; dezastru, catastrofă **3** dezordine, devastare

Havre ['ha:vrə] *port în Franţa* Le Havre

haw¹ [hɔ:] *s bot* fruct de gherghin

haw² *s v.* **hum and haw**

Haw. *presc de la* **Hawaiian**

Hawaii [hə'waii], **Hawaiian Islands, the** [hə'waiiən 'ailəndz, ðə] (Arhipelagul) Hawaii

Hawaiian [hə'waiən] **I** *adj* hawaian **II** *s* **1** hawaian(ă) **2** *lingv* hawaiană

haw-haw ['hɔ:'hɔ:] **I** *interj* hohoho! haha(ha)! **II** *s* hăhăit, hohot de râs

hawk¹ [hɔ:k] **I** *s* **1** *orn* şoim *(Falcones sp.);* **to know a ~ from a hand-saw** *fig* a avea cât de cât puţin discernământ **2** *şi fig* pasăre răpitoare/de pradă **3** *fig* om hrăpăreţ/apucător **II** *vt* **1** a vâna cu ajutorul şoimilor **2** a se năpusti asupra *(cu gen),* a ataca

hawk² *vt* **1** *com* a face comerţ ambulant cu, a vinde pe stradă **2** *fig* a răspândi/a împrăştia zvonuri

hawk³ **I** *vi* **1** a-şi drege glasul **2** (a tuşi pentru) a scoate flegma; a horcăi **II** *vt v.* **hawk up**

hawk⁴ *s constr* mala

hawk at ['hɔ:k ət] *vi cu prep v.* **hawk II 2**

hawker ['hɔ:kə'] *s* telal, vânzător ambulant

hawk eye ['hɔ:k ,ai] *s* **1** supraveghere/vigilenţă neslăbită **2** privire scrutătoare/atentă **3** ochi ager/de argus **4** argus, paznic vigilent

Hawkeye ['hɔ:kai] *s amer F* iowan, locuitor din (Statul) Iowa

hawk eyed ['hɔ:k ,aid] *adj* cu o privire pătrunzătoare, cu ochi ageri/de vultur

Hawkeye State ['hɔ:kai ,steit] *s amer* Statul Iowa

hawking ['hɔ:kiŋ] *s* vânat/vânătoare cu şoimi

hawk nose ['hɔ:k ,nouz] *s* nas acvilin/coroiat

hawk-nosed ['hɔ:k ,nouzd] *adj* cu nas acvilin/coroiat

hawk's bill (turtle) ['hɔ:ks ,bil (,tə:tl)] *s orn* specie de turturică *(Eretmochelys imbricata)*

hawkshaw ['hɔːk,ʃɔː] *s F* copoi, – detectiv

hawk up ['hɔːk 'ʌp] *vt cu part adv* a scoate *(flegma)*

hawse [hɔːz] *s nav* 1 nară 2 porțiune din punte unde se află nările 3 distanța de la nară la ancoră

hawse-hole ['hɔːz ,houl] *s nav* (gură de) nară

hawser ['hɔːzəʳ] *s nav* parâmă, otgon, cablu *(de oțel)*

hawthorn ['hɔː,θɔːn] *s bot* păducel, gherghin *(Crataegus sp.)*

hawthorn china ['hɔː,θɔːn 'tʃainə] *s* porțelan chinezesc/oriental *(cu flori de prun pe fond negru)*

Hawthorne, Nathaniel *scriitor american (1804-1864)*

hay[1] [hei] **I** *s* 1 fân; **to make ~** a întoarce/a cosi, *sau* a usca fânul; **make ~ while the sun shines** *prov* bate fierul cât e cald; **to make ~ of** a întoarce cu susul în jos *cu ac* 2 culoarea fânului 3 *fig* răsplată a muncii 4 sumă infimă; **not ~** *amer F* bani cu grămada, sac de bani 5 *sl* pat, culcuș; **to roll in the ~** *F* a face dragoste/amor **II** *vi* a întoarce fânul **III** *vt* 1 a transforma în fâneață 2 a usca *(iarbă)* 3 a hrăni, a da fân la *(cai etc.)*

hay[2] *s* ← *înv* 1 împrejmuire, gard (viu) 2 loc împrejmuit, parc

hay[3] *s* 1 *vechi dans țărănesc* 2 mișcare șerpuitoare *(la dans)*

hay bacillus ['hei bə'siləs] *s zool* bacterie aerobă *(Bacillus subtilis)*

haybox ['hei,bɔks] *s recipient pentru păstrat mâncarea caldă*

hay burner ['hei ,bəːnəʳ] *s peior* mârțoagă, gloabă, – cal

haycock ['hei,kɔk] *s căpiță de fân*

Haydn ['haidən], **Joseph** *compozitor austriac (1732-1809)*

hayfever ['hei,fiːvəʳ] *s med* guturai/ febră de fân, alergie, *S →* rinită alergică; polenoză

hayfork [heifɔːk] *s furcă (pentru fân)*

hayloft ['heilɔft] *s* pod pentru uscat fânul

haymaker ['hei,meikəʳ] *s* 1 cosaș 2 mașină de uscat fânul 3 *sport sl* șving, sving, punch 4 *fig* lovitură nimicitoare/cumplită

haymaking ['hei,meikiŋ] *s* încărcare a fânului cosit

haymow ['heimou] *s* șură pentru fân

hayrick ['heirik] *s* șiră de fân

hayride ['heiraid] *s amer* plimbare/ excursie într-o căruță cu fân

hayseed ['heisiːd] *s amer peior* țărănoi, mocofan

haystack ['heistæk] *s* șiră de fân

Hayti ['heiti] *v.* **Haiti**

hayward ['heiwəd] *s* 1 funcționar/ slujbaș comunal care se ocupă de întreținerea pădurilor; *aprox* șef de ocol (silvic) 2 văcar al satului

haywire ['heiwaiəʳ] **I** *s* sârmă pentru legat baloturile de fân **II** *adj* 1 învălmășit, încurcat, în dezordine 2 *fig* tulburat, agitat; **to go ~ a** a se pierde/a se trece cu firea **b** a o lua razna **c** a se țicni, a fi ca turbat **d** a se încurca/învălmăși

hazard ['hæzəd] **I** *s* 1 șansă, noroc, întâmplare; **at ~** la voia întâmplării 2 risc; primejdie, pericol; **at all ~s** cu orice risc/preț 3 obstrucție *(la diferite jocuri și sporturi)* 4 barbut, zaruri 5 stație de taxiuri/trăsuri *(în Irlanda)* **II** *vt* 1 a risca 2 a se aventura în 3 a înfrunta 4 a expune la riscuri/ primejdii, a pune în primejdie

hazardous ['hæzədəs] *adj* 1 risca(n)t; temerar; aventuros 2 bazat pe noroc; (depinzând) de noroc

hazardously ['hæzədəsli] *adv* în mod riscant/aventuros

hazardousness ['hæzədəsnis] *s* 1 caracter riscant/primejdios/ aventurist 2 temeritate, curaj nebunesc

haze[1] [heiz] **I** *s* 1 ceață ușoară, abur 2 *fig* întunecare (a minții), zăpăceală, *elev* obliterare (mintală) **II** *vt* a încețoșa **III** *vi* (*și* **to ~ over**) a se încețoșa, a se înnegura (ușor)

haze[2] *vt* 1 *nav* a pune la corvezi/ corvoadă; a mâna de colo până colo 2 *amer* a sâcâi, a hărțui, a necăji 3 *amer școl* a necăji, a-și bate joc de; a face o farsă *(cu dat ↓ unui neofit/nou venit)*

Hazel ['heizəl] *nume fem*

hazel I *s* 1 *bot* alun (turcesc) *(Corylus avellana)* 2 alună (turcească) 3 culoare maronie **II** *adj (d. ochi)* căprui

hazel grouse/hen ['heizəl ,graus/ ,hen] *s orn* ieruncă, găinușă de munte *(Tetrastes bonasia)*

hazel nut ['heizəl ,nʌt] *s* alună turcească

haze over ['heiz 'ouvəʳ] *vi cu part adv v.* **haze**[1] **III**

hazily ['heizili] *adv* ca prin ceață; nedeslușit

haziness ['heizinis] *s* încețoșare, caracter cețos

Hazlitt ['hæzlit], **William** *eseist englez (1778-1830)*

hazy ['heizi] *adj* 1 cețos, încețoșat; înnorat 2 nedeslușit, voalat 3 cherchelit, amețit, afumat

HB *presc de la* **hard black** *(d. mină de creion)* negru tare

Hb *presc de la* **haemoglobin** hemoglobină

hb *presc de la* **half back** mijlocaș

H.B.M. *presc de la* **His** *sau* **Her Britannic Majesty**

H-bomb ['eitʃ ,bɔm] *s* bombă cu hidrogen, bombă H

h.c. *presc de la* **honoris causa**

H.C. *presc de la* 1 **House of Commerce** 2 **Holy Communion**

H.C.F., h.c.f. *presc de la* **highest common factor**

H.C.L., h.c.l. *presc de la* **high cost of living**

hcp *presc de la* **handicap**

hd. *presc de la* **head**

hdbk *presc de la* **handbook**

hdcp *presc de la* **handicap**

hdqrs *presc de la* **headquarters**

hdw(e) *presc de la* **hardware**

H.E. *presc de la* 1 **high explosive** 2 **his eminence** 3 **his excellency**

he[1] [hiː] **I** *pr* el, dânsul **II** *s* mascul, bărbat **III** *part pt indicarea genului masc:* **he-fox** vulpoi

he[2] *interj* hahaha! hihihi!

He *presc de la* **helium** heliu

head [hed] **I** *s* 1 cap; căpățână, țeastă, craniu; **he put his hat on his ~** și-a pus pălăria (pe cap); **the King cut his ~ off** regele l-a decapitat; **over the ~s of others** peste capul altora, înaintea altora (mai îndreptățiți); **to keep one's ~ above water** *fig* a nu face datorii, a nu rămâne dator, a o scoate la capăt fără datorii; *(d. cal etc.)* **to eat one's ~ off** a consuma mai mult decât produce; **on smb's ~** pe capul/conștiința/răspunderea cuiva; **by (the) ~ and ears/shoulders** cu de-a sila, silnic, silit, forțat; **from ~ to foot** din cap în picioare; **to give a horse** *sau fig* **a man his**

~ a lăsa frâu liber unui cal *sau fig* cuiva **2** minte, cap; înțelepciune; inteligență, capacitate intelectuală; **to have a good ~ on one's shoulders** a avea cap, a avea capul bine înfipt pe/între umeri; **two ~s are better than one** *prov* două capete sunt mai bune decât unul singur; **out of one's ~ a** din capul lui **b** uitat, dat uitării **c** *amer F* țicnit, sărit, plecat; **to keep one's ~** a-și păstra capul/calmul; **to lose one's ~** a-și pierde capul, a se trece cu firea, a se pierde; **to be weak in the ~** a fi slab la minte, a nu avea cap; **to be off one's ~ a** a înnebuni de tot, a-și pierde mințile, a se scrânti **b** a fi surescitat/emoționat la culme; **to put smth into smb's ~** a-i băga ceva în cap cuiva; **to put smth out of one's ~** a-și scoate ceva din cap, a-și muta gândul de la ceva; **to put smth out of smb's ~** a face pe cineva să uite (de) ceva; **to take smth into one's ~** a-și băga ceva în cap, a începe să creadă serios ceva; **let them put/lay (their) ~s together** să se consulte între ei, *F* să-și pună amândoi mintea la contribuție; **to take smb's ~ off** a împuia capul cuiva, a-i face cuiva capul calendar; **to talk over smb's ~** a nu vorbi pe înțelesul cuiva, a pune pe cineva în inferioritate; **to stand on one's ~** a sta în cap/cu capul în jos; **I would do it on my ~** *sl* pot s-o fac cât ai bate din palme/cu ochii închiși **3** imaginație, inventivitate, minte inventivă; **she made the story up out of her own ~** povestea era născocită/inventată de ea; a scris o poveste originală **4** (**for**) talent, pricepere, aptitudine, înclinație (pentru); **he has a good ~ for business** se pricepe bine/e foarte priceput la afaceri, are bosa afacerilor **5** *fig* viață, cap; **it will cost him his ~** o s-o plătească cu capul/viața, o să-l coste viața **6** cap (de locuitor), persoană, om **eight square metres per ~ (of the population)** opt metri pătrați pe cap (de locuitor) **7** *și ca pl* cap de vită *sau* animal; *pl* număr, capete; **100 ~**

of cattle 100 de (capete de) vite; **a large ~ of game** o cantitate mare de vânat **8** cap *(ca lungime, înălțime);* **his horse won by a ~** calul lui a câștigat cu un cap; **she is taller than him by a ~** e mai înaltă decât el cu un cap; **~ and shoulders a** cu un cap (mai înalt *etc.*) **b** *fig* foarte, în mare măsură, considerabil; **he is ~ and shoulders above the others** *fig* e mult deasupra/superior celorlalți **9** vârf *(de catarg etc.);* cap *(al paginii, scărilor),* parte de sus **10** *fig* vârf, frunte, cap; **at the ~ of** în fruntea/capul *cu gen;* **at the ~ of the class** în fruntea clasei; printre fruntașii clasei **11** șef, conducător, cap; *pol și* lider; fruntaș; **the ~ of the family** capul/șeful familiei; **~s of governments** șefi/conducători de guverne **12** șefie, conducere, comandă **13** *med* cap, vârf *(al bubei, furunculului etc.)* **14** capăt, extremitate, cap, parte dinspre cap; **the ~ of a bed** capul patului; **the ~ of the table** capul mesei, locul de onoare **15** *nav* proră, cap; latrină/closet la proră **16** partea din față, frunte, cap, avangardă; **he marched at the ~ of his regiment** mergea în fruntea regimentului **17** înaintare, progres, teren câștigat; **to make ~** a progresa, a înainta; **to make ~ (against smb)** a izbuti să reziste/să se împotrivească/să se opună (cuiva) **18** capitol, parte, secțiune *(într-un discurs, tratat etc.)* **19** categorie, clasă **20** păr (de pe cap); păr abundent, plete, coamă **21** coarne de cerb **22** *geogr* cap, promontoriu *(↓ în nume geogr)* **23** apă zăgăzuită, lac de acumulare **24** *(la monezi)* cap, efigie; **~s or tails?** capul sau coroana/pajura? **it was impossible to make ~ or tail of it** *fig* nu se înțelegea nimic, n-avea nici cap nici coadă, era ceva de neînțeles **25** *tehn* cap (de ciocan, cui *etc.*); măciulie, gămălie; muche *(de topor)* **26** *bot* căpățână *(de varza etc.)* **27** coroană *(de copac)* **28** spumă; guler *(la bere)* **29** caimac, smântână **30** *min* galerie **31** *auto ← F* far (din față) **II** *vt* **1** a se situa/

a fi în fruntea/capul *cu gen;* a fi primul pe *(o listă de candidați etc.)* **2** a conduce **3** a depăși, a întrece **4** a pune extremitatea/capătul *(cu gen)* **5** a pune, a așeza **6** a se împotrivi/a se opune *cu dat* **7** *sport* a lovi *(mingea)* cu capul **III** *vi* **1** a se întoarce cu fața; a se îndrepta într-o direcție **2** ↓ *nav* (**for**) a merge, a se îndrepta (către), a merge (spre); **to ~ North** a merge spre nord; **to ~ for disaster** *fig* a merge la dezastru/catastrofă/a se îndrepta către/spre prăpastie/o catastrofă

headache ['hed,eik] *s* **1** *med* durere de cap, nevralgie **2** problemă care-ți dă bătaie/durere de cap, complicație, dificultate

headachy ['hed,eiki] *adj* ← *F* **1** care suferă de migrene/dureri de cap **2** care dă dureri de cap/migrene

head board ['hed ,bɔːd] *s* căpătâi de pat

head cheese ['hed ,tʃiːz] *s amer* piftie/răcituri de porc

head cold ['hed ,kould] *s* guturai, răceală, coriză

head doctor ['hed ,dɔktə] *s sl* doctor de nebuni; – psihiatru, neurolog

head down ['hed 'daun] *vt cu part adv* a reteza *(copaci etc.)*

head dress ['hed ,dres] *s* **1** parură **2** broboadă, maramă, batic **3** pălărie de damă

-headed ['hedid] *adj (în cuvinte compuse)* cu capul...; **large-~** cu capul mare

header ['hedə] *s* **1** *constr* cărămidă așezată perpendicular **2** *sport* plonjon cu capul înainte

headfast ['hed,fɑːst] *s nav* parâmă, otgon

headfirst ['hed'fəːst] *adv* **1** cu capul înainte **2** (în mod) nesăbuit/nechibzuit/impetuos; fără socoteală/chibzuință/minte

head foremost ['hed fɔː'moust] *adv v.* **headfirst**

headgate ['hed,geit] *s hidr* poartă/vană de ecluză

headgear ['hed,giə] *s* **1** pălărie, bonetă (de damă) **2** broboadă, basma *sau* altă podoabă pentru cap *(eventual combinată cu coafura)* **3** ham pentru cap *(la cal, catâr etc.)* **4** *min* troliu, vinci *(la gura puțului)*

head hunter ['hed ˌhʌntəʳ] *s* **1** (săl-batic) vânător de capete **2** *sl* agenție/agent de recrutare/racolare a personalului foarte calificat; racoleur de intelectuali

head hunting ['hed ˌhʌntiŋ] *s* **1** vânătoare de capete *(ca trofee)* **2** *sl* recrutare/racolare a intelectualilor (calificați)

headily ['hedili] *adv* impetuos, năvalnic; pripit, în pripă, fără chibzuială

headiness ['hedinis] *s* impetuozitate, caracter năvalnic sau nechibzuit

heading ['hediŋ] *s* **1** titlu *(de capitol etc.);* **under separate ~s** în capitole/categorii diferite **2** *sport* lovitură cu capul

head lamp ['hed ˌlæmp] *s auto v.* **headlight**

headland ['hedlənd] *s* **1** *geogr* promontoriu **2** *agr* hat

headless ['hedlis] *adj* **1** fără cap; decapitat **2** zevzec, prost, tont

headlight ['hedˌlait] *s* far *(de automobil, locomotivă etc.)*

headline ['hedˌlain] *s* **1** titlu *(în ziar);* **to be in the ~s** a fi în centrul atenției, a fi în vogă **2** *pl rad* știri principale *(pe scurt)*, rezumatul principalelor știri

headliner ['hedˌlainəʳ] *s amer* vedetă care se bucură de publicitate/reclamă

headlock ['hedlɔk] *s sport* cravată, prindere a capului adversarului *(la lupte)*

headlong ['hedlɔŋ] **I** *adv* **1** cu capul înainte, *v. și* **headfirst 2** pe burtă **3** pripit, grăbit, repede **4** năvalnic, impetuos **II** *adj* **1** pripit, grăbit, rapid **2** năvalnic, impetuos

headman ['hedmən] *s* **1** căpetenie **2** șef de trib **3** *od aprox* primar

headmaster [ˌhed'mɑːstəʳ] *s* director de școală *sau* liceu

headmistress [ˌhed'mistris] *s* directoare de școală *sau* liceu

headmoney ['hed ˌmʌni] *s* **1** sumă/taxă pe persoană/pe cap de locuitor **2** preț pus pe capul unui tâlhar *etc.*

headmost ['hedmoust] *adj* de frunte, fruntaș

head note ['hed ˌnout] *s* **1** notă inserată la începutul paginii, documentului *etc.* **2** *jur* preambul, expunere de motive **3** *muz* notă în registrul de cap

head off ['hed 'ɔːf] *vt cu part adv fig* a preveni, a preîntâmpina

head on ['hed'ɔn] **I** *adj cu prep (d. o ciocnire etc.)* frontal, cap în cap **II** *adv cu prep* direct, frontal; în piept, fără ocolișuri

headphone ['hedfoun] *s* cască *sau* căști de radio

headpiece ['hedpiːs] *s* **1** coif, cască **2** intelect, minte, cap **3** intelectual, cărturar **4** anluminură, gravură la început de capitol

headquarters [ˌhed'kwɔːtəz] *s* **1** *mil* cartier general; centru al operațiunilor; comandament **2** sediu (central)

headrace ['hedˌreis] *s constr* scoc de moară

head rest ['hed ˌrest] *s* rezemătoare de cap; tetieră

head room ['hed ˌrum] *s* loc/spațiu de trecere *(deasupra capului)*

headset ['hedˌset] *s rad* căști

headsman ['hedzmən] *s* **1** *nav* căpitan de balenieră **2** călău, gâde *(care decapitează)*

headspring ['hedˌspriŋ] *s și fig* izvor principal, sursă principală

headstone ['hedˌstoun] *s* **1** piatră de mormânt **2** *arhit fig poetic* piatră de temelie/fundamentală

headstrong ['hedˌstrɔŋ] *adj* încăpățânat (la culme)

headstrongness ['hedˌstrɔŋnis] *s* încăpățânare feroce; cerbicie

head tax ['hed ˌtæks] *s amer* impozit pe cap de locuitor

head voice ['hed ˌvɔis] *s muz* voce/registru de cap

head waiter ['hed ˌweitəʳ] *s* ober (chelner), maître-d'hôtel, ospătar șef

head waters ['hed ˌwɔːtəz] *s geogr* curs superior al unei ape

headway ['hedwei] *s* **1** *v.* **head I 17 2** *arhit* săgeată a arcului **3** *v.* **head room 4** *ferov* avans; decalaj

head wind ['hed ˌwind] *s nav* vânt din față/contrar/potrivnic

headword ['hedˌwəːd] *s* **1** cuvânt principal *(în cadrul unui cuib)* **2** cuvânt-titlu *(în dicționare)*

headwork ['hedˌwəːk] *s* activitate/muncă intelectuală; efort mintal, gândire

heady ['hedi] *adj* **1** impetuos, năvalnic, violent **2** îmbătător, amețitor, care se urcă (repede) la cap **3** isteț, ager

heal [hiːl] **I** *vt* **1** *și fig* a vindeca, a tămădui **2** *fig* a îndrepta, a remedia; a ameliora, a asana **3** a reface, a restaura, a înzdrăveni **4** *fig* a cimenta, a consolida, a întări **II** *vi* **1** a se vindeca, a se tămădui **2** a se reface, a-și reveni, a se înzdrăveni **3** a fi tămăduitor, a vindeca

heal-all ['hiːl ˌɔːl] *s* **1** remediu/panaceu universal **2** *bot* drobiță, mama bubelor *(Scrofularia sp.)*

healer ['hiːləʳ] *s* vindecător, tămăduitor; **time is a great ~** timpul vindecă totul/le vindecă pe toate

healing ['hiːliŋ] **I** *adj* tămăduitor, vindecător **II** *s* vindecare, tămăduire

heal over ['hiːl 'ouvəʳ] *vi cu part adv v.* **heal II 1**

health [helθ] *s* **1** *și fig* sănătate; **to be in/to have poor ~** a avea o sănătate șubredă, a nu fi prea sănătos; **to be in/to have good ~** a fi (bine) sănătos, a avea o sănătate înfloritoare; **to drink smb's ~** a bea în sănătatea cuiva, a toasta pentru cineva; **not for one's ~** pentru profit/bunăstare/avantaje materiale **2** bunăstare, stare înfloritoare **3** toast, pahar ridicat în sănătatea cuiva; **to drink a ~ to smb** *v.* **to drink smb's ~**

health department ['helθ diˌpɑːtmənt] *s* **1** secție sanitară **2** ministerul sănătății *(în S.U.A.)*

health food ['helθ ˌfuːd] *s* hrană/alimentație sănătoasă; dietă rațională

healthful ['helθful] *adj* **1** *v.* **healthy 1, 2 2** tămăduitor, vindecător, dătător de sănătate **3** tonic, salutar; salubru; sanitar

healthfully ['helθfuli] *adj* (într-un mod) sănătos/favorabil sănătății

healthfulness ['helθfulnis] *s* caracter sănătos/salubru, salubritate

healthily ['helθili] *adv* (într-un mod) sănătos

health officer ['helθ ˌɔfisəʳ] *s* (agent) sanitar

health physicist ['helθ 'fizisist] *s med fig* specialist în protecția contra radiațiilor

health physics ['helθ 'fiziks] *s ca sg med fig* protecție contra radiațiilor

health protection ['helθ prə'tekʃən] *s* ocrotirea sănătății

health service ['helθ 'sə:vis] *s* (serviciile de) asistenţă medicală/sanitară

health visitor ['helθ 'vizitə'] *s* activist social; funcţionar de la prevederile sociale

healthy ['helθi] *adj* 1 sănătos 2 zdravăn, voinic, robust, rezistent, viguros 3 *şi fig* viabil, viu, sănătos 4 fără primejdii, sigur 5 înfloritor, prosper 6 benefic, pozitiv; salutar 7 considerabil, masiv

heal up ['hi:l 'ʌp] *vt cu part adv v.* **heal II 1**

heap [hi:p] **I** *s* 1 grămadă, movilă 2 teanc, grămadă 3 *pl* ← *F* mulţime, grămadă, belşug, berechet; **we have ~s of time** avem timp berechet/din belşug; **~s of times** de nenumărate ori 4 *sl* rablă, maşină veche şi uzată **II** *vt* 1 a îngrămădi, a face grămadă 2 a stoca, a aduna, a agonisi 3 a face teanc 4 (**with**) a umple (până la refuz), a încărca (cu) 5 (**upon**) a arunca grămadă/din belşug (asupra – *cu gen);* **to ~ insults upon smb** a bombarda pe cineva cu injurii, a face pe cineva albie de porci

heaped [hi:pt] *adj* 1 încărcat, cu vârf, îndesat 2 îngrămădit, pus grămadă, pus unul peste altul

heaping ['hi:piŋ] *adj atr amer* 1 *(d. lingură etc.)* cu vârf 2 *fig* crescând, în creştere

heaps [hi:ps] *adv* ← *F* mult, infinit; foarte, straşnic, grozav; **he is ~ better** se simte/e mult/infinit mai bine; **~ more** mult/infinit/mai mult(e)

heap up ['hi:p 'ʌp] *vt cu part adv* 1 a aduna, a strânge, a îngrămădi *(avuţii)* 2 a strânge/a pune grămadă

hear [hiə'], *pret şi ptc* **heard** [hə:d] **I** *vt* 1 a auzi; **I ~d her cry** am auzit-o plângând/că plânge; **I ~d her crying** am auzit-o plângând (vreme îndelungată), am auzit-o cum plângea; **she was ~d to cry** a auzit-o lumea că plângea; **we could ~ nothing** nu se auzea nimic 2 a afla, a auzi; a prinde de veste despre/că 3 a asculta (cu bunăvoinţă), a pleca urechea la, a auzi; **to ~ a child his lessons** a-l asculta pe un copil lecţiile/la lecţii 4 a se lăsa îndu-

plecat de, a asculta, a împlini, a îndeplini *(o rugăminte etc.)* 5 a asculta *(un concert, o slujbă etc.)* 6 *jur* a audia; a asculta **II** *vi* 1 a avea auz (bun *sau* rău) 2 (**of**) a auzi, a afla (de, despre), a prinde de veste (despre); **I've never ~d of him** n-am auzit în viaţa mea de el 3 (**from**) a avea/a primi veşti, a primi scrisori (de la) 4 (**of**) *neg* a vrea să audă (de), a accepta, a îngădui, a permite; **I won't ~ of it** nici nu vreau să aud de aşa ceva 5 (**from**) *F* a primi o săpuneală/o papară/un perdaf (de la cineva); **you will ~ of this** ai s-o păţeşti pentru asta 6 ↓ *la imper* ~! ~! bravo! aşa e! bine zis! i-a zis-o!

hearer ['hiərə'] *s* auditor, ascultător

hearing ['hiəriŋ] *s* 1 auz, simţul auzului 2 distanţa până la care poate auzi cineva, rază auditivă; **within** ~ destul de aproape ca să poată auzi/să poată fi strigat; **out of ~** prea departe să mai poată auzi/să mai poată fi strigat 3 ↓ *jur pol* audiere; ascultare; **to give smb a fair** ~ a asculta pe cineva fără părtinire; a pleca urechea la spusele cuiva; **to gain a ~** a fi ascultat, a i se asculta păsul; a obţine o audienţă

hearing aid ['hiəriŋ 'eid] *s* aparat auditiv *(pt surzi)*

hearken ['hɑ:kən] *vi lit v.* **hark**

hear out ['hiər 'aut] *vt cu part adv* a asculta (cu bunăvoinţă) până la sfârşit/capăt; **hear me out please** te rog lasă-mă să termin; te rog ascultă-mă până la capăt

hearsay ['hiəsei] *s* vorbe (de clacă/ în vânt); **from ~** din auzite

hearsay evidence ['hiəsei 'evidəns] *s jur* mărturii indirecte

hearse [hə:s] *s* 1 dric; furgon mortuar 2 năsălie

Hearst [hə:st], **William Randolph** *magnat al presei americane (1863-1951)*

heart [hɑ:t] *s* 1 *anat* inimă, cord; **his ~ is in the right place** *fig* e un om cinstit/curat/bine intenţionat, de caracter 2 *fig* piept, sân; **to hug smb to one's ~** a strânge pe cineva la piept/sân 3 suflet, inimă; **to one's ~'s content** după pofta inimii; pe săturate; **to take smth (too much) to ~** a

pune ceva la inimă, a fi (profund) afectat de ceva; **don't take it to ~ (too much)** nu te necăji din pricina asta; **from one's ~, with all one's** ~ din inimă/suflet, sincer, cordial, din adâncul inimii/sufletului; **to have smth at ~ a** a ţine mult la ceva **b** a fi profund interesat de ceva; **to break smb's** ~ a frânge inima cuiva; **to cry one's ~ out** a plânge de ţi se rupe inima; **to eat one's ~ out** a se trece cu firea, a suferi cumplit; **it does my ~ good to hear it** vestea mă umple de bucurie 4 simţire, inimă (bună), bunătate, suflet, sensibilitate, milă, compătimire; **have a ~!** fii bun! ai(bi) milă! fie-ţi milă! **he has no** ~ e un om fără inimă/suflet, are inima de piatră 5 dragoste, afecţiune, iubire, inimă; **to lay one's ~ at smb's feet, to give one's ~ to smb** a-şi dărui inima cuiva, a-şi pune inima/afecţiunea/sentimentele la picioarele cuiva; **he lost her** ~ a pierdut dragostea ei; şi l-a scos din inimă; **to win smb's** ~ a cuceri inima cuiva 6 gust, plăcere, preferinţă; **after one's own** ~ după/pe gustul (său) propriu; **to set one's ~ on smth** a-ţi cădea ceva cu tronc, a-şi pune în gând să aibă ceva; **not to have smth at** ~ a nu avea ceva la inimă, a nu-ţi plăcea ceva 7 dispoziţie, toane; mulţumire sufletească; **with a heavy** ~ cu inima grea, deprimat, chinuit sufleteşte; **in** ~ bine dispus, vesel, optimist; **out of** ~ deprimat, prost dispus, într-o dispoziţie sumbră 8 suflet; caracter, fire; conştiinţă; **to wear one's** ~ **on one's sleeve** a fi o fire deschisă/sinceră/neprefăcută; **not to have the** ~ **to do smth** a nu putea face ceva, a nu-l lăsa inima să facă ceva 9 atitudine, poziţie; părere; **a change of** ~ schimbare de atitudine/poziţie 10 bunăvoinţă; bunăcredinţă, sinceritate, corectitudine 11 zel, ardoare, entuziasm, inimă; curaj; **to pick up/to take ~** a se îmbărbăta, a prinde inimă/ curaj; **to lose** ~ a se descuraja; a-şi pierde curajul *sau* zelul; **with a sinking** ~ deprimat, trist, cu inimă grea, pierzându-și curajul; **my ~ was not in it** n-aveam nici un pic de tragere de inimă pentru asta; **to have one's ~ in one's boots/mouth** a fi cu/ a avea inima cât un purice, a muri de frică **12** *bot, tehn* și *fig* inimă, miez, nucleu, sâmbure; **~ of oak** a miez de stejar **b** *fig* viteaz, inimă de leu/fier **13** fond, esență; străfund (al sufletului), ființă intimă, inimă; **the ~ of the matter** esența problemei; **at ~** în fundul sufletului; **in my ~ of ~s** în străfundul ființei mele, în forul meu interior **14** ↓ *geogr* centru, inimă; interior; **in the ~ of the land** în centrul/inima țării **15** persoană, ființă (dragă), om; **poor ~!** bietul de el! bietul om! **dear/sweet ~!** sufletelule! ini-mioară! dragostea mea! **my ~s!** ← *înv* vitejii mei! **16** ← *înv* minte, intelect; **by ~** pe de rost, pe dinafară; **to get/to learn smth by ~** a învăța ceva pe de rost; **to lay smth to ~** a se gândi serios/ bine la ceva **17** ↓ *pl* cupă, inimă *(la cărți)* **18** ↓ *agr* sănătate; bunăstare, fertilitate; **the land is in good ~** ogoarele sunt înflo-ritoare; **the crops are out of ~** recolta e proastă/merge prost

heartache ['hɑːteik] *s* strângere de inimă; durere, supărare

heart attack ['hɑːtə,tæk] *s med* criză cardiacă/de inimă

heart beat ['hɑːt 'biːt] *s* **1** bătaie/ pulsație a inimii **2** *fig* emoție, agitație sufletească

heart block ['hɑːt ,blɔk] *s med* blocaj, insuficiență cardiacă

heart blood ['hɑːt ,blʌd] *s* v. **heart's blood**

heartbreak ['hɑːt,breik] *s* chin cumplit, durere (sufletească), lovitură îngrozitoare

heartbreaking ['hɑːt,breikiŋ] *adj* sfâșietor, chinuitor, cumplit

heartburn ['hɑːt,bəːn] *s med* arsuri (la stomac) *S* pirozis

heart burning ['hɑːt ,bəːniŋ] *s* **1** ge-lozie **2** invidie, pizmă, pică, ciudă

heart disease ['hɑːt ,diziːz] *s med* boală de inimă/cord, afecțiune cardiacă

-hearted ['hɑːtid] *adj (în cuvinte compuse)* cu inima...; **hard-~** cu inimă de piatră, împietrit la inimă

hearten ['hɑːtən] **I** *vt* **1** a încuraja, a îmbărbăta **2** a înveseli, a face să fie bine dispus **II** *vi* **1** a prinde curaj/inimă **2** a se înveseli, a se bine dispune

hearten on ['hɑːtən 'ɔn] *vt cu part adv v.* **hearten I 1**

hearten up ['hɑːtən 'ʌp] *vt, vi cu part adv v.* **hearten I, II**

heart failure ['hɑːt ,feiljəʳ] *s* atac de cord, criză cardiacă

heart-felt ['hɑːt,felt] *adj* sincer, deschis, din inimă, cordial

heart-free ['hɑːt friː] *adj* care nu iubește pe nimeni, neangajat față de/fără un logodnic/o logod-nică; care n-a făcut promisiuni de căsătorie; liber de orice obligații/ complicații sentimentale

hearth [hɑːθ] *s* **1** vatră **2** cămin, șemineu **3** *fig* casă, cămin; patrie; **~ and home** confortul/ bucuriile căminului/de acasă; **to fight for ~ and altar** a-și apăra țara și credința

hearth-money ['hɑːθ,mʌni] *s ist ec* fumărit, bir pe coșuri

hearth rug ['hɑːθ ,rʌg] *s* carpetă/ covoraș din fața căminului

hearth stone ['hɑːθ ,stoun] *s* **1** fund al vetrei/căminului **2** piatră pen-tru frecat și înălbit vatra

heartily ['hɑːtili] *adv* **1** inimos, cura-jos **2** din toată inima, cu sinceri-tate **3** cu poftă **4** cu zel, zelos, cu entuziasm **5** total, din plin, absolut, foarte; **I am ~ sick of it** mi-e lehamite/o silă cumplită de treaba asta, n-o mai pot vedea în ochi

heartless ['hɑːtlis] *adj* fără inimă/ suflet, împietrit (la inimă/suflet), cu inimă de piatră

heartlessly ['hɑːtlisli] *adv* fără ini-mă/milă, necruțător, cu cruzime

heartlessness ['hɑːtlisnis] *s* împie-trire sufletească; cruzime, lipsă de milă, înverșunare

heart-rending ['hɑːt,rendiŋ] *adj* sfâșietor, dureros; înfiorător

heart's blood ['hɑːts ,blʌd] *s* viață, vitalitate, suflet

heart's ease, hearts-ease ['hɑːts ,iːz] *s* **1** liniște sufletească, tihnă **2** *bot* panseluță sălbatică *(Viola tricolor);* trei-frați pătați *(Viola hortensis)* **3** culoare purpurie

heartsick ['hɑːt,sik] *adj* **1** disperat, deznădăjduit, chinuit, cu inima

grea **2** plin/ofilindu-se de dor

heartsore ['hɑːt,sɔːʳ] *adj* profund întristat, cu moartea în suflet, trist la culme

heartstrings ['hɑːt,striŋz] *s pl* **1** băieri/adâncuri ale inimii, stră-fund al/străfunduri ale sufletului **2** afecțiuni/emoții profunde

heart throb ['hɑːt ,θrɔb] *s* **1** *fizl* bătaie de inimă; *pl* bătăile inimii, pulsul **2** *sl* amor nebun, tamjă mare, pasiune

heart-to-heart ['hɑːttə'hɑːt] *adj atr (d. o discuție etc.)* **1** deschis, sincer **2** intim, de la om la om

heart warming ['hɑːt ,wɔːmiŋ] *adj* cordial, călduros, cald; afectuos (și încurajator)

heartwhole ['hɑːt,houl] *adj* **1** netul-burat, impasibil; neînspăimântat; neafectat **2** neîndrăgostit, care nu și-a dăruit inima nimănui, liber **3** sincer, deschis, cinstit

hearty ['hɑːti] *adj* **1** entuziast, zelos, plin de bunăvoință **2** energic, viguros; ← *înv* **hale and ~** verde, zdravăn, sănătos, voinic **3** sin-cer, deschis, franc **4** abundent, copios, îmbelșugat

heat [hiːt] **I** *s* **1** căldură (puternică), fierbințeală **2** *fig* căldură, energie calorică **3** arșiță, căldură, vreme călduroasă; caniculă **4** foc, ardoare, căldură, entuziasm; vigoare; **in the ~ of the moment** sub impulsul momentului **5** inflamație, iritație *(a pielii etc.)* **6** *zool* călduri; **to be at/in/on ~** a fi în călduri **7** toi, foc *(al discuției, furiei etc.);* înverșunare **8** efort, sforțare; **at a ~** dintr-o lovitură **9** *sport* serie *(la alergări etc.)* **10** gust iute/piperat/înțepător, iuțea-lă **11** *sl* urmărire, hăituială *(de către poliție)* **II** *vt* **1** a înfierbânta, a încălzi **2** a inflama; a aprinde, a face să ardă **3** *med* a inflama, a irita **4** *fig* a înfierbânta, a irita, a aprinde, a ațâța **III** *vi* și *fig* a se înfierbânta, a se încălzi

heat barrier ['hiːt ,bæriəʳ] *s av* barieră termică

heat bump ['hiːt ,bʌmp] *s* iritație, coș din pricina căldurii

heat death ['hiːt ,deθ] *s fiz* stare de echilibru energetic (al univer-sului)

heated ['hiːtid] *adj și fig* înfierbântat, încălzit, aprins

heatedly ['hi:tidli] *adv* cu aprindere/căldură/înverșunare/foc

heat engine ['hi:t ‚endʒin] *s fiz* mașină termică; motor termic

heath [hi:θ] *s* **1** *bot* iarbă neagră, erica *(Erica sp.)* **2** bărăgan, landă, câmp *(↓ acoperit cu iarbă neagră/buruieni);* **one's native ~** pământul/ținutul natal/de baștină

heath cock ['hi:θ ‚kɔk] *s orn* gotcan, cocoș sălbatic *(Lymmus tetrix)*

heathen ['hi:ðən] **I** *adj* **1** păgân, păgânesc **2** necredincios, ateu **II** *s* **1** păgân, necredincios **2** *fig* sălbatic; bădăran, grobian **3** *reg* v. **heathendom**

heathendom ['hi:ðəndəm] *s* păgânătate, păgânime, popoare/țări păgâne

heathenish ['hi:ðəniʃ] *adj* v. **heathen I**

heathenishly ['hi:ðəniʃli] *adv* ca un păgân, păgânește

heathenism ['hi:ðənizəm] *s* păgânism, păgânătate, lipsă de credință, ateism, caracter păgân

heathenry ['hi:ðənri] *s* **1** păgânism **2** v. **heathendom**

heather ['heðə] *s bot* iarbă neagră, buruiană *(Calluna vulgaris);* **to take to the ~** *od* a lua drumul haiduciei, a se face haiduc

heather mixture ['heðə ‚mikstʃər] *s text* stofă ecosez

heating pad ['hi:tiŋ ‚pæd] *s* pernă electrică

heat proof ['hi:t pru:f] *adj* termorezistent, rezistent/etanș la căldură

heat pump ['hi:t pʌmp] *s fiz* mașină termică/de căldură

heat resistant ['hi:t ri‚zistənt] *adj* v. **heat proof**

heat shield ['hi:t ʃi:ld] *s av* scut termic

heat sink ['hi:t siŋk] *s tehn* groapă de evacuare

heat spot ['hi:t spot] *s* pistrui, pată pe obraz *(din cauza căldurii)*

heatstroke ['hi:t‚strouk] *s med* insolație; moleșeală din pricina căldurii

heat treatment ['hi:t ‚tri:tmənt] *s met* tratare termică

heatwave ['hi:tweiv] *s* **1** val de căldură **2** *fiz* rază calorică

heave ['hi:v] **I** *vt* **1** a ridica, a înălța; **to ~ the anchor** a ridica ancora **2** a aburca, a sălta, a trage sus **3** *nav* a trage, a aduce *(într-o*

poziție) **4** a scoate, a da drumul la *(un oftat, geamăt etc.);* **to ~ a (deep) sigh** a ofta (din rărunchi), a scoate un oftat adânc **5** *F* **(to ~ one's gorge)** a vărsa, a voma, a vomita, a arunca afară **6** a arunca *(pe fereastră, peste bord etc.)* **7** a umfla, a face să se umfle/ridice/înalțe **II** *vi (pret și ptc și* **hove)** **1** a se înălța, a se ridica **2** a se sălta, a se aburca **3** *(d. mare etc.)* a se înălța/ridica și coborî; a fi agitat; a face valuri mari **4** *(d. piept)* a fi agitat, a se ridica și coborî; a gâfâi **5** a apărea/a se ivi (la orizont); **to ~ in sight** a a-și face apariția **b** a deveni vizibil, a apărea la orizont/în depărtare **6** a face o sforțare/un efort, a se strădui; a se sforța **7** (**at**) a trage (de) **8** *vulg* a borî, a vărsa, – a voma, a vomita **III** *s* **1** aburcare, săltare **2** înălțare, ridicare **3** efort (de a ridica) **4** înălțare și coborâre (ritmică) **5** *pl vet* gâfâială, emfizem, astmă **6** aruncare, azvârlire

heave down ['hi:v 'daun] *vt cu part adv nav* a carena, a răsturna *(vasul)* pentru curățenie

heave-ho ['hi:v ‚hou] **I** *interj nav* hei rup! **II** *s* ← *F* concediere, demitere; **to give smb the (old) ~** a da plicul cuiva; **to get the (old) ~** a fi dat afară

Heaven ['hevən] *s* v. **heaven 4**

heaven *s* **1** *și pl* cer, firmament, înaltul cerului; **to move ~ and earth** a face pe dracu-n patru **2** ceruri; rai, paradis, eden; **to go to ~** a se duce în rai/în lumea drepților **3** beatitudine, fericire (supremă); **to be in the seventh ~** a fi în al nouălea/șaptelea cer (de fericire) **4** H~ providență, Dumnezeu, Cerul; **Good H~s!** O ceruri! Dumnezeule (mare)! **H~ forbid/forfend, H~s above!** ferească Dumnezeu! **by H~!** pe Dumnezeu! pe legea mea! **H~ (only) knows!** Dumnezeu (mai) știe! numai Dumnezeu știe! **in H~'s name, thank H~(s)!** slavă Domnului/cerului! **in H~'s name, for H~'s sake!** pentru numele lui Dumnezeu!

heaven-born ['hevən'bɔ:n] *adj* ceresc, celest

heavenliness ['hevənlinis] *s* caracter divin/celest/ceresc

heavenly ['hevənli] **I** *adj* **1** *astr* ceresc, celest **2** ceresc, divin **3** ceresc, paradiziac **4** *F* minunat, divin, de vis, din rai **5** pur, sacru, divin **II** *adv* **1** minunat (de), extraordinar (de) **2** excelent, divin

heavenly body ['hevənli ‚bodi] *s astr* corp ceresc, astru

Heavenly City, the ['hevənli ‚siti, ðə] *s* paradisul, raiul

heavenly-minded ['hevənli‚ maindid] *adj* cucernic, pios, cu gândul la cele sfinte

heaven-sent ['hevən‚sent] *adj* providențial, trimis de Dumnezeu, venit din cer; **it was ~** a fost o adevărată mană cerească

heavenward(s) ['hevən‚wɔdz] *adv* spre/la cer, spre înălțimi

heave to ['hi:v 'tə] *nav* **I** *vt cu part adv* a opri *(vasul)* cu vântul în față **II** *vi cu part adv* a se opri cu vântul în față

heavier-than-air ['heviəðən'ɛə] *adj av* mai greu decât aerul

heavies ['heviz] *s pl mil* **1** armament greu **2** trupe motorizate/mecanizate/blindate **3** artilerie grea **4** bombardiere grele

heavily ['hevili] *adv* **1** (foarte) greu, din greu **2** greoi, cu greutate/efort, lent **3** ← *înv* aspru, sever, greu

heaviness ['hevinis] *s* **1** greutate, povară, sarcină **2** înfățișare greoaie; pondere, greutate **3** apăsare, greutate

heavy ['hevi] **I** *adj* **1** greu, care trage greu/mult la cântar, cu pondere/greutate mare **2** (**with**) încărcat, împovărat (de, cu); **~ with wine** băut, amețit de băutură **3** *mil* bine înarmat, înzestrat cu armament greu **4** apăsător, greu, greoi **5** *(d. pământ)* hleios, cleios, lutos, lipicios **6** *(d. mâncare)* greu (de mistuit), greoi **7** *(d. pâine)* cleios, necopt, necrescut **8** greoi, stângaci; corpolent; impozant **9** *și fig* apăsător, greu; **it lies ~** te apasă, e apăsător **10** *(d. cer)* închis, acoperit, înnorat, noros **11** *fig* sumbru, trist, apăsător, grav; serios; **with a ~ heart** cu inima grea, trist, întristat **12** *fig* greoi, greu de cap, încet (la minte), prost, nătâng **13** plicticos, greoi;

neinteresant; **time hangs** ~ timpul trece greu; e o plictiseală de moarte **14** somnoros, toropit; adormitor **15** dificil, greu, laborios **16** puternic, de o forță neobișnuită **II** *adv v.* **heavily III** *s* **1** *sport* greu, boxer de categorie grea **2** *teatru v.* **heavy father 3** *mil v.* **heavies 4** vehicul greu **5** ziar serios, gazetă serioasă

heavy blow ['hevi ,blou] *s și fig* lovitură grea; pumn greu

heavy-duty ['hevi ,dju:ti] *adj atr* **1** ↓ *auto* de mare tonaj, greu **2** (foarte) robust/rezistent, de mare rezistență **3** utilizat intens; ~ **word** cuvânt de mare circulație

heavy father ['hevi ,fa:ðə'] *s teatru* personaj important/greoi *(↓ în commedia del'arte)*

heavy features ['hevi ,fi:tʃəz] *s pl* trăsături greoaie/accentuate

heavy-footed ['hevi ,futid] *adj* **1** (cu) pas/care calcă greoi/apăsat **2** *(d. șofer)* având beția vitezei **3** *(d. stil)* plat

heavy guns ['hevi ,gʌnz] *s pl mil* artilerie grea; armament greu

heavy-handed ['hevi ,hændid] *adj* **1** stângaci, greoi **2** cu mână grea; brutal **3** sever, aspru, dur

heavy-handedly ['hevi ,hændidli] *adv* **1** greoi, stângaci **2** aspru, sever; brutal

heavy-hearted ['hevi ,ha:tid] *adj* cu inima grea, trist, abătut; melancolic

heavy-heartedly ['hevi ,ha:tidli] *adv* cu tristețe, trist, cu inima grea

heavy hydrogen ['hevi'haidrədʒin] *s ch* hidrogen greu, deuteriu

heavy industry, the ['hevi 'indəstri, ðə] *s ec* industria grea

heavy-in-hand ['hevi in 'hænd] *adj* **1** *(d. cal)* care se lasă greu **2** *fig* greoi, plicticos

heavyish ['heviiʃ] *adj* **1** cam greu, nu chiar așa de ușor/ușurel **2** cam greoi

heavy-laden ['hevi,leidən] *adj* **1** încărcat până la refuz, greu, împovărat **2** supraîncărcat **3** *fig v.* **heavy-hearted**

heavy metal ['hevi 'metəl] *s* **1** metal greu **2** *și pl fig* adversar dificil/redutabil

heavy-on-hand ['hevi on'hænd] *adj v.* **heavy-in-hand**

heavy-set ['hevi,set] *adj (d. cineva)* butucănos, îndesat, greoi

heavy storm ['hevi 'stɔ:m] *s* furtună mare

heavy swell ['hevi 'swel] *s* **1** *nav* hulă, valuri mari **2** *F* filfizon, marțafoi, (tip) spilcuit

heavy traffic ['hevi ,træfik] *s* **1** trafic greu, vehicule grele **2** trafic intens, circulație mare/intensă

heavy water ['hevi 'wo:tə'] *s ch* apă grea

heavy weight ['hevi weit] **I** *s* **1** *sport* boxer greu/de categorie grea, *F* greu **2** *F* om mare, tip tare; mare mahăr **3** *F* om cu spate/pile, barosan **4** deștept **II** *adj sport* la box greu, de categorie grea

Heb. *presc de la* **Hebrew(s)**

hebdomad ['hebdəmæd] *s* săptămână, (perioadă de) 7 zile

hebdomadal [heb'domədəl] *adj* săptămânal, hebdomadar

Hebe ['hi:bi(:)] *s* **1** *mit* Hebe, zeița tinereții; paharnicul Olimpului **2** ← *umor* chelneriță, barmaniță

hebephrenia [,hi:bi'fri:niə] *s med* debilitate/deficiență mintală, demență juvenilă

hebephrenic [,hi:bi'frenik] *s med* (tânăr) deficient/debil mintal

hebetate ['hebiteit] **I** *vt* a prosti, a tâmpi, a imbeciliza **II** *vi* a se prosti, a se tâmpi

hebetic [hi'betik] *adj biol, med* pubertar; adolescentin

hebetude ['hebi,tju:d] *s* imbecilitate, tâmpenie, prostie

Hebraic [hi'breik] *adj* ebraic, evreiesc

Hebraism ['hi:brei,izəm] *s* **1** *rel* ebraism, iudaism, religie iudaică/mozaică **2** *lingv* ebraism, element ebraic *sau* expresie ebraică *(↓ în versiunea elină a Bibliei)*

Hebrew ['hi:bru:] **I** *s* **1** evreu, iudeu, israelit **2** (limba) ebraică, ivrit **3** *F* limbă păsărească/neînțeleasă **II** *adj* **1** evreiesc, iudaic

Hebrides, the ['hebri,di:z, ðə] (Insulele) Hebride

hecatomb ['hekə,toum] *s* hecatombă, jertfă (uriașă), sacrificiu public

heck [hek] *s F eufemism pt* **hell**; **what the ~?** ce naiba/dracu?

heckle ['hekəl] *vt* a bombarda/a sâcâi cu întrebări, a interpela răuvoitor

heckler ['heklə'] *s* persoană care interpelează/bombardează (un orator) cu întrebări

hectare ['hekta:'] *s* hectar

hectic ['hektik] **I** *adj* **1** febril, de/cu febră, fierbinte **2** având roșeața tuberculoșilor, roșu la față, cu obrajii arzând/înfierbântați **3** tuberculos, ofticos **4** agitat, febril, neliniștit; **it was a ~ day** a fost o zi ultra-agitată/demență/de nebunie/de groază **5** palpitant, emoționant, pasionant **II** *s med* **1** roșeață, aprindere **2** tuberculos, *F* → oftalcos **3** febrilitate, stare febrilă

hectic fever ['hektik ,fi:və'] *s v.* **hectic II 3**

hecto- *pref* hecto-: **hectogramme** hectogram

hectograph ['hektou,gra:f] **I** *s* șapirograf, hectograf, mașină de copiat **II** *vt* a șapirografia, a reproduce/copia la șapirograf/hectograf, a multiplica

Hector ['hectə'] *nume masc*

hector **I** *s* terorist, persoană care terorizează **II** *vt* a teroriza; a asupri, a năpăstui **III** *vi* a face pe teroristul

hedge [hedʒ] **I** *s* **1** gard viu **2** *fig* obstacol, barieră **3** *fig* afirmație ambiguă; răspuns echivoc/care nu te angajează **II** *vt* **1** a împrejmui/a înconjura cu un gard viu **2** *fig* a îngrădi, a strânge în chingi, a încorseta **3** a se pune la adăpost **III** *vi* **1** a se asigura împotriva riscurilor **2** a da răspunsuri echivoce/ambigue

hedge fund ['hedʒ,fʌnd] *s fin amer* coaliție a speculanților la bursă

hedgehog ['hedʒ,hog] *s* **1** *zool* arici **2** *mil* arici, herison, obstacol de sârmă ghimpată

hedgehop ['hedʒ,hop] *vi av* a zbura razant/la firul ierbii/în rasemotte *(pt împrăștierea insecticidelor etc.)*

hedgepriest ['hedʒ,pri:st] *s* popă incult

hedge row ['hedʒ ,rou] *s* șir de tufișuri/arbuști

hedge-school ['hedʒ,sku:l] *s* școală proastă

hedonic [hi:'donik] *adj* **1** legat de plăcere/bucurie/satisfacție **2** *rar* hedonist, amator de plăceri

hedonics [hi:'doniks] *s pl ca sg psih* teoria/știința (satisfacerii) plăcerilor; hedonistică

hedonism ['hi:də,nizəm] *s* hedonism

hedonist [ˈhi:dənist] *s* hedonist, adept al hedonismului/plăcerilor

hedonistic [ˌhi:dəˈnistik] *adj* hedonist, legat de plăceri

-hedral *suf* -edric: **tetrahedral** tetraedric

-hedron *suf* -edru: **dodecahedron** dodecaedru

heebie-geebies, the [ˈhi:biˈdʒi:biz, ðə] *s pl sl* tremur(ici), agitație, (fiori de) spaimă

heed [hi:d] **I** *s* atenție, băgare de seamă; **to pay/to give ~ to** a acorda atenție *cu dat;* **to take no ~ of** a nu lua/a nu băga în seamă *cu ac* **II** *vt* **1** a băga în seamă, a acorda atenție *cu dat* **2** a ține seamă de

heedful [ˈhi:dful] *adj* (of) **1** atent (cu, la) **2** precaut, prudent (cu)

heedless [ˈhi:dlis] *adj* (of) nepăsător (la, față de)

heedlessly [ˈhi:dlisli] *adv* neatent, fără să se gândească la nimic

heehaw [ˈhi: ˌhɔ:] **I** *s* **1** zbieret de măgar **2** râs zgomotos, hăhăit, hohot **II** *vi* **1** (d. măgar) a zbiera, a rage **2** *fig* a (se) hăhăi, a râde zgomotos (și vulgar)

heel¹ [hi:l] **I** *s* **1** *anat* călcâi; **at ~, at/upon smb's ~s** pe urmele cuiva, chiar în spatele cuiva; **to come to ~** (d. câine) **a** a asculta, a veni când e chemat **b** *fig* a fi supus/ascultător, a face sluj; **~s over head, head over ~s** alandala, cu susul în jos, anapoda; **to lay/to clap smb by the ~s** *F* a pune pe cineva la popreală/gros/închisoare; **to cool/to kick one's ~s** a fi lăsat să aștepte, a face anticameră; a fi ținut/a sta în așteptare; **to kick up one's ~s a** a sări în sus (de bucurie) **b** a se simți liber/slobod; **to have the ~s of** a întrece *cu ac;* **to take to one's ~s, to show a clean pair of ~s** a-și lua picioarele la spinare; a o lua la sănătoasa; **to turn on one's ~s** a se întoarce brusc; **to be carried with the ~s foremost** a fi scos cu picioarele înainte/pe năsălie **2** călcâi; toc (de pantof etc.); **down at ~s a** scălciat, cu tocurile scălciate **b** (d. persoane) jerpelit, șleampăt, neîngrijit; **under the ~ of** sub călcâiul *cu gen,* asuprit de **3** călcâi de ciorap **4** *pl zool* picioare/

labe dindărăt/din spate **5** gât (de vioară, instrument etc.) **6** colț (de pâine) **7** rest, coajă (de brânză etc.) **8** *sl* jigodie, lepră, javră, parșiv, tip mârșav, *F* porc **II** *vt* a pune tocuri la (pantofi etc.) **III** *adj amer F v.* **I 8**

heel² *nav* **I** *vt* a carena **II** *vi* a se carena

heel-and-toe walking [ˈhi:lən ˈtou ˌwɔ:kiŋ] *s* **1** mers ritmic **2** *sport* (cursă de) marș

heeled [hi:ld] *adj* **1** *F* înarmat cu bani, – având bani la el **2** *F* bine căptușit, – cu bani (și în cuvinte compuse: **well-heeled** etc.)

heeler [ˈhi:ləʳ] *s pol* agent electoral

heel of Achilles, the [ˈhi:l əv əˈkili:z, ðə] *s fig* călcâiul lui Ahile, punct vulnerabil/slab

heelplate [ˈhi:lpleit] *s* blancheu; potcoavă

heel tap [ˈhi:ltæp] *s* **1** întăritură la călcâi **2** rest de băutură rămasă în pahar; **no ~s beți/să bem (paharele) până la fund!**

heel top [ˈhi:l tɔp] *s* **1** flec **2** drojdie, zaț

heft [heft] *amer* **I** *s* **1** greutate, pondere **2** ← *înv,* majoritate, masă, parte principală **3** împingere, impuls **II** *vt* **1** a cântări în mână **2** a ridica (în sus), a înălța **III** *vi* a cântări, a trage

hefty [ˈhefti] *adj* **1** vânjos, voinic, robust **2** viguros, tare, puternic **3** abundent, copios, bogat

Hegel [ˈheigəl], **Georg Wilhelm Friedrich** *filosof german (1770-1831)*

Hegelian [hiˈgeiliən] *s, adj* hegelian

hegemonic [ˌhegəˈmɔnik] *adj* hegemon; suprem

hegemony [hiˈgeməni] *s* hegemonie, autoritate supremă

hegira [ˈhedʒirə] *s ist* hegira, fuga lui Mahomed

he-goat [ˈhi: ˌgout] *s zool* țap

hegumen [hiˈgju:men] *s bis* egumen

Heidelberg [ˈhaidəl ˌbə:g] *oraș universitar în Germania*

Heidelberg man [ˈhaidəl ˌbə:g ˌmæn] *s ist* om primitiv de tip Heidelberg

heifer [ˈhefəʳ] *s zool* vițică, vițea, juncă, junincă

Heifetz [ˈhaifits], **Jascha** *muzician american (n. 1901)*

heigh [hei] *interj* hei! ura!

heigh-ho [ˈheiˈhou] *interj* **1** haiti! na-ți-o bună! **2** hei rup!

height [hait] *s* **1** înălțime, altitudine **2** statură, înălțime **3** înălțime, ridicătură, culme **4** *fig* culme, vârf, punct culminant; zenit; **at its ~** la maximum, la culme; **to be dressed in the ~ of fashion** a fi îmbrăcat după ultimul jurnal/strigăt **5** ← *înv* aer superior/arogant, trufie, semeție, aroganță

heighten [ˈhaitən] **I** *vt* **1** a înălța, a ridica **2** a mări, a spori, a crește, a ridica **3** a intensifica, a spori, a mări; a ascuți, a ațâța **4** *fig* a umfla, a exagera **II** *vi* **1** a crește, a spori, a se mări **2** a deveni mai intens/viu, a se intensifica; **her ~ed colour** îmbujorarea ei crescândă

height of land [ˈhait əv ˌlænd] *s canadian* cumpăna apelor

Heine [ˈhainə], **Heinrich** *poet și eseist romantic german (1797-1856)*

heinous [ˈheinəs] *adj* **1** crunt, atroce, îngrozitor **2** ticălos, odios, scandalos

heinously [ˈheinəsli] *adv* **1** crunt, atroce, îngrozitor **2** odios, scandalos, oribil

heinousness [ˈheinəsnis] *s* **1** atrocitate, cruzime **2** oroare, ticăloșie

heir [ɛəʳ] *s* **1** moștenitor, succesor; **to be ~ to** și *fig* a moșteni, a primi/a căpăta ca moștenire *cu ac;* **~ of the/smb's body** descendent, moștenitor direct **2** *fig* succesor/urmaș

heir-apparent [ˌɛərəˈpɛərənt], *pl* **heirs-apparent** [ˌɛəzəˈpɛərənt] *s jur* și *fig* moștenitor/succesor aparent/legal

heir-at-law [ˌɛərət ˈlɔ:], *pl* **heirs-at-law** [ˌɛəzət ˈlɔ:] *s* moștenitor/succesor legitim/de drept

heiress [ˈɛəris] *s* moștenitoare, succesoare

heirless [ˈɛəlis] *adj* fără moștenitor/succesor, *jur* (ab)intestat

heirloom [ˈɛə ˌlu:m] *s* amintire/suvenir/bijuterie de familie

heir presumptive [ˌɛə priˈzʌmptiv], *pl* **heirs presumptive** [ˌɛəzpriˈzʌmptiv] *s jur* și *fig* moștenitor/succesor prezumtiv

heist [haist] *sl* **I** *s* jaf, tâlhărie **II** *vt* a jefui, a dezbrăca

hejira [ˈhedʒirə] *s v.* **hegira**

Hekate [ˈhekəti] *mit* Hecate

hekto- *suf v.* **hecto-**

Helaine [he'lein] *nume fem* Elena
held [held] *vt, vi, pret și ptc de la*
hold I
Heldentenor ['heldənte,nɔ:ʳ] *s germ*
(voce de) tenor wagnerian/eroic
Helen ['helin], **Helena** ['helənə],
Helene [hə'li:n] *nume fem* Elena
Helen of Troy ['helin əv 'trɔi] *mit*
Elena din Troia
Helga ['helgə] *nume fem*
helianthus [,hi:li'ænθəs] *s bot v.* **sun
flower**
helical ['helikəl] *adj* elicoidal, spiral,
în spirală
Helicon ['helikən] **1** *geogr* masiv
muntos în sudul Greciei **2** *mit*
lăcașul muzelor, hipocren **3** *fig*
sursă de inspirație; muză
helicon ['helikən] *s muz* helicon
helicopter ['heli,kɔptəʳ] *s* elicopter
helidrome ['heli,droum] *s v.* **heliport**
helio ['hi:liou] *s F v.* **1 heliogram 2
heliograph**
helio- *pref* helio-: **heliogravure**
heliogravură
heliochrome ['hi:liou,kroum] *s*
heliogravură în culori
heliogram ['hi:liou,græm] *s* helio-
gramă
heliograph ['hi:liou,gra:f] **I** *s* **1**
heliograf **2** aparat pentru helio-
gramă/fotogramă **II** *vt* **1** a trans-
mite prin heliograf **2** a copia prin
heliogramă/fotogramă
Heliopolis [,hi:li'ɔpəlis] *ist* **1** oraș în
Egiptul antic **2** Baalbec
heliotaxis [,hi:liou'tæksis] *s biol*
heliotropism
heliotherapy [,hi:liou'θerəpi] *s med*
helioterapie
heliotrope ['hi:liou,troup] *s* **1** *bot*
heliotrop (*Heliotropium*) **2** culoa-
re purpurie **3** parfum/mireasmă
de heliotrop
heliotropism [,hi:li'ɔtrə,pizəm] *s biol*
heliotropism
heliport ['heli,pɔ:t] *s av* eliport,
aeroport pentru elicoptere
helium ['hi:liəm] *s ch* heliu
helix ['hi:liks] *s* **1** arc spiral/elicoid **2**
arhit volută
hell [hel] **I** *s* **1** iad, infern; *rel* gheenă
2 *fig* iad, infern, loc al chinului; *F*
naiba; **go to ~!** *F* du-te dracului/
la naiba! **a ~ of a noise** un
zgomot infernal; **what the ~**
does he want? *F* ce dracu/naiba
(mai) vrea? **like ~** *F* **a** foarte,
extrem de **b** în disperare; **to ride**

~ for leather a goni călare, a
galopa, a omorî calul; **to be ~ on**
s/ **a** a fi al dracului de greu pentru
(*cineva*) **b** a fi strașnic/al dracului
de aspru cu (*cineva*) **c** a strica,
a distruge, a face ravagii în
(*ceva*); **~ of a** (*scris ↓* **helluva**)
s/ enorm, foarte mult, imens; **for
the ~ of it** *s/* de sanchi/sâc/kiki,
(doar așa) de-al dracului; **to give
smb ~** *F* **a** a-i face cuiva zile
fripte **b** a-i trage cuiva un perdaf;
there will be ~ to pay o să ne
etc. iasă pe nas **3** tripou, spe-
luncă **II** *interj F* drace! la naiba!
fir-ar să fie! **III** *vi* **1** a alerga/a
umbla repede (*↓ cu mașina*) **2** *v.*
carouse
he'll [hi:l] *contras din* **he will**
Helladic [hi'lædik] *adj* eladic, referi-
tor la cul‧ura elenă din epoca
bronzul‧i
hell around [hel ə'raund] *vi cu part
adv s/* a-și face de cap, a o ține
tot/numai în chefuri (și petreceri/
pileală)
Hellas ['heləs] Elada, Grecia
hellbender ['hel,bendəʳ] *s amer* **1**
zool salamandră mare comes-
tibilă (*Cryptobranchus allega-
niensis*) **2** *s/* beție, chef, pileală
hellbent [,hel'bent] *adj amer s/* **1** al
dracului de hotărât; pus pe fapte
mari **2** iute, rapid **3** nesăbuit,
nechibzuit
hellbox ['helbɔks] *s poligr* cutie
pentru litere stricate
hellbroth ['hel,brɔθ] *s* fiertură
magică (*a vrăjitoarelor*)
hell cat ['hel kæt] *s* cață, femeie
artăgoasă
Hellene ['heli:n] *s* **1** *ist* elen, grec **2**
grec sau grecoaică
Hellenic [he'lenik] *adj* elen(ic),
grecesc
Hellenism ['heli,nizəm] *s* **1** elenism,
grecism **2** elenizare, imitare a
elenilor **3** cultură elenă **4** națio-
nalitate greacă
Hellenist ['helinist] *s* **1** elenist **2**
străin care vorbește grecește/
elinește
Hellenistic [,heli'nistik] *adj* **1** elenis-
tic, referitor la Grecia antică **2**
elenic/grecesc
Hellenistically [,heli'nistikəli] *adv* în
stil elenic/elenistic/grecesc
Hellenization [,helinai'zeiʃən] *s*
elenizare; grecizare

Hellenize ['heli,naiz] *vt* a eleniza, a
supune influenței elene/grecești
Hellenizer ['heli,naizəʳ] *s* adept al
elenizării; promotor al influenței
grecești
heller¹ ['heləʳ] *s pl od* **1** monedă
germană *sau* austriacă **2** mone-
dă divizionară cehoslovacă
heller² *s s/ amer* **1** scandalagiu,
haidamac, gălăgie, om gălăgios/
turbulent, *înv →* zavragiu **2**
chefliu; bețivan, depravat *etc.*
Hellespont ['helispɔnt], **Helles-
pontus** [,helis'pɔntəs] *strâmtoare*
Helespont, Dardanele
hell fire ['hel ,faiəʳ] *s rel* focul
gheenei/iadului
hellhole ['hel,houl] *s F* gaură împu-
țită, loc mizerabil/infect
hell-hound ['hel,haund] *s* demon,
diavol
hellion ['heljən] *s s/ amer* **1** drac
împielițat, diavol, aghiuță, vâr-
colac **2** ticălos, porc, măgar
hellish ['heliʃ] *adj* **1** infernal, de iad
2 drăcesc, diabolic **3** infect,
scârbos, mizerabil
hellishly ['heliʃli] *adv* **1** (în mod)
infernal **2** (în mod) diabolic,
drăcește
hellishness ['heliʃnis] *s* **1** caracter
infernal **2** caracter diabolic/
drăcesc
hellkite ['helkait] *s* rău, ticălos,
bestie, drac
Hellman ['helmən], **Lillian** autoare
dramatică americană (n. 1905)
hello [hel'ou] *interj v.* **hallo**
hell's angel ['helz,eindʒəl] *s* moto-
ciclist zgomotos și turbulent
hell's bells ['helz ,belz] *interj* drace!
fir-ar să fie! la naiba!
helluva ['heləvə] *adj, adv* formă
populară pt **hell of a (fellow** *etc.*)
strașnic/al dracului (de)
helm¹ [helm] **I** *s* **1** *nav* cârmă; **to
take the ~** *fig* a prelua condu-
cerea **2** *fig* cârmă, cârmuire; **the
~ of the State** cârma statului,
cârmuirea, guvernul **II** *vt fig* a
cârmui, a călăuzi
helm² *s v.* **helmet**
helmet ['helmit] *s* **1** *od* coif **2** cască
(de protecție) **3** cască colonială
4 bonetă, pălăriuță
helmeted ['helmitid] *adj* cu casca/
coiful pe cap
helminth ['helminθ] *s zool, med*
vierme intestinal

helminthiasis [ˌhelmin'θaiəsiz] *s med* verminoză

helmsman ['helmzmən] *s nav* cârmaci, timonier

helot ['helət] *s* **1** *ist* ilot, sclav spartan **2** *fig* paria; rob, sclav, om din clasele asuprite

help [help] **I** *s* **1** ajutor, asistență; **can I be of any ~?** te pot ajuta cu ceva? îți pot fi de vreun ajutor? **it wasn't (of) much ~** n-a slujit/servit la mare lucru, n-a fost de prea mare ajutor/folos; **~!** ajutor! **~ wanted** (↓ *la mica publicitate*) oferte de serviciu **2** persoană care ajută, ajutor **3** *amer* servitoare; personal de serviciu, slugi **4** remediu, soluție; salvare; **there is no ~ for it** n-avem încotro, n-ai ce-i face; nu ne putem împotrivi **II** *vt* **1** a ajuta, a fi de ajutor pentru, a veni în ajutorul *(cu gen)*; **so ~ me God!** așa să-mi ajute Dumnezeu! **~ me to lift the box** ajută-mă să ridic lada; **~ me to an answer** ajută-mă să găsesc răspunsul (potrivit)/un răspuns; **to ~ a lame dog over a stile** a ajuta pe un nevoiaș să iasă din încurcătură **2** (**with, in**) a ajuta (să, la), a sprijini (în, la); **to ~ a child with his lessons** a ajuta pe un copil la lecții **3** a vindeca; a remedia; a îndrepta, a ameliora; **it can't be ~ed** n-ai ce-i face **4** a ajuta să iasă/a scoate din încurcătură (↓ **to ~ out**) **5** a folosi, a fi de folos/ajutor, a sluji *(cu dat)* **6** (**to**) a servi (cu), a da, a împărți *(mâncare etc.)* **7** a lua, a se înfrupta din **8** (↓ *după* **can't**) a opri, a împiedica; **we can't ~ that** nu ne putem împotrivi, n-avem ce să facem **9** *(precedat de* **can't** *și urmat de forme în* **-ing**) a-și stăpâni; a se opri/a se abține/a se împiedica să/de la; **I can't ~ laughing at the proposal** nu pot decât să râd de o asemenea propunere, nu mă pot abține/opri să nu râd de o asemenea propunere; **she couldn't ~ crying** nu-și putea stăpâni lacrimile/plânsul **III** *vi* **1** (**to**) a ajuta, a sluji, a servi, a fi de folos/ajutor *(la sau cu dat)*; **it doesn't ~** nu servește/slujește/folosește la nimic; nu e bun de/la nimic **2** a trebui, a fi

silit/obligat; **don't be longer than you can ~** vino cât de curând poți/posibil, nu întârzia mai mult decât trebuie **IV** *vr* **1** a se ajuta/a se descurca singur, a se bizui numai pe sine **2** (**to**) a se servi (din, cu), a lua *(mâncare etc.)*; **~ yourself (to some more cake)** (mai) luați/ia (puțin tort), mai servește-te (cu niște tort) **3** a se stăpâni, a se abține, a se opri **V** *interj* ajutor!

helper ['helpə'] *s* **1** (persoană care dă) ajutor **2** *ferov* locomotivă suplimentară/auxiliară

helpful ['helpful] *adj* **1** util, folositor, de ajutor **2** de nădejde/ajutor, serviabil, îndatoritor

helpfully ['helpfuli] *adv* în mod util/folositor

helpfulness ['helpfulnis] *s* utilitate, caracter folositor

helping ['helpiŋ] **I** *s* **1** porție *(de mâncare etc.)* **2** ← *înv* ajutor **II** *adj* auxiliar, ajutător

help into ['help ˌintə] *vt cu prep* a ajuta să se îmbrace cu, a-i pune *cuiva;* **to help smb into his coat** a-i ține cuiva paltonul *sau* haina

helpless ['helplis] *adj* **1** neajutorat, lipsit de ajutor **2** neputincios, incapabil, neajutorat **3** lipsit de apărare **4** inutil, ineficace, nul **5** nedumerit, zăpăcit, uluit

helplessly ['helplisli] *adv* **1** neajutorat, fără ajutor **2** neputincios, în imposibilitate de a face ceva **3** fără apărare

helplessness ['helplisnis] *s* **1** neajutorare, nevoie/lipsă de ajutor **2** lipsă de apărare **3** ineficacitate **4** neputință, neajutorare

helpmate ['help,meit], **helpmeet** ['help,mi:t] *s* **1** tovarăș, camarad, *P →* ortac; ajutor **2** tovarăș de viață

help off with ['help ˈɔ:f wið] *vt cu part adv și prep* a ajuta *pe cineva* să se dezbrace de/să-și scoată/să-și dezbrace *(paltonul etc.)*

help on with ['help ˈɔn wið] *vt cu part adv și prep* a ajuta *pe cineva* să se îmbrace cu/să-și pună, a-i pune *cuiva (paltonul etc.)*

help out ['help ˈaut] **I** *vt cu part adv* a scoate din încurcătură/de la ananghie, a ajuta la nevoie **II** *vi cu part adv* a fi de < mare ajutor/folos

Helsinki ['helsiŋki] *capitala Finlandei*

helter-skelter ['heltə 'skeltə'] *adv* alandala, în dezordine, cu susul în jos

helve [helv] *s* coadă/mâner de unealtă (↓ *topor*)

Helvetia [hel'vi:ʃə] Elveția

Helvetian [hel'vi:ʃən] *s, adj* elvețian

Helvetic [hel'vetik] *s* elvețian protestant; adept al lui Zwingli

Helvetii [hel'vi:ʃi,ai] *s pl ist* helveți, celții din Elveția antică

Helvetius [hel'vi:ʃiəs], **Claude Adrien** *filosof francez (1715-1771)*

hem[1] [hem] **I** *s* tiv **II** *vt* **1** a tivi **2** *fig* a strânge în chingi, a încorseta

hem[2] **I** *interj* hm! **II** *s* ezitare, șovăială **III** *vi* **1** a face „hm" **2** a-și drege glasul; a șovăi

hema- *pref v.* **haema-**

hem about ['hem ə'baut] *vt cu part adv v.* **hem in**

hemal ['hemal] *adj v.* **haemal**

he-man ['hi:,mæn] *s* bărbat foarte viril/bărbătos

hemato- *pref v.* **haemato-**

hemeralopia [ˌhemərə'loupiə] *s med* hemeralopie, vedere slabă la lumina zilei

hemeralopic [ˌhemərə'lɔpik] *adj* hemeralopic, care suferă de hemeralopie

hemi- *pref* hemi-: **hemiplegia** hemiplegie; emi-: **hemisphere** emisferă

-hemia *suf* -emie: **leukemia** leucemie

hemidemisemiquaver [ˌhemiˌdemiˈsemiˌkweivə'] *s muz* șaizecipătrime

hem in ['hem'in] *vt cu part adv* **1** a înconjura, a împresura **2** a încolți, a strânge cu ușa **3** a încorseta, a strânge în chingi

Hemingway ['hemiŋˌwei], **Ernest** *prozator american (1899-1961)*

hemiplegia [ˌhemi'pli:dʒiə] *s med* hemiplegie

hemipterous [hi'miptərəs] *adj ent* hemipter

hemisphere ['hemiˌsfiə'] *s* emisferă

hemispheric(al) [ˌhemi'sferik(əl)] *adj* emisferic, în formă de emisferă

hemistich ['hemiˌstik] *s* emistih, jumătate de vers

hem line ['hem ˌlain] *s* tiv *(la fustă sau rochie);* **to lower the ~** a-și lungi rochia; **to raise the ~** a-și scurta rochia

hemlock ['hemˌlɔk] *s bot* cucută (*Conium maculatum*)

hemmer ['hemər] *s* **1** cusătoreasă care face tivuri/volănașe **2** *amer* dispozitiv de tivit la mașina de cusut

hemo- etc. *pref v.* **haemo-** etc.

hemp [hemp] *s* **1** *bot* cânepă (*Cannabis sativa*) **2** *amer sl* marijuana **3** *text* pânză *sau* fibră de cânepă **4** ← *umor* ștreang, funie

hempen ['hempən] *adj* **1** de cânepă **2** cânepiu

hem round ['hem 'raund] *vt cu part adv v.* **hem in**

hemstitch ['hemˌstitʃ] **I** *s* ajur **II** *vt* a ajura, a lucra în ajur

hen [hen] *s* **1** *orn* găină **2** *orn, zool, iht* femelă (*a mai multor păsări, animale sau pești*) **3** cloșcă; **like a ~ with one chicken** prăpăstios, agitat **4** *fig* femeie agitată, leoaică

hen- *pref pt indicarea femininului:* **~sparrow** vrabie; **~swallow** rândunică

-hen *suf pt indicarea femininului:* **pea~** păuniță

hen and chickens ['henənd 'tʃikinz] *s bot v.* **house-leek**

henbane ['henˌbein] *s* **1** *bot* măselariță (*Hyoscyamus niger*) **2** narcotic extras din măselariță

hence [hens] *adv* **1** ← *înv sau elev* de aici; **go ~!** pleacă/du-te de aici! **~ with it** ia-o de aici; ia-o din loc; **to go ~** a se duce de pe lumea asta; **three miles ~** la (o depărtare) de trei mile de aici **2** de aici/acum înainte; de acum încolo, în viitor; **two years ~** peste doi ani, doi ani de aici înainte/de acum încolo **3** (pornind) de aici, pornind de la aceasta, de unde, de la/din care; **~ it appears/results that** de unde/de la care rezultă/se deduce că **4** așadar, deci, prin urmare

henceforth ['hens'fɔ:θ], **henceforward** ['hens'fɔ:wəd] *adv v.* **hence 2**

henchman ['hentʃmən] *s* **1** acolit, slugă plecată; *F* slugoi; lacheu; om de încredere, agent **2** *pol* sprijinitor, susținător, simpatizant **3** bandit, gangster **4** *od* paj; curtean

hen-coop ['henˌku:p] *s* coteț de găini/păsări

hen-crab ['henˌkræb] *s zool* crab-femelă, femela crabului

hendeca- *pref* endeca-: **hendecagon** endecagon

hendecagon [hen'dekəgən] *s geom* endecagon

hendecasyllabic [henˌdekəsi'læbik] *adj* endecasilabic

hendecasyllable ['hendekəˌsiləbəl] *s* endecasilab, vers endecasilab

hendiadys [hen'daiədis] *s lit* hendiadă

Hengist ['heŋgist] *ist conducător germanic (m. 488) al invaziei anglo-saxone în Anglia (împreună cu fratele său Horsa)*

hen-harrier ['henˌhæriə] *s orn* vindereu, uliu vânăt, șorecar (*Circus cyaneus*)

hen-hawk ['henˌhɔ:k] *s orn amer* șorecar (*Buteo sp.*)

hen-hearted ['henˌha:tid] *adj* fricos, slab de înger

henna ['henə] **I** *s* henné, vopsea (↓ *pt păr*) **II** *vt* a vopsi (↓ *părul*) cu henné

hennery ['henəri] *s* crescătorie de pui/găini/păsări

hen-party ['hen ˌpa:ti] *s F* petrecere (numai) de cucoane/femei

henpecked ['henˌpekt] *adj* (ținut) sub papuc

Henrietta [ˌhenri'etə] *nume fem* Henrieta, Henriette

hen-roost ['henˌru:st] *s* șipcă/leaț pe care dorm găinile

hen-run ['henˌrʌn] *s* țarc/îngrăditură pentru găini/pentru păsări de curte

Henry ['henri] *nume masc* Henric, Enric, Henri

H.E.P. *presc de la* **hydroelectric power**

hep¹ [hep] *adj* **1** pasionat (↓ *de jazz*) **2** (bine) informat, la curent; priceput; cunoscător; **to be ~ to** a fi (foarte) la curent/pus la punct cu; a fi tare în materie de

hep² *interj mil* stâng!

heparin ['hepərin] *s ch, med* heparină

hepatic [hi'pætik] *adj med* **1** hepatic **2** bun pentru ficat, hepatic

hepatitis [ˌhepə'taitis] *s med* hepatită

hepcat ['hepˌkæt] *s* ← *F* cunoscător, specialist, expert, om informat (↓ *în materie de jazz*) **2** persoană foarte modernă/avansată

hepta- *suf* hepta-: **heptagon** heptagon

heptachlor ['heptəˌklɔ:] *s* heptaclor, insecticid puternic

heptad ['heptæd] *s* heptadă, grup de șapte

heptagon ['heptəgən] *s geom* heptagon

heptagonal [hep'tægənəl] *adj geom* heptagonal

heptahedron [ˌheptə'hi:drən] *s geom* heptaedru

heptameter [hep'tæmitə] *s prozodie* heptametru, vers de 7 picioare

heptarchy ['hepta:ki] *s* **1** heptarhie **2** *ist* cele șapte regate ale anglo-saxonilor

heptastich ['heptəstik] *s metr* poezie *sau* strofă de 7 versuri

Heptateuch, the ['heptətju:k, ðə] *s bibl* heptateucul (*primele 7 cărți ale Vechiului Testament*)

heptavalent [hep'tævələnt] *adj ch* heptavalent

her [hə(:), ə] **I** *adj pos* ei; său, sa, săi, sale; **~ sisters** surorile ei/sale; **she put ~ hat on ~ head** și-a pus pălăria pe cap **II** *pr pers* **1** *ac* pe ea, -o; **I saw ~ there** am văzut-o acolo **2** *dat* ei, îi i, i-; **give ~ the news, break the news to ~** dă-i (și ei) vestea **3** ← *F nom* ea; **was that ~?** ea era?

her. *presc de la* **heraldy**

Hera ['hiərə] *mit* Hera, Junona

Heracles ['herəˌkli:z] *mit* Heracle, Hercule

Heraclitus [ˌherə'klaitəs] *ist* Heraclit, filosof grec (*sec. VI-V î.e.n.*)

Heraclius [ˌherə'klaiəs] *ist* împărat bizantin (*610-641*)

Herakles ['herəˌkli:z] *mit v.* **Heracles**

herald ['herəld] **I** *s* **1** *od* crainic, vestitor, herald **2** vestitor, crainic, cel ce anunță **3** *fig* prevestitor, profet, proroc; **a ~ of evil** vestitor de rele **4** mesager, sol (↓ *ca nume de ziar*) **5** premergător, precursor **II** *vt* **1** a anunța, a vesti **2** a saluta **3** *fig* a deschide, a inaugura

heraldic [he'rældik] *adj* heraldic (*referitor la blazoane/la titluri de noblețe*)

heraldry ['herəldri] *s* heraldică (*știința blazoanelor, a titlurilor nobiliare*)

herb [hə:b] *s* **1** iarbă; buruiană **2** plantă (↓ *medicinală*)

herbaceous [hə:'beiʃəs] *adj bot* ierbaceu, ierbos

herbage ['hə:bidʒ] *s* **1** ierburi, buruieni **2** *bot* măduvă **3** *jur* (drept de) pășunat

herbal ['hə:bəl] **I** *adj* **1** referitor la ierburi **2** ierbos **II** *s* tratat despre ierburi/plante, manual de botanică

herbalist ['hə:bəlist] *s* **1** specialist în ierburi/buruieni/plante, botanist **2** negustor de plante medicinale

herbarium [hə:'bɛəriəm] *s* **1** ierbar **2** colecție de plante

Herbart ['her,baːrt], **Johann Friedrich** *filosof și pedagog german (1776-1841)*

Herbartian [,her'baːrtiən] **I** *adj* referitor la (filosofia *sau* pedagogia lui) Herbart, herbartian **II** *s* herbartian, adept al (filosofiei *sau* pedagogiei) lui Herbart

herb-beer ['hə:b ,biə] *s* băutură din plante/ierburi

Herbert ['hə:bət], **George** *poet englez (1593-1633)*

herbi- *pref* ierbi-: **herbivorous** ierbivor

herbicide ['hə:bi,said] *s ch, agr* ierbicid

herbivore ['hə:bi,vɔ:'], *pl* **herbivores** ['hə:bi,vɔːz] *sau* **herbivora** [,hə'bivərə] *s zool* (animal) ierbivor/rumegător

herbivorous [hə:'bivərəs] *adj bot* ierbivor

herborization [,hə:bərai'zeiʃən] *s* ierborizare, colectare de plante

herborize ['hə:bəraiz] *vi* a ierboriza, a aduna/a colecționa plante (medicinale)

herb Paris ['hə:b'pæris] *s bot* dalac *(Paris quadrifolia)*

herb tea ['hə:b,tiː] *s* tizană, ceai medicinal, ceai din ierburi/din plante medicinale

herb water ['hə:b,wɔːtə'] *s v.* **herb tea**

herby ['hə:bi] *adj* **1** ierbos **2** acoperit de ierburi/buruieni/plante

Hercegovina ['hə:tse,gou'viːnə] *geogr* Herțegovina

Herculaneum [,hə:kju'leiniəm] *ist oraș roman* Herculanum

Herculean [,hə:kju'li(:)ən] *adj* **1** referitor la Hercule **2** herculean, de o forță/putere uriașă, extrem de voinic **3** titanic, chinuitor *(ca muncile lui Hercule)*

Hercules ['hə:kjuliːz] *s* **1** *mit* Hercule, Heracle **2** hercule, titan,

gigant, om extrem de vânjos **3** *astr* (constelația) Hercules

Hercynian [hə:'siniən] *adj geol* hercinic

herd[1] [hə:d] **I** *s* **1** turmă; cireadă, cârd; **to ride ~ on** *amer fig* a o ține sub supraveghere, a nu scăpa din ochi *cu ac,* a nu-și lua ochii de la **2** *peior* gloată, cârd, turmă; **the common/vulgar ~** gloată, vulg, oameni de rând **3** masă imensă, număr mare **II** *vi* **1** (**together**) a merge/a se ține/ împreună/laolaltă/ca o turmă, a se ține unii după alții **2** (**with**) a se ține (după), a se întovărăși/a se asocia (cu)

herd[2] **I** *s* păstor, cioban (↓ *în* **cowherd, swineherd, goatherd**) **II** *vt* a paște, a mâna la păscut *(vitele etc.)*

Herder ['herdə'], **Johann Gottfried von** *filosof și scriitor german (1776-1841)*

herder ['hə:də'] *s v.* **herdsman**

herd instinct, the ['hə:d,instiŋkt, ðə] *s psih, sociologie* spirit gregar/ de turmă, instinct gregar

herdsman ['hə:dzmən] *s* **1** cioban, păstor **2** proprietar de vite, oier, *P →* cirezar

here [hiə'] **I** *adv* **1** aici, în locul acesta/ ăsta; **~ below** mai jos/departe; **I don't belong ~** locul meu nu e aici; aici nu mă simt ca acasă; **~, there and everywhere** pretutindeni, peste tot (locul); **it is neither ~ nor there** n-are nici o legătură, se potrivește ca nuca în perete, e cu totul nelalocul lui **2** *(arată direcția)* încoace, aici; **come (over) ~!** vino încoace! aici! **look ~!** ascultă (aici)! fii atent! **3** *(în narațiune)* în acest moment, aici, acum; la care; **~ he stopped to light a cigarette** aici/la care s-a oprit și-și aprinse o țigară **4** *(ca subiect introductiv pt exclamații, anunțare)* iată (că), uite (că); **~ comes the train!** uite/iată că vine trenul! **~ he comes** uite-l/iată că vine/a venit! **~ they are!** iată-i! **~ are your dogs** uite-ți câinii!; **~ you are!** a poftiți, poftim! na! **b** ți-am adus (ce voiai)! iată, ai ce-ți trebuie, ei acum ești mulțumit? **~ goes!** acum gata! **5** *(idem, ↓ pentru toasturi)* (să bem) în sănătatea

cu gen; **~ we go again!** o luăm de la capăt! iar începe/a început! ține-te bine! **~'s to you and yours!** în sănătatea ta și alor tăi! **II** *adj* **1** postpus de aici, aici de față/prezent; **my friend ~** prietenul meu aici de față/pe care-l vezi **2** *(ca întăritor al pr dem)* ← *vulg* în chestiune/cauză, de care vorbim; **this ~ robbery** furtul în chestiune **III** *s* **1** locul acesta/ față; **where do we go from ~?** de aici unde mergem? **2** momentul acesta/prezent/de față; **from ~ to eternity** de acum și în veacul veacului; **from ~ on** de aici înainte

hereabout(s) ['hiərə,baut(s)] *adv* pe aici (pe aproape/undeva), (pe) undeva prin apropiere

hereafter [,hiər'aːftə'] **I** *adv* **1** în viitor; mai târziu **2** pe lumea cealaltă, în viața de apoi **II** *s* **1** viitorul **2** viața de apoi, lumea cealaltă

here and now, the ['hiərənd'nau,ðə] *s* imediatul, locul și momentul de față, *S →* hic et nunc

here and there ['hiərən'ðɛə'] *adv* **1** ici colo, pe ici pe colo **2** încoace și încolo **3** din când în când, sporadic, ocazional, când și când

hereat [,hiər'æt] *adv* ← *înv* **1** la/drept care **2** din care cauză

hereby [,hiə'bai] *adv* **1** prin care mijloc, drept care, prin aceasta **2** în felul acesta, astfel

hereditability [hi,reditə'biliti] *s* posibilitate de a fi moștenit/de transmitere prin moștenire

hereditable [hi'reditəbəl] *adj v.* **heritable 1**

hereditament [,heri'ditəmənt] *s* **1** proprietate care poate fi moștenită/transmisă prin moștenire **2** moștenire, succesiune

hereditarian [,hiredi'tɛəriən] *s* adept al (doctrinei) eredității

hereditarily [hi'reditərili] *adv* ereditar, prin moștenire/succesiune

hereditariness [hi'reditərinis] *s* caracter ereditar/moștenit; ereditate

hereditary [hi'reditəri] *adj* **1** *biol etc.* ereditar, moștenit **2** *jur* ereditar, transmis prin moștenire, succesoral

heredity [hi'rediti] *s* ereditate, moștenire

Heref *presc de la* **Herefordshire**

Hereford ['herifəd] *s zool* rasă de vite din *Herefordshire*

Herefordshire ['herifəd‚ʃiəʳ] *comitat în Anglia*

herein [‚hiə'rin] *adv* 1 aici, în acest loc; alăturat 2 în această carte 3 prin/în această

hereinabove [‚hiərinə'bʌv] *adv v.* **hereinbefore**

hereinafter [‚hiərin'ɑ:ftəʳ] *adv* mai jos, mai departe; în continuare *(↓ într-un document)*

hereinbefore [‚hiərinbi'fɔ:ʳ] *adv* mai înainte, mai sus *(↓ într-un document)*

hereof [‚hiər'ɔv] *adj jur* ← *înv* al acestuia/acesteia *(↓ d. un document)*

heresy ['herəsi] *s rel* și *fig* erezie

heretic ['heretik] *s* eretic

heretical [hi'retikəl] *adj* 1 *rel* eretic 2 *fig* neortodox, neconformist

hereto [‚hiə'tu:] *adv* ← *înv* 1 (aici) alăturat 2 în această privință, la aceasta

heretofore [‚hiətu'fɔ:ʳ] I *adv* până acum, anterior, înainte de asta/ aceasta II *adj* ← *înv* 1 anterior, de mai înainte, de până acum 2 în această privință, la aceasta

hereunder [‚hiər'ʌndəʳ] *adv* mai jos/ departe, tot aici

hereunto [‚hiərʌn'tu:] *adv* ← *înv* 1 până aici 2 cu referire la aceasta

hereupon [‚hiərə'pɔn] *adv* 1 la care, drept care 2 drept urmare, ca rezultat

herewith [‚hiə'wið] *adv* 1 (aici) alăturat; în același loc 2 în felul acesta, prin aceasta, în acest mod

Hergesheimer ['hə:gis'haiməʳ], **Joseph** *romancier american (1880-1954)*

heritable ['heritəbəl] *adj* 1 care poate fi moștenit/transmis prin moștenire/succesiune, transmisibil 2 *biol* ereditar, care se moștenește 3 *jur* îndreptățit la moștenire/succesiune

heritage ['heritidʒ] *s* 1 moștenire, succesiune 2 patrimoniu, avere 3 *fig* soartă (moștenită/predestinată) 4 drept legitim/înnăscut/ din naștere/cu care te naști 5 tradiție, datină

heritor ['heritəʳ] *s* moștenitor, succesor

Herman(n) ['hə:mən] *nume masc*

hermaphrodism [hə:'mæfrədizəm] *s biol* hermafroditism, hermafrodie

hermaphrodite [hə:'mæfrə‚dait] I *s* 1 *biol* hermafrodit 2 *fig* hibrid 3 *nav* vas cu multiple întrebuințări II *adj* hermafrodit

hermaphrodite brig [hə:'mæfrə‚dait 'brig] *s nav* bric cu catarge de mai multe feluri

hermaphroditic(al) [hə:‚mæfrə-'ditik(əl)] *adj* hermafrodit

hermaphroditism [hə:'mæfrə‚daitizəm] *s biol v.* **hermaphrodism**

Hermaphroditus [hə:‚mæfrə'daitəs] *mit* Hermafroditul *fiul lui Hermes* și al *Afroditei*

Hermes ['hə:mi:z] *mit* Hermes, Mercur

hermetic [hə:'metik] *adj* 1 ermetic 2 *fig* ermetic, abstrus, obscur; ezoteric, pentru inițiați

hermetically [hə:'metikəli] *adv* ermetic

hermeti(ci)sm [hə:'metisizəm] *s lit* ermetism

Hermione [hə:'maiəni] *mit* Hermiona

hermit ['hə:mit] *s* 1 pustnic, sihastru, hermit 2 *fig* pustnic, sihastru, hermit, solitar

hermitage ['hə:mitidʒ] *s* 1 sihăstrie, ermitaj; mănăstire 2 locuință izolată 3 soi de vin franțuzesc

hermit crab ['hə:mit‚kræb] *s* 1 *zool* specie de crab în cochilie de melc 2 *fig* pustnic, sihastru, solitar

hern [hə:n] *s orn v.* **heron**

hernia ['hə:niə] *s med* hernie, P → surpătură

hero ['hiərou] *s* 1 erou, viteaz 2 *fig* erou, protagonist, personaj principal

Herod Antipas ['herəd'ænti‚pæs] *tetrarh al Iudeei* Irod Antipa *(4 î.e.n.-40 e.n.)*

Herodotus [hi'rədətəs] *istoric grec* Herodot *(sec. 5 î.e.n.)*

heroic [hi'rouik] I *adj* 1 eroic, 2 titanic, uriaș, gigantic 3 *lit* eroic, despre eroi 4 grandios, grandilocvent, grandoman II *s* 1 *v.* **heroic poem** 2 *v.* **heroic verse** 3 *pl v.* **heroics**

heroically [hi'rouikəli] *adv* 1 în mod eroic/titanic, cu eroism 2 grandios, mareț, magnific 3 grandilocvent, maiestuos 4 elevat, pretențios

heroicalness [hi'rouikəlnis] *s* 1 eroism, caracter eroic/titanic 2 grandilocvență 3 măreție, maiestate

heroic couplet [hi'rouik 'kʌplit] *s lit* distih/pereche de pentametri iambici rimați *(↓ în poezia engleză din sec. XVII-XVIII)*

heroic lines [hi'rouik 'lainz] *s pl v.* **heroic verse** 1

heroi-comic [hi'roui'kɔmik] *adj lit* eroicomic

heroic poem [hi'rouik 'pouim] *s* poem eroic, poem-epopee

heroic poetry [hi'rouik 'pouitri] *s* epopee (eroică), genul epic

heroics [hi'rouiks] *s pl* 1 grandilocvență, limbaj pretențios/prețios/ grandilocvent 2 grandoare, măreție, maiestate (a sentimentelor)

heroic tenor [hi'rouik 'tenəʳ] *s muz* tenor wagnerian, Heldentenor

heroic verse [hi'rouik 'və:s] *s* 1 pentametri iambici cu rime îmbrățișate *(în poezia engleză din sec. XVII-XVIII)* 2 hexametru dactilic *(în poezia clasică)*

heroify [hi'rɔifai] *vt* a înălța la rangul de erou, a idolatriza

heroin(e) ['herouin] *s ch, med* heroină

heroine ['herouin] *s* 1 eroină 2 *fig* eroină, protagonistă, personaj principal feminin

heroism ['herouizəm] *s* eroism; bravură, vitejie

heroize ['hiərouaiz] I *vt* a ridica la rangul de erou, a idolatriza II *vi* a face pe eroul

heron ['herən] *s orn* bâtlan *(Ardeidae sp.)*

heronry ['herənri] *s* cuib *sau* cârd de bâtlani

hero sandwich ['hiərou‚sændwidʒ] *s* sandviș mare cu diferite ingrediente

hero-worship ['hiərou‚wə:ʃip] *s* 1 cultul eroilor 2 admirație/adorație exagerată, idolatrie, idolatrizare

herpes ['hə:pi:z] *s med* herpes

herpetic [hə:'petik] *adj med* referitor la herpes

herpetology [‚hə:pi'tələdʒi] *s* studiul reptilelor

Herr [heʳ], *pl* **Herren** ['herən] *s germ* 1 domn(ul) 2 german, neamț

Herrick ['herik], **Robert** *poet englez (1591-1674)*

herring ['heriŋ] *s iht* **1** hering, scrumbie de Atlantic *(Clupea harengus)* **2** scrumbie *de diverse specii (Clupeidae sp.)*

herringbone ['heriŋboun] **I** *s* model în zigzag *(în arhitectură, împletituri, mozaic)* **II** *vt* a aranja în zigzag

hers [hə:z] **I** *pr pos* al ei/său, a ei/ sa, ai ei/săi, ale ei/sale; **a book of** ~ o carte de-a ei/dintr-ale sale **II** *s* (tot) ceea ce e al ei

Herschell ['hə:ʃəl], **William** *astronom englez (1738-1822)*

herself [hə'self] **I** *pr refl* se; **she hurt ~ badly** s-a rănit foarte rău/tare **II** *pr de întărire* **1** *nom* (ea) însăşi, chiar ea (personal); **she told me so** ~ mi-a spus chiar ea (personal); **she is not (quite) ~ today** azi nu e în apele ei **2** *ac* o, pe ea însăşi; **I heard Jane ~ say it** am auzit-o chiar pe Jane spunând asta; **she has come to ~** şi-a venit în fire, şi-a revenit; **(all) by ~** singură-singurică **3** *dat* ei însăşi, chiar ei **III** *pr pers* ea, dânsa

Hertfordshire ['hɑ:tfəd,ʃiəʳ] *comitat în Anglia*

Herts. *presc de la* **Hertfordshire**

Hertz [hə:ts], **Heinrich Rudolf** *fizician german (1837-1894)*

Hertzian ['hə:tsiən] *adj fiz* herţian

Hertzian waves ['hə:tsiən ,weivz] *s pl rad* unde herţiene

Herzegovina [,hə:tsəgou'vi:nə] *regiune în Bosnia-Herţegovina*

he's [hiz] *contras de la* **1** he is **2** he has **3** *rar* he was

Hesiod ['hesi,ɔd] *poet grec (sec 9 î.e.n.)*

hesitance ['hezitəns], **hesitancy** ['hezitənsi] *s v.* **hesitation**

hesitant ['hezitənt] *adj* ezitant, şovăielnic, nesigur, nehotărât

hesitate ['hezi,teit] *vi* **1** a şovăi, a ezita, a fi nehotărât **2** (**to, at**) a şovăi, a ezita, a nu se putea hotărî (să), a se da înapoi (de la), a avea scrupule/ezitări **3** a se bâlbâi

hesitater ['hezi,teitəʳ] *s v.* **hesitator**

hesitating ['hezi,teitiŋ] *adj v.* **hesitant**

hesitatingly ['hezi,teitiŋli] *adv* şovăitor, şovăielnic, nehotărât, nesigur

hesitation ['hezi,teiʃən] *s* **1** ezitare, şovăială, nehotărâre, nesiguranţă **2** bâlbâiala

hesitator ['hezi,teitəʳ] *s* om nehotărât/şovăielnic, persoană care ezită/şovăie

Hesperian [hes'piəriən] *adj poetic* de la soare apune, – apusean

Hesperus ['hespərəs] *s astr* luceafărul de seară

Hesse ['hesi], **Hermann** *romancier german (1877–1962)*

Hesse ['hesi], **Hessen** ['hesən] *geogr regiune din Germania* Hesa

Hessian ['hesiən] *s text* **1** pânză tare (de cânepă *sau* iută) **2** pânză de sac

Hessian boots ['hesiən 'bu:ts] *s pl* cizme lungi *(până peste genunchi)*

hest [hest] *s înv v.* **behest**

Hest(h)er ['hestəʳ] *nume fem* Estera

hetaera [hi'tiərə], **hetaira** [hi'taiərə] *s od* hetairă, curtezană

hetaerism [hi'tiərizəm], **hetairism** [hi'taiərizəm] *s* **1** *ist* (sistem de) căsătorie colectivă/de grup *(la popoarele primitive)* **2** concubinaj, coabitare; căsnicie nelegitimă

hetero- *pref* (h)etero: **heterogeneous** eterogen

heteroclite ['hetərəklait] **I** *adj* **1** anormal, care manifestă anomalii **2** *gram* neregulat **II** *s* **1** anomalie **2** lucru *sau* om anormal; monstru **3** *gram* substantiv cu declinare neregulată, substantiv neregulat

heterodox ['hetəroudɔks] *adj* eterodox, neortodox

heterodyne ['hetərədain] **I** *adj* cu efect de heterodină **II** *vi* a produce efectul de heterodină

heterogamous [,hetə'rɔgəməs] *adj biol* **1** cu staminele şi pistilele dispuse neregulat **2** eterogam **3** eterogen

heterogamy [,hetə'rɔgəmi] *s biol* eterogamie

heterogeneous [,hetərə'dʒi:niəs] *adj* **1** eterogen, neomogen **2** divers, diferit

heterogeneously [,hetərə'dʒi:niəsli] *adv* în mod eterogen, neomogen

heterogeneousness [,hetərə-'dʒi:niəsnis] *s* eterogen(e)itate, caracter eterogen

heterogenesis [,hetərou'dʒenisiz] *s biol* eterogeneză

heterogenetic [,hetəroudʒi'netik] *adj biol* eterogenetic

heterogeny [,hetə'rɔdʒini] *s biol v.* **heterogamy**

heterogony [,hetə'rɔgəni] *s biol* eterogonie, alternare a generaţiilor

heteromorphic [,hetərou'mɔ:fik] *adj* eteromorf, cu forme diferite

heteromorphism [,hetərou'mɔ:-fizəm] *s* eteromorfism, existenţă sub diferite forme

heteronomous [,hetə'rɔnəməs] *adj* eteronom; supus unor legi exterioare diferite

heteronomy [,hetə'rɔnəmi] *s* eteronomie; prezenţă a unei alte legi *sau* supunere la o lege exterioară

heteronym ['hetərounim] *s lingv* (h)omograf *(de ex.:* **tear** = lacrimă; **to tear** = a sfâşia)

heteronymous [hetə'rɔniməs] *adj* **1** *lingv* omografic **2** *lingv* corelativ, omolog *(de ex.:* **son** şi **daughter**) **3** *fiz (d. imagine)* dedublat; suprapus

heteronymously [hetə'rɔniməsli] *adv* **1** *lingv* omografic **2** eteronimic **3** *fiz* suprapus, dedublat

heterophony [,hetə'rɔfəni] *s muz* eterofonie

heterosexual [,hetərou'seksjuəl] *adj*, *s biol*, *med* heterosexual

heterosexuality ['hetərou,seksju-'æliti] *s biol* heterosexualitate; sexualitate normală

heterotactic [,hetərou'tæktik], **heterotactous** [,hetərou'tæktəs], **heterotaxic** [,hetərou'tæksik] *adj* heterotactic, dispus anormal; manifestând o anomalie morfologică

heterotaxia [,hetərou'tæksiə], **heterotaxis** [,hetərou'tæksis], **heterotaxy** [,hetərou'tæksi] *s biol*, *geol* anomalie, aranjament anormal; poziţie/dispoziţie nefirească

hetman ['hetmən] *s ist* hatman

Hetty ['heti] *nume fem* Henrieta, Etta

het-up ['hetʌp] *adj sl amer* capsat, turbat, furios, scos din fire, înnebunit

heuristic [hjuə'ristik] *adj* euristic, (cu caracter) de descoperire/cercetare (practică)

heuristics [hjuə'ristiks] *s pl ca sg* euristică, metodologia descoperirilor/cercetărilor

hew [hju:], *pret* **hewed** [hju:d], *ptc* **hewed** [hju:d] *sau* **hewn** [hju:n] **I** *vt* **1** a ciopli, a sculpta (↓ *lemn, piatră)* **2** a tăia, a doborî *(copaci)* **3** a tăia, a reteza *(cu sabia);* **to ~ to pieces** a face praf, a măcelări **4** *şi fig* a ciopârţi, a tăia, a măcelări **5** a-şi croi/a-şi tăia *(drum)* **6** a făuri, a face, a crea (cu trudă) **7** a tăia, a extrage *(cărbune)* **II** *vi* **1** (**at, away**) a tăia în dreapta şi în stânga, a da lovituri (↓ *cu sabia, toporul)* **2** (**to**) a adera (la), a se conforma *(cu dat)*

H.E.W. *presc de la* **Department of Health, Education and Welfare** Ministerul sănătăţii, învăţământului şi ocrotirii sociale

hew asunder ['hju:ə'sʌndə^r] *vt cu part adv* a despica, a tăia în două

hew away ['hju:ə'wei] *vt cu part adv* a reteza

hewer ['hju:ə^r] *s* **1** cioplitor, tăietor; **~s of wood and drawers of water** robi, sclavi, truditori **2** miner de abataj

hewn [hju:n] *ptc de la* **hew**

hewn timber ['hju:n,timbə^r] *s* cherestea brută/nefasonată

hew off ['hju: 'ɔ:f] *vt cu part adv* a reteza, a tăia

hex [heks] **I** *s amer* **1** *reg* vrăjitoare **2** blestem; deochi; formulă magică aducătoare de ghinion/ nenoroc; zbârcă **II** *vt* a deochia, a face să zbârcească, a aduce nenoroc/ghinion

hex. *presc de la* **1 hexagon 2 hexagonal**

hexa- *pref* hexa-: **hexameter** hexametru

hexad ['heksæd] *s* hexadă, serie *sau* grup de 6

hexadic [hek'sædik] *adj* în număr de 6; formând un grup de 6

hexagon ['heksəgən] *s geom* hexagon

hexagonal [hek'sægənəl] *adj* hexagonal

hexagram ['heksə,græm] *s geom* hexagramă

hexahedral [,heksə'hi:drəl] *adj geom* hexaedric

hexahedron [,heksə'hi:drən] *s geom* hexaedru

hexamerous [hek'sæmərəs] *adj* compus din şase părţi

hexameter [hek'sæmitə^r] *s* hexametru

hexapod ['heksə,pɔd] *s, adj ent* hexapod

hexasyllabic [,heksəsi'læbik] *adj* hexasilabic, cu şase silabe

Hexateuch, the ['heksə,tju:k, ðə] *s bibl* hexateuh, *primele şase cărţi ale Vechiului Testament*

hexavalent [hek'sævələnt] *adj* hexavalent

hey [hei] *interj* **1** hei! alo! **2** bravo! ura!

heyday ['hei,dei] *s* moment/perioadă de înflorire/prosperitate, culme, toi; **in the ~ of youth** în floarea vârstei/tinereţii; **in the ~ of his glory** în culmea gloriei

Heywood ['hei,wud], **Thomas** *dramaturg englez (1574-1641)*

hf. *presc de la* **1 half 2 high frequency**

H.F. *presc de la* **high frequency**

Hf *presc de la* **hafnium**

H.G. *presc de la* **1** **Her/His Grace 2 Home Guard**

Hg *simbol al mercurului*

hg *presc de la* **1 hectogram** *sau* **hectograms 2 h(a)emoglobin**

hgt *presc de la* **height**

H.H. *presc de la* **1 Her Highness 2 His Highness 3 His Holiness**

hh *presc de la* **hands**

hhd *presc de la* **hogshead(s)** butoi; butoaie

HHFA *presc de la* **Housing and Home Finance Agency** organizaţie/agenţie de subvenţionare a construcţiilor de locuinţe

H-hour ['eit∫'auə^r] *s* ora H, oră de începere (a unei operaţii)

H.I. *presc de la* **Hawaii(an) Islands** Insulele Hawai

hi [hai] *interj amer* **1** hei! alo! **2** bună! ura!

hiatus [hai'eitəs] *s* hiat(us)

Hiawatha [,haiə'wɔθə] *lit erou al pieilor roşii imortalizat de poetul american Longfellow (1807-1882)*

hibernate ['haibə,neit] *vi* a hiberna

hibernation [,haibə'nei∫ən] *s* hibernare

Hibernia [hai'bə:niə] *s nume poetic al Irlandei*

Hibernian [hai'bə:niən] *adj, s* ← *poetic* irlandez

Hibernicism [hai'bə:ni,sizəm] *s elev* caracteristică, tradiţie, expresie tipică pentru Irlanda

hibiscus [hai'biskəs] *s bot* zămoşiţă *(Hibiscus sp.)*

hic *interj* hâc *(imitând un sughiţ de beţiv)*

hiccup, hiccough ['hikʌp] **I** *s* sughiţ **II** *vi* a sughiţa, a avea un sughiţ

hic jacet [hik 'dʒeisət] *s lat* epitaf, inscripţie pe mormânt

Hick, hick [hik] *s amer F* ţărănoi, mocofan; mitocan; provincial

hickery ['hikəri] *s amer* drăcie, şmecherie, chestie, treabă

hickey ['hiki] *s amer* **1** *F* drăcie, trăsnaie; dispozitiv **2** *tehn* unealtă pentru îndoit ţevile **3** *el* legătură, cuplaj **4** ← *F* pustulă, coş, iritaţie *(pe obraz)*

hickory ['hikəri] *s bot* nuc american, caria, hicori *(Carya sp.)*

hid [hid] *pret şi ptc de la* **hide**[1]

hidalgo [hi'dælgou] *s* hidalgo, cavaler; nobil spaniol

hidden ['hidən] **I** *ptc de la* **hide 1 II** *adj* **1** ascuns **2** tainic, secret **3** neexplicat, nedezvăluit **4** neclar, nedesluşit

hide[1] [haid], *pret* **hid** [hid], *ptc* **hidden** ['hidən] *sau* **hid** [hid] **I** *vt* **1** a ascunde, a tine ascuns; **to ~ one's light under a bushel** a-şi ţine lumina sub oroc, a-şi ţine ascunse/a-şi ascunde talentele/ priceperea **2** a camufla, a ascunde, a acoperi, a învălui; **to ~ one's head** a-i crăpa obrazul de ruşine **3** a acoperi, a împiedica să fie văzut *(fără intenţie)* **4** (**from**) a(-şi) ţine secret/ascuns (de), a învălui în mister; **why did you ~ it from me?** de ce ai ţinut ascuns de mine lucrul ăsta? de ce te-ai ascuns de mine? de ce nu mi-ai spus şi mie? **II** (*v. ~I*) *vi* **1** a se ascunde, a se piti, a sta ascuns/în ascunzătoare **2** (**behind**) a se refugia, a se ascunde, a se da (îndărătul/în dosul ← *cu gen*) **III** (*v. ~I*) *vr v.* **~II IV** *s* **1** ascunzătoare şi loc de pândă, observator (↓ *pt vânătoare)*

hide[2] **I** *s* **1** piele de animal (↓ *netăbăcită)* **2** *umor* coajă, – piele *(a omului);* **to tan smb's ~** a trage cuiva o bătaie zdravănă, a bate măr/rău pe cineva; **to save one's ~** a-şi salva pielea/viaţa **3** urmă, semn; **I haven't seen ~ or hair of him, I have seen neither ~ nor hair of him** nu se zăreşte defel, a dispărut, nu-i dau de urmă **II** *vt* ← *F* a bate (↓ *cu biciul);* a biciui; a ciomăgi; a trage o bătaie cumplită *cu dat*

hide³ *s ist* lot de pământ *măsură agrară (25-50 ha)*

hide-and-seek ['haidənd'si:k] *s* (jocul) de-a v-ați ascunselea

hideaway ['haidə,wei] *s* 1 ascunzătoare (discretă), (loc de) refugiu, loc ascuns 2 mic restaurant discret; *F* bombă, *peior* spelunca

hidebound ['haid,baund] *adj* 1 *(d. vite)* numai pielea și osul, slab, costeliv 2 *fig* îngust la minte, fără/lipsit de orizont; habotnic, încuiat

hideous ['hidiəs] *adj* 1 hidos, urât, respingător, oribil, hâd 2 *fig* oribil, îngrozitor, înfiorător 3 *fig* scârbos, grețos 4 *fig* jenant, ridicol, caraghios

hideously ['hidiəsli] *adv* (în mod) hidos/oribil/înfiorător

hideousness ['hidiəsnis] *s* hâdoșenie, oroare, caracter oribil

hide-out ['haid,aut] *s* ← *F* ascunzătoare/vizuină a gangsterilor *etc.*

hidey-hole ['haidi ,houl] *s v.* **hide-away**

hiding¹ ['haidiŋ] *s* ascunzătoare, refugiu; **to remain in ~** a sta ascuns/camuflat

hiding² *s* bătaie (↓ cu biciul); ciomăgeală; **to give smb a good ~** a trage cuiva o bătaie zdravănă/serioasă

hiding-place ['haidiŋ pleis] *s* ascunzătoare; depozit *sau* refugiu secret

hidrosis [hi'drousis], *pl* **hidroses** [hi'drousi:z] *s med* transpirație (exagerată/abundentă)

hidrotic [hi'drotik] *adj med* care transpiră mult

hidy-hole ['haidi ,houl] *s v.* **hide-away**

hie [hai] ← *înv poetic și umor* I *vi* (to) a (se) grăbi, a se îndrepta repede (spre) II *vt* a grăbi; ~ **thee!** grăbește-te!

hiemal ['haiməl] *adj* ← *poetic* 1 iernatic, de iarnă 2 bătut de vânturi, vântos

hierarch ['haiə,ra:k] *s bis* ierarh, înalt prelat, arhiepiscop

hierarchic(al) [,haiə'ra:kik(əl)] *adj* ierarhic

hierarchism ['haiə,ra:kizəm] *s* (principii referitoare la) ierarhie; adeziune fermă la ierarhie; spirit ierarhic

hierarchist ['haiə,ra:kist] *s* partizan al ierarhiei (stricte), fanatic al ierarhiilor; om cu un respect exagerat pentru ierarhii; om slugarnic

hierarchy ['haiə,ra:ki] *s* 1 ierarhie, organizare ierarhică 2 ↓ *rel* organizație bazată pe ierarhie 3 guvernare autoritară

hierocracy [,haiə'rokrəsi] *s* 1 guvernare/conducere/dominație clericală/de către cler/preoți; dominare a bisericii 2 ierarhie

hierocratic(al) [,haiə'krætik(əl)] *adj* 1 referitor la domnia/dominația clerului/bisericii 2 legat de respectarea ierarhiei

hieroglyph ['haiərəglif] *s* (h)ieroglif

hieroglyphic(al) [,haiərə'glifik(əl)] *adj* 1 (h)ieroglific 2 simbolic, plin de simboluri

hieroglyphically [,haiərə'glifikəli] *adv* (h)ieroglific

hieroglyphics [,haiərə'glifiks] *s pl* 1 (h)ieroglif 2 scriere hieroglifică

Hieronymus [,haiə'roniməs] *rel* Ieronim

hifalutin [,haifə'lu:tin] *adj amer v.* **highfalutin**

hi-fi ['hai 'fai] *s, adj v.* **high fidelity**

higgle ['higəl] *vi* a se tocmi, a se târgui

higgledy-piggledy ['higəldi 'pigəldi] I *adv* alandala, de-a valma, cu susul în jos II *adj* învălmășit, în dezordine, răvășit III *s* învălmășeală, dezordine

High, the ['hai, ðə] *s* strada mare/principală (↓ la Oxford)

high [hai] I *adj* 1 înalt, ridicat, înălțat; **five feet/foot ~** înalt de un metru și jumătate; **how is that for ~?** *F* și ce zici, nu-i grozav? e tare? valabil? **with a ~ hand** cu mână forte, aspru, tare, arbitrar, autocratic; **to be on/to ride the ~ horse** a face pe grozavul, a se grozăvi, a se făli; **to be on the ~ ropes** ← *F* a încântat, entuziasmat b disprețuitor 2 furios, turbat, mânios 3 (**higher**) superior; (foarte) înalt; avansat 4 *fig* înalt, nobil, elevat; distins; înalt în grad 5 *(d. sunete)* înalt, ascuțit, acut; strident 6 înaintat, avansat, în toi; aproape de punctul culminant; **it is ~ summer** vara e înaintată/în toi; **it was ~ noon** era ziua în amiaza mare; **it is ~ time we**

went e timpul să plecăm 7 fezandat, stricat, care a început să se strice 8 (de mult) trecut, îndepărtat; de demult 9 intens, puternic, tare, foarte mare 10 ieșit din comun, neobișnuit, deosebit 11 (foarte) favorabil, foarte bun; propice 12 important, însemnat, distins, remarcabil 13 grav, serios; îngrijorător 14 semeț, arogant, trufaș 15 lăudăros, încrezut, îngâmfat 16 surescitat, emoționat, tulburat; *fig* beat, amețit 17 ← *sl* drogat, intoxicat, amețit (↓ de stupefiante); **he was ~ on cocaine/coke** ← *F* era sub influența cocainei 18 scump, costisitor, cu preț ridicat 19 aspru, nervos, supărat, înciudat 20 inveterat, înrăit, feroce, extremist II *adv* 1 (< foarte) sus, la (< mare) înălțime 2 la o cotă înaltă; **to run ~** a se înălța mult, a crește: *(d. mare)* a se înfuria; **to play ~ a** a juca pe sume/mize mari b a juca o carte mare 3 la un înalt nivel; la un nivel superior 4 din plin, în mare măsură, abundent, copios, bogat III *s* 1 înălțime, ridicătură de teren; deal, movilă, măgură 2 cer, înălțimi, înaltul cerului 3 anticiclon, centru de mare presiune 4 *auto* viteză multiplicativă 5 *v.* **high table** 6 ← *F* liceu; curs superior 7 *sl* beție de pe urma drogurilor, euforie pricinuită de droguri

High Admiral ['hai 'ædmərəl] *s nav* comandant suprem al flotei, primamiral

high and low ['hai ənd 'lou] I *s* oameni de toată mâna/starea/de tot soiul II *adv* în lung și în lat, pretutindeni, peste tot (locul)

high and mighty ['hai ənd 'maiti] *adj* arogant, țanțoș, țeapăn, mare

High Asia ['hai 'eiʃə] *s* interiorul Asiei

highball ['haibɔ:l] *amer* I *s* 1 *ferov* semnal de mers în plină viteză 2 *ferov* (tren) accelerat/rapid 3 băutură ↓ whisky cu sifon în pahar înalt II *vi* a goni cu toată viteza

high beam ['hai 'bi:m] *s auto* fază mare

highbinder ['hai,baində] *s amer* ← *F* 1 gangster; mafiot; bandit; infractor înrăit 2 escroc, ticălos; șmecher; politician demagog

high blood pressure ['hai ˌblʌd 'preʃəʳ] *s med* hipertensiune (arterială)

highborn ['hai'bɔːn] *adj* de neam (mare), de viță (nobilă), aristocratic

high boy ['hai ˌbɔi] *s* scrin (cu picioare înalte)

highbred ['hai'bred] *adj zool* de rasă (superioară)

highbrow ['hai,brau] I *adj art* 1 cu pretenții *(intelectuale, de rafinament etc.)*, prețios, pretențios 2 hiperintelectualizat II *s* om pretențios/năzuros/cu pretenții *(intelectuale, de rafinament etc.)*

High Church ['hai 'tʃəːtʃ] *rel (ist Angliei)* I *s* the ~ biserica sacerdotală II *adj atr* legat de biserica sacerdotală

High Churchman ['hai 'tʃəːtʃmən] *s rel (ist Angliei)* adept al bisericii sacerdotale

high-class ['hai klɑːs] *adj* 1 de bună calitate, *F* de prima mână, clasa întâi 2 din înalta societate, aristocratic, de viță/rang

high colour ['hai 'kʌləʳ] *s* culoare, roșeață (în obraji), îmbujorare

high comedy ['hai 'kɔmidi] *s lit* comedie din viața înaltei societăți; satiră a înaltei societăți

high command ['hai kə'mɑːnd] *s mil* înalt comandament

high commissioner ['hai kə'miʃənəʳ] *s pol, mil* înalt comisar

High Court (of Justice) ['hai 'kɔːt (əv'dʒʌstis)] *s* tribunal, curte de justiție

high crime ['hai'kraim] *s* crimă gravă

high day ['hai'dei] *s* zi festivă/de sărbătoare

high-energy particle ['hai,enədʒi pɑːtikl] *s fiz* particulă (încărcată) cu energie mare

high-energy physics ['hai ,enədʒi 'fiziks] *s fiz* fizica energiilor înalte

higher ['haiəʳ] I *adj comp de la* high I 1 mai înalt 2 superior II *adv comp de la* high II mai sus, mai înalt

higher command ['haiə kə'mɑːnd] *s mil* înalt comandament

higher education ['haiəʳ edju-'keiʃən] *s* învățământ superior

higher education(al) establishment ['haiəʳ edju,keiʃən(əl) is-'tæbliʃmənt] *s* institut de învățământ superior

higher-up ['haiəʳ ʌp] *s* 1 *F* ștab, grangur, mare mahăr; *pl* mai marii 2 ← *F* ofițer *sau* funcționar superior

high explosive ['hai iks'plousiv] *s* exploziv puternic

high falutin [ˌhai fə'luːtin]/**faluting** [fə'luːtiŋ] ← *F* I *adj* bombastic, pretențios, pompos, sforăitor, emfatic II *s* vorbărie bombastică/pretențioasă; pompozitate, emfază

high farming ['hai 'fɑːmiŋ] *s* agricultură intensivă

high feeding [ˌhai 'fiːdiŋ] *s* masă abundentă/copioasă; hrană/mâncare aleasă

high fidelity [ˌhai fi'deliti] I *s* înaltă fidelitate *(la înregistrări muzicale)* II *adj atr* de înaltă fidelitate

high flier ['hai 'flaiəʳ] *s* 1 ambițios; carierist, arivist 2 om pretențios/cu pretenții

high-flown ['hai'floun] *adj* 1 bombastic, pretențios, pompos, sforăitor 2 exagerat, pretențios, cu pretenții

high flyer ['hai 'flaiəʳ] *s v.* high flier

high flying ['hai 'flaiiŋ] *adj* ambițios, îndrăzneț

high frequency ['hai 'frikwənsi] *s fiz* înaltă frecvență

high gear ['hai 'giəʳ] *s auto* viteză mare/superioară

High German ['hai 'dʒəːmən] *s* 1 (dialectul) hoch Deutsch, dialectul german de sus 2 limba germană literară

high-grade ['hai,greid] *adj atr* de bună calitate, de calitate superioară

high-grown ['hai,groun] *adj* acoperit cu vegetații bogate

high-handed ['hai,hændid] *adj* 1 arogant, care te ia de sus, cu pretenții (de dominare) 2 arbitrar, samavolnic

high hat [hai 'hæt] *s amer* joben

high-hat ['hai ,hæt] *amer* I *s* snob, firoscos, afectat, om care face pe grozavul/nebunul II *vt* a lua de sus, a trata arogant/cu condescendență III *vi* a-și da aere (de superioritate), a face pe grozavul

high holiday ['hai 'hɔli,dei] *s* anul nou evreiesc *sau* ziua pocăinței (la evrei)

high-jack ['nai,dʒæk] *vt v.* hijack

high jinks ['hai 'dʒiŋks] *s* umor grosolan/zgomotos/vulgar; veselie zgomotoasă

high jump ['hai 'dʒʌmp] *s sport* săritură în înălțime

Highlander ['hailəndəʳ], **highlandman** ['hailəndmən] *s* 1 scoțian din regiunea muntoasă 2 muntean, om/locuitor de la munte

Highland fling ['hailənd ,fliŋ] *s dans* popular al muntenilor (din Scoția)

Highlands, the ['hailəndz, ðə] *s* regiune muntoasă/deluroasă a Scoției

highlands *s pl* regiune muntoasă/deluroasă, platou

high life ['hai 'laif] *s* viața înaltei societăți

highlight ['hailait] I *s* 1 *artă* parte luminoasă, punct de maximă luminozitate *(la un tablou)* 2 *pl* trăsătură esențială/principală, element de bază; atracție principală II *vt* a scoate în evidență/relief, a releva, a evidenția, a sublinia

high liver ['hai 'livəʳ] *s* persoană care trăiește în lux (și risipă); trântor; *elev* playboy, sibarit, hedonist

highly ['haili] *adv* 1 (în mod) frumos, onorabil; favorabil; **to speak ~ of** a vorbi frumos/în termeni frumoși despre; **to think ~ of** a avea o părere bună despre 2 *(de grad)* foarte, cât se poate de, cum nu se poate mai, extrem/grozav de

highly-strung ['haili,strʌn] *adj v.* high-strung

high mass, High Mass ['hai ,mɑːs] *s bis* mesa mare, liturghie, slujbă principală

high-minded [ˌhai'maindid] *adj* 1 (foarte) moral, cu înalte concepții morale/etice 2 ← *înv* mândru, fudul, orgolios

high-mindedness [ˌhai'maindidnis] *s* 1 înaltă etică/moralitate, noblețe sufletească 2 ← *înv* mândrie, fudulie, orgoliu

high-muck-a-muck ['hai,mʌkə'mʌk] *s amer sl* 1 mare mahăr/ștab/grangur 2 firoscos, – (tip) înfumurat/închipuit/încrezut/arogant

highness ['hainis] *s* 1 *fig* înălțime; altitudine 2 *(ca titulatură)* alteță, înălțime; **Your Highness!** Alteță! Înălțimea Voastră!

high-octane ['hai'ɔktein] *adj atr ch* cu cifră octanică ridicată

high old ['hai,ould] *adj F (d. timp, perioadă)* foarte agreabil, extrem de plăcut; strașnic

high-pitched ['hai,pitʃt] *adj* **1** *(d. sunet)* înalt, ascuțit, acut, strident **2** *(d. acoperiș)* ascuțit, țuguiat **3** *fig* măreț, sublim, de înaltă ținută

high places ['hai 'pleisiz] *s pl F* mai-mărimi, granguri, șefi, ștabi, – cercuri înalte

high polymer ['hai 'polimə'] *s ch* polimer cu greutate moleculară ridicată

high-power gun ['hai,pauə 'gʌn] *s mil* tun cu tragere lungă

high priest ['hai 'pri:st] *s rel* mare preot *(ist od la iudei)*

high-ranking ['hai,ræŋkiŋ] *adj* superior, de rang înalt

high relief ['hai ri'li:f] *s artă* altorelief, relief înalt

high-rise building ['hai,raiz 'bildiŋ] *s constr* clădire înaltă, bloc turn

highroad ['hairoud] *s* **1** șosea (principală) **2** *fig* calea cea mai sigură, drumul cel mai drept

high school ['hai 'sku:l] *s* **1** curs superior al liceului; liceu, colegiu, școală secundară *(cu clasele 9-12 sau 10-12)* **2** înaltă școală (↓ *de echitație, acrobație)*

high seas ['hai 'si:z] *s pl* largul mării; **on the ~** în largul mării

high season ['hai 'si:zən] *s* sezon turistic, toiul sezonului

high sign ['hai 'sain] *s amer* ← *F* gest de avertizare *sau* încurajare; gest binevoitor/prietenesc

high-sounding ['hai'saundiŋ] *adj* pompos, sforăitor, răsunător

high-speed ['hai'spi:d] *adj atr* rapid, de mare viteză

high-spirited [,hai'spiritid] *adj* **1** curajos, îndrăzneț, viteaz **2** nobil, mărinimos, de înaltă ținută

highspirits [,hai 'spirits] *s pl* bună dispoziție, veselie, optimism, jovialitate, entuziasm; **to be in ~** a fi vesel/bine dispus

high spot ['hai 'spot] *s sl* **1** grozăvie, lucru strașnic, treabă grozavă **2** loc formidabil (de distracție)

high-stepper ['hai'stepə'] *s* **1** cal cu mers elegant/care ridică sus picioarele **2** *fig* persoană impozantă/cu ținută frumoasă

High Steward ['hai 'stju:əd] *s ist aprox* (mare) vornic/stolnic

High Street ['hai 'stri:t] *s* stradă mare/principală

high strung ['hai 'strʌŋ] *adj* **1** hipersensibil, ultrasensibil **2** încordat, în mare tensiune/încordare

hight [hait] *adj* ← *înv* numit, denumit; **he is ~ Peter** îl cheamă Petru

high table ['hai 'teibl] *s* masa profesorilor și cercetătorilor *(la refectoriile colegiilor)*

hightail ['hai,teil] *vi amer sl* a se retrage în mare grabă/goană, a pune coada pe spinare

high tea ['hai 'ti:] *s* gustare substanțială (↓ *cu carne)* la ceai

high-tensile ['hai'tensail] *adj met* rezistent la tensiune

high tension ['hai 'tenʃən] *s v.* **high voltage**

high tide ['hai 'taid] *s* **1** maximum al fluxului; maree înaltă, cota maximă a fluxului **2** *fig* punct culminant, toi; apogeu, culme

high-toned ['hai'tound] *adj* **1** de înaltă ținută, înalt, elevat **2** pretențios, pompos, cu pretenții

high treason ['hai 'tri:zən] *s jur* înaltă trădare

highty-tighty ['haiti,taiti] *adj, s, interj v.* **hoity-toity**

high-up ['hai'ʌp] *s F* grangur, ștab, mare mahăr

high voltage ['hai ,voltidʒ] *s el* înaltă tensiune, voltaj ridicat

high water ['hai 'wo:tə'] **I** *s* **1** apă mare, cotă maximă a apei **2** *v.* **high tide II** *adj* (↓ *d. pantaloni)* extrem de/foarte scurt

high water mark ['hai 'wo:təma:k] *s* **1** *v.* **high water I 2** *fig* punct culminant, nivel maxim, cotă maximă

highway ['hai,wei] *s* **1** drumul mare, șosea **2** drum principal, rută principală

Highway Code [haiwei ,koud] *s* codul rutier/șoselelor, legea circulației (rutiere)

highwayman ['hai,weimən] *s* tâlhar, hoț de drumul mare

high, wide and handsome ['hai, 'waid ənd 'hændsəm] *adv* în stil mare, elegant (și degajat)

high wind ['hai 'wind] *s nav* vânt tare/puternic

high wire ['hai 'waiə'] *s* funie pentru acrobați (la mare înălțime)

high words ['hai 'wə:dz] *s pl* ocări, vorbe grele/aspre/de ocară, ceartă violentă

high yellow ['hai 'jelou] *s amer* mulatru/metis cu pielea gălbuie

H.I.H. *presc de la* **His** *sau* **Her Imperial Highness** alteța sa imperială

hijack ['hai,dʒæk] *vt* **1** a prăda, a jefui *(călători, vehicule)* **2** a fura; a smulge cu de-a sila **3** a sili, a forța **4** a deturna *(un avion etc.)*

hijira [hi'dʒiərə] *s v.* **hegira**

hike [haik] **I** *s* **1** plimbare (de agrement), excursie, călătorie de plăcere **2** ridicare, urcare, sporire *(a salariilor, prețurilor)* **II** *vt* **1** a ridica, a înălța, a urca; a împinge în sus **2** a spori, a ridica, a mări **3** a lua la plimbare **III** *vi* **1** a face o plimbare/o excursie de plăcere/agrement **2** a călători/a umbla prin lume **3** a se ridica, a se înălța

hiker ['haikə'] *s* excursionist; călător

hila ['hilə] *pl de la* **hilum**

hilarious [hi'lɛəriəs] *adj* vesel, ilar, zgomotos

hilariously [hi'lɛəriəsli] *adv* (în mod) vesel/ilar/zgomotos

hilariousness [hi'lɛəriəsnis] *s v.* **hilarity**

hilarity [hi'læriti] *s* ilaritate, veselie (zgomotoasă), râs zgomotos

Hilary term ['hiləri ,tə:m] *s univ* trimestru de după vacanța de Crăciun

Hilda ['hildə] *nume fem*

hill [hil] **I** *s* **1** deal, colină, măgură **2** movilă, grămadă **3** mușuroi *(de furnici, cârtiță)* **4** pantă, urcuș; **over the ~** *F* scăpat/ieșit din criză; trecut de punct(ul) culminant **II** *vt* **1** a îngrămădi; a aduna într-un morman, a face morman/grămadă **2** *agr* a mușuroi

hill-and-dale ['hilənd'deil] *adj atr (d. disc de patefon)* ondulat, deformat

hillbilly ['hil,bili] *s amer* provincial (dintr-o regiune izolată); mocofan

hillbilly music ['hil,bili 'mju:zik] *s* muzică în stil popular american, muzică de cow-boy

hill climb ['hil ,klaim] *s auto* campionat/cursă de coastă

hill-man ['hilmən] *s* muntean, locuitor de la munte

hillo(a) ['hilou] *interj v.* **hallo**

hillock ['hilək] *s* deluşor, ridicătură de teren, mamelon

hillocky ['hiləki] *adj* deluros, accidentat, acoperit cu deluşoare

hill of beans ['hil əv 'bi:nz] *s amer F* ↓ *la neg* fleac, vax; – cantitate neînsemnată; *F* cât negru sub unghie, ceapă degerată, pic

hills, the ['hilz, ðə] *s pl* staţiune (climaterică) montană *(↓ în India)*

hillside ['hil,said] *s* pantă, coastă de deal

hill station ['hil ,steiʃən] *s* reşedinţă administrativă (pe colinele din India)

hill top ['hil ,top] *s* culme/vârf de deal

hilly ['hili] *adj* 1 deluros, acoperit de dealuri/coline; colinar 2 abrupt, în pantă 3 accidentat, cu hârtoape

hilt [hilt] **I** *s* mâner *(↓ de sabie sau pumnal);* plăsele; **up to the ~ a** până-n plăsele **b** *fig* până-n pânzele albe, cu totul, cu desăvârşire, complet **II** *vt* a pune mâner la, a înzestra cu mâner

Hilton ['hiltən], **James** *romancier englez (1900-1954)*

hilum ['hailəm] *s anat, bot* hil

Hilversum ['hilvəsəm] *oraş în Olanda*

H.I.M. *presc de la* **Her** *sau* **His Imperial Majesty**

him [him] *pr pers* 1 *ac* pe el, îl, l-, -l 2 *dat* lui, -i, i-, -i 3 ← *F nom* el

Himalaya [,himə'leiə], **the Himalayas** [,himə'leiəz] (Munţii) Himalaia

himself [him'self] **I** *pr refl* se; **he addressed ~ to me** mi s-a adresat mie **II** *pr de întărire* (el) însuşi, chiar el; personal; **he ~ did it** chiar el/el însuşi a făcut-o **by ~ a** singur(-singurel) **b** chiar el (fără ajutor); **to ~** lui însuşi; **he is hardly ~** nu e în apele lui **III** *pr pers* (şi) el personal; **~ unhappy** fiind şi el (personal) nefericit

Hind. *presc de la* 1 **Hindi** 2 **Hindu** 3 **Hindustan** 4 **Hindustani**

hind[1] [haind] *s zool* căprioară, femelă a căpriorului

hind[2] *adj* de dinapoi/dindărăt, posterior

hind[3] *s* ← *înv* 1 muncitor/salahor agricol 2 ţăran

hinder[1] ['hində^r] **I** *vt* 1 a stânjeni, a stingheri 2 a întârzia, a împiedica, a reţine, a face obstrucţii la; a opri; **what ~ed you from arriving earlier?** ce te-a împiedicat să soseşti mai devreme?

ce te-a reţinut? (de ce) n-ai putut veni mai devreme? **II** *vi* a constitui un obstacol/o piedică

hinder[2] ['haində^r] *adj v.* **hind**[2]

hind(-)gut ['haind ,gʌt] *s* 1 *anat* capătul tubului digestiv *(la embrion)* 2 *zool* partea posterioară a aparatului digestiv al artropodelor

Hindi ['hindi] **I** *s* hindi, (limba) hindusă **II** *adj* hindi, în limba hindusă

hindmost ['haind,moust] *adj* 1 cel mai din spate/urmă, posterior 2 ultimul, cel din urmă // **the devil take the ~** fiecare pentru sine, fiecare cum poate, puţin îmi pasă de ceilalţi

Hindoo ['hindu:] *s, adj v.* **Hindu**

hindquarter ['haind,kwɔ:tə^r] *s* 1 but (de vacă, de oaie etc.) 2 *zool* picioarele din spate

hindrance ['hindrəns] *s* 1 împiedicare, obstrucţie 2 piedică, obstacol, impediment

hindsight ['haind,sait] *s* 1 *mil* înălţător *(la puşcă)* 2 înţelegere întârziată/ulterioară *(a unui eveniment)*

Hindu ['hindu:] *s, adj* 1 hindus 2 indian

Hinduism ['hindu,izəm] *s rel* hinduism

Hindustan [,hindu'sta:n] 1 regiune din India 2 India

Hindustani [,hindu'sta:ni] **I** *s* limbile hinduse **II** *adj* 1 hindustan 2 referitor la limbile hinduse

hinge [hindʒ] **I** *s* 1 balama, ţâţână; **off the ~s** şi *fig* scos din ţâţâni 2 şarnieră *(la timbre)* 3 *fig* principiu/element de bază, element principal **II** *vt* a prinde cu/în balamale/ţâţâni **III** *vi* (on) 1 a fi prins (cu balamale) (de), a atârna (de) 2 *fig* a depinde, a atârna (de)

hinnie ['hini] *s* ↓ *la vocativ F* drăguţă, scumpă

hinny[1] ['hini] *s* catâr *sau* catârcă

hinny[2] *s v.* **hinnie**

hint [hint] **I** *s* 1 aluzie (indirectă), insinuare; **a broad ~** o aluzie grosolană/transparentă/evidentă 2 sugestie/indicaţie (indirectă); indicaţie preţioasă, pont 3 indiciu, cheie; **to take the ~ a** a înţelege aluzia **b** a se conforma 4 cantitate infimă, urmă, idee,

picătură **II** *vt* a lăsa să se înţeleagă, a spune indirect, a sugera, a insinua **III** *vi* (**at**) a face aluzie (la); a insinua (că)

hinterland ['hintə,lænd] *s* hinterland, interiorul ţării

hip[1] [hip] **I** *s* 1 *anat* şold; **to have smb on the ~** *fig* a pune pe cineva în dificultate, a strânge pe cineva cu uşa; **to smite ~ and thigh** *bibl poet* a ataca cu cruzime/în mod necruţător, a se năpusti asupra *(cu gen)* **b** a copleşi cu lovituri; a bate zdravăn 2 *arhit* îmbucătură/îmbinare a acoperişului **II** *vt arhit* a prinde pantele acoperişului

hip[2] *s bot* măceaşă, fruct de măceş *sau* trandafir

hip[3] *interj* hip (hip, ura)!

hip bath ['hip ,ba:θ] *s* baie de şezut

hip bone ['hip ,boun] *s anat* osul iliac/şoldului, capul femurului

hip cat ['hip ,kæt] *s sl v.* **hepcat**

hip disease ['hip di,zi:z] *s med* inflamaţie a şoldului, coxalgie

hip flask ['hip ,fla:sk] *s* sticluţă plată *(de purtat în buzunarul de la şold); aprox* ploscă

hip joint ['hip ,dʒɔint] *s anat* şold, articulaţia piciorului *(a femurului cu osul iliac)*

hip-length ['hip,lengθ] *adj atr (d. haină)* lung până la şold

hipogryf ['hipou,grif] *s mit* monstru, grifon *(jumătate cal, jumătate balaur)*

hippie ['hipi] **I** *s* 1 hippy 2 *v.* **hipster** **II** *adj* hippy

hippo ['hipou] *s* ← *F* hipopotam

hippo- *pref* hipo-: **hippodrome** hipodrom

hippocentaur [,hipou'sentɔ:^r] *s mit* centaur

hip pocket ['hip ,pokit] *s* buzunar de la şold

hippocras ['hipou,kræs] *s* ← *înv* vin aromatizat/tonic/cu mirodenii

Hippocrates [hi'pokrə,ti:z] *medic grec* Hipocrat *(460?-377? î.e.n.)*

Hippocratic oath [,hipo'krætik 'ouθ] *s med* jurământul lui Hipocrat, jurământul profesional al medicilor

Hippocrene ['hipou,kri:n] *s mit lit* inspiraţie poetică *sau* literară; izvorul muzelor

hippodrome ['hipə,droum] *s* 1 ← *înv* hipodrom; circ 2 sală de teatru *sau* varieteu; sală de spectacol

Hippolyta [hi'pɔlitə], **Hippolite** [hi'pɔli,ti:] *mit* Ipolita, regina amazoanelor

Hippolytus [hi'pɔlitəs] *nume masc* Ipolit

hippopotamus [,hipə'pɔtəməs], *pl şi* **hippopotami** [,hipə'pɔtə,mai] *s zool* hipopotam *(Hippopotamus)*

hippy¹ ['hipi] *s, adj v.* **hippie**

hippy² *adj* şolduros, cu şolduri mari

hip roof ['hip,ru:f] *s constr* acoperiş înclinat

hipshot ['hip,ʃɔt] *adj* 1 cu coapsa luxată/deplasată/dislocată 2 başold, şleampăt, cu un şold mai jos decât celălalt

hipster ['hipstər] *s amer* 1 exaltat, maniac, pasionat *(de jazz, noutăţi etc.)* 2 toxicoman

hirable ['haiərəbl] *adj amer v.* **hireable**

Hiram ['haiərəm] *nume masc*

hire ['haiər] I *vt* 1 a închiria, a lua cu chirie *(↓ un obiect)* 2 a da cu chirie, a închiria 3 a angaja (în slujbă), a năimi, a plăti *(pt o treabă)* 4 *amer* a lua cu împrumut II *vi* a se angaja III *s* 1 închiriere, luare cu chirie 2 dare cu chirie, închiriere; **on** ~ de închiriat 3 angajare, năimire 4 angajament, slujbă, serviciu 5 plată, salariu, leafă

hireable ['haiərəbl] *adj* de închiriat; care se poate închiria

hired girl ['haiəd 'gə:l] *s amer* slujnică *(↓ la fermă)*

hired man ['haiəd 'mæn] *s amer* argat, slugă, slujitor *(↓ la fermă)*

hired troops ['haiəd 'tru:ps] *s pl mil* mercenari

hireling ['haiəliŋ] *s* 1 ← *peior* năimit; mercenar; trepăduş; 2 ticălos, jigodie, lichea 3 cal de închiriat

hire on ['haiər'ɔn] *vt cu part adv v.* **hire** I 3

hire oneself out ['haiə wʌn,self'aut] *vr cu part adv* a se angaja, a intra în serviciu

hire out ['haiər'aut] I *vt cu part adv v.* **hire** I II *vi cu part adv* a se angaja, a intra în serviciu, a-şi lua o slujbă

hire purchase (system) ['haiə 'pə:tʃis ('sistim)] *s com* (sistem de) cumpărare/vânzare cu plata în rate

hiring hall ['haiəriŋ ,hɔ:l] *s amer* birou (sindical) de plasare *(a muncitorilor)*

Hirohito [,hiərou'hi:tou] *împărat al Japoniei (1927-1978)*

Hiroshima [,hirɔ'ʃi:mə] *oraş în Japonia* Hiroşima

hirsute ['hə:sju:t] *adj* 1 hirsut, ţepos, păros 2 neîngrijit, neţesălat

hirsuteness ['hə:sju:tnis] *s* aer hirsut, înfăţişare hirsută

hirsutism ['hə:sju:tizəm] *s v.* **hirsuteness**

his I [hiz *formă slabă*, iz, z *forme slabe*] *adj pos* lui, său, îi, -i II [hiz] *pr pos* al lui/său, a lui/sa, ai lui/ săi, ale lui/sale

Hispania [his'pæniə] *s* ← *poet* Spania; peninsula iberică

Hispanic [his'pænik] *adj* hispanic; spaniol *sau* portughez; iberic

Hispanicism [his'pæni,sizəm] *s* 1 hispanism; caracter iberic 2 spaniolism, hispanism; cuvânt *sau* expresie în limba spaniolă

Hispanicist [his'pænisist] *s lingv* hispanist, hispanolog

hispid ['hispid] *adj zool* ţepos; acoperit cu ţepi *sau* peri aspri

hispidity [his'piditi] *s zool* caracter ţepos; piele acoperită cu ţepi *sau* peri aspri

hiss [his] I *s* 1 şuierat 2 sâsâit II *vi* 1 a şuiera 2 a sâsâi III *vt* 1 a rosti şuierător/printre dinţi 2 a fluiera dezaprobator *(pe cineva)*, a ţistui

hiss away/down/off ['his ə'wei/ 'daun/'ɔ:f] *vt cu part adv* a alunga prin sâsâieli/ţistuieli

hist [hist] *interj* 1 pst! hei! 2 sst! sss! 3 şa! şo!

hist *presc de la* 1 **historian** 2 **historical** 3 **history**

histamine ['histə,mi:n] *s ch, med* histamină

histo- *pref* histo-: **histology** histologie

histochemistry [,histou'kemistri] *s* histochimie

histogenesis [,histou'dʒenisis] *s anat, fizl* histogeneză, dezvoltarea şi diferenţierea ţesuturilor

histogenetic [,histoudʒe'netik] *adj anat, fizl* histogenetic, referitor la dezvoltarea şi diferenţierea ţesuturilor

histogenetically [,histoudʒe'netikəli] *adv anat, fizl* din punctul de vedere al histogenezei

histogram ['histə,græm] *s fiz* histogramă, diagramă statistică *(de frecvenţă)*

histologic(al) [,histə'lɔdʒik(əl)] *adj med* histologic

histology [his'tɔlədʒi] *s med* histologie

historian [his'tɔ:riən] *s* 1 istoric 2 cronicar

historic [his'tɔrik] *adj atr* de importanţă istorică, epocal, istoric

historical [his'tɔrikəl] *adj atr* 1 (cu caracter) istoric 2 diacronic

historically [his'tɔrikəli] *adv* 1 pe plan istoric 2 prin metode istorice

historical materialism [his'tɔrikəl mə'tiəriəlizəm] *s* materialism istoric

historicalness [his'tɔrikəlnis] *s v.* **historicity**

historical present [his'tɔrikəl 'preznt] *s lingv* prezentul istoric

historical school [his'tɔrikəl 'sku:l] *s* şcoală istoristă/istorică

historicism [his'tɔri,sizəm] *s* istorism

historicist [his'tɔrisist] *s, adj* istoricist

historicity [,histə'risiti] *s* istoricitate, caracter istoric, realitate (istorică)

historicize [his'tɔrisaiz] *vt* a lega de istorie; a da un caracter istoric *(nu legendar);* a face să pară real/istoric

historic present [his'tɔrik 'preznt] *s lingv* prezentul istoric

historied ['histərid] *adj* istoric; cu caracter istoric; menţionat în istorie

historiographer [hi,stɔ:ri'ɔgrəfər] *s* istoriograf, istoric, cronicar

historiographic(al) [hi,stɔ:riə'græfik(əl)] *adj* istoriografic

historiography [,histɔ:ri'ɔgrəfi] *s* istoriografie

history ['histəri] *s* 1 istorie 2 cronică 3 poveste, istorie; trecut; **this book has a** ~ e o poveste cu cartea asta 4 (lucruri/evenimente din) trecut 5 *med* anamneză

histrionic [,histri'ɔnik] *adj* 1 actoricesc, teatral, histrionic 2 de cabotin, teatral, afectat

histrionics [,histri'ɔniks] *s pl ca sg* 1 artă dramatică, teatru, actorie 2 *fig* teatru, afectare, cabotinism

hit [hit] I *pret şi ptc* **hit** [hit] *vt* 1 a lovi, a pocni, a izbi; **to** ~ **a man when he is down** *fig* a lovi pe cineva când e la pământ; **to** ~ **smb's fancy** a frapa/a impresiona imaginaţia cuiva; **to** ~

below the belt a lovi sub centură, a da o lovitură joasă *(cu dat);* **to be hard** ~ a fi greu lovit **2** a se lovi/a se ciocni/a se izbi de **3** a face să se lovească/ciocnească **4** a atinge (ținta); a găsi, a descoperi **5** a nimeri (în plin); **to ~ the (right) nail on the head** **a** a nimeri în plin, a face tocmai ceea ce trebuie **b** a ghici (bine), a pune degetul pe rană; **to ~ the right note** a găsi nota potrivită **6** a afecta; a șoca, a frapa **7** a ajunge, a atinge; **to ~ the hay** *sl* a pune bila pe **5** *sau* **3**, a se culca, a trage un soi; **to ~ the bottle** a trage (zdravăn) la măsea; **to ~ the trail** *amer sl* a se așterne/a porni la drum **8** a da (din întâmplare) peste, a se nimeri să găsească **9** a potrivi; a armoniza, a pune de acord **II** *(v ~ I)* *vi* **1** a lovi, a da lovituri/o lovitură; a trage pumni/un pumn; **to ~ and run** a ataca și a se retrage imediat; ~ **hard!** dă-i tare! nu te lăsa! **2** (**against, upon**) a se ciocni, a se izbi, a se lovi (de) **3** a ataca, a porni la atac/ofensivă **4** *(d. pește)* a mușca din momeală **5** a se întâmpla, a se petrece, a se produce **6** a izbuti, a reuși **7** ← *înv* a se potrivi, a se armoniza, a se brodi **III** *s* **1** lovitură, izbitură **2** ciocnire, coliziune, șoc, pocnitură **3** atingere, lovitură **4** ↓ *teatru etc.* succes (colosal), triumf, spectacol de (mare) succes; **to make a ~ with** a avea mare succes cu *sau* la **5** *muz* șlagăr **6** noroc mare, șansă grozavă **7** observație cu apropo, remarcă inteligentă

hit-and-miss ['hitənd'mis] *adj atr* când (mai) bine, când (mai) rău, cu izbânzi/reușite sporadice

hit-and-run ['hitənd'rʌn] *adj atr* **1** *(d. accident)* în care făptașul fuge de la locul infracțiunii **2** *(d. acțiune)* rapid, pripit, nechibzuit

hit back ['hit 'bæk] *vi cu part adv* a răspunde la lovituri, a trece la represalii, a da o ripostă; a se apăra

hitch [hitʃ] **I** *vt* **1** a smuci; a zgâlțâi, a zgudui, a hurduca **2** a trage, a muta, a împinge **3** a prinde, a fixa, a priponi; **to ~ one's waggon to**

a star a fi ambițios, a se legăna în visuri/iluzii; < a-și clădi castele în Spania **4** (**into**) a vârî, a băga, a introduce (în) **5** *v.* **hitchhike II** **II** *vi* **1** a se mișca de colo până colo, a se agita **2** a se zgudui, a se zgâlțâi **3** a șchiopăta, a umbla șontâc-șontâc, a șonticăi **4** a se încurca, a se împletici; a fi încurcat/legat/priponit **5** *v.* **hitchhike I** **III** *s* **1** smucitură; zgâlțâială, zguduitură, hurducătură **2** șontâcăială, șchiopătare **3** oprire bruscă, împiedicare **4** impediment, obstacol, piedică **5** *tehn* cuplare, cuplaj; atașare; îmbucare **6** nod; priponeală **7** autostop, mers cu autostopul

hitchhike ['hitʃhaik] **I** *vi* a face autostop; a merge cu autostopul **II** *vt* a solicita/a cere *(o călătorie)* prin autostop, a face *(autostop)* **III** *s* mers cu autostopul, autostop

hitchhiker ['hitʃhaikəʳ] *s* călător/excursionist care face autostop, *F* autostopist

hitching post ['hitʃiŋ poust] *s* stâlp pentru priponit/legat caii

hitch up ['hitʃ 'ʌp] *vt cu part adv* a înălța, a ridica

hither ['hiðəʳ] **I** *adv* încoace, înspre mine/noi, în partea asta; **come ~** vino încoace/aici **II** *adj* de dincoace, dinspre mine/noi, de pe partea asta

hither and thither ['hiðər ən 'ðiðəʳ] *adv* încoace și încolo; care încotro; ca frunza-n vânt

hithermost ['hiðəmoust] *adj* cel mai apropiat (de mine/noi), cel mai dincoace

hitherto ['hiðə'tu:] *adv* până acum/azi/în zilele noastre

hit it ['hit it] *vt cu pr* **1** a nimeri în plin **2** a face tocmai ceea ce trebuie **3** a ghici bine

hit it off ['hit it 'ɔ:f] *vt cu pr și part adv* (**together; with each other**) a se înțelege (bine), a fi în armonie/înțelegere

Hitler ['hitləʳ], **Adolf I** *dictator german (1889-1945)* **II** *adj, s* hitlerist

Hitlerian [hit'liriən] *adj* hitlerist

Hitlerism ['hitlərizəm] *s* hitlerism

Hitlerite ['hitlərait] *s* hitlerist

Hitler's ['hitləz] *adj* hitlerist; ~ **war** războiul hitlerist

hit man ['hit,mæn] *s* ucigaș plătit/năimit/cu simbrie

hit off ['hit 'ɔ(:)f] **I** *vt cu part adv* a reproduce/a imita exact/perfect; a caricaturiza; a șarja **II** *vi cu part adv* a se potrivi, a se armoniza, a fi potrivit

hit or miss ['hit ɔ: 'mis] *adv* la nimereală/întâmplare, pe apucate

hit-or-miss *adj* (făcut) la nimereală/întâmplare/pe apucate

hit out ['hit 'aut] *vi cu part adv* a da o lovitură puternică, a izbi, a lovi (în dreapta și în stânga)

hit-skip ['hit,skip] *adj atr amer v.* **hit-and-run**

hitter ['hitəʳ] *s* persoană care lovește

Hittite ['hitait] **I** *s* **1** hitit **2** (limba) hitită **II** *adj* hitit

hit up ['hit 'ʌp] *vt cu part adv sport* a marca; a reuși

hit upon ['hit ə,pon] *vi cu prep* a nimeri/a găsi/a descoperi (din întâmplare) *cu ac,* a da peste/de

hive [haiv] **I** *s* **1** stup **2** *și fig* roi **II** *vt* a aduna (ca) într-un stup, a face să roiască **III** *vi* **1** a sta (ca) într-un stup **2** a sălășlui

hive off ['haiv 'ɔ:f] *vi cu part adv* a roi

hives [haivz] *s pl med P* → urticarie, blândă

H.J. *presc de la* **hic jacet** aici odihnește (răposatul...)

H.K. *presc de la* **Hong Kong**

H.L. *presc de la* **House of Lords**

hl *presc de la* **hectolitre**

hm *presc de la* **Head Master; Head Mistress; Her** *sau* **His Majesty('s)**

h'm [hmmm] *interj* hm!

H.M.I. *presc de la* **Her** *sau* **His Majesty's Inspector (of Schools)**

H.M.S. *presc de la* **Her** *sau* **His Majesty's Ship** vas (britanic) de război

H.M.S.O. *presc de la* **Her** *sau* **His Majesty's Stationary Office** *aprox* Buletinul Oficial

H.M.V. *presc de la* **His Master's Voice**

H.N.C. *presc de la* **Higher National Certificate**

ho [hou] *interj* **1** hei! ho! pst! **2** phii! hei!

ho *presc de la* **house**

Ho *presc de la* **holmium**

hoagie, hoagy ['hougi] *s amer v.* **hero sandwich**

hoar [hɔːʳ] **I** *s* **1** chiciură, promoroacă **2** *v.* **hoariness II** *adj v.* **hoary**

hoard [hɔːd] **I** *s* **1** comoară, tezaur **2** monetar; bani adunați **3** stoc, rezervă, fond **II** *vt* **1** a păstra; a tezauriza **2** a stoca, a aduna, a strânge **III** *vi* a face provizii/stocuri

hoarding ['hɔːdiŋ] *s* **1** păstrare, tezaurizare **2** stocare, adunare, strângere

hoarfrost ['hɔː‚frost] *s* chiciură, promoroacă

hoar hound ['hɔː‚haund] *s v.* **horehound**

hoariness ['hɔːrinis] *s* **1** cărunțețe **2** culoare argintie **3** vârstă înaintată, bătrânețe

hoarse [hɔːs] *adj* **1** răgușit, cu glas răgușit, fără glas **2** *(d. glas)* aspru, răgușit, care-ți zgârie urechile

hoarsely ['hɔːsli] *adv* (cu glas) răgușit

hoarsen ['hɔːsən] **I** *vi* a răguși, a-și pierde/strica vocea **II** *vt* a face să răgușească

hoarseness ['hɔːsnis] *s* răgușeală; voce spartă/răgușită

hoary ['hɔːri] *adj* **1** cărunt, încărunțit **2** bătrân, vulnerabil

hoax [houks] **I** *vt* **1** a face o farsă, a juca o festă *(cu dat)* **2** a păcăli, a trage pe sfoară, a-și bate joc de **II** *s* **1** farsă, festă **2** păcăleală, înșelătorie **3** impostură, șarlatanie

hob¹ [hob] *s* **1** cot, poliță *(la cămin)* **2** țăruș **3** talpă *(la sanie)* **4** *v.* **hobnail**

hob² *s* **1** *zool* bărbătușul nevăstuicii **2** vârcolac, spiriduș, duh; **to play/to raise ~** *amer* a pricinui/stârni necazuri/complicații

Hobart ['houbaːt] *geogr* capitala Tasmaniei

Hobbes [hobz], **Thomas** *filosof englez (1588-1679)*

Hobbesian ['hobziən] **I** *adj* legat de filosofia lui Hobbes **II** *s* adept al (filosofiei) lui Hobbes

Hobbism ['hobizəm] *s* filosofia lui Hobbes, hobbesianism

hobbit ['hobit] *s* ființă umanoidă imaginară *(inventată de romancierul J.R. Tolkien 1892-1973)*

hobble ['hobəl] **I** *vi* a șchiopăta, a șonticăi, a merge șontâc-șontâc **II** *vt* **1** a face să șchiopăteze **2** a cotonogi **3** a priponi, a împiedica **4** a înlănțui, a pune în lanțuri **III** *s* mers greu/împiedicat, șonticăială

hobbledehoy ['hobəldi'hoi] *s* găligan, tânăr stângaci, flăcău, lălău; adolescent la vârsta ingrată

hobble skirt ['hobəl ‚skəːt] *s* fustă strâmtă (care împiedică la mers)

hobby ['hobi] *s* **1** pasiune, meteahnă, manie, *F* microb *(ex: filatelie, pescuit etc.)*; **to ride a ~** a-și vedea de mania lui, a-și urmări ideile fixe **2** ← *înv v.* **hobby horse 1**

hobby horse ['hobi ‚hoːs] *s* **1** căluț de lemn *(jucărie)* **2** căluț de la călușei **3** *v.* **hobby 1**

hobbyist ['hobiist] *s* maniac, pasionat, fanatic; om care își urmărește maniile

hobgoblin [hob'goblin] *s* **1** spiriduș, gnom **2** gogoriță

hobnail ['hob‚neil] *s* caia, țintă *(la gheață)*

hobnailed ['hob‚neild] *adj* cu caiele/țínte

hobnail(ed) liver ['hob‚neild ‚livəʳ] *s med* ficat cirotic/afectat de ciroză

hobnob ['hob‚nob] *vi* (**with, together**) **1** a se bate pe burtă (cu), a fi prieten(i) la cataramă/toartă **2** a bea cot la cot (cu)

hobo ['houbou] **I** *s* **1** muncitor ambulant **2** vagabond **II** *vi* a vagabonda

Hobson's choice ['hobsənz ‚tʃois] *s* lipsa unei alternative, lipsa oricărei posibilități de alegere

Hoccleve ['hokliːv], **Thomas** *poet englez (1370?-1450?)*

hock¹ [hok] *s* vin alb din Germania *aprox* risling

hock² *s zool* partea mijlocie a piciorului dinapoi

hock³ *s/l* **I** *vt* a pune amanet, a amaneta **II** *s* amanet; **in ~ a** amanetat **b** poprit, (pus) la zdup/gros/pârnaie **c** înglodat în datorii, îndatorat până-n gât

hockday ['hok‚dei], **Hock Monday** ['hok‚mʌndi], **hock tide** ['hok‚taid], **Hock Tuesday** ['hok‚tjuːzdi] *s rel* perioadă (lunea și marția) după duminica Tomii

hockey ['hoki] *s sport* hochei

hockshop ['hok‚ʃop] *s amer sl* munte de pietate

hocus ['houkəs] *vt* **1** a păcăli, a trage pe sfoară **2** a droga, a ameți, a îmbăta **3** a droga, a falsifica *(o băutură etc.)*

hocus-pocus ['houkəs'poukəs] **I** *s* **1** scamatorie, șarlatanie, înșelătorie, hocus-pocus **2** hocus-pocus, formulă magică *(a scamatorului etc.)* **II** *vt* a păcăli, a înșela, a trage pe sfoară **III** *vi* a face scamatorii

hod [hod] *s constr* troacă mică, portativă *(pentru mortar, cărămizi etc.)*

Hodge [hodʒ] *s* poreclă dată muncitorilor agricoli

hodge-podge ['hodʒ ‚podʒ] *s v.* **hotchpotch**

hodiernal [‚houdi'əːnəl] *adj* din zilele noastre, de azi, contemporan

hodman ['hodmən] *s* **1** *constr* salahor, calfă de zidar *(care cară mortarul)* **2** salahor/hamal literar

hodometer [ho'domitəʳ] *s tehn* odometru *(aparat pt măsurat distanța parcursă de un vehicul)*

hoe [hou] *agr* **I** *s* sapă; săpăligă **II** *vt* **1** a plivi **2** a săpa **3** a reteza/a tăia cu sapa/săpăliga **4** a mărunți *(pământul)*, a bolovăni **III** *vi* a săpa, a lucra cu sapa/săpăliga

hoe-cake ['hou‚keik] *s amer* (budincă de) mălai *sau* crupe

hoe-down ['hou‚daun] *s amer* dans vioi; petrecere cu dans, *aprox* horă

hoe down ['hou 'daun] *vt cu part adv v.* **hoe II 3**

hoe up ['hou 'ʌp] *vt cu part adv v.* **hoe II 4**

Hoffmann ['hoːfmʌn], **Ernst Theodor Amadeus** *prozator și compozitor german (1776-1822)*

Hoffmannstahl ['hoːfmans‚taːl], **Hugo von** *dramaturg și poet austriac (1874-1929)*

hog¹ [hog] **I** *s* **1** porc (pus la îngrășat); **to go the whole ~** a duce lucrurile până la capăt, a merge până în pânzele albe; **to be a ~ on ice** *amer* ← *F* a nu prezenta garanții, a nu fi om de încredere; a fi dubios/suspect; **to live high off/on the ~** *amer* ← *F* a trăi în lux/desfrâu, a duce o viață de huzur, a huzuri **2** *fig* porc; mâncău, căpcăun, gurmand **3** *fig* nespălat, tip murdar/infect; mitocan, mojic **4** șofer cu beția vitezei/care merge ca un nebun **II** *vt* a acapara; a lua (totul) pentru sine; a nu lăsa pentru alţii; **to ~ the road** *auto* a merge/a conduce prin mijlocul drumului **III** *vi* ← *F* a conduce maşina/a merge ca un nebun, a nu respecta regulile de circulaţie

hog² **I** *vt* **1** a încovoia, a arcui (în sus); a ridica, a înălţa **2** a scurta, a tăia scurt, a reteza *(coama)* **II** *vi* a se arcui, a se încovoia (în sus)

hogan ['hougən] *s amer* locuinţă a pieilor roşii (din bârne şi lut)

Hogarth ['hougɑ:θ], **William** *pictor şi gravor englez (1691-1769)*

hogback ['hɔg,bæk] *s* creastă/ coamă de deal

hog cholera ['hɔg ,kɔlərə] *s vet* febră porcină

hoggish ['hɔgiʃ] *adj* **1** porcesc, de porc **2** lacom, nesăţios **3** egoist

hoggishly ['hɔgiʃli] *adv* ca un porc, porceşte

hoggishness ['hɔgiʃnis] *s* purtare/ comportare de porc, mitocănie, mojicie

hoglike ['hɔglaik] *adj* porcesc, de porc

hogling ['hɔgliŋ] *s* purcel, purceluş, godac

hogmanay [,hɔgmə'nei] *s scot* **1** revelion **2** datini de anul nou/de sărbători **3** colindat, colind **4** colac *etc.* dat colindătorilor

hog-pen ['hɔgpen] *s amer* cocină (de porci)

hogsback ['hɔgzbæk] *s* creastă/ coamă de deal

hogshead ['hɔgzhed] *s* **1** butoi mare **2** măsură de capacitate *(variază între 240-610 l)*

hog's pudding ['hɔgz,pudiŋ] *s* cârnat, chişcă; tobă

hog-tie ['hɔgtai] *vt amer* **1** a lega de mâini şi de picioare **2** *fig* a împiedica, a ţine în frâu, a pune beţe în roate *(cu dat)*

hogwash ['hɔgwɔʃ] *s* lături, zoaie

ho-ho ['hou'hou] *interj (exprimă surprinderea, triumful sau batjocura)* hoho! haha! hihihi!

ho-hum ['hou,hʌm] *adj* plicticos (de moarte), fără haz, fără sare şi piper

hoick [hɔik] *vt* (↓ ~ **out**) *sl* a sălta, a ridica, a umfla, a lua pe sus

hoik(s) [hɔiks] *interj* şa! şo!

hoi polloi ['hɔi pə'lɔi] *s grec peior* pleavă, gloată, mulţime

hoist [hɔist] **I** *vt* **1** a ridica, a înălţa, a sălta, a urca **2** a înălţa, a ridica *(steagul)* **II** *s* **1** ridicare, înălţare, urcare **2** elevator, macara **III** *adj* ruinat, distrus; **he was ~ by/with his own petard** a căzut victimă propriilor sale intrigi; *aprox* cine sapă groapa altuia cade el în ea

hoity-toity [,hɔiti'tɔiti] **I** *interj* hait(i)! ei poftim! iaca na! colac peste pupăză! hodoronc-tronc! **II** *s* ← *înv* zăpăceală, aiureală, trăsnaie **III** *adj* **1** zăpăcit, aiurit, trăsnit **2** *v.* **haughty**

hoke [houk] *amer sl* **I** *vt v.* **~ up II** *s v.* **hokum**

hoke up ['houk 'ʌp] *vt cu part adv amer sl* **1** a trata de o manieră sentimentală, burlescă *sau* falsă; a trivializa **2** a născoci, a inventa **3** a falsifica, a deforma *(adevărul)*

hokey-pokey [,houki'pouki] *s* **1** *v.* **hocus-pocus I 2** îngheţată populară/pe băţ

hokku ['hɔku:] *s pl* ~ *v.* **haiku**

hokum ['houkəm] *s sl* **1** teatru, cin cârlig; gag **2** sirop, dulcegărie, prostii (sentimentale)

Holbein ['hɔlbain], **Hans 1** *pictor german (1465?-1543?)* **2** *pictor german (1497-1543)*

hold¹ [hould] **I** *pret şi ptc* **held** [held] *vt* **1** a ţine (↓ *în mână);* a avea (în mână); **to ~ smb's hand a** a ţine de mână pe cineva, a ţine mâna cuiva într-a sa **b** *v.* **~ I 7; to ~ one's sides with laughter** a se ţine cu mâinile de burtă de râs, a muri de râs **2** a stăpâni, a avea drepturi/autoritate asupra *cu gen* **3** *fig* a avea în mână/în puterea sa **4** a deţine, a poseda **5** a ocupa, a stăpâni; **to ~ office** a fi în funcţie/*pol* la putere **6** a ţine *(într-o poziţie, într-un fel);* **to ~ smb at bay a** a ţine în şah/ hărţui pe cineva **b** a ţine pe cineva legat de mâini şi de picioare; **to ~ smb in suspense** a ţine pe cineva în suspensie/ şah; **to ~ to bail** a-i cere cauţiune pentru eliberare; **to ~ the line** (↓ *la imperativ)* a rămâne la telefon/ la aparat; **to ~ smb to ransom** a pune un premiu pe capul cuiva; **to ~ the baby a** a fi legat de mâini şi de picioare **b** a-şi lua o

sarcină neplăcută **7** a opri, a stăvili, a împiedica, a ţine în frâu, a reţine; **~ your tongue/noise/ peace** ţine-ţi/tacă-ţi gura; **to ~ smb's hand** a opri/a reţine mâna cuiva, a opri pe cineva (să facă ceva); **there is no ~ing him** e imposibil de oprit/să-l opreşti, nimic nu-l poate reţine **8** a reţine; a păstra **9** *amer* a reţine, a aresta, a ţine arestat/la arest **10** a preocupa, a ocupa/a reţine atenţia *cu gen* **11** a cuprinde, a ţine; a conţine; **will the bag ~ all your clothes?** o să-ţi încapă/ intre toate hainele în sac *sau* valiză? **it ~ s much salt in solution** are un conţinut ridicat de sare; **to ~ water** *fig* a ţine, a rezista (controlului *etc.*); a fi logic/ înţelept **12** a-(şi) menţine, a-(şi) apăra; **to ~ one's ground/own a** *şi fig* a se ţine bine, a nu se da bătut/învins **b** *fig* a nu se lăsa convins, a-şi menţine punctul de vedere; **to ~ one's way** a nu se opri *sau* abate din drum **13** a avea (în minte); a nu uita; a păstra amintirea *(cu gen);* **to ~ strange opinions** a avea păreri ciudate/o gândire stranie **14** a considera, a socoti (potrivit/ nimerit/de cuviinţă/cu cale *etc.);* **to ~ smb in esteem** a stima/a preţui pe cineva; **to ~ smb in contempt** a dispreţui pe cineva, a trata cu dispreţ pe cineva; **to ~ smth cheap** a nu da doi bani pe ceva, a nu pune nici un preţ pe ceva; **to hold smth dear** a îndrăgi ceva, a ţine mult la ceva; **to ~ smb (to be) a fool** a socoti pe cineva (un) prost/zevzec **15** a susţine, a afirma **16** *jur* a hotărî, a decide, a stabili **17** a ţine *(o întrunire, o dezbatere, un examen)*, a convoca *(parlamentul etc.)* **II** *(v. ~ I)* *vi* **1** a se ţine, a sta **2** a rezista, a se menţine; **will the rope ~?** (oare) funia rezistă/o să reziste? **3** a dăinui, a continua, a se menţine, a ţine; a se aplica, a fi valabil; **to ~ good** a rezista (bine), a-şi păstra valoarea, a rămâne valabil **4** a ţine/a rezista la băutură, a nu se îmbăta uşor **5** (**on, to, onto**) a se ţine, a se apuca (strâns/bine) de, a apuca ceva; **~ on to me** ţine-te (bine) de mine **III** *(v. ~ I)* *vr* **1** a se ține, a sta *(drept, țeapăn, liniștit etc.)* **2** a se socoti, a se considera **IV** *s* **1** ținere, strângere, apucare; **to take/to get ~ of** a pune mâna pe, a apuca *cu ac;* **to keep ~ of** a ține, a păstra *cu ac* **2** (punct de) sprijin, reazem, lucru de care te poți apuca **3** (**on**) putere, influență, autoritate (asupra – *cu gen*) **4** stăpânire, autoritate **5** temniță, închisoare

hold² [hould] *s nav* **1** cală **2** magazie

hold-all ['hould ,ɔ:l] *s* sac de voiaj

hold aloof ['hould ə'lu:f] *vi cu adv* **1** a sta/a se ține de o parte **2** a sta retras, a duce o viață retrasă **3** a fi cu nasul pe sus, a se ține mândru

hold back ['hould 'bæk] **I** *vt cu part adv* **1** a reține, a opri, a stăvili **2** a nu da; a opri, a păstra, a reține (pentru sine) **3** a ascunde, a tăinui, a ține secret **II** *vi cu part adv* **1** a șovăi, a ezita **2** a (se) da înapoi, a avea rezerve/o reținere **3** a manifesta o rezervă

hold by ['hould ,bai] *vi cu prep* **1** a adera la **2** a ține la, a insista asupra *cu gen*

hold down ['hould 'daun] *vt cu part adv* **1** a ține plecat/în jos **2** a(-și) păstra *(o slujbă etc.)*

holden ['houldən] *ptc înv de la* **hold**

holder ['houldə'] *s* **1** deținător, posesor, ocupant **2** păstrător **3** suport; prelungitor (↓ *în* **cigarette-~, pen-~)**

hold fast ['hould ,fɑ:st] *s* **1** aplică *sau* scoabă pentru prins în perete **2** priză puternică, apucare/ținere fermă **3** *bot* cârcel al unei alge

hold forth ['hould 'fɔ:θ] **I** *vt cu part adv* a oferi, a întinde **II** *vi cu part adv* **1** a trage la discursuri **2** a-i da înainte cu vorba, a nu se mai opri

hold hard ['hould 'hɑ:d] *interj* stai! așteaptă! oprește-te!

hold in ['hould 'in] *vt cu part adv* a stăpâni, a ține în frâu

holding ['houldiŋ] *s* **1** ținere, apucare *etc.* (*v.* **hold I-II**) **2** *agr* (mică) proprietate, petec de pământ; fermă **3** *jur* drept de proprietate funciară **4** *fin* (pachet de) acțiuni **5** *sport* obstrucție, obstrucționare; acroșare, jenare *(a adversarului)*

holding company ['houldiŋ 'kʌmpəni] *s ec* societate care controlează alte societăți mai mici

hold off ['hould 'ɔ:f] **I** *vt cu part adv* și *fig* a ține la distanță **II** *vi cu part adv v.* **hold aloof**

hold on ['hould 'ɔn] **I** *vt cu part adv* a ține/a menține în aceeași stare **II** *vi cu part adv* a se ține tare, a nu se lăsa, a nu se da bătut; ~**!** **a** ține-te bine! **b** (stai) un moment! (așteaptă) o clipă!

hold oneself aloof ['hould wʌn,self ə'lu:f] *vr cu adv v.* **hold aloof**

hold oneself in ['hould wʌn,self 'in] *vr cu part adv* a se stăpâni, a se ține în frâu

hold out ['hould 'aut] **I** *vt cu part adv* **1** a întinde *(mâna, brațele)*; a oferi **2** a oferi, a da; **the doctors ~ little hope** doctorii nu dau prea mari speranțe; **to ~ smth on smb** a refuza cuiva ceva **II** *vi cu part adv* **1** a rezista (până la capăt); a nu pleca steagul **2** a dăinui, a persista, a ține **3** *(d. rezerve)* a ajunge, a ține

hold over ['hould 'ouvə'] **I** *vt cu part adv* **1** a reține, a păstra **2** a menține *(în serviciu etc.);* a reînnoi angajamentul *(cuiva)* **II** *vi cu part adv* a rămâne mai departe *(în funcție etc.)* **III** *vt cu prep* a amenința *(pe cineva)* cu; a face să planeze asupra; **he has held it over me ever since** o ține deasupra mea ca pe sabia lui Damocles

holdover ['hould,ouvə'] *s amer* **1** relicvă, rămășiță a trecutului **2** *v.* **hangover 1**

hold to ['hould tə] *vt cu prep* a face *(pe cineva)* să respecte *cu ac*, a ține *(pe cineva)* legat de *(o promisiune etc.);* **to ~ bail** a obliga la o cauțiune

hold together ['hould tə'geðə'] **I** *vt cu part adv* a uni, a lega, a ține uniți **II** *vi cu part adv* a rămâne uniți/solidari/laolaltă, a nu se despărți/dezbina

hold-up ['hould ,ʌp] *s* **1** atac banditesc (↓ *împotriva automobilelor)*, tâlhărie la drumul mare, jaf **2** oprire, stagnare; pană

hold up ['hould 'ʌp] *vt cu part adv* **1** a arăta; a expune; **to ~ to ridicule** a ridiculiza, a face de râs **2** a ține sus/drept **3** a opri, a

stăvili, a reține **4** (a ataca pentru) a jefui (↓ *automobile)* **5** a întârzia, a reține

hold with ['hould wið] *vi cu prep* a accepta, a sprijini *cu ac*, a fi de acord cu, a fi pentru; a fi în favoarea *cu gen*

hole [houl] **I** *s* **1** gaură; **to make a ~ in** a consuma, a face o gaură în, a lua cu ghiotura din *(bani etc.);* **a round peg in a square ~, a square peg in a round ~** un om nepotrivit *(pentru postul sau locul pe care-l ocupă)* **2** perforație, gaură; defect; **to pick ~s in a** a găsi defecte/cusururi *cu gen*, a critica a desființa, a da peste cap *(un argument etc.)* **3** vizuină, gaură *(de animal);* **~ in the wall** dugheană/prăvălioară *(sărăcăcioasă sau sordidă);* **like a rat in a ~** ca șoarecele în capcană **4** *fig* vizuină, locuință mizerabilă **5** ascunzătoare, vizuină **6** bucluc, încurcătură, situație grea; **I'm in rather a ~** sunt într-o mare încurcătură, am dat de bucluc; **you've put me in devil of a ~** m-ai băgat în mare încurcătură **7** *(la golf)* țintă, gropiță, punct *(marcat prin introducerea mingii în gropițe);* **in the ~** cu scor negativ, cu puncte în minus **II** *vi* **1** a găuri, a perfora, a face găuri în **2** *(la golf)* a băga *(mingea)* în gaură **III** *vi (la golf)* a marca un punct

hole-and-corner ['houlənd 'kɔ:nə'] *adj* **1** clandestin, secret, tainic **2** pieziș; cu ocolișuri, necinstit

hole up ['houl 'ʌp] *vi cu part adv sl* a se ascunde, a se piti

holey ['houli] *adj* găurit, perforat, cu găuri

holiday ['hɔlədi] **I** *s* **1** (zi de) sărbătoare **2** zi de odihnă/recreație, sărbătoare **3** ↓ *pl* vacanță; concediu; **on ~, on one's ~** în vacanță/concediu; **to make/take a ~** a-și lua o mică vacanță **II** *adj atr (d. haine etc.)* de sărbătoare, vesel; colorat *etc.*

holiday camp ['hɔlədi 'kæmp] *s* tabără de vară

holiday clothes ['hɔlədi 'klouðz] *s pl* haine în culori vesele *(ant haine sobre)*

holiday maker ['hɔlədi ,meikə'] *s* persoană în concediu, vilegiaturist

holiday resort ['hɔlədi ˌri'zɔ:t] *s* stațiune de odihnă

holier-than-thou ['houliəðən'ðau] *adj atr amer* **1** bigot, fals religios **2** fățarnic, de o falsă moralitate, ca Tartuffe; (cu aere) de mironosiță

holily ['houlili] *adv* cu sfințenie/ evlavie, în mod evlavios

holiness ['houlinis] *s* **1** sfințenie, sanctitate **2** Sanctitate, Sfinte (↓ *ca titlu al papei*)

Holinshed ['hɔlinʃed], **Raphael** *cronicar englez (m. cca 1580)*

holism ['houlizəm] *s filos* holism, tendință globală/integrală

holistic [hou'listik] *adj* holistic, tinzând către unități întregi

holla ['houlə] *interj* hei! alo!

Holland ['hɔlənd] *s* **1** Olanda **2** *text* olandă **3** *pl* rachiu de cereale

hollandaise (sauce) [ˌhɔlən'deiz (ˌsɔːs)] *s gastr* sos olandez

Hollander ['hɔləndəʳ] *s* ← *rar* olandez

Hollands gin ['hɔləndz ˌdʒin] *s* gin olandez

holler ['hɔləʳ] *vt, vi amer v.* **holloa I, II**

hollo ['hɔlou] **I** *interj* **1** hei! alo! **2** șa! șo! **II** *vi v.* **holloa I**

holloa ['hɔlə] **I** *vi* **1** a asmuți câinii, a striga la câini **2** a striga, a țipa **II** *vt* a striga, a ațâța; **to ~ uncle a** a striga după ajutor **b** a se da bătut; a striga „destul"/„gata"/„mă dau bătut"

hollow[1] ['hɔlou] **I** *adj* **1** scobit, concav **2** cu scobituri/găuri **3** scorburos, cu scorburi, găunos **4** și *fig* găunos, gol **5** (d. obraji) supt, scofâlcit **6** (d. sunet) dogit; sec **7** fals, necinstit, nesincer **8** lipsit de/fără valoare **II** *s* **1** scobitură, gaură **2** scorbură **3** *geogr* depresiune, vale; bazin **III** *adv* zdravăn, rău, măr; **we beat them ~** i-am bătut măr, i-am făcut praf

hollow[2] ['hɔlou] *vt* **1** a scobi **2** a săpa, a excava

hollow[3] *vt, vi v.* **holloa**

hollow-eyed ['hɔlou'aid] *adj* cu ochii duși în fundul capului

hollow-hearted ['hɔlou'ha:tid] *adj* nesincer, fals

hollowness ['hɔlounis] *s* goliciune, concavitate, scobitură

hollow race ['hɔlou 'reis] *s sport* cursă nu prea disputată

hollow ware ['hɔlou 'wɛəʳ] *s* oale, vase, văsărie

Holly ['hɔli] *nume fem*

holly ['hɔli] *s bot* ilice *(Ilex sp.)*

hollyhock ['hɔliˌhɔk] *s bot* nalbă *(Althaea rosea)*

Hollywood ['hɔliwud] *s* **1** oraș în S.U.A. **2** cinematografia americană

Hollywood bed ['hɔliːˌwud ˌbed] *s amer* pat princiar/imperial

holm[1] [houm] *s bot* gorun *(Quercus ilex)*

holm[2], **holme** *s* **1** ostrov, insuliță **2** luncă inundabilă

Holmes [houmz], **Oliver Wendell** *scriitor american (1809-1894)*

holocaust ['hɔləˌkɔ:st] *s* **1** jertfă, sacrificiu **2** măcel, masacru, hecatombă **3** nimicire, distrugere

Holofernes ['hɔlə'fə:niz] *bibl lit* Holofern

hologram ['hɔləˌgræm] *s fiz, fot* hologramă; fotografie tridimensională/pe mai multe planuri

holograph ['hɔləˌgræf] **I** *adj jur* olograf **II** *s* document olograf **III** *vt* a holografia, a înregistra/a fotografia prin hologramă/holografie

holographic ['hɔləˌgræfik] *adj* holografic

holography [hɔ'lɔgrəfi] *s fiz, fot* holografie, procedeu holografic

holohedral [ˌhɔlə'hi:drəl] *adj minr (d. cristal)* perfect simetric, de o simetrie perfectă

holomorphic [ˌhɔlə'mɔ:fik] *adj minr (d. cristal)* holomorfic, cu capetele simetrice

holster ['houlstəʳ] *s* toc de pistol (↓ *la oblânc sau curea*)

holt[1] [hoult] *s* vizuină (↓ *de vidră*)

holt[2] *s* ← *poetic* **1** crâng, dumbravă **2** deal împădurit

holus bolus ['houləs 'bouləs] *adv* **1** deodată, laolaltă, la un loc **2** total, complet

holy ['houli] *adj* **1** sfânt **2** sfințit, sanctificat, sacru, sfânt **3** (d. sărbători, zile) mare **4** divin, dumnezeiesc; perfect, desăvârșit **5** evlavios, religios, bisericos **6** înspăimântător, teribil **7** supranatural, supraomenesc

Holy Alliance, the ['houli ə'laiəns, ðə] *s ist* Sfânta Alianță

holy city ['houli 'siti] *s* oraș sfânt *(al unui popor, al unor credincioși)*

Holy Communion, the ['houli kə'mjunien, ðə] *s* sfânta împărtășanie

Holy Cross, the ['houli 'krɔs, ðə] *s rel* Sfânta Cruce, crucea lui Isus Cristos

Holy Cross Day ['houli 'krɔs ˌdei] *s rel* Ziua crucii *(14 septembrie)*

holy day ['houli 'dei] *s rel* **1** (zi de) sărbătoare **2** zi de post (și rugăciune)

holy day of obligation ['houli 'deiəvɔbliˈgeiʃən] *s bis catolică* sărbătoare mare

Holy Family, the ['houli 'fæmili, ðə] *s rel* Sfânta Familie

Holy Father, the ['houli 'fa:ðəʳ, ðə] *s bis* Sfântul Părinte, Papa (de la Roma)

Holy Ghost, the ['houli 'goust, ðə] *s rel* Sfântul Duh

Holy Grail, the ['houli 'greil, ðə] *s lit, mit* Sfântul Graal *(în legendele germanice și anglo-normande)*

Holy Innocents' Day ['houli 'inəsənts ˌdei] *s rel* Uciderea Pruncilor *(28 decembrie)*

Holy Joe ['houli 'dʒou] *s sl* **1** popă, preot **2** om cucernic/evlavios

Holy Land, the ['houli 'lænd, ðə] *s* Țara Sfântă, Palestina

holy life ['houli 'laif] *s* viață curată/pură/de sfânt

Holy Lord, the ['houli 'lɔ:d, ðə] *s* Cel de Sus, Dumnezeu (Sfântul)

holy of holies ['houli əv 'houliz, ðə] *s* **1** *rel* Sfânta sfintelor **2** *fig* sanctuar

holy oil ['houli 'ɔil] *s bis* sfântul maslu

holy order ['houli ˌɔ:dəʳ] *s bis* **1** rang ecleziastic superior **2** *pl* hirotonisire, ritualul hirotonisirii

holy places ['houli 'pleisiz] *s pl rel* locurile sfinte; locuri de pelerinaj; hagialâc

Holy Roller ['houli 'rouləʳ] *s bis* ← *peior* sectant, membru al unei secte zgomotoase

Holy Roman Empire, the ['houli ˌroumən 'empaiəʳ, ðə] *s ist* Sfântul Imperiu Roman

Holy Saturday ['houli 'sætədi] *s rel* Sâmbăta Mare/Paștelui

Holy See, the ['houli 'si:, ðə] *s* **1** Sfântul Scaun **2** Vaticanul

Holy Spirit, the ['houli 'spirit, ðə] *s rel* Sfântul Duh

holy-stone ['houli 'stoun] **I** *s* piatră de frecat *(dușumelele, puntea vasului etc.)* **II** *vt* a freca *(dușumelele, puntea)*

Holy Synod, the ['houli 'sinəd, ðə] *s bis* Sfântul Sinod

holy terror ['houli 'terər] *s sl* **1** spaimă, ciumă, sperietoare (de ciori) **2** pacoste, pisălog **3** drac de copil, obrăznicătură

Holy Thursday ['houli 'θə:zdi] *s rel* **1** Joia Mare **2** Înălțarea (la cer)

Holy Water ['houli 'wɔ:tər] *s rel* agheasmă, apă sfințită

Holy Week, the ['houli 'wi:k, ðə] *s rel* Săptămâna mare/patimilor

Holy Willie ['houli 'wili] *s* Tartuffe, bigot, fățarnic (religios)

Holy Writ, the ['houli 'rit, ðə] *s rel* Sfânta Scriptură, Biblia

Holy Year ['houli 'jə:r] *s rel* an jubiliar

homage ['hɔmidʒ] *s* **1** omagiu (public); **to pay/to do ~ to** a omagia *cu ac*, a aduce omagii *cu dat* **2** deferență, respect; atenție **3** *ist* (ceremonie de) recunoaștere a vasalității/loialității **4** *ist* legături de vasalitate, loialitate

homager ['hɔmidʒər] *s* persoană care prezintă/aduce omagii *(↓ ist ca vasal)*

hombre ['ɔmbri] *s span amer ↓ la voc* tip; om; bărbat

Homburg, homburg ['hɔmbə:g] *s* (pălărie) Eden

home [houm] **I** *s* **1** cămin, casă; **at ~** a acasă (la el) b ca acasă, în largul lui; **to feel at ~ (with/on/in a subject)** a se simți la largul său/ca acasă (într-un domeniu); **a ~ from ~** loc unde te simți ca (la mama) acasă; **I'm not at ~ to anybody** nu primesc pe nimeni, nu sunt acasă pentru nimeni; **to make oneself at ~** a se face comod; **to leave ~** a a pleca de acasă b a pleca în lume, a-și lua lumea în cap; **to be at ~** a a fi acasă (la el) b a se simți la largul său c a primi musafiri (la o petrecere) **2** domiciliu, locuință **3** *fig* loc/țară de baștină, patrie **4** *biol* areal, habitat **5** familie **6** viață domestică/casnică/de familie **7** azil, cămin **8** sediu (principal), cartier general **9** *sport* poartă; țintă **II** *adj atr* **1** domestic, legat de locuință/cămin/domiciliu, de

acasă **2** de familie, domestic, de acasă **3** legat/apropiat de casă, familial **4** intern, interior **III** *adv* **1** (la el) acasă; **to come ~ a** a veni/a ajunge acasă **b** a ajunge/a veni în patrie **c** a se lămuri, a înțelege; **to come ~ to smb a** a impresiona pe cineva **b** a merge cuiva la inimă **c** a unge pe cineva la inimă **d** a fi înțeles de cineva; **nothing to write ~ about** nimic grozav/special/deosebit **2** spre/către casă; acasă; **to go ~** a se duce/a pleca acasă; **go ~!** cărați-vă sau cară-te acasă! **he is ~** a sosit acasă, s-a întors **3** la țintă; până la capăt; **the blow went ~** l-a nimerit/atins în plin; **to drive a nail ~** a bate bine/până la capăt un cui; **to press a point ~** a insista până obții rezultatul dorit; **to bring smth ~ to smb** a convinge pe cineva de ceva; **to bring a charge ~ to smb** a obține condamnarea cuiva **IV** *vt* **1** a adăposti; o oferi un cămin/adăpost/azil *cu dat* **2** a trimite *(un porumbel mesager)* spre casă **V** *vi* *(↓ d. porumbei)* a se îndrepta spre casă

homebird ['houm,bə:d] *s* om iubitor de casă, căruia îi place să stea acasă, *elev →* bărbat cazanier

homebody ['houm,bɔdi] *s amer v.* **homebird**

home-born ['houm,bɔ:n] *adj* băștinaș, localnic

homebound ['houm,baund] *adj* **1** (aflat) în drum spre casă; care merge spre casă **2** *nav* care se îndreaptă spre portul de origine; **3** silit/obligat să rămână în casă; țintuit în casă *(de boală etc.)*

home-bred ['houm ,bred] *adj* **1** făcut în casă, de casă, domestic **2** indigen, făcut în țară

home brew ['houm ,bru:] *s* băutură făcută în casă

homecoming ['houm,kʌmiŋ] *s* **1** întoarcere acasă **2** revenire la un loc de care te leagă multe amintiri

Home Counties, the ['houm ,kauntiz, ðə] *s* comitatele din jurul Londrei/din inima Angliei

home economics ['houm ikə-'nɔmiks] *s pl ca sg* economie domestică; gospodărie

homefelt ['houm, felt] *adj* intim, profund

home front ['houm ,frʌnt] *s mil* front intern

home-grown ['houm ,groun] *adj* de casă, domestic

Home Guard ['houm ,ga:d] *s* **1** gardă civilă/națională **2** membru al gărzii civile/naționale

home in (on) ['houm'in (ɔn)] *vi cu part adv (și prep)* a fi dirijat *(către țintă etc.)*

home-keeping ['houm ,ki:piŋ] *adj* casnic, căruia îi place să stea acasă

homeland ['houm,lænd] *s* patrie, țară

homeless ['houmlis] **I** *adj* fără adăpost/casă/cămin **II** *s* **the ~** cei fără adăpost/casă/cămin

homelike ['houm,laik] *adj* **1** familial; ca (de) acasă, ca la mama acasă **2** agreabil, simpatic, plăcut, vesel; îmbietor **3** comod, confortabil, intim **4** simplu, obișnuit, normal

homelikeness ['houm,laiknis] *s* **1** caracter familiar/obișnuit **2** simplitate, naturalețe **3** caracter simpatic/plăcut, îmbietor **4** ↓ *amer* lipsă de haz **5** *amer* urâțenie, caracter dizgrațios

homely ['houmli] *adj* **1** familial; ca (de) acasă, ca la mama acasă **2** simpatic, agreabil, plăcut; îmbietor **3** familiar, obișnuit, banal **4** simplu, natural, fără afectare **5** ↓ *amer* fără haz, plat, neinteresant **6** ↓ *amer* urât, hâd, dizgrațios

home-made ['houm ,meid] *adj* de casă, lucrat/făcut în casă, domestic

homemaker ['houm,meikər] *s* gospodar; gospodină; stăpânul *sau* stăpâna casei

homemaking ['houm,meikiŋ] *s* gospodărie, treburi gospodărești; conducerea/administrarea casei

home movie ['houm,mu:vi] *s cin* film de amatori

homeopath ['houmiou,pæθ] *s med* homeopat

homeopathic [,houmiə'pæθik] *adj med* homeopatic

homeopathy [,houmi'ɔpəθi] *s med* homeopatie

homeowner ['houm,ounər] *s* proprietar *(al casei în care locuiește)*

home port ['houm,pɔ:t] *s nav* port de origine

Homer ['houmə'] *poet grec (cca 880 î.e.n.)*

homer ['houmə'] *s* porumbel mesager/călător

Homeric [hou'merik] *adj* homeric

Homerically [hou'merikəli] *adv* homeric

Homeric laughter [hou'merik, la:ftə'] *s* râs homeric

homeroom, home room ['houm-,ru:m] *s* 1 *şcol* sală de clasă comună 2 *univ* studenţii cuprinşi în aceeaşi grupă

Home Rule ['houm,ru:l] *s* autonomie/independenţă legislativă (↓ *a Irlandei*)

homesick ['houm,sik] *adj* nostalgic, suferind de dor de casă, cuprins de nostalgie; **to be ~** a-i fi dor de casă, a suferi de nostalgie

homesickness ['houm,siknis] *s* dor de casă, nostalgie

home signal ['houm,signəl] *s ferov* semafor, semnal

homespun ['houm,spʌn] I *adj* 1 *text* (ţesut) lucrat/făcut în casă 2 *fig* simplu, modest; fără haz/distincţie II *s* 1 *text* ţesătură de casă 2 *fig* lucru simplu/fără haz/distincţie

homestead ['houm,sted] *s* 1 gospodărie ţărănească, fermă; casă de ţară (cu acareturi) 2 ↓ *amer* fermă acordată unui colonist

homesteader ['houm,stedə'] *s amer* 1 gospodar; fermier 2 deţinător al unei ferme acordate de stat; colonist (împroprietărit)

homestead law ['houm,sted 'lo:] *s amer jur* 1 lege care ocroteşte fermele de sechestru sau vânzare silită 2 lege care garantează drepturile coloniştilor (şi fermierilor) 3 lege care acordă privilegii şi scutiri de impozite fermierilor

home straight ['houm ,streit] *s v.* **home stretch**

home stretch ['houm,stretʃ] *s* 1 *sport* (ultima) linie dreaptă (*la hipodrom*) 2 *fig* stadiu final, ultima fază

home thrust ['houm ,θrʌst] *s* lovitură care nimereşte în plin; atac reuşit

homeward ['houmwəd] I *adv amer v.* **homewards** II *adj* spre/către casă *sau* patrie

homeward-bound ['houmwəd-,baund] *adj nav* care se îndreaptă spre patrie, în drum spre casă

homewards ['houmwədz] *adv* 1 spre/către casă 2 spre patrie/ţară

homework ['houm,wə:k] *s* lecţii/teme/lucrări/exerciţii pentru acasă

homey ['houmi] *adj amer F v.* **homelike**

homicidal [,homi'saidəl] *adj* criminal, ucigaş

homicide ['homi,said] *s* 1 ucigaş, criminal 2 omucidere, omor, crimă

homicide brigade ['homi,said bri-'geid] *s* poliţia criminală

homiletic(al) [,homi'letik(əl)] *adj* 1 cu caracter de predică 2 referitor la arta ţinerii predicilor

homiletics [,homi'letiks] *s pl ca sg bis* omiletică, arta ţinerii predicilor

homilist ['homilist] *s* predicator, persoană care scrie *sau* rosteşte predici/cazanii

homily ['homili] *s* 1 predică, omilie 2 *bis* cazanie, omiliar 3 *fig* predică, morală, moralizare

homing device ['houmiŋdi,vais] *s* dispozitiv de (tele)ghidare

homing pigeon ['houmiŋ,pidʒin] *s v.* **homer**

hominid ['hominid] *zool* I *adj* din familia Hominidae II *s* animal din familia Hominidae

hominoid ['homi,noid] *zool* I *adj* cvasiuman, antropomorf, antropoid II *s* antropoid, animal cvasiuman

hominy ['homini] *s* un fel de mălai *sau* mămăligă dulce

homo ['houmou] *s lat* homo, om; specia umană

homo- [houmou] *pref* 1 omo-: **homonym** omonim 2 homo-: **homosexual** homosexual

homoeo... *v.* **homeo...**

homoerotic ['houmoui:'rotik] *adj med* homosexual

homoeroticism [,homoui:'rotisizəm] *s med* homosexualitate

homogenate [hə'modʒinit] *s amer* rezultat al omogenizării; substanţă produsă prin omogenizare

homogeneity [,homoudʒi'ni:iti] *s* 1 omogenitate, uniformitate 2 similitudine; identitate

homogeneous [,homə'dʒi:niəs] *adj* omogen, uniform, similar

homogeneousness [,homə'dʒi:-niəsnis] *s v.* **homogeneity**

homogenize [hə'modʒənaiz] *vt* a omogeniza, a uniformiza

homograph ['homougra:f] *s lingv* omograf, omonim parţial (de ex. **bow¹** şi **bow²**)

homologate [hə'moləgeit] *vt* 1 a omologa, a aproba, a admite, a accepta 2 a recunoaşte, a accepta, a admite 3 a confirma

homologation [hə,molə'geiʃn] *s* 1 omologare, aprobare, acceptare 2 confirmare; recunoaştere

homologize [hə'molədʒaiz] I *vt* a omogeniza, a uniformiza II *vi* a corespunde, a fi omolog

homologous [hou'moləgəs] *adj* 1 omolog 2 corespunzător

homologue ['homə,log] *s* (element) omolog

homology [hou'molədʒi] *s* omologie

homomorphic [,houmə'mo:fik], **homomorphous** [,houmə-'mo:fəs] *adj* homomorf, izomorf, asemănător ca formă

homonym ['homənim] *s* 1 *lingv* omonim 2 persoană cu acelaşi nume, omonim, tiz

homonymic [,homə'nimik], **homonymous** [hə'moniməs] *adj* omonim

homophone ['homə,foun] *s lingv* omofon

homophonous [hə'mofənəs] *adj* 1 *muz* omofonic 2 *lingv* omofon

homophony [hə'mofəni] *s muz* omofonie

homoplastic [,houmou'plæstik] *adj* analog ca formă şi structură

homoplasy ['houmou,pleisi] *s biol* analogie funcţională; omologie

homo sapiens ['houmou 'sæpi,enz] *s biol* homo sapiens, speţa umană

homosexual [,houmou'seksjuəl] *adj, s* homosexual

homunculus [hə'mʌŋkjuləs] *s* homuncul, omuleţ; pitic, *F* ghibirdic

homy ['houmi] *adj* ← *F* 1 *v.* **homelike** 2 amintind de casă, (ca) de acasă

Hon. *presc de la* **honourable**

Hond *presc de la* **Honduras**

Honduras [hon'djuərəs] *ţară în America Centrală*

hone [houn] I *s* cute; gresie II *vt* a ascuţi/a trage pe cute

Honegger ['honigə'], **Arthur** *compozitor elveţian (1892-1955)*

honest ['ɔnist] *adj* **1** cinstit, onest, corect **2** real, veritabil, adevărat **3** sincer, deschis, franc **4** cinstit, onest, integru; **my ~ man** dragul meu **5** onorabil, respectabil, cinstit; **to make an ~ woman of** a lua de nevastă (amanta) **6** vrednic, merituos, demn **7** cinstit, cast, virtuos, cuminte **8** nevinovat, inocent **9** simplu, modest

honest injun ['ɔnist 'indʒən] *interj amer F* **1** *interog* zău? juri? serios? pe cuvântul tău? **2** *exclamativ* pe cinstea mea! pe cuvânt (de onoare); să mor eu!

honestly ['ɔnistli] *adv* **1** (în mod) cinstit/corect/onorabil **2** sincer, deschis, pe față, verde în față

honest-minded ['ɔnist'maindid] *adj* cinstit, onorabil, de bună credință

honest-mindedness ['ɔnist-'maindidnis] *s* **1** cinste, bună credință **2** onoare, onorabilitate

honest penny ['ɔnist'peni] *s* ban câștigat în mod cinstit; bani munciți; **to turn an ~** a scoate un ban/gologan cinstit, a-și câștiga existența prin muncă

honest-to-God/goodness [ɔnistə-'gɔd/'gudnis] *interj v.* **honest injun**

honesty ['ɔnisti] *s* **1** cinste, corectitudine, onestitate, probitate **2** onorabilitate, caracter onorabil; integritate **3** curățenie sufletească, nevinovăție, inocență **4** virtute, castitate, onestitate **5** sinceritate, franchețe, cinste **6** *bot* pana zburătorului (*Lunaria annua*)

honey ['hʌni] **I** *s* **1** miere (de albine) **2** *bot* nectar **3** *ent* secreție dulce a unor insecte **4** lucru dulce, dulceață **5** drăguță, iubită, dulcinee **6** ceva extraordinar **II** *interj F* scumpo! iubito! drăguțe! **III** *adj atr* **1** ca mierea; mieros **2** ← *înv* scump, drag **IV** *vt* **1** a îndulci (cu miere) **2** *fig* a flata, a măguli, a adula, *F* a peria **V** *vi* a vorbi mieros

honeybee ['hʌnibi:] *s ent* albină (*Apis mellifera*)

honeybun ['hʌni,bʌn], **honeybunch** ['hʌni,bʌntʃ] *s* ↓ *la voc amer F* drăguță, dragă, puișor, iubit(ă)

honeycomb ['hʌni,koum] **I** *s* **1** fagure **2** ornament hexagonal/în formă de fagure **3** defecte/găuri în metal **II** *vt* **1** a aranja în formă

de fagure **2** a ciurui, a găuri în numeroase locuri **3** a submina, a roade

honey dew ['hʌni,dju:] *s* **1** *bot* secreție zaharoasă a afidelor sau ciupercilor **2** *fig* ambrozie **3** tutun îndulcit cu melasă

honeyed ['hʌnid] *adj* **1** cu/de miere, plin de miere **2** îndulcit cu miere; uns cu miere **3** *fig* mieros, dulceag; fals; onctuos **4** *fig* dulce (ca mierea)

honey locust ['hʌni 'loukəst] *s bot* glădiță, glădice (*Gleditsia triacanthos*)

honeymoon ['hʌnimu:n] **I** *s* lună de miere **II** *vr* a fi în/a-și petrece luna de miere

honeymooners ['hʌnimu:nəz] *s pl* soți/pereche în luna de miere; tineri căsătoriți

honey pot ['hʌnipɔt] *s ent* furnică lucrătoare

honeysuckle ['hʌni,sʌkl] *s bot* caprifoi (*Lonicera sp*)

honey sweet ['hʌniswi:t] *adj* dulce ca mierea

Hong Kong ['hɔŋ'kɔŋ] *posesiune britanică în Asia*

honied ['hʌnid] *adj v.* **honeyed**

honk [hɔŋk] **I** *s* **1** gâgâit **2** (sunet de) claxon **II** *vi* **1** a gâgâi **2** a claxona

honky ['hɔŋki] *s amer sl peior* **1** alb **2** *(colectiv)* albii

honky tonk ['hɔŋki,tɔŋk] *s* bombă; cabaret ordinar, local de dans (de mahala)

Honolulu [,hɔnəl'u:lu:] *oraș în Hawaii*

honor... *amer v.* **honour...**

honorarily ['ɔnərərili] *adv* (în mod) onorabil *sau* onorific

honorarium [,ɔnə'rɛəriəm] *s* plată onorifică, onorariu oferit (fără a fi solicitat)

honorary ['ɔnərəri] *adj* **1** onorific, de onoare **2** neremunerat, fără plată, neplătit, onorific **3** de onoare, voluntar, neobligatoriu

honorific(al) [ɔnə'rifik(əl)] *adj* **1** (plin) de respect, respectuos **2** deferent, de deferență/respect **3** *v.* **honorary 1**

honorifically [ɔnə'rifikəli] *adv* (în mod) onorific *(v.* **honorific**)

honoris causa [hɔ,nɔ:ris'kauzə] *adv lat* honoris causa

honour ['ɔnə] **I** *s* **1** cinste, onoare, onestitate, integritate; **bound in ~** obligat de legile onoarei;

to be on one's ~ to a fi moralmente obligat de/să; **code/law of ~** codul onoarei **2** virtute; castitate, puritate, cinste **3** cuvânt de onoare/cinste, legământ; **upon my ~!** pe cuvântul meu (de onoare/cinste), pe legea mea! **to pledge one's ~** a-și da cuvântul (de onoare); **to put smb on his ~** a crede pe cineva pe cuvânt (de onoare) **4** reputație, faimă, cinste, onoare **5** mândrie, podoabă, onoare; **he was an ~ to his profession** făcea cu adevărat cinste profesiei/branșei sale **6** persoană suspusă, autoritate; ↓ *la voc în* **Your Honour** a domnule judecător, onorată curte b înălțimea voastră **7** onoare, cinste, privilegiu; **~s of war** *mil* privilegii acordate învinșilor; **in ~ of** în cinstea/onoarea *cu gen;* **may I have the ~ of your company?** îmi puteți face onoarea de a veni la mine? **8** stimă, cinste, respect, cinstire, prețuire **9** semn/gest de respect; *înv* salut, reverență **10** *pl* onoruri (de gazdă), ospitalitate, amabilitate; **to do the ~s of the house** a face onorurile casei **11** distincție, onoare, onoruri **12** *univ* curs special *sau* facultativ de specializare **13** *univ* distincție academică, diplomă de onoare/merit; mențiune onorabilă **14** *sport* premiu, distincție; mențiune **15** *sport* întâietate, privilegiu; *(la cărți)* carte mare; ↓ *pl* onori; **~s are even** adversarii sunt egali; scorul este egal **II** *vt* **1** a onora, a trata cu deferență **2** a încărca de/cu onoruri; a conferi distincții *cu dat* **3** a respecta, a(-și) onora **4** a(-și) îndeplini o obligație **5** *com* a plăti, a onora *(o poliță, o notă de plată)*

honourable ['ɔnərəbəl] *adj* **1** onorabil, cinstit, de onoare; corect, drept; **his intentions are ~** are intenții onorabile; vrea s-o ia de nevastă **2** onorabil, venerabil, respectat, demn/vrednic de respect **3** *(ca titlu)* înalt; venerabil; distins **4** onorabil, care-ți face cinste; **to conclude an ~ peace** a încheia o pace onorabilă

honourable mention ['ɔnərəbəl 'menʃən] s menţiune (onorabilă); premiu de consolare

honourableness ['ɔnərəbəlnis] s venerabilitate; caracter onorabil

honourably ['ɔnərəbli] adv (în mod) onorabil/corect/cinstit

honour bright ['ɔnə 'brait] interj F pe cuvântul meu (de cinste/onoare)! pe cinstea mea!

honours of war ['ɔnəz əv 'wɔ:'] s pl mil onoruri/privilegii acordate învinşilor

honour system ['ɔnə ,sistim] s amer şcol, jur sistem de educaţie bazat pe încredere şi libertate (în şcoli, închisori etc.)

Hon. Sec. presc de la **Honorary Secretary** secretar onorific

hooch [hu:tʃ] s sl pileală, băutură (↓ whisky)

Hood [hud] 1 **Thomas** poet englez (1799-1845) 2 **Robin** haiduc legendar englez (sec. al XIII-lea)

hood¹ [hud] I s 1 glugă; capişon 2 capotă de trăsură 3 auto capotă 4 glugă pusă pe capul calului 5 univ insignă, semn disctinctiv II vt a acoperi cu o glugă

hood² s sl v. **hoodlum**

-hood suf- -ie; -ate etc.: **childhood** copilărie; **falsehood** falsitate

hooded ['hudid] adj 1 (acoperit) cu glugă 2 în formă de glugă 3 zool, orn cu creastă; cu capul colorat altfel decât trupul

hooded crow ['hudid 'krou] s orn cioară vânătă (Corvus cornix)

hoodlum ['hudləm] s sl 1 huligan, bătăuş, mardeiaş, cuţitar; criminal 2 golan, vagabond, copil al străzii

hoodlumism ['hudləmizəm] s huliganism, golănie; delincvenţă, criminalitate

hoodmanblind ['hudmən,blaind] s ← înv (jocul de-a) baba oarba

hoodoo ['hu:du:] I s 1 cobe, piază rea 2 ghinion, piază rea 3 geol formaţiune stâncoasă de formă fantastică II vt a aduce ghinion cu dat

hoodwink ['hudwiŋk] vt 1 a trage pe sfoară, a păcăli, a înşela, a îmbrobodi 2 a induce în eroare 3 ← înv a lega la ochi 4 ← înv a ascunde

hooey ['hu:i] interj sl vax(!), fleacuri(!), prostii(!)

hoof [hu:f] I pl şi **hooves** [hu:vz] s 1 copită; **to show the cloven ~** a-şi da arama pe faţă 2 picior de animal **on the ~** (d. vite) pe viu, ca greutate vie 3 ← umor picior (de om), pl gionate, popice; **to pad the ~** sl a o întinde, a o şterge II vt a lovi cu copita III vi F 1 a merge pe jos/apostoleşte/per pedes 2 a dansa, a ţopăi (↓ ~ it)

hoof-and-mouth disease ['hu:f ənd,mauθ di'zi:z] s vet febră aftoasă

hoofbeat ['hu:fbi:t] s tropot/zgomot de copite

hoofbound ['hu:fbaund] adj vet suferind de anchilozarea copitei/copitelor

hoofed [hu:ft] adj zool 1 copitat, cu copite 2 ungulat, cu unghii

hoofer ['hu:fə'] s amer sl dansator profesionist (↓ de step)

hoof it ['hu:fit] vt cu pr a o lua/întinde/a merge pe jos/per pedes

hoof out ['hu:f'aut] vt cu part adv sl a cotonogi, a lovi cu piciorul, a da cu piciorul cu dat

hoo-ha ['hu:,ha:] I F I interj ha! hei! ei nu (zău)! bună! II s zarvă, gălăgie, agitaţie, tapaj

hook [huk] I s 1 cârlig; **by ~ or by crook** cu orice preţ, cum s-o putea/nimeri, indiferent cum; **on one's own ~** a pe cont propriu, singur-singurel b în mod independent; **to sling/to take one's ~** v. ~ **it; to get the ~** amer sl a primi plicul, a i se da plicul/papucii/răvaş de drum, a fi pus pe liber/verde; ~, **line and sinker** fig cu totul, pe de-a-ntregul, în întregime; **to take smb off the ~(s)** a scoate pe cineva de la ananghie; **to drop off the ~s** sl a o mierli, a da ortul popii 2 obiect sau instrument încovoiat 3 cosor, cuţit încovoiat 4 croşetă 5 copcă (la haină); ~ **and eye** babă şi moş (la haine) 6 box croşeu, croşet 7 fig capcană, cursă 8 geogr promontoriu II vt 1 a încârliga, a face cârlig; a încovoia 2 a prinde în cârlige/copci; a încopcia 3 sl fig a agăţa, a prinde; **to ~ a fish** a prinde un peşte; **to ~ a husband** a pune mâna pe un soţ/bărbat 4 F a şterpeli, a sparli III vi 1 a se încârliga; a se face cârlig 2 a se încovoia, a se îndoi

hooka(h) ['hukə] s narghilea

hook and ladder ['hukənd'lædə'] s amer maşină de pompieri (cu tot utilajul)

hooked [hukt] adj 1 încovoiat, încârligat 2 (d. nas) coroiat, încovoiat, acvilin 3 (prevăzut) cu cârlige 4 sl căsătorit, cu pirostriile pe cap 5 sl v. **hooked on**

hooked on ['hukt ɔn] adj cu prep 1 drogat, pradă unui drog 2 obsedat de

hooker¹ ['hukə'] s 1 agăţător; agăţătoare 2 amer sl sorbitură/gură de whisky 3 amer sl damă (ordinară), şteoalfă, femeie de stradă

hooker² s nav 1 vas de pescuit, pescador (olandez cu 2 catarge sau britanic cu 1 catarg) 2 vas vechi şi greoi

hookey ['huki] s amer sl fit, chiul, absenţă nemotivată; **to play ~** a trage la fit, a trage chiulul

hook it ['huk it] vt cu pr sl a o şterge, a o întinde, a spăla putina

hook-nosed ['huk,noust] adj cu nasul coroiat

hook-up ['huk,ʌp] s amer 1 reţea de radio sau televiziune; posturi unite, program comun 2 mecanism, sistem 3 înlănţuire (a unor elemente opuse) 4 pol F cârdăşie, ~ înţelegere, alianţă (în politică)

hook worm ['huk wə:m] s zool vierme parazit tropical (Ancylostomatidae sp.)

hook-worm disease ['huk,wə:m di'zi:z] s med ancylostomiază, infestare cu un vierme parazit tropical din familia Ancylostomatidae

hooky ['huki] s v. **hookey**

hooligan ['hu:ligən] s huligan, derbedeu

hooliganism ['hu:ligənizəm] s huliganism

hoop¹ [hu:p] I s 1 cerc (de butoi etc.) 2 inel 3 cerc de foc (la circ); **to go through the ~** a trece prin foc/prin chinuri cumplite 4 cerc pentru malacof/crinolină II vt 1 a prinde cu cercuri 2 a lega (cu fier-balot etc.) 3 a încercui, a înconjura

hoop² I vi a face ca pupăza II s upupup, strigătul pupezei

hooper ['hu:pə'] s înv v. **cooper**

hooping cough ['hu:piŋ,kɔf] s med tuse măgărească/convulsivă

hoop iron ['huːp‚aiən] *s* (fier-)balot

hoop-la ['huːplɑː] *s* 1 *joc în care se arunc inele pentru prinderea ţintei* 2 *sl* tărăboi, gălăgie, aiureală

hoopoe ['huːpuː] *s orn* pupăză *(Upupidae sp.)*

hoop petticoat ['huːp'peti‚kout] *s* jupon pe cercuri *(pt crinolină)*

hoop skirt ['huːp ‚skəːt] *s* (fustă) malacov

hooray [huːˈrei] *interj, s, vi v.* **hurrah**

hoos(e)gow ['huːsgau] *s amer sl* pârnaie, zdup, gros, gherlă

Hoosier ['huːziəʳ] *s amer* ← *F* locuitor din (statul) Indiana

hoot [huːt] **I** *s* 1 ţipăt de bufniţă 2 strigăt 3 huiduială, huiduit 4 vuiet 5 sunet de claxon, sirenă, far *etc.* // **not to care a ~** *sl* a nu-i păsa câtuşi de puţin/nici cât negru sub unghie; **it is not worth a ~/two ~s** a nu face nici (cât) o ceapă degerată **II** *vi* 1 a ţipa ca bufniţa, a scoate un ţipăt de bufniţă 2 a striga, a ţipa 3 a vui, a scoate un vuiet 4 a huidui, a da drumul la huiduieli **III** *vt* 1 a huidui, a striga huo/huideo la 2 a ţipa, a striga **IV** *interj* huo! hideo!

hoot away ['huːt əˈwei] *vt cu part adv* a huidui, a alunga cu huiduieli

hootch [huːtʃ] *s amer sl v.* **hooch**

hootchie-kootchie, hootchy-kootchy ['huːtʃi 'kuːtʃi] *s amer* dans din buric, dans exhibiţionist/lasciv

hoot down ['huːt ‚daun] *vt cu part adv* a reduce la tăcere/a face să tacă prin huiduieli

hootenanny ['huːtə‚næni] *s amer F* chiolhan, – petrecere, chef

hooter ['huːtəʳ] *s* sirenă de fabrică

hoot off/out ['huːt 'ɔːf/'aut] *vt cu part adv v.* **hoot away**

hoots [huːts] *interj v.* **hoot IV**

hoover ['huːvəʳ] **I** *s* aspirator de praf **II** *vt* a curăţa cu aspiratorul

hop¹ [hɔp] **I** *s* 1 *bot* hamei *(Humulus lupulus)* 2 *pl bot* (fructe de) hamei (↓ *folosite pentru bere)* 3 *sl* drog, stupefiant, ↓ opiu **II** *vt* 1 a aromatiza *(berea)* cu hamei 2 *sl* a droga; a narcotiza 3 a stimula **III** *vi* a culege hamei

hop² **I** *vi* 1 a ţopăi, a sări într-un picior, a sălta 2 a sări, a face salturi 3 a face o călătorie scurtă (↓ *cu avionul)* **II** *vt* 1 a sări (peste); **to ~ the twig/stick** *sl* a

a-şi lua picioarele la spinare, a o întinde, a se căra **b** a o mierli, a da ortul popii; **to ~ it** a pleca, a se duce, a o lua din loc 2 a călători (↓ *gratis)* cu **III** *s* 1 ţopăială, ţopăit; **to be always on the ~** ← *F* a fi mereu pe drum/în agitaţie 2 *F* ţopăială, – (petrecere cu) dans, ceai (dansant) 3 salt, săritură 4 *av* escală scurtă, etapă a călătoriei

hop about/along ['hɔp əˈbaut/əˈlɔŋ] *vt cu part adv* a merge ţopăind sau într-un picior

hop bind ['hɔpbaind], **hopbine** ['hɔpbain] *s bot* 1 lujer de hamei 2 curmei

hope [houp] **I** *s* 1 speranţă, nădejde; **I am in ~s of going there** trag nădejde/sper să mă pot duce acolo; **beyond/past ~** (definitiv) pierdut, fără speranţă 2 încredere, speranţă 3 probabilitate, şansă, perspectivă; **he has no ~ of recovery** n-are nici o speranţă/şansă de vindecare 4 izvor de speranţă, sprijin, reazim; **not a ~; some ~(s)** *F* aiurea! sufletul! nevoie! – nici vorbă (de aşa ceva)! ghinion! 5 persoană în care-şi pune lumea/cineva speranţele, speranţă **II** *vi* (**for**) a spera, a nădăjdui *(în sau cu ac)*, a avea speranţe (în, că, să); **to ~ against ~** a spera zadarnic/când nu mai e nimic de sperat, a nutri speranţe absurde **III** *vt* a spera, a nădăjdui; a-şi pune speranţele în; a aştepta

hope chest ['houptʃest] *s amer* ladă de/cu zestre

hopeful ['houpful] **I** *adj* 1 plin de speranţă/nădejde, optimist 2 îmbucurător, încurajator, dătător de speranţă **II** *s* om/băiat de viitor, tânără speranţă, băiat *sau* fată care promite

hopefully ['houpfuli] *adv* 1 optimist, cu curaj, cu toată speranţa/nădejdea 2 în mod încurajator/promiţător

hopefulness ['houpfulnis] *s* 1 optimism; curaj; speranţă 2 caracter încurajator/promiţător/îmbucurător

hopeless ['houplis] *adj* 1 disperat, fără speranţă 2 disperat, deznădăjduit 3 pierdut, fără speranţă (de îndreptare) 4 incurabil, nevin-

decabil 5 imposibil (de rezolvat)

hopelessly ['houplisli] *adv* fără speranţă/nădejde

hopelessness ['houplisnis] *s* 1 situaţie disperată/deznădăjduită 2 caracter insolubil *sau* incurabil

hop garden ['hɔp ‚gɑːdn] *s* lan/plantaţie de hamei

hophead ['hɔp‚hed] *s sl* toxicoman, drogat

hop it ['hɔp it] *vi cu pr F* a se căra/cărăbăni, a o lua din loc

Hopkins ['hɔpkinz], **Gerard Manley** *poet englez (1844-1889)*

hop-o'-my-thumb ['hɔpoumaiˈθʌm] *s* prichindel, pitic, pigmeu

hopper¹ ['hɔpəʳ] *s* 1 persoană *sau* fiinţă care ţopăie 2 insectă care sare *sau* ţopăie, ↓ purice *sau* lăcustă 3 *(în Australia)* cangur 4 *tehn* pâlnie/bară de încărcare 5 buncăr; magazie; rezervor; siloz 6 *nav* magazie de material dragat

hopper² ['hɔpəʳ] *s* culegător de hamei

hopper barge ['hɔpə‚bɑːdʒ] *s nav* şalandă de nămol

hopper casement/light ['hɔpə‚keismənt/‚lait] *s* fereastră cu oberliht

hop picker ['hɔp ‚pikəʳ] *s* 1 culegător de hamei 2 maşină de recoltat hamei

hopping mad ['hɔpiŋ ‚mæd] *adj F* turbat, – mânios la culme, înnebunit/nebun de furie

hopple ['hɔpəl] **I** *s* pripon, laţ pentru legat picioarele **II** *vt* a lega/a împiedica picioarele *(calului)*

Hoppus (cubic) foot ['hɔpəs (‚kjuːbik) 'fut] *s* picior cubic, unitate de volum pentru lemne/cherestea

hopsack(ing) ['hɔp‚sæk(iŋ)] *s text* 1 pânză de sac *(din cânepă sau iută)* 2 stofă care imită pânza de sac

hopscotch ['hɔp‚skɔtʃ] *s* şotron

hop, skip/step, and jump ['hɔp, 'skip/'step, ənd'dʒʌmp] *s sport* triplu salt

hop up ['hɔp 'ʌp] *vt cu part adv amer sl* 1 a stimula, a excita (cu un drog) 2 *auto* a supraalimenta, a supune la supercompresie

hor. *presc de la* 1 **horizon** 2 **horizontal**

hora ['hɔːrə] *s muz* horă

Horace ['hɔris] *poet latin* Horaţiu *(65-8 î.e.n.)*

Horae ['hɔːriː] *s v. pl* **Hours**

horary ['hɔːrəri] *adj v.* **hourly I 1**

Horatian [hə'reiʃən] *adj* horațian

Horatio [hə'reiʃjəu] *nume masc* Horațiu

horde [hɔːd] *s* 1 *ist* hoardă 2 *fig* hoardă, ceată, bandă

horehound ['hɔː,haund] *s* 1 *bot* voronic, unguraș *(Marrubium vulgare)* 2 suc/zeamă de voronic 3 drajeu/bomboană de tuse cu suc de voronic 4 plante medicinale înrudite cu voronicul *(din familia Marrubium)*

horizon [hə'raizən] *s* 1 *geogr, astr* orizont 2 linia orizontului; **on the ~ a** și *fig* la orizont **b** *fig* iminent 3 *fig* orizont (intelectual) 4 *geol, min* orizont, strat

horizontal [,hɔri'zɔntəl] **I** *adj* 1 orizontal 2 plat, întins, neted **II** *s* 1 (linie) orizontală 2 bară orizontală

horizontal bar [,hɔri'zɔntəl,baːʳ] *s* bară orizontală *(pentru gimnastică)*

horizontally [,hɔri'zɔntəli] *adv* orizontal

horme ['hɔːmi] *s psih* energie vitală *(pentru atingerea scopului)*

hormonal [hɔː'mounəl] *adj* hormonal

hormone ['hɔːmoun] *s fizl* hormon

Horn, the ['hɔːn, ðə], **Horn, Cape** ['hɔːn, keip] Capul Horn

horn [hɔːn] **I** *s* 1 *zool* corn; **to take the bull by the ~s** *fig* a lua taurul de coarne 2 *pl* coarne *(de melc etc.)*; **to draw in one's ~s a** a se retrage **b** a se închide în sine 3 *ent* antenă 4 *orn* ciuf *(al bufniței)* 5 *pl fig* coarne 6 corn *(ca material)* 7 corn *(din care se bea)* 8 corn *(ca praf de pușcă etc.)* 9 *muz* corn; cornet 10 sirenă *(pt ceață etc.)*; claxon 11 ← *F* corn *(al lunii)* 12 braț *(de râu, mare)* 13 *filos* alternativă a unei dileme; **on the ~s of a dilemma** între două rele **II** *vt* 1 a scurta, a reteza *(coarnele)* 2 a împunge cu coarnele

hornbeam ['hɔːn,biːm] *s bot* carpen *(Carpinus sp.)*

hornblende ['hɔːn,blend] *s minr* hornblendă

hornbook ['hɔːn,buk] *s* 1 abecedar 2 manual elementar/rudimentar

horned ['hɔːnd] *adj* 1 *zool* cornut 2 *orn* crestat; cu ciufuri

hornet ['hɔːnit] *s ent* gărgăun, viespe *(Vespidae sp.)*; **to stir up a nest of ~s, to bring a ~s' nest about one's ears a** a-și face (mulți) dușmani **b** a stârni un viespar/scandal/vacarm

horn fly ['hɔːn,flai] *s ent* muscă de cal/bou *(Haematobia irritans)*

horn in ['hɔːn'in] *vi cu part adv amer* (on) a se băga (pe fir); a fi un intrus; a se amesteca; a se vârî (în)

horniness ['hɔːninis] *s* 1 aspect cornut 2 calozitate, asprire a pielii mâinilor *sau* picioarelor; bătături 3 *sl* călduri, poftă (sexuală), excitație, *S →* rut

hornless ['hɔːnlis] *adj* ciut, fără coarne, cu coarne scurte

horn-mad ['hɔːn,mæd] *adj* 1 *(d. vite)* furios, gata să împungă cu coarnele 2 *fig* furios, turbat, scos din fire/sărite

horn of plenty, the ['hɔːn əv'plenti, ðə] *mit și fig* cornul abundenței, cornucopia

hornpipe ['hɔːnpaip] *s muz* 1 instrument similar cu cavalul 2 dans vioi *(al țăranilor englezi)*

horn-rimmed ['hɔːnrimd] *adj* cu ramă de baga

hornswoggle ['hɔːn,swɔgəl] *vt sl* a trage în piept/pe sfoară, a da plasă *cu dat*

horny ['hɔːni] *adj* 1 (făcut) din corn, cornos 2 bătătorit, cu bătături; întărit, asprit 3 *sl* în călduri, excitat (sexual), plin de pofte, – lasciv

horol. *presc de la* **horology**

horologe ['hɔrəlɔdʒ] *s* orologiu, ceasornic

horologer ['hɔrə,lɔdʒəʳ], **horologist** [hɔ'rɔlədʒist] *s* ceasornicar

Horologium [,hɔrə'loudʒiəm] *s astr* ceasornicul *(constelație din emisfera australă)*

horoscope ['hɔrəskoup] *s* horoscop

horrendous [hɔ'rendəs] *adj* îngrozitor, înfiorător, înspăimântător

horrent ['hɔrənt] *adj* ← *înv (d. animale)* zbârlit, cu țepii zbârliți

horrible ['hɔribəl] *adj* 1 oribil, groaznic, înfiorător 2 odios, scârbos

horribly ['hɔribli] *adv* 1 groaznic, înfiorător, oribil 2 *F* teribil (de), foarte, strașnic (de), groaznic (de)

horrid ['hɔrid] *adj* 1 hidos, odios; șocant 2 groaznic, înfiorător 3

respingător, dezgustător

horridly ['hɔridli] *adv v.* **horribly**

horridness ['hɔridnis] *s* 1 oroare, grozăvie 2 hidoșenie, urâciune; lucru îngrozitor

horrify ['hɔrifai] *vt* a îngrozi, a înfiora, a înspăimânta, a băga groaza în

horrifying ['hɔri,faiiŋ] *adj* înspăimântător, îngrozitor, înfiorător

horripilate [hɔ'ripileit] **I** *vt* a oripila, a îngrozi și scârbi (totodată) **II** *vi* 1 a se oripila, a se îngrozi și scârbi (totodată) 2 *(d. animale)* a se zbârli, a i se zbârli țepii

horripilation [hɔ,ripi'leiʃən] *s* înfiorare, fior, piele de găină/gâscă

horror ['hɔrəʳ] **I** *s* 1 groază, spaimă; > consternare 2 înfiorare, groază 3 oroare, silă, aversiune, repulsie; **to have a ~ of** a nu putea suferi *cu ac*, a-i fi silă/oroare de, a avea oroare de 4 lucru sau om oribil, spaimă; sperietoare; **the Chamber of Horrors** *(la muzee)* camera torturilor 5 *pl* teamă, anxietate 6 *pl* depresiune, melancolie, tristețe 7 *pl* tremurici, fiori; **it gives me the ~s** îmi dă fiori, îmi face pielea de găină **II** *interj* doamne (ferește)! aoleu!

horror comic ['hɔrə ,kɔmik] *s* bandă desenată *(cu scene senzaționale sau violente)*

horror-stricken/struck ['hɔrə, strikən/strʌk] *adj* 1 îngrozit, înspăimântat 2 șocat

Horsa ['hɔːsə] *ist* conducător saxon *(v.* **Hengist***)*

hors de combat [ɔrdə kõ'baː] *adj fr* scos din luptă

hors d'oeuvre [ɔː'dəːvʳ] *s fr* aperitiv, hors d'oeuvre, antreu

horse [hɔːs] **I** *s* 1 cal *(Equus caballus)*; **to ~** ↓ *mil* încălecați! **to flog a dead ~** *fig* a face risipă (inutilă) de energie, a se strădui degeaba; **never look a gift ~ in the mouth** *prov* calul de dar nu se caută la dinți; **to mount/to ride the high ~** *fig* a face pe grozavul/nebunul, a-și da aere; **all lay load on the willing ~** *fig* toți îl pun la treabă pe cel docil/supus; **to eat like a ~** a mânca pe rupte/cât șapte, a băga în el ca într-un spital; **to work like a ~** a munci pe rupte/ca un cal; **a ~ of another colour** *fig* altă mâncare de pește; **to back the**

wrong ~ *amer* **a** a paria pe un cal care pierde, a pierde cursa/pariul **b** *fig* a fi de partea celor învinși, a susține o cauză pierdută; **to hold one's ~s** *amer sl* a-și ține firea, a nu-și pierde cheia/cumpătul/răbdarea; **hold your ~s** *F* șezi cuminte/binișor, nu fă atâta tapaj; **I have the information (straight) from the ~'s mouth** am informații din sursă sigură/de la prima mână **2** armăsar **3** cal jugănit/castrat **4** capră pentru sărituri *(la gimnastică)* **5** cavalerie, călărime **6** *tehn* cal-putere **II** *vt* **1** a pune la dispoziție un cal *cu dat* **2** a muta cu de-a sila, a împinge **3** a supune biciuirii **III** *vi* **1** a merge călare, a călări **2** *(d. iapă)* a face giumbușuri/giumbușlucuri **IV** *adj* **1** călare **2** de cavalerie **3** cavalin, referitor la cai **4** grosolan

horse-and-buggy ['hɔ:sənd'bʌgi] *adj amer fig* demodat, de pe vremea bunicii

horse around ['hɔ:s ə'raund] *vi cu part adv amer sl* a se zbengui (zgomotos), a zburda nebunește, a întoarce casa cu susul în jos

horse artillery ['hɔ:s ɑ:'tiləri] *s mil* artilerie hipomobilă

horseback ['hɔ:s,bæk] **I** *s* **1** spinare de cal; șa; **on ~** călare **2** spinare de deal, șa **II** *adv* călare

horse breaker ['hɔ:s ,breikəʳ] *s* dresor de cai

horsecar ['hɔ:s,kɑ:ʳ] *s amer* **1** tramvai cu cai **2** vagon pentru transportul cailor

horse chestnut ['hɔ:s'tʃes,nʌt] *s bot* **1** castan (porcesc) *(Aesculus hippocastanum)* **2** castană (porcească)

horse cloth ['hɔ:s ,klɔθ] *s* cergă pentru cal

horse collar ['hɔ:s ,kɔləʳ] *s* gâtar; *înv* hamut; **to grin through a ~** a face glume ieftine, a face bancuri proaste

horse dealer ['hɔ:s,di:ləʳ] *s* geambaș (de cai), negustor de cai

horse doctor ['hɔ:s ,dɔktəʳ] *s* medic (veterinar); felcer

horsefeathers ['hɔ:s,feðəz] *sl* **I** *interj* vax! aiurea (în tramvai)! pe dracu! **II** *s* prostie, prostii; fleac(uri)

horse flesh ['hɔ:s, fleʃ] *s* **1** carne de cal **2** caii, rasa cabalină

Horse Guards ['hɔ:s ,gɑ:dz] *s pl mil* **1** brigadă *sau* regiment de cavalerie de gardă **2** cazarmă a regimentului de cavalerie de gardă **3** stat major, cartier general (al armatei)

horse hair ['hɔ:s ,hɛəʳ] **I** *s* **1** păr de cal **II** *adj atr* de păr de cal

horse latitudes ['hɔ:s ,lætitju:dz] *s pl geogr* zonă de calm de la nord de Alizee

horse laugh ['hɔ:s ,lɑ:f] *s* (hohot de) râs zgomotos, hăhăit, hăhăială

horse leech ['hɔ:s,li:tʃ] **1** *zool* lipitoare mare **2** *fig* mâncău, căpcăun, găman

horseless ['hɔ:slis] *adj* **1** fără cal/cai; pedestru, pe jos **2** fără cai, auto(propulsat); automobil

horse mackerel ['hɔ:s ,mækərəl] *s iht* diferite specii de pești din *Atlantic* ↓ stavrid *sau* tuna

horseman ['hɔ:smən] *s* călăreț (expert); specialist

horsemanship ['hɔ:smən,ʃip] *s* echitație, (călărie) de înaltă școală

horse marines ['hɔ:s mə'ri:nz] *s pl* ← *umor* marina călăreață; **tell it to the ~** asta să i-o spui lui mutu!

horse mastership ['hɔ:s'mɑ:stəʃip] *s* dresaj de înaltă școală

horse opera ['hɔ:s 'ɔpərə] *s amer sl cin* Western

horse pistol ['hɔ:s ,pistəl] *s od* pistol mare purtat de călăreți

horse play ['hɔ:s ,plei] *s* veselie zgomotoasă, zburdălnicie, giumbușlucuri; clovnerie

horse power ['hɔ:s ,pauəʳ] *s* **1** *fiz* cal-putere **2** mașină/mecanism care funcționează prin acțiunea cailor

horse race ['hɔ:s,reis] *s* cursă de cai

horse radish ['hɔ:s,rædiʃ] *s bot* hrean *(Armoracia lapathifolia)*

horse sense ['hɔ:s,sens] *s* bun simț, înțelepciune populară

horseshoe ['hɔ:s,ʃu:] **I** *s* **1** potcoavă (de cal) **2** obiect în formă de potcoavă **3** *pl* joc cu inele aruncate într-un băț **II** *adj atr* în formă de potcoavă

horseshoe arch ['hɔ:s,ʃu: 'ɑ:tʃ] *s arhit* arcadă în formă de potcoavă

horseshoer ['hɔ:s,ʃu:əʳ] *s* potcovar

horse's neck ['hɔ:siz ,nek] *s amer* băutură rece/de la gheață *(↓ bere caramel cu sifon, lămâie și* eventual puțin alcool)

horse tail ['hɔ:s,teil] *s* **1** coadă de cal **2** pompon *(la fes etc.)* **3** *bot* coada calului *(Equisetum sp.)*

horse trade ['hɔ:s,teid] **I** *s* târguială, tocmeală **II** *vi* a se tocmi, a se târgui

horse-trade ['hɔ:s,treid] **I** *s* **1** târg/schimb/vânzare/negoț de cai **2** târguială/tocmeală aprigă **II** *vi* *amer* a face negoț/comerț cu/de cai; a vinde cai; a fi geambaș de cai

horse trading ['hɔ:s,treidiŋ] *s amer* *v.* **horse trade I**

horse wager ['hɔ:s ,weidʒəʳ] *s* geambaș (de cai)

horsewhip ['hɔ:s,wip] **I** *s* cravașă **II** *vt* a bate cu cravașa, a biciui

horsewoman ['hɔ:s,wumən] *s* amazoană, călăreață

hors(e)y ['hɔ:si] *adj* **1** priceput la (curse) de cai **2** turfist, pasionat de curse de cai **3** (îmbrăcat) ca un jocheu; cu purtări de jocheu

hort. *presc de la* **1** horticultural **2** horticulture

hortative ['hɔ:tətiv], **hortatory** ['hɔ:tətəri] *adj* plin de îndemnuri/sfaturi, care sfătuiește/îndeamnă

horticultural ['hɔ:ti,kʌltərəl] *adj* horticol

horticulture ['hɔ:ti,kʌltʃəʳ] *s* horticultură

horticulturist ['hɔ:ti,kʌltʃərist] *s* horticultor

hosanna [hou'zænə] *s bis* osana

hose [houz] **I** *s* **1** ciorapi (lungi) **2** ← *înv* pantalon colant **3** furtun, tulumbă **II** *vt* a stropi/a uda cu furtunul

hosier ['houziəʳ] *s* negustor de galanterie de damă; **at the ~'s** la (magazinul de) galanterie

hosiery ['houziəri] *s* **1** galanterie de damă **2** tricotaje

hosp. *presc de la* **hospital**

hospice ['hɔspis] *s* **1** cămin *(pentru călători)* **2** azil *(filantropic)*

hospitable ['hɔspitəbəl] *adj* ospitalier, primitor

hospitably ['hɔspitəbli] *adv* (în mod) ospitalier/primitor, cu (multă) ospitalitate

hospital ['hɔspitəl] *s* **1** spital *(↓ filantropic)* **2** clinică (universitară) **3** atelier de reparații

hospitaler ['hɔspitələʳ] *s v.* **hospitaller**

hospitality [ˌhɔspi'tæliti] *s* ospitalitate, caracter ospitalier/primitor; **afford me the ~ of your columns** vă rog publicaţi-mi scrisoarea în paginile dv.

hospitalization [ˌhɔspitəlai ˌzeiʃ ən] *s* 1 spitalizare 2 *amer F v.* **hospitalization insurance**

hospitalization insurance [ˌhɔspitəlai'zeiʃ ən in'ʃuərəns] *s amer* asigurare pentru caz de boală (inclusiv spitalizarea)

hospitalize ['hɔspitə ˌlaiz] *vt* a spitaliza

hospitaller ['hɔspitələ^r] *s ist* cavaler ospitalier

host¹ [houst] *s ⁺ înv* oștire, – oaste, armată; **· s of heaven** oștile îngereşti 2 ordie, ceată, mulțime

host² *s* 1 gazdă; **to play ~ to** a găzdui *cu ac*, a fi gazda *cu gen* 2 patron (de local); hangiu; cârciumar; **to reckon without one's ~** a nu se gândi la toate aspectele/problemele/greutăţile 3 *biol* plantă-gazdă; animal-gazdă; element de bază al unei simbioze

host³ *s bis* anafură

hostage ['hɔstidʒ] *s* 1 ostatic 2 che-_zăşie, garanţie; chezaş; **one's ~ to fortune** cei dragi, ↓ copiii

hostel ['hɔstəl] *s* 1 han 2 cămin, azil *(studenţesc, pt tineri etc.)*

hostel(l)er ['hɔstələ^r] *s* 1 hangiu; patron de cămin *etc.* 2 vizitator găzduit la un han, cămin *etc.*

hostelry ['hɔstəlri] *s* ← *înv* han; mic hotel

hostel school ['hɔstəl ˌskuːl] *s amer* şcoală guvernamentală canadiană pentru copiii de eschimoşi şi piei roşii

hostess ['houstis] *s* 1 gazdă *(femeie)* 2 hangiţă 3 stewardesă (↓ **air ~**)

hostile ['hɔstail] *adj* 1 (to) ostil *(cu dat)*, duşmănos (faţă de) 2 duşman, inamic 3 neprietenos, rece, glacial 4 neospitalier 5 antagonist

hostilely ['hɔstailili] *adv* ostil, cu ostilitate/duşmănie

hostility [hɔ'stiliti] *s* 1 (to) ostilitate, duşmănie, inamiciţie (faţă de) 2 *pl* ostilităţi, acţiuni războinice, război deschis 3 antagonism; opoziţie, împotrivire, rezistenţă

hostler ['ɔstlə^r] *s* 1 grăjdar, îngrijitor de cai *sau* catâri 2 mecanic *(de maşini, macara etc.)* 3 hangiu

hot [hɔt] **I** *adj* 1 fierbinte, foarte cald; **to blow ~ and cold** a fi nehotărât, a şovăi, a umbla în două luntri; **give it him ~** trage-i o săpuneală/chelfăneală bună; arde-l; **to make a place too ~ for smb** a sili pe cineva să plece de undeva; a-i face cuiva o atmosferă imposibilă/insuportabilă 2 arzând, aprins 3 *med* febril, cu febră/temperatură/fierbinţeală 4 *fig* febril, neastâmpărat, nervos; **all ~ and bothered** *sl* capsat; supărat, necăjit, tulburat; scos din minţi/fire; **~ under the collar** *sl* turbat, scos din minţi, întors pe dos 5 *(d. caracter etc.)* iute, violent, nestăpânit 6 violent, vehement, furtunos, puternic 7 nervos, enervat 8 nerăbdător, însetat, dornic, extrem de doritor; **~ for reform** dornic/însetat de reforme 9 pofticios, lacom; lasciv, concupiscent; excitat 10 lubric, lasciv; excitant 11 *(d. jazz)* hot *(bazat pe ritmuri vii şi pe improvizaţie)* 12 proaspăt, nou-nouţ 13 (cu gust) iute/piperat/înţepător 14 extrem de norocos/fericit, cu noroc/baftă; favorizat de soartă/noroc 15 *sport* favorit, menit să câştige 16 în mare formă, în formă straşnică/grozavă; **to get ~** *amer sl* a juca *sau* a cânta cu multă vioiciune/vivacitate; a se încălzi, a fi în vervă 17 foarte popular/la modă, în mare vogă 18 absurd, de necrezut, de neconceput 19 *el* de înaltă tensiune 20 radioactiv 21 *(d. vehicul)* rapid 22 clandestin; ilegal, ilicit, obţinut pe căi ilicite/ilegale; de furat 23 urmărit, cunoscut *sau* supravegheat de poliţie; periculos, primejdios; **to be ~ on smb's traces** a fi gata să prindă pe cineva **II** *adv v.* **hotly III** *vt* ← *F* a înfierbânta, a încălzi

hot air ['hɔt ˌ ɛə^r] *s sl* bărbiereală, bărbi, vrajă; lăudăroşenie, fanfaronadă; aiureală, vorbărie goală

hot and strong ['hɔtənd'strɔŋ] *adj, adv* vehement, tare, violent

hotbed ['hɔt ˌbed] *s* 1 *agr* pat cald, răsadniţă 2 *fig* focar *(de război etc.)*

hot-blooded ['hɔt'blʌdid] *adj* 1 *(d. cal)* de rasă (bună/selectă), cu

pedigree 2 pasionat, înflăcărat, înfierbântat, cu sânge fierbinte 3 iute la mânie, nervos, irascibil

hotbox ['hɔt ˌbɔks] *s amer* 1 *tehn* lagăr supraîncălzit 2 *sl* păsărică, gaură, vulvă, organe genitale feminine

hot-brained ['hɔt ˌbreind] *adj* 1 (cu capul) înfierbântat, pripit, lipsit de înţelepciune; nechibzuit 2 impetuos, năvalnic

hot cake ['hɔt ˌkeik] *s amer gastr* aprox clătită; **to sell like ~s** *F* a se vinde ca pâinea caldă

hot cell ['hɔt 'sel] *s fiz* recipient protejat împotriva radiaţiilor *(pentru manipularea materialelor radioactive)*; clopot

hotchpotch ['hɔtʃ ˌpɔtʃ] *s* 1 *gastr* ghiveci 2 *fig* amestecătură, amestec, ghiveci 3 potpuriu; varietăţi 4 *jur* fuziune/unire/ îmbinare a proprietăţilor

hot cockles ['hɔt 'kɔklz] *s pl* (jocul de-a) bâza

hot dog ['hɔt ˌdɔg] *s* tartină *(făcută dintr-un cârnat sau crenvurşt cald pus într-o pâiniţă despicată)*

Hotel [hou'tel] *s* (litera) H

hotel *s* 1 hotel 2 ← *înv* han (mare)

hotelier [ho'teljə^r], **hotel-keeper** [hou'tel ˌki:pə^r] *s* hotelier, proprietar de hotel

hot favourite [ˌhɔt 'feivərit] *s sport* mare favorit

hot flash/flush ['hɔt ˌflæʃ/flʌʃ] *s med F* bufeu, val de căldură *(↓ la menopauză)*

hotfoot ['hɔt ˌfut] **I** *adv* la repezeală, repede, în mare grabă, val-vârtej **II** *vi* a se grăbi, a merge repede

hotfoot it ['hɔt ˌfut it] *vt cu pr v.* **hotfoot II**

hotfoots ['hɔt ˌfuts] *s pl amer* poştă *(aplicată la tălpi)*

hot head ['hɔt ˌhed] *s* zăpăcit, nebun, cap înfierbântat

hot-headed ['hɔt'hedid] *adj v.* **hotbrained**

hotheadedly [ˌhɔt'hedidli] *adv* 1 pripit, în pripă, val-vârtej 2 nebuneşte, aiurit, nechibzuit, fără chibzuială/chibzuinţă

hotheadedness [ˌhɔt'hedidnis] *s* 1 temperament năvalnic/impetuos; irascibilitate, iritabilitate, nervozitate, nervi 2 nechibzuinţă, pripă, grabă, zăpăceală

hothouse ['hɔt,haus] **I** s **1** seră **2** înv bordel, – casă rău famată, casă de toleranţă **II** adj **1** de seră, timpuriu, trufanda **2** fig delicat, firav

hot line ['hɔt 'lain] s pol telefon direct între conducătorii statelor (↓ fosta U.R.S.S. şi S.U.A.)

hotly ['hɔtli] adv **1** fierbinte, cu căldură **2** cu aprindere/ardoare/căldură, fierbinte

hot money ['hɔt 'mʌni] s fin capitaluri foarte mobile

hotness ['hɔtnis] s **1** căldură mare, fierbinţeală **2** caniculă, arşiţă **3** înfierbântare **4** ardoare **5** pripeală, pripă **6** irascibilitate

hot news ['hɔt 'nju:z] s ultimele ştiri, veşti/ştiri proaspete

hot pepper ['hɔt 'pepə'] s bot ardei iute (Capsicum sp.)

hot plate ['hɔt 'pleit] s plită; reşou de aragaz etc.

hot pot ['hɔt 'pɔt] s gastr aprox musaca de cartofi

hotpress ['hɔt,pres] **I** vt a govra, a gofra **II** s maşină de govrat/gofrat

hot rod ['hɔt 'rɔd] s **1** automobil sport/recondiţionat/ultrarapid **2** v. **hot rodder**

hot rodder ['hɔt 'rɔdə'] s sl (tânăr) amator de automobile sport ultra rapide

hot rodding ['hɔt 'rɔdiŋ] s sl preferinţă pentru automobile sport/rapide

hots, the [hɔts, ðə] s amer sl călduri, poftă (sexuală), excitaţie

hot scent ['hɔt 'sent] s urmă proaspătă (de vânat sau fig)

hot seat ['hɔt 'si:t] s **1**← F scaun electric **2** încurcătură, complicaţie

hot shot ['hɔtʃɔt] s **1** ferov (mărfar) rapid **2** om îndemânatic/dibaci; expert

hot spot ['hɔt 'spɔt] s amer sl **1** zonă fierbinte, zonă/focar de tulburări/violenţă **2** local sau zonă de distracţii **3** fiz zonă periculoasă/primejdioasă/de radiaţii etc.

hot spring ['hɔt 'spriŋ] s izvor termal/cald

hotspur ['hɔt,spə:'] s **1** om repezit/pripit **2** om bătăios/belicos

hot stuff ['hɔt 'stʌf] s sl **1** (mare) maestru, expert **2** tip grozav/straşnic **3** om pasionat/violent

hotsy-totsy ['hɔtsi'tɔtsi] adj amer sl mişto, straşnic, fain, a-ntâia, ca focul

hot temper ['hɔt 'tempə'] s **1** năbădăi, nervi, nervozitate **2** fire iute/violentă

hot-tempered ['hɔt'tempəd] adj **1** nervos; supărăcios; iute la mânie **2** violent, turbat

Hottentot ['hɔtən,tɔt] s **1** hotentot **2** fig troglodit, sălbatic, barbar **3** fig imbecil, debil mintal

hottish ['hɔtiʃ] adj cam fierbinte, fierbinţel

hot up ['hɔt 'ʌp] vt cu part adv sl a înfierbânta, a încălzi, a pune pe foc

hot war ['hɔt 'wɔ:'] s război cald/propriu-zis, ostilităţi (ant cold war)

hot water ['hɔt 'wɔ:tə'] s **1** apă fierbinte; ~ **bottle/bag** buiotă **2** fig bucluc, ananghie, încurcătură/dificultate (mare)

hot well ['hɔt ,wel] s **1** izvor termal/cald **2** tehn rezervor de condensare a aburilor

hound [haund] **I** s **1** câine de vânătoare **2** pl haită (de câini de vânătoare); **to ride with/to follow the ~s** a vâna cu haita de câini **3** fig ticălos, porc, câine, javră, jigodie **II** vt **1** a vâna, a urmări (cu câini) **2** (at) a aţâţa (împotriva – cu gen) **3** fig a persecuta, a urmări

hound on ['haund'ɔn] vt cu part adv a îndemna/a împinge înainte, a da pinteni (cu dat)

hound's tongue ['haundz ,tʌŋ] s arăriel, limba câinelui (Cynoglossum officinale)

hour [auə'] s **1** oră; ceas; **at the eleventh ~** în ceasul al doisprezecelea; **to keep regular/good ~s** a se scula şi a se culca la ore regulate; **to keep early ~s** a se scula şi a se culca devreme; **in the small ~s** la ore mici, după miezul nopţii; **in a good ~** într-un ceas bun/fericit; **in an evil ~** într-un ceas rău **2** pl ore de funcţionare; ore de serviciu/lucru; **it's after ~s** a trecut ora închiderii **3** lecţie, oră (de curs, clasă) **4** distanţă parcursă într-o oră, oră de drum; **5** moment, timp, perioadă, zi(le); **the question on the ~** problema (la ordinea) zilei **6** pl bis rugăciuni (la ore fixe)

hour circle ['auə,sə:kl] s meridian, fus orar

hour glass ['auə ,gla:s] s ceas de nisip, clepsidră

hour hand ['auə ,hænd] s ac orar

houri ['huəri] s **1** mit hurie, nimfă **2** fig frumuseţe, splendoare, femeie frumoasă, vedetă, vampă

hour-long ['auə,lɔŋ] **I** adj de o oră **II** adv timp de o oră; pe parcursul unei ore

hourly ['auəli] **I** adj **1** (care se petrece) din oră în oră, orar **2** repetat, frecvent **II** adv **1** la un ceas o dată **2** adeseori, frecvent

Hours [auəz] s pl mit Orele, zeiţele anotimpurilor, dreptăţii, ordinii etc.

House, the ['haus, ðə] s **1** ← F pol Camera Comunelor (sau Lorzilor); **to enter the ~** a fi ales deputat, a intra în parlament **2** ← F bursa din Londra **3** eufemistic azil de muncă

house[1] [haus] **I** pl **houses** ['hauziz] s **1** casă; imobil; clădire; **like a ~ on fire** straşnic, grozav, minunat, ca pe roate **2** locuinţă, domiciliu, casă; cămin; **to keep the ~** a nu ieşi din casă, a sta în casă; **to clean ~** amer a clarifica situaţia v. **house-clean 1; b** v. **house clean 2;** ↓ **to keep open ~** a ţine casă deschisă **3** gospodărie, casă; **to keep ~** a face gospodărie, a ţine gospodăria; **to keep a good ~** a fi o gazdă bună/primitoare; **to put/to set one's ~ in order** a-şi pune treburile în ordine **4** cămin (de studenţi etc.), casă **5** vizuină, adăpost, cuşcă (pt animal) **6** adăpost; hangar; garaj; şopron **7** mănăstire, sediu al unei frăţii religioase **8** pol cameră (a deputaţilor etc.) **9** pol quorum (număr de membri statutar necesar votului valabil); **to make a ~** a asigura prezenţa a cel puţin 40 de deputaţi **10** com casă (de comerţ), birou/contoar comercial, firmă; întreprindere **11** local; han; cârciumă; **on the ~** gratis; pe socoteala patronului **12** teatru sală; **to draw full ~s** a face săli pline **13** teatru reprezentaţie, spectacol **14** spectator, public; auditoriu; **to bring down the ~** a cuceri/a entuziasma publicul, a avea un succes nebun **15** familie (↓ domnitoare), stirpe, casă (↓ regală etc.); dinastie **16** semn al zodiacului, zodie **17** mil sl loterie, loto **II** adj atr **1** de casă, casnic **2** domestic, de casă

house² [hauz] **I** *vt* **1** a găzdui, a adăposti, a da adăpost/găzduire *cu dat* **2** a servi de adăpost pentru **3** a caza; a oferi locuință *cu dat* **4** a depozita, a înmagazina, a pune bine/deoparte **5** a cuprinde, a include; a ține **II** *vi* **1** a domicilia, a sta, a locui **2** a se adăposti

house agent ['haus ,eidʒənt] *s* agent de vânzări-cumpărări

house and home ['haus ənd 'houm] *s* casă, cămin; **they ate him out of** ~ l-au adus la sapă de lemn

house arrest ['haus ə'rest] *s jur* arest la domiciliu, domiciliu forțat; **to be under** ~ a avea domiciliu forțat

house boat ['haus ,bout] *s* ambarcațiune locuită

house-bound ['haus,baund] *adj* țintuit în casă, în imposibilitate de a părăsi casa/domiciliul/de a ieși din casă; silit să stea în casă

houseboy ['haus,bɔi] *s v.* **houseman**

housebreak ['haus,breik] *vt* a deprinde *(animalele)* să fie curate/ să nu facă murdărie

house breaker ['haus,breikə'] *s* spărgător, efractor

house breaking ['haus,breikiŋ] *s jur* spargere, furt prin efracție

housebroken ['haus,broukən] *adj* **1** *(d. câine, pisică)* curat, deprins cu curățenia/să nu facă murdărie **2** *fig* domesticit, potolit, civilizat *etc.*

house-clean ['haus'kli:n] **I** *vi* **1** a face curățenie (prin casă) **2** a scăpa/ a se debarasa de edecuri **II** *vt* **1** a curăța, a lustrui **2** a epura, a curăța; a împrospăta

housecoat ['haus,kout] *s* rochie de casă, capot

house doctor ['haus ,dɔktə'] *s v.* **house physician**

house dog ['haus ,dɔg] *s* dulău de curte, câine de casă

housedress ['haus,dres] *s* rochie/ îmbrăcăminte de dârvală/de (purtat în) casă/la bucătărie

house fly ['haus ,flai] *s ent* muscă *(Musca domestica)*

houseful ['hausful] *s* locatari; **a** ~ **of people** o casă plină (de oameni)

house guest ['haus ,gest] *s* musafir *(care stă mai multe zile)*

household ['haus,hould] **I** *s* **1** gospodărie **2** familie, oameni dintr-o casă **II** *adj* **1** gospodăresc, de gospodărie; administrativ **2**

domestic, casnic **3** familiar, obișnuit, comun

household arts ['haus,hould ,a:ts] *s pl amer* gospodărie, menaj, administrație *v.* **house wifery**

householder ['haus,houldə'] *s* **1** cap de familie, gospodar **2** *ist* proprietar *(↓ răzeș)*

household gods ['haus,hould ,gɔdz] *s* **1** *ist Romei* lari și penați **2** *fig* bucuriile vieții de familie

household management ['haus,hould ,mænidʒmənt] *adj* gospodărie, economie domestică; arta conducerii gospodăriei

household troops ['haus,hould ,tru:ps] *s pl mil* trupe de gardă

household word ['haus,hould ,wə:d] *s* **1** zicătoare, proverb **2** om *sau* nume proverbial

house-hunting ['haus,hʌntiŋ] *s* căutare (febrilă) a unei locuințe

housekeeper ['haus,ki:pə'] *s* menajeră

housekeeping ['haus,ki:piŋ] *s* **1** menaj, gospodărie **2** economie domestică; gospodărire, administrare, administrație

housel ['hauzəl] *rel* ← *înv* **I** *s* euharistie, cuminecătură, împărtășanie **II** *vt* a împărtăși, a cumineca

houseleek ['haus,li:k] *s bot* urechelniță *(Sempervivum tectorum)*

houseless ['hauslis] *adj* fără casă/ adăpost

houselights ['haus,laits] *s pl teatru* lumina din sală

housemaid ['haus,meid] *s* fată în casă, servitoare, femeie de serviciu

housemaid's knee ['haus,meidz 'ni:] *s med* inflamație a genunchiului

houseman ['hausmən] *s* om de serviciu *(la hotel etc.)*

housemaster ['haus,ma:stə'] *s* econom/director de internat

house mistress ['haus ,mistris] *s* **1** matroană *(↓ a unui pension/a unei pensiuni)* **2** persoană care se ocupă de/care conduce casa *sau* un azil de copii

housemother ['haus,mʌðə'] *s* matroană/administratoare de cămin *etc;* menajeră

house of assembly ['haus əv ə'sembli] *s pol* cameră inferioară

house of call ['haus əv 'kɔ:l] *s* **1** birou/agenție de informații **2** birou de plasare

house of cards ['haus əv 'ka:dz] *s și fig* castel de cărți de joc

House of Commons, the ['haus əv 'kɔmənz, ðə] *s pol* Camera Comunelor

house of correction ['haus əv kə'rekʃən] *s jur* casă de corecție

house of God ['haus əv 'gɔd] *s* locaș sfânt, biserică, casă de rugăciuni

house of ill fame ['haus əv'il ,feim] *s înv* casă rău-famată/de rendez-vous/de toleranță, lupanar, bordel

House of Lords, the ['haus əv 'lɔ:dz, ðə] *s pol* Camera Lorzilor

House of Representatives, the ['haus əv repri'zentətivz, ðə] *s pol* Camera Reprezentanților

House of Windsor, the ['haus əv 'winzə', ðə] *familia regală britanică*

house organ ['haus ,ɔ:gən] *s amer* buletin informativ (al unei firme)

house party ['haus ,pa:ti] *s* **1** petrecere *(care ține mai multe zile, la un conac etc.)* **2** musafiri, invitați; societate

house physician ['haus fi'ziʃən] *s* intern de spital; doctor rezident

house-proud ['haus,praud] *adj* preocupat de casă/ce înfrumusețarea/împodobirea locuinței

house-raising ['haus,reiziŋ] *s amer* clacă/muncă voluntară, ajutor dat unui consătean (ca să-și ridice casa *etc.*)

house room ['haus ,ru:m] *s arhit* spațiu locuibil/de locuit; **I would not give it** ~ nu l-aș lua nici (dacă mi l-ar da) gratis

house surgeon ['haus ,sə:dʒən] *s* intern de spital *(↓ la chirurgie)*

house-to-house ['haustə'haus] *adj atr* din casă în casă

house top ['haustɔp] *s* acoperiș (de casă); **to cry/to proclaim from the** ~**s** a striga/a spune în gura mare

house-trained ['haus ,treind] *adj (d. animal domestic)* curat

housewares ['haus,wɛəz] *s pl* articole de menaj/gospodărie; obiecte de gospodărie/bucătărie

house-warming ('party) ['haus ,wɔ:miŋ(pa:ti)] *s* petrecere de casă nouă

housewife *s* **1** ['haus,waif] nevastă, gospodină, femeie de casă **2** ['hʌzif] neseser, cutie de lucru/ pentru lucru de mână

housewifely ['haus,waifli] **I** *adj* gospodăresc, de (bună) gospodină; econom, chibzuit **II** *adv* gospodărește; chibzuit, cu chibzuință/chibzuială/economie

housewifery ['haus,wifəri] *s* gospodări(r)e, menaj, administrație, economie domestică

housework ['haus,wə:k] *s* treburile gospodăriei/casei/domestice/ casnice, gospodărie

housing¹ ['hauziŋ] *s* **1** locuință, adăpost **2** locuințe pentru populație **3** nișă *(pt statuie)* **4** cazare **5** *tehn* lagăr

housing² ['hauziŋ] *s* **1** ipingea, ornament la șa **2** *pl* (țarțamuri la) harnașament

housing problem ['hauziŋ,probləm] *s* problema locuințelor (pentru populație)

housing programme ['hauziŋ 'prou,græm] *s* (program de) construcții de locuințe

housing project ['hauziŋ'prodʒəkt] *s* ansamblu de (construcții de) locuințe

Housman ['hausmən], **Lawrence** *dramaturg și prozator englez (1865-1959)*

Houston ['hju:stən] *oraș în S.U.A.*

Houyhnhnm ['huinəm] *s* cal înțelept *(din Călătoriile lui Gulliver)*

hove [houv] *pret și ptc ↓ înv de la* **heave II**

hovel ['hʌvəl] **I** *s* **1** cocioabă, coșmelie, bojdeucă; bordei **2** baracă, șopron, adăpost **3** cuptor de var **II** *vt* a adăposti, a găzdui; a da adăpost *(cu dat)*

hover ['hovə'] **I** *vi* **1** a plana, a merge în zbor planat, a pluti în aer **2** (**over, about**) a plana (asupra – *cu gen)*, a pluti amenințător, a amenința *(cu ac)* **3** *fig* a pluti în aer, a fi iminent **4** (**about**) a zăbovi, a stărui, a rămâne (la, pe lângă); **to ~ between life and death** a se zbate între viață și moarte **5** a oscila, a fi nehotărât **II** *s* **1** planare **2** rămânere în suspensie, suspendare

hovercraft ['hovə,kra:ft] *s av, nav* vehicul/navă pe pernă de aer

hovering ['hovəriŋ] **I** *s* **1** planare, plutire, zbor planat **2** amenințare, iminență **II** *adj* **1** care plutește (amenințător) în aer, care planează **2** amenințător, iminent

hover-plane ['hovə,plein] *s av* elicopter

hovertrain ['hovə,trein] *s ferov* tren *(care circulă)* pe pernă de aer

how¹ [hau] **I** *adv* **1** cum (anume) (?), în ce fel (?), pe ce cale (?) **~ does he manage?** cum reușește? cum o scoate la capăt? **tell him ~ to do it** învață-l cum să/s-o facă; **~ the deuce/dickens/devil?, ~ on earth?** cum Dumnezeu/dracu? ce păcatele? **2** cum? în ce sens? **~ now a** dar asta ce mai e? cum adică? cum vine asta? **b** *înv* bună ziua! he! **3** sub ce nume? cum? **4** de ce? cum (se poate)? din ce cauză/pricină? **~ so?** cum așa? cum se poate (una ca asta)? **5** cât (de mult/bine/departe *etc.*) (?), în ce măsură (?) **~ does she skate?** cum/cât de bine patinează? patinează bine? **~ is corn?** ce preț/ curs au grânele? **~ far is the school?** cât de departe e școala? e departe până la școală? **~ far it is!** vai ce departe e! **~ is that for high/quality** *etc.***?** ce zici, ce înalt/bun *etc.* e? **~ much is it?** cât (de mult) e? cât costă? **~ many?** câți? **~ nice of you to have come!** vai ce drăguț (din partea ta) că ai venit! **~ would you like it?** cum ți-ar plăcea (una ca asta)? **~ he snores!** vai cât de tare sforăie! vai cum/ce mai sforăie! **~ old are you?** câți ani ai? ce vârstă ai? **and ~!** *sl* oho! și încă cum! **6** în ce stare (?), cum (?); **~ are you? a** ce mai faci? cum o mai duci? **b** cum te mai simți? cum ții mai este? **~ do you do? a** bună ziua; vă salut! **b** sărut mâna! **c** îmi pare bine! încântat de cunoștință! **here's ~!** noroc (și la mulți ani)! sănătate (și noroc)! **~ do you find your new job?** cum îți place noua slujbă? **II** *conj* **1** cum, felul cum/în care **2** după cum, așa cum; în orice fel; **do it ~ you can** fă-o într-un fel sau altul, fă cum poți **3** că, cum că; **he told me ~ he had read about it** mi-a spus (cum) că a citit despre asta **III** *s* **1** mod, chip, fel, metodă **2** întrebare privitoare la metodă

how² *interj amer* bună! noroc!

how about ['hau ə'baut] *adv* ce-ar fi să...?, ce zici de...?; **~ going there?** ce-ar fi să mergem acolo? n-ai vrea să mergem acolo?

Howard ['hauəd], **Henry** *poet englez (1517?-1547)*

howbeit [hau'bi:it] **I** *adv* și totuși, cu toate acestea, oricum (ar fi) **II** *conj* deși, cu toate că, măcar că

how-do-you-do ['haudju'du:] **I** *interj* **1** bună ziua! *(după circumstanțe)* vă salut! respectele mele! sărut mâna! **2** *(după prezentare)* încântat/îmi pare bine de cunoștință! **II** *s v.* **how-d'ye-do II**

howdy(-do) ['haudi('du:)] *interj amer v.* **how-do-you-do I**

how-d'ye-do ['haud(j)i'du:] **I** *interj v.* **how-do-you-do II** *s F* bucluc, încurcătură, belea; **that's a nice ~!** **a** frumoasă/bună treabă/ afacere (n-am ce zice)! **b** frumos (îți *etc.* șade)!

Howells ['hauəlz], **William Dean** *scriitor american (1837-1920)*

however [hau'evə'] **I** *conj* **1** oricum, în orice fel/chip/mod **2** ← *înv* deși, cu toate că **II** *adv* **1** oricât de (mult *etc.*) **2** oricum, în orice caz **3** (și) totuși, cu toate acestea; pe de altă parte; dar, însă **4** *F* cum (naiba/dracu')

howitzer ['hauitsə'] *s mil* mortieră

howl ['haul] **I** *vi* **1** a urla; a scoate un urlet *(de durere etc.)* **2** (d. câini) a urla **3** a trage un chef, a chefui; **this is my night to ~** asta-i ziua mea de libertate/ distracție (când pot face ce vreau) **II** *vt* a urla **III** *s* **1** urlat **2** țipăt de durere **3** țiuit *(la radio)*

howl down ['haul 'daun] *vt cu part adv* a reduce *(un orator)* la tăcere (prin huiduieli), a huidui (până când tace)

howler ['haulə'] *s* **1** persoană *sau* animal care urlă **2** *zool* maimuță sud-americană *(Alouatia)* **3** *sl* (greșeală) boacănă

howling ['hauliŋ] **I** *s* urlat **II** *adj* **1** urlător, care urlă **2** ← *înv* înfiorător, îngrozitor **3** *sl* de spaimă/ comă, scandalos, groaznic, cumplit **4** *sl* fantastic, mortal, de comă, ca focul, – nemaipomenit

howsoever [,hausou'evə'] *adv* **1** oricât de (mult) **2** indiferent cum, oricum, în orice chip/fel/mod

how-to ['hau,tə] *adj (d. carte, manual etc.)* cu instrucțiuni elementare (de folosire); pentru începători, elementar, de inițiere; **a ~ book** abecedar/carte elementară/ghid pentru o meserie *etc.*

hoy¹ [hɔi] *s nav* şalupă comercială
hoy² *interj* **1** aho! hei! **2** zât! **3** *(pentru a mâna oile)* bâr
hoyden ['hɔidən] *s* fată emancipată/gălăgioasă
h.p. *presc de la* **high pressure; hire purchase** (sistem de) cumpărare în rate; **horse power** cal putere
H.Q. *presc de la* **headquarters** cartier general; stat major; sediu
H.R. *presc de la* **1 House of Representatives** Camera Reprezentanţilor *(camera inferioară a Congresului S.U.A.)* **2 Home Rule**
h.r., hr, HR *presc de la* **home run**
H.R.H. *presc de la* **His** *sau* **Her Royal Highness** Alteţa Sa Regală
hr(s) *presc de la* **hour(s)**
H.S., h.s. *presc de la* **high school**
H.S.H. *presc de la* **His** *sau* **Her Serene Highness** Alteţa Sa (Regală)
H.S.M. *presc de la* **Her** *sau* **His Serene Majesty** Majestatea Sa
H.T. *presc de la* **high tension**
ht. *presc de la* **1 heat 2 height**
hts. *presc de la* **heights**
HUAC *presc de la* **House Un-American Activities Committee** *amer od* Comitetul Camerei Reprezentanţilor pentru Cercetarea activităţilor antiamericane *(în epoca lui McCarthy)*
huaraches [waˈrɑːtʃiːz] *s pl amer sp* sandale împletite
hub¹ [hʌb] *s* **1** butuc *(al roţii)*; ax **2** *fig* centru, punct central; **the ~ of the universe** a centrul universului **b** buricul pământului
hub² *s v.* **hubby**
Hub, the *s amer* porecla oraşului Boston
hubble-bubble ['hʌbəl 'bʌbəl] *s* **1** *v.* **hubbub 2** narghilea
hubbly ['hʌbli] *adj amer F (d. drum)* cu hârtoape, accidentat
hubbub ['hʌbʌb] *s* **1** zarvă, gălăgie, zgomot **2** babilonie, galimatie, babel **3** tulburare, învălmăşeală
hubby ['hʌbi] *s* soţior, bărbăţel
hubcap ['hʌb,kæp] *s auto* capac de roată
Hubert ['hjuːbət] *nume masc*
hubris ['hjuːbris] *s grec* **1** hubris, încredere (exagerată) în sine, prezumţie; mândrie, orgoliu **2** *(în tragedia greacă)* sfidarea zeilor

hubristic [hjuːˈbristik] *adj grec* manifestând hubris; orgolios; încrezător, îndrăzneţ, prezumţios; sfidător
huck(aback) ['hʌkə,bæk] *s* pânză de prosop
huckle ['hʌkəl] *s* şold
huckle-back(ed) ['hʌkəl ,bækt] *adj* cocoşat, ghebos
huckleberry ['hʌkəlberi] *s bot* **1** afin *(Vaccinium myrtillus)* **2** arbust american *(Gaylussacia)*
hucklebone ['hʌkəlboun] *s ← înv* articulaţia şoldului *(la patrupede)*
huckster ['hʌkstə²] **I** *s* **1** vânzător/negustor ambulant, negustor de mărunţişuri **2** *fig* om negustoros/mercantil **3** autor de reclame/de emisiuni publicitare **II** *vi v.* **haggle I III** *vt şi fig* **1** a vinde, a face negoţ (ambulant) de **2** a (re)vinde cu amănuntul **3** a face reclamă pentru **4** a falsifica; a strica
huckstery ['hʌkstəri] *s* **1** *com* negoţ (↓ ambulant) **2** *amer pol, com* publicitate, reclamă
HUD *presc de la* **(Department of) Housing and Urban Development** Ministerul Dezvoltării Urbane şi al Construcţiilor de Locuinţe
huddle ['hʌdl] **I** *vt* **1** (into) a îngrămădi, a înghesui (în) **2** a pune/a strânge de-a valma/alandala **II** *vi* a se strânge/a se înghesui unul în altul, a se cuibări unul lângă altul **III** *vr* a se ghemui, a se strânge, a se cuibări, a se face ghem **IV** *s* **1** grămadă, morman **2** dezordine, răvăşeală, deranj **3** *amer* taifas, discuţie secretă
huddle oneself up ['hʌdl wʌn,self 'ʌp] *vr cu part adv v.* **huddle III**
huddle together ['hʌdl təˈgeðə²] **I** *vt cu part adv v.* **huddle I II** *vi cu part adv v.* **huddle II**
huddle up ['hʌdl 'ʌp] *vt cu part adv* **1** *v.* **huddle I 2** a rasoli, a da rasol la *sau cu dat*, a da peste cap
Hudibrastic [,hjuːdi'bræstik] *adj lit* hudibrastic, în stilul epopeii eroi-comice (şi satirice) „Hudibraz" de scriitorul englez Samuel Butler (1612-1680)
Hudson, the ['hʌdsn, ðə] *râu în America*
Hudson Bay ['hʌdsn ,bei] golful Hudson

Hudson seal ['hʌdsn ,siːl] *s amer* blană de bizam; imitaţie de piele de focă
hue [hjuː] *s* **1** nuanţă, tentă, culoare **2** scară/gradaţie a culorilor
hue and cry ['hjuː ən 'krai] *s* **1** (alarmă generală pentru) urmărirea unui delincvent **2** zarvă, gălăgie **3** protest(e), mişcare de protest
hued [hjuːd] *adj* colorat (↓ în cuvinte compuse ca: **dark-~** etc.)
huff [hʌf] **I** *vt* **1** a teroriza **2** a forţa, a sili; **to ~ smb into doing smth** a sili/a forţa, a pune pe cineva să facă ceva **3** *← înv* a jigni, a ofensa, a supăra; a se purta urât cu **4** a umfla **5** *(la jocul de dame)* a lua *(o piesă)* **II** *vi* **1** a pufăi **2** se purta ca un terorist, a ameninţa pe toată lumea **III** *s* **1** acces de furie/mânie/turbare, supărare, ţâfnă; **to take ~, to be in a** ~ a fi cu fundul în sus; a se înfuria **2** *(la jocul de dame)* luare a unei piese
huffily ['hʌfili] *adv* ţâfnos, cu ţâfnă/năduf/mânie
huffiness ['hʌfinis] *s v.* **huffishness**
huffish ['hʌfiʃ], **huffy** ['hʌfi] *adj* ţâfnos; năbădăios; certăreţ
huffishly ['hʌfiʃli] *adv* **1** cu ţâfnă/nervi, cu capsa pusă; ţâfnos, enervat, iritat **2** *← înv* cu aroganţă, cu nasul pe sus, luând lumea de sus, arogant
huffishness ['hʌfiʃnis] *s* **1** nervozitate, iritabilitate, irascibilitate; nervi; ţâfnă **2** *← înv* aroganţă, înfumurare
hug [hʌg] **I** *vt* **1** a strânge (tare) în braţe/la piept **2** a ţine la, a iubi; a îndrăgi **3** a se ţine aproape de **II** *vr* (**on, for**) a se felicita (pentru); a fi foarte încântat de sine însuşi (pentru) **III** *s* **1** îmbrăţişare **2** strângere/strânsoare puternică
huge [hjuːdʒ] *adj şi fig* uriaş, imens, colosal, enorm; **to have a ~ appetite** a avea o poftă/foame de lup, a mânca zdravăn/cât şapte
hugely ['hjuːdʒli] *adv* enorm, colosal, foarte mult
hugeness ['hjuːdʒnis] *s* mărime imensă, imensitate
hugeous ['hjuːdʒiəs] *adj ← umor* nemaipomenit, formidabil, colosal

hugger-mugger ['hʌgə ˌmʌgəʳ] **I** *s* **1** ascunziș, taină, secret **2** învălmășeală, încurcătură **II** *adj* **1** secret, tainic, ascuns **2** învălmășit, alandala **III** *adv* **1** în taină/ secret, pe ascuns **2** alandala, în dezordine, de-a valma **IV** *vt* a ascunde, a ține ascuns; a trece sub tăcere **V** *vi* **1** a umbla cu ascunzișuri/secrete, *F* a umbla cu șahăr-mahăr **2** a încurca lucrurile, a face un talmeș-balmeș

Hugh [hju:] *nume masc*

hug-me-tight ['hʌgmi'tait] *s* șal; flanelă strânsă pe corp

Hugo ['hju:gou], **Victor (Marie)** *poet, romancier și dramaturg francez (1802-1885)*

Huguenot ['hju:gəˌnou] *s ist* hughenot, protestant francez

huh [hʌ] *interj* **1** eh? cum? **2** *(exprimă disprețul sau neîncrederea)* pfui! aș!

hula(-hula) ['hu:lə'hu:lə] *s* dans al femeilor din Hawaii

hula hoop ['hu:lə'hu:p] *s* hulahup, *cerc mare pentru dansul hawaian hula*

hula skirt ['hu:lə ˌskə:t] *s* fustă *(hawaiană)* din frunze și iarbă

hulk [hʌlk] *s* **1** *nav* carcasă de vas *folosită ca depozit sau (pl înv) ca* închisoare **2** *nav* vas greoi **3** *fig* matahală, huidumă **4** morman, grămadă

hulking ['hʌlkiŋ] *adj* (mare și) greoi, lălău, stângaci, mătăhălos, uriaș, masiv

Hull [hʌl] **1 Cordell** *politician american (1871-1953)* **2** *port în Canada*

hull¹ [hʌl] **I** *s* **1** coajă, hoaspă *(la cereale, mazăre etc.)* **2** păstaie **3** înveliș, coajă **II** *vt* a coji, a descoji, a dezghioca

hull² [hʌl] **I** *s nav, av* carcasă, parte exterioară **II** *vt* a lovi cu o torpilă/ bombă

hullaballoo [ˌhʌləbə'lu:] *s* zarvă, zgomot, gălăgie (mare)

hull down ['hʌl 'daun] *adv nav (d. vas)* foarte departe, așa de departe încât abia se mai zărește

hullo(a) [hʌ'lou] *interj v.* **hallo**

hum¹ [hʌm] **I** *vi* **1** *(d. albine etc.)* a bâzâi **2** a fredona, a murmura un cântec **3** a face hm, a se bâlbâi, a șovăi, a ezita *(↓ în* to ~ and

haw/ha a da din colț în colț) **4** a fi în toi, a merge șnur/din plin; a fi în plină activitate; **to make things** ~ a face lucrurile să meargă ca pe roate **5** *sl* a puți, a mirosi urât **II** *vt* a fredona, a murmura **III** *s* **1** ↓ ~s and ha's șovăială, ezitare, bâlbâială **2** mormăit, exclamație nedeslușită **3** *sl* putoare, duhoare **IV** *interj* hm!

hum² *s sl* șmecherie, păcăleală, înșelătorie, șarlatanie, escrocherie

human ['hju:mən] **I** *adj* **1** omenesc, uman; ca oamenii; **to err is ~, to forgive divine** a greși e omenește, numai Dumnezeu poate să ierte **2** lumesc, pământesc *(ant* divin) **3** *v.* **humane II** *s* om, ființă omenească

human being/creature ['hju:mən ˌbi:iŋ/'kri:tʃəʳ] *s* om, ființă omenească/umană

humane [hju:'mein] *adj* **1** omenos, uman, plin de omenie/umanitate **2** indulgent, îngăduitor, milos **3** umanistic, legat de umanistică

humane killer [hju:'mein 'kiləʳ] *s* instrument/unealtă pt uciderea fără dureri a animalelor

humanely [hju:'meinli] *adv* **1** omenos, cu omenie **2** cu indulgență/ îngăduință

humaneness [hju:'meinnis] *s* omenie, bunătate, inimă bună

human engineer ['hju:mən 'endʒi-'niəʳ] *s ec* economist specializat în sociologie industrială

human engineering ['hju:mən 'ndʒi-'niəriŋ] *s ec* sociologie industrială; studiul relațiilor industriale *(↓ între om și mașină)*

human equation ['hju:məni-'kweiʃən] *s sociologie* ecuație personală

human interest (story) ['hju:mən 'intrist ('stɔri)] *s amer* roman senzațional, povestire senzațională

humanism ['hju:məˌnizəm] *s* **1** umanism **2** caracter laic/secular **3** caracter general/obștesc/ public **4** (cultură) umanistică

humanist ['hju:mənist] *s* **1** umanist **2** cărturar preocupat de antichitatea greco-romană

humanistic [ˌhju:mə'nistik] *adj* umanist, de umanistică

humanitarian [hju:ˌmæni'tɛəriən] **I** *adj* umanitar, caritabil, filantropic **II** *s* umanitarist, filantrop, binefăcător

humanitarianism [hju:ˌmæni'tɛəriəˌnizəm] *s* umanitarism

humanity [hju:'mæniti] *s* **1** omenire, umanitate **2** *v.* **humaneness 3** caracter omenesc, umanitate **4** *pl* umanistică, umanism

humanization [ˌhju:mənai'zeiʃən] *s* umanizare

humanize ['hju:məˌnaiz] *vt* **1** a umaniza, a face mai uman **2** a atribui caracteristici/trăsături omenești *(cu dat)*

humanized milk ['hju:məˌnaizd 'milk] *s* lapte de vacă prelucrat *(pt a semăna cu cel de mamă)*

humanizer ['hju:məˌnaizəʳ] *s* persoană care aduce un suflu de umanitate; spirit caritabil; filantrop

humankind ['hju:mənˌkaind] *s v.* **human race**

humanly ['hju:mənli] *adv* omenește, cât poate un om; ~ **possible** cât este omenește posibil

human nature ['hju:mən 'neitʃəʳ] *s* firea omului, natură omenească

humanness ['hju:mənnis] *s* caracter uman, omenie, umanitate

humanoid ['hju:məˌnɔid] *s* **1** *biol* umanoid, ființă preistorică, strămoș al omului **2** *lit* omolog al omului de pe altă planetă, extraterestru *(în literatura științifico-fantastică)*

human race [ˌhju:mən 'reis] *s* neamul omenesc, regnul uman, omenire, umanitate

human relations ['hju:mən ri'leiʃənz] *s sociologie* relațiile sociale ale individului; relații între oameni

human rights [ˌhju:mən 'raits] *s pol* drepturile omului

Humber, the ['hʌmbəʳ, ðə] *râu în Anglia*

humble ['hʌmbl] **I** *adj* **1** umil; plecat, supus, blând ca un mielușel; **your ~ servant** al dumneavoastră prea plecat servitor **2** umilit, umil, plin de umilință **3** *(d. cineva)* obscur, umil; modest, necunoscut; *(d. lucruri)* modest, neimportant **II** *vt* **1** a umili, a înjosi **2** a micșora, a diminua, a reduce **3** a submina **III** *vr* a se umili, a se înjosi

humble bee ['hʌmbl bi:] *s ent* bondar, bărzăun(e) *(Bombus sp.)*

humbleness ['hʌmblnis] *s* sme-
renie, comportare modestă,
modestie, atitudine umilă

humble pie ['hʌmbl 'pai] *s* ← *înv*
plăcintă din resturi/măruntaie de
vânat *(servită hăitașilor etc.);* **to
eat** ~ a-și pune cenușă în/pe
cap, a înghiți gălușca, a sta
numai cu nasul în jos; a-și cere
iertare/scuze, a-și recunoaște
vinovăția

humble plant ['hʌmbl 'plɑːnt] *s bot*
mimoză *(Mimosa pudica/sen-
sitiva)*

humbler ['hʌmblə˸ʳ] *s* persoană care
umilește pe alții; om arogant/
înfumurat/disprețuitor; mitocan
cu pretenții

humbly ['hʌmbli] *adv* 1 (în mod)
umil, cu smerenie/modestie 2
cuviincios, cunoscându-și lungul
nasului

Humboldt ['hʌmboult] 1 **Alexander
von** *naturalist german (1769-1859)*
2 *oraș și golf în S.U.A.*

humbug ['hʌm͵bʌg] **I** *s* 1 șarlatanie,
înșelătorie, înșelăciune, păcă-
leală 2 impostură, șarlatanie 3
prostii, fleacuri, vax 4 impostor
II *interj* vax! prostii! fleacuri! **III** *vt*
a înșela, a păcăli, a trage pe
sfoară; a duce cu zăhărelul **IV** *vi*
a se purta ca un șarlatan/im-
postor, a recurge la înșelătorie/
impostură

humdinger ['hʌm͵diŋəʳ] *s F* groză-
vie, lucru strașnic/grozav

humdrum ['hʌm͵drʌm] **I** *adj atr*
banal, monoton, fără haz, stupid
II *s* banalitate, monotonie, stupi-
ditate

Hume [hjuːm], **David** *filosof și istoric
scoțian (1711-1776)*

humectation [͵hjuːmek'teiʃ ə n] *s*
umezire

humeral ['hjuːmərəl] **I** *adj anat*
humeral, al umărului, referitor
la umăr **II** *s bis* eșarfă purtată
de preoți la oficierea împărtă-
șaniei

humeral veil ['hjuːmərəl ͵veil] *s bis
v.* **humeral II**

humeri ['hjuːmə͵rai] *s pl de la*
humerus

humerus ['hjuːmərəs], *pl* **humeri**
['hjuːmə͵rai] *s anat, zool* hume-
rus, osul umărului

humic ['hjuːmik] *adj geol, agr* cu
humus; ca humusul

humic acid ['hjuːmik 'æsid] *s minr,
geol, ch* acid humic, amestec de
acizi organici (din humus)

humid ['hjuːmid] *adj* umed, jilav

humidify [hjuː'midi͵fai] *vt* a umezi

humidity [hjuː'miditi] *s* umiditate,
umezeală

humidor ['hjuːmi͵dɔːʳ] *s* cutie *sau*
depozit pentru păstrarea trabu-
curilor în condițiile de umiditate
prescrise

humiliate [hjuː'mili͵eit] *vi* 1 a umili,
a înjosi, a face să se simtă prost
2 a face de rușine, a rușina

humiliation [hjuː͵mili'eiʃ ə n] *s* 1
umilință, rușine 2 umilire, înjosire

humility [hjuː'militi] *s* atitudine
umilă, umilință, smerenie, com-
portare modestă; timiditate

humming bird ['hʌmiŋ ͵bəːd] *s orn*
specie *de* colibri *(Trochilidae sp.)*

hummock ['hʌmək] *s* 1 delușor,
mamelon; măgură 2 movilă 3
regiune fertilă

humor... *amer v.* **humour**

humoral ['hjuːmərəl] *adj med* umo-
ral, referitor la umori

humoresque [͵hjuːmə'resk] *s muz*
umorescă

humorist ['hjuːmərist] *s* umorist

humoristic [͵hjuːmə'ristik] *adj* umo-
ristic, comic

humorous ['hjuːmərəs] *adj* 1 cu
umor/haz; de umor/haz; nostim,
comic, amuzant 2 ← *umor* spiri-
tual, mucalit

humorousness ['hjuːmərəsnis] *s* 1
umor, caracter comic/amuzant 2
umor, haz, spirit

humour ['hjuːməʳ] **I** *s* 1 dispoziție
(sufletească), toane, stare 2
înclinație, dispoziție, chef; **to be
in the** ~ **for fighting** a fi pus pe
ceartă/harță/luptă; **when the** ~
takes him când îi vine cheful 3
veselie, bună dispoziție, toane
bune; **to be out of** ~ a fi prost
dispus/în toane proaste, a nu fi
în apele lui 4 umor, haz, spirit,
caracter spiritual/comic/amuzant
5 umor, simț al umorului, înțele-
gere pentru glume/umor; **he has
no** ~ nu știe/înțelege de glumă,
e lipsit de umor 6 *fiz, anat*
umoare **II** *vt* 1 a satisface, a
gratifica, a îndeplini *(dorințe,
capricii etc.)* 2 a face pe plac *(cu
dat)*; a răsfăța, a răzgâia; a
îndeplini toate dorințele *cu gen*

3 a se supune, a face concesii
cu dat, a asculta de

humourless ['hjuːməlis] *adj* 1 fără
haz, neinteresant 2 *(d. cineva)*
lipsit de umor

humo(u)rsome ['hjuːməsəm] *adj* 1
capricios, năzuros, cu toane,
mofturos 2 morocănos, supă-
răcios, țâfnos

hump [hʌmp] **I** *s* 1 cocoașă, gheb 2
spinare cocoșată/gheboasă 3
(spinare/vârf de) deal; ridicătură
de pământ 4 movilă 5 *fig* cotitură,
punct critic; **over the** ~ pe calea
cea bună, dincolo de punctul
critic 6 *sl* supărare, nervi, depri-
mare; **it gives me the** ~ mă
întristează, mă întoarce pe dos
II *vt* 1 a cocoșa, a gheboșa 2 a
supăra, a întrista, a deprima 3 a
sălta, a ridica 4 ← *F* a încăleca
III *vi* 1 a-și da toată osteneala/
silința, a se strădui din răsputeri
2 a goni, a fugi **IV** *vr v.* ~ **III**

humpback ['hʌmp͵bæk] *s* 1 coco-
șat, ghebos 2 cocoașă, gheb 3
zool balenă cu cocoașă *(Megap-
tera novaeangliae)* 4 *iht* somon
roz mascul în perioada depunerii
lapților *(Oncorhynchus gorbu-
scha)*

hump-backed ['hʌmp ͵bækt] *adj*
cocoșat, ghebos

hump bridge ['hʌmp ͵bridʒ] *s* pod
japonez/arcuit

humped [hʌmpt] *adj v.* **hump-
backed**

humph [hʌmf] **I** *interj* pf! aș! **II** *vi* a
râde, a-și bate joc

Humphr(e)y ['hʌmfri] *nume masc*

humpty ['hʌmpti] *s* canapeluță;
scăunel cu pernuță

humpty-dumpty ['hʌmpti 'dʌmpti] *s*
1 prichindel, pitic 2 hopa mitică

humpy ['hʌmpi] **I** *adj* 1 cocoșat 2
ca o cocoașă **II** *s australian*
colibă a băștinașilor

humus ['hjuːməs] *s geol* humus,
pământ vegetal

Hun [hʌn] *s* 1 hun 2 *peior* friț,
nemțoi, nemțălău, – neamț 3
peior vandal, tătar, sălbatic

hunch ['hʌntʃ] **I** *s* 1 *v.* **hump I** 1-4
2 bucată groasă/mare 3 bănu-
ială, suspiciune, presentiment;
intuiție, fler **II** *vt* a curba, a îndoi
(în afară)

hunchback ['hʌntʃ͵bæk] *s v.* **hump-
back**

hunchbacked ['hʌntʃ‚bækt] *adj v.*
hump-backed

hundred ['hʌndrəd] **I** *num* **1** *cardinal*
sută; **(a) ~ per cent** sută la sută;
not a ~ miles from ← *umor*
aproape de, la doi pași de **2**
ordinal sutălea, suta **II** *s* **1** sută;
by the ~(s) cu sutele **2** (sumă
de) o sută de lire *sau* dolari **3** *ist*
subdiviziune teritorială a comita-
tului, *aprox* plasă

Hundred Days ['hʌndrəd ‚deiz], **the**
s pl ist ultima perioadă de dom-
nie a lui Napoleon Bonaparte *(20
martie - 28 iunie 1815)*

hundredfold ['hʌndrəd‚fould] *num,
adv* însutit

hundredth ['hʌndrəθ] **I** *num* al o
sutălea, a o suta, o sută **II** *s*
sutime

hundredweight ['hʌndrəd‚weit] *s*
unitate de măsură pentru greu-
tate *(100 livre în S.U.A., 112 livre
în Anglia, presc cwt); aprox*
chintal

Hundred Years War ['hʌndrəd ‚jə:z
'wɔ:ʳ], **the** *ist* Războiul de 100 de
ani *(1337-1453) între Franța și
Anglia*

Hung *presc de la* **1 Hungary 2
Hungarian**

hung [hʌŋ] *pret și ptc de la* **hang**[1]

Hungarian ['hʌŋ'geəriən] **I** *adj* ungar,
maghiar, unguresc **II** *s* **1** ungur,
maghiar **2** (limba) maghiară/
ungară

Hungary ['hʌŋgəri] Ungaria

hunger ['hʌŋgəʳ] **I** *s* **1** (senzația de)
foame **2** înfometare, inaniție,
subnutriție **3** (**for, after**) poftă,
dorință (de) **II** *vi* **1** a-i fi foame **2**
a flămânzi, a suferi de/a face
foame **3** (**for, after**) a tânji
(după), a-i fi poftă (de), a dori *(cu
ac)* **III** *vt* a înfometa

hungered ['hʌŋgəd] *adj* ← *înv*
flămând, înfometat

hunger march ['hʌŋgə ‚mɑ:tʃ] *s*
marș (de protest) al șomerilor

hunger strike ['hʌŋgə ‚straik] *s*
greva foamei

hunger-striker ['hʌŋgə ‚straikəʳ] *s*
persoană care face greva foamei
(↓ *deținut politic)*

hung-over ['hʌŋ 'ouvəʳ] *adj sl* mah-
mur

hungrily ['hʌŋgrili] *adv* **1** flămând,
cu poftă **2** nerăbdător, cu neră-
dare/ardoare

hungriness ['hʌŋgrinis] *s* foame,
senzație de foame

hungry ['hʌŋgri] *adj* **1** flămând,
înfometat; **to be ~** a-i fi foame, a
fi flămând; **to be as ~ as a
hunter** a avea o foame de lup **2**
fig (d. înfățișare) flămând, înfo-
metat **3** avid, nerăbdător, lacom
4 *agr* sărac, sterp, neroditor,
uscat **5** *fig* sărăcăcios, neren-
tabil, care aduce bani puțini

Hungry Forties, the ['hʌŋgri 'fɔ:tiz,
ðə] *s pl ist criza economică din
perioada 1840-1849 (în Anglia)*

hung-up ['hʌŋ 'ʌp] *adj amer sl* **1**
nevrozat; refulat **2** (**on**) tulburat,
excitat **3** (**on**) frustrat (de),
necăjit, tulburat de lipsa *(cu gen)*
4 (**on**) obsedat (de)

hunk [hʌŋk] *s* **1** halcă, bucată
(informă/groasă) **2** felie, bucată

hunker ['hʌŋkəʳ] *vi* a se chinci/ciuci,
a sta ciuci/pe vine

hunker down ['hʌŋkə 'daun] *vi cu
part adv v.* **hunker**

hunkers ['hʌŋkəz] *s pl* pulpe, șunci;
fese; **on one's ~** pe vine, ciuci

hunks [hʌŋks] *s* zgârcit, zgârciob,
harpagon

hunky ['hʌŋki] **I** *s amer sl peior*
emigrant din Europa centrală
sau răsăriteană **II** *adj v.* **hunky-
dory**

hunky-dory ['hʌŋki 'dɔ:ri] *adj amer
sl* mișto, fain, strașnic, grozav,
a-ntâia, ca focul

hunnish ['hʌniʃ] *adj* **1** *ist* hun(ic) **2**
fig vandal, barbar **3** *peior* prusac,
nemțesc, german

hunt [hʌnt] **I** *vt* **1** a vâna, a hăitui, a
urmări **2** *amer* a vâna, a împuș-
ca, a omorî **3** a mâna/a folosi la
vânătoare, a vâna cu *(câini, cai
etc.)* **4** *fig* a urmări, a vâna **5** *fig* a
persecuta, a urmări **6** a căuta, a
umbla după **7** a cutreiera, a
străbate *(o pădure etc.)* **II** *vi* **1** a
merge la vânătoare, a participa
la o partidă de vânătoare **2** a
scotoci, a căuta, a umbla *(prin
sertare, buzunare etc.)* **III** *s* **1**
vânătoare; cinegetică **2** (partidă
de) vânătoare **3** ceată de vână-
tori **4** teren/parc de vânătoare

Hunt [hʌnt] **1 Leigh** *scriitor englez
(1781-1859)* **2 (William) Hol-
man** *pictor englez (1827-1910)*

hunt after ['hʌnt ‚ɑ:ftəʳ] *vi cu prep v.*
hunt for

hunt away ['hʌnt ə'wei] *vt cu part
adv* a alunga, a izgoni

hunt ball ['hʌnt ‚bɔ:l] *s* bal al
vânătorilor

hunt down ['hʌnt 'daun] *vt cu part adv*
1 a urmări până-n pânzele albe/
până la capăt **2** a prinde, a găbji

hunter ['hʌntəʳ] *s* **1** vânător **2** *fig*
vânător (de zestre *etc.*) **3** cal *sau*
câine folosit la vânătoare **4** ceas
cu capac de protecție

hunter('s) green ['hʌntə(z) ‚gri:n] *s,
adj* verde închis

hunter's moon ['hʌntəz ‚mu:n] *s*
(prima) lună plină după **harvest-
moon**

hunt for ['hʌnt fəʳ] *vi cu prep* a căuta
cu *ac*, a umbla după; a fi în
căutarea *cu gen*

hunting ['hʌntiŋ] **I** *s* vânătoare,
cinegetică **II** *adj* vânătoresc,
cinegetic, de vânătoare

hunting box ['hʌntiŋ ‚bɔks] *s* casă/
cabană de vânătoare

hunting-cat ['hʌntiŋ ‚kæt] *s zool*
ghepard

hunting crop ['hʌntiŋ ‚krɔp] *s*
cravașă, bici scurt

Huntingdon(shire) ['hʌntiŋdən
(‚ʃiəʳ)] *comitat în Anglia*

hunting ground ['hʌntiŋ ‚graund] *s*
1 parc/teren de vânătoare **2** și
fig loc preferat pentru vânătoare
(al cuiva)

hunting horn ['hʌntiŋ ‚hɔ:n] *s* corn
de vânătoare

hunting knife ['hʌntiŋ ‚naif] *s* cuțit
vânătoresc/de vânător

hunting leopard ['hʌntiŋ ‚lepəd] *s*
zool ghepard

hunting-lodge ['hʌntiŋ ‚lɔdʒ] *s* adă-
post/cabană/casă de vânătoare

hunting watch ['hʌntiŋ ‚wɔtʃ] *s v.*
hunter 3

hunt out ['hʌnt 'aut] *vt cu part adv* **1**
a da de urmă *cu dat*, a căuta
până găsești **2** a alunga, a izgoni

huntress ['hʌntris] *s* **1** femeie care
vânează/participă la o vânătoare
2 iapă folosită la vânătoare

Hunts [hʌnts] *presc de la* **Hunting-
don(shire)**

huntsman ['hʌntsmən] *s* **1** vânător
2 hăitaș

hunt up ['hʌnt 'ʌp] *vt cu part adv* a
căuta

Hunyadi ['hunjədi], **Janos** Ioan
Corvin de Hunedoara, Ioan
Hunyadi *(1387?-1456)*

hurdle ['hə:dəl] **I** *s* **1** gard mobil, bucată/panou de gard **2** *sport* gard **3** barieră, obstacol, piedică **4** *od car pentru ducerea condamnaților la eșafod* **II** *vi* **1** a sări (peste) **2** *fig* a trece (peste), a depăși *(o dificultate, un obstacol etc.)* **3** a înconjura cu un gard, a separa printr-un gard

hurdle off ['hə:dəl 'ɔ:f] *vt cu part adv* v. **hurdle II 2**

hurdler ['hə:dlə'] *s* **1** meșter tâmplar care face garduri **2** *sport* alergător de garduri, atlet care aleargă în cursele de garduri

hurdling ['hə:dliŋ] *s sport* cursă *sau* curse/alergări de garduri

hurdy-gurdy ['hə:di'gə:di] *s muz* flașnetă, caterincă

hurl [hə:l] **I** *vt* **1** a arunca, a azvârli (↓ *în cineva)* **2** a înfige; a împinge înainte **3** *scoț* a transporta cu căruța *etc.* **II** *vi* a se repezi (înainte) **III** *vr* a se arunca, a se repezi (înainte) **IV** *s* **1** aruncare, azvârlire **2** *scoț* (transport) drum cu căruța *etc.*

hurler ['hə:lə'] *s* aruncător

hurling ['hə:liŋ] *s sport* irlandez asemănător cu hocheiul pe iarbă

hurly (burly) ['hə:li ('bə:li)] **I** *s* zarvă, tumult, agitație, gălăgie **II** *adj* de-a valma, talmeș-balmeș, cu susul în jos

Huron ['hjuərən] *s* huron, indian dintr-un trib irochez

Huron, Lake ['hjuərən, leik] Lacul Huron

hurrah [hu'rɑ:], **hurray** [hu:'rei] **I** *interj* ura! bravo! **II** *s* ura, bravo; *pl* urale, ovații **III** *vi* a striga ura, a izbucni în urale

hurricane ['hʌrikən] *s* uragan, furtună, vânt puternic

hurricane deck ['hʌrikən ,dek] *s nav* punte superioară (↓ *pe un vas fluvial de pasageri)*

hurricane lamp/lantern ['hʌrikən ,læmp/,læntən] *s* felinar de vânt

hurried ['hʌrid] *adj* **1** grăbit, fugitiv, făcut în grabă **2** pripit, grăbit, repezit **3** rapid, iute

hurriedly ['hʌridli] *adv* în mare grabă/pripă, la repezeală

hurriedness ['hʌridnis] *s* grabă, pripă; zăpăceală

hurry ['hʌri] **I** *s* **1** grabă (exagerată); precipitare; repezeală; **in a ~ a** în (mare) grabă, la repezeală,

în pripă **b** nerăbdător; cu nerăbdare **c** ← *F* bucuros, cu bucurie/plăcere **d** ← *F* foarte ușor; cu una cu două **2** (motiv de) grabă, urgență; **there is no ~** nu e nici o grabă, e destul timp; **is there any ~?** avem vreun motiv să ne grăbim? e vreo grabă? e urgent? **3** pripă, pripeală, repezeală **4 (for, to)** nerăbdare, grabă (să) **5** agitație **II** *vi* **1** a se grăbi, a-i da zor; a umbla/a mișca mai repede **2 (to)** a se grăbi, a fi nerăbdător (să); a se pripi (să) **III** *vt* **1** a grăbi, a zori, a îndemna/a face să se grăbească **2** a duce/a transporta în mare grabă/de urgență **3** a rasoli, a da peste cap, a face în pripă **4** *muz* a cânta într-un tempo mai rapid

hurry along ['hʌri ə'lɔŋ] **I** *vt cu part adv* **1** a lua/a duce repede; a face să se grăbească, a zori **II** *vi cu part adv* a se grăbi, a merge/a umbla repede

hurry into ['hʌri ,intə] *vt cu prep* a sili/a grăbi să; **they hurried me into signing it** mi-au pus sula în coastă, m-au silit să semnez la repezeală

hurry-scurry/skurry ['hʌri 'skʌri] **I** *adv* **1** la repezeală, în pripă, pe apucate **2** în dezordine/învălmășeală **II** *adj atr* **1** pripit, făcut în repezeală/în pripă **2** pe apucate **3** învălmășit **III** *s* **1** învălmășeală, dezordine **2** pripă, repezeală

hurry up ['hʌri 'ʌp] *vi cu part adv* a se grăbi, a-i da zor/*F →* bătaie/bice; **~!** grăbește-te! mai repede! *F →* dă-i bice/bătaie!

hurst [hə:st] *s* **1** delușor (împădurit) **2** pădure **3** banc de nisip

hurt [hə:t] **I** *pret și ptc* **hurt** *vt* **1** a răni; a lovi; **he was ~ in the accident** a fost rănit/s-a rănit în accident; **I ~ my elbow** m-am lovit la cot **2** a jigni, a răni; a ofensa **3** a face să (te) doară; a strânge; **my shoes ~ me** mă strâng pantofii, mă dor picioarele din cauza pantofilor **4** a strica, a deteriora **5** *fig* a face un rău, a dăuna, a strica *cu dat;* **it won't ~ you to wait a little** n-o să-ți strice să mai aștepți puțin, n-o să fie nimic dacă mai aștepți puțin **6** a împiedica, a stânjeni **II** *(v. ~ I) vi*

1 a te durea, a simți dureri, a suferi; **it ~s** (mă) doare **2** a fi dureros, a te durea; **does your hand ~ (badly)?** te doare (rău) mâna? **III** *(v. ~ I) vr* **1** a se răni **2** a se lovi **IV** *s* **1** rană **2** lovitură **3** nedreptate, năpastă **4** lovitură a soartei **5** chin, durere

hurtful ['hə:tful] *adj* **1** dureros, chinuitor, supărător **2** dăunător, păgubitor

hurtle ['hə:təl] **I** *vt* **1** a izbi, a lovi **2** a trânti, a dărâma **3** a arunca repede, a repezi **II** *vi* **1** a se repezi, a merge iute (ca fulgerul) **2 (against)** a se izbi, a se ciocni (de) **3** a cădea, a se prăbuși (cu zgomot) **III** *s* prăbușire, cădere (cu zgomot)

hurtleberry ['hə:təl,beri] *s bot* **1** v. **whortleberry 2** *amer* v. **huckleberry**

hurtless ['hə:tlis] *adj* **1** v. **harmless 2** ← *înv* teafăr, sănătos, nerănit, neatins

Hus [hʌs] v. **Huss**

husband ['hʌzbənd] **I** *s* **1** soț, bărbat, om **2** ← *înv* (bun) administrator, gospodar, econom **II** *vt* **1** a administra (cu grijă), a economisi; a cruța, a păstra **2** *umor* a mărita **3** ← *înv* a lua de nevastă **4** ← *înv agr* a cultiva

husbandhood ['hʌzbəndhud] *s* calitatea de soț/bărbat

husbandlike ['hʌzbəndlaik], **husbandly** ['hʌzbəndli] *adj atr* **1** conjugal, marital; ca (un) soț **2** de soț

husbandman ['hʌzbəndmən] *s* fermier, țăran; gospodar

husbandry ['hʌzbəndri] *s* **1** gospodărie, administrație, economie **2** administrare (chibzuită), gospodărie, chibzuială **3** păstrare, cruțare **4** agricultură, economie agricolă **5** creștere *(a vitelor etc.)*

hush [hʌʃ] **I** *vt* **1** a face să tacă; a reduce la tăcere; a astupa gura *(cu dat)* **2** a liniști *(un copil)* **3** a tăinui, a nu dezvălui, a nu da în vileag, a trece sub tăcere **II** *vi* **1** a tăcea, a nu face gălăgie **2** a se liniști **III** *s* liniște **IV** [ʃ, hʌʃ] *interj* sst! ss! **V** *adj* **1** secret, tainic, confidențial **2** ← *înv* tăcut, liniștit; tihnit

hush(-a)-by ['hʌʃ(ə)'bai] *interj* ss!, șș (puișor)!; nani-nani!

hush-hush ['hʌʃ 'hʌʃ] *adj* ultra-secret, confidenţial

hush-money ['hʌʃ ,mʌni] *s* mită, cumpărare a tăcerii cuiva, bani daţi cuiva ca să nu denunţe

hush puppy ['hʌʃ ,pʌpi] *s* **1** pantof uşor/sport **2** *amer* boţ *sau* turtă de mălai (pripit)

hush up ['hʌʃ 'ʌp] *vt cu part adv* a trece sub tăcere, a nu da în vileag, a muşamaliza

husk [hʌsk] *I s* **1** *pl* coajă, hoaspă; păstaie; **in the ~** nedecorticat **2** *şi fig* pleavă *II vt* a coji; a decortica

husker ['hʌskə'] *s* decorticator

huskily ['hʌskili] *adv* (cu glas) răguşit, cu vocea înecată

huskiness ['hʌskinis] *s* voce răguşită/înecată/năclăită/îngroşată

husky ['hʌski] *I adj* **1** plin de coji **2** scorţos, aspru, uscat **3** *(d. glas)* înecat, răguşit, îngroşat *(de emoţie etc.)* **4** *(d. cineva)* cu glasul înecat/răguşit **5** mare, corpolent, voinic, zdravăn *II s* **1** câine eschimos **2** huidumă, matahală

Huss [hʌs], **Jan** *reformator religios din Boemia (1374-1415)*

hussar [hu'za:'] *s od* husar

Hussite ['hʌsait] *adj, s* husit

hussy [hʌsi] *s* **1** stricată, femeie neruşinată, târâtură, otreapă **2** obrăznicătură, fată obraznică/prost crescută

hustings ['hʌstiŋz] *s pl* **1** campanie electorală **2** *ist* estradă pentru depunerea candidaturilor în alegeri **3** tribunal local

hustle ['hʌsəl] *I vt* **1** a îmbrânci, a da brânci *cu dat*, a înghionti **2** *fig* a îmboldi, a împinge din urmă, a grăbi; a da brânci *cu dat* **3** a vinde pe ascuns/pr.n contrabandă *II vi* **1** a se înghesui, a-şi face loc cu coatele 2 a se grăbi **3** (**against**) a se repezi (în), a se lovi (de) *III s* agitaţie, îmbulzeală, înghesuială

hustler ['hʌslə'] *s* **1** persoană care se înghesuie/înghionteşte/dă brânci **2** *sl* şmecher, pungaş, escroc **3** *sl* damă *(de bordel)*, ştoalfă, zdreanţă

hut [hʌt] *I s* **1** colibă **2** baracă **3** cabană **4** adăpost, şopron *II vt* a caza în barăci *III vi* a locui/a sta într-o baracă

hutch [hʌtʃ] *s* **1** cuşcă *sau* ţarc *(↓ pt iepuri de casă)* **2** colibă, bojdeucă **3** vagonet, cărucior **4** dulăpior, bufet

hutment ['hʌtmənt] *s* baracament, (cantonament în) barăci

Huxley ['hʌksli] **1 Aldous** *prozator şi critic englez (1894-1963)* **2 Sir Julian** *biolog englez (1887-1975)* **3 Thomas Henry** *biolog englez (1825-1895)*

huzza(h) [hə'za:] *I interj* ura! *II s* (strigăt de) ura; *pl* urale *III vt* a întâmpina/a saluta cu urale, a ovaţiona

huzzy ['hʌzi] *s v.* **hussy**

H.V., HV, h.v., hv *presc de la* **high voltage**

h.w. *presc de la* **hit wicket** poartă *(la cricket)*

H.W.m. *presc de la* **high-water mark** cotă maximă a apelor

hwy *presc de la* **highway**

Hy *presc de la* **Henry**

hyacinth ['haiəsinθ] *s bot* zambilă, iacint *(Hyacinthus)*

hyaena [hai'i:nə] *s v.* **hyena**

hyaline ['haiəlin] *I adj* **1** hialin, vitros, sticlos **2** amorf, necristalizat *II s* corp/obiect transparent

hyaloid ['haiə,lɔid] *adj anat* sticlos, vitros, hialin

hyaloid membrane ['haiə,lɔid ,membrein] *s anat* membrană hialiană, care înveleşte umoarea vitroasă

hybrid ['haibrid] *s, adj* hibrid

hybridism ['haibridizm] *s* **1** hibriditate **2** încrucişare, hibridizare, hibridism

hybridity [hai'briditi] *s* hibiditate, caracter hibrid

hybridization [,haibridai'zeiʃən] *s* hibridizare, încrucişare

hybridize ['haibri,daiz] *vt* a hibridiza, a încrucişa

hyd. *presc de la* **1 hydraulics 2 hydrostatics**

hydatid ['haidətid] *s med* **1** chist hidatic **2** *ent* larvă de tenie

Hyde Park ['haid 'pa:k] *s parc din Londra unde se ţin şi întruniri politice*

Hyderabad ['haidərə,bæd] *stat şi oraş în India; oraş în Pakistan* Heiderabad

Hydra ['haidrə] *s mit, astr* (constelaţia) Hidra

hydra ['haidrə] *s* **1** hidră, monstru **2** *fig* racilă greu de înlăturat **3** *zool*

şarpe de apă **4** *zool* polip *(Hydra sp.)*

hydracid [hai'dræsid] *s ch* acid care nu conţine oxigen

hydrangea [hai'dreindʒə] *s bot* hortensie *(Hydrangea sp.)*

hydrant ['haidrənt] *s* hidrant, gură de apă

hydrargyrum [hai'dra:dʒirəm] *s ch* hidrargir, mercur

hydrate *I* ['haidreit] *s ch* hidrat, hidroxid *II* ['hai,dreit] *vt* a hidrata

hydration [hai'dreiʃən] *s* hidratare

hydraulic [hai'drɔlik] *adj* **1** hidraulic **2** cu apă

hydraulic press [hai'drɔlik 'pres] *s tehn* presă hidraulică

hydraulic ram [hai'drɔlik 'ræm] *s hidr* deversor

hydraulics [hai'drɔliks] *s pl ca sg* hidraulică

hydrazide ['haidrə,zaid] *s ch, farm* hidrazidă

hydrazine ['haidrə,zi:n] *s ch* hidrură

hydric ['haidrik] *adj* hidric

hydric *suf* -hidric: **anhydric** anhidric

hydride ['haidraid] *s ch* hidrură

hydro ['haidrou] *s ← F* **1** sanatoriu balnear **2** staţiune balneară

hydro- *pref* hidro-: **hydrologic** hidrologic

hydro-airplane ['haidrou ,ɛərə,plein] *s av* hidr(o)avion

hydrocarbon ['haidrou'ka:bən] *s ch* hidrocarbură

hydrocele ['haidrou,si:l] *s anat* hidrocel, pungă de lichid

hydrocephalic [,haidrousi'fælik], **hydrocephalous** [,haidrou-'sefələs] *adj* hidrocefal

hydrocephalus [,haidrou'sefələs] *s med* hidrocefalie

hydrochloric [,haidrə'klɔrik] *adj* clorhidric

hydrochloride [,haidrə'klɔ:raid] *s ch* clorură, sare a acidului clorhidric

hydrocortisone [,haidrou'kɔ:ti-,zoun] *s ch, farm, med* hidrocortizon

hydrocyanic [,haidrousai'ænik] *adj ch* cianhidric

hydrocyanic acid [,haidrousai'ænik 'æsid] *s ch* acid cianhidric

hydrodynamic [,haidroudai'næmik] *adj* hidrodinamic

hydrodynamics [,haidroudai-'næmiks] *s pl ca sg* hidrodinamică

hydroelectric [,haidroui'lektrik] *adj* hidroelectric

hydroelectric power plant/station [ˌhaidrouiˈlektrik ˌpauəˈplɑːnt/ ˈsteiʃən] s hidrocentrală, centrală hidroelectrică

hydrofluoric [ˌhaidroufluːˈɔrik] adj ch fluorhidric

hydrofoil [ˈhaidrəˈfɔil] s nav 1 aripă portantă/imersă/subacvatică 2 navă cu aripi portante/imerse/ subacvatice

hydrogen [ˈhaidridʒən] s ch hidrogen

hydrogenate [ˈhaidrəðʒiˌneit] vt a hidrogena

hydrogenation [ˌhaidrədʒiˈneiʃən] s ch hidrogenare

hydrogen bomb [ˈhaidridʒən ˌbɔm] s bombă cu hidrogen, bombă H

hydrogenous [hiˈdrɔdʒinəs] adj hidrogenos, hidrogenic

hydrogen peroxide [ˈhaidridʒən pərˈɔksaid] s ch apă oxigenată, perhidrol

hydrogen sulfide/sulphide [ˈhaidridʒən ˈsʌlfaid] s ch hidrogen sulfurat

hydrographer [haiˈdrɔgrəfər] s hidrograf

hydrographic [ˌhaidrəˈgræfik] adj hidrografic

hydrography [haiˈdrɔgrəfi] s 1 hidrografie 2 apele pământului

hydrokinetic [ˌhaidroukiˈnetik] adj fiz hidrochinetic; hidromecanic

hydrokinetically [ˌhaidroukiˈnetikəli] adv fiz (din punct de vedere) hidrochinetic

hidrokinetics [ˌhaidroukiˈnetiks] s pl ca sg fiz hidrochinetică, hidrodinamică; mecanica fluidelor

hydrologic(al) [ˌhaidrəˈlɔdʒik(əl)] adj hidrologic

hydrologist [haiˈdrɔlədʒist] s hidrolog

hydrology [haiˈdrɔlədʒi] s hidrologie

hydrolyse, hydrolyze [ˈhaidrəˌlaiz] vt ch a descompune prin hidroliză, a hidroliza

hydrolysis [haiˈdrɔlisis] s ch hidroliză

hydromancer [ˈhaidrouˌmænsər] s ghicitor în ape, specialist în divinație cu ajutorul apei/apelor

hydromancy [ˈhaidrouˌmænsi] s hidromanție, divinație cu ajutorul apei/apelor

hydromechanics [ˌhaidroumiˈkæniks] s pl ca sg fiz hidromecanică, mecanica lichidelor

hydromel [ˈhaidrouˌmel] s hidromel

hydrometallurgy [ˌhaidrouˈmetəˌləːdʒi] s tehn hidrometalurgie, spălarea minereurilor, obținerea metalelor prin spălare/prin procedeu lichid

hydrometeor [ˌhaidrouˈmiːtiər] s meteor fenomen meteorologic (apos); precipitații

hydrometer [haiˈdrɔmitər] s tehn hidrometru, densometru

hydrometric [ˌhaidrouˈmetrik] adj tehn hidrometric

hydrometry [haiˈdrɔmitri] s tehn hidrometrie, densometrie

hydromorphic [ˌhaidrouˈmɔːfik] adj bot hidromorf(ic), adaptat la viața acvatică

hydronaut [ˈhaidrouˌnɔːt] s av amer hidronaut, pilot de submarin sau batiscaf

hydropathic [ˌhaidrouˈpæθik] adj med 1 hidropatic 2 balnear, balneoterapeutic

hydropathist [haiˈdrɔpəθist] s med hidropat, adept al hidropatiei/al curei de apă/al curei Kneipp

hydropathy [haiˈdrɔpəθi] s med hidropatie, cură Kneipp/de apă

hydrophile [ˈhaidrouˌfail], **hydrophilic** [ˌhaidrouˈfilik] adj hidrofil

hydrophilous [haiˈdrɔfiləs] adj 1 bot v. hydrophytic 2 delicvescent; care necesită multă apă (pentru creștere)

hydrophobe [ˈhaidrəfoub] adj v. hydrophobic

hydrophobia [ˌhaidrəˈfoubiə] s med 1 hidrofobie 2 turbare, rabie

hydrophobic [ˌhaidrəˈfoubik] adj med 1 suferind de hidrofobie 2 turbat, suferind de turbare/rabie

hydrophobicity [ˌhaidroufouˈbisiti] s med hidrofobie

hydrophone [ˈhaidrəˌfoun] s fiz ecometru, detector sonic (în apă)

hydrophyte [ˈhaidrouˌfait] s bot plantă acvatică; plantă care crește numai în mediu umed

hydrophytic [ˌhaidrouˈfitik] adj bot hidrofit, care crește numai în apă sau în mediu umed

hydropic [haiˈdrɔpik] adj med suferind de idropizie/F ← dropică

hydroplane [ˈhaidrouˌplein] I s 1 hidroglisor, hidroplan 2 hidroavion 3 profundor (la submarin) 4 flotor (la hidroglisor) II vi a glisa pe apă, a naviga cu hidroglisorul

hydroponicist [ˌhaidrouˈpɔnisist], **hydroponist** [haiˈdrɔpənist] s specialist în hidropolică/în creșterea plantelor în soluții apoase

hydroponics [ˌhaidrouˈpɔniks] s pl ca sg agr cultivarea plantelor fără sol (cu apă)

hydropower [ˈhaidrouˌpauər] s energie hidroelectrică

hydropower plant/station [ˈhaidrou ˌpauəˈplɑːnt/ˈsteiʃən] s hidrocentrală, centrală hidroelectrică

hydrops(y) [ˈhaidrɔps(i)] s med înv dropică, hidropizie

hydroquinone [ˌhaidroukwiˈnoun] s ch hidrochinonă

hydroscope [ˈhaidrəˌskoup] s nav periscop subacvatic, hidroscop

hydroski [ˈhaidrouˌskiː] s av tren de aterizare sau amerizare sub formă de ski; ski pentru amerizarea hidroavioanelor sau a avioanelor pe zăpadă

hydrosphere [ˈhaidrəˌsfiər] s geogr hidrosferă

hydrostatic(al) [ˌhaidrouˈstætik(əl)] adj hidrostatic

hydrostatic press [ˌhaidrouˈstætik ˈpres] s presă hidraulică

hydrostatics [ˌhaidrouˈstætiks] s pl ca sg hidrostatică

hydrotherapeutic [ˌhaidrouˌθerəˈpjuːtik] adj med hidroterapeutic, referitor la terapia cu apă/la cura de apă

hydrotherapeutics [ˌhaidrouˌθerəˈpjuːtiks] s pl ca sg v. **hydrotherapy**

hydrotherapy [ˌhaidrouˈθerəpi] s hidroterapie

hydrothermal [ˌhaidrouˈθəːməl] adj hidrotermal

hydrothorax [ˌhaidrouˈθɔːræks] s med hidropizie pulmonară, apă la plămâni

hydrotropism [haiˈdrɔtrəpizəm] s biol hidrotropism

hydrous [ˈhaidrəs] adj ch apos, care conține apă

hydroxide [haiˈdrɔksaid] s ch hidroxid, hidrat

hydroxyl [haiˈdrɔksil] s ch hidroxil, radical oxihidric

hydrozoan [ˌhaidrouˈzouən] zool I s hidrozoar, celenterat din clasa Hidrozoa II adj referitor la hidrozoare/la celenteratele din clasa Hidrozoa

hyena [hai'i:nə] *s* **1** *zool* hienă *(Hyaenidae sp.)* **2** *fig* hienă, șacal

Hygeia [hai'dʒi:ə] *mit* Higeia

hygiene ['haidʒi:n] *s* igienă

hygienic [hai'dʒi:nik] *adj* igienic

hygienically [hai'dʒi:nikəli] *adv* (în mod) igienic

hygienics [hai'dʒi:niks] *s pl ca sg* igienă, știința igienei

hygienist ['haidʒi:nist] *s* igienist

hygro- *pref* higro-: **hygroscopic** higroscopic

hygrometer [hai'grɔmitəʳ] *s* higrometru

hygrometric ['haigrə'metrik] *adj* higrometric

hygroscope ['haigrə,skoup] *s* higroscop

hygroscopic [,haigrə'skɔpik] *adj* higroscopic

Hymen ['haimən] *mit* Himen *(Zeul căsătoriei)*

hymen¹ *s* ← *înv* căsătorie

hymen² *s anat* himen

hymeneal [,haimə'ni:əl] **I** *adj* nupțial, referitor la nuntă/căsătorie **II** *s înv* epitalam, cântec de nuntă

hymenium [hai'mi:niəm] *s bot* himeniu, strat de celule producătoare de spori la ciuperci

hymenopteran [,haimi'nɔptərən], **hymenopteron** [,haimi'nɔptərən], *pl* **hymenoptera** [,haimi'nɔptərə] *s ent* himenopteră

hymenopterous [,haimi'nɔptərəs] *adj ent* referitor la himenoptere

hymn [him] **I** *s* **1** imn/cântec religios **2** cântec de slavă *sau* bucurie **II** *vt* **1** a slăvi, a lăuda, a cânta **2** a exprima, a da glas *(cu dat)* **III** *vi* a cânta un cântec religios

hymnal ['himnəl], **hymnary** ['himnəri], *v.* **hymnbook**

hymnbook ['himbuk] *s bis* carte de muzică/imnuri/cântece (religioase)

hymnic ['himnik] *adj bis* referitor la imnurile/cântecele religioase

hymnist ['himnist] *s bis* autor de imnuri/cântece religioase

hymnody ['himnədi] *s bis* **1** cântarea imnurilor religioase **2** compunere a imnurilor religioase **3** imnuri religioase

hymnographer [him'nɔgrəfəʳ] *s v.* **hymnist**

hymnology [him'nɔlədʒi] *s v.* **hymnody 2, 3**

hyoid ['haiɔid] *anat* **I** *s v.* **hyoid bone II** *adj* hioid, în formă de U

hyoid bone [,haiɔid 'boun] *s anat* os hioid, articulație hioidă *(la baza limbii)*

hyoscine ['haiə,si:n] *s ch, farm, med* scopolamină

hyoscyamine [,haiə'saiə,mi:n] *s ch, farm, med* hiosciamină; sedativ antispasmodic

hyp [hip] *s v.* **hype**

hyp *presc de la* **1 hypothesis 2 hypothetical 3 hypochondria 4 hypotenuse**

hype [haip] *amer sl* **I** *s* **1** înțepătură/injecție cu droguri/stupefiante **2** *F* drogoman, – toxicoman **3** șarlatanie, înșelătorie, tragere pe sfoară/în piept; publicitate/reclamă exagerată **II** *vt* **1** a droga, a stimula/a excita artificial **2** a face reclamă exagerată/publicitate senzațională pentru

hyper- *pref* hiper-: **hypertrophy** hipertrofie

hyperacid [,haipər'æsid] *adj* hiperacid

hyperacidity [,haipərə'siditi] *s* hiperaciditate

hyperactive [,haipər'æktiv] *adj* **1** exagerat de/foarte activ; care muncește/se agită exagerat (de mult) **2** *med etc.* hiperactiv

hyper(a)emia [,haipər'i:miə] *s med* hiperestezie, sensibilitate (nervoasă) exagerată, hipersensibilitate

hyper(a)emic [,haipər'i:mik] *adj med* hiperemic, congestionat

hyper(a)esthesia [,haipəri:s'θi:ziə] *s med* hiperestezie, sensibilitate (nervoasă) exagerată, hipersensibilitate

hyperbaton [hai'pə:bə,tɔn] *s ret* hiperbată, inversiune cu rol de subliniere

hyperbola [hai'pə:bələ] *s geom* hiperbolă

hyperbole [hai'pə:bə,li] *s lit* hiperbolă, exagerare

hyperbolic [,haipə'bɔlik] *adj geom* hiperbolic

hyperbolic(al) [,haipə'bɔlik(əl)] *adj* hiperbolic, exagerat

hyperbolism [hai'pə:bəlizm] *s* **1** folosirea hiperbolei; înclinație pentru hiperbolă, exagerare **2** hiperbolă, exagerare; afirmație exagerată

hyperbolize [hai'pə:bə,laiz] *vi* a folosi hiperbola, a exagera

hyperboloid [hai'pə:bə,lɔid] *s geom* hiperboloid

hyperborean [,haipə'bɔ:riən] **I** *adj* arctic, boreal **II** *s mit* locuitor din nord

hypercritic [,haipə'kritik] *s* critic sever; cusurgiu

hypercritical [,haipə'kritikəl] *adj* sever, cusurgiu, cârciogar, cârcotaș

hypercriticalism [,haipə'kritikəlizəm] *s* hipercriticism, critică acerbă, spirit critic ascuțit

hypercritically [,haipə'kritikəli] *adv* exagerat de critic

hyperemia [,haipər'i:miə] *s v.* **hyper(a)emia**

hyperesthesia [,haipəri:s'θi:ziə] *s v.* **hyper(a)esthesia**

hyperglycemia [,haipəglai'si:miə] *s med* hiperglicemie, *F* zahăr în sânge; diabet zaharat

hyperglycemic [,haipəglai'si:mik] *adj med* hiperglicemic, care suferă de hiperglicemie/de diabet zaharat; care are zahăr în sânge

Hyperion [hai'piəriən] *mit* Hiperion

hypermetropia [,haipəmi'troupiə] *s med* hipermetropie, presbitism

hypermetropic [,haipəmi'trɔpik] *adj med* hipermetropic, presbit

hyperopia [,haipə'roupiə] *s med v.* **hypermetropia**

hyperopic [,haipə'rɔpik] *adj med v.* **hypermetropic**

hyperphysical [,haipə'fizikəl] *adj* **1** supranatural, dincolo de percepția simțurilor; dincolo de lumea fizică, metafizic **2** deosebit, distinct de elementele fizice, ultrafizic

hyperphysically [,haipə'fizikəli] *adv* **1** (în mod) supranatural, dincolo de simțurile noastre **2** dincolo de fizică, ultrafizic

hyperpyretic [,haipəpai'retik] *adj med* (hiper)febril, care are febră mare

hyperpyrexia [,haipəpai'reksiə] *s med* stare febrilă, febră mare, febrilitate

hypertension [,haipə'tenʃən] *s med* hipertensiune arterială

hypertensive [,haipə'tensiv] *adj med* hipertensiv

hyperthyroid [ˌhaipə'θairɔid] *med* **I** *adj* hipertiroidian, care suferă de hipertiroidie **II** *s* hipertiroidian, persoană care suferă de hipertiroidie

hyperthyroidism [ˌhaipə'θairɔiˌdizəm] *s med* hipertiroidie, hipertiroidism

hypertonic [ˌhaipə'tɔnik] *adj* hipertonic, cu un tonus/cu o presiune deasupra normalului

hypertrophic [ˌhaipə'trɔfik] *adj med* hipertrofiat, hipertrofic

hypertrophy [hai'pə:trəfi] *s* 1 hipertrofie 2 complicaţie exagerată

hypesthesia [ˌhipi:s'θi:ziə] *s med* hipoestezie, sensibilitate redusă (la pipăit)

hypesthesic [ˌhipi:s'θi:sik], **hypesthetic** [ˌhipi:s'θi:tik] *adj med* care suferă de hipoestezie, cu o sensibilitate redusă la pipăit/atingere

hyphen ['haifən] **I** *s* 1 cratimă, liniuţă, trăsătură/trăsătură de unire 2 scurtă pauză între silabe **II** *vt* a scrie cu liniuţă/cratimă

hyphenate ['haifəˌheit] *vt v.* **hyphen II**

hyphenated Americans [haifəˌneitid ə'merikənz] *s pl* americani născuţi în străinătate/amestecaţi/*F* corciţi, corciuri *(de origine irlandeză etc.)*

hyphenation [ˌhaifəˌneiʃən] *s* scriere cu cratimă/liniuţă

hyphenize ['haifəˌnaiz] *vt v.* **hyphen II**

hypnagogic [ˌhipnə'gɔdʒik] *adj med* 1 somnifer, soporific; hipnotic, sedativ; care produce somn 2 (referitor la starea) dintre somn şi trezie

hypnogenesis [ˌhipnou'dʒenisis] *s med* 1 producere a somnului; caracter soporific/sedativ/hipnotic 2 producere a hipnozei, caracter hipnotic

hypnogenetic [ˌhipnoudʒi'netik] *adj med* 1 soporific, somnifer, hipnotic, sedativ 2 hipnotic, care produce hipnoză

hypnology [hip'nɔlədʒi] *s psih, med* 1 descrierea somnului (şi a fenomenelor legate de el) 2 descrierea hipnozei

hypnop(a)edia [ˌhipnou'pi:diə] *s* învăţare *sau* îndoctrinare prin somn

hypnopompic [ˌhipnou'pɔmpik] *adj psih, med v.* **hypnagogic 2**

Hypnos ['hipnɔs] *mit* Hipnos, Somnus, zeul somnului; Morfeu

hypnotherapy [ˌhipnou'θerəpi] *s med* 1 somnoterapie 2 hipnoterapie

hypnotic [hip'nɔtik] **I** *adj* 1 referitor la somn (artificial) 2 somnifer, soporific, pentru/de dormit 3 hipnotic, de/referitor la hipnoză **II** *s* 1 somnifer, soporific, medicament hipnotic 2 mediu *(persoană care poate fi hipnotizată)*

hypnotically [hip'nɔtikəli] *adv* hipnotic, ca sub hipnoză; ca prin somn

hypnotism ['hipnəˌtizəm] *s* 1 hipnotism, practicarea hipnozei 2 *med* hipnoterapie; somnoterapie

hypnotist ['hipnətist] *s* hipnotizator, hipnotist, specialist în hipnoză

hypnotizable ['hipnəˌtaizəbəl] *adj psih* uşor de hipnotizat, bun mediu (pentru hipnoză)

hypnotize ['hipnəˌtaiz] *vt* 1 a hipnotiza, a adormi prin hipnoză; a supune hipnoterapiei/somnoterapiei 2 *fig* a hipnotiza, a paraliza; a vrăji

hypo¹ ['haipou] **I** *pl* **hypos** ['haipouz] *s amer sl* F 1 *v.* **hypodermic II 2** ipohondru, persoană ipohondră; om speriat/îngrijorat de sănătatea lui **II** *vt* a stimula prin droguri (injectate), a înţepa (cu droguri)

hypo² *s ch* hiposulfit/thiosulfit (de sodiu)

hypo- *pref* hipo-: **hypoglycemia** hipoglicemie

hypochlorite [ˌhaipə'klɔ:rait] *s ch* hipoclorură, sare a acidului hipocloros

hypochlorous acid [ˌhaipə'klɔ:rəs 'æsid] *s ch* acid hipocloros

hypochondria [ˌhaipə'kɔndriə] *s med* ipohondrie

hypochondriac [ˌhaipə'kɔndriˌæk] **I** *s* ipohondru **II** *adj* ipohondric

hypocorism [hai'pɔkəˌrizəm] *s* diminutiv, alintare; nume folosit pentru alintare

hypocoristic [ˌhaipəkɔ:'ristik] *adj* 1 eufemistic 2 diminutival

hypocoristically [ˌhaipəkɔ:'ristikəli] *adv* diminutival, ca diminutiv, ca termen/nume de alintare

hypocrisy [hi'pɔkrəsi] *s* ipocrizie, făţărnicie

hypocrite ['hipəkrit] *s* ipocrit, prefăcut, făţarnic; taler cu două feţe; mironosiţă

hypocritical [ˌhipə'kritikəl] *adj* ipocrit, făţarnic, prefăcut, cu două feţe

hypocritically [ˌhipə'kritikəli] *adv* cu ipocrizie, cu făţărnicie

hypodermal ['haipə'də:məl] *adj* subcutanat, hipodermic

hypodermic [ˌhaipə'də:mik] **I** *adj* 1 subcutanat, hipodermic 2 *med* subcutanat, injectat sub piele 3 *anat* referitor la hipodermă 4 ← *F* stimulator, excitant; de natura drogurilor *sau* a toxicomaniei **II** *s* 1 injecţie (subcutanată); ← *F* înţepătură *(cu morfină etc.)* 2 seringă (pentru injecţii subcutanate)

hypodermic injection [ˌhaipə'də:mik in'dʒekʃən] *s v.* **hypodermic II 1**

hypodermic syringe [ˌhaipə'də:mik 'sirindʒ] *s v.* **hypodermic II 2**

hypodermis [ˌhaipə'də:mis] *s* hipodermă

hypogastric [ˌhaipə'gæstrik] *adj anat, med* referitor la hipogastru, hipogastric

hypogastrium [ˌhaipə'gæstriəm] *s anat* hipogastru, partea mijlocie şi inferioară a abdomenului

hypogeal [ˌhaipə'dʒi:əl], **hypogean** [ˌhaipə'dʒi:ən] *adj* 1 *geol* subteran, (aflat/care se petrece) sub suprafaţa terestră 2 *bot* care creşte sub pământ; subteran 3 *zool* subpământean, care trăieşte în vizuini subpământene/subterane; subteran

hypogene ['haipəˌdʒi:n] *adj geol* 1 hipogen, format în pământ 2 *(d. minereuri etc.)* format de apele abisale/de mare adâncime

hypogeum [ˌhaipə'dʒi:əm], *pl* **hypogea** [ˌhaipə'dʒi:ə] *s* cavernă, peşteră, încăpere subpământeană/subterană; subterană

hypoglosal [ˌhaipə'glɔsəl] *anat* **I** *adj* hipoglos, aflat sub limbă **II** *s nerv* hipoglos

hypoglycemia [ˌhaipouglai'si:miə] *s med* hipoglicemie, lipsă de zahăr în sânge

hypoglycemic [ˌhaipouglai'si:mik] *adj med* hipoglicemic, care suferă de hipoglicemie

hypomania [ˌhaipou'meiniə] *s med* manie/nebunie benignă/uşoară

hypophysis [hai'pɔfisis], *pl* **hypophyses** [hai'pɔfisiːz] *s anat med* hipofiză, glanda pituitară

hypopituitary [ˌhaipəpi'tjuːitəri] *adj med* (hipo)pituitar, care suferă de o dezvoltare slabă (a hipofizei); slab dezvoltat

hyposensitization [ˌhaipou'sensiˌtaiˈzeiʃən] *s med* desensibilizare (la alergie)

hyposensitize [ˌhaipou'sensiˌtaiz] *vt med* a desensibiliza (la alergie)

hypostasis [hai'pɔstəsis] *s* 1 *med* congestie 2 *filos* substanţă, esenţă *(în metafizică)* 3 *rel* întruchipare a lui Cristos

hypostatization [hai,pɔstətai'zeiʃən] *s filos, rel* (trans)substanţiere; întru(chi)pare; personalizare

hypostatize [hai'pɔstə,taiz] *vt* a întruchipa, a întrupa, a personaliza *(o ficţiune etc.)*

hyposulfite, hyposulphite [ˌhaipə'sʌlfait] *s ch* hiposulfit

hypotactic [ˌhaipou'tæktik] *adj gram* subordonat, hipotactic

hypotaxis [ˌhaipou'tæksis] *s gram* subordonat, hipotactic

hypotension [ˌhaipou'tenʃən] *s med* hipotensiune (arterială)

hypotensive [ˌhaipou'tensiv] *adj med* hipotensiv, cu tensiune joasă/scăzută

hypotenuse [hai'pɔtiˌnjuːz] *s geom* ipotenuză

hypothalamic [ˌhaipouθə'læmik] *adj anat* hipotalamic, referitor la hipotalamus

hypothalamus [ˌhaipə'θæləməs], *pl* **hypothalami** [ˌhaipə'θæləmai] *s anat* hipotalam

hypothecate [hai'pɔθiˌkeit] *vt* 1 *jur* a ipoteca 2 *v.* **hypothesize** II

hypothecation [hai,pɔθi'keiʃən] *s jur* ipotecare

hypothek [hai'pɔθik] *s jur* ipotecă

hypothesis [hai'pɔθisis] *s* ipoteză

hypothesize [hai'pɔθiˌsaiz] I *vi* a face/a emite ipoteze, a presupune II *vt* a bănui, a presupune

hypothetical [ˌhaipə'θetikəl] *adj* ipotetic, bazat pe supoziţie; presupus

hypothetically [ˌhaipə'θetikəli] *adv* (în mod) ipotetic

hypothyroid [ˌhaipou'θairɔid] *med* I *adj* hipotiroidian, care suferă de hipotiroidie II *s* hipotiroidian, persoană care suferă de hipotiroidie

hypothyroidism [ˌhaipou'θairɔiˌdizəm] *s med* hipotiroidic, hipotiroidism

hypoxia [hai'pɔksiə] *s med* hipoxie, insuficienta oxigenare a ţesuturilor

hyps, the [hips, ðə] *s pl amer* 1 *F* melancolie (blegoasă), depresiune, tristeţe, deprimare 2 *F* ipohondrie, fandacsie

hypsometer [hip'sɔmitə*r*] *s* hipsometru

hypsometry [hip'sɔmitri] *s* hipsometrie

hyssop ['hisəp] *s* 1 *bot* isop *(Hyssopus officinalis)* 2 *amer* plantă din diferite specii înrudite cu menta 3 *bibl* isop

hysterectomy [ˌhistə'rektəmi] *s med* histerectomie, extirpare a uterului

hysteresis [ˌhistə'riːsis] *s fiz* histereză

hysteria [hi'stiəriə] *s med* isterie

hysteric [hi'sterik] I *s* isteric, persoană isterică II *adj* isteric

hysterical [hi'sterikəl] *adj* isteric

hysterically [hi'sterikəli] *adv* isteric

hysterics [hi'steriks] *s pl* istericale, isterie

hysterogenic [ˌhistərə'dʒenik] *adj med* histerogenic, care generează isterie

hysterotomy ['histə'rɔtəmi] *s med* incizie a uterului; (operaţie) cezariană

Hz *presc de la* **hertz**

I

I, i [ai] *s* (litera) I, i

I *presc de la* **1 inclination 2 intensity 3 iodine 4 island**

I I *pr eu*; **taller than I** mai înalt ca mine **II** *pl* **Is** *sau* **I's** [aiz] *s* **1** eu, ego **2** (persoană cu) individualitate puternică **3** egocentric

Ia *presc de la* **Iowa**

-ia *suf* -ie: **hysteria** isterie; **fuchsia** fucsie

Iago ['ia:gou] *personaj din „Othello" de Shakespeare*

-ial *suf* -ial: **dictatorial** dictatorial

iamb ['aiæm] *s metr* iamb

iambic [ai'æmbik] *adj metr* îambic

iambus [ai'æmbəs], *pl și* **iambi** [ai'æmbai] *s metr* iamb

Ian [iən] *nume masc aprox* Ion

-ian *suf* **1** -ian: **Shakespearian** shakespearian **2** -an: **Lilliputian** liliputan **3** -ic: **Pantagruelian** pantagruelic **4** -esc: **Grecian** grecesc **5** -ist: **Marxian** marxist

Iași ['jaʃi] *oraș în România* Iași

I.A.T.A. *presc de la* **International Air Transport Association**

iatrogenic [ai,ætrou'dʒenik] *adj med* (d. boală) generat de diagnoză *sau* tratament

I.A.U.P.E. *presc de la* **International Association of University Professors of English**

ib., ibid. *presc de la* **ibidem**

I.B.A. *presc de la* **Independent Broadcasting Authority** Compania de radio independentă

Iberia [ai'biəriə] **1** Peninsula Iberică, Iberia **2** ← *înv* Spania

Iberian [ai'biəriən] **I** *adj* iberian; iberic **II** *s* **1** Peninsula Iberică **2** iber, iberian

ibidem [i'baidem] *adv lat* în același loc

ibis ['aibis], *pl și* ~ *s orn* ibis (Ibis sp.)

-ible *suf* -ibil: **admissible** admisibil

I.B.M. *presc de la* **International Business Machines** Trustul (internațional) de mașini de birou

I.B.R.D. *presc de la* **International Bank of Reconstruction and Development**, BIRD

Ibsen ['ibsən], **Henrik** *dramaturg norvegian (1828-1906)*

Ibsenism ['ibsənizəm] *s* ibsenism

Ibsenite ['ibsənait] *s* ibsenist, adept al lui Ibsen

-ic *suf* -ic; -ian: **panoramic** panoramic; **Byronic** byronian

-ical *suf* -ic: **geographical** geografic

I.C.A.O. *presc de la* **International Civil Aviation Organization**

Icarian [ai'kɛəriən] *adj* icarian, icaric

Icarus ['ikərəs] *mit* Icar

ICBM *presc de la* **Intercontinental Ballistic Missile**

ICC *presc de la* **International Chamber of Commerce; Inter-State Commerce Commission**

ice [ais] **I** *s* **1** gheață; strat/pojghiță de gheață; **to break the** ~ *fig* a a sparge gheța b a face începutul/ primii pași; **it cuts no** ~ nu face două parale; nu are nici un efect **to be on thin** ~ *fig* a a fi într-o situație delicată b a fi în mare primejdie **2** întindere înghețată/ de gheață **3** înghețată **4** glazură (la tort etc.) **5** *fig* gheață; răceală, rezervă, aer glacial; primire rece **6** *sl* diamante; bijuterii **II** *vt* **1** a îngheța **2** a acoperi cu gheață **3** a pune la gheață, a răci, a frapa **4** a glasa, a face o glazură la **III** *vi* **1** a îngheța **2** a se acoperi cu gheață, a se jivra **3** a se răci

ice age ['asi,eidʒ] *s geol* eră/epocă glaciară

ice axe ['ais ,æks] *s* picon, toporișcă (a alpiniștilor)

ice bag ['ais,bæg] *s med* pungă de gheață

iceberg ['aisbə:g] *s* **1** aisberg, ghețar, munte de gheață; **tip of the** ~ a partea vizibilă a unui aisberg b *fig* simbol, semn vizibil (al unui lucru mai important) **2** *fig* sloi de gheață, persoană insensibilă

ice boat ['ais, bout] *s* **1** vehicul pentru deplasare pe gheață; sanie cu pânze **2** *nav* spărgător de gheață

ice-bound ['ais,baund] *adj* prins/ blocat de ghețari

ice box ['ais ,boks] *s* **1** răcitor, ghețar **2** *amer* frigider, răcitor

ice-breaker ['ais,beikə'] *s nav* spărgător de gheață

ice cap ['ais ,kæp] *s* **1** calotă de gheață **2** *med* pungă de gheață (pentru cap)

ice-cold ['ais ,kould] *adj* rece ca gheața, înghețat; de la gheață

icecream ['ais,kri:m] *s* înghețată

icefall ['ais,fo:l] *s* **1** perete de gheață **2** ghețar; morenă glaciară; cascadă de gheață

ice field ['ais ,fi:ld] *s* **1** câmpie de gheață **2** calotă de gheață

icefloe ['aisflou] *s* **1** sloi de gheață **2** ghețar, iceberg

icehockey ['ais,hɔki] *s sport* hochei pe gheață

icehouse ['ais,haus] *s* siloz pentru gheață

Iceland ['aislənd] *țară* Islanda

Icelander ['aislændə'] *s* islandez

Icelandic ['ais'lændik] **I** *adj* islandez **II** *s* (limba) islandeză

Iceland spar ['aislənd ,spa:'] *s minr* spat de Islanda

iceman [ais'mən] *s* vânzător *sau* furnizor de gheață

icepack ['ais,pæk] *s* **1** întindere acoperită de sloiuri **2** banchiză

ice pantomime/show ['ais 'pæntə-maim/'ʃou] *s* spectacol pe gheață

icetray ['ais,trei] *s* tăviță pentru (cuburi de) gheață

ice water ['ais ,wo:tə'] *s* apă (rece) de la gheață

ice wool ['ais ,wu:l] *s* lână fină pentru croșetat

ICFTU *presc de la* **International Confederation of Free Trade Unions** CISL

Ichabod ['ikəbod] *s* **1** păcat **2** (↓ *ca exclamație*) rușine

ichneumon [ik'nju:mən] *s zool* mangustă (Herpestes nyula)

ichor ['aiko:'] *s* **1** *mit* sângele zeilor **2** *poetic* lichid asemănător cu sângele **3** *med* scurgere dintr-o rană

ichthyoid ['ikθi,oid] *biol* **I** *adj* ihtioid, ca peștii **II** *s* vertebrat asemănător cu peștii

ichthyologic(al) [,ikθiə'lodʒik(əl)] *adj* ihtiologic

ichthyologist [,ikθi'ɔlədʒist] *s* ihtiolog

ichthyology [,ikθi'ɔlədʒi] *s* ihtiologie

ichthyophagous [ˌikθiˈɔfəgəs] *adj biol* ihtiofag, care se hrănește cu pești

ichthyosaur [ˈikθiəˌsɔːʳ] *s zool* ihtiozaur

ichthyosaurus [ˌikθiəˈsɔːrəs] *v.* **ichthyosaur**

ichthyosis [ˌikθiˈousis] *s med* ihtioză, uscare și scămoșare a epidermei

I.C.I. *presc de la* **Imperial Chemical Industries** Trustul de produse chimice

-ician *suf* -ician: **politician** politician

icicle [ˈaisikəl] *s* 1 țurțure 2 *fig v.* **iceberg 2**

icily [ˈaisili] *adj* glacial, rece, cu răceală

iciness [ˈaisinis] *s* 1 răceală de gheață 2 *fig* glacialitate, răceală glacială

icing [ˈaisiŋ] *s* 1 înghețare *etc. (v.* **ice II, III**) 2 glazură

I.C.J. *presc de la* **International Court of Justice**

ickle [ikl] *adj F* micuț (de tot), mititel, mic-mic

icon [ˈaikɔn] *s* 1 imagine, chip, efigie 2 statuie 3 *bis* icoană 4 *fig* idol, obiect al idolatriei

iconic [aiˈkɔnik] *adj* 1 iconic, de icoană 2 imagistic; cu caracter de portret 3 *artă (d. statue)* convențional, clasic, figurativ; iconic

iconicity [aikɔˈnisiti] *s* iconicitate; iconism, caracter figurativ

iconoclasm [aiˈkɔnəˌklæzəm] *s* iconoclastie

iconoclast [aiˈkɔnəˌklæst] *s* iconoclast

iconoclastic [aiˌkɔnəˈklæstik] *adj* iconoclastic

iconographic(al) [aiˌkɔnəˈgræfik(əl)] *adj* iconografic

iconography [ˌaikɔˈnɔgrəfi] *s* iconografie

iconolater [ˌaikɔˈnɔlətəʳ] *s* iconolatru, adorator de icoane *sau* imagini

iconolatry [ˌaikɔˈnɔlətri] *s* iconolatrie, adorația imaginilor

iconology [ˌaikɔˈnɔlədʒi] *s* 1 iconologie, studiul icoanelor 2 iconicism, simbolism

iconometer [ˌaikɔˈnɔmitəʳ] *s* 1 *foto* vizor direct, iconometru 2 *geod* iconometru, telemetru

iconometry [ˌaikɔˈnɔmitri] *s* iconometrie

iconostasis [ˌaikouˈnɔstəsis], *pl* **iconostases** [ˈaikouˈnɔstəsiːz] *s bis* iconostas, tâmplă, catapeteasmă

ics *suf* -ică: **linguistics** lingvistică

icteric [ikˈterik] *adj med* icteric, (suferind) de icter

icterus [ˈiktərəs] *s med* icter, gălbinare

ictus [ˈiktəs] *s metr* accent metric

icy [ˈaisi] *adj* 1 (ca) de gheață 2 glacial 3 înghețat, ca gheața, rece 4 frigid, glacial

ID *presc de la* **identification**

i.d. *presc de la* **inner diameter** diametru interior

I'd [aid] *contras din* 1 **I had** 2 **I should** 3 **I would**

id *presc de la* **idem**

I.D.A. *presc de la* **International Development Association**

Ida [ˈaidə] *nume fem*

Idaho [ˈaidəˌhou] *stat în S.U.A.*

I.D.B. *presc de la* **illicit diamond-buying** cumpărare ilegală de diamante

-ide [aid] *suf* 1 -id: **carbide** carbid 2 -ură: **chloride** clorură 3 -idă: **anhydride** anhidridă

idea [aiˈdiə] *s* 1 idee; noțiune 2 imagine, idee 3 idee, gând; **to get an ~ into one's head** a-și băga ceva în cap 4 părere, concepție, idee; **the ~ of it!** [ðiˈaidiərɔvit] *F* ce idee! auzi vorbă! **what's the big ~?** *amer F* care-i chestia? 5 bănuială, presupunere, închipuire, idee 6 mod de a gândi, mentalitate; **it's not my ~ of entertainment** *F* nu așa înțeleg eu distracția; nu mi se pare chiar așa amuzant; **he has no ~** *F* habar n-are, e complet pe dinafară; **the young ~** mintea copilului 7 *filos* obiectul gândirii/percepției mintale; concepția rațiunii supreme; adevărul absolut

idea'd, ideaed [aiˈdiəd] *adj* plin de idei; inteligent, isteț

ideal [aiˈdiəl] **I** *adj* 1 ideal, perfect, desăvârșit, excelent 2 închipuit, nereal; mintal **II** *s* 1 ideal, perfecțiune 2 țintă, scop, ideal

idealess [aiˈdiəlis] *adj* (total) lipsit de idei; fără imaginație

ideal gas [aiˈdiəl ˌgæs] *s fiz* gaz ideal

idealism [aiˈdiəlizəm] *s* 1 *filos* idealism 2 idealism; caracter idealist

idealist [aiˈdiəlist] *s* idealist

idealistic(al) [aiˌdiəˈlistik(əl)] *adj* idealist

ideality [ˌaidiˈæliti] *s* 1 *filos* idealitate 2 (caracter) ideal, perfecțiune

idealization [aiˌdiəlaiˈzeiʃən] *s* idealizare

idealize [aiˈdiəˌlaiz] *vt* a idealiza

ideally [aiˈdiəli] *adv* 1 (în mod) ideal 2 (în mod) clasic 3 mintal, în închipuire/imaginație

ideate [aiˈdiːeit] **I** *vt* a concepe, a(-și) închipui **II** *vi* a-și forma concepții/noțiuni/idei

ideation [ˌaidiˈeiʃən] *s* 1 ideație, formare a ideilor; procesul de gândire 2 idei, mod de a gândi

idée fixe [ˈiːdeiˈfiks], *pl* **idées fixes** [ˈiːdeiˈfiks] idee fixă, obsesie

idée reçue [ˈiːdeirəˈsjuː], *pl* **idées reçues** [ˈiːdeirəˈsjuː] *s* opinie general acceptată, idee curentă

idem [ˈaidem] **I** *s* 1 același cuvânt 2 același autor **II** *adv* 1 la același autor 2 idem, la fel; de asemenea

identic(al) [aiˈdentik(əl)] *adj* 1 **(with)** identic, absolut la fel (cu) 2 ← *F* (chiar) același 3 *mat* identic, exprimând identitatea

identically [aiˈdentikəli] *adv* (în mod) identic, în același fel, la fel

identifiable [aiˈdentiˌfaiəbəl] *adj* identificabil, ușor de identificat

identification [aiˌdentifiˈkeiʃən] *s* identificare

identification card [aiˌdentifiˈkeiʃən kɑːd] *s* legitimație

identification disc [aiˌdentifiˈkeiʃən disk] *s* plăcuță/disc de identificare *(la aviatori etc.)*

identification parade [aiˌdentifiˈkeiʃən pəˌreid] *s jur* trecerea în revistă a suspecților *(pentru identificare)*

identification plate [aiˌdentifiˈkeiʃən pleit] *s v.* **identification disc**

identification record [aiˌdentifiˈkeiʃən ˈrekɔːd] *s jur* cazier, dosar

identification tag [aiˌdentifiˈkeiʃən tæg] *s v.* **identification disc**

identify [aiˈdentiˌfai] **I** *vt* 1 a identifica; a stabili identitatea *cu gen* 2 **(with)** a identifica, a pune alături (cu) **II** *vr, vi* **(with)** a se identifica, a se contopi, a se uni (cu), a se lega strâns (de)

identikit [aiˈdentiˌkit] *s jur* portret robot *(al unui suspect)*

identity [ai'dentiti] *s* 1 identitate, asemănare 2 unicitate 3 *mat* ecuație identică, identitate 4 identitate a unei persoane, persoană

identity card [ai'dentiti ,ka:d] *s* buletin de identitate; legitimație

identity parade [ai'dentiti pə,reid] *s* v. **identification parade**

ideo *pref* ideo-: **ideographic** ideografic

ideogram ['idiou,græm], **ideograph** ['idiou,gra:f] *s* ideogramă

ideographic(al) ['idiou,græfik(əl)] *adj* ideografic

ideographically ['idiou,græfikəli] *adv* (în mod) ideografic

ideologic(al) [,aidiə'lɔdʒi:k(əl)] *adj* ideologic

ideologist [,aidi'ɔlədʒist] *s* ideolog; teoretician

ideologue ['aidiə,lɔg] *s* 1 ideolog; teoretician 2 vizionar 3 partizan (înfocat) al unei ideologii, îndoctrinat

ideology [,aidi'ɔlədʒi] *s* ideologie

ides [aidz] *s pl lat* ide; **the ~ of March** idele lui Martie

id est [id'est] *conj lat* adică, cu alte cuvinte

idiocy ['idiəsi] *s* 1 imbecilitate, debilitate mintală 2 tâmpenie, prostie, stupiditate

idiolect ['idiə,lekt] *s lingv* idiolect, limbaj individual

idiom ['idiəm] *s* 1 idiom, dialect, grai 2 dialect local 3 limbaj specific; particularități lingvistice 4 expresie (idiomatică)

idiomatic [,idiə'mætik] *adj* 1 referitor la un idiom 2 referitor la expresii (idiomatice) 3 bogat în expresii (idiomatice), expresiv

idiopathic [,idiou'pæθik] *adj med* idiopatic, cu etiologie incertă

idiopathy [,idi'ɔpəθi:] *s med* idiopatie, boală cu etiologie incertă

idiosyncrasy [,idiou'siŋkrəsi] *s* 1 idiosincrasie, particularitate 2 manierism, înclinație puternică 3 *med* idiosincrasie, (hiper)sensibilitate 4 *fig* aversiune

idiosyncratic [,idiousiŋ'krætik] *adj* 1 bazat pe idiosincrasie *sau* manierism, cu totul deosebit, particular 2 *med* alergic, hipersensibil

idiot ['idiət] *s* 1 imbecil, debil mintal, idiot 2 *F* tâmpit, zevzec, idiot

idiotic(al) [,idi'ɔtik(əl)] *adj* 1 idiot, imbecil, nătâng 2 stupid, prostesc, idiot

idiotically [,idi'ɔtikəli] *adv* (în mod) idiot/stupid/prostesc, prostește, ca un prost

idioticalness [,idi'ɔtikəlnis] *s* imbecilitate, idioțenie, stupiditate

idiotism ['idiə,tizəm] *s* v. **idiom** 4

idle ['aidəl] I *adj* 1 inutil, nefolositor 2 fără temei/bază, neîntemeiat, nefondat; nelalocul lui 3 stupid, prostesc 4 trândav, leneș, indolent 5 (d. muncitori) fără ocupație; nefolosit; inactiv; **to lie ~ a** a nu avea ce face, a sta degeaba **b** a nu fi folosit, a sta degeaba 6 șomer; **to be ~** a șoma, a nu avea de lucru 7 *F* făcut în dorul lelii/(așa) ca să fie II *vi* 1 a lenevi, a trândăvi; a nu face nimic, a pierde vremea, a sta degeaba 2 a șoma, a nu avea de lucru, a nu avea ocupație 3 a sta/a rămâne nefolosit, a sta degeaba 4 *tehn* a merge în gol; a avea timpi morți III *vt* 1 a irosi; a nu folosi (< din plin) 2 a face să stea degeaba, a ține nefolosit

idle away ['aidəl ə'wei] *vt cu part adv* v. **idle** III 1

idleness ['aidəlnis] *s* 1 trândăvie, inactivitate, pierdere de vreme 2 trândăvie, lene

idler ['aidlə] *s* 1 pierde-vară, leneș, *F* burtă-verde 2 *tehn* roată (dințată) intermediară

idler wheel ['aidlə ,wi:l] *s* v. **idler** 2

idly ['aidli] *adv* 1 alene, leneș, lenevos 2 într-aiurea, în dorul lelii, fără țintă/scop

idol ['aidəl] *s* 1 idol, chip cioplit, obiect al idolatriei 2 *fig* idol, ideal (de perfecțiune) 3 *fig* idol, lumina ochilor, odor, stea, rază de soare 4 *fig* zeu fals, impostor, șarlatan 5 *filos* imagine, idol 6 concepție greșită/falsă

idola [ai'doulə] *pl de la* **idolum**

idolater [ai'dɔlətə'] *s* 1 idolatru 2 admirator înfocat

idolatress [ai'dɔlətris] *s* idolatră, adoratoare de idoli, admiratoare înfocată

idolatrous [ai'dɔlətrəs] *adj* 1 idolatru 2 plin de admirație nemărginită, pasionat

idolatry [ai'dɔlətri] *s* 1 idolatrie; **to honour smb on this side of ~**

cât pe-aci s-o/să-l idolatrizeze 2 act de idolatrie

idolization [,aidəlai'zeiʃən] *s* idolatrizare, adorație; venerație

idolize ['aidəlaiz] *vt* 1 a idolatriza, a transforma într-un idol, a-și face un idol din 2 a venera, a adora

idolum [ai'douləm], *pl* **idola** [ai'doulə] *s* 1 imagine mentală, reprezentare; idee 2 *logică* falsitate, premisă falsă, falacie

idyl(l) *s* 1 idilă, poveste de dragoste 2 poezie pastorală/bucolică, eglogă 3 legendă, poveste

idyllic [ai'dilik] *adj* idilic

idyllicaly [ai'dilikəli] *adv* (în mod) idilic

i.e. *presc de la* **id est**

-ie *suf dim:* **doggie** cățel(uș)

I.E.F. *presc de la* **Institute of Electrical Engineers**

-ier *suf substantival* -ar; -er: **glazier** sticlar; **collier** miner

I.F. *presc de la* **intermediate frequency**

if [if] I *conj* 1 dacă, de, că: **~ he comes we shall be glad** ne vom bucura cu toții dacă/de va veni; **~ anyone should call** dacă vine cineva 2 **~** deși, cu toate că; **an interesting ~ untenable argument** un argument interesant, deși nu stă în picioare; **even ~** chiar dacă 3 presupunând că, în cazul în care 4 cu condiția ca; dacă; **~ you will wait** dacă aveți amabilitatea să așteptați; **~ any** dacă e vreunul/vreuna; **there are few solutions, ~ any** nu mai e nici o soluție; **~ anything** cât de cât; **he is stupid ~ anything** e tâmpit, dacă nu chiar mai rău; **~ so** dacă așa stau lucrurile; **~ at all** nu sunt deloc obosit, aproape că nu simt oboseala; **~ only because** cel puțin din acest motiv (dacă nu și din altul); **~ only to do that** măcar în acest scop (dacă nu și pentru altceva); 5 (↓ în prop completitive) dacă (da sau nu); **she asked ~ that was enough** a întrebat dacă e deajuns (sau nu) II *s* 1 condiție; stipulație, prevedere 2 presupunere, bănuială, supoziție III *interj* 1 (↓ *cu* only) măcar dacă/să! cel puțin dacă! **~ only you could have seen him!** vai, de l-ai fi văzut! 2 (ca propoziție) dacă! să mă bată Dumnezeu dacă!

iffish ['ifiʃ], **iffy** ['ifi] *adj* nesigur, improbabil, depinzând una de alta

-iform *suf* -iform: **cordiform** cordiform

-ify *suf* -ifica: **signify** a semnifica

I.G. *presc de la* **Inspector General**

igloo, iglu ['iglu:] *s* **1** iglu, colibă de gheață **2** cupolă

igneous ['igniəs] *adj* **1** de foc, arzând, fierbinte **2** vulcanic; eruptiv

ignis fatuus ['ignis 'fætjuəs], *pl* **ignes fatui** ['ignis 'fætjuai] *s lat* **1** flăcărie, flăcăraie *(în mlaștini)* **2** *fig* iluzie, speranță deșartă, avantaj iluzoriu; fata morgana

ignitable [ig'naitəbl] *adj* inflamabil

ignite [ig'nait] **I** *vt* **1** a aprinde, a da foc la; a inflama **2** a face incandescent, a aduce la incandescență, a arde **II** *vi* **1** a se aprinde, a lua foc, a se inflama **2** a arde, a fi incandescent

ignition [ig'niʃən] *s* **1** aprindere, inflamare **2** ardere, combustie **3** *auto* contact

ignition key [ig'niʃən ki:] *s auto* cheie de contact

ignoble [ig'noubl] *adj* **1** de origine modestă, de jos; plebeu **2** rușinos, înjositor, josnic, dezonorant, scandalos

ignobless [ig'noublnis] *s* caracter rușinos/dezonorant/înjositor; rușine, înjosire

ignobly [ig'noubli] *adv* în mod rușinos

ignominious [,ignou'miniəs] *adj* **1** *v.* **ignoble 2** infam, de nimic **3** umilitor, înjositor, degradant

ignominiously [,ignou'miniəsli] *adv v.* **ignobly**

ignominiousness [,ignou'miniəsnis], **ignominy** ['ignə,mini] *s* **1** *v.* **ignobleness 2** ticăloșie, rușine, infamie

ignoramus [,ignə'reiməs] *s* ignorant

ignorance ['ignərəns] *s* ignoranță, neștiință

ignorance of ['ignərəns əv] *s cu prep* necunoaștere *cu gen*

ignorant ['ignərənt] *adj* ignorant, neștiutor, lipsit de învățătură

ignorantly ['ignərəntli] *adv* **1** ca un ignorant **2** în necunoștință de cauză

ignorant of ['ignərənt əv] *adj cu prep* necunoscător *cu gen*

ignore [ig'nɔ:] *vt* **1** a ignora, a refuza să țină seama de **2** *jur* a respinge ca nefondat

iguana [i'gwa:nə] *s zool* iguană *(șopârlă din familia Iguana)*

iguanodon(t) [i'gwa:nədən(t)] *s* iguanodon, dinozaur fosil *(Iguanodoni)*

I.G.Y. *presc de la* **International Geophysical Year**

i.h.p. *presc de la* **indicated horse power** putere nominală

IHS *presc de la* **Jesus Christ** Isus Cristos

ikebana [,i:kə'ba:nə] *s* ikebana, arta *(japoneză a)* aranjării florilor

ikon ['aikɔn] *s v.* **icon**

I.L. *presc de la* **Institute of Linguists**

il- *pref* il: **illicit** ilicit

ILA *presc de la* **International Longshoremen's Association**

ilang-ilang [,i:læŋ 'i:læŋ] *s v.* **ylang-ylang**

-ile *suf* -il: **contractile** contractil

ileum ['iliəm], *pl* **ilea** ['iliə] *s* ileu, ultima porțiune a intestinului subțire

ileus ['iliəs] *s* ocluzie intestinală

ilex ['aileks] *s bot* **1** stejar de piatră *(Quercus ilex)* **2** ilice *(Ilex sp.)*

Ilford ['ilfəd] *suburbie a Londrei*

ilia ['iliə] *pl de la* **ilium**

iliac ['ili,æk] *adj anat* iliac

Iliad ['iliəd] *s* **1** the ~ Iliada **2** *fig* epopee **3** *fig* tribulații, chinuri, odisee

Ilion ['iliən] *ist* Troia, Ilion

ilium ['iliəm], *pl* **ilia** ['iliə] *s anat* osul iliac

ilk ['ilk] *scot* **I** *s* fel, soi; neam; tagmă; **of that ~ a** din același neam, din aceeași spiță **b** de același fel/soi **II** *pr* **1** același **2** fiecare **III** *adj* fiecare

III *presc de la* **Illinois**

I'll [ail] *contras din* **1** I shall **2** I will

ill [il] **I** *comp* **worse** [wə:s], *sup* **the worst** [ðə wə:st] **1** *adj pred* bolnav, nesănătos; într-o stare proastă; **to be ~ a** a fi bolnav, **a** a nu se simți bine **b** a-i fi/a-i veni greață, a avea greață/grețuri; **to be taken ~ (of/ with)** a se îmbolnăvi (de), a cădea bolnav la pat; **to be ~ with anxiety** a fi chinuit de neliniște, a muri de teamă **2** *atr* rău, ticălos, rău intenționat; răutăcios; ~

weeds grow apace *prov* iarba rea nu piere; **to do an ~ turn** a dăuna/a-i face rău cuiva; **it's an ~ wind that blows nobody good** *aprox.* tot răul e spre bine; mai bine că s-a întâmplat așa; **within ~ grace** morocănos; nepoliticos **3** rău, aspru, nefavorabil **4** nenorocos, nefericit, de rău augur, aducător de ghinion/nenoroc **5** ostil, dușmănos **6** ← *înv* dificil, plin de dificultate, greu de mântuit, refractar; **he is ~ to please** e dificil, e greu de mulțumit, nu-i intri ușor în voie **7** necorespunzător, prost, urât; de calitate inferioară, ordinar, grosolan **II** *comp* **worse** [wə:s], *sup* **worst** [wə:st] *adv* **1** rău, prost, urât; **to speak ~ of smb** a vorbi pe cineva de rău, a bârfi pe cineva **2** aspru, rău, cu asprime **3** dușmănos, cu dușmănie/ostilitate; **to take smth ~ a** a fi indignat de ceva **b** a se ofensa de ceva **4** nefavorabil, rău; neplăcut; **it went ~ with him** i-a mers prost/rău **5** prea puțin, abia, mai deloc; **we could ~ afford it** nu prea ne dădea mâna să-l luăm, nu prea aveam bani să-l cumpărăm **6** imperfect, necorespunzător; **it ~ becomes you to do it** nu-ți șade bine să faci una ca asta; **he is ~ provided** nu e bine aprovizionat, nu are ce-i trebuie **III** *s* **1** rău; **to do ~ a** face (un) rău **2** stricăciune, daună, pagubă **3** nenorocire, năpastă, necaz

ill. *presc de la* **1** illustrated **2** illustration

ill-advised [,ikəd'vaizd] *adj* **1** necugetat, nechibzuit **2** imprudent, nesăbuit **3** prost sfătuit

ill-advisedly [,iləd'vaizdli] *adv* (în mod) necugetat

ill-affected [,ilə'fektid] *adj* **1** prost dispus **2** (**towards**) nefavorabil *(cu dat);* dușmănos (față) de

ill-at-ease ['il ət'i:z] *adj* stânjenit, stingherit, care nu e la largul lui

illation [i'leiʃən] *s* **1** deducție, concluzie **2** deducere, tragere a concluziilor, metodă deductivă

illative [i'leitiv] *adj* deductiv, bazat pe deducție

illaudable [i'lɔ:dəbl] *adj* nu prea lăudabil, deloc lăudabil, blamabil, condamnabil

482

ill-behaved [,ilbi'heivd] *adj* **1** prost crescut, necivilizat **2** urâcios, antipatic **3** cu purtări/deprinderi rele

ill-being [,il'bi:iŋ] *s* stare proastă *(a sănătăţii, financiară etc.)*

ill-blood ['il'blʌd] *s* **1** duşmănie, vrajbă; ostilitate, animozitate **2** râcă, pică

ill-boding ['il'boudiŋ] *adj* **1** (pre)vestitor de rele, de rău augur **2** nefericit, cu ghinion

ill-bred ['il'bred] *adj* **1** prost crescut, nemanierat; mitocan, grosolan **2** nepoliticos, necuviincios

ill-breeding ['il'bri:diŋ] *s* proastă creştere, lipsă de maniere; mitocănie, grosolănie

ill-conditioned ['ilkən'diʃənd] *adj* **1** într-o stare proastă **2** prost dispus; ţâfnos, morocănos, urâcios

ill-considered ['ilkən'sidəd] *adj* **1** *v.* **ill-advised 1 2** nepotrivit, inoportun

ill-defined ['ildi'faind] *adj* neclar, insuficient (de clar) definit

ill-disposed ['ildis'pouzd] *adj* **1** *v.* **ill-affected 1, 2 2 (to)** răuvoitor, lipsit de bunăvoinţă (faţă de)

illegal [i'li:gəl] *adj* ilegal, nelegal, nepermis, neautorizat; ilicit, clandestin

illegality [,ili:'gæliti] *s* **1** nelegalitate, ilegalitate, caracter nelegal **2** ilegalitate, acţiune ilegală

illegally [i'li:gəli] *adv* (în) mod ilegal *sau* ilicit

illegibility [i,ledʒi'biliti] *s* caracter neciteţ/indescifrabil (al scrisului)

illegible [i'ledʒibəl] *adj* neciteţ, ilizibil

illegibleness [i'ledʒibəlnis] *s v.* **illegibility**

illegibly [i'ledʒibli] *adv* neciteţ, indescifrabil

illegitimacy [,ili'dʒitiməsi] *s* caracter nelegitim, nelegitimitate

illegitimate [,ili'dʒitimit] **I** *adj* **1** nelegitim **2** ilegal, nelegal **3** *(d. copii)* nelegitim, din flori **4** neîntemeiat, ilogic **6** neobişnuit, contrar convenţiilor **II** *s* copil nelegitim/ din flori, bastard, fiu natural

ill-fame ['il'feim] *s* reputaţie/faimă proastă

ill-famed ['il'feimd] *adj* rău famat, cu reputaţie proastă

ill-fated ['il'feitid] *adj* **1** nenorocos, ghinionist, fără noroc, nefericit **2** de rău augur, prevestitor de rele

ill-favoured ['il'feivəd] *adj* **1** slut, pocit, urât **2** antipatic, neplăcut **3** inoportun, nepotrivit, deplasat

ill-feeling [,il'fi:liŋ] *s* ostilitate, duşmănie, pică

ill-founded ['il'faundid] *adj* fără temei, nefondat, neîntemeiat, nejustificat

ill-gotten ['il'gɔtən] *adj* obţinut prin mijloace necinstite/ilicite, necinstit

ill-humour [,il 'hju:məd] *adj* proastă dispoziţie, toane proaste, ţâfnă

ill-humoured [,il hju:məd] *adj* prost dispus, ţâfnos, morocănos; *F <* cu draci/nervi

ill-humouredly [,il'hju:mədli] *adv* ţâfnos, cu ţâfnă/năduf/nervi/draci

illiberal [i'libərəl] *adj* **1** fără orizont, îngust (la minte), mărginit, încuiat **2** intolerant, neîngăduitor; neo- menos **3** meschin, mărunt **4** zgârcit, cărpănos, lipsit de generozitate **5** incult, necultivat

illiberality [i,libə'ræliti] *s* **1** lipsă de orizont, concepţii înguste, mărginire **2** meschinărie, zgârcenie, cărpănoşie **3** intoleranţă, lipsă de îngăduinţă

illiberally [i'libərəli] *adv* **1** fără orizont/perspectivă **2** meschin, zgârcit, cu zgârcenie **3** intolerant, neomenos

illicit [i'lisit] *adj* ilicit, interzis; clandestin, ilegal, nepermis, neautorizat

illicitly [i'lisitli] *adv* (în mod) ilicit

illimitable [i'limitəbəl] *adj* nemărginit, nelimitat, neţărmurit

illimitableness [i'limitəblnis] *s* caracter nelimitat/nemărginit; nemărginire, infinit

Illinois [,ili'nɔi] **1** stat în S.U.A. **2** the ~ râu în S.U.A. **3** trib de piei roşii

illiquid [i'likwid] *adj* fin. *(d. valori)* care nu poate fi transformat în bani lichizi

illiteracy [i'litərəsi] *s* **1** analfabetism, neştiinţă de carte **2** lipsă de învăţătură, incultură **3** solecism, greşeală de ortografie *sau* gramatică

illiterate [i'litərit] **I** *adj* **1** analfabet, neştiutor de carte **2** incult, fără învăţătură, ignorant **3** nepriceput, neştiutor, ignorant, incompetent (într-o privinţă) **II** *s* **1** analfabet, neştiutor de carte **2** incult

illiterateness [i'litəritnis] *s v.* **illiteracy 1, 2**

ill-judged [,il dʒʌdʒd] *adj* **1** nejudicios, nedrept **2** *v.* **ill-advised**

ill-mannered [,il'mænəd] *adj v.* **ill-bred**

ill-natured [,il'neitʃəd] *adj* **1** nervos, ţâfnos **2** antipatic, nesuferit

illness ['ilnis] *s* **1** boală, maladie; indispoziţie, stare proastă **2** ← *înv* răutate, ticăloşie

illogical [i'lɔdʒikəl] *adj* **1** ilogic, nelogic **2** nerezonabil

illogicality [i,lɔdʒi'kæliti] *s* lipsit de logică, ilogicitate

ill omen [,il'oumən] *s* semn rău, rău augur; presimţire neagră; **of ~** *v.* **ill-omened**

ill-omened [,il'oumənd] *adj* **1** (pre)vestitor de rele, de rău augur **2** sortit pieirii

ill-sorted [,ilsɔ:tid] *adj* prost împerecheat/aranjat, nesortat, nepotrivit

ill-spent [,il'spent] *adj* cheltuit prosteşte, irosit, risipit

ill-starred [,il'stɑ:d] *adj* nenorocos, ghinionist; născut într-o zodie proastă

ill-suited [,il'sju:tid] *adj* **1** nepotrivit; impropriu **2** inoportun, nelalocul lui

ill-temper [,il'tempə] *s v.* **ill-humour**

ill-tempered [,il'tempəd] *adj v.* **ill-humoured**

ill-timed [,il'taimd] *adj* inoportun, făcut când nu trebuie

ill-treat [,il'tri:t] *vt* a maltrata; > a se purta urât cu, a trata prost

ill-treatment [,il'tri:tmənt] *s* maltratare; > purtare urâtă

illude [i'lu:d] *vt lit* a amăgi; a decepţiona, a dezamăgi

illume [i'lu:m] *vt înv, poetic* **1** a ilumina **2** a face să strălucească

illuminate [i'lu:mi,neit] **I** *vt* **1** a (i)lumina **2** a lămuri, a explica; a elucida; a tălmăci **3** *fig* a lumina (la minte), a lămuri (pe cineva) **4** a învigora, a înveseli **5** a face să strălucească; a lumina; a împodobi/a pavoaza cu becuri colorate *etc.* **6** a împodobi un manuscris cu anluminuri **II** *vi* **1** a folosi podoabe/decoraţiuni luminoase **2** a se lumina, a străluci

illuminati [i,lu:mi'nɑ:ti] *s pl* **1** *ist* societate secretă din Bavaria **2** oameni (pretins) iluminaţi/iniţiaţi

illuminating [i'lu:mi,neitiŋ] *adj* **1** luminos, de iluminat **2** lămuritor, edificator

illumination [i,lu:mi'neiʃən] *s* **1** iluminaţie, iluminat **2** lumină **3** *pl* (ornamente cu) lumini multicolore **4** *poligr* anluminură, literă împdobită (pe cărţile medievale)

illuminator [i'lu:mi,neitəʳ] *s* **1** iluminist; minte luminată **2** corp de iluminat **3** *ist* gravor de anluminuri

illumine [i'lu:min] *vt v.* **illuminate I 1-4**

illuminism [i'lu:mi,nizəm] *s* iluminism, iniţiere (↓ *mistică*)

illuminist [i'lu:minist] *s* iluminist, iniţiat (↓ *mistic*)

ill-use ['il'ju:z] *vt v.* **ill-treat**

illusion [i'lu:ʒən] *s* **1** iluzie, amăgire, credinţă greşită, nălucire **2** înşelăciune, amăgire **3** *text* voal subţire (de nylon)

illusionist [i'lu:ʒənist] *s* **1** filosof care neagă existenţa obiectivă **2** iluzionist, scamator

illusive [i'lu:siv] *adj* **1** iluzoriu, amăgitor **2** nereal, ireal

illusively [i'lu:sivli] *adv* în mod iluzoriu

illusiveness [i'lu:sivnis] *s* caracter amăgitor, amăgire, iluzie

illusorily [i'lu:sərili] *adv v.* **illusively**

illusoriness [i'lu:sərinis] *s v.* **illusiveness**

illusory [i'lu:səri] *adj v.* **illusive**

illustrate ['iləˌstreit] *vt* **1** a ilustra **2** a ilustra prin exemple, a exemplifica **3** *fig* a lămuri, a explica

illustration [ˌiləˈstreiʃən] *s* **1** ilustraţie *(într-o carte etc.)* **2** ilustrare (prin exemple), exemplificare **3** *fig* lămurire, explicare, clarificare **4** exemplu, pildă

illustrative ['iləstreitiv] *adj (of)* lămuritor *sau* grăitor *sau* reprezentativ (pentru)

illustrator ['iləstreitəʳ] *s poligr* ilustrator, grafician

illustrious [i'lʌstriəs] *adj* ilustru, strălucit

illustriously [i'lʌstriəsli] *adv* în mod ilustru/strălucit

illustriousness [i'lʌstriəsnis] *s* caracter ilustru, renume, faimă

illuvium [i'lu:viəm] *s* aluviune

ill will ['il 'wil] *s* **1** rea voinţă **2** ostilitate, duşmănie; antipatie **3** pică, râcă; **to bear smb ~** a-i purta pică/sâmbetele cuiva

ill-wisher [ˌil' wiʃəʳ] *s* om duşmănos/rău, om care doreşte răul altuia; om rău intenţionat

Illyria [i'liəriə] *ist* Iliria

Illyric [i'liərik] *adj* iliric

I.L.O. *presc de la* **International Labo(u)r Organization**, OIM

Ilona ['i:lɒnə] *nume fem*

I.L.P. *presc de la* **Independent Labour Party**

I'm [aim] *contras din* **I am**

im- *pref* im- *etc.;* **impose** a impune; **impersonal** impersonal

image ['imidʒ] **I** *s* **1** *fiz* imagine **2** imagine; chip; înfăţişare **3** *psih* idee, concepţie, reprezentare **4** formă identică, replică; **he is the very ~ of his father** seamănă leit cu taică-său; **in smb's ~** după chipul şi asemănarea cuiva **5** *rel* chip cioplit, imagine; idol; icoană **6** întruchipare, imagine, întrupare; simbol; **she was the very ~ of sorrow** era tristeţea personificată **7** *lit* imagine; figură de stil; metaforă **8** descriere; înfăţişare, portret **II** *vt* **1** *(şi* **to ~ oneself)** a-şi închipui, a-şi imagina, a concepe, a-şi face o imagine *(cu gen)* **2** a descrie, a înfăţişa, a prezenta, a portretiza **3** a oglindi, a reflecta **4** a simboliza, a reprezenta **5** a proiecta *(imagini)*, a prezenta *(un film etc.)* **6** a semăna cu

imagery [i'midʒri] *s* **1** imagini, reprezentări **2** *lit* imagistică, (şir de) imagini specifice **3** ilustrare, exemplificare prin imagini

imaginable [i'mædʒinəbəl] *adj* imaginabil, de conceput

imaginarily [i'mædʒinərili] *adv* în mod imaginar, în închipuire

imaginary [i'mædʒinəri] **I** *adj* **1** imaginar, închipuit **2** ireal, nereal **II** *s mat* număr închipuit/imaginar

imagination [i,mædʒi'neiʃən] *s* **1** imaginaţie, închipuire **2** fantezie, imaginaţie **3** lucru închipuit; închipuire; fantasmagorie

imaginative [i'mædʒinətiv] *adj* **1** imaginativ, inventiv; plin de fantezie **2** imaginativ, bazat pe închipuire/imaginaţie **3** fantezist, imaginar, închipuit

imaginatively [i'mædʒinətivli] *adv* cu (< multă) imaginaţie

imaginativeness [i'mædʒinətivnis] *s* inventivitate, imaginaţie fertilă

imagine [i'mædʒin] **I** *vt* **1** a(-şi) imagina, a(-şi) închipui, a-şi forma o imagine *(cu gen)* **2** a concepe, a-şi forma o idee/concepţie despre **3** a înţelege, a deduce, a-şi închipui **4** a presupune, a bănui **II** *vt* **1** a-şi folosi imaginaţia, a-şi pune imaginaţia la contribuţie **2** a face presupuneri, a emite ipoteze

imagism ['imidʒizəm] *s lit* imagism, poezie imagistică/bazată pe imagini

imagist ['imidʒist] *s lit* imagist, adept al poeziei imagistice (↓ *în Anglia şi S.U.A. 1900-1917)*

imagistic [ˌimi'dʒistik] *adj lit* imagistic, referitor la poezia imagistă

imago [i'meigou] *s* **1** *ent* insectă adultă **2** *psih* imagine a unei persoane îndrăgite din copilărie

ima(u)m [ima:m] *s* **1** imam, preot musulman **2** conducător musulman

I.Mar.E. *presc de la* **Institute of Marine Engineers**

imbalance [im'bæləns] *s* **1** dezechilibru **2** *ec* balanţă de plăţi deficitare

imbecile ['imbi,si:l] **I** *s* **1** debil mintal, cretin, imbecil **2** *F* tâmpit, idiot, imbecil **II** *adj* **1** imbecil, idiot **2** tâmpit, stupid, prostesc

imbecility [ˌimbi'si:liti] *s* **1** imbecilitate, cretinism **2** tâmpenie, stupiditate, idioţenie

imbed [im'bed] *vt* **1** a încrusta **2** a fixa, a prinde; a înfige **3** *fig* a întipări, a fixa

imbibe [im'baib] **I** *vt* **1** *şi fig* a absorbi, a se îmbiba cu **2** a sorbi, a bea **3** a inhala, a inspira, a respira **4** *fig* a asimila, a deprinde, a se deprinde cu **II** *vt* **1** a bea **2** a absorbi

imbibition [ˌimbi'biʃən] *s* **1** îmbibare, absorbţie, absorbire **2** sorbire **3** inspirare, inhalare

imbricate I ['imbri,keit] *vt* a imbrica, a suprapune **II** ['imbrikit] *adj* imbricat, suprapus

imbroglio [im'brouli,ou] *s* **1** învălmăşală, încurcătură **2** situaţie (↓ *politică)* tulbure/complexă

imbrue in/with [im'bru: in/wið] *vt cu prep* a-şi păta *(mâna, sabia)* cu *(sânge etc.)*

imbrute [im'bru:t] *vt, vi* a (se) abrutiza

imbue [im'bju:] *vt* (**with**) **1** a îmbiba, a satura (cu), a umple (de) **2** a impregna, a colora (cu); a păta (de) **3** *fig* a insufla *(cu ac)*, a umple (de); **to ~ smb with new ideas** a inspira/a insufla idei noi cuiva

imbued [im'bju:d] *adj* (**with**) **1** îmbibat, saturat, plin (de, cu) **2** *fig* plin, cuprins (de); **~ with enthusiasm** plin de entuziasm

I.Mech.E *presc de la* **Institution of Mechanical Engineers**

I.M.F. *presc de la* **International Monetary Fund** FMI

I.Min.E. *presc de la* **Institution of Mining Engineers**

imitable ['imitəbəl] *adj* imitabil

imitate ['imi,teit] *vt* **1** a imita; a urma exemplul *(cu gen)* **2** a copia, a reproduce **3** a simula, a mima **4** a maimuțări, a imita

imitation [,imi'teiʃən] *s* **1** imitare; imitație **2** copiere, reproducere **3** imitație; fals **4** copie **5** reprezentare, replică **6** mimetism **7** *muz* reluare a melodiei, variație

imitational [,imi'teiʃənəl], **imitative** ['imitətiv] *adj* **1** imitativ **2** onomatopeic **3** mimetic **4** fals

imitative arts ['imitətiv 'ɑːts] *s* arte plastice *(pictură și sculptură)*

imitatively ['imitətivili] *adv* în mod imitativ/onomatopeic

imitativeness ['imitətivnis] *s* caracter imitativ/mimetic, imitație; mimetism

imitative word ['imitətiv 'wəːd] *s lingv* onomatopee, cuvânt onomatopeic/imitativ

imitator ['imiteitə'] *s* imitator

I.M.M. *presc de la* **Institution of Mining and Metallurgy**

immaculacy [i'mækjuləsi] *s* puritate, curățenie, neprihănire; caracter imaculat

immaculate [i'mækjulit] *adj* **1** imaculat, nepătat, fără pată **2** pur, curat **3** *și ironic* impecabil, ireproșabil

Immaculate Conception [i'mækjulit kən'sepʃən] *s rel* imaculata concepțiune *(a lui Isus de către Fecioara Maria)*

immaculately [i'mækjulitli] *adv* **1** imaculat, fără pată **2** (în mod) ireproșabil, impecabil

immaculateness [i'mækjulitnis] *s v.* **immaculacy**

immanence ['imənəns], **immanency** ['imənənsi] *s* imanență, caracter imanent

immanent ['imənənt] *adj* **1** (**in**) permanent, imanent, remanent (în), inerent *(cu dat)* **2** *filos* general, universal

Immanuel [i'mænjuəl] *nume bibl* Emanuel, Emanoil

immaterial [,imə'tiəriəl] *adj* **1** imaterial, nematerial; spiritual **2** (**to**) irelevant, neimportant, fără însemnătate (pentru)

immateriality [,imətiəri'æliti] *s* **1** imaterialitate, caracter imaterial/ spiritual **2** lipsă de importanță, caracter irelevant

immature [,imə'tjuə] *adj* imatur, nematur, necopt, crud

immaturity [,imə'tjuəriti] *s* imaturitate, lipsă de maturitate

immeasurability [i,meʒərə'biliti] *s* incomensurabilitate; nemărginire, caracter incomensurabil

immeasurable [i'meʒərəbl] *adj* **1** nemăsurat, incomensurabil **2** nemărginit, nelimitat, fără margini

immeasurableness [i'meʒərəblnis] *s* **1** incomensurabilitate **2** nemărginire

immeasurably [i'meʒərəbli] *adv* (în mod) nemăsurat/incomensurabil/nemărginit/nelimitat

immediacy [i'miːdjəsi] *s* **1** caracter imediat/direct **2** urgență

immediate [i'miːdjət] *adj* **1** imediat, direct **2** imediat, instantaneu, dat/ făcut pe loc, fără întârziere **3** urgent; iminent **4** imediat (următor), cel mai apropiat

immediate constituent [i'miːdjət kən'stitjuənt] *s lingv* constituent imediat (al unei propoziții sau sintagme)

immediate inference [i'miːdjət 'infərəns] *s filos* deducție/inferință directă

immediate knowledge [i'miːdjət 'nɔlidʒ] *s filos* cunoaștere directă/practică/nerațională

immediately [i'miːdjətli] **I** *adv* **1** imediat, pe loc, pe dată, de îndată; urgent **2** aproape, în (imediata) apropiere **II** *conj* de îndată ce, curând după ce

immediateness [i'miːdjətnis] *s v.* **immediacy**

immemorial [,imi'mɔːriəl] *adj* imemorial, străvechi

immense [i'mens] *adj* **1** imens, colosal, uriaș **2** nemărginit, nemăsurat, incomensurabil **3** *F* strașnic, colosal

immensely [i'mensli] *adv* **1** imens, enorm **2** *F* strașnic, colosal

immensity [i'mensiti] *s* **1** imensitate, vastitate **2** infinitate, caracter infinit **3** cantitate uriașă/imensă

immensurable [i'menʃərəbəl] *adj v.* **immeasurable**

immerse [i'məːs] *vt* (**in**) **1** a afunda, a (s)cufunda (în) **2** a boteza (în) **3** *și fig* a îngropa, a afunda (în) **4** a îngloda (în), a băga, a vârî (în)

immersion [i'məːʃən] *s* **1** (s)cufundare, afundare **2** imersiune **3** botez(are) **4** îngropare, afundare **5** *fig* înglodare **6** *fig* absorbire, cufundare **7** băgare, vârâre

immigrant ['imigrənt] **I** *s* **1** imigrant, emigrant care vine într-o țară **2** *biol* plantă *sau* vietate aclimatizată **II** *adj* imigrant, care imigrează

immigrate ['imi,greit] **I** *vi* (**into**) a imigra, a veni/a se stabili (într-o țară) **II** *vt* a aduce *(un colonist, un emigrant)*

immigration [,imi'greiʃən] *s* **1** imigrare **2** imigrație

imminence ['iminəns] *s* **1** iminență, caracter iminent **2** lucru/eveniment iminent

imminency ['iminənsi] *s v.* **imminence**

imminent ['iminənt] *adj* **1** iminent, apropiat, pe punctul de a se produce; inevitabil **2** amenințător

imminently ['iminəntli] *adv* (în mod) iminent

immiscibility [i,misi'biliti] *s* caracter nemiscibil, incapacitate de a se amesteca

immitigable [i'mitigəbəl] *adj* (de) neîmblânzit, implacabil

immix [i'miks] *vt* a amesteca, a mixa

immixture [i'mikstʃə'] *s* **1** amestec(are), confuzie; învălmășală **2** (**in**) amestec, implicare (în), imixtiune

immobile [i'moubail] *adj* imobil, fix, nemișcat, țeapăn

immobilism [i'moubi,lizəm] *s* imobilism; *pol* conservatorism

immobility [,imou'biliti] *s* imobilitate, fixitate

immobilization [i,moubilai'zeiʃən] *s* **1** imobilizare **2** fixare **3** nemișcare, imobilizare, inacțiune

immobilize [i'moubi,laiz] *vt* **1** a imobiliza **2** a fixa **3** *ec* a retrage din circulație *(bani)*

immoderacy [i'mɔdərəsi] *s* **1** lipsă de moderație, exagerare; caracter excesiv **2** necumpătare, lipsă de cumpătare, nesăbuință

immoderate [i'mɔdərit] *adj* **1** lipsit de moderație, excesiv, exagerat, extrem **2** necumpătat, lipsit de cumpătare, nesăbuit

immoderately [i'mɔdəritli] *adv* **1** (în mod) excesiv/exagerat, fără moderație **2** fără chibzuință, (în chip) nesăbuit

immoderateness [i'mɔdəritnis] *s v.* **immoderacy**

immodest [i'mɔdist] *adj* **1** indecent, nerușinat **2** lipsit de sfială, fără rușine **3** neobrăzat, nerușinat

immodestly [i'mɔdistli] *adv* **1** (în mod) indecent/nerușinat **2** fără sfială/rușine

immodesty [i'mɔdisti] *s* **1** indecență, nerușinare **2** lipsă de sfială; neobrăzare, nerușinare, obrăznicie

immolate ['imou,leit] *vt* **1** (to) a jertfi, a sacrifica *(cu dat)* **2** a ucide, a omorî **3** a distruge, a nimici

immolation [,imou'leiʃən] *s* **1** jertfire, sacrificare **2** jertfă, sacrificiu; victimă a jertfei **3** ucidere, omor(âre) **4** distrugere, nimicire

immoral [i'mɔrəl] *adj* **1** imoral **2** stricat; rău, ticălos **3** desfrânat, destrăbălat

immorality [imə'ræliti] *s* **1** imoralitate, lipsă de moralitate, caracter imoral, ticăloșie **2** desfrâu, destrăbălare, stricăciune **3** faptă imorală

immorally [i'mɔrəli] *adv* (în mod) imoral

immortal [i'mɔ:təl] **I** *adj* **1** nemuritor **2** divin, dumnezeiesc **3** etern **4** *fig* nepieritor, nemuritor, (de) neuitat; celebru **5** *F* permanent, durabil, de lungă durată **II** *s* **1** nemuritor (↓ *scriitor*) **2** *mit* zeu

immortality [,imɔ:'tæliti] *s* **1** nemurire, imortalitate **2** caracter nepieritor **3** celebritate nepieritoare

immortalize [i'mɔ:tə,laiz] *vt* **1** a imortaliza; a face nemuritor/nepieritor **2** a perpetua

immortally [i'mɔ:təli] *adv* **1** etern, perpetuu; permanent **2** *F* strașnic, grozav, enorm

immortelle [,imɔ:'tel] *s bot* imortelă *(Helychrisum sp.)*

immovability [i,mu:və'biliti] *s* inamovibilitate, nemișcare

immovable [i'mu:vəbəl] **I** *adj* **1** imobil, fix, nemișcat **2** *jur* imobil(iar) **3** inamovibil, care nu poate fi deplasat **4** (in) neclintit, neabătut, ferm (în) **5** rece, impasibil, pasiv **II** *s* **1** *pl* bunuri imobiliare, proprietate imobiliară **2** imobil

immune [i'mju:n] **I** *adj* **1** (from, against, to) imun, rezistent (la, față de); insensibil (la) **2** (from) ferit, scutit (de) **II** *s* persoană imună

immune body [i'mju:n 'bɔdi] *s biol, med* anticorp

immune mechanism [i'mju:n 'mecənizəm] *s biol, med* mecanism imunobiologic

immunity [i'mju:niti] *s* (from) **1** imunitate (la, față de) **2** rezistent (la) **3** scutire (de); exceptare (de la)

immunization [,imjunai'zeiʃən] *vt* (against) a imuniza (împotriva – *cu gen*)

immunize ['imju,naiz] *vt* (against) a imuniza (împotriva – *cu gen*)

immunology [,imju'nɔlədʒi] *s med* imunologie

immure [i'mjuər] **I** *vt* **1** a zidi, a înconjura cu un zid **2** a îngropa (într-un cavou) **3** a întemnița, a închide **II** *vi* a se închide în casă/cameră

immutability [i,mju:tə'biliti] *s* **1** caracter imuabil/neschimbător/de neschimbat; imuabilitate; permanență **2** inflexibilitate, caracter inflexibil

immutable [i'mju:təbl] *adj* **1** imuabil, invariabil, neschimbător, ferit de schimbări; constant; permanent **2** inflexibil, neabătut

immutableness [i'mju:təblnis] *s v.* **immutability**

immutably [i'mju:təbli] *adv* **1** (în chip/mod) imuabil/invariabil/neschimbător; fără schimbare/schimbări/modificări **2** (în mod) inflexibil/neabătut

Imogen(e) ['imoudʒən] *nume fem*

imp [imp] *s* **1** drăcușor, aghiuță **2** *înv* demon, diavol **3** drăcușor, drac de copil, drac împielițat **4** copil(aș), țânc

imp. *presc de la* **1** imperative **2** imperfect **3** imperial **4** import **5** imported **6** imprimatur

impact I ['impækt] *s* **1** (on, against) izbire, ciocnire, lovire (de) **2** forță de izbire **3** (on) efect, influență, înrâurire (asupra – *cu gen*) **II** [im'pækt] *vt* **1** (into, in) a fixa, a înțepeni (în) **2** a presa (laolaltă) **3** a lovi, a izbi, a ciocni **4** *fig* a influența, a înrâuri

impact strength ['impækt,streŋθ] *s fiz, astr* rezistență la impact

impair [im'pɛər] *vt* **1** a deteriora, a strica, a avaria **2** a slăbi, a submina; a ruina; **to ~ one's health** a-și ruina sănătatea **3** a stânjeni, a împiedica

impairment [im'pɛəmənt] *s* **1** deteriorare, stricare, avariere **2** subminare, minare

impala [im'peilə] *s zool* antilopă sud-africană *(Aepyceros melampus)*

impale [im'peil] *vt* **1** (upon/with) a trage în țeapă (pe, cu) **2** a înțepa cu sulița **3** ← *înv* a înconjura cu un gard

impalement [im'peilmənt] *s* (ucidere prin) tragere în țeapă

impalpability [im,pælpə'biliti] *s* caracter impalpabil/imaterial

impalpable [im'pælpəbəl] *adj* **1** nepalpabil, impalpabil **2** intangibil **3** greu de distins/identificat

impaludism [im'pælju:dizəm] *s med* paludism

impanel [im'pænəl] *vt v.* **empanel**

imparadise [im'pærədais] *vt* **1** a face un rai/paradis din, a preface într-un adevărat paradis **2** a ferici (la culme), a face foarte fericit **3** a încânta, a vrăji

imparisyllabic [im,pərisi'læbik] *gram, metr* **I** *atr* imparisilabic **II** *s* substantiv imparisilabic *(în flexiune)*

impark [im'pɑ:k] *vt* **1** a închide *(animalele)* într-un parc **2** a îngrădi *(un teren)* pentru a-l transforma într-un parc

impart [im'pɑ:t] *vt* (to) **1** a împărți (cu), a da o parte/cotă *(cu dat)* **2** a comunica, a împărtăși *(cu dat);* a informa despre ceva *(cu ac);* **he ~ed his experience to us** ne-a împărtășit din experiența lui

impartation [,impɑ:'teiʃən] s (**to**) **1** împărtăşire, comunicare, anunţare *(a ştirilor etc.) (cu dat)* **2** împărţire, distribuire, repartizare *(cu ac)*

impartial [im'pɑ:ʃəl] *adj* **1** imparţial, nepărtinitor **2** ferit de/fără prejudecăţi

impartiality [im,pɑ:ʃi'æliti] *s* imparţialitate, nepărtinire

impartially [im'pɑ:ʃəli] *adv* (în mod) imparţial/nepărtinitor

impartible [im'pɑ:təbəl] *adj jur* indivizibil, în diviziune

impartment [im'pɑ:tmənt] *s v.* **impartation**

impassable [im'pɑ:səbəl] *adj* de netrecut; de nestrăbătut, impracticabil

impasse [im'pɑ:s] *s fr* **1** fundătură **2** impas, situaţie fără ieşire

impassibility [im,pæsə'biliti] *s* impasibilitate, caracter impasibil; indiferenţă

impassible [im'pæsəbəl] *adj* impasibil, nepăsător, indiferent

impassibly [im'pæsəbli] *adv* (în mod) impasibil

impassion [im'pæʃən] *vt* a stârni, a tulbura

impassioned [im'pæʃənd] *adj* **1** pasionat, plin de pasiune **2** zelos, plin de zel; febril

impassive [im'pæsiv] *adj v.* **impassible**

impatience [im'peiʃəns] *s* **1** nerăbdare, impacienţă **2** nervozitate, iritare **3** intoleranţă, lipsă de îngăduinţă

impatient [im'peiʃənt] *adj* **1** nerăbdător; impacient; **to grow ~** a-şi pierde răbdarea **2** nervos, cu nervi; iritat **3** (**of**) neîngăduitor, intolerant (cu, faţă de)

impatiently [im'peiʃəntli] *adv* **1** nerăbdător, fără răbdare **2** nervos, enervat, cu nervi **3** intolerant, neîngăduitor

impeach [im'pi:tʃ] *vt jur* **1** (**of, with**) a acuza (↓ *un funcţionar public*) (de), a pune sub acuzare (pentru) **2** a pune la îndoială, a suspecta

impeachable [im'pi:tʃəbəl] *adj* pasibil de pedeapsă, condamnabil, susceptibil de a fi acuzat

impeachment [im'pi:tʃmənt] *s* **1** (punere sub) acuzare, (tr)aducere în faţa tribunalului **2** acuzaţie

impeccability [im,pekə'biliti] *s* caracter impecabil/ireproşabil, impecabilitate

impeccable [im'pekəbəl] *adj* **1** impecabil, fără cusur, ireproşabil **2** ferit de păcat/greşeală

impecuniosity [,impikju:ni'ositi] *s* lipsă de bani, sărăcie

impecunious [,impi'kju:niəs] *adj* fără bani; sărac

impedance [im'pi:dəns] *s fiz* impedanţă

impede [im'pi:d] *vt* **1** a împiedica, a stânjeni **2** a reţine, a întârzia **3** a împiedica, a pune beţe în roate *(cu dat)*

impediment [im'pedimənt] *s* **1** impediment, piedică, obstacol **2** împiedicare la vorbă, bâlbâială **3** *pl* şi **impedimenta** [im,pedi'mentə] *mil* efecte, bagaje

impedimenta [im,pedi'mentə] *s pl* **1** piedici; poveri; lucruri care te încurcă **2** *pl de la* **impediment 3**

impel [im'pel] *vt* **1** a da un impuls *(cu dat)*, a impulsiona, a urni din loc, a împinge (înainte); a propulsa **2** (**to**) a îndemna, a îmboldi (să)

impend [im'pend] *vi* a fi iminent, a pluti în aer, a ameninţa

impending [im'pendiŋ] *adj v.* **imminent**

impenetrability [im,penitrə'biliti] *s* impenetrabilitate, caracter impenetrabil/de nepătruns

impenetrable [im'penitrəbəl] *adj* **1** şi *fig* impenetrabil, de nepătruns **2** de nestrăbătut

impenetrableness [im'penitrəblnis] *s v.* **impenetrability**

impenetrably [im'penitrəbli] *adv* **1** în mod impenetrabil **2** în imposibilitate de a pătrunde **3** (în mod) criptic, obscur, hermetic

impenetrate [im'peniterit] *vt* a pătrunde adânc (în)

impenitence [im'penitəns] *s* lipsit de căinţă/remuşcări, impenitent

impenitent [im'penitənt] *adj* nepocăit, fără remuşcări, impenitent

impenitently [im'penitəntli] *adv* fără căinţă/remuşcări

imperatival [im,perə'taivəl] *adj gram* (legat de) imperativ; cu imperativul

imperative [im'perətiv] **I** *adj* **1** imperativ; poruncitor, de stăpân **2** imperios (necesar), (absolut) necesar **3** esenţial, sine qua non

4 urgent, presant **5** *gram* imperativ **II** *s* **1** *gram* (modul) imperativ **2** poruncă, ordin **3** necesitate imperioasă, imperativ, cerinţă, obligaţie

imperatively [im'perətivli] *adv* **1** poruncitor, cu aer de stăpân; pe ton de comandă **2** (în mod) imperios/urgent, absolut necesar(mente)

imperativeness [im'perətivnis] *s* **1** caracter imperios/urgent, urgenţă **2** necesitate absolută

imperceivable [,impə'si:vəbəl] *adj v.* **imperceptible**

imperceptibility [,impə,septi'biliti] *s* caracter imperceptibil

imperceptible [,impə'septibəl] *adj* **1** imperceptibil, insensibil **2** treptat, gradat; uşor, delicat

imperceptibly [,impə'septibli] *adv* pe nesimţite, (în mod) imperceptibil, treptat

impercipience [,impə'sipiəns] *s psih* lipsă de pătrundere/percepţie, percepţie deficitară

impercipient [,impə'sipiənt] *adj* lipsit de pătrundere (psihologică), deficitar din punctul de vedere al percepţiei/pătrunderii; fără intuiţie

imperfect [im'pə:fikt] **I** *adj* **1** imperfect; nedesăvârşit; defectuos **2** incomplet **3** *gram* imperfect **II** *s gram* (timpul) imperfect

imperfection [,impə'fekʃən] *s* **1** imperfecţiune, nedesăvârşire **2** caracter incomplet **3** imperfecţiune, defect; lipsă, deficienţă

imperfective [,impə'fektiv] *gram* **I** *adj* imperfectiv **II** *s* aspect imperfectiv; formă imperfectivă

imperfectly [im'pə:fiktli] *adv* (în mod) imperfect

imperforate [im'pə:fərit] *adj anat, filatelie* neperforat

imperial [im'piəriəl] **I** *adj* **1** imperial; împărătesc; august **2** *fig* regesc, regal, maiestuos **3** suveran, suprem **4** (folosit în imperiul) britanic **II** *s* barbişon, ţăcălie

imperial gallon [im'piəriəl'gælən] *s* galon britanic *(= 4,54 litri)*

imperialism [im'piəriə,lizəm] *s* imperialism

imperialist [im'piəriəlist] *s, adj* imperialist

imperialistic [im,piəriə'listik] *adj* imperialist

imperially [im'piəriəli] *adv* în mod imperial, împărătește

imperial pint [im'piəriəl 'paint] *s* pintă britanică (= 568 ml)

imperil [im'peril] *vt* a periclita, a primejdui, a pune în primejdie

imperious [im'piəriəs] *adj* 1 imperios (necesar); urgent, de mare urgență 2 poruncitor, de comandă, imperativ 3 arogant; cu aere de stăpân

imperiously [im'piəriəsli] *adv* 1 în mod imperios 2 pe un ton poruncitor

imperishable [im'periʃəbəl] *adj* nepieritor, nemuritor, indestructibil

impermanent [im'pə:mənənt] *adj* nepermanent, trecător, efemer

impermeability [im,pə:miə'biliti] *s* 1 impermeabilitate, caracter impermeabil 2 *fig* v. **imperviousness**

impermeable [im'pə:miəbəl] *adj* 1 impermeabil 2 *fig* v. **impervious**

impermeableness [im'pə:miəbəlnis] *s* v. **impermeability**

impermissible [,impə'misibəl] *adj* inadmisibil, de neîngăduit, (de) nepermis

impersonal [im'pə:sənəl] *adj* 1 impersonal 2 detașat, rece, impasibil 3 impersonal, fără legătură cu oamenii/persoanele 4 lipsit de personalitate, șters

impersonally [im'pə:sənəli] *adv* 1 în mod impersonal 2 (în mod) detașat, cu detașare

impersonate [im'pə:sə,neit] *vt* 1 a juca rolul (cu gen), a juca pe (cineva), a întruchipa 2 a se da drept (cineva), a face pe (cineva); a imita 3 a personifica, a întruchipa

impersonation [im,pə:sə'neiʃən] *s* 1 jucare (a unui rol) 2 întruchipare, personificare

impertinence [im'pə:tinəns] *s* 1 impertinență, obrăznicie, insolență 2 acțiune impertinentă/insolentă, obrăznicie 3 irelevanță, lipsă de legătură

impertinent [im'pə:tinənt] *adj* 1 impertinent, insolent, obraznic 2 irelevant, lipsit de legătură

impertinently [im'pə:tinəntli] *adv* (în mod) impertinent/insolent, obraznic, cu obrăznicie

imperturbability [,impə:,tə:bə'biliti] *s* calm desăvârșit, caracter imperturbabil/calm/impasibil

imperturbable [,impə:'tə:bəbəl] *adj* 1 imperturbabil, calm, ferit de orice emoție 2 nepăsător, senin, netulburat

impervious [im'pə:viəs] *adj* 1 (to) impenetrabil (pentru), impermeabil (la) 2 (to) *fig* insensibil (la), impermeabil, inaccesibil (pentru)

imperviousness [im'pə:viəsnis] *s* 1 impermeabilitate, impenetrabilitate 2 *fig* insensibilitate, impermeabilitate

impetigo [,impi'taigou] *s med* impetigo

impetuosity [im,petju'ɔsiti] *s* impetuozitate, caracter impetuos

impetuous [im'petjuəs] *adj* 1 impetuos, năvalnic 2 violent, năpraznic 3 precipitat, pripit

impetuously [im'petjuəsli] *adv* (în mod) impetuos/năvalnic

impetuousness [im'petjuəsnis] *s* impetuozitate, caracter impetuos/năvalnic

impetus ['impitəs] *s* 1 forță dinamică, dinamism 2 impuls, imbold, stimulent 3 avânt, elan

impiety [im'paiiti] *s* 1 lipsă de pietate/cucernicie, păgânism; hulă 2 (act de) impietate 3 lipsă de reverență/(bună)cuviință, necuviință 4 neascultare

impinge [im'pindʒ] *vi* 1 (on, upon) a avea efect/influență/înrâurire (asupra), a influența, a înrâuri (cu ac) 2 a se ciocni, a se izbi 3 a veni în contact 4 (on, upon) a încălca, a știrbi (cu ac)

impious ['impiəs] *adj* 1 profan, lipsit de pietate; hulitor 2 necuviincios, ireverențios 3 neascultător 4 ticălos, rău

impiously ['impiəsli] *adv* 1 fără pietate, în mod profan 2 (în mod) ireverențios/necuviincios

impish ['impiʃ] *adj* 1 neastâmpărat, (ca un) drăcușor 2 drăcesc, diabolic

impishly ['impiʃli] *s* 1 ca un drăcușor 2 în mod diabolic, drăcește

impishness ['impiʃnis] *s* caracter diabolic/drăcesc

implacability [im,plækə'biliti] *s* caracter implacabil/inevitabil;

inevitabilitate; caracter ineluctabil (al sorții etc.)

implacable [im'plækəbəl] *adj* 1 (de) neîmpăcat, neînduplecat, neîndurător 2 implacabil, inevitabil; ineluctabil

implacably [im'plækəbli] *adv* (în mod) implacabil/inevitabil

implant I [im'plɑ:nt] *vt* 1 *biol* a implanta; a (ră)sădi 2 *fig* a implanta, a inculca; a sădi II ['im,plɑ:nt] *s* implant

implantation [,implɑ:n'teiʃən] *s* 1 implantare, (ră)sădire 2 *fig* implantare, inculcare, sădire

implausible [im'plɔ:zəbəl] *adj* neplauzibil; neverosimil

implead [im'pli:d] *vt jur* 1 a pune sub acuzare/sub urmărire (penală); a incrimina; a da în judecată 2 a implica (într-o cauză penală)

implement I ['implimənt] *s* 1 unealtă, instrument 2 obiect, articol, lucru 3 mijloc, instrument II ['impli,ment] *vt* 1 a aplica, a pune în aplicare 2 a traduce în viață, a îndeplini, a face 3 a utila

implementation [,implimən'teiʃən] *s* 1 îndeplinire, aplicare 2 traducere în viață, realizare, îndeplinire, efectuare

implicate[1] ['implikeit] *s* lucru implicat *sau* sugerat; sugestie, aluzie; (element survenit ca) implicație

implicate[2] ['impli,keit] *vt* 1 a implica, a amesteca 2 a spune în mod implicit, a sugera, a lăsa să se înțeleagă

implication [,impli'keiʃən] *s* 1 implicare, amestecare, amestec 2 implicație, lucru subînțeles; aluzie, sugestie; **by ~** (în mod) indirect, prin implicație *sau* deducție

implicative [im'plikətiv] *adj* implicit; cu caracter de implicație *sau* implicare

implicit [im'plisit] *adj* 1 implicit, care se înțelege de la sine, exprimat (ca atare), care nu necesită explicații 2 (in) latent (în) 3 potențial; virtual, posibil 4 (d. încredere etc.) absolut, total, fără rezerve

implicit faith [im'plisit 'feiθ] *s* credință/încredere oarbă; credință nestrămutată (↓ rel)

implicit genitive [im'plisit 'dʒenitiv] *s gram* genitiv nemarcat/neexprimat/implicit

implicitly [im'plisitli] *adv* **1** în mod implicit, fără a fi exprimat direct **2** în mod total/absolut, fără rezerve, fără nici o rezervă

implicitness [im'plisitnis] *s* caracter implicit/neexprimat direct

implicit obedience [im'plisit ə'bi:diəns] *s* supunere *sau* credință oarbă

implode [im'ploud] **I** *vi* a exploda în interior **II** *vt* a face să explodeze în interior

implore [im'plɔ:'] *vt* **1** a implora, a ruga fierbinte/în genunchi, a se ruga de **2** a cere, a solicita

imploringly [im'plɔ:riŋli] *adv* pe un ron rugător/de implorare, cu lacrimi(le) în ochi

implosion [im'plouʒən] *s lingv* implozie, ușoară explozie în aer *(în interiorul cavității bucale)*

implosive [im'plousiv] *adj lingv* imploziv, cu implozie/explozie/ explozie a aerului

imply [im'plai] *vt* **1** a presupune, a implica, a necesita **2** a indica în mod indirect/implicit, a sugera **3** a însemna (că) **4** a insinua, a face aluzie la

impolicy [im'pɔlisi] *s* **1** politică greșită, greșeală politică/diplomatică; lipsă de diplomație **2** lipsă de eficacitate, ineficiență

impolite [,impə'lait] *adj* **1** nepoliticos, necuviincios **2** prost crescut, lipsit de educație, fără maniere

impolitely [,impə'laitli] *adv* în mod nepoliticos, fără politețe/maniere

impoliteness [,impə'laitnis] *s* impolitețe, lipsă de politețe, necuviință

impolitic [im'pɔlitik] *adj* **1** lipsit de tact, fără tact **2** nechibzuit, lipsit de înțelepciune

imponderabilia [im,pondərə'biliə] *s pl* elemente imponderabile, factori imponderabili/imprevizibili

imponderability [im,pondərə'biliti] *s* imponderabilitate

imponderable [im'pondərəbəl] **I** *adj* imponderabil **II** *s* **1** imponderabil **2** *pl* elemente imponderabile, factori imprevizibili

imponent [im'pounənt] **I** *adj* cu caracter de impunere, care impune o obligație *etc.* **II** *s* persoană care obligă/care impune o obligație

import [im'pɔ:t] **I** *vt* **1** (**into**) a importa, a aduce din import (în) **2** a însemna, a avea sensul de **3** ← *înv* a avea importanță pentru, a interesa; **it ~s us to know** e important pentru noi/ne interesează să știm **4** (**that**) a anunța, a da/a lăsa să se înțeleagă, a încunoștiința **II** ['impɔ:t] *s* **1** import, importare **2** *pl* import(uri), mărfuri importate **3** sens, înțeles, semnificație **4** *v.* **importance 1**

importable [im'pɔ:təbəl] *adj* importabil, corespunzător pentru import

importance [im'pɔ:təns] *s* **1** importanță, însemnătate, semnificație **2** aer important, importanță, emfază

important [im'pɔ:tənt] *adj* **1** (**to**) important, însemnat, plin de importanță (pentru) **2** influent, cu mare infuență **3** plin de consecințe, de mare importanță **4** care-și dă importanță, pompos, pretențios

importantly [im'pɔ:təntli] *adv* cu/dându-și importanță

importation [,impɔ:'teiʃən] *s* **1** import, importare **2** import, marfă importată

importer [im'pɔ:tə'] *s* importator

importunate [im'pɔ:tjunit] *adj* **1** insistent, supărător **2** presant, urgent; apăsător

importunately [im'pɔ:tjunitli] *adv* (în mod) supărător/insistent

importune [im'pɔ:tju:n] **I** *vt* **1** a inoportuna, a deranja **2** *(d. prostituate)* a agăța *(clienți)* **II** *vi* a se ruga cu insistență, a fi pisălog

importuner [im'pɔ:tju:nə'] *s* pisălog, intrus

importunity [,impo'tju:niti] *s* **1** caracter supărător/inoportun **2** pisălogeală, insistență

impose [im'pouz] **I** *vt* **1** (**upon**) a impune, a pretinde, a cere/a solicita insistent *(cu dat)* **2** *ec* (**on, upon**) a pune, a impune, a stabili *(o taxă etc.)* (pe) **3** *poligr* a aranja *(paginile)* **4** *înv* (**upon**) a pune, a așeza (pe) **5** (**on**) a înșela *(cu ac)* cu *(falsuri)*, a vinde *(falsuri) (cu dat)* **II** *vr* (**on, upon**) a se băga în sufletul *(cu gen)*, a se impune cu de-a sila *(cu dat)* **III** *vt* (**upon**) **1** a impune,

a face impresie (bună) *(cu dat)*; a fi impunător/impresionant **2** a profita, a se folosi (de), a trage profit *(de pe urma – cu gen)* **3** a înșela, a trage pe sfoară, a păcăli *(cu ac)*

imposing [im'pouziŋ] *adj* impunător, maiestuos, impresionant

imposingly [im'pouziŋli] *adv* (în mod) impresionant/impunător/ maiestuos; cu demnitate

imposition [,impə'ziʃən] *s* **1** *ec* impunere, stabilire *(a unei taxe etc.)* **2** lucru impus; obligație, sarcină impusă **3** pedeapsă **4** înșelătorie, înșelăciune, șarlatanie **5** impostură

impossibility [im,posə'biliti] *s* **1** imposibilitate; neputință **2** lucru imposibil, imposibilitate

impossible [im'posebəl] *adj* **1** imposibil, cu neputință; de neconceput **2** de neatins, imposibil de atins/realizat/îndeplinit **3** extrem de greu/dificil; fără nădejde **4** insuportabil, imposibil, de nesuportat/neîndurat **5** inacceptabil, inadmisibil, imposibil de admis **6** condamnabil, de condamnat

impossibly [im'posəbli] *adv* **1** în mod imposibil, prin absurd **2** imposibil de **3** (în mod) inadmisibil/inacceptabil

impost¹ ['impoust] *s* **1** *od* bir, impozit **2** *sl* handicap, greutate suplimentară *(la curse)*

impost² ['impoust] *s arhit* postament

imposter [im'postə'] *s amer v.* **impostor**

impostor [im'postə'] *s* **1** impostor **2** șarlatan, escroc

imposture [im'postʃə'] *s* **1** impostură **2** înșelătorie, șarlatanie, escrocherie, fals

impotence ['impətəns], **impotency** ['impətənsi] *s* **1** neputință, lipsă de resurse *sau* vigoare; bicisnicie **2** *med* impotență, sterilitate

impotent ['impətənt] *adj* **1** neputincios, slab **2** incapabil; bicisnic **3** *med* impotent, neputincios

impotently ['impətəntli] *adv* **1** fără forță/energie, slab **2** neputincios

impound [im'paund] *vt* **1** *jur* a sechestra **2** a lua în stăpânire, a pune mâna pe **3** *înv* a închide în ocol *(vitele rătăcite)* **4** a colecta într-un bazin

impoverish [im'pɔvəriʃ] *vt* **1** a sărăci, a pauperiza; a aduce la sapă de lemn **2** a secătui, a sărăci; a face să-și piardă calitățile

impoverished [im'pɔvəriʃt] *adj* **1** sărăcit, pauperizat, adus la sapă de lemn **2** secătuit, sărăcit

impoverishment [im'pɔveriʃmənt] *s* **1** sărăcire, pauperizare **2** secătuire, pierdere a calităților

impracticability [im,præktikə'biliti] *s v.* **impracticableness**

impracticable [im'præktikəbəl] *adj* **1** inaplicabil, imposibil de pus în practică, nerealizabil, nerealist, nepractic **2** (*d. drum etc.*) impracticabil, de nestrăbătut; neutilizabil **3** ← *înv* năravaș, nedocil; dificil, intratabil

impracticableness [im'præktikə-bəlnis] *s* **1** inaplicabilitate, caracter inaplicabil, imposibilitate de realizare; caracter nerealizabil **2** impracticabilitate (a drumurilor) **3** ← *înv* lipsă de docilitate, caracter dificil/năravaș

impracticably [im'præktikəbli] *adv* **1** în mod inaplicabil **2** în mod nerealist

impractical [im'præktikəl] *adj amer* **1** nepractic **2** ineficace; nepotrivit **3** imposibil de practicat, inaplicabil; impracticabil

impracticality [im'prækti'kæliti] *s amer* **1** caracter nepractic **2** caracter ineficace, ineficacitate **3** inaplicabilitate, caracter inaplicabil

imprecate ['impri,keit] *vt* **1** a blestema, a ocărî **2** (**upon**) a rosti imprecații/blesteme (la adresa – *cu gen*); a chema (*duhurile rele etc.* asupra – *cu gen*)

imprecation [,impri'keiʃən] *s* **1** imprecație, blestem **2** rostire a unor blesteme/imprecații

imprecise [,impri'saiz] *adj* vag, neprecis, nedefinit

impreciseness [,impri'saisnis], **imprecision** [,impri'siʒən] *s* imprecizie, lipsă de precizie

impregnability [im,pregnə'biliti] *s* **1** invincibilitate, caracter inatacabil **2** inexpugnabilitate, caracter inexpugnabil

impregnable [im'pregnəbəl] *adj* **1** invincibil, de neînvins **2** inexpugnabil, de necucerit

impregnably [im'pregnəbli] *adj* **1** în mod invincibil **2** în mod inexpugnabil

impregnate¹ [im'pregnit] *adj* **1** *lit* gravidă, însărcinată; *med* impregnată **2** (**with**) plin, pătruns (de); străbătut (de)

impregnate² ['impreg,neit] *vt* **1** a fecunda **2** a fertiliza, a face să sădească **3** (**with**) a satura, a umple; a impregna (cu), a îmbiba **4** (**with**) *fig* a umple (de), a inculca, a inspira, a transmite (*cu ac*)

impregnation [,impreg'neiʃən] *s* **1** fecundare, fecundație; *med* impregnare **2** fertilizare **3** îmbibare, saturare, impregnare **4** *fig* inspirare, transmitere, inculcare

impresario [,imprə'sɑːri,ou] *s* **1** impresar **2** director comercial (*al unei trupe etc.*)

impress¹ [im'pres] **I** *vt* **1** a imprima, a ștanța; **to ~ wax with a seal** a-și pune sigiliul pe ceară **2** (**on**) a lăsa o urmă/*fig* amprente (asupra) **3** a impresiona; a face impresie asupra (*cuiva*); **he ~ed unfavourably** mi-a făcut impresie proastă **4** a imprima (în memorie); a băga, a vârî (în capul cuiva); **I ~ed on him/I ~ed him with the importance of the problem** l-am făcut să înțeleagă cât de importantă e problema, i-am deschis ochii asupra importanței problemei **5** a afecta profund, a influența **II** [im'pres] *vi* a face impresie, a impresiona **III** ['impres] *s* **1** imprimare, lăsare (*a unei urme etc.*) **2** fixare, imprimare (*în memorie etc.*) **3** urmă (lăsată/imprimată), semn, amprentă **4** sigiliu, pecete **5** caracteristică (distinctivă), amprentă personală **6** impresie, efect

impress² [im'pres] *vt* **1** *ist* a înrola cu de-a sila (*în armată, marină*), a lua cu arcanul **2** a rechiziționa **3** a folosi, a se servi de, a se sluji de, a recurge la

impressible [im'presəbəl] *adj* sensibil

impression [im'preʃən] *s* **1** imprimare, ștanțare **2** urmă (imprimată/lăsată) **3** *fig* amprente, urmă **4** impresie; imagine creată **5** amintire vagă, impresie, noțiune vagă **6** *poligr* imprimare; ediție **7** *artă* (prim) strat de culoare/vopsea, grund **8** *teatru* imitație, mimare, mimă

impressionability [im,preʃənə'biliti] *s* caracter impresionabil

impressionable [im'preʃənəbəl] *adj* **1** impresionabil **2** sentimental, care se îndrăgostește ușor **3** maleabil, modelabil, plastic, ușor de modelat

impressionism [im'preʃə,nizəm] *s* **1** impresionism **2** critică impresionistă

impressionist [im'preʃənist] *s, adj* impresionist

impressionistic [im,preʃə'nistik] *adj* **1** impresionist **2** vag, general, care dă doar o impresie generală

impressive [im'presiv] *adj* impresionant, care produce o impresie profundă

impressively [im'presivli] *adv* (în mod) impresionant

impressiveness [im'presivnis] *s* caracter impresionant

imprimatur [,impri'meitə'] *s* **1** bun de tipar **2** aprobare, autorizație

imprint I [im'print] *vt* **1** a imprima; a ștanța **2** *fig* a imprima, a fixa (*în memorie etc.*); a băga, a vârî (*în capul cuiva*) **3** a aplica, a lipi **II** ['imprint] *s* **1** și *fig* urmă (*lăsată/imprimată*) **2** numele editorului, tipografiei *etc.* (*pe o carte*)

imprison [im'prizən] *vt* a întemnița, a închide, a băga la închisoare

imprisonment [im'prizənmənt] *s* recluziune, întemnițare, închisoare

improbability [im,prɔbə'biliti] *s* improbabilitate, caracter puțin probabil

improbable [im'prɔbəbəl] *adj* **1** improbabil, (prea) puțin probabil **2** greu de presupus, neverosimil

improbableness [im'prɔbəbəlnis] *s v.* **improbability**

improbably [im'prɔbəbli] *adv* **1** prea puțin probabil, cu prea puține șanse de realizare **2** în mod neverosimil

improbity [im'proubiti] *s* necinste, lipsă de probitate

impromptu [im'prɔmptjuː] **I** *s* **1** improvizație **2** *muz* impromptu **II** *adj* **1** improvizat **2** făcut pe moment **III** *adv* ex abrupto, pe neașteptate, în mod improvizat

improper [im'prɔpə'] *adj* **1** impropriu, nepotrivit **2** necorespunzător, inadecvat, impropriu **3** incorect; inexact **4** nelalocul său, nepotrivit, deplasat **5** indecent, lipsit de decență, impudic **6** ordinar, grosolan

improperly [im'prɔpəli] *adv* 1 în mod impropriu 2 în mod necorespunzător/nepotrivit 3 nu așa cum se cuvine, în mod deplasat, fără decență

impropriate [im'proupri,eit] *vt jur* a seculariza *sau* anexa *(proprietăți sau beneficii ecleziastice)*

impropriation [im,proupri'eiʃən] *s jur* secularizare *sau* anexare *(a averilor bisericești)*

impropriety [,imprə'praiiti] *s* 1 caracter impropriu/necorespunzător 2 folosire incorectă, incorectitudine (în folosire) 3 indecență, lipsă de decență

improvability [im,pruːvə'biliti] *s* posibilitate de ameliorare/îmbunătățire

improvable [im'pruːvəbəl] *adj* perfectibil, susceptibil de ameliorare/îmbunătățire

improve [im'pruːv] I *vt* 1 a îmbunătăți, a perfecționa; a ameliora 2 a corecta, a îndrepta 3 a valorifica, a pune în valoare 4 a profita de, a se folosi de; **to ~ the occasion/opportunity** a profita de prilej; *(↓ pentru a ține un discurs/o predică)* 5 a spori, a mări, a extinde II *vi* 1 a se ameliora, a se îmbunătăți 2 a se perfecționa 3 a progresa, a face progrese, a evolua favorabil 4 a crește/a spori în valoare

improve away [im'pruːvə'wei] *vt cu part adv* a lichida prin ameliorări/îmbunătățiri

improvement [im'pruːvmənt] *s* 1 îmbunătățire, perfecționare 2 corectare, îndreptare, ameliorare 3 *agr* amenajare, amenajări, lucrări de amelioraţie/de îmbunătățire funciară 4 sporire în valoare; valorificare (superioară) 5 amendament, modificare

improve on/upon [im'pruːv ɔn/ə,pɔn] *vi cu prep* 1 a ameliora, a îmbunătăți, a perfecționa *(cu ac)* 2 a amenda, a modifica, a îmbunătăți *(cu ac)* 3 a încerca să depășească *(natura etc.)*

improver [im'pruːvə] *s* 1 meliorist, perfecționist; persoană dornică de îmbunătățiri, progres *etc.*; reformator 2 practicant, ucenic (benevol *sau* cu salariu redus) *înv* – candidat

improvidence [im'prɔvidəns] *s* 1 nechibzuință, risipă 2 lipsă de prevedere, neprevedere, imprudență, nechibzuință

improvident [im'prɔvidənt] *adj* 1 nechibzuit, risipitor 2 neprevăzător, imprudent, nechibzuit

improvidently [im'prɔvidəntli] *adv* 1 în mod nechibzuit, fără chibzuință 2 în mod imprudent, fără spirit de prevedere

improvisation [,imprəvai'zeiʃən] *s* 1 improvizație 2 *artă* improvizație, improvizare

improvisational [,imprəvai'zeiʃənəl], **improvisatorial** [im,prɔvizə'tɔːriəl] *adj* 1 improvizat, cu caracter de improvizație 2 improvizatoric

improvisator [im'prɔvaizeitə], **improvisatore** [im,prɔvizə'tɔːre], *pl* **improvisatori** [im,prɔvizə'tɔːri] *s* improvizator

improvisatrice [im,prɔvizə'triːtʃi] *s* improvizatoare

improvise ['imprə,vaiz] I *vt* 1 a improviza 2 a face/a pregăti la repezeală/în mod improvizat II *vi* a improviza, a face improvizații

improviser, **improvisor** ['imprə,vaizə] *s* improvizator

imprudence [im'pruːdəns] *s* 1 imprudență, lipsă de prudență/prevedere, nechibzuință 2 imprudență, gest nechibzuit/necugetat/imprudent

imprudent [im'pruːdənt] *adj* 1 imprudent, lipsit de prevedere/prudență 2 neînțelept, lipsit de înțelepciune, nechibzuit, nesăbuit

imprudently [im'pruːdəntli] *adv* 1 în mod imprudent, fără prevedere 2 fără înțelepciune, cu nechibzuință

impudence ['impjudəns] *s* 1 nerușinare, lipsă de rușine 2 indecență, lipsă de pudoare, nerușinare 3 obrăznicie, nerușinare, lipsă de obraz

impudent ['impjudənt] *adj* 1 nerușinat, fără rușine 2 impudic, lipsit de pudoare 3 obraznic, nerușinat, fără obraz

impudently ['impjudəntli] *adv* 1 fără rușine, cu nerușinare, în mod nerușinat 2 cu obrăznicie, fără rușine

impudicity [,impju'disiti] *s* lipsă de pudoare, caracter impudic

impugn [im'pjuːn] *vt* 1 a contesta, a pune la îndoială/sub semnul întrebării 2 a suspecta/a acuza de fals, a nega; a contesta autenticitatea *(cu gen)*

impuissance [im'pjuːisəns] *s* neputință, slăbiciune, becisnicie; impotență

impuissant [im'pjuːisənt] *adj* neputincios, slab, becisnic, slăbănog, impotent

impulse I ['impʌls] *s* 1 *fiz etc.* impuls 2 împingere, mișcare înainte 3 imbold, impuls, îndemn; **to act on** ~ a acționa sub imboldul momentului 4 mobil, motiv, stimulent; motivare, motivație 5 caracter impulsiv, impulsivitate; repezeală; **a man of** ~ un om impulsiv/repezit II [im'pʌls] *vt* 1 a da un impuls *(la sau cu dat)*, a impulsiona 2 a îmboldi, a îndemna

impulsion [im'pʌlʃən] *s* 1 împingere înainte 2 îndemnare, îmboldire, impulsionare 3 impuls, imbold, îndemn 4 constrângere, silire, forțare

impulsive [im'pʌlsiv] *adj* 1 impulsiv, repezit, iute 2 nerațional, instinctiv, izvorât din instinct 3 făcut pe moment/la repezeală, repezit, impulsiv

impulsively [im'pʌlsivli] *adv* în mod impulsiv/nerațional, din impuls, la repezeală, fără chibzuială, pe negândite

impulsiveness [im'pʌlsivnis] *s* caracter impulsiv/nerațional/repezit/iute

impunity [im'pjuːniti] *s* 1 impunitate, lipsa pericolului de pedeapsă; **with** ~ fără (teamă de) pedeapsă, consecințe/urmări, în condiții de impunitate; în perfectă siguranță, fără primejdie 2 siguranță, lipsă de primejdie/pericol

impure [im'pjuə] *adj* 1 impur, lipsit de puritate 2 falsificat, contrafăcut, prefăcut 3 pângărit 4 impur, murdar, stricat 5 imoral, destrăbălat, lipsit de virtute, stricat 6 necuviincios, indecent

impurity [im'pjuəriti] *s* 1 caracter impur, lipsă de puritate 2 necurățenie 3 *pl* impurități 4 improbitate, destrăbălare, stricăciune 5 indecență, necuviință

imputable [im'pjuːtəbl] *adj* 1 condamnabil, blamabil, imputabil 2 **(to)** care poate fi atribuit *(cu dat)*

imputation [,impju:'teiʃən] *s* **1** imputare, imputație **2** acuzație; vină *(atribuită cuiva)* **3** insinuare; **~s on smb's character** o umbră aruncată asupra caracterului cuiva

impute [im'pju:t] *vt* **1** a imputa, a acuza de, a blama pentru, a atribui *(o vină)* **2** a atribui *(o vină etc.)*

in. *presc de la* **inch(es)**

in [in] **I** *prep* **1** *(arată locul, situația, direcția, pătrunderea)* în; **~ the garden** în grădină **2** la; **~ London** la Londra; **~ the country** la țară; **wounded ~ the leg** rănit la picior **3** înăuntrul; în interiorul *(cu gen)* **4** cu *(un vehicul)* **a ride ~ a bus** o călătorie cu autobuzul **5** din, de la; de pe *(lume etc.)* **the highest mountain ~ the world** cel mai înalt munte din/de pe lume **6** la *(un regn, o specie)* **~ mammals** la mamifere **7** în, prin; **~ the papers** în ziare **8** *(arată timpul)* în; **~ the evening** seara, spre seară **9** *(arată perioada de timp, durata)* (până) în, în decurs de **10** *(arată cadrul)* în (cadrul – *cu gen)*; din; **one/a man ~ five** un om din cinci **11** *(arată mijlocul, instrumentul)* în, cu; **clothed ~ rags** îmbrăcat în zdrențe **12** *(arată persoana)* în, prin; **~ him we lost a great man** am pierdut prin el un om mare **13** ca; la; în (ceea ce privește); **superior ~ intellect** superior ca intelect/ inteligență **14** în *(domeniul/ branșa – cu gen)*; **he is ~ business** se ocupă de/face afaceri **II** *adv* **1** înăuntru, în interior; **ask him ~** poftește-l înăuntru **2** acasă; **he is not ~** nu e acasă, e plecat, lipsește **3** la destinație; **he flew ~ on the first plane** a sosit cu primul avion // **~ between** printre picături; **~ and out** când așa, când așa; **day ~, day out** zi de zi, în fiecare zi **III** *adj* **1** (din) interior, dinăuntru **2** *pol* la putere, în funcție; ales **3** care merge spre interior **4** sosit (la destinație) **is the train ~?** a sosit/a venit trenul? **5** *(d. recoltă)* strâns, adunat (de pe câmp) **6** la modă; **long skirts are ~ again** iar se poartă fuste(le) lungi **7** în plin sezon; **strawberries are ~**

now au ieșit căpșunile, e sezonul căpșunilor **8** *(d. pacient)* internat, spitalizat **9** (**for**) susceptibil (de), pregătit (pentru); **we're ~ for trouble** am dat de bucluc, ne așteaptă necazuri mari; **are you ~ for the competition?** te-ai înscris/participi la concurs? **I have it ~ for him** i-am pregătit o papară strașnică **10** (**with**) intim, în mare amiciție/ prietenie, la toartă/cataramă (cu cineva) **11** (**on**) la curent (cu), informat (asupra – *cu gen); **he is ~ on it a** e și el amestecat/ băgat în chestia asta **b** e și el la curent/informat; **to be ~ at (the finish** etc.) ↓ *sport* a fi prezent la (finiș *etc.*) **IV** *s* **1** *pol* persoană la putere; **the ~s and the outs** guvernul și opoziția **2** putere, influență, autoritate

in- *pref* **1** in-; ne-: **incapacity** incapacitate; **inattentive** neatent

-in *suf* -ină; **penicillin** penicilină

Ina ['ainə] *nume fem*

inability [,inə'biliti] *s* **1** incapacitate, nepricepere, incompetență **2** neputință, imposibilitate

in absentia [in æb'sentiə] *s* **1** *lat* in absentia, în absența persoanei **2** *jur* în contumacie, in absentia, în absență

inaccessibility [,inæk,sesə'biliti] *s* inaccesibilitate, caracter inaccesibil

inaccessible [,inæk'sesəbəl] *adj* (**to**) inaccesibil (pentru) *sau cu dat*

inaccessibly [,inæk'sesəbli] *adv* în mod inaccesibil

inaccuracy [in'ækjurəsi] *s* **1** inexactitate, incorectitudine, caracter inexact **2** lucru inexact; inexactitate, afirmație inexactă/incorectă **3** greșeală, eroare

inaccurate [in'ækjurit] *adj* inexact, incorect; neconform cu realitatea

inaccurately [in'ækjuritli] *adv* în mod inexact/incorect

inaction [in'ækʃən] *s* **1** inerție, letargie, torpoare **2** lipsă de activitate; lene, lenevie, trândăvie

inactivate [in'ækti,veit] *vt* a inactiva; a neutraliza; a reduce la inactivitate

inactivation [in,ækti'veiʃən] *s* inactivare; neutralizare

inactive [in'æktiv] *adj* **1** inactiv, inert **2** trândav, leneș, indolent **3** *mil*

retras, scos din activitate **4** sedentar

inactivity [,inæk'tiviti] *s* **1** inactivitate, lipsă de activitate **2** lenevie, trândăvie

inadequacy [in'ædikwəsi] *s* **1** nepotrivire, caracter inadecvat/necorespunzător/nepotrivit **2** insuficient, caracter insuficient, puținătate

inadequate [in'ædikwit] *adj* (**to**) **1** necorespunzător, nepotrivit, neadecvat (pentru) **2** insuficient, neîndestulător, prea puțin (pentru)

inadequately [in'ædikwitli] *adv* **1** în mod neadecvat/nepotrivit/necorespunzător **2** insuficient, într-o măsură insuficientă; nu îndeajuns (de)

inadequateness [in'ædikwitnis] *s v.* **inadequacy**

inadmissibility [,inəd,misə'biliti] *s* caracter inadmisibil/inacceptabil

inadmissible [,inəd'misəbəl] *adj* inadmisibil, inacceptabil

inadmissibly [,inəd'misəbli] *adv* în mod inadmisibil/inacceptabil

inadvertence [,inəd'və:təns], **inadvertency** [,inəd'və:tənsi] *s* **1** neatenție, lipsă de atenție **2** neglijență **3** caracter necugetat, nechibzuit, nechibzuială, lipsă de înțelepciune **4** greșeală provenită din neatenție, scăpare

inadvertent [,inəd'və:tənt] *adj* **1** neatent **2** neglijent **3** necugetat, nechibzuit, lipsit de înțelepciune

inadvertently [,inəd'və:təntli] *adv* **1** neatent **2** neglijent **3** în mod necugetat, fără chibzuială

inadvisability [,inəd,vaizə'biliti] *s* **1** caracter nerecomandabil **2** lipsă de înțelepciune, imprudență

inadvisable [,inəd'vaizəbəl] *adj* nerecomandabil

inalienability [in,eiljənə'biliti] *s* caracter inalienabil

inalienable [in'eiljənəbəl] *adj* inalienabil

in all [in 'ɔ:l] *adv* în total, cu totul; cu toții

inalterability [in,ɔ:ltərə'biliti] *s* **1** caracter neschimbător/constant, imuabilitate, permanență **2** caracter de nezdruncinat

inalterable [in'ɔ:ltərəbəl] *adj* **1** de neschimbat **2** de nezdruncinat

inalterably [in,ɔːltərəbli] *adv* **1** (de) neschimbat, (de) nemodificat; constant, statornic **2** (de) nezdruncinat

inamorata [in,æməˈrɑːtə] *s* iubită, aleasa inimii

inamorato [in,æməˈrɑːtou] *s* **1** îndrăgostit **2** iubit

inane [iˈnein] **I** *adj* **1** stupid, prostesc, idiot **2** fără sens/rost/valoare **3** găunos, lipsit de conținut **4** insipid, fără haz **II** *s* **1** vid, gol **2** spațiu infinit

inanely [iˈneinli] *adv* **1** în mod stupid/prostesc **2** în mod inutil, fără sens/rost

inaneness [iˈneinis] *s v.* **inanity**

inanimate [inˈænimit] *adj* **1** neînsuflețit, fără viață, mort **2** lipsit de vioiciune/animație, fără viață **3** monoton; fără haz, insipid **4** inert, mort, inactiv, lipsit de vitalitate

inanimately [inˈænimitli] *adv* **1** fără vioiciune/însuflețire/viață **2** monoton; fără haz, insipid

inanimate nature [inˈænimitˈneitʃəʳ] *s* natură neînsuflețită; regnul mineral *sau* vegetal

inanimateness [inˈænimitnis] *s* **1** lipsă de însuflețire/viață, monotonie **2** inerție; lipsă de vitalitate

inanition [,inəˈniʃən] *s* **1** vid, gol, goliciune **2** inaniție **3** lipsă de vitalitate/vigoare, letargie

inanity [iˈnæniti] *s* **1** stupiditate, caracter prostesc/stupid/idiot **2** gol, vid **3** găunoșenie, caracter găunos **4** gogomănie, tâmpenie, stupiditate, prostie

inapparent [,inəˈpærənt] *adj* prea puțin evident; nedeslușit, neclar

inappeasable [,inəˈpiːzəbəl] *adj* (de) neîmpăcat

inappellable [,inəˈpeləbəl] *adj jur* inatacabil; irefutabil; fără drept de apel

inappetence [inˈæpitəns], **inappetency** [inˈæpitənsi] *s* inapetență, lipsă de poftă de mâncare

inappetent [inˈæpitənt] *s med* inapetent, lipsit de poftă de mâncare

inapplicability [in,æplikəˈbiliti] *s* caracter inaplicabil/nerealist

inapplicable [inˈæplikəbəl] *adj* **1** inaplicabil, greu de aplicat/de pus în practică; nerealist **2** (to) nepotrivit, necorespunzător (pentru); inaplicabil *(cu dat)*, fără legătură (cu)

inapplicably [inˈæplikəbli] *adv* în mod inaplicabil/nerealist

inapposite [inˈæpəzit] *adj* deplasat, nepotrivit, nelalocul lui; inoportun

inappositely [inˈæpəzitli] *adv* (în mod) nepotrivit/inoportun/deplasat/nelalocul lui

inappositeness [inˈæpəzitnis] *s* inoportunitate, caracter deplasat/nepotrivit/inoportun

inappreciable [,inəˈpriːʃəbəl] *adj* **1** imperceptibil, infim, infinitezimal **2** ← *înv* neprețuit

inappreciative [,inəˈpriːʃətiv] *adj* **1** (of) care nu apreciază *(cu ac)*, insensibil (la) **2** nerecunoscător, ingrat

inapprochable [,inəˈproutʃəbəl] *adj* **1** inaccesibil **2** inabordabil

inappropriate [,inəˈproupriit] *adj* **1** necorespunzător, nepotrivit, inadecvat, impropriu **2** insuficient, necorespunzător

inappropriately [,inəˈproupriitli] *adv* **1** în mod necorespunzător/nepotrivit **2** în mod insuficient

inappropriateness [,inəˈproupriitnis] *s* **1** caracter necorespunzător/nepotrivit/impropriu **2** insuficiență, caracter neîndestulător

inapt [inˈæpt] *adj* **1** neîndemânatic, nepriceput **2** nepotrivit, impropriu **3** irelevant, fără legătură (cu problema), deplasat, nelalocul lui **4** stupid, prostesc

inaptitude [inˈæptiˌtjuːd], **inaptness** [inˈæptnis] *s* **1** nepricepere, neîndemânare **2** caracter inadecvat/deplasat **3** stupiditate, ineptie, prostie

inarticulate [,inɑːˈtikjulit] *adj* **1** nedeslușit, neclar **2** prost articulat **3** mut, nerostit **4** incoerent, incapabil să se exprime clar **5** *zool* fără articulații

inartistic [,inɑːˈtistik] *adj* făcut fără artă/talent

in as far as [,in əz ˈfɑːr əz], **inasmuch as** [,in əz mʌtʃ əz] *conj* **1** în măsura în care **2** întrucât, deoarece, dat fiind că

inattention [,inəˈtenʃən] *s* **1** neatenție, lipsă de concentrare, distracție **2** lipsă de atenție, nepăsare

inattentive [,inəˈtentiv] *adj* neatent, distrat

inattentively [,inəˈtentivli] *adv* (în mod) neatent, distrat

inattentiveness [,inəˈtentivnis] *s* neatenție, distracție, lipsă de atenție

inaudibility [in,ɔːdəˈbiliti] *s* imposibilitatea de a fi auzit, sonoritate prea scăzută

inaudible [inˈɔːdəbəl] *adj* abia auzit, prea slab ca să fie auzit

inaudibly [inˈɔːdəbli] *adv* prea slab ca să se audă; abia auzit, în șoaptă

inaugural [inˈɔːgjurəl] **I** *adj* inaugural, de deschidere/inaugurare **II** *s* discurs inaugural, cuvânt(are) de deschidere

inaugural address [inˈɔːgjurəl əˈdres] *s v.* **inaugural II**

inaugurate [inˈɔːgjuˌreit] *vt* **1** a inaugura **2** a instala în funcție; a instala *(președintele S.U.A.)* **3** a face sfeștanie *(cu gen)* **4** a începe; a iniția; a deschide; a inaugura **5** a da în funcțiune/exploatare; a prezenta oficial

inauguration [in,ɔːgjuˈreiʃən] *s* **1** inaugurare **2** deschidere (oficială) **3** începere, inițiere **4** prezentare oficială **5** intrare în funcție

Inauguration Day [in,ɔːgjuˈreiʃən 'dei] *s* ziua intrării în funcție a președintelui S.U.A. (20 ianuarie)

inauspicious [,inɔːˈspiʃəs] *adj* **1** de rău augur, nefavorabil **2** neospitalier, ostil **3** nenorocos, ghinionist; nefericit

inborn [ˈinbɔːn] *adj* **1** înnăscut, congenital, nativ **2** de la natură, ereditar, moștenit

inbred [ˈinbred] *adj* **1** *v.* **inborn 2** inculcat **3** *biol* rezultat din încrucișări selective

inbreeding [ˈinbriːdiŋ] *s biol* **1** încrucișare selectivă **2** endogamie

inc. *presc de la* **1** **incorporated 2** **increase**

Inca [ˈiŋkə] *s, adj* incaș

incalculability [in,kælkjuləˈbiliti] *s* incomensurabilitate, caracter incalculabil

incalculable [inˈkælkjuləbəl] *adj* incalculabil, incomensurabil, nemăsurat

incalculably [inˈkælkjuləbli] *adv* enorm/colosal (de); incalculabil, nemăsurat (de)

incandesce [,inkænˈdes] **I** *vi* a fi incandescent, a arde **II** *vt* a aduce la incandescență, a face să ardă

incandescence [,inkænˈdesəns] *s* incandescență

incandescent [ˌinkæn'desənt] *adj* incandescent

incandescent lamp [ˌinkæn'desənt 'læmp] *s* lampă cu incandescență; bec electric

incantation [ˌinkæn'teiʃən] *s* 1 incantație 2 descântec, vrajă 3 formulă magică, cuvinte magice

incapability [inˌkeipə'biliti] *s* incapacitate, neputință

incapable [in'keipəbəl] *adj* 1 (of) incapabil (de, să) 2 neputincios; **drunk and ~** beat mort 3 nepriceput; incompetent 4 (of) nepotrivit, nepregătit (pentru, să)

incapacitate [ˌinkə'pæsiˌteit] *vt* 1 (for, from) a face incapabil (de, să), a priva de capacitatea sa *(de muncă etc.);* a împiedica (să) 2 *jur* a priva de un drept (de), a face să decadă *(dintr-un drept)*

incapacity [ˌinkə'pæsiti] *s* 1 incapacitate, inaptitudine, neputință; incompetență *(într-un domeniu)* 2 *jur* decădere *(din drepturi);* descalificare

incarcerate [in'kɑːsəˌreit] *vt* a întemnița, a închide; a încarcera

incarceration [inˌkɑːsə'reiʃən] *s* 1 întemnițare, închidere 2 recluziune, închisoare, detenție

incarnadine [in'kɑːnəˌdain] I *adj* 1 de culoarea cărnii 2 roșu (ca sângele) II *vt* a înroși

incarnate I [in'kɑːnit] *adj* 1 întrupat, întruchipat; cu chip de om; **he is a devil ~** e un diavol cu chip de om, e un drac împielițat 2 întruchipat, personificat; **liberty ~** libertatea personificată II [in'kɑːneit] *vt* 1 a întrupa, a întruchipa; a da un trup, a da chip de om *(cu dat)* 2 a întruchipa, a personifica 3 a materializa, a concretiza

incarnation [ˌinkɑː'neiʃən] *s* (of) 1 *rel* încarnare, întrupare, personificare *(cu gen)* 2 concretizare, materializare *(cu gen)*

incaution [in'kɔːʃən] *s* lipsă de precauție/prevedere, imprudență, neatenție

incautious [in'kɔːʃəs] *adj* 1 imprudent, neprecaut 2 nechibzuit, pripit, repezit

incautiously [in'kɔːʃəsli] *adv* 1 (în mod) imprudent, fără precauție, fără spirit de prevedere 2 în pripă/grabă, pripit

incendiary [in'sendiəri] I *adj* 1 incendiar 2 care aprinde/inflamează 3 *fig* revoluționar, incendiar II *s* 1 incendiator 2 *fig* agitator, revoluționar 3 bombă incendiară

incense[1] ['insens] I *s* 1 tămâie 2 miros de tămâie; parfum/miros plăcut 3 *fig* tămâiere, adulație, flatare II *vt* 1 a tămâia 2 a parfuma (cu tămâie)

incense[2] [in'sens] *vt* 1 a ațâța, a stârni, a incita 2 a înfuria, a mânia

incensory ['insensəri] *s bis* cădelniță

incentive [in'sentiv] I *s* 1 stimulent (material), interes, mobil 2 imbold, încurajare, îndemn II *adj* stimulator, stimulativ, încurajator

inception [in'sepʃən] *s* 1 începere, inițiere, început 2 întemeiere

inceptive [in'septiv] *adj* de început, inițial

incertitude [in'səːtiˌtjuːd] *s* 1 incertitudine, nesiguranță 2 îndoială, dubiu 3 instabilitate, nesiguranță

incessant [in'sesənt] *adj* neîncetat, permanent, continuu

incessantly [in'sesntli] *adv* fără încetare, neîncetat, permanent, în permanență, incontinuu

incest ['insest] *s* incest

incestuous [in'sestjuəs] *adj* incestuos

incestuousness [in'sestjuəsnis] *s* caracter incestuos

inch [intʃ] I *s* 1 țol, inci(e) (= 2,54 cm) 2 bucățică, distanță mică, palmă de loc/pământ; **by ~es a** cât pe ce (să); **the car missed him by ~es** n-au lipsit decât vreo câțiva centimetri și-l lovea mașina, era cât pe-aci să-l lovească mașina **b** treptat, pas cu pas, bucățică cu bucățică; **within an ~ of** la un pas de; **every ~ a** întru totul, total, complet **b** din cap până-n picioare; **not to yield an ~** a nu vedea nici un pic/nici o palmă (de teren); **an ~ of cold iron** înjunghiere, pumnal înfipt în trup; **give him an ~ and he will take an ell** *prov* îi dai un deget și-ți ia toată mâna; 3 *pl* statură, înălțime; **a man of your ~es** un bărbat de statura ta 4 cantitate de precipitații 5 grad de presiune barometrică II *vi* a înainta treptat/centimetru cu centimetru/pas cu pas III *vt* a câștiga *(teren)* centimetru cu centimetru/pas cu pas

inchmeal ['intʃˌmiːl] *adv* treptat, puțin câte puțin, centimetru cu centimetru

inchoate [in'koueit] I *adj* 1 incipient, abia început, în stadiul inițial 2 nedezvoltat II *vt* 1 a începe, a inița, a porni 2 a da naștere la

inchoative [in'kouətiv] *adj* 1 *și gram* incoativ, care marchează începutul unei acțiuni 2 inițial, incipient

incidence ['insidəns] *s* 1 incidență 2 rază de acțiune; **what is the ~ of the tax?** pe cine afectează impozitul? 3 frecvență, incidență *(a unei boli etc.)* 4 întâmplare, caracter incidental 5 *fiz* (unghi de) incidență

incident ['insidənt] I *s* 1 incident, întâmplare 2 incident, luptă, bătaie; ciocnire 3 incident, eveniment (colateral/concomitent) 4 fapt, întâmplare, eveniment *(într-o piesă, narațiune)* 5 *jur* privilegiu 6 *jur* sarcină, servitute *(legată de o proprietate)* II *adj* 1 *fiz* incident 2 (to) legat (de) 3 (to) firesc (pentru), inerent (pentru sau cu dat) 4 ← *înv* incidental, întâmplător

incidental [ˌinsi'dentəl] I *adj* 1 incidental, întâmplător, accidental 2 ocazional 3 suplimentar, adăugat, pe deasupra 4 mărunt, mic, neesențial, neînsemnat 5 (to) legat (de); inerent *(cu dat)* II *s* 1 lucru incidental 2 amănunt neesențial 3 *pl* cheltuieli mărunte/diverse

incidentally [ˌinsi'dentəli] *adv* 1 (în mod) întâmplător/incidental/ accidental 2 apropo, fiindcă veni vorba, în paranteză (fie spus)

incinerate [in'sinəˌreit] *vt* a incinera, a arde

incineration [inˌsinə'reiʃən] *s* incinerare, ardere

incinerator [in'sinəˌreitəʳ] *s* crematoriu (de gunoi)

incipience [in'sipiəns], **incipiency** [in'sipiənsi] *s* stadiu inițial/incipient

incipient [in'sipiənt] *adj* 1 incipient, la început(uri), în stadiul inițial 2 inițial

incipit ['inʃipit] *s* primele cuvinte, începutul *(de la o carte etc. sau fig)*

incise [in'saiz] *vt* 1 a face o incizie în, a tăia 2 a grava, a imprima

incision [in'siʒən] *s* **1** incizie, tă-
ietură, tăiere **2** *fig* incisivitate,
caracter incisiv

incisive [in'saisiv] *adj* **1** tăios **2**
incisiv, sarcastic, ironic **3** clar,
precis, bine definit **4** pătrunzător,
penetrant, percutant

incisively [in'saisivli] *adv* în mod
tăios/incisiv

incisiveness [in'saisivnis] *s* incisi-
vitate, causticitate

incisor [in'saizər] *s anat, zool* incisiv,
dinte din față

incitation [ˌinsi'teiʃən] *s* **1** ațâțare,
stârnire, incitare **2** instigație,
incitare **3** stimulare, stimulent

incite [in'sait] *vt* **1** a ațâța, a stârni,
a incita **2** a genera, a da naștere
la **3** a urni/a mișca din loc **4** a
îndemna, a îmboldi; a stimula; a
da pinteni *(cu dat)* **5** (**to**) a
instiga, a incita (la)

incitement [in'saitmənt] *s v.* **incitation**

incivility [ˌinsi'viliti] *s* **1** lipsă de
politețe/de (bună) cuviință/de
maniere **2** gest nepolitocos;
nepolitețe, necuviință *(în vorbă)*

incivism ['insivizəm] *s* lipsă de spirit
civic, de patriotism, de loialitate
(față de popor)

incl. *presc de la* **1** including **2**
inclusive

inclemency [in'klemənsi] *s* **1** lipsă
de îndurare/îngăduință/îndurare/
milă, caracter neîndurător **2**
asprime, caracter aspru/nemilos

inclement [in'klemənt] *adj* **1** neîn-
durător, neîngăduitor, nemilos **2**
(↓ *d. vreme*) aspru

inclemently [in'kleməntli] *adv* fără
îndurare/cruțare/milă, nemilos,
necruțător

inclinable [in'klainəbəl] *adj* (**to**) **1**
înclinat *(spre, către)*, dispus (la *sau*
să facă ceva) **2** favorabil *(cu dat)*

inclination [ˌinkli'neiʃən] *s* **1** încli-
nație, pantă **2** înclinare, aplecare
(a capului etc.) **3** plecăciune **4**
(**to, for, towards**) înclinație,
aplecare (către, spre), tendință
(de a), aplicație (pentru) **5** dispo-
ziție, înclinație, tendință; **he
showed no ~ to leave** nu părea
deloc dispus să plece, nu se
dădea deloc dus **6** (**for**) simpatie,
afecțiune (pentru)

incline [in'klain] **I** *vt* **1** a înclina, a
apleca; a așeza oblic **2** *fig* a face
să încline; a întoarce (balanța) **3**

a convinge; a determina, a
decide, a hotărî **II** *vi* **1** a se
înclina, a se apleca **2** a face o
plecăciune, a saluta printr-o
plecăciune **3** (**to**) a tinde, a
înclina, a avea tendința (să); a fi
dispus (să) **4** (**to**) a avea o
înclinație (pentru), a fi predispus
(la, spre) **5** a fi așezat/a sta oblic,
a fi în poziție înclinată, a avea o
înclinare **III** *s* **1** *fiz* plan înclinat **2**
pantă, înclinație, înclinare

inclined [in'klaind] *adj* **1** înclinat,
aplecat, oblic **2** *fig* înclinat,
dispus; **I am ~ to believe he is
right** tind/îmi vine să cred că are
dreptate; **do you feel ~ for a
walk?** ești dispus să facem o
plimbare? îți surâde ideea unei
plimbări? **3** (**to**) *fig* predispus
(la), tânjind (spre); **he is ~ to
corpulence** e predispus la în-
grășare, are o tendință/predis-
poziție spre obezitate

inclined plane [in'klaind'plein] *s fiz*
plan înclinat

inclinometer [ˌinkli'nɔmitər] *s geol,
geod, mar, av* inclinometru;
instrument *sau* aparat pentru
măsurarea înclinației

inclose [in'klouz] *v.* **enclose**

include [in'klu:d] *vt* **1** a include, a
cuprinde, a număra; a conține **2**
a pune la socoteală/număr, a ține
seama de, a nu uita de **3** a
închide, a îngrădi; a circumscrie,
a mărgini

included [in'klu:did] *adj* cuprins,
inclus; **postage ~** inclusiv expe-
diția/taxele poștale

include out [in'klu:d 'aut] *vt cu part
adv amer ← umor* a exclude, a
da afară

including [in'klu:diŋ] *prep* inclusiv,
cu tot cu; **~ him** cu tot cu el,
dacă-l includem și pe el

inclusion [in'klu:ʒən] *s* **1** includere,
cuprindere **2** *geol etc.* inclu-
ziune

inclusive [in'klu:siv] **I** *adj* **1** (atot)cu-
prinzător **2** total, general, referitor
la tot **3** (**of**) (↓ *d. preț, tarif*)
cuprinzând/incluzând/inclusiv
(și); precum și; **the rent is £10 ~
of heating** în chiria de 10 lire
este inclusă și căldura; chiria
este de 10 lire (sterline) și
include și prețul încălzirii; **a tariff/
rent of £30 per month was (of**

everything) în chiria/tariful de 30
de lire pe lună era inclus totul/
erau incluse toate serviciile;
tariful/chiria de 30 de lire pe lună
cuprindea totul/toate serviciile **II**
adv **1** inclusiv, cuprinzător **2** cu
totul, per total, în ansamblu;
Monday to Friday ~ de luni
până vineri inclusiv

inclusively [in'klu:sivli] *adv* inclusiv,
în mod cuprinzător, cu totul

inclusiveness [in'klu:sivnis] *s*
caracter (atot)cuprinzător

inclusive of [in'klu:siv əv] *prep v.*
including

inclusive terms [in'klu:siv 'tə:mz] *s
pl* (↓ *la hoteluri, pensiuni etc.*)
preț/cost total, tarif cuprinzând
toate serviciile/cu toate serviciile
incluse

incog ['in'kɔg] *adj, adv s F v.*
incognito

incognito [in'kɔgnitou] *adj, adv, s*
incognito

incognizance [in'kɔgnizəns] *s* (**of**)
necunoaștere *(cu gen);* necu-
noștință (de cauză); inconștiență
(față de)

incognizant [in'kɔgnizənt] *adj* (**of**) în
necunoștință de cauză

incoherence [ˌinkou'hiərəns], **inco-
herency** [ˌinkou'hiərənsi] *s* **1**
incoerență **2** exprimare *etc.*
incoerentă

incoherent [ˌinkou'hiərənt] *adj*
incoerent

incoherently [ˌinkou'hiərəntli] *adv*
(în mod) incoerent

incombustible [ˌinkəm'bʌstəbəl] *adj*
necombustibil, care nu arde,
neinflamabil

income ['inkʌm] *s* venit(uri), câș-
tig(uri); **to leave within one's ~**
a nu face datorii, a-și chibzui bine
banii

income group ['inkʌmˌgru:p] *s
sociologie* categorie social-
economică; grupă de venituri

income tax ['inkʌm,tæks] *s* impozit
pe venituri; **negative ~** reduceri
de impozite (pe venituri)

incoming ['in,kʌmiŋ] **I** *adj* **1** care
intră/vine/sosește **2** în creștere/
dezvoltare **II** *s* venire, sosire

incoming tide ['in,kʌmiŋ 'taid] *s*
flux

incommensurability [ˌinkə,menʃərə-
'biliti] *s* incomensurabilitate,
caracter incomensurabil

incommensurable [ˌinkə'menʃərəbəl] *adj* 1 incomensurabil, nemărginit, nemăsurat 2 incomparabil, neasemuit 3 (**with**) incomparabil/care nu se prestează la comparație (cu) 4 *mat*irațional

incommensurably [ˌinkə'menʃərəbli] *adv* 1 nemărginit, nemăsurat (de) 2 (în mod) incalculabil, incomensurabil

incommensurate [ˌinkə'menʃərit] *adj* 1 incomensurabil, nemărginit 2 necorespunzător; insuficient 3 disproporționat

incomensurately [ˌinkə'menʃəritli] *adv* (în mod) nemăsurat, nelimitat; nemăsurat de mult, enorm

incommensurateness [ˌinkə'menʃəritnis] *s* incomensurabilitate, caracter incomensurabil/nemăsurat; enormitate

incommode [ˌinkə'moud] *vt* 1 a incomoda, a stânjeni, a stingheri, a deranja 2 a tulbura, a importuna, a deranja

incommodious [ˌinkə'moudiəs] *adj* 1 incomod, neconvenabil 2 supărător, care deranjează

incommodiousness [ˌinkə'moudiəsnis] *s* caracter neconvenabil/incomod/supărător

incommunicable [ˌinkə'mju:nikəbəl] *adj* 1 incomunicabil, de neîmpărtășit 2 necomunicativ

incommunicado [ˌinkə,mju:ni'ka:dou] *adj, adv (d. deținuți)* fără mijloace de comunicare, la secret/carceră

incommunicative [ˌinkə'mju:nikətiv] *adj* necomunicativ

incomparable [in'kɔmpərəbəl] *adj* 1 (**to, with**) de neasemuit/necomparat (cu), care nu suferă comparație (cu) 2 fără seamăn/pereche/egal, neasemuit; inegalabil

incomparably [in'kɔmpərəbli] *adv* (în mod) incomparabil; infinit mai; cu mult mai *(bun etc.)*

incompatibility [ˌinkəm,pætə'biliti] *s* incompatibilitate

incompatible [ˌinkəm'pætəbəl] *adj* 1 (**with**) incompatibil, nepotrivit (cu) 2 (**with**) distonant, necorespunzător (pentru); nearmonios (față de) 3 de neîmpăcat, ireductibil, ireconciliabil 4 neomogen, eterogen 5 (**with**) (care vine) în conflict/contradicție (cu)

incompatibleness [ˌinkəm'pætəbəlnis] *s v.* **incompatibility**

incompatibly [ˌinkəm'pætibli] *adv* în mod incompatibil/nepotrivit/necorespunzător

incompetence [in'kɔmpitəns], **incompetency** [in'kɔmpitənsi] *s* 1 incompetență, lipsă de competență 2 lipsă de calificare/pricepere/pregătire, nepricepere 3 nepotrivire, caracter necorespunzător/nepotrivit

incompetent [in'kɔmpitənt] *adj* 1 incompetent, necompetent 2 necalificat, nepriceput, slab pregătit 3 *jur* fără chemare/vocație/competență 4 necorespunzător, nepotrivit

incompetently [in'kɔmpitəntli] *adv* 1 în mod incompetent, fără competență/calificare/pregătire 2 în mod necorespunzător/nepotrivit

incomplete [ˌinkəm'pli:t] *adj*incomplet

incompletly [ˌinkəm'pli:tli] *adv* (în mod) incomplet; nu îndeajuns (de)

incompletness [ˌinkəm'pli:tnis] *s* caracter incomplet; nedesăvârșire

incomprehensibility [ˌinkɔmpri,hensi'biliti] *s* caracter incomprehensibil/de neînțeles

incomprehensible [ˌinkɔmpri'hensəbəl] *adj* 1 de neînțeles, incomprehensibil, ininteligibil 2 insondabil, de nepătruns

incomprehension [ˌinkɔmpri'henʃən] *s* lipsă de înțelegere/comprehensiune

incompressible [ˌinkəm'presəbəl] *adj* 1 necomprimabil 2 rigid, țeapăn 3 rezistent la compresiune

inconcievable [ˌinkən'si:vəbəl] *adj* 1 de neconceput, inimaginabil 2 ← *F*de necrezut, greu de crezut, neverosimil 3 remarcabil, ieșit din comun, extraordinar

inconclusive [ˌinkən'klu:siv] *adj* 1 neconcludent 2 neconvingător 3 fără efect/rezultat/consecințe; care nu duce la nimic

inconclusively [ˌinkən'klu:sivli] *adv* în mod neconvingător/neconcludent

inconclusiveness [ˌinkən'klu:sivnis] *s* caracter neconvingător/neconcludent

incondensable [ˌinkən'densəbəl] *adj* 1 *fiz* de necondensat, imposibil de lichefiat *sau* solidificat 2 *fig* care nu poate fi condensat, rezumat, comprimat

incondite [in'kɔndit] *adj lit* 1 *(d. o lucrare)* rău construit/compus; deficitar din punctul de vedere al construcției/compoziției/structurii 2 necizelat; inform; neprelucrat

inconformity [ˌinkən'fɔ:miti] *s* lipsă de conformitate, neconformitate, caracter neconform

incongruence [in'kɔngruəns], **incongruity** [ˌinkɔnʤ'gru:iti] *s* 1 nepotrivire, lipsă de potrivire/armonie; distonanță 2 incompatibilitate, nepotrivire

incongruous [in'kɔngruəs] *adj* 1 nepotrivit, în dezacord, distonant 2 nearmonios 3 necorespunzător, nepotrivit, incompatibil 4 nelalocul lui, deplasat 5 absurd, ridicol, caraghios

incongruously [in'kɔngruəsli] *adv* 1 (în mod) deplasat/nepotrivit/necorespunzător 2 (în mod) nearmonios 3 (în mod) incompatibil/inadmisibil 4 în mod absurd/ridicol/caraghios

incongruousness [in'kɔngruəsnis] *s v.* **incongruence**

inconsecutive [ˌinkən'sekjutiv] *adj* 1 fără șir/suită; dezlânat, nelogic 2 *v.* **inconsequent**

inconsecutively [ˌinkən'sekjutivli] *adv* fără legătură/șir; fără/lipsit de logică, (în mod) nelogic

inconsecutiveness [ˌinkən'sekjutivnis] *s* 1 lipsă de legătură *sau* logică; irelevanță 2 *v.* **inconsequence**

inconsequence [in'kɔnsikwəns] *s* lipsă de însemnătate/importanță/valoare

inconsequent [in'kɔnsikwənt] *adj* 1 neînsemnat, fără importanță/însemnătate/valoare; mărunt, meschin 2 irelevant, fără legătură 3 nelogic, lipsit de logică, nefiresc

inconsequential [ˌinkɔnsi'kwenʃəl] *adj* 1 neimportant *etc.* (*v.* **inconsequent** 1) 2 *v.* **inconsequent** 2, 3

inconsequently [in'kɔnsikwəntli] *adv* 1 în mod irelevant, fără legătură *sau* logică 2 dezlânat 3 în mod neînsemnat

inconsiderable [,inkən'sidərəbəl] *adj* 1 fără valoare, neînsemnat, nevrednic de a fi luat în seamă 2 mărunt, meschin 3 neinteresant, lipsit de interes

inconsiderate [,inkən'sidərit] *adj* 1 nechibzuit, nesăbuit, pripit 2 lipsit de înțelepciune, neînțelept 3 nepăsător (față de alții), care nu ține seamă de nimic/nimeni, egoist

inconsiderately [,inkən'sidəritli] *adv* 1 în mod nechibzuit, fără chibzuială/chibzuință 2 fără înțelepciune 3 cu nepăsare, fără să-i pese (de cei din jur), în mod egoist

inconsiderateness [,inkən'sidəritnis], **inconsideration** [,inkən,sidə'reiʃən] *s* 1 nechibzuință, nechibzuială 2 lipsă de înțelepciune 3 nepăsare (față de cei din jur)

inconsistence [,inkən'sistəns], **inconsistecy** [,inkən'sistənsi] *s* 1 inconsecvență, lipsă de consecvență 2 nepotrivire, caracter eterogen, lipsă de armonie 3 incoerență 4 caracter schimbător/contradictoriu, inconstanță 5 șubrezenie; inconsistență, lipsă de substanță

inconsistent [,inkən'sistənt] *adj* 1 neconsecvent, inconstant 2 (**with**) nepotrivit (cu), necorespunzător *(cu dat);* discordant (față de); incompatibil (cu) 3 eterogen, eteroclit, lipsit de armonie

inconsistently [,inkən'sistəntli] *adv* 1 în mod inconsecvent, fără consecvență 2 în mod nepotrivit/ necorespunzător/incompatibil 3 în mod nearmonios

inconsolable [,inkən'souləbəl] *adj* 1 *(d. cineva)* nemângâiat, (de) neconsolat 2 *(d. mâhnire etc.)* de nealinat, (de) nepotolit, *P* (de) neogoit

inconspicuous [,inkən'spikjuəs] *adj* 1 (aproape) inobservabil/neobservat, greu de remarcat, care nu sare în ochi, nu prea evident; **to make oneself** ~ a căuta să treacă neobservat 2 lipsit de strălucire, șters, palid; obscur; modest, retras

inconspicuously [,inkən'spikjuəsli] *adv* inobservabil

inconspicuousness [,inkən'spikjuəsnis] *s* 1 lipsă de strălucire/distincție, obscuritate, caracter șters/obscur 2 caracter inobservabil

inconstancy [in'konstənsi] *s* 1 inconstanță, inconsecvență, caracter schimbător 2 dovadă de inconstanță

inconstant [in'konstənt] *adj* 1 inconstant, inconsecvent, schimbător 2 nesigur, pe care nu poți conta

inconstantly [in'konstəntli] *adv* 1 în mod inconstant/inconsecvent 2 lipsit de constanță/consecvență/ seriozitate

incontestability [,inkən,testə'biliti] *s* caracter incontestabil

incontestable [,inkən'testəbəl] *adj* incontestabil, indiscutabil, mai presus de orice discuție

incontestably [,inkən'testəbli] *adv* în mod incontestabil/indiscutabil

incontinence [in'kontinəns] *s* 1 lipsă de stăpânire 2 desfrâu (sexual), destrăbălare, depravare, imoralitate 3 *med* incontinență

incontinent [in'kontinənt] *adj* 1 nestăpânit, fără măsură 2 desfrânat, destrăbălat, depravat, stricat 3 (**of**) incapabil să păstreze *(un secret etc.),* incapabil să-și țină *(gura etc.)* 4 *med* incontinent

incontrollable [,inkən'trouləbəl] *adj* 1 (de) necontrolat 2 (de) nestăpânit, greu de stăpânit

incontrovertible [,inkontrə'və:təbəl] *adj* incontestabil, indiscutabil, irefutabil; convingător

inconvenience [,inkən'vi:njəns] **I** *s* 1 inconveniență, lipsă de comoditate, caracter incomod 2 inconveniență, neplăcere; dificultate; dezavantaj; **I was put to/I suffered great** ~ am avut mari neplăceri/dificultăți **II** *vt* a incomoda, a stânjeni, a stingheri, a importuna

inconvenient [,inkən'vi:njənt] *adj* 1 *(d. acțiuni etc.)* incomod, supărător 2 inoportun 3 nepotrivit

inconveniently [,inkən'vi:njəntli] *adv* (în mod) supărător/nepotrivit/inoportun

inconvertibility [,inkən,və:ti'biliti] *s ec* lipsă de convertibilitate, caracter neconvertibil

inconvertible [,inkən'və:təbəl] *adj ec* neconvertibil

incorporate I [in'kɔ:pə,reit] *vt* 1 a incorpora, a integra 2 (**in**) a îmbina, a uni, a strânge laolaltă (în); a integra (în) 3 (**with**) a alipi (la), a uni (cu) 4 a primi *(într-o societate, asociație etc.)* 5 a grupa *(într-o societate etc.)* 6 a întrupa, a întruchipa **II** [in'kɔ:pərit] *adj* 1 integrat 2 îmbinat, unit 3 unit într-o societate/asociație

incorporated [in'kɔ:pə,reitid] *adj* 1 incorporat, integrat *(v.* **incorporate** *I)* 2 *fin, ec* organizat sub forma unei societăți pe acțiuni; asociat

incorporation [in,kɔ:pə'reiʃən] *s* 1 (în) incorporare, integrare (în) 2 întru(chi)pare

incorporeal [,inkɔ:'pɔ:riəl] *adj* 1 imaterial, nematerial, fără existență materială 2 fără trup/formă, neîntrupat 3 *jur* transmisibil

incorporeality [in,kɔ:pəri'æliti], **incorporeity** [in,kɔ:pə'ri:iti] *s* 1 imaterialitate, nematerialitate, lipsă de existență materială 2 neîntrupare; caracter supranatural 3 *jur* caracter transmisibil

incorrect [,inkə'rekt] *adj* 1 incorect, inexact, greșit 2 neadevărat, departe de adevăr, fals, incorect 3 nepotrivit, necorespunzător, nelalocul lui, impropriu 4 ← *înv* necorectat

incorrectly [,inkə'rektli] *adv* 1 în mod incorect/necorespunzător/ impropriu 2 în mod fals/incorect

incorrectness [,inkə'rektnis] *s* 1 incorectitudine, inexactitate 2 neadevăr, fals(itate) 3 nepotrivire, caracter nepotrivit/impropriu

incorrigibility [in,kɔridʒi'biliti] *s* 1 caracter incorigibil 2 depravare, stricăciune, corupție

incorrigible [in'kɔridʒəbəl] *adj* 1 incorigibil, incapabil de îndreptare/corectare 2 pierdut, fără speranță de îndreptare, ticălos 3 depravat, stricat, corupt 4 refractar, dificil, greu de mânuit 5 hotărât, nestrămutat (în hotărârea lui), ferm

incorrigibleness [in'kɔridʒəbəlnis] *s v.* **incorrigibility**

incorrigibly [in'kɔridʒəbli] *adv* în mod incorigibil, fără speranță de îndreptare

incorruptibility [ˌinkəˌrʌpti'biliti] *s* caracter incoruptibil, cinste, integritate morală

incorruptible [ˌinkə'rʌptəbəl] **I** *adj* **1** incoruptibil, integru, imposibil de corupt **2** ferit de stricăciune/depravare/corupție, cinstit **3** care nu poate putrezi, care nu se strică, ferit de stricăciune **4** *rel* etern, nemuritor **II** *s* lucru de esență spirituală

incorruptibleness [ˌinkə'rʌptəbəlnis] *s v.* **incorruptibility**

incorruptibly [ˌinkə'rʌptəbli] *adv* în mod incoruptibil

incr. *presc de la* **1 increase 2 increased**

increase I [in'kri:s] *vt* **1** a spori, a mări, a crește; a augmenta **2** a intensifica **3** ← *înv* a îmbogăți **4** ← *înv* a promova, a favoriza **II** [in'kri:s] *vt* **1** a crește, a spori, a se mări **2** a se înmulți, a crește în/la număr **3** a se dezvolta, a crește **III** ['inkri:s] *s* **1** mărire, sporire, înmulțire, creștere **2** creștere, spor, dezvoltare; **on the ~** în creștere, din ce în ce mai mare/numeros; ascendent **3** spor, adaos, adăugire

increasing [in'kri:siŋ] *adj* crescând, din ce în ce mai mare; în creștere, în dezvoltare

increasingly [in'kri:siŋli] *adv* din ce în ce mai mult, tot mai mult; sporit

incredibility [inˌkredə'biliti] *s* caracter incredibil/neverosimil/de necrezut

incredible [in'kredəbəl] *adj* **1** incredibil, de necrezut, neverosimil, neplauzibil **2** ← *F* greu de crezut, neobișnuit, extraordinar **3** surprinzător, uluitor

incredibly [in'kredəbli] *adv* în mod neverosimil, într-o măsură extraordinară/de necrezut

incredulity [ˌinkri'dju:liti] *s* **1** caracter incredul/neîncrezător, scepticism **2** neîncredere, îndoială, lipsă de încredere

incredulous [in'kredjuləs] *adj* **1** incredul, neîncrezător; **I remain ~ of such stories** nu prea cred eu în povești dintr-astea **2** lipsit de încredere, neîncrezător, îndoit, sceptic, manifestând îndoială

incredulously [in'kredjuləsli] *adv* neîncrezător, (în mod) sceptic, cu scepticism

increment ['inkrimənt] *s* **1** creștere, dezvoltare, sporire, mărire **2** spor *(de salariu etc.)*, creștere, ridicare, sporire **3** câștig, profit **4** adaos, adăugire, supliment **5** cantitate adăugată

incriminate [in'krimiˌneit] *vt* **1** *jur* a pune sub acuzație, a acuza, a incrimina, a implica, a inculpa **2** *fig* a incrimina, a acuza; a condamna

incrimination [inˌkrimi'neiʃən] *s* **1** incriminare, punere sub acuzație **2** acuzație, incriminare, repros

incriminatory [in'krimineitəri] *adj* **1** acuzator, cu caracter de acuzație/incriminare **2** cu caracter de repros

incrust [in'krʌst] *vt v.* **encrust**

incrustation [ˌinkrʌs'teiʃən] *s* **1** incrustație, incrustare **2** crustă, înveliș tare **3** încetățenire *(a unui obicei etc.)* **4** *arhit* fațadă de marmură

incubate ['inkjuˌbeit] **I** *vt* **1** a cloci **2** a supune la incubație **3** a face să crească, a dezvolta **II** *vi* **1** a cloci (ouă), a sta clocșă **2** a fi supus incubației

incubation [ˌinkju'beiʃən] *s* **1** clocire, incubație **2** *med* (perioadă de) incubație **3** proliferare

incubator ['inkjuˌbeitər] *s* **1** clocitoare (artificială), incubator **2** *med* incubator

incuby ['iŋkjubai] *s pl de la* **incubus**

incubus [iŋkjubəs], *pl și* **incubi** ['iŋkjubai] *s* **1** duh/spirit rău **2** coșmar, vis rău/urât **3** *fig* pacoste; pisălog **4** *fig* povară, pacoste

incudes [in'kju:di:z] *pl de la* **incus**

inculcate ['inkʌlˌkeit] *vt* **(upon, in)** a inculca, a insufla, a inspira *(cu dat);* a încetățeni (în)

inculcation [ˌinkʌl'keiʃən] *s* inculcare, insuflare

inculpate ['inkʌlˌpeit] *vt v.* **incriminate**

inculpation [ˌinkʌl'peiʃən] *s* inculpare, (punere sub) acuzare, implicare *(într-un proces)*

inculpative [in'kʌlpətiv], **inculpatory** [in'kʌlpətəri] *adj jur* incriminat, incriminatoriu, acuzator; cu caracter de acuzare *sau* implicare (penală)

incult [in'kʌlt] *adj* **1** necizelat, inform **2** *fig* nepoliticos, necivilizat, grosolan

incumbancy [in'kʌmbənsi] *s* **1** caracter obligatoriu, obligativitate **2** iminență, caracter iminent **3** parohie cu beneficii **4** *amer* funcție, slujbă

incumbent [in'kʌmbənt] **I** *adj* **1** apăsător; amenințător; iminent **2** suprapus, așezat deasupra **II** *s* **1** protopop, deținător al unei parohii cu beneficii **2** *amer* deținător al unei funcții

incumbent on/upon [in'kʌmbənt ɔn/əˌpɔn] *adj cu prep* **1** obligatoriu pentru; de datoria *(cu gen);* **it is ~ them to do it** e de datoria lor să o facă, lor le revine obligația de a o face **2** care apasă asupra, care atârnă (deasupra)

incunabula [ˌinkju'næbjulə] *s pl de la* **incunabulum**

incunabulum [ˌinkju'næbjuləm], *pl* **incunabula** [ˌinkju'næbjulə] *s* **1** incunabul, *carte imprimată înainte de 1501* **2** *fig pl* stadiu inițial/de început; copilărie, tinerețe *(a unei instituții etc.)*

incure [in'kər] *vt* **1** a(-și) face, a-și crea; **to ~ great expense** a se băga la mare cheltuială; **to ~ debts** a face datorii **2** a-și atrage (asupra sa); **to ~ hatred** a stârni/a-și atrage ura; **to ~ risks** a-și asuma/lua (mari) riscuri, a risca (foarte mult) **3** a întâmpina, a da de *(dificultăți etc.)*

incurability [inˌkjuərə'biliti] *s* caracter incurabil/nevindecabil

incurable [in'kjuərəbəl] *adj* incurabil, nevindecabil

incurableness [in'kjuərəbəlnis] *s v.* **incurability**

incurably [in'kjuərəbli] *adv* fără speranță de vindecare/îndreptare

incuriosity [ˌinkjuəri'ɔsiti] *s* lipsă de curiozitate/interes

incurious [in'kjuəriəs] *adj* lipsit de curiozitate/interes, indiferent, nepăsător

incursion [in'kə:ʃən] *s* **1** *și fig* incursiune **2** *mil* invazie, năvală, năvălire

incurvation [ˌinkə:'veiʃən] *s* curbatură, curbură

incurve [in'kə:v] *vt* a curba, a îndoi

incus ['iŋkəs], *pl* **incudes** [in'kju:di:z] *s anat* nicovală, incus

Ind [ind] *s arhaic, poetic* Ind, India

ind. *presc de la* **1 independent 2 index 3 industrial 4 industry 5 India 6 Indian 7 Indiana**

indebted [in'detid] *adj* (**to**) **1** dator *(cu dat)*, îndatorat (față de) **2** *fig* îndatorat (față de *sau* cu dat), obligat, recunoscător *(cu dat)*

indebteness [in'detidnis] *s* (**to**) **1** datorie (față de), sumă datorată *(cu dat)* **2** *fig* îndatorire, obligație (față de); recunoștință (față de)

indecency [in'di:sənsi] *s* indecență, nerușinare, necuviință

indecent [in'di:sənt] *adj* indecent, nerușinat, necuviincios

indecent assault [in'di:sənte'so:lt] *s jur* atentat la pudoare

indecent behaviour [in'di:sənt bi'heivjər] *s* atentat la bunele moravuri; purtare necuviincioasă

indecent exposure [in'di:sənt ik'spouʒər] *s jur* atentat la pudoare; indecență; acte indecente/rușinoase

indecipherable [,indi'saifərəbəl] *adj* indescifrabil; neciteț

indecison [,indi'siʒən] *s* **1** nehotărâre, nesiguranță **2** ezitare, șovăială

indecisive [,indi'saisiv] *adj* **1** nehotărât, șovăielnic **2** nesigur, nedecis, îndoielnic **3** neconcludent, neconvingător

indeclinable [,indi'klainəbəl] *adj lingv* indeclinabil

indecomposable ['in,di:kəm'pouzəbəl] *adj* care nu se poate descompune

indecorouse [in'dekərəs] *adj* **1** necuviincios, indecent **2** lipsit de bună cuviință; deplasat, nepotrivit **3** grosolan, de prost gust

indecorum [,indi'kɔ:rəm] *s* **1** lipsă de cuviință; gest necuviincios **2** grosolănie; indecență, nerușinare

indeed I [in'di:d] *adv* **1** într-adevăr, (cu) adevărat **2** sigur, firește **3** foarte, extrem de, cât se poate de **4** ba chiar (și), (ba) mai mult decât atât **5** pe de altă parte, totuși, cu toate astea **6** *interog* serios? (cu) adevărat? **II** ['in' di:d] *interj* glumeț ei nu, zău! chiar așa! ți-ai găsit!

indef. *presc de la* **indefinite**

indefatigability [,indi,fætigə'biliti], **indefatigableness** [,indi'fætigəbəlnis] *s* energie inepuizabilă, calitatea de a nu obosi

indefatigable [,indi'fætigəbəl] *adj* neobosit

indefatigably [,indi'fætigəbli] *adv* neobosit, fără odihnă

indefeasibility [,indi,fi:zə'biliti] *s jur* **1** caracter irevocabil/definitiv **2** caracter imprescriptibil, imprescriptibilitate

indefeasible [,indi'fi:zəbəl] *adj jur* imprescriptibil; definitiv, irevocabil

indefensibility [,indi,fensə'biliti] *s* **1** netemeinicie, lipsă de justificare/temei **2** lipsă de apărare, neputință, neajutorare

indefensible [,indi'fensəbəl] *adj* **1** nejustificat, lipsit de temei/justificare **2** imposibil de apărat

indefinable [,indi'fainəbəl] *adj* **1** de nedefinit, imposibil de definit; indescriptibil **2** inefabil; vag

indefinite [in'definit] *adj* **1** nedefinit, nedeterminat **2** nehotărât **3** vag, nedeslușit **4** *lingv* nehotărât, nedefinit **5** nelimitat

indefinitely [in'definitli] *adv* **1** la infinit/nesfârșit, pe timp nedefinit, sine die **2** imprecis, vag, nedefinit

indefiniteness [in'definitnis] *s* **1** caracter nedefinit/nedeterminat/vag **2** nerezolvare; (lăsare în) suspensie, nedeterminare **3** caracter nelimitat

indelibility [in,deli'biliti] *s* caracter de neșters/neuitat

indelible [in'delibəl] *adj* **1** de neșters, indelebil **2** de neuitat, nepieritor

indelible pencil [in'delibəl 'pensəl] *s* creion chimic

indelibly [in'delibli] *adv* permanent, nepieritor

indelicacy [in'delikəsi] *s* **1** lipsă de delicatețe, nedelicatețe; lipsă de tact **2** grosolănie, neobrăzare, mojicie

indelicately [in'delikitli] *adv* (în mod) nedelicat, fără delicatețe; (în mod) grosolan

indemnification [in,demni,fi'keiʃən] *s* **1** despăgubire, compensație **2** garanție, garantare

indemnify [in'demni,fai] *vt* **1** (**for**) a despăgubi, a compensa (pentru) **2** (**from, against**) a asigura, a garanta (contra, împotriva – *cu gen);* a pune la adăpost, a feri (de)

indemnity [in'demniti] *s* **1** despăgubire, compensație; indemnizație **2** *com* asigurare, garanție **3** *jur* imunitate (penală), scutire de pedeapsă

indemnity bond [in'demniti 'bond] *s com* scrisoare de garanție

indemonstrability [,indi,mɔnstrə'biliti] *s* **1** caracter nedemonstrabil, imposibilitate de a fi demonstrat **2** caracter evident/vădit

indemonstrable [,in'demənstrəbəl] *adj* **1** nedemonstrabil, de nedovedit, imposibil de demonstrat/dovedit **2** evident, vădit

indent I [in'dent] *vt* **1** a zimțui, a dantela **2** a cresta, a știrbi; a lăsa urme pe **3** *poligr* a spația; a începe de la capăt *(un paragraf)* **4** *jur* a întocmi în două exemplare, a face un duplicat după **5** a angaja (ca ucenic); a tocmi **II** *vi* **1** a avea/a face zimți; a fi zimțuit/crestat **2** (**with**) a se îmbuca, a se îmbina (cu) **3** (**on, upon**) a tocmi; a angaja; a rechiziționa **4** a întocmi un contract/o învoială/un act în dublu exemplar **III** ['in,dent] *s* **1** zimț, dinte **2** dantelare, indentație **3** adâncitură, crestătură, știrbitură, urmă **4** *poligr* cap de rând, paragraf, alineat **5** *jur* act în dublu exemplar/cu duplicat **6** *amer* cupon, bon **7** *mil* ordin de rechiziție

indentation [,inden'teiʃən] *s* **1** indentație, zimțuire *etc.* **2** spațiere **3** (contract de) angajare ca ucenic

indention [in'denʃən] *s poligr* **1** *v.* **indentation 2** rând intrat

indenture [in'dentʃər] **I** *s* **1** crestătură, știrbitură; dantelare **2** contract *(de angajare a unui ucenic)* **3** document, act oficial **4** ucenicie, perioadă de ucenicie **II** *vt* a angaja prin contract *(ca ucenic)*

independence [,indi'pendəns] *s* **1** independență, autonomie, neatârnare **2** independență materială, (puțină) avere, (ceva) stare

Independence Day [,indi'pendəns-'dei] *s* Ziua Independenței *(sărbătoarea națională a S.U.A.: 4 iulie, aniversarea proclamării independenței)*

independency [ˌindi'pendənsi] *s* **1** *ist* doctrina congregaţionalistă **2** *v.* **independence 1 3** stat independent/autonom

independent [ˌindi'pendənt] *adj* **1** (of) independent, neatârnat (de); de sine stătător; autonom; **to put on** ~ **air** *F* a-şi da aere, a face pe grozavul **2** înstărit, cu stare, independent *(din punct de vedere material)* **3** *pol* independent, neafiliat la nici un partid

independent chord [ˌindi'pendənt 'kɔːd] *s muz* acord fundamental

independent firing [ˌindi'pendənt-'faiəriŋ] *s mil* foc de voie

independent gentleman [ˌindi-'pendənt 'dʒentəlmən] *s* rentier

independently [ˌindi'pendəntli] *adv* **1** (în mod) independent; nedepinzând de nimic **2** separat

indescribable [ˌindi'skraibəbəl] **I** *adj* **1** indescriptibil, de nedescris **2** inefabil **II** *s pl F* inexprimabili, – indispensabili; pantaloni

indescribably [ˌindi'skraibəbli] *adv* mai presus de orice descriere; nespus de

indestructibility [ˌindi,strʌktə'biliti] *s* indestructibilitate, caracter indestructibil

indestructible [ˌindi'strʌktəbəl] *adj* **1** indestructibil; inexpugnabil **2** de nezdruncinat **3** *(d. fonduri etc.)* fix

indeterminable [ˌindi'təːminəbəl] *adj* **1** indeterminabil, de nedeterminat **2** interminabil, nesfârşit **3** iremediabil; de nerezolvat, fără soluţie

indeterminancy [ˌindi'təːminəsi] *s* caracter nedeterminat; stare nedeterminată

indeterminate [ˌindi'təːminit] *adj* **1** nedeterminat, neprecizat **2** vag, nedefinit **3** nerezolvat, fără soluţie; în suspensie

indeterminately [ˌindi'təːminitli] *adv* **1** (în mod) nedeterminat; imprecis, neclar **2** nedecis, fără rezultat

indeterminateness [ˌindi'təːminit-nis] *s v.* **indeterminancy**

indetermination [ˌindi,təː mi'neiʃən] *s* **1** lipsă de precizie, imprecizie **2** nedeterminare **3** şovăială, nehotărâre **4** caracter nerezolvabil, lipsă de soluţie

indeterminism [ˌindi'təː mi,nizəm] *s filos* indeterminism

index ['indeks] **I** *pl* **şi indices** [ˌindi,siːz] *s* **1** index, indice *(de materii, autori etc.);* **to put a book on the** ~ a pune o carte la index, a proscrie/a interzice o carte **2** *fiz* indice; *anat* şi exponent **3** *(pl* **indeces)** indiciu, semn; **in the forehead and the eye the** ~ **of the mind does lie** *prov* ochii sunt oglinda sufletului **4** *amer sl F* moacă, mutră, – obraz, faţă **5** *anat* index, arătător **II** *vt* a indexa, a alcătui un index (alfabetic) pentru; a clasa

index bord ['indeks ,bɔːd] *s* tablou indicator

index card ['indeks,kaːd] *s* fişă de catalog/cartotecă

index finger ['indeks,fiŋgəʳ] *s anat* index, arătător

index number [ˌindeks ,nʌmbəʳ] *s ec* coeficient; indice; indicator

indexterity [ˌindeks'teriti] *s* stângăcie, lipsă de îndemânare

India ['indiə] *ţară*

India ink ['indiə,iŋk] *s* tuş (chinezesc)

Indian ['indiən] **I** *s* **1** indian, locuitor al Indiei **2** indian american, piele roşie **II** *adj* **1** indian, din India **2** (de) indian (american), de piele roşie

Indian, the ['indiən, ði] Oceanul Indian

Indiana [ˌindi'ænə] *stat în S.U.A.*

Indianan [ˌindi'ænən] **I** *adj* din statul Indiana **II** *s* locuitor din statul Indiana

Indianapolis [ˌindiə'næpəlis] *oraş în S.U.A.*

Indian blue ['indiən 'bluː] *s* indigo

Indian cane ['indiən,kein] *s bot* bambus *(Bambusa dendrocalamus)*

Indian civilian ['indiən si'viliən] *s* funcţionar civil din India

Indian corn ['indiən,kɔːn] *s bot* porumb *(Zea mays)*

Indian file ['indiən,fail] *s* şir/fir indian

Indian hay ['indiən ,hei] *s* marijuana

Indian hemp ['indiən,hemp] *s bot* **1** cânepă *(Cannabis sativa)* **2** iută (de India) *(Apocynum cannabium)* **3** marijuana

Indian hen [ˌindiən 'hen] *s amer* boude-baltă *(Botaurus lentiginosus)*

Indianian [ˌindi'æniən] *adj, s v.* **Indianan**

Indian ink ['indiən ,iŋk] *s* tuş (chinezesc)

Indian meal ['indiən ,miːl] *s amer* mălai, făină de porumb

Indian mutiny ['indiən 'mjuːtini] *s ist* răscoală a cipailor din India *(1857)*

Indianologist [ˌindiə'nɔlədʒist] *s* orientalist, specialist în cultura Indiană

Indian paper ['indiən,peipəʳ] *s* hârtie de biblie, foiţă subţire

Indian red ['indiən,red] *s ch* oxid roşu de fier

Indian reservation ['indiən ,rezə-'veiʃən] *s amer* rezervaţie pentru pieile roşii, teritoriu rezervat indienilor

Indian river ['indiən,rivəʳ] *lagună din statul Florida*

Indian rubber ['indiən,rʌbəʳ] *s v.* **India rubber**

Indian summer ['indiən ,sʌməʳ] *s* toamnă lungă/frumoasă; vară târzie, vara St. Martin

Indian Territory, the ['indiən 'teritori, ðə] *regiune din statul Oklahoma*

India paper ['indiə ,peipəʳ] *s v.* **Indian paper**

India rubber ['indiə ,rʌbəʳ] *s* **1** radier(ă), gumă (de şters) **2** cauciuc, gumă

India shawl ['indiə ,ʃɔːl] *s* şal de caşmir

Indic ['indik] *adj* **1** indian **2** *lingv* legat de limbile indoeuropene *(inclusiv sanscrita)*

indicate ['indi,keit] *vt* **1** a indica, a arăta **2** a trasa, a schiţa, a indica *(pe hartă etc.)* **3** a menţiona, a pomeni **4** a fixa, a stabili **5** *fig* a exprima, a trăda, a denota **6** *med* a recomanda, a prescrie, a indica; *la pas* a fi indicat/recomandabil, a se recomanda

indication [ˌindi'keiʃən] *s* **1** indicaţie; indicare **2** indiciu, semn; manifestare, indicaţie; **to give an** ~ **of one's intention** a-şi manifesta/a-şi dezvălui intenţiile **3** *med* simptom, semn, indiciu **4** *tehn* indicaţie, citire *(a unui contor etc.)*

indicative [in'dikətiv] **I** *adj* **1** (of) grăitor, elocvent (pentru), care vădeşte/trădează/dovedeşte *(cu ac)* **2** *gram* indicativ **II** (modul) *indicativ*

indicative mood, the [in'dikətiv-'mu:d, ðə] *s gram* (modul) indicativ

indicator ['indi,keitə'] *s* 1 indicator *(de direcție etc.)* 2 *tehn* indicator, aparat de măsură/control 3 persoană care indică/arată ceva

indicator board ['indi,keitər ,bɔ:d] *s tehn* numerator

indicator paper ['indi,keitər ,peipə'] *s ch* hârtie indicatoare/de turnesol

indicatory [,indi'keitəri] *adj* indicator; grăitor, elocvent

indices ['indi,si:z] *pl de la* **index**

indicium [in'diʃiəm], *pl* **indicia** [in'diʃiə] *s* 1 indicație, semn indicator/de identificare 2 *amer* ștampilă indicând plata taxei poștale, ștampilă „mecanizat"

indict [in'dait] *vt jur* (**for, as**) a inculpa, a pune sub acuzație (pentru, ca); a deschide *(cuiva)* proces penal (pentru); *și fig* a acuza (de); **to ~ a statement as false** a se înscrie în fals împotriva unei declarații/mărturii

indictable [in'daitəbəl] *adj jur* 1 condamnabil; care poate fi pus sub acuzare, susceptibil de a fi acuzat, pasibil de urmărire penală 2 *(d. acțiuni)* condamnabil, incriminabil

indictee [,indai'ti:] *s jur* inculpat, acuzat

indicter [in'daitə'] *s jur* 1 acuzator 2 denunțător

indictment [in'daitmənt] *s jur* 1 inculpare, punere sub acuzare 2 acuzare, acuzație; rechizitoriu, incriminare

indienne [,indi'ən] *s text* indian

Indies, the ['indiz, ði] *s pl înv* Indiile, India (și zonele înconjurătoare)

indifference [in'difrəns] *s* 1 (**to, towards**) indiferență, nepăsare, pasivitate (față de; în fața – *cu gen); it is a matter of ~ to me* chestiunea mi se pare indiferentă/mă lasă rece, nu-mi pasă, nu mă interesează 2 lipsă de importanță/însemnătate 3 mediocritate 4 ← *înv* nepărtinire, imparțialitate

indifferent [in'difrənt] *adj* 1 (**to**) indiferent, nepăsător (față de; în fața – *cu gen);* 2 neînsemnat, fără valoare; banal, care te lasă rece, indiferent; **it is ~ to me** mă

lasă rece, mi-e egal/indiferent 3 mediocru, banal, nici bun, nici rău 4 *ch* neutru; inert 5 *biol* nediferențiat

indifferentism [in'difrən,tizəm] *s* indiferentism, lipsă de interes pentru probleme politice *sau* religioase; apolitism, apatie politică

indifferentist [in'difrəntist] *s* persoană indiferentă la probleme politice *sau* religioase

indifferently [in'difrəntli] *adv* 1 nepăsător, indiferent, pasiv 2 relativ, așa și așa; nu cine știe ce

indigence ['indidʒəns], **indigency** ['indidʒənsi] *s* lipsuri materiale, sărăcie, mizerie

indigenous [in'didʒinəs] *adj* 1 indigen, băștinaș 2 pentru băștinași 3 (în)născut, din născare

indigent ['indidʒənt] *adj* nevoiaș, sărman, lipsit de mijloace

indigested [,indi'dʒestid] *adj* 1 nedigerat, nemistuit 2 *fig* nedigerat, neasimilat, prost asimilat 3 *fig* dezlânat, confuz

indigestible [,indi'dʒestəbəl] *adj* indigest, greu/sau imposibil de digerat/mistuit

indigestion [,indi'dʒestʃən] *s* 1 *med* indigestie, (criză de) dispepsie 2 *fig – F* dezordine, confuzie, învălmășeală

indign [in'dain] *adj* ← *poetic* nedemn; rușinos

indignance [in'dignəns], **indignancy** [in'dignənsi] *s v.* **indignation**

indignant [in'dignənt] *adj* (**at, with**) indignat, revoltat (de; împotriva – *cu gen);* cuprins de indignare (față de); **I was very much ~ at/with his attitude** am fost foarte indignat/revoltat de atitudinea lui, atitudinea lui m-a indignat/revoltat pur și simplu

indignantly [in'dignəntli] *adv* indignat, revoltat, plin de indignare/revoltă

indignation [,indig'neiʃən] *s* (**at, against**) indignare, revoltă (față de; împotriva – *cu gen)*

indignation meeting [,indig'neiʃən 'mi:tiŋ] *s* miting/întrunire de protest

indignity [in'digniti] *s* 1 ofensă, jignire, insultă; **to put indignities upon smb** a jigni/a răni/a lovi pe cineva în amorul său propriu

2 mârșăvie, josnicie; infamie; grozăvie 3 umilință, înjosire, rușine

indigo ['indi,gou] *s* 1 *bot* plantă din genul indigofera 2 (culoarea) indigo

indigo blue ['indi,gou,blu:] *s ch* albastru de indigo, indigotină

indigo purple ['indi,gou,pə:pl] *s ch* fenicină

indigotic [,indi'gotik] *adj* cu/legat de indigo

indigo white ['indi,gou,wait] *s ch* alb de indigo

indirect [,indi'rekt] *adj* 1 indirect 2 prin ricoșeu, indirect 3 prin intermediari 4 *și fig (d. răspuns etc)* evaziv, ocolit; nesincer; necinstit

indirect aggression [,indi'rekt ə'greʃən] *s* agresiune indirectă (nemilitară)

indirect elections [,indi'rekt i'lekʃənz] *s pol* alegeri prin reprezentanți/prin vot indirect

indirect fire [,indi'rekt 'faiə'] *s mil* tir/foc indirect

indirection [,indi'rekʃən] *s* 1 căi ocolite (↓ *necinstite)* 2 nesinceritate, necinste, înșelătorie

indirectly [,indi'rektli] *adv* indirect; pe ocolite

indirectness [,indi'rektnis] *s* 1 caracter indirect/ocolit 2 nesinceritate, incorectitudine, necinste

indirect object [,indi'rek 'ɔbdʒikt] *s gram* complement indirect

indirect passive [,indi'rekt 'pæsiv] *s gram* formă pasivă indirectă *(cu subiectul provenind dintr-un complement indirect)*

indirect question [,indi'rekt 'kwestʃən] *s gram* întrebare (în vorbire) indirectă

indirect speech [,indi'rekt 'spi:tʃ] *s gram* vorbire indirectă

indirect taxation [,indi'rekt tæk'seiʃən] *s* impozite indirecte; impunere indirectă

indiscernible [,indi'sə:nəbəl] *adj* de nedeslușit, indistinct; greu de deslușit/deosebit/distins

indisciplinable [in'disiplinəbl] *adj* greu/imposibil de disciplinat; refractar, dificil

indiscipline [in'disiplin] *s* indisciplină

indiscoverable [,indis'kʌvərəbl] *adj* de nedescoperit/nepătruns; imposibil de zărit/descoperit

indiscreet [ˌindi'skriːt] *adj* **1** indiscret; gură-spartă **2** nesocotit, necumpătat, lipsit de înțelepciune **3** neprevăzător, nechibzuit; nesăbuit, imprudent

indiscreetly [ˌindi'skriːtli] *adv* **1** (în mod) indiscret, fără discreție/tact **2** nesocotit, nechibzuit, imprudent

indiscreetness [ˌindi'skriːtnis] *s* lipsă de discreție, indiscreție

indiscrete [ˌindi'skriːt] *adj* indivizibil, compact, omogen, nedivizat

indiscretion [ˌindi'skreʃən] *s* **1** indiscreție; gafă făcută din lipsă de tact/discreție **2** necuviință, grosolănie **3** lipsă de înțelepciune **4** imprudență; nechibzuială; **the ~s of youth** păcatele/ nebuniile tinereții

indiscriminate [ˌindi'skriminit] *adj* nediscriminant, (făcut) la întâmplare/aiurea/fără a ține seama de nimic; fără alegere/selecție

indiscriminately [ˌindi'skriminitli] *adv* **1** fără distincție/discriminare/ deosebire **2** fără a ține seama de nimic **3** de-a valma, la întâmplare, orbește

indiscriminate slaughter [ˌindi'skriminit 'slɔːtər] *s* măcel/masacru general

indiscriminating [ˌindi'skrimineitiŋ] *adj* fără discernământ/înțelepciune/tact; care merge orbește/ la întâmplare

indiscriminatingly [ˌindi'skrimineitiŋli] *adv* orbește, la întâmplare/nimereală, fără discernământ

indiscrimination [ˌindis,krimi'neiʃən] *s* lipsă de discernământ/discriminare/înțelepciune

indispensability [ˌindis,pensəbiliti] *s* **1** necesitate absolută/imperioasă, caracter indispensabil **2** caracter obligatoriu, obligativitate

indispensable [ˌindi'pensəbəl] **I** *adj* **1** (to, for) indispensabil, de primă necesitate/urgență, absolut necesar (pentru *sau cu dat*) **2** esențial, de bază, vital **3** imperios, obligatoriu; ineluctabil, inevitabil **II** *s pl glumeț* inexprimabili, – indispensabili; pantaloni

indispose [ˌindi'spouz] *vt* **1** a indispune, a tulbura **2** (to, towards) a dispune nefavorabil, a inspira (cuiva) aversiune (față de); a tăia (cuiva) pofta (să, de a) **3** (for) a face incapabil (să, de a) **4** (from) a abate, a face să se abată (de la) **5** *med* a îmbolnăvi, a produce o indispoziție (cu dat)

indisposed [ˌindi'spouzd] *adj* **1** indispus, prost dispus, în toane proaste **2** *med* indispus, suferind de o indispoziție; ușor bolnav

indisposition [ˌindispə'ziʃən] *s* **1** indispoziție, toane proaste/rele **2** (to, towards) aversiune, antipatie, sentimente neplăcute (pentru, față de) **3** (to) lipsă de tragere de inimă (pentru), lipsa dorinței (de a, să) **4** *med* indispoziție

indisputability [ˌindis,pjuˈtə'biliti] *s* caracter indiscutabil/incontestabil

indisputable [ˌindi'spjuːtəbəl] *adj* indiscutabil, incontestabil, de necontestat/netăgăduit

indisputableness [ˌindis'pjuːtəbəlnis] *s v.* **indisputability**

indisputably [ˌindis'pjuːtəbli] *adv* indiscutabil, fără doar și poate

indissolubility [ˌindi,sɔlju'biliti] *s* **1** *ch* caracter insolubil; incapacitate de a se descompune/ dizolva **2** caracter indestructibil/ indisolubil/de nezdruncinat, indestructibilitate

indissoluble [ˌindi'sɔljubəl] *adj* **1** *ch* insolubil, imposibil de descompus **2** *fig* indestructibil, indisolubil, trainic, de nezdruncinat

indissolubly [ˌindi'sɔljubli] *adv* (în mod) indisolubil, indestructibil; strâns (legat *etc.*)

indistinct [ˌindi'stiŋkt] *adj* **1** indistinct, nedeslușit, neclar **2** vag, confuz, obscur

indistinctive [ˌindi'stiŋktiv] *adj* banal, cu nimic ieșit din comun; necaracteristic

indistinctly [ˌindis'tiŋktli] *adv* nedeslușit, neclar

indistinctness [ˌindis'tiŋktnis] *s* caracter nedeslușit/neclar, neclaritate

indistinguishable [ˌindi'stiŋgwiʃəbəl] *adj* **1** imperceptibil, insesizabil **2** care nu se poate distinge/ deosebi, nedeslușit

indite [in'dait] *vt* **1** a compune, a scrie (*o poezie*) **2** ← *umor* a elabora, a scrie, a concepe **3** ← *înv* a dicta

indium ['indiəm] *s ch* indiu

indivertible [ˌindi'və:tibəl] *adj* (de) neabătut; imposibil de deviat; inflexibil

indivertibly [ˌindi'və:tibli] *adv* (în mod) neabătut

individual [ˌindi'vidjuəl] **I** *s* **1** individ, persoană, om **2** personalitate, individualitate **II** *adj* **1** individual; personal **2** caracteristic, specific **3** personal, original **4** separat, izolat, răzleț

individualism [ˌindi'vidjuə,lizəm] *s* individualism, egoism, egocentrism

individualist [ˌindi'vidjuəlist] *s* individualist

individualistic [ˌindi,vidjuə'listik] *adj* individualist

individuality [ˌindi,vidju'æliti] *s* **1** individualitate, personalitate **2** individ, persoană **3** înclinație (*pt un lucru etc.*); gust, capriciu

individualization [ˌindi,vidjuəlai-'zeiʃən] *s* individualizare

individualize [ˌindi'vidjuə,laiz] *vt* a individualiza

individually [ˌindi'vidjuəli] *adv* **1** individual **2** personal **3** pentru sine

individuate [ˌindi'vidju,eit] *vt* a individualiza

indivisibility [ˌindi,vizi'biliti] *s* indivizibilitate, caracter indivizibil

indivisible [ˌindi'vizəbəl] *adj* indivizibil, nedivizabil

indivisibleness [ˌindi'vizəbəlnis] *s v.* **indivisibility**

Indo *pref* indo: **Indo-European** indo-european

Indo-Aryan ['indou,ɛəriən] **I** *adj* **1** indic **2** care vorbește o limbă indiană/indo-europeană **II** *s* **1** *lingv* grupul de limbi indice/indo-europene **2** vorbitor al unei limbi indice/indo-europene

Indochina ['indou'tʃainə] *peninsulă* în Asia

Indo-Chinese ['indoutʃai'niːz] *s, adj* indochinez

indocile [in'dousail] *adj* **1** neascultător, refractar, lipsit de docilitate **2** ineducabil, refractar la educație/învățătură

indocility [ˌindou'siliti] *s* **1** lipsă de docilitate/maleabilitate; neascultare, insubordonare **2** caracter needucabil

indoctrinate [in'dɔktri,neit] *vt* a îndoctrina

indoctrination [in'dɔktri'neiʃən] *s* îndoctrinare

Indo-European ['indou/juərə,pi(:)ən] *adj, s* indo-european

Indo-Germanic ['indouʤə(:)'mænik] *lingv* **I** *adj* indo-germanic, din familia limbilor indo-germanice **II** *s* vorbitor al unei limbi indo-germanice

indolence ['indələns] *s* 1 indolenţă, apatie, nepăsare; moliciune; lene 2 *med* insensibilitate

indolent ['indələnt] *adj* 1 indolent, nepăsător, lăsător 2 *med* nedureros; insensibil

indolently ['indələntli] *adv* lenevos, alene, apatic, cu indolenţă

Indologist [in'dɔləʤist] *s* indolog, specialist în probleme ale Indiei

Indology [in'dɔləʤi] *s* indologie, studiul istoriei, literaturii etc. indiene

indomitable [in'dɔmitəbl] *adj* neîmblânzit, îndărătnic, încăpăţânat

indomitably [in'dɔmitəbli] *adv* refractar, cu încăpăţânare, (în mod) îndărătnic

Indonesia [,indou'ni:ziə] *ţară în Asia* Indonezia

Indonesian [,indou'ni:ziən] *adj, s* indonezian

indoor ['in,dɔ:ʳ] *adj* 1 de interior, de cameră 2 *sport* (pe teren) acoperit; de sală

indoor games ['in,dɔ:geimz] *s pl* 1 *sport* întreceri/concurs(uri) pe teren acoperit/de sală 2 jocuri de salon/societate

indoor piscine ['in,dɔ:,pisi:n] *s* *sport* bazin acoperit, piscină acoperită

indoor relief ['in,dɔ:ri,li:f] *s* ajutor pentru pensionarii unui azil

indoors [,in'dɔ:z] *adv* în casă; în interior; **to keep/to stay ~** a nu ieşi din casă, a nu părăsi casa

indoor sanitation ['in,dɔ:sæni'teiʃən] *s* instalaţii sanitare

indorsation [,indɔ:'seiʃən] *s com* andosare

indorse [in'dɔ:s] *vt com* a andosa

indorsement [in'dɔ:smənt] *s com* andosare, gir(are)

indorser [in'dɔ:səʳ] *s com* girant

indraft, indrought ['in,drɑ:ft] *s* aflux, curent *(de aer etc.)*

indrawn ['in'drɔ:n] *adj* 1 *(d. respiraţie)* tras, reţinut, inspirat 2 *fig* detaşat, rezervat; închis în sine;

rece; neinteresat

indubitability [in,dju:bitə'biliti] *s* 1 certitudine, caracter neîndoios/neîndoielnic/sigur/cert 2 caracter incontestabil/indiscutabil

indubitable [in'dju:bitəbl] *adj* 1 neîndoielnic, neîndoios, cert, sigur 2 indiscutabil, incontestabil

indubitably [in'dju:bitəbli] *adv* fără îndoială, fără doar şi poate; neîndoios, sigur

induce [in'dju:s] *vt* 1 **(to)** a convinge, a determina, a face (să) 2 **(to)** a îndemna (să), a împinge (la) 3 a stârni, a trezi, a pricinui, a provoca 4 a deduce; a conchide, a trage concluzia (că) 5 *el* a produce prin inducţie

induced [in'dju:st] *adj* 1 convins, determinat; îndemnat 2 *el* indus 3 *tehn* forţat, artificial

induced current [in'dju:st'kʌrənt] *s el* curent de inducţie

inducement [in'dju:smənt] *s* 1 persuadare, convingere, îndemn(are) 2 îndemn, stimulare, stimulent 3 mobil, motiv 4 tentaţie, ispită

inducer [in'dju:səʳ] *s* 1 ademenitor 2 provocator

inducing current [in'dju:siŋ 'kʌrənt] *s el* curent inductor

induct [in'dʌkt] *vt* 1 **(into)** a instala, a înscăuna (în); *jur* a pune în posesia *(cu gen)* 2 **(into)** a antrena, a atrage (în, la) 3 **(into)** a iniţia *(într-o ştiinţă etc.)* 4 *amer mil* a încorpora 5 *el* a produce prin inducţie

inductance [in'dʌktəns] *s el* inductanţă; reactanţă

inductee [,indʌk'ti:] *s amer mil* recrut

inductile [in'dʌktail] *adj (d. metal)* neductil

induction [in'dʌkʃən] *s* 1 instalare, înscăunare; *jur* punere în posesie 2 inducţie, metodă inductivă 3 *el* inducţie 4 *tehn* admisie, aspiraţie 5 *amer mil* încorporare 6 *med* cauză (generatoare) // **~ of facts** producere/aducere de probe/fapte

induction coil [in'dʌkʃən'kɔil] *s el* bobină Ruhmkorff/de inducţie

induction current [in'dʌkʃən 'kʌrənt] *s el* curent de inducţie

induction heating [in'dʌkʃən'hi:tiŋ] *s fiz* încălzire prin inducţie/prin curent electric indus

inductive [in'dʌktiv] *adj* 1 inductiv, bazat pe inducţie 2 *el* de inducţie, inductor 3 *tehn* de admisie/aspiraţie/absorbţie

inductivity [,indʌk'tiviti] *s el* inductanţă, constantă dielectrică

inductor [in'dʌktəʳ] *s el* bobină de inducţie

indue [in'dju:] *v.* **endue**

indulge [in'dʌlʤ] **I** *vt* 1 a răsfăţa, a face pe plac *(cu dat)*, a face pe voia/placul *(cu gen)*; **you can't ~ every creature** nu poţi face/fi pe placul tuturor 2 a se lăsa legănat de, a se consola cu *(iluzii, visuri etc.)* 3 a tolera, a răbda, a înghiţi, a suporta 4 *com* a păsui 5 *bis* a absolvi; a acorda o indulgenţă *(cu dat)* **II** *vi* F a trage la măsea, a bea câte un păhărel; **will you ~** bei ceva?

indulge in [in'dʌlʤ in] **I** *vt cu prep* a îngădui, a permite +*ac*, a încuraja la; **to indulge smb in (doing) smth** a lăsa/a încuraja pe cineva într-o privinţă să facă ceva **II** *vi cu prep* 1 a se deda la; a se lăsa târât de; a se lăsa în voia *(cu gen)*; **to ~ sin** a păcătui, a merge pe calea păcatului; **to indulge freely in smth** a face abuz de ceva 2 a-şi permite să *(sau cu ac)*; **to ~ a glass of beer now and then** a-şi permite să bea o bere din când în când; **to ~ extravagance** a face extravaganţe; a face cheltuieli nesăbuite

indulgence [in'dʌlʤəns] *s* 1 **(to, of)** indulgenţă, toleranţă (faţă de, pentru); milă, îndurare (pentru, faţă de) 2 tolerare, îngăduire *(a propriilor slăbiciuni)*; frâu liber 3 răsfăţare, răsfăţ 4 privilegiu, favoare 5 *bis* indulgenţă, absolvire de păcate 6 *com* păsuire *(la plată, pentru datorii etc.)*

indulgenced [in'dʌlʤənst] *adj rel (catolică)* care aduce/câştigă absolvire/iertare/o indulgenţă

indulgent [in'dʌlʤənt] *adj* indulgent, îngăduitor, tolerant, iertător, blând

indulgently [in'dʌlʤəntli] *adv* indulgent, tolerant, cu îngăduinţă/înţelegere/indulgenţă

indulge oneself in/with [in'dʌlʤ wʌn,self in/wið] *vr cu prep* a se complace în; a se lăsa în voia *(cu gen)*

indulger [in'dʌldʒə'] *s* **1** părinte *sau* soț care răsfață (exagerat) copiii **2** om îngăduitor; ~ **in a vice** om dedat viciului, vicios

indulge with [in'dʌldʒ wið] *vt cu prep v.* **indulge in I**

indurate ['indju,reit] **I** *vt* **1** a întări, a învârtoșa, a face (să fie) tare **2** *med* a indura, a întări; a bătători **3** *fig* a căli, a oțeli, a fortifica **II** *vi* **1** a se împietri **2** *fig* a se înrădăcina, a prinde rădăcină

indurated ['indju,reitid] *adj* **1** întărit, învârtoșat **2** *med* indurat; bătătorit **3** *fig* împietrit, insensibil **4** *fig (d. nărav etc.)* inveterat, adânc înrădăcinat

induration [,indju'reiʃən] *s* **1** întărire, învârtoșare **2** *med* indurație; bătătorire **3** *fig* călire, oțelire **4** *fig* împietrire

Indus, the ['indəs, ði] *fluviul* Ind, Indul

industrial [in'dʌstriəl] **I** *adj* **1** industrial **2** de producție, de muncă **II** *s* **1** industriaș **2** *pl fin* acțiuni ale unor societăți industriale

industrial accident [in'dʌstriəl 'æksidənt] *s* accident de muncă

industrial alcohol [in'dʌstriəl 'ælkə,hɔl] *s ch* alcool/spirt industrial, alcool tehnic

industrial archeology [in'dʌstriəl ɑ:ki'ɔlədʒi] *s* istoria tehnicii

industrial capital [in'dʌstriəl 'kæpitəl] *s fin* capital industrial

industrial disease [in'dʌstriəldi'zi:z] *s med* boală profesională

industrial estate [in'dʌstriəl is'teit] *s* cartier industrial

industrialism [in'dʌstriə,lizəm] *s* industrialism

industrialist [in'dʌstriəlist] *s* industriaș, fabricant

industrialization [in,dʌstriəlai'zeiʃən] *s* industrializare

industrialize [in'dʌstriə,laiz] *vt* a industrializa

industrialy [in'dʌstriəli] *adv* industrial, pe cale *sau* scară industrială

industrial nations [in'dʌstriəl'neiʃənz] *s pl* țări/națiuni industrializate/dezvoltate

industrial psychology [in'dʌstriəl sai'kɔlədʒi] *s* psihotehnică

industrial revolution [in'dʌstriəl,revə'lu:ʃən] *s* revoluție industrială

industrial sanitation [in'dʌstriəl sæni'teiʃən] *s med* igiena muncii

industrial school [in'dʌstriəl 'sku:l] *s* școală profesională/de meserii

industrial union [in'dʌstriəl 'ju:niən] *s* sindicat industrial (pe ramură)

industrious [in'dʌstriəs] *adj* **1** harnic, muncitor, silitor; destoinic **2** priceput, abil

industriously [in'dʌstriəsli] *adv* harnic, cu hărnicie/asiduitate

industry ['indəstri] *s* **1** industrie, ramură industrială **2** întreprindere, fabrică, uzină **3** hărnicie, sârguință; ~ **begets wealth** *prov* hărnicia aduce bogăția **4** *F* studiu specializat, cercetare a unui subiect

indwell [in'dwel] *poet* **I** *vt* a locui/a sălășlui în, a sta în; a ocupa *(o locuință)* **II** *vi* **(in)** a locui, a sălășlui, a sta, a ședea (în, la)

indweller [in'dwelə'] *s poet* locatar

indwelling [in'dweliŋ] **I** *adj* **1** (în) care locuiește/stă/șade/sălășluiește (în, la) **2** *fig* sufletesc, interior, intim **II** *s* ședere, sălășluire

-ine *suf* -in *(adj);* **cristaline** cristalin; *ch* -ină *(s);* **gasoline** gazolină, *amer* benzină

inebriate [in'i:bri,eit] **I** *adj* în stare de ebrietate, beat, amețit **II** *s* **1** bețiv(an), alcoolic **2** om beat, bețiv **III** *vi și fig* a îmbăta, a ameți **IV** *vi* **(with)** a se îmbăta, a se ameți (cu, de)

inebriated [in'i:bri,eitid] *adj și fig* **(by)** amețit, beat, îmbătat (de); în stare de ebrietate

inebriation [in,i:bri'eiʃən] *s* **1** *și fig* îmbătare, amețire **2** beție, amețeală

inebriety [,ini'braiiti] *s* **1** stare de ebrietate, beție **2** alcoolism, beție cronică

inedible [in'edibəl] *adj* necomestibil; de nemâncat

inedited [in'editid] *adj* **1** inedit **2** publicat integral/fără modificări

ineducable [in'edjukəbəl] *adj* needucabil

ineffable [in'efəbəl] *adj* inefabil; greu de descris, inexprimabil

ineffableness [in'efəbəlnis] *s* caracter inefabil

ineffaceable [,ini'feisəbli] *adj* (de) neșters, (de neuitat)

ineffective [,ini'fektiv] **I** *adj* **1** ineficace, zadarnic, infructuos; fără efect/rezultat **2** incapabil, incompetent; ineficace; moale

3 *artă* lipsit de efect, nereușit; plat, searbăd **II** *s* incapabil, om nepriceput *sau* moale/ineficient

ineffectively [,ini'fektivli] *adv* zadarnic, inutil, fără efect

ineffectiveness [,ini'fektivnis] *s* **1** ineficacitate, lipsă de efect **2** incapacitate, nepricepere, incompetență

ineffectual [,ini'fektʃuəl] *adj* **1** fără efect/rezultat/succes **2** zadarnic, inutil, van, infructuos **3** anost, plat, șters, searbăd **4** incapabil, ineficient, nepriceput

ineffectually [,ini'fektʃuəli] *adv* zadarnic, fără rost/efect/rezultat; degeaba, în zadar

inefficacious [,inefi'keiʃəs] *adj* ineficace, care nu dă rezultate; necorespunzător

inefficaciousness [,inefi'keiʃəsnis] *s v.* **inefficacy**

inefficacy [in'efikəsi] *s* lipsă de eficacitate, ineficacitate

inefficiency [,ini'fiʃənsi] *s* **1** ineficacitate; lipsă de efect **2** lipsă de randament **3** incapacitate, ineficiență, nepricepere

inefficient [,ini'fiʃənt] *adj* **1** ineficace **2** lipsit de randament/rezultat **3** incapabil, incompetent; ineficace, nepriceput, lipsit de randament

inefficiently [,ini'fiʃəntli] *adv* **1** inutil, fără rost/efect/rezultat/randament **2** neîndemânatic, fără pricepere

inelastic [,ini'læstik] *adj* **1** *și fig* lipsit de elasticitate/suplețe, rigid **2** *fig* lipsit de maleabilitate, inadaptabil, refractar **3** *com* ferm, constant, fără fluctuații

inelasticity [,inilæs'tisiti] *s și fig* lipsă de elasticitate, rigiditate

inelegance [in'eligəns], **inelegancy** [in'eligənsi] *s* **1** lipsă de eleganță, ineleganță, mitocănie **2** prost gust, lipsă de gust

inelegant [in'eligənt] *adj* **1** lipsit de eleganță, neelegant **2** de prost gust/fără gust; mitocănesc, lipsit de rafinament, necizelat

inelegantly [in'eligəntli] *adv* neelegant, fără eleganță/maniere

ineligibility [in,elidʒə'biliti] *s* **1** *pol* lipsa dreptului de a fi ales, caracter ineligibil **2** incapacitate, inaptitudine; lipsă de calificare *(pentru un post etc.)*

ineligible [in'eligəbəl] *adj* **1** care nu poate fi ales, ineligibil **2** inapt, necalificat **3** nepotrivit, inadecvat, inapt

ineluctability [ˌini'lʌktə'biliti] *s* inevitabilitate, caracter ineluctabil

ineluctable [ˌini'lʌktəbəl] *adj* ineluctabil, inevitabil, de neînlăturat

inept [in'ept] *adj* **1** stupid, prost(esc), absurd, inept **2** nepotrivit, deplasat, nelalocul lui; inoportun **3** *jur* nul (şi neavenit), fără efect

ineptitude [in'epti,tju:d] *s* **1** stupiditate, absurditate, caracter prostesc/stupid/absurd **2** prostie, inepţie, stupiditate **3** caracter inoportun/deplasat **4 (for smth, to do smth)** incapacitate, lipsă de aptitudine (pentru ceva)

ineptly [in'eptli] *adv* prosteşte, (în mod) stupid/absurd

ineptness [in'eptnis] *s v.* **ineptitude 3, 4**

inequable [in'ekwəbəl] *adj* **1** (distribuit) neuniform **2** eterogen, lipsit de omogenitate, neomogen

inequality [ˌini'kwɔliti] *s* **1** inegalitate **2** părtinire, parţialitate **3** disproporţie, decalaj; deosebire, diferenţă **4** asperitate, neregularitate *(a unui teren)* **5** instabilitate, nestatornicie **6** insuficienţă, caracter insuficient/neîndestulător

inequitable [in'ekwitəbəl] *adj* inechitabil, injust, nedrept

inequity [in'ekwiti] *s* nedreptate, injustiţie, inechitate

ineradicable [ˌini'rædikəbəl] *adj* imposibil de eradicat/dezrădăcinat/stârpit

inerrability [in,erə'biliti] *s* infailibilitate, lipsa oricărei greşeli/ deficienţe

inerrable [in'erəbəl] *adj* infailibil, ferit/ incapabil de greşeală, care nu dă greş niciodată

inerrably [in'erəbli] *adv* (în mod) infailibil, fără greş(eală)

inerrancy [in'erənsi] *s v.* **inerrability**

inerrant [in'erənt] *adj v.* **inerrable**

inert [i:'nə:t] *adj* **1** inert, nemişcat; mort **2** fără vlagă/viaţă/vigoare; molâu **3** *ch* inert, inactiv

inert gas [i'nə:t,gæs] *ch* gaz inert/ mobil

inertia [i'nə:ʃə] *s* **1** *şi fig* inerţie **2** *fig* încetineală, indolenţă, apatie

inertial [i'nə:ʃəl] *adj* **1** *fiz* de/referitor la inerţie; inert **2** *nav* automat, făcut în virtutea inerţiei

inertialess [i'nə:ʃəlis] *adj* fără/lipsit de inerţie

inertia selling [i'nə:ʃə,seliŋ] *s com* vânzare forţată, forţarea mâinii cumpărătorului

inertly [i'nə:tli] *adv* inert, fără vlagă/ viaţă, mort

inertness [i'nə:tnis] *s* **1** inerţie **2** nemişcare **3** *fig* indolenţă, apatie; molicine, încetineală

inescapable [ˌini'skeipəbəl] *adj* inevitabil, ineluctabil, imposibil de evitat; care se impune de la sine

inessential [ˌini'senʃəl] **I** *adj* **1** neesenţial, secundar **2** mărunt, neînsemnat, neglijabil **II** *s* mărunţiş, fleac, lucru/fapt mărunt/ secundar/neesenţial

inestimable [in'estiməbəl] *adj* (de) nepreţuit, inestimabil, incalculabil, de mare valoare

inestimably [in'estiməbli] *adv* extrem de, nemăsurat de

inevitability [in,evitə'biliti] *s* caracter inevitabil/ineluctabil

inevitable [in'evitəbəl] **I** *adj* **1** inevitabil, ineluctabil, de neînlăturat; fatal **2 (to)** inerent, specific (pentru *sau* cu *dat*); propriu *(cu dat)* **II** *s* **the ~** inevitabilul, ceea ce trebuia (în mod fatal) să se întâmple

inevitable hours [in'evitəbəl'auəz] *s pl* oră fatală, ceasul morţii

inevitableness [in'evitəbəlnis] *s* caracter inevitabil/fatal/ineluctabil

inevitably [in'evitəbli] *adv* (în mod) inevitabil/fatal

inexact [ˌinig'zækt] *adj* inexact; incorect

inexactitude [ˌinig'zæktitju:d] *s* inexactitate; incorectitudine

inexactly [ˌinig'zæktli] *adv* (în mod) inexact/incorect

inexactness [ˌinig'zæktnis] *s* inexactitate

inexcusable [ˌinik'skju:zəbəl] *adj* de neiertat, de nescuzat; nejustificabil

inexcusableness [ˌinik'skju:zəbəlnis] *s* caracter de neiertat, lipsă totală de justificare; gravitate (maximă)

inexcusably [ˌinik'skju:zəbli] *adv* (într-un mod) nejustificat/de neiertat

inexecution [ˌin,eksi'kju:ʃən] *s* neîndeplinire, neexecutare

inexhausted [ˌinig'zɔ:stid] *adj* nesecat, inepuizabil

inexhaustibility [ˌinig,zɔ:stə'biliti] *s* caracter inepuizabil, bogăţii nesecate, rezerve nelimitate

inexhaustible [ˌinig'zɔ:stəbəl] *adj* **1** nesecat, inepuizabil **2** neobosit, neostenit

inexhaustibleness [ˌinig'zɔ:stəbəlnis] *s v.* **inexhaustibility**

inexhaustibly [ˌinig'zɔ:stəbli] *adv* (în mod) inepuizabil, fără limită

inexhaustive [ˌinig'zɔ:stiv] *adj* neexhaustiv, incomplet, care nu epuizează problema *etc.*, care nu duce lucrurile până la capăt

inexorable [in'eksərəbəl] *adj* inexorabil, implacabil; neiertător, neînduplecat

inexpectant [ˌiniks'pektənt] *adj* **(of) 1** luat prin surprindere (de); care nu se aşteaptă (la) **2** care nu speră (în)

inexpedience [ˌiniks'pi:djəns], **inexpediency** [ˌiniks'pi:djənsi] *s* **1** inoportunitate **2** inutilitate, zădărnicie

inexpedient [ˌiniks'pi:djənt] *adj* **1** inoportun, nepotrivit; dezavantajos **2** zadarnic, fără rost/sens

inexpensive [ˌiniks'pensiv] *adj* ieftin, convenabil, modest, necostisitor

inexpensively [ˌiniks'pensivli] *adv* **1** ieftin, convenabil **2** modest; **to live ~** a trăi modest

inexpensiveness [ˌiniks'pensivnis] *s* caracter ieftin/convenabil, ieftinătate

inexperience [ˌiniks'piəriəns] *s* **(of)** lipsă de experienţă (în, în *materie de*)

inexperienced [ˌiniks'piəriənst] *adj* **(in)** lipsit de experienţă (în *materie de*), nepriceput, ageamiu (la)

inexpert [in'ekspə:t] *adj* **1 (at)** nepriceput, neîndemânatic (la) **2** ignorant, nepriceput, incompetent

inexpertly [in'ekspə:tli] *adv* nedibaci, stângaci, fără pricepere/îndemânare/iscusinţă

inexpiable [in'ekspiəbəl] *adj* **1** nescuzabil, fără scuză, de neiertat **2** ← *elev* necruţător, neînduplecat, nemilos, implacabil

inexplicable [ˌin'eksplikəbəl] *adj* inexplicabil, de neînţeles

inexplicably [ˌin'eksplikəbli] *adv* inexplicabil (de)

inexplicit [ˌinik'splisit] *adj* neexplicit, neclar, neprecizat

inexplorable [ˌiniks'plɔːrəbəl] *adj* **1** de neexplorat **2** de nepătruns

inexpressible [ˌinik'spresəbəl] **I** *adj* de nespus, inexprimabil, indescriptibil **II** *s pl umor* **1** indispensabili, izmene **2** *pl* pantaloni

inexpressibly [ˌinik'spresəbli] *adv* (în mod) indescriptibil, nespus de

inexpressive [ˌinik'spresiv] *adj* plat, neexpresiv; lipsit de expresie

inexpugnable [ˌinik'spʌgnəbəl] *adj* **1** inexpugnabil, de necucerit/ neînvins **2** *fig* (d. logică etc.) imbatabil, de fier, fără replică

inexpungible [ˌiniks'pʌndʒibəl] *adj* **1** (de) neșters, imposibil de eliminat **2** peste care nu se poate trece

inextensible [ˌinik'stensəbəl] *adj* neextensibil

inextinguishable [ˌinik'stingwiʃəbəl] *adj* **1** și *fig* (de) nestins, care arde mereu **2** *fig* veșnic, viu, nepieritor

in extremis [inik'striːmis] *adj* **1** în agonie, pe moarte **2** *fig* chinuit la culme, în luptă cu mari greutăți

inextricability [ˌinekstrikə'biliti] *s* **1** caracter inextricabil/de nedescurcat/nedescâlcit **2** caracter insolubil/de nerezolvat

inextricable [ˌin'ekstrikəbəl] *adj* **1** inextricabil; încâlcit **2** de nerezolvat, irezolvabil, fără soluție/ scăpare/ieșire

inextricableness [ˌin'ekstrikəbəlnis] *s v.* **inextricability**

inextricably [ˌin'ekstrikəbli] *adv* fără posibilitate de ieșire/scăpare/ rezolvare/soluționare

inf. *presc de la* **1** infantry **2** infinitive

infallibism [in'fæliibə,lizəm] *s rel* doctrina infailibilității papei

infallibilist [in'fæliibilist] *s rel* adept al doctrinei infailibilității papei

infallibility [in,fæli'biliti] *s rel* infailibilitate, caracter infailibil, imposibilitate de a greși

infallible [in'fæliəbəl] *adj* **1** infailibil, incapabil să greșească/de greșeală **2** fără greș, sigur, care nu dă greș (niciodată), infailibil **3** iminent, inevitabil, de neînlăturat

infallibleness [in'fæliəbəlnis] *s v.* **infallibility**

infallibly [in'fæliibli] *adv* fără greș, sigur, (în mod) infailibil, negreșit, cu siguranță

infamise, infamize ['infəmaiz] *vt* a da de rușine, a compromite (grav)

infamous ['infəməs] *adj* **1** rușinos, scandalos, infam, mârșav **2** degradant, dezonorant, josnic, infam **3** cu faimă/reputație proastă **4** respingător, scârbos, dezgustător **5** execrabil, mizerabil, abominabil **6** *jur* lovit de o condamnare infamantă (privativă de drepturi)

infamously ['infəməsli] *adv* (în mod) rușinos/degradant/scandalos/ infamant

infamous person ['infəməs 'pəːsən] *s* **1** *amer jur* persoană condamnată la degradare civică **2** *fig* infam, ticălos

infamy ['infəmi] *s* **1** infamie, ticăloșie, mârșăvie; porcărie, mișelie **2** rușine, dezonoare, degradare **3** purtare scandaloasă/rușinoasă/necinstită

infancy ['infənsi] *s* **1** (fragedă) copilărie/pruncie, vârstă fragedă **2** *jur* minorat, minoritate; **to plead ~** *jur* a cere îngăduință tribunalului pentru delicventul minor **3** *fig* fază embrionară, început; tinerețe; **it is in its ~** e încă în fașă/în embrion/ în germene

infant ['infənt] **I** *s* **1** copilaș, copil mic, *F* țânc, prunc, sugaci **2** *jur* minor **3** *ist v.* **infante II** *adj* **1** *med* infantil, ținând de puericultură **2** de copil, copilăresc, infantil, pueril **3** *fig* embrionar, în fașă

infanta [in'fæntə] *s ist* infantă, prințesă (în Spania sau Portugalia)

infant care ['infənt,kɛəʳ] *s med* puericultură, îngrijirea copiilor/ nou născuților

infante [in'fænti] *s* infante (de Spania), prinț(ișor)

infanticide [in'fænti,said] *s* **1** infanticid, pruncucidere **2** infanticid, pruncucigaș

infantile ['infən,tail] *adj* **1** și *fig* infantil, pueril; copilăresc, copilăros **2** referitor la copii/puericultură; infantil, de copil/copii **3** *fig* incipient, embrionar, în fașă

infantile paralysis ['infən,tail pə'ræləsis] *s med* paralizie infantilă, poliomielită

infantile sickness ['infən,tail'siknis] *s med* boală de copii, maladie infantilă

infantilism [in'fænti,lizəm] *s med* infantilism

infantine ['infəntain] *adj v.* **infantile**

infant mortality ['infənt mɔː'tæliti] *s med* mortalitate infantilă

infant phenomenon/prodigy ['infənt fi'nɔminɔn/'prɔdidʒi] *s* copil minune/fenomen

infantry ['infəntri] *s mil* **1** infanterie, *înv →* pedestrași, pedestrime, *F → pifă*, pifani **2** infanterist, *înv →* pedestrași

infantry man ['infəntrimən] *s mil* infanterist, *F →* pifan, *înv →* pedestraș

infant('s) school ['infənt(s) 'skuːl] *s* școală de copii mici; *aprox* grădiniță

infant years ['infənt 'jəːz] *s pl* copilărie, anii copilăriei

infarct [in'faːkt], **infarction** [in'faːkʃən] *s med* infarct

infatuate [in'fætju,eit] *vt* a înnebuni, a scoate din minți; a lua/a suci mințile (cu dat)

infatuated [in'fætju,eitid] *adj* **1** orbit, înnebunit, scos din minți **2** (with) îndrăgostit nebunește/lulea (de), mort, nebun, pierit (după)

infatuation [in,fætju'eiʃən] *s* **1** pasiune/dragoste nebună; **to have an ~ for smb** a fi nebun/a nu mai putea după cineva **2** orbire, zăpăcire

infeasible [in'fiːzəbəl] *adj* irealizabil, imposibil; nerealist

infect [in'fekt] *vt* (with) **1** *med* și *fig* a infecta (cu, de), a molipsi, a contamina (de) **2** *fig* a vicia, a otrăvi, a corupe (cu) **3** *jur* a vicia, a lovi (cu, prin)

infection [in'fekʃən] *s* **1** *med* infecție, proces infecțios; **to catch the ~** a se molipsi, a se infecta **2** *med* și *fig* infectare, molipsire, contaminare **3** ↓ *jur* viciere, corupere

infectious [in'fekʃəs] *adj* **1** *med* infecțios, infectat **2** *med* și *fig* contagios, molipsitor, transmisibil

infectiousness [in'fekʃəsnis] *s* **1** *med* natură infecțioasă **2** *med* și *fig* contagiozitate, caracter infecțios/molipsitor/contagios

infective [in'fektiv] *adj v.* **infectious**

infectiveness [in'fektivnis] *s v.* **infectiousness**

infelicitous [,infi'lisitəs] *adj* 1 nefericit, nenorocos; ghinionist 2 nefericit/prost ales, nepotrivit, nelalocul lui

infelicity [,infi'lisiti] *s* 1 nefericire, nenoroc, ghinion; soartă tristă 2 defect, lipsă, imperfecțiune 3 caracter defectuos *sau* inoportun 4 gafă

infer [in'fə:] *vt* 1 (**from**) a deduce, a conchide, a trage concluzia (din); **to ~ that** a trage concluzia/ a deduce că 2 a presupune, a necesita, a implica 3 a indica, a arăta

inferable [in'fə:rəbəl] *adj* (**from**) deductibil, care poate fi dedus/ presupus (din)

inference ['infərəns] *s* 1 deducție; concluzie 2 deducere, tragere a unei concluzii 3 implicație, lucru subînțeles

inferential [,infə'renʃəl] *adj* bazat/ întemeiat pe deducție; deductibil, ușor de dedus; dedus

inferentially [,infə'renʃəli] *adv* prin/ pe bază de deducție, (în mod) implicit

inferior [in'fiəriə'] **I** *adj* 1 situat,/ plasat/așezat mai jos; mai de jos, inferior 2 (**to**) *fig* inferior (cu dat), mai prost/rău (decât); de calitate inferioară (cu dat) 3 (**to**) inferior, subaltern (cu dat), mai mic în rang/grad (decât) 4 *bot, astr* inferior **II** *s* inferior, subaltern; subordonat

inferiority [in,fiəri'ɔriti] *s* 1 (**in**) inferioritate, capacitate redusă (în privința - cu gen) 2 caracter inferior; calitate proastă

inferiority complex [in,fiəri'ɔriti-,kɔmpleks] *s* complex de inferioritate

infernal [in'fə:nəl] *adj* 1 infernal, de iad/infern 2 ← *F* drăcesc, diabolic; infernal

infernality [,infə:'næliti] *s* caracter infernal/drăcesc/diabolic; aspect de infern

infernally [in'fə:nəli] *adv* 1 *F* grozav/ îngrozitor/al dracului de 2 infernal, drăcește

infernal machine [in'fə:nəl mə'ʃi:n] *s* mașină infernală

inferno [in'fə:nou] *s* (*pl.* ~**s**) infern, iad

inferrable, inferrible [in'fə:rəbəl] *adj v.* **inferable**

inferring [in'fə:riŋ] *s* 1 deducție; concluzie 2 implicație

infertile [in'fə:tail] *adj* 1 nefertil, neroditor, sterp 2 *fig* infructuos

infertility [,infə'tiliti] *s* lipsă de fertilitate, nefertilitate; sterilitate, caracter sterp

infest [in'fest] *vt* 1 a infesta, a invada, a năpădi, a împânzi; a trăi ca un parazit pe 2 a hărțui, a sâcâi 3 (*d. boli etc.*) a bântui

infestation [,infes'teiʃən] *s* 1 *med* infestare, invazie 2 năpădire, năvală, invazie

infested with [in'festid wiδ] *adj cu prep* infestat de, care mișună de, plin de

infeudation [,infju'deiʃən] *s* înfeudare; ~ **of tithes** *ist* plata zeciuielii (către biserică)

infibulation [in,fibju'leiʃən] *s* împiedicarea contactului sexual (*prin aplicarea centurii de castitate etc.*)

infidel ['infidəl] **I** *s* 1 păgân, necredincios (musulman) 2 necredincios (*față de mahomedani – ghiaur, față de mozaici – goi etc.*) **II** *adj* 1 *rel* necredincios 2 păgân 3 neîncrezător, incredul

infidelity [,infi'deliti] *s* 1 *rel* necredință, lipsă de religiozitate 2 infidelitate, necredință 3 neloialitate, lipsă de devotament

infield ['in,fi:ld] *s* 1 gospodărie *sau* teren agricol de lângă casă 2 teren agricol (*îngrășat și lucrat bine*) 3 *sport* terenul din preajma porții

infighting ['in,faitiŋ] *s* 1 *sport* (la box) luptă strânsă/corp la corp 2 *fig* conflict intern (*în sânul unei organizații etc.*)

infill ['infil] *vt* 1 a umple (*o cavitate etc.*) 2 *arhit* a plomba, a construi pe (*un spațiu gol*)

infilling ['infiliŋ] *s* 1 umplere (*a unei cavități*) 2 *arhit* plombă, construcție făcută între alte clădiri

infiltrate ['infil,treit] **I** *vt* 1 (**into**) a infiltra, a strecura (în) 2 a îmbiba, a impregna **II** *vi* (**through, into**) a se infiltra, a se strecura (în, prin) **III** *s* 1 infiltrare; infiltrație 2 *med* infiltrat

infiltration [,infil'treiʃən] *s* 1 infiltrație 2 infiltrare

infiltration anaesthesia [,infil-'treiʃən ,ænis'θi:ziə] *s med* anestezie locală

infinite ['infinit] **I** *adj* 1 infinit, nemărginit, nesfârșit 2 *fig* nețărmurit, fără margini 3 ← *F* uriaș, enorm 4 puzderie, grămadă (*atr*) 5 *gram* nepersonal **II** *s* 1 the ~ infinitul 2 *F* puzderie, puhoi, grămadă

Infinite, the ['infinit, δi] *s* Atotputernicul, Cel de Sus

infinite mood ['infinit ,mu:d] *s gram* mod nepersonal

infiniteness ['infinitnis] *s v.* **infinity**

infinitesimal [,infini'tesiməl] **I** *adj* 1 infinitezimal 2 infim, minuscul, neînsemnat **II** *s* 1 mărime/cantitate/valoare infinitezimală 2 *pl* analiză infinitezimală

infinitesimally [,infini'tesiməli] *adv* 1 infinitezimal, imperceptibil 2 infinit/extrem de

infinitival [,infini'taivəl] *adj gram* infinitival

infinitive (mood), the [in'finitiv (,mu:d), δi] *s gram* (modul) infinitiv

infinitude [in'fini,tju:d] *s* 1 (**of**) infinitate, puzderie (de) 2 nemărginire, infinit(ate), întindere nesfârșită

infinity [in'finiti] *s* 1 (**of**) infinitate, puzderie (de) 2 infinit 3 întindere nesfârșită, nemărginire

infirm [in'fə:m] **I** *adj* 1 neputincios; firav, plăpând; becisnic 2 slab de înger, cu caracter slab, lipsit de voință/vlagă; ~ **of purpose** nehotărât, șovăielnic, fără voință **II** *vt jur* a infirma, a invalida, a declara nul

infirmarian [,infə(:)'mɛəriən] *s* soră șefă (*a unei infirmerii*); infirmier șef (↓ *la o mănăstire*)

infirmary [in'fə:məri] *s* 1 infirmerie 2 spital

infirmary patient [in'fə:məri 'peiʃənt] *s med* bolnav/pacient spitalizat

infirmity [in'fə:miti], **infirmness** [in'fə:mnis] *s* 1 neputință; slăbiciune, debilitate, șubrezenie 2 boală, maladie 3 caracter slab, lipsă de voință/vlagă; ~ **of purpose** fire slabă, lipsă de voință/ hotărâre, șovăială, nehotărâre 4 defect de caracter, deficiență morală 5 *jur* nulitate

infix I ['infiks] *s gram* infix **II** [in'fiks] *vt* **1** (**in**) a înfige, a implanta, a fixa (în) **2** a fixa/a întipări în minte **3** *gram* a introduce *(un infix)*

infixation [,infik'seiʃən] *s lingv* infixaţie, formare a cuvintelor cu ajutorul infixelor

infl. *presc de la* **influenced**

in flagrante delicto [inflə'græntidi-'liktou] *adj jur* prins în flagrant delict

inflame [in'fleim] **I** *vt* **1** a aprinde, a da foc la **2** *(d. pasiuni etc.)* a înflăcăra, a mistui, a încinge **3** *fig* a aţâţa, a întărâta, a incita, a întreţine, a alimenta *(o dispută etc.)* **4** *med* a inflama, a face să se inflameze, a produce o inflamaţie *(cu gen)* **II** *vi* **1** a se aprinde, a lua foc **2** (**with**) *fig* a arde, a se înflăcăra (de) **3** *med* a se inflama

inflamed [in'fleimd] *adj* **1** în flăcări, arzând, cuprins de flăcări **2** (**with**) *fig* cuprins, mistuit (de) **3** (**with**) *fig* înflăcărat, arzând (de); ~ **with rage** turbat/cuprins de mânie **4** *med* inflamat; *(d. ochi)* injectat

inflammability [in,flæmə'biliti] *s* **1** caracter inflamabil **2** *fig* iritabilitate; excitabilitate

inflammable [in'flæməbəl] **I** *adj* **1** inflamabil **2** *fig* iritabil; excitabil **II** *s* substanţă/materie inflamabilă; combustibil; carburant

inflammableness [in'flæməbəlnis] *s v.* **inflammability**

inflammation [,inflə'meiʃən] *s* **1** aprindere, inflamare **2** *fig* înflăcărare, aprindere **3** *med* inflamaţie, inflamare

inflammatory [in'flæmətəri] *adj* **1** aţâţător, incendiar **2** *med* inflamator

inflate [in'fleit] *vt* **1** a umfla, a umple *(cu aer etc.)* **2** (**with**) *fig* a face *(pe cineva)* să se umfle în pene (de) **3** *com* a umfla *(preţurile)*, a încărca *(nota de plată, contul)*

inflated [in'fleitid] *adj* **1** umflat **2** *fig* umflat în pene, îngâmfat, infatuat **3** *com* umflat, încărcat, mărit **4** *fig* bombastic, umflat, emfatic

inflater [in'fleitər] *s auto* pompă *(pt cauciucuri)*

inflating [in'fleitiŋ] *s* umflare, umplere *(a pneurilor etc.)*

inflation [in'fleiʃən] *s* **1** umflare, umplere **2** *fig* infatuare, îngâmfare, umflare în pene **3** *ec* inflaţie

4 stil bombastic/emfatic/umflat; preţiozitate

inflationary [in'fleiʃənəri] *adj ec* inflaţionist

inflationism [in'fleiʃə,nizəm] *s ec* adept al inflaţionismului

inflator [in'fleitər] *s auto v.* **inflater**

inflect [in'flekt] **I** *vt* **1** a curba, a îndoi, a încovoia **2** *fiz* a refracta **3** *gram* a supune flexiunii; a declina *sau* a conjuga **4** *muz* a modula **II** *vi gram* a fi supus flexiunii, a se modifica prin flexiune; a se declina *sau* conjuga

inflected [in'flektid] *adj* **1** încovoiat, curbat, îndoit **2** *lingv* flexibil, supus flexiunii; flexionar

inflection [in'flekʃən] *s v.* **inflexion**

inflectional [in'flekʃənəl] *adj v.* **inflexional**

inflective [in'flektiv] *adj gram* flexionar, flexibil, supus flexiunii

inflexibility [in,fleksə'biliti] *s* **1** *şi fig* inflexibilitate, rigiditate **2** neînduplecare, fermitate

inflexible [in'fleksəbəl] *adj* **1** *şi fig* inflexibil, rigid **2** neînduplecat, ferm

inflexibly [in'fleksəbli] *adv* ferm, (în mod) inflexibil, fără a ceda/a se abate; cu hotărâre nestrămutată

inflexion [in'flekʃən] *s* **1** încovoiere, îndoire, curbare **2** curbură, îndoitură **3** *gram* flexiune **4** *gram* formă flexionară **5** *muz* modulaţie

inflexional [in'flekʃənəl] *adj lingv* flexionar, bazat pe flexiune

inflict [in'flikt] **I** *vt* **1** (**on, upon**) a da *(o lovitură) (cu dat)*; **to ~ a blow on/upon** a da o lovitură *(cu dat)*; a izbi, a lovi în *(sau cu ac)* **2** (**on, upon**) a pricinui, a cauza, a produce *cuiva (o rană)* **3** (**on**) *jur* a aplica, a da *(o amendă, o pedeapsă etc.) (cu dat)* **II** *vr* a se impune, a se vârî, a se băga *(cu de-a sila)*; **to ~ oneself on smb** a cădea pe capul cuiva, a importuna pe cineva, a se vârî în sufletul cuiva

infliction [in'flikʃən] *s* **1** pricinuire, cauzare *(a unei supărări, pagube etc.)* **2** suferinţă, necaz, chin, neplăcere **3** *jur* aplicare, administrare *(a unei amenzi, pedepse etc.)*

inflight refueling ['inflait ri'fjuəliŋ] *s* alimentare *(cu carburant)* în zbor

inflorescence [,inflɔ:'resəns] *s* **1** *bot* inflorescenţă **2** *şi fig* înflorire

inflow ['in,flou] *s v.* **influx**

inflowing ['in,flouiŋ] **I** *s* aflux, pătrundere, intrare, vărsare **II** *adj* care pătrunde/intră/se varsă (înăuntru)

influence ['influəns] **I** *s* **1** (**on, upon**) influenţă (asupra – *cu gen*); **undue ~ upon a minor** *jur* abuz de putere asupra unui minor **2** *fig* autoritate, trecere, influenţă **3** factor influent, forţă **4** *el* inducţie **II** *vt* a influenţa, a înrâuri

influence machine ['influəns mə-'ʃi:n] *s el* maşină Wimshurst

influence peddler ['influəns'pedlər] *s* traficant de influenţă

influencer ['influənsər] *s* factor/om influent

influent ['influənt] *geogr* **I** *adj (d. ape)* **1** care se varsă *(într-un alt curs de apă)* **2** care se revarsă **II** *s* afluent

influential [,influ'enʃəl] *adj* influent, care are influenţă/putere; *fig* puternic

influentially [,influ'enʃəli] *adv* **1** prin influenţă **2** *el* prin inducţie

influent tide ['influənt,taid] *s* flux, maree

influenza [,influ'enzə] *s med* gripă, *înv →* influenţă

influenzal [,influ'enzəl], **influenzic** [,influ'enzik] *adj med* gripal, de gripă

influx ['in'flʌks] *s* **1** (**into**) aflux, afluenţă; val, năvală (către, spre) **2** *geogr* vărsare, gură **3** *com* încasări

info ['infou] *s F v.* **information**

infold [in'fould] *v.* **enfold**

infolded [in'fouldid] *adj* cu marginile îndoite spre interior

inform[1] [in'fɔ:m] **I** *vt* **1** (**of**) a informa, a înştiinţa *(despre, de)*; a anunţa, a comunica, a face cunoscut *(cuiva, ceva)* **2** (**with**) *fig* a insufla, a inspira *(cu ac)*, a umple (de) **II** *vi jur* a da informaţii; a face un denunţ; **to ~ against smb** a denunţa/*F →* a turna pe cineva

inform[2] [in'fɔ:m] *adj elev* inform, amorf

informal [in'fɔ:məl] *adj* **1** neoficial, fără formalitate **2** neprotocolar, neceremonios, fără ceremonie/etichetă **3** liber, degajat **4** familiar, intim

informality [ˌinfɔ:'mæliti] *s* **1** carac-
ter neoficial, lipsă de formalitate
2 lipsă de ceremonie/etichetă,
caracter neprotocolar/familiar/
degajat/intim **3** *jur* viciu de for-
mă, lipsa unei formalități

informally [in'fɔ:məli] *adv* **1** neofi-
cial, oficios **2** fără forme/for-
malități **3** fără etichetă/cere-
monie, neceremonios, neproto-
colar; familiar, intim

informant [in'fɔ:mənt] *s* **1** sursă/
izvor de informație/referință **2**
informator, persoana care dă
informații, corespondent de
presă **3** *jur* informator; recla-
mant, denunțător

information [ˌinfə'meiʃən] *s* **1** infor-
mații; **a piece of ~** o informație,
o indicație **2** informare, luare de
cunoștință; **for your ~** pentru
informarea dvs, cu titlu de infor-
mație **3** știri, vești, noutăți **4** cu-
noștințe, informație; cultură; **a
man full of ~** un om informat/la
curent cu toate **5** *jur* denunț,
informare, delațiune; **to give ~** a
face un denunț, *F* a turna

information bureau/desk [ˌinfə-
'meiʃən ˌbjuərou/desk] *s* birou de
informații

informative [in'fɔ:mətiv], **infor-
matory** [in'fɔ:mətəri] *adj* (cu
caracter) informativ

informed [in'fɔ:md] *adj* **1** informat,
în cunoștință de cauză, la curent;
încunoștiințat **2** informat, docu-
mentat

informer [in'fɔ:mə'] *s* **1** informator,
om care dă informații **2** *peior*
informator, denunțător, delator, *F*
→ turnător; **to turn ~** a deveni
delator/*F* → turnător, a denunța
(pe proprii complici)

infra ['infrə] *adv lat* mai jos/departe;
see ~ vezi mai jos/departe

infra- *pref* infra-; **infrastructure**
infrastructură

infraction [in'frækʃən] *s* **1** încălcare,
violare *(↓ a legii);* **~ of faith** abuz
de încredere; **~ of regulations**
jur contravenție **2** *jur* infracțiune

infra dig ['infrə'dig] *adv* mai prejos
de demnitatea *(cu gen)*, înjosi-
tor, degradant, umilitor *(pentru
cineva)*

infrangible [in'frændʒibəl] *adj* **1**
incasabil **2** *fig* inviolabil

infra red ['infrə'red] *adj* infraroșu

infrasonic [ˌinfrə'sonik] *adj fiz* cu
infrasonic, sub viteza sunetului

infrastructure ['infrəˌstrʌktʃə'] *s
constr* infrastructură; temelie,
fundație

infrequency [in'fri:kwənsi] *s* raritate,
lipsă de frecvență

infrequent [in'fri:kwənt] *adj* rar,
ocazional, lipsit de frecvență

infrequently [in'fri:kwəntli] *adv*
rar(eori); **not ~** destul de des,
relativ frecvent

infringe [in'frindʒ] *vt* **1** *v.* a încălca,
a viola **2** a călca *(o promisiune,
un jurământ)*

infringement [in'frindʒmənt] *s* încăl-
care, violare; **~ of a patent** contra-
facere/încălcare a unui brevet

infringe on/upon [in'frindʒ ɔn/ə,pɔn]
vi cu prep a încălca, a viola *(cu
ac)*, a contraveni la *(sau cu dat)*

infructuous [in'frʌktjuəs] *adj* **1**
neroditor, sterp **2** *fig* steril,
infructuos

infundibular [ˌinfʌn'dibjulə'] *adj* în
formă de pâlnie

infuriate [in'fjuəri,eit] **I** *vt* a înfuria,
a mânia, a scoate din fire/*F*
pepeni/țâțâni **II** *adj* înfuriat,
mânios, furios

infuse [in'fju:z] *vt* **1** (**in, into**) a tur-
na, a vărsa (în) **2** *fig* (**in, into**) a
insufla, a inspira, a da viață/curaj
(cu dat) **3** (**in, into**) a inculca,
a infiltra, a sugera *(cu dat)* **4** (**with**)
și fig a îmbiba (cu), a umple (de);
to ~ smb with hope a da cuiva
speranțe, a trezi/a sădi speranțe
în sufletul cuiva **5** a face o
infuzie/tizană/fiertură de/din, a
opări *(ierburi etc.);* a macera

infusibility [inˌfju:zə'biliti] *s* capa-
citate de infuzie

infusible[1] [in'fju:zəbəl] *adj* care
poate fi infuzat/infiltrat *etc.*

infusible[2] [in'fju:zəbəl] *adj* **1** greu
fuzibil/de topit, infuzibil, nefuzibil
2 ignifug, rezistent la foc, refrac-
tar **3** insolubil, greu de dizolvat

infusion [in'fju:ʒən] *s* **1** turnare, văr-
sare **2** infuzie, fiertură, elixir,
extract **3** opărire, fierbere, infuzie
4 *fig* insuflare, inspirare; infuzie,
aport *(de idei, curaj, sentimente
etc.)* **5** *tehn* amestec, adaos **6**
tehn injectare, injecție

infusive [in'fju:ziv] *adj* însuflețitor,
înălțător, care (te) inspiră/însu-
fleteste

infusoria [ˌinfju'zɔ:riə] *s pl zool*
infuzorii

infusorial earth [ˌinfju'zɔ:riəl 'ə:θ] *s
minrl, ch* Kieslegur, diatomit,
pământel

-ing *suf* **1** *pt formarea subst și adj
verbale, a participiului nedefinit
și gerunziului* **2** *pt formarea unor
subst individuale ca* **gelding,
farthing, shilling**

ingather [in'gæðə'] **I** *vt* a aduna, a
culege, a strânge *(↓ recolta);* a re-
colta **II** *vr* a se aduna, a se strânge

ingathering [in'gæðəriŋ] *s* cules(ul
recoltei), seceriș, recoltare

Inge [iŋ], **William** dramaturg ame-
rican (n. 1913)

ingeminate [in'dʒemi,neit] *vt* a
repeta, a relua, a reitera; **to ~
peace** a insista pentru pace

ingenerate **I** [in'dʒenərit] *adj* **1**
înnăscut, originar, din fire/născa-
re **2** *rel* nezămislit, nenăscut **II**
[in'dʒenə,reit] *vt* a genera, a
zămisli, a crea; a produce

ingeneration [inˌdʒenə'reiʃən] *s* ge-
nerare; producere, provocare

ingenious [in'dʒi:njəs] *adj* **1** inge-
nios, plin de ingeniozitate, iscusit
2 inventiv, născocitor; priceput **3**
bogat în idei **4** plin de spirit,
spiritual

ingeniously [in'dʒi:njəsli] *adv* **1** cu
iscusință/ingeniozitate, (în mod)
ingenios **2** spiritual, cu haz

ingeniousness [in'dʒi:njəsnis] *s v.*
ingenuity

ingenue [ˌænʒei'nju:] *s fr* ingenuă

ingenuity [ˌindʒi'nju:iti] *s* **1** inge-
niozitate, minte ingenioasă, in-
ventivitate, spirit inventiv **2** iscu-
sință, talent, pricepere **3** ← *înv*
inteligență, agerime, geniu **4**
ingenuitate, candoare, caracter
ingenuu

ingenuous [in'dʒenjuəs] *adj* **1** ingenuu,
candid, inocent **2** sincer, franc,
deschis **3** mărinimos, generos **4** *înv*
aristocratic, nobil, de viță

ingenuousness [in'dʒenjuəsnis] *s v.*
ingenuity 4

ingest [in'dʒest] *vt* a ingera, a
îngurgita, a înghiți

ingestion [in'dʒestʃən] *s* ingerare,
îngurgitare, înghițire

ing-form ['iŋfɔ:m] *s gram* formă
verbală care se termină în **-ing**
*(s sau adj verbal, part nedefinit
sau gerund)*

ingle ['iŋgəl] *s* foc *(în cămin)*

ingle-nook ['iŋgəl,nuk] *s* colțul de lângă cămin; locul de lângă sobă

inglorious [in'glɔ:riəs] *adj* **1** lipsit de glorie **2** rușinos, dezonorant **3** obscur, neștiut, umil

ingloriously [in'glɔ:riəsli] *adv* **1** fără glorie **2** (în mod) rușinos

in-going ['in,gouiŋ] **I** *s* intrare; pătrundere **II** *adj atr* **1** care intră/ pătrunde/în *sau* spre *(o cameră etc.);* de intrare **2** pătrunzător **3** care vine/sosește **4** *pol* care intră în funcție/se instalează, nou

ingot ['iŋgət] *tehn* **I** *s* lingou; drug, bară; bloc *(de metal)* **II** *adj atr* în lingouri, sub formă de lingouri

ingraft [in'grɑ:ft] *vt* a pune/a folosi ca altoi, a altoi *(pe un copac etc.)*

ingrain I [in'grein] *vi* și *fig* a fixa, a întipări, a imprima **II** ['in,grein] *adj atr* **1** vopsit în fir/fibră; vopsit trainic/durabil **2** vopsit în culoare închisă **3** vopsit în culori diferite pe cele două fețe **4** *fig* întipărit/ fixat/imprimat (adânc) **III** *s* **1** fire/ fibre vopsite înainte de pre-lucrare **2** covor vopsit în fibră **3** caracter înnăscut

ingrained [in'greind] *adj* **1** vopsit/ impregnat/imprimat în fibră/fir **2** *fig* (adânc) înrădăcinat/imprimat/ întipărit **3** *fig* înrăit, inveterat

ingratiate oneself with [in'greiʃi,eit wʌn'self wið] *vr cu prep* a se vârî/ a se băga pe sub pielea *(cu gen)*, a se da bine/a se gudura pe lângă; a intra în grațiile *(cu gen)*

ingratiating [in'greiʃi,eitiŋ] *adj* **1** lingușitor; insinuant, care se gudură **2** mieros; onctuos **3** simpatic, plăcut, agreabil; afabil

ingratiatingly [in'greiʃi,eitiŋli] *adv* **1** lingușitor; insinuant **2** agreabil, afabil

ingratiatory [in'greiʃi,eitəri] *adj* insinuant; lingușitor, onctuos, mieros

ingratitude [in'græti,tju:d] *s* ingra-titudine, nerecunoștință

ingravescence [,ingrə'vesəns] *s med* agravare, acutizare *(a unei maladii)*

ingravescent [,ingrə'vesənt] *adj med (d. maladie)* în curs de agravare, care se agravează

ingredient [in'gri:diənt] *s* ingredient, parte componentă, element component *(al unui compus)*

ingress ['ingres] *s* **1** *tehn* pătrundere (în); admisie (în); intrare (în) **2** (into) acces, (drept de) intrare (în, la) **3** (taxă de) intrare, costul biletului (de intrare) **4** (poartă de) intrare

ingression [in'greʃən] *s* **1** intrare, acces; pătrundere **2** incursiune, invazie

ingressive [in'gresiv] *adj* **1** care intră **2** *gram* incoativ **3** *(d. sunete)* ingresiv

ingrowing ['in,grouiŋ] *adj* **1** *(d. unghie)* încarnat, care crește în carne **2** care crește în/spre interior

ingrown ['in,groun] *adj* **1** *v.* **ingro-wing 1 2** *fig* (adânc) înrădăcinat/ întipărit, inveterat

inguinal ['ingwinəl] *adj anat* inghinal

ingulf [in'gʌlf] *vt (d. buruieni etc. și fig)* a îneca, a înghiți, a năpădi, a cuprinde; a covârși

ingurgitate [in'gə:dʒi,teit] **I** *vt* **1** a îngurgita, a ingera; a înghiți, a înfuleca **2** a îngurgita, *F* a sorbi, a da pe gât **3** *fig* a înghiți, a îneca, a năpădi, a cuprinde **II** *vi F* a trage zdravăn/vârtos la măsea, a bea pe rupte

inhabit [in'hæbit] **I** *vt* **1** a locui/a domicilia în **2** și *fig* a popula, a locui/a sălășlui în **II** *vi* ← *rar* a locui, a sta; a sălășlui

inhabitable [in'hæbitəbəl] *adj* locui-bil, corespunzător pentru locuit; salubru

inhabitancy [in'hæbitənsi] *s* **1** reșe-dință, locuință, domiciliu **2** *jur, pol* ședere, domiciliere

inhabitant [in'hæbitənt] *s* **1** locuitor **2** locatar **3** *biol* animal care populează un mediu, viețuitoare specifică unui areal

inhabitation [in,hæbi'teiʃən] *s v.* **inhabitancy**

inhabited [in'hæbitid] *adj* **1** locuit, ocupat **2** *geogr* populat, locuit

inhalant [in'heilənt] *med* **I** *s* **1** inhalant **2** inhalator **II** *adj* de/ pentru inhalat

inhalation [,inhə'leiʃən] *s* **1** inhalare, inspirare, aspirare **2** *med* inha-lație **3** *med* inhalant

inhalator ['inhə,leitə[r]] *s med* inha-lator

inhale [in'heil] **I** *vt* **1** a inhala; a inspira; a absorbi; a trage *(fumul)* în piept **2** a respira; a răsufla **II** *vi (d. fumători)* a trage în piept

inhaler [in'heilə[r]] *s* **1** *med* inhalator **2** *tehn* mască *(de protecție)* contra prafului *etc.* **3** filtru de aer; respirator **4** fumător care trage fumul în piept

inharmonic [,inhɑ:'mɔnik], **inhar-monious** [,inhɑ:'mouniəs] *adj muz* și *fig* nearmonios, discor-dant, distonant, strident

inharmoniousness [,inhɑ:'mou-niəsnis] *s* **1** *muz* și *fig* lipsă de armonie, discordanță, distonanță **2** *fig* discordie

inhere [in'hiə[r]] *vi* **1** (in) a fi inerent/ propriu/intrinsec *(cu dat)* **2** (in) a se cuveni *(cuiva)*, a fi de drept *(cu gen)* **3** a fi de la sine înțeles, a se subînțelege

inherent [in'hiərənt] *adj* (in) **1** inerent, propriu *(cu dat)*, intrin-sec; de la sine înțeles **2** înnăscut **3** inseparabil, inalienabil

inherently [in'hiərəntli] *adv* **1** în mod inerent/firesc/natural **2** din fire/ născare

inherit [in'herit] **I** *vt* **1** (of, from) a moșteni, a primi ca moștenire/ prin testament (de la) **2** a succe-de, a urma *(cu dat)*, a fi moște-nitorul *(cu gen)* **II** *vi* a moșteni, a primi (ca) moștenire

inheritable [in'heritəbəl] *adj* **1** *jur* transmisibil *(prin moștenire)*, care poate fi lăsat moștenire; succesoral **2** *biol, med* ereditar, care se moștenește, transmi-sibil

inheritance [in'heritəns] *s* **1** moște-nire **2** *jur* succesiune; proprietate moștenită; patrimoniu dobândit prin succesiune; **to come into one's ~** a intra în posesia moș-tenirii **3** *biol* ereditate, caracte-ristici moștenite/ereditare

inheritance tax [in'heritəns,tæks] *s jur* taxe succesorale/de moș-tenire

inheritor [in'heritə[r]] *s* moștenitor, succesor, urmaș

inheritress [in'heritris], **inheritrix** [in'heritriks] *s* moștenitoare, urmașă

inhesion [in'hi:ʒən] *s* caracter inerent, inerență

inhibit [in'hibit] *vt* **1** a inhiba; < a paraliza **2** (to, from) a împie-dica, a opri *(să, de, la)* **3** a interzice, a nu permite **4** a răspopi, a caterisi

inhibition [ˌiniˈbiʃən] *s* **1** inhibiție **2** inhibare **3** (**from**) împiedicare, reținere, oprire (de la) **4** interzicere, interdicție **5** *jur* sechestru, poprire

inhibitive [inˈhibitiv] *adj v.* **inhibitory**

inhibitor [inˈhibitər] *s* **1** *tehn* dispozitiv de încetinire *sau* frânare; încetinitor **2** *ch* inhibitor **3** factor de inhibiție/reținere

inhibitory [inˈhibitəri] *adj* **1** inhibitor, care inhibă **2** prohibitor, care interzice, împiedică

inhomogeneity [inˌhoumədʒiˈniːti] *s* neomogenitate, caracter neomogen/eterogen

inhomogeneous [inˌhouməˈdʒiːniəs] *adj* neomogen, lipsit de omogenitate

inhospitable [inˈhɔspitəbəl] *adj* **1** neospitalier, neprimitor **2** vrăjmaș, dușmănos **3** (*d. mâncare*) prost

inhospitableness [inˈhɔspitəbəlnis], **inhospitality** [ˌinhɔspiˈtæliti] *s* caracter inospitalier/neospitalier, vrăjmășie

in-house [ˈinˌhaus] *adj* **1** (al său) propriu **2** intern, local; autohton, indigen

in-house facilities [ˈinˌhausfəˈsilitiz] *s pl* resurse/mijloace proprii/interne

inhuman [inˈhjuːmən] *adj* **1** inuman, nemilos, crid, neomenos **2** barbar, feroce, sălbatic **3** rece, indiferent **4** neomenesc, inuman

inhumane [ˌinhjuːˈmein] *adj* lipsit de omenie, neomenos; nemilos

inhumanity [ˌinhjuːˈmæniti] *s* **1** lipsă de omenie/umanitate **2** cruzime, barbarie, ferocitate

inhumanly [inˈhjuːmənli] *adv* sălbatic, inuman, neomenește

inhumation [ˌinhjuːˈmeiʃən] *s* **1** înhumare, îngropare, înmormântare **2** *agr* îngropare

inhume [inˈhjuːm] *vt* **1** a înhuma, a îngropa, a înmormânta **2** *agr* a îngropa

inimical [iˈnimikəl] *adj* (**to**) **1** dușmănos, vrăjmaș (față de), ostil, potrivnic (*cu dat*) **2** neprielnic, nefavorabil (*cu dat*) **3** defavorabil, dezavantajos **4** dăunător, păgubitor, care dăunează (*cu dat*)

inimically [iˈnimikəli] *adv* cu dușmănie/vrăjmășie/ostilitate, răuvoitor, dușmănește

inimitable [iˈnimitəbəl] *adj* **1** inimitabil **2** incomparabil, neasemuit, fără pereche/seamăn

inimitably [iˈnimitəbli] *adv* (în mod) inimitabil; extraordinar (de)

iniquitous [iˈnikwitəs] *adj* **1** nedrept, nejust **2** arbitrar, samavolnic **3** nelegiuit, criminal, ticălos

iniquitously [iˈnikwitəsli] *adv* **1** pe nedrept, (în mod) nejust **2** arbitrar, samavolnic

iniquitousness [iˈnikwitəsnis], **iniquity** [iˈnikwiti] *s* **1** nedreptate, injustiție; năpastă **2** act arbitrar, samavolnic **3** fărădelege, ticăloșie, nelegiuire **4** *rel* păcat

initial [iˈniʃəl] **I** *adj* **1** inițial, originar, de început **2** prim(ar), primordial **II** *s* **1** inițială **2** *pl* parafă, viză (*de control*) **3** *muz* notă inițială **III** *vt* **1** a parafa, a aproba, a aviza; a viza, a-și pune parafa pe **2** a nota cu inițiale *sau* cu o inițială

initial adjustement [iˈniʃəl əˈdʒʌstmənt] *s tehn* reglare, reglaj inițial; aducere (*a unui contor etc.*) la zero

initial cell [iˈniʃəl ˈsel] *s biol* celulă embrionară, gametă

initial line [iˈniʃəl ˈlain] *s* **1** aliniament inițial **2** *poligr* cap de pagină

initially [iˈniʃəli] *adv* inițial, la origine/început, mai întâi

initial performance [iˈniʃəl pəˈfɔːməns] *s* premieră, primul spectacol, prima reprezentație

initial point [iˈniʃəl ˈpoint] *s* **1** *mat* și *fig* punct de plecare **2** *tehn* poziție inițială/de plecare

initial set [iˈniʃəl ˈset] *s constr* **1** priză/întărire inițială **2** contracție/tasare inițială, începutul tasării

initial stage [iˈniʃəl ˈsteidʒ] *s* stadiu inițial, început

initial teaching alphabet [iˈniʃəl ˈtiːtʃiŋ ˈælfəbit] *s lingv* alfabet fonetic (*de 44 de litere*)

initiate I [iˈniʃiˌeit] *vt* **1** a iniția; a începe, a deschide; a lua inițiativa (*cu gen*) **2** a inaugura; a lansa, a introduce **3** *jur* a intenta, a deschide, a introduce **4** (**into**) a iniția (*într-o taină, problemă*), a instrui (*într-un domeniu*) **5** (**into**) a primi (*într-o societate secretă etc.*) **II** [iˈniʃiˌeit] *vi* **1** a lua/a avea inițiativa **2** a porni, a începe **3** a fi inițiat/admis/introdus (*într-o so-*

cietate secretă) **III** [iˈniʃiit] *adj* **1** început, pornit; inaugurat **2** (**in**) inițiat (în), pus la curent (cu) **3** (**in**) admis (în) **IV** *s* inițiat

initiated [iˈniʃiˌeitid] **I** *adj* inițiat **II** *s* **the ~** (cei) inițiați

initiation [iˌniʃiˈeiʃən] *s* **1** începere, inițiere, deschidere, inaugurare **2** (**into**) inițiere, instruire (*într-un domeniu secret etc.*); primire (*într-o societate secretă*)

initiation fee [iˌniʃiˈeiʃən ˌfiː] *s amer* taxă de înscriere

initiative [iˈniʃiətiv] **I** *s* **1** inițiativă; **on the ~ of** din inițiativa *cu gen* **2** spirit întreprinzător, (spirit de) inițiativă; **to have plenty of ~** a fi întreprinzător/descurcăreț/activ; a da dovadă de inițiativă legislativă **II** *adj v.* **initiatory**

initiator [iˈniʃiˌeitər] *s* inițiator; promotor

initiatory [iˈniʃiˌeitəri] *adj* **1** introductiv, pregătitor, preliminar, de început **2** de/pentru inițiere

inject [inˈdʒekt] *vt* **1** (**into**) a injecta (*în sau cu dat*); a face o injecție (cu), *med* a administra sub formă de injecție (*cu dat*) **2** (**with**) *med* a face (cuiva) o injecție (cu), a administra (cuiva) sub formă de injecție **3** *tehn* a injecta; a introduce prin injecție **4** *fig* a insufla, a inspira, a inculca **5** *amer fig* a intercala, a interpola

injected [inˈdʒektid] *adj med* injectat, congestionat

injection [inˈdʒekʃən] *s* **1** injecție **2** *med* injectare **3** *tehn* injecție; injectare **4** *fig* insuflare, inculcare; sugerare **5** *amer fig* observație/remarcă intercalată/forțată

injection engine [inˈdʒekʃən ˌendʒin] *s tehn* motor Diesel/cu injector

injection moulding [inˈdʒekʃən ˌmouldiŋ] *s* turnare (*a articolelor de plastic sau cauciuc*) prin injecție

injection syringe [inˈdʒekʃən ˌsirindʒ] *s med* seringă

injection valve [inˈdʒekʃən ˌvælv] *s tehn* **1** supapă de injecție **2** injector

injector [inˈdʒektər] *s tehn* injector, pompă de injecție

injudicious [ˌindʒuːˈdiʃəs] *adj* **1** nesocotit, nechibzuit, nesăbuit, imprudent **2** lipsit de discernământ/înțelepciune, neînțelept

injudiciously [ˌindʒu'diʃəsli] *adv* (în mod) nesocotit/nechibzuit/imprudent/nesăbuit

injudiciousness [ˌindʒu'diʃəsnis] *s* nesăbuință, nechibzuință, caracter neînțelept/imprudent

Injun ['indʒən] *s amer F* indian; **to play ~ a** a se da la fund **b** a face pe mortul în păpușoi **c** a trage chiulul, a se eschiva/a se sustrage de la îndatoriri

injunction [in'dʒʌŋkʃən] *s* **1** ordin, poruncă, dispoziție *(categorică)* **2** *jur* hotărâre judecătorească de suspendare *sau* amânare; interdicție; **to ask for an ~** a face opoziție/întâmpinare, a ridica o obiecție, a se opune

injunctive [in'dʒʌŋktiv] *adj* **1** poruncitor, categoric, fără replică **2** obligator(iu), executoriu **3** *jur* prohibitiv, de interdicție, restrictiv

injure ['indʒər] **I** *vt* a răni; a vătăma, a lovi; **to be ~d on duty** a fi rănit la datorie **2** *fig* a jigni, a răni, a leza, a ofensa **3** *fig* a leza, a prejudicia; a păgubi; a dăuna *(cu dat)* **4** a strica; a vătăma, a înrăutăți **5** *com* a avaria; a strica **II** *vr* a se răni; a-și face rău

injured ['indʒəd] **I** *adj* **1** rănit, vătămat, lovit; beteag **2** *fig* jignit, ofensat, lezat, ofuscat **3** *fig* lezat, prejudiciat, păgubit **4** *com* avariat, stricat **II** *s (col)* răniți; accidentați; victime

injuria [in'dʒuəriə], *pl* **injuriae** [in'dʒuərii] *s jur* încălcare/violare a drepturilor altei persoane

injurious [in'dʒuəriəs] *adj* **1** (**to**) vătămător, dăunător, nociv (pentru *cu dat)*; funest, primejdios (pentru); **~ to man's health** vătămător/nociv pentru sănătatea oamenilor **2** *fig* calomnios, defăimător **3** *fig* injurios, insultător, ofensator **4** *fig* nedrept, injust

injuriously [in'dʒuəriəsli] *adv* **1** în mod vătămător/nociv/dăunător/primejdios; **to affect ~** a avea un efect rău/prost/dăunător asupra *(cu gen)* **2** (în mod) injust/nedrept, pe nedrept **3** injurios, insultător, ofensator

injuriousness [in'dʒuəriəsnis] *s* **1** nocivitate, periculozitate, caracter dăunător/nociv/primejdios/vătămător **2** comportare nedreaptă/injustă, nedreptate, injustețe

injury ['indʒəri] *s* **1** rană; *med* leziune, rănire; **there were no personal injuries** n-a fost rănită nici o persoană; nimeni n-a pățit nimic; **to receive/to sustain an ~** a fi rănit, a se alege cu răni/o rană; **to do oneself an ~** a se răni **2** *fig* jignire, ofensă, ultraj, injurie; lezare **3** *jur, com* pagubă; daună, prejudicii; *și fig* detriment; **to the ~ of** în detrimentul, spre paguba *cu gen* **4** *tehn* avarie; pană **5** *com* stricăciune, pagubă; **to do ~ to** a avaria *(o marfă etc.)* **6** nedreptate; prejudiciu; **to do smb an ~** a nedreptăți/a leza/a prejudicia pe cineva; **to suffer/to sustain an ~** a suferi/a i se face o nedreptate

injury time ['indʒəri ˌtaim] *s sport* prelungire acordată de arbitru *(ca urmare a accidentării jucătorilor)*

injustice [in'dʒʌstis] *s* nedreptate, inechitate, injustiție; năpastă; **to do smb an ~** a face o nedreptate cuiva; a fi nedrept cu cineva

ink [iŋk] **I** *s* **1** cerneală; tuș; (**written**) **in ~** *(scris)* cu cerneală; **before the ~ was dry** înainte chiar de a se usca cerneala, pe dată; (**as**) **dull as ~** plicticos/nesărat la culme **2** *fig* slovă *(tipărită)*; tipar **3** lichidul cu care stropește sepia; *(culoarea)* sepia **4** *amer sl* cioroi, cioară, – negru **5** *amer sl* poșircă, – vin prost **6** *amer mil* ← *sl* cafea **II** *vt* **1** a scrie *(un text)* cu cerneală, a trece în cerneală/pe curat **2** a păta/a mânji/a murdări cu/de cerneală

ink bag ['iŋkˌbæg] *s zool* pungă de cerneală a sepiei

ink-bespotted ['iŋkbiˌspɔtid], **ink-blurred** ['iŋkbləːd] *adj* murdar/mânjit cu cerneală

ink bottle ['iŋkˌbɔtəl] *s* **1** călimară **2** sticlă de cerneală/tuș

ink brush ['iŋkˌbrʌʃ] *s* pensulă pentru tuș

ink case ['iŋkˌkeis] *s* **1** garnitură de birou **2** cutie de culori

ink cup ['iŋkˌkʌp] *s* călimară

inker ['iŋkər] *s* **1** *poligr* sul/val/valț/cilindru cu cerneală de tipar **2** teleimprimator

ink eraser ['iŋkiˌreizər] *s* gumă/radieră pentru cerneală

ink feed ['iŋkˌfiːd] *s* pompă *(la stilou)*

ink fish ['iŋkˌfiʃ] *s zool* sepie *(Sepia sp.)* **2** calmar *(Soligo sp.)*

ink glass ['iŋkˌglɑːs], **ink holder** ['iŋkˌhouldər] *s* călimară

inkhorn ['iŋkˌhɔːn] **I** *s od* călimară făcută dintr-un corn **II** *adj* livresc, pretențios, pedant, prețios

inkhornism ['iŋkˌhɔːnizəm] *s* pedanterie, exprimare pretențioasă/pedantă/prețioasă

inkhorn mate ['iŋkˌhɔːnˌmeit] *s* scriitoraș pedant/prețios

ink in ['iŋk 'in] *vt cu part adv v.* **ink over**

inkiness ['iŋkinis] *s* negreală, negreață; culoare a cernelii

inking ['iŋkiŋ] *s* **1** *poligr* aplicare a cernelii **2** murdărie/mânjire cu cerneală

inkling ['iŋkliŋ] *s* **1** (mică) bănuială, suspiciune, idee/noțiune vagă; **an ~ of truth** o licărire de adevăr; **to have an ~ of smth** a avea o mică bănuială într-o privință; a simți/a mirosi ceva; **he had no ~ of it** habar nu avea de asta, nici măcar nu bănuia nimic **2** aluzie, indicație, sugestie; semn; **he gave us no ~ of it** n-a făcut nici cea mai mică aluzie la asta; nu ne-a dat cu nimic de bănuit

in-knee ['in,niː] *s* **1** genunchi întors spre interior; *med* genu valgus **2** *pl* picioare strâmbe/în X

in-kneed ['in,niːd] *adj* **1** *(d. cai)* cosit **2** *(d. oameni)* cu picioarele strâmbe/în X; *med* cu genu valgus

ink out ['iŋk 'aut] *vt cu part adv* a șterge/a tăia/a bifa cu cerneală

ink over ['iŋk 'ouvər] *vt cu part adv* **1** a trece *(un text)* în cerneală/tuș **2** a trece cu cerneală/tuș *(liniile făcute cu creionul)*

ink-pad ['iŋkpæd] *s* tușieră

ink pencil ['iŋkˌpensəl] *s* creion chimic/copiativ

ink pot ['iŋkpɔt] *s* călimară

ink sack ['iŋksæk] *s* **1** rezervor *(la stilou)* **2** *zool v.* **ink bag**

ink slinger ['iŋkˌsliŋər], **ink spitter** ['iŋkˌspitər] *s* **1** conțopist, scrib, copist **2** gazetăraș, trepăduș la o gazetă

ink spot ['iŋkspɔt] *s* pată de cerneală

ink-spot remover ['iŋkspɔt ri'muːwər] *s* detergent pentru petele de cerneală

ink stain ['iŋkstein] *s* pată de cerneală

ink stand ['iŋkstænd] *s* **1** călimară **2** garnitură de birou

ink up ['iŋk 'ʌp] *vt cu part adv* a impregna/a acoperi cu cerneală

ink well ['iŋkwel] *s* **1** călimară *(îngropată în pupitru/birou)* **2** *poligr* cutie de culori

ink writer ['iŋk ˌraitəʳ] *s* telegraf/aparat morse

inky ['iŋki] *adj* **1** de cerneală **2** murdar/pătat/mânjit cu cerneală **3** negru ca smoala/cerneala; întunecat, întunecos

inky black ['iŋki ˌblæk] *adj* negru ca smoala/cerneala; **the night was ~** era o noapte neagră, era o beznă adâncă

inlaid ['inˌleid] *adj* **1** incrustat; marchetat **2** *tehn* furniruit, placat, parchetat; lucrat în mozaic **3** inserat, intercalat **4** *fig* înstărit, bogat, avut; **to be well ~** a fi om cu stare, a avea bătrânețile asigurate

inlaid work ['inˌleid'wəːk] *s* marchetărie, mozaic de lemn; incrustație

inland I ['inlənd] *s* interior, regiune/parte centrală *(a unei țări)* **II** ['inlænd] *adj* **1** din/în interiorul/centrul țării **2** interior, intern **3** autohton, indigen **III** [in'lænd] *adv* spre/în interiorul/centrul țării

inland coin ['inlənd ˌkɔin] *s ec* monedă națională

inland commodities ['inlənd kəˌmɔditiz] *s pl* produse indigene

inland duty ['inlənd ˌdjuːti] *s ec* **1** vamă internă **2** taxă de consum, impozit pe circulația mărfurilor

inlander ['inləndəʳ] *s* locuitor din interiorul/centrul unei țări

inland mail ['inlənd,meil] *s* poștă internă

inland navigation ['inlənd,næviˌgeiʃən] *s nav* navigație fluvială/interioară

inland postage ['inlənd ˌpoustidʒ] *s* tarif pentru corespondența internă

inland produce ['inlənd ˌprɔdjuːs] *s com* produse indigene

inland revenue ['inlənd ˌreviˌnjuː] *s ec* **1** impozite directe și indirecte; fisc(alitate) **2** venituri provenite din impozite

inland revenue stamp ['inləndˌreviˌnju: 'stæmp] *s* timbru fiscal

inland sea ['inləndˌsiː] *s* mare interioară

inland town ['inlənd,taun] *s* oraș de provincie/*sau* din centrul țării

inland trade ['inləndˌtreid] *s ec* comerț interior

inland waters ['inləndˌwɔːtəz] *s pl* ape interioare/continentale

inland water transport/transportation ['inləndˌwɔːtətrænspɔːt/ˌtrænspɔː'teiʃən] *s* navigație fluvială; transport fluvial

inland waterways ['inlənd ˌwɔːtəˌweiz] *s pl* căi navigabile interne/fluviale

in-laws [ˌin'lɔːz] *s pl* rude prin alianță

inlay [in'lei] **I** *vt* **1** (**with**) a incrusta, a acoperi cu incrustații (de) **2** a marcheta, a parcheta, a pardosi cu mozaic **3** a intercala, a insera, a introduce **4** *fig* a orna; a împodobi, a decora **II** *s* **1** incrustare **2** incrustație **3** marchetare **4** mozaicare **5** plombă *(dentară)* **6** intercalare, inserare

inlet ['inlet] **I** *s* **1** golfuleț, sân de mare **2** intrând **3** *tehn* admisie; intrare; orificiu/gură de admisie/intrare; gură de scurgere **4** *el* racord, bornă de intrare **II** *adj atr* de intrare; *tehn* de admisie

inlet valve ['inlet 'vælv] *s tehn* supapă de admisie *sau* aspirație

inlying ['inˌlaiiŋ] *adj* intern, (din) interior; lăuntric

inmate ['inˌmeit] *s* **1** locatar *(↓ al unei pensiuni etc.)* **2** pensionar al unui azil, bolnav internat

inmiscible ['in'misibəl] *adj* nemiscibil, inmiscibil

inmost ['inmoust] *adj v.* **innermost**

inn [in] *s* **1** han **2** birt, ospătărie; cârciumă de țară **3** *(la Londra)* școală de avocatură/drept; barou

innards ['inədz] *s pl* **1** ← *F* și *fig* măruntaie, mațe **2** mecanism, piese

innate [i'neit] *adj* **1** înnăscut, congenital, din născare **2** inerent, ereditar **3** firesc, natural, instinctiv **4** *fiz* de inerție

innateness [i'neitnis] *s* **1** caracter înnăscut/congenital **2** caracter instinctiv **3** trăinicie, soliditate

inner ['inəʳ] *adj* **1** interior, lăuntric, intern, dinăuntru **2** *fig* tainic, secret, ascuns, lăuntric **3** *fig* înăbușit, slab, stins

inner bar ['inəˌbaːʳ] *s jur* (corpul de) avocați ai statului

inner circle ['inə ˌsəːkəl] *s fig* cercul inițiaților; cei din cetate/dinăuntrul cercului

inner ear ['inərˌiəʳ] *s anat* ureche internă

inner man ['inəˌmæn] *s* **1** suflet, eu *(lăuntric)*, ego **2** ← *umor* burtă, stomac; **to refresh one's ~** a **a** a-și pune burta/stomacul la cale **b** *fig* a-și răcori/săra inima

Inner Mongolia ['inəmɔŋ'gouliə] Mongolia interioară

innermost ['inəmoust] *adj* **1** cel mai adânc/profund/ascuns **2** *fig* (cel mai) tainic/intim/lăuntric/ascuns

innermost recesses ['inəmoust ri'sesiz] *s pl* tainițe, ascunzișuri, cotloane/unghere ascunse; **the ~ of the wood** inima/adâncul pădurii

inner part ['inə ˌpaːt] *s muz* voce medie/mijlocie

inner side ['inəˌsaid] *s* interior, parte interioară; **in the ~** înăuntru, în interior, pe partea interioară/dinăuntru

inner space ['inəˌspeis] *s* **1** *astr* spațiu extraterestru **2** *geogr* primul strat de adâncime *(al mării etc.)* **3** *psih* subconștient

inner spring mattress ['inəˌspriŋ 'mætris] *s amer* somieră

Inner Temple, the ['inə 'tempəl, ði] *s* școală juridică/de avocatură *(la Londra)*

inner tube ['inə ˌtjuːb] *s auto* cameră

innervate ['inəːveit] *vt* **1** *anat* a inerva **2** *fizl* a excita, a stimula; a tonifica

innervated ['inəːveitid] *adj anat* inervat

innervation [ˌinəː'veiʃən] *s* **1** *anat* inervație, inervare **2** *fizl* transmitere a excitației nervoase **3** *fizl* tonifiere/fortificare a nervilor

inning ['iniŋ] *s* **1** *agr* asanare *(a mlaștinilor, golfurilor etc.)* **2** *geogr* pământ aluvionar **3** *pl sport* serviciu, rând *(la servit sau bătut mingea);* **to have one's ~** a **a** avea serviciul, a servi **b** *fig* a fi/a veni la rând; **to have the first ~** a avea prima minge/lovitură; **it's my ~** e rândul meu **4** *pl* perioadă de guvernare/dominație/serviciu; mandat; **he has had his ~** *fig* și-a trăit traiul/veleatul

innkeeper ['in,ki:pəʳ] s hangiu; cârciumar

innocence ['inəsəns], **innocency** ['inəsnsi] s 1 inocență, nevinovăție 2 candoare, inocență, neprihănire, puritate; **to pretend ~** a face pe mironosița; **to assume a look of ~** a face o mutră nevinovată 3 ignoranță, nerozie, caracter prostesc 4 jur nevinovăție, lipsă de culpabilitate 5 lipsă de nocivitate/periculozitate, caracter inofensiv

Innocent I ['inəsənt] nume masc Inocențiu, Inochentie

innocent I adj 1 inocent, nevinovat 2 candid, neprihănit, pur, nevinovat; **to put on an ~ air a** a face o mutră nevinovată **b** a face pe naivul 3 ignorant 4 simplist, simpluț, prostuț 5 natural, firesc, neprefăcut 6 (of) ↓ jur nevinovat, inocent, fără culpă (într-o privință) 7 F drăguț; grațios 8 inofensiv, nevătămător 9 com permis, autorizat II s 1 nevinovat, ființă nevinovată (↓ prunc) 2 bibl prunc 3 nevinovat, novice 4 F găgăuță, gogoman, cap sec, fraier 5 amer sl mort, cadavru

innocently ['inəsəntli] adv (în mod) nevinovat/inocent/candid; cu candoare/nevinovăție

innocent of ['inəsəntəv] adj cu prep 1 lipsit de, fără 2 neștiutor/necunoscător în materie de

Innocents' Day ['inəsənts ,dei] s bis Uciderea pruncilor (28 decembrie)

innocuity [,inə'kju:iti] s v. **innocuousness**

innocuous [i'nɔkjuəs] adj inofensiv, nevătămător; **to render ~** fig a goli de conținut

innocuously [i'nɔkjuəsli] adv (în mod) inofensiv, fără a vătăma

innocuousness [i'nɔkjuəsnis] s caracter inofensiv/nevătămător, lipsă de nocivitate

innominate bone [i'nɔminit ,boun] s anat os iliac

innovate ['inə,veit] I vi 1 (in) a aduce inovații (în)/în materie (de), a fi inovator II vt a înnoi

innovation [,inə'veiʃən] s 1 inovație, înnoire, lucru inedit 2 inovație, invenție 3 spirit (i)novator/inventiv, inventivitate

innovator ['inə,veitəʳ] s 1 inovator;

inventator 2 reformator, înnoitor, adept al inovațiilor

innoxious [i'nɔkʃəs] adj inofensiv, nevătămător

innoxiously [i'nɔkʃəsli] adv v. **innocuously**

Inns of Chancery, the ['inzəv 'tʃɑ:nsəri, ði] 1 od căminul studenților în drept 2 baroul avocaților londonezi

Inns of Court, the ['inzəv 'kɔ:t, ði] s cele patru școli de avocatură/ drept din Londra (care acordă intrarea în barou) **(Lincoln's Inn, Gray's Inn, The Inner Temple, The Middle Temple)**

innuendo [,inju'endou] I pl ~**es** [-z] s 1 jur insinuare, aluzie perfidă 2 (**against**) aluzie răutăcioasă/ răuvoitoare/perfidă/fină, insinuare (împotriva, la adresa – cu gen) II vi a face aluzii (indirecte)/insinuări, a insinua diverse lucruri

innumerability [i,nju:mərə'biliti] s caracter nenumărabil; imposibilitate de a fi numărat; multitudine

innumerable [i'nju:mərəbəl] adj fără număr, atr mulțime, grămadă, nenumărat

innutritious [,inju:'triʃəs] adj nehrănitor, nenutritiv, nesubstanțial

inobservable [,inəb'zə:vəbəl] adj inobservabil, care nu poate fi observat

inobservance [,inəb'zə:vəns], **inobservancy** ['inəb'zə:vənsi] s 1 jur nerespectare, încălcare 2 nerespectare, neîndeplinire, călcare (a unei făgăduieli) 3 lipsă de atenție, neatenție

inobservant [,inəb'zə:vənt] adj (of) 1 jur care nu respectă, care încalcă (legea etc.) 2 neatent la, care nu observă (ceva)

inoccupation ['in,ɔkju'peiʃən] s lipsă de ocupație, șomaj

inoculable [i'nɔkjuləbəl] adj med inoculabil

inoculate [i'nɔkjuleit] vi 1 med a inocula; a vaccina 2 biol a însămânța 3 fig a inocula, a inculca, a insufla

inoculation [in,ɔkju'leiʃən] s 1 med inoculare; vaccinare 2 biol însământare 3 fig inoculare, inculcare, insuflare

inoculator [i'nɔkju,leitəʳ] s 1 med persoană care face inoculări sau vaccinări 2 med instrument folosit

pentru inoculare sau vaccinare 3 pl biol cultură de bacterii (pentru inoculări sau însămânțări)

inoculum [i'nɔkjuləm], pl **inocula** [i'nɔkjulə] s med substanță folosită pentru inoculare; aprox vaccin

inodorous [in'oudərəs] adj inodor, fără miros

inodorousness [in'oudərəsnis] s caracter inodor, lipsă de miros

inoffensive [,inə'fensiv] adj inofensiv, nevătămător; nesupărător

inoffensiveness [,inə'fensivnis] s caracter inofensiv/nevătămător/ nesupărător

inofficial [,inə'fiʃəl] adj neoficial

inofficious [,inə'fiʃəs] adj 1 jur inoperant; nevalabil 2 nedrept, nejust 3 imoral, împotriva obligațiilor morale

inofficiously [,inə'fiʃəsli] adv în mod nedrept/nejust, pe nedrept

inofficious testament/will [,inə-'fiʃəs 'testəmənt/,wil] s jur testament care lezează pe moștenitorii legitimi

inoperable [in'ɔpərəbəl] adj inoperabil

inoperative [in'ɔpərətiv] adj 1 jur inoperant; nevalabil, ineficace, fără efect 2 inactiv, inert, neoperativ

inopportune [in'ɔpətju:n] adj 1 inoportun, neoportun; deplasat, prost plasat 2 nepotrivit, nelalocul său 3 supărător, neplăcut, plicticos

inopportuneness [in'ɔpə,tju:nis], **inopportunity** [,inɔpə'tju:niti] s inoportunitate, caracter inoportun/nepotrivit

inordinate [in'ɔ:dinit] adj 1 nemăsurat, exagerat; excesiv, exorbitant 2 necumpătat, nechibzuit, fără măsură 3 dezordonat, neregulat; **to keep ~ hours** a duce o viață neregulată/dezordonată (în privința somnului)

inordinately [in'ɔ:dinitli] adv 1 (în mod) nemăsurat, exagerat, excesiv; fără măsură 2 fără moderație/cumpătare 3 (în mod) dezordonat/neregulat

inordinateness [in'ɔ:dinitnis] s 1 exagerare, caracter excesiv/ exagerat 2 neregularitate, caracter neregulat/dezordonat

inorg presc de la **inorganic**

inorganic [ˌinɔːˈgænik] *adj* **1** *ch* anorganic **2** neorganic, neintegrat; străin, exterior **3** *lingv* nearticulat

inorganic chemistry [ˌinɔːˈgænikˈkemistri] *s* chimie anorganică

inorganizable [ˌinɔːgəˈnaizəbəl] *adj* dezorganizat, imposibil de organizat

inornate [ˌinɔːˈneit] *adj* lipsit de podoabe/înflorituri, neîmpodobit, neînflorit

inosculate [inˈɔskju‚leit] **I** *vi* (**with**) **1** *anat* (d. vase de sânge) a se anastomoza/a face anastomoză (cu) **2** (d. fibre) a se uni/a se împleti (cu) **3** *fig* a fi strâns legat/ unit (cu); a se înlănțui, a se contopi (cu) **4** *tehn* a se angrena, a se îmbina (cu) **II** *vt* (**with**) **1** *med* a lega/a uni prin anastomoză (cu) **2** *fig* a uni, a îmbina (strâns)

inosculation [in‚ɔkjuˈleiʃən] *s* **1** *anat* inosculație, anastomoză **2** *med* inosculare **3** *fig* împletire, legare; îmbinare, contopire

inostensible [ˌinɔsˈtensəbəl] *adj* neostentativ, lipsit de ostentație

inoxidable [iˈnɔksidəbəl], **inoxidizable** [ˌinˈɔksidaizəbəl] *adj* inoxidabil

in-patient [ˈinˌpeiʃənt] *s med* bolnav/ pacient internat/spitalizat

in-patient unit [ˈinˌpeiʃəntˈjuːnit] *s med* staționar

inpour I [ˈinˌpɔː] *s și fig* aflux, afluență, revărsare, potop, ploaie **II** [ˌinˈpɔː] *vi* a se revărsa, a curge (din belșug)

inpouring [ˌinˈpɔːriŋ] **I** *s v.* **inpour I** **II** *adj* **1** care intră/sosește/vine **2** care năvălește/se îmbulzește/dă buzna

input [ˈinˌput] *s* **1** *tehn* admisie; intrare; absorbție **2** *tehn* energie/ putere consumată **3** *tehn* alimentare; furnizare **4** *el* putere de alimentare

inquest [ˈinˌkwest] *s* **1** *jur* anchetă; **to hold an ~ (on a body)** a face o anchetă (pentru a stabili cauza unei morți) **2** juriu **3** *rel* judecată

inquest of office [ˈinˌkwestəvˈɔfis] *s* anchetă oficială/din oficiu

inquietude [inˈkwaiiˌtjuːd] *s* **1** neliniște, agitație, tulburare **2** îngrijorare, grijă, neliniște **3** *med* agitație (a corpului)

inquire [inˈkwaiə] **I** *vt* **1** a întreba (de,

despre); **to ~ one's way** a întreba pe unde să meargă; **to ~ the price of smth** a întreba cât costă ceva, a se interesa/a întreba de prețul unui lucru; **I ~d of smb what was happening** am întrebat pe cineva ce se întâmplă **2** a se interesa de/ despre; a se informa în privința (cu gen) **II** *vi* a întreba, a se interesa; **~ within** adresați-vă/a se adresa aici

inquire about [inˈkwaiəˌbaut] *vi cu prep* a se interesa/a întreba de/ despre

inquire after [inˈkwaiərˌɑːftə] *vi cu prep* a se interesa/a întreba de/ despre; **to ~ smb's health** a se interesa de sănătatea cuiva

inquire for [inˈkwaiə fə] *vi cu prep* **1** a întreba de **2** a cere/a dori să vadă pe (cineva)

inquire into [inˈkwaiərˌintə] *vi cu prep* **1** a cerceta, a investiga, a examina (cu ac) **2** a lua informații despre **3** *jur* a ancheta, a cerceta (cu ac), a face cercetări cu privire la

inquirer [inˈkwaiərə] *s* **1** solicitator, persoană care întreabă **2** (about, into) cercetător (al unei probleme), persoană care studiază (o problemă)

inquiring [inˈkwaiəriŋ] *adj* **1** întrebător **2** scrutător, iscoditor, curios; **of an ~ disposition** cu o minte iscoditoare; iscoditor; curios, plin de interes

inquiringly [inˈkwaiəriŋli] *adv* **1** (cu un aer) întrebător **2** iscoditor, curios, scrutător

inquiring agent [inˈkwaiəriŋˈeidʒənt] *s* detectiv particular

inquiry [inˈkwaiəri] *s* **1** anchetă, cercetare, cercetări; **to conduct/to hold an ~** a proceda la/ a face/a efectua o anchetă **2** cercetare, investigare, investigație **3** întrebare, solicitare de informații; *pl* cercetări, investigații (up)on ~ solicitând informații; interesându-se; **to make inquiries** a cere informații, a face cercetări, a se interesa **4** (for) *com* cerere (de)

inquiry office [inˈkwaiəriˈɔfis] *s* birou/ghișeu de informații

Inquisition, the [ˌinkwiˈziʃən, ði] *s ist* Inchiziția

inquisition *s* **1** tortură, chin **2** *jur* cercetare, anchetă; percheziție

inquisitive [inˈkwizitiv] *adj* **1** iscoditor, curios **2** indiscret, băgăreț

inquisitiveness [inˈkwizitivnis] *s* **1** curiozitate, spirit iscoditor **2** curiozitate, indiscreție

inquisitor [inˈkwizitə] *s* **1** *ist* inchizitor **2** *jur* anchetator; judecător de instrucție

inroad [ˈinˌroud] *s* (**upon**) **1** incursiune, atac, năvală (asupra, împotriva – cu gen) **2** încălcare a (cu gen); **to make ~s upon smb's time** a abuza de timpul cuiva, a importuna pe cineva; **to make ~s upon one's money/ capital** a se decava

inrush [ˈinˌrʌʃ] *s* **1** năvală, potop, aflux **2** izbucnire, irupere; răbufnire **3** ruptură, rupere; năruire, prăbușire **4** *tehn* impuls, putere de pornire; demaraj

ins *presc de la* **1** inches **2** insurance

insalubrious [ˌinsəˈluːbriəs] *adj* insalubru, nesănătos; neigienic

insalubrity [ˌinsəˈluːbriti] *s* caracter insalubru

ins and outs [ˈinzˈəndˈauts] *s* **1** meandre, cotituri, șerpuieli **2** ascunzișuri, secrete, dedesubturi **3** ramificații

insane [inˈsein] *adj* **1** dement, nebun, alienat mintal; **to become ~** a-și pierde mințile, a înnebuni **2** *F* nebunesc, demențial, – nesăbuit

insane asylum [inˈseinəˈsailəm] *s* azil/casă de nebuni

insanely [inˈseinli] *adv* nebunește, ca un nebun

insanitary [inˈsænitəri] *adj* insalubru, neigienic, nesănătos

insanity [inˈsæniti] *s med și fig* demență, nebunie

insatiability [inˈseiʃəbiliti] *s* poftă nepotolită/nestăpânită, lăcomie, nesaț

insatiable [inˈseiʃəbəl] *adj* **1** (**of**) nesățios, avid, lacom (de); (veșnic) nesătul **2** *v.* **insatiate**

insatiate [inˈseiʃieit] *adj* **1** insațiabil, (veșnic) nepotolit **2** *fig* nestăpânit, nemăsurat

inscape [ˈinskeip] *s* chintesență, esență, trăsătură/calitate esențială (reflectată în literatură, artă etc.)

inscribe [in'skraib] *vt* **1** *mat etc.* a
înscrie **2** (**in, on**) a grava, a scrie,
a săpa *(o inscripţie)* (pe, în); **to
~ a tomb with smb's name** a
scrie/a grava numele cuiva pe un
mormânt **3** (**to**) a dedica, a
închina *(cu dat);* a scrie *(cuiva)*
o dedicaţie pe *(o carte)* **4** *com* a
înregistra acţionarii
inscribed stock [in'skraibd,stɔk] *s*
ec acţiuni/efecte nominale înre-
gistrate
inscription [in'skripʃ ən] *s* **1** inscrip-
ţie; legendă **2** dedicaţie *(pe o
carte)* **3** *ec* înregistrare a acţiu-
nilor **4** *ec* acţiune nominală/
înregistrată
inscrutability [in,skru:tə'biliti] *s* **1**
caracter impenetrabil/misterios/
de nepătruns, impenetrabilitate
2 imprevizibilitate, (caracter)
neprevăzut
inscrutable [in'skru:təbəl] *adj* **1**
enigmatic, impenetrabil, de
nepătruns, misterios **2** impre-
vizibil, neprevăzut
insect ['insekt] *s* **1** *ent* insectă; gâză
2 *fig peior* vierme, – (om de)
nimic, zero, nulitate **3** *amer* – F
mic defect *(ascuns)*
insectarium [ˌinsek'teəriəm] *s* insec-
tar
insect eater ['insekt ˌi:tər] *s zool*
insectivor
insecticide [in'sekti,said] *s* insec-
ticid
insectivore [in'sekti,vɔ:ʳ] *s zool*
(animal) insectivor
insectivorous [ˌinsek'tivərəs] *adj*
zool insectivor
insectology [ˌinsek'tɔlədʒi] *s* ento-
mologie
insect powder ['insekt,paudəʳ] *s*
(praf) insecticid
insecure [ˌinsi'kjuəʳ] *adj* **1** nesigur,
prea puţin sigur **2** şubred; instabil
3 primejdios, periculos **4** critic,
supus pericolului
insecurely [ˌinsi'kjuəʳli] *adv* în
condiţii nesigure, fără siguranţă
insecurity [ˌinsi'kjuəʳiti] *s* (condiţii
de) nesiguranţă, caracter nesi-
gur, instabilitate, situaţie nesi-
gură/primejdioasă
insemination [in,semi'neiʃ ən] *s biol*
fecundare; însămânţare
insensate [in'senseit] *adj* **1** nesăbuit,
nebunesc, prostesc; nerealist **2**
(**at**) insensibil, nesimţitor (la) **3**

brutal, inuman
insensibility [in,sensə'biliti] *s* **1** fire
insensibilă, lipsă de sensibilitate,
insensibilitate **2** (**to**) insensi-
bilitate (la), indiferenţă (faţă de)
3 pierdere a cunoştinţei, nesim-
ţire, leşin
insensibilize [in,sensəbə'laiz] *vt med*
a insensibiliza; a anestezia
insensible [in'sensəbəl] *adj* **1** (**to, of**)
insensibil, indiferent (la), nepă-
sător, indiferent (faţă de); apatic;
I am not ~ of your kindness nu
pot să nu spun/mărturisesc cât
de mult mă impresionează ama-
bilitatea dvs. **2** fără cunoştinţă,
în nesimţire; **to become ~** a-şi
pierde cunoştinţa, a leşina, a
cădea într-un leşin **3** imper-
ceptibil, (făcut) pe nesimţire,
neobservabil; **by ~ degrees** v.
insensibly
insensibly [in'sensəbli] *adv* imper-
ceptibil, pe nesimţite, (încetul) cu
încetul
insensitive [in'sensitiv] *adj* (**to**)
insensibil, indiferent (la); nepă-
sător, nesimţitor (faţă de)
insensitiveness [in'sensitivnis] *s*
lipsă de sensibilitate, insen-
sibilitate
insentient [in'senʃ iənt] *adj* în nesim-
ţire, insensibil; fără viaţă, neîn-
sufleţit
inseparability [in,sepərə'biliti] *s*
caracter inseparabil, legătură
indisolubilă, inseparabilitate
inseparable [in'sepərəbəl] **I** *adj*
(**from**) inseparabil (de), nedes-
părţit (de), indisolubil legat (de)
II *s pl* prieteni nedespărţiţi
inseparably [in'sepərəbli] *adv* inse-
parabil, indisolubil
inseparate [in'sepə,reit] *adj* v.
inseparable I
insert I [in'sə:t] *vt* **1** a insera; a
introduce; a intercala **2** a înscrie,
a înregistra, a trece **3** *el* a
introduce, a lega *(în circuit)* **4** a
băga, a vârî, a introduce; **to ~ the
charge** *mil* a încărca o armă de
foc **II** ['insə:t] *s* **1** insert **2** inserţie,
introducere, intercalare
insertion [in'sə:ʃ ən] *s* **1** inserare,
inserţie; introducere, intercalare
2 anunţ, informaţie *(într-un ziar
etc.)* **3** *poligr* intercalare, inserţie;
adaos **4** dantelă, podoabă *(adău-
gată la o haină)* **5** *tehn* garnitură;

element de intercalaţie; căptu-
şeală **6** *anat*, *bot* loc de inserţie
insertion mark [in'sə:ʃ ən,ma:k] *s*
poligr semn de inserţie/introdu-
cere/inserare
in-service education ['in,sə:vis
edju'keiʃ ən] *s amer* **1** continuarea
studiilor în timpul producţiei *sau*
stagiului militar **2** calificare la
locul de muncă
inset I ['in,set] *s* **1** *poligr* insert,
inserţie; coală/pagină intercalată
2 *poligr* figură, gravură, medalion
(în afara textului) **3** *com* flux *(al
mărfii)* **II** [in'set] *pret* şi *ptc* **inset**
[in'set] *sau* **insetted** [in'setid] *vt*
a intercala, a introduce, a insera
inset map ['in,set'mæp] *s poligr*
cartuş *(la o hartă)*
inset portrait ['in,set'pɔ:trit] *s poligr*
(portret în) medalion
inseverable [ˌin'sevərəbl] *adj* inse-
parabil, indivizibil, de nedespărţit
inshore ['in'ʃɔ:ʳ] **I** *adv* **1** la ţărm,
aproape de ţărm/mal **2** spre
ţărm/mal **II** *adj* **1** costier, de
coastă **2** care se apropie de
ţărm/mal
inshore navigation ['in'ʃɔ:,nævi-
'geiʃ ən] *s nav* cabotaj, navigaţie
costieră
inshore of ['in'ʃɔ:r əv] *prep* foarte
aproape de; în preajma *(cu gen)*
inside ['in'said] **I** *s* **1** interior, partea
dinăuntru/interioară; **on the ~** **a**
în interior, înăuntru **b** pe dinăun-
tru; **from the ~** dinăuntru, din
interior **2** dos *(al unei haine etc.)*,
parte dinăuntru **3** *F* măruntaie, –
viscere; *F* burtă, – stomac **4** *fig*
dedesubturi, amănunte tainice
(ale unei afaceri); informaţii de
culise; **to get on the ~** a se pune
la curent, a afla toate amă-
nuntele/dedesubturile **5** gânduri/
sentimente ascunse/intime **6**
parte interioară *(a curbei, a
cotiturii drumului etc.);* parte
apărată dinspre case *(a trotua-
rului)* **7** v. **insider 3** **8** *sport*
centru; *(la fotbal)* inter **9** *amer*
agent al patronului **II** *adj* **1**
dinăuntru; (situat în) interior **2**
tainic, secret; confidenţial **III** *prep*
în(l)ăuntrul, în interiorul *(cu gen);*
to get ~ a part *teatru* a intra în
pielea unui personaj **IV** *adv*
înăuntru, în interior; **walk ~!** intră!
pofteşte!

inside dope ['in'said'doup] *s amer F v.* **inside information**

inside fighting ['in'said'faitiŋ] *s sport* luptă strânsă/corp la corp *(la box)*

inside left ['in'said'left] *s sport* inter stânga

inside of ['in'said əv] *prep* în cadrul *(cu gen)* în mai puțin de, (cel mult) până în *(o săptămână etc.)*

inside out ['in'said'aut] *adv* **1** pe dos; **to turn a coat** *etc.* ~ a întoarce o haină pe dos **2** cu susu-n jos, pe dos **3** *fig F* pe dinafară, ca-n palmă, la perfecție

insider ['in'saidə'] *s* **1** inițiat; om bine informat/care știe toate dedesubturile *(unei afaceri etc.)* **2** membru *(al unui club etc.)* **3** pasager/călător din interiorul omnibuzului *etc.*

inside right ['in'said,rait] *s sport* inter dreapta

inside ring ['in'said,riŋ] *s* inițiați, persoane bine informate

inside track ['in'said,træk] *s* **1** *ferov* linie interioară **2** *sport* parte interioară a pistei; **to be on the ~ a** *sport* a alerga pe culoarul dinspre interiorul pistei **b** *fig* a fi avantajat, a o lua înaintea celorlalți

insidious [in'sidiəs] *adj* **1** insidios; prefăcut, viclean; insinuant **2** înșelător, perfid **3** subtil

insidious disease [in'sidiəs di'zi:z] *s* boală înșelătoare/perfidă

insidiously [in'sidiəsli] *adv* (în mod) insidios

insight ['in,sait] *s* **1** perspicacitate, pătrundere *(psihologică)*, intuiție, discernământ; **a mind of deep ~** o minte foarte pătrunzătoare **2** (**into**) pătrundere, înțelegere, bună cunoaștere *(cu gen)*; **he has deep ~ into human nature** e un bun/fin cunoscător al sufletului omenesc, e un fin psiholog **3** (**into**) privire, ochire; **to get/to gain an ~ into smth** a pătrunde esența (+ *gen*), a-și da seama de esența (+ *gen*)

insigne [in'signi:], *pl* **insignia** [in'signiə] *s* insignă

insignia [in'signiə] *s pl lat* **1** însemne, insigne **2** *mil* trese, stele, însemne ale gradului **3** decorații, distincții, ordine **4** emblemă

insignificance [,insig'nifikəns], *rar* **insignificancy** [,insig'nifikənsi] *s*

1 insignifianță, lipsă (totală) de importanță/semnificație, caracter neimportant/neînsemnat **2** inconsistență, lipsă de conținut

insignificant [,insig'nifikənt] *adj* **1** neînsemnat, neimportant, minor, fără importanță, insignifiant; **of ~ extraction** dintr-o familie modestă **2** infim, neînsemnat, neglijabil **3** nesemnificativ, lipsit de semnificație

insincere [,insin'siə'] *adj* **1** nesincer, necinstit; de rea credință **2** cu două fețe, fals, prefăcut, ipocrit

insincerely [,insin'siəli] *adv* (în mod) nesincer/fals/ipocrit

insincerity [,insin'seriti] *s* nesinceritate, falsitate, fățărnicie, ipocrizie

insinuate [in'sinju,eit] **I** *vt* **1** a strecura, a introduce încetul cu încetul *sau* pe furiș **2** a insinua, a lăsa/a da să se înțeleagă **II** *vr* (**into**) a se insinua, a se strecura, a se furișa, a pătrunde pe nesimțite (în); **to ~ oneself into smb's favour** a intra/a se băga sub pielea cuiva, a reuși să intre în grațiile cuiva

insinuating [in'sinju,eitiŋ] *adj* insinuant, insidios, mieros, onctuos

insinuatingly [in'sinju,eitinli] *adv* (în mod) insinuant/insidios/perfid

insinuation [in,sinju'eiʃən] *s* **1** insinuare, aluzie perfidă/defăimătoare **2** strecurare, furișare; introducere **3** pătrundere treptată **4** lingușire, gudurare, adulare

insinuative [in'sinju,eitiv] *adj* insinuant *v. și* **insinuating**

insinuator [in'sinju,eitə'] *s* persoană insinuantă; om care face insinuări, intrigant, iago, viperă, *F→* fitilangiu

insipid [in'sipid] *adj* **1** *și fig* insipid, fără gust, searbăd **2** *fig* nesărat, fără haz; plat, banal, anost, plicticos **3** stupid, nerod, prostesc

insipidity [,insi'piditi] *s* **1** caracter insipid/searbăd/fad, lipsă de gust **2** *fig* lipsă de haz/de sare și piper

insipidly [in'sipidli] *adv* (în mod) insipid

insipidness [in'sipidnis] *s v.* **insipidity**

insist [in'sist] **I** *vi* **1** a insista, a stărui, a fi insistent; **if you ~** dacă insiști/ții (tu); **I won't ~** eu nu (am să mai) insist; **s-o lăsăm baltă, să trecem**

peste asta **2** (**on, upon**) a insista, a stărui (asupra – *cu gen); a* pune un accent deosebit (pe); a se opri pe larg, a stărui (asupra – *cu gen); ***you shouldn't ~ so much (up)on it** n-ar trebui să stărui/ insiști atâta asupra acestui lucru, n-ar trebui să te legi de asta; **he ~ed too long/much (up)on this subject** a stăruit/s-a oprit prea mult asupra acestei teme **3** (**on, upon**) a cere insistent/cu insistență (ca *sau cu ac*), a pretinde, a stărui, a insista (ca); **to ~ (up)on smb('s) doing smth** a cere cu insistență/a pretinde ca cineva să facă ceva; **I ~ (up)on one's rights** a-și revendica/apăra drepturile **4** (**on, upon**) a nu se lăsa (de), a nu renunța (la), a insista (să, în), a persista (în), a ține morțiș să; **he ~s (up)on going there** vrea să se ducă acolo neapărat/mort-copt, ține morțiș să se ducă acolo; **she ~s (up)on it** nu vrea să renunțe nici în ruptul capului **II** *vt* a pretinde, a susține (cu tărie/convingere), a afirma (sus și tare)

insistence [in'sistəns], **insistency** [in'sistənsi] *s* **1** (**upon**) insistență, stăruință (asupra – *cu gen*); accentuare *(cu gen)*, accent pus (pe) **2** stăruință, perseverență; strădanie neabătută; **his ~ in doing it is remarkable** e remarcabilă strădania/perseverența lui de a o face

insistent [in'sistənt] *adj* **1** insistent, stăruitor; **to be too ~** a fi prea insistent, a insista prea mult **2** stăruitor, perseverent **3** imperios, puternic; de urgență, imediat **4** pisălog, plicticos **5** evident; țipător, strident, violent

insistently [in'sistəntli] *adv* (în mod) insistent/stăruitor; cu insistență/ stăruință

insnare [in'snɛə'] *vt* **1** a prinde/a atrage în cursă/într-o capcană **2** *fig* a ademeni, a seduce

insobriety [,insou'braiiti] *s* **1** lipsă de sobrietate/cumpătare; patimă, exces **2** beție, ebrietate

insociability [,insouʃə'biliti] *s* lipsă de sociabilitate, caracter nesociabil

insociable [,in'souʃəbəl] *adj* nesociabil, neprietenos

insofar [ˌinsou'faːʳ] *adv* (într-)atât

insofar as [ˌinsou'faːr əz] *conj* în măsura în care

insol *presc de la* **insoluble**

insolation [ˌinsou'leiʃən] *s* 1 expunere la soare; cură/băi de soare 2 *med* insolație

insole ['in,soul] *s* 1 parte dinăuntru a tălpii 2 primul rând de talpă 3 branț

insolence ['insələns] *s* (to) insolență, impertinență, obrăznicie (față de)

insolent ['insələnt] *adj* (to) insolent, impertinent, obraznic (cu, față de)

insolently ['insələntli] *adv* (în mod) impertinent, cu impertinență/ insolență

insolubility [in,sɔlju'biliti] *s* 1 *ch* in(di)solubilitate 2 *fig* caracter insolubil/de nerezolvat, imposibilitate de rezolvare

insoluble [in'sɔljubəl] *adj* 1 *ch* insolubil, care nu se dizolvă 2 *fig* de nerezolvat, fără soluție/ rezolvare, imposibil de rezolvat

insolubleness [in'sɔljubəlnis] *s v.* **insolubility**

insolubly [in'sɔljubli] *adv* 1 (în mod) imposibil (de rezolvat), nerezolvabil, insolubil 2 ireconciliabil, de neîmpăcat

insolvency [in'sɔlvənsi] *s ec, jur* insolvabilitate, faliment, bancrută

insolvent [in'sɔlvənt] I *adj ec, jur* insolvabil, falimentar, în stare de faliment, *F* falit; **to declare oneself** ~ a se declara în stare de faliment II *s ec, jur* debitor insolvabil, *F* falit

insolvent act/law [in'sɔlvənt'ækt/lɔ:] *s jur* legea falimentului

insomnia [in'sɔmniə] *s med* insomnie, nesomn

insomniac [in'sɔmni,æk] *s med* bolnav/pacient care suferă de insomnie/care are insomnii

insomuch as [ˌinsou'mʌtʃəz] *conj* în măsura în care, după cum; ~ I **can** în măsura în care voi putea, după puterile/posibilitățile mele

insomuch that ['insou'mʌtʃ ðət] *conj* așa de mult/tare încât, așa de/ (într-)atât de... încât/că

insouciant [in'su:sjənt] *adj fr* nepăsător, rece, impasibil; indiferent

inspect [in'spekt] *vt* 1 a inspecta, a face o inspecție (la *sau* cu dat); a controla 2 a cerceta, a examina, a privi îndeaproape/cu luare-aminte; **to** ~ **the gas meter**

a citi contorul de gaze 3 a verifica, a controla, a revizui, a face o revizie (cu gen) 4 *mil* a inspecta, a face o inspecție (cu gen); a trece în revistă 5 *mil, sport și fig* a recunoaște, a cerceta, a face o recunoaștere (cu gen); **as** ~**ed** după o cercetare prealabilă

inspecting [in'spektiŋ] I *s* inspectare, inspecție II *adj* care inspectează/cercetează; cercetător, de cercetare

inspection [in'spekʃən] *s* 1 inspecție; inspectare 2 verificare, cercetare, examinare; examen; control, revizie; **at the first** ~ la o cercetare superficială, la prima vedere/cercetare; **on close** ~ la o cercetare/verificare/examinare amănunțită; cercetând/examinând îndeaproape 3 *mil* inspecție, (trecere în) revistă; **to hold on** ~ a trece în revistă (cu ac)

inspectional [in'spekʃənəl] *adj* de inspecție/revizie

inspection board [in'spekʃən,bɔ:d] *s tehn* comisie de recepție

inspection box [in'spekʃən,bɔks] *s tehn* 1 fereastră/ochi de control 2 ferestruică de observare; felinar de recepție

inspection certificate [in'spekʃən sə:,tifikit] *s* 1 proces-verbal de inspecție 2 *tehn* proces-verbal de revizie

inspection hole [in'spekʃən ,houl] *s tehn* 1 gură de vizitare/observare 2 *v.* **inspection box**

inspection stamp [in'spekʃən ,stæmp] *s* ștampilă de verificare/ control/garanție

inspector [in'spektəʳ] *s* 1 inspector 2 ofițer de poliție (aprox locotenent) 3 *tehn etc.* controlor (de calitate); revizor; recepționer 4 *ferov* supraveghetor

inspectorate [in'spektərit] *s* inspectorat, corp de control

inspector general [in'spektə 'dʒenərəl] *s* inspector general/șef/ principal; revizor (↓ ca titlu al piesei lui N. V. Gogol)

inspectorial [ˌinspek'tɔ:riəl] *adj* de inspector, referitor la inspector

inspector of taxes [in'spektər əv'tæksiz] *s fin* inspector financiar

inspirable [in'spaiərəbəl] *adj* respirabil, care poate fi inspirat/respirat

inspiration [ˌinspi'reiʃən] *s* inspirație, suflu poetic; **to take one's** ~ **from smb** a se inspira de la cineva 2 inspirare, inspirație, aspirare; **to take a deep** ~ a trage mult aer în piept, a inspira adânc

inspirator ['inspəreitəʳ] *s tehn* aspirator; injector, respirator

inspiratory [in'spairətəri] *adj fizl* de inspirație/respirație, respirator

inspire [in'spaiəʳ] *vt* 1 a inspira, a trage în piept, a aspira 2 a inspira (un autor, o operă) 3 a însufleți, a anima

inspired [in'spaiəd] *adj* 1 aspirat, inspirat 2 *fig* inspirat, plin de inspirație; înaripat; **to be** ~ **a** a fi inspirat **b** a avea fler 3 (d. informație etc.) oficial; oficios

inspire with [in'spaiə wið] *vt cu prep* a inspira, a trezi, a insufla cuiva (încredere, speranță etc.); a trezi cuiva (interesul etc.); **to inspire smb with respect** a impune/a inspira cuiva respect; **to inspire smb with hope** a da/a insufla speranțe cuiva

inspiring [in'spaiəriŋ] *adj* 1 inspirator, care te inspiră 2 însuflețitor, animator, înălțător

inspirit [in'spirit] *vt* 1 a anima, a însufleți 2 a încuraja, a da curaj (cu dat)

inspiriting [in'spiritiŋ] *adj* 1 înviorător; antrenat 2 încurajator, care-ți dă curaj

inspissate [in'spiseit] *vi* a se îngroșa, a se învârtoșa; a se condensa

inspissation [ˌinspi'seiʃən] *s* 1 îngroșare, învârtoșare; îndesare 2 *tehn* condensare, îndesare

inst *presc de la* 1 **instant** II 1 2 **institute** 3 **institution** 4 **institutional**

instability [ˌinstə'biliti] *s* 1 instabilitate, lipsă de echilibru 2 șubrezenie, lipsă de soliditate 3 nestatornicie, inconstanță; labilitate

instable [in'steibəl] *adj* 1 nestabil, instabil, fără echilibru 2 inconstant, nestatornic, schimbător

install [in'stɔ:l] I *vt* 1 (in) a instala; a înscăuna (în) 2 a instaura; a stabili; a proclama 3 *tehn* a instala, a monta; a amenaja II *vt* (in) 1 a se instala, a se plasa (în) 2 a se instaura, a se înscăuna, a se stabili (în) 3 *F* a se așeza (în)

installation [ˌɪnstəˈleɪʃən] *s* **1** instalație; instalații **2** utilaj, aparatură, echipament **3** instalare, înscăunare **4** instalare, stabilire, intrare *(într-o locuință etc.)* **5** *tehn* instalare; montare; asamblare

installation costs [ˌɪnstəˈleɪʃən kɔsts] *s pl ec* investiții capitale

installation work [ˌɪnstəˈleɪʃən wəːk] *s tehn* lucrări de montaj/asamblare

installment [ɪnˈstɔːlmənt] *s* **1** *com* rată, vărsământ; plată în rate; **by (easy)** ~ în rate *(convenabile);* eșalonat convenabil; **to pay on** ~ a plăti/a vărsa o rată; a da un acont **2** fasciculă *(dintr-o carte etc.)*

installment credit [ɪnˈstɔːlmənt ˌkredit] *s fin* credit rambursabil în rate

installment plan/system [ɪnˈstɔːlmənt plæn/ˌsistim] *s com* sistem de încasare cu plata eșalonată/ în rate **instalment...** *s amer v.* **installment...**

instance [ˈɪnstəns] **I** *s* **1** exemplu, pildă, exemplificare; **for** ~ de exemplu/ pildă, bunăoară; **in this** ~ în cazul acesta/de față; **in the first** ~ în primul rând, mai întâi *(și-ntâi)* **2** dovadă, probă, exemplificare; **as an** ~ ca dovadă/probă/ilustrare **3** cerere insistentă, rugăminte stăruitoare, insistență; **at the** ~ **of** la insistența/rugămintea/cererea *(cu gen)* **II** *vt* **1** a da exemplu, a cita ca exemplu, a exemplifica a ilustra *(prin);* ~ **the case of** spre exemplificare citam cazul *cu gen* **2** (**in**) *pas* a se ilustra prin, a se oglindi la; **it is ~d in animals** îl ilustrează animalele, îl găsim la animale

instancy [ˈɪnstənsi] *s* **1** caracter insistent/stăruitor, insistență, stăruință **2** urgență, caracter imperios **3** iminență, caracter iminent

instant [ˈɪnstənt] **I** *s* clipă, moment; **at that/the very** ~ tocmai/chiar atunci, chiar în clipa aceea; **this ~, on the** ~ imediat, la moment, pe dată, numaidecât; **I expect her every** ~ o aștept din moment în moment/dintr-o clipă într-alta; **the** ~ **I woke up** (de) cum m-am sculat; în clipa în care m-am sculat; **not an** ~ **too soon** la țanc, tocmai la timp **II** *adj* **1** *(d. lună)* curent; **on the 15th inst(ant)** în ziua de 15 a lunii curente, *înv →*

în 15 cor. **2** neîntârziat, imediat; urgent, grabnic, presant **3** insistent, stăruitor; **to be ~ with smb to do smth** a insista ca cineva să facă ceva, a stărui pe lângă cineva să facă ceva **4** ușor solubil

instantaneity [inˌstæntəˈniːiti] *s* **1** caracter instantaneu/fulgerător **2** simultaneitate, concomitență

instantaneous [ˌɪnstənˈteiniəs] *adj* **1** instantaneu, momentan, fulgerător **2** simultan, concomitent

instant coffee [ˈɪnstənt ˌkɔfi] *s* nescafé, ness

instanter [ɪnˈstæntəʳ] *adv înv sau umor* imediat, pe dată, de îndată; instantaneu, momentan, la moment, *F* mintenaș

instantly [ˈɪnstəntli] *adv* **1** imediat, pe dată, la moment, numaidecât **2** *înv* stăruitor, insistent, cu insistență

instate [ɪnˈsteit] *vt* **1** *jur* a pune, a repune; **to ~ smb in/into/to his rights** a (re)pune pe cineva în drepturile sale **2** a conferi **3** a dota, a înzestra

instauration [ˌɪnstɔːˈreiʃən] *s* **1** înnoire, reînnoire, revoluționare; primenire **2** ← *înv* instaurare, instituire

instaurator [ˌɪnstɔːˈreitəʳ] *s* înnoitor, inovator, reformator

instead [ɪnˈsted] *adv* în schimb/loc; mai degrabă

instead of [ɪnˈstedəv] *prep* în loc de; în locul *cu gen;* **I went there ~ her** în locul ei/în loc să se ducă ea, m-am dus eu; **I put it on the table, ~ on the mantelpiece** am pus-o pe masă, nu pe polița căminului

instep [ˈɪnˌstep] *s anat* scobitură a gleznei; căpută; **he is high in the ~** *fig F* e cu nasul pe sus, nu-i ajungi nici cu prăjina la nas

instigate [ˈɪnstiˌgeit] *vt* **1** (**to**) a ațâța, a instiga, a incita (la) **2** a ațâța/a instiga la, a provoca

instigation [ˌɪnstiˈgeiʃən] *s* (**to**) instigare, ațâțare, provocare (la); **at/ by smb's ~** la instigarea/îndemnul cuiva

instigator [ˈɪnstiˌgeitəʳ] *s* (**of**) instigator, ațâțător (la); provocator

instil(l) [ɪnˈstil] *vt* (**into**) **1** a picura, a turna cu picătura, a instila (în) **2** *fig* a inculca, *(cu dat)*, a strecura, a infiltra; a insufla *(cu dat)*, a întipări (în)

instil(l)ation [ˌɪnstiˈleiʃən] *s* **1** instilație, instilare **2** *fig* inculcare; insuflare, infiltrare

instinct [ˈɪnstiŋkt] *s* **1** instinct; **by/ from/on** ~ din instinct, urmat/ călăuzit de instinct(e) **2** (**for**) *fig* înclinație înnăscută, simț, instinct, talent natural (pentru); intuiție; **to have an ~ for music** a avea simț muzical, a avea muzica în sânge

instinctive [ɪnˈstiŋktiv] *adj* instinctiv, inconștient; mașinal

instinctively [ɪnˈstiŋktivli] *adv* (în mod) instinctiv/inconștient; din instinct, mașinal

instinct with [ɪnˈstiŋkt wið] *adj* cu *prep* plin/pătruns de; ~ **pleasure** plin/dătător de bucurii/desfătare, încântător, minunat

institute [ˈɪnstiˌtjuːt] **I** *s* **1** institut; așezământ, societate; instituție; asociație **2** institut de învățământ superior **3** *amer* curs scurt, serie de cursuri **4** *înv* jur instituție *(tradițională)* **5** ordine/normă stabilită, sistem **6** *pl jur înv* institut, codice **II** *vt* **1** a institui, a instaura, a înscăuna, a stabili **2** a întemeia, a fonda **3** *jur* a pune în posesie *(ca moștenitor etc.)* **4** *jur* a intenta, a deschide; **to ~ (legal) proceedings against smb** a deschide/a intenta o acțiune împotriva cuiva, a (tr)aduce pe cineva în fața justiției/instanței

institution [ˌɪnstiˈtjuːʃən] *s* **1** instituție, așezământ *(de binefacere)* **2** ospiciu, azil *(de nebuni)* **3** *jur* instituție *(tradițională)* **4** *jur* doctrină, cutumă, norme **5** instituire, constituire **6** creare, fondare, instaurare, întemeiere **7** *jur* instituire, deschidere *(a unei anchete);* intentare, deschidere *(a unui proces)* **8** *jur* punere în posesie *(a unui moștenitor)* **9** *bis* investitură

institutional [ˌɪnstiˈtjuːʃənəl] *adj* **1** *jur* instituțional; instituit **2** referitor la instituție *etc.* **3** de azil/ospiciu *etc.*

institutionalism [ˌɪnstiˈtjuːʃənəˌlizəm] *s* **1** instituționalism, sprijinire a instituțiilor existente **2** *jur* concepție a educării prin opere de caritate

institutionalization [ˌɪnstiˈtjuːʃənəlaiˈzeiʃən] *s* **1** instituționalizare, oficializare, stabilire **2** legiferare

institutionalize [ˌinsti'tjuːʃənəˌlaiz] *vt* **1** *jur* a instituţionaliza, a oficializa; a institui; a legifera **2** a interna într-un azil *sau* ospiciu

instr *presc de la* **1 instructor 2 instrument 3 instrumental**

instruct [in'strʌkt] *vt* **1** (**in**) a instrui, a învăţa, a iniţia (*într-un domeniu*); **to ~ in mathematics** a învăţa pe cineva matematică, a pregăti pe cineva la matematică **2** (**of, that**) a înştiinţa, a informa, a anunţa (despre, că) **3** a da instrucţiuni/ dispoziţii (*cu dat*); a însărcina, a pune să facă ceva; **I am ~ed to tell you** am primit instrucţiuni/am fost însărcinat să vă spun **4** *jur* a furniza/a da informaţii/relaţii/ material (*unui avocat, notar etc.*)

instruction [in'strʌkʃən] *s* **1** instrucţie, învăţătură, învăţământ **2** (*pl*) instrucţiuni, dispoziţii, directive, indicaţii; **we wait your ~s** *amer* aşteptăm dispoziţiile/instrucţiunile dvs; **to go beyond one's ~s** a depăşi instrucţiunile/ordinele primite **3** *pl jur* angajament, instrucţiuni (*pt avocat*) **4** *mil* consemn; ordine, instrucţiuni **5** *amer pol* instrucţiuni date alegătorilor

instructional [in'strʌkʃənəl] *adj* **1** de învăţământ/instrucţie, educativ **2** (*d. şcoală*) de aplicaţie

instructional film [in'strʌkʃənəlˌfilm] *s* film didactic/educativ

instruction book [in'strʌʃən ˌbuk] *s tehn* carte tehnică (*a unei maşini etc.*), instrucţiuni de folosire, manual de întreţinere

instructive [in'strʌktiv] *adj* instructiv, plin de învăţăminte

instructively [in'strʌktivli] *adv* (în mod) instructiv, cu multe învăţăminte

instructor [in'strʌktər] *s* **1** instructor, preceptor, dascăl **2** *amer* asistent universitar

instructress [in'strʌktris] *s* instructoare

instrument ['instrumənt] **I** *s* **1** instrument (*de măsură*) **2** unealtă, sculă **3** dispozitiv, mecanism **4** *muz* instrument muzical; **to play (on) an ~** a cânta la un instrument **5** *fig* unealtă, instrument; marionetă; **she was a mere ~ in their hands** nu era decât o unealtă/ marionetă în mâinile lor, ea făcea

doar jocul **6** *jur* instrument/document oficial (*de ratificare etc.*); act juridic (*de transmitere a unor bunuri etc.*) **II** *vt* **1** *muz* a orchestra, a instrumenta **2** a traduce/a transpune în viaţă, a înfăptui

instrumental [ˌinstru'mentəl] *adj* **1** *muz, tehn, gram* instrumental **2** (**to, in**) folositor, util (pentru); esenţial, indispensabil (pentru); **to be ~ to a purpose/in a matter** a juca un rol de bază în realizarea unui scop/în rezolvare unei probleme, a avea o contribuţie esenţială la atingerea unui scop/ la soluţionarea unei probleme

instrumental error [ˌinstru'mentəl 'erər] *s tehn* eroare tehnică (*datorată funcţionării defectuoase a instrumentelor*)

instrumentalist [ˌinstru'mentəlist] *s muz* (artist) instrumentist

instrumentality [ˌinstrumen'tæliti] *s* intermediu, mijloc; **by/through the ~ of** prin intermediul, cu ajutorul/concursul *cu gen*

instrumental landing [ˌinstru'mentəl 'lændiŋ] *s av* aterizare fără vizibilitate (*cu ajutorul instrumentelor de zbor*)

instrumentally [ˌinstru'mentəli] *adv* **1** ca instrument, în chip de unealtă **2** ca intermediar, în calitate de reprezentant/intermediar **3** pe cale instrumentală, cu ajutorul instrumentelor/aparatelor **4** *jur* printr-un instrument legal, printr-un act (juridic) autentic

instrumental observation [ˌinstru'mentəlˌobzə'veiʃən] *s* observare/ *mil* şi cercetare cu ajutorul aparatelor

instrumental performer [ˌinstru'mentəl pə'fɔːmər] *s muz* (artist) instrumentist

instrumentation [ˌinstrumen'teiʃən] *s* **1** *muz* orchestraţie, instrumentaţie **2** folosire a instrumentelor/aparatelor; **by ~** pe cale instrumentală

instrument board ['instrumənt ˌbɔːd] *s* **1** *tehn* tablou/panou cu instrumente; pupitru/tablou de comandă **2** *av, auto* tablou de bord **3** *el* tablou de distribuţie

instrument case ['instrumənt ˌkeis] *s* **1** trusă de instrumente; ladă/ cutie cu scule **2** *tehn* carter;

carcasă; casetă; osatură, schelet, montură

instrument flying ['instrumənt ˌflaiiŋ] *s av* zbor instrumental fără vizibilitate

instrument maker ['instrumənt ˌmeikər] *s* sculer

instrument man ['instrumətmən] *s* topograf, topometru

instrument panel ['instrumənt ˌpænəl] *s v.* **instrument board**

instrument(s) of surrender ['instrumənt(s) əv sə'rendər] *s mil* act de capitulare

insubmersibility ['insəbˌməːsə'biləti] *s* insubmersibilitate

insubmersible [ˌinsəb'məːsəbəl] *adj* insubmersibil, care nu se poate scufunda

insubordinate [ˌinsə'bɔːdinit] *adj* nesupus, rebel, refractar, insubordonat

insubordination [ˌinsəbˌɔːdi'neiʃən] *s* nesupunere, insubordonare, neascultare

insubstantial [ˌinsəb'stænʃəl] *adj* **1** inconsistent, nesubstanţial, neconsistent **2** imaterial, fără substanţă **3** neîntemeiat, nefondat, nejustificat **4** *poetic* ireal, himeric, iluzoriu

insufferable [in'sʌfərəbəl] *adj* **1** insuportabil, de nesuferit/nesuportat **2** intolerabil, inacceptabil

insufferably [in'sʌfərəbli] *adv* (în mod) insuportabil/intolerabil (*de arogant etc.*)

insufficiency [ˌinsə'fiʃənsi] *s* insuficienţă, caracter neîndestulător

insufficient [ˌinsə'fiʃənt] *adj* **1** insuficient, neîndestulător **2** incomplet **3** nesatisfăcător, necorespunzător

insufficiently [ˌinsə'fiʃəntli] *adv* insuficient, nu destul/îndeajuns (de)

insuflate ['insʌˌfleit] *vt* **1** a (in)sufla **2** *med* a face insuflaţii (*în nas etc.*) **3** *bis* a sufla asupra (*cuiva*) pentru a simboliza influenţa spirituală

insuflation [ˌinsʌ'fleiʃən] *s* insuflaţie

insuflator [ˌinsʌ'fleitər] *s* pulverizator; aparat pentru insuflaţii

insular ['insjulər] **I** *adj* **1** insular, legat de insule **2** închis, rezervat, izolat **3** *fig* închistat; mărginit, limitat, îngust, încuiat **II** *s* locuitor al unei insule

insularism ['insjulərizəm], **insularity** [,insju'læriti] s 1 caracter insular; izolare 2 închistare, anchilozare, lipsă de orizont

insulate ['insju,leit] vt 1 a izola, a separa; a transforma într-o insulă 2 el a izola

insulated ['insju,leitid] adj 1 el izolat 2 etanș

insulated conduct ['insju,leitid-'kɔndəkt] s el tub Bergman/izolat

insulated train ['insju,leitid'trein] s ferov tren frigorifer

insulating ['insju,leitiŋ] I adj izolant, izolator, de izolare II s izolare

insulating gloves ['insju,leitiŋ 'glʌvz] s pl mănuși de cauciuc

insulating material ['insju,leitiŋ mə'tiəriəl] s tehn material izolant/izolator, izolament

insulating tape ['insju,leitiŋ 'teip] s el izolirband, bandă izolantă/izolatoare

insulation [,insju'leiʃən] s 1 el izolare 2 desprindere, separare 3 el izolație, izolare; izolament 4 tehn insonorizare

insulator ['insju,leitə'] s 1 el/izolator, dielectric, izolant 2 tehn izolator termic, materie calorifugă

insulin ['insjulin] s med insulină

insulinize ['insjulinaiz] vt med a trata cu insulină

insult I ['insʌlt] s 1 insultă, injurie, ofensă, ocară, jignire, afront; **to sit down under/to bear/to pocket/to swallow ~s** a înghiți jigniri/insulte (cu brațele încrucișate); **to offer (an) ~ to smb** a insulta pe cineva; a aduce o jignire/ofensă cuiva; **he added ~ to injury** după ce că l-a lezat, l-a mai și jignit 2 batjocură, bătaie de joc 3 med noxă, agent dăunător; afecțiune II [in'sʌlt] vt a insulta, a ofensa, a jigni, a ultragia; a aduce insulte/ocări/un afront (cu dat)

insulting [in'sʌltiŋ] adj insultător, injurios, ofensator, jignitor; **to be guilty of ~ behaviour towards** a ofensa pe (cineva); a fi insolent cu (cineva); jur a fi vinovat de ultragiu față de (un polițist, magistrat etc.)

insulting language [in'sʌltiŋ 'læŋgwidʒ] adj limbaj injurios/ofensator

insultingly [in'sʌltiŋli] adv (în mod) ofensator, jignitor, insolent

insuperability [in,su:pərə'biliti] s caracter de nebiruit/neînvins/neîntrecut (al unei dificultăți, piedici etc.)

insuperable [in'su:pərəbəl] adj de neîntrecut; de nebiruit, de neînvins

insupportable [,insə'pɔ:təbəl] adj 1 insuportabil, de neîndurat/nesuportat 2 intolerabil, inacceptabil

insuppressible [,insə'presəbəl] adj de nestăpânit, care nu poate fi reprimat/înăbușit

insurance [in'ʃuərəns] s 1 com asigurare; asigurări; **to make/to effect/to buy an ~** a încheia/a face o asigurare, a se asigura; **to take out an ~ against** a se asigura împotriva (cu gen) 2 F primă de asigurare 3 (↓ în **social/national ~)** asigurări/prevederi sociale

insurance agent/broker [in'ʃuərəns ,eidʒənt/,broukə'] s agent de asigurare

insurance carrier [in'ʃuərəns ,kæriə'] s asigurat

insurance company [in'ʃuərəns ,kʌmpəni] s societate de asigurare/asigurări

insurance money [in'ʃuərəns ,mʌni] s primă de asigurare

insurance note [in'ʃuərəns ,nout] s talon de asigurare

insurance officer [in'ʃuərəns ,ofisə'] s 1 funcționar la o societate de asigurări 2 funcționar la asigurări sociale

insurance policy [in'ʃuərəns ,polisi] s poliță de asigurare; **to take out an ~** a face/a încheia o asigurare, a se asigura

insurance premium [in'ʃuərəns ,pri:miəm] s primă de asigurare

insurant [in'ʃuərənt] s asigurat, persoană asigurată

insure [in'ʃuə'] I vt 1 com a asigura, a încheia o asigurare pentru; **to ~ one's life** a încheia o asigurare personală/pe viață 2 a asigura, a garanta II vi a se asigura, încheia o asigurare

insured party [in'ʃuəd 'pa:ti] s asigurat, persoană asigurată

insurer [in'ʃuərə'] s 1 agent de asigurare 2 și pl societate de asigurare/asigurări

insurgence [in'sə:dʒəns], **insurgency** [in'sə:dʒənsi] s insurecție, revoltă

insurgent [in'sə:dʒənt] I s insurgent, răsculat, răzvrătit, rebel II adj 1 insurgent, răsculat, rebel, răzvrătit 2 ← poetic (d. mare) învolburat, înfuriat, agitat

insurmountable [,insə'mauntəbəl] adj insurmontabil, de netrecut/de nebiruit/neînvins

insurrection [,insə'rekʃən] s insurecție, răscoală, înv răzmeriță; zaveră, rebeliune, răzvrătire

insurrectional [,insə'rekʃənəl], **insurrectionary** [,insə'rekʃənəri] adj 1 insurecțional, (cu caracter) de insurecție/răscoală/rebeliune 2 rebel, răzvrătit

insurrectionist [,insə'rekʃənist] s 1 insurgent, răsculat, participant la o revoltă/răscoală 2 rebel, răzvrătit, înv zavragiu

insusceptibile [,insə'septəbəl] adj 1 **(of)** nesusceptibil (de), inaccesibil (la, pentru); **~ of pity** împietrit, nemilos, fără milă 2 **(to)** insensibil, nesimțitor (la)

int presc de la 1 **interest** 2 **interior** 3 **internal** 4 **international**

intact [in'tækt] adj intact, neatins, neștirbit

intaglio [in'ta:li,ou] it I s intaglio, gravură cu acizi II vt a lucra în intaglio, a grava cu acizi

intaglio printing [in'ta:li,ou ,printiŋ] s heliogravură

intake ['in,teik] s 1 tehn (dispozitiv de) admisie/aspirație 2 tehn aspirare; captare 3 el putere cheltuită/consumată, consum 4 rație (alimentară, de calorii etc.) 5 tehn culee; ștrangulare 6 agr lot cultivat între mlaștini 7 scot înșelăciune

intangibility [in,tændʒi'biliti] s 1 și fig caracter intangibil/de neatins, intangibilitate 2 jur caracter inviolabil, inviolabilitate

intangible [in'tændʒibəl] adj 1 intangibil, de neatins 2 impalpabil, care nu poate fi pipăit 3 fig imperceptibil, insesizabil 4 jur inviolabil

intangible assets [in'tændʒibəl 'æsets] s pl com valori/bunuri/materiale

intangible property [in'tændʒibəl 'prəpeti] s jur bunuri incorporale

intangibly [in'tændʒibli] adv 1 (în mod) intangibil/inviolabil/jur imprescriptibil 2 (în mod) imperceptibil/insesizabil

intarsia [in'tɑːsiə], **intarsio** [in'tɑː- siou] *s* intarsio, marchetărie, mozaic de lemn

integer ['intidʒeʳ] *s* **1** *mat* (număr) întreg **2** întreg, tot (unitar), unitate

integral ['intigrəl] **I** *adj* **1** integral, complet, total **2** integrant, indispensabil, esenţial; **to form an ~ part of** a face parte integrantă din, a fi un component indispensabil *cu gen* **3** compus, complex, agregat **4** *mat* integral **II** *s* **1** întreg, tot, totalitate **2** *mat*integrală

integral calculus ['intigrəl 'kælkələs] *s mat* calcul integral

integrality [,inti'græliti] *s* **1** întregime, totalitate **2** plenitudine, caracter plenar; deplin

integrally ['intigrəli] *adv* integral, total, în întregime

integrant ['intəgrənt] *adj* **1** component, constitutiv **2** indispensabil, esenţial, integrant **II** *s* **1** parte integrantă **2** element component/constitutiv

integrate ['inti,greit] **I** *vt* **1** (**with, into**) a integra (în) **2** a reuni, a strânge laolaltă **3** a alcătui, a constitui **4** a îngloba, a cuprinde **5** a totaliza, a însuma **6** a sintetiza; a prelucra în mod creator **7** *pol* a desegrega **II** *adj* **1** integral, complet, total, întreg **2** compus, alcătuit din mai multe părţi **3** component, constitutiv

integration [,inti'grei ʃən] *s* **1** integrare **2** întregire, completare **3** totalizare, însumare **4** sintetizare, prelucrare creatoare **5** *pol* desegregaţie

integrationist [,inti'grei ʃənist] *s pol* integraţionist, egalitar(ist), promotor al integrării rasiale; antirasist

integrity [in'tegriti] *s* **1** întregime, deplinătate; integritate; **in its ~** total, integral, în întregime **2** cinste, onestitate, integritate (de caracter)

integument [in'tegjumənt] *s* **1** *amer* tegument **2** înveliş; acoperământ

integumental [in,tegju'mentəl], **integumentary** [in,tegju'mentəri] *adj* **1** tegumentar **2** exterior, care înveleşte/acoperă

intellect ['inti,lekt] *s* **1** intelect, inteligenţă, spirit, minte, raţiune **2** capete/minţi luminate, înţelepţi

intellection [,inti'lek ʃən] *s psih* **1** activitate mentală/intelectuală;

gândire, raţiune **2** cunoaştere **3** idee, gând, noţiune

intellective [,inti'lektiv] *adj* **1** mintal, intelectual; raţional **2** *psih* cognitiv, de cunoaştere **3** abstract, pur, raţional

intellectual [,inti'lekt ʃuəl] *adj* **I** intelectual; mintal **II** *s* intelectual; *pl* intelectualitate

intellectualism [,inti'lekt ʃuə,lizəm] *s* intelectualism

intellectualist [,inti'lekt ʃuəlist] *s* **1** intelectualist **2** intelectual

intellectuallity [,inti,lekt ʃu'æliti] *s* **1** intelect, minte, capacitate intelectuală **2** caracter intelectual

intellectually [,inti'lekt ʃuəli] *adv* pe plan intelectual

intelligence [in'telidʒəns] *s* **1** inteligenţă, deşteptăciune, minte luminată, raţiune **2** înţelegere, pătrundere *(psihologică);* **to exchange a look of ~ with smb** a schimba priviri semnificative cu cineva; a se înţelege cu cineva din priviri **3** ştire, informaţie, veşti; **to give ~ of smb** a da de ştire/a furniza informaţii despre ceva **4** informaţii secrete/ confidenţiale/de spionaj **5** spion, agent secret de informaţii; iscoadă **6** *mil* serviciu secret de informaţii/spionaj **7** *atr* (cu caracter) de spionaj, de informaţii

intelligence agent [in'telidʒəns 'eidʒənt] *s* agent secret/de informaţii, spion

intelligence bureau/department [in'telidʒəns 'bjuərou/di'pɑːtmənt] *s v.* **intelligence 6**

intelligence office [in'telidʒəns 'ɔfis] *s* **1** birou de informaţii **2** *ec* serviciu de conjunctură **2** *mil v.* **intelligence 6 3** *amer* birou/ oficiu de plasare

intelligence quotient [in'telidʒəns 'kwou ʃənt] *s psih* coeficient/grad de inteligenţă, capacitate intelectuală (↓ *prescI.* Q.)

intelligencer [in'telidʒənsəʳ] *s* **1** informator **2** agent secret, spion

Intelligence Service [in'telidʒəns- 'səːvis] *s* Serviciul Secret Britanic

intelligent [in'telidʒənt] *adj* inteligent, deştept, luminat/ager la minte

intelligential [,inteli'dʒen ʃəl] *adj* referitor la inteligenţă; intelectiv, intelectual

intelligent of [in'telidʒənt əv] *adj cu prep înv* **1** conştient de **2** cunoscător/priceput/versat în materie de

intelligentsia [in,teli'dʒentsiə], **inteligentzia** [in,teli'dʒentsiə] *s* intelectualitate, intelectuali, pătură cultă

intelligibility [in,telidʒə'biliti] *s* caracter inteligibil, inteligibilitate

intelligible [in'telidʒəbəl] *adj* inteligibil, care poate fi înţeles; desluşit

intelligibly [in'telidʒəbli] *adv* inteligibil; clar, desluşit; pe înţeles

intemperance [in'tempərəns] *s* **1** lipsă de cumpătare; exces, abuz **2** patimă **3** alcoolism, beţie, patima beţiei, *umor* darul suptului

intemperate [in'tempərit] *adj* **1** necumpătat, nestăpânit, neînfrânat; **to be ~ in one's speech** a nu-şi măsura cuvintele **2** beţiv, alcoolic **3** excesiv, exagerat

intemperately [in'tempəritli] *adv* **1** peste măsură, nemăsurat **2** exagerat, excesiv

intend [in'tend] *vt* **1** *(cu inf sau forme în* **-ing***)* a intenţiona/a plănui să, a avea de gând să; a avea intenţia de a *sau* să; **what do you ~ to do about it?** ce ai de gând să faci în problema asta? cum intenţionezi să rezolvi chestiunea? **2** a avea drept scop/ţel, a urmări, a avea în vedere; **I ~ɛd no harm** n-am avut nici o intenţie rea/nici un gând rău, n-am vrut să(-ţi) fac nici un rău **3** a face anume/în mod intenţionat/deliberat/voit **4** (**for, to**) a destina, a meni; a hărăzi (să *sau cu dat);* **I ~ed it as a joke** am spus-o/făcut-o în glumă **5** a vrea să spună, a înţelege

intendance [in'tendəns], **intendancy** [in'tendənsi] *s* **1** *mil* intendenţă; administraţie **2** administraţie; administrare, gospodărire **3** control

intended [in'tendid] **I** *adj* **1** (**for**) destinat, menit, hărăzit (pentru, să *sau cu dat)* **2** intenţionat, deliberat, făcut anume/cu intenţie **3** plănuit, proiectat **4** *(d. soţ)* viitor **II** *s F* **1** viitor (logodnic), logodnic **2** viitoare (logodnică), logodnică

intendent [in'tendənt] s 1 mil inten-dent, ofiţer de intendenţă/admi-nistraţie 2 administrator 3 con-trolor 4 min inspector

intending [in'tendiŋ] adj presupus, prezumtiv

intending buyer [in'tendiŋ 'baiəʳ] s com amator, client eventual

intendment [in'tendmənt] s jur interpretare, accepţie, spirit

intense [in'tens] adj 1 intens, puternic, tare, viguros 2 (d. dorinţă) viu, fierbinte, arzător 3 (d. durere) acut, viu, puternic 4 ← sl emotiv; iritabil; sensibil 5 (in) zelos, conştiincios, sârguincios (în)

intensely [in'tensli] adv 1 intens, puternic, viu, tare 2 zelos, cu zel/râvnă/ardoare/sârguinţă 3 forte, extrem/grozav, straşnic de tare

intenseness [in'tensnis] s 1 inten-sitate 2 putere, forţă, tărie, vigoare 3 râvnă, zel, ardoare 4 agerime, (putere de) pătrundere, ascuţime (a minţii) 5 concentrare intensă, atenţie încordată 6 sl ţâfnă, susceptibilitate, iritabilitate

intensification [in,tensifi'keiʃən] s 1 intensificare, întărire 2 sporire, creştere, intensificare, înzecire (a eforturilor etc.) 3 încordare, concentrare

intensifier [in'tensi,faiəʳ] s tehn 1 amplificator; intensificator; întă-ritor 2 multiplicator

intensify [in'tensi,fai] I vt 1 a in-tensifica, a întări 2 a spori, a mări, a intensifica, a înzeci (eforturile etc.) II vr 1 a se intensifica, a se întări, a deveni mai intens/vi-guros 2 a creşte, a spori, a se intensifica

intensifying [in'tensi,faiiŋ] adj 1 care intensifică 2 tehn amplificator

intension [in'tenʃən] s 1 intensitate, tărie, vigoare, putere 2 inten-sificare, întărire 3 fig concen-trare, încordare, atenţie

intensity [in'tensiti] s 1 intensitate, putere, tărie, vigoare 2 fiz inten-sitate; tensiune 3 ardoare, zel, râvnă 4 fig încordare, concen-trare, atenţie

intensive [in'tensiv] adj 1 intens, puternic, viguros, tare 2 încordat, concentrat, atent 3 intensiv 4 gram întăritor, de întărire/inten-sificare

intensively [in'tensivli] adv 1 intens, puternic, tare 2 încordat, con-centrat; cu încordare/zel/râvnă 3 (în mod) intensiv

intensive pronoun [in'tensiv 'prounaun] s gram pronume de întărire

intent [in'tent] I adj 1 atent, con-centrat 2 (on, upon) încordat, concentrat (asupra – cu gen); aţintit, îndreptat (spre, asupra – cu gen) 3 (on, upon) cufundat în, absorbit de, atent la; he was very ~ on his thoughts era (total) absorbit de gândurile lui, era cufundat în/dus pe gânduri 4 (on, upon) zelos, conştiincios în; nebun/ahtiat după II s gând; ţel, scop // to all ~s and pur-poses a din toate punctele de vedere, în toate privinţele b în fond/realitate, de fapt; practic/ efectiv (vorbind)

intention [in'tenʃən] s 1 intenţie, plan; scop, ţel; first ~ a med v. 3 b logică v. 2; second ~ a med vindecare a rănii prin granulare b logică concept secund/derivat; particular/special ~ bis ocazie căreia i se dedică liturghia; with ~ (în mod) intenţionat, dinadins, anume, F expré; without ~ neintenţionat, fără gânduri as-cunse; he was ~s F are intenţii serioase/de căsătorie 2 filos concept, noţiune/idee/concepţie generală 3 med cicatrizare

intentional [in'tenʃənəl] adj 1 inten-ţionat, voit, făcut anume/dina-dins/F – expré 2 plănuit/gândit (dar nerealizat), de domeniul intenţiilor; virtual; aparent

intentionality [in,tenʃə'næliti] s 1 intenţie, caracter intenţionat/ deliberat 2 element/factor inten-ţional

intentionally [in'tenʃənəli] adv (în mod) intenţionat/voit, dinadins, anume, F expré

intentness [in'tentnis] s 1 concen-trare, atenţie încordată, încor-dare 2 râvnă, zel, ardoare

inter[1] [in'təʳ] vt a înhuma, a înmor-mânta, a îngropa

inter[2] presc de la **intermediate examination**

inter[3] pref inter-: **interaction** in-teracţiune: **international** inter-naţional

interact[1] [,intər'ækt] vi a fi inde-pendent/în interacţiune, a acţio-na unul asupra altuia, a se in-fluenţa/a se condiţiona reciproc

interact[2] ['intərækt] s 1 teatru antract, pauză 2 muz interludiu, muzică de antract 3 fig lucru făcut printre picături, îndelet-nicire ocazională

interacting [,intər'æktiŋ] adj inter-dependent, în interacţiune, acţio-nând combinat/conjugat/unul asupra celuilalt

interaction [,intər'ækʃən] s interac-ţiune, interdependenţă, acţiune/ influenţă/condiţionare reciprocă

interactive [,intər'æktiv] adj 1 intercalat, incident 2 v. **inter-acting**

interagency [,intər'eidʒənsi] s inter-mediu, mijlocire

interagent [,intər'eidʒənt] s mijlo-citor, intermediar

inter alia ['intər'eiliə] adv lat printre altele

interallied [,intər'ælaid] adj interaliat, între aliaţi (mai ales în al doilea război mondial)

interatomic [,intərə'tɔmik] adj fiz interatomic

interbedded [,intə'bedid] adj geol intercalat (între straturi)

interbedding [,intə'bediŋ] s geol interstratificare, intercalare

interblend [,intə'blend] I vt a ames-teca, a mixa; a combina, a îmbina II vi a se amesteca, a se îmbina, a se combina

interbreed [,intə'bri:d], pret şi ptc **interbred** [,intə'bred] biol I vt a încrucişa II vi a se încrucişa

interbreeding [,intə'bri:diŋ] s biol încrucişare

intercalar [in'tə:kələʳ], **intercalary** [in'tə:kələri] adj 1 intercalat 2 inserat

intercalary day [in'tə:kələri,dei] s 1 ziua de 29 februarie 2 med zi interfebrilă

intercalate [in'tə:kə,leit] vt 1 a intercala 2 a interpola 3 a insera 4 a introduce în calendar

intercalation [in,tə:kə'leiʃən] s 1 intercalare 2 interpolare, inter-polaţie 3 inserare 4 intercalaţie

intercede [,intə'si:d] vi 1 (with) a interveni, a face intervenţii/o intervenţie sau demersuri (pe lângă, la); I have ~d with him for

you am intervenit la el în favoarea ta; **to ~ in smb's favour** a lua apărarea cuiva, a încerca să scape pe cineva de o pedeapsă **2 (between, with)** a (inter)media, a mijloci, a se interpune (între)

interceder [,intə'si:dəʳ] *s* **1** mediator, mijlocitor **2** persoană care face intervenții/care intervine **3** protector, protecție, *F* pilă, proptea

intercensal [,intə'sensəl] *adj* cuprins între două recensăminte

intercept [,intə'sept] *vt* **1** a intercepta, a prinde **2** a intercepta, a surprinde, a asculta, a spiona, a controla **3** a întrerupe, a tăia *(comunicațiile)* **4** a împiedica, a opri, a stăvili

interception [,intə'sepʃən] *s* **1** a interceptare; intercepție **2** captare; capturare **3** împiedicare, oprire, stăvilire **4** tăiere, întrerupere, barare *(a legăturilor)*

interceptive [,intə'septiv] *adj* **1** de interceptare/intercepție **2** de împiedicare/oprire/stăvilire

interceptor [,intə'septəʳ] *s* **1** *av* avion *(de vânătoare)* de interceptare **2** *tehn* sifon de scurgere

intercession [,intə'seʃən] *s* **1** intervenție, *F* pilă, proptea; **through smb's ~** prin intervenția cuiva **2** mijlocire, intermediu **3** demers, intervenție, mediere; **to make ~ to smb for smb else** a pune o vorbă bună pe lângă cineva pentru altcineva

intercessional [,intə'seʃenəl] *adj* **intercessory 1, 2**

intercessor [,intə'sesəʳ] *s* **v. interceder**

intercessory [,intə'seseri] *adj* **1** cu caracter de intervenție/mijlocire **2** (cu caracter) de demers **3** cu caracter de protecție sau apărare

interchange I ['intə,tʃeindʒ] *s* **1** schimburi reciproce **2** succesiune, alternanță **3** transbordare **4** (șosea de) racord, bretea; intersecție amenajată II [,intə'tʃei'ndʒ] *vt* **1** **(with)** a schimba, a face schimb (reciproc) de *(mărfuri etc.)* (cu) **2** a schimba (cu); a încurca (cu) **3** a alterna, a face să se succeadă

interchangeability [,intə,tʃeindʒə-'biliti] *s* caracter interșanjabil; permutabilitate, posibilitate de înlocuire reciprocă

interchangeable ['intə'tʃeindʒəbəl] *adj* **1** interșanjabil; care se pot înlocui/substitui între ele **2** reciproc, mutual **3** alternativ, în alternanță/succesiune

interchangeably [,intə'tʃeindʒəbli] *adv* (în mod) interșanjabil/comutabil; putându-se schimba/cu posibilitatea de a se schimba între ele/ei

interchapter [,intə'tʃæptəʳ] *s* capitol intercalat/intermediar

inter-city [,intə'siti] *adv* **1** inter-orașe **2** interurban

intercollegiate [,intəkɔ'lidʒi:it] *adj* **1** între colegii; interuniversitar **2** comun mai multor colegii/universități

intercom ['intə,kɔm] *presc de la* **intercommunication 4**

intercommune [,intəkə'mju:n] *vi* **1** a fi în/a avea relații reciproce **2** *scot* **(with)** a intra în asociație/tovărășie (cu)

intercommunicable [,intəkə'mju:-nikəbəl] *adj* comunicat, care se prestează la intercomunicație

intercommunicate [,intə'kəmju:ni-,keit] *vi* **1** a fi în (inter)comunicație/legătură, a comunica *(unul cu celălalt)* **2** a fi în/a avea relații/raporturi (reciproce)

intercommunication [,intəkə-mjuni'keiʃən] *s* **1** intercomunicare, intercomunicație **2** relații/raporturi/legături (reciproce) **3** schimburi reciproce/mutuale **4** *tehn* interfon, aparat de comunicație la mică distanță; aviafon **5** *mil* transmisiuni

intercommunication service ['intəkə,mjuni'keiʃən ,se:vis] *s mil* (serviciu de) transmisiuni

intercommunion [,intəkə'mju:njən] *s* **1** legătură strânsă/intimă, relații strânse, comuniune/apropiere sufletească **2** interacțiune reciprocă

intercommunity [,intəkə'mju:niti] *s* **1** comunitate, caracter comun **2** comunitate de bunuri, proprietate/posesiune comună/în comun **3** comunicare reciprocă, schimb de idei/păreri **4** armonie, înțelegere, conviețuire armonioasă

interconnect [,intəkə'nekt] *vt* a conexa, a lega între ele; a pune în legătură

interconnection, interconnexion [,intəkə'nekʃən] *s* **1** interconexiune **2** legătură reciprocă **3** conexare, legare, punere în legătură

intercontinental [,intə,kɔnti'nentəl] *adj* intercontinental

interconversion [,intə,kɔn'və:ʃən] *s* convertire reciprocă, transformare unul într-altul

interconvertible [,intəkɔn'və:tibəl] *adj* **v. interchangeable**

intercostal [,intə'kɔstəl] I *adj* intercostal II *s* **1** *anat* mușchi intercostal **2** *nav* tablă intercostală

intercourse ['intə,kɔ:s] *s* **1** relații, legături; relație, legătură; **to have/to hold ~ with smb** a fi în/a întreține relații cu cineva **2** comunicare (spirituală), limbaj comun; mesaj; schimburi spirituale **3** relații/raporturi sexuale/intime

intercross I [,intə'krɔs] *vt* **1** *biol* a încrucișa **2** a întretăia, a intersecta II [,intə'krɔs] *vi* **1** ↓ *biol* a se încrucișa **2** a se întretăia, a se intersecta III ['intə,krɔs] *s biol* hibrid; corcitură; produs al unei încrucișări

intercrossing [,intə'krɔsiŋ] *s* **1** *biol* încrucișare **2** întretăiere, intersectare

intercrural [,intə'krurəl] *adj anat* dintre/între picioare/coapse

intercurrence [,intə'kʌrəns] *s* **1** caracter intermediar *(al unui eveniment etc.)* **2** *med* supraadăugare *(a unei boli)* **3** *med* recurență *(a unei boli)*

intercurrent [,intə'kʌrənt] *adj* **1** *(d. timp sau eveniment)* intermediar, din intervalul respectiv; intervenit pe parcurs **2** *med (d. boală)* supraadăugat/intervenit în cursul unei boli **3** *med* recurent

intercut I [,intə'kʌt] *vt* a întretăia, a intersecta II ['intəkʌt] *s cin* (scenă)/(secvență) racord

interdenominational [,intədi,nɔmi-'neiʃenəl] *adj* interconfesional

interdepartmental [,intədipa:t'mentəl] *adj* interdepartamental

interdepend [,intədi'pend] *vi* a fi interdependent, a depinde unul de altul

interdependence [,intədi'pendəns], **interdependency** [,intədi-'pendənsi] *s* interdependență, caracter interdependent, dependență reciprocă

interdependent [,ɪntədɪ'pendənt] *adj* interdependent

interdict I [,ɪntə'dɪkt] *vt* **1** a interzice, a prohibi, a nu permite/îngădui **2** a opri, a împiedica; **to ~ smb from (doing) smth** a nu lăsa pe cineva să facă ceva, a interzice cuiva (să facă) ceva **3** *jur* a pune sub interdicție **4** *bis* a exclude, a pune sub interdict **II** ['ɪntə,dɪkt] *s* **1** *jur* interdicție, interzicere; **to put an ~ upon** a supune unei interdicții/unor restricții *(pe cineva)* **2** *bis* interdict

interdiction [,ɪntə'dɪkʃən] *s* **1** interdicție, prohibiție; neîngăduire **2** *jur* interdicție, interzicere **3** *rel* interdict

interdictive [,ɪntə'dɪktɪv], **interdictory** [,ɪntə'dɪktəri] *adj* prohibitiv, de interdicție/interzicere

interdigital [,ɪntə'dɪdʒɪtəl] *adj anat* interdigital, dintre/între degete *(de la mâini sau picioare)*

interdisciplinary [,ɪntə'dɪsɪplɪnəri] *adj* interdisciplinar

interest ['ɪntrɪst] **I** *s* **1** ↓ *pl* interes(e), avantaj(e), profit, foloase; bine (al cuiva); **for the best of your ~(s)** în interesul/spre binele tău; **to attend to smb's ~(s)** a se ocupa de/a apăra interesele cuiva, a veghea asupra intereselor cuiva; **to look after one's own ~s** a-și face/a-și urmări propriile interese, a-și urmări scopul (propriu); **to interfere with smb's ~s** a dăuna (intereselor) cuiva; **to sink one's own ~s** a nu se gândi la/a-și lăsa la o parte propriile interese **2** (in) interes, curiozitate; atenție, pasiune (pentru); **to take (an) ~ in** a manifesta interes/curiozitate (pentru); a se interesa (de); **to feel an ~ in** a se pasiona/a se interesa de **3** interes, importanță, valoare; **it has no ~ for me** nu prezintă nici un interes pentru mine, mă lasă rece **4** punct de atracție, aspect interesant **5** lucru care stârnește interesul/pasiunea cuiva, pasiune **6** *com* dobândă, procente; < camătă; **to bear/to carry/to pay/to yield ~** a aduce/a produce dobândă/procente; **to borrow at ~** a lua (bani) cu dobândă/camătă **7** (in) *ec* investiții, sumă investită (în),

participare (la), cotă(-parte) (din) **8** (in) *jur* drept (asupra – *cu gen*) interese materiale (în) **9** *ec* oameni legați prin aceleași interese materiale; proprietari, acționari, finanțatori **10** (with, at) influență, putere, control (asupra – *cu gen*); trecere (la, pe lângă); **she used her ~ with them** a făcut uz/s-a folosit de trecerea pe care o avea pe lângă ei; **great ~ was made to save him** s-a făcut uz de toate mijloacele pentru a-l salva **II** *vt* (in) a interesa, a atrage (în); **to get ~ed/to ~ smb in smth** a trezi/a stârni interesul cuiva pentru ceva **III** *vi* a fi interesat, a prezenta interes/importanță

interest account ['ɪntrɪst ə,kaunt] *s fin* **1** calcularea dobânzilor **2** cont de dobânzi

interested ['ɪntrɪstɪd] *adj* (in, by) interesat (de, în), plin de interes/curiozitate (pentru); **he seemed to be ~ in/by the problem** părea că-l interesează/pasionează problema

interestedly ['ɪntrɪstɪdli] *adv* **1** (în mod) interesat, din interes **2** cu interes

interested parties ['ɪntrɪstɪd 'paːtiz] *s pl com* părțile interesate/în cauză, cei interesați

interesting ['ɪntrɪstɪŋ] *adj* **1** interesant, plin de interes; **in an ~ condition/situation** *F* în poziție interesantă, ~ gravidă, femeie însărcinată **2** important, însemnat; decisiv, hotărâtor

interestingly ['ɪntrɪstɪŋli] *adv* (într-un mod) interesant; cu mult haz

interest oneself in/for ['ɪntrɪst wʌn'self ɪn/fə'] *vr cu prep* a arăta interes pentru, a se pasiona de

interest rate ['ɪntrɪst ,reɪt] *s fin* rată a dobânzii

interest warrant ['ɪntrɪst ,wɒrənt] *s fin* cupon de dobânzi

interface I ['ɪntə ,feɪs] *s* **1** *fiz* suprafață de rupere/secționare/separație **2** *tehn* suprafață/punct/zonă de frecare **3** suprafață/linie/bară/punct de contact, graniță, frontieră **4** caracter interdisciplinar, interdisciplinaritate **5** interdependență, corelație (strânsă), relație strânsă/reciprocă, legătură reciprocă; (inter)co-

nexiune **II** ['ɪntəfeɪs] *adj v.* **interfacing III** [,ɪntə'feɪs] *vi* (with) a fi interdependent/în interdependență/în strânsă legătură (cu); a fi indisolubil legat (de) **IV** *vt* (with) a integra, a lega strâns

interfacial [,ɪntə'feɪʃəl] *adj* **1** interfacial **2** *(d. unghi)* diedru

interfacing [,ɪntə'feɪsɪŋ] *adj* conex, înrudit, apropiat

interfemoral [,ɪntə'femərəl] *adj anat* dintre/între coapse/picioare

interfere [,ɪntə'fɪə'] *vi* **1** (in) a interveni, a mijloci, a face pe mijlocitorul (în); a lua parte (la) **2** (in, with) a se amesteca, a se băga, a-și băga nasul (în), a se băga pe fir **3** *(d. cai)* a se cosi **4** *fig* a interfera, a face interferență **5** a se lovi unul de altul, a fi în opoziție

interference [,ɪntə'fɪərəns] *s* **1** amestec (nejustificat), intervenție, imixtiune, ingerință **2** obstacol, piedică **3** *fiz* interferență **4** *rad* paraziți, bruiaj **5** *(la cai)* cosire, mers cosit

interferential [,ɪntəfə'renʃəl] *adj* interferent; de interferență

interferer [,ɪntə'fɪərə'] *s* **1** persoană care se amestecă *(în ceva)*, persoană inoportună; băgăreț, intrus, nechemat **2** persoană care intervine; mijlocitor

interfere with [,ɪntə'fɪə wɪð] *vi cu prep* **1** a împiedica, a stânjeni, a deranja *cu ac;* a pune bețe în roate **2** a se opune *cu dat;* **don't ~ my orders** nu te opune ordinelor mele; nu-mi contracara dispozițiile **3** a contraveni la *sau cu dat,* a veni în conflict cu; a se bate cap în cap cu **4** a dăuna *cu dat,* a vătăma *cu ac* **5** a importuna, a plictisi, a pisa *cu ac* **6** a acosta *(bărbați)* **7** a atenta la *(o femeie),* a comite un atentat la pudoare împotriva *(unei femei)*

interfering [,ɪntə'fɪərɪŋ] **I** *adj* **1** băgăreț, înfigăreț, care intervine/se amestecă/se bagă; **he is too ~** prea-și bagă/vâră nasul peste tot **2** *fiz* interferent, de interferență **II** *s* amestec (nejustificat), intervenție, *F* intrare/băgare pe fir

interferometer [,ɪntəfə'rɒmɪtə'] *s telev* interferometru, aparat de măsură a lungimii de undă

interferometric [,intə‚fɛrə'metrik] *adj*
telev interferometric

interferometry [,intəfə'rɒmitri] *s*
telev interferometrie, măsurare a
lungimii de undă prin fenomene
de interferenţă

interferon [,intə'fiərɒn] *s biol* inter-
feron, proteină de protecţie a
celulei

interflow I [,intə'flou] *vi* **1** a se vărsa
unul în altul **2** a se amesteca, a
se contopi **3** a curge între două
dealuri *etc.* **II** ['intə‚flou] *s* **1**
confluenţă **2** contopire, împreu-
nare

interfluent [in'tə:fluənt] *adj* **1** con-
fluent **2** care curge printre dealuri
etc. **3** *fig* armonios, îmbinat, care
vibrează la unison

interfuse [,intə'fju:z] **1** *vt* (**with**) **1** a
amesteca, a intercala *(un lucru
cu altul)* **2** a îmbina *(lucrurile)* **II**
vi (*d. lucruri*) a se amesteca, a
se îmbina, a fuziona

interfusion [,intə'fju:ʒən] *s* ames-
tecare, îmbinare; fuzionare,
fuziune

interglacial [,intə'gleisiəl] *adj geol,
geogr (în perioada)* dintre glacia-
ţiuni

intergovernmental [,intə‚gʌvən-
'mentəl] *adj pol* interguverna-
mental; interstatal

intergradation [,intəgrə'deiʃən] *s
mat* (metodă bazată pe) aproxi-
maţie succesivă/treptată

intergrade [,intə'greid] **I** *s* schimbare
treptată a formei; transformare
treptată/pas cu pas; prefacere
treptată/gradată/subtilă **II** *vi* a se
transforma/a se preface/a se
(pre)schimba *(în altceva)* treptat/
gradat/încet/subtil

intergrown [,intə'groun] *adj bot*
crescut laolaltă, concrescut

intergrowth [,intə'grouθ] *s bot*
concreştere, creştere laolaltă

interim ['intərim] **I** *s* interimat, pe-
rioadă interimară; **in the ~** între
timp, în vremea aceasta **II** *adj*
interimar; temporar, provizoriu

interior [in'tiəriər] *s pol* (↓ *în titluri*)
(afaceri) interne

interior I *adj* **1** interior, dinăuntru,
situat în interior, intern **2** lăuntric,
intim, interior **II** *s* **1** interior; parte
dinăuntru/interioară **2** *arhit, artă*
interior **3** *geom* intern **4** *fig*
lăuntru, suflet, parte lăuntrică,

fire, sinea sa **5** *F* măruntaie,
maţe, – intestine

interior angle [in'tiəriər 'æŋgl] *s
geom* unghi interior

interior country [in'tiəriə 'kʌntri] *s*
interiorul/inima ţării

interior decoration [in'tiəriə ‚dekə-
'reiʃən] *s* decoraţiuni interioare;
decoraţie interioară; ornamen-
taţie *(a locuinţei sau a unei clădiri)*

interior decorator [in'tiəriə 'dekə-
‚reitəʳ] *s* decorator de interioare,
arhitect decorator de interioare,
arhitect decorator

interiorly [in'tiəriərli] *adv* **1** înăuntru,
în interior **2** *fig* în sinea lui,
înlăuntrul lui

interior monologue [in'tiəriə
'mɒnəloug] *s lit* monolog interior,
reproducere a gândurilor per-
sonajului (↓ *în teatru*)

interior screw [in'tiəriə 'skru:] *s tehn*
piuliţă *(de şurub)*

interjacent [,intə'dʒeisənt] *adj*
aşezat la mijloc/între mai multe
obiecte; intermediar

interjaculatory [,intə'dʒækjulətəri]
adj exclamativ

interject [,intə'dʒekt] *vi* a strecura,
a băga, a intercala *(o replică etc.)*

interjection [intə'dʒekʃən] *s* **1** *gram*
interjecţie **2** exclamaţie

interjectional [,intə'dʒekʃənəl] *adj* **1**
gram interjecţional, cu caracter
de interjecţie **2** exclamativ **3**
strecurat, băgat, intercalat

interjectionary [,intə'dʒekʃənəri],
interjectory [,intə'dʒektəri] *adj*
interjecţional *etc* v. **interjec-
tional**

interknit [,intə'nit], *pret şi pct*
interknit [,intə'nit] *sau* **inter-
knitted** [,intə'nitid] **I** *vt* **1** a împleti
(laolaltă) **2** *fig* a îmbina, împleti **II**
vi **1** a se împleti **2** *fig* a se îmbina,
a se împleti

interlabial [,intə'leibiəl] *adj* interla-
bial

interlace [,intə'leis] **I** *vt* **1** (**with**) a
întreţese, a împleti (cu) **2** a
îmbina, a amesteca **3** *fig* v.
interlard 2 II *vi* a se întreţese, a
se împleti

interlacery ['intə'leisəri] *s* împle-
titură, urzeală

interlacing [,intə'leisiŋ] **I** *adj* între-
ţesut, împletit; care se împle-
teşte/întreţese **II** *s* **1** întreţesere,
împletire **2** împletitură **3** *fig*

amestec, îmbinare, împletire **4**
tehn încălecare; intercalare;
distribuţie intercalată

interlanguage [,intə'læŋgwidʒ] *s
lingv* limbă internaţională, limbaj
internaţional

interlap [,intə'læp] *vi* v. **overlap**

interlard [,intə'lɑ:d] *vt* **1** a împăna **2**
(**with**) *fig* a împăna, a presăra, a
împestriţa (cu)

interleaf ['intə‚li:f] foaie albă *(in-
tercalată între pagini)*

interleave [,intə'li:v] *vt* **1** *poligr* a
interfolia, a intercala foi albe între
2 a pune/a intercala un strat
intermediar între

interline [,intə'lain] **I** *s poligr* inter-
linie, durşus **II** *vt* a scrie între
rânduri

interlinear [,intə'liniəʳ] **I** *adj* scris
printre rânduri, interlinear **II** *s* text
sau carte cu versuri/traduceri
scrise printre rânduri

interlinear translation/version
[,intə'liniə ‚trɑ:ns'leiʃən/'və:ʃən] *s*
traducere interlineară/scrisă
printre rânduri

interlineation [,intə‚lini'eiʃən] *s*
intercalare, inserare printre
rânduri

interlink [,intə'liŋk] **I** *vt* **1** (**with**) a
lega (de); a lega unul de altul **2**
fig a pune în legătură, a lega, a
conexa, a stabili o legătură între
3 *fig* a înlănţui **4** *tehn* a cupla **II** *vi*
a se lega *(între ele/unul de altul)*

interlinkage [,intə'liŋkidʒ], **inter-
linking** [,intə'liŋkiŋ] *s tehn* **1**
cuplaj **2** interconectare

interlobular [,intə'lɒbjuləʳ] *adj anat,
zool* interlobular, situat între lobi

interlock [,intə'lɒk] **I** *vt* **1** a lega, a
îmbuca **2** *tehn* a conexa; a cupla,
a angrena **3** *tehn* a sincroniza **II**
vi **1** a se îmbuca, a se lega; a se
împleti, a se încrucişa **2** *tehn* a
se angrena, a (se) cupla

interlocution [,intələ'kju:ʃən] *s*
convorbire, conversaţie, discuţie

interlocutor [,intə'lɒkjutəʳ] *s* **1**
interlocutor, partener de con-
versaţie **2** *jur* hotărâre definitivă
sau interlocutorie/provizorie **3**
protagonist al unui spectacol
folcloric

interlocutory [,intə'lɒkjutəri] *adj* **1**
(cu caracter) de conversaţie/
dialog **2** *jur* interlocutoriu, provi-
zoriu, interim(ar), intermediar

interlocutress [ˌɪntəˈlɔkjutris], **interlocutrix** [ˌɪntəˈlɔkjutriks] *s* interlocutoare, parteneră de conversație

interlope [ˌɪntəˈloup] *vi* **1** a se amesteca în treburile/afacerile altora, a-și băga nasul unde nu-i fierbe oala, *F* a se băga pe fir **2** a face contrabandă/trafic

interloper [ˈɪntəˌloupəʳ] *s* **1** băgăreț; nechemat, intrus **2** negustor clandestin, traficant **3** *nav* vas care face contrabandă

interlude [ˈɪntəˌluːd] *s* **1** *muz* și *fig* interludiu, intermezzo **2** *teatru* interludiu; farsă **3** *fig* pauză, răgaz, răstimp

intermarriage [ˌɪntəˈmærɪdʒ] *s* **1** căsătorie între rude, endogamie **2** căsătorie între membrii unor caste *sau* triburi diferite, căsătorie mixtă

intermarry [ˌɪntəˈmæri] *vi* **1** a se căsători, a se uni prin căsătorie *(în cadrul aceluiași grup etc.)* **2** a se înrudi/a se amesteca prin căsătorie

intermeddle [ˌɪntəˈmedl] *vi* (**in, with**) a se amesteca/a se băga/a-și băga nasul (în)

intermeddler [ˌɪntəˈmedləʳ] *s* (om) băgăreț, persoană care se bagă/vâră peste tot/în treburile altora

intermediary [ˌɪntəˈmiːdɪəri] *I adj* **1** intermediar **2** care mijlocește/ (inter)mediază **II** *s* intermediar, mijlocitor

intermediate I [ˌɪntəˈmiːdjət] *adj* **1** (în stadiul) intermediar **2** indirect, mijlocit, făcut prin intermediar **3** mediat, mijlocit **4** *școl* mediu, (în stadiul) intermediar; semiavansat **5** auxiliar, ajutător **II** [ˌɪntəˈmiːdjət] *s* intermediar, mijlocitor **III** [ˌɪntemiˈdieit] *vi* a face pe mijlocitorul/intermediarul **IV** [ˌɪntəˈmiːdjət] *prep jur* între, în perioada dintre

intermediate course [ˌɪntəˈmiːdjətˈkɔːs] *s școl* curs mediu/semiavansat/pentru elevi semiavansați

intermediate examination [ˌɪntəˈmiːdjət igˌzæmiˈneɪʃən] *s univ* examen parțial/intermediar

intermediate grades [ˌɪntəˈmiːdjətˈgreidz] *s pl amer școl* clasele 4-6 ale unei școli elementare

intermediate life [ˌɪntəˈmiːdjətˈlaif] *s geol* viață din mezozoic

intermediately [ˌɪntəˈmiːdjətli] *adv* prin intermediar/mijlocitor, indirect

intermediate range ballistic missile [ˌɪntəˈmiːdjət ˌreɪndʒ bəˌlisˈtikˈmisail] *s* rachetă balistică cu rază medie de acțiune

intermediates [ˌɪntəˈmiːdjəts] *s pl* produse intermediare, (produse) semifabricate

intermediate school [ˌɪntəˈmiːdjət ˈskuːl] *s amer* școală medie

intermediation [ˌɪntəmiːdiˈeiʃən] *s* (inter)mediere, mijlocire

intermediator [ˌɪntəmiːdiˌeitəʳ] *s* mijlocitor, intermediar

intermedium [ˌɪntəˈmiːdjəm] *pl și* **intermedia** [ˌɪntəˈmiːdiə] *s* **1** intermediu; mijlocire **2** intermediar, mijlocitor **3** mijloc de comunicație, intermediu **4** spațiu intermediar **5** perioadă intermediară

interment [inˈtəːmənt] *s* înhumare, înmormântare

intermezzo [ˌɪntəˈmetsou], *pl* **intermezzi** [ˌɪntəˈmetsi], *sau* **intermezzos** [ˌɪntəˈmetsouz] *s muz* intermezzo

interminable [inˈtəːminəbəl] *adj* interminabil, nesfârșit

interminableness [inˈtəːminəbəlnis] *s* caracter interminabil/nesfârșit

interminably [inˈtəːminəbli] *adv* **1** la nesfârșit, întruna, (în mod) interminabil **2** neîncetat, fără încetare

interminate [inˈtəːminit] *adj* nelimitat, nemărginit, fără limite

intermingle [ˌɪntəˈmingl] **I** *vt* **1** (**with**) a amesteca, a îmbina (cu) **2** (**among**) a strecura, a introduce, a amesteca (printre) **II** *vi* (**with**) a se îmbina, a se amesteca, a se confunda (cu)

intermission [ˌɪntəˈmiʃən] *s* **1** întrerupere, pauză; **without ~** neîntrerupt, neîncetat, fără întrerupere **2** *amer* pauză; *școl* recreație; *teatru* antract **3** intermitență, caracter intermitent

intermit [ˌɪntəˈmit] **I** *vi* **1** a întrerupe, a opri, a suspenda **2** a efectua/a face cu intermitențe/pe apucate **II** *vi* **1** a se întrerupe, a se opri (temporar) **2** a fi intermitent, a se repeta periodic/cu intermitență

intermittence [ˌɪntəˈmitəns] *s* **1** intermitență, caracter intermitent **2** întrerupere, pauză

intermittent [ˌɪntəˈmitənt] *adj* **1** intermitent; recurent **2** întrerupt, cu întreruperi/pauze

intermittently [ˌɪntəˈmitəntli] *adv* (în mod) intermitent, cu întreruperi/ intermitență

intermix [ˌɪntəˈmikst] **I** *vt* a amesteca *(între ei, unul cu altul)* **II** *vi* a se amesteca *(între ei, unul cu altul)*

intermixture [ˌɪntəˈmikstʃəʳ] *s* amestec, mixtură, mixtum compositum

intermolecular [ˌɪntəməˈlekjuləʳ] *adj* *fiz, ch* intermolecular, între molecule

intern [inˈtəːn] **I** *s* **1** *v* internee **2** ↓ *amer* intern *(de spital)* **II** *vt* **1** a interna **2** *ec* a expedia în interiorul țării **III** *vi* a lucra ca intern *(într-un spital)*

internal [inˈtəːnəl] *adj* **1** intern, interior, dinăuntru **2** intrinsec, implicit **3** intim, lăuntric

internal aerial [inˈtəːnəl ˈɛəriəl] *s rad* antenă de cameră

internal affairs [inˈtəːnəl əˈfɛəz] *s pl pol* afaceri interne

internal combustion engine [inˈtəːnəl kəmˌbʌstʃən ˈendʒin] *s tehn* motor cu combustie/ardere internă

internal evidence [inˈtəːnəl ˈevidəns] *s* dovezi/probe intrinseci/implicite

internally [inˈtəːnəli] *adv* (pe plan) intern, în interior

internalness [inˈtəːnəlnis] *s* caracter intern; interioritate

internal revenue [inˈtəːnəl ˈrevinjuː] *s ec* venit național, venitul statului

internal revenue officer [inˈtəːnəl ˈrevinjuː ˈɔfisəʳ] *s* administrator financiar; *aprox* perceptor

internal rhyme [inˈtəːnəl ˈraim] *s* rimă interioară

internals [inˈtəːnəlz] *s anat* viscere, organe interne, *F* măruntaie

internal specialist [inˈtəːnəl ˈspeʃəlist] *s* internist, specialist în boli interne

internal student [inˈtəːnəl ˈstjuːdənt] *s* student intern/căminist

internal trade [inˈtəːnəl ˈtreid] *s ec* comerț interior

internal voltage [inˈtəːnəl ˈvoltidʒ] *s el* forță electromotoare

internal water [inˈtəːnəl ˈwɔtəʳ] *s* apă de adâncime

internal wiring [inˈtəːnəl ˈwaiəriɳ] *s el* instalație electrică interioară

internat *presc de la* **international**

International [,intə'næʃənəl] *s ist* Internaţională *(a muncitorilor)*

international I *adj* internaţional **II** *s sport* internaţional, component/ jucător al echipei naţionale

Internationale, the [,intə'næʃə'nɑl, ði] *s muz* Internaţionala

internationalism [,intə'næʃənə-,lizəm] *s pol* internaţionalism

internationalist [,intə'næʃənəlist] *s, adj* internaţionalist

internationality [,intə,næʃə'næliti] *s* caracter internaţional

international law [,intə'næʃənəl 'lɔ:] *s jur* drept internaţional

internationally [,intə'næʃənəli] *adv* pe plan internaţional

international nautical mile [,intə-'næʃənəl 'nɔ:tikəl mail] *s* milă marină (internaţională) *(1852 m)*

International Scientific Voca-bulary [,intə'næʃənəl ,saiən'tifik və'kæbjuləri] *s* vocabular ştiinţific (de uz) internaţional

International Telecommunication Union [,intə'næʃənəl 'telikə,mju:-nikeiʃən 'ju:niən] *s* Uniunea Inter-naţională a Telecomunicaţiilor

interne ['intə:n] *s med v.* **intern I 2**

internecine [,intə'ni:sain] *adj* **1** pustiitor, distrugător, nimicitor **2** sângeros, criminal **3** dezastruos pentru ambele părţi

internecine war [,intə'ni:sain 'wɔ:ʳ] *s* **1** război nimicitor/pustiitor/de exterminare; măcel, masacru **2** război fratricid

internee [,intə:'ni:] *s* persoană internată *(în lagăr etc.)*, internat, deţinut

internist ['intə:nist] *s* (medic) inter-nist

internment [in'tə:nmənt] *s* internare *(în lagăr etc.)*

internment camp [in'tə:nmənt ,kæmp] *s* **1** lagăr de concentrare/ internare **2** lagăr de prizonieri

internode ['intə,noud] *s* **1** *bot* parte internodală *(a tulpinei)* **2** *anat* parte subţire între încheieturi (↓ *falangă*)

internuclear [,intə'nju:kliəʳ] *adj fiz, ch* internuclear, dintre/între nuclee

internuncial [,intə'nʌnʃiəl] *adj* **1** referitor la un internunţiu/la nun-ţiul papal interimar **2** *ist* referitor la ambasadorii (↓ *austrieci*) la

Constantinopole **3** *anat (d. nervi)* legat, conex, interconexat, în intercomunicare

interosculate [,intər'ɔskju,leit] *adj v.* **inosculate**

interosseous [,intər'ɔsiəs] *adj anat, zool* interosos, între oase

interpage [,intə'peidʒ] *vt v.* **inter-leave**

interparietal [,intəpə'raiətəl] *adj anat, zool* interparietal, între pereţii craniului

interpellate [in'tə:pe,leit] *vt* a interpela

interpellation [in,tə:pe'leiʃən] *s* interpelare *(parlamentară)*

interpellator [in,tə:pe'leitəʳ] *s* inter-pelator

interpenetrate [in,tə:peni,treit] **I** *vt* a pătrunde în/prin, a cuprinde, a se răspândi în/prin **II** *vi* a se între-pătrunde, a se interpenetra, a pătrunde unul într-altul

interpenetration [in,tə:peni'treiʃən] *s* **1** întrepătrundere **2** pătrundere, penetraţie

interpersonal [,intə'pə:sənəl] *adj* **1** *(d. relaţii)* interuman, interper-sonal, între oameni/persoane; social **2** sociabil, prietenos

interphone ['intə,foun] *s* interfon

interplait [,intə'plæt] *vt, vi* a (se) împleti, a (se) îmbina

interplanetery [,intə'plænətəri] *adj* interplanetar, în spaţiul cosmic/ interplanetar; spaţial

interplay ['intə,plei] *s* **1** interacţiune, influenţă reciprocă; interdepen-denţă **2** efect combinat/de an-samblu

interpol ['intə,pol] *s* interpol, poliţie internaţională

interpolate [in'tə:pə,leit] **I** *vt* **1** a interpola **2** a intercala, a insera **3** a introduce **II** *vi* a face inter-polări

interpolation [in,tə:pə'leiʃən] *s* **1** interpolare, interpolaţie **2** inter-calare **3** introducere, inserare

interpolator [in'tə:pə,leitəʳ] *s* inter-polator, persoană care face interpolări

interpose [,intə'pouz] **I** *vi* **1** a se interpune, a se băga la mijloc **2** a media, a face pe mijlocitorul, a juca rol de mediator **II** *vt* **1** a pune la mijloc, a interpune **2** a opune, a ridica, a pune *(în faţa cuiva)* **3** a interveni cu, a face uz de, a recurge la; **to ~ appeal** *jur* a face/

a introduce apel **4** a plasa, a strecura *(un cuvânt etc.)*

interposition [,intəpə'ziʃən] *s* **1** interpunere, aşezare la mijloc **2** intervenţie; meditaţie, mijlocire, interpunere

interpret ['intə:prit] **I** *vt* **1** a inter-preta, a tălmăci; a explica **2** a interpreta, a desluşi **3** a inter-preta, a înţelege; a considera, a lua **4** a traduce *(oral)* **5** *muz* a interpreta, a executa **6** *teatru, cin* a interpreta, a juca **II** *vi* a fi interpret/traducător, a traduce, a face pe interpretul

interpretable [in'tə:pritəbəl] *adj* interpretabil

interpretation [in,tə:pri'teiʃən] *s* **1** interpretare, tălmăcire; lămurire, explicare **2** interpretare, accep-tare **3** traducere, interpretare *(orală)* **4** *muz* interpretare, exe-cuţie **5** *teatru, cin* interpretare, joc **6** descifrare, desluşire

interpretative [in'tə:pritətiv] *adj* interpretativ, de interpretare

interpreter [in'tə:pritəʳ] *s* **1** interpret, traducător **2** interpret, exeget, comentator

interpretership [in'tə:pritə,ʃip] *s* calitate/muncă/slujbă de inter-pret/traducător/translator

interpretive [in'tə:pritiv] *adj v.* **interpretative**

interprovincial [,intəprə'vinʃəl] *adj* interprovincii, între provincii diferite

interpunction [,intə'pʌŋkʃən] *s* ← *înv* punctuaţie

interpunctuate [,intə'pʌŋktjueit] *vt* **1** a puncta, a sublinia *(cu aplauze etc.)* **2** a accentua, a sublinia **3** a se îngriji de punctuaţie

interracial [,intə'reiʃəl] *adj* **1** inter-rasial **2** desegregat

interregnum [,intə'regnəm] *pl* şi **interregna** [,intə'regnə] *s* **1** şi *fig* interregn(um) **2** interval, răstimp, răgaz

interrelate [,intəri'leit] **I** *vt* a pune în legătură **II** *vi* a fi legat/în legătură, a se lega unul de celălalt

interrelation(ship) [,intəri'leiʃən (,ʃip)] *s* interdependenţă, legă-tură, corelaţie, înrudire

interrenal body/gland [,intə'ri:nəl 'bɔdi/'glænd] *s anat* (glandă) suprarenală

interrog *presc de la* **interrogative**

interrogate [in'terə,geit] *vt* a interoga, a chestiona, a întreba

interrogation [in,terə'geiʃən] *s* **1** interogare, chestionare **2** întrebare, interogație **3** *jur* interogatoriu **interrogation mark/ point** [in,terə'geiʃən ,mɑːk/,point] *s* semn de întrebare/interogație

interrogative [,intə'rɔgətiv] **I** *adj* interogativ; întrebător **II** *s* **1** interogativ, formă interogativă **2** cuvânt interogativ, particulă interogativă **3** întrebare, interogație

interrogative form [,intə'rɔgətiv 'fɔːm] *s gram* formă interogativă

interrogatively [,intə'rɔgətivli] *adv* întrebător, interogativ

interrogative pronoun [,intə'rɔgətiv 'prounaun] *s* pronume interogativ

interrogator [in'terə,geitəʳ] *s* **1** persoană care interoghează; examinator **2** anchetator

interrogatory [,intə'rɔgətəri] **I** *adj* interogativ; întrebător **II** *s jur* (întrebare dintr-un) interogatoriu

interrupt [,intə'rʌpt] **I** *vt* **1** a întrerupe, a sili să se întrerupă **2** a întrerupe, a tulbura; a deranja **II** *vi* a întrerupe **III** *vr* a se întrerupe

interrupter [,intə'rʌptəʳ] *s v.* **interruptor**

interruption [,intə'rʌpʃən] *s* **1** întrerupere; oprire, pauză, răgaz; **without ~** neîntrerupt, fără întrerupere/pauză/răgaz **2** întrerupere, tulburare; deranjare, împiedicare

interruptor [,intə'rʌptəʳ] *s* **1** *el* întrerupător, comutator; ruptor **2** persoană care întrerupe

interscholastic [,intəskə'læstik] *amer* **interschool** [,intə'skuːl] *adj* interșcolar, interșcoli

inter se ['intə 'sei] *adv lat* între ei; în sinea lor

intersect [,intə'sekt] **I** *vt* a intersecta **II** *vi* a se întretăia, a se încrucișa, a se intersecta

intersecting [,intə'sektiŋ] *adj* care se întretaie/intersectează/încrucișează

intersection [,intə'sekʃən] *s* **1** (punct de) intersecție **2** încrucișare de drumuri, intersecție; răscruce

interseptal [,intə'septəl] *adj anat, zool* interseptal, între septuri

intersex ['intə,seks] *s* **1** hermafroditism, caracter hermafrodit/ asexuat **2** hermafrodit, femeie-bărbat *sau* bărbat efeminat

intersexual [,intə'sekʃuəl] *adj* **1** între sexe, (inter)sexual **2** hermafrodit, referitor la indivizi asexuați

intershot ['intəʃɔt] *adj* cu nuanțe/ ape/reflexe; șanjant

interspace [,intə'speis] **I** *s* **1** interstițiu, spațiu intermediar, interval **2** interval/perioadă de timp **II** *vt* a spația; a distanța, a rări

interspecific [,intəspi'sifik] *adj* format din specii diferite

intersperse [,intə'spəːs] *vt* **1** (**with**) a presăra, a umple, a împestrița (cu) **2** (**between, among**) a presăra, a răspândi, a amesteca (între, printre)

interspersion [,intə'spəːʃən] *s* **1** presărare, răspândire **2** amestec, împletire, îmbinare

interspinal [,intə'spainəl], **interspinous** [,intə'spainəs] *adj v.* **intervertebral**

interstate ['intə,steit] *adj* interstatal, între/dintre state

interstellar [,intə'steləʳ] *adj astr* interstelar

interstice [in'təːstis] *s* interstițiu

interstitial [,intə'stiʃəl] *adj* interstițial

interstratification [,intə,strætifi-'keiʃən] *s* **1** interstratificare, situare între straturi **2** împânare, interpolare

interstratified [,intə'strætifaid] *adj* (**with**) interstratificat; împânat (cu)

intertangle [,intə'tæŋgl] *vt* a încurca, a încâlci

intertexture [,intə'tekstʃəʳ] *s* **1** întrețesere, împletire **2** țesătură, urzeală

intertrade [,intə'treid] *s* relații/ schimburi comerciale *(bilaterale)*

intertribal [,intə'traibəl] *adj* intertribal, între triburi

intertrigo [,intə'traigou], *pl* **~s** [,intə'traigouz] *s med* intertrigo, inflamație produsă de frecarea părților corpului, iritație a pielii

intertwine [,intə'twain] **I** *vt* a împleti **II** *vi* **1** a se împleti, a se răsuci **2** a se întrețese

intertwining [,intə'twainiŋ] **I** *adj* care se împletește/încolăcește **II** *s* împletire, împletitură

intertwist [,intə'twist] *vt, vi v.* **intertwine**

interurban [intər'əːbən] **I** *adj* **1** interurban **2** *ferov* pentru suburbii, suburban **II** *s* mijloc de transport pentru suburbii

interval ['intəvəl] *s* **1** interval; răstimp; **at ~s** din timp în timp, în răstimpuri **2** pauză, recreație; întrerupere **3** *teatru* pauză, antract

intervallic [,intə'vælik] *adj* intervalic (↓ *muz*), referitor la intervale *(muzicale etc.)*

interval signal ['intəvəl 'signəl] *s rad* semnal de pauză

intervein [,intə'vein] *vt, vi* a (se) intersecta cu vinele

interveined [,intə'veind] *adj* cu vine/ vinișoare

intervene [,intə'viːn] *vi* **1** a surveni, a interveni, a se întâmpla între timp **2** (**in**) a interveni, a se amesteca (în) **3** (**between**) *(d. timp)* a trece, a se scurge, a separa, a despărți *(cu ac)*

intervener [,intə'viːnəʳ] *s* persoană care intervine; intervenționist

intervening [,intə'viːniŋ] **I** *adj* care survine/a survenit/a intervenit/ s-a petrecut/întâmplat între timp **II** *s* intervenție, amestec

intervention [,intə'venʃən] *s* **1** *mil* intervenție *(armată)* **2** *med* intervenție *(chirurgicală)*, operație **3** *com v.* **intervention on protest**

interventionist [,intə'venʃənist] *s* **1** *pol* intervenționist **2** persoană care intervine

intervention on protest [,intə-'venʃən ɔn 'proutist] *s com* protestare a unei polițe

intervertebral [,intə'vəːtibrəl] *adj* intervertebral, (situat) între vertebre

interview ['intəvjuː] **I** *s* **1** întrevedere, întâlnire; convorbire **2** interviu **II** *vt* **1** a intervieva, a lua un interviu *cu dat* **2** a avea o întrevedere cu

interviewee [,intəvjuːّiː] *s* persoană intervievată/căreia i se ia un interviu

interviewer ['intə,vjuːəʳ] *s* reporter care ia interviuri

inter vivos ['intə viːvous] *adv jur* inter vivos, între persoane în viață

intervocalic [,intəvou'kælik] *adj* intervocalic

intervolve [,intə'vɔlv] *vt* ← *înv* a face sul laolaltă

inter-war ['intə,wɔːʳ] *adj* interbelic, dintre cele două războaie mondiale

interweave [ˌintə'wi:v] *pret* **interwowe** [ˌintə'wouv] *ptc* **interwoven** [ˌintə'wouvən] **I** *vt* **1** a întrețese, a împleti **2** a îmbina, a lega strâns unul de altul **II** *vi* **1** a se întrețese, a se împleti **2** a se îmbina, a se lega

interwind [ˌintə'waind] *pret și ptc* **interwound** [ˌintə'waund] *vt, vi* a (se) răsuci laolaltă; a (se) împleti

interwove [ˌintə'wouv] *pret de la* **interweave**

interwoven [ˌintə'wouvən] *ptc de la* **interweave**

interwork [ˌintə'wɔ:k] **I** *vt lit v.* **interweave II** *vi v.* **interact**

interwreathe [ˌintə'ri:ð] *vt, vi, v.* **intertwine**

interzonal [ˌintə'zounəl] *adj* interzonal

intestacy [in'testəsi] *s jur* **1** deces al unei persoane care nu lasă testament; succesiune ab intestat **2** incapacitate de a-și testa bunurile/a-și lăsa averea prin testament

intestate [in'testeit] *jur* **I** *adj* ab intestat, (mort) fără testament **II** *s* intestat, decedat care nu lasă testament

intestinal [in'testinəl] *adj* intestinal

intestine [in'testin] **I** *s* intestin, maț **II** *adj* intestin, intern

in that [in 'ðæt] *conj* prin aceea/faptul că, întrucât, de vreme ce

inthrall [in'θrɔ:l] *v.* **enthral**

inthronization [inˌθrounai'zeiʃən] *s v.* **enthronization**

intimacy ['intiməsi] *s* **1** intimitate, apropiere, prietenie strânsă **2** relații/raporturi intime/sexuale

intimate¹ ['intimit] **I** *adj* **1** intim, de natură intimă; tainic, secret **2** intim, apropiat, familiar; **to be on ~ terms with smb** a fi în relații strânse cu cineva; **to be ~ with** a avea raporturi/relații sexuale cu; a fi combinat cu **3** *(d. cunoaștere)* serios, aprofundat, profund **II** *s* *(prieten)* intim, persoană apropiată; confident

intimate² ['intiˌmeit] *vt* **I** *jur* a notifica, a comunica; a pune în vedere·**2** a sugera, a lăsa să se înțeleagă

intimately ['intimitli] *adv* **1** intim, de aproape **2** strâns, îndeaproape **3** *(a cunoaște)* bine, serios, îndeaproape

intimation [ˌinti'meiʃən] *s* **1** *jur*

notificare, punere în vedere, comunicare **2** sesizare; plângere **3** indicație, sugestie, aluzie

intimidate [in'timiˌdeit] *vt* a intimida

intimidating [in'timiˌdeitiŋ] *adj* care (te) intimidează, de natură să (te) intimideze

intimidation [inˌtimi'deiʃən] *s* intimidare

intimity [in'timiti] *s* **1** intimitate, viață intimă/personală/particulară **2** intimitate, apropiere, legătură strânsă **3** natură intimă/lăuntrică, esență, fond

intitule [in'titju:l] *vt* (↓ *part. trec.)* a intitula *(o lege etc.)*

intl *presc de la* **international**

into *(forme slabe* 'intə, 'intu *formă tare* 'intu:*) prep* **1** în *(pt pătrundere);* **he went ~ the room** a intrat în cameră; **the dog dug its teeth ~ me** câinele și-a înfipt colții în mine; **far ~ the night** până noaptea târziu **2** spre, înspre; **the door opens ~ the park** ușa dă înspre parc; **~ dinner** la cină **3** în *(indicând transformarea sau rezultatul)* **he has grown ~ a man** s-a făcut/a devenit bărbat; **to thrash/to beat smb ~ obedience** a reduce la ascultare/supunere prin bătaie; a supune pe cineva cu bătaia; **the rain has turned ~ snow** ploaia s-a transformat în ninsoare; **to translate from one language ~ another** a traduce dintr-o limbă într-alta **4** în *(arătând originea);* **he was born ~ a workers' family** s-a născut într-o familie muncitorească **5** *mat* cu

intoed ['intoud] *adj* cu degetele de la picioare întoarse înăuntru

intolerable [in'tɔlərəbəl] *adj* intolerabil, inadmisibil, nepermis, de neîngăduit

intolerably [in'tɔlərəbli] *adv* (în mod) intolerabil/inadmisibil

intolerance [in'tɔlərəns] *s* (**towards**) intoleranță/lipsă de îngăduință (față de)

intolerant [in'tɔlərənt] *adj* (**of**) **1** intolerant, neîngăduitor, neînțelegător, lipsit de îngăduință (față de) **2** *med* sensibil (la); **to be ~ of a drug** a avea o intoleranță la/a nu tolera un medicament

intolerantly [in'tɔlərəntli] *adv* fără îngăduință/înțelegere, intolerant

intonation [ˌintou'neiʃən] *s* **1** intonație **2** *muz* și intonare, psalmodiere *(a unei melodii)*

intone [in'toun] *vt muz* a intona, a psalmodia

intoxicable [in'tɔksikəbəl] *adj și fig* ușor de îmbătat/ameți

intoxicant [in'tɔksikənt] **I** *s* **1** băutură alcoolică/spirtoasă **2** narcotic, drog **II** *adj* îmbătător, amețitor

intoxicate [in'tɔksiˌkeit] *vt și fig* a îmbăta, a ameți

intoxicated [in'tɔksiˌkeitid] *adj* (**with**) **1** și *fig* beat, amețit (de); în stare de ebrietate; **slightly ~** ușor cherchelit/amețit/afumat **2** *fig* amețit, îmbătat (de)

intoxicating [in'tɔksiˌkeitiŋ] *adj și fig* îmbătător, amețitor

intoxication [inˌtɔksi'keiʃən] *s* **1** beție, amețeală (de băutură), stare de ebrietate **2** *fig* îmbătare, amețire **3** *med* intoxicație, otrăvire

intra- *pref* intra-: **intrados** intrados

intractability [inˌtræktə'biliti] *s* **1** caracter refractar/dificil/intratabil **2** caracter ireductibil, lipsă de maleabilitate/docilitate **3** dificultate de rezolvare, neputință de a fi rezolvat, insolubilitate **4** *agr* neputința de a fi cultivat **5** *med* caracter incurabil

intractable [in'træktəbəl] *adj* **1** refractar, dificil, intratabil **2** nesupus, neascultător, lipsit de docilitate/maleabilitate, năzuros **3** *(d. cai)* nărăvaș **4** de nerezolvat, insolubil **5** *agr* necultivabil **6** *(d. material)* ingrat; greu de tratat/lucrat

intractably [in'træktəbli] *adv* (în mod) refractar, fără maleabilitate/docilitate

intrados [in'treidɔs] *s arhit, av* intrados

intramolecular [ˌintrəmə'lekjuləʳ] *adj* intramolecular

intramundane [ˌintrə'mʌndein] *adj* lumesc, care aparține lumii materiale

intramural [ˌintrə'mjuərəl] *adj* interior, situat *sau* instalat între ziduri *(în oraș, universitate etc.)*

intramuscular [ˌintrə'mʌskjuləʳ] *adj* intramuscular

intranational [ˌintrə'næʃənəl] *adj* național, intern

intranquility [ˌintræŋ'kwiliti] *s* neliniște

intrans *presc de la* **intransitive**
intransferable ['intræns'fə:rəbl] *adj* netransmisibil, netransferabil
intransigency [in'trænsidʒənsi] *s* intransigenţă, refuzul oricărui compromis
intransigent [in'trænsidʒənt] *adj* intransigent, care refuză compromisuri
intransitive [in'trænsitiv] *adj gram* intranzitiv
intransitively [in'trænsitivli] *adv gram* (în mod) intranzitiv
intranmissible ['intraenz'misəbl] *adj* netransmisibil
intransparency [,intræns'pɛərənsi] *s* lipsă de transparenţă, opacitate
intrant ['intrənt] *s înv* novice; nou venit; membru proaspăt/nou/de curând primit
intrauterine [,intrə'ju:tərain] *adj med* intrauterin
intravenous [,intrə'vi:nəs] *adj med* intravenos
intreprid [in'trepid] *adj* intrepid, cutezător, îndrăzneţ, întreprinzător
intrepidity [,intre'piditi] *s* intrepiditate, cutezanţă, îndrăzneală, spirit întreprinzător/cutezător
intrepidly [in'trepidli] *adv* cutezător, curajos, fără frică, cu curaj
intricacy ['intrikəsi] *s* complexitate, complicaţie, caracter complex/complicat; încâlceală; **the intricacies of a town** labirintul de străzi dintr-un oraş; **the intricacies of the law** complicaţiile/chichiţele legi/legilor; **an ~ of intrigues** o ţesătură/urzeală/ lasă de intrigi
intricate ['intrikit] *adj* complicat, complex; încâlcit, încurcat
intricately ['intrikitli] *adv* (într-un mod) complicat/încâlcit
intrigant [,intri'gænt] *s* intrigant
intrigante [,intri'gænt] *s* intrigantă
intrigue [in'tri:g] **I** *s* **1** intrigă **2** uneltire, maşinaţie, cabală, intrigă **2** legătură/aventură amoroasă, dragoste, combinaţie **II** *vt* a intriga, a face curios, a mira **III** *vi* **1** (**against**) a face/a băga intrigi, a unelti, a maşina (împotriva) **2** (**with**) a fi în dragoste/amor, a avea o legătură amoroasă/o combinaţie (cu)
intriguer [in'tri:gəʳ] *s* intrigant
intriguing [in'tri:giŋ] *adj* **1** intrigant, care bagă/face intrigi, care

unelteşte/maşinează **2** şocant, ciudat, de mirare, care (te) intrigă/uimeşte/nedumereşte; uluitor, uimitor; contrariant
intrinsic [in'trinsik] *adj* intrinsec, în sine; propriu
intro ['introu], *pl* **intros** ['introuz] *s F* introducere *etc. v.* **introduction**
intro- *pref* intro-: **introduction** introducere
introd *presc de la* **introduction**
introduce [,intrə'dju:s] **I** *vt* **1** (**into**) a introduce, a băga, a vârî (în) **2** a stabili, a înfiinţa, a iniţia, a introduce **3** (**into, before**) a aduce/a pune în discuţie, a prezenta (înaintea, în faţa – *cu gen*) **4** (**to**) a prezenta, a recomanda *(cu dat)*, a face cunoştinţă **5** *cin* a prezenta pentru prima oară **II** *vr* (**to**) a se prezenta/a se recomanda *(cu dat)*
introducer [,intrə'dju:səʳ] *s* **1** inovator; iniţiator **2** prezentator *(la radio etc.)*
introduction [,intrə'dʌkʃən] *s* **1** introducere **2** introducere, prefaţă, cuvânt înainte **3** (**to**) introducere, iniţiere (în); elemente, noţiuni elementare (de) **4** *muz* uvertură **5** (**into**) introducere, vârâre, băgare (în) **6** (**into**) aducere (în, la) **7** introducere, iniţiere, lansare *(a unei mode etc.)* **8** (**to**) prezentare, recomandare *(cu dat)*; recomandaţie (pentru)
introductive [,intrə'dʌktiv] *adj* introductiv, preliminar
introductory [,intrə'dʌktəri] *adj v.* **introductive**
introit ['introit] *s bis* rugăciune rostită la începutul liturghiei
intromission [,intrə'miʃən] *s* **1** introducere, băgare, intromisiune **2** pătrundere, intrare **3** *tehn* admisie, intrare **4** *jur* imixtiune, ingerinţă, intervenţie
introspect [,intrə'spekt] **I** *vt* a cerceta/a examina/a privi (pe dinăuntru/în interior) **II** *vi* **1** a se autoanaliza, a face introspecţie **2** a se reculege, a-şi aduna gândurile
introspection [,intrə'spekʃən] *s* **1** introspecţie, autoobservare, autoanaliză; interiorizare **2** meditaţie, reculegere
introspective [,intrə'spektiv] *adj* introspectiv, cu caracter de introspecţie

introversion [,intrə'və:ʃən] *s* **1** *psih* introversiune, întoarcere spre înăuntru; încredere în sine **2** meditaţie, reculegere; interiorizare **3** *med* invaginare
introvert I [,intrə'və:t] *vt* **1** a întoarce înăuntru/spre înăuntru/spre interior; **to ~ one's mind/throughts a** a se autoobserva, a se autoanaliza, a medita (la sine însuşi) **b** a se reculege, a-şi aduna gândurile **2** *med* a introverti, a întoarce pe dos **II** ['intrə,və:t.] *s psih* introvertit, om închis în sine
introverted ['intrə'və:tid] *adj* **1** *psih* introvertit, închis în sine **2** interiorizat, meditativ, înclinat spre meditaţie/interiorizare
intrude [in'tru:d] **I** *vi* a veni nepoftit/nechemat, a fi un intrus; a deranja **II** *vt* **1** (**into**) a băga/a vârî (cu de-a sila) (în) **2** (**on, upon**) a impune, a băga/a vârî pe gât *(cu dat)*; **to ~ one's views upon smb** a impune cuiva punctul tău de vedere/părerea ta **III** *vr* **1** (**into**) a veni nepoftit/nechemat/ca un intrus, a fi un intrus (în, la), a se băga, a se vârî (în) **2** (**on, upon**) a-şi impune prezenţa *(cu dat)*
intrude into [in'tru:d ,intə] *vi cu prep* a se amesteca/a se băga/a se vârî în *(treburile cuiva)*
intruder [in'tru:dəʳ] *s* **1** intrus, nechemat, nepoftit, oaspete nedorit/nepoftit/nechemat **2** *jur* uzurpator, impostor
intrude upon [in'tru:d ə,pɔn] *vi cu prep* a deranja, a stingheri, a tulbura, a stânjeni *(cu ac)*; a fi un intrus în; **I don't want to ~ you/your privacy** n-aş vrea să vă deranjez
intrusion [in'tru:ʒən] *s* **1** intruziune **2** (**on, upon**) intrare/venire/sosire nedorită (în, la), deranj(are), tulburare, stingherire *(cu gen)*; **I hate ~s** nu pot să sufăr intruşii, nu-mi place să fiu deranjat **3** (**into**) imixtiune, amestec, ingerinţă, intervenţie (în) **4** *jur* uzurpare
intrusive [in'tru:siv] *adj* **1** cu caracter de intruziune **2** (care vine) nepoftit/nechemat, nedorit, ca de intrus; băgăreţ **3** supărător, care (te) deranjează/importunează, sâcâitor **4** *geol* intruziv, plutonic, plutonian, vulcanic

intrusively [in'tru:sivli] *adj* **1** nepoftit, nechemat, ca un intrus, pe nepoftite **2** (în mod) supărător, deranjând, importunând.

intrusiveness [in'tru:sivnis] *s* **1** atitudine de intrus, caracter băgăreț **2** obrăznicie, lipsă de obraz/bun simț

intrusiver [in'tru:siv'ɑ:ʳ] *s lingv* r eufonic de legătură (intervocalic) nejustificat prin scriere *(ex.:* **papa and mamma** [pə'pɑːrən mə'mɑː]

intrust [in'trʌst] *v.* **entrust**

intubate ['intju,beit] *vt med* a tuba, a face un tubaj *(cu dat)*

intubation [,intju'beiʃən] *s med* tubaj

intuit [in'tju:it] **I** *vt* a intui, a simți, a avea intuiția *(cu gen)* **II** *vi* a avea intuiție/o inteligență intuitivă

intuition [,intju'iʃən] *s* **1** intuiție **2** intuire

intuitional [,intju'iʃənəl], **intuitive** [in'tju:itiv] *adj* intuitiv, cu caracter de intuiție

intuitionalism [intju'iʃə,nəlizəm], **intuitionism** [,intju'iʃənizəm] *s filosof* intuiționism, intuitivism, doctrină intuiționistă

intuitively [in'tju:itivli] *adv* în mod intuitiv, prin intuiție, pe calea intuiției

inturned [in'tə:nd] *adj* întors/răsucit (spre) înăuntru; *med* varus

inundate ['inʌn,deit] *vt* **(with)** **1** a inunda, a potopi (cu), a îneca (în) **2** *fig* a asalta, a bombarda, a copleși (cu)

inundation [,inʌn'deiʃən] *s* **1** inundare, potopire **2** inundație, potop

inurbane [,inə:'bein] *adj* grosolan, necioplit, (de) bădăran

inurbanity [,inə:'bæniti] *s* grosolănie, bădărănie, proastă creștere, mojicie

inure [i'njuəʳ] **I** *vt* **(to)** a deprinde, a obișnui, a învăța, a face să se deprindă (cu, să) **II** *vr* **(to)** a se deprinde/a se obișnui/a se învăța (cu, să) **III** *vi jur* a intra în vigoare; a deveni eficace

inurement [i'njuəmənt] *s* **(to)** **1** deprindere, obișnuire, obișnuință (cu, să) **2** nărav, patimă (de a *sau cu gen)*

inuring [i'njuəriŋ] *s* **1** *v.* **inurement** 1 **2** *jur* intrare/punere în vigoare

inurn [in'ə:n] *vt* a pune într-o urnă, a înmormânta

Inv *presc de la* **Inverness**

inv *presc de la* **1** invented **2** invention **3** inventor **4** inventory **5** investment **6** invitation **7** invoice

invade [in'veid] *vt* **1** a invada, a cotropi, a năvăli în **2** *fig* a copleși, a năpădi, a pune stăpânire pe **3** a încălca, a viola, a nesocoti, a uzurpa; **to ~ smb's privacy** *fig* a tulbura intimitatea/tihna cuiva, a se băga în sufletul cuiva

invader [in'veidəʳ] *s* **1** invadator, cotropitor, năvălitor **2** uzurpator; violator *(al drepturilor cuiva)*

invading [in'veidiŋ] **I** *adj* invadator, cotropitor, năvălitor **II** *s* **1** invadare, cotropire **2** încălcare, nesocotire, violare, uzurpare *(a drepturilor cuiva)*

invaginate [in'vædʒi,neit] **I** *vt* **1** a vârî/a băga (ca) în teacă **2** *med* a invagina **3** a se întoarce pe dos

invagination [in,vædʒi'neiʃən] *s med* invaginare

invalid[1] ['invəlid] *adj* **1** bolnav (cronic), suferind **2** infirm, invalid; inapt, incapabil de muncă **3** bolnăvicios, nesănătos, șubred, firav, neputincios **4** *med* pentru bolnavi; dietetic **II** ['invə'li:d] *s* **1** bolnav, suferind **2** slăbănog, neputincios, om bolnăvicios/șubred **3** infirm, invalid; om inapt pentru muncă **4** *mil* reformat, inapt **III** [,invə'li:d] *vt* **1** a reduce la neputință/invaliditate, a face să rămână invalid/infirm; a face inapt pentru muncă; a schilodi **2** *mil* a reforma (din armată), a declara/a găsi inapt pentru serviciul militar **IV** [,invə'li:d] *vi* **1** a rămâne invalid/infirm/neputincios/inapt pentru muncă **2** *mil* a fi reformat, a fi declarat inapt

invalid[2] [in'vælid] *adj* **1** *jur* nul (și neavenit), lipsit de valabilitate/valoare; fără valoare/efect **2** ineficace, inoperant, fără efect **3** neîntemeiat, nejustificat, fără nici o bază

invalidate [in'væli,deit] *vt jur* **1** a invalida, a casa, a anula; a declara nul (și neavenit)/fără valoare/valabilitate; a dovedi (că e) greșit **2** a infirma; a dezminți

invalidation [in,væli'deiʃən] *s* **1** ↓ *jur* invalidare; anulare; casare **2** infirmare, dezmințire

invalid chair ['invə,lid't ʃeəʳ] *s* scaun cu rotile; cărucior/fotoliu pentru bolnavi

invalid diet/food ['invə,lid ,daiət/fu:d] *s med* regim dietetic, alimentație pentru bolnavi

invalidity [,invə'liditi] *s* **1** *jur* lipsă de valabilitate; nulitate; caracter inoperant **2** *med* sănătate șubredă, invaliditate, infirmitate, incapacitate de muncă

invalidly [in'vælidli] *adv jur* (în mod ilegal), în pofida legii, fără respectarea/îndeplinirea formelor legale

invaluable [in'væljuəbəl] *adj* neprețuit, inestimabil; incalculabil

invaluably [in'væljuəbli] *adv* nemăsurat/nesupus/extrem de

invar [in'vɑ:ʳ] *s met* aliaj invar/de fier și nichel

invariability [in,vɛəriə'biliti] *s* caracter invariabil/neschimbător

invariable [in'vɛəriəbəl] *adj* invariabil, neschimbător

invariably [in'vɛəriəbli] *adv* **1** (în mod) invariabil, fără nici o schimbare **2** mereu, neîncetat, într-una **3** fără (nici o) excepție

invariance [in'vɛəriəns] *s mat* invarianță

invariant [in'vɛəriənt] *s* **1** *lingv* invariantă **2** *mat* invariant

invasion [in'veiʒən] *s* **1** invadare, cotropire **2** invazie, cotropire, năvălire, năvală **3** *med* invazie **4** *fig* tulburare, deranj(are) **5** *jur* încălcare, nesocotire, violare

invasive [in'veisiv] *adj* **1** invadator, cotropitor, năvălitor, (cu caracter) de cotropire **2** care năvălește/se bagă/vâră peste tot, care dă buzna; băgăreț

invective [in'vektiv] **I** *s* **(against)** invectivă (împotriva – *cu gen);* insultă, ocară (la adresa – *cu gen);* **to break out in ~s against smb** a scoate/a rosti un potop de injurii împotriva/la adresa cuiva **II** *adj* **(against)** jignitor, insultător (pentru)

inveigh against [in'veiə,genst] *vi cu prep* **1** a protesta vehement împotriva *(cu gen)*, a critica violent *(cu ac)* **2** a turna și a fulgera împotriva *(cu gen)*, a face cu ou și cu oțet, a face albie de porci *(cu ac)*

inveigle [in'vi:gəl] *vt* **(into)** **1** a ademeni, a momi (în, să); a ispiti, a tenta (să); a îmbrobodi (ca să) **2** a atrage, a antrena, a târî (în)

inveiglement [in'vi:gəlmənt] *s* **1** ademenire, momire, atragere **2** ispitire, tentare, seducere **3** ispită, seducție, tentație

inveigling [in'vi:gliŋ] *s* **1** ademenire, momire, seducție, seducere **2** atragere, ispitire

invent [in'vent] *vt* **1** ↓ *tehn* a inventa, a imagina, a născoci; a descoperi **2** *peior* a scorni, a născoci, a inventa, a plăsmui

invention [in'venʃən] *s* **1** invenție, descoperire, născocire **2** inventare, descoperire **3** *v.* **inventiveness 4** *peior* scorneală, născocire, scornire, plăsmuire; **a fable of her own** ~ o poveste născocită/plăsmuită de ea; **it's pure** ~ sunt doar scorneli/basme/născociri

inventive [in'ventiv] *adj* inventiv, ingenios

inventiveness [in'ventivnis] *s* inventivitate, ingeniozitate; spirit inventiv/ingenios **2** minte inventivă/ingenioasă

inventor [in'ventə'] *s* **1** inventator, descoperitor, născocitor **2** *peior* mincinos, plăsmuitor

inventorize [in'ventəraiz] **I** *vt* a inventaria, a face inventarul *(cu gen)* **II** *vi* a face un inventar

inventory ['invəntəri] **I** *s* inventar; **to draw up/to take (an)** ~ *v.* **inventorize II II** *vt v.* **inventorize I**

inventory book ['invəntəri,buk] *s com* registru (de) inventar

inventress [in'ventris] *s* **1** inventatoare, descoperitoare **2** *peior* mincinoasă, plăsmuitoare

inveracity [,invə'ræsiti] *s* neadevăr, minciună; inexactitate

Inverness [,invə'nes] *oraș în Scoția*

inverness *s v.* **Inverness cloak**

Inverness cloak/overcoat ['invənes 'klouk/'ouvəkout] *s* manta cu pelerină detașabilă

Inverness-shire [,invə'nesʃiə] *comitat în Scoția*

inverse [in'və:s] *adj* invers, contrar, opus

inversely [in'və:sli] *adv* invers

inverse proportion/ratio [in'və:s prə'pɔ:ʃən/'reiʃiou] *s mat* proporție inversă; **in** ~ invers proporțional

inversion [in'və:ʃən] *s* **1** inversiune **2** inversare, răsturnare **3** intervertire, schimbare **4** *ch* invertire **5** *muz* derivare; ~ **of a chord** acord derivat

invert I [in'və:t] *vt* **1** a inversa; a răsturna **2** a schimba ordinea *(cu gen)*; a interverti **3** *ch* a inverti **II** ['invə:t] *s* **1** *arhit* boltă răsturnată **2** *med* invertit, pervertit sexual, pervers

invertase [in'və:teis] *s ch* invertază

invertebrata [,invə:ti'brɑːtə] *s pl zool* nevertebrate

invertebrate [in'və:tibrit] **I** *adj* **1** *zool* nevertebrat **2** *fig* laș, fricos; fără șira spinării; slab de înger **3** molâu, moale, molatic **II** *s zool* nevertebrat

inverted [in'və:tid] *adj* inversat; invers, răsturnat

inverted commas [in'və:tid 'kɔməz] *s pl* ghilimele, semnele citării

invert sugar ['invə:t'ʃugə'] *s* combinație de dextroză și levuloză

invest [in'vest] **I** *vt* **1** (**in, with**) a investi, a plasa, a băga *(bani etc.)* (în) **2** (**with**) a investi (în), a împuternici (să), a acorda, a atribui, a conferi *(cu ac)*; **to** ~ **smb with full powers** a acorda cuiva puteri depline **3** (**in**) a înscăuna, a instala, a numi (în) **4** *și fig* (**with, in**) a îmbrăca, a înveșmânta; **to** ~ **smth with interest** a conferi interes unui lucru, a face un lucru (să fie) interesant **5** *mil* a împresura, a înconjura **II** *vi* (**in**) a face investiții, a-și investi/a-și băga banii (în)

investigate [in'vesti,geit] **I** *vt* **1** a investiga, a cerceta **2** *jur* a ancheta, a cerceta, a face cercetări/a ancheta asupra *(cu gen)*; a instrumenta *(un caz)* **II** *vi* a face cercetări/investigații/studii/*jur* o anchetă

investigating committee [in'vesti,geitiŋ kə'miti] *s* comisie de anchetă

investigating magistrate [in'vesti,geitiŋ 'mædʒistreit] *s jur* judecător de instrucție

investigation [in,vesti'geiʃən] *s* **1** investigații, cercetări; cercetare, stadiu **2** *jur* anchetă; instrucție

investigative [in'vesti,geitiv] *adj* (cu caracter) de investigație/cercetare/*jur* anchetă

investigator [in'vesti,geitə'] *s* **1** cercetător **2** anchetator

investiture [in'vestitʃə'] *s* **1** investitură, instalare, înscăunare **2** decorare *(a cuiva)*, remitere a unei decorații *(cuiva)* **3** (**with**) investire (cu) **4** *jur* punere în posesie **5** *poetic* înveșmântare, îmbrăcare

investment [in'vestmənt] *s* **1** *ec* investiție; plasament **2** investiție, plasare (a banilor) **3** *fin pl* titluri la purtător **4** *mil* împresurare, încercuire, asediere **5** *poetic* înveșmântare, îmbrăcare

investment bank [in'vestmənt,bæŋk] *s fin* bancă de investiții

investment stock [in'vestmənt,stɔk] *s fin* valori clasate

investor [in'vestə'] *s fin* investitor, persoană care investește (un fond)

inveteracy [in'veterəsi] *s* caracter inveterat/înrădăcinat

inveterate [in'vetərit] *adj* **1** adânc înrădăcinat, învechit, vechi, cronic; tradițional **2** inveterat, înrăit, nărăvit **3** pătimaș, vicios **4** încăpățânat, îndârjit

inveterately [in'vetəritli] *adv* cu încăpățânare/îndârjire/patimă; (în mod) persistent/insistent

invidious [in'vidiəs] *adj* **1** infamant, defăimător, jignitor, ofensator, insultător **2** răutăcios, malițios **3** supărător, neplăcut **4** ingrat; odios; urât **5** care dă naștere la invidie **6** invidios, pizmaș

invidiously [in'vidiəsli] *adv* **1** (în mod) jignitor/supărător/ofensator **2** cu răutate, malițios **3** într-un mod care dă naștere la invidie **4** (în mod) odios

invigilate [in'vidʒi,leit] *vi* **1** a sta/fi de pază; a fi supraveghetor **2** *școl* a supraveghea candidații/la teză

invigilation [in,vidʒi'leiʃən] *s* pază; supraveghere

invigilator [in'vidʒi,leitə'] *s* paznic; supraveghetor

invigorate [in'vigə,reit] **I** *vt* **1** a întări, a fortifica, a tonifi(c)a **2** a înviora, a înviora, a da puteri noi *(cu dat)* **II** *vi* a se fortifica, a prinde puteri

invigorating [in'vigə,reitiŋ] *adj* tonic, fortifiant, înviorător, întăritor

invigoration [in,vigə'reiʃən] *s* întărire, fortificare, înviorare

invigorative [in'vigərətiv] *adj* înviorător, care dă vigoare *v.* **invigorating**

invigorator [in'vigə'reitə'] *s* tonic, fortifiant

invincibility [in‚vinsi'biliti] *s* invin-cibilitate, caracter imbatabil/de neînvins

invincible [in'vinsəbl] *adj* invincibil, imbatabil, (de) nebiruit/neînvins/ neînfrânt

invincibly [in'vinsəbli] *adv* triumf-fător, (în mod) invincibil/irezistibil

inviolability [in‚vaiələ'biliti] *s* invio-labilitate, caracter inviolabil

inviolable [in'vaiələbl] *adj* **1** invio-labil, intangibil **2** sacru, sfânt, sacrosanct

inviolacy [in'vaiələsi] *s* caracter inviolabil

inviolate [in'vaiəlit] *adj* **1** *(d. pădure etc.)* nestrăbătut, necălcat de (picior de) om; virgin **2** *(d. sanc-tuar etc.)* neprofanat, neatins

inviolateness [in'vaiələtnis] *s v.* **inviolacy**

invisibility [in‚vizi'biliti] *s* **1** invizi-bilitate, caracter invizibil **2** nevă-zutul, ceea ce nu se poate vedea

invisible [in'vizəbl] **I** *adj* **1** invizibil, (de) nevăzut; **it is ~ to the naked eye** nu se poate vedea/e invizibil cu ochiul liber; **to keep oneself ~** a sta retras/ascuns, a nu vedea pe nimeni **2** imperceptibil, insesizabil **II** *s* invizibil, nevăzut; **to act/to play the ~** a se face nevăzut, a dispărea; a o șterge/ întinde

Invisible Empire, the [in'vizəbl 'empaiə', ði] *s* Ku-Klux-Klan-ul

invisible ink [in'vizəbl 'iŋk] *s* cerneală simpatică

invisibly [in'vizəbli] *adv* **1** (în mod) invizibil, pe nevăzute **2** (în mod) imperceptibil, pe nesimțite

invitation [‚invi'teiʃən] *s* **1** invitație **2** invitare, poftire **3** solicitare, apel

invitation card [‚invi'teiʃən ka:d] *s* invitație (scrisă), faire-part

invitatory [in'vaitətəri] **I** *adj* **1** de/ca invitație **2** ispititor, ademenitor **3** încurajator, de îmbărbătare **II** *s bis* cuvântare *sau* cântare de îmbărbătare

invite [in'vait] **I** *vt* **1** a invita, a pofti **2** a solicita, a ruga; a interveni la **3** a stârni, a provoca **4** a atrage după sine, a solicita **5** a ispiti, a tenta, a ademeni, a momi **II** *vi* a face/a lansa o invitație **III** *vr* a se pofti/a se invita singur, a veni nepoftit/neinvitat/nechemat **IV** *s* ← *vulg* invitație

invitee [‚invai'ti:] *s* invitat; musafir, oaspete

inviting [in'vaitiŋ] *adj* îmbietor, ispititor, ademenitor

invocate ['invə‚keit] *vt* a invoca

invocation [‚invə'keiʃən] *s* **1** invo-cație, chemare; apel, solicitare **2** invocare, chemare **3** descântec, vrajă **4** *jur* citație

invocatory [in'vɔkətəri] *adj* invo-cator; de invocare

invoice ['invɔis] *com* **I** *s* **1** factură; **as per ~** conform facturii **2** fraht, scrisoare de trăsură **3** *amer* listă de mărfuri **II** *vt* **1** a factura **2** a trece în factură

invoice book ['invɔis ‚buk] *s com* copier de facturi, facturier

invoicing ['invɔisiŋ] *s com* facturare

invoke [in'vouk] *vt* **1** a invoca **2** a chema prin incantație/invocație/ descântece **3** a solicita, a apela/ a recurge la, a invoca **4** a evoca *(memoria cuiva)*

involucre ['invə‚lu:kə'], **involucrum** [‚invə'lu:krəm] *s bot* involucru

involuntarily [in'vɔləntərili] *adv* (în mod) involuntar/neintenționat, fără să vrea

involuntariness [in'vɔləntərinis] *s* caracter involuntar/neintenționat

involuntary [in'vɔləntəri] *adj* invo-luntar, neintenționat, fără voie/ intenție

involute ['invə‚lu:t] **I** *adj* **1** *biol* involut **2** *mat* de evolvent **3** *zool* cu marginile încovoiate înainte **II** *s mat* evolvent

involuted ['invə‚lu:tid] *adj biol* involut

involution [‚invə'lu:ʃən] *s* **1** involuție **2** degenerescență **3** stagnare, nedezvoltare **4** *med* ridicare la putere **5** înfășurare **6** încâlceală, încurcătură, complicație

involve [in'vɔlv] *vt* **1** (in) a implica, a amesteca, a vârî, a antrena, a băga (în) **2** *med* a interesa, a implica **3** a implica, a cere, a atrage după sine, a necesita, a comporta; **it ~d great trouble** a necesitat/a cerut/a comportat multă bătaie de cap **4** (in) a băga, a încurca, a îngloda (în) **5** a încâlci, a încurca, a complica **6** (in) a înfășura, a înveli (în) **7** *mat* a ridica la o putere dată

involved [in'vɔlvd] *adj* **1** implicat, amestecat, băgat, vârât **2** încur-cat, amestecat; legat de mâini și de picioare; **I don't want to be ~** nu vreau să mă încurc/să mă trezesc cu mâinile legate **3** înglo-dat în, grevat de datorii; **to be in ~ circumstances** a fi în mare în-curcătură/jenă financiară **4** încâl-cit, încurcat, complicat **5** închis, necomunicativ; neexpansiv

involvement [in'vɔlvmənt] *s* **1** impli-care, amestec(are) **2** încurcă-tură, încâlceală; amestecătură, confuzie **3** complicații financiare; înglodare în datorii **4** *med* intere-sare, implicare; atingere; conta-minare

invulnerability [in‚vʌlnərə'biliti] *s* caracter invulnerabil, invulnera-bilitate

invulnerable [in'vʌlnərəbl] *adj* invulnerabil

inwall ['in‚wɔ:l] **I** *s* perete interior **II** *vt* a înconjura cu metereze

inward ['inwəd] **I** *adj* **1** interior, intern, lăuntric **2** îndreptat spre interior/înăuntru **3** *fig* lăuntric, sufletesc; mintal **4** familiar **5** tăcut, mut; înăbușit **II** *adv v.* **inwards 1**

inwardly ['inwədli] *adv* **1** *v.* **inwards 2** *(d. fel de a vorbi)* în șoaptă, încet, (aproape) neauzit, fără a se putea auzi **3** în sine, în interior, în sinea lui

inwardness ['inwədnis] *s* **1** natură in-terioară; caracter intim, intimitate **2** forță interioară, spiritualitate **3** semnificație interioară/intimă

inwards ['inwədz] *adv* **1** înăuntru, în(spre) interior **2** sufletește, spiritualicește **3** în sinea sa **4** *com* pentru import

inweave [in'wi:v], *pret* **inwove** [in'wouv], *ptc* **inwoven** [in'wouvən] *vt* a întrețese

inwove [in'wouv] *pret de la* **inweave**

inwoven [in'wouvən] *ptc de la* **inweave**

inwreathe [in'ri:ð] *vt v.* **enwreathe**

inwrought [‚in'rɔ:t] *adj* **1** încrustat, cu ornamente/podoabe întrețe-sute **2** (**with**) ornamentat, împo-dobit, ornat (cu) **3** (**with**) *fig* legat (de), unit (cu)

Io ['aiou] *mit personaj mitologic*

iodate ['aiə‚deit] **I** *s ch* iodat **II** *vt med v.* **iodize**

iodic [ai'ɔdik] *adj ch* iodic

iodide ['aiə‚daid] *s ch* iodură

iodine ['aiə,diːn] *s ch* iod
iodize ['aiə,daiz] *vt* **1** *med* a trata cu iod **2** *fot* a prepara cu iod
iodo- *pref* iodo: **iodoform**
iodoform [ai'ɔdə,fɔːm] *s ch* iodoform
I.O.M. *presc de la* **Isle of Man**
ion ['aiən] *s fiz* ion
-ion *suf* **1** -ție; -țiune: **construction** construcție; **injunction** injuncțiune **2** -are: **communication** comunicare **3** -ere: **introduction** introducere **4** -re: **instruction** instruire
Iona [ai'ounə] *insulă în Scoția*
Ionian [ai'ouniən] **I** *s* **1** ionian **2 the ~** Marea Ionică **3** *pl* insulele din Marea Ionică **II** *adj* ionian
Ionic [ai'ɔnik] **I** *adj* ionic; ionian **II** *s* **1** dialect ionic **2** vers *sau* metru ionic
ionic *adj el* ionic
ionization [,aiənai'zeiʃən] *s fiz etc.* ionizare
ionize ['aiə,naiz] **I** *vt fiz etc.* a ioniza **II** *vi* a se ioniza
ionosphere [ai'ɔnə,sfiəʳ] *s astr* ionosferă
iota [ai'outə] *s* **1** iota *(literă grecească)* **2** iotă, câtime, părticică, frântură
iotacism [ai'outə,sizəm] *s lingv* iotacism
IOU ['ai'ou'juː] *s com* chitanță autentică; (echivalent de) chitanță
-ious *suf* **1** -ace; **efficacious** eficace **2** -u: **illustrious** ilustru **3** -iv: **expeditious** expeditiv **4** -ce: **propitious** propice
I.O.W. *presc de la* **Isle of Wight**
Iowa ['aiouə] *stat în S.U.A.*
I.P.A. *presc de la* **1 International Phonetic Alphabet 2 International Phonetic Association**
ipecac ['ipi,kæk], **ipecacuan(h)a** [,ipi,kækju'ænə] *s bot, farm* ipeca(cuana) *(Cephaelis ipecacuanha)*
ipso facto ['ipsou'fæktou] *adv lat* prin însuși acest lucru/fapt, chiar prin aceasta
ipso jure ['ipsou' juəri] *adv lat* prin însăși legea/acțiunea legii
Ipswich ['ipswitʃ] *suburbie a Londrei*
I.Q. *presc de la* **intelligence quotient**
IR *presc de la* **1** infrared **2** inland revenue **3** internal revenue
Ir *presc de la* **1** iridium **2** Irish

ir- *pref* ir-; ne-: **irrational** irațional; **irregular** neregulat
Ira ['aiərə] *nume masc*
I.R.A., *presc de la* **Irish Republican Army**
irade [i'rɑːde] *s ist* decret al sultanului
Irak [i'rɑːk] *țară în Asia*
Iraki [i'rɑːki] *adj, s* irakian
Iran [i'rɑːn] *țară în Asia*
Iranian [i'reiniən] **I** *adj* iranian, persan; persian **II** *s* iranian, persan
Iraq [i'rɑːk] *țară în Asia*
Iraqi [i'rɑːki] *s, adj* irakian
irascibility [i,ræsi'biliti] *s* irascibilitate, iritabilitate, caracter irascibil, *F* țâfnă, arțag
irascible [i'ræsibəl] *adj* **1** irascibil, iritabil, susceptibil, *F* – arțăgos, țâfnos, supărăcios **2** *v.* **irate**
irate [ai'reit] *adj* iritat, enervat; mâniat, mânios, scos din fire
irately [ai'reitli] *adv* (pe un ton) iritat/mânios/nervos/enervat
I.R.B.M. *presc de la* **Intermediate-range ballistic missile** rachetă balistică cu rază medie de acțiune
Ire [aiə] *presc de la* **Ireland**
ire [aiə] *poetic* **I** *s* mânie, supărare **II** *vt* a mânia, a supăra, a irita
ireful ['aiəful] *adj poetic v.* **irate**
irefully ['aiəfuli] *adv poetic v.* **irately**
Ireland ['aiələnd] Irlanda
Irene [ai'riːni] *nume fem* Irina
irenic(al) [ai'riːnik(əl)] *adj* pacific, pașnic, în favoarea păcii
Irian ['iəriən] Noua Guinee
iridesce [,iri'des] *vi* a se iriza *(în culorile curcubeului)*
iridescence [,iri'desəns] *s* irizare, irizație
iridium [ai'ridiəm] *s ch* iridiu
Iris ['airis] *nume fem*
iris, *pl* **și irides** ['airi,diːz] *s* **1** *anat* iris **2** *fot* diafragmă **3** *bot* iris, stânjen(el) *(Iris germanica)* **4** curcubeu; culorile curcubeului **5** *minr* cuarț irizat
irisated [airi'seitid], **irised** ['aiərist] *adj* irizat
Irish ['aiəriʃ] **I** *adj* **1** irlandez, din Irlanda **2** *sl* obraznic, nerușinat **3** *F peior* prostesc, tâmpit **4** ← *P* fals, mincinos **II** *s* **1** irlandezi **2** (limba) irlandeză **3** *F* țâfnă, – nervi
Irish bridge ['aiəriʃ'bridʒ] *s* apeduct *(care traversează drumul)*

Irish brogue ['aiəriʃ,broug] *s* accent/idiom irlandez
Irish bull ['aiəriʃ,bul] *s iron* aiureală, tâmpenie, prostii
Irisher ['aiəriʃəʳ] *s* ← *F* irlandez
Irish Free State, the ['aiəriʃ,friː'steit, ði] *s* Republica irlandeză, Statul liber irlandez
Irish Gaelic ['aiəriʃ'geilik] *s lingv* irlandeză
Irish green ['aiəriʃ 'griːn] *s* verde închis, intens
Irishism ['aiəri,ʃizəm] *s* **1** expresie irlandeză; idiom irlandez **2** absurditate, exprimare nelogică/absurdă
Irishman ['aiəriʃmən] *s* irlandez
Irish Sea, the ['aiəriʃ'siː, ði] Marea Irlandei
Irish stew ['aiəriʃ'stjuː] *s* musaca
Irishwoman ['aiəriʃ,wumən] *s* irlandeză
irk [əːk] *vt* ← *înv* **1** a plictisi, a obosi **2** a supăra, a enerva, a deranja; **it ~s me to go there** mă enervează ideea de a mă duce acolo
irksome ['əːksəm] *adj* **1** obositor, plictisitor **2** supărător, enervant
irksomely ['əːksəmli] *adv* (în mod) supărător/plicticos/enervant
Irkutsk [ir'kutsk] *oraș* Irkuțk
I.R.O. *presc de la* **Inland Revenue Office** Serviciul bugetului; **International Refugee Organization**
iron ['aiən] **I** *s* **1** fier *(ca metal)*; **an arm of ~** un braț voinic; **a man of ~ a** un om de fier **b** o inimă de piatră **2** obiect de fier; **to beat/to strike the ~** a bate/a forja fierul; **strike the ~ while it's hot** *prov* bate fierul cât e cald; **to have several/too many ~s in the fire** *fig* a avea prea multe ocupații deodată, a se ocupa de/a face prea multe lucruri în același timp **3** fier de călcat **4** fier de frizat, *înv* → drot **5** *poetic* paloș, sabie; **the ~ has entered (into) his soul** *fig* are moartea în suflet; i-a intrat frica în sân **6** *pl* lanțuri; cătușe; **in ~s a** în fiare/lanțuri, înlănțuit, cu lanțuri la picioare **b** întemnițat **7** unealtă de fier (↓ vătrai etc.) **8** armă de foc (↓ pistol) **9** harpon **10** scară *(la șa)* **11** ciocan de lipit **12** *sport* crosă de golf *(cu cap metalic)* **13** industrie a fierului/siderurgică/metalurgică **14** *fig* duritate, asprime; tărie (de

caracter); împietrire **II** *adj* **1** de fier **2** *ch* feric; feros; de fier **3** *fig* aspru, energic, sever; **an ~ hand in a velvet glove** energie/forță folosită cu mănuși **4** robust, viguros **5** neclintit, neabătut; neînfricat; inflexibil **6** *fig* nerușinat, obraznic **7** de culoarea fierului **III** *vt* **1** a netezi, a aplatiza **2** a călca (cu fierul) **3** a îmbrăca în fier; a blinda **4** a împodobi cu feronerie **5** a înlănțui, a pune în lanțuri, a încătușa

Iron Age, the ['aiən ˌeidʒ, ði] *s ist* epoca fierului, vârsta de fier

iron and steel ['aiənən'sti:l] *adj atr* siderurgic

iron band ['aiən ˌbænd] *s tehn* bandaj de fier

iron bark ['aiən ˌbɑːk] *s bot* eucalipt rășinos *(Eucalyptus resininfera)*

iron-bound ['aiən ˌbaund] *adj* **1** legat în fiare/cu cercuri de fier **2** înlănțuit/prins în fiare **3** *fig* riguros, sever, aspru **4** ferm, de neclintit/nezdruncinat **5** stâncos; accidentat, neregulat

Iron Chancellor, the ['aiən'tʃɑːnslə', ði] *s ist* Cancelarul de Fier, Otto von Bismarck

Iron-clad ['aiən, klæd] **I** *adj* **1** blindat, cuirasat **2** *fig* riguros, strict **II** *s* *înv nav* cuirasat

iron curtain ['aiən ˌkə:tn] *s* **1** *pol* cortină de fier **2** barieră culturală

Iron Duke, the ['aiən, dju:k, ði] *s ist* Ducele de Wellington

ironer ['aiənə'] *s* lucrător la o călcătorie de rufe; călcătoreasă

iron fall ['aiən, fɔ:l] *s astr* cădere de meteoriți

iron fallings ['aiən, fɔ:liŋz] *s pl* pilitură de fier

iron-fisted ['aiən'fistid] *adj* **1** aspru, sever, de fier **2** zgârcit, meschin

Iron Gate, the ['aiən, geit, ði] Porțile de Fier

iron glance ['aiən, glɑ:ns] *s* luciu/lustru metalic

iron gray/grey ['aiən'grei] *s adj* gri-fier

iron-handed ['aiən'hændid] *adj* aspru, rigid, (cu) inimă de piatră

iron hat ['aiən, hæt] *s* **1** *ist* coif **2** cască/coif de protecție **3** *sl* gambetă, pălărie

iron heated ['aiən, hedid] *adj* **1** cu cap metalic/de metal **2** *fig* încăpățânat la culme/ca un catâr

iron-hearted ['aiən, hɑːtid] *adj* împietrit, (cu) inimă de piatră

iron-horse ['aiən, hɔ:s] *s* ← *înv* locomotivă

ironic(al) [ai'rɔnik(əl)] *adj* ironic, zeflemitor, batjocoritor, sarcastic

ironically [ai'rɔnikəli] *adv* (pe un ton) ironic/sarcastic; în ironie/zeflemea/bătaie de joc

ironing ['aiəniŋ] *s* **1** călcat, călcare *(a rufelor etc.)* **2** rufe *sau* haine de călcat **3** *atr* de/pentru călcat

ironist ['aiərənist] *s* zeflemist, (spirit) ironic/satiric

ironize ['aiərə, naiz] *vt* a ironiza, persifla, a zeflemisi

iron lung ['aiən, lʌŋ] *s med* plămân de oțel

ironman ['aiənmən] *s* **1** metalurgist **2** *ferov* lucrător de linie **3** muncitor industrial **4** om de fier/tare de înger **5** robot **6** *sl* dolar (↓ de argint)

iron master ['aiən, mɑ:stə'] *s* fabricant/industriaș/patron în industria fierului

ironmonger ['aiən, mʌngə'] *s* negustor de fierărie

ironmongery ['aiən, mʌngəri] *s* (negoț de) fierărie/feronerie

ironmould ['aiən, mould] *s* pată de rugină *sau* cerneală

iron ore ['aiən'ɔ:'] *s* minereu de fier

iron out ['aiən 'aut] *vt cu part adv* **1** a scoate *(o cută etc.)* la călcat/prin călcare **2** *fig* a face praf/a face una cu pământul **3** *F* a aplana, a reconcilia, a împăca

iron oxide ['aiən ˌɔksaid] *s ch* oxid de fier

iron plate ['aiən ˌpleit] *s* placă *sau* tablă de fier

iron ration ['aiən, ræʃən] *s mil* rație intangibilă, stoc intangibil

iron shod ['aiən ˌʃɔd] *adj* **1** îmbrăcat în fier **2** cu vârf metalic/de fier

ironside ['aiən, said] *s* om puternic/de fier, braț de fier

Ironsides ['aiən, saidz] *s pl ca sg ist* **1** Edmund II, și Oliver Cromwell **2** cavaleria lui Cromwell

ironsmith ['aiən, smiθ] *s* **1** fierar; potcovar **2** forjor

iron up ['aiən ˌʌp] *vt cu part adv* **1** a călca (cu fierul) **2** *auto* a pune lanțuri la *(roți)*

ironware ['aiən, wɛə'] *s* (articole de) fierărie/feronerie; articole/obiecte de lăcătușerie

iron-willed ['aiən, wild] *adj* cu o voință de fier

ironwork ['aiən, wə:k] *s* **1** (articole de) fierărie **2** *constr* schelet metalic **3** *pl* turnătorie de fontă; uzină metalurgică/siderurgică

irony¹ ['aiəni] *adj* de fier; ca fierul

irony² ['aiərəni] *s* ironie, sarcasm, zeflemea

Iroquois ['irə, kwɔi] **I** *s (pl ~)* (indian) irochez; **II** *adj* irochez

irradiance [i'reidiəns] *s* strălucire, iradiere, luminozitate, iradiație

irradiant [i'reidiənt] *adj* strălucitor, luminos, care iradiază

irradiate [i'reidieit] **I** *vi* a iradia (lumină), a răspândi lumină/raze luminoase, a străluci **II** *vt* **1** a iradia **2** *fig* a răspândi, a împrăștia, a difuza **3** *fig* a face să strălucească, a lumina **4** a limpezi, a clarifica, a lămuri **5** *med* a iradia, a trata cu raze, a supune la un tratament cu raze/radiații

irradiation [i, reidi'eiʃən] *s* **1** iradiație, iradiere **2** *fiz* radiație, emanație de raze **3** strălucire, iluminație, luminare, răspândire/difuzare a razelor/luminii **4** *med* iradiație, (tratament cu) raze

irrational [i'ræʃənəl] **I** *adj* **1** irațional, nerațional, nelogic **2** absurd, fără sens **3** inexplicabil, nerezonabil **4** *mat* irațional **II** *s mat* număr irațional

irrationalism [i'ræʃənəlizəm] *s filos* iraționalism

irrationality [i, ræʃə'næliti] *s* **1** iraționalitate; caracter nerațional, absurditate, lipsă de rațiune/logică **2** prostie, absurditate, stupiditate

irrationally [i'ræʃənəli] *adv* în mod irațional/absurd

Irrawaddy, the [, irə'wɔdi, ði] *fluviu* Irawadi

irreclaimable [, iri'kleiməbəl] *adj* **1** irecuperabil, nerecuperabil **2** incorigibil, imposibil de îndreptat **3** inveterat, înrăit

irrecognizable [i'rekəgnaizəbl] *adj* de nerecunoscut, imposibil de recunoscut

irreconcilable [i'rekən, sailəbəl] *adj* **1** ireconciliabil, de neîmpăcat **2** (**with**) incompatibil (cu)

irreconcilably [i'rekən, sailəbli] *adv* **1** în mod ireconciliabil **2** în mod incompatibil

irrecoverable [iri'kʌvərəbəl] *adj* nerecuperabil; ireparabil; iremediabil

irrecoverably [ˌiri'kʌvərəbli] *adv* iremediabil, definitiv, pentru totdeauna

irredeemable [ˌiri'di:məbəl] *adj* **1** *com* nerambursabil; nerecuperabil **2** *fig* iremediabil, deznădăjduit, fără speranțe

irredeemably [ˌiri'di:məbli] *adv* (în mod) iremediabil/deznădăjduit; fără putință de scăpare/îndreptare

irredentism [ˌiri'dentizəm] *s pol* iredentism

irredentist [ˌiri'dentist] *s pol* iredentist

irreducibility [ˌiriˌdju:si'biliti] *s* caracter ireductibil

irreducible [ˌiri'dju:sibəl] *adj* ireductibil

irrefragable [i'refrəgəbəl] *adj* **1** incontestabil, indiscutabil **2** *jur* irefragabil, irefutabil

irrefrangible [ˌiri'frændʒəbəl] *adj* **1** inviolabil **2** *fiz* care nu se reflectă

irrefutability [iˌrifjutə'biliti] *s* caracter incontestabil/irefutabil

irrefutable [i'refjutəbəl] *adj* irefutabil, incontestabil, indiscutabil, de necontestat

irregular [i'regjulə'] **I** *adj* **1** neregulat **2** asimetric; neuniform **3** dezordonat, în dezordine, învălmășit **4** nereglementar, clandestin, ilicit, nelegitim **II** *s pl* trupe neregulate

irregularity [iˌregju'læriti] *s* **1** neregularitate; caracter neregulat; ~ **of ground** teren accidentat **2** lipsă de simetrie **3** lipsă de uniformitate, funcționare neregulată; *med* aritmie **4** inegalitate; variabilitate **5** dezordine, indisciplină, lipsă de disciplină; ~ **of living** viață/conduită dezordonată **6** neregulă, abatere; încălcare a disciplinei/ordinii *etc.*

irregularly [i'regjulərli] *adv* **1** (în mod) neregulat/neuniform/inegal, fără regularitate **2** în dezordine

irrelevance [i'relivəns], **irrelevancy** [i'relivənsi] *s* **1** lipsă de legătură/relevanță **2** lipsă de însemnătate/importanță **3** inaplicabilitate **4** inconsecvență

irrelevant [i'relivənt] *adj* **1** irelevant, lipsit de legătură, fără nici un raport/nici o legătură cu problema; **to make** ~ **remarks** a divaga, *F→* a vorbi (într-)aiurea **2** lipsit de importanță/însemnătate; irelevant, neînsemnat

irrelevantly [i'relivəntli] *adv* fără nici o legătură/nici un raport cu problema, în mod irelevant

irreligion [ˌiri'lidʒən] *s* lipsă de religiozitate, păgânism

irreligious [ˌiri'lidʒəs] *adj* nereligios, necredincios, fără religie; păgân

irremediable [ˌiri'mi:diəbəl] *adj* **1** iremediabil, ireparabil; fără speranță **2** incorigibil, fără speranță de îndreptare **3** *med* incurabil, nevindecabil, fără scăpare

irremediably [ˌiri'mi:diəbli] *adv* (în mod) iremediabil/ireparabil; fără speranță

irremovable [ˌiri'mu:vəbəl] *adj* **1** inamovibil, nerevocabil **2** implacabil **3** de neînlăturat; permanent; ireversibil, ineluctabil, imuabil **3** *(d. soartă etc.)* neîndurător, de neînlăturat, imposibil de evitat

irreparable [i'repərəbəl] *adj* **1** ireparabil, de nereparat **2** iremediabil, nerecuperabil

irreparably [i'repərəbli] *adv* (în mod) ireparabil/iremediabil

irreplaceable [ˌiri'pleisəbəl] *adj* de neînlocuit; neprețuit

irrepressibility [ˌiriˌpresə'biliti] *s* imposibilitate *sau* incapacitate de stăpânire; caracter nestăpânit

irrepressible [ˌiri'presəbəl] **I** *adj* (de) nestăpânit, imposibil de stăpânit/înfrânt **II** *s* om nestăpânit

irreproachable [ˌiri'proutʃəbəl] *adj* ireproșabil, fără reproș/cusur

irreproachably [ˌiri'proutʃəbli] *adv* (în mod) ireproșabil, fără cusur

irresistible [ˌiri'zistəbəl] *adj* irezistibil

irresistibly [ˌiri'zistəbli] *adv* (în mod) irezistibil

irresolute [i'rezəˌlu:t] *adj* **1** nehotărât, nedecis **2** șovăielnic, șovăitor

irresolutely [i'rezəˌlu:tli] *adv* **1** nesigur, fără hotărâre/siguranță **2** nehotărât, șovăielnic, șovăitor

irresoluteness [i'rezəˌlu:tnis], **irresolution** [i'rezəluˌʃən] *s* lipsă de hotărâre, nehotărâre, șovăială, ezitare

irresolvable [ˌiri'zɔlvəbəl] *adj* **1** irezolvabil, de nerezolvat **2** de nedescompus, neanalizabil, care nu (mai) poate fi analizat

irrespective(ly) of [ˌiri'spektiv(li) əv] *prep* independent/indiferent de, făcând abstracție de, fără a ține seama de

irrespirable [i'respirəbəl] *adj* irespirabil, de nerespirat

irresponsibility [ˌiriˌspɔnsə'biliti] *s* iresponsabilitate, lipsă de răspundere

irresponsible [ˌiri'spɔnsəbəl] *adj* **1** iresponsabil, lipsit de răspundere **2** aiurit, nesăbuit, cu capul în nori

irresponsive [ˌiri'spɔnsiv] *adj* **1** flegmatic, apatic, rece **2** (**to**) insensibil, nesimțitor, indiferent, orb (la)

irresponsiveness [ˌiri'spɔnsivnis] *s* (**to**) lipsă de participare (afectivă), indiferență, insensibilitate (la, față de)

irretention [ˌiri'tenʃən] *s* incapacitate de reținere; incontinență; ~ **of memory** lipsă de ținere de minte, memorie slabă

irretentive [ˌiri'tentiv] *adj* care nu (are capacitatea de a) reține

irretrievable [ˌiri'tri:vəbəl] *adj* **1** irecuperabil, de necompensat/neînlocuit, imposibil de regăsit **2** ireparabil, iremediabil

irretrievably [ˌiri'tri:vəbli] *adv* ireparabil, iremediabil, definitiv

irreverence [i'revərəns] *s* ireverență, lipsă de respect

irreverent [i'revərənt] *adj* ireverențios, lipsit de respect/deferență

irreverently [i'revərəntli] *adv* (în mod) ireverențios/nerespectuos; fără respect/cuviință, (în mod) necuviincios

irreversible [ˌiri'və:sibl] *adj* **1** ireversibil, care nu mai poate fi întors înapoi/la starea dinainte **2** irevocabil, inevitabil **3** ineluctabil; implacabil, de neîmblânzit

irreversibly [ˌiri'və:sibli] *adv* în mod ireversibil/irevocabil/ineluctabil

irrevocability [iˌrivəkə'biliti] *s* caracter irevocabil

irrevocable [i'revəkəbəl] *adj* irevocabil

irrevocably [i'revəkəbli] *adv* (în mod) irevocabil

irrigable ['irigəbəl], **irrigatable** ['iriˌgeitəbl] *adj* irigabil

irrigate ['iri‚geit] **I** *vt* **1** a iriga **2** a uda, a stropi **3** *med* a spăla *(o rană)* **II** *vi* **F** a trage la măsea, a suge

irrigation [‚iri'geiʃən] *s* **1** *agr* irigaţie, irigare, udare, stropire **2** *med* irigaţie; spălătură

irrigation engineering [‚iri'geiʃən endʒi‚niəriŋ] *s agr* lucrări de irigaţie

irrigative ['iri‚geitiv] *adj v.* **irrigable**

irrigator ['iri‚geitər] *s* **1** *med* irigator **2** *agr* stropitoare, aspersor **3** persoană care stropeşte culturile

irritability [‚iritə'biliti] *s* iritabilitate; irascibilitate, nervozitate **F** ← ţâfnă, caracter ţâfnos/dificil

irritable ['iritəbəl] *adj* **1** iritabil, irascibil, supărăcios **2** ultra-sensibil, (foarte) susceptibil **3** *med* iritabil; inflamabil

irritant ['iritənt] **I** *adj* iritant, care produce iritaţie **II** *s* **1** iritant, substanţă iritantă **2** *mil* gaz iritant

irritate[1] ['iri‚teit] *vt* **1** a irita, a agasa, a supăra, a necăji, a enerva **2** *med* a irita, a produce iritaţie *(cu gen)* **3** *fizl* a stimula; a excita

irritate[2] *vt jur* a face inoperant

irritating ['iri‚teitiŋ] *adj* **1** iritant, enervant, supărător, agasant **2** *med* iritant

irritatingly ['iri‚teitiŋli] *adv* (în mod) supărător/enervant/agasant

irritation [‚iri'teiʃən] *s* **1** iritare, supărare, enervare, mânie, agasare **2** *med* iritaţie, iritare **3** *fizl* excitare, excitaţie, stimulare

irruption [i'rʌpʃən] *s* irupere, nă-vală, năvălire

IRS *presc de la* **Internal Revenue Service**

Irtish, Irtysh, the [iə'tiʃ, ði] *râu* Irtiş

Irvin ['əːvin], **Irving** ['əːvin] *nume masc*

Irving ['əːvin], **Washington** *scriitor american (1783-1859)*

is [z, s, iz] *pers 3 sg ind prez de la* **be** este, e

is. *presc de la* **Island**

'is *adj, pr v.* **his**

Isaac ['aizək] *nume masc* Isac

Isabell ['izəbel] **I 1** *nume fem* Izabela **2** galben cenuşiu **II** *adj* galben cenuşiu

Isabelle ['izə‚bel], *v.* **Isabell I 1**

Isabelline [‚izə'bel(a)in] *adj* galben cenuşiu

isagogic [‚aisə'gɔdʒik] *adj* isagogic, introductiv

isagogics [‚aisə'gɔdʒiks] *s pl (ca sg) rel* isagogică, introducere în/la studiul (istoriei literare şi externe a) Bibliei

Isar, the ['iːzaːr, ði] *râu* Iser

I.S.B.N. *presc de la* **international standard book number** indice internaţional al operelor tipărite

isch(a)emia [i'skiːmiə] *s med* ische-mie, lipsă de irigare sanguină

isch(a)emic [i'skemik] *adj med* ischemic

ischium ['iskiəm], *pl* **ischia** ['iskiə] *s* ischion, osul iliac

-ise *suf v.* **-ize**

Isfahan [‚isfə'haːn] Ispahan

-ish *suf* **1** -aş; **boyish** băieţaş **2** -ui, -iu: **bluish** albăstrui, albăstriu **3** -ic, -ez: **Finnish** finic, **Swedish** suedez **4** *(alteori se redă prin)* cam (de): **fortyish** cam de vreo patruzeci de ani *(sau nu are echivalent românesc)*

isinglass ['aiziŋ‚glaːs] *s* **1** clei de peşte, ihtiocol **2** gelatină *(pt prăjituri etc.)* **3** miɲr mică

Islam ['izlaːm] *s* **1** islam, lumea islamică/musulmană/mahome-dană **2** popor islamic/mahome-dan/musulman **3** islamism, ma-homedanism

Islamic [iz'laːmik] *adj* islamic, musulman, mahomedan

Islamism ['izlə‚mizəm] *s* islamism, mahomedanism

Islamite ['izlə‚mait] *s, adj* maho-medan, musulman

Island ['iːlaːn] Islanda

island ['ailənd] **I** *s* **1** insulă; ostrov **2** *fig* insulă, zonă/regiune izolată **3** grup/pâlc izolat **4** refugiu/insulă pentru pietoni **5** *fizl* ţesut izolat **II** *vt* **1** a izola, a transforma într-o insulă **2** (**with**) a presăra (cu)

islanded ['ailəndid] *adj* **1** izolat, retras; insular **2** (**with**) presărat, pătat (cu)

islander ['ailəndər] *s* insular, locuitor al unei insule

isle [ail] **I** *s* **1** *(poetic sau în nume geografice)* insulă **2** insuliţă; os-trov **3** peninsulă **4** grup, pâlc **II** *vt poetic* a izola **III** *vi* a locui pe o insulă

Isle of Man, the ['ailəv'mæn, ði] Insula Man

Isle of Wight, the ['ailəv'wait, ði] Insula Wight

islet ['ailit] *s* **1** insuliţă; ostrov **2** *ent*

pată pe aripi

Islington ['izliŋtən] *suburbie a Londrei*

ism ['izəm] *s peior* ism; dogmă, doctrină, teorie

-ism *suf* **1** -ism: **Romanticism** romantism **2** -itate: **invalidism** invaliditate

isn't ['iznt] **F** *contras din* **is not**, *pers 3 sg ind prez neg de la* **be**

iso- *pref* **1** izo-: **isomorphic** izomorf **2** -iso: **isosceles** isoscel

isobar ['aisou‚baːr] *s fiz* izobară

isobaric [‚aisou'bærik] *adj fiz* izo-bar(ic)

Isobel ['izəbel] *nume fem* Izabela

isochromatic [‚aisoukrou'mætik] *adj fiz* izocromatic

isochronous [ai'sɔkrənəs] *adj* izo-cron, sincronic; simultan, con-comitent

isoclinal [‚aisou'klainəl] *s, adj geol* izoclinal

isoclinic [‚aisou'klinik] *adj geol* izoclinal

isocracy [ai'sɔkrəsi] *s pol* egalitate a puterii politice; democraţie; egalitarism

isogamy [ai'sɔgəmi] *s bot* izogamie

isolable ['aisələbəl] *adj* izolabil

isolate ['aisə‚leit] *vt* **1** a izola, a separa; a ţine deoparte **2** *med* a izola, a ţine în carantină

isolated ['aisə‚leitid] *adj* izolat; separat

isolating ['aisə‚leitiŋ] **I** *adj* izolant, izolator **II** *s* izolare

isolation [‚aisə'leiʃən] *s* **1** izolare; singurătate, solitudine **2** izolare, separare *(a unui bolnav etc.)*

isolation hospital [‚aisə'leiʃən-‚hɔspitəl] *s* spital de boli conta-gioase/*înv* de izolare

isolationism [‚aisə'leiʃə‚nizəm] *s pol* izolaţionism, separatism, politică de izolare

isolation ward [‚aisə'leiʃən‚wɔːd] *s* serviciu/pavilion de boli conta-gioase

isolator ['aisə‚leitər] *s el* izolator

isomer ['aisəmər] *s ch* izomer

isomeric [‚aisou'merik] *adj ch* izo-meric

isomorphic [‚aisou'mɔːfik], **isomor-phous** ['aisə'mɔːfəs] *adj de* izo-morf

isosceles [ai'sɔsi‚liːz] *adj geom* isoscel

isotherm ['aisou‚θəːm] *s fiz* izotermă

isothermal [ˌaisou'θəːməl], **isother-mic** [ˌaisou'θəːmik] *adj* izo-term(ic), izotermal

isotope ['aisə,toup] *s ch* izotop

Isr. *presc de la* **1** Israel **2** Israeli

Israel ['izreiəl] (Statul) Israel

Israeli [iz'reili] *s, adj* israelian

Israelite ['izreiə,lait] **I** *s* israelit, evreu **II** *adj* israelit, evreiesc

issuance ['iʃuəns] *s* **1** eliberare, emitere *(de adeverințe, permise etc.)* **2** publicare, editare, apa-riție; ieșire *(la iveală)* **3** *ec* emitere, emisiune (de acțiuni)

issue ['iʃjuː] **I** *s* **1** (out of) ieșire (din); scăpare (din) **2** deșertare, descăr-care, vărsare **3** scurgere **4** *med* hemoragie **5** *geogr* vărsare, gură; confluență **6** deznodământ, sfârșit; **he has had his** ~ *mil sl* a dat în primire **7** rezultat, consecință; **in the** ~ în concluzie, în ultimă analiză **8** progenitură, descen-denți, urmași; copii, odrasle; **to die without** ~ a muri fără urmași/moștenitori **9** ediție *(a unei cărți)* **10** număr, ediție de ziar **11** publi-care, apariție *(a unei cărți)*; **in course of** ~ în curs de publicare/apariție **12** *ec* emitere; emisiune **13** emisiune (de timbre) **14** elibe-rare *(a biletelor)* **15** *teatru* control *(la bilete)* **16** ↓ *jur* (punct în) litigiu, chestiune controversată/în dezba-tere; dispută, controversă; ~ **of fact** *jur* chestiune de fapt; ~ **of law** chestiune de drept; **to be at** ~ **a** *jur* a fi în litigiu/dezbatere **b** *fig* a fi în discuție/în joc/la mijloc **c** (**with smb**) a fi în litigiu *sau* dezacord (cu cineva) **d** (**on a question**) a dezbate (o problemă litigioasă); a închide (un litigiu) **17** dezbatere, discuție, discutare (în contradic-toriu); **to join** ~ **with smb** a discuta în contradictoriu/a se contrazice cu cineva **18** problemă/chestiune (controversată în discuție); **to raise an** ~ a ridica o problemă **19** concluzie, rezolvare *(a unei probleme)* **20** decret, hotărâre, decizie **21** faptă **II** *vi* **1** (**from, out of**) a decurge, a rezulta (din); **2** (**from**) a descinde, a se trage (din) **3** a ajunge la un sfârșit/rezultat; **to** ~ **into a point** a se sfârși cu un vârf, a fi ascuțit la vârf **4** *(d. decrete etc.)* a fi emis/promulgat, a ieși **III** *vt* **1** *ec* a emite, a pune în circulație

2 a publica, a edita, a scoate **3** *jur* a emite, a promulga, a da *(o deci-zie etc.)* **4** a elibera, a vinde, a dis-tribui, a emite *(bilete etc.)* **5** ← *înv* a sfârși, a încheia, a termina

issueless ['iʃjuːlis] *adj jur* fără urmași/descendenți/descen-dență/progenitură

issue price ['iʃju ,prais] *s fin* preț de emisiune; valoare inițială

issuer ['iʃjuːəʳ] *s* **1** *ec* emitent **2** distribuitor

issuing ['iʃjuːiŋ] **I** *adj* **1** care iese/țâșnește/se scurge **2** *ec* emitent, emițător **II** *s* **1** *ec* emitere; emi-siune **2** publicare, editare, tipă-rire; apariție **3** eliberare, vânzare, distribuire *(a biletelor etc.)*

-ist *suf* **1** -ist: **realist** realist *(s, adj)* **2** -ian: **physicist** fizician **3** *nu are echivalent* **geologist** geolog

Istanbul [ˌistænˈbuːl] *oraș în Turcia*

isthmus ['isməs] *s* **1** *geogr* istm **2** *anat, bot* gât

-istic(al) *suf* -ist(ic): **materia-listic(al)** materialist *(adj);* **so-phistic(al)** sofistic

ISV *presc de la* **International Scientific Vocabulary**

It, Ital *presc de la* **Italian**

It [it] *s* ← *F* vermut italian; **gin and** ~ cocteil din gin și vermut

it I *pr pers* el, ea *(pt obiecte, noțiuni abstracte, animale, când nu se indică sexul);* ~ **is triangular** e triunghiular; **here** ~ **is** iată-l, iat-o **II** *pr impers* **1** *(pt unități de) timp, pt vreme, fenomene naturale, temperatură, distanțe) (nu se traduce)* ~ **is snowing** ninge; ~ **often snows in our mountains** la noi la munte ninge des; ~ **thunders** tună; **it is 108 F in the sun** sunt 40 de grade (Celsius) la soare ~**'s very nice here** e foarte plăcut aici; ~ **is two miles to the station** sunt trei kilometri până la gară **2** se; ~ **is growing dark** se întunecă; ~ **is getting late** s-a făcut/se face târziu **3** *(ca subiect introductiv anticipativ, ↓ nu se traduce)* ~**'s me/I** eu sunt; ~ **is very easy to do it** e foarte ușor de făcut/să faci asta; ~ **is pleasant to sit in the sunshine** e plăcut să stai la soare **4** *(idem cu verbe la pas, având sens impersonal)* se; ↲ **is believed that** se crede că; ~ **is rumoured**

that se zvonește că **III** *pr dem* **1** aceasta, asta; **beyond** ~ mai presus/dincolo de asta; **before** ~ înainte de asta, mai înainte; **I can't come** ~ asta n-o pot înghiți/suporta **2** *(nesemnificativ, ↓ în expresii)* o *(sau nu se traduce);* **to rough** ~ a o scoate cu greu la capăt, a o duce de azi pe mâine; **to cab** ~ a merge cu taxiul/trăsura; **to lord** ~ a domni, a o duce împărătește; **take** ~ **easy!** a ia-o încetișor! ușurel! nu te pripi! **b** nu te enerva/supăra **IV** *s* **1** culme, apogeu, ultima expre-sie *(în materie de eleganță, modă etc.);* **it's been real** ~ a fost grozav; **you're absolutely** ~ **in this dress** ești grozavă în rochia asta; îți stă/vine de minune rochia asta; **she has got** ~ are șic/haz/farmec/pe vino-ncoace; **he thinks he's** ~ se crede grozav, se crede buricul pămân-tului **2** lucrul (cel mai) necesar/potrivit, ceea ce trebuie; **that's** ~**!** **a** asta e soluția! asta ne trebuia! **b** așa te vreau! **3** rând, tur; **now you're** ~ e rândul tău; **he's in for** ~ *F* i-a venit și lui rândul **b** a dat de bucluc; **he's had** ~ *mil sl* i-a sunat ceasul, a dat ortul popii **4** *F* pasiune/dragoste nebună; **he has** ~ **awful for her** *F* e mort/pierit/topit după ea **5** ← *F* vermut italian

I.T.A. *presc de la* **Independent Television Authority** Televi-ziunea Britanică Independentă

i.t.a. *presc de la* **initial teaching alphabet**

ital *presc de la* **1** italic **2** italicized

Italia [i'taːljə]

Italian [i'tæljən] **I** *adj* italian, italienesc **II** *s* **1** italian(că) **2** (limba) italiană

Italian East Africa [i'tæljən'iːst-'æfrikə] *ist Africa orientală italiană*

Italianize [i'tæljə,naiz] **I** *vt* a italianiza **II** *vi* a face pe italianul, a-i imita pe italieni

Italian Somaliland [i'tæljən sou'mɑː-lilænd] *ist Somalia Italiană*

italic [i'tælik] *poligr* **I** *adj* cursiv, italic **II** *s* **1** literă cursivă/italică **2** *pl* (caractere) cursive, *fig* subli-niere; **my** ~**s, the** ~**s are mine/ours** sublinierea noastră

italicize [i'tæli,saiz] *vt* **1** a tipări cursiv/cu caractere/litere cursive

2 *fig* a sublinia, a scoate în evidență

Italiot [i'tæljət], **Italiote** [i'tæliout] *ist* **I** *s* locuitor din coloniile grecești ale vechii Italii **II** *adj* referitor la coloniile grecești ale vechii Italii

Italy ['itəli] Italia

itch [itʃ] **I** *s* **1** *med P* râie **2** mâncărime; **to have the ~es** a-l mânca pielea, a avea mâncărime **3** (**for**) *fig* sete, dorință (de), pasiune (pentru) **II** *vi* **1** a produce mâncărime, a te mânca; **my foot ~es** mă mănâncă talpa/în talpă, am mâncărime în talpă; **scratch him where he ~es** *fig* atinge-l unde-l doare; **he is ~ing for a drubbing** *fig* îl mănâncă spinarea, i s-a făcut de bătaie **2** (**for, after, to**) *fig* a fi nerăbdător (să), a avea o poftă/dorință grozavă (să/de a); **my foot ~es to kick him** ard de nerăbdare să-i dau un picior

itchiness ['itʃinis] *s* **1** *P* mâncărime (puternică) a pielii, *S* prurit **2** *med P* râie, *S* scabie

itching ['itʃiŋ] **I** *adj* **1** care produce mâncărime, care te mănâncă; **to have an ~ palm** *fig* a fi lacom/avid de bani, a fi apucător/hrăpăreț **2** *med P* râios, scabios **3** (**for, after**) *fig* însetat, doritor, pasionat (de) **II** *s* **1** *med P* mâncărime a pielii, *S* prurit **2** (**for**) *fig* sete (de), dorință, pasiune (pentru)

itch insect/mite ['itʃ‚insekt/‚mait] *s* **ent** parazit al râiei (*Sarcoptes scabiei*)

itchy ['itʃi] *adj v.* **intching I 1, 2**

-ite *suf* **1** -it: **Jacobite** iacobit (*s, adj*); **diatomite** diatomit **2** -ist: **labourite** laburist (*s, adj*) **3** -ită: **dinamite** dinamită

item ['aitəm] **I** *s* **1** *com* paragraf, alineat, punct, articol (*din listă, cont, registru*) **2** articol, element, punct **3** număr, punct (*din program*) **4** chestiune, subiect, punct (*de pe ordinea de zi*) **5** material, articol, informație (*din ziar*) **II** *vt* a bifa, a însemna, a nota **III** *adv* ← *înv* idem, la fel, de asemenea

itemize ['aitə‚maiz] *vt amer* a specifica, a enumera, a înșira pe puncte

iterance ['iterəns], **iterancy** ['iterənsi] *s v.* **iteration**

iterant ['iterənt] *adj* recurent, care se repetă; repetat

iterate ['itə‚reit] *vt* **1** a reitera, a repeta **2** a recapitula

iteration [‚itə'reiʃən] *s* **1** repetare, repetiție **2** recapitulare

iterative ['iterətiv] *adj* **1** repetat, recurent; reiterat **2** *gram* iterativ

It girl ['it ‚gə:l] *s amer F* femeie nurlie/cu sex appeal/cu vino-ncoace, vampă

Ithaca ['iθəkə] **1** *insulă în Grecia* Itaca **2** *oraș în S.U.A.*

ithyphalic [‚iθi'fælik] **I** *adj* **1** falic **2** bahic **3** licențios, indecent **4** în metru bahic **II** *s* poezie în metru bahic; poezie licențioasă

Itie ['ait(a)i] *s amer peior* macaronar, broscar, – italian

itineracy [i'tinərəsi] *s v.* **itinerancy 1**

itinerancy [i'tinərənsi] *s* **1** peregrinare, cutreierare, rătăcire; **2** turneu, tur, vizită

itinerant [i'tinərənt] **I** *adj* **1** ambulant, voiajor **2** în turneu/turvoiaj **II** *s* **1** călător, voiajor **2** actor *sau* învățător ambulant/călător **3** judecător în turneu **4** călugăr rătăcitor

itinerary [ai'tinərəri] *s* **1** itinerar, rută, drum; plan de călătorie **2** călătorie/voiaj de explorare **3** note de drum/călătorie **4** *atr* de voiaj/călătorie

itinerate [ai'tinə‚reit] *vi* **1** a călători, a voiaja **2** a face un turneu

itineration [ai‚tinə'reiʃən] *s v.* **itinerancy**

-itious *suf* -iv; **fictitious** fictiv

-itis *suf med* -ită: **appendicitis** apendicită

I.T.O. *presc de la* **International Trade Organization**

its [its] *adj pers 3 sg* (pt obiecte, noțiuni abstracte, animale) lui, sale, ei

it's *contras din* **it is,** *pers 3 sg ind prez de la* **be**

itself [it'self] **I** *pr refl* se; **it hides ~ in marshes** (animalul etc.) se ascunde prin mlaștini **II** *pr de întărire* **1** (pe) el însuși, chiar (pe el); chiar lui, lui/sie însuși **2** (pe) ea însăși, chiar (pe) ea, ei/sie însăși; **he is cleverness ~** e inteligența personificată/întruchipată **3** singur; în sine; fără ajutor; **by ~ a** în sine, luat în parte, izolat, singur **b** de la

sine; prin sine (însuși/însăși); fără ajutor

itsy-bitsy ['itsi'bitsi], **itty-bitty** ['iti'biti] *adj F peior* puțintel, micuț, minuscul

I.T.U. *presc de la* **International Telecommunications Union**

ITV *presc de la* **Independent Television**

-ity *suf* -itate: **alkalinity** alcalinitate

I.U. *presc de la* **International Unit**

I.U.(C.) D. *presc de la* **intra-uterine (contraceptive) device** mijloc (anticoncepțional) intrauterin

-ium *suf* -iu: **compendium** compendiu

I.V. *presc de la* **intravenous**

Iva ['aivə] *nume fem*

Ivan ['aivən] *nume masc*

-ive *suf* **1** -iv: **attractive** atractiv **2** -ant; **representative** reprezentant

I've [aiv] *contras din* **I have** *pers I sg prez de la* **have**

ivied ['aivid] *adj* acoperit cu iederă

Ivor ['aivə] *nume masc*

ivory ['aivəri] **I** *s* **1** *zool* fildeș, colț **2** fildeș, ivoriu **3** culoare ivorie, ivoriu **4** *pl* bibelouri de fildeș **5** *pl* bile de biliard **6** *pl* clape/claviatură de pian *etc.*; **to tickle the ivories** ← *F* a cânta la pian **7** *sl pl* fasole, – dinți; **to show one's ivories** a se rânji **II** *adj* **1** din fildeș **2** ivoriu

ivory black ['aivəri ‚blæk] *s* negru de fildeș

Ivory Coast, the ['aivəri 'koust, ði] țară Coasta de Fildeș

ivory dome ['aivəri ‚doum] *s amer F* **1** specialist cu înaltă calificare **2** intelectual **3** ← *înv* prostănac, găgăuță

ivory palm ['aivəri ‚pa:m] *s bot* varietate de palmier (*Phelophas macrocarpa*)

ivy ['aivi] *s bot* iederă (*Hedera helix*)

ivy bush ['aivi ‚buʃ] *s* tufiș/mănunchi/arbust de iederă

ivy-clad/covered ['aivi‚klæd/'kʌvəd] *adj* acoperit cu/de iederă

I.W.W. *presc de la* **Industrial Workers of the World**

izard ['izəd] *s zool* specie de capră neagră (*Rupicapra rupicapra*)

-ization *suf* -izare; -izație; **ionization** ionizare; **civilization** civilizație

-ize *suf* -iza: **materialize** a materializa

Izmail [iz'mail] *oraș* Ismail

Izmir ['izmiə] *oraș od* Smirna, Izmir

J

J, j [dʒei] *s* (litera) J, j
J. *presc de la* **1** Judge **2** Justice
Ja. *presc de la* **January**
jab [dʒæb] **I** *vt* **1** (into) a băga/a vârî
(cu forța), a împinge (în) **2** a
băga/a vârî în; a împunge; **you'll
~ out my eye with your um-
brella!** o să-mi scoți ochiul cu
umbrela dumitale! **II** *s* lovitură
bruscă; împunsătură; **a ~ in the
arm** ← *F* o injecție în braț
jabber ['dʒæbər] **I** *vi* a vorbi repede
și cu aprindere; a sporovăi, a
trăncăni, a pălăvrăgi **II** *vt* a rosti
repede și nedeslușit *(cuvinte
etc.)* **III** *s* vorbire repede și
neînțeleasă; sporovăială
jabber out ['dʒæbər 'aut] *vt cu part
adv* v. **jabber II**
jabot ['ʒæbou] *s* **1** jabou **2** garnitură
(la cămașă, bluză etc.)
jacinth ['dʒæsinθ] *s minr* hiacint
Jack [dʒæk] *nume masc, dim de la*
John, James *sau* **Jacob**
jack [dʒæk] **I** *s* **1** *și* **J~** bărbat *sau*
băiat, om, *F* cetățean, suflet;
every man ~ toată lumea, toți, *F*
tot poporul **2** *și* **J~** marinar **3** ←
înv muncitor; ucenic; **J~ is as
good as his master** *prov ad lit.*,
„ucenicul e la fel de bun ca și
meșterul" **4** valet *(la cărți)* **5**
maimuțoi **6** *F* parale, lovele, –
bani **7** *constr* capră; suport **8** *tehn*
cric, vinci **9** *tel* jack **10** *nav* geac
11 *nav* filieră în învergare **12** *min*
perforator **13** *sl* copoi, – polițist,
polițai **II** *vt* a ridica cu cricul/vinciul
jackal ['dʒækɔ:l] *s zool* șacal *(Canis
aureus)*
jackanapes ['dʒækə,neips] *s* **1** ← *înv*
maimuță **2** ← *rar* fante, filfizon **3**
← *rar* copil obraznic/prost cres-
cut **4** încrezut, înfumurat
jackass ['dʒæk,æs] *s* **1** măgar **2** *fig
F* dobitoc, nătărău, tâmpit
jackboot ['dʒæk,bu:t] *s* **1** *mil od*
cizmă *(înaltă și răsfrântă)* **2**
cizmă impermeabilă *(înaltă)* **3**
the ~ – guvernarea militară
jackdaw ['dʒæk,dɔ:] *s orn* ceucă,
stăncuță *(Corvus monedula)*
jacket ['dʒækit] **I** *s* **1** jachetă **2** vestă;
cojocel fără mâneci **3** *poligr*

supracopertă **4** *poligr* anvelopă
5 piele *(de animal);* **to trim/to
warm** *și* **to dress down smb's
~** *F* a burduși pe cineva, a trage
cuiva un toc/o sfântă de bătaie
6 coajă *(de cartof)* **7** *tehn* învelis;
teacă; manta; cămașă; clopot **II**
vt poligr a pune în supracopertă
sau anvelopă
Jack Frost ['dʒæk'frɔst] *s* iarna,
gerul, *aprox* Gerilă
Jack-in-office ['dʒækin'ɔfis] *s* ← *înv
F* birocrat
jack-in-the-box ['dʒækinðə'bɔks] *s*
omuleț pe arcuri *(jucărie)*
Jack Ketch ['dʒæk'ketʃ] *s* călău
(oficial, în Anglia)
jack knife ['dʒæk ,naif] **I** *s* cuțit de
buzunar; briceag *(mare)* **II** *vi* (↓
d. vehicule formate din părți) a
se încovoia
jack ladder ['dʒæk ,lædər] *s nav*
scară de pilot
jack lamp ['dʒæk,læmp] *s tehn*
lampă de siguranță
jackline ['dʒæklain] *s nav* filieră de
terțarolă
jack of-all-trades ['dʒækəv'ɔ:l treidz]
s F om care se pricepe la toate,
– „geniu universal"; – factotum
jack-o'-lantern ['dʒækə,læntən] *s* **1**
luminiță rătăcitoare; focul sfân-
tului Elmo **2** felinar scobit din-
tr-un dovleac *(cu chip de om)*
jackpot ['dʒækpɔt] *s* **1** *și fig* potul *sau*
lozul cel mare **2** pot parolat; **to
hit the ~** *și fig* a lua/a câștiga
potul
Jack Robinson ['dʒæk 'rɔbinsn] *s:*
before one can say ~ *F* cât ai
zice pește, în doi timpi și trei
mișcări, – într-o clipă
Jacksonville ['dʒæksənvil] *oraș în*
S.U.A.
jackstaff ['dʒæk,sta:f] *s nav* baston
de pavilion prova
jackstay ['dʒæk,stei] *s nav* filieră de
învergare; strajă
jacktar ['dʒæk'ta:ʳ] *s și* **J~** *rar* marinar
(ca poreclă)
jack up ['dʒæk'ʌp] *vt cu part adv* **1**
v. **jack II 2** a ridica, a sălta
(prețuri)
Jacob ['dʒeikəb] *nume masc* Iacob

Jacobean [,dʒækə'biən] *adj* din
perioada domniei lui James/
Iacob I al Angliei (1603-1625)
Jacobin ['dʒækəbin] *s* **1** *ist* iacobin
2 *bis* (călugăr) iacobin **3** *pol*
iacobin, radical
Jacobinic(al) [,dʒækə'binik(əl)] *adj
pol* iacobin, radical
Jacobite ['dʒækə,bait] *s ist* iacobit
*(sprijinitor al lui James/Iacob II
sau al fiului său în Anglia, după
1688)*
Jacquard machine ['dʒæka:d mə-
'ʃi:n] *s text* mașină Jacquard
jade¹ [dʒeid] *s minr* jad, nefrit
jade² **I** *s* **1** cal prăpădit, gloabă,
mârțoagă **2** *peior sau umor*
muiere **3** (femeie) stricată **II** *vt* a
istovi, a epuiza, a slei
jaded ['dʒeidid] *adj* **1** istovit, epuizat,
frânt **2** uzat, ros **3** *(d. poftă de
mâncare)* slab
jadeite ['dʒeidait] *s minr* jadeit
jaffa ['dʒæfə] *s* soi de portocală mare
jag [dʒæg] **I** *s* **1** țanc, colț ascuțit *(de
stâncă)* **2** zimț, dinte, colț, ieși-
tură **3** sliț *(la rochie)* **4** zigzag **II**
vt **1** a zimța, a cresta **2** a tăia în
zigzag-uri
jagged [dʒægd] *adj* **1** cu țancuri **2**
zimțat, crestat; cu *sau* în zig-
zaguri
jaguar ['dʒægjuəʳ] *s zool* jaguar
(Panthera onca)
Jahve(h) ['ja:vei] *s rel* Iehova
jail... *v.* **gaol...**
Jainism ['dʒainizəm] *s rel* jainism
Jakarta [dʒə'ka:tə] *capitala Indo-
neziei* Djakarta
jalop(p)y [dʒə'lɔpi] *s umor* rablă
(automobil sau avion stricat)
jalousie ['ʒælu,zi:] *s fr* jaluzele;
storuri; obloane
jam¹ [dʒæm] *s* dulceață; gem
jam² **I** *vt* **1** a strânge; a îndesa, a în-
ghesui; a apăsa, a presa; a com-
prima **2** a-și strivi, a-și prinde *(de-
getul în ușă etc.)* **3** a aglomera, a
ticsi; **the cars had ~med the
streets** mașinile blocaseră stră-
zile **4** a aduna, a îngrămădi **5** *tel*
a bruia *(emisiuni)* **6** *tehn* a bloca;
a înțepeni **7** a pune brusc *(frână)*
II *vi* **1** a se strânge, a se înghesui;

a se presa 2 a se strânge, a se aglomera, a se înghesui 3 *tehn* a se bloca; a se înţepeni III *s* 1 *auto* încurcătură de circulaţie 2 strângere, apăsare, presare 3 *tehn* blocare; înţepenire; gripare 4 *F* belea, bucluc, – încurcătură, strâmtoare

Jamaica ['dʒə'meikə] *insulă*

jamb(e) [ʒæmb] *s constr* 1 glaf *(de fereastră)* 2 uscior, uşor

jamboree [,dʒæmbə'ri:] *s* 1 veselie; petrecere, *F* sindrofie 2 jamboree *(a cercetaşilor)* 3 concert de muzică folk

James [dʒeimz] 1 *nume masc* Iacob 2 *numele a doi regi ai Angliei (James I, 1567-1625; 1603-1695 şi James II 1663-1701; 1685-1688)*

James, Henry *scriitor american (1843-1916)*

jam into ['dʒæm ,intə] *vt cu prep* a vârî/a băga cu forţa/putere în; a îndesa în; a împinge în

jam jar ['dʒæm ,dʒa:ʳ] *s* borcan pentru dulceaţă

jammer ['dʒæməʳ] *s tel* staţie de bruiaj

jamming ['dʒæmiŋ] *s* 1 *v.* **jam III, 1-3** 2 *tel* bruiaj *(arbitrar)*

jammy ['dʒæmi] *adj* lipicios *(din cauza dulceţii)*

jam nut ['dʒæm,nʌt] *s tehn* contra-piuliţă

jam on ['dʒæm'ɔn] *vi cu part adv* a apăsa brusc pe *(frână)*

jam session ['dʒæm ,seʃən] *s* ← *F* concert improvizat al interpreţilor de jazz

Jan. *presc de la* **January**

Jane [dʒein] *nume fem*

Janet ['dʒenit] *nume fem v.* **Jane**

jangle ['dʒæŋgl] I *vi* 1 a suna aspru/discordant *sau* dogit; a distona 2 a vorbi zgomotos; a trăncăni 3 ← *înv* a se certa, a se sfădi II *vt* a rosti zgomotos III *s* 1 sunet aspru/discordant *sau* dogit 2 larmă, gălăgie 3 ← *înv* ceartă, sfadă

janissary ['dʒenisəri] *s mil od* ienicer

janitor ['dʒenitəʳ] *s* 1 portar 2 *amer* administrator *(de bloc etc.)* 3 om de serviciu, servitor

janizary ['dʒænizəri] *s v.* **janissary**

January ['dʒænjuəri] *s* (luna) ianuarie, *F →* Gerar

Janus ['dʒeinəs] *mit* Ianus

Jap [dʒæp] *s, adj peior, glumeţ v.* **Japanese**

Jap. *presc de la* 1 **Japan** 2 **Japanese**

Japan [dʒə'pæn] Japonia

japan *s* lac de Japonia

Japanese [,dʒæpə'ni:z] I *adj* japonez, *rar →* nipon II *s* 1 japonez 2 (limba) japoneză

Japanesery [dʒə'penəsəri] *s* obicei *etc.* caracteristic japonezilor

Japanesque [,dʒæpə'nesk] *adj* în stil japonez

japanned [dʒə'pænd] *adj* lăcuit, acoperit cu lac negru

japan ware [dʒə'pæn,wɛəʳ] *s* farfurii, vaze *etc.* pictate cu lac de Japonia

jape [dʒeip] ← *rar* I *s* glumă II *vi* a glumi; a face glume *sau* pozne III *vt* 1 a-şi râde de, a lua în râs *(pe cineva)* 2 a face glume pe socoteala *(cuiva)*

Japhetic [dʒei'fetik] *adj lingv* iafetit

japonica [dʒə'pɔnikə] *s bot* camelie *(Camellia japonica)*

jar¹ [dʒa:ʳ] I *vi* 1 a produce un sunet neplăcut; a hurui; a trepida; a scârţâi 2 *fig (d. păreri)* a se ciocni, a diferi; a fi în dezacord; **colours that ~** culori distonante/care nu se asortează/potrivesc II *vt* 1 a face să huruie, să trepideze *etc.* 2 a lovi, a izbi III *s* 1 sunet aspru/discordant/neplăcut; dezacord 2 *tehn* şoc; vibraţie; trepidaţie 3 izbire, lovire 4 *fig* ciocnire; conflict, nepotrivire; disonanţă

jar² *s* 1 recipient, vas; cană; ulcior 2 borcan

jar³ *s:* **on the ~** *(d. uşă etc.)* întredeschis

jarful ['dʒa:ful] *s* (conţinutul unui) borcan *etc. v.* **jar²**

jargon ['dʒa:gən] I *s* 1 jargon, limbaj profesional 2 limbă neînţeleasă/ *F →* păsărească; vorbire incoerentă 3 limbă hibridă *sau* dialect hibrid II *vi* 1 a vorbi în jargon 2 a vorbi neinteligibil *sau* incoerent; *F →* a vorbi păsăreşte

jar up(on) ['dʒa:ʳ (ə,p)ɔn] *vi cu prep* 1 a supăra *(urechea);* a călca pe *(nervi)* 2 a enerva *(pe cineva)*, a călca pe nervii *(cuiva)*

Jarvis ['dʒa:vis] *nume masc*

Jas. *presc de la* **James**

jasmin(e) ['dʒæsmin] *s bot* iasomie *(Jasminum sp.)*

Jason ['dʒeisən] *mit* Iason

Jasper ['dʒæspəʳ] *nume masc*

jasper ['dʒæspəʳ] *s minr* jasp

Jassy ['dʒæsi] *oraş în România* Iaşi

jaundice ['dʒɔ:ndis] I *s* 1 *med* icter, gălbinare 2 prejudecată *sau* prejudecăţi, idei preconcepute 3 lipsă de bunăvoinţă 4 gelozie; invidie, pizmă II *vt* 1 a îmbolnăvi de icter 2 a stârni gelozia *sau* invidia/pizma *(cuiva)*

jaundiced ['dʒɔ:ndist] *adj* 1 bolnav de icter/gălbinare 2 galben 3 preconceput; părtinitor; **to take a ~ view of** a avea o părere preconcepută despre *(ceva, datorită geloziei etc.)*

jaunt ['dʒɔ:nt] I *s* plimbare, scurtă călătorie de plăcere II *vi* a face o plimbare *sau* o scurtă călătorie de plăcere

jauntily ['dʒɔ:ntili] *adv* vesel, nepăsător

jauntiness ['dʒɔ:ntinis] *s* 1 eleganţă 2 voioşie, veselie

jaunting car ['dʒɔ:ntiŋ'ka:ʳ] *s* trăsură cu două roţi *(şi bănci laterale – în Irlanda)*

jaunty ['dʒɔ:nti] *adj* 1 elegant, fercheş, pus la punct 2 stilat 3 voios, vesel; nepăsător

Java ['dʒa:və] *s* 1 cafea de Java 2 *amer sl* cafea 3 *insulă în Indonezia*

Javanese [,dʒa:və'ni:z] *adj, s* javanez

javelin ['dʒævlin] *s* 1 *mil* lance, suliţă; *înv →* javelină 2 *sport* suliţă 3 *av* coloană

javelin man ['dʒævlin,mən] *s mil od* lăncier

jaw [dʒɔ:] I *s* 1 *anat* falcă 2 *pl* fălci; gură; **in the ~s of death** *fig* în ghearele morţii; **hold your ~!** *vulg* ţine-ţi fleanca; *F →* (tacă-ţi) gura! 3 *fig F* sporovăială; – conversaţie; **to have a ~** *F* a sporovăi, – a sta de vorbă, a mai schimba o vorbă 4 *sl* înjurături, vorbe de ocară 5 *tehn* falcă; gheară; pană; camă II *vi F* a îndruga verzi şi uscate, a bate apa în piuă III *vt F* a dădăci, – a dăscăli; a face morală *(cuiva)*

jaw bone ['dʒɔ:boun] *s anat* osul maxilarului

jaw breaker ['dʒɔ: 'breikəʳ] *s* 1 ← *F* cuvânt greu de pronunţat 2 *min* concasor cu fălci

jaw tooth ['dʒɔ:tuθ], *pl* **jaw teeth** ['dʒɔ:ti:θ] *s* măsea

jaw-fallen ['dʒɔ:,fɔ:lən] *adj* ← *rar* abătut, posomorât, < cătrănit

jaw vice ['dʒɔ: ˌvais] *s tehn* menghină

jay [dʒei] *s* **1** *orn* gaiță *(Garrulus glandarius)* **2** *fig F* gaiță, – persoană guralivă **3** *fig F* tâmpit, nătărău, *fem* gâscă

jay-walk ['dʒei'wɔ:k] *vi* a traversa strada neatent/distrat

jazz [dʒæz] **I** *s* **1** *muz* jazz **2** *sl* tâmpenii, vorbe fără rost, vorbărie goală **3** *amer* ← *F* vioiciune, viață; energie **4** *amer sl* fandoseală; ifose // **and all that ~** *sl* și mai știu ce, și câte altele, și altele asemenea, și lucruri de soiul ăsta **II** *vt* a transpune pe muzică de jazz **III** *vi amer sl* a face pe nebunul; a se prosti; a face giumbușlucuri, glume *etc.* **IV** *adj muz* de jazz

jazzily ['dʒæzili] *adv* ← *F* (în mod) țipător, strident

jazz up ['dʒæz' ʌp] *vt cu part adv* ← *F* **1** *muz adesea peior* a interpreta în stil/manieră de jazz **2** a înveseli, a anima, a înviora *(atmosfera etc.)* **3** a împopoțona; a împestrița; a colora, a vopsi *etc.* în culori țipătoare

jazzy ['dʒæzi] *adj* **1** *muz* (ca) de jazz **2** ← *F* țipător, strident; vopsit, colorat *etc.* țipător **3** *amer sl* vioi, plin de viață; animat, însuflețit

J.C. *presc de la* **Jesus Christ**

J.D. *presc de la* **Jurum Doctor** Doctor în științe juridice/în drept

Je. *presc de la* **June**

jealous ['dʒeləs] *adj* (of) **1** gelos (pe) **2** invidios (pe) **3** atent (la), grijuliu (cu); **~ of one's rights** care știe să-și apere *sau* să-și revendice drepturile **4** posesiv

jealously ['dʒeləsli] *adv* **1** gelos, cu gelozie, plin de gelozie **2** invidios, cu invidie, plin de invidie **3** cu grijă, grijuliu, atent; cu ochii în patru; ca (pe) ochii din cap

jealousy ['dʒeləsi] *s* **1** gelozie **2** bănuială, suspiciune **3** (of) invidie, pizmă (față de)

Jean [dʒi:n] **1** *nume masc v.* **John 2** *nume fem v.* **Joanna**

jean *s* **1** *text* gradel **2** *pl* blugi

jeep [dʒi:p] *s auto* jeep *(mică mașină utilitară)*

jeer [dʒiə'] **I** *vi* (at) a face glume răutăcioase (pe socoteala – *cuiva*), a avea o atitudine batjocoritoare (față de), a-și bate joc în chip

grosolan (de) **II** *s* **1** derâdere, zeflemea, batjocură **2** *fig* împunsătură, înțepătură

jeering ['dʒiəriŋ] *adj* batjocoritor; răutăcios

jeeringly ['dʒiəriŋli] *adv* batjocoritor; răutăcios

Jefferson ['dʒefəsən], **Thomas** președinte al S.U.A. (1801-1809)

Jeffrey ['dʒefri] *nume masc*

Jehovah [dʒi'houvə] *s rel* Iehova

jejune [dʒi'dʒu:n] *adj* **1** slab; subțire **2** sterp, neroditor **3** neinteresant, plicticsitor **4** *amer* pueril, copilăresc

jejune dictionary [dʒi'dʒu:n 'dikʃənəri] *s* dicționar-liliput

jejuneness [dʒi'dʒu:nis] *s* caracter neinteresant *(al unei cărți etc.)*

jell [dʒel] ← *F* **I** *vt* **1** *v.* **jellify** **I 2** *fig* a cristaliza; a definitiva *(planuri etc.)* **II** *vi* **1** *v.* **jellify** **II 2** *fig* a se cristaliza; *(d. planuri etc.)* a se definitiva

jellify ['dʒeli,fai] **I** *vt* **1** a face piftie din **2** *ch* a gelatiniza **II** *vi* **1** a se face piftie **2** *ch* a se gelatiniza

jelly ['dʒeli] **I** *s* **1** jeleu **2** peltea **3** piftie; aspic **4** substanță gelatinoasă **II** *vi* a se face jeleu *sau* peltea *sau* piftie **III** *vt* a face jeleu *sau* peltea *sau* piftie din

jellyfish ['dʒelifiʃ] *s zool* meduză *(Hydrozoa sau Scyphozoa sp.)*

Jemima [dʒi'maimə] *nume fem*

jemmy ['dʒemi] **I** *s* șperaclu *sau* rangă *(↓ folosite de spărgători)* **II** *vt* a deschide cu un șperaclu

jennet ['dʒenit] *s zool* **1** ponei (spaniol); cal mic **2** măgăriță

Jennifer ['dʒenifə'] *nume fem*

Jenny ['dʒeni] *nume fem* Jeni

jenny ['dʒeni] *s* **1** *text* prima roată de tors **2** *tehn* macara mobilă

jeopard(ize) ['dʒepədaiz] *vt* a primejdui, a periclita, a pune în primejdie

jeopardy ['dʒepədi] *s* risc; pericol, primejdie; **in ~** în pericol/primejdie; **to put in ~** *v.* **jeopard(ize)**

Jeremiad [ˌdʒeri'maiəd] *s* ieremiadă, plângere, tânguire

Jeremy ['dʒerimi] *nume masc* Ieremia

Jericho ['dʒeri,kou] *s bibl* Ierihon; **go to ~!** *F* du-te la dracu/naiba!

jerk¹ [dʒə:k] **I** *s* **1** smucitură; salt brusc; lovire bruscă; hurducătură; zdruncinătură, șoc; **to**

get a ~ on a se grăbi; a iuți pasul **2** tresărire; spasm; *pl* convulsii; **physical ~s** ← *F* exerciții fizice **II** *vt* **1** a smuci; a zdruncina; a hurduca **2** a mișca, a urni *(cu o smucitură)* **III** *vi* **1** a se mișca/a înainta cu smucituri **2** a tresări; a avea spasme *sau* convulsii

jerk² *vt* a tăia (↓ *carne de vacă)* felii și a usca la soare *(pt. a conserva)*

jerkily ['dʒə:kili] *adv* **1** smucit; convulsiv **2** intermitent

jerkin ['dʒə:kin] *s* vestă

jerky ['dʒə:ki] *adj* **1** smucit; convulsiv, spasmodic **2** intermitent

Jerome [dʒə'roum] *nume masc* Ieronim

jerry ['dʒeri] *s* țucal, oală de noapte

jerry-built ['dʒeri ,bilt] *adj* construit repede și prost

jerry shop ['dʒeri ,ʃop] *s* berărie de proastă calitate, bombă

jersey ['dʒə:zi] *s* **1** *text* tricot metraj **2** haină din tricot; jerseu

Jerusalem [dʒə'ru:sələm] *oraș în Orientul Apropiat* Ierusalim

Jervis ['dʒa:vis] *nume masc v.* **Jarvis**

jessamine ['dʒesəmin] *s v.* **jasmine**

Jesse ['dʒesi] *nume masc*

Jessica ['dʒesikə] *nume fem*

Jessie ['dʒesi] *v.* **Jessica**

jest [dʒest] **I** *s* **1** glumă, vorbă de duh; **in ~** în glumă **2** vorbă *sau* remarcă batjocoritoare; împunsătură, înțepătură **3** amuzament, distracție **4** obiect de batjocură **II** *vi* a glumi, a face spirite, a spune vorbe de duh

jester ['dʒestə'] *s* **1** *od* măscărici, bufon **2** mucalit, om glumeț

jestful ['dʒestful] *adj* glumeț, mucalit

jesting ['dʒestiŋ] **I** *adj* **1** glumind, care glumește **2** glumeț, mucalit **II** *s* **1** glume **2** zeflemea, batjocură

jestingly ['dʒestiŋli] *adv* glumind, în glumă

Jesu ['dʒi:zju:] *poetic v.* **Jesus**

Jesuit ['dʒezjuit] *s rel* iezuit

Jesuitic(al) [ˌdʒezju'itik(əl)] *adj rel* iezuit

Jesuitism ['dʒezjui,tizəm] *s* **1** iezuitism; fățărnicie **2** cazuistică

Jesuitry ['dʒezjuitri] *s* iezuitism

Jesus (Christ) ['dʒi:zəs'(kraist)] *rel* Isus (Hristos)

jet¹ [dʒet] **I** *s* **1** *av* avion cu reacție **2** *auto* jiclor **3** jet, vână de lichid; șuvoi **4** jgheab; canal **5** *tehn* ajutaj, duză **II** *vt* a arunca, a azvârli (un lichid); a pulveriza

jet² *s minr* gagat; lignit

jet aircraft ['dʒet ˌɛəkraːft] *s av* avion cu reacție

jet apparatus ['dʒet 'æpəˌreitəs] *s tehn* ejector

jet engine ['dʒet ˌendʒin] *s av* motor cu reacție

jet exhaust ['dʒet igˌzɔːst] *s av* efuzor

jet-propelled ['dʒet prə'peld] *adj av* cu reacție

jet propulsion ['dʒet prə,pʌlʃən] *s av* propulsie cu aer cald

jetsam ['dʒetsəm] *s* **1** *nav* bunuri aruncate peste bord; obiecte aruncate de mare la țărm **2** resturi, lucruri netrebuincioase; rebut

jettison ['dʒetisən] **I** *vt* **1** *nav* a arunca (↓ *lest*) peste bord **2** *av* a arunca (o încărcătură de bombe) **3** a arunca, a scăpa de (lucruri netrebuincioase) **II** *s* **1** *v.* **jetsam 2** *nav* aruncare peste bord

jetton ['dʒetən] *s* jeton; fisă

jetty¹ ['dʒeti] *s nav* **1** jetea, jetelă **2** dig; chei; debarcader

jetty² *adj* negru ca abanosul/smoala

Jew ['dʒuː] *s* evreu

jewel ['dʒuːəl] *s* **1** bijuterie **2** piatră prețioasă/scumpă, nestemată **3** *fig* odor, ființă dragă/scumpă **4** rubin (la ceas)

jewelled ['dʒuːəld] *adj* (împodobit) cu bijuterii

jeweller ['dʒuːələr] *s* bijutier, giuvaergiu

jewel(le)ry ['dʒuːələri] *s* **1** giuvaergiu **2** bijuterii, giuvaeruri

Jewess ['dʒuːis] *s* evreică

Jewish ['dʒuːiʃ] *adj* evreiesc; evreu; ebraic

Jewry ['dʒuəri] *s* **1** ghetou **2** evreime; evrei

jew's/jews'harp ['dʒuːz haːp] *s muz* drâmbă

Jezebel ['dʒezəˌbel] *s F* stricată, fleoarță, – cocotă; femeie ticăloasă

jib¹ [dʒib] *s* **1** *nav* foc; trincă **2** *constr* braț; fleșă (de macara) **3** *F* mutră, – înfățișare

jib² *vi* (d. cai etc.) a se opri brusc; a nu mai vrea să meargă

jib at ['dʒib ət] *vi cu prep* **1** a refuza/ a nu fi dispus/a nu vrea (să facă

ceva), a se opune (unei propuneri etc.) **2** a șovăi/a ezita/a se codi (să facă ceva)

jibber-jib ['dʒibə,dʒib] *s nav* contrafoc

jib boom ['dʒib,buːm] *s nav* baston de bompres

jib crane ['dʒib,krein] *s tehn* macara pivotantă

jibe¹ ['dʒaib] *vi nav* **1** a masca o velă (accidental) **2** a schimba o velă dintr-un bord în altul

jibe² *vi*, *s v.* **jeer I, II**

jibe³ *vi* ← *F* **1** a se înțelege, a fi de acord **2** a fi în concordanță, a corespunde; **his words and actions do not ~** faptele lui nu se potrivesc cu vorbele

jib-headed sail ['dʒib,hedid 'seil] *s nav* velă latină

jib sheet ['dʒib ,ʃiːt] *s nav* scotă de foc

Jibuti [dʒi'buːti] *țară și capitală în Africa* Djibouti

jiff [dʒif] *s F v.* **jiffy**

jiffy ['dʒifi] *s* ← *F* clipită, moment; **in a ~** *F* cât ai zice pește, cât ai clipi din ochi

jig [dʒig] **I** *s* **1** *muz* gigă **2** *tehn* gabarit **3** *tehn* capră de montaj **4** *tehn* dispozitiv de prindere/fixare **5** *tehn* șablon; calibru **6** *nav* palanc (al unei manevre) **7** *poligr* matriță **II** *vi muz* a executa o gigă

jigger¹ ['dʒigər] *s* **1** pahar de vin (mic) **2** ← *F* om ciudat/straniu

jigger² *s* **1** *tehn* vibrator; sită, ciur **2** *text* jigger **3** *el* transformator de cuplaj **4** *min* oscilator **5** *nav* velă în cruce; brigantină

jigger³ *s* **1** dansator de gigă **2** păpușar, mânuitor de păpuși

jigger⁴ *s ent* **1** purice de nisip (Dermatophyllus) **2** purice; orice insectă care intră sub piele

jigger boom ['dʒigə 'buːm] *s nav* ghiu artimon

jiggered ['dʒigəd] *adj* **1** *F* sleit, frânt, foarte obosit **2** *F* înnebunit, foarte surprins **I'm ~!** *F* să mă ia naiba!

jigger mast ['dʒigə ,maːst] *s nav* (arbore) artimon

jiggery-pokery ['dʒigəri'poukəri] *s* **1** *F* sfori, sforării, – intrigi **2** prostii, fleacuri, nimicuri

jiggle ['dʒigəl] ← *F vt* **1** a legăna **2** a zgâlțâi, a scutura

jigsaw ['dʒig,sɔː] *s tehn* ferăstrău mecanic (pt metale)

jigsaw puzzle ['dʒig,sɔː'pʌzəl] *s* mozaic (jucărie)

jihad [dʒi'hæd] *s* (la musulmani) jihad, război sfânt

Jill [dʒil] **I** *nume fem* **II** *s* **1** *și* **j~** fată; femeie tânără **2** *și* **j~** iubită, drăguță

jilt [dʒilt] **I** *vt* (d. o fată) a părăsi, *F* → a lăsa cu buza umflată (un iubit) **II** *s* iubită necredincioasă; cochetă

Jim Crow, jim crow ['dʒim 'krou] *s* **1** *amer* ← *peior* negru **2** *amer* discriminare rasială, rasism, izolare a negrilor; măsuri împotriva negrilor

Jim-Crow policy ['dʒim 'krou 'polisi] *s amer* politică de discriminare a negrilor

jiminy ['dʒimini] *interj* haiti! ei poftim!

jim-jams, the ['dʒim,dʒæmz, ðə] *s pl sl F* → bâțâială, – tremur *F* → nervi, – stare nervoasă

Jimmy ['dʒimi] *dim de la* **James**

jimmy *s v.* **jemmy**

Jimson/jimson weed ['dʒimsən 'wiːd] *s bot* laur, ciumăfaie (Datura stramonium)

jingle ['dʒingəl] **I** *vi* **1** a suna, a zornăi; a zăngăni, a zdrăngăni **2** (d. versuri) a avea multe rime și aliterații **II** *vt* a face să sune; a zornăi; a zăngăni, a zdrăngăni **III** *s* **1** sunet metalic, zornăit; zăngănit, zdrăngănit **2** versuri cu multe rime și aliterații

jingo ['dʒingou], *pl* **jingoes** ['dʒingouz] *s* șovin(ist); **by ~** zău! pe legea mea

jingoism ['dʒingou,izəm] *s* șovinism

jingoistic [,dʒingou'istik] *adj* șovin(ist)

jinks [dʒiŋks] *s pl:* **high ~** veselie zgomotoasă; nebunii, glume

jinns [dʒinz] *s pl mit* duhuri, demoni (la arabi și persani)

jinrikisha, jinrisha [dʒin'rikʃɔː] *s* ricșă, trăsurică (în Orient)

jinx [dʒiŋks] *s* **1** piază-rea; cobe **2** (on) blestem, făcut (asupra – cu gen)

jitney ['dʒitni] *s amer F* **1** monedă de 5 cenți **2** autobuz (care face curse regulate) cu bilete ieftine

jitter ['dʒitər] *vi sl* a avea draci/nervi, – a nu avea astâmpăr

jitterbug ['dʒitə,bʌg] *s sl* **1** persoană nervoasă **2** persoană căreia îi place să danseze pe muzică de jazz

jitters, the ['dʒitəz, ðə] *s pl* **1** *sl* draci, nervi, – neastâmpăr; **2** *F* → bâțâială, – panică, frică; **it gave me ~** *F* m-a apucat tremuriciul/ bâțâiala, – am înghețat de frică

jittery ['dʒitəri] *adj* cu draci/nervi, – nervos; apucat

jiu-jitsu [dʒu:'dʒitsu:] *s sport* jiu-jitsu

jive [dʒaiv] **I** *s* **1** *muz* jazz **2** *jargon al interpreților de jazz* **3** conversație între interpreții de jazz *(în timpul execuției)* **4** *amer sl* vorbe goale, tâmpenii, prostii **II** *vi* a interpreta muzică de jazz; a dansa după muzică de jazz

Jl. *presc de la* **July**

jnr. *presc de la* **junior**

jo [dʒou], *pl* **joes** [dʒouz] *s scot* iubită, drăguță

Joab ['dʒouæb] *nume masc*

Joan [dʒoun] *nume fem v.* **Joanna**

Joanna [dʒou'ænə] *nume fem* Ioana

Joan of Arc ['dʒounəv'ɑ:k] *eroină franceză* Jeanne d'Arc *(1412-1431)*

Job [dʒoub] **1** *bibl* Iov **2** *nume masc*

job¹ [dʒob] **I** *s* **1** muncă, lucru, treabă, îndeletnicire, ocupație; **odd ~s** munci ocazionale; **out of (a) ~** fără ocupație, șomer; **to be paid by the ~** a fi plătit în acord; **to be on the ~ a** a fi la post/ datorie; a fi la pândă **b** a fi la lucru, a lucra **2** post, funcție, loc **3** treabă, meserie; însărcinare; **he knows his ~** își cunoaște meseria; știe ce are de făcut **4** afacere rentabilă; profit; speculă **5** afacere; achiziție, realizare, *F* treabă **a ~ of work** treabă bună/ făcută bine; **his car is a lovely ~** *F* are o mașină pe cinste **6** abuz de putere *(făcut în interes personal);* **his appointment was a ~** a fost numit prin protecție **7** *F* treabă; – ocazie, prilej; **a good ~!** ce noroc; **a good ~ that he came** noroc/bine că a venit; **to make a good ~ of it** a face ceva cum trebuie; **a good ~ you made of it!** frumoasă treabă/ispravă (ai făcut)! **to make the best of a bad ~ a** a face haz de necaz **b** a se împăca cu ideea/situația; a lua lucrurile cum sunt **8** *sl* furt; spargere; **to pull a ~** a comite un furt *sau* o spargere **9** *sl* omor, crimă **10** *cal sau* trăsură de închiriat **11** *tehn* piesă de prelucrat **12** *poligr*

accidență // **a fat ~ a** foarte mult **b** *ironic* foarte puțin; **a bad ~** proastă afacere; nereușită, insucces; **a good ~** stare bună de lucruri; **to give up smb as a bad ~** a ajunge la concluzia că nu se mai poate face nimic pentru cineva; **just the ~** exact ce trebuie, lucrul potrivit **II** *vi* **1** a munci ocazional **2** a fi samsar/ misit **3** a proceda necinstit *(la încheierea unui târg etc.)* **4** a specula *(la bursă)* **5** a face abuz de putere *(în interes personal)* **III** *vt* **1** a năimi *(pe cineva)* **2** a închiria *(cai, trăsuri)*

job² *vt, s v.* **jab I, II**

jobber ['dʒobə] *s* **1** muncitor în acord **2** muncitor cu ziua, zilier **3** misit, samsar **4** speculant *(la bursă)* **5** negustor cu amănuntul

jobbery ['dʒobəri] *s* **1** abuz de putere **2** afacere necinstită; speculă; mită

jobless ['dʒoblis] *adj* fără serviciu; șomer

job lot ['dʒob lot] *s* **1** mărfuri *(diferite)* vândute cu toptanul **2** colecție de articole diverse

Job's news ['dʒoubz nju:z] *s* vești/ știri proaste/rele

Jocasta [dʒou'kæstə] *mit* Iocasta

Jocelin(e), Jocelyn ['dʒoslin] *nume fem*

jockey ['dʒoki] **I** *s* **1** *sport* jocheu **2** escroc, pungaș **II** *vt* **1** *sport* a călări pe *(un cal)* **2** a înșela, a escroca **3** a obține prin tertipuri, trucuri **III** *vi* a înșela, a fi escroc/ pungaș

jockey for ['dʒoki fə] *vi cu prep* a căuta să obțină prin tertipuri, viclenie *etc.* *(o situație)*

jockey out ['dʒoki 'aut] *vt cu part adv* a obține *sau* a smulge *(ceva)* prin tertipuri, viclenie *etc.*

jockey out of ['dʒoki,autəv] *vt cu prep* a obține prin tertipuri, viclenie *etc.,* a scoate *(pe cineva)* din *(post etc.)*

jocose [dʒə'kous] *adj* **1** de duh, glumeț; umoristic **2** jucăuș

jocosely [dʒə'kousli] *adv* glumeț, cu umor

jocoseness [dʒə'kousnis] *s* **1** caracter glumeț *sau* umoristic **2** veselie, voioșie

jocosity [dʒə'kositi] *s v.* **jocoseness**

jocular ['dʒokjulə] *adj* **1** comic,

umoristic **2** distractiv, amuzant **3** spus în glumă

jocularity [,dʒokju'læriti] *s* **1** haz, umor, caracter glumeț **2** distracție, amuzament

jocularly ['dʒokjuləli] *adv* **1** (în mod) glumeț, umoristic **2** în glumă; de dragul glumei

jocund ['dʒokənd] *adj* vesel, voios; plin de viață

jocundity [dʒo'kʌnditi] *s* veselie, voioșie

jodhpurs ['dʒodpəz] *s pl* pantaloni de călărie

Joe [dʒou] *dim de la* **Joseph** *sau* **Josephine**

joe *s v.* **jo**

Joel ['dʒouəl] *nume masc*

Joey ['dʒoui] *dim de la* **Joseph**

jog [dʒog] **I** *s* **1** zguduitură; zgâlțâit; zdruncinătură **2** piedică, obstacol **3** ghiont; împinsătură **4** mers încet/tărăgănat; mers hurducat **II** *vt* **1** a zgâlțâi; a scutura; a zgudui; a zdruncina; **to ~ smb's memory** *fig* a împrospăta memoria cuiva **2** a atinge, a pune mâna pe *(cotul cuiva pt a-i atrage atenția etc.)* **III** *vi* **1** a se mișca/a merge încet; *(d. o căruță etc.)* a merge hurducat **2** a mărșălui, a face „jogging"

jog along ['dʒog ə'loŋ] *vi cu part adv* a merge/a înainta încet, a se târî; *(d. o căruță)* a merge hurducat

jogging ['dʒogiŋ] *s sport* mărșăluit; pas alergător

joggle¹ ['dʒogəl] **I** *vt* a împinge (ușor); a zgâlțâi **II** *vi* **1** a vibra **2** a se hurduca **III** *s* împinsătură; scuturare

joggle² **I** *s* **1** *tehn* îmbucătură; încheietură **2** *tehn* cep (de îmbinare) **3** *constr* îmbinare cu lambă și uluc **II** *vt tehn* a îmbina prin împănare

jog on ['dʒog'on] *vi cu part adv v.* **jog along**

Johannesburg [dʒou'hænis,bə:g] *oraș în Republica Sud-Africană*

John [dʒon] *nume masc* Io(a)n

John Barleycorn ['dʒon 'bɑ:likɔ:n] *v.* **Barleycorn, John**

John Bull ['dʒon'bul] *personificare a Angliei sau a englezului tipic*

John Doe ['dʒon'dou] *s* **1** nume fictiv folosit în documente pt o persoană necunoscută **2** om(ul) de rând; anonim

Johnnie, Johnny ['dʒɔni] *s* **1** *F* cetăţean, tip **2** *F* filfizon, – fante **3** *dim de la* **John**

Johnson ['dʒɔnsən], **Samuel** *scriitor englez (1709-1784)*

Johnsonese [,dʒɔnsə'ni:z] *s stilul lui S. Johnson (stil greoi, latinizant)*

John the Baptist ['dʒɔn ðə'bæptist] *bibl* Ioan Botezătorul

join [dʒɔin] **I** *vt* **1** a lega, a uni; a alătura; a anexa; a cupla; **a bridge ~s the island to the continent** un pod leagă insula de continent/uneşte insula cu continentul; **to ~ hands a** a-şi da/ strânge mâna **b** a se prinde de mână **c** *fig* a se uni, a se asocia *(în vederea unui scop)*; **to ~ a battle** *şi fig* a se angaja în luptă, a intra în luptă; **to ~ forces** a-şi uni forţele; **to ~ people in marriage** a uni oamenii prin căsătorie **2** a deveni membru *(cu gen)*; a se înscrie în; a intra în; **to ~ the army** a intra în armată, a se face militar; **to ~ the colours** a-şi face serviciul militar; **to ~ a party** a se înscrie într-un partid **3** a reveni/a se întoarce la; **he had ~ed his regiment** se întorsese la regimentul lui **4** a se alătura *(cu dat)*; a veni la *sau* lângă; a însoţi; **will you ~ us in a walk?** vrei să te plimbi cu noi? **go on, I'll ~ you in a few minutes** mergeţi mai departe, vă ajung din urmă peste câteva minute **5** *(d. râuri)* a se uni, a se vărsa în; **the brook ~s the river** pârâul se varsă în râu **II** *vi* **1** a se uni, a se strânge, a se aduna; a se întâlni; **parallel lines never ~** liniile paralele nu se întâlnesc niciodată **2** a se mărgini unul cu altul, a avea un hotar comun; **the two pieces of ground ~** cele două bucăţi de teren se învecinează **III** *s* **1** *v.* **joinder 1 2** punct *sau* linie de întâlnire

joinder ['dʒɔində'] *s* **1** combinaţie, îmbinare, reunire, asociere **2** *jur* conexare de acţiuni; aglomerare de reclamaţii **3** *tehn* (punct de) îmbinare

joiner ['dʒɔinə'] *s* **1** tâmplar **2** maşină de prelucrat lemnul

joinery ['dʒɔinəri] *s* tâmplărie

join in ['dʒɔinin] *vi cu prep* a intra în, a lua parte la, a se asocia la; **why don't you ~ the game?** de ce nu iei parte la/intri în joc?

join in with ['dʒɔin 'in wið] *vi cu prep şi prep* **1** a lua parte împreună cu *(cineva)* la *(ceva)* **2** a fi alături de *(cineva)* în *(suferinţa cuiva)*

joint [dʒɔint] **I** *s* **1** *anat* încheietură, articulaţie; **out of ~ a** luxat, deplasat, scrântit **b** *fig* în dezordine; stricat, defect **2** punct *sau* linie de întâlnire; îmbinare; întâlnire **3** bucată de carne *(tăiată de măcelar)*, parte; halcă; picior, umăr *etc.* **4** *tehn* încheietură, articulaţie; îmbucare; racord; nod **5** *auto* garnitură de etanşare **6** *ferov* joantă **7** *met* cusătură **8** *constr* nod; rost; balama **II** *adj atr* **1** comun, unit *sau* reunit; **to take ~ actions** acţiona în comun, a întreprinde măsuri comune; **~ authors** coautori; **~ owner** coproprietar **2** combinat, îmbinat; **~ traffic** trafic feroviar şi rutier **3** *jur* solidar **III** *vt* **1** a lega, a cupla; a îmbina, a combina **2** *constr* a îmbina; a etanşa; a rostui

joint account ['dʒɔintə'kaunt] *s fin* cont comun

joint committee ['dʒɔint kə'miti:] *s* **1** comitet comun *sau* unic **2** comisie formată din reprezentanţi ai diferitelor organizaţii

jointed ['dʒɔintid] *adj* articulat

jointer ['dʒɔintə'] *s* **1** *agr* antetrupiţă; antebrăzdar **2** *tehn* rindea **3** *tehn* fier de rostuit

jointly ['dʒɔintli] *adv* în comun; împreună

joint stock ['dʒɔint,stɔk] *s ec* capital social

joint-stock company ['dʒɔint ,stɔk'kʌmpəni] *s com* societate pe acţiuni

jointure ['dʒɔintʃə'] *s jur* partea de moştenire a văduvei

join up ['dʒɔin'ʌp] *vi cu part adv* a intra în armată, a se face militar; a intra ca voluntar în armată

joist [dʒɔist] *s constr* grindă; bară

joke [dʒɔuk] **I** *s* **1** glumă; vorbă de duh/haz; păcăleală; farsă; **to make a ~ about smb** a face o glumă pe socoteala cuiva; **it is no ~** nu e glumă, e serios; fără glumă; **to play a ~ on smb** a face o glumă pe socoteala cuiva; **in ~** în glumă; **a practical ~** un renghi; **I don't see the ~** nu văd

ce e de râs (în asta); **he can't take a ~** nu înţelege/pricepe de glumă; **the ~ is on smb** altcineva râde la urmă **2** întâmplare hazlie **3** obiect de batjocură **II** *vi* a glumi, a face glume

joker ['dʒɔukə'] *s* **1** om glumeţ, mucalit, *P →* hâtru bun de glume **2** *sl* cetăţean, tip **3** jolly-joker *(la cărţi)* **4** *amer pol sl* clauză secretă **5** *amer sl* piedică neaşteptată

jokingly ['dʒɔukiŋli] *adv* în glumă

jollification [,dʒɔlifi'keiʃən] *s ← F* veselie, voioşie

jolliness ['dʒɔlinis] *s v.* jollity

jollity ['dʒɔliti] *s* **1** veselie, voioşie; distracţie, amuzament **2** petrecere; sărbătoare

jolly ['dʒɔli] **I** *adj* **1** bine dispus, voios, vesel **2** petrecăreţ, chefliu **3** *F* grozav, – minunat **4** *F* afumat, cherchelit, – uşor ameţit **II** *adv F* grozav (de), straşnic, – foarte; **you'll ~ well have to go** *F* să vezi cum ai să te duci, – o să te duci pentru că nu ai încotro; **he was ~ late** *F* întârziase grozav de mult **III** *vt* **1** *F* a peria, – a linguşi **2** *← F* a căuta să amuze *(pe cineva)* (↓ *pt a-i câştiga consimţământul)* **3** *F* a lua peste picior, – a-şi râde de **IV** *vi* **1** a glumi, a face glume **2** *F* a fi periuţă, – a se linguşi **V** *s sl* marinar *(englez)*

jolly (boat) ['dʒɔli(bout)] *s nav* iolă

jolly good fellow ['dʒɔli,gud 'felou] *s* om foarte simpatic

jolt [dʒɔult] **I** *vt* a hurduca, a zdruncina **II** *vi* **1** a (se) hurduca; a se zdruncina **2** a vibra **III** *s* **1** hurducătură, zdruncinătură; smucitură; izbitură **2** *tehn* şoc **3** *tehn* jgheab vibrator **4** *fig* şoc, lovitură

jolty ['dʒɔulti] *adj (d. vehicule)* care hurducă, care nu merge lin

Jonah ['dʒɔunə] *nume masc*

Jonas ['dʒɔunəs] *nume masc*

Jonathan ['dʒɔnəθən] *nume masc* Ionatan

Jones [dʒɔunz], **Daniel** *fonetician englez (1881-1967)*

jonquil ['dʒɔŋkwil] *s bot* specie de narcis *(Narcissus jonquilla)*

Jonson ['dʒɔnsən], **Ben** *autor dramatic englez (1573?-1637)*

Jordan ['dʒɔ:dən] *ţară* Iordania

Jordan, the ['dʒɔ:dən, ðə] *râu în Orientul Apropiat* Iordan

Joseph ['dʒouzif] *nume masc* Iosif

Josephine ['dʒouzə,fi:n] *nume fem* Iosefina

josh [dʒɔʃ] *vt amer sl* a tachina; a lua peste picior

Joshua ['dʒɔʃuə] 1 *nume masc* 2 *bibl* Iosua

joss [dʒɔs] *s* 1 idol chinezesc 2 talisman, amuletă; fetiş

joss house ['dʒɔs,haus] *s* templu chinezesc

jostle ['dʒɔsəl] I *s* 1 ciocnire, lovire 2 înghesuială, aglomeraţie; înghiontire II *vt* a împinge; a înghesui; a înghionti III *vi* a se împinge, a se înghesui; a se înghionti

jostle through ['dʒɔsəl'θru:] *vi cu part adv* a-şi face loc cu coatele/ înghiontin-du-se

jot [dʒɔt] *s* iotă, pic, urmă

jot down ['dʒɔt'daun] *vt cu part adv* a nota, a însemna, a trece; a schiţa; a face o ciornă *(cu gen)*

jotter ['dʒɔtə'] *s* carneţel, bloc notes

jotting ['dʒɔtiŋ] *s* însemnare, notă, notiţă

joule [dʒu:l] *s fiz* joule

jour. *presc de la* journal

journal ['dʒə:nəl] *s* 1 jurnal zilnic; jurnal intim 2 revistă; ziar, jurnal 3 *fin* jurnal *(de contabilitate)* 4 *tehn* fus; cep; gât 5 *text* ax scurt

journalese [,dʒə:nə'li:z] *s* stil gazetăresc

journalism ['dʒə:nə,lizəm] *s* 1 ziaristică, gazetărie 2 ziare şi reviste, presa 3 scrieri bune pentru ziare *(dar neliterare)*

journalist ['dʒə:nəlist] *s* 1 ziarist, gazetar 2 autor al unui jurnal *(zilnic, intim)*

journalistic [,dʒə:nə'listik] *adj* ziaristic, gazetăresc

journalistically [,dʒə:nə'listikəli] *adv* 1 gazetăreşte 2 din punct de vedere ziaristic/gazetăresc

journalize ['dʒə:nəlaiz] *vt ec* a înregistra într-un jurnal

journey ['dʒə:ni] I *s* călătorie, voiaj (↓ *lung, pe uscat);* **to make a ~** a face o călătorie; **to go on a ~** a pleca în(tr-o) călătorie; **one's ~s end a** sfârşitul/capătul călătoriei **b** sfârşitul vieţii II *vi* a călători; a face o călătorie

journeyman ['dʒə:nimən] *s* 1 calfă 2 *ec* ziler 3 *poligr* ajutor de tipăritor 4 muncitor, artist *etc.* bun *(dar nu excepţional)*

joust [dʒoust] *od* I *s* turnir II *vi* a lua parte la un turnir

Jove [dʒouv] *mit* Jupiter, Zeus; **by ~!** a pe legea mea! zău! b cerule! sfinţi din ceruri! c care va să zică aşa!

jovial ['dʒouviəl] *adj* jovial, vesel, voios; sociabil

joviality [,dʒouvi'æliti] *s* jovialitate, veselie; sociabilitate

jovially ['dʒouviəli] *adv* jovial, cu veselie

jovian ['dʒouviən] *adj* măreţ, maiestuos

jowl [dʒaul] *s* 1 *anat* maxilar inferior, falca de jos 2 guşă *(la curcani etc.)*

joy [dʒɔi] I *s* 1 bucurie; plăcere; < fericire; **to wish smb ~** a felicita pe cineva, a dori cuiva fericire; **to smb's ~** spre bucuria cuiva 2 bucurie; voioşie; veselie; **he jumped for ~** sărea de bucurie 3 (prilej de) bucurie; **the ~s and sorrows of life** bucuriile şi necazurile vieţii 4 *amer* ← *F* confort; tihnă II *vt* ← *poetic* a bucura; a înveseli III *vi* ← *poetic* a se bucura; a se veseli

Joyce [dʒɔis] 1 *nume fem* 2 **James** scriitor irlandez (1882-1941)

joyful ['dʒɔiful] *adj* 1 vesel, voios; < fericit 2 mulţumit

joyfully ['dʒɔifuli] *adv* vesel, cu veselie/voioşie; < fericit

joyfulness ['dʒɔifulnis] *s v.* **joyousness**

joy house ['dʒɔi,haus] *s amer* ← *F* casă de toleranţă; bordel

joy in ['dʒɔi in] *vi cu prep* ← *elev sau poetic* a fi fericit din cauza *(cu gen)*, a se bucura de

joyless ['dʒɔilis] *adj* trist, mohorât; < nefericit

joylessly ['dʒɔilisli] *adv* trist, cu tristeţe

joylessness ['dʒɔilisnis] *s* lipsă de bucurii; tristeţe; < nefericire

joyous ['dʒɔiəs] *adj v.* **joyful**

joyously ['dʒɔiəsli] *adv v.* **joyfully**

joyousness ['dʒɔiəsnis] *s* 1 veselie, voioşie; < fericire 2 mulţumire

joy ride ['dʒɔi ,raid] *s* 1 ← *F* plimbare cu maşina (↓ *furată)* 2 ← *F* purtare *sau* faptă nesăbuită/ necugetată; prostie

joy stick ['dʒɔi ,stik] *s av* manşă

JP *presc de la* **jet propulsion**

J.P. *presc de la* **Justice of the Peace**

Jr., jr. *presc de la* **junior**

Ju. *presc de la* **June**

Juan ['dʒu:ən] *nume masc*

Juba ['dʒu:bə] *s* 1 *dans al negrilor* 2 **the ~** *fluviu în Africa*

jubilance ['dʒu:biləns] *s* jubilare; veselie

jubilant ['dʒu:bilənt] *adj* jubilând; triumfător

jubilate ['dʒu:bi,leit] *vi* a jubila; a triumfa

jubilation [,dʒu:bi'leiʃən] *s* jubilare; triumf; veselie

jubilee ['dʒu:bi,li:] *s* 1 jubileu 2 *v.* **jubilation**

Judaea [dʒu:'diə] *ist ţară* Iudeea

Judaean [dʒu:'diən] *adj, s* iudeu

Judah ['dʒu:də] 1 *nume masc* 2 *bibl* Iuda *(fiul lui Iacov)*

Judaic [dʒu:'deik] *adj* iudaic

Judaism ['dʒu:dei,izm] *s rel* iudaism

Judas ['dʒu:dəs] *s* 1 *nume masc; bibl* Iuda (Iscariotul) 2 Iuda, iudă

Jude [dʒu:d] 1 *nume masc* 2 *bibl* Iuda *(nu Iscariotul)*

Judea [dʒu:'diə] *v.* **Judaea**

Judean [dʒu:'diən] *adj, s* iudeu

judge [dʒʌdʒ] I *s* 1 *jur* judecător, înv → jude 2 *fig* critic, judecător, arbitru 3 judecător, specialist, expert, cunoscător II *vt* 1 *jur* a judeca; a hotărî; a pronunţa o sentinţă cu privire la 2 *fig* a judeca, a hotărî, a decide; a se pronunţa asupra *(cu gen)* 3 *fig* a judeca, a condamna, a critica 4 (by) *fig* a judeca, a considera, a socoti (după); a aprecia (după); **I ~ her to be about 40** cred că are vreo 40 de ani; **he ~d it better to return earlier** a socotit/ a considerat că e mai bine să se întoarcă mai devreme; **to ~ smth by its appearance** a judeca/a aprecia ceva după înfăţişare/ formă 5 *ec* a aprecia, a evalua 6 *bibl* a stăpâni, a conduce, a guverna III *vi* 1 *jur* a judeca, a da o sentinţă 2 *fig* a judeca, a fi judecător, a hotărî, a decide 3 *fig* a judeca, a critica, a condamna 4 *fig* a judeca, a crede, a socoti; **as far as I can ~** după cât pot să-mi dau (eu) seama 5 *fig* a judeca, a se gândi, a cugeta; **~ for yourself** judecă şi tu

judge advocate ['dʒʌdʒ 'ædvəkit], *pl* **judge advocates** ['dʒʌdʒ 'ædvəkits] *s jur mil* 1 consilier al curţii marţiale *(în Anglia)* 2 procuror al curţii marţiale *(în S.U.A.)*

judge from ['dʒʌdʒ frəm] *vi cu prep* a judeca după; a deduce din
judgement ['dʒʌdʒmənt] *s v.* **judgment**
judgmatic(al) [dʒʌd'mætik(əl)] *adj F* cu scaun/glagore la cap; – judicios
judgment ['dʒʌdʒmənt] *s* 1 *jur* judecată, judecare; **to sit in ~ on a case** a judeca un proces; **to sit in ~** *fig* a-şi lua/a-şi asuma dreptul de a judeca pe alţii 2 *jur* sentinţă; hotărâre; **to pass ~/to give/to render a ~ on smb** a pronunţa o sentinţă în cazul/procesul cuiva 3 (**on smb**) *fig* pedeapsă divină/a cerului (dată cuiva) 4 judecată, discernământ; **to show good ~** a judeca sănătos 5 judecată, părere, opinie; **in my ~** după părerea mea, după mine; **private ~** părere personală
judgment day, Judgment Day ['dʒʌdʒmənt'dei] *s rel* Ziua judecăţii (de apoi)
judicatory [,dʒu:di'keitəri] *adj* judecătoresc
judicature ['dʒu:dikətʃəʳ] *s jur* 1 jurisdicţie, competenţă judecătorească 2 administrarea justiţiei 3 judecătorie; tribunal 4 jurisdicţie *(ca extindere)*
judicial [dʒu:'diʃəl] *adj* 1 *jur* judecătoresc, judiciar; juridic 2 *jur* de judecător/magistrat 3 judicios, cu discernământ 4 principial, nepărtinitor, imparţial 5 critic
judiciary [dʒu:'diʃiəri] *jur* I *adj v.* **judicial**, 1 II *s* 1 sistem judecătoresc, justiţie 2 putere judecătorească 3 judecători, magistraţi
judicious [dʒu:'diʃəs] *adj* judicios, raţional, logic, chibzuit
judiciously [dʒu:'diʃəsli] *adv* (în mod) judicios, raţional, logic
judiciousness [dʒu:'diʃəsnis] *s* raţiune, logică, caracter judicios
Judith [dʒu:diθ] 1 *nume fem* 2 *bibl* Iudita
judo ['dʒu:dou] *s sport* iudo, jiu-jitsu
Judy ['dʒu:di] *nume fem v.* **Judith**
jug¹ [dʒʌg] I *s* 1 ulcior, urcior; ibric; cană 2 *sl* zdup, răcoare, – închisoare II *vt* 1 a pune într-un ulcior *etc.* (v. ~ I, 1) 2 *gastr* a frige înăbuşit (↓ *iepure*) 3 *sl* a băga la zdup/răcoare, – a întemniţa
jug² *s* cântec de privighetoare

jugal ['dʒu:gəl] *adj anat* zigomatic
jugful ['dʒʌgful] *s* ulcior, urcior *(plin)*
jugged [dʒʌgd] *adj (d. mâncare)* înăbuşit; călit
Juggernaut ['dʒʌgə,nɔ:t] *s* 1 *mit indiană* Juggernaut, Jagganatha 2 şi **j~** Moloh, moloh *(simbol al cruzimii);* forţă teribilă
juggle ['dʒʌgəl] I *vt* 1 a jongla cu, a face jonglerii cu 2 *fig* a aranja, a drege, a manipula, a manevra *(socoteli etc.)* 3 *fig* a înşela, a păcăli *(pe cineva);* **she ~d him out of his money** i-a stors banii II *vi* a jongla, a face jonglerii III *s* 1 jonglerie, arta de a jongla 2 jonglerie, truc 3 *fig* tertip, truc; şmecherie, înşelătorie, pungăşie
juggler ['dʒʌgləʳ] *s* 1 jongler, panglicar 2 *fig* pungaş, escroc
jugglery ['dʒʌgləri] *s* 1 *v.* **juggle** III, 1 2 dexteritate, iuţeală a mâinii 3 *fig* tertipuri, trucuri, înşelătorii, pungăşii
juggle with ['dʒʌglwið] *vi cu prep* 1 a falsifica; a denatura *(fapte etc.)* 2 *v.* **juggle** I, 2
Jugoslav, Jugo-Slav [,ju:gou'slɑ:v] I *s* iugoslav, P → sârb II *adj* iugoslav, sârb(esc)
Jugoslavia, Jugo-Slavia ['ju:gou'slɑ:viə] *s* fosta Iugoslavie
Jugoslavian [,ju:gou'slɑ:viən] *s, adj v.* **Jugoslav**
Jugoslavic [,ju:gou'slɑ:vik] *adj v.* **Jugoslav** II
jugular ['dʒʌgjuləʳ] *anat* I *adj* jugular II *s* venă jugulară
jugular vein ['dʒʌgjulə'vein] *s v.* **jugular** II
jugulate ['dʒʌgju,leit] *vt* 1 a sugruma, a înăbuşi, *rar →* a jugula 2 a tăia gâtul/beregata *(cuiva)*
juice [dʒu:s] I *s* 1 suc, zeamă *(de fructe etc.)* 2 *fig* esenţă, miez 3 *fig* vigoare, bărbăţie 4 *sl* curent electric 5 *sl* benzină II *vt ← F* a zemui, a scoate sucul/zeama din
juiceless ['dʒu:slis] *adj* 1 fără suc/zeamă, uscat 2 *sl* fără curent (electric) 3 *sl* fără benzină
juicer ['dʒu:səʳ] *s* storcător *(de suc)*
juice up ['dʒu:s 'ʌp] *vt cu part adv amer ← F* a învemânta, a însufleţi, a anima
juicily ['dʒu:sili] *adv F* extraordinar (de); teribil (de), nemaipomenit (de)

juiciness ['dʒu:sinis] *s* 1 suculenţă, caracter zemos 2 *← F* caracter picant
juicy ['dʒu:si] *adj* 1 suculent, zemos 2 *(d. vreme) ← F* umed, ploios 3 *F* piperat, – picant, interesant 4 *F* grozav, straşnic, – minunat 5 viguros
ju-jitsu [dʒu:'dʒitsu:] *s sport* jiu-jitsu, judo
ju-ju ['dʒu:dʒu:] *s* (în Africa de Vest) 1 farmec; descântec 2 fetiş; amuletă 3 tabu
jujube ['dʒu:dʒu:b] *s bot* iuiuba *(Ziziphus jujuba)*
ju-jutsu [dʒu:'dʒutsu:] *s v.* **ju-jitsu**
juke box ['dʒu:k bɔks] *s* tonomat
Jul. *presc de la* **July**
julep ['dʒu:lep] *s* 1 sirop *sau* băutură dulce cu care se ia un medicament 2 *amer* julep *(băutură din whisky sau coniac cu apă, zahăr, gheaţă şi mentă)*
Julia ['dʒu:liə] *nume fem* Iulia
Julian ['dʒu:liən] *nume masc* Iulian
Juliana [,dʒu:li'ɑ:nə] *nume fem* Iuliana
Julian calendar, the ['dʒu:liən 'kælindəʳ, ðə] *s astr* calendarul iulian
Juliet ['dʒu:liət] *nume fem* Julieta
Julius ['dʒu:liəs] *nume masc* Iuliu
July [dʒu:'lai] *s* (luna) iulie, P → (luna lui) Cuptor
jumble¹ ['dʒʌmbl] *s* un fel de covrigel dulce *(din aluat de cozonac)*
jumble² ['dʒʌmbl] I *s* 1 amestec; harababură, talmeş-balmeş 2 zăpăceală, confuzie II *vt* 1 a amesteca, a pune de-a valma 2 a zăpăci, a încurca *(idei etc.)* III *vi* 1 a fi amestecat, a fi pus de-a valma 2 *(d. coloană etc.)* a merge în dezordine; a se învălmăşi; a se înghionti
jumbo ['dʒʌmbou] I *s* 1 colos; monstru; dihanie; om, animal *sau* obiect foarte mare 2 *← F* elefant II *adj atr* colosal, uriaş
Jumna ['dʒʌmnə] *râu în India*
jump [dʒʌmp] I *s* 1 săritură, salt; **long ~** săritură în lungime; **high ~** săritură în înălţime; **to get the ~ on** *F* a o lua înaintea cuiva, a fi mai iute decât; **from the (very) first ~** din capul locului, de la (bun) început; **on/upon the ~** a foarte prins/ocupat, ocupat până

peste cap **b** activ, în mişcare **c** expeditiv; operativ **2** tresărire, fior; **to give smb a** ~ a speria pe cineva; **to be all of a** ~ a fi nervos, a fi numai nervi **3 the ~s** *F* draci, nervi, – neastâmpăr **4** *fig* salt; creştere bruscă; **to take a** ~ a creşte în preţ **5** *fig* trecere/tranziţie bruscă **6** *fig* ← *F* superioritate, avantaj **7** *mat* salt; discontinuitate **II** *vt* **1** a sări (peste) *(un prag etc.)* **2** a face să sară *(calul etc.)* **3** a sări de pe *sau* din; **the train ~ed the rails/the track** trenul sări de pe şine/linii; **he ~ed the train** sări din tren **4** a sări (peste), a trece peste, a omite *(un capitol etc.)* **5** a sălta *(un copil pe genunchi etc.)* **6** a zgudui; a mişca *(aparatul de fotografiat etc.)* **7** *amer* a sări în *(tren etc.)* **8** a călători clandestin în *(tren)* // **to ~ the queue a** a nu respecta rândul *(la coadă)* **b** *fig* a se înfige primul **III** *vi* **1** a sări, a sălta; a face o săritură/un salt; **to ~ to one's feet** a sări în picioare; **to ~ over a fence** a sări (peste) un gard; **to ~ into a tram** a sări într-un tramvai **2** *fig* a sări, a sălta; **to ~ for joy** a sări în sus de bucurie, a nu mai putea de bucurie; **his heart ~ed when he heard the news** îi sări inima din loc când auzi ştirea **3** *fig (d. preţuri etc.)* a sălta, a creşte brusc **4** *fig* a sări, a trece repede; **to ~ from one subject to another** a sări de la un subiect la altul

jump at ['dʒʌmpət] *vi cu prep* **1** a ajunge în mod pripit la *(o concluzie)* **2** a accepta pripit *(o idee etc.)*

jumper¹ ['dʒʌmpə'] *s* **1** săritor **2** *av* paraşutist **3** *tehn* fixator **4** *ent* insectă săritoare, ↓ purice

jumper² *s* **1** pulover **2** bluză **3** bluză de marinar **4** bluză *sau* halat de lucru

jumpily ['dʒʌmpili] *adv* nervos

jumpiness ['dʒʌmpinis] *s* nervozitate

jumping ladder ['dʒʌmpiŋ'lædə'] *s* *nav* scară de pilot

jumping-off place ['dʒʌmpiŋɔ(:)f 'pleis] *s* **1** punct de plecare **2** *amer* punct de transbordare **3** *amer* loc îndepărtat *sau* retras/izolat

jump-off ['dʒʌmp,ɔ(:)f] *s* *mil* atac; asalt; ofensivă

jump on ['dʒʌmpɔn] *vi cu prep* a mustra/a dojeni aspru, *F* a sări cu gura la

jump-over ['dʒʌmp'ouvə'] *s* ← *F* continuare/urmare pe pagina următoare

jump to ['dʒʌmptə] *vi cu prep v.* **jump at**

jump upon ['dʒʌmpə,pɔn] *vi cu prep v.* **jump on**

jumpy ['dʒʌmpi] *adj* **1** nervos, iritabil **2** enervant, supărător **3** *(d. preţuri etc.)* instabil, fluctuant

Jun. *presc de la* **1 June 2** junior

junction ['dʒʌŋkʃən] *s* **1** joncţiune, legătură **2** *ferov* încrucişare; nod de cale ferată **3** *com* asociaţie **4** *tehn* legătură, îmbinare **5** *met* lipitură **6** *geogr* confluenţă

junction board ['dʒʌŋkʃən'bɔ:d] *s tel* comutator

junction box ['dʒʌŋkʃən'bɔks] *s el* cutie de racord; doză de derivaţie

junction call ['dʒʌŋkʃən'kɔ:l] *s tel* convorbire suburbană

juncture ['dʒʌŋktʃə'] *s* **1** moment, clipă; **at this** ~ în acest moment; într-o asemenea conjunctură; **at a critical** ~ într-un moment critic **2** *fig* situaţie, stare de lucruri **3** criză; perioadă de criză, perioadă critică **4** punct *sau* loc de legătură **5** cusătură **6** *tehn* încheietură; cusătură sudată **7** element de legătură, articulaţie

June [dʒu:n] *s* **1** (luna) iunie, *P* → Cireşar **2** *nume fem*

jungle ['dʒʌŋgl] *s* **1** junglă **2** desiş, tufăriş **3** mlaştină cu păpuriş

jungled ['dʒʌŋgld] *adj v.* **jungly**

jungly ['dʒʌŋgli] *adj* **1** acoperit cu junglă; des împădurit; plin de vegetaţie arborescentă **2** (ca) de junglă

junior ['dʒu:niə'] **I** *adj* **1** (↓ după nume) junior: **John Abbot jr.** John Abbot junior **2** mai tânăr; subordonat; al doilea; ~ **clerk** al doilea contabil **3** *atr sport* de juniori **II** *s* **1** persoană mai tânără; **he is my** ~ **by three years, he is three years my** ~ e cu trei ani mai tânăr ca mine; **my ~s** cei mai tineri ca mine **2** fiul, junior **3** subaltern **4** *univ* student *sau* elev în anul III sau IV *(în S.U.A.)*

juniper ['dʒu:nipə'] *s bot* ienupăr *(Juniperus communis)*

Junius ['dʒu:niəs] *nume masc*

junk¹ [dʒʌŋk] **I** *s* **1** vechitură, obiecte uzate **2** *met* fier vechi; deşeuri **3** bucată *(de pâine)* **4** *sl* drog, ↓ heroină **5** *sl* toxicoman **II** *vt* **1** a tăia în bucăţi **2** a arunca la gunoi

junk² *s nav* joncă

Junker, junker ['dʒʌŋkə'] *s mil od* iuncher, iuncăr

junket ['dʒʌŋkit] **I** *s* **1** cheag de lapte; smântână; lapte gras **2** brânză de vacă dulce cu nucşoară şi frişcă **3** petrecere, chef **4** *amer* picnic **5** *amer* ← *F* deplasare *(plătită de guvern)* **II** *vi* **1** a petrece, a chefui **2** *amer* a organiza un picnic

junketing ['dʒʌŋkitiŋ] *s* ← *F* banchet, masă (↓ *pt o persoană oficială)*

junk shop ['dʒʌŋk'ʃɔp] *s* magazin de lucruri vechi

junky ['dʒʌŋki] *s sl* consumator de droguri, ↓ heroină

Juno ['dʒu:nou] *mit* Iuno(na)

junta ['dʒʌntə] *s pol* **1** juntă **2** *v.* **junto**

junto ['dʒʌntou] *s pol* clică, fracţiune, disidenţă

Jupiter ['dʒu:pitə'] *s* **1** *mit* Jupiter, Zeus **2** *astr* Jupiter

Jura ['dʒuərə] *s geol* jurasic

jura ['dʒu:rə] *pl de la* **jus**

jural ['dʒu:ərəl] *adj* juridic

Jura Mountains, the ['dʒu:rə 'mauntinz, ðə] Munţii Jura

Jurassic [dʒu'ræsik] *geol* **I** *adj* jurasic **II** *s* **the** ~ jurasicul

jurat ['dʒuəræt] *s* **1** membru al municipalităţii *(în unele oraşe din Anglia)* **2** *jur* declaraţie *sau* certificat anexat la un affidavit

juridic(al) [dʒu'ridikəl] *adj* juridic

jurisconsult [,dʒuəris'kɔnsʌlt] *s jur* **1** jurisconsult **2** jurist

jurisdiction [,dʒuəris'dikʃən] *s* **1** *jur* jurisdicţie, competenţă juridică **2** *jur* jurisdicţie *(ca extindere)* **3** competenţă; autoritate, putere; domeniu, sferă

jurisdictional [,dʒuəris'dikʃənəl] *adj* jurisdicţional, de jurisdicţie

jurisprudence [,dʒuəris'pru:dəns] *s* **1** *jur* jurisprudenţă

jurisprudent [,dʒuəris'pru:dənt] *s jur* jurist

jurisprudential [,dʒu:ris,pru:denʃəl] *adj* jurisprudenţial, de jurisprudenţă

jurist ['dʒuərist] *s jur* **1** jurist **2** student în drept **3** cunoscător al legilor **4** autor de lucrări cu caracter juridic **5** *amer* avocat

juristic(al) [dʒu'ristik(əl)] *adj jur* juridic; legal

juror ['dʒuərər] *s jur* jurat

jury ['dʒuəri] *s* **1** *jur* jurați, *înv* → juriu **2** juriu *(pt conferirea premiilor etc.)*

jury box ['dʒuəri 'bɒks] *s jur* boxa juraților

juryman ['dʒuərimən] *s jur* jurat

jury mast ['dʒuəri'mɑːst] *s nav* catarg improvizat

jus [dʒʌs], pl **jura** ['dʒuərə] *s lat* **1** lege; legea **2** codice de legi **3** principiu *sau* drept legal

just [dʒʌst] **I** *adj* **1** drept, just, corect: ~ **conduct** conduită corectă; **a** ~ **man** un om drept/echitabil, corect **2** just, meritat, cuvenit; **to receive one's** ~ **deserts** a primi/ căpăta ceea ce merită **3** *(d. o părere etc.)* întemeiat, fondat, justificat **4** *(d. proporții etc.)* just, exact, cerut **5** just, legal, legiuit **II** *adv* **1** exact, tocmai, precis, chiar; ~ **two o'clock** ora două exact; **it's** ~ **on ten** peste câteva secunde va fi ora zece; **this is** ~ **what I wanted** este exact/tocmai ceea ce am dorit; ~ **the thing a** exact/tocmai ce trebuie **b** exact ceea ce voiam să spun; **it was** ~ **there that I saw him** chiar acolo l-am văzut, este exact locul unde l-am văzut; ~ **so** întocmai, exact; ~ **the other way about** exact de-a-ndoaselea/invers; **it's** ~ **as interesting as the other** e (absolut) la fel de interesant ca și celălalt; **he left everything** ~ **as he had found it** a lăsat toate (exact/întocmai) cum le-a găsit **2** *(cu timpuri perfecte)* tocmai; *(cu perfectul prezent și)* adineaori; **he has** ~ **come** a venit adineaori, a venit chiar acum; **he had** ~ **come** tocmai venise, venise tocmai atunci; de-abia venise **3** tocmai, exact/chiar în acest moment *sau* chiar în momentul acela; **we were** ~ **leaving** tocmai plecam, plecam chiar în momentul acela **4** *(↓ cu* **only**) de-abia, cât pe ce să nu, mai-mai să nu; cu greutate; **he only** ~ **caught the bus** cât pe ce/mai-mai să nu prindă autobuzul, puțin a lipsit să piardă autobuzul, de-abia a prins autobuzul; **she** ~ **managed to pass the examination** de-abia a

reușit să ia/treacă examenul **5** *(cu diferite adverbe având ↓ valoare de expletiv)*; ~ **about here** cam pe aici, pe undeva pe aici; ~ **about rich enough** destul de bogat; ~ **now a** acum, în acest moment **b** chiar acum, adineaori, acum câteva clipe **6** *(↓ cu forme de imperativ pt a atrage atenția etc.)*; ~ **listen to him!** auzi ce spune; nu e interesant ce spune? *F* îți place ce spune? poftim, ce spune! ~ **come here** fii bun și vino-ncoace **7** doar, numai; ~ **a moment** o clipă doar; **I** ~ **want to see him** vreau numai/doar să-l văd **8** *F* pur și simplu, absolut; **the performance was** ~ **splendid** spectacolul a fost pur și simplu splendid

just about ['dʒʌstə'baut] *adv* **1** aproape; cam pe (la); ~ **ten pounds** aproape zece livre; ~ **here** (cam) pe aici **2** aproape; cât pe ce *(să câștig etc.)*

justice ['dʒʌstis] *s* **1** *jur* justiție, judecată; **to bring a criminal to** ~ a deferi un criminal justiției **2** dreptate, imparțialitate, echitate; justețe; **to do** ~ **a** a fi drept cu *(cineva)*, a recunoaște ceea ce este *(al cuiva)* **b** a aprecia (cum se cuvine) *(ceva)*; a cinsti, a onora *(masa)*; **to do onself** ~ **a** a fi drept cu sine însuși **b** a fi la înălțimea posibilităților sale; **in** ~ **to** ca să fim drepți *sau* ca să fiu drept cu **3** *jur* judecător **4** judecător de pace **5** *jur* judecător la Curtea Supremă

justice of the peace ['dʒʌstis əvðə'piːs] *s v.* **justice 4**

justiceship ['dʒʌstis,ʃip] *s* **1** calitatea de judecător **2** perioada funcționării ca judecător

justiciability [dʒʌs,tiʃə'biliti] *s jur* posibilitatea examinării în instanță

justiciable [dʒʌ'stiʃəbəl] *adj* care trebuie deferit justiției

justiciary [dʒʌ'stiʃiəri] *jur* **I** *adj* juridic, judecătoresc **II** *s* funcționar judecătoresc *(într-o instanță superioară)*

justifiability [,dʒʌsti,faiə'biliti] *s* **1** justificare; motivare; caracter justificabil **2** legalitate

justifiable [,dʒʌsti,faiəbəl] *adj* justificabil; admisibil; legal

justifiably ['dʒʌsti,faiəbli] *adv* (în

mod) justificabil

justification [,dʒʌstifi'keiʃən] *s* justificare

justificative ['dʒʌstifi,keitiv] *adj* justificativ

justificatory ['dʒʌstifi,keitəri] *adj* justificativ

justify ['dʒʌsti,fai] *vt* **1** a justifica; a motiva; a scuza **2** a explica, a lămuri **3** a confirma, a adeveri **4** *poligr* a împlini *(un clișeu)*

Justin ['dʒʌstin] *nume masc* Iustin

Justine [dʒʌ'stiːn] *nume fem*

Justinian [dʒʌ'stiniən] *împărat bizantin Iustinian (483-565; 527-565)*

justle ['dʒʌsəl] *vt, vi v.* **jostle**

justly ['dʒʌstli] *adv* **1** just, drept, corect **2** pe bună dreptate **3** pe merit, meritat

justness ['dʒʌstnis] *s* **1** justețe; dreptate **2** exactitate, precizie

Justus ['dʒʌstəs] *nume masc v.* **Justin**

jut [dʒʌt] **I** *s* ieșind, ieșitură; proeminență; proiectare **II** *vi* a ieși/a se proiecta în afară; a fi proeminent

Jute [dʒuːt] *s ist* iut, locuitor al Iutlandei

jute [dʒuːt] *s text* iută

Jutland ['dʒʌtlənd] *peninsulă* Iutlanda

jut out ['dʒʌt 'aut] *vi cu part adv v.* **jut II**

jutty ['dʒʌti] *s* **1** *constr* rezalit **2** *nav* dig; debarcader

Juvenal ['dʒuːvinl] *pot latin* Iuvenal *(60?-140?)*

juvenescence [,dʒuːvi'nesns] *s* **1** tinerețe **2** trecere de la adolescență la tinerețe **3** întinerire

juvenescent [,dʒuːvi'nesnt] *adj* **1** care devine tânăr *(din adolescent)* **2** adolescent **3** care întinerește

juvenile ['dʒuːvi,nail] **I** *adj* **1** tineresc, juvenil **2** *(d. cărți etc.)* pentru tineret **3** de tinerețe; necugetat, nesăbuit **II** *s* **1** adolescent; tânăr **2** actor care interpretează personaje tinere

juvenilia [,dʒuːvi'niliə] *s pl lat* opere de tinerețe

juvenility [,dʒuːvi'niliti] *s* tinerețe

juxtapose [,dʒʌkstə'pouz] *vt* a juxtapune; a alătura

juxtaposition [,dʒʌkstəpə'ziʃən] *s* juxtapunere; alăturare

Jy. *presc de la* **July**

jynx [dʒiŋks] *s* vrăji, farmece

K

K, k [kei] *s* (litera) K, k

K, k *presc de la* **1** kilo **2** karat **3** kilogramme **4** knight

Kabul [kə'bul] *capitala Afganistanului*

kadi ['ka:di] *s* cadiu

Kaf(f)ir ['kæfəʳ] *s* cafru

kaftan ['kæftæn] *s* caftan

kaiac ['kaiæk] *s nav* caiac

kaiser ['kaizəʳ] *s germ* împărat *(în Germania, înainte de 1918)*

Kalahari (Desert) [,kælə'ha:ri (,dezə:t)] *(Deșertul) Kalahari*

kale [keil] *s bot* **1** varză furajeră *(Brassica oleracea sp.)* **2** nap *(Brassica napus)* **3** *sl* lovele, bistari, gologani, – bani

kaleidoscope [kə'laidə,skoup] *s și fig* caleidoscop

kaleidoscopic [kə,laidə'skɔpik] *adj* caleidoscopic

kalendar ['kælindəʳ] *s* calendar

kalends ['kælindz] *s pl* calende

Kalevala [,ka:lə'va:lə] *epopee finlandeză*

kali ['kæli] *s ch* oxid *sau* carbonat de potasiu

Kalidasa [,kæli'da:sə] *scriitor indian (sec. V e.n.)*

kaliph ['keilif] *s* calif

Kalmuck ['kælmʌk] **I** *adj* calmuc **II** *s* **1** calmuc **2** (limba) calmucă

Kama, the ['ka:mə, ðə] *râu în fosta U.R.S.S.*

Kamchatka [kʌm't∫ʌtkə] *peninsulă* Kamciatka

Kamerun [,kæmə'ru:n] *țară* Camerun

Kan. *presc de la* **Kansas**

KanaKa [kə'nækə] *s* locuitor din Hawaii

kangaroo [,kæŋgə'ru:] *s zool* cangur *(Macropodidae sp.)*

kangaroo court [,kæŋgə'ru:'kɔ:t] *s amer sl* parodie de proces (↓ organizată de deținuții din închisori)

Kansas ['kænzəs] **1** stat în S.U.A. **2** the ~ râu în S.U.A.

Kansas City ['kænzəs'siti] *nume de orașe în S.U.A.zz*

Kant [kænt], **Immanuel** *filosof german (1724-1804)*

Kantian ['kæntiən] *adj, s filos* kantian

Kantism ['kæntizm] *s filos* kantianism, kantism

kaolin ['keiəlin] *s minr* caolin

kapok ['keipɔk] *s text* fibre de capoc

kappa ['kæpə] *s* kappa *(literă grecească)*

kaput [kæ'put] *adj pred germ* F kaput, – terminat, sfârșit; distrus

Karachi [kə'ra:t∫i] *capitala Pakistanului*

Karakoram, the [,kærə'kɔ:rəm, ðə] *munți* Karakorum

karakul ['kærəkəl] *s* **1** *zool* (oaie) caracul **2** (blană) caracul

Kara Kum [kʌ'rʌ 'kum] *deșert* Karakum

Kara Sea, the [,ka:rə 'si:, ðə] Marea Kara

karat ['kærət] *s* carat

Karelia [kə'ri:liə] *v.* **Karelia** *v.* **Karelian Autonomous Soviet Socialist Republic**

Karelian Autonomous Soviet Socialist Republic, the [kə'ri:liən ɔ'tɔnəməs 'souviet 'sou∫əlist ri'pʌblik, ðə] fosta Republică Sovietică Socialistă Autonomă Karelă

Karlovy Vary ['kɑrlovi'vʌri] *oraș în fosta Cehoslovacie*

Karlsbad ['kʌrls,ba:t] ← *înv v.* **Karlovy Vary**

karma ['ka:mə] *s* **1** *filos* indiană karma **2** destin, soartă

karstic water ['ka:stik ,wɔ:təʳ] *s geol* apă carstică

Kas. *presc de la* **Kansas**

Kashmir [kæ∫'miəʳ] *regiune în Asia de Sud-Est* Cașmir, Jammu Kashmir

katabatik [,kætə'bætik] *adj meteor* catabatic, în scădere

katabolism [kə'tæbə,lizəm] *s biol* catabolism

Kate [keit] *nume fem v.* **Catherine**

Katharine ['kæθərin] *nume fem v.* **Catherine**

katharsis [kə'θa:sis] *s lit* catarsis

Kathleen ['kæθli:n] *nume fem v.* **Catherine**

kathode ['kæθoud] *s el* catod

Katmandu [,kætmæn'du:] *capitala Nepalului*

Katowice [,kʌtɔ'vitse] *oraș în Polonia*

Katrine, Loch ['kætrin, 'lɔh] *lac în Scoția*

Kattegat ['kæti,gæt] *strâmtoare între Danemarca și Suedia*

kauri, kaury ['kauri] *s bot* kauri *(Agathis australis)*

kayak ['kaiæk] *s nav* caiac

Kazak(h) [kə'za:k] *adj, s* kazah

Kazakstan [,ka:za:k'stæn] *republică în fosta U.R.S.S.* Kazahstan

Kazan [kə'za:n] *capitala fostei R.S.S. Autonome Tătare*

Kazbeck, Mount [ka:z'bek, 'maunt] *Muntele* Kazbek

K.B. *presc de la* **Knight of the Bath**

kc. *presc de la* **kilocycle** *sau* **kilocycles**

K.C. *presc de la* **King's Counsel**

Kean [ki:n], **Edmund** *actor englez (1787-1833)*

Keats [ki:ts], **John** *poet englez (1795-1821)*

kebab [kə'bæb] *s turc* kebab

kebob [kə'bɔb] *s v.* **kebab**

keck [kek] *vi* **1** a râgâi **2** a-i fi silă/ greață

kedge [kedʒ] *vi nav* a se trage pe ancoră

kedgeree [,kedʒə'ri:] *s* **1** fel de mâncare indiană *(din orez, păstăioase, ceapă și ouă)* **2** fel de mâncare europeană *(din pește, orez, ouă etc.)*

keecker ['ki:kəʳ] *s* **1** ← F om foarte curios **2** *pl* ← F ochi

keel [ki:l] *s* **1** *nav* chilă **2** *nav* barcă cu velă pătrată **3** *hidr* carenă **4** *poetic* corabie-navă

keel block ['ki:l,blɔk] *s nav* tacadă de chilă

keelson ['kelsən] *s nav* carlingă

keen[1] [ki:n] *adj* **1** ascuțit, tăios, taie bine **2** *fig* ascuțit, tăios, aspru, pătrunzător; **a ~ wind** un vânt tăios/pătrunzător; **a ~ frost** un ger cumplit, un ger de crapă pietrele **3** *fig (d. minte, judecată etc.)* ascuțit, pătrunzător; inteligent; subtil **4** *fig (d. auz etc.)* ascuțit, fin **5** *fig (d. durere etc.)* acut, ascuțit, pătrunzător, intens, insuportabil **6** *fig (d. sentimente)* mare, intens, profund, extraordinar **7** *(d. cineva)* energic, activ; *(d. un jucător etc.)* pasionat, pătimaș **8** *fig (d. critică etc.)*

aspru, sever; ascuțit **9** *fig (d. prețuri)* coborât; redus **10** doritor, dornic, ahtiat

keen² *s* bocet *(la înmormântare în Irlanda)*

keenly ['ki:nli] *adv* **1** ascuțit **2** cu putere, puternic **3** foarte (mult)

keenness ['ki:nnis] *s* **1** ascuțime **2** *fig* putere, forță **3** acuitate; promptitudine; grabă **4** *fig* ascuțime; ascuțiș **5** finețe, subtilitate

keen on ['ki:n ɔn] *adj cu prep* **1** dornic/*F* mort după, – doritor, dornic de; care râvnește la; **he is dead ~ travelling** *F* e mort după călătorii, – ține foarte mult să călătorească **2** *F* care nu mai poate după, mort/leșinat după; îndrăgostit lulea de; **he isn't very ~ her** nu se prăpădește după ea

keep [ki:p] **I** *pret și ptc* **kept** [kept] *vt* **1** a ține, a respecta *(o promisiune, un angajament etc.);* a respecta, a nu călca *(legea etc.),* a nu se abate de la **2** a respecta, a ține *(obiceiuri etc.);* a sărbători; a cinsti **3** *sport* a apăra *(poarta)* **4** a apăra, a păzi, a feri; **God ~ you!** ← *înv* să te apere Cel de Sus! umblă sănătos! **5** a ține, a păstra; a avea în păstrare; a reține; **you may ~ this as a souvenir** poți să-l păstrezi ca amintire; **~ that in mind!** ține minte (asta)! nu uita! **6** a ține; a avea în grijă, a avea grijă de, a se îngriji de; a avea; **to ~ a shop** a ține/a avea o prăvălie **7** a ține, a întreține *(o familie etc.)* **8** a nu părăsi, a rămâne în, a nu se dezlipi de; **he ~s his bed** stă în pat, nu se scoală din pat **9** a menține, a păstra; a continua; **he kept smiling** continua să zâmbească; **to ~ silence** a tăcea; a face liniște; a păstra tăcere **10** a face; a ține; **she kept me waiting** m-a făcut să aștept; **I won't ~ you long** n-am să te țin mult **11** a ține, a avea, a vinde; **do they ~ stamps here?** au timbre aici? **12** a ține *(un jurnal, socoteli etc.)* **13** a reține; a nu manifesta *(un sentiment)* **14** a ține, a nu trăda *(un secret)* **II** *(v. ~* **I)** *vr (d. cineva)* a se întreține **III** *(v. ~* **I)** *vi* **1** a fi, a continua să fie, a se menține *(într-o anumită stare);* a dura, a dăinui; **the weather kept**

fine vremea se menținea frumoasă; **~ quiet!** astâmpără-te! taci! liniște! **to ~ in touch with** a păstra/a menține legătura/contactul cu; **to ~ cool** a-și păstra calmul, a nu se enerva **2** *(d. alimente)* a ține, a rezista, a nu se strica **3** ← *F* a sta, a locui, a trăi **4** ← *F* a rămâne **IV** *s* **1** întreținere, subzistență; hrană; **to earn one's ~** a-și câștiga existența **2** rezervă de nutreț **3** turn principal *(al unui castel medieval)* **4** închisoare, temniță **5** *tehn* capacul corpului de lagăr **6** *min* tachet **7** stare, condiție; **in good ~** în stare bună//**for ~s** ← *F* pe vecie, pentru totdeauna

keep at ['ki:pət] **I** *vi cu prep* a continua să muncească/să lucreze la, a stărui în, a nu renunța la *(ceva);* a munci intens la **II** *vt cu prep* **1** a face/a sili *(pe cineva)* să **2** a stărui pe lângă *(cineva),* a ruga insistent/stăruitor *(pe cineva);* a nu lăsa în pace *(pe cineva)*

keep away ['ki:p ə'wei] **I** *vi cu part adv (from)* a se ține la distanță (de), a sta de o parte; a nu avea de a face (cu); a se feri (de) **II** *vt cu part adv* **1** (**from**) a ține la distanță (de); a feri (de) **2** (**from**) a ascunde (de)

keep back ['ki:p 'bæk] **I** *vt cu part adv* **1** (**from**) a ascunde, a tăinui (de); a ține secret/tăinuit; **I will keep nothing back from you** nu-ți voi ascunde nimic, îți voi spune tot(ul) **2** (**from**) a reține, a nu da (din) *(salariul etc.);* a păstra pentru sine **3** a opri *(↓ la distanță),* a nu lăsa să înainteze *(mulțimea etc.)* **II** *vi cu part adv* a sta/a ține de o parte; a sta în umbră

keep down [ki:p 'daun] **I** *vi cu part adv* a continua să șadă *sau* să stea culcat, a nu se scula **II** *vt cu part adv* **1** a opri *sau* a împiedica creșterea/dezvoltarea *cu gen* **2** a înăbuși *(o răscoală, un sentiment etc.)* **3** a menține în stare de supunere *sau* subjugare

keeper ['ki:pə'] *s* **1** păstrător, păzitor **2** păzitor, paznic; gardian; custode; supraveghetor **3** deținător *(de obligații etc.);* titular **4** *tehn* contrapiuliță **5** *el* armătură *(a unui magnet)*

keepership ['ki:pə.ʃip] *s* funcția de

tutore; slujba de paznic, păzitor etc. v. **keeper 1-2**

keep from ['ki:p frəm] **I** *vt cu prep* a feri de; a ține la adăpost de; a nu arăta *cuiva* **II** *vi cu prep* a se ține de o parte/la distanță de; a se feri de; a evita, a ocoli *cu ac*

keep in ['ki:p 'in] **I** *vt cu part adv* **1** a reține, a stăpâni *(un sentiment)* **2** a lăsa să ardă *(focul)* **3** *școl* a reține *(după ore)* **4** a obliga să stea în casă, a nu lăsa să iasă *(un bolnav)* **II** *vi cu part adv (d. un bolnav etc.)* a nu ieși din casă, a nu ieși afară

keeping *s* **1** stăpânire; întreținere; păstrare **2** pază, supraveghere; **to be in safe ~** a fi în mâini sigure; **to be in smb's ~** a fi în păstrarea *sau* paza *sau* custodia *sau* protecția cuiva **3** concordanță, armonie; **to be in ~ with** a fi în concordanță/conformitate cu **4** păstrare *(a datinilor etc.),* respectare, ținere **5** *pl* lucruri, obiecte păstrate pentru sine

keeping room ['ki:piŋ 'ru(:)m] *s* cameră de zi; salon

keep in with ['ki:p'inwið] *vi cu part adv și prep* a rămâne în bune relații cu, a căuta să rămână în bune relații cu

keep it up ['ki:p it 'ʌp] *vt cu pr și part adv* a continua, *F* a o ține așa

keep off ['ki:p 'ɔ(:)f] **I** *vi cu part adv* a nu se apropia; a fi departe; **~!** înapoi! păzea! **II** *vt cu part adv* **1** a ține la distanță, a nu lăsa să se apropie **2** a lua *(mâna etc.)*

keep on ['ki:p 'ɔn] **I** *vi cu part adv* a continua, a nu se opri; **he kept on reading** continua să citească **II** *vt cu part adv* **1** a menține, a întreține *(focul etc.)* **2** a menține, a lăsa în același loc *(pe cineva)* **3** a nu scoate *(pălăria etc.)*

keep on at ['ki:p'ɔnət] *vt cu part adv și prep v.* **keep at II, 2**

keep oneself to oneself ['ki:p wʌn'self tə wʌn'self] *vr cu prep și pr* a evita societatea, a trăi singur

keep out ['ki:p 'aut] **I** *vi cu part adv* a sta de o parte, a nu se amesteca, a nu se băga **II** *vi cu part adv* a nu lăsa să intre

keep out of ['ki:p'aut əv] **I** *vt cu part adv și prep* a se feri de; a nu lăsa să **II** *vi cu part adv și prep* a se feri de; a evita, a ocoli *(cu ac)*

keepsake ['ki:pseik] *s* amintire; suvenir

keep to ['ki:p tə] *vi cu prep* **1** a se ține de; a ține *(stânga etc.);* a respecta *(prevederi etc.)* **2** a rămâne la, a nu se depărta/abate de la *(subiect)*

keep to oneself ['ki:p tə wʌn'self] **I** *vi cu prep și pr v.* **keep oneself to oneself II** *vt cu prep și pr a* ține secret, a nu spune, a nu divulga *(un secret etc.)*

keep under ['ki:p 'ʌndəʳ] *vt cu part adv* **1** a supune, a subjuga **2** a ține la respect; a disciplina; a supraveghea, a ține sub control

keep up ['ki:p 'ʌp] **I** *vi cu part adv* **1** a se menține, a nu scădea; **prices still kept up** prețurile, totuși, nu scădeau; **the weather kept up** vremea se menținea frumoasă **2** a nu ceda, a rezista, a se menține (pe poziție) **3** a continua, a dura, a nu se termina **4** a ține pasul, a nu rămâne în urmă **II** *vt cu part adv* **1** a menține, a continua să întrețină *(corespondența etc.);* **to ~ one's spirits** a nu se lăsa, a nu-și pierde firea/curajul; **to ~ old customs** a păstra vechile obiceiuri **2** a întreține *(casa etc.);* a gospodări **3** a ține în stare de veghe, a nu lăsa să doarmă

keep up with ['ki:p 'ʌp wið] *vi cu part adv și prep* a ține pasul cu; a nu rămâne în urma *(cu gen);* **to ~ with Joneses** a ține pasul cu schimbările *(sociale)*

kefir ['kefəʳ] *s* chefir

keg [keg] *s* **1** butoiaș **2** *nav* butoi sub 10 galoane **3** *nav* butoi de heringi *(700-800 pești)*

kegler ['keglə] *s amer* ← *F* jucător de popice

Keith [ki:θ] *nume masc*

kelly ['keli] *s tehn* tijă de antrenare

kelp [kelp] *s bot* varec *(Fucales sp.)*

Kelt [kelt] *s* celt

Keltic ['keltik] *adj, s. v.* **Celtic I, II**

Kelvin ['kelvin] *nume masc*

ken [ken] **I** *s* orizont; sferă de cunoștințe; **beyond/outside/not within one's ~** dincolo de ceea ce știm/cunoaștem, mai presus de cunoștințele noastre/știința noastră **II** *vt scot* a cunoaște

Ken. *presc de la* **Kentucky**

kendir ['kendəʳ] *s text* iută de India

Kenilworth ['kenilwə:θ] *district urban în Warwickshire (Anglia)*

kennel ['kenl] **I** *s* **1** coteț (de câine) **2** *pl ca sg, amer sg* adăpost pentru animale mici *(când sunt plecați stăpânii)* **3** *fig* cocioabă, bojdeucă, bordei **4** vizuină (de vulpe) **5** *fig* adăpost, refugiu **II** *vt* a pune *sau* a ține într-un coteț *(de câine)*

kennel coal ['kenl 'koul] *s min* cărbune canel

Kenneth ['keniθ] *nume masc*

kenning ['keniŋ] *s lit* cuvânt *(↓ compus)* metaforic *(în vechea poezie engleză)*

kenotron ['kenətrɔn] *s tel* redresor cu diodă; kenotron

Kensington ['kenziŋtən] *district în Londra*

Kent [kent] *comitat în Anglia*

Kentish ['kentiʃ] **I** *adj* din Kent **II** *s* dialectul (din) Kent

kentledge ['kentlidʒ] *s nav* balast de metal

Kentuckian [ken'tʌkjən] **I** *adj* din Kentucky **II** *s* locuitor din Kentucky

Kentucky [ken'tʌki] **1** *stat în S.U.A.* **2 the ~** *fluviu în S.U.A.*

Kenya ['kenjə] *stat în Africa de est* Kenia

kepi ['keipi:] *s mil* chipiu *(al soldaților francezi)*

kept [kept] *pret și ptc la* **keep I-III**

kept woman ['kept 'wumən] *s* femeie întreținută

keramics [ki'ræmiks] *s pl* **ceramics**

keratin ['kerətin] *s ch* cheratină

kerb [kə:b] *s drumuri* bordură

kerbstone ['kə:b,stoun] *s drumuri* piatră de bordură

kerchief ['kə:tʃif] *s* **1** basma *(de cap);* batic **2** batistă

Kerch Strait, the ['kjertʃ 'streit, ðə] Strâmtoarea Kerci

kerf [kə:f] *s* **1** *tehn* tăietură; fantă **2** *met* profil, secțiune

kerfuffle [kə'fʌfəl] *s F* tărăboi, zăpăceală, – zarvă

kermis ['kə:mis] *s amer* bazar de binefacere

kern [kə:n] *s poligr* element prelungit peste corpul literei

kern(e) [kə:n] *s* țăran irlandez

kernel ['kə:nəl] *s* **1** sâmbure; miez *(de nucă etc.)* **2** grăunte, bob *(de porumb etc.)* **3** *fiz* nucleu; sâmbure **4** *fig* miez, sâmbure, esență, parte principală

kerosene, kerosine ['kerə,si:n] *s* petrol lampant

kerving machine ['kə:viŋ mə'ʃi:n] *s min* haveză

kestrel ['kestrəl] *s* **1** *orn* vindereu, vânturel *(Falco tinnunculus)* **2** *fig* om de nimic; pierde-vară

ketch [ketʃ] *s nav* keci

ketchup ['ketʃəp] *s* sos picant *(din ciuperci, roșii etc.)*

ketone [ki:toun] *s ch* cetonă

ketonic [ki'tɔnik] *adj ch* cetonic

kettle ['ketəl] *s* **1** ceainic; ibric **2** oală; vas de fiert apă; **a pretty/nice/fine ~ of fish** *F* frumoasă treabă/afacere **3** *tehn* cazan; boiler; fierbător **4** *geogr* depresiune; dolină

kettle drum ['ketəl 'drʌm] *s muz* timpan

key [ki:] **I** *s* **1** cheie; zăvor; **false/skeleton ~** șperaclu **2** *fig* cheie; soluție; dezlegare; **the ~ to a problem** cheia *sau* soluția unei probleme **3** *fig* cheie, cod; cifru **4** *școl etc.* cheia exercițiilor *sau* problemelor **5** *școl etc.* juxtă, traducere juxtalineară **6** *muz, tehn* clapă **7** *muz* tonalitate **8** *fig* ton; tonalitate; voce; glas; **all in the same ~** pe același ton, monoton; **to speak in a high ~** a vorbi tare *sau* pe un ton ridicat **9** *pict* ton, nuanță **10** *fig* ton, armonie, acord; **in ~ with smth** în concordanță cu ceva **11** *amer pol* principiu de bază, bazele politicii **12** *tehn* pană de fixare, ic; șplint **13** *geol* banc de nisip **14** *el* întrerupător; conector **15** *tel* manipulator; cheie; tastă **II** *adj atr* cheie; **~ word** cuvânt-cheie **III** *vt* **1** *muz* a acorda **2** *tehn* a împăna, a fixa cu o pană *sau* cu pene **3** *tel* a manipula **4** a închide cu cheia

keyboard ['ki:,bɔ:d] *s* **1** *muz, tehn* claviatură **2** *tehn* tablou de comandă

keyed ['ki:d] *adj* **1** *muz* acordat **2** *(d. pian)* (prevăzut) cu clape **3** *fig* tulburat, emoționat; excitat **4** (prevăzut) cu cheie *sau* chei **5** *tel* manipulat

key fossil ['ki: ,fɔsl] *s geol* fosilă caracteristică

keyhole ['ki:houl] *s* gaura cheii; **to peep through the ~** a se uita pe gaura cheii

keyless ['ki:lis] *adj* ← *rar (d. un ceas)* care nu are nevoie de o cheie

keyman ['ki:mən] *s amer* **1** telegrafist **2** personalitate; om de vază, persoană de seamă **3** specialist, expert

key money [ki: ˌmʌni] *s* filodormă

key note [ki:nout] *s* **1** *muz* tonică, notă fundamentală **2** *fiz* sunet de bază **3** *fig* idee principală/fundamentală; esență, miez

keynoter ['ki:noutə'] *s amer pol* conducător al unei campanii politice

key punch ['ki: ˌpʌntʃ] *s cib* mașină de perforat cartele

key point ['ki: ˌpoint] *s mil și fig* punct cheie

key stone ['ki: ˌstoun] *s* **1** *constr* cheie de arc/boltă **2** *drumuri* piatră spartă **3** *fig* cheie de boltă; esență, miez; principiu fundamental **4** *fig* sprijin/reazem principal

key up ['ki: ˌʌp] *vt cu part adv* **1** a monta; a stimula, < a înflăcăra *(pe cineva)* **2** a încuraja, a îmbărbăta *(pe cineva)* **3** a spori, a ridica, a mări *(pretenții etc.)*

keyway ['ki:ˌwei] *s* **1** *tehn* canal; canelură **2** *hidr* redan

keyword ['ki:ˌwə:d] *s* cuvânt cheie

kg. *presc de la* **kilogram(me)** *sau* **kilogram(me)s**

K.G. *presc de la* **Knight of the Garter**

Khabarovsk [kə'bʌrəfsk] *oraș în fosta U.R.S.S.* Habarovsk

khaki ['ka:ki] **I** *adj* kaki **II** *s* **1** (culoare) kaki **2** uniformă kaki

khalif ['keilif] *s* calif

khalifate ['keilifeit] *s* califat

khamsin ['kæmsin] *s meteor* hamsin

khan [ka:n] *s* **1** han *(titlu)* **2** han *(pt caravane)*

khanate ['ka:neit] *s ist* hanat

Kharkov ['ka:kɔf] *oraș în fosta U.R.S.S.* Harkov

Khart(o)um [ka:'tu:m] *capitala Sudanului* Khartoum

khedive [ki'di:v] *s od* chediv

Kiang-si ['kja:ŋʃi:] *provincie în China*

kibbutz [ki'buts], *pl și* **kibbutzim** [ˌkibut'si:m] *s* chibuț *(în Israel)*

kibe [kaib] *s* degerătură purulentă *sau* care a crăpat *(↓ la talpă)*; **to tread on smb's ~s** *fig* a călca pe cineva pe bătătură

kibitz ['kibits] *vi F* a chibița

kibitzer ['kibitsə'] *s F* **1** chibiț **2** băgăcios; – nepoftit

kibosh ['kai,bɔʃ] *s sl* tâmpenii, – prostii; **to put the ~ on** a termina cu; a lichida, a pune capăt *cu dat*

kick [kik] **I** *vi* **1** a da din picioare; **the boy was ~ing and screaming** băiatul dădea din picioare și țipa **2** *(d. cai)* a azvârli, a da cu copita, a fi năravaș **3** *fig* (**at, against**) a protesta, a murmura, a cârti *(împotriva – cu gen)*, a-și arăta nemulțumirea *(față de)* **4** *(d. o minge)* a sări în sus **5** *(d. o armă)* a face recul **6** *sport* a înscrie un gol *(la fotbal)* **II** *vt* **1** a lovi cu piciorul; **to ~ one's heels** *fig F* a face anticameră, – a pierde vremea așteptând; **to ~ a goal** a înscrie un gol *(la fotbal)* **2** *(d. cai)* a lovi cu piciorul/copita **3** a azvârli sus *(mingea)* **4** *fig* a da afară *(cu forța sau furios)*; **he ~ed them out** îi dădu (< pe brânci) afară; **to ~ smb upstairs** *fig* a se descotorosi de cineva *(↓ dându-i o funcție mai mare etc.)* **III** *s* **1** lovitură cu piciorul *sau* copita; **to gave a ~ at the door** a lovi cu piciorul în ușă; **more ~s than halfpence** a mai mare daraua decât ocaua, mai multe neplăceri decât foloase **b** mai multă rea-voință decât amabilitate; **to get the ~** *fig F* a primi un picior în spate, a primi pașaportul, – a fi dat afară **2** recul *(al unei arme)* **3** *și tehn* lovitură, izbitură, șoc **4** *nav* abatere **5** *fig* ← *F* rezistență, opoziție **6** *fig* ← *F* modă **7** ← *F* vlagă, energie, putere; tărie *(a unei băuturi etc.)* // **a good ~** un fotbalist bun

kick about[1] [kik ə'baut] **I** *vi cu part adv F* a aruncat cine știe (pe) unde; a fi dosit pe undeva **II** *vi cu part adv* ← *F* a se purta urât cu

kick about[2] [kik ə,baut] *vi cu prep* **1** *F* a bate drumurile *(unei țări etc)*, – a călători prin **2** ← *F* a fi lăsat în părăsire, a fi uitat; a fi aruncat de o parte

kick against/at ['kik ə,genst/ət] *vi cu prep* a nu vrea, a nu-i plăcea să facă ceva

kick around ['kik ə'raund] **I** *vi cu part adv sau prep v.* **kick about**[1,2] **II** *vt cu part adv F* a trimite de colo până colo fără rost

kickback ['kik,bæk] *s sl* mită; sprijin bănesc

kick back ['kik 'bæk] **I** *vi cu part adv F* a da brusc înapoi **II** *vt cu part adv sl* a înapoia, a da înapoi *(lucruri furate, un surplus de bani etc.)*

kicker ['kikə'] *s* **1** cal năravaș **2** *F* târâie-brâu, – scandalagiu **3** *amer* criticastru **4** ← *F* fotbalist

kick in ['kik 'in] *vi cu part adv sl* a da ortul popii, *vulg →* a o mierli, – a muri

kick-off ['kiv ɔ(:)f] *s* **1** *sport* punere sau repunere a mingii în joc *(la fotbal)* **2** *sport* start **3** *fig* început

kick off ['kik 'ɔ(:)f] **I** *vi cu part adv* **1** *sport* a pune *sau* a repune mingea/balonul în joc *(la fotbal)* **2** *v.* **kick in II** *vt cu part adv* a scoate, a azvârli *(pantofii din picioare etc.)*

kick out ['kik'aut] *vt cu part adv* **1** *sport* a da *(mingea)* afară din teren **2** a uza, a roade, *F* a face ferfeniță

kickshaw ['kik,ʃɔ:] *s* **1** fantezie culinară; *pl* delicatese **2** fleac, bagatelă

kick start ['kik ,sta:t] *s auto* pornirea motorului cu pedala

kick-up ['kik ʌp] *s F* **1** scandal, tărăboi **2** chef, chiolhan, – petrecere **3** *amer* seară de dans

kick up ['kik 'ʌp] *vi cu part adv fig* ← *F* a ridica; a stârni; **to ~ a row/ a fuss/a dust** *F* a face scandal/ gură/tărăboi; **to ~ dust** a stârni/ a face praf *(cu picioarele)*

kid[1] [kid] **I** *s* **1** ied **2** piele de ied *sau* capră, șevro **3** *pl* ← *F* mănuși glase **4** *F* puști, pici – copil **5** ↓ *amer* ← *F* tânăr **II** *vi* a făta un ied *sau* iezi

kid[2] *sl* **1** *s F* tragere pe sfoară, – păcăleală **II** *vt F* **1** a trage pe sfoară, a duce, – a păcăli **2** a lua peste picior, – a-și râde de **III** *vi F* a face pe nebunul, – a glumi, a nu fi serios; a se preface; **you're ~ding!** *F* glumești! nu, zău?

kiddie, kiddy ['kidi] *s F* puștiulică, – copilaș

kid gloves ['kid ,glʌvz] *s pl* mănuși glase; **to handle with ~** *fig* a se purta cu mănuși cu

kidling ['kidliŋ] *s* **1** copilaș, țânc **2** fătare, fătat

kidnap ['kidnæp] *vt* a răpi, a fura *(un copil);* a răpi *(un om)*

kidnapper ['kidnæpəʳ] *s* răpitor/hoț de copii; răpitor de oameni

kidney ['kidni] *s* **1** *anat, gastr* rinichi **2** *fig* fel, tip, soi; caracter; natură; temperament; **a man of that ~** un om de felul acesta/*F* de teapa lui; **they are both of the same ~** sunt amândoi din același aluat, *F* sunt amândoi o apă și un pământ **3** *drumuri* pietriș

kidney bean ['kidni 'bi:n] *s bot* fasole (oloagă) *(Phaseolus vulgaris)* **2** fasole mare *(Phaseolus multiflorus)*

kidney punch ['kidni ˌpʌntʃ] *s sport* lovitură la rinichi

kidney stone ['kidni ˌstoun] *s* **1** prundiș; piatră mică și rotundă **2** *minr* nefrit **3** *med* piatră la rinichi

kidskin ['kid,skin] *s* piele de ied

Kiel [ki:l] *oraș în Germania*

kieselgu(h)r ['ki:zəl,guəʳ] *s minr* tripoli; kiselgur, diatomit, pământ

Kiev ['ki:ef] *capitala Ucrainei*

kike [kaik] *s amer ← peior* evreu

kil. *presc de la* **kilometre** *sau* **kilometres**

kilderkin ['kildəkin] *s* butoiaș

Kilimanjaro, Mount ['kiliman-'dʒa:rou, 'maunt] *muntele Kilimanjaro*

Kilkenny [kil'keni] *oraș în Irlanda;* **to flight like ~ cats** a se lupta pe viață și pe moarte, *aprox* care pe care

kill [kil] **I** *vt* **1** a omorî, a ucide; a asasina; a tăia, a sacrifica *(animale);* a distruge *(plante);* **he was ~ed in a train accident** a fost omorât/a murit într-un accident de tren; **to ~ time** *fig* a-și omorî vremea/urâtul; **to ~ smb with kindness** *fig* a copleși pe cineva cu bunătatea *sau* cu atenții **2** *fig* a distruge, a nimici, a spulbera *(speranțe etc.)* **3** *fig (d. culori etc.)* a nu se potrivi cu; a strica efectul *(cu gen)* **4** a îndurera, a înnebuni de durere *(cu dat)* **5** a istovi **6** *fig* a pune capăt *(cu gen);* a respinge *(un proiect de lege),* a nu vota **7** *fig* a epata, *F* a înnebuni **8** *fig* a înăbuși *(sunetul*

etc.) **9** *el* a deconecta *(tensiunea)* **10** *met* a calma *(oțelul)* **II** *vi* **1** *(d. animale)* a da carne; **these pigs do not ~ well** rasa aceasta de porci nu dă carne multă *(la tăiere)* **2** *fig* a epata, *F* a înnebuni lumea; **dressed to ~** *F* îmbrăcat la marele fix; gătit nevoie mare **III** *s* **1** animal omorât; *(cantitate de)* vânat **2** omor, ucidere **3** *mil* avion doborât **4** *mil* submarin scufundat

killer ['kiləʳ] *s* ucigaș, asasin *(↓ de profesie)*

killing ['kiliŋ] **I** *adj* **1** omorâtor, ucigător; distrugător; mortal **2** istovitor, epuizant **3** *F* grozav, strașnic, – fermecător, impresionant **4** *F* grozav/teribil de comic/amuzant **II** *s* ucidere, măcel; masacru; **to make a ~** *F* a face o groază de bani

kill-joy ['kildʒoi] *s* persoană care strică cheful altora

kill off ['kil 'ɔ(:)f] *vt cu part adv* a ucide unul după altul

kill-time ['kil,taim] *s* pierdere de vreme, preocupare fără rost

kiln [kiln] *s tehn* cuptor de prăjit *sau* ars/uscat

kilner jar ['kilnə,dʒa:ʳ] *s* borcan mare cu capac etanș

kilo ['ki:lou] *s* **1** kilogram, *F →* chil **2** kilometru

kilo. *presc de la* **1** **kilogram(me) 2** **kilometre**

kilocalorie ['kilou,kæləri] *s fiz* calorie mare, kilocalorie

kilocycle ['kilou,saikəl] *s rad* kilohertz

kilogram(me) ['kilou,græm] *s* kilogram, *F →* chil

kilohertz ['kilou,hə:ts] *s rad* kilohertz

kilolitre ['kilou,li:təʳ] *s* kilolitru

kilometer [ki'lɔmitəʳ] *s amer* kilometru

kilometre ['kilə,mi:təʳ] *s* kilometru

kilowatt ['kilou,wɔt] *s el* kilowatt

kilowatt-hour ['kilou,wɔt 'auəʳ] *s el* kilowat-oră

kilt [kilt] *s* fustanelă *(scoțiană)*

kilted ['kiltid] *adj* cu fustanelă *sau* fustanele

kimono [ki'mounou] *s* kimono, chimono

kin [kin] **I** *s* **1** rude, neamuri, rubedenii **2** înrudire; rudenie; **near of ~** înrudit de aproape **II** *adj* **(to)** înrudit *(cu)*

-kin *suf diminutival:* **lambkin** mielușel; **manikin** omuleț

kind¹ [kaind] *s* **1** rasă; neam; familie; **human ~** neamul omenesc **2** fel; soi; gen; categorie, clasă; **books of several ~s** cărți de diferite feluri, fel de fel de cărți; **people of this ~** oameni de felul acesta, astfel de oameni; **what ~ of flower is this?** ce fel de floare este aceasta? **he's not the ~ (of) person to speak like that** nu e genul de om care să vorbească în felul acesta, nu este în firea lui să vorbească astfel; **something of the ~** ceva în genul acesta; cam așa ceva; **nothing of the ~ a** nimic de felul acesta **b** *F* da' de unde! nici vorbă/pomeneală; **of a ~ a** de un/același fel **b** un așa-zis; un fel/soi de; ca să zicem așa, chipurile; **we had coffee of a ~** am băut, chipurile, cafea; am băut ceva ce aducea (< de departe) cu cafeaua; **of a better ~** mai bun, de o calitate mai bună **3** trăsătură caracteristică/distinctivă; esență, natură, caracter; calitate; **they differ in degree but not in ~** se deosebesc cantitativ *sau* ca intensitate, nu calitativ // **in ~ a** *(d. plată)* în natură **b** *fig* cu aceeași monedă

kind² *adj* **1** **(to)** bun, amabil, drăguț (cu); binevoitor (cu); prietenos (cu); **be so ~ as to open the window** fii bun/drăguț și deschide fereastra; **how ~ of him!** ce drăguț din partea lui! **2** **(to)** bun (cu); **he is ~ to animals** e bun cu animalele, îi plac animalele **3** iertător, îngăduitor **4** cordial, sincer, prietenesc, amical; **with ~ regards** cu salutări prietenești *(ca formulă de încheiere în scrisori)* **5** *← înv* natural; înnăscut *← înv* bun; drept; legitim **7** *(d. păr)* moale

kindergarten ['kində,ga:tən] *s școl* grădiniță *(de copii)*

kind-hearted ['kaind 'ha:tid] *adj* bun (la inimă/suflet); milos

kind-heartedness ['kaind 'ha:tidnis] *s* bunătate

kindle ['kindəl] *vt* **1** a da foc la, a aprinde; **to ~ a fire** a aprinde/a face focul **2** *fig* a aprinde, a învăpăia *(sarea etc.)* **3** *fig* a aprinde; a stârni *(interesul, mânia etc.)* **4** *tehn* a amorsa **II** *vi* **1** a se aprinde; a începe să ardă **2** *fig (d. cineva)* a se aprinde, a se înfierbânta **3** (**with**) *fig* a se aprinde (de); a scânteia, a radia (de); **her eyes ~ed with happiness** îi râdeau ochii de fericire, ochii ei radiau (de) fericire

kindler ['kindlə'] *s* aprinzător; cărbune aprins *(cu care se aprinde focul)*

kindliness ['kaindlinis] *s* **1** bunătate; prietenie **2** gest prietenesc *sau* amabil; faptă bună

kindling ['kindliŋ] *s* **1** aprindere **2** *fig* învăpăiere **3** *fig* stârnire; excitare **4** aprinzător; surcele; vreascuri

kindly ['kaindli] **I** *adj* **1** bun, binevoitor; prietenos; **to speak in a ~ tone** a vorbi pe un ton prietenos; **~ people** oameni binevoitori *sau* prietenoși **2** *(d. climă etc.)* bun, plăcut; favorabil **II** *adv* **1** cu bunăvoință, amabil; prietenos; **~ tell me** spune-mi, te rog; **will you ~ help me?** ești bun să mă ajuți? **2** mult, din inimă; **we thank you ~** vă mulțumim din inimă/ < din toată inima **3** cu plăcere, încântat; **to take ~ to smth** a fi atras de ceva, a se simți înclinat spre ceva, < a fi încântat de ceva; a primi cu plăcere *(o sarcină etc.)*

kindness ['kaindnis] *s* **1** bunătate; bunăvoință; amabilitate, prietenie; **his ~ to me** bunătatea *etc.* lui față de mine; **to have a ~ for smb** a iubi pe cineva **2** amabilitate, favoare; **to do smb a ~** a face cuiva o favoare

kind of ['kaind əv] *adv* ↓ *amer F* ca să zic(em) așa, – într-un fel, până la un punct, într-o anumită măsură; parcă; **he ~ hoped to be invited** parcă spera să fie invitat, parcă n-ar fi zis nu dacă n-ar fi fost invitat

kindred ['kindrid] **I** *s* **1** înrudire, rudenie **2** *ca pl* rude, rubedenii, neamuri **3** asemănare, apropiere **II** *adj* **1** înrudit **2** *fig* înrudit, asemănător, apropiat

kine [kain] *pl înv de la* **cow I, 1**

kinema ['kinimə] *s* ← *înv* cinema

kinematic(al) [,kaini'mætik(əl)] *adj* *fiz* cinematic

kinematics [,kaini'mætiks] *s pl ca sg* *fiz* cinematică

kinescope ['kainiskoup] *s tel* cinescop

kinestesia [,kainis'θi:ziə] *s med* cinestezie

kinesthesis [,kainis'θi:zis] *s med* cinestezie

kinetic [ki'netik] *adj fiz* cinetic

kinetics [ki'netiks] *s pl ca sg* *fiz* cinetică

king [kiŋ] *s* **1** rege, *înv* → rigă; domn; monarh; suveran **2** *fig* rege; stăpân; magnat; **the ~ of beasts** regele animalelor, leul; **an oil ~** un rege/magnat al petrolului **3** rege, rigă *(la șah, la cărți)*

kingcup ['kiŋ,cʌp] *s bot* **1** calcea calului, capră nemțească *(Caltha palustris)* **2** floare de leac *(Ranunculus repens)* **3** piciorul cocoșului *(Ranunculus acris)*

kingdom ['kiŋdəm] *s* **1** regat; împărăție **2** *rel* împărăție; **gone to ~ come** *F* care a dat ortul popii, – mort, răposat **3** regn (natural) **4** *fig* domeniu, sferă

kingfisher ['kiŋ,fiʃə']*s orn* pescăruș *(Alcedo ispida)*

kinghood ['kiŋhu:d] *s v.* **kingship**

king killer ['kiŋ 'kilə'] *s* ucigaș de regi

King Lear ['kiŋ 'liə'] *tragedie de Shakespeare* Regele Lear

kinglet ['kiŋlit] *s peior* regișor

kinglike ['kiŋ,laik] *adj* **1** (ca) de rege, regesc **2** împărătesc, măreț, maiestuos

kingliness ['kiŋlinis] *s* măreție; ținută maiestuoasă

kingly ['kiŋli] *adj* regesc; maiestuos; măreț; nobil

king of beasts, the ['kiŋ əv 'bi:sts, ðə] *s* regele animalelor, leul

king pin ['kiŋ ,pin] *s* **1** *auto* pivot de direcție **2** *tehn* pivot; fus central

king post ['kiŋ poust] *s constr* stâlp agățat

King's English ['kiŋz 'ingliʃ] *s* limba engleză cultă

king's evil ['kiŋz 'i:vəl] *s med* scrofuloză

kingship ['kiŋʃip] *s* **1** regalitate, demnitatea *sau* titlul de rege **2** domnie **3** guvernare monarhică **4** *(ca titlu)* maiestate; **his ~** maiestatea sa

king-size ['kiŋ ,saiz] *adj*← *F* **1** mare, de format mare **2** neobișnuit; extraordinar

kingston valve ['kiŋstən ,vælv] *s nav* priză de apă

kink ['kiŋk] **I** *s* **1** nod; răsucitură **2** încovoiere **3** zuluf **4** *fizl* cârcel; spasm **5** *fig* ciudățenie, excentricitate **6** *fig* capriciu, toană **7** *text* ochi; buclă; cârcel **II** *vi* a se încurca, a se încâlci; a face un nod *sau* noduri **III** *vt* a fac un nod *sau* noduri în

kinkle ['kiŋkəl] *s* **1** zuluf **2** *fig* aluzie fină

kinky ['kiŋki] *adj* **1** creț; cârlionțat **2** *sl* ciudat, excentric **3** *sl* pervers, anormal sexualicește

kinsfolk ['kinz,fouk] *s* rude, rubedenii, neamuri

kinship ['kinʃip] *s* înrudire, rudenie

kinsman ['kinzmən] *s* rudă, neam *(de sex masculin)*

kinswoman ['kinz,wumən] *s* rudă *(de sex feminin)*

kiosk ['ki:ɔsk] *s* **1** chioșc, pavilion **2** cabină telefonică

kip [kip] **I** *s* **1** *F* pui de somn; – somn **2** *sl* loc de dormit **II** *F* a trage un pui de somn, – a dormi

Kipling ['kipliŋ], **Rudyard** *scriitor englez (1865-1936)*

kipper ['kipə'] **I** *s* scrumbie afumată; pește afumat **II** *vt* a săra și afuma *(pește, ↓ scrumbii)*

Kirghiz ['kə:giz] **I** *adj* kirghiz **II** *s* **1** kirghiz **2** (limba) kirghiză

kirk [kə:k] *s scot* biserică

kirmess ['kə:mis] *s v.* **kermis**

kirtle ['kə:təl] *s* ← *înv* **1** fustă **2** rochie **3** haină, jachetă

Kishinev [kiʃi'njɔf] *capitala Republicii Moldova* Chișinău

kismet ['kizmet]*s turc* soartă, destin

kiss [kis] **I** *vt* **1** a săruta, *F* → a pupa; **he ~ed his friend goodbye** îl sărută pe prietenul său de rămas bun; **to ~ the dust/the ground** a mușca țărâna, a muri **b** *fig* a se târî în țărână în fața cuiva; a se umili; **to ~ the book** a săruta Biblia *(la prestarea jurământului);* **to ~ the hand** *(în Anglia)* a săruta mâna monarhului *(la învestitură)* **to ~ the rod** a accepta o pedeapsă fără murmur **2** a atinge ușor **II** *vi* a se săruta, *F* → a se pupa **III** *s* **1** sărut(are) **2** *gastr amer* bezea **3** atingere ușoară *(a bilelor de biliard etc.)*

kisser ['kisə^r] *s* **1** persoană care sărută **2** *sl* gură

Kit [kit] **1** *nume masc v.* **Cristopher 2** *nume fem. v.* **Catherine**

kit¹ [kit] *s* pisicuță

kit² *s* **1** ciubăr; cadă **2** găleată, vadră **3** echipament; sac; raniță; desagă **4** *tehn* set; ansamblu; garnitură **5** *tehn* garnitură/trusă de scule **6** *F* adunătură, – companie; grup; **the whole ~ and caboodle** *F* toată gașca/șleahta, tot poporul

kit bag ['kit ˌbæg] *s* geantă *sau* sac de voiaj; rucsac

kitchen ['kitʃin] *s* **1** bucătărie, *reg* → cuhn(i)e **2** bucătărie, fel de a găti

kitchener ['kitʃinə^r] *s* **1** bucătar *(↓ într-o mănăstire)* **2** plită

kitchenet(te) [ˌkitʃi'net] *s* bucătărioară, chicinetă

kitchen garden ['kitʃin 'ɡaːdən] *s* grădină de zarzavat

kitchen maid ['kitʃin ˌmeid] *s* fată la bucătărie, ajutoare de bucătăreasă

kitchen midden ['kitʃin 'midn] *s* **1** groapă de gunoi/lături **2** *arheol* movilă preistorică din resturi menajere

kitchen range ['kitʃin 'reindʒ] *s* mașină de gătit; plită de bucătărie

kitchenry ['kitʃinri] *s* bucătărie; gastronomie

kitchen school ['kitʃin ˌskuːl] *s lit* ← *peior* naturalism

kitchen sink ['kitʃin 'siŋk] *s* chiuvetă de bucătărie; **all/everything but the ~** *umor* tot calabalâcul, cu cățel și cu purcel

kitchen sink drama ['kitʃin 'siŋk 'draːmə] *s lit* piesă serioasă *sau* piese serioase despre viața de familie a muncitorilor *(↓ în Anglia, în anii 1960)*

kitchen stuff ['kitʃin ˌstʌf] *s* **1** produse *(↓ zarzavaturi)* necesare pentru gătit **2** lături; gunoi

kitchen tested ['kitʃin 'testid] *adj* **1** *(d. rețete culinare)* verificat **2** ← *umor* verificat în practică

kitchenware ['kitʃinweə^r] *s* ustensile de bucătărie

kite [kait] **I** *s* **1** *orn* uliu, erete, uligaie *(Milvus milvus)* **2** zmeu *(de hârtie etc.)*; **to fly a ~ a** a înălța un zmeu **b** *fig* a sonda terenul; a lansa un balon de încercare **c** *fig* a încerca să încaseze bani de pe o poliță falsă; **to go and fly a ~!** *sl* (mai) du-te (< naibii) și lasă-mă în pace! **3** *fig* pasăre de pradă, (om) hrăpăreț **4** *fig* ticălos, nemernic **5** *mil sl* avion **II** *vi* ← *F* a zbura, a pluti în aer *(ca un erete)*

kith [kiθ] *s* ← *înv* prieteni, cunoscuți *sau* vecini; **~ and kin** cunoștințe și rude; rude

kitish [kaitiʃ] *adj* lacom, hrăpăreț

kitten ['kitən] *s* pisicuță; motănaș

kittenish ['kitəniʃ] *adj* jucăuș *(ca o pisică)*

Kitty ['kiti] *nume fem.* **Catherine**

kitty¹ ['kiti] *s v.* **kitten**

kitty² *s* miză *sau* bancă *(la cărți)*

kiwi ['kiːvi] *s* **1** *orn* (pasărea) kiwi *(Apteryx australis)* **2** fruct exotic

Kizil Kum ['kizil 'kuːm] *deșert în fosta U.R.S.S.*

Klansman ['klænzmən] *s* membru al Ku Klux Klan-ului

klaxon ['klæksn] *s auto* claxon

kleptomania [ˌkleptoʊ'meiniə] *s* cleptomanie

kleptomaniac [ˌkleptoʊ'meiniæk] *s* cleptoman

Klondike ['klɔndaik] **1** *regiune în Canada* **2 the ~** *râu în Canada*

klystron ['klistrɔn] *s tel* clistron

km. *presc de la* **kilometre** *sau* **kilometres**

knack [næk] *s* **1** îndemânare, abilitate, pricepere, iscusință *(profesională);* talent; **to have the ~ of smth** a se pricepe la ceva; **he has a ~ with children** se pricepe la copii, știe să se poarte cu copiii **2** deprindere, obișnuință **3** *F* chițibuș, truc; șpil; **there's a ~ in it** *F* are un chițibuș/un tertip (pe care trebuie să-l înveți) **4** *text* cută, încrețitură **5** scârțâit, pârâit; ciocănit, pocănit

knacker ['nækə^r] *s* **1** cumpărător de cai bătrâni *(pe care îi omoară ca să vândă carnea)* **2** cumpărător de case, nave *etc.* vechi *(pt a vinde materialul din care sunt făcute)*

knackered ['nækəd] *adj sl* sleit, frânt

knackers ['nækəz] *s pl muz* castaniete

knacky ['næki] *adj* îndemânatic, abil

knaggy ['nægi] *adj* noduros, cioturos

knap [næp] *vt* **1** a sfărâma, a concasa *(pietre)* **2** a mușca lacom; a înfuleca **3** a rosti repede *(cuvinte)*

knapsack ['næpsæk] *s* rucsac; raniță

knar [naː^r] *s bot* nod, ciot; protuberanță

knarred [naːd] *adj bot* noduros, cioturos

knave [neiv] *s* **1** pungaș, escroc; ticălos **2** valet *(la cărți)*

knavery ['neivəri] *s* ← *înv* necinste; pungășie, escrocherie; ticăloșie

knavish ['neiviʃ] *adj* necinstit, de pungaș/escroc; ticălos

knavishly ['neiviʃli] *adj* necinstit, ca un pungaș/escroc, ticălos

knavishness ['neiviʃnis] *s* necinste; ticăloșie

knead [niːd] *vt* **1** a frământa *(aluat, lut)* **2** a masa, a frecționa **3** *fig* a plămădi; a forma *(caracterul cuiva etc.)*

kneader ['niːdə^r] *s* **1** frământător *(de aluat)* **2** *tehn* malaxor

kneading trough ['niːdiŋ 'trɔf] *s* covată *(pt frământat aluatul)*

knee [niː] **I** *s* **1** genunchi; **on one's ~s** în genunchi, îngenuncheat; **to go (down) on one's ~s (to)** a îngenunchea (în fața, înaintea – *cu gen);* **to bring smb to his ~s** *fig* a îngenunchea/a supune pe cineva; **up to one's ~s** până la genunchi; **on the ~s of the gods** *(d. viitor)* nesigur, neclar; **to give/ to offer a ~ to smb** a da cuiva o mână de ajutor **2** genunchi *(al pantalonului)* **3** *tehn* cot **4** *tehn* frântură **5** *tehn* legătură **6** *tehn* colțar **II** *vt* a lovi *sau* a atinge cu genunchiul **III** *vi* a îngenunchea

knee boot ['niː buːt] *s* cizmă

knee breeches ['niːˌbritʃiz] *s pl* pantaloni scurți *(până la genunchi)*

knee cap ['niː ˌkæp] *s anat* patelă, rotulă

kneed [niːd] *adj* **1** îndoit, cotit **2** *(d. pantaloni)* care au făcut genunchi **3** *(în cuvinte compuse)* cu genunchii...: **knock-~** cu genunchii apropiați, cu picioare strâmbe *(în formă de X)*

knee-deep ['niːˌdiːp] *adj* (adânc) până la genunchi

knee-high ['niːˌhai] *adj* (înalt) până la genunchi

kneel [niːl] *pret și ptc* **knelt** [nelt] *vi* **1** a îngenunchea **2** a sta în genunchi

kneel down ['niːl 'daun] *vi cu part adv* a îngenunchea

kneeler ['ni:lə'] *s* **1** persoană îngenuncheată **2** pernă *sau* scăunel pentru îngenunchere **3** *tehn* pârghie cotită

knee pad ['ni: ,pæd] *s sport* genunchieră

knee pan ['ni: ,pæn] *s v.* **knee cap**

knel [nel] **I** *s* **1** dangăt (↓ *de înmormântare)* **2** sunet trist/tânguios **3** prevestire, semn rău **II** *vi* **1** *(d. clopote)* a suna trist *sau* de înmormântare **2** a suna trist/ tânguios *sau* prevestitor

knelt [nelt] *pret și ptc de la* **kneel**

knew [nju:] *pret și ptc de la* **know I-III**

Knickerbocker ['nikəbokə'] *s* new-yorkez

knickerbockers ['nikəbokəz] *s pl* pantaloni scurți

knickers ['nikəz] *s pl v.* **knickerbockers**

knick-knack ['nik ,næk] *s* **1** bibelou **2** *F* fleac, bagatelă

knife [naif] **I** *s* **1** cuțit; **before you can say** ~ cât ai zice pește, într-o clipită; **to put a** ~ **into smb** a vârî cuțitul în cineva; a tăia/a înjunghia pe cineva cu cuțitul; **to get one's** ~ **into smb** *fig* a vrea să facă rău cuiva; **war to the** ~ a război total *sau* nimicitor **b** *și fig* luptă pe viață și pe moarte; **a good** ~ **and fork** persoană care mănâncă bine/ mult; *F* mâncău **2** *tehn* rachetă **3** *tehn* dinte de freză **4** *med* bisturiu; **to go under the** ~ a suferi/ a-și face o operație **II** *vt* a tăia sau a înjunghia cu cuțitul

knife edge ['naif ,edʒ] *s* **1** tăiș/lamă de cuțit; **on the** ~ **a** *fig* pe muchie de cuțit **b** *fig* (ca) pe ghimpi/jar **2** tăiș ascuțit **3** *met* tăiș; muchie tăietoare

knife-edged ['naif,edʒ'] *adj* ascuțit

knife switch ['naif ,switʃ] *s el* întrerupător cu cuțit

knife tool ['naif ,tu:l] *s tehn* cuțit îngust

knight [nait] **I** *s* **1** *ist* cavaler **2** cavaler *(al unui ordin; titlu nobiliar)* **3** cal *(la șah)* **4** ← *poetic* cavaler *(al unei doamne)* **II** *vt* a face cavaler *(pe cineva)*

knight errant ['nait 'erənt] *s ist* cavaler rătăcitor

knighthood ['naithu:d] *s* **1** rangul *sau* demnitatea de cavaler **2** cavaleri

knightliness ['naitlinis] *s* comportare de cavaler, cavalerism

knightly ['naitli] **I** *adj* cavaleresc, de cavalerie **II** *adv* ca un cavaler, cavalerește

knight of fortune ['nait əv 'fɔ:tʃən] *s* aventurier

knight of the brush ['nait əv ðə 'brʌʃ] *s* „mânuitor al penelului", pictor

Knight of the Garter ['nait əv ðə 'ga:tə'] *s* Cavaler al Ordinului Jartierei

Knight of the pen ['nait əv ðə 'pen] *s* mânuitor al condeiului, scriitor

knit [nit], *pret și ptc și* knit [knit] **I** *vt* **1** a împleti, a tricota **2** *fig* a împleti; a lega (strâns), a uni **3** *fig* a încreți, a încrunta *(sprâncenele)* **II** *vi* **1** a împleti, a tricota **2** *fig* a se împleti; a se lega

knitter ['nitə'] *s* **1** tricoteză **2** *text* mașină de tricotat

knitting ['nitiŋ] *s* **1** tricotare **2** împletitură, lucru de mână

knitting needle ['nitiŋ ,ni:dl] *s* andrea, ac de tricotat

knob [nɔb] *s* **1** nod; ciot *(de arbore);* scurtătură **2** *tehn* proeminență, convexitate **3** *geogr* colină, movilă, dâmb **4** mâner *(sferic – la uși etc.)* **5** bucățică *(de zahăr, cărbune)* **6** *sl* dovleac, căpățână, – cap

knobbed [nɔbd] *adj* noduros, cu noduri *etc. (v.* knob 1-4*)*

knobbly ['nɔbli] *adj v.* **knobby**

knobby ['nɔbi] *adj* noduros, cioturos

knobstick ['nɔbstik] *s* baston cu măciulie

knock [nɔk] **I** *vt* **1** a bate, a lovi; a ciocăni; **to** ~ **to pieces** a sparge în bucăți; **to** ~ **smb senseless** a bate pe cineva până când își pierde cunoștința **2** a bate, a da jos *(merele etc.)* **3** *fig F* a da gata, – a învinge, a înfrânge **4** *fig F* a face ca pe o albie de porci, – a critica aspru **5** **(against)** a se lovi/a se izbi cu *(capul etc.)* (de) **6** a face *(o gaură etc.)* prin lovituri repetate **II** *vi* **1** **(at)** a bate, a ciocăni (la) **2** a se ciocni; a se lovi, a se izbi **III** *s* **1** lovitură; izbitură **2** ciocănit(ură) (↓ *la ușă)* **3** *F* săpuneală, – critică aspră

knock-about ['nɔk ə,baut] *s nav amer* iaht mic

knock about ['nɔk ə'baut] **I** *vt cu part adv* **1** a lovi/a izbi întruna **2** *fig* a maltrata **II** *vi cu part adv* **1** *F* a umbla creanga/hai-hui **2** ← *F* a umbla/a rătăci prin lume **3** ← *F* a duce o viață destrăbălată/ de dezmăț **III** *vi cu prep (d. obiecte)* ← *F* a sta uitat de multă vreme în

knock against ['nɔk ə,genst] *vi cu prep* a da peste, a întâlni din întâmplare

knock back ['nɔk 'bæk] *vt cu part adv F* a bea pe gât/de dușcă

knock-down ['nɔk daun] *s* **1** doborâre, trântă **2** ← *F* bere tare

knock down ['nɔk 'daun] *vt cu part adv* **1** a doborî (la pământ); a trânti; a culca la pământ *(inclusiv cu un glonte)* **2** *tehn* a demonta, a desface **3** *constr* a demola **4** a reduce, a micșora *(prețul)* **5** a face *(pe cineva)* să reducă *(prețul)* **6** a adjudeca *(la licitație)*

knocker ['nɔkə'] *s* **1** ciocan *sau* inel de metal *(cu care se bate la ușă)* **2** *amer* ← *F* criticastru

knock in ['nɔk 'in] *vt cu part adv* a bate *(un cui etc.) (până când intră)*

knock-kneed ['nɔk ni:d] *adj* cu picioare strâmbe *(în formă de x)*

knock off ['nɔk 'ɔ(:)f] **I** *vi cu part adv* **1** a înceta lucrul **2** a micșora viteza **II** *vt cu part adv* **1** a reduce, a scădea *(din preț)* **2** a scrie/a compune la repezeală **3** a înjgheba, a înfiripa **4** *F* a face felul *(cuiva),* a omorî **5** a istovi **6** *F* a șterpeli, a sfeterisi, – a fura **7** ← *F* a jefui, a prăda

knock-out ['nɔk aut] *s* **1** knock-out *(la box)* **2** lovitură doborâtoare **3** *sl (d. oameni)* o comoară, o bogăție; *(d. lucruri)* o grozăvie, o minune

knock out ['nɔk 'aut] *vt cu part adv* **1** *sport* a face knock-out **2** *F* a face praf, a lăsa tablou/cu gura căscată **3** *(d. droguri)* a adormi **4** a scoate *(din competiție)* **5** *F* a zdrăngăni, – a cânta prost

knock together ['nɔk tə'geðə'] **I** *vt cu part adv* **1** a face repede *sau* de mântuială **2** a înjgheba; a asambla, a monta **II** *vi cu part adv (d. crăci etc.)* a se lovi unul de altul

knock under ['nɔk 'ʌndə'] *vi cu part adv* a ceda, a se supune

knock-up ['nɔk ʌp] *s sport* joc de antrenament

knock up ['nɔk 'ʌp] *vt cu part adv* **1** a trezi, a deștepta *(prin ciocă-nituri)* **2** a arunca/a azvârli în sus printr-o lovitură **3** a face repede/la repezeală *(o mâncare etc.);* a încropi, a înjgheba **4** *F* a slei, a scoate din circulație, – a epuiza

knoll [noul] *s* **1** colină, movilă, dâmb **2** creastă, vârf *(de munte)*

knot [nɔt] *I s* **1** nod; buclă; **to make a ~** a face un nod; **to cut the ~** *fig* a tăia nodul gordian; **to tie oneself (up) in(to) a ~** *fig* a intra într-o încurcătură; **to get tied (up) into ~s** a se zăpăci, a-și pierde capul; **to tie smb (up) in ~s** a zăpăci pe cineva **2** fundă, fundiță **3** *fig* nod, miez *(al unei probleme)* **4** *fig* legătură *(a căsătoriei etc.)* **5** nod, ciot *(în lemn)* **6** grup, ceată; mănunchi **7** *nav* nod marin **8** *el* buclă **9** *text* nod; defect de fir **II** *vt* **1** a înnoda **2** a lega *(un pachet etc.)* **III** *vi* a face/a forma noduri

knot grass ['nɔt ˌgra:s] *s bot* troscot *(Polygonum aviculare)*

knot hole ['nɔt ˌhoul] *s* gaură de nod *(în lemn)*

knotty ['nɔti] *adj* **1** cu noduri, < plin de noduri **2** *(d. lemn)* cu noduri, noduros, cioturos

knotweed ['nɔt,wi:d] *s bot* **1** *v.* **knot grass 2** centaurea, dioc *(Centaurea sp.)*

knout [naut] *s rus* cnut

know [nou] **I** *pret* **knew** [nju:], *ptc* **known** [noun] *vt* **1** *(cu inf precedate de adv și pron completive directe)* a ști; **to ~ a thing or two/the ropes/one's onions** *F* a se pricepe la câte ceva; a fi trecut prin sită și dârmon; **to ~ what one is talking about** a ști ce spune; a vorbi din experiență; **to ~ one's mind** a ști ce vrea; **to ~ all the answers** *peior* a avea răspuns la toate, a fi atoate-știutor; **you ~** *(ca întăritor)* știi; știți; **he ~s what to say** știe ce să spună; **do you ~ how to play tennis?** (știi să) joci tenis? **I ~ (that) you are right** știu că ai dreptate; **I ~ you to be hardworking** știu că ești muncitor (din fire); **I don't ~ if/whether I'll be able to attend** nu știu dacă voi putea participa/asista **2** *(cu s și pr)* a ști, a cunoaște; **he**

doesn't ~ English nu cunoaște engleza, nu știe englezește; **do you ~ him?** îl cunoști? **to ~ by sight** a ști/a cunoaște din vedere *(pe cineva);* **to ~ by name** a ști/a cunoaște după nume *(pe cineva)* **3** a ști, a cunoaște, a se pricepe la, a fi priceput în *(o meserie etc.)* **4** a cunoaște, a face cunoștință cu; **I'd like to ~ him** aș dori să-l cunosc **5** a recunoaște; a-și reaminti; **I'm afraid I won't ~ her** nu cred că am s-o recunosc/că am să mi-o reamintesc **6** a fi în stare să recunoască/să deosebească/să distingă *sau* să aprecieze *(o operă de valoare etc.)* **7** a cunoaște *(zile mai grele etc.)*, a avea experiența *(cu gen);* a fi trecut prin **8** *pas v. ptc* **known as** *și* **to II** *vi* a ști; a cunoaște **III** *s:* **to be in the ~** ← *F* a fi la curent; a cunoaște problema *sau* situația

knowable ['nouəbl] *adj* **1** care poate fi cunoscut, cognoscibil **2** care se poate recunoaște **3** sociabil; prietenos

know about ['nou ə,baut] *vi cu prep* a ști de(spre)

know-all ['nouɔ:l] *s și peior* atot-cunoscător; *F* vulpoi bătrân

know better (than) ['nou 'betə (ðæn)] *vi cu adv (și conj sau prep)* **1** a fi mai prudent/prevăzător (decât) **2** a avea destulă minte *sau* experiență (ca să nu) **3** a ști mai multe (decât)

know from ['nou frəm] *vt cu prep* a distinge/a deosebi de; a distinge/a deosebi între, a face (o) deosebire între; **he doesn't know a sparrow from a swallow** nu deosebește o vrabie de o rându-nică; **I don't know him from Adam** *F* habar n-am cine este

know-how ['nouhau] *s* **1** pricepere, îndemânare, abilitate **2** secret profesional; secret de producție

knowing ['nouiŋ] **I** *adj* **1** informat, care știe, care se pricepe **2** cunoscător, priceput; abil **3** *(d. priviri)* semnificativ, cu înțeles **II** *s* **1** cunoaștere, (bună) știință; **there is no ~ when he will come** nu se știe când va veni; **I avoided her ~ about it** n-am vrut ca ea să știe despre asta **2** înțelegere, pricepere; putere de înțelegere

knowingly ['nouiŋli] *adv* **1** con-știent, cu bună știință; intenționat **2** *(a privi etc.)* cu înțeles **3** priceput, iscusit, meșteșugit, cu pricepere/măiestrie

know-it-all ['nouit'ɔ:l] *s v.* **know-all**

knowledge ['nɔlidʒ] *s* **1** cunoaștere, cunoștințe; informație; < erudiție; **he has a good ~ of French** are cunoștințe serioase de (limba) franceză, stăpânește franceza, cunoaște bine limba franceză **2** cunoștință, știință; **to (the best of) my ~** după câte știu; **she did it without my ~** a făcut-o fără știrea mea/fără să știu eu **3** cunoaștere; familiaritate; **my ~ of Mr X. is slight** nu prea îl cunosc pe domnul X **4** știre, veste

knowledgeable ['nɔlidʒəbl] *adj* ← *F* (bine) informat, versat

known [noun] *ptc de la* **know I-II; to make oneself ~** a se face cunoscut

known as ['noun əz] *ptc cu prep* cunoscut ca, având reputația de

know-nothing [nou'nʌθiŋ] *s* **1** ignorant, neștiutor **2** *filos* agnostic

known to ['noun tə] *ptc cu prep* cunoscut de (către)

know of ['nou əv] *vi cu prep* a ști de(spre); a fi auzit de(spre) **"Has he been there?" "Not that I ~"** – A fost acolo? – (Eu unul) nu știu

knuckle ['nʌkəl] *I s* **1** articulație, încheietură *(a degetului)* **2** *tehn* articulație, încheietură **3** *tehn* clichet de cuplare **4** *nav* cot **5** *pl* box *(armă albă)* **II** *vt* a lovi cu degetul *(cu articulația degetului)*

knuckle down to ['nʌkəl 'daun tə] *vi cu part adv și prep* ← *F* a se apuca serios de

knuckles ['nʌkəlz] *s pl* arșice

knuckle under ['nʌkəl 'ʌndə] *vi cu part adv* a ceda, a se supune

knurl ['nə:l] *I vt tehn* a moleta; a zimțui **II** *s* nod; ciot

koala [kou'a:lə] *s zool* koala *(Phascolarctos cinereus)*

kodak ['koudæk] *s* aparat de foto-grafiat *(mic)*

kohl ['koul] *s arab* fard de ochi

kohlrabi ['koul'ra:bi] *s bot* gulie *(Brassica oleracea gongylodes)*

koksagyz [kouk'sægi:z] *s bot* coc-sacâz *(Taraxacum kok-saghyz)*

Kola Peninsula, the ['koulə
pi'ninsju:lə, ðə] Peninsula Kola
kolkhoz [kɔl'hɔːz] *s* colhoz
Komsomol [ˌkɔmsə'mɔl] *r rus* com-
somol
Kongo, the ['kɔngou, ðə] *stat şi fluviu*
Congo
kook [kuːk] *s amer sl* ţăcănit, ţicnit,
scrântit
kope(c)k ['koupek] *s rus* copeică
kopje, koppie ['kɔpi] *s* colină, dâmb
(în Africa de Sud)
Koran, the [kɔː'rɑːn, ðə] *s rel* Coran
Koranic [kɔː'rɑːnik] *adj rel* de Coran,
al Coranului
Korea [kə'riːə] *ţară* Coreea
Korean [kə'riːən] **I** *adj* coreean **II** *s* **1**
coreean **2** (limba) coreeană
Kosciusko [ˌkɔsi'ʌskou], **Thadde-
nus** *om de stat polonez* Kos-
ciuszko *(1746-1817)*
kosher ['kouʃəʳ] *adj bis şi fig F* cuşer
Kossuth ['kɔʃuːt], **Louis** *om de stat
ungur* Lajos/Ludovic Kossuth
(1802-1894)
kotow ['kau'tau] *s, vi v.* kowtow

kowtow ['kau'tau] **I** *s şi fig* ploconire
II *vi* (**to**) a se ploconi *(în faţa – cu
gen)*
kraal [krɑːl] *s (în Africa de Sud)* **1**
kraal, sat african *(împrejmuit cu
gard)* **2** locuitor al unui kraal **3** ţarc
Krakatoa ['krɑːkə'touə] *insulă în
Indonezia*
Krakow ['krʌkuf] *oraş în Polonia*
Cracovia
Krasnodar [krəsnʌ'dɑʳ] *oraş în fosta
U.R.S.S.*
Kremlin, the ['kremlin, ðə] *şi pol*
Kremlin(ul)
kris [kris] *s* kris, pumnal malaiez
Krishna ['kriʃnə] *mit* Krişna
krona ['krounə], *pl* **kroner** ['krounə]
s krona, coroană suedeză
krone ['krounə], *pl* **kronen** ['krounən]
s krone, coroană daneză *sau*
norvegiană
krypton ['kriptɔn] *s ch* cripton
kt. *presc de la* **karat**
Kt. *presc de la* **Knight**
Kuban, the [kuː'bɑːn, ðə] *râu în fosta
U.R.S.S.*

kudos ['kjuːdɔs] *s* ← *F* glorie, cinste
şi onoare; slavă, faimă
Kuibyshev ['kujbiʃəf] *oraş şi regiu-
ne în fosta U.R.S.S.* Kuibâşev
Ku Klux Klan ['kuː 'klʌks 'klæn] *s pol*
Ku Klux Klan *(în S.U.A.)*
kulak ['kuːlæk] *s* chiabur *(în Rusia)*
Kurd [kəːd] *s* kurd
Kurdish [kəːdiʃ] **I** *adj* kurd **II** *s* limba
kurdă
Kurile Islands, the [kuː'riːl 'ailəndz,
ðə] Insulele Kurile
Kursk [kursk] *oraş şi regiune în
fosta U.R.S.S.*
kurus [kuː'ruːʃ] *s şi pl turc* kuruş *(a
suta parte dintr-o livră)*
Kuwait [kuː'weit] Kuweit
kvas(s) [kvɑːs] *s rus* cvas
kw. *presc de la* **kilowatt**
kyak [kai'æk] *s v.* kayak
Kyd [kid], **Thomas** *autor dramatic
englez (1558-1594)*
kymograph ['kaiməgrɑːf] *s med, fon*
chimograf, kimograf
Kymric ['kimrik] *adj* cimric; velş
Kyoto [ki'outou] *oraş în Japonia*
Kyzil Kum [ki'zil 'kum] *v.* Kizil Kum

L

L, l [el] *s* (litera) L, l

L., l *presc de la* **1** lady **2** lake **3** land **4** law **5** latitude **6** left **7** libra (pound) **8** line **9** litre **10** lord

L. *presc de la* **Latin**

la [lɑ:] *s muz* (nota) la

L.A. *presc de la* **1 Legislative Assembly 2** ← *F* **Los Angeles**

La *presc de la* **Louisiana**

lab [læb] *s F v.* **laboratory**

Lab *presc de la* **Labour party**

labefaction [ˌlæbiˈfækʃən] *s* **1** zdruncinare, slăbire **2** prăbușire, cădere

label [ˈleibəl] *s* **1** etichetă; inscripție; denumire **2** *fig* etichetă; semn distinctiv; *tehn* etichetă, marca fabricii **3** *tehn* plumb de garanție **II** *vt* **1** a eticheta, a pune o etichetă/o inscripție pe; a marca **2** *fig* a eticheta, a califica, a caracteriza

labelled [ˈleibəld] *adj tehn* marcat

labeller [ˈleibələ] *s tehn* mașină de etichetat

labial [ˈleibiəl] *fon* **I** *adj* labial **II** *s* sunet labial

labialization [ˌleibiəlaiˈzeiʃən] *s fon* labializare

labile [ˈleibil] *adj ch etc.* labil, instabil

labio-dental [ˌleibiouˈdentəl] *fon* **I** *adj* labio-dental **II** *s* sunet labiodental

labio-velar [ˌleibiouˈviːlə] *fon* **I** *adj* labio-velar **II** *s* sunet labio-velar

labor... [ˈleibə] *amer v.* **labour...**

laboratory [ləˈbɒrətəri] *s* laborator

Labor Day [ˈleibə ˌdei] *s* Ziua muncii (*în S.U.A., prima luni din septembrie*)

laborious [ləˈbɔːriəs] *adj* **1** (*d. muncă*) laborios, greu, încordat **2** (*d. cineva*) laborios, muncitor **3** (*d. stil*) greoi

laboriously [ləˈbɔːriəsli] *adv* laborios, cu trudă/efort

labour [ˈleibə] *s* **1** muncă; trudă, efort; lucru; **forced ~** muncă forțată **2** clasa muncitoare, muncitorii; **L~ and Capital** munca și capitalul **3** produs al muncii **4** *fig* strădanie, silință, caznă; **lost ~** trudă zadarnică **5** ↓ *pl* durerile facerii, chinurile nașterii **6** *pl* grijile vieții; grijile *sau* preocupările zilnice/cotidiene

II *vi* **1** a trudi; a munci; a lucra **2** a fi în chinurile nașterii/durerile facerii **III** *vt* a munci la (*un plan dificil etc.*) a elabora *sau* a redacta *sau* a expune amănunțit

Labour [ˈleibə] *s pol* partidul laburist (*în Anglia*)

labour along [ˈleibər əˈlɒŋ] *vi cu part adv* a înainta cu greu

laboured [ˈleibəd] *adj* **1** (*d. respirație etc.*) greu, greoi **2** (*d. stil. etc.*) laborios; artificial

labourer [ˈleibərə] *s* **1** muncitor (↓ *salariat*) **2** muncitor necalificat

labour exchange [ˈleibər iksˈtʃeindʒ] *s v.* **labour market**

labour for [ˈleibə fə] *vi cu prep* **1** a lupta pentru (*o cauză*) **2** a se căzni să-și recapete (*respirația*)

labouring [ˈleibəriŋ] *adj* **1** muncitor, truditor **2** (*d. respirație*) îngreunat

labourist [ˈleibərist] *s pol* laburist

labourite [ˈleibəˌrait] *s pol* laburist

labourless [ˈleibəlis] *adj* ușor, care nu cere efort

labour market [ˈleibə ˌmɑːkit] *s* piața brațelor de muncă

labour party [ˈleibə ˌpɑːti] *s* **1** partid muncitoresc **2 the L~ P~** Partidul Laburist

labour protection [ˈleibə prəˈtekʃən] *s* protecția muncii

labour-saving [ˈleibəˌseiviŋ] *adj* care face *sau* presupune economie de (brațe de) muncă

labour-saving device [ˈleibəˌseiviŋ diˈvais] *s tehn* dispozitiv mecanic

labour through [ˈleibə θruː] *vi cu prep* a înainta cu greu prin

labour under [ˈleibər ˌʌndə] *vi cu prep* a fi victima, a suferi din cauza (*cu gen*); a se afla sub influența (*cu gen*); a trebui să lupte cu (*greutăți*); **to ~ a delusion/an illusion** a-și face iluzii; a fi prada/victima unei iluzii; **to ~ a disease** a fi chinuit de o boală

labra [ˈleibrə] *pl de la* **labrum**

Labrador [ˈlæbrəˌdɔː] *peninsulă*

Labrador Current, the [ˈlæbrəˌdɔːˈkʌrənt, ðə] Curentul Labradorului

labrum [ˈleibrəm] *pl* **labra** [ˈleibrə] *s ent* buză superioară

laburnum [ləˈbəːnəm] *s bot* bobițel; salcâm galben (*Cytisus laburnum*)

labyrinth [ˈlæbərinθ] *s* **1** *tehn etc.* labirint **2** *fig* impas; situație fără ieșire **3** *fig* labirint, încurcătură

labyrinthic [ˌlæbəˈrinθik] *adj v.* **labyrinthine**

labyrinthine [ˌlæbəˈrinθain] *adj* **1** labirintic, de labirint **2** *fig* încurcat, încâlcit

lac [læk] *s ch* lac

lace [leis] **I** *s* **1** dantelă, horbotă **2** șiret (de pantofi); șnur **3** panglică **4** *mil* tresă **5** rețea, plasă **6** lichior *sau* coniac (adăugat la cafea) **II** *vt* **1** a lega cu șireturi (*pantofii*) **2** a înfrumuseța; a lega *etc.* cu dantelă *etc.* **3** a lega cu sfoară *sau* frânghie **4** a dunga, a vărga **5** a bate; a biciui **6** a adăuga lichior *sau* coniac la **III** *vi* a fi prevăzut cu șireturi

lace boots [ˈleis ˌbuːts] *s pl* ghete cu șireturi

Lacedaemonian [ˌleisdiˈmouniən] *adj, s* spartan

lacer [ˈleisə] *s text* igliță

lacerate [ˈlæsəreit] *vt* **1** a rupe, a sfâșia **2** a chinui, a tortura **3** a schilodi, a nenoroci

laceration [ˌlæsəˈreiʃən] *s* **1** rupere, sfâșiere **2** chin, tortură **3** *med* rană anfractuoasă

lacery [ˈleisəri] *s* dantelă; dantelărie

laches [ˈlætʃiz] *s* **1** *jur* nerespectare a termenului legal; întârziere nejustificată **2** incurie; neglijență; nepăsare

lachrymal [ˈlækriməl] *adj anat* lacrimal

lachrymose [ˈlækriˌmous] *adj* **1** lăcrămos, înlăcrămat **2** plângăreț, lăcrămos

lacing [ˈleisiŋ] *s* **1** panglici, dantelărie; pasmanterie **2** bătaie; biciuire

lack [læk] **I** *s* **1** (**of**) lipsă, nevoie, trebuință (de); **for ~ of** din lipsă de, neexistând **2** articol care lipsește; **water is the chief ~** principalul articol care lipsește este apa **3** lipsă, neajuns **II** *vt* **1** a-i lipsi, a nu avea; **we ~ water**

ne lipseşte apa, nu avem apă **2** a avea (< mare) nevoie de, a-i trebui **III** *vi (la aspectul continuu)* a lipsi, a fi lipsă, a nu exista, a nu se găsi; **wine was not ~ing** vinul nu lipsea, era vin din belşug

lackadaisical [ˌlækəˈdeizikəl] *adj* **1** ← *rar* galeş, plin de dor; sentimental **2** afectat **3** indiferent, nepăsător; apatic **4** lipsit de energie, pasiv

lackadaisically [ˌlækəˈdeizikəli] *adv* (în mod) apatic, cu indiferenţă

lackey [ˈlæki] *s şi fig* lacheu

lack for/in [ˈlæk fəʳ/in] *vi cu prep v.* **lack II**

lacking [ˈlækiŋ] *adj* **1** absent, lipsă, care nu se găseşte **2** *F* slab de minte/cap // **to be ~ in** a-i lipsi, a avea nevoie de *(ceva)*

lackland [ˈlæklənd] *adj* fără pământ; fără ţară

Laconian [ləˈkouniən] *adj, s* spartan

laconic [ləˈkɔnik] *adj* laconic; concis

laconically [ləˈkɔnikəli] *adv* laconic; concis

laconism [ˈlækəˌnizəm] *s* laconism, exprimare laconică; concluzie

lacquer [ˈlækəʳ] **I** *s* **1** lac; firnis, vernis **2** articole de lac **II** *vt* a lăcui

lacquey [ˈlæki] *s şi fig* lacheu

lacrimal [ˈlækriməl] *adj v.* **lachrymal**

lacrimose [ˈlækriˌmous] *adj v.* **lachrymose**

lacrosse [ləˈkrɔs] *s joc cu mingea, asemănător cu hocheiul (în S.U.A.)*

lactase [ˈlækteis] *s ch* lactază

lactate [ˈlækteit] **I** *s ch* lactat **II** *vt* a alăpta

lactation [lækˈteiʃən] *s* **1** lactaţie, secreţie a laptelui **2** alăptare, lactaţie

lactic acid [ˈlæktik ˌæsid] *s ch* acid lactic

lactometer [lækˈtɔmitəʳ] *s* lactometru

lactose [ˈlæktous] *s ch* lactoză

lacuna [ləˈkjuːnə], *pl şi* **lacunae** [ləˈkjuːniː] *s* lacună, întrerupere *(într-un text)*

lacustrine [ləˈkʌstrain] *adj* lacustru

lacy [ˈleisi] *adj* **1** de dantelă/panglică **2** dantelat

lad [læd] *s* băieţaş, băiat; tânăr; flăcău

ladder [ˈlædəʳ] **I** *s* **1** scară (mobilă); **the ~ of success** scara succesului **2** *tehn* bridă **3** *constr* elindă **4** ochi deşirat *(la ciorapi)* **II** *vi (d. ciorapi)* a se deşira

ladder chain [ˈlædə ˌtʃein] *s tehn* lanţ de cârlige

ladder-proof [ˈlædə ˌpruːf] *adj (d. ciorapi)* indeşirabil, care nu se deşiră

ladder scaffold [ˈlædə ˌskæfəld] *s constr* schelă de faţadă

laddie, laddy [ˈlædi] *s scot* băieţaş, flăcăuaş; flăcău

lade [leid] *vt* a încărca, a umple

laden [ˈleidən] *adj* (**with**) încărcat, plin (de); **~ with sorrow** copleşit de durere

lader [ˈleidəʳ] *s nav* încărcător, hamal

ladida [ˌlɑːdiːˈdɑː] **I** *adj* afectat, care îşi dă aere **II** *s* filfizon, fante

ladies (*amer room*) [ˈleidiz (ˌruːm)] *s* toaletă pentru femei

ladies man [ˈleidiz ˌmæn] *s v.* **lady's man**

lading [ˈleidiŋ] *s* încărcătură, *nav şi* caric, navlu

ladle [ˈleidəl] **I** *s* **1** lingură mare, polonic **2** *tehn* cupă, benă **3** *constr* canciog **4** *met* lingură *sau* oală de turnare **II** *vt* a scoate cu lingura mare/polonicul

ladleful [ˈleidəlful] *s* lingură mare *(plină)*, polonic *(plin)*

ladle out [ˈleidəl ˈaut] *vt cu part adv* **1** *v.* **ladle II 2** a împărţi *(premii etc.)*

Ladoga [ˈlʌdəgə] *lac*

lady [ˈleidi] **I** *s* **1** **L~** *(cu nume proprii)* lady, Lady *(soţie sau fiică de lord)* **2** doamnă **3** doamnă, stăpână; **my ~** stăpână *(în vorbirea servitorilor unei lady)*: **Our L~** *rel* Stăpâna noastră, Fecioara Maria **4** doamna inimii cuiva, iubită **5** *F* nevastă *sau* – mamă: **the old ~** a mama, bătrâna **b** nevasta **6** stăpână, gospodină **7** *pl (numai ca adresare)* doamnelor: **ladies and gentlemen** doamnelor şi domnilor **8** *pl* (toaletă pentru) doamne, femei **II** *adj atr* feminin; de femeie *etc.*: **the ~ help** ajutoarea gospodinei

lady bird [ˈleidi ˌbəːd] *s ent* buburuză *(Coccinella septempunctata)*

lady bug [ˈleidi ˌbʌg] *s v.* **lady bird**

Lady Day [ˈleidi ˌdei] *s rel* Buna Vestire *(25 martie)*

lady dog [ˈleidi ˌdɔg] *s* căţea

lady fly [ˈleidi ˌflai] *s v.* **lady bird**

ladyfy [ˈleidiˌfai] *vt* **1** *F* a face o doamnă din **2** a numi „doamnă" *(pe cineva)*

ladyhood [ˈleidiˌhuːd] *s* **1** calitatea de doamnă **2** femeile

lady-in-waiting [ˈleidiinˈweitiŋ] *s* doamnă de onoare *(a reginei)*

lady killer [ˈleidi ˌkiləʳ] *s* favorit al femeilor, seducător

ladykin [ˈleidiˌkin] *s dim* domnişorică

ladylike [ˈleidiˌlaik] *adj* **1** *(d. o femeie)* de lady; bine-crescută **2** *(d. un bărbat)* efeminat **3** feminin; (ca) de femeie

lady love [ˈleidi ˌlʌv] *s* iubită

lady of the bedchamber [ˈleidi əv ðə ˈbedˌtʃeimbəʳ] *s v.* **lady-in-waiting**

Lady of the Lake, the [ˈleidi əv ðə ˈleik, ðə] *s lit* „doamna lacului", Vivian *(în legendele arthuriene)*

lady's comb [ˈleidiz ˌkoum] *s bot* acul doamnei *(Scandix pecten-veneris)*

lady's delight [ˈleidiz diˌlait] *s bot* viorele sălbatice *(Viola canina)*

Lady's finger [ˈleidiz ˌfiŋgəʳ] *s bot* vătămătoare *(Anthylis vulneraria)*

ladyship [ˈleidiˌʃip] *s* calitatea de lady; **your ~/L~** doamnă, *rar* ~ înălţimea voastră

lady's maid [ˈleidiz ˌmeid] *s* cameristă

lady's man [ˈleidiz ˌmæn] *s* cavaler; curtezan, don juan

La Fontaine [lʌ fɔ̃ˈten], **Jean de** fabulist francez (1621-1695)

lag¹ [læg] **I** *vi* a zăbovi; a rămâne în urmă; a întârzia **II** *s* zăbovire; rămânere în urmă; întârziere

lag² *s* **1** doagă **2** şipcă **II** *vt* **1** a pune doage *sau* şipci la **2** *tehn* a căptuşi cu izolaţie termică

lag³ *sl* **I** *s* **1** condamnat, deţinut **2** pedeapsă cu moartea **II** *vt* **1** a întemniţa **2** a aresta

lager (beer) [ˈlɑːgə ˌbiəʳ] *s* bere lager/tare *(germană)*

Lagerlöf [ˈlɑːgərˌløːv], **Selma** romancieră suedeză (1858-1940)

laggard [ˈlægəd] *s* om leneş *sau* încet/*F* → mocăit

lagging [ˈlægiŋ] *s* **1** încetinire, întârziere, rămânere în urmă **2** *el* strat izolator **3** *tehn* manta, înveliş de protecţie **4** *min* căptuşeală

lagoon [ləˈguːn] *s geogr* lagună

Lagos [ˈleigɔs] *capitala Nigeriei*

lagune [ləˈguːn] *s v.* **lagoon**

laic ['leiic] *adj, s* laic, mirean

laical ['leiikəl] *adj v.* **laic**

laicize ['leii,saiz] *vt* a laiciza; a seculariza

laid [leid] *pret și ptc de la* **lay**[1]

laid paper ['leid ,peipə^r] *s poligr* hârtie liniată

lain [lein] *ptc de la* **lie**[1]

lair ['lɛə^r] **I** *s* 1 vizuină, bârlog; adăpost, culcuș 2 *agr* natura *sau* structura solului **II** *vi* a se retrage în vizuină/bârlog

laird ['lɛəd] *s scot* moșier

laissez-faire policy [lesəˈfɛːr ˈpolisi] *s* politică de neamestec *(a guvernului)*

laity ['leiiti] *s* 1 *bis* laici, mireni 2 profani; nespecialiști

lake[1] [leik] *s* 1 lac; iaz, eleșteu; iezer 2 ghiol 3 **the Lakes** lacurile *din* **the Lake Country**

lake[2] *s text* lac, pigment

Lake Country/District, the ['leik ,kʌntri/'distrikt, ðə] Țara Lacurilor *(în Anglia)*

lake dweller ['leik ,dwelə^r] *s* locuitor lacustru

lake dwelling ['leik ,dweliŋ] *s* locuință lacustră

Lake poets, the ['leik ,pouts, ðə] *s* „poeții lacurilor/lachiști" *(Wordsworth, Coleridge și Southey)*

lakh [lɑːk] *s* o sută de mii de rupii *(în India)*

laky ['leiki] *adj* cu multe lacuri

la-la ['lɑːla] *adj F* așa și așa, nu (prea) grozav

lallation [læˈleiʃən] *s* pronunția greșită a sunetului **l** *ca* **r** *sau* **w** *sau* a lui **r** *ca* **l**

lam [læm] *vt s/* a cotonogi, a burduși, a bate măr

lama[1] [lɑːmə] *s bis* lama, preot budist

lama[2] *s v.* **llama**

Lamaism ['lɑːmə,izəm] *rel* lamaism

Lamartine [lʌmʌrˈtiːn], **Alphonse** *poet francez (1790-1869)*

lamasery ['lɑːməsəri] *s* lamaserie, mânăstire de lama

lamb [læm] **I** *s* 1 miel 2 (carne de) miel 3 *fig* miel(ușel), om blând 4 *fig F* ageamiu, – nepriceput, om fără experiență **II** *vi* a făta miei

Lamb, Charles *eseist și critic englez (1775-1834)*

lamb ale ['læm ,eil] *s* tunsul mieilor *(sărbătoare anuală)*

lambast [læmˈbaːst], **lambaste** [læmˈbeist] *vt* 1 *F* a cotonogi, a burduși; – a se năpusti cu pumnii la 2 *fig F* a sări cu gura pe; a face ca pe o albie de porci

lambda ['læmbdə] *s* lambda *(a doua literă a alfabetului grecesc)*

lambdacism ['læmbdə,sizəm] *s v.* **lallation**

lambent ['læmbənt] *adj* 1 *(d. lumină etc.)* licăritor; pâlpâitor; jucăuș 2 *(d. ochi etc.)* lucitor, scânteietor 3 *(d. spirit)* scânteietor, sclipitor

Lambert ['læmbət] *nume masc*

Lambeth Palace ['læmbəθ 'pælis] *s* reședința din Londra a arhiepiscopului de Canterbury

lambkin ['læmkin] *s* mielușel *sau* mielușea; miel foarte tânăr

lamblike ['læm,laik] *adj și fig* (ca) de miel; ca un mielușel

lambskin ['læm,skin] *s* pielicică de miel

lamb's wool [læmz ,wuːl] *s text* lână miță

lame[1] [leim] **I** *s* 1 șchiop; olog; schilod; ~ **in/of one leg** șchiop de un picior 2 *fig* neconvingător, nesatisfăcător; **a ~ excuse** scuză neîntemeiată; pretext nevalabil 3 *(d. versuri)* care șchioapătă **II** *vt și fig* a schilodi

lame[2] *s tehn* defect

lame duck ['leim ,dʌk] *s* 1 ghinionist, om fără noroc 2 eșec, nereușită 3 speculant *(la bursă)* care a dat faliment; falit 4 *amer* membru al Congresului *etc.* care nu a mai fost reales 5 *av s/* avion deteriorat

lamella [ləˈmelə], *pl și* **lamellae** [ləˈmeliː] *s* 1 *biol* lamelă 2 *tehn* lamelă, foaie; placă 3 *min* lamelă, felie

lamellar [ləˈmelə^r] *adj* 1 *biol* lamelar 2 *tehn* folios, foliform

lamellate ['læmi,leit] *adj* lamelat

lamellibranchiate [lə,meliˈbrænkieit] *adj, s zool* lamelibranhiat

lamely ['leimli] *adv* 1 șchiopătând 2 fără finisare, nelucrat

lameness ['leimnis] *s* 1 șchiopătat; ologeală, ologire 2 *fig* imperfecțiune; defectuozitate

lament [ləˈment] **I** *vi* a se lamenta, a se tângui, a jeli; a plânge **II** *vt* a deplânge, a deplora, a regreta **III** *s* 1 lamentare, lamentație, tânguire; văitat 2 bocet 3 *lit* elegie; bocet

lamentable ['læməntəbəl] *adj* 1 deplorabil, de plâns, jalnic 2 *peior* lamentabil, jalnic, deplorabil; regretabil

lamentably [,læməntəbli] *adv peior* (în mod) lamentabil, jalnic

lamentation [,læmenˈteiʃən] *s* lamentare, lamentație *(v. și* **lament III***)*

lamented, the [ləˈmentid, ðə] *adj, s* regretatul, răposatul

lament for [ləˈment fə^r] *vi cu prep* a (de)plânge *(moartea cuiva etc.)*

lamenting [ləˈmentiŋ] *adj* 1 trist, abătut 2 *v.* **lamentable**

lament over [ləˈment ,ouvə^r] *vi cu prep* a se plânge de *(nenorociri etc.)*

lamia ['leimiə], *pl și* **lamiae** ['leimi,iː] *s* 1 vampir 2 vrăjitoare

lamina ['læminə], *pl și* **laminae** ['læmi,niː] *s* lamelă; foiță, foaie

laminate ['læmi,neit] **I** *vt* a lamina **II** *vi* a se lamina

laminated ['læmi,neitid] *adj* 1 *tehn* lamelar; laminat 2 *min etc.* foios

laminated coal ['læmi,neitid 'koul] *s min* cărbune lamelar

laminated paper ['læmi,neitid ,peipə^r] *s fot* hârtie dură

laminated wood ['læmi,neitid ,wud] *s tehn* lemn impregnat

lamination [,læmiˈneiʃən] *s* 1 laminare 2 *v.* **lamina**

lam into ['læm ,intə] *vi cu prep v.* **lam**

Lammas ['læməs] *s od* sărbătoarea recoltei *(1 august)*

lammergeier, lammergeyer ['læmə,gaiə^r] *s orn* vultur bărbos, vulturul mieilor *(Gypaetus barbatus)*

lamp [læmp] **I** *s* 1 lampă 2 felinar; lanternă 3 *el* corp de iluminat 4 *poetic* luminător *(soare, lună, astru)* **II** *vt* 1 a lumina 2 *s/* a se binocla la, a se zgâi la, – a privi/ a se uita la

lampad ['læmpæd] *s* 1 ← *poetic* sfeșnic 2 *v.* **lamp I, 4**

lampblack ['læmp,blæk] *s* 1 funingine 2 *ch* negru de fum 3 *tehn* calamină

lamper eel ['læmpər ,iːl] *s v.* **lamprey**

lampion ['læmpiən] *s* lampion

lamplight ['læmp,lait] *s* lumina lămpii; lumină artificială; **by ~** la lumina lămpii

lamplighter ['læmp,laitə'] *s* 1 lampagiu; **like a ~** într-o clipă/clipită 2 *amer* sul de hârtie pentru aprins *(lampa etc.)*

lamp oil ['læmp ,oil] *s* petrol lampant

lampoon [læm'pu:n] **I** *s* pamflet; satiră răutăcioasă **II** *vt* a scrie un pamflet *sau* pamflete împotriva *(cuiva)*

lampooner [læm'pu:nə'] *s* pamfletist, pamfletar

lampoonery [læm'pu:nəri] *s* pamflete

lampoonist [læm'pu:nist] *s v.* **lampooner**

lamp post ['læmp ,poust] *s* stâlp de felinar *(↓ de metal);* **between you and me and the ~** între noi (fie vorba), între patru ochi

lamp press ['læmp ,pres] *s el* soclu de lampă

lamprey ['læmpri] *s iht* (mreană cu) nouă ochi *(Petromyzon fluviatilis)*

Lanark(shire) ['lænək,ʃiə'] *comitat în Scoţia*

Lancashire ['læŋkə'ʃiə'] *comitat în Anglia*

Lancaster ['læŋkəstə'] 1 *oraş în Anglia* 2 *dinastie engleză (1399-1461)*

Lancastrian ['læŋ'kæstriən] *s* 1 locuitor din Lancashire 2 *ist* din casa de Lancaster

lance [la:ns] **I** *s* 1 *mil od* lance, suliţă 2 cange (de prins peşte) 3 *med* lanţetă; bisturiu; stilet 4 *mil od* lăncier, ulan călare **II** *vt* 1 *mil od* a străpunge cu lancea 2 *med* a deschide cu lanţeta *(o venă)*

lance corporal ['la:ns ,kɔ:pərəl] *s mil* caporal subordonat

Lancelot ['la:nslət] *cavaler al Mesei Rotunde*

lanceolate ['la:nsiə,leit] *adj bot* lanceolat

lancer ['la:nsə'] *s mil od* lăncier

lance sergeant ['la:ns ,sa:dʒənt] *s mil* sergent subordonat

lancet ['la:nsit] *s* 1 *v.* **lance I,** 3 2 *met* rangă pentru destupat cuptorul 3 *arhit* arc în ogivă

lancet arch ['la:nsit ,a:tʃ] *s v.* **lance** 3

lancet window ['la:nsit ,windou] *s* fereastră în ogivă

land [lænd] **I** *s* 1 uscat, pământ *(ant* apă, mare); **on ~** pe uscat/pământ; **to travel by ~** a călători pe uscat; **to make ~** *nav* a se apropia de uscat/coastă 2 pă-

mânt, sol, teren; **sandy ~** pământ nisipos 3 pământ, teren; proprietate funciară; moşie 4 *fig* ţară, moşie, glie; pământ; **my native ~** patria mea 5 *fig* ţară, pământ, ţinut, *pl* meleaguri; **he had visited distant ~s** călătorise prin ţări depărtate 6 provincie, regiuni rurale 7 *ec* resurse/bogăţii naturale 8 *tehn* faţetă de ghidare // **to see how the ~ lies** a tatona terenul, a vedea cum stau lucrurile **II** *vi* 1 *nav* a debarca 2 *av* a ateriza 3 *nav* a ancora; a face escală 4 a sosi, a ajunge; a se pomeni *(într-un şanţ etc.);* a cădea; *F* a ateriza 5 *sport* a ajunge la potou **III** *vt* 1 *nav* a debarca 2 *amer ferov* a lăsa *(călători)* 3 a prinde şi a aduce la ţărm *(peşti)* 4 a pune mâna pe, a prinde, a captura *(un criminal etc.)* 5 a pune *(pe cineva)* într-o anumită situaţie; **to ~ smb in difficulty/trouble** a crea cuiva o situaţie dificilă, *F* a băga/a vârî pe cineva în belea/într-un bucluc/la apă 6 a trage, a aplica, a da *(o palmă etc.)* 7 a câştiga, a căpăta; a realiza

land agent ['lænd ,eidʒənt] *s* 1 administrator (de moşie) 2 misit care se ocupă cu vânzarea bunurilor imobile

land army ['lænd ,a:mi] *s* 1 armată de uscat 2 femeile care lucrează pe câmp *etc.* în vreme de război

landau ['lændɔ:] *s şi auto* landou

land bank ['lænd ,bæŋk] *s fin* bancă de credit funciar

land breeze ['lænd ,bri:z] *s* vânt/briză de uscat

land carriage ['lænd ,kæridʒ] *s* transport de uscat

land clearing ['lænd ,kliəriŋ] *s agr* defrişare

landed ['lændid] *adj* 1 care posedă pământ; **~ proprietor** proprietar de pământ; moşier 2 funciar; **~ property** proprietate agricolă/funciară

landed interest, the ['lændid ,intrist, ðə] *s* proprietarii de pământ; moşierii

landfall ['lænd,fɔ:l] *s* 1 *nav* apropiere de coastă; aterizare la coastă; apariţia pământului 2 moştenire neaşteptată *(teren etc.)* 3 alunecare *sau* surpare de teren

land forces ['lænd ,fɔ:siz] *s pl mil* trupe de uscat

landgrave ['lænd,greiv] *s od* landgraf, conte *(în Germania)*

landholder ['lænd,houldə'] *s* 1 proprietar de pământ 2 arendaş

landing ['lændiŋ] *s* 1 *nav* debarcare; acostare; aterizare la coastă 2 *av* aterizare 3 *nav* debarcader, loc de debarcare 4 *av* loc de aterizare 5 cădere *(într-un loc)* 6 *constr* palie, podest, odihnă

landing craft ['lændiŋ ,kra:ft] *s mil* navă de desant

landing field ['lændiŋ ,fi:ld] *s av* teren/câmp de aterizare

landing gear ['lændiŋ ,giə'] *s av* teren de aterizare

landing stage ['lændiŋ ,steidʒ] *s* 1 *nav* ponton-debarcader; chei de debarcare 2 *tehn* rampă de descărcare

landing troops ['lændiŋ ,tru:ps] *s pl mil* trupe de desant

landing zone ['lændiŋ ,zoun] *s* 1 *nav* zonă de debarcare 2 *av* raion de aterizare

land jobber ['lænd ,dʒɔbə'] *s* speculant de pământuri

landlady ['lænd,leidi] *s* 1 proprietăreasă *(a unei case pe care o dă cu chirie)*, gazdă 2 proprietăreasă, stăpână; gospodină 3 hangiţă; birtăşiţă 4 moşiereasă, moşieriţă *(care dă pământ în arendă)*

landless ['lændlis] *adj* 1 fără pământ 2 *(d. mare)* neţărmurit

land-locked ['lænd,lɔkt] *adj* 1 înconjurat de uscat(>aproape) din toate părţile 2 *(d. peşti)* de apă dulce

landloper ['lænd,loupə'] *s* vagabond

landlord ['lænd,lɔ:d] *s* 1 moşier, proprietar de pământ *(care dă pământ în arendă)* 2 proprietar *(al unei case pe care o dă cu chirie)*, gazdă 3 hangiu; birtaş

landlubber ['lænd,lʌbə'] *s (în limbajul marinarilor)* om de uscat; „marinar de uscat"

landmark ['lænd,ma:k] *s* 1 bornă de hotar, punct topografic 2 *top, geogr* baliză 3 *mil* (punct de) reper 4 *nav* reper la uscat; semn terestru 5 *fig* jalon; punct de cotitură; moment hotărâtor

land measurement ['lænd ,meʒəmənt] *s* geodezie

landocracy [,læn'dɔkrəsi] *s ← umor* aristocraţie agricolă

land office ['lænd ˌɔfis] *s amer* cadastru

Land of Promise, the ['lænd əv- 'prɔmis, ðə] *s bibl* Ţara/Pământul Făgăduinţei, Canaan

Landor ['lændəʳ], **Walter Savage** *scriitor englez (1775-1864)*

landowner ['lænd,ounəʳ] *s* proprietar de pământ

landrail ['lænd,reil] *s orn* cârstei *(Crex crex)*

land reclamation ['lænd 'reklə'meiʃən] *s agr* ameliorarea solului

land register ['lænd 'redʒistəʳ] *s* cadastru

landscape ['lænd,skeip] *s* peisaj

landscape architecture ['lænd- ,skeip ,a:ki'tektʃəʳ] *s* arhitectură peisageră/peisagistică

landscape gardening ['lænd,skeip ,ga:dəniŋ] *s* amenajarea parcurilor *sau* grădinilor

landscapist ['lænd,skeipist] *s* (pictor) peisagist

landsick ['lænd,sik] *adj* 1 căruia îi este dor de uscat/ţărm 2 *nav* care înaintează încet de-a lungul coastei

landslide ['lænd,slaid] *s* 1 alunecare de teren 2 *fig* triumf, victorie răsunătoare 3 *pol* majoritate zdrobitoare de voturi *(pt un candidat)*

landsman ['lændzmən] *s* 1 locuitor de uscat *(ant* marinar) 2 marinar neexperimentat

land survey ['lænd ,sə:vei] *s* ridicare topografică

land surveyor ['lænd ,sə:veiəʳ] *s* inginer de cadastru, inginer hotarnic; geodez

landward(s) ['lændwəd(z)] *adv* spre coastă, în direcţia uscatului

land wind ['lænd ,wind] *s* vânt de uscat

lane [lein] *s* 1 alee; cărare *(între garduri vii sau pomi)* 2 alee, străduţă, stradelă, stradă îngustă 3 *sport* culoar 4 trecere, pasaj; coridor 5 *av* coridor (aerian) 6 *nav* drum navigabil 7 *auto* fir, bandă *(de circulaţie)*

lang *presc de* **a language**

lang syne ['læŋ 'sain] *scot* I *adv* de mult, cândva II *s* vechime, zilele de altădată

language ['læŋgwidʒ] *s* 1 limbă; limbaj; vorbire; exprimare; **the Romanian ~** limba română;

scientific ~ limbaj ştiinţific; terminologie ştiinţifică; **he has a great command of ~** stăpâneşte bine limba, vorbeşte foarte frumos/curgător; **bad ~** vorbe injurioase, insulte, ocări; înjurături 2 limbă, exprimare, stil

languaged ['læŋgwidʒd] *adj* care cunoaşte o limbă *sau* mai multe limbi

language laboratory ['læŋgwidʒ lə'bɔrətəri] *s şcol* laborator fonetic

languid ['læŋgwid] *adj* 1 moale, fără energie/vlagă 2 pasiv, indiferent, apatic 3 *v.* **languishing** 5 4 *(d. o încercare etc.)* slab

languidly ['læŋgwidli] *adv* fără vlagă, moale, apatic, fără tragere de inimă

languish ['læŋgwiʃ] *vi* 1 a slăbi; a se ofili, a se stinge 2 (**for**) a tânji (după), a-i fi dor (de) 3 a lâncezi, a stagna 4 a suferi, a se chinui *(în închisoare etc.)*

languishing ['læŋgwiʃiŋ] *adj* 1 slab; care se ofileşte/se stinge 2 *(d. interes etc.)* din ce în ce mai mic 3 tânjitor; plin de dor; languros, galeş 4 trist; < chinuit 5 neinteresant, plictisitor, plicticos 6 *(d. moarte)* încet, lent

langour ['læŋgəʳ] *s* 1 slăbiciune, oboseală, epuizare 2 lene; pasivitate, indiferenţă, apatie 3 stagnare, lâncezeală 4 dor, alean

langourous ['læŋgərəs] *adj v.* **languishing** 1-3, 5

langourously ['læŋgərəsli] *adv* 1 languros; cu dor 2 melancolic, cu tristeţe

Lanier [lə'niəʳ], **Sidney** *poet american (1842-1881)*

lank [læŋk] *adj* 1 înalt şi slab, deşirat 2 *(d. păr)* neted, lins 3 *(d. iarbă)* rar

lankiness ['læŋkinis] *s* înălţime şi slăbiciune

lanky ['læŋki] *adv* 1 *v.* **lank** 1 2 *(d. braţe sau picioare)* lung şi subţire

lanolin(e) ['lænəlin] *s ch* lanolină

lantern ['læntən] *s* 1 felinar, lanternă 2 *constr* lanternă, lanternou

lantern-jawed ['læntən ,dʒɔ:d] *adj* cu obrajii scofâlciţi

lantern slide ['læntən ,slaid] *s fot* diapozitiv de sticlă

lanthanum ['lænθənəm] *s ch* lantan

lanthorn ['lænt'hɔːn] *s înv v.* **lantern**

lanyard ['lænjəd] *s* 1 şnur, sfoară 2 *nav* saulă de siguranţă 3 curea *(pt binoclu etc.)*

Laocoon [lei'ɔkou,ɔn] *mit*

Laos [lauz] *ţară*

Lao-tse/-tzu ['lau 'tzei/'tsu:] *filosof chinez* Lao-tzi *(604-531 î.e.n.)*

lap[1] [læp] *s* 1 poală; pulpană 2 poală, genunchi; **the boy sat on his mother's ~** băiatul şedea pe genunchii mamei sale 3 *fig* sân; **in nature's ~** în sânul naturii; **in the ~ of luxury** în lux/bogăţie; **in the ~ of the gods** la voia întâmplării; în voia soartei 4 *anat* lob (al urechii) 5 *geogr* şa

lap[2] I *s* 1 învelitoare, înveliş; pătură 2 joc, partidă; *sport* etapă 3 *text* înfăşurare pe cilindri *(la trenul de laminaj)* 4 *text* pânză groasă 5 *met* cusătură 6 *tehn* sculă de rodat/rodaj II *vt* 1 (**in**) a înveli, a împături, a înfăşura (în) 2 *met* a şlefui, a lepui 3 a suprapune, a îmbina, a face să se îmbuce 4 *sport* a depăşi *(adversarul)* cu o rundă III *vi* 1 (**round**) a se înfăşura (în jurul – *cu gen*) 2 a se suprapune, a se îmbina, a se îmbuca 3 *fig* a se ridica *(deasupra altora)*

lap[3] I *vt* 1 *v.* **lap up** 2 *(d. valuri etc.)* a lovi *(ţărmul)* cu un pleoscăit, a clipoci la *(ţărm)* II *vi* 1 *(d. valuri etc.)* a pleoscăi; a clipoci 2 a linge, a linchi 3 *(d. cineva)* a plescăi, a lipăi III *s* 1 plescăit, lipăit 2 plescăit, clipocit *(al apei)* 3 *sl* „apă chioară", – băutură slabă

laparotomy [,læpə'rɔtəmi] *s med* laparotomie

La Paz [læ 'pæz] *oraş în Bolivia*

lapboard ['læp,bɔ:d] *s* scândură aşezată pe genunchi *(servind drept masă)*

lap dog ['læp ,dɔg] *s* căţel de salon

lap-eared ['læp ,iəd] *adj* clăpăug, cu urechi clăpăuge

lapel [lə'pel] *s* rever

lapelled [lə'peld] *adj* cu revere

lapful ['læpful] *s* poală plină *(de fructe etc.)*

lapidary ['læpidəri] I *s* 1 şlefuitor de giuvaeruri 2 gravor în piatră II *adj* 1 lapidar, săpat în piatră 2 de piatră 3 de şlefuit 4 *fig* lapidar, concis

lapidate [,læpi'deit] *vt* a lapida, a ucide cu pietre

lapidation [ˌlæpi'deiʃən] *s* lapidare

lapis lazuli ['læpis 'læzju,lai] *s min* lapislazul; lazulit

lap-joint ['læp ˌdʒɔint] *v tehn* a îmbina prin suprapunere

Lapland ['læp,lænd] *regiune în nordul Europei* Laponia

Laplander ['læp,lændəʳ] *s* lapon

La Plata [lə'pla:tʌ] *oraş în Argentina*

Lapp [læp] *s* **1** lapon **2** (limba) laponă

lapped in ['læpt in] *adj cu prep fig* înconjurat de; învăluit în (ceaţă etc.)

lappet ['læpit] *s text* clapetă

Lappish ['læpiʃ] **I** *adj* lapon **II** *s* (limba) laponă

lapse [læps] **I** *s* **1** greşeală, eroare; lapsus **2** neglijare (a datoriei), delăsare **3** cădere, alunecare (în păcat) **4** curs, mers, scurgere (a timpului) **5** interval (de timp); perioadă **6** scădere a temperaturii *sau* presiunii **7** întrerupere, discontinuitate **8** *jur* decădere (a unui drept) **9** *fig* distrugere, nimicire; decădere, declin **II** *vi* **1** a decădea (moraliceşte), a se abate de la drumul drept **2** *jur* (d. un drept) a decădea, a-şi pierde valabilitatea **3** (d. timp) a se scurge, a trece **4** a pieri

lapse away ['læps ə'wei] *vi cu part adv v.* **lapse II, 3**

lapsed [læpst] *adj* **1** fost; apus; (d. cuvinte etc.) învechit **2** *jur* căzut în desuetudine, care nu mai este în vigoare **3** căzut în păcat

lapse into ['læps ˌintə] *vi cu prep fig* a cădea în: **to ~ illness** a se îmbolnăvi; **to ~ bad habits** a căpăta deprinderi proaste; **to ~ sin** a cădea în păcat

lapse rate ['læps ˌreit] *s* descreşterea temperaturii aerului (în funcţie de înălţime)

lapsus [læpsəs] *s v.* **lapse I, 1**

lapsus linguae ['læpsəs 'liŋgwai] *s lat* lapsus linguae

lap up ['læp'ʌp] *vt cu part adv* **1** a linchi, a lăpăi **2** a bea pe nerăsuflate, a sorbi, a suge; a mânca pe nerăsuflate, a hăpăi **3** *fig* a sorbi (cu lăcomie/nesaţ), a gusta din plin, a primi cu bucurie **4** *fig* a primi/accepta fără să judece

Laputa [lə'pju:tə] *insulă zburătoare în „Călătoriile lui Gulliver" (J. Swift)*

lapwing ['læp,wiŋ] *s orn* nagâţ, ciovlică (Vanellus vanellus)

larboard ['la:,bɔ:d] *s nav* babord

larcener ['la:sinəʳ] *s* hoţ

larceny ['la:sini] *s jur* furt

larch [la:tʃ] *s bot* zadă, larice (Larix sp.)

lard [la:d] **I** *s* untură (↓ de porc) **II** *vt* **1** a împăna cu slănină **2** a unge cu untură **3** *fig* a presăra (un discurs – cu citate etc.)

larder ['la:dəʳ] *s* **1** cămară **2** provizii (într-o casă)

lares ['lɛəri:z] *s pl mit* lari

large [la:dʒ] **I** *adj* **1** mare, spaţios; întins, vast; larg; încăpător; **a ~ office** un birou mare/încăpător; **as ~ as life a** în mărime naturală **b** în toată frumuseţea/splendoarea **c** cât e de mare **d** ← *umor* în persoană **2** mare, considerabil; **a ~ sum** o sumă mare/considerabilă/frumoasă; **a ~ population** o populaţie numeroasă **a ~ meal** o masă bogată/îmbelşugată; **with a ~ majority** cu o mare majoritate **3** larg, cuprinzător; **~ views** vederi largi **4** mare (producător, comerciant etc.) **5** vulgar, grosolan **6** (d. stil etc.) plin de vervă; avântat **7** ← *înv* darnic, generos **8** *nav* (d. vânt) favorabil **II** *adv* **1** cu litere mari, *reg* → maşcat **2** larg, cuprinzător **3** pompos, cu emfază; cu îngâmfare, trufaş **III** *s*: **at ~ a** liber, în libertate **b** pe larg, în amănunt, amănunţit **c** în general/totalitate **d** *amer pol* (d. un membru al Congresului) reprezentând un stat întreg **e** la întâmplare, în dreapta şi în stânga

large-eyed ['la:dʒ ,aid] *adj* **1** cu ochi mari **2** cu ochii holbaţi/căscaţi

large-handed ['la:dʒ,hændid] *adj* **1** cu mâini mari **2** *fig* darnic, mărinimos

large-hearted [la:dʒ ,ha:tid] *adj* **1** cu inimă largă, cu suflet mare; darnic, generos **2** binevoitor

large-heartedness ['la:dʒ,ha:tidnis] *s* **1** mărinimie, generozitate **2** bunătate; bunăvoinţă

large intestine, the ['la:dʒ in'testin, ðə] *s anat* intestinul gros

largely ['la:dʒli] *adv* **1** foarte mult, în mare măsură; **she is ~ to blame** ea e vinovată în mare măsură **2** cu dărnicie, generos **3** pe picior mare, luxos

large-minded ['la:dʒ,maindid] *adj* cu vederi largi; tolerant; *F* → descuiat

large-mindedness ['la:dʒ,maindidnis] *s* lărgime de orizont, vederi largi, lipsă de prejudecăţi; toleranţă

largen ['la:dʒən] ← *poetic* **I** *vt* a mări, a lărgi **II** *vr* a se mări, a se lărgi

largeness ['la:dʒnis] *s* **1** dimensiuni mari **2** vederi largi **3** mărinimie, generozitate

large-scale ['la:dʒ,skeil] *adj atr* **1** la scară mare; în mărime naturală **2** (pe scară) mare

large-scale industry, the ['la:dʒ ,skeil 'indəstri, ðə] *s ec* marea industrie

largess(e) [la:'dʒes] *s* ← *înv* **1** larcheţe, dărnicie **2** dar generos

larghetto [la:'getou] *s, adv muz* larghetto

largish ['la:dʒiʃ] *adj* destul de mare

largo ['la:gou] *s, adv muz* largo

lariat ['læriət] *s* lasso; arcan

lark[1] [la:k] *s orn* ciocârlie (Alauda arvensis)

lark[2] **I** *vi* a glumi; a se distra; a face strengării/pozne/năzbâtii **II** *vt* **1** a tachina; a necăji; a face haz pe socoteala (cuiva) **2** *sport* a sări (peste) (un gard etc.) **III** *s* glumă; năzbâtie, poznă; distracţie; **what a ~!** ce vesel! distracţie, nu glumă!

larksome ['la:ksəm] *adj F* nebunatic, zburdalnic, zvăpăiat

larkspur ['la:k,spəːʳ] *s bot* nemţişor, pintenaş (Delphinium sp.)

larky ['la:ki] *adj v.* **larksome**

larrikin ['lærikin] *s* ↓ *austr sl* haimana, huligan (tânăr)

larrup ['lærəp] *vt F* a trage o mamă de bătaie (cuiva), – a bate

Larry ['læri] *nume masc v.* **Laurence**

larva ['la:və], *pl* **larvae** ['la:vi:] *s ent, zool* larvă

larval ['la:vəl] *adj ent, zool* de larvă; larvar

laryngal [lə'riŋgəl] *adj (d. sunete)* laringal

laryngeal [ˌlærin'dʒi:əl] *adj anat* laringian

laryngitis [ˌlærin'dʒaitis] *s med* laringită

laryngotomy [ˌlærɪŋˈgɔtəmi] *s med* laringotomie

larynx [ˈlærɪŋks], *pl* și **larynges** [ləˈrɪndʒiːz] *s anat* laringe

lascar [ˈlæskəʳ] *s* marinar *sau* soldat din India

lascivious [ləˈsɪvɪəs] *adj* **1** *(d. cineva)* senzual **2** lasciv, care aţâţă simţurile

laser [ˈleɪzəʳ] *s fiz* laser

lash [læʃ] **I** *s* **1** bici; gârbaci **2** lovitură de bici; **to give smb** ~ a biciui pe cineva, a bate pe cineva cu biciul **3** critică aspră; dojană, mustrare **4** *anat* geană **5** *text* joc de fuse **II** *vt* **1** a biciui, a bate; a plesni **2** *fig* a biciui; a critica, a nu cruţa; a-şi bate joc, a-şi râde de **3** *fig (d. valuri etc.)* a lovi, a izbi *(ţărmul etc.)* **4** *fig* a biciui, a stimula; **the speaker ~ed his audience into fury** vorbitorul a izbutit să stârnească furia ascultătorilor

lashing [ˈlæʃɪŋ] **I** *s* **1** biciuire *etc.* (v. **lash II**) **2** *pl* ← *F* mulţime, cantitate mare; **~s of/to drink** *F* băutură berechet/gârlă; **strawberries with ~s of cream** ← *F* căpşuni cu foarte multă smântână **3** *nav* legătură; parâmă, socar **II** *adj fig* biciuitor; aspru

lash into [ˈlæʃ ˌɪntə] *vi cu prep* **1** a bate; a biciui *cu ac* **2** *fig* a critica aspru, a mustra, a certa

lash out [ˈlæʃ ˈaut] **I** *vt cu part adv* **1** a lovi cu putere, a pocni **2** *fig* a biciui; a critica aspru; a certa, a dojeni **II** *vi cu part adv* a vorbi urât, a arunca injurii în dreapta şi în stânga

lash out into [ˈlæʃ ˈaut ˌɪntə] *vi cu part adv* şi *prep* a izbucni în

lash to [ˈlæʃ tə] *vt cu prep* a lega strâns *(cu funia etc.)* de

lash together [ˈlæʃ təˈgeðəʳ] *vt cu part adv* a lega strâns

lash-up [ˈlæʃ ˌʌp] *s* aparat improvizat

lass [læs] *s scot* **1** fată; fetiţă **2** iubită, *P* mândră **3** servitoare, slujnică

lassie [ˈlæsi] *s scot v.* **lass 1**

lassitude [ˈlæsɪˌtjuːd] *s* oboseală; moleşeală; lâncezeală

lasso [ˈlæsou] *s* lasso; arcan

last¹ [lɑːst] **I** *adj* **1** ultim, (cel) din urmă *(dintr-o serie etc.)*; **the ~ time I saw him** ultima oară când l-am văzut; **his ~ novel** ultimul său roman *(autorul e mort)*; **~ but not least** ultimul, dar nu cel mai puţin

important **2** ultim; trecut *(ant* următor, viitor)*; ~ **Monday** lunea trecută; ~ **year** anul trecut, acum un an; **in the ~ few days** în ultimele zile, de câteva zile încoace; **in April** ~ în aprilie trecut; **this day** ~ **week** acum o săptămână; **the week before** ~ acum două săptămâni **3** ultim, care a mai rămas; **his** ~ **hope** ultima lui speranţă **4** ultim, cel mai puţin probabil *etc.;* **that's the** ~ **thing I should expect you to do** e ultimul lucru la care m-aş aştepta de la tine **5** ultim, final, definitiv; **my** ~ **word** ultimul meu cuvânt **6** ultim, cel mai recent, modern; **this is the** ~ **thing** *F* ăsta e ultimul cuvânt, – asta e ultima noutate **II** *adv* **1** ultimul, la sfârşit *(ant* primul, la început)*; **he was to speak** ~ el urma să vorbească ultimul **2** ultima oară/dată; **when I saw him** ~ când l-am văzut ultima oară **III** *pr* **the** ~ ultimul, ultima, ultimii, ultimele; **the** ~ **of the Mohicans** ultimul dintre mohicani, ultimul mohican; **I hope we've seen the** ~ **of him** sper să nu-l mai vedem niciodată; **he was the** ~ **to arrive** el a fost ultimul care a venit; **this is the** ~ **of the wine** e ultima sticlă, ultimul pahar *etc.* de vin **IV** *s:* **at (long)** ~ în cele din urmă, în sfârşit; **to/till the** ~ până la urmă/sfârşit; **to breathe one's** ~ a-şi da sfârşitul/ultima suflare

last² *vi* a dura, a dăinui, a ţine; **the money will** ~ **me another two months** banii o să-mi ajungă pentru două luni; **the weather ~ed fine** vremea s-a menţinut frumoasă/a continuat să fie frumoasă; **how long will it ~?** cât o să dureze?

last³ *s* calapod; **to stick to one's** ~ **a** a-şi menţine punctul de vedere **b** a-şi vedea de treabă

last⁴ *s* măsură de greutate (= 4000 de livre)

last-ditch [ˈlɑːstˌdɪtʃ] *adj atr* făcut cu un ultim efort

lastex [ˈlæsteks] *s* lastex

lasting [ˈlɑːstɪŋ] **I** *adj* **1** de durată, trainic **2** *sport* rezistent **II** *s* **1** durată **2** trăinicie **3** rezistenţă

Last Judgement, the [ˈlɑːst ˌdʒʌdʒmənt, ðə] *s rel* Judecata de Apoi

lastly [ˈlɑːstli] *adv* în cele din urmă, în sfârşit; în ultimul rând

last-mentioned [ˈlɑːst ˌmenʃənd] *adj* menţionat ultimul; mai sus amintit

last straw, the [ˈlɑːst ˌstrɔː, ðə] *s fig* ultima picătură

Last Supper, the [ˈlɑːst ˌsʌpəʳ, ðə] *s rel* Cina cea de Taină

last word, the [ˈlɑːst ˌwəːd, ðə] *s fig* ultimul cuvânt

Lat. *presc de la* **Latin**

lat *presc de la* **latitude**

latakia [ˌlætəˈkiːə] *s* tutun tare sirian

latch [lætʃ] **I** *s* **1** zăvor; clanţă, ivăr; încuietoare; **off the** ~ care nu e închis bine, întredeschis; **on the** ~ închis numai cu zăvorul **2** *tehn* declic, clichet **3** zăvor cu resort **II** *vt* a închide cu zăvorul *sau* clanţa **III** *vi* a se închide cu zăvorul *sau* clanţa

latchet [ˈlætʃit] *s* ← *înv* curea, cureluşă *(la sanda etc.)*

latch key [ˈlætʃ ˌkiː] *s* cheie de zăvor cu resort

latchkey child [ˈlætʃ ˌkiː ˌtʃaild] *s* copil lăsat în casa neîncuiată *(când părinţii sunt la lucru)*

latch on [ˈlætʃ ˈɔn] *vi cu part adv* ← *F* a pricepe, a înţelege

late [leit], *comp* **later** [ˈleitəʳ], *sup* **latest** [ˈleitəst] **I** *adj* **1** târziu; întârziat; **to be** ~ **(for)** a întârzia (la); **the bus was half an hour** ~ autobuzul a întârziat cu/a venit cu o întârziere de o jumătate de oră; **to keep** ~ **hours** a se culca şi a se scula târziu; **the crops are** ~ **this year** recolta e întârziată în acest an; **a** ~ **party** o reuniune care a durat până târziu; **in the** ~ **afternoon** după-amiază, spre sfârşitul după-amiezii; **the** ~ **Middle Ages** evul mediu târziu **2** ultim, din ultima vreme, recent; **the** ~ **events** ultimele evenimente, evenimentele recente; **of** ~ **years** în ultimii ani; **his** ~ **illness** boala lui recentă, boala de care a suferit în ultima vreme; **the ~st news** ultimele ştiri; **the** ~ **chairman** preşedintele de până acum **3** regretat, decedat, răposat; **the** ~ **chairman** regretatul preşedinte; **her** ~ **husband** regretatul/răposatul ei soţ // **at (the) ~st** cel mai târziu **II** *adv* **1** târziu; cu întârziere; **to arrive** ~ a sosi târziu/

cu întârziere; **a few weeks ~r** câteva săptămâni mai târziu, peste/după câteva săptămâni; **sooner or ~r** mai devreme sau mai târziu; **early and ~** tot timpul, la orice oră (din zi şi din noapte), mereu, fără întrerupere **2** de curând, recent, nu de mult; **as ~ as yesterday** nu mai departe de ieri, ieri încă

lated ['leitid] adj ← poetic întârziat

lateen sail [lə'ti:n ˌseil] s nav velă latină

lateen yard [lə'ti:n ˌja:d] s nav vergă latină

Late Latin ['leit 'lætin] s latina târzie/ vulgară

lately ['leitli] adv recent, de curând; în ultima vreme

laten ['leitən] ← rar **I** vt a reţine, a face să întârzie **II** vi a întârzia

latency ['leitənsi] s latenţă; potenţialitate

lateness ['leitnis] s întârziere; oră târzie

latent ['leitənt] adj latent; ascuns; potenţial

latent heat ['leitənt ˌhi:t] s fiz căldură latentă

latent period ['leitənt ˌpiəriəd] s med perioadă de incubaţie

lateral ['lætərəl] **I** adj **1** lateral, dintr-o parte **2** colateral **3** fon lateral **II** s **1** fon consoană laterală **2** sport pasă laterală (în fotbal)

laterally ['lætərəli] adv **1** lateral, dintr-o parte **2** pe linie colaterală

laterite ['lætəˌrait] s geol laterit, ferulit

late spark ['leit ˌspa:k] s auto aprindere întârziată

latex ['leiteks], pl şi **latices** ['læti,si:z] s ch, bot latex

lath [la:θ], pl **laths** [la:ðz] s şipcă, l(e)aţ, palplanşă

lathe [leið] tehn **I** s strung **II** vt a strunji, a da la strung

lather ['la:ðə'] **I** s spumă (de săpun), clăbuc **II** vt a săpuni, a da cu săpun

lathery ['la:ðəri] adj spumos

lathe tool ['leið ˌtu:l] s tehn cuţit de strung

lathing ['leiðiŋ] s leaţuri, şipci

Latin ['lætin] **I** adj **1** latin; latinesc **2** rel romano-catolic **II** s **1** (limba) latină **2** popor latin

Latin America ['lætin ə'merikə] America Latină

Latin-American ['lætinə'merikən] adj latino-american

Latin Church, the ['lætin ˌtʃə:tʃ] s rel biserica romano-catolică

Latinism ['læti,nizəm] s lingv latinism

Latinization [ˌlætinai'zeiʃən] s latinizare

Latinize ['læti,naiz] vt a latiniza

latish ['leitiʃ] adj, adv cam târziu

latitude ['læti,tju:d] s **1** geogr, astr latitudine **2** libertate (de acţiune); libertate de opinie **3** lăţime, lărgime, întindere

latitudinal [ˌlæti'tju:dinəl] adj geogr de latitudine

latitudinarian [ˌlæti,tju:di'nɛəriən] **I** adj cu vederi largi; tolerant; liberal **II** s persoană cu vederi largi; persoană tolerantă

latitudinarianism [ˌlæti,tju:di-'nɛəriənizəm] s vederi largi; spirit de toleranţă

Latium ['leiʃiəm] ist provincie Laţiu

latrine [lə'tri:n] s latrină, closet fără canalizare

-latry suf -latrie: **idolatry** idolatrie

latter ['lætə'] **I** adj **1** the ~ ultimul (din doi) cel din urmă, cel de-al doilea; **the ~ part of the week** ultima parte a săptămânii **2** recent, din urmă; **in these ~ days** în zilele noastre **II** pr the ~ ultimul (din doi), cel din urmă, cel de-al doilea; **ask John instead of Peter, because the ~ is busy** întreabă-l pe John, nu pe Peter, pentru că acesta din urmă e ocupat

latter-day ['lætə,dei] adv atr ← înv recent, de ultimă oră; modern

latterly ['lætəli] adv **1** recent, de curând **2** în zilele noastre **3** către sfârşit (cu referire la o perioadă)

lattermost ['lætə,moust] adj ultim, din coadă

lattice ['lætis] **I** s **1** zăbrele, grilaj; grătar **2** tehn grindă cu zăbrele **3** mat latice, reţea, structură **II** vt a zăbreli

latticed ['lætist] adj (prevăzut) cu zăbrele; zăbrelit

lattice work ['lætis ˌwə:k] s **1** constr şipcuială, îmbrăcăminte cu şipci **2** zăbrele; grilaj

Latvia ['lætviə] Republica Letonă/ Letonia, Letonia

Latvian ['lætviən] **I** adj leton **II** s **1** leton **2** (limba) letonă

Latvian Republic, the ['lætviən ri'pʌblik, ðə] Republica Letonă/ Letonia

laud [lɔ:d] ← înv sau elev **I** s laudă, slavă **II** vt a slăvi, a preamări

laudability [ˌlɔ:də'biliti] s caracter lăudabil; merit

laudable ['lɔ:dəbəl] adj lăudabil, vrednic de laudă

laudably ['lɔ:dəbli] adv (în mod) lăudabil

laudanum ['lɔ:dənəm] s med laudanum

laudation [lɔ:'deiʃən] s laudă, slavă; panegiric

laudative ['lɔ:dətiv] adj de laudă, encomiastic

laudatory ['lɔ:dətəri] adj v. **laudative**

laugh [la:f] **I** s râs(et); < hohote (de râs); **on the ~** râzând; **to have a good ~ at smb** a râde din toată inima de cineva; **to give a ~** a râde, a izbucni în râs, < a izbucni în hohote (de râs); **to have the ~ of/on smb** a râde de cineva care a râs de tine; **to raise/to turn the ~ against smb** a pune pe cineva într-o situaţie ridicolă **II** vi a râde; **to ~ in smb's face** a-i râde cuiva în faţă; **to ~ up one's sleeve** a râde pe ascuns, a râde în sinea sa, a râde în barbă; **he ~s best who ~s last** prov cine râde la urmă râde mai bine; **to ~ on the wrong/other side of one's mouth** F a râde cu jumătate de gură, a râde strâmb/mânzeşte

laughable ['la:fəbəl] adj **1** amuzant, distractiv; comic **2** caraghios, ridicol

laugh at ['la:f ət] vi cu prep **1** a râde de, a-şi bate joc de **2** a zâmbi (cuiva)

laugh away ['la:f ə'wei] vt cu part adv a alunga (urâtul etc.) râzând sau făcând haz

laugh down ['la:f 'daun] vt cu part adv a reduce la tăcere (un orator etc.) prin râsete

laughing ['la:fiŋ] **I** adj **1** (d. cineva sau faţa cuiva) râzător; zâmbitor, surâzător **2** distractiv, amuzant; comic **II** s râs, râsete

laughing gas ['la:fiŋ ˌgæs] s ch gaz ilariant

laughingly ['la:fiŋli] adv râzând; batjocoritor

laughing matter ['la:fiŋ 'mætə'] s ceva ce stârneşte râsul; prilej de râs; **no ~** e o chestiune serioasă, nu e de râs

laughing stock ['lɑ:fɪŋ ,stɒk] *s* obiect al batjocurii, cal de bătaie

laugh off ['lɑ:f 'ɔ:f] *vt cu part adv* a scăpa de *(ceva)* râzând

laugh oneself into convulsions/ fits ['lɑ:f wʌn,self 'ɪntə kən'vʌlʃəns/ ,fits] *vr cu prep și s* a râde până nu mai poate, a râde cu hohote

laugh out of ['lɑ:f,aut əv] *vt cu prep* a face *(pe cineva)* prin râs să renunțe la *(ceva)*

laughsome ['lɑ:fsəm] *adj* **1** de râs, rizibil **2** caraghios, nostim, hazliu

laughter ['lɑ:ftəʳ] *s* râs(et) *sau* râsete; **to burst into ~** a izbucni în râs

launch[1] [lɔ:ntʃ] **I** *vt* **1** a lansa, a arunca, a azvârli **2** a da *(o lovitură)* **3** *nav* a lansa *(la apă)* **4** *fig* a lansa, a întreprinde; a pune în mișcare; a da curs *(cu dat);* a începe; **to ~ an offensive** *mil* a lansa o ofensivă **5** *av* a catapulta *(scaunul pilotului)* **II** *s nav* lansare *(la apă)*

launch[2] *s nav* **1** barcaz **2** șalupă **3** barcă cu motor **4** barcă mare; barcă de transport

launching site ['lɔ:ntʃɪŋ ,sait] *s mil* **1** poziție de lansare **2** instalație de lansare

launch into ['lɔ:ntʃ ,ɪntə] *vi cu prep* a se lansa/a se avânta în *(speculații etc.)*, a începe *cu ac*

launch out ['lɔ:ntʃ 'aut] *vi cu part adv* **1** *nav* a pleca pe mare **2** *fig* a se avânta; a se aventura

launch out into ['lɔ:ntʃ'aut ,ɪntə] *vi cu part adv și prep v.* **launch into**

launder ['lɔ:ndəʳ] **I** *vt* a spăla *(rufe);* a spăla și a călca **II** *vi (d. rufe)* a se spăla **III** *s* detergent

launderette [,lɔ:ndə'ret] *s* spălătorie automată *(pt public)*

laundress ['lɔ:ndris] *s* spălătoreasă

laundry ['lɔ:ndri] *s* **1** spălătorie **2** rufe spălate

laundrywoman ['lɔ:ndri,wumən] *s* spălătoreasă

Laura ['lɔ:rə] *nume fem*

laureate ['lɔ:rit] **I** *adj* **1** laureat **2** distins, de seamă, eminent **II** *s* **1** laureat **2** poet laureat

laurel ['lɒrəl] *s* **1** *bot* laur, dafin *(Laurus sp.)* **2** *pl fig* lauri; **to look to one's ~s** a nu se culca pe laurii victoriei; **to rest on one's ~s** a se culca pe lauri

Laurence ['lɔ:rəns] *nume masc* Laurențiu

Lausanne [lou'zæn] *oraș în Elveția*

lava ['lɑ:və] *s geol* lavă

lavatory ['lævətəri] *s* **1** spălător, lavabou **2** toaletă, closet **3** piscină

lave [leiv] *vt poetic* **1** a spăla; a scălda **2** a scălda *(țărmurile)*

lavender ['lævəndəʳ] *s* **1** *bot* levănțică *(Lavandula vera)* **2** lavandă

lavender water ['lævəndə ,wɔ:təʳ] *s* (apă de) lavandă

laverock ['lævərək] *s ← înv orn* ciocârlie

lavish ['lævɪʃ] **I** *adj* **1** darnic, generos; **~ of praise** darnic/generos când este vorba de laude **2** *(d. laude etc.)* neprecupețit; exagerat, excesiv **II** *vt* a împărți cu dărnicie; a cheltui excesiv, a irosi

lavishly ['lævɪʃli] *adv* **1** cu dărnicie/ generozitate, generos **2** din belșug; bogat **3** peste măsură, exagerat

lavishness ['lævɪʃnis] *s* **1** dărnicie, mărinimie **2** risipă **3** exagerare, lipsă de măsură

law [lɔ:] *s* **1** lege; regulă; regulament; **the bill was passed and it became a ~** proiectul a fost votat și a devenit lege; **do you know the ~s of tennis?** cunoști regulile tenisului? **to lay down the ~** a exprima o părere *sau* a da un ordin pe un ton poruncitor; **to be a ~ unto oneself** a nu ține cont de părerea nimănui **2** *jur* legi; jurisprudență; drept; **to read ~** a studia dreptul; **to follow the ~, to go in for ~** a-și alege profesiunea de jurist; **to practise ~** a fi jurist **3** *jur* judecată, proces; **to be at ~ with smb** a fi în proces cu cineva, a se judeca cu cineva; **to go to ~** a intenta proces; **to take/to have the ~ of smb** a intenta proces cuiva **4** *fig* lege; **the ~s of perspective** legile perspectivei **5** **the ~** *bibl* legea (Vechiului Testament) **6** *sport* avantaj pentru adversar **7** *F* hatâr, – favoare

law-abiding ['lɔ: ə,baidɪŋ] *adj* **1** care se supune legilor **2** *(d. un cetățean etc.)* pașnic

law breaker ['lɔ: ,breikəʳ] *s* infractor; delicvent

law-breaking ['lɔ: ,breikɪŋ] *s* violare a legii, infracțiune

law court ['lɔ: ,kɔ:t] *s* instanță de judecată; tribunal

law expenses ['lɔ: iks'pensiz] *s pl jur* cheltuieli de judecată

lawful ['lɔ:ful] *adj* legal, *înv →* legiuit

lawfully ['lɔ:fuli] *adv* (în mod) legal; pe temeiuri legale

lawfulness ['lɔ:fulnis] *s* legalitate, caracter legal

law giver ['lɔ: ,givəʳ] *s* legiuitor, legislator

lawless ['lɔ:lis] *adj* **1** fără legi, ilegal; anarhic **2** nelegiuit, ticălos **3** *(d. patimi etc.)* nestăpânit, neînfrânat

lawlessly ['lɔ:lisli] *adv* nelegal; în pofida legii

lawlessness ['lɔ:lisnis] *s* **1** anarhie **2** nelegiuire, ticăloșie **3** lipsă de înfrânare *(a patimilor etc.)*

law list ['lɔ: ,list] *s* anuar juridic *(cu numele magistraților etc.)*

law maker ['lɔ: ,meikəʳ] *s v.* **law giver**

law-making ['lɔ:'meikɪŋ] *adj* legislativ

law merchant ['lɔ: ,mə:tʃənt] *s jur* legislație comercială

lawn [lɔ:n] *s* peluză; pajiște

lawn tennis ['lɔ:n ,tenis] *s* tenis (de câmp)

law of nations ['lɔ: əv ,neiʃənz] *s* drept internațional

Lawrence ['lɔrəns] *nume masc* Laurențiu

lawsuit ['lɔ:,su:t] *s jur* proces (↓ civil)

law term ['lɔ: ,tə:m] *s* **1** *lingv* termen juridic **2** sesiune judecătorească

lawyer ['lɔ:jəʳ] *s* **1** avocat **2** jurist

lax [læks] *adj* **1** slab, moale; flasc, lax **2** *(d. moravuri)* îndoielnic, ușor, < corupt **3** *(d. idei etc.)* vag, neprecis, neclar **4** *fon (d. vocale)* deschis

laxative ['læksətiv] **I** *adj* laxativ **II** *s* laxativ, purgativ

laxity ['læksiti] *s* caracter lax *etc. (v.* **lax)**

lay[1] [lei] *adj* **1** laic, mirean; secular **2** neprofesional, de nespecialist

lay[2] *s* **1** cântec scurt; baladă **2** cântec, ciripit *(al păsărilor)*

lay[3] *pret de la* **lie**[2] **I**

lay[4] **I** *pret și ptc* **laid** [leid] *vt* **1** a pune, a așeza (↓ *într-o anumită poziție);* **to ~ the table/the cloth** a pune/a așterne masa; **to ~ the foundation of** *fig* a pune bazele *cu gen;* **to ~ a trap** a pune o capcană; **to ~ hands on** şi *fig* a pune mâna pe; **to ~ stress/ emphasis/weight on** a pune accentul pe; a acorda importanţă *cu dat;* **to ~ smth to smb's charge, to ~ smth at smb's door** a învinui pe cineva, a da vina pe cineva **2** a culca *(semă- năturile)* **3** a oua, a face *(ouă)* **4** a scăpa de, a îndepărta *(griji, duhuri etc.)* **5** *bis* a sfinţi, a hirotonisi **6** a pune *sau* a aduce într-o anumită stare; **to ~ smb under an obligation to do smth, to ~ smb under the necessity of doing smth** a obliga/a sili pe cineva să facă ceva; **to ~ smth bare** a arăta *sau* a dezvălui ceva; **to ~ smb low a** a culca/a trânti pe cineva la pământ **b** *(d. o boală)* a trânti pe cineva la pat **c** a asupri/a oprima pe cineva; **to ~ smb by the heels** a scoate pe cineva din acţiune **7** a situa, a plasa *(acţiu- nea etc.)* **the scene of the story is laid in London** scena acţiunii se petrece la Londra **8** a impune, a fixa *(impozite etc.)* **9** a pune, a face *(rămăşag);* a face rămăşag/ a paria pe *(o sumă)* **10** *mil* a regla *(focul artileriei)* **11** *tehn* a acoperi cu *(vopsea, un strat etc.)* **II** *(v. şi ~ I)* *vi* **1** a oua, a face ouă **2** a paria, a face rămăşag **III** *s* **1** *tehn* cablare **2** *nav* răsucirea unei parâme **3** situare, aşezare; înfă- ţişare; contur *(al coastei etc.);* direcţie

layabout ['leiə,baut] *s F* fluieră-vânt, – trântor, parazit

lay about ['lei ə'baut] *vi cu part adv* **1** a împărţi lovituri în dreapta şi în stânga **2** a acţiona energic

lay aside ['lei ə'said] *vt cu adv* **1** a pune de/la o parte, a lăsa de o parte *(un obiect)* **2** a pune de o parte, a strânge *(bani)* **3** a se lăsa/a se lepăda de *(un obiect etc.)*

lay back ['lei 'bæk] *vt cu part adv* a da pe spate; a ciuli *(urechile)*

lay brother ['lei ,brʌðəʳ] *s (în mă- năstiri)* frate mirean, posluşnic

lay-by ['lei,bai] *s auto* (loc de) parcare *(pe şosea)*

lay by ['lei ,bai] *vt cu part adv v.* **lay aside 1-2**

lay days ['lei ,deiz] *s pl nav* stalii

lay down ['lei 'daun] *vt cu part adv* **1** a-şi da, a-şi jertfi, a-şi sacrifica *(viaţa)* **2** a întocmi, a alcătui *(un plan)* **3** a pune fundaţia *(unei clădiri)* **4** a depune *(armele)* **5** a renunţa la *(un post)* **6** a enunţa, a formula, a stabili *(un principiu)*

layer ['leiəʳ] **I** *s* **1** strat; înveliş **2** *constr* pat *(al drumului)* **3** albie, matcă *(de râu)* **4** banc, strat de aluviuni **5** *tehn* banc, batiu, pat **6** *geol* zăcământ **7** *bot* mlădiţă, vlăstar **8** pasăre *(↓ găină)* ouătoare **II** *vt* **1** a aşeza în straturi **2** a aşeza în stive, a stivui

layette [lei'et] *s* trusou de copil, leietă

lay figure ['lei ,figəʳ] *s fig* marionetă, jucărie

lay in ['lei 'in] *vt cu part adv* **1** a strânge, a aduna *(provizii)*, a se aproviziona cu **2** *F* a bate măr, a burduşi *(în bătaie)*

lay it on ['lei it 'ɔn] *vt cu pr şi part adv* *F* a spune gogoşi; – a exagera

lay low ['lei 'lou] *vt cu adv* **1** a culca la pământ, a distruge **2** a asupri **3** a îmbolnăvi, a culca la pat

layman ['leimən] *s* **1** laic, mirean **2** profan, nespecialist

lay-off ['lei'ɔ(:)f] *s* **1** concediere temporară **2** încetare a lucrului; grevă **3** şomaj, lipsă de lucru *(temporară)*

lay off ['lei 'ɔ(:)f] *vt cu part adv* **1** *v.* **lay aside 1 2** a scoate, a dezbrăca *(haina)* **3** a concedia *(temporar)* **4** *amer F* a nu mai bate la cap, a nu mai plictisi **II** *vi cu part adv* a nu mai munci *(o vreme);* a se odihni

lay of the land, the ['lei əv ðə 'lænd, ðə] *s v.* **lie² II**

lay on ['lei 'ɔn] *vt cu part adv* **1** a pune, a întinde *(vopsea etc.)* **2** a impune *(un impozit etc.)* **3** a împărţi, a da *(lovituri)*

lay oneself open to ['lei wʌn,self 'oupen tə] *vr cu adj şi prep* a se expune *(criticii etc.)*

lay oneself out ['lei wʌn,səlf 'aut] *vr cu part adv F* a se da peste cap, – a face toate eforturile, a se strădui

lay open ['lei 'oupən] *vt cu adj* **1** a da la iveală/în vileag **2** a răpi; a tăia

lay-out ['lei,aut] *s* **1** plan general; schemă; proiect; machetă **2**

amplasare **3** *drumuri* traseu **4** organizare

lay out ['lei 'aut] *vt cu part adv* **1** a expune, a arăta **2** a aşterne; a pre- găti *(masa)* **3** a scoate *(hainele din garderobă)* **4** *pas* a se înfăţişa *(privirilor)*, a se vedea **5** a trânti, a doborî, a culca la pământ **6** a amenaja *(un parc etc.);* a am- plasa **7** a planifica; a proiecta

lay-over ['lei,ouvəʳ] *s amer ← F* oprire, popas, haltă *(în călătorie)*

lay over ['lei 'ouvəʳ] **I** *vt cu part adv* **1** a aşterne, a acoperi *(complet)* **2** a amâna *(o şedinţă etc.)* **II** *vi amer ← F* a se opri, a face un popas/o haltă *(în călătorie)*

lay sister ['lei ,sistəʳ] *s (în mănăstiri)* soră mireană, posluşnică

lay to ['lei tə] *vt cu part adv nav* a (con)duce *(o navă)* într-un port

lay up ['lei 'ʌp] *vt cu part adv* **1** a strânge, a aduna *(provizii);* a înmagazina **2** a pune, a aşeza **3** a scoate din funcţie *sau* circulaţie *(un mecanism etc. pentru a-l repara)* **4** *pas* a fi bolnav, a zăcea **5** *nav* a dezarma *(o navă)*

lay waste ['lei ,weist] *vt cu adj* a dis- truge, a pustii; a face ravagii în

lazar ['læzəʳ] *s ← înv* cerşetor; bolnav *(↓ lepros)*

lazaret(te) [,læzə'ret] *s* **1** lazaret; leprozerie **2** infirmerie, lazaret

Lazarus ['læzərəs] *s* **1** *nume masc* Lazăr **2** I~ *v.* **lazar**

laze (away) ['leiz ə'wei] **I** *vt cu part adv* a-şi petrece *(timpul)* nefă- când nimic **II** *vi cu part adv* a nu face nimic, a trândăvi

lazily ['leizili] *adv* leneş; încet, alene

laziness ['leizinis] *s* lene(vie), trândăvie

lazuli ['læzju,lai] *s v.* **lapis lazuli**

lazulite ['læzju,lait] *s minr* lazulit

lazy ['leizi] *adj* **1** leneş, trândav; indolent **2** *(d. mişcări etc.)* leneş, încet, domol **3** *(d. o zi etc.)* fără activitate, petrecut fără să facă nimic; care îmbie la lene/trândă- vie **4** *tehn* leneş, inert

lazybones ['leizi,bounz] *s F* fluie- ră-vânt, *P →* tigoare, – leneş, trântor

lazy jack ['leizi ,dʒæk] *s tehn* balansier

Lazy Susan ['leizi 'sju:zən] *s amer* **1** tavă turnantă *(pt sosuri etc.)* **2** măsuţă *(pt sandvişuri etc.)*

lb *presc de la* **libra (pound)** livră

L.B. *presc de la* **1 Banchelor of Letters** *sau* **Literature 2 Local Board**

lbs. *presc de la* **librae (pounds)** livre

L/C, l/c *presc de la* **letter of credit**

l.c. *presc de la* **1 loco citato** în locul citat **2** *teatru* **left centre**

LCM *presc de la* **least/lowest common multiple**

Ld. *presc de la* **1 Limited 2 Lord**

L-driver ['el,draivə'] *s auto* persoană care învață să conducă/șofeze

-le *suf diferite valori:* **icicle** țurțur; **to prattle** a flecări

lea¹ [li:] *s* ← *poetic* pajiște, livadă; pășune

lea² *s text* scul/jurubiță de 300 de fire

lea. *presc de la* **1 league 2 leave**

leach [li:tʃ] **I** *vt* **1** a filtra *(un lichid)* **2** *met etc.* a trata cu leșie **3** a extrage *(o substanță chimică)* **II** *s* **1** filtrare **2** *met etc.* leșie **3** *nav* cădere *(a unei vele)*

leachy ['li:tʃi] *s (d. sol)* poros

lead¹ [led] **I** *s* **1** plumb; **(as) heavy as** ~ greu ca plumbul; **to swing the** ~ *sl* a chiuli, a trage chiulul **2** grafit **3** *nav* sondă *(de mână)* **4** *med* plombă **5** *poligr* aliaj tipografic; dursuș **6** vânăt alice, plumb **II** *vt* **1** a plumbui; a acoperi, a fixa *etc.* cu plumb **2** *poligr* a spația cu dursuși

lead² [li:d] **I** *pret și ptc* **led** [led] *vt* **1** a (con)duce; a îndrepta, a îndruma; a ghida; **to** ~ **to the altar** a duce la altar, a se însura cu **2** a fi în fruntea *(cu gen)*, a deschide *(drumul)* **3** a fi în fruntea *(cu gen)*, a conduce, a dirija, a comanda; **to** ~ **an army** a fi în fruntea unei armate, a comanda o armată; **to** ~ **an orchestra** a dirija o orchestră **4** a (a)duce; a face, a determina; **what led you to this conclusion?** ce te-a adus la/cum ai ajuns la această concluzie? **what led you to think so?** ce te-a făcut/te-a determinat să crezi asta? **I am led to believe that he is right a** sunt îndemnat să cred că are dreptate **b** asta mă face să cred că are dreptate **5** a duce *(o viață, o existență)* **6** *tehn* a căra, a trans-

porta **II** *(v. ~ I)* *vi* **1** a fi călăuză/ghid, a arăta drumul **2** a se lăsa condus; a fi om de înțeles **3** *(cu diferite prep)* a duce *(spre, la, sub etc.)* **4** a conduce, a fi conducător, a comanda, a fi comandant **5** a începe **6** a fi protos, a deschide jocul **7** a fi în frunte, a conduce; a fi în față; **which horse is ~ing?** care/ce cal conduce? **III** *s* **1** conducere; comandă; inițiativă; **to take the** ~ a lua inițiativa *sau* conducerea **2** exemplu, pildă; **to follow the** ~ **of smb** a urma exemplul/pilda cuiva **3** directive, îndrumări, instrucțiuni **4** ↓ *sport* primul loc, locul întâi; avans; **to gain the** ~ a fi în frunte, a ocupa primul loc; **to have a ~ of two seconds** a conduce cu două secunde **5** *teatru* rol *sau* interpret principal **6** rând *(la jocul de cărți)* **7** ceva cu ajutorul căruia se conduce; căpăstru, frâu *etc.* **8** potecă; drumeag; alee **9** rezumat introductiv *(al unui articol de ziar)* **10** *geol* vână

lead acetate ['led 'æsitit] *s ch* acetat de plumb

lead astray ['li:d əs'trei] *vt cu adv* a duce pe căi greșite, a abate de la drumul drept

lead away ['li:d ə'wei] *vt cu part adv* a seduce, a ademeni

leaded ['ledid] *adj* plumbuit

leaden ['ledən] *adj atr* **1** de plumb; plumburiu **2** (ca) de plumb, plumburiu, sur, cenușiu **3** *(d. somn)* de plumb, greu, adânc

leader ['li:də'] *s* **1** conducător; șef; comandant **2** *pol* lider; șef **3** *muz* dirijor **4** articol de fond *(în ziare)* **5** *radio* știre principală **6** conductă *sau* canal de scurgere **7** *el* conducător **8** *nav* navă conducătoare **9** *com* articol vândut sub prețul de cost *(pt a atrage cumpărători)* **10** *tehn* roată motrică

leaderette [,li:də'ret] *s* scurtă notă a redacției *(în ziar)*

lead glance ['led ,glɑ:ns] *s minr* galenă

lead glass ['led ,glɑ:s] *s* sticlă cu plumb

lead-in ['li:d,in] *s el* racord

leading ['li:diŋ] **I** *adj* **1** conducător; diriguitor, călăuzitor **2** principal, de primă importanță **II** *s* **1** condu-

cere, dirijare **2** directivă; îndrumare; instrucțiune

leading article ['li:diŋ ,ɑ:tikəl] *s* articol de fond *(în ziare)*

leading light ['li:diŋ ,lait] *s nav* far de aliniament

leading question ['li:diŋ ,kwestʃən] *s* întrebare care sugerează răspunsul, *F* → „ghici ciupercă ce-i"

leading strings ['li:diŋ ,striŋz] *s pl* **1** hamuri *(pt copii)* **2** conducere, îndrumare *(exagerată)*

leading tone ['li:diŋ ,toun] *s muz* notă sensibilă

lead line ['led ,lain] *s* **1** fir cu plumb **2** *nav* saulă de sondă; sondă

lead-off ['li:d ,ɔ:f] *s* început; prima lovitură *etc. (la sport)*

lead off ['li:d 'ɔ(:)f] *vt cu part adv* a începe, a deschide *(balul, ședința etc.)*

lead out ['li:d 'aut] *vt cu part adv* a începe

lead pencil ['led ,pensəl] *s* creion *(obișnuit)*

lead poisoning ['led ,pɔizəniŋ] *s* intoxicație cu plumb, saturnism

leadsman ['ledsmən] *s nav* marinar sondor

lead to ['li:d tə] *vi cu prep* a duce la *(dezastru etc.)*, a avea ca urmare *(ceva)*

lead up to ['li:d 'ʌp tə] *vi cu part adv și prep* a fi o introducere la; a pregăti terenul pentru

leady ['ledi] *adj* (ca) de plumb

leaf [li:f] **I** *s* **1** *bot* frunză, foaie **2** *bot* petală **3** *bot* frunziș, frunze **4** *bot* lamelă *(la ciuperci)* **5** foaie, filă *(↓ de carte);* **to take a ~ out of smb's book** a urma exemplul cuiva; **to turn over a new ~** *fig* a deschide o nouă pagină **6** canat *(de ușă)* **7** drumuri tolă **8** tăblie *(de masă etc.)* **9** *constr* aripă *(de pod basculant)* **II** *vi bot* **1** a avea frunze **2** a înfrunzi **III** *vt* a frunzări *(o carte etc.)*

leafage ['li:fidʒ] *s* frunziș, frunze

leafless ['li:flis] *adj* fără frunze; desfrunzit

leaflet ['li:flit] *s* **1** *bot* frunzuliță, frunzișoară **2** *poligr* foaie volantă; prospect

leaf out ['li:f'aut] *vi cu part adv* a da frunză, a înfrunzi

leaf shale ['li:f ,ʃeil] *s geol* șist lamelar

leafstalk ['liːfˌstɔːk] *s bot* pețiol
leafy ['liːfi] *adj* 1 frunzos, cu (< multe) frunze; înfrunzit 2 cu frunza mare
league[1] [liːg] *s nav* leghe (= 5,56 km)
league[2] I *s* 1 ligă, alianță; **in ~ with** și *fig* aliat cu 2 ligă, asociație II *vi* a face o ligă; a se alia
League of Nations, the ['liːg əv 'neiʃənz, ðə] *s pol od* Liga Națiunilor
leaguer ['liːgəʳ] *s* membru al unei ligi
Leah [liə] *nume fem*
leak [liːk] I *vi* 1 a fi neetanș, a avea scăpări *sau* scurgeri, a curge 2 *fig* a transpira, a ieși la iveală II *vt* 1 *tehn* a scurge; a strecura 2 *fig* a lăsa să transpire, a face să iasă la iveală; a face publicitate *(cu dat)* III *s* 1 *nav* spărtură, gaură de apă 2 (pierdere prin) scurgere, fugă 3 *el* șuntare, derivație
leakage ['liːkidʒ] *s* 1 v. **leak** III, 2-3 2 scăpare, răsuflare; dispersie
leakiness ['liːkinis] *s tehn* neetanșeitate
leak-off ['liːkˌɔːf] *s* pierdere prin scurgere
leak out ['liːk 'aut] *vi cu part adv* 1 a se scurge; a se infiltra 2 *fig* a transpira, a se răspândi, a se împrăștia
leak-proof ['liːkˌpruːf] *adj* ermetic
leaky ['liːki] *adj* neetanș, permeabil; care are scurgeri
leal [liːl] *adj ← înv* credincios, loial
lean[1] [liːn] I *adj* 1 *(d. cineva)* slab, uscățiv, deșirat; sfrijit 2 *(d. carne)* slab, fără grăsime 2 slab, sărac, sterp, neroditor; neproductiv; **a ~ year** un an sărac/neproductiv II *s* carne slabă
lean[2], *pret și ptc și* **leant** [lent] I *vi* a se înclina, a se (a)pleca; **do not ~ out of the window** nu te apleca pe fereastră; *(în trenuri)* nu vă aplecați în afară; **to ~ open one's elbows** a se sprijini în coate; **he ~ed/leant backwards** se (a)plecă pe spate; **to ~ over backwards** *(cu inf)* a se da peste cap (ca să) II *vt* a sprijini, a rezema; **to ~ a ladder against a wall** a rezema o scară de perete; **to ~ one's elbows on the table** a-și sprijini/a-și rezema coatele de masă
lean back ['liːn 'bæk] *vi cu part adv* a se lăsa pe spate

Leander [liːˈændəʳ] *nume masc* Leandru
leaning ['liːniŋ] I *adj* înclinat, aplecat II *s* 1 înclinare, aplecare 2 înclinație, aplecare; tendință
leanness ['liːnnis] *s* 1 slăbiciune; înfățișare costelivă 2 lipsă de grăsime *(a cărnii)* 3 neproductivitate; lipsă de fertilitate *(a solului)*
lean on ['liːn ɔn] *vi cu prep fig* a se sprijini/a se bizui/a conta pe
lean over ['liːn 'ouvəʳ] *vi cu part adv (d. pomi etc.)* a se (a)pleca, a se înclina
leant [lent] *pret și ptc de la* **lean**[2]
lean-to ['liːnˌtə] *s* 1 acoperiș cu un versant 2 anexă, pavilion *sau* șopron cu un versant
lean to(wards) ['liːn tə(ˌwəːdz)] *vi cu prep* a fi înclinat/a avea o tendință spre
lean upon ['liːn əˌpɔn] *vi cu prep v.* **lean on**
leap [liːp] I *pret și ptc și* **leapt** [lept] *vi* 1 a sări, a sălta, a face un salt/o săritură 2 a înainta prin sărituri/în salturi 3 a sări de la un subiect la altul 4 a acționa pripit II *(v. ~ I)* *vt* 1 a sări *(un gard etc.)*, a sări peste 2 a face *sau* a îndemna *(calul etc.)* să sară III *s* 1 săritură, salt; **a ~ in the dark** *fig* un salt în necunoscut; **by ~s** în salturi, sărind; **by ~s and bounds** *fig* a pe sărite, cu întreruperi; pe apucate; în salturi **b** pripit; foarte repede 2 *fig* salt, pas
leap at ['liːp ət] *vi cu prep* a se agăța de; a accepta/a primi bucuros *(o propunere etc.)*
leap day ['liːp ˌdei] *s* zi în plus din 4 în 4 ani *(29 februarie)*
leaper ['liːpəʳ] *s* săritor
leap-frog ['liːp ˌfrɔg] I *s* (de-a) capra II *vi* a se juca de-a capra
leaping ['liːpiŋ] I *adj* săritor; de sărituri II *s* 1 sărit, sărituri 2 săritură, salt
leapingly ['liːpiŋli] *adv* în salturi; sărind
leapt [lept] *pret și ptc de la* **leap** I-II
leap year ['liːp ˌjəːʳ] *s astr* an bisect
Lear ['liəʳ] *personaj shakespearian*
learn [ləːn] I *pret și ptc și* **learnt** [ləːnt] *vt* 1 a învăța, a studia, a deprinde; **to ~ mathematics** a învăța/a studia matematica; **~ to swim** învață să înoți 2 a afla; a

auzi; **I haven't yet ~ed if he passed his exam** n-am aflat încă dacă și-a trecut examenul 3 a învăța, a se deprinde cu *(disciplina etc.)* 4 a reține, a învăța, a memor(iz)a; a învăța pe de rost 5 ← *vulg* a învăța *(pe cineva)* (minte), *F* a-i arăta *(cuiva)* II *(v. ~ I)* *vi* a învăța, a studia; a exersa
learnable ['ləːnəbəl] *adj* care se poate învăța, care poate fi învățat
learned ['ləːnid] *adj* învățat, erudit, savant
learnedly ['ləːnidli] *adv* 1 cărturărește; ca un învățat 2 în cunoștință de cauză
learner driver ['ləːnə ˌdraivəʳ] *s auto* persoană care învață să conducă/șofeze
learning ['ləːniŋ] *s* 1 învățare, studiere; studiu 2 învățătură, cunoștințe *(dobândite)*, informație
learn of ['ləːn əv] *vi cu prep* a afla/a auzi despre
leary ['liəri] *adj F v.* **leery**
leasable ['liːsəbəl] *adj* arendabil, de dat *sau* luat în arendă
lease[1] [liːs] I *s* 1 arendă *sau* chirie; arendare, dare *sau* luare în arendă; închiriere; **to take on ~** a arenda, a lua cu arendă; **a new ~ of/amer on life** un nou avânt în viață; forțe noi, nouă energie 2 arendă, câști, dare 3 contract de arendare *sau* închiriere II *vt* a arenda *sau* a închiria; a da *sau* a lua în arendă; a da *sau* a lua cu chirie
lease[2] *s text* rost
leasehold ['liːsˌhould] *s* 1 pământ/teren arendat 2 casă închiriată
leaseholder ['liːsˌhouldəʳ] *s* arendaș
leash [liːʃ] I *s* lesă, curea; **to hold in ~** a ține din scurt/în frâu; **to strain at the ~** a căuta să scape II *vt* a ține legat cu lesa/cureaua
least [liːst] I *sup de la* **little**[1] *adj, s* cel mai puțin; cel mai mic; **there was not the ~ wind** nu era pic de vânt; **line of ~ resistance** linie de minimă rezistență; **at ~** măcar, cel puțin, încalte, barem; **at (the) ~** cel/pe puțin, nu mai puțin; **not in the ~** câtuși de puțin, deloc; **to say the ~ (of it)** pentru a nu spune decât atât, pentru a nu spune mai mult; **~ said soonest mended** *prov*

aprox vorba e de argint, tăcerea e de aur ‖ *sup de la* **little²** *adv* cel mai puțin; **the ~ interesting** cel mai puțin interesant; **~ of all** cel mai puțin din toți *sau* toate; mai puțin decât oricine *sau* orice; **not ~** în foarte mare măsură; (lucru) cât se poate de important

leastways ['li:st,weiz], **leastwise** ['list,waiz] *adv* F sau cel puțin, sau măcar; sau mai curând

leather ['leðə'] **I** *s* **1** piele (tăbăcită) **2** articol din piele; curea, minge (de fotbal) *etc.* **3** *pl* pantaloni de piele **4** ← *glumeț* piele *(a trupului)*, F→ coajă; **to lose ~** a-și răni pielea prin frecare // **(there is) nothing like ~** *prov* tot țiganul își laudă ciocanul ‖ *vt* **1** a acoperi cu piele **2** a bate cu cureaua

leather board ['leðə ,bɔ:d] *s* carton imitație de piele

leather-bound ['leðə,baund] *adj* legat în piele

leather dresser [,leðə ,dresə'] *s* pielar

leatherette [,leðə'ret] *s* imitație de piele

leathern [,leðən] *adj* **1** de piele **2** ca de piele

leatherneck ['leðə,nek] *s amer sl* marinar

leather wing ['leðə ,wiŋ] *s zool* liliac *(Plecotus auritus)*

leathery ['leðəri] *adj* **1** ca pielea *(la înfățișare)* **2** *(d. carne)* tare *(ca pielea)*

leave¹ [li:v] *vi* **1** a înfrunzi **2** a avea frunze

leave² **I** *pret și ptc* **left** [left] *vt* **1** a părăsi, a pleca din *sau* de la; a porni din *sau* de la; **we left Paris at noon** am plecat din Paris la amiază; **she left England for France** a plecat din Anglia în Franța; s-a mutat din Franța **2** a lăsa, a nu lua; **the pickers left much fruit on the tree** culegătorii au lăsat multe fructe în pom **3** a lăsa *(o urmă etc.)* **4** a depune, a depozita **5** a lăsa *(în urma sa) (o văduvă etc.)* **6** a lăsa (ca moștenire); a lăsa prin testament, a testa **7** *mat (la scăderi)* a face; **ten minus five ~s five** zece minus cinci fac cinci **8** a lăsa (de o parte), a respinge; a omite, a neglija, a nesocoti; **you may take or ~ his proposal**

poți să-i accepți sau să-i respingi propunerea **9** a lăsa (într-o aceeași stare); **the story left me cold** povestirea/relatarea m-a lăsat rece; **to ~ smth undone** a lăsa ceva nefăcut; **~ me alone!** lasă-mă în pace! **~ him be** lasă-l în pace, n-are decât *(o să se liniștească singur etc.)* **10** a face, a lăsa *(a aduce într-o anumită stare)*; **the news left him speechless** vestea l-a lăsat mut/l-a făcut să amuțească **11** a lăsa, a părăsi, a abandona; **it is time to ~ talking and begin acting** e timpul să lăsăm vorbele și să trecem la fapte; **~ it at that!** F las-o mai încet! termină! las-o baltă! **12** a lăsa, a uita *(un obiect)* **13** *sl* a lăsa, a permite *(cuiva)* ‖ *(v. ~* **I**) *vi* **1** (**for**) a pleca (spre, la); a porni (spre, la); **we left at 7 for the theatre** am plecat *sau* am pornit la 7 la teatru **2** a pleca *(dintr-o slujbă);* a-și da demisia **3** a termina, a isprăvi ‖ **III** *s* **1** permisiune, consimțământ, a-sentiment; **by your ~** cu permisiunea/voia dvs; **I take ~ to say** îmi îngădui să spun, îndrăznesc să spun **2** învoire; *mil* învoire; permisie; **on ~** în concediu; **on sick ~** în concediu medical/de boală; scutit medical **3** plecare; despărțire; bun rămas, rămas bun; **to take one's ~ (of smb)** a-și lua rămas bun/la revedere (de la cineva); **to take ~ of one's senses** a-și pierde rațiunea

leave behind ['li:v bi'haind] *vt cu adv* **1** a lăsa *(undeva)*, a uita **2** a lăsa în urmă, a întrece

leaved [li:vd] *adj* cu frunze, înfrunzit

leave for ['li:v fə'] *vt cu prep* a lăsa *(ceva)* pentru, a se muta de la *(o facultate etc.)* la *(alta)*, a schimba *(o profesiune etc.)* cu *(alta)*

leaven ['levən] **I** *s* **1** plămădeală, maia; ferment **2** *fig* influență, înrâurire ‖ *vt* **1** a pune *(aluatul)* la dospit **2** *fig* a supune influenței *(cu gen)*

leavening ['levəniŋ] *s* influențare

leave of absence ['li:v əv 'æbsəns] *s v.* **leave III, 2**

leave off ['li:v 'ɔ(:)f] **I** *vt cu part adv* **1** a lăsa *(haine)*, a nu mai purta **2** a înceta, a termina, a isprăvi, a lăsa *(munca etc.)* **3** a se lăsa/a

se lepăda de *(fumat etc.)* ‖ *vi cu part adv* a se opri *(din citit etc.)*

leave out ['li:v 'aut] *vt cu part adv* a sări (peste), a omite, a nu include, a lăsa de o parte *(un paragraf etc.)*

leave over ['li:v 'ouvə'] *vt cu part adv* a amâna, a lăsa în suspensie *(o chestiune)*

leave taking ['li:v ,teikiŋ] *s* rămas bun, bun rămas

leave to ['li:v tə] *vt cu prep* a lăsa în seama *cu gen*, a încredința *(cuiva);* **nothing was left to accident** nimic nu a fost lăsat la voia întâmplării; totul a fost prevăzut; **leave it to me** dă-mi-l în seama mea; F las' pe mine; **to leave smb to himself/to his own devices** a lăsa pe cineva în voia lui/F→ de capul lui

leavings ['li:viŋz] *s pl* rest(uri); rămășițe; rebuturi

Lebanese [,lebə'ni:z] *adj, s* libanez

Lebanon (the) ['lebənən (ðə)] Liban

Lebanon Mountains, the ['lebənən 'mauntinz, ðə] Munții Libanului

lech [letʃ] **I** *vi/sl* a umbla după femei, a-i fi gândul numai la femei ‖ *s sl* poftă sexuală; act sexual

lecherous ['letʃərəs] *adj* **1** *(d. gesturi etc.)* lasciv; senzual **2** *(d. cineva)* libidinos; afemeiat

lechery ['letʃəri] *s* **1** lascivitate **2** senzualitate, *înv* → pofte trupești; desfrâu

lect. *presc de la* **1** lecture **2** lecturer

lectern ['lektən] *s bis* pupitru; strană

lection ['lekʃən] *s* **1** lectură, citire, citit **2** *bis* text din evanghelie *(citit în timpul slujbei)* **3** variantă *(a unui text)*

lector ['lektɔ:'] *s univ* lector străin *(în unele țări)*

lecture ['lektʃə'] **I** *s* **1** *univ* prelegere, curs **2** conferință; cuvântare **3** *fig* morală, mustrare, dojană; **to give/to read smb a ~** a face cuiva morală, F a ține cuiva un logos ‖ *vi* **1** (**on**) *univ* a ține o prelegere *sau* prelegeri/un curs *(despre)* **2** (**on**) a conferenția, a ține o conferință *sau* conferințe (despre) ‖ *vt* **1** (**on**) *univ* a ține *(cuiva)* o prelegere *sau* prelegeri/un curs *(despre)* **2** (**on**) a conferenția în fața *(cuiva)* (despre) **3** (**on**) a face *(cuiva)* morală (pentru)

lecturer ['lektʃərəʳ] *s* **1** *univ aprox* lector *sau* asistent *(persoană care nu este membru al facultății respective)* **2** conferențiar

lecture room ['lektʃə ˌruːm] *s univ* sală de cursuri, amfiteatru

lectureship ['lektʃə ˌʃip] *s univ aprox* post de lector *sau* asistent *(v. și* **lecturer 1***)*

lecture theatre ['lektʃə ˌθiætəʳ] *s* amfiteatru *(pt conferințe etc.)*

led [led] *pret și ptc de la* **lead²** I-II

Leda ['liːdə] *mit, astr* Leda

ledge [ledʒ] *s* **1** ieșitură, proeminență **2** margine, bordură **3** *geogr* terasă, strat **4** *geol* zonă terigenă **5** *tehn* riglă, linie **6** *min* poliță, pervaz **7** *met* culee, rețea de turnare

ledger ['ledʒəʳ] *s* **1** placă/lespede funerară **2** *constr* grindă *sau* scândură orizontală **3** *fin* cartea mare, *înv* → strată

ledger line ['ledʒə ˌlain] *s muz* linie deasupra *sau* dedesubtul portativului

Lee [liː] *nume masculin v.* **Leigh**

lee **I** *adj meteor* sub vânt; la adăpost de vânt **II** *s* **1** *nav* bordul de sub vânt; partea de sub vânt **2** apărare, protecție, adăpost; **under/in the ~ of** la adăpostul/ sub protecția *cu gen* **3** loc ferit/ adăpostit

lee anchor ['liː ˌæŋkəʳ] *s nav* ancoră nefundarisită, ancoră de sub vânt

lee board ['liː ˌbɔːd] *s nav* derivor lateral

leech [liːtʃ] *s* **1** *zool* lipitoare *(Hirudinea sp.)*; **to cling like a ~** a se agăța ca o lipitoare **2** *fig* lipitoare, parazit; exploatator, < vampir **3** ← *înv* doctor **4** *nav* margine de cădere

Leeds [liːdz] *oraș în Anglia*

leegage ['liːgeidʒ] *s nav* poziție sub vânt

leek [liːk] *s bot* praz *(Allium porrum)*; **to eat the/one's ~** *F* a înghiți hapul

leer [liəʳ] **I** *s* **1** privire/căutătură răutăcioasă **2** privire lacomă/ pofticioasă **II** *vi* (**at**) a se uita chiorâș/strâmb *sau* pofticios/ lacom (la)

leery ['liəri] *adj* **1** *F* șmecher, – viclean **2** (**of**) ← *F* bănuitor (față de)

lees [liːz] *s pl* **1** drojdie, drojdii; sediment(e); **to drink to the ~** *fig* a bea până la fund **2** *fig* pleavă, drojdii

lee share ['liː ˌʃɛəʳ] *s nav* coastă de sub vânt

lee side ['liː ˌsaid] *s nav* bord de sub vânt

leeward ['liːwəd] *adv nav* sub vânt

leeway ['liːˌwei] *s nav, av* derivă; **to have ~** *fig* a avea la dispoziție *(bani, timp etc.)*

left¹ [left] *pret și ptc de la* **leave²** I-II

left² **I** *adj* **1** stâng, din stânga; **on the ~-hand side** pe/în partea stângă **2** *pol* de stânga; radical; liberal **II** *adv* la stânga; în stânga; spre stânga; **~ turn!** *mil* la stânga! **~ about face!** *mil* la stânga împrejur! **III** *s* **1** the ~ stânga, partea stângă; **on/to the ~ (of)** la stânga *sau* în stânga *cu gen*; **keep to the ~** ține stânga, mergi pe stânga **2** the **L~** *pol* stânga

left-handed ['left ˌhændid] *adj* **1** stângaci **2** *fig* stângaci, neîndemânatic **3** levogir; contrar acelor unui ceasornic **4** stâng, din stânga **5** nesincer **6** malițios **7** *(d. căsătorie)* morganatic

left-handedly ['left ˌhændidli] *adv* **1** cu stângăcie, neîndemânatic **2** (în mod) nesincer, cu fățărnicie

left-handedness ['left ˌhændidnis] *s* **1** stângăcie, neîndemânare **2** fățărnicie, ipocrizie, lipsă de sinceritate

leftism ['leftizəm] *s pol* orientare de stânga; radicalism

leftist ['leftist] *pol* **I** *adj* de stânga; radical **II** *s* persoană cu convingeri de stânga *sau* radicale

left-luggage office ['left ˌlʌgidʒ 'ofis] *s ferov* (depozit de) bagaje

left-overs ['left ˌouvəz] *s pl* resturi *(și de mâncare)*

leftward ['leftwəd] **I** *adj* **1** din stânga; din partea stângă **2** îndreptat spre stânga **II** *adv amer v.* **leftwards**

leftwards ['leftwədz] *adv* **1** din(spre) stânga, din partea stângă; de la stânga **2** (în)spre stânga, în stânga

left wing ['left ˌwiŋ] *s* **1** *pol* aripă de stânga **2** *sport* extrema stângă

lefty ['lefti] *s sl* stângaci

leg [leg] **I** *s* **1** *anat* picior *(↓ de la șold la gleznă)*; gambă; **to have**

a good pair of ~s *fig* a avea picioare solide/rezistente, a ține la marș; **to keep one's ~s** a se ține (bine) pe picioare, a nu cădea; **to be/to get on one's hind ~s a** *(d. cai)* a se cabra **b** *fig* a se indigna; a se supăra, < a-și ieși din fire; **to be on one's last ~s** *fig* **a** a trage să moară **b** a fi la capătul resurselor **c** *(d. o afacere etc.)* a nu mai merge; **to be off one's ~s** a nu-și mai simți picioarele de oboseală; **to be all ~s** *(d. cineva)* a fi slab și înalt/ deșirat, *F* a fi lung ca o prăjină; **to give smb a ~ up a** a ajuta pe cineva să (se) urce *(pe cal etc.)* **b** *fig* a ajuta pe cineva la nevoie; **not to have a ~ to stand on** *fig* a nu avea nici un sprijin/suport; a nu avea nici o justificare; a nu se sprijini pe fapte/realități; **to stand on one's own ~s** *fig* a sta pe propriile sale picioare, a fi independent; **to show a ~** *F* a se scula (din pat); **to shake a ~** ← *F* a dansa; **to get smb on his ~s** *fig* a pune pe cineva pe picioare; a însănătoși pe cineva; a reabilita pe cineva din punct de vedere material/bănesc; **to take to one's ~s** a o lua la picior, a fugi; **to stretch one's ~s** a-și mai dezmorți picioarele, a face o plimbare; **to pull smb's ~** *fig* a păcăli pe cineva, a trage pe cineva pe sfoară; **to feel/to find one's ~s a** *(d. un copil)* a începe să meargă **b** *fig* a-și da seama de forțele sale; a deveni independent **2** picior *(de miel etc.)*; ciosvârtă **3** picior *(de masă etc.)*; suport; piedestal **4** crac *(de pantalon)* **5** drumuri bretea, ramificație de șosea **6** *el* piesă polară **7** *geom* latură, catetă **8** *nav* cârjă, bordea **9** *sport* tură; rundă **II** *vt* **1** a împinge cu piciorul; a da la o parte *sau* a mișca cu piciorul **2** *F* a trage pe sfoară, a păcăli

leg. *presc de la* **1** legal **2** legate **3** legend **4** legislature **5** legislative

legacy ['legəsi] *s și fig* moștenire

legal ['liːgəl] *adj* **1** juridic; judecătoresc **2** legal; conform legii, după lege **3** permis, îngăduit

legal adviser ['liːgəl əd'vaizəʳ] *s jur* consilier juridic

legal aid ['li:gəl ,eid] *s jur* servicii juridice gratuite *(pt oamenii săraci)*

legal department ['li:gəl di,pa:- tmənt] *s jur* contencios

legalese ['li:gə'li:z] *s* limbaj judecă- toresc

legal expert ['li:gəl ,ekspə:t] *s jur* jurisconsult

legal fiction ['li:gəl ,fikʃən] *s* afirmații *sau* relatări pretins adevărate *(care convin vorbito- rului);* alegații

legalism ['li:gə,lizəm] *s jur* legalitate

legalist ['li:gəlist] *s jur* legalist

legality [li'gæliti] *s* legalitate

legalization ['li:gəlai'zeiʃən] *s* legalizare; autentificare

legalize ['li:gə,laiz] *vt* a legaliza; a autentifica; a certifica

legally ['li:gəli] *adv* (din punct de vedere) legal *sau* juridic

legal profession ['li:gəl prə'feʃən] *s* profesia de jurist

legate ['legit] *s pol* nunțiu papal

legatee [,legə'ti:] *s jur* legatar, moștenitor

legation [li'geiʃən] *s* 1 *pol* legație 2 *pol* misiune diplomatică 3 dele- gație

legato [li'ga:tou] *adv, s muz* legato

leg bone ['leg ,boun] *s anat* tibia

legend ['ledʒənd] *s* 1 legendă; mit 2 legendă; inscripție; explicație

legendary ['ledʒəndəri] *adj* 1 legen- dar; mitic 2 *fig* fictiv

legendry ['ledʒəndri] *s* legende

legerdemain [,ledʒədə'mein] *s fr* 1 prestidigitație 2 *fig* escrocherie abilă

leger line ['ledʒə ,lain] *s v.* **ledger line**

legged ['legid] *adj (în cuvinte compuse)* cu picioare(le)...; **two- ~** cu două picioare, biped

leggings ['leginz] *s pl* 1 jambiere; ghetre 2 carâmbi

leggy ['legi] *adj* cu picioare lungi

Leghorn ['leg,hɔ:n] *oraș în Italia* Livorno

leghorn ['leg,hɔ:n] *s* leghorn *(rasă de găini)*

legibility [,ledʒi'biliti] *s* lizibilitate

legible ['ledʒəbl] *adj* cițeț, lizibil; clar

legibly ['ledʒəbli] *adv* cițeț

legion ['li:dʒən] *s* 1 *ist* legiune (romană) 2 legiune; armată 3 *fig* legiune, mulțime (mare)

legionary ['li:dʒənəri] *s ist* legionar, soldat roman

Legion of Honour, the ['li:dʒən əv 'ɔnəʳ, ðə] *s ist* Legiunea de Onoare

legislate ['ledʒis,leit] *jur* I *vt* a legifera II *vi* a elabora legi

legislation [,ledʒis'leiʃən] *s jur* legislație

legislative ['ledʒislətiv] *jur* I *adj* legislativ II *s* putere legislativă

legislator ['ledʒis,leitəʳ] *s jur* legis- lator, legiuitor

legist ['li:dʒist] *s jur* legist, jurist

legit [lə'dʒit] *adj sl v.* **legitimate 1**

leg it ['leg it] *vt cu pr* 1 ← *F* a merge; a umbla 2 *F* a o șterge, a spăla putina, – a fugi 3 ← *F* a alerga

legitimacy [li'gitiməsi] *s* caracter legitim, legitimitate

legitimate I [li'dʒitimit] *adj* 1 legitim, legal; drept; justificat, îndreptățit 2 *(d. un copil)* legitim II [li'dʒiti- ,meit] *vt jur* 1 a recunoaște ca legal 2 a adopta, a înfia *(un copil)*

legitimate actor [li'dʒitimit ,æktəʳ] *s amer* actor de dramă *(nu de cinema, vodevil etc.)*

legitimate drama [li'dʒitimit ,dra:- mə] *s amer* 1 teatru dramatic autentic *(nu radiofonic etc.)* 2 dramaturgie cu valoare unanim recunoscută

legitimation [li,dʒiti'meiʃən] *s* 1 *fig* legitimare, justificare 2 *jur* adop- tare, înfiere *(a unui copil nele- gitim)*

legitimatize [li'dʒitimə,taiz] *vt v.* **legitimate II**

leg-pull ['leg,pul] *s F* păcăleală, farsă

legroom ['leg,ru:m] *s* loc/spațiu suficient pentru a-ți putea întinde picioarele

legume ['legju:m] *s bot* 1 păstaie 2 *pl* legume, leguminoase

leguminous [li'gju:minəs] *adj bot* leguminos

leg work ['leg ,wə:k] *s* ← *F* 1 umblet; muncă de teren 2 aplicare în practică

lei [lei] *s (↓ în Hawaii)* cunună de flori *(în jurul gâtului, ca expresie de prietenie)*

Leibnitz ['laibnits], **Gottfried** *filosof german (1646-1716)*

Leicester ['lestəʳ] 1 *v.* **Leicester- shire** 2 *oraș în Anglia*

Leicestershire ['lestə,ʃiəʳ] *comitat în Anglia*

Leigh [li:] *nume masc*

Leila(h) ['li:lə] *nume fem*

Leinster ['lenstəʳ] *provincie în Irlanda*

Leipzig ['laipsig] *oraș în Germania*

leister ['li:stəʳ] *s* ostie, furcă *(în 3 colțuri)*

leisure ['leʒəʳ] *s* răgaz, timp liber; tihnă; **at ~ a** *adv* în voie/tihnă, pe îndelete **b** *adj* liber, neocupat; **at your ~** când ai timp; când îți convine

leisured ['leʒəd] *adj* liber; tihnit

leisurely ['leʒəli] I *adj* încet, tacticos; tihnit II *adv* încet, pe îndelete, fără grabă

leit-motif/-motive ['laitmou,ti:f] *s și fig* laitmotiv

lemma ['lemə], *pl și* **lemmata** ['le- mətə] *s log* lemă, propoziție auxiliară

lemming ['lemiŋ] *s zool* lemingul mare *(Lemmus lemmus)*

lemon ['lemən] *s* 1 *bot* lămâi *(Citrus limonis)* 2 lămâie 3 culoarea lămâi 4 *amer* ← *F* om antipatic/ nesuferit 5 *amer* ← *F* lucru nefolo- sitor 6 *amer F* chix, – nereușită, eșec

lemon acid ['lemən ,æsid] *s ch* acid citric

lemonade [,lemə'neid] *s* limonadă, citronadă

lemon curd/cheese ['lemən ,kə:d/ ,tʃi:z] *s* preparat din ouă, unt și suc de lămâie *(se mănâncă pe pâine)*

lemon drop ['lemən ,drɔp] *s* bom- boană acidulată

lemon squash ['lemən ,skwɔʃ] *s* citronadă

lemon squeezer ['lemən ,skwi:zəʳ] *s* storcător de lămâi

lemon verbena ['lemən və:'bi:nə] *s bot* lămâiță *(Lippia citriodora)*

lemony ['lemən] *adj* (ca) de lămâie

Lemuel ['lemjuəl] *nume masc*

lemur ['li:məʳ] *s zool* lemur *(Lemu- roidea sp.)*

Lemuria [le'mju:riə] *continent ipo- tetic*

Lena ['li:nə] 1 *nume fem* 2 **the ~** *fluviu în fosta U.R.S.S.*

lend [lend] *pret și ptc* **lent** [lent] I *vt* 1 **(to)** a împrumuta, a da cu îm- prumut *(cuiva);* a da, a închiria *(cuiva)* 2 *fig* **(to)** *fig* a da, a împărtăși, a acorda *(cu dat);* **~ me a helping hand** dă-mi o mână de ajutor II *vt* a da cu împrumut

lender ['lendə'] *s* creditor, împru-
mutător
lending ['lendiŋ] *s* **1** împrumut;
creditare **2** împrumut; credit;
credite
lending library ['lendiŋ ,laibrəri] *s*
bibliotecă de împrumut
lend-lease ['lend,li:s] *s ist* (legea de)
împrumut și închiriere
lend oneself to ['lend wʌn,self tə] *vr
cu prep* **1** a recurge la *(șiretlicuri
etc.)* **2** *(d. ceva)* a fi bun/potrivit
pentru **3** a cădea pradă/a se lăsa
în voia *(gândurilor etc.)*
length [leŋθ] *s* **1** lungime; distanța;
întindere; **it was three feet in ~**
avea trei picioare lungime, era
lung de trei picioare; **I feel all my
~** am căzut cât eram de lung; **for
most of its ~** *(d. un râu etc.)* pe
cea mai mare întindere a sa, în
cea mai mare parte a sa; **at full
~ a** în toată lungimea **b** în toate
amănuntele; fără prescurtări; **at
~ a** în cele din urmă, în sfârșit **b**
(a trata un subiect etc.) pe larg,
în amănunt; **to keep smb at
arm's ~** a ține pe cineva la dis-
tanță; **(through) the ~ and
breadth of** de la un capăt la
celălalt, pe tot cuprinsul *cu gen*
2 durată, întindere, timp; **the ~
of time needed for the work**
durata necesară/timpul necesar
pentru lucrare; **for some ~ of
time a** pentru câtva timp/câtăva
vreme **b** câtva timp, câtăva
vreme **3** măsură *(anumită)*;
lungime; **the horse won by two
~s** calul câștigă cu două lungimi
4 *fig (arată gradul, intensitatea
unei acțiuni);* **ready to go (to) all
~s/(to) any ~** gata să facă totul/
orice, fără să precupețească
nimic; **to got the ~ of saying
that** a merge până acolo încât
să spună că, a nu se sfii să
spună că **5** *text* bucată; cupon;
metraj **6** *metr* lungime *(a unei
vocale, silabe etc.);* cantitate
lengthen ['leŋθən] **I** *vt* **1** a lungi, a
întinde **2** *(și temporal)* a prelungi
II *vi* **1** a se lungi, a deveni lung
sau mai lung **2** *(și temporal)* a se
prelungi; *(d. zile etc.)* a se mări
lengthiness ['leŋθinis] *s* **1** lungime,
întindere (mare) **2** *fig* prolixitate
lengthways ['leŋθ,weiz] *adv v.*
lengthwise

lengthwise ['leŋθ,waiz] *adv* în
lung(ime)
lengthy ['leŋθi] *adv* **1** foarte lung,
întins **2** *(d. cineva)* lung, deșirat,
înalt **3** *fig* prolix, interminabil;
plictisitor
lenience ['li:niəns] *s v.* **leniency**
leniency ['li:niənsi] *s* **1** îngăduință,
indulgență, toleranță; blândețe **2**
gest binevoitor; atitudine indul-
gentă
lenient ['li:niənt] *adj* îngăduitor,
indulgent, tolerant; blând; bine-
voitor; răbdător
leniently ['li:niəntli] *adv* cu înga-
duință/indulgență; blând
lenify [li:nifai] *vt* a ușura, a alina
(durerea)
Lenin ['lenin],**Vladimir Ilyich** teore-
tician și conducător al proleta-
riatului internațional (1870-1924)
Leningrad ['lenin,græd] *oraș și
regiune în fosta U.R.S.S.*
Leninism ['leni,nizəm] *s pol* leninism
Leninist ['leninist] *adj, s pol* leninist
Leninite ['leninait] *adj, s pol* leninist
lenitive ['lenitiv] *adj, s med* lenitiv,
emolient
lenity ['leniti] *s* **1** *v.* **leniency 2**
îndurare, milă
lens [lenz] *s* **1** *opt* lentilă; obiectiv;
lupă; ochi *(de ochelari)* **2** *anat*
cristalin
lens-shaped ['lenz,ʃeipt] *adj geol*
lenticular
Lent [lent] *s rel* postul mare/Paștelui
lent [lent] *pret și ptc de la* **lend I, II**
-lent *suf* -lent; **virulent** virulent
lenten ['lentən] *adj* **1** *rel* de *sau* din
postul mare **2** *fig* slab; frugal
lenticular [len'tikjulə'] *adj opt* lenti-
cular, biconvex
lentil ['lentil] *s bot* linte *(Lens
esculenta sau culinaris)*
lentitude ['lentitju:d] *s* încetineală,
inerție
lent lily ['lent ,lili] *s bot* narcis(ă),
zarnacadea *(Narcissus pseudo-
narcissus)*
lento ['lentou] *adv, s muz* lento
Leo [liou] **1** *nume masc* Leon **2** *astr*
Leul
Leon ['li:ən] *nume masc*
Leone [li:'ounə] *nume fem*
Leonard ['lenəd] *nume masc*
leonine ['li:ə,nain] *adj* leonin, (ca) de
leu
Leonora [,li:ə'nɔ:rə] *nume fem v.*
Eleanor

Leonore [liə'nɔ:'] *nume fem v.*
Leonora
leopard ['lepəd] *s zool* leopard *(Felis
pardus)*
leopardess ['lepədis] *s zool* leopard
femelă
Leopardi [,leo'pardi], **Giacomo** *poet
italian (1798-1837)*
Leopold ['liəpould] *nume masc*
leotard ['liə,ta:d] *s* costum dintr-o
singură piesă, care se mulează
pe corp *(purtat ↓ de dansatori)*
leper ['lepə'] *s* lepros
leper house ['lepə ,haus] *s* lepro-
zerie
lepidoptere [,lepi'dɔptərə] *s pl ent*
lepidoptere
leprechaun ['leprə'kɔ:n] *s* spiriduș,
zână mică *(în folclorul irlandez)*
leprosy ['leprəsi] *s med* lepră
leprous ['leprəs] *adj med* lepros
Lermontov ['liermɔntəf], **Mikhail
Yurievich** *scriitor rus (1814-1841)*
Leroy [lə'rɔi] *nume masc*
lesbian ['lezbiən] *adj, s med* les-
biană
lesbianism ['lezbiənizəm] *s med*
lesbianism
lese majesty ['leiz 'mæʒesti] *s jur* **1**
lez-majestate **2** crimă împotriva
statului **3 ←** *F* comportare ofen-
satoare față de o persoană im-
portantă
lesion ['li:ʒən] *s* **1** *med* leziune, rană
2 *jur* lezare, prejudiciu
Leslie ['lezli] *nume masc și fem*
less [les] **I** *comp de la* **little** *adj* mai
puțin; mai mic/neînsemnat; infe-
rior; minor; **of ~ value** de mai
puțină valoare, de o valoare mai
mică; **~ people ←** *F* mai puțini
oameni; **to grow ~** a se micșora;
a se împuțina; a descrește; **I
have ~ time than you** am mai
puțin timp (disponibil) decât tine
II *comp de la* **little** *adv* **1** *(cu
verbe)* mai puțin, nu atât de mult;
într-o măsură mai mică; **eat ~**
mănâncă mai puțin; **~ and ~** din
ce în ce mai puțin; **~ of it/that!**
isprăvește! *F* ia mai termină! **2**
(cu adj, adv, ptc) mai puțin, nu
atât/așa de; **~ interesting** mai
puțin interesant, nu atât de/așa
de interesant; **~ know** mai
puțin cunoscut; **~ beautifully**
nu atât de frumos; **he is ~
hardworking than his sister**
nu e atât de muncitor ca sora lui

3 the ~ cu atât mai puțin *sau* cu cât mai puțin; **she was (all) the ~ surprised as** a fost cu atât mai puțin surprinsă cu cât; **the ~ you think of it the better** cu cât te gândești mai puțin (la asta), cu atât mai bine; **none the ~** totuși, cu toate acestea; **none the ~ that** deși, cu toate că, în ciuda faptului că; **so much the ~** cu atât mai puțin; **any the ~** mai puțin, într-o măsură mai mică; mai puțin apreciativ *etc.* // **no ~ (than)** nu mai puțin (de); **even/ still ~** și chiar mai puțin **III** *pr* mai puțin; **in ~ than a minute** în mai puțin de un minut **IV** *prep* fără, minus, mai puțin; **ten ~ two leaves eight** zece minus/fără doi fac opt

-less *suf adj* fără, lipsit de; ne-: **pitiless** fără milă, nemilos

lessee [le'si:] *s* **1** chiriaș **2** arendaș **3** concesionar

lessen ['lesən] **I** *vt* **1** a micșora, a reduce; a diminua, a împuțina **2** a minimaliza, a subestima **II** *vi* a se micșora, a se reduce; a se împuțina; a descrește

lesser ['lesər] **I** *adj* ← *elev* mai mic/ neînsemnat; minor; inferior (*când se compară două obiecte*) **II** *adv* ← *elev* mai puțin; **he is one the ~-known painters** e unul dintre pictorii mai puțin cunoscuți

Lesser Bear, the ['lesə ,beər, ðə] *s astr* Carul Mic, Ursa Mică

lesser calorie ['lesə ,kæləri] *s fiz* calorie mică

lesson ['lesən] **I** *s* **1** lecție, oră de predare; prelegere; temă; **private ~** lecție particulară, meditație **2** *fig* lecție, morală, dojană; **to give smb a ~** a da o lecție cuiva, a învăța minte pe cineva **3** *fig* lecție, învățătură (de minte); tâlc; învățătură; **let that be a ~ to you!** *F* asta să-ți fie învățătură de minte! **to draw a ~ from** a trage învățăminte din **4** *v.* lection **II** *vt* **1** a da lecții (*cuiva*); a medita; a învăța, a instrui **2** *fig* a dojeni; a dăscăli; a face morală (*cuiva*)

lessor ['lesɔ:'] *s jur* persoană care dă cu chirie *sau* în arendă

lest [lest] *conj* ca nu cumva, ca să nu, de teamă/frică să nu; să nu; **he shut the window ~ he** should be seen închise fereastra ca să nu fie văzut; **I was afraid ~ he/should fall** mă temeam să nu cadă

Lester ['lestər] *nume masc*

let¹ [let] **I** *pret și ptc* **let** [let] *vt* **1** a permite, a îngădui (*cuiva*), a lăsa (*pe cineva*); **will you ~ me smoke?** îmi dai voie să fumez? **he didn't ~ her go to the theatre** n-a lăsat-o să se ducă la teatru **2** a lăsa, a îngădui (*ceva*); **don't ~ the opportunity slip** nu lăsa să-ți scape ocazia, nu pierde ocazia/prilejul **3** *fig* a face; a pune în situația de a; **to ~ smb know (about) smth** a încunoștiința pe cineva de ceva, a aduce cuiva ceva la cunoștință; **I will ~ him know when I receive a reply** îl voi înștiința când voi primi un răspuns **4** (*cu verbe la inf scurt*) **to ~ smb or smth be** a lăsa în pace pe cineva *sau* ceva; **to ~ drive (at)** a da să lovească (*cu piatra etc.*) (în); **to ~ drop a** a lăsa să cadă **b** *fig* a rosti; **to ~ fall a** a lăsa să cadă; a da drumul (la) **b** *fig* a menționa; a lăsa să se înțeleagă; **to ~ fly (at) a** a da drumul (*cu dat*); a emite (*cu ac*) **b** a descărca arma, a trage (în); **to ~ go** a da drumul la, a slobozi; **~ it go at that** destul, ajunge; să ne oprim aici; termină, isprăvește; **to ~ smth pass** a trece ceva cu vederea, a nu ține seama de ceva **5** a da cu chirie, a închiria **II** (*v.* ~ **I**) *vr* **1 to ~ oneself go** a nu se (mai) stăpâni, *F* a-și da drumul **2** a se lăsa (*condus etc.*) **III** (*v.* ~ **I**) *vi* a se închiria, a fi de închiriat; **rooms to ~** camere de închiriat **IV** *v aux* (*formează echivalente ale imperativului la pers I și III sg și pl*) să; hai să; **~ me ask him** să-l întreb; **~ him come** să vină; **~ us go** (hai) să mergem, haideți, haidem; **don't ~ us have any nonsense!** *F* ia să mai terminăm cu prostiile! (ia) mai lăsați prostiile! **so ~ it be!** fie! bine! **~ there be no mistake about it!** să nu existe nici o îndoială în această privință! *F* să fim (bine) înțeleși! **don't ~ me see him here again!** să nu-l mai văd/prind pe aici! **V** *s* închiriere, dare cu chirie

let² *pret și ptc de la* **let¹** **I-III**

let³ *s* piedică, obstacol

-let *suf diminutival:* **ringlet** ineluș; **hamlet** cătun; sătucean

let alone ['let ə'loun] **I** *vt cu adj* a lăsa în pace, a nu deranja *sau* plictisi **II** *expresie* ca să nu mai vorbim de; necum să; **we couldn't even hold our ground, ~ advance** nu puteam nici măcar să stăm pe loc, necum/dară-mi-te să înaintăm

let-down ['let ,daun] *s* **1** încetinire **2** relaxare **3** declin; regres **4** ← *F* deziluzie, decepție; descurajare

let down ['let 'daun] *vt cu part adv* **1** a lăsa (în) jos, a (s)coborî **2** a lungi (*o rochie*) **3** *F* a lăsa cu buza umflată; ~ a dezamăgi; a face un rău (*cuiva*) **4** a dezumfla (*un pneu*) **5** a încetini; a relaxa

lethal ['li:θəl] *adj* de moarte; mortal; fatal

lethargic [le'θɑ:dʒik] *adj* **1** letargic **2** inert; apatic **3** de moarte

lethargy ['leθədʒi] *s* **1** letargie **2** inerție, amorțeală; apatie **3** somn adânc/de moarte

Lethe ['li:θi] *mit* **Letha, Lethe** (*simbol al uitării*)

Lethean [li'θi:ən] *adj poetic* aducător de uitare

let-in ['let,in] *s* ← *F* mistificare

let in ['let'in] *vt cu part adv* **1** a lăsa să intre; a deschide (*cuiva*); a primi **2** a lăsa să intre/pătrundă (*apă etc.*) **3** *F* a trage pe sfoară, ~ a păcăli, a înșela

let in on ['let'in ɔn] *vt cu part adv și prep* a destăinui, a împărtăși (*cuiva*) (*un secret etc.*)

Leticia [li'tiʃiə] *nume fem* Letiția

let off ['let 'ɔ(:)f] *vt cu part adv* **1** a da drumul la (*sau cu dat*); a descărca (*o armă etc.*); a lansa (*o săgeată etc.*) **2** a elibera; a da drumul (*cuiva*) **3** (**from**) a scuti, a ierta (de) **4** a da cu chirie, a închiria

let on ['let 'ɔn] **I** *vt cu part adv* **1** ← *F* a divulga, a da pe față, a destăinui **2** ← *F* a lăsa să se înțeleagă **II** *vi cu part adv* ← *F* a divulga un secret, a vorbi

let oneself go ['let wʌn,self 'gou] *vr cu inf* **1** a-și da drumul, a nu se mai simți încătușat **2** a nu mai avea grijă de sine (*de felul cum se îmbracă etc.*)

let out ['let 'aut] *vt cu part adv* **1** a lăsa să iasă; a da drumul *(cu dat);* a lăsa în libertate **2** a scoate *(un țipăt etc.)* **3** a lărgi *(o haină)* **4** a goli *(un recipient etc.)*

let out at ['let'aut ət] *vi cu part adv și prep* a-i face scene/scandal *(cuiva);* a-i spune *(cuiva)* de la obraz

let's [lets] *contras F din* **let us**

Lett [let] *s* **1** leton **2** (limba) letonă

letter ['letər] **I** *s* **1** literă; **to the ~** literal; textual; **to carry out to the ~** a îndeplini întocmai **2** *poligr* literă; caracter; tip **3** scrisoare; răvaș; epistolă **4** *pl* literatură; litere; cultură; **man of ~s** om de litere **II** *vt* a imprima *sau* a grava litere pe; a nota cu litere

letter bag ['letə ,bæg] *s* sac de *sau* cu scrisori

letter box ['letə ,bɔks] *s* **1** portofel **2** cutie de scrisori

letter carrier ['letə ,kæriər] *s* factor poștal, poștaș

letter case ['letə,keis] *s poligr* casă de litere

lettered ['letəd] *adj* **1** știutor de carte **2** educat, instruit, cultivat, cult; < învățat, erudit **3** exprimat prin litere **4** imprimat, tipărit **5** **-~** *(în cuvinte compuse)* format din... litere; **three-~** (format) din trei litere

letter file ['letə ,fail] *s* clasor pentru scrisori

lettergram ['letə,græm] *s amer* scrisoare-telegramă

letterhead ['letə,hed] *s* **1** antet **2** scrisoare *sau* hârtie cu antet

lettering ['letəriŋ] *s* **1** *mat etc.* notație cu ajutorul literelor **2** inscripție **3** titlu; antet

lettering pen ['letəriŋ ,pen] *s* peniță rondo

letter lock ['letə ,lɔk] *s* lacăt cu cifru

letter mark ['letə ,ma:k] *s* ștampila poștei

letter of advice ['letər əv əd'vais] *s* aviz, înștiințare

letter of credit ['letər əv 'kredit] *s ec* acreditiv, scrisoare de credit

letter pad ['letə ,pæd] *s* (bloc de) hârtie de scrisori

letter paper ['letə ,peipər] *s* hârtie de scrisori

letter-perfect ['letə ,pə:fikt] *adj teatru* stăpân pe rol

letterpress ['letə,pres] *s poligr* text

(fără ilustrații)

letters patent ['letəz ,peitənt] *s* scrisoare oficială *(din partea unui guvern sau conducător)* conferind un titlu, un privilegiu etc.

let through ['let 'θru:] *vt cu part adv* a lăsa să treacă *(lumina etc.)*

letting ['letiŋ] *s* locuință de închiriat

Lettish ['letiʃ] **I** *adj* leton **II** *s* (limba) letonă

lettuce ['letis] *s bot* lăptucă, lăptuci *(Lactuca sativa)*

let-up ['let,ʌp] *s* **1** încetinire; stagnare **2** oprire; pauză

let up ['let 'ʌp] *vi cu part adv* **1** a încetini; a stagna **2** a se opri, a se întrerupe

let up on ['let'ʌp ɔn] *vi cu part adv și prep F* a o lăsa mai moale cu *(cineva)*

leucocyte ['lu:kə,sait] *s anat* leucocit(ă)

leud [lju:d] *s ist* vasal

leukaemia [lu:'ki:miə] *s med* leucemie

lev [lef] *pl* **leva** ['levə] *s* leva *(unitate monetară în Bulgaria)*

Levant [li'vænt] *s* Levant, țările Mediteranei răsăritene

levanter [li'væntər] *s* levantin

Levantine ['levən,tain] *adj, s* levantin

levee¹ ['levi, lə'vi:] **I** *s* **1** zăgaz, dig **2** chei; debarcader **II** *vt* a îndigui

levee² ['levi, lə'vei] *s od* **1** primire, audiență *(acordată de un șef de stat, ↓ dimineața)* **2** întrunire a curtenilor *(după-amiază)*

level ['levəl] **I** *s* **1** *tehn* nivelă (cu bulă de aer); boloboc **2** *geod* cotă; nivelmetru **3** *constr* dreptar; nivelator **4** *și fig* nivel; treaptă; înălțime *(a unui munte etc.);* **at a higher ~ than** la un nivel mai ridicat decât, la un nivel superior *(cu dat);* **on a ~ with** la același nivel cu; **at/on top ~** *și fig* la cel mai înalt nivel; **to find one's (own) ~** a găsi oameni pe măsura sa **5** câmpie, șes; **on the ~** cinstit; adevărat **6** *min* orizont, galerie de etaj **7** *mil* linie de ochire **II** *adj* **1** plan, drept, orizontal; neted; **~ with the ground** la același nivel cu pământul **2** uniform, regulat; monoton **3** *(d. caracter etc.)* echilibrat; liniștit, calm, netulburat **III** *vt* **1** a nivela;

a aduce la același nivel; a face una cu pământul **2** *fig* a egaliza, a uniformiza; a nivela

level at ['levəl ət] *vt cu prep* a îndrepta *(arma etc.)* spre; a ochi în

level away ['levəl ə'wei] *vt cu part adv* **1** *și fig* a nivela, a aduce la același nivel **2** a desființa, a aboli *(privilegii etc.)*

level bar ['levəl 'ba:ʳ] *s tehn* clinometru

level crossing ['levəl 'krɔsiŋ] *s* pasaj de nivel

level curve ['levəl 'kə:v] *s mat* curbă de nivel

level down ['levəl 'daun] *vt cu part adv* a coborî nivelul *(cu gen);* a coborî la nivelul său

level flight ['levəl 'flait] *s av* zbor în palier

level gauge ['levəl ,geidʒ] *s tehn* indicator de nivel

level-headed ['levəl,hedid] *adj* **1** echilibrat, judicios, *F* cu scaun la cap **2** clar

leveller ['levələʳ] *s* **1** *ist* leveller, „nivelator" *(radical din perioada Revoluției burgheze din Anglia sec. XVII)* **2** persoană care dorește ștergerea diferențelor de clasă

levelling ['levəliŋ] *s* **1** *și fig* nivelare **2** *mil* ochire **3** *drumuri* nivelment **4** *ling* analogie

levelling rod/staff ['levəliŋ ,rɔd/sta:f] *s geod* miră de nivelment

lever ['li:vəʳ] *s* **1** pârghie; levier; mâner, braț **2** *pl* sistem de pârghii **3** mâner de ușă **4** *fig* punct de sprijin/reazem

leverage ['li:vəridʒ] *s tehn* mecanism cu pârghii

lever arm ['li:vər ,a:m] *s tehn* braț de pârghie

leveret ['levərit] *s* vătui, șoldan; iepuraș

leviable ['leviəbəl] *adj* **1** impozabil **2** *(d. impozit)* care poate fi perceput

leviathan [li'vaiəθən] *s* **1** *bibl* leviatan, monstru marin **2** *fig* monstru, dihanie, uriaș **3** *nav* vapor uriaș

levigate ['levi,geit] *vt* **1** a pulveriza **2** a leviga **3** a decanta

levin ['levin] *s ← înv* fulger

levitate ['levi,teit] **I** *vt* a face să plutească în aer, a supune *(cu ac)* levitației **II** *vi* a se ridica *(prin levitație)*

levitation [ˌlevi'teiʃən] s levitaţie

levity ['leviti] s uşurinţă; frivolitate; nestatornicie

levogyrate [ˌliːvou'dʒaiərit] adj ch levogir

levulose ['levjulous] s ch fructoză; levuloză

levy ['levi] I s 1 percepere a impozitelor; sumă impusă 2 mil recrutare; înrolare; mobilizare 3 şi pl mil recruţi încorporaţi; armată 4 jur sechestru judiciar 5 contribuţie; cotizaţie II vt 1 a percepe, a strânge (impozite) 2 mil a recruta, a înrola; a mobiliza; a strânge (armată) 3 mil a începe, a porni (război) III vi 1 a percepe impozite 2 jur a lua în stăpânire o proprietate (pe baza unei hotărâri)

lewd [luːd] adj 1 destrăbălat, desfrânat 2 lasciv; libidinos 3 obscen, indecent

Lewis ['luːis] nume masc v. Louis

lewisite ['luːiˌsait] s ch levizită

lexeme ['leksiːm] s lingv lexem

lexical ['leksikəl] adj 1 lexical; de vocabular 2 de dicţionar; lexicografic

lexically ['leksikəli] adv (din punct de vedere) lexical

lexicographer [ˌleksi'kɔgrəfəʳ] s lexicograf

lexicographic(al) [ˌleksikou'græfik(əl)] adj lexicografic

lexicographically [ˌleksikou'græfikəli] adv (din punct de vedere) lexicografic

lexicography [ˌleksi'kɔgrəfi] s lexicografie

lexicological [ˌleksikə'lɔdʒikəl] adj lexicologic

lexicologist [ˌleksi'kɔlədʒist] s lexicolog

lexicology [ˌleksi'kɔlədʒi] s lexicologie

lexicon [ˌleksikən] s lexicon; dicţionar

lexigraphic [ˌleksi'græfik] adj lingv ideografic

Leyden jar ['laidən ˌdʒɑːʳ] s el butelie de Leyda

leze majesty ['leiz 'mæʒestei] s v. **lese majesty**

L. G(er) presc de la **Low German**

Lhasa ['lɑːsə] oraş în China

liability [ˌlaiə'biliti] s 1 şi pl răspundere, responsabilitate 2 şi pl obligaţie, îndatorire 3 pl ec pasiv, datorii 4 ec garanţie

liable for ['laiəbəl fəʳ] adj răspunzător pentru/de

liable to ['laiəbəl tə] I adj cu inf 1 obligat să 2 care poate să; (care este) pasibil să II adj cu prep pasibil de; expus la; predispus la

liaison [li'eizɔn] s fr 1 legătură (de dragoste) 2 mil, tehn legătură 3 fon pronunţare legată, legătură (a consoanei finale cu vocala iniţială a cuvântului următor)

liaison officer [li'eizən ˌɔfisəʳ] s mil ofiţer de legătură

liana [li'ɑːnə] s bot liană

liar ['laiəʳ] s mincinos

Lias ['laiəs] s geol Lias, liasic

Lib. presc de la 1 **Liberal** 2 **Liberal Party** 3 **Liberia**

lib. presc de la 1 **liber** carte 2 **library** 3 **librarian**

lib [lib] s ← F emancipare, eliberare

libation [lai'beiʃən] s 1 libaţie 2 ← glumeţ beţie, chef

libber ['libəʳ] s ← F susţinător al emancipării; libertar

libel ['laibəl] I s 1 calomnie (în scris) 2 ← înv pamflet; satiră II vt a calomnia, a defăima (în scris)

libeller ['laibələʳ] s calomniator, defăimător

libellous ['laibələs] adj calomniator, defăimător

liberal ['libərəl] I adj 1 liberal, darnic, generos 2 liberal, cu vederi largi 3 pol liberal 4 liber, degajat II s L~ pol liberal

liberal arts, the ['libərəl ˌɑːts, ðə] s pl ştiinţele umaniste

liberalism ['libərəˌlizəm] s 1 şi pol liberalism 2 L~ principiile partidului liberal (britanic)

liberalist ['libərəlist] s pol liberal

liberality [ˌlibə'ræliti] s 1 largheţe, dărnicie 2 vederi largi; toleranţă 3 obiectivitate, imparţialitate

liberally ['libərəli] adv 1 generos, cu generozitate/mărinimie 2 din belşug; din plin; cu toptanul

Liberal party ['libərəl ˌpɑːti] s pol partidul liberal (britanic)

liberate ['libəˌreit] vt 1 (from) a (e)libera (de) 2 ch a elimina, a degaja

liberation [ˌlibə'reiʃən] s 1 (e)liberare 2 ch eliminare, degajare

liberator ['libəˌreitəʳ] s eliberator; salvator

Liberia [lai'biəriə] ţară

Liberian [lai'biəriən] adj, s liberian

libertarian [ˌlibə'tɛəriən] s libertar, partizan al libertăţii absolute

libertine ['libəˌtiːn] adj, s 1 libertin; destrăbălat 2 liber cugetător

libertinism ['libertiˌnizəm] s libertinaj; destrăbălare

liberty ['libəti] s 1 libertate; at ~ în libertate; to set at ~ a pune în libertate 2 libertate, voie, permisiune; to take the ~ to do/of doing smth a-şi lua libertatea de a face ceva; to take liberties with a-şi permite familiarităţi cu 3 pl libertăţi, privilegii 4 risc, şansă

liberty cap ['libəti ˌkæp] s bonetă frigiană

liberty day ['libəti ˌdei] s nav zi de învoire pe uscat

Libia ['liːbjə] ţară

libidinous [li'bidinəs] adj libidinos; lasciv

libido [li'biːdou] s psih libido

Libra ['liːbrə] s astr Balanţa

librarian [lai'brɛəriən] s bibliotecar

librarianship [lai'brɛəriənʃip] s funcţia de bibliotecar

library ['laibrəri] s bibliotecă

librettist [li'bretist] s libretist

libretto [li'bretou], pl şi **libretti** [li'breti:] s muz libret

Libya ['libiə] v. **Libia**

libyan ['libiən] adj, s libian

lice ['lais] pl de la **louse** I

licence ['laisəns] s 1 autorizaţie; licenţă, permis; brevet, patent 2 (la unele universităţi) licenţă 3 auto număr (la maşină) 4 arte, lit licenţă, abatere 5 libertinaj; destrăbălare

license I vt a autoriza; a permite (cuiva); a da un brevet etc. (v. **licence** 1) (cuiva) II s amer v. **licence**

licensed ['laisənst] adj care are autorizaţie să vândă ↓ băuturi spirtoase

licensed victualler ['laisənst ˌvitələʳ] s negustor, hangiu etc. autorizat să vândă băuturi spirtoase

licensee [ˌlaisən'si:] s persoană care posedă autorizaţia de a vinde băuturi alcoolice sau tutun

licentiate [lai'senʃiit] s univ licenţiat

licentious [lai'senʃəs] adj licenţios, trivial; imoral

licentiousness [lai'senʃəsnis] s caracter licenţios, trivialitate; imoralitate

lichen ['laikən] *s bot* lichen *(Lichen sp., Usnea sp.)*

lich gate ['litʃ ˌgeit] *s* poartă de cimitir *(cu acoperiş)*

licit ['lisit] *adj jur* licit, legal

lick [lik] **I** *vt* **1** a linge; **to ~ one's lips** *fig* a-şi linge buzele, a se linge pe buze; **to ~ smb's feet/ boots** a săruta/a linge cuiva picioarele/cizmele **2** *(şi* **to ~ into shape***)* *F* a trage o chelfăneală *(cuiva)*, a trage o mamă de bătaie *(cuiva)*, – a bate **3** *F* a pune capac la *(toate)*, – a fi mai mult decât **II** *vt F* a fugi mâncând pământul, a fugi cât îl ţin picioarele **III** *s* **1** lingere, lins; **to give smb a ~** *(d. un animal)* a linge pe cineva; **a ~ and a promise** *F* treabă făcută repede şi de mântuială; **to give (it) a ~ and a promise** *F* a da ceva peste cap, – a face ceva de mântuială/la repezeală **2** ← *F* lovitură *(de baston etc.)*; *pl F* sfântă/toc/ mamă de bătaie, ciomăgeală **3** ← *F* goană, fugă **4** strat, pătură, pojghiţă **5** vopsire, vopsit, zugrăveală

lickerish ['likəriʃ] *adj* **1** *v.* **lewd 2** lacom, pofticios **3** ← *înv* apetisant

licking ['likiŋ] *s* **1** lins, lingere **2** *F* chelfăneală, – bătaie **3** ← *F* înfrângere, insucces

lickspittle ['lik,spitəl] *s* lingău, linguşitor ordinar

lictor ['liktə'] *s ist* lictor

lid [lid] *s* **1** capac; **that puts the ~ on it** *fig F* asta pune capac la toate **2** *anat* pleoapă **3** *tehn* cap; calotă **4** *min* grinda armăturii **5** *amer* copertă *(de carte)* **6** *amer* ← *F* interdicţie; restricţie

lidded ['lidid] *adj* **1** cu capac **2** *(în cuvinte compuse)* cu pleoape(le)...; **heavy-~** cu pleoapele grele de oboseală

lido ['li:dou] *s* **1** lido, cordon lateral, perisip **2** bazin de înot *(public)*

lie¹ [lai] **I** *vi* a minţi, a spune o minciună *sau* minciuni; **to ~ like truth** *F* a minţi cu neruşinare **II** *s* minciună, neadevăr; născocire, poveste; **to tell a ~** a spune o minciună; **what a pack of ~s!** minciuni sfruntate! **to give smb the ~** a acuza pe cineva că minte, a spune cuiva de la obraz

că minte; **to give the ~ to smth** a dezminţi ceva

lie² [lai] **I** *pret* **lay** [lei], *ptc* **lain** [lein] *vi* **1** a sta culcat, a zăcea; **to ~ in the churchyard** a zăcea în cimitir; **to ~ on one's side** a sta culcat pe o parte/într-o rână **2** a sta, a locui *(temporar)*, a poposi, a trage **3** a fi, a se afla *(într-o anumită situaţie); (d. oraşe etc.)* a fi situat; **the snow lay deep** era zăpadă mare, zăpada era groasă; **to ~ at smb's mercy** a fi la bunul plac al cuiva; **to ~ under suspicion** a fi bănuitor/suspectat; **there lay many obstacles in our way** ne stăteau multe obstacole în drum; **the hamlet lies further north** cătunul este situat mai la nord; **to ~ (heavy) on one's stomach** *(d. mâncare)* a-i cădea greu la stomac; **to ~ in ruins** a fi în ruine; **to find out how the land lies** *fig* a afla cum stau lucrurile; **my talents don't ~ in that direction** nu am nici un talent în direcţia aceasta **II** *s* configuraţie *(a terenului);* **the ~ of the land** *fig* starea de lucruri, situaţia

lie about ['lai ə'baut] *vi cu part adv* **1** *(d. lucruri)* a fi împrăştiaţi/risipiţi, a fi răspândit peste tot **2** *(d. cineva)* a trândăvi, a nu face nimic

lie back ['lai 'bæk] *vi cu part adv* a se răsturna *sau* a sta pe spate *(într-un fotoliu etc.)*

lie behind ['lai bi'haind] *vi cu prep fig* a se ascunde îndărătul/în dosul *(cu gen)*

lie by ['lai 'bai] *vi cu part adv* a sta/a se ţine de o parte; a rămâne pasiv

lie by for ['lai 'bai fə'] *vi cu part adv şi prep* a aştepta, a pândi *cu ac*

Liechtenstein ['liktəˌstain] *ţară*

lied [li:d], *pl* **lieder** ['li:də'] *s germ muz* lied, cântec

lie down ['lai 'daun] *vi cu part adv* **1** a se culca, a se întinde **2** ← *F* a nu se împotrivi

lief [li:f] *adj* ← *înv* **1** drag, iubit **2** bucuros; dispus

Liège [li'eiʒ] *provincie şi oraş în Belgia*

liege [li:dʒ] *s ist* **1** vasal, supus **2** senior

liegeman ['li:dʒˌmæn] *s v.* **liege**

lie-in ['lai ˌin] *s F* lenevit/lenevire în pat *(dimineaţa)*

lie in ['lai 'in] *vi cu part adv* a fi în durerile facerii/naşterii

lien [liən] *s jur* **1** zălog, garanţie **2** drept de sechestru *(pe averea datornicului)*

lie off ['lai 'ɔ:f] *vi cu part adv* **1** *(d. muncitori)* a întrerupe temporar lucrul; a şoma **2** *nav* a sta la o oarecare distanţă *(de coastă sau de o altă navă)*

lie to ['lai 'tu] *vi cu part adv nav* a fi în derivă

lieu [lju:] *s fr* loc; **in ~ of** în loc de

lie up ['lai 'ʌp] *vi cu part adv* **1** a sta în pat *sau* în casă *(din cauza bolii)* **2** a se ţine de o parte, a nu participa

Lieut *presc de la* **Lieutenant**

lieutenancy [lef'tenənsi] *(armată)* şi [lə'tenənsi, amer* lu:'tenənsi] *(marină)* *s* **1** *mil* gradul de locotenent **2** locotenenţă

lieutenant [lef'tenənt] *s* **1** *mil* locotenent **2** locţiitor

lieutenant colonel [lef'tenənt 'kə:nəl] *s mil* locotenent colonel

lieutenant general [lef'tenənt 'dʒenərəl] *s* **1** *mil* general locotenent **2** *ist* guvernator, vice-rege

lieutenant governor [lef'tenənt 'gʌvənə'] *s* guvernator *(al unei provincii)*

lie with ['lai wið] *vi cu prep* a se culca cu *(o femeie)*

life [laif] *s* **1** viaţă, existenţă; trai; **to come to ~** a-şi veni în fire/ simţiri **b** *(d. un proiect etc.)* a prinde viaţă, a se realiza; **never in (all) my ~** de când sunt (pe lume); **to lose one's ~** a-şi pierde viaţa; **not for the ~ of me** *F* în ruptul capului, – pentru nimic în lume; **to beat smb within an inch of his ~** a trage cuiva o bătaie soră cu moartea; **it was a matter of ~ and death** era o chestiune de viaţă şi moarte; era o problemă vitală; **to gasp out one's ~** a-şi da duhul/sufletul; **how's ~?** *F* cum o mai duci? **eternal ~** viaţă veşnică; **after ~** viaţă de dincolo (de mormânt); **for dear ~** din răsputeri; cu maximum de efort; **not on your ~!** bineînţeles că nu! **2** viaţă, biografie **3** fiinţă, suflet (de om); **a great loss of ~** multe pierderi omenești **4** (mod/fel de) viață **5** *fig* viață, durată *(a unei activități etc.)* **6** natură; **as large as ~** în mărime naturală **7** *fig* viață, însuflețire, vioiciune; inimă, suflet; **the street was full of ~** strada era plină de animație **8** *regn (animal etc.)* **9** *tehn* durată de funcționare/serviciu

life-and-death [ˈlaifənˈdeθ] *adj atr* pe viață și pe moarte; disperat; critic

life annuity [ˈlaif əˈnjuːiti] *s* rentă viageră

life assurance [ˈlaif əˈʃuərəns] *s v.* **life insurance**

life belt [ˈlaif ˌbelt] *s nav* centură de salvare

life blood [ˈlaif ˌblʌd] *s* **1** sânge **2** *fig* vitalitate, putere de viață **3** *fig* suflet, forță motrice

life boat [ˈlaif ˌbout] *s nav* barcă de salvare

life breath [ˈlaif ˌbreθ] *s* **1** suflare, viață **2** sursă de inspirație

life buoy [ˈlaif ˌbɔi] *s nav* colac de salvare

life estate [ˈlaif isˈteit] *s jur* proprietate pe viață

life-giving [ˈlaifˈgiviŋ] *adj* dătător de viață; însuflețitor

life guard [ˈlaif ˌgɑːd] *s mil* gardă personală

Life Guards [ˈlaif ˌgɑːdz] *s pl mil* gardă personală călare

life-history [ˈlaifˈhistəri] *s biol* ciclu de dezvoltare, ciclu vital

life insurance [ˈlaif inˈʃuərəns] *s* asigurare pe viață

life interest [ˈlaif ˈintrist] *s jur* **1** uzufruct **2** rentă viageră

life jacket [ˈlaif ˈdʒækit] *s av* vestă de salvare

lifeless [ˈlaiflis] *adj* **1** fără viață, neînsuflețit **2** *fig* fără viață, lipsit de viață, mort; plicticos

lifelessness [ˈlaiflisnis] *s* **1** lipsă de viață, neînsuflețire **2** *fig* lipsă de viață, stagnare; plictiseală *etc.*

lifelike [ˈlaifˌlaik] *adj* **1** natural, veridic **2** viu, plin de viață

lifelikeness [ˈlaifˌlaiknis] *s* veridicitate

life line [ˈlaifˌlain] *s* **1** *nav* ţin-te bine; balustradă **2** *fig* ancoră de salvare

lifelong [ˈlaifˌlɔŋ] *adj* pe viață; până la moarte

life pension [ˈlaif ˈpenʃən] *s* pensie viageră

lifer [ˈlaifər] *s sl* **1** condamnat pe viață **2** condamnare pe viață

life-saving station [ˈlaifˌseiviŋ ˈsteiʃən] *s nav* punct de salvare

life-size(d) [ˈlaifˌsaiz(d)] *adj atr (d. un portret)* în mărime naturală

lifetime [ˈlaifˌtaim] *s* **1** durata vieții, toată viața **2** *tehn* durată de funcționare

life work [ˈlaif ˌwəːk] *s* **1** muncă de o viață **2** operă/lucrare capitală a vieții cuiva

lift [lift] **I** *vt* **1** a ridica, a înălța *(↓ cu desprindere de bază);* **to ~ one's eyes** a-și ridica ochii/privirea; **to ~ one's hand against smb** a ridica mâna împotriva cuiva **2** *F* a sfeterisi, – a fura *(↓ lucruri mărunte)* **3** a plagia **4** *agr* a dezgropa, a săpa *(cartofi etc.)* **5** *silv* a defrișa **6** *ec* a ridica *(un embargou)* **7** *amer* a urca, a mări, a ridica *(prețuri etc.)* **II** *vi* **1** a se ridica, a se înălța **2** *(d. ceață)* a se ridica, a se împrăștia **3** *av (d. un avion)* a decola; a se desprinde de sol **4** *amer (d. ploaie)* a înceta **III** *s* **1** ridicare; înălţare; **to give smb a ~** ← *F* a da cuiva o mână de ajutor **b** a lua pe cineva în mașină *(pt o distanță)* **c** *amer* a ridica moralul cuiva **2** *fig* înălțare *(a spiritului etc.);* avânt **3** înălțime, ridicătură *(de teren)* **4** *sl* săltare, – furt **5** *tehn* înălțime de ridicare *(a macaralei)* **6** diferență de nivel **7** ascensor, lift **8** *flec (la tocuri)* **9** *tehn* elevator **10** *tehn* cursă **11** *min* etaj; orizont **12** *sport* ridicare *(la haltere)*

lift bridge [ˈlift ˌbridʒ] *s* pod basculant

lifter [ˈliftər] *s* **1** *tehn* ridicător **2** *sl* hoț; spărgător

lifting gate [ˈliftiŋ ˌgeit] *s ferov* barieră

lift pump [ˈlift ˌpʌmp] *s min* pompă de refulare

ligament [ˈligəmənt] *s* **1** *anat* ligament **2** *↓ fig* legătură

ligature [ˈligətʃər] *s* **1** *med* ligatură *(↓ a vaselor)* **2** *poligr* ligatură; literă dublă

light¹ [lait] **I** *s* lumină; zi; soare; lumina zilei *etc.;* **the ~ of his eyes** *fig* lumina ochilor (lui); **to bring to ~** *fig* a scoate la lumină/iveală, a destăinui; **to come to ~** *fig* a ieși la lumină/iveală, a descoperi; a apărea; **to stand in smb's ~ a** a sta cuiva în lumină **b** *fig* a deranja/a stânjeni pe cineva; **to**

see the ~ a *fig* a vedea lumina zilei, a se naște **b** *amer* a înțelege despre ce este vorba; a se lămuri; **to cast/to throw/to shed ~ (up)on** *fig* a arunca lumină asupra *(cu gen);* **to see smth in its (proper/true) ~** *fig* a vedea ceva în adevărata sa lumină; **in a bad ~** *fig* într-o lumină proastă/nefavorabilă; **to see things in a different ~** *fig* a vedea lucrurile într-o altă lumină; **in the ~ of** *fig* în lumina *cu gen;* **by the ~ of the sun** la lumina soarelui **2** sursă luminoasă; lampă, felinar, far, foc *etc.;* **give me a ~ please** dă-mi, te rog, un foc *(ca să-mi aprind țigara)* **3** *pl* semafor, stop **4** *și fig* astru, stea, *înv* ~ luminător **5** *pl* inteligență; lumini **6** *pl* crez, doctrină **7** *constr* fereastră; ferestruică; lucarnă; ușor **II** *adj* **1** *(d. o încăpere etc.)* luminos, bine luminat **2** *(d. o culoare)* deschis; **~ blue** albastru deschis, bleu **3** *(d. păr)* blond, bălai **III** *vt* **1** a aprinde *(focul, țigara etc.)*, a da foc la **2** a face lumină în, a aprinde lumina în; a lumina *(drumul)* **3** *fig* a lumina *(fața etc.)* **IV** *vi* **1** *(d. foc etc.)* a se aprinde; *(d. lemne etc.)* a lua foc, a se aprinde; **the match will not ~** chibritul nu vrea să se aprindă **2** *(d. vreme, cer)* a se lumina, a se însenina

light² **I** *adj* **1** ușor; **(as) ~ as a feather** ușor ca un fulg; **to give ~ weight** a da lipsă la cântar **2** *fig (d. o lovitură, pași, un semn etc.)* ușor; *(d. vânt)* slab; *(d. pământ)* moale, afânat; *(d. mișcări)* suplu, grațios; *(d. lecturi)* ușor, recreativ, amuzant; **~ heart** inimă ușoară/veselă; **~ meat** mâncare ușoară/frugală; **~ woman** femeie ușoară/stricată/de moravuri ușoare **3** ușor, delicat **4** neînsemnat, mărunt, de mică importanță // **to make ~ of, to set ~ by** a nu lua în serios *cu ac,* a nu acorda atenție *cu dat* **II** *adv* ușor; cu ușurință; **to sleep ~** a dormi ușor/iepurește; **to get off ~** a scăpa ușor/ieftin **III** *s v.* **light face**

light³ [lait] *pret și ptc și lit* [lit] *vi (d. păsări etc.)* a se lăsa, a coborî; a cădea; **to ~ on one's feet** *fig F* a cădea în picioare, – a ieși bine/cu fața curată

light bulb ['lait ,bʌlb] *s* bec electric

light car ['lait ,kɑ:ʳ] *s auto* maşină mică

light demander ['lait di'mɑ:ndəʳ] *s* plantă căreia îi place lumina

lighten[1] ['laitən] **I** *vt* **1** a (i)lumina **2** *fig* a lumina, a lămuri **II** *vi* **1** a se lumina; a se ilumina; *(d. cer)* a se însenina, a se lumina **2** a fulgera, *P →* a scăpăra; **it's thundering and ~ing** tună şi fulgeră **3** *fig* a sclipi, a scânteia

lighten[2] ['laitən] **I** *vt* **1** a uşura, a face mai uşor **2** *fig* a uşura, a micşora; a domoli, a potoli, a alina **3** *fig* a bucura, a înveseli **II** *vi şi fig* a se uşura

lighter[1] ['laitəʳ] *s* **1** lampagiu **2** aprinzător, dispozitiv de aprindere; brichetă **3** fitil; iască *sau* amnar

lighter[2] *s nav* limb; mahonă; şlep; şalandă

lighterage ['laitəridʒ] *s nav* preţul alimbării/mahonării

light face ['lait ,feis] *s poligr* (caractere) subţiri

light-fingered [,lait 'fiŋgəd] *adj* **1** cu mâna uşoară; îndemânatic **2** pungăşesc, de hoţ

light-footed [,lait 'futid] *adj* iute de picior; sprinten; harnic

light fuse ['lait ,fju:z] *s el* siguranţă

light-handed [,lait 'hændid] *adj* **1** v. **light-fingered 2** fără bagaj, cu mâinile libere **3** *fig* plin de tact

light-handedness [,lait 'hændidnis] *s* **1** dexteritate **2** *fig* tact

light-headed [,lait 'hedid] *adj* **1** delirant **2** aiurit, zăpăcit, nebunatic, neastâmpărat

light-hearted [,lait 'hɑ:tid] *adj* cu inima uşoară, fără griji; voios

light-heartedly [,lait 'hɑ:tidli] *adv* fără griji, cu inima uşoară; voios

light heavy-weight ['lait ,hevi 'weit] *s sport* categoria semigrea *(la box)*

light-heeled [,lait 'hi:ld] *adj* iute de picior, sprinten

lighthouse ['lait,haus] *s nav* far

light industry ['lait ,indəstri] *s* industrie uşoară

lighting ['laitiŋ] *s* **1** aprindere **2** lumină; iluminat

lighting gas ['laitiŋ ,gæs] *s* gaz de iluminat

lighting switch ['laitiŋ ,switʃ] *s auto* întrerupător de lumină

lightish ['laitiʃ] *adj* **1** uşurel, destul de uşor **2** *(d. culoare)* palid; şters; deschis

lightless ['laitlis] *adj* întunecat, întunecos, neluminat

light-limbed ['lait ,limd] *adj v.* **light-heeled**

light lorry ['lait 'lɔri] *s auto* camionetă

lightly ['laitli] *adv* **1** uşor, graţios; încet, fără zgomot **2** cu inima uşoară, voios **3** neserios, uşuratic **4** uşor, lesne, fără efort **5** cu uşurinţă, nechibzuit, fără socoteală; **to speak ~ of** a vorbi cu (prea multă) uşurinţă despre

light-minded ['lait'maindid] *adj* uşuratic; frivol; nechibzuit, superficial

light mindedly ['lait 'maindidli] *adv* (în mod) uşuratic, cu (multă) uşurinţă

light-mindedness ['lait 'maindidnis] *s* uşurinţă; frivolitate; nechibzuinţă, superficialitate

lightness[1] ['laitnis] *s* lumină; strălucire

lightness[2] *s* **1** greutate mică **2** uşurinţă, facilitate **3** nestatornicie, frivolitate **4** sprinteneală, iuţeală **5** bună dispoziţie, voioşie **6** uşurinţă; graţie; gingăşie; delicateţe

lightning ['laitniŋ] *s* fulger; **with/at ~ speed** cu iuţeala fulgerului

lightning arrester ['laitniŋ ə'restəʳ] *s el* paratrăsnet; parafulger

lightning conductor/rod ['laitniŋ kən'dʌktəʳ/rɔd] *s el* paratrăsnet

lightning stroke ['laitniŋ ,strouk] *s* (lovitură de) trăsnet

light off ['lait ,ɔ(:)f] *s* **1** ţiţei uşor **2** ulei uşor **3** *pl* produse albe

light on ['lait ɔn] *vi cu prep* a da de/ peste, a întâlni *cu ac*

light-out ['lait ,aut] *s* ora stingerii luminilor *(în şcoli etc.)*

light out ['lait 'aut] *vi cu part adv* a fugi, *F* a o şterge, a spăla putina

light positive ['lait 'pɔzitiv] *s fiz* fotoconductor

lights [laits] *s pl gastr* bojoci

light ship ['lait ,ʃip] *s nav* navă-far; far plutitor

lightsome[1] ['laitsəm] *adj* **1** luminos; luminat **2** limpede, clar, neîntunecat

lightsome[2] *adj ← poetic* **1** uşor, sprinten; iute **2** voios; vesel **3** uşuratic, frivol **4** graţios, delicat

light-tight ['lait ,tait] *adj* etanş la lumină; opac

light tower ['lait ,tauəʳ] *s nav* far

light up ['lait 'ʌp] *vt cu part adv v.* **light III, 1, 3**

light upon ['lait ə'pɔn] *vi cu prep v.* **light on**

light wave ['lait ,weiv] *s fiz* undă luminoasă

lightweight ['lait,weit] *s* **1** persoană care nu cântăreşte mult **2** *sport* sportiv de categorie uşoară *(↓ boxer)* **3** *sport* categorie uşoară

light year ['lait ,jə:ʳ] *s astr* an-lumină

ligneous ['ligniəs] *adj* lemnos

lignify ['ligni,fai] **I** *vt* a lignifica **II** *vi* a se lignifica

lignin(e) ['lignin] *s* lignină

lignite ['lignait] *s* cărbune brun, lignit

Liguria [li'gjuəriə] *regiune în Italia*

Ligurian Sea, the [li'gjuəriən 'si:, ðə] Marea Ligurică

likable ['laikəbəl] *adj* plăcut, atrăgător, < fermecător

-like *suf adjectival pe lângă substantive* ca de; de; asemănător cu: **childlike** (ca) de copil, copilăros; **warlike** războinic

like[1] [laik] **I** *vt* **1** a-i plăcea; a îndrăgi; a-i fi drag, a ţine la; a se bucura de, a gusta; **weather she ~s it or not** fie că-i place, sau nu; **do you ~ him?** îţi place? cum îţi place/îl găseşti? **I ~ that!** *F* asta-i bună! ştii că-mi place? **2** *(cu inf şi -ing)* a-i plăcea; a vrea, a dori; **I should ~ to see him** aş vrea/ dori să-l văd; **I don't ~ him behaving like that** nu-mi place (felul) cum se poartă **II** *vi* a-i plăcea, a vrea, a dori; **(just) as you ~** cum doriţi/vreţi; **as much as (ever) you ~** cât vrei/pofteşti; **if you ~** dacă vrei **III** *s pl* preferinţe, gusturi; **his ~s and dislikes** ce-i place şi ce nu

like[2] **I** *adj* **1** asemănător, asemenea, analog, similar; **they are as ~ as two peas** seamănă ca două picături de apă; **in ~ manner** în mod asemănător, în acelaşi mod **2** *← înv* probabil, verosimil **II** *s* seamăn, pereche; **to do the ~** a face la fel, a proceda în acelaşi mod; **I never saw the ~ (of it)** aşa ceva n-am mai văzut; **~ likes/ loves ~, ~ will (un)to ~** *prov* cine se aseamănă se adună; cei ce se potrivesc lesne se-mprietenesc;

she has not her ~ nu are pereche, nu-și are seamăn/potrivă; **and the/such ~** și altele de felul acesta/acest gen **III** *adv* **1** (într-un mod) asemănător; în același mod/fel/chip; **as ~ as** ← *înv* la fel ca (și) **2** probabil; pesemne; **very ~** foarte probabil; tot ce se poate; **as ~ as not** *F* tot ce se poate; – probabil **3** întrucâtva, până la un punct; ca să zicem așa **4** *F* gata-gata, mai-mai, – cât pe ce **5** ← *P* ca să zic(em) așa, chipurile **IV** *prep* ca, (la fel) ca și, la fel cu; **he behaved ~ a child** s-a purtat copilărește/ca un copil; **to be ~ smb** a fi la fel cu cineva, a semăna cu cineva, a se asemăna cu cineva; **to run ~ anything/mad/hell/blazes** *F* a alerga ca un nebun/ca iesit din minți; **what's the wheather ~?** cum e vremea/timpul? **I don't know what he is ~** nu știu cum arată; **it looks ~ it** *fig* așa se pare/s-ar părea; **I feel ~ drinking a cup of tea** aș bea o ceașcă de ceai; **smth ~ ten pounds** vreo zece lire, în jur de zece lire; **that's just ~ him** așa/*F* ăsta e el, *F* ăsta îi e felul **V** *conj* ← *F* **1** (întocmai) ca, precum; **it's raining ~ in spring** plouă ca primăvara **2** ca și cum, de parcă; **it rained ~ the skies were falling** ploua de parcă se prăbușea cerul **3** așa cum, ca; **he can't sing ~ his brother does** nu cântă ca fratele său

likeable ['laikəbəl] *adj v.* likable

likelihood ['laiklihu:d] *s* **1** probabilitate **2** viitor (strălucit)

likely ['laikli] **I** *adj* **1** probabil, verosimil; **it is ~ enough** foarte probabil, se prea poate; **a ~ story** o poveste verosimilă; **it is ~ to snow** cred că va ninge, s-ar putea să ningă; **he is not ~ to come** e puțin probabil că va veni, nu prea cred că va veni **2** potrivit, nimerit, adecvat; convenabil; **a ~ man for such a task** un om potrivit/indicat pentru o asemenea însărcinare **II** *adv* probabil, după toate probabilitățile, după cum/cât se pare; **most/very ~** foarte probabil; **they will come as ~ as not** ← *F* s-ar putea foarte bine să vină

like-minded ['laik'maindid] *adj* având/cu aceleași idei, gusturi *etc.*

liken ['laikən] *vt* (**to**) a compara, a asemui (cu)

likeness ['laiknis] *s* **1** (**between; to**) asemănare, analogie (între; cu) **2** înfățișare, chip, formă; **in the ~ of a monster** sub înfățisarea unui monstru **3** portret, chip; imagine; **to take smb's ~** a face portretul cuiva; a fotografia pe cineva

likewise ['laik,waiz] *adv* **1** în același mod/fel/chip, la fel **2** de asemenea; mai mult decât atât; pe lângă acestea, în plus

liking ['laikiŋ] *s* gust, înclinare; simpatie; plăcere; preferință; **it isn't to my ~** nu-mi place; nu e pe gustul meu; **to have a ~ to/for** a-i plăcea (cu nom), a avea simpatie pentru cineva, a fi atras de/către; **to take a ~ to/for** a prinde gust de, a începe să-i placă (ceva, cineva)

lilac ['lailək] **I** *s bot* liliac, iorgovan (*Syringa vulgaris*) **II** *adj* liliachiu, violaceu

liliaceous [,lili'eiʃəs] *adj bot* liliaceu

Lilian ['liliən] *nume fem* Liliana

lilied ['lilid] *adj* **1** ca un crin; ca de crin; gingaș ca un crin **2** plin de crini

Lille [lil] *oraș în Franța*

Lillian ['liliən] *v.* Lilian

Lilliput ['lilipʌt] *țară a piticilor în „Călătoriile lui Gulliver"* (J. Swift)

Lilliputian [,lili'pju:ʃən] *s, adj* liliputan, pitic

lilt [lilt] **I** *vt, vi* a cânta într-un ritm vioi **II** *s* **1** ritm, cadență **2** ritm bine marcat; ritm vioi/săltăreț **3** cântec cu ritm vioi/săltăreț

lily ['lili] *s bot* crin, lilie (*Lilium sp.*)

lily-like ['lili ,laik] *adj* alb cum e crinul; ca de crin

lily-livered ['lili ,livəd] *adj* fricos, laș

lily-of-the-valley ['liliəvðə'væli] *s bot* lăcrămioară, mărgăritărel (*Convallaria majalis*)

lily-white ['lili ,wait] *adj* **1** alb ca un crin **2** amer destinat exclusiv albilor; format numai din albi; segregaționist, rasist

Lima ['li:mə] *capitala Perului*

limb [lim] **I** *s* **1** *anat* membru, mădular **2** cracă, creangă **3** *fig* membru; părtaș **4** *F* soi rău, drac, diavol (împielițat) **5** *tehn, astr* limb **6** *tehn* braț, arc **II** *vt* **1** a dezmembra **2** *fig F* a face bucă-

țele, a jupui de viu

-limbed [limd] *adj* (*în cuvinte compuse*) cu membre(le)...: **strong-~** cu mușchi puternici, musculos

limber¹ ['limbər] *s mil* antetren

limber² **I** *adj* **1** flexibil, mlădios; pliant **2** *fig* flexibil; îngăduitor, înțelegător **3** prompt, expeditiv **II** *vt fig* a mlădia; a îndupleca

limbers ['limbəz] *s pl nav* canal de santină

limber up ['limbər 'ʌp] **I** *vt cu part adv* a face (mușchii) mai flexibili **II** *vi cu part adv sport* a face încălzirea

limbless ['limlis] *adj* fără membre; fără mâini *sau* picioare

limbo ['limbou] *s* **1** *rel, poetic* pragul iadului **2** debara; depozit de vechituri **3** *fig* uitare **4** *F* răcoare, zdup, – închisoare

lime¹ [laim] *s bot* tei (*Tilia sp.*)

lime² *s bot* specie de lămâi (*Citrus aurantifolia*)

lime³ **I** *s* **1** *ch* oxid de calciu **2** var; *constr* var nestins **3** ← *rar* clei **II** *vt* **1** a vărui **2** a trata cu var **3** ← *rar* a încleia **4** *fig* a păcăli, a înșela

lime cream ['laim ,kri:m] *s* lapte de var

lime juice ['laim ,dʒu:s] *s* suc/zeamă de lămâie

lime juicer ['laim ,dʒu:sər] *s sl* marinar englez

lime kiln ['laim ,kiln] *s* cuptor pentru arderea varului

limelight ['laim,lait] *s teatru* **1** lumina rampei; **to be in the ~** a fi în centrul atenției, a fi punctul de atracție **2** rampă

limen ['laimen] *s* **1** *el* prag electric; limită **2** *psih* prag (al conștiinței)

lime pit ['laim ,pit] *s* **1** varniță **2** *min* carieră de calcar

Limerick ['limərik] *comitat și oraș în Irlanda*

limerick *s* „limerick" (*poezie umoristică absurdă de 5 versuri, inventată de Edward Lear*)

limes [laimz] *s pl teatru* rampă

lime spar ['laim ,spɑ:r] *s geol* calcit

limestone ['laim,stoun] *s* **1** piatră de var, calcar **2** *ch* carbonat de calciu

lime tree ['laim ,tri:] *s v.* lime¹

lime-wash ['laim,wɔʃ] **I** *s* lapte de var **II** *vt* a vărui

liminal ['liminəl] *adj psih* liminal

limit ['limit] **I** s **1** limită, margine, hotar; **within the ~s of the town** în incinta orașului **2** fig limită, margine; stavilă; **within the ~s of my province** în limitele competenței mele; **within ~s** fig cu oarecare rezerve; **there's a ~ to everything** toate au o limită/margine; **without ~** fără margini, nelimitat; **that's the ~!** F asta e culmea! asta le pune vârf la toate! e prea de tot! **3** ↓ pl ținut, regiune **4** ↓ pl com preț plafon **5** mat limită **6** tehn toleranță **7** geod semn de hotar **II** vt **1** a limita, a mărgini, a restrânge (activitatea etc.) **2** ec a stabili/a fixa prețul (cu gen)

limitable ['limitəbəl] adj limitabil

limitary ['limitəri] adj **1** limitat, restrâns, mărginit **2** limitrof, mărginaș **3** restrictiv, limitativ

limitation [ˌlimi'teiʃən] s **1** limitare, mărginire **2** vecinătate **3** restricții, rezerve, limite **4** jur prescripție (extinctivă)

limitative ['limitətiv] adj limitativ, restrictiv

limited ['limitid] adj **1** limitat, mărginit; restrâns **2** com cu răspundere limitată, anonim

limited company ['limitid 'kʌmpəni] s com societate anonimă, societate pe acțiuni cu răspundere limitată

limited divorce ['limitid di'vɔ:s] s amer jur separație de corp

limited liability ['limitid laiə'biliti] s com responsabilitate limitată (a membrilor unei societăți)

limited owner ['limitid 'ounə'] s jur uzufructuar

limiter ['limitə'] s tehn regulator (de viteză etc.)

limiting ['limitiŋ] adj **1** limitativ; restrictiv **2** gram restrictiv

limitless ['limitlis] adj nelimitat, nemărginit

limitlessly ['limitlisli] adv (în mod) nelimitat

limitlessness ['limitlisnis] s caracter nelimitat

limit oneself to ['limit wʌn,self tə] vr cu prep sau inf a se limita/a se mărgini la sau să

limitrophe ['limi,trouf] adj (to, with) limitrof, învecinat (cu)

limn [lim] vt înv, poetic a zugrăvi, – a picta; – a înfățișa, a prezenta

limonite ['laimə,nait] s geol limonit

limousine ['limə,zi:n] s auto limuzină

limp¹ [limp] **I** vi a șchiopăta; a merge șchiopătând **II** s șchiopătat

limp² adj **1** moale; flasc **2** fără vlagă, neputincios **3** (d. rufe) mototolit; nescrobit

limpet ['limpit] s **1** zool melc turtit (Patella algira); **to hold on/hang on/cling like a ~ (to)** a se ține scai (de) **2** fig funcționar care se ține de postul lui cu dinții

limpid ['limpid] adj **1** (d. apă, atmosferă etc.) limpede, clar **2** fig (d. stil) limpede, clar, neînzorzonat

limpidity [lim'piditi] s și fig limpezime, claritate

limply ['limpli] adv moale, fără vlagă

limpness ['limpnis] s lipsă de vlagă, moliciune

Limpopo River, the [lim'poupou 'rivə', ðə] (fluviul) Limpopo

limy ['laimi] adj **1** calcaros, de var **2** lipicios; cleios

linage ['lainidʒ] s poligr număr de rânduri (pe pagină)

linchpin ['lintʃ,pin] s **1** cui de osie **2** tehn fus; fuzetă; splint

Lincoln ['liŋkən], **Abraham** președinte al S.U.A. (1809-1865; 1861-1865)

Lincolnshire ['liŋkən,ʃiə'] comitat în Anglia

Linda ['lində] nume fem

linden ['lindən] s bot tei (Tilia)

Lindsay ['lindzi], **Vachel** poet american (1875-1931)

line¹ [lain] **I** s **1** funie, frânghie; sfoară; șnur; ață **2** nav parâmă; saulă **3** undiță; **to give smb ~ enough** fig a da cuiva frâu liber; F a lăsa pe cineva să-și facă de cap **4** mat, fiz linie **5** linie de demarcație, hotar; limită; **below the ~** sub limită; sub prevederi/așteptări; **to overstep the ~** fig a depăși măsura/limita **6** linie de conduită; instrucțiune; regulă; **~ of thought** mentalitate, mod de a gândi; **~ of life** fel de viață; **to adopt a hard ~** fig a adopta o linie dură/severă; **on this ~** în acest mod; pe această linie (de gândire); în acest sens **7** pl fig soartă, destin; **hard ~s** soartă potrivnică; ghinion; **hard ~!** îmi pare rău (pentru tine)! vai, ce ghinion! **8** linie,

trăsătură; pl schiță; **to draw a ~** a trage o linie **9** muz linie (a portativului) **10** linie, siluetă, contur **11** linie, aliniere; șir, rând; **to fall into ~** a a se alinia; a intra în rând **b** fig a consimți, a-și da consimțământul/acordul; **in ~ for** pe punctul de a căpăta (o slujbă etc.) **12** **the ~** ecuatorul **13** domeniu, branșă, ramură, sferă; **to be in one's ~** a a fi/a lucra în specialitate **b** a fi pe gustul cuiva; **what ~ are you in?** ce meserie sau profesiune ai? cu ce te ocupi? **smth in his ~** a ceva ce privește meseria de specialitate a lui **b** ceva ce-l interesează; **we do nothing in that ~** a nu lucrăm în acest domeniu **b** nu ținem astfel de articole **14** rid, cută **15** rând; vers; pl poezie **16** rând scris; pl rânduri, scrisoare (scurtă); **to read between the ~s** fig a citi printre rânduri; **drop me a ~** ← F scrie-mi câteva rânduri **17** mil linie (a frontului); front; linie de bătaie; trupe de linie (de rudenie); neam; spiță; **~ of kings** dinastie; **male ~** linie bărbătească, urmași de sex bărbătesc **19** linie de comunicație; rută, traseu, cale **20** ferov linie; cale ferată **21** tel linie (de telegraf sau telefon); legătură, fir; **hold the ~** rămâi/rămâneți la aparat; **you have been given the wrong ~** vi s-a dat legătura greșit; **to get a ~ on** F a adulmeca (ceva), a da de un fir în legătură cu **II** vt **1** a linia; a hașura **2** a brăzda (fruntea etc.) **3** a așeza în linie, a înșirui **4** mil a alinia, a pune în linie

line² vt **1** a căptuși (o haină etc.); a acoperi, a îmbrăca (cu panele etc.); a tapisa **2** tehn a ajusta (un mecanism) **3** F a-și căptuși (buzunarele), – a umple cu bani **4** F a se burduși, – a-și umple (stomacul)

line³ s v. **lime¹**

line abreast formation ['lain ə'brest fɔ:'meiʃən] s mil formație în linie

lineage ['linidʒ] s linie, descendență; neam

lineal ['liniəl] adj **1** jur (of) descinzând direct (din); ereditar; succesoral **2** linear

lineally ['liniəli] adv jur în linie directă

lineament ['liniəmənt] *s* trăsătură *(a feței, de caracter)*

linear ['liniəʳ] *adj* liniar

linear drawing ['liniə 'drɔ:iŋ] *s* desen liniar

linear measure ['liniə 'meʒəʳ] *s* măsură de lungime

linear movement ['liniə 'mu:vmənt] *s* mișcare rectilinie

lined [laind] *adj* **1** liniat **2** cutat; brăzdat **3** căptușit

lineman ['lainmən] *s* **1** *ferov* picher **2** *tel* (muncitor) linior **3** *nav* om la manevră pe chei **4** *amer* înaintaș *(la fotbal)*

line mob ['lain ˌmɔb] *s mil sl* unitate de infanterie

linen ['linin] *s* **1** pânză *(de in)*; olandă **2** rufărie, lenjerie; **to wash one's dirty ~ at home** *fig* a-și spăla rufele (murdare) în familie; **to wash one's dirty ~ (in public)** *fig* a-și spăla rufele (murdare) în public

linen draper ['linin ˌdreipəʳ] *s* negustor de pânzeturi

linen drapery ['linin dreipəri] *s* pânzeturi, albituri; lenjerie

line of battle ['lain əv 'bætl] *s mil* linie de bătaie

line of contact ['lain əv 'kɔntækt] *s* **1** *mat, tehn* linie *sau* suprafață de contact **2** *tehn* linie de angrenare

line of force ['lain əv' fɔ:s] *s el* linie de forță

line of vision ['lain əv 'viʒən] *s constr* direcție a privirii

line out ['lain 'aut] **I** *vt cu part adv* a scoate (dintr-un text); a scoate în evidență **II** *vi cu part adv* a se îndrepta (grăbit)

liner¹ ['lainəʳ] *s* **1** *nav* navă/vas de linie; pachebot; transatlantic **2** *av* avion care face curse regulate

liner² *s* **1** căptușeală; garnitură **2** *tehn* cuzinet; cămașă

line service ['lain ˌsə:vis] *s* drumuri serviciu de întreținere *(a căii)*

linesman ['lainzmən] **1** *v.* **lineman** **2** *sport* arbitru de tușă

line system ['lain ˌsistim] *s el* rețea electrică

line through ['lain 'θru:] *vt cu part adv* a bifa, a șterge, a însemna

line-up ['lain ʌp] *s* **1** *sport* poziție; dispozitiv **2** succesiune de întâmplări *sau* evenimente

line up ['lain ʌp] **I** *vt cu part adv* **1** a alinia, a pune în linie **2** a aduce

la același punct de vedere; a pune de acord **II** *vi cu part adv* **1** a se alinia **2** (**for**) a se așeza la coadă, a face coadă (la) **3** (**with**) *fig* a adera (la), a se alipi, a se apropia (de)

line up behind ['lain ˌʌp bi'haind] *vi cu part adv și cu prep* ← *F* a se alinia în spatele *(cuiva)*, a sprijini *(pe cineva)*

ling¹ [liŋ] *s iht* mihalț de mare *(Molva molva)*

ling² *s* **1** bălărie, buruiană **2** *bot* iarbă neagră *(Calluna vulgaris)*

-ling *suf diminutival sau peior;* **duckling** rățușcă; **princeling** prințișor

linger ['liŋgəʳ] **I** *vi* **1** a întârzia, a zăbovi; **to ~ over one's cups** a zăbovi la un pahar; **to ~ behind the others** a rămâne în urma celorlalți **2** a dura, a dăinui, a persista **3** a rătăci, a hoinări **4** a sta pe gânduri, a se codi, a șovăi **5** a lâncezi, a tânji, a fi într-o stare de toropeală **6** *(d. otravă)* a acționa încet **7** *(d. timp)* a se scurge încet, a trece greu **II** *vt* a-și pierde *(vremea)*

lingerie ['lænʒəri:] *s fr* **1** pânzeturi, albituri **2** rufărie, lenjerie

lingering ['liŋgəriŋ] *adj* **1** zăbovitor; încetinitor **2** încet, ticăit **3** obositor, plictisitor **4** *(d. boală etc.)* prelungit, de durată **5** *(d. otravă)* lent **6** *(d. speranță)* slab **7** *(d. priviri)* plin de dor, galeș

lingeringly ['liŋgəriŋli] *adv* **1** îndelung; încet **2** cu tristețe; tânjitor

lingering radiation ['liŋgəriŋ ˌreidi-'eiʃən] *s mil* radiație remanentă

linger on **I** ['liŋgər 'ɔn] *vi cu part adv (d. obiceiuri etc.)* a (mai) supraviețui **II** ['liŋgər ɔn] *vi cu prep v.* **linger upon**

linger out ['liŋgər 'aut] **I** *vi cu part adv* a-și duce zilele (de azi pe mâine) **II** *vt cu part adv* a-și duce *(zilele)* (de azi pe mâine)

linger over ['liŋgər 'ouvəʳ] *vi cu prep v.* **linger upon**

linger upon ['liŋgər əˌpɔn] *vi cu prep* a stărui, a insista asupra *(cu gen);* a discuta prea mult despre

lingo ['liŋgou] *s* **1** jargon **2** limbă păsărească **3** ← *peior* limbă străină

lingua franca ['liŋgwə 'fræŋkə] *s it* **1** lingua franca *(limbaj comun între*

oameni care vorbesc limbi diferite, ↓ în estul Mării Mediterane) **2** limbă mixtă

lingual ['liŋgwəl] *adj* **1** *anat* lingual **2** *lingv* lingual, de limbă

linguist ['liŋgwist] *s* lingvist

linguistic [liŋ'gwistik] *adj* lingvistic

linguistically [liŋ'gwistikəli] *adv* (din punct de vedere) lingvistic

linguistics [liŋ'gwistiks] *s pl ca sg* lingvistică

linguistic stock [liŋ'gwistik 'stɔk] *s* familie de limbi

linguodental ['liŋgwou'dentəl] *fon* **I** *adj* lingvodental **II** *s* lingvodentală

liniment ['linimənt] *s med* liniment, alifie

lining ['lainiŋ] *s* **1** căptușeală; dublură; garnitură **2** *tehn* căptușeală; placare **3** *tehn* cuzinet **4** *nav* călăfătuire **5** *min* tubare **6** *min etc.* blindaj *(la galerii)* **7** *constr* șpraițuire; rambleiere; sprijinire **8** *poligr* cașerare; aliniere; albitură

link¹ [liŋk] *s* **1** verigă, za, inel **2** *text* ochi, laț **3** *fig* verigă, legătură **4** cârlionț, zuluf, inel (de păr) **5** buton de manșetă **6** ← *F* cârnăcior **7** *tehn* verigă; lanț; element; scoabă **8** *ferov* crampon **9** *ch* legătură **II** *vt* **1** a înlănțui, a lega cu un lanț **2** *și fig* a lega, a uni **3** a lua de *(braț, mână)* **III** *vi* a se lega; a se înlănțui

link² *s* faclă, torță

linkage ['liŋkidʒ] *s* **1** *tehn* racord, legătură **2** *ch* legătură **3** *el* înlănțuire

link chain ['liŋk ˌtʃein] *s tehn* lanț cu articulații

linking verb ['liŋkiŋ ˌvə:b] *s gram* (verb) copulă

linkman ['liŋkmən] *s* **1** *od* făclier *(om care lumina străzile cu torțe pt trecători întârziați)* **2** *rad, telev* crainic

link on to ['liŋk 'ɔn tə] *vi cu part adv și prep* a se atașa de, a se alătura la

links ['liŋks] *s pl* **1** *și ca sg sport* teren de golf **2** plajă, coastă de mare nisipoasă

link up ['liŋk 'ʌp] *vt cu part adv fig* a lega, a conexa, a uni

link-up ['liŋk ˌʌp] *s* (punct de) legătură; conexiune

link verb ['liŋk ˌvə:b] *s v.* **linking verb**

linnet ['linit] *s orn* cânepar, inăriță *(Carduelis cannabina)*

linocut ['lainou,kʌt] *s* linogravură

linoleum [li'nouliəm] *s* linoleum

linotype ['lainou,taip] *s poligr* linotip

linotyper ['lainou,taipəʳ] *s poligr* linotipist

linotypist ['lainou,taipist] *s v.* **linotyper**

linseed ['lin,si:d] *s* sămânță de in

linseed oil ['lin,si:d ,oil] *s* ulei de in

linsey-woolsey ['linzi 'wulzi] **I** *s* **1** *text* stofă aspră *(jumătate lână)* **2** *fig* lucru fără valoare **II** *adj* **1** pe jumătate din lână **2** *fig* aspru, grosolan

lint [lint] *s* **1** puf; scamă **2** *mil* fitil **3** fibră, fir

lintel ['lintəl] *s constr* buiandrug; prag *(al ușii)*

liny ['laini] *adj* **1** vărgat, dungat **2** încrețit, brăzdat, ridicat **3** subțire, firav, slab

Linz [lints] *oraș în Austria*

lion ['laiən] *s* **1** *zool* leu *(Felis leo)*; **to put one's head into the ~'s mouth** *fig* a se vârî/a intra în gura lupului; **the ~'s share** *fig* partea leului **2** *pl* rarități, curiozități, lucruri remarcabile *(într-un oraș etc.)* **3** *fig* celebritate, personalitate **4 the L~** *astr* Leul

Lionel ['laiənl] *nume masc*

lionesque [,laiə'nesk] *adj* leonin, de leu

lioness ['laiənis] *s zool* leoaică

lionet ['laiənit] *s zool* pui de leu

Lionheart, (the) ['laiənhɑ:t, (ðə)] *ist rege al Angliei* Richard-Inimă-de-Leu *(1189-1199)*

lion-hearted ['laiən ,hɑ:tid] *adj* neînfricat, curajos

lionization ['laiənai'zeiʃən] *s* tratare (a unei persoane) ca pe o celebritate

lionize ['laiənaiz] *vt* a trata ca pe o celebritate; a face o vedetă din

lion's foot ['laiənz ,fut] *s bot* floare de colț, floarea reginei *(Leontopodium alpinum)*

lion's mouth ['laiənz ,mauθ] *s bot* gura leului *(Antirrhynum maius)*

lion's share, the ['laiənz ,ʃɛəʳ, ðə] *s fig* partea leului

lion tamer ['laiən ,teiməʳ] *s* îmblânzitor de lei

lip [lip] **I** *s* **1** *anat* buză; *pl* gură; **the upper ~** buza de sus/superioară; **to bite one's ~s** a-și mușca buzele; **to purse one's ~s** a se bosumfla, *F →* a face bot; **up to the ~s** *fig* până peste cap; **with parted ~s** cu gura întredeschisă; **to part with dry ~s** *fig* a se despărți fără să se sărute; **to hang on smb's ~s** a asculta atent vorbele cuiva; a sorbi vorbele cuiva; **to open one's ~s** *fig* a deschide gura; **stiff upper ~** imobilitate, inexpresivitate **2** *pl* cuvinte, vorbe, spuse **3** *← F* obrăznicie, necuviință; vorbe sfruntate; **none of your ~!** *F* fără obrăznicii! te rog să lași tonul ăsta! **4** margine, muchie; buză; ghizd *(de puț);* protuberanță, ieșitură; cioc *(al unei căni)* **5** *constr* margine, ieșitură **6** *muz* muștiuc **II** *vt* **1** *← poetic* a atinge cu buzele; a săruta **2** *← rar* a pronunța, a rosti **III** *adj atr* **1** *fon* labial **2** din vârful buzelor; nesincer

lipids ['laipidz] *s pl ch* lipide

Li Po ['li: 'pou] *poet chinez (700?-762)*

lipoma [li'poumə], *pl și* **lipomata** [li'poumətə] *s med* lipom

lipothymy [li'pouθimi] *s med* lipotimie

lipped [lipt] *adj* **1** *(în cuvinte compuse)* cu buze(le)... **white-~** cu buzele palide **2** *(d. un ulcior etc.)* cu cioc **3** *bot* labiat

lip service ['lip ,sə:vis] *s* vorbe goale/ nesincere; promisiuni deșarte; **to do/pay ~ to** a spune *sau* a recunoaște *(ceva)* de formă

lipstick ['lip,stik] *s* ruj *(de buze)*

liq. *presc de la* **liquid**

liquefaction [,likwi'feikʃən] *s* lichefiere

liquefy ['likwi,fai] **I** *vt* **1** a lichefia *(un gaz etc.)* **2** *fon* a muia *(o consoană)* **II** *vi* **1** *(d. un gaz etc.)* a se lichefia; *(d. uleiuri etc.)* a se fluidifica **2** *fon* a se muia

liqueur [li'kjuəʳ] *s fr* lichior

liquid ['likwid] **I** *adj* **1** lichid; fluid **2** *fig* nestatornic, schimbător **3** *(d. aer etc.)* limpede, senin; străveziu **4** *(d. sunete)* dulce, plăcut **5** *fon* lichid, muiat **6** *fin* lichid; disponibil **7** *tehn* hidraulic **II** *s* **1** lichid **2** soluție **3** *fon* consoană lichidă

liquid air ['likwid ,ɛəʳ] *s* aer lichefiat

liquidate ['likwi,deit] **I** *vt* **1** a lichida, a regla *(socoteli);* a lichida, a achita *(o datorie)* **2** a lichida, a desființa *(o întreprindere etc.)* **3** *fig* a lichida, a termina (cu); a scăpa de **II** *vi* **1** a-și regla socotelile; a-și plăti datoriile **2** *ec* a intra în lichidare

liquidation [,likwi'deiʃən] *s* **1** lichidare; achitare **2** lichidare, desființare **3** *fig* lichidare, terminare

liquidator ['likwi,deitəʳ] *s fin* lichidator

liquid brake ['likwid ,breik] *s tehn* frână hidraulică

liquidity [li'kwiditi] *s fin* lichiditate

liquidizer ['likwi,daizəʳ] *s* aparat electric de bucătărie care transformă alimentele solide în lichide

liquid measure ['likwid ,meʒəʳ] *s* măsură de capacitate *(pt lichide)*

liquid rubber ['likwid ,rʌbəʳ] *s bot, ch* latex

liquor ['likəʳ] *s* **1** băutură, licoare; băutură spirtoasă; **in ~, the worse for ~** *F* cherchelit, afumat, – beat **2** *ch* soluție; licoare **3** zeamă, suc *(de carne);* sos

liquorice ['likəris] *s bot* lemn dulce *(Glycyrrhiza glabra)*

liquorish ['likəriʃ] *adj* **1** *v.* **lewd 2** băutor; ahtiat după băutură **3** lacom, pofticios

lira ['liərə], *pl și* **lire** ['liəri] *s it* liră *(unitate monetară în Italia, Turcia, Siria)*

Lisbon ['lizbən] *capitala Portugaliei* Lisabona

lisle [lail] *s text* fildecos

lisp [lisp] **I** *vi* **1** a sâsâi, a vorbi peltic **2** a gângăvi, a se bâlbâi **II** *vt* **1** a rosti sâsâit **2** a gângăvi **III** *s* **1** sâsâit, sâsâială **2** gângăveală, bâlbâială **3** foșnet, freamăt *(al frunzelor);* susur, murmur *(al apei)*

lisping ['lispiŋ] *adj* **1** sâsâit **2** șoptitor; murmurător

lissom(e) ['lisəm] *adj* **1** mlădios, suplu, grațios **2** sprinten, agil

list[1] [list] **I** *s* **1** listă; tabel; inventar; registru; catalog; rol; stat; **to draw up/out a ~** a întocmi o listă; **to put smb's name off the ~** a șterge numele cuiva de pe listă **2** margine, bordură; chenar; brâu **3** *arhit* ciubuc **4** *amer* brazdă *(trasă cu plugul)* **II** *vt* **1** a trece/a nota/a înscrie pe o listă; a înregistra; a specifica **2** a împodobi cu un chenar; a tivi **III** *vi mil ← F* a se înrola

list[2] *← poetic* **I** *vi* a asculta **II** *vt* a asculta; a trage cu urechea la

list³ *vi nav* a se înclina, a se canarisi

list⁴ *vt înv* a pofti, – a dori

listel ['listəl] *s arhit* listel

listen ['lisən] **I** *vi* (**to**) a asculta *(cu ac);* a trage cu urechea (la); a fi atent (la); ~! ascultă! fii atent! **don't ~ to him!** nu-l asculta! lasă-l în pace! **II** *s tel* audiție; ascultare

listenable ['lisənəbəl] *adj*← *F* plăcut (la auz)

listener ['lisənə'] *s* auditor; ascultător *(la radio etc.)*

listen for ['lisən fə'] *vi cu prep* a asculta cu atenție *(un moment, un pasaj etc. dintr-o bucată muzicală)*

listen in ['lisən 'in] *vi cu part adv* **1** *tel* a fi pe recepție **2** a intercepta o convorbire **3** a asculta la radio

listening ['lisən 'iŋ] **I** *s* **1** ascultare; audiție **2** *mil* ascultare; pândă; interceptare **II** *adj* **1** *atr* de ascultare; de recepție **2** ← *poetic* atent; la pândă

listen to ['lisən tə] *vi cu prep* a asculta de; a da ascultare *cu gen*

lister ['listə'] *s agr* plug-rariță

listless ['listlis] *adj* nepăsător, indiferent; apatic

listessly ['listisli] *adv* cu indiferență

listlessness ['listlisnis] *s* nepăsare, indiferență, apatie

lists [lists] *s pl* **1** *od* arenă *(pt turniruri)* **2** *od* turnir **3** arenă, câmp de luptă; **to enter the ~** *fig* a intra în arenă/luptă; a răspunde la o provocare

Liszt [list], **Franz** *compozitor ungar (1811-1886)*

lit [lit] *pret și ptc de la* **light¹ III, IV** *și* **light³**

lit. *presc de la* **1** litre **2** literal **3** literally **4** literary **5** literature

litany ['litəni] *s bis* litanie, rugăciune lungă

liter ['li:tə'] *s amer v.* **litre**

literacy ['litərəsi] *s* știință de carte; instrucție

literal ['litərəl] **I** *adj* **1** literal, de literă **2** literal, cuvânt cu cuvânt **3** precis, întocmai, propriu **4** sec, pedant; prozaic **5** *fig* un adevărat *(măcel etc.)* **II** *s poligr* greșeală mică de tipar

literalism ['litərə,lizəm] *s* **1** interpretare literală; traducere literală/ad litteram **2** redare *sau* reprezentare foarte exactă/fidelă

literally ['litərəli] *adj* **1** cuvânt cu cuvânt, ad litteram **2** literalmente, pur și simplu, fără exagerare

literary ['litərəri] *adj* **1** literar **2** *(d. cineva)* de litere; versat în literatură

literary man ['litərəri 'mæn] *s* literat

literate ['litərit] **I** *adj* **1** cu știință de carte **2** cu carte, cult; învățat **II** *s* **1** om cu știință de carte **2** om cu carte, om cult; om învățat **3** literat

literati [,litə'ra:ti:] *s pl lat* **1** literați; scriitori; oameni de litere **2** oameni culți/de cultură

literatim [,litə'ra:tim] *adv lat v.* **literally 1**

literature ['litəritʃə'] *s* **1** literatură **2** litere *(ca studiu, carieră)* **3** literatură; bibliografie; material informativ; lucrări de referință

-lith *suf* -lit; **monolith** monolit

litharge ['liθa:dʒ] *s* **1** *ch* litargă **2** *minr* masicot

lithe [laið] *adj* **1** sprinten, vioi **2** mlădios, suplu **3** binevoitor, amabil; îndatoritor **4** acomodabil

lithely ['laiðli] *adv* **1** sprinten, vioi **2** mlădios, cu suplețe; grațios

lithesome ['laiðsəm] *adj v.* **lithe 1, 2**

lithiasis [li'θaiəsis] *s med* litiază

lithium ['liθiəm] *s ch* litiu

lithograph ['liθə,gra:f] **I** *s* litografie **II** *vt* a litografia

lithographic [,liθə'græfik] *adj* litografic

lithography [li'θogrəfi] *s* litografie

lithosphere ['liθə,sfiə'] *s geol* litosferă

lithotomy [li'θotəmi] *s med* litotomie

Lithuania [,liθju'einiə] Lituania, Republica Lituaniană

Lithuanian [,liθju'einiən] **I** *adj* lituanian **II** *s* **1** lituanian **2** (limba) lituaniană

litigant ['litigənt] *jur* **I** *adj* litigios, în litigiu **II** *s* împricinat; parte litigantă

litigate ['liti,geit] *jur* **I** *vi* a fi în litigiu; a se judeca **II** *vt* **1** a se judeca pentru **2** a contesta

litigation [,liti'geiʃən] *s jur* litigiu; contestație

litigious [li'tidʒəs] *adj jur* **1** litigios, în discuție **2** pornit pe procese

litigiousness [li'tidʒəsnis] *s* caracter litigios

litmus ['litməs] *s ch* turnesol

litmus paper ['litməs ,peipə'] *s* hârtie de turnesol

litotes ['laitouti:z] *s ret* litotă

litre ['li:tə'] *s* litru

Litt. D. *presc de la* **Lit(t)erarum Doctor** doctor în litere

litter¹ ['litə'] *s* **1** targă; lectică **2** targă, *reg* → patașcă

litter² **I** *s* **1** gunoi; murdărie; resturi; lucruri împrăștiate de-a valma; dezordine **2** cățeluși, purcei *etc.* abia fătați **II** *vt* **1** a murdări; a arunca hârtii, resturi *etc.* pe *sau* prin; a umple *(o încăpere etc.)* cu fel de fel de resturi **2** a așterne paie pentru *(un animal)* **3** a așterne paie *(pt un animal)* în *(grajd etc.)* **4** (↓ *d.* cățele și scroafe) a făta

litterateur [,litərə'tə:'] *s fr* literat; om de litere; scriitor

litter bag ['litə ,bæg] *s amer* sac de gunoi

litter bin ['litə ,bin] *s* sac de gunoi; cutie de gunoi

littery ['litəri] *adj* **1** așternut cu paie **2** împrăștiat, răvășit; în dezordine

little ['litəl] **I** *comp* **less** [les], *sup* **least** [li:st] *adj* **1** mic; **the ~ ones** a cei mici, copiii **b** puii *(unui animal);* **the ~ finger** degetul mic **2** *(cu valoare diminutivală):* **a ~ garden** o grădiniță; **a ~ house** o căsuță, o căscioară; **a ~ boy** un băietaș; **a ~ girl** o fetiță **3** puțin, nu mult; infim; **I have ~ time** am puțin timp la îndemână; **~ money** puțini bani **4** **a ~** puțin, câtva, ceva; *v.* **a little** *(la a)* **5** *fig* îngust, mărginit; **a ~ mind** o minte mărginită **6** *fig* mic, neînsemnat; **~ things** nimicuri, fleacuri **7** *fig* meschin, urât, josnic; **it was very ~ of him to** a fost foarte meschin din partea lui să **II** *pr, s* **1** puțin; **the ~ he had** puținul pe care-l avea; **to come to ~** a nu realiza mare lucru; **I see very ~ of him** îl văd foarte rar; **~ by ~** puțin câte puțin, treptat; **~ or nothing** aproape/mai nimic; **in ~ a** pe scară mică; puțin **b** *pict* în miniatură **2** **a ~** puțin, ceva; *v.* **a little** *(la a)* **III** *comp* **less** [les], *sup* **least** [li:st] *adv* **1** puțin, nu mult; aproape de loc; **he slept very ~** dormea foarte puțin; **we see them very ~** îi vedem foarte rar; **~ did I dream of that** nici nu visam așa ceva; **he is ~ better** nu se simte cu mult mai bine, n-aș putea spune că s-a însănătoșit

2 a ~ ceva, întrucâtva, oarecum, cam puțin; *v.* **a little** *(la a)* **3** *(cu unele verbe)* deloc, defel, câtuși de puțin; nici un; **I ~ suspected that he was there** nici nu bănuiam că e acolo

Little Bear, the ['litəl 'bɛəʳ, ðə] *s astr* Ursa Mică

little brain ['litəl ‚brein] *s anat* creierul mic, cerebel

little brother ['litəl, brʌðəʳ] *s* frate mai mic; mezin

little finger, the ['litəl 'fiŋgəʳ, ðə] *s* degetul mic

little folk ['litəl ‚fouk] *s* spiriduși; zâne mici, omuleți *(în Irlanda)*

little-go ['litəl ‚gou] *s univ* ← *F primul examen pt obținerea titlului de B.A. (la Cambridge)*

littleness ['litəlnis] *s* **1** micime, mici proporții **2** *fig* micime, meschinărie **3** *fig* lipsă de însemnătate

little people ['litəl ‚pi:pəl] *s v.* **little folk**

little sister ['litəl ‚sistəʳ] *s* soră mai mică

littlish ['litliʃ] *adj* cam mic; destul de mic; mititel

littoral ['litərəl] *s* litoral

liturgic(al) ['li'tə:dʒikəl] *adj* liturgic

liturgy ['litədʒi] *s* **1** liturghie **2** serviciu divin, slujbă bisericească

livable ['livəbəl] *adj v.* **liveable**

live¹ [liv] **I** *vi* **1** a trăi, a exista, a viețui; **as I ~!** *F* pe viața mea! pe onoarea mea! **~ and learn** *prov* omul cât trăiește învață; **~ and let ~** trăiește și lasă-i și pe alții să trăiască; **to ~ for the day when** a trăi să apuce ziua când **2** a locui, a trăi **3** a se întreține, a trăi; **he ~s by his work** trăiește din munca sa; se întreține singur; **he ~s on vegetables** se hrănește numai cu legume; **to ~ on others** a trăi pe socoteala altora; **to ~ beyond/above one's means** a cheltui mai mult decât îl ține punga; **to ~ by/on one's wits a** a se descurca *(într-un fel)*, a trăi și el cum poate **b** a-și câștiga existența prin mijloace necinstite *sau* dubioase **4** a rezista, a supraviețui; *(d. nume etc.)* a dăinui, a nu pieri **II** *vt* **1** *teatru* a trăi *(un rol)* **2** a duce *(o viață)*

live² [laiv] *adj* **1** viu, în viață, trăitor **2** plin de viață, vioi **3** real, din

viață **4** *(d. culori)* viu, aprins **5** *(d. cărbuni)* aprins **6** *tehn* mobil **7** *el* sub tensiune

liveable ['livəbəl] *adj* **1** locuibil, în care se poate locui **2** *(d. condiții de viață etc.)* acceptabil; suportabil **3** *(d. cineva)* cu care se poate trăi; sociabil

live birth ['laiv 'bə:θ] *s* nașterea unui copil viu

lived [livd] *adj (în cuvinte compuse)* care trăiește...: **long-~** care trăiește mult, de viață lungă

livelihood ['laivli‚hud] *s* trai; mijloace de trai, întreținere; **to earn a ~** a-și câștiga existența

liveliness ['laivlinis] *s* vioiciune, însuflețire; animație

livelong ['liv‚lɔŋ] *adj atr* **1** tot; lung, care trece încet, nesfârșit; **the ~ day** cât e ziua de mare **2** trainic, veșnic

lively ['laivli] *adj* **1** plin de viață, vioi **2** ager, inteligent **3** *(d. interes, culori etc.)* viu **4** vesel; glumeț **5** sprinten, iute, energic

liven (up) ['laivən (‚ʌp)] **I** *vt* a însufleți, a anima, a înveseli **II** *vi* a se însufleți, a se anima

live off ['liv ɔ:f] *vi cu prep* **1** a-și câștiga existența din **2** a trăi de pe urma/pe socoteala *(cuiva)*

live out ['liv 'aut] **I** *vi cu part adv* a nu locui la locul de muncă **II** *vt cu part adv* a trăi până la sfârșitul *(lunii etc.)*

liver¹ ['livəʳ] *s* ficat *(și ca aliment)*; **to have a ~ a** a fi bolnav de ficat **b** a fi prost dispus

liver² *s* om care trăiește într-un anumit fel *etc.;* **a clean ~** un om căruia îi place curățenia

liver-coloured ['livə‚kʌləd] *adj* roșu-închis

liver extract ['livər iks‚trækt] *s* extract de ficat

liveried ['livərid] *adj* ← *F* **1** hepatic **2** arțagos; supărăcios

Liverpool ['livə‚pu:l] *oraș în Anglia*

Liverpudlian [‚livə'pʌdliən] *s* locuitor din Liverpool

liverwort ['livə‚wə:t] *s bot* crucea voinicului *(Hepatica sp.)*

livery ['livəri] *s* **1** livrea **2** uniformă **3** *fig poetic* podoabă, găteală **4** *jur* punere în posesie

livery company ['livəri 'kʌmpəni] *s* corporație londoneză *(cu uniformă distinctă)*

liveryman ['livərimən] *s* **1** lacheu *(în livrea)* **2** membru al unei corporații londoneze

livery stable(s) ['livəri ‚steibəlz] *s pl ca sg* grajd cu chirie *sau* de unde se închiriază cai

live stock ['laiv ‚stɔk] *s* **1** vite; șeptel **2** inventar viu

live television ['laiv 'teli‚viʒən] *s* emisiune televizată în direct

live through ['liv θru:] *vi cu prep* a supraviețui *(dificultăților)*

live up to ['liv ‚ʌp tə] *vi cu prep* **1** a trăi conform *(unor principii etc.)* **2** a fi la înălțimea *(reputației etc.)* **3** a fi vrednic de **4** a îndreptăți *(speranțe etc.)*

livid ['livid] *adj* **1** livid, de o culoare cadaverică **2** plumburiu **3** vânăt, învinețit

lividity [li'viditi] *s* lividitate

living ['liviŋ] **I** *adj* **1** viu, în viață; **no man ~** nimeni pe lume **2** *(d. culori)* viu, aprins, luminos **3** *fig* vioi; energic; activ, harnic **4** aidoma, leit; **the ~ image of her mother** leit maică-sa **II** *s* **1** viață, existență; trai; mod de viață; **plain ~** viață sobră **2** *(mijloace de)* trai, existență; **to earn one's ~** a-și câștiga existența; **high ~** trai îmbelșugat **3** locuință, domiciliu **4** **the ~** viii, cei vii

living language ['liviŋ ‚læŋgwidʒ] *s* limbă vie

living picture ['liviŋ ‚piktʃəʳ] *s* tablou vivant

living room ['liviŋ ‚ru:m] *s* cameră de zi

living space ['liviŋ ‚speis] *s* **1** spațiu vital **2** spațiu de locuit

Livingstone ['liviŋstoun], **David** *explorator scoțian (1813-1873)*

living wage ['liviŋ ‚weidʒ] *s* minimum de trai

Livonia [li'vouniə] *ist Estonia și Letonia*

Livy ['livi] *istoric roman* Tit Liviu, Titus Livius *(59 î.e.n.-17 e.n.)*

lizard ['lizəd] *s zool* șopârlă *(Lacerta agilis)*

Lizzie ['lizi] *nume fem*

ll. *presc de la* **lines**

llama ['lɑ:mə] *s și ca pl zool* lama *(Auchenia lama)*

LL. D. *presc de la* **Legum Doctor** doctor în drept

Llewellyn [lu:'elin] *nume masc*

Lloyd [lɔid] *nume masc*

L.M. *presc de la* **Lord Mayor**

lo [lou] *interj* ← *înv* iată! uite! când, ce să vezi?

loach [loutʃ] *s iht* grindel *(Cobitis barbatula)*

load [loud] **I** *s* **1** sarcină, încărcătură, povară, greutate; **to have a ~ on one's mind** *fig* a avea o povară pe suflet; **to take a ~ off one's mind/heart** *fig* a-și lua o piatră de pe inimă **2** *tehn* sarcină, încărcătură; randament; solicitare; **at full ~** cu randament maxim **3** *nav* caric **4** *mil* încărcătură *(a unei arme)* **5** *geol* vână **6** ← *F* grămadă, mulțime; **~ of money** grămadă de bani, bani cu ghiotura **II** *vt* **1** a încărca; a lua *(pasageri)* **2** *fig* a împovăra; a copleși *(cu laude etc.)* **3** a încărca, a îngreuia *(stomacul etc.)* **4** *mil, el etc.* a încărca; **~!** *mil* încărcați arm'! **5** a plumbui *(un baston etc.)* **6** *met* a șarja **7** *tel* a pupiniza **III** *vr* a se încărca *(cu bagaje etc.)* **IV** *vi* **1** a încărca; a lua încărcătură **2** *mil etc.* a pune încărcătura, a încărca

loaded ['loudid] *adj* **1** încărcat; plin **2** *mil* încărcat **3** *F* afumat, cherchelit

loading ['loudiŋ] *s* **1** încărcare *etc.* *(v.* **load II***)* **2** *com* fraht, încărcătură **3** *nav* caric, încărcătură **4** *tehn* solicitare

loading ledge ['loudiŋ ˌledʒ] *s ferov* rampă de încărcare

load lift ['loud ˌlift] *s tehn* ascensor de mărfuri

load star ['loud ˌstaːʳ] *s v.* **lodestar**

loadstone ['loud ˌstoun] *s minr* magnet natural; magnetit

loaf[1] [louf] *s* **1** pâine *(de o anumită formă);* franzelă, jimblă **2** căpățână de zahăr **3** cocean **4** *F* căpățână, țeastă, – cap; **use your ~!** *F* pune-ți mintea la contribuție!

loaf[2] **I** *vi* **1** a trândăvi, a tândăli, a-și pierde vremea **2** a hoinări, a umbla hai-hui **II** *s* trândăveală, trândăvie, lene

loaf away ['louf ə'wei] *vt cu part adv* a petrece/a pierde *(timpul)* hoinărind

loafer ['loufəʳ] *s* **1** leneș, trântor **2** haimana; hoinar

loafers ['loufəz] *s pl* mocasini, pantofi mocasin

loaf sugar ['louf ˌʃugəʳ] *s* **1** căpățână de zahăr **2** zahăr cubic

loam [loum] **I** *s* **1** lut; argilă grasă, humă **2** pământ roditor/gras **3** lut pentru cărămizi **II** *vt* a tencui cu lut

loamy ['loumi] *adj* lutos, humos, argilos

loan [loun] **I** *s* (dare cu) împrumut; **on ~** împrumutat **II** *vt* a da cu împrumut

loan bank ['loun ˌbæŋk] *s fin* bancă de credit

loan collection ['loun kə'lekʃən] *s arte etc.* colecție particulară împrumutată unei expoziții

loan office ['loun 'ofis] *s* **1** casă de împrumut **2** munte de pietate; casă de împrumut pe amanet

loan shark ['loun ˌʃaːk] *s* ← *F* cămătar

loan society ['loun sə'saiəti] *s fin* societate de credit

loan translation ['loun traːn,sleiʃən] *s lingv* calc

loan word ['loun ˌwəːd] *s lingv* împrumut, cuvânt împrumutat

loath [louθ] *adj pred* potrivnic, care nu e dispus; **I am ~ to go** nu-mi face nici o plăcere să plec, nu sunt dispus să plec, *F* n-am chef să plec; **I am ~ for him to do that** nu sunt de acord ca el să facă asta; **I am ~ that he takes part** nu sunt de acord/părere ca el să participe; **nothing ~** bucuros

loathe [louð] *vt* a detesta, a-i fi silă/scârbă de, a nu putea suferi

loathing ['louðiŋ] *s* silă, scârbă, aversiune, dezgust

loathingly ['louðiŋli] *adv* cu scârbă/dezgust; în silă

loathsome ['louðsəm] *adj* scârbos, detestabil, dezgustător

loathsomely ['louðsəmli] *adv* dezgustător, scârbos

loathsomeness ['louðsəmnis] *s* caracter, aspect *etc.* dezgustător

lob [lob] **I** *vi* **1** a merge greu/greoi/anevoie **2** a arunca mingea sus *(la tenis)* **II** *vt* a arunca sus *(mingea, la tenis)*

lobate ['loubeit] *adj zool, bot* lobat

lobby ['lobi] **I** *s* **1** anticameră, vestibul; coridor, culoar **2** *teatru* foaier, hol **3** *nav* culoar către mai multe compartimente **4** *pol* culoar, coridor; sala pașilor pierduți **5** *amer pol* „lobby" *(grup de persoane care îi influențează pe membrii Congresului în favoarea unui proiect de lege)* **II** *vt amer pol* a influența *(pe membrii Congresului)*

lobbyism ['lobi,izəm] *s amer pol* trafic de influență *(pe culoarele unei adunări legislative)*

lobe [loub] *s* **1** *anat* lob *(al urechii);* alveolă *(pulmonară)* **2** *bot* lob **3** *tehn* petală, lob; camă, lobă

lobed [loubd] *adj v.* **lobate**

lobelia [lou'biːliə] *s bot* lobelie *(Lobelia crinus)*

lobotomy [lou'botəmi] *s med* lobotomie

lobster ['lobstəʳ] *s zool* rac de mare, homar, stacoj *(Homarus sp.)*

lobster box ['lobstə ˌboks] *s sl* **1** *nav* vas de transport **2** cazarmă

lobular ['lobjuləʳ] *adj anat* lobular

lobule ['lobjuːl] *s anat* lobul

local ['loukəl] **I** *adj* **1** local **2** *fig* îngust, mărginit **II** *s* **1** localnic **2** organizație locală de partid *sau* sindicală **3** tren local **4 the ~** cârciuma cea mai apropiată *(de locuința cuiva);* cârciuma satului **5** *fig* loc, scenă *(a acțiunii)*

local adverb ['loukəl 'ædvəːb] *s gram* adverb de loc

local colour ['loukəl 'kʌləʳ] *s lit* culoare locală

locale [lou'kaːl] *s fig* scenă, teatru

local government ['loukəl 'gʌvənmənt] *s* **1** administrație descentralizată **2** autoguvernare locală

localism ['loukə,lizəm] *s* **1** *lingv* regionalism **2** obicei local **3** patriotism local **4** îngustime de orizont

locality [lou'kæliti] *s* **1** localitate **2** loc, poziție, situație **3** loc, punct; sector; zonă **4** *v.* **locale 5** orientare

localization ['loukəlai'zeiʃən] *s* **1** localizare **2** descentralizare **3** sediu; loc

localize ['loukə,laiz] *vt* **1** a localiza; a restrânge, a limita **2** a descentraliza **3** a stabili locul *(cu gen)* **4** a preciza locul *(cu gen)*

localize on/upon ['loukə,laiz on/ə,pon] *vt cu prep* a concentra/a îndrepta *(atenția)* asupra *(cu gen)*

locally ['loukəli] *adv* **1** în plan local **2** într-un spațiu anumit *sau* limitat

local option ['loukəl 'ɔpʃən] s dreptul unei regiuni dintr-o țară de a aproba sau nu vânzarea băuturilor alcoolice

local tax ['loukəl 'tæks] s impozit comunal

local time ['loukəl ‚taim] s ora locală

locate [lou'keit] **I** vt **1** a stabili locul *(cu gen)*, a localiza; a amplasa **2** a instala; *mil* a încartirui **3** a găsi locul *(cu gen)* (pe hartă) **II** vi a se stabili, a se așeza

location [lou'keiʃən] s **1** loc; situație **2** localizare, amplasare **3** *tehn* piesă de bază **4** *tel etc.* locație

locative ['lɔkətiv] s *gram* (cazul) locativ

loch [lɔk] s *scot* **1** lac **2** braț de mare

loci ['lousai] *pl de la* **locus**

lock¹ [lɔk] s **1** buclă; *pl* păr **2** smoc *(de păr)* **3** mănunchi, mână *(de lână)*

lock² **I** s **1** închizător; lacăt; broască; zăvor **2** *tehn* fixator; siguranță **3** *mil* piedică, închizător **4** ecluză; stăvilar **5** blocare *(a circulației);* ~, **stock and barrel** cu desăvârșire, total; **under ~ and key** a sub lacăt, în siguranță **b** întemnițat **II** vt **1** a încuia, a închide *(cu lacăt);* a zăvorî **2** a strânge *(în brațe)* **3** a strânge *(din dinți)* **4** a frâna **5** *tehn* a împiedica; a bloca **6** *nav* a trece *(un vas)* printr-o ecluză **7** *fig* a ține ascuns/secret, a tăinui **III** vi **1** a fi încuiat/închis **2** *(d. o ușă etc.)* a se încuia, a se închide **3** a se strânge, a se uni

lockage ['lɔkidʒ] s *nav* **1** ecluzare **2** taxă de ecluzare

lock away ['lɔk ə'wei] vt cu part adv v. **lock up** I, 1, 3

Locke [lɔk], **John** *filosof englez (1632-1704)*

locker ['lɔkə'] s **1** dulăpior; compartiment *sau* lădiță *(care se încuie)* **2** *nav* cheson **3** *tehn* ladă pentru scule

locker room ['lɔkə ‚ru:m] s vestiar (cu dulapuri individuale)

locket ['lɔkit] s medalion

lock-out ['lɔk‚aut] s **1** închiderea fabricii **2** *tehn* locaut, întrerupere, deconectare

locksmith ['lɔk‚smiθ] s lăcătuș

lock-up ['lɔk‚ʌp] s **1** (oră de) închidere *sau* încetare a lucrului **2** închisoare; celulă **3** *ec* capital mort

lock up ['lɔk ‚ʌp] **I** vt cu part adv **1** a încuia; a ține sub cheie **2** a încuia, a zăvorî, a închide *(pe cineva)* **3** a întemnița; a interna la spitalul de nebuni **3** *fin* a imobiliza, a bloca (un capital) **II** vi cu part adv *(d. birouri etc.)* a se închide

loco ['loukou] adj *amer sl* nebun, țicnit

locomotion [‚loukə'mouʃən] s locomoție

locomotive [‚loukə'moutiv] **I** adj locomotor **II** s locomotivă

locum tenens ['loukəm 'ti:nenz] s *lat* locțiitor, înlocuitor; suplinitor

locus ['loukəs], *pl* **loci** ['lousai] s **1** loc; poziție **2** *mat* loc geometric al punctelor

locust ['loukʌst] s **1** *ent* lăcustă călătoare *(Pachytylus migratoria)* **2** *ent* cicadă, greier *(Cicadina sp.)* **3** *bot* salcâm *(Robinia pseudoacacia)* **4** *bot* roșcov *(Ceratonia siliqua)* **5** *fig* lăcustă; om lacom; parazit

locution [lou'kju:ʃən] s **1** expresie; cuvânt **2** mod de exprimare

lode [loud] s *min* filon, vână

lodestar ['loud‚sta:ʳ] s **1** *astr* steaua polară **2** *fig* stea călăuzitoare; model; ideal; principiu călăuzitor

lodge [lɔdʒ] **I** s **1** gheretă *sau* căsuță *(a paznicului etc.)* **2** colibă; căscioară, căsuță; locuință *(↓ provizorie)* **3** wigwam, cort *(al Pieilor Roșii)* **4** *constr* boxă **5** lojă (masonică) **6** culcuș, vizuină **II** vt **1** a stabili *(↓ temporar)*, a găzdui; a adăposti; a caza **2** a înfige; a băga, a vârî *(un glonț etc.)* **3** a investi, a plasa *(bani);* a încredința *(puterea etc.);* a depune *(o plângere etc.)* **III** vr *mil* **1** a ocupa o poziție **2** a se încartirui **IV** vi **1** a poposi, a rămâne *(pt un timp);* a găzdui; a mânca **2** a trăi, a locui *(cu chirie)* **3** *(d. un obiect)* a rămâne pe loc, a se opri

lodge in ['lɔdʒ in] vi cu prep *(d. un glonț etc.)* a pătrunde în; a se opri în

lodgement ['lɔdʒmənt] s v. **lodgment**

lodger ['lɔdʒəʳ] s locatar; chiriaș

lodging ['lɔdʒiŋ] s **1** găzduire; locuință, casă *(pt un timp)* **2** *pl* cameră *sau* camere cu chirie/de închiriat; **to take ~s** a lua cu chirie/a închiria un apartament *sau* o cameră

lodging house ['lɔdʒiŋ ‚haus] s casă cu apartamente *sau* camere de închiriat

lodgment ['lɔdʒmənt] s **1** v. **lodging 12** *mil* întărituri *(pe o poziție cucerită)* **3** *fig* adăpost, loc; **this idea found a ~ in his mind** această idee i se înrădăcină în minte **4** prezentare *(a unei cereri etc.)*

loess ['louis] s *geol* loess

loft [lɔft] s **1** pod *(de casă);* mansardă **2** porumbărie, porumbar **3** *nav* sală de trasaj **4** *constr* cor *(într-o biserică)* **5** *amer* etajul de sus *(↓ al unui magazin)* **6** fânărie, șură pentru fân

loftily ['lɔftili] adv **1** măreț; cu măreție **2** trufaș, mândru, țanțoș

loftiness ['lɔftinis] s **1** (mare) înălțime **2** *fig* înălțime, elevație; măreție, noblețe; frumusețe **3** *fig* măreție, maiestate; demnitate **4** *fig* mândrie

lofty ['lɔfti] adj **1** *(d. munți etc.)* foarte înalt, semeț, avântat **2** *fig (d. idealuri etc.)* înalt, nobil, ales; măreț; splendid **3** elevat, superior **4** *(d. cineva)* mândru, trufaș, semeț, arogant

log [lɔg] s **1** butuc, buștean, buturugă **2** *constr* grindă, bârnă **3** *nav* lo(c)h **4** *nav* jurnal de bord

log *presc de la* **logarithm**

log. *presc de la* **logic**

logarithm ['lɔgə‚riðəm] s *mat* logaritm

logarithmic(al) [‚lɔgə'riðmik(əl)] adj *mat* logaritmic

logarithmically [‚lɔgə'riðmikəli] adv cu ajutorul logaritmilor

log book ['lɔg ‚buk] s *nav* jurnal de bord

log cabin ['lɔg ‚kæbin] s colibă, casă *sau* cabană de bârne

log canoe ['lɔg kə'nu:] s luntre (dintr-un singur trunchi); pirogă

log driver ['lɔg ‚draivəʳ] s plutaș

loge [louʒ] s *teatru* lojă

loggerhead ['lɔgə‚hed] s **1** cap sec, nătâng, nătărău, prost; cap pătrat **2** *pl* ceartă; **to be at ~s with smb** a fi certat cu cineva, *F* a fi la cuțite cu cineva

loggia ['lɔdʒə] s *arhit* loggia

log house ['lɔg ‚haus] s casă de bârne

logic ['lɔdʒik] **I** s logică **II** adj v. **logical**

logical ['lɔdʒikəl] adj logic, ↓ rațional

logically ['lɔdʒikəli] *adv* (în mod) logic; din punct de vedere logic

logician [lɔ'dʒiʃən] *s* logician

logistic [lɔ'dʒistik] *adj mat* logistic

logistics [lɔ'dʒistiks] *s pl ca sg* **1** *mat* logistică **2** *mil* tehnica spatelui; tehnica transportului și aprovizionării; servicii

log map ['lɔg ,mæp] *s mil* hartă de lucru

logograph ['lɔgou,grif] *s rebusistică* logogrif

Logos, logos ['lɔgɔs] *s filoz* Logos, logos, verb

log paper ['lɔg ,peipəʳ] *s* hârtie logaritmică

log rolling ['lɔg ,rouliŋ] *s amer* **1** *fig* tămâiere reciprocă **2** *fig* schimb de servicii (*în politică*)

logwood ['lɔg,wud] *s* (lemn de) băcan; lemn colorant

logy ['lougi] *adj* care se simte prea plin (*după mâncare*)

loin [lɔin] *s* **1** *pl anat* șale; spate; **to gird up one's ~s** *bibl, poetic* a-și încinge coapsele, – a-și încorda puterile **2** filé (*de oaie sau vacă*)

Loire, the ['lwɑːr, ðə] *fluviu în Franța* Loara

Lois ['louis] *nume fem*

loiter ['lɔitəʳ] *vi* **1** a rătăci, a hoinări, a umbla hai-hui **2** a zăbovi; a rămâne în urmă **3** a se mocăi; a tândăli

loiterer ['lɔitərəʳ] *s* pierde-vară, leneș

loll [lɔl] **I** *vi* **1** (d. limbă) a-i atârna, a-i ieși afară **2** (d. cineva) a se lungi, a se tolăni **II** *vt* a-și odihni, a-și rezema (*capul, trupul*)

loll about ['lɔl ə'baut] *vi cu part adv* a hoinări, a umbla hai-hui

loll against ['lɔl ə'genst] *vi cu prep* a se sprijini/a se rezema de

lollard ['lɔləd] *s ist* lollard (*reformator, partizan al lui John Wycliffe*)

lolli pop ['lɔli,pɔp] *s* **1** candel pe băț **2** *pl* bomboane

Lombard Street ['lɔmbəd ,striːt] *s* **1** strada băncilor din Londra **2** *fig* marea finanță, bancherii

Lombardy ['lɔmbədi] *regiune în Italia* Lombardia

London ['lʌndən] **1** Londra **2** Jack ~ *scriitor american (1876-1916)*

Londonderry ['lʌndən,deri] *oraș în Irlanda de Nord*

Londoner ['lʌndənəʳ] *s* londonez

Londonism ['lʌndənizəm] *s* cuvânt, expresie *sau* obicei londonez

lone [loun] *adj atr poetic v.* **lonely**; **to play a ~ hand** *fig* a acționa de unul singur

loneliness ['lounlinis] *s* singurătate; izolare

lonely ['lounli] *adj* **1** singur, solitar **2** singuratic **3** izolat, retras; stingher; nefrecventat

loner ['lounəʳ] *s* singuratic, solitar

lonesome ['lounsəm] *adj* **1** *v.* **lonely 2** cuprins de dor, tânjitor

lone wolf ['loun ,wulf] *s* singuratic, solitar (↓ *de bună voie*)

long [lɔŋ] **I** *adj* **1** lung; prelung; **ten feet ~** lung de zece picioare, având o lungime de zece picioare; **two ~ miles** *fig* două mile bune; **a ~ face** o față prelungă **b** *fig* o figură tristă; **to have a ~ tongue** *fig* a fi bun de gură, a fi limbut; **it's as ~ as it's broad** *F* (e) tot un drac; ce mi-e una, ce mi-e alta; **it's a ~ way to** e o cale lungă/un drum lung până la **2** (*temporal*) lung, îndelungat; de durată; prelungit; **the nights are ~er** nopțile sunt mai lungi/s-au lungit/s-au mărit; **it won't take a ~ time** n-o să dureze mult (timp); **a ~ time ago** cu mult (timp) în urmă; **it will be a ~ job** o să dureze mult, *F* o să fie o treabă lungă; **to be ~ about (doing) smth** a-i trebui mult (timp) ca să facă ceva **3** (*d. o cifră*) mare; (*d. un preț*) ridicat; *F* umflat; (*d. familie*) mare, numeros; **~ years** ani îndelungați/mulți **II** *s* **1** durată; mult timp, vreme multă; **before ~** în curând; **to have only ~ enough to** a avea cu greu timp/ timpul necesar să; **for ~** a pentru multă vreme **b** multă vreme **2** the ~ *școl* ← *F* vacanța mare **3** *metr* silabă lungă // **the ~ and the short of it/of the thing/of the matter** într-un cuvânt, pe scurt; **that's the ~ and the short of it** (și) asta e tot; *F* și cu/asta basta **III** *adv* **1** mult (timp), multă vreme; **he has been over so ~** e mult de când a plecat; **~ live peace!** trăiască pacea! **as/so ~ as** cât timp, atâta timp/vreme cât; **to be ~ in coming** a întârzia, a se lăsa așteptat; **so ~!** *F* pe curând! – la revedere! cu bine!

how ~? de când/câtă vreme? **ten minutes ~er** încă zece minute **2** tot, în întregime; **all day ~** toată ziua, *F* cât e ziua/ziulica de mare **3** de mult (timp); **I haven't ~ seen them** nu i-am văzut de mult/de multă vreme; **~ ago/since** de mult (timp), cu mult (timp) în urmă; **~ before** a *adv* cu mult (timp) înainte; de mult (timp) **b** *prep* cu mult (timp) înainte de **4** mult (timp); **~ after** a *adv* vreme îndelungată (după aceea), timp îndelungat/mult timp (după aceea) **b** *prep* mult timp după

long-ago ['lɔŋə'gou] *adj atr* de demult/altădată

Long Beach ['lɔŋ, biːtʃ] *oraș în S.U.A.*

long boat ['lɔŋ ,bout] *s nav* barcă mare, barcă de transport

long bolt ['lɔŋ ,boult] *s constr* bulon de ancorare

long bow ['lɔŋ ,bou] *s od* arc mare; **to draw/to pull the ~** *F* a îndruga verzi și uscate; a face din țânțar armăsar, – a exagera

long day ['lɔŋ ,dei] *s* zi de muncă cu ore suplimentare

long-distance call ['lɔŋ'distəns ,kɔːl] *s tel* convorbire interurbană

long-distance runner ['lɔŋ'distəns 'rʌnəʳ] *s sport* alergător de fond

long dozen ['lɔŋ ,dʌzən] *s, num* treisprezece

long-drawn (out) ['lɔŋ ,drɔːn (aut)] *adj* de durată; prelungit

long-eared ['lɔŋ'iəd] *adj* cu urechi mari; clăpăug

longeron ['lɔndʒərən] *s* **1** *auto etc.* lonjeron **2** *constr* grindă principală

longeval [lɔŋ'dʒiːvəl] *adj* longeviv, îndelung trăitor

longevity [lɔŋ'dʒeviti] *s* longevitate, viață lungă

long-expected ['lɔŋiks'pektid] *adj* mult/îndelung așteptat

long-faced ['lɔŋfeist] *adj* **1** cu fața prelungă **2** *fig* amărât, necăjit, abătut

Longfellow ['lɔŋ,felou], **Henry Wadsworth** *poet american (1807-1882)*

long-fingered ['lɔŋ 'fiŋgəd] *adj* **1** cu degete lungi **2** *fig F* lung de mână; – cleptoman

long for ['lɔŋ fəʳ] *vi cu prep* **1** a tinde spre/către, a năzui la **2** a dori (↓ *cu înfocare*), a râvni *cu ac*, a râvni la; a tânji după

long-haired ['lɔŋ ˌhɛəd] *adj* **1** cu părul lung, pletos **2** ← *peior* intelectual **3** ← *peior* tânăr și necomformist; antisocial

longhand ['lɔŋˌhænd] *s* scriere obișnuită (*ant* stenografie)

long head ['lɔŋ ˌhed] *s* **1** ← *F* prevedere, perspicacitate **2** dolihocefal

long-headed ['lɔŋˌhedid] *adj* deștept; inteligent; înțelept

longing ['lɔŋiŋ] **I** *adj* **1** doritor, pofticios **2** plin de dor **II** *s* dor; alean; năzuință

longingly ['lɔŋiŋli] *adv* cu dor; cu nerăbdare

Longinus [lɔŋ'dʒainəs] *filosof grec (213-273)*

longish ['lɔŋiʃ] *adj* lunguieț, destul de *sau* cam lung

Long Island ['lɔŋ 'ailənd] *insulă în statul New York*

longitude ['lɔndʒiˌtjuːd] *s geogr, astr* longitudine

longitudinal [ˌlɔndʒi'tjuːdinəl] *adj* longitudinal

longitudinally [ˌlɔndʒi'tjuːdinəli] *adv* (ca) longitudine

long jump ['lɔŋ ˌdʒʌmp] *s sport* săritură în lungime

long-lived ['lɔŋˌlivd] *adj* de lungă durată; de viață lungă; îndelung trăitor

Long Parliament [ˌlɔŋ 'paːləmənt], **the** *s ist* parlamentul lung (*în Anglia, între 1640-1650 și 1659-1660*)

long player ['lɔŋ 'plɛəʳ] *s* disc microsion

long-range ['lɔŋˌreindʒ] *adj atr* **1** *mil etc.* cu rază mare de acțiune **2** *fig* cu perspectivă largă, de largă perspectivă; cuprinzător

long robe ['lɔŋ ˌroub] *s* **1** robă de magistrat **2** *bis* sutană, rasă **3** cler(ici)

long-run ['lɔŋ ˌrʌn] *adj atr* (*d. un obiectiv*) îndepărtat

longshoreman ['lɔŋˌʃɔːmən] *s* docher; hamal în port; muncitor portuar

long sight ['lɔŋ ˌsait] *s* prezbitism

long-sighted ['lɔŋˌsaitid] *adj* **1** *med* prezbit **2** care vede departe **3** *fig* clarvăzător; perspicace; pătrunzător

long-sightedness ['lɔŋˌsaitidnis] *s* **1** *med* hipermetropie, hiperopie **2** *fig* prevedere; clarviziune

long-spun ['lɔŋˌspʌn] *adj atr* **1** plicticos, tărăgănat **2** lung, deșirat

long-standing ['lɔŋ 'stændiŋ] *adj atr* **1** foarte vechi **2** de lungă durată

long-suffering ['lɔŋ ˌsʌferiŋ] *adj atr* îndelung răbdător, care suferă mult

long-tailed ['lɔŋˌteild] *adj* **1** cu coadă lungă **2** (*d. cuvinte*) cu terminație lungă

long-term ['lɔŋˌtəːm] *adj atr* pe termen lung

long to ['lɔŋ tə] *vt cu inf* a dori cu înfocare să; a-i fi dor să

long ton ['lɔŋ ˌtʌn] *s* tonă engleză (= 1016,47 kg)

long-tongued ['lɔŋ ˌtʌŋd] *adj fig* limbut, guraliv

longueurs [lõ'gøːʳ] *s pl fr lit etc.* lungimi

long wave ['lɔŋ ˌweiv] *s tel* undă lungă

longways ['lɔŋweiz] *adv* în lung, de-a lungul

long-winded ['lɔŋ 'windid] *adj* **1** cu plămâni buni, care nu gâfâie **2** *fig* prolix; tărăgănat; lung, plictisitor

long-windedness ['lɔŋ'windidnis] *s* vorbărie, prolixitate

longwise ['lɔŋwaiz] *adv v.* **longways**

loo [luː] *s F* closet, – toaletă

look [luk] **I** *s* **1** privire, uitătură, căutătură; **may I have a ~ (at)?** pot să mă uit (la)? **to have/to take a good ~ at** a privi/a se uita cu atenție la, a cerceta cu de-amănuntul *cu ac;* **to give smb a ~ up** *F* a trece pe la cineva, – a face o scurtă vizită cuiva; **to cast a ~ at** a arunca o privire *cu dat* **2** *și pl* înfățișare, aspect, figură; **to judge by ~s** a judeca după aparențe; **I don't like the ~(s) of her** nu-mi place (figura ei); **she has (good) ~s** e frumoasă **3** expresie, mină; căutătură **II** *vi* **1** (**at**) a se uita, a privi (la); **he was ~ing at the picture** se uita la tablou; **he was ~ing over the fence** se uita peste gard; **to ~ the other way a** a privi în partea cealaltă **b** a-și întoarce privirile; **~ before you leap** *prov* nu zice hop până n-ai sărit; **~ here!** *F* ascultă! uite! **~ sharp!** grăbește-te! *F* dă-i zor/bătaie! **2** a părea, a arăta; a avea aerul/înfățișarea (*de om sănătos etc.*); **he ~ed**

sad părea trist; **to ~ well a** (*d. cineva*) a arăta bine **b** (*d. îmbrăcăminte*) a sta/a ședea bine **c** (*d. treburi etc.*) a merge bine; **the crop ~s well** recolta se anunță bună/bogată; **you ~ as if/though you wanted to say** parcă ai vrea să mai stai, am impresia că vrei să rămâi **3** (*d. o casă etc.*) a fi orientat spre, a da înspre, a fi cu fața la (*sud etc.*) **III** *vt* a exprima (*pe față*) a părea să fie (*un om bun etc.*); **she does not ~ her age** nu-și trădează vârsta, arată mai tânără decât este (în realitate); **they ~ed their surprise** surprinderea li se citea pe față; **to ~ smb in the face/the eye** a privi pe cineva drept în față/ochi

look about ['luk ə'baut] **I** *vi cu part adv* a privi/a se uita de jur-împrejur **II** *vi cu prep* **1** a se uita în jurul (*cu gen*) **2** *fig* a vedea situația care s-a creat în jurul (*cu gen*)

look about for ['luk ə'baut fəʳ] *vi cu part adv și prep* **1** a căuta *sau* a urmări cu privirea *cu ac;* a căuta *cu ac* **2** a fi în căutarea (*unui post etc.*), a căuta *cu ac*

look after ['luk ˌaːftəʳ] *vi cu prep* a se îngriji/a avea grijă de, a supraveghea (*un copil, un bolnav etc.*); **to ~ oneself** a-și purta singur de grijă

look ahead ['luk ə'hed] *vi cu adv și fig* a privi înainte

look at ['luk ət] *vi cu prep* **1** a se uita/a privi la (*televizor etc.*); a urmări *cu ac* **2** a lua în considerare (*ceva*) **3** a examina, a cerceta (*ceva*) **4** a se uita la, a lua (*ca exemplu negativ*) (*pe cineva*)

look back ['luk ˌbæk] *vi cu part adv și fig* a privi înapoi

look down ['luk ˌdaun] **I** *vi cu part adv* a privi în jos; a privi în pământ, a-și pleca ochii **II** *vt cu part adv* a îngheța cu privirea (*pe cineva*)

look down on/upon ['luk ˌdaun ɔn/ə'pɔn] *vi cu part adv și prep* a privi (*pe cineva*) ca inferior; a socoti inferior; a disprețui, a privi cu dispreț la (*cineva*)

looker ['lukəʳ] *s* **1** privitor, spectator **2** observator **3** păstrător; paznic, păzitor **4** *F* frumusețe de fată *sau* femeie **5** ← *rar F* băiat *sau* bărbat frumos **6** ← *F* telespectator

looker-on ['lukər,ɔn], *pl* **lookers-on** ['lukəz,ɔn] *s* privitor; spectator; *pl* asistență

look for ['luk fəʳ] *vi cu prep* 1 a căuta *cu ac*, a fi în căutare *cu gen;* a se uita după; a umbla după 2 a se aștepta la; a prevedea, a anticipa *cu ac*

look forward to ['luk'fɔ:wəd tə] I *vi cu part adv și prep* a aștepta cu plăcere/nerăbdare *ceva* II *vi cu part adv și prep* a aștepta cu plăcere/nerăbdare să

look here ['luk 'hiəʳ] *interj F* ascultă; uite ce e(ste)

look-in ['luk,in] *s* 1 privire grăbită/ fugitivă; ocheadă 2 vizită scurtă

look in ['luk 'in] I *vi cu part adv* a intra, a trece pe la cineva; **I just looked in at his house** doar am trecut pe la el II *vt cu prep* a privi drept (în față) *(pe cineva)*

looking-for ['lukiŋ,fəʳ] *s* 1 căutări 2 așteptări, speranțe

looking glass ['lukiŋ,glɑːs] *s* oglindă

look in on ['luk 'in ɔn] *vi cu part adv și prep* a trece pe la *(cineva)*

look in to ['luk 'in tə] *vi cu part adv și prep* a urmări *(o emisiune de televiziune)*

look into ['luk 'intə] *vi cu prep* 1 a se uita/a privi în *sau* înăuntrul *cu gen* 2 *fig* a cerceta, a examina, a studia *cu ac* 3 *fig* a răsfoi *(o carte etc.)*, a se uita prin

look like ['luk,laik] *vi cu prep* 1 a semăna cu, a avea aceeași înfățișare ca (și) 2 a arăta, a fi; **what does it ~?** cum e/arată *(casa etc.)*? a părea; **it looks like raining** arată a ploaie, se pregătește de ploaie, stă să plouă

look on I ['luk ɔn] *vi cu prep (d. o casă etc.)* a avea vedere spre, a da înspre II ['luk 'ɔn] *vi cu part adv* a privi, a fi spectator

look-out ['luk,aut] *s* 1 atenție, băgare de seamă, vigilență; **be on your ~!** fii atent! *F* fii cu ochii în patru! 2 *mil* punct de observare, observator 3 paznic; observator 4 priveliște, tablou, scenă 5 punct de vedere, opinie, părere

look out ['luk 'aut] I *vi cu part adv* 1 a privi/a se uita afară 2 a fi atent/ cu băgare de seamă II *vt cu part adv* a căuta; a alege, a selecta

look out for ['luk 'aut fəʳ] *vi cu part adv și prep* 1 a căuta, a vrea să cumpere *(o casă etc.)* 2 a pândi *(pe cineva)*

look out on ['luk 'aut ɔn] *vi cu part adv și prep v.* **look on**

look-over ['luk 'ouvəʳ] *s* examinare, cercetare

look over ['luk 'ouvəʳ] *vt cu part adv* a examina, a cerceta; a trece în revistă

look round ['luk 'raund] *vi cu part adv* 1 a se uita de jur împrejur, a privi în jur 2 a întoarce capul, a se întoarce

look round for ['luk 'raund fəʳ] *vi cu part adv și prep* a se uita după *(cineva)*, a căuta din ochi *(pe cineva)*

look-see ['luk,si:] *s sl* 1 privire grăbită *sau* furișă 2 cercetare superficială 3 *nav* periscop 4 binoclu

look through I ['luk,θru:] *vi cu prep* 1 a se uita prin; a căuta prin 2 *fig* a se uita prin; a cerceta, a examina *cu ac* II ['luk 'θru:] *vt cu part adv* a săgeta/a străpunge cu privirea *(pe cineva)*

look to ['luk tə] *vi cu prep* 1 a fi situat la *(sud etc.)* 2 a avea grijă/a se îngriji de; a se gândi la; **~ it that/ this does not happen again** vezi să nu se mai întâmple (așa ceva) 3 a se bizui/a conta pe *(cineva etc.)*

look towards ['luk tə,wɔːdz] *vi cu prep v.* **look to** 1

look up ['luk ʌp] I *vi cu part adv* 1 a privi/a se uita în sus; a ridica privirile/ochii 2 *F (d. treburi etc.)* a merge bine *sau* mai bine II *vt cu part adv* 1 a căuta *(un cuvânt în dicționar, un număr de telefon etc.)* 2 a trece pe la *(cineva)*, a face o vizită scurtă *(cuiva)*

look upon ['luk ə,pɔn] *vi cu prep* a considera, a socoti *cu ac*, a privi, a vedea *(o problemă etc.)*

look up to ['luk ʌp tə] *vi cu part adv și prep* a trata cu respect *(pe cineva)*, a avea (multă/deosebită) considerație pentru *(cineva)*

loom¹ [luːm] *vi* 1 a ivi, a se arăta; a se contura *(nedeslușit sau amenințător);* a se desluși 2 *fig* a se întrevedea *(la orizont)*

loom² *s text* război de țesut; gherghef

loon [luːn] *s orn* cufundar, bodârlău *(Gavia sp.)*

loony ['luːni] *adj, s F* țăcănit, atins, – nebun

loony bin ['luːni ,bin] *s pl* spital de nebuni, *înv →* „Mărcuța"

loop [luːp] I *s* 1 laț, nod; ochi *(de croșetă)* 2 cheotoare 3 *geogr* cot, meandră 4 ureche *(de gheată etc.)* 5 *tehn* deschidere, orificiu, ochi, gaură 6 *tehn* buclă; brățară; scoabă, bridă 7 *tehn* arc, resort 8 *nav* nod (simplu) 9 *av* luping, buclă 10 *tel* cadru-antenă (cu o buclă) 11 *constr* belciug; balama II *vt* 1 a înnoda; a prinde cu un nod 2 a ridica, a sumete *(rochia etc.)* III *vi (d. râuri etc.)* a șerpui, a face coturi

looper ['luːpəʳ] *s text* maieză

loophole ['luːphoul] *s* 1 deschizătură, crăpătură 2 crenel 3 *fig* portiță (de scăpare); fisură

looping ['luːpiŋ] *s av* luping

loop knot ['luːp ,nɔt] *s* nod simplu

loop line ['luːp ,lain] *s ferov* linie de ocolire

loose [luːs] I *adj* 1 dezlegat, desfăcut; slăbit; liber 2 *(d. un animal)* dezlegat, (lăsat) liber; **to let ~** a dezlega *(un câine etc.)*, a da drumul *(unui câine etc.);* **to break ~** a scăpa (din lanț *etc.)* 3 *fig (d. mânie etc.)* dezlănțuit, revărsat; **to let one's anger ~** a da frâu liber mâniei 4 *(d. haine)* larg, mare; *(d. păr, frânghie etc.)* care atârnă 5 *fig (d. idei etc.)* vag, nedeslușit; imprecis; inexact; haotic 6 *fig (d. scris)* neglijent; neciteț 7 *(d. pământ)* fărâmicios; afânat 8 *fig (d. bani)* mărunt 9 *fig (d. cineva)* destrăbălat, stricat; imoral; *(d. viață, conduită etc.)* depravat, destrăbălat, deșucheat 10 *(d. joc sportiv etc.)* stângaci, slab, cu greșeli II *vt* 1 a desface, a dezlega *(un nod, un șiret)* 2 a despleti *(părul)*, a lăsa liber 3 *fig* a dezlega *(limba)* 4 a pune în libertate, a (e)libera; a scăpa, a lăsa să scape III *s* expresie, manifestare, cale liberă, frâu liber; **to give (a) ~ to one's feelings** a da frâu liber sentimentelor

loose-bodied ['luːs,bɔdid] *adj (d. haine)* larg (în talie)

loose ends ['lu:s ,endz] *s pl fig* mărunțișuri/probleme mărunte de ultimă oră

loose-leaf ['lu:s,li:f] *adj atr (d. calendar etc.)* cu foi libere *sau* detașabile

loosely ['lu:sli] *adv* 1 liber; desfăcut 2 *(a atârna etc.)* desfăcut 3 *fig* vag, nedeslușit; neprecis; inexact 4 *fig* neglijent 5 *fig* în destrăbălare, imoral

loosen ['lu:sən] I *vt* 1 *v.* loose II, 1-3 2 *agr* a afâna *(pământul)* 3 *med* a evacua *(intestinul)* 4 a slăbi *(strânsoarea)* II *vi* 1 *(d. un nod, o legătură)* a se desface; a se dezlega 2 *(d. un șurub etc.)* a se slăbi

loosener ['lu:sənər] *s* purgativ, laxativ

looseness ['lu:snis] *s* 1 desfacere *(a unui nod etc.);* slăbire *(a unui șurub etc.)* 2 lărgime *(a unei haine)* 3 fragilitate, instabilitate *(a terenului)* 4 imprecizie *(a termenilor etc.);* prolixitate, neclaritate 5 *fig* slăbire *(a disciplinei)* 6 *fig* libertinaj; destrăbălare; imoralitate

loosening ['lu:sniŋ] *s* 1 slăbire; relaxare; desfacere 2 *agr* afânare 3 *med* scaune diareice

loosestrife ['lu:s,straif] *s bot* drețe *(Lysimachia sp.)*

loose-tongued ['lu:s,tʌŋd] *adj* limbut, vorbăreț

loot [lu:t] I *s* pradă; jaf II *vt, vi* a prăda, a jefui

looter ['lu:tər] *s* jefuitor *(pe timp de război)*

lop¹ [lɔp] *vt* a curăța de ramuri, a tunde *(un pom)*

lop² I *vi* 1 *(d. urechi)* a atârna, a se pleoști 2 *(d. animale)* a sări; a înainta în salturi II *vt* a pleoști *(urechile)*

lop³ I *vi* a clipoci II *s* clipocit

lop about ['lɔp ə'baut] *vi cu part adv* a umbla hai-hui, *F* a bate drumurile

lope [loup] *vi v.* lop² I 2

lop-eared ['lɔp,iəd] *adj* clăpăug, cu urechile blegi

loppings ['lɔpiŋz] *s pl* crăci tăiate

loppy ['lɔpi] *adj* care atârnă liber

lop-sided ['lɔp ,saidid] *adj* strâmb, înclinat, aplecat (într-o parte)

loq. *presc de la* loquitur

loquacious [lɔ'kweiʃəs] *adj* volubil; vorbăreț

loquacity [lɔ'kwæsiti] *s* volubilitate; limbuție

loquitur ['lɔkwitər] *lat teatru (el sau ea)* vorbește

lor [lɔ:ʳ] *interj* ← *P* (o) Doamne! cerule!

lord [lɔ:d] I *s* 1 domn(itor), suveran; stăpân; senior (feudal); **to swear like a** ~ a înjura ca un birjar; **(as) drunk as a** ~ beat criță 2 **the L~** Domnul (Dumnezeu), Dumnezeu; **L~ bless my soul!** Doamne Dumnezeule/sfinte! cerule! **(the) L~ (only) knows** (numai) Dumnezeu (Sfântul) știe 3 lord *(titlu nobiliar, ↓ al baronilor)* 4 *pol* lord *(membru al Camerei Lorzilor)* 5 magnat, mare industriaș 6 stăpân; posesor 7 ← *poetic, glumeț* soț, bărbat II *vt* 1 a conferi *(cuiva)* titlul de lord 2 a se adresa *(cuiva)* cu titlul de lord 3 a domni/a stăpâni peste III *interj* Oh/Good L~! Dumnezeule! Cerule! O, Doamne!

Lord Chancellor ['lɔ:d 'tʃɑ:nslər] *s* lord cancelar

lording ['lɔ:diŋ] *s peior aprox* boiernaș

lord it ['lɔ:d ,it] *vt cu pron F* a face pe lordul *sau* pe boierul

lordlike ['lɔ:dlaik] *adj* (ca) de lord

lordliness ['lɔ:dlinis] *s* calitatea de lord

lordling ['lɔ:dliŋ] *s v.* lording

lordly ['lɔ:dli] I *adj* 1 de lord; ca de lord 2 maiestuos, măreț 3 semeț, arogant 4 darnic, mărinimos II *adv* 1 ca un lord 2 *v.* I 2-4

Lord Mayor ['lɔ:d 'mɛəʳ] *s* lord primar *(al Londrei sau al altor câteva orașe din Anglia și Irlanda)*

lordosis [lɔ:'dousis], *pl* **lordoses** [lɔ:'dousi:z] *s med* lordoză

lords-and-ladies ['lɔ:dz ən 'leidiz] *s pl bot* rodul pământului, barba lui Aron *(Arum maculatum)*

lordship ['lɔ:dʃip] *s* 1 *ist* puterea *sau* domeniile lordului feudal 2 calitatea de lord; **your** ~ excelența/luminăția voastră

Lord's Prayer, the ['lɔ:dz ,prɛəʳ, ðə] *s (rugăciunea)* Tatăl Nostru

Lord's Supper, the ['lɔ:dz ,sʌpəʳ, ðə] *s bis* 1 Cina cea de taină 2 Sfânta Cuminecătură

lore [lɔ:ʳ] *s* știință, cunoștințe *(↓ tradiționale)*

Loretta [lə'retə] *nume fem*

lorgnette [lɔ:'njet] *s* lornetă

lorn [lɔ:n] *adj poetic* oropsit, – părăsit; nemângâiat

Lorna ['lɔ:nə] *nume fem*

Lorraine [lɔ'rein] *ist provincie franceză* Lorena

lorry ['lɔri] *s* 1 (auto)camion 2 *ferov* vagonet 3 *ferov* vagon-platformă

lorry-hop ['lɔri,hɔp] *vi F* a călători cu autostopul

Los Angeles [lɔs 'ændʒi,li:z] *oraș din S.U.A.*

lose [lu:z] *pret și ptc* lost [lɔst] I *vt* 1 a pierde *(un obiect, pe cineva, terenul, capul etc.);* a rătăci *(un obiect);* **to** ~ **one's voice** *fig* a-și pierde glasul, a nu mai putea vorbi; **to** ~ **weight** a pierde din greutate, a slăbi; **to** ~ **the train** a pierde/a scăpa trenul 2 *(d. ceas)* a rămâne în urmă cu *(atâtea minute)* 3 a face *(pe cineva)* să piardă *(un post etc.)* 4 *pas (d. o propunere etc.)* a fi respins 5 *pas* a se pierde; a fi zadarnic/inutil; **the joke was lost on him** n-a sesizat gluma II *vr* a se pierde, a se rătăci *(în mulțime etc.)* III *vi* 1 a pierde; a ieși în pierdere; a avea/a suferi pierderi 2 *(d. ceas)* a întârzia, a rămâne în urmă

lose in ['lu:z in] *vi cu prep* a pierde din *(respect etc.)*

lose oneself in ['lu:z wʌn,self in] *vr cu prep* a fi absorbit/preocupat de, a fi adâncit în *(lectură etc.)*

lose out ['lu:z 'aut] *vi cu part adv* 1 *com* a pierde *(↓ mult, într-o tranzacție)* 2 a fi învins/înfrânt *(într-o competiție)*

loser ['lu:zəʳ] *s* persoană care pierde; păgubaș; învins

losing ['lu:ziŋ] I *adj* care pierde; învins; necâștigător II *s* 1 pierdere 2 *pl* pierderi *(la jocuri)*

loss [lɔs] *s* 1 pierdere *(a unui obiect etc.);* ~ **of sight** pierdere a vederii 2 pierdere, pagubă; daune; **to inflict** ~**es** a provoca pierderi; **to sell at a** ~ a vinde în pierdere 3 *fig* încurcătură, impas, strâmtoare; **to bet at a** ~ a fi în încurcătură; a nu ști ce să spună *sau* să facă; **to be never at a** ~ **what to answer** a găsi răspuns la toate 4 *med* pierdere; scurgere 5 *text* deșeuri 6 *pl mil* pierderi; ~**es in manpower and material** pierderi în personal și tehnică

loss leader ['lɔs ˌliːdə^r] *s com* articol vândut ieftin pentru a atrage clienți

lost [lɔst] **I** *pret și ptc de la* **lose II** *adj* pierdut

lost call ['lɔst ˌkɔːl] *s tel* apel fals

lost cause ['lɔst ˌkɔːz] *s* cauză pierdută

lost motion ['lɔst ˌmouʃən] *s tehn* **1** joc **2** mers în gol

lost property ['lɔst 'prɔpəti] *s* obiecte pierdute *(într-un loc public)*

lost time ['lɔst ˌtaim] *s* **1** *tehn* și *fig* timp pierdut **2** *tehn* timp mort; întrerupere a lucrului

lot [lɔt] **I** *s* **1** sorți; tragere la sorți; **to draw/to cast ~s** a trage la sorți **2** soartă, destin; noroc **3** *fig* parte; sarcină; greu **4** lot, parcelă **5** *ec* cotă, parte **6** parte, porțiune **7** **a ~ of, ~s of** *F* o mulțime de; – foarte mult *sau* foarte mulți; **a ~ of time** (foarte) mult timp, *F* o groază de timp; **~s of money** *F* o mulțime/o grămadă de bani, bănet – nu glumă; **you'll have ~s of fun** *F* o să ai distracți grozav/de minune; **a (fat) ~ you care!** *F* grozav de mult îți pasă (ce să zic)! **8** *F* cetățean, individ, tip; **he's a bad ~** e soi rău **II** *adv pl ←* *F* (cu) mult *(mai bine etc.)*

loth [louθ] *adj, v.* **loath**

lotion ['louʃən] *s med* loțiune

lot production ['lɔt prə'dʌkʃən] *s* producție în serie

lottery ['lɔtəri] *s și fig* loterie

Lottie, Lotty ['lɔti] *nume fem v.* **Charlotte**

lotto ['lɔtou] *s* loto

lotus ['loutəs] *s bot* **1** lotus *(Nymphaea lotus)* **2** drețe *(Nelumbo nucifera)*

lotus eater ['loutəs ˌiːtə^r] *s fig* visător; sibarit

lotus eating ['loutəs ˌiːtiŋ] *s* indolență, visare; „dolce farniente"

loud [laud] **I** *adj* **1** *(d. sunete)* tare, puternic, sonor; răsunător; *(d. râs)* zgomotos; *(d. voce)* sonor; strident; metalic; **to be ~ with** *(d. pădure etc.)* a răsuna de *(cântece etc.)* **2** *(d. cineva)* zgomotos, gălăgios; vulgar **3** *(d. o stradă etc.)* plin de zgomot, gălăgios, zgomotos **4** *(d. culori etc.)* strident, țipător **5** *(d. mirosuri)* tare, pătrunzător **II** *adv* **1** cu voce tare **2** *(a vorbi etc.)* tare; strident **3** *(a mirosi)* pătrunzător

louden ['laudən] *vt* a amplifica *(un sunet)*

loud-hailer ['laud,heilə^r] *s* megafon *(al poliției etc.)*

loudish ['laudiʃ] *adj* **1** cam tare/zgomotos/strident **2** *(d. culori)* cam țipător

loudly ['laudli] *adj* **1** cu voce tare **2** tare, puternic, răsunător, sonor; zgomotos **3** *(a se îmbrăca etc.)* țipător, extravagant

loud-mouth ['laud,mauθ] *s F* gură mare, urlător

loud-mouthed ['laud,mauðd] *adj* **1** cu voce puternică/răsunătoare **2** zgomotos, gălăgios, cu gură mare

loudness ['laudnis] *s* **1** intensitate, putere, tărie *(a sunetului)* **2** caracter zgomotos/strident **3** extravaganță *(în îmbrăcăminte)*, caracter țipător *(al îmbrăcămintei)*

loudspeaker [ˌlaud'spiːkə^r] *s tel* difuzor, megafon

loud-spoken ['laud,spoukən] *adj* (spus) cu voce tare

lough [lɔk] *s irl* lac; lagună

Louis ['luːi] *nume masc*

Louisa [luːˈiːzə] *nume fem* Luiza

Louise [luːˈiːz] *nume fem v.* **Louisa**

Louisiana [luːˌiːziˈænə] *stat în S.U.A.*

Louisville ['luːiˌvil] *oraș în S.U.A.*

lounge [laundʒ] **I** *vi* **1** a se odihni; a se tolăni; a sta tolănit **2** a trândăvi, a lenevi **II** *s* **1** lenevie, trândăvie, „dolce farniente" **2** pierdere de vreme **3** mers lenevos **4** fotoliu; șezlong; divan, sofa **5** loc de odihnă **6** *teatru* foaier **7** hol *(într-un hotel)* **8** plimbare *(scurtă);* hoinăreală

lounger ['laundʒə^r] *s* pierde-vară; trântor

loungingly ['laundʒiŋli] *adv* alene, lenevos

loupe [luːp] *s opt* lupă

lour [lauə^r] **I** *s* **1** înfățișare ursuză/posomorâtă; frunte încruntată; privire/căutătură supărată **2** nori negri, cer amenințător **II** *vi* **1** a se încrunta, a-și încrunta sprâncenele; a fi încruntat/supărat **2** a se întuneca, a se acoperi cu nori, a se înnora **3** *(d. nori)* a se apropia amenințător

louring ['lauəriŋ] *adj* **1** posomorât, posac, încruntat **2** *(d. cer)* mohorât, întunecat

louringly ['lauəriŋli] *adv* **1** cu un aer sumbru/posac/ursuz, supărat, încruntat **2** amenințător

louse [laus], *pl* **lice** [lais] *s ent* păduche *(Pediculus sp.)*

lousewort ['laus,wəːt] *s bot* darie, păducherniță *(Pedicularis sp.)*

lousy ['lauzi] *adj* **1** păduchios **2** *F* groaznic, – rău, prost

lousy with ['lauzi wið] *adj cu prep sl* plin de; **~ money** *F* putred de bogat

lout [laut] *s* bădăran, mocofan

loutish ['lautiʃ] *adj* grosolan, necioplit

Louvain [luˈve] *oraș în Belgia*

louver ['luːvə^r] *s* **1** *tehn* deschizătură; crestătură, tăietură **2** *pl* jaluzele; oblon

Louvre, the ['luːvr, ðə] (palatul *sau* muzeul) Luvru

lovability [ˌlʌvə'biliti] *s* drăgălășenie; vino-ncoace

lovable ['lʌvəbəl] *adj* drăguț, atrăgător, simpatic; *(d. o fată și)* cu vino-ncoace

lovably ['lʌvəbli] *adv* amabil; drăgăstos

lovage ['lʌvidʒ] *s bot* leuștean *(Levisticum officinale)*

love [lʌv] **I** *s* **1** (of, for, towards) iubire, dragoste (pentru, față de; de), *rar →* amor (pentru); **to be in ~ with smb** a fi îndrăgostit de cineva; **to be head over ears in ~** *F* a fi îndrăgostit până peste urechi; **there is no ~ lost between them** a *F* nu mor/se răpădesc unul după celălalt **b** ← *F* se iubesc, țin unul la altul; **for the ~ of God!** pentru (numele lui) Dumnezeu! **for ~ a** de plăcere/amuzament **b** gratuit, gratis, fără plată **2** persoană iubită, dragoste, pasiune **3** *F* odor, comoară, scumpete; – lucru prețios/scump **4** salutări, complimente; **give my ~ to your brother** transmite salutări fratelui dumitale **5** *sport* zero; **three ~** trei la zero **II** *vt* a iubi; a nutri simpatie pentru; a-i plăcea; a îndrăgi; **to ~ smb to distraction** a iubi pe cineva la nebunie, a adora pe cineva **III** *vi* a iubi

loveable ['lʌvəbəl] *adj v.* **lovable**

loveably ['lʌvəbli] *adv v.* **lovably**

love affair ['lʌv ə'fɛə^r] *s* dragoste, amor; aventură sentimentală; chestiune de dragoste

love apple ['lʌv, æpəl] *s bot* ← înv roşie, pătlăgică *(Solanum lico-persicum)*

love child ['lʌv ,tʃaild] *s* copil din flori/nelegitim

love favour ['lʌv ,feivəʳ] *s* suvenir de dragoste

love feast ['lʌv ,fi:st] *s bis* agapă

Lovelace ['lʌv,leis] *s* don Juan, crai(don); afemeiat

loveless ['lʌvlis] *adj* neiubitor 2 *(d. o căsnicie etc.)* lipsit de dragoste 3 neiubit

loveliness ['lʌvlinis] *s* frumusețe, drăgălășenie, farmec

lovelock ['lʌv,lɔk] *s* cârlionț, inel *(pe frunte, la tâmplă)*

love-lorn ['lʌv,lɔ:n] *adj* 1 îndrăgostit, deznădăjduit 2 părăsit de iubit *sau* iubită

lovely ['lʌvli] *adj* 1 drăguț, simpatic; frumos, atrăgător; încântător, fermecător 2 *F* grozav, strașnic, minunat, nemaipomenit

love-making ['lʌv,meikiŋ] *s* amor, dragoste; curte; vorbe dulci

love match ['lʌv ,mætʃ] *s* căsătorie din dragoste

lover ['lʌvəʳ] *s* 1 îndrăgostit; *pl* îndrăgostiți 2 iubit; amant 3 pretendent, pețitor

lover of ['lʌvər əv] *s cu prep* iubitor/ amator de; partizan al

love seat ['lʌv ,si:t] *s* fotoliu pentru două persoane

lovesick ['lʌv,sik] *adj* 1 bolnav de dragoste 2 *(d. un cântec)* de dor

love to ['lʌv tə] *vt cu inf* a-i plăcea să

loving ['lʌviŋ] *adj* iubitor; drăgăstos, tandru

loving cup ['lʌviŋ ,kʌp] *s* cupă care trece din mână în mână

lovingly ['lʌviŋli] *adv* drăgăstos, cu afecțiune

low¹ [lou] **I** *adj* 1 jos, scund mic 2 scăzut, redus, mic(șorat); ~ **temperature** temperatură joasă/ scăzută 3 *(d. o notă etc.)* jos, grav; încet; șoptit 4 *(d. o vale, o plecăciune etc.)* adânc 5 decoltat, decupat; *(d. guler)* răsfrânt 6 ieftin, comun, vulgar 7 josnic, abject; *(d. cineva și)* decăzut; *(d. un obicei)* urât; *(d. un cartier etc.)* rău famat 8 *(d. naștere etc.)* umil, modest 9 *(d. cineva)* slab, slăbit 10 *fig* deprimat, abătut 11 recent, de dată recentă **II** *adv* 1 jos; la

pământ; până la pământ; **to bow** ~ a se înclina adânc/până la pământ; **we went so ~ as** *fig* s-a înjosit/s-a degradat într-atâta încât 2 *(a vorbi etc.)* încet; *(a arde etc.)* slab 3 recent, de curând; **as** ~ **as** nu mai târziu de

low² **I** *vi* a mugi, a rage **II** *s* muget, răget

low-born ['lou,bɔ:n] *adj* de origine umilă

lowbrow ['lou,brau] **I** *s* persoană fără pretenții de intelectual; per-soană cu gusturi primitive în litera-tură, muzică *etc.* **II** *adj atr* fără pretenții de intelectual; cu gusturi primitive

low-class ['lou,klɑ:s] *adj atr* de calitate inferioară

low comedy ['lou 'kɔmidi] *s* come-die bufă; farsă

Low Countries, the ['lou 'kʌntriz, ðə] Țările de Jos

low-down ['lou,daun] **I** *adj atr* ← *F* necinstit, meschin **II** *adv* (în mod) infam, necinstit

Lowell ['louəl], **James Russell** scriitor american (1819-1891)

lower¹ ['louəʳ] **I** *vt* 1 a coborî, a lăsa în jos, a apleca *(capul etc.)*; **to** ~ **one's voice** a coborî vocea/ glasul 2 a micșora, a reduce, a scădea *(prețuri etc.)* **II** *vr* a se umili, a se înjosi; a se degrada **III** *vi (d. prețuri etc.)* a scădea, a se reduce

lower² **I** *s* 1 aer posomorât/posac *sau* amenințător 2 înnourare, întunecare *(a cerului)* **II** *vi* 1 *(d. cineva)* a se posomorî; a se întuneca la față 2 *(d. cer)* a se mohorî, a se întuneca 3 *(d. vreme)* a se strica

lower classes ['louə ,klɑ:siz] *s pl* clasele de jos

lower deck ['louə ,dek] *s nav* 1 funcție inferioară 2 **the** ~ mari-narii *(nu ofițerii)*

Lower House, the ['louə ,haus, ðə] *s pol* camera/adunarea deputaților

lowering ['louəriŋ] *adj (d. cer etc.)* mohorât, întunecat

lowermost ['louə,moust] *adj* cel mai de jos

lower world, the ['louə ,wə:ld, ðə] *s* 1 iadul 2 pământul

low frequency ['lou 'fri:kwənsi] *s tel* 1 joasă frecvență 2 *atr* de joasă frecvență

Low German ['lou 'dʒə:mən] *s* dialectul din Germania de Nord

low-grade ['lou,greid] *adj atr* de calitate inferioară

low-keyed ['lou,ki:d] *adj* 1 *(d. stil etc.)* nepretențios; stăpânit 2 ← *F* neimportant

lowland ['loulənd] *s* șes; zonă depresionară

lowlander ['louləndəʳ] *s* 1 locuitor de la șes 2 locuitor din **Lowlands**

lowlands, the ['louləndz, ðə] partea de sud a Scoției, „Țara de Jos"

Low Latin ['lou 'lætin] *s* latina vulgară

lowliness ['loulinis] *s* caracter umil *(al nașterii etc.)*

low-lived ['lou,livd] *adj* 1 sărac, nevoiaș 2 trivial; vulgar

lowly ['louli] **I** *adj* de jos; modest, umil **II** *adv* cu umilință; cu mo-destie

low-minded ['lou,maindid] *adj* 1 cu orizont îngust; îngust, mărginit 2 josnic, ticălos

low-necked ['lou,nekt] *adj (d. o rochie)* decoltat

lowness ['lounis] *s* 1 mică altitudine 2 condiție modestă/umilă 3 josnicie, mârșăvie 4 descura-jare, deprimare

low-pitched ['lou,pitʃt] *adj* 1 *(d. un sunet)* jos, grav 2 *fig* banal; lipsit de avânt; tern, șters

low pressure ['lou ,preʃəʳ] *s tehn* 1 joasă presiune 2 *atr* de joasă presiune

low-priced ['lou,praist] *adj* ieftin

low-relief ['louri'li:f] *s* basorelief

low season ['lou 'si:zən] *s com* sezon mort

low-spirited ['lou'spiritid] *adj* abătut, deprimat

low tide ['lou ,taid] *s* reflux

low-voiced ['lou,vɔist] *adj atr* cu voce joasă/gravă

low water ['lou ,wɔ:təʳ] *s nav* maree/ apă joasă

low-water mark ['lou ,wɔ:tə 'mɑ:k] *s și fig* limită de jos/inferioară; **to be at** ~ *fig F* a fi lefter; – a fi într-o situație fără ieșire

loyal ['lɔiəl] *adj* loial, credincios

loyalist ['lɔiəlist] *s* 1 *ist* monarhist 2 supus credincios

loyally ['lɔiəli] *adv* credincios, cu credință

loyalty ['lɔiəlti] *s* loialitate, credință, devotament

lozenge ['lɔzindʒ] *s* **1** romb **2** tabletă, pastilă
LP *presc de la* **long-playing record**
L.P., l.p. *presc de la* **low pressure**
LSD ['el'es'di:] *s formă de drog (care produce halucinații)*
L.S.D., l.s.d. *presc de la* **librae, solidi, denarii** lire, șilingi și pence
Lt. *presc de la* **Lieutenant**
Ltd., ltd. *presc de la* **limited** *com* cu răspundere limitată
lubber ['lʌbəʳ] *s* (om) neîndemânatic
lubber-head ['lʌbə,hed] *s* neghiob, prost, tâmpit
lubberland ['lʌbə,lænd] țara unde curge lapte și miere, țara huzurului
lubberly ['lʌbəli] *adj, adv* greoi, stângaci, neîndemânatic
lubricant ['lu:brikənt] *s* lubrifiant; unsoare
lubricate ['lu:bri,keit] *vt* **1** *tehn* a unge, a gresa, a lubrifia **2** *F* a unge, – a mitui **3** *F* a adăpa; – a da de băut *(cuiva)*
lubricity [lu:'brisiti] *s* **1** onctuozitate **2** *fig* abilitate de a scăpa/de a se sustrage **3** lubricitate, lascivitate
luce [lu:s] *s iht* știucă *(Esox lucius)*
lucent ['lu:sənt] *adj* **1** luminos **2** transparent, străveziu
Lucerne [lu:'sə:n] *canton și oraș în Elveția*·Lucerna
lucerne *s bot* lucernă *(Medicago sativa)*
Lucia ['lu:siə] *nume fem*
Lucian ['lu:siən] *nume masc*
lucid ['lu:sid] *adj* **1** *poetic* străluminat, – luminos; – limpede, clar **2** lucid, rațional **3** *(d. o explicație etc.)* clar, limpede; lămurit
lucidity [lu:'siditi] *s* **1** luminozitate **2** luciditate; rațiune **3** transparență, claritate
lucidly ['lu:sidli] *adv* cu luciditate, lucid
Lucifer ['lu:sifəʳ] *s* **1** Lucifer, satan(a) **2** ← *poetic* luceafărul de zi/ dimineață
Lucil(l)e [lu:'sil] *nume fem v.* **Lucy**
Lucinda [lu:'sində] *nume fem v.* **Lucy**
Lucius ['lu:siəs] *nume masc*
luck [lʌk] *s* noroc, șansă; soartă; destin; întâmplare (↓ fericită); **good** ~! noroc! **ill** ~ nenoroc, ghinion; **to be in** ~ a avea noroc/ *F* → baftă; **to try one's** ~ a-și încerca norocul; **as** ~ **would**

have it a din fericire *sau* nefericire **b** din întâmplare, întâmplător; **for** ~ din fericire; **a bit/a piece of** ~ noroc (neașteptat); chilipir
luckily ['lʌkili] *adv* **1** printr-un noroc **2** din fericire
luckiness ['lʌkinis] *s* noroc, șansă; < fericire
luckless ['lʌklis] *adj* **1** nenorocos, fără noroc; ghinionist **2** nenorocos; de rău augur
Lucknow ['lʌknau] *oraș în India*
lucky ['lʌki] *adj* **1** *(d. cineva)* norocos, *F* → băftos; ~ **at cards** norocos la (jocul de) cărți; **how** ~! ce noroc/< fericire! **to strike (it)** ~ *F* a da lovitura, a câștiga lozul cel mare **2** *(d. o zi etc.)* cu noroc, propice, favorabil; **it is** ~ e norocos, aduce noroc
lucrative ['lu:krətiv] *adj* lucrativ, avantajos, profitabil
lucrativeness ['lu:krətivnis] *s* rentabilitate
lucre ['lu:kəʳ] *s* ← *peior* câștig; bani
Lucretia [lu:'kri:ʃiə] *nume fem* Lucreția
Lucretius [lu:'kri:ʃiəs] *poet și filosof latin* Lucrețiu *(96?-55 î.e.n.)*
lucubration [,lu:kju'breiʃən] *s* muncă intensă *(intelectuală, ↓ făcută noaptea)*
Lucy ['lu:si] *nume fem* Lucia
Luddite ['lʌdait] *s ist* ludit, spărgător de mașini *(în Anglia, între 1811-1816)*
ludicrous ['lu:dikrəs] *adj* ridicol, de râs, grotesc; absurd
lues ['lu:iz] *s med* **1** sifilis **2** epidemie **3** ciumă
luff [lʌf] *nav* **I** *s* margine de învergare **II** *vi* a veni în vânt
luff tackle ['lʌf ,tækəl] *s nav* palanc simplu
lug[1] [lʌg] *s* **1** *tehn* toartă, urechiușă **2** *tehn* mâner; manivelă **3** *tehn* scobitură; canelură, șliț **3** *tehn* proeminență **5** *constr* capră, consolă
lug[2] **I** *s* smucitură, tragere **II** *vt* a smuci, a trage
luggage ['lʌgidʒ] *s* bagaj(e)
luggage carrier ['lʌgidʒ 'kæriəʳ] *s auto* portbagaj
luggage office ['lʌgidʒ 'ɔfis] *s* depozit de bagaje
luggage rack ['lʌgidʒ ,ræk] *s ferov, auto* plasă pentru bagaje

luggage van ['lʌgidʒ ,væn] *s ferov* vagon de bagaje
lugger ['lʌgəʳ] *s nav* lugher
lugubrious [lu'gu:briəs] *adj* lugubru, sinistru
Luke [lu:k] *nume masc* Luca
lukewarm [,lu:k'wɔ:m] *adj* **1** călduț **2** *fig* călduț; lipsit de entuziasm
lull [lʌl] **I** *s* acalmie, calm, liniște; pauză *(în vorbire)* **II** *vt* **1** a adormi *(un copil)* prin cântece **2** *fig* a potoli, a alina *(o durere);* a adormi *(o bănuială)* **III** *vi (d. vânt, durere etc.)* a se potoli, a se domoli
lullaby ['lʌləbai] *s* cântec de leagăn
lumbago [lʌm'beigou] *s med* lumbago
lumbar ['lʌmbəʳ] *adj anat* lombar
lumber[1] **I** *s* **1** vechituri; mobilă veche **2** *amer* lemn de construcție; cherestea **II** *vt* **1** a arunca de-a valma, a arunca claie peste grămadă **2** a îngrămădi
lumber[2] *vi* **1** a se mișca greoi/ stângaci **2** a hodorogi, a hurui
lumber jack ['lʌmbə ,dʒæk] *s amer* cherestegiu
lumberman ['lʌmbəmən] *s v.* **lumber jack**
lumber yard ['lʌmbə ,jɑ:d] *s* depozit de cherestea
luminary ['lu:minəri] *s* **1** *poetic* luminător (ceresc), – astru **2** *fig* far, luminător
luminescence [,lu:mi'nesəns] *s* luminescență
luminosity [,lu:mi'nɔsiti] *s* luminozitate; strălucire
luminous ['lu:minəs] *adj* **1** luminos, strălucitor; incandescent **2** luminos; plin de lumină **3** *fig* clar, limpede, deslușit **4** *fig (d. cineva)* strălucit, luminat, inteligent **5** *ch* luminescent, fosforescent
luminous energy ['lu:minəs 'enədʒi] *s fiz* energie luminoasă, lumină
luminously ['lu:minəsli] *adv* **1** cu strălucire, strălucitor **2** cu limpezime/claritate
luminous paint ['lu:minəs ,peint] *s ch* vopsea fosforescentă/luminescentă
lumme ['lʌmi] *interj F* nemaipomenit! să mă ia naiba!
lump [lʌmp] **I** *s* **1** masă, grămadă **2** *com* angro, en-gros; **to sell by the** ~ a vinde cu ridicata/(în) angro/ en-gros **3** bulgăre *(de pământ)*

4 nod *(în gât)* **5** bucată de zahăr **6** lingou **7** butuc, buştean **8** cucui; umflătură **9** ← *F* om stângaci/greoi *sau* prost **II** *vt* **1** a aduna, a strânge, a pune laolaltă, a îngrămădi **2** a lua *sau* a considera în bloc **3** a plăti dintr-o dată **4** *fig F* a înghiţi *(un afront etc.); like it or ~ it* îţi place, nu-ţi place, n-ai încotro/trebuie s-o înghiţi **III** *vi* **1** *(d. pământ)* a face bulgări **2** a merge cu paşi apăsaţi

lumper ['lʌmpəʳ] *s* lucrător în port; docher

lumpish ['lʌmpiʃ] *adj* **1** greoi, stângaci **2** greu la minte, obtuz

lumpishness ['lʌmpiʃnis] *s* **1** stângăcie, neîndemânare **2** prostie, obtuzitate

lump together ['lʌmp tə'geðəʳ] *vt cu adv* a lua, a pune, a socoti *etc.* împreună

lumpy ['lʌmpi] *adj* plin de cocoloaşe *sau* bulgări; zgrunţuros

lunacy ['lu:nəsi] *s* **1** nebunie, sminteală, *jur* iresponsabilitate **2** nebunie, faptă *sau* idee nebunească

lunar ['lu:nəʳ] *adj* **1** lunar, al lunii **2** *fig* pal(id) **3** *fig* abstract, fără rezultat practic, fantezist

lunar caustic ['lu:nə 'kɔ:stik] *s ch* azotat/nitrat de argint

lunarian [lu:'nɛəriən] *s* selenit, locuitor al lunii

lunate ['lu:neit] *adj* având forma lunii noi

lunatic ['lu:nətik] *adj, s* nebun, alienat; lunatic

lunatic asylum ['lu:nətik ə'sailəm] *s* spital de boli mintale, spital de psihiatrie, *înv* → casă de nebuni

lunation [lu:'neiʃən] *s* **1** lunaţie; lună siderală **2** menstruaţie

lunch [lʌntʃ] **I** *s* lunch; (masă de) prânz *(dacă masa principală se serveşte seara);* gustare *(dacă masa principală se serveşte la prânz)* **II** *vi* a prânzi; a lua o gustare **III** *vt* ← *F* a oferi o gustare *(cuiva)*

luncheon ['lʌntʃən] *s* lunch, prânz (↓ *oficial)*

luncheon bar ['lʌntʃən ,ba:ʳ] *s* bufet (expres), expres-bar

luncheon meat ['lʌntʃən ,mi:t] *s* carne de porc presată *(şi alte substanţe, în formă de franzelă)*

lune [lu:n] *s mat* lunulă

lunes [lu:nz] *s pl* accese de nebunie

lunette [lu:'net] *s* **1** *mil* lunetă **2** *arhit* timpan

lung [lʌŋ] *s anat* plămân; **to have good ~s a** a avea plămâni buni **b** *fig* a avea o voce puternică

lunge[1] [lʌndʒ] **I** *s* **1** alonjă, funie de manej **2** manej **II** *vt* a antrena *(un cal)* cu alonjă *(în manej)*

lunge[2] **I** *s* **1** lovitură cu vârful spadei **2** fandare *(la scrimă)* **3** săritură/salt înainte **4** azvârlitură *(a calului)* **II** *vi* **1** a fanda *(la scrimă)* **2** *(d. cai)* a lovi cu copita **III** *vt* a izbi/a lovi cu arma *(pe cineva)*

lunge against ['lʌndʒ ə,genst] *vi cu prep* a se izbi de

lunge at ['lʌndʒ ət] *vi cu prep* (**with**) a lovi *(cu)*

lunged ['lʌŋd] *adj* **1** cu plămâni **2** *(în cuvinte compuse)* cu plămâni(i)...; **strong-~** cu plămâni(i) tari

lunge forward ['lʌndʒ 'fɔ:wəd] *vi cu part adv* a se năpusti înainte

lunger ['lʌŋəʳ] *s sl* ofticos, – tuberculos

lungwort ['lʌŋ,wə:t] *s bot* **1** mierea ursului, iarba pământului *(Pulmonaria officinalis)* **2** muşchiul fagului *(Sticta pulmonaria)*

lunik ['lu:nik] *s rus* lunic

lunkhead ['lʌŋkhed] *s amer F* idiot, tâmpit, netot

lupine ['lu:pain] *adj* de lup

lupus ['lu:pəs] *s med* lupus

lurch [lə:tʃ] **I** *vi* **1** a sta ascuns, a se ţine în umbră; a sta la pândă **2** a recurge la tertipuri/subterfugii **3** a se clătina, a merge clătinându-se/împleticindu-se **4** *nav (d. vas)* a se înclina **II** *s* **1** ascunziş, pândă; **to lie at/(up)on the ~** a sta la pândă **2** *nav* înclinare; ambardee **3** mers clătinat/împleticit; clătinat, legănat, hurducat *(al unei trăsuri)* **//** **to leave smb in the ~** *fig* a părăsi pe cineva la nevoie

lurcher ['lə:tʃəʳ] *s* **1** pungaş, tâlhar **2** spion

lure [luəʳ] **I** *s* **1** nadă, momeală **2** *fig* momire, ademenire, ispitire; farmec, ispită **II** *vt fig* a momi, a ispiti, a ademeni; a fermeca, a vrăji

lurgy ['lə:dʒi] *s* ← *umor* boală

lurid ['luərid] *adj* **1** de o strălucire nefirească; de foc; aprins; în flăcări; roşu, sângeriu **2** prevestitor

de rău *sau* furtună **3** palid, bolnăvicios; cadaveric **4** cumplit, zguduitor; sinistru; lugubru; sângeros

luridly ['luəridli] *adv* lugubru, sinistru

luridness ['luəridnis] *s* **1** strălucire nefirească; (culoare) roşu aprins **2** paliditate **3** grozăvie

lurk [lə:k] *vi* **1** a sta ascuns, a se ţine în umbră; a sta la pândă; a pândi, a spiona **2** a trage cu urechea **3** a pleca pe furiş; a se furişa

lurker ['lə:kəʳ] *s* spion, iscoadă

lurking ['lə:kiŋ] *adj* secret, tainic, tăinuit, ascuns

luscious ['lʌʃəs] *adj* **1** suculent, zemos; mălăieţ **2** dulce, savuros, delicios **3** *(d. stil)* încărcat, înzorzonat **4** atrăgător, seducător

lush[1] [lʌʃ] *adj* **1** *(d. vegetaţie etc.)* bogat, luxuriant **2** amplu, copios

lush[2] *sl* **I** *s* **1** băutură (spirtoasă) **2** beţiv **II** *vt* a îmbăta **III** *vi* a se îmbăta, *F* a se pili

lust [lʌst] *s* **1** poftă trupească; senzualitate **2** dorinţă, sete *(de putere etc.)*

lust after/for ['lʌst 'a:ftəʳ/fəʳ] *vi cu prep* a dori cu pasiune, a râvni cu ac (↓ *sexual)*

lustful ['lʌstful] *adj* senzual, desfrânat

lustfulness ['lʌstfulnis] *s* senzualitate, lascivitate

lustily ['lʌstili] *adv* pătimaş, cu pasiune **2** *(a munci, a striga etc.)* din răsputeri

lustiness ['lʌstinis] *s* robusteţe, vigoare, sănătate

lustral ['lʌstrəl] *adj* **1** *od* lustral, de purificare **2** de lustru, de cinci ani

lustre ['lʌstəʳ] *s* **1** lustru, luciu; strălucire **2** *fig* renume, faimă, slavă **3** lustră; policandru; candelabru **4** *text* lustrin

lustreless ['lʌstəlis] *adj* fără luciu/strălucire; mat

lustrous ['lʌstrəs] *adj* lucitor; lucios; lustruit

lustrum ['lʌstrəm], *pl* şi **lustra** ['lʌstrə] *s* lustru, cinci ani

lusty ['lʌsti] *adj* **1** robust, viguros, puternic **2** *fig* înfloritor, prosper **3** lubric, desfrânat

lute[1] [lu:t] *s muz* lăută

lute[2] *s* **1** chit; mastic **3** *constr* dreptar, netezitor

Luther ['lu:θəʳ], **Martin** *teolog şi reformator german (1483-1546)*

Lutheran ['lu:θərən] *adj, s rel* luteran
Lutheranism ['lu:θərənizəm] *s rel* luteranism
luv [lʌv] *s umor v.* **love**
Lux. *presc de la* **Luxemburg**
luxate ['lʌkseit] *vt med* a luxa, a scrânti
luxation [lʌk'seiʃən] *s med* luxaţie, scrântitură
Luxemburg ['lʌksəm,bə:g] *stat*
Luxor ['lʌksɔ:ʳ] *oraş în Egipt*
luxuriance [lʌg'zjuəriəns] *s* 1 abundenţă, belşug 2 splendoare, pompă 3 bogăţie *(a imaginaţiei etc.)*
luxuriancy [lʌg'ziuəriənsi] *s v.* **luxuriance**
luxuriant [lʌg'ziuəriənt] *adj* 1 roditor; fertil; prolific 2 *(d. vegetaţie)* luxuriant, bogat 3 *(d. stil)* încărcat, înzorzonat
luxuriate [lʌg'zjuərieit] *vi* 1 *(d. vegetaţie)* a creşte luxuriant/bogat 2 a trăi pe picior mare, a huzuri
luxuriate in [lʌg'zjuərieit in] *vi cu prep* a savura, a gusta din plin *cu ac;* a sta tolănit în, pe *etc. (pat etc.)*
luxurious [lʌg'zjuəriəs] *adj* 1 luxos, bogat, somptuos 2 căruia îi place luxul; risipitor, cheltuitor 3 senzual, voluptos
luxuriously [lʌg'zjuəriəsli] *adv* luxos; în lux
luxury ['lʌkʃəri] *s* 1 lux; bogăţie; belşug, abundenţă 2 obiect/articol de lux; extravaganţă 3 pompă, splendoare 4 plăcere

deosebită, încântare, desfătare
luxury tax ['lʌkʃəri 'tæks] *s com* taxă de lux
Luzon [lu:'zɔn] *insulă din arhipelagul Filipine*
-ly *suf* 1 *adjectival* -esc, -ern *etc.:* **fatherly** părintesc, de tată; **motherly** matern 2 *adverbial:* **hourly** ceas de ceas, în fiecare oră; **secondly** în al doilea rând
lycantrophy [lai'kænθrəpi] *s psih* licantropie
lycée ['li:sei] *s fr* liceu *(în Franţa şi ↓ pt elevii francezi din afara Franţei)*
Lyceum [lai'siəm] *s* 1 *ist, filoz* liceu 2 l~ sală de curs 3 l~ *amer* ateneu popular
lychgate ['litʃ,geit] *s* poartă cu acoperiş *(la intrarea în curtea bisericii)*
lychnis ['liknis] *s bot* arsinic *(Lychnis chalcedonica)*
lycopod ['laikə,pɔd] *s bot* pedicuţă, brădişor *(Lycopodium sp.)*
Lydia ['lidiə] 1 *nume fem* Lidia 2 *ist* stat Lidia
lye [lai] *s* leşie
lying ['laiiŋ] I *adj* mincinos, fals II *s* minciună
lying dog ['laiiŋ 'dɔg] *s* setter *(rasă de câini)*
lying-in ['laiiŋ,in] *s* naştere; perioadă postnatală
Lyly ['lili], **John** *scriitor englez (1554?-1606)*
Lyman ['laimən] *nume masc*
lyme grass ['laim ,gra:s] *s bot* orz păureţ, perişor *(Elymus sp.)*

lymph [limf] *s fizl* limfă
lymphatic [lim'fætik] *adj* 1 *fizl* limfatic, debil 2 *fig* flegmatic
lymphocyte ['limfou,sait] *s anat* limfocită
lynch [lintʃ] *vt* a linşa
lynching ['lintʃiŋ] *s* linşare, linşaj
Lynn [lin] *nume masc şi fem*
lynx [liŋks] *s zool* linx, râs *(Lynx lynx)*
lynx-eyed ['liŋks,aid] *adj* cu ochi de linx
Lyon [ljõ] *oraş în Franţa*
Lyons ['laiənz] *v.* **Lyon**
Lyra ['laiərə] *s astr* Lira *(constelaţie)*
lyre ['laiəʳ] *s muz* liră
lyre bird ['laiə ,bə:d] *s orn* pasărea liră *(Menura superba)*
lyric ['lirik] I *adj* 1 liric; de/pentru cântat; de operă 2 liric, exprimând sentimente; ~ **poetry** poezie lirică 3 liric; sentimental II *s* 1 poezie lirică 2 *pl* lirică 3 ← *F* text *(al unui cântec, ↓ popular, modern)*
lyrical ['lirikəl] *adj* 1 *v.* **lyric** I 2 însufleţit, entuziast
lyrically ['lirikəli] *adj* liric; sentimental
lyric drama ['lirik 'dra:mə] *s muz* operă
lyricism ['liri,sizəm] *s* lirism
lyricist ['lirisist] *s* 1 poet liric 2 textier
lyrism ['lirizəm] *s* lirism
lyrist ['laiərist] *s* 1 *muz* cântăreţ la liră 2 poet liric
lysis ['laisis] *s med* liză, scădere continuă a temperaturii

M

M, m [em] *s* (litera) M, m

M' *presc de la* **Mac**

M. *presc de la* **1** Monday **2** Marshal **3** Monsieur **4** Master

M., m. *presc de la* **1** male **2** married **3** masculine **4** metre *sau* metres **5** medium **6** mile *sau* miles **7** mountain **8** morning **9** meridian **10** minute *sau* minutes **11** month **12** moon

'm *contras* F de la **am**

ma [mɑ:] *s* F mămică, mămiţică

M.A. *presc de la* **1** Magister Ártium – Master of Arts **2** Military Academy

ma'am [mæm] *s (ca adresare)* **1** *(reginei)* doamnă, maiestatea voastră **2** *(unei doamne nobile) od* doamnă **3** *(stăpânei de către servitoare)* doamnă, *cf* coniţă **4** *amer* doamnă **5** *amer* F coană, – doamnă

Mabel ['meibəl] *nume fem*

Mac- *pref folosit înaintea numelor scoţiene şi irlandeze („fiul lui")*

mac [mæk] *s* F v. **mackintosh**

macabre [mə'kɑ:bə°] *adj* macabru; fioros, cumplit

macadam [mə'kædəm] *s* drum cu macadam

macadamize [mə'kædə,maiz] *vt* a macadamiza

Macao [mə'kau] *teritoriu în China* Macao, Aomân

macaque [mə'kɑ:k] *s zool* macac *(Macacus sp.)*

macaroni [,mækə'rouni], *pl* **macaroni(e)s** [,mækə'rouniz] *s it* **1** macaroane; spaghete **2** filfizon, dandi

macaronic [,mækə'rɔnik] *lit* **I** *adj* macaronic **II** *s pl* versuri macaronice

macaroon [,mækə'ru:n] *s* pricomigdală

Macaulay [mə'kɔ:li], **Thomas Babington** *istoric şi scriitor englez (1800-1859)*

macaw [mə'kɔ:] *s orn specie de* papagal din America de Sud şi Centrală, arakanga *(Ara macao)*

Macbeth [mək'beθ] *tragedie de Shakespeare*

mace¹ [mais] *s gastr* nucşoară

mace² *s* **1** *od* buzdugan, ghioagă **2** sceptru *sau* toiag *(ca semn al demnităţii)* **3** baston *(de poliţist etc.)* **4** tac *(la biliard)*

macédoine [,mæsi'dwɑ:n] *s fr* **1** salată de legume *sau* fructe **2** amestecătură, talmeş-balmeş

Macedonia [,mæsi'douniə] **1** *ist stat* în Nordul Greciei **2** *republică din* fosta Iugoslavia

Macedonian [,mæsi'douniən] *adj, s* macedonean

macerate ['mæsə,reit] **I** *vt* **1** a macera **2** a emacia, a slăbi **3** a chinui, a tortura **II** *vi* a se macera

maceration [,mæsə'reiʃən] *s* **1** macerare **2** emaciere, slăbire

Machiavelli [,mækiə'veli], **Niccolo** *om de stat şi scriitor italian (1469-1527)*

Machiavel(l)ian [,mækiə'veliən] *adj pol şi fig* machiavelic

Machiavellianism [,mækiə'veliənizm] *s pol şi fig* machiavelism

machinal [mə'ʃi:nəl] *adj* de maşină, mecanic

machinate ['mæki,neit] **I** *vi* a maşina, a ţese intrigi, a unelti **II** *vt* a urzi, a pune la cale

machination [,mæki'neiʃən] *s* maşinaţie, intrigă

machine [mə'ʃi:n] **I** *s* **1** maşină; aparat, dispozitiv, mecanism **2** bicicletă; motocicletă; automobil, maşină **3** *fig* mecanism; aparat *(de stat etc.)* **4** *od* maşină de război, robot **II** *vt tehn* a prelucra; a uzina

machine-building industry [mə'ʃi:n 'bildiŋ 'indəstri] *s* industrie constructoare de maşini

machine-gun [mə'ʃi:n,gʌn] *mil* **I** *s* mitralieră **II** *vt* a mitralia

machine-gunner [mə'ʃi:n,gʌnə°] *s mil* mitralior

machine-made [mə'ʃi:ŋ,meid] *adj* făcut *sau* prelucrat de maşină; mecanic

machineman [mə'ʃi:nmən] *s* maşinist, mecanic; operator

machine part [mə'ʃi:n ,pɑ:t] *s tehn* organ de maşină

machine plant [mə'ʃi:n ,plɑ:nt] *s* uzină constructoare de maşini

machinery [mə'ʃi:nəri] *s* **1** utilaj, instalaţii mecanice; maşini **2** *tehn* mecanism, maşinărie **3** *tehn* organ de maşină **4** *fig* mecanism, maşinărie; structură **5** *fig* combinaţie **6** *teatru* structură *(a unei piese)*

machine shop [mə'ʃi:n ,ʃɔp] *s tehn* atelier mecanic

machine tool [mə'ʃi:n ,tu:l] *s tehn* maşină unealtă

machine work [mə'ʃi:n ,wə:k] *s* **1** *tehn* lucru mecanic **2** *tehn* prelucrare mecanică **3** *pl* uzină constructoare de maşini **4** *lit* mijloace dramatice *sau* poetice

machinist [mə'ʃi:nist] *s* **1** mecanic; maşinist **2** lăcătuş **3** *ferov* mecanic **4** *teatru* maşinist

Mackenzie [mə'kenzi] **1** *district* în Canada **2** the ~ *fluviu* în Canada

mackerel ['mækrel] *s iht* macrou, scrumbie *(Scomber scomber)*

mackintosh ['mækin,tɔʃ] *s* **1** (pardesiu) impermeabil; haină de ploaie **2** manta de cauciuc

Macpherson [mək'fə:sən], **James** *poet scoţian (1736-1796)*

macrobiotic [,mækroubai'ɔtik] *adj biol* macrobiotic

macrocephalous [,mækrou'sefələs] *adj bot, zool* macrocefal

macrocosm ['mækrə,kɔzəm] *s* macrocosm

macroscopic [,mækrəu'skɔpik] *adj* macrostructură

macrostructure [,mækrou'strʌktʃə°] *s* macrostructură

maculate ['mækjuleit] *vt* a păta, a macula

maculation [,mækju'leiʃən] *s* pătare, murdărire

mad [mæd] **I** *adj* **1** nebun, dement; smintit; (as) ~ as a hatter/as a March hare nebun de legat/de-a binelea; like ~ ca un nebun/ nebunul; nebuneşte; to go ~ a înnebuni; to drive smb ~ a scoate pe cineva pe cineva din minţi; a înnebuni pe cineva **2** (with) nebun, înnebunit *(de durere etc.)* **3** (at, with, about) furios, întărâtat la culme (de; din cauza – *cu gen)* **4** nelogic, absurd

5 *(d. un plan etc.)* de nebun, ne-bunesc, nesăbuit, necugetat 6 *(d. animale)* turbat 7 *(d. vânt etc.)* turbat, cumplit, grozav II *vt amer* F a scoate din sărite; – a înfuria

mad about ['mæd ə,baut] *adj cu prep* 1 *v.* **mad I, 2** 2 nebun după; care se dă în vânt după

mad after ['mæd ,aːftəʳ] *adj cu prep v.* **mad about 2**

Madagascar [,mædə'gæskəʳ] *insulă în Oceanul Indian*

madam ['mædəm], *pl și* **mesdames** ['mei,dæm] *s (ca adresare)* doam-nă *(neînsoțit de nume)*

Madame ['mædəm, mə'daːm], *pl* **Mes-dames** ['mei,dæm] *s fr* doamnă; doamna *(însoțit de nume)*

madcap ['mæd,kæp] *s* nebun, zăpă-cit, descreierat

madden ['mædən] *vt* 1 a înnebuni, a exaspera, a scoate din minți 2 a înfuria; *F→* a scoate din sărite

maddening ['mædəniŋ] *adj* 1 *(d. durere etc.)* înnebunitor, foarte supărător, grozav 2 *F* plictisitor la culme; care te scoate din sărite

maddeningly ['mædəniŋli] *adv* înnebunitor (de)

madder ['mædəʳ] *s* 1 *bot* roibă, garanță *(Rubia tinctorum)* 2 *ch* lac de garanță

madding ['mædiŋ] *adj ←rar* 1 nebun, furios 2 înnebunitor

maddish ['mædiʃ] *adj* cam nebun, țicnit

mad doctor ['mæd ,dɔktəʳ] *s ← F* doctor de nebuni, psihiatru

made [meid] I *pret și ptc de la* **make I-III** II *adj* 1 *(d. cineva)* cu situație; făcut, ajuns 2 *(d. un soldat)* in-struit 3 *(cu adv, d. cineva)* făcut, clădit; **a stoutly-~ man** un om bine făcut, un om voinic 4 *(d. mân-care etc.)* pregătit/preparat din mai multe ingrediente 5 *(d. un cuvânt etc.)* creat, născocit, inventat

Madeira [mə'diərə] *s* 1 arhipelag în *Atlantic* Made(i)ra 2 *și* m~ vin de Made(i)ra

Madeline ['mædəlin] *nume fem v.* **Magdalene**

mademoiselle [,mædmwə'zel] *s fr* domnișoară; domnișoara

made of ['meid əv] *adj cu prep* fă-cut/format/alcătuit din

made-up ['meid,ʌp] *adj* 1 confec-ționat, de gata 2 inventat, năs-cocit; fabricat; artificial

mad for ['mæd fəʳ] *adj cu prep v.* **mad about 2**

Madge [mædʒ] *nume fem v.* **Margaret**

madhouse ['mæd,haus] *s și fig F* ba-lamuc, casă de nebuni, ospiciu

madly ['mædli] *adv* 1 nebunește, ca (un) nebun, ca nebunii 2 pros-tește, (în mod) stupid 3 cu furie, furios

madman ['mædmən] *s* nebun, de-ment; desperat

madness ['mædnis] *s* 1 nebunie, demență; sminteală 2 nebunie curată, prostie, *F→* tâmpenie 3 nebunie, furie, turbare 4 frenezie, delir

mad on ['mæd ɔn] *adj cu prep v.* **mad about 2**

Madonna [mə'dɔnə] *s rel, pict etc.* Madona, Sfânta Fecioară

madonna lily [mə'dɔnə,lili] *s bot* crin alb *(Lilium candidum)*

Madras [mə'draːs] *stat și oraș în India*

madrepore [,mædri'pɔːʳ] *s zool* madrepor

Madrid [mə'drid] *capitala Spaniei*

madrigal ['mædrigəl] *s lit, muz* madrigal

Madrilenian [,mædri'liːniən] *adj, s* madrilen

mad with ['mæd wið] *adj cu prep v.* **mad about 2**

madwoman ['mæd,wumən] *s* nebu-nă, dementă

madwort ['mæd,wəːt] *s bot* 1 lipi-cioasă *(Asperugo procumbens)* 2 lubiț *(Camelina sativa)*

Mae [mei] *nume fem v.* **Mary**

Maecenas [miː'siːnæs] *s fig* mecena

maelstrom ['meilstroum] *s* 1 *geogr* maelstrom 2 *fig* furtună, volbură, vârtej

maenad ['miːnæd] *s mit și fig* me-nadă, bacantă

maestro ['maistrou], *pl și* **maestri** ['maistri] *s it muz, lit* maestru

maf(f)ia ['mæfiə] *s* mafie

mag. *presc de la* 1 **magazine** 2 **magnetic** 3 **magnitude**

magazine [,mægə'ziːn] *s* 1 revistă; magazin; publicație periodică 2 magazie, depozit 3 *mil* depozit de arme, muniții *sau* provizii

Magdalen, the ['mægdəlin, ðə] *s bibl* Maria Magdalena

Magdalene [,mægdə,liːn] 1 *v.* **Magda-len, the** 2 *nume fem* Magdalena

Magdeburg ['mægdə,bəːg] *oraș în Germania*

Magellan [mə'dʒelən], **Ferdinand** *na-vigator portughez (1480?-1521)*

magenta [mə'dʒentə] I *s ch* fuchsină II *adj* purpuriu

magged [mægd] *adj* 1 *F* cu draci, – iritat, supărat 2 *F* țâfnos, – irascibil

maggot ['mægət] *s* 1 larvă *(de insectă)*, vierme; **to have a ~ in one's head/brain** *fig F* a avea gărgăuni (la cap); a fi apucat, a avea toane 2 excentric; maniac

maggoty ['mægəti] *adj* 1 viermănos 2 *fig* cu toane, *F* apucat

Magi, magi ['meidʒai] *pl de la* **Magus, magus**

magic ['mædʒik] I *adj* 1 magic; de vrăjitor; fermecat 2 *fig* ferme-cător, de basm, minunat II *s* 1 magie, vrăjitorie; farmece 2 *fig* farmec, vrajă; magie; fascinație

magical ['mædʒikəl] *adj v.* **magic I**

magically ['mædʒikəli] *adv* (în mod) magic; ca prin farmec

magic eye ['mædʒik ,ai] *s tel* ochi magic; celulă fotoelectrică

magician [mə'dʒiʃən] *s* magician; vrăjitor

magic lantern ['mædʒik ,læntən] *s* lanternă magică

magisterial [,mædʒis'tiəriəl] *adj* 1 *jur* judiciar; juridic; de magistrat 2 de magistru

magisterially [,mædʒis'tiəriəli] *adv* 1 (în mod) magistral 2 ca un magistrat

magistracy ['mædʒistrəsi] *s* ma-gistratură

magistral ['mædʒistrəl] *adj* 1 *v.* **magisterial** 2 profesoral

magistrate ['mædʒ,istreit] *s* 1 ma-gistrat; judecător 2 funcționar *(public)*

magma ['mægmə] *s geol* magmă

Magna C(h)arta ['mægnə 'kaːtə] *s ist* Angliei Marea Cartă *(a libertă-ților) (1215)*

magnanimity [,mægnə'nimiti] *s* mărinimie; noblețe, generozitate

magnanimous [mæg'næniməs] *adj* mărinimos; nobil, generos

magnanimously [mæg'næniməsli] *adv* cu mărinimie, mărinimos

magnate ['mægneit] *s* 1 magnat 2 potentat, mărime

magnesia [mæg'niːʃə] *s ch* oxid de magneziu; magnezie

magnesic [mæg'niːsik] *adj ch* mag-nezic

magnesite ['mægni,sait] *s* **1** *ch* carbonat de magneziu **2** *minr* magnezit

magnesium [mæg'ni:ziəm] *s ch* magneziu

magnet ['mægnit] *s* **1** *fiz* magnet **2** *fig* magnet; punct de atracție

magnetic(al) [mæg'netik(əl)] *adj* **1** *fiz* magnetic **2** magratic; hipnotic **3** *fig* atrăgător, < fascinat

magnetically [mæg'netikəli] *adv* **1** ca un magnet **2** din punct de vedere magnetic

magnetic axis [mæg'netik 'æksis] *s fiz* axă magnetică

magnetic compass [mæg'netik 'kʌmpəs] *s* **1** *fiz* busolă **2** *nav* compas

magnetic field [mæg'netik 'fi:ld] *s* câmp magnetic

magnetic needle [mæg'netik 'ni:gl] *s fiz* ac magnetic/de busolă

magnetic pole [mæg'netik 'poul] *s* pol magnetic

magnetic recorder [mæg'netik ri'kɔ:dəʳ] *s* magnetofon

magnetic sleep [mæg'netik 'sli:p] *s* somn hipnotic

magnetic tape [mæg'netik 'teip] *s* bandă de magnetofon

magnetic wave [mæg'netik 'weiv] *s fiz* undă magnetică

magnetism ['mægni,tizəm] *s* **1** *fiz* magnetism **2** magnetism (animal); hipnotism **3** *fig* atracție, < fascinație

magnetite ['mægni'tait] *s minr* magnetit

magnetization [,mægnitai'zeiʃən] *s* **1** *fiz* magnetizare **2** magnetizare, hipnotizare **3** *fig* fascinare

magnetize ['mægni,taiz] *vt* **1** *fiz* a magnetiza **2** a magnetiza, a hipnotiza **3** *fig* a fascina; a atrage

magnetizer ['mægni,taizəʳ] *s* hipnotizator

magneto [mæg'ni:tou] *s fiz* magnetou

magnetometer [,mægni'tɔmitəʳ] *s fiz* magnetometru

magnetometry [,mægni'tɔmitri] *s fiz* magnetometrie

magneton ['mægni,tɔn] *s fiz* magneton

magnetophone [mæg'ni:təfoun] *s* magnetofon

magnetron ['mægni,trɔn] *s fiz* magnetron

magnification [,mægnifi'keiʃən] *s* **1** *opt* mărire, grosisment **2** *tel* amplificare **3** exagerare

magnificence [mæg'nifisəns] *s* măreție, splendoare; lux

magnificent [mæg'nifisənt] *adj* **1** magnific, măreț, splendid **2** luxos, somptuos **3** *F* grozav, strașnic, nemaipomenit

magnificently [mæg'nifisəntli] *adv* magnific, măreț

magnifier ['mægni,faiəʳ] *s* **1** *opt* lupă **2** *tel* amplificator

magnify ['mægni,fai] **I** *vt* **1** *opt* a mări **2** *tel* a amplifica **3** a exagera **II** *vi opt* a mări

magnifying glass/lens ['mægni,faiiŋ ,gla:s/,lenz] *s v.* **magnifier 1**

magniloquence [mæg'niləkwəns] *s* grandilocvență; bombasticism

magniloquent [mæg'niləkwənt] *adj* grandilocvent; bombastic, pompos

magnitude ['mægni,tju:d] *s* **1** mărime, dimensiune **2** importanță, însemnătate

magnolia [mæg'nouliə] *s bot* magnolie (Magnolia sp.)

magnum ['mægnəm] *s* sticlă mare de vin (= 1,5 l)

magnum opus ['mægnəm 'oupəs] *s lat* operă principală, capodoperă

magpie ['mæg,pai] *s* **1** *orn* coțofană (Pica pica) **2** *fig* flecar, *fem* gaiță

Magus ['meigəs], *pl* **Magi** ['meidʒai] *s* **1** *bibl* mag, unul din cei trei magi **2** m~ mag; vrăjitor

Magyar ['mægja:ʳ] **I** *adj* maghiar, ungar, unguresc **II** *s* **1** ungur, maghiar **2** (limba) maghiară, (limba) ungară

Mahabharata, the [mə,ha:'ba:rətə, ðə] *epopee indiană*

maharaja(h) [,ma:hə'ra:dʒə] *s* maharadjah

Mahatma [mə'ha:tmə] *s* Mahatma (titlu în India)

Mahdism ['ma:dizəm] *s rel* mahd(e)ism

mahogany [mə'hɔgəni] *s* (lemn de) mahon

Mahomet [mə'hɔmit] *v.* **Mohammed**

Mahometan [mə'hɔmitən] *adj, s v.* **Mohammedan**

mahout [mə'haut] *s* conducător de elefanți (în India)

maid [meid] *s* **1** ← *poetic sau înv* fată; fecioară **2** fată în casă; servitoare

maiden ['meidn] **I** *s* ← *poetic* fată; fecioară **II** *adj atr* **1** *v.* **maidenly I 1, 2 2** (d. nume) de fată **3** *fig* nou; necercetat **4** de debut; inaugural; prim

maidenhair ['meidn,hɛəʳ] *s bot* părul fetei (Adiantum sp.)

maidenhead ['meidn,hed] *s* **1** feciorie, virginitate, castitate **2** *anat* himen

maidenhood ['meidn,hud] *s v.* **maidenhead 1**

maidenlike ['meidn,laik] **I** *adj* de fată, feciorelnic; rușinos, sfios **II** *adv* ca o fată/fecioară, cum îi stă bine unei fete

maidenly ['meidnli] **I** *adj* **1** fecioresc, de fecioară **2** modest; timid, sfios; discret; bine crescut **II** *adv* ca o fată; modest; sfios

maiden name ['meidn,neim] *s* nume de fată

maidhood ['meid,hud] *s v.* **maidenhead 1**

maid-of-all-works ['meidəv'ɔ:l 'wə:ks] *s* servitoare, slujnică; fată în casă/la toate

maid of honour ['meid əv 'ɔnəʳ] *s* **1** domnișoară de onoare, *P* → drușcă **2** domnișoară *sau* doamnă de onoare

maid-servant ['meid,sə:vənt] *s* fată în casă; servitoare

maieutic [mei'ju:tik] *adj filos* maieutic

mail[1] [meil] *s* **1** za(le), cuirasă, platoșă **2** carapace (a broaștei țestoase etc.)

mail[2] *s* poștă; corespondență; **by the earliest/first** ~ cu prima poștă **II** *vt* a expedia prin poștă

mail bag ['meil,bæg] *s* sac de poștă

mail boat ['meil,bout] *s* navă poștală

mail box ['meil,bɔks] *s* cutie poștală

mail carriage ['meil,kæridʒ] *s ferov* vagon poștal

mail coach ['meil,koutʃ] *s od* diligență

mailed [meild] *adj* **1** înzăoat, împlătoșat **2** *zool* cu carapace

mailing list ['meiliŋ,list] *s* listă de adrese (poștale)

mailman ['meilmən] *s amer* poștaș, factor poștal

mail order ['meil,ɔ:dəʳ] *s ec* comandă (de mărfuri) prin poștă

mail shirt ['meil,ʃə:t] *s* cămașă de zale, za

mail train ['meil ,trein] *s* tren poştal
mail van ['meil ,væn] *s* **1** furgonetă poştală **2** furgon poştal
maim [meim] *vt şi fig* a mutila, a schilodi
Main, the ['mein, ðə] *râu în Germania*
main¹ [mein] **I** *s* **1** uscat; continent; insulă principală **2** ← *poetic* ocean; mare deschisă; larg(ul) mării **3** conductă principală *(de apă etc.)* **4** *ferov* linie principală **5** *constr* corp principal *(al unei clădiri)* **6** *el* cablu de distribuţie / / **with might and** ~ din răsputeri, din toate puterile; **in the** ~ în general; în principal **II** *adj* **1** principal, esenţial; fundamental; de primă importanţă **2** predominant, suprem // **by** ~ **force/ strength** cu toată puterea
main² *s* **1** joc cu zaruri **2** miză *(la zaruri)*
main anchor ['mein ,æŋkə'] *s nav* ancoră principală
main army ['mein ,a:mi] *s mil* grosul armatei
main boom ['mein ,bu:m] *s nav* ghiul mare
main clause ['mein ,klɔ:z] *s gram* propoziţie principală
main course ['mein ,kɔ:s] *s* **1** *nav* vela mare **2** *gastr* fel principal
main deck ['mein ,dek] *s nav* punte principală
main drag ['mein ,dræg] *s amer sl* stradă principală
Maine [mein] *stat în S.U.A.*
mainland ['meinlənd] *s* **1** continent **2** insulă principală *(într-un grup de insule)* **3** uscat; ţărm
mainly ['meinli] *adv* în special, îndeosebi, mai ales/cu seamă
mainmast ['mein,ma:st] *s nav* arbore mare; arbore prova *sau* pupa
main road ['mein ,roud] *s* **1** magistrală; stradă principală **2** şosea **3** *ferov* cale ferată *sau* linie principală **4** *mine* galerie principală
mainsail ['mein,seil] *s nav* vela mare; randa mare
mainspring ['mein,spriŋ] *s* **1** *tehn* arc/resort motor **2** *fig* cauză principală
mainstay ['mein,stei] *s* **1** *nav* straiul arborelui mare **2** *fig* sprijin temeinic, principal *sau* de nădejde
main street ['mein ,stri:t] *s v.* **main road 1**

maintain [mein'tein] *vt* **1** a menţine, a păstra *(ordinea etc.)* **2** a întreţine *(relaţii, corespondenţă etc.)* **3** a întreţine *(pe cineva)* **4** a susţine *(un proces, un atac etc.);* a apăra *(o cauză, drepturi etc.)* **5** a afirma, a susţine, a pretinde *(că are dreptate etc.)* **6** *tehn* a întreţine *(o maşină etc.)*
maintainable [mein'teinəbəl] *adj* **1** *(d. poziţii etc.)* care se poate apăra *sau* păstra **2** *(d. o părere etc.)* care se poate susţine
maintenance ['meintinəns] *s* **1** menţinere, păstrare *(a ordinii, a unui serviciu etc.)* **2** întreţinere *(a cuiva)* **3** apărare *(a drepturilor etc.)* **4** *tehn* întreţinere
main titles ['mein taitlz] *s pl cin* generic
main top ['mein ,tɔp] *s nav* gabia mare
main topgallant mast ['mein tɔp 'gælənt ,ma:st] *s nav* arboret mare, arboretul zburătorului mare
main topmast ['mein 'tɔp,ma:st] *s nav* arbore gabier mare
main topsail [,mein'tɔpsl] *s nav* gabier mare; vela gabier mare
main yard ['mein ,ja:d] *s nav* verga *(arborelui mare)*
maison(n)ette [,meizə'net] *s* căsuţă, casă mică *(separată de clădirea principală)*
maize [meiz] *s bot* porumb, păpuşoi *(Zea mays)*
Maj. *presc de la* **Major**
majestic(al) [mə'dʒestik(əl)] *adj* maiestuos, măreţ
majestically [mə'dʒestikəli] *adv* (în chip) maiestuos
majesty ['mædʒisti] *s* maiestate; măreţie; **His** ~ maiestatea sa
major ['meidʒə'] **I** *adj* **1** mai mare *(cantitativ sau ca importanţă);* **the** ~ **dramatists** marii dramaturgi **2** major, mare, de mare importanţă; semnificativ **3** *muz* major **II** *s* **1** major, persoană majoră **2** senior, persoană mai în vârstă **3** *mil* maior **4** *muz* ton major **5** *amer univ* specialitate, materie principală
Majorca [mə'dʒɔ:kə] *insulă în Baleare*
majordomo [,meidʒə'doumou] *s* majordom
major general ['meidʒə 'dʒenərəl], *pl* **major generals** ['meidʒə 'dʒenərəlz] *s mil* general maior

major in ['meidʒər ,in] *vi cu prep amer* a se specializa în *(fizică etc.)*
majority [mə'dʒɔriti] *s* **1** majoritate; cea mai mare parte; **to be in the/ a** ~ a fi în majoritate **2** **the** ~ morţii, duşii de pe lume **3** *jur* majorat **4** *mil* grad de maior
majorize ['meidʒəraiz] *vi jur* a deveni major
major premise ['meidʒə 'premis] *s log* premisă majoră
major scale ['meidʒə ,skeil] *s muz* gamă majoră
majuscule ['mædʒə,skju:l] *s* majusculă
make [meik] **I** *pret şi ptc* **made** [meid] *vt* **1** a face, a fabrica, a confecţiona; a construi; a produce; **made in Romania** fabricat în România **2** a face; a destina, a meni; **he is not made for this kind of work** nu este făcut pentru o asemenea muncă **3** a face, a pregăti *(cafeaua etc.)* **4** a face, a pune în ordine; **to** ~ **the bed** a face patul **5** a face (să ajungă), a aduce într-o anumită stare; **to** ~ **smb ill** a îmbolnăvi pe cineva; **he made her his queen** a făcut-o regina lui **6** a reprezenta, a înfăţişa; a face să arate/pară într-un anumit fel; **in the film, the battle was made to take place in the winter** în film bătălia avea loc iarna **7** a produce, a cauza; a prilejui; a ocaziona; **to** ~ **trouble** a produce neplăceri **8** a simula; **to** ~ **the agreeable** a se preface amabil **9** a fi *(al doilea etc.)* la număr; **this ~s 4 who want to stay** în felul ăsta cei care vor să rămână sunt *(în număr de)* patru **10** a avea toate calităţile (necesare) pentru a fi; a fi bun pentru; **the hall would ~ a good theatre** sala e foarte potrivită/bună pentru teatru **11** *F* a face *(kilometri etc.),* – a merge cu o viteză de **12** a ajunge la; **we made the party in time** am ajuns la serată la timp **13** a face, a transforma în; **work has made him man/a man of him** munca l-a făcut om *sau* bărbat **14** a face, a introduce *(o lege)* **15** a pune în valoare; a scoate în evidenţă calităţile *(cu gen)* **16** *fig* a face *(în diferite sensuri, condiţionate de substantiv);*

|

to ~ **a discovery** a face o descoperire; **to ~ a gesture** a face un gest; **to ~ a living** a-și câștiga existența; **to ~ smb a present** a face cuiva un cadou; **to ~ a speech** a ține/a rosti un discurs/o cuvântare; **to ~ haste** a se grăbi; **to ~ one's will** a-și face testamentul; **to ~ words** a vorbi multe și mărunte **17** *mat* a face, a fi egal cu; **five and three ~ eight** cinci și cu trei fac opt **18** a face, a câștiga *(bani etc.);* a realiza; a căpăta **19** a considera; a socoti; **what do you ~ the time?** cât zici/crezi că e ceasul? **20** a face, anumi *(într-o funcție)* **21** a face, a determina, a hotărî; a obliga; **I made him understand** l-am făcut să înțeleagă; **~ him repeat it** pune-l *sau* fă-l să repete asta; **to ~ smth grow** a crește/a cultiva ceva; **that ~s me doubt whether** asta mă face să mă îndoiesc dacă **22** a face *(o femeie)* să-i cedeze **23** // **to ~ good** a pune la loc; a da înapoi *(o datorie),* a plăti **b** a repara **c** a înfăptui, a duce la bun sfârșit; **to ~ shift a** a se descurca cum poate **b** a se strădui *(să facă ceva),* a face un efort; a se grăbi; **to ~ a good/a hearty meal** *F* a mânca zdravăn; **to ~ oath** a depune un jurământ; **to ~ believe that** a pretinde că, a se preface că; **to ~ love a** a face amor/dragoste; a avea raporturi sexuale **b (to)** a face amor/dragoste (cu); **to ~ love to** a se culca cu **c (to)** ← *rar* a fi îndrăgostit (de), a face curte *(cu dat);* **to ~ one's way (to)** a merge, a se duce (spre, către); **to ~ one's way to** a se îndrepta spre/către; **to ~ it/things hot/warm for smb** *sl* a da de pământ cu cineva; a lăsa lat pe cineva; a face pe cineva să-l treacă toate nădușelile **II** *(v. ~ I)* *vr (cu adj și ptc)* a se face *(auzit, apreciat, iubit etc.);* **to ~ oneself scarce** a se face nevăzut, a dispărea **III** *(v. ~ I)* *vi* **1** *(cu inf)* a încerca, a vrea *(să facă ceva),* **he made to go** voia să plece **2 (as if, as though)** a părea, a da impresia, a se face, a avea aerul (că); **she made as if/though she would speak**

părea că vorbește *sau* că ar vrea să vorbească **3 (to, towards etc.)** a merge, a se îndrepta (spre); **this road ~s towards Reading** drumul acesta duce spre Reading; **the ship was making into port** vasul intra în port **4** a se întinde, a se extinde, a acoperi o suprafață; **the forest ~s up the mountain nearly to the snow line** pădurea se întinde sus pe munte până aproape de limita zăpezii **5** *(d. flux etc.)* a crește, a spori; a progresa **6** *(cu adjective)* a se face, a deveni; **to ~ ready** a se pregăti; **to ~ merry** a se veseli, a petrece; **to ~ free/bold with a** a-și permite libertăți cu, a se purta necuviincios cu **b** a face ce vrea cu *(un lucru care nu-i aparține),* a dispune cum vrea de; **to ~ sure/certain (that)** a se asigura, a se convinge (că) **IV** *s* **1** marcă *(de fabrică);* fabricație; tip; model **2** formă; structură **3** statură; talie; constituție; alcătuire **4** tăietură, cupură *(a rochiei)* **5** caracter; fel, tip, gen; calitate; **a man of this ~** un om de genul acesta **6** *tehn* produs **7** *tehn* producție **8** *el* închidere *(a circuitului)* **9** datul/făcutul cărților; **it's your ~** dumneata faci carte/cărțile, e rândul dumitale să faci cărțile // **on the ~** *sl* a umblând după profituri, urmărindu-și propriile interese **b** umblând după aventuri amoroase

make after ['meik ,ʌ:ftə'] *vi cu prep* ↓ *înv* **1** a urma după *sau cu dat,* a veni după **2** a alerga după; a urmări *cu ac*

make against ['meik ə,genst] *vi cu prep* **1** a fi defavorabil *cuiva,* a fi în defavoarea *cuiva* **2** a vorbi împotriva *sau* în defavoarea *cuiva* **3** a face rău cuiva

make-and-break (device) ['meik ən'breik (di'vais)] *s auto* conjunctor-disjunctor

make at ['meik ət] *vi cu prep v.* **make for 2**

make away ['meik ə'wei] *vi cu part adv* a pleca, a fugi, *F* a o șterge

make away with ['meikə'wei wið] *vi cu part adv și prep* ← *rar* **1** a scăpa/a se descotorosi/a se debarasa de **2** a omorî, a ucide

pe cineva, F a face felul *cuiva;* **to ~ oneself** a-și pune capăt zilelor, a se sinucide, a-și lua viața **3** a fura, *F* a sfeterisi, a șterpeli *cu ac* **4** a nu lăsa nimic din; a mânca tot *(untul etc.)*

make-believe [,meikbi'li:v] *s* **1** imaginație, fantezie, închipuire; **she lives in a ~ world** trăiește într-o lume imaginară/care nu există **2** prefăcătorie, fățărnicie; simulare **3** scuză, pretext

make believe [,meik bi'li:v] *vi* a se (pre)face, a simula

make-do ['meik,du:] *adj atr* provizoriu; care înlocuiește *(ceva)*

make for ['meik fə'] *vi cu prep* **1** a se îndrepta/a o apuca/a o lua *(↓ repede)* spre/către; a căuta să se adăpostească în **2** *(d. câini etc.)* a se da/a se repezi la **3** a face posibil, a mijloci ceva; a înlesni *ceva;* **the large print makes for easier reading** literele mai mari ușurează/înlesnesc cititul

make into ['meik ,intə] *vt cu prep* a preface/a transforma în

make it ['meik it] *vt cu pr* **1** a sosi la timp **2** *F* a o face și pe asta; – a izbuti, a reuși; **I've made it** s-a făcut/comis

make like ['meik ,laik] *vi cu prep sl* a face ca *(leul etc.);* a maimuțări, a imita *cu ac;* a face pe *(clovnul etc.)*

make of ['meik əv] *vi cu prep* a înțelege, a pricepe *cu ac;* **I don't know what to ~ his behaviour** nu (mai) știu ce să cred despre purtarea lui

make off ['meik 'ɔ(:)f] *vi cu part adv* a fugi, *F* a o lua la sănătoasa/goană, a o șterge

make off with ['meik 'ɔ(:)f wið] *vi cu part adv și prep v.* **make away with 3**

make oneself out ['meik wʌn,self 'aut] *vt cu part adv* a pretinde; **he makes himself out to be very important** a face pe importantul, a-și da aere

make out ['meik 'aut] **I** *vt cu part adv* **1** a înțelege/a pricepe cu greutate; **can you ~ what he's trying to say?** pricepi ce vrea să spună? **2** a elibera *(un certificat etc.);* a întocmi *(o listă etc.);* a emite *(un cec);* a redacta, a adresa *(un proces verbal)* **3** ← *F* a pretinde, a susține **4** a dovedi, a demonstra **5** a considera, a socoti, a crede // **to ~ a case for** a avea motive (întemeiate) **II** *vi cu part adv* **1** *F* a o duce, a-i merge *(bine etc.)* **2 (with)** a avea legături/relații (cu); **he seems to be making out with a girl** se pare că e în dragoste/*F*încurcat/ *F* combinat cu o fată

make over ['meik 'ouvə^r] **I** *vt cu part adv* **1 (into)** a transforma, a preface (în) **2 (to)** a transfera *(o proprietate) (cu dat)* **3** *amer* a reface *(o haină etc.)*, a da o față nouă *(cu dat)* **II** *vi cu part adv* a trece peste *(un pod etc.)*

make-peace ['meik,pi:s] *s* împăciuitorist; făcător de pace

maker ['meikə^r] *s* **1** făcător **2** fabricant; producător; constructor **3 (the) M~** *rel* Ziditorul, Creatorul; **to meet one's ~** a-și da obștescul sfârșit

make-rhyme ['meik,raim] *s metr* cuvânt de umplutură *(pt rimă)*

makeshift ['meik,ʃift] **I** *s* expedient; paliativ; înlocuitor provizoriu **II** *adj atr* provizoriu, temporar, folosit ca expedient

make-up ['meikʌp] *s* **1** fard, dres; sulemeneală **2** machiaj *sau* noua înfățișare produsă de machiaj; **he change his ~ of an old woman for that of an old man** mai întâi s-a machiat ca babă, apoi ca moșneag **3** alcătuire, structură; compoziție; construcție; constituție **4** invenție, născocire **5** *poligr* paginație **6** *poligr* machetă **7** *poligr* tehnoredactare **8** *tehn* reîncărcare

make up ['meik 'ʌp] **I** *vt cu part adv* **1** a aplana *(o ceartă, un conflict)* **2** a farda **3** a machia **4** a inventa, a născoci *(o poveste);* a ticlui **5** a prepara *(un medicament, ↓ pe baza unei rețete)* **6** a completa *(o echipă, bani)* **7** a plăti *(o datorie)*, a înapoia **8** a recâștiga *(terenul pierdut etc.)* **9** *text* a confecționa; a coase **10** a strânge; a împacheta, a face un pachet din **11** a strânge, a aduna *(bani)* **12** *fin* a balansa *(conturi);* a încheia *(un bilanț etc.)* **13** *poligr* a pagina **14** *poligr* a face macheta *(cu gen)* **15** *poligr* a tehnoredacta **16** a forma, a alcătui **17**

a pregăti, a face *(patul)* // **to ~ one's mind** a se hotărî, a se decide **II** *vr v.* **~. III, 2-3 III** *vi cu part adv* **1** a se împăca, a nu se mai certa; a nu se mai dușmăni **2** a se farda **3** a se machia

make up for ['meik 'ʌp fə'] *vi cu part adv și prep* **1** a compensa *cu ac*, a fi o compensație pentru; a înlocui *cu ac;* a recupera *cu ac;* **to ~ lost time** a recupera *sau* a recâștiga timpul pierdut

make up to ['meik'ʌp tə] *vi cu part adv și prep* a se da bine pe lângă; a lingusi *cu ac;* a căuta să intre în grațiile *cuiva;* **to make (it) up to smb for smth** a răsplăti pe cineva pentru ceva, a se achita față de cineva pentru ceva

make up with ['meik'ʌp wið] *vi cu part adv și prep* a se înțelege/a se împăca cu *(cineva)*

make-weight ['meik,weit] *s* adaos, supliment, câtime *(pt completarea greutății etc.)*

make with ['meik wið] *vi cu prep* ↓ *amer sl* a aduce; a scoate; a pune pe masă

making[1] ['meikiŋ] *adj (în cuvinte compuse)* făcător, care produce *sau* creează; **epoch-~** istoric, epocal

making[2] *s* **1** facere, creare; construire; alcătuire, întocmire *etc. (v.* **make I, 1-12) 2** mână de lucru **3** devenire; **in the ~** în devenire, în procesul de formare/făurire **4** operă, contribuție; **it was a marriage of her ~** căsătoria a fost opera ei, ea a pus la cale căsătoria **5** *pl* câștiguri, venituri **6** *pl* aptitudini, înzestrare, talente

making-up ['meikiŋʌp] *s* **1** alcătuire; formare, compunere *(a trenurilor etc.)* **2** *text* confecționare

mal- *pref* rău-, ne- *etc.:* **malevolent** răuvoitor; **malcontent** nemulțumit

Malabar ['mælə,ba:'] *regiune în India*

Malacca [mə'lækə] *peninsulă și strâmtoare în Asia*

malachite ['mælə,kait] *s minr* malahit

maladdress [,mælə'dres] *s* lipsă de tact

maladjusted [,mælə'dʒʌ:stid] *adj* **1** prost adaptat *sau* ajustat **2** *(d. cineva)* inadaptabil

maladjustment [,mælə'dʒ:stmənt] *s* **1** adaptare *sau* ajustare defectuoasă **2** inadaptabilitate

maladministration [,mæləd,minis-'treiʃən] *s* proastă administrare *sau* administrație/conducere

maladroit [,mælə'drɔit] *adj* **1** stângaci, neîndemânatic **2** lipsit de tact

maladroitly [,mælə'drɔitli] *adv* **1** cu stângăcie/neîndemânare **2** fără tact

maladtroitness [,mælə'drɔitnis] *s* **1** stângăcie, neîndemânare **2** lipsă de tact

madady ['mælədi] *s* maladie, boală

Malaga ['mæləgə] *s* **1** *provincie și oraș în Spania* **2** vin de Malaga **3** struguri de Malaga

Malagasy ['mælə'gɑ:zi] **I** *adj* malgaș **II** *s* **1** malgaș **2** (limba) malgașă

malaise [mæ'leiz] *s* **1** *med* indispoziție **2** stare proastă de lucruri; stagnare

malapropism ['mæləprɔp,izəm] *s* folosire greșită a unui cuvânt în locul altuia asemănător (↓ a radicalelor)

malapropos [,mæləprə'pou] *fr* **I** *adj, adv* nepotrivit, inoportun **II** *s* cuvânt, act *etc.* nepotrivit/inoportun

malaria [mə'lɛəriə] *s med* malarie, paludism, febră palustră

malarial [mə'lɛəriəl] *adj med* malarial, paludic

malax ['mælæks] *vt* a malaxa, a amesteca

Malay [mə'lei] **I** *adj* malaiez **II** *s* **1** malaiez **2** (limba) malaieză

Malaya [mə'leiə] Peninsula Malaieză

Malayan [mə'leiən] *adj, s v.* **Malay**

Malay Archipelago, the [mə'lei ,ɑ:ki'peli,gou, ðə] Arhipelagul Malaiez

Malay Peninsula, the [mə'lei pi'ninsjulə] *v.* **Malaya**

Malaysia [mə'leiziə] Malaezia

Malcolm ['mælkəm] *nume masc*

malcontent ['mælkən,tent] **I** *s* nemulțumit; < răzvrătit, rebel **II** *adj rar v.* **malcontented**

malcontented ['mælkən,tentid] *adj* nemulțumit, nesatisfăcut; < răzvrătit

male [meil] **I** *adj* **1** bărbătesc, masculin **2** de sex masculin; **a ~ friend** un prieten **II** *s* **1** bărbat; tânăr; băiat **2** mascul; bărbătuș

malediction [,mæli'dikʃən] *s* blestem; afurisenie

maledictory [,mæli'diktəri] *adj* de blestem

malefaction ['mæli,fækʃən] s 1 crimă 2 nelegiuire; facere de rău

malefactor ['mæli,fæktə'] s răufăcător; criminal

malefic [mə'lefik] adj malefic, rău, nelegiuit

maleficent [mə'lefisənt] adj (to) rău, vătămător, dăunător (pentru)

male rhyme ['meil,raim] s metr rimă masculină

malevolence [mə'levələns] s 1 (to) rea-voință (față de) 2 invidie, pizmă

malevolent [mə'levələnt] adj 1 (to) răuvoitor (față de) 2 invidios, pizmaș 3 nefavorabil, neprielnic

malevolently [mə'levələntli] adv 1 cu răutate 2 cu invidie 3 (în mod) nefavorabil

malfeasance [mæl'fi:zəns] s jur abuz; infracțiune

malformation [,mælfɔ:'meiʃən] s malformație; diformitate; anormalitate

malformed [mæl'fɔ:md] adj malformat; diform, pocit

malfunction [mæl'fʌŋkʃən] s tehn defect; deranjament

malice ['mælis] s 1 răutate, malițiozitate, rar→ maliție 2 ranchiună, pică; **to bear** ~ **to smb** a purta cuiva pică, a fi supărat pe cineva 3 invidie, pizmă 4 jur intenție criminală; **with** ~ **aforethaught** jur premeditat 5 potrivnicie (a soartei)

malicious [mə'liʃəs] adj 1 rău; răutăcios 2 răzbunător 3 invidios, pizmaș 4 jur făcut cu intenție, premeditat

maliciously [mə'liʃəsli] adv 1 cu răutate; malițios 2 din pică sau invidie 3 jur cu premeditare

malign [mə'lain] I adj 1 răuvoitor; rău; răutăcios 2 dăunător, rău; păgubitor 3 med malign II vt a vorbi de rău; a calomnia; a bârfi

malignancy [mə'lignənsi] s 1 răutate; rea-voință 2 med caracter malign 3 caracter vătămător/dăunător

malignant [mə'lignənt] adj 1 v. malign I, 1-2 2 med malign 3 dușmănos, ostil 4 perfid, ticălos, viclean

malignantly [mə'lignəntli] adv cu răutate, răutăcios

malignity [mə'ligniti] s 1 v. malignancy 1-3 2 dușmănie neîmpăcată, ură de moarte

malinger [mə'liŋgə'] vi ↓ mil a se preface bolnav

malingerer [mə'liŋgərə'] s ↓ mil bolnav prefăcut, simulant

Mall, the [mæl, ðə] alee în parcul St. James din Londra

mall [mɔ:l] s loc de plimbare; alee; promenadă

mallard ['mælɑ:d] s orn rață sălbatică (Anas platyrhynchos)

malleability [,mæliə'biliti] s 1 maleabilitate 2 fig caracter îngăduitor; flexibilitate; adaptabilitate

malleable ['mæliəbəl] adj 1 maleabil, ductibil; (d. fier) forjabil 2 fig (d. caracter) îngăduitor; flexibil; acomodabil, adaptabil

mallet ['mælit] s 1 mai, ciocan de lemn 2 sport ciocan (la crochet etc.)

mallow ['mælou] s bot nalbă (Malva silvestris)

malm [mɑ:m] s geol malm

malnutrition [,mælnju:'triʃən] s alimentație defectuoasă; subnutriție

malodorous [mæl'oudərəs] adj rău mirositor

Malory ['mæləri], **Sir Thomas** scriitor englez (a doua jum. a sec. al XV-lea)

malpractice [mæl'præktis] s 1 incompetență (în serviciu); abatere de la îndatoririle de serviciu 2 jur infracțiune; delict 3 med tratament greșit

malt [mɔ:lt] s malț

Malta ['mɔ:ltə] insulă și țară în Mediterana

Malta fever ['mɔ:ltə,fi:və'] s med bruceloză

Maltese [mɔ:l'ti:z] adj, s maltez

Malthus ['mælθəs], **Thomas Robert** economist politic englez (1766-1834)

Malthusian [mæl'θju:ziən] adj, s malthusian

Malthusianism [mæl,θju:ziənizəm] s malthusianism

maltose ['mɔ:ltouz] s ch maltoză

maltreat [mæl'tri:t] vt a se purta urât cu; a maltrata; a strica, a rupe, a face praf (cărți etc.)

maltreatment [mæl'tri:tmənt] s purtare/comportare urâtă (față de cineva)

malversation [,mælvə:'seiʃən] s jur 1 delapidare; fraudă 2 abuz

mama [mə'mɑ:] s F v. **mamma¹**

mambo ['mæmbou] s mambo (muzică și dans)

mamelon ['mæmələn] s geogr mamelon

Mameluke ['mæmi,lu:k] s ist mameluc

mamma¹ [mə'mɑ:] s amer ← rar mamă, – mămică, mămicuță

mamma² ['mæmə], pl **mammae** ['mæmi:] s anat mamelă

mammal ['mæməl], pl **mammalia** [mə'meiliə] s zool mamifer

mammary glands ['mæməri ,glændz] s pl anat glande mamare

mammiferous [mæ'mifərəs] adj mamifer

Mammon ['mæmən] s 1 bibl Mamona 2 m~ mamona, avuție, bogăție

mammonism ['mæmənizəm] s fig slujirea lui Mamona, cult al aurului

mammoth ['mæməθ] I s zool, geol, mamut (Elephas primigenius) II adj atr gigantic, uriaș, colosal

mammy ['mæmi] s 1 (↓ în limbajul copiilor) ↓ irl sau amer mămicuță, mămică 2 amer peior doică sau îngrijitoare negresă 3 amer peior negresă bătrână

man [mæn] I pl **men** [men] s 1 bărbat; **men and women** bărbați și femei 2 (în asociere cu alte cuvinte) soț, bărbat, P → om; ~ **and wife** soț și soție 3 prieten, înv → ibovnic 4 bărbat, om matur, adult; ~ **and boy** toată viața; de mic copil 5 și M~ omul, oamenii, umanitate; **the rights of** ~ drepturile omului 6 om, ființă omenească, suflet (de om); persoană, ins, individ; **a** ~ a un om (anume sau oarecare) **b** omul, oamenii (în general); **no** ~ nici un om, nimeni; **old** ~! prietene! **to a** ~ până la ultimul (om); **as one** ~ ca unul (singur), ca un singur om, unanim; **the right** ~ **in the right place** prov omul potrivit la locul potrivit; **so many men, so many minds** prov câte capete, atâtea păreri; **men say that** se spune că; **the inner** ~ **a** sinele, eul **b** umor burdihanul, burta, stomacul; ~ **of God** preot; **the** ~ **in the street** omul de pe stradă, omul obișnuit; ~ **about town a** om de lume **b** băiat de bani gata; ~ **of my/your/his** ~

parolist, om de cuvânt 7 *(cu „the"
sau un adj pos)* om potrivit/
nimerit; **he has found his ~** și-a
găsit omul *(de care are nevoie)* **8**
mil soldat, ostaș; om **9** *sport*
jucător **10** piesă, figură *(la jocuri)*
11 *ist* vasal **12** *nav* navă **II** *adj atr.
pref* de sex masculin; ~ **cook**
bucătar **III** *vt* **1** *mil, nav* a echipa
2 *mil* a înarma **3** *nav* a arma *(o
barcă)* **4** *fig* a îmbărbăta, a încu-
raja **IV** *vr* a prinde curaj/inimă **V**
interj **1** omule! „măi"! **2** *amer* măi,
să fie! extraordinar! haiti!

-man *suf masculin sau arătând ocu-
pația:* **an Englishman** un englez;
motorman conducător auto

Man, the Isle of ['mæn, ðiʼailəv] Insu-
la Man *(între Anglia și Irlanda)*

manacle ['mænəkəl] **I** *s* **1** *pl* cătușe
2 *pl fig* cătușe, piedici; oprelişti **II**
vt și *fig* a încătușa

manage ['mænidʒ] **I** *vt* **1** a mânui; a
dirija, a conduce *(o barcă etc.)* **2**
a conduce, a guverna; a admi-
nistra **3** a conduce, a stăpâni *(pe
cineva);* a ține în frâu; a supra-
veghea; a îmblânzi *(un animal);*
I know how to ~ him știu cum
(trebuie) să mă port cu el; *F →*
știu cum să-l iau **4** a duce la
capăt, a duce la bun sfârșit *(o
lucrare etc.)* **5** *cu inf* a reuși, a
izbuti; a ajunge (să) **II** *vi* a reuși,
a izbuti; a se descurca, *F →* a o
scoate la capăt

manageability [,mænidʒəʼbiliti] *s* **1**
maniabilitate *(a unei mașini etc.)*
2 posibilitate de realizare/efec-
tuare **3** *fig* supunere; docilitate;
flexibilitate

manageable ['mænidʒəbəl] *adj* **1** *(d.
lucruri)* maniabil; ușor de mânuit
2 realizabil; posibil **3** *(d. cineva)*
docil, ascultător; cu care te poți
înțelege; înțelegător; flexibil **4** *(d.
caracter)* acomodabil; înțele-
gător

manageableness ['mænidʒəbəlnis]
s v. **manageability**

management ['mænidʒmənt] *s* **1**
conducere; administrație **2** *agr
etc.* administrare, gospodărire **3**
arta conducerii; talent de organi-
zator **4** iscusință, pricepere, dibă-
cie; simț tactic; orientare; **more
by luck then ~** mai curând da-
torită norocului decât priceperii **5**
truc, tertip **6** direcție, conducere

manager ['mænidʒəʳ] *s* **1** condu-
cător; director; administrator;
administratoare **2** *pol* șef *(al unui
partid)* **3** gospodar *sau* gos-
podină **4** *sport, teatru etc.* ma-
nager; impresar **5** *fin* procurist

manageress [,mænidʒəʼres] *s* **1** con-
ducătoare; directoare; adminis-
tratoare **2** gospodină **3** *fin* procu-
ristă

managerial [,mæniʼdʒiəriəl] *adj* **1** de
conducere **2** *peior* dictatorial

managership ['mænidʒər,ʃip] *s* **1**
conducere; funcție de condu-
cător *sau* director **2** funcție de
manager, impresar *sau* procurist

managing ['mænidʒiŋ] *adj* **1** de con-
ducere **2** *(d. cineva)* gospodar,
econom **3** energic, întreprinzător

managing board ['mænidʒiŋ ,bɔːd]
s consiliu de administrație; co-
mitet de conducere

managing director ['mænidʒiŋ
diʼrektəʳ] *s* **1** director general *(de
fabrică etc.)* **2** *pl v.* **managing
board**

man-at-arms ['mænətʼɑːmz], *pl* **men-
at-arms** ['menətʼɑːmz] *s* soldat,
ostaș

manatee [,mænəʼtiː] *s zool* lamantin
(Manatus sp.)

Manchester ['mæntʃistəʳ] *oraș în
Anglia*

man child ['mæn ,tʃaild] *s* copil de
sex bărbătesc

Manchuria [mænʼtʃuəriə] *partea de
nord-est a Chinei* Manciuria

Manchiurian [mænʼtʃuəriən] *adj, s*
manciurian

manciple ['mænsipəl] *s* econom,
intendent *(al unei școli sau
mănăstiri)*

mandarin[1] ['mændərin] *s* **1** *od* man-
darin, înalt funcționar *(în China)*
2 *pol* conducător cu idei învechite
3 *fig* mare dregător, potentat

mandarin[2] **I** *s* **1** *bot* mandarin
(Citrus nobilisis etc.) **2** manda-
rină **3** lichior de mandarine **4**
(culoare) galben-portocaliu **II** *adj*
galben-portocaliu

mandarin duck ['mændərin ,dʌk] *s
orn* rața mandarin *(Aix gale-
riculata)*

mandate ['mændeit] *s* **1** *jur* mandat;
procură; împuternicire **2** ordin;
dispoziție **3** *pol* mandat

mandated territories ['mændeitid
'teritəriz] *s pl* teritorii sub mandat

mandatory ['mændətəri] **I** *adj* **1**
împuternicit, care are un mandat
2 *amer* obligatoriu; constrâns,
forțat **II** *s* **1** țară care are teritorii
sub mandat **2** *jur* mandatar

Mandeville ['mændəvil], **Bernard**
*scriitor și filosof englez
(1670?-1733)*

mandible ['mændibəl] *s zool* man-
dibulă *(la insecte);* falcă de jos
(la animale și pești)

mandibulary [mænʼdibjuləri] *adj
anat* mandibular

mandola ['mændələ] *s muz* mandolă

mandragora [mænʼdrægərə] *s v.*
mandrake

mandrake ['mændreik] *s not* mătră-
gună *(Mandragora officinalis)*

mandrel ['mændrəl] *s* **1** *tehn* man-
drină; dorn; fus **2** *tehn* poanson
3 târnăcop

mandril ['mændril] *s v.* **mandrel**

mandrill *s zool* mandril *(Mandrillus
mormon)*

manducate ['mændju,keit] *vt fizl* a
mesteca

manducation [,mændjuʼkeiʃən] *s fizl*
amestecare, masticație

mane [mein] *s* **1** coamă *(a calului
etc.)* **2** coamă, chică

man eater ['mæn ,iːtə] *s* **1** canibal,
antropofag, mâncător de oameni
2 animal mâncător de oameni

man-eating ['mæn,iːtiŋ] *adj atr*
mâncător de oameni; antropofag

manege, manège [mæʼneiʒ] *s fr* **1**
manej **2** dresaj *(al cailor)*

manes ['mɑːneiz] *s pl od rel* mani,
spirite bune *(ale familiei)*

maneuver [məʼnuːvəʳ] *s v v.* **ma-
noeuvre**

manful ['mænful] *adj* **1** bărbătesc,
viril **2** bărbătesc, curajos, brav;
îndrăzneț **3** bărbătesc, hotărât,
ferm

manfully ['mænfuli] *adv* **1** bărbă-
tește, cu bărbăție; fără frică, cu
curaj **2** cu hotărâre

manganate ['mæŋgə,neit] *s ch*
manganat

manganese [,mæŋgeʼniːz] *s ch*
mangan

manganic [mænʼgænik] *adj ch*
manganic

mange [meindʒ] *s vet* scabie, râie

mangel-wurzel ['mæŋgəl,wəːzəl] *s
germ bot* sfeclă furajeră *(Beta
vulgaris macrorhiza)*

manger ['meindʒəʳ] *s* iesle; troacă

mangle¹ ['mæŋgəl] *vt* **1** a ciopârți, a sfârteca **2** a schilodi, a mutila **3** *fig* a denatura, a deforma

mangle² **I** *s* mângălău, manglu, calandru **II** *vt* a mângălui, a călca

mangler ['mæŋgələʳ] *s v.* **mangle² I**

mango ['mæŋgou], *pl* **mango(e)s** ['mæŋgouz] *s bot* mangotier, manghier *(Mangifera indica)*

mangold ['mæŋgəld] *s v.* **mangel-wurzel**

mangrove ['mæŋgrouv] *s bot* man-glier, mangrovă *(Rhizophora mangle)*

mangy ['meindʒi] *adj* **1** *vet* râios, scabios **2** *F* păduchios, soios, – murdar **3** *F* care nu face doi bani, – jalnic, deplorabil **4** *(d. haine etc.)* ← *F* uzat, ros, zdrenţăros

manhandle ['mæn,hændəl] *vt* **1** a transporta *etc.* cu braţele **2** a se purta grosolan cu, a trata cu grosolănie

man hater ['mæn,heitəʳ] *s* mizantrop

man-hating ['mæn,heitiŋ] *adj atr* mizantrop

Manhattan [mæn'hætən] *s* **1** *insulă și district în New York* **2** m~ manhattan *(cocktail din whisky, vermut etc.)*

manhole ['mæn,houl] *s* **1** trapă; deschizătură *(în dușumea etc.)* **2** gură de canal **3** *ferov* nișă, adăpost *(într-un tunel)* **4** *min* loc de trecere *(pt oameni)* **5** *nav* gaură de om; gaură de vizitare **6** *tehn* gură de vizitare

manhood ['mænhud] *s* **1** fire ome-nească, natură umană, uma-nitate **2** bărbăţie, virilitate **3** maturitate, vârstă adultă **4** băr-baţi *(ai unei ţări etc.)*

man-hour ['mæn,auəʳ] *s tehn* om-oră

manhunt ['mæn,hʌnt] *s* **1** vânătoare de oameni **2** razie, descindere

man hunter ['mæn,hʌntəʳ] *s* vânător de oameni

mania ['meiniə] *s* **1** *med* manie; nebunie; delir **2** *fig* manie; idee fixă; pasiune

-mania *suf* -manie: **kleptomania** cleptomanie

maniac ['meini,æk] *s adj* **1** maniac; nebun **2** *fig* maniac; pasionat

maniacal [mə'naiəkəl] *adj v.* **maniac**

maniacally [mə'naiəkəli] *adv* ca un maniac

manic ['mænik] *adj med* maniac, de nebun

manichaeism ['mæniki:,izəm] *s rel* maniheism

manicure ['mæni,kjuəʳ] *s* **1** ma-nichiură **2** manichiuristă **II** *vt* a face manichiura *(cu gen)*, a îngriji *(mâinile)*

manicurist ['mæni,kjuərist] *s* mani-chiuristă

manifest ['mæni,fest] **I** *adj* clar, limpede, vădit, *rar→* manifest **II** *vt* **1** a manifesta, a dovedi, a da dovadă de **2** *nav* a declara *(la vamă)* **III** *vr* a se manifesta, a declara **IV** *vi* **1** a manifesta, a demonstra, a lua parte la o manifestaţie **2** *(d. fantome)* a-și face apariţia **V** *s nav* manifest

manifestant ['mænifestənt] *s* mani-festant, demonstrant

manifestation [,mænife'steiʃən] *s* **1** manifestare, declarare, expri-mare **2** manifestaţie, demon-straţie **3** manifestare, simptom **4** proclamare, publicare

manifestly ['mænifestli] *adv* (în mod) limpede, vădit, evident

manifesto [,mæni'festou], *pl* **ma-nifesto(e)s** [,mæni'festouz] *s* manifest, proclamaţie; declaraţie publică

manifold ['mæni,fould] **I** *adj* **1** variat; diferit, felurit, divers **2** numeros, multiplu **II** *s* **1** varietate; diver-sitate; mulţime **2** colecţie **3** *min* claviatură; colector **4** copie multiplicată

manikin ['mænikin] *s* **1** omuleţ, pitic **2** manechin

Manila [mə'nilə] *capitala Insulelor Filipine*

Manila hemp [me'nilə,hemp] *s* cânepă de Manila

Manila rope [mə'nilə,roup] *s nav* parâmă de manila

man in the street, the ['mən in ðə 'striːt, ðə] omul de pe stradă/obișnuit/de rând

manioc ['mæni,ɔk] *s* **1** *bot* manioc *(Jatroplis manihot)* **2** lipie din făină de manioc

manipulate [mə'nipju,leit] *vt* **1** a manipula, a mânui *(instrumente etc.)* **2** *fig* a manipula, a manevra; a învârti; a măslui

manipulation [mə,nipju'leiʃən] *s* **1** manipulare, mânuire **2** și *fig* manevră; *fig* mașinaţie

manipulative [mə'nipjuleitiv] *adj* de manipulare

manipulator [mə'nipju,leitəʳ] *s* **1** *tehn* manipulator **2** *fig* pungaș, înșelător

Manitoba [,mæni'toubə] *provincie în Canada*

man jack ['mæn ,dʒæk] *s* om; **every ~** tot omul, fiecare; toţi

mankind *s* **1** [,mæn'kaind] omenire, neamul omenesc, umanitate **2** ['mæn,kaind] ← *rar* bărbaţii

manlike ['mæn,laik] *adj* **1** bărbătesc, de bărbat **2** antropoid

manliness ['mænlinis] *s* **1** bărbăţie, virilitate **2** curaj

manly ['mænli] *adj* **1** bărbătesc, viril **2** brav, viteaz

man-made ['mæn,meid] *adj* făcut de om; artificial

Mann [mʌn] *numele a doi scriitori germani* **1** Heinrich *(1871-1950)* **2** Thomas *(1875-1950)*

manna ['mænə] *s* **1** *rel* și *fig* mană cerească **2** manna, extras de mojdrean **3** *bot* mojdrean, frăsi-niţă *(Fraxinus ornus)*

manna croup ['mænə ,kruːp] *s* griș

manned ['mænd] *adj* cu oameni la bord

mannequin ['mænikin] *s* ← *rar* manechin

manner ['mænəʳ] *s* **1** mod, fel, chip, manieră; **in/after this ~** în felul/modul acesta, astfel; **in like ~** în acelaşi fel/mod, în mod ase-mănător, la fel; **in a ~ (of spea-king)** într-un anumit sens, până la un punct; ca să spunem aşa; **not by any ~ of means** sub nici o formă, nicidecum, defel **2** *lit etc.* manieră, stil **3** *gram* mod; **adverb of ~** adverb de mod **4** obicei, deprindere; *pl* obiceiuri, maniere; moravuri; datini; **he has no ~s** e prost crescut **5** înfăţişare, ţinută; fel de a fi **6** fel, soi, neam, categorie; **what ~ of man is he?** ce fel de om este? **all ~ of** tot felul/soiul de **7** fel/mod de viaţă; **to the ~ born** deprins/obişnuit de copil cu un anumit fel de viaţă *etc.*

mannered ['mænəd] *adj* **1** *(d. stil etc.)* manierat, afectat **1** *(în cuvinte compuse)* cu maniere ...; **well-~** cu maniere alese, ma-nierat, bine-crescut

mannerism ['mænə,rizəm] *s* **1** ma-nierism; afectare **2** manieră, par-ticularitate *(a unui scriitor etc.)*

mannerist ['mænərist] *s pict etc.* manierist

mannerless ['mænəlis] *adj* prost crescut, nemanierat

mannerliness ['mænəlinis] *s* bună creștere, politețe

mannerly ['mænəli] **I** *adj* manierat, bine crescut, politicos **II** *adv* (în mod) manierat, politicos

mannikin ['mænikin] *s v.* **manikin**

mannish ['mæniʃ] *adj* **1** bărbătesc, de bărbat **2** *(d. femei)* cu apucături de bărbat

mannishly ['mæniʃli] *adv* bărbătește, ca un bărbat

mannishness ['mæniʃnis] *s* bărbăție; masculinitate

manoeuvrability [mə,nu:vərə'biliti] *s* manevrabilitate

manoeuvre [mə'nu:və^r] **I** *s* **1** *mil* manevră; mișcare de trupe; *pl* manevre **2** *fig* mașinație; uneltire; *pl* manevre, intrigi **II** *vt mil* a face să execute manevre **III** *vi* **1** *mil* a face manevre **2** *nav* a manevra; a evolua

manoeuvrer [mə'nu:vərə^r] *s* intrigant; trăgător de sfori

manoeuvring [mə'nu:vəriŋ] *s* **1** manevrare **2** intrigi

man of the world ['mæn əv ðə 'wə:ld] *s* om care cunoaște lumea; om de lume; om cu experiență

man-of-war ['mænəv'wɔ:^r], *pl* **man-of-war** ['menəv'wɔ:^r] *s nav* navă militară, vas de război; vas de linie, cuirasat

manometer [mə'nɔmitə^r] *s tehn* manometru

manor ['mænə^r] *s* **1** *od* feudă, moșie feudală **2** conac

manor house ['mænə ,haus] *s* conac

manorial [mə'nɔ:riəl] *adj* **1** *od* seniorial **2** boieresc

man power ['mæn ,pauə^r] *s* **1** mână de lucru **2** om-putere **3** oameni, forțe **4** *mil* efectiv(e); mână curentă

manqué [mã'ke] *adj fr (d. un artist etc.)* nerealizat

man rope ['mæn ,roup] *s nav* strajă; balustradă

mansard(roof) ['mænsa:d (,ru:f)] *s constr* acoperiș mansardat

manse [mæns] *s* **1** casă parohială *(a unui preot presbiterian, ↓ în Scoția)* **2** ← *înv v.* **mansion 1**

manservant ['mæn,sə:vənt], *pl* **menservants** ['men,sə:vənts] *s* servitor, slujitor

Mansfield ['mæns,fi:ld], **Katherine** *nuvelistă engleză (1888-1923)*

mansion ['mænʃən] *s* **1** casă mare; vilă; < conac; < palat **2** *pl* casă/ imobil cu multe apartamente **3** *pl amer* bloc

mansion house ['mænʃən ,haus] *s* **1** curte boierească/seniorială; castel **2** the M~ H~ primăria *(reședința oficială a lordului primar al Londrei)* **3** *pl (cu un nume propriu)* bloc

man-sized ['mæn,saizd] *adj amer* ← *F* mare, voluminos

manslaughter ['mæn,slɔ:tə^r] *s jur* omor prin imprudență

manslayer ['mæn,sleiə^r] *s* ucigaș

mantel ['mæntəl] *s* **1** *v.* **mantelpiece 2** *tehn* carcasă, înveliș

mantel board ['mæntəl ,bɔ:d] *s v.* **mantelshelf**

mantelet ['mæntə,let] *s* manta scurtă

mantelpiece ['mæntəl,pi:s] *s* cămin; poliță deasupra căminului; prichici (de sobă)

mantelshelf ['mæntəl,ʃelf] *s* consolă de cămin

mantic ['mæntik] *adj* de ghicit, privitor la ghicit, profetic

mantilla [mæn'tilə] *s sp* mantilă

mantis ['mæntis] *s ent* călugăriță *(Mantis religiosa)*

mantissa [mæn'tisə] *s mat* mantisă

mantle ['mæntəl] **I** *s* **1** mantou; manta, capă; pelerină **2** strat, înveliș *(de zăpadă etc.)*; perdea, văl *(de ceață etc.)* **3** *geol* manta de protecție **4** *constr* fațadă, partea exterioară **II** *vt* **1** a acoperi sau a înveli cu un mantou etc. *(v. ~* **I, 1** *)*; a arunca o manta peste **2** *fig* a înveli, a învălui, a acoperi **III** *vi* **1** *(d. lichide)* a face spumă, a spumega **2** *(d. față etc.)* a se înroși, a se îmbujora

mantlet ['mæntilt] *s v.* **mantelet**

man-to-man ['mæntə'mæn] *adj atr* (ca) de la om la om

mantra ['mæntrə] *s (la hinduși)* mantra; rugăciune; incantație

mantrap ['mæn,træp] *s și fig* cursă, capcană

manual ['mænjuəl] **I** *adj* manual, de mână **II** *s* **1** manual; ghid **2** *muz* claviatură

manual alphabet ['mænjuəl ,ælfəbit] *s* alfabet al surdomuților

manual drive ['mænjuəl ,draiv] *s tehn* acționare manuală

manual exercise ['mænjuəl 'eksəsaiz] *s mil* mânuirea armelor

manual governing ['mænjuəl 'gʌvəniŋ] *s tehn* comandă/reglare manuală

manually ['mænjuəli] *adv* manual, cu mâna

manual worker ['mænjuəl ,wə:kə^r] *s* muncitor manual; meseriaș

Manuel ['mænju:əl] *nume masc v.* **Emmanuel**

manufactory [,mænju'fæktəri] *s* **1** *ec* manufactură **2** fabrică; uzină

manufactural [,mænju'fæktərəl] *adj* fabricație; de fabricare

manufacture [,mænju'fætʃə^r] **I** *s* **1** fabricare, manufactură, prelucrare **2** fabricat, produs **3** industrie **4** *ec* producție **II** *vt* **1** a fabrica, a confecționa, a produce **2** *fig* a născoci, a inventa, a plăsmui

manufactured [,mænju'fæktʃəd] *adj* **1** manufacturat; manufacturier **2** fabricat; confecționat **3** artificial; sintetic

manufacturer [,mænju'fæktʃərə^r] *s* **1** fabricant, industriaș **2** producător **3** furnizor **4** născocitor, scornitor *(de minciuni etc.)*

manufacturing [,mænju'fæktʃəriŋ] *adj* **1** *(d. un defect etc.)* de fabricație **2** *(d. o țară etc.)* industrial

manumission [,mænju'miʃən] *s od* manumisiune, dezrobire

manumit [,mænju'mit] *vt od* a elibera *(un sclav sau șerb)*

manure [mə'njuə^r] **I** *s* îngrășământ (natural), gunoi, bălegar **II** *vt* a îngrășa *(pământul)*

manurial [mə'njuəriəl] *adj agr* de îngrășământ, privitor la îngrășământ *(natural)*

manuring [mə'njuəriŋ] *s agr* îngrășare (cu bălegar); gunoire

manuscript ['mænju,skript] *s* manuscris

manwise ['mæn,waiz] *adv* omenește, ca un om

Manx [mæŋks] *s* **1** dialectul celtic vorbit pe insula Man **2** the ~ locuitorii insulei Man

many ['meni] **I** *comp* **more** [mɔ:^r], *sup* **most** [moust] *adj* **1** un mare număr de, mulți *sau* multe, numeroși *sau* numeroase, o mulțime de; ~ **times** de multe ori, în numeroase rânduri; **ever so ~ times** de nenumărate ori, în nenumărate rânduri; **too ~** prea mulți;

one too ~ unul în plus; **how ~?** câţi *sau* câte? **a great** ~ foarte mulţi; **as ~ as you want** câţi *sau* câte vrei/doreşti; **twice as ~ people** de două ori mai mulţi; **as ~ as three months** nu mai puţin de trei luni, trei luni încheiate **2** ~ **a/an** ← *înv, poetic* mulţi *sau* multe, < nenumăraţi *sau* nenumărate; ~ **a man** mulţi/< nenumăraţi oameni **II** *pr* mulţi *sau* multe; un mare număr; ~ **of them** mulţi dintre ei **III** *s* the ~ **1** cei mulţi; majoritatea **2** poporul; masele

many-coloured ['mæni,kʌləd] *adj* multicolor; pestriţ

many-headed ['mæni,hedid] *adj* cu multe capete

manyplies ['mæni,plaiz] *s pl* foios, ghem *(la animale)*

many-sided ['mæni,saidid] *adj* **1** multilateral **2** *(d. probleme etc.)* complex; complicat **3** *(d. cineva)* multilateral (dezvoltat)

manysidedness ['mæni,saididnis] *s* diversitate, caracter multilateral

Maori ['mauri] *adj, s* maor

map [mæp] **I** *s* **1** hartă; **to be (very much) on the** ~ *fig* a fi la ordinea zilei **2** plan; schiţă **3** reprezentare cartografică **4** *sl* mutră, – faţă, chip **II** *vt* **1** a întocmi harta *(cu gen)* **2** a trece pe hartă

map case ['mæp ,keis] *s* porthartă

map into ['mæp ,intə] *vt cu prep* mat a aplica în

maple ['meipəl] *s bot* arţar *(Acer sp.)*

map maker ['mæp ,meikə'] *s* cartograf

map making ['mæp ,meikiŋ] *s* cartografie

map measurer ['mæp 'meʒərə'] *s top* curbimetru

map out ['mæp 'aut] *vt cu part adv* **1** a plănui, a prevedea **2** a trasa, a schiţa

mapper ['mæpə'] *s* cartograf

mapping ['mæpiŋ] *s* **1** cartografie; cartografiere **2** *top* cartare; releveu **3** *mat* aplicaţie

maquis [ma:'ki:] *s fr* maquis

mar [ma:'] *vt* **1** a strica, a deteriora **2** a strica, a tulbura *(plăcerea etc.)* **3** *fig* a distruge *(pe cineva etc.)*

Mar. *presc de la* **March**

mar. *presc de la* **1** marine *sau* maritime **2** married

marabou ['mærə,bu:] *s* **1** *orn* marabu *(Leptoptilos)* **2** marabut *(ascet musulman)*

maraschino [,mærə'ski:nou] *s* maraschino, lichior de cireşe amare

marathon ['mwrəθən] *s sport* maraton

maraud [mə'rɔ:d] *vi* a jefui, a face jafuri/prădăciuni

marauder [mə'rɔ:də'] *s* jefuitor

marauding [mə'rɔ:diŋ] **I** *s* jaf, prădăciune **II** *adj atr* de pradă

marble ['mɔ:bəl] *s* **1** marmură **2** *pl* joc cu bile *(de copii)*; **to lose one's ~s** *sl* a-şi pierde minţile, a căpia

marbled ['ma:bəld] *adj* (ca) de marmură

marc [ma:k] *s* **1** boască; boştină; borhot; tescovină **2** rachiu de tescovină

marcasite ['ma:kə,sait] *s minr* marcasit

marcel [ma:'sel] **I** *s* ondulaţie *(la păr)* **II** *vt* a ondula *(părul)*

March [ma:tʃ] *s* (luna) martie, *P →* mărţişor

march[1] *s* hotar, graniţă

march[2] **I** *vi* **1** *mil etc.* a merge în marş; a mărşălui; a defila **2** *fig (d. timp etc.)* a nu sta pe/în loc, a merge înainte, a trece, – se scurge **3** a păşi, a merge; a înainta **4** *fig* a face progrese **II** *s* **1** *mil etc.* marş; **on the ~** în marş **2** *muz* marş **3** *fig* scurgere, trecere *(a timpului etc.)*; desfăşurare *(a evenimentelor etc.)* **4** *fig* progres, evoluţie **5** fel, de a merge, mers // **to steal a ~ on smb** *fig* a o lua înaintea cuiva

March. *presc de la* **Marchioness**

march away ['ma:tʃ ə'wei] *vt cu part adv* a trimite, a expedia *(la culcare etc.)*

marching ['ma:tʃiŋ] **I** *adj* **1** în marş **2** de marş **II** *s* marş

marching orders ['ma:tʃiŋ 'ɔ:dəz] *s pl* **1** *mil* ordin de marş **2** *F* paşaport, „plic", – concediere

marchioness ['ma:ʃənis] *s* marchiză *(titlu nobiliar)*

marchland ['ma:tʃ,lænd] *s* teritoriu limitrof, pământ învecinat

march off ['ma:tʃ 'ɔ(:)f] *vi cu part adv* **1** *mil* a începe deplasarea **2** a pleca în marş

march out ['ma:tʃ 'aut] *vi cu part adv* **1** *v.* **march off 2** a ieşi

marchpane ['ma:tʃ,pein] *s* marţipan

march-past ['ma:tʃ ,pa:st] *s mil* paradă

Marcia ['ma:ʃə] *nume fem*

Marconi [ma:'kouni], **Guglielmo** *fizician italian (1874-1937)*

Marco Polo ['ma:kou 'poulou] *călător veneţian (1254?-1324?)*

Marcus ['ma:kəs] *nume masc*

Mardi gras ['ma:di 'gra:] *s rel (în unele ţări)* ultima zi înainte de postul Paştelui

mare[1] [mɛə'] *s zool* iapă; măgăriţă

mare[2] *s* coşmar

mare's nest ['mɛəz ,nest] *s* iluzie, himeră, *F* cai verzi pe pereţi

mare's tail ['mɛəz ,teil] *s bot* coada mânzului *(Hippuris vulgaris)*

Margaret ['ma:grit] *nume fem* Margareta

margarine [,ma:dʒə'ri:n] *s* margarină

marge[1] [ma:dʒ] *s* ← *F* margarină

marge[2] *s* ← *poetic* margine, hotar

Margery ['ma:dʒəri] *nume fem*

margin ['ma:dʒin] **I** *s* **1** margine; hotar, graniţă, frontieră; limită; ţărm; bordură **2** *ec* acoperire **3** *fig* deosebire, diferenţă **4** *tehn* toleranţă; joc **5** *poligr* albitură **II** *vt* **1** a mărgini; a fi marginea *(cu gen)* **2** a adnota *(o carte)*

marginal ['ma:dzinəl] *adj* **1** marginal, de (pe) margine **2** *fig* periferic **3** *agr (d. sol)* sărăcăcios

marginalia [,ma:dʒi'neiliə] *s pl poligr* marginale

marginally ['ma:dʒinəli] *adv* marginal, pe margine

Margot ['ma:gou] *nume fem v.* **Margaret**

margrave ['ma:,greiv] *s od* margraf

Marguerite [,ma:gə'ri:t] *nume fem v.* **Margaret**

marguerite *s bol* **1** părăluţe, bănuţ(e)i *(Bellis perennis)* **2** ochiul boului *(Chrisanthemum leucanthemum)*

Maria [mə'raiə] *ca nume lat* [mə'ri:ə] *nume fem v.* **Mary**

Marian ['mɛəriən] *nume fem* Mariana

Marie ['ma:ri] *nume fem* Maria *v.* **Mary**

marigold ['mæri,gould] *s bot* gălbenele, filimică *(Calendula vulgaris)*

marihuana, marijuana [,mæri'hwa:nə, mæriju'a:nə] *s* marijuana, haşiş

Marilyn ['mærilin] *nume fem v.* **Mary**

marimba [mə'rimbə] *s muz* marimba, balafon

marina [mə'ri:nə] *s nav* port de ambarcații

marinade [,mæri'neid] **I** *s* marinată **II** *vt* a marina

marine [mə'ri:n] **I** *adj* **1** marin, de mare **2** maritim, naval **II** *s* **1** *nav* marină; marină comercială **2** *nav* navigație **3** *nav*, *mil* soldat din infanteria marină; **tell that'/it to the ~s** *F* asta să i-o spui lui mutu' **4** albastru marin, bleumarin

marine belt [mə'ri:n ,belt] *s nav* ape teritoriale

marine board [mə'ri:n ,bɔ:d] *s nav* inspectorat marin

marine cable [me'ri:n ,keibəl] *s* cablu submarin

mariner ['mærinəʳ] *s nav* marinar, matroz *(↓ în documente)*

Marion ['mɛəriən] **1** *nume masc* **2** *nume fem v.* **Mary**

marionette [,mæriə'net] *s* marionetă

marish ['mæriʃ] **I** *s* ← *poetic* mlaștină, baltă **II** *adj* mlăștinos

marital ['mwritəl] *adj* **1** de soț, al soțului/bărbatului **2** matrimonial, marital, conjugal

maritime ['mæri,taim] *adj* maritim; marin

Maritime Alps, the ['mæri,taim 'ælps ,ðə] Alpii Maritimi

marjoram ['mɑ:dʒərəm] *s bot* **1** magheran *(Majorana hortensis)* **2** sovârv, origan *(Origanum vulgare)*

Marjorie, Marjory ['mɑ:dʒəri] *nume fem v.* **Margaret**

Mark [mɑ:k] **1** *nume masc* **2** *bibl* Marcu

mark¹ marcă *(germană etc.)*

mark² **I** *s* **1** urmă, semn; pată **2** *fig* semn, urmă, dovadă *(de respect etc.)* **3** urmă, semn, simptom; trăsătură; trăsătură caracteristică, semn distinctiv **4** semn; marcă *(de fabrică etc.)* **5** semn *(de punctuație)* **6** *școl* notă; punct; **to give smb full ~s for doing smth** a admira pe cineva pentru ceva, a nu putea decât să admire pe cineva pentru ceva, a avea toată admirația pentru cineva *(în urma unei fapte săvârșite)* **7** danga *(la vite)* **8** *tehn* semn; reper; amprentă **9** *mil etc.* reper, țintă, model; *fig* țintă; scop; **he missed**

his/the ~ *fig* nu și-a atins ținta; **he is an easy ~** e o țintă/pradă ușoară; **he overshot the ~** *mil etc.* a obținut lovituri lungi **10** deget, amprentă digitală *(↓ în loc de semnătură)*; cruce; ← *umor* semnătură **11** ← *elev* succes; **to make one's ~** a reuși (în viață), a se impune **12** *drumuri* semn (rutier); (stâlp) indicator; bornă **13** calitate, fel, tip, sort **14** *text* cută; îndoitură **15** ← *înv* margine, hotar // **up to the ~** a la înălțime **b** bine, sănătos; **below the ~** sub nivelul cerut *sau* dorit; **not quite up to the ~** nu prea sănătos; **to fall wide of the ~** a a fi departe de subiect, a nu fi la subiect **b** a fi foarte greșit, a greși foarte mult **II** *vt* **1** a lăsa un semn *sau* o pată pe, a păta **2** a marca, a însemna; a face un semn pe *sau* în **3** a marca, a indica, a arăta; a fi semnul, urma *etc. cu gen;* a trăda (existența – *cu gen)* **4** a lăsa urme pe *(corp etc.)* **5** a califica, a nota, a aprecia cu o notă/un calificativ **6** a nota, a înregistra *(prezența etc.)* **7** a fi atent la, a ține minte; **~ my words** ține minte ce-ți spun, bagă bine de seamă ceea ce-ți spun; să nu uiți vorbele mele **8** a desemna, a alege; **to ~ smb as a candidate** a desemna pe cineva în calitate de candidat **9** a marca *(punctele la un joc)* **10** a arăta, a dovedi, a manifesta, a demonstra *(atașament etc.)* **11** a caracteriza, a defini *(un artist etc.)* **12** a marca, a sărbători **13** ← *poetic* a observa, a pândi, a urmări // **to ~ time** și *fig* a bate pasul pe loc; **~ time, march!** *mil* pas pe loc-marș **III** *vi* **1** *(d. fața de masă etc.)* a se murdări, a se păta *(foarte ușor etc.)* **2** a marca, a face un semn *sau* semne

mark-down ['mɑ:k ,daun] *s* **1** scădere a prețului **2** preț scăzut

mark down [mɑ:k 'daun] *vt cu part adv* **1** a nota, a însemna, a scrie **2** a reduce la *sau cu gen* **3** *școl etc.* a scădea nota *(cuiva)*

marked [mɑ:kt] *adj* **1** marcat, însemnat; ștampilat **2** marcat, pronunțat; clar, vizibil, evident; sensibil, apreciabil **3** *(d. un om)* urmărit *(de un inamic)* **4** *tehn* marcat, trasat

markedly ['mɑ:kidli] *adv* deosebit de; apreciabil, considerabil

marker ['mɑ:kəʳ] *s* **1** persoană care marchează; pontator; elev *sau* student care notează prezența **2** semn; indicator **3** semn de carte **4** *agr* marcator **5** *constr* reper **6** *lingv* marcă **7** *amer* placă comemorativă; monument comemorativ

market ['mɑ:kit] **I** *s* **1** piață; târg; obor; **covered ~** piață acoperită; hală; hale; **on the ~** de vânzare; **in the ~ for** doritor să cumpere *cu ac;* **to play the ~** *fin* a specula la bursă; **black ~** bursa neagră; **to bring one's eggs/hogs/pigs to a bad/the wrong ~** a-și greși socotelile, a da greș, a nu reuși; *cf* socoteala de acasă nu se potrivește cu cea din târg **2** târg, iarmaroc **3** *com* cerere; debușeu; vânzare; **there was no ~ for such goods** asemenea mărfuri nu aveau căutare **II** *vt* a pune în vânzare, a vinde; a lansa pe piață **III** *vi* ↓ *amer* a face piața/ târguieli(le); **to go ~ing** a se duce la târguieli

marketability [,mɑ:kitə'biliti] *s com* vandabiliate

marketable ['mɑ:kitəbəl] *adj* **1** *com* vandabil, cerut, care se vinde (ușor, repede *sau* mult) **2** *fin* cotat, negociat (la bursă)

market basket ['mɑ:kit ,bɑ:skit] *s* coș de piață

market day ['mɑ:kit ,dei] *s* zi de târg

marketeer [,mɑ:ki'tiəʳ] *s* **1** *v.* **marketer 1** **2** susținător/apărător/ partizan al unei anumite piețe

marketer ['mɑ:kitəʳ] *s* **1** cumpărător *sau* vânzător într-o piață **2** vânzător al unui anumit produs *(firmă sau persoană)*

market garden ['mɑ:kit ,gɑ:dn] *s* grădină de zarzavaturi

market house ['mɑ:kit ,haus] *s* hală *(în piață)*

marketing ['mɑ:kitiŋ] *s* **1** marketing, știința a eficienței economice **2** comerț; vânzare **3** *amer* târguieli, cumpărături

marketplace ['mɑ:kit,pleis] *s* **1** piață *(ca loc)* **2** the ~ piața, locul de desfacere *(prin opoziție cu locul de fabricație etc.)*

market price ['mɑ:kit ,prais] *s com* cursul/prețul pieții

market research ['ma:kit ri'sə:tʃ] *s com* sondajul pieţii

market town ['ma:kit ‚taun] *s* oraş unde se ţin iarmaroace

market value ['ma:kit ‚vælju:] *s com* cursul *sau* valoarea pieţii

marking ['ma:kiŋ] *s* 1 marcare, însemnare 2 *tehn* reperare; trasare 3 *pl* semne; pete *(pe animale)*

marking ink ['ma:kiŋ ‚iŋk] *s* cerneală de marcaj

marking light ['ma:kiŋ ‚lait] *s auto* lumină de poziţie

mark off ['ma:k 'ɔ(:)f] *vt cu part adv* 1 a delimita, a demarca; a mărgini, a hotărnici 2 a însemna; a bifa 3 a măsura *sau* a însemna, a trece *(o distanţă etc. pe o hartă)*

mark out ['ma:k 'aut] *vt cu part adv* 1 a marca, a însemna cu marcaje 2 *mil* a marca; a determina locul *(cu gen)* 3 a trasa *(un plan de acţiune etc.)* 4 **(for)** a alege, a selecţiona, a selecta (pentru)

mark out for ['ma:k 'aut fəʳ] *vt cu part adv şi prep* a destina *cu dat;* **an industry marked out for a brilliant future** o industrie cu un mare viitor

marksman ['ma:ksmən] *s* 1 ochitor de frunte, bun trăgător/ţintaş 2 neştiutor de carte, analfabet

marksmanship ['ma:ksmən‚ʃip] *s* arta ţintaşului; ochire sigură/fără greş

markup ['ma:k‚ʌp] *s* **(of)** scumpire (cu)

mark up ['ma:k 'ʌp] *vt cu part adv* a scumpi, a ridica preţul la *(o marfă etc.)*

marl [ma:l] *s* 1 *geol* marnă 2 *poetic* ţărână, – pământ

Marlborough ['ma:lbərə] *general şi om de stat englez (1650-1722)*

marline ['ma:lin] *s nav* merlin

marlinespike ['ma:lin‚spaik] *s nav* cavilă de matisit

Marlowe ['ma:lou], **Cristopher** *autor dramatic englez (1564-1593)*

marmalade ['ma:mə‚leid] *s* marmeladă; gem *(↓ de portocale);* magiun

Marmara, the Sea of ['ma:mərə, ðə 'si: əv] Marea Marmara

marmoreal [ma:'mɔ:riəl] *adj poetic* marmorean, – (ca) de marmură

marmoset ['ma:mə‚zet] *s zool* saguin

(Callithrix jacchus)

marmot ['ma:mət] *s zool* marmotă *(Arctomys marmota)*

maroon[1] [mə'ru:n] **I** *vt* 1 a părăsi/a lăsa *(pe cineva)* pe o insulă *sau* coastă pustie 2 *fig* a izola *(pe cineva)* (de restul lumii)

maroon[2] **I** *adj* castaniu **II** *s* 1 castaniu, culoare castanie 2 petardă; artificii

marplot ['ma:plɔt] *s* 1 piedică, obstacol 2 nepoftit; încurcă-lume

Marq *pres de la* 1 **Marquis** 2 **Marquess**

marque [ma:k] *s* 1 *od* represalii 2 ↓ *auto* marcă

marquee [ma:'ki:] *s* 1 cort mare *(în formă de umbrelă)* 2 *constr* marchiză

marquess ['ma:kwis] *s* marchiză *(titlu)*

marquetry ['ma:kitri] *s tehn* incrustaţie; intarsio

marquis ['ma:kwis] *s* marchiz

marquise [ma:'ki:z] *s fr* marchiză

marquisette [‚ma:ki'zet] *s text* marchizet

marriage ['mæridʒ] *s* 1 căsătorie, *rar* → mariaj; unire conjugală; căsnicie; **to give smb in** ~ a da pe cineva în căsătorie; **to take smb in** ~ a lua pe cineva în căsătorie, a se căsători cu cineva 2 *fig* îmbinare, legătură *(între lucruri)*

marriageability [‚mæridʒə'biliti] *s* nubilitate

marriageable ['mæridʒəbəl] *adj (d. fete)* de măritat; *(d. băieţi)* de însurat

marriage bed ['mæridʒ ‚bed] *s* 1 pat conjugal 2 fidelitate conjugală

marriage broker ['mæridʒ ‚broukəʳ] *s* peţitor *sau* ↓ peţitoare

marriage brokerage ['mæridʒ 'broukəridʒ] *s* peţire, peţit

married ['mærid] *adj* 1 căsătorit, măritat *sau* însurat 2 *(d. viaţă)* conjugal, de familie

marrow[1] ['mærou] *s* 1 *anat* măduvă; **chilled to the** ~ îngheţat până la oase 2 *fig* esenţă, miez 3 *bot* dovlecel *(Cucurbita pepo sp.)*

marrow bone ['mærou ‚boun] *s* 1 *anat* os medular 2 *fig v.* **marrow** 2 3 *pl* ← *umor* genunchi 4 *pl sl* pumni

marrowy ['mæroui] *adj* 1 *anat* medular 2 ca măduva 3 cu măsură 4 *fig* vânjos, puternic

marry[1] ['mæri] **I** *vt* 1 a căsători; a cununa; a însura *sau* a mărita **2** a se căsători cu, a lua în căsătorie; a se însura sau a se mărita cu 3 *fig* a lega, a îmbina, a uni **II** *vi* **(to)** a se căsători (cu); a se însura sau a se mărita (cu); **to ~ for love**; a se căsători din dragoste

marry[2] *interj* ← *înv, reg* 1 pe legea mea! zău! 2 ei aşi/asta-i! nu mai spune!

marry off to ['mæri 'ɔ(:)f tə] *vt cu part adv şi prep* a da *cuiva* în căsătorie

Mars [ma:z] *s* 1 *mit* Marte, Ares 2 *astr* (planeta) Marte

Marseillaise, the [‚ma:sə'leiz, ðə] *s fr* imnul Franţei

Marseille [mar'sei] *v.* **Marseilles**

Marseilles [ma:'sei] *port în Franţa* Marsilia

marsh [ma:ʃ] *s* ţinut *sau* pământ mlăştinos; mocirlă, mlaştină

marshal ['ma:ʃəl] **I** *s* 1 *mil* mareşal 2 mareşal al curţii; maestru de ceremonii 3 şef de poliţie *(districtual)* 4 *amer* şerif 5 *univ* ajutor de inspector *(al studenţilor)* **II** *vt* 1 a aranja, a dispune, a rândui 2 a (con)duce *sau* a prezenta/a introduce în mod solemn *(pe cineva)* 3 *ferov* a compune, a forma *(un tren);* a manevra *(vagoane)*

marshalling yard ['ma:ʃəliŋ ‚ja:d] *s ferov* (staţie de) triaj

Marshall Islands, the ['ma:ʃəl 'ailəndz, ðə] Insulele Marshall

marsh fire ['ma:ʃ ‚faiəʳ] *s* foc rătăcitor, flăcăruie

marsh flower ['ma:ʃ ‚flauəʳ] *s bot* plutică *(Limmanthemum sp.)*

marsh gas ['ma:ʃ ‚gæs] *s* gaz metan/de mlaştini

marshiness ['ma:ʃinis] *s* caracter mlăştinos *(al solului)*

marsh mallow ['ma:ʃ 'mælou] *s bot* nalbă mare *(Althaea-officinalis)*

marsh marigold ['ma:ʃ 'mærigould] *s bot* bulbuc, calcea calului *(Caltha sp.)*

marsh parsley ['ma:ʃ ‚pa:sli] *s bot* ţelină *(Apium graveolens)*

marshworth ['ma:ʃ‚wə:t] *s bot* răchiţele *(Oxycoccus)*

marshy ['ma:ʃi] *adj* mocirlos, mlăştinos

Marston ['ma:stən], **John** *autor dramatic englez (1575?-1634)*

marsupial [maː'sjuːpiəl] *s zool* marsupial

marsupium [maː'sjuːpiəm] *s zool* marsupiu

mart [maːt] *s* 1 piață; târg 2 ← *înv* iarmaroc, bâlci 3 ← *înv* negoț; vânzare și cumpărare; târg; târguială

marten ['maːtin] *s zool* jder *(Martes martes)*

martensite ['maːtin,zait] *s met* martensită

Martha ['maːθə] *nume fem* Marta

Martial ['maːʃəl] *epigramist latin (sec. I)*

martial *adj* 1 marțial, de război 2 marțial; războinic

martialism ['maːʃəlizəm] *s* caracter războinic/marțial; militarism

martialist ['maːʃəlist] *s* 1 militarist 2 specialist militar

martial law ['maːʃəl ,lɔː] *s* 1 lege marțială 2 stare de asediu

martially ['maːʃəli] *adv* marțial; războinic

Martian ['maːʃən] *adj, s astr* marțian

Martin ['maːtin] *nume masc*

martin *s orn* lăstun, rândunică de casă *(Delichon urbica)*

martinet [,maːti'net] *s* 1 partizan al unei discipline severe 2 persoană milităroasă; < *zbir* 3 pedant

martingale [,maːtin,geil] *s* 1 *nav*, *mat* martingală 2 dublare a mizei *(la jocurile de noroc)*

Martinique [,maːti'niːk] *insulă în Indiile de Vest* Martinica

Martinmas ['maːtinməs] *s* (ziua) Sf. Martin *(11 noiembrie)*

marthlet ['maːtlit] *s poetic* rândunea, – rândunică

martyr ['maːtəʳ] **I** *s* 1 martir, mucenic 2 *fig* martir; **to be a ~ to** a fi chinuit de *(boală etc.)* **II** *vt* 1 a martiriza 2 a chinui, a tortura

martyrdom ['maːtədəm] *s* 1 martiriu 2 *fig* chinuri, torturi

martyrize ['maːtiraiz] *vt v.* **martyr II**

marvel ['maːvəl] **I** *s* 1 minune; minunăție, lucru minunat; **to work ~s** *fig* a face minuni 2 pildă (vie), întruchipare *(a răbdării etc.)* 3 *(d. cineva)* miracol, om neobiș-nuit **II** *vi* (**at**) a se minuna, a se mira, a fi uimit (de)

marvellous ['maːvələs] *adj* minunat, uimitor, splendid; extraordinar; de necrezut

marvellously ['maːvələsli] *adv* minunat, de minune

Marvin ['maːvin] *nume masc*

Marx [maːks], **Karl** *filosof revoluționar german, întemeietorul comunismului științific (1818-1883)*

Marxian ['maːksiən] *adj, s* marxist

Marxism ['maːksizəm] *s* marxism

Marxism-Leninism ['maːksizəm 'leninizəm] *s* marxism-leninism

Marxist ['maːksist] *adj, s* marxist

Mary ['mɛəri] *nume fem* Maria

Maryland ['mɛəri,lænd] *stat în S.U.A.*

marzipan ['maːzi,pæn] *s* marțipan

mas. *presc de la* **masculine**

-mas *sufix având sensul de „sărbătoare", „sărbătorire":* **Christmas** Crăciun *(ad lit. „sărbătoarea lui Cristos")*

masc. *presc de la* **masculine**

mascara [mæ'skaːrə] *s* rimel; (produs) cosmetic pentru gene și sprâncene

mascot ['mæskət] *s* mascotă; talisman

masculine ['mæskjulin] **I** *adj* 1 masculin, bărbătesc, de bărbat 2 bărbătesc, viril 3 *(d. o femeie)* lipsită de feminitate, *F* → bărbătoasă 4 *gram* (de genul) masculin **II** *s gram* 1 (genul) masculin 2 cuvânt de genul masculin

masculine rhyme ['mæskjulin ,raim] *s metr* rimă masculină

masculinity [,mæskju'liniti] *s* masculinitate, bărbăție, virilitate

Masefield ['meis,fiːld], **John** *poet englez (1878-1967)*

maser ['meizəʳ] *s fiz* maser, amplificator cuantic

mash [mæʃ] **I** *s* 1 terci; păsat; coleașă 2 pireu de cartofi 3 borceag 4 *fig* amestec(ătură); *F* ghiveci, miș-maș **II** *vt* 1 a terciui, a zdrobi; a face piure *(cartofi)* 2 *sl* a alerga după *(fete)*

mashed potatoes ['mæʃt pə'teitouz] *s pl* cartofi piure, pireu de cartofi

masher ['mæʃəʳ] *s* 1 *F* țafandache, – fante 2 *F* vânător de fuste, – don Juan 3 mașină de tocat

mask [maːsk] **I** *s* 1 mască; **to put on a ~** *fig* a-și pune o mască; **to pull of smb's ~** *fig* a smulge masca cuiva; a demasca pe cineva 2 *fig* mască, pretext; paravan 3 mască *(la un bal mascat)*, persoană mascată 4

mil mască antigaz 5 mască (cosmetică) 6 bot de vulpe *(la vânătoare)* **II** *vt* a masca; a ascunde; a tăinui **III** *vi* a se masca, a-și pune mască; a se ascunde

masked [maːskt] *adj* 1 mascat; travestit 2 mascat, camuflat; ascuns 3 *med* latent

masked ball ['maːskt ,bɔl] *s bal* mascat

masker ['maːskəʳ] *s* mască *(persoană)*

masking effect ['maːskiŋ i'fekt] *s fiz* efect de mască

masochism ['mæsə,kizəm] *s* masochism

masochist ['mæsəkist] *s* masochist

masochistic [,mæsə'kistik] *adj* masochist

mason ['meisən] *s* 1 zidar; pietrar 2 (franc)mason

masonic [mə'sɔnik] *adj* masonic

masonry ['meisənri] *s* 1 *constr* zidărie 2 (franc)masonerie

masque [maːsk] *s* 1 *od* piesă-mască, pantomimă *sau* feerie *(în sec. XVI-XVII)* 2 mascaradă; bal mascat

masquer ['maːskəʳ] *s v.* **masker**

masquerade [,mʌskə'reid] **I** *s* 1 mascaradă, bal mascat 2 costum de mascaradă *sau* bal mascat 3 *fig* mascaradă, farsă **II** *vt* 1 a masca, a deghiza, a travesti 2 *fig* a masca, a ascunde, a tăinui **II** *vi* 1 a lua parte la o mascaradă *sau* la un bal mascat 2 a purta mască; a fi deghizat/travestit 3 *fig* a se masca, a se preface

masquerader [,mæskə'reidəʳ] *s* persoană care se dă drept alta

Mass [mæs] *s bis* mesă; liturghie *(↓ la catolici)*

mass I *s* 1 masă, grămadă, mulțime; morman; **in the ~** în masă/ bloc/totalitate, ca un tot 2 cea mai mare parte *(din ceva)* 3 *pl* the ~es masele (populare) 4 masă, substanță, material; pastă **II** *vt* 1 *mil* a masa *(trupe)* 2 a masa, a strânge; a comasa **III** *vi* a se strânge, a se masa, a se aduna

massa ['mæsə] *s amer* domnule *(adresare folosită de negri în loc de „Mister")*

Massachusetts [,mæsə'tʃuːsits] *stat în S.U.A.*

massacre ['mæsəkə] **I** s masacru, măcel **II** vt a masacra, a măcelări

massage ['mæsɑːʒ] fr **I** s masaj; frecţie **II** vt a face un masaj (cuiva); a frecţiona

massager ['mæsɑ·ʒəʳ] s maseur

massagist ['mæsɑ·ʒist] s maseur

masseur [mæ'səʳ] s fr maseur

masseuse [mæ'səːz] s fr maseuză

massicot ['mæsi,kɔt] s **1** ch oxid de plumb **2** minr masicot; litargă

massif ['mæsiːf] s geogr masiv (muntos)

massiness ['mæsinis] s masivitate; soliditate

Massinger ['mæsindʒəʳ], **Philip** autor dramatic englez (1584?-1640)

masive ['mæsiv] adj **1** masiv, solid; greu; compact **2** masiv, mare, voluminos, < enorm **3** (d. cineva) masiv, corpolent, robust **4** fig uriaş, grozav, teribil; nemaipomenit; vast

massively ['mæsivli] adv masiv, în masă

massiveness ['mæsivnis] s masivitate; caracter masiv

mass media ['mæs ,miːdiə] s comunicaţii de masă, mass media

mass number ['mæs ,nʌmbəʳ] s fiz număr de masă

mass pressure ['mæs ,preʃəʳ] s fiz presiune de inerţie

mass-produce ['mæs ,prɔ·djuːs] vt a produce în masă; a fabrica în serie

mass production ['mæs prə'dʌkʃən] s ec producţie în masă/serie

mass transit ['mæs ,trænzit] s transport public

masy ['mæsi] adj masiv, solid

mast[1] [mɑːst] s bot ghindă, jir

mast[2] s **1** nav catarg, catart, arbore; **to serve before the ~** a fi simplu marinar **2** prăjină, catarg (de steag etc.) **3** tehn coloană (de macara) **4** constr stâlp, pilon

mast band ['mɑːst ,bænd] s nav cerc de coloană

mast cap ['mɑːst ,kæp] s nav butuc

mastectomy [mæ'stektəmi] s med mastectomie

masted ['mɑːastid] adj nav **1** cu catarguri **2** (în cuvinte compuse) cu ... catarguri; **a two-~ ship** o navă cu două catarge

master ['mɑːstəʳ] **I** s **1** stăpân, proprietar; stăpânitor; patron;

domn; **the ~ of the house** stăpânul casei; capul familiei; **the ~ and the men** patronul şi lucrătorii; **to play the ~** a face pe stăpânul; **like ~, like man** prov cum e stăpânul, aşa e şi sluga, aprox cum e turcul şi pistolul; **to be ~ of oneself** a fi stăpân pe sine, a şti să se stăpânească; **to be ~ of the situation** a fi stăpân/F → călare pe situaţie; **to meet one's ~** fig a-şi găsi naşul; **to make oneself ~ of smth a** a se face stăpân pe ceva, a-şi însuşi ceva, a lua ceva în stăpânire **b** fig a-şi însuşi ceva la perfecţie (o limbă etc.) **2** the **M~** rel Domnul, Dumnezeu **3** maestru; meşter; artist **4** tehn maistru; meşter **5** nav comandant; căpitan (de vas comercial) **6** şcol învăţător, institutor, profesor; dascăl **7** univ director de colegiu (la unele universităţi) **8** univ aprox licenţiat; **to take one's ~'s degree** a-şi lua licenţa **9** şef; conducător; director; administrator **10** domnule, F jupâne (ca adresare unui tânăr) **II** adj atr principal; conducător, călăuzitor **III** vt a-şi însuşi, a se face stăpân pe (un bun) **2** a subjuga, a îngenunchea; a înfrânge, a birui, a învinge (greutăţi etc.) **3** a-şi însuşi (o materie etc.), a învăţa, a deprinde **4** a conduce, a gospodări (o casă)

master-at-arms ['mɑːstərət'ɑːmz] s nav ofiţer cu disciplina la bord

master builder ['mɑːstə ,bildəʳ] s antreprenor; arhitect

master card ['mɑːstə ,kɑːd] s as; cartea cea mai mare

masterdom ['mɑːstədəm] s v. mastery

masterful ['mɑːstəful] adv **1** poruncitor, de stăpân, < despotic **2** măiestrit; îndemânatic, abil; de maestru **3** sigur de sine, încrezător

masterfully ['mɑːstəfuli] adv **1** ca un stăpân; despotic **2** cu deplină încredere în sine **3** ca un maestru; măiestrit

master gunner ['mɑːstə ,gʌnəʳ] s mil sergent de artilerie; (în Anglia) instructor şef la instrucţia tragerii

master key ['mɑːstə ,kiː] s **1** cheie principală **2** şperaclu

masterless ['mɑːstəlis] adj fără stăpân; liber; independent

masterliness ['mɑːstəlinis] s măiestrie, artă; iscusinţă

masterly ['mɑːstəli] **I** adj măiestrit, artistic, meşteşugit **II** adv măiestrit, cu măiestrie, artistic

master-mind ['mɑːstə ,maind] vt a iniţia, a concepe (o acţiune etc.)

mastermind s **1** spirit/intelect superior **2** (d. cineva) amer capacitate, F → cap

Master of Arts ['mɑːstər əv 'ɑːts] s univ aprox licenţiat în litere/filologie

master of ceremonies ['mɑːstər əv 'serimaniz] s maestru de ceremonii

Master of Science ['mɑːstər əv 'saiəns] s univ aprox licenţiat în ştiinţa naturii

master of the kitchen ['mɑːstər əv ðə 'kitʃən] s bucătar şef

master passion ['mɑːstə 'pæʃən] s pasiune dominantă

masterpiece ['mɑːstə,piːs] s capodoperă

master sergent ['mɑːstə ,sɑːdʒənt] s amer mil aprox plutonier; sergent-major

mastership ['mɑːstəʃip] s **1** conducere, direcţie, administraţie **2** funcţie de conducere; funcţie de director **3** funcţie sau post de învăţător **4** măiestrie

master spirit ['mɑːstə ,spirit] s v. **master mind**

master stroke ['mɑːstə ,strouk] s lovitură sau mişcare de maestru; realizare

masterwork ['mɑːstə,wəːk] s capodoperă

master workman ['mɑːstə 'wəː kmən] s maistru; şef de echipă

mastery ['mɑːstəri] s **1** autoritate, putere, stăpânire **2** artă, măiestrie, perfecţiune; cunoaştere desăvârşită (a unei limbi etc.)

masthead ['mɑːst,hed] s nav vârf de catarg

mast hole ['mɑːst ,houl] s nav etambreu de arbore

mastic ['mæstik] s **1** bot fistic (Pistacia lentiscus) **2** mastic (răşină de Pistacia) **3** mastică (băutură)

masticate ['mæsti,keit] vt a mesteca, a mastica

mastication ['mæsti'keiʃən] s mestecare, masticare

masticator ['mæsti,keitəʳ] *s* **1** *tehn* frământător; malaxor **2** *pl* ← *F* fălci

mastiff ['mæstif] *s* buldog, dog englez

mastitis [mæ'staitis] *s med* mastită; mamită

mastodon ['mæstə,dɔn] *s geol* mastodont

mastoid ['mæstɔid] **I** *adj anat* mastoid **II** *s med* ← *F* mastoidită

mastoiditis [,mæstɔi'daitis] *s med* mastoidită

masturbate ['mæstə,beit] *vi* a se masturba, a practica onanismul

masturbation [,mæstə'beiʃən] *s* masturbaţie, onanism

masurium [mə'suəriəm] *s ch* tehneţiu

masut [mə'suːt] *s rus* păcură

mat¹ [mæt] **I** *s* **1** rogojină; covoraş; preş; **to have smb on the ~** *F* a face pe cineva cu ou şi cu oţet, a trage un perdaf cuiva; **to be on the ~ a** *F* a fi la aman/ strâmtoare **b** a primi un perdaf/o săpuneală **2** suport; şerveţel *(pe care se pune paharul etc.);* muşama **3** mărăciniş, mărăcini **4** păr încâlcit; smoc de păr încâlcit **5** gard de nuiele **II** *vt* **1** a acoperi cu o rogojină *sau* cu rogojini **2** a împleti rogojini din **3** a încâlci, a împâsli *(părul)* **4** a întări cu un gard de nuiele *(un mal etc.)* **III** *vi* (d. *păr)* a se încâlci, a se împâsli

mat² **I** *adj* **1** mat, opac; nelustruit **2** *(d. culori)* şters **II** *vt* a mătui, a face mat

matador ['mætədɔːʳ] *s* matador

match¹ [mætʃ] *s* **1** chibrit **2** fitil *(de lampă etc.)* **3** *mil etc.* focos, amorsă; fitil

match² **I** *s* **1** pereche, egal, potrivă; **to find/to meet one's ~** a-şi găsi potriva, a avea de-a face cu un om *sau* adversar pe măsura sa; **he is more than a ~ for you** te întrece/depăşeşte; *F →* nu te poţi pune cu el; ţi-ai găsit naşul; **he has not his ~** nu-şi are pereche, e neîntrecut **2** meci, întrecere *(sportivă)*, competiţie, luptă; partidă, joc; **football ~** meci de fotbal **3** rămăşag; pariu; **is it a ~?** faci rămăşag? **4** partidă; căsătorie, unire; **she was a good ~** era o partidă bună; **to**

make a ~ of it a se căsători, a întemeia un cămin **5** potrivire, asortare, îmbinare fericită; **to be a bad ~** a nu se asorta **II** *vt* **1** **(with)** a potrivi, a combina, a îmbina (cu); a împerechea (cu) **2** *tehn* a asambla; a monta; a potrivi **3** ← *înv* a lega/a uni prin căsătorie, a căsători; **to ~ smb with** a căsători pe cineva cu **4** a egala; a fi egalul cuiva, a fi egal cu; a fi pe măsura cuiva; **I cannot ~ him** nu mă pot măsura/*F →* pune cu el **5** a asorta, a potrivi *(culori etc.)* **6** *(d. o culoare etc.)* a se asorta/a se potrivi cu, a merge cu/la; // **wellmatched a** potriviţi *(unul cu altul)* **b** de acelaşi calibru; de forţă *etc.* egală **III** *vi* **1** *(d. culori etc.)* a se potrivi, a se asorta, a se armoniza; **a coat and gloves to ~** un palton şi mănuşi de acelaşi culoare **2** **(with)** a se lega prin căsătorie, a se căsători (cu)

match box ['mætʃ ,bɔks] *s* cutie de chibrituri

matched [mætʃt] *adj tehn* ajustat

match game ['mætʃ ,geim] *s (şah)* partidă în cadrul unui campionat

matching ['mætʃiŋ] *s* **1** potrivire, îmbinare; combinare; împerechere **2** ajustare

matchless ['mætʃlis] *adj* neîntrecut, fără pereche

matchlessly ['mætʃlisli] *adv* **1** incompatibil, inegalabil, în afara oricărei comparaţii **2** (în mod) inegal; neunitar; nesimetric

matchlock ['mætʃ,lɔk] *s mil od* flintă, puşcă cu fitil

match maker [,mætʃ ,meikəʳ] *s* **1** peţitor *sau* peţitoare **2** impresar

match-making ['mætʃ,meikiŋ] *s* **1** peţire, peţit **2** organizarea unui meci *etc.*

match point ['mætʃ ,pɔint] *s sport* punct decisiv *(pt câştigarea partidei)*

matchstick ['mætʃ,stik] *s* băţ de chibrit *(↓ uzat)*

match up to ['mætʃ'ʌptə] *vi cu part adv şi prep* a fi pe măsura aşteptărilor

matchwood ['mætʃwud] *s fig* aşchii, ţăndări

mate¹ [meit] **I** *s (şah)* mat **II** *vt* a face mat *(pe cineva)*, a da mat *(cuiva)*

mate² **I** *s* **1** tovarăş; coleg; prieten;

însoţitor **2** tovarăş de viaţă; pereche **3** *zool* bărbătuş *sau* femelă **4** *nav* ofiţer; ofiţer secund; ajutor; asistent **5** ajutor, asistent; laborant; calfă **6** *amer* pereche *(a unui obiect)* **II** *vt* **1** a căsători, a uni **3** *zool* a împerechea **4** *tehn* a lega, a cupla; a îmbuca **III** *vi* **1** a se căsători, a se uni prin căsătorie **2** a se împerechea, a se împreuna; a se lega, a se uni **3** *zool* a se împerechea **4** *tehn* a se lega, a se cupla; a se îmbuca

maté, mate ['maːtei] *s bot* yerba mate *(Ilex paraguayensis)*

mateless ['meitlis] *adj* singur, fără tovarăş; fără pereche

mater ['meitəʳ] *s sl şcol* mamă

material [mə'tiəriəl] **I** *adj* **1** material; fizic; trupesc, corporal **2** material, real; concret **3** materialist **4** substanţial, considerabil; vital; > important, însemnat **II** *s* **1** material; materie, substanţă **2** subiect *(de discuţie etc.)* **3** *text* material, stofă; ţesătură **4** *ec* articol, marfă

materialism [mə'tiəriə,lizəm] *s* **1** *filos* materialism **2** materialism, preocupări *sau* interese materiale

materialist [mə'tiəriəlist] *adj, s filos etc.* materialist

materialistic [mə,tiəriə'listik] *adj filos etc.* materialist

materialistically [mə,tiəriə'listikəli] *adv filos* din punct de vedere materialist

materiality [mə,tiəri'æliti] *s* **1** materialitate, caracter material **2** esenţă, esenţial *(al unei chestiuni)* **3** materie; trup, corp

materialization [mə,tiəriəlai'zeiʃən] *s* materializare, concretizare; realizare

materialize [mə,tiəriə,laiz] **I** *vt* **1** a materializa; a da formă materială *(cu dat);* a concretiza **2** a întrupa; a întruchipa **II** *vi* **1** a se materializa; a se concretiza **2** (in) a se întrupa (în); a se întruchipa (în)

materially [mə'tiəriəli] *adv* **1** sub raportul conţinutului *(nu al formei)* **2** din punct de vedere material; materialiceşte **3** din punct de vedere fizic, fiziceşte **4** (în mod) substanţial, considerabil

maternal [mə'təːnəl] *adj* **1** matern, de mamă **2** *(d. o rudă)* din partea mamei, după mamă

maternally [mə'tə:nəli] *adv* ca o mamă

maternity home [mə'tə:niti ,houm] *s* maternitate, casă de nașteri

maternity hospital [mə'tə:niti 'hɔspitəl] *s* maternitate *(spital)*

maternity leave [mə'tə:niti ,li:v] *s* concediu de naștere

matey ['meiti] ← *F* **I** *s* tovarăș, prieten **II** *adj* prietenos; sociabil

mateyness ['meitinis] *s* ← *F* sociabilitate; caracter prietenos

mat grass ['mæt ,grɑ:s] *s bot* năgară *(Stipa sp.)*

math [mæθ] *s* v. **maths**

mathematical [,mæθəmə'tikəl] *adj* **1** matematic; de matematică **2** *fig* matematic, riguros, exact **3** *(d. un profesor)* de matematică

mathematically [,mæθə'mætikəli] *adv* (din punct de vedere) matematic

mathematician [,mæθəmə'tiʃən] *s* matematician

mathematics [,mæθə'mætiks] *s ca sg* matematică, matematici

Mat(h)ilda [mə'tildə] *nume fem* Matilda

maths [mæθs] *s pl ca sg F presc de la* **mathematics**

matin ['mætin] *s* **1** *pl bis* utrenie **2** ← *poetic* ciripit de dimineață *(al păsărilor)*

matinee, matinée ['mæti,nei] *s fr* matineu

matriarch ['meitri,ɑ:k] *s* matriarh

matriarchal ['meitri,ɑ:kəl] *adj* matriarhal

matriarchy ['meitri,ɑ:ki] *s* matriarhat

matrices ['meitri,si:z] *pl de la* **matrix**

matricidal [,mætri'saidəl] *adj* matricid

matricide ['mætri,said] *s* matricid

matriculate I [mə'trikjulit] *s* candidat admis într-o facultate, student *(înmatriculat)* **II** [mə'trikju'leit] *vt* a admite într-o facultate; a înmatricula; a înscrie *(într-o organizație)* **III** *vi* a fi admis într-o facultate; a fi înmatriculat; a se înscrie într-o organizație

matriculation [mə,trikju'leiʃən] *s* înmatriculare; înscriere *(într-o organizație)*

matrimonial [,mætri'mouniəl] *adj* matrimonial; nupțial; conjugal

matrimonially [,mætri'mouniəli] *adv* ca soții; matrimonial, conjugal

matrimony ['mætriməni] *s* **1** căsătorie **2** căsnicie, viață conjugală

matrix ['meitriks], *pl și* **matrices** ['meitri,si:z] *s* **1** *anat* uter, mitră **2** *tehn* matriță; ștanță **3** *poligr* matriță **4** *mat* matrice **5** *geol* rocă-mamă

matron ['meitrən] *s* **1** matroană; doamnă respectabilă **2** mamă de familie **3** femeie măritată; văduvă remăritată **4** intendentă *(într-o instituție)*

matronly ['meitrənli] *adj* (ca) de matroană; respectabil, demn

matronymic [,mætrou'nimik] *adj* matronimic

Matt. *presc de la* **Matthew**

matted ['mætid] *adj* **1** *(d. păr etc.)* încâlcit, încurcat **2** acoperit cu rogojini

matter ['mætəʳ] **I** *s* **1** materie *(ant* spirit) **2** conținut, fond, substanță *(ant* formă) **3** *poligr* material sau materiale **4** *poligr* zaț **5** chestiune, problemă; lucru, afacere, *F→* treabă; **money ~s** chestiuni bănești, probleme financiare; **it was a ~ I had nothing to do with** era o chestiune/problemă cu care nu avem nimic comun; **for that ~,** *rar→* **for the ~ of that** a de fapt, la drept vorbind; dacă e vorba pe-așa **b** în această privință; **in the ~ of** când este vorba de; **it's no laughing ~** nu e nimic de râs (în asta), e o chestiune serioasă; **what's the ~?** ce s-a întâmplat? **what's the ~ with it?** *F* și ce-i cu asta? **is there anything the ~ with him?** I s-a întâmplat ceva (rău)?; **as ~s stand** așa cum se prezintă lucrurile/situația; **it's a ~ of life and death** e o chestiune de viață și de moarte; **it's a ~ of common knowledge** știe toată lumea, nu e nimic nou în asta **6** importanță, însemnătate ↓ **no ~!** n-are importanță! nu face nimic! **no ~ what he says** indiferent de ceea ce spune; **it makes no ~ whether he is at home or not** n-are importanța/nu contează dacă e acasă sau nu; **to make much ~ of** a face mult caz de **7** prilej, ocazie **8** subiect de discuție; motiv de ceartă **9** *med* puroi // **a ~ of** *F* cam, (o) chestiune de, preț de; **it's a ~ of two miles** sunt

vreo două mile, *F* e preț de două mile **II** *vi* **1** (↓ *în prop interog și neg)* a conta; a avea importanța; **what does it ~? what ~s it?** ce contează? ce importanța are? **it doesn't ~** nu contează, n-are importanța **2** *med* a puroia, a supura

matter-of-course ['mætərəv'kɔ:s] *adj* de la sine înțeles, firesc, natural

matter of course *s* lucru de la sine înțeles; **as a ~** în mod/chip firesc, cum era de așteptat

matter-of-fact ['mætərəv 'fækt] *adj* prozaic; realist; lipsit de imaginație; practic

matter of fact *s* realitate; **as a ~ a** de fapt, în realitate; de altfel **b** la urma urmei; la drept vorbind

matter-of-factness ['mætərəv'fæktnis] *s* proză, prozaism, lipsă de fantezie

mattery ['mætəri] *adj* purulent; supurant

Matthew ['mæθju:] *nume masc* Matei

Matthias [mə'θaiəs] *nume masc* ↓ *bibl* Matei

mattin ['mætin] *s* v. **matin**

matting ['mætiŋ] *s* rogojină

mattins ['mætinz] *s pl* v. **matin 1**

mattock ['mætək] *s* **1** *agr* săpăligă **2** *min* sapă lată

mattress ['mætris] *s* saltea; somieră

maturate ['mætju,reit] *vi* **1** *med* a puroia, a supura **2** a se coace; a se maturiza

maturation [,mætju'reiʃən] *s* **1** *med* puroiere, supurare **2** coacere; maturizare

mature [mə'tjuəʳ] **I** *adj* **1** *(d. cineva)* matur **2** *bot* copt, pârguit **3** *fig (d. cineva)* matur, copt **4** *fig (d. idee etc.)* matur; bine gândit **5** *ec (d. o poliță)* scadent **II** *vt* **1** *bot, med* a lăsa să se coacă **2** *fig* a elabora în amănunt *(planuri etc.)* **III** *vi* **1** *bot* a se coace, a se pârgui **2** *med* a (se) coace **3** *fig* a se maturiza, a se coace **4** *ec* a deveni scadent, a ajunge la scadență

maturely [mə'tjuəli] *adv* (în mod) matur

matureness [mə'tjuənis] *s* maturitate *(a gândirii etc.)*

maturity [mə'tjuəriti] *s* **1** maturitate; deplinătate a forțelor **2** *ec* scadență, termen

matutinal [ˌmætjuˈtainəl] *adj* **1** matinal, de dimineață **2** timpuriu

Maud(e) [mɔːd] *nume fem dim de la* **Mat(h)ilda**

maudlin [ˈmɔːdlin] *adj* **1** sentimental **2** trist; mahmur

Maugham [ˈmɔːm], **William Somerset** *scriitor englez (1874-1966)*

maugre [ˈmɔːgəʳ] *prep* ← *înv* în ciuda (cu gen)

maul [mɔːl] **I** *s tehn* mai manual, sonetă manuală cu berbec **II** *vt* **1** a lovi cu maiul (v. ~ **I**) **2** a maltrata; a schilodi (↓ *prin bătaie*) **3** a se purta grosolan cu **4** *fig* a critica aspru

maulstick [ˈmɔːl,stik] *s* rezemătoare (folosită de pictori)

maunder [ˈmɔːndəʳ] *vi* **1** a trăncăni, a spune vrute și nevrute **2** a umbla de colo până colo, a umbla fără rost

maunderer [ˈmɔːndərəʳ] *s* palavragiu, gură-spartă, flecar

maundering [ˈmɔːndəriŋ] *s* **1** pălăvrăgeală, palavre, flecăreală **2** ← *înv* bombăneală, bombănit

Maundy Thursday [ˈmɔːndi ˈθəːzdi] *s rel* Joia Mare

Maureen [ˈmɔːriːn] *nume fem v.* **Mary**

Maurice [ˈmɔris] *nume masc* Mauriciu

Mauritania [ˌmɔriˈteiniə] *stat în Africa*

mausoleum [ˌmɔːsəˈliəm], *pl și* **mausolea** [ˌmɔːsəˈliə] *s* mausoleu

mauve [mouv] *adj* mov, liliachiu

maverick [ˈmævərik] *s* **1** rătăcitor, hoinar **2** rebel, neconformist, disident **3** *amer* vițea rătăcită

mavis [ˈmeivis] *s orn* sturz cântător (*Turdus musicus*)

maw [mɔː] *s* **1** *zool* stomac; rânză **2** *orn* gușă **3** *peior* burdihan, − burtă **4** *sl* lioarbă, fleancă, − gură

mawkish [ˈmɔːkiʃ] *adj* **1** neplăcut la gust; fad, fără gust **2** *fig* insipid, nesărat, răsuflat **3** *fig* sentimental până la exagerare

mawkishly [ˈmɔːkiʃli] *adv* prostește, într-un mod sentimental până la exagerare

mawkishness [ˈmɔːkiʃnis] *s* sentimentalism excesiv

Max [mæks] *nume masc v.* **Maximilian**

max. *presc de la* **maximum**

maxi [ˈmæksi] *s, adj* maxi

maxillary [mækˈsiləri] *adj, s anat, zool* maxilar

maxim [ˈmæksim] *s* maximă; precept

maximal [ˈmæksiməl] *adj* maxim; maximal

maximalist [ˈmæksiməlist] *s pol* maximalist

maximally [ˈmæksiməli] *adv* la maximum; în cel mai mare grad

Maximilian [ˌmæksiˈmiliən] *nume masc*

maximize [ˈmæksi,maiz] *vt* a maximaliza, a spori/a mări la maximum

maximum [ˈmæksiməm] **I** *pl și* **maxima** [ˈmæksimə] *s* **1** maxim(um) **2** *mat* maxim **II** *adj atr* **1** maxim **2** (*d. prețuri etc.*) maximal

Maxine [ˈmæksin] *nume fem*

maxwell [ˈmækswel] *s el* maxwell

May [mei] *s* **1** (luna) mai, *P →* florar **2** *nume fem* **3** *și* **m~** *fig* tinerețe; înflorire; primăvară **4** **m~** (*jocurile de*) Floralii **5** *și pl univ* examene din luna mai (*la Cambridge*) **6** *pl univ* concursuri de canotaj (*la Cambridge*)

may [mei], *pret și cond* **might** [mait] **I** *v mod* **1** a putea, a avea voie, a-i fi permis/îngăduit, a i se permite/îngădui; ~ **I smoke here, please?** pot fuma aici, vă rog? **if I ~ say so** dacă pot să spun așa, dacă îmi este permis să spun așa; **you ~ come if you wish** poți să vii dacă vrei; **might I make a suggestion?** aș putea să fac o sugestie/propunere? **2** a se putea, a fi posibil; **he ~ come any minute now** se poate/este posibil să vină dintr-un moment în altul, poate veni din clipă în clipă; **he ~ have seen it** se poate/este posibil s-o fi văzut; **that ~ or ~ not be true** se poate să fie sau să nu fie adevărat; poate că e adevărat, poate că nu; **this ~** *sau* **might help them** aceasta poate *sau* (s-)ar putea să le ajute; **I ~ have said so** se (prea) poate să fi spus asta; **it might have ended differently** s-ar fi putut termina altfel // **there's nothing to do, so I ~ (might) just as well go to bed** nu e nimic de făcut, așa că pot foarte bine să mă culc/− de ce

să nu mă culc? **II** *v aux (ajută la formarea subjonctivului)* **1** (pt a exprima o urare, o dorință, un blestem etc.): ~ **you be happy!** (să) fiți fericiți! vă doresc fericire! ~ **I rather die** mai bine aș muri; ~ **they live long!** trăiască! le doresc mulți ani! ~ **she go!** de-ar pleca (o dată)! **2** (*în prop finale*): **I shall write to him (so) that he ~ know our plans** îi voi scrie ca să fie la curent cu planurile noastre; **I wrote to him (so) that he might know oue plans** i-am scris ca să fie la curent cu planurile noastre **3** (*în prop concesive*): **I'll buy it, thought it ~ cost a good deal** o voi cumpăra, chiar dacă costă foarte mult; **what ever it ~ cost** oricât ar costa; **come/happen what ~** indiferent de ceea ce se întâmplă, întâmplă-se ce s-o întâmpla, fie ce-o fi **4** (*în unele prop completive*): **I'm afraid the news ~ be true** mă tem că știrea este adevărată; **I was afraid the news might be true** mă temeam că știrea era adevărată

Maya [ˈmaiə] *s ist* **1** (indian din neamul) maya **2** (limba) maya **3** *și* **m~** (*în filos hindusă*) maya, iluzie

maybe [ˈmei,biː] *adv* poate, posibil; poate că

May beetle/bug [ˈmei ,biː tl/,bʌg] *s ent* cărăbuș (*Melolontha vulgaris*)

May bush [ˈmei ,buʃ] *s bot* păducel, mărăcine (*Crataegus oxuacantha*)

May Day [ˈmei,dei] *s* (ziua de) 1 Mai; Armindeni

mayday [ˈmei,dei] *interj tel* ajutați-mă!

mayfly [ˈmei,flai] *s ent* muscă efemeră (*Ephemera sp.*)

May game [ˈmei,geim] *s* **1** *pl* jocuri sau petreceri de 1 Mai (*Sărbătoarea primăverii − în Anglia*) **2** distracție, petrecere **3** ștrengărie

mayhap [ˈmei,hæp] *adv* ← *înv v.* **maybe**

mayhem [ˈmeihem] *s amer* mutilare, schilodire

may lily [ˈmei ,lili] *s bot* lăcrămioară, mărgăritar (*Convallaria majalis*)

mayn't [ˈmeiənt] *contras F din* **may not**

mayonnaise [ˌmeiəˈneiz] *s fr* maioneză

mayor ['mɛəʳ] *s* primar *(al unui oraș)*

mayoral ['mɛərəl] *adj* de primar, al primarului

mayoralty ['mɛərəlti] *s* funcție *sau* durata funcției de primar

mayoress ['mɛəris] *s* primăreasă, femeie-primar *sau* soție de primar

maypole ['mei,poul] *s* 1 (pom/stâlp de) arminden 2 *F* lungan, prăjină

Mayqueen ['mei,kwi:n] *s* regină de Arminden/mai

mayweed ['mei,wi:d] *s bot* 1 romaniță de câmp *(Anthemis arvensis)* 2 romaniță puturoasă *(Anthemis cotula)* 3 romaniță nemirositoare *(Matricaria inodora)*

Mazdaism, Mazdeism ['mæzdə,izəm] *s rel* mazdeism

maze [meiz] I *s* labirint; **to be in a ~** *fig* a fi încurcat/dezorientat II *vt* a încurca, a zăpăci *(pe cineva)*

mazed [meizd] *adj* încurcat, dezorientat

maz(o)urka [mə'zə:kə] *s* mazurcă *(muzică sau dans)*

mazy ['meizi] *adj* 1 ca un labirint; ca de labirint; șerpuit, întortocheat 2 *fig* încurcat, încâlcit

M.B. *presc de la* **Medicinae Baccalaureous – Bachelor of Medicine**

Mc *v.* **Mac**

M.C. *presc de la* 1 **Member of Congress** 2 **Master of Ceremonies**

M/D, m/d *presc de la* **month's date**

M.D. *presc de la* 1 **Medical Department** 2 **Medicinae Doctor – Doctor of Medicine**

Mdlle. *presc de la* **Mademoiselle**

Mdm. *presc de la* **Madam**

Mdme. *presc de la* **Madame**

me [mi:] *pr* 1 *(ac de la* I*)* pe mine, mă; **can you follow ~?** mă poți urmări? 2 *(dat de la* I*)* mie, îmi, mi-, -mi; **give ~ your address** dă-mi adresa dumitale 3 *(nom, în loc de* I*)* ← *F sau în interjecții* eu; **it's ~, not Peter** sunt eu, nu Petre; **poor ~!** săracul de mine!

ME. *presc de la* **Middle English**

M.E. *presc de la* 1 **Middle English** 2 **Mechanical Engineer** 3 **Mining Engineer**

mead¹ [mi:d] *s* mied *(băutură)*

mead² *s poetic v.* **meadow**

meadow ['medou] *s* 1 pajiște, livadă; fâneață 2 luncă

meadow clover ['medou ,klʌvəʳ] *s bot* trifoi roșu *(Trifolium partense)*

meadow grass ['medou ,gra:s] *s bot* firuță *(Poa pratensis)*

meadow ore ['medou ,ɔ:ʳ] *s minr* limonit

meadow sweet ['medou ,swi:t] *s bot* crețușcă, tavalgă *(Spiraea sp.)*

meadowy ['medoui] *adj* 1 de *sau* ca de pajiște *etc.* (v. **meadow***)* 2 cu (↓ *multe)* pajiști *etc.* (v. **meadow***)*

meager ... *amer v.* **meagre ...**

meagre ['mi:gəʳ] *adj* 1 slab; costeliv 2 *fig* puțin; sărac; insuficient; rar; **a ~ income** un venit sărăcăcios; **a ~ attendance** o frecvență slabă; **a ~ meal/repast** o masă sărăcăcioasă 3 *(d. mâncare)* de post

meagrely ['mi:gəli] *adv* slab; sărăcăcios; puțin; rar

meagreness ['mi:gənis] *s* 1 slăbiciune 2 *fig* puținătate; insuficiență; sărăcie

meal¹ [mi:l] I *s* masă, mâncare; **to have a ~** a mânca, a lua masa; **the first ~ of the day** prima masă de peste zi II *vi* a mânca

meal² *s* 1 făină (↓ *măcinată mașcat);* făină integrală 2 pudră, praf; material măcinat

meal beetle ['mi:l ,bi:tl] *s ent* morar, gândac de făină *(Tenebrio molitor)*

mealiness ['mi:linis] *s* 1 caracter făinos 2 *fig* onctuozitate

meal time ['mi:l ,taim] *s* ora mesei

meal worm ['mi:l ,wə:m] *s v.* **meal beetle**

mealy ['mi:li] *adj* 1 făinos; (ca) de făină 2 poros; afânat 3 alb; palid 4 *fig* mieros; onctuos

mealy bug ['mi:li ,bʌg] *s ent* vierme alb *(care atacă plantele din seră) (Pseudococcus sp.)*

mealy-mouthed ['mi:li ,mauðd] *adj v.* **mealy** 4

mean¹ [mi:n] *pret și ptc* **meant** [ment] I *vt* 1 *(d. cuvinte etc.)* a însemna, a avea sensul/înțelesul de; **what does this phrase ~?** ce înseamnă expresia aceasta? ce sens/înțeles are expresia aceasta? 2 *(d. cineva)* a vrea să spună; a se referi la; a avea în vedere; **what do you ~?** ce vrei să spui? **he doesn't ~ that** nu vrea să spună asta; **I didn't ~ his play** nu m-am referit la piesa lui 3 *(d. o afirmație etc.)* a însemna; a

avea semnificația *(cu gen);* **what does all this ~?** ce înseamnă toate astea? ce s-a întâmplat? **his refusal does not ~ anything** refuzul lui nu înseamnă nimic *sau* nu are nici o importanță 4 *(cu inf)* a vrea, a avea de gând, a intenționa; **I didn't ~ to hurt him** n-am vrut să-l jignesc; **she ~s to succeed** vrea să izbutească; și-a pus în gând să reușească; **she ~s you to succeed** vrea/ține să reușești; **I don't ~ there to be any argument about that** să nu aud că vă certați din cauza asta 5 a-și pune în gând, a avea în vedere, a fi gata de *(ceva);* **he ~s business** a vorbește serios, nu glumește b e pus pe treabă, e gata să acționeze; **I ~ what I say** a vorbesc serios, nu glumesc b cred în ceea spun; **he ~s mischief** e pus pe rele; **you don't ~ it!** *F* ei nu mai spune! ei asta-i! nu se poate! serios? II *vi* a însemna, a avea valoare/importanța/însemnătate, a fi important; **your friendship ~s a great deal to me** prietenia ta înseamnă foarte mult pentru mine // **to ~ well (by smb)** a fi bine intenționat/a avea intenții bune *(față de cineva);* **to ~ ill (by smb)** a fi rău intenționat/a avea intenții rele *(față de cineva)*

mean² *adj* 1 sărăcăcios, jalnic, nenorocit, deplorabil; **a ~ house** o casă cu înfățișare sărăcăcioasă 2 *(d. naștere etc.)* umil; de rând; de jos; inferior 3 *(d. cineva, comportare etc.)* josnic, ticălos, mârșav, abject; infam; **a ~ rascal** un pungaș ordinar; **it was ~ of her** a fost foarte urât din partea ei 4 *(d. intelect etc.)* inferior; slab, sărac; fără valoare; **his was no ~ talent** avea un talent cu totul neobișnuit 5 meschin; zgârcit; egoist; **~ over money matters** meschin în chestiuni financiare 6 ← *F* rușinat *(în sinea sa);* **to feel ~ for having done smth** a se simți prost pentru că a făcut ceva

mean³ I *adj* mijlociu, mediu, de mijloc; **the ~ temperature of the area** temperatura medie a regiunii II *s* 1 mijloc; cale de mijloc;

the golden/happy ~ calea de mijloc, *lat* aurea mediocritas 2 *mat* medie; valoare medie; **the ~s and the extremes** mezii și extremii 3 *log* termen mediu 4 ↓ *pl v.* **means**

meander [mi'ændə'] **I** *s* 1 ↓ *pl* meandră *(a unui râu);* cotitură, cot; șerpuitură 2 *arhit* meandră **II** *vi* 1 a face meandre; a face cotituri, a coti; a șerpui 2 a rătăci (fără țintă), a hoinări 3 a vorbi alandala, a face digresiuni

meandering [mi'ændəriŋ] *adj* cotit; șerpuit

mean for ['mi:n fə'] *vt cu prep* a meni, a destina, a soroci *cu dat;* **I mean this book for my friend** îi voi dărui această carte prietenului meu; **he was meant for a soldier** urma să devină *sau* îi fusese scris să se facă soldat

meaning ['mi:niŋ] **I** *adj atr* 1 semnificativ, cu înțeles, plin de înțeles; **to cast a ~ glance** a arunca o privire plină de înțeles 2 *(în cuvinte compuse)* intenționat; **well-~** bine intenționat **II** *s* 1 înțeles, sens, semnificație; **this word has several ~s** cuvântul acesta are mai multe înțelesuri/sensuri 2 ← *înv* intenție, plan; scop

-meaning *adj (în cuvinte compuse)* cu intenții ...; **well-~** cu intenții bune, bine intenționat

meaningful ['mi:niŋful] *adj* semnificativ, având/cu înțeles; plin de înțeles

meaningless ['mi:niŋlis] *adj* 1 fără înțeles/sens/noimă 2 *(d. față etc.)* inexpresiv, lipsit de expresie

meaningly ['mi:niŋli] *adv* 1 semnificativ, cu înțeles 2 voit, dinadins, cu bună știință

meanly ['mi:nli] *adv* 1 sărăcăcios 2 *(în mod)* ticălos, josnic, infam

meanness ['mi:nnis] *s* 1 sărăcie, caracter sărăcăcios 2 condiție umilă 3 josnicie, ticăloșie, mârșăvie; infamie

means [mi:nz] *s pl* 1 și ca sg mijloc, cale; metodă; mijlocire, ajutor; intermediu; agent; **by ~ of** cu ajutorul *cu gen*, **a ~ to achieve happiness** un mijloc de a realiza fericirea; **the end does not always justify the ~** scopul nu

scuză întotdeauna mijloacele; **by some ~ or other** într-un fel sau altul; **by all ~ a** cu orice preț, prin toate mijloacele; negreșit, neapărat **b** bineînțeles, firește, categoric; **by no ~** în nici un caz, deloc, defel, câtuși de puțin; cu nici un chip; **by fair ~ or foul** prin orice mijloace, pe orice cale 2 mijloace, resurse, posibilități; bani; avere; **to live up to one's ~** a trăi pe măsura câștigurilor/ posibilităților; a se întinde cât îi e plapuma

meant [ment] *pret și ptc de la* **mean¹**

meantime ['mi:n,taim] **I** *adv* între timp; până una alta; deocamdată **II** *s:* **in the ~ v. ~ I**

mean time ['mi:n ,taim] *s* 1 *astr* timp mijlociu 2 *nav* timp mediu

meanwhile ['mi:n,wail] *adv, s v.* **meantime**

meas. *presc de la* **measure**

measles ['mi:zəlz] *s pl ca sg* 1 *med* pojar 2 *vet* cisticercoză; linte *(în carnea de porc)*

measly ['mi:zli] *adj* 1 *med* de pojar 2 *vet (d. carne)* cu linte 3 *F* care nu face doi bani/două parale, nenorocit, – fără valoare

measurability [,meʒərə'biliti] *s* comensurabilitate

measurable ['meʒərəbəl] *adj* măsurabil; comensurabil; **in the ~ future** în viitorul apropiat

measurably ['meʒərəbli] *adv* 1 într-o anumită măsură 2 perceptibil

measure ['meʒə'] **I** *s* 1 măsură; proporție *sau* proporții; capacitate; volum; mărime; dimensiune; întindere; **to take smb's ~ a** a lua măsura cuiva **b** *fig* a cerceta/a examina pe cineva; a-și face o părere despre cineva; **made to ~** făcut pe măsură, de comandă 2 (unitate de) măsură; **~ of capacity** măsură de capacitate 3 *fig* măsură, putere, forță; dimensiuni; **the ~ of her feelings** măsura sentimentelor ei 4 *fig* măsură, limită; **beyond ~** peste măsură, nemăsurat (de); neînchipuit (de); **her joy was beyond ~** bucuria ei era de nedescris, nespus de mare îi era bucuria; **to set ~s to** a pune limită *cu dat*; a limita *cu ac* 5 *fig* măsură, moderație, cumpătare; **to keep/to observe ~** a păstra

măsura, a avea simțul măsurii 6 *fig* măsură, grad; **in some ~** într-o oarecare măsură, până la un (anumit) punct; **in a great/large ~** în(tr-o) mare măsură, într-un grad considerabil 7 măsură, procedeu, mijloc; dispoziție; **to take ~s** a lua măsuri; **preventive ~s** măsuri preventive 8 *mat* împărțitor, divizor 9 *metr* picior; măsură 10 *metr* metru 11 *muz* măsură; timp; ritm 12 *muz* măsură, tact 13 mișcare ritmică, ritm (↓ *al dansului)* 14 ← *poetic* cântec, melodie 15 *pl geol* strat **II** *vt* 1 a măsura; a lua măsura *(cu gen);* a stabili *(viteza etc.)* 2 a lua măsura *(cuiva);* **the tailor ~d me for a suit** croitorul mi-a luat măsura pentru un costum 3 *fig* a măsura, a evalua, a cântări, a cumpăni, a aprecia 4 *fig* a-și măsura *(cuvintele)* 5 **(with)** *fig* a-și măsura *(puterea, puterile)* (cu); **to ~ swords with smb a** a încrucișa sabia cu cineva **b** a-și măsura puterea/puterile cu cineva **III** *vi* 1 a face o măsurătoare, a măsura; a lua măsură 2 a măsura, a avea o anumită mărime, întindere *etc.;* **it ~s 7 inches** măsoară 7 țoli, are o lungime de 7 țoli

measure against ['meʒərə,genst] *vt cu prep* a vedea dacă măsura *(unei haine etc.)* se potrivește *cuiva*

measured ['meʒəd] *adj* 1 măsurat, stabilit; cântărit 2 *fig* măsurat, cumpănit, chibzuit 3 *fig* măsurat, cumpătat 4 *(d. mers etc.)* măsurat; regulat; ritmic 5 *(d. proporții etc.)* egal; regulat; uniform

measureless ['meʒəlis] *adj* nemăsurat, vast, nemărginit

measurelessness ['meʒəlisnis] *s* incomensurabilitate, caracter nelimitat

measurement ['meʒəmənt] *s* 1 măsurare, măsurătoare, măsură 2 măsură *(pe care o ia croitorul)*

measure off ['meʒər 'ɔ(:)f] *vt cu part adv* a măsura, a tăia *(o stofă)*

measure out ['meʒər 'aut] *vt cu part adv* 1 a măsura *(lemne, un teren)* 2 a măsura *(o anumită cantitate de) (făină etc.),* a distribui, a împărți

measure up to ['meʒər'ʌp tə] *vi cu part adv și prep* **1** a corespunde *(așteptărilor etc.)*, a se ridica la înălțimea *cu gen;* **to ~ one's task** a fi la înălțimea sarcinii sale **2** a ajunge la nivelul *cuiva*, a deveni egalul *cuiva*

measuring ['meʒəriŋ] *s* **1** măsurare **2** dozare **3** măsură **4** doză

measuring bottle ['meʒəriŋ ,bɔtl] *s ch* balon cotat/gradat

measuring chain ['meʒəriŋ ,tʃein] *s* lanț de măsurat

measuring rule ['meʒəriŋ,ru:l] *s* riglă gradată

meat [mi:t] *s* **1** carne *(ca aliment, dar ↓ nu de pasăre)* **2** ← *înv* mâncare, hrană **3** ← *înv* mâncare, masă **4** *fig* miez, esență, esențial

meat broth ['mi:t,brɔθ] *s* bulion de carne

meat chopper ['mi:t,tʃɔpə'] *s* satâr

meat eater ['mi:t ,i:tə'] *s* **1** mâncător de carne **2** carnivor

meat-eating ['mi:t,i:tiŋ] *adj* carnivor

meat grower ['mi:t ,grouə'] *s* crescător de vite *(pt tăiere)*

meatiness ['mi:tinis] *s* **1** cărnoșie **2** caracter cărnos **3** *fig* energie, forță

meatless ['mitlis] *adj* **1** fără carne, de post **2** *(d. o masă)* sărăcăcios

meatman ['mi:tmən] *s* măcelar

meat pie ['mi:t ,pai] *s* plăcintă cu carne

meat safe ['mi:t ,seif] *s* dulap cu plasă contra muștelor, țânțarilor *etc.*

meaty ['mi:ti] *adj* **1** cărnos; din/de carne **2** *fig* cu miez/conținut

Mecca ['mekə] **1** *oraș în Arabia Saudită* **2** *și* **m**~ *fig* loc favorit *(pt întreceri sportive etc.)*

mech. *presc de la* **1** mechanic(al) **2** mechanics **3** mechanism

mechanic [mi'kænik] *s* **1** mecanic; mașinist **2** montator **3** lăcătuș **4** ← *înv* meseriaș, meșteșugar

mechanical [mi'kænikəl] *adj* **1** mecanic **2** de mașină *sau* mașini **3** *fig* mecanic, mașinal, automat **4** *filos* mecanicist

mechanical drawing [mi'kænikəl, drɔ:iŋ] *s tehn* desen tehnic

mechanical engineer [mi'kænikəl ,endʒi'niə'] *s* inginer mecanic

mechanical work [mi'kænikəl,wə:k] *s fiz* lucru mecanic

mechanician [,mekə'niʃən] *s* **1** mecanic **2** constructor de mașini

mechanics [mi'kæniks] *s pl* **1** *ca sg fiz* mecanică **2** *și ca sg* aspect mecanic *(al unei operații etc.)*

mechanism ['mekə,nizəm] *s* mecanism; aparat **2** *fig* mecanism, mașinărie; tehnică **3** *filos* mecanicism

mechanist ['mekənist] *s* **1** mecanic **2** *filos* mecanicist

mechanistic [,mekə'nistik] *adj* **1** *filos* mecanicist **2** mecanic

mechanistically [,mekə'nistikəli] *adv* (în mod) mecanic

mechanization [,mekənai'zeiʃən] *s* mecanizare

mechanize ['mekə,naiz] *vt* a mecaniza

med. *presc de la* **1** medicine **2** medical **3** medium **4** mediaeval

medal ['medəl] *s* medalie

medallion [mi'dæljən] *s* medalion

meddle ['medəl] *vi* (**in, with**) a se amesteca, a se vârî, a se băga (în); **to ~ in/with other people's affairs** a se amesteca în treburile altora; **do not ~ with them!** lasă-i în pace!

meddler ['medlə'] *s* băgăcios; curios; intrus

meddlesome ['medəlsəm] *adj* băgăcios, care se vâră în toate

Medea [mi'diə] *mit*

Media ['mi:diə] *țară antică în Asia*

media[1] *pl de la* **medium**

media[2] ['mediə] *s fon* consoană oclusivă sonoră *(b, d, g)*

mediaeval [,medi'i:vəl] *adj* medieval

mediaevalism [,medi'i:vəlizəm] *s* medievalism; evul mediu

mediaevalist [,medi'i:vəlist] *s* medievalist, specialist în istoria evului mediu

medial ['mi:diəl] *adj* medial, median, de mijloc

median ['mi:diən] **I** *adj v.* **medial II** *s* **1** *mat* mediană **2** *anat* arteră mediană *sau* nerv median

mediate I ['mi:diit] *adj* intermediar **II** ['mi:di,eit] *vi* **1** a ocupa o poziție intermediară **2** a fi mediator/intermediar **III** ['mi:di,eit] *vt* a mijloci, a media

mediately ['mi:diitli] *adv* (în mod) mediat, mijlocit

mediateness ['mi:diitnis] *s v.* **mediation**

mediation [,mi:di'eiʃən] *s* mijlocire, mediere; intermediu

mediative ['mi:dieitiv] *s, adj* mediator

mediator ['mi:di,eitə'] *s* mijlocitor, mediator; intermediar

mediatorial [,mi:diei'tɔriəl] *adj* mediator

mediatrix ['mi:di,eitriks], *pl* **mediatrices** ['mi:di,eitrisi:z] *s* mediatoare, mijlocitoare

medic ['medik] *s* ← *F* **1** medic, doctor **2** student în medicină **3** *mil ↓ amer* sanitar

medical ['medikəl] **I** *adj* **1** medical **2** ← *rar* medicinal **II** *s* **1** ← *F* student în medicină **2** ← *F* examen medical

medical aid ['medikəl'eid] *s* asistență medicală

medical board ['medikəl,bɔ:d] *s* comisie medicală

medical disease ['medikəldi'zi:z] *s med* boală a organelor interne

medical history ['medikəl'histəri] *s med* **1** istoria medicinei **2** foaie de observație clinică; istoricul bolii; antecedente; anamneză

medically ['medikəli] *adv* **1** medical, prin mijloace medicale **2** din punct de vedere medical

medicament [mi'dikəmənt] *s* medicament, leac; remediu

medicamentary [,midikə'mentəri] *adj* **1** medicamentos **2** curativ, terapeutic

medicated ['medi,keitid] *adj* medicinal

medication [,medi'keiʃən] *s* medicație, îngrijire medicală

medicative ['medikeitiv] *adj* medicinal; care vindecă

Medici ['meditʃi] *faimoasă familie italiană (sec. XIV-XVI)*

medicinal [me'disinəl] *adj v.* **medicative**

medicinal herbs [me'disinəl'hə:bs] *s pl bot* ierburi medicinale/*P →* de leac

medicinally [me'disinəli] *adv* prin mijloace medicinale

medicine ['medisin] *s* **1** medicină, ↓ terapie, tratament **2** medicament, doctorie, leac; remediu; **to take one's ~ a** a-și lua medicamentul **b** *fig F* a bea un păharel **c** *fig F* a înghiți hapul **d** *fig ←* a-și executa pedeapsa *etc.*

medicine dance ['medisin,dɑ:ns] *s* dans ritual *(al indienilor din America de Nord)*

medicine dropper ['medisin, drɔpə'] *s* pipetă

medicine man ['medisin,mæn] *s* vrăjitor-doctor, vraci

medico ['medi,kou] *s v.* **medic 1**

medieval ... *v.* **mediaeval** ...

mediocre [,mi:di'oukə'] *adj* mediocru; banal, comun

mediocrity [,mi:di'ɔkriti] *s* mediocritate

meditate ['medi,teit] **I** *vi* (**on, upon**) a medita, a cugeta (la; asupra – *cu gen)* **II** *vt* a plănui, a pune la cale

meditation [,medi'teiʃən] *s* meditare, meditație; contemplare

meditative ['meditətiv] *adj* meditativ, gânditor; contemplativ

meditatively ['meditətivli] *adv* meditativ, gânditor; contemplativ

Mediterranean [,meditə'reiniən] **I** *s* **1** **the ~** Mediterana, Marea Mediterană **2** mediteranean **II** *adj* **1** mediteranean **2** depărtat de coastă

Mediterranean Sea, the [,meditə'reiniən'si:, ðə] Marea Mediterană

medium ['mi:diəm] **I** *pl și* **media** ['mi:diə] *s* **1** medie; cifră medie; termen mediu **2** *fiz, ch* mediu; agent **3** mediu, ambianță; împrejurări **4** agent; mijlocitor, intermediar **5** mijloc, cale, intermediu; metodă, procedeu; **by/through the ~ of** prin intermediul/mijlocirea, cu ajutorul *cu gen* **6** ← **F** marfă de calitate mijlocie **7** *poligr* aldine **II** *adj atr* mediu, mijlociu, de mijloc; mediocru; **of ~ height** de înălțime mijlocie

mediumise ['mi:diəmaiz] *vt* a face să cadă în transă

medium-sized ['mi:diəm,saizd] *adj* de mărime mijlocie

medium wave ['mi:diəm,weiv] *s rad* undă medie

medlar ['medlə'] *s bot* moșmon *(Mespilus germanica)*

medley ['medli] **I** *s* **1** amestec(ătură) **2** *muz* potpuriu **3** *lit* varia, miscellanea **II** *adj* amestecat, divers, eterogen, diferit **2** ← *înv* pestriț

medulla [mi'dʌlə] *s* **1** *anat* măduva spinării **2** *anat* os medular **3** *bot* măduvă

medullary [mi'dʌləri] *adj anat, bot* medular

medusa [mi'dju:zə], *pl și* **medusae** [mi'dju:zi:] *s zool* meduză *(Hydrozoa etc. sp.)*

meed [mi:d] *s poetic* tain *(de laudă etc.)*, parte; răsplată, plată

meek [mi:k] *adj* **1** blând, blajin; supus; împăciuitor **2** sfios, umil

meekly ['mi:kli] *adv* **1** cu blândețe; supus **2** cu sfială

meekness ['mi:knis] *s* **1** blândețe; supunere **2** sfiiciune, umilință

meerschaum ['miəʃəm] *s* **1** spumă de mare **2** pipă din spumă de mare

meet¹ [mi:t] **I** *pret și ptc* **met** [met] *vt* **1** a întâlni, a se întâlni cu; **I met him in the garden** l-am întâlnit în grădină; **well met!** îmi pare bine că ne-am întâlnit! **2** a cunoaște, a face cunoștință cu; (**I am) pleased to ~ you** încântat să vă cunosc/să fac cunoștință cu dvs.; **I think I met him two years ago** cred că l-am cunoscut acum doi ani; **~ my brother** faceți cunoștință cu fratele meu **3** a întâmpina, a întâlni; **to go to ~ smb** a se duce să întâmpine pe cineva; **to ~ smb halfway a** a întâmpina pe cineva la jumătatea drumului **b** *fig* a ajunge la un compromis cu cineva; **the bus ~s all the trains** autobuzul așteaptă/are legătură cu toate trenurile; **here the road ~s the railway** aici drumul *sau* șoseaua se încrucișează cu calea ferată; **where does the Argesh ~ the Danube?** unde se varsă Argeșul în Dunăre? care este confluența Argeșului cu Dunărea? **4** a înfrunta; a face față *(cu dat)*, a da piept cu; a se ciocni cu *(dușmanul etc.);* **to ~ one's fate calmly** a înfrunta soarta cu seninătate, a se supune soartei **5** *fig* a găsi, a întâlni, a da de/ peste; **I met this word in a dictionary** am întâlnit/am dat de acest cuvânt într-un dicționar **6** *fig* a impresiona *(ochii, auzul etc.);* **what a scene met my eyes!** ce mi-a fost dat să văd! ce mi-au văzut ochii! **7** a satisface, a mulțumi; a fi în concordanță cu; a corespunde *(cu dat);* **to ~ the case** a corespunde, a fi util/de folos; **does the supply ~ the demand?** oferta corespunde cererii? **to ~ a necessity** a satisface o necesitate; a corespunde unei nece-

sități; **to ~ the expenses** a acoperi cheltuielile; a face față cheltuielilor; **to ~ one's commitments** a-și îndeplini angajamentele **8** *ec* a onora *(o poliță)* // **to ~ smb's eye** a privi în ochi pe cineva, a se uita în ochii cuiva; **more than ~s eye** mai multe lucruri decât apar la prima vedere; fapte *sau* motive ascunse **II** (*v.* **~ I**) *vi* **1** a se întâlni; **I don't think we have ever met** nu cred că ne-am întâlnit vreodată **2** a se cunoaște, a face cunoștință **3** *(d. comisii etc.)* a se întruni, a se aduna **4** *(d. drumuri etc.)* a se întâlni, a se încrucișa; **my coat won't ~** mi-e prea strâmtă haina; **many virtues met in her** într-una multe calități **5** *fig* a se întâlni, a se ciocni, a se înfrunta **6** *fig* a fi de acord, a avea păreri comune; a ajunge la aceleași concluzii **7** *fig* a se uni, a se asocia, a stabili legături **III** *s* **1** întâlnire *sau* loc de întâlnire (a vânătorilor etc.) **2** *amer* întâlnire, întrunire *(sportivă etc.)*

meet² *adj* ← *înv* potrivit, nimerit, indicat, corespunzător

meeting ['mi:tiŋ] *s* **1** întâlnire; întrevedere; rendez-vous **2** miting, întrunire, adunare; ședință **3** confluență *(a apelor)* **4** *fig* întâlnire *(a ideilor etc.)* **5** *ferov* jonțiune; nod de cale ferată **6** *auto* încrucișare *(de vehicule)* **7** *tehn* încheietură, îmbinare, joantă **8** *sport* întâlnire, întrecere, competiție

meeting house ['mi:tiŋ,haus] *s bis* casă de rugăciuni

meetly ['mi:tli] *adv* (în mod) adecvat, cum trebuie/se cuvine

meet with ['mi:t wið] *vi cu prep* **1** a întâlni, a da de/peste *(un obstacol etc.);* **I met with a friend in the street** pe stradă am întâlnit (întâmplător) un prieten **2** a găsi; a întâlni; **this idea is to be met with in several books** ideea aceasta se întâlnește în mai multe cărți **3** a suferi *(un accident etc.),* a i se întâmpla *(o nenorocire, un accident etc.)* **4** a fi primit cu *(bunăvoință etc.)*

megacycle ['megə,saikəl] *s fiz* megahertz

megalith ['megəliθ] *s arheol* megalit; dolmen; menhir

megalithic [ˌmegə'liθik] *adj arheol* megalitic

megalomania [ˌmegəlou'meiniə] *s* megalomanie; grandomanie

megalomaniac [ˌmegəlou'meiniæk] *adj, s* megaloman; grandoman

megaphone ['megəˌfoun] *s* megafon; portavoce

megapod ['megəˌpoud] *adj, s orn* megapod

megatherium [ˌmegə'θiəriəm] *s geol* megateriu

megatron ['megətrən] *s fiz* megatron

megavolt ['megəˌvolt] *s el* megavolt

megawatt ['megəˌwot] *s el* megawatt

megrim ['miːgrim] *s ← înv* **1** migrenă, durere de cap **2** *pl* proastă dispoziție; urât

meiosis [mai'ousis] *s ret* meioză; litotă

Mekong, the [ˌmiː'kɔŋ, ðə] *fluviu în Asia*

melancholia [ˌmelən'kouliə] *s med* melancolie, depresiune

melancholic [ˌmelən'kolik] *adj, v.* **melancholy II**

melancholically [ˌmelən'kolikəli] *adv* melancolic, cu melancolie

melancholy ['melənkəli] **I** *s* melancolie, deprimare, tristețe; proastă dispoziție **II** *adj* **1** melancolic, deprimat, trist, abătut **2** deprimat, trist; posomorât; dezolant **3** *(d. vești etc.)* trist, deprimant, întristător

Melanesia [ˌmelə'niːziə] *grup de arhipelaguri în Pacific* Melanezia

Melanesian [ˌmelə'niːziən] *adj, s* melanezian

mélange [me'lɑ̃ːʒ] *s fr* melanj, amestec

Melbourne ['melbən] *oraș în Australia*

mêlée ['melei] *s fr* încăierare; busculadă

meliorate ['miːliəˌreit] *vt* a îmbunătăți, a ameliora; a înnobila

melioration ['miːliəˌreiʃən] *s* îmbunătățire, ameliorare; înnobilare

meliorism ['miːliəˌrizəm] *s filos* meliorism

melliferous [mi'lifərəs] *adj* melifer; dulce

mellification [ˌmilifi'keiʃən] *s* melificație, pregătirea mierii

mellifluence [mi'lifluəns] *s și fig* dulceață

mellifluent [mi'lifluənt], **mellifluous** [mi'lifluəs] *adj* dulce, plăcut; melodios; suav

mellow ['melou] **I** *adj* **1** *(d. fructe)* copt; moale, mălăieț **2** *(d. pământ)* moale, afânat **3** *(d. sunete)* dulce, suav **4** *(d. culori)* delicat, discret, gingaș **5** *(d. vin)* plăcut la gust **6** *fig* copt; matur; maturizat **7** *fig* potolit, cumințit **8** *fig* afabil, plăcut, prietenos **9** *fig* vesel, voios, bine dispus **10** *fig* Ffăcut, afumat **II** *vt* **1** a înmuia, a face mai moale **2** *fig* a îmblânzi, a îndulci, a atenua, a micșora **3** a afâna *(pământul)* **4** *fig* a cuminți, a liniști **III** *vi* **1** a se (în)muia, a deveni moale **2** *și fig* a se coace **3** *(d. pământ)* a se afâna **4** *fig* a se cuminți, a se liniști; a se maturiza

mellowly ['melouli] *adv* prietenos, prietenește; cu bunătate; cu bunăvoință

mellowness ['melounis] *s* **1** maturitate *(a vinului etc.)*; pârg *(al fructelor etc.)* **2** blândețe *(a caracterului)*; bunăvoință; bunătate

melodic [mi'lodik] *adj* **1** *muz* melodic **2** melodios

melodically [mi'lodikəli] *adv* **1** *muz* melodic **2** melodios

melodics [mi'lodiks] *s pl ca sg muz* melodică

melodious [mi'loudiəs] *adj* **1** melodios; dulce, suav **2** muzical

melodiously [mi'loudiəsli] *adv* melodios; dulce, suav

melodiousness [mi'loudiəsnis] *s* caracter melodios; muzicalitate

melodrama ['meləˌdrɑːmə] *s și fig* melodramă

melodramatic [ˌmelədrə'mætik] *adj și fig* melodramatic

melodramatically [ˌmelədrə'mætikəli] *adv și fig* melodramatic

melody ['melədi] *s muz* **1** melodie; arie; cântec **2** temă **3** caracter melodic

melon ['melən] *s bot* **1** pepene galben *(Cucumis melo)* **2** cantalup *(Cucumis cantalupo)* **3** pepene verde *(Cucumis citrullus)*

melon field ['melənˌfiːld] *s* pepenărie, bostănărie

melonite ['melounait] *s minr* melonit

melonry ['melənri] *s v.* **melon field**

Melpomene [mel'pomini] *mit* Melpomena

melt [melt] **I** *vt* **1** a topi; a dizolva; a lichefia **2** *fig* a înmuia, a înduioșa, a mișca; a îndupleca **3** a ames-

teca *(culori)* **4** *F* a topi, a toca *(bani)* **5** *met* a topi; a fuziona **II** *vi* **1** a se topi; a se dizolva; a se lichefia; **it ~s in the mouth** se topește în gură **2** *fig* a se topi (de căldură), a nu mai putea de căldură; a transpira **3** (**with**) a se contopi, a fuziona (cu) **4** *fig* a se înmuia, a se înduioșa, a fi mișcat; a se îndupleca **5** *fig* a se topi, a dispărea, a se șterge **III** *s met* **1** topire, fuziune **2** șarjă

melt away ['melt ə'wei] *vi cu part adv* **1** a se topi complet **2** *(d. gloată, nori)* a se risipi, a se împrăștia **3** *(d. mânie etc.)* a trece, a dispărea

melt down ['melt 'daun] **I** *vt cu part adv met* a topi, a fluidiza **II** *vi cu part adv* a se estompa; a dispărea încet

melting ['meltiŋ] *adj* **1** care topește **2** *(d. zăpadă etc.)* care se topește **3** *(d. căldură etc.)* insuportabil, excesiv **4** *fig* moale, slab, delicat **5** *fig* mișcător, înduioșător, emoționant

melting house ['meltiŋˌhaus] *s met* turnătorie

melting point ['meltiŋˌpoint] *s met* punct de topire

melting pot ['meltiŋˌpot] *s met* creuzet; **to go into the ~** *fig* a suferi o transformare radicală

melt into ['melt ˌintə] *vi cu prep* **1** a se preface în *(ceva)* prin topire **2** *fig* a se preface/a se preschimba cu încetul în **3** *fig* a izbucni în *(lacrimi)*

Melville ['melvil] **Herman** *scriitor american (1819-1891)*

Melvin ['melvin] *nume masc*

mem. *presc de la* **1 member 2 memento** *lat* amintește-ți **3 memorandum**

member ['membə'] *s* **1** membru *(al unui partid etc.)* **2** participant; asociat; tovarăș **3** *anat* membru, mădular; organ **4** *gram* propoziție *(ca parte de frază)*; parte a propoziției **5** *mat* membru; element; termen **6** *tehn* piesă, element, reper; organ de mașină **7** *sl* cetățean, individ

member card ['membəˌkɑːd] *s* carnet de membru

membered ['membəd] *adj anat* cu/având membre

memberless ['membəlis] *adj* **1** fără membre **2** simplu

membership ['membəʃip] s 1 calitate de membru 2 număr de membri 3 comunitate, societate

membrane ['membrein] s 1 *anat* membrană, pieliță 2 *tehn* membrană, peliculă 3 membrană; coajă, pojghiță

membranous ['membrənəs] *adj anat* membranos, cu membrană

memento [mi'mentou], *pl* **memento(e)s** [mi'mentouz] s 1 memento, aducere aminte 2 amintire, suvenir

memo ['memou] *s F v.* **memorandum**

memoir ['memwɑ:ʳ] s 1 memoriu 2 raport; notă oficială 3 expunere de fapte 4 lucrare științifică, studiu; dizertație 5 *pl* memorii, amintiri; biografie *sau* autobiografie

memorability [,memərə'biliti] s caracter memorabil

memorable ['memərəbəl] *adj* memorabil, de neuitat

memorably ['memərəbli] *adv* de neuitat, memorabil

memorandum [,memə'rændəm], *pl* **și memoranda** [,memə'rændə] s 1 memorandum 2 notă, însemnare; **make a ~ of it** însemnează-ți acestea, să nu uiți acestea 3 *ec* notă; minută; convenție 4 *pol* notă diplomatică

memorandum book [,memə-'rændəm 'buk] s carnet de notițe/ însemnări, blocnotes

memorial [mi'mɔ:riəl] I *adj* memorial, comemorativ 2 memorabil, vrednic de a fi amintit II s 1 amintire, aducere aminte; memorie, reculegere 2 memoriu 3 monument comemorativ 4 *pl* memorii; cronică 5 *bis* pomenire 6 memorandum; notă 7 *pol* notă diplomatică 8 petiție, cerere 9 raport, dare de seamă

Memorial Day [mi'mɔ:riəl,dei] s Ziua Eroilor *(30 Mai, în S.U.A.)*

memorialist [mi'mɔ:riəlist] s 1 memorialist, autor de memorii 2 autor al unui memoriu

memorialize [mi'mɔ:riə,laiz] *vt* 1 a adresa un memoriu *(cu dat)* 2 a comemora

memorization [,memərai'zeiʃən] s memorizare

memorize ['memə,raiz] *vt* a memora; a memoriza, a învăța pe dinafară; a reține

memory ['meməri] s 1 memorie, ținere de minte; **to the best of my ~** după câte îmi amintesc; **to commit to ~** *v.* **memorize** 2 amintire, aducere-aminte; reminiscență; **memories of childhood** amintiri din copilărie; **in ~ of** în amintirea/memoria *cu gen*; **of sad ~** de tristă amintire; **within living ~** a în amintirea/ memoria oamenilor care (mai) trăiesc b de când lumea 3 *pl* amintiri, memorii 4 amintire, suvenir 5 comemorare 6 document istoric *sau* biografic 7 reputație 8 *bis* parastas

Memphis ['memfis] *ist oraș în Egipt* Memphis

men [men] *pl de la* **man** I

menace ['menis] I s amenințare; pericol, primejdie II *vt* a amenința; a primejdui, a periclita, a pune în primejdie

menacing ['menisiŋ] *adj* amenințător

menacingly ['menisiŋli] *adv* amenințător

menage [mei'nɑ:ʒ] s *fr* 1 menaj, gospodărie 2 gospodărie 3 vindere, vânzare *(de bunuri)*

menagerie [mi'nædʒəri] s menajerie

mend [mend] I *vt* 1 *și fig* a drege, a repara; a cârpi; **to ~ stockings** a repara/a cârpi *sau* a remaia ciorapi; **to have smth ~ed** a da ceva la reparat 2 a îndrepta, a corija, a corecta; a îmbunătăți; **to ~ one's ways** a se îndrepta, a se corija; **he has ~ed his opinion** și-a modificat/schimbat părerea; **to ~ a fault** a îndrepta o greșeală 3 a vindeca, a însănătoși 4 a pune cărbuni *sau* lemne pe *(foc);* a ațâța *(focul)* 5 a accelera, a iuți *(pasul)* 6 a înfrumuseța II *vi* 1 a se îndrepta, a se corija, a se schimba în bine; **it is never too late to ~** *prov* nu e niciodată prea târziu ca să te îndrepți 2 a se face bine, a se însănătoși 3 *(d. prețuri)* a crește, a se mări III s 1 reparație 2 întremare; ameliorare a sănătății; însănătoșire 3 ameliorare, îmbunătățire *(a unei situații etc.)* 4 cusătură

mendacious [men'deiʃəs] *adj* 1 mincinos, amăgitor, înșelător 2 fals, nesincer

mendaciously [men'deiʃəsli] *adv* mințind; cu falsitate, fals

mendacity [men'dæsiti] s 1 mitomanie 2 falsitate

Mendele(y)ev [mindi'ljejif], **Dmitri Ivanovich** *chimist rus* Mendeleev *(1834-1907)*

Mendel's laws ['mendəlz ,lɔ:z] s *pl biol* legile lui Mendel

Mendelssohn ['mendəlsən], **Felix** *compozitor german (1809-1847)*

mender ['mendəʳ] s reparator

mendicancy ['mendikənsi] s cerșetorie, cerșit

mendicant ['mendikənt] I *adj* cerșetor, care cere de pomană II s 1 cerșetor, milog 2 călugăr cerșetor

mending ['mendiŋ] s 1 reparare; reparație; cârpire; cârpit; remaiere; remaiat 2 ← *F* lucruri de dat la reparat *etc.* (v. **mend** I, 1) 3 material *sau* materiale pentru reparat 4 îndreptare; îmbunătățire; **the evil is past ~** răul este ireparabil/nu se mai poate repara

Menelaus [,meni'leiəs] *mit* Menelau

menfolk ['men,fouk] s ca *pl* ← *F* bărbați *(↓ din cadrul unei familii)*

menhir ['menhiəʳ] s *arheol* menhir

menial ['mi:niəl] I *adj* 1 de servitori; casnic, domestic, de gospodărie 2 *fig* servil; umil; josnic II s 1 servitor, slugă 2 *fig* om servil, lacheu

meningitis [,menin'dʒaitis] s *med* meningită

meniscus [mi'niskəs] s *fiz* menisc

menopause ['menou,pɔ:z] s *med* menopauză

menses ['mensi:z] s *pl fizl* menstruație, *P→* reguli, soroc

Menshevik, menshevik ['menʃivik] *adj, s ist* menșevic

men's room ['menz ,ru:m] s *amer* (toaletă pentru) bărbați

menstrual ['menstruəl] *adj* 1 *fizl* menstrual 2 lunar, mensual

menstruate ['menstru,eit] *vi fizl* a avea menstruație

menstruation [,menstru'eiʃən] s *v.* **menses**

mensurable ['mensjurəbəl] *adj* 1 măsurabil 2 onest, cinstit, corect 3 *muz ↓ înv* ritmat

mensural ['menʃərəl] *adj* mensurabil, care poate fi măsurat

mensurate ['menʃuər,eit] *vt* a măsura

mensuration [,menʃə'reiʃən] s măsurare

ment [mənt] *suf substanival* **1** -ment
argument argument, **sentiment**
2 -are; -ată *etc.* **judgement**
judecată; hotărâre

mental ['məntəl] **I** *adj* **1** mental,
mintal; intelectual; spiritual **2** *(d.
boli etc.)* mintal, psihic **3** *(d.
calcul etc.)* mintal, făcut în gând
4 *F* țicnit, – nebun **II** *s F* țicnit, –
nebun

mental affection ['məntəl ə'fekʃən]
s med boală psihică

mental age ['məntəl ,eidʒ] *s med*
dezvoltare psihică față de vârstă

mentality [men'tæliti] *s* **1** intelect,
capacitate intelectuală **2** menta-
litate; mod de a gândi; concepție
3 stare de spirit, dispoziție

mentally ['mentəli] *adv* **1** mintal, cu
mintea/intelectul **2** din punct de
vedere mintal *sau* intelectual

mental patient ['məntəl ,peiʃənt] *s
med* bolnav/alienat mintal

mental specialist ['məntəl 'speʃəlist]
s med psihiatru

mentation [men'teiʃən] *s* gândire;
proces de gândire

menthol ['menθəl] *s ch* mentolat

mentholated ['menθə,leitid] *adj*
mentolat

menticultural [,menti'kʌltʃərəl] *adj*
care dezvoltă mintea/gândirea

menticulture [,menti'kʌltʃə] *s* dez-
voltare mentală/intelectuală/
spirituală

mentiferous [men'tifərəs] *adj* tele-
patic

mention ['menʃən] **I** *s* **1** mențiune,
menționare, pomenire, amintire;
~ **shall be made of** trebuie să
se menționeze *ceva*; **to make
no** ~ **of** a nu aminti *cu ac*, a nu
aminti de; a trece sub tăcere
ceva; **no** ~! nu mai aminti de
asta! **2** *şcol etc.* mențiune **II** *vt* a
menționa, a aminti, a pomeni; a
cita; a vorbi de(spre); a releva; a
sublinia; **he** ~**ed another name**
a mai amintit/menționat un nu-
me; a amintit/menționat un alt
nume; **don't** ~ **it** nu ai pentru ce
(ca răspuns la mulțumiri); **I shall**
~ **it to her** îi voi vorbi despre
aceasta; **not to** ~ **George** ca să
nu mai amintim/pomenim de
George; **worth** ~**ing** care merită
să fie amintit/menționat

mentionable ['menʃənəbəl] *adj* de
menționat

mentioned ['menʃənd] *adj* men-
ționat, amintit, pomenit

mentor ['mentɔː'] *s* **1** mentor, povă-
țuitor, îndrumător **2** dascăl, pro-
fesor, învățător; tutore **3** antre-
nor

menu ['menjuː] *s fr* meniu, listă de
bucate

meow [mi'au] *vi* a mieuna, a miorlăi

Mephisto [me'fistou] *mit* Mefisto

Mephistopheles [,mefi'stɔfi,liːz] *mit*
Mefisto(feles)

Mephistophelian [,mefistə'fiːliən]
adj mefistofelic, drăcesc, diavo-
lesc; sarcastic

mephitic [mi'fitik] *adj* mefitic, rău
mirositor; otrăvitor

mephitis [mi'faitis] *s* exalație mefi-
tică; miasmă

mercantile ['məːkən,tail] *adj* **1** mer-
cantil, comercial, negustoresc **2**
mercantil, interesat; meschin

mercantile house ['məːkən,tail
,haus] *s* casă de comerț

mercantile marine ['məːkən,tail
mə'riːn] *s nav* marină comercială

mercantilism ['məːkənti,lizəm] *s
peior* mercantilism

Mercator's projection [mə':keitəz
prə'dʒekʃən] *s geogr* proiecție
Mercator

mercenariness ['məːsinərinis] *s* **1**
caracter mercantil **2** venalitate

mercenary ['məːsinəri] **I** *adj* mer-
cantil, interesat; venal **II** *s mil*
mercenar

mercer ['məːsə'] *s* **1** negustor de
mărunțișuri **2** negustor de textile
(↓ *mătăsuri, catifele etc.*)

mercerization [,məːsərai'zeiʃən] *s
text* mercerizare

mercerize ['məːse,raiz] *vt text* a
merceriza

mercery ['məːsəri] *s text* mercerie;
manufactură

merchandise ['məːtʃən,dais] *s* mar-
fă, mărfuri

merchant ['məːtʃənt] *s* **1** comerciant
(↓ *care face comerț cu străină-
tatea); amer* comerciant, negus-
tor **2** *sl* tip, gagiu, – individ **3** *sl*
amator *iubitor (de ceva)*

merchantable ['məːtʃəntəbəl] *adj (d.
marfă)* vandabil

merchant fleet ['məːtʃənt ,fliːt] *s nav*
flotă comercială

merchantman ['məːtʃəntmən] *s nav*
navă comercială/civilă, vas co-
mercial/de comerț

merchant navy ['məːtʃənt ,neivi] *s
v.* **merchant fleet**

merchant prince ['məːtʃənt 'prins] *s*
mare comerciant

merchantry ['məːtʃəntri] *s* **1** comerț,
negoț **2** comercianți, negustori

Mercia ['məːʃiə] *ist regat anglo-saxon*

Mercian ['məːʃiən] *adj ist* din Mercia

merciful ['məːsiful] *adj* **1** (**to**) îndu-
rător, iertător, milostiv (cu, față
de) **2** (**to**) îngăduitor, indulgent
(cu, față de) **3** compătimitor

mercifully ['məːsifuli] *adv* **1** îndu-
rător, cu milă **2** cu indulgență **3**
cu compătimire

mercifulness ['məːsifulnis] *s* **1** în-
durare, milostivire **2** îngăduință,
indulgență **3** compătimire, milă,
compasiune

merciless ['məːsilis] *adj* nemilos,
neîndurător, crud

mercilessly ['məːsilisli] *adv* nemilos,
neîndurător, fără milă/îndurare

mercilessness ['məːsilisnis] *s* cru-
zime, lipsă de îndurare

mercurial [məː'kjuəriəl] **I** *adj* **1** vioi, iute,
ager; isteț **2** aprins, focos, înfocat **3**
nestatornic, schimbător **4** comer-
cial, negustoresc **5** *ch etc.* mer-
curial; cu mercur **II** *s* **1** persoană
vioaie *etc.* (*v.* ~ **I**, 1-3) **2** *ch etc.* pre-
parat mercurial; alifie mercurială

mercurialism [məː'kjuəriə,lizəm] *s
med* mercurialism

mercuric [məː'kjuərik] *adj ch* mer-
curic; de mercur

Mercury ['məːkjəri] **1** *mit* Mercur **2**
astr (planeta) Mercur

mercury ['məːkjuri] *s* **1** *ch* mercur,
argint viu, hidrargir **2** *fig* argint
viu, iuțeală, vioiciune **3** coloană
de mercur *(a barometrului etc.)*
4 mesager, crainic **5** ghid, călău-
ză **6** *bot* trepădătoare (*Mer-
curialis perennis)*

mercury oxide ['məːkjuri 'ɔksaid] *s
ch* oxid mercuric

mercy ['məːsi] **I** *s* **1** milă, compa-
siune; îndurare; clemență; ier-
tare; **to have** ~ (**up**)**on** a se
îndura de; **for** ~'**s sake** de milă
2 milostenie, caritate **3** compă-
timire **4** indulgență, îngăduință **5**
voie, discreție; **at the** ~ **of** la
discreția, în voia *cu gen* **6** bine-
cuvântare; noroc, șansă; **it was
a** ~ a fost un adevărat noroc/o
adevărată binecuvântare **II** *interj*
Dumnezeule! Cerule (îndură-te)!

mercy killing ['mə:si 'kiliŋ] *s* euta-
nasie

mere[1] [miə'] *adj* pur și simplu, nimic
altceva decât; doar, numai; **a ~
trifle** o simplă bagatelă; o nimica
toată; **she is a ~ child** e (doar)
un copil, nu e decât un copil; **as
a ~ spectator** ca simplu spec-
tator; **~ words** vorbe goale

mere[2] *s ← poetic* lac; eleșteu; baltă;
mlaștină

merely ['miəli] *adv* **1** doar, numai;
pur și simplu; **she ~ laughed**
râse doar, se mulțumi să râdă;
not ~ nu numai, **not ~ ... but also**
nu numai ... ci/dar și **2** *← înv* în
întregime, cu totul

meretricious [,meri'triʃəs] *adj* **1** de
prostituată, dezmățat, desfrânat,
stricat **2** *fig* necinstit; fățarnic,
ipocrit; amăgitor; de fațadă **3**
ieftin, de prost gust; **~ jewellery**
bijuterii amăgitoare/ieftine

merge [mə:dʒ] **I** *vt* a amalgama, a
amesteca, a contopi, a îmbina;
a uni **II** *vi* a se îmbina, a fuziona;
a se uni

merge in/into ['mə:dʒ in/,intə] **I** *vt cu
prep* a transforma treptat în **II** *vi
cu prep* a se transforma treptat
în, a trece în; **twilight merged
into darkness** treptat, amurgul
se preschimbă în întuneric/făcu
loc întunericului

merger ['mə:dʒə'] *s* contopire,
fuzionare, fuziune

meridian [mə'ridiən] **I** *s* **1** *geogr, astr*
meridian **2** *astr* zenit **3** *fig* zenit,
apogeu, culme **II** *adj* **1** *geogr,
astr* meridian **2** *fig* culminant, de
apogeu

meridional [mə'ridiənə l] *adj, s*
meridional, sudic

meridionally [mə'ridiənəli] *adv* **1** în
ceea ce privește meridianele **2**
în direcția polilor; spre sud *sau*
spre nord

meringue [mə'ræŋ] *s gastr* bezea;
bezele

merino [mə'ri:nou] *s* **1** (oaie *sau* oi)
merinos **2** lână merinos

meristem ['meri,stem] *s bot* meri-
stem

merit ['merit] **I** *s* **1** merit, valoare;
certificate of ~ diplomă de merit;
a man of ~ un om merituos;
**there isn't much ~ in imitating
another's style** nu este un merit
extraordinar/nu e un lucru de

laudă să imiți stilul altuia; **to
make a ~ of smth** a-și face un
merit/un punct de onoare din
ceva **2** merit, calitate; însușire
(bună sau rea); **to judge smth
on its ~s** a judeca ceva în esență
II *vt* a merita *(o pedeapsă, o
răsplată)*, a fi vrednic de

merited ['meritid] *adj* meritat

meritorious [,meri'to:riəs] *adj* meri-
toriu, vrednic de laudă *sau* de
răsplată; de toată lauda

meritoriously [,meri'to:riəsli] *adv* (în
mod) meritoriu

merl(e) [mə:l] *s orn ← înv, poetic*
mierlă *(Turdus merula)*

Merle *nume masc*

Merlin ['mə:lin] **1** *nume masc* **2** *lit*
numele unui vrăjitor din ciclul
arturian

merlon ['mə:lən] *s od* crenel

mermaid ['mə:,meid] *s mit* sirenă;
naiadă

merman ['mə:,mæn] *s mit* triton

Merovingian [,merou'vindʒiən] *adj,
ist* merovingian

merrily ['merili] *adv* voios, cu
veselie

merriment ['merimənt] *s* veselie,
distracție

merry ['meri] *adj* **1** vesel, voios, bine
dispus; bucuros; **to make ~** a se
înveseli, a petrece **2** iute, vioi **3**
← înv vesel, plăcut, frumos;
sărbătoresc; **in the ~ month of
May** în vesela/frumoasa lună
mai **4** glumeț; < batjocoritor; **to
make ~ over** a-și bate joc de,
a-și râde de **5** *fig* vesel, *F* → cu
chef

merry andrew ['meri'ændru:] *s*
saltimbanc, bufon, paiață

merry-go-round ['merigou,raund] *s*
1 carusel, călușei **2** *fig* vârtej,
vâltoare *(a plăcerilor etc.)* **3** *auto*
sens giratoriu

merry-maker ['meri,meikə'] *s* **1** om
vesel **2** chefliu, petrecăreț

merry-making ['meri,meikiŋ] *s*
veselie, distracție; petrecere

merrythought ['meri,θɔ:t] *s* (osul)
iadeș; **to pull a ~ with smb** a
face iadeș cu cineva

Mersey, the ['mə:zi, ðə] *râu în Anglia*

Mervyn ['mə:vin] *nume masc*

Merwin ['mə:win] *nume masc v.*
Mervyn

mesa ['meisə] *s geol* terasă de
stâncă *(cu coloane de munți)*

mésalliance [me'zæliəns] *s fr* mez-
alianță

mescaline ['meskə,li:n] *s ch* mes-
calină

mesdames ['mei,dæm] *pl de la*
madame *și* **madam**

mesdemoiselles [,meidmwə'zel] *pl
de la* **mademoiselle**

meseems [mi'si:mz] *vi ← înv* îmi
pare, mi se pare

mesentery ['mesəntəri] *s anat* me-
zenter

mesh [meʃ] **I** *s* **1** ochi de sită,
devizeu **2** ochi *(de plasă)* **3** *pl*
plasă, rețea; năvod **4** *pl fig* laț;
mreje, cursă, capcană **5** *el* priză
6 *ferov* rețea *(de căi ferate)* **7** *mat*
celulă **8** *tehn* angrenare *(a
dinților)* **9** montură *(a unei pietre
prețioase)* **II** *vt* **1** a împleti *(o
plasă etc.)*, a face ochiuri din *sau*
la **2** *tehn* a angrena **3** *fig* a prinde
în mreje *sau* în cursă **III** *vi* **1** a
împleti năvoade *etc.* **2** a face
ochiuri *(la o plasă)* **3** *fig* a fi prins/
a se prinde în mreje *sau* în
capcană

meshed [meʃt] *adj text* cu ochiuri

meshy ['meʃi] *adj* cu ochiuri; reti-
cular

mesic atom ['mi:zik ,ætəm] *s liz*
mezoatom

mesmeric [mez'merik] *adj* mes-
meric, hipnotic

mesmerism ['mezmə,rizəm] *s* **1** ←
înv mesmerism, hipnotism; hip-
noză **2** catalepsie, letargie

mesmerist ['mezmərist] *s ← înv*
hipnotizor

mesmerize ['mezmə,raiz] *vt* **1** a
hipnotiza, a fascina **2** *fig* a
fascina, a vrăji, a fermeca

meso- *pref* mezo-: **mesotron** mezo-
zotron

mesoderm ['mesou,də:m] *s anat*
mezoderm

meson ['mi:zɔn] *s fiz* electron greu;
mezon

Mesopotamia [,mesəpə'teimiə] *ist*
geogr țară în Asia

mesotron ['mesə,trɔn] *s fiz* mezotron

Mesozoic [,mesou'zouik] **I** *adj* me-
zozoic **II** *s* **the ~** era mezozoică,
mezozoic(ul)

mess[1] [mes] **I** *s* **1** murdărie; gunoi;
**they cleaned up the ~ in the
room before leaving** înainte de
a pleca, au curățat murdăria/au
strâns gunoiul din cameră

2 dezordine, neorânduială; harababură; **the house was in a pretty** ~ casa era cu susul în jos; **to make a** ~ **of smth** *fig F* a rasoli o treabă; a da un lucru peste cap; a o face fiartă; **a nice** ~ **you've made of it** *fig F* bună/ frumoasă ispravă ai făcut (n-am ce zice)! *aprox* na-ți-o frântă că ți-am dres-o! **3** *F* belea, bătaie de cap, – necaz, încurcătură; **to get (oneself) into a** ~ a da de bucluc, a-și găsi beleaua **II** *vt* a murdări, a mânji **2** a face dezordine în; a răvăși **3** *F* a face de mântuială, a cârpăci **III** *vi* **1** a se bălăci **2** *v.* **mess about I**

mess² **I** *s* **1** ← *rar* fel de mâncare; mâncare **2** nutreț **3** *mil* popotă; *nav* careu **4** comeseni **5** masă comună **II** *vi* (**with**) a lua masa/a mânca împreună (cu)

mess about/around ['mesə'baut ə'raund] **I** *vi cu part adv F* **1** a târnosi mangalul; a tăia frunză la câini; a tândăli **2** a umbla creanga **3** a rasoli o treabă; a o face fiartă **II** *vt cu part adv v.* **mess¹ II, 3**

message ['mesidʒ] *s* **1** mesaj, știre, veste **2** mesaj, apel **3** *fig* mesaj; învățătură **4** *amer* mesaj *(al președintelui, către congres)* **5** misiune, însărcinare **6** scrisoare; telegramă; comunicare/**to get the** ~ *sl* a pricepe, a înțelege **II** *vt* **1** a transmite/a comunica prin semnale, a semnaliza **2** a telegrafia

mess around ['mes ə'raund] *vi cu part adv v.* **mess about I, 1-2**

mess boy ['mes ˌbɔi] *s nav* camarot la echipaj

messenger ['mesindʒəʳ] *s* **1** mesager, curier; vestitor **2** *fig* vestitor *(al primăverii etc.)* **3** *nav* virator **4** *tehn* cablu portant

messenger call ['mesindʒə ˌkɔ:l] *s tel* convorbire cu (pre)aviz

messenger-pigeon ['mesindʒə ˌpidʒin] *s* porumbel călător

mess hall ['mes ˌhɔ:l] *s mil, nav* sală de mese; *(pt ofițeri)* popotă; *nav* careu

Messiah [mi'saiə] *s bibl fig* Mesia, Mântuitor

Messianic [ˌmesi'ænik] *adj bibl fig* mesianic

messieurs ['mesəz] *pl de la* **monsieur**

mess in ['mes'in] *vi cu part adv amer* a se amesteca, *F* a-și vârî nasul (unde nu-i fierbe oala)

Messina [me'si:nə] *oraș în Italia*

mess jacket ['mes ˌdʒækit] *s mil, nav* tunică *(scurtă, purtată la masă)*

mess kit ['mes ˌkit] *s mil* veselă *(purtată de un soldat)*

messman ['mesmən] *s nav* camarot la ofițeri

messmate ['mes,meit] *s* comesean

messroom ['mes,ru:m] *s nav* careu

Messrs. ['mesəz] *pl de la* **Mr** domnii...

messuage ['meswidʒ] *s jur* casă/ locuință cu dependințe

mess up ['mes 'ʌp] *vt cu part adv* **1** *F* a cârpăci, a face de mântuială, – a strica **2** *F* a da peste cap, – a strica *(planuri etc.)*

mess with ['mes wið] *vi cu prep* ← *F* a deranja; a face necazuri *cuiva*

messy ['mesi] *adj* **1** murdar **2** dezordonat, în dezordine/neorânduială; răvășit

mestizo [me'sti:zou] *s* persoană născută dintr-un părinte spaniol și unul indian (-american); metis

met [met] *pret și ptc de la* **meet I, II**

met. *presc de la* **1 metropolitan 2 metaphor 3 metaphysical**

Met. *presc de la* **meteorological**

meta- *pref* meta-: **metabolism** metabolism

metabolic [ˌmetə'bɔlik] *adj biol* metabolic

metabolism [mi'tæbə,lizəm] *s biol* metabolism

metacarpus [ˌmetə'kɑ:pəs], *pl și* **metacarpi** [ˌmetə'kɑ:pai] *s anat* metacarp

metacentre [ˌmetə,sentəʳ] *s nav etc.* metacentru

metagenesis [ˌmetə'dʒenisis] *s biol* metageneză

metal ['metəl] **I** *s* **1** metal **2** macadam; pietriș **3** *pl* șine *(de cale ferată);* **the train jumped/left the** ~**s** trenul sări de pe șine, trenul deraie **4** *ferov* balast **5** zel, râvnă **II** *vt* **1** a acoperi cu metal; a placa **2** a macadamiza; a pune pietriș pe

metalanguage ['metə,læŋgwidʒ] *s* metalimbaj

metal-bearing ['metəlbɛəriŋ] *adj geol* metalifer

metal block ['metəl ˌblɔk] *s met* lingou de metal

metal board ['metəl 'bɔ:d] *s constr*

planșeu metalic

metal-clad ['metəl ˌklæd] *adj met* placat

metallic [mi'tælik] *adj și fig* metalic, de metal

metalliferous [ˌmetə'lifərəs] *adj met* metalifer

metallize ['metə,laiz] *vt* **1** *met* a metaliza **2** *el* a galvaniza

metallography [ˌmetə'lɔgrəfi] *s met* metalografie

metalloid ['metə,lɔid] *s ch* metaloid

metallurgic(al) [ˌmetə'lə:dʒik(əl)] *adj* metalurgic; *(d. cineva)* metalurg

metallurgical engineering. [ˌmetə'lə:dʒikəl ,endʒiniəriŋ] *s met* metalurgie

metallurgist ['metə,lə:dʒist] *s met* metalurg

metallurgy [me'tælədʒi] *s met* metalurgie

metal work ['metəl ˌwə:k] *s* piese de metal

metal working ['metəl ,wə:kiŋ] *s met* prelucrarea metalelor

metamer ['metəməʳ] *s ch* metamer

metamorphic [ˌmetə'mɔ:fik] *adj geol* metamorfic

metamorphism [ˌmetə'mɔ:fizəm] *s* **1** metamorfoză **2** *minr* metamorfism

metamorphose [ˌmetə'mɔ:fouz] *vt* a metamorfoza; a schimba natura *(cu gen)*

metamorphosis [ˌmetə'mɔ:fəsis], *pl* **metamorphoses** [ˌmetə'mɔ: fəsi:z] *s* metamorfoză

metaphor ['metəfəʳ] *s ret* metaforă

metaphoric(al) [ˌmetə'fɔrik(əl)] *adj* **1** *ret* metaforic **2** *fig* metaforic, figurat

metaphorically [ˌmetə'fɔrikəli] *adv* metaforic, figurat

metaphosphate [ˌmetə'fɔsfeit] *s ch* metafosfat

metaphrase ['metə,freiz] **I** *s* metafrază, traducere literală/cuvânt cu cuvânt **II** *vt* a traduce ad litteram/cuvânt cu cuvânt

metaphysical [ˌmetə'fizikəl] *adj* **1** metafizic; transcendental, supranatural **2** abscons, abstrus; foarte abstract

metaphysically [ˌmetə'fizikəli] *adv* din punct de vedere metafizic

Metaphysical School, the [ˌmetə'fizikəl 'sku:l, ðə] *s lit* „Școala Metafizică" *(a unor poeți englezi din prima parte a sec. al XVII-lea)*

metaphysics [,metə'fiziks] *s pl ca sg* metafizică

metaplasm ['metə,plæzəm] *s lingv* metaplasmă

metastasis [mi'tæstəsis], *pl* **metastases** [mi'tæstəsi:z] *s* **1** *med* metastază **2** *biol* metabolism

metatarsal [,metə'ta:səl] *anat* **I** *s* metatars **II** *adj* metatarsian

metatarsus [,metə'ta:ses], *pl* **metatarsi** [,metə'ta:sai] *s anat* metatars

metathesis [mi'tæθəsis], *pl* **metatheses** [mi'tæθəsi:z] *s lingv* metateză

mete[1] [mi:t] *vt* **1** a împărți, a distribui **2** *poetic* a măsura

mete[2] *s* hotar, graniță

metempsychosis [,metəmsai'kousis], *pl* **metempsychoses** [,metəmsai-'kousi:z] *s* metempsihoză

meteor ['mi:tiəʳ] *s* **1** meteor; meteorit; bolid **2** fenomen atmosferic *sau* meteorologic **3** *fig* meteor, bolid

meteoric [,mi:ti'ɔrik] *adj* **1** meteoric **2** meteorologic **3** *fig* meteoric

meteorically [,mi:ti'ɔrikəli] *adv* **1** ca un meteor **2** (din punct de vedere) meteorologic

meteorite ['mi:tiə,rait] *s astr* meteorit

meteorologic(al) [,mi:tiərə'lɔdʒik(əl)] *adj* meteorologic

meteorologically [,mi:tiərə'lɔdʒikəli] *adv v.* **meteorically 2**

meteorologist [,mi:tiə'rɔlədʒist] *s* meteorolog

meteorology [,mi:tiə'rɔlədʒi] *s* meteorologie

mete out ['mi:t 'aut] *vt cu part adv v.* **mete[1] 1**

meter[1] ['mi:təʳ] *s amer v.* **metre[1,2]**

meter[2] *s* aparat/instrument de măsură; *el* contor

-meter *suf* -metru: **pentameter** pentametru

methane ['mi:θein] *s ch* (gaz) metan, gaz de baltă

methanol ['mi:θə,nɔl] *s ch* metanol, alcool metilic

methinks ['mi:θiŋks] *vi v.* **meseems**

methionine [me'θaiə,ni:n] *s ch* metionină

method ['meθəd] *s* **1** metodă, sistem; organizare; **a man of** ~ un om metodic; **there's** ~ **in his madness** e un tâlc în nebunia lui; nu e chiar atât de nebun pe

cât pare **2** metodă, procedeu, sistem **3** sistem de clasificare *(în științele naturale)*

methodic(al) [mi'θɔdik(əl)] *adj* metodic; ordonat; sistematic

methodically [mi'θɔdikəli] *adv* (în mod) metodic, sistematic

Methodism ['meθə,dizəm] *s rel* metodism

Methodist ['meθə,dist] *adj, s rel* metodist

methodize ['meθə,daiz] *vt* a ordona, a sistematiza

methodological [,meθədə'lɔdʒikəl] *adj* metodologic

methodologically [,meθədə'lɔdʒikəli] *adv* (din punct de vedere) metodologic

methodology [,meθə'dɔlədʒi] *s* metodologie

methought [mi'θɔ:t] *pret de la* **methinks** ← *înv* mi se părea; mi s-a părut

Methuselah [mə'θju:zələ] *bibl* Matusalem

methyl ['mi:θail] *s ch* metil

methyl acetate ['mi:θail 'æsi,teit] *s ch* acetat de metil

methyl alcohol ['mi:θail 'ælkə,hɔl] *s ch* alcool metilic

methylate ['meθi,leit] *s ch* metilat

methylated spirit/spirits ['meθi-,leitid 'spirit/'spirits] *s sg/pl ch* alcool metilic, spirt denaturat

methylene ['meθi,li:n] *s ch* metilen

meticulosity [mi,tikju'lɔsiti] *s* meticulozitate, scrupulozitate

meticulous [mi,tikjuləs] *adj* meticulos, scrupulos; minuțios

meticulously [mi,tikjuləsli] *adv* cu meticulozitate, meticulos

métier ['metiei] *s fr* ocupație; profesiune; meserie

Met Office ['met,ɔfis] *s* ← *F* institut meteorologic

metonymy [mi'tɔnimi] *s ret* metonimie

metope ['metoup] *s arhit* metopă

metre[1] ['mi:təʳ] *s* metru; **square ~s** metri pătrați

metre[2] *s metr* metru; sistem de versificație; ritm, cadență

metric ['metrik] *adj* **1** metric **2** *v.* **metrical**

metrical ['metrikəl] *adj metr* metric; versificatoric, de versificație

metrician [mi'triʃən] *s metr* metrician

metrics ['metriks] *s pl ca sg metr* metrică

metric system, the ['metrik ,sistim, ðə] *s* sistemul metric

metrify ['metri,fai] *vt* a versifica

Metro/metro, the ['metrou, ðə] *s* metroul *(↓ din Londra)*

metrology [mi'trɔlədʒi] *s* metrologie; teoria măsurării

metromania ['metrou,meinjə] *s* metromanie, mania de a face versuri

metronome ['metrə,noum] *s muz* metronom

metronymic [,metrou'nimik] *adj* metronimic

metropolis [mi'trɔpəlis] *s* metropolă; capitală

metropolitan [,metrə'pɔlitən] **I** *adj* **1** metropolitan, de metropolă **2** de mitropolit, arhiepiscopal **II** *s* **1** locuitor dintr-o metropolă *sau* capitală **2** mitropolit; arhiepiscop

metropolitan bishop [,metrə'pɔlitən 'biʃəp] *s v.* **metropolitan II, 2**

-metry *suf* -metrie: **anthropometry** antropometrie

mettle ['metəl] *s* **1** fire, temperament; caracter **2** râvnă, zel; entuziasm, avânt; ardoare, pasiune, înflăcărare; **on one's ~** gata de acțiune; în formă; gata să facă tot ce-i stă în putință; **to try smb's ~** a pune pe cineva la încercare, a vedea ce poate cineva; **a horse of ~** un cal focos **3** curaj, temeritate

mettled ['metəld] *adj v.* **mettlesome**

mettlesome ['metəlsəm] *adj* bine dispus; vioi, ager

Meuse, the [mə:z, ðə] *râu în Franța, Belgia și Olanda* Meuse, Maas

mey[1] [mju:] **I** *vi* a mieuna **II** *s* mieunat

mew[2] *s orn* ← *poetic* pescar *(Larus sp.)*

mew[3] *vt* a închide în colivie

mewl [mju:l] *vi* a scânci; a se sclifosi, a se smiorcăi

mews [mju:z] *s pl↓ ca sg* **1** grajduri; grajd **2** grajduri transformate în locuințe *sau* garaje

Mexican ['meksikən] *adj, s* mexican

Mexico ['meksi,kou] **1** *stat* Mexic **2** *capitala Mexicului* Ciudad de Mexico, Mexico (City)

Mexico City ['meksi,kou 'siti] *v.* **Mexico 2**

mezzanine ['mezə,ni:n] *s constr* mezanin

mezzo-soprano ['metsousə'pra:nou] *s muz* mezzosoprană

mezzotint ['metsou,tint] *s poligr* mezzotinta

mfg. *presc de la* **manufacturing**

mfr. *presc de la* **1 manufacture 2 manufacturer**

mg *presc de la* **milligram**

Mgr. *presc de la* **Manager**

mi [mi:] *s muz* (nota) mi

mi. *presc de la* **1 mile** *sau* **miles 2 mill** *sau* **mills 3 minute 4 minor**

Miami [mai'æmi] *oraş în S.U.A.*

miaou, miaow [mi'au] *vi, s v.* **mew¹**

miasma [mi'æzmə], *pl şi* **miasmata** [mi'æzmətə] *s* miasmă; duhoare

miasmal [mi'æzməl] *adj* pestilenţial

miasmic [mi'æzmik] *adj* pestilenţial

miaul [mi'aul] *vi, s v.* **mew¹**

mica ['maikə] *s minr* mică

mice [mais] *pl de la* **mouse**

Michael ['maikəl] *nume masc* Mihai(l)

Michaelmas ['maikəlməs] *s* (ziua) Sf. Mihail *(29 septembrie)*

Michelangelo [,maikəl'lændʒi,lou] *pictor şi sculptor italian (1475-1564)*

Michigan ['miʃigən] **1** *stat în S.U.A.* **2** *lac în S.U.A.*

Mick [mik] *s sl peior* irlandez

mickey ['miki] *s sl* băutură conţinând un drog *(introdus în secret);* **to take the ~ out of smb** *F* a lua peste picior, – a-şi bate joc de; a face să se simtă prost

mickey finn ['miki,fin] *s v.* **mickey**

Mickiewicz [mits'kjevitʃ], **Adam** *poet polonez (1798-1855)*

mickle ['mikəl] *adj, adv, pr ← înv; scot* mult; **many a ~ makes a muckle** *prov* picătură cu picătură se face balta

micra ['maikrə] *pl de la* **micron**

micro- *pref* micro-: **microfarad** microfarad

microampere [,maikrou'æmpɛəʳ] *s el* microamper

microanalysis [,maikrouə'nælisis] *s ch* microanaliză

microbe ['maikroub] *s* microb

microbial [,mai'kroubiəl] *adj* microbian

microbic [mai'kroubik] *adj* microbian

microbiology [,maikroubai'ɔlədʒi] *s* microbiologie

microcamera [,maikrou'kæmərə] *s cin* aparat pentru microfilmare

microclimate ['maikrou,klaimit] *s* microclimat, microclimă

microcosm ['maikrou,kɔzəm] *s* microcosm

microfilm ['maikrou,film] *s* microfilm

microgram(me) ['maikrou,græm] *s* microgram

micrography [mai'krɔgrəfi] *s* micrografie

micrology [mai'krɔlədʒi] *s* **1** *anat* micrologie, citologie **2** microscopie **3** studiul fenomenelor mărunte

micrometer [mai'krɔmitəʳ] *s* micrometru

micrometry [mai'krɔmitri] *s* micrometrie

micron ['maikrɔn] *s* micron

microorganism [,maikrou'ɔ:gə,nizəm] *s biol* microorganism

microphone ['maikrə,foun] *s* microfon

microscope ['maikrə,skoup] *s* microscop

microscopic(al) [,maikrə'skɔpik(əl)] *adj* microscopic

microscopically [,maikrə'skɔpikəli] *adv* **1** la microscop; cu ajutorul microscopului **2** minuţios; exact; precis **3** amănunţit, detaliat

microscopy [mai'krɔskəpi] *s* microscopie

microspore ['maikrou,spɔ:ʳ] *s bot* microspor

microstructure ['maikrou,strʌktʃəʳ] *s* microstructură

microtelephone ['maikrou,telifoun] *s* microtelefon

microtron ['maikrətrɔn] *s fiz* microtron

microvolt ['maikrəvoult] *s el* microvolt

microwatt ['maikrəwɔt] *s el* microwatt

microwave ['maikrou,weiv] *s fiz* microundă

micturate ['miktju,reit] *vi* a urina

mid [mid] **I** *adj atr v.* **middle I; from ~ March to ~ April** de la mijlocul lui martie până la mijlocul lui aprilie **II** *prep ← poetic* în mijlocul *(cu gen);* la mijlocul *(cu gen)*

'mid *prep v.* **mid II**

midair [,mid'ɛəʳ] *s* punct înalt în spaţiu

Midas ['maidəs] *mit*

midbrain ['mid,brein] *s anat* mezencefal

midcourse ['mid,kɔ:s] *adj, adv* de la *sau* pentru jumătatea zborului

midday ['mid'dei] *s* amiază, miezul zilei

middle ['midəl] **I** *adj atr* mijlociu; mediu; de mijloc; de la mijloc; **the ~ reaches of the Danube** cursul mijlociu al Dunării **II** *s* **1 the ~** mijlocul; partea/porţiunea de mijloc; miezul; **in the ~ of a** în *sau* la mijlocul *cu gen* **b** *(temporal)* în mijlocul *(lucrului etc.);* în timpul/cursul *cu gen;* **in the very ~ of the night** în toiul/*P →* puterea nopţii **2** *F* mijloc, – talie **3** marfă de calitate medie **4** *gram* mediu, diateză medială **5** *log* termen mediu **III** *vt* a pune/a aşeza în *sau* la mijloc

middle age ['midəl,eidʒ] *s* vârstă mijlocie/de mijloc

middle-aged ['midəl,eidʒd] *adj* de vârstă mijlocie, între două vârste

Middle Ages, the ['midəl,eidʒiz, ðə] *s pl ist* evul mediu

middle body ['midəl,bɔdi] *s nav* partea mijlocie a navei

middle class ['midəl,klɑ:s] *s* clasă de mijloc, burghezie

middle ear ['midəl,iəʳ] *s anat* ureche medie

Middle East, the ['midəl,i:st, ðə] Orientul Mijlociu

Middle English ['midəl,ingliʃ] *s* engleza medie *(aprox 1200-1500)*

middle ground ['midəl,graund] *s nav* banc de mijloc

middleman ['midəl,mæn] *s* **1** misit, samsar; comisionar **2** intermediar, mijlocitor

middlemost ['midəl,moust] *adj* central, cel mai apropiat de mijloc *sau* centru

middle name ['midəl,neim] *s* al doilea nume (de botez)

middle-sized ['midəl,saizd] *adj* de mărime mijlocie

Middlessex ['midəl,seks] *comitat în Anglia*

Middleton ['midəltən], **Thomas** *autor dramatic englez (1570?-1627)*

middle-weight ['midəl,weit] *s* **1** greutate medie **2** *sport* luptător *sau* boxer de categorie mijlocie

Middle West, the ['midəl,west, ðə] Vestul Mijlociu *(în S.U.A.)*

middling ['midliŋ] **I** *adj* mijlociu, potrivit; mediocru; **I'm feeling ~** *F* nu mă simt nici prea-prea, nici foarte-foarte, – mă simt potrivit **II** *adv* destul de; *F* aşa şi aşa **II** *s gastr* irimic

middlings ['midliŋz] *s pl ec* produse medii/intermediare/de calitatea a doua

middy ['midi] *s F v.* **midshipman**

middy blouse ['midi ˌblauz] *s* bluză (de) marinar

midge [midʒ] *s* **1** *ent* musculiță **2** *v.* **midget**

midget ['midʒit] **I** *s* **1** persoană *sau* vietate foarte mică, pitic, liliputan **2** obiect foarte mic, lucru minuscul **II** *adj atr* pitic, minuscul

midland ['midlənd] **I** *s* **1** regiune de mijloc, interior *(al unei țări)* **2** **M~** dialectele din Midlands *(Anglia)* **II** *adj atr* **1** de mijloc, central, din interiorul țării **2** din Midlands *(Anglia)*

Midlands, the ['midləndz, ðə] *comitatele* centrale ale Angliei

Mid-Lent ['mid'lent] *s bis* a patra duminică a Postului Mare

Midlothian [mid'louðiən] *comitat în Scoția*

midmost ['mid,moust] *adj v.* **middlemost**

midnight ['mid,nait] *s* **1** miezul nopții, miez de noapte; **to burn the ~ oil** a a lucra până noaptea târziu; a se culca foarte târziu **2** (întuneric) beznă

midnight sun, the ['mid,nait 'sʌn, ðə] *s* soarele de miez de noapte

midpoint ['midpoint] *s* punct de mijloc; jumătate

midrange ['midreindʒ] *s mil* distanță medie; rază medie (de acțiune)

midriff ['midrif] *s anat* **1** diafragmă **2** abdomen, stomac

midship ['mid,ʃip] *s nav* mijlocul navei; centrul navei

midshipman ['mid,ʃipmən] *s nav* elev ofițer; aspirant

midships ['mid,ʃips] *adv nav* la mijlocul navei; la centrul navei

midst [midst] **I** *s (azi numai în expresii)* (parte de) mijloc; interior; **in the ~ of** în mijlocul *cu gen;* **in our ~** în mijlocul *sau* în sânul nostru **II** *prep ← înv, poetic* în mijlocul *sau* în sânul *(cu gen)*

'midst *prep v.* **midst II**

midsummer ['mid,sʌmər] *s* **1** miezul/ toiul verii **2** *astr* solstițiu de vară

Midsummer Day ['mid,sʌmə 'dei] *s rel* drăgaică, sânziene *(24 iunie)*

midsummer madness ['mid,sʌmə' mædnis] *s F* nebunie curată; scrânteală, – nebunie

Midsummer Night's Dream, A [mid,sʌmə 'naits 'dri:m, ə] Visul unei nopți de vară *(comedie de Shakespeare)*

midway ['mid,wei] *adv* la jumătate de drum

midweek ['mid'wi:k] *s* **1** mijlocul săptămânii **2** **M~** miercuri

Midwest, the ['mid'west, ðə] *v.* **the Middle West**

Midwesterner ['mid'westənər] *s* locuitor din Vestul Mijlociu *(S.U.A.)*

midwife ['mid,waif] *s* moașă

midwifery ['mid,wifəri] *s* moșit; obstetrică

midwinter ['mid'wintər] *s* **1** miezul/ toiul iernii **2** *astr* solstițiu de iarnă

midyear ['mid'jiər] *s univ amer ← F* **1** examen la mijlocul anului de studii **2** *pl* sesiunea de examene de iarnă

mien [mi:n] *s* **1** mină, expresie; fizionomie **2** mină, înfățișare **3** ținută, comportare

miff [mif] *F* **I** *s* **1** toane proaste, – indispoziție **2** ciondăneală, – ceartă, sfadă **II** *vt* a scoate din pepeni, – a supăra **III** *vi* a nu-i fi boii acasă, a nu se simți în apele lui

miffed [mifd] *adj F* îmbufnat, bosumflat

might [mait] **I** *pret de la* **may II** *s* **1** putere, autoritate **2** putere, tărie; energie; **with ~ and main** din răsputeri; cu toată puterea/forța

might-have-been ['maitəv'bi:n] *s* **1** *pl ← F* lucruri frumoase care, din păcate, nu s-au întâmplat; vise **2** *← F* nereușită, eșec; ocazie ratată **3** *← F* ghinionist

mightily ['maitili] *adv* **1** cu putere/ forță; energic **2** *F* strașnic; grozav (de), teribil (de), – foarte

mightiness ['maitinis] *s* **1** putere **2** măreție; maiestate

mightn't ['maitənt] *contras din* **might not**

mighty ['maiti] **I** *adj* **1** *← bibl elev* puternic, tare **2** mare, întins, larg **3** grandios, măreț // **high and ~** a *peior* țanțoș, fudul, înfumurat b cu funcție înaltă și putere; **high and ~ wares** *bibl* minuni **II** *adv F v.* **mightily 2**

migraine ['mi:grein] *s* migrenă, durere de cap

migrant ['maigrənt] **I** *adj v.* **migratory II** *s* **1** nomad **2** animal migrator *sau* pasăre migratoare

migrate [mai'greit] *vi* a migra; a se strămuta

migration [mai'greiʃən] *s geogr, ch etc.* migrațiune

migrator [mai'greitər] *s* pasăre migratoare

migratory ['maigrətəri] *adj* migrator; nomad

mikado [mi'ka:dou] *s od* mikado

mike [maik] *presc F de la* **microphone**

mikron ['maikrən] *s* micron

mil. *presc de la* **1** **military 2** **militia**

milady, miladi [mi'leidi] *s ← înv* doamnă, „my lady" *(cuvânt folosit și de francezi)*

Milan [mi'læn] *oraș în Italia* Milano

Milanese [ˌmilə'ni:z] *adj, s* milanez

Milano [mi'la:nou] *v.* **Milan**

milch cow ['miltʃ,kau] *s* **1** vacă de lapte **2** *fig* vacă de muls

mild [maild] *adj* **1** *(d. cineva, caracterul cuiva etc.)* bland, blajin; prietenos; temperat, moderat; cumpătat; liniștit; slab, moale **2** *(d. timp etc.)* frumos; senin; *(d. climă etc.)* bland, temperat **3** *(d. o încercare etc.)* slab **4** *(d. lumină etc.)* slab, domol; lin; odihnitor, bland **5** *(d. o țigară etc.)* slab, ușor **6** *(d. o mâncare etc.)* neperat, necondimentat *etc.* **7** *met* moale

milden ['maildən] *vt* a îmblânzi, a face bland *etc.* *(v.* **mild)**

mildew ['mil,dju:] *s* **1** *bot* ciupercă producătoare de făinare, oidium *(Uncinula necator)* **2** mucegai

mildewy ['mil,dju:i] *adj* cu mucegai; mucegăit

mildly ['maildli] *adv* **1** bland, cu blândețe, blajin; prietenos **2** în termeni moderați, fără asprime; **to put it ~** ca să nu spunem altfel, ca să nu spunem mai mult; fără a exagera; pentru a ne exprima în termeni delicați **3** întrucâtva, cam, într-o oarecare măsură

mildness ['maildnis] *s* **1** blândețe; atitudine prietenoasă **2** moderație, cumpătare **3** slăbiciune, moliciune **4** caracter bland *(al climei etc.)* **5** caracter slab, lipsă de tărie *(a berii etc.)*

Mildred ['mildrid] *nume fem*

mile [mail] *s* milă; milă terestră *(= 1609 m);* milă marină *(= 1853 m);* **I'm feeling ~s better today** *F* azi mă simt de o mie de ori mai bine; **there's no one within ~s of him as a tennis player** jucător de tenis ca el mai rar

mileage ['mailidʒ] *s* **1** distanță *sau* parcurs în mile **2** *nav* distanță parcursă **3** cheltuieli de deplasare *(calculate pe mile)*

mileage meter/recorder ['mailidʒ 'mi:tə^r/rikɔ:də^r] *s auto* kilometraj, contor de parcurs

mileometer [mai'lɔmitə^r] *s auto* instrument de înregistrat milele; kilometraj

miler ['mailə^r] *s sport* ← *F* călăreț *sau* cal care aleargă în curse de o milă

Miles [mailz] *nume masc*

milestone ['mail,stoun] *s* **1** piatră/bornă kilometrică **2** *fig* piatră de hotar, jalon important

Miletus [mi'li:təs] *ist, oraș în Asia Mică* Milet

milfoil ['mil,fɔil] *s bot* coada șoricelului, alunele *(Achillea millefolium)*

milieu ['mi:ljə:] *s* mediu (înconjurător); ambianță

militancy ['militənsi] *s* **1** stare de război; război **2** combativitate

militant ['militənt] **I** *adj* **1** războinic **2** militant, combativ **II** *s* **1** luptător, combatant **2** *fig* luptător, militant

militarily ['militərili] *adv* **1** militărește **2** din punct de vedere militar

militarism ['militə,rizəm] *s* militarism

militarist ['militərist] *s* militarist

militaristic [,militə'ristik] *adj* militarist

militaristically [,militə'ristikəli] *adv* din punct de vedere militarist

militarization [,militərai'zeiʃ ən] *s* militarizare

militarize ['militə,raiz] *vt* a militariza

military ['militəri] **I** *adj* militar **II** *s* the ~ militarii, armata

military academy ['militəri ə'kædəmi] *s* **1** academie militară/de război **2** *amer* școală cu disciplină militară

military attaché ['militəri ə'tæʃei] *s pol* atașat militar

military fever ['militəri 'fi:və^r] *s med* ← *înv* tifos abdominal

military hospital ['militəri 'hɔspitəl] *s* spital militar; spital de campanie

military man ['militəri ,mæn] *s* soldat, ostaș

military police ['militəri pə'li:s] *s* poliție militară

military service ['militəri'sə:vis] *s* serviciu militar

militate ['mili,teit] *vi* (**against**) **1** a milita (împotriva – *cu gen*) **2** *fig* (d. fapte etc.) a pleda, a vorbi (împotriva – *cu gen*)

militia [mi'liʃə] *s* **1** *od* miliție; oaste de strânsură; gloată; *înv* oaste, – armată **2** *(în S.U.A.)* rezerviști **3** *(în țările socialiste)* miliție

militiaman [mi'liʃə,mən] *s* **1** *od* milițian; gloataș; ← *înv* ostaș, soldat

milk [milk] **I** *s* **1** lapte; ~ **fresh from the cow** lapte de vacă proaspăt; **the ~ of human kindness** bunătatea înnăscută (*„care s-ar cuveni să fie suptă o dată cu laptele de mamă"*); bunătatea întruchipată, pâinea lui Dumnezeu; **it's no use crying over spilt ~** *prov* lacrimile nu ajută; mortul de la groapă nu se mai întoarce; **to come home with the ~** ← *umor* a se întoarce în zori după o noapte de chef **2** *bot* lapte, latex **3** lapte *(de var etc.)*, lichid lăptos **II** *vt* **1** a mulge **2** *fig* a mulge, a stoarce, a exploata **3** *fig* a smulge informații de la, a face *(pe cineva)* să vorbească **III** *vi* **1** a da lapte; **the cows ~ well** vacile dau lapte mult **2** a mulge

milk and honey ['milk ən'hʌni] *s fig* (țara unde curge) lapte și miere

milk and water ['milk ənd'wɔ:tə^r] *s fig F* apă de ploaie

milk-and-water *adj atr* **1** *(d. o băutură)* slab, fără gust, insipid **2** slab, moale, fără caracter

milker ['milkə^r] *s* **1** mulgător *sau* mulgătoare **2** mașină/aparat de muls **3** vacă de lapte

milk fever ['milk ,fi:və^r] *s med* febra laptelui

milkiness ['milkinis] *s* **1** aspect lăptos **2** *fig* blândețe, bunătate **3** *fig* slăbiciune

milk-livered ['milk,livəd] *adj* fricos, laș

milkmaid ['milk,meid] *s* **1** mulgătoare **2** lăptăreasă

milkman ['milkmən] *s* lăptar

milk of lime ['milk əv ,laim] *s constr* lapte de var

milk of magnesia ['milk əv mæg'ni:ʃə] *s ch* hidroxid de magneziu

milk of starch ['milk əv 'sta:tʃ] *s ch* soluție de amidon

milksop ['milksɔp] *s* papă-lapte

milk sugar ['milk ,ʃugə^r] *s ch* lactoză

milk tooth ['milk,tu:θ] *s anat* dinte de lapte

milkweed ['milk,wi:d] *s bot* nume dat multor plante care secretă lapte **1** alior, laptele câinelui *(Euphorbia sp.)* **2** iarba fiarelor *(Asclepiadaceae sp.)* **3** susai, lăptucă iepurească *(Sanchus oleraceus)*

milk-white ['milk,wait] *adj* alb ca laptele

milkwort ['milk,wə:t] *s bot* **1** amăreală *(Polygala vulgaris)* **2** șerperiță *(Glaux maritima)* **3** *v.* **milkweed**

milky ['milki] *adj* **1** lăptos, ca laptele; alb ca laptele **2** lăptos, cu lapte **3** *fig* sfios, timid, rușinos

Milky Way, the ['milki ,wei, ðə] *s astr* Calea Lactee/Laptelui

mill [mil] **I** *s* **1** moară; **to go through the ~** *F* a fi mâncat ca alba de ham, a trece prin sită/ciur și prin dârmon, – a trece prin multe greutăți; **to put smb through the ~** *F* a pune capul cuiva la teasc, – a supune pe cineva la eforturi (↓ *de a învăța ceva*) **2** râșniță **3** filatură; fabrică, uzină **4** *tehn* freză, laminor, presă **5** presă *(de ulei)* **6** *fig F* fabrică *(de diplome etc.)* **II** *vt* **1** a măcina, a sfărâma **2** *tehn* a freza, a șlefui; a zimța; a lamina **3** a produce **III** *vi (d. o mulțime etc.)* a merge în cerc, a se învârti

mill board ['mil ,bɔ:d] *s* carton asfaltat

millenary [mil'lenəri] *adj* milenar

millenial [mi'leniəl] *adj* milenar

millenium [mi'leniəm], *pl și* **millenia** [mi'leniə] *s* mileniu

millepede ['mili,pi:d] *s zool* miriapod

miller ['milə^r] *s* **1** morar **2** frezor **3** *tehn* freză

millet ['milit] *s bot* mei *(Panicum miliaceum)*

millet grass ['milit ,gra:s] *s bot* meișor *(Milium effusum)*

milliampere ['mili,æmpɛə^r] *s el* miliamper

milliard ['mili,a:d] *s, num* miliard; *amer* biliard

millibar ['mili,ba:^r] *s fiz* milibar

Millicent ['milisənt] *nume fem*

milligram(me) ['mili,græm] *s* milligram

millilitre ['mili,litə^r] *s* mililitru

milliner ['milinə^r] *s* 1 modistă 2 *fig* pedant, chițibușar

millinery ['milinəri] *s* 1 pălării de damă 2 magazin de articole de modă 3 galanterie 4 magazin de pălării de damă

milling machine ['miliŋ mə'ʃi:n] *s* 1 *tehn* mașină de frezat, freză 2 *text* mașină de piuat

million ['miljən] *s, num* milion

millionaire [,miljə'nɛə^r] *s* milionar

millionfold ['miljənfould] I *adj* de un milion de ori mai mare *sau* mai mult II *adv* de un milion de ori mai mult

millionth ['miljənθ] I *num* al milionulea II *s* milionime

millipede ['mili,pi:d] *s zool* miriapod

mill machine ['mil mə'ʃi:n] *s text* piuă

millpond ['mil,pɔnd] *s* iazul morii

mill race ['mil,reis] *s* scocul morii

millstone ['mil,stoun] *s* și *fig* piatră de moară

mill wheel ['mil ,wi:l] *s* roata morii

mill work ['mil ,wə:k] *s tehn* produse laminate

mill worker ['mil ,wə:kə^r] *s met* laminator

mill wright ['mil ,rait] *s tehn* 1 proiectant 2 montor, montator

Milo ['milou] *nume masc*

milometer [mai'lɔmitə^r] *s v.* **mileometer**

milord [mi'lɔ:d] *s* milord *(cuvântul e folosit ↓ de francezi)*

milt¹ [milt] *s anat* splină

milt² *s iht* lapți

Miltiades [mil'taiə,diz] *general atenian* Miltiade *(?-489 î.e.n.)*

Milton ['miltən] 1 *nume masc* 2 **John** *poet englez (1608-1674)*

Miltonian [mil'touniən] *adj lit* miltonian

Milwaukee [mil'wɔ:ki:] *oraș în S.U.A.*

mime [maim] I *s* 1 *od* mim 2 mim, actor de pantomimă; clovn II *vi* a mima

mimeograph ['mimiə,græf] *s* mimeograf; șapirograf

mimesis [mi'mi:sis] *s* 1 *lit* mimesis 2 *v.* **mimicry** 2

mimetic [mi'metik] *adj* mimetic

mimic ['mimik] I *adj* 1 mimic; imitativ 2 simulat II *vt* 1 a mima 2 a maimuțări; a imita III *s* imitator

mimicry ['mimikri] *s* 1 mimare, imitare 2 *zool, bot* mimetism

mimosa [mi'mousə] *s bot* mimoză

min. *presc de la* 1 **minute** *sau* **minutes** 2 **minister** 3 **minor** 4 **minimum** 5 **mineralogy**

minacious [mi'neiʃəs] *adj* amenințător

minaret [,minə'ret] *s* minaret

minatory ['minətəri] *adj* amenințător

mince [mins] I *vt* a toca *(carne)*; a tăia mărunt; a fărâmița; a mărunți; **to ~ one's words a** a vorbi (afectat) din vârful buzelor **b** a vorbi pe ocolite; **not to ~ words/ matters** *fig* a vorbi deschis/pe față; **to ~ one's steps** *fig* a merge cu pași mărunți II *s* carne tocată; tocătură

mincemeat ['mins,mi:t] *s* 1 ← *rar* tocătură de carne, carne tocată; hașe; **to make ~ of a** a toca, a tăia mărunt **b** *fig F* a face harceaparcea/praf *cu ac;* a jupui de viu pe cineva 2 *gastr* umplutură din mere tocate, mirodenii, osânză, stafide etc. *(pt. prăjituri)*

mincepie ['mins,pai] *s* pateu, plăcintă (cu **mincemeat** 2)

mincing ['minsiŋ] *adj* 1 *(d. pași etc.)* mic; mărunt, mărunțel 2 afectat, prețios

mincing machine ['minsiŋ mə'ʃi:n] *s* mașină de tocat

mind [maind] I *s* 1 memorie, amintire, minte; **to bear/to keep smth in ~** a ține ceva minte, a reține ceva; **to have in ~** a avea în minte *sau* în vedere; **to call/to bring smth to ~** a-și aminti (de) ceva; **to go/to pass out of one's ~** a-i ieși din minte, a fi uitat; **to put smb in ~ of** *(d. cineva sau ceva)* a-i aminti cuiva de(spre), a face pe cineva să se gândească la; **since time out of ~** din vremuri imemoriale 2 suflet, inimă, cuget, conștiință; **to relieve one's ~** a-și ușura *sau* a-și liniști conștiința; a-și lua o piatră de pe inimă; **to have smth on one's ~** a avea ceva pe suflet, a avea o piatră pe inimă 3 minte, rațiune, intelect, cuget, cunoștință; **to be of sound ~, to be in one's right ~** a fi cu mintea întreagă, a fi întreg la minte, a fi în toate mințile; **to be out of one's ~** a nu fi întreg la minte, a nu fi în toate mințile; **to lose one's ~** a-și pierde rațiunea;

presence of ~ prezență de spirit 4 părere, opinie, idee; concepție; punct de vedere; **to my ~** după părerea mea, după mine; **to be of smb's ~** a fi de părerea cuiva; **to change one's ~** a se răzgândi, a-și lua seama; **to speak/to tell one's ~ freely** a-și spune/a-și exprima părerea (în mod) deschis, a spune pe față ce crede; **to know one's own ~, to have a ~ of one's own** a ști ce vrea; **to read smb's ~** a citi gândurile cuiva; **to be in two ~s** a fi nehotărât/șovăitor, a șovăi, a ezita; **to be of one ~** a avea aceeași părere, a gândi la fel; **to be of the same ~ a** *(d. mai mulți)* a fi de aceeași părere **b** *(d. o persoană)* a nu-și schimba părerea, a rămâne la același punct de vedere 5 dorință, poftă, plăcere; atracție, înclinație, intenție; **to have a** (< **great/good**) **~ to do smth** a dori (< foarte mult) să facă ceva, a avea (< mare) poftă să facă ceva; **to have no ~ to do smth** a nu avea deloc poftă să facă ceva, a nu-l trage inima defel să facă ceva; **to make up one's ~** a se hotărî, a se decide, a lua o hotărâre 6 stare sufletească, dispoziție 7 gândire, curent spiritual 8 spirit *(ant* trup *sau* materie) 9 *fig* spirit, minte, gânditor II *vt* 1 a fi atent la; a nu pierde din vedere, a nu uita; a ține seama de, a lua în considerare; **~ you write** *F* vezi să scrii, – nu uita să scrii; **~ the steps!** atenție la trepte! **~ your head!** ferește capul! 2 a avea grijă de, a se îngriji de *(copii etc.)* 3 *(↓ în prop inter și neg)* a avea ceva împotriva *(cu gen),* a nu accepta, a nu vedea cu ochi buni, a se supăra pentru; **do you ~ my smoking here?** te superi dacă fumez aici? **would you ~ coming?** vrei să vii (și tu)?; **he doesn't ~ the cold weather** nu-l deranjează vremea rece, nu-i pasă de frig // **never you ~ what we said** *F* nu te interesează ce-am spus III *vi* 1 a fi atent, a băga de seamă, < a fi cu ochii în patru; **~!** ține minte! nu uita! nota bene! **b** fii atent! – **and come in good time!** *F* vezi să nu întârzii/ să fii punctual! **never ~** nu face nimic, nu are (nici o) importanță **2** a avea ceva împotrivă; a-i păsa, a se sinchisi; **he ~s a great deal** îi pasă foarte mult; e foarte afectat; îl deranjează teribil; **I don't ~** nu am nimic împotrivă; puțin îmi pasă; foarte bine

mind-bending ['maind,bendiŋ] *adj* **1** *(d. droguri)* care te zăpăcește **2** care îți întunecă mintea

mind-blowing ['maind,blouiŋ] *adj* **1** *F* care te face/lasă paf, șocant; picant **2** *v.* **mind-bending 1**

mind-boggling ['maind,bɔgəliŋ] *adj F* înnebunitor, – uluitor

minded ['maindid] *adj* **1** *pred* dispus, înclinat, gata; **he'd help us if he were so ~** ne-ar ajuta dacă ar fi dispus (să o facă); **if he were ~ to help us** dacă ar fi dispus să ne ajute **2** *(în adj compuse, cu adj sau adv)* cu mintea..., intenționat *etc.;* **high ~ a** nobil; mărinimos **b** încrezut, mândru; **evil- ~** rău-intenționat **3** *(în adj compuse, cu subst)* conștient de valoarea, avantajele *etc. (unui lucru);* **air ~** conștient de importanța aviației; **food-~** gurmand

mind-expanding ['maindik'spendiŋ] *adj (d. droguri)* care ascute simțurile și sentimentele

mindfully ['maindfuli] *adv* atent, cu grijă

mindfulness ['maindfulnis] *s* atenție, grijă; înțelegere

mindful of ['maindful əv] *adj cu prep* conștient de *(pericol, îndatoriri etc.);* care nu uită de *sau cu ac,* care nu neglijează *cu ac;* atent la

mindless ['maindlis] *adj* **1** stupid, absurd **2** *(d. natură etc.)* lipsit de rațiune/judecată

mindless of ['maindlis əv] *adj cu prep* care nu ține seama/cont de, nepăsător față de; care nu se gândește la

mindlessness ['maindlisnis] *s* **1** stupiditate, absurditate **2** absența rațiunii

mind's eye ['maindz'ai] *s* „ochiul minții"; imaginație; memorie

mine¹ [main] **I** *pr* al meu, a mea, ai mei, ale mele, **is this rubber yours or ~?** guma aceasta e a ta *sau* a mea? **a friend of ~** un prieten de-al meu **II** *adj* ← *înv, poetic* meu, mea, mei, mele; **~ honour** onoarea mea

mine² **I** *s* **1** *min* mină **2** *mil* mină (explozivă) **3** *poligr* mină de creion **4** *fig* uneltire, complot **5** *fig* mină, izvor, comoară **II** *vt* **1** *min, mil* a mina **2** *min* a extrage, a exploata **3** a săpa, a face săpături în *(pământ, pt a descoperi ceva)* **4** *fig* a submina; a slăbi

mine clearing ['main ,kliəriŋ] *s mil* deminare

mined [maind] *adj* minat; de mine; cu mine

mine detector ['main di'tektə'] *s mil* detector de mine

mine digger ['main 'digə'] *s min* miner

mine disposal ['main dis'pouzəl] *s* dezactivare a unei mine

mine field ['main ,fi:ld] *s mil* câmp de mine

mine filling ['main 'filiŋ] *s min* rambleu de steril

mine layer ['main 'lɛə'] *s nav* (vas) puitor de mine

mine lifting ['main 'liftiŋ] *s mil* deminare

miner ['mainə'] *s* miner

mineral ['minərəl] **I** *adj* **1** mineral **2** *ch* anorganic **II** *s* **1** mineral **2** *pl* ← *F* apă minerală **3** minereu

mineralization [,minərəlai'zeiʃən] *s* mineralizare

mineralize ['minərə,laiz] *vt* a mineraliza

mineralogical [,minərə'lɔdʒikəl] *adj* mineralogic

mineralogist [,minə'rælədʒist] *s* mineralog

mineralogy [,minə'rælədʒi] *s* mineralogie

mineral oil ['minərəl 'ɔil] *s minr* produs petrolier; țiței; ulei mineral

mineral spring ['minərəl 'spriŋ] *s* izvor mineral

mineral water ['minərəl 'wɔ:tə'] *s* apă minerală

mineral wax ['minərəl 'wæks] *s minr* ozocherită, ceară minerală

Minerva [mi'nə:və] **1** *nume fem* **2** *mit*

mine sweeper ['main ,swi:pə'] *s nav* dragor; dragă

mine thrower ['main 'θrouə'] *s mil* aruncător de mine

mingle ['miŋgəl] **I** *vt* a amesteca; a împreuna; **the rivers ~ their waters above the bridge** râurile se unesc mai sus de pod; **to ~ tears** a plânge împreună **II** *vi* **(with)** a se amesteca (cu); a se împreuna (cu)

mingle in ['miŋgəl in] *vi cu prep* a se amesteca/a se pierde în *(mulțime);* a se învârti în *(societate)*

mingle-mangle ['miŋgəl'mæŋgəl] *s* talmeș-balmeș, harababură

mingy ['mindʒi] *adj F* cărpănos, calic, – zgârcit; meschin

miniature ['minitʃə'] *s* miniatură; **in ~** în miniatură

miniature film ['minitʃə ,film] *s fot* film îngust

miniaturist ['minitʃərist] *s* (pictor) miniaturist

minibus ['mini,bʌs] *s auto* minibus

minibook ['mini,buk] *s* carte microfilmată

minify ['mini,fai] *vt v.* **minimize 2**

minikin ['minikin] *s* **1** cineva foarte mic; pitic **2** ceva foarte mic; fărâmă, fărâmiță

minim ['minim] *s muz* doime

minimize ['mini,maiz] *vt* **1** a reduce la (un) minimum **2** a diminua, a minimaliza

minimum ['miniməm] **I** *pl* și **minima** ['minimə] *s* minim(um); valoare minimă **II** *adj* minim, foarte mic; minimal

minimum limit ['miniməm ,limit] *s* limită inferioară

minimum wage ['miniməm ,weidʒ] *s ec* salariu minimal

mining ['mainiŋ] *s* minerit; exploatare minieră

mining industry ['mainiŋ 'indəstri] *s* industrie minieră/extractivă

minion ['minjən] *s* **1** favorit, răsfățat; **a ~ of fortune** un răsfățat al soartei **2** creatură; lingău

minion of the law ['minjənəv ðə'lɔ:] *s* **1** polițist **2** temnicer

minister ['ministə'] **I** *s* **1** ministru **2** preot *(↓ la prezbiterieni și dizidenți)* **3** *fig* slujitor; *peior* unealtă **4** agent **II** *vi* a fi preot

ministerial [,ministiəriəl] *adj* ministerial; în minister; de miniștri

ministering angel ['ministəriŋ 'eindʒəl] *s fig* înger păzitor; samaritean *sau* ↓ samariteană

minister plenipotentiary ['ministə ,plenipə'tenʃəri] *s pol* ministru plenipotențiar

minister to ['ministə tə] *vi cu prep* a servi *cu dat,* a ajuta *cu ac,* a contribui la; a se îngriji de

ministrant ['ministrənt] *s* **1** slujitor; servitor **2** ajutor; sprijinitor **3** *bis* ministrant *(la catolici)*

ministration [ˌminiˈstreiʃən] *s* **1** *bis* slujire **2** serviciu; sprijin; ajutor

ministrative [ˈministrətiv] *adj* **1** de ajutor; săritor **2** preoțesc

ministry [ˈministri] *s* **1** *v.* **ministration 1-2 2** preoție **3** preoți, cler **4** minister **5** ministeriat

minium [ˈminiəm] *s ch* miniu de plumb

miniver [ˈminivəʳ] *s* blană albă, hermină

mink [miŋk] *s* **1** *zool* nurcă *(Mustela vison)* **2** blană de nurcă

Minn. *presc de la* **Minnesota**

Minneapolis [ˌminiˈæpəlis] *oraș în S.U.A.*

minnesinger [ˈminiˌsiŋəʳ] *s lit* minnesinger, trubadur german *(în sec. XII-XIII)*

Minnesota [ˌminiˈsontə] *stat în S.U.A.*

Minnie [ˈmini] *nume fem*

minnow [ˈminəu] *s* **1** plevușcă, pește mărunt **2** *iht* amar. crăiete *(Phoxinus phoxinus)* **3** momeală *(pt pește)*, vârcolac

minny [ˈmini] *s F v.* **minnow 1-2**

minor [ˈmainəʳ] I *adj* **1** mai mic, mai puțin important **2** minor, neînsemnat, mic, neimportant; **the ~ poets of the 17th century** poeții minori ai sec. XVII-lea **3** mai mic/ tânăr *(din doi)* **4** *muz* minor II *s* **1** minor, nevârstnic *(sub 21 ani)* **2** *școl* materie secundară **3** *log* propoziție sau premisă **4** *muz* ton minor **5 M~** *v.* **Minorite**

Minorca [miˈnɔːkə] *insulă din Baleare*

Minorite [ˈmainəˌrait] *s rel* minorit, franciscan

minority [maiˈnɔriti] *s* **1** minoritate **2** minorat, situație de minor

minor planet [ˈmainə ˌplænit] *s astr* asteroid

minor third [ˈmainəˈθəːd] *s muz* terță minor

Minotaur, the [ˈminəˌtɔːr, ðə] *mit*

Minsk [minsk] *oraș în fosta U.R.S.S.*

minster [ˈminstəʳ] *s* **1** biserică de mănăstire **2** *(↓ în cuvinte compuse)* biserică mare; catedrală

minstrel [ˈminstrəl] *s* **1** *od* menestrel **2** *poetic* rapsod, bard; trubadur

minstrelsy [ˈminstrəlsi] *s* **1** *od* menestreli **2** *od* arta menestrelilor **3** poezii *sau* cântece; balade

mint¹ [mint] *s* **1** *bot* mentă, izmă *(Mentha piperita)* **2** lichior de mentă

mint² I *s* **1** monetărie, fabrică de bani, *înv→* tarapana; **in ~ condition** *(d. un obiect de artă etc.)* în stare perfectă; ca și nou **2** sumă mare; cantitate mare; **a ~ of money** o grămadă de bani; **a ~ of trouble** o grămadă de necazuri **3** izvor, sursă II *vt* **1** a bate, a fabrica *(monedă)* **2** a crea, a inventa, *(un cuvânt etc.)* **3** a inventa, a născoci, a fabrica

mintage [ˈmintidʒ] *s* fabricare de bani

mint sauce [ˈmint ˌsɔːs] *s* sos de mentă

minuend [ˈminjuˌend] *s mat* descăzut

minuet [ˌminjuˈet] *s* menuet *(muzică și dans)*

minus [ˈmainəs] I *s* **1** *mat etc.* (semnul) minus **2** *fig* minus, lipsă, neajuns, deficiență, defect II *adj* minus III *prep* **1** *mat* minus; fără **2** *F* minus, lipsă, – fără

minuscular [miˈnʌskjuləʳ] *adj v.* **minuscule**

minuscule [ˈminəˌskjuːl] I *adj* minuscul, foarte mic, imperceptibil III *s poligr* minusculă

minute¹ [ˈminit] I *s* **1** minut; clipă, moment; **it is five ~s to seven** e șapte fără cinci minute; **in a ~** într-un minut; peste un minut; într-o clipă; imediat; **to the ~ a** *(la ora 7 etc.)* punct, fix, exact **b** în pas cu ultima modă, după ultima modă, *F→* la fix; **the ~ (that)** în momentul/clipa când; **just a ~ please** o clipă, vă rog; **come this ~!** vino imediat! **it's a ~ to the post-office** poșta e la un minut depărtare, faceți un minut până la poștă **2** *pl* proces-verbal *(al unei ședințe etc.)* **3** *ec* minută; notă II *vt* **1** *sport etc.* a cronometra **2** a trece într-un proces-verbal

minute² [maiˈnjuːt] *adj* **1** minuscul, foarte mic, mititel **2** amănunțit, detaliat; minuțios **3** de mică importanță

minute book [ˈminit ˌbuk] *s* registru de procese-verbale

minute hand [ˈminit ˌhænd] *s* minutar *(la ceas)*

minutely¹ [ˈminitli] I *adv* **1** din minut în minut, la fiecare minut **2** adesea, frecvent; mereu, continuu II *adj* de fiecare minut *sau* clipă

minutely² [maiˈnjuːtli] *adv* **1** în amănunt, amănunțit **2** exact, precis

minuteman [ˈminitˌmæn] *s* om pregătit de acțiune *sau* luptă în orice moment

minuteness [maiˈnjuːtnis] *s* **1** caracter minuscul, micime **2** caracter amănunțit/detaliat **3** precizie, exactitate

minute steak [ˈminit ˌsteik] *s* friptură la minut

minutiae [maiˈnjuːʃiˌiː] *s pl* detalii precise *sau* puțin importante

minx [miŋks] *s* **1** obrăznicătură, *(fată)* obraznică *sau* neastâmpărată, nebunatică **2** cochetă

Miocene, the [ˈmaiəˌsiːn, ðə] *s geol* miocen

miracle [ˈmirəkəl] *s* **1** minune, miracol; **to a ~** de minune, extraordinar *(de bine etc.)* **2** minune, minunăție; lucru minunat; întâmplare minunată **3** *teatru* miracol *(în evul mediu)* **4** model, pildă

miracle play [ˈmirəkəlˌplei] *s v.* **miracle 3**

miraculous [miˈrækjuləs] *adj* **1** miraculos, supranatural **2** minunat, sublim

miraculously [miˈrækjuləsli] *adv* (în mod) miraculos, ca prin minune

mirage [ˈmirɑːʒ] *s* miraj

Miranda [miˈrændə] *nume fem*

mire [maiəʳ] I *s* **1** noroi, clisă **2** ținut mlăștinos; mlaștină **3** încurcătură II *vt* **1** a înnămoli **2** a umple de noroi; a murdări de noroi **3** *fig* a împroșca de noroi; a ponegri III *vi* **1** a se înnămoli; a se afunda în noroi **2** a nu mai putea ieși din noroi

Miriam [ˈmiriəm] *nume fem v.* **Mary**

mirk... [məːk] *v.* **murk...**

mirror [ˈmirəʳ] I *s* **1** oglindă **2** *fig* oglindă; reflectare II *vt* a oglindi, a reflecta

mirror image [ˈmirərˈimidʒ] *s* imagine simetrică

mirth [məːθ] *s* veselie, voioșie, bucurie; râs

mirthful [ˈməːθful] *adj* vesel, voios, bucuros, râzător

mirthfully [ˈməːθfuli] *adv* cu veselie/voioșie/bucurie

mirthless [ˈməːθlis] *adj* trist, melancolic

miry [ˈmaiəri] *adj* **1** plin de noroi, cu noroi, noroios; murdar **2** mlăștinos

mis- *pref* mez-, de(s)-, ne- *etc.*: **misinformation** dezinformare; **mismatch** nepotrivire; **mis- alliance** mezalianță

misaddress [ˌmisəˈdres] *vt* **1** a adresa greşit *(o scrisoare)* **2** a se adresa *(cuiva)* din greşeală; a confunda

misadjustment [ˌmisədˈdʒʌstmənt] *s tehn* plasare *sau* reglare greşită

misadventure [ˌmisədˈventəʳ] *s* accident, nenorocire, ghinion; **death by ~** *jur* moarte *sau* omor prin accident

misadvise [ˌmisədˈvaiz] *vt* a sfătui prost

misalliance [ˌmisəˈlaiəns] *s* mez- alianță

misanthrope [ˈmizənˌθroup] *s* mi- zantrop

misanthropic(al) [ˌmizənˈθrɔpik(əl)] *adj* mizantropic, de mizantrop

misanthropist [miˈzænθrə,pist] *s* mizantrop

misanthropy [miˈzænθrəpi] *s* mizan- tropie

misapply [ˌmisəˈplai] *vt* a aplica *sau* a folosi greşit

misapprehend [ˌmisæpriˈhend] *vt* a înţelege greşit

misapprehension [ˌmisæpriˈhenʃən] *s* neînţelegere; înţelegere greşită

misappropriate [ˌmisəˈproupri,eit] *vt* a-şi însuşi pe nedrept, a delapida

misappropriation [ˌmisə,proupri- ˈeiʃən] *s* însuşire ilegală/pe ne- drept; delapidare

misbecame [ˌmisbiˈkeim] *pret de la* **misbecome**

misbecome [ˌmisbiˈkʌm], *pret* **misbecame** [ˌmisbiˈkeim], *ptc* **misbecome** [ˌmisbiˈkʌm] *vt* a nu se potrivi cu *sau* cu dat; a nu şedea bine *cuiva*

misbecoming [ˌmisbiˈkʌmiŋ] *adj* **1** nepotrivit; impropriu **2** nepotrivit, nelalocul lui; nepoliticos

misbegotten [ˌmisbiˈgɔtən] *adj* nelegitim, din flori

misbehave [ˌmisbiˈheiv] *vi* a se purta urât, a nu se purta cum trebuie

misbehaviour [ˌmisbiˈheivjəʳ] *s* **1** purtare/comportare urâtă; lipsită de bună creştere; necuviinţă **2** *jur* contravenţie; delict

misbelief [ˌmisbiˈliːf] *s* ↓ *rel* cred- inţă greşită; necredinţă

miscalculate [ˌmisˈkælkju,leit] *vt, vi* a calcula *sau* a judeca greşit

miscalculation [ˌmisˈkælkju,leiʃən] *s* calcul greşit

miscall [ˌmisˈkɔːl] *vt* a numi greşit

miscarriage [misˈkæridʒ] *s* **1** eroa- re, greşeală *(judiciară etc.)* **2** eşec, nereuşită **3** avort **4** livrare greşită a unei scrisori *etc.*

miscarry [misˈkæri] *vi* **1** a eşua, a suferi un eşec, a nu reuşi **2** *(d. o scrisoare etc.)* a nu ajunge la destinaţie **3** a avorta

miscast [ˌmisˈkɑːst] *vt teatru* **1** a distribui *(un actor)* într-un rol nepotrivit **2** a face o proastă dis- tribuţie *(a unei piese)*

miscellanea [ˌmisəˈleiniə] *s pl* ↓ *ca sg lit* miscelanea, miscelaneu

miscellaneous [ˌmisəˈleiniəs] *adj* amestecat; *lit* miscelaneu

miscellany [miˈseləni] *s v.* **mis- cellanea**

mischance [misˈtʃɑːns] *s* nenoroc, ghinion

mischief [ˈmistʃif] *s* **1** rău; pagubă; daune; vătămare; **to do smb a ~** a face un rău sau o pagubă cuiva; **to be bent on ~** a fi pus pe rele; **to make ~ between** a semăna discordie între, a vârî zâzanie între; **to work great ~** *(d. ceva)* a face mult rău **2** necaz, neajuns; parte proastă **3** zburdălnicie; prostie, nebunie, poznă; trăsnaie; **he's up to ~ again** iar pune la cale vreo prostie/drăcie **4** *F* (drac) împieliţat, drăcuşor, – neastâm- părat **5 the ~** *F* naiba, dracul; **why the ~?** de ce naiba?

mischief-maker [ˈmistʃif,meikəʳ] *s* om care face rău; intrigant

mischief-making [ˈmistʃif,meikiŋ] *adj* care face rău; supărător; rău- intenţionat

mischievous [ˈmistʃivəs] *adj* **1** răutăcios; răuvoitor **2** rău, vătă- mător, dăunător **3** neastâmpărat, neascultător; zburdalnic

mischievously [ˈmistʃivəsli] *adv* **1** cu răutate **2** neastâmpărat

miscolour [ˌmisˈkʌləʳ] *vt* a prezenta într-o lumină falsă

misconceive [ˌmiskənˈsiːv] *vt* a înţelege greşit, a avea o părere greşită despre

misconceive of [ˌmiskənˈsiːv əv] *vi* cu prep *v.* **misconceive**

misconception [ˌmiskənˈsepʃən] *s* neînţelegere, înţelegere greşită; concepţie greşită

misconduct I [misˈkɔndʌkt] *s* **1** comportare proastă, purtare urâtă **2** infidelitate conjugală **3** proastă conducere *sau* admi- nistrare **II** [ˌmiskənˈdʌkt] *vt* a conduce *sau* a administra prost **III** [ˌmiskənˈdʌkt] *vr* a se purta urât, a avea purtare urâtă; a face un pas greşit

misconstruction [ˌmiskənsˈtrʌkʃən] *s* interpretare sau înţelegere greşită; neînţelegere; răstăl- măcire

misconstrue [ˌmiskənˈstruː] *vt* **1** a interpreta greşit; a răstălmăci

miscount [ˌmisˈkaunt] **I** *vt* a număra/ a calcula greşit **II** *s* numărătoare greşită *(*↓ *a voturilor)*

miscreant [ˈmiskriənt] *s* **1** ticălos, tâlhar; criminal **2** ← *înv* eretic

miscreated [ˌmiskriˈeitid] *adj* slut, diform, hidos; monstruos

mis-cue [ˌmisˈkjuː] *s* ← *F* greşeală; eşec, nereuşită

misdate [misˈdeit] *vt* a data greşit

misdeal [misˈdiːl] *vt* a da greşit *(cărţile)*

misdealing [ˌmisˈdiːliŋ] *s* faptă necinstită; comportare incorectă

misdeed [ˌmisˈdiːd] *s* ticăloşie; fărădelege; crimă

misdemeanour [ˌmisdiˈmiːnəʳ] *s jur* infracţiune; delict

misdirect [ˌmisdiˈrekt] *vt* **1** a îndru- ma greşit *(pe cineva)*; a da instrucţiuni greşite *(cuiva)*; **2** a expedia greşit *(o scrisoare etc.)* **3** a canaliza greşit *(energii etc.)*

misdoings [ˌmisˈduːiŋz] *s pl* fapte rele, nelegiuiri

misemploy [ˌmisimˈplɔi] *vt* a folosi greşit *sau* abuziv

misemployment [ˌmisimˈplɔimənt] *s* folosire greşită, proastă *sau* abuzivă

mise en scène [ˈmiːz ã ˈsen] *s fr* **1** *teatru* decor, montare **2** *fig* mediu; cadru

miser [ˈmaizəʳ] *s* **1** avar, zgârcit **2** ← *înv* nenorocit, sărman

miserable [ˈmizərəbəl] *adj* **1** jalnic, nenorocit, nefericit **2** *(d. o ştire etc.)* prost, rău; trist **3** *(d. vreme etc.)* mizerabil, groaznic **4** mizer, sărăcăcios; nenorocit; abject

miserably [ˈmizərəbli] *adv* **1** mize- rabil; jalnic; groaznic **2** *(a muri etc.)* în mizerie **3** îngrozitor de *(sărac etc.)*

miserliness ['maizəlinis] *s* zgârcenie, avariție

miserly ['maizəli] *adj* avar, zgârcit

misery ['mizəri] *s* 1 mizerie, sărăcie (< *lucie/cumplită*) 2 suferință; nenorocire; nefericire

misestimate [,mis'estimeit] *vt* a aprecia greșit

misestimation [,misesti'meiʃən] *s* apreciere greșită; calcul greșit

misfeasance [mis'fi:zəns] *s jur* abuz de putere; realizarea unor drepturi legale pe căi ilegale

misfire [,mis'faiə'] **I** *vi* 1 a nu exploda 2 a da rateu **II** *s* 1 *auto, mil* rateu 2 *el* omisiune de aprindere

misfit ['mis,fit] *s* 1 nepotrivire, neajustare *(a rochiei etc.)* 2 obiect prost ajustat *(rochie etc.)* 3 inadaptabil; persoană necorespunzătoare

misfortune [mis'fo:tʃən] *s* 1 nenorocire; potrivnicie, adversitate 2 nenorocire; accident; ghinion; **~s never come alone** *prov* o nenorocire nu vine niciodată singură

misgave [mis'geiv] *pret de la* **misgive**

misgive [mis'giv], *pret* **misgave** [mis'geiv], *ptc* **misgiven** [mis'givn] **I** *vt* a umple *(pe cineva)* de presimțiri *(rele) sau* de bănuieli; **my heart ~s me** inima mi-e plină de presimțiri **II** *vi* a avea presimțiri; a-i fi frică

misgiven [mis'givn] *ptc de la* **misgive**

misgiving [mis'givin] *s* 1 presimțire (rea); presimțiri (rele) 2 îndoială

misgovern [mis'gʌvən] *vt* a guverna/a conduce prost

misgovernment [,mis'gʌvənmənt] *s* proastă guvernare

misgrowth [mis'grouθ] *s* concrescență; umflătură

misguidance [,mis'gaidəns] *s* 1 proastă îndrumare 2 inducere în eroare

misguide [,mis'gaid] *vt* 1 a îndruma greșit 2 a induce în eroare

misguided [,mis'gaidid] *adj* 1 prost îndrumat 2 negândit, nechibzuit

mishandle [,mis'hændəl] *vt* a maltrata, a brutaliza; a nu ști să se poarte cu

mishap [' mishæp] *s v.* **misfortune**

misinform [,misin'fo:m] *vt* a dezinforma; a induce în eroare

misinterpret [,misin'tə:prit] *vt* a interpreta greșit; a răstălmăci

misinterpretation [,misin,tə:pri-'t eiʃen] *s* interpretare greșită; răstălmăcire

misjudge [,mis'dʒʌdʒ] *vt, vi* a judeca greșit *sau* necinstit

mislaid [mis'leid] *pret și ptc de la* **mislay**

mislay [mis'lei], *pret și ptc* **mislaid** [mis'leid] *vt* a pune/a așeza unde nu trebuie/nu-i locul; a pierde, a rătăci

mislead [mis'li:d], *pret și ptc* **misled** [mis'led] *vt* 1 *(d. un ghid etc.)* a conduce greșit; a îndruma greșit 2 a induce în eroare

misleading [mis'li:din] *adj* greșit, care induce în eroare; amăgitor, fals

misled [mis'led] *pret și ptc de la* **mislead**

mismanage [,mis'mænidʒ] *vt* a conduce *sau* a administra greșit *sau* necinstit

mismanagement [,mis'mænidʒmənt] *s* conducere proastă *sau* greșită

misname [mis'neim] *vt* a (de)numi greșit

misnomer [,mis'noumə'] *s* termen impropriu

misogynist [mi'sɔdʒinist] *s* misogin

misogyny [mi'sɔdʒini] *s* misoginie, misoginism

misplace [,mis'pleis] *vt* 1 a pune unde nu trebuie; a rătăci; a pune bine și a nu găsi 2 a pune greșit *(o virgulă etc.)*; a greși locul *cu gen;* **you have ~d your confidence** ai arătat încredere cuiva care nu o merita

misprint ['mis,print] **I** *vt* a tipări cu greșeli **II** *s* greșeală de tipar

mispronounce [,misprə'nauns] *vt* a pronunța greșit

mispronunciation [,misprə,nʌnsi-'eiʃən] *s* pronunție/pronunțare greșită

misquotation ['miskwou'teiʃən] *s* 1 citare greșită 2 citat greșit

misquote [,mis'kwout] *vt, vi* a cita greșit

misread [,mis'ri:d], *pret și ptc* **misread** [,mis'red] *vt* a citi *sau* a interpreta greșit

misrepresent [,misrepri'zent] *vt* a denatura, a prezenta într-o lumină falsă

misrepresentation [,misreprizen-'teiʃən] *s* denaturare

misrule [,mis'ru:l] *s* 1 proastă conducere *sau* guvernare 2 dezordine

miss¹ [mis] *s* 1 M~ domnișoara; **M~ Smith** domnișoara/d-ra Smith 2 **M~** Miss *(regina frumuseții);* **M~ Europe** Miss Europa 3 ← *rar* fată, fetișcană 4 *com* domnișoară; **shoes for junior ~es** pantofi pentru adolescente 5 *(pt „elevă")* ↓ *peior* domnișoară

miss² **I** *vt* 1 a scăpa, a pierde *(trenul etc.);* **to ~ the opportunity** a pierde prilejul/ocazia; **to ~ the target** a nu nimeri/a greși ținta; **he fired at the wolf and ~ed it** trase în lup și nu-l nimeri; **to ~ an accident** a scăpa de un accident; **you can't ~ that house** este imposibil să nu dai de casa aceea; **I've ~ed the film** mi-a scăpat/am pierdut filmul; **to ~ one's/the mark a** a nu nimeri/a greși ținta **b** *fig* a nu-și atinge ținta/scopul; **to ~ the bus** *fig* a scăpa/a pierde trenul/autobuzul 2 a-i scăpa, a sări *(o literă, un cuvânt)* 3 a scăpa (de), a fi cât pe ce să; **I ~ed being killed** cât pe ce să fiu omorât, puțin a lipsit să fiu ucis 4 a duce/a simți lipsa *cu gen,* a-i fi dor de; a duce dorul *cu gen;* **I ~ed you badly** ți-am dus foarte mult dorul, mi-ai lipsit foarte mult, mi-a fost dor de tine **II** *vi* 1 a nu nimeri; a trage în gol 2 a nu reuși, a nu avea succes **III** *s* 1 insucces, nereușită, eșec; **a ~ is as good as a mile** *prov* greșeala e greșeală, oricum ai lua-o 2 avort

Miss. *presc de la* **Mississippi**

missal ['misəl] *s bis* misal *(la catolici);* carte de rugăciuni

misshapen [,mis'ʃeipən] *adj* diform, slut, hidos

missile ['misail] *s mil* proiectil; rachetă

mission ['miʃən] *s* 1 misiune; delegație 2 chemare, țel, scop *(al vieții etc.)* 3 problemă; misiune; sarcină, însărcinare; **~ accomplished!** F s-a făcut! raportez de executare! 4 *rel* activitate misionară

missionary ['miʃənəri] *rel* **I** *adj* (de) misionar **II** *s* misionar; propovăduitor

missis ['misiz] *s* ← F *sau vulg* 1 **the ~** *(în vorbirea servitorilor)* stăpâna, cucoana 2 nevastă

Mississippi [ˌmisi'sipi] **1** *stat în S.U.A.* **2 the** ~ *fluviu în S.U.A.*

missive ['misiv] *s umor* misivă

Missouri [mi'zuəri] **1** *stat în S.U.A.* **2 the** ~ *fluviu în S.U.A.*

miss out ['mis 'aut] *vt cu part adv* a scăpa, a omite *(o literă etc.)*, a trece peste; a nu mânca *(felul trei etc.)*

misspell [ˌmis'spel], *pret și ptc* **misspelt** [ˌmis'spelt] *vt* a ortografia greșit

misspelling [ˌmis'speliŋ] *s* ortografie greșită

misspelt [ˌmis'spelt] *pret și ptc de la* **misspell**

misspend [ˌmis'spend], *pret și ptc* **misspent** [ˌmis'spent] *vt* a irosi, a cheltui; a risipi

misspent [ˌmis'spent] *pret și ptc de la* **misspend**

misstatement [ˌmis'steitmənt] *s* declarație falsă

misstep [ˌmis'step] *s fig* pas greșit

missus ['misiz] *s v.* **missis**

missy ['misi] *s F* domnișorică; – domnișoară

mist [mist] **I** *s* **1** ceață (slabă), pâclă; vreme cețoasă **2** *fig* ceață, văl *(în fața ochilor)* **II** *vt și fig* a încețoșa **III** *vi* a fi ceață; a bur(ez)a, a burnița

mistake [mi'steik] **I** *s* greșeală, eroare; **by** ~ din greșeală; **to make a** ~ a face o greșeală, a greși; **and no** ~ *F* hotărât lucru, ce mai (încoace și încolo), categoric; **make no** ~ **(about it)** te asigur, poți să fii sigur; **there's no** ~ **about it** în afară de orice îndoială, e absolut sigur **II** *pret* **mistook** [mi'stuk], *ptc* **mistaken** [mi'steikən] *vt* a greși; a interpreta greșit **III** *pret* **mistook** *ptc* **mistaken** *vi* a greși, a face o greșeală

mistake for [mi'steik'fəʳ], *pret* **mistook for** [mi'stuk'fəʳ], *ptc* **mistaken for** [mi'steikən'fəʳ] *vt cu prep* a confunda cu, a lua drept

mistaken [mi'steikən] *adj* greșit, eronat; incorect; **you are** ~ **a** greșești, ești greșit **b** ai fost înțeles greșit

mister ['mistəʳ] *s* **1** *(numai sub forma* **Mr)** domnul...; domnule...; **Mr Smith a** domnul Smith **b** domnule Smith **2** *(fără a fi însoțit de nume)* ← *vulg* domnule

mistimed [ˌmis'taimd] *adj* inoportun, nepotrivit, nelalocul lui

mistiness ['mistinis] *s* atmosferă cetoasă; aer cețos; nebulozitate

mistletoe ['misəl,tou] *s bot* vâsc *(Viscum album)*

mistook [mi'stuk] *pret de la* **mistake II, III**

mist over ['mist 'ouvəʳ] *vi cu part adv* a se încețoșa; *(d. oglindă etc.)* a se aburi

mistral ['mistrəl] *s meteor* mistral

mistranslate [ˌmis,trən'sleit] *vt* a traduce greșit

mistranslation [ˌmis,trəns'leiʃən] *s* traducere greșită

mistreat [ˌmis'triːt] *vt amer v.* **maltreat**

mistress ['mistris] *s* **1** stăpână *(a casei);* ~ **of the seas** *fig* stăpână a mărilor **2** *(numai sub forma* **Mrs)** doamna..., doamnă...; **Mrs Smith a** doamna Smith **b** doamnă Smith **3** specialistă, expertă **4** învățătoare, instituitoare **5** metresă, *P* → ibovnică **6** *poetic* iubită

mistrust [ˌmis'trʌst] **I** *s* **(of, in)** neîncredere (în), bănuială, suspiciune (față de) **II** *vt* a nu se încredere în; a bănui, a suspecta

mistrustful [ˌmis'trʌstful] *adj* neîncrezător; bănuitor

mistrustfully [ˌmis'trʌstfuli] *adv* cu neîncredere; bănuitor

mistune [ˌmis'tjuːn] *vt muz* a acorda greșit

mist up ['mist'ʌp] *vi cu part adv* a se aburi

mistura [ˌmis'tjuərə] *s farm* mixtură

misty ['misti] *adj* **1** cețos, neguros; înnegurat, încețoșat; aburit **2** *fig* cetos, nebulos, confuz, vag **3** *(d. ochi)* încețoșat *(de lacrimi)*

misunderstand [ˌmisʌndə'stænd], *pret și ptc* **misunderstood** [ˌmisʌndə'stud] *vt* a înțelege greșit; a interpreta greșit; a răstălmăci

misunderstanding [ˌmisʌndə'stændiŋ] *s* **1** înțelegere greșită; interpretare greșită **2** neînțelegere; dezacord; < ceartă

misunderstood [ˌmisʌndə'stud] *pret și ptc de la* **misunderstand**

misusage [ˌmis'juːsidʒ] *s* **1** folosire/ întrebuințare greșită **2** abuz **3** maltratare; brutalizare

misuse [ˌmis'juːs] **I** *vt* **1** a folosi/a întrebuința greșit **2** a abuza de **3** a maltrata; a brutaliza **II** *s* folosire/întrebuințare greșită *(a unui cuvânt etc.)*

Mitchell, Mount ['mitʃəl, ˌmaunt] *munte în S.U.A.*

mite¹ [mait] *s ent* **1** căpușă *(Acarina sp.)* **2** gâză

mite² *s* **1** ban, bănuț, *bibl* cadrant; obol modest; sumă neînsemnată/modestă; **let me offer my** ~ îngăduiți-mi să-mi aduc și eu modestul obol; **not a** ~ *F* nici un pic/strop; – câtuși de puțin **2** fărâmă de om, „uriaș", „voinic" **3** lucru mic, lucru ușor, obiect minuscul

miter ['maitəʳ] *s amer* **1** *tehn* îmbinare în unghi ascuțit **2** *mat* unghi de 45 **3** *tehn* roată dințată conică

Mithras ['miθræs] *mit* Mitra

mitigate ['miti,geit] *vt* **1** a alina, a liniști *(durerea)* **2** a tempera, a domoli *(zelul etc.)* **3** a micșora, a diminua

mitigating circumstances ['miti,geitiŋ 'səːkəm,stænsiz] *s pl jur* circumstanțe atenuante

mitigation [ˌmiti'geiʃən] *s* **1** alinare; temperare **2** micșorare

mitosis [mai'tousis] *s biol* mitoză, carioc(h)ineză

mitral ['maitrəl] *adj anat* mitral

mitre ['maitəʳ] *s* **1** *bis* mitră **2** *v.* **miter 1-3**

mitt [mit] *s* **1** *v.* **mitten 1, 2 2** mănușă de baseball

mitten ['mitən] *s* **1** mănușă cu un singur deget, mitenă; mănușă lungă fără degete *(pt doamne);* **to get the** ~ *fig F* **a** a fi pus pe liber/verde, – a fi concediat **b** *(d. un bărbat)* a primi papucii, a fi trimis la plimbare; a rămâne cu buzele umflate **2** ← *F* mănușă de box **3** *pl sl* labe, – mâini

mittimus ['mitiməs] *s lat* **1** *jur* ordin de întemnițare **2** *F* ← înștiințare/ aviz de concediere

mix [miks] **I** *vt* **1** a amesteca, a combina, a îmbina **2** *tel* a mixa, a suprapune *(imagini)* **3** *bot, zool* a încrucișa **4** *fig* a amesteca, a vârî, a băga *(pe cineva într-o afacere etc.)* **II** *vi* **1** a se amesteca, a se combina, a se îmbina **2** *(d. cineva)* a se asocia; a avea relații;

he does not ~ well nu se împacă cu oricine, nu e sociabil **III** *s* **1** *constr* dozaj **2** *fot, tel* mixaj **3** *gastr* amestec, harababură

mixed ['mikst] *adj* **1** amestecat; eterogen **2** *şcol* mixt, de ambe sexe, de băieţi şi fete **3** *fon (d. vocale)* central **4** *fig F* cherchelit, afumat, – băut

mixed bag ['mikst,bæg] *s F* amestecătură, ghiveci

mixed bathing ['mikst,beiðiŋ] *s* baie în comun *(bărbaţi şi femei)*

mixed doubles ['mikst,dʌblz] *s sport* dublu mixt

mixed farming ['mikst,fɑ:miŋ] *s agr* mai multe feluri de muncă la fermă

mixed force ['mikst,fɔ:s] *s mil* arme întrunite

mixed grill ['mikst,gril] *s* grătar din diferite feluri de carne

mixed metaphor ['mikst 'metəfə'] *s ret* metă fără mixtă

mixed number ['mikst,nʌmbə'] *s mat* număr mixt

mixed school ['mikst,sku:l] *s* şcoală mixtă

mixed spirit ['mikst,spirit] *s* spirt amestecat cu benzină

mixed train ['mikst,trein] *s ferov* tren mixt

mixed up ['mikstʌp] *adj* **1** (in) amestecat, vârât, implicat (în) **2** zăpăcit, năucit

mixer ['miksə'] *s* **1** ← *F* persoană sociabilă; **bad ~** persoană nesociabilă **2** *tehn* aparat de amestecat, agitator **3** *met* melanjor de fontă **4** *constr* betonieră **5** *tel* mixer, amestecător **6** shaker *(pt cocteiluri)*

mix in ['miks 'in] *vt cu part adv* ↓ *gastr* a introduce, a adăuga, a încorpora *(o altă substanţă)*

mixture ['mikstʃə'] *s* **1** amestecare **2** amestec **3** *med* mixtură; poţiune // **the same ~ as before** *F* ce mi-e una, ce mi-e alta, tot un drac, – nici o schimbare

mix-up ['miksʌp] *s* **1** zăpăceală, harababură, talmeş-balmeş **2** zăpăceală, confuzie **3** luptă, ciocnire

mix up ['miks 'ʌp] *vt cu part adv* **1** a amesteca bine **2** a amesteca, a zăpăci, a încurca, a încâlci; a răvăşi

mix up in ['miks 'ʌp in] *vt cu part adv*

şi prep a amesteca/a vârî *(pe cineva)* în *(o afacere etc.)*

miz(z)en ['mizən] *s nav* **1** brigantină **2** arbore artimon; arbore pupa **3** velă de artimon

mizzenmast ['mizən,mɑ:st] *s nav* **1** arbore (artimon) **2** arbore pupa

mizzle ['mizəl] ← *F* **I** *vt* a năuci; a zăpăci; a induce în eroare **II** *vi* **1** a bur(niţ)a **2** a se plânge, a se tângui

mkt. *presc de la* **market**

ml. *presc de la* **1** mililitre **2** mail

Mlle *presc de la* **Mademoiselle**

MM. *presc de la* **Messieurs**

mm. *presc de la* **1** milimetre *sau* **milimetres 2** millia *lat* mii

Mme. *presc de la* **Madame**

mnemonic [ni'mɔnik] *adj* mnemonic; mnemotehnic

mnemonics [ni'mɔniks] *s pl ca sg* mnemonică; mnemotehnică

Mnemosyne [ni:'mɔzi,ni:] *mit* Mnemosina

mo *presc F de la* **moment; half a ~** ← *F* o clipă

Mo. *presc de la* **1** Monday **2** Missouri

mo. *presc de la* **1** month **2** money order

M.O. *presc de la* **1** money order **2** Medical Officer

Moabite ['moubait] *adj, s bibl* moabit

moan [moun] **I** *s* geamăt; suspin; murmur **II** *vi* a geme; a suspina; a murmura

moat [mout] *s* şanţ (cu apă) *(al unei cetăţi etc.)*

moated ['moutid] *adj* apărat de şanţuri, cu şanţuri (de apărare)

mob [mɔb] **I** *s* **1** gloată, adunătură, mulţime **2** bandă *(de hoţi etc.)* în jurul *(cuiva)* **II** *vt* a se strânge (gloată); a se îmbulzi **III** *vi* a se strânge, a se aduna, a se îmbulzi

mobbish ['mɔbiʃ] *adj* **1** (ca) de gloată; amestecat **2** mitocan

mob cap ['mɔb,kæp] *s* ← *înv* scufie/ bonetă de dimineaţă

mobile ['moubail] **I** *adj* **1** mobil; mişcător; schimbător **2** schimbător, nestatornic **3** migrator **4** *auto* mobil, transportabil **II** *s* parte mobilă *(a unui mecanism etc.)*

mobility [mou'biliti] *s* mobilitate

mobilization [,mɔbilai'zeiʃən] *s mil etc.* mobilizare

mobilize ['moubi,laiz] *vt mil etc.* a mobiliza

mobster ['mɔbstə'] *s sl* gangster

moccasin ['mɔkəsin] *s* mocasin

Mocha (coffee) ['mɔkə ('kɔfi)] *s* **1** cafea Mocca **2** ← *F* cafea

mock [mɔk] **I** *vt* a-şi bate joc de, a-şi râde de, a lua în râs **2** a desfide, a sfida, a-şi bate joc de *(eforturile cuiva etc.);* a nu-i păsa de **3** a parodia; a ridiculiza; a imita în bătaie de joc; a maimuţări **4** a înşela *(aşteptările etc.)* **II** *adj atr* prefăcut; fals; înscenat **III** *s* **1** ← *înv* derâdere, batjocură; ridiculizare; **to make a ~ of** a-şi bate joc de, a ridiculiza **2** imitare, maimuţărie

mock at ['mɔk ət] *vi cu prep v.* **mock I, 1-2**

mockery ['mɔkəri] *s* **1** batjocură, bătaie de joc; ridiculizare **2** parodiere; parodie **3** cal de bătaie **4** încercare inutilă/zadarnică

mock-heroic ['mɔkhi'rɔik] *lit* **I** *adj* eroi-comic **II** *s* poem eroi-comic

mocking bird ['mɔkiŋ,bə:d] *s orn* specie de mierloi american *(Mimus polyglottos)*

mockingly ['mɔkiŋli] *adv* batjocoritor; în batjocură

mock sun ['mɔk,sʌn] *s meteor* parhelie

mock-up ['mɔkʌp] *s* **1** *av* copie de lemn în mărime naturală **2** *cib* model, simulare

mod. *presc de la* **1** moderate **2** modern

modal ['moudəl] **I** *adj* **1** *gram, filos, muz* modal **2** formal, privind forma **II** *s gram* modal-defectiv

modal auxiliary ['moudəl ɔ:g'ziliəri] *s gram* verb auxiliar-modal

modality [mou'dæliti] *s log etc.* modalitate

mod con ['mɔd,kɔn] *s* ← *F* confort modern

mode [moud] *s* **1** mod, fel; manieră; caracteristică; **~ of living** mod de viaţă, fel de trai **2** mod, procedeu; **~ of production** mod de producţie **3** *muz* tonalitate **4** *gram* mod **5** modă; obicei **6** formă, aspect **7** stil

model ['mɔdəl] **I** *s* **1** model; tipar, şablon; tip; mostră **2** ← *F* copie fidelă **3** model, pildă, exemplu **4** sistem **5** manechin *(↓ femeie tânără)* **6** *pict etc.* model, persoană care pozează **7** miniatură **II** *adj atr* model; vrednic de imitat;

perfect, desăvârșit **III** *vt* **1** (**on**, **upon**) a modela, a fasona (după); a da forma dorită *(cu dat)* **2** *fig* a modela după voie; a influența, a înrâuri **3** a prezenta un model *sau* modele de *(haine etc.)* **4** a prezenta ca model/exemplu **IV** *vr* (**on**, **upon**) a se modela, a se fasona; a se fasona (după) **V** *vi* **1** *pict etc.* a poza, a fi model **2** a fi manechin

modeller ['mɔdlə^r] *s* modelor, modelist

modelling ['mɔdəliŋ] *s* modelare

moderate I ['mɔdərit] *adj* **1** *(d. cineva)* cumpătat, temperat, moderat; reținut **2** *(d. cantitate)* potrivit, nu prea mare **3** *(d. calitate)* mijlociu, mediu, potrivit; mediocru **4** *(d. prețuri)* modic, rezonabil, accesibil **5** *(d. concepții etc.)* moderat; sănătos **II** ['mɔdə,reit] *vt* a modera, a domoli, a tempera **III** ['mɔdə,reit] *vi* **1** a se modera, a se liniști, a se tempera **2** *(d. vânt etc.)* a se potoli, a se liniști, a se domoli **3** a arbitra, a fi arbitru **4** a prezida, a fi președinte

moderately ['mɔdəritli] *adv* **1** moderat; cumpătat **2** destul de

moderation [,mɔdə'reiʃən] *s* **1** moderare, temperare, liniștire **2** moderație, cumpătare; **in ~** moderat; cu cumpătare; în cantități moderate **3** reținere; stăpânire de sine **4** *fiz* frânare, încetinire *(a atomilor)* **5** *pl univ* primul examen public pentru titlul de B.A. *(la Oxford)*

moderatism ['mɔdərətizəm] *s* moderație; atitudine moderată

moderato ['mɔdə'rɑːtou] *adj, adv muz* moderato

moderator ['mɔdə,reitə^r] *s* **1** arbitru; mijlocitor **2** președinte *(al unei adunări)* **3** *univ* examinator *(la Oxford)* **4** *fiz* moderator **5** *tehn* regulator

modern ['mɔdən] **I** *adj* modern; nou; contemporan **II** *s* **1** om al timpurilor noi **2 the ~s** *lit, pict etc.* modernii, cei moderni

Modern English ['mɔdən 'ingliʃ] *s* engleza modernă *(după 1500)*

modern history ['mɔdən 'histəri] *s* istoria modernă *(după 1453)*

modernism ['mɔdə,nizəm] *s* modernism

modernist ['mɔdənist] *adj* modernist

modernistic [,mɔdə'nistik] *adj* modernist

modernity [mɔ'də:niti] *s* **1** caracter modern; contemporaneitate **2** articol *etc.* modern

modernization [,mɔdənai'zeiʃən] *s* modernizare

modernize ['mɔdə,naiz] **I** *vt* a moderniza **II** *vi* a se moderniza

Modern Latin ['mɔdən ,lætin] *s* latina modernă *(după 1500)*

modernly ['mɔdənli] *adv* în spirit modern

modest ['mɔdist] *adj* **1** modest, lipsit de îngâmfare; nepretenios; umil **2** modest, simplu **3** modest, neînsemnat; sărăcăcios; ieftin **4** decent **5** pur, curat, cast

modesty ['mɔdisti] *s* **1** modestie, lipsă de îngâmfare; umilință **2** modestie, simplitate **3** decență **4** puritate, curățenie; castitate

modicum ['mɔdikəm] *s* minimum; **with a ~ of effort** cu foarte puțin/cu un minimum de efort

modifiable ['mɔdi,faiəbəl] *adj* modificabil

modification [,mɔdifi'keiʃən] *s* **1** modificare, schimbare; transformare **2** *lingv* metafonie; umlaut

modifier ['mɔdi,faiə^r] *s* **1** persoană *sau* lucru care modifică **2** *gram* determinant; „modificator" *(adjectiv, adverb)*

modify ['mɔdi,fai] **I** *vt* **1** a modifica, a schimba; a transforma **2** a schimba, a îndulci, a tempera *(tonul etc.)* **3** *gram* a determina; „a modifica" **4** *lingv* a modifica prin umlaut **II** *vi* a se modifica, a se schimba

modish ['moudiʃ] *adj* la modă; în vogă; elegant

modiste [mou'diːst] *s fr* modistă; croitoreasă

modular ['mɔdjulə^r] *adj* modular

modulate ['mɔdju,leit] *fiz etc.* **I** *vt* a modula **II** *vi* a se modula

modulation [,mɔdju'leiʃən] *s fiz etc.* **1** modulare **2** modulație

modulator ['mɔdju,leitə^r] *s tel* modulator

module ['mɔdjuːl] *s tehn, mat etc.* modul

modulus ['mɔdjuləs] *s tehn, mat etc.* coeficient

modus operandi ['moudəs ,ɔpə'rændi] *s lat* modus operandi, mod de a opera (↓ *al unui criminal)*

modus vivendi ['mɔdəs vi'vendiː] *s lat* modus vivendi; mod de a trăi

Moesia ['miːsiə] *geogr, ist*

moggy ['mɔgi] *s* ← *F umor* pisică, mâță

Mogul ['mougəl] *s* **1** mongol **2** m~ *fig* potentat, *F* ștab

MOH *presc de la* **Medical Officer of Health** (medic) igienist

mohair ['mou,hɛə^r] *s text* mohair

Mohammed [mou'hæmid] *profet arab* Mahomed *(570-632)*

Mohammedan [mou'hæmidən] *adj, s rel* mahomedan

Mohammedanism [mou'hæmidə,nizəm] *s rel* mahomedanism

Mohican ['mouikən] *adj, s* mohican

moiety ['mɔiiti] *s jur* ↓ jumătate

moil [mɔil] **I** *s* **1** muncă grea, trudă, caznă **2** *fig* chin, caznă **3** neorânduială; harababură, talmeș-balmeș **II** *vi* a trudi, a munci din greu

moire [mwɑː^r] *s fr text* moar

moist [mɔist] *adj* umed; jilav; ud

moisten ['mɔisən] **I** *vt* a umezi; a uda **II** *vi* a se umezi; a se jilăvi; a se uda

moisture ['mɔistʃə^r] *s* umezeală, umiditate

moke [mouk] *s F* urechiat, – măgar

mol. *presc de la* **1 molecule 2 molecular**

molal ['moulǝl] *adj ch* molal

molar ['moulə^r] *adj* **1** *anat* molar **2** *ch* molal; molar

molasses [mə'læsiz] *s sg și pl* melasă

mold ... [mould] *amer v.* **mould ...**

Moldavia [mɔl'deiviə] *provincie în* **România** Moldova

Moldavian [mɔl'deiviən] **I** *adj* moldovenesc **II** *s* moldovean

Moldavian Republic, the [mɔl'deiviən ri'pʌblik, ðə] Republica Moldova

mole¹ [moul] *s anat* aluniță

mole² *s zool* cârtiță *(Talpa europaea)*

mole³ *s nav* dig *(de larg sau portuar)*; mol; chei

molecular [mou'lekjulə^r] *adj fiz, ch* molecular

molecular weight [mou'lekjulə' weit] *s ch* greutate moleculară

molecule ['mɔli,kjuːl] *s* **1** *ch* moleculă **2** particulă

molehill ['moul,hil] *s* mușuroi de cârtiță; **to make a mountain out of a ~** *fig* a face din țânțar armăsar

moleskin ['moul,skin] *s text* mole-schin

molest [mə'lest] *vt* a necăji, a supăra *(intenționat); rar →* a molesta

molestation [,moule'steiʃən] *s* plictisire, importunare; *rar →* molestare

Molière [mɔ'ljeʳ] *autor dramatic francez (1622-1673)*

Moll [mɔl] *nume fem v.* **Mary**

moll *s sl* **1** amantă a unui gangster/ bandit *etc.* **2** târfă, – prostituată

mollification [,mɔlifi'keiʃən] *s* calmare, liniștire, potolire

mollify ['mɔli,fai] *vt* a liniști, a calma; a domoli; a potoli *(mânia etc.)*

mollusc, mollusk ['mɔləsk] *s zool* moluscă

Molly ['mɔli] *nume fem v.* **Mary**

mollycoddle ['mɔli,kɔdəl] **I** *s* **1** copil răsfățat, puiul mamei **2** om molâu; efeminat **3** fricos, laș **II** *vt* **1** a răsfăța, a răzgâia **2** a efemina

Moloch ['moulɔk] *s* **1** *bibl* Moloh **2** *fig* Moloh, monstru, căpcăun

molt [moult] *vi, s amer v.* **moult**

molten ['moultən] **I** *ptc înv de la* **melt** **II** *adj (d. plumb etc.)* topit; lichid

molto ['mɔltou] *adv it muz* molto, forte

Molucca Islands, the [mou'lʌkə 'ailəndz, ðə] Insulele Moluce/ Maluku

mol. wt. *presc de la* **molecular weight**

molybdenum [mɔ'libdinəm] *s ch* molibden

mom [mɔm] *s ←F* mamă

moment ['moumənt] *s* **1** moment, clipă; **wait a ~** așteaptă o clipă; **not for a ~** nici o clipă; niciodată; **she'll be there at any ~** trebuie să vină dintr-o clipă în alta/din clipă în clipă; **at the last ~** în ultimul moment/ultima clipă; **at odd ~s** în clipele libere/de răgaz; **this ~ a** chiar în clipa asta, imediat, fără întârziere **b** chiar în clipa asta, chiar acum, adineaori; **at a ~'s notice** în orice moment/ clipă; **a man of the ~** un om al momentului; **to a ~** punctual; **the ~ (that)** în clipa/momentul în care, chiar atunci când **2** important-ță, însemnătate; **it is of no ~** nu are nici o importanță **3** *fiz* moment

momentarily ['mouməntərəli] *adv* **1** pentru o clipă **2** ← *rar* din clipă în clipă, dintr-o clipă în alta

momentariness ['mouməntərinis] *s* caracter momentan *sau* trecător

momentary ['mouməntəri] *adj* momentan; trecător, efemer

momently ['mouməntli] *adv* **1** *v.* **momentarily 1, 2** **2** îndată, imediat

momentous [mou'mentəs] *adj* **1** important, de seamă **2** specta-culos

momentously [mou'mentəsli] *adv* (într-un mod) impresionant

momentousness [mou'mentəsnis] *s* **1** importanță, însemnătate **2** spectaculozitate

momentum [mou'mentəm], *pl și* **momenta** [mou'mentə] *s* **1** *fiz* moment mecanic; impuls **2** *fig* impuls, avânt; **to gather ~** a prinde/a căpăta avânt

momma ['mɔmə] *s amer* **1** ← *F* mamă **2** *sl* muiere, – femeie

Mon. *presc de la* **Monday**

Mona ['mounə] *nume fem*

monachal ['mɔnəkəl] *adj* monahal, călugăresc

mochanism ['mɔnəkizəm] *s* mona-hism, călugărie

Monaco ['mɔnə,kou] *principat*

monad ['mɔnæd] *s* **1** *filos etc.* monadă **2** *ch* element mono-valent

monarch ['mɔnək] *s* **1** monarh; rege; împărat **2** *ch* negru de fum

monarchal [mɔ'na:kəl] *adj* monar-hic; regal; împărătesc

monarchial [mɔ'na:kiəl] *adj v.* **monarchal**

monarchic(al) [mɔ'na:kik(əl)] *adj v.* **monarchal**

monarchist ['mɔnəkist] *s pol* monar-hist

monarchize ['mɔnəkaiz] *vt* a trans-forma în monarhie

monarchy ['mɔnəki] *s* monarhie

monas ['mɔnæs], *pl* **monades** ['mɔnə,-di:z] *s v.* **monad**

monasterial [,mɔnə'stiəriəl] *adj* mănăstiresc

monastery ['mɔnəstəri] *s* mănăstire *(de călugări)*

monastic(al) [mə'næstik(əl)] *adj* **1** mănăstiresc, călugăresc, mona-hal, monastic **2** de ascet, ascetic

monasticism [mə'næsti,sizəm] *s* **1** viață monahală **2** ascetism

Monastir [mɔnəs'tiʳ] *oraș în fosta Iugoslavie* Monastir, Bitolij, Bitolia

Monday ['mʌndi] *s* luni; **on ~** luni, lunea

monetary ['mʌnitəri] *adj* monetar; financiar; pecuniar

monetize ['mʌni,taiz] *vt* **1** a trans-forma în monedă **2** a da o va-loare monetară *cu dat*

money ['mʌni] *s* **1** *(fără pl)* bani; **is that your ~?** sunt aceia banii dumitale? **~ makes ~** *prov* banul la ban trage **2** *pl* ← *înv sau jur* sume de bani

money bag ['mʌni,bæg] *s* **1** sac pentru bani **2** *pl F* sac cu bani, – bogăție **3** *pl (ca sg)* ← *F* om bogat

money bill ['mʌni,bil] *s* proiect de lege financiară

money box ['mʌni,bɔks] *s* pușcu-liță

money changer ['mʌni,tʃeindʒəʳ] *s* agent de schimb; zaraf

moneyed ['mʌnid] *adj* **1** cu bani, avut, bogat **2** bănesc; financiar

moneyer ['mʌniəʳ] *s ←* *înv* bancher; om cu bani

money grubber ['mʌni,grʌbəʳ] *s* avar, zgârcit, om lacom de bani

money-grubbing ['mʌni,grʌbiŋ] *adj atr* acaparator; avar, zgârcit

money lander ['mʌni ,lendəʳ] *s* persoană care împrumută bani *(altora);* cămătar

moneyless ['mʌnilis] *adj* fără bani, strâmtorat, lefter

money maker ['mʌni ,meikəʳ] *s* **1** persoană care câștigă (bine) **2** afacere bănoasă

money-making ['mʌni,meikiŋ] **I** *s* câștig(uri); profit(uri) **II** *adj atr* **1** acaparator; strângător de bani **2** bănos, rentabil

money market ['mʌni ,ma:kit] *s ec* piața financiară

money order ['mʌni ,ɔ:dəʳ] *s* man-dat poștal

moneywort ['mʌni,wə:t] *s bot* drețe, gălbinele *(Lysimachia nummu-laria)*

monger ['mʌŋgəʳ] *s (↓ în cuvinte compuse)* negustor; persoană care se ocupă cu ceva; **fish-** negustor de pește; **scandal-~** intrigant, bârfitor

Mongol ['mɔŋgəl] **I** *adj* mongol **II** *s* **1** mongol **2** (limba) mongolă

Mongolia [mɔŋ'gouliə] *stat în Asia*

Mongolian [mɔŋ'gouliən] *adj, s v.* **Mongol**

Mongolian People's Republic, the [mɔŋ'gouliən'piːplz ri'pʌblik, ðə] Republica Populară Mongolă

mongolism ['mɔŋgə,lizəm] *s med* mongolism

Mongoloid ['mɔŋgə,lɔid] *adj, s* mongoloid

mongoos(e) ['mɔŋ,guːs] *s zool* mangustă *(Herpestes edwardsii)*

mongrel ['mʌŋgrəl] *s* corcitură *(↓ câine)*

'mongst, mongst [mʌŋst] *prep ← poetic* printre

Monica ['mɔnikə] *nume fem*

monied ['mʌnid] *adj v.* **moneyed**

moniker ['mɔnikə'] *s sl* nume, poreclă

monism ['mɔnizəm] *s rel* monism

monist ['mɔnist] *s rel* monist

monistic [mɔ'nistik] *adj rel* monist

monition [mou'niʃən] *s* prevenire, avertisment

monitor ['mɔnitə'] **I** *s* 1 sfătuitor; persoană care avertizează 2 *şcol înv* → monitor 3 *v.* **monition** 4 *nav* (hidro)monitor 5 *tel* monitor de imagine 6 *tehn* aparat de control **II** *vt* 1 a supraveghea; a urmări 2 a controla, a verifica 3 *mil* a comanda; a însoți

monk [mʌŋk] *s* călugăr, *rar* → monah

monkery ['mʌŋkəri] *s* 1 viaţă monahală 2 mănăstire

monkey ['mʌŋki] *s* 1 *zool* maimuţă; **to get one's ~ up** *fig F* a-i sări muştarul/ţandăra; **to put smb's ~ up** *F* a scoate pe cineva din pepeni/sărite; a-i da cuiva cu ardei pe la nas; **to have a ~ on** *sl* **a** a nu se putea abţine de la droguri **b** a nu putea suferi pe cineva pentru o jignire *etc.* pe care i-a adus-o; **to make a ~ (out) of smb** < *F* a face pe cineva de râsul lumii 2 *F* un drac şi jumătate, împielițat, – neastâmpărat 3 ulcior cu gâtul lung 4 *constr* berbec (de sonetă) 5 *tehn* cărucior de macara

monkey about ['mʌŋki ə'baut] *vi cu part adv* a face nebunii

monkey bread ['mʌŋki ,bred] *s bot* baobab *(Adamsonia digitata)*

monkey business ['mʌŋki 'biznis] *s* 1 *F* circ, teatru, caraghioslâc; prostii, nebunii 2 escrocherie, pungăşie

monkeyish ['mʌŋkiiʃ] *adj* (ca) de maimuţă

monkey jacket ['mʌŋkı 'dʒækit] *s* bluză de marinar

monkey nut ['mʌŋki ,nʌt] *s bot* alună americană, arahidă *(Arachis hypogeaea)*

monkey suit ['mʌŋki ,suːt] *s sl* uniformă

monkey tree ['mʌŋki ,triː] *s bot* araucaria

monkey tricks ['mʌŋki ,triks] *s pl F v.* **monkey business 1**

monkey with ['mʌŋki wið] *vi cu prep* a se atinge de, a strica *(un aparat etc.)*

monkey wrench ['mʌŋki ,rentʃ] *s* cheie universală/franceză

monkhood ['mʌŋk,hud] *s* 1 călugărie 2 călugări

monkish ['mʌŋkiʃ] *adj* călugăresc, de călugăr

monk's hood ['mʌŋks ,hud] *s bot* omag *(Aconitum napellus)*

Monmouth ['mɔnməθ] *v.* **Monmouthshire**

Monmouthshire ['mɔnməθ,ʃiə'] comitat în Anglia

mono- *pref* mono-: **monochromatic** monocromatic

mono ['mɔnou] *s, adj tel* mono

monochord ['mɔnou,kɔːd] *s muz* monocord

monochromatic [,mɔnoukrou-'mætik] *adj* monocromatic

monocle ['mɔnəkəl] *s* monoclu

monocotyledon [,mɔnou,kɔti-'liːdən] *s bot* monocotiledonat

monodic(al) [mɔ'nɔdik(əl)] *adj muz, lit* monodic

monodrama ['mɔnou,drɑːmə] *s teatru* monodramă

monody ['mɔnədi] *s* 1 *lit* monodie; elegie; bocet 2 *muz* monodie

monogamist [mə'nɔgəmist] *s* monogam

monogamous [mə'nɔgəməs] *adj* monogam

monogamy [mə'nɔgəmi] *s* monogamie

monogenesis [,mɔnou'dʒenisis] *s biol* monogeneză

monogenetic [,mɔnoudʒi'netik] *adj biol* monogenetic

monogram ['mɔnə,græm] *s* monogramă

monograph ['mɔnə,grɑːf] *s* monografie

monographer [mɔ'nɔgrəfə'] *s* monograf

monographic(al) [,mɔnə'græfik(əl)] *adj* monografic

monography [mɔ'nɔgrəfi] *s* monografie

monolith ['mɔnəliθ] *s constr* monolit

monolithic [,mɔnə'liθik] *adj* monolitic, de monolit

monologue ['mɔnə,lɔg] *s* monolog

monomania [,mɔnou'meiniə] *s med* monomanie; idee fixă; manie

monomaniac [,mɔnou'meiniæk] *s* maniac

monomial [mɔ'noumiəl] *s mat* monom

monophase ['mɔnəfeiz] *adj atr el* monofazat

monophthong ['mɔnəf,θɔŋ] *s fon* monoftong

monoplane ['mɔnou,plein] *s av* monoplan

monopolism [mə'nɔpəlizəm] *s* monopolism

monopolist [mə'nɔpəlist] *s* monopolist

monopolistic [mə,nɔpə'listik] *adj* monopolist

monopolize [mə'nɔpə,laiz] *vt şi fig* a monopoliza

monopoly [mə'nɔpəli] *s şi fig* monopol

monorail ['mɔnou,reil] *s ferov* monoşină, monorai

monorhyme, monorime ['mɔnou-,raim] *s metr* monorimă

monosyllabic [,mɔnəsi'læbik] *adj* monosilabic

monosyllable ['mɔnə,siləbəl] *s* monosilabă

monotheism ['mɔnouθi,izəm] *s rel* monoteism

monotheist ['mɔnou,θiist] *s rel* monoteist

monotheistic(al) [,mɔnouθi'istik(əl)] *adj rel* monoteist

monotone ['mɔnə,toun] *s* 1 citire monotonă; repetare 2 monotonie; caracter monoton

monotonous [mə'nɔtənəs] *adj* monoton; plictisitor

monotonously [mə'nɔtənəsli] *adv* (în mod) monoton; plictisitor

monotony [mə'nɔtəni] *s* monotonie; repetare *sau* uniformitate plictisitoare; plictiseală

monotype ['mɔnə,taip] *s poligr* monotip

monovalent [,mɔnou'veilənt] *adj ch* monovalent

monoxide [mɔ'nɔksaid] *s ch* monoxid

Monroe Doctrine, the [mən'rou 'dɔktrin, θə] *s* doctrina Monroe

Mons. *presc de la* **Monsieur**

Monseigneur, monseigneur [mõse'ŋoe:ʳ] *s bis* monsenior

monsieur [mə'sjə:] *s fr* domnul (...), domnule (...); domn

monsoon [mɔn'su:n] *s* **1** *meteor* muson **2** anotimp ploios *(în Asia de Sud)*

monster ['mɔnstəʳ] **I** *s* **1** *zool etc.* monstru **2** monstru, dihanie, *P →* bală **3** *fig* monstru; căpcăun; bestie // **the green-eyed ~** „monstrul cu ochi verzi", gelozia **II** *adj atr* de monstru; monstruos; uriaș, colosal, gigantic

monstrance ['mɔnstrəns] *s bis* chivot; monstranță

monstrosity [mɔn'strɔsiti] *s* **1** monstruozitate; hidoșenie; caracter monstruos **2** monstru; dihanie

monstruous ['mɔnstrəs] *adj* **1** monstruos, enorm, colosal **2** monstruos, anormal, slut, hidos; oribil, groaznic **3** monstruos, atroce, cumplit

monstrously ['mɔnstrəsli] *adv* monstruos; ca un monstru

montage [mɔn'ta:ʒ] *s* **1** fotomontaj **2** *cin etc.* montaj

Montaigne [mõ'teŋ], **Michel de** *eseist francez (1533-1592)*

Montana [mɔn'tænə] *stat în S.U.A.*

Mont Blanc ['mõ 'blã] *munte în Alpi*

Monte Carlo ['mɔnti 'ka:lou] *oraș în Monaco*

Montenegro [ˌmɔnti'ni:grou] *republică federativă în Iugoslavia* Muntenegru

Montesquieu [mõtes'kju], **Charles** *scriitor francez (1689-1755)*

Montevideo [ˌmɔntivi'deiou] *capitala Uruguay-ului*

Montgomery [mənt'gʌməri] **1** *oraș în Alabama (S.U.A.)* **2** *oraș în Anglia (Țara Galilor)*

Montgomeryshire [mənt'gʌməri ˌʃiəʳ] *comitat în Anglia (Țara Galilor)*

month [mʌnθ] *s* lună (calendaristică); **in which ~ were you born?** în ce lună te-ai născut? **next ~** luna viitoare; **in a ~ of Sundays** *F* la paștele cailor

monthly ['mʌnθli] **I** *adj* lunar, mensual, de fiecare lună **II** *adv* lunar, în fiecare lună **III** *s* **1** publicație lunară **2** *pl* menstruație, *P →* soroc

monthly period ['mʌnθli 'piəriəd] *s v.* **monthly II, 2**

Montreal [ˌmɔntri'ɔ:l] *oraș în Canada*

monument ['mɔnjumənt] *s* **1** monument **2** **(to)** exemplu viu *sau* remarcabil (de) **3** *← înv* mormânt; **the M~** coloană din Londra ridicată în amintirea marelui incendiu din 1966

monumental [ˌmɔnju'məntəl] *adj* **1** monumental, de monument, pentru monumente **2** monumental, măreț, impresionant, grandios; enorm, uriaș **3** *F (d. prostie etc.)* monumental, fenomenal, colosal, − nemaipomenit

-mony *suf* -monie: **harmony** armonie

moo [mu:] **I** *vi* a mugi **II** *s* **1** muget **2** *sl* vacă, femeie proastă *sau* bună de nimic

mooch about ['mu:tʃ ə'baut] *vi cu part adv F* a umbla lela/creanga/brambura, − a vagabonda, a umbla fără rost

moocow ['mu:ˌkau] *s (în limbajul copiilor)* vacă

mood [mu:d] *s* **1** dispoziție, stare sufletească; **in a merry ~** bine dispus; **to be in a ~ for work** a avea dispoziție pentru lucru, *F →* a avea chef de lucru; **I am not in the ~ for music** nu am dispoziție pentru muzică, *F →* nu-mi arde de muzică; **a man of ~s** un om cu toane **2** *← înv* mânie, furie, supărare **3** *gram* mod **4** *muz* ton; tonalitate

moodily ['mu:dili] *adv* **1** indispus, supărat; cu arțag; iritat **2** capricios, cu toane

moodiness ['mu:dinis] *s* **1** toane, stări sufletești schimbătoare **2** proastă dispoziție; supărare **3** caracter supărăcios, irascibilitate

moody ['mu:di] *adj* **1** schimbător, cu toane **2** supărat; indispus, prost dispus; iritat **3** irascibil, supărăcios; capricios

moon [mu:n] **I** *s* **1** lună; **round the ~** în jurul lunii; **was there a ~ last night?** a fost lună aseară? **is it a full or new ~?** e lună plină sau nouă? **to promise smb the ~** a făgădui cuiva (și) luna de pe cer; **to bay the ~** a lătra la lună **2** *astr* lună, satelit **3** *← poetic* lună (calendaristică); **once in a blue ~** *F* din an/joi în Paște, din Paște în Crăciun **II** *vi* a avea un mers *sau* o privire de somnambul

moon about/around ['mu:n ə'baut/ ə'raund] *vi cu part adv v.* **moon II**

moon away ['mu:n ə'wei] *vt cu part adv* a-și irosi, pierde *(timpul etc.)*

moonbeam ['mu:nˌbi:m] *s* rază de lună

moon blindness ['mu:n ˌblaindnis] *s med* cecitate nocturnă, *P →* orbul găinilor

mooncalf ['mu:nˌka:f] *s* **1** idiot, neghiob **2** visător **3** monstru

moon eye ['mu:n ˌai] *s v.* **moon blindness**

moon flower ['mu:n ˌflauəʳ] *s bot* ochiul boului *(Chrysanthemum leucanthemum)*

moonish ['mu:niʃ] *adj* schimbător, capricios

moonless ['mu:nlis] *adj* fără lună

moonlight ['mu:nˌlait] *s* lumina lunii; **in the ~** la lumina lunii

moonlit ['mu:nlit] *adj* luminat de lună

moon over ['mu:n ˌouvəʳ] *vi cu prep F* a-i fi gândul numai la *(cineva)*, a visa la

moonshine ['mu:nˌʃain] *s* **1** lumina lunii **2** *fig* prostii, vorbe de clacă, *F* apă de ploaie **3** *amer sl* băutură alcoolică de contrabandă *sau* furată

moonshiny ['mu:nˌʃaini] *adj* **1** (ca) de lună; lunar; luminat de lună; argintos **2** fantastic; fantomatic

moonstone ['mu:nˌstoun] *s minr* adular; piatra lunii

moon-struck ['mu:nˌstrʌk] *adj* **1** lunatic, somnambul **2** nebun, smintit **3** distrat, neatent

moonwort ['mu:nˌwə:t] *s bot* limba cucului *(Botrychium lunaria)*

moony ['mu:ni] *adj* **1** ca luna **2** visător, distrat; apatic **3** luminat de lună **4** *F* afumat, cherchelit, − amețit

Moor [muəʳ] *s* maur

moor[1] *s* **1** mlaștină; baltă **2** ținut cu mlaștini de turbă și iarbă neagră **3** teren de vânătoare

moor[2] *vi nav* a se lega; a acosta; a amara; a afurca

moorage ['muəridʒ] *s nav* **1** acostare; amarare; afurcare **2** loc de ancorare, ancoraj

Moore [muəʳ], **Thomas** *poet irlandez (1779-1852)*

moor hen ['muə ˌhen] *s orn* **1** găinușă de baltă *(Gallinula chloropus)* **2** potârniche scoțiană *(Lagopus scoticus)*

mooring ['muəriŋ] *s nav* **1** *v.* **moorage 1, 2 2** dană de acostare

mooring mast ['muəriŋ ˌmɑːst] *s nav* stâlp de ancorare

Moorish ['muəriʃ] *adj* maur

moorland ['muələnd] *s v.* **moor¹ 2**

moorman ['muəmən] *s* **1** locuitor al unui ținut mlăștinos **2** paznic al unui teren de vânătoare **3** M~ maur

moose [muːs] *s și ca pl zool* elan *(Alces alces)*

moot [muːt] **I** *vt* a aduce în discuție, a pune pe tapet **II** *adj atr* (d. o chestiune) în discuție

mop [mɔp] **I** *s* **1** spălator *(pt podele)* **2** pămătuf de șters praful **3** ghem(otoc) **4** smoc de păr **II** *vt* a spăla, a șterge, a curăța *(cu spălătorul etc.);* **to ~ the floor with smb** *fig* a da de pământ cu cineva, a face praf pe cineva

mop and maw ['mɔp ənd 'mɔː] *vi* a face strâmbături/grimase, a se strâmba

mope [moup] **I** *vi* a fi abătut/indispus, *F→* a nu fi în apele lui **II** *s* **1** om prost dispus; nefericit **2 the ~s** proastă dispoziție; *F* ipohondrie

moped ['mouped] *s* motoretă

mopish ['moupiʃ] *adj* abătut, prost dispus; posac, posomorât

mop up ['mɔp 'ʌp] *vt cu part adv* **1** *v.* **mop II 2** ← *F* a termina, a isprăvi **3** *mil* a curăța *(terenul)*

moquette [mɔ'ket] *s text* mochet

moraine [mɔ'rein] *s geol* morenă

moral ['mɔrel] **I** *adj* **1** moral, virtuos, de înaltă ținută morală/etică **II** *s* **1** morală, învățătură, tâlc, pildă; **the ~ of a story** morala unei povestiri **2** *pl* moralitate, principii morale/etice; moravuri; **a man without ~s** un om fără principii morale **3** maximă **4** *pl ca sg* etică, morală

morale [mɔ'rɑːl] *s* **1** moral, dispoziție sufletească; stare de spirit **2** curaj **3** ← *rar* moralitate

moralism ['mɔrəˌlizəm] *s* moralism

moralist ['mɔrəlist] *s* moralist

moralistic [ˌmɔrə'listik] *adj* **1** moralist, moralizator **2** de moralism sau moralist; de morală, etic

morality [mə'ræliti] *s* **1** moralitate, cinste, bună purtare **2** *pl* etică, morală **3** *teatru* moralitate *(în evul mediu)*

moralization [ˌmɔrəlai'zeiʃən] *s* moralizare; morală

moralize ['mɔrəˌlaiz] **I** *vt* **1** a scoate o morală din; a arăta morala *cu gen* **2** a ridica nivelul moral *cu gen* **II** *vi* a face considerațiuni de ordin moral/etic

morally ['mɔrəli] *adv* **1** moralicește, din punct de vedere moral/etic **2** de fapt, în mod practic

moral philosophy ['mɔrəl fi'lɔsəfi] *s* etică, morală

morass [mə'ræs] *s* **1** mlaștină, baltă **2** *fig* mocirlă **3** *fig* situație grea; încurcătură; ananghie, strâmtoare

moratorium [ˌmɔrə'tɔːriəm], *pl și* **moratoria** [ˌmɔrə'tɔːriə] *s* moratoriu

Morava, the [mə'rɑːvə, ðə] *râu în* fosta Cehoslovacie

Moravia [mə'reiviə] *provincie istorică* în fosta Cehoslovacie

Moravian [mə'reiviən] *adj, s* morav

Moray [mɔ'rei] *comitat in Scoția*

morbid ['mɔːbid] *adj* **1** morbid **2** *med* patologic **3** morbid, nesănătos, bolnăvicios **4** cutremurător, fioros, groaznic

morbidity [mɔː'biditi] *s* **1** morbiditate, caracter morbid **2** morbiditate, îmbolnăvire

mordacious [mɔː'deiʃəs] *adj* ascuțit, tăios, sarcastic

mordant ['mɔːdənt] **I** *adj* mușcător, caustic, usturător **II** *s* mordant; baiț

mordent ['mɔːdənt] *s muz* mordant

more [mɔː] **I** *comp de la* **much** *sau* **many** *adj, pr* mai mult *sau* mai multă; mai mulți *sau* mai multe; **I need ~ time** am nevoie de mai mult timp; mai am nevoie de timp; **I need ~ samples** am nevoie de mai multe mostre; mai am nevoie de mostre; **have you any ~ soda?** mai ai (puțin) sifon? **that is ~ than enough** e mai mult decât suficient; **shall I give you one ~?** să-ți mai dau unul? **as many ~** încă pe atât **II** *comp de la* **much** *adv* **1** *(servește la formarea comp adj lungi)* mai; **~ beautiful** mai frumos; **~ natural** mai natural; **~ and ~ beautiful**

din ce în ce mai frumos **2** mai mult; **you should walk ~** ar trebui să te plimbi mai mult; **I like music ~ than painting** îmi place muzica mai mult decât pictura; **he was ~ frightened than hurt** mai mult s-a speriat decât s-a lovit; **~ or less** mai mult sau mai puțin; **~ and ~** din ce în ce mai mult; **no ~ a nici b** nu mai; "**I don't agree.**" "**No ~ do I.**" – Nu sunt de acord. – Nici eu; **the friends that are no ~** prietenii care nu mai sunt; **he isn't there any ~** nu mai este acolo; **once ~** încă o dată; **neither ~ nor less** nici mai mult nici mai puțin; **~ than a little** foarte, extrem de, mai mult decât; **she was ~ than happy** era mai mult decât fericită, era în culmea fericirii; **and what is ~** (și) mai mult decât atât, și ceea ce e mai grav *etc.,* *F→* unde mai pui **3 the ~** *(la comp sau cu comp)* cu cât mai mult; cu cât mai..., cu atât mai...; **the ~ the better** cu cât sunt mai mulți cu atât mai bine; **the ~ he has the ~ he wants** cu cât are mai mult, cu atât vrea mai mult; **all the ~ so** cu atât mai vârtos **III** *s:* **what is ~** mai mult (decât atât); **I hope to see ~ of you** sper să te văd mai des

More, Thomas *om de stat și scriitor englez (1478-1535)*

morel [mɔ'rel] *s bot* zgârciob, ciuciulete *(Morchella esculenta)*

morello (cherry) [mə'relou ('tʃeri)] *s* vișină

moreover [mɔː'rouvə] *adv* mai mult decât atât, în plus, pe lângă acestea; de asemenea

mores ['mɔːreiz] *s pl* ← *elev* moravuri *sau* comportament ce caracterizează un grup social *etc.*

Moresque [mɔː'resk] *adj* (în stil) moresc, maur

morganatic [ˌmɔːgə'nætik] *adj* morganatic

morgue [mɔːg] *s fr* **1** morgă; cameră mortuară **2** *amer sl* arhivă *(într-o redacție)* **3** morgă, seriozitate afectată

moribund ['mɔriˌbʌnd] *adj* muribund; pe moarte

Mormon ['mɔːmən] *s, adj rel* mormon

Mormonism ['mɔːmənizəm] *s rel* mormonism

morning ['mɔ:niŋ] **I** *s* **1** dimineață; **in the ~ a** dimineața **b** mâine dimineață; **this ~** azi dimineață; **early in the ~** dis-de-dimineață; **tomorrow ~** mâine dimineață; **on Tuesday ~** marți dimineață; **one spring ~** într-o dimineață de primăvară; **good ~** bună dimineața **2** *fig* dimineață; primăvară; început *(al vieții etc.)* **3** zori, revărsatul zorilor, faptul zilei **II** *adj atr* de dimineață; matinal

morning dress ['mɔ:niŋ 'dres] *s* rochie de dimineață

morning glory ['mɔ:niŋ,glɔri] *s bot* volbură, rochița-rândunicii *(Ipomoe sp.)*

morning star ['mɔ:niŋ,stɑ:'] *s astr* luceafăr de dimineață, Venus

morning tide ['mɔ:niŋ,taid] *s* ← *poetic* dimineață

morning watch ['mɔ:niŋ,wɔtʃ] *s nav* cart de dimineață *(între orele 4 și 8)*

Moroccan [mə'rɔkən] *adj, s* marocan

Morocco [mə'rɔkou] *s* **1** *stat* Maroc **2** m~ marochin

moron ['mɔ:rɔn] *s* **1** imbecil, cretin, idiot **2** *psih* „moron" *(cota de inteligență 50-75; deasupra unui „imbecil" și „idiot")*

moronic [mɔ'rɔnik] *adj* (de) idiot, de imbecil

moronicallly [mɔ'rɔnikəli] *adv* ca un imbecil/idiot

morose [mə'rous] *adj* îmbufnat; morocănos, ursuz, posac

morosely [mə'rousli] *adv* îmbufnat; morocănos

moroseness [mə'rousnis] *s* îmbufnare; ursuzenie; supărare

-morph *suf* -morf; **allomorph** alomorf

morpheme ['mɔ:fi:m] *s lingv* morfem

Morpheus ['mɔ:fiəs] *mit* Morfeu

morphia ['mɔ:fiə] *s ch* morfină

-morphic *suf* -morfic; **anthropomorphic** antropomorfic

morphine ['mɔ:fi:n] *s ch* morfină

morphinism ['mɔ:fi,nizəm] *s* morfinism

morphinist ['mɔ:fi,nist] *s* morfinoman

morphogenesis [,mɔ:fou'dʒenisis] *s biol* morfogeneză

morphologic(al) [,mɔ:fə'lɔdʒik(əl)] *adj gram etc.* morfologic

morphologically [,mɔ:fə'lɔdʒikəli]

adv gram etc. (din punct de vedere) morfologic

morphology [mɔ:'fɔlədʒi] *s gram etc.* morfologie

Morris ['mɔris] *nume masc*

morris (dance) ['mɔris (,dɑ:ns)] *s od vechi dans popular englez interpretat* ↓ *la 1 Mai de personaje costumate ca eroi ai ciclurilor de legende legate de Robin Hood*

Morris, William *scriitor englez (1834-1896)*

morrow ['mɔrou] *s* ← *înv, poetic* **1** mâine **2** a doua zi

morse [mɔ:s] *vi nav etc.* a emite semnale Morse

Morse code ['mɔ:s ,koud] *s tel* cod Morse

morsel ['mɔ:səl] **I** *s* **1** bucată, bucățică *(de hrană)*, îmbucătură **2** bucățică, fărâmă **3** *(d. persoane)* nimic, zero, nulitate **II** *vt* a împărți *sau* a distribui în porții mici

Morse receiver ['mɔ:s ri'si:və'] *s tel* înregistrator Morse

Morse telegraph ['mɔ:s ,teligrɑ:f] *s tel* telegraf Morse

mortal ['mɔ:təl] **I** *adj* **1** muritor, supus morții **2** de moarte; **~ agony** agonie, chinurile morții **3** morta!, de moarte; fatal; **a ~ blow** o lovitură de moarte/mortală/de grație; **~ enemies** dușmani neîmpăcați/de moarte **4** *F* grozav, strașnic, nemaipomenit, teribil; **in a ~ hurry** într-o grabă nebună, într-un zor nebun **5** *F* groaznic, plictisitor **II** *s* muritor, *F* suflet (de creștin); **what a thirsty ~ he is!** *F* a trage la măsea, nu se joacă! burete, nu glumă!

mortality [mɔ:'tæliti] *s* **1** caracter muritor; *înv* → piericiune **2** mortalitate *(ant* natalitate*)* **3** oameni, omenire **4** ← *înv* moarte

mortality tables [mɔ:'tæliti ,teiblz] *s pl* statistici ale mortalității

mortally ['mɔ:təli] *adv (rănit etc.)* mortal, de moarte

mortal sin ['mɔ:təl ,sin] *s (în religia catolică)* păcat de moarte

mortar ['mɔ:tə'] *s* **1** piuliță, piuă mică **2** *constr* mortar **3** *tehn* mojar, piuliță

mortgage ['mɔ:gidʒ] *jur* **I** *s* **1** amanetare; ipotecare **2** act de amanetare *sau* ipotecare **3** amanet; ipotecă **4** drept de ipotecă **II** *vt* **1** a amaneta; a ipoteca **2** a lua un

împrumut ipotecar de la **III** *vr fig* a se angaja, a-și lua angajamentul

mortgagee [,mɔ:gi'dʒi:] *s jur* creditor ipotecar

mortgager ['mɔ:gidʒə'] *s jur* datornic ipotecar

mortice ['mɔ:tis] *s, vt v.* **mortise I-II**

mortician [mɔ:'tiʃən] *s amer* antreprenor de pompe funebre

mortification [,mɔ:tifi'keiʃən] *s* **1** mortificare, chinuire *(a trupului)* **2** umilire, înjosire **3** ofensă, jignire **4** înăbușire *(a unei pasiuni)* **5** *med* mortificare, necrozare; gangrenă

mortify ['mɔ:ti,fai] **I** *vt* **1** a mortifica, a chinui *(trupul)* **2** a umili, a înjosi; a ofensa, a jigni **3** a înăbuși *(o pasiune)* **4** *med* a lăsa să se mortifice/să se necrozeze **II** *vi* **1** a se mortifica **2** *med* a se mortifica, a se necroza

Mortimer ['mɔ:timə'] *nume masc*

mortise ['mɔ:tis] *tehn* **I** *s* șanț, canelură; crestătură; locaș; deschidere **II** *vt* a morteza; a îmbina cu cep

mortmain ['mɔ:t,mein] *s jur* bun inalienabil, avere inalienabilă

Morton ['mɔ:tən] *nume masc*

mortuary ['mɔ:tʃuəri] **I** *adj* mortuar; funebru **II** *s* **1** cameră mortuară **2** morgă

mosaic [mə'zeiik] *s constr, fig* mozaic

Mosaic Law, the [mə'zeiik 'lɔ:, ðə] *s rel* legea lui Moise; *bibl* Pentateuhul

moschatel [,mɔskə'tel] *s bot* frăguliță *(Adoxa moschatellina)*

Moscow ['mɔskou] *capitala Rusiei* Moscova

Moselle, the [mou'zel, ðə] *râu în Europa vestică* Moselle, Mozela

moselle [mou'zel] *s* vin de Mozela

Moses ['mouziz] *nume masc, bibl* Moise

mosey ['mouzi] *vi amer F* **1** a o șterge, a se căra, a-și lua valea **2** a târșâi, ← *a se târî* **3** ← *a merge* căscând ochii (în dreapta și în stânga)

mosk [mɔsk] *s* moschee

Moslem ['mɔzləm] *rel* **I** *pl și* **Moslem** ['mɔzləm] *s* musulman, mahomedan **II** *adj* musulman, mahomedan

Moslemism ['mɔzləmizəm] *s rel* mahomedanism

mosque [mɔsk] *s* moschee

mosquito [mə'ski:tou], *pl* **mosquito(e)s** [mə'ski:touz] *s ent* moschito, țânțar *(Culicidae sp.)*

mosquito craft [mə'ski:tou ,kra:ft] *s și ca pl nav* vedetă *sau* vedete torpiloare

mosquito net [mə'ski:tou ,net] *s* plasă contra țânțarilor

moss [mɔs] *bot* **I** *s* mușchi **II** *vt* a acoperi cu mușchi **III** *vi* a se acoperi cu mușchi

moss-grown ['mɔs,groun] *adj* **1** *bot* acoperit cu mușchi **2** *fig* învechit, prăfuit, colbăit

mossy ['mɔsi] *adj bot* **1** (ca) de mușchi **2** acoperit cu mușchi

most [moust] **I** *sup de la* **much** *și* **many** *adj, pr* cel mai mult *sau* cea mai multă; cei mai mulți *sau* cele mai multe; **which of you has made (the) ~ mistakes?** care din(tre) voi a făcut cele mai multe greșeli? **do the ~ you can** fă tot ce poți, fă tot ce-ți stă în putință; **~ people** cei mai mulți oameni, majoritatea oamenilor; **for the ~ part a** în general; în cea mai mare parte; de cele mai multe ori **b** în special, îndeosebi; **at (the) ~, at the very ~** cel mult, maximum; **to make the ~ of smth a** a trage cât mai multe foloase de pe urma a ceva, a profita de ceva la maximum **b** a folosi ceva cât mai bine **c** a pune ceva în valoare; **to make the ~ of smb a** a lăuda/a preamări pe cineva **b** a trata pe cineva cu cea mai mare considerație **II** *sup de la* **much** *adv* **1** the **~** *(servește la formarea sup relativ al adj lungi)* cel mai, cea mai *sau* cele mai; **he is the ~ intelligent** el este cel mai inteligent; **the ~ beautiful poem** cea mai frumoasă poezie **2** *(servește la formarea sup absolut al adj și adv lungi)* cât se poate de; foarte, extrem de; cu totul; **his speech was ~ convincing** discursul lui a fost cât se poate de convingător; **~ carefully** cât se poate de îngrijit, cu cea mai mare grijă *sau* atenție **3** *(cu verbe)* cel mai mult; în mod deosebit, în special, îndeosebi; **what I appreciated**

~ ceea ce am apreciat în mod deosebit/în gradul cel mai înalt 4 *amer* aproape; **~ everybody** aproape toți/toată lumea

-most *suf* cel mai...: **hindmost** cel mai din spate, ultim

mostly ['moustli] *adv* **1** de cele mai multe ori, în general; de obicei; **they are ~ out on Sundays** de obicei sunt plecați duminica **2** în special, îndeosebi, mai ales, mai cu seamă; **the village was ~ of mud houses** casele satului erau făcute mai ales din lut, majoritatea caselor din sat erau din lut

mot [mou] *s fr* vorbă de duh; cuvânt spiritual; expresie spirituală; remarcă spirituală

M.O.T. [,emou'ti:] *s auto (în Anglia)* revizie tehnică *sau* adeverința de revizie tehnică *(pt mașinile mai vechi de 3 ani)*

mote [mout] *s* fir(icel) *(de praf etc.)*, părticică, fărâmă

motel [mou'tel] *s auto* motel

motet [mou'tet] *s muz* motet

moth [mɔθ] *s ent* **1** fluture de noapte *(Nocturni sp.)* **2** molie *(Tinea sarcitella)* **3** fluture; fluturaș

moth ball ['mɔθ ,bɔ:l] *s* granulă de naftalină

moth-eaten ['mɔθ ,i:tən] *adj* ros/mâncat de molii

mother ['mʌðəʳ] **I** *s* **1** mamă, maică; **to be like a ~ to** a fi ca o mamă pentru **2** *fig* mamă; izvor, obârșie; sursă **3** *bis* (maică) stareță **II** *vt* **1** *și fig* a fi mamă *(cu gen)* **2** *fig* a da naștere *(cu dat)* **3** a se îngriji ca o mamă de

mother bee ['mʌðə ,bi:] *s* regină, matcă *(a albinelor)*

Mother Carey's chicken ['mʌðə 'kɛəriz 'tʃikin] *s orn* pasărea furtunii *(Hydrobatidae sp.)*

mother cell ['mʌðə ,sel] *s biol* celulă-mamă

mother church ['mʌðə ,tʃə:tʃ] *s* catedrală

mother country ['mʌðə ,kʌntri] *s* patrie

motherhood ['mʌðə,hud] *s* **1** maternitate; instinct matern **2** mame

mother-in-law ['mʌðərin'lɔ:] *s* soacră

motherland ['mʌðə,lænd] *s* patrie

motherless ['mʌðələs] *adj* fără mamă; orfan de mamă

motherliness ['mʌðəlinis] *s* sentiment de mamă

motherly ['mʌðəli] **I** *adj* de mamă, matern **II** *adv* ca o mamă

Mother Nature ['mʌðə ,neitʃəʳ] *s ← umor* Natura, natura

mother-of-pearl ['mʌðərəv'pə:l] *s* sidef

mother oil ['mʌðər ,ɔil] *s min* țiței primar

Mother's Day ['mʌðəz ,dei] *s* Ziua mamei *(în S.U.A., a doua duminică din mai)*

mother superior ['mʌðə sju:'piəriə] *s bis* (maică) stareță

mother tongue ['mʌðə ,tʌŋ] *s* limba maternă

mother tree ['mʌðə ,tri:] *s silv* semincer

mother wit ['mʌðə ,wit] *s* inteligență nativă

motherwort ['mʌðə,wə:t] *s bot* **1** talpa gâștei *(Leonurus cardiaca)* **2** pelinariță, pelin negru *(Artemisia vulgaris)*

mothery ['mʌðəri] *adj* mucilaginos; care a prins mucegai

mothproof ['mɔθ,pru:f] **I** *adj (d. haine etc.)* tratat chimic împotriva moliilor **II** *vt* a trata chimic împotriva moliilor

mothy ['mɔθi] *adj* **1** plin de molii **2** ros/mâncat de molii

motif [mou'ti:f] *s* **1** *muz, lit etc.* motiv **2** *lit* idee; subiect; temă **3** *text* desen, motiv

motility [mou'tiliti] *s biol* motilitate

motion ['mouʃən] **I** *s* **1** mișcare, mers; **a thing in ~** un lucru în mișcare; **to put/to set smth in ~** *și fig* a pune ceva în mișcare **2** mișcare *(a corpului);* gest; mers **3** *tehn* mecanism; mișcare, mers; funcționare **4** impuls, inițiativă; **of one's own ~** din proprie inițiativă **5** propunere *(la o adunare)* **6** *pl* acțiuni, fapte; mișcări **7** *med* scaun, defecație, dejecție; *pl* excremente, fecale **II** *vt* a face semn *(cuiva);* **he ~ed me to enter** îmi făcu semn să intru; **he ~ed me into the room** mi-a făcut semn să intru în cameră **III** *vi* **(to smb)** a face semn (cuiva)

motional ['mouʃənəl] *adj* de mișcare; motor

motion away ['mouʃən ə'wei] *vt cu part adv* a face semn *(cuiva)* să plece

motionless ['mouʃənlis] *adj* imobil, nemișcat; în repaus

motion picture [ˈmouʃən ˈpiktʃəˈ] *s cin* film

motivate [ˈmoutiˌveit] *vt v.* **motive III, 1-3**

motivation [ˌmoutiˈveiʃən] *s* motivare **2** imbold, impuls

motive [ˈmoutiv] **I** *s* **1** motiv, mobil; cauză **2** *v.* **motif 1 II** *adj* **1** *tehn* motor, motrice **2** *fig* motrice; stimulator **III** *vt* **1** a dicta, a inspira; a stimula **2** a motiva, a justifica **3** a fi cauza/motivul *(cu gen)*

motiveless [ˈmoutivlis] *adj* fără motiv, nefondat, neîntemeiat, nejustificat

motive power [ˈmoutiv ˌpauəˈ] *s* **1** *tehn* și *fig* forță motrice **2** *tehn* sursă de energie

motivity [mouˈtiviti] *s tehn* **1** forță motoare **2** rezervă de energie

mot juste [məˈʒust] *s fr* cuvânt potrivit *sau* expresie potrivită

motley [ˈmɔtli] **I** *adj* **1** multicolor, de diferite culori; pestriț, divers, amestecat **II** *s* amestecătură; dezordine, harababură

motoplough [ˈmɔtouˌplan] *s agr* motoplug

motor [ˈmoutəˈ] **I** *s* **1** motor **2** mașină, automobil **3** *v.* **motor boat 4** *anat* mușchi *sau* nerv motor **II** *adj* motor **III** *vi auto* a merge cu mașina

motor bicycle [ˈmoutə ˌbaisikl] *s* **1** motocicletă **2** motoretă

motor boat [ˈmoutə ˌbout] *s nav* **1** motonavă **2** șalupă; ambarcațiune cu motor

motor bus [ˈmoutə ˌbʌs] *s* autobuz

motorcade [ˈmoutəˌkeid] *s amer* **1** coloană auto/de mașini **2** *mil* paradă a unităților motorizate

motor car [ˈmoutə ˌkɑːˈ] *s* automobil, mașină

motorcycle [ˈmoutəˌsaikəl] *s* motocicletă

motorcyclist [ˈmoutəˌsaiklist] *s* motociclist

motor drive [ˈmoutə ˌdraiv] *s tehn* antrenare mecanică

motored [ˈmoutəd] *adj tehn* (prevăzut cu) motor

motor failure [ˈmoutəˌfeiliəˈ] *s tehn* pană la motor

motoring [ˈmoutəriŋ] *s* **1** automobilism **2** motociclism

motorist [ˈmoutərist] *s* automobilist (↓ *amator*)

motorization [ˌmoutəraiˈzeiʃən] *s tehn* motorizare

motorize [ˈmoutəˌraiz] *vt tehn* a motoriza

motorized [ˈmoutəˌraizd] *adj* motorizat; autopropulsat

motor lorry [ˈmoutə ˌlɔri] *s* autocamion

motorman [ˈmoutəmən] *s* **1** vatman, manipulant de tramvai **2** conductor auto, șofer

motor mimicry [ˈmoutə ˌmimikri] *s psih* empatie

motor road [ˈmoutə ˌroud] *s* autostradă, magistrală

motor service [ˈmoutə ˌsəːvis] *s auto* (auto-)service

motorship [ˈmoutəˌʃip] *s nav* motonavă

motor spirit [ˈmoutə ˌspirit] *s auto* benzină

motor truck [ˈmoutə ˌtrʌk] *s amer* autocamion

motor vehicle [ˈmoutə ˌviːikl] *s auto* vehicul motorizat; autovehicul

motorway [ˈmoutəˌwei] *s* autostradă

mottle [ˈmɔtəl] *vt* a împestrița; a marmora

mottled [ˈmɔtəld] *adj* pestriț; marmorat

motto [ˈmɔtou], *pl* **mott(e)s** [ˈmɔtouz] *s* motto

mouch [muːtʃ] *vi, vt v.* **mooch I-II**

moujik [ˈmuːʒik] *s od* mujic, țăran *(în Rusia)*

Moukden [ˈmuːkˈden] *v.* **Mukden**

mould¹ [mould] *s* **1** *agr* humus **2** pământ, sol **3** pământ afânat **4** ← *poetic* mormânt **5** *poetic* pulbere, țărână; **a man of ~** un biet muritor

mould² **I** *s* mucegai **II** *vi* a mucegăi; a se umple de mucegai

mould³ **I** *s* **1** *tehn* tipar, mulaj, matriță, formă; șablon, calibru de formă; gabarit **2** *fig* structură, caracter; tipar **II** *vt* **1** *tehn* a forma, a modela; a turna **2** și *fig* a face după șablon **3** *fig* a forma, a modela *(caracterul etc.)*

mould⁴ *s nav* dig de larg

mouldboard [ˈmouldˌbɔːd] *s agr* cormană

moulder¹ [ˈmouldəˈ] *s met* formar

moulder² *vi* **1** (*d. o clădire*) a se preface în praf, a se ruina; a se nărui **2** *fig* a se descompune (*moralicește*) **3** *fig* a nu face nimic, a trândăvi

moulding [ˈmouldiŋ] *s* **1** *arhit* ciubuc,

mulură **2** *auto* material profilat *(pt piese)*

mould into [ˈmould ˌintə] *vt cu prep* a transforma în

mould on/upon [ˈmould ɔn/ə ˌpɔn] *vt cu prep* a forma după modelul cu *gen*

moult [moult] *vi* (*d. păsări*) a năpârli

mound [maund] **I** *s* **1** zid de pământ, val; rambleu **2** colină, dâmb, movilă; *geol* tumulus; gorgan **3** morman, teanc **II** *vt* a împrejmui cu un zid de pământ **III** *vi* a forma un zid de pământ; a forma o movilă/ridicătură

mount¹ [maunt] *s* (← *poetic sau înaintea unui nume propriu*) munte; muntele...; **Mount McKinley** muntele McKinley

mount² **I** *vt* a se urca în (*mașină etc.*), a se urca pe (*cal, bicicletă etc.*); a încăleca (*un cal*) **2** (**on, upon**) a urca (*pe cineva*) pe (*cal etc.*); a ridica, a sălta **3** a pune, a fixa, a monta (*o bijuterie etc.*) **4** *teatru* a monta **5** a urca pe (*tron*) **6** *mil* a lua (*ofensiva*) // **to ~ guard (at, over)** a sta de pază (la) **II** *vi* **1** (se) urca; a se cățăra **2** a încăleca, a se urca pe cal **3** (*d. prețuri etc.*) a crește, a se ridica **III** *s* **1** cal înșeuat **2** munte; deal **3** *poligr etc.* suport **4** *tehn* montură

mountain [ˈmauntin] **I** *s* **1** munte; **to make a ~ out of a molehill** *fig* a face din țânțar armăsar **2** *fig* noian, grămadă; **a ~ of debts** o groază de datorii **II** *adj atr fig* imens, colosal; **the waves were ~ high** valurile erau înalte cât munții

mountain ash [ˈmauntin ˌæʃ] *s bot* scoruș (*Sorbus aucuparia*)

mountain avens [ˈmauntin ˈævənz] *s bot* argințică (*Dryas octopetala*)

mountain cat [ˈmauntin ˌkæt] *s zool* **1** cuguar, puma (*Felix concolor*) **2** râs roșu (*Lynx rufus*)

mountain chain [ˈmauntin ˌtʃein] *s* lanț de munți/muntos

mountain dew [ˈmauntin ˌdjuː] *s* ← *F* whisky scoțian

mountain lion [ˈmauntin ˌlaiən] *s v.* **mountain cat 1**

mountainous [ˈmauntinəs] *adj* **1** muntos; de munte **2** *fig* uriaș

mountain range [ˈmauntin ˌreindʒ] *s* șir de munți

mountain sickness ['mauntin, siknis] *s med* rău de munte

mountebank ['mauntin,bæŋk] *s* **1** strigător la bâlci **2** șarlatan, pungaș, escroc

mounted ['mauntid] *adj* **1** *(d. poliție etc.)* călare **2** montat

mourn [mɔːn] **I** *vt* a plânge, a jeli *(pierderea etc.)* **II** *vi* **(for, over)** a plânge (după *sau* cu ac)

mourner ['mɔːnəʳ] *s* **1** persoană *sau* ↓ rudă îndoliată **2** bocitor *sau* ↓ bocitoare

mournful ['mɔːnful] *adj* îndoliat; jalnic; jelitor; trist

mournfully ['mɔːnfuli] *adv* cu jale, trist

mourning ['mɔːniŋ] **I** *adj atr* de doliu; *v. și* **mournful II** *s* **1** doliu; **to go into** ~ a se îmbrăca în doliu; **in** ~ a în doliu **b** ← *F (d. ochi)* învinețit **c** ← *F (d. unghii)* murdar **2** durere, jale, tristețe

mourning band ['mɔːniŋ ,bænd] *s* banderolă de doliu *(la mână)*

mouse [maus] **I** *pl* **mice** [mais] *s* **1** șoarece; ↓ șoarece de casă *(Mus musculus)* **2** *alint* șoricel, puică, puiculiță **3** *sl* ochi învinețit **I** *vt nav* a boța *(un cârlig)* **III** *vi (d. pisică)* a prinde șoareci

mouse ear ['maus ,iəʳ] *s bot* vulturică, urechea șoarecelui *(Hieracium pilosella)*

mousehole ['maus,houl] *s* gaură de șoarece

mouser ['mausəʳ] *s* prinzător de șoareci

mouse sight ['maus ,sait] *s* ← *F* miopie

mousetail ['maus,teil] *s bot* codicuță, șoricel *(Myosurus sp.)*

mousetrap ['maus,træp] *s* capcană/ cursă de șoareci

moussaka [mu'saːkə] *s gastr* musaca

mousse [muːs] *s gastr* preparat rece sau înghețat din albuș, gelatină, frișcă etc. combinat cu fructe sau arome sau cu pește, carne etc. (ca aspic)

moustache [mə'staːʃ] *s* mustață

moustached [mə'staːʃt] *adj* cu mustăți; mustăcios

mousy ['mausi] *adj* **1** (ca) de șoarece **2** plin de șoareci **3** sfios, timid; tăcut **4** (de culoare) gri închis

mouth I [mauθ] *s* **1** *anat* gură; **by (word of)** ~ oral; din gură în gură;

down in the ~ abătut, prost dispus, necăjit; **to keep one's** ~ **shut** *fig* *F* a-și ține gura; **to laugh on the wrong side of one's** ~ *F* a râde mânzește/strâmb, a nu-i arde de râs; **to take the words out of smb's** ~ a lua cuiva vorba din gură; **to put the** ~ **on smb** *sl* a încuraja pe cineva băgându-i în cap că-i merge foarte bine; **shut your** ~! *F* (ține-ți) gura! **well, shut my** ~! *amer F* să fiu al naibii (dacă am mai pomenit *etc.* așa ceva)! **2** *zool* bot; rât *(la porci)* **3** gură *(de râu);* gură de vărsare **4** *constr* bot, cioc **5** gură, deschizătură, orificiu **6** grimasă, strâmbătură **II** [mauð] *vt* **1** a spune ↓ ritos; a declama **2** a lua/ a pune în gură **3** a atinge cu gura; a căuta să prindă cu gura **4** a amesteca **5** a deprinde *(calul)* cu zăbala **III** [mauð] *vi* a vorbi tare *sau* afectat

-mouthed [mauðd] *adj (în adj compuse)* cu gura ...; **small-~** cu gura mică

mouther ['mauðəʳ] *s* vorbitor *sau* orator sforăitor

mouth-filling ['mauθ,filiŋ] *adj atr (d. fraze etc.)* pompos, sforăitor

mouth friend ['mauθ,frend] *s* prieten cu numele

mouthful ['mauθ,ful] *s* **1** gură; îmbucătură **2** gură plină *(de mâncare)* **3** bucățică, puțin

mouth organ ['mauθ ,ɔːgən] *s muz* muzicuță

mouthpiece ['mauθ,piːs] *s* **1** muștiuc; *tehn* și ajutaj de cuvânt **2** *fig (d. un ziar etc.)* **3** *amer sl* avocat pledant

mouthwash ['mauθ,wɔʃ] *s* apă de gură

mouthy ['mauði] *adj* **1** bombastic, emfatic **2** guraliv, vorbăreț

movability [,mu:və'biliti] *s* mobilitate

movable ['mu:vəbəl] **I** *adj* **1** mobil; portabil; transportabil **2** *jur* mobil **II** *s pl* **1** mobilă, mobilier **2** *jur* bunuri mobile, avere mobilă

move [mu:v] **I** *vt* **1** a mișca; a muta, a strămuta; a deplasa; a urni; a clinti; a împinge; ~ **the table nearer to the window** mută/dă masa mai aproape de fereastră **2** a se muta din *(casă)* **3** a mișca, a emoționa; **he was ~d to tears**

fu mișcat până la lacrimi **4** a face *(o propunere);* a propune *(ca)* **5** a mișca, a pune în mișcare **II** *vi* **1** a se mișca; a se muta, a se strămuta; a se deplasa; a se urni; a se clinti; **they ~d to another place last year** anul trecut s-au mutat într-o altă localitate **2** a trăi, a se învârti *(în societate)* **3** a progresa, a înainta, a avansa, a face progrese **4** a acționa, a se mișca, a întreprinde o acțiune **5** a fi *sau* a fi pus în mișcare **6** a se mișca, a se învârti, a se roti; a merge, a funcționa **7** *F* a se mișca, a porni, a nu sta pe loc **8** *med (d. intestine)* a se evacua **9** *com* a se vinde, a avea desfacere/căutare **III** *s* **1** mișcare, deplasare; mutare; **to make a** ~ a pleca, *F* a o lua din loc; **on the** ~ *(d. trupe etc.)* în mișcare; **get a** ~ **on!** *F* a mișca! ia-o din loc! **b** mărește compasul; dă-i bătaie! **2** mutare *(într-o altă casă etc.)* **3** mișcare, mutare *(a unei piese de joc);* **to make a** ~ a face o mișcare/ mutare **4** *fig* mișcare; pas; acțiune; **to make a** ~ a acționa, a întreprinde o acțiune

moveable ['mu:vəbəl] *adj, s v.* **movable**

move about ['mu:v ə'baut] *vi cu part adv* **1** a se mișca încoace și încolo; a umbla încoace și încolo **2** a se muta dintr-un loc în altul

move away ['mu:v ə'wei] *vt cu part adv* a da la o parte; a îndepărta; a înlătura **II** *vi cu part adv* a se îndepărta; a pleca

move back ['mu:v 'bæk] *vi cu part adv* **1** a se da înapoi/îndărăt **2** *fig* a da înapoi; a se retrage

move down ['mu:v 'daun] **I** *vt cu part adv* **1** a coborî, a lăsa jos **2** a trece *(un elev etc.)* într-o clasă *etc.* inferioară, a retrograda **II** *vi cu part adv (d. elevi etc.)* a trece într-o clasă *etc.* inferioară; a fi retrogradat

move for ['mu:v fəʳ] *vi cu prep* a interveni/a face demersuri pentru; a cere *cu ac*

moveless ['mu:vlis] *adj* fix, nemișcat, imobil

move in ['mu:v 'in] *vi cu part adv* **1** a se muta *(într-o altă locuință)* **2** *sport etc.* a interveni; a lua inițiativa

movement ['muːvmənt] *s* 1 mișcare; mutare, deplasare 2 mișcare *(cu caracter social)* 3 mișcare *(a trupului)*; gest 4 *tehn* mers *(al motorului etc.)*; funcționare 5 *lit* desfășurare a acțiunii 6 *com* circulație; debit 7 *med* ← *rar* scaun 8 *muz* parte *(a unei simfonii etc.)* 9 *muz* tempo, timp; ritm

move off ['muːv'ɔ(ː)f] I *vt cu part adv* v. **move away** I II *vi cu part adv* 1 v. **move away** II 2 *com* a se vinde

move on ['muːv'ɔn] *vi cu part adv* 1 a se mișca, a circula; a merge mai departe 2 *(d. timp)* a trece, a se scurge; a nu sta în loc

move out ['muːv'aut] *vi cu part adv* (**of**) a se muta *(dintr-o locuință)*

move over ['muːv'ouvəʳ] I *vt cu part adv* a da la o parte; a face loc *(cuiva)* II *vi cu part adv* 1 a se da la o parte, a face loc 2 a ceda, a renunța la un post *etc.*

mover ['muːvəʳ] *s tehn* motor

move to ['muːv tə] *vt cu inf* a face/a determina/a hotărî să

move up ['muːv'ʌp] I *vt cu part adv* 1 *mil* a aduce *(rezerve)* 2 a promova *(dintr-o clasă etc. superioară)* II *vi cu part adv* a fi promovat *(în grad etc.)*

movie ['muːvi] *s* 1 film 2 the ~s cinema(tograf)

movie goer ['muːvi ˌgouəʳ] *s* iubitor/ amator de cinema

movie star ['muːvi ˌstɑːʳ] *s* stea de cinema

moving ['muːviŋ] *adj atr* 1 mișcător; care mișcă *sau* se mișcă; mobil 2 *fig* mișcător, emoționant

movingly ['muːviŋli] *adv* (în chip) tulburător, mișcător

movingness ['muːviŋnis] *s* caracter tulburător/emoționant

moving picture ['muːviŋ 'piktʃəʳ] *s* cin film

moving staircase/stairway ['muːviŋ 'stɛəkeis/ˌstɛəwei] *s constr* scară rulantă, escalator

mow [mou] I *pret* **mowed** [moud], *ptc* **mown** [moun] *vt, vi* a cosi; a secera, a recolta, a culege II *s* stog; căpiță

mow down ['mou 'daun] *vt cu part adv fig (d. boli etc.)* a cosi, a secera

mower ['mouəʳ] *s* 1 cosaș; secerător 2 *agr* cositoare, secerătoare

Mozambique [ˌmouzəm'biːk] *țară în Africa* Mozambic

Mozart ['moutsɑːt], **Wolfgang Amadeus** compozitor austriac *(1756-1791)*

MP *presc de la* **Military Police**

M.P. *presc de la* 1 **Member of Parliament** 2 **Military Police** 3 **Mounted Police** 4 **Metropolitan Police**

mph, m.p.h. *presc de la* **miles per hour** mile pe oră

Mr, Mr. ['mistəʳ] *presc de la* **mister** *s* domnul *sau* domnule *(urmat de nume)*; **Mr/Mr. Smith** domnul *sau* domnule Smith

Mrs, Mrs. ['misiz] *presc de la* **mistress** *s* doamna *sau* doamnă *(urmat de nume)*; **Mrs/Mrs. Smith** doamna *sau* doamnă Smith

Ms., ms. *presc de la* **manuscript**

M.S. *presc de la* **Master of Science**

M/S *presc de la* **motor ship**

M.Sc. *presc de la* **Master of Science**

Mt., mt. *presc de la* **mountain**

M.T. *presc de la* 1 **metric ton** 2 **mean time**

mtg. *presc de la* 1 **meeting** 2 **mortgage**

much [mʌtʃ] I *comp* **more** [mɔːʳ], *sup* **most** [moust] *adj, pr* mult *sau* multă; ~ **bread** multă pâine; ~ **of what you say is true** mult din ceea ce spui este adevărat, multe din cele ce spui sunt adevărate; **that's too** ~ (asta) e prea mult; e prea de tot; **not up to** ~ **F** *(d. ceva)* nu prea grozav; **to be too** ~ **for** a fi prea mult pentru; a fi peste puterile *cuiva*; **not to be** ~ **of a(n)** a nu fi cine știe ce *(savant etc.)*, a nu se remarca/a nu se distinge ca; a nu fi bun *(remediu etc.)*; **I'm not** ~ **of a cinema-goer** nu prea mă duc la cinema; **this** *sau* **that** ~ atât; acestea, aceasta; **he said this** ~ **in your favour** a spus acestea/următoarele în favoarea ta; ~ **will have more** *prov* ban la ban trage; **as** ~ **a** cam, aproximativ **b** la fel de mult, tot atât de mult; **I thought as** ~ m-am gândit eu (la aceasta); **as** ~ **as** (la fel) ca și; tot atât de mult ca (și); **it is as** ~ **your responsibility as mine** e și răspunderea ta, nu numai a mea; **that is as** ~ **as to**

say that cu alte cuvinte, este ca și cum ai, am, ați *etc.* spune că; **not/without as** ~ **as** fără măcar *(să spună etc.)*; nici măcar *(cu subst)* II *adv* 1 (↓ *cu ptc pas și adj pred)* foarte; *(când sunt însoțite de* **not***)* prea; foarte; **I am** ~ **obliged to you** vă sunt foarte îndatorat; **he was not** ~ **influenced by** nu a fost prea (mult) influențat de 2 *(cu comp adj și adv)* mult; < incomparabil; ~ **better a** mult mai bun **b** mult mai bine; ~ **more** mult mai mult; ~ **less** mult mai puțin; ~ **the worse** mult mai rău 3 *(cu sup relativ al adj și adv)* cu mult; de departe; incontestabil, categoric; **he is** ~ **the youngest** este de departe cel mai tânăr 4 cam, aproximativ; mai mult sau mai puțin; **they are** ~ **of a size** sunt cam de aceeași mărime; ~ **the same** cam același lucru; ~ **the same colour** cam de aceeași culoare 5 *(cu dat)* spre marele ..., spre marea ...; ~ **to my surprise** spre marea mea surprindere

much as ['mʌtʃ əz] *conj* oricât de; deși, cu toate că; ~ **I appreciate him, I can't help him in this matter** cu toate că îl apreciez foarte mult, nu-l pot ajuta în această chestiune

muchness ['mʌtʃnis] *s:* **much of a** ~ **F** cam tot pe-acolo, cam tot un drac, – cam același lucru

mucilage ['mjuːsilidʒ] *s bot* mucilagiu

muck [mʌk] I *s* 1 bălegar, gunoi 2 noroi, nămol, murdărie 3 *fig* murdărie, noroi II *vt* 1 *agr* a îngrășa cu bălegar 2 a murdări; a strica

muck about/around ['mʌk ə'baut/ ə'raund] *vi cu part adv* **F** a târnosi mangalul, – a nu face nimic

muck in with ['mʌk 'in wið] *vi cu part adv și prep* ← **F** a împărți *(o locuință etc.)* cu *(cineva)*

muckle ['mʌkəl] *adj, adv* ← *înv* mult

muck out ['mʌk'aut] *vt cu part adv* 1 a curăți *(grajdul etc.)*; a râni în *(grajd etc.)* 2 a curăți grajdul *etc.* pentru *(vite etc.)*

muckrake ['mʌkˌreik] I *s* 1 furcă pentru bălegar 2 *fig* persoană căreia îi place să descopere scandaluri și cazuri de corupție

II *vi* amer ← *F a se ocupa de scandaluri și cazuri de corupție* (↓ *demascându-le în presă*)

muck up ['mʌk'ʌp] *vt cu adv* **1** ← *F* a murdări; a păta **2** *F* a da peste cap, – a strica *(planuri etc.)*

muckworm ['mʌk‚wə:m] *s* **1** *zool* vierme de bălegar **2** *fig* zgârcit, avar

mucky ['mʌki] *adj* **1** (ca) de bălegar **2** ← *F* murdar **3** *(d. vreme)* ← *F* al naibii, păcătos, – urât

mucosity [mju:'kɔsiti] *s* mucozitate

mucous ['mju:kəs] *adj* **1** *anat etc.* mucos **2** lipicios; slinos

mucous membrane ['mju:kəs-'membrein] *s anat* membrană mucoasă

mucus ['mju:kəs] *s anat etc.* mucus; mucozitate

mud [mʌd] **I** *s* **1** noroi, *P→* im; mâl; nămol; **to throw/to fling ~ at smb** *fig* a împroșca pe cineva cu noroi **2** *fig* noroi, murdărie **II** *vt* **1** a murdări *sau* a împroșca cu noroi; a mânji **2** a tulbura *(un lichid)* **3** a vârî în noroi

mud bath ['mʌd ‚ba:θ] *s* baie de nămol

mudded ['mʌdid] *adj* murdar, mânjit, plin de noroi

muddiness ['mʌdiniss] *s* **1** caracter noroios/nămolos **2** murdărie

muddle ['mʌdəl] **I** *vt* **1** a amesteca, a încurca, a încâlci, a zăpăci **2** a amesteca *(un lichid)* **3** a tulbura *(apa)* **4** *(d. vin etc.)* a zăpăci; a ameți, a îmbăta **5** a face de mântuială; a cârpăci; a strica **II** *vi* a lucra prost *sau* de mântuială **III** *s* **1** zăpăceală, confuzie **2** harababură, talmeș-balmeș; **to make a ~ of smth** a încurca/*F* a zăpăci ceva; a încurca ițele

muddle along ['mʌdələ'lɔn] *vi cu part adv* a continua să meargă înainte, să acționeze *etc.* fără nici un plan/la întâmplare

muddle away ['mʌdələ'wei] *vt cu part adv* a pierde, a irosi

muddle-head ['mʌdəl‚hed] *s* **1** aiurit, zăpăcit; încurcă-lume **2** netot, prost

muddle-headed ['mʌdəl'hedid] *adj* **1** zăpăcit, aiurit **2** netot, prost

muddle through ['mʌdəl'θru:] *vi cu part adv* a isprăvi de bine de rău, a o scoate cumva la capăt

muddy ['mʌdi] *adj* **1** stropit/împroș-

cat cu noroi; plin de noroi **2** tulburare **3** întunecare; smead, brunet **4** *(d. voce)* răgușit **5** *(d. gândire)* confuz, neclar; vag

mudflat ['mʌd‚flæt] *s* limbă de pământ noroios pe care marea o acoperă în timpul fluxului

mudguard ['mʌd‚ga:d] *s auto* aripă; apărătoare; șorț de aripă

mudlark ['mʌd‚la:k] *s* ← *F* copil al străzii; vagabond; cerșetor

muezzin [mu:'ezin] *s* muezin

muff[1] [mʌf] *s* **1** manșon **2** *tehn* cuplaj; manșon; bucșă

muff[2] **I** *s* **1** *sport* lovitură ratată; scăpare, ratare *(a mingii etc.)* **2** *F* tâmpit, găgăuță **II** *vt sport* a scăpa, a rata *(mingea etc.)*

muffin ['mʌfin] *s* un fel de prăjitură rotundă, *aprox* brioșă *(se mănâncă fierbinte cu unt)*

muffle ['mʌfəl] **I** *vt* **1** a înfășura, a înveli *(cu o pătură etc.)* **2** a înăbuși *(sunete, voci)* **II** *vr* a se înveli; a se înfofoli

muffled ['mʌfəld] *adj* **1** învelit, înfășurat; înfofolit **2** *(d. sunete, voci)* înăbușit; *(d. înjurături etc.)* rostit printre dinți

muffler ['mʌflər] *s* **1** fular **2** mănușă de box **3** *tehn* amortizor de zgomot **4** *tehn* tobă de eșapament

mufti ['mʌfti] *s* **1** *rel* muftiu **2** ↓ *mil* haine civile

mug[1] [mʌg] **I** *s* **1** cană; pahar (cilindric); halbă **2** *sl* moacă, mutră, – față **3** strâmbătură, grimasă **4** băutură răcoritoare **II** *vt* **1** a pălmui; a trage o palmă *(cuiva)* **2** a jefui, a ataca *(↓ pe o stradă întunecoasă)* **3** a fotografia *(un criminal, pt arhiva poliției)* **4** a se strâmba la *(cineva)* **5** a machia; a farda **III** *vi* ← *sl* a se strâmba, face strâmbături

mug[2] **I** *s* **1** *F* tocilar **2** ← *F* examen **II** *vi* *F* a toci, – a învăța mult pentru examen *sau* examene

mugger ['mʌgər] *s* ← *F* **1** bufon, măscărici **2** *teatru* (actor) cabotin **3** bandit, tâlhar

muggins ['mʌginz] *s F* nătărău, tâmpit

muggy ['mʌgi] *adj* **1** *(d. vreme)* umed și cald **2** *(d. aer)* înăbușitor

mugwump ['mʌg‚wʌmp] *s amer* **1** *F* stab, grangur, mahăr **2** *pol sl* independent

Muhammad [mu'kæməd] *v.* **Mahommed**

Mubammadan, Muhammedan [mu'kæmədən] *adj, s v.* **Mahommedan**

Mukden ['mukdən] *capitala Manciuriei*

mulatto [mju:'lætou], *pl* **mulatto(e)s** [mju:'lætouz] *s* mulatru

mulberry ['mʌlbəri] *s* **1** *bot* dud, agud *(Morus sp.)* **2** dudă, agudă

mulch [mʌltʃ] *agr* **I** *s* mulci, strat ocrotitor **II** *vt* a mulci, a acoperi cu un strat protector

mulct [mʌlkt] *vt* **1** a amenda **2** (of) a smulge *(cuiva)* prin înșelăciune *etc. (ceva)*

mule [mju:l] *s* **1** *zool* catâr *(Equus mulus)* **2** *fig* catâr, (om) încăpățânat **3** *tehn* șablon **4** *drumuri* tractor electric **5** papuc fără călcâi

muleteer [‚mju:li'tiər] *s* catârgiu

mulish ['mju:liʃ] *adj* **1** (ca) de catâr **2** *fig* de catâr, încăpățânat

mulishly ['mju:liʃli] *adv fig* ca un catâr, cu încăpățânare

mulishness ['mju:liʃnis] *s* încăpățânare, îndărătnicie

mull[1] [mʌl] *s text* tifon

mull[2] *vt* a încălzi și a pune mirodenii în *(vin, bere etc.)*

mull[3] *s scot (în denumiri geografice)* promontoriu, cap

mulle(i)n ['mʌlin] *s bot* lumânărică *(Verbascum sp.)*

muller ['mʌlər] *s* piatră de moară alergătoare

mulley ['mʌli] *s* vacă fără coarne

mulligatawny (soup) [‚mʌligə'tɔ:ni (‚su:p)] *s* supă concentrată și condimentată *(în Orient)*

mulligrubs ['mʌligrʌbz] *s F* **1** plictisit, – ipohondrie **2** – colici, dureri

mullion ['mʌliən] *s constr* montant, stâlp; șipcă verticală *(la fereastră)*

mull over ['mʌl ‚ouvər] *vi cu prep* a se gândi/a cugeta la

multi- *pref* multi-: **multilateral** multilateral

multicoloured ['mʌlti‚kʌləd] *adj* multicolor

multifarious [‚mʌlti'fɛəriəs] *adj* variat, felurit, divers

multiform ['mʌlti‚fɔ:m] *adj* cu forme variate, *rar→* multiform

multilateral [‚mʌlti'lætərəl] *adj* multilateral

multimillionaire ['mʌlti,miljə'nɛə'] s multimilionar

multiple ['mʌltipəl] I adj 1 multiplu; numeros, felurit 2 alcătuit din mai multe părţi; compus; complex 3 gram (d. o frază) format din mai multe propoziţii coordonate 4 tehn multiplu; paralel 4 F v. **chain store** II s mat multiplu

multiple sclerosis ['mʌltipə l skle'rousis] s med scleroză difuză

multiple store ['mʌltipəl,stɔ:'] s v. **chain store**

multiplex ['mʌlti,pleks] adj 1 v. **multiple I, 2** 2 mat multiplu, compus

multipliable ['mʌlti,plaiəbə l] adj multiplicabil

multiplicable ['mʌlti,plikəbl] adj multiplicabil

multiplicand [,mʌltipli'kænd] s mat deînmulţit

multiplication [,mʌltipli'keiʃən] s 1 biol etc. înmulţire, multiplicare 2 mat înmulţire

multiplication table [,mʌltipli-'keiʃən'teibl] s mat tabla înmulţirii

multiplicity [,mʌlti'plisiti] s multiplicitate; număr mare; mulţime

multiplier ['mʌlti,plaiə'] s 1 coeficient 2 mat înmulţitor, multiplicator

multiply ['mʌlti,plai] I vt 1 şi mat a înmulţi, a multiplica 2 a spori, a creşte, a mări 3 biol a înmulţi, a face să se înmulţească II vi 1 a spori, a creşte, a se înmulţi 2 biol a se înmulţi 3 mat a înmulţi

multiracial [,mʌlti'reiʃəl] adj multirasial

multiseater ['mʌlti,si:tə'] s av avion cu multe locuri

multisonous [mʌt'tisənəs] adj polifonic

multi-stage ['mʌlti,steidʒ] adj atr etajat; cu mai multe trepte

multistorey [,mʌlti'stɔ:ri] adj atr cu mai multe etaje

multisyllable ['mʌlti,siləbə l] s cuvânt polisilabic

multitude ['mʌltitju:d] s 1 mulţime, masă (↓ de oameni); rar ← multitudine 2 the ~ mulţimea, peior gloata

multitudinous [,mʌlti'tju:dinəs] adj 1 foarte numeros; foarte mulţi sau multe 2 felurit, divers, variat

multi-valent [,mʌlti'veilənt] adj fiz polivalent, multivalent

multivibrator [,mʌltivai'breitə'] s tel multivibrator

multivocal [,mʌlti'voukəl] adj lingv polisemantic, cu mai multe înţelesuri; ambiguu, echivoc

mum¹ [mʌm] I interj sst! F vorba!; ~'s the word! să nu spui/F să nu sufli o vorbă (despre asta)! II adj pred tăcut, care tace; to keep ~ a tăcea III vi a se găti; a se masca

mum² s (în limbajul copiilor) mămi(ţi)că

mum³ s od un soi de bere tare şi dulce

mumble ['mʌmbəl] I vt 1 a murmura, a mormăi, a rosti nedesluşit, F → a îndruga 2 a molfăi II vi 1 a murmura, a mormăi, a vorbi nedesluşit 2 a molfăi

mumbling ['mʌmbliŋ] s mormăit; murmur

Mumbo Jumbo ['mʌmbou 'dʒʌmbou] s fig idol; fetiş

mummer ['mʌmə'] s 1 teatru od mască, actor de pantomimă 2 peior comediant (actor)

mummery ['mʌməri] s 1 teatru od pantomimă 2 fig mascaradă, ceremonie ridicolă

mummification [,mʌmifi'keiʃən] s mumificare

mummify ['mʌmi,fai] v a mumifica

mummy¹ ['mʌmi] I s mumie II vt a mumifica

mummy² s v. **mum²**

mumps [mʌmps] s pl ca sg 1 med parotidită epidemică, oreion 2 proastă dispoziţie

mun. presc de la **municipal**

munch [mʌntʃ] vt, vi a clefăi, a plescăi, a mânca cu zgomot

mundane ['mʌndein] adj lumesc; pământesc, terestru

Munich ['mju:nik] oraş în Germania München

municipal [mju:'nisipəl] adj 1 municipal, orăşenesc 2 cu autoguvernare 3 de autoguvernare

municipality [mju:,nisi'pæliti] s 1 municipalitate 2 autoritate orăşenească/municipală 3 municipiu

municipalize [mju:'nisipə,laiz] vt a municipaliza

munificence [mju:'nifisəns] s munificenţă, generozitate, largheţe

munificent [mju:'nifisənt] adj generos, darnic

munificently [mju:'nifisəntli] adv cu munificenţă/generozitate

muniment ['mju:nimənt] s 1 (mijloc de) apărare 2 pl jur documente (juridice)

munition [mju:'niʃən] I s pl 1 ↓ pl mil armament; materiale de război; muniţii 2 fond de rezervă (↓ bănesc) 3 înv întărire II vt mil a furniza armament sau muniţii (cu dat)

Munster ['mʌnstə'] provincie în Irlanda

mural ['mjuərəl] I adj mural II s pictură murală; frescă

murder ['mə:də'] I s crimă, asasinat; omor, ucidere; ~ will out prov adevărul iese la suprafaţă (ca untdelemnul) II vt 1 a ucide, a omorî; a asasina 2 fig a masacra; a stâlci (o limbă); a omorî (timpul)

murderer ['mə:dərə'] s criminal, asasin, ucigaş

murderous ['mə:dərəs] adj 1 criminal, ucigaş 2 (d. arme, căldură etc.) ucigător 3 setos de sânge; sângeros 4 copleşitor, devastator

murderously ['mə:dərəsli] adv ucigător, omorâtor

murderousness ['mə:dərəsnis] s caracter criminal

Muresh, Mures ['mu:reʃ] râu în România Mureş

muriatic acid [,mjuəri'ætik,æsid] s ch acid clorhidric

Muriel ['mjuəriəl] nume fem

Murillo [mjuə'rilou], **Bartolomé** pictor spaniol (1617-1682)

murk [mə:k] ← poetic I adj întunecat; obscur II s întuneric, obscuritate

murkily ['mə:kili] adv poetic întunecos

murkiness ['mə:kinis] s poetic întunecime, – întuneric

murky ['mə:ki] adj ← 1 (d. noapte etc.) întunecos 2 (d. întuneric) de nepătruns

Murmansk ['murmənsk] regiune şi oraş în fosta U.R.S.S.

murmur ['mə:mə'] I s 1 murmur; (al unui izvor şi) susur; (al unei păduri şi) freamăt, foşnet 2 (al albinelor) zumzet 3 zgomot (de voci), murmur 4 murmur, protest înfundat; without a ~ fără murmur; fără a crâcni II vt a murmura; a rosti încet; a şopti III vi 1 a murmura, a fremăta, a foşni; (d. un izvor) a murmura, a susura

2 a murmura, a protesta cu jumătate de glas; a cârti **3** a murmura, a fredona

murmurous ['mə:mərəs] *adj* **1** murmurând; susurând **2** de protest

murphy ['mə:fi] *s sl* cartof, *reg* barabulă

murrain ['mʌrin] *s* **1** *vet* molimă, epizootie **2** *înv* boleșniță; – ciumă; **a ~ on you!** lua-te-ar ciuma!

Murray ['mʌri] **1** *nume masc* **2 the ~** *fluviu în Australia*

mus. *presc de la* **1** music **2** musical **3** musician **4** museum

muscadel [,mʌskə'del] *s v.* **muscatel**

muscat ['mʌskət] *s v.* **muscatel**

muscatel [,mʌskə'tel] *s* **1** *bot* strugure tămâios, muscat **2** vin tămâios, muscat

muscle ['mʌsəl] *s anat* mușchi; **don't move a ~** nu te mișca/clinti; **a man of ~** un om vânjos; un om puternic

muscle-bound ['mʌsəl'baund] *adv* **1** care are febră musculară **2** cu mușchi puternic dezvoltați *(datorită exercițiului fizic)*

muscle in ['mʌsəl'in] *vi cu part adv sl* a pătrunde/a intra cu forța

Muscovite ['mʌskə,vait] **I** *adj înv* muscălesc, – rus(esc) **II** *s* **1** moscovit **2** *înv* muscal, – rus

muscovite *s minr* mică potasică

Muscovy ['mʌskəvi] *s ←* *înv* Rusia

muscular ['mʌskjulə'] *adj* **1** *anat* muscular **2** mușchiulos; voinic, puternic

muscularity [,mʌskju'læriti] *s* **1** musculatură, mușchi **2** musculozitate, mușchiulozitate

musculation [,mʌskju'leiʃən] *s* **1** *v.* **muscularity 1** **2** acțiune a mușchilor

musculature ['mʌskjulətʃə'] *s v.* **muscularity 1**

Muse [mju:z] *s* **1** *mit* muză **2 m~** muză; inspiratoare

muse *vi* **(on, upon) 1** a medita, a cugeta, a se gândi (la) **2** a se uita gânditor/meditativ (la)

mused [mju:zd] *adj* **1** înmărmurit; uluit, zăpăcit **2** distrat **3** (care a) căzut pe gânduri, gânditor, meditativ

museful ['mju:zful] *adj* gânditor, meditativ

musette [mju:'zet] *s fr od un fel de* cimpoi *(mic)*

museum [mju:'ziəm] *s* muzeu

museum piece [mju:'ziəm,pi:s] *s și fig* piesă de muzeu

mush¹ [mʌʃ] *s* **1** terci, păsat, coleașă **2** masă vâscoasă *sau* semilichidă **3** *fig* prostii, absurdități **4** sentimentalitate

mush² *amer* **I** *s* marș, călătorie pe jos *(↓ cu câinii, pe zăpadă)* **II** *vi* a călători pe jos *(↓ cu câinii pe zăpadă)* **III** *interj (comandă dată câinilor de sanie)* hai! înainte!

mush³ *s sl* **1** mutră, față **2** tip, individ, om

mushroom ['mʌʃru:m] **I** *s* **1** *bot* ciupercă comestibilă, ↓ ciupercă de gunoi cultivată *(Agaricus campestris)* **2** *bot* bazidie *(Basidiomycetes sp.)* **3** *fig* parvenit **4** *sl* umbrelă **5** ← *F* pălărie de pai cu borurile lăsate **II** *vi* a crește/a se înmulți ca ciupercile

mushy ['mʌʃi] *adj* **1** ca terciul/păsatul **2** *fig* slab, fără putere, moale **3** *(d. scrieri etc.)* siropos, dulceag, sentimental

music ['mju:zik] *s* **1** muzică; **to face the ~** *fig* **a** a înfrunta furtuna, a ține piept potopului *(de ocări, critici etc.)* **b** a nu zice nimic/F → nici pâs, a nu crâcni *(când este criticat etc.)* *s* a suporta consecințele/urmările faptelor sale; **to set to ~** a pune pe note; a compune muzica pentru **2** note *(muzicale)*; **to play from ~** a cânta la prima vedere **3** lucrare muzicală **4** simț muzical

musical ['mju:zikəl] **I** *adj* **1** muzical **2** melodios **II** *s* **1** *v.* **musical comedy 2** *v.* **musical film 3** *amer v.* **musicale**

musical box ['mju:zikəl,bɔks] *s* cutie muzicală

musical comedy ['mju:zikə l, kɔmidi] *s muz* operetă, comedie muzicală

musicale [,mju:zi'ka:l] *s* serată muzicală, seară de muzică *(în casa cuiva)*

musical film ['mju:zikəl,film] *s cin* film muzical

musically ['mju:zikəli] *adv* din punct de vedere muzical

music hall ['mju:zi,hɔ:l] *s muz* **1** sală de concert music hall; teatru de estradă; varieteu

musician [mju:'ziʃən] *s* **1** muzician, *înv →* muzicant; compozitor **2** muzicant; interpret, executant; vocalist, dizeur

musicianship [mju:'ziʃənʃip] *s* **1** competență muzicală **2** muzicalitate **3** talent muzical *(interpretativ)*

music master ['mju:zik ,ma:stə'] *s* profesor de muzică

music mistress ['mju:zik ,mistris] *s* profesoară de muzică

musicological [,mju:zikə'lɔdʒikəl] *adj* muzicologic

musicologist [,mju:zi'kɔlədʒist] *s* muzicolog

musicology [,mju:zi'kɔlədʒi] *s* muzicologie

music rack/stand ['mju:zik ,ræk/ ,stænd] *s muz* pupitru *(pt note)*

musing ['mju:ziŋ] *adj* gânditor, meditativ

musingly ['mju:ziŋli] *adv* gânditor, meditativ; cu o înfățișare gânditoare; dus pe gânduri

musk [mʌsk] *s* **1** mosc, bizam **3** miros de mosc

musk deer ['mʌsk ,diə'] *s și ca pl zool* mosc *(Moschus moschiferus)*

musket ['mʌskit] *s mil od* muschetă, flintă

musketeer [,mʌski'tiə'] *s mil od* mușchetar

musketry ['mʌskitri] *s mil od* **1** arta *sau* practica tragerii cu muscheta **2** muschete, flinte

musk melon ['mʌsk ,melən] *s bot* cantalup *(Cucumis melo sp.)*

musk ox ['mʌsk ,ɔks] *s zool* bou moscat *(Ovibos moschatus)*

musk rat ['mʌsk,ræt] *s zool* **1** bizam, guzgan de mosc *(Fiber zibethicus)* **2** ondatră *(Ondatra zibethica)*

musk rose ['mʌsk ,rouz] *s bot* trandafir moscat *(Rosa moschata)*

musky ['mʌski] *adj (ca)* de mosc, moscat

Muslem, Muslim ['muzlim] *adj, s v.* **Moslem**

muslin ['mʌzlin] *s text* muselină

musquash ['mʌskwɔʃ] *s v.* **musk rat**

muss [mʌs] *amer* **I** *s F* aiureală, zăpăceală, talmeș-balmeș **II** *vt F* **1** a zăpăci, a aiuri **2** a ciufuli, a răvăși *(părul)*

mussel ['mʌsəl] *s zool* midie *(Mytilus edulis)*

Musset [mju:'se], **Alfred de** *scriitor francez (1810-1857)*

Mussolini [ˌmusəˈliːni], **Benito** *dictator italian (1883-1954)*

Mussulman [mʌsəlmən] *adj, s v.* **Moslem**

must¹ [mʌst] *s* must *(de struguri)*

must² [məst, mst *forme slabe*, mʌst *formă tare*], *pret rar* **must** *v mod* **1** *(arată obligația sau necesitatea externă)* a trebui, a fi obligat; **you ~ obey him** trebuie să-l asculți; **I ~ go home** trebuie să mă duc acasă; **if you ~, you ~** dacă trebuie, trebuie; **there was a field that he ~ cross** era un câmp pe care trebuia să-l străbată **2** *(arată convingerea sau probabilitatea)* a trebui; a fi sigur *sau* probabil; **you ~ know him** trebuie să-l cunoști, nu se poate să nu-l cunoști; îl cunoști desigur; **you ~ lose if you bet** ai să pierzi sigur dacă ai să pariezi; **he ~ come a little later** trebuie să vină puțin mai târziu, probabil că va mai întârzia puțin; **you ~ have heard her sing** trebuie să o fi auzit cântând, probabil că ai auzit-o cântând **3** *(în prop neg, arată interdicția)* a nu avea voie; a nu fi permis/îngăduit, a fi interzis; **you ~ not smoke here** nu ai voie să fumezi aici; **"May I park there?" "No, you mustn't,"** – Pot să parchez acolo? – Nu, n-ai voie **4** *(arată surprinderea)* a trebui, a-i fi dat; **just as I was busiest, he ~ come** a trebuit să vină tocmai când eram mai ocupat; când eram mai ocupat, ce să vezi/ce crezi? – a venit el // ~ **have** *cu ptc* ← *înv* aș fi etc. *cu ptc* neapărat/desigur; **if she had told me I ~ have helped her** bineînțeles că aș fi ajutat-o dacă mi-ar fi spus **II** [mʌst] *adj atr* indispensabil, absolut necesar; **a ~ book** o carte care trebuie citită (neapărat) **III** [mʌst] *s* ← *F* ceva fără de care nu se poate, necesitate (imperioasă); **this novel is a ~** cartea aceasta trebuie citită neapărat

must³ [mʌst] *s* mucegai; putregai

mustache [məˈstaːʃ] *s anat* mustață, mustăți

mustachio [məˈstaːʃi,ou] *s v.* **mustache**

mustang [mʌstæŋ] *s zool* mustang, cal pe jumătate sălbatic

mustard [mʌstəd] *s* **1** *bot* muștar *(Brassica sp.)* **2** *bot* muștar de câmp *(Sinapis arvensis)* **3** *gastr* muștar **4** *(culoare)* muștar, galben-închis

mustard gas [ˈmʌstəd,gæs] *s ch* iperită

mustard oil [ˈmʌstəd,ɔil] *s* ulei de muștar

mustard plaster [ˈmʌstəd ˌplaːstəʳ] *s* cataplasmă de muștar, sinapism

mustard seed [ˈmʌstəd,siːd] *s* sămânță de muștar

muster [ˈmʌstəʳ] **I** *s* **1** *mil* apel; adunare; inspecție; paradă; **to pass ~ a** a ieși bine la inspecție **b** *fig* a trece o probă cu succes; a fi bun/valabil **2** adunare, mulțime **3** mostră **II** *vt* **1** a reuni, a strânge, a aduna, a chema *(oameni); înv* → a ridica *(oaste etc.)* **2** *v.* **muster up III** *vi* a se reuni, a se strânge, a se aduna; a se întruni

muster in [ˈmʌstər'in] *vt cu part adv mil* a demobiliza, a lăsa la vatră

muster out [ˈmʌstər 'aut] *vt cu part adv mil* a recruta; a mobiliza; a chema sub arme

muster up [ˈmʌstər'up] *vt cu part adv fig* a strânge; a întări; **to ~ one's strength** a-și aduna puterile; **to ~ one's courage** a-și aduna tot curajul; a-și lua inima în dinți

mustiness [ˈmʌstinis] *s* (stare de) mucezeală

mustn't [ˈmʌsnt] *contras F din* **must not**

musty [ˈmʌsti] *adj* **1** mucegăit; încins; stătut **2** *fig* învechit, prăfuit, colbăit **3** *fig* searbăd, plicticos, fad

mut. *presc de la* **mutual**

mutability [ˌmjuːtəˈbiliti] *s* mutabilitate

mutable [ˈmjuːtəbəl] *adj* **1** mutabil, transformabil **2** *fig* nestatornic, schimbător

mutate [mjuːˈteit] **I** *vt* **1** a schimba, a transforma **2** *lingv* a alterna **II** *vi lingv* a alterna; a fi supus metafoniei

mutation [mjuːˈteiʃən] *s* **1** schimbare, transformare **2** *biol etc.* mutație **3** *lingv* alternanță fonetică; metafonie

mutatis mutandis [mjuːˈteitis mjuː-ˈtændis] *lat* făcându-se schimbările necesare; ținându-se

seama de diferențele de amănunt

mutator [mjuːˈteitəʳ] *s el* mutator

mute [mjuːt] **I** *adj* **1** *med* mut **2** *fig* mut, tăcut; taciturn; fără glas; **(as) ~ as a fish** mut ca un pește **3** *fon* mut **II** *s* **1** *med* mut **2** *teatru* figurant **3** *muz* surdină **4** *fon* (consoană) ocluzivă **5** *fon* literă mută **III** *vt muz* a pune surdina *(la un instrument)*

mutely [ˈmjuːtli] *adv* în tăcere; fără a vorbi; mut

muteness [ˈmjuːtnis] *s* tăcere; muțenie

mutilate [ˈmjuːti,leit] *vt* **1** a mutila, a schilodi **2** *fig* a deforma; a masacra *(un text etc.)*

mutilation [mjuːtiˈleiʃən] *s* **1** mutilare, schilodire **2** *fig* deformare; masacrare

mutineer [ˌmjuːtiˈniəʳ] *s* răzvrătit, răsculat, rebel

mutinous [ˈmjuːtinəs] *adj* răzvrătit, răsculat; *(d. purtare etc.)* rebel, de răzvrătit

mutiny [ˈmjuːtini] **I** *s* răscoală, răzvrătire; rebeliune **II** *vi* **(against)** a se răscula, a se răzvrăti *(împotriva – cu gen)*

mutism [ˈmjuː,tizəm] *s* **1** *med* mutism, muțenie **2** *fig* mutism, muțenie, tăcere absolută

mutt [mʌt] *s F* tâmpit, bou, – idiot

mutter [mʌtəʳ] **I** *vt* **1** a murmura, a bolborosi **2** a mormăi, a bodogăni **II** *vi* **1** a vorbi nedeslușit; a murmura; a vorbi șoptit **2** a bombăni, a bodogăni, a murmura **III** *s* **1** murmur, bolboroseală **2** mormăit, bodogăneală, bombănit **3** tunete îndepărtate

mutton [mʌtən] *s* carne de oaie *sau* berbec; **(as) dead as ~** mort de-a binelea; **let's return to our ~s** *fig* să ne întoarcem la oile noastre; ~ **dressed (up) as lamb** *peior* femeie în toată firea/ < în vârstă gătită ca o tinerică

mutton chop [ˈmʌtən,tʃɔp] *s* **1** cotlet de berbec **2** *pl anat* favoriți, *F* cotlete

mutual [ˈmjuːtʃuəl] *adj* **1** mutual, reciproc **2** *(d. un prieten, un zid etc.)* comun; *(d. un prieten)* intim

mutual action [ˈmjuːtʃuəl,ækʃən] *s* interacțiune

mutuality [ˌmjuː'tjuː'æliti] *s* **1** mutua-
litate, reciprocitate **2** schimb de
amabilităţi **3** intimitate

mutually ['mjuːtʃuəli] *adv* (în mod)
reciproc

muzhik, muzjik ['muːʒik] *s v.* **moujik**

muzzle ['mʌzəl] **I** *s* **1** bot; rât *(la
porci)* **2** botniţă **3** *mil* gură *(a unei
arme de foc)* **4** *tehn* gură, orificiu
5 mască antigaz **II** *vt* şi *fig* a pune
botniţă *(cu dat)*

muzzy ['mʌzi] *adj* **1** zăpăcit, confuz
2 ameţit, beat

m.v. *presc de la* **1 market value 2
mean variation**

my [mai] **I** *adj* meu, mea, mei *sau*
mele; ~ **good friends** bunii mei
prieteni; **this car is ~ own**
maşina (aceasta) e a mea/e
proprietatea mea; ~ **own bro-
ther** propriul meu frate **II** *interj* F
aoleo! Cerule! Dumnezeule! vai!

mycelium [mai'siːliəm] *s bot* miceliu

Mycenae [mai'siːni] *ist oraş în
Grecia* Micene

mycology [mai'kolədʒi] *s bot* mico-
logie

mycosis [mai'kousis], *pl* **mycoses**
[mai'kousiːz] *s med* micoză

mydriasis [mi'draiəsis] *s med* mi-
driază

myelitis [ˌmaii'laitis] *s med* mielită

myo- *pref* mio-: **myocarditis** mio-
cardită

myocarditis [ˌmaioukɑ:'daitis] *s
med* miocardită

myocardium [ˌmaiou'kɑ:diəm] *s
anat* miocard

myology [mai'olədʒi] *s med* mio-
logie

myoma [mai'oumə] *s med* miom

myope ['maioup] *s med* miop

myopia [mai'oupiə] *s med* miopie

myopic [mai'ɔpik] *adj med* miop

myopy ['maiəpi] *s v.* **myopia**

Myra ['maiərə] *nume fem* Mira

myriad ['miriəd] *s* miriade *(pl)*,
imensitate, număr vast

myriapod ['miriə,pod] *s, adj zool*
miriapod

myrmidon ['məː,mi,don] *s* **1** *ist* **M~**
mirmidon **2** *fig* acolit, slugă

myrrh [məː] *s* **1** *bot* iarbă de smirnă
(Myrrhis odorata) **2** smirnă

Myrtle ['məːtəl] *nume fem*

myrtle *s bot* mirt *(Myrtus commu-
nis)*

myself [mai'self] **I** *pr refl* mă; **I hurt
~** m-am lovit **II** *pr de întărire*
însumi, *fem* însămi; **I saw her ~**
am văzut-o eu însumi *sau* însă-
mi, chiar eu am văzut-o per-
sonal; **I am not ~ today** nu mă
simt bine azi; **(all) by ~ a** singur,
solitar **b** singur, neajutorat (de
nimeni) **III** *pr pers* eu; **he and ~**
el şi eu/cu mine

mystagogic(al) [ˌmistə'godʒik(əl)]
adj rel mistagogic

mystagogue ['mistə,gog] *s rel*
mistagog

mysteriosus [mi'stiəriəs] *adj* mis-
terios, tainic; secret

mysteriously [mi'stiəriəsli] *adv* (în
mod/chip) misterios

mysteriousness [mi'stiəriəsnis] *s*
caracter misterios/tainic/secret

mystery ['mistəri] *s* **1** mister, taină; se-
cret; enigmă; problemă; **to make
a ~ of** a face un secret din **2** *bis*
taină **3** *teatru od* mister **4** ← *înv*
meşteşug, meserie **5** *od* breaslă

mystery play ['mistəri,plei] *s v.*
mystery 3

mystic ['mistik] **I** *adj* **1** mistic; ocult
2 esoteric, ascuns, tainic **3**
misterios, tainic, plin de taine *sau*
secrete; enigmatic; neclar; nebu-
los **II** *s* mistic

mystical ['mistikəl] *adj* **1** mistic,
alegoric; simbolic **2** *v.* **mystic 2**

mystically ['mistikəli] *adv* (în mod/
chip) mistic

mysticism ['misti,sizəm] *s* misticism

mystification [ˌmistifi'keiʃən] *s*
mistificare

mystificator [ˌmistifi'keitə'] *s* misti-
ficator

mystify ['misti,fai] *vt* **1** a mistifica; a
înşela; a falsifica **2** a înconjura
de mister **3** a induce în eroare **4**
a complica; a face de neînţeles

myth [miθ] *s* mit; legendă

mythic(al) [miθik(əl)] *adj* **1** mitic,
legendar **2** imaginar, închipuit **3**
(d. avere etc.) fabulos, de neîn-
chipuit

mythically [miθikəli] *adv* **1** ca mit
sau mituri; mitic, legendar **2** cu
ajutorul miturilor

mythologic(al) [ˌmiθəlodʒik(əl)] *adj*
mitologic, legendar

mythologically [ˌmiθə'lodʒikəli] *adv*
(din punct de vedere) mitologic

mythologist [mi'θolədʒist] *s* mitolog

mythologize [mi'θclə,dʒaiz] *vi* **1** a
relata/a povesti un mit *sau* mituri
2 a interpreta mituri **3** a studia
mituri(le) **4** a clasifica miturile

mythology [mi'θolədʒi] *s* **1** mitologie
2 culegere de mituri **3** studierea
miturilor **4** *înv* alegorie

N

N, n [en] *s* (litera) N, n

N. *presc de la* **1 National 2 November**

N., n. *presc de la* **1 name 2 natus** — născut **3 new 4 nephew 5 navy 6 neuter 7 noon 8 nominative 9 noun 10 northern**

N. N., n., n *presc de la* **North**

n. *presc de la* **1 number 2 note**

N.A. *presc de la* **1 North America 2 National Academy 3 National Army**

nab [næb] *vt* **1** *F* a înșfăca, a înhăța, – a apuca; a pune mâna pe **2** *F* a înhăța, a pune mâna pe, – a aresta

nabob ['neibɔb] *s* nabab

nacelle [nə'sel] *s av* nacelă

nacre ['neikə] *s* sidef, *rar* → nacru

Nadine [nei'di:n] *nume fem*

nadir ['neidiə] *s* **1** *astr* nadir **2** *fig* punctul *sau* nivelul cel mai de jos, limită inferioară

naevus ['ni:vəs], *pl* **naevi** ['ni:vai] *s anat* nev

nag[1] [næg] *s* **1** ponei **2** cal mic; căluț **3** mârțoagă, gloabă

nag[2] **I** *vt* a cicăli; a sâcâi; a nu da pace (*cuiva*), *F* a bate la cap (*pe cineva*) **II** *vi* (**at**) a cicăli (*pe cineva*) **III** *s* **1** cicăleală; sâcâială **2** ← *F* femeie cicălitoare

Nagasaki [,na:gə'sa:ki] *oraș în Japonia*

nagger ['nægə] *s* persoană/↓ femeie cicălitoare *sau* sâcâitoare

naggy ['nægi] *adj* cicălitor; sâcâitor

nag into ['næg,intə] *vt cu prep* a cicăli până când *face ceva*

nagnag ['nægnæg] *vi, vt v.* **nag**[2] **I, II**

naiad ['naiæd] *s mit* naiadă

naif, naif [na:'i:f] *adj fr* naiv

nail [neil] **I** *s* **1** *anat* unghie **2** cui, țintă; piron; **to fight tooth and ~** *fig* a lupta cu dinții; a lupta din răsputeri; **on the ~** pe loc, neîntârziat, imediat; **to hit the (right) ~ on the head** a lovi drept la țintă; a pune degetul pe rană, a pune punctul pe i; (**as**) **hard as ~s** a rezistent; călit **b** (*d. sportivi*) în formă **c** nemilos, neîndurător, crud; **tough as ~** *F* sănătos tun; **a ~ in smb's coffin**

fig ceva ce grăbește moartea *sau* pieirea cuiva; (**as**) **right as ~s** a în perfectă ordine **b** perfect adevărat **3** *tehn* știft **II** *vt* **1** a bate în cuie, a fixa cu cuie; a țintui; a pironi **2** *fig* a aținti, a fixa (*atenția*) **3** *fig F* a înșfăca, a înhăța, – a prinde (*un hoț etc.*)

nail bed ['neil ,bed] *s anat* lojă unghială

nail biting ['neil ,baitin] *s* obiceiul de a-ți mânca unghiile

nail brush ['neil ,brʌʃ] *s* perie de unghii

nail down ['neil 'daun] *vt cu part adv* **1** (**to**) a fixa, a țintui (de) **2** *fig* a stabili **3** a sili (*pe cineva*) să spună ce are de gând *sau* ce dorește

nail drawer ['neil ,drɔ:ə] *s* **1** extractor de cuie; ciocan de scos cuie **2** *tehn* rangă cu gheare

nailed-up ['neild,ʌp] *adj* făcut, scris, organizat *etc.* în grabă, cârpăcit

nailer ['neilə] *s* forjor de cuie

nailery ['neiləri] *s* fabrică de cuie

nail file ['neil ,fail] *s* pilă de unghii

nail head ['neil ,hed] *s* floarea cuiului

nail parings ['neil ,pɛəriŋz] *s pl* (resturi de) unghii tăiate

nail scissors ['neil ,sizəz] *s pl* foarfece de unghii

nail varnish ['neil ,va:niʃ] *s* lac de unghii, ojă

nainsook ['neinsuk] *s text* nansuc

nais ['neiis], *pl* **naides** ['naiədz] *s* naiadă

naive, naïve [na:'i:v] *adj* naiv

naively [na:'i:vli] *adv* naiv, cu naivitate

naiveté [,na:iv'tei] ⟨*s v.* **naïvety**

naïvety, neivety *s* naivitate

naked ['neikid] *adj* **1** gol; nud; dezgolit; neacoperit; dezbrăcat **2** (*d. pomi etc.*) gol, golaș, desfrunzit **3** (*d. o cameră etc.*) gol; nemobilat **4** *fig* gol; neapărat; deschis; liber *etc.*; fără apărare, neînarmat; **with the ~ eye** cu ochiul liber; **the ~ truth** adevărul gol(-goluț); ~ **facts** fapte nude **5** *el* neizolat

nakedness ['neikidnis] *s* și *fig* goliciune **2** (**of**) lipsă (de), sărăcie

namby-pamby [,næmbi 'pæmbi] *adj* **1** sentimental; lacrimogen **2** afectat, prețios **3** slab, nehotărât

name [neim] **I** *s* **1** nume; denumire; **a person of the ~ of N.** o persoană cu numele N.; **by** ~ pe *sau* după nume; **by the ~ of** cu numele de, numit; **under the ~ of** sub numele *sau* pseudonimul de; **in the ~ of** în numele (*legii, al unei idei etc.*); **to take smb's ~ in vain** ↓ *rel* a lua numele cuiva în deșert; **not to have a penny to one's ~** a nu avea un ban/*F* un sfanț; **to put one's ~ down for a** a participa la (*o colectă etc.*), a subscrie la, a semna (*un apel etc.*) **b** a candida la (*un post etc.*); **without a ~ a** fără nume; necunoscut **b** (*d. un mod de a proceda etc.*) incalificabil **2** nume, denumire, termen; titlu; **the ~ of the game** *sl* țipil: calitate necesară; **in ~ only** numai cu numele **3** nume, renume, reputație, faimă; **he has a ~ for honesty** e cunoscut pentru cinstea sa/onestitate; **bad/ill** ~ proastă reputație, nume rău; **people of** ~ oameni renumiți/de seamă/vestiți **4** *gram* substantiv; nume **5** nume, personalitate, persoană renumită **6** neam, familie; viță **7** *fig* vorbă goală; aparență; **virtuous in** ~ **a** virtuos cu numele **b** ipocrit, fățarnic **8** *pl* vorbe injurioase, cuvinte/vorbe de ocară; înjurături; **to call smb** ~**s** a înjura pe cineva **II** *vt* **1** a numi, a boteza; a da un nume (*cuiva*); a (de)numi (*ceva*); **they** ~**d** him Victor l-au botezat/i-au zis/i-au spus Victor, i-au dat numele de Victor; **the mountain was** ~**d after its discoverer** muntelui i s-a dat numele celui care-l descoperise **2** a spune pe nume; a cunoaște denumirea (*cu gen*); **can you** ~ **all the pupils in your class?** știi cum îi cheamă pe toți elevii din clasa ta? **3** a stabili, a fixa (*ziua etc.*, ↓ *ziua nunții*) **4** (**for**) a numi (*într-o funcție*) **5** a spune (*prețul etc.*) **6** a numi, a menționa

nameable ['neiməbəl] *adj* care poate fi numit, de scris *sau* amintit/menţionat

name child ['neim ,tʃaild] *s* copil care poartă numele unei rude, al unui cunoscut *etc.*

name day ['neim ,dei] *s* **1** (zi) onomastică, ziua numelui **2** ziua botezului

nameless ['neimlis] *adj* **1** fără nume, necunoscut; anonim **2** de nedescris; extraordinar **3** *(în sens negativ)* îngrozitor, groaznic **4** nelegitim, din flori

namelessness ['neimlisnis] *s* **1** lipsa numelui; anonimat **2** caracter de nedescris; caracter extraordinar **3** *(în sens negativ)* monstruozitate, grozăvenie

namely ['neimli] *adv* cu alte cuvinte, adică; şi anume

name plate ['neim ,pleit] *s* **1** tăbliţă/plăcuţă cu numele cuiva **2** tăbliţă/plăcuţă cu marca fabricii **3** ecuson

namesake ['neim,seik] *s* omonim, tiz

Nancy 1 ['nænsi] *nume fem* **2** [nɑ̃'si] *oraş în Franţa*

nancy *s, adj sl* homosexual

nankeen, nankin [næŋ'ki:n] *s text* **1** nanchin **2** *pl* pantaloni de nanchin

Nankin ['næn'kin] *oraş în China*

Nanking ['næn'kiŋ] *v.* **Nankin**

Nannette [næ'net] *nume fem v.* **Anne**

nanny ['næni] *s* *(în limbajul copiilor)* bonă, fată la copil

nanny(-goat) ['næni(,gout)] *s zool* capră

Nansen ['nænsən], **Fridjof** *explorator norvegian (1861-1930)*

Nantes [nɑ̃:t] *oraş în Franţa*

nap¹ [næp] **I** *s* pui de somn, somnuleţ; aţipeală; **to have/to take a ~** a trage un pui de somn **II** *vi* a dormita; a moţăi; a trage un pui de somn; a aţipi; **to catch smb ~ping** *fig* a lua pe cineva prin surprindere

nap² *s text* **1** scamă **2** pluş *(la catifea)* **3** puf *(al unei stofe)*

nap³ *vt* *(d. ziarişti)* a considera câştigător *(un cal)* la curse

napalm ['neipɑ:m] *s* napalm

nape [neip] *s anat* ceafă

napery ['neipəri] *s* pânzeturi/albituri de masă

naphtha ['næfθə] *s* petrol, ţiţei; păcură; benzină grea

naphthalene ['næfθə,li:n] *s ch* naftalină

naphthalic [næf'θælik] *adj ch* naftoic

naphthalin ['næfθəlin] *s v.* **naphthalene**

naphthol ['næfθɔl] *s ch* naftol

napkin ['næpkin] *s* **1** şerveţel, şervet **2** cârpă (de vase) **3** *pl* scutece

napkin ring ['næpkin ,riŋ] *s* inel pentru şerveţele (de masă)

Naples ['neipəlz] Neapole

napless ['næplis] *adj* **1** fără scamă, nescămoşat **2** uzat, ros

Napoleon [nə'poulien] *împărat al Franţei (1804-1815)*

napoleon *s od* napoleon *(monedă)*

Napoleonic [nə,pouli'ɔnik] *adj* napoleonic, napoleonean

napoo [næ'pu:] *interj sl* kaput! – s-a terminat/isprăvit!

napper ['næpər] *s text* maşină de scămoşat

nappy ['næpi] *adj* scămos; scămoşat

narcissism ['nɑ:si,sizəm] *s med* narcisism

narcissist ['nɑ:sisist] *s med* narcisist

narcissistic [,nɑ:si'sistik] *adj med* narcisist

Narcissus [nɑ:'sisəs] *mit* Narcis

narcissus, pl şi narcissi [nɑ:'sisai] *s bot* narcisă *(Narcissus sp.)*

narcosis [nɑ:'kousis] *s* narcoză

narcotic [nɑ:'kɔtik] *adj, s med* narcotic; soporific

narcotical [nɑ:'kɔtikəl] *adj med* soporific; adormitor

narcotize ['nɑ:kə,taiz] *vt* **1** *med* a narcotiza; a adormi **2** *fig* a adormi; a slăbi; a amorţi

nard [nɑ:d] *s* nard

narghile ['nɑ:gili] *s* narghilea

nark¹ [nɑ:k] *s* **1** *sl* copoi; – agent secret; informator **2** *amer sl* poliţist însărcinat cu anchetarea drogaţilor

nark² **I** *vt sl* a scoate din sărite; a bate la cap **II** *vi sl* a se văita, a se plânge; a bombăni

narky ['nɑ:ki] *adj sl* nervos; arţăgos; care-şi iese din sărite

narrate [nə'reit] *vt* a povesti, a relata, elev → a nara

narration [nə'reiʃən] *s* **1** relatare, povestire **2** povestire, naraţiune

narrative ['nærətiv] **I** *adj* narativ, de povestire *sau* povestitor **II** *s v.* **narration**

narrator [nə'reitər] *s* povestitor

narrow ['nærou] **I** *adj* **1** *(d. un pod, drum etc.)* îngust, strâmt **2** *fig* *(d. un cerc de prieteni etc.)* strâmt, îngust, mic, restrâns, limitat; **a ~ majority** o mică majoritate; **to have a ~ squeak** *F* a scăpa cu chiu cu vai, – a scăpa ca prin urechile acului; **to be in ~ means/circumstances** a fi strâmtorat (băneşte) **3** *fig (d. intelect etc.)* îngust, mărginit, limitat **4** *fig (d. o cercetare etc.)* amănunţit; *(d. un examen etc.)* sever; *(d. un control etc.)* strict; *(d. un sens etc.)* precis, exact **II** *s* **1** parte îngustă *(a unui râu, a unei trecători etc.)* **2** ↓ *pl geogr* strâmtoare **III** *vi (d. un râu etc.)* a se îngusta, a se strâmta **IV** *vt* a strâmta, a îngusta; a restrânge, a micşora

narrow boat ['nærou ,bout] *s* luntre îngustă *(folosită pe canale)*

narrow down ['nærou 'daun] *vt cu part adv* **1** a îngusta, a strâmta, a gâtui **2** a restrânge, a reduce; **to ~ an argument** a reduce mobilul certei la câteva puncte

narrow gauge ['nærou ,geidʒ] *s ferov* ecartament îngust

narrowly ['nærouli] *adv* **1** *(a scăpa etc.)* cu greutate, (de-)abia **2** *(a urmări etc.)* de aproape; cu atenţie

narrow-minded ['nærou,maindid] *adj* îngust, mărginit, limitat, fără orizont, obtuz

narrow-mindedness ['nærou,maindidnis] *s* îngustime (a spiritului), limitare, lipsă de orizont

Narrows, the ['nærouz, ðə] *s* **1** strâmtoarea dintre insula Staten şi Long Island (New York) **2** partea cea mai îngustă a strâmtorii Dardanele

narthex ['nɑ:θeks] *s arhit* nartex

narwhal ['nɑ:wəl] *s zool* narval *(Monodon monoceros)*

narwhale ['nɑ:,weil] *s v.* **narwhal**

nary ['nɛəri] *adj amer F* nici un pic de

nasal ['neizəl] **I** *adj anat etc.* nazal **II** *s fon* sunet nazal; (consoană) nazală

nasality [nei'zæliti] *s fon* nazalitate

nasalization [,neizəlai'zeiʃən] *s fon* nazalizare

nasalize ['neizə,laiz] *vt fon* a nazaliza

nasally ['neizəli] *adv* nazal, pe nas

nascency ['næsənsi] *s* naștere, apariție

nascent ['næsənt] *adj* nativ, născând, care se naște, care apare

Nash(e) [næʃ], **Thomas** *scriitor englez (1567-1601)*

nastily ['nɑːstili] *adv* 1 murdar, urât, (ca un) ticălos 2 cu răutate, răutăcios; tăios, mușcător

nastiness ['nɑːstinis] *s* 1 murdărie 2 scârboșenie, urâțenie 3 imoralitate; obscenitate 4 lipsă de politețe 5 micime, meschinărie 6 caracter vătămător *sau* primejdios

nasturtium [nə'stəːʃəm] *s bot* călțunaș, condurul doamnei *(Tropaeolum majus)*

nasty ['nɑːsti] *adj* 1 murdar 2 scârbos, dezgustător, > neplăcut 3 imoral; obscen 4 nepoliticos, obraznic 5 meschin, josnic 6 vătămător, dăunător; primejdios, periculos; *(d. mare etc.)* amenințător 7 răutăcios, malițios; urât

nat. *presc de la* 1 **natural** 2 **native** 3 **national** 4 **natus** – născut

Natal [nə'tæl] *provincie în Africa de Sud*

natal ['neitəl] *adj* 1 *(d. un loc etc.)* natal, de naștere; *(d. o zi etc.)* de naștere 2 ← *poetic* înnăscut, din naștere

Natalie ['nætli] *nume fem* Natalia

natality [nei'tæliti] *s* 1 natalitate 2 ← *rar* naștere

natant ['neitənt] *adj* plutitor

natation [nə'teiʃən] *s* natație, sportul înotului

natatorial [ˌnætə'tɔːriəl] *adj* de *sau* pentru înot

natatorium [ˌneitə'tɔːriəm] *s* bazin de înot *(↓ interior)*

nates ['neitiːz] *s pl anat* fese

Nathan ['neiθən] *nume masc*

Nathaniel [nə'θænjəl] *nume masc*

natheless ['neiθlis] ← *înv* I *adv* totuși, cu toate acestea II *prep* în ciuda *cu gen*

nathless ['næθlis] *adv, prep v.* **natheless**

nation ['neiʃən] *s* națiune; popor; țară, stat

national ['næʃənəl] I *adj* național; de stat II *s* cetățean; **his own ~s** conceteteni săi

national anthem ['næʃənəl ˌænθəm] *s* imn național

national assembly ['næʃənə lə'sembli] *s pol* adunare națională

national assistance ['næʃənə lə'sistəns] *s* ← *înv* asistență socială

national bank ['næʃənəl ˌbæŋk] *s* bancă națională

national debt ['næʃənəl 'det] *s* datorie națională

national flag ['næʃənəl ˌflæg] *s* drapel național/de stat, *nav* pavilion național

national government ['næʃənəl 'gʌvənmənt] *s* guvern de coaliție

national guard ['næʃənəl ˌgɑːd] *s amer* gardă națională *(rezerviști mobilizați în caz de tulburări publice)*

National Health service ['næʃənəl 'helθ 'səːvis] *s (în Anglia)* serviciul medical de stat *(asigurat prin impozite)*; **on the ~** gratuit *sau* ieftin *(pentru că intră în acest sistem)*

national income ['næʃənəl 'inkʌm] *s ec* venit național

National Insurance ['næʃənə l in'ʃuərəns] *(în Anglia)* asigurări de stat

nationalism ['næʃənəˌlizəm] *s* naționalism

nationalist ['næʃənəlist] *adj, s* naționalist

nationalistic [ˌnæʃənə'listik] *adj* naționalist

nationality [ˌnæʃə'næliti] *s* 1 naționalitate 2 cetățenie; *înv →* supușenie 3 națiune, popor 4 specific național 5 unitate națională

nationalization [ˌnæʃənəlai'zeiʃən] *s* naționalizare

nationalize ['næʃənəˌlaiz] *vt* 1 a naționaliza 2 a transforma în națiune 3 a naturaliza *(un cetățean)*

nationally ['næʃənəli] *adv* 1 din punct de vedere național 2 într-un spirit național

national park ['næʃənəl ˌpɑːk] *s* parc național

national service ['næʃənəl 'səːvis] *s* serviciu militar obligatoriu

nation-wide ['neiʃən ˌwaid] *adj* național, a întregii națiuni

native ['neitiv] I *adj* 1 natal, de naștere 2 înnăscut, din naștere, nativ; firesc, natural 3 băștinaș; aborigen; **~ customs** obiceiuri locale; **a plant ~ to America** o plantă originară din America; **to go ~** *(d. europeni)* a prelua obiceiurile băștinașilor 4 *minr* nativ; indigen II *s* 1 băștinaș,

indigen, aborigen 2 pământean, cetățean; localnic; **a ~ of Edinburgh** persoană originară din Edinburgh, edinburghez 3 *bot* plantă indigenă 4 *zool* animal indigen 5 *zool* stridie din apele britanice

native-born ['neitiv,bɔːn] *adj* băștinaș, autohton, indigen

nativism ['neiti,vizəm] *s filos* nativism

nativist ['neitivist] *s filos* nativist

nativity [nə'tiviti] *s* 1 naștere 2 **the N~** *rel* Nașterea Domnului, Crăciun 3 loc de origine 4 horoscop

nativity play [nə'tiviti ˌplei] *s* piesă de teatru legată de Crăciun

natl. *presc de la* **national**

NATO *presc de la* **North Atlantic Treaty Organization**

natrium ['neitriəm] *s ch* sodiu, natriu

natron ['neitrən] *s ch* carbonat de sodiu cristalizat

natter ['nætə] I *vi* 1 *F* a trăncăni, a flecări 2 ← *reg* a bombăni, a murmura II *s F* taclale, palavre

nattily ['nætili] *adv* 1 fercheș, spilcuit 2 meșteșugit, cu pricepere

natty ['næti] *adj* 1 fercheș, spilcuit 2 îndemânatic, abil; isteț, priceput

natural ['nætʃrəl] I *adj* 1 natural, din natură; **~ phenomena** fenomene naturale; **in their ~ state** în starea lor naturală 2 natural; normal; firesc; explicabil, de înțeles; **to die a ~ death** a muri de moarte bună; **for the term of one's ~ life** până la sfârșitul vieții; **it is ~ that he should act like that** e firesc să procedeze în felul acesta 3 natural, firesc, simplu, neprefăcut; **in a ~ tone** pe un ton natural/firesc 4 natural, real; viu; în stare naturală; necultivat, sălbatic 5 *(d. un talent etc.)* înnăscut, natural; **with the bravery ~ to him** cu curajul care-i este propriu/caracteristic 6 *(d. un copil)* nelegitim, din flori 7 *muz* fără diezi *sau* bemoli 8 *muz* în cheia de do/C II *s* 1 *muz* becar 2 *muz* cheia de do/C 3 dispoziție/înclinație naturală; talent, înzestrare 4 persoană înzestrată de la natură; < geniu 5 prost, < idiot 6 **(for)** persoană calificată (pentru); expert (în)

natural current ['nætʃrəl ˌkʌrənt] *s el* curent teluric

natural gas ['nætʃrəl ˌgæs] *s* gaz natural

natural ground ['nætʃrəl ˌgraund] *s* 1 continent 2 teren solid

natural historian ['nætʃrəl his'tɔriən] *s* naturalist

natural history ['nætʃrəl ˌhistəri] *s* ştiinţele naturii

naturalism ['nætʃrəˌlizəm] *s lit, arte* naturalism

naturalist ['nætʃrəlist] *s lit, arte, zool etc.* naturalist

naturalistic [ˌnætʃrə'listik] *adj lit, arte* naturalist

naturalistically [ˌnætʃrə'listikəli] *adv* (în mod) naturalist

naturalization [ˌnætʃrəlai'zeiʃən] *s* naturalizare

naturalize ['nætʃrəˌlaiz] *zool etc.* **I** *vt* a naturaliza **II** *vi* 1 a se naturaliza 2 a studia natura

natural law ['nætʃrəl ˌlɔ:] *s* lege naturală/a naturii

naturally ['nætʃrəli] *adv* 1 fireşte, bineînţeles, după cum (şi) era de aşteptat 2 (în mod) natural/firesc; simplu 3 din fire, de la natură; **he is ~ musical** este înzestrat muzical, are aptitudini muzicale

naturalness ['nætʃrəlnis] *s* natu-raleţe

natural philosophy ['nætʃrəl fi'lɔsəfi] *s ← înv* 1 filosofia naturii 2 fizică

natural resources ['nætʃrəl ri'sɔ:siz] *s pl* resurse/bogăţii naturale

natural science ['nætʃrəl ˌsaiəns] *s* ştiinţele naturii

natural selection ['nætʃrəl si'lekʃən] *s* selecţie naturală

Natural Vision ['nætʃrəl 'viʒən] *s cin* stereocinematografie

nature ['neitʃəʳ] *s* 1 natură, lume materială; univers 2 natură (exterioară); **Wordsworth was a poet of ~/Nature** Wordsworth a fost un poet al naturii 3 natură, forţele naturii 4 natură; fire; organism; **to pay one's debt to ~, to pay the debt of ~** a se întoarce în pământ, a muri; **in the course of ~** în firea lucrurilor; **call of ~** necesitate fizică *sau* necesităţi fizice *(urinat, dejecţie)* 5 natură, fire, caracter, fel; categorie; **things of this ~** lucrurile de felul acesta; **by ~** din fire 6 natură, fire, temperament, dispoziţie 7 natură, trăsătură

caracteristică; esenţă 8 natură, viaţă în sânul naturii/în aer liber / / **state of ~** a stare naturală *sau* primitivă b goliciune; **in a state of ~** cum s-a născut, *F →* cum l-a născut maică-sa

natured ['neitʃəd] *adj (în cuvinte compuse)* de o natură... având o fire...: **good-~** bun la suflet

nature study ['neitʃə ˌstʌdi] *s* studiul naturii; observarea naturii

naturism ['neitʃəˌrizəm] *s* nudism

naturopath ['neitʃərəpa:θ] *s med* doctor care foloseşte remedii naturale

naught [nɔ:t] **I** *s* 1 *mat* zero, nulă 2 eşec, nereuşită, fiasco; nimic; zero; **to come to ~** a sfârşi prost; a nu da nici un rezultat; a eşua; **to set at ~** a desfide; a nu ţine cont de, a neglija; a nu-i păsa de; **all for ~** gratis, gratuit; **to bring to ~** a zădărnici *(planuri etc.)* **II** *adj pred* 1 *← înv* 1 zadarnic, inutil; van 2 *← înv* rău; răutăcios 3 neimportant, neînsemnat

naughtily ['nɔ:tili] *adv* obraznic; şocant; neascultător

naughtiness ['nɔ:tinis] *s* 1 proastă creştere; necuviinţă 2 lipsă de decenţă; imoralitate

naughty ['nɔ:ti] *adj* 1 *(d. copii etc.)* obraznic, rău, neascultător, neastâmpărat; mofturos; stri-cător 2 *(d. un cuvânt etc.)* urât, necuviincios, indecent; nepo-liticos; şocant

nausea ['nɔ:ziə] *s* 1 greaţă 2 rău de mare 3 silă, scârbă

nauseate ['nɔ:ziˌeit] **I** *vt* 1 a produce/a face greaţă *(cuiva)* 2 a produce/a face scârbă/silă *(cuiva)* **II** *vi* 1 a-i fi greaţă 2 a-i fi scârbă/silă

nauseating ['nɔ:ziˌeitiŋ] *adj* 1 *med* emetizant 2 *fig* greţos, care-ţi provoacă scârbă/greaţă, scâr-bos; dezgustător

nauseous ['nɔ:ziəs] *adj* greţos; scâr-bos, dezgustător

nauseousness ['nɔ:ziəsnis] *s* grea-ţă; scârbă

nautch [nɔ:tʃ] *s* dansuri executate de profesioniste *(în India)*

nautch girl ['nɔ:tʃ ˌgə:l] *s* dansa-toare profesionistă *(în India)*

nautical ['nɔ:tikəl] *adj* nautic, naval, maritim, marinăresc

nautical mile ['nɔ:tikəl ˌmail] *s nav* milă marină *(1852 m)*

nautilus ['nɔ:tiləs] *s zool* nautilus *(Nautilus sp.)*

nav. *presc de la* 1 **naval** 2 **navy** 3 **navigation**

naval ['neivəl] *adj* naval, maritim

naval academy ['neivəl ə'kædəmi] *s nav* 1 academie de marină 2 şcoală de marină

naval architecture ['neivəl ˌa:ki-'tektʃəʳ] *s nav* arhitectură navală

naval dockyard ['neivəl 'dɔkˌja:d] *s nav* arsenalul marinei

navally ['neivəli] *adv* din punct de vedere naval *sau* maritim

naval officer ['neivəl 'ɔfisəʳ] *s nav* 1 *mil* ofiţer de marină 2 *amer* funcţionar vamal portuar *(supe-rior)*

naval school ['neivəl ˌsku:l] *s nav* şcoală navală; şcoală supe-rioară de marină

Navarre [nə'va:ʳ] *ist* regat în Pirinei Navarra

nave[1] [neiv] *s bis* naos, navă

nave[2] *s auto etc.* butuc (de roată)

navel ['neivəl] *s* 1 *anat* ombilic, *F →* buric 2 *fig* centru, miez

navel string ['neivəl ˌstriŋ] *s anat* cordon ombilical, *F →* aţa buri-cului

navigability [ˌnævigə'biliti] *s* navi-gabilitate

navigable ['nævigəbəl] *adj* navigabil

navigate ['næviˌgeit] **I** *vt* 1 *nav* a naviga pe; *av* a naviga în 2 *nav, av* a pilota **II** *vi* 1 *nav* a naviga; a pluti 2 *nav, av* a pilota

navigation [ˌnævi'geiʃən] *s nav, av* navigaţie; navigare

navigational [ˌnævi'geiʃənəl] *adj nav* de navigaţie; marin

navigator ['næviˌgeitəʳ] *s* 1 *nav av* navigator 2 *od* explorator

navvy ['nævi] *s* 1 săpător; terasier; lucrător la construcţii civile; muncitor necalificat 2 *tehn* exca-vator

navy ['neivi] *s* 1 *nav, mil* flotă militară; marină de război/mili-tară 2 *nav, mil* ofiţeri din marina de război 3 *nav, mil* amiralitate *← poetic* escadră 4 *nav* marină 5 flotă

navy-blue ['neiviˌblu:] *adj* bleuma-rin, albastru marin

navy blue *s* (culoarea) bleumarin, albastru marin

navy yard ['neiviˌja:d] *s nav* arsenal al marinei

nay [nei] **I** *adv* **1** ← *înv* nu **2** ← *elev* ba, ce zic; ba mai mult **II** *s* **1** răspuns negativ **2** refuz **3** vot negativ/contra

Nazarene [,næzə'ri:n] *s* **1** nazarinean **2** ← *înv* creștin **3** the ~ (Isus) Nazarineanul

Nazareth ['næzəriθ] *ist oraș în Galileea* Nazaret

Nazi ['na:tsi] *adj, s* nazist, fascist

Nazify, nazify ['na:tsi,fai] *vt* a nazifica, a fasciza

Nazism ['na:tsizəm] *s* nazism, fascism

N.B., n.b. *presc de la* **nota bene**

N.C.O. *presc de la* **non-commissioned officer**

N.D., n.d. *presc de la* **no date** nedatat, fără dată

N.E. *presc de la* **1** Naval Engineer **2** New England **3** North East **4** North Eastern

Neal [ni:l] *nume masc*

Neanderthal [ni'ændə,ta:l] *adj geol* de Neandertal

Neanderthal man, the [ni'ændə,ta:l ,mæn, ðə] *s* omul din Neandertal

neap(tide) ['ni:p (,taid)] *s* **1** maree joasă/moartă **2** *nav* maree de cvadratură

Neapolitan [,niə'politən] *adj, s* n(e)apolitan

Neapolitan ice cream [,niə'politən 'ais kri:m] *s* înghețată cu vafă

near [niər] **I** *adv* **1** aproape, nu departe, în apropiere; în preajmă; **to draw** ~ a se apropia; ~ **at hand** la îndemână; foarte aproape pe **2** ← *rar* aproape, mai-mai, cât pe ce; **you are** ~ **right** aproape că ai dreptate // **not/nowhere** ~ nici pe departe, deloc, defel, câtuși de puțin **3** cu zgârcenie **II** *adj* **1** apropiat *(în spațiu sau timp);* **in the** ~ **future** în viitorul apropiat; **at the ~est station** la cea mai apropiată/la prima stație **2** apropiat, intim; **a** ~ **relation** o rudă apropiată; **a very** ~ **concern of mine** o îndeletnicire care îmi este foarte dragă/care mă pasionează **3** *(d. o traducere etc.)* apropiat, destul de fidel/corect; aproximativ; **a** ~ **resemblance** o mare asemănare **4** dobândit cu trudă, greu, dificil; **a** ~ **victory** o victorie câștigată cu greu **5** *(d. animale, vehicule etc.)* stâng, din partea stângă **6** zgârcit, meschin

7 *(d. drum etc.)* direct, cel mai scurt **8** *atr pol* simpatizant **III** *prep* **1** *(spațial)* aproape de, lângă; în preajma/vecinătatea/apropierea *cu gen;* **he lives** ~ **the town** locuiește în apropierea orașului/ nu departe de oraș **2** *(temporal)* aproape de; în preajma *cu gen;* spre, către; ~ **the close of the season** spre/către închiderea sezonului **3** aproape de; cât pe ce; pe punctul de a; **who comes** ~ **him in wit?** mai este cineva spiritual ca el? **he came very** ~ **being drowned** puțin a lipsit ca să se înece, era cât pe ce să se înece **IV** *vt* a se apropia de **V** *vi* a se apropia

near beer ['niə,biə] *s* bere nealcoolică

nearby, near-by ['niə,bai] **I** *adv* aproape **II** *prep* aproape de **III** *adj* apropiat

Near East, the ['niər'i:st, ðə] Orientul Apropiat

nearly ['niəli] *adv* **1** aproape; mai-mai, cât pe ce; **it is** ~ **seven o'clock** e aproape ora șapte; **she** ~ **fainted** cât pe ce să leșine **2** de aproape, îndeaproape; **they are** ~ **related** se înrudesc de aproape **3** aproximativ; **not** ~ nici pe departe, deloc, defel, câtuși de puțin

near miss ['niə,mis] *s* **1** *mil* spargere în apropierea țintei **2** succes ratat; succes incomplet; competiție în care a lipsit puțin ca să reușească

nearness ['niənis] *s* apropiere; vecinătate, preajmă

near on ['niər ,on] *adv cu prep v.* **near upon**

near side, the ['niə,said, ðə] *s* partea stângă *(a drumului etc.)*

near sight ['niə ,sait] *s* ↓ *amer med* miopie

near-sighted ['niə,saitid] *adj* ↓ *amer med* miop

near-sightedness ['niə,saitidnis] *s v.* **near sight**

near thing ['niə,θiŋ] *s* succes, victorie *etc.* la limită

near to ['niə,tə] *prep* **1** aproape de *(locul)*, lângă *(locul)*; ~ **where she was sitting** aproape de/nu departe de locul unde ședea (ea) **2** ca și, aproape de; învecinându-se cu; **his conduct came**

~ **treachery** purtarea lui aducea a trădare

near upon ['niər ə,pon] *adv cu prep* aproape de *(ora... etc.)*, în prejma *(orei... etc.)*

neat[1] [ni:t] *s* **1** *și ca pl* bou; taur; vacă **2** bovine, vite

neat[2] *adj* **1** curat, îngrijit, ordonat; ~ **hand-writing** caligrafie îngrijită **2** făcut cu bun gust; aspectuos, frumos, plăcut; simplu dar elegant **3** grațios **4** *(d. un răspuns etc.)* inteligent, spiritual **5** *(d. băuturi)* simplu, neamestecat **6** *(d. stil)* clar; precis; concis; laconic **7** curat, pur; net **8** neted

'neath [ni:θ] *prep poetic v.* **beneath**

neatherd ['ni:thə:d] *s* văcar

neatly ['ni:tli] *adv* **1** îngrijit; cu acuratețe **2** clar, limpede **3** cu dibăcie, abil

neatness ['ni:tnis] *s* **1** grijă; îngrijire; acuratețe; exactitate **2** claritate, limpezime **3** dibăcie, îndemânare, abilitate

neat's leather ['ni:ts ,leðə[r]] *s* piele de vită

Neb. *presc de la* **Nebraska**

Nebraska [ni'bræskə] *stat în S.U.A.*

Nebuchadnezzar [,nebjukəd'nezə[r]] *rege al Babilonului* Nabucodonosor *(sec. VI î.e.n.)*

nebula ['nebjulə], *pl și* **nebulae** ['nebju,li:] *s astr* nebuloasă

nebulosity [,nebju'lositi] *s* **1** nebulozitate; neclaritate **2** *astr* nebuloasă

nebulous ['nebjuləs] *adj* **1** înno(u)rat **2** nebulos, cețos, confuz, vag

nebulously ['nebjulə·sli] *adv* nebulos

nebulousness ['nebjuləsnis] *s* nebulozitate

necessarily ['nesisərili] *adv* în mod necesar, inevitabil, *rar* → necesarmente

necessariness ['nesisərinis] *s* caracter necesar; inevitabilitate

necessary ['nesisəri] **I** *adj* **1** necesar, de trebuință, trebuincios **2** necesar, inevitabil; obligatoriu **3** esențial, fundamental **4** *log* evident **II** *s* **1** necesar; **the necessaries (of life)** obiectele de primă necesitate **2** the ~ F parale, sunători, – bani **3** *amer* toaletă, closet

necessitarian [ni,sesi'tɛəriən] *s, adj filos* determinist

necessitarianism [ni͵sesi'tɛəriə'nizəm] *s filos* determinism

necessitate [ni'sesi͵teit] *vt* 1 a necesita, a cere, a avea nevoie de, a reclama 2 ← *rar* a obliga, a sili; **he was ~d to act alone** era nevoit/trebuia să acționeze singur

necessitous [ni'sesitəs] *adj* strâmtorat, sărac, nevoiaș

necessity [ni'sesiti] *s* 1 necesitate, nevoie, trebuință; **in case of ~** la nevoie, dacă este necesar; **of ~** cu necesitate; **to be under the ~ of** a fi nevoit/silit să; **to make a virtue of ~** *aprox* a deveni virtuos fără să vrei; **~ is the mother of invention** *prov* nevoia învață pe om/cărăuș 2 imperativ; inevitabilitate; **doctrine of ~** determinism 3 ↓ *pl* nevoie, sărăcie, lipsă, strâmtoare; **to be in great ~** a fi foarte strâmtorat, a duce mare lipsă 4 *pl* obiecte de primă necesitate

neck [nek] **I** *s* 1 *anat* gât; **to break one's ~** a a-și frânge *sau* a-și suci gâtul b *fig* a-și frânge gâtul; **to save one's ~** *fig* a scăpa cu viața; **to get it in the ~** *fig* F a o încasa, a o lua pe coajă, a o păți; **to stick one's ~ out** F a-și vârî capul sănătos sub evanghelie; – a risca; **~ or nothing** cu orice risc; ori-ori; ori tot, ori nimic; **to be out on one's ~** F a primi pașaportul, – a fi dat afară (din serviciu); **~ and crop** a cu totul; definitiv b F afară (cu el)! **to harden the ~** a deveni și mai încăpățânat, a se încăpățâna și mai mult; **to breathe down smb's ~** *sl* a a se apropia foarte mult de cineva b a supraveghea pe cineva îndeaproape; **by a ~** *(a câștiga, a pierde etc.)* F cu un cap; **~ of woods** parte, ținut, regiune; **up to one's ~ (in)** F până peste cap *(în datorii etc.)* 2 gât *(de sticlă etc.)* 3 *muz* gât *(de vioară etc.)* 4 guler 5 *geogr* neck; coș vulcanic; limbă de pământ; istm 6 *sl* neobrăzare, nerușinare 7 *tehn* degajare inelară **II** *vi* ← F a se îmbrățișa

neckband ['nek͵bænd] *s* guler

neckbone ['nek͵boun] *s anat* vertebră cervicală

neckcloth ['nek͵klɔθ] *s* 1 fular 2 cravată

neck collar ['nek 'kɔlər] *s* gâtar, jug (la ham)

-necked *adj (în cuvinte compuse)* cu gâtul...: **open-~ shirt** cămașă cu guler desfăcut/răsfrânt

neckerchief ['nekətʃif] *s v.* **neckcloth**

necklace ['neklis] *s* 1 lanț *sau* bijuterie ce se poartă la gât, salbă, colier 2 cravată

necklet ['neklit] *s v.* **necklace** 1

neckmould ['nek͵mould] *s arhit* astragal

neckpiece ['nek͵pi:s] *s* (guler de) blană

necktie ['nek͵tai] *s* cravată

neckwear ['nek͵wɛər] *s* cravate, fulare *etc.*

neck yoke ['nek͵jouk] *s v.* **neck collar**

necrobiosis [͵nekroubai'ousis] *s med* necrobioză

necrologic [͵nekrə'lɔdʒic] *adj* necrologic

necrology [ne'krɔlədʒi] *s* 1 necrolog 2 listă de morți

necromancer ['nekrou͵mænsər] *s* necromant; vrăjitor; P→ solomonar

necromancy ['nekrou͵mænsi] *s* necromanție; vrăjitorie; P → solomonie

necromantic [͵nekrou'mæntik] *adj* necromantic

necrophagous [ne'krɔfəgəs] *adj* necrofag

necrophilia [͵nekrou'filiə] *s* necrofilie

necropolis [ne'krɔpəlis], *pl și* **necropoleis** [ne'krɔpə͵leis] *s* necropolă; cavou; cimitir

necropsy ['nekrɔpsi] *s* autopsie, *rar* → necropsie

necrose [ne'krous] *vi fizl* a se necroza

necrosis [ne'krousis] *s fizl* necroză

nectar ['nektər] *s* 1 *mit* nectar, licoarea/băutura zeilor 2 *fig* băutură fermecată 3 băutură răcoritoare; sifon, apă gazoasă 4 *fig* nectar, licoare

nectarial [nek'tɛəriəl] *adj bot* de nectar; nectarifer

nectarine ['nektərin] *s bot* piersică de toamnă cu coajă netedă

nectarious [nek'tɛəriəs] *adj* 1 *bot* nectarifer; melifer 2 *(d. miros, gust)* plăcut, aromat; < minunat

nectarous ['nektərəs] *adj* de nectar; ca nectarul

Ned [ned] *nume masc v.* **Edward, Edgar, Edmund**

N.E.D., NED *presc de la* the New/ Oxford English Dictionary

nee, neé [nei] *adj fr (d. o doamnă)* născută *(Smith etc.)*

need [ni:d] **I** *s* 1 nevoie, necesitate, trebuință; **to be in ~ of, to feel the ~ of, to have ~ of** a avea nevoie de, a-i trebui; **if ~ be/were** dacă este nevoie; dacă este cazul; la nevoie; **there is no ~ for you to do that** nu e nevoie să faci asta; **there is no ~ for anxiety** nu trebuie să ne neliniștim; **when/as/if the ~ arises** la nevoie, în caz de necesitate 2 *pl* necesități; nevoi; **to satisfy one's ~s** a-și satisface necesitățile, a face față nevoilor 3 nevoie, necaz, dificultate, potrivnicie; nenorocire; **a friend in ~ is a friend indeed** *prov* prietenul la nevoie se cunoaște 4 nevoie, lipsă, sărăcie; **for ~ of** din lipsă de **II** *vt* 1 a avea nevoie de, a reclama, a necesita; **the fields ~ rain** ogoarele au nevoie de ploaie; **what else do you ~?** ce-ți mai trebuie? de ce (altceva) mai ai nevoie? 2 *(↓ în prop inter și neg, cu inf)* a trebui, a fi necesar (să); **I do not ~ to be reminded of it** nu trebuie/nu e cazul să mi se reamintească asta; **does he ~ to know?** trebuie să știe (și el)? **III** *v mod (în prop inter și neg cu inf scurt)* a trebui; a fi nevoie; a fi cazul; **~ I go there?** trebuie/este cazul să mă duc acolo? **no, you ~n't** nu, nu trebuie/nu este cazul; **you ~ not trouble yourself** nu trebuie să te deranjezi; **you ~n't have hurried** nu trebuia/n-ar fi trebuit să te grăbești

needed ['ni:did] *adj* necesar; trebuincios; util, folositor

needfire ['ni:d͵faiər] *s* 1 foc de tabără; rug 2 foc obținut prin frecare

needful ['ni:dful] *adj* 1 (**to, for**) necesar, < indispensabil (pentru; *cu dat*) 2 ← *înv* lipsit, sărac, nevoiaș

neediness ['ni:dinis] *s* lipsă, sărăcie

needle ['ni:dəl] **I** *s* 1 ac (de cusut); **to ply one's ~** a lucra cu acul, a coase; **(as) sharp as a ~** a (ascuțit) ca un vârf de ac b *fig* ascuțit la minte; ager; pătrunzător

2 ac de tricotat; andrea, undrea
3 *tehn* ac; săgeată; indicator;
(as) true as the ~ to the pole
de nădejde, credincios, loial 4
bot ac *(de conifer)* 5 ac *(de
patefon etc.)* 6 *geogr* vârf/pisc
ascuțit 7 obelisc 8 **the ~** *F*draci,
nervi; **–** acces de nervi; **he took
the ~** l-au apucat dracii/nervii **II**
vt 1 a coase cu acul 2 ← *F* a
îndemna, a stimula 3 *F* a bate la
cap, **– a** cicăli, a sâcâi 4 *sl* a întări
cu alcool *(o băutură)* **III** *vi* 1 a
coase cu acul 2 a forma ace *(la
cristalizare)*
needle fish ['niːdəl,fiʃ] *s iht* zărgan
(Belone belone)
needleful ['niːdəl,ful] *s* (bucată de)
ață
needle furze ['niːdəl ,fəːz] *s bot*
grozamă *(Genista anglica)*
needle point ['niːdəl ,pɔint] *s* 1 vârf
de ac 2 dantelă de ac
needle-shaped ['niːdəl,ʃeipt] *adj*
acicular, în formă de ac
needless ['niːdlis] *adj* netrebuincios,
de prisos; inutil; *(d. un efort etc.)*
gratuit; **~ to say that** nu mai este
nevoie să spunem că, se înțele-
ge de la sine că
needlessly ['niːdlisli] *adv* (în mod)
inutil
needlessness ['niːdlisnis] *s* inutilitate
needlewoman ['niːdəl,wumən] *s*
cusătoreasă
needlework ['niːdəl,wəːk] *s* 1 *text*
lucru de mână 2 *ec* muncă
manuală
needments ['niːdmənts] *s pl* 1 cele
necesare/trebuincioase *(↓ pt
călătorie);* bagaj de mână 2
necesități, nevoi
needn't ['niːdnt] *contras din* **need
not**
needs [niːdz] *adv* ← *înv umor*
neapărat, negreșit, *F* se poate;
**he must ~/~ must go away
when I want him** bineînțeles,
trebuie neapărat să plece când
am nevoie de el
needy ['niːdi] *adj* nevoiaș, sărac
ne'er [nɛəʳ] *contras poetic din* **never**
ne'er-do-well ['nɛədu,wel] *s* om de
nimic, secătură; pierde-vară
nefarious [ni'fɛəriəs] *adj* 1 abject,
rușinos, infam 2 păcătos, vicios
negate [ni'geit] *vt* 1 a nega, a tăgă-
dui 2 a respinge; a anula, a
neutraliza *(un efect etc.)*

negation [ni'geiʃən] *s* 1 negare, tă-
găduire 2 negație 3 ficțiune;
himeră 4 nimic
negational [ni'geiʃənəl] *adj* de
negație; negativ
negative ['negətiv] **I** *adj* negativ **II** *s*
1 negație; refuz; **in the ~** la
negativ, la forma negativă; **he
answered in the ~** a răspuns
negativ 2 trăsătură negativă 3 *el*
pol negativ, catod **III** *vt v.* **negate**
negative proton ['negətiv ,proutən]
s ch antiproton
negativism ['negətiv,izəm] *s și filos
med* negativism
negativist ['negətivist] *s* 1 negativist;
nihilist 2 *filos* negativist 3 *med*
bolnav
negativity [,negə'tiviti] *s* negativitate
negatory [ni'geitəri] *adj* negator;
negativ; negativist
neglect [ni'glekt] **I** *vt* 1 a neglija, a
nu se îngriji de, a nu avea grijă
de 2 a neglija, a desconsidera,
a nu ține cont/socoteală de; a nu
da/acorda atenție *(cu dat);* a
trece cu vederea, a omite 3 a ne-
glija, a lăsa în paragină *(o gră-
dină etc.)* 4 a neglija, a nu înde-
plini *(o sarcină etc.)* **II** *s* 1 negli-
jare 2 desconsiderare 3 neînde-
plinire
neglected [ni'glektid] *adj* uitat,
părăsit
neglectful [ni'glektful] *adj* 1 **(of)**
neglijent (cu); neatent (cu) 2
nepăsător, fără griji
négligé ['negli,ʒei] *s fr* neglijeu
negligeable ['neglidʒəbəl] *adj* ← *rar*
neglijabil
negligence ['neglidʒəns] *s* 1 negli-
jență, neatenție; scăpare, omi-
siune 2 neglijență, delăsare,
nepăsare 3 aspect neglijent *(al
îmbrăcămintii etc.)*
negligent ['neglidʒənt] *adj* **(of)**
neglijent (cu); neatent (cu);
neglijent, delăsător, nepăsător,
indolent; **he is ~ in his work** e
neglijent în muncă; **he is ~ of
his duties** își neglijează înda-
toririle
negligently ['neglidʒəntli] *adv* (în
mod) neglijent, neatent
negligibility [,neglidʒə'biliti] *s*
caracter neglijabil, lipsă de
importanță *sau* valoare
negligible ['neglidʒəbəl] *s* neglijabil,
neînsemnat

negotiability [ni,gouʃiə'biliti] *s* 1 *fin*
negociabilitate 2 accesibilitate *(a
drumului etc.)*
negotiable [ni'gouʃəbəl] *adj* 1 *ec*
negociabil 2 *(d. un obstacol etc.)*
care poate fi trecut/învins 3 *(d.
un drum etc.)* accesibil 4 *(d. o
ceartă etc.)* aplanabil; care se
poate rezolva *sau* media
negotiate [ni'gouʃi,eit] **I** *vi* a nego-
cia, a trata; a duce tratative; a dis-
cuta **II** *vt* 1 a negocia *(un împru-
mut etc.);* a trata încheierea *(unei
convenții etc.);* a duce tratative în
vederea *(cu gen);* a discuta 2 *ec*
a negocia *(o poliță etc.)* 3 a
învinge *(un obstacol etc.);* a trece
de *sau* peste; **the horse ~d the
fence** calul sări gardul
negotiating conference [ni'gouʃi-
,eitiŋ'kɔnfrəns] *s* conferință diplo-
matică
negotiation [ni,gouʃi'eiʃən] *s* nego-
ciere; discutare a condițiilor; **to
conduct ~s** a duce tratative
negotiator [ni,gouʃi'eitəʳ] *s* 1 nego-
ciator 2 mijlocitor, intermediar
Negress ['niːgris] *s* ↓ ← *peior*
negresă
Negro ['niːgrou] *s* negru
Negro, Rio ['neigrou 'riou] *numele
a două fluvii în America de Sud*
Negroid ['niːgrɔid] *adj, s* negroid
Negus ['niːgəs] *s od* negus, împărat
al Etiopiei
negus *s* vin fiert *(cu apă, zeamă de
lămâie, mirodenii)*
Nehru ['nɛəruː], **Jawahareal** *premier
indian (între 1947-1964)*
neigh [nei] **I** *vi* a necheza **II** *s* nechezat
neighbor... ['neibəʳ] *amer v.* **neigh-
bour...**
neighbour I *s* 1 vecin 2 semen,
aproape **II** *vt* a se învecina cu **III**
vi 1 a se învecina 2 **(with)** a fi în
relații de prietenie (cu)
neighboured ['neibəd] *adj (precedat
de adv)* cu împrejurimi...; **a
beautifully ~ village** un sat cu
împrejurimi frumoase
neighbourhood ['neibə,hud] *s* 1
vecinătate, preajmă, apropiere;
in the ~ of a în vecinătatea/
preajma *cu gen*, în apropiere de
b *fig* cam, aproximativ *(5 șilingi
etc.)* 2 regiune, zonă, parte;
district, cartier 3 vecini 4 relații
între vecini, vecinătate, ↓ bună
vecinătate

neighbouring ['neibəriŋ] *adj* înve-
cinat; vecin

neighbourliness ['neibəlinis] *s* 1
bună vecinătate 2 sociabilitate;
prietenie

neighbourly ['neibəli] *adj* 1 de buni
vecini, de bună vecinătate 2
sociabil; prietenos

neighbourship ['neibəʃip] *s v.*
neighbourhood 1

neighbour upon ['neibərə͵pɔn] *vi cu
prep* a se învecina cu

Neil [ni:l] *nume masc*

neither ['naiðə] **I** *pr* nici unul (din doi)
sau nici una (din două); ~ **of
them was present** nici unul din
ei nu era de față **II** *adj* nici unul
din (doi) *sau* nici una din (două);
~ **method is good** nici una din
(cele două) metode nu este bună
III *adv (după prop neg)* nici; "**I
don't like this painting." "Nei-
ther do I.**" – Nu-mi place acest
tablou. – Nici mie. **IV** *conj* ~ ...
nor... nici... nici...; ~ **he nor I** nici
el, nici eu; **she ~ knows nor
cares** nici nu știe, nici nu-i pasă;
~ **here nor there** *F* ca nuca în
perete; hodoronc-tronc; – nici în
clin, nici în mânecă

Nell [nel] *nume fem aprox* Neli *v.*
Helen, Eleanor

Nellie, Nelly ['neli] *nume fem v.* **Nell**

Nelson ['nelsən] 1 *nume masc* 2
Horatio *amiral englez (1758-1805)*

nelson *s sport* nelson

nem. con. *presc de la* **nemine con-
tradicente** *lat* unanim, fără
opoziție

Nemean lion, the [ni'mi:ən 'laiən, ðə]
mit leul din Nemeea

Nemesis ['nemisis] *mit*

nemesis ['nemisis] *s ←* *elev* 1 pe-
deapsă inevitabilă; retribuție;
răzbunare 2 răzbunător 3 inamic
puternic

nemoral ['nemərəl] *adj* nemoral, *rar*
→ silvestru

nenuphar ['nenjufɑ:'] *s bot* nufăr
(Nymphaea alba sau lutea)

neo- *pref* neo-: **neoclassicism**
neoclasicism

Neocene ['ni:ə͵si:n] *s, adj geol* neocen

neoclassic(al) [͵ni:ou'klæsik(əl)] *adj*
neoclasic

neoclassicism [͵ni:ou'klæsi͵sizəm]
s neoclasicism

neocolonialism [͵ni:oukə'lounə͵lizəm]
s neocolonialism

neo-fascist [͵ni:ou'fæʃist] *adj, s*
neofascist

Neogene ['ni:ə͵dʒi:n] *s, adj geol*
neogen

neogrammarian [͵niougrə'mɛəriən]
s lingv neogramatic

Neo-Latin [͵ni:ou'lætin] *s* neolatină,
latina modernă

neolith ['ni:əliθ] *s geol* unealtă neoli-
tică

neolithic [͵ni:ə'liθik] *adj geol* neolitic

neologism [ni'ɔlə͵dʒizəm] *s lingv*
neologism

neologistic [ni'ɔlə͵dʒistik] *adj lingv*
neologic   ·

neologize [ni'ɔlə͵dʒaiz] *vi* a inventa
neologisme

neology [ni'ɔlədʒi] *s lingv* neologism

neon ['ni:ɔn] *s ch* neon

neon lamp ['ni:ɔn ͵læmp] *s el* lampă
cu neon

neon light ['ni:ɔn ͵lait] *s el* lumină
de neon

neophyte ['ni:ou͵fait] *s rel și fig*
neofit, novice

neoplasm ['ni:ou͵plæzəm] *s med*
neoplasm, tumoră

neoplastic [͵ni:ou'plæstik] *adj med*
neoplazic

neoplasty ['ni:ou͵plæsti] *s med*
operație plastică

Neoplatonic [͵ni:ouplə'tɔnik] *adj
filos* neoplatonic

Neoplatonism, Neo-Platonism
[͵ni:ou'pleitə͵nizəm] *s filos* neo-
platonism

neorealism [͵ni:ou'riəlizəm] *s* neo-
realism

neoteric [͵ni:ou'terik] *←* *elev* **I** *adj* 1
nou, recent, de dată recentă 2
modern; contemporan 3 *arte*
modernist **II** *s* 1 *←* *elev* om al
timpurilor noi; om cu vederi noi/
moderne 2 *arte* modernist

Neozoic [͵ni:ou'zouik] *adj geol*
neozoic

Nepal [ni'pɔ:l] *stat în Asia*

nepenthe [ni'penθi] *s* nepentes,
băutură/licoare fermecată *(care
îndepărtează suferințele)*

nephew ['nevju:] *s* 1 nepot *(de unchi
sau mătușă)* 2 fiu nelegitim 3 *←
înv* nepot *(de bunic sau bunică)*

nephrite ['nefrait] *s minr* jadeit

nephritic [ne'fritik] *adj med* nefritic

nephritis [ni'fraitis] *s med* nefrită

ne plus ultra ['nei'plus 'ultrɑ:] *s lat*
culme, apogeu; punct culminant;
desăvârșire, perfecțiune

nepotic [ni'pɔtik] *adj* 1 de nepot 2
de nepotism

nepotism ['nepə͵tizəm] *s* nepotism

Neptune ['neptju:n] *mit, astr* Neptun

neptunium [nep'tju:niəm] *s ch*
neptuniu

Nereid ['niəriid] *s mit* nereidă, nimfă
a mării

Nereus ['niəri͵u:s] *mit* Nereu, „bătrâ-
nul mărilor"

Nero ['niərou] *împărat roman* Ne-
ro(n) *(între 54-68)*

nerval [ner'vʌl] *adj anat* nerval

nervate ['nə:veit] *adj bot* cu nervuri

nervation [nə:'veiʃən] *s ent, bot*
nervație; nervatură

nerve [nə:v] **I** *s* 1 *anat* nerv; **to hit/
to touch a ~** a atinge un punct
sensibil *sau* o coardă sensibilă
2 *pl* nervi, sistem nervos; **iron/
steel ~s** nervi de fier/oțel; **a fit/
an attack of ~s** un acces/atac
de nervi; **to get on smb's ~s** a
acționa asupra nervilor cuiva; a
enerva pe cineva; **to suffer from
~s** a suferi de nervi; a fi nevropat
3 forță, putere, energie; **to strain
every ~** a-și încorda (< toate)
puterile 4 curaj, sânge rece;
temeritate; **a man of ~** un om
stăpânit, un om cu deplină
stăpânire de sine; **to lose one's
~** a-și pierde stăpânirea de sine/
autocontrolul 5 *←* *F* obrăznicie,
neobrăzare, tupeu; **he has had
the ~ to tell me that** a avut
neobrăzarea să-mi spună că 6
bot nervură **II** *vt* 1 a întări *(fizi-
cește)* 2 a ridica/a întări moralul
(cuiva), a îmbărbăta, a încuraja
III *vr* a-și recăpăta curajul; a-și
lua inima în dinți

nerve cell ['nə:v ͵sel] *s anat* celulă
nervoasă

nerved [nə:vd] *adj* 1 *bot* cu nervuri
2 *(în cuvinte compuse)* cu
nervi(i)...; **weak-~** cu nervii
slabi

nerveless ['nə:vlis] *adj* 1 *bot* fără
nervuri 2 *fig* slab, neputincios,
bicisnic; inert 3 *fig* laș, fricos 4
fig stăpânit; echilibrat

nervelessly ['nə:vlisli] *adv* fără
energie/putere

nerve-(w)racking ['nə:v͵rækiŋ] *adj*
exasperant, care calcă pe nervi,
enervant

nervine ['nə:vi:n] *adj, s med* nervin

nervosity [nə:'vɔsiti] *s* nervozitate

nervous ['nɔ:vəs] *adj* **1** *anat* nervos, privitor la nervi **2** nervos, agitat; care nu are astâmpăr; **don't be** ~ liniştește-te, nu te frământa **3** puternic, musculos, muşchiulos; viguros **4** (*d. stil*) expresiv **5** *med* neurastenic **6** enervant, supărător, care acţionează asupra nervilor

nervous breakdown ['nɔ:vəs 'breik-daun] *s med* epuizare *sau* depresiune nervoasă

nervously ['nɔ:vəsli] *adv* nervos; agitat

nervousness ['nɔ:vəsnis] *s* **1** nervozitate; agitaţie **2** teamă, anxietate

nervous prostration ['nɔ:vəs prɔs,-treiʃən] *s med* neurastenie

nervous system ['nɔ:vəs,sistim] *s anat* sistem nervos

nervure ['nɔ:vjuə'] *s bot, ent* nervură

nervy ['nɔ:vi] *adj* **1** nervos; excitat; surescitat **2** curajos, îndrăzneţ, cutezător **3** ← *F* neobrăzat, neruşinat, obraznic **4** ← *poetic* puternic, voinic

nescience ['nesiəns] *s* neştiinţă, ignoranţă

nescient ['nesiənt] *adj* (**of**) neştiutor, ignorant (în ale, în ceea ce priveşte)

ness [nes] *s* (↓ *în cuvinte compuse*) cap; promontoriu

-ness *suf* (*arată condiţia, calitatea etc.*) -ţie, -ime *etc.*; **greatness** măreţie; **sadness** tristeţe; **kindness** bunătate

Nessus ['nesəs] *mit*

nest [nest] **I** *s* **1** cuib(ar) **2** *fig* cuib, ungher, colţ, adăpost **3** *fig* speluncă; viespar **4** serie *sau* grup de obiecte de acelaşi fel **II** *vt* **1** a face un cuib pentru **2** a cuibări **III** *vi* **1** a trăi într-un cuib **2** a-şi face un cuib **3** a căuta cuiburi de păsări

nest egg ['nest ,eg] *s* **1** ou pus la clocit **2** *fig* bani albi pentru zile negre; bani puşi deoparte (*pt concediu etc.*)

nestful ['nestful] *s* cuib (plin) (*cu ouă etc.*)

nesting ['nestiŋ] *s:* **to go** ~ a căuta ouă în cuiburi de păsări

nestle ['nesəl] **I** *vi* a se cuibări; a se adăposti **II** *vt* a cuibări; a adăposti

nestling ['nestliŋ] *s* pui; puişor

Nestor ['nestɔ:'] *s* **1** *mit* **2** *fig* Nestor, înţelept

Nestorianism [ne'stɔ:riə,nizəm] *s filos* nestorianism

net¹ [net] **I** *s* **1** plasă, reţea (*şi pt prins peşte etc.*) **2** *text* tul **3** *fig* capcană **4** *sport* plasă, reţea (*de tenis etc.*) **5** reţea, sistem (*de televiziune etc.*) **II** *vt* **1** a prinde în plasă (*peşte etc.*) **2** a acoperi cu o plasă (*pomi etc.*)

net² **I** *adj* net(to); ~ **profit** profit net **II** *s* câştig net(to) **III** *vt* a aduce un câştig net de

netful ['netful] *s* plasă (plină); năvod (plin)

nether ['neðə'] *adj* inferior, de jos

Netherlander ['neðələndə'] *s* olandez

Netherlands, the ['neðələndz, ðə] *s pl* Ţările de Jos; Olanda

nethermost ['neðə,moust] *adj* cel mai de jos

nether world, the ['neðə ,wə:ld, ðə] *s* tărâmul de jos; iadul

Nettie ['neti] *nume fem aprox* Neta

netting ['netiŋ] *s* **1** plasă, reţea; fileu **2** *text* ţesătură; urzeală; împletitură

nettle ['netəl] **I** *s bot* urzică (*Urtica sp.*); **to be on** ~**s** *fig* a sta ca pe ace/ghimpi; **grasp the** ~ **and it won't sting you** *prov aprox* prin curaj se învinge orice **II** *vt* **1** a urzica **2** *fig* a irita, a enerva, a supăra

nettle fish ['netəl ,fiʃ] *s zool* meduză

nettle rash ['netəl ,ræʃ] *s med* urticarie

net tonnage ['net ,tʌnidʒ] *s nav* tonaj net

Netty ['neti] *nume fem v.* **Nettie**

network ['net,wə:k] *s* **1** reţea, plasă; năvod **2** reţea (*de cale ferată etc.*) **3** *tehn* schemă; circuit; grătar **4** *fig* reţea

Neuchâtel [nju:ʃə'tel] *oraş în Franţa*

neum(e) [nju:m] *s lingv* neumă

neural ['njuərəl] *adj anat* neural

neuralgia [nju'rældʒə] *s med* nevralgie

neuralgic [nju'rældʒik] *adj med* nevralgic

neurasthenia [,njuərəs'θi:niə] *s med* neurastenie; astenie nervoasă

neurasthenic [,njuərəs'θenik] *adj, s med* neurastenic

neuraxis [njuə'ræksis] *s anat* nevrax; sistem nervos central

neurility [njuə'riliti] *s fizl* activitate nervoasă

neuritis [nju'raitis] *s med* nevrită

neurological [,njuərə'lɔdʒikəl] *adj med* neurologic

neurologist [nju'rɔlədʒist] *s med* neurolog

neurology [nju'rɔlədʒi] *s med* neurologie

neuron ['njuərɔn] *s anat* neuron

neuropath ['njuərou,pæθ] *s med* nevropat

neuropathist [njuə'rəpəθist] *s med* neurolog

neurophysiology [,njuərou,fizi-'ɔlədʒi] *s med* neurofiziologie

neuropsychiatry [,njuərousai-'kaiətri] *s med* neuropsihiatrie

neuropsychosis [,njuərousai-'kousis] *s med* psihonevroză

neurosis [nju'rousis] *s* **1** *med* nevroză **2** *fizl* activitate nervoasă

neurosurgery [,njuərou sə:dʒəri] *s med* neurochirurgie

neurotic [nju'rɔtik] **I** *adj* **1** *med* nevrotic **2** *fizl* nervos **II** *s med* **1** nevrotic **2** nevroză

neurotomy [nju'rɔtəmi] *s med* neurotomie

neurovascular [,njuərou'væskjulə'] *adj anat* vasculo-nervos, neurovascular

neuter ['nju:tə'] **I** *adj* **1** *gram* neutru **2** *gram* (*d. un verb*) intranzitiv **3** *bot* asexuat **4** ← *înv* neutru, imparţial **5** castrat **II** *s* **1** *gram* (genul) neutru **2** *gram* substantiv (de genul) neutru **3** *gram* verb intranzitiv **4** *zool* animal castrat

neutral ['nju:trəl] **I** *adj* **1** neutru, neangajat **2** neutru, neprecis; intermediar; (*d. culori*) cenuşiu, sur **3** *fiz, el* neutru, neutral **II** *s* **1** stat neutru **2** cetăţean al unui stat neutru **3** *nav* vas al unui stat neutru **4** *auto* neutru

neutrality [nju:'træliti] *s* neutralitate

neutralization [,nju:trəlai'zeiʃən] *s* neutralizare

neutralize ['nju:trə,laiz] *vt* **1** a neutraliza; a face inofensiv, a anihila, a desfiinţa; a paraliza **2** *ch* a desface legătura chimică (*cu gen*)

neutralizer ['nju:trə,laizə'] *s* neutralizator

neutrino [nju:'tri:nou] *s fiz* neutrin(o)

neutron ['nju:trɔn] *s fiz* neutron

neutronics [nju:'trɔniks] *s pl ca sg* fizică neutronică

Neva, the ['ni:və, ðə] *fluviu în Rusia*

Nevada [ni'vɑ:də] *stat în S.U.A.*

névé ['nevei] *s geol* neveu

never ['nevə'] **I** *adv* **1** niciodată, nicicând; **one ~ knows** nu se știe niciodată; **now or ~** acum ori niciodată; **well, I ~!** n-am mai pomenit așa ceva! asta-i bună! **2** nu, deloc, defel, câtuși de puțin; **I ~ slept a wink all night** n-am închis ochii toată noaptea; **~ (you) fear!** nu te teme! fii pe pace; nu-ți face griji! **he said ~ a word** n-a scos un cuvânt **3** imposibil, nu se poate, *F* (că) doar nu; **you ~ mean to tell me that** *F* doar nu vrei să-mi spui că // **~ so** oricât de *(mare etc.);* **he ~ so much as said "Thanks"** nici măcar „mulțumesc" n-a spus **II** *s:* **~ is a long word/day** *prov* să nu spui vorbă mare; nu rosti cu ușurință cuvântul „niciodată"

never-ceasing ['nevə,si:siŋ] *adj* neîncetat; neîntrerupt

never-dying ['nevə,daiiŋ] *adj* (care trăiește) veșnic, nemuritor

never-ending ['nevər,endiŋ] *adj* fără sfârșit, nesfârșit

never-fading ['nevə,feidiŋ] *adj* nepieritor; de neșters; viu

never-failing ['nevə,feiliŋ] *adj* neschimbător, de nădejde; credincios

nevermind ['nevə,maind] *s amer sl* treabă, amestec; **that's no ~ of yours** de ce te bagi? vezi-ți de-ale tale

nevermore [,nevə'mɔ:'] *adv* niciodată *(din nou)*

never-never ['nevə,nevə'] *s* **1** ← *F* țară de vis/basm; lume de fantezii/de închipuiri **2** ← *F* plată în rate

nevertheless [,nevəðə'les] *adv* totuși, cu toate acestea

never-to-be-forgotten ['nevətəbi fə'gɔtən] *adj* de neuitat

new [nju:] **I** *adj* **1** nou; alt; **he became a ~ man** deveni un alt om **2** nou, recent, de curând **3** nou; *(d. lapte, pâine etc.)* proaspăt; **~ potatoes** cartofi noi **4** cel mai nou, de ultimă oră; **the ~ fashion** ultima modă **5** nou, novice, neexperimentat, necunoscător; **he is ~ to the work** e nou în această muncă; **I am ~ to this town** nu cunosc acest oraș **II** *s* **the ~** noul **III** *adv (în cuvinte compuse)* nou *etc.;* **~-fallen**

snow zăpadă căzută proaspăt/ de curând

Newark ['nju:ək] *oraș în S.U.A.*

new-born ['nju:,bɔ:n] *adj* **1** nou-năs-cut **2** renăscut

new-built ['nju:,bilt] *adj* **1** nou (construit) **2** reclădit, reconstruit

New Caledonia ['nju: kæli'douniə] *in-sulă în Melanezia* Noua Caledonie

Newcastle ['nju:,kɑːsəl] *oraș în Anglia*

new-comer ['nju:,kʌmə'] *s* **1** nou-venit **2** străin, necunoscut

new-day ['nju:,dei] *adj atr amer* contemporan, nou, modern

New Deal, the ['nju:'di:l, ðə] *s ist* "New Deal", noua orientare *(politica economică și socială a președintelui Roosevelt)*

New Egyptian ['nju:i'dʒipʃən] *s* (limba) coptă

newel ['nju:əl] *s constr* stâlp al unei scări în spirală

New England ['nju:'iŋglənd] *6 state în Noua Anglie*

New English ['nju:,iŋgliʃ] *s* engleza modernă *(1500-)*

new-fallen ['nju:,fɔ:lən] *adj* **1** *(d. zăpadă)* căzută de curând **2** *(d. animale)* nou născut

new-fangled ['nju:'fæŋgəld] *adj peior* **1** ultra-modern **2** de modă nouă

new-fashioned ['nju:,fæʃənd] *adj* **1** ↓ *peior* de modă nouă **2** de un tip/model nou

Newfoundland ['nju:fəndlənd] *in-sulă și provincie în Canada*

new from ['nju: frəm] *adj cu prep* proaspăt sosit de la; **~ school** proaspăt sosit/venit de pe băn-cile școlii

Newgate ['nju:git] *od închisoare în Londra*

New Guinea ['nju:,gini] *insulă în Pacific* Noua Guinee

newish ['nju:iʃ] *adj* destul de nou

New Jersey ['nju:,dʒə:si] *stat în S.U.A.*

new-laid ['nju:,leid] *adj* proaspăt ouat

New Latin ['nju:,lætin] *s* latina modernă

newly ['nju:li] *adv* **1** recent, de curând **2** din nou, iar **3** altfel, într-un mod nou

newly-weds ['nju:li,wedz] *s pl* tineri căsătoriți

New Mexico ['nju:'meksikou] *stat în S.U.A.*

new moon ['nju:,mu:n] *s astr* lună nouă, *P* → crai nou

newness ['nju:nis] *s* **1** noutate; prospețime **2** lipsă de experiență

New Orleans ['nju:'ɔ:liənz] *oraș în S.U.A.*

news [nju:z] *s pl ca sg* știre, noutate, veste *sau* știri, noutăți, vești; **what's the latest ~?** care sunt ultimele știri? **here is the ~** iată știrile; **that's no ~ to me** (asta) nu e o noutate pentru mine; **no ~ (is) good ~** *prov aprox* lipsa de vești e o veste bună; **ill ~ flies fast/apace** *prov* vestea rea aleargă iute; **he is in the ~** a se vorbește despre el în ziar(e) **b** e în centrul atenției

news agency ['nju:z,eidʒənsi] *s* agenție de știri

news agent ['nju:z ,eidʒent] *s* **1** agent de presă **2** vânzător de ziare *(debitant)*

newsboy ['nju:z,bɔi] *s* vânzător de ziare *(băiat sau tânăr)*

newscast ['nju:z,kɑ:st] *s rad, telev* buletin de știri; radiojurnal *sau* telejurnal

newscaster ['nju:z,kɑ:stə'] *s rad, telev* crainic *(care transmite știrile)*

news conference ['nju:z 'kɔnfrəns] *s* conferință de presă

newsman ['nju:zmən] *s* **1** reporter, corespondent **2** vânzător de ziare

news media ['nju:z,mi:diə] *s pl* mass media

newsmonger ['nju:z,mʌŋgə'] *s* colportor; bârfitor

newsmongering ['nju:z,mʌŋgəriŋ] *s* știri necontrolate, zvonuri

New South Wales ['nju:'sauθ 'weilz] *stat în Australia*

newspaper ['nju:z,peipə'] *s* **1** ziar, *F* → gazetă **2** *v.* **newsprint**

newspaper man ['nju:z,peipə,mən] *s* ziarist, gazetar

newsprint ['nju:z,print] *s* hârtie de ziar

news reel ['nju:z,ri:l] *s rad, cin, telev* (jurnal de) actualități

news room ['nju:z,ru:m] *s* **1** sală de lectură a periodicelor *(într-o bibliotecă etc.)* **2** redacție de actualități/știri

news sheet ['nju:z,ʃi:t] *s* foaie de ziar

news stall ['nju:z,stɔ:l] *s* chioșc de ziare

news stand ['nju:z,stænd] *s amer v.*
news stall

New Style ['nju: ,stail] *s* stilul nou
(calendarul gregorian)

news vendor ['nju:z,vendə[r]] *s* vân-
zător de ziare

newsworthy ['nju:z,wə:ði] *adj* inte-
resant *sau* important, care merită
să fie publicat *sau* difuzat *(ca
știre)*

newsy ['nju:zi] *adj* ← *F (d. o scri-
soare etc.)* plin de noutăți

newt [nju:t] *s zool* triton *(Triturus sp.)*

New Testament, the ['nju: 'testə-
mənt, ðə] *s rel* Noul Testament

Newton ['nju:tən] **1** *nume masc* **2
Sir Isaac** matematician și filosof
englez (1642-1727)

New World, the ['nju:, wə:ld, ðə] *s*
Lumea Nouă

new year ['nju:, jə:[r]] *s* **1** an(ul) nou **2
New Year** Anul Nou; **a happy
New Year (to you)!** un an nou
fericit! la mulți ani!

New Year's Day ['nju:'jə:z,dei] *s*
Anul Nou, 1 Ianuarie

New Year's Eve ['nju:'jə:z,i:v] *s*
ajunul Anului Nou; revelion

New York ['nju: 'jo:k] *stat și oraș în
S.U.A.*

New Yorker ['nju:'jo:kə[r]] *s* new-
yorkez

New Zealand ['nju: 'zi:lənd] *stat în*
Oceania Noua Zeelandă

New Zealander [,nju:'zi:lǝndə[r]] *s*
neozeelandez

next [nekst] **I** *adj* **1** următor, care
urmează; **in the ~ chapter** în
capitolul următor **2** cel mai
apropiat, vecin, învecinat; **he
lives ~ door** locuiește în casa
alăturată *sau* în apartamentul
alăturat; **in the ~ place** *fig* în
rândul următor, apoi **3** *(temporal)*
următor; viitor; care vine; **(the) ~
year** (în) anul următor; **shall you
be there ~ week?** vei fi acolo
săptămâna viitoare? **we left on
a Sunday and the ~ day we
joined the team** am plecat într-o
duminică și a doua zi/în ziua
următoare ne-am întâlnit cu
echipa; **the ~ winter was even
colder** următoarea/a doua iarnă
a fost și mai rece **II** *adv* **1** pe
urmă, apoi, după aceea; **who
comes ~?** cine urmează? cine
vine la rând? **what ~?** și pe
urmă? și ce-o să se mai întâmple

după aceea? la ce ne mai putem
aștepta? **~ came his brother** pe
urmă veni fratele lui; **first, we
add water; ~, we boil** (mai) întâi,
adăugăm apă; apoi fierbem **2** iar,
din nou; altădată; **when I see
him ~** când o să-l mai văd **III** *prep*
1 lângă, alături de; **the chair ~
the stove** scaunul de lângă sobă
2 (aproape) ca și; **she loves him
~ her own child** îl iubește (<
aproape) ca și pe copilul ei **IV** *s*
următorul, persoana *sau* obiectul
care urmează; **~, please!** urmă-
torul, vă rog! **I will tell you in my
~** am să-ți povestesc în viitoarea
mea scrisoare

next-door ['nekst,do:[r]] *adj atr* vecin,
învecinat, cel mai apropiat; **~
neighbours** vecinii cei mai
apropiați; **the ~ shop** primul
magazin, magazinul de colea

next(-)door to ['nekst,do:tə] *adj cu
prep fig* aproape de, nu departe
de; **what he did is ~ madness**
ceea ce a făcut el e vecin cu
nebunia

next friend ['nekst,frend] *s jur*
reprezentant (al unui minor)
într-un proces

next man, the ['nekst,mæn, ðə] *s*
primul venit; oricine; oricare altul

next of kin ['nekstəv'kin] *s ca și pl*
ruda cea mai apropiată *sau*
rudele cele mai apropiate

next to ['nekst tə] *prep* **1** aproape de,
lângă; de lângă; din apropierea
cu gen; **the house ~ ours** casa
vecină cu a noastră **2** *fig* aproa-
pe, ca și mai; **~ nothing** aproa-
pe/mai nimic **3** (imediat) după; **~
astronomy, he liked geogra-
phy** (imediat) după astronomie,
cel mai mult îi plăcea geografia

nexus ['neksəs] *s* nex; legătură;
apartenență; relație; **causal ~**
legătură cauzală

Nfd. *presc de la* **Newfoundland**

NHS *presc de la* **National Health
Service**

N.I. *presc de la* **Northern Ireland**

niacin ['naiəsin] *s ch* acid nicotinic

Niagara, the [nai'ægrə, ðə] *râu în*
America de Nord

Niagara Falls, the [nai'ægrə'fɔ:lz, ðə]
(Cascada) Niagara

nib [nib] *s* **1** peniță **2** vârf de peniță
(la stilou) **3** *orn* cioc, plisc **4** vârf,
ascuțiș

nibble ['nibəl] **I** *vt* **1** *(d. șoareci etc.)*
a roade (cu dinții), a mușca
(repede) din; a ciuguli; a paște **2**
sl a șterpeli, – a fura **II** *s* **1**
mușcătură; ciugulitură **2** mân-
care foarte puțină, o nimica
toată; dumicat

nibble at ['nibəlæt] *vi cu prep* **1** a
mușca din; a ciuguli din **2** *fig* a
arăta interes pentru

Nibelungenlied, the ['ni:bə,luŋən-
,li:t, ðə] *s lit* Cântecul Nibelungilor

nibs [nibz] *s:* **his ~** *sl* măria sa,
boierul

Nicaragua [,nikə'ra:guə] *stat în*
America Centrală

Nice [nis] *oraș în* Franța

nice [nais] *adj* **1** *(d. vreme etc.)*
plăcut, frumos; **~ to the taste**
plăcut la gust **2** *(d. cineva)*
drăguț, simpatic; binevoitor;
prietenos; agreabil; atent **3** *(d.
cineva)* greu de mulțumit, cu-
surgiu, mofturos; **he is ~ in his
food** e mofturos la mâncare **4**
virtuos; respectabil **5** *(d. o dife-
rență etc.)* subtil; delicat, fin **6** *(d.
o problemă etc.)* delicat, gingaș,
dificil **7** *ironic F* frumos; **a ~
mess** frumoasă încurcătură/
afacere **8** scrupulos, atent;
amănunțit, migălos **9** *(d. stil etc.)*
căutat; afectat **10** *(d. auz etc.)*
bun, fin; ascuțit **11** elegant, făcut
cu gust **12** *(d. un mecanism
etc.)* fin, sensibil **13** ← *înv*
neștiutor; prost

nice and... ['nais ən] *adj cu conj (și
adj)* destul de; < foarte; **~ warm**
destul de *sau* foarte călduros

nicely ['naisli] *adv* **1** frumos, bine **2**
cu bunăvoință, prietenos **3** scru-
pulos, atent; migălos **4** *F* grozav,
teribil, perfect, – foarte bine; **that
will suit me ~** îmi convine
perfect/de minune; **the patient
is doing ~** bolnavul o duce foarte
bine/face progrese **5** exact,
precis

niceness ['naisinis] *s* caracter
drăguț, plăcut *etc. v.* **nice**

nicety ['naisiti] *s* **1** precizie, exacti-
tate; acuratețe; punctualitate;
scrupulozitate; **to a ~** admi-
rabil, perfect; cum trebuie **b**
exact, întocmai; cu mare precizie
2 distincție fină; finețe, subtilitate
3 rafinament **4** susceptibilitate **5**
arguțiozitate

niche [nitʃ] *s* **1** nișă, firidă **2** *fig* adăpost, refugiu, ungher **3** *fig* loc potrivit

Nicholas ['nikələs] *nume masc* Nicolae

Nick [nik] *nume masc aprox* Nicu(șor) *v.* **Nicholas**

nick¹ I *s* **1** crestare; crestătură; răboj **2** crăpătură **3** tăietură **4** vale îngustă **5** *tehn* gâtuire, îngustare **6** *F* zdup, răcoare, – închisoare / / **in the ~ of time** (exact) la timp, *F* la țanc **II** *vt* a cresta, a face o crestătură *sau* crestături în

nick² *s pl* formă, condiție fizică

nicked [nikt] *adj* **1** știrb; cu zimți **2** ciobit, hârbuit

nickel ['nikəl] **I** *s* **1** *ch* nichel **2** *amer* (monedă de) 5 cenți **II** *vt* a nichela

nickel coating ['nikəl 'koutiŋ] *s auto, poligr* strat de nichel

nickel-plating ['nikəl‚pleitiŋ] *s met* nichelare

nickel steel ['nikəl‚sti:l] *s met* oțel nichel

nicker ['nikər] *s sl* liră *(bani)*; **25 ~** 25 lire

nicknack ['nik‚næk] *s v.* **knick-knack**

nickname ['nik‚neim] **I** *s* **1** poreclă **2** diminutiv, nume de alintare **II** *vt* a porecli

Nicolas ['nikələs] *nume masc v.* **Nicholas**

nicotine ['nikə‚ti:n] *s* nicotină

nicotine fit ['nikə‚ti:n‚fit] *s* poftă nestăpânită *(manifestată prin nervozitate)*

nictitate ['nikti‚teit] *vi* a clipi din ochi *(repede)*

nictitation [‚nikti'teiʃən] *s* clipire *(rapidă)* din ochi

nidificate ['nidifi‚keit] *vi* a-și face (un) cuib, a-și clădi un cuib

niece [ni:s] *s* nepoată *(de unchi sau mătușă)*

niff [nif] *s F* putoare, duhoare

niffy ['nifi] *adj F* puturos; împuțit; stricat

nifty ['nifti] *adj sl* **1** clasa prima, grozav, strașnic **2** puturos, – rău mirositor

Nigeria [nai'dʒiəriə] *stat în Africa*

Nigerian [nai'dʒiəriən] *adj, s* nigerian

niggard ['nigəd] *s, adj* zgârcit, avar

niggardliness ['nigədlinis] *s* zgârcenie, avariție

niggardly ['nigədli] *adj* **1** zgârcit, avar, *F P →* cărpănos **2** *(d. o sumă etc.)* ridicol; de nimic

nigger ['nigər] *s ← peior* negru

niggle ['nigəl] *vi* **1** a se ține/a se ocupa de fleacuri/nimicuri **2** a fi din cale afară de migălos **3** a cârti, a bombăni

niggling ['nigliŋ] *adj* **1** neplăcut; supărător **2** migălos, care dă multă bătaie de cap

nigh [nai] *← înv, poetic* **I** *adv* **1** aproape; alături **2** cât pe ce, aproape **II** *adj* apropiat **III** *prep* aproape de

nighly ['naili] *adv ← poetic* aproape

night [nait] *s* **1** noapte; seară; **during the ~** în timpul nopții; **in the ~ ↓ ←** *poetic* noaptea; în timpul nopții; **at ~** a noaptea, când se face noapte **b** seara, când se face seară; **by ~** a în timpul/cursul nopții, când este noapte, pe timp de noapte **b** la adăpostul nopții; **~ after/by ~** noapte după/de noapte; **to have a good ~** a dormi bine noaptea; **good ~!** noapte bună!; **all ~ (long)** toată noaptea, cât e noaptea de mare; **last ~** a aseară **b** noaptea trecută; **~ and day** zi și noapte, fără întrerupere; **o'~s** noaptea; în timpul nopții; **to make a ~ of it** a petrece/a chefui toată noaptea, *F aprox* a o face lată; **to turn ~ into day** a face din noapte zi; a lucra noaptea; **the small ~** *F* ore mici, – primele ore după miezul nopții **2** *și fig* noapte, întuneric, beznă

night bird ['nait‚bə:d] *s și fig* pasăre de noapte

night blindness ['nait‚blaindnis] *s med* nictalopie

nightcap ['nait‚kæp] *s* **1** bonetă de noapte **2** *← F* pahar (băut) înainte de culcare

night clothes ['nait‚klouðz] *s pl* lenjerie de noapte *(de corp)*

night cloud ['nait‚klaud] *s nor* stratus

night club ['nait‚klʌb] *s* bar (de noapte)

night dress ['nait‚dres] *s* cămașă de noapte *(pt femei sau copii)*

nightfall ['nait‚fɔ:l] *s* căderea serii *sau* nopții; amurg; înserare

night gown ['nait‚gaun] *s v.* **night dress**

night hawk ['nait‚hɔ:k] *s fig* pasăre de noapte

nightie ['naiti] *s* cămășuță de noapte

nightingale ['naitiŋ‚geil] *s orn* privighetoare *(Luscinia luscinia)*

night letter ['nait‚letər] *s* telegramă expediată noaptea *(cu tarif redus)*

night light ['nait‚lait] *s* **1** lampă, felinar *sau* bec de noapte **2** lumină de serviciu *(pe coridor etc.)* **3** foc de noapte

night-long ['nait‚lɔŋ] **I** *adj* de o noapte întreagă **II** *adv* o noapte întreagă, cât e noaptea de mare

nightly ['naitli] **I** *adj* **1** de noapte, nocturn, *poetic →* noptatic **2** de fiecare noapte **II** *adv* **1** noaptea **2** în fiecare noapte, noapte de/după noapte

nightmare ['nait‚mɛər] *s* **1** coșmar **2** *fig* coșmar; groază; grijă obsedantă; obsesie **3** *și N~ od* vrăjitoare care sugruma oamenii adormiți

nightmarish ['nait‚mɛəriʃ] *adj* de coșmar; obsedant

nights [naits] *adv ↓ amer* noaptea; seara

night school ['nait‚sku:l] *s* școală serală, cursuri serale

nightshade ['nait‚ʃeid] *s bot* **1** umbra nopții, zârnă *(Solanum nigrum)* **2** lăsnicior, buruiană de dalac *(Solanum dulcamara)*

night shift ['nait‚ʃift] *s* schimb de noapte

night shirt ['nait‚ʃə:t] *s* cămașă de noapte *(bărbătească)*

night spot ['nait‚spot] *s amer ← F* local de noapte

night suit ['nait‚su:t] *s* pijama

night table ['nait‚teibəl] *s* măsuță de noapte, noptieră

night tide ['nait‚taid] *s* **1** *← poetic* noapte, timp de noapte **2** flux de noapte

night time ['nait‚taim] *s* timp de noapte; timpul nopții; **in the ~** noaptea, în timpul nopții

night vision ['nait‚viʒən] *s* **1** *med* vedere nocturnă **2** *mil* folosirea aparatelor pe timp de noapte

night walker ['nait‚wɔ:kər] *s* **1** *fig* pasăre de noapte **2** somnambul

night watch ['nait‚wotʃ] *s* **1** pază de noapte **2** paznic de noapte; străjer

night watchman ['nait ,wɔtʃmən] *s* paznic de noapte

nihilism ['naii,lizəm] *s* nihilism

nihilist ['naiilist] *s* nihilist

nihilistic [,naii'listik] *adj* nihilist

nil [nil] *s* ↓ *sport, jocuri* zero; nimic

Nile, the [nail, ðə] *fluviu* Nil

Nilotic [nai'lɔtik] *adj* al Nilului; de pe Nil; din preajma Nilului

nim [nim] *vt* ← *înv* **1** a lua **2** a fura

nimbed ['nimbd] *adj rar* nimbat, aureolat

nimble ['nimbəl] *adj* **1** *(d. sau în mişcări)* vioi, sprinten, agil **2** *(d. un răspuns)* prompt **3** *(d. ascultători)* receptiv

nimbly ['nimbli] *adv* **1** vioi, sprinten, cu agilitate **2** prompt, fără să stea pe gânduri **3** inteligent

nimbus ['nimbəs], *pl şi* **nimbi** ['nimbai] *s* **1** *meteor* nimbus, nor de ploaie **2** *şi fig* nimb, aureolă

nimiety [ni'maiiti] *s* exces, prisos; repetare inutilă

niminy-piminy ['nimini'pimini] *adj* **1** afectat; preţios **2** mofturos, cu fasoane **3** efeminat

Nimrod ['nimrɔd] *s* **1** *bibl* **2** *şi* n~ mare vânător

nincompoop ['nimkəm,pu:p] *s* **1** prost, imbecil, idiot **2** om fără caracter

nine [nain] **I** *num* nouă; ~ **tenths** aproape tot **II** *s* **1** nouă; nouar; **up to the** ~**s** ← *F* cu totul; extraordinar **2** **the N**~ *mit* cele nouă muze

ninefold ['nainfould] **I** *adj* **1** din nouă părţi **2** de nouă ori mai mare **II** *adv* de nouă ori mai mult

ninepins ['nain,pinz] *s pl* popice

nineteen [,nain'ti:n] *num* nouăsprezece; **to talk ~ to the dozen** *F* a turui, a vorbi ca o moară neferecată

nineteenth [,nain'ti:nθ] *num* nouăsprezecilea

ninetieth ['naintiiθ] *num* nouăzecilea

ninety ['nainti] **I** *num* nouăzeci **II** *s pl* **the nineties** anii '90

Nineveh ['ninivə] *ist oraş în Asiria* Ninive

ninny ['nini] *s* prost, nerod, găgăuţă, nătăfleaţă

ninth [nainθ] **I** *num* nouălea **II** *s* noime

ninthly ['nainθli] *adv* în al nouălea rând

Niobe ['naiəbi] *mit*

Nip [nip] *adj, s amer* ← *F* japonez, *elev* → nipon

nip I *vt* **1** a pişca, a ciupi; a ciuguli; a muşca **2** a strânge cu cleştele **3** a apuca, a prinde, a strânge, a înghesui; a presa, a comprima **4** *(d. ger etc.)* a atinge, a lovi, < a distruge, a nimici; a vătăma, **to ~ in the bud** a înăbuşi în faşă/germene *(un complot etc.)*; a curma de la rădăcină **5** *sl* a şterpeli, a ciordi, – a fura **6** *sl* a înhăţa, – a aresta **7** a bea/a sorbi încet **II** *vi* **1** *F* a-i da bătaie; – a merge repede; a se grăbi **2** *F* a trage o fugă *(până la debit etc.)* **III** *s* **1** pişcătură, ciupitură; muşcătură **2** apucare, prindere, strângere *(cu cleştele etc.)*; presare, comprimare **3** sorbitură; *aprox* strop **4** critică; *F* săpuneală, perdaf **5** *F* fugă; **he had a ~ out to buy a newspaper** a dat o fugă până la chioşcul de ziare

nip-and-tuck ['nipən'tʌk] *adj atr (d. o competiţie)* strâns, apropiat

nip at ['nipət] *vi cu prep* **1** *(d. câini)* a se da la **2** *(d. vânt)* a pişca cu ac

nip in ['nip 'in] **I** *vi cu part adv auto etc.* a se strecura repede; a depăşi repede; a ţâşni **II** *vt cu part adv* a strâmta *(haine)*

Nipper ['nipəʳ] *s amer* ← *F* japonez, *elev* → nipon

nipper *s* **1** *pl* instrument care strânge: cleşte, menghină; forceps **2** *zool* cleşte *(al racului)* **3** *F* pici, puşti, – băieţaş **4** *pl* ← *F* cătuşe; fiare, lanţuri **5** *pl* ← *F* lornion, pince-nez

nippiness ['nipinis] *s* **1** iuţeală; sprinteneală; operativitate **2** asprime, frig

nipping ['nipiŋ] *adj* **1** *(d. ger etc.)* tăios; muşcător **2** *fig* muşcător, sarcastic, usturător

nipple ['nipəl] *s* **1** *anat* sfârc, mamelon **2** suzetă; biberon **3** *auto etc.* duză **4** *tehn* niplu, racord

Nippon ['nipɔn] Japonia

Nipponese [,nipə'ni:z] *s, adj* japonez, *elev* → nipon

nippy ['nipi] *adj* ← *F* **1** rece, tăios; geros **2** iute, sprinten; **look ~!** *F* mişcă(-te)! dă-i brânci!

nirvana [niə'va:nə] *s rel* nirvana

nisei ['ni:'sei] *s* japonez

nit [nit] *s ent* lindină, ou de păduche etc.

nitpick ['nitpik] *vi* (**at**) a căuta nod în papură *(cu dat)*, a se lega de toate fleacurile

nitpicker ['nitpikəʳ] *s* chiţibuşar

nitpicking ['nitpikiŋ] *adj* de chiţibuşar; criticastru

nitrate ['naitreit] *s ch* nitrat, azotat

nitration [nai'treiʃən] *s ch* nitrare

nitre ['naitəʳ] *s ch* azotat de potasiu *(nativ)*

nitric acid ['naitrik ,æsid] *s ch* acid azotic, apă tare

nitric oxide ['naitrik 'ɔksaid] *s ch* oxid de azot

nitrify ['naitri,fai] *vt* **1** *ch* a nitra, a azota **2** *agr* a nitrifica

nitrite ['naitrait] *s ch* azotat, nitrit

nitro-dyes ['naitrou, daiz] *s pl ch* nitrocoloranţi

nitrogen ['naitrədʒən] *s ch* azot, nitrogen

nitro-glycerin(e) [,naitrou'glisərin] *s ch* nitroglicerină

nitron ['naitrɔn] *s ch* nitron

nitrous ['naitrəs] *adj ch* azotos, nitros

nitrous oxide ['naitrəs 'ɔksaid] *s ch* protoxid de azot, gaz ilariant

nitty ['niti] *adj* plin de lindini

nitty-gritty ['niti'griti] *s:* **to get down/to come to the ~** *sl* a trece la partea grea *(concretă)* a chestiunii

nitwit ['nit,wit] *s* prost, *F* găgăuţă, tont

nit-witted ['nit,witid] *adj* prost, *F* bătut în cap

niveous ['niviəs] *adj* (ca) de zăpadă; alb ca zăpada

nix¹ [niks] *s mit germanică* nix, spirit al apelor

nix² *sl* **I** *pr* **1** nimic; zero **2** nimeni **II** *interj* **1** aşi! da' de unde! nici vorbă! – nu! **2** *şcol etc.* F şase! – atenţie! **III** *vt* a zice „nu" la; a nu aproba, a respinge

nixie ['niksi] *s mit germanică* nixă, ondină

N.J. *presc de la* New Jersey

NL., N.L. *presc de la* New Latin

N.Lat., N.lat. *presc de la* north latitude

N.M. *presc de la* New Mexico

no [nou] **I** *adv* **1** *(ca negaţie independentă)* nu; ba; ~, **I cannot play now** nu, nu mă pot juca acum **2** *(cu comp)* nu; nu... deloc;

~ **more/longer** nu mai; **he was ~ better yesterday** ieri nu se simțea (deloc) mai bine, ieri se simțea la fel de prost **II** *adj* **1** nici un *sau* nici o; nu *(cu un verb)*; **he had ~ money about him** nu avea nici un ban la el, > nu avea bani la el; **she has ~ reason to be offended** nu avea (< nici un) motiv să se simtă jignită/ofensată; ~ **other man could have done it** nici un alt om nu ar fi putut face asta; ~ **two leaves are alike** nu sunt/există două frunze la fel **2** *(exprimă opusul cuvântului pe care îl precede)* nu *(este; sunt)*; **she is ~ beauty** nu este o frumusețe, e departe de a fi o frumusețe **3** *(în construcția* **there + to be + no + gerund***)* nu *(se poate ști etc.);* **there is ~ knowing what other plans he has** e imposibil să știi ce planuri/gânduri are **4** *(în construcții eliptice)* nu; fără; interzis; ~ **smoking** fumatul oprit; ~ **parking** parcarea interzisă **III** *s* **1** negație **2** refuz **3** dezaprobare **4** vot contra; **the ~es have it** majoritatea a votat contra

No. *presc de la* **1** north **2** northern

no., No. *pl* **nos., Nos.** *presc de la* number

no-account ['nouə'kaunt] *amer* **I** *s F* ageamiu, – nepriceput, om bun de nimic **II** *adj F* ageamiu, nepriceput, bun de nimic

Noah ['nouə] **1** *nume masc* **2** *bibl* Noe

nob¹ [nɔb] *s sl* căpățână, dovleac, tigvă, – cap

nob² *s F* ștab, grangur, – mărime

nobble ['nɔbəl] *vt sl* **1** *sport* a face (un cal) inapt pentru curse (a-l dopa etc.) **2** a unge, – a mitui **3** a trage pe sfoară, a păcăli, – a înșela **4** a șterpeli, a sfeterisi, – a fura **5** a obține *(ceva)* pe căi necinstite

nobby ['nɔbi] *adj F* fain, clasa întâi, – foarte frumos *etc.*

Nobel prize [nou'bel,praiz] *s* premiu Nobel

nobiliary [nə'biliəri] *adj* nobiliar, de nobil

nobility [nou'biliti] *s* **1** nobil(ime); aristocrați(e) **2** noblețe; mărinimie; generozitate, larghețe

noble ['noubəl] **I** *adj* **1** nobil, de neam; aristocrat **2** nobil, generos, mărinimos **3** splendid, extraordinar, superb **4** grandios, impresionant **5** *(d. metale etc.)* nobil; de calitate **II** *s* **1** *v.* **nobleman 2** *od* monedă engleză de aur (6 șilingi 8 pence)

nobleman ['noubəlmən] *s* **1** nobil; aristocrat; curtean **2** pair *(în Anglia)*

noble-minded ['noubəl,maindid] *adj* (cu suflet) nobil; mare la suflet, mărinimos, generos

noble-mindedness ['noubəl,maindidnis] *s* noblețe; mărinimie, generozitate

nobleness ['noubəlnis] *s v.* **noble-mindedness**

noblesse [nou'bles] *s fr* nobilime, aristocrație (↓ *străină*)

noblewoman ['noubəl,wumən] *s rar* nobilă; aristocrată

nobly ['noubli] *adv* **1** nobil, cu noblețe **2** minunat, splendid, extraordinar

nobody ['noubədi] **I** *pr* nimeni; ~ **knows him** nimeni nu-l cunoaște **II** *s* nimeni; nulitate, zero; **he's a** ~ e o nulitate

noctambulation [,nɔktæmbju-'leiʃən] *s med* noctambulism, somnambulism

noctambulist [nɔk'tæmbjulist] *s med* noctambul, somnambul

noctilucent [,nɔkti'lu:sənt] *adj (d. nori)* luminos, argintiu

nocturnal [nɔk'tə:nəl] *adj* nocturn, de noapte

nocturne ['nɔktə:n] *s muz* nocturnă

nocuous ['nɔkjuəs] *adj* **1** dăunător, vătămător **2** otrăvitor

nod [nɔd] **I** *s* **1** plecăciune; salut; semn cu capul; **to give smb a ~ a** a face cuiva un semn cu capul **b** a saluta pe cineva; **to get the ~** *F* a căpăta blagoslovenia, – a fi ales; **on the ~ a** *F* pe veresie/–credit **b** *F* pe blat; – gratis **c** ← *F* fără formalități, direct; operativ **2** moțăială, moțăit, piroteală, somnolență **II** *vi* **1** a da din cap aprobator, a încuviința cu capul **2** a răspunde la salut *(cu capul)* **3** a moțăi, a picoti **4** a greși, a face o greșeală; **Homer sometimes ~s** „(mai) greșește până și Homer", pot greși/greșesc și cei mai mari/luminați **5** *(d. pomi,*

plante) a se legăna, a se apleca **6** *(d. clădiri etc.)* a amenința cu prăbușirea **III** *vt* **1** a da din *(cap)*, a face semn cu *(capul);* a încuviința cu *(capul)* **2** a-și da *(încuviințarea)*

nodal ['noudəl] *adj* nodal, esențial, fundamental

nodding acquaintance ['nɔdiŋ ə'kweitəns] *s* cunoștință din vedere *(persoană căreia îi răspunzi la salut și atât)*

noddle ['nɔdəl] *s F* căpățână, dovleac, tigvă, – cap; **use your ~!** *F* pune-ți capul la contribuție!

noddy ['nɔdi] *s* prost, nătâng, *F* găgăuță

node [noud] *s* **1** *fig* nod, di!emă, problemă, complicație **2** *bot, fiz, ferov* nod **3** *mat* nod; punct **4** *tehn* nod de asamblare **5** *med* excrescență; îngroșare

nodi ['noudai] *pl de la* **nodus**

nodose ['noudous] *adj* cu noduri, noduros

nodosity [nou'dɔsiti] *s silv* **1** nodozitate **2** nod

no doubt ['nou,daut] *adv* **1** fără îndoială, indiscutabil, neîndoios **2** cred, bănuiesc; sunt sigur; **you're new around here,** ~ cred că nu prea știți cum sunt treburile pe aici

nodous ['noudəs] *adj* noduros, cu noduri

nodular ['nɔdju:lə] *adj* **1** noduros, în formă de nod **2** *med* nodular; nodos

nodulated ['nɔdju:leitid] *adj v.* **nodular**

nodule ['nɔdju:l] *s* **1** *agr* nodozitate **2** *min* nodulă; geodă **3** *med* nodul; ganglion

Noel [nou'el] *nume masc și fem*

noel, noël [nou'el] *s* **1** colind(ă) **2** N~ Crăciun

nog [nɔg] *s* **1** cui de lemn **2** *min* bucată de lemn în formă de cărămidă

noggin ['nɔgin] *s* **1** cană mică, căniță **2** măsură de capacitate *(sfert de pintă, 0,12-0,14 l)* **3** *F* tărtăcuță, dovleac, – cap

no go ['nou,gou] *s* ← *F* impas, situație fără ieșire

nogo area ['nou,gou'ɛəriə] *s* ← *F* zonă de segregație (rasială)

no good [,nou'gud] *s amer* ← *F* om *sau* lucru de nimic

no good take [ˌnou'gud'teik] *s cin* cadru rebutat

nohow ['nou,hau] *adv* **1** *F* în ruptul capului; – deloc, defel, nicidecum **2** ← *F* indispus, prost; **to feel ~** *F* a nu-i fi boii acasă, a nu se simți în apele lui

noil [nɔil] *s text* deșeuri de la pieptănat

noise [nɔiz] **I** *s* **1** zgomot, gălăgie, zarvă, larmă, < vacarm, tumult; vuiet; **it made a ~ like a train** făcea un zgomot ca de tren, uruia ca trenul; **a big ~** *fig F* un mare mahăr, un ștab; **what's that ~?** ce zgomot se aude? **to make a ~ about smth** *fig F* a face gură/tărăboi pentru ceva; a face zarvă în jurul unui lucru; **to make a ~ in the world** *fig* a stârni vâlvă; a face să se vorbească despre el; **to make ~s** ← *F* a exprima sentimente *sau* intenții *(de aprobare etc.)* **2** zgomot; sunet *(↓ neplăcut)* **3** zvon **4** intrigă, uneltire **5** *tel* paraziți **II** *vt* a răspândi zvonul *(că)*, a trâmbița

noise about/abroad/around ['nɔiz ə'baut/ə'brɔːd/ə'raund] *vt cu part adv v.* **noise II**

noiseless ['nɔizlis] *adj* **1** care nu face zgomot, fără zgomot; tăcut **2** *auto etc.* silențios

noiselessly ['nɔizlisli] *adv* fără zgomot; *(a păși etc.)* tiptil

noiseproof ['nɔiz,pruːf] *adj* izolat acustic

noisily ['nɔizili] *adv* zgomotos, cu zgomot; gălăgios

noisiness ['nɔizinis] *s* caracter zgomotos; zgomot, gălăgie

noisome ['nɔisəm] *adj* **1** vătămător, dăunător, otrăvitor **2** urât/rău mirositor

noisy ['nɔizi] *adj* **1** *(d. o stradă etc.)* zgomotos, plin de zgomot **2** care face zgomot; zgomotos, gălăgios; turbulent **3** *fig (d. culori etc.)* țipător

nolens volens ['noulenz 'voulenz] *lat* nolens volens, vrând-nevrând

nom. *presc de la* **nominative**

nomad ['noumæd] *s, adj* nomad

nomadic [nou'mædik] *adj* nomad

nomadism ['noumædizəm] *s* nomadism

nomadize ['noumæd,aiz] *vi* a duce o viață de nomad

nom de plume ['nɔmdə'pluːm] *s fr* pseudonim

nomenclature [nou'menklətʃər] *s* **1** nomenclatură; terminologie **2** denumire, nume

nominal ['nɔminəl] **I** *adj* **1** *ec, gram etc.* nominal **2** nominal, convențional; oficial **3** nominal, mic, neînsemnat **II** *s gram* parte nominală de vorbire

nominalism ['nɔminə,lizəm] *s filos* nominalism

nominalist ['nɔminəlist] *s, adj filos* nominalist

nominally ['nɔminəli] *adv* **1** nominal; convențional; oficial **2** nominal, pe nume

nominal predicate ['nɔminəl ,predikit] *s gram* predicat nominal

nominal value ['nɔminəl ,væljuː] *s ec* valoare nominală

nominal wages ['nɔminəl,weidʒiz] *s pl ec* salariu nominal

nominate ['nɔmi,neit] *vt* **1** *pol* a propune candidatura *(cuiva)*, a propune/a desemna drept candidat *(pe cineva)* **2** a numi *(într-un post)* **3** a fixa *(o dată)*

nomination [ˌnɔmi'neiʃən] *s* **1** *pol* candidatură **2** numire *(într-un post)* **3** fixare *(a unei date)*

nominative ['nɔminətiv] **I** *adj* **1** *ec* nominal **2** numit *(ant* ales*)* **3** *gram* nominativ **II** *s gram* **1** (cazul) nominativ **2** substantiv în cazul nominativ

nominative absolute ['nɔminətiv ,æbsə'luːt] *s gram* nominativ absolut

nominative of address ['nɔminətiv əvə'dres] *s gram* „nominativul adresării", vocativ

nominee [ˌnɔmi'niː] *s* candidat *(la alegeri sau pt un post)*

-nomy *suf* -nomie: **astronomy** astronomie

non- *pref* ne-, non-: **nonsense** nonsens; **non-specific** nespecific

nonage ['nounidʒ] *s* **1** minorat, vârstă minoră; **to be in one's ~** a fi minor **2** *fig* imaturitate; perioadă de început

nonagenarian [ˌnounədʒi'nɛəriən] *s* nonagenar

nonaggression [ˌnɔnə'greʃən] *s* neagresiune

nonaggression pact [ˌnɔnə'greʃən ,pækt] *s* pact de neagresiune

nonalcoholic [ˌnɔnælkə'hɔlik] *adj* nealcoolic

non-assertive [ˌnɔnə'səːtiv] *adj gram* negativ

nonatomic [ˌnɔnə'tɔmik] *adj mil* neatomic, clasic, obișnuit

non-attendance [ˌnɔnə'tendəns] *s* nefrecventare; absențe *(la cursuri etc.);* neprezentare

non-availability [ˌnɔnə,veilə'biliti] *s* nedisponibilitate; absență

non-believer [ˌnɔnbi'liːvər] *s* necredincios; sceptic

non-belligerency [ˌnɔnbi'lidʒərənsi] *s* nonbeligeranță

non-belligerent [ˌnɔnbi'lidʒərənt] *adj* nonbeligerant

nonce [nɔns] *s:* **for the ~ a** în cazul de față, în cazul dat **b** deocamdată; pentru moment

nonce word ['nɔns,wəːd] *s lingv* „cuvânt de ocazie" *(inventat, folosit o singură dată);* hapax legomenon

nonchalance ['nɔnʃələns] *s* **1** nepăsare, indiferență **2** lipsă de interes; indolență; neglijență

nonchalant ['nɔnʃələnt] *adj* **1** nepăsător, indiferent **2** indolent; neglijent

non-com ['nɔn,kɔm] *presc F de la* **noncommissioned officer**

non-combatant [nɔn'kɔmbətənt] *s, adj mil* necombatant

non-commissioned officer [ˌnɔnkə'miʃənd 'ɔfisər] *s mil* subofițer; sergent

non-committal [ˌnɔnkə'mitəl] *adj* **1** *(d. un răspuns etc.)* care nu obligă/angajează **2** *(d. cineva)* neutru, care nu angajează/obligă (prin nimic)

non-compliance [ˌnɔnkəm'plaiəns] *s* **1** nesupunere, neascultare **2** (**with**) dezacord (cu, față de), neacceptare *(cu gen)*

non-compliance with [ˌnɔnkəm'plaiənswið] *s cu prep* nerespectare *(a unor dispoziții etc.)*

non compos mentis ['nɔn'kɔmpəs 'mentis] *adj lat jur* iresponsabil

nonconformist [ˌnɔnkən'fɔːmist] *adj, s* **1** neconformist **2** *rel* dizident *(față de biserica protestantă)*

nonconformity [ˌnɔnkən'fɔːmiti] *s* **1** neconformism **2** *rel* dizidență *(față de biserica anglicană)*

noncontributory [ˌnɔnkən'tribjutəri] *adj (d. pensii)* plătit de patron; fără cotizații

nondescript [ˌnɔndi,skript] **I** *adj* **1** greu de definit, de scris *sau* clasificat **2** fără o ocupație *sau* profesiune precisă **II** *s* **1** persoană *sau* lucru greu de definit, descris *sau* clasificat **2** persoană fără o ocupație *sau* profesiune precisă

none [nʌn] **I** *pr* **1** (↓ *ca pl*) nici unul *sau* nici una; ~ **of them are/is at home** nici unul din ei nu este acasă; ~ **of this money** nimic *sau* nici o parte din acești bani **2** nimeni; nimic; ~ **other than** nimeni altul decât; ~ **of that!** termină! isprăvește! să nu mai aud așa ceva! ~ **of your impudence!** termină/isprăvește cu obrăzniciile! nu ți-e rușine? **II** *adv* câtuși de puțin, deloc, defel; **it is** ~ **too high** nu e deloc înalt; **I'm** ~ **the wiser for your explanation** explicația dumitale nu m-a lămurit deloc, *F* m-ai lămurit buștean; **I slept** ~ **that night** *amer* n-am închis ochii în noaptea aceea

none but ['nʌn bət] *adv* numai, doar; nimeni altul *sau* nimic altceva decât; ~ **he can do it** numai el poate s-o facă

nonentity [nɔn'entiti] *s* **1** neființă, inexistență **2** ficțiune; himeră **3** om fără valoare, nulitate

non-essential [ˌnɔni'senʃəl] *adj* neesențial

nonesuch ['nʌn,sʌtʃ] *s* model, pildă; as, corifeu, culme

none the less, nonetheless [ˌnʌnðə'les] *adv, conj v.* **nevertheless**

nonevent [ˌnɔni'vent] *s* ← *F* eveniment nesemnificativ

non-existence [ˌnɔnig'zistəns] *s* **1** ceva ce nu există **2** *v.* **nonentity 1**

non-existent [ˌnɔnig'zistənt] **I** *adj* inexistent **II** *s* ceva ce nu există

non-ferrous [ˌnɔn'ferəs] *adj met* neferos

non-interference [ˌnɔn,intə'fiərəns] *s pol* neamestec

non-intervention [ˌnɔnintə'venʃən] *s pol* neintervenție; neamestec

non-member [nɔn'membəʳ] *s* nemembru *(al unei organizații etc.)*

non-membership [nɔn'membə,ʃip] *s* calitatea de nemembru; neapartenență

non-national [nɔn'næʃənəl] *adj* **1** nenațional; în afara națiunii **2** *(d. state)* multinațional

non-natural [nɔn'nætʃərəl] *adj* **1** artificial; nenatural **2** supranatural **3** nefiresc, nenatural; bombastic, umflat, afectat

nonny-nonny ['nɔni,nɔni] *interj* ← *înv* tra-la-la

non-obedience [ˌnɔnə'bi:djəns] *s* nesupunere, neascultare

non-observance [ˌnɔnəb'zə:vəns] *s* nerespectare *(a regulilor etc.)*

nonpareil ['nɔnpərəl] **I** *adj* neasemuit, incomparabil, fără pereche **II** *s* **1** *poligr* nonpareil **2** model, exemplu

non-partisan [ˌnɔnpa:ti'zæn] *adj* **1** fără partid; independent **2** nepărtinitor, obiectiv

non-payment [nɔn'peimənt] *s* neplată; neachitare

non-permanent [nɔn'pə:mənənt] *adj* nepermanent; schimbător

nonplus [nɔn'plʌs] **I** *s* impas; strâmtoare; dificultate; **at a** ~ într-un impas **II** *vt* a pune în încurcătură, a zăpăci

non-political [ˌnɔnpə'litikəl] *adj* nepolitic; apolitic

non-productive [ˌnɔnprə'dʌktiv] *adj* neproductiv

non-radical [nɔn'rædikəl] *s lingv* element formativ

non-recognition [ˌnɔnrekəg'niʃən] *s* nerecunoaștere

non-recoverable [ˌnɔnri'kʌvərəbəl] *adj* nerecuperabil

non-recurring [ˌnɔnri'kʌriŋ] *adj* irepetibil; neregulat; extraordinar

non-resident [nɔn'rezidənt] *s* **1** persoană dintr-o altă localitate; flotant **2** elev extern **3** medic extern **4** preot din altă localitate

nonsense ['nɔnsəns] **I** *s* absurditate, nonsens; prostii; **I want no more of your** ~ termină/isprăvește cu prostiile **II** *interj* prostii! absurdități; *F* ← aiurea! fugi de-aici!

nonsensical [nɔn'sensikəl] *adj* fără sens, absurd; de neînțeles; prostesc, < nebunesc

non-sensitive [nɔn'senzitiv] *adj* insensibil

non-skid ['nɔn,skid] *adj atr auto* antiderapant

non-smoker [nɔn'smoukəʳ] *s* **1** nefumător **2** vagon *sau* compartiment pentru nefumători

non-standard [nɔn'stændəd] *adj lingv* neacceptat; în afara normelor

non-stop ['nɔn'stɔp] *adj atr* fără oprire; ~ **flight** *av* zbor fără escală

non-substantial [ˌnɔnsʌb'stænʃəl] *adj filos* insubstanțial, nonsubstanțial; nematerial

nonsuch ['nʌn,sʌtʃ] *s* culmea perfecțiunii; ceva unic în felul său; excepție

non-symmetrical [ˌnɔnsi'metrikəl] *adj* asimetric; nesimetric

non-transferable [ˌnɔntræns'fə:rəbl] *adj* netransferabil

non-transportable [ˌnɔntræns'pɔ:təbl] *adj* netransportabil

non-unionist [nɔn'ju:njənist] *s* nesindicalist

nonviolence [nɔn'vaiələns] *s* nevioleță

noodle ['nu:dəl] *s* prost(ănac), tont

noodles ['nu:dəlz] *s pl* tăiței

nook [nuk] *s* **1** colț, ungher **2** *fig* ungher, colț; ascunziș, văgăună

noon [nu:n] *s* **1** amiază, miezul zilei; **at** ~ la amiază/prânz **2** ← *poetic* miez de noapte, miezul nopții **3** *fig* apogeu, culme, înflorire

noonday ['nu:n,dei] *s v.* **noon 1, 3**

no one ['nou wʌn] *pr* nimeni

noontide ['nu:n,taid] *s v.* **noon 1, 3**

noontime ['nu:n,taim] *s* amiază, vremea amiezii, prânz

noose [nu:s] **I** *s* **1** laț; arcan; lasso **2** ștreang; **to put one's neck/ head in the** ~ *fig* a se vârî singur într-o încurcătură, *F →* a-și vârî capul sănătos sub evanghelie **3** nod **4** *fig* laț, capcană **5** *fig* lanțul căsniciei, *F* pirostrii **II** *vt* **1** a prinde cu lațul, arcanul *sau* lasso-ul **2** *fig* a întinde o cursă/ capcană *(cuiva)* **3** a face un laț *sau* nod la

nope [noup] *adv* ↓ *amer F* ași, (da) de unde, – nu

noplace ['nou,pleis] *adv amer* ← *F* nicăieri, niciunde

nor [nɔ:ʳ] *conj* nici; **he doesn't smoke** ~ **does he drink** nici nu fumează, nici nu bea *(v. și* **neither IV**)

Nor. *presc de la* **1** Norway **2** Norwegian **3** North

Nora ['nɔ:rə] *nume fem v.* **Eleanor, Leonora**

Nordic ['nɔːdik] *adj, s* nordic, scandinav

Norfolk ['nɔːfək] *comitat în Anglia*

Norfolk jacket ['nɔːfək,dʒækit] *s un fel de haină largă cu curea*

norland ['nɔːlənd] *s* ținut nordic; nord

norlander ['nɔːlændəʳ] *s* nordic, locuitor din nord

norm [nɔːm] *s* 1 normă, etalon, standard 2 normă *(tehnică etc.)*

Norma ['nɔːmə] *nume fem*

normal ['nɔːməl] I *adj* 1 normal; obișnuit; regulat 2 conform, corespunzător; reglementar 3 *geom* perpendicular II *s* 1 normal; condiție/stare normală 2 tip, model *etc.* normal 3 *med* temperatură normală 4 *geom* perpendiculară

normalcy ['nɔːməlsi] *s v.* **normality**

normality [nɔː'mæliti] *s* caracter *sau* aspect normal

normalization [,nɔːməlai'zeiʃən] *s* normalizare

normalize ['nɔːmə,laiz] *vt* 1 a normaliza 2 a standardiza; a norma

normally ['nɔːməli] *adv* în mod normal *sau* obișnuit; de obicei

normal school ['nɔːməl'skuːl] *s* școală normală; *aprox* școală pedagogică

Norman ['nɔːmən] I *adj și ist* normand II *s* 1 *și ist* normand 2 *ist* (limba) normandă 3 *nume masc*

Norman Conquest, the ['nɔːmən 'kɔŋkwəst, ðə] *s ist* Cucerirea Normandă *(1066)*

Normandy ['nɔːməndi] *provincie franceză* Normandia

Norman French ['nɔːmən,frentʃ] *s ist* (limba) franco-normandă

normative ['nɔːmətiv] *adj* normativ; prescriptiv

Norns, the ['nɔːnz, ðə] *s pl* nornele *(zeițele destinului din mit scandinavă)*

Norse [nɔːs] I *s* 1 vechea limbă norvegiană 2 the ~ norvegienii; scandinavii II *adj* 1 norvegian 2 scandinav

Norseman ['nɔːsmən] *s ist*, nordic, scandinav, ↓ norveg(ian) *(în Evul Mediu)*

north [nɔːθ] I *s* 1 nord, miază-noapte 2 vânt de nord 3 N~ nord, partea de nord *(a Angliei sau S.U.A.)* II *adj atr* nordic, de nord; din nord

III *adv* spre/la/către nord; la nord; ~ **of the river** la nord de fluviu

North America ['nɔːθ ə'merikə] America de Nord

North American ['nɔːθə'merikən] *s* locuitor din America de Nord, nordamerican

Northampton [nɔː'θæmptən] 1 *v.* **Northamptonshire** 2 *oraș în Anglia*

Northamptonshire [nɔː'θæmptənʃiə] *comitat în Anglia*

north-bound ['nɔːθ,baund] *adj* în direcția nord, spre nord

north-east [,nɔː'θiːst] I *s* nord-est II *adj atr* de nord-est; din nord-est III *adv* spre/la/către nord-est; la nord-est

north-easter [,nɔː'θiːstəʳ] *s* vânt de nord-est

north-easterly [,nɔː'θiːstəli] *adj* de *sau* dinspre nord-est

north-eastern [,nɔː'θiːstən] *adj* de nord-est; situat în nord-est

northerly ['nɔːðəli] I *adj* 1 *(d. vânt)* dinspre/de nord 2 situat/îndreptat spre nord II *adv* spre nord

northern ['nɔːðən] I *adj* 1 nordic, de nord 2 *(d. vânt)* dinspre/de nord II *s* 1 *v.* **northerner** 2 vânt de nord

northerner ['nɔːðənəʳ] *s* locuitor din nord, nordic

northern lights ['nɔːðən,laits] *s pl* auroră boreală

northernmost ['nɔːðən,moust] *adj* cel mai nordic

northland ['nɔːθlənd] *s* 1 regiune nordică, ținut nordic *(al unei țări)* 2 N~ ← *poetic* țările nordice 3 N~ ← *poetic* peninsula scandinavă

north light(s) ['nɔːθ,lait(s)] *s (pl)* auroră boreală

Northman ['nɔːθmən] *s* 1 om din nord 2 *ist v.* **Norseman**

North Pole, the ['nɔːθ ,poul, ðə] *s* Polul Nord

North Riding ['nɔːθ ,raidiŋ] *diviziune a comitatului Yorkshire (în Anglia)*

North Sea, the ['nɔːθ,siː, ðə] Marea Nordului

Northumberland [nɔː'θʌmbələnd] *comitat în Anglia*

Northumbria [nɔː'θʌmbriə] *ist regat anglo-saxon*

Northumbrian [nɔː'θʌmbriən] I *adj* din Northumberland *sau* Northumbria II *s* 1 locuitor din Nor-

thumberland *sau* Northumbria 2 dialectul din Northumberland *sau* Northumbria

northward ['nɔːθwəd] *adv amer v.* **northwards**

northwards ['nɔːθwədz] *adv* spre/la/către nord

north-west [,nɔː'θwest] I *s* nord-vest II *adj atr* de nord-vest; din nord-vest III *adv* spre/la/către nord-vest; la nord-vest

north-westerly [,nɔː'θwestəli] *adj* din *sau* dinspre nord-vest

Norway ['nɔː,wei] Norvegia

Norwegian [nɔː'wiːdʒən] I *adj* norvegian II *s* 1 norvegian 2 (limba) norvegiană

Norwich ['nɔridʒ] *oraș în Anglia*

nose [nouz] I *s* 1 *anat* nas; **to blow one's ~** a-și sufla nasul; **to speak through one's ~** a vorbi pe nas; a fârnâi, a fornăi; **to cut off one's ~ to spite one's face** a-și face singur rău, a-și tăia craca de sub picioare; **to follow one's ~** a a se lăsa (con)dus de instinct, a se lăsa în voia instinctului **b** a merge drept înainte; **to keep smb's ~ to the grindstone** a nu lăsa pe cineva să răsufle, a munci pe cineva ca pe hoții de cai; **to lead smb by the ~** *F* a duce pe cineva de nas; a face pe cineva să joace după cum îi cânți; **to count/tell ~s** a a număra pe cei prezenți **b** a număra voturile **c** a număra voturile pentru, a-și număra partizanii/aderenții; **to pay through the ~** *F* a se speti plătind; a plăti cât nu face; **to bite/snap smb's ~ off** ← *F* a răspunde tăios cuiva; a se răsti la cineva; *F* a lua pe cineva la trei parale/păzește; **to poke/push/thrust one's ~ into** *fig F* a-și vârî/băga nasul în; **(right) under smb's very ~** a *F* chiar sub nasul cuiva **b** ← *F* (chiar) sub ochii cuiva, în prezența cuiva; **to turn one's ~ up at** a strâmba din nas la; **(as) plain as the ~ on one's face** ← *F* limpede/clar ca lumina zilei, cât se poate de limpede; **to put smb's ~ out of joint** a a pune pe cineva cu botul pe labe **b** ← *F* a-i lua cuiva înainte; a lua locul cuiva; **on the ~** *F* la țanc, întocmai 2 *zool* bot 3 *fig* nas, miros; **to have a good** ~ a avea un miros bun; **to have a ~ for** *fig* a simți/a adulmeca îndată **4** miros *(al fânului etc.)*, aromă *(a ceaiului etc.)* **5** cioc *(de ceainic etc.)* **6** *F* copoi; – agent; informator **7** *nav, av* proră **8** *tehn* cioc; camă, cep; proeminență **9** *geol* ridicătură structurală **II** *vt* **1** a mirosi; a simți mirosul *(cu gen)*, a simți un miros de **2** a mirosi, a simți cu ajutorul mirosului, *(d. animale și)* a adulmeca **3** a atinge *sau* a lovi cu nasul *sau* cu botul **4** *fig* a dibui, a căuta **5** *fig* a-și face/a-și croi *(drum)* cu grijă **III** *vi* **1** a mirosi, *(d. animale și)* a adulmeca **2** a-și vârî nasul în treburile altora

nose about I ['nouz ə'baut] *vi cu part adv* **(for)** a căuta peste tot (ca să găsească) **II** ['nouz ə,baut] *vi cu prep* **(for)** a căuta peste tot prin (ca să găsească)

nose after ['nouz ,a:ftəʳ] *vi cu prep* a căuta să afle *cu ac;* a urmări *cu ac*

nose around ['nouz ə'raund] *vi cu part adv amer* **1** *(d. câini)* a adulmeca în toate părțile **2** *fig* a iscodi, a spiona **3** *v.* **nose about I**

nose bag ['nouz ,bæg] *s* traistă, sac *(la gâtul cailor)*

nose band ['nouz ,bænd] *s* curea de nas, botnița căpețelei

nose-bleed ['nouz,bli:d] *s* sângerare a nasului, *med* epistaxis

nose count ['nouz ,kaunt] *s* **1** numărarea voturilor, vot **2** recensământ

nosed [nouzd] *adj* **1** care are nas; năsos **2** ← *F* cu miros fin/bun **3** *(în cuvinte compuse)* cu nasul..., cu un nas...; **snub-~** cu nasul cârn

nose dive ['nouz ,daiv] *s av* picaj

nose ender ['nouz endəʳ] *s nav* vânt de prova

nose for ['nouz fəʳ] *vi cu prep v.* **nose after**

nosegay ['nouz,gei] *s* buchet de flori *(mic)*

nose into ['nouz ,intə] *vi cu prep* a-și vârî nasul în; a se băga în

nose out ['nouz 'aut] *vt cu part adv* **1** *v.* **nose II**, **2** **2** *fig* a dibui, a descoperi *(cu ac)*, a da de urma *(cu gen)*

nose over ['nouz 'ouvəʳ] *vi cu part adv av* a capota; a se da peste cap

nose piece ['nouz ,pi:s] *s* **1** *v.* **nose band 2** *tehn* parte frontală

nose rag ['nouz ,ræg] *s sl* batistă

nose ring ['nouz ,riŋ] *s* belciug/inel de nas *(la animale; ca podoabă)*

nosey ['nouzi] *adj, s v.* **nosy**

nosh [nɔʃ] *vi sl* a hali, – a mânca

no-show ['nou,ʃou] *s amer* pasager neprezentat

nosography [nɔ'sɔɡrəfi] *s med* nozografie

nosology [nɔ'sɔlədʒi] *s med* nosologie

nostalgia [nɔ'stældʒə] *s* **1** dor de țară **2** nostalgie, dor; alean **3** nostalgia trecutului

nostalgic [nɔ'stældʒik] *adj* nostalgic

nostalgically [nɔ'stældʒikəli] *adv* nostalgic, cu nostalgie

Nostradamus [,nɔstrə'da:məs] *medic și astrolog francez (1503-1566)*

nostril ['nɔstril] *s anat* nară

nostrum ['nɔstrəm] *s* **1** medicament/ leac pregătit de cel care îl vinde *sau* recomandă **2** leac empiric **3** *pol* rețetă; panaceu

nosy ['nouzi] *adj* **1** *F* băgăcios, care își vâră nasul în toate **2** ← *F* năsos, cu nasul mare

not [nɔt] *adv* **1** *(cu verbe, în litote)* nu; **he is** ~ **there** nu e acolo; **whether he likes it or** ~ fie că-i place sau nu; **to be or** ~ **to be** a fi sau a nu fi *(Shakespeare);* **he speaks English, doesn't he?** vorbește englezește, nu-i așa? **he doesn't speak English, does he?** nu vorbește englezește, nu-i așa? **I don't know** nu știu; **he doesn't learn enough** nu învață destul/suficient; **didn't they go by train?** n-au mers cu trenul? ~ **a few people** nu puțini oameni, nu puțina lume; ~ **without reason** nu fără motiv, pe bună dreptate; ~ **once or twice** nu o dată sau de două ori, în repetate rânduri, adesea **2** *(în diferite alte situații)* nu; nici *etc.*; ~ **I!** altul – nu eu! **he won't pay,** ~ **he!** să plătească el? ți-ai găsit! să plătească? altul, nu el! ~ **for the world** pentru nimic în lume; ~ **in the least** câtuși de puțin, deloc, defel; **as likely as** ~ după toate probabilitățile, probabil; de bună seamă; **as soon as** ~ bucuros, cu dragă inimă

not a ['nɔtə] *adv cu art* nici un *sau* o; ~ **man** nici un om, nimeni

nota bene ['noutə 'bi:ni] *lat* nota bene, reține, notează, nu uita

notability [,noutə'biliti] *s* notabilitate, persoană importantă

notable ['noutəbəl] **I** *adj* notabil; remarcabil, de seamă **II** *s* personalitate, persoană de seamă/ vază

notably ['noutəbli] *adv* considerabil, remarcabil, foarte

not an ['nɔtən] *adv cu art v.* **not a**

notarial [nou'tɛəriəl] *adj jur* notarial

notarize ['noutə,raiz] *vt jur* a legaliza/a autentifica prin notariat

notary ['noutəri] *s* notar

notary public ['noutəri ,pʌblik] *s* notar public

not at all ['nɔtət'ɔ:l] *adv* **1** deloc, defel, câtuși de puțin; ba, dimpotrivă; *F* da' de unde! **2** *(ca răspuns la* **thank you**) n-ai *sau* n-aveți pentru ce

notation [nou'teiʃən] *s* **1** *mat etc.* notație; sistem de notație **2** notare, însemnare; înregistrare **3** notă, însemnare

notational [nou'teiʃənəl] *adj* notațional, de notație/notare

not but that/what ['nɔt bʌt ,ðət/,wɔt] *conj* cu toate că, deși; ~ **he tried** deși/cu toate că a încercat

notch [nɔtʃ] **I** *s* **1** crestătură; tăietură; răboj **2** *tehn* canelură; renură; șanț; jgheab **3** *el* ancoșă **4** *geol* depresiune **5** *geogr* defileu; trecătoare; chei **6** ← *F* grad, nivel; **to be a ~ above the others** *F* a fi cu un cap deasupra celorlalți **II** *vt* **1** a cresta; a tăia **2** *tehn* a dantela; a dința

notch off ['nɔtʃ'ɔ:f] *vt cu part adv* a tăia, a decupa

note [nout] **I** *s* **1** notă, notiță, însemnare; **to make a ~ of smth** a-și nota ceva; **to make a mental ~ of smth** a căuta să țină minte/să nu uite ceva, a-și însemna ceva în memorie; **from ~s** după notițe, pe bază de însemnări; **to compare ~s a (with)** a-și exprima/a-și împărtăși părerile *(cu dat)* **b** *(d. două persoane)* a-și împărtăși impresiile **2** *pol etc.* notă; **an exchange of ~s between two governments** un schimb de note între două guverne **3** notă, scurt comentariu, scurtă explicaţie *(într-o carte);* adnotare **4** *fin* bancnotă, bilet de bancă **5** *muz* notă *(muzicală)* **6** notă; semn; simbol **7** sunet; cântec *(al unei păsări etc.);* melodie **8** notă; semn caracteristic, notă distinctivă, caracteristică, specific **9** semn ruşinos, stigmat **10** reputaţie, vază; **a man of ~** un om de seamă **11** atenţie; notă; **to take ~ of smth** a lua ceva în seamă; a lua notă de ceva; **worthy of ~** *v.* **noteworthy II** *vt* **1** a fi atent la, a băga în seamă; a acorda atenţie *(cu dat);* **please ~ my words** fii atent la vorbele mele **2** **(that)** a observa, a-şi da seama (că) **3** a nota, a însemna **4** a denota; a însemna, a designa **5** a adnota *(o carte)*

notebook ['nout,buk] *s* carnet, blocnotes; agendă

noted ['noutid] *adj* de seamă, vestit, renumit; **~ for its museums** vestit/faimos/renumit pentru muzeele sale

notedly ['noutidli] *adv* (în mod) considerabil

noteless ['noutlis] *adj* **1** neînsemnat, şters, obscur **2** nemuzical, neplăcut

notelet ['noutlit] *s* notiţă, însemnare

note paper ['nout ,peipər] *s* hârtie de scrisori

noteworthy ['nout,wə:ði] *adj* demn de atenţie, care reţine atenţia; remarcabil

nothing ['nʌθiŋ] **I** *pr* nimic; **~ but** nimic în afară de, doar, numai, P → nimic alta decât, fără numai; **~ else but** nimic altceva decât; **~ very much ←** *F* nimic deosebit; **~ of the kind** nimic de felul/genul acesta; nicidecum; **to come to ~** a nu reuşi/izbuti, a fi un eşec; a nu duce la nimic, a nu avea nici un rezultat; **for ~ a** zadarnic, degeaba, inutil **b** gratis, gratuit; **to have ~ to do with** a nu avea întru nimic a face cu; a nu avea nici un amestec în, *F →* a nu avea nici în clin nici în mânecă cu; **to make ~ of smth a** a nu se folosi deloc de ceva **b** a nu se sinchisi de ceva; a considera o nimica toată **c** a nu pricepe nimic/o iotă din ceva; **to say ~ of** ca să nu mai amintim

(de), ca să nu mai vorbim de; **to think ~ of** a nu-şi face o problemă din, a socoti/a considera *(ceva)* uşor; **he thinks ~ of a twenty-mile walk** consideră că douăzeci de mile de mers pe jos sunt o nimica toată/*F →* un fleac/*F →* floare la ureche; **~ like** nimic mai bun decât; **~ much** *F* mai nimic, foarte puţin; **think ~ of it** *(răspuns politicos la* **thank you***)* n-ai pentru ce; **~ doing!** *F* n-ai ce-i face! (nu-i) nimic de făcut! asta e şi pace bună; **to be ~ to a** a nu fi/reprezenta/valora nimic pentru **b** a nu fi nimic în comparaţie cu, a nu fi nimic faţă de **II** *s* **1** lucru mărunt, nimic, fleac; **the little ~s of life** mărunţişurile vieţii **2** zero, nulă **3** inexistenţă, neinfinţă, ireal **4** *fig* nimic, zero, nulitate **5** *pl* nimicuri; fleacuri; **sweet ~s** vorbe dulci/de dragoste; **to sit up and take ~** *F* a rămâne cu gura căscată, a se minuna **III** *adv* câtuşi de puţin, deloc, defel; nici pe departe; **it differs ~ from** nu se deosebeşte prin nimic de; **~ like/near** *F* nici vorbă, da' de unde *(e mult mai ieftin etc.)*

nothingarian [,nʌθiŋ'gɛəriən] *s* **1** ateu; liber-cugetător **2** om care nu crede în nimic; nihilist

nothingness ['nʌθiŋnis] *s* **1** nimicnicie, lipsă de însemnătate **2** nimic, fleac, bagatelă **3** *v.* **nothing II, 3**

no-thoroughfare [,nou'θʌrəfɛə] *s* fundătură

notice ['noutis] **I** *s* **1** înştiinţare, aviz; avertisment; **to give smb a two weeks' ~** a da cuiva un preaviz de două săptămâni; **at/on short ~** chiar atunci, pe loc, imediat; **at a moment's ~** dintr-o clipă în alta, imediat, fără întârziere; **till further ~** până la noi ordine *sau* dispoziţiuni **2** anunţ, înştiinţare; proclamaţie; **to put up a ~** a publica/a afişa un anunţ **3** ştire, cunoştinţă; atenţie; **to bring smth to smb's ~** a aduce ceva la cunoştinţa cuiva; **to take no ~ of** a nu da atenţie *cu dat,* a nu lua în seamă *cu ac;* a neglija *cu ac;* **to come into ~** a trage atenţia; **it has come to my ~ that** am luat cunoştinţă de faptul că; am aflat că **4** recenzie; cronică **II** *vt* **1** a

observa, a băga în seamă; **I didn't ~ you** nu te-am observat/văzut; **I ~d that he had left early** am observat/băgat de seamă că plecase/a plecat devreme; **too proud to ~ smb** prea mândru ca să bage pe cineva în seamă **2** a scrie despre, a recenza *(o carte etc.)* **3** a menţiona, a se referi la **III** *vi* a fi atent

noticeable ['noutisəbəl] *adj* **1** vizibil, perceptibil, observabil **2** remarcabil; demn de atenţie, care reţine atenţia

noticeably ['noutisəbli] *adv* (în mod) considerabil; sensibil; vizibil

notice board ['noutis,bo:d] *s* avizier

notifiable ['nouti,faiəbəl] *adj* (d. unele boli) care trebuie declarat

notification [,noutifi'keiʃən] *s* **1** notificare, aducere la cunoştinţă **2** înştiinţare, notificare; aviz

notify ['noutifai] *vt* **1** a notifica, a aduce la cunoştinţă *(ceva)* **2** a anunţa, a informa *(pe cineva)*

notion ['nouʃən] *s* **1** **(of)** noţiune, idee (despre); părere (despre), concepţie (despre); **to form a true ~ of smth** a-şi forma o idee corectă/justă/exactă despre ceva; **I have no ~ of what he is planning** nu am idee/*F →* habar despre ceea ce plănuieşte (el); **he has a ~ that I'm cheating him** e convins că-l înşel, *F →* i-a intrat în cap că-l înşel; are impresia că-l înşel **2** *filos* noţiune, concept **3** intenţie; dorinţă; înclinaţie; capriciu; **I have no ~ of going there yet** încă nu mă gândesc/nu intenţionez să plec acolo **4** *pl amer* articole de galanterie; articole mărunte de primă necesitate

notional ['nouʃənəl] *adj* **1** *filos* noţional, speculativ **2** teoretic **3** imaginar, închipuit **4** *amer* visător, romantic **5** *gram (d. un verb)* noţional, principal **6** *lingv* cu valoare lexicală deplină; semnificativ

notionalist ['nouʃənəlist] *s* **1** gânditor, filosof (↓ *idealist*) **2** teoretician

notionally ['nouʃənəli] *adv* (din punct de vedere) teoretic, abstract; la modul teoretic

notionist ['nouʃənist] *s* fantezist, om cu idei stranii

notochord ['noutə,kɔ:d] *s anat* coarda dorsală

not only ... but (also) [nɒt'ounli... bʌt ('ɔ:lsou)] *conj* nu numai... ci și...; **not only he but also his friends** nu numai el, ci și prietenii săi

notoriety [,noutə'raiiti] *s* notorietate, faimă, ↓ proastă reputație

notorious [nou'tɔ:riəs] *adj* notoriu, faimos, ↓ rău-famat

notoriously [nou'tɔ:riəsli] *adv* în mod notoriu

notoriousness [nou'tɔ:riəsnis] *s* notorietate

not that ['nɒt,ðæt] *conj* nu că

Nottingham ['nɒtiŋəm] **1** *v.* **Nottinghamshire 2** *oraș în Anglia*

Nottinghamshire ['nɒtiŋəmʃiəʳ] *comitat în Anglia*

notwithstanding [,nɒtwiθ'stændiŋ] **I** *conj* deși, cu toate că **II** *adv* totuși, cu toate acestea **III** *prep* în ciuda *cu gen*, fără a ține seama de

nougat ['nu:gɑ:] *s* nuga

nought [nɔ:t] **I** *pr* nimic **II** *s* **1** nimic, zero; **to bring to ~** a reduce la zero; a zădărnici; **to set smb at ~** a sfida/a desfide pe cineva **2** *mat* zero, nulă; **point ~ two** zero virgulă zero doi // **~s and crosses** x și zero (*joc de copii*)

noumenon ['nu:minən], *pl* **noumena** ['nu:minə] *s filos* numen, lucru în sine

noun [naun] *s gram* substantiv

nounal ['naunəl] *adj gram* substantival

nourish ['nʌriʃ] *vt* **1** a nutri, a hrăni, a alimenta **2** *fig* a nutri *(speranțe etc.)*

nourishing ['nʌriʃiŋ] *adj* nutritiv, hrănitor

nourishment ['nʌriʃmənt] *s* **1** hrănire, alimentare **2** hrană, alimentație; aliment

nous [naus] *s* **1** *filos* nous, intelect **2** *F* glagore, – minte

nouveau riche ['nuvou'riʃ] *s fr peior* parvenit, ajuns

Nov. *presc de la* **November**

nov. *presc de la* **novelist**

nova ['nouvə], *pl și* **novae** ['nouvi:] *s astr* nova

Nova Scotia ['nouvə'skouʃə] *provincie în Canada*

Novaya Zemlya ['nɒvəjəzijm'lja] *insule ale Rusiei în Oceanul Înghețat de Nord* Novaia Zemlea

novel ['nɒvəl] **I** *adj* **1** nou, inedit **2** neașteptat; neobișnuit, straniu **II** *s lit* roman

novelette [,nɒvə'let] *s* **1** roman scurt **2** roman sentimental **3** roman ieftin **4** *muz* romanță

novelettish [,nɒvə'letiʃ] *adj lit* sentimental

novelettishly [,nɒvə'letiʃli] *adv lit* (în mod) sentimental

novelist ['nɒvəlist] *s* romancier

novelistic [,nɒvə'listik] *adj* romanesc, de roman

novelize ['nɒvə,laiz] *vt* a da formă de roman *(cu dat)*, a transpune într-un roman

novella [nou'velə], *pl* **novelle** [nou-'velei] *s it* nuvelă (↓ *satirică, cu conținut moral);* povestire (ca în „*Decameron");*

novelty ['nɒvəlti] *s* **1** noutate, lucru nou **2** noutate, caracter nou, prospețime **3** noutate, schimbare, inovație **4** *pl com* articole noi și ieftine; noutăți **5** ciudățenie

November [nou'vembəʳ] *s* (luna) noiembrie, *P →* brumar

Novemberish [nou'vembəriʃ] *adj* **1** de noiembrie **2** ca de noiembrie, închis, posomorât

novice ['nɒvis] *s* **1** *bis* novice, neofit **2** *bis* persoană convertită de curând (↓ *la creștinism)* **3** novice, începător; nepriceput

noviciate, novitiate [nou'viʃiit] *s bis și fig* noviciat

novocain(e) ['nɒuvə,kein] *s ch* novocaină

Novosibirsk [nəvəsi'birsk] *teritoriu și oraș în Rusia*

now [nau] **I** *adv* **1** acum; în prezent; în momentul de față; în zilele noastre; **they are in the garden ~** acum sunt în grădină; **where is he ~ living? where is he living ~?** unde locuiește (el) acum? **~ is the time for it** acum e momentul indicat (pentru aceasta); **~ or never** acum ori niciodată; **(every) ~ and then/again** din când în când; ocazional; **~ for** acum (să trecem la) (*punctul următor etc.);* **~ ... ~/ then...,** când..., când..., ba..., ba...; **from ~ on(wards)** de acum înainte/încolo, de aici înainte; **till/until/up to ~** până acum; deocamdată **2** îndată, imediat; **just/but ~** adineaori,

chiar acum **II** *adv, interj* (ei,) acum; ei; **~ what happened?** acum/ei (și) ce s-a întâmplat? **no nonsense, ~** ei, hai(de), termină cu prostiile; **~ then a** ei b ei, și acum **c** ei hai(de)! ia' ascultă! **III** *conj* acum că; acum când; de vreme ce, cum; **~ you are here, I need not stay** acum că/de vreme ce ești aici, nu mai este cazul să rămân/stau

nowaday ['nauədei] *adj atr ← rar* de astăzi, contemporan

nowadays ['nauədeiz] *adv* în vremea noastră, în zilele noastre; astăzi

noway(s) ['nou,wei(z)] *adv v.* **nowise**

nowhere ['nouwɛəʳ] *adv* nicăieri, niciunde; **he was ~ to be found** nu era (de găsit) nicăieri: **to come in/be ~ a** a nu fi (trecut) pe lista concurenților (*la o competiție)* **b** a rămâne în urmă *(la o competiție)* **c** a fi învins, a suferi un eșec; **from (out of) ~, out of ~ a** de nicăieri **b** de undeva (din senin) **c** *fig* din obscuritate; **miles from ~ ← F** departe de vreun oraș

nowise ['nouaiz] *adv* nicidecum, în nici un caz, cu nici un chip

now that ['nau ðət] *conj* acum că; acum când; întrucât, de vreme ce, fiindcă, cum

noxious ['nɒkʃəs] *adj* vătămător; nociv, otrăvitor

nozzle ['nɒzəl] *s* **1** cioc (*de ceainic etc.)* **2** *tehn* cioc, vârf; duză; ajutaj; știuț; jiclor **3** *sl* bec, – nas

N.P., n.p. *presc de la* **1 new paragraph 2 Notary Public**

nr. *presc de la* **near**

n't *contras F din* **not, I haven't** nu, nu am

NT, N.T. *presc de la* **New Testament**

nth [enθ] *adj mat* de ordinul n

nt. wt. *presc de la* **net weight** greutate netă

nuance [nju:'ɑ:ns] *s fr* nuanță

nub [nʌb] *s* **1** bucată (↓ *de cărbune)* **2** ciot, buturugă **3 ← *F*** miez, esență; poantă

nubble ['nʌbəl] *s v.* **nub 1**

Nubia ['nju:biə] *ist regiune la sud de prima cataractă a Nilului*

Nubian Desert, the ['nju:biən'dezət, ðə] Pustiul Nubiei, Nubia

nubile ['nju:bail] *adj* nubil

nubility [nju:'biliti] *s* nubilitate

nubilous ['nju:biləs] *adj* **1** înno(u)rat; încețoșat **2** neclar, obscur; neprecis

nuciform ['nju:sifɔ:m] *adj* nuciform

nucleal ['nju:kliəl] *adj rar v.* **nuclear**

nuclear ['nju:kliə⁰] *adj* nuclear

nuclear bomb ['nju:kliə,bɔm] *s* bombă nucleară

nuclear energy ['nju:kliər 'enədʒi] *s* energie nucleară

nuclear fission ['nju:kliə'fiʃən] *s* fisiune nucleară, fisiune a nucleului

nuclear fusion ['nju:kliə'fju:ʒən] *s* fuziune nucleară; reacție termonucleară

nuclear fusion bomb ['nju:kliə-'fju:ʒən,bɔm] *s* bombă termonucleară

nuclear particle ['nju:kliə'pa:tikl] *s* particulă nucleară; nucleon

nuclear physics ['nju:kliə 'fiziks] *s pl ca sg* fizică nucleară

nuclear power ['nju:kliə 'pauə⁰] *s* energie nucleară

nuclear-powered ['nju:kliə'pauəd] *adj* cu combustibil nuclear; cu propulsie nucleară; cu instalație de energie nucleară

nucleary ['nju:kliəri] *adj rar v.* **nuclear**

nucleated ['nju:kliitid] *adj biol* nucleat

nucleon ['nju:kli,ɔn] *s ch* particulă nucleară; nucleon

nucleic acid ['nju:kli:ik 'æsid] *s* acid nuclei(ni)c

nucleonics [,nju:kli'ɔniks] *s pl ca sg* fiz nucleonică

nucleoplasm ['nju:kliə,plæʒəm] *s biol* nucleoplasmă, carioplasmă

nucleus ['nju:kliəs], *pl* **nuclei** ['nju:-kliai] *s* **1** nucleu (atomic) **2** *mat* nucleu; centru **3** *fig* nucleu, germene

nuclide ['nju:klaid] *s fiz* nuclid; izotop

nude [nju:d] **I** *adj* **1** gol, nud, despuiat **2** de culoarea pielii **3** *bot* fără frunze **4** *zool* fără păr, solzi *etc.* **5** *fig* (d. un fapt etc.) nud; gol; neînfrumusețat; clar, evident **II** *s* **1** *pict etc.* nud **2** nud, goliciune; **in the ~** gol, nud, despuiat

nudge [nʌdʒ] **I** *vt* a înghionti, a atinge cu cotul (↓ *pt a atrage atenția);* a da un ghiont/cot *(cuiva)* **II** *s* ghiont

nudism ['nju:dizəm] *s* nudism

nudist ['nju:dist] *s* nudist

nudity ['nju:diti] *s* nuditate, goliciune

nugacity [nju:'gæsiti] *s* inutilitate; lipsă de importanță/semnificație

nugatory ['nju:gətəri] *adj* **1** zadarnic, inutil, van; prostesc, fără rost **2** ineficace, fără efect

nugget ['nʌgit] *s minr* pepită

nuisance ['nju:səns] *s* **1** neplăcere; bătaie de cap; **what a ~!** a ce neplăcut/supărător (e)! **b** ce plictiseală; **the mosquitoes are a ~** țânțarii sunt o (adevărată) pacoste/calamitate **2** om supărător/cicălitor/enervant, *F* → belea, pacoste; **to make a ~ of oneself** a deveni supărător/plictisitor/enervant **3** comportare necuviincioasă/indecentă; faptă condamnabilă; neobrăzare, nerușinare; **public ~** încălcarea ordinii publice; **commit no ~!** murdăria interzisă **4** *mil* hărțuire

nuisance value ['nju:səns ,vælju:] *s* **1** *tehn* indice/grad de periculozitate **2** *fig* un oarecare pericol *sau* obstacol

null [nʌl] *adj* **1** *jur* nul; nevalabil **2** *mat* nul, zero **3** vid **4** fără valoare/conținut, gol **5** inexistent **6** inexpresiv

null and void ['nʌlən'vɔid] *adj jur* nul și neavenit

nullification [,nʌlifi'keiʃən] *s* anulare

nullify ['nʌli,fai] *vt* a anula; a abroga; a reduce la zero

nullity ['nʌliti] *s* **1** ineficacitate, lipsă de efect **2** *jur* nulitate **3** *jur* anulare **4** (d. cineva) nulitate

null set ['nʌl,set] *s mat* mulțime vidă

num. *presc de la* **1 number 2 numeral** *sau* **numerals**

numb [nʌm] **I** *adj* **1** (with) amorțit (de *frig etc.*) **2** (with) indiferent (la) **II** *vt* a amorți

number ['nʌmbə⁰] **I** *s* **1** număr; numeral; cifră; **three is a ~** trei este un număr; **to have smb's ~** ← *F* a cunoaște punctul slab al cuiva; **opposite ~** omolog **2** *pl* aritmetică **3** număr; serie; mulțime; **a large ~ of** un mare număr de; **~s of people** foarte multă lume, foarte mulți oameni; **a ~ of books are missing** un număr de cărți lipsesc, lipsesc câteva cărți; **in ~** la număr; **without ~** fără (de) număr,

nenumărați; **times without ~** de nenumărate ori, în nenumărate rânduri; **any ~ of** *F* o grămadă de; **any ~ of times** ← *F* de nenumărate ori, în repetate rânduri **4** număr (de casă, capitol etc.); **Room No 7** camera nr. 7 (la hotel); **canto ~ five** cântul numărul cinci **5** număr (de revistă etc.); exemplar; **a back ~** un număr vechi **b** *fig* om demodat *sau* cu idei învechite **6** *gram* număr (gramatical) **7** *pl* versuri, *poetic* stihuri **8** *metr* ritm; metru **9** *muz* bucată muzicală **10** ← *F* model (de pălărie etc.) **II** *vt* **1** ← *rar* a număra, a socoti; a enumera; **his days are ~ed** zilele îi sunt numărate **2** a numerota **3** a număra, a însuma, a se ridica la (o cifră)

number among ['nʌmbərə'mʌn] *vt cu prep* a considera/a socoti/a număra (cu ac) printre

numbering ['nʌmbəriŋ] *s* **1** numărare **2** numerotare **3** *mat* numerație **4** *tel* formarea unui număr (pe disc)

numberless ['nʌmbəlis] *adj* **1** fără (de) număr, nenumărat; infinit **2** fără număr, nenumerotat

number off ['nʌmbər'ɔ(:)f] *vt cu part adv* a face/a striga apelul (cu gen) numeric/după număr

number one ['nʌmbə ,wʌn] **I** *s* **1** *F* subsemnatul, – eu **2** persoană de primă importanță **3** rol principal **II** *adj F* clasa prima, numărul unu

Numbers, the ['nʌmbəz, ðə] *s pl ca sg bibl* Numerii

numbness ['nʌmnis] *s* amorțeală; insensibilitate

numen ['nju:men], *pl* **numina** ['nju:-minə] *s* **1** *filos* numen **2** *mit* zeitate protectoare; divinitate

numerable ['nju:mərəbəl] *adj* numărabil, care se poate număra

numeral ['nju:mərəl] **I** *adj* numeric; cifric **II** *s* **1** număr; cifră **2** *gram* numeral

numerate ['nju:mə,reit] *vt* **1** a număra, a calcula; a enumera **2** a exprima prin cifre

numeration [,nju:mə'reiʃən] *s* **1** numărare; calcul **2** *mat* sistem de numerație

numerative ['nju:mərətiv] *adj* numerativ

numerator ['nju:mə,reitə'] *s mat* numărător

numeric(al) [nju:'merik(əl)] *adj* numeric; cifric

numerically [nju:'merikəli] *adv* (din punct de vedere) numeric

numerology [,nju:mə'rolədʒi] *s* studiul numerelor magice

numerous ['nju:mərəs] *adj* numeroşi, mulţi

Numidia [nju:'midiə] *ist regat în Africa*

numinous ['nju:minəs] *adj filos* 1 numinos 2 nutritiv, hrănitor

numismatic [,nju:miz'mætik] *adj* numismatic

numismatics [,nju:miz'mætiks] *s pl ca sg* numismatică

numismatist [nju:'mizmətist] *s* numismat

numismatology [nju:,mizmə'tolədʒi] *s* numismatică

nummulite [,nʌmju,lait] *s geol* numulit

nummulitic [,nʌmju'litik] *adj geol* numulitic

numskull ['nʌm,skʌl] *s* prost, nerod, cap sec

numskulled ['nʌm,skʌld] *adj* prost, bătut în cap, tâmpit

nun [nʌn] *s* călugăriţă

nun boy ['nʌn ,boi] *s nav* geamandură conică

nuncio ['nʌnʃiou] *s bis* nunţiu, nunciu

nuncle ['nʌŋkəl] *s* ← *reg* unchi; unchieş

nuncupate ['nʌŋkju:peit] *vt jur* a face oral *(o declaraţie testamentară)*

nuncupation ['nʌŋkju:peiʃən] *s jur* declaraţie testamentară orală

nunnery ['nʌnəri] *s* mănăstire *(de femei)*

nuptial ['nʌpʃəl] *adj* nupţial, de nuntă

nuptials ['nʌpʃəlz] *s pl* nuntă; căsătorie

Nuremberg ['njuərəm,bə:g] *oraş în Germania* Nürnberg

nurse [nə:s] **I** *s* **1** doică, *reg* → mancă **2** bonă, *rar* → dădacă **3** infirmieră, soră **4** supt, alăptat **5** îngrijire, creştere *(a unui copil)* **6** *fig* apărătoare, protectoare **II** *vt* **1** a alăpta *(un copil)*, a da să sugă *(unui copil)* **2** a creşte *(un copil)* **3** a îngriji (de), a avea grijă de, a se îngriji de *(un bolnav)* **4** a avea grijă de, a trata, a căuta să

vindece *(un guturai etc.)* **5** *fig* a nutri *(un gând, o speranţă etc.)*, a purta *(duşmănie, ură)* **6** a ţine pe genunchi *(un copil, un căţel etc.);* a alinta, a mângâia; a răsfăţa **7** a gospodări cu grijă; a economisi **8** a bea tacticos **9** a-şi cruţa *(vocea)* **10** a conduce cu grijă *(maşina)*

nurse child ['nə:s ,tʃaild] *s* copil adoptiv; pupil

nurseling ['nə:sliŋ] *s v.* **nursling**

nursemaid ['nə:smeid] *s v.* **nurse I, 2**

nursery ['nə:sri] *s* **1** odaia copiilor **2** *bot* pepinieră **3** creşă **4** incubator

nursery garden ['nə:sri ,ga:dən] *s agr* pepinieră

nursery governess ['nə:sri ,gʌvənis] *s* bonă

nursery maid ['nə:sri ,meid] *s v.* **nurse I, 2**

nursery rhymes ['nə:sri ,raimz] *s pl* versuri pentru copii

nursery school ['nə:sri ,sku:l] *s şcol* grădiniţă

nursing ['nə:siŋ] *s* **1** îngrijire *(a bolnavilor etc.)* **2** pregătire sanitară medie **3** alăptare

nursing bottle ['nə:siŋ ,botl] *s* biberon

nursing home ['nə:siŋ ,houm] *s* sanatoriu particular

nursling ['nə:sliŋ] *s* **1** sugar, sugaci **2** pupil; copil adoptiv **3** *fig* copilaş, odor **4** *fig* elev, şcolar

nurture ['nə:tʃə'] **I** *vt* **1** a creşte; a educa **2** a nutri *(un plan)* **3** a nutri, a hrăni, a alimenta **II** *s* **1** creştere; educare **2** *bot* creştere, cultivare **3** hrană, nutriţie

nut [nʌt] **I** *s* **1** *bot* nucă; alună; **a hard ~ to crack** *fig* ← *F* a o problemă dificilă **b** persoană dificilă; **for ~s** *F* canci, – deloc **2** miez de nucă **3** *tehn* nucă; piuliţă; manşon; mufă; bucşă; **~s and bolts a** secrete, taine; elemente de bază **b** părţile unei maşini **4** ← *F* tărtăcuţă, dovleac, tigvă, – cap; **to be off one's ~** a-i fila lampa, a fi sărit de pe linie, a fi sonat **5** *amer* (om) excentric, aiurit **6** *pl F* găgăuţă, tembel, – prostănac **II** *vi* a culege nuci **III** *pl interj F* nemaipomenit! straşnic!

nutate [nju:'teit] *vi* a da din cap; a încuviinţa cu capul

nutation [nju:'teiʃən] *s* dare din cap; încuviinţare cu capul

nut bolt ['nʌt ,boult] *s tehn* şurub cu piuliţă

nut-brown ['nʌt,braun] *adj* castaniu; maro

nutcake ['nʌtkeik] *s* prăjitură cu nuci, ↓ tort *sau* chec cu nuci

nut coal ['nʌt ,koul] *s* cărbune-ouşoare

nutcracker ['nʌt,krækə'] *s* spărgător de nuci

nut grove ['nʌt ,grouv] *s* aluniş

nutlet ['nʌtlit] *s* nucă mică, nucşoară

nutmeat ['nʌtmi:t] *s* miez de nucă; nuci fără coajă

nutmeg ['nʌtmeg] *s* nucşoară

nut pine ['nʌt ,pain] *s bot* cedru *(Cedarus sp.)*

nutria ['nju:triə] *s* (blană de) nutria

nutrient ['nju:triənt] *adj* nutritiv, hrănitor

nutriment ['nju:trimənt] *s* **1** hrană **2** nutreţ

nutrition [nju:'triʃən] *s* **1** alimentare, hrănire **2** nutriţie, hrană

nutritional [nju:'triʃənəl] *adj* **1** de nutriţie/hrană, alimentar **2** nutritiv, hrănitor **3** dietetic

nutritious [nju:'triʃəs] *adj v.* **nutrient**

nutritive ['nju:tritiv] *adj* **1** *v.* **nutrient 2** alimentar

nuts [nʌts] *adj F* sonat, sărit de pe linie

nuts about/over ['nʌtsə,baut/,ouvə'] *adj cu prep F* nebun după, înnebunit de; care se dă în vânt după

nutshell ['nʌt,ʃel] *s* coajă de nucă; **in a ~** *fig* în rezumat; pe scurt; în câteva cuvinte

nuttiness ['nʌtinis] *s* **1** gust plăcut (↓ *de nuci sau alune)* **2** ← *F* eleganţă, şic

nutting ['nʌtiŋ] *s* cules de nuci *sau* alune

nut tree ['nʌt ,tri:] *s bot* **1** nuc *(Juglans regia)* **2** alun *(Corylus avellana)*

nutty ['nʌti] *adj* **1** cu gust de nucă *sau* alună; gustos **2** interesant; picant **3** *F* fercheş, spilcuit, – gătit **4** *F* ţăcănit, sonat, atins

nutty upon ['nʌti ə,pon] *adj cu prep F* nebun/înnebunit după

nutwood ['nʌtwud] *s* (lemn de) nuc

nuzzle ['nʌzəl] **I** vt **1** a-și freca nasul sau botul de **2** (d. porci) a râma **II** vi a se ghemui, a se strânge, a se face ghem

nuzzle at/against/into ['nʌzəl ət/ ə,genst/,intə] vi cu prep a-și vârî nasul sau botul în

N.W., n.w. presc de la **1** north-west **2** north-western

N.Y. presc de la **New York**

Nyasa [ni'æsə] lac în Africa

Nyasaland [ni'æsə,lænd] stat în Africa Nyasaland, Malawi

N.Y.C. presc de la **New York City**

nyctalopia [,niktə'loupiə] s med nictalopie

nylon ['nailən] s **1** nailon **2** pl ciorapi de damă

nylon fibre ['nailən ,faibə] s perlon

nymph [nimf] s **1** mit nimfă **2** fig nimfă, fată tânără și frumoasă **3** ent nimfă

nympha ['nimfə], pl **nymphae** ['nimfi:] s **1** ent nimfă, pupă **2** pl anat nimfe

nymphet ['nimfit] s ← umor codană, fetișcană

nymphomania [,nimfə'meiniə] s med nimfomanie

nymphomaniac [,nimfə'meiniək] s med nimfomană

nystagmus [ni'stægməs] s med nistagmus

O

O, o [ou] *s* (litera) O, o

O [ou] **I** *interj v.* **oh II** *s* zero

o' **I** *contras din prep* **of: three o'clock** ora trei; **o'nights** noaptea **II** *contras înv din prep* **on**

O' *contras din prep* **Of** *(în unele nume irlandeze, cu sensul „fiul/ urmașul lui"):* **O'Brian**

O *presc de la* **Old: OF Old French** franceza veche

O. *presc de la* **1** Ocean **2** October **3** Ohio **4** Ontario **5** Oregon

o. *presc de la* **1** off **2** only **3** order **4** old

oaf [ouf], *pl* **oafs** *sau* **oaves** [ouvz] *s* **1** copil urât *sau* prost **2** prost, nerod, tont **3** mocofan, bădăran, țărănoi

oafish ['oufiʃ] *adj* **1** prost, nerod, tont **2** necioplit, grosolan

oafishly ['oufiʃli] *adv* ca un prost *sau* un bădăran

oafishness ['oufiʃnis] *s* **1** prostie, nerozie **2** bădărănie

oak [ouk] *s* **1** *bot* stejar *(Quercus)* **2** (lemn de) stejar

oak apple ['ouk ˌæpl] *s bot* gală, cecidie

oaken ['oukn] *adj atr* ↓ *poetic* de stejar

oakery ['oukəri] *s* stejăriș; dumbravă de stejari

oaklet ['ouklit] *s* stejărel, stejăriș

oakum ['oukəm] *s* **1** *text* pieptănătură; câlți **2** *nav* calafat; câlți gudronați

oak wood ['ouk ˌwud] *s* **1** pădure de stejari; stejăriș **2** (lemn de) stejar

OAP *presc de la* **old age pensioner** pensionat de vârstă

oar [ɔː] **I** *s* **1** vâslă, lopată, ramă; **to rest on one's ~s** a a-și acorda o clipă de răgaz; a nu mai lucra un timp; *F* a se lăsa pe tânjală **b** a se culca pe lauri; **to pull a good ~** a fi un vâslaș bun; **to stick/to put in one's ~** *F* a se vârî/a se băga (ca musca în lapte) **2** vâslaș **II** *vi* a vâsli, a trage la rame, a lopăta

oared [ɔːd] *adj* (prevăzut) cu vâsle

oarlock ['ɔːlɔk] *s nav* **1** damă (de ramă) **2** suport de ramă

oarsman ['ɔːzmən] *s nav* vâslaș, trăgător la rame

oarsmanship ['ɔːzmənʃip] *s nav* arta de a vâsli; canotaj

oasis [ou'eisis], *pl* **oases** [ou'eisiːz] *s* și *fig* oază

oat [out] *s* **1** ↓ *pl bot* ovăz *(Avena sativa);* **to sow one's wild ~s** a-și trăi tinerețea (din plin), *F* a-și face de cap în tinerețe **2** ← *poetic* fluier de păstor/ciobănesc **3** *pl ca sg v.* **oatmeal; to be off one's ~s** ← *F* a nu avea poftă de mâncare; **to feel one's ~s** ← *F* a fi plin de viață; a se simți în putere

oatcake ['out,keik] *s* turtă de ovăz

oaten ['outən] *adj atr* ← *înv* de *sau* din ovăz

oat flakes ['out ˌfleiks] *s pl* fulgi de ovăz

oath [ouθ] *s* **1** jurământ; jurământ solemn; **on/under ~** sub (prestare de) jurământ; **to make/to take/to swear an ~** a jura solemn, a depune jurământ; **to put smb on ~** a lua cuiva jurământul; a pune pe cineva să jure; **upon my ~!** pot să jur! pe legea mea! **an ~ of allegiance** jurământ de credință/supunere **2** înjurătură, sudalmă

oath breaker ['ouθ ˌbreikəʳ] *s (ca persoană)* sperjur

oath-breaking ['ouθˌbreikiŋ] *adj, s* sperjur

oatmeal ['outmiːl] *s* **1** făină de ovăz; uruială de ovăz **2** zeamă de fulgi de ovăz **3** terci de ovăz

Ob, the [ɔb, ði] *fluviu în Siberia* Obi

ob- *pref* ob-, o- *etc.;* **objective** obiectiv

Obadiah [ˌoubə'daiə] *nume masc*

obduracy ['ɔbdjurəsi] *s* **1** împietrire, învârtoșare *(a inimii)* **2** încăpățânare, îndărătnicie

obdurate ['ɔbdjurit] *adj* **1** aspru, insensibil, nesimțitor, de piatră **2** încăpățânat, îndărătnic

obdurately ['ɔbdjuritli] *adv* **1** cu asprime **2** cu încăpățânare

obedience [ɔ'biːdiəns] *s* ascultare, supunere; **to act in ~ to** a acționa dând ascultare *cu dat/* în conformitate cu

obedient [ɔ'biːdiənt] *adj* ascultător, supus; docil

obediential [əˌbiːdi'enʃəl] *adj* elev obedient, ascultător, supus

obediently [ɔ'biːdiəntli] *adv* ascultător, supus; docil

obeisance [ou'beisəns] *s* **1** reverență, plecăciune **2** respect, reverență; **to make ~ to** a-și arăta supunere față de

obeisant [ou'beisənt] *adj* respectuos

obelisk ['ɔbilisk] *s* **1** *arhit* obelisc **2** *poligr* semnul – *sau* ÷ *(pt a indica un cuvânt dubios într-un manuscris)* **3** *poligr* semn de referință

obelus ['ɔbiləs], *pl* **obeli** ['ɔbilai] *s v.* **obelisk 2, 3**

Oberon ['oubəˌrɔn] *mit rege al zânelor*

obese [ou'biːs] *adj* obez, foarte gras

obesity [ou'biːsiti] *s* obezitate

obey [ə'bei] **I** *vt* **1** a asculta (de); a da ascultare, a se supune *(cu dat)* **2** a îndeplini, a executa *(un ordin)* **II** *vi* a fi supus/ascultător; a asculta, a se supune

obeyingly [ə'beiŋli] *adv* ascultător; supus, cu supunere

obfuscate ['ɔbfəskeit] *vt* **1** a întuneca; a umbri, a eclipsa; a acoperi, a împiedica *(lumina)* **2** *fig* a întuneca *(mintea);* a zăpăci

obfuscation [ˌɔbfəs'keiʃən] *s* **1** (stare de) confuzie **2** *med* confuzie mintală

obi ['oubi] *s* cordon lat *(pt chimono)*

obituarist [ə'bitjuərist] *s* autor de necrologuri

obituary [ə'bitjuəri] **I** *s* **1** anunțuri mortuare; listă de morți **2** necrolog **II** *adj atr (d. un anunț etc.)* mortuar

obj. *presc de la* **1** object **2** objective **3** objection

object I ['ɔbdʒikt] *s* **1** obiect, lucru **2** obiect *(de studiu etc.);* preocupare **3** țintă, țel, scop; obiectiv; **to fail in one's ~** a nu-și atinge scopul, a nu-și realiza țelul **4** *gram* obiect; complement **5** *filos* obiect *(ant* subiect) **6** ← *F* obiect de batjocură; **what an ~ you look!** *F* ce frumos arăți! în ce hal ești!

7 lucru care contează; piedică; obstacol; **money is no ~ with him** banii nu contează la/pentru el **II** [əb'dʒekt] *vt* (**that**) a obiecta (pentru că) **III** [əb'dʒekt] *vi* (**against, to**) a obiecta, < a protesta (împotriva – *cu gen*)

object glass ['ɔbdʒekt ,glɑ:s] *s opt* obiectiv

objectification [əb,dʒektifi'keiʃən] *s* concretizare

objectify [əb'dʒektifai] *vt* a concretiza, a materializa; a întruchipa

objection [əb'dʒekʃən] *s* **1** obiecție, < protest; **to take ~ to smth** a ridica obiecții față de ceva, a se opune unui lucru **2** reclamație **3** neacceptare; < aversiune, silă

objectionable [əb'dʒekʃənəbəl] *adj* **1** criticabil; inacceptabil **2** nedorit; neplăcut; supărător

objectionably [əb'dʒekʃənəbli] *adv* într-un mod criticabil *sau* supărător

objective [əb'dʒektiv] **I** *adj* **1** *filos* obiectiv (*ant* subiectiv); concret, real; *(d. metodă)* inductiv **2** obiectiv, impersonal; nepărtinitor, imparțial **3** *gram* obiectiv, al obiectului **4** *psih* intuitiv **II** *s* **1** *opt* obiectiv **2** scop, țel, țintă; obiectiv **3** *mil* obiectiv **4** *gram* cazul obiectiv

objectively [əb'dʒektivli] *adv* (în mod) obiectiv

objectiveness [əb'dʒektivnis] *s* obiectivitate

objectivism [əb'dʒektivizəm] *s* **1** *filos* obiectivism **2** încercare de a fi obiectiv

objectivist [əb'dʒektivist] *s, adj* obiectivist

objectivistic [,əbdʒekti'vistik] *adj* obiectivist

objectivity [,əbdʒek'tiviti] *s* **1** obiectivitate; imparțialitate **2** realitate obiectivă

objectivize [əb'dʒektivaiz] *vt* a obiectiva

objectless ['ɔbdʒiktlis] *adj* **1** fără obiect; fără scop/țintă **2** *(d. un loc)* gol, pustiu

object lesson ['ɔbdʒikt ,lesən] *s* **1** *școl* lecție intuitivă **2** exemplu concret

objector [əb'dʒektər] *s* persoană care obiectează; contestator

objurgate ['ɔbdʒəgeit] *vt* a dojeni/a mustra aspru

objurgation [,ɔbdʒə'geiʃən] *s* dojană aspră, mustrare severă

objurgatory [ɔb'dʒə:gətəri] *adj* mustrător, dojenitor

oblate ['ɔbleit] *adj* **1** turtit, aplatizat **2** *bis* dedicat vieții monahale *(la catolici)*

oblation [ɔ'bleiʃən] *s* **1** jertfă; obol, prinos **2** *bis* cuminecătură, împărtășanie

obligate ['ɔbligeit] *vt* ↓ *jur* a obliga

obligated ['ɔbligeitid] *adj* obligator

obligation [,ɔbli'geiʃən] *s* **1** obligație, îndatorire, datorie, sarcină; **to be under an ~ to smb** a fi obligat față de cineva, a avea o obligație față de cineva **2** *fin jur* obligație

obligatorily [ɔ'bligətərili] *adv* (în mod) obligatoriu

obligatory [ɔ'bligətəri] *adj* obligator(iu)

oblige [ə'blaidʒ] **I** *vt* **1** a obliga, < a sili, a constrânge **2** a obliga, a îndatora; **~ me by closing the door** fii bun și închide ușa; **~ us with your company at dinner** faceți-ne plăcerea de a lua masa cu noi; **can you ~ me with a pen?** vrei să-mi dai *sau* să-mi împrumuți stiloul? **II** *vi* **1** a fi obligator(iu) **2** a fi de dorit; **full particulars will ~** am dori amănunte complete, v-am fi îndatorați dacă ne-ați trimite amănunte complete

obliged [ə'blaidʒd] *adj* (**to**) îndatorat, recunoscător *(cuiva)*

obligee [,ɔbli'dʒi:] *s jur* creditor

oblige oneself to *cu inf* [ə'blaidʒ wʌn,selftə] *vr cu prep și inf* a se obliga față de *(cineva)* să *(facă ceva)*

oblige with [ə'blaidʒ,wið] *vt cu prep* ← *F* a face *(cuiva)* plăcerea de *(cu inf)*; **will you oblige us with a song?** vreți să ne cântați ceva?

obliging [ə'blaidʒiŋ] *adj* îndatoritor, amabil

obligingly [ə'blaidʒiŋli] *adv* îndatoritor, amabil

obligingness [ə'blaidʒiŋnis] *s* caracter îndatoritor; amabilitate

obligor [,ɔbli'gɔ:ʳ] *s jur* debitor

oblique [ə'bli:k] *adj* **1** oblic, pieziș, înclinat **2** *gram* oblic; indirect

oblique angle [ə'bli:k ,æŋgl] *s geom* unghi diferit de unghiul drept; unghi ascuțit *sau* obtuz

obliquely [ə'bli:kli] *adv* oblic, pieziș

obliquitous [ə'blikwitəs] *adj* **1** incorect **2** pervers, depravat

obliquity [ə'blikwiti] *s* **1** caracter oblic/pieziș, poziție oblică, oblicitate **2** abatere, deviere *(de la normă)* **3** *tehn* oblicitate; înclinare

obliterate [ə'blitə,reit] *vt* **1** a șterge; a rade; a șterge urmele *(cu gen)* **2** *fig* a distruge, a șterge orice urmă de

obliteration [ə,blitə'reiʃən] *s* **1** ștergere, îndepărtare **2** *fig* distrugere, ștergere **3** *fig* uitare

oblivion [ə'bliviən] *s* uitare; **to fall/to sink into ~** a se cufunda în uitare; a fi dat uitării

oblivious [ə'bliviəs] *adj* ← *poetic* care provoacă uitarea

obliviousness [ə'bliviəsnis] *s* **1** uitare **2** capacitate de a uita **3** distracție, neatenție

oblivious of [ə'bliviəsəv] *adj cu prep* care uită *sau* a uitat *cu ac;* **she was ~ what had happened** uitase ce s-a petrecut

oblivious to [ə'bliviəs tə] *adj cu prep* ← *F* orb la, care nu-și dă seama de

oblong ['ɔblɔŋ] *adj* oblong; lunguieț; alungit; prelung; dreptunghiular

obloquious [ɔb'loukiəs] *adj* jignitor, ofensator

obloquy ['ɔbləkwi] *s* **1** defăimare; calomnie(re) **2** înfierare, stigmatizare

obnoxious [əb'nɔkʃəs] *adj* (**to**) neplăcut, < insuportabil, respingător (pentru)

obnoxiously [əb'nɔkʃəsli] *adv* neplăcut, < insuportabil

obnoxiousness [əb'nɔkʃəsnis] *s* caracter neplăcut/< insuportabil

oboe ['oubou] *s muz* oboi

oboist ['oubouist] *s muz* oboist

Obs., obs. *presc de la* **1** obsolete **2** observatory

obscene [əb'si:n] *adj* **1** obscen, fără rușine *sau* perdea **2** respingător, dezgustător

obscenely [əb'si:nli] *adv* obscen; nepoliticos, necuviincios; fără rușine

obsceneness [əb'si:nnis] *s* nerușinare, lipsă de rușine; obscenitate

obscenity [əb'seniti] *s* **1** obscenitate, caracter obscen **2** obscenitate, vorbă *sau* faptă obscenă

obscurantism [,ɔbskjuə'ræn,tizm] *s* obscurantism

obscurantist [,ɔbskjuə'ræntist] *s* obscurantist

obscure [əb'skjuəᵊ] **I** *adj* **1** obscur, întunecos **2** *fig* obscur, nedeslușit, nelămurit; de neînțeles; enigmatic; complicat **3** *fig* obscur, necunoscut *sau* puțin cunoscut; neștiut **4** *fig* obscur, tainic **II** *vt* **1** a întuneca; a ascunde vederii **2** *fig* a face obscur *(înțelesul);* a complica (și mai mult)

obscure glass [əb'skjuə ,glɑ:s] *s* sticlă mată *sau* fumurie

obscurely [əb'skjuəli] *adv* **1** obscur, întunecat **2** neclar, neinteligibil **3** *fig* în obscuritate, necunoscut

obscureness [əb'skjuənis] *s v.* **obscurity**

obscurity [əb'skjuəriti] *s* **1** obscuritate, întuneric, beznă **2** *fig* obscuritate, lipsă de claritate **3** *fig* obscuritate, lipsă de faimă; anonimat

obsequies ['ɔbsikwiz] *s pl* funeralii; înmormântare

obsequious [əb'si:kwiəs] *adj* servil, slugarnic

obsequiously [əb'si:kwiəsli] *adv* servil, cu slugărnicie

obsequiousness [əb'si:kwiəsnis] *s* servilism, ploconire

observable [əb'zə:vəbəl] *adj* **1** observabil; vizibil; perceptibil **2** demn de luat în seamă, remarcabil **3** *(d. o lege etc.)* care se cere respectat

observably [əb'zə:vəbli] *adv* **1** ca să poată fi văzut **2** (în mod) perceptibil

observance [əb'zə:vəns] *s* **1** ceremonie, ritual; datină, obicei **2** ← *înv* atenție, băgare de seamă, grijă **3** ← *înv* deferență, respect

observance of [əb'zə:vəns əv] *s cu prep* respectare *(a legii, obiceiurilor etc.);* păstrare, ținere *(a obiceiurilor etc.)*

observancy [əb'zə:vənsi] *s* **1** observare **2** ← *înv* respect; deferență

observant [əb'zə:vənt] *adj* **1** (of) atent (la), bun observator *(cu gen)* **2** ← *înv* (of, to) reverențios, < respectuos (față de)

observantly [əb'zə:vəntli] *adv* cu atenție, atent

observant of [əb'zə:vənt əv] *adj cu prep* care respectă *(legea, tradiția etc.),* care ține *(obiceiurile etc.),* păstrător *(al datinilor etc.)*

observation [,ɔbzə'veiʃən] *s* **1** observare; examinare; scrutare; **to escape** ~ a scăpa observației, a trece neobservat **2** observație, constatare; remarcă **3** observație, supraveghere; control; **to keep under** ~ a ține sub observație **4** putere de observație

observational [,ɔbzə'veiʃənəl] *adj* bazat pe observație *(nu pe experiență)*

observation balloon [,ɔbzə'veiʃən bə'lu:n] *s mil* balon captiv

observation car [,ɔbzə'veiʃən,kɑ:ᵊ] *s ferov* vagon deschis *sau* cu ferestre mari *(pt excursioniști)*

observation post [,ɔbzə'veiʃən ,poust] *s mil* post de observație

observatory [əb'zə:vətəri] *s astr, meteor* observator

observe [əb'zə:v] **I** *vt* **1** a observa; a examina; a scruta **2** a observa, a constata, a remarca, a nota **3** a observa; a supraveghea; a controla **4** a respecta *(o lege etc.);* a ține, a păstra *(o datină etc.)* **5** a acorda o atenție deosebită *(cu dat)* **II** *vi* **1** a observa; a vedea **2** a fi observator

observe on/upon [əb'zə:v,ɔn/ə'pɔn] *vi cu prep* a comenta *cu ac,* a face comentarii asupra *cu gen*

observer [əb'zə:vəᵊ] *s* observator *(persoană)*

observer of [əb'zə:vərəv] *s cu prep* persoană care respectă *(legea etc.),* păstrător *(al unui obicei etc.)*

obsess [əb'ses] *vt* a obseda, a persecuta, a urmări, > a preocupa

obsession [əb'seʃən] *s* **1** obsesie, persecuție **2** *și med* obsesie, idee fixă

obsessional [əb'seʃənəl] **I** *adj* **1** obsedat, care are obsesii **2** obsedant, obsesiv **II** *s* (om) obsedat

obsessive [əb'sesiv] **I** *adj* obsedant; chinuitor **II** *s* obsedat, persoană care are o obsesie

obsidian [ɔb'sidiən] *s geol* obsidian

obsolescence [,ɔbsə'lesəns] *s* **1** învechire, ieșire din uz **2** caracter demodat

obsolescent [,ɔbsə'lesənt] *adj* care se învechește, pe punctul de a ieși din uz/circulație

obsolete ['ɔbsəli:t] *adj* **1** scos din uz/circulație; învechit **2** învechit, demodat **3** *biol* atrofiat **4** purtat, ros, uzat

obsoletism ['ɔbsəli:tizəm] *s* cuvânt, expresie, obicei *etc.* învechit

obstacle ['ɔbstəkəl] *s* **1** (to) obstacol, piedică (pentru); **to throw ~s in smb's way** *fig* a pune piedici în calea cuiva, a pune cuiva bețe în roate **2** *sport* obstacol

obstacle race ['ɔbstəkəl ,reis] *s sport* cursă cu obstacole

obstetric(al) [ɔb'stetrik(əl)] *adj med* obstetric

obstetrician [,ɔbste'triʃən] *s med* obstetrician, mamoș

obstetrics [ɔb'stetriks] *s pl ca sg med* obstetrică

obstinacy ['ɔbstinəsi] *s* **1** încăpățânare, îndărătnicie **2** persistență *(a unei boli)*

obstinate ['ɔbstinit] *adj* **1** încăpățânat, îndărătnic **2** *(d. o boală)* persistent, care nu cedează ușor, de durată

obstinately ['ɔbstinitli] *adv* cu încăpățânare/îndărătnicie

obstipation [,ɔbsti'peiʃən] *s med* constipație puternică

obstreperous [əb'strepərəs] *adj (d. un copil)* nedisciplinat, neascultător; zgomotos, turbulent

obstreperousness [əb'strepərəsnis] *s* indisciplină, neascultare, zburdălnicie

obstruct [əb'strʌkt] *vt* **1** a împiedica, a bloca *(drumul etc.);* a astupa, a înfunda *(trecerea etc.)* **2** a îngreuia, a face dificil; a împiedica *(dezvoltarea etc.)* **3** *parlament etc.* a face obstrucție *(cu dat)*

obstruction [əb'strʌkʃən] *s* **1** împiedicare, blocare *(a drumului etc.);* astupare *(a trecerii etc.)* **2** obstrucție; împiedicare; oprire **3** *med* constipație **4** piedică, barieră, obstacol *(pomi căzuți în drum etc.)*

obstructionism [əb'strʌkʃənizəm] *s parlament etc.* obstrucționism

obstructionist [əb'strʌkʃənist] *s parlament etc.* obstrucționist

obstructive [əb'strʌktiv] *adj* **1** *parlament etc.* obstrucționist, de obstrucție **2** *med* obstructiv

obstructively [əb'strʌktivli] *adv* (în mod) obstructiv

obstructiveness [əb'strʌktivnis] *s* obstrucție; obstrucționism

obtain [əb'tein] **I** vt **1** a obține, a căpăta, a dobândi, a câștiga; **to ~ a good price** a obține un preț bun; **to ~ what one wants** a obține/a dobândi ce(ea ce) dorește/vrea cineva **2** a procura, a face rost de **3** a realiza **4** a câștiga *(o bătălie)* **II** vi a exista; a fi la curent; a fi în uz/vigoare; a se folosi; a fi recunoscut; **these views no longer ~** acestea sunt concepții învechite; **peace will ~** pacea va triumfa

obtainable [əb'teinəbl] adj accesibil; realizabil; care se poate obține

obtrude [əb'tru:d] **I** vt **(on, upon)** a-și impune *(părerile etc.) (cuiva)* **II** vi **(on, upon)** a se vârî, a se băga (în)

obtrusion [əb'tru:ʒən] s **(of)** impunere, forțare *(cu gen);* **by way of ~** cu de-a sila

obtrusive [əb'tru:siv] adj **1** băgăcios, importun **2** obraznic, impertinent

obtrusively [əb'tru:sivli] adv **1** agasant, supărător **2** cu impertinență

obtrusiveness [əb'tru:sivnis] s **1** caracter supărător/importun **2** impertinență

obturation [ˌɔbtjuə'reiʃən] s tehn obturație

obturator ['ɔbtjuəˌreitəᵣ] s tehn obturator

obtuse [əb'tju:s] adj **1** geom obtuz **2** fig obtuz, care pricepe greu; mărginit; redus

obtuseness [əb'tju:snis] s obtuzitate, obtuzime, mărginire, îngustime; stupiditate, prostie

obtusity [əb'tju:siti] s v. **obtuseness**

obviate ['ɔbvieit] vt a înlătura *(un obstacol etc.);* a preveni, a preîntâmpina *(obiecții);* a scăpa de

obvious ['ɔbviəs] adj evident, clar, limpede, vădit

obviously ['ɔbviəsli] adv (în mod) evident, clar

obviousness ['ɔbviəsnis] s caracter evident/vădit

Oc., oc. presc de la **ocean**

o.c. presc de la **opere citato** lat în lucrarea citată

ocarina [ˌɔkə'ri:nə] s muz ocarină

O'Casey [ou'keisi], **Sean** autor dramatic irlandez (1884-1964)

occasion [ə'keiʒən] **I** s **1** ocazie, prilej; moment potrivit; **on this ~** cu această ocazie, cu acest prilej; **on ~** ocazional; din când în când; **to choose one's ~** a alege momentul potrivit; **to seize the ~, to take ~ (by the forelock)** a se folosi de o ocazie; a nu-i scăpa prilejul/ocazia; **sense of ~ a** orientare, adaptabilitate *(în societate)* **b** discriminare, discernământ; **to rise to the ~** a face față situației, a fi la înălțimea situației **2** ocazie, motiv, prilej; **to give ~ to** a da/a fi/a oferi motiv de; **you have no ~ to be angry** nu ai (nici un) motiv să fii supărat **3** pretext (invocat) **4** pl ← *înv* treburi, treabă, ocupații **II** vt a pricinui, a cauza; a prilejui

occasional [ə'keiʒənəl] adj **1** ocazional; accidental, întâmplător **2** ocazional, de ocazie

occasionalism [ə'keiʒənəˌlizəm] s filos ocazionalism

occasionalist [ə'keiʒənəlist] s filos ocazionalist

occasionality [əˌkeiʒə'næliti] s caracter ocazional; întâmplare, accident

occasionally [ə'keiʒənəli] adv din când în când, uneori; rar

occident ['ɔksidənt] s **1** ← *poetic* apus, vest **2 the O~** ← *elev* Occidentul

occidental [ˌɔksi'dentəl] **I** adj **1** vestic, occidental **2 O~** occidental, apusean **II** s ↓ **O~** occidental, apusean

occipital [ɔk'sipitəl] adj, s anat occipital

occlude [ə'klu:d] vt **1** a astupa, a închide, a bloca **2** ch a absoarbe *(gaze)*

occlusion [ə'klu:ʒən] s **1** astupare, blocare, ocluzi(un)e **2** med ocluzie

occlusive [ə'klu:siv] adj de ocluzi(un)e

occult [ɔ'kʌlt] adj **1** ocult, ascuns, secret; ezoteric; misterios; abstrus **2** ocult, supranatural, magic

occultation [ˌɔkʌl'teiʃən] s astr oculație, eclipsare

occultism ['ɔkəlˌtizəm] s ocultism

occupancy ['ɔkjupənsi] s **1** ocupare, luare în posesiune **2** stăpânire/posesiune temporară; arendă

3 ocupare *(a unui post)* **4** domiciliere; reședință

occupant ['ɔkjupənt] s **1** ocupant; locatar **2** ocupant; arendaș **3** deținător *(al unui post)*

occupation [ˌɔkju'peiʃən] s **1** ocupație, îndeletnicire; profesie; meserie **2** v. **occupancy 1, 2 3** mil ocupație

occupational [ˌɔkju'peiʃənəl] adj profesional

occupational disease [ˌɔkju'peiʃənəl di'zi:z] s med boală profesională

occupational hazard [ˌɔkju'peiʃənəl 'hæzəd] s risc profesional

occupationally [ˌɔkju'peiʃənəli] adv (din punct de vedere) profesional

occupational therapy [ˌɔkju'peiʃənə l'θerəpi] s med ergoterapie, terapie ocupațională

occupied ['ɔkjupaid] adj ocupat; **to be ~ in doing smth** a fi ocupat cu ceva

occupier ['ɔkju'paiəᵣ] s ocupant; deținător

occupy ['ɔkjupai] vt **1** a ocupa, a lua în posesiune, a pune stăpânire pe **2** a ocupa, a închiria *(o casă);* a arenda **3** a ocupa *(spațiu, timp),* a folosi *(timpul)* **4** a ocupa *(un post)* **5** a (pre)ocupa *(mintea etc.)*

occupy oneself with ['ɔkjupai wʌn'self wið] vr cu prep a se ocupa/a se îndeletnici cu

occur [ə'kə:ᵣ] vi **1** a se petrece, a se întâmpla, a avea loc **2** *(d. un cuvânt etc.)* a se întâlni, a exista, a fi

occurrence [ə'kʌrəns] s **1** caz, întâmplare; lucru; fenomen **2** apariție, ivire, manifestare; **a denouement of rare ~** un deznodământ (care are loc) rar **3** incident

occur to [ə'kə: tə] vi cu prep a trece *(cuiva)* prin minte; **it never occurred to me that** nu mi-a trecut niciodată prin minte că, niciodată nu m-am gândit că

ocean ['ouʃən] s **1** ocean; **go (and) jump in the ~** F du-te la naiba! ia mai lasă-mă în pace! **2** și pl fig F grămadă, – noian, infinitate

Oceania [ˌouʃi'ænia] geogr

oceanic [ˌouʃi'ænik] adj oceanic

Oceanica [ˌouʃi'ænikə] geogr Oceania

Oceanid [ou'siənid] mit oceanidă

oceanographer [ˌouʃəˈnɔɡrəfəʳ] *s* oceanograf

oceanographic(al) [ˌouʃənoˈɡræfik(əl)] *adj* oceanografic

oceanography [ˌouʃəˈnɔɡrəfi] *s* oceanografie

oceanology [ˌouʃəˈnɔlədʒi] *s* oceanologie

Oceanus [ouˈsiənəs] *mit*

ocean-wide [ˈouʃən ˌwaid] *adj* mare/ necuprins ca oceanul, colosal, imens

ocelot [ˈousiˌlɔt] *s* ocelot *(Felis pardalis)*

ochre [ˈoukəʳ] *s* ocru; limonit

-ock *suf dim* aș, -al *etc.;* **hillock** delușor

Ockham [ˈɔkəm], **William of** *filosof englez (1300?-1349)*

o'clock [əˈklɔk] ora...; **seven ~** ora șapte

-ocracy *suf* -ocrație: **aristocracy** aristocrație

-ocrat *suf* -ocrat: **democrat** democrat

Oct. *presc de la* **October**

octa *pref* octa-, octo-: **octogonal** octogonal; **octahedral** octaedric

octagon [ˈɔktəɡən] *s geom* octogon

octagonal [okˈtæɡənəl] *adj geom* octogonal

octahedral [ˌɔktəˈhiːdrəl] *adj geom* octaedric

octahedron [ˌɔktəˈhiːdrən] *s geom* octaedru

octane [ˈɔktein] *s ch* octan

octane value [ˈɔktein ˌvæljuː] *s min* cifră octanică

octave [ˈɔktiv] *s* **1** *muz, fiz* octavă **2** grupă de opt lucruri **3** *metr* octavă, octostih

Octavia [ɔkˈteiviə] *nume fem*

Octavius [ɔkˈteiviəs] *nume masc* Octav

octavo [ɔkˈteivou] *poligr* **I** *s* format în-octavo *(8 file = 16 pagini)* **II** *adj* în-octavo

octet(te) [ɔkˈtet] *s* **1** *muz* octet **2** *v.* **octave 3**

October [ɔkˈtoubəʳ] *s* (luna) octombrie, *P →* brumărel

October Revolution, the [ɔkˈtoubə revəˈluːʃən, ði] *s ist* Revoluția din Octombrie

octode [ˈɔktoud] *s tel* octodă

octodecimo [ˌɔktouˈdesimou] *s poligr* coală cu 18 file *(= 36 de pagini)*

octogenarian [ˌɔktoudʒiˈnɛəriən] *adj, s* octogenar

octopus [ˈɔktəpəs], *pl și* **octopodes** [ɔkˈtɔpədiːz] *și* **octopi** [ˈɔktəpai] *s* **1** *zool* caracatiță *(Octopus sp.)* **2** *fig* caracatiță; păianjen

octoroon [ˌɔktəˈruːn] *s persoană cu 1/8 de sânge negru*

octosyllabic [ˌɔktousiˈlæbik] *adj metr* octosilabic

octosyllable [ˈɔktəˌsiləbəl] *metr* **I** *s* vers octosilabic **II** *adj atr* octosilabic

octroi [ˈɔktrwɑː] *s fr od* vamă orășănească

ocular [ˈɔkjuləʳ] **I** *adj* **1** ocular, al ochiului **2** optic **3** vizibil, palpabil **II** *s opt* ocular

oculist [ˈɔkjulist] *s med* oculist

odalisk, odalisque [ˈoudəlisk] *s od* odaliscă; cadână

odd [ɔd] *adj* **1** impar, fără soț, nepereche **2** neregulat; accidentat **3** și ceva; excedentar, suplimentar, adițional; **ten ~ years** zece ani și ceva **4** *(d. un volum etc.)* desperecheat, răzleț **5** *(d. muncă etc.)* de ocazie, întâmplător **6** *(d. un moment etc.)* liber, neocupat, de răgaz; **at ~ times a** în clipele libere, *F →* printre picături **b** din când în când, în răstimpuri **7** straniu, curios, ciudat; neobișnuit, excentric

oddball [ˈɔdˌbɔːl] *s ↓ amer F* trăsnit, aiurit

odd-come-shortly [ˈɔd kʌm ˌʃɔːtli] *s* zi apropiată; **one of these odd-come-shortlies** într-una din zilele ce vin, foarte curând

odd-come-shorts [ˈɔd kʌm ˌʃɔːts] *s pl* resturi, rămășițe; zdrențe

oddish [ˈɔdiʃ] *adj* cam straniu/ciudat

oddity [ˈɔditi] *s* **1** ciudățenie; excentricitate **2** om ciudat; excentric **3** lucru straniu/ciudat **4** întâmplare stranie/curioasă

odd-job man [ˈɔddʒɔb ˈmæn] *s* om care face de toate; muncitor necalificat

odd jobs [ˈɔd ˌdʒɔbz] *s pl* munci de tot felul

odd man out [ˈɔd ˌmæn ˈaut] *s* persoană *sau* lucru răzleț/care a rămas în afara grupului

oddment [ˈɔdmənt] *s* **1** rest, rămășiță; vechitură **2** *pl poligr* spațiu tipografic nefolosit **3** ciudățenie

oddness [ˈɔdnis] *s* **1** ciudățenie, bizarerie **2** caracter impar

odds [ɔdz] *s pl* **1** șanse, sorți (de izbândă); **long ~** șanse inegale; **short ~** șanse aproape egale; **the ~ are that he will accept** după toate probabilitățile, va accepta; **with heavy ~ against them a** cu puține șanse pentru ei **b** aflați în condiții extrem de dificile **2** avantaj; **to give ~ to** a oferi un avantaj *cu dat*, a avantaja *cu ac* **3** diferență, distanță, decalaj; **what's the ~? a** nu văd diferența/deosebirea; are (asta) vreo importanță? **b** *sport* care e scorul? **it/that makes no ~** nu contează (care), nu e nici o deosebire; **to make ~ even** a înlătura deosebirile **4** dezacord, neînțelegere; **to be at ~ with smb** a fi în dezacord cu cineva, a nu se înțelege cu cineva, < a fi certat cu cineva

odds and ends [ˈɔdz ən ˈendz] *s pl F* mărunțișuri; boarfe, vechituri

odds-on [ˈɔdzˈon] *s* moment când șansele de câștigat sunt mai mari decât ale adversarului

ode [oud] *s lit* odă

-ode *suf* -od: **anode** anod

Oder, the [ˈoudəʳ, ði] *fluviu* Oder

Odessa [ouˈdesə] *oraș în Ucraina* Odesa

Odin [ˈoudin] *mit* Odin; Woden, Wotan

odious [ˈoudiəs] *adv* odios, respingător, dezgustător, detestabil

odiously [ˈoudiəsli] *adv* odios, dezgustător, detestabil

odiousness [ˈoudiəsnis] *s* caracter odios, respingător *sau* scârbos, odiozitate

odium [ˈoudiəm] *s lat* **1** ură; dispreț; dezgust **2** oprobriu

Odoacer [ˌodəˈeisəʳ] *ist Italiei* Odoacru *(476-493)*

odometer [ɔˈdɔmitəʳ] *s auto* contor de parcurs

odontologic [ɔˌdɔntəˈlɔdʒik] *adj med* odontologic

odontologist [ˌodonˈtɔlədʒist] *s med* odontolog

odontology [ˌodonˈtɔlədʒi] *s med* odontologie

odor [ˈoudəʳ] *s amer v.* **odour**

odoriferous [ˌoudəˈrifərəs] *adj* **1** parfumat, frumos mirositor **2** *← rar* urât mirositor

odorous [ˈoudərəs] *adj poetic* înmiresmat, îmbălsămat, – parfumat

odour ['oudə^r] *s* **1** miros; miros plăcut, parfum, mireasmă; miros urât, < duhoare **2** *şi fig* iz **3** (re)nume, reputaţie; **to be in bad/ill ~ with** a se bucura de o faimă proastă printre; a fi nepopular printre; a nu se bucura de favoarea *cu gen;* a nu fi bine văzut de (către)

Odyssey ['ɔdisi] *s* **1** the ~ *lit* Odiseea **2** *fig* odisee, epopee

OE, O.E. *presc de la* **Old English**

oecumenical [,i:kju'menikəl] *adj rel* ecumenic

O.E.D., OED *presc de la* **the Oxford English Dictionary**

oedema [i'di:mə] *s med* (o)edem

Oedipus ['i:dipəs] *mit* Oedip, Edip

Oedipus complex, the ['i:dipəs 'kɔmpleks, ði] *s psih* complexul (lui) Oedip

oenology [i:'nɔlədʒi] *s* oenologie, ştiinţa vinificaţiei

o'er [ɔːʳ] *contras din prep şi adv* **over**

oersted ['ɔːsted] *s fiz* oersted

oesophagus [i:'sɔfəgəs], *pl şi* **oesophagi** [i:'sɔfəgai] *s anat* esofag

oestrogen ['i:strədʒən] *adj fizl* estrogen

of [ɔv *formă tare,* əv *formă slabă*] *prep* **1** (genitivală, arată posesiunea sau apartenenţa) lui; al, a, ai *sau* ale; **the dogs ~ our neighbour** câinii vecinului nostru; **the significance ~ this author** semnificaţia/importanţa acestui autor; **the works ~ Byron** operele lui Byron; **the two friends ~ my brother-in-law** cei doi prieteni ai cumnatului meu; **the creator ~ a new style** creatorul unui stil nou; **the walls ~ the house** zidurile/pereţii casei **2** (arată apartenenţa materialului sau referirea) de; **articles ~ clothing** articole de îmbrăcăminte; **a house ~ brick** o casă de/din cărămidă; **a wreath ~ flowers** o cunună de flori; **some ~ us** unii din(tre) noi **3** (arată conţinutul) de; cu; **a pound ~ sugar** o livră de zahăr; **a cup ~ tea** o ceaşcă de ceai; **a pail ~ water** o găleată cu apă **4** (arată obiectul acţiunii) de; al, a, ai *sau* ale; **a lover ~ folk music** un iubitor de muzică populară/al muzicii populare **5** (arată vârsta, calitatea etc.) de; **a man ~ thirty**

un bărbat/un om de treizeci de ani; **a man ~ his word** un om de cuvânt; **a case ~ emergency** un caz extrem *sau* neprevăzut **6** (arată cauza, provenienţa) de; din cauza *cu gen;* ca urmare *cu gen;* **to die ~ cancer** a muri de cancer; **he did it ~ necessity** a făcut-o de nevoie **7** (arată sursa) din, de la; **I learned it ~ him** am aflat(-o) de la el, ştiu de la el; **he asked it ~ me** el m-a rugat (să fac asta); el mi-a cerut-o **8** (arată provenienţa, originea) din; **he comes ~ a humble family** provine/descinde dintr-o familie de oameni simpli **9** (arată locul prin comparaţie) de; **north ~ the Danube** la nord de Dunăre; **within 10 kilometres ~ Bucharest** până în cel mult 10 kilometri de Bucureşti **10** (arată scoaterea sau ieşirea dintr-o condiţie) de; **to cure ~ a disease** a vindeca de o boală; **to get rid ~** a scăpa de; a se descotorosi de **11** (arată proporţiile, cantitatea, numărul, preţul) de; **an area ~ 100 square metres** o suprafaţă de 100 m²; **a fortune ~ 9000 pounds** o avere de 9000 de lire; **a ton ~ coal** o tonă de cărbuni **12** de(spre); în legătură cu; la; **to speak ~ a** vorbi de(spre); **to think ~ a** se gândi la **13** (arată timpul, perioada) în; **~ an evening** într-o seară; **~ late** în ultima vreme; de curând, recent **14** (arată gustul, mirosul) a; de; **to smell ~ a** mirosi a, a avea miros de **15** (după cuvinte modale) de; **to suspect ~** a bănui de; **guilty ~ convinced ~** convins de **16** (cu valoare apozitivă) de; **by the name ~ Smith** cu numele (de) Smith; **the city ~ New York** oraşul New York **17** din partea; **it was nice ~ him** a fost frumos/drăguţ din partea lui **18** (cu sup rel) din(tre); **the best ~ all** cel mai bun din(tre) toţi **19** de (către); **beloved ~ all** iubit de toţi **20** (împreună cu s care-l precedă formează, de fapt, un atribut) de; **a devil ~ a child** un drac de copil

off [ɔ(:)f] **I** *part adv* **1** (arată depărtarea sau îndepărtarea) departe; încolo; **the village is three miles ~** satul e la trei mile depărtare/

mai încolo; **keep ~!** nu te apropia! **New Year's Day is not far ~** Anul Nou nu e departe; **he is ~ to Paris** a plecat la Paris; **it's time I was ~** e timpul să plec; **be ~ (with you)!** pleacă (de aici)! **~ with him!** luaţi-l de aici! afară cu el! **2** (arată scoaterea sau desprinderea); **take ~ your coat** scoate-ţi haina; **to cut ~** a reteza; **to come ~** (d. un nasture etc.) a se desprinde, a se desface **3** (arată terminarea, întreruperea); **to break ~ negotiations** a întrerupe tratativele; **their engagement is ~** au desfăcut logodna **4** (arată ducerea unei acţiuni până la capăt); **to pay ~** a plăti (până la ultimul ban) **5** (arată desfacerea unui contract sau dispariţia dintr-o serie); **turn the radio ~** închide radio(ul); **the soup is ~** supa s-a terminat (nu mai este pe lista de bucate) **6** (arată eliberarea de o povară etc.) încolo; **to throw ~ reserve** a prinde curaj; a nu mai sta rezervat **7** *teatru* în culise; în spatele scenei (ca indicaţie scenică); **noises ~** zgomote în spatele scenei // **on and ~, ~ and on** la intervale neregulate; când şi când; din când în când; sporadic; **right/straight ~** îndată, imediat **II** *prep* **1** de pe; din; **he fell ~ the ladder** a căzut de pe scară; **she took the ring (from) ~ her finger** îşi scoase inelul din deget **2** (la distanţă) de; **keep ~ the grass** nu călcaţi pe iarbă; **a house ~ the main road** o casă situată departe de şoseaua principală **3** *nav* în largul; **~ the Cape of Good Hope** în largul Capului Bunei Speranţe **4** (arată eliberarea, uşurarea etc.); **to take a matter ~ smb's hands** a scuti pe cineva de a mai răspunde de o problemă; **he is ~ duty** e liber, nu are serviciu; **to be ~ smoking** a nu mai fuma, a întrerupe fumatul; **to wander ~ the point** a se abate de la subiect, a face digresiuni; **~ one's feed** *sl* fără poftă de mâncare **III** *adj* **1** *atr* depărtat *sau* mai depărtat; **an ~ road** un drum (mai) departe *sau* ocolit **2** *atr* liber; **it is my day ~** e ziua mea liberă; **an ~ day** o zi liberă 3 *(d. o roată etc.)* sărit; scos; desprins 4 *pred (d. hrană)* alterat, stricat 5 *atr (d. un cal, o roată, un picior de animal)* din dreapta 6 *fig* situat; **well** ~ bine situat; **badly** ~ fără bani, care o duce greu 7 *pred* prost dispus, indispus // ~ **in his reckoning** ieșit prost la socoteală IV *vt* ← *F* a întrerupe *(tratative etc.)* V *interj* afară! piei! pleacă!

off. *presc de la* 1 **office** 2 **officer** 3 **official**

offal ['ɔfəl] *s* 1 *și ca pl* rămășițe de carne; măruntaie; potroace 2 rămășițe, resturi 3 pește ieftin 4 stârv, leș

off-balance ['ɔf ˌbæləns] *s sport* pierderea echilibrului

off-beat ['ɔf ˌbiːt] *adj atr F* aiurit, – neobișnuit, extravagant

offcast ['ɔf ˌkaːst] *adj* 1 ostracizat, proscris; privit cu dispreț 2 exclus 3 aruncat

off-chance ['ɔf ˌtʃaːns] *s* șansă minimă

off-colour ['ɔf ˌkʌlə'] *adj* 1 de o culoare neobișnuită 2 nepotrivit, de prost gust; nesărat 3 defect, stricat 4 de cea mai proastă calitate, infect 5 indispus 6 impotent; care nu e în formă

off-corn ['ɔf ˌkɔːn] *s* tărâțe

offcut ['ɔf ˌkʌt] *s* 1 tăietură; decupaj 2 *pl* deșeuri

Offenbach ['ɔfən ˌbaːk], **Jacques** *compozitor francez (1819-1880)*

offence [ə'fens] *s* 1 ofensă, jignire, insultă; **to give** ~ **to smb** a aduce o jignire cuiva; **to take** ~ **at smth** a se simți jignit/ofensat de ceva; **no** ~! iertați-mă (, n-am vrut să vă jignesc)! **without** ~ fără supărare, fără să supăr pe cineva 2 **(against)** încălcare *(cu gen)*; gafă *(împotriva – cu gen)*; păcat *(împotriva – cu gen)*; crimă *(împotriva, la adresa – cu gen)*; **to commit an** ~ a comite un delict *sau* o crimă 3 atac; ofensivă; **weapons of** ~ arme de atac 4 *fig* pacoste, năpastă, blestem

offend [ə'fend] I *vt* 1 a ofensa, a jigni, a insulta; a răni; **to be ~ed by/at smth** *sau* **by/with smb** a fi jignit de ceva *sau* de cineva 2 a supăra *(urechea etc.)*, a fi supărător/neplăcut pentru II *vi* a ofensa, a jigni

offend against [ə'fend ə'genst] *vi cu prep* a păcătui împotriva, a comite o crimă împotriva *(cu gen)*

offender [ə'fendə'] *s* contravenient; < criminal; **first** ~ contravenient, infractor *etc.* aflat la prima abatere *sau* primul delict; **old/ second/subsequent** ~ recidivist

offense [ə'fens] *s amer v.* **offence**

offensive [ə'fensiv] I *adj* 1 ofensator, jignitor 2 neplăcut, < dezgustător, respingător 3 ofensiv; agresiv II *s mil* ofensivă; **to act on the** ~ a ataca, a fi în ofensivă

offensively [ə'fensivli] *adv* (în mod) ofensator/jignitor *sau* neplăcut

offensiveness [ə'fensivnis] *s* caracter ofensator/jignitor *sau* neplăcut

offer ['ɔfə'] I *vt* 1 a oferi, a da; a acorda; a prezenta; **to** ~ **one's hand to smb a** a întinde mâna cuiva **b** a face cuiva *(unei femei)* o propunere în căsătorie; **to** ~ **an opinion** a exprima o părere; **to** ~ **an apology** a prezenta scuze; **he had been ~ed a new job** i se oferise un alt post/serviciu; **to** ~ **a prayer** a înălța o rugăciune; a se ruga 2 a încerca; a manifesta; **to** ~ **no resistance** a nu opune rezistență; **he ~ed to strike her** încercă/dădu s-o lovească 3 *com* a oferi, a da *(un preț)* II *vr*, *vi (d. un prilej etc.)* a se ivi, a se oferi III *s* 1 ofertă, propunere; **an** ~ **of marriage** o propunere în căsătorie; **I couldn't accept his** ~ n-am putut să-i accept oferta/propunerea 2 *ec* ofertă; preț; **on** ~ de vânzare 3 ← *înv* încercare

offering ['ɔfəriŋ] *s* 1 propunere, ofertă *(de pace etc.)* 2 *bis* jertfă, prinos, ofrandă

offertory ['ɔfətəri] *s bis* colectă, obol

offertory box ['ɔfətəri ˌbɔks] *s bis* pantahuză, cutia milelor

off-grade ['ɔf ˌgreid] *adj* de calitate proastă/inferioară

off-hand ['ɔf ˌhænd] I *adj* 1 improvizat, nepregătit 2 nonșalant, neceremonios II *adv* 1 improvizat, fără pregătire, „ex tempore" 2 fără ceremonie

off-handed ['ɔf ˌhændid] *adj v.* **off-hand** I

off-handedly ['ɔf ˌhændidli] *adv* 1 pe nepregătite, improvizat 2 cu

nonșalanță, neceremonios

off-handedness ['ɔf ˌhændidnis] *s* 1 (caracter de) improvizație 2 nonșalanță

office ['ɔfis] *s* 1 *și pl* birou; oficiu *(al unei administrații)*; **to work in an** ~ a lucra într-un birou *(al unei firme, ca dactilografă etc.)*; **our London** ~ filiala noastră din Londra; **editorial** ~ redacție; **inquiry** ~ birou de informații 2 *amer* cabinet *(medical)* 3 departament; minister 4 slujbă, post, serviciu; funcție; **an honorary** ~ o funcție onorifică; **to be in** ~ *(d. partide)* a fi la putere 5 datorie, îndatoriri *(de gazdă)* 6 *pl* oficii, servicii, ajutor 7 *bis* slujbă, serviciu divin 8 *bis* breviar 9 *pl constr* dependințe 10 *sl* semn, gest

office boy ['ɔfis ˌbɔi] *s* băiat de serviciu; comisionar; curier

office building ['ɔfis ˌbildiŋ] *s* clădire cu birouri; instituție

office copy ['ɔfis ˌkɔpi] *s* 1 copie efectuată de instituția unde se află originalul 2 copie care rămâne în arhivă 3 copie autentificată de notariat

office girl ['ɔfis ˌgəːl] *s* comisionară; îngrijitoare; curieră

office holder ['ɔfis ˌhouldə'] *s* funcționar (de stat)

officeman ['ɔfismən] *s* funcționar

Office of Education ['ɔfis əv edjuˈkeiʃən] *s* Ministerul Învățământului

officer *s* 1 *mil* ofițer; **~s and men** *(în S.U.A.)* ofițerii și trupa 2 funcționari 3 membru al unui comitet de conducere 4 polițist 5 ofițer *(al unui ordin)* 6 *înv* sol, – trimis 7 *nav* ofițer; căpitan *(pe un vas comercial)*

officer of health ['ɔfisər əv ˌhelθ] *s* inspector sanitar

officer of state ['ɔfisər əv ˌsteit] *s* 1 funcționar superior 2 ministru

officer of the court ['ɔfisər əv ðə ˌkɔːt] *s jur* executor judecătoresc

officer of the day ['ɔfisər əv ðə ˌdei] *s mil* ofițer de serviciu

officership ['ɔfisəʃip] *s mil* 1 gradul de ofițer 2 îndatoririle de ofițer 3 corp ofițeresc

official [ə'fiʃl] I *adj* 1 oficial; formal 2 *(d. îndatoriri etc.)* de serviciu; profesional II *s* funcționar *(de stat, superior, de bancă)*

officialdom [ə'fiʃəldəm] *s* **1** funcţionari, *peior* funcţionărime **2** birocraţie

officialese [ə,fiʃə'liːz] *s* **1** jargon funcţionăresc **2** stil oficial; stil al documentelor oficiale

official family, the [ə'fiʃəl 'fæmili, ði] *s* cabinetul/miniştrii preşedintelui S.U.A.

officialism [ə'fiʃəlizəm] *s v.* **officialdom**

officially [ə'fiʃəli] *adv* (în mod) oficial

officiant [ə'fiʃiənt] *s bis* preot oficiant

officiate [ə'fiʃieit] *vi* **1** *bis* a oficia **2** (**as**) a-şi îndeplini funcţiile/îndatoririle *(de gazdă etc.)*

officiation of [ə,fiʃi'eiʃən əv] *s cu prep* oficiere *cu gen*

officinal [ɔ'fisinəl] *adj farm* oficinal

officious [ə'fiʃəs] *adj* **1** băgăcios **2** insinuant **3** servil **4** oficios, neoficial **5** gata să dea ordine *sau* sfaturi

officiously [ə'fiʃəsli] *adv* **1** dând ordine *sau* sfaturi **2** neoficial

officiousness [ə'fiʃəsnis] *s* caracter oficios

offing ['ɔfiŋ] *s nav* largul mării *(văzut de pe mal);* larg; **in the ~ a** *nav* în larg **b** *fig* în perspectivă; iminent; curând

offish ['ɔfiʃ] *adj* F băţos, – rezervat, distant

offishness ['ɔfiʃnis] *s* rezervă, izolare; distanţă, F băţoşenie

off-key ['ɔf,kiː] *adj* **1** *(d. sunet)* fals; greşit **2** ciudat, suspect, care dă de bănuit

offlet ['ɔflet] *s* canal *sau* ţeavă de scurgere

off-licence ['ɔf 'laisəns] *s* local unde se vând băuturi pentru acasă

off-limits ['ɔf ,limits] *(anunţ)* „intrarea interzisă", „accesul interzis"

off-load ['ɔf ,loud] *vt* **1** a descărca **2** a scăpa/a se descotorosi de

off-print ['ɔf ,print] *s poligr* extras

off-putting ['ɔf ,putiŋ] *adj* care surprinde în mod neplăcut

offscourings ['ɔf,skauəriŋz] *s pl* **1** murdărie, gunoi **2** *fig* scursuri, lepădături, drojdia societăţii

offset ['ɔf,set] I *vt* **1** *fin* a compensa; a echilibra; a plăti **2** *poligr* a imprima ofset II *s* **1** compensaţie; plată **2** *ec* socoteală, decontare **3** plecare *(în călătorie)* **4** *bot* mlădiţă, vlăstar **5** *poligr* ofset **6**

constr terasare; ramificare **7** *min* nişă în galerie

offshoot ['ɔf,ʃuːt] *s* **1** *bot* mlădiţă, vlăstar **2** *geogr* ramură (muntoasă) **3** *tehn* braţ, parte alungită **4** braţ, ramificaţie

offshore ['ɔf,ʃɔːr] *nav* I *adj* **1** depărtat de ţărm/coastă; din larg **2** *(d. vânt)* dinspre uscat II *adv* în larg III *s* zonă de apă din vecinătatea coastei

offside ['ɔf,said] *sport* I *adj* în ofsaid II *s* ofsaid

offspring ['ɔf,spriŋ] *s şi ca pl* **1** copil, vlăstar, urmaş; progenitură **2** produs, rezultat

off-stage ['ɔf,steidʒ] *teatru* I *s* spatele scenei; culise II *adj atr* din culise III *adv* în *sau* spre culise

off-street ['ɔf ,striːt] *adj* nu în strada principală, lateral

offtake ['ɔf,teik] *s* **1** *com* vânzare **2** *com* (cantitate de) marfă vândută **3** *tehn* canal de evacuare **4** *poligr* copie

offward ['ɔf,wɔd] *adv nav* (în)spre larg

off-white ['ɔf ,wait] *adj* alburiu

OFr. *presc de la* **Old French**

oft [ɔft] *adv poetic, înv v.* **often**

often ['ɔfən] *adv* adesea, ades(eori); frecvent; **as ~ as** ori de câte ori; **more ~ than not, as ~ as not** foarte adesea; **every so ~** din când în când; **how ~? a** cât de des? **b** de câte ori? în câte rânduri?

oftentimes ['ɔfən,taimz] *adv v.* **often**

ofttimes ['ɔft,taimz] *adv poetic, înv v.* **often**

OG. *presc de la* **Old German**

ogee ['oudʒiː] *s constr* ciubuc, mulură

ogival [ou'dʒaivəl] *adj constr* ogival

ogive ['oudʒaiv] *s arhit* ogivă, arc gotic

ogle ['ougəl] I *vt* a privi cu dragoste *sau* înţeles; a face ochi dulci *(cuiva)* II *vi* (**at**) a se uita cu dragoste *sau* înţeles (la); a face ochi dulci *(cuiva)*

ogre ['ougə'] *s (în basme)* **1** uriaş **2** căpcăun

ogreish ['ougəriʃ] *adj* (ca) de căpcăun

oh [ou] *interj* **1** (exprimă durerea, surpriza, teama etc.) ah! a! vai! o(h)! **2** *(apelativ)* hei! alo!

OHG, O.H.G. *presc de la* **Old High German**

Ohio [ou'haiou] **1** *stat în S.U.A.* **2** the ~ *fluviu în S.U.A.*

ohm [oum] *s el* ohm

Ohm's law ['oumz ,lɔː] *s el* legea lui Ohm

oho [ou'hou] *interj* **1** (exprimă surpriza) oho! a(h); o(h)! haiti; **2** (exprimă bucuria) vai! a(h)! o(h)!

-oid *suf* -oid: **celluloid** celuloid

oil [ɔil] I *s* **1** ulei (vegetal *sau* mineral) **2** untdelemn **3** *min* petrol, ţiţei; produs petrolier; **to burn the midnight ~** a lucra noaptea; **to pour/to throw ~ on the flames/the fire** *fig* a turna gaz pe foc; **to strike ~ a** a se îmbogăţi peste noapte **b** a face o descoperire importantă **4** ↓ *pl* vopsea de ulei II *vt* **1** a unge; a lubrifia; a gresa **2** a impregna cu ulei **3** *şi fig* a unge; **to ~ smb's palm/hand** *fig* F a unge pe cineva/ochii cuiva, a mişca din urechi; **to ~ one's tongue** ← F a vorbi pe un ton mieros; a fi numai miere

oil cake ['ɔil ,keik] *s* turtă de oleaginoase

oil car ['ɔil ,kaːr] *s ferov* (vagon-)cisternă

oil carrier ['ɔil ,kæriə'] *s nav* petrolier

oilcloth ['ɔil,klɔθ] *s* muşama; pânză uleiată; linoleum

oilcoat ['ɔil,kout] *s* impermeabil, manta de ploaie

oil colours ['ɔil ,kʌləz] *s pl* vopsele de ulei

oil cup ['ɔil ,kʌp] *s* **1** *ferov* cutie de unsoare **2** *tehn* gresor, ungător

oiler ['ɔilə'] *s* **1** *nav* petrolier **2** *auto* autocamion cu motor Diesel **3** *tehn v.* **oil cup 2**

oilery ['ɔiləri] *s* **1** (magazin de) articole chimice şi vopselărie **2** fabrică de ulei **3** produse din ulei *sau* petrol

oil field ['ɔil ,fiːld] *s min* **1** teren petrolier **2** sondă petrolieră

oil filler ['ɔil ,filə'] *s auto* ştuţ pentru umplere cu ulei

oil filter ['ɔil ,filtə'] *s auto* filtru de ulei

oil fuel ['ɔil ,fjuəl] *s* combustibil lichid; ţiţei; păcură

oil gauge ['ɔil ,geidʒ] *s tehn* indicator de ulei; manometru de ulei

oilily ['ɔilili] *adv* mieros, linguşitor; onctuos

oiliness ['ɔilinis] s 1 onctuozitate; caracter uleios; viscozitate 2 *fig* onctuozitate; comportare insinuantă

oiling ['ɔiliŋ] s ungere; lubrefiere

oil lamp ['ɔil ˌlæmp] s lampă cu ulei

oilman ['ɔilmən] s 1 vânzător de uleiuri şi vopsele de ulei 2 ungător 3 *amer* muncitor petrolist

oil mill ['ɔil ˌmil] s fabrică de ulei

oil painting ['ɔil ˌpeintiŋ] s pictură în ulei

oil paper ['ɔil ˌpeipə'] s hârtie de vată

oil plant ['ɔil ˌplɑːnt] s *bot* plantă oleaginoasă

oil ship ['ɔil ˌʃip] s *nav* tanc petrolier

oilskin ['ɔil,skin] s 1 v. **oilcloth** 2 *nav* haină de ploaie

oil tanker ['ɔil ˌtæŋkə'] s *nav* petrolier

oil well ['ɔil ˌwel] s *min* sondă de ţiţei

oily ['ɔili] adj 1 uleios, unsuros; îmbibat cu ulei; gras 2 *fig* onctuos, mieros; insinuant

oink [ɔiŋk] vi *amer* a grohăi

ointment ['ɔintmənt] s unguent, alifie; pomadă

O.K., OK ['ou ˌkei] ↓ *amer* I *interj* foarte bine! perfect! în regulă! de acord! *F* s-a făcut; bun şi aprobat! *etc.* II adj *pred* ← *F* în regulă/ ordine, foarte bine, perfect III vt ← *F* a aproba, a fi de acord cu

Okhotsk ['oukɔtsk], **the Sea of** Marea Ohotsk

Okinawa [ˌouki'nɑːwə] insulă în *Japonia*

Oklahoma [ˌouklə'houmə] stat în *S.U.A.*

Oklahoma City [ˌouklə'houmə ˌsiti] oraş în *S.U.A.*

OL, O.L. presc de la **Old Latin**

old [ould] I adj 1 ← în vârstă, vârstnic, bătrân; **to grow ~ a** îmbătrâni 2 v. comp **elder** ['eldə'], sup **eldest** ['eldist] 3 în vârstă de; **how ~ is he?** ce vârstă are? câți ani are? **he is 15 years ~** are 15 ani; **a 15-year-~ boy** un băiat de 15 ani 4 vechi; învechit; bătrân; antic, arhaic; **an ~ custom** un obicei vechi; un obicei din bătrâni/bătrânesc 5 bătrân, experimentat, cu experiență, priceput 6 *(în adresări, cu un subst)* F dragă; **good ~ John!** dragă John! hullo, **~ thing!** noroc, bătrâne! 7 *(d. o boală)* cronic 8 fost; **his ~ students** foştii lui

studenți 9 *(ca intensiv)* sl: **we had a high ~ time** F → ne-am distrat pe cinste; **any ~ thing will do** ← *F* merge (absolut) orice II s **the ~ 1** vechiul 2 bătrânii // **of ~ a** adj de altădată/odinioară, de demult **b** adv în vechime; altădată, odinioară, de demult

old age ['ould,eidʒ] s bătrâneţe, vârstă înaintată

old-age pension ['ould,eidʒ'penʃən] s pensie de bătrâneţe

old boy ['ould ˌbɔi] s 1 fost elev al unei şcoli 2 ← *F* prieten; **how are you, ~?** F ce mai faci, bătrâne? 3 ← *F* bătrân, moş(neag)

old-boy network ['ould,bɔi ˌnetwəːk] s colegi de şcoală (de altădată)

old-clothesman ['ould 'klouðzmən] s negustor de haine vechi, telal

old country ['ould ˌkʌntri] s ţară de baştină *(a unui emigrant)*

olden ['ouldən] adj poetic bătrânesc; – bătrân; vechi; de altădată

Old English ['ould 'iŋliʃ] s engleza veche *(sec. V – 1100 sau 1200)*

old-established ['ouldis'tæbliʃt] adj (stabilit) demult; de îndelungată tradiţie

olde worlde ['ouldi'wəːldi] adj atr afectând o manieră învechită

old-fashioned ['ould'fæʃənd] adj demodat, de modă veche; învechit

old fog(e)y [ˌould 'fougi] s 1 om cu vederi învechite 2 coktail din whisky, bere amară, zahăr şi coajă de lămâie 3 pahar mare *(pt cocktail)*

Old French ['ould ˌfrentʃ] s franceza veche *(sec. IX-sec. XVI)*

Old Gentleman, the ['ould 'gentəlmən, ði] s F Necuratul, Aghiuță, Scaraoțchi, Ucigă-l Crucea/ Toaca

old girl ['ould ˌgəːl] s 1 fostă elevă a unei şcoli 2 ← *F* prietenă 3 *F* babă

Old Glory ['ould ˌglɔri] s steagul *S.U.A.*

Old Guard, the ['ould ˌgɑːd, ði] s *fig* vechea gardă

Oldham ['ouldəm] oraş în Anglia

Old Harry ['ould ˌhæri] s v. **Old Gentleman, the**

Old High German ['ould ˌhai 'dʒəːmən] s vechea germană de sus *(750-1050)*

oldish ['ouldiʃ] adj 1 cam bătrân, bătrâior 2 cam vechi

old maid ['ould ˌmeid] s fată bătrână, celibatară

old-maidish ['ould,meidiʃ] adj de fată bătrână

old man ['ould ˌmæn] s 1 *(ca adresare)* F bătrâne, – dragul meu 2 **the ~** F bătrânul, moşul, babacul, – tata 3 **the ~** F şeful, – căpitanul *etc.*

old master ['ould ˌmɑːstə'] s pict 1 vechi maestru *(↓ între sec. XV-XVIII)* 2 pictură a unui vechi maestru

Old Nick ['ould ˌnik] s v. **Old Gentleman, the**

Old One, the ['ould ˌwʌn, ði] s v. **Old Gentleman, the**

oldster ['ouldstə'] s ← *F* om cam sau mai în vârstă

Old Testament, the ['ould 'testəmənt, ði] s bibl Vechiul Testament

old-timer ['ould 'taimə'] s 1 vechi locuitor, locuitor de baştină 2 om cu vederi învechite 3 veteran

old wives' tale ['ould ˌwaivz 'teil] s poveste de cumetrie; bazaconii; legendă

old woman ['ould,wumən] s 1 my/ **the ~** F baba (mea), – soţia, nevasta (mea) 2 **the ~** F bătrâna, – mama 3 peior fată bătrână

Old World, the ['ould ˌwəːld, ði] s Lumea Veche

oleaginous [ˌouli'ædʒinəs] adj oleaginos

oleander [ˌouli'ændə'] s *bot* oleandru *(Nerium sp.)*

oleic acid [ou'liːk ˌæsid] s ch acid oleic

oleograph ['ouliə,grɑːf] s poligr oleografie

oleomargarine ['ouliou,mɑːdʒə'riːn] s ch oleomargarină

olfactory [ɔl'fæktəri] adj anat olfactiv

Olga ['ɔːlgə] nume fem

oligarchic(al) [ˌɔli'gɑːkik(əl)] adj oligarhic

oligarchy ['ɔli,gɑːki] s oligarhie

Oligocene, the ['ɔligou,siːn, ði] s geol oligocen

olio ['ouli,ou] s 1 amestec(ătură), talmeş-balmeş 2 muz potpuriu

Olive ['ɔliv] nume fem Olivia

olive I s 1 bot măslin *(Olea europaea)* 2 măslină, rar → olivă 3 ramură de măslin 4 culoare măslinie, oliv II adj măsliniu, oliv

olive branch ['ɔliv ˌbrɑːntʃ] *s fig* ramură de măslin

olive drab ['ɔliv͵dræb] *adj, s mil* kaki

olive oil ['ɔliv ͵oil] *s* ulei de măsline

Oliver ['ɔlivə] *nume masc*

Olivia [ə'liviə] *nume fem v.* **Olive**

olivine ['ɔliˌviːn] *s minr* olivină

-ology *suf* -ologie: **lexicology** lexicologie

Oltenia [ɔl'tiːniə] *provincie în Ro-* mânia

Olympia [ə'limpiə] *nume fem* Olim-pia

Olympiad [ə'limpiˌæd] *s sport* olim-piadă

Olympian [ə'limpiən] *adj* olimpic

Olympic [ə'limpik] **I** *adj* olimpic **II** *s sport* **1** olimpiadă **2** *pl* **the ~s** jocurile olimpice

Olympic Games [ə'limpik ͵geimz] *s pl sport* jocuri olimpice

Olympus [ou'limpəs] *s* **1** (Muntele) Olimp **2** *fig* cer

Omaha ['oumə͵hɑ:] *oraş în S.U.A.*

Oman [o'mɑːn] *ţară în Arabia*

Omar Khayyám ['oumɑ: kai'ɑːm] *poet persan (?-1123)*

ombudsman ['ɔmbədzmən] *s* func-ţionar însărcinat cu sondarea opiniei publice *(nemulţumiri faţă de guvern etc.)*

omega ['oumiɡə] *s* (litera) omega

omelet(te) ['ɔmlit] *s* omletă

omen ['oumən] **I** *s* semn, prevestire, augur; **of good ~** de bun augur **II** *vt* a fi semn de, a prevesti

-ometer *suf* -ometru: **gasometer** gazometru

omicron [ou'maikrɔn] *s* omicron *(literă grecească)*

ominous ['ɔminəs] *adj* **1** prevestitor **2** prevestitor de rău, de rău augur; ameninţător

ominously ['ɔminəsli] *adv* ame-ninţător

omissible [ou'misəbəl] *adj* care poate fi omis

omission [ou'miʃən] *s* **1** omitere **2** omisiune

omit [ou'mit] *vt* **1** a omite, a lăsa la o parte *(un cuvânt etc.)* **2** a omite, a neglija; a nu face, a uita (să facă); **to ~ doing/to do smth** a omite să facă ceva

omni- *pref* omni-: **omnivorous** omnivor

omnibus ['ɔmni͵bʌs] **I** *s* **1** *auto* omnibuz **2** *auto* autobuz **3** *lit* culegere, antologie (↓ *din ope-*

rele unui singur autor) **II** *adj atr lit* antologic

omnicompetent [ˌɔmni'kɔmpitənt] *adj* cu împuterniciri depline

omnipotence [ɔm'nipətəns] *s* atot-puternicie, omnipotenţă

omnipotent [ɔm'nipətənt] **I** *adj* atotputernic, omnipotent **II** *s* **the O~** Atotputernicul, Dumnezeu

omnipresence [ˌɔmni'prezəns] *s* omniprezenţă, ubicuitate

omnipresent [ˌɔmni'prezə nt] *adj* omniprezent

omniscience [ɔm'nisiəns] *s* omni-scienţă, atotştiinţă

omniscient [ɔm'nisiənt] *adj* omni-scient, atotştiutor

omnium-gatherum ['ɔmniəm-'ɡæðərəm] *s* amestec, miscella-nea

omnivorous [ɔm'nivərəs] *adj* **1** omnivor **2** *fig* pe care-l intere-sează orice, ↓ cărţile

Omsk [ɔmsk] *regiune şi oraş în Rusia*

on [ɔn] **I** *prep* **1** *(spaţial)* pe; la; în; **~ the chair** pe scaun; **a picture ~ the wall** un tablou pe *sau* de pe perete; **a town ~ the Danube** un oraş pe *sau* de pe Dunăre; **~ the left** pe stânga; **~ both sides of the river** pe ambele maluri ale râului; **~ the North** în nord; la nord; **the windows open ~ a wood** ferestrele dau într-o pădu-re; **~ board a ship** pe/la bordul unui vas; **~ page seven** la *sau* de la pagina a şaptea **2** *(tem-poral)* la; în; **~ Monday** luni; **~ the 2nd of June** la/*rar* → în 2 iunie; **~ the evening of the same day** în seara aceleiaşi zile; **~ that day** în ziua aceea, în acea zi; **~ a cold day** într-o zi rece; **~ the birth of his brother** la naşterea fratelui său; **~ his arrival there** la sosirea lui acolo; **~ examining the box closer I found it empty** cercetând lada mai atent am constatat că e goală; **~ demand** la cerere; la dorinţă; **~ time, ~ the minute** foarte punctual; *F* → la ţanc; **~ my way home** în drumul meu spre casă, în timp ce mă duceam acasă **3** *(arată scopul sau direcţia)* în; la; spre; cu; **~ an errand** cu un comision; **~ business** după treburi, cu treburile; **~ leave** în concediu *sau* permisie; **to go ~ a trip** a

pleca într-o excursie; **they rose ~ their enemies** se ridicară împotriva duşmanilor lor **4** *(arată starea, procesul, caracterul acţiunii etc.)* în; la; pe; **~ fire** pe foc; **the dog is ~ the chain** câinele e în lanţ; **~ strike** în grevă; **~ the move** în mişcare; **~ sale** de vânzare; **~ trial** judecat; în cercetare **5** despre, cu privire la; asupra *cu gen;* **to speak ~ the latest discoveries** a vorbi despre ultimele descoperiri; **he insisted ~ his viewpoint** a insistat asupra punctului său de vedere; **to be keen ~ doing smth** a-i plăcea foarte mult să facă ceva; **a book ~ phonetics** o carte despre fonetică **6** *(arată participarea ca membru etc.)* din; în; la; **to be ~ the committee** a face parte din comitet; **he is ~ the jury** e în juriu; **he is ~ "The Sun"** lucrează la (ziarul) "The Sun" **7** *(arată motivul, cauza, sursa, baza etc.)* din; pentru; de la; **~ good authority** din surse demne de crezare; **he borrowed some money ~ his friend** a împrumutat nişte bani de la prietenul său; **~ that ground** pentru acest motiv; **he acted ~ his lawyer's advice** a procedat în conformitate cu sfatul avo-catului său; **interest ~ capital** dobândă la capital **8** după; **misfortune ~ misfortune** neno-rocire după nenorocire **9** ← *F* pe cheltuiala/socoteala *(cuiva)* **II** *part adv* **1** *(arată continuarea stării sau acţiunii):* **to go ~** a merge mai departe, a continua; **I will follow ~** te urmez; **it's getting ~ for seven** e aproape (ora) şapte; **she worked ~** a continuat să lucreze; **~ with the show!** să înceapă *sau* să conti-nue spectacolul! **~ and ~** fără întrerupere; **we went ~ and ~** am mers fără să ne oprim; **and so ~** şi aşa mai departe; **later ~** mai târziu **2** înainte; **send your luggage ~** trimite-ţi bagajele înainte; **from now ~** de azi înainte/încolo **3** se joacă, rulează *etc.;* **what is ~?** ce se joacă *sau* ce rulează? **4** *(arată conectarea etc.);* **the light is ~** lumina arde/ e aprinsă; **is the brake ~?** e pusă frâna? **switch ~ the light** aprinde lumina 5 *(arată îmbrăcarea etc.):* **to put ~** a îmbrăca, a pune; **what had she ~?** cu ce era îmbrăcată? **he had black shoes ~** avea/purta pantofi negri, era încălțat cu pantofi negri **III** *adj F* făcut, „ciupit", – beat

on-again, off-again ['ɔnə'gen, 'ɔfə'gen] *adj atr* ↓ *amer* **1** care pornește și se oprește brusc **2** care nu mai pornește, nu începe *sau* nu e aplicat

onager ['ɔnədʒəʳ], *pl* și **onagri** ['ɔnə,grai] *s zool* onagăș *(Equus hemionus onager)*

onanism ['ounə,nizəm] *s med* onanie, masturbație

onanist ['ounənist] *s med* onanist

once [wʌns] **I** *adv* **1** o (singură) dată; **I see him ~ a week** îl văd o dată pe săptămână; **~ again/more** încă o dată; din nou; **~ every day** o dată pe zi; **~ (and) for all** odată pentru totdeauna; **~ in a while/way** uneori, când și când, rar(eori); **~ or twice** de câteva ori, în câteva rânduri; **not ~** nici o singură dată, niciodată; **more than ~** nu o dată, de mai multe ori; **(just) for ~** numai o dată; numai de data asta; **all at ~** brusc; pe neașteptate; **at ~** a acum, imediat; fără întârziere **b** odată, în același timp, simultan **2** odată, odinioară, altădată; pe vremuri; **he ~ met with an accident** odată i s-a întâmplat un accident; **~ upon a time there was** a fost odată ca niciodată; **there ~ lived** trăia odată/cândva/pe vremuri **3** *(cu un cuvânt de negație)* nicidecum, niciodată; **he never ~ offered to help her** nu s-a oferit niciodată să o ajute **II** *conj* odată; odată ce; dacă; în *sau* din momentul în care; **~ you agree, why not sign the document?** odată/de vreme ce ești de acord, de ce să nu semnezi documentul? **III** *adj* ← *înv* fost, de altădată; **my ~ friend** prietenul meu de altădată, fostul meu prieten **IV** *s:* **this/the ~** o singură dată; de data aceasta

once-over ['wʌns,ouvəʳ] *s* ← *F* ochire, privire, examinare sumară

oncology [ɔŋ'kɔlədʒi] *s med* oncologie

on-coming ['ɔn,kʌmiŋ] *adj* apropiat, care se apropie

on-coming of ['ɔn,kʌmiŋəv] *s* apropiere, sosirea apropiată *cu gen*

ondatra [ɔn'dætrə] *s zool* ondatra *(Ondatra zibethica)*

ondograph ['ɔndou,grɑːf] *s el* ondograf

ondometer [ɔn'dɔmitəʳ] *s* undametru, frecvențmetru

on-duty ['ɔn,djuːti] *adj atr (d. ținută etc.)* de serviciu

one [wʌn] **I** *num* **1** unu; unul *sau* una; un *sau* o; **~ boy and two girls** un băiat și două fete; **~ and five is six** unu și cu cinci fac șase; **~ of them was missing** unul din ei *sau* una din ele lipsea; **~ by ~** unul câte unul; **~ or two** câțiva **2** (numărul) unu; prim *sau* prima, întâi; **Canto One** Cântul întâi, Primul cânt; **Lesson One** Lecția întâi, Prima lecție **3** *(exprimând timpul cu subst)* un *sau* o; **~ day** într-o zi; **~ morning** într-o dimineață; **~ spring evening** într-o seară de primăvară **4** *(exprimând contrastul)* unul *sau* una; **can you tell (the) ~ from the other?** poți deosebi pe unul de celălalt? îi poți deosebi (între ei)? **~ another** unul pe altul; **~ and all** toți (fără excepție); **for ~ thing** printre alte motive **5** *(accentuat)* unul *sau* una; singurul *sau* singura; **there is only ~ way** există o singură cale; **no ~ of you** nici unul din voi; **the ~ thing needed** singurul lucru de care este nevoie **II** *pr* **1** **~ of** unul *sau* una din(tre); **he is not ~ of my acquaintances** nu este unul din cunoscuții mei, nu este un cunoscut de-al meu; **she is ~ of the family** e de-a familiei, face parte din familie **2** *(înlocuiește un subst cu art nehotărât sau un subst la pl cu* **some** *sau* **any)** unul *sau* una; **I haven't a clasp-knife. Can you lend me ~?** Nu am briceag. Poți să-mi împrumuți unul? **I haven't any stamps. Can you lend me ~?** Nu am timbre. Poți să-mi împrumuți unul? **3** ← *F* **the ~** cel *sau* cea care; **the ~s** cei *sau* cele care; **the ~s you've mentioned** cei pe care i-ai amintit **4** *(după un adj, înlocuind subst)* unul, una *etc.;*

cel, cea, cei *sau* cele; **there's a right answer and a wrong ~** iată un răspuns corect și unul greșit; **do you prefer the white ~?** o preferi pe cea albă? **I want a better ~** doresc unul mai bun **5** unul, un oarecare *sau* una, o oarecare **6** unul; cineva; *(în unele cazuri)* se; **I for ~** eu unul, în ceea ce mă privește; **he lay there like ~ dead** zăcea acolo ca mort; **he worked like ~ possessed** muncea ca un apucat/un nebun; **~ must observe the rules** regulile trebuie/se cer respectate; **~ never can tell** nu se știe niciodată/*F* ca pământul **III** *adj* **1** același *sau* aceeași; **they all went off in ~ direction** au plecat toți/cu toții în aceeași direcție **2** tot una, unul și același lucru; **it's all ~** e absolut același lucru; **it's all ~ to me** mi-e perfect egal; **~ and the same** unul și același *etc.;* **to be made/to become ~** a deveni una (și aceeași persoană); **he is president and secretary in ~** e președinte și secretar în același timp, e și președinte și secretar **3** unul, un oarecare *sau* una, o oarecare; **I asked ~ Smith** am întrebat pe un oarecare Smith

-one *suf* -onă: **acetone** acetonă

one-act ['wʌn,ækt] *adj atr (d. o piesă)* într-un act

one-acter ['wʌn,æktəʳ] *s teatru* piesă într-un act

one-aloner ['wʌnə'lounəʳ] *s* (om) singuratic

one another ['wʌnə'nʌðəʳ] *pr rec* unul pe altul; unul altuia; **in ~'s houses** fiecare în casa celuilalt; **from ~** unul de la altul/celălalt

one-armed ['wʌn,ɑːmd] *adj anat, tehn* cu un singur braț

one-decker ['wʌn'dekəʳ] *s nav* navă monopuntată, vas cu o singură punte

one-eyed ['wʌn,aid] *adj* cu un singur ochi; chior

onefold ['wʌnfould] *adj atr* **1** simplu, necomplicat **2** *fig* sincer, deschis

Onega [ʌ'njegə] *lac în Rusia*

one-horse ['wʌn,hɔːs] *adj atr* **1** cu un singur cal **2** de un cal putere **3** *fig* slab, neputincios **4** *fig F* ca vai de el; – inferior

one-ideaed ['wʌnai'diəd] *adj* **1** stăpânit/obsedat de o idee **2** *(d. cineva)* mărginit, limitat **3** *(d. concepții etc.)* îngust, limitat

O'Neill [ou'ni:l], **Eugene** *autor dramatic american (1888-1953)*

one-legged ['wʌn,legd] *adj* **1** cu un singur picior; olog **2** nedeplin; trunchiat **3** unilateral

one-man ['wʌn,mæn] *adj atr (acțio-nat)* de un singur om

oneness ['wʌnnis] *s* unitate, iden-titate

one-piece ['wʌn,pi:s] *adj atr* dintr-o singură bucată

oner ['wʌnə'] *s sl* **1** pasăre rară, om *sau* lucru neobișnuit **2** una zdravănă, – lovitură puternică **3** minciună sfruntată

onerous ['ɔnərəs] *adj* oneros, împo-vărător, apăsător

onerously ['ɔnərəsli] *adv* (în mod) oneros; dezavantajos

oneself [wʌn'self] **I** *pr refl* se; **to excuse** ~ a se scuza, a-și cere iertare **II** *pr de întărire* însuși *sau* însăși; **the greatest victory is to conquer** ~ cea mai mare victorie este să te cucerești pe tine însuți; **by** ~ singur, personal; neajutat

one-sided ['wʌn,saidid] *adj* **1** *geom* unilateral, având o singură latură **2** *fig* unilateral; limitat; părtinitor **3** aplecat într-o parte

one-way ['wʌn,wei] *adj atr* cu *sau* în sens unic

onfall ['ɔnfɔ:l] *s* atac

onflow ['ɔnflou] *s* curgere; flux

on-going ['ɔn,gouiŋ] *adj atr* care continuă; neîntrerupt

onion ['ʌnjən] *s bot* ceapă *(Allium cepa);* **off one's** ~ *sl* sărit de pe linie, nebun la cap; **to know one's ~s** *F* a fi vulpe bătrână, a ști ce și cum să facă, – a se pricepe

onion-eyed ['ʌnjən,aid] *adj* cu ochii plini de lacrimi

onion skin ['ʌnjən ,skin] *s* **1** cămașa cepei **2** hârtie subțire, foiță

onlooker ['ɔn,lukə'] *s* privitor, spec-tator

only ['ounli] **I** *adj* singur, unic; **the ~ thing needed** singurul lucru de care este nevoie; **an ~ child** unicul copil; **he's the ~ man for such a task** este singurul om potrivit pentru o asemenea sarcină; **my one and ~ friend** singurul meu prieten (adevărat) **II** *adv* numai, doar; **~ he was there** numai el era acolo; **I can ~ tell you what I know for sure** nu pot să-ți spun decât ceea ce știu sigur, pot să-ți spun numai ceea ce știu sigur; ~ **too** foarte, prea; **if ~** *(exprimând o dorință)* numai dacă/de; **if ~ he arrives in time!** numai de-ar sosi la timp! ~ **now** abia acum; **I have ~ to** n-am decât să; **not ~ ... but also...** nu numai... ci și... **III** *conj* atât/numai că; dacă nu

only that ['ounli ðæt] *conj v.* **only III**

onomastic [,ɔnə'mæstik] *adj lingv* onomastic

onomatology [,ɔnoumə'tɔlədʒi] *s lingv* onomastică

onomatopoeia [,ɔnə,mætə'pi:ə] *s ret* onomatopee

onomatopoeic [,ɔnə,mætə'pi:ik] *adj ret, lit* onomatopeic

onrush ['ɔn,rʌʃ] *s* năvală, atac

on-sale ['ɔn'seil] *adj atr* cu vânzare de băuturi alcoolice

onset ['ɔn,set] *s* **1** atac, asalt; izbucnire *(a vântului etc.)* **2** început; **at the first** ~ de la (bun) început

onshore ['ɔn,ʃɔ:'] *nav* **I** *adj atr* de coastă/litoral **II** *adv* spre coastă

onslaught ['ɔn,slɔ:t] *s* **(on)** atac violent (împotriva, asupra – *cu gen)*

Ontario [ɔn'tɛəriou] **1** lac în America de Nord **2** provincie în Canada

onto ['ɔntu] *prep* pe; **to get ~ a horse** a încăleca un cal

ontogenesis [,ɔntə'dʒenisis] *s biol* ontogeneză

ontogeny [ɔn'tɔdʒeni] *s biol* onto-genie

ontological [,ɔntə'lɔdʒikəl] *adj filos* ontologic

ontology [ɔn'tɔlədʒi] *s filos* onto-logie

onus ['ounəs] *s* **1** răspundere, sarcină, obligație **2** vină, acu-zație

onward ['ɔnwəd] **I** *adj* **1** înainte, în față **2** *fig* înainte; progresiv **II** *adv v.* **onwards**

onwards ['ɔnwədʒ] *adv* înainte; în față; mai departe

onyx ['ɔniks] *s minr* onix

oodles ['u:dəlz] *s pl F* grămezi, grămadă *(de bani etc.)*

oof [u:f] **I** *interj* (h)a! ăă! *(exprimând durerea loviturii în burtă)* **II** *s sl* înv lovele, – gologani, parale

oolite ['ouə,lait] *s* **1** *geol* oolit **2** *minr* calcar oolitic

oolitic [,ouə'litik] *adj geol, minr* oolitic

oolong ['u:,lɔŋ] *s* varietate de ceai chinezesc

oomph [umf] *s sl* vigoare, energie, vioiciune

oops [ups] *interj* haiti! na! *(am greșit; „am făcut o gafă")*

oops-a-daisy ['u:psə,deizi] *interj* hopa! sus!

ooze [u:z] **I** *s* **1** mâl, nămol; tină, noroi; aluviune **2** sol/pământ nămolos **3** *geol* infiltrație, supu-rare **4** curgere *sau* scurgere foarte lentă **II** *vi* a se prelinge; a curge *sau* a se scurge foarte încet **III** *vt* a elimina *(transpirație)*; a elimina prin transpirație

ooze away ['u:z ə'wei] *vi cu part adv* a slăbi, a dispărea; **his courage was oozing away** curajul îl părăsea

ooze out ['wu:z 'aut] *vi cu part adv (d. o știre etc.)* a transpira; a ieși la iveală

oozy ['u:zi] *adj* **1** nămolos, mâlos **2** ud, transpirat

op. *presc de la* **1** opera **2** opposite **3** operation **4** opus

opacity [ou'pæsiti] *s* **1** opacitate; caracter mat **2** întuneric, beznă **3** *fig* opacitate, obtuzitate, măr-ginire

opal ['oupəl] *s minr* opal

opalescence [,oupə'lesəns] *s* opa-lescență

opalescent [,oupə'lesənt] *adj* opa-lescent; lăptos, *rar* → opalin

opaline ['oupə,lain] **I** *s* sticlă opală/ lăptoasă **II** *adj v.* **opalescent**

opaque [ou'peik] *adj* **1** opac; întu-necat; mat **2** *fig* opac, obtuz, mărginit **3** *fig* opac, neclar, abscons

opaquely [ou'peikli] *adv* (în mod) neclar, abscons

opaqueness [ou'peiknis] *s* **1** opa-citate, obtuzitate, mărginire **2** neclaritate

op-art ['ɔp,ɑ:t] *s* op-art, „artă optică" *(pictură preocupată de efecte optice – formă a cubismului)*

op. cit. *presc de la* **opere citato** *lat* în lucrarea citată

ope [oup] *adj, vt, vi poetic v.* **open I-III**

open ['oupən] **I** *adj* **1** deschis; *(d. uşi, capace etc.)* dat la o parte; *(d. uşi, lăzi etc.)* neîncuiat; nezăvorât; **we often slept with ~ windows** dormeam adesea cu ferestrele deschise **2** *(d. un vehicul etc.)* deschis, neacoperit; decapotabil **3** *(d. terenuri)* deschis, neîngrădit, neîmprejmuit; **~ field** câmp deschis **4** deschis, liber, fără obstacole; **~ sea** *nav* mare înaltă; largă; **~ river** râu fără sloiuri/gheaţă; **~ water** apă fără sloiuri/gheaţă **5** *(d. o carte etc.)* deschis; *(d. o scrisoare etc.)* desfăcut **6** *(d. ochi)* deschis, mare; **with ~ eyes** *fig* conştient **7** *(d. mână, braţ etc.)* desfăcut; întins; **with ~ arms** *fig* cu braţele deschise; **with ~ hands** *fig* cu mână largă; generos **8** deschis, liber; accesibil; **~ port** *nav* port liber **9** *(d. iarnă)* fără zăpadă şi geruri **10** *(d. o şedinţă etc.)* deschis **11** *(d. un post)* liber, vacant, neocupat **12** *(d. o ceartă etc.)* făţiş, pe faţă; deschis **13** *(d. felul de a fi al cuiva)* deschis, sincer; cinstit; direct **14** *(d. o problemă etc.)* deschis, nerezolvat **15** *(d. un oraş etc.)* deschis, neapărat **16** *fon* deschis **17** *tehn* deschis; declanşat; liber, desfăcut **18** *mat* strict posibil **II** *vt* **1** a deschide; a descuia; a desface; a da la o parte; **to ~ the door to smth** *fig* a lăsa drum liber/o portiţă unui lucru **2** a deschide, a descoperi; a scoate capota *etc. (cu gen)* **3** a deschide *(ochii, gura etc.)*; **to ~ one's eyes** *a şi fig* a face ochii mari; **to ~ smb's eyes to smth** *fig* a deschide ochii cuiva asupra unui lucru **4** a deschide *(o carte etc.)*; a deschide, a desface *(o scrisoare etc.)* **5** a deschide, a începe *(o şedinţă etc.)*; a declara deschis **6** a desface *(mâna, braţul etc.)* **7** *fig* a deschide, a destăinui *(sufletul, inima etc.)* **8** a rări *(rândurile)* **9** *fon* a deschide **10** *min* a rupe, a forţa **11** *text* a desface, a destrăma **12** *fig* a face public, a da publicităţii; a revela **III** *vi* **1** a se deschide; a se descuia; a se desface; a se da

la o parte **2** *(cu diferite subiecte)* a se deschide; a se desface **3** *(d. o şedinţă etc.)* a se deschide, a începe **4** *fon* a se deschide **5** *tehn (d. frână etc.)* a se slăbi **6** *(d. o privelişte)* a se deschide, a se înfăţişa **IV** *s* **1** deschizătură **2 the ~** spaţiul liber/deschis **3 the ~** *nav* mare liberă; larg **4 the ~** aer liber // **to come into the ~** a ieşi la iveală; a fi dat publicităţii

open account ['oupən ə'kaunt] *s ec* cont deschis

open-air ['oupən ˌɛə'] **I** *s* aer liber **II** *adj atr* în aer liber

open-and-shut ['oupənən,ʃʌt] *adj atr (d. un caz etc.)* foarte clar, evident

open car ['oupən ˌkʌːʳ] *s auto* automobil deschis/decapotabil

open cast ['oupən ˌkaːst] *s min* exploatare la zi

open circuit ['oupən ˌsəːkit] *s el* circuit deschis

open-door policy ['oupən ˌdɔː'pɔlisi] *s* politica uşilor deschise *(comerţ îngăduit străinilor într-o ţară)*

opener ['oupənəʳ] *s* **1** tirbuşon **2** cheie, deschizător *(pt conserve)*

open-eyed ['oupən,aid] *adj* **1** cu ochii mari, surprins **2** vigilent, atent

open-faced ['oupən ˌfeist] *adj fig* cu faţa deschisă/luminoasă

open-handed ['oupən,hændid] *adj fig* cu mâna largă, generos

open-handedly ['oupən,hændidli] *adv* cu generozitate/dărnicie, generos

open-handedness ['oupən ˌhæn didnis] *s* mărinimie, generozitate, dărnicie

open-hearted ['oupən,haːtid] *adj fig* **1** cu inima deschisă, sincer, deschis **2** darnic, generos

open-heartedly ['oupən,haːtidli] *adv* **1** cu inima deschisă, sincer, cu francheţe **2** cu mărinimie, generos

open-heartedness ['oupən, haːti dnis] *s* **1** sinceritate **2** mărinimie, generozitate

open hearth ['oupən ,haːθ] *s met* vatră deschisă

opening ['oupəniŋ] **I** *s* **1** deschidere, deschizătură; gaură, orificiu **2** *geogr* chei; trecătoare, pas **3** deschidere, început; inaugurare;

parte introductivă **4** ocazie fericită, prilej fericit; şansă **5** luminiş; poiană **6** *tehn* interspaţiu; spaţiu liber; lumină **7** post liber/vacant **8** *cin* premieră **9** *sport* loc/spaţiu neapărat **II** *adj atr* de început/deschidere; inaugural

opening night ['oupəniŋ ˌnait] *s teatru* premieră

opening time ['oupəniŋ ˌtaim] *s* oră de deschidere

open into ['oupən ˌintə] *vi cu prep (d. o cameră etc.)* a da înspre, a avea vedere spre

open letter ['oupən ˌletəʳ] *s fig* scrisoare deschisă

openly ['oupənli] *adv* **1** deschis, făţiş, pe faţă **2** (în mod) public

open-minded ['oupən,maindid] *adj* **1** cu orizont (larg) **2** lipsit de prejudecăţi; descuiat **3** receptiv *(la nou etc.)*

open-mindedly ['oupən,maindidli] *adv* **1** larg, cuprinzător **2** imparţial; fără prejudecăţi

open-mindedness ['oupən'maind idnis] *s* **1** orizont (larg), vederi largi **2** lipsă de prejudecăţi **3** receptivitate *(în privinţa noului etc.)*

open-mouthed ['oupən,mauðd] *adj* **1** căscat, cu gura deschisă **2** cu gura căscată (de uimire) **3** lacom, hămesit **4** *F* cu gura mare, – gălăgios, zgomotos

openness ['oupənnis] *s* **1** sinceritate, francheţe **2** evidenţă, caracter vădit/manifest

open oneself to ['oupən wʌn'self tə] *vr cu prep* a se deschide, a-şi deschide sufletul/inima, a se destăinui cuiva

open out ['oupən ˌaut] **I** *vt cu part adv* **1** a desface *(aripile, braţele etc.)* **2** a destăinui, a revela, a face cunoscut, a da în vileag **II** *vi cu part adv* **1** a se deschide, a se desface **2** a vorbi deschis

open question ['oupən 'kwestʃən] *s* problemă deschisă

open sandwich ['oupən 'sændwidʒ] *s* sandviş dintr-o singură felie

open season ['oupən ˌsiːzən] *s* sezon de vânătoare

open secret ['oupən ˌsiːkrit] *s* secret ştiut de toţi

open shop ['oupən 'ʃɔp] *s* loc de muncă necondiţionat de apartenenţa la un sindicat

open to ['oupən tə] *adj cu prep* **1** receptiv la; care primește ușor *(sfaturi etc.)* **2** pasibil de; supus *cu dat;* expus *cu dat*

open up ['oupən'ʌp] **I** *vi cu part adv* **1** a se deschide; a se desface **2** ← *F* a vorbi liber *sau* cu înflăcărare **II** *vt* **1** a deschide; a desface **2** a începe **3** *tehn* a deconecta

open vowel ['oupən ˌvauəl] *s fon* vocală deschisă

open-work ['oupən'wə:k] *s* ajur

opera[1] ['ɔpərə] *s muz* **1** operă *(lucrare, clădire)* **2** text de operă, libret

opera[2] *pl de la* **opus**

operability [ˌɔpərə'biliti] *s* operabilitate

operable ['ɔpərəbəl] *adj* **1** *med* operabil **2** realizabil, executabil **3** *tehn* care funcționează; în funcție

opera bouffe ['ɔpərə 'bu:f] *s fr muz* operă bufă/comică

opera cloak ['ɔpərə ˌklouk] *s* capă

opera glasses ['ɔpərə ˌgla:siz] *s pl* binoclu de teatru

opera hat ['ɔpərə ˌhæt] *s* clac

opera house ['ɔpərə ˌhaus] *s* (teatru de) operă

operand ['ɔpəˌrænd] *s mat* număr operator

operate ['ɔpəˌreit] **I** *vt* **1** a manipula, a mânui; a acționa **2** a conduce; a administra; a avea în subordine **3** *tehn* a prelucra, a exploata **4** a opera, a produce *(schimbări etc.)* **II** *vi* **1** a opera, a funcționa; a lucra, a acționa; **the lift did not ~ properly** liftul nu funcționa/F → mergea cum trebuie **2** (**on, upon**) *(d. un medicament etc.)* a avea efect (asupra – *cu gen)* **3** (**on, upon**) *med* a opera, a face o operație (pe); **to be ~d (up)on** *(d. cineva)* a fi operat **4** *mil* a opera

operatic [ˌɔpə'rætik] *adj muz* de operă

operating ['ɔpəˌreitiŋ] *adj* **1** *med* de *sau* pentru operații; chirurgical **2** *(d. reparații etc.)* curent **3** *tehn* de exploatare; de acțiune; de lucru/regim **4** *tehn* de comandă **5** tehnic; de deservire

operating theatre ['ɔpəˌreitiŋ 'θiətə'] *s med* sală de operații

operation [ˌɔpə'reiʃ ən] *s* **1** operație, acțiune; muncă, lucru; acționare,

punere în funcțiune; **to come into ~ a** a intra în funcțiune **b** *(d. legi etc.)* a intra în vigoare; **to call into ~** a pune în funcțiune *sau* mișcare; **in ~ a** în funcțiune **b** în vigoare **2** proces, activitate, desfășurare **3** *med* operație **4** forță, putere; influență **5** *ec* producție **6** *mil, mat* operați(un)e

operational [ˌɔpə'reiʃ ənəl] *adj* **1** operațional; de operații **2** gata (de funcționare)

operationally [ˌɔpə'reiʃ ənəli] *adv* (din punct de vedere) operațional

operational/operations research [ˌɔpə'reiʃ ənəl/ˌɔpə'reiʃ ənz ri'sə:tʃ] *s* cercetare operațională

operative ['ɔpərətiv] **I** *adj* **1** operativ, de acțiune; activ; **to become ~** *(d. o lege etc.)* a intra în vigoare **2** operativ, expeditiv, eficace; activ **3** *med* operator, chirurgical **4** *ec* bun/apt pentru exploatare **5** *tehn* în bună stare (de funcționare) **6** *(d. cuvinte)* foarte important **II** *s* muncitor ↓ calificat; operator **2** detectiv

operator ['ɔpəˌreitə'] *s* **1** operator; mecanic; mașinist; șofer; motorist; telefonist; manipulant; conducător **2** *med* operator, chirurg **3** proprietar *sau* administrator *(al unei firme, fabrici etc.)*

operculum [ou'pə:kjuləm], *pl și* **opercula** [ou'pə:kjulə] *s bot, zool* opercul

operetta [ˌɔpə'retə] *s muz* operetă

operose ['ɔpəˌrous] *adj* **1** muncitor, harnic **2** *(d. efort etc.)* obositor

Ophelia [ɔ'fi:ljə] *nume fem* Ofelia

ophicleide ['ɔfiˌklaid] *s muz* oficleid

ophidian [ou'fidiən] *s zool* ofidian, șarpe

ophthalmia [ɔf'θælmiə] *s med* oftalmie

ophthalmic [ɔf'θælmik] *adj med* oftalmic, de ochi

ophthalmologic [ɔfˌθælmə'lɔdʒik] *adj med* oftalmologic

ophthalmologist [ˌɔfθæl'mɔlədʒist] *s med* oftalmolog, oculist

ophthalmology [ˌɔfθæl'mɔlədʒi] *s med* oftalmologie

ophthalmoscope [ɔf'θælməˌskoup] *s med* oftalmoscop

opiate ['oupiit] *s* **1** narcotic **2** *fig* opiu

opine that [ou'pain ˌðət] *vt cu conj* ↓ *glumeț* a-și da cu părerea că, ~ a fi de părere că

opinion [ə'pinjən] *s* **1** părere, opinie; punct de vedere, convingere; **to be of ~ that** a fi de părere că; **to have no ~ of** a nu avea o părere bună despre; **in my ~** după părerea mea, după mine; **to have the courage of one's ~s** a avea curajul opiniilor sale **2** părere (a unui specialist); apreciere; concluzie; verdict; **to have the best ~** a consulta pe cel mai bun specialist

opinionated [ə'pinjəˌneitid] *adj* **1** încăpățânat; dogmatic, doctrinar **2** pedant **3** înfumurat, încrezut

opinioned [ə'pinjənd] *adj* **1** *v.* **opinionated 2** având păreri aparte

opium ['oupiəm] *s* opiu

opium poppy ['oupiəm 'pɔpi] *s bot* mac *(Papaver somniferum)*

Oporto [ə'pɔ:tou] *port în Portugalia*

opossum [ə'pɔsəm] *s zool* oposum cu marsupiu *(Didelphis virginiana)*

opp. *presc de la* **1 opposed 2 opposite**

oppidan ['ɔpidən] *s* ← *rar* orășean

opponency [ə'pounənsi] *s* opoziție, rezistență

opponent [ə'pounənt] **I** *adj* **1** opus, contrar; așezat față-n față **2** ostil, dușmănos **II** *s* oponent, adversar

opportune ['ɔpəˌtju:n] *adj* oportun, adecvat, potrivit, nimerit; **an ~ rain** o ploaie venită la timp/binevenită

opportunely ['ɔpəˌtju:nli] *adv* la momentul potrivit/oportun

opportuneness ['ɔpəˌtju:nnis] *s* oportunitate, caracter oportun

opportunism [ˌɔpə'tju:nizəm] *s pol* oportunism

opportunist [ˌɔpə'tju:nist] *s pol* oportunist

opportunistic [ˌɔpətju:'nistik] *adj pol* oportunist

opportunity [ˌɔpə'tju:niti] *s* prilej favorabil, ocazie favorabilă; moment potrivit; **we have little ~ for hearing good music** nu prea avem posibilitatea/ocazia să auzim muzică bună

opposability [əˌpouzə'biliti] *s* opozabilitate

opposable [ə'pouzəbəl] *adj* **1** opozabil **2** contrastabil

oppose [ə'pouz] **I** *vt* **1** (**with, against**) a opune *(cu dat)*, a contrasta (cu) **2** a opune *(rezistență etc.)* **3** a se opune *cu dat,* a fi împotriva *(unei rezoluţii etc.);* a lupta împotrivă/contra *cu gen* **II** *vi* **(to)** a se opune, a opune rezistenţă *(cu dat)*

opposed [ə'pouzd] *adj* opus, contrar; invers

opposed to [ə'pouzdtə] *adj cu prep* ostil *cu dat;* în dezacord cu; **I am very much ~ his plan** mă opun în mod hotărât planului său; nu sunt deloc de acord cu planul lui

opposeless [ə'pouzlis] *adj poetic* (de) nebiruit, de neînfrânt

opposer [ə'pouzə^r] *s* opozant; adversar, potrivnic

opposite ['ɔpəzit] **I** *adj* **1 (to)** opus, contrar *(cu dat);* invers (faţă de); **on the ~ side of the road** de *sau* pe partea cealaltă/opusă a drumului *sau* străzii; **in the ~ direction** în direcţia opusă/contrară **2** *lingv (d. cuvinte etc.)* **(to)** opus, contrar cealaltă *cu gen;* antonimic (faţă de) **II** *s* **1** (raport de) opoziţie **2 the ~** opusul, contrariul **3** lucru *sau* cuvânt opus; **black and white are ~s** negru şi alb sunt antonime **III** *adv* vizavi, pe cealaltă parte a străzii *etc.;* **there was a ball ~** a fost un bal în clădirea/casa de peste drum **IV** *prep* **1** vizavi de; de, pe *sau* în partea cealaltă *cu gen;* **it happened ~ the square** s-a întâmplat în partea cealaltă a pieţii **2** *teatru* ca partener *(al cuiva)*

opposite number ['ɔpəzit ˌnʌmbə^r] *s* partener, omolog *(ca funcţie etc.)*

opposite to ['ɔpəzit tə] *prep v.* **opposite IV, 1**

opposition [ˌɔpə'ziʃən] *s* **1** opoziţie, deosebire izbitoare, contrast marcat **2** opoziţie, opunere, rezistenţă **3** *pol, astr* opoziţie **4** *el* opoziţie de fază; antifază

oppress [ə'pres] *vt* **1** a apăsa *(cugetul etc.),* a împovăra **2** a asupri, a împila, a oprima; a persecuta, a prigoni

oppression [ə'preʃən] *s* **1** apăsare; **a feeling of ~** un sentiment de apăsare/apăsător **2** asuprire, împilare, oprimare; persecuţie, prigoană

oppressive [ə'presiv] *adj* **1** *(d. impozite etc.)* greu; apăsător; insuportabil; *(d. aer etc.)* înăbuşitor **2** despotic, tiranic

oppressively [ə'presivli] *adv* cu asprime/cruzime, despotic

oppressiveness [ə'presivnis] *s* zăpuşeală, zăduf

oppressor [ə'presə^r] *s* asupritor; < despot, tiran

opprobrious [ə'proubriəs] *adj* **1** *(d. limbaj etc.)* urât; de ocară **2** *(d. comportare etc.)* ruşinos; scandalos; < infam

opprobrium [ə'proubriəm] *s* oprobriu, dezavuare, dispreţ, desconsiderare

oppugn [ə'pju:n] *vt* a pune în discuţie, a contesta, a disputa

ops [ɔps] *s pl sl* operaţii militare

opt [ɔpt] *vi* **(for)** a opta (pentru)

opt. *presc de la* **1** optics **2** optician **3** optional

optation [ɔp'teiʃən] *s* opţiune

optative ['ɔptətiv] *gram* **I** *adj* optativ **II** *s* **the ~** (modul) optativ

optic ['ɔptik] **I** *adj anat* optic, ocular **II** *s* ← ochi

optical ['ɔptikəl] *adj* **1** *anat* optic, ocular; vizual **2** optic, de optică

optical glass ['ɔptikəl ˌglɑːs] *s opt* sticlă optică

optical illusion ['ɔptikəl i'luːʒən] *s* iluzie optică

optically ['ɔptikəli] *adv* din punct de vedere optic

optician [ɔp'tiʃən] *s* optician

optic nerve ['ɔptik ˌnəːv] *s anat* nerv optic

optics ['ɔptiks] *s pl ca sg fiz* optică

optimism ['ɔpti'mizəm] *s* optimism

optimist [ˌɔptimist] *s* optimist

optimistic [ˌɔpti'mistik] *adj* optimist

optimistically [ˌɔpti'mistikəli] *adv* (în mod) optimist

optimize ['ɔptimaiz] **I** *vi* a fi (un) optimist **II** *vt* a privi cu optimism

optimum ['ɔptiməm] **I** *pl şi* **optima** ['ɔptimə] *s* **1** cele mai bune/favorabile condiţii **2** *ec* valoare maximă **II** *adj atr* optim, cel mai bun; cel mai favorabil

option ['ɔpʃən] *s* **1** opţiune, drept de a alege, alegere; libertate de alegere; **I had no ~** nu aveam altă alternativă/alegere **2** *ec* opţiune; selecţie, alegere **3** *jur* drept *(de a opta pentru amendă etc.)* **4** alegere, lucru ales; **none of the ~s is satisfactory** n-ai ce/de unde alege

optional ['ɔpʃənəl] *adj* facultativ, neobligatoriu

optionally ['ɔpʃənəli] *adv* (în mod) facultativ, la alegere

optometer [ɔp'tɔmitə^r] *s fiz* optometru

optometry [ɔp'tɔmitri] *s* **1** *fiz* optometrie **2** fotometrie

opt out ['ɔpt 'aut] *vt cu part adv* ← F **1** a declara că nu optează pentru **2** a prefera să nu ia parte la

opulence ['ɔpjuləns] *s* **1** bogăţie, avere **2** belşug, abundenţă

opulent ['ɔpjulənt] *adj* **1** bogat, avut **2** îmbelşugat, abundent; *(d. vegetaţie)* luxuriant

opulently ['ɔpjuləntli] *adv* **1** în belşug, având de toate **2** din belşug, abundent

opus ['oupəs], *pl şi* **opera** ['ɔpərə] *s muz* opus

or [ɔː^r] *conj* **1** sau, ori; **white ~ black** alb sau/ori negru; **either... ~...** fie... fie..., sau... sau..., ori... ori...; **whether... ~...** dacă ... sau ...; **I put it on the table ~ somewhere** am pus-o pe masă sau pe undeva pe-acolo; **a minute ~ two** un minut, două **2** altfel, altminteri; dacă nu; în caz contrar; **wear your coat ~ (else) you'll be cold** pune-ţi paltonul ca să nu răceşti/altfel o să răceşti **3** sau (, mai exact/precis); **this play ~ (rather) farce** această piesă sau (, mai precis,) farsă

-or *suf* -or; -oare: **inventor** inventator; **terror** teroare

Or. *presc de la* **1** Oriental **2** Oregon

orach(e) ['ɔritʃ] *s bot* lobodă *(Atriplex hortensis)*

oracle ['ɔrəkəl] *s* **1** *od* oracol **2** *fig* prezicere; profeţie **3** *fig* prezicător; profet

oracular [ɔ'rækjulə^r] *adj* **1** oracular; profetic **2** dogmatic **3** ambiguu, echivoc **4** neclar, confuz

oral ['ɔːrəl] **I** *adj* **1** oral, verbal **2** *med* bucal **II** *s şcol, univ* (examen) oral

orally ['ɔːrəli] *adv* **1** oral, verbal **2** *med etc.* pe cale bucală

Oran ['ɔræn] *oraş în Algeria*

orang ['ɔːræŋ] *s v.* **orang-outang**

Orange ['ɔrindʒ] **1** *oraş în S.U.A.* **2 the ~** *fluviu în Africa*

orange **I** *s* **1** *bot* portocal *(Citrus sinensis)* **2** portocală **3** portocaliu, culoare portocalie, *rar* oranj **II** *adj* portocaliu

orangeade [ˌɔrindʒ'eid] *s* oranjadă

Orange Free State, the ['ɔrindʒ‚fri: 'steit, ði] Statul Liber Orange *(provincie a Uniunii Sud-africane)*

Orangeman ['ɔrindʒmən] *s pol* membru al unei organizații protestante din Irlanda de Nord

orangery ['ɔrindʒri] *s* orangerie, seră de portocali

orang-outang, ourang-utan [ɔ:'ræŋu:‚tæŋ] *s zool* urangutan *(Pongo pymaeus)*

orarian [ɔ'rɛəriən] I *adj* de coastă/ țărm, *nav* costier II *s* locuitor de coastă

orate [ɔ:'reit] *vi glumeț* a perora; a ține discursuri

oration [ɔ:'reiʃən] *s* 1 discurs (↓ solemn) 2 *gram* vorbire (directă, indirectă) 3 *înv* rugă, – rugăciune

orator ['ɔrətə'] *s* 1 orator, vorbitor 2 *jur amer* reclamant

oratorical [‚ɔrə'tɔrikəl] *adj* oratoric; retoric; elocvent

oratorically [ɔrə'tɔrikəli] *adv* oratoric, ca un orator

oratorio [‚ɔrə'tɔ:riou] *s muz* oratoriu

oratorize ['ɔrətəraiz] *vi* a perora

oratorship ['ɔrətəʃip] *s* calitatea *sau* funcția de orator

oratory[1] ['ɔrətəri] *s bis* oratoriu; paraclis

oratory[2] *s* retorică, elocință, elocvență

oratress ['ɔrətris] *s* (femeie) orator

orb [ɔ:b] I *s* 1 glob; sferă 2 corp ceresc, sferă cerească; planetă; *poetic* luminător 3 the ~ ← *înv* pământul 4 *poetic* luminător, – ochi 5 ← *înv* domeniu/sferă de activitate 6 *astr etc.* orbită II *vt poetic* a încinge, – a încercui; a închide III *vi* 1 *astr etc.* a se mișca pe o orbită 2 ← *poetic* a lua o formă sferică

orbit ['ɔ:bit] I *s* 1 orbită; traiectorie; **to be in** ~ a fi plasat pe o orbită 2 *anat* orbită, cavitate orbitală 3 *fig* domeniu/sferă de activitate 4 *mat* suprafață de tranzitivitate; orbital II *vi astr* a se mișca/a se deplasa pe o orbită, a se învârti

orbital ['ɔ:bitəl] *adj fiz* orbital

O.R.C. *presc de la* **Officers' Reserve Corps**

Orcadian [ɔ:'keidiən] I *adj* din insulele Orkney II *s* locuitor al insulelor Orkney

orch. *presc de la* **orchestra**

orchard ['ɔ:tʃəd] *s* livadă, pomet

orchard grass ['ɔ:tʃəd ‚grɑ:s] *s bot* golomăț *(Dactylis glomerata)*

orchard house ['ɔ:tʃəd ‚haus] *s* seră

orcharding ['ɔ:tʃədiŋ] *s* 1 pomicultură 2 *amer* livezi, pometuri

orchardist ['ɔ:tʃədist] *s* pomicultor

orchestic [ɔ:'kestik] *adj* de dans

orchestics [ɔ:'kestiks] *s pl ca sg* arta dansului, coregrafie

orchestra ['ɔ:kistrə] *s* 1 orchestră 2 loc pentru orchestră *sau* cor 3 *teatru amer* parter; fotoliul; stal

orchestral ['ɔ:kistrəl] *adj muz* orchestral, de orchestră

orchestra pit ['ɔ:kistrə ‚pit] *s teatru* orchestră *(între scenă și public)*

orchestrate ['ɔ:kistreit] *vt muz* a orchestra

orchestration [‚ɔ:ki'streiʃən] *s muz* orchestrație; orchestrare

orchestrelle [‚ɔ:ke'strel] *s amer* 1 orchestră mică 2 orchestră de estradă

orchestrina [‚ɔ:kis'tri:nə] *s muz* orchestrion

orchestrion [ɔ:'kestriən] *s muz* orchestrion

orchid ['ɔ:kid] *s bot* orhidee *(Orchidaceae sp.)*

orchis ['ɔ:kis] *s v.* **orchid**

ordain [ɔ:'dein] *vt* 1 *bis* a hirotonisi 2 a predestina; a meni, a soroci

ordeal [ɔ:'di:l] *s* 1 *od* ordalie 2 *fig* încercare/ispitire grea 3 *fig* chin

order ['ɔ:də'] I *s* 1 ordine, succesiune; serie; secvență; **in alphabetical** ~ în ordine alfabetică; **in ~ of importance** în ordinea importanței, după importanță 2 ordine, (bună) rânduială; stare de funcționare; **to put a room in** ~ a face ordine într-o cameră; **out of ~ a** stricat, defect, care nu funcționează **b** *(d. stomac etc.)* deranjat 3 ordine, disciplină; liniște, pace; **to keep** ~ a menține ordinea/ liniștea; **to call to** ~ a chema la ordine 4 ordin(e); regulament; statut 5 ↓ *pl* ordin, poruncă; **to be under ~s to do smth** a avea ordin/a fi primit ordinul de a face ceva; **by** ~ **of** din ordinul *cu gen;* **it's doctor's ~s** așa a zis/a dispus doctorul; **under the ~s of** sub comanda *cu gen* 6 *ec* comandă; **made to** ~ făcut la comandă; **on** ~ comandat, dar nelivrat; **a large/tall** ~ F treabă

grea, – lucru greu de făcut *sau* de procurat 7 *fin* ordin de plată 8 comandă *(la restaurant)* 9 *(numai în expresii)* scop, intenție 10 *jur* hotărâre, decizie 11 ordin, clasă, fel, categorie; **of quite another** ~ de un ordin cu totul diferit 12 poziție, clasă (socială); rang 13 *biol* ordin; sistem 14 *bis* ordin; cin; *pl* preoție; **to take ~s** a fi hirotonisit 15 *ist* ordin (cavaleresc) 16 ordin *(distincție)* 17 *arhit* ordin; stil 18 *rel* ordin; ceată *(a îngerilor)* 19 bilet gratuit; bilet de favoare 20 *mil* ordine *(de bătaie etc.);* **to advance in close** ~ a înainta în rânduri strânse/ordine strânsă // **in** ~ **to/that** ca să, cu scopul de a; **in** ~ *amer* cum trebuie, în ordine; **in short** ~ **a** repede **b** *amer* imediat, îndată; **of the** ~ **of** de ordinul *cu gen,* aproximativ II *vt* 1 a ordona, a porunci; > a prescrie, a recomanda; **he was ~ed out of the hall** i s-a spus să plece din sală; **the doctor had ~ed him perfect quiet** doctorul îi prescrisese liniște desăvârșită 2 a comanda *(masa, un fel de mâncare etc.);* a face o comandă de *(cărți etc.)* 3 a aranja, a rândui; a sistematiza; a organiza 4 a prescrie *(o rețetă etc.)* 5 a trimite *(pe cineva)* cu ordin; a delega III *vi* 1 a comanda, a porunci, a da ordine 2 a face ordine

order about/around ['ɔ:dərə'baut/ ə'raund] *vt cu part adv* a da ordine *(cuiva),* a comanda *(cuiva);* I **won't be ordered about** mie să nu mi se comande, nu primesc ordine

order arms ['ɔ:dər ‚ɑ:mz] *vt cu s pl mil* a comanda arma la picior

order book ['ɔ:də ‚buk] *s com* caiet/ registru de comenzi

ordered ['ɔ:dəd] *adj* 1 ordonat, pus în ordine 2 ordonat, comandat

order form ['ɔ:də ‚fɔ:m] *s ec* formular/foaie de comandă

ordering ['ɔ:dəriŋ] *s* 1 ordonare, punere în ordine; rânduire 2 repartizare, repartiție, distribuție 3 conducere, dirijare 4 *com* comandă

orderless ['ɔ:dəlis] *adj* dezordonat

orderliness ['ɔ:dəlinis] *s* 1 ordine, rânduială 2 acuratețe 3 respectare a legilor

orderly ['ɔːdəli] **I** *adj* **1** îngrijit, curat; pus în ordine **2** *(d. spirit etc.)* ordonat, sistematic **3** disciplinat, ordonat; liniştit **4** *mil* de serviciu **II** *s* **1** *mil* ordonanţă **2** *mil* subofiţer sanitar **3** *med* infirmier **4** măturător de stradă

orderly room ['ɔːdəli ˌruːm] *s mil* cancelarie *(de companie sau batalion)*

order of the day ['ɔːdər əv ðə 'dei] *s* ordine de zi

Order of the Garter, the ['ɔːdər əv ðə 'gɑːtəʳ, ði] *s* Ordinul Jartierei

order paper ['ɔːdə 'peipəʳ] *s* ordine de zi *(în formă scrisă)*

order(s) to view ['ɔːdə(z) tə 'vjuː] *s* permis de a vizita o casă pusă în vânzare

order word ['ɔːdə ˌwəːd] *s mil* parolă

ordinal ['ɔːdinəl] **I** *adj (d. un numeral)* ordinal **II** *s* numeral ordinal

ordinance ['ɔːdinəns] *s* **1** ordin; decret; hotărâre **2** ritual

ordinand ['ɔːdiˌnænd] *s bis* candidat la hirotonisire

ordinarily ['ɔːdənrili] *adv* de obicei, în mod obişnuit, de regulă

ordinariness ['ɔːdənrinis] *s* normal, uz, obişnuinţă

ordinary ['ɔːdənri] **I** *adj* **1** obişnuit; uzual; cotidian; normal; regulat **2** comun, ordinar **II** *s* **1** normal, cotidian; **out of the** ~ neobişnuit, excepţional; **nothing out of the** ~ nimic neobişnuit **2** condiţii de serviciu obişnuite/normale **3** tavernă, cârciumă **4** *bis* tipic, rânduială, ritual **5** *bis* trebnic **6** masa de toate zilele; meniu fix // **in** ~ în serviciu regulat *sau* permanent

ordinary call ['ɔːdənri ˌkɔːl] *s tel* convorbire particulară

ordinary chain ['ɔːdənri ˌtʃein] *s tehn* lanţ necalibrat

ordinary seaman ['ɔːdnəri ˌsiːmən] *s nav* marinar necalificat

ordinate ['ɔːdinit] *s mat* ordonată

ordination [ˌɔːdi'neiʃən] *s bis* hirotonisire

ordinee [ˌɔːdi'niː] *s* preot hirotonisit de curând

ordnance ['ɔːdnəns] *s mil* **1** artilerie; piese de artilerie **2** armament; tehnică de luptă **3** tehnică de artilerie şi materiale

ordnance survey ['ɔːdnəns 'səːvi] *s top* **1** serviciul topografic naţional **2** ridicare topografică

ordo ['ɔːdou] *s bis* calendar bisericesc *(la catolici)*

ordonnance ['ɔːdənəns] *s* **1** *arte etc.* ordonanţă **2** ordonanţă, instrucţie, ordin, hotărâre

ordure ['ɔːdjuəʳ] *s* **1** murdărie; excremente; bălegar **2** *fig* murdărie; imoralitate, dezmăţ **3** *fig* cuvinte urâte

ore [ɔːʳ] *s* minereu

oread ['ɔːriˌæd] *s mit* oreadă

oregano [ˌɔːri'gɑːnou] *s bot* sovârv *(Origanum vulgare)*

Oregon ['ɔːrigən] *stat* în *S.U.A.*

Orel [ʌ'rjɔl] *regiune şi oraş în fosta U.R.S.S.*

or else [ˌɔːr'els] *conj* sau, altminteri, altfel, că de nu; **hurry up ~ you'll be late** grăbeşte-te, altfel ai să întârzii

org. *presc de la* **1** organic **2** organization

organ ['ɔːgən] *s* **1** *anat* organ; **the ~s of speech** organele vorbirii **2** voce **3** *muz* orgă **4** organ; organizaţie; instituţie **5** organ (de presă), ziar

organdie, organdy ['ɔːgəndi] *s text* organdi

organ grinder ['ɔːgən ˌgraindəʳ] *s* flaşnetar

organic [ɔː'gænik] *adj* **1** organic, privitor la organism **2** *fig* organic, unitar, inseparabil; constitutiv; **an ~ whole** un întreg organic **3** *ch* organic **4** *(d. legume etc.)* crescut fără îngrăşăminte artificiale; natural

organically [ɔː'gænikəli] *adv* **1** (din punct de vedere) organic **2** (în mod) organic

organic chemistry [ɔː'gænik 'kemistri] *s* chimie organică

organicism [ɔː'gæniˌsizəm] *s filos, biol* organicism

organism ['ɔːgəˌnizəm] *s* organism

organist ['ɔːgənist] *s muz* organist

organizable [ˌɔːgə'naizəbəl] *adj* organizabil, care poate fi organizat

organization [ˌɔːgənai'zeiʃən] *s* **1** organizare, alcătuire, formare, creare **2** organizare, alcătuire, întocmire; structură **3** organizaţie; asociaţie; unitate

organizational [ˌɔːgənai'zeiʃənəl] *adj* de organizare, organizatoric

organizationally ['ɔːgənai'zeiʃənəli] *adv* (din punct de vedere) organizatoric

organize ['ɔːgənaiz] **I** *vt* **1** a organiza, a alcătui, a forma, a crea, a întemeia; a institui **2** a organiza, a sistematiza; a aranja **3** *amer* a organiza într-un sindicat **4** a da viaţă *cu dat*, a anima **II** *vr* a se organiza **III** *vi* **1** a se organiza; a se planifica **2** a se sistematiza **3** a deveni organic **4** *amer* a se organiza într-un sindicat

organized ['ɔːgənaizd] *adj* organizat

organized matter ['ɔːgənaizd ˌmætəʳ] *s* materie organizată/vie

organizer ['ɔːgənaizəʳ] *s* **1** organizator **2** organizator sindical

organogenesis [ˌɔːgənou'dʒenisis] *s biol* organogeneză

organogenic [ˌɔːgənou'dʒenik] *adj biol* organogen

organogeny [ˌɔːgə'nɔdʒini] *s* organogenie

organon ['ɔːgəˌnɔn], *pl şi* **organa** ['ɔːgənə] *s* organon

organ pipe ['ɔːgən ˌpaip] *s muz* tub de orgă

organ player ['ɔːgən ˌpleiəʳ] *s muz* organist

orgasm ['ɔːgæzəm] *s fizl* orgasm

orgeat ['ɔːʒɑː] *s fr* lapte de migdale

orgiastic [ˌɔːdʒi'æstik] *adj* orgiac, cu caracter de orgie

orgy ['ɔːdʒi] *s* **1** orgie, desfrâu, dezmăţ **2** *fig* exces; **an ~ of killing** un adevărat măcel/masacru

oriel ['ɔːriəl] *s arhit* **1** foişor, balcon închis *(↓ la clădirile gotice)* **2** nişă, alcov **3** fereastră a foişorului

orient ['ɔːriənt] **I** *s* **1 the O~** Orient; Orientul Îndepărtat **2** ← *poetic* răsărit, est **II** *adj* ← *poetic* **1** răsăritean, oriental **2** *(↓ d. soare)* care răsare **III** *vt* **1** a orienta spre est; a îndrepta cu faţa spre est **2** *fig* a orienta **IV** *vr fig* a se orienta **V** *vi* **1** a se orienta *sau* a se întoarce spre est **2** *fig* a se orienta

oriental [ˌɔːri'entəl] **I** *adj* **1** ↓ **O~** oriental **2** estic, răsăritean **II** *s* ↓ **O~** oriental

Orientalism [ˌɔːri'entəˌlizəm] *s* **1** orientalism **2** orientalistică

Orientalist [ˌɔːri'entəlist] *s* orientalist

orientate ['ɔːrienteit] *vt, vr, vi v.* **orient III-V**

orientation [ˌɔːrien'teiʃən] *s* orientare; direcţie, sens

orifice ['ɔrifis] *s* orificiu, gaură; gură; deschizătură, deschidere

oriflamme ['ɔriflæm] *s fr fig* drapel, stindard

orig. *presc de la* 1 original 2 origin 3 originally

origanum [ə'rigənəm] *s bot* 1 sovârv (*Origanum vulgare*) 2 busuiocul cerbilor (*Mentha pulegium*)

origin ['ɔridʒin] *s* 1 origine, izvor, obârșie 2 origine, obârșie, neam, descendență 3 *tehn* origine, punct zero/inițial

original [ə'ridʒinəl] **I** *adj* 1 prim, inițial; (*d. o operă etc.*) original; (*d. un păcat etc.*) originar 2 original, personal; nou; creator 3 din naștere, înnăscut **II** *s* 1 original, exemplar prim; **in the ~** în original 2 original; excentric

originality [ə,ridʒi'næliti] *s* 1 autenticitate, caracter original 2 originalitate, personalitate; noutate 3 originalitate, ciudățenie, bizarerie; extravaganță

originally [ə'ridʒinəli] *adv* 1 la origine, inițial 2 (în mod) original; într-un mod/chip nou 3 în primul rând, mai ales

originary [ə'ridʒinəri] *adj* originar

originate [ə'ridʒineit] **I** *vt* a fi creatorul *cu gen;* a inventa, a crea **II** *vi* a-și avea originea/obârșia, a se trage; **the scheme ~d with the committee** planul a emanat de la comitet, planul a fost inițiat de (către) comitet

originating [ə'ridʒineitiŋ] *adj atr* de origine; de plecare; inițial

origination [ə,ridʒi'neiʃən] *s* 1 inițiere, concepere (*a unui plan etc.*) 2 *v.* **origin** 1

originator [ə'ridʒineitə'] *s* inițiator; autor, creator

Orinoco, the [,ɔri'noukou, ði] *fluviu* în America de Sud

oriole ['ɔ:ri'oul] *s* orn g(r)angur (*Oriolus oriolus*)

Orion [ə'raiən] *mit, astr*

orismology [,ɔriz'mɔlədʒi] *s* terminologie

orison ['ɔrizən] *s* înv rugă, – rugăciune

Orkney Islands, the ['ɔ:kni 'ailəndz, ði] Insulele Orkney

Orlando [ɔ:'lændou] *nume masc*

Orléans [ɔrle'ã] *oraș în Franța*

orlon ['ɔ:lɔn] *s text* orlon

orlop ['ɔ:lɔp] *s nav* punte inferioară falsă; punte platformă

Ormazd ['ɔ:məzd] *rel* Ormuzd, Ormazd

ormolu ['ɔ:mə,lu:] *s* 1 bronz aurit; bronz care imită aurul 2 aliaj de cupru, zinc și cositor

ornament ['ɔ:nəmənt] **I** *s* 1 ornament, podoabă 2 *pl bis* veșminte 3 *fig* trăsătură frumoasă de caracter 4 *muz* ornament **II** *vt* a ornamenta, a împodobi, a înfrumuseța

ornamental [,ɔ:nə'mentəl] **I** *adj* ornamental; decorativ **II** *s* plantă ornamentală

ornamentalize [,ɔ:nə'mentəlaiz] *vt* a ornamenta, a împodobi

ornamentally [,ɔ:nə'mentəli] *adv* decorativ, ca ornamentație

ornamentation [,ɔ:nəmen'teiʃən] *s* 1 ornamentare, decorare, împodobire 2 ornamentație; ansamblu ornamental 3 arta/tehnica ornamentării, ornamentație

ornamentist ['ɔ:nəmentist] *s* ornamentist

ornate [ɔ:'neit] *adj* 1 bogat împodobit/ornamentat 2 (*d. stil*) căutat, înflorit; prețios

ornately [ɔ:'neitli] *adv* cu multă ornamentație, ornat

ornateness [ɔ:'neitnis] *s* ornamentație excesivă

ornithological [,ɔ:niθə'lodʒikəl] *adj* ornitologic

ornithologist [,ɔ:ni'θɔlədʒist] *s* ornitolog

ornithology [,ɔ:ni'θɔlədʒi] *s* ornitologie

ornithomancy [ɔ:'niθou,mænsi] *s* ornitomanție

ornithorhynchus [,ɔ:niθou'riŋkəs] *s zool* ornitorinc (*Ornithorhincus paradoxus*)

ornery ['ɔ:nəri] *adj amer F* 1 – de proastă calitate 2 puturos, leneș 3 tâfnos, – supărăcios

ornithic [ɔ:'niθik] *adj* privitor la păsări, ornitologic

orogenesis [,ɔrou'dʒenisis] *s geol* orogenie, orogeneză

orogeny [ɔ'rɔdʒeni] *s v.* **orogenesis**

orographic [,ɔrou'græfik] *adj geogr* orografic

orography [ɔ'rɔgrəfi] *s geogr* orografie

orotund ['ɔroutʌnd] *adj* 1 (*d. voce*) sonor; plin; răsunător 2 demn,

impunător 3 afectat, prețios; pretențios 4 bombastic, pompos

orphan ['ɔ:fən] **I** *s* orfan **II** *adj atr* orfan, fără părinți **III** *vt* a lăsa/a face orfan, a lipsi de părinți

orphanage ['ɔ:fənidʒ] *s* 1 orfelinat 2 calitatea de orfan 3 orfani

orphanhood ['ɔ:fənhud] *s v.* **orphanage** 2

Orphean ['ɔ:fiən] *adj* 1 *mit* orfic 2 *fig* desfătător, încântător; minunat; suav

Orpheus ['ɔ:fiəs] *mit* Orfeu

Orphic ['ɔ:fik] *adj* 1 *v.* **Orphean** 1, 2 2 și o~ orfic, mistic

Orphism ['ɔ:fizəm] *s și arte* orfism

orpiment ['ɔ:pimənt] *s minr* auripigment

orpin(e) ['ɔ:pain] *s bot* iarbă grasă/ de șoldană (*Sedum maximum*)

orrery ['ɔrəri] *s* planetariu (*aparat*)

or so [ɔ:'sou] *conj + adv* sau cam așa ceva; aproximativ; **give me ten pieces ~** dă-mi vreo zece bucăți

Orson ['ɔ:sən] *nume masc*

ort [ɔ:t] *s min* fragment, deșeu

ortho- *pref* orto-: **orthorhombic** ortorombic

orthoclase ['ɔ:θou,kleis] *s minr* ortoclaz, ortoză

orthodontic [,ɔ:θou'dɔntik] *adj med* ortodontic

orthodontics [,ɔ:θou'dɔntiks] *s pl ca sg med* 1 ortodontologie 2 ortodonție

orthodox ['ɔ:θə,dɔks] *adj* 1 ortodox, drept-credincios 2 O~ *rel* ortodox, pravoslavnic 3 *fig* ortodox, corect, tradițional

orthodoxy ['ɔ:θə,dɔksi] *s* 1 *rel* ortodoxie, ortodoxism 2 *fig* caracter ortodox/corect

orthoepic [,ɔ:θou'epik] *adj* ortoepic; de pronunție; fonologic

orthoepy ['ɔ:θouepi] *s* ortoepie; fonologie; pronunție

orthogenesis [,ɔ:θou'dʒenisis] *s biol* ortogeneză

orthogonal [ɔ:'θɔgənəl] *adj geom* ortogonal, dreptunghiular

orthographic(al) [,ɔ:θə'græfik(əl)] *adj* ortografic

orthography [ɔ:'θɔgrəfi] *s* ortografie

orthop(a)edic [,ɔ:'θə'pi:dik] *adj* ortopedic

orthop(a)edics [,ɔ:θə'pi:diks] *s pl ca sg med* ortopedie

orthopteron [ɔ'θɔptərən], *pl* **orthoptera** [ɔ'θɔptərə] *s ent* ortopter

orthorhombic [,ɔ:θou'rɔmbik] *adj geom* ortorombic

orthoscopic [,ɔ:θou'skɔpik] *adj opt* ortoscopic

orthotropism [ɔ:'θɔtrə,pizəm] *s bot* ortotropism

ortolan ['ɔ:tələn] *s orn* ortolan *(Emberiza hortulana)*

Orville ['ɔ:vil] *nume masc*

-ory *suf* -or, -iv, -oriu *etc.*; **refectory** refector; **directory** directoriu; **laudatory** laudativ

oryx ['ɔriks] *s și ca pl zool* antilopă sudafricană cu coarne *(Oryx sp.)*

O/S, o/s *presc de la* **Old Style**

Osaka [ou'sa:kə] *oraș în Japonia*

Oscar ['ɔ:skər] *nume masc*

oscillate ['ɔsileit] *vi* 1 a oscila, a pendula 2 a vibra 3 a se legăna 4 *fig* a oscila, a ezita, a șovăi

oscillation [,ɔsi'leiʃən] *s* 1 oscilare, pendulare 2 oscilație 3 vibrație 4 legănare 5 *fig* oscilare, ezitare, șovăire; fluctuație, instabilitate

oscillator ['ɔsi,leitər] *s tel* oscilator

oscillatory ['ɔsilətəri] *adj* 1 oscilant 2 vibrator 3 *fig* oscilant, ezitant, șovăitor

oscillograph [ɔ'siləgra:f] *s el* oscilograf

oscilloscope [ɔ'siləskoup] *s tel* osciloscop

osculation [,ɔskju'leiʃən] *s* 1 ← *glumeț* sărut(at) 2 *mat* osculație

-ose[1] *suf* -oză: **sucroze** zaharoză

-ose[2] *suf adj* -os: **bellicose** belicos

osier ['ouziər] *s bot* salcie *(Salix sp.)*, ↓ răchită, (răchită de) mlajă, lozie *(Salix viminalis)*

Osiris [ou'sairis] *rel*

-osis *suf* -oză: **osmosis** osmoză, **neurosis** nevroză

Oslo ['ɔzlou] *capitala Norvegiei*

Osman ['ɔzmən] *ist*

osmic ['ɔzmik] *adj ch* osmic

osmi-iridium [,ɔzmii'ridiəm] *s minr* osmiridiu, iridosmiu

osmium ['ɔzmiəm] *s ch* osmiu

osmosis [ɔz'mousis] *s* osmoză

osmotic [ɔz'mɔtik] *adj fiz etc.* osmotic

osmund ['ɔzmənd] *s bot* ferigă paniculată *(Osmunda regalis)*

osprey ['ɔspri] *s* 1 *orn* vultur pescar *(Pandion haliaëtus)* 2 egretă

ossein ['ɔsiin] *s biol* oseină

osseous ['ɔsiəs] *adj* osos; (ca) de os

Osset ['ɔsit] *s* osetin

Ossetian [ɔ'si:tiən] *adj, s* osetin

Ossian ['ɔsiən] *bard și erou din folclorul celtic (sec. III)*

Ossianic [,ɔsi'ænik] *adj* osianic

ossification [,ɔsifi'keiʃən] *s* 1 osificare 2 parte osificată

ossify ['ɔsifai] I *vt* 1 a osifica 2 *fig* a închista II *vi* 1 a se osifica 2 *fig* a se închista

ossuary ['ɔsjuəri] *s* osuar

osteal ['ɔstiəl] *adj v.* **osseous**

osteitis [,ɔsti'aitis] *s med* osteită

Ostend [ɔs'tend] *port în Belgia* Ostende

ostensible [ɔ'stensibəl] *adj* aparent; servind ca pretext, de suprafață; de ochii lumii

ostensibly [ɔ'stensibli] *adv* pe față, la suprafață; de ochii lumii

ostensive [ɔ'stensiv] *adj* 1 *v.* **ostensible** 2 ostentativ, demonstrativ

ostentation [,ɔsten'teiʃən] *s* ostentație, atitudine de paradă

ostentatious [,ɔsten'teiʃəs] *adj* ostentativ, de paradă

osteoblast ['ɔstiou,blæst] *s fizl* osteoblast

osteoclasis [,ɔsti'ɔkləsis] *s med* osteoclază

osteological [,ɔstiə'lɔdʒikəl] *adj zool* osteologic

osteology [,ɔsti'ɔlədʒi] *s zool* osteologie

osteopathy [,ɔsti'ɔpəθi] *s med* osteopatie

osteoplasty ['ɔstiə,plæsti] *s med* osteoplastie

osteotomy [,ɔti'ɔtəmi] *s med* osteotomie

Ostiak ['ɔsti,æk] *s* ostiac

ostler ['ɔslər] *s* grăjdar *(la un han)*

ostracism ['ɔstrəsizəm] *s* ostracism; ostracizare

ostracize ['ɔstrəsaiz] *vt și fig* a ostraciza, a proscrie

ostrich ['ɔstritʃ] *s orn* struț *(Struthio camelus);* **the digestion of an** ~ *fig* stomac de struț

ostrich feather ['ɔstritʃ ,feðər] *s* pană de struț

Ostrogoth ['ɔstrə,gɔθ] *s ist* ostrogot

Ostrogothic [,ɔstrə'gɔθik] *adj ist* ostrogot

Ostyac ['ɔsti,æk] *s* ostiac

Owald, Oswold ['ɔzwəld] *nume masc*

O.T., OT *presc de la* **Old Testament**

otalgia [ou'tældʒiə] *s med* otalgie, dureri de urechi

Othello [ə'θelou] *tragedie de Shakespeare*

other ['ʌðər] I *adj* 1 alți; alte; ~ **people** alți oameni; alții; ~ **books** alte cărți; ~ **physicians** alți doctori 2 *(precedat de* **some, any, no** *etc.)* alt; altă; alți; alte; **there is no ~ place to go to** nu există alt loc unde să ne putem duce; **at some ~ time** altădată; **any ~ girl** oricare altă fată; **he is better than any ~ member of the team** e mai bun decât oricare alt membru al echipei; **some time or ~** cândva, într-o (bună) zi 3 *(precedat de* **the** *sau un adj posesiv)* celălalt; cealaltă; ceilalți; celelalte; **the ~ student** celălalt student; cealaltă studentă; **his ~ friends** ceilalți prieteni ai lui; **the ~ day** (mai) deunăzi, zilele trecute 4 *(precedat de* **every**) toți ceilalți *sau* toate celelalte; alternativ; **every ~ candidate could answer the question** toți ceilalți candidați puteau răspunde la întrebare; **every ~ day** din două în două zile; **every ~ syllable is stressed** fiecare a doua silabă este accentuată 5 diferit, altfel, deosebit; **I do not wish him ~ than he is** îmi place așa cum este, n-aș vrea să fie altfel de cum este II *pr* 1 *(numai precedat de anumite cuvinte ca* **no, or** *etc.)* altul; alta; **no/none ~ than he** nimeni altul decât el; **one or ~ of us will be there** unul sau altul *(preferabil: cineva)* dintre noi va fi acolo; **each ~ a** unul pe altul **b** unul altuia 2 *pl* alții; altele; **think of ~s** gândește-te la alții, nu fi egoist; **you are the man of all ~s for it** ești omul cel mai potrivit/indicat pentru aceasta; **~s were against the proposal** alții erau împotriva propunerii; **please let me see some ~s** mai arată-mi și altele, te rog 3 **the ~** celălalt; cealaltă; **it is difficult to tell the one from the ~** e greu să-l deosebești pe unul de celălalt; **one after the ~** unul după celălalt/altul; **this, that and the ~** *F* câte nu ți-ar trece prin minte, – de toate, fel de fel de lucruri 4 **the ~s** ceilalți; celelalte III *adv* altfel, într-un mod diferit; **I can't do ~ than accept** nu pot decât să accept

other-directed [ˈʌðədaiˌrektid] *adj psih* care caută să fie ca toți ceilalți

otherness [ˈʌðənis] *s* deosebire, diferență, neasemănare

otherwhere(s) [ˈʌðəwɛə(z)] *adv* ← *înv* aiurea, în altă parte, altundeva

otherwhile(s) [ˈʌðəwail(z)] *adv* ← *înv* 1 altădată; cândva 2 uneori

otherwise [ˈʌðəwaiz] I *adv* 1 altfel, (într-un mod/chip) diferit; **he acted** ~ a procedat altfel 2 altminteri, din alte puncte de vedere, în alte privințe; **he's a bit rude;** ~ **I like him** e cam necioplit *sau* nepoliticos; altfel, îmi place 3 (într-)altfel; prin alte mijloace; **or** ~ **a** sau altfel/altcumva **b** sau nu; **mothers whether married or** ~ mamele, fie că sunt căsătorite sau nu II *conj* sau, de/dacă nu, altminteri, altfel; **you must go now,** ~ **you'll miss your bus** trebuie să pleci acum, altfel vei pierde autobuzul III *adj* 1 diferit, altfel, altul; **can it be** ~ **than beautiful?** poate fi altfel decât frumos? 2 alții *sau* altele, de altă categorie *etc.;* **tracts agricultural and** ~ terenurile agricole și de altă natură

other world, the [ˈʌðə ˌwəːld, ði] *s* lumea cealaltă, *P* → ceea lume

other-worldly [ˈʌðəˌwəːldli] *adj* 1 din *sau* de pe lumea cealaltă 2 spiritual; preocupat de cele spirituale

Othin [ˈouðin] *v.* **Odin**

-otic *suf* -otic: narcotic narcotic

otiose [ˈoutious] *adj* 1 îndoielnic, leneș 2 ineficace; zadarnic, inutil, van; nefolositor; superfluu

otitis [ouˈtaitis] *s med* otită

otolaryngology [ˌoutouˌlæriŋˈgɔlədʒi] *s med* otolaringologie

otologist [ouˈtɔlədʒist] *s med* otolog

otology [ouˈtɔlədʒi] *s med* otologie

otoscope [ˈoutəskoup] *s med* otoscop

Ottawa [ˈɔtəwə] 1 *capitala Canadei* 2 **the** ~ *fluviu în Canada*

otter [ˈɔtə], *pl* **otters** [ˈɔtəz] *s* și *ca pl* 1 *zool* vidră, lutră (*Lutrinae sp.*) 2 blană de vidră

Otto [ˈɔtou] *nume masc*

Ottoman [ˈɔtəmən] I *adj* otoman, turcesc II *s* 1 otoman, turc 2 **o~** sofa, canapea, *înv* → otomană

Ottoman Empire, the [ˈɔtəmən ˈempaiə, ði] *ist* Imperiul Otoman

Otway [ˈɔtwei], **Thomas** *autor dramatic englez (1652-1685)*

oubliette [ˌuːbliˈet] *s od* celulă subterană *(unde condamnații erau uitați de lume)*

ouch [autʃ] *interj (exprimă durere)* aoleu! vai! au!

ought[1] [ɔːt] *v mod defectiv cu inf lung* 1 a trebui, a se cuveni, a se cădea, a fi cazul; **you** ~ **to go there at once** ar trebui să te duci acolo neîntârziat; **you** ~ **to hear her play!** vai, s-o auzi cântând! 2 a trebui, a fi probabil; **the book** ~ **to be in the other room** cartea ar trebui să fie în cealaltă cameră

ought[2] *s F v.* **nought**

ought[3] I *s* un pic, ceva, puțin II *adv* cât de cât; până la un punct

ouija (board) [ˈwiːdʒə (ˈbɔːd)] *s* planșetă de spiritism

ounce [auns] *s* 1 uncie (*= 28,3 gr*) 2 *fig* strop, pic(ătură)

ouphe [auf] *s* elf, silf; zână

our [auə] *adj* nostru; noastră; noștri; noastre

ourang-outang [ˈɔːˌrænuˈtæŋ] *s zool* urangutan

Our Father [ˈauə ˌfɑːðə] *s rel* Tatăl nostru

ours [auəz] *pr* al nostru; a noastră; ai noștri; ale noastre; **it is no business of** ~ nu e treaba noastră

ourself [auəˈself] *pr corespunzător lui* **ourselves**, *folosit în proclamații regale etc.*

ourselves [ˌauəˈselvz] I *pr reflexiv* ne; **we hurt** ~ ne-am rănit II *pr de întărire* înșine; **we saw them** ~ i-am văzut noi/cu ochii noștri; **(all) by** ~ (noi) singuri, fără ajutor III *pr personal* noi

-ous *suf* -os: nitrous azotos

Ouse, the [uːz, ði] *numele a trei râuri din Anglia*

ousel [ˈuːzəl] *s v.* **ouzel**

oust [aust] *vt* 1 a elimina, a da afară, a exclude 2 *jur* a evacua

out [aut] I *adv* 1 afară; în exterior; departe; în altă parte; **they are** ~ nu sunt acasă, au plecat, sunt plecați; **the floods are** ~ apele au ieșit din matcă/albie; **we have been** ~ **for a walk** am ieșit (și noi) să facem o plimbare; ~ **at sea** departe pe mare; în largul mării; ~ **and home** dus și întors, încolo și înapoi; **they live** ~ **in the**

country locuiesc departe, la țară 2 absent *(de la locul de muncă)*; **that was his day** ~ era ziua lui liberă 3 *(d. o carte)* care a ieșit de sub tipar 4 *(d. foc, lumină etc.)* stins 5 *(d. un model etc.)* care nu mai e la modă, demodat II *part adv* 1 *(pt numeroasele combinații cu* **to be**, *v.* **be**) 2 *(arată existența sau apariția);* **to break** ~ a izbucni 3 *(arată rezultatul, sfârșitul);* **to dry** ~ a seca (complet) 4 *(arată stingerea, încetarea etc.);* **the noise died** ~ zgomotul se stinse/amuți 5 *(arată intensitatea):* **speak** ~! vorbește tare! 6 *(arată desprinderea, îndepărtarea etc.):* **to stand** ~ a se reliefa; a ieși în afară 7 *(arată îndepărtarea de un centru etc.):* **to spread** ~ a se răspândi (în toate părțile, a se lăți 8 *(arată dezacordul):* **to fall** ~ a se certa 9 *(arată selecția):* **to pick** ~ a alege III *adj atr* 1 extraordinar, excesiv; neobișnuit; **an** ~ **size** o măsură/un număr foarte mare 2 depărtat 3 *sport* în deplasare, jucat pe teren străin 4 exterior, din afară; **the** ~ **edge** marginea exterioară 5 *tehn* deplasat; deconectat IV *prep* ← *rar* 1 din 2 dinspre V *s* 1 ieșire; deschizătură 2 **the** ~**s** opoziția (parlamentară) 3 *poligr* omisiune, lăsătură 4 *amer* lipsă, neajuns // **at** ~**s, on the** ~**s** în relații proaste/încordate VI *vt* 1 ← *F* a da afară, a izgoni; a elimina 2 *F* a face felul *(cuiva)*, a lăsa lat VII *interj* (ieși) afară!

out- *pref*, part 1 exterior, extern, în afară; **outbuildings** dependințe 2 care pleacă, dat afară, izgonit; **outcast** paria; proscris 3 mai bine decât, mai mult decât *etc.;* **to outrun** a întrece (fugind)

out-act [ˈautˌækt] *vt* teatru a juca mai bine decât

outage [ˈautidʒ] *s* 1 întrerupere *(a lucrului)* 2 stagnare 3 *ec* perisabilitate

out and away [ˈaut ənd ˈəwei] *adv* infinit, cu mult, de departe

out-and-out [ˈautəndˈaut] *adj atr* complet, deplin, perfect

out and out *adv* cu totul/desăvârșire, complet(amente)

outback ['aut,bæk] *s* regiuni periferice/mai depărtate; regiuni slab populate

outbalance [,aut'bæləns] *vt* **1** a cântări mai mult decât, a întrece la greutate **2** *fig* a întrece, a depăși

outbid [,aut'bid] *vt* a supralicita, a oferi mai mult *(la licitație)*

outboard ['aut,bɔːd] *adj atr nav* exterior, în afara bordului

outboard motor ['aut,bɔːd ,moutəʳ] *s nav* motor suspendat

outbound ['aut,baund] *adj nav* **1** *(d. un vas)* având o destinație îndepărtată; care pleacă în alte țări **2** *(d. o marfă)* expediat într-un port îndepărtat *sau* străin

outbrave [,aut'breiv] *vt* a sfida, a înfrunta *(furtuna etc.)*

outbreak ['aut,breik] izbucnire *(a ostilităților, de furie etc.)*, acces *(de furie etc.)*

outbuilding ['aut,bildiŋ] *s constr* dependință, acaret

outburst ['aut,bəːst] *s v.* **outbreak**

outcast ['aut'kɑːst] *s* proscris, paria

outcaste *s persoană care nu mai aparține unei anumite caste* (↓ *în India*)

outclass [,aut'klɑːs] *vt* a depăși cu mult, a lăsa cu mult în urmă

outcome ['autkʌm] *s* urmare, rezultat, efect

outcrop [,autkrɔp] *s geol* afloriment

outcry ['autkrai] *s* **1** strigăt; țipăt; > exclamație **2** protest zgomotos *(public)*

outdated [,aut'deitid] *adj* învechit, depășit

outdid [,aut'did] *pret de la* **outdo**

outdistance [,aut'distəns] *vt* a se distanța de, a lăsa în urmă

outdo [,aut'duː], *pret* **outdid** [,aut'did], *ptc* **outdone** [,aut'dʌn] **I** *vt* a depăși, a întrece, a face ceva mai bine decât **II** *vr* a se întrece pe sine

outdone [,aut'dʌn] *ptc de la* **outdo**

outdoor [,aut'dɔːʳ] *adj atr* **1** în aer liber; de câmp **2** *(d. antenă etc.)* exterior

outdoor relief [,aut'dɔː riˈliːf] *s od* ajutor dat săracilor la domiciliu *(în Anglia)*

outdoors [,aut'dɔːz] *adv* afară, în aer liber; **it's cold ~** e frig afară

outer ['autəʳ] *adj atr* **1** exterior, extern, din afară; periferic **2** *filos*

obiectiv **3** fizic *(ant* psihic)

outer man, the ['autə ,mæn, ði] *s* **1** omul, așa cum pare **2** omul, așa cum arată *sau* se îmbracă

outermost ['autə,moust] *adj* cel mai din afară, extrem

outer space ['autə ,speis] *s astr* spațiu cosmic, univers

outface [,aut'feis] *vt* **1** a privi insistent/țintă *sau* sfidător la *(cineva sau pe cineva);* a face *(pe cineva)* să-și plece ochii *sau* să se rușineze privindu-l insistent **2** a face față *(unei situații)*, a deveni stăpân pe *(situație)*

outfall ['aut,fɔːl] *s* gură *(de vărsare)*, loc de vărsare; agestru

outfield ['aut,fiːld] *s* **1** câmp depărtat **2** *fig* teren necercetat **3** *sport* partea de teren depărtată de poartă *(la cricket)*

outfight ['autfait], *pret și ptc* **outfought** ['autfɔːt] *vt* a lupta mai bine *sau* mai mult decât

outfit ['aut,fit] **I** *s* **1** echipament; instalație; dispozitiv; înzestrare; utilaj; aparataj **2** *nav* armare **II** *vt* a echipa; a utila; a înzestra

outfitter ['aut,fitə] *s* **1** comerciant, vânzător *(de articole de îmbrăcăminte, aparate etc.)* **2** furnizor

outflank [,aut'flæŋk] *vt* **1** *mil* a învălui **2** a păcăli; a fi mai deștept decât

outflow ['aut,flou] *s* **1** scurgere *(a unui lichid)* **2** *fig* revărsare, năvală, potop

outfought ['autfɔːt] *pret și ptc de la* **outfight**

outfox [,aut'fɔks] *vt* a fi mai deștept decât

outgeneral [,aut'dʒenərəl] *vt mil* a întrece prin superioritate tactică

outgo [,aut'gou] *s* **1** ieșire **2** cheltuieli

outgoing ['aut,gouiŋ] **I** *adj atr* **1** de plecare; de expediere **2** *(d. trafic)* de ieșire **3** *pol* demisionar **II** *s pl* cheltuieli

outgrew [,aut'gruː] *pret de la* **outgrow**

outgrow [,aut'grou], *pret* **outgrew** [,aut'gruː], *ptc* **outgrown** [,aut'groun] *vt* **1** a deveni prea mare *sau* prea numeros pentru **2** a ieși din *(vârsta copilăriei)*, a depăși *(vârsta copilăriei)* **3** a se lepăda de *(un obicei etc.)*, a depăși faza *(primelor deprinderi etc.)*

outgrown [,aut'groun] *ptc de la* **outgrow**

outgrowth ['aut,grouθ] *s* **1** rod; rezultat, consecință, efect **2** *med* excrescență

out-Herod [,aut'herəd] *vt* a fi mai crud decât, a întrece în cruzime *(pe cineva)*

outhouse ['aut,haus] *s* **1** dependință, acaret **2** aripă de clădire **3** *amer* toaletă, latrină *(într-o altă clădire)*

outing ['autiŋ] *s* **1** excursie; ieșire *(la iarbă verde)*; picnic; călătorie de plăcere **2** *sport* antrenament la canotaj

outland ['aut,lænd] *poetic* **I** *s* țări/meleaguri străine **II** *adj atr* din țări străine, de pe alte meleaguri; de peste mări

outlander ['aut,lændəʳ] *s* străin, om dintr-o altă țară; necunoscut

outlandish [aut'lændiʃ] *adj* **1** străin, din altă țară **2** ciudat, neobișnuit, straniu; bizar; fantastic **3** (în)depărtat; situat într-un fund de provincie

outlast [aut'lɑːst] *vt* a dura *sau* a trăi mai mult decât

outlaw ['autlɔː] **I** *s* **1** om în afara legii; proscris; surghiunit, exilat; haiduc **2** organizație (declarată) ilegală **3** criminal **II** *vt* **1** a scoate în afara legii; a proscrie; a surghiuni, a exila **2** a declara ca fiind ilegal

outlawry ['aut,lɔːri] *s* **1** scoatere în afara legii; proscriere **2** haiducie

outlay **I** ['autlei] *s* cheltuieli **II** [aut'lei] *vt* a cheltui *(bani)*

outlet ['autlet] *s* **1** *ec* debușeu; debit **2** *ec* livrare **3** *ec* piață de desfacere **4** *tehn* orificiu de evacuare; eșapament; evacuare **5** scurgere **6** *el* bornă de ieșire **7** *fig* supapă; ușurare

outline ['autlain] **I** *s* **1** *și pl* schiță, contur; **in ~** în linii mari/generale **2** schiță, schemă, plan; conspect; ciornă **3** *pl* elemente, rudimente, baze, principii **II** *vt* a schița, a contura, a face o schiță *(cu gen);* a prezenta în linii generale

outlive [,aut'liv] *vt* a trăi *sau* a dura mai mult decât

outlook ['autluk] *s* **1** perspectivă, priveliște, vedere **2** perspective *(de viitor)* **3** punct de observație **4** punct de vedere; concepție **5** prevederi; prognoză *(a stării timpului)*

outlying ['aut,laiiŋ] *adj* periferic, (în)depărtat (de centru)

outman [,aut'mæn] *vt* a întrece numeric, a dispune de mai mulți oameni decât

outmanoeuvre [,autmə'nu:vəʳ] *vt* a dejuca planurile *(cuiva)*

outmatch [,aut'mætʃ] *vt* a fi superior *(cuiva)*, a întrece

outmoded [,aut'moudid] *adj* demodat, depășit, învechit

outmost ['autmoust] *adj v.* **outermost**

outnumber [,aut'nʌmbəʳ] *vt* a fi mai numeros decât, a întrece ca număr/numeric(ește)

out of ['aut əv] *prep* **1** *(arată extragerea)* din; **to take smth ~ smth** a scoate ceva din ceva **2** *(arată proveniența, materialul)* din; **a house made ~ stone** o casă făcută din piatră **3** dincolo de; în afara *cu gen*, afară din; din; **they live ~ town** locuiesc în afara orașului; **they moved ~ town** s-au mutat din oraș **4** *(arată un raport între parte și întreg)* din; **three students ~ twenty** trei studenți din douăzeci **5** *(arată cauza)* din; de; din cauza *cu gen*; **he did it ~ envy** a făcut-o din invidie **6** *(arată absența, lipsa)* fără; din lipsă de; scos din *etc.*; **~ health** bolnav; **~ money** fără bani; **~ work** fără lucru, șomer; **~ date** demodat, învechit; **~ use** scos din uz; neuzitat **7** *(arată deposedarea);* **to cheat smb ~ money** a stoarce bani de la cineva prin înșelăciune

out-of-date ['autəv'deit] *adj atr* demodat, învechit, depășit

out-of-door ['autəv'dɔːʳ] *adj atr* în aer liber

out-of-doors ['autəv'dɔːz] *adj atr v.* **out-of-door**

out of doors *adv* afară, în aer liber

out-of-pocket expenses ['autəv-'pokit ik'spensiz] *s pl* cheltuieli mărunte *(plătite cu bani peșin)*

out-of-the-way ['autəvðə'wei] *adj atr* **1** (în)depărtat; izolat; greu de găsit **2** neobișnuit, straniu, ciudat **3** necunoscut, neștiut

outpatient ['aut,peiʃənt] *s med* pacient extern

outpatients' department ['aut,peiʃənts di'pa:tmənt] *s* policlinică

outplay [aut'plei] *vt* a juca mai bine decât

outpoint [aut'point] *vt sport* a învinge la puncte

outport ['aut,pɔ:t] *s nav* port exterior

outpost ['autpoust] *s mil fig* avanpost

outpour I ['autpɔ:ʳ] *s și fig* revărsare, șuvoi, potop **II** [,aut'pɔ:ʳ] *vt* a vărsa, a turna; a deșerta, a goli

outpourings ['aut,pɔ:riŋz] *s pl* (of) izbucniri, manifestări (de); efuziuni

output ['autput] *s* **1** producție **2** *tehn* productivitate, randament, capacitate; debit

outrage ['autreidʒ] **I** *s* **1** crimă, ↓ crimă odioasă; atrocitate **2** (**on, upon**) *fig* crimă (împotriva – *cu gen*), încălcare grosolană *(cu gen)* **3** ultraj, jignire gravă **II** *vt* **1** a comite o crimă față de **2** a viola, a silui *(o femeie)* **3** a ultragia, a jigni grav

outrageous [aut'reidʒəs] *adj* **1** criminal, atroce, nelegiuit **2** imoral; rușinos, nerușinat, de ocară **3** *(d. prețuri etc.)* de speculă, excesiv **4** *(d. căldură etc.)* insuportabil, cumplit, excesiv

outran [,aut'ræn] *pret de la* **outrun**

outrance [u:'tra:ns] *s fr* (limită) extremă

outrange ['aut'reindʒ] *vt mil* a avea o bătaie mai lungă decât

outrank [,aut'ræŋk] *vt* **1** a avea un rang mai mare *sau* o situație mai bună decât **2** a întrece; a fi înaintea *(cuiva)*

outré [u'trei] *adj fr* **1** care depășește limitele *(bunei cuviințe etc.),* exagerat; excentric; bizar **2** exagerat; imposibil

outridden [,aut'ridən] *ptc de la* **outride**

outride [,aut'raid] *pret* **outrode** [aut'roud], *ptc* **outridden** [,aut-'ridən] *vt* a călări mai bine *sau* mai repede decât

outrider [,aut'raidəʳ] *s* **1** călăreț *sau* motociclist care însoțește un vehicul **2** comis-voiajor

outrigger ['aut,rigəʳ] *s* **1** *av* lonjeron **2** *nav* suport exterior al vâslelor; furchet **3** *nav* barcă cu furchet **4** *el* consolă; brățară **5** *min* grindă în consolă

outright I ['autrait] *adj* **1** deschis, fățiș; sincer **2** *(d. un refuz etc.)* categoric; hotărât; indiscutabil **3** complet, desăvârșit; **an ~ rogue**

un excroc patentat **4** *(d. un drum etc.)* direct, drept **II** [aut'rait] *adv* **1** cu totul/desăvârșire, complet(amente), total **2** fățiș, pe față, direct **3** deodată, dintr-o dată; imediat, pe loc **4** pentru totdeauna

outrival [aut'raivəl] *vt* a întrece, a depăși

outrode [,aut'roud] *pret de la* **outride**

outrun [,aut'rʌn] *pret* **outran** [aut'ræn], *ptc* **outrun** [,aut'rʌn] *vt* **1** a alerga mai bine *sau* mai repede decât; a întrece, a depăși **2** *fig* a întrece, a depăși; **his ambition outran his ability** ambiția îi era mai mare decât posibilitățile **3** a fugi de; a căuta să scape de

outrunner ['aut,rʌnəʳ] *s* **1** *servitor care însoțește pe jos echipajul stăpânului* **2** cal lăturaș **3** câine-ghid; limier

outset ['aut'set] *s* **1** pornire, plecare **2** început; **from the ~** de la început

outsat [,aut'sæt] *pret și ptc de la* **outsit**

outshine [,aut'ʃain], *pret și ptc* **outshone** [,aut'ʃon] *vt* **1** a străluci mai mult *sau* mai puternic decât **2** a întrece; a eclipsa, a pune în umbră

outshone [,aut'ʃon] *pret și ptc de la* **outshine**

outside [,aut'said] **I** *s* **1** exterior, parte din afară; latură exterioară; suprafață exterioară **2** imperială *(a unui omnibuz)* **3 the ~** lumea exterioară; realitatea obiectivă **4** exterior, înfățișare exterioară **5** extremitate; **at the (very) ~** cel mult, maximum **II** *adj atr* **1** exterior, extern, din afară; **~ repairs** reparații exterioare; **~ work** muncă în aer liber **2** extrem; periferic; marginaș; **~ right** *sport* extrema dreaptă **3** extern, din afară *(care nu face parte dintr-o organizație etc.)* **4** *(d. prețuri etc.)* excesiv, maximal **5** suplimentar, adițional; din afară **III** *adv* **1** afară; în exterior **2** pe din afară; în/la exterior; **the house was painted green ~** casa era vopsită verde pe din afară/în exterior **3** afară, în aer liber **4** *nav* în larg **IV** *prep* **1** afară din; în afară, în exteriorul *cu gen;* dincolo de; **~ the garden** în afara grădinii **2** *fig* dincolo de;

dincolo de limitele *cu gen*, peste; **it is ~ his own experience** depăşeşte propria sa experienţă **3** ← *F* cu excepţia *cu gen*, (în) afară de

outside of [ˌautˈsaid əv] *prep F v.* **outside IV**

outsider [ˌautˈsaidəʳ] *s* **1** străin *(persoană în afara unui cerc etc.)* **2** *fig* spectator, privitor **3** nepoftit, nechemat **4** nespecialist, amator; profan **5** *F* bădăran, mojic **6** *sport* jucător *sau* cal (de curse) cu puţine şanse de câştig

outsit [autˈsit], *pret şi ptc* **outsat** [ˌautˈsæt] *vt* a şedea/a sta/a rămâne mai mult decât

outsize [ˈautˌsaiz] *s* **1** ↓ *text* număr foarte mare, măsură neobişnuită **2** haină neobişnuit de mare

outskirts [ˈautˌskəːts] *s pl* periferie *(a unui oraş)*

outsmart [ˌautˈsmɑːt] *vt F* a fi mai deştept decât, a întrece în deşteptăciune; a duce, – a păcăli

outspoken [autˈspoukən] *adj* sincer, deschis, făţiş

outspokenly [ˌautˈspoukənli] *adv* pe faţă, făţiş, direct, sincer

outspokenness [ˌautˈspouknis] *s* sinceritate, francheţe

outspread [ˌautˈspred] **I** *pret şi ptc* **outspread** [ˌautˈspred] *vt* a întinde; a răspândi **II** *adj* întins, desfăcut; răspândit

outstanding [ˌautˈstændiŋ] *adj* **1** remarcabil, de seamă; important; vrednic de reţinut **2** de rezolvat, nerezolvat; pendinte, în suspensie; neîndeplinit, neefectuat **3** rezistent **4** [ˈautstændiŋ] care atârnă; proeminent; *(d. urechi)* clăpăug

outstandingly [ˌautˈstændiŋli] *adv* (în mod) remarcabil

outstay [ˌautˈstei] *vt* a sta mai mult decât; **to ~ one's welcome** a abuza de ospitalitatea cuiva

outstretched [ˌautˈstretʃt] *adj (d. braţe etc.)* întins; *(d. cineva)* întins, lungit

outstrip [ˌautˈstrip] *vt* a întrece, a depăşi; a o lua înaintea *(cuiva)*

outtalk [ˌautˈtɔːk] *vt* a vorbi mai mult *sau* mai bine decât

outturn [ˈautˌtəːn] *s* producţie; randament

outvalue [ˌautˈvælju:] *vt* a valora/a costa mai mult decât

outvie [autˈvai] *vt* a întrece *(într-o competiţie)*

outvote [ˌautˈvout] *vt* a obţine mai multe voturi decât

outward [ˈautwəd] **I** *adj* **1** exterior, extern, din afară; ~ **things** lumea înconjurătoare **2** vizibil; material **3** *(d. o călătorie etc.)* în străinătate, peste hotare **II** *adv* v. **outwards III** *s* **1** exterior, înfăţişare exterioară **2** exterior, parte exterioară **3 the ~s** lumea exterioară

outward-bound [ˈautwədˌbaund] *adj nav* cu destinaţie spre un port străin

outwardly [ˈautwədli] *adv* pe din afară, la/în exterior

outwards [ˈautwədz] *adv* **1** spre exterior, în afară **2** peste hotare, cu destinaţie spre un port *etc.* străin **3** la înfăţişare/vedere, ca exterior; la suprafaţă; pe din afară

outwear [ˌautˈwɛəʳ], *pret* **outwore** [ˌautˈwoːʳ], *ptc* **outworn** [ˌautˈwoːn] *vt* **1** *(d. o stofă etc.)* a dura mai mult decât, a fi mai trainic decât **2** a uza *(o haină etc.)*

outweigh [ˌautˈwei] *vt şi fig* a cântări mai greu decât

outwit [ˌautˈwit] *vt* a fi mai deştept decât, a păcăli

outwore [ˌautˈwoːʳ] *pret de la* **outwear**

outwork I [ˈautˌwəːk] *s mil* fort înaintat; fortăreaţă înaintată; avanpost **II** [ˌautˈwəːk] *vt* a epuiza, a extenua, a slei

outworn[1] [ˌautˈwoːn] *ptc de la* **outwear**

outworn[2] [ˈautˌwoːn] *adj* **1** uzat; impropriu pentru folosire **2** epuizat, sleit, frânt **3** *(d. idei etc.)* învechit

ouzel [ˈuːzəl] *s orn* **1** mierlă *(Turdus merula)* **2** mierlă de apă *(Cinclus aquaticus)*

ouzo [ˈuːzou] *s* lichior de anason

oval [ˈouvəl] **I** *adj* oval; elipsoidal **II** *s* oval

ovarian [ouˈvɛəriən] *adj anat* ovarian

ovary [ˈouvəri] *s anat, bot* ovar

ovation [ouˈveiʃən] *s* ovaţie

oven [ˈʌvən] *s* **1** cuptor **2** furnal **3** maşină de gătit

over [ˈouvəʳ] **I** *prep* **1** *(spaţială, cu verbe de stare)* peste; deasupra *cu gen;* dincolo de; la, lângă; în *(Europa etc.);* **a bridge ~ the** river un pod peste râu; **a house ~ the river** o casă dincolo de râu/ pe partea cealaltă a râului; **to sit ~ a glass of wine** a sta la un pahar de vin **2** *(spaţială, cu verbe de mişcare)* peste; pe deasupra *cu gen;* pe; **to jump ~ a brook** a sări peste un pârâiaş; **to pull one's hat ~ one's face** a-şi trage pălăria pe/peste faţă; **all ~ the surface** pe/peste întreaga suprafaţă; **to stumble ~ a stone** a se poticni/a se împiedica de o piatră **3** în cursul *cu gen*, în decursul *cu gen*, timp de; în; la; **we'll discuss it ~ our lunch** o să discutăm asta la prânz **4** peste, mai mult de; ~ **ten thousand people** peste zece mii de oameni **5** peste, mai sus în grad *etc*. decât; mai presus de **6** prin; la *(radio etc.)* **7** de, despre, cu privire la **8** până dincolo de *(Anul Nou etc.)* **II** *adv* **1** dincolo, de partea cealaltă *(a străzii etc.);* **he rowed me ~ to the other bank of the river** m-a dus cu barca/ luntrea pe celălalt ţărm al râului; **he's gone ~ to France** a plecat *(peste canal)* în Franţa **2** acolo, *F* colo, colea; **the house is ~ by the lake** casa e acolo/*F* colo, lângă lac; ~ **there** a colo **b** ← *F amer* în Europa; ~ **in Canada** în Canada **3** deasupra, sus; **the bird is directly ~** pasărea e chiar deasupra **4** în plus; rămas; rest; **six into twenty-five goes four times and one ~** şase în douăzeci şi cinci intră de patru ori, rest unu; **I have 6d ~** mi-au mai rămas şase peni; **is there any bread (left) ~?** a mai rămas (ceva) pâine? **5** în plus, pe deasupra; de prisos; mai mulţi; **five metres and a bit ~** cinci metri şi ceva mai mult; **children of fifteen and ~** copiii de cincisprezece ani şi mai mult/şi peste **6** gata, terminat, isprăvit; **the rain is ~** ploaia a trecut, nu mai plouă; **it's all ~ with you** s-a isprăvit/zis cu tine, eşti un om pierdut **7** prea mult; exagerat, excesiv (de); **he is ~ polite** este exagerat de politicos; exagerează cu politeţea; **he hasn't mended the roof ~ well** n-a reparat prea bine/*F* (prea) grozav acoperișul **8** încă o dată, din nou; **I'm afraid you'll have to write it** ~ mă tem că va trebui să-l scrii încă o dată **9** peste tot, de la un cap(ăt) la altul; de sus până jos; **he was famous all the world** ~ era renumit în lumea întreagă; **your clothes are dusty all** ~ ți-ai prăfuit hainele de sus până jos; **that's John all** ~ ăsta e John (în carne și oase); ăsta e John, ce vrei; zi-i John și lasă-l în pace **III** part *adv* **1** *(arată caracterul complet al unei acțiuni);* **the wound healed** ~ rana s-a închis/vindecat complet; **he counted the money** ~ numără toți banii, numără banii atent/cu grijă **2** *(arată căderea, răsturnarea, răsucirea):* **the tree fell** ~ copacul se prăbuși; **he turned the plank** ~ întoarse/răsuci scândura **3** *(arată străbaterea, depășirea etc.):* **to boil** ~ ← *F* a da în foc **4** *(arată repetarea, reluarea etc.):* **think it** ~ gândește-te bine **5** *(cu valoare de expletiv sau intensiv):* **take it** ~ **to the post-office** du-o la poștă; **let him come** ~ **here** numai să vină-ncoace *(subînțeles: „îi arăt eu lui!")* **IV** *s* **1** surplus; prisos; excedent **2** *mil* bătaie lungă **V** *vt* ← *F* a sări *sau* a trece peste **VI** *vi* ← *rar* a sări *sau* a trece dincolo/de partea cealaltă

over- *pref (are numeroase valori; în general, arată excesul, exagerarea)* supra-; răs-: **to overheat** a supraîncălzi

overabundance [ˌouvərəˈbʌndəns] *s* supraabundență

overabundant [ˌouvərəˈbʌndənt] *adj* supraabundent

overact [ˌouvərˈækt] *teatru* **I** *vt* a interpreta afectat/exagerat *(un rol)* **II** *vi* a juca afectat/exagerat

over-active [ˌouvərˈæktiv] *adj* prea activ

over again [ˈouvər əˈgen] *adv* încă o dată, din nou

over against [ˈouvər əˈgenst] *prep* **1** opus, contrar *cu dat* **2** în *sau* prin contrast cu

overage [ˌouvərˈeidʒ] *s* persoană trecută de vârsta corespunzătoare *(pt a fi elev etc.)*

overall I [ˈouvərˌɔːl] *s* **1** *și pl* salopetă; halat de lucru; îmbră-

căminte de protecție **2** halat **3** combinezon de lucru **4** *pl* pantaloni (largi) de lucru **II** [ˈouvərˌɔːl] *adj* total, global, general **III** [ˌouvərˈɔːl] *adv* **1** peste tot, pretutindeni **2** în întregime, complet, cu desăvârșire

over and above [ˈouvər ənd əˈbʌv] *adv* pe lângă acestea, în plus

over and over (again) [ˈouvər ənd ˈouvər (əˈgen)] *adv* mereu, repetat, într-una

overarch [ˌouvərˈɑːtʃ] *constr* **I** *vt* a bolti **II** *vi* a se bolti

overate [ˌouvərˈeit] *pret de la* **overeat**

overawe [ˌouvərˈɔː] *vt* **1** a impune venerație *(cuiva);* a impresiona profund **2** a intimida; < a înfricoșa

overbalance [ˌouvəˈbæləns] **I** *s* surplus de greutate **II** *vt* **1** a cântări mai mult decât, a întrece în greutate **2** *fig* a avea preponderență asupra *(cu gen)* **3** a strica echilibrul *(cu gen)* **III** *vi* a-și pierde echilibrul; a se răsturna

overbear [ˌouvəˈbɛə'], *pret* **overbore** [ˌouvəˈbɔː'], *ptc* **overborne** [ˌouvəˈbɔːn] *vt* **1** a întrece *(prin forță),* a birui, a dovedi **2** a înlătura *(obiecții);* a răspunde la *(argumente)*

overbearing [ˌouvəˈbɛəriŋ] *adj* poruncitor, cu aer de stăpân; arogant

overbearingly [ˌouvəˈbɛəriŋli] *adv* poruncitor, cu aer de stăpân; arogant

overbid I [ˌouvəˈbid], *pret și ptc* **overbid** *vt, vi și fig* a supralicita **II** [ˈouvəˌbid] *s și fig* supralicitare

overblown [ˌouvəˈbloun] *adj* **1** *(d. o furtună etc.)* care a trecut; care se potolește **2** *bot* trecut de floare; care se usucă **3** *muz* cu un ton mai sus **4** umflat prea mult, prea umflat

overboard [ˌouvəˈbɔːd] *adv nav și fig* peste bord

overboil [ˈouvəˌbɔil] *vi* a răsfierbe; *(d. lapte etc.)* a da în foc

overbold [ˈouvəˌbould] *adj* prea îndrăzneț *sau* obraznic

overbore [ˌouvəˈbɔː'] *pret de la* **overbear**

overborne [ˌouvəˈbɔːn] *ptc de la* **overbear**

overbought [ˌouvəˈbɔːt] *pret și ptc de la* **overbuy**

overburden [ˌouvəˈbəːdən] *vt și fig* a supraîncărca, a suprasolicita

overbuy [ˌouvəˈbai], *pret și ptc* **overbought** [ˌouvəˈbɔːt] *vt* a cumpăra o cantitate prea mare de

overcame [ˌouvəˈkeim] *pret de la* **overcome**

overcapitalization [ˌouvəˈkæpitəlaiˈzeiʃən] *s ec* supraevaluare a capitalului *(unei întreprinderi)*

overcapitalize [ˌouvəˈkæpitəlaiz] *vt ec* a supraevalua capitalul *(unei întreprinderi)*

overcareful [ˌouvəˈkɛəful] *adj* prea grijuliu *sau* atent

overcast I [ˌouvəˌkɑːst] *adj* **1** *(d. cer)* acoperit cu/de nori, mohorât **2** *fig* mohorât, posomorât, sumbru **II** [ˈouvəˌkɑːst] *s* cer noros/ înnourat/acoperit de nori **III** [ˌouvəˈkɑːst] *vt pret și ptc* **overcast** [ˌouvəˈkɑːst] **1** a înnoura, a acoperi cu nori **2** *fig* a mohorî, a posomorî, a întuneca **IV** *vi pret și ptc* **overcast** **1** *(d. cer)* a se înnoura, a se acoperi cu nori **2** *fig* a se mohorî, a se posomorî, a se întuneca

overcautious [ˈouvəˌkɔːʃəs] *adj* prudent până la exagerare

overcharge I [ˈouvəˌtʃɑːdʒ] *s* **1** suprapreț; preț exagerat/excesiv **2** *tehn* suprasarcină, supraîncărcare **II** [ˌouvəˈtʃɑːdʒ] *vt* **1** a cere suprapreț pentru; a cere un preț prea mare pentru **2** *tehn și fig* a supraîncărca, a suprasolicita **III** [ˌouvəˈtʃɑːdʒ] *vi* a încărca la preț, a cere un preț mai mare *sau* prețuri mai mari

overcloud [ˌouvəˈklaud] *vt, vi v.* **overcast III, IV**

overcoat [ˈouvəˌkout] *s* **1** palton *(bărbătesc)* **2** *mil* manta

overcome [ˌouvəˈkʌm], *pret* **overcame** [ˌouvəˈkeim], *ptc* **overcome I** *vt* **1** a învinge, a înfrânge, a birui; a copleși **2** *(d. oboseală etc.)* a doborî; a înfrânge **II** *vi* a învinge, a birui; a câștiga

overconfident [ˌouvəˈkɔnfidənt] *adj* prea încrezător *(↓ în sine)*

overcritical [ˌouvəˈkritikəl] *adj fiz și fig* supracritic

overcrop [ˌouvəˈkrɔp] *vt agr* a degrada/a secătui *(solul)* prin culturi intense

overcrowd [ˌouvəˈkraud] **I** *vt* **1** a suprapopula **2** a aglomera **II** *vi* a se îngrămădi, a se îmbulzi

overdevelop [ˌouvədiˈveləp] *vt fot* a supradevelopa, a developa prea mult

overdid [ˌouvəˈdid] *pret de la* **overdo**

overdo [ˌouvəˈduː], *pret* **overdid** [ˌouvəˈdid], *ptc* **overdone** [ˌouvəˈdʌn] *vt* **1** a exagera **2** a arde, a prăji prea tare

overdo it [ˌouvəˈduː it] *vt cu pron* a exagera, a întrece măsura

overdone [ˌouvəˈdʌn] *ptc de la* **overdo**

overdraft [ˈouvəˌdrɑːft] *s* **1** *tehn* supraîncărcare; supraexcitare **2** *ec* neacoperire *(a unui mandat de plată)*

overdrank [ˌouvəˈdræŋk] *pret de la* **overdrink**

overdraw [ˌouvəˈdrɔː], *pret* **overdrew** [ˌouvəˈdruː], *ptc* **overdrawn** [ˌouvəˈdrɔːn] I *vt* **1** *ec* a elibera *(un cec etc.)* fără acoperire **2** *tehn* a supraîncărca; a supraexcita **3** *fig* a exagera, *F→* a umfla II *vi ec* a nu avea acoperire *(pt un cont etc.)*

overdress I [ˌouvəˈdres] *vi, vr* a se îmbrăca prea elegant *sau* exagerat II [ˈouvəˌdres] *s* îmbrăcăminte de deasupra *(de ex.* palton)

overdrink [ˌouvəˈdriŋk], *pret* **overdrank** [ˌouvəˈdræŋk], *ptc* **overdrunk** [ˌouvəˈdrʌŋk] I *vt* a bea o cantitate prea mare de II *vr* a bea peste măsură

overdrive [ˌouvəˈdraiv], *pret* **overdrove** [ˌouvəˈdrouv], *ptc* **overdriven** [ˌouvəˈdrivən] *vt* a epuiza, a slei; a chinui

overdriven [ˌouvəˈdrivən] *ptc de la* **overdrive**

overdrove [ˌouvəˈdrouv] *pret de la* **overdrive**

overdrunk [ˌouvəˈdrʌŋk] *ptc de la* **overdrink**

overdue [ˌouvəˈdjuː] *adj* întârziat; depășit ca termen; **the train is ~** trenul a întârziat; **an ~ bill** *ec* o poliță cu scadență depășită

overeat [ˌouvərˈiːt], *pret* **overate** [ˌouvərˈeit], *ptc* **overeaten** [ˌouvərˈiːtən] *vi* a mânca prea mult

overeaten [ˌouvərˈiːtən] *ptc de la* **overeat**

overemphasize [ˌouvərˈemfəsaiz] *vt* a sublinia (în mod) exagerat

overestimate [ˌouvərˈestimeit] *vt* a supraaprecia

overexert oneself [ˌouvər igˈzəːt

wʌnˌself] *vr* a se surmena, a se extenua; a munci prea mult

overexpose [ˌouvəriksˈpouz] *vt fot* a supraexpune, a expune prea mult

overflew [ˌouvəˈfluː] *pret de la* **overfly**

overflow I [ˈouvəˌflou] *s* **1** revărsare; scurgere; debit; ape excedentare **2** *tehn* deversor; țeavă de deversare **3** *fig* revărsare; prisos; abundență II [ˌouvəˈflou] *vt* **1** a se revărsa peste *(maluri etc.)*, a inunda; a îneca **2** a umple ochi III [ˌouvəˈflou] *vi* **1** a se revărsa, a deborda; a deversa; *(d. un recipient etc.)* a fi prea plin **2** a fi prea plin *sau* prea mult

overflown [ˌouvəˈfloun] *ptc de la* **overfly**

overflow with [ˌouvəˈflou wið] *vi cu prep* a deborda de; a fi plin de; a nu mai putea de *(bucurie etc.)*

overfly [ˌouvəˈflai], *pret* **overflew** [ˌouvəˈfluː], *ptc* **overflown** [ˌouvəˈfloun] *vt av* a survola

overgrown [ˌouvəˈgroun] *adj* **1** prea mare *(pt vârsta lui);* crescut peste măsură **2** năpădit de buruieni, (lăsat) în paragină

overgrowth [ˌouvəˈɡrouθ] *s* **1** supracreștere; creștere excesivă *sau* prea rapidă **2** năpădire *(a buruienilor)*

overhand [ˈouvəˌhænd] *adj* **1** coborâtor, de sus în jos **2** *min* de jos în sus

overhang I [ˌouvəˈhæŋ] *pret și ptc* **overhung** [ˌouvəˈhʌŋ] *vt* **1** a atârna deasupra *(cu gen)*/peste **2** *fig* a atârna deasupra *(cu gen)*, a amenința II [ˌouvəˈhæŋ] *vi* a atârna deasupra III [ˈouvəˌhæŋ] *s* **1** ieșitură, ieșind, proeminență **2** *tehn* consolă **3** *nav* avântare

overhaul I [ˌouvəˈhɔːl] *vt* **1** a revizui, a examina, a verifica *(un aparat etc.)* **2** a repara; a face o reparație capitală *(cu dat);* a reconstrui **3** *(d. un vehicul)* a ajunge din urmă II [ˈouvəˌhɔːl] *s* reparație/revizie generală

overhead I [ˈouvəhed] *adj* **1** de sus, superior **2** fixat de plafon **3** suprateran; aerian **4** *(d. preț etc.)* global II [ˈouvəˌhed] *adv* **1** sus, deasupra; la etaj **2** sus, deasupra; în cer; în înalturi III [ˈouvəhed] *s amer v.* **overheads**

overheads [ˈouvəhedz] *s pl* cheltuieli de regie

overhear [ˌouvəˈhiər], *pret și ptc* **overheard** [ˌouvəˈhəːd] *vt* a auzi fără să vrea, a surprinde *(o conversație etc.)*

overhung [ˌouvəˈhʌŋ] *pret și ptc de la* **overhang** I, II

overjoyed [ˌouvəˈdʒɔid] *adj* încântat la culme, fericit

overlaid [ˌouvəˈleid] *pret și ptc de la* **overlay** I

overlain [ˌouvəˈlein] *ptc de la* **overlie**

overland I [ˈouvəˌlænd] *adj (d. un drum etc.)* pe uscat II [ˌouvəˈlænd] *adv* pe uscat *(ant* pe mare*)*

overlap I [ˌouvəˈlæp] *vt* **1** a acoperi în parte; a acoperi, a suprapune **2** a întretăia **3** a coincide în parte cu II [ˌouvəˈlæp] *vi* **1** a se acoperi în parte; a se acoperi, a se suprapune **2** a se întretăia; a se întrepătrunde **3** a coincide în parte III [ˈouvəˌlæp] *s* **1** acoperire, suprapunere (↓ parțială) **2** întretăiere, întrepătrundere **3** coincidere parțială

overlay¹ I [ˌouvəˈlei], *pret și ptc* **overlaid** [ˌouvəˈleid] *vt* **1** a acoperi *(cu vopsea etc.)* **2** *tel* a heterodina II [ˈouvəˌlei] *s* **1** acoperire *(cu vopsea etc.)* **2** strat *(de metal etc.)* **3** față de masă **4** *scot* cravată

overlay² [ˌouvəˈlei] *pret de la* **overlie**

overleaf [ˈouvəˌliːf] *adv* pe pagina următoare

overleap [ˌouvəˈliːp] I *vt* **1** a sări peste **2** a sări mai departe decât **3** a sări (peste), a omite; a neglija II *vr* a merge prea departe, a întrece măsura, a exagera

overlie [ˌouvəˈlai], *pret* **overlay** [ˌouvəˈlei], *ptc* **overlain** [ˌouvəˈlein] *vt* a sta (culcat) pe

overlive [ˌouvəˈliv] *vt* a trăi mai mult decât

overload [ˌouvəˈloud] *vt* a încărca excesiv, a împovăra

overlong [ˌouvəˈlɔŋ] I *adj* **1** prea lung **2** prea îndelungat II *adv* prea mult (timp)

overlook [ˌouvəˈluk] *vt* **1** a se ridica deasupra *(cu gen);* a domina *(valea etc.)* **2** a vedea *sau* a privi de sus *(de la fereastră etc.)* **3** a nu vedea, a-i scăpa *(o greșeală etc.)*, a omite **4** a trece cu vederea peste, a nu ține seama de;

a nu răsplăti *(meritele etc.)* **5** a supraveghea; a avea grijă de **6** a examina, a cerceta; a-și arunca ochii pe **7** a deochea

overlord ['ouvə,lɔːd] *s od* suzeran; stăpân

overly ['ouvəli] *adv* prea; prea mult; excesiv

overman [,ouvə'mæn] *s* **1** șef; stăpân **2** șef de echipă; maistru **3** arbitru **4** supraom

overmaster [,ouvə'mɑːstə'] *vt* a subjuga; a învinge, a birui

overmuch [,ouvə'mʌtʃ] *adj, adv* prea mult, exagerat

overnice ['ouvə'nais] *adj* peste măsură de mofturos; cusurgiu

overnight I [,ouvə'nait] *adv* **1** peste noapte; noaptea, în timpul nopții; **he became famous ~** *fig* deveni celebru peste noapte **2** cu o seară mai înainte, în ajun **II** ['ouvə,nait] *adj* **1** de *sau* pentru o singură noapte **2** de peste noapte **3** din ajun, din seara de mai înainte

overpaid [,ouvə'peid] *pret și ptc de la* **overpay**

overpass ['ouvə,pɑːs] *s drumuri* pasaj superior

overpay [,ouvə'pei], *pret și ptc* **overpaid** [,ouvə'peid] *vt* **1** a plăti mai mult decât **2** a plăti prea mult pentru

overpeopled ['ouvə'piːpld] *adj* **1** suprapopulat **2** supraaglomerat

overplus ['ouvə,plʌs] *s* **1** surplus; prisos; excedent **2** exces; cantitate prea mare

overpower [,ouvə'pauə'] *vt* **1** a copleși *(prin forță, numericește);* a fi mai puternic decât; a învinge, a birui, a înfrânge; a supune **2** *fig (d. somn etc.)* a birui; a doborî; a pune stăpânire pe

overpowering [,ouvə'pauəriŋ] *adj* **1** copleșitor, de neînfrânt **2** prea autoritar

overprint [,ouvə'print] *vt poligr* a supratipări

overproduction ['ouvəprə'dʌkʃən] *s ec* supraproducție

overran [,ouvə'ræn] *pret de la* **overrun**

overrate [,ouvə'reit] *vt* a supraestima, a supraaprecia, a supraevalua

overreach [,ouvə'riːtʃ] **I** *vt* **1** a ajunge/a se întinde până la *sau*

(până) dincolo de **2** a depăși *(în timp)*, a se extinde până după **3** a fi mai șiret decât; a păcăli; a înșela **4** a dobândi pe căi necinstite *sau* în mod ilegal **5** a cuceri *(publicul)* **II** *vr* **1** a se înșela, a-și face greșit socotelile, a calcula greșit **2** a ținti prea departe; a se întinde mai mult decât îi e plapuma; a întrece măsura **3** a i se întinde o vină **4** *(d. cai)* a se cosi

overrefined [,ouvəri'faind] *adj* suprarafinat

overridden [,ouvə'ridən] *ptc de la* **override**

override [,ouvə'raid], *pret* **overrode** [,ouvə'roud], *ptc* **overridden** [,ouvə'ridən] *vt* **1** a călări peste **2** a nu lua în seamă, a nu ține cont de **3** *fig* a călca în picioare **4** a asupri, a oprima; a prigoni **5** a se extinde/a se întinde peste

overripe [,ouvə'raip] *adj bot* **1** răscopt **2** *(d. arbori etc.)* trecut de vârsta de exploatabilitate

overrode [,ouvə'roud] *pret de la* **override**

overrule [,ouvə'ruːl] *vt* **1** a stăpâni (peste), a conduce **2** a respinge *(o propunere etc.)* **3** a anula; a considera nul și neavenit **4** a nesocoti, a trece peste *(un ordin etc.)* **5** a reduce la tăcere; a învinge

overrun [,ouvə'rʌn], *pret* **overran** [,ouvə'ræn], *ptc* **overrun** [,ouvə-'rʌn] *vt* **1** a invada; a năpădi **2** a se revărsa peste; a inunda **3** a depăși, a trece peste *(o limită de timp)*

oversaw [,ouvə'sɔː] *pret de la* **oversee**

oversea ['ouvə'siː] *adj atr* **1** de peste mare *sau* mări; de dincolo de ocean **2** străin, de peste hotare; *(d. comerț)* exterior

overseas [,ouvə'siːz] **I** *adj atr v.* **oversea II** *adv* **1** peste mare *sau* mări; dincolo de ocean; de cealaltă parte a mării *sau* oceanului **2** peste hotare, în străinătate

oversee [,ouvə'siː], *pret* **oversaw** [,ouvə'sɔː], *ptc* **overseen** [,ouvə-'siːn] *vt* a supraveghea, a controla

overseen [,ouvə'siːn] *ptc de la* **oversee**

overseer ['ouvə,siə'] *s* supraveghetor

oversell [,ouvə'sel], *pret și ptc* **oversold** [,ouvə'sould] *vt ← F* a lăuda exagerat

oversensitive [,ouvə'senzitiv] *adj fot etc.* suprasensibil

oversexed [,ouvə'sekst] *adj* **1** erotic **2** obsedat sexual

overshadow [,ouvə'ʃædou] *vt* **1** a arunca umbra asupra *(cu gen)*/ pe **2** *fig* a pune în umbră, a eclipsa, a întuneca

overshoe ['ouvə,ʃuː] *s* galoș

overshoot ['ouvə'ʃuːt], *pret și ptc* **overshot** ['ouvə'ʃɔt] **I** *vt* **1** a nu nimeri, a greși *(ținta)* **2** a trage *(cu arma)* mai bine decât **3** a depăși *(atribuțiile);* a întrece măsura în **4** a se abate de la *(o rută)* **II** *vi* **1** a greși ținta, a nu nimeri în țintă **2** *fig* a greși; a întrece măsura, a sări peste cal

overshot ['ouvə'ʃɔt] *pret și ptc de la* **overshoot**

overshot wheel [,ouvə'ʃɔt ,wiːl] *s* roată hidraulică

overside ['ouvə,said] *adv nav* peste bord

oversight ['ouvəsait] *s* **1** omisiune; neglijență **2** supraveghere (↓ atentă)

oversimplification [,ouvə,simplifi-'keiʃən] *s* simplificare excesivă/ exagerată

oversimplify [,ouvə'simplifai] *vt* a simplifica prea mult

oversize [,ouvə'saiz] *s* **1** supradimensiune **2** supragabarit; gabarit depășit

oversleep [,ouvə'sliːp], *pret și ptc* **overslept** [,ouvə'slept] **I** *vt* a dormi mai târziu decât *(ora 7 etc.)* **II** *vr, vi* a dormi prea mult; a nu se scula *sau* a nu se trezi la timp

overslept [,ouvə'slept] *pret și ptc de la* **oversleep**

oversmoke [,ouvə'smouk] *vi* a fuma prea mult

oversold [,ouvə'sould] *pret și ptc de la* **oversell**

overspill ['ouvə,spil] *s* **1** revărsare **2** surplus, exces; supraabundență

overstate [,ouvə'steit] *vt* a exagera

overstatement [,ouvə'steitmənt] *s* exagerare; declarație exagerată

overstay [,ouvə'stei] *vt* a rămâne mai mult decât; a depăși *(timpul);* **to ~ one's welcome** a abuza de ospitalitatea cuiva

overstep [ˌouvəˈstep] *vt* **1** a păși peste **2** *fig* a depăși limitele *(cu gen)*; a depăși *(atribuțiile)*

overstock *ec* **I** [ˌouvəˈstɔk] *s* suprastoc, stoc excedentar **II** [ˈouvəˌstɔk] *vt* a suprastoca

overstrung [ˌouvəˈstrʌŋ] *adj (d. nervi etc.)* supraîncordat, încordat la maximum

overt [ˈouvəːt] *adj* **1** deschis, fățiș; sincer **2** limpede, clar, vădit

overtake [ˌouvəˈteik], *pret* **overtook** [ˌouvəˈtuːk], *ptc* **overtaken** [ˌouvəˈteikən] *vt* **1** a ajunge din urmă *(o mașină etc.)*; a depăși **2** a îndeplini/a efectua în cele din urmă *(o sarcină etc.)*, a face față *(cu dat)* **3** *(d. o furtună etc.)* a surprinde **4** *(d. teamă etc.)* a cuprinde, a pune stăpânire pe

overtaken [ˌouvəˈteikən] *ptc de la* **overtake**

overtax [ˌouvəˈtæks] *vt* **1** a obliga să plătească impozite prea mari **2** a pune la încercare *(răbdarea, nervii)*, a suprasolicita

over-the-counter [ˌouvəðəˈkauntəʳ] *adj atr* **1** vândut direct/fără intermediar **2** vândut în magazin *(nu prin poștă)*

overthrew [ˌouvəˈθruː] *pret de la* **overthrow I**

overthrow I [ˌouvəˈθrou], *pret* **overthrew** [ˌouvəˈθruː], *ptc* **overthrown** [ˌouvəˈθroun] *vt* **1** a răsturna, a da jos; a trânti **2** *fig* a răsturna *(guvernul etc.)* **II** [ˈouvəθrou] *s* **1** *fig* răsturnare **2** înfrângere

overthrown [ˌouvəˈθroun] *ptc de la* **overthrow I**

overtime [ˈouvəˌtaim] **I** *s* ore suplimentare **II** *adj atr (d. plată etc.)* pentru ore suplimentare **III** *adv (a fi plătit etc.)* pentru ore suplimentare, pentru muncă suplimentară

overtly [ˈouvəːtli] *adv* pe față, fățiș, deschis; (în mod) public

overtone [ˈouvətoun] *s* **1** *muz* sunet secundar **2** *pl fig* nuanțe; subtext, conotație; implicații

overtook [ˌouvəˈtuk] *pret de la* **overtake**

overtop [ˌouvəˈtɔp] *vt* **1** a întrece în înălțime, a fi mai înalt decât **2** *fig* a întrece, a depăși

overture [ˈouvətjuəʳ] *s* **1** *muz* uvertură **2** propunere oficială **3** *pl* începerea negocierilor/trata-

tivelor **4** *pl* avansuri **5** parte introductivă *(a unui poem etc.)*

overturn [ˌouvəˈtəːn] **I** *vt* **1** a răsturna *(barca etc.)* **2** *fig* a răsturna *(planuri)*, a da peste cap; a distruge, a ruina **3** *fig* a înfrânge, a învinge, a birui **II** *vi (d. o barcă etc.)* a se răsturna

overuse [ˌouvəˈjuːz] *vt* a întrebuința/ a uza prea mult

overweening [ˌouvəˈwiːniŋ] *adj* arogant; superior; înfumurat, închipuit

overweight [ˌouvəˈweit] **I** *s* **1** supragreutate, exces de greutate **2** preponderență **II** *adj* în surplus

overweighted [ˌouvəˈweitid] *adj* supraîncărcat

overwhelm [ˌouvəˈwelm] *vt* **1** *(d. bunătate etc.)* a copleși **2** a nimici, a distruge **3** a copleși numericește

overwhelming [ˌouvəˈwelmiŋ] *adj* **1** copleșitor, imens **2** *(d. majoritate)* zdrobitor

overwork I [ˌouvəˈwəːk] *vt* a extenua, a slei; a exploata **II** *vr, vi* a se extenua; a munci exagerat **III** [ˈouvəˌwəːk] *s* **1** muncă excesivă; efort extraordinar **2** [ˈouvəwəːk] muncă suplimentară, ore suplimentare

overwrought [ˌouvəˈrɔːt] *adj* **1** extenuat, foarte obosit, muncit **2** surescitat; > nervos **3** *(d. nervi)* supralicitat, tocit **4** încărcat de amănunte; elaborat

over-zealous [ˌouvəˈzeləs] *adj* prea zelos

Ovid [ˈɔvid] *poet latin* Ovidiu *(43 î.e.n.-17? e.n.)*

oviduct [ˈouviˌdʌkt] *s anat* oviduct, salpinge, trompă uterină

oviform [ˈouvifɔːm] *adj* oviform; oval

ovine [ˈouvain] *adj* ovin, de oaie

oviparity [ˌouviˈpæriti] *s biol* oviparitate

oviparous [ouˈvipərəs] *adj biol* ovipar

ovogenesis [ˌouvəˈdʒenesis] *s biol* o(v)ogeneză

ovoid [ˈouvɔid] **I** *adj* **1** ovoid(al) **II** *s* ovoid; oval

ovule [ˈɔvjuːl] *s* **1** *biol* ovul **2** *bot* ovul, gemulă

ovum [ˈouvəm], *pl* **ova** [ˈouvə] *s biol* ou, ovul

owe [ou] **I** *vt* **1** a datora, a fi dator; **he ~s me five s** îmi datorează cinci șilingi **2** a datora, a fi

îndatorat pentru; **we ~ gratitude to him** îi datorăm recunoștință **3** a datora, a fi obligat la *(supunere etc.)* **4** a datora, a fi îndatorat pentru existența *(unei descoperiri etc.)* **II** *vi* a fi dator

owelty [ˈouelti] *s jur* egalitate (în drepturi)

Owen [ˈouin] **1** *nume masc* **2** **Robert** socialist englez *(1771-1858)*

owing [ˈouiŋ] *adj (d. o sumă de bani)* rămas de plată, datorat

owing to [ˈouiŋ tə] *prep* datorită *cu dat*, din cauza, în urma *cu gen*

owl [aul] *s* **1** *orn* bufniță, buhă *(Strigiformes sp.)*; **to carry ~s to Athens** *fig* a căra apă la puț; **(as) drunk as an ~** *sl* beat mort/criță; **to fly with the ~** *fig* a duce o viață de noapte **2** *fig* pasăre de noapte **3** *fig* (om) înțelept

owlet [ˈaulit] *s orn* **1** pui de bufniță **2** cucuvea *(Athene noctua)*

owlish [ˈauliʃ] *adv* (ca) de bufniță

owlishly [ˈauliʃli] *adv* ca o bufniță

owl train [ˈaul trein] *s amer←F* tren de noapte

own [oun] **I** *adj* **1** propriu; personal; **for your very ~** *(unui copil)* numai pentru tine, să nu dai la altul **2** scump, iubit, drag **3** *(d. rudă)* de sânge; apropiat; **an ~ cousin** un văr bun **II** *s* ceea ce îi aparține cuiva; **a friend of my ~** un prieten de-al meu; **to come into one's ~** a-și câștiga drepturile; a intra în drepturile sale; a-și ocupa locul ce i se cuvine; **to hold one's ~** a rămâne (ferm) pe poziție, a nu ceda; **on one's ~** *F* pe barba/pielea sa, – pe propria răspundere; pe cont propriu **III** *vt* **1** a poseda, a avea, a stăpâni **2** a recunoaște *(un copil, paternitatea, greșelile etc.)* **IV** *vr* a se recunoaște *(învins etc.)*

owner [ˈounəʳ] *s* proprietar, stăpân

owner driver [ˈounə draivəʳ] *s auto* proprietar și conducător al mașinii

ownerless [ˈounəlis] *adj* fără stăpân; de capul său

owner-occupied [ˌounərˈɔkjupaid] *adj (d. locuință)* ocupat de proprietar

owner-occupier [ˌounərˈɔkjupaiəʳ] *s* proprietar al casei în care locuiește

ownership ['ounə‚ʃip] *s* **1** proprietate, stăpânire, posesiune **2** drept de proprietate

own to ['oun tə] *vi cu prep* a recunoaște *(un furt etc.);* **I must ~ feeling anxious** (trebuie să) recunosc că sunt cam îngrijorat, neliniștit

own up ['oun‚ʌp] *vt cu part adv ← F* a recunoaște deschis

ox [ɔks], *pl* **oxen** ['ɔksən] *s* **1** bou **2** orice alt reprezentant al taurinelor: taur; bivol; bizon *etc.* // **the black ~** *fig* vacă neagră

Ox. *presc de la* **Oxford**

oxalic acid [ɔk'sælik ‚æsid] *s ch* acid oxalic; sare de măcriș

oxbow ['ɔks‚bou] *s* **1** jug *(în formă de U)* **2** albie veche, braț mort *(al unui râu)* **3** meandră, cot *(de râu, în formă de U)*

Oxbridge ['ɔksbridʒ] *universitățile* Oxford și Cambridge

ox-cart ['ɔkskɑ:t] *s* car cu boi

oxen ['ɔksən] *pl de la* **ox**

ox-eye ['ɔksai] *s* **1** (↓ *la un om)* ochi de bou **2** *bot* ochiul boului *(Rudbeckia hirta)* **3** *bot* romaniță puturoasă *(Anthemis cotula)* **4** *bot* ochiul boului, margarete *(Chrysanthemum leucanthemum)* **5** *orn* pițigoi mare/de sat *(Parus major)* **6** ochi de bou *(ferestruică rotundă)*

ox-eyed ['ɔksaid] *adj* cu ochi(i) mari/ bulbucați

Oxford ['ɔksfəd] **1** *v.* **Oxfordshire 2** *oraș universitar în* Anglia

Oxford movement, the ['ɔksfəd 'mu:vmənt, ði] *s rel* tractarianism, Mișcarea de la Oxford *(1833-1845)*

Oxfordshire ['ɔksfədʃiə'] *comitat în* Anglia

oxid ['ɔksid] *s v.* **oxide**

oxidation [‚ɔksi'deiʃən] *s ch* oxidare

oxide ['ɔksaid] *s ch* oxid

oxidize ['ɔksidaiz] *ch* **I** *vt* a oxida **II** *vi* a se oxida

oxidizer ['ɔksidaizə'] *s ch* oxidant

oxime ['ɔksi:m] *s ch* oximă

ox-like ['ɔkslaik] **I** *adj* (ca) de bou, bovin **II** *adv* ca un bou; ca boii

oxlip ['ɔkslip] *s bot* ciuboțica cucului *(Primula elatior)*

Oxon ['ɔksən] *v.* **Oxfordshire**

Oxon. *presc de la* **1 Oxonia** *lat* Oxford **2 Oxoniensis** *lat* din/de la Oxford

Oxonian [ɔk'souniən] **I** *adj* din/de la Oxford *sau* universitatea din Oxford **II** *s* **1** locuitor al Oxford-ului **2** student *sau* absolvent al universității din Oxford

oxtail ['ɔksteil] *s* ↓ *gastr* coadă de bou *sau* vacă

oxyacetylene [‚ɔksiə'seti‚li:n] *s ch* oxiacetilenă

oxygen ['ɔksidʒən] *s ch* oxigen

oxygen acid ['ɔksidʒən ‚æsid] *s ch* acid oxigenat

oxygenate ['ɔksidʒineit] *vt ch* a oxigena; a oxida

oxygenation [‚ɔksidʒi'neiʃən] *s ch* oxigenare; oxidare

oxygen mask ['ɔksidʒən 'mɑ:sk] *s* mască de oxigen

oxygen uptake ['ɔksidʒən 'ʌpteik] *s ch* absorbția oxigenului

oxymoron [‚ɔksi'mɔ:rɔn] *s ret* oximoron

oyes, oyez [ou'jez, ou'jes] *interj* „ascultați!" „atențiune!" *(strigăt repetat de trei ori de către pristav sau aprod)*

oyster ['ɔistə'] *s* **1** *zool* stridie *(Ostreidae sp.);* **(as) close as an ~ a** care tace ca un pește **b** care știe să-și țină gura; **the world is his ~** toată lumea e a lui

oyster bar ['ɔistə ‚bɑ:'] *s* local unde se servesc stridii

oyster bed ['ɔistə ‚bed] *s* banc de stridii

oyster catcher ['ɔistə ‚kætʃə'] *s orn* scoicar *(Haematopus sp.)*

oz. *presc de la* **ounce(s)**

ozocerite, ozokerite [ou'zoukə‚rait] *s minr* ozocherită

ozone ['ouzoun] *s* **1** *ch* ozon **2** ← *F* aer curat

ozonide [ou'zounaid] *s ch* ozonidă

ozonize ['ouzə‚naiz] *vt ch* a ozoniza

ozonosphere [ou'zounəsfiə'] *s* ozonosferă

ozs *presc de la* **ounces**

P

P, p [pi:] *s* (litera) P, p; **to mind one's P's and Q's** a fi atent (cum vorbești *sau* cum te porți)

P., p. *presc de la* **1** pastor **2** post **3** prince **4** power **5** president **6** priest **7** pressure

p. *presc de la* **1** page **2** participle **3** part **4** penny **5** per **6** pint **7** pole **8** population

pa [pɑ:] *s F* tăticu, papa

Pa *presc de la* **Pennsylvania**

p.a. *presc de la* **per annum**

pabulum ['pæbjuləm] *s lat* hrană (↓ spirituală)

Pac. *presc de la* **Pacific**

pace [peis] **I** *s* **1** pas; distanță de un pas **2** pas, mers; viteză; **at a snail's ~** *fig* cu viteză de melc; **to mend one's ~** a grăbi/a iuți pasul; **to go/to hit the ~** ← *rar* a a merge repede; < a alerga **b** a duce o viață destrăbălată; **to keep ~ with** *și fig* a ține pasul cu; **to set the ~ a** *sport* a imprima ritmul **b** *fig* a da tonul **3** *mil* pas (alergător *etc.*) **4** mers, fel de a merge; umblet; **to put smb through his ~s** a pune pe cineva la o probă/la o încercare; a testa pe cineva; **to show one's ~s** a arăta ce poate/de ce este în stare **5** buiestru **6** treaptă *(lată)* **7** pas *(ca măsură = 3 picioare; uneori, 2 1/2 picioare)* **II** *vt* **1** a păși în susul și în josul *(cu gen)* **2** *și fig* a imprima ritmul *(cu dat)* **3** *fig* a ține pas cu, a fi la același nivel cu **4** a păși peste **5** a măsura cu pasul *(v. ~ I, 7)* **III** *vi* **1** a păși; a merge; a umbla; a se plimba **2** *(d. cal)* a merge în buiestru

paced [peist] *adj (în cuvinte compuse)* cu pasul/mersul ...; **fast-~** cu mersul repede

pace maker ['peis ˌmeikəʳ] *s* **1** *sport* persoană, mașină *sau* animal care imprimă ritmul **2** *fig* persoană care dă tonul **3** *fizl* nod sinuzal

pace setter ['peis ˌsetəʳ] *s* ↓ *amer v.* **pace maker**

pacha ['pɑ:ʃə] *s od* pașă

pachalic ['pɑ:ʃəlik] *s od* pașalâc

pachouli ['pætʃuli] *s bot* paciuli(e) *(Pogostemon patchouli)*

pachyderm ['pækidə:m] *s* **1** *zool* pachiderm **2** *fig* nesimțit, om cu obrazul gros

pachydermatous [ˌpæki'də:mətəs] *adj* **1** *zool* pachidermic, de pachiderm **2** *fig* nesimțit, cu obrazul gros

Pacific, the [pə'sifik, ðə] (Oceanul) Pacific

pacific(al) [pə'sifik(əl)] *adj* **1** pacific, iubitor de pace/liniște **2** pașnic, liniștit, blând **3** pacificator

pacifically [pə'sifikəli] *adv* **1** (în mod) pacificator **2** (în mod) pașnic

pacificate [pə'sifikeit] *vt* a pacifica

pacification [ˌpæsifi'keiʃən] *s* pacificare

pacificator [pə'sifikeitəʳ] *s* pacificator; împăciuitor

pacificatory [ˌpæsifi'keitəri] *adj* pacificator; împăciuitor

pacificism [pə'sifisizəm] *s* pacifism

pacifier ['pæsiˌfaiəʳ] *s* **1** *v.* **pacificator 2** *amer* suzetă

pacifism ['pæsiˌfizəm] *s* pacifism

pacifist ['pæsifist] *s* pacifist

pacifistic [pæsi'fistik] *adj* pacifist

pacify ['pæsifai] *vt* **1** a pacifica, a restabili pacea în **2** a liniști, a calma

pack [pæk] **I** *s* **1** legătură; balot; pachet; **a ~ of cigarettes** un pachet de țigări **2** mănunchi, legătură; grămadă **3** ambalaj **4** *fiz* fascicul; grup **5** *mil* raniță **6** *fig* grup *(și mil);* mănunchi; *peior* clică, gașcă; bandă **7** haită *(de lupi etc.)* **8** grămadă, șir, colecție *(de anecdote etc.)* **9** pachet *(de cărți de joc)* **10** *med* împachetare, pachet **11** cantitate de conserve preparate într-un sezon **12** *v.* **pack ice II** *vt* **1** a împacheta; a balota; a lega; a înfășura **2** a înmănunchea, a face mănunchi, a lega **3** a ambala **4** a conserva; a pune în cutii de conserve **5** a întesa, a umple; a înghesui **6** *fiz* a comprima; a grupa **7** a strânge, a aduna, a îngrămădi **8** a încărca *(un cal);* a împovăra **9** *med* a împacheta; a înfășa **10** a împânzi *(o adunare etc.)* cu susținători; **to ~ a (hard) punch** a *F* a ști să tragă un pumn zdravăn **b** ← *F* a ști să se apere/să-și apere punctul de vedere *(într-o discuție etc.)* **III** *vi* **1** a împacheta; a face bagajele **2** a se înghesui, a se îmbulzi **3** *(d. haine etc.)* a se împacheta *(bine etc.)* **4** a se strânge; a se solidifica **5** a pleca în grabă, *F* a o șterge, a spăla putina; **to send smb ~ing** *F* a face pe cineva să plece urgent/să-și ia tălpășița

package ['pækidʒ] *s* **1** împachetare; balotare; legare *etc.* (v. **pack II, III**) **2** pachet **3** cutie, ladă *etc.* în care a fost pus ceva

packaged ['pækidʒd] *adj* împachetat; balotat; legat *etc.* (v. **pack II, III**)

package freight ['pækidʒ ˌfreit] *s nav* mărfuri generale

package store ['pækidʒ ˌstɔ:ʳ] *s amer* magazin în care băuturile alcoolice se vând exclusiv în recipiente închise

package tour ['pækidʒ ˌtuəʳ] *s amer* ← *F* excursie aranjată până în cele mai mici amănunte de o agenție de turism

pack animal ['pæk ˌæniməl] *s* animal de povară

pack away ['pæk ə'wei] *vt, vr, vi v.* **pack off**

pack drill ['pæk 'dril] *s:* **no names, no ~** *F* e mai sănătos/bine să nu menționez nume

packed [pækt] *adj* **1** împachetat; *(d. bagaje)* făcut; gata **2** plin până la refuz; întesat; aglomerat **3** *(d. zăpadă etc.)* întărit; bătătorit **4** *(d. juriu etc.)* ales tendențios/*F* „pe sprânceană"

packed-out ['pækt ˌaut] *adj* ticsit, întesat, plin până la refuz

packer ['pækəʳ] *s* **1** împachetator; persoană *sau* mașină care împachetează **2** *min* rambleiator; pacher **3** *ferov* ciocan de burat

packet ['pækit] **I** *s* **1** pachet *(de țigări etc.)* **2** *tehn* balot **3** *nav* navă poștală mică **II** *vt* a împacheta; a balota

packet boat ['pækit ˌbout] *s nav* navă de pasageri cu mesagerii, pachebot

pack ice ['pækais] s gheață de banchiză

pack in ['pæk'in] vt cu part adv ← F a atrage în număr mare // **to pack it in** F a-i ajunge, – a termina, a isprăvi (o muncă etc.)

packing case ['pækiŋ ‚keis] s ladă de ambalaj

packing paper ['pækiŋ ‚peipə'] s hârtie de ambalaj

packing sheet ['pækiŋ ‚ʃi:t] s 1 material pentru împachetat 2 med cearșaf pentru împachetare umedă

pack off ['pæk 'ɔ(:)f] I vt cu part adv a da afară, a izgoni II vi cu part adv a pleca, F a o șterge, a spăla putina

pack oneself off ['pækwʌn‚self 'ɔ(:)f] vr cu part adv v. pack off II

packsaddle ['pæk‚sædəl] s samar

pack up ['pæk'ʌp] vi cu part adv 1 F a termina treaba 2 (d. o mașină) ← F a nu mai merge/funcționa 3 sl a da ortul popii, – a muri 4 v. pack III, 1

pact [pækt] s pol pact; tratat

pad¹ [pæd] I s 1 căptușeală (moale) 2 pachet de vată; tampon 3 pernă, periniță; proptea; reazem, suport 4 șa (moale) 5 bloc de foi de scris, desen etc. 6 zool pernuță; labă (de iepure etc.) 7 tușieră 8 fiz rampă de lansare (a rachetelor) 9 pilulă, tabletă 10 sl pat II vt 1 a umple cu vată sau păr; a căptuși cu un material moale 2 a umple sau a lungi (un discurs etc.) cu cuvinte goale sau amănunte inutile (citate etc.) 3 a umfla (state de plată etc.)

pad² I s 1 cal liniștit 2 ← înv sl drum; drumul mare II vi 1 a merge pe jos, a umbla 2 a merge tiptil

padding ['pædiŋ] s 1 căptușeală; vată; bumbac 2 material de umplutură (într-un discurs etc.)

Paddington ['pædiŋtən] district în Londra

paddle ['pædəl] I s 1 nav vâslă, ramă; padelă; zbat 2 tehn pală, paletă, aripă; lopată 3 nav vâslit; canotaj 4 poartă (de ecluză) 5 făcăleț 6 mai (pt rufe) 7 iht etc. aripă, aripioară II vi 1 a se bălăci; a păși/a merge prin apă 2 a merge legănat, a umbla ca rața, a se bălăbăni 3 a vâsli cu o singură lopată 4 a bate darabana

(cu degetele) II vt 1 a conduce (barca) cu vâslele; **to ~ one's own canoe** a se descurca singur, a nu avea stăpân 2 a bate, F a altoi

paddler ['pædlə'] s vâslaș, lopătar

paddle steamer ['pædəl ‚sti:mə'] s nav navă cu roți cu zbaturi

paddle wheel ['pædəl ‚wi:l] s nav roată cu zbaturi

paddling pool ['pædliŋ ‚pu:l] s bazin cu apă puțin adâncă (unde se bălăcesc copiii)

paddock¹ ['pædək] s 1 padoc, spațiu îngrădit pentru caii de curse 2 loc unde se înșeuează caii (la hipodrom) 3 australian câmp îngrădit

paddock² s zool ← înv broască

Paddy ['pædi] s irlandez (poreclă)

paddy¹ s 1 orez nedecorticat sau necules 2 orez 3 câmp/lan de orez

paddy² s F draci, nervi

paddy wagon ['pædi ‚wægən] s amer sl dubă (a poliției)

padishah ['pɑ:diʃɑ:] s 1 și **P ~** od șah(inșah) (al Iranului) 2 ist padișah, sultan 3 împărat; rege, crai 4 ist monarh englez ca împărat al Indiei

pad it ['pædit] vt cu pron F a bate drumurile, – a merge pe jos

padlock ['pædlɔk] I s lacăt II vt a închide/a încuia cu (un) lacăt

padre ['pɑ:dri] s 1 preot, părinte (în Spania, Portugalia, Italia) 2 ← F mil capelan

Padua ['pædjuə] oraș în Italia Padua, Padova

Padus, the ['peidəs, ðə] ← înv râu Pad, Po

paean ['pi:ən] s 1 od imn de mulțumire 2 cântec de bucurie sau victorie

paederast ['pedəræst] s pederast, homosexual, înv → sodomist

paederasty ['pedəræsti] s pederastie, înv → sodomie

paediatrician [‚pi:diə'triʃən] s med pediatru

paediatrics [‚pi:di'ætriks] s pl ca sg med pediatrie

paella [pai'elə] s sp orez cu carne, pește și legume (↓ în Spania)

paeony ['pi:əni] s v. peony

pagan ['peigən] I adj 1 păgân(esc) 2 idolatru 3 închinător la zei II s 1 păgân 2 idolatru 3 închinător la zei

pagandom ['peigəndəm] s păgânime, păgâni

Paganini [‚pagɑ'ni:ni], **Nicolo** muzician italian (1782-1840)

paganish ['peigəniʃ] adj păgân(esc)

paganism ['peigənizəm] s păgânism

paganize ['peigənaiz] I vt a păgâni II vr a se păgâni

page¹ [peidʒ] I s 1 od paj; copil de casă, aprod 2 băiat de serviciu, groom; comisionar (la hotel, liftier etc.) 3 băiețaș care duce trena miresei 4 amer aprod, ușier 5 ← rar băiat în serviciul unei persoane de rang înalt II vt 1 (la hotel etc.) a chema, a striga (pe nume) (să vină la telefon etc.) 2 od a fi pajul (cuiva) 3 od a însoți ca paj

page² [peidʒ] I s 1 pagină; **~ by ~** pagină cu pagină; **open your books at ~ 17** deschideți cărțile la pagina 17; **translate the text on ~ 24** traduceți textul de la pagina 24 2 foaie, filă; **smb had torn a ~ out of the book** cineva rupsese o foaie din carte 3 fig pagină; episod; moment; **it is one of the finest ~s in our country's history** este una dintre cele mai frumoase/strălucite pagini din istoria țării noastre 4 poligr coloană (v. și I, 1, 2) II vt a numerota paginile (unei cărți), a pagina

pageant ['pædʒənt] s 1 spectacol public grandios, ceremonie fastuoasă; procesiune măreață, alai măreț (↓ cu caracter alegoric sau istoric) 2 fig tablou viu; desfășurare; film 3 carnaval; mascaradă 4 teatru od scenă ambulantă (pe roți, pentru reprezentarea misterelor) 5 teatru od mister (reprezentat) 6 teatru piesă sau spectacol cu scene din istoria unui oraș (reprezentație ↓ în aer liber) 7 fig strălucire goală, pompă falsă; aparență

pageantry ['pædʒəntri] s v. pageant 1 și 6

page boy ['peidʒ ‚bɔi] s v. page¹ I, 3 și 5

page depth ['peidʒ ‚depθ] s poligr înălțimea paginii

page imposition/make-up ['peidʒ impə'ziʃən/‚meik‚ʌp] s poligr paginație

page-one(r) ['peidʒ,wʌn(ə)ʳ] *s amer* **1** ← *F* articol de ziar pe prima pagină **2** *F* bombă; – senzație, vâlvă

page proof ['peidʒ ,pru:f] *s poligr* corectură în pagini

paginate ['pædʒineit] *vt* a numerota paginile *(unei cărți etc.)*, a pagina

pagination [,pædʒi'neiʃən] *s* **1** numerotare a paginilor, paginare **2** paginație, paginare, așezare în pagini

pagoda [pə'goudə] *s* pagodă

Pago Pago ['pɑ:gou 'pɑ:gou] *port în arhipelagul Samoa*

pah [pɑ:] *interj* pfui! ptiu!

paid [peid] **I** *pret și ptc de la* **pay I II** *adj* plătit; achitat

paid-up ['peidʌp] *adj* plătit/achitat integral; cu cotizația (plătită) la zi

pail [peil] *s* **1** găleată, vadră **2** cuvă; benă **3** ciubăr

pailful ['peilful] *s* găleată (conținutul)

paillase [pæl'jæs] *s fr* saltea de paie

pain [pein] **I** *s* **1** durere *(fizică sau sufletească)*, suferință; **to feel/to suffer** ~ a-l durea, a simți durere; **to feel a ~ in one's chest** a-l durea pieptul **2** *pl* efort(uri), osteneală; **to spare no ~s** a nu cruța nici un efort; **to take ~s, to be at (the) ~s** a depune eforturi, a se strădui, a-și da osteneala; **to have one's labour for one's ~s** a se căzni/a se strădui degeaba/zadarnic; **to save one's ~s** a-și cruța/a-și economisi forțele **3** *pl med* durerile facerii **4** pedeapsă *sau* amenințare cu pedeapsa; **on/under ~ of death** sub pedeapsa cu moartea **5** *(și* ~ **in the neck)** *(d. cineva sau ceva) pl* pacoste, pedeapsă, calamitate; **he's a real ~** e o adevărată pacoste **6** *(și* ~ **in the neck)** *sl* supărare, chin; bătaie de cap **II** *vt* **1** a durea; **my tooth doesn't ~ me now** nu mă mai doare măseaua **2** a întrista, a mâhni, a îndurera

Paine, Thomas *scriitor și gânditor politic american (1731-1809)*

pained [peind] *adj* **1** îndurerat; mâhnit **2** *(d. mină)* îndurerat, care exprimă durere

painful ['peinful] *adj* **1** dureros, care provoacă durere; supărător **2** supărător, penibil, jenant **3** sensibil; bolnav; care doare; **I have a ~ finger** mă doare un deget **4** greu, obositor

painfully ['peinfuli] *adv* **1** cu durere/ suferință **2** dureros de; extrem de; exagerat de **3** cu trudă/ efort(uri)

pain killer ['pein ,kilə'] *s* ← *F* calmant

painless ['peinlis] *adj* nedureros, indolor; analgezic

painlessly ['peinlisli] *adv* **1** fără dureri **2** fără trudă/caznă/efort(uri)

painstaking ['peinz,teikiŋ] **I** *s* osteneală, grijă, strădanie **II** *adj* **1** sârguincios, silitor, care-și dă (toată) osteneala **2** atent; migălos, minuțios

painstakingly ['peinz,teikiŋli] *adv* **1** cu toată silința, lucrând conștiincios **2** cu migală, migălos, minuțios

paint [peint] **I** *s* **1** vopsea **2** *pl* vopsele, culori; **a box of ~s** o cutie cu vopsele **3** ruj; fard **II** *vt* **1** a picta *(un tablou etc.)*, *poetic →* a zugrăvi **2** *fig* a zugrăvi, a descrie, a prezenta, a înfățișa **3** a zugrăvi *(pereții etc.)* **4** a farda, a sulemeni, a ruja *(fața etc.)*; a înfrumuseța **5** a vopsi, a colora **III** *vi* **1** a picta, a fi pictor **2** a se farda, a se ruja, a se sulemeni

paint brush ['peint ,brʌʃ] *s* pensulă; penel

painted ['peintid] *adj* **1** pictat **2** vopsit, zugrăvit, colorat **3** prefăcut; fals

painter¹ ['peintə'] *s* **1** pictor **2** vopsitor, zugrav

painter² *s nav* barbetă

painterish ['peintəriʃ] *adj arte* prezentând interes pentru specialiști

painter's colic ['peintəz ,kɔlik] *s med* intoxicație cu plumb, saturnism

paint in ['peint 'in] *vt cu part adv* a picta, a introduce într-o pictură

painting ['peintiŋ] *s* **1** pictură, tablou **2** pictură *(ca artă)*

paint out ['peint'aut] *vt cu part adv* a acoperi cu vopsea, a vopsi

paintwork ['peint,wə:k] *s* vopsea, suprafață vopsită *(la o mașină etc.)*

painty ['peinti] *adj* **1** proaspăt vopsit **2** *(d. un tablou)* încărcat; de prost gust; țipător

pair [pɛə'] **I** *s* **1** pereche *(de cai, de foarfeci etc.)*; **in ~s** câte doi, perechi; perechi-perechi; **a ~ of eyes** doi ochi; ~ **of stairs/steps** scări, scară *(fixă);* **I have only one ~ of hands** *F* nu am decât două mâini! **2** pereche *(bărbat și femeie)*, cuplu; **the happy ~** fericita pereche **3** *pol* doi membri ai unor partide opuse care au convenit să nu participe la vot **4** schimb *(de muncitori);* brigadă **II** *vt* **1** a împerechea; a uni *(prin căsătorie)* **2** a împerechea, a face perechi; a aranja doi câte doi **3** *zool* a împerechea **III** *vi* **1** a forma o pereche; a fi pereche **2** *zool* a se împerechea **3** a se uni prin căsătorie, a se căsători

pairing ['pɛəriŋ] *s* împerechere; potrivire

pairing season ['pɛəriŋ 'si:zən] *s* **1** *zool* rut, perioada rutului **2** *iht* bătaia peștelui

pair oar ['pɛər,ɔ:'] *s sport* pereche de vâslași *(fără cârmaci)*

pair off ['pɛər 'ɔ(:)f] **I** *vt cu part adv v.* **pair II, 1 II** *vi cu part adv* a se împărți câte doi/perechi

pair up ['pɛər'ʌp] **I** *vt cu part adv* a grupa doi câte doi *(pt muncă sau joc)* **II** *vi cu part adv* a se grupa doi câte doi/perechi-perechi *(pt muncă sau joc)*

pais [pei] *s jur* juriu, jurați

paisley ['peizli] *s* șal de lână *(colorat, originar din Paisley, Scoția)*

pajamas [pə'dʒɑ:məz] *s pl* pijama

Pakistan [,pɑ:ki'stɑ:n] *stat*

Pakistani [,pɑ:ki'stɑ:ni] *adj, s* pakistanez

paktong ['pæktɔŋ] *s met* pacfong, aramă albă

pal [pæl] **I** *s* **1** ← *F* prieten (bun), tovarăș; partener **2** *sl* complice **3** ↓ *amer* (↓ *neprietenos)* amic, individ, tip **II** *vi* ← *F* **1** a fi prieteni (buni) **2** (**with, to**) a se împrieteni (cu)

palace ['pælis] *s* **1** palat; clădire somptuoasă **2** reședință oficială

palace court ['pælis ,kɔ:t] *s* curte interioară a unui palat

paladin ['pælədin] *s* **1** *ist* paladin **2** *fig* paladin; cavaler *(↓ apărător)*

palaeo ... *v.* **paleo** ...

palankeen, palanquin [,pælən'ki:n] *s* palanchin, un fel de lectică

palatable ['pælətəbəl] *adj* **1** gustos, plăcut la gust; < savuros **2** *fig* plăcut, < delicios **3** acceptabil, pasabil

palatal ['pælətəl] *fon* **I** *adj* palatal **II** *s* sunet palatal, palatală

palatalization ['pælətəlai'zeiʃən] *s fon* palatalizare

palatalize ['pælətə,laiz] *vt fon* a palataliza

palate ['pælit] *s* **1** *anat* palat, cerul gurii **2** gust, simțul gustului **3** **(for)** *fig* gust, plăcere (pentru)

palatial [pə'leiʃəl] *adj* **1** (ca) de palat; ca un palat **2** somptuos, măreț

palatinate [pə'lætinit] *s ist* palatinat (demnitate, teritoriu)

palatine ['pælətain] *s* **1** *ist* palatin; mare demnitar **2** pelerină de blană **3** P~ Mons Palatinus (una dintre cele 7 coline ale Romei)

palaver [pə'lɑːvəʳ] **I** *s* **1** tratative, negocieri (↓ *cu băștinași din Africa*) **2** vorbe goale, vorbărie **3** cuvinte/ vorbe mieroase, lingușiri; minciuni **4** *sl* treabă, amestec; **it's none of your ~!** ce te bagi? nu te privește! vezi-ți de-ale tale! **II** *vi* **1** a flecări, *Fa* trăncăni, a spune verzi și uscate **2** a se lingui, a spune vorbe mieroase **III** *vt* a lingui, a se lingui pe lângă; a spune vorbe mieroase (cuiva)

pale¹ [peil] **I** *adj* **1** palid (la față); ↓ *poetic* → pal; **to turn** ~ a păli; a îngălbeni; **(as) ~ as ashes** alb ca varul **2** (d. culori) pal; deschis; spălăcit, șters **3** (d. lumină) slab; difuz **4** *fig* (d. imitații etc.) palid; slab; fără valoare **II** *vi* **1** (d. cineva, d. față etc.) a păli, a se îngălbeni; a-și pierde culoarea **2** *fig* a păli, a fi eclipsat **III** *vt* a face să pălească

pale² **I** *s* **1** par; țăruș; țeapă **2** ↓ *fig* îngrădire; hotar, limită; **within the ~ of** în cadrul *sau* limitele *cu gen*; **beyond/outside the ~ of civilization** în afara hotarelor civilizației, departe de orice civilizație **3** *od, ist* district; regiune; **the P~** district în jurul Dublin-ului inclus în imperiul angevin al lui Henric al II-lea **II** *vt* ← *rar* **1** *od* a trage în țeapă **2** *fig* a îngrădi; a înconjura, a împrejmui

pale ale ['peil ,eil] *s* bere blondă (↓ îmbuteliată)

pale-face ['peil,feis] *s* (în romanele din viața indienilor americani) „față palidă", (om) alb

paleo- *pref* paleo-: **paleontology** paleontologie

Paleocene, the ['pæliou,siːn, ðə] *s geol* paleocen

Paleogene, the ['pæliou,dʒiːn, ðə] *s geol* paleogen

paleogeographer [,pæliˈɔdʒiˈɔgrəfəʳ] *s* paleogeograf

paleogeographic(al) [,pælio,dʒio'græfik(əl)] *adj* paleogeografic

paleogeographically [,pælio,dʒio'græfikəli] *adv* (din punct de vedere) paleogeografic

paleographer [,pæliˈɔgrəfəʳ] *s* paleograf

paleographic(al) [,pælio'græfik(əl)] *adj* paleografic

paleography [,pæliˈɔgrəfi] *s* paleografie

paleolithic [,pæliou'liθik] *geol* **I** *adj* paleolitic **II** *s* the P~ paleolitic(ul)

paleontologic(al) [,pæliɔntə'lɔdʒik(əl)] *adj geol* paleontologic

paleontologist [,pæliɔn'tɔlədʒist] *s geol* paleontolog

paleontology [,pæliɔn'tɔlədʒi] *s geol* paleontologie

Paleozoic, the [,pæliə'zouik, ðə] *s geol* paleozoic

Palermo [pəˈlɛəmou] *oraș în Italia*

Palestine ['pælistain] *regiune istorică în Asia anterioară* Palestina

Palestinian [,pæli'stiniən] *adj, s* palestinian

palestra [pə'lestrə] *s od* palestră

Palestrina [,pæle'striːnə], **Giovanni** *compozitor italian (1526?-1594)*

paletot ['pæltou] *s fr* palton (larg)

palette ['pælit] *s* **1** paletă (a pictorului) **2** paletă, gamă de culori **3** *fig* paletă, gamă **4** *tehn* pieptar de coarbă

palette knife ['pælit ,naif] *s* **1** *pict* spatulă, cuțit de paletă **2** *poligr* șpaclu (de cerneală)

palfrey ['pɔːlfri] *s* ← *înv, poetic* (cal) buiestraș (↓ *pt femei*)

Palgrave ['pælgreiv], **Francis** *poet și critic englez (1824-1897)*

Pali ['pɑːli] *s* (dialectul) pali

palimpsest ['pælimp,sest] *s* palimpsest

palindrome ['pælin,droum] *s* palindrom

paling ['peiliŋ] *s* **1** *v.* **pale²** **I**, **1 2** *pl* gard de pari; palisadă

palingenesis [,pælin'dʒenisis] *s* **1** *geol* palingeneză **2** *filos* palingeneză; metempsihoză **3** *fig* palingeneză, reînnoire, regenerare

palinode ['pælinoud] *s lit* palinodie

palisade [,pæli'seid] *s* **1** *mil* palisadă **2** palisadă; gard *(de pari)*

palish ['peiliʃ] *adj* cam palid

pall¹ [pɔːl] *vi* **1** a nu mai avea/ prezenta farmec *sau* interes, a-și pierde farmecul **2** (with) (d. stomac) a fi plin, a se sătura (de)

pall² *s* **1** giulgiu, lințoliu **2** *bis* procovăț, acoperământ **3** *bis* antimis; (la catolici) corporal **4** *fig* văl; mantie

Palladian [pə'leidiən] *adj* **1** *mit* referitor la Pallas Atena **2** și p ~ învățat, de cărturar; înțelept **3** *arte* referitor la *sau* în stilul roman al lui Andrea Palladio

palladic [pə'lædik] *adj ch* paladic

palladium¹ [pə'leidiəm] *s fig* scut, apărător

palladium² *s ch* paladiu

Pallas (Athena) ['pæləs (ə'θiːnə)] *mit* Palas (Atena)

pallet¹ ['pælit] *s* pat, așternut *sau* saltea de paie

pallet² *s* **1** *v.* **palette 2** *tehn* paletă; lopată; diblu **3** *tehn* placa transportorului; crapodină

palliasse [pæli'jæs] *s v.* **paillasse**

palliate ['pæli,eit] *vt* **1** a alina, a ușura (dureri etc.); a fi un paliativ pentru **2** a îndulci (o pedeapsă etc.); a micșora, a ușura

palliation [,pæli'eiʃən] *s* **1** alinare, ușurare **2** îndulcire, micșorare (unei pedepse etc.) **3** paliativ

palliative ['pæliətiv] *adj, s* paliativ

pallid ['pælid] *adj* palid (la față); care arată prost

Pall Mall ['pæl 'mæl] **1** stradă în Londra, vestită prin cluburile ei **2** p~ m~ *od* un fel de crochet

pall on ['pɔːl ɔn] *vi cu prep v.* **pall upon**

pallor ['pæləʳ] *s* paloare, lipsă de culoare

pall upon ['pɔːl ə,pɔn] *vi cu prep* a plictisi *cu ac*, a nu mai prezenta interes pentru

pally ['pæli] *adj* ← *F* prietenos, care se comportă prietenește

palm¹ [pɑːm] *s* **1** *bot* palmier (Palmae sp.) **2** ramură de palmier; *fig* triumf, victorie, lauri; **to carry off/to bear the ~** *fig* a cuceri laurii, a fi victorios; **to yield the ~ to smb** *fig* a ceda cuiva laurii *sau* cinstea/meritul; a se declara învins de către cineva

palm² I *s* 1 *anat* palmă; **to have/to hold smb in the ~ of one's hand** a dispune de cineva/cum vrea, a avea pe cineva în palmă; **to grease/to oil smb's ~** *fig* F a unge/– a mitui pe cineva; **to have an itching ~** *fig* ← F a primi mită; a fi însetat de câştig/bani **2** (lat de) palmă *(ca măsură = 7-10 cm);* (lungime de o) palmă *(=18-23 cm)* **3** parte lată *(a unui obiect)* **4** *nav* guardaman II *vt* **1** a atinge cu palma **2** a da mâna *(cu cineva)* **3** *(d. un prestidigitator etc.)* a ascunde în palmă, a face să dispară ca prin farmec **4** F a unge, – a mitui

palmate ['pælmeit] *adj zool, bot* palmat

Palm Beach ['pɑːmˈbiːtʃ] *oraş în Florida S.U.A.*

palmer ['pɑːməʳ] *s* **1** *od* pelerin, *înv* → hagiu *(care s-a întors din Ţara sfântă cu o ramură de palmier)* **2** călugăr cerşetor **3** *od* cruce din ramuri de palmier *(semn al pelerinajului)*

palmetto [pælˈmetou] *s bot* palmier pitic *(Chamaerops humilis)*

palmist ['pɑːmist] *s* chiromant

palmistry ['pɑːmistri] *s* chiromanţie

pa'mitic acid [pælˈmitik ˌæsid] *s ch* acid palmitic

palm ɔ f ['pɑːmˈɔ(ː)f] *vt cu part adv* F a duce (cu zăhărelul/preşul)

palm off on/upon ['pɑːm ˈɔ(ː)f ˌɔn/ ə,pɔn] *vt cu part adv şi prep* a vârî *(cuiva) (ceva)* pe gât, a face *(pe cineva)* să cumpere *(ceva)* netrebuincios *sau* prost

palm oil ['pɑːm ˌɔil] *s* ulei de palmier

Palm Sunday ['pɑːm ˌsʌndi] *s rel* Duminica Floriilor, Florii

palm tree ['pɑːm ˌtriː] *s v.* **palm¹**

palmy ['pɑːmi] *adj* **1** cu (↓ mulţi) palmieri; umbrit de palmieri **2** de *sau* ca de palmier **3** *fig* încununat de lauri, triumfător, victorios **4** *fig* înfloritor; prosper; **in one's ~ days** în zilele sale de înflorire

palomino [ˌpælə'miːnou] *s amer* cal de culoare aurie *sau* crem cu coamă şi coadă albă

palpability [ˌpælpə'biliti] *s* **1** palpabilitate **2** *fig* evidenţă, claritate

palpable ['pælpəbəl] *adj* **1** palpabil; tangibil **2** *fig* palpabil, evident, clar

palpably ['pælpəbli] *adv şi fig* (în mod) palpabil

palpate ['pælpeit] *vt med* a palpa

palpation [pæl'peiʃn] *s med* palpare

palpitant ['pælpitənt] *adj* **1** care palpită *sau* tremură **2** palpitant

palpitate ['pælpiteit] *vi* **1** a palpita, a bate **2** (**with**) *fig* a palpita, a tremura (de)

palpitating ['pælpiteitiŋ] *adj fig* palpitant; pasionant; emoţionant

palpitation [ˌpælpi'teiʃn] *s* **1** palpitaţie (a inimii) **2** *fig* palpitaţie, tremur; teamă, frică

palsied ['pɔːlzid] *adj* **1** paralizat **2** *fig* care tremură; neputincios; decrepit

palsy ['pɔːlzi] I *s* **1** *med* ← *înv* paralizie **2** *fig* împietrire; înlemnire; neputinţă II *vt* **1** *med* a paraliza **2** *fig* a paraliza; a împietri

palsy-walsy ['pɔːlzi,wɔːlzi] *adj* (**with**) *sl* care pare foarte prietenos (cu)

palter with ['pɔːltə wið] *vi cu prep* **1** a se purta necinstit cu *(cineva);* a fi nesincer cu *(cineva)* **2** (**about**) a se tocmi/a se târgui cu *(cineva)* (pentru) **3** a privi cu neseriozitate/ uşurinţă *(o problemă etc.)* **4** a ticlui *cu ac;* a denatura *(faptele)*

paltrily ['pɔːltrili] *adv* (în mod) meschin

paltry ['pɔːltri] *adj* **1** mărunt, neînsemnat, meschin **2** meschin, josnic, ticălos

paludal [pə'ljuːdəl] *adj* **1** *med* paludic, malaric **2** de mlaştină; cu mlaştini, mlăştinos, mocirlos

pal up ['pæl'ʌp] *vi cu part adv* (**with**) ← F a se împrieteni (cu)

paly ['peili] *adj poetic* pal, – palid; cam palid

Pamirs, the [pə'miəz, ðə] *munţi şi podiş* Pamir

pampas ['pæmpəz] *s pl* pampas

pampas grass ['pæmpəz ˌgrɑːs] *s bot* iarbă de pampas *(Gynerium sp.)*

pamper ['pæmpəʳ] *vt* **1** a răzgâia, a răsfăţa *(un copil);* a face *(cuiva)* toate hatârurile; a se purta prea frumos cu **2** ← *înv* a îndopa, a ghiftui

pamphlet ['pæmflit] *s* **1** broşură **2** pamflet **3** prospect tehnic; catalog cu descrieri şi date tehnice **4** *poligr* foaie volantă

pamphleteer [ˌpæmfli'tiəʳ] *s* **1** pamfletar, pamfletist **2** autor de broşuri

Pan [pæn] *mit*

pan¹ I *s* **1** tigaie; cratiţă; tingire; **pots and ~s** vase/veselă de bucătărie; **to leap/to fall out of the ~ into the fire** *prov* a cădea din lac în puţ; **a flash in the ~ a** eşec după un început strălucit **b** ceva ce trece repede; învăpăiere de o clipă; furtună trecătoare; strălucire efemeră *etc.* **2** *tehn* castron mic; farfurioară **3** *tehn* covată; cadă **4** taler *(de balanţă)* **5** adâncitură, vale; *geol* albie; depresiune **6** ochi de apă; băltoacă **7** sloi de gheaţă II *vt* **1** a pregăti *sau* a servi într-o tigaie *etc. (v. ~* I, 1*)* **2** *fig* F a face harcea-parcea, – a critica aspru **3** *min* a spăla *(nisipul aurifer)* III *vi min* a spăla nisipul aurifer

pan² *cin* I *vt* a mişca, a muta *(aparatul de filmat),* a roti panoramic II *vi* a mişca/a muta/a roti aparatul de filmat

pan- *pref* pan: **Pan-European** paneuropean

Pan. *presc de la* **Panama**

panacea [ˌpænə'siə] *s* panaceu, leac universal

panache [pə'næʃ] *s od* panaş; surguci, pompon

Panama [ˌpænə'mɑː] *s* **1** *stat în* America *şi capitala sa* **2** p ~ v. **panama hat**

Panama Canal, the [ˌpænə'mɑː: kə'næl, ðə] Canalul Panama

panama hat [ˌpænə'mɑː: 'hæt] *s* panama *(pălărie)*

Pan-American ['pænə'merikən] *adj* panamerican

Pan American Union, the ['pæn ə'merikən 'juːniən, ðə] Uniunea Panamericană

panaris [pə'nɛəris], **panaritium** [ˌpænə'riʃəm] *s med* panariţiu

panatela [ˌpænə'telə] *s* ţigară de foi lungă şi subţire

pancake ['pænkeik] I *s* clătită; **(as) flat as a ~** ← F perfect plat *sau* şes II *vi, av* a ateriza brusc/ vertical

Pancake Day ['pænkeik 'dei] *s bis* ← F Marţea lăsatului sec de brânză

pancake landing ['pænkeik 'lændiŋ] *s av* aterizare bruscă/verticală

pancake roll ['pænkeik 'roul] *s* mâncare în aluat cu ou umplut cu legume şi carne *(↓ gătită cu ulei)* pancreas ['pæŋkriəs] s anatpancreas

pancreatic [,pæŋkri'ætik] adj anat pancreatic

panda ['pændə] s zool 1 panda (Ailurus fulgens) 2 panda gogant (Ailuropoda melanoleuca)

Panda car ['pændə ,kɑːʳ] s auto mașină de supraveghere (a poliției)

Panda crossing ['pændə 'krɔsiŋ] s auto zebră, trecere de pietoni

Pandean pipe(s) [pæn'diːən 'paip(s)] s sg sau pl muz nai

pandects ['pændekts] s pl 1 the P~ pandectele lui Iustinian 2 codice de legi

pandemic [,pæn'demik] adj I med pandemic II s pandemie

pandemonium [,pændi'mouniəm] s 1 ↓ P ~ rel pandemoniu 2 și fig iad

pander ['pændəʳ] ← înv I s 1 codoș, proxenet 2 mijlocitor II vi a face proxenetism, a fi proxenet/codoș

pander to ['pændə ,tə] vi cu prep 1 a împinge la (rele etc.) 2 a stimula (ambiția etc.), a stârni (o patimă, ambiția etc.); a excita cu ac; a satisface, a mângâia (orgoliul etc.)

pandit ['pʌndit] s înțelept; învățat; învățător (ca titlu de respect, în India)

P. and L. presc de la profit and loss profit și pierdere

Pandora [pæn'dɔːrə] mit

Pandora's box [pæn'dɔːrəz 'bɔks] s mit cutia Pandorei, izvor al tuturor relelor

pandour ['pændʊəʳ] s mil od pandur

pane [pein] s 1 (ochi de) geam 2 panou 3 fot placă

panegyric [,pæni'dʒirik] s 1 panegiric 2 fig panegiric, laudă excesivă

panegyrical [,pæni'dʒirikəl] adj de panegiric; laudativ

panel ['pænəl] I s 1 panou, tăblie, tablou 2 constr panel; lambriu; casetă (de tavan) 3 (ochi de) geam 4 aplicație (la o rochie etc.) 5 el tablou de comandă 6 (foaie de) pergament 7 fot fotografie format mare 8 jur jurați; listă de jurați; to serve on the ~ a fi pe lista juraților 9 listă; tabel; enumerare 10 listă de doctori în serviciu public 11 rad, telev „masă rotundă" II vt 1 a pune panouri etc. (v. ~ I, 1) în 2 jur a

trece pe lista juraților 3 a înșeua (↓ un măgar)

panelling ['pænəliŋ] s 1 panou de lemn; lambriu 2 constr căptu- șeală cu plăci

pan(n)el list ['pænəl ,list] s rad, telev (listă de) participanți la o „masă rotundă"

Pan-European [,pænjuərə'piən] adj paneuropean

pan fish ['pæn ,fiʃ] s pește mărunt (care se prăjește întreg)

pan-fry ['pæn,frai] vt a prăji

pang [pæŋ] s 1 durere bruscă; junghi; împunsătură; spasm 2 fig durere/suferință năprasnică; chin 3 pl remușcări; mustrări de conștiință

panhandle ['pæn,hændəl] I s ↓ amer fâșie strâmtă de pământ atașată unui teren mai mare II vi amer sl a cerși, a umbla cu cerșitul (↓ pe stradă)

Panhellenism [pæn'helinizəm] s panelenism

panic¹ ['pænik] s bot dughie (Seta- ria italica)

panic² I s panică, spaimă subită; to get a ~ a fi cuprins de panică; a-și pierde capul; to be at ~ stations over smth a trebui să facă ceva foarte repede, a nu ști ce să facă mai întâi; to push the ~ button F a-l apuca nebunia, - a proceda nebunește fără să gândească II vi a fi cuprins de panică

panicky ['pæniki] adj ← F 1 de panică 2 înfricoșat

panicle ['pænikəl] s bot paniculă

panic-stricken ['pænik,strikən] adj cuprins de panică; isteric

panic-struck ['pænik,strʌk] adv v. panic-stricken

paniculate [pə'nikjuleit] adj bot paniculat

Pan-Islamism [pæn'izləmizəm] s panislamism

panjandrum [pn'dʒændrəm] s fig umor bonz, pontif

pan mixer ['pæn ,miksəʳ] s constr betonieră

pannier ['pæniəʳ] s 1 coș (mare, ↓ de răchită); coș de samar 2 crinolină, malacof

pannikin ['pænikin] s 1 cană (de metal) 2 crăticioară

Pannonia [pə'nouniə] ist provincie romană Panonia

pan off ['pæn 'ɔ(ː)f] vi cu part adv v. pan out

panoplied ['pænəplid] adj 1 înarmat până-n dinți 2 fig pregătit de deplin, perfect înarmat

panoply ['pænəpli] s 1 od panoplie, armură completă 2 fig armură 3 fig pompă, strălucire

panoptic(al) [pæn'ɔptik(əl)] adj panoptic, care cuprinde dintr-o privire

panopticon [pæn'ɔptikən] s 1 pa- noptic 2 închisoare rotundă (având la mijloc o încăpere pt gardian)

panorama [,pænə'rɑːmə] s 1 pano- ramă; vedere panoramică 2 pict panoramă 3 scenă veșnic schimbătoare 4 cicloramă 5 fig suită/succesiune de imagini (contemplate lăuntric) 6 fig tablou cuprinzător, privire cuprin- zătoare

panoramic [,pænə'ræmik] adj pano- ramic

panoramic picture [,pænə'ræmik 'piktʃəʳ] s fotimagine panoramică

panoramic sight [,pænə'ræmik 'sait] s fiz lunetă panoramică

pan out ['pæn 'aut] vi cu part adv 1 (d. nisip etc.) a conține aur; a fi bogat în aur 2 F a merge strună; - bine; a ieși bine, a reuși

pan-pipe(s) ['pæn,paip(z)] s sg sau pl muz nai

Pan-Slavism ['pæn,sləvizəm] s panslavism

Pan's pipes ['pænz ,paips] s pl v. pan-pipe(s)

pansy ['pænzi] s 1 bot pansele, pansea, trei frați pătați (Viola tricolor) 2 ← F tânăr efeminat/ molâu; fătălău 3 ← F homo- sexual

pant¹ [pænt] I vi 1 a sufla greu, a gâfâi, a respira cu greutate; a-și trage sufletul 2 (d. locomotivă) a gâfâi; a pufăi 3 (d. inimă) a bate puternic, a zvâcni; (d. sânge) a zvâcni, a pulsa puternic II vt a spune într-un suflet III s 1 gâfâit 2 gâfâit; pufăit (al locomotivei) 3 zvâcnire (a inimii, a sângelui)

pant² adj atrde sau pentru pantaloni sau chiloți

pant after ['pænt ,ɑːftəʳ] vi cu prep v. pant for

Pantagruel [,pæntəgruː'el] lit erou al lui Rabelais

Pantagruelian [,pæntəgru:'eliən] *adj* pantagruelic

pantaloon [,pæntə'lu:n] *s* 1 *pl* ↓ *amer* pantaloni; − *rar* indispensabili 2 *od* pantaloni lungi și strâmți; pantaloni de călărie 3 **P~** Pantalone *(personaj în comediile italiene)* 4 **P~** August prostul

pantechnicon [pæn'teknikən] *s* camion pentru transportat mobilă

pant for ['pænt fɔ:ʳ] *vi cu prep* a dori cu înfocare *cu ac*, a tânji după; a nu mai putea de dorul *cu gen*

pant forth ['pænt 'fɔ:θ] *vt cu part adv* v. **pant out**

pantheism ['pænθi,izəm] *s rel, filos* panteism

pantheist ['pænθiist] *s rel, filos* panteist

pantheistic(al) [,pænθi'istik(əl)] *adj rel, filos* panteist

pantheon ['pænθiən] *s și fig* panteon

panther ['pænθəʳ] *s și ca pl zool* 1 panteră *(Felis pardus)* 2 leopard *(Panthera pardus)* 3 *amer* puma, cuguar *(Panthera concolor)* 4 *amer* jaguar *(Panthera onca)*

panties ['pæntiz] *s pl* 1 *F* pantalonași *(de copil)* 2 ← *F* chiloți de damă

pantile ['pæntail] *s* olan; țiglă olandeză

panto ['pæntou] *s F v.* **pantomime I**

pantof(f)le [pæn'tɔfəl] *s fr* papuc

pantograph ['pæntə,grɑ:f] *s el, text* pantograf

pantomime ['pæntəmaim] *I s* 1 *teatru* pantomimă 2 spectacol pentru copii *(de Crăciun, în Anglia)* 3 gesturi; mimică *II vt* a mima; a exprima prin gesturi *sau* mimică

pantomimic [,pæntə'mimik] *adj* pantomimic, de pantomimă

pantomimist ['pæntə,maimist] *s teatru* actor de pantomimă; mim

pant out ['pænt'aut] *vt cu part adv* a spune într-un suflet

pantry ['pæntri] *s* 1 cămară 2 oficiu

pants [pænts] *s pl* 1 *amer F* nădragi, − pantaloni 2 indispensabili; chiloți // **with one's ~ down** *sl* luat ca din oală/pe nepusă masă; **by the seat of one's ~** ← *F* călăuzit de propria sa experiență; **in short ~** ↓ *amer F* în pantalonași, mucos, − fără experiență

panty ['pænti] *adj, atr* de *sau* pentru chiloți *sau* pantalonași

panty hose ['pæntihouz] *s* pantalon strâmt

panzer ['pænzəʳ] *adj atr germ mil* blindat, de tancuri

pap¹ [pæp] *s* 1 ← *înv* sfârc, mamelon 2 *tehn* butuc; bucșă

pap² *s* 1 păsat, coleașă; terci; papară; griș cu lapte 2 *fig amer F* sfinți *(la Ierusalim)*, protecție, favoare

papa [pə'pɑ:] *s (în limbajul copiilor)* ← *înv* tăticu

papacy ['peipəsi] *s bis* 1 papalitate; pontificat 2 papi

papadum ['pæpədəm] *s* un fel de turtă indiană *(se mănâncă cu „curry")*

papal ['peipəl] *adj bis* 1 papal 2 romano-catolic

papaverine [pə'peivə,ri:n] *s ch* papaverină

papaya [pə'paiə] *s bot* arborele papaya *(Carica papaya) sau* fructul său

paper ['peipəʳ] *I s* 1 hârtie; **a sheet of ~** o coală de hârtie; **to commit to ~** a așterne pe hârtie; **on ~** pe hârtie; sub formă de proiect; **to put pen to ~** ← *elev* a începe să scrie; **not worth the ~ it is printed/written on** bun de nimic/ de aruncat la coș 2 ziar, gazetă; **in yesterday's ~s** în ziarele de ieri 3 articol; referat științific; comunicare științifică; dizertație; **to deliver/to read a ~** a ține o comunicare *sau* un referat 4 *școl, univ* lucrare scrisă, teză; bilet de examen 5 tapet 6 pungă de hârtie 7 bani de hârtie, bancnote; efecte, titluri, valori 8 *pl* hârtii, documente; acte; **to send in one's ~s** a-și da/prezenta/ înainta demisia 9 plic cu ace 10 bigudiu *II vt* 1 *constr* a tapeta 2 a împacheta/a înfășura în hârtie 3 a așterne pe hârtie, a scrie

paperback ['peipə,bæk] *s* carte broșată, volum broșat

paper-backed ['peipə,bækt] *adj* broșat

paper bag ['peipə ,bæg] *s* pungă *sau* sac de hârtie

paper boy ['peipə ,bɔi] *s* vânzător de ziare

paper clip ['peipə ,klip] *s* clemă; agrafă pentru hârtie

paper currency ['peipə ,kʌrənsi] *s* bani de hârtie, bancnote

paper cutter ['peipə ,kʌtəʳ] *s* 1 *poligr* ghilotină; mașină de tăiat hârtie 2 cuțit de tăiat hârtie

paper hanger ['peipə ,hæŋəʳ] *s* tapetar, decorator *(de interioare)*

paper hangings ['peipə ,hæŋinz] *s pl* tapete

paper industry ['peipər ,indəstri] *s* industria hârtiei

paper knife ['peipə ,naif] *s v.* **paper cutter 2**

paper mil ['peipə ,mil] *s* fabrică de hârtie

paper money ['peipə ,mʌni] *s v.* **paper currency**

paper over ['peipər 'ouvəʳ] *vt cu part adv* 1 a mușamaliza, a trece cu vederea *(neajunsuri etc.)* 2 a pretinde că s-au luat măsuri de îmbunătățire *cu gen //* **to ~ the cracks** a ascunde lipsurile *etc.*

paper stainer ['peipə ,steinəʳ] *s peior* mâzgălitor de hârtie, scriitoraș

paper war ['peipə ,wɔ:ʳ] *s* 1 polemică, războiul condeielor 2 birocrație

paper weight ['peipə ,weit] *s* prespapier

paper work ['peipə ,wə:k] *s* 1 lucrări scrise; scris 2 punere la punct a hârtiilor, caietelor *etc.*

papery ['peipəri] *adj* (ca) de hârtie; subțire (ca hârtia)

papier mâché ['pæpjei 'mæʃei] *s tehn* papier mâché; pastă de hârtie turnată

papilla [pə'pilə], *pl* **papillae** [pə'pili:] *s anat, bot* papilă

papillary [pə'piləri] *adj anat, bot* papilar

papist ['peipist] *s, adj peior* papistaș, − romano-catolic

papistic(al) [pei'pistik(əl)] *adj peior* papistaș, − romano-catolic

papistry ['peipistri] *s peior* papistășie, − catolicism

papoose [pə'pu:s] *s* copil(aș) *(în vorbirea indienilor nord-americani)*

pappy ['pæpi] *s amer* tăticu

paprica, paprika ['pæprikə] *s* 1 *bot* ardei roșu, *reg →* paprică *(Capsicum annuum)* 2 paprică, boia de ardei

Papuan ['pæpjuən] *adj, s* papuas, papuaș

papyrus [pə'paiərəs] *s* 1 papirus 2 *pl* **papyri** [pə'pairai] sul/foaie de papirus

par¹ [pɑːʳ] *s v.* **parr**

par² *s* **1** egal(itate); **on a ~ (with)** la egalitate (cu); la fel (cu); la același nivel (cu); în echilibru (cu) **2** *fin* paritate **3** *fin* valoare nominală **4** medie; stare normală; **on a ~** în medie; **I feel below/under ~** mă simt prost; **up to ~** în stare/condiție normală

par³ *s* ← *F* notă, notiță; articol scurt *(într-un ziar)*

par. *presc de la* **1 paragraph 2 parenthesis 3 parallel**

Pará [pɑˈrɑ] *stat în Brazilia*

para- *pref* para-: **parallel** paralel; **parachute** parașută

parable [ˈpærəbəl] *s* parabolă; pildă; alegorie; **to speak in ~s** *fig* a vorbi în pilde/parabole

parabola [pəˈræbələ] *s geom* parabolă

parabolic [ˌpærəˈbɔlik] *adj geom* parabolic; curbat

parabolical [ˌpærəˈbɔlikəl] *adj* de parabolă; alegoric

parabolically [ˌpærəˈbɔlikəli] *adv* **1** în parabole *sau* pilde **2** *geom* parabolic

parabolize [pəˈræbəlaiz] *vt* **1** a exprima în parabole *sau* pilde **2** *geom* a paraboliza

paraboloid [pəˈræbəlɔid] *s geom* paraboloid

Paracelsus [ˌpærəˈselsəs] *fizician și alchimist german (1493?-1541)*

parachute [ˈpærəˌʃuːt] *av* **I** *s* parașută **II** *vt* a parașuta **III** *vi* a coborî cu parașuta

parachute jumper [ˈpærəˌʃuːt ˈdʒʌmpəʳ] *s av* parașutist

parachutist [ˈpærəˌʃuːtist] *s av* parașutist

parade [pəˈreid] **I** *s* **1** *mil etc.* paradă; defilare; **to be on ~** a participa la paradă/defilare **2** *mil* trecere în revistă *(a trupelor etc.)*; apel; comunicarea ordinului de zi **3** *fig* paradă; ostentație; **to make a ~ of smth** a face paradă de ceva **4** *mil etc.* piață *sau* loc pentru paradă/defilare **5** *pol etc.* marș; demonstrație, manifestație **6** promenadă, loc de plimbare **7** (grup de) persoane care se plimbă; trecători **II** *vt* **1** *mil etc.* a încolona pentru paradă **2** a face paradă de, a etala, *rar →* a parada **III** *vi* **1** *mil etc.* a defila; a merge în marș *(la o paradă)* **2** a păși fălos; a se plimba în sus și în jos

paradigm [ˈpærədaim] *s* **1** exemplu, model, tipar, *rar →* paradigmă **2** *gram* paradigmă

paradigmatic [ˌpærədigˈmætik] *adj* **1** exemplar, model **2** *gram* paradigmatic

paradigmatically [ˌpærədigˈmætikəli] *adv* (în mod) paradigmatic *sau* tipic

paradisaic(al) [ˌpærədiˈseik(əl)] *adj* paradiziac, de paradis, minunat

paradise [ˈpærədaiz] *s* **1** *rel* paradis, rai, Eden **2** *fig* cer(uri) **3** *fig* paradis, rai(ul pe pământ); **a fool's ~** rai imaginar/închipuit

paradisiac(al) [ˌpærədiˈsaiək(əl)] *adj v.* **paradisaic(al)**

paradox [ˈpærədɔks] *s* **1** *lit, fiz etc.* paradox **2** ← *rar* fapt, părere *etc.* care contrazice ceva în general acceptat

paradoxical [ˌpærəˈdɔksikəl] *adj* paradoxal

paradoxically [ˌpærəˈdɔksikəli] *adv* (în mod) paradoxal

paraenesis [pəˈriːnisis], *pl* **paraeneses** [pəˈriːnisiːz] *s* pareneză, exhortație

paraffin [ˈpærəfin] *s* **1** *ch* parafină **2** *ch* ulei de parafină **3** gaz, petrol lampant

paraffine [ˈpærəˌfiːn] *s v.* **paraffin**

paraffin oil [ˈpærəfin ˌɔil] *s v.* **paraffin 2, 3**

paraffin wax [ˈpærəfin ˌwæks] *s* parafină transparentă

paragenesis [ˌpærəˈdʒenisis] *s geol* parageneză

paragon [ˈpærəgən] *s* model de perfecțiune

paragraph [ˈpærəgrɑːf] **I** *s* **1** paragraf, alineat **2** *poligr* (semn de) alineat **3** notă, notiță; articol scurt *(într-un ziar)* **II** *vt* a paragrafa, a împărți în paragrafe

paragraphic(al) [ˌpærəˈgræfik(əl)] *adj* format din paragrafe, puncte *sau* note disparate

paragraphist [ˈpærəgrəfist] *s* reporter; ziarist

Paraguay [ˈpærəˌgwai] **1** țară în America de Sud **2 the ~** râu în America de Sud

Paraiba, the [ˌpɑˈraiba, ðə] *fluviu în America de Sud*

parakeet [ˈpærəkiːt] *s orn* specii de papagal *(mic, cu coadă lungă)*

parallax [ˈpærəlæks] *s fiz* paralaxă

parallel [ˈpærəˌlel] **I** *adj* **1** (to) paralel (cu) **2** *fig* paralel, asemănător, analog; **in a ~ direction with** în aceeași direcție cu **II** *s* **1** *geom* (linie) paralelă **2** *geogr* paralelă; latitudine **3** *fig* paralel; asemănare; analogie; **in ~** în paralel; **to draw a ~ between** a trasa/a stabili/a face o paralelă între, a face o analogie între; **without (a) ~** fără egal/asemănare; **to put oneself on a ~ with** a se pune pe aceeași treaptă cu; a se socoti egalul *cu gen* **4** *mil* șanț paralel cu cele ale inamicului **III** *vt* **1** (with) a compara, a asemui (cu) **2** (with, to) a potrivi (la) a ajusta (la) **3** a găsi potrivă *(cu dat)*, a putea face o comparație cu; a egala **4** *(d. un drum etc.)* a fi *sau* a merge paralel cu

parallel bars [ˈpærəlel ˈbɑːz] *s pl sport* bare paralele

parallelepiped [ˌpærəˌleləˈpaiped] *s geom* paralelipiped

parallelism [ˈpærəˌlelizəm] *s* (**between**) paralelism; analogie, asemănare (între)

parallel of latitude [ˈpærəˌlel əv ˈlætitjuːd] *s v.* **parallel II, 2**

parallelogram [ˌpærəˈleləˌgræm] *s geom* paralelogram

paralogism [pəˈrælədʒizəm] *s log* paralogism, raționament fals

paralogize [pəˈrælədʒaiz] *vi log* a raționa fals *sau* ilogic

paralyse [ˈpærəˌlaiz] *vt med și fig* a paraliza

paralysing [ˈpærəˌlaiziŋ] *adj* paralizant

paralysis [pəˈrælisis], *pl* **paralyses** [pəˈrælisiːz] *s* **1** *med* paralizie, P → dambla **2** *fig* paralizare, stagnare

paralytic [ˌpærəˈlitik] **I** *adj* **1** *med* paralitic **2** *med* paralizant, care paralizează **3** *fig* paralizant **4** *F* beat mort **II** *s* **1** *med* paralitic **2** *F* om beat mort/care și-a băut mințile

paralyze [ˈpærəˌlaiz] *vt amer v.* **paralyse**

paramagnet [ˌpærəˈmægnit] *s ch* substanță paramagnetică

paramecium [ˌpærəˈmiːsiəm], *pl* **paramecia** [ˌpærəˈmiːsiə] *s zool* parameciu(m)

parameter [pəˈræmitəʳ] *s tehn și fig* parametru, indice, caracteristică

paramilitary [,pærə'militəri] *adj* paramilitar

paramount ['pærə,maunt] *adj* extrem, suprem, maximum

paramountcy ['pærə,mauntsi] *s* caracter suprem/excepțional; unicitate

paramour ['pærə,muəʳ] *s* ← *înv*, *poetic* 1 iubit; iubită 2 concubin; concubină, țiitoare

Paraná, the [,para'na, ðə] *fluviu în America de Sud*

paranoia [,pærə'nɔiə] *s med* paranoia

paranoiac [,pærə'nɔiək] *adj*, *s med* paranoic

paranoid ['pærə,nɔid] *adj*, *s* paranoid

paraph ['pæræf] *s* parafă

paraphernalia [,pærəfə'neiliə] *s pl* 1 bunuri personale 2 *și ca sg* accesorii, *F* dichisuri 3 nimicuri; lucruri inutile/netrebuincioase

paraphrase ['pærə,freiz] **I** *s* parafrază; interpretare (liberă) **II** *vt* a parafraza; a interpreta (liber); a reda cu alte cuvinte

paraphrast [,pærə'fræst] *s* persoană care parafrazează

paraplegia [,pærə'pli:dʒiə] *s med* paraplegie

paraplegic [,pærə'pli:dʒik] *adj*, *s med* paraplegic

paraquet ['pærəki:t] *s v.* **parakeet**

paras ['pæræz] *s pl v.* **paratroops**

paraselene [,pærəsi'li:ni], *pl* **paraselenae** [,pærəsi'li:ni:] *s meteor* paraselenă

parasite ['pærə,sait] *s biol* și *fig* parazit

parasitic(al) [,pærə'sitik(əl)] *adj* 1 *biol* parazitar; parazit 2 *fig* parazitar, de parazit

parasitically [,pærə'sitikəli] *adv fig* ca un parazit

parasitism ['pærəsai,tizəm] *s* 1 *biol* parazitism 2 *fig* parazitism; caracter parazitar

parasol ['pærə,sɔl] *s* ← *rar* umbrelă de soare

parastas [pə'ræstəs] *s arhit* antă

parasympathetic ['pærə,simpə'θetik] *adj anat* parasimpatic

parasynthetic [,pærəsin'θetik] *adj lingv* parasintetic

paratactic [,pærə'tæktik] *adj gram* paratactic; asindetic

parataxis [,pærə'tæksis] *s gram* parataxă

paratrooper ['pærə,tru:pəʳ] *s mil* (soldat) parașutist

paratroops ['pærə,tru:ps] *s pl mil* unități de parașutiști; unități parașutate

paratyphoid [,pærə'taifɔid] *s med* febră paratifoidă

paravane ['pærə,vein] *s nav* paravan

parbleu ['pa:r'blə:] *interj fr F* la naiba/ dracu!

parboil ['pa:,bɔil] *vt* 1 a opări; a fierbe pe jumătate 2 *fig* (d. soare etc.) a încinge, a înfierbânta

parbuckle ['pa:,bʌkəl] *nav* **I** *s* parbuclă **II** *vt* a ridica prin saule

Parcae, the ['pa:si:, ðə] *mit* Parcele

parcel ['pa:səl] **I** *s* 1 pachet; colet 2 *agr* parcelă 3 grup; clică, bandă // **part and ~** parte integrantă/ organică **II** *vt* 1 a face un pachet *sau* colet din 2 *nav* a înfășura (o parâmă)

parcel out ['pa:səl 'aut] *vt cu part adv* a împărți, a diviza, a parcela (pământ)

parcel paper ['pa:səl ,peipəʳ] *s* hârtie de împachetat

parcel post ['pa:səl ,poust] *s* mesagerii; colete; **by ~** prin coletărie

parcel up ['pa:səl 'ʌp] *vt cu part adv* a face un pachet din

parcener ['pa:sinəʳ] *s jur* comoștenitor

parch [pa:tʃ] **I** *vt* 1 a prăji; a coace; a rumeni 2 (d. soare) a pârjoli; a arde 3 a usca (prin încălzire) 4 a înfierbânta (pe cineva), a însetoșa; a usca gâtul (cuiva) 5 a face să înghețe, a îngheța; a zgribuli **II** *vi* 1 a se coace, a muri de căldură 2 (d. buze etc.) a se usca (de căldură), a se coace 3 a se scoroji

parched paper ['pa:tʃt ,peipəʳ] *s* hârtie pergament

parchment ['pa:tʃmənt] *s* 1 pergament 2 hârtie pergament 3 manuscris pe pergament

parclose ['pa:,klouz] *vt* a împrejmui, a înconjura

par-cook ['pa:kuk] *vt* a fierbe puțin *sau* pe jumătate

pard [pa:d] *s* ← *înv*, *poetic v.* **panther**

pardon ['pa:dən] **I** *s* 1 iertare; scuză; **to ask for ~** a cere iertare; **I beg your ~** a vă cer iertare, iertați-mă, scuzați(-mă); **pardon b pardon!** să am iertare; nici vorbă! **c** pardon! dați-mi voie! **(beg) ~?** pardon? cum ați spus? 2 *rel* iertare 3 amnistie **II** *vt* 1 a ierta, a scuza; a trece cu vederea (o

greșeală etc.); **~ me** iartă-mă, scuză-mă; **~ my interrupting you** iartă-mă (pentru) că te-am întrerupt 2 a ierta; a se îndura/a se milostivi de

pardonable ['pa:dənəbəl] *adj* de iertat; scuzabil

pardonably ['pa:dənəbli] *adv* (în mod) scuzabil

pardoner ['pa:dənəʳ] *s bis od* vânzător de indulgențe

pare [pɛəʳ] *vt* 1 a tăia *sau* a îndepărta partea exterioară (cu gen); a tăia (unghiile, ghearele); a tăia coaja (unui măr etc.); a scoate coaja (unei portocale etc.); a tunde (un gard viu); a rade (părul) 2 a reduce treptat, a micșora (economiile etc.)

pare down ['pɛə 'daun] *vt cu part adv* a reduce, a micșora (↓ costul)

paregoric [,pærə'gɔrik] *s med* analgezic, substanță analgezică

paren. *presc de la* **parenthesis**

parenchyma [pə'reŋkimə] *s biol* parenchim

parent ['pɛərənt] *s* 1 părinte; tată *sau* mamă 2 *fig* izvor, sursă, origine

parentage ['pɛərəntidʒ] *s* 1 descendență; familie; naștere; obârșie; origine 2 ← *rar* părinți 3 *pl* ← *rar* strămoși, străbuni

parent aircraft ['pɛərənt 'ɛəkra:ft] *s av mil* avion purtător de rachete

parental [pə'rentəl] *adj* 1 părintesc, de părinte; patern *sau* matern 2 de origine 3 *fig* ca de părinte, părintesc

parentally [pə'rentəli] *adv* părintește, ca un părinte

parent cell ['pɛərənt ,sel] *s biol* celulă-mamă

parent company ['pɛərənt ,kʌmpəni] *s ec* societate de bază

parenteral [pæ'rentərəl] *adj med* parenteral

parenthesis [pə'renθisis], *pl* **parentheses** [pə'renθi,si:z] *s* 1 *pl poligr* paranteze (rotunde) 2 *fig* paranteză; completare; precizare; digresiune 3 *fig* incident; episod

parenthesize [pə'renθi,saiz] *vt* 1 *poligr* a pune în paranteze 2 a exprima, a preciza *etc.* într-o paranteză

parenthetic(al) [,pærən'θetik(əl)] *adj* 1 *poligr* parantetic, între paranteze 2 *fig* parantetic, menționat într-o paranteză/în treacăt

parenthetically [ˌpærən'θetikəli] *adv* într-o paranteză; ca o paranteză

parenthood ['pɛərənthud] *s* paternitate *sau* maternitate

parent-in-law ['pɛərəntin'lɔ:], *pl* **parents-in-law** ['pɛərəntsin'lɔ:] *s* socru *sau* soacră

parent rock ['pɛərənt ˌrɔk] *s geol* rocă-mamă

parent state ['pɛərənt ˌsteit] *s* metropolă *(stat)*

parent stock ['pɛərənt ˌstɔk] *s agr* portaltoi

parent unit ['pɛərənt ˌjunit] *s mil* unitate de bază

paresis [pə'ri:sis] *s med* pareză

par excellence [pa:r ekse'lã:s] *fr* prin excelență

par exemple [pa:r eg'zã:pl] *fr* 1 de exemplu/pildă 2 ei poftim!

parfait [pa:'fei] *s fr gastr* parfeu

parget ['pa:dʒit] *s* 1 g(h)ips 2 *constr* stuc; tencuială

parhelion [pa:'hi:liən] *s meteor* parheliu; soare fals

pariah [pə'raiə] *s* 1 paria *(în India)* 2 *fig* paria; proscris

parietal [pə'raiitəl] *adj anat* parietal

parings ['pɛəriŋz] *s pl* 1 coji *(de cartofi etc.);* resturi 2 talaș

Paris ['pæris] 1 *capitala Franței* 2 *mit* **Paris green** ['pæris ˌgri:n] *s ch* verde de Paris

parish ['pæriʃ] *s* 1 parohie 2 enorie, enoriași 3 comună; obște; **to be on the ~** *od* a primi ajutor de pauperitate din partea comunei 4 *F* parohie, – zonă, regiune, raion, circumscripție 5 ← *F* domeniu, sferă (de activitate)

parish clerk ['pæriʃ ˌkla:k] *s bis* dascăl, cantor, cântăreț

parish council ['pæriʃ ˌkaunsəl] *s* 1 consiliu comunal 2 consiliu parohial

parishioner [pə'riʃənər] *s* parohian, enoriaș

parish pump ['pæriʃ ˌpʌmp] *s* interese locale înguste/mărunte

parish register ['pæriʃ ˌredʒistər] *s bis* registru parohial

Parisian [pə'riziən] *adj, s* parizian

Parisienne [ˌpa(:)ri(:)'zjen] *s fr* pariziană

parity ['pæriti] *s* 1 *ec* parietate 2 paritate; egalitate; analogie; paralelism; **by ~ of reasoning** prin analogie

park [pa:k] **I** *s* 1 parc; zăvoi; grădină publică 2 *auto* loc de parcare/staționare 3 parc (național, de artilerie *etc.)* **II** *vt auto* a parca **III** *vi auto* a parca; a staționa

Park, Mungo *explorator scoțian (1771-1806)*

parka ['pa:kə] *s* 1 hanorac 2 parka *(la eschimoși)*

Park Avenue ['pa:k ˈævi,nju:] *stradă în New York*

Parker ['pa:kər], **Gilbert** *romancier canadian (1862-1932)*

parking ['pa:kiŋ] *s auto* parcare; staționare; **no ~** parcarea interzisă

parking lot ['pa:kiŋ ˌlot] *s auto* spațiu/loc de parcare, parcaj

parking meter ['pa:kiŋ ˌmi:tər] *s auto* aparat care pontează parcarea

parking orbit ['pa:kiŋ ˌo:bit] *s* orbită terestră urmată un timp de un vehicul spațial înainte de a pleca în spațiu

Parkinson's disease ['pa:kinsənz di'zi:z] *s med* boala lui Parkinson

Parkinson's Law ['pa:kinsənz 'lɔ:] *s ec umor* „legea lui Parkinson" („munca durează în funcție de timpul alocat")

parkish ['pa:kiʃ] *adj* ca un parc; **the garden was made ~** grădina a fost amenajată ca un parc

park keeper ['pa:k ˌki:pər] *s* păzitor al unui parc

parkland ['pa:k,lænd] *s* 1 teren plantat *(cu iarbă și pomi, în jurul unei vile mari);* parc; grădină 2 teren folosit ca *sau* potrivit pentru (un) parc

parkway ['pa:k,wei] *s amer* 1 alee; promenadă 2 drum cu pomi pe margini 3 hotar/hat plantat cu pomi

parky ['pa:ki] *adj (d. vreme, aer etc.)* ← *F* cam rece; friguros; < tăios, pătrunzător

Parl. *presc de la* 1 **parliament** 2 **parliamentary**

parlance ['pa:ləns] *s* limbaj, mod de a vorbi *sau* de a se exprima; **in common ~** în vorbirea obișnuită

parlay ['pa:li] *s amer* pariu, rămășag

parley ['pa:li] **I** *s* ↓ *mil* tratative, negocieri **II** *vi* 1 ↓ *mil* a duce tratative, a parlamenta 2 a vorbi într-o limbă străină

parleyvoo [ˌpa:li'vu:] ← *umor* **I** *s* 1 (limba) franceză 2 lecție de limba

franceză 3 francez **II** *vi* 1 a vorbi franțuzește 2 a vorbi într-o limbă străină

parliament ['pa:ləmənt] *s* parlament; **to summon P~** a convoca parlamentul

parliamentarian [ˌpa:ləmen'tɛəriən] **I** *adj v.* **parliamentary II** *s* 1 parlamentar (↓ experimentat) 2 *ist* partizan al sistemului parlamentar *(în Anglia)*

parliamentary [ˌpa:lə'mentəri] *adj* 1 parlamentar; al parlamentului; dat de parlament 2 *(d. limbaj etc.)* politicos; rafinat

parliament chamber ['pa:ləmənt ˌtʃeimbər] *s* sala de ședințe a parlamentului

Parliament house ['pa:ləmənt ˌhaus] *s* 1 *od* clădirea parlamentului britanic 2 clădirea parlamentului din Edinburgh

parlor ... *amer v.* **parlour ...**

parlour ['pa:lər] *s* 1 cameră de toate zilele 2 salonaș, salon modest 3 parloar; cameră de primire 4 *amer* atelier (de fotograf etc.); cabinet

parlour car ['pa:lə ˌka:r] *s amer ferov* vagon-salon

parlour maid ['pa:lə ˌmeid] *s* cameristă; fată în casă

parlous ['pa:ləs] *adj* 1 *(d. situație etc.)* încordat; exploziv 2 ← *înv sau umor* periculos, risca(n)t; greu, dificil

Parmenides [pa:'meni,di:z] *filosof grec* Parmenide *(sec. V î.e.n.)*

Parmesan (cheese) [ˌpa:mi'zæn ˌtʃi:z] *s* parmezan

Parnassian [pa:'næsiən] *adj, s lit* parnasian

Parnassus [pa:'næsəs] *s* 1 *mit munte în Grecia* Parnas 2 *fig* poezie, poeți 3 *fig* centru de activitate poetică *sau* artistică 4 *od* titlu al oricărei culegeri de versuri

parochial [pə'roukiəl] *adj* 1 *bis* parohial 2 *fig* local; provincial; îngust, limitat 3 ↓ *amer* sprijinit de o organizație religioasă

parochialism [pə'roukiəlizəm] *s* îngustime, mărginire; provincialism

parochially [pə'roukiəli] *adv* ca un provincial; (în mod) îngust, mărginit

parodist ['pærədist] *s lit* autor de parodii

parody ['pærədi] **I** *s* **1** *lit* parodie **2** *fig* parodie, imitaţie neizbutită; **a ~ of a restaurant** un aşa zis restaurant, dacă poţi să-i spui restaurant **II** *vt* a parodia; a imita
par of exchange [,pɑ:rəv iks'tʃeindʒ] *s fin* valoare de schimb; paritate
parole [pə'roul] **I** *s* **1** cuvânt de onoare; promisiune solemnă **2** *jur* eliberare din închisoare *(temporară)* condiţionată de o conduită ireproşabilă; **on ~** pe cuvânt de onoare **3** *mil* parolă **II** *vt* a elibera *(din închisoare etc.)* pe cuvânt de onoare
paromology [,pærə'mɔlədʒi] *s ret* paromologie
paronomasia [,pærənou'meiziə] *s* **1** joc de cuvinte, calambur **2** *ret* paronomază, paronomasie
paronym ['pærənim] *s lingv* **1** paronim **2** omofon
paronymic [,pærə'nimik] *adj lingv* **1** paronimic **2** omofon(ic)
paronymous [pə'rɔniməs] *adj v.* **paronymic**
paroquet ['pærəket] *s v.* **parakeet**
parotid (gland) [pə'rɔtid ,glænd] *s anat* glandă parotidă
-parous *suf* -par: **viviparous** vivipar
paroxysm ['pærək,sizəm] *s* **1** *med* paroxism; atac **2** *fig* paroxism, culme **3** *fig* paroxism, izbucnire
paroxysmal [,pærək'sizməl] *adj med* paroxistic
parquet ['pɑ:kei] **I** *s* **1** *constr* parchet **2** *teatru* stal I; fotoliu de orchestră **II** *vt constr* a parcheta
parquet block ['pɑ:kei 'blɔk] *s constr* friză de parchet
parquetry ['pɑ:kitri] *s constr* parchet
parr [pɑ:ʳ] *s iht* **1** somon tânăr **2** peşte tânăr
parrakeet ['pærəki:t] *s v.* **parakeet**
parricidal [,pæri'saidəl] *adj* paricid
parricide ['pæri,said] *s* **1** paricid, ucidere a părinţilor **2** paricid, cel ce şi-a ucis tatăl *sau* mama *sau* părinţii
parroket, parroquet ['pærəki:t] *s v.* **parakeet**
parrot ['pærət] **I** *s* **1** *orn* papagal *(Psittacus)* **2** *fig* papagal **II** *vt* a repeta ca un papagal/papagaliceşte
parrot cry ['pærət ,krai] *s* frază *etc.* repetată papagaliceşte
parrot-fashion ['pærət,fæʃən] *adv* ca un papagal, papagaliceşte

parrot fever ['pærət ,fi:vəʳ] *s med* psitacoză
parry ['pæri] **I** *vt* **1** a para *(o lovitură)* **2** *fig* a para; a evita, a ocoli; a răspunde evaziv la *(o întrebare)* **II** *s* **1** parare **2** *fig* parare; evitare; răspuns evaziv
parse [pɑ:z] *vt gram* a analiza (morfologic *sau* sintactic)
parsec ['pɑ:,sek] *s astr* parsec
Parsee [pɑ:'si:] *s rel* pars
Parseeism ['pɑ:si:izəm] *s rel* zoroastrism
parsimonious [,pɑ:si'mouniəs] *adj* **1** econom, strângător **2** zgârcit, parcimonios
parsimony ['pɑ:siməni] *s* **1** economie; cumpătare, chibzuinţă **2** zgârcenie, parcimonie
parsley ['pɑ:sli] *s bot* pătrunjel *(Petroselinum arvense)*
parsnip ['pɑ:snip] *s bot* păstârnac *(Pastinaca sativa)*
parson ['pɑ:sən] *s* **1** (preot) paroh; *(la protestanţi)* pastor **2** *F* popă, – preot
parsonage ['pɑ:sənidʒ] *s* casă parohială
parson's nose ['pɑ:sənz ,nouz] *s ← F umor* vârful târtiţei
part [pɑ:t] **I** *s* **1** parte *(dintr-un întreg)*; porţiune, fracţiune, bucată; **to be ~ and parcel of smth** a fi o/a face parte integrantă din ceva; **~ by ~** parte cu parte; bucată cu bucată; **in ~** în parte, parţial, până la un punct; **only (a) ~ of his story is true** numai o parte din ceea ce spune el este adevărat; **for the most ~** în majoritatea cazurilor, de cele mai multe ori; în cea mai mare parte; **to make a payment in ~** a plăti în rate **2** parte, participare; **to take ~ in** a lua parte/a participa la **3** *anat* parte (a corpului); membru, *P →* mădular **4** *poligr* coliţă **5** număr; fasciculă **6** *fig* parte *(într-o discuţie etc.);* **he took my ~** mi-a luat partea, a fost de partea mea **7** *fig* parte, punct de vedere; **for my ~** din partea mea; în ceea ce mă priveşte; eu unul; **on the ~ of** din partea *cu gen;* **to take smth in bad/evil ~** a lua ceva în nume de rău, a se ofensa, a se supăra; **to take smth in good ~** a nu (o) lua în nume de rău, a nu se ofensa/

supăra **8** *şi ec* datorie, îndatorire, sarcină, obligaţie; **to do one's ~** a-şi îndeplini obligaţia *sau* obligaţiile, a se achita de sarcină; **it was not my ~ to interfere** nu era cazul să intervin eu, nu era de datoria mea să intervin **9** *teatru şi fig* rol; **to act a ~** *teatru* a interpreta un rol; **to play an important ~** *fig* a juca un rol important **10** *muz* parte; partitură; voce; **for/in/of several ~s** pe mai multe voci **11** *tehn* piesă de maşină; reper; subansamblu **12** *nav* fir de palanc **13** *pl* înzestrări, talent, aptitudini; **he is a man of ~s** e un om talentat/înzestrat **14** *pl* părţi, locuri, meleaguri; regiune; **in foreign ~s** în ţări *sau* pe meleaguri străine; **I am a stranger in these ~s** nu sunt de prin părţile acestea **15** *gram* parte **16** *amer* cărare *(în păr)* **II** *vt* **1** a despărţi, a separa; a împrăştia (mulţimea); **to ~ company (with)** a a se despărţi (de), a-şi lua rămas bun (de la) **b** a rupe relaţiile (cu) **c** a nu fi de acord (cu), a avea alte păreri (decât) **2** a face cărare în *(păr)* **3** a distinge, a deosebi *(două teorii etc.)* **4** *tehn* a tăia; a îndepărta **5** *ch* a separa **6** *← înv* a împărţi, a distribui **III** *vi* **1** a se rupe (în două) **2** a pleca dintre cei vii, a muri **3** (with) a se despărţi (de); **let us ~ friends** să ne despărţim prieteni; **to ~ with one's money** *F* a scoate punga, – a plăti **IV** *adv* în parte, parţial; **made ~of copper** făcut parţial din aramă **V** *adj atr* parţial, incomplet
part. *presc de la* **1 participle 2 particular**
partake [pɑ:'teik], *pret* **partook** [pɑ:'tuk], *ptc* **partaken** [pɑ:'teikən] *vt v.* **partake of 1**
partake in [pɑ:'teikin] *vi cu prep v.* **partake of 1**
partaken [,pɑ:'teikən] *ptc de la* **partake**
partake of [pɑ:'teikəv] *vi cu prep* **1** a participa la, a lua parte la, a fi părtaş la; a împărtăşi *cu ac;* **they partook of our meal** am împărţit masa cu ei, au luat parte la masa noastră **2** a se folosi de, a nu refuza *(ospitalitatea cuiva)* **3** a aduce a; a aminti de; a avea *(un caracter, un gust etc. oarecare)*

parterre [pɑːˈtɛəʳ] *s fr* **1** *bot* răsad-
niță; straturi de flori **2** loc viran,
teren de construcții **3** *teatru*
parter; *amer* stal II

parthenogenesis [ˈpɑːθinouˈdʒenisis]
s biol partenogeneză

Parthenon, the [ˈpɑːθə,nɔn, ðə]
templu în Atena Partenon

Parthia [ˈpɑːθiə] *ist stat în Asia*
Parția

Parthian [ˈpɑːθiən] *adj, s ist* part

partial [ˈpɑːʃəl] *adj* **1** parțial; in-
complet **2** părtinitor; subiectiv

partialism [ˈpɑːʃəlizəm] *s* parția-
litate, subiectivism

partialist [ˈpɑːʃəlist] *s* **1** om părti-
nitor; om cu prejudecăți **2** om
mărginit

partiality [,pɑːʃiˈæliti] *s* **1** părtinire;
subiectivitate **2** (for) înclinație
(pentru)

partially [ˈpɑːʃəli] *adv* **1** în parte,
parțial **2** părtinitor

partial to [ˈpɑːʃəl tə] *adj cu prep* care
nu este indiferent la; amator/
iubitor de; îndrăgostit de

participance [pɑːˈtisipəns] *s v.*
participation

participancy [pɑːˈtisipənsi] *s v.*
participation

participant [pɑːˈtisipənt] (**in**) I *adj*
care participă (la) II *s* participant
(la)

participate [pɑːˈtisi,peit] *vi* (**in**) a
participa, a lua parte (la)

participate of [pɑːˈtisi,peitəv] *vi cu*
prep v. **partake of 3**

participation [pɑː,tisiˈpeiʃən] *s* (**in**)
participare (la)

participative [pɑːˈtisipətiv] *adj* care
poate participa

participator [pɑːˈtisi,peitəʳ] *s* (**in**)
participant (la)

participial [,pɑːtiˈsipiəl] *adj gram*
participial

participially [,pɑːtiˈsipiəli] *adv gram*
ca participiu

participle [ˈpɑːtisipəl] *s gram* parti-
cipiu, gerunziu

particle [ˈpɑːtikəl] *s* **1** particulă;
părticică; fărâmă; corpuscul;
granulă; fir **2** *gram* particulă;
(uneori) conectiv; prepoziție;
conjuncție **3** *lingv* afix

particoloured [ˈpɑːti,kʌləd] *adj*
multicolor; pestriț

particular [pəˈtikjuləʳ] I *adj* **1** special,
deosebit, anumit; **for no ~ rea-**
son pentru nici un motiv special/

deosebit, fără un motiv anumit;
this ~ case acest caz special **2**
foarte exact, minuțios, amă-
nunțit, scrupulos; **~ about one's**
food mofturos la mâncare; **he's**
very ~ about having his
breakfast at exactly 8 o'clock
ține foarte mult să i se servească
micul dejun la 8 fix; **to be ~ in**
one's speech a-și alege cu grijă
vorbele, a fi foarte atent la felul
cum se exprimă **3** pretențios,
greu de mulțumit; mofturos **4**
ciudat, straniu, curios; aparte;
neobișnuit **5** individual, personal
6 *jur* organic II *s* **1** particularitate
2 detaliu, amănunt; **to go into**
~s a intra în amănunte; **in ~** în
special, îndeosebi, mai ales **3** *pl*
descriere amănunțită; raport
amănunțit **4** ← *F* prieten apro-
piat; iubit **5** ← *F* trăsătură carac-
teristică; particularitate **6** ← *F*
preferință, lucru preferat **7** *pl*
fapte, date exacte

particularism [pəˈtikjulə,rizəm] *s* **1**
particularism, caracter intim **2** *pol*
particularism

particularity [pə,tikjuˈlæriti] *s* ← *rar*
1 particularitate, specific, (trăsă-
tură) caracteristică **2** caracter
amănunțit **3** caracter individual,
individualitate

particularization [pə,tikjulərai-
ˈzeiʃən] *s* detaliere, prezentare
amănunțită

particularize [pəˈtikjuləraiz] *vt* a
detalia, a prezenta în amănunt

particularly [pəˈtikjuləli] *adv* **1** mai
ales, îndeosebi, în special **2**
deosebit/extrem/extraordinar de
3 individual; în particular (*ant* în
general) **4** amănunțit, detaliat

parting [ˈpɑːtiŋ] I *adj* **1** care se
desparte *sau* se despart **2** de
despărțire **3** care pleacă, moare,
se stinge, asfințește *etc.* II *s* **1**
despărțire, plecare; **at ~** la
despărțire **2** despărțire, sepa-
rare; bifurcare; ramificare (*a*
drumurilor etc.); răscruce **3**
cărare (*în păr*) **4** ← *înv* moarte **5**
tehn rost; clivaj **6** *geol* strat de
separare; intercalație

parting shot [ˈpɑːtiŋ ,ʃɔt] *s* remarcă
usturătoare, înțepătură, gest
neașteptat *etc.* la despărțire

partisan [,pɑːtiˈzæn] I *s* **1** partizan,
adept **2** *mil* partizan II *adj atr* **1**

partizan; fanatic **2** *mil* de parti-
zani

partisanship [,pɑːtiˈzənʃip] *s* **1** apar-
tenență la un partid, o concepție
etc. **2** spirit partizan; fanatism

partita [pɑːˈtiːtə] *s muz od* partită

partition [pɑːˈtiʃən] I *s* **1** împărțire,
divizare (*a unei țări etc.*) **2**
separare, despărțire **3** *constr*
perete despărțitor; paravan **4**
mat împărțire, divizare; partiție
5 sector; parte; compartiment II
vt **1** a împărți, a diviza **2** a
despărți, a separa

partition off [pɑːˈtiʃənˈɔ(ː)f] *vt cu part*
adv a despărți/a separa printr-un
perete *sau* paravan

partition wall [pɑːˈtiʃən ,wɔːl] *s*
constr perete despărțitor

partitive [ˈpɑːtitiv] *adj gram* partitiv

partitively [ˈpɑːtitivli] *adv gram* în
sens partitiv

partizan ... [,pɑːtiˈzən] *v.* **partisan...**

partly [ˈpɑːtli] *adv* în parte, parțial;
incomplet

partner [ˈpɑːtnəʳ] I *s* **1** partener,
asociat, tovarăș **2** partener (*la*
dans etc.) **3** tovarăș de viață; soț
sau soție **4** *nav* etambreu (*la*
catarg) II *vt* **1** a face partener/
asociat (*pe cineva*) **2** (**with**) *mil*
și *fig* a alia (cu) **3** a fi partenerul
(*cuiva, la dans etc.*), a dansa cu;
a juca cu

partnership [ˈpɑːtnəʃip] *s* **1** calitatea
de partener; participare **2** tovă-
rășie, companie **3** asociere **4**
interese comune

partner up [ˈpɑːtnər ˈʌp] I *vt cu part*
adv **1** a-și face un partener *sau*
parteneri din **2** **~ with** a găsi
(*cuiva*) un partener *sau* parteneri
în II *vi cu part adv* (**with**) a-și găsi
un partener *sau* parteneri (în)

part of speech [ˈpɑːtəvˈspiːtʃ] *s gram*
parte de vorbire

part of the sentence [ˈpɑːtəvðə
ˈsentəns] *s gram* parte a propo-
ziției

part owner [ˈpɑːt ,ounəʳ] *s* copro-
prietar

partridge [ˈpɑːtridʒ] *s și ca pl orn* **1**
potârniche (*Perdix perdix*) **2**
potârniche de munte (*Perdix*
saxatilis)

part song [ˈpɑːt ,sɔŋ] *s muz* cântec
pentru mai multe voci

part-time day [ˈpɑːttaim ˈdei] *s* zi
incompletă de muncă

parturiency [pɑːˈtjuəriənsi] s chinurile creației

parturient [pɑːˈtjuəriənt] adj 1 care mai are puțin până să nască; pe punctul de a naște; în chinurile facerii 2 de naștere, privitor la naștere 3 pe punctul de a face o invenție, o descoperire etc.

parturition [ˌpɑːtjuˈriʃən] s med naștere, înv → parturiție

part with [ˈpɑːt wið] vi cu prep a se despărți de, a renunța la, a abandona cu ac

party [ˈpɑːti] s 1 pol partid 2 mil detașare 3 partidă, grup(ă); companie, societate; **he made one of the ~** făcea și el parte din grup, societate etc. 4 reuniune; petrecere; serată 5 jur parte 6 participant; **to be (a) ~ to smth** a lua parte/a participa la ceva; **the parties concerned** părțile interesate sau implicate 7 F cetățean, individ, suflet; — persoană, ins 8 mil sl luptă aeriană

party-coloured [ˈpɑːti‚kʌləd] adj multicolor

party line [ˈpɑːti ‚lain] s pol linia partidului

party wall [ˈpɑːti ‚wɔːl] s constr zid/perete comun

parvenu [ˈpɑːvənjuː] s fr parvenit

parvis [ˈpɑːvis] s curte din față (↓ la biserici)

Pasadena [ˌpæsəˈdiːnə] oraș în S.U.A.

Pascal [pasˈkal], **Blaise** filosof și matematician francez(1623-1662)

paschal [ˈpɑːskəl] adj rel 1 referitor la Paștele evreiesc 2 ← înv pascal, de Paște

pasha [ˈpɑːʃə] s ist pașă

pashalic, pashalik [ˈpɑːʃəlik] s ist pașalâc

pasque flower [ˈpɑːsk ‚flauəʳ] s bot dedițel (Pulsatilla sp.)

pasquil [ˈpæskwil] s v. **pasquinade**

pasquinade [ˌpæskwiˈneid] s pamflet; satiră

pass [pɑːs] I vi 1 a trece; a se deplasa; a merge; **the road was too narrow for lorries to ~** drumul era prea îngust pentru camioane/ca să poată trece camioanele 2 (d. timp, ore etc.) a trece; a se scurge; a se duce; **time ~ed rapidly** vremea trecea repede, timpul zbura – nu alta 3 (d. bani etc.) a circula, a avea

circulație, a fi valabil 4 a trece, a ieși din uz, a se perima, a se învechi; **customs that are ~ing** obiceiuri care nu se mai practică 5 (d. o durere etc.) a trece; a se termina, a se sfârși; a avea un sfârșit 6 (d. candidați) a trece, a reuși (la examen) 7 (d. un proiect de lege etc.) a fi votat; a fi aprobat; a trece 8 a se petrece, a se întâmpla; a avea loc; **what ~ed between you?** ce s-a petrecut între voi? 9 (d. o atitudine etc.) a fi îngăduit sau tolerat sau acceptat; „a trece" 10 a pasa, a zice „pas" (la unele jocuri de cărți) 11 înv a se petrece, – a muri 12 (d. un verdict etc.) a fi pronunțat 13 auto a depăși II vt 1 a trece pe lângă; a lăsa în urmă; **we ~ed the museum** am trecut pe lângă muzeu 2 a trece, a petrece (timpul); a-și omorî (vremea) 3 a pasa; a înmâna, a da; a transmite; **please ~ me the sugar** dați-mi zahărul, vă rog 4 a spune, a rosti, a pronunța; **to ~ a remark** a face o remarcă; **to ~ the time of the day with smb** a saluta pe cineva, a da cuiva bună ziua 5 a pune în circulație (bani etc.) 6 a vota, a aproba (un proiect de lege etc.); a trece; a promova (un candidat) 8 a fi aprobat de (cenzură etc.); a trece (vama etc.) 9 a depăși, a fi mai presus de (înțelegerea etc. cuiva) 10 a-și da (cuvântul etc.) 11 a elimina (din rinichi sau intestine) 12 a-și petrece; a-și trece (mâna etc.); **to ~ one's eye over** a-și arunca privirile asupra (cu gen) 13 sport a pasa (mingea)// **to ~ in review** mil a trece în revistă III s 1 trecere, pasaj 2 orificiu de trecere 3 geogr pas, trecătoare; defileu 4 constr trecere; coridor 5 met calibru; șablon 6 text năvădire 7 pașaport 8 permis (de liberă trecere) 9 permis, abonament 10 mil permisie 11 școl, univ notă de trecere; promovare 12 punct critic, situație periculoasă; **to be at a desperate ~** a nu (mai) avea nici o speranță, a fi într-o situație desperată 13 truc (al prestidigitatorului etc.) 14 sport pasă 15 pas (la unele jocuri de cărți)

pass. presc de la 1 **passive** 2 **passenger** 3 **passim**

passable [ˈpɑːsəbəl] adj 1 (d. un drum etc.) practicabil, pe care se poate merge; (d. un râu etc.) peste care se poate trece 2 fin în circulație 3 pasabil, acceptabil

passably [ˈpɑːsəbli] adv (în mod) acceptabil, pasabil; destul de

passage [ˈpæsidʒ] s 1 trecere, pasaj; coridor 2 trecere, scurgere (a timpului) 3 voiaj, călătorie, traversare (pe mare sau cu avionul) 4 trecere, drum (prin mulțime etc.) 5 transbordare 6 trecere, traversare (a unui canal etc.) 7 pasaj, fragment 8 votare, aprobare (a unui proiect de lege) 9 desfășurare, evoluție (a evenimentelor) 10 transformare, schimbare, modificare 11 eveniment; întâmplare; episod; incident 12 pl discuții; ciocnire 13 moarte // **bird of ~** pasăre migratoare

passage boat [ˈpæsidʒ ‚bout] s nav bac, pod umblător

passage of arms [ˈpæsidʒəvˈɑːmz] s și fig duel între două persoane marcante

passage way [ˈpæsidʒ ‚wei] s coridor, pasaj, trecere

pass away [ˈpɑːs əˈwei] I vt cu part adv a (pe)trece (timpul) II vi cu part adv 1 a se sfârși, a înceta 2 (d. timp) a trece 3 a-și da duhul, a muri, poetic, înv → a se petrece

pass book [ˈpɑːs ‚buk] s fin libret de bancă

pass by [ˈpɑːs ˈbai] I vi cu part adv (d. timp) a trece, a se scurge II vt cu part adv a nu băga în seamă, a neglija, a nesocoti; **to ~ in silence** a trece sub tăcere

pass down [ˈpɑːs ˈdaun] vt cu part adv a transmite urmașilor/generațiilor viitoare, a lăsa posterității

passé [ˈpɑːsei] adj fr demodat, învechit

passenger [ˈpæsindʒəʳ] s 1 pasager, călător 2 F musafir, „luftinspektor", – om care nu-și face partea de muncă (într-un grup)

passenger boat [ˈpæsindʒə ‚bout] s nav navă/vas de pasageri

passenger car [ˈpæsindʒə ‚kɑːʳ] s 1 auto autoturism, mașină 2 ferov vagon de persoane/călători

passenger pigeon ['pæsindʒə 'pidʒən] *s orn* porumbel călător *(Ectopistes migratorius)*

passenger ship ['pæsindʒə ˌʃip] *s nav* navă/vas de pasageri

passenger traffic ['pæsindʒə ˌtræfik] *s* trafic de călători

passe-partout [ˌpæspa:'tu:] *s fr* **1** ramă de carton **2** șperaclu

passer ['pa:səʳ] *s* **1** trecător; pieton **2** candidat *sau* reușit la un examen **3** *ec* controlor-recep-ționer

passer-by ['pa:səˌbai], *pl* **passers-by** ['pa:səzˌbai] *s* trecător (pe stradă)

passerine ['pæsəˌrain] *adj orn* de vrabie; din familia Passeres

pass for ['pa:s fəʳ] *vi cu prep* a trece drept; a fi considerat; a se spune că este; **he could ~ a younger man** ai zice că e mai tânăr (decât pare); nu i-ai da vârsta pe care o are

passibility [ˌpæsi'biliti] *s* capa-citatea de a simți *sau* suferi

passible ['pæsibəl] *adj* simțitor, sensibil; capabil să sufere

passim ['pæsim] *adv lat* passim, peste tot; în diferite părți *(ale unei cărți etc.)*

passing ['pa:siŋ] **I** *adj* **1** trecător; provizoriu; de o clipă; efemer; în treacăt **2** care trece **3** superficial **4** ← *înv* minunat, excelent **II** *s* **1** trecere, scurgere *etc.* (v. **pass I** și **II**) **2** ← *poetic* moarte

passing bell ['pa:siŋ ˌbel] *s* **1** dangăt funebru/de înmormântare **2** rău augur, prevestire rea

passing-by ['pa:siŋˌbai] *s* (of) nesocotire, ignorare *(cu gen)*

pass into ['pa:s ˌintə] *vi cu prep* a trece în; a se transforma în; a se face, a deveni

passion ['pæʃən] *s* **1** (for) pasiune (pentru); patimă; entuziasm (pentru) **2** pasiune, obiect al pasiunii **3** izbucnire; tulburare sufletească; **to fly into a ~** a se aprinde de supărare, a fi cuprins de mânie; **to burst into a ~ of tears** a izbucni în hohote de plâns **4 the P~** *rel* Patimile (Mântuitorului)

passional ['pæʃənəl] *adj* pasional; pasionat

passionate ['pæʃənit] *adj* pasionat; pătimaș; înflăcărat

passionately ['pæʃənitli] *adv* cu pasiune; pătimaș; înflăcărat

passion flower ['pæʃən ˌflauəʳ] *s bot* ceasornic, floarea suferinței *(Passiflora sp.)*

passionless ['pæʃənlis] *adj* lipsit de pasiuni; calm; imperturbabil

Passion play ['pæʃən ˌplei] *s teatru* piesă zugrăvind Patimile (Mân-tuitorului)

Passion Sunday ['pæʃən ˌsʌndei] *s rel* Duminica Sf. Maria Egip-teanca

Passion Week ['pæʃən ˌwi:k] *s rel* Săptămâna Patimilor/Mare

passive ['pæsiv] **I** *adj* **1** pasiv; inactiv; inert **2** supus **3** *(d. animale)* blând, liniștit, care nu face rău **4** *gram* pasiv **II** *s* **the ~ gram** diateza pasivă, pasiv

passively ['pæsivli] *adv* (în mod) pasiv

passiveness ['pæsivnis] *s* pasivitate

passive resistance ['pæsiv ri'zistəns] *s* rezistență pasivă

passivity [pæ'siviti] *s* pasivitate

pass key ['pa:s ˌki:] *s* **1** *tehn* cheie principală **2** șperaclu **3** cheie pentru o anumită ușă *sau* poartă (pe care o folosesc numai anu-mite persoane)

pass off ['pa:s 'ɔ(:)f] **I** *vi cu part adv* **1** *(d. ploaie etc.)* a trece, a se termina **2** a trece, a decurge, a se desfășura *(↓ satisfăcător)* **II** *vt cu part adv* **1** a abate atenția de la, a ocoli, a evita **2** a prezenta (în mod) fals **III** *vr cu part adv* a se da drept; **he passed himself off as an inventor** se da drept inventator

pass on ['pa:s'ɔn] **I** *vi cu part adv* **1** a se trece, a-și da sfârșitul, a muri **2** a trece, a merge mai departe; **let us now ~ to the next subject** să trecem acum la următorul subiect **II** *vt cu part adv* v. **pass down**

pass out ['pa:s 'aut] **I** *vi cu part adv* **1** a leșina, a -și pierde cunoștința **2** a absolvi *(↓ o școală militară)* **II** *vt cu part adv* ↓ *amer* a distri-bui, a repartiza, a împărți

Passover ['pa:sˌouvəʳ] *rel* **1** Paștele evreiesc **2** Mielul pascal

pass over ['pa:s 'ouvəʳ] *vt cu part adv* a neglija, a nesocoti, a trece peste

passport ['pa:spɔ:t] *s* pașaport

pass through ['pa:s θru:] *vi cu prep* și *fig* a trece prin *(greutăți etc.)*

pass to ['pa:s tə] *vi cu prep* v. **pass into**

pass up ['pa:s 'ʌp] *vt cu part adv* a rata, a scăpa, a lăsa să-i scape *(o ocazie etc.)*

passus ['pæsəs] *s* și *pl* ← *elev* parte *(dintr-un poem etc.)*; cânt, canto

password ['pa:swə:d] *s* parolă; cuvânt secret

past [pa:st] **I** *adj* **1** (care a) trecut; scurs, dus; ultim; precedent; **in years ~/~ years** în anii care au trecut; acum câțiva ani; **she has been feeling much better for the ~ few hours** se simte mult mai bine de câteva ore; **for the ~ few days** în ultimele zile; **for some time ~** de câtva timp/câtăva vreme, de la un timp/o vreme încoace **2** terminat, ispră-vit; **autumn is ~** toamna s-a dus/terminat, a trecut toamna **3** fost, de altădată/odinioară; **her ~ successes** succesele ei de altă dată **4** *gram (d. timpuri verbale)* trecut; ținând de Past Tense; **"asked" is in the P~ Tense** „asked" este la forma de Past Tense/preterit **II** *s* **1** trecut; viață de până acum; viață de altădată; **do you know anything about her ~?** știi ceva despre trecutul ei? **she is a woman with a ~** *fig* o femeie cu trecut **2 the ~** trecut(ul), timp(ul) care a trecut, zile(le) de odinioară; **in the ~** în trecut, altădată, odinioară; **me-mories of the ~ filled his mind** amintiri din trecut îi stăruiau în minte **3 the ~** *gram* Past Tense, preterit *(se redă în limba română ↓ prin perfectul simplu, perfectul compus și imperfectul)* **III** *part adv* pe lângă *cineva, ceva etc.*; **he walked ~** a trecut pe lângă noi *etc.*; **the children came running ~** copiii trecură în fugă pe lângă noi *etc.*; **weeks went ~ without any news from him** săptămânile treceau/se scur-geau una după alta fără să primească o știre/veste de la el; **the years flew ~** anii zburau/treceau în goană/zbor **IV** *prep* **1** *(temporal)* după, trecut de; *(referitor la ore)* și; **she is ~ fifty** a trecut de cincizeci (de ani), are mai mult de cincizeci de ani; **it's five (minutes) ~ seven** e (ora) șapte și cinci (minute); **the train leaves at ten ~ (the hour)** trenul pleacă după (ora) zece/la zece și ceva; **the plane is ~ due** avionul are întârziere 2 dincolo de, mai departe de; **the school is half a mile ~ the hospital** școala este la o jumătate de milă mai departe de spital 3 *(a trece etc.)* pe lângă; în dreptul *cu gen;* în apropierea *cu gen;* **she hurried ~ the house** trecu repede pe lângă casă; **we rushed ~ them** am trecut în fugă/goană pe lângă ei 4 *fig* peste, dincolo de; peste puterile *cuiva;* dincolo de limitele *(răbdării etc.);* mai mult decât; **he was ~ cure** era incurabil/de nevindecat; **it is ~ endurance** este insuportabil, e dincolo de limitele răbdării; ~ **hope** fără speranță; condamnat; **I'm ~ it** *F* s-a zis/terminat (cu mine); nu mai merge, gata; „fost-ai lele ce mi-ai fost și-ai rămas un lucru prost"; **I wouldn't put it ~ him to cheat at cards** *F* îl cred în stare să înșele și la cărți/să trișeze, nu m-aș mira dacă înșală la cărți

paste [peist] **I** *s* **1** pastă **2** clei; pap **3** pastă, aluat, cocă **4** terci **5** *el* masă activă **II** *vt* **1** a lipi; a încleia **2** *sl* a zvânta (în bătaie), a bate măr

pasteboard ['peistbɔ:d] *s* **1** carton; mucava **2** *constr* carton **3** bilet *(de tramvai etc.)* **4** carte de joc

pastel ['pæstəl] *s* **1** *bot* drobușor *(Isatis tinctoria)* **2** pictură în pastel **3** *pict* (tablou în) pastel **4** culoare pastel **5** *lit* scurt studiu literal *(scris pe un ton ușor)*

pastel(l)ist ['pæstəlist] *s pict* pastelist

pastern ['pæstən] *s* chișiță, pinten *(la cai)*

paste-up ['peist,ʌp] *s poligr* montaj; pagină cu decupaje

paste up ['peist 'ʌp] *vt cu part adv* **1** a lipi, a încleia *(hârtii)* **2** a astupa cu hârtie încleiată

Pasteur [pas'tæ:ʳ], **Louis** *chimist și bacteriolog francez (1822-1895)*

pasteurization [,pæstərai'zeiʃən] *s* pasteurizare

pasteurize ['pæstəraiz] *vt* a pasteuriza

pastiche [,pæ'sti:ʃ] *s lit* pastișă; parodie

pastil ['pæstil] *s v.* **pastille**

pastille *s* **1** lumânare fumigenă **2** *med* pastilă

pastime ['pa:staim] *s* distracție, amuzament; joc

pastiness ['peistinis] *s* caracter *sau* aspect cleios

pasting ['peistiŋ] *s* **1** lipit, încleiere, lipire **2** clei; pap, lipici **3** *sl* chelfăneală, mamă de bătaie

past master ['pa:st ,ma:stəʳ] *s* (**in, of**) un adevărat maestru (în, al)

pastor ['pa:stəʳ] *s* pastor, preot *(↓ al unei biserici dizidente)*

pastoral ['pa:stərəl] **I** *adj* **1** de păstor; pastoral, idilic **2** *bis* păstoresc, pastoral **3** *(d. pământ)* cu multă iarbă, bun de pășunat **II** *s* **1** *lit* pastorală; idilă **2** scenă pastorală, tablou idilic **3** *bis* pastorală

pastoral care ['pa:stərəl ,kɛəʳ] *s* **1** grijă păstorească/duhovnicească **2** grijă părintească *(a profesorului)*

pastorale [,pæstə'ra:l] *s muz, lit* pastorală

pastoral letter ['pa:stərəl ,letəʳ] *s bis* pastorală

pastoral staff ['pa:stərəl ,sta:f] *s bis* cârjă păstorească

pastorate ['pa:stəreit] *s bis* **1** păstorie **2** pastori, preoți

past participle ['pa:st ,pa:tisipl] *s gram* participiu trecut

past perfect ['pa:st ,pə:fikt] *s gram* mai-mult-ca-perfect

pastrami [pə'stra:mi] *s* pastramă de vacă

pastry ['peistri] *s* **1** (produse de) patiserie; (produse de) cofetărie **2** aluat de foi/franțuzesc

past tense ['pa:st 'tens] *s gram* preterit

pasturage ['pa:stʃəridʒ] *s* **1** *v.* **pasture 1 2** păscut, pășunat **3** nutreț **4** apicultură, albinărit

pasture ['pa:stʃəʳ] *s* **1** pășune, loc de păscut/pășunat, izlaz **2** nutreț verde

pasture land ['pa:stʃə ,lænd] *s v.* **pasture 1**

pasty¹ ['pe:isti] *adj* **1** păstos; cleios **2** *(d. ten)* (alb și) bolnăvicios

pasty² ['pæsti] *s* pateu *(↓ cu carne)*

pasty-faced ['peisti,feist] *adj* cu fața palidă/bolnăvicioasă

Pat [pæt] *s* **1** nume masc și fem **2** ← *Finlandez (poreclă)*

pat¹ **I** *adj* potrivit, nimerit; reușit, izbutit **II** *adv* **1** la momentul oportun, *F* la țanc; prompt, pe loc, imediat; **he has his excuse ~** avea scuza pregătită **2** bine, exact, cum trebuie; **he knew his lesson off ~** știa (foarte) bine lecția

pat² **I** *vt* a bate *(cu palma, pe umăr etc.)* **II** *vi (d. ploaie etc.)* a bate, a răpăi **III** *s* **1** bătaie ușoară *(cu palma, pe umăr etc.);* **a ~ on the back** *fig* apreciere, laudă **2** bătaie, răpăit *(al ploii etc.)* **3** bucată, cocoloș **4** *constr* turtă de ciment

pat. *presc de la* **1** pattern **2** patent

Patagonia [,pætə'gouniə] *regiune în America de Sud*

Patagonian [,pætə'gouniən] *adj, s* patagonez

pat ball ['pæt bɔ:l] *s F* tenis *sau* cricket jucat prost

patch [pætʃ] **I** *s* **1** petic, bucată *(de pânză etc.);* **he is not a ~ on** *F* e un fleac pe lângă, – nu se compară cu **2** benghi **3** *med* plasture **4** *med* bandaj *sau* clapă pentru ochi **5** petic/bucată de pământ **6** pată **7** bucată rămasă, rest, rămășiță; **in ~es** pe alocuri, ici și colo, din loc în loc **8** interval scurt (de timp); **to strike a bad ~** *F* a avea o serie de ghinioane; – a trece prin greutăți **9** spațiu verde **10** *nav* caplama; întăritură **11** tresă **12** zonă, raion, circumscripție *(a unui polițist etc.)* // **purple ~es** „fâșii de purpură", pasaje de mare efect *(monologuri etc. în drama elisabetană)* **II** *vt* **1** a petici, a pune petice *sau* un petic la **2** *fig* a petici; a înjgheba

patchily ['pætʃili] *adv* în grabă; de mântuială

patchiness ['pætʃinis] *s* **1** inegalitate **2** caracter eterogen

patchouli, patchouly ['pætʃuli] *s* paciuli

patch pocket ['pætʃ ,pɔkit] *s* buzunar aplicat

patch up ['pætʃ 'ʌp] *vt cu part adv* **1** a aplana *(o ceartă etc.)* **2** a cârpi *(repede, de mântuială)* **3** *med* a pansa la repezeală

patch with ['pætʃ wið] *vt cu prep* a smălța cu *(flori etc.)*

patchwork ['pætʃwəːk] *s* **1** cârpă-ceală, peticire **2** cuvertură *etc.* din diferite bucăți *sau* petice **3** *fig* amestecătură; *F* → ghiveci, miș-maș

patchy ['pætʃi] *adj* **1** peticit **2** *fig* neuniform; neregulat; bun pe alocuri

pate [peit] *s F* **1** scăfârlie, tigvă, – cap **2** – creștet(ul) capului **3** glagore, glagole, – minte

pâté ['pætei] *s fr gastr* pateu

-pated ['peitid] *adj (în cuvinte compuse)* cu capul... **bald- ~** (cu capul) chel

paten ['pætən] *s și bis* disc

patent ['peitənt] **I** *adj* **1** deschis, accesibil **2** evident, manifest; patent; autentic **3** patentat **4** *F* deștept; – ingenios; nou **II** *s* **1** patent(ă); brevet **2** patent(ă), certificat, dovadă **3** drept, privile-giu, patent(ă) **III** *vt* **1** a patenta; a breveta **2** a obține un patent/ brevet pentru

patentee [,peitən'tiː] *s* deținător/ posesor al unei patente

patent flour ['peitənt ˌflauəʳ] *s* făină de grâu de calitate superioară

patent leather ['peitənt ˌleðəʳ] *s* piele de lac

patently ['peitəntli] *adv* (în mod) evident, clar, limpede

patent medicine ['peitənt ˌmedsin] *s* **1** ↓ *peior* medicament miracu-los **2** medicament autorizat să fie fabricat de o singură firmă

patent office ['peitənt 'ofis] *s* **1** birou de patente/brevete **2** *fig* patină; urmă *sau* urme, întipărire

patent roll ['peitənt ˌroul] *s* lista anuală a patentelor/brevetelor

pater ['peitəʳ] *s sl școl înv* babacu, bătrânul

pater familias [,peitə fə'miliˌæs], *pl* **patres familias** [,paːtreiz fə-'miliˌæs] *s lat* pater familias, stâlpul casei, părintele familiei

paternal [pə'təːnəl] *adj* **1** patern, părintesc, de tată **2** *fig* patern, părintesc, (ca) de tată/părinte; protector **3** patern, după tată

paternalism [pə'təːnəˌlizəm] *s* **1** grijă de părinte; atitudine părintească **2** *pol* paternalism

paternalistic [pəˌtəːnə'listik] *adj* **1** *elev* paternal, – patern, părin-tesc, de tată **2** *pol* paternalist

paternalistically [pəˌtəːnə'listikəli]

adv **1** *elev* (în mod) paternal **2** *pol* (în mod) paternalist

paternalized [pə'təːnəlaizd] *adj* patronat; dependent; subordonat

paternity [pə'təːniti] *s* **1** paternitate, calitatea de tată **2** *fig* paternitate, calitatea de autor **3** *jur* descen-dență pe linie paternă

paternoster [,pætə'nostəʳ] *s* **1** *rel* Tatăl nostru **2** formulă magică; vrajă **3** povestire plicticoasă **4** mătănii; mărgea mare la mătănii *(pt a marca rostirea „Tatălui nostru")* **5** *constr* paternoster, elevator

path [paːθ] *s* **1** cărare, potecă; **to beat a ~ a** a face/a croi potecă **b** *fig* a veni în număr mare, a se înghesui, a se îmbulzi; **to cross smb's ~** a întâlni pe cineva din întâmplare; a se întâlni față în față cu cineva; a li se încrucișa drumurile; **to stand in smb's ~** a sta în calea cuiva **2** pârtie **3** parcurs, rută **4** traiectorie **5** *min* galerie de transport **6** *fig* drum, cale; făgaș; direcție; **hard work is the ~ to success** munca stă-ruitoare este calea spre succes

path. *presc de la* **1** pathological **2** pathology

path breaker ['paːθ ˌbreikəʳ] *s* **1** deschizător de drumuri **2** *fig* deschizător de drumuri, pionier

pathematic [,pæθi'mætik] *adj psih* emoțional

pathetic [pə'θetik] *adj* **1** patetic; mișcător, emoționant, duios **2** *peior* patetic; disperat; fără suc-ces, inutil; jalnic, vrednic de milă

pathetically [pə'θetikəli] *adv* **1** (în mod) patetic; mișcător, emoțio-nant, duios **2** *peior* (în mod) patetic; disperat; inutil; jalnic

pathetic fallacy [pə'θetik ˌfæləsi] *s* ↓ *lit* antropomorfism, atribuire de însușiri omenești obiectelor din natură

pathetics [pə'θetiks] *s pl ca sg* **1** *lit etc.* patetic **2** studiul pasiunilor omenești

pathfinder ['paːθˌfaindəʳ] *s* **1** explo-rator; deschizător de drumuri **2** *av* avion *sau* elicopter de dirijare **3** *av* membru al echipajului unui avion *sau* elicopter de dirijare

pathless ['paːθlis] *adj* fără cărări; neumblat; nebătătorit

patho- *pref* pato-: **pathology** pato-logie

pathogen ['pæθəˌdʒən] *s med* (agent) patogen

pathogene ['pæθəˌdʒiːn] *s v.* **patho-gen**

pathogenetic [,pæθoudʒi'netik] *adj med* patogen

pathogenic [,pæθə'dʒenik] *adj med* patogen

pathologic(al) [,pæθə'lodʒik(əl)] *adj med* patologic

pathologically [,pæθə'lodʒikəli] *adv med* (din punct de vedere) pato-logic

pathologist [pə'θolədʒist] *s med* patolog

pathology [pə'θolədʒi] *s med* pato-logie

pathos ['peiθəs] *s* **1** patos **2** senti-ment, simțire

pathway ['paːθwei] *s* **1** *v.* **path 2** *tehn* platformă *(pt deservirea unei mașini)*

-pathy *suf* -patie: **antipathy** antipatie

patience ['peiʃəns] *s* **1** răbdare; îngăduință **2** *bot* stevie de gră-dină *(Rumex patientia)* **3** pa-siență, *înv* → pasians

patient ['peiʃənt] **I** *adj* **1** răbdător; îngăduitor **2** răbdător, perse-verent, stăruitor **3** răbdător, rezistent **II** *s* pacient, bolnav

patiently ['peiʃəntli] *adv* cu răbdare, răbdător

patient of ['peiʃəntəv] *adj* cu prep susceptibil de, care permite *(mai multe interpretări etc.)*

patin ['pætin] *s v.* **paten**

patina ['pætinə] *s* **1** *met* patină **2** *fig* înfățișare, chip

patine ['pætin] *s v.* **paten**

patio ['pætiˌou] *s span* patio, curte interioară

patisserie [pə'tisəri] *s fr* patiserie; pateuri, plăcinte *etc.*

patois ['pætwaː] *s fr lingv* dialect; grai

patootie [pə'tuːti] *s amer sl* gagică, – drăguță

patrial ['peitriəl] *s jur* persoană care (↓ *datorită părinților sau buni-cilor)* are dreptul să se stabi-lească în Regatul Unit

patriarch ['peitriˌaːk] *s* **1** *bis* patriarh **2** *fig* patriarh, bătrân venerabil **3** *fig* patriarh, străbun, strămoș

patriarchal [,peitri'aːkəl] *adj* **1** *bis* patriarhal, de patriarh **2** *fig* pa-triarhal, venerabil **3** *fig* patriarhal; simplu, tihnit

patriarchate ['peitri,ɑ:kit] *s* **1** patriarhat (*ant* matriarhat) **2** *bis* patriarhat **3** *bis* patriarhie

patriarchy ['peitri,ɑ:ki] *s* patriarhat (*ant* matriarhat)

Patricia [pə'triʃə] *nume fem*

patrician [pə'triʃən] *adj, s* **1** *ist* patrician **2** nobil, aristocrat

patriciate [pə'triʃiit] *s* **1** *ist* patricieni **2** nobili, aristocrați

patricidal [,pætri'saidəl] *adj* patricid

patricide ['pætrisaid] *s* patricid

Patrick ['pætrik] *nume masc*

patrimonial [,pætri'mouniəl] *adj* patrimonial; ereditar

patrimony ['pætriməni] *s* **1** patrimoniu; avere părintească **2** moștenire **3** avere, bunuri; patrimoniu **4** avere bisericească

patriot ['peitriət] *s* patriot

patriotic [,pætri'ɔtik] *adj* patriotic; de patriot

patristic(al) [pə'tristik(əl)] *adj bis* patristic

patriotically [,pætri'ɔtikəli] *adv* (în mod) patriotic, ca un patriot

patriotism ['pætriə,tizəm] *s* patriotism

Patroclus [pə'trɔkləs] *mit* Patrocle

patrol [pə'troul] **I** *s* **1** *mil etc.* rond; patrulare **2** *mil* patrulă **II** *vt* a patrula pe (*stradă etc.*) *sau* pe lângă *sau* în jurul (*cu gen*) **III** *vi* a patrula, a face ronduri de pază

patrol car [pə'troul ,kɑ:ʳ] *s* mașină de patrulare (a poliției)

patrolman [pə'troulmən] *s* **1** *auto* membru al asistenței tehnice particulare (*care circulă pe anumite drumuri*) **2** ↓ *amer* polițist (care, în mod regulat, patrulează într-un anumit sector)

patrol wagon [pə'troul ,wægən] *s amer* dubă (a poliției)

patron ['peitrən] *s* **1** patron, protector **2** *bis* patron, sfânt protector **3** client, cumpărător (*regulat*) **4** vizitator; spectator (*regulat*) **5** *ist* patron, patrician roman

patronage ['pætrənidʒ] *s* **1** patronaj, auspicii; protecție, sprijin **2** *jur* drept de patronat **3** clientelă; cumpărători (*regulați*) **4** vizitatori; spectatori (*regulați*) **5** bunăvoință, condescendență **6** comerț; afaceri

patronal ['peitrənəl] *adj și bis* patronal; ocrotitor, protector

patroness ['peitrənis] *s* patroană

patronize ['pætrənaiz] *vt* **1** a patrona, a ocroti, a sprijini **2** a trata cu un aer patronal/de sus **3** a fi un client *sau* un vizitator/spectator regulat/obișnuit (*cu gen*)

patron saint ['peitrən ,seint] *s rel* patron, sfânt protector

patronymic [,pætrə'nimik] **I** *adj* patronimic **II** *s* **1** nume patronimic **2** nume (de familie)

patsi ['pætsi] *s amer sl* **1** fricos, laș **2** jucător slab **3** tâmpit, cretin

patten ['pætən] *s* **1** sabot, pantof de lemn **2** *constr* postament; suport al unui zid

patter¹ ['pætəʳ] **I** *s* **1** jargon; argou **2** vorbire rapidă; sporovăială, flecăreală **II** *vt* a rosti (*o rugăciune etc.*) foarte repede *sau* mecanic **III** *vi* a vorbi foarte repede/F ca o morișcă

patter² *vi* **1** (*d. ploaie etc.*) a bate, a răpăi **2** (*d. copii etc.*) a lipăi, a merge cu pași repezi **II** *s* **1** răpăit, bătaie (*a ploii etc.*) **2** lipăit, tropăit, mers rapid

pattern ['pætən] **I** *s* **1** model, tipar, șablon; mostră; calibru **2** model, pildă, exemplu (*demn de urmat*) **3** tipar, model (*de rochie etc.*) **4** *text* desen (în tricot) **5** mod; modalitate; fel; stil (*de viață etc.*); caracter (*al unei producții literare etc.*) **6** *poligr* moarare **7** *lingv etc.* structură **II** *vt text* a aplica modele/desene pe

pattern after/on/upon ['pætən ,ɑ:ftə/ ɔn/ə,pɔn] *vt cu prep* a imita *cu ac*, a copia după/după modelul *cu gen*

pattern book ['pætən ,buk] *s* caiet de mostre/eșantioane; caiet de modele

patty ['pæti] *s* pateu (*mic*); turtiță

pattypan ['pæti,pæn] *s gastr* formă (*pt prăjituri*)

paucity ['pɔ:siti] *s* **1** puținătate; număr mic *sau* cantitate mică **2** insuficiență, lipsă

Paul ['pɔ:l] *nume masc* Paul, Pavel

Paula ['pɔ:lə] *nume fem*

paulin ['pɔ:lin] *s* pânză de cort

Pauline ['pɔ:li:n] *nume fem* Paulina

Paul Pry ['pɔ:l ,prai] *s* curios; băgăcios

paunch [pɔ:ntʃ] *s* **1** burtă (↓ *mare*), F ← burduhan **2** *zool* burduf, rumen

paunchy ['pɔ:ntʃi] *adj* burtos, F ← burduhos

pauper ['pɔ:pəʳ] *s* (om) sărac; cerșetor, calic

pauperism ['pɔ:pərizəm] *s* sărăcie extremă, mizerie, pauperism

pauperization [,pɔ:pərai'zeiʃən] *s* pauperizare, sărăcire

pauperize ['pɔ:pə,raiz] *vt* a pauperiza, a reduce la o stare de sărăcie extremă

pause [pɔ:z] **I** *s* **1** pauză, întrerupere; oprire; răgaz; **to make a ~** a face o pauză **2** reținere; ezitare, șovăială; **it gives one ~ to think** te face să te gândești; **at ~** șovăitor, cuprins de șovăială, nehotărât, în cumpănă **3** *metr* cenzură **4** *muz* coroană **II** *vi* **1** (**on, upon**) a se opri (asupra – *cu gen*); a face o pauză **2** a șovăi, a ezita

pause on/upon ['pɔ:z ɔn/ə,pɔn] *vi cu prep* a prelungi (*un cuvânt, o notă muzicală*); a se opri asupra (*cu gen*)

pavan(e) [pə'vɑ:n] *s muz od* pavană

pave [peiv] *vt* **1** *drumuri* a pava; a pietrui; **to ~ the way for/to** *fig* a pregăti terenul pentru; a netezi calea pentru *sau cu gen*; a înlesni *cu ac*; a pregăti *cu ac* **2** *constr* a podi, a pardosi

paved [peivd] *adj* **1** pavat; pietruit **2** (**with**) *fig* încununat (de); plin (*de succes etc.*)

pavement ['peivmənt] *s* **1** *drumuri* pavare; pietruire **2** *constr* podire, pardosire **3** *drumuri* pavaj; îmbrăcăminte rutieră; caldarâm, drum pavat; trotuar

pavement artist ['peivmənt ,ɑ:tist] *s* pictor de stradă

pavement breaker ['peivmənt ,breikəʳ] *s drumuri* ciocan pneumatic pentru desfacerea pavajului

pavement pusher ['peivmənt ,puʃəʳ] *s ← F* negustor ambulant

pavilion [pə'viljən] *s* **1** pavilion, chioșc **2** cort (*mare*) **3** *arhit* aripă laterală; foișor; balcon **4** pavilion (*al unei expoziții, al unui spital*) **5** *anat* pavilionul urechii, conchie auriculară **6** cornet acustic, port-voce, pavilion

paving ['peiviŋ] *s* **1** *drumuri* pavaj **2** *drumuri* lespede de caldarâm; pavea **3** *constr* podea, pardoseală

paving stone ['peiviŋ ,stoun] *s drumuri* pavea (de piatră)

paw [pɔ:] **I** *s* **1** *zool* labă **2** *fig F* lăbă, – mână **II** *vt* **1** a atinge, a lovi, a răcâi *etc.* cu laba *sau* labele **2** *(d. cai)* a lovi cu copita *sau* copitele **3** ← *F* a apuca neîndemânatic *(cu mâna)* **4** ← *F* a umbla cu mâna *sau* mâinile pe; a scotoci

paw at ['pɔ: 'æt] *vi cu prep v.* **paw II, 1**

pawkily ['pɔ:kili] *adv* șiret, cu viclenie; mucalit; mai în glumă, mai în serios

pawkiness ['pɔ:kinis] *s* șiretenie, viclenie; dublu înțeles

pawky ['pɔ:ki] *adj* șiret; viclean; mucalit; cu două înțelesuri

pawl [pɔ:l] *s* **1** *tehn* clichet; declic; închizător **2** *nav* castanetă; opritor

pawn[1] [pɔ:n] **I** *s* **1** amanet, zălog; gaj; ipotecă; garanție **2** amanetare, ipotecare; **in/at ~** amanetat; ipotecat **3** *F v.* **pawnbroker 4** *F v.* **pawnshop II** *vt* **1** a amaneta, a pune zălog; a ipoteca **2** *fig* a garanta cu; a da zălog; a risca

pawn[2] *s* **1** pion *(la șah)* **2** *fig* pion; marionetă; unealtă

pawnable ['pɔ:nəbəl] *adj* care poate fi amanetat *sau* ipotecat

pawnage ['pɔ:nidʒ] *s* amanetare; ipotecare

pawnbroker ['pɔ:n,broukə'] *s* proprietar al unui munte de pietate *sau* al unei case de împrumut pe amanet; cămătar

pawnshop ['pɔ:n,ʃop] *s* munte de pietate; casă de împrumut pe amanet

pax [pæks] *lat* **I** *s* pace; simbol al păcii **II** *interj școl sl* șase! – liniște! tăcere

pay[1] [pei] **I** *pret și ptc* **paid** [peid] *vt* **1** a plăti; a remunera; a recompensa; a achita; **you must ~ him what you own** trebuie să-i plătești datoria/ce îi datorezi **2** *fig* a (răs)plăti *(bunătatea etc.)* **3** a acorda, a da *(atenție)* **4** a face **5** *(d. o meserie etc.)* a aduce un venit de **6** a merita *(să facă ceva);* a fi compensat pentru *(un efort etc.)* **II** *(v. ~ I) vi* **1** a plăti, a face o plată *sau* plăți **2** a fi profitabil/remunerativ; a merita; **does it ~ to breed sheep** face/ merită să crești oi? este profitabilă creșterea oilor? **III** *s* **1** plată

2 *mil* soldă **3** *fig* plată; răzbunare **4** ← *F* datornic, platnic; **he is a good ~** e (un) bun platnic

pay[2] *vt nav* a gudrona

payable ['peiəbəl] *adj* **1** plătibil **2** profitabil, remunerativ

pay back ['pei 'bæk] *vt cu part adv* a înapoia, a restitui *(bani)*

pay day ['pei ,dei] *s* zi de salariu/ leafă *sau* plată

pay desk ['pei ,desk] *s* casă; casierie

pay down ['pei 'daun] *vt cu part adv* a plăti cu bani gata, a achita

Paye [,pi: ei wai' i:] *presc de la* **pay as you earn** „plătește pe măsură ce câștigi" *(sistem prin care impozitul pe venit se reține înainte de plata salariului)*

payee [pei'i:] *s ec* primitor *(al unei plăți)*

pay envelope ['pei 'envə'loup] *s amer v.* **pay packet 1**

payer ['peiə'] *s fin* plătitor

pay for ['pei fə'] *vi cu prep fig* a plăti pentru; a avea de suferit pentru

pay freeze ['pei ,fri:z] *s* înghețare a salariilor

pay gate ['pei ,geit] *s* turnichet *(care funcționează după achitarea taxei, a biletului)*

pay in ['pei 'in] **I** *vt cu part adv fin* a plăti în cont curent **II** *vi cu part adv* a plăti cotizațiile regulat

paying ['peiiŋ] *adj* remunerativ, rentabil, profitabil

pay into ['pei ,intə] *vi cu prep fin* a plăti în *(cont curent)*

pay list ['pei ,list] *s fin* stat de plată

payload ['pei,loud] *s* **1** sarcină utilă/ de plată **2** *ferov etc.* încărcătură utilă; capacitate utilă

paymaster ['pei,mɑ:stə'] *s* **1** *fin* casier **2** *fig peior* patron, boss

paymaster general ['pei,mɑ:stə 'dʒenərəl], *pl* **paymasters general** ['pei,mɑ:stəz 'dʒenərəl] *sau* **paymaster generais** ['pei,mɑ:stə 'dʒenərəlz] *s fin* **1** casier principal/ șef **2** șeful serviciului financiar **3** *și* **P~, G~** ministru în cabinetul britanic *(căruia i se pot încredința diverse funcții, dar ↓ cea legată de trezorerie)*

payment ['peimənt] *s* **1** plată; plăți; **~ in kind** achitare/plată în natură; **~ by/in instalments** plată în rate; **promise of ~** obligație de plată **2** sumă de plată **3** *fig* plată, răsplată *sau* pedeapsă; răzbunare

paynim ['peinim] ← *înv, poetic (↓ în timpul Cruciadelor)* **I** *s* păgân; musulman **II** *adj* păgân(esc); musulman

pay-off ['peiɔ(:)f] *s* ← *F* **1** plată; retribuție; salariu, leafă **2** *com* plată, socoteală **3** deznodământ, final *(al unei povestiri etc.)*

pay off ['pei 'ɔ(:)f] **I** *vt cu part adv* **1** a achita, a plăti integral **2** *fin* a amortiza **3** a concedia *(muncitori, echipajul unei nave)* **4** *nav* a dezarma *(o navă)* **5** a plăti *(pe cineva)* ca să tacă **6** *F* a i-o plăti cuiva, – a se răzbuna pe *(cineva)* **II** *vi cu part adv (d. un plan etc.)* a reuși, a izbuti, a se realiza

pay office ['pei ,ɔfis] *s fin* casierie; birou de plăți

payola [pei'oulə] *s sl* răsplată, „atenție" *(pt înlesnirea unei tranzacții; de ex. transmiterea la radio a unei anumite bucăți muzicale)*

pay out ['pei 'aut] *vt cu part adv* **1** a plăti/a achita în rate mici **2** *v.* **pay off I, 5 3** *nav* a fila, a larga

pay over ['pei 'ouvə'] *vt cu part adv* **1** a plăti mai mult *(cu o anumită sumă)* **2** a plăti, a achita

pay packet ['pei ,pækit] *s* **1** plic cu salariul respectiv și o notă explicativă **2** (sumă pe care o primește cineva ca) salariu, leafă

pay pause ['pei ,pɔ:z] *s fin* înghețare provizorie a salariilor

pay phone ['pei ,foun] *s* telefon cu plată

pay rise ['pei ,raiz] *s* spor de salariu

pay roll ['pei ,roul] *s* **1** *fin* stat de plată **2** lista muncitorilor și funcționarilor *(unei întreprinderi);* stat de funcțiuni

pay station ['pei ,steiʃən] *s amer* telefon cu plată

payt. *presc de la* **payment**

pay telephone ['pei 'telifoun] *s* telefon cu plată

pay up ['pei 'ʌp] *vt cu part adv* **1** a lichida *(o datorie);* a stinge, a amortiza **2** a plăti/a achita la timp

pc. *presc de la* **1** peace **2** price

p.c. *presc de la* **1** per cent **2** post *sau* **postal card**

pct. *presc de la* **per cent**

P.E. *presc de la* **1** probable error eroare probabilă **2** *F* **Physical education/training**

pea [pi:] *s bot* **1** mazăre *(Pisum sativum);* bob de mazăre; **as like as two ~s** asemănători ca două picături de apă **2** mazăre de câmp *(Pisum arvense)*

peace [pi:s] *s* **1** pace; **to be at ~ with a country** a fi în relații de pace/pașnice cu o țară; **to be at ~** a odihni în pace, a fi mort; **~ with honour** pace onorabilă; **to make ~** a încheia pace; **to make one's ~ with smb** a se împăca cu cineva **2** pace; liniște; ordine; **to keep the ~ a** a păstra/a nu tulbura ordinea publică **b** a veghea la menținerea ordinii publice; **to hold one's ~** a tăcea; a păstra liniștea **3** pace, odihnă; **may he rest in ~!** odihnească în pace! **4** ↓ **P~** tratat de pace

peaceable ['pi:səbəl] *adj v.* **peaceful**

peaceably ['pi:səbli] *adv* (în mod) pașnic

peace-breaker ['pi:s,breikə'] *s* scandalagiu; persoană turbulentă

peaceful ['pi:sful] *adj* **1** pașnic, iubitor de pace **2** liniștit, calm

peacefully ['pi:sfuli] *adv* **1** (în mod) pașnic, prin mijloace pașnice **2** liniștit, calm **3** în pace

peacefulness ['pi:sfulnis] *s* caracter pașnic; pace

peace-maker ['pi:s,meikə'] *s* conciliator; pacificator, *înv →* făcător de pace

peace-making ['pi:s'meikiŋ] **I** *adj* conciliator; pacificator **II** *s* conciliere; pacificare

peace offering ['pi:s,ofəriŋ] *s* **1** *bis* jertfă de ispășire; *(la evrei)* holocaust **2** ofertă de pace

peace officer ['pi:s,ofisə'] *s* apărător al ordinii; jandarm *sau* polițist

peace pipe ['pi:s,paip] *s* pipa păcii

peace time ['pi:s,taim] *s* timp de pace

peach [pi:tʃ] *s* **1** *bot* piersic *(Amygdalus persica)* **2** piersică **3** culoarea piersicii **4** *F* frumusețe, odor, bomboană

peach-coloured ['pi:tʃ,kʌləd] *adj* de culoarea piersicii

pea-chick ['pi:,tʃik] *s orn* păun tânăr

peach stone ['pi:tʃ,stoun] *s minr* șist cloritos

peacock ['pi:,kok] *s* **1** *orn* păun *(Pavo cristatus);* **(as) proud as a ~** mândru nevoie mare/ca un păun **2** *fig* înfumurat, închipuit; filfizon

pea fowl ['pi:,faul] *s v.* **pea-cock 1**

pea-green ['pi:,gri:n] *adj* verde ca mazărea/iarba

peahen ['pi:,hen] *s orn* păuniță

pea jacket ['pi:,dʒækit] *s* **1** *nav* bluză **2** haină, jachetă

peak¹ [pi:k] *vi și* **~ and pine** ← *înv* a slăbi, a se ofili

peak² *s* **1** *geogr* pisc; vârf (ascuțit) **2** *geogr* promontoriu, cap **3** vârf ascuțit; parte ascuțită **4** *fig* culme; apogeu; punct culminant; **at the ~ of happiness** în culmea fericirii **5** *nav* vârful piculiu; pic **6** *nav* colț de fungă

peaked¹ [pi:kt] *adj* ascuțit; cu vârf

peaked² *adj* slab, subțire, tras, ofilit

peaky ['pi:ki] *adj v.* **peaked¹, ²**

peal [pi:l] **I** *s* **1** zvon/sunet de clopot **2** sunet; zgomot; bubuit *(de tun, de tunet);* hohot *(de râs)* **II** *vi* a răsuna; *(d. clopote)* a bate **III** *vt* a face să răsune; a bate *(clopotele)*

pean [pi:n] *s v.* **paean**

peanut ['pi:,nʌt] *s* **1** *bot* arahidă *(Arachis hypogaea)* **2** *pl sl* sume mici de bani

peanut butter ['pi:,nʌt 'bʌtə'] *s* pastă de arahide

pea ore ['pi:,ɔ:'] *s minr* limonit

pear [pɛə'] *s bot* **1** păr *(Pyrus communis)* **2** pară

Pearl [pə:l] *nume fem*

pearl¹ **I** *s* **1** perlă, mărgăritar; **to cast ~s before swine** *fig* a arunca mărgăritare înaintea porcilor, a strica orzul pe gâște **2** *fig* perlă, mărgăritar; odor; nestemată **3** sidef **4** bob, granulă, grăunte; fir; strop, picătură **5** strop de rouă **6** lacrimă **7** *poligr* perlă; corp de literă de 5 puncte **II** *vt* **1** a împodobi cu perle **2** a granula, a perla **III** *vi* **1** a pescui perle **2** a forma perle; a fi ca perlele

pearl² *vi* a murmura, a susura

pearl barley ['pə:l,ba:li] *s* arpacaș

pearl cereals ['pə:l,siriəlz] *s pl* crupe

pearl disease ['pə:l di'zi:z] *s vet* tuberculoză *(la cornute)*

pearl diver/fisher ['pə:l,daivə'/,fiʃə'] *s* pescuitor de perle

pearl fishery ['pə:l,fiʃəri] *s* loc unde se pescuiesc perle

pearl hen ['pə:l,hen] *s orn* bibilică *(Numida meleagris)*

pearlite ['pə:lait] *s geol* perlită

pearl oyster ['pə:l,ɔistə'] *s zool* scoică de mărgăritar *(Pteria)*

pearl powder ['pə:l,paudə'] *s ch* alb de bismut

pearl spar ['pə:l,spa:'] *s minr* dolomit

pearl stone ['pə:l,stoun] *s geol* perlit

pearl white ['pə:l,wait] *s v.* **pearl powder**

pearly ['pə:li] *adj* **1** (ca) de mărgăritar **2** cu perle/mărgăritare *sau* sidef

Peary ['piəri], **Robert Edwin** *explorator american (1856-1920)*

peasant ['pezənt] *s* **1** țăran; agricultor; fermier **2** *fig* țărănoi, bădăran

peasantry ['pezəntri] *s* țărănime, țărani; agricultori; fermieri

Peasants' Revolt, the ['pezənts ri'volt, ðə] Răscoala țăranilor *(în Anglia, 1381)*

peasant woman ['pezənt,wumən] *s* țărancă

pease [pi:z] *s sg sau pl* ← *înv* mazăre

pease meal ['pi:z,mi:l] *s* **1** făină de mazăre **2** *fig* harababură; încurcătură

pea soup ['pi:,su:p] *s* **1** supă de mazăre; cremă de mazăre **2** *fig* ← *F* ceață deasă și gălbuie

pea souper ['pi:,su:pə'] *s v.* **pea soup 1**

pea-soupy ['pi:,su:pi] *adj (d. ceață)* des și gălbui

peat [pi:t] *s* **1** turbă **2** brichetă de turbă

peat bog ['pi:t,bog] *s* turbărie, smârc cu mușchi de turbă

peatery ['pi:təri] *s* turbărie

peat moss ['pi:t,mos] *s* **1** *bot* mușchi de turbă, bunceac, sfagnum *(Sphagnum sp.)* **2** *v.* **peat bog**

peaty ['pi:ti] *adj* (ca) de turbă; având miros de turbă

peav(e)y ['pi:vi] *s* țapină cu gheară

pebble ['pebəl] *s* **1** prundiș; pietricică rotundă *sau* galeți **2** *geol* bolovan de piatră rotunjit **3** *minr* cremene, silex; cristal de stâncă

pebbly ['pebli] *adj* **1** ca prundișul **2** grăunțos, granulos **3** (acoperit) cu prundiș

pecan ['pekən] *s bot* (nuc) pecan *(Carya illionoensis)*

peccability [,pekə'biliti] *s* probabilitatea de a greși/de a cădea în păcat

peccable ['pekəbəl] *adj* care poate greși/păcătui, păcătos, supus păcatului

peccadillo [ˌpekəˈdilou], *pl* **peccadillo(e)s** [ˌpekəˈdilouz] *s* păcat mic/neînsemnat, greșeală/vină neînsemnată

peccancy [ˈpekənsi] *s* **1** *v.* **peccability 2** păcat, greșeală

peccary [ˈpekəri] *s zool* (porc) pecari *(Pecari tajacu)*

pechblende [ˈpekblend] *s minr* pehblendă

Pechora, the [piˈtʃɔrə, ðə] *fluviu în fosta U.R.S.S.* Peciora

peck¹ [pek] *s* **1** *măsură de capacitate de 9,09 l* **2** *fig* mulțime, grămadă *(de necazuri etc.)*

peck² I *s* **1** ciugulire; ciocănire, lovire cu ciocul *sau* cu harponul *etc.* **2** ← *F* sărut dat în fugă II *vt* **1** a ciuguli; a ciocăni, a lovi cu ciocul *sau* cu harponul *etc.* **2** a scobi *(o gaură)* **3** ← *F* a săruta în fugă *sau* ușor **4** a săpa cu târnăcopul

peck at [ˈpekət] *vi cu prep* **1** a lovi *sau* a găuri cu ciocul **2** *fig F* a ciuguli din *(mâncare)* **3** *fig F* a se lega mereu de *(cineva)*, – a critica într-una

pecker [ˈpekə⁷] *s* **1** *orn* ciocănitoare *(Picidae sp.)* **2** târnăcop **3** *sl* cioc *(de pasăre)* **4** *sl* bec, – nas **5** *sl* mâncău, – gurmand

peckish [ˈpekiʃ] *adj* **1** ← *F* flămând, înfometat **2** ← *rar* apetisant, gustos

Pecksniffian [pekˈsnifiən] *adj* ipocrit, prefăcut; nesincer

pectase [ˈpekteis] *s ch* pectază

pecten [ˈpektin], *pl și* **pectines** [ˈpekti͵niːz] *s anat* **1** organ pectineu **2** osul pubis

pectin [ˈpektin] *s ch* pectină

pectineal [pekˈtiniəl] *adj anat* **1** pectineu **2** referitor la osul pubis

pectoral [ˈpektərəl] I *adj* **1** *med etc.* pectoral, de piept **2** purtat pe piept **3** subiectiv, personal II *s* **1** *med* expectorant **2** *anat* mușchi pectoral

pectoral arch [ˈpektərəl ͵ɑːtʃ] *s anat* centură scapulară

pectose [ˈpektous] *s bot* pectoză

peculate [ˈpekjuˌleit] *vt* a delapida, a sustrage

peculation [ˌpekjuˈleiʃən] *s* delapidare

peculator [ˈpekjuˌleitə⁷] *s* delapidator

peculiar U.S. [piˈkjuːliə⁷] I *adj* **1** (**to**) caracteristic, specific (pentru *sau* cu dat), propriu *(cu dat)* **2** dis-

tinct; exclusiv; individual, particular **3** special, deosebit; unic; extraordinar; **he has a ~ talent for distorting the truth** are un talent deosebit de a denatura adevărul **4** neobișnuit; ciudat, straniu; **he has ~ ways** are ciudățeniile lui, e un om ciudat; **to be ~ in one's dress** a se îmbrăca ciudat/original/neobișnuit II *s* **1** proprietate exclusivă **2** privilegiu; prerogativă **3** interes privat

peculiarity [pi͵kjuːliˈæriti] *s* **1** particularitate; specific **2** însușire, proprietate; trăsătură caracteristică **3** ciudățenie; curiozitate

peculiarly [piˈkjuːliəli] *adv* **1** personal *(interesat în ceva etc.)* **2** (în chip) ciudat, straniu **3** deosebit de, în mod special

pecuniarily [piˈkjuːniərili] *adv* din punct de vedere pecuniar/bănesc

pecuniary [piˈkjuːniəri] *adj* **1** pecuniar, bănesc; financiar **2** pasibil de amendă

pecunious [piˈkjuːniəs] *adj* ← *rar* avut, cu bani, bogat

pedagogic(al) [ˌpedəˈgɔdʒik(əl)] *adj* pedagogic

pedagogics [ˌpedəˈgɔdʒiks] *s pl ca sg* pedagogie

pedagogue [ˈpedəˌgɔg] *s* învățător *sau* profesor (↓ *pedant*)

pedagogy [ˈpedəˌgɔgi] *s* pedagogie

pedal [ˈpedəl] I *s* pedală; suport; pârghie de picior II *vi* **1** a pedala **2** a merge cu bicicleta III [ˈpiːdəl] *adj zool* al piciorului, de picior

pedal board [ˈpedəl ͵bɔːd] *s muz* claviatură de pedală

pedal bracket [ˈpedəl ͵brækit] *s auto* suport de pedală

pedalist [ˈpedəlist] *s amer* ← *rar* biciclist

pedant [ˈpedənt] *s* **1** pedant **2** doctrinar, dogmatic **3** *înv* dascăl; – învățător *sau* profesor

pedantic [piˈdæntik] *adj* pedant

pedantically [piˈdæntikəli] *adv* în mod pedant

pedantry [ˈpedəntri] *s* pedantism, pedanterie

pedate [ˈpedeit] *adj* **1** cu picioare **2** *bot* pedat

peddle [ˈpedəl] I *vi* **1** a se ocupa/a se ține de fleacuri/nimicuri **2** a face comerț ambulant; a umbla

din casă în casă pentru a vinde marfă; a fi negustor ambulant II *vt* **1** a face comerț (ambulant) cu **2** a colporta *(știri)* **3** a bârfi pe socoteala *(cu gen)*

peddler [ˈpedlə⁷] *s amer v.* **pedlary**

peddlery [ˈpedləri] *s amer v.* **pedlary**

peddling [ˈpedliŋ] *adj* mărunt, meschin, trivial

-pede *suf* -ped: **centipede** centiped

pederast [ˈpedə͵ræst] *s* pederast, homosexual

pederasty [ˈpedə͵ræsti] *s* pederastie, homosexualitate

pedestal [ˈpedistəl] *s* **1** piedestal, soclu; suport; **to knock smb off his ~** *fig* a da pe cineva jos de pe piedestal **2** *și fig* bază, temelie, fundament **3** măsuță de noapte **4** *constr* bază de coloană; baza pilonului

pedestrian [piˈdestriən] I *adj* **1** pedestru **2** *fig* prozaic, lipsit de imaginație; plictisitor, plicticos; neinspirat II *s* pieton, trecător

pedestrian crossing [piˈdestriən ͵krɔsiŋ] *s* trecere de pietoni

pedestrian precinct [piˈdestriən ͵priːsiŋkt] *s* zonă interzisă pentru vehicule *(în centrul unui oraș)*

pediatric [ˌpiːdiˈætrik] *adj med* pediatru, de pediatrie

pediatrician [ˌpiːdiəˈtriʃən] *s med* pediatru

pediatrics [ˌpiːdiˈætriks] *s pl ca sg med* pediatrie

pediatrist [ˌpiːdiˈætrist] *s v.* **pediatrician**

pedicab [ˈpedi͵kæb] *s* un fel de tricicletă *(pt transportul a doi pasageri – în unele țări din Asia de Sud)*

pedicel [ˈpedi͵sel] *s* **1** *bot* pedicel, peduncul mic **2** *anat, med* pedicul

pedicle [ˈpedikəl] *s v.* **pedicel**

pediculate [piˈdikjulit] *adj bot* pediculat

pedicure [ˈpedi͵kjuə⁷] I *s* pedichiură II *vt* a face *(cuiva)* pedichiura

pedicurist [ˈpedikjurist] *s* pedichiurist *sau* pedichiuristă

pedigree [ˈpedi͵griː] I *s* **1** arbore genealogic **2** genealogie; descendență, origine, obârșie **3** *fig* viță veche **4** *zool* pedigri(u), genealogia unui animal domestic de rasă **5** *lingv* etimologie II *adj atr zool* pur-sânge, de rasă

pedigreed ['pedi,gri:d] *adj zool* pur-sânge, de rasă

pediment ['pedimənt] *s arhit* fronton (↓ *la clădirile din Grecia antică*)

pedimental [,pedi'mentəl] *adj* **1** *arhit* de fronton **2** vertical

pedimented ['pedi,mentid] *adj arhit* (prevăzut) cu fronton

pedlar ['pedlə'] *s* **1** negustor ambulant; negustor de mărunțișuri, *P* → coropcar **2** colportor; intrigant; bârfitor **3** cârpaci, lucrător prost

pedlary ['pedləri] *s* **1** comerț ambulant, colportaj **2** mărunțișuri, mărfuri mărunte **3** vechituri, zdrențe; lucruri de prost gust *sau* de proastă calitate

pedogenesis [,pi:dou'dʒenisis] *s agr* pedogeneză

pedological [,pi:də'lɔdʒikəl] *adj agr* pedologic

pedologist [pi:'dɔlədʒist] *s agr* pedolog; geolog

pedology [pi:'dɔlədʒi] *s agr* pedologie

pedometre [pi'dɔmitə'] *s tehn* pedometru

peduncle [pi:dʌŋkəl] *s bot* peduncul

pedunculate [pi'dʌŋkjulit] *adj bot* pedunculat

peek [pi:k] *vi* (**at**) a arunca o privire, a se uita (pe furiș) (la)

peek-a-boo ['pi:kə,bu:] *s amer un fel* de mijoarca, baba-mija

peel¹ [pi:l] **I** *vt* **1** a coji, a curăța de coajă, a scoate coaja de pe; a dezghioca **2** a jupui, a scoate pielea de pe **3** *sl* a dezbrăca **II** *vi* **1** a se coji; **his skin began to ~** pielea începu să i se cojească/jupoaie **2** *sl* a se dezbrăca **III** *s* coajă

peel² *s* lopată (*de brutar*)

peeled [pi:ld] *adj* **1** (des)cojit; decorticat **2** (*d. haine*) uzat **3** lipsit de vegetație; gol(aș) **4** sărac, nevoiaș

peeler ['pi:lə'] *s* **1** *tehn* mașină de cojit **2** *agr* mașină de decorticat **3** *sl* sticlete, – polițist **4** femeie care practică strip-tease

peeling ['pi:liŋ] *s* coajă *sau* coji (*de fruct, desfăcute*)

peel off ['pi:l 'ɔ:f] *vt cu part adv* **1** a scoate de pe **2** a scoate coaja

peen [pi:n] *vt med* a ciocăni

peep¹ [pi:p] **I** *s* **1** privire furișă; căutătură; **to get a ~ of** a zări, a vedea **2** ivire, apariție, vestire; **at**

~ of day la ivirea zorilor **II** *vi* **1** (**at**) a privi/a se uita pe furiș, (la), a arunca o căutătură (*cu dat*) **2** a apărea, a se ivi, a se iți

peep² **I** *vi* **1** (*d. șoareci*) a chițăi **2** (*d. păsări, pui*) a piui; a ciripi **II** *s* **1** chițăit (*de șoarece*) **2** piuit; ciripit (*de pasăre*) **3** *fig F* piuit, vorbuliță, – vorbă, cuvânt; **I don't want to hear a ~ out of you during the concert** să n-aud (că scoateți) o vorbă în timpul concertului **4** *F* semn de viață, – știre, veste **5** (*în limbajul copiilor*) tu-tu(u), – claxon (*de mașină*)

peeper¹ ['pi:pə'] *s* **1** (om) curios, om care vrea să vadă; **~s and eavesdroppers** cei care trag cu ochiul și cu urechea **2** ↓ *pl sl* ochi **3** *amer sl* detectiv particular **4** *pl* ochelari, *înv* → iavașele

peeper² *s* **1** șoarece care chițăie *etc.* v. **peep²** **I**, 1-2 **2** țipăcios; țipător

peep hole ['pi:p ,houl] *s* **1** ferestruică; fereastră de observație; ochi **2** gaura cheii

peeping Tom ['pi:piŋ ,tom] *s și* P~ om care trage cu ochiul/se uită pe gaura cheii (↓ *când se dezbracă cineva*)

peep show ['pi:p ,ʃou] *s ← F* cinescop, kinescop

peepul ['pi:pəl] *s bot* smochin indian (*Ficus religiosa*)

peer¹ [piə'] **I** *s* **1** egal; pereche; persoană de o vârstă; **you will not find his ~** este neîntrecut, nu-și are pereche; **without ~** fără egal/pereche **2** (*în Anglia*) nobil, „pair" (*duce, marchiz, earl, viconte sau baron*) **3** membru al Camerei Lorzilor (*în Anglia*) **II** *vt* **1** a înnobila, a face (*pe cineva*) „pair" **2** a egala; a fi egalul (*cuiva*)

peer² *vi* **1** (**at** *etc.*) a privi/a se uita atent *sau* încordat (la), a cerceta, a examina (*cu ac*) **2** ← *poetic* (*d. soare etc.*) a se ivi, a se iți, a apărea, a răsări

peerage ['piəridʒ] *s* **1** nobilime; „pairi" **2** rangul de „pair" **3** almanahul nobilimii

peeress ['piəris] *s* soție *sau* văduvă de pair **2** pair (*femeie*)

peerless ['piəlis] *adj* neîntrecut, fără pereche, inegalabil

peer of the realm ['piər əv ðə ,relm] *s* „pair" ereditar

peeve [pi:v] *vt F* a bate la cap; a scoate din sărite

peeved [pi:vd] *adj* (**at**, **about**) *F* scos din sărite, – iritat (de; din cauza – *cu gen*)

peevish ['pi:viʃ] *adj* **1** supărăcios, irascibil; arțăgos, certăreț; morocănos **2** capricios, mofturos **3** (*d. un răspuns etc.*) iritat; acru

peevishly ['pi:viʃli] *adv* supărat, iritat

peevishness ['pi:viʃnis] *s* supărare; irascibilitate; *F* → arțag

peewee ['pi:wi:] *s amer F* ghemotoc, – pitic

peg [peg] **I** *s* **1** cui, țintă; cui de lemn; pană, ic; **a square ~ in a round hole** ← *F* persoană nepotrivită pentru locul pe care-l ocupă **2** țăruș, par **3** cuier; cârlig (*de haine);* **off the ~** (*d. haine*) de gata **4** cârlig de rufe **5** cui (*de vioară etc.*); **to take smb down a ~ or two** *fig F* a mai tăia nasul cuiva; a face pe cineva să-și cunoască lungul nasului **6** *fig* pretext; temă, subiect; **it was a ~ to hang his claims on** a fost un pretext care i-a permis să-și formuleze pretențiile **7** treaptă; grad **8** ← *F* picior; *pl* catalige; – picior de lemn **9** *F* păhărel, strop (↓ *de whisky*) **10** *tehn* dop; dorn; cep; știft; bolț **11** *ferov* scoabă de traversă **12** *constr* ghermea **II** *vt* **1** a bate un cui în; a fixa în cuie; a fixa cu un cui *etc.* (*v.* **I**, 1-3, 9-10) **2** a marca/a însemna cu țăruși/pari **3** ← *F* a arunca, a azvârli (*mingea etc.*) **4** *ec* a stabiliza (*prețuri*) **5** ← *F* a categorisi, a așeza pe categorii

Pegasus ['pegəsəs] *mit, fig* Pegas

peg away at ['peg ə'wei ət] *vi cu part adv și prep F* a trage la, – a munci din greu la

peg down ['peg'daun] *vt cu part adv* **1** a bate/a fixa în cuie **2** ← *F* a încheia (*un acord etc.*) **3** ← *F* a face să spună ce (anume) vrea *sau* ce planuri are

peg house ['peg ,haus] *s sl* cârciumă, bodegă

peg leg ['peg ,leg] *s ← F* **1** picior de lemn **2** persoană cu un picior de lemn

pegmatite ['pegmə,tait] *s geol* pegmatită

peg out ['peg'aut] **I** *vi cu part adv F* a da ortul popii, – a muri **II** *vt cu part adv* a marca/a însemna cu țăruși

peg tooth ['peg ˌtu:θ] *s* dinte strâmb

peg top ['peg ˌtɔp] *s* **1** titirez, sfârlează **2** *pl od* pantaloni bufanți

peignoir ['peinwɑ:ʳ] *s* ← *înv fr* neglijeu

Peiping ['peipiŋ] *v.* **Peking**

Peiraeus, (the) [pai'ri:əs, (ðə)] *port în Grecia* Pireu

pejorative [pi'dʒɔrətiv] *adj* peiorativ; depreciativ

pekan ['pekən] *s zool* jder mare *(Martes)*

Pekinese [ˌpi:kə'ni:z] *s v.* **Pekingese**

Peking [pi:'kiŋ] *capitala Chinei* Beijing, *înv* ← Pekin

Pekingese [ˌpi:kiŋ'i:z] *s* **1** locuitor din Beijing/*înv* → Pekin **2** *zool* pechinez

pekoe ['pi:kou] *s* ceai chinezesc (negru) de calitate superioară

pelagic [pe'lædʒik] *adj* pelagic; marin; oceanic

pelargonium [ˌpelə'gouniəm] *s bot* pelargonie, mușcată *(Pelargonium sp.)*

Pelasgi [pe'læzdʒi] *s pl ist* pelasgi

Pelasgian [pe'læzdʒiən] *adj* pelasgic

Pelasgic [pe'læzdʒik] *adj* pelasgic

pelerine ['pelə,ri:n] *s* capă, pelerină

pelf [pelf] *s peior* ochiul dracului, – bani

pelican ['pelikən] *s orn* pelican *(Pelecanus sp.)*

pelisse [pe'li:s] *s fr* **1** manta îmblănită **2** palton(aș) de copil

pelite ['pi:lait] *s geol* pelit

pellagra [pə'leigrə] *s med* pelagră

pellagrin [pə'leigrin] *s med* pelagros

pellagrous [pə'leigrəs] *adj med* pelagros

pellet ['pelit] *s* **1** granulă; tabletă; pilulă **2** *bot* ghemotoc; cocoloș *(de pâine etc.)* **3** *tehn* bilă; peletă

pellicle ['pelikəl] *s* peliculă; membrană

pell-mell ['pel'mel] **I** *s* amestec(ătură); harababură **II** *adv* **1** cu susul în jos; unul peste altul; în dezordine/neorânduială **2** val-vârtej; zor-nevoie

pellucid [pe'lu:sid] *adj* **1** străveziu, transparent, foarte limpede/clar **2** *fig* perfect inteligibil; foarte clar/ limpede

Peloponnesos, Peloponnesus, the [ˌpeləpə'ni:səs, ðə] *peninsulă în Grecia* Peloponez

pelota [pə'lɔtə] *s* pelotă *(joc asemănător cu handbalul)*

pelt¹ [pelt] **I** *vt* **1** a arunca/a azvârli în *(cineva)*, a bombarda; a ataca **2** (**with**) *fig* a bombarda *(cu întrebări etc.)* **II** *vi* **1** *(d. ploaie etc.)* a bate, a răpăi **2** a alerga foarte repede/cât îl țin picioarele **III** *s* **1** lovitură (puternică) **2** *mil* rafală; tir **3** grabă, viteză, iuțeală; (**at**) **full ~** iute ca vântul; cu toată viteza

pelt² *s* **1** piele gelatină **2** *text* lână tăbăcărească

pelt at ['peltət] *vi cu prep* a arunca *(cu pietre etc.)* în

pelter ['peltəʳ] *s* ploaie torențială, rupere de nori

pelvic ['pelvik] *adj anat* pelvian

pelvis ['pelvis], *pl și* **pelves** ['pelvi:z] *s anat* **1** pelvis, bazin **2** bazinet, pelvis renal

Pembrokeshire ['pembruk,ʃiəʳ] *comitat în Țara Galilor*

pem(m)ican ['pemikən] *s* pemican

pen¹ [pen] **I** *s* **1** țarc; îngrăditură **2** țarc *(de copii)* **II** *pret și ptc și* **pent** [pent] *vt* a închide într-un țarc

pen² *s* **1** *od* pană, condei **2** toc; stilou; **to put/to set ~ to paper, to take up one's ~** ← *elev* a pune mâna pe condei, a începe să scrie **3** vârf de toc *sau* stilou; peniță **4** *fig* pană, condei; scris, artă scriitoricească **5** *fig* scriitor; **he is the best ~ of the day** este scriitorul de frunte al zilelor noastre **II** *vt* a scrie, a compune, a redacta

pen³ *s orn* lebădă, lebedoaică

Pen., pen. *presc de la* **peninsula**

P.E.N. *presc de la* **International Association of Poets, Playwrights, Editors, Essayists, and Novelists** Asociația internațională a poeților, autorilor dramatici, redactorilor, eseiștilor și romancierilor

penal ['pi:nəl] *adj jur* penal

penal code ['pi:nəl ˌkoud] *s jur* cod penal

penal colony ['pi:nəl ˌkɔləni] *s* colonie de deținuți

penalization [ˌpi:nəlai'zeiʃən] *s jur, sport* penalizare

penalize ['pi:nə,laiz] *vt jur, sport* a penaliza; a pedepsi

penal servitude ['pi:nəl ˌsə:vitju:d] *s jur* detențiune grea

penal settlement ['pi:nəl ˌsetlmənt] *s* colonie de deținuți

penalty ['penəlti] *s* **1** pedeapsă; amendă; **under ~ of death** sub pedeapsa cu moartea **2** *sport* penalizare; penalti **3** *sport* handicap

penalty area ['penəlti ˌɛəriə] *s (la fotbal)* careu/suprafață de pedeapsă

penalty clause ['penəlti ˌklɔ:z] *s com* clauză de daune-interese

penalty kick ['penəlti ˌkik] *s (la fotbal)* lovitură de pedeapsă

penance ['penəns] *s* **1** *bis* penitență; ispășire, *înv* → ispașă **2** *fig* pedeapsă, chin, muncă grea

pen and ink ['pen ənd'iŋk] *adj atr* **1** scris, în formă scrisă **2** desenat cu penița, în peniță

penates [pe'neiti:z] *s pl mit* penați

pence [pens] *pl de la* **penny**

penchant ['pentʃənt] *s fr* (**for**) înclinație, predilecție (pentru)

pencil ['pensəl] **I** *s* **1** creion; **in ~** în creion; cu creionul **2** penel; pensulă **3** stil, manieră *(a unui pictor)* **4** *opt* fascicul de raze **II** *vt* **1** a schița, a desena *sau* a picta **2** a desena cu creionul *sau* în creion **3** a înnegri *(sprâncenele)* cu creionul

Pen Club ['pen ˌklʌb] *s* PEN-club *(asociația internațională a scriitorilor)*

pencraft ['pen,krɑ:ft] *s* ← *înv* **1** caligrafie **2** artă scriitoricească, har/dar scriitoricesc

pend [pend] *vi* a aștepta o decizie *sau* o sentință

pendant ['pendənt] *s* **1** atârnătoare; pandantiv; breloc **2** lustră **3** *nav* mandatar simplu; palanc de arboradă **4** *nav* flamură

pendency ['pendənsi] *s vag, incertitudine; caracter nedefinit

pendent ['pendənt] *adj* **1** atârnat, suspendat **2** nedecis, nerezolvat

pending ['pendiŋ] **I** *adj v.* **pendent** **II** *prep* **1** în timpul/cursul *cu gen* **2** până la; înainte de **3** în așteptarea *(cu gen)*

pen driver ['pen ˌdraivəʳ] *s peior* scrib, scriitoraș; funcționăraș

pendular ['pendjuləʳ] *adj* pendular; oscilant

pendulate ['pendjuleit] *vi* **1** a pendula; a se balansa **2** a ezita, a șovăi

pendule ['pɑːŋdjuːl] *s fr* pendulă, orologiu

pendulent ['pendjulənt] *adj v.* **pendulous**

pendulous [pendjuləs] *adj* **1** atârnat, suspendat **2** care se leagănă *sau* se bălăbăne **3** *fig* nehotărât, șovăitor

pendulously ['pendjuləsli] *adv* atârnând; legănându-se

pendulum ['pendjuləm] *s* pendulă; **(the) swing of the ~** *fig* pendulare, schimbare de atitudine (a opiniei publice)

Penelope [pə'neləpi] *nume fem* Penelopa

peneplain, peneplane ['piːni,plein] *s geol* peneplenă

penetrability [,penitrə'biliti] *s* penetrabilitate; permeabilitate

penetrable ['penitrəbəl] *adj* penetrabil; permeabil

penetrant ['penitrənt] *adj* **1** penetrant, pătrunzător **2** *fig* penetrant, pătrunzător, intens; ascuțit

penetrate ['peni,treit] **I** *vt* **1** a pătrunde (în), a străpunge, a intra în; **to ~ smb's disguise** a descoperi adevărul ascuns sub masca cuiva **2** a pătrunde/a intra în; a se răspândi în; a se infiltra în **3** (**with**) a îmbiba (cu) **4** (d. o dorință etc.) a cuprinde, a pune stăpânire pe **5** *fig* a pătrunde, a înțelege, a-și da seama de, a descoperi **6** *fig* a pătrunde, a mișca, a emoționa **II** *vi* **1** (**into**) a pătrunde, a intra (în); **the smoke ~d into the house** fumul pătrunse/intră în casă **2** *F* a-i intra în cap, – a fi înțeles/priceput, a fi pe înțelesul cuiva

penetrate into ['peni,treit ,intə] *vi cu prep fig* a pătrunde în *(un secret etc.)*

penetrate with ['peni,treit wið] *vt cu prep* a umple de *(frică etc.)*

penetrating ['penitreitiŋ] *adj* **1** *v.* **penetrant 1 2** *(d. rană etc.)* adânc **3** *(d. spirit etc.)* pătrunzător, fin; inteligent

penetration [,peni'treiʃən] *s* **1** pătrundere, străpungere, penetrație; infiltrare **2** *tehn* adâncime de pătrundere **3** *fig* putere de pătrundere; discernământ

penetrative ['penitrətiv] *adj v.* **penetrating 3**

penetron ['penə,trɔn] *s fiz* mezon miu

pen friend ['pen ,frend] *s* prieten prin corespondență

penguin ['peŋgwin] *s orn* pinguin *(Spheniscidae sp.)*

penholder ['pen,houldəʳ] *s* toc, condei

penicillin [,peni'silin] *s med* penicilină

peninsula [pi'ninsjulə] *s* peninsulă; cap; promontoriu

peninsular [pi'ninsjuləʳ] *adj* peninsular

penis ['piːnis], *pl și* **penes** ['piːniːz] *s anat* penis

penitence ['penitəns] *s* **1** *rel* penitență; pocăință **2** remușcare, căință

penitent ['penitənt] *rel* **I** *adj* care se pocăiește **II** *s* penitent, pocăit

penitential [,peni'tenʃəl] *rel* **I** *adj (d. lacrimi etc.)* de pocăință **II** *s v.* **penitent II**

penitentially [,peni'tenʃəli] *adv v.* **penitently**

penitentiary [,peni'tenʃəri] **I** *adj* **1** de penitenciar **2** de corecție **II** *s* **1** penitenciar, închisoare **2** casă de corecție **3** *bis* tribunal papal

penitently ['penitəntli] *adv* cu părere de rău; cu căință; spăsit

penknife ['pen,naif] *s* briceag

penman ['penmən] *s* **1** scrib, copist **2** autor; scriitor **3** caligraf

penmanship ['penmən,ʃip] *s* **1** caligrafie **2** stil, manieră (de a scrie)

Penn(a) *presc de la* **Pennsylvania**

pen name ['pen ,neim] *s* pseudonim

pennant ['penənt] *s* **1** flamură; fanion **2** *nav* flamură (de semnalizare)

pennate ['peneit] *adj bot* penat

penniless ['penilis] *adj* fără un ban (în buzunar), sărac; lefter

Pennine Chain, the ['penain ,tʃein, ðə] *munți în Anglia* Penini

pennon ['penən] *s* stegulet de lance; fanion

penn'orth ['penəθ] *s v.* **pennyworth**

Pennsylvania [,pensil'veiniə] *stat în S.U.A.*

penny ['peni] *s* **1** *(pl* **pennies** ['peniz] penny, peni *(ca monedă)* **2** *(pl* **pence** [pens] (valoare de un) penny, peni; **in for a ~, in for a pound** *prov aprox* unde merge

mia, merge și suta // **a pretty ~** *F* bani frumoși, o sumă frumușică; **to turn an honest ~** a câștiga un ban cinstit; **~ wise and pound foolish** *fig* scump la tărâțe și ieftin la făină

penny-a-line ['peniə'lain] *adj atr (d. o lucrare)* inferior, slab

penny-a-liner ['peniə'lainəʳ] *s* **1** scriitor fără valoare **2** negru *(persoană care scrie în locul altcuiva)*

penny bank ['peni ,bæŋk] *s* casă de economii *(pt depuneri modeste)*

penny buster ['peni ,bʌstəʳ] *s* franzeluță *(în valoare de un penny)*

penny dreadful ['peni ,dredful] *s* ← *F* roman de duzină/senzațional/ bulevardier

penny father ['peni ,fɑːðəʳ] *s* zgârcit, avar, cărpănos

penny-in-the-slot ['peniinðə'slɔt] *s com* automat

pennyroyal [,peni'rɔiəl] *s bot* busuiocul cerbilor *(Mentha pulegium)*

penny trumpet ['peni ,trʌmpit] *s* **1** fluier, trișcă **2** laudă de sine, fanfaronadă

pennyweight ['peni,weit] *s unitate de greutate engleză (= 1/20 oz = 1,555 gr)*

pennywort ['peni,wəːt] *s bot* buricul apei *(Hydrocotyle vulgaris)*

pennyworth ['peni,wəːθ] *s* **1** cât se poate cumpăra de 1 penny; **a ~ of salt** sare de 1 penny/peni **2** târg, afacere *(↓ bună)* **3** *fig* pic, cantitate mică

penology [piː'nɔlədʒi] *s jur* drept penal, penologie

pen pal ['pen ,pæl] *s v.* **pen friend**

pen picture ['pen ,piktʃəʳ] *s* **1** desen în peniță **2** *fig lit* descriere plastică

pen pusher ['pen ,puʃəʳ] *s peior* funcționăraș

pension[1] ['penʃən] **I** *s* pensie; **to retire on a ~** a se pensiona **II** *vt* a pensiona; a acorda *(cuiva)* o pensie

pension[2] [pɑ̃'sjɔ̃] *s* **1** pension, înv → pensionat **2** pensiune **3** internat *(↓ pe continent)*

pensionable ['penʃənəbəl] *adj* **1** *(d. vârstă)* de pensie **2** *(d. cineva)* care are dreptul de a ieși la pensie

pensionary ['penʃənəri] **I** *adj* **1** pensionat **2** *(d. cineva)* plătit, năimit **II** *s* **1** pensionar **2** *fig* unealtă; marionetă

pensioner ['penʃənə'] *s* pensionar

pensive ['pensiv] *adj* **1** gânditor, meditativ **2** trist, melancolic

pensively ['pensivli] *adv* **1** gânditor, meditativ **2** trist

pensiveness ['pensivnis] *s* caracter meditativ *sau* trist

penstock ['pen,stɔk] *s hidr* vană; stăvilar

pent [pent] *adj* închis, zăvorât

penta- *pref* penta-: **pentane** pentan

pentachord ['pentəkɔːd] *s muz* pentacord *(şi ca instrument)*

pentacle ['pentəkəl] *s* figură magică, ↓ stea în cinci colţuri

pentad ['pentæd] *s* **1** (grup de) cinci **2** (interval de) cinci zile *sau* cinci ani

pentagon ['pentə,gɔn] *s* **1** *geom* pentagon **2 the P~** *pol* Pentagon *(clădirea ministerului de război din S.U.A. sau fig ministerul de război S.U.A.)*

pentagonal [pen'tægənəl] *adj geom* pentagonal

pentagram ['pentəgræm] *s* pentagramă, stea cu cinci colţuri

pentagrid ['pentəgrid] *s rad* pentodă

pentahedral [,pentə'hi:drəl] *s geom* pentaedru

pentameter [pen'tæmitə'] *s metr* pentametru

pentane ['pentein] *s ch* pentan

pentasyllabic [,pentəsi'læbik] *adj* pentasilabic, format din cinci silabe

Pentateuch, the ['pentə,tju:k, ðə] *s bibl* Pentateuh; *(în mozaism)* Tora

pentathlon [pen'tæθlən] *s sport* pentatlon

Pentecost ['penti,kɔst] *s rel* ← *elev* **1** Rusalii **2** *(în mozaism)* sărbătoarea secerişului

penthouse ['pent,haus] *s constr* **1** încăpere *sau* apartament (luxos) *(construit pe acoperişul unei clădiri înalte)* **2** adăpost; baracă; hangar **3** casă cu acoperiş într-o singură apă **4** acoperiş de protecţie

pentode ['pentoud] *s tel* pentodă

pent-up ['pent,ʌp] *adj* **1** *v.* **pent 2** *fig (d. o emoţie etc.)* stăpânit, înăbuşit

penult(imate) ['penʌlt(imit)] **I** *adj* penultim **II** *s* the **~ 1** penultimul *sau* penultima **2** *lingv* silaba penultimă

penumbra [pi'nʌmbrə], *pl şi* **penumbrae** [pi'nʌmbri:] *s fiz, astr* penumbră

penurious [pi'njuəriəs] *s* **1** sărac, lipsit; sărăcăcios **2** zgârcit, avar

penury ['penjuri] *s* **1** sărăcie mare/ lucie, *elev* → penurie **2** *(of) fig* sărăcie, lipsă, absenţă (de)

Penza ['pjenzə] *oraş în fosta U.R.S.S.*

peon ['pi:ən] *s* **1** peon, (muncitor) zilier *(în America Latină)* **2** [şi pju:n] soldat; ordonanţă; poliţai *(în India şi Sri Lanka)*

peony ['pi:əni] *s bot* bujor *(Paeonia officinalis)*

people ['pi:pəl] **I** *s* **1** popor; naţiune, neam; **the ~s of Europe** popoarele Europei **2** ↓ **the ~ şi ca pl** popor, cetăţeni; mase; masă; **the new ~ have decided for the new constitution** poporul a votat/ masele au votat pentru noua constituţie; **to go to the ~** *(d. conducerea politică)* a organiza alegeri *sau* referendum **3** *ca pl* oameni, lume, persoane; **there were many ~ on the platform** era multă lume pe peron; **three ~ trei oameni 4** *(cu art zero)* oamenii, lumea; se; **~ complained of the cold** oamenii se plângeau de frig; **~ say that** oameni spun că, se spune că **5** *(cu un adj posesiv)* ← *F* familie; rude; străbuni, strămoşi; **my ~** *F* ai mei **6** *ca pl* servitori, slujitori, slugi **II** *vt* a popula; a locui în

people's front ['pi:pəlz ,frʌnt] *s pol* front popular

pep [pep] **I** *s* ← *F* vlagă, vigoare, energie **II** *vt (şi ~ up)* ← *F* a stimula, a încuraja; a susţine

pepper ['pepə'] **I** *s* **1** piper *(condiment);* ardei roşu pisat; boia, paprică **2** *bot* piper (negru) *(Piper nigrum)* **3** *bot* ardei (gras/dulce) *(Capsicum annuum)* **4** *bot* ardei iute/de Cayenne *(Capsicum annuum acuminatum)* **5** *fig* vorbă, frază, remarcă *etc.* usturătoare **6** *fig* ← *F* viaţă, energie; temperament **II** *vt* **1** a pipera; a ardeia **2** a condimenta **3** *fig* a presăra; a acoperi **4** *fig* a face atrăgător/interesant *sau* picant **5** *fig* a împroşca *(cu înjurături etc.);* a bombarda **6** *fig F* a stâlci/a zvânta în bătaie

pepper and salt ['pepər ənd'sɔ:lt] *s text* sare şi piper, gri cu picăţele

pepperbox ['pepə,bɔks] *s* **1** piperniţă **2** *fig* persoană impulsivă

pepper caster/castor ['pepə ,ka:stə'] *s* piperniţă

pappercorn ['pepə,kɔ:n] *s* **1** boabă/ grăunte de piper **2** *fig* fleac, nimic, lucru neînsemnat

pepper grass ['pepə ,gra:s] *s bot* creson *(Lepidium sativum)*

peppermint ['pepə,mint] *s* **1** *bot* mentă, izmă (bună) *(Mentha piperita)* **2** ulei de mentă **3** bomboană de mentă

pepper pot ['pepə ,pɔt] *s* **1** piperniţă **2** *amer* supă de potroace foarte piperată

pepperwort ['pepə,wə:t] *s v.* **pepper grass**

peppery ['pepəri] *adj* **1** piperat; ardeiat; picant **2** *fig (d. stil etc.)* muşcător, usturător, sarcastic; agresiv **3** *fig* iute, focos, aprins

pep pill ['pep ,pil] *s farm* ← *F* pilulă stimulativă

peppiness ['pepinis] *s F* suflet, – vioiciune, vlagă, energie

peppy ['pepi] *adj sl* plin de viaţă/ energie; viguros

pepsin(e) ['pepsin] *s* pepsină *(enzimă, medicament)*

pep talk ['pep ,tɔ:k] *s* ← *F* îndemn; vorbe încurajatoare

peptase ['pepteis] *s v.* **pepsin(e)**

peptic ['peptik] *adj fizl* **1** digestiv **2** pepsic

peptone ['peptoun] *s fizl* peptonă

pep up ['pep'ʌp] *vt cu part adv v.* **pep II**

Pepys [pi:ps], **Samuel** *scriitor englez (1633-1703)*

per [pə:'] *prep lat* **1** per, prin, cu; **~ train** cu trenul **2** per, de (fiecare); pe; **~ metre** per metru, de fiecare metru // **as ~** conform *(instrucţiunilor etc.);* **as ~ usual** ← *F* de obicei

per- *pref* per-; pro-; hexa- *etc.;* **peracid** peracid; **percentage** procentaj

per. *presc de la* **1 person 2 period**

peracid [pə:'ræsid] *s ch* peracid

peradventure [pərəd'ventʃə'] ← *înv* **I** *adv* **1** poate (că) **2** din întâmplare; cumva; **if ~** dacă cumva **II** *s* eventualitate; îndoială; **beyond/without (all) ~** categoric, hotărât, în afară de orice îndoială

perambulate [pə'ræmbju,leit] I *vt* 1 a străbate, a trece prin; a călători prin 2 a face o călătorie de inspecție prin; a inspecta 3 a se deplasa pe jos pentru a stabili hotarul *(unui teren etc.)* 4 ← *umor* a plimba cu căruciorul/căruțul II *vi* a se plimba (în sus și în jos)

perambulation [pər,æmbju'leiʃən] *s* 1 călătorie, deplasare 2 călătorie de inspecție 3 stabilire/fixare a hotarelor *(unui teren etc.)* mergând pe jos

perambulator [pə'ræmbju,leitə^r] *s* cărucior *(pt copii)*, căruț

per annum [pər'ænəm] *lat* pe an, anual

per capita [pə'kæpitə] *lat* pe cap de om

perceivable [pə'si:vəbəl] *adj* 1 perceptibil, observabil 2 inteligibil

perceivably [pə'si:vəbli] *adv* (în mod) perceptibil *sau* inteligibil

perceive [pə'si:v] *vt* 1 a percepe *(cu mintea);* a înțelege, a pricepe; a-și da seama de *(sau că);* a observa; a recunoaște 2 a percepe *(cu simțurile);* a zări, a vedea, a observa

per cent [pə'sent] *s* 1 procent 2 ← *F* procentaj

per cent *adv* la sută, %

per cent. *presc de la* **per centum**

percentage [pə'sentidʒ] *s* 1 procentaj; procente 2 *fig* proporție; parte, porțiune; număr; cantitate 3 *fig F* afacere, – câștig, profit

percentile [pə'sentail] *s mat* funcție de repartiție

percept [pə'sept] *s psih* 1 obiect perceput 2 rezultat al percepției

perceptibility [pə,septə'biliti] *s* perceptibilitate

perceptible [pə'septəbəl] *adj* perceptibil; palpabil

perceptibly [pə'septəbli] *adv* (în mod) perceptibil

perception [pə'sepʃən] *s* 1 percepere; sesizare, înțelegere; discernământ 2 *psih* percepție 3 conștiință; senzație, sentiment; intuiție

perceptional [pə'sepʃənəl] *adj* perceptiv, percepțional

perceptive [pə'septiv] *adj* perceptiv; receptiv

perceptively [pə'septivli] *adv* receptiv; cu sensibilitate

perceptiveness [pə'septivnis] *s* receptivitate; sensibilitate

perceptivity [,pə:sep'tiviti] *s v.* **perceptiveness**

Perceval ['pə:sivəl] *nume masc v.* **Percival**

perch¹ [pə:tʃ] I *s* 1 stinghie; prăjină; leaț 2 *fig* poziție (înaltă), loc înalt, situație; **come off your ~!** nu te mai ține așa de mare! prea ești cu nasul pe sus! **to knock smb off his ~** *fig* a da pe cineva jos de pe piedestal 3 oiște 4 *măsură de lungime (= 5,03 m)* 5 *arhit* cornișă, antablament II *vt* a așeza sus, a cocoța; **the village • was ~ed on a hill** satul era așezat pe un deal III *vr* a se așeza (sus), a se cocoța

perch² *s iht* biban *(Perca fluviatilis)*

perchance [pə'tʃɑ:ns] *adv* ← *înv, poetic* 1 întâmplător, din întâmplare, cumva 2 (se) poate, posibil, cu putință

percher ['pə:tʃə^r] *s* 1 pasăre care stă/se cocoață pe stinghii 2 *fig* ← *F* om pe moarte, muribund

perchlorate [pə'klɔ:reit] *s ch* perclorat

perch on/upon ['pə:tʃ ɔn/ə,pɔn] *vi cu prep* a se cățăra/a se urca pe

percipience [pə'sipiəns] *s* perceptivitate, receptivitate

percipient [pə'sipiənt] *adj v.* **perceptive**

Percival ['pə:sivəl] *nume masc; v.* **și Percivale**

Percivale ['pə:sivæl] *mit* Parsifal

percolate ['pə:kə,leit] I *vt* a filtra, a strecura, a percola II *vi* a se filtra, a se strecura, a pătrunde

percolation [,pə:kə'leiʃən] *s* filtrare, strecurare; scurgere

percolator ['pə:kə,leitə^r] *s* 1 strecurătoare, filtru; dispozitiv *sau* mașină de filtrare 2 *ch* percolator 3 filtru *(de cafea)*

per contra ['pə: 'kɔntrə] *lat* din contra, dimpotrivă

percuss [pə'kʌs] *vt med* a percuta

percussion [pə'kʌʃən] *s* 1 ciocnire, lovire, izbire 2 lovitură, șoc; percuție 3 *med, muz, mil* percuție 4 *muz* instrumente de percuție

percussion cap [pə'kʌʃən ,kæp] *s mil etc.* capsă detonantă

Percy ['pə:si] *nume masc dim de la* **Percival**

per diem ['pə:'daiem] *lat* pe zi; zilnic

perdition [pə'diʃən] *s* 1 pieire, ruină, pierzanie, perdiție 2 blestem 3 *rel* pierzanie, moarte veșnică

perdurable [pə'djuərəbəl] *adj* extrem de durabil; fără moarte, veșnic

peregrin ['perigrin] *adj, s v.* **peregrine**

peregrinate ['perigri,neit] *vi* a peregrina, a călători, a cutreiera lumea

peregrination [,perigri'neiʃən] *s* peregrinare, călătorie

peregrine ['perigrin] I *adj* străin; călător, migrator II *s* 1 *orn* vindereu, șoim migrator *(Falco peregrinus)* 2 *ist* străin locuind la Roma

peregrine falcon ['perigrin ,fɔ:lkən] *s orn* șoim călător *(Falco peregrinus)*

peremptorily [pə'remptərili] *adv* fără apel; poruncitor; hotărât, categoric

peremptoriness [pə'remptərinis] *s* 1 hotărâre, caracter categoric 2 caracter definitiv

peremptory [pə'remptəri] *adj* 1 categoric, hotărât; fără apel 2 poruncitor; energic 3 dogmatic, doctrinar 4 *jur* definitiv

peremptory writ [pə'remptəri ,rit] *s jur* citație; mandat de aducere

perennial [pə'reniəl] I *adj* 1 *bot* peren; vivace 2 *fig* peren, de lungă durată; veșnic; permanent; persistent II *s bot* plantă perenă

perennially [pə'reniəli] *adv* 1 tot anul 2 *fig* continuu, < veșnic

perfect I ['pə:fikt] *adj* 1 perfect, desăvârșit, ireproșabil, fără cusur; excelent, minunat 2 perfect, complet, întreg; intact 3 perfect, exact, corect; identic 4 *gram* perfect 5 *atr fig* perfect, complet; **~ nonsense** curată nebunie; prostie crasă; **he's a ~ tyrant** e un adevărat tiran II ['pə:fikt] *s: gram* perfect III [pə'fekt] *vt* 1 a perfecționa; a desăvârși; a îmbunătăți 2 a perfecta, a desăvârși, a încheia IV [pə'fekt] *vr* (in) a se perfecționa (în), a-și perfecționa cunoștințele (de)

perfectibility [pə,fektə'biliti] *s* perfectibilitate

perfectible [pə'fektəbəl] *adj* perfectabil, care poate fi perfecționat

perfection [pə'fekʃən] *s* 1 perfecționare, desăvârșire; punere la punct *(a detaliilor etc.)* 2 perfecțiune, desăvârșire; întruchipare *(a frumuseții etc.)*, culme; **to ~** la perfecție 3 *pl* înzestrări, talente

perfectionism [pə'fekʃə‚nizəm] *s filos* perfecţionism

perfectionist [pə'fekʃənist] *s filos* perfecţionist

perfective [pə'fektiv] *gram* I *adj* perfectiv II *s* aspect perfectiv

perfectly ['pə:fiktli] *adv* 1 (în mod) perfect, desăvârşit; la perfecţie 2 cât se poate *de (bine etc.);* perfect *(fericit etc.)* 3 total, cu totul, absolut; **I am ~ satisfied** sunt întru totul satisfăcut/perfect mulţumit

perfect participle ['pə:fikt 'pɑ:tisipl] *s gram* participiu perfect *(de ex.* **having written***)*

perfervid [pə:fə:vid] *adj fig* aprins, înflăcărat, pasionat

perfidious [pə'fidiəs] *adj* perfid; necinstit; ticălos; necredincios, trădător

perfidiously [pə'fidiəsli] *adv* (în mod) perfid

perfidiousness [pə'fidiəsnis] *s v.* **perfidy**

perfidy ['pə:fidi] *s* perfidie; trădare; necredinţă

perforate ['pə:fə‚reit] I *vt* a perfora, a găuri, a străpunge II *vi* (**into** *etc.*) a pătrunde (în *etc.*)

perforating wound ['pə:fə‚reitiŋ ‚wund] *s med* plagă perforantă

perforation [‚pə:fə'reiʃən] *s* 1 perforare, găurire, străpungere 2 perforaţie; gaură; deschizătură 3 *med* perforare *sau* perforaţie

perforator ['pə:fəreitə'] *s tehn* 1 perforator 2 maşină de perforat

perforce [pə'fɔ:s] *adv* ← *înv sau elev* în mod necesar, – neapărat; vrând-nevrând

perform [pə'fɔ:m] I *vt* 1 a îndeplini, a efectua, a săvârşi, a face; a executa; a aduce la îndeplinire *(o sarcină etc.)* 2 *teatru* a interpreta, a juca *(o piesă, un rol)* 3 a îndeplini, a se ţine de o *(promisiune)* II *vi* 1 *teatru* a juca; a prezenta un spectacol 2 *teatru etc.* a se produce 3 *(d. animale dresate)* a face (tot felul de) figuri; a răspunde la tot felul de comenzi 4 *(d. maşini)* a răspunde la comenzi; a funcţiona *etc.* foarte bine; 5 ← *Fa* se achita foarte bine *(într-un domeniu de activitate)*

performance [pə'fɔ:məns] *s* 1 executare, îndeplinire *(a îndatoririlor etc.)* 2 performanţă, realizare 3

spectacol; piesă, concert, expoziţie *etc.* 4 trucuri; prestidigitaţie 5 *teatru etc.* joc; interpretare 6 *tehn* productivitate, randament 7 *F* performanţă; pacoste, pedeapsă, chin, – muncă grea 8 faptă reprobabilă/urâtă; **what a ~!** *F* halal ispravă! frumoasă purtare, n-am ce zice! 9 *sport* performanţă; **to put on a proud ~** a face (o) figură frumoasă 10 *av* capacitate de zbor

performer [pə'fɔ:mə'] *s teatru etc.* interpret; executant

performing [pə'fɔ:miŋ] *adj* 1 interpretativ; de execuţie 2 *(d. animale)* dresat

perfume I ['pə:fju:m] *s* 1 parfum, miros plăcut, mireasmă, aromă 2 parfum *(produs industrial)* II [pə'fju:m] *vt* a parfuma; a înmiresma

perfumer [pə'fju:mə'] *s* parfumer, parfumier, fabricant *sau* vânzător de parfumuri

perfumery [pə'fju:məri] *s* 1 parfumuri 2 parfumerie *(magazin)* 3 fabrică de parfumuri

perfunctorily [pə'fʌŋktərili] *adv* (în mod) superficial, neatent, de mântuială

perfunctoriness [pə'fʌŋktərinis] *s* superficialitate, neatenţie

perfunctory [pə'fʌŋktəri] *adj* 1 *(d. o cercetare etc.)* superficial, neatent, formal 2 *(d. cineva)* care lucrează *etc.* superficial/neatent/ de mântuială; neatent; indiferent

perfuse [pə'fju:z] *vt* 1 (**with**) a stropi (cu); a îmbiba (cu) 2 (**with**) a umple *(de lumină etc.)*

Pergamum ['pə:gəməm] *ist* stat şi oraş în Asia Mică Pergam

pergola ['pə:gələ] *s arhit* pergolă

perhaps [pə'hæps] *adv* 1 poate (că); probabil; posibil 2 poate, cumva, întâmplător // **~ you would be good enough to help me** sunteţi bun/vreţi să mă ajutaţi?

per head [pə: 'hed] *adv* 1 *v.* **per capita** 2 (de) fiecare; **how many bottles of beer did you drink ~?** câte sticle de bere aţi băut fiecare?

peri- *pref* peri-: **periscope** periscop

perianth ['peri‚ænθ] *s bot* periant

periapt ['peri‚æpt] *s* amuletă

pericarditis [‚perikɑ:'daitis] *s med* pericardită

pericardium [‚peri'kɑ:diəm], *pl* **pericardia** [‚peri'kɑ:diə] *s anat* pericard

pericarp ['peri‚kɑ:p] *s bot* pericarp

pericentre ['perisentə'] *s astr* pericentru

periclase ['peri‚kleis] *s minr* periclaz, oxid natural de magneziu

Pericles ['peri‚kli:z] *bărbat de stat atenian* Pericle *(?-429 î.e.n.)*

periclinal [‚peri'klainəl] *adj geol* periclinal

pericline ['peri‚klain] *s minr* feldspat sodic

pericope [pə'rikəpi] *s bibl* pericopă

pericranium [‚peri'kreiniəm], *pl* **pericrania** [‚peri'kreiniə] *s* 1 *anat* periost cranial, pericraniu 2 *umor* glagore, cap, – minte

pericycle ['peri‚saikəl] *s bot* periciclu

periderm ['peri‚də:m] *s biol, bot* periderm

peridot ['peri‚dɔt] *s minr* peridot, olivină

peridotite [‚peri'doutait] *s minr* peridotit

perigee ['peri‚dʒi:] *s astr* perigeu

perihelion [‚peri'hi:liən], *pl* **perihelia** [‚peri'hi:liə] *s astr* periheliu, perihelie

peril ['peril] I *s* pericol grav/serios; risc; **at the ~ of one's life** cu riscul vieţii; **at one's ~** pe riscul său II *vt* ← *elev, poetic* a primejdui, a risca, a pune în pericol/ primejdie

perilous ['periləs] *adj* periculos, primejdios, risca(n)t

perilously ['periləsli] *adv* (în mod) primejdios

perilousness ['periləsnis] *s* caracter periculos; pericol

perimeter [pə'rimitə'] *s* perimetru; contur; circumferinţă

perineum [‚peri'ni:əm], *pl* **perinea** [‚peri'ni:ə] *s anat* perineu

period ['piəriəd] I *s* 1 perioadă, interval de timp; lungime, durată 2 perioadă, epocă, eră; etapă; **the ~ of the Renaissance** perioada/epoca Renaşterii; **the actors wore costumes of the ~** actorii purtau costume de epocă 3 *poligr* punct; **to put a ~ to smth** a pune punct/capăt unui lucru 4 *gram* perioadă 5 *pl* vorbire retorică 6 *pl* period, menstruaţie 7 *tehn etc.* perioadă;

ciclu **8** *amer școl* lecţie; oră **II** *adj atr* de epocă; stil **III** *interj* ↓ *amer F* și cu asta am terminat, și cu asta basta

periodic [,piəri'ɔdik] *adj* **1** periodic; ciclic **2** *(d. stil)* retoric

periodic acid [,piəri'ɔdik ,æsid] *s ch* acid periodic

periodical [,piəri'ɔdikəl] **I** *adj v.* **periodic II** *s* publicaţie periodică

periodically [,piəri'ɔdikəli] *adv* **1** periodic, la intervale regulate; ciclic **2** din când în când

periodical system [,piəri'ɔdikəl 'sistim] *s ch* sistem periodic *(al elementelor)*

periodicity [,piəriə'disiti] *s* periodicitate; frecvenţă

periodic table [,piəri'ɔdik ,teibəl] *s ch* tabel periodic *(al elementelor)*

periodont ['periədɔnt] *s anat* periodont

period piece ['piəriəd ,pi:s] *s* **1** piesă de epocă; mobilă stil *etc.* **2** *fig F* piesă de muzeu

periosteum [,peri'ɔstiəm], *pl* **periostea** [,peri'ɔstiə] *s anat* periost

periostitis [,periɔ'staitis] *s med* periostită

peripatetic [,peripə'tetik] **I** *adj* **1** *filos* peripatetic **2** călător, rătăcitor **II** *s* **1** *filos* peripatetician **2** ← *umor* călător; negustor ambulant

peripatetically [,peripə'tetikəli] *adv* peripatetic; mergând dintr-un loc în altul

peripheral [pə'rifərəl] *adj* periferic; extern

peripherally [pə'rifərəli] *adv* (în mod) periferic

periphery [pə'rifəri] *s* periferie, margine

periphrase ['peri,freiz] *s v.* **periphrasis**

periphrasis [pə'rifrəsis], *pl* **periphrases** [pə'rifrəsi:z] *s lingv* perifrază, circumlocuţi(un)e

periphrastic [,peri'fræstik] *adj* **1** perifrastic, exprimat prin perifrază **2** *gram* perifrastic

periphrastically [,peri'fræstikəli] *adv* (în mod) perifrastic

peripter [pə'riptə'] *s arhit* peripter

periscope ['peri,skoup] *s opt* periscop

perish ['periʃ] **I** *vi* **1** *și fig* a pieri, a muri **2** *fig* a pieri, a se sfârși, a se termina; **~ the thought!** nici măcar să nu te gândești (la așa

ceva)! **II** *vt* **1** *pas* a muri, a nu mai putea; **we were ~ed with cold** eram morţi/rebegiţi de frig **2** a distruge; **salt ~ed the tyres** sarea distrugea cauciucurile

perishable ['periʃəbəl] **I** *adj* perisabil, alterabil, care se strică repede; netrainic **II** *s pl* mărfuri perisabile

perished ['periʃt] *adj* **1** dispărut, pierdut **2** extenuat, prăpădit, frânt **3** înghețat, rebegit

perisher ['periʃə'] *s sl* **1** exces *(de beţie etc.)*, culme **2** individ, tip **3** frig cumplit **4** *mil* periscop

perishing ['periʃiŋ] *adj* **1** *F* al naibii/ dracului, grozav **2** pieritor; trecător

perisperm ['peri,spə:m] *s bot* perisperm

perispore ['peri,spɔ:'] *s bot* perispor

perissology [,peri'sɔlədʒi] *s ret* ← *înv* pleonasm

peristome ['peri,stoum] *s anat* peristom

peristyle ['peri,stail] *s arhit* peristil

periton(a)eum [,peritə'ni:əm], *pl* **periton(a)ea** [,peritə'ni:ə] *s anat* peritoneu

peritonitis [,peritə'naitis] *s med* peritonită

periwig ['peri,wig] *s* perucă

periwinkle ['peri,wiŋkəl] *s* **1** *bot* brebenoc, saschiu *(Vinca sp.)* **2** *zool* mai multe specii de melc *(Littorina, Turbo etc.)*

perjure ['pə:dʒə'] *vr* a jura strâmb; a-și călca jurământul

perjured ['pə:dʒəd] *adj* sperjur

perjurer ['pə:dʒərə'] *s* sperjur *(persoană)*

perjury ['pə:dʒəri] *s* **1** *jur* sperjur, mărturie falsă/strâmbă **2** sperjur, jurământ fals; călcare a jurământului

perk¹ [pə:k] ← *F* **I** *vt* a filtra *(cafea)* **II** *vi (d. cafea)* a se filtra

perk² *s v.* **persquisite**

perk³ *vt, vr, vi v.* **perk up**

perkily ['pə:kili] *adv* **1** vioi, cu vioiciune; cu interes **2** cu îngâmfare, infatuat

perkiness ['pə:kinis] *s* **1** vioiciune; interes **2** îngâmfare, infatuare; aroganţă; obrăznicie

perk up ['pə:k'ʌp] **I** *vt cu part adv* a ridica *(capul, ca să vadă etc.)*, a ciuli *(urechile)* **II** *vr* a se găti; a se împopoţona **III** *vi* **1** a se

semeţi; a-și îndrepta spatele; a-și ridica capul/fruntea **2** a se înviora, a se anima; a-și recăpăta buna dispoziţie

perky ['pə:ki] *adj* **1** vioi; plin de viaţă; plin de interes **2** îngâmfat, infatuat, încrezut; arogant; obraznic

Perm [pjerm] *oraș în fosta U.R.S.S.*

perm¹ [pə:m] **I** *s F* permanent, – ondulaţie permanentă; **to have a ~** a-și face permanent **II** *vt F* a face un permanent *(cuiva)* **III** *vi (d. păr) F* a fi ondulat/a arăta frumos după permanent

perm² *s (la fotbal)* ← *F* pronosport

permafrost ['pə:mə,frɔst] *s geol* permafrost

permanence ['pə:mənəns] *s* permanenţă, stabilitate, trăinicie

permanency ['pə:mənənsi] *s* **1** *v.* **permanence 2** lucru *etc.* permanent

permanent ['pə:mənənt] **I** *adj* **1** permanent, neîntrerupt, necontenit **2** permanent, stabil, trainic; durabil **3** *tehn* constant; fix **4** *(d. ondulaţie)* permanent **II** *s F* permanent, – ondulaţie permanentă

permanently ['pə:mənəntli] *adv* (în mod) permanent, continuu

permanent wave ['pə:mənənt ,weiv] *s* ondulaţie permanentă

permanent way ['pə:mənənt ,wei] *s ferov* cale ferată

permanganate [pə'mæŋgə,neit] *s ch* permanganat

permeability [,pə:miə'biliti] *s* permeabilitate

permeable ['pə:miəbəl] *adj* permeabil

permeance ['pə:miəns] *s fiz* permeanţă

permeate ['pə:mi,eit] *vt* **1** a pătrunde, a străbate; a umple; a trece prin *(hârtie etc.)* **2** *fig (d. idei etc.)* a se răspândi printre; a pune stăpânire pe, a cuceri; a pătrunde în

permeate among ['pə:mi,eit ə'mʌŋ] *vi cu prep v.* **permeate 2**

permeate into ['pə:mi,eit ,intə] *vi cu prep v.* **permeate 2**

permeation [,pə:mi'eiʃən] *s* pătrundere; răspândire

permeative ['pə:mieitiv] *adj* care pătrunde/străbate

Permian ['pə:miən] *geol* **I** *adj* permian **II** *s the* **~** permian(ul)

permissibility [pə,misə'biliti] *s* faptul de a fi permis/admis

permissible [pə'misəbəl] *adj* permisibil, admisibil

permissibly [pə'misəbli] *adv* cu îngăduință, dacă îmi *sau* ne este permis

permission [pə'miʃən] *s* permisiune, încuviințare, îngăduire

permissive [pə'misiv] *adj* 1 care permite/îngăduie 2 permis, îngăduit 3 neobligatoriu, facultativ; recomandabil 4 prea tolerant; care permite libertinajul

permit I [pə'mit] *vt* 1 a permite, a îngădui, a încuviința; a da voie *(cu dat);* **smoking was not ~ted there** fumat nu era permis/era interzis acolo; **I may be ~ted to say** îmi iau libertatea să spun, dați-mi voie să spun; **I will not ~ such a thing** nu voi permite/ tolera așa ceva 2 a permite; a da posibilitatea *(cu dat);* **the pause ~ted conversation** pauza a permis să se converseze; **the facts ~ no other interpretation** faptele nu permit/ îngăduie o altă interpretare; faptele vorbesc de la sine **II** [pə'mit] *vi* a permite, a îngădui; **I'll come if the weather ~s** voi veni dacă va fi vreme bună; **weather ~ting** dacă timpul va fi frumos/va fi vreme bună, dacă va permite vremea **III** ['pə:mit] *s* 1 bilet de liberă trecere; permis 2 *ec* licență 3 permisiune, voie

permit of [pə'mit əv] *vi* cu prep *(d. ceva)* a permite *cu ac,* a oferi posibilitatea *cu gen*

permutation [,pə:mju'teiʃən] *s* 1 schimbare totală/completă, transformare 2 rearanjare 3 *mat* permutare; substituție, transformare

permute [pə'mju:t] *vt* 1 a transforma, a schimba 2 a rearanja, a muta 3 *mat* a permuta

Pernambuco [,pə:nəm'bju:kou] *oraș în Brazilia* Recife, Pernambuco

pernancy ['pə:nənsi] *s jur* intrare în posesiune

pernicious [pə'niʃəs] *adj* 1 vătămător, dăunător, *elev* → pernicios; fatal, mortal 2 *med* pernicios

pernicious anaemia [pə'niʃəs ə'ni:- miə] *s med* anemie pernicioasă

perniciously [pə'niʃəsli] *adv* (în mod) periculos, primejdios

perniciousness [pə'niʃəsnis] *s* caracter vătămător *etc. (v.* **pernicious***)*

pernickety [pə'nikiti] *adj* ← *F* 1 greu de mulțumit, pretențios, mofturos, cusurgiu 2 pedant; migălos 3 *(d. o problemă etc.)* delicat, gingaș

pernoctation [,pə:nək'teiʃən] *s rel* noapte petrecută în rugăciuni; veghe de noapte

perorate ['perə,reit] *vi* 1 a perora, a vorbi mult și emfatic 2 a ține un discurs/o cuvântare 3 a încheia un discurs/o cuvântare

peroration [,perə'reiʃən] *s* 1 perorare, perorație; vorbărie 2 perorație, parte finală a unui discurs

peroxide [pə'rɔksaid] *s* 1 *ch* peroxid 2 apă oxigenată

peroxide blonde [pə'rɔksaid ,blɔnd] *s* blondă platinată

perpendicular [,pə:pən'dikjuləʳ] **I** *adj* 1 (**to**) perpendicular (pe) 2 abrupt, aproape vertical **II** *s geom* perpendiculară

perpendicularity [,pə:pən,dikju'læriti] *s* perpendicularitate

perpendicularly [,pə:pən'dikjuləli] *adv* perpendicular

perpetrable ['pə:pitrəbl] *adj jur* perpetrabil, care poate fi săvârșit

perpetrate ['pə:pitreit] *vt* a face, a săvârși *(ceva rău),* a comite *(o crimă, o gafă etc.)*

perpetration [,pə:pi'treiʃən] *s* 1 facere, săvârșire; comitere 2 crimă

perpetrator ['pə:pi,treitəʳ] *s* 1 făptaș, autor 2 criminal

perpetual [pə'petjuəl] *adj* 1 perpetuu, veșnic, fără sfârșit 2 pe viață, pe toată durata vieții; inamovibil 3 *F (d. certuri etc.)* interminabil, care nu se mai termină, veșnic

perpetually [pə'petjuəli] *adv* perpetuu; veșnic

perpetual motion [pə'petjuəl 'mouʃn] *s* mișcare perpetuă

perpetuate [pə'petju,eit] *vt* a perpetua *(memoria etc.);* a transmite (din veac în veac *etc.)*

perpetuation [pə,petju'eiʃən] *s* perpetuare, dăinuire de-a lungul vremii

perpetuity [,pə:pi'tju:iti] *s* 1 caracter perpetuu 2 eternitate, veșnicie; timp nelimitat; **in/to/for ~** pentru totdeauna/vecie 3 *jur* rentă viageră 4 *jur* inalienabilitate

perplex [pə'pleks] *vt* 1 a nedumeri; a dezorienta, a încurca; < a zăpăci 2 a încurca, a complica

perplexed [pə'plekst] *adj* 1 nedumerit; dezorientat; < perplex, uluit, încurcat; zăpăcit 2 *(d. o chestiune)* încurcat, încâlcit, complicat

perplexedly [pə'pleksidli] *adv* încurcat, zăpăcit; nedumerit

perplexity [pə'pleksiti] *s* 1 nedumerire; dezorientare, încurcătură; < zăpăceală 2 încurcătură, complicație; dilemă

perquisite ['pə:kwizit] *s* 1 câștig suplimentar *sau* întâmplător 2 indemnizație specială 3 bacșiș

perquisition [,pə:kwi'ziʃən] *s* percheziție

perron ['perən] *s constr* peron

perry ['peri] *s* cidru de pere

pers. *presc de la* 1 person 2 personal 3 personally

per se ['pə:'sei] *adv lat* ca atare; în sine

persecute ['pə:si,kju:t] *vt* 1 a persecuta, a prigoni (↓ *pt credință sau convingeri politice)* 2 *(d. țântari etc.)* a nu da pace, a chinui

persecution [,pə:si'kju:ʃən] *s* 1 persecutare 2 persecuție, prigoană

persecutor [,pə:si'kju:təʳ] *s* persecutor, prigonitor, urmăritor

persecutory complex ['pə:si- ,kju:təri 'kɔmpleks] *s med* mania persecuției

Perseids ['pə:siidz] *s pl astr* Perseide

perseity [pə'si:iti] *s filos* existență per se

Persephone [pə'sefəni] *mit* Persefona

Perseus ['pə:sju:s] *mit, astr* Perseu

perseverance [,pə:si'viərəns] *s* perseverență, stăruință

perseverant [,pə:si'viərənt] *adj rar v.* **persevering**

persevere [,pə:si'viəʳ] *vi* (**at, in, with**) a persevera, a stărui (în)

persevering [,pə:si'viərin] *adj* perseverent, stăruitor

Persia ['pə:ʃə] 1 *ist* Persia, Imperiul persan 2 Iran

Persian ['pə:ʃən] **I** *adj* persan; iranian **II** *s* 1 persan; iranian 2 (limba) persană

Persian Gulf, the ['pə:ʃən ,gʌlf, ðə] Golful Persic

Persian lamb ['pəːʃən ˌlæm] s (oaie) caracul

Persian rug ['pəːʃən ˌrʌg] s covor persan

persiennes [ˌpəːsi'enz] s pl fr jaluzele

persiflage ['pəːsiˌflaːʒ] s fr persiflare, zeflemisire; zeflemea

persimmon [pəː'simən] s bot curmal japonez (Diospyros sp.)

persist [pə'sist] vi 1 (**in**) a persista, a stărui cu îndârjire (în, să) 2 a persista, a continua, a dăinui

persistence [pə'sistəns] s 1 persistență, stăruință îndârjită 2 persistență, rezistență; permanență; durabilitate

persistency [pə'sistənsi] s v. **persistence**

persistent [pə'sistənt] adj 1 persistent, stăruitor 2 persistent, rezistent; permanent; durabil 3 bot persistent, necăzător 4 (d. o epidemie etc.) persistent; repetat

persistently [pə'sistəntli] adv 1 persistent, stăruitor 2 cu încăpățânare/îndârjire 3 repetat

persnickety [pə'snikiti] adj F↓ amer v. **pornickety**

person ['pəːsən] s 1 individ; persoană; **in (one's own)** ~ în persoană; chiar el, ea etc.; **in the** ~ **of Smith** în persoana lui Smith; **about/on one's** ~ asupra sa, la el sau ea 2 gram persoană; **in the first** ~ la persoana întâi 3 înfățișare, aspect; ținută; **he has a fine** ~ e frumos 4 jur persoană juridică 5 personalitate; eu, sine 6 ← înv personaj; rol (într-o piesă)

personable ['pəːsənəbəl] adj frumos, chipeș, arătos

personae [pəː'souniː] s pl lat lit personaje

personage ['pəːsənidʒ] s 1 persoană importantă, personaj important, notabilitate 2 teatru personaj

persona grata [pəː'sounə 'graːtə] s lat persoană acceptată sau bine văzută sau bine venită

personal ['pəːsənəl] I adj 1 personal, particular, privat; individual 2 personal, în persoană; **to make a** ~ **call** a se deplasa în persoană 3 (d. farmec) personal, fizic 4 caustic, ofensator, jignitor; ~ **remarks** aluzii ofensatoare; **let us avoid being** ~ să nu ne (mai)

atacăm 5 gram personal 6 jur (d. bunuri) mobil, personal **II** s pl avere personală, bunuri mobile 2 gram pronume personal 3 pl aluzii ofensatoare

personal assistant ['pəːsənəl ə'sistənt] s secretar particular

personal column ['pəːsənəl 'kɔləm] s mica publicitate (în ziare)

personal effects ['pəːsənəl i'fekts] s pl efecte sau bunuri personale

personal estate ['pəːsənəl is'teit] s jur v. **personalty**

personalism ['pəːsənəˌlizəm] s și filos personalism; subiectivism

personality [ˌpəːsə'næliti] s 1 personalitate, individualitate 2 personalitate, persoană importantă, notabilitate 3 pl aluzii ofensatoare; **to indulge in personalities** a face iluzii ofensatoare

personality cult [ˌpəːsə'næliti 'kʌlt] s cult al personalității

personalization [ˌpəːsənəlai'zeiʃən] s 1 personalizare 2 personificare

personalize ['pəːsənəˌlaiz] vt 1 a considera (o remarcă etc.) că privește persoana sa 2 a personifica 3 a întruchipa, a ilustra perfect; a fi un reprezentant tipic (cu gen)

personally ['pəːsənəli] adv 1 personal, singur, chiar el, ea etc. 2 personal, în ceea ce mă, te, îl etc. privește 3 ca persoană/om; **I dislike him** ~, **but I admire his talent** nu-mi place ca om, dar îi admir talentul 4 privind propria sa persoană 5 între patru ochi; de la om la om

personal pronoun ['pəːsənəl 'prounaun] s gram pronume personal

personal property ['pəːsənəl 'prɔpəti] s jur v. **personalty**

personalty ['pəːsənəlti] s jur proprietate personală

persona non grata [pəː'sounə nɔn 'graːtə] s lat persoană neacceptată sau prost văzută

personate ['pəːsəˌneit] I vt 1 teatru a juca/a interpreta rolul de (sau cu gen) 2 a se da drept, a purta numele împrumutat de 3 a personifica, a imita; a zugrăvi II vi a fi actor, a juca

personation [ˌpəːsə'neiʃən] s 1 personificare, întruchipare 2 identitate falsă

personification [pəːˌsɔnifi'keiʃən] s 1 personificare; întruchipare; întruchipare perfectă; exemplu perfect 2 rel personificare

personify [pəː'sɔniˌfai] vt 1 a personifica; a întruchipa; a fi întruchiparea (cu gen); a fi un exemplu perfect de 2 ret a personifica

personnel [ˌpəːsə'nel] s 1 personal; salariați; cadre 2 personal, serviciul personalului 3 persoane

personnel bomb [ˌpəːsə'nel ˌbɔm] s mil bombă brizantă (contra infanteriei)

personnel director/manager [ˌpəːsə'nel di'rektəʳ/'mænidʒəʳ] s director/șef al personalului

perspective [pə'spektiv] s 1 perspectivă; desen în perspectivă 2 fig perspectivă, posibilitate viitoare 3 fig perspectivă, lumină, unghi, aspect; **to see smth in its wrong** ~ a vedea ceva într-o perspectivă greșită

perspex ['pəːspeks] s plexiglas

perspicacious [ˌpəːspi'keiʃəs] adj perspicace, ager (la minte), isteț; pătrunzător

perspicaciously [ˌpəːspi'keiʃəsli] adv (în mod) perspicace, cu perspicacitate

perspicacity [ˌpəːspi'kæsiti] s perspicacitate, agerime, istețime

perspicuity [ˌpəːspi'kjuːiti] s claritate; caracter inteligibil

perspicuous [pə'spikjuəs] adj 1 clar, limpede, inteligibil 2 limpede, străveziu

perspicuously [pə'spikjuəsli] adv limpede, cu claritate

perspiration [ˌpəːspə'reiʃən] s 1 med respirație cutanată 2 sudație 3 transpirație, sudoare

perspiratory [pə'spaiərətəri] adj fizl sudoripar

perspire [pə'spaiəʳ] vi a transpira, a suda; a exsuda

persuade [pə'sweid] I vt 1 (**of, that**) a convinge (de; că); **how can I** ~ **you of my sincerity?** cum (pot) să te conving că sunt sincer/de sinceritatea mea? 2 (cu inf) a convinge, a determina, a face, a hotărî (să); **she was** ~**d to try again** a fost convinsă să mai încerce o dată II vr a se convinge

persuade into [pə'sweid ˌintə] vt cu prep a convinge să facă ceva

persuade out of [pə'sweid ,aut əv] *vt cu prep* a convinge să nu; a convinge să nu facă ceva; a convinge să renunțe la

persuade to [pə'sweid tə] *vt cu prep* a convinge să adopte *ceva*, a aduce la *(modul cuiva de gândire etc.)*

persuasible [pə'sweisəbl] *adj* care poate fi convins

persuasion [pə'sweiʒən] *s* 1 persuasiune, dar *sau* putere de a convinge, putere de convingere 2 convingere; credință, încredere 3 convingere religioasă, credință; religie 4 tip, gen, fel, factură; **a writer of the modern ~** un scriitor de factură modernă 5 ← *F umor* sex; **of the male ~** de sex masculin 6 naționalitate

persuasive [pə'sweisiv] *adj* 1 persuasiv; stăruitor, insistent 2 *(d. un argument etc.)* convingător; elocvent, grăitor

persuasively [pə'sweisivli] *adv* 1 persuasiv; cu stăruință 2 cu convingere; elocvent

pert [pə:t] *adj* 1 nerespectuos, obraznic 2 *(d. o pălărie etc.)* nostim, drăguț; pitoresc

pert. *presc de la* **pertaining to**

pertaining to [pə'teiniŋ tə] *adj cu prep* care are de-a face cu, având legătură cu; care aparține de

pertain to [pə'tein tə] *vi cu prep* 1 a aparține de *sau cu dat*, a avea de-a face/legătură cu 2 a fi caracteristic/propriu *cu dat* 3 a sta/a ședea bine *cuiva* 4 a se referi la; a privi *cu ac*

Perth [pə:θ] 1 *comitat și oraș în Scoția* 2 *port în Australia*

Perthshire ['pə:θʃiə'] *comitat în Scoția*

pertinacious [pə:ti'neiʃəs] *adj* 1 încăpățânat, îndărătnic, care nu cedează; hotărât 2 *(d. o boală etc.)* persistent, care nu cedează

pertinaciously [,pə:ti'neiʃəsli] *adv* 1 cu încăpățânare; cu hotărâre 2 (în mod) persistent

pertinacity [,pə:ti'næsiti] *s* încăpățânare, îndărătnicie, stăruință

pertinence ['pə:tinəns] *s* 1 pertinență; oportunitate; potrivire, caracter adecvat 2 **(to)** legătură (cu)

pertinency ['pə:tinənsi] *s v.* **pertinence**

pertinent ['pə:tinənt] *adj* 1 pertinent; oportun, potrivit, adecvat 2 **(to)** legat, conexat (cu)

pertinently ['pə:tinəntli] *adj* 1 (în mod) adecvat 2 la subiect

pertly ['pə:tli] *adv* obraznic, cu impertinență

perturb [pə'tə:b] *vt* 1 a tulbura *(liniștea)* 2 *fig* a tulbura, a mișca, a descumpăni

perturbation [,pə:tə'beiʃən] *s* 1 tulburare, agitație; neliniște 2 *astr etc.* perturbație

pertussis [pə'tʌsis] *s med* tuse convulsivă

Peru [pə'ru:] *stat în America de Sud*

peruke [pə'ru:k] *s* perucă *(lungă)*

perusal [pə'ru:zəl] *s* citire, lectură *(↓ atentă)*

peruse [pə'ru:z] *vt* 1 a citi atent *sau* până la capăt; a studia 2 ← *F* a citi

Peruvian [pə'ru:viən] *adj, s* peruvian

Peruvian bark [pə'ru:viən ,ba:k] *s* scoarță de chinchină

pervade [pə:'veid] *vt* 1 a pătrunde în, a străbate; a îmbiba 2 *fig* a pătrunde în, a străbate, a umble

pervasion [pə:'veiʒən] *s* pătrundere; difuzare

pervasive [pə:'veisiv] *adj* 1 care se împrăștie peste tot; atotpătrunzător 2 *fig* universal

pervasively [pə:'veisivli] *adv* împrăștiindu-se peste tot

perverse [pə'və:s] *adj* 1 încăpățânat, îndărătnic; care stăruie în greșeală 2 rău; stricat; corupt, depravat, vicios; pervertit, pervers 3 capricios, mofturos 4 *(d. un verdict etc.)* greșit 5 *(d. împrejurări)* potrivnic

perversely [pə'və:sli] *adv* (în mod) pervers, cu perversitate

perverseness [pə'və:snis] *s* perversitate, caracter pervers

perversion [pə'və:ʃən] *s* 1 stricare, denaturare; corupere, pervertire 2 perversiune (sexuală)

perversity [pə'və:siti] *s* 1 încăpățânare, îndărătnicie 2 perversitate

pervert I [pə'və:t] *vt* 1 a perverti, a corupe, a strica 2 a duce pe căi greșite 3 a întrebuința/a folosi greșit 4 a denatura *(înțelesul etc.)*; a interpreta greșit 5 a degrada, a strica; a înrăutăți **II** ['pə:və:t] *s* pervertit (sexual)

perverted [pə'və:tid] *adj* 1 prost/greșit îndrumat 2 pervertit 3 pervers

pervertible [pə'və:tibl] *adj* care poate fi pervertit

pervious ['pə:viəs] *adj* 1 permeabil; accesibil 2 **(to)** receptiv (la)

peseta [pə'seitə] *s* peseta *(unitate monetară în Spania)*

pesky ['peski] *adj amer F* pisălog, – plictisitor; cicălitor

peso ['peisou] *s* peso *(unitate monetară în unele țări din America Latină)*

pessary ['pesəri] *s med* pesar

pessimism ['pesi,mizəm] *s* pesimism

pessimist ['pesimist] *s* pesimist

pessimistic [,pesi'mistik] *adj* pesimist

pessimistically [,pesi'mistikəli] *adv* pesimist; cu pesimism

pest [pest] *s* 1 *agr* dăunător; parazit 2 *fig* plagă, năpastă, pacoste; **the ~s of society** paraziții societății 3 ← *înv* ciumă, pestă

Pestalozzi [,pestə'lotsi], **Johann Heinrich** *pedagog elvețian (1746-1827)*

pest control ['pest kən'troul] *s agr* dezinsecție; combaterea dăunătorilor

pester ['pestə'] *vt* a nu lăsa în pace, a supăra; a fi o pacoste pe capul *(cuiva)*; *(d. cineva) F* a bate la cap

pestersome ['pestəsəm] *adj* sâcâitor, plictisitor

pest hole ['pest ,houl] *s* focar de infecție *sau* epidemie

pest house ['pest ,haus] *s* ← *înv* spital pentru ciumați

pesticide ['pesti,said] *s ch* pesticid

pestiferous [pə'stifərəs] *adj* 1 *v.* **pestilent** 2 *F* pisălog, – plictisitor; cicălitor

pestilence ['pestiləns] *s* 1 *med* ciumă bubonică 2 *med* epidemie, molimă 3 *fig* plagă, pacoste

pestilent ['pestilənt] *adj* 1 pestilent 2 pestilențial; contagios 3 *fig* pestilențial; dăunător; fatal

pestilential [,pesti'lenʃəl] *adj v.* **pestilent 2, 3**

pestle ['pesəl] **I** *s* 1 pisălog 2 *ch* pistil; pisălog **II** *vt* a pisa, a fărâmița

pet¹ [pet] **I** *s* 1 (copil) răsfățat; copil drag; favorit; odor 2 animal favorit *sau* drag; lucru drag; odor **II** *adj* drag, favorit, iubit, preferat

III *vt* a răsfăţa, a răzgâia; a mângâia, a dezmierda **IV** *vi amer F* a se drăgosti, – a se săruta; a se îmbrăţişa

pet² **I** *s* supărare, lipsă de (bună) dispoziţie; toane; **in a ~** indispus, prost dispus, supărat; **to take ~ at smth** a se supăra pentru ceva **II** *vi* a fi supărat/indispus

petal ['petəl] *s bot* petală

petal(l)ed ['petəld] *adj* cu petale

petalous ['petələs] *adj* cu petale

petard [pi'ta:d] *s* petardă; **hoist with one's own ~** prins în propria sa cursă/capcană

Peter ['pi:tər] *nume masc* Petre, Petru; **to rob ~ to pay Paul** a lua de la unul şi a da la altul

peter claimer ['pi:tə ˌkleimər] *s sl* hoţ care operează în trenuri

peterman ['pi:təmən] *s sl* **1** pescar **2** braconier **3** spărgător de case de bani

peter out ['pi:tər 'aut] *vi cu part adv* ← *F* (d. provizii etc.) a se sfârşi încetul cu încetul; a seca

Peter Pan ['pi:tə ˌpæn] *s* **1** *eroul piesei lui James Barrie* **2** (om naiv ca un) copil

Peter's needle ['pi:təz ˌni:dl] *s* urechea acului

petiolate ['petiə,leit] *adj bot* peţiolat

petioled ['petiə,leitid] *adj bot* peţiolat

petiole ['peti,oul] *s bot* peţiol

petit bourgeois [pə'ti: ˌbuəʒwa:] *s fr* **1** mic burghez **2** *peior* burtă verde, burghez

petite [pə'ti:t] *adj fr F* minionă

petiton [pi'tiʃən] **I** *s* **1** cerere, petiţie **2** rugă(ciune) **3** cerere, rugăminte **II** *vt* **1** a înainta o cerere/petiţie către (sau cu dat) **2** (for) a ruga (pentru); a solicita, a cere (cuiva) (cu ac)

petitioner [pi'tiʃənər] *s* petiţionar; solicitant

petit mal [pə'ti: 'n.æl] *s med* formă slabă de epilepsie

pet name ['pet ˌneim] *s* nume de alintare; diminutiv

Petöfi ['peto:fi], **Sándor** *poet maghiar (1823-1849)*

petrel ['petrəl] *s orn nume dat multor specii de păsări marine, aprox* pasărea furtunii (Procellariidae sp.)

petrifaction [ˌpetri'fekʃən] *s* **1** petrificare; fosilizare **2** substanţă petrificată

petrify ['petri,fai] **I** *vt* **1** a petrifica; a fosiliza **2** *fig* a preface în stană de piatră; a îngheţa **II** *vi* **1** a se petrifica; a se fosiliza **2** *fig* a deveni insensibil, a i se împietri inima

petrochemical [ˌpetrou'kemikəl] *adj* petrochimic

petrochemistry [ˌpetrou'kemistri] *s ch* petrochimie

petrography [pe'trogrəfi] *s* petrografie

petrol ['petrəl] *s* **1** benzină; gazolină **2** carburant

petrolatum [ˌpetrə'leitəm] *s* petrolatum

petroleum [pə'trouliəm] *s* **1** *min* ţiţei; petrol; gaz **2** *constr* bitum natural

petroleum ether [pə'trouliəm ˌi:θər] *s ch, min* eter de petrol; gazolină

petroleum installation [pə'trouliəm ˌinstə'leiʃən] *s* depozit de carburanţi şi lubrifianţi

petroleum lamp [pə'trouliəm ˌlæmp] *s* lampă cu petrol/gaz

petrol filter ['petrəl ˌfiltər] *s auto* filtru de benzină

petrology [pe'trolədʒi] *s min, ch* petrologie

petrous ['petrəs] *adj* petrificat, (tare) ca piatra

petticoat ['peti,kout] *s* **1** jupă, fustă **2** fustiţă (de copil), cămăşuţă; **I have known him since he was in ~s** îl ştiu de când era în scutece **3** *F* fustă, – femeie **4** *tel* izolator-clopot

petties ['petiz] *s pl* cheltuieli mărunte

pettifog ['peti,fog] *vi* **1** a umbla cu tertipuri avocăţeşti; a face pe avocatul chiţibuşar **2** a umbla cu şicane

pettifogger ['peti,fogər] *s* avocat chiţibuşar/şicanator

pettifogging ['peti,fogiŋ] *adj* chiţibuşar; şicanator

pettily ['petili] *adv* (în mod) meschin

pettiness ['petinis] *s* **1** lipsă de importanţă **2** meschinărie; micime (a caracterului etc.)

pettish ['petiʃ] *adj* **1** (d. cineva) supărăcios, iritabil; arţăgos **2** (d. o remarcă etc.) spus pe un ton supărător

pettishly ['petiʃli] *adv* cu supărare, supărat; bosumflat

pettishness ['petiʃnis] *s* supărare, bosumflare; iritare; arţag

pettitoes ['peti,touz] *s* **1** *gastr* picioare de porc **2** picioare sau

degete de la picioare (↓ *ale unui copil*)

petty ['peti] *adj* **1** mic, neînsemnat, neimportant, mărunt **2** mic, mărunt, meschin; mărginit, îngust

petty bourgeois ['peti ˌbuəʒwa:] *s v.* **petit bourgeois**

petty cash ['peti ˌkæʃ] *s* cheltuieli *sau* încasări mărunte

petty jury ['peti ˌdʒuəri] *s jur* juriu „mic" (12 juraţi care dau verdicte în procese civile şi penale)

petty larceny ['peti ˌla:səni] *s jur* furt de lucruri mărunte

petty officer ['peti ˌofisər] *s nav* subofiţer; maistru

petulance ['petjuləns] *s* **1** iritabilitate, irascibilitate; caracter capricios **2** nerăbdare, impacienţă **3** bosumflare

petulancy ['petjulənsi] *s v.* **petulance**

petulant ['petjulənt] *adj* **1** iritabil, irascibil; capricios **2** nerăbdător **3** bosumflat

petulantly ['petjuləntli] *adv* bosumflat, supărat, nemulţumit; arţăgos

petunia [pi'tju:niə] *s bot* petunie (Petunia sp.)

pew [pju:] *s* **1** rând/şir de bănci (într-o biserică) **2** *bis* strană **3** ← *F* loc (de şezut), scaun; **take a ~** ia loc, stai jos

pewit ['pi:wit] *s orn* **1** nagâţ, ciovlică, libuţ (Vanellus vanellus) **2** soi de pescăruş (Larus ridibundus)

pewter ['pju:tər] *s* **1** *met* aliaj de cositor şi plumb; aliaj pe bază de cositor **2** vase cositorite; cană cositorită

pf. *presc de la* **1** perfect **2** preferred

pfennig ['fenig] *s* pfennig (monedă germană)

Phaedra ['fi:drə] *mit* Fedra

Phaëthon ['feiəθən] *mit* Faeton

phaeton ['feitən] *s od* faeton

-phage *suf* -fag: **xylophage** xilofag

phagocyte ['fægə,sait] *s biol* fagocit

phagocytosis [ˌfægəsai'tousis] *s med* fagocitoză

-phagous *suf* -fag: **xylophagous** xilofag

-phagy *suf* -fagie: **anthropophagy** antropofagie

phalange ['fælændʒ] *s anat* falangă

phalanstery ['fælənstəri] *s pol od* falanster

phalanx ['fælənks] s 1 *mil od* falangă 2 *fig* falangă, grup(are) 3 *pl* **phalanges** [fə'la:ndʒiz] *anat* falangă

phalarope ['fælə,roup] s *orn* notatița cu cioc subțire *(Phalaropus lobatus)*

phallic ['fælik] *adj* falic

phallus ['fæləs], *pl și* **phalli** ['fælai] s *anat, mit* falus, phallus

phanerogam ['fænərou,gæm] s *bot* fanerogamă

phantasm ['fæntæzəm] s 1 fantasmă, spectru, fantomă 2 *fig* fantasmă, fantezie, închipuire; nălucire; iluzie

phantasmagoria [,fæntæzmə'go:riə] s 1 fantasmagorie; succesiune de imagini vizuale bizare; vedenii, năluciri 2 fantasmagorie, aberație, elucubrație

phantasmagorial [,fæntæzmə'goriəl] *adj* fantasmagoric

phantasmagoric(al) [,fæntæzmə-'gorik(əl)] *adj* fantasmagoric

phantasmagory [fæn'tæzmægəri] s *v.* **phantasmagoria**

phantasmal [fæn'tæzməl] *adj* 1 de fantasmă, spectral, fantomatic 2 fantezist, închipuit, imaginat 3 ireal, iluzoriu

phantasmic [fæn'tæzmik] *adj v.* **phantasmal**

phantasy ['fæntəsi] s *v.* **fantasy**

phantom ['fæntəm] s 1 fantomă, fantasmă, spectru, apariție, vedenie, nălucă 2 nălucire, iluzie, închipuire 3 imagine mentală; umbră; amintire

Pharaoh ['fɛərou] s *ist* faraon

Pharisaic(al) [,færi'seiik(əl)] *adj* 1 *bibl* fariseic 2 **p~** *fig* fariseic, ipocrit, prefăcut

Pharisee ['færi,si:] s 1 *bibl* fariseu 2 **p~** *fig* fariseu, ipocrit, prefăcut

pharmaceutic(al) [,fa:mə'sju:tik(əl)] *adj* farmaceutic

pharmaceutically [,fa:mə'sju:tikəli] *adv* (din punct de vedere) farmaceutic

pharmaceuticals [,fa:mə'sju:tikəlz] s *pl* produse/preparate farmaceutice

pharmaceutics [,fa:mə'sju:tiks] s *pl ca sg* farmaceutică; farmacologie

pharmaceutist [,fa:mə'sju:tist] s farmacist

pharmacist ['fa:məsist] s farmacist *(specialist sau vânzător)*

pharmacological [,fa:məkə'lodʒikəl] *adj* farmacologic

pharmacologist [,fa:mə'kolədʒist] s farmacolog

pharmacology [,fa:mə'kolədʒi] s farmacologie

pharmacopoeia [,fa:məkə'pi:ə] s farmacopee

pharmacy ['fa:məsi] s 1 farmacie 2 farmacie; drogherie

pharos ['fɛərɔs] s *nav* far

pharyngitis [,færin'dʒaitis] s *med* faringită

pharyngotomy [,færiŋ'gotəmi] s *med* faringotomie

pharynx ['færiŋks], *pl și* **pharynges** [fæ'rindʒi:z] s *anat* faringe

phase [feiz] I s 1 *fiz, astr* fază 2 fază, etapă, perioadă; stadiu 3 aspect, latură, unghi // **in ~** sincronizat; **out of ~** nesincronizat II *vt* a introduce *(metode noi etc.)*

phased [feizd] *adj* pe etape, în faze

phase in ['feiz'in] *vt cu part adv v.* **phase II**

phase-out ['feiz,aut] s *mil* retragere treptată/succesivă

phase out ['feiz'aut] *vt cu part adv* a opri, a reduce *sau* a retrage treptat/succesiv

phasic ['feizik] *adj* fazic, pe faze

phasing ['feiziŋ] s *el* fazare

phasis ['feisis], *pl* **phases** ['feisi:z] s *și astr* fază

phasitron ['fæzitron] s *rad* fazitron

Ph.C. *presc de la* **Pharmaceutical Chemist**

Ph.D. *presc de la* **Philosophiae Doctor** doctor în filosofie

pheasant ['feznt] s *orn* fazan *(Phasianus sp.)*

pheasantry ['fezntri] s fazanerie

pheasant's eye ['feznts ,ai] s *bot* cocoșei de câmp *(Adonis aestivalis)*

Phebe ['fi:bi] *nume fem*

phenacaine ['fi:nə,kein] s *ch, med* fenocaină

phenacetin [fi'næsitin] s *ch, med* fenacetină

Phenicia [fi'niʃiə] v. **Phoenicia**

phenix ['fi:niks] s v. **phoenix**

phenobarbital [,fi:nou'ba:bitəl] s *ch* fenobarbital

phenol ['fi:nɔl] s *ch* fenol

phenology [fi'nolədʒi] s fenologie

phenomena [fi'nominə] *pl de la* **phenomenon**

phenomenal [fi'nominəl] *adj* 1 *filos* fenomenal, al aparenței 2 bazat pe observație; experimental 3 *fig* F fenomenal, – nemaipomenit, extraordinar

phenomenalism [fi'nominəlizəm] s *filos* fenomenalism

phenomenalist [fi'nominəlist] s *filos* fenomenalist

phenomenally [fi'nominəli] *adv* 1 *filos* (din punct de vedere) fenomenal 2 *fig* F fenomenal, – extraordinar

phenomenology [fi,nomi'nolədʒi] s fenomenologie

phenomenon [fi'nominən], *pl* **phenomena** [fi'nominə] s 1 *filos* fenomen; formă exterioară a lucrurilor 2 fenomen; fapt, fapt neobișnuit 3 *fig* F fenomen, – om extraordinar

phenyl ['fi:nil] s *ch* fenil

phew [fju:] *interj* 1 *(exprimă dezgust)* pfui! ptiu! 2 *(exprimă nerăbdare)* ah! ei! 3 *(exprimă surprindere)* haiti! asta-i bună! poftim! 4 („bine că am scăpat" *sau* „isprăvit") u(u)f! fiu! of!

phi [fai] s phi *(literă grecească)*

phial ['faiəl] s 1 fiolă 2 flacon

Phi Beta house ['fai 'beitə,haus] s *amer* 1 principala bibliotecă a universității *sau* a unui colegiu 2 cămin al membrilor societății „Phi Beta Kappa"

Phi Beta Kappa ['fai 'beitə 'kæpə] s *amer* societate onorifică a studenților americani (înființată în 1776)

Phidias ['fidi,æs] *sculptor grec* Fidias *(sec. V î.e.n.)*

phil. *presc de la* **philosophy**

Philadelphia [,filə'delfiə] *oraș în* S.U.A.

philander [fi'lændə] *vi* a flirta, a face curte femeilor *(fără intenții serioase)*, „a umbla din floare-n floare"

philanderer [fi'lændərər] s crai, curtezan, don juan

philantropic(al) [,filən'tropik(əl)] *adj* filantropic; caritabil

philantropist [fi'læntrəpist] s filantrop

philanthropize [fi'lænθrəpaiz] *vi* a se ocupa cu filantropia, a fi filantrop

philanthropy [fi'lænθrəpi] s 1 filantropie; caritate 2 faptă, instituție *etc.* filantropică

philatelic [ˌfiləˈtelik] *adj* filatelic

philatelist [fiˈlætəlist] *s* filatelist

philately [fiˈlætəli] *s* filatelie

-phile *suf* -fil: **Anglophile** anglofil

philharmonic [ˌfiləˈmɔnik] *muz* **I** *adj* filarmonic **II** *s* filarmonică

philhellene [filˈheliːn] *adj, s* filoelen

philhellenic [ˌfilheˈliːnik] *adj* filoelen

Philip [ˈfilip] *nume masc* Filip

philippic [fiˈlipik] *s* filipică, discurs acuzator

Philippine Islands, the [ˈfiliˌpiːn ˌailəndz, ðə] Insulele Filipine

Philistine [ˈfiliˌstain] *s* **1** *ist* filistin **2** *fig* filistin, mic-burghez mărginit **3** ← *umor* dușman necruțător/ neîmpăcat

Philistinism [ˈfilistiˌnizəm] *s* filistinism

Phillip [ˈfilip] *nume masc* Filip *v.* **Philip**

Phillis [ˈfilis] *nume fem v.* **Phyllis**

philo- *pref* filo-: **philology** filologie

philodendron [ˌfiləˈdendrən] *s bot* filodendron (*Philodendron sp.*)

philologic(al) [ˌfiləˈlɔdʒik(əl)] *adj* filologic; lingvistic

philologically [ˌfiləˈlɔdʒikəli] *adj* (din punct de vedere) filologic

philologist [fiˈlɔlədʒist] *s* filolog; lingvist

philology [fiˈlɔlədʒi] *s* filologie; lingvistică

philomel [ˈfiləˌmel] *s* ← *poetic* privighetoare, *poetic înv* → filomelă

philosopher [fiˈlɔsəfər] *s* filosof; om rațional; înțelept

philosopher's/philosophers' stone [fiˈlɔsəfəz ˈstoun] *s* piatră filosofală

philosophic(al) [ˌfiləˈsɔfik(əl)] *adj* filosofic; rațional; înțelept

philosophically [ˌfiləˈsɔfikəli] *adv* **1** (în mod) filosofic, ca un filosof **2** din punct de vedere filosofic

philosophize [fiˈlɔsəˌfaiz] *vi* a filosofa; a moraliza

philosophy [fiˈlɔsəfi] *s* **1** filosofie **2** filosofie; stoicism; înțelepciune; calm; răbdare

philtre [ˈfiltər] *s* filtru, băutură fermecată

phimosis [fiˈmousiz] *s med* fimoză

Phineas [ˈfiniæs] *nume masc*

phiz [fiz] *s F* moacă, mutră, – față

phizog [ˈfizɔg] *s amer v.* **phiz**

phlebitis [fliˈbaitis] *s med* flebită

phlebotomy [fliˈbɔtəmi] *s med* flebotomie

phlegm [flem] *s* **1** *fizl* flegmă, spută **2** *fig* flegmă, indiferență, calm, sânge rece

phlegmatic(al) [flegˈmætik(əl)] *adj* flegmatic, indiferent, calm, cu sânge rece

phlegmatically [flegˈmætikəli] *adv* flegmatic, cu indiferență

phlegmon [ˈflegmən] *s med* flegmon

phlizz [fliz] *s* ← *F* ghinion, nereușită

phloem [ˈflouem] *s bot* floem, țesut liberian

phlogistic [flɔˈdʒistik] *adj med* flogistic, inflamator

phlorhizin [ˈflɔrizin] *s ch* florizină

phlox [flɔks] *s bot* flox, brumărele (*Phlox paniculatus*)

-phobe *suf* -fob: **Francophobe** francofob

phobia [ˈfoubiə] *s med* fobie

-phobia *suf*-fobie: **claustrophobia** claustrofobie

Phoebe [ˈfiːbi] *s* **1** *nume fem* **2** *mit* Phoebe, Artemis, Diana **3** *poetic* Phoebe, Selene, – luna

Phoenicia [fəˈniʃiə] *ist* împărăție mediteraneană Fenicia

Phoenician [fəˈniʃiən] *adj, s* fenician

phoenix [ˈfiːniks] *s mit* (pasărea) fenix

phon. *presc de la* **phonetics**

phone¹ [foun] *s fiz* fon

phone² ← *F* **I** *s* telefon **II** *vt, vi* a telefona

-phone *suf*-fon: **telephone** telefon

phone-in [ˈfoun,in] *s rad, telev* programul de dialog la telefon cu ascultătorii

phoneme [ˈfouniːm] *s fon* fonem

phonemic [fəˈniːmik] *adj fon* fonem(at)ic

phonemically [fəˈniːmikəli] *adv fon* cu, în *sau* prin foneme

phonemics [fəˈniːmiks] *s pl ca sg fon* fonematică; fonologie

phonetic [fəˈnetik] *adj* fonetic

phonetically [fəˈnetikəli] *adv* (din punct de vedere) fonetic

phonetician [ˌfouniˈtiʃən] *s* fonetician

phoneticist [fouˈnetisist] *s* **1** fonetician, fonetist **2** fonetist (*adept al ortografiei fonetice*)

phonetics [fəˈnetiks] *s pl ca sg* **1** fonetică **2** sistem fonetic

phonetism [ˈfouniˌtizəm] *s* fonetism

phonetist [ˈfounitist] *s v.* **phoneticist**

phoney [ˈfouni] *adj v.* **phony**

phonic [ˈfɔnik] *adj fon* fonic

phonics [ˈfɔniks] *s pl ca sg* **1** *fiz* acustică **2** fonetică

phono- *pref* fono-: **phonology** fonologie

phonogram [ˈfounəˌgræm] *s tel* fonogramă

phonograph [ˈfounəˌgrɑːf] *s fiz* fonograf

phonographic [ˌfounəˈgræfik] *adj* **1** fonografic **2** fonetic

phonography [fouˈnɔgrəfi] *s fiz* fonografie

phonologic(al) [ˌfounəˈlɔdʒik(əl)] *adj fon* fonologic

phonologically [ˌfounəˈlɔdʒikəli] *adv fon* (din punct de vedere) fonologic

phonologist [fouˈnɔlədʒist] *s fon* fonolog

phonology [fouˈnɔlədʒi] *s fon* **1** fonologie **2** fonematică **3** fonetică

phonometer [fouˈnɔmitər] *s fiz* fonometru

phonoscope [ˈfounəˌskoup] *s fiz* fonoscop

phony [ˈfouni] **I** *adj sl* pretins, fals; inventat **II** *s sl* mincinos

-phony *suf* -fonie: **cacophony** cacofonie

phooey [ˈfuːi] *interj* **1** *F* ași! aiurea! fugi de-aici! **2** *F* fir-ar să fie! drace! la naiba! – sunt dezolat

phosgene [ˈfɔzdʒiːn] *s ch* fosgen

phosphatase [ˈfɔsfəˌteis] *s ch* fosfatază

phosphate [ˈfɔsfeit] *s ch* fosfat

phosphatic [fɔsˈfætik] *adj ch* fosfatic

phosphide [ˈfɔsfaid] *s ch* fosfură

phosphite [ˈfɔsfait] *s ch* fosfit

phosphor [ˈfɔsfər] *s* **1** P~ ← *poetic* luceafărul de dimineață **2** *fiz* substanță fosforescentă

phosphorated [ˈfɔsfəˌreitid] *adj ch* fosforat

phosphorescence [ˌfɔsfəˈresəns] *s fiz* fosforescență

phosphorescent [ˌfɔsfəˈresənt] *adj fiz* fosforescent

phosphorescently [ˌfɔsfəˈresəntli] *adv* prezentând fosforescență; fosforescent

phosphoric acid [fɔsˈfɔrik ˌæsid] *s ch* acid fosforic

phosphorite [ˈfɔsfəˌrait] *s minr* fosforit

phosphorous acid ['fɔsfərəs ˌæsid] *s ch* acid fosforos

phosphorus ['fɔsfərəs] *s ch* fosfor

phot [fɔt] *s opt* fot

photic ['foutik] *adj opt* fotic

photics ['foutiks] *s pl ca sg* optică

photo ['foutou] *s F* poză, – fotografie

photo- *pref* foto-: **photochemistry** fotochimie

photoactive ['foutou͵æktiv] *adj tehn* fotosensibil

photo-album ['foutou͵ælbəm] *s fot* album de fotografii

photocell ['foutou͵sel] *s* **1** *opt* fotoelement; element fotosensibil **2** *tel* celulă fotoelectrică

photo-chemical [͵foutou'kemikəl] *adj fiz* fotochimic

photochemistry [͵foutou'kemistri] *s ch* fotochimie

photochromation [͵foutou͵krou'meiʃən] *s poligr* heliocromie

photocopier ['foutou͵kɔpiəʳ] *s tehn* fotocopier

photocopy ['foutou͵kɔpi] *s fot* fotocopie

photoelectric(al) [͵foutoui'lektrik(əl)] *adj el* fotoelectric

photoelectric cell [͵foutoui'lektrik 'sel] *s el* celulă fotoelectrică

photofinish ['foutou'finiʃ] *s tehn* fotofiniş, fotofinish

photoflash ['foutou͵flæʃ] *s fot* bliţ, fleş

photog ['foutɔg] *s F* poză, – fotografie

photogenic [͵foutə'dʒenik] *adj fot* fotogenic

photogrammetry [͵foutə'græmitri] *s fot* fotogrametrie

photograph ['foutə͵graːf] **I** *s* fotografie, *F →* poză; **to take a ~** a face o fotografie/*F →* poză **II** *vt* a fotografia **III** *vi* **1** a fotografia, a face fotografii **2** a ieşi *(bine, rău)* în fotografie

photographer [fə'tɔgrəfəʳ] *s* fotograf

photographic(al) [͵foutə'græfik(əl)] *adj* fotografic

photographically [͵foutə'græfikəli] *adv* **1** cu aparatul de fotografiat **2** (din punct de vedere) fotografic

photography [fə'tɔgrəfi] *s* fotografie, tehnica fotografierii

photogravure [͵foutougrə'vjuəʳ] *s poligr* fotogravură; tipar adânc

fhotokinesis [͵foutouki'niːsis] *s fizl* fotokineză

photolithograph [͵foutou'liθə͵graːf] *s poligr* fotolitografie *(imagine)*

photolithography [͵foutouli'θɔgrəfi] *s poligr* fotolitografie *(procedeu)*

photolysis [fou'tɔlisis] *s ch* fotoliză

photomap ['foutou͵mæp] *s mil etc.* hartă foto

photometer [fou'tɔmitəʳ] *s opt* fotometru

photometric(al) [͵foutə'metrik(əl)] *adj opt* fotometric

photometry [fou'tɔmitri] *s opt* fotometrie

photomicrograph [͵foutou'maikrə͵graːf] *s fot* microfotografie *(imagine)*

photomicrography [͵foutoumai'krɔgrəfi] *s fot* microfotografie *(procedeu)*

photomontage [͵foutoumɔn'taːʒ] *s fot* fotomontaj

photon ['foutɔn] *s fiz* foton; cuantă de lumină

photoneutron [͵foutou'njuːtrɔn] *s fiz* fotoneutron

photonuclear [͵foutou'njuːkliəʳ] *adj fiz* fotonuclear

photo paper ['foutou ͵peipəʳ] *s poligr* hârtie fotografică

photoplate ['foutou͵pleit] *s fot* placă fotografică

photoplay ['foutou͵plei] *s cin* **1** film-spectacol **2** scenariu

photoprint ['foutou͵print] *s poligr* fotografie; fotocopie

photoscope ['foutə͵skoup] *s fiz* fotoscop

photosensitive [͵foutou'sensitiv] *adj opt* fotosensibil

photosensitize [͵foutou'sensi͵taiz] *vt opt* a face fotosensibil

photosphere ['foutou͵sfiəʳ] *s astr* fotosferă

photostat ['foutou͵stæt] *fot* **I** *s* fotostat, fotocopie **II** *vt* a face o fotocopie *(cu gen)*

photosynthesis [͵foutou'sinθisis] *s bot* fotosinteză

phototelegram [͵foutou'teligræm] *s tel* fototelegramă

phototelegraph [͵foutou'teligraːf] *s tel* fototelegraf; belinograf

phototelegraphy [͵foutouti'legrəfi] *s tel* fototelegrafie

phototherapy [͵foutou'θerəpi] *s med* fototerapie

phototonus [fou'tɔtənəs] *s med* fotosensibilitate, sensibilitate la lumină

phototropism [͵fou'tɔtrə͵pizəm] *s biol* fototropism

phototype ['foutou͵taip] *s poligr* fototipie

phr. *presc de la* **phrase**

phrasal ['freizəl] *adj lingv* de expresie; idiomatic; **~ felicity** exprimare fericită; expresie fericită

phrasal (verb) ['freizəl ('vəːb)] *s gram* verb complex **(to give up** *etc.***)**, verb cu particulă adverbială

phrase [freiz] **I** *s* **1** *lingv* expresie; expresie idiomatică; expresie plastică/colorată; **to coin a ~ a** a inventa/a găsi o expresie (potrivită) **b** ← *umor* a folosi o expresie curentă; **turn of ~** turnură; mod de exprimare; **provincial ~** expresie dialectală; regionalism; provincialism; **in the ~ of smb** folosind expresia cuiva; **as the ~ goes** cum se spune/zice; **to turn a ~** a se exprima plastic **2** *pl* vorbe (goale); vorbărie, frazeologie **3** limbă, limbaj, stil, exprimare; **in simple ~** în cuvinte simple, folosind un limbaj simplu; **felicity of ~** mod fericit de a se exprima, capacitatea de a găsi expresii potrivite **4** *gram* locuţiune; **adverbial ~** locuţiune adverbială **5** *gram* sintagmă **6** *muz* frază **II** *vt* **1** a exprima, a formula *(într-un anumit fel)*; **I shouldn't ~ it quite like that** n-aş exprima-o/formula-o chiar în felul acesta **2** a caracteriza, a defini; **she is supremely original, it is quite difficult to ~ her** este extrem de originală, e destul de greu s-o defineşti/caracterizezi **3** *muz* a fraza

phrase book ['freiz ͵buk] *s* dicţionar (↓ bilingv) de expresii

phrase- monger ['freiz͵mʌŋgəʳ] *s* frazeolog, palavragiu

phrase-mongering ['freiz͵mʌŋgəriŋ] *s* frazeologie (goală), pălăvrăgeală, vorbe goale

phraseological [͵freiziə'lɔdʒikəl] *adj* **1** frazeologic **2** plin de expresii (idiomatice, colorate *etc.*)

phraseology [͵freizi'ɔlədʒi] *s* **1** *lingv* frazeologie; expresii (idiomatice, colorate *etc.*) **2** selecţia vocabularului **3** mod *sau* stil de exprimare

phrasing ['freiziŋ] *s* **1** *v.* **phraseology 2** *muz* frazare

phrenetic [fri'netik] **I** *adj* **1** frenetic; turbat, nebun **2** fanatic **II** *s* maniac

phrenic ['frenik] *adj* **1** *anat* frenic, al diafragmei **2** mintal

phrenologic(al) [ˌfrenə'lɔdʒikəl] *adj* *psih* frenologic

phrenologist [fri'nɔlədʒist] *s psih* frenolog

phrenology [fri'nɔlədʒi] *s psih* frenologie

phrensy, phrenzy ['frenzi] *s* frenezie, nebunie

Phrygian ['fridʒiən] *adj, s* ist frigian

phthisic(al) ['θaisik(əl)] *adj med* ftizic, tuberculos

phthisis ['θaisis] *s med* ftizie, tuberculoză

phut [fʌt] **I** *s* pocnet, plesnet, plesnitură **II** *adv:* **to go ~** *F* a se duce naibii, – a se strica, a nu mai fi bun de nimic

phylactery [fi'læktəri] *s* **1** *bis* filacteriu **2** *fig* talisman, amuletă

Phyllis ['filis] *nume fem*

phylloxera [ˌfilək'siərə] *s ent* filoxeră (*Phylloxera sp.*)

phylogenesis [ˌfailou'dʒenisis] *s biol* filogenie

phylogenetic [ˌfailoudʒi'netik] *adj biol* filogenetic

phylogenic [ˌfailou'dʒenik] *adj biol* filogenetic

phylogeny [fai'lɔdʒini] *s biol* filogenie

phys. *presc de la* **1** physics **2** physical **3** physician **4** physiological **5** physiology

physic ['fizik] **I** *s* **1** ← *înv* medicină **2** medicament, *F* leac; ↓ laxativ **II** *vt F* a doftorici, – a trata (medical)

physical ['fizikəl] *adj* **1** fizic; corporal, trupesc; carnal **2** de gimnastică **3** fizic, material **4** natural **5** *fiz* fizic

physical chemistry ['fizikə l ˌkemistri] *s ch* chimie fizică

physical culture ['fizikəl ˌkʌltʃə'] *s* cultură fizică; sport

physical education ['fizikəl ˌedju:-'keiʃ ə n] *s* educație fizică; gimnastică

physical geography [ˌfizikəl dʒi-'ɔgrəfi] *s* geografie fizică

physical jerks [ˌfizikəl 'dʒə:ks] *s pl* ← *umor* exerciții fizice

physically ['fizikəli] *adv* **1** din punct de vedere fizic/material **2** fizi-

cește, trupește **3** ← *F* absolut, cu totul; **~ impossible** absolut imposibil

physical science ['fizikəl ˌsaiəns] *s* **1** fizică **2** științele naturii

physical therapy ['fizikəl 'θerəpi] *s med* fizioterapie

physical training ['fizikəl ˌreiniŋ] *s* educație fizică (↓ în școli); antrenament (fizic)

physician [fi'ziʃ ə n] *s* **1** doctor, medic **2** vindecător, tămăduitor

physicist ['fizisist] *s* fizician

physics ['fiziks] *s pl ca sg* fizică

physio- *pref* fizio-: **physiotherapy** fizioterapie

physiocrat ['fiziou,kræt] *s ec od* fiziocrat

physiognomist [ˌfizi'ɔnəmist] *s* fizionomist

physiognomy [ˌfizi'ɔnəmi] *s* **1** fizionomie, trăsăturile feței **2** *vulg* moacă, mutră; – față **3** fizionomie, înfățișare, aspect

physiography [ˌfizi'ɔgrəfi] *s* **1** fiziografie **2** geografie fizică

physiologic(al) [ˌfiziə'lɔdʒikəl] *adj* fiziologic

physiologically [ˌfiziə'lɔdʒikəli] *adv* (din punct de vedere) fiziologic

physiologist [ˌfizi'ɔlədʒist] *s bibl* fiziolog

physiology [ˌfizi'ɔlədʒi] *s biol* fiziologie

physiotherapist [ˌfiziou'θerəpist] *s med* specialist în fizioterapie

physiotherapy [ˌfiziou'θerəpi] *s med* fizioterapie

physique [fi'zi:k] *s* fizic (al cuiva)

phytogenesis [ˌfaitou'dʒenisis] *s bot* fitogeneză

phytogenetic(al) [ˌfaitoudʒi'netik(əl)] *adj bot* fitogenetic

phytonomy [fai'tɔnəmi] *s bot* fitonimie

phytopathology [ˌfaitoupə'θɔlədʒi] *s bot* fitopatologie

pi [pai] *s* **1** (litera) pi (*în alfabetul grec*) **2** *mat* pi (3,14)

pianissimo [piə'nisi,mou] *adv muz* pianissimo

pianist ['piənist] *s muz* pianist

piano[1] ['pja:nou] *adv muz* piano

piano[2] *s muz* pian; pianoforte

pianoforte [pi,ænou'fɔ:ti] *s muz* pianoforte; pian

pianola [piə'noulə] *s muz* pianolă

piano-player ['pja:nou,pleiə'] *s muz* pianist

piano wire ['pja:nou ˌwaiə'] *s muz* coardă de pian

piaster, piastre [pi'æstə'] *s* piastru (*unitatea monetară în Turcia și Egipt*)

piazza [pi'ætsə] *s* **1** piață (*comercială*) (↓ *în Italia*) **2** *amer* verandă

pibroch ['pi:brɔk] *s scot muz* muzică marțială pentru cimpoi

pica ['paikə] *s poligr* cicero (12 puncte)

picador ['pikə,dɔ:'] *s* picador (*în Spania*)

Picardy ['pikədi] *ist* provincie în Franța Picardie

picaresque [ˌpikə'resk] *adj lit* picaresc, de aventuri

picaroon [ˌpikə'ru:n] *s* **1** aventurier; vagabond, haimana **2** corsar, pirat **3** *nav* vas corsar

Piccadilly [ˌpikə'dili] *stradă în Londra*

piccaninny ['pikə,nini] *s* **1** negrișor, pui de negru **2** pușt, copilaș

piccolo ['pikə,lou] *s muz* **1** piculină, picolo **2** pianină mică

pick[1] [pik] *text* **I** *s* pic; bătaie **II** *vi* a îndepărta nodurile din țesătură

pick[2] **I** *s* **1** instrument cu vârful ascuțit **2** scobitoare **3** târnăcop; picon; șpiț **4** *muz* plectru, pană **5** *poligr* literă murdară **6** alegere, selecție; **which of the paintings is your ~?** ce tablou ai ales? **take your ~** alege // **the ~ of** floarea, crema *cu gen*, cel mai bun dintre **II** *vt* **1** a săpa (*cu târnăcopul);* a face (*găuri*) cu un instrument ascuțit; **to ~ holes in** *fig* a găsi greșeli în; a găsi punctele slabe *cu gen* **2** a scobi; a curăța, a lua, a îndepărta (*cu scobitoarea etc.);* a ciuguli; **don't ~ your nose!** nu-ți mai scobi nasul! **3** a strânge, a culege (*flori etc.);* **we'll go fruit- ~ ing tomorrow** mâine o să ne ducem la cules de fructe **4** a ciuguli, a strânge (*cu degetele, cu un instrument ascuțit);* **the birds were ~ing the grain** păsările ciuguleau boabele **5** (*d. oameni*) a ciuguli, a mânca puțin (din) **6** *amer muz* a ciupi (*coardele*) **7** a fi pus pe; a căuta (neapărat); **to ~ a quarrel with smb** a căuta ceartă cuiva, a vrea să se certe cu cineva **8** a deschide cu șperaclul *etc.* (*un lacăt);* a sparge

9 *fig* a critica; **they will ~ you to pieces** o să te facă harcea-parcea 10 a fura din, a vârî *(cuiva)* mâna în *(buzunar)*, a goli de bani *(portofelul cuiva)*; **it's easy to have your pocket ~ed in a big crowd** când e mare îmbulzeală, să nu te miri dacă te pomenești cu buzunarele goale; **to ~ smb's brain(s)** a prelua/ < a fura ideile cuiva; **trying to ~ my brains now?** încerci să vezi ce poți scoate de la mine? 11 a alege, a selecta; **to ~ and choose** a alege cu multă grijă/ după multă gândire; **to ~ a winner** *F* a o plesni, – a face o alegere excelentă; **to ~ one's way/steps** a se uita (atent) unde calcă III *vi* 1 a fura, a sfeterisi 2 a ciuguli, a piguli, a mânca puțin 3 a culege flori *etc.;* **to go ~ing** a se duce la cules *(fructe etc.)* 4 a se scobi; a se folosi de o scobitoare 5 *(d. struguri etc.)* a se culege *(ușor etc.)*

pick-a-back ['pikə,bæk] *adv* în cârcă/spinare

pickaninny ['pikə,nini] *s v.* **piccaninny**

pick at ['pik'ət] *vi cu prep* 1 a face *ceva* fără efort *sau* de mântuială 2 a se opri la, a alege *pe cineva (pt a-l pedepsi sau blama)* 3 a gusta din; a ciuguli *cu ac* 4 a se lega/a se agăța de *cineva;* a nu lăsa în pace 5 a se amesteca în

pickax, *amer* **pickaxe** ['pik,æks] *s* târnăcop; picon

picked [pikt] *adj* ales, cel mai bun, selecționat

picker ['pikə'] *s* 1 *(↓ în cuvinte compuse)* culegător; **fruit ~s** culegători de fructe 2 târnăcop; picon 3 *met* ciocan de selectare 4 *min* ciocan de claubaj 5 *text* bătător; tachet

pickerel ['pikərəl] *s iht* 1 știucă tânără; știucă *(Esox lucius)* 2 *(↓ în cuvinte compuse) amer* peștișor

picket ['pikit] I *s* 1 țăruș; jalon; pichet; **~ fence** gard de țăruși/ pari 2 *mil* soldat de pază *(într-o tabără)* 3 *mil* pichet, mic detașament de pază, post de pază 4 *mil* linia/aliniamentul siguranței staționării 5 (om de) pază *(în cadrul unei greve etc.)* 6 pichet *(de grevă)* 7 *nav* cazic II *vt* 1 *↑* fixa cu țăruși/pari 2 a priponi *(u.n animal);* a lega de un par 3 a îngrădi, a înconjura cu un gard, a împrejmui 4 a marca prin picheți, a picheta 5 a înconjura cu pichete de grevă 6 a instala *sau* a repartiza ca pichete *sau* pază III *vi mil* a picheta, a face parte dintr-un pichet

picketer ['pikitə'] *s om sau mil* soldat dintr-un pichet

picket line ['pikit,lain] *s mil v.* **picket** I, 4

picking ['pikiŋ] *s* 1 săpare, găurire, ciugulire *etc. (v. pick² II-III)* 2 *pl* resturi, rămășițe; firimituri *(care mai pot fi folosite)* 3 *pl F* ciubucuri; – câștiguri suplimentare; *F* „ce mai pică"

pickle ['pikəl] I *s* 1 saramură *sau* oțet (pentru murături) 2 *↓ pl* murături; ceapă murată; *amer* castraveți murați 3 *F* belea, bucluc, dandana, – necaz; *F* porcărie, – murdărie; **to be in a (nice/sorry/sad) ~** *F* a da de bucluc/belea/< dracul 4 *F* pomicică, „domnu' Goe", – ștrengar 5 *tehn* decapant // **to have a rod in ~ for smb** ← *rar* a avea ac de cojocul cuiva II *vt* 1 a mura, a pune la murat 2 *sl* ← *înv* a afuma, a chercheli, – a îmbăta 3 *tehn* a băițui; a decapa

pickled ['pikəld] *adj* 1 murat; sărat 2 *F* afumat, pilit, cherchelit, – beat

picklock ['pik,lok] *s* 1 spărgător; hoț; bandit 2 șperaclu, cheie falsă

pick-me-up ['pikmi:,ʌp] *s* stimulent; întăritor, fortifiant, tonic; *F* șnaps

pick off ['pik 'ɔ(:)f] *vt cu part adv* 1 a smulge, a rupe *(fructe etc.)* 2 a jumuli 3 a împușca unul după altul, a culca la pământ

pick on ['pik ɔn] *vi cu prep* 1 a alege, a selecta *cu ac,* a se opri (tocmai) la 2 *v.* **pick at** 2 3 a plictisi, a necăji, a sâcâi *pe cineva*

pick out ['pik 'aut] *vt cu part adv* 1 a alege, a selecta; a selecționa 2 a deosebi, a distinge, a desluși, a recunoaște *(pe cineva într-o mulțime etc.)* 3 a înțelege, a pricepe *(după un studiu amănunțit)* 4 a da de urma *(cu gen),* a dibui 5 a reliefa, a scoate în evidență *(prin colorit etc.)* 6 a găsi/a reconstitui *(o melodie)* după ureche *(la un instrument muzical)*

pick over ['pik 'ouvə'] I *vt cu part adv* a cerceta bucată cu bucată, a alege atent; a sorta II *vi cu prep* a repeta într-una/mereu *sau* a se gândi mereu la *(ceva neplăcut)*

pickpocket ['pik,pokit] *s* hoț de buzunare, pungaș

pick-up ['pik,ʌp] *s* 1 cunoștință întâmplătoare 2 lucru *sau* cadou primit pe neașteptate 3 cumpărătură reușită 4 îmbunătățire; restabilire; însănătoșire 5 *v.* **pick-me-up** 6 înviorare *(a afacerilor)* 7 *auto* autofurgonetă, autocamionetă 8 *tel* braț de picup 9 *min* seismograf 10 *tehn* dispozitiv de prindere/apucare 11 *met* aderență

pick up ['pik 'ʌp] I *vt cu part adv* 1 a săpa *sau* a desface, a zdrobi *etc. (cu târnăcopul etc.)* 2 a ridica, a culege (de jos) 3 a trece după *(cineva),* a veni ca să ia *(pe cineva)* 4 a strânge, a aduna, a culege 5 *(d. păsări)* a ciuguli 6 a câștiga, a căpăta, a dobândi; **to ~ a livelihood** a-și câștiga existența; **to ~ flesh** a se îngrășa 7 a recepționa, a prinde *(la radio etc.)* 8 ← *F* a învăța, a deprinde 9 a primi, a căpăta *(informații)* 10 a reface, a restabili; a însănătoși 11 a stimula, a reconforta; a ridica moralul *(cuiva)* 12 a găsi din nou *(drumul)* II *vr* **to pick oneself up** a se ridica de jos *(după căzătură)*

picky ['piki] *adj ↓ amer* mofturos, năzuros, lingav

picnic ['piknik] I *s* 1 picnic; ieșire în aer liber 2 amuzament, distracție; *F* treabă plăcută; **it was no ~** *F* n-a fost o treabă plăcută II *vi* 1 a organiza un picnic 2 a lua parte la un picnic

picnicker ['piknikə'] *s* participant la un picnic

picolin ['pikəlin] *s ch* picolină

picoline ['pikə,li:n] *s ch* picolină

picotee [,pikə'ti:] *s bot* garoafă *(Dianthus caryophyllus)*

picrate ['pikreit] *s ch* picrat

picric acid ['pikrik ,æsid] *s ch* acid picric

Pict [pikt] *s ist* pict

Pictish ['piktiʃ] *adj ist* pict

pictograph ['piktə,graːf] *s poligr* ideogramă, pictogramă

pictorial [pik'tɔːriəl] **I** *adj* **1** pictural; grafic; plastic **2** ilustrat **3** *(d. stil)* plastic; expresiv **II** *s* magazin, revistă ilustrată

picture ['piktʃəʳ] **I** *s* **1** tablou, pictură; poză; imagine; ilustrație; desen **2** portret, fotografie; **she is a ~ of her mother** e leit maică-sa **3** *fig* cadru, frumusețe **4** *fig* personificare, întruchipare; **he is the (very) ~ of health** e sănătatea întruchipată **5** *cin* film; imagine **6** *pl* cinema **II** *vt* **1** a reprezenta *(prin desen, pictură etc.)*; a picta; a desena; a fotografia **2** *fig* a prezenta, a descrie, a zugrăvi; a explica; a oglindi, a reflecta; a ilustra **3** *fig* a imagina, a închipui

picture book ['piktʃə ,buk] *s* carte cu poze

picture card ['piktʃə ,kaːd] *s* **1** figură *(la cărți de joc)* **2** carte poștală ilustrată

pictured ['piktʃəd] *adj* **1** desenat **2** ilustrat; cu poze **3** împodobit cu tablouri

picturedom ['piktʃədəm] *s* cinema(tografie); lumea ecranului

picture gallery ['piktʃə 'gæləri] *s* galerie de tablouri

picture goer ['piktʃə ,gouəʳ] *s* **1** iubitor de cinema **2** spectator de cinema

picture hat ['piktʃə ,hæt] *s* pălărie de damă (cu pene)

picture house/palace ['piktʃə ,haus/ ,pælis] *s* cinema(tograf)

picture making ['piktʃə ,meikiŋ] *s* producție de filme

picture postcard ['piktʃə ,poustkaːd] *s* (carte poștală) ilustrată

picture show ['piktʃə ,ʃou] *s* **1** cinema(tograf) **2** spectacol cinematografic; film

picture size ['piktʃə ,saiz] *s* mărimea imaginii

picturesque [,piktʃə'resk] *adj* pitoresc; colorat; viu

picturesquely [,piktʃə'reskli] *adv* (în mod) pitoresc

picturesqueness [,piktʃə'resknis] *s* (caracter) pitoresc

picture theatre ['piktʃə ,θiətəʳ] *s* cinema(tograf)

picture unit ['piktʃə ,juːnit] *s tel* aparat de telefotografiat

picture window ['piktʃə ,windou] *s* fereastră care dă spre o priveliște frumoasă

picture writing ['piktʃə ,raitiŋ] *s* scriere hieroglifică

picturization [,piktʃərai'zeiʃən] *vt cin* a ecraniza

picturize ['piktʃəraiz] *vt cin* a ecraniza

piddle ['pidl] *vi* **1** (on) a ciuguli (din); a gusta (din) **2** a se ocupa de nimicuri/fleacuri, a-și pierde vremea cu prostii **3** *în limbajul copiilor* a face pipi, – a urina

piddling ['pidliŋ] *adj* neînsemnat; nefolositor

pidgin ['pidʒin] *s F* treabă, – afacere; **that's not my ~** *F* nu e treaba mea; mă doare în cot

Pidgin (English) ['pidʒin ('ingliʃ)] *s* limbă engleză stricată *(folosită în Asia de Sud-Est)*

pie[1] [pai] *s* **1** *orn* coțofană *(Pica pica)* **2** animal bălțat

pie[2] *s* **1** plăcintă; pateu; **meat ~** plăcintă *sau* pateu cu carne **2** *amer* tort // **to have a finger in the ~** *fig* a avea un amestec (oarecare) în ceva, a nu fi străin de ceva; **(as) easy as ~** cât se poate de ușor; **(a) ~ in the sky** *F* castele în Spania, – vise

pie[3] **I** *s* amestec(ătură), haos **II** *vt* a amesteca, a zăpăci

piebald ['pai,bɔːld] **I** *adj* **1** *(d. cai)* pag; bălțat **2** *fig* amestecat, pestriț **3** eterogen **II** *s* (cal) pag

piece [piːs] **I** *s* **1** bucată, parte; fărâmă; ~ **by** ~ bucată cu bucată; **a ~ of water** un iaz, un iezușor; **a ~ of paper** o bucată de hârtie; **in ~s** (în/făcut) bucăți; (făcut) fărâme; făcut praf; **to tear to ~s** a rupe/a sfâșia în bucăți; **to come to ~s** a se desface în bucăți, a putea fi desfăcut piesă cu piesă; **to go (all) to ~s a** *(d. o activitate)* *F* a se duce naibii/ de râpă **b** *(d. cineva)* *F* a nu mai ști cum îl cheamă, a nu mai ști pe ce lume trăiește, – a se pierde, a se fâstâci; **to pull to ~s a** a arăta netemeinicia *(unui argument etc.)*, a dărâma, a distruge **b** a critica, *F* a face harcea-parcea; **to take to ~s a** a desface în bucăți/piesă cu piesă **b** a se desface în bucăți, a putea fi desfăcut piesă cu piesă **2** parcelă *(de pământ)*,

bucată/petec de pământ **3** bucată; cantitate; piesă *(de mobilă etc.)*; **by the** ~ cu bucata **4** bucată (literară); piesă; fragment; **a ~ of poetry** o producție poetică, o poezie; **a dramatical ~** o producție/lucrare dramatică; **a museum ~** *și fig* o piesă de muzeu **5** *fig* manifestare; piesă; pildă, exemplu; **a ~ of luck** un noroc; **a ~ of work** o lucrare; o operă **6** piesă *(la șah)* **7** monedă, monetă, piesă **8** butoiaș *(de vin)* **9** *mil* piesă; armă de foc // **a ~ of advice** un sfat; **a ~ of information** o informație; **of a/ one ~ with a** la fel cu, de același fel cu **b** de acord cu; **to go to ~s** *și fig* a se face praf/fărâme **III** *vt* **1** a repara, a drege, a cârpi *(hainele etc.)* **2** a îmbina; a combina; a unifica

piece accents ['piːs ,æksənts] *s pl poligr* litere cu accente

pièce de résistance ['pjes dərezis'tãːs] *s fr* piesă de rezistență; parte principală; lucru principal

pieced leads [,piːst 'ledz] *s pl poligr* dursuși

piecemeal ['piːsmiːl] **I** *adj atr* **1** (făcut) din bucăți **2** parțial **3** treptat **II** *adv* **1** *(a lucra etc.)* cu bucata **2** treptat **3** bucată cu bucată

piece out ['piːs 'aut] *vt cu part adv* a pune cap la cap *(amănuntele etc.)*, a lega între ele, a înnoda

piece payment ['piːs ,peimənt] *s* plată cu bucata

piece together ['piːs tə'geðəʳ] *vt cu adv* **1** *v.* piece out **2** a face o legătură între *(fapte disparate)*

piece up ['piːs 'ʌp] *vt cu part adv* **1** *v.* piece out **2** a restabili, a reînnoi *(relații)* **3** a rezolva *(un diferend)*

piecework ['piːs,wəːk] *s* muncă în acord

piece-worker ['piːs,wəːkəʳ] *s* muncitor în acord

pied [paid] *adj* bălțat; multicolor; vărgat; pestriț

pied-à-terre [pjeta'teːʳ] *, pl* **pieds-à-terre** [pjeta'teːʳ] *s* **1** refugiu, adăpost **2** a doua casă/locuință *(mai mică)*

Piedmont ['piːdmənt] *s* **1** *regiune în Italia* Piemont **2** *podiș în S.U.A.* Piemont **3** *p~ geogr* piemont

pie-eyed ['pai'aid] *adj F* împupăzat, afumat, – beat

pieplant ['pai,plɑ:nt] *s bot* revent *(Rheus sp.)*

pier ['piəʳ] *s* 1 *nav* mol; dig; chei; dană; debarcader 2 *constr* pilon; stâlp; pilă de pod; contrafort

pierce [piəs] I *vt* 1 a străpunge, a pătrunde în; a găuri; a face o gaură *sau* o deschizătură în 2 *fig* a răzbate prin, a străpunge, a străbate; a-și face loc prin; a pătrunde în *sau* prin II *vi* (**into**, **through**) a pătrunde, a răzbate (în; prin)

piercing ['piəsiŋ] *adj* pătrunzător; ascuțit

pier glass ['piə ,glɑ:s] *s* oglindă mare de perete, trumeau

Pierre [pi:'ɛəʳ] *fr nume masc* Petre, Petru

Pierrot ['piərou] *s fr* Pierrot *(personaj în pantomima franceză)*

pietism ['paii,tizəm] *s* 1 *bis* pietism 2 *fig* ipocrizie, fățărnicie

pietist ['paiitist] *s* 1 *bis* pietist 2 *fig* ipocrit, fățarnic

piety ['paiiti] *s* 1 pietate, evlavie, cucernicie 2 respect față de părinți

piezoelectric [pai,i:zoui'lektrik] *adj el* piezoelectric

piezo-electricity [pai,i:zouilek'trisiti] *s el* piezoelectricitate

piffle ['pifəl] I *s F* vorbărie goală; – tâmpenie, prostie II *vi F* a vorbi în bobote/în dorul lelii, a vorbi ca să se afle în treabă

piffling ['pifliŋ] *adj* 1 *F* idiot, tâmpit, – absurd, fără sens 2 ← *F* fără valoare, neînsemnat, mărunt

pig [pig] I *s* 1 *zool* porc, *fem* scroafă; (porc) mistreț; purcel; **to buy a ~ in a poke** *fig* a cumpăra pisica în traistă, – a cumpăra ceva cu ochii închiși; **to bring one's ~ to the wrong market** *fig* a rupe inima târgului, a face o afacere proastă; **~s might fly** *prov* mai sunt și minuni, și un bivol se pustnicește la o mie de ani, mai zboară și (câte) un bivol la o mie de ani; **to make a ~ of oneself** *F* a mânca *sau* a bea ca un porc 2 (carne de) porc 3 *F* porc, mâncău *sau* – om murdar/nespălat 4 felie *(de portocală)* 5 *constr* colector de aer comprimat 6 *met* lingou; bloc; bară; calup;

piesă brută II *vt* a făta *(purcei)* III *vi* 1 a făta purcei 2 *v.* **pig it**

pig bed ['pig ,bed] *s* 1 *v.* **pig sty** 2 *met* pat de turnare

pigboat ['pig,bout] *s nav sl* submarin

pig breeding ['pig ,bri:diŋ] *s* creșterea porcilor

pigeon[1] ['pidʒin] I *s* 1 *și ca pl orn* porumb(el), hulub *(Columba livia);* **to put/to set the cat among the ~s** *F* a lăsa pe cineva cu gura căscată, a lăsa lat pe cineva, a înnebuni pe cineva; – a stârni panică 2 *F* guguștiuc, – prostănac, nerod; naiv 3 *sl* muierușcă, – femeie tânără II *vt sl* a trișa, a înșela *(la joc)*

pigeon[2] *s v.* **pidgin**

pigeon breast ['pidʒin ,brest] *s med* torace în carenă

pigeon-breasted ['pidʒin,brestid] *adj med* cu torace în carenă

pigeon chest ['pidʒin ,tʃest] *s v.* **pigeon breast**

pigeon hawk ['pidʒin ,hɔ:k] *s orn* șoim, uliu, erete *(Pallo accipiter nisus)*

pigeon-hearted ['pidʒin,hɑ:tid] *adj* fricos, laș; timid

pigeon-hole ['pidʒin,houl] I *s* 1 deschizătură/gaură pentru porumbei *(într-un coteț)* 2 sertar; casetă; compartiment 3 *fig* colț(ișor) retras II *vt* 1 a pune în sertar *etc.* *(v. ~* I, 2) 2 *fig* a pune la dosar, a lăsa să aștepte

pigeonry ['pidʒinri] *s* porumbar, coteț de porumbei

pigeon-toed ['pidʒin,toud] *adj* cu degetele de la picioare întoarse înăuntru

piggery ['pigəri] *s* 1 cocină de porci 2 *fig* porcărie

piggish ['pigiʃ] *adj* (ca) de porc; murdar *sau* lacom

piggishly ['pigiʃli] *adv* porcește, ca un porc *sau* ca porcii

piggy ['pigi] I *adj v.* **piggish** II *s* purcel(uș), porcușor

piggy-back ['pigi,bæk] *adv* în cârcă/spinare

piggy-bank ['pigi,bæŋk] *s* pușculiță *(în formă de purcel)*

pig-headed ['pig,hedid] *adj* încăpățânat, îndărătnic

pig-headedly ['pig,hedidli] *adv* cu încăpățânare

pig iron ['pig ,aiən] *s met* fontă (brută)

pig it ['pig it] *vt cu pron* ← *F* a trăi ca un porc *sau* ca porcii *(în murdărie)*

piglet ['piglit] *s* purcel(uș), porcușor

pigment ['pigmənt] *s* 1 *anat* pigment 2 *ch* pigment; colorant

pigmentary ['pigməntəri] *adj* de pigment

pigmentation [,pigmən'teiʃən] *s* pigmentare

pigmented ['pigməntid] *adj* pigmentat

pig metal ['pig ,metl] *s* metal în blocuri

pigmy ['pigmi] *s, adj v.* **pygmy**

pignorate ['pignəreit] *vt* a ipoteca

pignoration [pignə'reiʃən] *s* ipotecare

pignut ['pig,nʌt] *s bot* alunică (porcească) *(Bunium bulbocastanum)*

pigpen ['pig,pen] *s* cocină de porci

pigskin ['pig,skin] *s* 1 piele de porc 2 *F* ș(e)a 3 *amer F* băsică, – minge de fotbal

pigsticking ['pig,stikiŋ] *s* vânătoare de mistreți cu sulița

pigsty ['pig,stai] *s* cocină de porci

pig's wash ['pigz,wɔʃ] *s* lături, zoaie

pig swill ['pig ,swil] *s* 1 lături, zoaie 2 *fig* lături, mâncare prost gătită

pigtail ['pig,teil] *s* coadă, cosiță

pigweed ['pig,wi:d] *s bot* talpa gâștei *(Chenopodium sp.)*

pi-jaw ['pai,dʒɔ:] *s școl, univ sl* săpuneală, refec, mustrare, dojană

pike[1] [paik] *s* 1 *drumuri* barieră; barieră vamală; vamă 2 taxă de trecere *(pe un drum)* 3 șosea, drum

pike[2] *s iht* știucă *(Esox lucius)*

pike[3] *od* I *s* lance, suliță II *vt* a străpunge cu sulița

pikelet ['paiklit] *s iht* știucă mică; pui de știucă

piker ['paikəʳ] *s amer* ← *F* 1 jucător prudent/fricos 2 *F* zgârciob, zgârie-brânză, – zgârcit 3 *F* papă-lapte, – fricos

pikestaff ['paik,stɑ:f] *s od* coadă de suliță/lance

pilaf(f) ['pilæf] *s gastr* pilaf

pilaster ['pailəstəʳ] *s arhit* pilastru

Pilate ['pailət], **Pontius** *guvernator roman al Iudeii (26-36?)*

pilau, pilaw [pi'lau] *s gastr* pilaf

pilchard ['piltʃəd] *s iht* sardea

pile¹ [pail] **I** *s* **1** grămadă; morman; vraf; teanc *(de hârtii);* maldăr *(de vreascuri etc.);* legătură; pachet; stivă *(de lemne)* **2** *mil* piramidă *(de arme)* **3** rug **4** clădire mare; complex de clădiri **5** *F* grămadă, morman *(de bani etc.);* **to make a/one's ~** *F* a face/a prinde seu, a prinde cheag, a se chivernisi; **she has ~s of money** *F* are o groază de bani **6** *el* /pilă electrică; baterie; element galvanic **7** *agr* snop **8** *fiz* reactor (atomic), pilă (atomică) **9** *text* păr; pluș; parte scămoșată *(a țesăturii)* **II** *vt* **1** a îngrămădi, a face grămadă **2** a aduna, a strânge, a acumula **3** a împovăra

pile² **I** *s* pilon; palplanșă **II** *vt* a fixa stâlpi în

pile³ *s med* **1** nodul hemoroidal **2** *pl* hemoroizi, *P* → trânji

pileate ['pailiit] *adj bot* pileat, (cu un organ) în formă de pălărie

pile building ['pail ˌbildiŋ] *s* locuință lacustră

piled [paild] *adj text* pufos; scămos

pile driver ['pail ˌdraivə'] *s* **1** *constr* sonetă **2** *tehn* berbec

pile it on ['pail it 'ɔn] *vt cu pron și part adv F* a trage bărbi, a se bărbieri, – a exagera, a depăși limita

pile on ['pail 'ɔn] *vi cu part adv* a se îngrămădi, a se strânge

piler ['pailə'] *s* stivuitor

pile up ['pail 'ʌp] **I** *vt cu part adv* **1** v. **pile II, 1-2 2** a încărca *(cu amănunte)* **3** a încurca, a încâlci **II** *vi cu part adv* **1** a se îngrămădi, a se strânge **2** *nav* a eșua

pile-up ['pail,ʌp] *s auto* ← *F* ciocnire a mai multor mașini

pilewort ['pail,wə:t] *s bot* untișor; grâușor *(Ficaria verna)*

pilfer ['pilfə'] *vt, vi* a fura, *F* a șterpeli, a ciordi

pilferage ['pilfəridʒ] *s* furtișag, *F* șterpeleală, ciordeală

pilferer ['pilfərə'] *s* hoț, pungaș

pilgarlic [pil'gɑ:lik] *s* ← *înv* **1** chel(bos) **2** nenorocit, prăpădit

pilgrim ['pilgrim] *s* **1** pelerin, *înv* → hagiu **2** călător, drumeț

pilgrimage ['pilgrimidʒ] *s* **1** pelerinaj, *înv* → hagealâc; **to go on (a) ~** a face un pelerinaj, a pleca în pelerinaj **2** călătorie lungă

Pilgrim Fathers, the ['pilgrim 'fɑːðəz, ðə] *s pl ist* „părinții pelerini"

(puritanii englezi care au întemeiat colonia Plymouth în America de Nord, 1620)

piliferous [pai'lifərəs] *adj* pilifer, cu perișori

piliform ['paili,fɔ:m] *adj* piliform, ca părul

pilling ['pailiŋ] *s* stâlpi, piloni

pill¹ [pil] *vt, vi* ← *înv* **1** a fura; a jefui **2** a jupui; a coji

pill² **I** *s* **1** pilulă, hap; **a bitter ~** *și fig* o pilulă amară; **to swallow the ~** *fig* a înghiți hapul; **this is a ~ to cure an earthquake** *fig* e doar o picătură în ocean **2** ← *F* sferă; minge; alică; glonț *etc.* **3** *pl* biliard **4** *sl* doctor **II** *vt* a prescrie *sau* a da pilule *(cuiva)*

pillage ['pilidʒ] **I** *s* **1** prădare, jefuire **2** pradă *(↓ de război);* jaf **II** *vt* **1** a prăda, a jefui *(↓ în război)* **2** a lua ca/drept pradă

pillar ['pilə'] *s* **1** stâlp/coloană de reazem; pilastru; pilon; **from ~ to post** **a** dintr-o greutate în alta; din lac în puț **b** încoace și încolo, într-o parte și alta **2** *fig* stâlp, reazem, sprijin **3** *nav* pontil **4** *min* pilier *(de rambleu)*

pillar box ['pilə ˌbɔks] *s* cutie poștală

pillared ['piləd] *adj* **1** sprijinit de stâlpi *sau* coloane **2** în formă de stâlp *sau* coloană

pillar post ['pilə ˌpoust] *s* v. **pillar box**

pillbox ['pil,bɔks] *s* **1** cutie pentru *sau* de pilule **2** *umor* cutie, cutiuță *(casă mică, mașină mică etc.)* **3** *mil* cazemată **4** *sl* doctor

pillion ['piljən] *s* **1** socius, șaua însoțitorului **2** loc din spate; portbagaj *(la motocicletă)*

pillock [pilək] *s F* tâmpit, bou

pillory ['piləri] **I** *s* stâlpul infamiei; **to put/to set in the ~** *și fig* a pune/a țintui la stâlpul infamiei **II** *vt și fig* a pune/a țintui la stâlpul infamiei

pillow ['pilou] **I** *s* **1** per(i)nă *(de dormit);* **to take counsel of one's ~** *aprox* noaptea e un bun sfetnic/sfătuitor **2** *tehn* cuzinet; lagăr **3** *drumuri* pernă **II** *vt* **1** a pune capul pe *(pernă etc.)* **2** a servi ca/drept pernă *(cuiva)*

pillow block ['pilou ˌblɔk] *s tehn* lagăr principal

pillow case/slip ['pilou ˌkeis/ˌslip] *s* față de pernă

pillowy ['piloui] *adj* **1** (moale) ca o pernă **2** *fig* moale; influențabil

pilose ['pailous] *adj* pilos; păros

pilosity [pai'lɔsiti] *s* pilozitate, păr

pilot ['pailət] **I** *s* **1** *nav* pilot, *înv* → cârmaci; **to drop the ~** *fig* a renunța la serviciile unui sfătuitor bun **2** *av* pilot **3** ghid experimentat, călăuză cu experiență **4** *constr* pilot, stâlp **5** *tel* undă pilot **6** *tehn* supapă auxiliară **II** *vt* **1** *nav, av* a pilota **2** *fig* a conduce, a călăuzi, a ghida

pilotage ['pailətidʒ] *s nav, av* pilotaj, pilotare

pilot alarm ['pailət ə'lɑ:m] *s tel* sonerie de control

pilot balloon ['pailət bə'lu:n] *s meteor* balon pilot

pilot boat ['pailət ˌbout] *s nav* pilotină; navă de pilotaj

pilot engine ['pailət 'endʒin] *s ferov* locomotivă cu dublă tracțiune

pilot fish ['pailət ˌfiʃ] *s iht* pește-pilot *(Naucrates ductor)*

pilot house ['pailət ˌhaus] *s nav* timonerie; camera pilotului

piloting ['pailətiŋ] *s nav, av* pilotaj, pilotare

pilot jack ['pailət ˌdʒæk] *s nav* pavilion de pilot

pilot lamp/light ['pailət ˌlæmp/ˌlait] *s tehn* **1** lampă/lumină martor **2** bec de semnalizare

pilot officer ['pailət ˌofisə'] *s av* ofițer de zbor; locotenent de aviație *(în aviația britanică)*

pilot plant ['pailət ˌplɑ:nt] *s tehn* instalație pilot/experimentală

pilous ['pailəs] *adj* v. **pilose**

Pilsen ['pilzən] oraș în Cehia

pilular ['pilju:lə'] *adj* ca o pilulă, în formă de pilulă

pilule ['pilju:l] *s* pilulă *(mică)*

pimento [pi'mentou] *s bot* **1** cuișoare *(Pimenta officinalis)* **2** v. **pimiento**

pimiento [pi'mjentou] *s bot* ardei roșu, capia *(Capsicum annuum)*

pimp [pimp] **I** *s* proxenet, codoș **II** *vi* a fi proxenet/codoș

pimpernel ['pimpə,nel] *s bot* **1** pătrunjel de câmp *(Pimpinella saxifraga)* **2** scânteiuță *(Anagallis arvensis)*

pimping ['pimpiŋ] *adj* **1** mic, mititel; pricăjit **2** slab; bolnăvicios

pimple ['pimpəl] *s med* **1** pustulă, bășicuță; bubuliță **2** comedon, *P* → coș

pimpled ['pɪmpəld] *adj* cu pustule etc. *(v.* **pimple***)*

pimply ['pɪmplɪ] *adj v.* **pimpled**

pin [pɪn] **I** *s* **1** ac cu gămălie, *reg →* bold; ← *rar* cui, țintă; **not to care two ~s** *F* a nu-i păsa nici cât (negru sub unghie); **(as) neat as a new ~** *F* lună, – într-o curățenie desăvârșită; **to sit on ~s and needles** *fig* a sta (ca) pe ace; **I have ~s and needles in my leg** simt furnicături în picior; mi-a amorțit piciorul; **for two ~s** *F* ce mai încoace și încolo, – fără să stea mult pe gânduri; **there is not a ~ to choose between them** seamănă ca două picături de apă, seamănă leit **2** ac de păr; broșă **3** ac de siguranță **4** vârf ascuțit *(de munte etc.)* **5** *tehn* bolț; bulon; știft **6** țăruș; pivot **7** *el* portizolator; consolă, suport **8** axă *(de busolă)* **9** ↓ *amer* cârlig de rufe **10** *pl* *F* catalige, – picioare; **she is quick on her ~s** ← *F* e sprintenă; **that knocked him off his ~s** ← *F* asta l-a doborât/ l-a culcat la pământ **11** *muz* cui *(de vioară etc.)* **12** popic **II** *vt* **1** a fixa/a prinde cu un ac (cu gămălie); a fixa cu un ac de păr *etc. (v.* **~ I, 2, 4, 5, 8***)* **2** a străpunge *(*↓ *cu acul)* **3** a țintui, a fixa **4** *fig* a țintui *(de perete etc.)*

pinafore ['pɪnəfɔː'] *s* șorțuleț *(*↓ *de copii);* șorț

pinafored ['pɪnəfɔːd] *adj* cu șorțuleț *sau* șorț

pinaster [paɪ'næstə'] *s bot* pin mediteranean *(Pinus pinaster)*

pin back ['pɪn 'bæk] *vi cu part adv F* a fi numai urechi, – a asculta atent

pinball ['pɪn,bɔːl] *s* **1** *amer* periniță de ace **2** *v.* **pin-ball machine**

pin-ball machine ['pɪn,bɔːl mə'ʃiːn] *s* automat cu bile și cuie pt jocuri de noroc

pince-nez ['pæns,neɪ] *s fr* (ochelari) pince-nez; lornion

pincer movement ['pɪnsə,muːvmənt] *s mil* dublă învăluire

pincers ['pɪnsəz] *s pl* **1** clește; pensetă **2** *zool* clește

pinch [pɪntʃ] **I** *vt* **1** a ciupi, a pișca **2** a strânge cu cleștele *sau* ca într-un clește; a-și prinde *(degetul etc.)* **3** *(d. pantofi etc.)* a strânge, a jena **4** *fig (d. frig)* a pișca; *(d.*

nevoi etc.) a strânge; a supăra; a nu lăsa în pace; a chinui **5** a da pinteni *(calului)* **6** (**from**, **out**, **of**) a stoarce *(bani)* (de la) **7** a slăbi, a subția (↓ fața) **8** *F* a șterpeli, a ciordi, *vulg* a mangli, – a fura **9** a aresta **II** *vi* **1** *(d. pantofi etc.)* a strânge, a fi prea mic; **that's where the shoe ~es** *fig F* aici e buba **2** a fi zgârcit/ avar; a fi econom; **to ~ and save/ scrape** a face economii (< la sânge) **III** *s* **1** ciupitură, pișcătură; strânsoare; apucare **2** *fig* durere; necaz; chin; *F* ananghie, aman, strâmtoare; **the ~ of hunger** foame chinuitoare; **at/on/***amer* in **a ~** a la nevoie/strâmtoare; la/*F* ananghie, strâmtorat **b** într-un caz extrem; **if it comes to a ~** într-un caz extrem, în cazul cel mai rău, când va fi la o adică, *F* dacă se îngroașă gluma **3** clește; pensetă **4** îngustare, strâmtare **5** priză; vârf de cuțit; pic **6** *sl* zdup, – arest **7** *sl* ciordeală, – furt(ișag), hoție

pinch bar ['pɪntʃ,bɑː'] *s tehn* rangă; pârghie de fier

pinchbeck ['pɪntʃ,bek] *s* **1** *met* tombac, aliaj de cupru și zinc **2** *fig* imitație, lucru fără valoare

pinchers ['pɪntʃəz] *s pl v.* **pincers**

pinching ['pɪntʃɪŋ] *s* **1** ciupit; pișcat **2** strânsoare; strivire **3** restrângere a cheltuielilor; economie **4** *tel* blocare **5** *agr* cârnit

pinchpenny ['pɪntʃ,penɪ] *s F* zgârciob, mațe-fripte, – zgârcit

pin cushion ['pɪn,kuʃən] *s* periniță de ace

Pindar ['pɪndə'] *poet grec (522?-433 î.e.n.)*

Pindaric [pɪn'dærɪk] *lit* **I** *adj* pindaric **II** *s* odă pindarică

pin down ['pɪn 'daun] *vt cu part adv* **1** a fixa; a lega **2** *fig* a prinde, a pune mâna pe, a găsi // **to pin smb down to facts** a obliga pe cineva să nu se depărteze de fapte/realitate, a lega pe cineva de *(o promisiune etc.)*

Pindus, the ['pɪndəs, ðə] (Munții) Pind

pine¹ [paɪn] *s bot* **1** pin *(Pinus sp.)* **2** conifer **3** ← *F* ananas

pine² *vi* **1** a se ofili, a se prăpădi încet, a se stinge, a se usca **2** (**at**) a fi nemulțumit, a murmura

(din cauza – *cu gen*, pentru) **3** *cu inf* a tânji (să; de dorul – *cu gen*), a nu mai putea/a se prăpădi de dor

pine after ['paɪn ,ɑːftə'] *vi cu prep* a tânji după; a nu mai putea/a se prăpădi de dorul *cu gen*

pineal gland ['pɪnɪəl ,glænd] *s anat* glandă pineală, epifiză

pineapple ['paɪn,æpəl] *s* **1** *bot* ananas *(Ananas sativus)* **2** ananas *(fructul)* **3** *sl* grenadă (de mână)

pine cone ['paɪn ,koun] *s* con de pin

Pinero [pɪ,nɪərou], **Sir Arthur Wing** *autor dramatic englez (1855-1934)*

pinery ['paɪnərɪ] *s bot* **1** pădure de pini **2** plantație *sau* seră de ananași

pine tar oil ['paɪn ,tɑːr 'ɔɪl] *s ch* terebentină; ulei de gudron

piney ['paɪnɪ] *adj* (ca) de pin

ping [pɪŋ] **I** *vi* **1** *(d. gloanțe)* a șuiera **2** *(d. țânțari)* a bâzâi **II** *s* **1** șuierat *(al glonțului)* **2** bâzâit *(al țânțarilor)*

ping-pong ['pɪŋ,pɔŋ] *s* ping-pong, tenis de masă

pin head ['pɪn ,hed] *s* **1** gămălie (de ac) **2** fleac, mărunțiș **3** *F* nătărău, cap sec, găgăuță, – prost

pinhole ['pɪn,houl] *s* gaură mică *(de sau ca de ac)*

pinion¹ ['pɪnjən] *s tehn* pinion

pinion² **I** *s* **1** *orn* vârf de aripă **2** *orn* pană **3** ← *poetic* aripă **II** *vt* **1** *și fig* a tăia aripile *(cu gen/sau dat)* **2** *și fig* a lega mâinile *(cuiva)*

pink¹ [pɪŋk] **I** *s* **1** (culoare) roz **2** *bot* garoafă *(Dianthus sp.)* **3** **the ~** *fig* culmea, apogeul; **in the ~** *F* în formă, înfloritor *(ca sănătate);* **the ~ of perfection** culmea perfecțiunii/desăvârșirii; **he is the ~ of politeness** e politețea întruchipată, e întruchiparea politeții **4** vânător de vulpi **5** *și P* **~** *pol* socialist de salon; radical moderat **II** *adj* **1** trandafiriu, roz **2** *pol* care cochetează cu vederile de stânga

pink² **I** *s* gaură, ochi **II** *vt* **1** *text* a ajura; a festona **2** a străpunge; a găuri **3** a împunge **4** a înjunghia **5** a împodobi, a înfrumuseța

pink³ *vi tehn (d. motor)* a da rateuri; a funcționa cu detonații

pink⁴ *s nav od* vas cu trei catarge

pink elephant ['pɪŋk ,elɪfənt] *s și la pl umor* vedenii *(ale unui om beat)*

pink eye ['pink ˌai] *s med* conjunctivită acută

pink gin ['piŋk ˌdʒin] *s* gin (amestecat) cu biter

pinkie ['piŋki] *s amer, scot* degetul mic

pinkish ['piŋkiʃ] *adj* trandafiriu, roz; roșiatic, bătând în roșu

pinkness ['piŋknis] *s* (culoare) roz; roșeață

pinko ['piŋkou] *s pol* ← *F* persoană cu vederi progresiste

pinky ['piŋki] *adj v.* **pinkish**

pin money ['pin ˌmʌni] *s* ← *F* mărunțiș; bani de coșniță

pinna ['pinə], *pl și* **pinnae** ['pini:] *s anat* pavilionul urechii; auriculă

pinnace ['pinis] *s nav* barcă de serviciu

pinnacle ['pinəkəl] *s* **1** *arhit* turn cu vârf ascuțit, belvedere **2** *nav* ac, stâncă ascuțită **3** *fig* vârf, culme, punct culminant

pinnate ['pineit] *adj bot* penat

pinny ['pini] *s* șorțuleț *(pt copii)*

pinoc(h)le ['pi:nʌkəl] *s* pinacle (joc de cărți)

pin on ['pin ɔn] *vt cu prep* **1** a fixa de; a agăța de **2** *fig* a lega *(speranțe)* de

pin-point ['pin,pɔint] **I** *s* **1** vârf de ac cu gămălie **2** *fig* bagatelă; fleac; lucru neînsemnat **II** *vt* **1** *mil* a repera *sau* a bombarda cu precizie **2** *fig* a stabili/a fixa cu precizie **3** *fig* a arunca lumină asupra *(cu gen)*, a scoate în relief **III** *adj* **1** foarte mic **2** foarte exact

pin prick ['pin ˌprik] *s* **1** împunsătură/înțepătură de ac **2** *fig* mică supărare, necaz

pint [paint] *s* pintă *(= 0,57 l în Anglia și 0,47 l în S.U.A.); aprox* halbă

pinta ['pintə] *s* ← *F* pintă de lapte

pintable ['pin,teibəl] *s* aparat cu tăblie înclinată *(la jocurile de noroc)*

pintado [pin'tɑ:dou], *pl* **pintado(e)s** [pin'tɑ:douz] *s orn* bibilică *(Numida meleagris)*

pintail ['pin,teil] *s orn* rața-cu-frigare *(Anas acuta)*

pintle ['pintəl] *s* **1** *tehn* ax vertical; pivot **2** *nav* bolț de cârmă

pint-size ['paint,saiz], **pint-sized** ['paint,saizd] *adj* mic și neimportant, minuscul

pin-up ['pin,ʌp] ← *F* **I** *adj atr (d. femei)* frumoasă, nurlie, cu vino-ncoace **II** *s* **1** fată frumoasă, frumusețe, cadră **2** poză a unei fete frumoase *(↓ sumar îmbrăcată)*, prinsă pe perete

pin up ['pin 'ʌp] *vt cu part adv v.* **pin II, 1, 3**

pin-up girl ['pin,ʌp 'gə:l] *s v.* **pin II**

piny ['paini] *adj* **1** cu pini **2** de pini

pioneer [ˌpaiə'niəʳ] **I** *s* **1** pionier; deschizător de drumuri; inițiator **2** pionier, membru al organizației de pionieri **3** *mil* pionier **II** *vt* **1** a fi un pionier/un deschizător de drumuri **2** a face muncă de pionierat **III** *vt* **1** *fig* a deschide drum/cale *cu dat* **2** *fig* a face muncă de pionierat pentru

pioneerdom [ˌpaiə'niədəm] *s* pionierat

pious ['paiəs] *adj* **1** pios, evlavios, cucernic; religios; bisericos **2** ← *înv* ascultător față de părinți **3** virtuos

piously ['paiəsli] *adv* pios, cu evlavie

piousness ['paiəsnis] *s v.* **piety**

pip¹ [pip] *s* **1** țâfnă, cobe *(la păsări)* **2** ← *umor* indispoziție, proastă dispoziție; **to have the ~** *F* a nu-i fi boii acasă, – a nu se simți în apele lui; **he gives me the ~** *F* mă calcă pe nervi

pip² *s* **1** punct, ochi *(la zaruri etc.)* **2** sâmbure *(de măr etc.)* **3** *tehn* vârf de pompare *(la tubul electronic);* impuls scurt **4** *tel* vârf de ecou; pip

pip³ *vt* ← *F* **1** a împușca; a răni **2** a pune capăt *cu dat,* a curma **3** *pol* a înfrânge, a învinge *(în alegeri);* a balota **4** a strica, a zădărnici *(planurile cuiva)*

pipage ['paipidʒ] *s tehn* **1** rețea de conducte *(pt scurgerea petrolului)* **2** transport *(al petrolului)* prin conductă

pipal ['paipəl] *s v.* **peepul**

pipe [paip] **I** *s* **1** țeavă; conductă; tub; burlan **2** the **~s** radiator; calorifer **3** pipă; lulea; **put that in your ~ and smoke it** *fig F* acum stai și gândește-te (bine) la ce ți-am spus; înghite-o și pe asta; **to hit the** ~ *amer* ← *F* a fuma opiu **4** fluier; caval **5** *pl* cimpoi **6** fluierat; cântat **7** *pl anat* căi respiratorii **8** *pl met* pori de gaze **9** *min* burlan **10** *constr* gură

pentru exploziv 11 *nav* siflie, sirenă **II** *vt* **1** a duce/a transporta printr-o conductă *etc. (v. ~* **I, 1** *)* **2** a cânta *(o melodie)* la fluier, caval, flaut *sau* cimpoi; a fluiera **3** a prevedea cu țevi *etc. (v. ~* **I, 1** *)* **4** *nav* a chema cu fluierul **III** *vi* **1** a fluiera; *(d. vânt)* a șuiera **2** *(d. păsări)* a piui; a ciripi; a cânta **3** *(d. cineva)* a țipa **4** *F* a boci, – a plânge **5** *nav* a fluiera; a da cu siflia

pipe away ['paip ə'wei] *vi cu part adv nav* a da semnalul de plecare

pipe clay ['paip ˌklei] *s* argilă albă plastică

piped music ['paip ˌmju:zik] *s peior* muzică liniștită *(înregistrată și cântată mereu într-un local etc.)*

pipe down ['paip 'daun] *vi cu part adv fig* a coborî tonul, *F* a o lăsa mai moale; a tăcea din gură

pipe dream ['paip ˌdri:m] *s* vis *sau* viziune de opioman

pipe fish ['paip ˌfiʃ] *s zool* ac de mare *(Syngnathus acus)*

pipeful ['paipful] *s* o pipă (plină), tutunul dintr-o pipă

pipe-line ['paip,lain] **I** *s* **1** conductă **2** conductă (lungă) de petrol, pipe-line **II** *vt* a pompa printr-o conductă

pipe of peace, the ['paip əv ˌpi:s, ðə] *s* pipa păcii; **to smoke ~** a fuma pipa păcii; a se împăca

pipe opener ['paip ˌoupənəʳ] *s* (activitate de) pregătire, încălzire

pipe organ ['paip ˌɔ:gən] *s muz* orgă

piper ['paipəʳ] *s* fluierar; flautist; cimpoier; **who pays the ~ calls the tune** *prov* cine plătește poruncește; **to pay the ~ while others call the tune** *aprox* boii ară și caii mănâncă

pipe stem ['paip ˌstem] *s* **1** țeavă de pipă/lulea **2** *fig F* fus, – picior subțire

pipet(te) [pi'pet] *s* pipetă

pipe up ['paip 'ʌp] *vi cu part adv* a începe să vorbească *sau* să cânte *(↓ cu o voce pițigăiată)*

piping ['paipiŋ] **I** *s* **1** conducte, țevărie *sau* conductă, țeavă; burlan **2** *text* tubulatură **3** voce *sau* sunet ascuțit **4** șnur; tresă; paspoal, vipușcă **II** *adj atr* **1** țipător; ascuțit **2** *(d. vremuri)* de pace

piping (hot) ['paipiŋ(ˌhɔt)] *adj* foarte fierbinte

pipit ['pipit] *s orn* fâsă *(Anthus sp.)*
pipkin ['pipkin] *s* ulcică *(de lut)*
pippin ['pipin] *s* **1** *bot* măr „pippin"
2 ← *F* idol; zeu
pippin-faced ['pipin,feist] *adj* cu faţa
rotundă şi roşie
pippish ['pipiʃ] *adj F* cârciobar, –
nemulţumit
pip squeak ['pip,skwi:k] *s* ← *F* **1** om
de nimic; zero, nulitate **2** lucru
de nimic
pipy ['paipi] *adj* **1** tubular; cu ţevi **2**
strident, ascuţit
piquancy ['pi:kənsi] *s* **1** caracter
picant/condimentat **2** *fig* pican-
terie; caracter nostim
piquant ['pi:kənt] *adj* **1** *gastr* picant,
înţepător, condimentat, iute **2** *fig*
picant, nostim, plăcut
piquantly ['pi:kəntli] *adv* picant;
nostim
pique [piːk] *s* **1** pică, ciudă, <
duşmănie **2** supărare, iritare,
enervare; **in a fit of** ~ într-o
izbucnire de furie
piqué ['pi:kei] *s text* pichet
piquet [pi'ket] *s* pichet *(joc de cărţi)*
piracy ['pairəsi] *s* **1** *nav* piraterie **2**
plagiat, furt literar
Piraeus, (the) [pai'ri:əs, (ðə)] *oraş în*
Grecia Pireu
Pirandello [,piran'dellɔ], **Luigi**
scriitor italian (1867-1936)
pirate ['pairit] **I** *s* **1** *nav* pirat, corsar
2 *nav (vas)* corsar **3** *fig* plagiator
4 *rad* ascultător clandestin **5**
jefuitor, prădător **II** *vt* **1** *nav (d.*
piraţi) a ataca, a prăda **2** *fig* a
plagia, a publica nelegal **3** a
prăda, a jefui
piratic(al) [pai'rætik(əl)] *adj* **1** pira-
teresc, de pirat **2** *poligr* publicat
nelegal
piratically [pai'rætikəli] *adv* pirate-
reşte, ca un pirat
pirn [pəːn] *s text* cops; ţeavă de fir
pirogue [pi'roug] *s nav* pirogă
pirouette [,piru'et] *fr* I *s* piruetă **II** *vi*
a face piruete
Pisa ['pi:zə] *oraş în Italia*
piscatorial [,piskə'tɔ:riəl] *adj* pescă-
resc; de pescuit
Pisces ['paisi:z] *astr* Peştii
pisciculture ['pisi,kʌltʃəʳ] *s* pisci-
cultură
piscine ['pisin] *s* piscină, bazin de
înot
pish [pʃ] I *interj* ← *rar* pfui! ptiu! **II** *vt*
a trata cu dispreţ

pismire ['pis,maiəʳ] *s ent* furnică
pisolite ['paisə,lait] *s minr* pisolit; oolit
piss [pis] ← *vulg* I *vi* a urina **II** *vt* a
elimina cu urina **III** *s* urină; urinat,
urinare
piss down ['pis 'daun] *vi cu part adv*
← *vulg* a ploua cu găleata
pissed [pist] *adj* ← *vulg* beat mort
piss oneself ['pis wʌn,self] *vr vulg*
a face pe el de atâta râs
piss pot ['pis ,pɔt] *s* oală de noapte,
ţucal
pistachio [pi'sta:ʃi,ou] *s* **1** *bot* fistic
(Pistacia vera) **2** *bot* fistic **3**
(culoare) fistic
pistil ['pistil] *s bot* pistil
pistol ['pistəl] I *s* pistol, revolver **II**
vt a trage cu pistolul în; a împuş-
ca cu pistolul
piston ['pistən] *s tehn* piston; poan-
son
piston engine ['pistən ,endʒin] *s*
auto etc. motor cu piston
piston ring ['pistən ,riŋ] *s tehn*
segment de piston
piston rod ['pistən ,rɔd] *s tehn* tija
pistonului
pit¹ [pit] I *s* **1** groapă; cavitate; adân-
citură; < prăpastie; < abis **2** *min*
mină; puţ de exploatare *sau* orb;
carieră; balastieră **3** *met* reta-
sură; pată de rugină **4** cursă,
capcană *(groapă)* **5** the ~ iadul,
gheena **6** *anat* fosă, cavitate **7**
ciupitură/urmă de vărsat **8** arenă
pentru luptele de cocoşi **9** *teatru*
fosă **10** *teatru* parter; stal **11**
înv temniţă, ocnă, – închisoare
II *vt* **1** a îngropa, a pune în groapă
(legume, pt păstrat) **2** a face
gropi în **3** a aduce în arenă *(co-*
coşi etc.) ca să lupte; a asmuţi
pit² *amer* I *s* sâmbure *(de fruct)* **II** *vt*
a scoate sâmburii din
pit against ['pit ə,genst] *vt cu prep*
a-şi concentra *(toate forţele etc.)*
împotriva *cu gen*
pit-a-pat ['pitə,pæt] *adv:* **to go** ~ *(d.*
inimă) a bate puternic/*F* ti-
ca-taca; **my feet went** ~ mi s-au
înmuiat picioarele
pitch¹ ['pitʃ] I *s* smoală; gudron;
catran; răşină; **(as) dark as** ~
negru ca smoala **II** *vt* a smoli; a
gudrona; a asfalta
pitch² I *s* **1** înclinare; pantă **2** *nav,*
av tangaj **3** *av* înclinare longitu-
dinală **4** *fiz* înălţime *(a sunetului*
etc.); nivel; treaptă, grad; **the**

noise rose to a deafening ~
zgomotul deveni asurzitor **5** *loc*
obişnuit *(al vânzătorului ambu-*
lant) **6** aruncare, azvârlire **7**
ridicare, înălţare *(a unui cort etc.)*
8 *tehn* divizare, diviziune; pas;
modul **9** *text* fineţe *(a maşinii)* **II**
vt **1** a ridica, a înălţa, a face *(un*
cort); a instala *(o tabără)* **2** a
arunca, a azvârli **3** *mil* ← *înv* a
aşeza în ordine de bătaie **4** a
fixa/a pune/a aşeza la un anumit
nivel, într-un anumit punct *etc.* **5**
muz a acorda; a înstruni **6** *sport*
a servi *(mingea)* **III** *vi* **1** a cădea
(↓ *cu capul în jos)* **2** a se instala,
a se stabili **3** *(d. minge etc.)* a sări
în sus **4** *nav, av* a tanga, a avea
tangaj **5** a ridica cortul *sau* cor-
turile; a instala tabăra, a face ta-
bără **6** *(d. acoperiş etc.)* a se aple-
ca, a se înclina, a se lăsa **7** *tehn*
(d. roţi) a se angrena, a se îmbuca
pitch and toss ['pitʃ ən 'tɔs] *s* capul
sau coroana/pajura *(joc)*
pitch-black ['pitʃ,blæk] *adj* negru ca
smoala/tăciunele
pitchblende ['pitʃ,blend] *s minr*
pehblendă
pitch brand ['pitʃ ,brænd] *s* **1** danga
2 *fig* pată ruşinoasă, stigmat
pitch circle ['pitʃ ,səːkl] *s tehn* cerc
de divizare
pitch-dark ['pitʃ,da:k] *s (d. noapte)*
foarte întunecos, negru
pitcher¹ ['pitʃəʳ] *s* ulcior, urcior; **the**
~ **goes often to the well but is**
broken at last *prov* ulciorul nu
merge de multe ori la apă
pitcher² *s* persoană care aruncă *etc.*
(v. **pitch II***);* aruncător *(la baseball)*
pitcher plant ['pitʃə ,pla:nt] *s bot*
cănişoară *(Nepenthes)*
pitch farthing ['pitʃ ,fa:ðiŋ] *s* rişcă
pitchfork ['pitʃ,fɔ:k] *s agr* furcă
pitch in ['pitʃ 'in] *vi cu part adv F* a
se apuca zdravăn de treabă, a
se aşterne serios pe lucru
pitchiness ['pitʃinis] *s* **1** aspect de
smoală; negreaţă **2** (întuneric)
beznă
pitching ['pitʃiŋ] *s* **1** *constr* blocaj **2**
nav tangaj **3** *hidr* pereu **4** *min*
înclinare **5** *av* cabrare
pitch into ['pitʃ ,intə] *vi cu prep* **1** a
se năpusti asupra *(cuiva);* a se
repezi la **2** a se repezi la *(mân-*
care etc.) **3** a se apuca de, a se
pune pe *(treabă)*

pitch it ['pitʃ it] *vt cu pron:* **to ~ strong** ← *F* a exagera

pitchman ['pitʃmən] *s amer* negustor ambulant

pitch on ['pitʃ ɔn] *vi cu prep v.* **pitch upon**

pitch pine ['pitʃ ˌpain] *s bot* pin rășinos american *(Pinus rigida)*

pitchpole ['pitʃˌpoul] *s agr* scarificator

pitchstone ['pitʃˌstoun] *s minr* rocă bituminoasă

pitch upon ['pitʃ əˌpɔn] *vi cu prep* a se opri la, a alege; a se hotărî asupra *(cu gen)*

pitchy ['pitʃi] *adj* **1** cu smoală; smolit **2** (ca) de smoală; ca smoala; negru; foarte întunecos

pit coal ['pit ˌkoul] *s min* huilă

piteous ['pitiəs] *adj* jalnic, vrednic de milă

piteously ['pitiəsli] *adv* (în mod) jalnic

pitfall ['pit,fɔːl] *s* **1** capcană, cursă; groapă **2** *fig* capcană, cursă

pith [piθ] *s* **1** *bot anat* măduvă **2** *fig* esență, miez; importanță **3** *fig* putere, energie, vlagă

pithead ['pit,hed] *s min* **1** gură de puț **2** puț, orb

pithecanthrope [ˌpiθikænˈθroup] *s* pitecantrop(us)

pithiness ['piθinis] *s fig* vigoare, pregnanță, tărie

pithy ['piθi] *s* **1** *bot, anat* medular **2** *fig* viguros, puternic; energic **3** *fig* plin de miez/conținut; *(d. stil)* concis

pitiable ['pitiəbəl] *adj* **1** *v.* **piteous 2** jalnic, mizerabil; vrednic de dispreț

pitiably [pitiəbli] *adv* (în mod) jalnic

pitiful ['pitiful] *adj* **1** milos, compătimitor **2** *v.* **piteous 3** *v.* **pitiable 3**

pitifully ['pitifuli] *adv* **1** cu milă/compătimire, compătimitor **2** (în mod) jalnic

pitifulness ['pitifulnis] *s* **1** milă, compătimire **2** stare jalnică/de plâns

pitiless ['pitilis] *adj* nemilos, fără milă, necruțător, neîndurător

pitilessly ['pitilisli] *adv* fără milă/cruțare

pitilessness ['pitilisnis] *s* neîndurare, cruzime

pitman ['pitmən] *s* **1** miner **2** *pl* ~**s** *tehn* biela balansoarului

piton [piˈtɔːŋ] *s fr* piton *(al alpiniștilor)*

pit oneself ['pit wʌn,self] *vr:* **to ~ against heavy odds** a lupta contra unor dificultăți

pit prop ['pit ˌprɔp] *s min* stâlp de susținere

pit saw ['pit ˌsɔː] *s* ferăstrău de tăiat crengi

pittance ['pitəns] *s* **1** salariu derizoriu/de mizerie; câștiguri derizorii; venituri modeste **2** parte *sau* cantitate neînsemnată

pitted ['pitid] *adj* **1** cu gropi **2** *med* ciupit de vărsat

pitter-patter ['pitə,pætər] *s* păcănit *sau* ciocănit repetat

Pittsburgh ['pitsbəːg] *oraș în S.U.A.*

pituitary body/gland [piˈtjuːitəri ,bɔdi/,glænd] *s anat* glandă pituitară

pity ['piti] **I** *s* **1** milă, compătimire, compasiune; **to be filled with/ to feel ~ for** a fi cuprins de milă/ a simți milă pentru/față de; **in ~ of** din milă pentru; **out of ~** de milă; din milă/compasiune; **for ~'s sake** vă rog din suflet, pentru Dumnezeu; **to take ~ on/upon** a i se face/a-i fi milă de **2** *fig* păcat; regret; lucru regretabil; **it is a ~ (e)** păcat; **the ~ is that (e)** păcat că, este regretabil (faptul) că; partea proastă este că; **it's a thousand pities that** este cât se poate de regretabil (faptul) că; **more's the ~** ← *F* din păcate/ nefericire **II** *vt* a-i fi milă de

pitying ['pitiiŋ] *adj* compătimitor

Pius ['paiəs] *bis* numele mai multor papi

pivot ['pivət] **I** *s* **1** *tehn* pivot; ax; articulație **2** *tehn* lagăr oscilant **3** *fig* punct central, centru; miez; inimă **II** *vt, vi tehn* a pivota

pivotal ['pivətəl] *adj* **1** *tehn* axial, central **2** *fig* central, cardinal, fundamental, esențial

pivot on ['pivət ɔn] *vi cu prep* a depinde/a atârna de

pix [piks] *s pl amer* **1** cinema **2** fotografii; poze

pixie ['piksi] *s v.* **pyx**

pixilated ['piksileitid] *adj* ← *reg F* → țăcănit, sărit, cam într-o parte

pixy ['piksi] *s* zână, știmă

pizzicato [ˌpitsiˈkɑːtou] *s, adj, adv muz* pizzicato

pk. *presc de la* **1** peak **2** pack **3** park **4** peck

pl. *presc de la* **1** place **2** plate **3** plural

placability [ˌplækəˈbiliti] *s* caracter împăciuitor; blândețe; toleranță

placable ['plækəbəl] *adj* împăciuitor; blând, blajin; înțelegător; tolerant

placably ['plækəbli] *adv* (în mod) pașnic/blajin

placard ['plækɑːd] **I** *s* placardă; pancartă; afiș **II** *vt* a pune placarde *sau* pancarte *sau* afișe pe *sau* în

placate [pləˈkeit] *vt* a împăca; a pacifica

placation [pləˈkeiʃən] *s* împăcare; pacificare

place [pleis] **I** *s* **1** loc; situație; poziție; **to take the ~ of smb** a lua locul cuiva; *fig* și a înlocui pe cineva; **from ~ to ~** din loc în loc, ici și colo; **in all ~s** peste tot locul, peste tot, pretutindeni; **in ~ of** *și fig* în locul *cu gen;* **if I were in your ~** dacă aș fi în locul dumitale; **put yourself in my ~** pune-te în locul meu; **to give ~ to** *fig* a da loc la *(neînțelegeri etc.)* **2** loc *(stabilit, cuvenit etc.)* **to find one's ~** *fig* a-și găsi locul; **in ~ a** aici **b** *com* la *sau* în piață, **c** *fig* la locul potrivit/cuvenit; **out of ~** *fig* deplasat; nepotrivit; **to go to one's own ~** *fig* a se duce în lumea drepților, a-și da duhul; a muri; **this is no ~ for** nu este acesta locul potrivit pentru; **everything is in its ~** totul este la locul său/este în ordine/este așa cum trebuie **3** loc; regiune, stațiune; adăpost *etc.;* **~ of employment** loc de muncă; **~ of refuge** loc de refugiu; adăpost; **to go ~s** a se duce în *sau* a vizita diferite locuri interesante *sau* remarcabile **4** locuință, casă; vilă; conac; **come to my ~ tomorrow** treci mâine pe la mine **5** localitate de baștină; loc de naștere; oraș *etc.;* **what ~ do you come from?** de unde te tragi? unde te-ai născut? de unde ești originar? **6** *(în cuvinte compuse)* piață; **Gloucester ~** piața Gloucester **7** serviciu, situație, poziție, loc; rang; **out of ~** fără serviciu/slujbă/ocupație; șomer **8** loc *(la teatru, masă etc.)* **9** loc *(într-o carte);* pagină; fragment **10** loc, bilet *(la un spectacol)* **11** loc, spațiu; **to take ~** a avea loc, a se întâmpla;

to make ~ for *şi fig* a face loc *cu dat* **II** *vt* **1** a pune, a aşeza; a plasa; a situa; a aranja *(într-o anumită ordine etc.)* **2** a numi; a pune *(într-un post)* **3** a plasa, a investi *(bani etc.)* **4** a fixa, a stabili *(data etc.)* **5** a plasa; a recunoaşte; a şti de unde să-l ia *(pe cineva)* **6** a localiza; a determina locul *(cu gen)* **7** *ec* a încheia *(un contract etc.)* **8** *com* a vinde, a plasa *(mărfuri)* **9** a stivui *(materiale)* **10** *mil* a amplasa **11** a acorda *(încredere etc.)* **12** a-şi pune *(speranţele etc.)* **III** *vi sport* a ieşi al doilea *(într-o cursă de cai sau de câini)*

Place [pleis] *s (ca parte a unui nume propriu)* casă, vilă, străduţă sau piaţă, *ca în* **Hyde Park ~**

placebo [plə'si:bou] *s med* placebo

place card ['pleis ,ka:d] *s* cartonaş indicând locul *(la masă)*

placed [pleist] *adj sport* printre primii trei

place hunter ['pleis ,hʌntəʳ] *s* carierist; arivist

placement ['pleismənt] *s* **1** punere, aşezare, plasare **2** plasament **3** aranjare

placenta [plə'sentə], *pl şi* **placentae** [plə'senti:] *s anat, bot* placentă

placental [plə'sentəl] *adj anat, bot* placentar

placentation [,plæsən'teiʃən] *s anat, bot* placentaţie

place of arms ['pleis əv 'a:mz] *s mil* bază de atac; câmp de operaţii

place setting ['pleis ,setiŋ] *s* tacâm *(pt cineva)*

placet ['pleiset] *s lat* vot pentru

placid ['plæsid] *adj* paşnic, liniştit, calm

placidity [plə'siditi] *s* linişte, calm

placidly ['plæsidli] *adv* liniştit, (cu) calm; tacticos

placing ['pleisiŋ] *s* **1** aşezare, plasare; plasament; loc **2** situaţie; poziţie

placket ['plækit] *s* **1** şliţ *(la rochie)* **2** buzunar *(la fustă)*

plage [pla:ʒ] *s fr* plajă *(↓ într-o staţiune maritimă elegantă)*

plagiarism ['pleidʒə,rizəm] *s* plagiat, furt literar

plagiarist ['pleidʒərist] *s lit* plagiator

plagiaristic [,pleidʒə'ristik] *adj lit* plagiat; plagiator

plagiarize ['pleidʒə,raiz] *vt, vi lit* a plagia

plagiary ['pleidʒəri] *s lit* **1** plagiat, furt literar **2** plagiator

plagioclase ['pleidʒiou,kleis] *s minr* plagioclaz

plague [pleig] **I** *s* **1** *med* ciumă **2** **the ~** ciumă bubonică **3** *fig* pedeapsă; năpastă, pacoste // **a ~ on him!** *F* să-l ia dracu/naiba! **to avoid like the ~** a se feri *(de ceva sau cineva)* ca de ciumă/*F* naiba **II** *vt* **1** a îmbolnăvi *sau* a molipsi de ciumă **2** *fig* a chinui; a supăra, a necăji; a plictisi, *F* a bate la cap

plague spot ['pleig ,spot] *s* **1** *med* buboi de ciumă **2** *fig* pată ruşinoasă, ruşine; ocară

plaguey ['pleigi] *adj F* al dracului/ naibii, – neplăcut, supărător

plaice [pleis] *s iht* **1** cambulă *(Pleuronectes platessa)* **2** peşte plat/ turtit

plaid [plæd] *s text* **1** pled, tartan *(scoţian)* **2** stofă ecosez

plain¹ [plein] **I** *adj* **1** limpede, evident, clar; **(as) ~ as can be** mai limpede nici că se poate; limpede/clar ca lumina zilei; **in ~ language** direct, de-a dreptul, fără înconjur **2** *(d. scris)* clar, citeţ, lizibil, inteligibil **3** *(d. haine etc.)* simplu, obişnuit; *(d. o stofă)* simplu, uni, fără imprimeu **4** *(d. un loc)* drept, neted, şes; plan **5** *(d. hrană etc.)* modest; simplu **6** *(d. cineva, fapte etc.)* sincer, deschis; cinstit; **to be ~ with smb** a spune cuiva adevăruri neplăcute **7** *(d. cineva, înfăţişarea cuiva)* urât; antipatic **8** ordinar, trivial, de rând **II** *s* **1** şes, câmpie **2** ← *poetic* câmp **III** *adv* (în mod) limpede, clar, cu claritate

plain² *vi* ← *poetic* a se plânge, a se tângui

plain chocolate ['plein ,tʃoklit] *s* ciocolată simplă

plain-clothes ['plein,klouðz] *adj atr (↓ d. poliţişti)* (îmbrăcat) în haine civile

plain clothesman ['plein ,klouðsmən] *s* detectiv

plain dealer ['plein ,di:ləʳ] *s* ← *rar* om sincer/deschis

plain-dealing ['plein,di:liŋ] **I** *adj atr* sincer, deschis, franc **II** *s v.* **plain dealing**

plain dealing ['plein ,di:liŋ] *s* cinste, corectitudine; sinceritate, francheţe

plain flour ['plein ,flauəʳ] *s* făină simplă

plain-hearted ['plein,ha:tid] *adj* ← *rar* fără ascunzişuri/vicleşuguri, sincer, deschis

plain-laid rope ['plein,leid 'roup] *s nav* parâmă simplă

plainly ['pleinli] *adv* **1** (în mod) simplu; neornamentat **2** (în mod) clar, limpede, desluşit; **the gate's locked, so ~ he isn't at home** poarta e încuiată, e clar/ limpede că nu e acasă **3** sincer, pe faţă, deschis

plainness ['pleinnis] *s* **1** simplitate *(a stilului etc.);* lipsă de ornamentaţie **2** claritate; inteligibilitate, caracter inteligibil **3** caracter limpede/evident **4** caracter sincer/deschis/direct, sinceritate **5** urâţenie

plain sailing ['plein ,seiliŋ] *s* **1** *nav* navigaţie pe loxodromă **2** *fig* cale simplă/dreaptă/uşoară; **it will be all ~** totul o să mearga strună/ca pe roate

plainsman ['pleinzmən] *s* locuitor de la câmpie, câmpean

plain song ['plein ,soŋ] *s* **1** *bis* cântec bisericesc, cântare bisericească; *(la catolici)* Cantus planus **2** *bis* melodie corală *(↓ gregoriană)* **3** cântec simplu pentru o singură voce

plain-speaking ['plein,spi:kiŋ] **I** *adj* sincer, care vorbeşte deschis **II** *s* sinceritate (în discuţii); discuţii cu cărţile pe faţă

plain-spoken ['plein,spoukn] *adj* **1** *(d. cineva)* (care vorbeşte) deschis, sincer **2** *(d. cuvinte etc.)* sincer, deschis, rostit fără ocolişuri

plaint [pleint] *s* **1** *jur* acuză, acuzaţie, plângere **2** plângere, învinuire **3** ← *poetic* tânguire, jeluire

plaintiff ['pleintif] *s jur* reclamant *(civil)*

plaintive ['pleintiv] *adj* plângător, jalnic; tânguios

plaintively ['pleintivli] *adv* cu jale, plângător; tânguios

plain work ['plein ,wə:k] *s text* tricot simplu *(fără broderii)*

plait [plæt] **I** *s* **1** cosiţă, pleată **2** pliu, fald *(la rochie)* **II** *vt* **1** a împleti; a împleti în cosiţe **2** a plia, a îndoi; a face falduri la

plan [plæn] **I** *s* **1** plan; proiect; schemă; schiță; desen; diagramă **2** plan, intenție, proiect, gând(uri); **to go according to ~** a se desfășura conform planului **3** presupunere, anticipare **4** sistem **II** *vt* **1** a planifica; a proiecta; a face un plan de *(sau cu gen)* **2** a plănui, a pune la cale; a intenționa; a proiecta **III** *vi* a planifica; a face planuri

planar ['pleinə^r] *adj mat* plan, plat, planar

plane¹ [plein] *s bot* platan *(Platanus sp.)*

plane² **I** *adj* plan, neted; întins **II** *s* **1** câmpie, șes; platou, podiș **2** plan; suprafață plană **3** *av* avion; aeroplan **4** *fig* plan; bază; nivel; **on a new ~** pe o baza nouă; la un nou nivel **5** *fig* nivel *(de cunoștințe etc.)* **6** *tehn* rindea **7** *min* drum principal *(de mină)* **8** *minr* față; fațetă **III** *vt* **1** a rindelui, a da la rindea **2** a netezi; a șlefui; **to ~ the way** *fig* a netezi drumul/calea **3** *tehn* a rabota **IV** *vi* **1** a rindelui, a lucra cu rindeaua, **2** a se rindelui *(ușor, greu)* **3** *amer* ← F a zbura *(cu avionul)*

plane angle ['plein‚ængl] *s geom* unghi diedru

plane geometry ['plein dʒi'ɔmitri] *s* geometrie plană

planer ['pleinə^r] *s* **1** *constr* mai **2** *tehn* raboteză, rabotor **3** *poligr* bătătoare, călfuță **4** *min* scândură de semnalizare acustică **5** *tehn* rindeluitor

plane sailing ['plein 'seiliŋ] *s nav v.* **plain sailing 1**

planet ['plænit] *s astr* planetă

plane table ['plein ‚teibl] *s geol* planșetă topografică

planetarium [‚plæni'tɛəriəm], *pl și* **planetaria** [‚plæni'tɛəriə] *s* planetariu

planetary ['plænitəri] *adj* **1** *astr, tehn* planetar **2** *ch* orbital

planetoid ['plæni‚tɔid] *s astr* planetoid, asteroid

plane tree ['plein ‚tri:] *s v.* **plane¹**

planet-stricken/-struck ['plænit strikn/‚strʌk] *adj* cuprins de panică; speriat

planet wheel ['plænit ‚wi:l] *s* **1** *tehn* roată planetară **2** *auto* pinion planetar

plangent ['plændʒənt] *adj* zgomotos, răsunător; *(d. valuri)* care se izbește cu zgomot de țărm

planimeter [plæ'nimitə^r] *s geom* planimetru

planish ['plæniʃ] *vt tehn* a egaliza; a nivela; a lamina; a aplatiza, a turti

planisphere ['plæni‚sfiə^r] *s geogr* planisferă

plank [plæŋk] **I** *s* **1** scândură, blană **2** *constr* platformă **3** *silv* lemn de molid **4** *pol* punct de program **II** *vt* a căptuși cu scânduri

planking ['plæŋkiŋ] *s* **1** scânduri **2** *constr* podea, dușumea **3** *nav* bordaj de lemn **4** *tehn* îmbrăcăminte, căptușeală; căptușire

plank log ['plæŋk ‚lɔg] *s* buștean de gater

plank sheer ['plæŋk ‚ʃiə^r] *s nav* copastie inferioară

plankton ['plæŋktən] *s biol* plancton

planned economy ['plænd i'kɔnəmi] *s* economie planificată

planned obsolescence ['plænd ‚ɔbsə'lesəns] *s com* planificare a articolelor care se demodează ușor

planned parenthood ['plænd 'pɛərənthud] *s med* natalitate controlată

planner ['plænə^r] *s* planificator; proiectant

planning permission ['plæniŋ pə'miʃən] *s* aprobare a cadastrului

planoconcave [‚pleinou'kɔnkeiv] *adj* plan concav

planoconvex [‚pleinou'kɔnveks] *adj* plan convex

plan of site ['plæn əv ‚sait] *s constr* plan de amsamblu

plant [plɑ:nt] **I** *s* **1** *bot* plantă; **in ~** care crește, în creștere **2** uzină, fabrică **3** mecanism, mașinărie; aparat; aparate, aparatură; inventar **4** complex; agregat; instalație; echipament **5** *sl* capcană, cursă, șiretlic, truc **6** *sl* copoi, – agent; spion **II** *vt* **1** a planta, a sădi; a cultiva **2** *fig* a sădi *(o idee în mintea cuiva etc.)*; a vârî, a băga; a răspândi *(o filosofie etc.)*, a propaga; a cultiva **3** a întemeia, a fonda *(o colonie etc.)* **4** a prăsi; a crește *(pește)* **5** a posta, a fixa, a pune *(un steag etc.)*; a înfige **6** ← F a

da *(o lovitură)* **7** *sl* a pune la cale, a urzi **8** *sl* a ascunde, a tăinui *(↓ pt a da vina pe cineva)* **9** a părăsi, a lepăda **III** *vr* a se posta

plant acid ['plɑ:nt ‚æsid] *s ch* acid vegetal

Plantagenet [plæn'tædʒinit] **1** dinastie engleză (1154-1399) **2** membru al acestei dinastii

plantain ['plæntin] *s bot* **1** banan(ier) *(Musa paradisiaca)* **2** banană **3** pătlagină *(Plantago sp.)*

plantar ['plæntə^r] *adj anat* plantar

plantation [plæn'teiʃən] *s* **1** plantare, sădire *etc. (v.* **plant II***)* **2** plantație **3** *od* colonie

plant-breeding station ['plɑ:nt, bri:diŋ 'steiʃən] *s agr* stațiune de selecție

plant chemistry ['plɑ:nt ‚kemistri] *s ch* fitochimie

planter ['plɑ:ntə^r] *s* **1** plantator **2** *od* colon(ist) **3** *fig* întemeietor, fondator, autor **4** *agr* mașină de plantat

plant feeder ['plɑ:nt ‚fi:də^r] *s zool* animal fitofag

plant formation ['plɑ:nt fɔ:'meiʃən] *s bot* fitocenoză

plantigrade ['plænti‚greid] *zool* **I** *adj* plantigrad **II** *s* animal plantigrad

planting ['plɑ:ntiŋ] *s* sădire, plantare; semănat

plantlet ['plɑ:ntlit] *s bot* plăntuță

plant out ['plɑ:nt 'aut] *vt cu part adv* **1** a sădi spațiat **2** a răsădi

plant pathologist ['plɑ:nt pə-'θɔlədʒist] *s* fitopatolog

plant pathology ['plɑ:nt pə'θɔlədʒi] *s* fitopatologie

plant setter ['plɑ:nt ‚setə^r] *s agr* mașină de răsădit *sau* repicat

plant yard ['plɑ:nt ‚jɑ:d] *s constr* depozit de materiale și utilaje

plaque [plæk] *s* **1** aplică **2** placă *(↓ comemorativă)*; plachetă **3** *med* placă

plash¹ [plæʃ] **I** *s* **1** ple(o)scăit **2** baltă, mlaștină **II** *vi* a ple(o)scăi

plash² *vt* a împleti *(crengi, pentru a face un gard)*

plashy ['plæʃi] *adj* cu bălți, mocirlos, mlăștinos

plasm ['plæzəm] *s v.* **plasma**

plasma ['plæzmə] *s* **1** *biol* plasmă **2** *biol* protoplasmă **3** *minr* heliotrop, calcedon verde

plasmolysis [plæz'mɔlisis] *s biol* plasmoliză

plaster ['plɑːstəʳ] **I** *s* **1** *constr* mortar; tencuială **2** *minr* ipsos, g(h)ips **3** *med, tehn* plasture **II** *vt* **1** *constr* a tencui **2** a gipsa; a acoperi cu g(h)ips **3** *drumuri* a pava **4** *med* a pune în g(h)ips **5** *med* a pune un plasture pe *(sau cuiva)* **6** a acoperi cu un strat *(de vopsea etc.)* **7** a pune g(h)ips în *(vin)* **8** a mânji, a murdări **9** a linguși în mod josnic/servil

plaster bandage ['plɑːstə ˌbændidʒ] *s med* pansament gipsat

plastered ['plɑːstəd] *adj sl* făcut, cherchelit, – *beat*

plasterer ['plɑːstərəʳ] *s* tencuitor

plastering ['plɑːstəriŋ] *s constr* **1** tencuire **2** tencuială

plaster of Paris ['plɑːstər əv ˌpæris] *s* **1** *constr* ipsos **2** *minr* alabastru

plaster stone ['plɑːstə ˌstoun] *s minr* g(h)ips

plastic ['plæstik] **I** *adj* **1** plastic, maleabil, ductil; elastic **2** plastic, de pictură *sau* sculptură **3** *fig* maleabil; ascultător, supus **4** *fig* plastic, evocator, sugestiv; clar, limpede **5** din material plastic **6** *(d. substanțe etc.)* artificial **II** *s* **1** material plastic **2** *pl ca sg* mase plastice **3** *pl ca sg* plastică; tehnica sculpturii

plastically ['plæstikəli] *adv peior* (în mod) plastic

plasticine ['plæstiˌsiːn] *s* plastilină

plasticity [plæ'stisiti] *s* plasticitate, maleabilitate

plastic sulphur ['plæstik 'sʌlfəʳ] *s ch* sulf amorf/plastic

plastic surgery ['plæstik 'səːdʒəri] *s med* chirurgie plastică

plastron ['plæstrən] *s* **1** plastron **2** plastron *(de scrimă)* **3** *anat* stern **4** platoșă; cămașă de za(le)

-plasty *suf* -plastie: **thoracoplasty** toracoplastie

plat [plæt] *s* **1** bucată mică/petec de pământ **2** *amer* hartă; plan

plat. *presc de la* **plateau**

Plata, Rio de la ['plɑːtɑː, rio ðe lɑː] *estuar între Argentina și Uruguay*

platan ['plætən] *s v.* **plane¹**

plate [pleit] **I** *s* **1** farfurie; **a ~ of meat** o farfurie cu/de carne; **to hand/ to give smb smth on a ~** *F* a servi ceva cuiva pe tavă; **to have a lot/too much on one's** *F* a avea prea multe pe cap **2** fel (de mâncare) **3** *amer* masă, mân-

care *(inclusiv serviciul)* **4** veselă, vase *(↓ de argint sau aur)* **5** *met* foaie de metal; tablă, tinichea **6** disc; placă; taler; foaie **7** platină *(de ceasornic)* **8** *fot* placă *(fotografică)* **9** gravură, stampă **10** placă, tăbliță **11** ilustrație, poză *(pe o pagină separată)* **12** *rad* anod **13** placă (indicatoare); firmă **14** proteză (dentară) **15** *sport* cupă *(↓ la cursele de cai)* **16** *pl umor* catalige, picioare *(ale cuiva)* **II** *vt* **1** *met* a îmbrăca/a placa cu foi de metal; a arginta, a auri *etc.;* a sufla **2** *met* a trage în foi de metal **3** a satina *(hârtia)*

plateau ['plætou], *pl și* **plateaux** ['plætouz] *s geogr* platou, podiș

plate basket ['pleit ˌbɑːskit] *s* coș pentru cuțite, furculițe *etc.*

plate battery ['pleit ˌbætəri] *s el* baterie anodică

plated ['pleitid] *adj* **1** *med* placat; aurit, argintat *etc.* **2** apărat de za(le)

plateful ['pleitful] *s* o farfurie (plină)

plate glass ['pleit ˌglɑːs] *s* **1** sticlă de oglinzi **2** geam

platelayer ['pleit,leiəʳ] *s* **1** (muncitor) reparator **2** *ferov* muncitor de linie

platelet ['pleitlit] *s med* trombocit

plate mark ['pleit ˌmɑːk] *s* marcă *(la metale prețioase)*

platen ['plætən] *s* **1** *poligr* mașină tighel **2** *tehn* placă, plită **3** *tehn* valț; tăvălug; sul *(al mașinii de scris etc.)*

plate powder ['pleit ˌpaudəʳ] *s* praf de curățat *(vesela)*

plater ['pleitəʳ] *s* cal (de curse) de slabă performanță

plate rack ['pleit ˌræk] *s* **1** uscător pentru vase **2** *poligr* rastel de clișee **3** *tehn* lagăr cu talpă **4** *ferov* sabot cu placă

plate rail ['pleit ˌreil] *s* **1** raft (îngust) pentru farfurii decorative **2** *tehn* bară/șină lată

plate scrap ['pleit ˌskræp] *s met* deșeuri de tablă

platform ['plætfɔːm] *s* **1** *ferov* peron; rampă (de încărcare) **2** *constr* podium, estradă; platformă; planșeu; terasă **3** *drumuri* podeț, tablier **4** *tehn* post de comandă **5** tribună; scenă **6** *fig* platformă *(politică);* poziție

platform car ['plætfɔːm ˌkɑːʳ] *s amer ferov* vagon-platformă

plating ['pleitiŋ] *s* **1** placare *etc.* *(v.* **plate II***)* **2** *met* strat; căptușeală

platinize ['plætiˌnaiz] *vt med* a platina, a sufla cu platină

platinum ['plætinəm] *s met* platină

platinum blonde ['plætinəm ˌblɔnd] *s* blondă platinată

platitude ['plætitjuːd] *s* platitudine, banalitate

platitudinize [ˌplæti'tjuːdiˌnaiz] *vi* a vorbi *sau* a scrie platitudini

platitudinous [ˌplæti'tjuːdinəs] *adj* plat, banal

Plato ['pleitou] *filosof grec* Platon *(427-347 î.e.n.)*

Platonic [plə'tɔnik] *adj* **1** *filos* platonic **2** *și* **p~** *fig (d. dragoste etc.)* platonic; spiritual; idealist

Platonically [plə'tɔnikəli] *adv și* **p~** (în mod) platonic

Platonism ['pleitəˌnizəm] *s* **1** *filos* platonism **2** *și* **p~** *fig* platonism, atitudine platonică

Platonist ['pleitənist] *filos* **I** *adj* platonic **II** *s* **1** platonician **2** *pl ←* *F* discuții platonice

platoon [plə'tuːn] *s mil* pluton

platter ['plætəʳ] *s* **1** *← înv* farfurie *(întinsă ↓ de lemn)* **2** *amer* platou, tavă *(↓ ovală pt carne și pește)* **3** *amer* fund, taler *(pt tăiat pâinea)*

platypus ['plætipəs] *s zool* ornitorinc *(Ornithorhynchus paradoxus)*

plaudits ['plɔːdits] *s pl și fig* aplauze

plausibility [ˌplɔːzə'biliti] *s* plauzibilitate, verosimilitate, caracter plauzibil

plausible ['plɔːzəbəl] *adj* **1** plauzibil, verosimil, posibil **2** aparent, înșelător, *rar* specios

plausibly ['plɔːzəbli] *adv* (în mod) plauzibil

plausive ['plɔːsiv] *adj* care aplaudă; apreciativ

Plautus ['plɔːtəs] *autor dramatic latin* Plaut *(254?-184 î.e.n.)*

play [plei] **I** *s* **1** joc, joacă, distracție; **the children are at ~** copiii sunt la joacă/se joacă **2** joc de noroc **3** *teatru, lit* piesă; dramă; **as good as a ~** amuzant, distractiv, nostim; **to go to the ~** a se duce la teatru **4** glumă, *P →* șagă; **he said it in ~** a spus-o în glumă, n-a spus-o în serios **5** purtare, comportare; **fair ~** purtare corectă; cavalerism; joc cinstit **6** joc, acțiune; **to bring/to call into**

~ a pune în joc/acțiune/mișcare; **to come into** ~ a intra în joc/ acțiune; **in full** ~ în (plină) acțiune **7** libertate (de mișcare); spațiu; joc; **to give free** ~ **to one's imagination** a da frâu liber imaginației **8** joc *(de lumină etc.);* unduire; mișcare; **the** ~ **of the waves** plescăitul valurilor **9** *sport* joc, fel de a juca **10** joc, manevră; truc; **to make a** ~ **for smb** a folosi o anumită tactică față de cineva *(pt a-l câștiga de partea sa etc.)* **11** *tehn* joc; interstițiu; spațiu liber **12** *muz* execuție, interpretare **II** *vt* **1** a juca *(un joc, o partidă);* a lua parte la *(un joc, o competiție);* **do you** ~ **chess?** jucați șah? **to** ~ **a waiting game** a fi în expectativă, a aștepta să vadă ce se întâmplă; **to** ~ **one's cards close to one's chest** a lucra în secret; a fi secretos **2** *teatru* a juca, a interpreta *(un rol);* a juca rolul de *(sau cu gen)* **3** *teatru* a juca în, a da reprezentații/spectacole în *sau* la **4** a se juca de-a *(vardiștii etc.)* **5** *fig* a juca rolul de *(sau cu gen),* a face pe *(Făt-Frumos etc.)* **6** *muz* a cânta, a interpreta, a executa *(la un instrument)* **7** *sport* a juca cu *(un adversar, o echipă adversă);* a decide *(ca cineva)* să joace cu **8** *sport* a primi *sau* a desemna/a numi în echipă **9** *sport* a da; servi *(mingea)* **10** a da drumul la; a descărca *(o armă);* **to** ~ **a hose on a fire** a îndrepta furtunul asupra flăcărilor **11** a face *(o glumă),* a juca *(o festă),* a mânui cu ușurință *(spadă etc.),* a mânui cu ușurință **III** *vi* **1** a se juca; a se distra, a se amuza; a-și petrece vremea/ timpul; **to** ~ **with a** a se juca cu **b** *fig* a se juca cu *(sentimentele cuiva etc.);* a-și bate joc de; a nu lua în serios *cu ac;* **he's not a man to be** ~**ed with** e un om care nu știe de glumă; **to** ~ **upon word** a face un joc *sau* jocuri de cuvinte, a face un calambur *sau* calambururi **2** *fig (d. lumină etc.)* a se juca; a se mișca; a undui; a flutura; **a smile** ~**ed on her lips** pe buze îi flutura un surâs/ zâmbet **3** a juca *(jocuri de noroc)* **4** a flirta **5** *muz* a interpreta, a

cânta **6** *teatru* a interpreta, a juca **7** *muz, teatru (d. o piesă etc.)* a se preta la interpretare *(bună, rea)* **8** *teatru* a se juca, a fi pe afiș **9** *tehn* a avea joc

playable ['pleiəbl] *adj* **1** bun de jucat, interpretat *etc.;* dramatic, scenic; de efect *etc.* **2** *sport (d. teren)* bun, potrivit, corespunzător

play at ['plei ət] *vi cu prep* **1** *fig* a se juca cu; a cocheta cu *(politica etc.)* **2** a se juca de-a *(soldații etc.)* **3** a se preface că *(îl intere-seaza ceva etc.)*

playback ['plei,bæk] *s* **1** *(la magne-tofon)* play-back, desfășurarea benzii în sens invers **2** *tel* play-back, imprimare înainte de emi-siune **3** *tel, cin* play-back, sin-cronizare a imaginii cu banda sonoră

playbill ['plei,bil] *s teatru* **1** afiș **2** program

play boy ['plei ,boi] *s* **1** vântură-țară, flușturatic, vânturatic **2** om de viață; băiat de bani gata

play day ['plei ,dei] *s școl* zi liberă, sărbătoare

play down ['plei 'daun] *vt cu part adv* a minimaliza (ceva); a acorda puțină importanță *cu dat*

played-out ['pleid,aut] *adj* **1** *F* scos din circulație – stors, vlăguit **2** demodat, învechit; uzat

player ['pleiə] *s* **1** jucător *(al unui joc)* **2** *teatru* actor, interpret **3** *muz* interpret, executant; mu-zicant

player piano ['pleiə,pjɑ:nou] *s muz* pian automat

play fellow ['plei ,felou] *s* tovarăș de joacă

playful ['pleiful] *adj* jucăuș; neas-tâmpărat; vesel; glumeț

playfully ['pleifuli] *adv* jucăuș; cu veselie

playfulness ['pleifulnis] *s* caracter jucăuș; joacă; veselie; nebunii; glume

playgame ['plei,geim] *s* joacă de copii, fleacuri, prostii

playgoer ['plei,gouə] *s* frecventator al teatrului, spectator regulat

playground ['plei,graund] *s* teren de joacă

playhouse ['plei,haus] *s* **1** teatru *(clădire)* **2** casă de păpuși

play in ['plei 'in] *vt cu part adv* **1** a cânta, a intona un imn *etc.* la

sosirea cuiva **2** *sport* a deprinde cu jocul

playing ['pleiiŋ] *s teatru etc.* joc; execuție, interpretare

playing cards ['pleiiŋ ,kɑ:dz] *s pl* cărți de joc

playing field ['pleiiŋ ,fi:ld] *s* teren de joc

play it ['plei it] *vi cu pron:* **to** ~ **low on smb** ← *F* a se purta ticălos/ mișelește cu cineva

playlet ['pleilit] *s teatru* piesă scurtă

playmate ['plei,meit] *s* tovarăș de joacă

play-off ['plei,ɔ:f] *s sport* joc decisiv/ hotărâtor; meci de baraj

play off ['plei 'ɔ(:)f] **I** *vt cu part adv* **1** *sport* a continua *(un joc)* după un rezultat egal **2** *muz* a cânta de la început până la sfârșit **II** *vi cu part adv* a simula, a se preface

play on ['plei ɔn] *vi cu prep v.* **play upon**

play on words ['plei ɔn 'wə:dz] *s* joc de cuvinte, calambur

plaything ['plei,θiŋ] *s* **1** jucărie **2** *fig* jucărie; fleac, nimic

play upon ['plei ə,pɔn] *vi cu prep* a se juca cu *(sentimentele cuiva),* a specula *cu ac*

play upon words ['plei ə,pɔn 'wə:dz] *s v.* **play on words**

play up to ['plei 'ʌp tə] *vi cu part adv și prep* a cânta în strună *cuiva*

play with ['plei wið] *vi cu prep fig* a se juca cu, a cocheta cu // **to** ~ **oneself** a se masturba

playwright ['plei,rait] *s* autor dra-matic, dramaturg

plaza ['plɑ:za] *s sp* piață

plea ['pli:] *s* **1** pretext, scuză; **under/ on the** ~ **that** sub pretext că **2** *jur* pledoarie; pledoarie în apă-rare; cuvântul apărării **3** *jur* excepție **4** argument, dovadă **5** cerere; rugăminte; chemare; apel **6** *jur* ← *înv* proces

pleach [pli:tʃ] *vt* a împleti (↓ ramuri)

plead [pli:d] **I** *vi* **1** *(for; against)* *jur* a pleda *(pentru; împotriva – cu gen);* **to** ~ **guilty** a se recunoaște vinovat, a recunoaște că este vinovat **2** *fig* a stărui, a insista **II** *vt* **1** ↓ *jur* a invoca *(în apărarea sa),* a se bizui pe **2** *jur* a pleda; a pleda pentru; **to** ~ **smb's cause** *și fig* a pleda cauza cuiva **3** *și jur* a aduce ca argument *sau* justificare

pleadable ['pli:dəbl] *adj jur* **1** fondat din punct de vedere juridic **2** care se poate pleda

pleader ['pli:dəʳ] *s* **1** *jur* avocat (pledant) **2** solicitator, solicitant **3** apărător, susţinător *(al unei cauze)*

pleading ['pli:diŋ] **I** *adj* rugător; stăruitor **II** *s* **1** *şi jur* pledoarie **2** *pl jur* dezbatere judiciară; procedură juridică

pleadingly ['pli:diŋli] *adv* rugător

plead with ['pli:d wið] *vi* cu prep a pleda/a stărui pe lângă *cineva*

pleasant ['plezənt] *adj* **1** *(d. cineva sau ceva)* plăcut, agreabil; simpatic; atrăgător; < încântător, minunat **2** vesel, vioi; animat

pleasantly ['plezəntli] *adv* în mod plăcut/agreabil

pleasantness ['plezəntnis] *s* caracter plăcut *etc. (v.* **pleasant***);* farmec; atracţie

pleasantry ['plezəntri] *s* **1** veselie, voioşie **2** glumă; glume; remarcă glumeaţă

please [pli:z] **I** *vt* a mulţumi, a satisface *(pe cineva);* **it's difficult to ~ everybody** e greu să mulţumeşti pe toată lumea **II** *vi* **1** a-i plăcea, a vrea; **I'll do as I ~** o să fac cum îmi place/cum vreau/cum cred (de cuviinţă)/cum îmi convine (mie) **2** a se face plăcut; **he was anxious to ~** căuta să se facă plăcut; era foarte serviabil **3** a vrea, a binevoi; **if you ~ a** cu voia dvs., dacă nu vă supăraţi; dacă vreţi **b** ei, poftim! închipuieşte-ţi! **~!** vă rog! poftim! *(intraţi etc.);* **~ not to forget/don't forget the key** te rog să nu/vezi să nu uiţi cheia **III** *vr* a face cum vrea/doreşte

pleased [pli:zd] *adj* **1** (with) mulţumit, satisfăcut (de) **2** bucuros, < încântat; **I shall be ~ to come** voi veni cu plăcere, o să-mi facă plăcere să vin

pleasing ['pli:ziŋ] *adj* **1** care oferă plăcere, plăcut, agreabil **2** care place, atrăgător

pleasurable ['pleʒərəbəl] *adj v.* **pleasing**

pleasurably ['pleʒərəbli] *adv* (într-un mod) plăcut

pleasure ['pleʒəʳ] **I** *s* **1** plăcere; distracţie, amuzament; veselie, voioşie, bună dispoziţie, antren;

a man of ~ un om de viaţă, un sibarit; **it's a ~!** îmi face *sau* mi-a făcut plăcere! **with ~** cu plăcere; **I had the ~ of meeting her** am avut plăcerea s-o cunosc/să fac cunoştinţă cu ea; **to take ~ in/at smth** a găsi plăcere în ceva; a-i plăcea ceva, a-i face plăcere ceva; **for the ~ of it** de plăcere; în glumă, din (simplu) amuzament; **it gave me much ~** mi-a făcut multă plăcere; **do me the ~ of lunching with me** fă-mi plăcerea să prânzeşti cu mine **2** voie, dorinţă; **what is your ~?** ce doriţi? ce poftiţi? cu ce vă pot servi? **at ~** după dorinţă; **during one's ~** cât (timp) vrea/binevoieşte cineva **3** plăcere, bucurie, moment plăcut/fericit **II** *vt* a face plăcere *(cuiva)*

pleasure boat ['pleʒə ˌbout] *s nav* iaht (de agrement); ambarcaţiune de agrement

pleasure car ['pleʒə ˌka:ʳ] *s auto* turism; automobil tip sport

pleasure ground ['pleʒə ˌgraund] *s* **1** teren de joc *sau* joacă **2** grădină, parc

pleasurer ['pleʒərəʳ] *s* **1** iubitor de plăceri; sibarit **2** participant la o excursie în afara oraşului; excursionist

pleasure resort ['pleʒə riˈzɔ:t] *s* loc de recreaţie *(elegant)*

pleasure seeker ['pleʒə ˌsi:kəʳ] *s v.* **pleasurer 1**

pleasuring ['pleʒəriŋ] *s* **1** plăcere, încântare, desfătare **2** dorinţă de a se distra **3** ieşire *(în afara oraşului, în aer liber)* **4** concediu

pleat [pli:t] *text* **I** *s* cută dublă plată **II** *vt* a pli(s)a, a încreţi

pleb [pleb] *s v.* **plebeian I**

plebeian [pləˈbi:ən] **I** *s* plebeu, plebeian **II** *adj* plebeian; de plebeu

plebiscite ['plebiˌsait] *s* plebiscit

plectrum ['plektrəm] *pl şi* **plectra** ['plectrə] *s muz* plectron

pledge [pledʒ] **I** *s* **1** zălog, gaj, garanţie; **as a ~ for, in ~ of** ca garanţie pentru **2** angajament, obligaţie; promisiune; **under ~ of secrecy** cu obligaţia de a păstra secretul; **to take/to sign the ~ a** semna o declaraţie, a se obliga în scris *(↓ că nu va mai bea băuturi alcoolice)* **3** dar, cadou **4**

toast II *vt* **1** a da ca garanţie/zălog; a zălogi; a gaja **2** a făgădui/a promite (în mod) solemn; a-şi da *(cuvântul);* a se lega prin **3** a bea în sănătatea *(cu gen)*, a toasta pentru

pledgee [pleˈdʒi:] *s ec* amanetar, deţinător al unui obiect gajat

pledget ['pledʒit] *s* compresă; tampon

pledgor [pleˈdʒɔ:ʳ] *s ec* datornic; persoană care amanetează

Pleiades, the ['plaiəˌdi:z, ðə] *mit, astr* Pleiadele

Pleistocene, the ['plaistəˌsi:n, ðə] *s geol* pleistocen

plenarily ['pli:nərili] *adv* (în mod) plenar, deplin

plenary ['pli:nəri] *adj* **1** plenar, deplin, absolut **2** *(d. şedinţe)* plenar

plenilune ['pleniljU:n] *s ← poetic* lună plină

plenipotentiary [ˌplenipəˈtenʃəri] **I** *adj* **1** cu puteri depline, plenipotenţiar **2** *(d. putere etc.)* absolut, deplin **II** *s* ambasador *sau* ministru plenipotenţiar

plenitude ['pleniˌtju:d] *s* plenitudine, deplinătate *(a forţelor etc.)*

plenteous ['plentiəs] *adj ↓ ← poetic* **1** bogat, îmbelşugat, abundent **2** roditor, rodnic

plenteously ['plentiəsli] *adv ↓ poetic* din belşug

plenteousness ['plentiəsnis] *s ↓ poetic* belşug, prisos(inţă)

plentiful ['plentiful] *adj* **1** bogat, îmbelşugat, abundent; luxuriant; copios **2** roditor, rodnic

plentifully ['plentifuli] *adv* din belşug/abundenţă

plentifulness ['plentifulnis] *s rar v.* **plenty I**

plenty ['plenti] **I** *s* belşug, abundenţă; prisos; bogăţie, mulţime; **in ~** din belşug/abundenţă; **to be in ~ of time** a avea timp berechet; **there are ~ of apples in the house** sunt o mulţime de mere în casă; **seven will be ~** şapte sunt de ajuns; **I've had ~, thank you** îmi ajunge *sau* am servit destul, mulţumesc **II** *adv ← F* cât se poate de, foarte; cu totul; **~ large** cât se poate de mare

plenum ['pli:nəm], *pl şi* **plena** ['pli:nə] *s* **1** (şedinţă) plenară **2** deplinătate, plenitudine

pleonasm ['pli:ə,næzəm] *s lingv, ret* pleonasm

pleonastic [,pli:ə'næstik] *adj* pleonastic

pleonastically [,pli:ə'næstikəli] *adv* (în mod) pleonastic

plesiosaur ['pli:siə,sɔ:ʳ] *s geol* plesiozaur

plethora ['pleθərə] *s* 1 *med* pletoră, congestie, hiperemie 2 (of) *fig* exces, supraabundență (de)

plethoric [ple'θɔrik] *adj* 1 *med* pletoric, hiperemic 2 *fig* excesiv, supraabundent, exagerat 3 *fig* bombastic, emfatic

pleura ['pluərə], *pl* **pleurae** ['pluəri:] *s anat* pleură

pleural ['pluərəl] *adj anat* pleural

pleurisy ['pluərisi] *s med* 1 pleurezie 2 pleurită

pleuritic [plu'ritik] *adj med* pleuritic

pleuro-pneumonia [,pluərounju:-'mouniə] *s med* pleuro-pneumonie

pleurotomy [plu'rɔtəmi] *s med* pleurotomie

plexiglas ['pleksi,glɑ:s] *s* plexiglas, sticlă sintetică

plexor ['pleksəʳ] *s med* ciocan de reflexe

plexus ['pleksəs] *s și ca pl anat* plex

pliability [,plaiə'biliti] *s* 1 pliabilitate, flexibilitate 2 *fig* flexibilitate; maleabilitate

pliable ['plaiəbəl] *adj* 1 pliabil, flexibil; ductil 2 *fig* flexibil; maleabil

pliancy ['plaiənsi] *s v.* **pliability**

pliant ['plaiənt] *adj v.* **pliable**

pliantly ['plaiəntli] *adv fig* (în mod) flexibil, cu flexibilitate

pliers ['plaiəz] *s pl* clește (patent)

plight¹ [plait] *s* stare, condiție, ↓ stare proastă, hal; **to be in a sorry ~** a fi într-o stare de plâns, a fi într-un hal fără de hal

plight² I *s* 1 obligație, angajament 2 ← *înv* logodnă II *vt* 1 a obliga; a angaja 2 a se lega prin *(jurământ)* III *vr* ← *înv* a se logodi

plighted ['plaitid] *adj* 1 *(d. cuvânt)* dat, făgăduit 2 logodit

Plimsoll mark ['plimsəl ,mɑ:k] *s nav* marcă de bord liber

plimsolls ['plimsəlz] *s pl* pantofi de pânză cu talpă de cauciuc

plinth [plinθ] *s* 1 *constr* plintă; pervaz (de pardoseală) 2 *tehn* soclu de coloană

Pliny ['plini] *scriitor latin* Pliniu *(23-79)*

Pliocene, the ['plaiə,si:n, ðə] *s geol* pliocen

plod [plɔd] I *s* 1 mers greoi; târâit 2 corvoadă, muncă grea 3 tropăit; bocănit II *vi* 1 a merge *sau* a înainta cu greutate; a se târî 2 a munci din greu, a trudi

plodder ['plɔdəʳ] *s* 1 om de corvoadă/care muncește din greu 2 om flegmatic *sau* plictisitor

Ploeshti, Ploești [plɔ'jeʃtj] *oraș în România* Ploiești

plonk [plɔŋk] I *s* 1 *sl* noroi, murdărie 2 *F* poșircă, – vin prost 3 *F* pleoscăit II *vi (d. lichide)* ← *F* a picura; a cădea pleoscăind III *vt* ← *F* a trânti, a izbi IV *vr F* a se trânti *(într-un fotoliu etc.) interj* pleosc!

plop [plɔp] I *s* 1 cădere în apă 2 zgomot al căderii în apă II *vi* a cădea în apă; a bâltâci III *interj* bâldâbâc! bâltâc! pleosc! IV *adv* brusc, pe neașteptate

plosive ['plousiv] *fon* I *s* (consoană) ocluzivă II *adj* ocluziv

plot¹ [plɔt] I *s* 1 bucată mică/petec/ parcelă de pământ 2 *amer* plan; schiță; grafic; diagramă, ciornă II *vt* 1 a diviza; a împărți *(pământul)* în parcele 2 *tehn* a reprezenta grafic; a proiecta, a schița

plot² I *s* 1 plan secret/ascuns; urzeală; complot; conspirație; **to hatch a ~** a urzi un complot 2 intrigă 3 *teatru* intrigă 4 *lit* subiect, fabulație II *vt* 1 a urzi, a pune la cale *(omorârea cuiva etc.)* 2 a inventa *(intriga unei piese etc.)*

Plotinus [plɔ'tainəs] *filosof latin* Plotin *(205?-270)*

plot out ['plɔt 'aut] *vt cu part adv v.* **plot¹** II, 1

plotter ['plɔtəʳ] *s* 1 complotist; conjurat; conspirator 2 intrigant 3 *nav* echer de navigație

plotting paper ['plɔtiŋ ,peipəʳ] *s* hârtie milimetrică

plotting plate ['plɔtiŋ ,pleit] *s tel* ecran de trasare

Plough, the [plau, ðə] *s astr* Carul/ Ursa Mare

plough [plau] I *s* 1 plug; **to put one's hand to the ~** *fig* a pune mâna/umărul; a se apuca de treabă 2 *tehn* plug *(de curățat zăpada, de tăiat cărbune etc.)* 3 *tehn* rindea pentru lambă și uluc

4 the P~ *astr* Ursa/Carul Mare 5 *el* sabot (subteran) colector de curenți telurici II *vt* 1 a ara *(pământul)* 2 *și fig* a brăzda *(pământul, fața etc.)* 3 a-și croi, a-și face *(drum, prin mulțime etc.)* 4 *(d. un vas)* a tăia, a brăzda *(apele)* 5 *F* a trânti *(la un examen)* III *vi* 1 a ara, a lucra cu plugul 2 *(d. pământ)* a se ara *(bine, prost)* 3 a răzbi; a înainta cu greu

ploughable ['plauəbl] *adj* arabil, bun de arat

plough beam ['plau ,bi:m] *s agr* grindei

plough body/bottom ['plau ,bɔdi/ ,bɔtəm] *s agr* trupiță

plough boy ['plau ,bɔi] *s* 1 băiat care îndeamnă caii înhămați la plug; argat, muncitor agricol 2 băiat de la țară; flăcău

ploughing ['plauiŋ] *s agr* arat

plough into ['plau ,intə] *vi cu prep* a se repezi la *(mâncare etc.)*, a se arunca asupra *(cu gen)*

plough land ['plau ,lænd] *s agr* pământ arabil

ploughman ['plaumən] *s* 1 plugar; muncitor agricol 2 țăran; sătean

ploughman's (lunch) ['plaumənz (,lʌntʃ)] *s* gustare simplă *(la un han;* ↓ *pâine cu brânză și bere)*

Plough Monday ['plau 'mʌndi] *s od* sărbătoarea începerii aratului *(prima luni după Bobotează)*

ploughshare ['plau,ʃɛəʳ] *s agr* fier lat *(al plugului)*

plough tail ['plau ,teil] *s agr* coarnele plugului

plough through ['plau 'θru:] *vi cu part adv* a merge/a înainta cu greu, a-și face drum cu greutate

plough under ['plau 'ʌndəʳ] *vt cu part adv* a îngropa *(semănături)* sub arătură

Plovdiv ['plɔvdif] *oraș în Bulgaria*

plover ['plʌvəʳ] *s și ca pl orn* 1 fluierar de zăvoaie *(Tringa ochropus)* 2 pescărel, fluierar *(Charadrius pluvialis)* 3 nagâț, ciovlică *(Vanellus vanellus)*

plow... *amer v.* **plough...**

ploy [plɔi] *s* 1 joc; (mișcare) tactică; truc, șiretlic 2 distracție preferată

pluck [plʌk] I *s* 1 tragere; apucare; smulgere 2 efort, sforțare 3 *gastr* potroace, măruntaie 4 curaj, bărbăție; îndrăzneală, cutezanță II *vt* 1 a trage; a arunca, a smulge, a scoate **2** a jumuli *(o pasăre)* **3** *muz* a ciupi *(coardele)* **4** a culege, aduna *(fructe, flori)* **5** *F* a trânti (la un examen)

pluck at ['plʌk ət] *vi cu prep* a trage de; a se apuca de (cu degetele)

pluckily ['plʌkili] *adv* curajos, cu curaj

pluckiness ['plʌkinis] *s* curaj *(↓ neașteptat)*

pluck up ['plʌk 'ʌp] *vt cu part adv:* **to ~ courage** a-și aduna tot curajul; a-și lua inima în dinți

plucky ['plʌki] *adj* curajos, brav, îndrăzneț; hotărât

plug [plʌg] **I** *s* **1** tampon, dop, cep; astupuș **2** pană, ic; obturator; știft **3** *el* priză; fișă **4** gură de incendiu **5** tutun presat *(pt mestecat)* **6** plombă (dentară) **7** *auto* bujie **8** *sl* carte care nu are căutare **9** *F* scatoalcă, dupac, lovitură, pălitură **10** *amer F* mârțoagă, gloabă **11** nepriceput; cârpaci **12** *fig* tocilar **13** *F* dușcă, gât **14** ← *F* glonț; obuz **II** *vt* **1** a astupa, a închide **2** a vârî o pană/un ic în **3** a face un dop în *(pepene)* **4** *sl F* a vârî, a băga un glonț în *(cineva)* **5** *F* a atinge, – a trage un pumn *(cuiva)* **6** ← *F* a populariza *(un cântec etc.)*, a face reclamă *(cu dat)* **III** *vi* ← *F* a munci din greu, a trudi

plug away at ['plʌg ə'wei ət] *vi cu part adv și prep F* a trage din greu la

plugboard ['plʌg,bɔːd] *s el* tablou-comutator

plugged [plʌgd] *adj* **1** astupat *(cu dop etc.)* **2** *(d. bani)* ← *F* fals

plugger ['plʌgəʳ] *s* ← *F* **1** văslaș activ **2** *amer* student muncitor; *F* tocilar **3** *amer* muncitor neobosit **4** *amer* reclamant; reclamagiu **5** *amer* ucigaș năimit/plătit

plugging ['plʌgiŋ] *s* **1** astupare; blocare; colmatare **2** *med* tamponare; tamponament **3** *med* tampon **4** *rad* ← *P* anunț *(în mijlocul emisiunii)*

plug in ['plʌg 'in] *vt cu part adv el* a conecta, a anclanșa

plug-ugly ['plʌg,ʌgli] *s amer F* huligan, haimana

plum [plʌm] *s* **1** *bot* prun *(Prunus domestica)* **2** prună **3** stafidă **4** delicatesă; „cremă", „floare"; **to take the ~s** *fig* a lua crema

plumage ['pluːmidʒ] *s* pene, penaj

plumb [plʌm] **I** *s* **1** (greutate de) plumb; fir cu plumb **2** (linie) verticală **II** *vt* **1** *met etc.* a plumbui **2** *constr etc.* a controla verticala cu *gen*, a verifica/a controla cu firul de plumb **3** *nav* a sonda **4** *min* a zencui **5** *fig* a sonda; a căuta să înțeleagă; a înțelege, a pricepe; a afla; a descoperi **III** *vi* a fi/a lucra ca instalator **IV** *adj* **1** perfect vertical **2** *F* curat, – perfect, total **V** *adv* **1** vertical **2** *fig* exact, tocmai, drept

plumbago [plʌm'beigou] *s* **1** *minr* plombagină, grafit **2** *geol* rocă grafitică **3** *tehn* unsoare cu grafit **4** desen în creion

plumb bob ['plʌm ,bɔb] *s* plumb *(la capătul firului)*

plumb-bob wire ['plʌm,bɔb 'waiəʳ] *s constr* fir cu plumb

plumber ['plʌməʳ] *s* instalator; sudor

plumbing ['plʌmiŋ] *s* **1** lucrări de instalație de apă și canal; țevărie **2** ← *F* toaletă, closet **3** plumbuire *etc. (v. plumb II)*

plumbism ['plʌmbizəm] *s med* saturnism, intoxicație cu plumb

plumb line ['plʌm ,lain] *s* **1** *constr* fir cu plumb **2** *v.* **plumb I, 2**

plumbous ['plʌmbəs] *adj ch* plumbos

plum brandy ['plʌm ,brændi] *s* țuică de prune

plumbum ['plʌmbəm] *s ch* plumb

plum cake ['plʌm ,keik] *s* plumche(i)c *(preparat culinar dulce din ouă, făină, cacao și fructe)*

plume [pluːm] **I** *s* **1** pană *(mare, de struț etc.)*; **to adorn oneself with borrowed ~s** *fig* a se împăuna cu penele altuia **2** pană *(ca podoabă); (de coif)* **3** ← *poetic* pene, penaj **4** *fig* fir, dâră *(de fum etc.)* **II** *vt* **1** a umple, a acoperi *sau* a împodobi cu pene **2** a împodobi cu un panaș **III** *vr (d. păsări)* a-și curăța penele, a se ciuguli

plume oneself on/upon ['pluːm wʌn'self on/ə,pon] *vr cu prep* a se făli/a se mândri cu, a face paradă de

plummet ['plʌmit] *s* **1** fir cu plumb; plumb *(al firului)* **2** *fig* povară; greutate apăsătoare

plummy ['plʌmi] *adj* **1** cu prune *sau* stafide **2** *F (d. o slujbă etc.)* căldruț; – bun, comod; de dorit

plump¹ [plʌmp] **I** *adj* durduliu, grăsuț, rotofei; bucălat **II** *vt* a îngrășa; a umfla; a umple **III** *vi* a se îngrășa, a se împlini

plump² [plʌmp] **I** *adj (d. un refuz etc.)* net, categoric; direct **II** *adv* **1** net, categoric; direct **2** brusc, pe neașteptate **III** *s* cădere (cu zgomot); bufnitură **IV** *vt* **1** a arunca, a azvârli; a trânti **2** *F* a trânti, – a spune direct/drept/fățiș/pe șleau **V** *vi* a cădea brusc *sau* cu zgomot

plump against ['plʌmp ə,genst] *vi cu prep* a se ciocni/a se pocni de *(ceva)*

plump down ['plʌmp 'daun] **I** *vt cu part adv F* a trânti; – a face să cadă cu zgomot **II** *vi cu part adv* ← *F* a cădea cu zgomot; *F* a face buf

plumper ['plʌmpəʳ], *s* ← *sl* minciună sfruntată

plump for ['plʌmp fəʳ] *vi cu prep* **1** a vota pentru **2** a susține/a sprijini cu tărie

plump into ['plʌmp ,intə] *vi cu prep* a se vârî/a se băga în

plum pudding ['plʌm pudiŋ] *s* puding cu stafide

plump up ['plʌmp 'ʌp] *vt cu part adv* a înfoia; a umfla, a rotunji *(perna etc.)*

plunder ['plʌndəʳ] **I** *vt* **1** a prăda, a jefui **2** a lua *(bunuri)* cu forța *sau* prin înșelăciune **II** *vi* a prăda, a jefui **III** *s* **1** jaf, prădare, jefuire; deposedare **2** pradă; jaf

plunderage ['plʌndəridʒ] *s v.* **plunder III**

plunderer ['plʌndərəʳ] *s* jefuitor, prădător, spoliator

plunge [plʌndʒ] **I** *s* **1** plonjare, afundare; plonjon; **to take the ~** *fig* a face un pas *sau* pasul hotărâtor; a se avânta; a risca **2** afundare, scufundare **II** *vi* **1** a face un salt în față; a plonja **2** *(d. un drum etc.)* a se povârni brusc

plunge down ['plʌndʒ 'daun] *vi cu part adv v.* **plunge II, 2**

plunge in ['plʌndʒ 'in] **I** *vi cu part adv* **1** a plonja; a sări; a se afunda **2** *fig* a se apuca de treabă; a lua taurul de coarne **II** *vt cu part adv* a implânta; a băga, a vârî

plunge into ['plʌndʒ ,intə] **I** *vt cu prep* **1** a arunca, a azvârli, a afunda *sau* a vârî în *(lichid)*; a înmuia **2** *fig* a băga/a vârî în *(datorii etc.)* **3** a cufunda *(o cameră)* **II** *vr cu prep* ↓ *fig* a se afunda în *(datorii etc.)* **III** *vi cu prep* **1** *și fig* a se arunca în *(apă etc.)*, a se afunda în *(apă; datorii etc.)*; a da de *(greutăți etc.)* **2** *(d. o casă etc.)* a se cufunda în *(întuneric)*

plunger ['plʌndʒə'] *s* **1** scufundător; scafandru **2** ← *F* om pripit; jucător nesăbuit **3** *tehn* bară de presiune; (piston) plonjor **4** *tel* sondă

plunk [plʌŋk] **I** *s* **1** sunet *(al coardelor);* acord **2** ← *F* lovitură puternică **3** *amer sl* dolar **II** *vt* **1** a ciupi *(coardele)* **2** a trânti cu zgomot, a izbi cu putere, a bufni **III** *vi* **1** *(d. chitară etc.)* a suna, a cânta **2** a cădea cu zgomot, a bufni **IV** *adv* **1** cu zgomot **2** tocmai, exact, direct, drept

plunk down ['plʌnk 'daun] *vt cu part adv sl* a culca/a trânti la pământ

pluperfect [plu:'pə:fikt] *adj, s gram* mai mult ca perfect

plural ['pluərəl] **I** *adj* **1** plural; multiplu **2** *gram* plural **II** *s gram* **1** (număr) plural; formă de plural; **in the ~** la plural **2** cuvânt la plural

pluralism ['pluərə,lizəm] *s* **1** pluralitate, multiplicitate **2** *bis* cumul; cumulare **3** *filos* pluralism

pluralist ['pluərəlist] *s* **1** *bis* cumulard **2** *filos* pluralist

plurality [pluə'ræliti] *s* **1** pluralitate; multitudine, mulțime, număr mare **2** *v.* **pluralism 2** **3** majoritate; majoritate de voturi

pluralize ['pluərə,laiz] **I** *vt gram* a trece la plural **II** *vi* a fi cumulard

plurally ['pluərəli] *adv* într-un sens plural; la plural

pluri- *pref* pluri-: **pluriparous** *zool* pluripar

plus [plʌs] **I** *s* **1** *mat* (semnul) plus **2** (cantitate în) plus; surplus; excedent; prisos; **to total all the ~es** a face totalul **3** plus, avantaj; element suplimentar **II** *prep* **1** *mat* plus, și cu **2** plus, la care se adaugă; inclusiv **III** *adj* **1** *(d. semn)* plus; pozitiv **2** plus; în plus; excedentar; adăugat

plus-fours ['plʌs,fɔ:z] *s pl* pantaloni golf

plush¹ [plʌʃ] *s text* pluș

plush² *adj F* grozav, casație, – de lux, somptuos

plushly ['plʌʃli] *adv* luxos, în lux; elegant

plushy ['plʌʃi] *adj* **1** *v.* **plush²** **2** de sau ca de pluș

Plutarch ['plu:ta:k] *biograf și filosof grec* Plutarh *(46-120)*

Pluto ['plu:tou] *mit, astr* Pluto(n)

plutocracy [plu:'tokrəsi] *s* plutocrație

plutocrat ['plu:tə,kræt] *s* **1** plutocrat **2** ← *F* om foarte bogat, nabab

plutocratic(al) [,plu:tə'krætik(əl)] *adj* plutocrat(ic)

Plutonian [plu:'touniən] *adj mit* plutonic

Plutonic [plu:'tɔnik] *adj* **1** *mit* plutonic **2** *geol* plutonic, abisal

plutonium [plu:'touniəm] *s ch* plutoniu

Plutus ['plu:tus] *mit* Plutus, „zeul orb"

pluvial ['plu:viəl] *adj* de ploaie, *rar* → pluvial

pluviometer [,plu:vi'ɔmitə'] *s meteor* pluviometru

pluviometric(al) [,plu:viə'metrik(əl)] *adj meteor* pluviometric

pluviometry [,plu:vi'ɔmetri] *s meteor* pluviometrie

pluvious ['plu:viəs] *adj* ploios, cu ploi

ply¹ [plai] **I** *s* **1** *text* cută, pliu; fald; îndoitură **2** *text* număr de dublaje *(la un fir răsucit)* **3** strat *(de placaj etc.)* **4** jurubiță, scul **5** *fig* înclinație, atracție; „vână" **II** *vt* a îndoi, a plia; a împături

ply² **I** *vt* **1** a lucra/a munci cu *(un instrument etc.);* **to ~ the labouring oar** *fig* a duce (tot) greul, a face partea cea mai grea **2** a fi ocupat/a se îndeletnici cu **3** *nav (d. un vas)* a face, a efectua *(o cursă)* **4** *nav* a face naveta pe (canal), a traversa *(canalul)* dus-întors **II** *vi* **1** **(at)** a lucra, a munci, a trudi (la) **2** **(between)** *(d. un vas etc.)* a face naveta (între); a face curse regulate (între) **3** ← *poetic* a cârmi, a pilota **4** *nav* a naviga în volte **5** *nav* a trage la rame

Plymouth ['pliməθ] *oraș în Anglia*

Plymouth Rock, the ['plimə ,rɔk, ðə] Stânca de la Plymouth *(în Massachusetts, S.U.A., unde au debarcat puritanii englezi în 1620)*

ply with ['plai wið] *vt cu prep* **1** a asalta *(pe cineva)* cu *(întrebări*

etc.), a nu lăsa în pace cu **2** a sili/a obliga la

plywood ['plai,wud] *s* placaj; foaie de furnir

p.m. *presc de la* **premium**

P.M. *presc de la* **1 Postmaster 2 Paymaster 3 Police Magistrate 4 Past Master**

P.M., p.m. *presc de la* **post meridiem**

p.m. *presc de la* **post mortem**

P.M.G. *presc de la* **1 Paymaster General 2 Postmaster General**

P/N, p.n. *presc de la* **promissory note**

pneuma ['nju:mə] *s* pneumă, suflet, duh

pneumatic [nju:'mætik] **I** *adj* pneumatic **II** *s auto* pneu

pneumatically [nju:'mætikəli] *adv* (în mod) pneumatic

pneumatics [nju:'mætiks] *s pl ca sg* pneumatică

pneumoconiosis [,nju:mou,kouni-'ousis] *s med* pneumoconioză

pneumonectomy [,nju:mou'nektəmi] *s med* pneumonectomie

pneumonia [nju:'mouniə] *s med* pneumonie

pneumothorax [,nju:mou'θɔ:ræks] *s med* pneumotorax

po [pou] *s (în limbajul copiilor)* oliță, oală de noapte

Po, the ['pou, ðə] *râu în Italia* Po, Pad

P.O., p.o. *presc de la* **1 post-office 2 postal order**

poach¹ [poutʃ] *vt* a fierbe *(ouă, fără coajă)*, a face ochiuri

poach² **I** *vt* **1** a acapara; a lua (în mod ilegal), a-și însuși **2** a râma, a scormoni *(pământul)* **3** a călca, a strivi **4** a înmuia *(în apă)* **5** a încălca *(o proprietate)*; a vâna ilegal pe *(un teren)*; a face braconaj pe/în; a pescui ilegal în **6** *fig* a împrumuta, a prelua *(idei etc.)* **7** *tehn* a înălbi, a decolora **8** a fura **II** *vi* **1** a se împotmoli, a intra în noroi **2** a se înnoroi **3** a face braconaj; a vâna *etc.* pe terenul altuia **4** *fig* a se vârî, a se amesteca; **to ~ in other people's business** a se amesteca în treburile altora

poacher ['poutʃə'] *s* **1** braconier **2** tigaie pentru ochiuri

poach on ['poutʃ ɔn] *vi cu prep* a se amesteca în *(viața cuiva etc.);* a încălca *(domeniul cuiva)*

POB, P.O.B. *presc de la* **post-office box**

pochard ['pout∫əd] *s orn* rață sălbatică *(Nyroca ferina)*

pock [pɔk] *s med* pustulă de vărsat

pocket ['pɔkit] **I** *s* **1** buzunar; buzunar mic, buzunăraș, buzunărel; **to put one's hand in one's ~** a-și vârî mâna în buzunar **b** *fig* a tot fi cu mâna în buzunar; a-și scutura punga; **empty ~s** *fig* buzunare goale, lipsă de bani; **to be out of ~** *fig* **a** a nu avea bani, *F* a fi lefter **b** a fi în pierdere, a pierde; **to be in ~** *fig* **a** a fi în bani, a avea bani **b** a fi în câștig, a câștiga; **to line one's ~s** a-și umple/a-și căptuși buzunarele; **to be/to live in each other's ~s** *(d. două persoane)* ← *F* a fi nedespărțiți; **to have smb in one's ~** a avea pe cineva în palmă/la discreția sa; **to have smth in one's ~** *fig* a avea ceva în buzunar **2** sac *(↓ ca măsură)* **3** pungă, gaură *(de biliard)* **4** *av* gol de aer **5** *geol* pungă de minereu **6** *tehn* buncăr; gol; lăcaș; buzunar; suflură; cavitate **7** *cib* casetă **II** *vt* **1** a vârî/a băga în buzunar **2** *fig* a lua; a însuși, a pune în buzunar **3** *fig* a înghiți *(un afront etc.)* **4** *fig* a-și stăpâni, a-și ascunde *(nemulțumirea etc.)*

pocket battery ['pɔkit ˌbætəri] *s el* baterie de buzunar

pocket book ['pɔkit ˌbuk] *s* **1** portvizit; portmoneu **2** bloc-notes, agendă, carnet de notițe **3** carte (format) de buzunar

pocket diary ['pɔkit ˌdaiəri] *s* agendă de buzunar

pocket-eyed ['pɔkit ˌaid] *adj* cu pungi sub ochi

pocketful ['pɔkit ˌful] *s* un buzunar (plin)

pocket-handkerchief ['pɔkit ˌhændkət∫i:f] **I** *s* batistă (de buzunar) **II** *adj atr ↓ peior (d. o grădină etc.)* mic și de formă pătrată

pocket knife ['pɔkit ˌnaif] *s* cuțitaș de buzunar, briceag

pocket lamp/lantern ['pɔkit ˌlæmp/ ˌlæntən] *s* lampă/lanternă de buzunar

pocket lens ['pɔkit ˌlenz] *s poligr* lupă

pocket lighter ['pɔkit ˌlaitər] *s* brichetă

pocket money ['pɔkit ˌmʌni] *s* bani de buzunar

pocket picking ['pɔkit ˌpikiŋ] *s* buzunăreală

pocket-size ['pɔkit ˌsaiz] **I** *s* format mic; format de buzunar **II** *adj atr* format de buzunar; miniatural

pock-marked ['pɔk ˌmɑːkt] *adj med* cu cicatrice post-variolice, ciupit de vărsat

pocky ['pɔki] *adj v.* **pock-marked**

pococurante [ˌpoukoukju'rænti] *adj it* indiferent, nepăsător

pod[1] [pɔd] *s ↓ amer* cireadă, turmă; stol *(de păsări)*

pod[2] **I** *s bot* **1** păstaie, teacă **2** *zool* săculeț, sac; cocon **II** *vt bot* a scoate din păstăi, a dezghioca

-pod *suf* -pod: **tripod** tripod

P.O.D. *presc de la* **1** pay on delivery **2** Post-Office Department

podagra [pə'dægrə] *s med* gută, *înv* → podagră

podded ['pɔdid] *adj bot* cu păstăi

podginess ['pɔdʒinis] *s* statură îndesată/mică

podgy ['pɔdʒi] *adj* **1** scund și îndesat; durduliu, grăsuț **2** *(d. degete)* butucănos, gros

podiatry [pɔ'di:ətri] *s amer* pedichiură

podium ['poudiəm], *pl* **podia** ['poudiə] *s* podium, estradă demontabilă

podsol ['pɔdzəl] *s agr* podzol

Poe [pou], **Edgar Allan** *scriitor și poet american (1809-1849)*

poem ['pouim] *s* poezie, poem(ă)

poesy ['pouizi] *s ← înv* poezie; poem(ă)

poet ['pouit] *s* poet

poetaster [ˌpoui'tæstər] *s* poetard, poetastru, poetaș

poetess ['pouitis] *s* poet(es)ă

poetic [pou'etik] *adj* poetic; imaginativ *(↓ cu referire la conținut)*

poetical [pou'etikəl] *adj* poetic *(↓ privind forma);* versificator

poetically [pou'etikəli] *adv* din punct de vedere poetic

poetic justice [pou'etik ˌdʒʌstis] *s lit* justiție/dreptate poetică

poetic licence/amer **license** [pou'etik ˌlaisəns] *s lit* licerță poetică

poetics [pou'etiks] *s pl ca sg* poetică

poetize ['poui ˌtaiz] **I** *vi* a scrie poezii; a fi poet **II** *vt* **1** a poetiza; a idealiza **2** a cânta/a (pro)slăvi în versuri

poet laureate ['pouit 'lɔːriit], *pl* **poets laureate** ['pouits 'lɔːriit] *sau* **poet laureates** ['pouit 'lɔːriits] *s* poet laureat

poetry ['pouitri] *s* **1** poezie, versuri **2** poezie, calitate poetică **3** expresivitate

pogrom ['pɔgrəm] *s* pogrom

poh [pou] *interj* pfui!

poignancy ['pɔinjənsi] *s* **1** caracter picant/ascuțit/usturător *etc.* **2** *fig* amărăciune; usturime; ascuțime *(a unei remarci etc.)*

poignant ['pɔinjənt] *adj* **1** picant, ascuțit, usturător **2** *fig* amar; aspru; usturător; *(d. boală)* acut **3** *fig (d. o remarcă etc.)* ascuțit; fin; subtil; pătrunzător; incisiv **4** *fig (d. interes)* viu

poignantly ['pɔinjəntli] *adv* chinuitor, picant *etc. (v.* **poignant***)*

point [pɔint] **I** *s* **1** *poligr* punct; virgulă; **when we read 3.6 we say "three ~ six"** când citim 3,6 spunem „trei virgulă șase" **2** punct, moment; chestiune; problemă; **a ~ of honour** un punct *sau* o chestiune de onoare; **a fine ~** a o problemă subtilă *sau* delicată **b** un amănunt, un detaliu; **a sore ~** un punct sensibil/delicat **3** poantă; punct principal/esențial, esență, miez; problemă centrală; **that is just the ~** aici e (toată) problema, aici e esențialul/miezul chestiunii; aici e aici; **he doesn't see my ~** nu înțelege ce vreau să spun; nu vede esența problemei/chestiunii; **in ~** la obiect/subiect; în chestiune; **a case in ~** un caz elocvent/grăitor, un exemplu la subiect; **come to the ~** vino la subiect; nu ocoli subiectul; nu face digresiuni; redă esențialul; **there is no ~ in doing that** nu are nici un rost/ sens să facem asta/să procedăm astfel; **off/beside the ~** fără legătură cu subiectul (principal), în afara subiectului; irelevant; **her advice was very much to the ~** sfatul ei a fost binevenit/ cât se poate de oportun **4** punct, loc *(de plecare etc.)* **5** punct de vedere; **to make one's ~** a-și demonstra, a-și apăra *etc.* punctul său de vedere; **in ~ of** cu privire la, privitor la, cât privește; **in ~ of fact** de fapt, în realitate;

to carry/to gain one's ~ a-şi impune punctul de vedere; **at all ~s** din toate punctele de vedere **6** punct, clipă, moment; **at this ~ he began his speech** în acest moment el îşi începu discursul; **a turning ~ in his career** un moment hotărâtor/decisiv în cariera sa/al carierei sale; **at the ~ of** aproape de, pe punctul de +*inf;* **he was at the ~ of death** era pe moarte; **on the ~ of** gata să *(înceapă ceva),* pe punctul de +*inf* **7** punct, grad; nivel; **to the ~ of** într-atâta încât se apropie de; **his manner of speaking is direct to the ~ of rudeness** felul lui de a vorbi e atât de direct încât se învecinează cu impoliteţea/ necuviinţa **8** punct *(la partide, jocuri);* **to win on ~s** a câştiga la puncte; **to lose/to be beaten on ~s** a pierde la puncte **9** punct; merit; avantaj; **mathematics is her strong ~** matematica e partea ei tare **10** punct de onoare; grijă deosebită; **to make a ~ of** a-şi face un punct de onoare din *sau* din +*cu inf,* a avea o grijă deosebită să **11** particularitate; trăsătură caracteristică/distinctivă, caracteristică **12** vârf, ascuţiş; tăiş; capăt; **the ~ of a pencil** vârful unui creion, un vârf de creion; **the child pricked himself with/on the ~ of a needle** copilul s-a înţepat cu un vârf de ac **13** punct cardinal **14** *fiz* punct; grad **15** diviziune; punct **16** eficacitate, rezultat (scontat); **his demonstration lacked ~** demonstraţia lui nu a avut efectul dorit/scontat **17** *geogr* punct; cap; promontoriu **18** *geogr* pisc, vârf de munte **19** *mat* punct; poziţie; moment **20** *ferov* macaz, ac **21** *min* talpă *(de sondă)* **22** *nav* cart **23** punct *(pe cartelă)* **24** *poligr* punct (tipografic) // **to stretch/to strain a ~** a face o excepţie (în favoarea cuiva) **II** *vt* **1** a ascuţi, a face ascuţit; a face vârf la **2** *fig* a ascuţi *(atacurile etc.);* a-şi învenina *(cuvintele etc.)* **3** a arăta, a indica, a marca *(direcţia etc.)* **4 (with)** *fig* a puncta, a presăra, a marca (cu *ilustrări etc.)* **5** a folosi semne de punctuaţie în *sau* la; a puncta

point at ['pɔintət] **I** *vi cu prep* a arăta spre; a arăta cu degetul spre; a arăta cu degetul *cu ac* **II** *vt cu prep* a îndrepta *(o armă etc.)* spre/către; **to point the finger of scorn at smb** a arăta pe cineva (dispreţuitor) cu degetul; **to point one's finger at smb** a arăta cu degetul spre cineva; a arăta pe cineva cu degetul

point-blank ['pɔint,blæŋk] **I** *adj atr* **1** *(d. un refuz etc.)* hotărât, categoric, net **2** drept, direct **II** *adv* **1** drept, direct, în linie dreaptă **2** (în mod) direct, drept, deschis, fără ocol(işuri)

point duty ['pɔint ,dju:ti] *s auto* serviciu la un post (fix) de control

pointed ['pɔintid] *adj* **1** (cu vârful) ascuţit; cu vârf **2** *fig (d. o remarcă etc.)* ascuţit, tăios, incisiv, critic **3** *fig* vădit, evident, clar; subliniat, marcat

pointedly ['pɔintidli] *adv* **1** şi *fig* (în mod) ascuţit **2** în esenţă **3** (în mod) subliniat **pointedness** ['pɔintidnis] *s* **1** şi *fig* ascuţime, caracter ascuţit **2** *fig* claritate, evidenţă, caracter vădit

pointed style ['pɔintid ,stail] *s arhit* stil gotic

pointer ['pɔintə˙] *s* **1** *tehn* ac indicator; limbă indicatoare **2** *tehn* furcă de lanţ **3** *nav* coadă de şoarece **4** *zool* (câine) prepelicar

pointful ['pɔint,ful] *adj* la subiect; nimerit, potrivit, oportun

pointillism ['pwænti,lizəm] *s fr pict* pointilism, poantilism

pointillist ['pwæntilist] *adj, s fr pict* pointilist, poantilist

pointing ['pɔintiŋ] *s* **1** ascuţire etc. *(v.* point **II)** **2** ← *F* aluzie; insinuare

pointless ['pɔintlis] *adj* **1** fără sens/ noimă; neinteligent **2** inoportun, nepotrivit; fără legătură cu subiectul; fără valoare; fără poantă/ sare/*F →* sare şi piper

pointlessness ['pɔintlisnis] *s* **1** inutilitate; lipsă de sens/noimă **2** lipsă de valoare **3** irelevanţă

point off ['pɔint 'ɔ(:)f] *vt cu part adv* a despărţi prin virgulă

point of honour ['pɔint əv'ɔnə˙] *s* punct de onoare

point of view ['pɔint əv'vju:] *s* punct/ unghi de vedere; părere; atitudine

point on ['pɔint ɔn] *vt cu prep* a îndrepta *(privirile etc.)* spre

point out ['pɔint 'aut] *vt cu part adv* **1** a arăta, a indica *(cu ac)* **2** a atrage atenţia asupra *(cu gen),* a sublinia **3** a lămuri, a clarifica

point policeman ['pɔint pə'lismən] *s* agent de circulaţie

point system ['pɔint ,sistim] *s* **1** *poligr* sistem de puncte (tipografice) **2** *ped* sistem de examinare pe bază de puncte

point to ['pɔint tə] *vi cu prep* **1** a arăta spre; a arăta, a indica *cu ac* **2** *fig* a arăta, a demonstra, a dovedi *cu ac;* a fi o dovadă de

point-to-point ['pɔinttə'pɔint] *adj atr* **1** *(d. curse etc.)* direct, care nu trece prin localităţi **2** *fig* direct; categoric

point up ['pɔint ʌp] *vt cu part adv fig* a reliefa, a scoate în relief; a insista asupra *(cu gen);* a lămuri

point upon ['pɔint ə,pɔn] *vi cu prep v.* **point on**

poise [pɔiz] **I** *s* **1** echilibru; stabilitate; *fiz* poise **2** *fig* echilibru (sufletesc); calm; seninătate; siguranţă **3** *fig* ezitare, şovăire, şovăială, nehotărâre **4** postură *(a capului);* ţinută **5** greutate *(folosită la cântar)* **6** pendulă *(a orologiului)* **II** *vt* **1** a echilibra; a aduce în stare de echilibru; a ţine în echilibru; a cumpăni **2** a ţine *(capul, lancea etc.);* a cumpăni *(lancea etc.)* **III** *vr* a se echilibra, a se ţine în echilibru; a se balansa **IV** *vi* **1** a (men)ţine echilibrul **2** *(d. păsări etc.)* a pluti

poison ['pɔizən] **I** *s* otravă; venin; **to hate like ~** a urî de moarte **II** *vt* **1** a otrăvi; a amesteca/a umple *etc.* cu otravă *sau* venin **2** *med* a infecta **3** *fig* a învenina *(relaţiile etc.);* a strica; a înrăutăţi **4** *fig* a otrăvi *(mintea etc.)* **III** *vr* a se otrăvi

poison gas ['pɔizən ,gæs] *s mil* gaz toxic

poisonous ['pɔizənəs] *adj* **1** otrăvitor, nociv; veninos **2** *fig* veninos; înveninat **3** *fig* otrăvitor, nociv, nefast

poisonously ['pɔizənəsli] *adv* (în mod) nefast

poison pen ['pɔizən ,pen] *s* autor de (scrisori) anonime răuvoitoare

poke¹ [pouk] **I** *vt* **1** a împinge *(cu degetul, bățul etc.)*; a da un ghiont *(cuiva)*, a înghionti; **to ~ the fire** a scormoni focul; **the bull ~d him with his horns** taurul îl împunse cu coarnele **2** a vârî, a băga; a face *(o gaură etc.)*; **to ~ one's nose into smb's affairs** *F* a-și vârî nasul în treburile cuiva; **to ~ fun at smb** *fig* a-și râde de cineva, a lua pe cineva peste picior; **he ~d his head out of the window** scoase capul pe fereastră **3** *sl* a atinge un pumn *(cuiva)* **4** a dibui, a căuta pipăind **II** *vr* **1** *(at)* a căuta cu bățul *etc.* (după) **2** a căuta, a cerceta; **to ~ about for** a căuta *(cu ac)* peste tot; **to ~ and pry** *fig* a iscodi, a fi curios/indiscret; a se vârî, *F* a-și vârî nasul **III** *s* **1** ghiont, împingere, împinsătură; împunsătură **2** ← *F* leneș, trântor
poke² *s* ← *înv* **1** sac **2** buzunar
poke about/around ['pouk ə'baut/ ə'round] *vi cu part adv* a fi curios
poke into ['pouk ,intə] *vi cu prep* a iscodi, a căuta să afle *cu ac;* a se vârî/a se băga în
poke oneself up ['pouk wʌn,self 'ʌp] *vr cu part adv* a se face mic, a se ghemui; a se ascunde; a se îngropa
poker¹ ['poukə'] *s* pocher *(joc de cărți)*
poker² *s* vătrai; **(as) stiff as a ~** *F* țeapăn ca un stâlp; de parcă ar fi înghițit un băt/făcăleț
poker face ['poukə ,feis] *s amer* față imobilă/inexpresivă
poke up ['pouk 'ʌp] *vt cu part adv* a scormoni *(focul)*
pok(e)y ['pouki] *adj* **1** *(d. spațiu etc.)* mic, înghesuit, *F* ca vai de lume **2** sărăcăcios, mizer(abil) **3** *(d. haine)* murdar, neîngrijit
pol. *presc de la* **1** politics **2** political
Polack ['poulæk] *s înv* leah, – polonez
Poland ['poulənd] Polonia
polar ['poulə'] *adj geogr etc.* polar
polar bear ['poulə ,bɛə'] *s zool* urs polar *(Thalarctos maritimus)*
polar circle, the ['poulə ,sə:kl, ðə] *s geogr* cercul polar arctic *sau* antarctic
polar distance ['poulə ,distəns] *s astr* distanța dintre poli
polar fox ['poulə ,foks] *s zool* vulpe polară *(Alopex lagopus)*

polarimeter [,poulə'rimitə'] *s fiz* polarimetru
Polaris [pə'la:ris] *s astr* Steaua polară
polarity [pou'læriti] *s el etc.* polaritate
polarizability [,poulərizə'biliti] *s el etc.* polarizabilitate
polarizable ['poulə,raizəbəl] *adj el etc.* polarizabil
polarization [,poulərai'zeifən] *s el etc.* polarizare
polarize ['poulə,raiz] *el etc.* **I** *vt* a polariza **II** *vi* a se polariza
polar lights ['poulə ,laits] *s pl astr* auroră boreală *sau* australă
Polaroid ['poulə,roid] *s fot* polaroid
polder ['pouldə'] *s geogr* polder, marșă
Pole [poul] *s* polonez
pole¹ **I** *s geogr etc.* pol **II** *vt el* a polariza, a magnetiza
pole² *s* **1** prăjină; stâlp **2** par; țăruș; jalon **3** oiște **4** măsură de lungime (= 5,029 m) **5** *nav* baston de arbore, vârf de catarg // **up the ~** *sl* **a** în pom, – fără bani, fără ieșire *etc.* **b** atins la bilă, – care nu e în toate mințile **c** afumat, < turtă, – beat; **under bare ~s a** *nav* cu toate pânzele strânse **b** *fig* gol, despuiat
pole ax ['poul ,æks] *s amer v.* **pole axe**
pole axe *s* **1** *od* secure (de luptă), baltag; alebardă **2** satâr (de măcelar)
polecat ['poul,kæt] *s zool* **1** dihor *(Mustela putorius)* **2** *amer* scuncs, sconcs *(Mephitis sp.)*
pole jump ['poul ,dʒʌmp] *s v.* **pole vault**
pole mast ['poul ,ma:st] *s nav* arbore de ambarcațiune
polemic [pə'lemik] **I** *adj* polemic; controversat **II** *s* **1** polemică; controversă; discuție; ceartă **2** *pl* arta de a polemiza **3** polemist
polemical [pə'lemikəl] *adj v.* **polemic I**
polemicist [pə'lemisist] *s* polemist
polemize ['polimaiz] *vi* a polemiza
polenta [pou'lentə] *s* polenta *(fiertură de porumb, orz etc.); aprox* mămăligă
pole star, the ['poul ,sta:', ðə] *s astr* steaua polară
pole vault ['poul ,vo:lt] *s sport* săritură cu prăjina
poleward(s) ['poul,wəd(z)] *adv* în direcția polului, spre pol

police [pə'li:s] **I** *s* **1** poliție **2** *ca pl* polițiști, poliție; **two ~** doi polițiști **3** *mil* poliție militară **II** *vt* a păzi/a supraveghea ordinea în *sau* pe *(stradă etc.)*
police constable [pə'li:s 'kʌnstəbl] *s* polițist, polițai
police court [pə'li:s ,ko:t] *s* judecătorie polițienească
police dog [pə'li:s ,dog] *s* câine polițist
policeman [pə'li:smən] *s* polițist, polițai
police officer [pə'li:s ,ofi:sə'] *s* funcționar *sau* ofițer de poliție
police state [pə'li:s ,steit] *s pol* stat polițist/jandarm
police station [pə'li:s ,steifən] *s* post *sau* comisariat de poliție
policlinic [,poli'klinik] *s med* **1** clinică medicală **2** policlinică
policy¹ ['polisi] *s* **1** politică, tactică, metodă **2** (linie) politică **3** politică, dibăcie; diplomație; înțelepciune *(a unui act etc.)*
policy² *s ec* poliță de asigurare
policy holder ['polisi ,houldə'] *s ec* posesor al unei polițe de asigurare
polio ['pouliou] *s med* ← *F* poliomielită
poliomyelitis ['pouliou,maiə'laitis] *s med* poliomielită
Polish ['poulif] **I** *adj* polon; polonez **II** *s* (limba) polonă
polish ['polif] **I** *vt* **1** a lustrui; a șlefui; a poliza; a satina *(hârtia);* **to ~ the shoes** a văcsui/a lustrui/a face pantofii **2** *fig* a șlefui, a cizela; a finisa; a împrospăta *(cunoștințele)* **II** *vi* **1** a se lustrui; a se șlefui; a se poliza **2** *fig* a se șlefui, a se cizela; *(d. cunoștințe)* a se împrospăta **III** *s* **1** lustru, luciu **2** lustruire, șlefuire; polizare **3** cremă de ghete; lac **4** *fig* cizelare; eleganță; rafinament
polished ['polift] *adj* **1** neted; lustruit; șlefuit; polizat; satinat; *(d. ghete etc.)* lustruit, văcsuit **2** lucios, lucitor *(în mod natural)* **3** *fig* șlefuit, cizelat; finisat; elegant; rafinat **4** *fig (d. un spectacol etc.)* ireproșabil, fără cusur
polisher ['polifə'] *s* **1** polizator; șlefuitor **2** *tehn* polizor; mașină de polizat **3** *tehn* placă de șlefuire
polishing ['polifiŋ] *s* **1** șlefuire, lustruire **2** *tehn* polizare **3** *text* netezire

polishing powder [ˈpɒliʃiŋ ˌpaudəʳ] s praf de lustruit

polish off [ˈpɒliʃ ˈɔ(:)f] vt cu part adv F a da gata (o sticlă, un inamic), a termina cu

polish up [ˈpɒliʃ ˈʌp] vt. cu part adv a lustrui; a finisa

Polish wheat [ˈpəuliʃ ˌwiːt] s bot grâu alb (Triticum polonicum)

Politbureau, Politburo [ˈpɒlit ˌbjuərou] s rus pol Biroul politic al fostului P.C.U.S.

polite [pəˈlait] adj 1 politicos, bine crescut; amabil; binevoitor, îndatoritor, prevenitor 2 (d. societate etc.) elegant, distins, ales; rafinat 3 (d. cultură) clasic

polite arts, the [pəˈlait ˌɑːts, ðə] s pl artele frumoase

polite letters/literature, the [pəˈlait ˌletəz/ˌlitritʃəʳ, ðə] s pl/sg beletristică

politely [pəˈlaitli] adv (în mod) politicos, amabil

politeness [pəˈlaitnis] s politeţe, amabilitate; bună creştere

politic [ˈpɒlitik] adj 1 (d. cineva) înţelept; chibzuit; plin de tact 2 (d. o acţiune etc.) (bine) gândit, înţelept, chibzuit; inteligent 3 diplomatic

political [pəˈlitikəl] adj 1 politic; de stat; statal; de conducere 2 (de partid) politic; cu caracter politic

political asylum [pəˈlitikəl əˈsailəm] s pol azil politic

political economy [pəˈlitikəl iˈkɒnəmi] s economie politică

political geography [pəˈlitikəl dʒiˈɒgrəfi] s geografie politică

politically [pəˈlitikəli] adv 1 din punct de vedere politic, politiceşte 2 (în mod) înţelept, chibzuit, gândit; inteligent

political science [pəˈlitikəl ˌsaiəns] s ştiinţă politică

politician [ˌpɒliˈtiʃən] s 1 politician 2 om/bărbat de stat, personalitate politică

politicize [pəˈlitiˌsaiz] I vt 1 a politiza; a da un caracter politic (cu dat) 2 a discuta din punct de vedere politic II vi 1 a discuta politică 2 a face politică, a lua parte la viaţa politică

politicking [ˈpɒliˌtikiŋ] s peior politicianism; fripturism

politico [pəˈlitiˌkou] s peior politician; fripturist

politics [ˈpɒlitiks] s pl 1 şi ca sg ştiinţa politică/guvernării, arta de a guverna; politică 2 politică, convingeri politice 3 maşinaţiuni/ intrigi politice // **to play** ~ a face intrigi/maşinaţiuni politice

polity [ˈpɒliti] s 1 organizare politică/statală, formă de guvernare 2 stat

polka [ˈpɒlkə] s polcă (muzică, dans)

Poll [pɒl] nume convenţional dat unui papagal (domesticit)

poll [poul] I s 1 listă de alegători; votanţi, electorat 2 alegeri, votare; **go to the ~s** a a se duce la vot/să voteze, a se prezenta la urne b a-şi pune candidatura, a candida la alegeri; **heavy ~** participare masivă la alegeri 3 înscriere în registrele electorale 4 număr de voturi; numărătoarea voturilor 5 ↓ amer circumscripţie electorală; centru de votare 6 sondare a opiniei publice 7 ← înv cap, căpăţână II vt 1 a efectua alegeri în; a cere votul (unei regiuni etc.) 2 (d. un candidat) a obţine (un număr de voturi); a obţine voturile/votul (unor alegători) 3 a tăia/a reteza vârful (unui corn, copac etc.); a tunde (coroana unui copac) III vi a vota

pollard [ˈpɒləd] I s 1 bou, ţap etc. ciut; animal fără coarne; cerb care şi-a lepădat coarnele 2 copac cu coroana retezată II vt 1 a tăia coarnele (unui animal) 2 a reteza coroana (unui copac)

poll cow [ˈpoul ˌkau] s vacă ciută/ fără coarne

polled [pould] adj ciut, fără coarne

pollen [ˈpɒlən] bot I s polen II vt a poleniza

pollen disease/fever [ˈpɒlən diˈziːz/ ˈfiːvəʳ] s med febra de fân, rinită cronică

poller [ˈpouləʳ] s alegător, votant

pollex [ˈpɒleks] pl **pollices** [ˈpɒlisiːz] s anat policar, degetul mare (de la mână)

pollinate [ˈpɒliˌneit] vt bot a poleniza

pollination [ˌpɒliˈneiʃən] s bot polenizare

polling booth [ˈpouliŋ ˌbuːð] s cabină de vot

polliwog [ˈpɒliˌwɒg] s amer zool mormoloc

poll ox [ˈpoul ˌɒks] s bou ciut/fără coarne

poll parrot [ˈpoul ˌpærət] s ← F papagal (domesticit)

poll tax [ˈpoul ˌtæks] s 1 impozit pe cap de locuitor, capitaţie 2 taxă electorală

pollutant [pəˈluːtənt] s poluant

pollute [pəˈluːt] vt 1 a polua (aerul etc.), a impurifica; a murdări, a contamina 2 fig a murdări, a dezonora; a terfeli; a profana; a pângări

pollution [pəˈluːʃən] s 1 poluare etc. (v. **pollute**) 2 fizl poluţie

Pollux [ˈpɒləks] mit, astr

Polly [ˈpɒli] s 1 v. **Poll** 2 nume fem v. **Mary**

pollywog [ˈpɒliwɒg] s amer zool mormoloc

polo [ˈpoulou] s sport polo; polo pe apă

Polo, Marco călător veneţian (1254?-1324?)

poloist [ˈpoulouist] s sport poloist, polist, jucător de polo sau polo pe apă

polonaise [ˌpɒləˈneiz] s poloneză (muzică, dans)

polonium [pəˈlouniəm] s ch poloniu

polo shirt [ˈpoulou ˌʃəːt] s cămaşă polo

poltergeist [ˈpɒltəˌgaist] s moroi, strigoi

poltroon [pɒlˈtruːn] s fricos, laş, poltron

poltroonery [pɒlˈtruːnəri] s frică, lâşitate, poltronerie

poly pref poli-: **polyhedron** poliedru

polyandrous [ˌpɒliˈændrəs] adj poliandru

polyandry [ˈpɒliˌændri] s poliandrie

polyanthus [ˌpɒliˈænθəs] s bot ţâţa vacii (Primula elatior)

polyatomic [ˌpɒliəˈtɒmik] adj ch poliatomic

polybasic [ˌpɒliˈbeisik] adj ch polibazic

polychromatic [ˌpɒlikrouˈmætik] adj pict policrom; multicolor

polychrome [ˈpɒlikroum] s pict policrom

polychromy [ˈpɒlikˌromi] s pict policromie

polyclinic [ˌpɒliˈklinik] s policlinică

polyester [ˈpɒliˌestəʳ] s ch poliester

polyethylene [ˌpɒliˈeθiˌliːn] s ch polietilenă

polygamist [pəˈligəmist] s poligam

polygamous [pəˈligəməs] adj poligam

polygamy [pə'ligəmi] *s* poligamie

polygenesis [ˌpɔli'dʒenisis] *s biol etc.* poligeneză

polygenetic [ˌpɔlidʒə'netik] *adj biol etc.* poligenetic

polyglot ['pɔliˌglɔt] *adj, s lingv* poliglot

polygon ['pɔliˌgɔn] *s geom* poligon

polygonal [pə'ligənəl] *adj geom* poligonal

polygraph ['pɔliˌgrɑːf] *s* **1** poligraf; autor prolific **2** poligraf, aparat de multiplicat **3** culegere de opere variate

polygraphic [ˌpɔli'græfik] *adj* **1** poligrafic **2** scris de mai mulți autori **3** *(d. un autor)* prolific

polygraphy [pə'ligrəfi] *s* **1** prolificitate *(a unui autor)* **2** *poligr* poligrafie

polygynous [pə'lidʒinəs] *adj bot* poligin

polygyny [pə'lidʒəni] *s* poliginie, poligamie

polyhedral [ˌpɔli'hiːdrəl] *adj geom* poliedric

polyhedron [ˌpɔli'hiːdrən] *s geom* poliedru

Polyhymnia [ˌpɔli'himniə] *mit* Polimnia

polymer ['pɔlimə'] *s ch* polimer

polymeric [ˌpɔli'merik] *adj ch* polimer

polymerization [pəˌlimərai'zeiʃən] *s ch* polimerizare

polymerize ['pɔliməˌraiz] *vt, vi ch* a polimeriza

Polymnia [pə'limniə] *mit* Polimnia

polymorph ['pɔliˌmɔːf] *s ch* substanță polimorfă

polymorphic [ˌpɔli'mɔːfik] *adj ch* polimorfic

polymorphism [ˌpɔli'mɔːfizm] *s minr etc.* polimorfism

polymorphous [ˌpɔli'mɔːfəs] *adj ch* polimorfic

Polynesia [ˌpɔli'niːʒə] *insule în Pacific* Polinezia

Polynesian [ˌpɔli'niːʒən] *adj, s* polinezian

polynomial [ˌpɔli'noumiəl] *s, adj mat* polinom

polyp(e) ['pɔlip] *s zool* polip

polyphonic [ˌpɔli'fɔnik] *adj muz* polifonic

polyphony [pə'lifəni] *s muz* polifonie

polypus ['pɔlipəs], *pl și* **polypi** ['pɔlipai] *s med* polip

polysemantic [ˌpɔlisi'mæntik] *adj lingv* polisemantic, cu mai multe sensuri

polysemy ['pɔlisiˌmi] *s lingv* polisemie; polisemantism

polysyllabic(al) [ˌpɔlisi'læbik(əl)] *adj lingv* plurisilabic, polisilabic

polysyllable ['pɔliˌsiləbl] *s lingv* cuvânt plurisilabic

polysyndeton [ˌpɔli'sindətən] *s ret* polisindeton

polytechnic [ˌpɔli'teknik] *adj* politehnic

polytechnic school [ˌpɔli'teknik ˌskuːl] *s* (școală) politehnică; institut politehnic

polytheism ['pɔliθiːˌizəm] *s rel* politeism

polytheist ['pɔliθiːˌist] *s rel* politeist

polytheistic [ˌpɔliθiː'istik] *adj rel* politeist

polythene ['pɔliˌθiːn] *s ch* polietilen

polyvalency [ˌpɔli'veilənsi] *s ch* polivalență

polyvalent [ˌpɔli'veilənt] *adj ch* polivalent

polyvinyl [ˌpɔli'vainil] *s ch* polivinil

pom [pɔm] *s* spiț *(câine)*

pomace ['pʌmis] *s* tescovină

pomade [pə'mɑːd] **I** *s* pomadă, alifie *(↓ pt păr)* **II** *vt* a pomăda; a unge *(↓ părul)*

pomatum [pə'meitəm] *s* pomadă, alifie *(↓ pt păr)*

pomegranate ['pɔmiˌgrænit] *s bot* **1** rodiu *(Punica granatum)* **2** rodie

pomelo ['pɔmiˌlou] *s bot* grepfrut *(Citrus grandis)*

Pomerania [ˌpɔmə'reiniə] *ist provincie în Prusia*

Pomeranian [ˌpɔmə'reiniən] *s, adj ist* pomeranian

pomiculture ['poumikʌltʃə'] *s* pomicultură

pomiculturist [ˌpoumi'kʌltʃərist] *s* pomicultor

pommel ['pʌml] **I** *s* **1** măciulie, cap **2** mâner *(de sabie)* **3** oblânc *(la șa)* **II** *vt F* a căra (la) pumni *(cuiva)*, a burduși

pomological [ˌpoumə'lɔdʒikəl] *adj bot* pomologic

pomology [pə'mɔlədʒi] *s bot* pomologie

Pomona [pə'mounə] *mit*

pomp [pɔmp] *s* **1** pompă, fast; măreție, splendoare, strălucire **2** și *pl* strălucire goală/deșartă/vană **3** ← *înv* alai fastuos

Pompeii [pɔm'pei:] *oraș roman* Pompei

pompon ['pɔmpɔn] *s fr* pompon, ciucure

pomposity [pɔm'pɔsiti] *s* **1** fast, lux, *rar* → pompozitate **2** infatuare; gravitate; morgă

pompous ['pɔmpəs] *adj* **1** fastuos, luxos, pompos; înflorat **2** infatuat; încrezut, plin de sine

pompously ['pɔmpəsli] *adv* cu infatuare/morgă

pompousness ['pɔmpəsnis] *s v.* **pomposity**

poncho ['pɔntʃou] *s text* poncho

pond [pɔnd] *s* **1** eleșteu, iaz; bazin **2** ← *umor* mare

ponder ['pɔndə'] **I** *vt* a cugeta la, a cumpăni, a cântări, a se gândi bine la **II** *vi* (**on, upon, over**) a cugeta, a se gândi, a medita (la; asupra – *cu gen*)

ponderability [ˌpɔndərə'biliti] *s* ponderabilitate

ponderable ['pɔndərəbl] *adj* **1** ponderabil, care poate fi cântărit **2** previzibil, care poate fi prevăzut/anticipat

ponderate I ['pɔndərit] *adj* chibzuit, gândit; atent **II** ['pɔndəreit] *vt* a chibzui, a gândi, a cumpăni

ponderosity [ˌpɔndə'rɔsiti] *s* **1** greutate, pondere **2** masivitate, caracter masiv **3** urât, plictiseală **4** dificultate, greutate

ponderous ['pɔndərəs] *adj* **1** foarte greu, mare, masiv **2** greoi, mătăhălos **3** *(d. un raport etc.)* plicticos, plictisitor, interminabil

ponderously ['pɔndərəsli] *adv* **1** (în mod) greoi **2** plictisitor; interminabil

ponderousness ['pɔndərəsnis] *s v.* **ponderosity**

pond lily ['pɔnd ˌlili] *s bot* nufăr *(Nymphaea sp.)*

pond weed ['pɔnd ˌwiːd] *s bot* broscăriță, pașă, broasca apei *(Potamogeton natans)*

poniard ['pɔnjəd] **I** *s* pumnal **II** *vt* a înjunghia *(cu pumnalul)*

Pontic ['pɔntik] *adj geogr* pontic

pontifex ['pɔntiˌfeks], *pl* **pontifices** [pɔn'tifiˌsiːz] *s ist Romei* pontif(ice)

pontiff ['pɔntif] *s* **1** *v.* **pontifex 2** *bis* pontif; prelat, episcop **3** the ~ *bis* pontiful roman, suveranul pontif, papa

pontifical [pɔn'tifikəl] *adj ist, bis* pontifical

pontificate I [pɔn'tifikit] *s ist, bis* pontificat *(demnitate, perioadă)* **II** [pɔn'tifi,keit] *vi bis* a fi sau a îndeplini funcția de pontif **2** *fig* a fi dogmatic; a se pretinde infailibil

pontifices [pɔn'tifi,si:z] *pl de la* **pontifex**

ponton ['pɔntən] *s amer mil v.* **pontoon bridge**

pontonier [,pɔntə'niəʳ] *s mil* pontonier

pontoon¹ [pɔn'tu:n] *s* **1** *nav* ponton; bac **2** *nav* doc ponton **3** *constr* cheson

pontoon² *s* douăzeci-și-unu *(joc de cărți)*

pontoon bridge [pɔn'tu:n ,bridʒ] *s* ↓ *mil* ponton, pod de vase

Pontus ['pɔntəs] *ist regat în Asia Mică*

pony ['pouni] **I** *s* **1** căluț, ponei, cal mic **2** ← *F* pahar mic, păhărel, păhăruț **3** *sl* 25 lire (sterline) **4** *amer școl F* fițuică **II** *adj atr* **1** mic, mititel, de mici dimensiuni **2** *tehn* ajutător, auxiliar **III** *vi amer școl* ← *F* a răspunde după fițuică/cu ajutorul fițuicii

pony tail ['pouni ,teil] *s* coadă de cal *(coafură)*

pooch [pu:tʃ] *s sl* ← *umor* câine, ↓ *peior* javră

pood [pu:d] *s* pud *(măsură ruseas-că de greutate = 16,38 kg)*

poodle ['pu:dəl] *s* pudel *(câine)*

poof(ter) ['pu:f(təʳ)] *s sl peior* bicisnic, neputincios

pooh [pu:] *interj* **1** *(exprimă scârba)* ptiu! **2** *(exprimă neîncredere etc.)* bah! ei aşi! aiurea! da' de unde! fugi de-aici!

pooh-pooh ['pu:'pu:] **I** *vt* a disprețui; a-i fi silă/scârbă de; a nu ține seama de; a nu-i păsa de; a respinge *(un proiect etc.)* **II** *s* silă, scârbă; dispreț; desconsiderare

pool¹ [pu:l] *s* **1** iaz; lac de acumulare **2** baltă, băltoacă, mlaştină **3** bief; bazin; bazin de înot, piscină **4** *min* puț de cercetare **5** *min* zăcământ, groapă; rezervor **6** *(de eroziune, într-un râu);* bulboană

pool² **I** *s* **1** fond comun; rezerve comune **2** *ec* pool; cartel **3** miză *(totală, la unele jocuri de cărți)* **4** *sport* totalizator **5** biliard ame-

rican *(cu 15 bile numerotate, pe o masă cu 6 pungi)* **6** pronosport **II** *vt* **1** a împărți în comun *(beneficii etc.)*, a avea în comun *(aceleaşi interese etc.)* **2** a face schimb de *(experiență etc.)* **3** *fig* a unifica; a coordona; a pune de acord **III** *vi ec* a forma un cartel

poolroom ['pu:l,ru:m] *s amer* agenție de pariuri *(pt cursele de cai etc.)*

Poona ['pu:nə] *oraş în India*

poop [pu:p] *s nav* **1** dunetă **2** pupa

pooped (out) ['pu:pt (,aut)] *adj sl* stors, sleit, frânt (de oboseală)

poor [puəʳ] **I** *adj* **1** sărac, sărman, nevoiaş, lipsit; **(as) ~ as a church-mouse** sărac ca un şoarece de biserică, sărac lipit pământului **2** sărman, biet, necăjit, sărac; nenorocit; **the ~ boy!** bietul/sărmanul băiat! **a ~ fellow** un om necăjit/amărât; **the ~ little puppy had been abandoned** bietul/sărmanul căţeluş fusese părăsit **3** ↓ *umor* umil; **in my ~ opinion** după umila mea părere **4** insuficient, neîndestulător; **a ~ supply of** o cantitate insuficientă/neîndestulătoare de; un număr insuficient/neîndestulător de **5** sărac; neproductiv; sterp; neroditor; **the soil was ~ in minerals** solul era sărac în minerale **6** *(d. sănătate)* prost, şubred **7** *(d. calitate etc.)* prost, nesatisfăcător; necorespunzător; slab **8** *(d. venit etc.)* mic, redus, modest; *F* jalnic **9** *(d. un aliment etc.)* nehrănitor, puțin consistent **10** *(d. trup)* slab; < emaciat; vlăguit **11** *(d. cineva)* vrednic de dispreț, ticălos, mizerabil **II** *s* **the ~** *ca pl* săracii, nevoiaşii

poor box ['puə ,bɔks] *s bis* cutia milelor

poor house ['puə ,haus] *s* azil pentru săraci

poor laws ['puə ,lɔ:z] *s pl od* legi pentru ocrotirea săracilor

poorly ['puəli] **I** *adj pred* indispus, care nu se simte prea bine; **I feel rather ~** mă simt cam prost, *F* nu prea mă simt în apele mele **II** *adv* **1** prost, rău **2** *(îmbrăcat etc.)* prost, sărăcăcios; < *F* ca vai de lume **3** puțin *(înzestrat etc.)*, nu prea **4** *(a interpreta un rol etc.)*

slab, prost; fără succes **5** // **to think ~ of** a nu avea o părere bună despre

poorly off ['puəli 'ɔ:f] *adj cu part adv* strâmtorat (băneşte), în jenă financiară, lipsit

poorness ['puənis] *s* **1** sărăcie, lipsă de productivitate *(a solului etc.)*; calitate inferioară *(a uleiului etc.)* **2** condiție proastă *(a sănătăţii etc.)* **3** ← *rar* sărăcie, mizerie

poor relation ['puə ri'leiʃən] *s şi fig* rudă săracă

poor-spirited ['puə'spiritid] *adj* fricos; timorat

poor white ['puə ,wait] *s* alb sărac *(în sudul S.U.A.)*

poove [pu:v] *s sl v.* **poof**

pop¹ [pɔp] *s sl* **1** taică, tată **2** *(ca adresare unei persoane în vârstă)* tată; nene

pop² **I** *vt* **1** a face să pocnească sau să trosnească; a pocni; a plesni; a trosni; a scoate cu zgomot *(dopul etc.)* **2** a pocni din; a plesni din; a descărca *(pistolul etc.)* **3** ← *F* a împuşca, a trage în **4** a băga/vârî repede sau pe neaşteptate *(capul pe uşă etc.)* **5** *sl* a amaneta **6** *amer* a coace *(boabe de porumb)* **7** ← *F* a pune pe neaşteptate *(o întrebare);* **to ~ the question** ← *F* a face o cerere în căsătorie **II** *vi* **1** a pocni; a plesni; a trosni; a detuna **2** a trece, a ieşi, a pleca, a intra *etc.* repede *sau* pe neaşteptate; **to ~ into one's clothes** a se îmbrăca repede **3** *(↓ d. ochi)* a se holba; a ieşi din orbite **4** ← *F* a trage, a descărca arma **III** *s* **1** pocnet; plesnitură; trosnet; detunătură **2** ← *F* băutură spumoasă **IV** *adv* cu (un) pocnet **V** *interj* poc! trosc! pac!

pop³ ← *F* **I** *s* **1** concert popular, muzică pentru toți **2** şlagăr, cântec de succes; „melodie preferată" **II** *adj atr (d. un cântec etc.)* popular, de succes

pop *presc de la* **1** popular **2** population **3** popularity

pop art ['pɔp ,ɑ:t] *s arte* pop-art, realism bazat pe un simț modern al naturii

popcorn ['pɔp,kɔ:n] *s amer* floricele *(boabe de porumb coapte)*

pope [poup] *s bis* **1** papă **2** preot *(în biserica ortodoxă)*

Pope, Alexander *poet englez (1688-1744)*

popedom ['poupdəm] *s bis* papalitate, pontificat

popery ['poupəri] *s peior* papistăşie, – catolicism

pop-eyed ['pɔp,aid] *adj* **1** cu ochii mari/bulbucaţi **2** cu ochii mari/ mari deschişi/speriaţi sau miraţi

popgun ['pɔp,gʌn] *s* **1** puşcă de copii, puşcoci **2** puşcă proastă, *înv* → puşcoci

pop in ['pɔp 'in] *vi* cu part adv a băga capul înăuntru *(repede, pe neaşteptate);* a arunca o privire înăuntru

popinjay ['pɔpin,dʒei] *s* **1** fante, sclivisit, *F* papiţoi, ţafandache **2** ← *înv* papagal **3** palavragiu, vorbăreţ, flecar

popish ['poupiʃ] *adj* **1** papal, de papă **2** *peior* papistăşesc, – catolic

popishness ['poupiʃnis] *s v.* **popery**

poplar ['pɔplə'] *s bot* **1** plop *(Populus alba)* **2** plop tremurător *(Populus tremula)*

poplin ['pɔplin] *s text* poplin

popliteal [pɔp'litiəl] *adj anat* popliteu

pop off ['pɔp 'ɔ:f] *vi* cu part adv **1** *F* a o şterge; – a pleca brusc **2** *F* a da ortul popii, – a muri

poppet ['pɔpit] *s* **1** ← *înv* păpuşă **2** *tehn* sabot de apăsare **3** *nav* capac de damă **4** *tehn* păpuşă mobilă

poppet head ['pɔpit ,hed] *s v.* **poppet 4**

poppied ['pɔpid] *adj* **1** plin de maci, cu maci **2** adormitor, soporific

poppy ['pɔpi] *s* **1** *bot* mac *(Papaver somniferum)* **2** suc de mac; opiu

poppycock ['pɔpi,kɔk] *s F* tâmpenii, prostii, vorbe de clacă

poppyhead ['pɔpi,hed] *s bot* cap/ măciulie de mac

poppy oil ['pɔpi,ɔil] *s* ulei de mac

popshop ['pɔp,ʃɔp] *s* ← *F* munte de pietate

populace ['pɔpjuləs] *s* plebe, gloată, mulţime

popular ['pɔpjulə] *adj* **1** popular, al poporului; public; folcloric **2** *(d. un nume, muzică etc.)* popular, bine cunoscut; de succes **3** *(d. preţuri etc.)* popular, ieftin **4** *(d. o părere etc.)* popular, curent, răspândit **5** *(d. cineva etc.)* popular, simpatizat; **he is ~ with his**

students se bucură de popularitate în rândul studenţilor

popular ballad ['pɔpjulə ,bæləd] *s lit* baladă populară

popular etymology ['pɔpjulər eti'mɔlədʒi] *s lingv* etimologie populară

popular front ['pɔpjulə ,frʌnt] *s pol* front popular

popularity [,pɔpju'læriti] *s* popularitate; simpatie

popularization [,pɔpjulərai'zeiʃən] *s* popularizare

popularize ['pɔpjulə,raiz] *vt* a populariza; a face reclamă *(cu dat)*

popularly ['pɔpjuləli] *adv* **1** *(înţeles etc.)* de toţi, de toată lumea; de întregul popor **2** *(scris etc.)* pe înţelesul tuturor, pentru toţi **3** *(se spune etc.)* peste tot

populate ['pɔpju,leit] *vt* **1** a popula, a locui în **2** a popula, a aşeza *(pe un teritoriu)*

population [,pɔpju'leiʃən] *s* **1** populare **2** populaţie; locuitori

Populist ['pɔpjulist] *s ist, pol* **1** populist *(în S.U.A)* **2** narodnicist *(în Rusia)*

populous ['pɔpjuləs] *adj* (dens) populat, cu populaţie deasă

populousness ['pɔpjuləsnis] *s* densitate (mare) a populaţiei

pop up ['pɔp 'ʌp] *vi* cu part adv a se ivi/a apărea *sau* a se întâmpla pe neaşteptate

porcelain ['pɔ:slin] *s* porţelan

porch [pɔ:tʃ] *s* **1** portal *(↓ al unei biserici)* **2** portic, galerie exterioară **3** *amer* tindă; verandă; balcon

porcine ['pɔ:sain] *adj* porcin; porcesc

porcupine ['pɔ:kju,pain] *s şi ca pl zool* porc spinos *(Hystris cristata)*

pore [pɔ:'] *s anat etc.* por

pore on ['pɔ:r ɔn] *vi cu prep* a cerceta cu atenţie *cu ac;* a se concentra asupra *cu gen*

pore over ['pɔ:r,ouvə'] *vi cu prep* a cerceta/a studia cu atenţie *cu ac,* a fi cufundat în, a fi absorbite în/ de

pore upon ['pɔ:r ə,pɔn] *vi cu prep v.* **pore on**

poriferous [pɔ:'rifərəs] *adj* poros, cu pori

pork [pɔ:k] *s* **1** (carne de) porc **2** *zool* ← *înv* porc **3** *amer sl* bani, situaţii etc. acordate de guvern pe considerente politice

pork butcher ['pɔ:k ,butʃə'] *s* mezelar; cârnăţar

porker ['pɔ:kə'] *s* porc *(↓ tânăr)* pus la îngrăşat

porkey ['pɔ:ki] *adj F* **1** bun de dat la gunoi, prost, de calitate proastă **2** ţâfnos; supărat; rău

pork pie ['pɔ:k ,pai] *s* plăcintă *sau* pateu cu (bucăţi de) carne de porc *(şi alte ingrediente)*

porky ['pɔ:ki] *adj* **1** de porc, porcesc **2** ← *F* gras, cărnos

porn [pɔ:n] *s F v.* **pornography**

pornographer [pɔ:'nɔgrəfə'] *s* pornograf

pornographic [,pɔ:nə'græfik] *adj* **1** pornografic; obscen **2** literatură pornografică; filme, reviste *etc.* pornografice

pornography [pɔ:'nɔgrəfi] *s* pornografie; obscenitate

porosity [pɔ:'rɔsiti] *s* **1** porozitate, caracter poros **2** porozitate; por

porous ['pɔ:rəs] *adj* poros, cu pori

porphyrin ['pɔ:firin] *s ch* porfirină

porphyritic [,pɔ:fi'ritik] *adj minr* porfiric

porphyroid ['pɔ:fi,rɔid] *s minr* porfiroidă, porfirogenă

porphyry ['pɔ:firi] *s minr* porfir

porpoise ['pɔ:pəs] *s şi ca pl zool* **1** delfin brun *(Phocaena communis)* **2** delfin *(Delphinus etc.)*

porridge ['pɔridʒ] *s* **1** „porridge", terci de (fulgi de) ovăz; păsat de ovăz **2** ← *înv* supă deasă de legume *(cu carne)* **3** *sl* (perioadă de) detenţie

porringer ['pɔrindʒə'] *s* strachină, ceaşcă, cană *(pt supă)*

port[1] [pɔ:t] *s* **1** *nav* port; (oraş cu port); **to reach ~** a ajunge în port; **any ~ in a storm** *fig* la nevoie orice mijloc e bun, *aprox* dacă n-ai papuci sunt bune şi opincile **2** *fig* liman, adăpost, refugiu **3** *av* hangar

port[2] *nav* **I** *s* babord **II** *adv* la babord, la/spre stânga

port[3] *s* **1** ← *înv* poartă **2** *v.* **porthole** **3** *tehn* orificiu, deschidere; deschizătură, gaură

port[4] **I** *s* **1** ← *înv* ţinută, atitudine **2** *mil* poziţia de drepţi cu arma **II** *vt:* **~!** *nav* cârma stângă; **~ arms!** *mil* pentru inspecţie prezentaţi arm'!

port[5] *s* vin de porto

Port. *presc de la* **1 Portugal 2 Portuguese**

portability [ˌpɔːtəˈbiliti] *s* porta-
bilitate, caracter portabil
portable [ˈpɔːtəbəl] *adj* portabil;
portativ
portable engine [ˈpɔːtəbəl ˌendʒin]
s ferov locomobilă
portable railway [ˈpɔːtəbəl ˌreilwei]
s ferov decovil
port aft [ˈpɔːt ˌɑːft] *s nav* pupa babord
portage [ˈpɔːtidʒ] *s* 1 transport;
transportare 2 *ec* fraht, taxă de
transport; costul transportului;
navlu 3 *nav* zonă între ape
navigabile peste care se face
transbordarea mărfurilor sau a
vaselor mici 4 *nav* solda mari-
narilor în timpul staționării va-
sului într-un port
portal [ˈpɔːtəl] *s* 1 portal, intrare
principală; poartă 2 *min* poartă,
intrare; boltă deasupra intrării 3
tehn orificiu de scurgere 4 *arhit*
arcadă 5 *pl* ← *poetic* poartă,
intrare; prag; portiță
portal crane [ˈpɔːtəl ˌkein] *s constr*
macara portal
portal vein [ˈpɔːtəl ˌvein] *s* vena portă
portance [ˈpɔːtəns] *s* ← *înv* purtare,
comportare, conduită
Port Arthur [ˈpɔːt ˌɑːθəʳ] *port* în
Manciuria Port Artur
portative [ˈpɔːtətiv] *adj* 1 portativ; por-
tabil 2 care poate duce/transporta
Port-au-Prince [ˈpɔːtouˈprins] *capi-
tala statului Haiti*
portullis [pɔːtˈkʌlis] *s mil od* barie-
ră-ghilotină; cal de friză care
închidea intrarea unei întărituri
Porte, the [ˈpɔːt, ðə] *s ist* Înalta
Poartă, Poarta Otomană
portend [pɔːˈtend] *vt* a prevesti *(↓
ceva rău)*
portent [ˈpɔːtent] *s* 1 prevestire,
semn *(↓ rău)* 2 minune, minu-
năție
portentous [pɔːˈtentəs] *adj* 1 pre-
vestitor *(↓ de rău);* de rău augur,
care nu prevestește nimic bun 2
neobișnuit, minunat, extraordi-
nar, nemaipomenit 3 plin de sine,
infatuat
portentously [pɔːˈtentəsli] *adv* 1
prevestind ceva rău; amenințător
2 (în mod) neobișnuit, extraor-
dinar
porter¹ [ˈpɔːtəʳ] *s* purtar, ușier
porter² *s* 1 hamal 2 *ferov amer*
însoțitor *(la un vagon de dormit)*
3 *tehn* grindă de rezistență

porter³ *s* (bere) porter, bere neagră
englezească
porterage [ˈpɔːtəridʒ] *s* 1 transport,
deplasare 2 hamalâc 3 plata
hamalului
porter house [ˈpɔːtə ˌhaus] *s* 1
bodegă, cârciumă; restaurant 2
F v. **porter-house steak**
porter-house steak [ˈpɔːtəˌhaus ˈsteik]
s fileu/mușchi de calitatea I
porter's lodge [ˈpɔːtəz ˌlɔdʒ] *s* ghe-
reta/cabina *sau* camera porta-
rului
portfolio [pɔːtˈfouliou] *s* 1 servietă;
mapă 2 bibliraft 3 portofoliu; **a
minister without ~** un ministru
fără portofoliu 4 *ec* portofel de
polițe
porthole [ˈpɔːtˌhoul] *s* 1 *nav* sabord,
hublou 2 fereastră de ventilație/
aerisire 3 *tehn* gaură, deschi-
dere, orificiu; țeavă de eșapa-
ment/evacuare
Portia [ˈpɔːʃiə] *nume fem*
portico [ˈpɔːtikou], *pl* **portico(e)s**
[ˈpɔːtikouz] *s arhit* portic
portiere, portière [ˌpɔːtiˈɛəʳ] *s fr*
draperie *(la ușă)*
portion [ˈpɔːʃən] I *s* 1 porțiune,
parte; lot; câtime; cotă-parte 2
participare 3 zestre 4 parte,
fracțiune, fragment 5 *fig* soartă
6 porție (de mâncare) II *vt* 1 a
împărți, a diviza 2 a împărți, a
distribui; a aloca 3 a da *(ceva)*
ca zestre
portionless [ˈpɔːʃənlis] *adj* 1 fără
zestre 2 *jur* neavând parte la
moștenire
portion out [ˈpɔːʃən ˈaut] *vt cu part
adv* (**among, between**) a împăr-
ți, a distribui (între)
Portland [ˈpɔːtlənd] *numele a două
orașe din S.U.A.*
portland cement [ˈpɔːtlənd siˈment]
s sonstr ciment Portland
port light [ˈpɔːt ˌlait] *s nav* lumina
de drum babord; lumina roșie
portliness [ˈpɔːtlinis] *s* 1 înfățișare
impunătoare/impozantă/falnică;
ținută maiestuoasă 2 corpolență;
trupeșie; soliditate
portly [ˈpɔːtli] *adj* 1 impunător,
impozant, falnic; maiestuos 2
masiv, solid, corpolent, trupeș
portmanteau [pɔːtˈmæntou], *pl* și
portmanteaux [pɔːtˈmæntouz] *s
fr* 1 geamantan (de piele) 2 *v.*
portmanteau word

portmanteau word [pɔːtˈmæntou
ˈwəːd] *s lingv* cuvânt telescopat,
contaminare lingvistică *(cuvânt
compus, format din două cuvinte
incomplete, de ex.* **smog,** *din*
smoke *și* **fog** *„fum" și „ceață")*
port of call [ˈpɔːt əv ˈkɔːl] *s nav* (port
de) escală
port of entry [ˈpɔːt əvˈentri] *s nav* port
de sosire *sau* import
Porto Rico [ˈpɔːtə ˈriːkou] *insulă în
Antilele Mari* Porto Rico, Puerto
Rico
portrait [ˈpɔːtrit] *s* 1 portret 2 poză,
imagine; fotografie 3 *fig* imagine;
zugrăvire; descriere; prezentare
portraitist [ˈpɔːtritist] *s* portretist
portraiture [ˈpɔːtritʃəʳ] *s* 1 portre-
tistică 2 portret *sau* portrete 3 *fig*
descriere, zugrăvire; prezentare
portray [pɔːˈtrei] *vt* 1 a face/a picta
portretul *(cuiva)* 2 a picta; a
reprezenta pictural 3 *fig* a zugră-
vi viu/plastic *(prin cuvinte);* a
zugrăvi, a descrie; a prezenta; a
înfățișa 4 *teatru* a înfățișa; a juca/
a interpreta rolul de *(sau cu gen)*
portrayal [pɔːˈtreiəl] *s* 1 portretizare,
pictare *etc.* (v. **portray**) 2 portret
3 *fig* descriere
portrayer [pɔːˈtreiəʳ] *s* 1 portretist 2
fig persoană care descrie *etc.* (v.
portray 3); evocator
portress [ˈpɔːtris] *s* portăreasă;
femeie de serviciu
Port Said [ˈpɔːt ˈsaːid] *port* în Egipt
Portsmouth [ˈpɔːtsməθ] 1 *port* în
Anglia 2 *nume de orașe în* S.U.A.
Portugal [ˈpɔːtjugəl] Portugalia
Portuguese [ˌpɔːtjuˈgiːz] I *adj*
portughez II *s* 1 portughez 2
(limba) portugheză
Portuguese man-of-war [ˌpɔːtjuˈgiːz
ˈmænəfˌwɔːʳ] *s zool* corabia portu-
gheză *(Physalia physalis)*
port way [ˈpɔːt ˌwei] *s tehn* canal
pos. *presc de la* 1 **possessive** 2
positive
pose¹ [pouz] I *s* 1 *fot* poză, atitudine
2 *fig* poză; afectare; manierism;
atitudine II *vt* 1 *fot* a aranja *(pt
fotografiat sau pictat)* 2 a pune *(o
întrebare, o problemă etc.),* a ridica
(o problemă); a pune în discuție 3
a formula; a expune III *vi* 1 *fot, pict*
a poza 2 *fig* a poza, a lua o
atitudine afectată; a se preface
pose² *vt* a încurca *(prin întrebări),* a
pune în încurcătură, a zăpăci

pose as ['pouz əz] *vi cu prep* a se da drept, a-și da aere de, a poza în

Poseidon [pɔ'saidən] *mit*

poser¹ ['pouzə'] *s v.* **poseur**

poser² *s* întrebare grea/dificilă; problemă; *F →* încuietoare

poseur [pou'zə:'] *s fr* pozeur, (om) afectat

posit ['pɔzit] *vt* 1 a pune, a așeza, a plasa 2 a afirma, a susține; a postula

position [pə'ziʃən] **I** *s* 1 poziție, loc; **in ~** la locul potrivit, unde trebuie să se afle; **one of the chairs is out of ~** unul din scaune nu e la locul lui 2 *mil etc.* poziție avantajoasă 3 poziție, postură, atitudine; **to sit in a comfortable ~** a ședea într-o postură comodă 4 *fig* poziție; situație; post; funcție; situație frumoasă; funcție bună; **to manoeuvre/to jockey for ~** a căuta pe toate căile să capete un post bun; **to get a good ~** a căpăta o slujbă/funcție bună/frumoasă 5 *fig* poziție, lumină; **to put in a false ~** a pune într-o lumină falsă 6 posibilitate; **to be in a ~ to do smth** a fi în situația de a face ceva, a avea posibilitatea de a face ceva 7 *fig* poziție, atitudine, punct de vedere; **to take a ~ on a question** a lua poziție/atitudine într-o chestiune; **to define one's ~** a-și preciza poziția/atitudinea/ punctul de vedere 8 *fon* poziție (↓ *a vocalei în silabă*) **II** *vt* 1 a pune, a așeza, a plasa; a instala 2 a determina locul/poziția *(cu gen)*

positional [pə'ziʃənəl] *adj* de poziție, *rar →* pozițional

positional notation [pə'ziʃənəl nou'teiʃən] *s cib* sistem de notație numeric

position buoy [pə'ziʃən ˌbɔi] *s nav* geamandură de ceață

positive ['pɔzitiv] **I** *adj* 1 pozitiv, adevărat, real 2 pozitiv, de reală valoare, valoros 3 *mat, gram, fiz etc.* pozitiv 4 *filos* pozitiv; empiric; pozitivist 5 precis, clar; *(d. un ordin etc.)* ferm; **proof ~** dovadă certă/sigură/peremptorie 6 *(d. cineva)* sigur, convins; **can you be ~ about what you heard?** ești sigur de ceea ce ai auzit? **I**

am ~ that it was he sunt sigur/ convins/încredințat că a fost el 7 *← F* desăvârșit, perfect, absolut, deplin, în toată puterea cuvântului; **he's a ~ fool** *F* e nebun de legat **b** e un prost ce nu s-a mai pomenit 8 absolut; **beauty is no ~ thing** frumusețea nu este un lucru absolut, frumusețea e relativă 9 *tehn* rigid; imobil **II** *s* 1 **the ~** *gram* (gradul) pozitiv 2 *fot* copie fotografică pozitivă 3 *mat, fiz* pozitiv

positively ['pɔzitivli] *adv* 1 (în mod) pozitiv 2 cu convingere, sigur 3 (în mod) hotărât, categoric, sigur, indiscutabil

positiveness ['pɔzitivnis] *s* caracter sigur/neîndoielnic, realitate

positive pole ['pɔzitiv ˌpoul] *s el* pol pozitiv; anod

positivism ['pɔziti,vizəm] *s filos* pozitivism

positivist ['pɔzitivist] *s filos* pozitivist

positivistic [ˌpɔziti'vistik] *adj filos* pozitivist

positron ['pɔzi,trɔn] *s fiz, tel* pozitron, electron pozitiv

posology [pə'sɔlədʒi] *s med* posologie

poss. *presc de la* 1 **possession** 2 **possessive** 3 **possibly**

posse ['pɔsi] *s* 1 *mil* miliție 2 detașament polițienesc 3 detașament de oameni înarmați *(legal)*; poteră // **in ~** (în mod) potențial

possess [pə'zes] **I** *vt* 1 *și* **to be ~ed of** a poseda, a stăpâni, a avea *(moșii etc.)* 2 *și* **to be ~ed of** *fig* a fi înzestrat cu *(rațiune etc.)* 3 *fig (d. sentimente etc.)* a stăpâni, a pune stăpânire pe; **to be ~ed by/with** a fi stăpânit de; a fi sub imperiul *cu gen;* **what ~es you?** *F* ce te-a apucat? ce ți-a venit? **what ~ed him to do it?** *F* ce l-a apucat (să facă una ca asta)? 4 a stăpâni, a cunoaște (bine) *(o limbă etc.)*, a poseda (cunoștințe de) 5 *fig* a păstra controlul asupra *(cu gen)*, a stăpâni; **~ your mind in peace** nu te agita, ține-ți firea 6 a poseda *(o femeie)* 7 a înstăpâni; a da în stăpânirea *(cuiva)* 8 *înv ←* a câștiga, a dobândi; a pune mâna pe **II** *vr* a se stăpâni; a fi stăpân pe sine; a se înarma cu răbdare

possessed [pə'zest] *adj* 1 posedat, stăpânit, avut în stăpânire 2 posedat, apucat, nebun 3 stăpânit, stăpân pe sine, calm; liniștit

possessed noun [pə'zest ˌnaun] *s gram* substantiv cu genitiv *(de ex.* **the man's tie***)*

possessed of [pə'zest əv] *adj cu prep elev* 1 (care este) în posesia/stăpânirea *cu gen*, ~ cu, având *cu ac* 2 dispunând de, ~ înzestrat cu

possession [pə'zeʃən] *s* 1 posesi(un)e, stăpânire; **to come into ~ of smth** a intra în posesia unui lucru; **the information in his ~** informațiile pe care le posedă/ deține; **to take ~ of smth** a intra în posesia unui lucru; **is he in full ~ of his senses?** e în deplinătatea facultăților sale mintale? 2 *și pl* proprietate, posesiune *sau* posesiuni, avere; **he was a man of great ~s** era un om foarte bogat, avea proprietăți *sau* moșii întinse; **foreign ~s** posesiuni străine 3 stăpânire de sine, autostăpânire, autocontrol 4 posedare, stăpânire

possessive [pə'zesiv] *adj* 1 de proprietate/posesiune 2 *(d. fire)* posesiv/genitiv sintetic *(în 's)*

possess oneself of [pə'zes wʌn,self əv] *vr cu prep elev* a pune stăpânire pe, a-și însuși, a lua în stăpânire/posesiune

possessor [pə'zesə'] *s* posesor; proprietar, stăpân

possessory [pə'zesəri] *adj v.* **possessive 1**

posset ['pɔsit] *s* băutură fierbinte din lapte, vin *sau* „ale" și mirodenii

possibility [ˌpɔsi'biliti] *s* 1 posibilitate; putință, modalitate 2 lucru posibil, posibilitate

possible ['pɔsibəl] *adj* 1 posibil, cu putință; **if ~** dacă este posibil, dacă se poate; **as soon as ~** cât mai repede/curând posibil/cu putință; **as quickly as ~** cât mai repede posibil; cât de repede putea, puteam *etc.* 2 posibil, acceptabil, rezonabil 3 *← F* suportabil, tolerabil, admisibil

possibly ['pɔsibli] *adv* 1 cu vreun chip, în vreun mod; **he can't ~ come** nu poate veni cu nici un chip/în nici un caz 2 poate, poate, posibil; **it may ~ be so** (prea) poate să fie așa

possum ['pɔsəm] *s F v.* **opossum**; **to play ~** *F* a face pe mortul în păpuşoi; a face pe niznai; **– a simula o boală,** *F* a face pe bolnavul *sau* pe mortul

post[1] [poust] **I** *s* **1** stâlp; par; pilon; ţăruş; montant; *min* mast **2** uşor, uscior **3** *sport* stâlp pentru ţintă *(la clădire etc.)* **4** *tehn* reazem, suport; capră **II** *vt* **1** a lipi *(afişe etc.)* a publica; a afişa **2** a posta, a aşeza, a plasa; a amplasa **3** a face reclamă prin afişe *(cu dat)* **4** a stigmatiza, a înfiera, a ţintui la stâlpul infamiei

post[2] I *s* **1** poştă, oficiu poştal **2** cutie poştală **3** poştă, corespondenţă **4** poştă, ridicarea *sau* sosirea corespondenţei **5** *od* poştă, – poştalion **II** *vt* **1** a expedia (prin poştă); a pune la cutie **2** *ec* a transcrie *(în cartea mare)* **3** ← *F* a informa, a înştiinţa

post[3] I *s* **1** *mil* post, poziţie; punct întărit *sau* fortificat; fort **2** post; funcţie; slujbă, serviciu; **to be given a ~** a i se încredinţa un post/o funcţie **3** *amer mil* garnizoană **4** *ec* curs *(al bursei)* **II** *vt* *mil* a numi

post[4] *adv* foarte repede; în goana mare

post- *pref* post-: **postclassical** postclasic

postage ['poustidʒ] *s* tarif poştal; timbre; costul expedierii prin poştă

postage stamp ['poustidʒ ˌstæmp] *s* timbru (poştal), marcă poştală

postal ['poustəl] **I** *adj* poştal; de poştă **II** *s amer* ← *F* carte poştală

postal card ['poustəl ˌka:d] *s* carte poştală

postal order ['poustəl ˌɔ:dəʳ] *s* mandat poştal

post box ['poust ˌbɔks] *s* **1** cutie poştală/de scrisori **2** poştă, corespondenţă

post boy ['poust ˌbɔi] *s* poştaş, factor poştal

postcard ['poust,ka:d] *s* **1** carte poştală **2** (carte poştală) ilustrată

postcard size ['poust,ka:d 'saiz] *s poligr* format de carte poştală

post chaise/coach ['poust ˌʃeiz/ ˌkoutʃ] *s od* poştalion, diligenţă

post code ['post ˌkoud] *s* cod poştal

post-date ['poust,deit] *vt* a postdata

postdiluvian [ˌpoustdi'lu:viən] *adj* postdiluvian, de după potop

poster[1] ['poustəʳ] *s od* cal de poştă

poster[2] *s* **1** afiş; placardă **2** afişor

poste restante ['poust ri'stænt] *s fr* post-restant

posterior [po'stiəriəʳ] **I** *adj* **1** posterior; ulterior **2** următor **3** posterior, din spate, de dinapoi **4** *anat* posterior; dorsal **5** *fon* posterior **II** *s şi la pl* spate, şezut

posteriority [pɔsˌtiəri'ɔriti] *s* posterioritate

posterity [po'steriti] *s* posteritate; urmaşi

postern ['poustən] **I** *s* **1** uşă din spate; intrare ascunsă/secretă **2** drum lateral *sau* intrare laterală **II** *adj atr (d. o intrare etc.)* ascuns, dosnic, tainic, secret

Post Exchange ['poust ˌiks'tʃeindʒ] *s amer mil* cantină

postfix ['poustfiks] *s lingv* sufix

post-free ['poust'fri:] *adj* **1** franco **2** scutit de taxe poştale

postfrontal ['poust'frʌntəl] *adj anat* retropubian

post-glacial [poust'gleisiəl] *adj* postglacial

post-graduate ['poust'grædjuit] **I** *s* post-universitar; aspirant; doctorand **II** *adj atr* **1** *(d. cursuri etc.)* post-universitar **2** de aspirant(ură); de doctorat/doctorantură

post-haste ['poust'heist] **I** *adj (d. scrisori)* expres, fulger **II** *adv* expres, fulger

post horn ['poust ˌhɔ:n] *s od* corn de poştalion

posthumous ['pɔstjuməs] *adv* postum

posthumously ['pɔstjuməsli] *adv* postum

postil(l)ion [po'stiljən] *s* **1** *od* curier, ştafetă **2** călăreţ înaintaş

post-impressionism [ˌpoustim-'preʃəˌnizəm] *s pict* post-impresionism

post-impressionist [ˌpoustim'preʃənist] *s pict* post-impresionist

posting ['poustiŋ] *s mil* mutare în interes de serviciu

postman ['poustmən] *s* poştaş, factor poştal

postmark ['poust,ma:k] **I** *s* ştampilă poştală **II** *vt* a ştampila *(scrisori etc.)*

postmaster ['poust,ma:stəʳ] *s* **1** diriginte de poştă **2** *od* şef al unei staţiuni de poştă de cai

postmaster general ['poust,ma:stə 'dʒenrəl], *pl* **postmasters general** ['poust,ma:stəz 'dʒenrəl] *s* ministru al poştelor; director general al poştelor

postmeridian ['poustmə'ridiən] *adj* de după amiază, postmeridian

post meridiem ['poust mə'ridiəm] *adv lat* după amiază, p.m.

post-mortem ['poust'mɔ:təm] *lat* **I** *adj* post-mortem, de după moarte **II** *s med* autopsie

post-mortem *adv lat* post mortem, după moarte

post-mortem examination ['poust-'mɔ:təm ˌigzæmi'neiʃən] *s lat med* autopsie

post-office ['poust,ɔfis] *s* oficiu poştal

post-office box ['poust,ɔfis 'bɔks] *s* căsuţă poştală

Post-Office Department ['poust-,ɔfis di'pa:tmənt] *s* Ministerul poştelor *(în S.U.A.)*

post-operative ['poust'ɔpərətiv] *adj med* post-operator(iu)

post-paid ['poust'peid] *adj* franco

postpalatal ['poust'pælətəl] *adj fon* postpalatal

postponable [poust'pounəbəl] *adj* care poate fi amânat

postpone [poust'poun] *vt* a amâna; a lăsa pentru mai târziu

postponement [poust'pounmənt] *s* amânare

postposition [ˌpoustpə'ziʃən] *s* gram **1** postpoziţie **2** postpunere

postprandial ['poust'prændiəl] *adj* ← *umor* de după prânz/masă

postscript ['poust,skript] *s* **1** post-scriptum **2** *radio* comentarii după radio-jurnal

postulant ['pɔstjulənt] *s* candidat, solicitant (↓ *pt primirea într-un ordin religios)*

postulate I ['pɔstju,leit] *vt* **1** a postula **2** a accepta fără dovezi **3** a cere, a pretinde, a reclama **II** ['pɔstjulit] *s* **1** postulat **2** condiţie prealabilă

postulation [ˌpɔstju'leiʃən] *s* postulare

posture ['pɔstʃəʳ] **I** *s* **1** postură, ţinută, poziţie *(a corpului)* **2** *fig* stare, situaţie; **the present ~ of affairs** starea de lucruri actuală **II** *vt* a aranja, a pune într-o anumită poziţie *(pt a poza ca model etc.)* **III** *vi şi fig* a poza

posture maker ['pɔstʃə'meikə'] *s* **1** acrobat **2** profesor de gimnastică plastică

posturer ['pɔstʃərə'] *s* pozeur

posturize ['pɔstʃə,raiz] *vt v.* **posture II**

post-war ['poust'wɔː'] *adj atr* postbelic, de după război

posy ['pouzi] *s* **1** floare **2** buchet (mic) de flori

pot¹ [pɔt] **I** *s* **1** recipient; vas, oală; găleată; vadră; borcan; cană; ulcior; **to keep the ~ boiling a** a-și câștiga pâinea/existența **b** a întreține conversația, a continua jocul *etc.;* **the ~ calls the kettle black** *prov* râde dracul de porumbe negre și pe sine nu se vede, râde ciob de oală spartă; **to go to ~** *sl/* **a** a da ortul popii, – a muri **b** a se duce dracului, a se duce de râpă, – a se ruina; **a big ~** *F* un ștab/grangur, – o persoană importantă **2** oală de noapte, țucal **3** *sport* ← *F* cupă; premiu **4** pahar, băutură; dușcă **5** ← *F* sumă mare de bani; miză ridicată **6** *ch* cuzinet **II** *vt* **1** a pune *sau* a arunca într-o oală *etc. (v.* **~ I, 1)** **2** a conserva; a pune în cutii de conserve **3** a pune/a sădi într-un ghiveci **4** a fierbe *(într-o oală)* **5** a împușca *(de la o distanță mică)* **6** *F* a pune pe oliță *(un copil)* **7** *F* a pune mâna pe, – a câștiga; a încasa

pot³ *s scot* groapă *(adâncă)*

pot. *presc de la* **potential**

potable ['poutəbəl] **I** *adj* potabil, care se poate bea **II** *s* ↓ *pl* băutură *sau* băuturi

potage [pɔ'tɑːʒ] *s fr* supă; bulion

potash ['pɔtæʃ] *ch* **I** *s* potasă, carbonat de potasiu **II** *adj atr (numai în cuvinte compuse)* de potasiu

potassa [pɔ'tæsə] *s ch* potasă caustică

potassic [pɔ'tæsik] *adj ch* potasic

potassium [pɔ'tæsiəm] *s ch* potasiu, kaliu

potassium bromide [pɔ'tæsiəm 'brɔmaid] *s fot etc.* bromură de potasiu

potassium carbonate [pɔ'tæsiəm 'kɑːbənit] *s ch* carbonat de potasiu, potasă

pottassium chloride [pɔ'tæsiəm 'klɔːraid] *s ch* clorură de potasiu

potassium nitrate [pɔ'tæsiəm 'naitreit] *s ch* azotat de potasiu

potassium permanganate [pɔ'tæsiəm pə:'mæŋgəneit] *s med* permanganat de potasiu

potation [pou'teiʃən] *s* **1** băut, faptul de a bea **2** ↓ *pl* băutură, beție **3** dușcă, *F* gât **4** băutură (alcoolică)

potato [pə'teitou], *pl* **potatoes** [pə'teitouz] *s* **1** *bot* cartof *(Solanum tuberosum), reg →* barabulă; **mashed~(es)** pireu de cartofi; **small ~es** ← *F* a fleacuri, mărunțișuri, lucruri mărunte **b** oameni mărunți/meschini; **to think oneself no small ~** *F* a se crede buricul pământului, a se grozăvi; **quite the ~** ← *F* tocmai/exact ce trebuie; **not (quite) the ~** ← *F* individ suspect/dubios **2** *bot* batata *(Ipomoea batatus)* **3** *pl amer sl* sunători, biștari, – bani

potato beetle/bug [pə'teitou ,biːtl/ ,bʌg] *s ent* gândac de Colorado *(Leptinotarsa decemlineata)*

potato chips [pə'teitou ,tʃips] *s pl* „cips" *(felii subțiri de cartof prăjite în grăsime)*

potato trap [pə'teitou ,træp] *s F* leoarbă, – gură

pot-bellied ['pɔt,belid] *adj* pântecos, *F* burduh(ăn)os

pot belly ['pɔt ,beli] *s* **1** ← *F* burtă/ pântece mare **2** ← *F* burtea, – (om) burtos, pântecos

pot-boiler ['pɔt,bɔilə'] *s* **1** *F* cârpăceală, – lucru de mântuială **2** *lit F* maculatură **3** *F* cârpaci

pot-boy ['pɔt,bɔi] *s* ajutor de chelner/ospătar; picolo

pot cheese ['pɔt ,tʃiːz] *s amer* brânză dulce de vacă

poteen [pɔ'tiːn] *s* whisky irlandez *(distilat ilicit)*

potence ['poutəns] *s v.* **potency**

potency ['poutənsi] *s* **1** putere, forță, *rar →* potență **2** influență, putere, autoritate **3** posibilitate de dezvoltare

potent ['poutənt] *adj* **1** puternic, tare, *rar →* potent **2** *(d. un bărbat)* viril, viguros **3** *(d. un argument)* puternic, convingător **4** *(d. băuturi)* tare, amețitor

potentate ['poutən,teit] *s* potentat; autocrat; autarh; monarh

potential [pə'tenʃəl] **I** *adj* **1** potențial; posibil **2** *el, fiz etc.* potențial **3**

potențial, latent, nedezvoltat **II** *s* **1** *el etc.* potențial **2** posibilitate **3** *gram* (modul) potențial

potential energy [pə'tenʃəl 'enədʒi] *s el etc.* energie potențială/ acumulată

potentiality [pə,tenʃi'æliti] *s* potențialitate; posibilitate

potentially [pə'tenʃəli] *adv* (în mod) potențial

potential pot [pə'tenʃəl ,pɔt] *s fiz* groapă de potențial

potentiate [pə'tenʃi,eit] *vt* **1** a potența **2** a face posibil

potentilla [,poutən'tilə] *s bot* cinci-degete *(Potentilla sp.)*

potentiometer [pə,tenʃi'ɔmitə'] *s el* potențiometru; rezistor variabil

pothead ['pɔt,hed] *s sl* fumător de cannabia *sau* marijuana

pothecary ['pɔθikəri] *s înv* spițer, – farmacist

pother ['pɔðə'] **I** *s* **1** fum înecăcios/ înăbușitor **2** nor de praf **3** agitație, zarvă, mișcare, freamăt **4** zgomot, larmă **II** *vt* a plictisi, a nu lăsa în pace

pot herb ['pɔt ,həːb] *s* zarzavat, legumă, verdeață

pot hole ['pɔt ,houl] *s* **1** groapă, hop **2** *hidr* făgaș/oală de eroziune

pot hook ['pɔt ,huk] *s* cârlig în formă de S *(pt a ține oala pe foc etc.)*

pot house ['pɔt ,haus] *s* cârciumă *(↓ mică și proastă); F* bombă

pot hunter ['pɔt ,hʌntə'] *s* **1** vânător care nu-și alege vânatul **2** *sport* vânător de cupe/premii

potion ['pouʃən] *s* poțiune, băutură

pot lead ['pɔt ,led] *s ch* grafit

potluck ['pɔt,lʌk] *s* **1** ce s-o putea pune pe masă; ce s-o găsi de mâncare; **come and take ~ with us** veniți să luați masa cu noi, cu toate că nu avem cine știe ce **2** șansă, posibilitate; **to take ~** a alege la întâmplare; a lua fără să aleagă

potman ['pɔtmən] *s* chelner, ospătar

pot marigold ['pɔt ,mærigould] *s bot* filimică *(Calendula officinalis)*

Potomac, the [pə'toumək, ðə] *fluviu în S.U.A.*

potpourri [,pou'puəri] *s* **1** *muz* potpuriu **2** *fig* potpuriu, amestecătură, vălmășag, talmeș-balmeș **3** *lit* miscellanea

pot roast ['pɔt ,roust] *s* friptură înăbușită *(↓ de vacă)*

Potsdam ['potsdæm] *oraș în Germania*

potsherd ['pot,ʃəːd] *s* ciob, hârb

potshot ['pot,ʃot] *s* 1 împușcătură de aproape *sau* la întâmplare 2 *fig* atac mișelesc

potstone ['pot,stoun] *s geol* piatra olarului

pottage ['potidʒ] *s* supă deasă; *un fel de* tocană de legume *sau* legume și carne

potted ['potid] *adj* 1 pus *sau* păstrat într-o oală 2 *(d. carne etc.)* conservat 3 *F* făcut, afumat, – beat

potter¹ ['potər] *s* olar

potter² *vi* 1 a-și face de lucru, a umbla/a se învârti de colo până colo 2 a bate drumurile, a umbla haimana, a hoinări 3 (at) a-și pierde vremea (cu) 4 a trăncăni, a flecări, *F* a turui

potter ['potərə'baut] *vi cu part adv v.* **potter²** 1

potter away [potərə'wei] *vt cu part adv* a pierde, a irosi *(timpul)*

Potteries, the ['potəriz, ðə] *regiune în Staffordshire, Anglia, renumită pentru olărie*

potter's clay/earth ['potəz ,klei/,əːθ] *s* argilă de olărie

potter's ore ['potəz ,oːʳ] *s minr* galenă

potter's wheel ['potəz ,wiːl] *s* roata olarului

pottery ['potəri] *s* 1 olărie, ceramică; faianță 2 (atelier de) olărie

pottery ware ['potəri ,wɛəʳ] *s* produse de olărie

pottle ['potəl] *s* 1 coș *(pt fructe)* 2 *od* jumătate de galon; cană de o jumătate de galon 3 băutură *(alcoolică)*

Pott's disease ['pots di,ziːz] *s med* morbul lui Pott

potty¹ ['poti] *adj* 1 *sl* scrântit, țicnit, care nu e în toate mințile, aiurit, – nebun (< de legat); **to be ~ about smb** *F* a fi nebun/leșinat după cineva 2 ← *F (d. o întrebare)* extrem de ușor, copilăresc 3 ← *F* mic, neînsemnat, ridicol 4 ← *F* închipuit, îngâmfat, infatuat, încrezut

potty² *s* olița (de noapte) *(↓ din plastic)*

potty-trained ['poti,treind] *adj (d. copii)* (care s-a) obișnuit cu olița (de noapte)

pot-valiant ['pot'væliənt] *adj* viteaz la beție

pot valour ['pot 'væləʳ] *s* chef de ceartă *(la beție)*; curajul beției-vului

pouch [pautʃ] I *s* 1 traistă; desagă, sac; săculeț; pungă 2 pungă *(la ochi)* 3 *mil* cartușieră II *vt* 1 a pune/a vârî/a băga în sac, săculeț *etc. (v. I, 1)* 2 *fig* a vârî în pungă/buzunar, a lua, a-și însuși 3 *fig* ← *F* a da *(cuiva)* bacșiș *sau* bani de buzunar 4 a face burlane *(pantalonii)*; a boți 5 *(d. pești sau păsări)* a înghiți III *vi* 1 *(d. pantaloni)* a-și pierde dunga, a se face ca niște burlane

pouched [pautʃt] *s zool* cu pungă

pouchy ['pautʃi] *adj* ca un sac; ca o pungă

pouf(fe) [puːf] *s* 1 puf *(scaun scund)* 2 *sl v.* **poof**

poulard ['puːlaːd] *s fr* 1 găină castrată 2 puică grasă

poult [poult] *s* pui de găină, de curcă *etc.*

poulterer ['poultərə'] *s* vânzător de păsări (de curte)

poultice ['poultis] I *s* cataplasmă, prișniță II *vt* a pune o cataplasmă/prișniță pe

poultry ['poultri] *s* 1 *ca pl* păsări de curte, orătănii 2 carne de pasare (de curte)

pounce¹ [pauns] *s* 1 *poligr* praf de piatră ponce 2 *od* nisip de călimară 3 praf de cărbune

pounce² I *s* 1 gheară *(de pasăre răpitoare)* 2 salt *sau* atac neașteptat/brusc II *vt* 1 a prinde în gheare, a apuca cu ghearele 2 *(d. păsări răpitoare)* a se năpusti asupra *(cu gen)*

pounce³ *vt* a găuri; a sfredeli

pounce at ['pauns ət] *vi cu prep* 1 *fig* a se năpusti asupra *(cu gen)*, a se repezi la

pounce on/upon ['pauns on/ə,pon] *vi cu prep* 1 *fig* a izbucni/a se dezlănțui împotriva *(cuiva)* 2 *fig* a se agăța de *(o greșeală a cuiva etc.)*; a se folosi de; a se lega de 3 *v.* **pounce at**

pound¹ [paund] *s* 1 livră, funt, pfund, pund *(= 453,6 gr)* 2 liră (sterlină) *(= 20 șilingi; azi 100 pence)* 3 liră *(unitate monetară în Australia, Egipt, Irlanda etc.)*

pound² I *vt* 1 a pisa (mărunt), a fărâmița, a zdrobi; a făcălui 2 a bate, a lovi, a ciomăgi 3 a zdrobi,

a sfărâma; **to ~ to pieces** a sfărâma în bucăți, a face fărâme 4 a ciocăni, a izbi, a lovi; a bombarda; **the guns ~ed the walls of the fort** tunurile bombardau zidurile fortului; **to ~ the piano** a zdrăngăni la pian 5 a bătători *(pământul)*, a călca apăsat pe II *vi* 1 *(d. inimă)* a bate puternic 2 *(d. tobe etc.)* a bate, a se auzi bătând 3 a tropăi 4 a înainta, a merge *etc.* cu greu III *s* 1 lovitură puternică 2 izbitură, bruftuitură

pound³ I *s* 1 îngrăditură; țarc; ocol *(↓ pt vitele de pripas)* 2 închisoare, temniță; carceră 3 *fig* strâmtoare, greu, necaz II *vt* 1 a închide într-un țarc sau ocol 2 a închide, a întemnița

Pound [paund], **Ezra** *poet american (1885-1972)*

poundage¹ ['paundidʒ] *s* 1 procent socotit pe liră sterlină *(la salarii etc.)* 2 greutate (socotită în livre) 3 taxă vamală (socotită) după greutate

poundage² *s* 1 ocol (de vite) 2 taxă pentru întreținerea vitelor în ocol

pound away at ['paund ,ə'weiət] *vi cu part adv și prep* a ciocăni, a izbi, a lovi *cu ac;* a bombarda *cu ac*

pound cake ['paund ,keik] *s* chec *sau* tort din ingrediente a câte o livră fiecare

pounder ['paundəʳ] *s (în cuvinte compuse)* obiect cântărind... livre *sau* valorând... lire; **a five-~ a** un obiect care cântărește 5 livre **b** un obiect care valorează *sau* costă 5 lire

pounding ['paundiŋ] *s* 1 ciocănire, ciocănit; izbire; izbitură 2 *F* bătaie/înfrângere serioasă

pound of flesh ['paund əv 'fleʃ] *s fig* „livră de carne"

pound on ['paund on] *vi cu prep* a bombarda; a lovi; a ciocăni; **to ~ the piano** a zdrăngăni la pian

pound out ['paund 'aut] *vt cu part adv* 1 a turti/a aplatiza cu ciocanul *etc.* 2 a zdrăngăni la pian *(o melodie etc.)*

pour [poːʳ] I *vt* (**into**) a turna (în); a vărsa (în); a revărsa (în) II *vi* 1 a curge; a se scurge; a se revărsa 2 a ploua cu găleata; a fi rupere de nori; **it is ~ing (wet)** plouă cu găleata/bășici; **it never rains**

but it ~s *prov* o nenorocire nu vine niciodată singură **3** *fig* a se revărsa, a veni în număr mare *sau* în mari cantități; a veni puhoi/ șuvoi; a se răspândi peste tot; a năvăli ca lăcustele

pourboire [pur'bwɑː'] *s fr* bacșiș

pour down ['pɔː 'daun] *vi cu part adv* (**upon**) a coborî *sau* a cădea în valuri peste *sau* deasupra – *cu gen*, a se revărsa peste; asupra – *cu gen;* a ploua torențial

pour forth ['pɔː 'fɔːθ] **I** *vt cu part adv* **1** a vărsa, a deșerta; a revărsa **2** *fig* a-și vărsa *(focul etc.);* a revărsa **II** *vi cu part adv fig* a se revărsa, a veni puhoi

pour in ['pɔːr'in] *vi cu part adv fig (d. scrisori etc.)* a veni cu duiumul/în număr mare

pouring ['pɔːriŋ] **I** *adj (d. ploaie)* torențial **II** *adv (ud)* leoarcă, până la piele

pour it on ['pɔːrit'ɔn] *vi cu pr și part adv v.* **pour on¹ I**

pour on¹ ['pɔːr 'ɔn] *vi cu part adv F* a tămâia pe cineva; a nu mai isprăvi cu laudele *(↓ ca să se facă plăcut)*

pour on² ['pɔːr ɔn] *vt cu prep:* **to pour cold water on/over** a fi ca un duș rece pentru; **to pour oil on the flames** *fig* a (mai) pune paie pe foc; **to pour oil on troubled waters** *fig* a încerca să liniștească lucrurile; **to pour scorn on** a vorbi disprețuitor la adresa *cu gen*

pour oneself into ['pɔː wʌn'self ,intə] *vr cu prep (d. un râu etc.)* a se vărsa în

pour out ['pɔːr 'aut] **I** *vt cu part adv* **1** a turna *(ceai etc.)* **2** a-și vărsa *(necazurile);* a spune cu foc *(o istorisire etc.)* **II** *vi* a se vărsa *sau* revărsa (în) afară

pout [paut] **I** *vi* a se îmbufna, a se bosumfla, *F →* a pune buza, a strâmba gura; a țuguia buzele **II** *s* îmbufnare, bosumflare; supărare; proastă dispoziție

poutingly ['pautiŋli] *adv* îmbufnat, bosumflat, supărat

poverty ['pɔvəti] *s* **1** sărăcie, lipsă, nevoie, < mizerie **2** sărăcie, lipsă, absență; insuficiență; puținătate **3** neproductivitate *(a solului etc.);* lipsă de fertilitate; nerodnicie

poverty-stricken ['pɔvəti,strikn] *adj* **1** sărac; foarte sărac, sărac lipit pământului **2** sărac, dând impresia de sărăcie, sărăcăcios

POW, P.O.W. *presc de la* **prisoner of war**

powder ['paudəʳ] **I** *s* **1** praf, pulbere; pudră; material pulverizat **2** pudră *(de față)* **3** pulbere, praf de pușcă; **to keep one's ~ dry** ← *rar* a nu se pierde cu firea, a fi gata de luptă, înfruntare *etc.;* **not worth (the) ~ and shot** ← *înv* mai mare daraua decât ocaua, nu face daraua cât ocaua **II** *vt* **1** a pudra *(fața)* **2** *tehn* a pulveriza, a pudra **3** *gastr* a pudra; a săra **III** *vi* a se pudra

powdered ['paudəd] *adj* **1** pudrat **2** pulverizat **3** *atr (d. săpun și lapte)* praf; *(d. zahăr)* pudră

powder flask/horn ['paudə ,flɑːsk/ ,hɔːn] *s mil od* corn de praf de pușcă

powder keg ['paudə ,keg] *s* **1** *od* butoiaș de pulbere **2** *fig* butoi de pulbere

powder magazine ['paudə mægə'ziːn] *s mil* cameră de muniție; depozit de explozivi

powder puff ['paudə ,pʌf] *s* puf de pudrat

powder room ['paudə ,ruːm] *s amer* toaletă *(pt doamne)*

powdery ['paudəri] *adj* **1** pulverulent, sub formă de pulbere **2** pulverizat, prefăcut în pulbere **3** prăfos; prăfuit

power ['pauəʳ] *s* **1** putere, forță, energie *(a unei ființe);* **his ~s were falling** îl lăsau puterile; **a man of great intellectual ~s** un om de o mare putere intelectuală; **more ~ to you/to your elbow!** *F* noroc! – succes! **2** putere, putință, capacitate, capabilitate; posibilitate; **it was out of/ it was not within my ~ to help him** nu a fost/a stat în puterea mea să-l ajut, nu am putut să-l ajut; **I will do all in my ~** voi face tot posibilul/tot ce-mi stă în putință **3** *fiz, tehn* putere, forță, energie, capacitate; randament, productivitate; **by ~** (în mod) mecanic **4** putere, forță *(a unei lovituri etc.);* tărie; violență **5** putere, autoritate; control; guvernare; stăpânire; **the party in ~**

partidul aflat la putere; **to have ~ over smb** a avea putere/ autoritate asupra cuiva; **to have smb in one's ~** a avea pe cineva în puterea/stăpânirea sa/la dispoziția sa **6** împuternicire, mandat; însărcinare **7** putere, stat **8** *mat* putere; grad **9** *F* grămadă, – mulțime; mult, multă, mulți *sau* multe; **a ~ of money** o grămadă de bani; un sac *sau* saci de bani **10** *opt* putere măritoare

power boat ['pauə ,bout] *s nav* barcă cu motor

power brake ['pauə ,breik] *s* **1** *ferov* frână mecanică **2** *auto* servofrână

power cable ['pauə ,keibl] *s el* cablu de forță

power craft ['pauə ,krɑːft] *s auto, nav, av* vehicul motorizat

power demand ['pauə di'mɑːnd] *s tehn* consum de curent

power drive ['pauə ,draiv] *s tehn* acționare mecanică

powered ['pauəd] *adj tehn* mecanizat; cu acționare mecanică *sau* electrică

power factor ['pauə ,fæktəʳ] *s tehn* factor de putere

power feed ['pauə ,fiːd] *s tehn* avans mecanic

powerful ['pauəful] *adj* **1** puternic, tare, voinic, viguros **2** puternic, cu autoritate, influent **3** *(d. inamic etc.)* puternic, care dispune de forță; redutabil **4** *(d. lumină etc.)* puternic, intens, viu **5** *(d. o descriere etc.)* viu, plastic **6** *(d. un discurs)* impresionant, remarcabil, elocvent **7** *(d. un remediu etc.)* eficace, puternic

powerfully ['pauəfuli] *adv* cu putere/forță/energie; puternic

power house ['pauə ,haus] *s* **1** *tehn* centrală electrică/de forță **2** om plin de energie

powerless ['pauəlis] *adj* fără putere, slab; fără autoritate *etc. (v.* **power 1-6***)*

powerlessly ['pauəlisli] *adv* fără putere/forță; sleit *etc.*

powerlessness ['pauəlisnis] *s* lipsă de putere, vlagă, energie, autoritate *etc.;* imposibilitate

power-mad ['pauə,mæd] *adj* setos de putere

power of attorney ['pauər əv ə'tə:ni] *s jur* delegație; mandat; împuternicire (scrisă)

power-operated ['pauə‚ɔpəreitid] *adj tehn* (acționat) mecanic

power pile ['pauə ‚pail] *s fiz* reactor de putere

power plane ['pauə ‚plein] *s av* avion cu motor

power plant ['pauə ‚plɑːnt] *s* 1 *el* centrală electrică; instalație de forță 2 *tehn* centrală energetică/de forță 3 *av* grup motopropulsor

power politics ['pauə ‚pɔlitiks] *s pl ca sg* politică de forță

power station ['pauə ‚steiʃən] *s v.* **power plant**

powwow ['pau‚wau] I *s* 1 vraci, vrăjitor *(la indienii nord-americani)* 2 adunare, întrunire *(a indienilor)* 3 *amer* adunare; conferință; dezbatere II *vi* a discuta, a se sfătui

pox [pɔks] *s med* 1 variolă, vărsat *(și alte boli de piele)* 2 ↓ the ~ ← *vulg* sifilis

Poznan ['pɔznajn] *oraș în Polonia*

pozzolana [‚pɔtsə'lɑːnə] *s v.* **pozzuolana**

pozzuolana [‚pɔtswə'lɑːnə] *s geol* puzzolană, tuf vulcanic

pp. *presc de la* 1 pages 2 past participle

P.P., p.p. *presc de la* 1 post-paid 2 parcel post 3 past participle

PR *presc de la* 1 **proportional representation** 2 **public relations**

pr. *presc de la* 1 pair 2 present 3 power 4 price 5 pronoun

practicability [‚præktikə'biliti] *s* 1 posibilitate de realizare/efectuare 2 aplicabilitate 3 carosabilitate; navigabilitate

practicable ['præktikəbəl] *adj* 1 practicabil; accesibil 2 care nu poate fi folosit; folositor; aplicabil; realizabil 3 practicabil; carosabil; navigabil 4 *teatru (d. decor)* real

practicably ['præktikəbli] *adv* în speranța că va fi realizabil, posibil *etc. v.* **practicable**

practical ['præktikəl] I *adj* 1 practic *(ant* teoretic) 2 practic; concret; aplicabil; folositor; util 3 practic; realist; care își cunoaște interesele 4 practic; comod; economicos 5 *(d. cineva)* practician 6 *adverbial* de fapt, virtual // **for all ~ reasons** în mod practic, de fapt II *s* examen practic; probă practică, lecție practică

practicality [‚prækti'kæliti] *s* caracter practic

practical joke ['prækti'kəl ‚dʒouk] *s* festă, renghi; glumă proastă

practically ['præktikəli] *adv* 1 din punct de vedere practic 2 în mod practic, de fapt; ~ **speaking** practic vorbind; **~there were no changes** practic nu au fost nici un fel de schimbări, aproape că nu a fost nici o schimbare

practice ['præktis] I *s* 1 practicare; aplicare, folosire; practică; **in ~** în practică/realitate; **to put a plan into ~** a pune un plan în aplicare, a traduce un plan în fapt 2 practică, obicei; rânduială; ordine stabilită; **that was the ~ then** așa se obișnuia (pe) atunci; **to put into ~** a introduce în uz(ul) curent 3 practică, exercițiu, exersare; antrenament; rutină; **to be out of ~** a-și pierde exercițiul *sau* antrenamentul; a nu mai exersa 4 practică *(pedagogică etc.)* 5 *pl* practici; acțiuni reprobabile; uneltiri, intrigi; **corrupt ~s** practici corupte, luare de mită; **discreditable ~s** afaceri tenebroase; **sharp ~** șiretlic, vicleșug, tertip; afacere tenebroasă *(dar nu total ilegală)* 6 *mil* muștru, instrucție 7 practică, metodă, procedeu 8 clienți, clientelă 9 activitate regulată, serviciu *(de doctor sau avocat)* 10 loc unde profesează cineva *(↓ un doctor sau un avocat)* II *vt, vi amer v.* **practise**

practician [præk'tiʃən] *s* practician

practise ['præktis] I *vt* 1 a practica; a se ocupa cu; a folosi 2 a-și face un obicei din 3 a practica *(medicina etc.)*, a profesa; a fi *(medic etc.)* 4 a practica, a exersa; a se antrena în II *vi* 1 a practica, a exersa 2 a practica, a profesa

practised ['præktist] *adj* 1 experimentat, încercat, cu experiență 2 câștig prin experiență; de rutină; artificial

practiser ['præktisə'] *s* 1 practician 2 intrigant

practitioner [præk'tiʃənə'] *s* 1 practician 2 specialist

prae- *pref* pre-: **praetor** pretor

praefect ['priːfekt] *s* prefect

praesidium [pri'sidiəm], *pl și* **praesidia** [pri'sidiə] *s* prezidiu

praetor ['priːtə']*s ist Romei* pretor

praetorian [pri'tɔːriən] *ist Romei* I *adj* pretorian, de pretor, al pretorului II *s* pretorian *(soldat)*

pragmatic [præg'mætik] I *adj* 1 *filos* pragmatic 2 activ, energic 3 practic 4 băgăcios 5 înfumurat, închipuit, infatuat II *s filos* pragmatist

pragmatical [præg'mætikəl] *adj* 1 *v.* **pragmatic** 1, 4, 5 2 dogmatic

pragmatically [præg'mætikəli] *adv* 1 (în mod) pragmatic 2 din punct de vedere pragmatic

pragmatism ['prægmə‚tizəm] *s* 1 *filos* pragmatism 2 caracter pragmatic 3 înfumurare, infatuare

pragmatist ['prægmətist] *s filos* pragmatist

Prague [prɑːg] *capitala Cehiei* Praga

praire ['prɛəri] *s* prerie

prairie dog ['prɛəri ‚dɔg] *s zool* câine de prerie *(Cynomys ludovicianus)*

prairie schooner ['prɛəri ‚skuːnə'] *s amer od* căruță cu coviltir

prairie wolf ['prɛəri ‚wulf] *s zool* lup de prerie, coiot *(Canis lattrans)*

praisable ['preizəbl] *adj v.* **praiseworthy**

praise [preiz] I *vt* 1 a lăuda; a aduce laude *(cu dat)*; < a slăvi, a proslăvi, a preamări; a glorifica; **to ~ to the skies** a ridica în slava cerului 2 *rel* a aduce slavă *(lui Dumnezeu etc.)* II *s* 1 laudă; < slavă; preamărire, proslăvire; glorificare; **beyond ~** mai presus de orice laudă; **in ~ of** care laudă/< preamărește *cu ac;* care cântă *cu ac; înv →* întru lauda/slava *cu gen;* **a book in ~ of country life** o carte proslăvind viața de la țară; **to sing the ~s of smb** a lăuda pe cineva în mod excesiv, a ridica pe cineva în slăvi; **to sing one's own ~s** a se lăuda singur, *F* a-i pieri lăudătorii; a-și face reclamă singur 2 *rel* slavă, laudă; cântare de laudă; **~be!** slavă Domnului!

praiseworthily ['preiz‚wəːðili] *adv* într-un mod vrednic de laudă

praiseworthiness ['preiz‚wəːðinis] *s* caracter lăudabil *(al unei fapte etc.)*

praiseworthy ['preiz‚wəːði] *adj* lăudabil, vrednic de laudă

Prakrit ['prɑːkrit] *s lingv* prakrit

praline ['prɑːliːn] *s* pralină

pram [præm] *s F v.* **perambulator**

prance [prɑːns] **I** *vi* **1** *(d. cai)* a cabra, a se ridica pe picioarele de dinapoi **2** *fig* a face pe grozavul, a se grozăvi, a se fuduli **3** ← *F* a dansa, a juca; a țopăi, a sări **II** *vt* a juca *(calul)* **III** *s* **1** ← *F* dans; sărituri; țopăit(uri) **2** *fig* înfumurare, fudulie

prank¹ [præŋk] *s* festă, renghi; poznă; zburdălnicie; glumă; **to play a ~ on smb** a juca o festă/ un renghi cuiva

prank² ← *înv* **I** *vt* a găti; a împodobi **II** *vi* a se găti; a se împodobi

prankish ['præŋkiʃ] *adj* **1** glumeț; jucăuș **2** neastâmpărat; poznaș

prank oneself out ['præŋk wʌn,self 'aut] *vt cu part adv* ← *înv* a se găti; a se împodobi

prank out/up ['præŋk 'aut/'ʌp] *vt și vi cu part adv v.* **prank²**

prankster ['præŋkstəʳ] *s F* nebunatic, – poznaș; ghiduș

p'raps [præps] *adv F v.* **perhaps**

praseodymium [,preiziou'dimiəm] *s ch* praseodim

prat [præt] *s sl* tâmpit, bou

prate [preit] **I** *vi* a flecări, a trăncăni, a pălăvrăgi, a îndruga verzi și uscate **II** *vt* a trăncăni, a-l lua gura pe dinainte și a spune **III** *s* flecăreală, pălăvrăgeală

pratfall ['præt,fɔːl] *s F* cădere/ căzătură în popou

prattle ['prætəl] **I** *vi* **1** *v.* **prate I 2** *(d. copii)* a gânguri **3** *(d. un izvor etc.)* a murmura, a susura **II** *s* **1** *v.* **prate III 2** gângurit **3** murmur, susur

prawn [prɔːn] *s zool* specii de crevetă *(Pandalus sp., Peneus sp. etc.)*

praxis ['præksis] *s* **1** practică; praxis; experiență, rutină **2** practică, obicei, regulă, normă **3** exerciții *sau* exemple *(într-o gramatică)*

Praxiteles [præk'siti,liːz] *sculptor atenian* Praxitele *(sec. IV î.e.n.)*

pray [prei] **I** *vi* **1** a se ruga, a se închina; a-și face rugăciunea; **he's past ~ing for** *fig* nu mai are rost să-i rugați pentru el, e condamnat, nu se mai face bine/ sănătos **2** *(la imperativ)* ← *elev* vă rog, rogu-vă; ~ **don't speak so loud** te rog, nu vorbi așa de

tare; **what is the use of that, ~?** ce rost are aceasta, vă rog? **II** *vt* ← *rar* a ruga, a stărui pe lângă; **to ~ smb to the smth** a ruga pe cineva să facă ceva

prayer ['prɛəʳ] *s* **1** rugă(ciune); **to say one's ~s** a se ruga, a-și face rugăciunea; **to put up a ~ to God** a se ruga lui Dumnezeu, a înălța o rugăciune către Dumnezeu **2** rugăminte, rugă, cerere **3** persoană care se roagă; închinător

prayer book ['prɛə ,buk] *s* **1** carte de rugăciuni **2 the P~ B~** Cartea de rugăciuni a bisericii anglicane

prayerful ['prɛəful] *adj* care se roagă des; evlavios, cucernic

prayer meeting ['prɛə ,miːtiŋ] *s* întrunire pentru rugăciuni a protestanților

prayer rug ['prɛə ,rʌg] *s* covor(aș) pentru rugăciuni *(la musulmani)*

praying mantis ['preiiŋ ,mæntis] *s ent* călugăriță *(Mantis religiosa)*

pre- *pref* pre-: **preparation** preparare

preach [priːtʃ] **I** *vi* **1** *bis* a predica, a ține/a rosti o predică *sau* predici **2 (to smb)** a ține o lecție *sau* lecții de morală, a da învățătură *(cuiva)* **II** *vt* **1** *bis* a predica, a propovădui **2** *bis* a rosti, a ține *(o predică)* **3** *fig* a predica, a recomanda insistent

preach down ['priːtʃ 'daun] *vt cu part adv* a vorbi împotriva *(cuiva)*, a critica *pe cineva*

preacher ['priːtʃəʳ] *s bis* predicator; preot

preachify ['priːtʃi,fai] *vi* ← *F* a predica *sau* a face morală într-un mod plictisitor

preachment ['priːtʃmənt] *s* predică *sau* morală plicticoasă

preach up ['priːtʃ 'ʌp] *vt cu part adv* **1** a vorbi pentru *(cineva)* **2** a lăuda, < a ridica în slăvi

preachy ['priːtʃi] *adj* căruia îi place să predice; moralizator

pre-admonish ['priː'ədmɔniʃ] *vt* a preveni, a informa în prealabil

preamble [priː'æmbl] **I** *s* **1** preambul **2** introducere, prefață, cuvânt înainte **II** *vi* a face un preambul

pre-arrange ['priːə'reindʒ] *vt* a aranja dinainte

pre-arrangement [,priːə'reindʒmənt] *s* aranjament făcut dinainte

prebend ['prebənd] *s bis* prebendă, venit bisericesc *(la catolici)*

prebendary ['prebəndəri] *s bis* canonic (care primește o prebendă)

prec. *presc de la* **1 preceding 2 preceded**

pre-calculated [priː'kælkjuleitid] *adj ec* antecalculat

pre-Cambrian ['priː'kæmbriən] *adj, s geol* precambrian, algonkian

precapitalist ['priː'kæpitəlist] *adj* precapitalist

precarious [pri'kɛəriəs] *adj* **1** precar, dificil, greu; încurcat; nesigur **2** întâmplător, accidental **3** riscat, periculos, primejdios **4** neîntemeiat, nejustificat, nefondat

precariously [pri'kɛəriəsli] *adv* (în mod) riscant

precariousness [pri'kɛəriəsnis] *s* **1** caracter precar/dificil; nesiguranță **2** caracter îndoielnic *sau* interpretabil

precast ['priː,kɑːst] *adj constr* prefabricat

precative ['prekətiv] *adj v.* **precatory**

precatory ['prekətəri] *adj* rugător, stăruitor; pe un ton rugător

precaution [pri'kɔːʃən] *s* precauțiune, prevedere: **to take ~ against** a lua măsuri preventive sau de precauțiune împotriva *(cu gen)*

precautionary [pri'kɔːʃənəri] *adj* de precauțiune, preventiv

precautious [pri'kɔːʃəs] *adj* precaut, prevăzător

precede [pri'siːd] *vt* **1** a preceda, a premerge, a fi/a se afla/a exista sau a se petrece înainte de **2** a fi înaintea *(cuiva, ca importanță)*, a întrece; a fi mai important decât; a ocupa un post mai important/a obține o funcție mai importantă decât **3** a prefața, a introduce **II** *vi* a preceda, a fi înainte

precedence ['presidəns] *s* precedență; anterioritate; prioritate; întâietate, precădere; **this event had ~ of all others** această întâmplare a avut prioritate față de toate celelalte; **to take/to have ~ over a** a întrece *cu ac*, avea prioritate față de **b** a se petrece/a avea loc înainte de

precedency ['presidənsi] *s rar v.* **precedence**

precedent I ['presidənt] *s jur etc.* precedent; without ~ fără precedent; **to set/to create a ~ for** a crea un precedent pentru **II** [pri'sidənt] *adj* precedent

precedential [,presi'denʃəl] *adj* 1 servind ca precedent 2 precedent, anterior; premergător 3 având întâietate; preferențial

preceding [pri'si:diŋ] *adj* precedent, anterior; premergător; **the page** ~ pagina precedentă/dinainte

precentor [pri'sentəʳ] *s* ↓ *bis* dirijor de cor

precept ['pri:sept] *s* 1 precept, învățătură, principiu; normă/regulă de conduită 2 precept, povață, sfat, recomandare 3 *jur* dispoziție *sau* instrucțiune scrisă 4 *mat* noțiune 5 *tehn* instrucțiune

preceptive [pri'septiv] *adj* 1 (ca) de precept 2 care dă precepte, didactic; instructiv

preceptor [pri'septəʳ] *s* preceptor; profesor; învățător, instructor, educator

preceptress [pri'septris] *s* 1 profesoară; învățătoare, instructoare, educatoare 2 guvernantă

precession [pri'seʃən] *s* 1 precedare; precedență 2 *astr* precesiune

precessional [pri'seʃənəl] *adj astr* de precesiune

precession of the equinoxes [pri'seʃən əv ði 'i:kwinɔksis] *s astr* procesiune a echinocțiilor

pre-Christian ['pri:'kristjən] *adj* precreștin

precinct ['pri:siŋkt] *s* 1 teren îngrădit în jurul unui zid (↓ *în jurul unei biserici*) 2 margine, limită, hotar 3 *pl* împrejurimi, preajmă; vecinătate 4 *pl fig* margini, limite; **within the ~s** în limitele *sau* cadrul *cu gen;* în interiorul *cu gen*

preciosity [,preʃi'ɔsiti] *s* afectare, prețiozitate (↓ *în limbaj*)

precious ['preʃəs] **I** *adj* 1 prețios, valoros, de preț/valoare, scump 2 *fig* scump, drag, iubit; **a ~ friend you have been!** *ironic* grozav prieten (ai fost), ce să spun! 3 *F* dat naibii/dracului; ~ desăvârșit, perfect, absolut; **he was a ~ rascal** era un ticălos fără pereche 4 *(d. stil etc.)* prețios, afectat, căutat **II** *adv F* al naibii; grozav de *(puțini bani etc.)* **III** *s F* comoară, iubit, odor

preciously ['preʃəsli] *adv* (în mod) afectat

precious metal ['preʃəs ,metəl] *s* metal prețios

precious stone ['preʃəs ,stoun] *s* piatră prețioasă, (piatră) nestemată

precipice ['presipis] *s* prăpastie, abis, hău; > râpă; **to stand on the edge of a ~** *fig* a fi/a se afla pe marginea prăpastiei

precipitance [pri'sipitəns] *s* precipitare, grabă mare, zor; pripă

precipitancy [pri'sipitənsi] *s v.* **precipitance**

precipitant [pri'sipitənt] **I** *adj* 1 abrupt, prăpăstios 2 *fig* precipitat; foarte grăbit, zorit 3 *fig* grăbit, pripit; necugetat 4 *fig* cu totul neașteptat, brusc; îoarte abrupt **II** *s ch* precipitant; coagulant

precipitate I [pri'sipitit] *s ch* precipitat; sediment **II** [pri'sipi,teit] *adj v.* **precipitant I III** [pri'sipi,teit] *vt* 1 *și fig* a precipita, a azvârli,a arunca 2 a precipita *(o criză etc.)*, a accelera, a grăbi 3 *ch* a precipita **IV** [pri'sipi,teit] *vr* a se arunca cu capul în jos **V** [pri'sipi,teit] *vi* 1 *ch* a se precipita, a se depune 2 *meteor* a se condensa; a se precipita

precipitately [pri'sipi,teitli] *adv* (în mod) pripit, necugetat, fără să se gândească

precipitation [pri,sipi'teiʃən] *s* 1 precipitare, azvârlire *etc.* (v. **precipitate III-V)** 2 *meteor* precipitații (atmosferice); cantitate de precipitații 3 *ch* precipitat 4 grabă mare, zor, pripă; impetuozitate, caracter năvalnic 5 materializare *(în spiritism)*

precipitous [pri'sipitəs] *adj* 1 abrupt, râpos; prăpăstios 2 ← *rar* foarte grăbit; pripit; nestăpânit

precipitously [pri'sipitəsli] *adv* (în mod) abrupt *sau* amețitor *sau* pripit

précis ['preisi:] *fr* **I** *s* scurtă expunere; conspect; rezumat; referat **II** *vt* a prezenta pe scurt; a rezuma

precise [pri'sais] *adj* 1 precis, exact; întocmai; corect; fidel; ~ **orders** ordine precise; **at the ~ moment when** exact/tocmai în momentul/clipa când 2 punctual, precis, exact 3 clar, limpede, explicit 4 minuțios, migălos; pedant

precisely [pri'saisli] *adv* 1 așa este, întocmai, exact, perfect adevărat 2 cu precizie/exactitate, (în mod) precis 3 tocmai *(pentru că etc.)*

preciseness [pri'saisnis] *s* caracter precis, precizie, exactitate

precisian [pri'siʒən] *s* 1 pedant 2 *bis od* puritan

precision [pri'siʒən] *s* 1 precizie, exactitate; corectitudine, fidelitate 2 precizie, exactitate, punctualitate 3 claritate, caracter explicit

precisionist [pri'siʒənist] *s* 1 susținător al preciziei (↓ *în exprimare);* pedant 2 purist

precision-made [pri'siʒən,meid] *adj atr* de precizie

pre-classical ['pri:'klæsikəl] *adj* preclasic

preclude [pri'klu:d] *vt* a face imposibil; a înlătura, a preîntâmpina *(interpretări eronate etc.);* a exclude (posibilitatea – *cu gen)*

preclude from + -ing [pri'klu:d ,frəm] *vt cu prep și -ing* a împiedica *(pe cineva)* de la *sau* de a *(face ceva)*, a nu permite *(cuiva)* să *sau* cu ac

preclusion [pri'klu:ʒən] *s* **(from + -ing)** împiedicare (de la *sau* de a); excludere (a unei posibilități); piedică, obstacol

preclusive [pri'klu:siv] *adj* care împedică/stânjenește

precocious [pri'kouʃəs] *adj* 1 precoce 2 prematur

precociously [pri'kouʃəsli] *adv* (în mod) precoce

precociousness [pri'kouʃəsnis] *s* precocitate, caracter precoce

precocity [pri'kɔsiti] *s* precocitate

precognition [,pri:kɔg'niʃən] *s* previziune; prevedere

preconceive [,pri:kən'si:v] *vt* a-și închipui dinainte; a-și forma o idee preconcepută despre

preconceived [,pri:kən'si:vd] *adj* preconceput

preconception [,pri:kən'sepʃən] *s* 1 idee/părere preconcepută 2 prejudecată

preconcerted ['pri:kən'sə:tid] *adj* pus de acord/convenit dinainte

pre-conquest [pri:'kɔŋkwist] *adj atr ist* dinaintea Cuceririi normande *(Hastings, 1066)*

precursor [pri'kə:səʳ] *s* 1 precursor, înaintaș 2 (pre)vestitor

precursory [pri'kə:səri] *adj* **1 (of)** premergător *(cu dat);* prealabil; anterior **2 (of)** (pre)vestitor (de)

pred. *presc de la* **predicate**

predacious [pri'deiʃəs] *adj v.* **predatory 1**

predator ['predətər] *s* **1** animal de pradă **2** acaparator; jefuitor

predatory ['predətəri] *adj* **1** *(d. animale)* de pradă, prădalnic, răpitor **2** *(d. oameni)* prădalnic, jefuitor; acaparator; storcător

predecessor ['pri:di,sesər] *s* **1** precursor, predecesor, înaintaş, premergător **2** străbun, strămoş **3** lucru, obiect *etc.* precedent/anterior

predefine [,pri:di'fain] *vt* a defini anticipat

predestinarian [,pri:desti'nɛəriən] *s* persoană care crede în predestinare; fatalist

predestinate [pri:'desti,neit] *vt rel* a predestina, a hotărî dinainte

predestination [pri:,desti'neiʃən] *s rel* predestinare, predestinaţie

predestine [pri:'destin] *vt v.* **predestinate**

predeterminate [,pri:di'tə:minit] *adj* predeterminat, hotărât dinainte

predetermination [,pri:di,tə:mi-'neiʃən] *s* predeterminare

predetermine [,pri:di'tə:min] *vt* **1** a predetermina, a hotărî *sau* a soroci/a meni dinainte **2** a influenţa/ a înrâuri dinainte

predeterminer [,pri:di'tə:minər] *s gram* predeterminant

predicability [,predikə'biliti] *s* ↓ *gram, log* predicabilitate; posibilitate de a afirma *sau* categorisi

predicable ['predikəbəl] *adj* ↓ *gram, log* predicabil, care poate fi afirmat *sau* categorisit

predicament [pri'dikəmənt] *s* **1** situaţie/stare proastă; situaţie neplăcută; *F* → hal; situaţie dificilă/grea, necaz **2** ↓ *gram, loc* categorie

predicant ['predikənt] *s* predicator

predicate I ['predi,keit] *vt* **(of, about)** ↓ *gram, log* a predica, a afirma (despre); a categorisi **II** ['predikit] *s gram, log* predicat; afirmaţie **III** ['predikit] *adj gram* predicativ

predication [,predi'keiʃən] *s* **1** *log* predicaţie; afirmaţie **2** *gram* predicaţie **3** *gram* predicat

predicative [pri'dikətiv] *gram* **I** *adj* predicativ **II** *s* nume predicativ

predict [pri'dikt] *vt* a prezice; a proroci, a prevesti; a prevedea

predictability [pri,diktə'biliti] *s* predictibilitate; anticipare

predictable [pri'diktəbəl] *adj* **1** predictibil, care poate fi prevăzut/ anticipat **2** lipsit de imaginaţie

predictably [pri'diktəbli] *adv* probabil, după toate probabilităţile, după cum se poate bănui

prediction [pri'dikʃən] *s* **1** prezicere, anticipare **2** prezicere, prevestire, profeţie

predictor [pri'diktər] *s* **1** prezicător, prevestitor; anticipator **2** *tel, cib* instalaţie/dispozitiv de transmitere a comenzilor; instalaţie de comandă **3** *mat* variabilă independentă

predilection [,pri:di'lekʃən] *s* **(for)** predilecţie (pentru), înclinaţie (spre); dragoste (pentru)

predispose to [,pri:di'spouz tə] *vt* a predispune la *(somn etc.)*

predisposition [,pri:dispə'ziʃən] *s* **1 (to)** predispoziţie (spre), sensibilitate deosebită (la); susceptibilitate (la) **2 (to)** predispoziţie, înclinaţie (spre, către), predilecţie (pentru)

predominance [pri'dominəns] *s* **(over)** predominare, predominanţă, preponderenţă, superioritate (asupra – *cu gen)*

predominancy [pri'dominənsi] *s v.* **predominace**

predominant [pri'dominənt] *adj* **(over)** predominant, preponderent (asupra – *cu gen),* superior *(cu dat)*

predominantly [pri'dominəntli] *adv* (în mod) predominant, precumpănitor

predominate [pri'domi,neit] **I** *vi* a predomina, a fi în număr covârşitor, a avea superioritatea **II** *vt* a predomina asupra *(cu gen);* a întrece, a depăşi; a fi superior *(cu dat)*

predominate over [pri'domi,neit ,ouvər] *vi cu prep* a predomina asupra *(cu gen);* a fi superior *cu dat;* a domina *cu ac;* a covârşi *cu ac*

predominatingly [pri'domi,neitiŋli] *adv v.* **predominantly**

predomination [pridomi'neiʃən] *s v.* **predominance**

pre-election [,pri:i'lekʃən] **I** *s* **1** alegere preliminară **2** *pol* alegeri preliminare **II** *adj atr* preelectoral

pre-eminence [pri'eminəns] *s* **1 (above, over)** superioritate (faţă de) **2 (over)** precădere, întâietate (faţă de) **3** *rar* → proeminenţă, – superioritate prin rang

pre-eminent [pri'eminənt] *adj* proeminent, strălucit, excelent, extraordinar, de frunte, *rar* → proeminent

pre-empt [pri'empt] *vt* **1** *jur* a achiziţiona *(pământ)* prin (dreptul de) preempţiune **2** ← *F* a ocupa, a reţine *(un loc etc.)* dinainte

pre-emption [pri'empʃən] *s* **1** *jur* preempţiune **2** ← *F* ocupare/ reţinere dinainte *(a unui loc etc.)*

preen [pri:n] **I** *vt* **1** *(d. păsări)* a ciuguli/a curăţa cu pliscul *(penele)* **2** a găti, a împodobi, a face frumos; a-şi pieptăna *(părul)* **II** *vr, vi* a se găti, a se dichisi, a se spilcui

preen on ['pri:n ɔn] *vi cu prep* a se făli/a se mândri cu

preen oneself on ['pri:n wʌn'selfɔn] *vr cu prep* a fi mândru de, a se mândri/a se făli cu

preen upon ['pri:n ə,pɔn] *vi cu prep v.* **preen on**

pre-establish [,pri:is'tæbliʃ] *vt* a stabili/a fixa dinainte; a prestabili

pre-establishment [,pri:is'tæbliʃmənt] *s* stabilire/fixare dinainte; prestabilire

pre-exist ['pri:ig'zist] **I** *vi* a preexista **II** *vt* a exista înaintea *(cu gen)/* înainte de

pre-existence ['pri:ig'zistəns] *s filos* preexistenţă

pre-existent ['pri:ig'zistənt] *adj* preexistent

pref *presc de la* **1 prefix 2 preference 3 preferred 4 preface**

prefab ['pri:,fæb] *adj, s* prefabricat

prefabricate [pri:'fæbri,keit] *vt* a prefabrica

prefabricated house [pri'fæbri,keitid 'haus] *s* casă prefabricată

preface ['prefis] **I** *s* **1** prefaţă, cuvânt înainte, *înv* → predoslovie **2** *fig* prolog, introducere **3** a preceda, a anunţa **II** *vt* **1** a prefaţa *(o carte)* **2 (by, with)** *fig* a începe *(cu, prin)*

prefatorial [,prefə'tɔ:riəl] *adj v.* **prefatory**

prefatorily ['prefətərili] *adv* ca/drept prefaţă *sau* introducere

prefatory ['prefətəri] *adj* prefaţător, servind ca prefaţă; introductiv

prefect ['pri:fekt] *s* **1** *şi ist Romei* prefect **2** *aprox* şeful clasei; elev care supraveghează ordinea *(într-o clasă);* monitor, elev de serviciu

prefecture ['pri:fek,tjuə'] *s* prefectură

prefer [pri'fə:'] *vt* **1** (**to**) a prefera *(cu dat);* a de precădere/întâietate *(cu dat);* a-i plăcea mai mult (decât) **2** a avansa, a promova *(în serviciu)* **3** a înainta *(o cerere, o plângere);* a formula *(o cerere, o revendicare)*

preferability [,prefərə'biliti] *s* caracter preferabil; superioritate

preferable ['prefərəbəl] *adj* (**to**) preferabil, de preferat *(cu dat);* mai bun *(decât)*

preferably ['prefərəbli] *adv* preferabil, de preferinţă; mai bine

preference ['prefərəns] *s* **1** (**to, over, above**) preferinţă (faţă de); **he has a ~ for mathematics** are predilecţie pentru matematică; **to be given ~ over others** a fi preferat, a fi mai bine privit, cotat *etc.* decât alţii; a avea prioritate faţă de ceilalţi **2** alegere; **of one's ~** după propria alegere **3** preferinţă; prioritate; **you have your ~ of seats** aveţi prioritate în alegerea locurilor, ai dreptul de a-ţi alege locurile primul **4** *ec, jur* (drept de) prioritate; regim preferenţial

preference stock ['prefərəns ,stɔk] *s* *fin* acţiune privilegiată

preferential [,prefə'renʃəl] *adj* preferenţial

preferentialism [,prefə'renʃəlizəm] *s* *ec* sistem preferenţial

preferential shop [,prefə'renʃəl ,ʃɔp] *s* *amer* întreprindere a cărei conducere se obligă să acorde prioritate membrilor de sindicat *(la avansări etc.)*

preferential solvent [,prefə'renʃəl 'sɔlvənt] *s* *ch* solvent selectiv

preferential tariff [,prefə'renʃəl 'tærif] *s* *ec* tarif preferenţial

preferment [pri'fə:mənt] *s* **1** avansare, promovare *(în serviciu)* **2** funcţie superioară, grad mai înalt

preferred [pri'fə:d] *adj* preferat; privilegiat

prefiguration [,pri:figə'reiʃən] *s* prefigurare; anticipare

prefigure [pri:'figə'] *vt* a prefigura; a anticipa; a-şi închipui dinainte

prefix I [pri:fiks] *s lingv* **1** prefix **2** titlu *(„doctor" etc.)* **II** [pri:'fiks] *vt* **1** *lingv* a prefixa; a adăuga un prefix la **2** *lingv* a adăuga *(un titlu)* la **3** a adăuga la început *(un paragraf etc.)*

prefixion [pri:'fikʃən] *s lingv* prefixare

prefixture [pri:'fikstʃə'] *s* **1** *v.* **prefixion 2** *gram* prefix

preform [pri:'fɔ:m] *vt* **1** forma dinainte **2** a stabili dinainte

preformation [,pri:fɔ:'meiʃən] *s biol* preformaţie, preformism

pre-glacial [pri:'gleisiəl] *adj geol* preglacial

pregnancy ['pregnənsi] *s* **1** graviditate, sarcină, gestaţie **2** productivitate, fertilitate *(a solului)* **3** *fig* fertilitate; bogăţie de idei **4** *fig* miez, conţinut; adâncime, profunzime; semnificaţie

pregnant ['pregnənt] *adj* **1** *(d. femei)* gravidă, însărcinată, *P →* grea **2** *(d. animale)* cu pui; cu purcei, cu viţel *etc.* **3** *fig* prolific; inventiv **4** *fig* rodnic; *(d. imaginaţie etc.)* bogat **5** *fig* pregnant, plin de semnificaţie, cu un conţinut bogat

pregnantly ['pregnəntli] *adv* (în mod) semnificativ *sau* pregnant

pre-heat [pri:'hi:t] *vt* a preîncălzi; a încălzi în prealabil

preaheating [pri:'hi:tiŋ] *s tehn* preîncălzire

prehensile [pri'hensail] *adj zool* prehensil, agăţător, care se agaţă; apucător

prehension [pri'henʃən] *s* **1** *zool* agăţare, apucare *(cu ghearele etc.)* **2** înţelegere, comprehensiune

prehistoric(al) [,pri:hi'stɔrik(əl)] *adj* preistoric

prejudge [pri:'dʒʌdʒ] *vt* a avea idei preconcepute despre; a judeca înainte de a cerceta, *înv →* a prejudeca

prejudg(e)ment [pri:,dʒʌdʒmənt] *s* **1** prejudecată, idee preconcepută **2** *jur* anchetă *sau* instrucţie preliminară

prejudice ['predʒudis] **I** *s* **1** prejudiciu; pagubă, daună; **to the/in ~ of** în paguba/dauna *cu gen*; **without ~ to** fără a prejudicia *cu ac*, fără a fi un prejudiciu pentru **2** prejudecată, idee precon-

cepută **II** *vt* **1** a cauza prejudicii *(cu dat)*, a prejudicia; a dăuna *(cu dat)* **2** a înclina, a predispune *(în favoarea etc.)*

prejudicial [,predʒu'diʃəl] *adj* (**to**) prejudiciabil (pentru *sau* cu dat); păgubitor (pentru *sau* cu dat)

prejudicially [,predʒu'diʃəli] *adv* (în mod) dăunător, păgubitor

prelacy ['preləsi] *s bis* **1** conducerea bisericii de către episcopi **2** prelaţi, episcopi **3** demnitatea/rangul de prelat

prelate ['prelit] *s bis* **1** prelat; episcop **2** *amer* preot

prelect [pri'lekt] *vi* (**on, upon**) *univ* a ţine o prelegere/*înv →* prelecţiune *sau* prelegeri/*înv →* prelecţiuni (despre)

prelection [pri'lekʃən] *s univ* prelegere, *înv →* prelecţiune

prelector [pri'lektə'] *s univ* conferenţiar

prelim [pri'lim] *adv s F* **1** *v.* **preliminary examination 2** *pl poligr* parte introductivă *(a unei cărţi)*

preliminarily [pri'liminərili] *adv* în prealabil

preliminary [pri'liminəri] **I** *adj* **1** preliminar; premergător, introductiv; prealabil **2** pregătitor **II** *s* **1** *v.* **preliminary examination 2** *pl* preliminarii; preambul **3** *pl* măsuri pregătitoare

preliminary examination [pri'liminəri igzæmi'neiʃən] *s univ* examen de admitere

preliminary to [pri'liminəri tə] *prep* înainte de, până la

prelimiary work [pri'liminəri ,wə:k] *s* lucrare *sau* lucrări pregătitoare

preliterate [pri:'litərit] *adj (d. comunităţi umane)* care nu au lăsat documente/mărturii scrise

prelude ['prelju:d] **I** *s* **1** *muz* preludiu; uvertură **2** *fig* preludiu; prolog; introducere **II** *vt* **1** *muz* a executa preludiul *sau* uvertura la **2** *muz* a însoţi cu un preludiu *sau* o uvertură **3** *fig* a fi preludiul *(cu gen)*, a servi ca introducere la **III** *vi muz* a prelud(i)a, a începe să cânte

prelude with ['prelju:d 'wið] *vi cu prep* a începe cu; a fi un prolog/o introducere pentru

prelusion [pri'lju:ʒən] *s v.* **prelude I**

prelusive [pri'lju:siv] *adj* introductiv

prelusory [pri'lju:səri] *adj* introductiv

prem. *presc de la* **premium**

premarital [pri:'mærɪtəl] *adj* dinainte de căsătorie

premature [ˌpremə'tjuəʳ] *adj* prematur; înainte de vreme; negândit, nechibzuit

prematurely [ˌpremə'tjuəli] *adv* (în mod) prematur; înainte de vreme; prea devreme

prematurity [ˌpremə'tjuəriti] *s* caracter prematur

premeditate [pri'mediˌteit] *vt* a premedita, a pune la cale, a plănui

premeditated [pri'mediˌteitid] *adj (d. un omor etc.)* premeditat

premeditation [priˌmedi'teiʃən] *s* premeditare

premeditative [pri'mediˌteitiv] *adj* premeditat

premie ['pri:mi] *s amer ← F* copil născut prematur

premier ['premjəʳ] **I** *adj atr* prim; principal **II** *s* premier, prim-ministru

premiere ['premiˌɛəʳ] *s teatru fr* **1** premieră **2** protagonistă, interpretă principală

premiership ['premjəˌʃip] *s* calitatea de premier/de prim-ministru

premise I ['premis] *s* **1** *log* premisă **2** premisă, idee *sau* condiție de bază, punct de plecare **3** *pl jur* puncte susmenționate/susamintite **4** *pl jur* parte introductivă *(a unui document)* **5** *pl* clădire cu acareturi, teren *etc.* **6** *pl* local; **to be drunk on the ~s** *(d. băuturi)* care se consumă numai în local **II** [pri'maiz] *vt* a postula; a lua ca premisă

premiss ['premis] *s v.* **premise I**

premium ['pri:miəm] *s* **1** premiu; răsplată, recompensă; primă **2** *ec* primă de asigurare **3** *ec* premiu de producție **4** *ec* agio **5** taxă de ucenicie // **at a ~ a** *ec* mai mare decât valoarea nominală **b** care se bucură de mare trecere; foarte solicitat

premium bond ['pri:miəm ˌbɔnd] *s fin* obligație cu premii prin tragere la sorți *(în Anglia)*

premolar [pri'moulәʳ] *adj anat* premolar

premonition [ˌpremə'niʃən] *s* **1** prevenire, avertisment **2** premoniți(un)e; presentiment

premonitory [pri'mɔnitəri] *adj* **1** prevestitor; de avertisment **2** *med* prodromal

prenatal [pri:'neitəl] *adj* prenatal

prenatally [pri:'neitəli] *adv* prenatal, înainte de naștere

prentice ['prentis] *s ← înv* ucenic

preoccupation [pri:ˌɔkjuˌpeiʃən] *s* **(with)** preocupare; interes deosebit (pentru)

preoccupied [pri:'ɔkjuˌpaid] *adj* **1 (with)** preocupat, absorbit (de) **2** *(d. un teritoriu etc.)* ocupat mai înainte

preoccupy [pri:'ɔkjuˌpai] *vt* **1** a preocupa; a absorbi **2** a ocupa mai înainte *(un teritoriu etc.)*

preordain [ˌpri:ɔ:'dein] *vt* a prestabili, a predetermina; a predestina, a sorti

preordination [ˌpri:ɔ:di'neiʃən] *s* prestabilire; predestinare

prep *presc F de la* **1 preparatory 2 preparatory school**

prep. *presc de la* **1 preparation 2 preparatory 3 preposition**

prepack [pri:'pæk] *vt* a preambala

prepaid ['pri:'peid] *adj* plătit cu anticipație; francat

prepalatal ['pri:'pælətəl] *adj fon* prepalatal

preparation [ˌprepə'reiʃən] *s* **1** pregătire, preparare, preparație; **to make ~s for** a se pregăti pentru **2** *școl, univ* pregătire **3** preparat *(cosmetic etc.)* **4** măsură pregătitoare *sau* preliminară **5** *muz* preludiu; uvertură **6** *tehn* pregătire, prelucrare **7** medicament, leac, remediu

preparative [pri'pærətiv] *adj v.* **preparatory I, 1**

preparatory [pri'pærətəri] **I** *adj* **1** pregătitor, preparator; preliminar **2** *(d. un candidat)* care se pregătește *(pt un examen de intrare)* **II** *s v.* **preparatory school**

preparatory school [pri'pærətəri 'sku:l] *s* școală pregătitoare

preparatory to [pri'pærətəri tə] *prep* înainte de, până la

prepare [pri'pɛəʳ] **I** *vt* **1** a pregăti, a prepara *(un elev, un medicament etc.)* **2** a pregăti, a studia, a învăța *(o materie etc.)* **3** a pregăti, a găti *(un fel de mâncare etc.)* **4** a pregăti, a echipa *(o expediție etc.)* **5** *poligr* a pregăti, a redacta *(un text)* **6** *fig* a pregăti *(pe cineva)* sufletește **7** *tehn* a executa, a face, a fabrica **II** *vi* **(for)** a se pregăti, a se instrui (pentru, în

vederea − *cu gen);* a fi gata (pentru); **to ~ to** a se pregăti să; a fi gata să; a fi pe punctul de a

prepared [pri'pɛəd] *adj* **1 (for; to)** pregătit, gata (de; să) **2** *tehn* preparat **3** *tehn* degroșat; eboșat

preparedly [pri'pɛədli] *adv* pregătit, gata

preparedness [pri'pɛədnis] *s* (stare de) pregătire

prepay [pri:'pei] *pret și ptc* **prepaid** [pri:'peid] *vt* **1** a plăti anticipat/ înainte **2** a franca

prepayment [pri:'peimənt] *s* **1** plată anticipată **2** francare

prepense [pri'pens] *adj jur* premeditat; **of/with malice ~** cu premeditare, cu rea intenție

preponderance [pri'pɔndərəns] *s* preponderență, precumpănire, superioritate, predominare; majoritate

preponderancy [pri'pɔndərənsi] *s v.* **preponderance**

preponderant [pri'pɔndərənt] *adj* preponderent, precumpănitor, superior, dominant

preponderantly [pri'pɔndərəntli] *adv* (în mod) precumpănitor

preponderate [pri'pɔndəˌreit] *vi* **1 (over)** a prepondera, a fi preponderent/precumpănitor (asupra − *cu gen)* **2** a cântări mai mult, a avea o greutate mai mare

preponderation [priˌpɔndə'reiʃən] *s v.* **preponderance**

preposition *s* **1** [ˌprepə'ziʃən] *gram* prepoziție **2** [ˌpri:pə'ziʃən] *lingv* pre-poziție, așezare înainte

prepositional [ˌprepə'ziʃənəl] *adj gram* prepozițional

prepositionally *adv* **1** [ˌprepə'ziʃənəli] *gram* prepozițional, ca prepoziție **2** [ˌpri:pə'ziʃənəli] *lingv* pre-pozițional, antepus, în față, înainte, în prepoziție

prepositional phrase [ˌprepə'ziʃənəl ˌfreiz] *s gram* locuțiune prepozițională

prepositive [pri'pɔzitiv] *adj lingv* prepus, antepus

prepossess [ˌpri:pə'zes] *vt* **1** *(d. un sentiment etc.)* a cuprinde, a pune stăpânire pe **2** a ocupa dinainte *(un loc etc.)* **3** a predispune, a înclina **4** a prejudicia **5** a preocupa, a interesa

prepossessed [ˌpri:pə'zest] *adj* **1** părtinitor, înclinat favorabil **2** preocupat

prepossessing [‚pri:pə'zesiŋ] *adj* atrăgător, simpatic, plăcut, care impresionează (în mod) favorabil

prepossession [‚pri:pə'zeʃən] *s* **1** (against) prejudecată (împotriva – *cu gen*) **2** (in favour of) predilecție (pentru); simpatie, atracție, preocupare (pentru)

preposterous [pri'postərəs] *adj* **1** ilogic, absurd, fără noimă **2** ridicol, rizibil, de râs

preposterously [pri'postərəsli] *adv* (în mod) absurd *sau* ridicol

prepotency [pri'poutənsi] *s* preponderență; predominare; dominație

prepotent [pri'poutənt] *adj* preponderent, predominant; dominant

prep school ['prep ‚sku:l] *s* F *v.* **preparatory school**

prepuce ['pri:pju:s] *s anat* preput

Pre-Raphaelite Brotherhood [‚pri:ræfə‚lait 'brʌðə‚hud] *s pict, lit* „Frăția prerafaelită" *(societate fondată în 1848 în Anglia de D.G. Rossetti și alții)*

pre-record [‚pri:ri'kɔ:d] *vt tel* a imprima dinainte *(un program radio etc.)*

prerequisite ['pri:'rekwizit] **I** *adj* (for, to) cerut (de), necesar (pentru); constituind o condiție (pentru) **II** *s* premisă (obligatorie)

prerogative [pri'rogətiv] **I** *s* prerogativă; privilegiu **II** *adj atr* care se bucură de prerogative; privilegiat

Pres. *presc de la* **1 President 2 Presbyterian**

pres. *presc de la* **1 present 2 presidency**

presage I ['presidʒ] *s* **1** semn, prevestire, augur **2** prognoză **3** presentiment **II** [pri'seidʒ] *vt* **1** a prevesti *(o furtună etc.);* a prezice **2** a presimți

presageful [pri'seidʒful] *adj* prevestitor (de rău); amenințător

presageful of [pri'seidʒful əv] *adj cu prep* care presimte *(ceva bun sau rău)*

presbyter ['prezbitə] *s bis* prezbiter; preot

presbyteral [‚prezbi'tərəl] *adj bis* de prezbiter; preoțesc; de prezbiteriu

presbyterial [‚prezbi'tiəriəl] *adj v.* **presbyteral**

Presbyterian [‚prezbi'tiəriən] *adj rel* presbiterian

Presbyterianism [‚prezbi'tiəriənizəm] *s rel* prezbiterianism

presbytery ['prezbitəri] *s bis* **1** prezbiteriu, sfatul prezbiterilor **2** prezbiteriu, casă parohială *(la catolici)*

pre-school ['pri:'sku:l] *adj atr* preșcolar; de vârstă preșcolară

pre-science ['presiəns] *s* previziune, *rar →* preștiință

pre-scient ['presiənt] *adj* care prevede, *rar →* preștiutor

prescind [pri'sind] *vt* **1** a despărți, a separa, a detașa **2** a abstrage **3** (from) a distrage *(atenția)* (de la)

Prescott ['preskət], **William Hickling** *istoric american (1796-1859)*

prescribe [pri'skraib] **I** *vt* **1** *med* (to, for) a prescrie (cuiva); **to ~ a medicine for** a prescrie un medicament împotriva *(cu gen)* **2** (to) *fig* a prescrie, a recomanda (cuiva) **3** *jur* a prescrie; a invalida **II** *vi med* a da rețete *sau* o rețetă

prescribed [pri'skraibd] *adj* prescris, fixat, dinainte stabilit

prescript ['pri:skript] *s* prescripție; indicație; recomandare

prescripted [pri:'skriptid] *adj* prescris; recomandat

prescriptible [pri'skriptəbəl] *adj* prescriptibil; recomandabil

prescription [pri'skripʃən] *s* **1** *jur* prescripție **2** *med* prescripție; rețetă **3** *fig* prescriere; prescripție; recomandare

prescription charge [pri'skripʃən ‚tʃɑ:dʒ] *s ↓ pl* plată pentru un medicament *(în Anglia, în cadrul lui „National Health Service")*

prescriptive [pri'skriptiv] *adj jur* **1** prescriptiv; de prescripție **2** bazat pe cutumă *sau* uz

presence ['prezəns] *s* **1** prezență, faptul de a fi prezent; existență *(într-un loc etc. anumit);* aflare; **your ~ is requested tomorrow** prezența dvs. este necesară mâine; sunteți rugat să fiți prezent mâine; **to make one's ~felt** a-și face simțită prezența **2** prezență; societate, tovărășie, companie; **in my ~** în prezența mea; în fața mea; **he was calm in the ~ of danger** *fig* și-a păstrat calmul/sângele rece în fața primejdiei; **to be admitted to smb's ~** a i se permite să se prezinte/să se înfățișeze cuiva; a avea acces la cineva; a fi primit în audiență la cineva; **saving**

your ~ scuzați(-mi) expresia; scuzați-mă, cu voia dvs. **3** *fig* prezență; înfățișare, aspect; **a person of fine ~** o persoană prezentabilă **4** *fig* demnitate; aspect impunător **5** *fig* prezență ❨supranaturală❩; spirit, duh

presence chamber ['prezəns ‚tʃeimbə] *s* sală de primiri *sau* audiențe

presence of mind ['prezəns əv 'maind] *s* prezență de spirit

present I ['prezənt] *adj* **1** prezent; actual; contemporan; **the ~ state of affairs** prezenta stare de lucruri, starea de lucruri actuală **2** prezent, de față *(ant absent);* **was he ~ at the ceremony?** a fost prezent/de față la ceremonie? **3** *gram* prezent **4** ← *înv (d. ajutor etc.)* la îndemână; imediat; de nădejde **II** ['prezənt] *s* **1** prezent; actualitate; contemporaneitate; epoca prezentă; momentul de față; **at ~** în prezent, în momentul de față, actualmente; **for the ~** deocamdată **2** **the ~** *gram* (timpul) prezent **3** cadou, dar; **to make a ~ of** a dărui, a face cadou ceva **4** [pri'zent] *mil* prezentare *(a armei)* **III** [pri'zent] *vt* **1** a prezenta, a-și da *(demisia etc.);* a înainta, a supune; a depune *(o cerere etc.);* a prezenta *(un cec etc.);* a arăta, a prezenta *(fapte etc.);* **to ~ one's compliments to** a-și prezenta omagiile cuiva **2** *teatru* a reprezenta, a juca *(o piesă);* a pune în scenă; *cin etc.* a prezenta **3** *mil* a prezenta *(arma)* **IV** [pri'zent] *vr* a se prezenta, a se înfățișa; a apărea; a se ivi; **to ~ oneself at/for an examination** a se prezenta la un examen; **a good opportunity has ~ed itself for studying their customs** s-a ivit un bun prilej pentru a le studia/cerceta obiceiurile

presentability [pri‚zentə'biliti] *s* caracter/aspect prezentabil

presentable [pri'zentəbəl] *adj* prezentabil; frumos; plăcut; îngrijit

presentably [pri'zentəbli] *adv* (într-un mod) prezentabil, îngrijit

presentation [‚prezən'teiʃən] *s* **1** (to) prezentare, înfățișare, arătare (cuiva) **2** oferire *(a unui cadou)* **3** *teatru* reprezentare; reprezentație; spectacol **4** cadou

presentational [ˌprezən'teiʃənəl] *adj* (d. un cuvânt etc.) sugestiv, evocator, plastic

presentation copy [ˌprezən'teiʃən 'kɔpi] *s poligr* exemplar cu dedicaţie; exemplar gratuit

presentative [pri'zentətiv]*adj* 1 plastic; plin de imaginaţie; evocator 2 *psih* intuitiv

present-day ['prezənt,dei] *adj atr* contemporan, de astăzi; actual, de actualitate

presentee [ˌprezən'ti:] *s* 1 persoană care a primit un cadou 2 candidat (la un post) 3 persoană care a fost prezentată la curtea regală

presentient of [pri'senʃənt əv] *adj cu prep* care presimte ceva

presentiment [pri'zentimənt] *s* presentiment; presimţire, prevestire (↓ rea); premoniţie

presentive [pri'zentiv] *adj* (↓ d. cuvinte) reprezentativ

presently ['prezəntli] *adv* imediat, îndată; chiar acum

presentment [pri'zentmənt] *s* 1 prezentare, descriere, înfăţişare; expunere 2 spectacol, reprezentaţie; reprezentare 3 formă; aspect

present participle ['prezənt 'pɑ:tisipəl] *s gram* participiu prezent, gerunziu

present perfect ['prezənt 'pə:fikt] *s gram* perfect prezent, prezent perfect, *aprox* perfect compus

present with [pri'zent 'wið] *vt cu prep* a dărui (cuiva) (ceva), a face cadou (ceva) (cuiva); **he presented me with an old manuscript** mi-a dăruit un manuscris vechi, mi-a făcut cadou un manuscris vechi

preservable [pri'zə:vəbəl] *adj* care poate fi păstrat, conservat etc. (v. **preserve I)**

preservation [ˌprezə'veiʃən] *s* păstrare, conservare etc. (v. **preserve I)**

preservative [pri'zə:vətiv] **I** *adj* 1 care păzeşte/fereşte/apără 2 care conservă, conservant 3 *tehn* anticoagulant **II** *s* substanţă conservantă

preserve [pri'zə:v] **I** *vt* 1 a păstra; a prezerva; a feri; **these traditions have been ~d from old times** aceste tradiţii s-au păstrat din timpuri vechi; **God ~ us all!** Dumnezeu să ne apere pe toţi!

to ~ smb from danger a feri pe cineva de (o) primejdie 2 a conserva (fructe etc.) 3 *mat* a lăsa neschimbat/invariant 4 a feri/a apăra de braconieri **II** *vi* a face/a pregăti conserve **III** *s* 1 *pl* conserve 2 vânat rezervaţie; teren ocrotit/oprit; **to poach on another's ~** a a bracona pe proprietatea cuiva **b** *fig* a încălca domeniul altcuiva

preserver [pri'zə:və] *s* 1 păstrător; salvator 2 pădurar; brigadier forestier 3 *pl* ochelari de protecţie

preset [pri:'set], pret şi ptc preset [pri:'set] *vt* a preregla, a regla dinainte

preside [pri'zaid] *vi* 1 (at, over) a prezida (la); a fi preşedinte (la) 2 (over) *fig* a prezida (la); a fi în frunte (la), a fi în fruntea (mesei etc.); a conduce (cu ac) 3 *muz* a conduce, a dirija; **to ~ at the organ, piano** etc. a cânta la orgă, pian etc.

presidency ['prezidənsi] *s şi* P~ preşedinţie, calitatea de preşedinte (↓ al S.U.A.)

president ['prezidənt] *s* 1 preşedinte (al unei societăţi, al unui club etc.) 2 şi P~ preşedinte (al unei republici) 3 rector (la unele universităţi) 4 (la o şedinţă etc.) *amer* preşedinte

president-elect ['prezidənti'lekt] *s* preşedinte care a fost ales, dar care încă nu şi-a luat în primire funcţia

presidential [ˌprezi'denʃəl] *adj* prezidenţial, de preşedinte

presidentship ['prezidənt,ʃip] *s* 1 preşedinţie 2 *univ amer* calitatea de rector

presidio [pri'sidi,ou] *s mil* loc fortificat; post militar; fort; garnizoană

presidium [pri'sidiəm] *s* prezidiu

press¹ [pres] **I** *vt* 1 a apăsa (pe), a presa; **to ~ the button** a apăsa pe buton; **to ~ the pedal** *auto* etc. a apăsa pe pedală 2 a călca (cu fierul de călcat) 3 a stoarce (o lămâie etc.); a zemui 4 *tehn* a presa; a străpunge prin presare; a ştemui; a injecta 5 *tehn* a imprima; a vârî, a băga; a introduce apăsând 6 a turti, a aplatiza 7 *fig* a apăsa; a îngreuna; a asupri, a năpăstui 8 *fig* (d. timp etc.) a presa, a grăbi, a zori 9 *fig*

a insista/a stărui asupra (sensului literar al unor cuvinte etc.) 10 a strânge (în braţe etc.) 11 a împunge, a înghesui; a îngrămădi 12 *fig* a îmboldi, a stimula; a îndemna (calul etc.) **II** *vi* 1 (d. timp) a presa; **time ~es** timpul presează; nu avem timp/vreme de pierdut; **nothing remains that ~es** nu mai este nimic presant/urgent 2 *şi fig* a apăsa, a fi apăsător 3 a răzbate, a-şi face drum; a înainta cu hotărâre 4 *tehn* a se imprima; a se întipări 5 a se îmbulzi, a se înghesui; a se strânge, a se aduna **III** *s* 1 apăsare, presare; presiune 2 mulţime, gloată 3 grabă, zor, urgenţă; **there is much ~ of work** sunt foarte multe lucruri de făcut care nu suferă amânare 4 *tehn* presă; teasc 5 *poligr* tipar; **to correct the ~** a face corectură; **in the ~,** *amer* **in ~** sub tipar 6 *poligr* tipografie 7 presă; ziare; 8 presă, publicitate; **to have a good ~** a se bucura de/a avea o presă bună 9 dulap (↓ în perete)

press² *vt od* a duce cu arcanul la oaste

press agency ['pres ,eidʒənsi] *s* agenţie de ştiri/presă

press agent ['pres ,eidʒənt] *s* agent de publicitate

pressboard ['pres,bɔ:d] *s tehn* 1 preşpan 2 carton special pentru întărituri

press box ['pres ,bɔks] *s* tribună sau lojă (rezervată) presei

press button ['pres ,bʌtn] *s* capsă, buton patent

press conference ['pres ,kɔnfərəns] *s* conferinţă de presă

pressed ['prest] *adj* (d. cărămidă etc.) presat // **~ for time** (presat) de timp; grăbit; ocupat, prins

presser ['presə] *s* 1 *tehn* presă 2 *text* călcător 3 *poligr* val de presare

press for ['pres fə] *vi cu prep* a insista/a stărui asupra (cu gen), a cere cu insistenţă/stăruitor *cu ac*

pressing ['presiŋ] **I** *adj* 1 presant, urgent 2 insistent, stăruitor 3 apăsător, care apasă, presează etc. **II** *s* 1 *tehn* presare 2 *tehn* refulare 3 *tehn* tescuire 4 *tehn* ştanţare; matriţare 5 *poligr* sanitare

press lord ['pres ,lɔ:d] *s* (↓ mare) proprietar de ziar sau ziare

pressman ['presmən] *s* **1** ziarist, gazetar; reporter **2** *poligr* tipograf, tipăritor **3** *tehn* matrițer, ștanțator, presator

pressmark ['pres‚ma:k] *s poligr* signatură; simbol

press officer ['pres ‚ofisə^r] *s* atașat de presă

press on ['pres'ɔn] *vt cu part adv* a grăbi, a zori, a iuți

press out ['pres'aut] *vt cu part adv* **1** a stoarce **2** a continua cu hotărâre

press proof ['pres ‚pruf] *s poligr* tipar pentru revizie la mașină

press release ['presri'li:s] *s* ↓ *pol* declarație pentru presă

press review ['presri'vju:] *s* revista presei

press room ['pres ‚ru:m] *s* **1** *poligr* sala mașinilor **2** camera (rezervată) ziariștilor

pressure ['preʃə^r] **I** *s* **1** apăsare, presare; presiune; tensiune; **the ~ of the atmosphere** presiunea atmosferică; **the ~ of the button** apăsarea butonului; **to work at high ~** *și fig* a lucra în ritm intens; a lucra în asalt **2** *fig* presiune; constrângere; forțare; apăsare; **to act under ~** a acționa sub presiune/silit; **to bring ~ to bear upon smb, to put ~ on/upon smb** a exercita o presiune asupra cuiva **3** *fig* greutăți, dificultăți *(financiare etc.)* **4** *fig* asuprire, oprimare; prigoană **5** *meteor* presiune atmosferică **6** *el* tensiune, potențial electric **7** *fiz* presiune **II** *vt F* ← a exercita presiune asupra *(cuiva)*

pressure cooker ['preʃə ‚kukə^r] *s* autoclavă *(pt fierbere);* oală sub presiune

pressure gauge ['preʃə ‚geidʒ] *s tehn* manometru, indicator de presiune

pressure group ['preʃə ‚gru:p] *pol* grup care exercită presiuni *(asupra publicului, puterii legislative etc. prin propagandă etc.)*

pressure gun ['preʃə ‚gʌn] *s auto* pompă de gresaj

pressure jump ['preʃə ‚dʒʌmp] *s av* salt de presiune

pressure-tight ['preʃə‚tait] *adj tehn* etanș, ermetic

pressurize ['preʃə‚raiz] *vt tehn* **1** a mări presiunea *(cu gen)* **2** a etanșa, a ermetiza

presswork ['pres‚wə:k] *s poligr* tipărire, imprimare

prestidigitation [‚presti‚didʒi'teiʃən] *s* **1** prestidigitație; scamatorie; iuțeală de mână **2** *fig* iuțeală de mână; pungășie,hoție

prestidigitator [‚presti‚didʒi'teitə^r] *s* prestidigitator; scamator

prestige [pre'sti:ʒ] *s fr* prestigiu; vază, considerație; farmec, atracție

presto ['prestou] *s, adj, adv muz* presto

Preston ['prestən] port în Anglia

prestressed [pri:'strest] *adj constr* precomprimat

presumable [pri'zju:məbəl] *adj* probabil; posibil

presumably [pri'zju:məbli] *adv* după câte s-ar putea presupune; probabil; posibil

presume [pri'zju:m] **I** *vt* **1** a crede, a presupune; a admite; a bănui; **we ~ him innocent, we ~ that he is innocent** presupunem/ credem că este nevinovat; **let us ~ that** să presupunem/admitem că **2** a presupune, a implica *(existența unui lucru etc.)* **II** *vi* **1** a presupune, a crede; **Mr Smith, I ~** domnul Smith, presupun/ cred, presupun că sunteți domnul Smith **2** a-și lua prea multe libertăți, a fi prea îndrăzneț; a merge prea departe **3** a se îngâmfa

presumedly [pri'zju:midli] *adv v.* **presumably**

presume on [pri'sju:m ɔn] *vi cu prep v.* **presume upon**

presume to [pri'sju:m tə] *vt cu inf* a-și lua libertatea de a, a-și permite/a-și îngădui/a se aventura să

presume upon [pri'zju:m ə‚pɔn] *vi cu prep* **1** a se bizui/a se baza prea mult pe; a crede prea mult în **2** a abuza de // **to ~ a short acquaintance** a se purta prea familiar (cu cineva)

presumption [pri'zʌmpʃən] *s* **1** îngâmfare, infatuare, prezumție, supraestimare **2** prezumție, supoziție, presupunere, bănuială; motiv, temei; probabilitate; **the ~ that she was there** presupunerea că a fost acolo; **there is a strong ~ against it** există motive/temeiuri serioase împotrivă **3** *jur* prezumție

presumptive [pri'zʌmptiv] *adj* prezumtiv; ipotetic; probabil

presumptive heir [pri'zʌmptiv ‚ɛə^r] *s jur* moștenitor prezumtiv

presumptuous [pri'zʌmptjuəs] *adj* încrezut, îngâmfat; obraznic

presuppose [‚pri:sə'pouz] *vt* **1** a presupune, a bănui, a crede **2** a presupune, a implica

presupposition [‚pri:sʌpə'ziʃən] *s* **1** presupunere, bănuială **2** implicație

pret. *presc de la* **preterit(e)**

pretence [pri'tens] *s* **1** pretext, scuză; **under the ~ of** sub pretextul *cu gen* **2** prefăcătorie; înșelăciune, amăgire; **on/under false ~s** cu motive false; prin șiretlicuri/înșelăciuni **3** pretenție, cerere; **to make no ~ of smth** a nu avea nici o pretenție la ceva, a nu pretinde ceva **4** pretențiozitate, pretenții exagerate

pretend [pri'tend] **I** *vt* **1** a invoca *(necunoașterea unei legi etc.)*, a pretexta; a simula *(boala etc.)* **2** **(that** sau *cu elipsa lui* **that)** a pretinde, a susține (că); a se preface (că); a zice, a spune (că); **she ~ed that she was a princess** făcea pe prințesa, zicea că e prințesă, se prefăcea *(în joacă)* că este prințesă; **let's ~ we are sailors** să zicem/să ne închipuim să suntem marinari **II** *vi* **to be pretending** a se preface, a simula; a juca teatru

pretendant [pri'tendənt] *s* pretendent

pretended [pri'tendid] *adj atr* pretins; așa-zis/-numit

pretender [pri'tendə^r] *s* **1** prefăcut, ipocrit, simulator **2** pretendent; aspirant

pretend that [pri'tend ðət] *vt cu conj v.* **pretend I, 2**

pretend to [pri'tend tə] **I** *vt cu inf* a se preface că; a zice/a spune că; **he ~ed to be asleep** s-a prefăcut că doarme **II** *vi cu prep* a pretinde *(cu ac)*, a avea pretenții la *(tron etc.)*

pretense [pri'tens] *s amer v.* **pretence**

pretension [pri'tenʃən] *s* **1** **(to)** pretenție (la; asupra – *cu gen)*, revendicare *(cu gen)* **2** pretenție, dorință/intenție ambițioasă **3** pretențiozitate

pretentious [pri'tenʃəs] *adj* **1** pretențios; căutat, prețios, afectat; teatral **2** snob **3** pretenţios; arogant

pretentiousness [pri'tenʃəsnis] *s* pretenţiozitate; afectare

preter- *pref* supra-; ne-; anti-; **preterhuman** supraomenesc; neomenesc

preterhuman [,pri:tə'hju:mən] *adj* supraomenesc; neomenesc

preterit(e) ['pretərit]*s gram* (timpul) preterit, Past Tense

pretermit [,pri:tə'mit] *vt* **1** a omite, a nu aminti, a nu pomeni **2** a lăsa deoparte, a nu se interesa de **3** a întrerupe (temporar)

preternatural [,pri:tə'nætʃrəl] *adj* **1** nenatural, nefiresc **2** supranatural

pretext I ['pri:tekst] *s* pretext, scuză; **(up)on/under the ~ of** sub pretextul *cu gen* **II** [pri'tekst] *vt* a pretexta

pretor ['pri:tə] *s v.* **praetor**

Pretoria [pri'to:riə] *capitala Republicii Sud-Africane*

pretorian [pri'to:riən] *adj s v.* **praetorian**

prettify ['pritifai] *vt F* a dichisi, a găti, împopoțona, – a înfrumuseța

prettily ['pritili] *adv* frumos, *F* frumușel; atrăgător; *F* drăgălaș

prettiness ['pritinis] *s* **1** frumusețe, drăgălășenie; farmec, grație **2** afectare (↓ *în exprimare*) **3** trăsătură frumoasă *(a caracterului);* caracter frumos

pretty ['priti] **I** *adj* **1** drăguț, simpatic, plăcut, atrăgător; frumușel *sau* < frumos; < încântător, fermecător **2** afectat, căutat, prețios **3** *ironic* frumos; strașnic, grozav; **a ~ business!** frumoasă treabă/ afacere (, ce să spun)! **4** *F* frumușel, serios, – mare, considerabil; **a ~ sum** *F* o sumă frumușică **II** *adv* destul de; cam; **it's ~ cold today** e destul de frig azi; **it's much the same thing** e cam același lucru, tot acolo vine; **it's ~ well impossible to cross the river now** este aproape imposibil să traversezi râul acum **III** *s* **1** my ~ scumpule, scumpul/dragul meu *sau* scumpo, draga mea **2** *pl* lucruri *sau* haine frumoase; odoare; scumpeturi **3** *amer* mărunțișuri; vechituri, *F* boarfe

prettyish ['pritiiʃ] *adj F* drăguțel, – destul de drăguț/simpatic/plăcut

pretty-pretties ['priti,pritiz] *s pl* fleacuri, nimicuri, zorzoane

pretty-pretty ['priti,priti] *adj* dulceag; afectat; de prost gust

pretypify ['pri'tipəfai] *vt* a prefigura, a anticipa

pretzel ['pretsəl] *s* covrig *(uscat, cu sare)*

prevail [pri'veil] *vi* **1** (**over**) a prevala, a avea preponderență (asupra – *cu gen*) **2** (*d. tăcere etc.*) a domni **3** (**over**) a triumfa (asupra – *cu gen);* a-și ajunge ținta, a reuși, a izbuti **4** a exista; a fi răspândit; a avea căutare

prevailing [pri'veiliŋ] *adj* **1** dominant; predominant, preponderent; (< larg) răspândit; curent **2** stăpânitor, conducător **3** la modă

prevailingly [pri'veiliŋli] *adv* (în mod) preponderent

prevail on/upon [pri'veil on/ə,pon] *vi cu prep* a convinge, a persuada *(pe cineva);* a reuși să convingă

prevalence ['prevələns] *s* **1** (< largă) răspândire, extindere **2** ← *rar* predominare, dominație

prevalency ['prevələnsi] *s v.* **prevalence**

prevalent ['prevələnt] *adj* **1** răspândit; curent **2** prevalent; predominant

prevalently ['prevələntli] *adv* **1** (în mod) curent **2** cu prioritate, îndeosebi

prevaricate [pri'væri,keit] *vi* **1** a ocoli adevărul; a nu spune tot adevărul; a recurge la subterfugii, a se eschiva **2** a fi echivoc/ambiguu, a vorbi cu două înțelesuri **3** a nu spune adevărul, a minți **4** a proceda împotriva propriei conștiințe *sau* propriilor convingeri **5** a nu respecta obligațiile de serviciu

prevarication [pri,væri'keʃən] *s* **1** ocolirea adevărului; subterfugiu, tertip **2** echivoc, ambiguitate **3** minciună **4** faptă/acțiune contrară propriei conștiințe *sau* propriilor convingeri **5** nerespectare a obligațiilor de serviciu

prevaricator [pri'væri,keitə] *s* om care ocolește adevărul *sau* recurge la subterfugii/chichițe; (om) mincinos

prevenance ['previnəns] *s* prevenire, curtoazie, politețe

prevenience [pri'vi:niəns] *s* prevenire; anticipare

prevenient [pri'vi:niənt] *adj* anticipat, anterior

prevenient of [pri'vi:niənt əv] *adj cu prep* care așteaptă *cu ac,* în așteptarea *cu gen*

prevent [pri'vent] **I** *vt* **1** a preîntâmpina, a împiedica *(un accident etc.)* **2** ↓ *rel* a călăuzi, a îndrepta **II** *vi* a interveni, a se întâmpla

preventative [pri'ventətiv] *adj s v.* **preventive**

preventer [pri'ventə] *s nav* manevră de siguranță/rezervă

prevent from + -ing [pri'vent ,frəm] *vt cu prep și -ing* a împiedica să *sau* de la/*sau cu ac,* a nu permite/a nu îngădui să *sau cu ac;* **the snow prevented us from leaving** zăpada ne-a împiedicat/ nu ne-a permis să plecăm, *rar→* zăpada ne-a împiedicat plecarea

prevention [pri'venʃən] *s* **1** preîntâmpinare, împiedicare; interzicere; anticipare **2** *med* profilaxie; **~ is better than cure** *prov* mai bine să te ferești de boală decât să te cauți; paza bună trece primejdia rea

preventionism [pri'venʃənizəm] *s* **1** politică preventivă; politică de preîntâmpinare *(a războiului etc.)* **2** *med* profilaxie

prevention of accidents [pri'venʃə n əv 'æksidənts] *s* prevenirea accidentelor; tehnica securității

preventive [pri'ventiv] **I** *adj* **1** preventiv; *med* și profilactic **2** *tehn* preventiv; prevenitor **3** *jur* preventiv **4** *mil (d. măsuri etc.)* împotriva contrabandiștilor **II** *s* **1** măsuri preventive **2** *med* mijloc profilactic/de profilaxie/preventiv **3** *mil* pază de coastă

preventive detention [pri'ventiv di'tenʃən] *s jur* detenție preventivă

preventively [pri'ventivli] *adv* (în mod) preventiv

preventorium ['privən'toriəm], *pl* **preventoria** ['privən'toriə] *s med* preventoriu

prevernal [pri:'və:nl] *adj* prevernal; primăvăratic

preview ['pri:vju:] **I** *s* **1** *cin* vizionare înainte de premieră; avanpremieră; „în programul viitor" **2** recenzie prealabilă *(înainte de apariția unei cărți)* **II** *vt cin* a viziona/a vedea în avanpremieră

previous ['pri:viəs] *adj* **1** anterior, prealabil, precedent, de mai înainte **2** ← *F* prematur; făcut *etc.* prea devreme; pripit

previous examination ['pri:viəs ˌigzæmi'neiʃən] *s univ* primul examen pentru titlul de B.A.

previously ['pri:viəsli] *adv* mai înainte; în prealabil

previous question, the ['pri:viəs ˌkwestʃən, ðə] *s pol* interpelare privind punerea la vot a principalei probleme în discuție (în Anglia, pt ca ea să fie amânată; în S.U.A., pt a scurta dezbaterile și a grăbi votarea)

previous to ['pri:viəs tə] *prep* înaintea *cu gen*, înainte de; anterior *cu dat*

prevision [pri'viʒən] *s* **1** previziune, prevedere, anticipare **2** profeție, prorocire

pre-war ['pri:'wɔ:'] *adj atr* antebelic

prex [preks] *s amer univ sl* **1** decan **2** rector

prexy ['preksi] *s v.* **prex**

prey [prei] **I** *s* **1** pradă *(a unui animal răpitor);* **a bird of ~** o pasăre de pradă **2** *fig* pradă, jertfă, victimă; **to be/to fall/to become a ~ to** a cădea pradă *(unui sentiment etc.);* **to fall a ~ to circumstances** a fi victima împrejurărilor **II** *vi* (**on, upon**) *(d. oameni, animale)* a ieși să prade *(cu ac);* a pleca/a ieși la vânătoare (de)

prey on/upon ['prei ɔn/ə,pɔn] *vi cu prep* **1** a prăda, a jefui *cu ac;* a face incursiuni asupra *(cu gen)/* în **2** *fig (d. gânduri etc.)* a chinui, a roade, a nu lăsa în pace

Priam ['praiəm] *mit*

Priapus [prai'eipəs] *mit* Priap

price [prais] **I** *s* **1** preț; cost; valoare; **what ~ are you asking?** ce preț ceri? **what is the ~ of this?** cât costă asta? **at a ~** scump, la un preț ridicat; **of a ~** având același *sau* cam același preț; **to sell under the ~** a vinde sub preț; **at a good ~** la un preț bun; **without/ beyond/above ~** inestimabil, fără preț; *fig* și neprețuit; **what...? a** fără valoare, prost **b** ← *rar* merită? are vreun rost? oare...?; **to put a ~ on smth** a stabiliri o valoare/un preț unui lucru; **to put a ~ to smth** a-și aminti cât costă ceva **2** preț, plată, răsplată,

recompensă *(pt prinderea unui criminal etc.)* **3** *fig* preț; sacrificiu, jertfă; efort, muncă *etc.;* **at any ~** cu orice preț/sacrificiu; **not at any ~** cu nici un preț/chip, pentru nimic în lume **II** *vt* **1** a fixa/a stabili prețul *(cu gen);* a estima **2** ← *F* a întreba prețul, a se interesa de prețul *(cu gen)*

price control ['prais kən'troul] *s ec* control al prețurilor

price-current ['prais,kʌrənt] *s com* mercurial, tarif, listă de prețuri

price-cutting ['prais,kʌtiŋ] *s* reducere de prețuri

priced [praist] *adj* **1** cu indicarea prețului **2** *(în cuvinte compuse)* având un preț...: **low-~** ieftin

priceless ['praislis] *adj* **1** și *fig* inestimabil, fără preț; *fig* și neprețuit **2** *sl* nemaipomenit, strașnic, ← foarte amuzant *sau* comic; absurd

price list ['prais ,list] *s ec* listă de prețuri, tarif

price out of ['prais 'aut əv] *vt cu part adv și prep* a cere un preț exagerat pentru

price tag ['prais ,tæg] *s* **1** *com* etichetă de preț **2** preț *(fixat de guvern etc.)*

price wave ['prais ,weiv] *s ec* fluctuație a prețurilor

pricey ['praisi] *adj* **F** piperat (ca preț), ← scump

pricily ['praisili] *adv* **F** la un preț piperat, ← scump

priciness ['praisinis] *s* **F** prețuri piperate; ← scumpete

prick [prik] **I** *s* **1** înțepătură, împunsătură *(de ac etc.)* **2** durere usturătoare; înțepătură **3** *bot* ghimpe, spin; țeapă, țepușă **4** *fig* chin; înțepătură; mustrare *(a conștiinței etc.)* **5** ← *vulg* penis **6** *auto* perforare *(a cauciucului)* **II** *vt* **1** a înțepa, a împunge *(cu acul etc.);* a înghimpa; **to ~ one's finger** a se înțepa la deget **2** a găuri; a face o gaură *sau* găuri în; a perfora **3** a sfredeli **4** *fig* a chinui; a nu lăsa în pace; a înțepa *(cu vorbe usturătoare etc.)* **5** *fig* ← *înv* a îndemna, a stimula; a da ghes *(cu dat)* **III** *vi* **1** a înțepa, a împunge, a ustura **2** *(d. vin, bere etc.)* a se acri

prick-eared ['prik,iəd] *adj* **1** *(d. animale)* cu urechi ciulite **2** *fig*

atent, numai urechi, cu urechile ciulite

pricker ['prikə'] *s* **1** instrument ascuțit; sulă *etc.* **2** *nav* sulă de velar

pricket ['prikit] *s* vârf/con pentru fixarea lumânării

prickle ['prikəl] **I** *s* **1** *bot* v. **prick I, 3 2** *zool* ac; ghimpe **II** *vt* **1** a înțepa, a înghimpa **2** a găuri; a perfora **3** a ustura; a furnica; a gâdila **III** *vi (d. o parte a corpului)* a ustura *sau* a furnica *sau* a gâdila pe cineva; **my hand ~s** mă mănâncă palma

prickliness ['priklinis] *s* caracter înțepător *etc.* v. **prickly**

prickly ['prikli] *adj* **1** cu ghimpi/spini *sau* ace **2** înțepător; ascuțit

pricly heat ['prikli ,hi:t] *s med* bășicuțe de spuzeală; sudamină

prick out ['prik 'aut] *vt cu part adv agr* a repica, a răsădi

prick up ['prik 'ʌp] *vt cu part adv:* **to ~ one's ears** și *fig* a ciuli urechile

pricy ['praisi] *adj F v.* **pricey**

pride [praid] **I** *s* **1** (sentiment de) mândrie; ⟨sentiment de⟩ satisfacție; **to take (a) ~ in smth a** a se mândri cu ceva, a fi mândru de ceva **b** a încerca un sentiment de satisfacție de pe urma unui lucru **2** îngâmfare, înfumurare, trufie; aroganță **3** *fig* mândrie, fală; **they were his ~** ei erau mândria lui; **the ~ of the knights** mândria/fala/floarea cavalerilor **4** *fig* floare, (perioadă de) înflorire **II** *vt* ← *rar* a face (să fie) mândru

prideful ['praidful] *adj* **1** mândru, plin de mândrie **2** îngâmfat, fudul, trufaș; arogant

prideless ['praidlis] *adj* lipsit de mândrie, modest

pride oneself on/upon ['praid wʌn'self ɔn/ə,pɔn] *vr cu prep* a se mândri cu, a fi mândru de

priest [pri:st] *s* preot *(↓ catolic),* cleric

priestcraft ['pri:st,krɑ:ft] *s* amestecul clerului în treburile laice; intrigi clericale

priestess ['pri:stis] *s* preoteasă *(a unui templu păgân etc.)*

priesthood ['pri:st,hud] *s* **1** preoție; calitatea de preot **2** preoțime, preoți

Priestley ['pri:stli], **John Boynton** scriitor englez (1894-1984)

priestlike ['pri:st,laik] *adj* preoțesc; clerical

priestly ['pri:stli] *adj* preoțesc, de preot; clerical

priest-ridden ['pri:st,ridn] *adj* (aflat) sub dominația clericilor/preoților

prig [prig] **I** *s* **1** pedant, formalist **2** infatuat, îngâmfat, fudul, încrezut **3** ← *sl* hoț, pungaș **II** *vt sl* a mangli, a ciordi, a sfeterisi, – a fura

priggish ['prigiʃ] *adj* **1** pedant, formalist **2** infatuat, îngâmfat, fudul, încrezut

priggishly ['prigiʃli] *adv* **1** (în mod) pedant, formalist **2** (în mod) infatuat, cu îngâmfare

priggishness ['prigiʃnis] *s* **1** pedanterie; formalism **2** infatuare, îngâmfare; morgă

prim [prim] **I** *adj* **1** (< prea) îngrijit, aranjat; *(d. cineva, ca îmbrăcăminte)* sclivisit **2** formal; afectat **3** năzuros, pretențios, mofturos **II** *vt* a schimonosi, a strâmba; a țuguia *(buzele); he ~med his face* strâmbă din nas

prim. *presc de la* **1** primitive **2** primary

prima ballerina ['pri:mə ,bælə'ri:nə] *s* primă balerină

primacy ['praiməsi] *s* **1** întâietate, primat; proeminență, caracter remarcabil/deosebit **2** *bis* primat *(la catolici)*

prima donna ['pri:mə 'dɔnə] *s it* **1** *muz* primadonă **2** ← *F* femeie vanitoasă

primaeval [prai'mi:vəl] *adj v.* **primeval**

prima facie ['praimə 'feiʃi] *adv lat* la prima vedere

primal ['praiməl] *adj* **1** primar, primitiv **2** prim, principal, fundamental, de bază

primal problem ['praiməl 'prɔbləm] *s mat* problemă de bază/directă

primarily ['praiˈmerəli] *adv* **1** inițial, la început; la origine **2** în primul rând, înainte de toate

primary ['praiməri] **I** *adj* **1** primar, elementar; primitiv **2** inițial, originar **3** primordial, principal, de bază, fundamental **4** *geol* paleozoic **5** *gram (d. o formă verbală)* primar, de bază **II** *s* **1** lucru de importanță primordială; lucru principal; problemă principală **2** *opt* culoare primară **3** *el* bobină primară **4** *amer pol* întrunire preelectorală a votanților *(aparținând aceluiași partid, pt alegerea candidaților)*

primary accent ['praiməri ,æksənt] *s fon* accent primar

primary battery ['praiməri ,bætəri] *s el* baterie primară

primary bill ['praiməri ,bil] *s ec* poliță de prim ordin

primary cell ['praiməri ,sel] *s el* element galvanic, pilă galvanică

primary colour ['praiməri ,kʌlər] *s v.* **primary II, 2**

primary election ['praiməri i'lekʃən] *s v.* **primary II, 4**

primary road ['praiməri ,roud] *s* drum principal

primary rock ['praiməri ,rɔk] *s geol* rocă primară

primary school ['praiməri ,sku:l] *s* școală elementară/primară

primary stress ['praiməri ,stres] *s fon v.* **primary accent**

primate ['praimeit] *s* **1** *bis* arhiepiscop **2** *pl zool* primate

prime [praim] **I** *s* **1** (perioadă de) înflorire, floare; **in the ~ of life** în floarea vârstei **2** floare, partea cea mai bună, cremă **3** prima parte *(a anului etc.)* **4** *bis* slujbă de dimineață, utrenie *(la catolici)* **5** *mat* număr prim **6** *text* lână de pe flancurile oii **II** *adj* **1** prim, dintâi; important; principal, fundamental, esențial, de bază **2** excelent, minunat, de prima calitate; **in ~ condition** într-o stare excelentă **3** *v.* **primary I, 1-2 III** *vt* **1** a pregăti, a pune în stare de funcționare; *mil* a încărca *(arma)* **2** *min etc.* a amorsa *(o încărcătură de exploziv)* **3** *auto* a sprițui **4** *pict etc.* a grundui **5** *fig* a pregăti, a instrui, a informa în prealabil **6** ← *sl* a ghiftui, a îmbuiba **7** *F* a matosi, a afuma, – a îmbăta

prime cost ['praim ,kɔst] *s ec* preț de cost

prime forest ['praim ,fɔrist] *s* pădure virgină

prime formula ['praim 'fɔ:mjulə] *s mat* formulă elementară

primely ['praimli] *adv F* (clasa) prima, strașnic, grozav, – minunat, excelent

prime meridian, the ['praim mi'ridiən, ðə] *s geogr, astr* meridianul zero, primul meridian

prime minister ['praim 'ministər] *s* prim ministru, premier

prime mover ['praim 'mu:vər] *s* **1** *fiz* forță primară **2** *tehn* mașină de

forță **3** *tehn* motor primar **4** *fig* impuls, îndemn; forță motrice; suflet *(al unei acțiuni etc.)*

prime number ['praim 'nʌmbər] *s mat* număr prim

prime of the year, the ['praim əv ðə 'jə:r, ðə] *s* primăvara

primer[1] ['praimər] *s* abecedar, *înv →* azbuche

primer[2] *s poligr* **1** inițială **2** corp de literă de 18 puncte

primer[3] *s* **1** *pict etc.* grund **2** *tehn* capsulă, amorsă, focos **3** *tehn* combustibil de pornire **4** *tehn* amorsare **5** *tel* amorsor **6** *tehn* piston

primeval [prai'mi:vəl] *adj* **1** primitiv, primar **2** *geol* paleozoic

priming ['praimiŋ] *s* **1** pregătire etc. *(v.* **prime III**) **2** *tehn* capsă, capsulă, amorsă **3** *pict etc.* grund

primitive ['primitiv] **I** *adj* **1** primitiv; străvechi **2** primitiv, natural **3** *(d. arme etc.)* primitiv, simplu, elementar, rudimentar **4** *(d. un popor)* primitiv, necivilizat; barbar **5** învechit, de altădată; primitiv **6** *lingv* primitiv; nederivat de bază **II** *s* **1** *opt* culoare primară/primitivă/spectrală **2** (om) primitiv **3** *pict* pictor/artist naiv/primitiv; pictor *sau* sculptor dinainte de Renaștere **4** *pict* primitivist

primitively ['primitivli] *adv* (în mod) primitiv

primitiveness ['primitivnis] *s* primitivitate; sălbăticie

primly ['primli] *adv* afectat, cu afectare; strâmbând din nas

primness ['primnis] *s* **1** ordonare, îngrijire, aranjare (↓ *exagerată, pedantă)* **2** afectare, prețiozitate; pedanterie

primogenitor [,praimou'dʒenitər] *s* străbun, strămoș (îndepărtat)

primogeniture [,praimou'dʒenitʃər] *s* **1** prima naștere **2** *jur* primogenitură, dreptul primului născut

primordial [prai'mɔ:diəl] *adj* primordial, primar, dintâi, primitiv

primp [primp] **I** *vt* a aranja, a dichisi *(coafura etc.)* **II** *vr, vi* a se aranja, a se dichisi; a se împopoțona

primrose ['prim,rouz] *s bot* **1** ciuboțica cucului, primulă *(Primula veris)* **2** aglice(i) *(Primula vulgaris)*

primrose path, the ['prim,rouz 'pa:θ, ðə] *s fig* **1** calea plăcerilor **2** linia minimei rezistențe

primula ['primjulə] *s v.* **primrose**

primus ['praiməs] *s* primus *(maşină de gătit)*

prin. *presc de la* **1 principle 2 principal 3 principally**

prince [prins] *s* **1** ↓ *înv* rege (↓ *al unui stat mic), od* domn, domnitor; principe, prinţ *(al unui principat);* **to live like ~s/a ~** a trăi regeşte, a huzuri **2** prinţ *(fiu de rege etc.)* **3** *fig* rege *(al petrolului etc.),* magnat **4** *fig* prinţ; as

prince consort ['prins 'kɔnsɔ:t] *s fr* prinţ consort

princedom ['prinsdəm] *s* **1** principat **2** calitatea de prinţ

princelet ['prinslit] *s* prinţişor

princeliness ['prinslinis] *s v.* **princedom 2**

princeling ['prinsliŋ] *s* ↓ *peior* prinţişor

princely ['prinsli] *adj* **1** de prinţ/principe, princiar; de nobil **2** *fig* princiar; măreţ, splendid, somptuos

Prince of Darkness, the ['prins əv 'da:knis, ðə] *s* prinţul întunericului, Satan(a)

Prince of Wales, the ['prins əv 'weilz, ðə] *s* prinţul de Wales/Ţara Galilor *(prinţul moştenitor)*

princeps edition ['prinseps i'diʃən] *s poligr* ediţie princeps

prince royal ['prins 'rɔiəl] *s* prinţ de coroană

princess [prin'ses] *s* prinţesă, principesă; soţie de prinţ

princesse *adj atr (d. o rochie etc.)* princesse

principal ['prinsipəl] **I** *adj* **1** principal, de căpetenie/bază, fundamental, esenţial, primordial; **the ~ matter** chestiunea principală/esenţială, principalul, esenţialul **2** *gram (d. o propoziţie etc.)* principal; *(d. formele verbului)* de bază **II** *s* **1** conducător, şef; patron; responsabil **2** *univ* rector; decan **3** *şcol* director **4** *jur* debitor principal **5** *ec* capital de bază; capital **6** *muz* solist **7** *teatru* interpret principal, protagonist **8** *cin* stea

principal boy ['prinsipəl ,bɔi] *s teatru* travestit *actriţă care interpretează un rol masculin principal într-o pantomimă*

principal clause ['prinsipəl ,klɔ:z] *s gram* propoziţie principală

principality [,prinsi'pæliti] *s* **1** principat **2 the P~** Wales, Ţara Galilor

principally ['prinsipəli] *adv* în primul rând; în special, îndeosebi

principal office ['prinsipəl 'ɔfis] *s* centrală (↓ *a unei case de comerţ)*

principalship ['prinsipəlʃip] *s* calitatea *sau* perioada de activitate a unui conducător *etc. (v.* **principal II, 1-3)**

principium [prin'sipiəm], *pl* **principia** [prin'sipiə] *s lat* **1** principiu **2** *pl* primele principii/elemente, rudimente

principle ['prinsipəl] *s* **1** principiu; lege; regulă; **in ~** în principiu; **on ~** din principiu; **a question of ~** o chestiune de principiu; **a man of ~s** un om cu principii **2** principiu, concepţie *sau* doctrină/ învăţătură fundamentală *(a unei şcoli filosofice etc.)* **3** principiu, cauză primară; izvor, origine, *rar* → sorginte **4** *fiz* principiu; lege **5** *mat* teoremă, principiu

principled ['prinsipəld] *adj* cu principii, principial; cu convingeri ferme; **a low-~ man** un om cu principii reprobabile *sau* un om fără principii

prink oneself up ['priŋk wʌn,self 'ʌp] *vr cu part adv* a se găti; a se sclivisi

print [print] **I** *vt* **1** *poligr* a tipări, a imprima; a publica; a edita; **does he intend to have his poems ~ed?** are de gând să-şi tipărească/să-şi publice poeziile? **2** a scrie cu litere de tipar **3** *fot* a copia **4** *text* a imprima **5** *fig* a imprima, a sădi *(în memorie etc.)* **II** *vi* **1** *poligr* a tipări; a publica; a edita **2** *poligr* a se tipări *(uşor etc.);* a se tipări, a fi sub tipar **3** *fot* a se copia *(uşor etc.)* **III** *s* **1** publicaţie tipărită; imprimat, tipăritură **2** *poligr* copie; gravură; imprimare **3** *poligr* literă de tipar **4** *text* ţesătură imprimată; imprimeu **5** *fot* copie; pozitiv; fotografie **6** urmă, semn; amprentă **7** *poligr* tipar; tipărit; **in ~** a sub/la tipar **b** *(d. cărţi etc.)* de vânzare, în comerţ, pe piaţă; **out of ~** *(d. un roman etc.)* epuizat, vândut; **to rush into ~** a se grăbi să publice (↓ *un material nefinisat)* **8 the ~s** ↓ *amer* ziarele, presa

printable ['printəbəl] *adj* care poate fi tipărit; publicabil

printed circuit ['printid ,sə:kit] *s tehn* circuit imprimat

printed form ['printid ,fɔ:m] *s* formular

printed matter ['printid ,mætə'] *s poligr* tipăritură; imprimat *sau* imprimate

printed page ['printid ,peidʒ] *s poligr* pagină de tipar

printed papers ['printid ,peipəz] *s v.* **printed matter**

printer ['printə'] *s* **1** tipograf **2** *cib* imprimator **3** *poligr* maşină de copiat **4** *text* imprimer

printer's devil ['printəz ,devəl] *s* ucenic într-o tipografie

printer's error ['printəz ,erə'] *s poligr* greşeală de tipar

printer's flower ['printəz ,flauə'] *s poligr* ornament tipografic

printer's ink ['printəz ,iŋk] *s* **1** *poligr* cerneală tipografică **2** *fig* cuvânt tipărit, tipar

printer's reader ['printəz ,ri:də'] *s poligr* corector de casă

printery ['printəri] *s* ↓ *amer* **1** tipografie **2** *text* imprimerie

printing ['printiŋ] *s* **1** *poligr* tipar, tipărit **2** *poligr* tipar înalt **3** *text* imprimerie

printing factory ['printiŋ ,fæktəri] *s text* imprimerie

printing house ['printiŋ ,haus] *s v.* **printing shop**

printing ink ['printiŋ ,iŋk] *s v.* **printer's ink 1**

printing office ['printiŋ ,ɔfis] *s v.* **printing shop**

printing press ['printiŋ ,pres] *s poligr* maşină de imprimat; presă de tipar

printing shop ['printiŋ ,ʃɔp] *s poligr* tipografie, imprimerie; întreprindere poligrafică

printless ['printlis] *s* fără urmă *sau* urme

print oneself on/upon ['print wʌn'self ɔn/ə,pɔn] *vr cu prep* a se întipări în *(mintea etc. cuiva)*

print shop ['print ,ʃɔp] *s* **1** tipografie **2** magazin de gravuri

prior ['praiə'] **I** *adj* **1 (to)** anterior *(cu dat);* precedent, prealabil **2** mai important, având întâietate; mai cu greutate **II** *s bis* prior; egumen, stareţ

prioress ['praiəris] *s bis* stareţă

priority [prai'ɔriti] *s* (**over, to**) prioritate, întâietate (față de); precedență (asupra); (drept de) privilegiu (față de); **to give ~ to** a da prioritate/întâietate *cu dat;* **to take ~ of** a avea prioritate/ întâietate față de

priorship ['praiəʃip] *s bis* priorat; stăreție

prior to ['praiə tə] *prep* înaintea *cu gen*, înainte de; anterior *cu dat*

priory ['praiəri] *s bis* priorat; mănăstire

Priscilla [pri'silə] *nume fem*

prise [praiz] *tehn* I *s* pârghie II *vt* a ridica cu o pârghie

prism ['prizəm] *s* 1 *fiz, geom* prismă 2 *tehn* ghidaj prismatic

prismatic(al) [priz'mætik(əl)] *adj* 1 *fiz, geom* prismatic 2 *(d. culori)* strălucitor și variat 3 multicolor

prismatic telescope [priz'mætik ,teliskoup] *s opt* telescop cu prisme

prison ['prizən] I *s* închisoare, *înv* → temniță, ocnă; arest II *vt poetic* a întemniţa, – a arunca în închisoare; a aresta

prison-breaker ['prizən,breikə^r] *s* evadat

prison-breaking ['prizən,breikiŋ] *s* evadare

prison camp ['prizən ,kæmp] *s mil* lagăr de prizonieri

prisoner ['prizənə^r] *s* 1 *mil etc.* prizonier, captiv; **to give oneself up as a ~** a se preda; **to take smb ~** a lua pe cineva prizonier/în captivitate 2 condamnat; arestat, întemnițat; deținut 3 (**to**) *fig* prizonier *(cu gen)*; rob, sclav *(cu gen);* **he is a ~ to his chair** e țintuit de scaun/fotoliu *(ca bolnav);* **a ~ of love** (un) rob al dragostei

prisoner of war ['prizənər əv 'wɔ:^r] *s mil* prizonier (de război)

prison house ['prizən ,haus] *s* ↓ ← *poetic* și *fig* închisoare

prissily ['prisili] *adv* (în mod) pedant *sau* afectat

prissiness ['prisinis] *s* pedanterie; afectare

prissy ['prisi] *adj* pedant; afectat

pristine ['pristain] *adj* 1 primar, primitiv; originar 2 curat, imaculat, virgin

prithee ['priði] *interj înv* rogu-te, – te rog

prius ['praiəs] *s* 1 condiție prealabilă 2 element *etc.* prealabil *sau* anterior

priv. *presc de la* 1 **private** 2 **privative**

privacy ['privəsi] *s* 1 izolare, sihăstrie, singurătate; retragere; **I must disturb your ~** îmi pare rău că trebuie să vă deranjez 2 intimitate; secret, taină; **I tell you this in strict ~** vă spun toate acestea strict confidenţial; **in the ~ of one's thoughts** în străfundurile sufletului său; **in such matters ~ is impossible** în asemenea probleme este imposibil să păstrezi secretul *sau* discreţia 3 ← *rar* loc retras; refugiu; sihăstrie

private ['praivit] I *adj* 1 particular, privat; personal; individual; intim; **~ life** viaţă particulară 2 care nu ocupă o funcție publică 3 confidenţial; secret, tainic; **to keep smth ~** a ține ceva în secret 4 *(d. cineva sau d. un loc)* retras, izolat; **to wish to be ~** a vrea să fie singur *sau* nederanjat/lăsat în pace II *s* 1 *pl anat* organe genitale 2 *mil* soldat, ostaş *(de rând, simplu)* // **in ~** a în secret/taină, confidenţial, între patru ochi **b** în viaţa particulară, în viaţa de familie

private detective ['praivit di'tektiv] *s* detectiv particular

private edition ['praivit i'diʃən] *s poligr* ediţie de amator

private enterprise ['praivit 'entəpraiz] *s ec* întreprindere particulară; capitalism

privateer [,praivə'tiə^r] *s nav od* 1 pirat, corsar 2 (vas) corsar

private eye ['praivit ,ai] *s F v.* **private detective**

private house ['praivit ,haus] *s* casă *sau* vilă (proprietate) personală

private landowner ['praivit 'lænd ,ounə^r] *s constr* proprietar funciar

private life ['praivit ,laif] *s* viaţă particulară/privată

private means ['praivit ,mi:nz] *s* mijloace/resurse personale

private member ['praivit ,membə^r] *s pol* membru al parlamentului care nu este ministru în cabinet (↓ în Anglia)

privateness ['praivitnis] *s* 1 caracter privat 2 singurătate; viaţă retrasă 3 viaţă particulară; intimitate 4 caracter secret/tainic

private office ['praivit ,ɔfis] *s* birou *sau* cabinet particular

private parts ['praivit ,pa:ts] *s pl* organe sexuale *(externe)*

private property ['praivit ,prɔpəti] *s* proprietate privată/particulară

private road ['praivit ,roud] *s* drum particular, uzinal *sau* de exploatare

private room ['praivit ,ru:m] *s* cameră proprie *sau* izolată

private school ['praivit ,sku:l] *s* școală particulară

private soldier ['praivit ,souldʒə^r] *s mil* ← *elev* soldat (simplu)

private staircase ['praivit ,steə,keis] *s* scară de serviciu

private view ['praivit ,vju:] *s pict* expoziţie de tablouri proprii

privation [prai'veiʃən] *s* 1 privaţiune, lipsă; sărăcie 2 (**of**) absenţă *(cu gen)*, lipsă *(de sau cu gen)*, inexistenţă *(cu gen)*

privative ['privətiv] I *adj* 1 privativ, care privează, care arată lipsa 2 *lingv* privativ; negativ II *s lingv* afix privativ *sau* negativ

privatively ['privətivli] *adv* (în mod) privativ

privet ['privit] *s bot* lemn câinesc, mălin negru *(Ligustrum vulgare)*

privilege ['privilidʒ] I *s* 1 privilegiu; onoare, cinste; avantaj; favoare, hatâr 2 *od* privilegiu; servitute 3 *pol* imunitate (parlamentară); **break of ~** încălcare/violare a imunităţii parlamentare 4 autorizaţie; patent II *vt* 1 a da/a acorda un privilegiu *(cuiva)* 2 a scuti, a elibera *(de o sarcină etc.)*

privileged ['privilidʒd] *adj* 1 privilegiat; favorizat; **we are ~ today to have Mr Steward as a guest** este o cinste pentru noi de a-l avea astăzi pe domnul Steward ca oaspete 2 *jur* confidenţial, secret

privileged communication ['privilidʒd kə,mju:ni'keiʃən] *s jur* secret profesional

privily ['privili] *adv* confidenţial, în secret; în particular

privity ['priviti] *s* 1 caracter secret/ tainic; secret, taină 2 comunitate de interese 3 ← *înv v.* **privacy**

privy ['privi] I *adj* 1 ← *înv* particular, privat; secret, confidenţial 2 ascuns, secret, tainic; clandestin II *s* 1 latrină, toaletă, closet 2 *jur* (**to**) implicat (în)

privy council ['privi ,kaunsəl] *s pol* 1 consiliu de stat; consiliu privat 2 ↓ **P~ C~** Consiliu de coroană (în Anglia)

privy councillor ['privi ˌkaunsələ^r] *s pol* membru al consiliului privat *etc.* (v. **privy council**)

Privy Purse ['privi ˌpə:s] *s jur* listă civilă

privy seal ['privi ˌsi:l] *s* sigiliu privat

privy to ['privi tə] *adj cu prep* **1** introdus în *(problemă etc.)*, informat despre; cunoscător *cu gen* **2** parte la *(un contract etc.)*; cosemnatar *(cu gen)*

prize¹ [praiz] **I** *vt* a preţui, a aprecia **II** *s* **1** premiu; răsplată, recompensă; **to be awarded a ~** a i se acorda/a primi un premiu **2** câştig; noroc; lucru găsit **3** plăcere, < fericire *(a vieţii etc.)*; lucru pentru care merită să lupţi

prize² *s nav* trofeu; priză; pradă

prize³ *tehn* **I** *s* pârghie **II** *vt* a ridica cu pârghia

prize competition ['praiz ˌkompi-'tiʃən] *s* întrecere; concurs (cu premii)

prize court ['praiz ˌko:t] *s nav* tribunal de prize

prize fight ['praiz ˌfait] *s sport* competiţie de box *(cu premii)*

prize fighter ['praiz ˌfaitə^r] *s sport* boxer *(profesionist)*

prize fighting ['praiz ˌfaitiŋ] *s sport* box *(al profesioniştilor)*

prizeman ['praizmən] *s* persoană care primeşte un premiu, premiat; laureat

prize out ['praiz 'aut] *vt cu part adv* a smulge, a stoarce, a obţine cu forţa *(informaţii)*

prize ring ['praiz ˌriŋ] *s sport* ring

prize winner ['praiz ˌwinə^r] *s v.* **prizeman**

pro¹ [prou] *s, adj F v.* **professional**

pro² **I** *adv* pro, pentru **II** *s* **1** persoană care este în favoarea unui lucru **2** argument în favoarea unui lucru, argument pro; **the ~s and cons of the matter** părerile, voturile *etc.* pentru şi contra într-o chestiune

PRO *F presc de la* **public relations officer**

pro- *pref* pro-: **pronoun** pronume; **pro-English** pro-englez

proa ['prouə] *s nav* proa *(barcă malaieză cu pânze)*

proam ['prou'æm] *s sport* competiţie de golf cu şi fără premii în bani

prob. *presc de la* **1 problem 2 probable 3 probably**

probabilism ['probəbiˌlizəm] *s filos* probabilism

probability [ˌprobə'biliti] *s* **1** probabilitate; **in all ~** după toate probabilităţile **2** veridicitate

probable ['probəbəl] **I** *adj* **1** probabil; care se poate întâmpla; nesigur, îndoielnic **2** veridic **3** presupus, bănuit **II** *s* candidat *etc.* probabil

probable cause ['probəbəl ˌko:z] *s jur* motive suficiente/întemeiate de suspiciune

probable error ['probəbəl ˌerə^r] *s mat* eroare probabilă

probably ['probəbli] *adv* probabil; după toate probabilităţile

probate ['proubit] **I** *s* **1** adeverire, confirmare, atestare **2** *jur* deschiderea testamentului **3** *v.* **probate copy II** *vt* ↓ *amer jur* a deschide *(un testament);* a stabili autenticitatea *(unui testament)*

probate copy ['proubit ˌkopi] *s jur* copie autentificată a testamentului

probation [prə'beiʃən] *s* **1** probă; test; examen de aptitudini **2** stagiu; noviciat; ucenicie; iniţiere **3** *jur* termen de încercare; eliberare condiţionată **4** *bis* noviciat

probational [prə'beiʃənəl] *adj v.* **probationary**

probationary [prə'beiʃənəri] *adj* de probă/încercare; de noviciat/ ucenicie

probationary ward [prə'beiʃənəri ˌwo:d] *s med* serviciu/secţie de izolare

probationer [prə'beiʃənə^r] *s* **1** (candidat) stagiar; candidat **2** *jur* condamnat/deţinut condiţionat **3** *bis* novice, neofit **4** *fig* începător, novice, *F →* ageamiu

probative ['proubətiv] *adj* edificator, *rar →* probant

probatory ['proubətəri] *adj* doveditor, servind ca probă/dovadă; *v.* **probative**

probe [proub] **I** *s* **1** *med* sondă, cateter **2** *tehn* sondă; cap de măsură **3** sondare; sondaj **4** *amer* cercetare, examinare, examen **II** *vt* **1** *med* a sonda, a cateteriza **2** a cerceta atent, a studia, a examina

probe into ['proub ˌintə] *vi cu prep* a cerceta, a examina *cu ac*

probing ['proubiŋ] *adj* **1** de cercetare; cercetător; scrutător **2** experimental

probity ['proubiti] *s* probitate, cinste, onestitate

problem ['probləm] *s* **1** *mat* problemă **2** *fig* problemă; chestiune **3** *fig* problemă; situaţie dificilă/ complicată; caz dificil

problematic(al) [ˌproblə'mætik(əl)] *adj* problematic; nesigur; dubios; greu de prevăzut, imprevizibil

problematically [ˌproblə'mætikəli] *adv* (în mod) problematic

proboscidian [ˌproubo'sidiən] *s zool* proboscidian

proboscis [prou'bosis] *s* **1** *zool* trompă **2** *umor* bec, – nas

proc. *presc de la* **1 proctor 2 process 3 proceedings**

procaine ['proukein] *s ch* procaină

procedural [prə'si:dʒərəl] *adj* procedural, de procedură

procedure [prə'si:dʒə^r] *s* **1** *jur* procedură **2** procedură; procedeu *sau* procedee; operaţie *sau* operaţii; metodă *sau* metode **3** *tehn* proces tehnologic

proceed [prə'si:d] *vi* **1** a continua, a merge mai departe, a înainta; **he ~ed to eat his dinner** a continuat să mănânce, a mâncat mai departe **2** a continua, a vorbi mai departe **3** a proceda, a acţiona

proceed against [prə'si:d əˌgenst] *vi cu prep jur* a acţiona în justiţie/ judecată *pe cineva*

proceed from [prə'si:d frəm] *vi cu prep* a purcede de la *sau* din; a-şi avea originea în, a deriva/a se trage din; a se dezvolta din; **from what direction did the shots ~?** din ce direcţie au venit/ s-au auzit împuşcăturile?

proceeding [prə'si:diŋ] *s* **1** procedeu; mod de a proceda/a acţiona; modalitate, manieră; comportare, atitudine **2** *tehn* procedeu (tehnic) **3** *ec etc.* tranzacţie **4** întâmplare; faptă **5** măsură; **an illegal ~** o măsură ilegală **6** *pl jur* procedură; **to take/to institute ~s against** a deschide/a intenta un proces *(cuiva)*, a acţiona în justiţie/ judecată *(pe cineva);* **to stay the ~s** a opri procedura **7** *pl* lucrări *(ale unei comisii etc.)* **8** *pl* proces-verbal; dare de seamă; note, însemnări

proceeds [prə'si:dz] *s pl ec* câştig, beneficiu; profit(uri)

process I ['prouses] *s* **1** proces; mers, desfășurare; dezvoltare; evoluție; progres; **in ~ of** în procesul *cu gen*, în proces de; în cursul *cu gen*, în curs de; **the ~ of growth** procesul creșterii **2** *tehn* proces tehnologic; operație; procedeu; cursă de lucru **3** *ch* proces; reacție **4** *jur* citație, somație **5** *jur* procedură (juridică); proces **6** *poligr* procedeu fotomecanic **II** [prə'ses] *vt* **1** a prelucra; a fabrica; a confecționa; a prepara, a pregăti **2** *poligr* a reproduce prin mijloace fotomecanice **3** a steriliza *(lapte);* a prelucra chimic **4** *text* a impregna *(o stofă)*

process cheese ['prouses ˌtʃiːz] *s* brânză topită

processed ['prousest] *adj cin* prezentat; expus

processing department [prə'sesiŋ di'pɑːtmənt] *s tehn* birou pentru elaborarea proceselor tehnologice

processing industry [prə'sesiŋ 'indəstri] *s* industrie prelucrătoare

processing machine [prə'sesiŋ mə'ʃiːn] *s fot* mașină de developat

processing properties [prə'sesiŋ 'propətiz] *s pl tehn* proprietăți tehnologice

procession [prə'seʃən] **I** *s* proces(iun)e **II** *vi* **1** a forma o procesiune **2** a merge în procesiune

processional [prə'seʃənəl] **I** *adj* de procesi(un)e **II** *s bis* **1** imn **2** carte de ritual, trebnic *(la catolici)*

process printing ['prouses ˌprintiŋ] *s poligr* tipar în mai multe culori

process server ['prouses 'səːvəˀ] *s jur* portărel

procès-verbal [pro,seiver'bal], *pl* **procès-verbaux** [pro,seiver'bɔ] *s fr* proces verbal

proclaim [prə'kleim] *vt* **1** a proclama; a declara; a categorisi; a califica; **to ~ smb (to be) a traitor** a califica pe cineva (drept) trădător **2** a proclama, a declara *(război etc.);* a vesti **3** a interzice, a declara ilegal/în afara legii **4** a arăta, a trăda; **his accent ~ed him a Welshman** accentul îl trăda ca velș/că este velș, se trăda ca velș prin accent; **the dress ~s the man** *prov* haina face pe om

proclamation [ˌprɔklə'meiʃən] *s* **1** proclamare etc. *(v.* **proclaim**) **2** proclamație; declarație; **to make a ~** a face *sau* a publica o declarație

proclamatory [prə'klæmətəri] *adj (d. voce)* sonor, răsunător

proclamatory of [prə'klæmətəri əv] *adj cu prep* care anunță/vestește cu ac

proclitic [prou'klitik] *gram* **I** *adj* proclitic **II** *s* cuvânt proclitic

proclivity [prə'kliviti] *s* **(to, towards)** înclinație, tendință (spre, către)

proconsul [prou'kɔnsəl] *s* **1** *ist* Romei proconsul **2** guvernator *(al unei colonii sau al unui dominion)*

proconsular [prou'kɔnsjuləˀ] *adj* **1** *ist* Romei proconsular, de proconsul **2** de guvernator

proconsulate [prou'kɔnsjulit] *s* **1** *ist* Romei proconsulat **2** calitatea de guvernator *(al unei colonii sau al unui dominion)*

procrastinate [prou'kræstiˌneit] **I** *vi* a procrastina; a sta pe gânduri; a amâna **II** *vt ← rar* a amâna

procrastination [prouˌkræsti'neiʃən] *s* procrastinare, amânare

procreate ['proukriˌeit] *vt* **1** a da naștere *(cuiva)*, a procrea **2** *fig* a da naștere la; a da viață *(cu dat)*

procreation [proukri'eiʃən] *s* **1** procreare, procreație, naștere **2** *fig* naștere; creare

procreative ['proukriˌeitiv] *s* **1** de procreare/procreație **2** *fig* productiv, rodnic

procreator ['proukriˌeitəˀ] *s* zămislitor; creator; făcător

Procrustian bed, the [prou'krʌstiən ˌbed, ðə] *s* patul lui Procust

proctor ['prɔktəˀ] **I** *s* **1** *univ* proctor *(la Oxford și Cambridge);* inspector; supraveghetor **2** agent *(al cuiva);* mandatar, împuternicit **3** avocat **II** *vt univ* a supraveghea *(un examen)*

proctorship ['prɔktəʃip] *s* calitatea de inspector *etc. (v.* **proctor I)**

procumbent [prou'kʌmbənt] *adj* **1** (culcat) cu fața în jos **2** *bot* târâtor

procurable [prə'kjuərəbəl] *adj* care se poate găsi; disponibil

procuracy ['prɔkjurəsi] *s* mandat; împuternicire; calitatea de mandatar/agent/împuternicit

procurance [prə'kjuərəns] *s* **1** procurare, obținere **2** mijlocire, intermediu

procuration [ˌprɔkjuə'reiʃən] *s* **1** *v.* **procurance 2** *jur etc.* procură; împuternicire, mandat

procurator ['prɔkjuˌreitəˀ] *s* **1** *ist* Romei procurator **2** *jur* împuternicit, mandatar, procurator **3** *jur* procuror

procuratorial [ˌprɔkjurə'tɔːriəl] *adj* de inspector, supraveghetor, procurator *sau* procuror

procure [prə'kjuəˀ] **I** *vt* **1** a procura, a obține, a găsi, a face rost de; a asigura **2** *← rar* a cauza, a pricinui, a determina **3** a face rost de *(fete, pentru a le prostitua)* **II** *vi* a fi proxenet/codoș

procurement [prə'kjuəmənt] *s* **1** *v.* **procurance 2** proxenetism, codoșlâc

procurer [prə'kjuərəˀ] *s* proxenet, codoș, mijlocitor

procuress [prə'kjuəris] *s* proxenetă, codoașă

prod [prɔd] **I** *s* **1** strămurare **2** împunsătură; îndemn **II** *vt* **1** a mâna, a îndemna, a împunge *(cu strămurarea)* **2** *fig* îndemn, imbold

prod. *presc de la* **1 product 2 produce 3 produced**

prodigal ['prɔdigəl] **I** *adj* **1** risipitor, cheltuitor, *rar →* prodig **2** darnic, generos; **~ of praise** darnic cu laudele, care nu-și precupețește laudele **3** îmbelșugat, extrem de bogat, abundent **II** *s* om risipitor/cheltuitor

prodigality [ˌprɔdi'gæliti] *s* **1** risipă, cheltuială, *rar →* prodigalitate **2** dărnicie, generozitate **3** belșug, abundență, bogăție

prodigally ['prɔdigəli] *adv* **1** cu risipă, fără socoteală **2** din belșug, abundent

prodigious [prə'didʒəs] *adj* **1** prodigios, enorm, uriaș **2** prodigios, uimitor, de necrezut, extraordinar **3** monstruos

prodigiously [prə'didʒəsli] *adv* extraordinar/nemaipomenit de

prodromal [prou'droumal] *adj* **1** introductiv; prealabil; anterior **2** *med* prodromal

prodrome ['proudroum] *s* **1** introducere, *rar →* prodrom **2** *med* prodrom, simptom prevestitor **3** *← rar* semn, prevestire

produce I ['prɔdju:s] *s* **1** produs *sau* produse (↓ *agricole*) **2** produs, rezultat **II** [prə'dju:s] *vt* **1** a aduce *(dovezi)* **2** a arăta, a prezenta *(biletul etc.)* **3** a produce, a fabrica; a face; a cultiva, a crește; a crea **4** a determina *(succesul)*, a sfârși prin, a avea drept rezultat; a produce *(un efect etc.)* **5** a scrie; a publica *(o carte)* **6** *teatru* a juca, a prezenta, a reprezenta *(o piesă);* a prelucra pentru radio **7** *cin* a prezenta **8** *ec* a produce, a aduce *(un câștig)*, a aduce un profit *ce* **9** *fot* a face *(o fotografie)* **10** (from) a scoate, a extrage (din) **III** [prə'dju:s] *vr* a se produce, a-și arăta arta *sau* talentul **IV** [prə'dju:s] *vi* **1** a produce; a fabrica; a cultiva **2** a produce; a fi productiv, a aduce venit/câștig; *ec* a renta, a fi rentabil **3** a scrie, a fi scriitor

producer [prə'dju:sə^r] *s* **1** *ec* producător; furnizor **2** *ec* fabricant **3** *teatru* regizor; director de scenă **4** *amer* director de teatru; proprietar al unui studio cinematografic **5** *el* generator **6** *min* sondă productivă

producer gas [prə'dju:sə ˌgæs] *s* **1** gaz aerian **2** *met* gaz de generator

producible [prə'dju:səbəl] *adj* care poate fi produs; fabricabil; cultivabil *etc.*

product ['prɔdəkt] *s* **1** produs *(natural sau artificial);* fabricat, articol **2** *fig* rezultat; produs, rod *(al imaginației etc.)* **3** *mat* produs, rezultat

production [prə'dʌkʃən] *s* **1** producere *etc.* (*v.* **produce II**) **2** *ec* producție; fabricație **3** *v.* **product 1 4** *fig v.* **product 2 5** *fig* producție (↓ *literară*), operă, lucrare **6** *cin etc.* producție; regie **7** *tehn* debit, extracție

production line [prə'dʌkʃən ˌlain] *s* *tehn* linie de producție; linie de asamblare/montare

productive [prə'dʌktiv] *adj* **1** *ec* productiv; eficient **2** productiv, fertil, rodnic, roditor

productiveness [prə'dʌktivnis] *s v.* **productivity**

productive of [prə'dʌktiv əv] *adj cu prep* care aduce *(fericire etc.)*, care determină/cauzează *cu ac;* care produce *cu ac*

productivity [ˌprɔdʌk'tiviti] *s* productivitate; fertilitate

proem ['prouem] *s* **1** (scurtă) introducere *sau* prefață **2** *fig* preludiu, început, prolog

proemial ['prouemiəl] *adj* introductiv; prefațator

prof [prɔf] *s F v.* **professor**

Prof. *presc de la* **Professor**

profanation [ˌprɔfə'neiʃən] *s* **1** profanare *etc.* (*v.* **profane II**) **2** profanare, pângărire; sacrilegiu

profanatory [prə'fænətəri] *adj* profanator

profane [prə'fein] **I** *adj* **1** profan, lumesc, de lume; laic **2** păgân(esc) **3** hulitor, cârtitor; profanator, pângăritor **II** *vt* **1** a profana, a pângări; a comite un sacrilegiu împotriva *(cu gen)* **2** a huli; a cârti împotriva *(lui Dumnezeu etc.)*

profanity [prə'fæniti] *s* **1** caracter profan **2** blasfemie

profess [prə'fes] **I** *vt* **1** a proclama, a declara (în mod) deschis, a profesa *(o convingere etc.)* **2** a profesa, a împărtăși *(o credință)* **3** a profesa, a exercita, a practica *(o meserie etc.)* **4** (to, that) a pretinde (că); a afirma, a susține (că) **5** a afișa *(un sentiment etc.)* **6** *bis* a primi într-un ordin religios **7** a preda *(o materie)* **II** *vr* a se declara *(satisfăcut etc.)*

professed [prə'fest] *adj* **1** pretins **2** declarat, mărturisit; **a ~ opponent of** un dușman/potrivnic declarat *cu gen* **3** *bis* care face parte dintr-un ordin religios

professedly [prə'fesidli] *adv* **1** după cum declară cineva (despre sine) **2** în mod deschis/declarat **3** pretins

profession [prə'feʃən] *s* **1** profesi(un)e; ocupație, îndeletnicire; **he is a lawyer by ~** de profesie este avocat **2** **the ~** a reprezentanții unei profesi(un)i b *teatru sl* actorii **3** profesiune de credință; credință; rit, confesiune **4** mărturisire *(a unui sentiment)* **5** *bis* intrare într-un ordin religios; legământ, jurământ

professional [prə'feʃənəl] **I** *adj* **1** profesional, legat de o profesi(un)e **2** profesionist, de profesie; experimentat; specializat **II** *s* **1** expert, specialist **2** *sport etc.* profesionist

professionalism [prə'feʃənəˌlizəm] *s* *sport etc.* profesionalism; profesionalitate

professor [prə'fesə^r] *s* **1** *univ* profesor **2** *F* decan; doctor; – specialist, expert

professorate [prə'fesərit] *s* *univ* **1** profesorat, *înv* → corp profesoral **2** profesorime, profesori

professorial [ˌprɔfe'sɔ:riəl] *adj* *univ* profesoral, de profesor

professorially [ˌprɔfe'sɔ:riəli] *adv* profesoral, ca un profesor (universitar)

professoriate [ˌprɔfi'sɔ:riit] *s v.* **professorate**

professorship [prə'fesəʃip] *s v.* **professorate 1**

proffer ['prɔfə^r] **I** *vt* a oferi *(pace, prietenie etc.)* **II** *s* (of) ofertă, propunere *(de prietenie etc.)*

proficiency [prə'fiʃənsi] *s* competință, competență, experiență; pricepere; dexteritate, îndemânare

proficient [prə'fiʃənt] **I** *adj* (in, at) expert (în); competent (în); experimentat (în); priceput (în, la) **II** *s* expert, specialist

profile ['proufail] **I** *s* **1** profil **2** schiță, contur **3** scurtă schiță biografică **4** *constr* subgrindă **5** *geol* secțiune a terenului; profil **II** *vt* **1** a desena *sau* a schița profilul *(cuiva)* **2** *tehn* a profila, a fasona, a prelucra

profiler ['proufailə^r] *s* *tehn* mașină de frezat prin copiere

profit ['prɔfit] **I** *s* **1** profit, avantaj, câștig; beneficiu; **to make a ~ on** a realiza un profit din; a câștiga un beneficiu de pe urma *(cu gen)* **2** *pl* profituri, venituri, câștiguri; încasări **3** *ec* venit net **4** *fig* profit, folos; rost, noimă; **what's the ~ of doing that?** la ce bun să faci asta? ce rost are să procedezi în felul acesta? **II** *vi* **1** (by) a profita, a beneficia (de); a se folosi (de) **2** a fi avantajos/profitabil **III** *vt* a fi profitabil pentru; a fi de folos *(cuiva)*

profitability [ˌprɔfitə'biliti] *s v.* **profitableness**

profitable ['prɔfitəbəl] *adj* profitabil; rentabil; avantajos; util, folositor

profitableness ['prɔfitəblnis] *s* **1** caracter profitabil *sau* avantajos; rentabilitate **2** folos, utilitate

profitably ['prɔfitəbli] *adv* (în mod) profitabil, avantajos; cu folos

profit and loss ['prɔfit ənd 'lɔs] *s ec* profit și pierderi

profiteer [,prɔfi'tiəʳ] **I** *s* profitor; speculant **II** *vi* a face speculă, a fi speculant, a urmări profituri

profitless ['prɔfitlis] *adj* **1** nefolositor; inutil, fără rost **2** neproductiv, nerentabil

profit sharing ['prɔfit ,ʃɛəriŋ] *s ec* participare la câștig

profligacy ['prɔfligəsi] *s* **1** imoralitate, depravare, destrăbălare **2** risipă; mania sau înclinația de a risipi

profligate ['prɔfligit] *adj, s* **1** depravat, destrăbălat, desfrânat **2** risipitor, cheltuitor

profound [prə'faund] **I** *adj* **1** ↓ *fig* adânc; **a ~ sleep** un somn adânc; **a ~ sigh** un oftat adânc; **to make a ~ reverence** a se înclina/a se închina adânc, a face o plecăciune adâncă **2** *fig* profund; adânc; temeinic, serios; **a ~ thinker** un gânditor profund; **~ knowledge** cunoaștere profundă/adâncă; cunoștințe serioase/temeinice; **~ arguments** argumente temeinice/bine cumpănite **3** *fig* (d. versuri etc.) greu de înțeles, neinteligibil, abscons, abstrus; complicat **4** *fig* (d. respect etc.) profund, mare, < nemărginit, extraordinar; **~ ignorance** ignoranță profundă/crasă **II** *s poetic* adânc, hău, – adâncime

profoundly [prə'faundli] *adv* **1** profund, deosebit de (recunoscător etc.) **2** (în mod) profund, aprofundat; în profunzime

profoundness [prə'faundnis] *s v.* **profundity 1-3**

profundity [prə'fʌnditi] *s* **1** adâncime mare; abis, prăpastie, hău **2** *fig* profunzime; temeinicie **3** *fig* grad înalt/mare (de enervare etc.), intensitate **4** *pl* probleme sau teorii bine fondate

profuse [prə'fju:s] *adj* (of, in) **1** bogat, abundent (în); îmbelșugat **2** generos, darnic (cu, în); **to give with a ~ hand** a da sau a împărți cu dărnicie; a cheltui foarte mult/ în dreapta și în stânga; **to be ~ in one's thanks** a mulțumi (în mod) exagerat

profusely [prə'fju:sli] *adv* **1** cu dărnicie/generozitate **2** din belșug/abundență, abundent **3** (în mod) exagerat; până la exagerare

profusion [prə'fju:ʒən] *s* **1** belșug, abundență, bogăție; **in ~** din belșug/abundență **2** lux exagerat; extravaganță **3** dărnicie, generozitate **4** risipă

prog [prɔg] *s* **1** *vulg* haleală, – mâncare, hrană **2** *univ v.* **proctor 1**

progenitive [prou'dʒenitiv] *adj* capabil de reproducere, reproducător

progenitor [prou'dʒenitəʳ] *s* **1** strămoș, străbun **2** *fig* înaintaș, precursor **3** *fig* original

progeniture [prou'dʒenitʃəʳ] *s* **1** posteritate; urmași; descendenți **2** procreare, zămislire

progeny ['prɔdʒini] *s* **1** progenitură, urmaș, descendent **2** *zool* progenitură, pui, prăsilă **3** discipoli, urmași, elevi **4** *fig* rezultat, produs, rod

progesterone [prou'dʒestə,roun] *s med* progesteron

proggins ['prɔginz] *s univ sl v.* **proctor 1**

prognosis [prɔg'nousis], *pl* **prognoses** [prɔg'nousi:z] *s med* prognostic, *rar* → prognoză

prognostic [prɔg'nɔstik] **I** *s* **1** prognostic; anticipare **2** prevestire, prorocire **3** *v.* **prognosis II** *adj* (of) prevestitor (de)

prognosticate [prɔg'nɔsti,keit] *vt* a pro(g)nostica; a prezice, a prevesti, a proroci

prognostication [prɔg,nɔsti'keiʃən] *s* **1** *med* prognostic **2** pro(g)nosticare; anticipare **3** prevestire, prorocire, prezicere

program ['prougræm] *s, vt amer v.* **programme**

programeer [,prougrə'miəʳ] *s F v.* **programmer 3**

programmatic [,prougræ'mætik] *adj* programatic

programme ['prougræm] **I** *s* **1** program; afiș **2** *fig* program (electoral etc.); plan (de activitate etc.); **what's the ~?** F ei, care-i programul pentru astăzi? **II** *vt* **1** a trece într-un program sau pe un afiș **2** *și cib* a programa

programmed course ['prougræmd ,kɔ:s] *s* curs programat

programme music ['prougræm ,mju:zik] *s* muzică programatică

programmer ['prougræməʳ] *s* **1** *tehn* dispozitiv de programare **2** *autom* programator **3** ← *F* persoană care alcătuiește un program (la radio etc.)

programming ['prougræmiŋ] *s* **1** programare **2** întocmire sau realizare a unui program

progress I ['prougres] *s* **1** progres, dezvoltare; evoluție; mers înainte; mers ascendent; **to be in ~ a** a fi în proces de dezvoltare; a progresa **b** a se desfășura; a continua; **preparations are in ~** se fac/au loc pregătiri; **changes are in ~** se introduc schimbări **2** progres(e), succes; **to make ~** a progresa, a face progrese; a realiza succese **3** desfășurare, mers, curs (al evenimentelor etc.) **4** ← *înv* călătorie; peregrinare **5** mers (al soarelui etc.) **II** [prə'gres] *vi* **1** a merge înainte, a avansa, a înainta **2** a progresa, a fi în progres; a se dezvolta; a evolua; a se perfecționa, a se desăvârși **3** a realiza/a obține succese

progression [prə'greʃən] *s* **1** mers înainte, avansare, înaintare **2** succesiune, succedare (a evenimentelor etc.) **3** ← *rar* progres **4** *mat* progresie

progressionist [prə'greʃənist] *s* **1** progresist **2** persoană care crede în progresul societății umane

progressive [prə'gresiv] **I** *adj* **1** progresiv, treptat **2** *pol etc.* progresist **3** progresiv; care merge înainte, care înaintează **II** *s* **1** *pol etc.* progresist, persoană cu vederi progresiste **2** P~ *amer pol* (membru al partidului) progresist

progressively [prə'gresivli] *adv* **1** (în mod) progresiv **2** treptat

prohibit [prə'hibit] *vt* **1** a interzice, a opri, a nu permite (fumatul etc.) **2** a prohibi (alcoolul etc.)

prohibit from + -ing [prə'hibit 'frəm] *vt cu prep și -ing* a interzice (cuiva) să/de a, a opri (pe cineva) să/de a

prohibition [,proui'biʃən] *s* **1** interzicere, interdicție **2** prohibire; prohibiție

prohibitionist [ˌprouiˈbiʃənist] *s* prohibiţionist

prohibitive [prəˈhibitiv] *adj ec* prohibitiv

prohibitory [prəˈhibitəri] *adj v.* **prohibitive**

project I [ˈprɔdʒekt] *s* **1** *şi fig* proiect, plan; **to carry out a** ~ a realiza un proiect/plan **2** *constr* şantier de construcţii noi **II** [prəˈdʒekt] *vt* **1** *şi fig* a proiecta, a plănui **2** a proiecta *(lumină, umbră etc.)* **3** *constr* a proiecta; a construi **4** *cin* a proiecta **5** a proiecta, a azvârli, a arunca; a lansa **III** [prəˈdʒekt] *vi* a se proiecta/a ieşi în afară

projectile [prəˈdʒektail] **I** *s mil* proiectil **II** *adj atr* de proiectare/ aruncare *sau* lansare

projection [prəˈdʒekʃən] *s* **1** proiectare, aruncare *etc.* (*v.* project I-II) **2** *şi fig* proiectare, plan **3** *cin* proiecţie **4** proeminenţă; ridicătură; ieşitură **5** *mat* proiecţie

projection apparatus [prəˈdʒekʃən æpəˈreitəs] *s opt* aparat de proiecţie

projection booth/room [prəˈdʒekʃə n ˈbuːð/ruːm] *s fot* cabină de proiecţie

projectionist [prəˈdʒekʃənist] *s cin* operator (de sală)

projective [prəˈdʒektiv] *adj geom etc.* proiectiv; de proiecţie

project oneself into [prəˈdʒekt wʌnˈself ˌintə] *vr cu prep* a se transpune (cu gândul) în *(viitor etc.);* a-şi imagina, a-şi închipui *(viitorul etc.)*

projector [prəˈdʒektə] *s* **1** *opt* proiector; aparat de proiecţie **2** *el* reflector, proiector

prolactin [prouˈlæktin] *s ch* prolactină

prolapse [ˈproulæps] *med* **I** *s* prolaps **II** *vi* a se lăsa

prolapsus [prouˈlæpsəs] *s v.* **prolapse I**

prole [proul] *s* ← *peior* proletar

prolegomena [ˌprouleˈgominə] *s pl* prolegomene, introducere, prefaţă

prolepsis [prouˈlepsis], *pl* **prolepses** [prouˈlepsiːz] *s ret* prolepsă

proleptic [prouˈleptik] *adj ret* de prolepsă; anticipator

proletarian [ˌprouleˈtɛəriən] **I** *adj* **1** proletar; muncitoresc **2** *ist Romei* plebeu **II** *s* **1** proletar; muncitor **2** *ist Romei* plebeu

proletariat(e) [ˌprouleˈtɛəriət] *s* **1** proletariat; clasa muncitoare **2** *ist Romei* plebei

proletarization [ˌprouˌlitɛəraiˈzeiʃən] *s* proletarizare

proletary [ˈproulitəri] *s ist Romei* plebeu

proliferate [prəˈlifəˌreit] **I** *vt* **1** *biol* a prolifera, a reproduce, a înmulţi **2** *fig* a prolifera, a răspândi, a împrăştia **II** *vi* **1** *biol* a prolifera, a se reproduce, a se înmulţi **2** *fig* a se răspândi, a se împrăştia

proliferation [prəˌlifəˈreiʃən] *s* **1** *biol* proliferare, înmulţire **2** *fig* răspândire, difuzare

proliferous [prəˈlifərəs] *adj biol* prolific, care se înmulţeşte repede

prolific [prəˈlifik] *adj* **1** *biol* prolific, rodnic, fecund **2** (**in, of**) prolific, abundent, bogat (în)

proline [ˈprouliːn] *s ch* prolină

prolix [ˈprouliks] *adj* **1** prolix, care foloseşte multe cuvinte, caracterizat prin perifraze; plicticos, plictisitor **2** pedant, minuţios (până la exagerare)

prolixity [prouˈliksiti] *s* prolixitate; plicticoseală, caracter plictisitor

prolocutor [prouˈlɔkjutə] *s* **1** purtător de cuvânt **2** preşedinte

prologue [ˈproulɔg] **I** *s* **1** *lit* prolog **2** *fig* prolog; preludiu; preambul **II** *vt lit* a scrie un prolog pentru; a adăuga un prolog la

prolong [prəˈlɔŋ] *vt* a prelungi *(în timp sau spaţiu);* a lungi

prolongate [prəˈlɔŋgeit] *vt v.* **prolong**

prolongation [ˌproulɔŋˈgeiʃən] *s* **1** prelungire *(în timp sau spaţiu);* lungire **2** prelungire; prelungitor

prolonged [prəˈlɔŋd] *adj (d. o vizită etc.)* prelungit

prolusion [prəˈluːʒən] *s* **1** articol introductiv; observaţii/remarci preliminare **2** încercare preliminară/prealabilă

prolusory [prəˈluːzəri] *adj* preliminar; prealabil

prom [prɔm] *s F* **1** *v.* **promenade concert 2** *v.* **promenade I, 2, 3**

promenade [ˌprɔməˈnaːd] **I** *s* **1** plimbare, preumblare, promenadă **2** loc de plimbare, promenadă (↓ *la malul mării etc.*) **3** *amer* dans *sau* bal studenţesc **4** *nav* punte de promenadă **II** *vt* a

plimba *(copiii etc.)* pe promenadă; a plimba, a scoate la plimbare **II** *vi* a se plimba pe promenadă; a se plimba, a face o plimbare

promenade concert [ˌprɔməˈnaːd ˈkɔnsəːt] *s muz* concert în timpul căruia publicul poate umbla în voie

Promethean [prəˈmiːθiən] *adj* prometeic; de Prometeu

Prometheus [prəˈmiːθiəs] *mit* Prometeu

promitehium [prəˈmiːθiəm] *s ch* prometiu

prominence [ˈprɔminəns] *s* **1** proeminenţă, faptul de a fi proeminent; evidenţiere; importanţă; **to come into** ~ a se evidenţia, a se impune **2** proeminenţă; ieşitură **3** *astr* protuberanţă

prominency [ˈprɔminənsi] *s v.* **prominence**

prominent [ˈprɔminənt] *adj* **1** proeminent; ieşit în afară; scos în relief, evident **2** proeminent; remarcabil, ieşit din comun

promiscuity [ˌprɔmiˈskjuːiti] *s* **1** promiscuitate, amestec eterogen; amestecătură **2** promiscuitate, convieţuire în condiţii de mizerie

promiscuous [prəˈmiskjuəs] *adj* **1** eterogen, amestecat, – *rar* → promiscuu **2** caracterizat prin promiscuitate (sexuală), *rar* → promiscuu **3** *F alandala;* – dezordonat, neorganizat; întâmplător

promiscuous bathing [prəˈmiskjuəs ˌbeiðiŋ] *s* baie comună, scăldat comun *(al ambelor sexe)*

promiscuously [prəˈmiskjuəsli] *adv* **1** (în mod) întâmplător, din întâmplare **2** fără alegere, la întâmplare **3** în promiscuitate

promiscuous sexual intercourse [prəˈmiskjuəs ˌseksjuəl ˈintəkɔːs] *s* legături sexuale între persoane necăsătorite

promise [ˈprɔmis] **I** *s* **1** promisiune, făgăduială, *poetic* → făgăduinţă; **to make a** ~ a face o promisiune, a promite, a făgădui; **to keep one's** ~ a se ţine de promisiune/ cuvânt; **to break one's** ~ a nu se ţine de promisiune/cuvânt; **to carry out a** ~ a îndeplini o promisiune, a se ţine de cuvânt **2** speranţe, perspectivă, perspective, viitor; **a young man of** ~ un tânăr care promite, un tânăr de viitor **3** lucru promis, promisiune **II** *vt* **1** a promite, a făgădui **2** (**that**) a promite (să); a se angaja (să); a se obliga (să) **3** (**to, that**) ? *F* a asigura, a încredința (să; că) **4** a promite/a făgădui mâna *(cuiva)* **5** a prevesti *(ploaie);* a sugera

Promised Land, the ['promist ,lænd, ðə] *s* **1** *bibl* Canaan, Pământul/ Țara făgăduinței **2** *fig* Pământul/ Țara făgăduinței

promisee [,promi'si:] *s* persoană căreia i s-a promis ceva

promiser ['promisə'] *s* persoană care promite ceva

promising ['promisiŋ] *adj* promițător, care dă speranțe; de viitor

promisor [,promi'so:'] *s v.* **promiser**

promissory ['promisəri] *adj* prin care se promite ceva

promissory note ['promisəri ,nout] *s fin* obligațiune, titlu de creanță; titlu de gaj; cambie, poliță

promontory ['promən təri] *s geogr* promontoriu; cap

promote [prə'mout] *vt* **1** a promova, a încuraja, a susține, a ajuta; a contribui la difuzarea, răspândirea *etc. (cu gen)* **2** a promova, a avansa, a înainta *(în grad etc.)*; **he was ~d reader** *univ* a fost avansat la gradul de conferențiar **3** *amer școl* a promova *(un elev)*

promoter [prə'moutə'] *s* **1** promotor; inițiator *sau* animator **2** *constr* beneficiar; proprietar **3** *ch* promotor, activator, accelerator

promotion [prə'mouʃən] *s* **1** promovare *etc. (v.* **promote***)* **2** *(în sens concret)* promovare, avansare *etc. (v.* **promote***)*

promotion man [prə'mouʃən ,mæn] *s* intermediar, agent

promotion matter [prə'mouʃən ,mætə'] *s* material de propagandă *sau* popularizare

prompt [prompt] **I** *adj* **1** prompt; eficient; care acționează repede și la timp; (totdeauna) gata **2** *(d. ajutor etc.)* prompt, instantaneu, imediat, neîntârziat **3** *ec* punctual; *(d. bani)* peșin **II** *adv* **1** repede, imediat, neîntârziat **2** cu punctualitate, punctual **III** *vt* **1** a îndemna, a îmboldi, a stimula; a face, a determina; **what ~ed him**

to act like this? ce l-a îndemnat/ făcut să procedeze în felul acesta? **2** *teatru, școl* a sufla **3** *fig* a trezi, a deștepta *(sentimente etc.);* a insufla; a sugera **4** *fig* a reaminti *(ceva, cuiva)*, a aduce aminte; a insinua **IV** *vi teatru, școl* a sufla **V** *s* **1** *fin* scadență, termen de plată **2** *fin* act/contract cu scadență **3** *teatru* replică **4** *teatru* suflat **5** *fig* reamintire, aducere aminte **6** *fig* îndemn, imbold

prompt book ['prompt ,buk] *s teatru* exemplarul suflerului

prompt box ['prompt ,boks] *s teatru* cușca suflerului

prompt copy ['prompt ,kopi] *s v.* **prompt book**

prompter ['promptə'] *s* **1** *teatru* sufler **2** *fig* inițiator, autor

promptitude ['promptitju:d] *s* promptitudine; rapiditate; punctualitate

promulgate ['promǝl,geit] *vt* **1** a promulga; a publica oficial **2** *fig* a răspândi, a difuza, a împrăștia **3** a declara, a proclama

promulgation [,promǝl'geiʃən] *s* promulgare *etc. (v.* **promulgate***)*

pron. *presc de la* **1** pronoun **2** pronominal **3** pronounce **4** pronunciation

prone [proun] *adv, adj atr* **1** cu fața în jos; lat, întins **2** aplecat, înclinat, pieziș

proneness to ['prounnis tə] *s cu prep fig* înclinare/înclinație/ aplecare spre, înclinație/predilecție pentru

prone to ['proun tə] *adj cu prep* înclinat/predispus spre; care tinde spre/la; ~ **doubt** sceptic; critic; ~ **anger** supărăcios; irascibil, iritabil; iute la mânie

prong [proŋ] **I** *s* **1** dinte *(de furcă);* vârf; colț **2** instrument ascuțit **3** *agr* furcă **4** *zool* corn **5** proeminență, ieșitură **II** *vt* **1** a ridica, a întoarce *etc.* cu furca **2** a străpunge

pronominal [prou'nominǝl] *adj gram* pronominal, de pronume

pronominally [prou'nominǝli] *adv gram* pronominal, ca pronume

pronoun ['prou,naun] *s gram* pronume

pronounce [prə'nauns] **I** *vt* **1** a pronunța, a rosti; **how do you ~ c-a-r?** cum pronunți cuvântul

c-a-r? **2** a pronunța *(o sentință etc.);* a declara **3** a rosti, a spune, a zice; a declara; **to ~ a curse** a profera un blestem *sau* o înjurătură **4** a considera, a socoti; **you cannot ~ him out of danger** nu puteți spune că este în afara pericolului **II** *vi* a pronunța; **he doesn't ~ clearly** nu pronunță clar/nu are o pronunție clară

pronounceable [prə'naunsəbəl] *adj* care poate fi pronunțat/rostit

pronounce against [prə'nauns ə'genst] *vi cu prep* a se declara/a fi împotriva *(cu gen)*

pronounced [prə'naunst] *adj* **1** pronunțat, clar, accentuat; **a ~ tendency** o tendință pronunțată **2** *(d. o părere etc.)* hotărât, ferm **3** *(d. un cuvânt etc.)* pronunțat, rostit; spus

pronouncedly [prə'naunstli] *adv* (în mod) pronunțat, clar

pronounce for [prə'nauns fə'] *vi cu prep* a se declara în favoarea *(cu gen)*/pentru

pronouncement [prə'naunsmənt] *s* **1** pronunțare *(a unei sentințe etc.);* declarare **2** hotărâre; declarație oficială

pronounce on [prə'nauns on] *vi cu prep* a-și spune părerea despre/ asupra *(cu gen)*/cu privire la

pronounce oneself on [prə'nauns wʌn'self on] *vr cu prep* a se pronunța cu privire la

pronounce that [prə'nauns ðət] *vt cu conj* a declara că; a fi de părere că; a se pronunța în sensul că

pronouncing [prə'naunsiŋ] *s* **1** pronunțare; pronunție **2** declarație; proclamație; proclamare

pronto ['prontəu] *adv it sl* gata! vine! s-a făcut! – imediat!

pronunciamento [prə,nʌnsiə'mentou] *s sp* **1** declarație publică; proclamație **2** manifest

pronunciation [prə,nʌnsi'eiʃən] *s* **1** pronunțare, pronunție; rostire; articulare **2** pronunție, accent

proof [pru:f] **I** *s* **1** dovadă, probă; demonstrație; **to give ~ of** a da dovadă de; a demonstra; a dovedi *(cu ac);* **by way of ~** ca/drept dovadă; **in ~ of** ca dovadă *cu gen* **2** *jur* probă; mărturie **3** valabilitate, temeinicie **4** încercare, probă; examen; verificare; control; **to put to (the) ~** a pune la încercare;

a supune unei probe; a verifica **5** *poligr* copie; corectură, șpalt **6** tărie normală *(a alcoolului)* **7** *fig* tărie, rezistență, soliditate **II** *adj atr* de verificat *etc. (v. cuvintele compuse cu* **proof***)* **III** *vt* a impermeabiliza, a face impermeabil; a cauciuca

proof against ['pru:fə,genst] *adj pred cu prep* **1** rezistent la *(șoc, apă etc.);* impermeabil la **2** *fig* rezistent la **3** *fig* inaccesibil la; care nu se pretează la; neînduplecat la **4** *fig* insensibil față de; indiferent la/ față de; impasibil față de

proofless ['pru:flis] *adj* nefondat, neîntemeiat; fără dovezi

proof load ['pru:f ,loud] *s tehn* sarcină de probă

proof print ['pru:f ,print] *s poligr* tipar de probă

proof-read ['pru:f,ri:d] *vt poligr* a face corectură la *(sau cu gen);* a citi în șpalt

proof reader ['pru:f ,ri:dər] *s poligr* corector

proof sheet ['pru:f ,ʃi:t] *s poligr* șpalt; coală de corectură

proof spirit ['pru:f ,spirit] *s* alcool (etilic) de o anumită concentrație

prop[1] [prɔp] **I** *s* **1** *tehn* suport, proptea, reazem; stâlp de susținere; par; contra fișă **2** arc *(de viță)* **3** *fig* stâlp *(al unei instalații etc.);* sprijin **4** *pl sl* mergătoare, – picioare **II** *vt* **1** (**against**) a propti, a sprijini, a rezema de **2** *fig* a susține; a ajuta

prop[2] *presc sl de la* **1** proposition **3 2** property **3 4** propeller

prop. *presc de la* **1** proposition **2** proper **3** properly **4** property

propaedeutics [,proupi'dju:tiks] *s ca sg* propedeutică, învățământ pregătitor

propagable ['prɔpəgəbəl] *adj* **1** reproductibil, capabil de reproducere/ înmulțire **2** care se poate răspândi; molipsitor, infecțios **3** care se transmite din tată în fiu; ereditar

propagand [,prɔpə'gænd] *vi, vt v.* **propagandize**

propaganda [,prɔpə'gændə] *s* propagandă

propagandism [,prɔpə'gændizəm] *s* **1** activitate propagandistică, propagandă **2** aparat de propagandă *(al unui stat etc.)* **3** prozelitism

propagandist [,prɔpə'gændist] *s* propagandist

propagandize [,prɔpə'gændaiz] **I** *vi* a face propagandă **II** *vt* a face propagandă pentru *(sau cu dat)*

propagate ['prɔpə,geit] **I** *vt* **1** *biol* a înmulți, a spori; a crește; a dezvolta; a cultiva **2** *fig* a propaga, a răspândi, a difuza; a împrăștia **3** *biol* a transmite *(ereditar)* **II** *vr biol* a se înmulți **III** *vi* **1** *biol* a se înmulți **2** *fig* a se propaga, a se răspândi; a se împrăștia

propagation [,prɔpə'geiʃən] *s* **1** *biol* înmulțire; creștere; dezvoltare; cultivare **2** propagare, difuzare, răspândire

propane ['proupein] *s ch* propan

propel [prə'pel] *vt* **1** a propulsa, a împinge (înainte) **2** *fig* a propulsa; a impulsiona; a stimula

propellant, propellent [prə'pelənt] *s tehn* carburant *(pt motoare cu reacție)*

propeller [prə'pelər] *s* **1** *tehn* propulsor **2** *av, nav* elice

propeller fan [prə'pelə ,fæn] *s tehn* ventilator cu elice

propend to/towards [prou'pend tə/ tə,wədz] *vi cu prep* ← *înv* a fi înclinat/predispus spre

propene ['proupi:n] *s ch* propilenă

propensity [prə'pensiti] *s* (**for, to, towards**) înclinație (spre); predilecție (pentru), slăbiciune (pentru)

proper ['prɔpər] *adj* **1** potrivit, adecvat, cuvenit; bun; indicat; **all in its ~ time** toate la timpul lor; **do as you think (it) ~** fă/procedează (după) cum crezi de cuviință; **he is the ~ sort of man** el este omul potrivit; **clothes ~ for such an occasion** haine potrivite pentru asemenea ocazie; **it isn't the ~ time for joking** nu este momentul (cel mai) nimerit/potrivit/indicat pentru a face glume; **in the ~ way** cum trebuie, cum se cade/cuvine; ~ **behaviour** comportare/purtare decentă **2** *atr (în post-poziție)* propriu-zis; **philosophy ~** filosofia propriu-zisă **3** ← *rar,* ↓ *înv* propriu, special, specific, caracteristic; **every animal has its ~ instincts** fiecare animal își are instinctele sale (caracteristice/

specifice) **4** *gram* propriu **5** *F* pe cinste, grozav, strașnic; **I gave him a ~ licking** i-am tras o bătaie în lege **6** ← *înv* frumos, arătos **7** *mat etc.* exact; real

proper fraction ['prɔpə 'frækʃən] *s mat* fracție exactă

properly ['prɔpəli] *adv* **1** cum trebuie, cum se cuvine/cade **2** (în mod) decent **3** *F (a bate etc.)* strașnic, pe cinste **4** propriu-zis; în sensul strict al cuvântului **5** pe drept cuvânt; pe bună dreptate

proper name/noun ['prɔpə ,neim/ ,naun] *s gram* substantiv/nume propriu

propertied ['prɔpətid] *adj* avut, bogat; cu proprietăți

propertied classes, the ['prɔpətid ,klɑ:siz, ðə] *s pl* clasele avute

proper to ['prɔpə tə] *adj cu prep* propriu, caracteristic, specific *(cu dat)*

property ['prɔpəti] *s* **1** proprietate; avere; stare; pământ; moșie **2** proprietate, însușire, calitate **3** ↓ *pl teatru* recuzită, recuzite, accesorii **4** proprietate, stăpânire **5** semn, indiciu, caracteristică

propertyless ['prɔpətilis] *adj* lipsit, sărac, nevoiaș

property man ['prɔpəti ,mæn] *s teatru* recuzitor

prophase ['prou,feiz] *s biol* profază

prophecy ['prɔfisi] *s* **1** profeție, prorocire **2** prezicere, prevestire; anticipare

prophesier ['prɔfi,saiər] *s* prezicător, prevestitor

prophesy ['prɔfi,sai] **I** *vt* **1** a profeți, a profetiza, a proroci **2** a prezice, a prevesti; a prevedea; a anticipa **II** *vi* **1** a face o profeție *sau* profeții **2** *bis* a da învățături *(religioase),* a predica

prophet ['prɔfit] *s* **1** profet, proroc **2** prezicător, prevestitor **3** **the P~** Profetul, Mahomed **4** purtător de cuvânt *(al unui partid etc.)*

prophetess ['prɔfitis] *s* profetă

prophetic(al) [prə'fetik(əl)] *adj* **1** profetic, de profet **2** *fig* profetic; prevestitor

prophylactic [,prɔfi'læktik] *med* **I** *adj* profilactic **II** *s* măsură profilactică *sau* mijloc profilactic

prophylaxis [,prɔfi'læksis], *pl* **prophylaxes** [,prɔfi'læksi:z] *s med* profilaxie

propinquity [prə'piŋkwiti] *s* apropiere, asemănare, similitudine; înrudire

propitiate [prə'piʃi,eit] *vt* a împăca, a împăciui; a îmblânzi

propitiation [prə,piʃi'eiʃən] *s* împăcare, împăciuire; îmblânzire

propitiator [prə'piʃi,eitə'] *s* împăciuitor

propitiatory [prə'piʃi,eitəri] *adj* împăciuitor

propitious [prə'piʃəs] *adj* 1 (d. ceva) propice, favorabil, prielnic 2 (d. cineva) binevoitor, înțelegător; bine intenționat

propitiously [prə'piʃəsli] *adv* (în mod) favorabil

proponent [prə'pounənt] *s* 1 propunător 2 apărător, susținător, partizan (al unei idei etc.) 3 jur moștenitor prezumtiv

Propontis [prə'pɔntis] *geogr od* Propontida

proportion [prə'pɔ:ʃən] I *s* 1 proporție, raport, relație; raport cantitativ; **in ~ to** în raport cu; proporțional cu; **out of all ~ (to)** cu totul disproporționat (față de); **in ~ as** în măsura în care, pe măsură ce 2 ↓ *pl* mărime, dimensiuni 3 *pl fig* proporții, mărime; **the ~s of the catastrophe where hard to measure** era greu de stabilit proporțiile dezastrului/catastrofei 4 proporție, parte, porțiune 5 *mat* proporție 6 *mat* regula de trei simplă II *vt* 1 a proporționa; a face proporțional *sau* simetric; a armoniza 2 *tehn* a potrivi; a măsura

proportionable [prə'pɔ:ʃənəbl] *adj v.* **proportional** I

proportional [prə'pɔ:ʃənəl] I *adj* 1 și *mat* (**to**) proporțional (cu) 2 relativ (*ant* absolut) II *s mat* proporțională

proportionality [prə,pɔ:ʃə'næliti] *s* și *mat* proporționalitate

proportionally [prə'pɔ:ʃənəli] *adv* (în mod) proporțional

proportional representation [prə'pɔ:ʃənəl ,reprizen'teiʃən] *s pol* (sistem de) reprezentare proporțională

proportionate [prə'pɔ:ʃənit] *adj* 1 (**to**) proporțional (cu) 2 proporțional; simetric

proportion to [prə'pɔ:ʃən tə] *vt cu prep* a potrivi/a proporționa cu; a pune de acord cu; a armoniza cu

proposal [prə'pouzəl] *s* 1 propunere; sugestie 2 propunere; ofertă; proiect; plan 3 cerere în căsătorie

propose [prə'pouz] I *vt* 1 a propune; a sugera; a supune (*discuției etc.*); **I ~ leaving tomorrow** propun să plecăm mâine; **here is what I ~** iată ce propun (eu); **to ~ smb for chairman** a propune pe cineva ca președinte 2 a propune (*un toast*), a închina în, a ridica paharul în (*sănătatea cuiva*) 3 (*cu* -**ing**) a intenționa, a avea de gând (să); a-și propune (să) 4 a pune (*o întrebare*); a spune (*o ghicitoare*) II *vi* 1 a propune; a plănui, a face un plan *sau* planuri 2 (**to**) a face o cerere în căsătorie (*cuiva*)

proposer [prə'pouzə'] *s* propunător; inițiator

proposition [,prɔpə'ziʃən] *s* 1 declarație; afirmație 2 *v.* **proposal** 1-2 3 *mat* teoremă; propoziție 4 *F* chestie, treabă, – problemă, chestiune; **he is a tough ~** nu o scoți ușor la capăt cu el, e un individ dificil 5 propunere rușinoasă (*făcută unei fete*)

propound [prə'paund] *vt* 1 a supune (spre a fi luat în considerare); a propune; a expune 2 *jur* a supune (*un testament*) spre confirmare

proprietary [prə'praiitəri] I *adj* 1 (d. drepturi) de proprietate; particular 2 (d. un produs) patentat; brevetat 3 (d. clase etc.) avut, înstărit, bogat II *s* 1 proprietar, stăpân *sau* proprietari, stăpâni 2 proprietate, avere, bunuri

proprietary medicine [prə'praiitəri ,medisin] *s* medicament patentat

proprietor [prə'praiətə'] *s* proprietar, stăpân

proprietorial [prə,praiə'tɔ:riəl] *adj* de proprietate

proprietorship [prə'praiətəʃip] *s* 1 drept de proprietate, proprietate 2 *poligr* drept de editare

proprietress [prə'praiitris] *s* proprietară, stăpână

propriety [prə'praiəti] *s* 1 (bună-) cuviință, decență 2 *pl* reguli de bună-cuviință; bune maniere; **it is not in keeping with the proprieties** nu șade/e frumos 3 conformitate, caracter potrivit/adecvat 4 ← *înv v.* **proprietor-**

ship 1 5 ← *înv* particularitate, specific; caracteristică

props [prɔps] *s pl teatru* ← *F* recuzită

proptosis [prɔp'tousis], *pl* **proptoses** [prɔp'tousi:z] *s med* exoftalmie

propulsion [prə'pʌlʃən] *s tehn* 1 propulsie; mișcare de propulsie 2 mașină de propulsie 3 *fig* impuls, imbold

propulsive [prə'pʌlsiv] *adj tehn* 1 propulsiv; de propulsie 2 (d. un motor etc.) cu reacție

prop up ['prɔp 'ʌp] *vt cu part adv v.* **prop¹** II

propylaea [,prɔpi'li:ə] *s pl arhit od* propilee

propylene ['proupi,li:n] *s ch* propilenă

pro-rate [prou'reit] *vt* ↓ *amer* a repartiza/a distribui proporțional

prorogation [,prourə'geiʃən] *s* prorogare

prorogue [prə'roug] *vt* a proroga (*activitatea parlamentului etc.*), a amâna

prosaic(al) [prou'zeiik(əl)] *adj* 1 în proză 2 *fig* prozaic; lipsit de calități artistice; nepoetic 3 banal; comun

prosaically [prou'zeiikəli] *adv* (în mod) prozaic

prosaism [prou'zeiizəm] *s* 1 prozaism; banalitate; lipsă de poezie 2 expresie prozaică

proscenium [prə'si:niəm], *pl și* **proscenia** [prə'si:niə] *s teatru* 1 avanscenă 2 (*la antici*) prosceniu

proscribe [prou'skraib] *vt* 1 *od* a proscrie, a trece pe lista proscrișilor; a pune în afara legii 2 a exila, *înv* → a surghiuni 3 *fig* a interzice, a opri

proscription [prou'skripʃən] *s* 1 *od* proscriere 2 exilare, *înv* → surghiunire; exil, *înv* → surghiun 3 *fig* interzicere

prose [prouz] *s* 1 proză; **a work in ~** o lucrare în proză 2 limba de fiecare zi; limba vorbită 3 *fig* proză; lipsă de poezie; banalitate 4 *fig* prozaism; platitudine (*în exprimare etc.*)

prosecute ['prɔsi,kju:t] I *vt* 1 a efectua, a întreprinde (*o anchetă etc.*); a continua (până la capăt); a duce la bun sfârșit (*o sarcină etc.*); a duce, a purta (*război etc.*) 2 *jur* a urmări în justiție; a da în judecată;

a pune sub urmărire 3 *jur* a urmări în justiție/pe cale judiciară *(plata unei datorii etc.)* II *vi jur* a institui/a intenta (un) proces

prosecuting *amer* **attorney/counsel** ['prɔsi,kju:tiŋ ə'tə:ni/'kaunsəl] *s jur* procuror

prosecution [,prɔsi'kju:ʃən] *s* 1 efectuare; continuare; îndeplinire; ducere, purtare *(a războiului etc.)* 2 *jur* urmărire 3 *jur* reclamație; plângere; acuzare; **witnesses for the ~** martori ai acuzării 4 **the ~** *jur* procuratura; procurorii

prosecutor ['prɔsi,kju:tər] *s jur* 1 procuror 2 acuzator; reclamant, pârâș

proselyte ['prɔsi,lait] I *s* prozelit; novice; nou adept II *vt v.* **proselytize**

proselytism ['prɔsilitizəm] *s* prozelitism

proselytize ['prɔsilitaiz] *vt* a face un prozelit *sau* prozeliți din; a converti

proseman ['prouzmən] *s* prozator

proseminar [prou'seminər] *s univ amer* seminar pregătitor

proser ['prouzər] *s* 1 persoană prozaică; persoană care vorbește *sau* scrie prozaic 2 scriitor, prozator

Proserpina [prou'sə:pinə] *mit*

Proserpine ['prɔsəpain] *mit* Proserpina

prosily ['prouzili] *adv* (în mod) prozaic

prosiness ['prouzinis] *s* caracter prozaic

prosodiacal [prə'sɔdiəkəl] *adj v.* **prosodic**

prosodic [prə'sɔdik] *adj metr* prozodic, metric

prosodically [prə'sɔdikəli] *adv metr* din punct de vedere prozodic/ metric

prosody ['prɔsədi] *s metr* 1 prozodie; metrică 2 sistem prozodic/ metric/de versificație

prosopopoeia [,prɔsəpə'pi:ə] *s ret* prosopopee, personificare

prospect I ['prɔspekt] *s* 1 vedere, priveliște; perspectivă; panoramă 2 ↓ *pl* perspective, posibilități, șanse, viitor; planuri; speranțe; **what are your ~s for Sunday?** ce planuri ai pentru duminică? ce (ai de gând să) faci

duminică? **a man of no ~s** un om fără perspective 3 cumpărător, client *etc.* în perspectivă; abonat 4 *geol min* prospecțiune 5 *min* mină neexploatată *sau* zăcământ neexploatat II [prə'spekt] *vt geol, min* a prospecta, a cerceta III [prə'spekt] *vi geol, min* a prospecta, a face prospecțiuni

prospect for [prə'spekt fər] *vi cu prep* 1 *geol, min* a prospecta, a cerceta *cu ac;* a căuta *cu ac* 2 *fig* a căuta; a urmări

prospective [prəs'pektiv] *adj* 1 (referitor la) viitor 2 în perspectivă, de viitor; presupus, bănuit; așteptat; în devenire

prospector [prəs'pektər] *s geol, min* prospector

prospectus [prəs'pektəs] *s poligr* prospect; broșură; pliant; catalog; listă de prețuri

prosper ['prɔspər] I *vi* a prospera, a înflori, *poetic* → a propăși; a reuși; a-i merge bine, a avea succes(e) II *vt* a face să prospere/înflorească; a favoriza; **may God ~ you!** să te ajute Dumnezeu/Cel de sus!

prosperity [prɔs'periti] *s* prosperitate, înflorire, *poetic* → propășire; succes; noroc; bogăție *etc.*

Prospero ['prɔspərou] *personaj shakespearian (din „Furtuna")*

prosperous ['prɔspərəs] *adj* 1 prosper; înfloritor; care are succes; norocos 2 avut, înstărit, < bogat 3 favorabil, prielnic

prosperously ['prɔspərəsli] *adv* în mod prosper; cât se poate de favorabil

prostate [prɔs'teit] *s anat* prostată

prostatitis [,prɔstə'taitis] *s med* prostatită

prosthesis ['prɔsθisis] *s med, fon* proteză

prostitute ['prɔsti,tju:t] I *s* 1 prostituată, femeie de moravuri ușoare/de stradă, *F* → târfă, *P* → buleandră, fleoarță 2 *fig* om venal/ coruptibil; trepăduș II *adj atr* corupt; venal; ticălos III *vt* 1 a prostitua, a face să practice prostituția 2 *fig* a prostitua; a necinsti, a pângări IV *vr și fig* a se prostitua

prostitution [,prɔsti'tju:ʃən] *s și fig* prostituare; prostituție

prostrate I ['prɔstreit] *adj* 1 culcat/ întins la pământ; **to lay ~** a întinde la pământ; a lungi, a trânti, a doborî 2 **(with)** la pământ (din cauza – *cu gen)*; epuizat, stors (de); înnebunit, distrus (de); **~ with grief** copleșit/mut/paralizat de durere 3 *bot* târâtor, întins pe pământ II [prɔ'streit] *vt* 1 a culca la pământ, a doborî; a lăsa lat *(pe cineva)* 2 *fig* a copleși, a doborî, a distruge; *(d. o boală etc.)* a epuiza, a slei; a emacia III [prɔ'streit] *vr* a se umili, a se înjosi; *și fig* a se prosterna, a se ploconi

prostration [prɔs'treiʃən] *s* 1 culcare la pământ; doborâre, trântire 2 *și fig* prosternare, ploconire; *fig* umilire, înjosire 3 *fig* prostrație; indiferență; apatie; < deznădejde, desperare 4 *fig* epuizare, extenuare, sleire

prostyle ['proustail] *s arhit* prostil

prosy ['prouzi] *adv v.* **prosaic**

Prot. *presc de la* **Protestant**

protagonist [prou'tægənist] *s teatru și fig* protagonist

Protagoras [prou'tægə,ræs] *filosof grec (481-411 î.e.n.)*

protamin ['proutə,min] *s ch* protaminază

protamine ['proutə,mi:n] *s ch* protaminază

protasis ['protəsis], *pl* **protases** ['protəsi:z] *s gram* protază

protean [prou'ti:ən] *adj* proteic; schimbător

protect [prə'tekt] I *vt* 1 **(from, against)** a proteja (împotriva – *cu gen)*, a apăra (împotriva – *cu gen*, de); a îngrădi, a împrejmui (împotriva – *cu gen); to ~* **smb's interests** a apăra interesele cuiva 2 *ec* a accepta; a onora *(o poliță)* 3 *tehn* a proteja; a acoperi; a îmbrăca 4 a proteja; a fi protectorul *sau* patronul *(cu gen)* II *vr* a se apăra

protected [prə'tektid] *adj* 1 apărat, protejat 2 tutelat; aflat sub protectorat 3 *mil* secret 4 *mil* blindat

protected cruiser [prə'tektid ,kru:sər] *s nav, mil* crucișător ușor

protection [prə'tekʃən] *s* 1 **(from, against)** protejare (împotriva – *cu gen)*, apărare (împotriva – *cu gen*, de) 2 **(from, against)** protecție (împotriva – *cu gen)*, apărare (împotriva – *cu gen*, de)

3 protecție, favoare, patronaj 4 bilet de liberă trecere, pașaport 5 *ec* protecționism; sistem protecționist 6 *ec* acceptare; onorare *(a unei polițe)* 7 *fiz, tel* ecranare 8 *tehn* întărire, consolidare, fixare

protectionism [prə'tekʃə,nizəm] *s ec* protecționism

protectionist [prə'tekʃənist] *s ec* protecționist

protection racket [prə'tekʃən ,rækit] *s sl* bani ceruți de răufăcători proprietarilor de magazine etc. pentru a-i feri pe aceștia de pagube

protection zone [prə'tekʃən ,zoun] *s* zonă de apărare/protecție

protective [prə'tektiv] *adj* 1 *(d. îmbrăcăminte etc.)* de protecție; de apărare 2 *ec* protecționist

protective coloration/colouring [prə'tektiv kɔlə'reiʃən/,kʌləriŋ] *s zool* homocromie

protectively [prə'tektivli] *adv* 1 ca protecție 2 (în mod) protector

protectiveness [prə'tektivnis] *s* caracter protector

protective tariff [prə'tektiv 'tærif] *s ec* sistem vamal protecționist, protecționism

protector [prə'tektəʳ] *s* 1 protector, apărător 2 *fig* protector, patron *(al artelor etc.)* 3 P~ *ist* protector, guvernator

protectorate [prə'tektərit] *s* 1 *și pol* protectorat 2 P~ *ist* protectorat, guvernare; regență

protectorship [prə'tektəʃip] *s* calitatea de protector; *v. și* **protectorate 2**

protectress [prə'tektris] *s* 1 protectoare, apărătoare 2 *fig* protectoare, patroană

protégé ['prouti,ʒei] *s fr* protejat

protégée *s fr* protejată

proteid ['prouti:d] *s ch* proteidă

protein ['prouti:n] *s ch* proteină

protest I ['proutest] *s* 1 protest; opoziție; obiecție; **to lodge/to enter a ~ (with)** a protesta, a ridica un protest *(împotriva – cu gen);* **under ~** silit, împotriva voinței sale; **in ~, as a ~** ca/drept protest; în semn de protest; **I gave in without ~** am cedat *sau* am renunțat fără să protestez 2 *ec* protestare *(a unei polițe)* 3 *pol* protest al minorității *(în Camera*

Lorzilor) 4 *jur* declarație solemnă II [prə'test] *vt* 1 a protesta împotriva *(cu gen)*, a nu recunoaște (ca valabil) *(un rezultat etc.)* 2 *ec* a protesta *(o poliță)* 3 *jur* a declara solemn 4 ← *înv* a asigura, a încredința; a spune III [prə'test] *vi* 1 **(against)** a protesta, a obiecta *(împotriva – cu gen);* a vocifera *(împotriva – cu gen)* 2 *jur* a face o declarație solemnă

protestant [prə'testənt] *s, adj* 1 *rel* P~ protestant 2 protestatar

Protestantism ['prɔtistən,tizəm] *s rel* protestantism

protestation [,proutes'teiʃən] *s* 1 *v.* **protest I, 1 2** declarație solemnă

Proteus ['proutiəs] *mit* Proteu

prothalamion [,prouθə'leimiən] *s* epitalam, cântec *sau* poezie de nuntă

protium ['proutiəm] *s ch* protiu, hidrogen ușor

proto- *pref* proto-: **prototype** prototip

protocol ['proutə,kɔl] *s* 1 proces verbal, *rar→* protocol 2 protocol, uzanță diplomatică 3 **the P~** protocol, serviciul protocolului

proton ['proutɔn] *s el* proton

protophytes ['proutəfaits] *s pl bot* protofite

protoplasm ['proutə,plæzəm] *s biol* protoplasmă

protoplasmic [,proutə'plæzmik] *adj biol* protoplasmic

protoplast ['proutə,plæst] *s* arhetip; prototip

protopope ['proutəpoup] *s bis* protopop, protoiereu

prototype ['proutətaip] *s* prototip; model prim *sau* desăvârșit

protoxide [prou'tɔksaid] *s ch* protoxid

protozoa [,proutə'zouə] *s pl biol* protozoare

protozoan [,proutə'zouən] *s biol* protozoar

protract [prə'trækt] *vt* 1 a extinde; a lungi; a prelungi; a amâna 2 *tehn* a nota pe un plan 3 *tehn* a trasa, a întocmi, a desena *(un plan)* 4 a întinde *(ghearele etc.);* a scoate

protractile [prə'træktail] *adj* extensibil

protraction [prə'trækʃən] *s* 1 extindere; lungire; prelungire; amânare 2 *tehn* trasare *(a unui plan)* 3 întindere *(a ghearelor etc.);* scoatere

protractor [prə'træktəʳ] *s* 1 *geom* raportor, măsurător de unghiuri 2 *tehn* transportor 3 *anat* mușchi extensor

protrude [prə'tru:d] I *vt* 1 a scoate afară *(limba etc.) sau* în afară 2 *fig* a impune *(o idee etc.), F→* a vârî pe gât II *vi* a ieși în afară; a se proiecta (în afară)

protrusion [prə'tru:ʒən] *s* 1 ieșire în afară; proiectare 2 ieșitură

protuberance [prə'tju:bərəns] *s* 1 proeminență, protuberanță; ieșitură 2 *pl astr* protuberanțe

protuberant [prə'tju:bərənt] *adj* ieșit/proiectat în afară, proeminent

protuberate [prə'tju:bə,reit] *vi* a ieși; a se proiecta în afară, a fi proeminent

proud [praud] I *adj* 1 **(of)** mândru (de), care se mândrește (cu); **the ~ father** fericitul tată; **(as) ~ as a peacock** *F* mândru nevoie mare; cine mai e ca el! **that is nothing to be ~ of** (să știi că) nu e ceva cu care să te mândrești/fălești; (să știi că) nu e mare ispravă/ scofală; **he was too ~ to admit that he was wrong** era prea mândru/< închipuit/< îngâmfat pentru a recunoaște că nu are dreptate 2 măreț, minunat, extraordinar; maiestuos; splendid 3 ← *înv* viteaz; curajos, brav 4 ← *poetic* înfocat, focos; aprig II *adv* mândru, cu mândrie // **to do smb ~** a trata grozav pe cineva *(↓ musafiri)*

proud flesh ['praud ,fleʃ] *s med* muguri, „carne sălbatică"

proud-hearted ['praud,ha:tid] *adj* mândru, îngâmfat, trufaș

proudling ['praudliŋ] *s* om mândru, îngâmfat

proudly ['praudli] *adv* cu mândrie; cu fală; maiestuos; țanțoș

proud-stomached ['praud'stʌməkt] *adj ironic* cu nasul pe sus, – fudul, îngâmfat

Proust [prust], **Marcel** *romancier francez (1871-1922)*

prov. *presc de la* 1 **province** 2 **provincial** 3 **provisional** 4 **provost**

provable ['pru:vəbl] *adj* care poate fi dovedit, demonstrabil

provably ['pru:vəbli] *adv* în mod demonstrabil

prove [pru:v] **I** *vt* **1** a dovedi, a demonstra, a arăta; **to ~ one's case** a dovedi că are dreptate; **she was ~d to be innocent** s-a dovedit/demonstrat că este nevinovată, nevinovăția ei a fost dovedită/demonstrată **2** *jur* a legaliza, a autentifica; a atesta, a certifica **3** a experimenta, a proba, a încerca **4** *mat* a verifica, a controla *(un calcul etc.)* **5** *tehn* a manipula, a mânui **6** *poligr* a tipări șpalturi *(cu gen)* **II** *vr, vi* a se dovedi; **the play ~d a succes** piesa s-a dovedit a fi un succes, s-a dovedit că piesa este un succes

proven ['pru:vən] **I** *ptc amer de la* **prove II** *adj* dovedit, demonstrat

provenance ['prɔvinəns] *s* proveniență, origine, izvor, obârșie

Provençal [,prɔvən'sɑ:l] **I** *adj* provensal **II** *s* **1** provensal **2** (limba) provensală

Provence [prɔ'vã:s] *od provincie în Franța*

provender ['prɔvində'] *s* **1** nutreț **2** *umor* păpică, – hrană, mâncare

provenience [prə'vi:niəns] *s v.* **provenance**

prove out ['pru:v 'aut] **I** *vt cu part adv* a confirma, a adeveri, a dovedi **II** *vi cu part adv* a se confirma, a se adeveri, a se dovedi

proverb ['prɔvəb] *s* proverb; zicală; **he is avaricious to a ~** e de o zgârcenie proverbială

proverbial [prə'və:biəl] *adj* **1** proverbial, de proverb **2** *fig* proverbial, de pomină; legendar

proverbially [prə'və:biəli] *adv* proverbial; (în mod) notoriu

provide [prə'vaid] **I** *vt* **1** (**with**) a înzestra, a aproviziona (cu); a furniza *(cuiva) (cu ac);* a asigura (cu); a face rost *(cuiva)* (de); a se îngriji (de) pentru *(cu ac);* **they ~d him with a good education** i-au dat o educație frumoasă; **to ~ an excuse** a pregăti o scuză; **can you ~ me with a room?** poți să-mi găsești/faci rost de o cameră? **he ~s maintenance for them** el le asigură întreținerea, el îi întreține **2** ↓ *jur* a prevedea, a prescrie **II** *vi ec* a se îngriji de acoperire *sau* bani

provide against [prə'vaid ə,genst] *vi cu prep* a lua măsuri împotriva *(cu gen);* a opri, a împiedica *cu ac*

provided [prə'vaidid] *adj* **1** asigurat **2** prevăzut **3** aprovizionat **4** pregătit, gata **5** *(d. școli etc.)* subvenționat din fonduri locale

provided (that) ['prə'vaidid (ðət)] *conj* (numai) dacă, cu condiția (ca) să

provide for [prə'vaid 'fə'] *vi cu prep* **1** a întreține *(familia etc.);* a aproviziona *cu ac;* a asigura *cu ac* **2** a se îngriji de; a căuta *cu ac,* a face rost de **3** a prevedea, a avea în vedere

providence ['prɔvidəns] *s* **1** (spirit de) prevedere; chibzuială; chibzuință; înțelepciune **2** providență, pronie (cerească); Dumnezeu

provident ['prɔvidənt] *adj* econom, strângător, chibzuit; prevăzător

providential [,prɔvi'denʃəl] *adj* **1** providențial; predestinat **2** providențial; norocos

providently ['prɔvidəntli] *adv* (în mod) chibzuit; cu economie; prevăzător

provide that [prə'vaid ðet] *vi cu conj* a prevedea/a stipula că

providing [prə'vaidiŋ] *conj v.* **provided that**

province ['prɔvins] *s* **1** provincie; ținut; regiune; zonă **2** *pl* provincie, țară; periferie; **from the ~s** de la țară, din provincie **3** *fig* domeniu, sferă; competență; **it is out of my ~** nu este de competența mea, nu ține de domeniul meu **4** *bis* arhiepiscopie

provincial [prə'vinʃəl] **I** *adj* **1** provincial, de la țară; periferic **2** *fig* provincial, îngust, mărginit **II** *s* **1** provincial, om de la țară **2** *bis* arhiepiscop

provincialism [prə'vinʃəlizəm] *s* **1** viață, concepție *etc.* provincială/de provincie **2** *lingv* provincialism

provincialist [prə'vinʃəlist] *s* **1** provincial **2** apărător al unor interese locale *sau* mărunte

provinciality [prə,vinʃi'æliti] *s v.* **provincialism**

provincialize [prə'vinʃəlaiz] *vi* **1** a deveni provincial; a căpăta obiceiuri provinciale; a deveni limitat/mărginit **2** a se exprima în dialectul local

provinciate [prə'vinʃieit] *vt* a transforma în provincie

proving ground ['pru:viŋ ,graund] *s* teren de experiență/experimental

provision [prə'viʒən] **I** *s* **1** aprovizionare, asigurare; furnizare **2** pregătire **3** *jur* dispoziție, hotărâre **4** *jur* prevedere, stipulare; ↑ clauză; punct **5** (**for; against**) măsură (de prevedere) (pentru; împotriva – *cu gen*) **to make ~s for** a prevedea, a avea în vedere *cu ac* **6** *pl* provizii, alimente, hrană; **to make ~s for a** a face provizii pentru **b** a avea grijă de; a întreține *pe cineva* **II** *vt* a aproviziona

provisional [prə'viʒənəl] *adj* provizor(iu), temporar, de scurtă durată

provisionality [prə,viʒə'næliti] *s* caracter provizoriu, provizorat

provisionally [prə'viʒənəli] *adv* (în mod) provizoriu; temporar

provisionary [prə'viʒənəri] *adj v.* **provisional**

provisioner [prə'viʒənə'] *s* furnizor

proviso [prə'vaizou], *pl* **proviso(e)s** [prə'vaizouz] *s* clauză; corectiv; condiție; **with the ~ that** cu condiția (ca) să

provisory [prə'vaizəri] *adj* **1** *v.* **provisional 2** condiționat, preliminar

provocation [,prɔvə'keiʃən] *s* **1** provocare **2** stimulare; excitare

provocative [prə'vɔkətiv] **I** *adj* **1** *(d. comportare etc.)* provocator; obraznic, impertinent **2** (**of**) provocator, stimulator (de) **II** *s* stimulent

provocatively [prə'vɔkətivli] *adv* (în mod) provocator

provoke [prə'vouk] *vt* **1** a provoca; a instiga; a întărâta, a ațâța; **to ~ smb to anger** a supăra/a mânia pe cineva, a stârni furia cuiva **2** a provoca; a supăra, a înfuria, a mânia **3** a provoca, a cauza, a determina **4** a evoca

provoker [prə'voukə'] *s* provocator

provoking [prə'voukiŋ] *adj* provocator; supărător; neplăcut

provokingly [prə'voukiŋli] *adv* supărător; neplăcut

provost ['prɔvəst] *s* **1** *univ* rector **2** *scot* primar **3** *bis* (preot) paroh **4** [prə'vou] *mil* ofițer *(al poliției militare)* **5** *înv* temnicer – gardian, paznic *(de închisoare)*

provost corps [prə'vou kɔ:] *s mil* poliție militară

provost prison [prə'vou ˌprizən] *s mil* închisoare militară

prow [prau] *s* 1 *nav* provă, proră 2 ← *poetic* vas, corabie

prowess ['prauis] *s* 1 curaj, bravură; bărbăție 2 act de curaj, faptă vitejească 3 îndemânare, dibăcie

prowl [praul] I *vt* a colinda *(străzile etc.)* după pradă/în căutare de pradă II *vi* a umbla după pradă/ în căutare de pradă III *s*: **to be on the ~ v. ~ II**

prowl car ['praul ˌkɑ:ʳ] *s* mașină a poliției; echipaj de patrulare

prowler ['praulə'] *s* 1 *F* borfaș, găinar, – hoț 2 jefuitor, prădător, spoliator

proximal ['prɔksiməl] *adj v.* **proximate 1**

proximate ['prɔksimit] *adj* 1 proxim; apropiat; următor; < cel mai apropiat 2 aproximativ

proximity [prɔk'simiti] *s* apropiere, proximitate

proximo ['prɔksimou] *adv lat (în 17 etc.)* ale lunii viitoare

proxy ['prɔksi] *s* 1 mandat, împuternicire; delegație; **by ~** prin delegație; prin procură 2 mandatar, împuternicit; delegat; reprezentant

prude [pru:d] *s* om care face pe pudicul/rușinosul; „puritan" *fem* mironosiță

Prudence ['pru:dəns] *nume fem*

prudence *s* 1 prevedere, chibzuială, chibzuință; judecată; înțelepciune 2 prudență, precauție 3 economie; gospodărire judicioasă

prudent ['pru:dənt] *adj* 1 prevăzător, chibzuit; cu judecată; înțelept 2 prudent, precaut; atent, grijuliu 3 econom, calculat

prudential [pru:'denʃəl] *adj (d. motive etc.)* de prudență/prevedere

prudently ['pru:dəntli] *adv* cu prudență, prudent, prevăzător; cu grijă; cu înțelepciune, înțelept

prudery ['pru:dəri] *s* pudicitate/ rușinare prefăcută/afectată

prudish ['pru:diʃ] *adj* care face pe pudicul/rușinosul

prudishly ['pru:diʃli] *adv* cu o pudicitate prefăcută/afectată

prudishness ['pru:diʃnis] *s v.* **prudery**

prune¹ [pru:n] *s* 1 *bot* prun *(Prunus domestica)* 2 prună uscată

prune² *vt* 1 a tăia, a reteza *(crăci);* a elaga, a emonda 2 a scurta, a reduce *(un text etc.)*, a simplifica; a face mai concis

prune away/down ['pru:n ə'wei/ daun] *vt cu part adv v.* **prune² 2**

pruning knife ['pru:niŋ ˌnaif] *s* 1 *agr* cosor 2 *silv* emondor

prurience ['pruəriəns] *s* 1 lascivitate; senzualitate 2 **(for)** poftă (de); dorință fierbinte (de) 3 ← *rar* mâncărime; furnicături

pruriency ['pruəriənsi] *s v.* **prurience**

prurient ['pruəriənt] *adj* 1 lasciv; senzual; libidinos 2 **(for)** râvnitor (de), care dorește cu înfocare *(cu ac)*

pruriently ['pruəriəntli] *adv* 1 lasciv 2 cu poftă, pofticios

Prussia ['prʌʃə] *ist* Prusia

Prussian ['prʌʃən] *ist* I *adj* prusian, prusac II *s* prusac

Prussian blue ['prʌʃən ˌblu:] *s ch* albastru de Berlin

prussiate ['prʌʃiit] *s ch* cianidă

prussic acid ['prʌsik ˌæsid] *s ch* acid cianhidric/prusic

Prut, the ['pru:t, ðə] Prut

pry¹ [prai] I *s* 1 pârghie 2 *fig* mijloc *(pentru atingerea unui scop)* II *vt* 1 a ridica, a desface *etc.* cu o pârghie 2 *fig* a scoate cu greu; a smulge

pry² I *vt* 1 a privi/a se uita cu interes/ cercetător/plin de curiozitate 2 **(into)** a examina, a cerceta *(cu ac);* a se vârî, a se băga (în), *F* → a-și vârî nasul (în) II *s* 1 curiozitate *(↓ exagerată)* 2 om curios; băgăreț

prying ['praiiŋ] *adj* curios; băgăcios

pry out ['prai 'aut] *vt cu part adv v.* **prize out**

prythee ['priði:] *interj înv* rogu-te, – te rog

ps. *presc de la* **pieces**

P.S. *presc de la* **Public School**

P.S., PS *presc de la* **postscript**

psalm [sɑ:m] *s bis și fig* psalm; imn

psalm book ['sɑ:m ˌbuk] *s bis* psaltire

psalmist ['sɑ:mist] *s bis* psalmist

psalmody ['sɑ:mədi] *s bis* 1 psalmodie 2 psalmi

psalter ['sɔ:ltəʳ] *s bis* psaltire

psalterium [sɔ:l'tiəriəm], *pl* **psalteria** [sɔ:l'tiəriə] *s zool* foios *(al 3-lea stomac la rumegătoare)*

psaltery ['sɔ:ltəri], **psaltry** ['sɔ:ltri] *s* 1 P~ *bis* psaltire 2 *muz* od psalterion

psammite ['sæmait] *s geol* psamit

psephologist [se'fɔlədʒist] *s* psefolog

psephology [se'fɔlədʒi] *s* psefologie

pseud [sju:d] *s F* deștept, – om cu ifose; vedetist; *F* buricul pământului

pseudo ['sju:dou] *adj* pseudo...; fals, contrafăcut; așa-zis

pseudo- *pref* pseudo-: **pseudonym** pseudonim

pseudomorphism [ˌsju:dou'mɔ:fizəm] *s minr* pseudomorfie

pseudomorphous [ˌsju:dou'mɔ:fəs] *adj minr* pseudomorf

pseudonym ['sju:də,nim] *s lit* pseudonim, nume fictiv

pseudonymous [sju:'dɔniməs] *adj lit* de pseudonim; fictiv; semnat sub pseudonim

pseudopodium [ˌsju:dou'poudiəm], *pl* **pseudopodia** [ˌsju:dou'poudiə] *s biol* pseudopod

pshaw [pʃɔ:] *interj* 1 *(exprimă nerăbdare)* ah! ei! asta-i bună! 2 *(exprimă scârbă etc.)* ptiu! pfui! ah!

psoriasis [sə'raiəsis] *s med* psoriazis

psyche ['saiki] *s* 1 P~ *mit* 2 suflet; spirit; intelect

psychedelic [ˌsaiki'delik] I *adj* psihedelic; halucinogen II *s* drog halucinogen

psychiater [sai'kaiətəʳ] *s med* psihiatru

psychiatric(al) [ˌsaiki'ætrik(əl)] *adj med* psihiatrie, de psihiatrie

psychiatrist [sai'kaiətrist] *s med* psihiatru, specialist în psihiatrie

psychiatry [sai'kaiətri] *s med* psihiatrie

psychic ['saikik] I *adj* 1 psihic; sufletesc; intelectual 2 transcendental; metafizic; parapsihic II *s* 1 psihic; suflet; intelect 2 senzitiv; mediu *(spiritist)* 3 *pl ca sg* psihologie *(ca știință)*

psychical ['saikikəl] *adj v.* **psychic I**

psycho- *pref* psiho-: **psychology** psihologie

psychoanalysis [ˌsaikouə'nælisis] *s* psihoanaliză

psycho-analyst [ˌsaikou'ænəlist] *s* specialist în psihoanaliză

psycho-analytic(al) [ˌsaikou͵ænə-'litik(əl)] *adj* psihoanalitic

psycho-analytically [ˌsaikou͵ænə-'litikəli] *adv* 1 prin mijloace psihoanalitice 2 din punct de vedere psihoanalitic

psychologic(al) [ˌsaikə'lɔdʒik(əl)] *adj* psihologic; mental

psychologically [ˌsaikə'lɔdʒikəli] *adv* din punct de vedere psiho-logic

psychological moment [ˌsaikə-'lɔdʒikəl ͵moumənt] *s* 1 moment psihologic 2 the ~ ← *umor* ultima clipă, clipa morții

psychologist [sai'kɔlədʒist] *s* 1 psiholog 2 *v.* psycho-analyst

psychologize [sai'kɔlə͵dʒaiz] 1 *vt* a analiza din punct de vedere psihologic 2 *vi* a studia psi-hologia

psychology [sai'kɔlədʒi] *s* 1 psiho-logie *(ca ştiinţă)* 2 psihologie; mentalitate, concepţie 3 tratat de psihologie

psychometry [sai'kɔmitri] *s* psiho-metrie

psychopath ['saikou͵pæθ] *s med* psihopat

psycho-pathology [ˌsaikou pə-'θɔlədʒi] *s med* psihopatologie

psychopathy [sai'kɔpəθi] *s med* psihopatie

psycho-physical [ˌsaikou'fizikəl] *adj* psiho-fizic

psychosis [sai'kousis] *s* psihoză

psychosomatic [ˌsaikousə'mætik] *adj* psihosomatic

psychotherapy [ˌsaikou'θerəpi] *s med* psihoterapie

psychotic [sai'kɔtik] *med* I *adj* suferind de o psihoză II *s* per-soană suferind de o psihoză

psych out ['saik 'aut] *vt cu part adv sl* ↓ *amer* a înţelege intuitiv

psychrometer [sai'krɔmitər] *s meteor* psicrometru, psihrometru

PT *presc de la* **physical training**

pt. *presc de la* 1 **part** 2 **point** 3 **pint** 4 **payment**

p.t. *presc de la* **past tense**

PTA *presc de la* **Parent-Teacher Association**

ptarmigan ['taːmigən] *s orn* cocoşul polar *(Lagopus sp.)*

pterodactyl [ˌpterou'dæktil] *s zool* pterodactil

pto *presc de la* **please turn over** vezi pagina următoare

Ptolemaic [ˌtɔli'meiik] *adj astr* ptolemeic

Ptolemy ['tɔlimi] *astronom din Alexandria* Ptolomeu *(sec. II)*

ptomaine ['toumein] *s ch* ptomaină

pub [pʌb] *s* 1 cârciumă, tavernă, bodegă 2 han

pub. *presc de la* 1 **public** 2 **publi-cation** 3 **publisher** 4 **pub-lishing**

pub-crawl ['pʌb͵krɔːl] *sl* I *s* umblat din cârciumă în cârciumă II *vi* a cutreiera cârciumile, a umbla din cârciumă în cârciumă

pub crawler ['pʌb ͵krɔːlə'] *s sl* om care umblă din cârciumă în cârciumă

puberal ['pjuːbərəl] *adj* puberal, pubertar

puberty ['pjuːbəti] *s* pubertate

pubes ['pjuːbiːz] *s anat* 1 pubis, pubes *(os, regiune)* 2 *pl de la* **pubis**

pubescence [pjuː'besəns] *s* 1 puber-tate 2 *bot* pubescenţă

pubescent [pjuː'besənt] I *adj* 1 pubescent, care intră în puber-tate 2 *bot* pubescent II *s* puber

pubic ['pjuːbik] *adj anat* pubian

pubis ['pjuːbis], *pl* **pubes** ['pjuːbiːz] *s anat* pubis, pubes *(os)*

publ. *presc de la* 1 **published** 2 **publisher**

public ['pʌblik] I *adj* 1 public; de stat, al statului 2 public; popular, al poporului; patriotic 3 public; pentru toţi, pentru toată lumea 4 public; municipal; orăşenesc; comunal 5 public; deschis; larg 6 renumit, vestit; eminent 7 material, palpabil // **to go ~** *(d. o societate)* a deveni *v.* **public company**; **to be in the ~ eye** a se evidenţia, a se impune, a-şi câştiga notorietate (publică) II *s* 1 public; lume; oameni; comu-nitate; **in ~** în public 2 public; spectatori; ascultători; asistenţă; auditoriu 3 popor, naţiune; **the British ~** poporul englez/britanic

public-address system ['pʌblik ə'dres 'sistim] *s tel* sistem cu me-gafoane; sonorizare exterioară

publican ['pʌblikən] *s* 1 cârciumar 2 ↓ *bibl* vameş *(la romani)*

public assistance ['pʌblik ə'sistəns] *s* ajutor (bănesc) de stat

publication [ˌpʌbli'keiʃən] *s* 1 publi-care, editare 2 publicare, anun-ţare; proclamare 3 publicaţie; tipăritură; carte; lucrare; **a list of new ~s** o listă a noilor publicaţii

public bar ['pʌblik ͵baː'] *s* bar *(ieftin, la hotel, restaurant etc.)*

public company ['pʌblik ͵kʌmpəni] *s* societate/companie care vinde acţiuni publicului *sau* bursei

public convenience ['pʌblik kən-'viniəns] *s* WC public

public corporation ['pʌblik ͵kɔːpə-'reiʃən] *s* „corporaţie publică" *(corporaţie de mari proporţii aparţinând statului, dar bucu-rându-se de o mai mare inde-pendenţă decât societăţile naţio-nale – în Anglia)*

public debt ['pʌblik ͵det] *s fin* datorie publică

public good, the ['pʌblik ͵gud, ðə] *s* binele public/obştesc

public health ['pʌblik ͵helθ] *s* sănătatea publică

public house ['pʌblik ͵haus] *s elev v.* **pub**

publicist ['pʌblisist] *s* 1 publicist; ziarist, gazetar 2 agent de publi-citate 3 *jur* specialist în dreptul internaţional

publicity [pʌ'blisiti] *s* publicitate; reclamă

publicize ['pʌbli͵saiz] *vt* a face publicitate *(cu dat)*

publicly ['pʌblikli] *adv* (în mod) public

public-minded [ˌpʌblik'maindid] *adj v.* **public-spirited**

public opinion [ˌpʌblik ə'pinjən] *s* opinia publică

public relations [ˌpʌblik ri'leiʃənz] *s pl mil etc.* serviciu de informare *sau* informare a publicului prin publicitate

public school [ˌpʌblik 'skuːl] *s* 1 *(în Anglia)* „public school", *aprox* liceu particular, şcoală particu-lară *(pt băieţi; pregătesc elevii pt universitate sau servicii publice)* 2 *(în S.U.A. şi Scoţia)* şcoală (elementară *sau* secundară) de stat *(↓ cu învăţământ gratuit)*

public servant [ˌpʌblik 'səːvənt] *s* funcţionar public

public-spirited [ˌpʌblik'spiritid] *adj* 1 preocupat de binele public/ obştesc 2 (animat de spirit) patriotic

public telephone [ˌpʌblik 'telifoun] *s* telefon public

public works ['pʌblik 'wə:ks] *s pl* lucrări publice

publish ['pʌbliʃ] **I** *vt* **1** a publica, a proclama; a vesti, a anunța **2** a publica, a edita **3** a declara oficial **4** *amer* a pune în circulație **II** *vi* a se tipări, a fi sub tipar

publishable ['pʌbliʃəbəl] *adj* publicabil; bun de tipar

publisher ['pʌbliʃəʳ] *s* **1** editor **2** *amer* director de ziar

publishing ['pʌbliʃiŋ] **I** *s* **1** activitate editorială **2** editare **II** *adj atr* editorial

publishing house ['pʌbliʃiŋ ˌhaus] *s* editură

publishment ['pʌbliʃmənt] *s* ← *rar* publicare; proclamare

Puccini [pu:'tʃi:ni:], **Giacomo** *compozitor italian (1858-1924)*

puck, Puck [pʌk] *s* spiriduș (ghiduș)

puck *s sport* puc *(la hochei)*

pucka ['pʌkə] *adj anglo-indian* veritabil, autentic; foarte bun

pucker ['pʌkəʳ] **I** *vt* **1** a cuta, a plia, a îndoi, a strânge **2** a strâmba din *(buze)*, a țuguia *(buzele)* **II** *vi* a se îndoi, a se cuta, a face cute **III** *s* **1** cută, zbârcitură, încrețitură, rid **2** pliu, cută, îndoitură, încrețitură **3** ← *F* neastâmpăr, (stare de) agitație; neliniște; jenă, stinghereală

puckered ['pʌkəd] *adj* **1** cutat; cu riduri **2** cu pliuri; gofrat

puckish ['pʌkiʃ] *adj* neastâmpărat; ghiduș; ștrengăresc

puckster ['pʌkstəʳ] *s* ← *F* hocheist

pudding ['pudiŋ] *s* **1** budincă **2** *un fel de* cârnat; *aprox* tobă **3** *nav* marsuin // **the proof of the ~ is in the eating** *prov aprox* calul la ham se cunoaște; **more praise than ~** *aprox* mai mare daraua decât ocaua

pudding face ['pudiŋ ˌfeis] *s* **1** față rotundă (ca o lună plină) **2** față inexpresivă

pudding head ['pudiŋ ˌhed] *s F* gogoman, prostălău, tontălău

pudding pie ['pudiŋ ˌpai] *s* budincă cu carne

pudding stone ['pudiŋ ˌstoun] *s geol* conglomerat

puddingy ['pudiŋi] *adj* **1** ca o budincă **2** *(d. față)* rotund, ca o lună plină

puddle ['pʌdəl] **I** *s* **1** băltoacă, baltă; mlaștină; smârc **2** *F* talmeș-balmeș, – amestec(ătură) **3** lut; argilă plastică **4** *fig* noroi, murdărie **II** *vt* **1** a tulbura *sau* a murdări *(apa)* **2** a frământa *(lutul)* **3** a lipi cu lut **4** a bătători **5** *met* a pudla **6** *fig* a zăpăci, a încurca *(pe cineva)* **7** *fig* a murdări

puddled ['pʌdəld] *adj* **1** *(d. apă)* tulbure **2** mocirlos; plin de bălți/băltoace **3** *(d. minte etc.)* zăpăcit, confuz

puddled iron ['pʌdəld ˌaiən] *s met* fier pudlat

puddler ['pʌdləʳ] *s met* pudlator

puddling furnace ['pʌdliŋ ˌfə:nis] *s met* cuptor de pudlaj/pudlat

puddly ['pʌdli] *adj* (acoperit) cu bălți/băltoace; mocirlos

pudgy ['pʌdʒi] *adj* mic și îndesat; durduliu

puerile ['pjuərail] *adj* **1** pueril, copilăros, copilăresc, imatur; simplu **2** naiv, neserios **3** banal, trivial

puerperal fever [pju:'ə:pərəl ˌfi:vəʳ] *s med* febră puerperală

Puerto Rico ['pwə:tou 'ri:kou] *insulă în Indiile de Vest* Porto Rico

puff [pʌf] **I** *s* **1** suflare, suflu, adiere *(de vânt)* **2** trâmbă; nor *(de fum)* **3** pufăit *(de locomotivă etc.)* **4** umflătură, bubă **5** *fig* laudă exagerată; ploconeală; tămâiere; reclamă zgomotoasă **6** puf *(de pudrat)* **7** plapumă **8** aluat în foi; foi de plăcintă **II** *vi* **1** *(d. vânt)* a sufla; a adia **2** *(d. o locomotivă etc.)* a pufăi **3** (at) a pufăi (din); a fuma **4** a respira/a răsufla greu; a gâfâi **5** *fig* a face pe grozavul, a se țanțoși **III** *vt* **1** a sufla în *(lumânare etc.)* **2** a umfla **3** *fig* a lăuda exagerat/peste măsură; a tămâia; a face reclamă *(cu dat)* **4** a pufăi din *(țigară, pipă)* **5** a pudra

puff adder ['pʌf ˌædəʳ] *s zool* viperă sâsâitoare *(Bitis arietans)*

puff away ['pʌf ə'wei] **I** *vt cu part adv* a îndepărta suflând **II** *vt cu part adv (d. o locomotivă etc.)* a porni *sau* a merge pufăind

puff away at ['pʌf ə'wei ət] *vi cu part adv și prep* a pufăi din *(țigară, pipă)*

puff ball ['pʌf ˌbɔ:l] *s bot* gogoașă, *un fel de* ciupercă comestibilă *(Globaria bovista)*

puff box ['pʌf ˌbɔks] *s* pudrieră

puffed [pʌft] *adj* **1** *text* bufant **2** care gâfâie, cu respirație greoaie

puffer ['pʌfəʳ] *s* în limbajul copiilor locomotivă cu aburi; tren cu locomotivă cu aburi

puffery ['pʌfəri] *s* laudă *sau* reclamă exagerată

puff out ['pʌf 'aut] **I** *vt cu part adv* a sufla în, a stinge suflând *(o lumânare etc.)* **II** *vi cu part adv (d. fum etc.)* a ieși în trâmbe

puff paste ['pʌf ˌpeist] *s* aluat de foi, aluat franțuzesc

puffy ['pʌfi] *adj* **1** *(d. vânt)* în rafale **2** durduliu, umflat, gras **3** care gâfâie, cu respirație greoaie **4** *(d. stil etc.)* bombastic, umflat, pretențios **5** ← *rar* plin de sine, care își dă aere

pug[1] [pʌg] *s* **1** *zool* mops **2** nas cârn **3** (cumătra) vulpe; vulpoi *(în fabule)*

pug[2] **I** *s* lut frământat **II** *vt* a frământa *(lut)*

pug[3] *s* urmă *(de animal)*

pug[4] *s sl* boxer, pugilist

pugilism ['pju:dʒiˌlizəm] *s sport* pugilism, box

pugilist ['pju:dʒilist] *s sport* pugilist, boxer

pugilistic [ˌpju:dʒi'listik] *adj sport* pugilistic, de box

pugnacious [pʌg'neiʃəs] *adj* **1** bătăios; combativ **2** certăreț

pugnacity [pʌg'næsiti] *s* **1** caracter bătăios; dorință de luptă; combativitate **2** caracter certăreț; dorință de ceartă

pug nose ['pʌg ˌnouz] *s* nas cârn

pug-nosed ['pʌg ˌnouzd] *adj* cu nasul cârn

puisne ['pju:ni] *s jur* magistrat inferior

puissance ['pju:isəns] *s fr* ← *înv* putere; autoritate

puissant ['pju:isənt] *s fr* ← *înv* puternic; autoritar

puke [pju:k] **I** *vi* a vomita, a vărsa **II** *s* vomitat

pule [pju:l] *vi* a scânci; a plânge

Pulitzer prize, the ['pulitsə 'praiz, ðə] *s* Premiul Pulitzer *(acordat anual în S.U.A. pt literatură și ziaristică)*

pull [pul] **I** *vt* **1** a trage *(după sine)*; a târî; a căra, a duce; **to ~ a cart** a trage o căruță **2** a trage *(cu putere)* (de); a zmuci; **I ~ed my hat over my eyes** mi-am tras pălăria pe ochi; **to ~ the horse** a strânge hăţurile *sau* frâul, a opri calul; **I ~ed his ears/him by the ears** l-am tras de urechi; **he ~ed my sleeve** m-a tras de mânecă; **the child ~ed my hair** copilul mă trăgea de păr **3** a extrage; a scoate *(o măsea, un dop etc.);* a smulge **4** a trage; a întinde; a extinde; a rupe, a sfâşia; **to ~ to/in pieces** a rupe în bucăţi; **I ~ed my muscle on the game** mi-am contorsionat muşchiul în timpul jocului **5** a smulge; a culege *(flori etc.)* **6** a dărăci *(in)* **7** a-şi atrage; a-şi asigura *(sprijinul etc.)* **8** *nav* a vâsli/a rama la (o barcă) **9** *sl* a vârî/a băga la zdup, – a închide, a arunca în închisoare **10** *poligr* a trage **II** *vi* **1** a trage; a târî **2** (**at**) a trage o duşcă; a sorbi (din) **3** a trage un fum *(din ţigară)* **4** a se mişca, a se urni **III** *s* **1** tragere, tras; smucitură; **to give a strong ~ at** a trage cu putere/forţă de *sau* la **2** *fiz* (forţă de) tracţiune **3** întindere *(a vinelor etc.);* contorsiune; entorsă **4** efort, strădanie *(de a urca un deal etc.)* **5** *nav* canotaj; plimbare cu barca **6** *nav* lovitură de vâslă **7** înghiţitură, sorbitură, duşcă **8** un fum *(tras din ţigară)* **9** şnur *sau* mâner *(de clopoţel etc.)* **10** atracţie **11** ← *F* protecţie, influenţă **12** (**on, upon, over**) ← *F* avantaj (faţă de) **13** *poligr* şpalt; tras

pull about ['pul ə'baut] *vt cu part adv* **1** a trage încoace şi încolo **2** a se purta urât cu; a maltrata

pull ahead of ['pul ə'hed əv] *vi cu part adv* şi *prep* a întrece, a depăşi *cu ac*

pull apart ['pul ə'pɑːt] *vi cu part adv* **1** a rupe; a desface **2** *fig* a găsi vină *(cu dat);* a critica

pull at ['pul ət] *vi cu prep* **1** a trage *(repetat) de (aţă etc.)* **2** a trage din *(pipă)* **3** a bea pe nerăsuflate din, a sorbi din

pull away ['pul ə'wei] *vi cu part adv* **1** a se retrage; a scăpa **2** *(d. vehicule)* a porni, a se pune în mişcare

pull away from ['pul ə'wei frəm] *vi cu part adv* şi *prep* a lăsa în urmă *cu ac*, a depăşi *cu ac*, a merge mai repede decât

pull-back ['pul,bæk] *s* **1** tragere înapoi **2** *fig* piedică, obstacol **3** situaţie neplăcută

pull back ['pul 'bæk] **I** *vt cu part adv* **1** a trage înapoi **2** *fig* a trage/a da înapoi; a face să stea pe loc; a împiedica, a opri **3** a antedata **II** *vi cu part adv* **1** a da înapoi; a se retrage **2** *nav* a vâsli înapoi/invers

pull down ['pul 'daun] *vt cu part adv* **1** a dărâma, a demola **2** *(d. o boală etc.)* a slăbi; a demoraliza **3** a reduce, a micşora **4** a umili, a înjosi; a degrada

puller ['pulə'] *s* **1** trăgător; persoană, animal *etc.* care trage **2** *nav* vâslaş **3** *tehn* dispozitiv de scos piese

pullet ['pulit] *s* puică, găină tânără

pulley ['puli] *s tehn* roată de transmisie; scripete, troliu

pull-in ['pul,in] *s auto* ← *F* popas; parcare *(cu bufet)*

pull in ['pul 'in] **I** *vt cu part adv* **1** a opri *(calul)* **2** a aduna, a strânge **3** *fig* a câştiga, a realiza *(ca venit)* **4** a micşora, a reduce, a restrânge *(cheltuielile etc.)* **II** *vi cu part adv* a sosi, a veni; *(d. trenuri)* a trage la peron

pulling boat ['pulin ,bout] *s nav* barcă cu vâsle

Pullman (car) ['pulmən (,kɑːʳ)] *s ferov* vagon Pullman

pull off ['pul 'ɔ(ː)f] **I** *vt cu part adv* **1** a scoate; a smulge **2** a câştiga *(un premiu etc.)* **3** a realiza cu greu **II** *vi cu part adv* a pleca; a porni; a porni mai departe; *(d. o barcă etc.)* a se depărta de ţărm

pull-on ['pul,ɔn] *adj atr (d. haine)* care se îmbracă pe cap

pull oneself togheter ['pul wʌn,self tə'geðə'] *vr cu part adv* a-şi aduna puterile, a face un efort, a se forţa; a se concentra

pull-out ['pul,aut] *s* **1** *av* ieşire din picaj **2** parte detaşabilă *(dintr-o carte etc.)*

pull out ['pul 'aut] **I** *vt cu part adv* **1** a scoate, a extrage *(un dinte etc.);* a smulge; a culege, a strânge **2** *fig* a lungi *(o poveste etc.)* **II** *vi cu part adv* **1** v. **pull off 2** ↓ *amer* a se îndepărta **3** *(d. un sertar etc.)* a ieşi

pullover ['pul,ouvə'] *s text* pulover

pull over ['pul 'ouvə'] *vt cu part adv*

a trage *(o cămaşă etc.)* peste cap

pull rope ['pul ,roup] *s tehn* cablu de tracţiune

pull round ['pul 'raund] **I** *vt cu part adv* a pune pe picioare, a înzdrăveni, a face sănătos **II** *vi cu part adv* a se pune pe picioare, a se înzdrăveni, a se face sănătos, a-şi reveni

pull through ['pul 'θruː] **I** *vt cu part adv* **1** a scăpa, a salva *(de un pericol etc.)* **2** a învinge, a birui *(greutăţi etc.)* **II** *vi cu part adv* **1** a scăpa, a se salva **2** a răzbi, a răzbate, a se descurca

pull togheter ['pul tə'geðə'] *vi cu part adv* a conlucra, a lucra/a munci împreună/cot la cot; a coopera

pullulate ['pʌlju,leit] *vi* **1** a se înmulţi, a se prăsi **2** a mişuna, a furnica **3** *(d. teorii etc.)* a apărea

pullulation [,pʌlju'leiʃən] *s* **1** prăsire **2** mişunare, furnicare

pull-up ['pul,ʌp] *s* **1** întindere, întins *(al sârmei etc.)* **2** v. **pull-in**

pull up ['pul 'ʌp] **I** *vt cu part adv* **1** a smulge; a smuci; a apuca, a trage **2** a trage, a întinde *(o sârmă etc.)* **3** a opri, a face să stea **4** *sl* a vârî/a băga la zdup/răcoare, – a aresta, a închide **II** *vi cu part adv* **1** a se opri; a sta **2** a merge înainte, a continua; a porni mai departe

pulmonary ['pʌlmənəri] *adj anat, med* pulmonar; de plămâni

pulmonic [pʌl'mɔnik] *adj* **1** v. **pulmonary 2** *med* pneumonic

pulmotor ['pʌl,moutə'] *s med* aparat de respiraţie artificială

pulp [pʌlp] **I** *s* **1** miez; pulpă *(de fruct)* **2** terci, păsat **3** tăiţei din sfeclă de zahăr **4** *tehn* pastă de lemn **5** *anat* pulpă **6** *amer sl* ziar de scandal; „fiţuică imundă" // **to beat smb to a ~** *F* a bate măr pe cineva; **to reduce smb to a ~** a năuci/a buimăci pe cineva; a paraliza pe cineva **II** *vt* **1** a pisa; a făcălui; a face terci **2** a curăţa de pulpă *(cafeaua etc.)*

pulpit ['pulpit] *s* **1** *bis* amvon **2 the ~** preoţimea, predicatorii **3** *av sl* cabina pilotului

pulpiteer [,pulpi'tiə'] *s bis* ← *peior* predicator

pulp mill ['pʌlp ,mil] *s* fabrică de celuloză

pulpous ['pʌlpəs] *adj v.* **pulpy**

pulpwood ['pʌlpwud] *s* lemn pentru celuloză

pulpy ['pʌlpi] *adj* moale, cărnos

pulsate [pʌl'seit] *vi* 1 *(d. inimă)* a pulsa, a bate 2 *fig* a pulsa, a vibra

pulsatile ['pʌlsə‚tail] I *adj* 1 pulsând, care pulsează; *(d. durere)* pulsatil 2 *muz (d. instrumente)* de percuție II *s muz* instrument de percuție

pulsation [pʌl'seiʃən] *s* 1 pulsație; vibrație 2 *tel* viteză unghiulară

pulsatory ['pʌlsətəri] *adj* pulsând, care pulsează

pulse¹ [pʌls] I *s* 1 *anat* puls; **an irregular ~** un puls neregulat; **to feel smb's ~ a** a lua pulsul cuiva **b** *fig* a sonda/a tatona pe cineva 2 *fig* puls *(al vieții etc.);* pulsație; vitalitate; ritm 3 *fig* impuls, îndemn 4 *fig* stare de spirit, dispoziție; sentiment 5 *muz, metr* ritm II *vi* a pulsa, a bate; a vibra

pulse² *s bot* (plante) leguminoase

pulse-jet (engine) ['pʌls‚dʒet ('endʒin)] *s av* pulsoreactor

pulverable ['pʌlvərəbəl] *adj* pulverizabil

pulverizable ['pʌlvər‚aizəbəl] *adj* pulverizabil

pulverization [‚pʌlvərai'zeiʃən] *s* pulverizare; transformare în pulbere

pulverize ['pʌlvə‚raiz] I *vt* 1 a pulveriza, a transforma în pulbere 2 *fig* a preface în pulbere, a face praf, a distruge complet; a nimici *(dușmanul etc.)* II *vi* a se pulveriza, a se transforma în pulbere

pulverizer ['pʌlvə‚raizə'] *s* pulverizator; atomizor

pulverulence [pʌl'veruləns] *s* caracter pulverulent, pulverulență

pulverulent [pʌl'verulənt] *adj* pulverulent, ca pulberea

puma ['pju:mə] *s și ca pl zool* puma, cuguar *(Felis concolor)*

pumice ['pʌmis] *s minr* piatră ponce; spumă de mare

pummel ['pʌməl] *s, vt v.* **pommel I-II**

pump¹ [pʌmp] *s* pantof ușor de bal *(↓ de lac)*

pump² I *s* pompă II *vt* 1 **(into; out of)** a pompa *(apă, aer etc.)* (în; din) 2 a umfla *(un cauciuc etc.)* cu pompa 3 a bombarda/a pisa cu întrebări 4 *fig* a extenua, a slei, a epuiza

pump dry ['pʌmp ‚drai] *vt cu adj* a pompa toată apa *etc.* din, a seca cu pompa

pump handle ['pʌmp ‚hændl] *s* 1 mâner de pompă 2 *F* o mână, – strângere de mână

pump house ['pʌmp ‚haus] *s* casa *sau* sala pompelor

pump into ['pʌmp ‚intə] *vt cu prep fig* a pompa în; a vârî/a băga (cu de-a sila) în *(capul cuiva)*

pumpkin ['pʌmpkin] *s* 1 *bot* dovleac, bostan *(Cucurbita pepo maxima)* 2 *F* tâmpit, tont, neghiob, nătărău

pumpkin head ['pʌmpkin ‚hed] *s F* cap sec, gogoman, tontălău

pump man ['pʌmp ‚mæn] *s* pompagiu

pump nozzle ['pʌmp ‚nɔzl] *s tehn* ștuț/racord de aspirație

pump off ['pʌmp 'ɔ(:)f] *vt cu part adv* a pompa afară, a îndepărta prin pompare

pump out ['pʌmp 'aut] *vt cu part adv* 1 a evacua, a scoate prin pompare 2 *fig* a iscodi, a sonda *(pe cineva)* 3 *fig* a stoarce, a lăsa fără bani

pump room ['pʌmp ‚ru:m] *s* sala pompelor

pump up ['pʌmp 'ʌp] *vt cu part adv* a umfla (cu pompa) *(un cauciuc)*

pump well ['pʌmp ‚wel] *s nav* puțul pompei

pun [pʌn] I *s* joc de cuvinte; calambur II *vi* a face un joc de cuvinte/un calambur *sau* jocuri de cuvinte/calambururi

puna ['pu:nə] *s* rău de munte

Punch [pʌntʃ] *s* personaj comic în teatrul de păpuși englez, corespunzător lui Păcală; **as proud as ~** mândru nevoie mare

punch¹ I *s* 1 (lovitură de) pumn 2 ← *F* putere, energie, vlagă II *vt* 1 a lovi/< a izbi cu pumnul; a trage un pumn *(cuiva);* a bate cu pumnii, a ține în pumni 2 a împunge cu băţul; a îndemna, a mâna *(un animal)*

punch² I *vt* 1 *poligr etc.* a perfora, a găuri 2 *met* a ștanța 3 a puncta 4 a face *(o gaură)* II *s* 1 *poligr* poanson de literă 2 *met* dorn de găurit, poanson, patriță, ștanță 3 *tehn etc.* perforator; priboi 4 *constr* șpiț

punch³ *s* punș

Punch-and-Judy show ['pʌntʃənd 'dʒudi 'ʃou] *s* teatru de păpuși/ marionete

puncheon¹ ['pʌntʃən] *s* 1 *poligr* patriță 2 *met* dorn

puncheon² *s* 1 *min* coloană, suport 2 *fig* suport, sprijin, ajutor

puncheon³ *s* butie, butoi *(od, măsură de capacitate = 317,8 l)*

puncher ['pʌntʃə'] *s* 1 *tehn* matrițer 2 *met, poligr* ștanță 3 *tel etc.* perforator; mașină de perforat

punch press ['pʌntʃ ‚pres] *s tehn* presă de perforat

punctate ['pʌŋktju‚eit] *adj v.* **punctated**

punctated ['pʌŋktju‚eitid] *adj* punctat, cu puncte; *(d. animale)* pătat, bălţat

punctation [‚pʌŋktju'eiʃən] *s* 1 punctare 2 punct; pată 3 punctaj, probleme *(care urmează să fie discutate)*

punctilio [pʌŋk'tili‚ou] *s* formalism, pedantism

punctilious [pʌŋk'tiliəs] *adj* formalist, pedant; minuțios, scrupulos

punctiliously [pʌŋk'tiliəsli] *adv* (în mod) pedant; minuțios

punctiliousness [pʌŋk'tiliəsnis] *s* formalism, pedantism; minuțiozitate, scrupulozitate

punctual ['pʌŋktjuəl] *adj* 1 punctual, exact, precis 2 *v.* **punctilious** 3 ca un punct, mic

punctuality [‚pʌŋktju'æliti] *s* punctualitate, precizie, exactitate

punctually ['pʌŋktjuəli] *adv* punctual, la punct, exact

punctuate ['pʌŋktju‚eit] *vt* 1 a folosi semne de punctuație în, a pune semne de punctuație la 2 *fig* a sublinia, a scoate în evidență/ relief 3 a întrerupe din când în când; a presăra 4 *tehn* a puncta

punctuation [‚pʌŋktju'eiʃən] *s* punctuație; semne de punctuație

punctuation mark [‚pʌŋktju'eiʃən ‚mɑ:k] *s* semn de punctuație

puncture ['pʌŋktʃə'] I *s* 1 *auto* pană *(de cauciuc)* 2 *el* străpungere 3 *poligr* punctură 4 *med* puncție; puncționare II *vt* 1 *auto* a găuri, a străpunge *(un cauciuc);* a înțepa 2 a face *(o gaură)* 3 *med* a face o puncție *(cuiva);* a puncționa III *vi auto (d. un cauciuc)* a se dezumfla *(din cauza unei pene),* a se perfora

pundit ['pʌndit] *s* 1 pundit, învățat *(în India)* 2 ← ↓ *umor* cărturar, învățat

pungency ['pʌndʒənsi] *s* 1 iuțeală, gust înțepător; picanterie 2 *fig* ascuțime *(a spiritului etc.);* picanterie

pungent ['pʌndʒənt] *adj* 1 *(d. ardei, gust etc.)* iute; înțepător; pișcător; picant 2 *fig* ascuțit; caustic; înțepător, mușcător

pungently ['pʌndʒəntli] *adv fig* (în mod) caustic; mușcător, înțepător

Punic ['pju:nik] *adj ist* punic, cartaginez

punish ['pʌniʃ] I *vt* 1 a pedepsi; a da/a aplica o pedeapsă *(cuiva)* 2 *F* a trage *(cuiva)* o săpuneală/ un perdaf; ~ a se purta sever/ aspru cu; a lovi II *vi* a pedepsi, a da o pedeapsă

punishable ['pʌniʃəbəl] *adj* care poate *sau* merită să fie pedepsit

punisher ['pʌniʃəʳ] *s* 1 persoană care pedepsește; răzbunător 2 *sl* boxer care lovește puternic 3 corvoadă, muncă grea 4 problemă grea

punishment ['pʌniʃmənt] *s* 1 pedepsire 2 pedeapsă 3 *F* săpuneală, perdaf; ~ purtare severă/ aspră 4 *mil* represiune; represalii

punitive ['pju:nitiv] *adj* 1 pedepsitor; de pedepsire; *mil* represiv 2 greu, apăsător; aspru, sever

punitively ['pju:nitivli] *adv* ca pedeapsă

punitory ['pju:nitəri] *adj v.* **punitive**

Punjab [pʌn'dʒɑ:b] 1 *regiune în India și Pakistan* 2 *stat în India*

punk [pʌŋk] *s* 1 *amer* lemn putred *sau* aproape putrezit; lemn uscat; iască 2 lucru de nimic/fără valoare; fleacuri, prostii 3 *sl* boboc, ~ tânăr fără experiență 4 *amer sl* pâine, *reg* → pită

punka(h) ['pʌŋkə] *s od* un fel de evantai pentru uși *(în India)*

punner ['pʌnəʳ] *s v.* **punster**

punnet ['pʌnit] *s com* coșuleț pentru fructe *(mici, moi)*

punster ['pʌnstəʳ] *s* persoană care face calambururi, *rar* → calamburist; om spiritual

punt¹ [pʌnt] I *s nav* barcă cu fund lat; gabară; plată, mahonă II *vt* a împinge/a propulsa prin ghionder

punt² I *s* miză *(la cărți etc.)* II *vt* a miza, a ponta; a juca

punt³ *la rugbi* I *s* lovitură cu piciorul; lovire a mingii cu piciorul II *vt* a lovi *(mingea)* cu piciorul

punter ['pʌntəʳ] *s* jucător profesionist *(la cursele de cai etc.)*

puny ['pju:ni] *adj* firav, plăpând, mititel, micuț, mic

pup [pʌp] I *s* cățel(uș) II *vi (d. cățea)* a făta

pupa ['pju:pə], *pl și* **pupae** ['pju:pi:] *s ent* pupă, nimfă, crisalidă

pupate [pju:'peit] *vi ent* a fi *sau* a deveni pupă

pupil¹ ['pju:pəl] *s* 1 elev, școlar 2 elev, discipol 3 *jur* pupil

pupil² *s anat* pupilă

pupilage ['pju:pilidʒ] *s* 1 condiția de elev/școlar 2 *jur* minorat

puppet ['pʌpit] *s* 1 păpușă *(jucărie)* 2 păpușă, marionetă 3 *fig* marionetă; unealtă; manechin, om de paie

puppeteer [,pʌpi'tiəʳ] *s teatru* păpușar

puppet play/show ['pʌpit ,plei/,ʃou] *s* 1 teatru de păpuși/marionete 2 spectacol de teatru de păpuși/ marionete

puppy ['pʌpi] *s* 1 cățel(uș) 2 pui de rechin etc. 3 *fig* maimuțoi; tânăr prost și infatuat

puppyish ['pʌpiiʃ] *adj* 1 (ca) de cățel 2 *fig* de maimuțoi

puppy love ['pʌpi ,lʌv] *s* dragoste de licean

pur [pəːʳ] *s, vi, vt v.* **purr**

purblind ['pəː,blaind] *adj* 1 cu vederea slabă/proastă; aproape orb 2 ← *înv* cu desăvârșire orb 3 *fig* îngust (la minte), mărginit, limitat, obtuz

Purcell [pəː'sel], **Henry** *compozitor englez (1659-1695)*

purchasable ['pəːtʃisəbəl] *adj* 1 de vânzare 2 care poate fi mituit, coruptibil; < venal

purchase ['pəːtʃis] I *vt* 1 a cumpăra; a achiziționa 2 a dobândi, a căpăta; a câștiga *(încrederea cuiva etc.)* 3 *tehn* a ridica cu pârghia *sau* macaraua, palancul etc. II *s* 1 cumpărare; cumpărat; achiziționare 2 cumpărătură; lucru cumpărat; **I have some ~s to make** am de făcut câteva cumpărături 3 venit anual *(de pe pământ)* 4 preț, valoare; **his life isn't worth a day's ~** nu mai trăiește nici o zi 5 apucare,

strângere, strânsoare; **to get/to secure a ~ on smth** a apuca strâns/cu nădejde 6 punct de sprijin/reazem 7 *fig* poziție influentă; influență 8 *fig* poziție avantajată; avantaj; superioritate 9 *tehn* dispozitiv mecanic de ridicare și deplasare a încărcăturilor

purchaser ['pəːtʃisəʳ] *s* cumpărător; achizitor; client

purchase tax ['pəːtʃis ,tæks] *s com* taxă de cumpărare *(pt anumite articole în Anglia, până în 1973)*

purchasing power ['pəːtʃisiŋ ,pauəʳ] *s ec* putere de cumpărare

purdah ['pəːdə] *s anglo-ind* 1 perdea *sau* perdele; paravan 2 feregea, hobot *(văl)* 3 odaia femeilor, *aprox* harem

pure [pjuəʳ] *adj* 1 *(d. alcool etc.)* pur, curat, neamestecat; absolut 2 *(d. apă etc.)* curat, clar, limpede, străveziu 3 *(d. o bănuială etc.)* pur, simplu; doar, nu mai mult decât 4 *(d. nebunie etc.)* curat; perfect, absolut, desăvârșit 5 *(d. cineva etc.)* pur, curat; nevinovat; neprihănit; virgin; cast 6 pur, neamestecat; pur-sânge 7 *(d. o știință etc.)* abstract, teoretic *(ant* aplicat) 8 *(d. sunete etc.)* curat, limpede; pur

pure-blooded/-bred ['pjuə,blʌdid/ ,bred] *adj* de rasă pură; *(d. animale și)* pur-sânge

puree ['pjuərei] I *s* 1 pireu 2 supă pasată II *vt* a face pireu de *sau* din

purely ['pjuəli] *adv* 1 neamestecat, fără impurități 2 doar, numai; pur și simplu 3 cu nevinovăție, inocent 4 complet, în întregime

pure-minded ['pjuə,maindid] *adj* curat la suflet

pureness ['pjuənis] *s v.* **purity**

purfle ['pəːfəl] *vt* a înfrumuseța, a împodobi; a încrusta

purga ['puːgɑ:] *s rus* viscol; vifornită

purgation [pəː'geiʃən] *s med* purgație; purgare

purgative ['pəːgətiv] *adj, s med* purgativ

purgatorial [,pəːgə'tɔːriəl] *adj* de purgatoriu, purgatorial; ispășitor; de ispășire/curățire

purgatory ['pəːgətəri] I *s* 1 *rel* purgatoriu 2 *fig* purgatoriu; loc de ispășire; iad II *adj med* purgativ

purge [pə:dʒ] **I** *vt* **1** (**of, from**) a curăța, a purifica (de); *tehn* și a purja (de) **2** (**of**) a scăpa (de, descotorosi *(de cineva etc.)* **3** *med* a purga; a da un purgativ *(cuiva)* **4** *pol* a epura; a da afară *(din partid etc.)* **II** *vi* **1** a se curăța, a se purifica **2** *med* a se purga **III** *s* **1** curățare, purificare; curățenie **2** *med* purgativ, curățenie **3** *pol* epurare; verificare

purge oneself of ['pə:dʒ wʌn'self əv] *vt cu prep* a scăpa de *(bănuială etc.)*, a se elibera de; a se dezvinovăți de

purification [‚pjuərifi'kei∫ən] *s* **1** curățare, purificare; limpezire; curățenie **2** *tehn* purjare **3** *met* afinare; rafinare **4** *ch* epurare

purificatory ['pjuərifi‚keitəri] *adj* purificator, curățitor

purifier ['pjuəri‚faiə'] *s ch* epurator

puriform ['pjuərifɔ:m] *adj med* cu aspect purulent, puriform

purify ['pjuəri‚fai] **I** *vt* **1** (**of, from**) a curăța, a curăți, a purifica (de); a limpezi (de) **2** *tehn* a purja **3** *met* a afina; a rafina **4** *ch* a epura **II** *vi* (**of, from**) a se curăța, a se purifica (de)

Purim ['puərim] *s* Purim *(în mozaism)*

purine ['pjuəri:n] *s ch* purină

purism ['pjuə‚rizəm] *s lingv* purism

purist ['pjuərist] *s lingv* purist

puristic [pjuə'ristik] *adj lingv* purist

Puritan ['pjuəritən] *s, adj* **1** *rel* puritan **2** p~ *fig* puritan

Puritanic(al) [‚pjuəri'tænik(əl)] *adj* **1** *rel* puritan **2** p~ *fig* puritan

puritanically [‚pjuəri'tænikəli] *adv* ca un puritan, ca puritanii

Puritanism ['pjuəritə‚nizəm] *s* **1** *rel* puritanism **2** p~ *fig* puritanism

purity ['pjuəriti] *s* **1** curățenie, puritate *(a apei etc.)*; limpezime **2** *fig* puritate, curățenie; inocență, nevinovăție, neprihănire; castitate **3** puritate; simplitate *(a stilului)* **4** titlu, marcă *(la metale prețioase)*

purl¹ [pə:l] *text* **I** *s* **1** fir **2** franjuri **3** broderie **4** tricot links **II** *vt* **1** a lucra/a broda cu fir **2** a face/a pune franjuri la **3** a broda **4** a tricota links

purl² **I** *vi* a murmura, a susura **II** *s* murmur(at), susur(at)

purl³ *s* ← *F* cădere cu capul în jos

purl⁴ *s* bere fierbinte cu gin și pelin

purler ['pə:lə'] *s* F lovitură care îl lasă lat pe cineva // **to come a ~** a cădea de-a berbeleacul

purlieu ['pə:lju:] *s* **1** pământ la margine de pădure **2** *pl* împrejurimi, preajmă; periferie, margini **3** cartiere mărginașe, periferie, suburbie **4** *pl* limite, hotare

purlin(e) ['pə:lin] *s constr* pană

purlin(e) ridge ['pə:lin ‚ridʒ] *s constr* coamă de șarpantă

purloin [pə:'loin] *vt, vi* a fura

purloiner [pə:'loinə'] *s* hoț, tâlhar

purple ['pə:pəl] **I** *s* **1** purpur(ă) *(materie colorantă)* **2** purpur(ă), roșu închis, purpuriu; (culoare) violet **3** *od* haină de purpură; **born in the ~** ← *elev* născut dintr-o familie regală *sau* princiară **4 the ~** robă/haină *sau* rangul cardinalului; **to raise to the ~** a numi cardinal **II** *adj* **1** purpuriu, roșu închis; violet; **he turned ~ with rage** se făcu roșu (< ca racul) de mânie **2** bogat, luxos; cu multe podoabe **3** ← *poetic* împărătesc **III** *vt* a împurpura **IV** *vi* a se împurpura

purple medic ['pə:pəl ‚medik] *s bot* lucernă *(Medicago sativa)*

purple passage/patch ['pə:pəl ‚pæsidʒ/‚pæt∫] *s lit* pasaj remarcabil, de efect *sau* bombastic *(în mijlocul unui text simplu sau plictisitor)*

purple-red ['pə:pəl‚red] *adj* roșu ca purpura, purpuriu, roșu-închis

purplish ['pə:pli∫] *adj* purpuriu

purply ['pə:pli] *adj* purpuriu

purport I ['pə:pɔ:t] *s* **1** sens, semnificație, înțeles; conținut **2** sens, explicație *(a unei comportări etc.)* **3** ← *rar* intenție, scop, țintă **4** *jur* text *(al unui document)* **II** și [pə:'pɔ:t] *vt* **1** (**that,** *cu inf*) a pretinde (↓ că); a afirma, a susține (că); a arăta (că); **his statement ~s that** afirmația *sau* declarația lui susține că, potrivit afirmației *sau* declarației sale...; **this letter ~s to be written by him** s-ar părea că scrisoarea aceasta a fost scrisă de el; scrisoarea aceasta e scrisă, chipurile, de el **2** ← *rar* a avea drept scop

purpose ['pə:pəs] **I** *s* **1** scop, țintă, țel, obiectiv; intenție; tendință; **a**

book with a ~ o carte cu tendință *sau* tendențioasă; **of set ~** cu premeditare, deliberat, premeditat; **on ~** dinadins; **on ~ to** cu scopul de a; **to the ~** la subiect; la obiect; **beside the ~** inutil, fără noimă; **to answer/to serve the ~** a corespunde scopului (urmărit) **2** efect, rezultat, urmare; succes; **to no ~** inutil, zadarnic; *adv* și degeaba; **to little ~** aproape fără (nici un) rezultat; **to some ~** nu fără succes **3** voință, hotărâre, fermitate; **wanting in ~** fără voință, slab; nehotărât; șovăitor **II** *vt* a intenționa, a avea de gând, a-și pune în gând; a-și fixa un scop; a avea scopul *(de a)*; **I ~d a further attempt** m-am hotărât să mai fac o încercare

purposeful ['pə:pəsful] *adj* **1** având un scop/o țintă; practic; oportun **2** conștient de ce vrea; hotărât; consecvent **3** intenționat **4** gândit; plin de semnificație, important

purposefulness ['pə:pəsfulnis] *s* **1** finalitate **2** discernământ **3** tenacitate, consecvență

purposely ['pə:pəsli] *adv* dinadins, intenționat, cu premeditare

purposive ['pə:pəsiv] *adj* **1** corespunzător; util; oportun **2** intenționat **3** *v.* purposeful 2

purpureal [pə:'pjuəriəl] *adj* ← *poetic* purpuriu; de purpură

purr [pə:'] **I** *s* **1** tors *(al pisicii)* **2** *tehn* funcționare bună *(a motorului)* **II** *vi* **1** *(d. pisică)* a toarce **2** *tehn (d. motor)* a funcționa liniștit, a merge rotund

purse [pə:s] **I** *s* **1** pungă; portmoneu; portofel; **to open one's ~** *fig* a deschide punga; **one cannot make a silk ~ out of a sow's ear** *prov* din coadă de câine sită de mătase nu se poate face **2** bani, fonduri; capital; **a common ~** fonduri comune **3** vistierie, trezorerie **4** premiu; **to give/to put up a ~** a da/a oferi un premiu; **to win the ~** a câștiga premiul **5** *amer* geantă, poșetă **6** *anat* pungă *(la ochi etc.)* **II** *vt* a pungi, a face *(gura)* pungă; a încreți **III** *vi (d. gură)* a se face pungă, a se pungi

purse bearer ['pə:s ‚bɛərə'] *s* **1** ec administrator financiar **2** *zool* marsupial

purseful ['pə:sful] *s* o pungă *(plină)*

purse-proud ['pə:s‚praud] *adj* mândru de banii săi; fudul, care se umflă în pene

purse strings ['pə: ‚strinz] *s pl* băierile pungii; **to tighten the ~** *fig* a strânge băierile pungii; a face economii

pursiness ['pə:sinis] *s* 1 gâfâială 2 trupeşie; obezitate

purslane ['pə:slin] *s bot* iarbă grasă, grasiţă, porcină *(Portulaca oleracea)*

pursuance [pə'sju:əns] *s* 1 îndeplinire, executare; urmărire (a îndeplinirii); **in ~ of** în îndeplinirea *(unui angajament etc.);* conform/potrivit *(unui lucru)* 2 urmărire *(a firului gândului, a unui condamnat etc.)*

pursuant [pə'sju:ənt] *adj* care urmăreşte *(cu ac)*

pursuant to [pə'sju:ənt tə] *prep* conform, potrivit *cu dat,* de acord cu; ca urmare *cu gen*

pursue [pə'sju:] I *vt* 1 a urmări; a nu lăsa în pace; a persecuta, a alerga/a fugi după; a fi în urmărirea *(un gen);* a fi pe urmele *(cu gen);* **ill health ~d him till death** *fig* boala l-a chinuit toată viaţa 2 a urmări *(un scop);* a căuta să realizeze/a înfăptuiască; a urma *(o politică etc.);* a nu se abate de la; **to ~ pleasure** a căuta/a fi în căutare de plăceri; **to ~ the policy of peace** a duce o politică de pace 3 a continua *(o discuţie, o călătorie etc.)* 4 a se îndeletnici/a se ocupa cu; a studia; a cerceta 5 *vânat* a hăitui II *vi* 1 a urmări 2 a continua

pursuer [pə'sju:ə'] *s* 1 urmăritor 2 *vânăt* hăitaş

pursuit [pə'sju:t] *s* 1 urmărire, căutare *(a fericirii etc.);* **in ~ of** în căutarea *cu gen;* în goană după 2 preocupare, îndeletnicire; **daily ~s** ocupaţii/treburi zilnice/cotidiene 3 scop, ţintă, ţel

pursuivant ['pə:sivənt] *s* ← *poetic* însoţitor *(din suită);* slujitor, slugă

pursy ['pə:si] *adj* 1 cu respiraţie scurtă, care respiră greu; care gâfâie 2 gras, dolofan, rotofei 3 cu creţuri; încreţit, cutat 4 bogat, care se făleşte cu averea sa

purulence ['pjuəruləns] *s med* 1 caracter purulent 2 focar purulent; abces

purulent ['pjuərulənt] *adj med* purulent

purvey [pə'vei] *vt* a aproviziona cu, a furniza *(alimente)*

purveyance [pə'veiəns] *s* 1 aprovizionare; furnizare 2 rezerve, provizii

purveyor [pə'veiə'] *s ec* furnizor

purview ['pə:vju:] *s* 1 *jur* parte importantă/esenţială *(a unei legi etc.)* 2 sferă (de activitate), domeniu; competenţă 3 *fig* orizont

pus [pʌs] *s med* puroi

push [puʃ] I *vt* 1 a împinge; a apăsa (pe); a da (la o parte *etc.*); **to ~ the door open** a deschide uşa împingând, a împinge uşa şi a o deschide; **to ~ one's way** *fig* a-şi face drum (cu coatele); **to ~ the button** a apăsa pe buton 2 (**to**) *fig* a îndemna (să); < a sili (să) 3 *fig* a da curs *(unei cereri etc.);* a formula *(pretenţii etc.)* 4 *fig* a grăbi, a accelera *(un proces etc.);* a stimula; a înviora 5 *fig* a împinge, a duce; **to ~ things too far** a împinge/a duce lucrurile prea departe 6 *fig* a face propagandă *sau* reclamă pentru; a difuza, a răspândi 7 *fig* a extinde, a lărgi *(comerţul etc.)* 8 *fig* a ajuta *(să promoveze etc.);* a da o mână de ajutor *(cuiva),* a sprijini, a susţine 9 *fig* a presa; a încolţi *(pe cineva)* // **to be ~ing a stated age** a se apropia de o anumită vârstă; **she is ~ing 40** merge pe 40 de ani II *vr* a căuta/a se strădui să avanseze, să se remarce *etc.* III *vi* 1 a împinge; a apăsa; a presa 2 *şi fig* a căuta să răzbată/să-şi facă drum; **to rude fellow ~ed past me** neciopilitul/F→ mocofanul m-a împins ca să-şi facă loc IV *s* 1 împingere; împinsătură; ghiont; lovitură 2 apăsare, presare, presiune 3 *fig* efort, strădanie, străduinţă 4 *fig* sprijin, protecţie; influenţă 5 *fig* situaţie critică; moment critic/dificil; criză 6 *mil* atac; asalt 7 F paşaport, – dare afară, concediere; **to give the ~ to** F a da paşaportul *(cuiva),* – a concedia, a da afară *(pe cineva);* **to get the ~** F a primi/a căpăta paşaportul, – a fi concediat, a fi dat afară 8 *sl* bandă, clică 9 *tehn* buton

push along/ahead ['puʃ ə'lɔŋ/ə'hed] *vt cu part adv* F *sau adv* 1 a

merge înainte, a nu se opri 2 F a se evapora, a o şterge; – a pleca

push around ['puʃ ə'raund] *vt cu part adv* F a nu slăbi o clipă *(pe cineva);* a trata ca pe un nimic; **to let oneself be pushed around by smb** a se lăsa călcat în picioare de cineva; a cânta cuiva în strună

push away ['puʃ ə'wei] *vt cu part adv* a împinge; a da la o parte; a da brânci *(cu dat)*

push bicycle F **bike** ['puʃ ‚baisikəl/‚baik] *s* bicicletă *(ant* motocicletă)

push button ['puʃ ‚bʌtn] I *s* 1 *auto* buton de comandă 2 *tehn* buton de presiune/comandă II *adj atr* mecanizat, automatizat

push cart ['puʃ ‚ka:t] *s* cărucior, căruţ *(al vânzătorilor)*

push chair ['puʃ ‚tʃɛə'] *s* cărucior de copil

push down ['puʃ 'daun] *vt cu part adv* a împinge în jos, a apăsa

pushed for ['puʃt ‚fə'] *adj cu prep* în lipsă de, fără, presat de *(timp, bani etc.)*

pusher ['puʃə'] *s* 1 (om) încrezut; persoană insistentă; persoană încrezătoare în forţele proprii 2 (om) îndrăzneţ, băgăreţ 3 împingător 4 *tehn* dispozitiv de împingere 5 *tehn* ejector, aruncător 6 *tehn* pârghie; mâner

push for ['puʃ fə'] *vi cu prep* a cere cu insistenţă (şi urgent) *drepturi etc.*

push forward ['puʃ 'fɔwəd] I *vt cu part adv* 1 a împinge înainte 2 *fig* a împinge; a grăbi, a accelera; a contribui la realizarea *(cu gen)* II *vi cu part adv* a se grăbi; a căuta să răzbată

pushful ['puʃful] *adj* energic, întreprinzător

pushing ['puʃin] *adj* 1 *v.* pushful 2 împingător; de împingere 3 insistent, stăruitor, băgăreţ 4 obraznic, neruşinat; agresiv

Pushkin ['puʃkin], **Aleksandr Sergeyevich** *poet rus* Puşkin *(1799-1837)*

push-off ['puʃ‚ɔ:f] *s* ← F început

push off ['puʃ 'ɔ(:)f] I *vt cu part adv* 1 a împinge, a îndepărta *(de la ţărm etc.)* 2 a desface; a scăpa de *(o marfă etc.)* II *vi cu part adv* 1 **(from)** *(d. o barcă etc.)* a se depărta, a se desprinde *(de țărm etc.)* **2** ← *F* a începe **3** *F* a o șterge, a spăla putina; – a se face nevăzut

push on ['puʃ 'ɔn] **I** *vt cu part adv* **1** a accelera, a grăbi **2** a sili **II** *vi cu part adv* a înainta mai repede; a merge mai repede; ~! înainte! nu stați pe loc!

push out ['puʃ 'aut] **I** *vt cu part adv* **1** a împinge afară *sau* în afară **2** a scoate; a da *(rădăcini etc.)* **II** *vi cu part adv* a ieși/a se proiecta în afară

push-over ['puʃ,ouvə'] *s amer F* **1** fleac, – treabă ușoară/simplă **2** mazetă, – jucător *sau* adversar slab

push piece ['puʃ ,pi:s] *s tehn* buton

push through ['puʃ 'θru:] **I** *vt cu part adv* **1** a împinge înainte **2** a face loc *(cuiva)* **3** *fig* a duce la bun sfârșit; a îndeplini **II** *vi cu part adv* a-și face loc; a înainta, a răzbate

push to ['puʃ tə] *vt cu prep* a închide, a trânti *(ușa)*

push up ['puʃ 'ʌp] *vt cu part adv* a ridica, a urca, a face să crească *(prețuri etc.)*

pushy ['puʃi] *adj v.* **pushing**

pusillanimity [,pju:silə'nimiti] *s* lipsă de curaj, < frică, teamă

pusillanimous [,pju:si'læniməs] *adj* lipsit de curaj, < fricos, temător, < laș; timid, sfios

puss¹ [pus] *s* **1** *(în limbajul copiilor)* „pusi", – pisică **2** *alintare* drăguță; – fată; femeie tânără **3** femeiușcă; femeie cochetă

puss² *s* **1** *vulg* moacă, – față **2** *vulg* leoarbă, – gură

pussley, pussly ['pʌsli] *s v.* **purslane**

pussy ['pusi] *s v.* **puss¹**

pussycat ['pusi,kæt] *s v.* **puss¹** 1-2

pussyfoot ['pusi,fut], *pl* ~s *amer sl s* **1** abstinent (de la băutură); prohibiționist **2** vulpe, vulpoi, – om șiret **3** om precaut/prevăzător

pussy willow ['pusi ,wilou] *s bot* salcie, răchită *(Salix discolor)*

pustular ['pʌstjulə'] *adj med* pustulos, cu pustule/bășicuțe

pustulous ['pʌstjuləs] *adj v.* **pustular**

put¹ [put], *pret și ptc* **put** [put] **I** *vt* **1** a pune; a așeza; a plasa; a amplasa; **he ~ the dictionary (up)on the shelf** puse/așeză dicționarul pe raft; ~ **more salt in your soup** mai pune sare în

supă; **to ~ smth in its right place** a pune ceva la locul lui/său; **to ~ a patch on** a pune un petic la *(haină etc.)* **2** *fig* a pune *(pe cineva);* a numi; a instala; **to ~ smb in charge of** a pune pe cineva responsabil *cu gen*/cu, a însărcina pe cineva cu; a pune/a numi pe cineva în fruntea *cu gen* **3** *fig* a spune, a zice, a exprima; a formula; **I don't know how to ~ it** nu știu cum să mă exprim; cum să zic? **to ~ a text from English into Romanian** a traduce un text din engleză în română; **I ~ it to you that** vă spun/vă asigur că **4** a pune *(o întrebare);* a ridica *(o problemă);* a pune în discuție **5** *sport* a arunca *(mingea etc.);* a lovi **6** *și fig* a evalua, a prețui, a aprecia, a considera, a socoti **7** a potrivi *(ceasul)* // **to be hard ~ to it** a fi într-o situație delicată **II** *s* aruncare; azvârlire

put² *pret și ptc de la* **put¹ I**

put³ *adj:* **to stay ~** a rămâne pe loc, a sta locului; a sta acolo unde este *etc.*

put⁴ *s* ← *înv* țărănoi, mocofan, necioplit

put aback ['put ə'bæk] *vt cu adv nav* a masca

put about ['put ə'baut] **I** *vt cu part adv* **1** *nav* a întoarce, a cârmi **2** a întoarce *(calul)* **3** *fig* a pune în circulație, a răspândi, a difuza **II** *vi cu part adv* **1** *nav* a cârmi; a pilota **2** *fig* a-și schimba gândul *etc.;* *F* → a o întoarce

put across ['put ə'krɔs] *vt cu part adv* **1** *nav* a duce/a transporta pe malul celălalt *(cu barca etc.)* **2** a transpune/a traduce în fapt *(o idee etc.);* a materializa, a concretiza; a pune în aplicare

put as ['put əz] *vt cu prep* a face *(ucenic),* a da la *(ucenicie)*

put aside ['put ə'said] *vt cu part adv* **1** a pune/a lăsa de o parte **2** a îndepărta; a înstrăina **3** a strânge, a pune de o parte, a economisi *(bani)*

put at ['put ət] *vt cu prep* **1** a pune *(calul etc.)* să sară *(gardul etc.)* **2** a evalua la; **I put his income at £ 2000 a year** cred că venitul/ veniturile lui se ridică la 2000 lire pe an

putative ['pju:tətiv] *adj* **1** presupus, așa-zis; prezumtiv; probabil **2** aproximativ, estimativ **3** *jur* putativ

put away ['put ə'wei] **I** *vt cu part adv* **1** a strânge *(rufele etc.);* a ascunde; *F* a pune bine **2** a pune de o parte *(bani)* **3** a scăpa/a se descotorosi de; a se lepăda de *(un obicei etc.)* **4** *F* a băga la *(închisoare etc.)* **5** *F* a face felul *(cuiva),* – a omorî, a ucide **6** *F* a hăpăi *(mâncarea etc.);* a da de dușcă *(o băutură)* **7** ← *F* a-și alunga, a-și izgoni *(soția)* **II** *vt cu part adv* **(for)** a porni (spre, către)

put-back ['put,bæk] *s* **1** dare înapoi **2** nereușită, eșec

put back ['put 'bæk] *vt cu part adv* **1** a împinge/a da înapoi **2** a da înapoi *(ceasul)* **3** a refuza; a respinge, a înlătura **4** a scăpa/a se descotorosi de; a se lepăda de *(un obicei etc.)*

put by ['put 'bai] *vt cu part adv* **1** *v.* **put away I, 1-2 2** a ocoli, a evita *(o întrebare etc.)* **3** ← *rar* a amâna, a lăsa pentru mai târziu; a nesocoti; a nu da importanță *(cu dat)*

put down ['put 'daun] **I** *vt cu part adv* **1** a reduce la tăcere, a face să tacă **2** a reprima *(o răscoală etc.)* **3** a pune pe masă *(bani),* a plăti peșin/în numerar **4** a asupri, a oprima a împila **5** a lăsa *(să coboare dintr-un autobuz etc.);* a coborî **6** a reduce, a coborî, a micșora *(prețul etc.)* **7** ← *înv* a retrograda **8** a renunța la; a se lepăda de **9** a nota, a însemna; a așterne pe hârtie, a scrie **10** a discredita; a înjosi, a disprețui **11** *av* a doborî **II** *vi cu part adv av* a ateriza

put down as/for ['put 'daun əz/fə'] *vt cu part adv și prep* a considera, a socoti (drept)

put down to ['put 'daun tə] *vt cu part adv și prep* a pune pe socoteala *(lipsei de experiență etc.);* a explica prin

put forth ['put 'fɔ:θ] **I** *vt cu part adv* **1** a folosi, a se folosi de **2** a-și încorda *(forțele)* **3** a arăta, a manifesta, a da dovadă de **4** a da, a întinde *(mâna)* **5** *bot* a da *(muguri, lăstare etc.);* a scoate

6 a pune în circulaţie; a răspândi, a populariza, a difuza **7** a pune *(o întrebare);* a ridica, a pune pe tapet *(o chestiune)* **8** a afirma, a susţine **II** *vi cu part adv* **1** *bot* a înmuguri **2** *nav* a pleca, a porni în larg

put forward ['put 'fɔ:wəd] *vt cu part adv* **1** a pune *sau* a împinge în faţă/înainte **2** *fig* a pune în valoare; a scoate în relief **3** a prezenta *(un plan etc.);* a înfăţişa; a oferi **4** a da înainte *(ceasul)* **5** a pune în discuţie, a dezbate *(o teorie etc.)*

put in ['put 'in] **I** *vt cu part adv* **1** a băga, a vârî, a introduce; **he ~ his head at the door** îşi vârî capul pe uşă **2** a pune, a vârî, a turna *etc.* înăuntru **3** a prezenta *(un document etc.)* **4** a formula *(o pretenţie etc.)* **5** *mil etc.* a pregăti *(un atac etc.)* **6** a pune, a instala *(pe cineva într-o funcţie)* **7** (**for**) a pune *(o vorbă pentru)* **8** a înhăma **9** a publica, a insera *(un anunţ)* **10** ← *F* a petrece; a irosi, a pierde *(vremea)* **11** ← *F* a face, a îndeplini **II** *vi cu part adv* **1** *nav* a intra în port; a ajunge la destinaţie **2** (**at**) a trage (la *un han etc.);* a se instala (în); a se opri (la)

put in for ['put 'in fə'] *vi cu part adv şi prep* **1** a cere, a pretinde *(ceva)* **2** a candida la, a-şi depune candidatura pentru

put it on ['put it 'ɔn] *vt cu pr şi part adv sl* **1** a face pe grozavul, a se grozăvi **2** a exagera

put it over on ['put it 'ouvə' 'ɔn] *vt cu part adv, pr şi prep F* a trage pe sfoară, – a păcăli, a înşela

put it there ['put it 'ðɛə'] *vt cu pr şi adv sl* a bate laba/- palma, – se învoi, a cădea la învoială

putlog ['put‚lɔg] *s* **1** *constr* talpă de eşafodaj **2** *industria lemnului* bilă

put-off ['put‚ɔ:f] *s* **1** amânare; întârziere **2** pretext, scuză, subterfugiu

put off ['put 'ɔ(:)f] **I** *vt cu part adv* **1** a amâna; a întârzia (cu) **2** a scoate, a îndepărta; a dezbrăca *(haina etc.)* **3** a scârbi; a face silă *(cuiva);* > a nu-i face plăcere *(cuiva)* **4** *fig* a se dezbăra/a se lepăda de **5** *fig* a evita, a ocoli; a se eschiva de la **II** *vi cu part adv nav* a pleca, a porni în larg

put off from ['put 'ɔ:f frɔm] *vt cu part adv şi prep* **1** a sfătui să nu facă *(ceva);* a convinge să nu facă **2** a face *(pe cineva)* să nu se mai gândească la

put off with ['put 'ɔ:f wið] *vt cu part adv şi prep* a linişti/a mângâia *(pe cineva)* cu *(speranţe etc.)*

put on I ['put 'ɔn] *vt cu part adv* **1** a pune, a îmbrăca **2** a pune, a aşeza *(ochelari etc.);* a fixa **3** *teatru* a pune în scenă, a juca; **to ~ an act** *amer fig* a face o scenă **4** a câştiga în *(greutate)* **5** a da/a pune *(ceasul)* înainte **6** ↓ *tehn* a porni, a începe, a lansa **7** a exagera **8** a folosi; a întrebuinţa; a pune în circulaţie *(un număr mai mare de trenuri etc.)* **9** *auto* a pune *(frâna, un cauciuc)* **10** a adăuga // **to ~ airs and graces** a face fasoane; a se purta afectat; **his modesty is all ~** modestia lui e prefăcută; **to ~ face** a se aranja; a se pudra *etc.* **II** ['put ɔn] *vt cu prep* **1** *teatru* a pune în *(scenă),* a juca, a interpreta *(cu ac)* **2** a arunca/a da *(vina)* asupra *(cuiva)* **3** (**cu -ing**) a face/a determina, a hotărî *(pe cineva)* să *(facă ceva)* // **to put smb on his honour not to do smth** a pune pe cineva să-şi dea cuvântul de onoare că nu face ceva

put oneself in ['put wʌn'self in] *vr cu prep:* **to ~ another's place** a se pune în locul/situaţia altuia; **to ~ smb's hands** a se lăsa în seama cuiva, a se bizui pe cineva; a-şi încredinţa soarta cuiva

put oneself on ['put wʌn'self ɔn] *vr cu prep:* **to ~ record** a se face cunoscut, a deveni renumit, a-şi face un nume; **to ~ the map a** v. **to ~ record b** a-şi da importanţă

put oneself out of ['put wʌn'self ‚aut əv] *vr cu prep:* **to ~ the way a** a se deranja **b** a se da la o parte

put oneself to ['put wʌn'self tə] *vr cu prep:* **to ~ (the) trouble** a se deranja; a se osteni; a-şi da osteneala

put oneself under ['put wʌn'self ‚ʌndə'] *vr cu prep:* **to ~ smb's care** a se lăsa în seama/grija cuiva; a cere protecţie cuiva

put onto ['put ‚ɔntu] *vt cu prep* a recomanda *cuiva (pe cineva, ceva)*

put-out ['put‚aut] *s sport* eliminare

put out ['put 'aut] **I** *vt cu part adv* **1** a elimina; a da afară; a concedia **2** a stinge *(lumina, focul);* a deconecta *(un aparat etc.);* a scoate **3** *tehn* a decupla; a opri *(o maşină etc.)* **4** *nav* a descărca **5** a scoate *(limba etc.)* **6** a deconcerta; a încurca, a zăpăci; a deranja **7** a supăra, a irita **8** a publica, a edita **9** a întinde *(mâna)* **10** *ec* a investi *(bani)* **11** a da afară *(din casă)* **II** *vi* **1** *F* a o şterge, a spăla putina; a se duce pe aici încolo; – a pleca repede **2** *nav* a pleca, a ieşi în larg **3** *(d. o fabrică)* a produce, a fabrica

put over ['put 'ouvə'] *vt cu part adv* **1** a amâna; a întârzia **2** ← *F* a duce la bun sfârşit; a realiza

put over on ['put 'ouvərɔn] *vt cu part adv şi prep:* **to put one over on smb** *F* a trage pe sfoară pe cineva, a păcăli pe cineva

putrefaction [‚pju:tri'fækʃən] *s* **1** putrezire, descompunere **2** putrefacţie; putreziciune

putrefy ['pju:tri‚fai] *vi* **1** *(d. cadavre etc.)* a se descompune; a putrezi **2** *fig* a se descompune *(moraliceşte),* a decădea; a se corupe

putrescence [pju:'tresəns] *s v.* **putrefaction**

putrescency [pju:'tresənsi] *s v.* **putrefaction**

putrescent [pju:'tresənt] *adj* **1** putrescent, intrat în putrefacţie; în descompunere **2** rău mirositor

putrescible [pju:'tresibəl] *adj* putrescibil, care putrezeşte uşor

putrid ['pju:trid] *adj* **1** putred; putrezit; în descompunere **2** rău mirositor; puturos **3** *fig* descompus *(moraliceşte);* putred **4** *sl* scârbos, respingător

putrid fever ['pju:trid ‚fi:və'] *s med* tifos exantematic

putridity [pju:'triditi] *s* **1** putreziciune, putritudine, putriditate **2** descompunere morală, putreziciune

putsch [putʃ] *s pol* puci

puttee ['pʌti] *s mil* **1** moletieră **2** jambieră

putter ['pʌtə'] *vi* (**over**) a-şi pierde vremea (cu), a lucra degeaba (la)

putter away ['pʌtər ə'wei] *vt cu part adv* a irosi, a pierde *(vremea)*

put through ['put 'θru:] *vt cu part adv* **1** (to) *tel* a da *(cuiva)* legătura (cu) **2** a încheia *(o tranzacție);* a duce la bun sfârşit; a îndeplini

put to ['put tə] *vt cu prep* **1** a da la *(şcoală etc.);* a duce la; **to put a child to bed** a duce un copil la culcare, a culca un copil; **to ~ prison** a închide; a întemniţa **2** a duce la; a apropia de; **to put the glass to one's lips** a duce paharul la gură **3** a pune la *(vot)* **4** a pune pe *(fugă)* **5** a face *(calul)* să sară (peste) *(o barieră etc.)* // **to put one's mind to a problem** a se căzni să rezolve o problemă; **to put an end to** a pune capăt *cu dat;* **to ~ sleep** a adormi; a culca; **to ~ the blush** a face să roşească, a ruşina; **to ~ torture** a tortura, a supune la torturi/cazne; **to ~ expense** a pune la cheltuială; **to ~ inconvenience** a deranja, a cauza *(cuiva)* un deranj; **to ~ test** a pune la încercare, a supune unei probe; **to ~ trial** a aduce în faţa judecăţii; a da în judecată

put together ['put tə'geðə'] *vt cu adv* **1** a uni; a îmbina; a combina; a asambla **2** a-şi aduna *(gândurile)* **3** a compila **4** a aduna, a totaliza *(sume)* // **put your heads together** sfătuiţi-vă, consultaţi-vă

put to it ['put tə it] *vt cu prep şi pr* a pune într-o situaţie grea/dificilă

putty[1] ['pʌti] **I** *s* **1** chit **2** mastic **II** *vt* a chitui

putty[2] *s v.* **puttee**

put-up ['put,ʌp] *adj atr F* aranjat (dinainte), – pus la cale (dinainte)

put up ['put 'ʌp] **I** *vt cu part adv* **1** a ridica; a înălţa **2** a ridica, a construi, a clădi **3** *teatru* a pune (în scenă) **4** a oferi, a da; a arăta **5** a afişa **6** a înălţa, a rosti *(o rugăciune)* **7** a vinde la licitaţie **8** a vârî *(sabia)* în teacă **9** a împacheta; a duce la magazie **10** a oferi locuinţă *sau* adăpost *(cuiva);* a primi în gazdă **11** *F* a aranja (dinainte), – a pune la cale **12** a avansa *(bani);* a investi **13** a fabrica, a produce **14** *tehn* a monta; a instala; a fixa **II** *vi cu part adv* **1** a se instala, a se opri *(la un hotel etc.),* P → a trage **2**

a candida, a-şi depune candidatura **3** a vârî sabia în teacă; *fig* a face pace

put up for ['put'ʌp fə'] *vi cu part adv şi prep* a plăti pentru

put upon ['put ə,pɔn] *vi cu prep* a înşela, a păcăli

put up with ['put'ʌp wið] *vi cu part adv şi prep* a se împăca cu *(o situaţie etc.);* a accepta *cu ac;* a suporta *cu ac*

puzzle ['pʌzəl] **I** *vt* **1** a nedumeri, a pune în încurcătură; a lăsa perplex **2** a-şi chinui, a-şi frământa *(creierii)* **3** a încurca, a zăpăci; a complica *(lucrurile etc.)* **II** *s* **1** nedumerire; încurcătură; perplexitate **2** încurcătură; complexitate **3** ghicitoare; enigmă; cimilitură **4** careu, joc de cuvinte încrucişate

puzzle-headed ['pʌzəl,hedid] *adj (d. cineva)* zăpăcit, confuz

puzzle lock ['pʌzəl,lɔk] *s* lacăt cu cifru secret

puzzlement ['pʌzəlmənt] *s* **1** încurcătură, zăpăceală, confuzie **2** *fig* enigmă; semn de întrebare

puzzle out ['pʌzəl'aut] *vt cu part adv* a descurca, a descâlci *(o situaţie dificilă) etc.;* a descifra; a face lumină în

puzzle-pated ['pʌzəl'peitid] *adj v.* **puzzle-headed**

puzzler ['pʌzlə'] *s* **1** întrebare dificilă; problemă dificilă; *F* → încuietoare **2** rebusist

puzzling ['pʌzliŋ] *adj* încurcat, încâlcit; enigmatic; dificil

Pvt. *presc de la* **Private**

pwt. *presc de la* **pennyweight**

pye-eyed ['pai,aid] *adj sl* pilit, aghesmuit, abţiguit

pyelitis [,paiə'laitis] *s med* pielită

pygm(a)ean [pig'mi:ən] *adj* de pigmeu, pitic

Pygmalion [pig'meiliən] *mit* Pigmalion

pygmy ['pigmi] **I** *s* **1** P~ *mit, geogr* pigmeu **2** pigmeu, pitic **3** *fig* pigmeu, om fără valoare **II** *adj atr* **1** P~ *mit, geogr* de pigmeu *sau* pigmei **2** pitic **3** *fig* de pigmeu; fără valoare

pyjamas [pə'dʒɑ:məz] *s pl* pijama

pyknik ['piknik] *adj med* picnic

pylon ['pailən] *s* **1** *constr* stâlp, suport *(de linie electrică)* **2** *arhit* pilon

pylorus [pai'lɔ:rəs], *pl* **pylori** [pai'lɔ:rai] *s anat* pilor

Pyongyang ['pjɔŋ'jæŋ] *capitala R.P.D.Coreene* Phenian

pyorrhea [,paiə'riə] *s med* pioree; paradentoză

pyramid ['pirəmid] *s geom etc.* piramidă

pyramidal [pi'ræmidəl] *adj* piramidal

pyre [paiə'] *s* rug (funerar)

Pyrenees, the [,pirə'ni:z, ðə] *(Munţii)* Pirinei

pyretic [pai'retik] *adj med* **1** febril **2** antipiretic, febrifug

pyrexia [pai'reksiə] *s med* febră, stare febrilă

pyridin(e) ['piri,di:n] *s ch* piridină

pyrite [pai'rait] *s minr* pirită

pyrites [pai'raiti:z] *s minr* pirită

pyrochemistry [,pairou'kemistri] *s* pirochimie

pyroelectricity [,pairouilek'trisiti] *s* piroelectricitate

pyrogenetic [,pairoudʒi'netik] *adj* pirogenetic

pyrogenic [,pairou'dʒenik] *adj* pirogen

pyrometer [pai'rɔmitə'] *s fiz* pirometru

pyrometry [pai'rɔmitri] *s fiz* pirometrie

pyrophorus [pai'rɔfərəs], *pl* **pyrophora** [pai'rɔfərə] *s ch* pirofor

pyrotechnic(al) [,pairou'teknik(əl)] *adj* **1** *ch* pirotehnic **2** *fig* strălucitor, uimitor, extraordinar

pyrotechnics [,pairou'tekniks] *s pl ca sg* **1** pirotehnie **2** foc de artificii **3** *fig* strălucire *(a spiritului etc.)*

pyrotechnist [,pairou'teknist] *s* pirotehnician

pyrotechny [,pairə'tekni] *s* pirotehnie

pyroxylin [pai'rɔksilin] *s ch* piroxilină

Pyrrhic victory ['pirik 'viktəri] *s* victorie a la Pyrrhus

Pythagoras [pai'θægərəs] *filosof şi matematician grec* Pitagora *(sec. VI î.e.n.)*

Pythagorean [pai,θægə'ri:ən] **I** *adj* pitagoreic **II** *s filos* pitagorician

Pythia ['piθiə] *mit* Pitia

python ['paiθən] *s zool* piton *(Python sp.)*

pyx [piks] *s bit* artofor

pyxis ['piksis] *s lat* cutie, lădiţă, lăcriţă *(pt odoare)*

Q

Q, q [kju:] s litera Q, q; **to mind one's P's and Q's** a fi atent/măsurat/chibzuit la vorbă și faptă

Q presc de la **queen**

q presc de la **1** quart **2** quarto **3** query **4** question **5** quintal **6** quire

Q.B. presc de la **Queen's Bench**

Q-boat ['kju:ˌbout] s nav vas de război deghizat

Q.C. presc de la **queen's counsel**

Q.E.D. presc de la **quod erat demonstrandum**

Q.F. presc de la **quick-firing** cu tir rapid

Q fever ['kju: ˌfi:vəʳ] s med febră tifoidă ușoară/benignă

Q.M.G. presc de la **Quarter Master General**

Q.M.S. presc de la **Quarter Master Sergeant**

qq. presc de la **questions**

qr. presc de la **1** quater **2** quire¹

Q-ship v. **Q-boat**

Q.S.O. presc de la **quasi-stellar object** cvasar

qt. presc de la **1** quantity **2** quart

Q.T. ['kju:'ti:] s ← F **1** liniște, tăcere **2** ascuns, furiș; **on the ~** pe furiș/ascuns/tăcute, F pe neve

qto. presc de la **quarto**

qu. presc de la **query** întrebare

qua [kwei] prep ca, în calitate de; (luat etc.) drept

quack¹ [kwæk] **I** s **1** vraci **2** șarlatan, impostor **II** adj (d. leac etc.) șarlatanesc, băbesc; empiric **III** vi **1** a practica medicina empirică, a vindeca cu leacuri băbești **2** a fi un impostor/șarlatan

quack² **I** interj mac! mac! **II** vi **1** a măcăi, a face mac-mac **2** fig F a trăncăni, a vorbi ca o moară stricată **III** s măcăit

quackery ['kwækəri] s **1** șarlatanie, medicină empirică; leacuri băbești **2** șarlatanie, escrocherie, impostură

quackish ['kwækiʃ] adj **1** șarlatanesc, de escroc/șarlatan **2** înșelător, amăgitor

quack-quack ['kwæk'kwæk] s F rătușcă, – rață

quack remedy ['kwæk ˌremədi] s leac băbesc/empiric

quad¹ [kwɔd] s **1** mil tractor pentru tun **2** telev stea

quad² poligr **I** s v. **quadrat II** vt a umple cu albitură/cvadrate

quad³ s sl v. **quod**

quad⁴ presc de la **1** quadrangle **2** quadrant

quadra ['kwɔdrə] s cadru; ramă; chenar

quadragenarian [ˌkwɔdrədʒi'nɛəriən] adj cvadragenar

Quadragesima [ˌkwɔdrə'dʒesimə] s rel **1** păresimi, postul mare **2** prima duminică din postul mare

quadragesimal [ˌkwɔdrə'dʒesiməl] adj **1** de patruzeci de zile **2** rel din postul mare

quadrangle ['kwɔdˌræŋgəl] s **1** geom patrulater **2** curte pătrată (la un colegiu, palat etc.)

quadrangular [kwɔ'dræŋgjuləʳ] adj cadrilater, patrulater

quadrant ['kwɔdrənt] s **1** astr cvadrant, sfert de arc **2** nav sector de cârmă

quadranted ['kwɔdrəntid] adj împătrit, cvadruplu

quadrat ['kwɔdrət] s **1** mat pătrat **2** poligr cvadrat, spații, albitură

quadrate I ['kwɔdrit] adj **1** pătrat, cadrilater **2** ← înv potrivit, proporțional, corespunzător **II** ['kwɔdreit] s **1** mat pătrat, puterea a doua **2** geom pătrat **3** astr cvadratură **4** zool, anat os pătrat (al capului) **5** poligr v. **quadrat 2 III** [kwɔ'dreit] vt **1** a face pătrat; **to ~ the circle a** a face cvadratura cercului **b** a armoniza lucrurile, a face să cadreze un lucru cu altul **2** a împărți în patru părți egale **IV** [kwɔ'dreit] vi (**with, to**) a cadra, a se potrivi (cu), a corespunde (cu dat)

quadratic [kwɔ'drætik] **I** adj pătrat, pătratic; mat și de gradul doi **II** s mat ecuație pătratică/de gradul al doilea

quadrature ['kwɔdrətʃəʳ] s mat cvadratură

quadrennium [kwɔ'dreniəm], pl ~**s** sau **quadrennia** [kwɔ'dreniə] s cvadrienal, perioadă de patru ani

quadrennial [kwɔ'dreniəl] adj **1** cvadrienal, de patru ani **2** din patru în patru ani

quadriennium [kwɔ'dreniəm] s v. **quadrennium**

quadriga [kwɔ'dri:gə], pl **quadrigae** [kwɔ'dri:dʒi:] s od cvadrigă

quadrilateral [ˌkwɔdri'lætərəl] adj, s patrulater

quadriliteral [ˌkwɔdri'litərəl] adj lingv cu patru litere

quadrille [kwɔ'dril] **I** s **1** od joc de cărți pentru patru jucători **2** cadril **II** vi a cânta sau a dansa un cadril **III** adj cadrilat

quadrilled [kwɔ'drild] adj cadrilat

quadrillion [kwɔ'driljən] s mat **1** septilion **2** amer cvadrilion

quadripartite [ˌkwɔdri'pɑ:tait] adj **1** pol cvadripartit **2** împărțit în patru **3** alcătuit din patru părți

quadripole [ˌkwɔdri'poul] s tehn cvadripol

quadrisyllabic [ˌkwɔdrisi'læbik] adj tetrasilabic

quadrivalent [ˌkwɔdri'veilənt] adj ch tetravalent

quadroon [kwɔ'dru:n] s progenitură a unui alb și a unei mulatre

quadruped ['kwɔdruˌped] s, adj zool patruped

quadruple ['kwɔdrupəl] s, adj, vt v. **quadruplicate**

quadruple time ['kwɔdrupəl ˌtaim] s muz măsură de patru (pătrimi)

quadruplets ['kwɔdruplits] s pl **1** grup de patru **2** patru copii gemeni **3** bicicletă cu patru locuri

quadruplex ['kwɔdrupleks] s tehn cvadruplex

quadruplicate [kwɔ'dru:pliˌkeit] adj cvadruplu, împătrit **II** [kwɔ'dru:plikit] s **1** cvadruplu; **in ~** în patru exemplare **2** pl patru exemplare **III** [kwɔ'dru:pliˌkeit] vt **1** a împătri, a înmulți cu patru **2** a multiplica/a scrie în patru exemplare

quadruplication [kwɔˌdru:pli'keiʃən] s împătrire, înmulțire cu patru, cvadruplare

quads [kwɔdz] s pl patru gemeni

quaestor ['kwi:stəʳ] s ist Romei chestor

quaestorship ['kwi:stə,ʃip] *s ist Romei* chestură

quaff [kwɔf] **I** *vt* **1** a sorbi/a bea înghițitură cu înghițitură **2** a da de dușcă, a da pe gât **II** *vi* a bea cu nesaț **III** *s* înghițitură, sorbitură, dușcă

quag [kwæg] *s v.* **quagmire**

quaggy ['kwægi] *adj* **1** mlăștinos, mocirlos, cu bălți **2** veștejit, ofilit

quagmire ['kwæg,maiəʳ] *s* **1** mlaștină, mocirlă, baltă, smârc **2** *fig* încurcătură, situație grea

Quai d'Orsay [,ke dɔr'sei] *s pol ministerul de externe francez*

quail[1] [kweil] *s* **1** *și ca pl orn* prepeliță *(Coturnix)* **2** *amer sl* studentă **3** *amer sl* fată bătrână

quail[2] *vi* **(before, to)** a tremura, a-l apuca tremurul/tremuriciul, a fi cuprins de frică *(în fața − cu gen)*

quaint [kweint] *adj* **1** ciudat, straniu, bizar **2** caraghios, nostim; ciudat, neobișnuit **3** *(d. cineva)* ciudat, original, curios, bizar, trăsnit **4** demodat, de modă veche, învechit **5** ← *înv* elegant; drăguț; pitoresc **6** ← *înv* afectat, prețios

quaintly ['kweintli] *adv* **1** (în mod) ciudat, bizar, neobișnuit **2** (în mod) pitoresc; nostim **3** (în mod) ciudat, curios

quaintness ['kweintnis] *s* **1** ciudățenie, curiozitate **2** originalitate, ciudățenie, trăsnaie **3** (caracter) pitoresc

quake [kweik] **I** *vi* **1** a se cutremura, a tremura, a se clătina **2** **(for, with)** a tremura, a dârdâi (de) **II** *s* **1** cutremur (de pământ) **2** alunecare/prăbușire de teren

quake-proof ['kweik,pru:f] *adj constr* rezistent la cutremure

Quaker ['kweikəʳ] *s rel* quaker *(membru al sectei tremurătorilor)*

quaker *s orn* albatros negru *(Diomedea fuliginosa)*

Quakerdom ['kweikədəm] *s rel* **1** doctrina quakerilor **2** secta quakerilor/tremurătorilor, quakeri

Quaker gun ['kweikə ,gʌn] *s mil* tun fantomă *(pe vas sau într-un fort)*

quakerish ['kweikəriʃ] *adj* **1** de quaker **2** smerit, modest, la locul lui

Quakerism ['kweikərizəm] *s rel* doctrina quakerilor

quaking ['kweikiŋ] **I** *adj* **1** tremurător; tremurând; care tremură/dârdâie **2** care se cutremură **II** *s* **1** cutremur (de pământ) **2** tremurat, dârdâit

quaking asp ['kweikiŋ ,æsp] *s bot* plop de munte/tremurător *(Populus tremula)*

quaking grass ['kweikiŋ ,grɑ:s] *s bot* tremurătoare *(Briza media)*

quaky ['kweiki] *adj* **1** tremurător; tremurând **2** speriat, cuprins de teamă, înfricoșat

qual. *presc de la* **qualitative**

qualification [,kwɔlifi'keiʃən] *s* **1** *și la pl* calificare, competență, pricepere, aptitudini **2** însușire, calitate, proprietate caracteristică **3** premisă, condiție (prealabilă) **4** modificare, amendament **5** restricție, rezervă; corectiv; **without any ~** a fără rezerve **b** fără condiții

quantic theory ['kwɔntik 'θiəri] *s mat, fiz* teoria cuantelor

quantification [,kwɔntifi'keiʃən] *s mat* cuantificare; determinare cantitativă

quantifier ['kwɔnti,faiəʳ] *s mat* cuantificator

quantify ['kwɔnti,fai] *vt mat* a cuantifica; a determina sub raport cantitativ

quantitative ['kwɔntitətiv] *adj* cantitativ

quantity ['kwɔntiti] *s* **1** cantitate, mărime; **negligible ~** cantitate neglijabilă *(fig persoană neînsemnată);* **unknown ~ fig** a necunoscută **b** factor imprevizibil/sub semnul întrebării **c** persoană imprevizibilă **2** mulțime, cantitate mare; **in quantities** din abundență, în cantitate mare **3** *mat, fiz* mărime; dimensiune; cantitate; cuantum; masă determinată **4** *el* sarcină, cantitate de energie **5** *metr* prozodie; cantitate/lungime a unei silabe

quantity culture ['kwɔntiti ,kʌltʃəʳ] *s biol* cultură de bacterii

quantity mark ['kwɔntiti ,mɑ:k] *s lingv* semnul lungimii *(deasupra unei vocale)*

quantity production ['kwɔntiti prə,dʌkʃən] *s* producție în serie/ de masă

quantity surveyor ['kwɔntiti sə:-,veiəʳ] *s tehn* măsurător, controlor, verificator, normator

quantize ['kwɔntaiz] *vt mat, fiz* a cuantifica

quantum ['kwɔntəm], *pl* **quanta** ['kwɔntə] *s* **1** cuantum, mărime, total **2** *fiz, mat* cuantă **3** *fig* ← *F* porție, parte

quantum mechanics ['kwɔntəm mi,kæniks] *s fiz* mecanică cuantică, mecanica cuantelor

quantum theory ['kwɔntəm ,θiəri] *s fiz, mat* teoria cuantelor

quar. *presc de la* **quarterly**

quarantine ['kwɔrən,ti:n] **I** *s* **1** carantină; **to put into/under ~** *v.* **~ II**; **to pass/to make ~** *v.* **~ III**; **to discharge from ~** a da drumul din carantină **2** perioadă de 70 de zile **3** *rel* postul mare/ Paștelui **II** *vt* a pune/a ține în carantină **III** *vi* a fi în/a face carantină

quarantine flag ['kwɔrən,ti:n ,flæg] *s nav* pavilion de carantină

quark [kwɑ:k] *s fiz* cvarc, componenta ipotetică a particulelor elementare

Quarles ['kwɔ:lz], **Francis** *port englez (1592-1644)*

quarrel[1] ['kwɔrəl] **I** *s* **1** **(with, between)** ceartă, sfadă, discuție, altercație, gâlceavă (cu; între); **quick in ~** certăreț, arțagos, pus pe ceartă; **to pick up/to seek a ~ with smb, to fasten a ~ (up) on smb** a căuta cuiva râcă/ ceartă; **to espouse smb's ~** a ține/a lua partea cuiva într-o ceartă **2** conflict, luptă, dezbatere, vrajbă, diho:ie **3** motiv/ pricină de ceartă; pică; antipatie, aversiune **4** reproș, învinovățire, acuzație; pâră; *jur* proces **5** ← *înv* plângere, tânguire, bocet **II** *vi* **(about, at)** a se certa, a se ciondăni (pentru) **III** *vt* a sili/a forța prin ceartă; **to ~ smb out of his house** a alunga pe cineva din casă prin certuri

quarrel[2] *s* **1** pătrățel; romb mic **2** geam rombic **3** piatră de pavaj pătrată *sau* rombică **4** *tehn* diamant pentru geamuri **5** *od* săgeată de arbaletă

quarel(l)er ['kwɔrələʳ] *s om* certăreț/ arțagos/gâlcevitor/cârcotaș

quarrel(l)ing ['kwɔrəliŋ] **I** *adj* certăreț, arțagos, gâlcevitor, cârcotaș **II** *s* ceartă, dispută, altercație, sfadă

quarrel pane ['kwɔrəl ,pein] *s* geam rombic

quarrel picker ['kwɔrəl ˌpikə'] s v. **quarrel(l)er**

quarrelsome ['kwɔrəlsəm] adj 1 certăreț, arțăgos, pus/pornit pe ceartă, cârcotaș 2 cicălitor, șicanator

quarrelsomeness ['kwɔrəlsəmnis] s arțag, chef de ceartă/sfadă

quarrel with ['kwɔrəl wið] vi cu prep a se supăra pe; a avea de reproșat cu dat, a fi nemulțumit de; **to ~ one's bread and butter** F a se supăra ca văcarul pe sat; **he would ~ his own shadow** F îi sare muștarul din orice

quarried ['kwɔrid] adj (drum) pavat cu piatră rombică

quarrier ['kwɔriə'] s pietrar

quarry¹ ['kwɔri] I s 1 carieră (de piatră, marmură, nisip) 2 fig sursă, izvor II vt 1 a exploata, a scoate (piatră etc.) 2 (for) fig a scormoni, a scotoci, a răscoli (în căutarea – cu gen)

quarry² s 1 pradă, vânat/animal urmărit/hăituit 2 (grămadă de) animale vânate 3 fig persoană urmărită/hăituită/fugărită 4 fig obiect al unei urmăriri/persecuții 5 vânăt măruntaie aruncate la câini

quarry car ['kwɔri ˌka:'] s min vagonet (de carieră)

quarry dust ['kwɔri ˌdʌst] s min făină de foraj

quarry face ['kwɔri feis] s min front de carieră

quarry man ['kwɔri ˌmæn] s pietrar

quarry stone ['kwɔri ˌstoun] s constr piatră spartă/de carieră/de construcții

quart [kwɔ:t] s 1 măsură de capacitate de un sfert de galon (= 1,136 l, în S.U.A. 0,946 l), aprox litru; **to try to put a ~ into a pint pot** a căuta acul în carul cu fân 2 vas sau sticlă de un litru 3 cuartă (la scrimă sau jocuri de cărți) 4 muz cuartă 5 ← înv sfert

quartan ['kwɔ:tən] I adj care revine din patru în patru zile II s med accese de friguri care revin din patru în patru zile

quartation [kwɔ:'teiʃən] s tehn sferturi; marcare; eșantionaj

quarter¹ ['kwɔ:tə'] I s 1 (of) sfert (din); **not a ~ so clever as** nici pe sfert/departe atât de deștept ca 2 sfert de ceas/oră; **a bad ~**

un sfert de oră/un moment neplăcut; **a ~ to three**/amer **of three** trei fără un sfert 3 pătrar al lunii 4 trimestru, pătrar; **to be a ~ in** a fi în urmă cu trei luni (la plata chiriei) 5 nav pătrar, cart de vânt 6 sfert de vită tăiată, ciosvârtă mare 7 amer sfert de dolar, 25 de cenți 8 (alergare pe distanța de un) sfert de milă (= 402 m) 9 sfert de iard (= 22,8 cm) 10 măsură de capacitate (= 2,9 hl) 11 măsură de greutate (= 12,7 kg) 12 loc, parte, direcție; **from every ~** din toate părțile/direcțiile 13 pl cercuri; grupuri; **information from reliable/responsible/the highest ~s** informație din cercuri autorizate/din sursă sigură/demnă de încredere; **in high ~s** în cercurile înalte; **an order from high ~s** un ordin de sus 14 pl locuință; domiciliu; mil comandament; cazare, (în)cartiruire; **to take up one's ~s (at, with)** a se instala; a stabili (la); **to fix one's ~s at** a-și stabili domiciliul la; **to shift one's ~s** a-și schimba domiciliul, a se muta 15 procedeu; manieră 16 constr căprior 17 nav post (de luptă) // **at close ~s** în contact imediat (cu adversarul); **to come to close ~s with a** a intra în luptă corp la corp cu **b** a da piept cu II vt 1 a tăia, a hăcui; a împărți în patru (bucăți) (o vită, od un condamnat) 2 a caza; mil a încartirui, a cantona III vr ← F a se instala, a se stabili IV vi 1 a locui, a fi cazat/găzduit 2 a se da la o parte din drum 3 (d. ogari etc.) a alerga în toate părțile 4 (d. lună) a intra într-un nou pătrar

quarter² s iertare, cruțare (a vieții prizonierilor etc.); **to give/to show ~** a se arăta/a fi îndurător/milos; **to crave/to cry ~** a cere îndurare/milă/cruțare; **no ~!** nici o milă! nimeni să nu fie cruțat!

quarterage ['kwɔ:təridʒ] s 1 mil (în)cartiruire, cazare, cantonament 2 mil întreținere 3 plată sau chirie trimestrială

quarter-back ['kwɔ:tə,bæk] s amer sport mijlocaș (la rugbi american)

quarter bell ['kwɔ:tə,bel] s (la ceas) clopot are sună sferturile de oră

quarter bend ['kwɔ:tə,bend] s tehn tub cotit (la 30º); cot de țeavă, genunchi

quarter bill ['kwɔ:tə,bil] s nav ordine de bătaie

quarter binding ['kwɔ:tə,baindiŋ] s poligr legătură cu cotor de piele

quarter boat ['kwɔ:tə,bout] s nav șalupă cu motor

quarter-bound ['kwɔ:tə,baund] adj poligr cu cotor de piele

quarter day ['kwɔ:tə,dei] s zi de plată trimestrială

quarter deck ['kwɔ:tə,dek] s nav 1 dunetă, puntea pupa; **to walk the ~** a avea gradul de ofițer 2 **the ~** ← F ofițerii, gradele superioare

quarter-decker ['kwɔ:tə,dekə'] s nav ofițer de salon

quartered ['kwɔ:təd] adj 1 împărțit în patru (părți/sferturi) 2 mil (în)cartiruit, cantonat

quarter finals ['kwɔ:tə ,fainəlz] s pl sport sferturi de finală

quarter hour [,kwɔ:tər 'auə'] s sfert de oră

quarter hourly [,kwɔ:tər 'auəli] I adv din sfert în sfert de oră, la fiecare sfert de oră II adj care se produce la fiecare sfert de oră/din sfert în sfert de oră

quartering ['kwɔ:təriŋ] s 1 împărțire/tăiere în patru; hăcuire 2 od sfâșiere/ciopârțire în patru (a unui condamnat) 3 mil (în)cartiruire, cantonare, cantonament, staționare 4 nav repartizare a posturilor (de luptă) 5 constr căprioreală 6 min colectare a pieselor

quarter left ['kwɔ:tə ,left] interj mil jumătate la stânga!

quarterly ['kwɔ:təli] I adj 1 trimestrial; de/pe trei luni 2 dintr-un/de un sfert II adv trimestrial, de patru ori pe an, o dată la trei luni III s publicație trimestrială

quarterly review ['kwɔ:təli ri'vju:] s revistă trimestrială, trimestrial

quartermaster ['kwɔ:tə,ma:stə'] s 1 mil șeful intendenței, intendent, ofițer însărcinat cu încartiruirea 2 nav maistru timonier, timonier șef

Quarter Master General ['kwɔ:tə ,ma:stə 'dʒenərəl] s mil șeful intendenței

Quarter Master Sergeant ['kwɔ:tə ,ma:stə 'sa:dʒənt] s mil aprox majur, plutonier însărcinat cu intendența

quarter-miler ['kwɔːtə,mailə'] *s sport* semifondist; sprinter specializat în cursele de un sfert de milă *(aprox 400 m)*

quartern ['kwɔːtən] *s* 1 sfert de pintă *(cca 120 ml)* 2 *poligr* sfert de coală 3 pâine de patru livre

quartern loaf ['kwɔːtən ,louf] *s v.* quartern 3

quarter note ['kwɔːtə ,nout] *s muz* pătrime

quarter(-note) rest ['kwɔːtə(,nout)'rest] *s muz* pauză de o pătrime

quarter right ['kwɔːtə ,rait] *interj mil* jumătate la dreapta!

quarter sessions ['kwɔːtə ,seʃənz] *s pl jur* sesiune/ședință trimestrială a judecătorilor de pace

quarter timber ['kwɔːtə ,timbə'] *s constr* buștean despicat în sferturi

quarter tone ['kwɔːtə ,toun] *s muz* sfert de ton

quartet(te) [kwɔː'tet] *s* 1 *muz* cvartet 2 *sport* primii patru clasați

quarto ['kwɔːtou] *poligr* I *adj* incvarto II *s* 1 (format) in-cvarto 2 ediție in-cvarto

quarto sheet ['kwɔːtou ,ʃiːt] *s poligr* coală de patru foi

quartz [kwɔːts] *s minr* cuarț, cristal de stâncă

quartzite ['kwɔːtsait] *s minr* cuarțit

quartz lamp ['kwɔːts ,læmp] *s el* lampă cu/de cuarț

quartzose ['kwɔːtsous], **quartzous** ['kwɔːtsəs] *adj minr* cuarțos, de cuarț

quartz rock/sand ['kwɔːts ,rɔk/ ,sænd] *s minr* cuarțit

quasar ['kweizaː'] *s astr* cvasar

quash [kwɔʃ] *vt* 1 *jur* a anula, a casa, a infirma *(o sentință)* 2 *pol* a invalida *(un mandat)* 3 *fig* a înăbuși, a reprima *(un sentiment, o revoltă)*

quasi ['kwaːzi] *lat* I *conj* ca și cum (am spune) II *adj* cvasi-, semi-, aproximativ

quasia ['kweiʃə] *s bot* 1 arbore exotic *(Quasia amara)* 2 *aprox* chinină

quasi-stellar object ['kwaːzi ,stelə 'ɔbdʒekt] *s astr* cvasar

quatercentenary [,kwætəsən'tiːnəri] *s* cvadricentenar, aniversare de patru sute de ani

Quaternary [kwə'təːnəri] *s geol* cuaternar, era cuaternară

quaternary I *adj* cuaternar II *s* set/ garnitură de patru obiecte

quaternity [kwə'təːniti] *s* grup de patru

quatorze [kə'tɔːz] *s* caré *(în valoare de 14 puncte – la jocurile de cărți)*

quatrain ['kwɔtrein] *s metr* catren

quatrefoil ['kætrə,fɔil] *s bot* trifoi cu patru foi

quattrocento [,kwætrou'tʃentou] *s arte, arhit* quatrocento, stilul artei italienești din secolul al XV-lea

quaver ['kweivə'] I *s* 1 tremur *(în glas)*, vibrație *(a vocii)* 2 *muz* tremolo; tril 3 *muz* optime II *vi* 1 *(d. glas)* a tremura, a vibra 2 a face triluri, a cânta cu tremolo III *vt* a cânta cu triluri/tremolo, a cânta cu voce tremurătoare

quavering ['kweivəriŋ] I *adj* tremurător, tremurat, nesigur II *s* tremur al vocii; tremolo

quavery ['kweivəri] *adj v.* quavering I

quay [kiː] *s nav* chei, debarcader; dană de acostare; dig portuar

queasiness ['kwiːzinis] *s* 1 greață, senzație de greață/vomă 2 sensibilitate exagerată

queasy ['kwiːzi] *adj* 1 suferind de greturi 2 *(d. mâncare)* grețos, scârbos, dezgustător 3 *fig* ultrasensibil, (extrem de) delicat; (excesiv de) scrupulos

Quebec [kwi'bek] *oraș și provincie în Canada*

Quechua ['ketʃwə] *s* 1 indian din tribul Quechua, incaș 2 *lingv* limba quechua

queen [kwiːn] I *s* 1 *și fig* regină; **the ~ of smb's heart** stăpâna inimii cuiva; **Queen Anne is dead!** *F* te-ai trezit și tu! ai descoperit America! **when Queen Anne was alive** *F* pe vremea lui Pazvante Chiorul 2 *ent* matcă, regină *(la albine)* 3 *(la șah)* damă, regină 4 *(la cărți)* damă 5 pisică (matură) 6 *sl v.* queenie II *vt* 1 a face/a unge regina, a încorona ca regină 2 *(la șah)* a scoate/a face regină III *vi* (**over**) a domni ca regină (asupra – *cu gen*), a fi regina *(cu gen)*

queendom ['kwiːndəm] *s* 1 rang/ calitate/demnitate de regină 2 domnie a unei regine 3 regat/ teritoriu stăpânit de o regină

queen dowager ['kwiːn ,dauədʒə'] *s* văduva regelui; regină moștenitoare

queenhood ['kwiːn,huːd] *s v.* queendom 1, 2

queenie ['kwiːni] *s sl* crețar, poponar, fătălău, – pederast, homosexual

queen it ['kwiːn it] *vt cu pron F* a face pe regina, – a se comporta ca o regină

queenlike ['kwiːn,laik] *adj* (ca) de regină, demn de o regină; plin de maiestate, maiestuos

queenliness ['kwiːnlinis] *s* maiestate, aer maiestuos/de regină

queenly ['kwiːnli] *adj v.* queenlike

Queen Mab ['kwiːn 'mæb] *s mit* crăiasa zânelor

queen mother ['kwiːn 'mʌðə'] *s* regină-mamă

queen of hearts ['kwiːn əv 'haːts] *s* o femeie frumoasă, frumusețe

queen of puddings ['kwiːn əv 'pudiŋz] *s gastr* budincă de (firimituri de) pâine, *aprox* papară

queen of the meadows ['kwiːn əv ðə 'medouz] *s bot v.* meadow sweet

Queensberry Rules ['kwiːnzbəri ,ruːlz] *s pl sport* regulament/reguli pentru meciurile de box *etc.*

queen's counsel ['kwiːnz ,kaunsəl] *s jur* avocat al statului; procuror

queenship ['kwiːn,ʃip] *s v.* queendom 1

Queensland ['kwiːnz,lænd] *stat în Australia*

Queenstown ['kwiːnz,taun] *oraș în Irlanda*

queen's weather ['kwiːnz ,weðə'] *s ← F* vreme foarte frumoasă

queer [kwiə'] I *adj* 1 bizar, ciudat, curios, straniu 2 excentric, original 3 indispus, slăbit, amețit; ușor bolnav; **I feel ~** mi-e rău, nu mă simt bine, nu sunt în apele mele 4 *F* afumat, cherchelit, abțiguit, – beat 5 *sl* trăsnit, sărit 6 *sl* suspect, dubios, care nu e în regulă; fals 7 *sl* pederast; homosexual; – cu perversiuni sexuale II *s* homosexual; pederast III *vt* 1 *F* a paradi, a zbârci, – a strica, a deranja; **to ~ the pitch for smb** a strica ploile cuiva, – a răsturna planurile cuiva 2 a înșela, a păcăli, *F →* a trage pe sfoară, a trage în piept

queer customer/fellow ['kwiə 'kʌstəmə'/'felou] *s F* tip ciudat/ trăsnit/curios; (tip/om) original, trăsnit, excentric; aiurit, figură

queerish ['kwiəriʃ] *adj* **1** cam ciudat/ bizar/curios/caraghios **2** puțin suferind/bolnav/indispus

queer money ['kwiə 'mʌni] *s sl* bani falși

queerness ['kwiənis] *s* **1** ciudățenie, curiozitate; bizarerie **2** excentricitate, originalitate **3** (ușoară) indispoziție

Queer Street ['kwiə ,stri:t] *s glumeț* ananghie, – încurcătură; **to be in ~** a fi la ananghie, – a fi în încurcătură/*F* pom **b** *F* a fi lefter/ pe drojdie/pe geantă/în pom

quell [kwel] *vt* **1** a reprima *(o răscoală)* **2** a înăbuși, a ține în frâu, a stăpâni *(o pasiune);* a potoli, a liniști *(o emoție)*

Quemoy [ke'mɔi] *insulă în Marea Chinei*

quench [kwentʃ] **I** *vt* **1** a stinge, a înăbuși *(o flacără, un incendiu)* **2** a potoli, a stinge *(setea)* **3** a înăbuși, a ține în frâu *(un simță-mânt)* **4** a opri, a stăvili *(o miș-care, un gest)* **5** *sl* a închide/a astupa gura *(cuiva)*, a tăia/a reteza vorba *(cuiva)* **6** *tehn* a răci/a stinge *(un metal în apă);* a căli *(oțelul)* **II** *vi* **1** *(d. foc)* a se stinge **2** *fig* a se stinge, a se potoli; a se răci

quencher ['kwentʃə'] *s* **1** stingător **2** *sl* păhărel, dușcă, strop (de băutură)

quenchless ['kwentʃlis] *adj poetic* (de) nestins; (de) nepotolit

Quentin ['kwentin] *nume masc*

quercitron ['kwə:sətrən] *s* **1** *bot* stejar negru colorant *(Quercus tinctoria)* **2** scoarță de stejar colorant **3** quercitron, colorant galben

querist ['kwiərist] *s* interpelator, persoană care pune întrebări

querulous ['kweruləs] *adj* **1** plân-găreț, plângător, de lamentare; pus pe bocet/plâns/lamentație **2** cârcotaș, cârciogar, veșnic nemulțumit; protestatar

querulously ['kweruləsli] *adv* **1** pe un ton plângăreț/de lamentare **2** pe ton de ceartă/gâlceavă

querulousness ['kweruləsnis] *s* **1** ton plângăreț; lamentație; bocet, plâns **2** ton de ceartă **3** caracter cârcotaș/veșnic nemulțumit; fire nemulțumită

query ['kwiəri] **I** *s* **1** întrebare, ches-tiune (în suspensie); semn de întrebare, îndoială, dubiu; nedu-merire, nesiguranță **2** *poligr etc.* semn de întrebare **II** *vt* **1** (whether, if) a întreba (dacă); a interoga **2** a pune la îndoială/sub semnul întrebării; **I ~ if it is true** rămâne de văzut/e un semn de întrebare dacă e adevărat **III** *vi* **1** a pune întrebări *sau* o întrebare; a întreba **2** a-și exprima o în-doială, a se îndoi

ques. *presc de la* **question**

quest [kwest] **I** *s* **1** căutare; urmărire; **in ~ of** în căutarea *cu gen;* **to go in ~ of, to go out upon the ~ of** a porni în căutarea *cu gen,* a urmări *cu ac* **2** țintă a căutărilor, obiect căutat/al căutării **3** *od* plecarea unui cavaler în căutare de aventuri **4** ← *înv* cercetare, anchetă **II** *vt* a căuta, a urmări, a fi în căutare de **III** *vi* **1** (after, for) a porni în căutare (de), a căuta *(cu ac)* **2** *(d. animale)* a fi în căutare de/a căuta hrană **3** *(d. câini)* a căuta vânatul, a fi pe urma/a lua urma vânatului **4** *bis* a strânge pomenile

question ['kwestʃən] **I** *s* **1** întrebare; **to ask smb a ~, to put a ~ to smb** a pune cuiva o întrebare, a întreba pe cineva; **a look of ~** o privire întrebătoare; **if it is a fair ~** dacă mi-e permis să întreb **2** *pol* interpelare, întrebare; **to ask a ~ of smb** a adresa cuiva o întrebare **3** problemă, chestiune; întrebare; **a ~ of life and death** o chestiune/problemă vitală/de viață și de moarte; **a ~ of time** o chestiune de timp; **the person in ~** persoana în cauză/ches-tiune; **it is (entirely) out of the ~** nici vorbă nu poate fi de asta, e în afară de orice discuție; **what is the ~ (in hand)?** despre ce e vorba? care e chestiunea/pro-blema? **that's the ~** asta e problema/chestiunea/întrebarea (esențială); aici e aici; **that is not the ~, that is besides the ~** asta n-are nici o legătură (cu proble-ma), nu despre asta e vorba; **that's another ~ (altogether)** asta e (cu totul) altă problemă, *F* → asta e altă mâncare de pește; **there is no ~ of our going** nici nu se pune problema să plecăm, nici vorbă să plecăm; **the ~**

arises whether se ridică/se pune problema dacă; **to put/to state a ~** a pune/a ridica o problemă; **to put the ~** a pune chestiunea la vot; **to come into ~** a intra în discuție; **to go into a ~** a se ocupa de/a cerceta o problemă **4** punere sub semnul întrebării, (punere la) îndoială; suspiciune; **beyound (all) past/ without ~** mai presus de (orice) îndoială/discuție, în afară de orice îndoială/discuție; **to call in ~** a pune la îndoială/sub semnul întrebării, a contesta; **to make no ~ of** a nu contesta, a nu se îndoi de, a accepta întru totul **5** șa nsă; posibilitate *(de scăpare e č.)* **6** *od* caznă, tortură; **to put ʾo the ~** a (su)pune la cazne/ ʾorturi, a tortura, a chinui **II** *vt* **1** a întreba, a chestiona; a pune/a adresa o întrebare *(cu dat)* **2** a pune la îndoială/sub semnul întrebării, a se îndoi de; a contesta **3** a interpela **4** a cerceta, a investiga **III** *interj* **1** rămâne de văzut **2** treceți la fapte

questionability [,kwestʃənə'biliti] *s v.* **questionableness**

questionable ['kwestʃənəbəl] *adj* **1** discutabil, contestabil; proble-matic, îndoielnic, nesigur, sub semnul întrebării **2** *peior* suspect, dubios, echivoc

questionableness ['kwestʃənəbəlnis] *s* **1** caracter discutabil/contes-tabil **2** caracter îndoielnic/pro-blematic **3** caracter dubios/sus-pect

questionably ['kwestʃənəbli] *adv* **1** în mod discutabil/contestabil **2** (în mod) îndoielnic, nesigur **3** în termeni echivoci, echivoc

questionary ['kwestʃənəri] *s* ches-tionar

questionee [,kwestʃə'ni:] *s* **1** per-soană căreia i se pun/i se adre-sează întrebări; ținta unor între-bări **2** *pol* persoană interpelată **3** persoană anchetată/ches-tionată

questioner ['kwestʃənə'] *s* **1** per-soană care pune întrebări **2** *pol* interpelator, persoană care face/ adresează o interpelare **3** per-soană care chestionează; (pro-fesor) examinator **4** ziarist/ reporter care ia interviuri

questioning ['kwestʃəniŋ] **I** adj **1** întrebător; interogativ **2** care pune întrebări; care chestionează/examinează **II** s **1** chestionare, examinare, întrebări **2** mil interogatoriu (luat prizonierilor)

questioningly ['kwestʃəninli] adj întrebător, interogativ; **to eye smb ~** a privi întrebător pe cineva, a arunca o privire întrebătoare cuiva

questionless ['kwestʃənlis] **I** adj **1** care nu pune întrebări, care nu întreabă nimic **2** neîndoios, neîndoielnic, cert **3** mai presus de orice îndoială **II** adv cu siguranță, fără îndoială, neîndoios

question mark ['kwestʃən ˌmɑːk] s semn de întrebare

question-master ['kwestʃən ˌmɑːstəʳ] s președintele juriului (la un concurs „cine știe câștigă" etc.)

questionnaire [ˌkwestʃəˈnɛəʳ] s chestionar

question time ['kwestʃən ˌtaim] s pol ora interpelărilor (în Camera Comunelor)

questor... v. **quaestor...**

queue [kjuː] **I** s **1** coadă, rând, șir; **to stand in a ~, to form a ~** v. **~ II 2** coadă (de păr); meșă **II** vi (for) a sta la/a face coadă (pentru), a se așeza la/a forma o coadă **III** vt a împleti (părul) în formă de coadă

queue up ['kjuː ˈʌp] vi cu part adv v. **queue II**

Quezon (City) ['keizɔn ('siti) oraș în Filipine

quibble ['kwibəl] **I** s **1** subterfugiu, tertip; eschivare de la un răspuns **2** echivoc, ambiguitate; subtilitate **3** calambur, joc de cuvinte **II** vi **1** a recurge la tertipuri/subterfugii/echivoc, a se eschiva de la răspunsuri clare **2** a despica firul în patru, a fi pedant **3** a face calambururi/jocuri de cuvinte

quibbler ['kwibləʳ] s **1** sofist; cazuist **2** zeflemist, om ironic; mucalit

quibbling ['kwibliŋ] **I** adj **1** echivoc, ambiguu; care încearcă să se eschiveze **2** pedant, care despică firul în patru **II** s **1** tertipuri, subterfugii **2** echivoc, ambiguitate; subtilitate **3** joc sau jocuri de cuvinte, calambur sau calambururi

Quichua ['kitʃwə] s v. **Quechua**

quick [kwik] **I** adj **1** rapid, iute; sprinten, agil, activ; **(as) ~ as thought/lightning** iute ca gândul/fulgerul/săgeata; **at a ~ pace** a cu un pas iute b într-un ritm rapid; **to be ~ about one's work** a fi iute/îndemânatic la treabă, a se descurca repede **2** prompt, zorit, grăbit, pripit; **~ with child** (d. femeie) însărcinată (în lunile când copilul începe să miște); **be ~!** grăbește-te! repede! **to take a ~ bite** a lua o gustare în pripă **3** vioi, ager, isteț, deștept; **to have a ~ mind/wit** a avea o minte ageră/vioaie/isteață; **to be ~ to learn** a învăța repede, a prinde lucrurile din zbor; **to be ~ to understand/of understanding** a prinde repede/ușor înțelesul; **he is a ~ child** e un copil isteț/vioi/ager **4** (d. simțuri) fin, ascuțit, ager, pătrunzător; **to have a ~ ear, to be ~ of hearing** a avea o ureche fină/ascuțită/auzul fin/ascuțit; **to be ~ of sight** a avea ochi ageri/pătrunzători, a avea privirea ageră; (d. câini) **to be ~ of scent** a avea miros/nas fin **5** iute, repede (la minte etc.); violent, vehement; **to be ~ of temper/~ to anger** a fi iute la mânie, a se enerva/a se înfuria ușor/repede; **to be ~ to answer back** a fi prompt la replică/răspuns/ripostă, a avea darul replicii (prompte) **6** (d. foc) viu, iute **7** ← înv viu, în viață **8** (d. bani etc.) lichid **9** (d. obraz) viu colorat, proaspăt, sănătos **II** adv **1** iute, repede, cu repeziciune; **as ~ as possible** cât mai/de repede posibil **2** curând, iute **III** s **the ~ 1** carne vie, fig os; **to the ~ a** până la carne/os **b** fig adânc, până în străfunduri/în adâncul inimii; până în măduva oaselor; **to sting/to cut to the ~** a durea în suflet/inimă **c** în mod real(ist), ca în natură, natural **2** rel viii, cei vii (ant morții); **the ~ and the dead** viii și morții **3** argint viu

quick-acting ['kwik,æktiŋ] adj tehn rapid, cu acțiune rapidă

quick beam ['kwik ,biːm] s bot sorb, scoruș de munte (Sorbus ancuparia)

quick-change actor/artist ['kwik- ,tʃeindʒ 'æktəʳ/'aːtist] s teatru transformist

quick-change part ['kwik,tʃeindʒ ,paːt] s teatru rol care impune schimbarea rapidă a costumului

quick-eared ['kwik,iəd] adj (înzestrat) cu auz fin/ager

quicken ['kwikən] **I** vt **1** a grăbi, a accelera, a zori **2** tehn a acționa; a impulsiona, a accelera **3** a stimula; a ațâța, a excita, a stârni **4** a anima, a însufleți, a înviora; a învia **II** vi **1** a se accelera, a deveni mai rapid/mai viu **2** a se însufleți, a se anima, a se înviora **3** (d. făt) a mișca, a începe să miște **4** (d. gravidă) a simți că a început să miște copilul

quickener ['kwikənəʳ] s **1** animator, persoană care animă conversația **2** principiu însuflețitor; stimulent, imbold, impuls

quickening ['kwikəniŋ] adj **1** accelerat, din ce în ce mai rapid; care se accelerează **2** care se înviorează/însuflețește, care prinde viață **3** animator, însuflețitor, înviorător

quick-eyed ['kwik,aid] adj **1** cu ochi ageri/pătrunzători, cu priviri agere/pătrunzătoare **2** ager, pătrunzător, perspicace

quickfirer ['kwik,faiərəʳ] s mil tun cu tir rapid/tragere rapidă

quick-firing ['kwik,faiəriŋ] adj mil cu tir rapid, cu tragere rapidă

quick-forgotten ['kwikfə,gɔtən] adj dat curând/repede uitării

quick-freeze ['kwik,friːz] **I** vt a congela (alimentele) **II** s congelare rapidă (a alimentelor)

quick-handed ['kwik,hændid] adj iute de mână, abil, îndemânatic

quickie ['kwiki] s **1** F rasol(eală), ← lucru de mântuială **2** ← F producție/lucrare de proastă calitate

quick lime ['kwik ,laim] s ch var nestins

quickly ['kwikli] adj **1** repede, iute, prompt **2** curând, îndată

quick march [,kwik 'maːtʃ] s, interj mil marș forțat

quickness ['kwiknis] s **1** repeziciune, iuțeală **2** grabă, pripă **3** vitalitate, vivacitate, vioiciune **4** agerime (a minții), istețime, deșteptăciune **5** bruschețe

quickness of temper ['kwiknis əv 'tempəʳ] s fire iute, irascibilitate, nervozitate, iritabilitate

quick of belief ['kwik əv bi'li:f] *adj* credul, lesne-crezător, încrezător

quick of foot ['kwik əv 'fut] *adj* sprinten, iute de picior

quick one, a ['kwik ˌwʌn, ə] *s F* **1** păhărel băut la botul calului, una mică **2** *v.* **quicky**

quicksand ['kwikˌsænd] *s* nisipuri mișcătoare

quick-scented ['kwikˌsentid] *adj (d. câini de vânătoare)* cu nas/miros fin

quickset ['kwikˌset] *s bot* **1** butaș **2** gard viu (de mărăcini)

quick-sighted ['kwikˌsaitid] *adj v.* **quick-eyed**

quicksilver ['kwikˌsilvə'] **I** *s* argint viu, mercur **II** *vt* **1** a arginta *(o oglindă)* **2** *ch* a amalgama

quickstep ['kwikˌstep] *s* **1** *mil* pas accelerat **2** *muz* foxtrot accelerat, quickstep

quick-tempered ['kwikˌtempəd] *adj* **1** iute din fire/la mânie, irascibil, nervos, iritabil, țâfnos **2** focos, înfocat

quick time ['kwik ˌtaim] *s* **1** (ritm de) marș forțat; pas cadențat/de front, (mers în) cadență **2** pas accelerat

quick with child ['kwik wið 'tʃaild] *adj* ← *înv* cu o sarcină avansată, *F* → cu burta la gură

quick-witted [ˌkwik'witid] *adj* **1** ager la minte, isteț, inteligent; cu minte ageră/vioaie, vioi, prompt **2** viclean, șiret

quick-wittedness [ˌkwik'witidnis] *s* **1** agerime (a minții), istețime, vioiciune, deșteptăciune **2** șiretenie, viclenie

quicky ['kwiki] *s* ← *F* — lucru făcut la repezeală/pe grabă; *F* rasol

quid[1] [kwid] *s* tutun de mestecat

quid[2] *s și ca pl sl* liră (sterlină)

quidam ['kwidəm] *s lat* quidam, oarecare, oarecine

quiddity ['kwiditi] *s* **1** esență, caracteristică; specific **2** chițibuș, tertip, subterfugiu

quidnunc ['kwidˌnʌŋk] *s lat* **1** om care moare de curiozitate, curios, om plin de curiozitate; fire iscoditoare **2** (mare) amator de bârfe/cancanuri

quiescence [kwi'esəns] *s* calm, liniște, repaus

quiescency [kwi'esənsi] *s v.* **quiescence**

quiescent [kwi'esənt] **I** *adj* **1** liniștit, calm, pasiv **2** *fig* static **3** *lingv* mut **II** *s* obiect în stare de repaus

quiet ['kwaiət] **I** *adj* **1** liniștit, calm, potolit; imperturbabil; **keep ~!** a stai cuminte/liniști/*F*→ la un loc! **b** *v.* ~ **V; the wind was** ~ vântul se potolise/liniștise **2** tăcut, silențios **3** tihnit, liniștit, pașnic; retras; **let's have a ~ glass of beer** să bem o halbă în liniște; **a ~ nook** un colț/ungher tihnit/liniștit **4** cuminte, liniștit; **he is a very ~ child** e un copil foarte cuminte **5** tainic, secret, ascuns; **to keep smth ~** a trece ceva sub tăcere, a ține ceva ascuns, a tăinui/a ascunde ceva **6** modest, simplu, fără pretenții; **a ~ wedding** o nuntă modestă/fără fast; **the furniture is in a ~ style** mobilierul e foarte simplu/modest **7** *ec (d. afaceri)* (care merge) slab, mort; lipsit de avânt **8** *(d. culori)* tern, spălăcit, șters, fără strălucire; potolit, cuminte, *(ant* țipător) **II** *s* **1** liniște, calm, tihnă, repaus **2** tăcere, liniște; **on the** ~ în taină/secret, pe furiș/ tăcute, *F* pe neve **III** *vt* **1** a liniști, a calma, a potoli, a domoli **2** a risipi, a alunga, a liniști *(temeri, îndoieli)* **IV** *vi* a se liniști, a se potoli, a se calma **V** *interj* liniște! tăcere! sst! nici o vorbă! fără gălăgie!

quiet dowr: ['kwaiət 'daun] *vi cu part adv* **1** *v.* **quiet IV 2** *(d. furtună etc.)* a înceta, a se domoli

quieten ['kwaiətən] *F* **I** *vt v.* **quiet III II** *vi v.* **quiet IV**

quieting ['kwaiətiŋ] *adj* liniștitor, calmant, alinător

quietism ['kwaiəˌtizəm] *s* **1** *rel, filos* chietism **2** calm, liniște sufletească

quietist ['kwaiətist] *s rel filos* adept al chietismului

quietly ['kwaiətli] *adv* **1** liniștit, calm; fără grabă *sau* agitație **2** discret, simplu, fără zarvă/zgomot; pe tăcute, (în mod) sobru

quietness ['kwaiətnis] *s* **1** liniște, repaus, calm; tihnă, caracter tihnit **2** tăcere, liniște; pace **3** sobrietate *(în îmbrăcăminte etc.)* **4** caracter pașnic

quietude ['kwaiəˌtju:d] *s* **1** *v.* **quietness 1, 2 2** apatie, pasivitate

quietus [kwai'i:təs] *s* **1** (obștescul) sfârșit, capăt/sfârșit al vieții, clipa din urmă; **to make one's** ~ a-și pune capăt zilelor **2** lovitură de grație, ultima lovitură; **to give smb his/the** ~ a trimite pe cineva pe lumea cealaltă, a scăpa definitiv de cineva **3** calmant, sedativ **4** ← *înv* concediere, demitere din funcție **5** ← *înv* chitanță, recipisă

quill [kwil] **I** *s* **1** pană (de gâscă), țeavă de pană *(pentru scris)* **2** *fig* condei; scris **3** scobitoare *(din pană de gâscă)* **4** *muz* pană *(pt harpă etc.)* **5** *text* cometă; flotor **6** *zool* țeapă, ghimpe *(al porcului spinos)* **7** plută *(la undiță)* **II** *vt text* **1** a înfășura **2** a încreți, a plisa

quill driver ['kwil ˌdraivə'] *s peior* scrib, scriitoraș, scârța-scârța pe hârtie, mâzgălici

quill driving ['kwil ˌdraiviŋ] *s peior* meserie de scrib/scriitoraș

quillet ['kwilit] *s înv v.* **quiddity 2**

quill pen ['kwil ˌpen] *s v.* **quill I 1**

quill toothpick ['kwil ˌtu:θpik] *s v.* **quill I 3**

quilt [kwilt] **I** *s* **1** cuvertură (matlasată), macat; plapumă **2** mindir; tunică matlasată; pufoaică **II** *vt* **1** a coase/a trage la mașină **2** a vătui; a matlasa; a capitona **3** *sl* a pocni, a cârpi

quilted ['kwiltid] *adj* vătuit; matlasat; capitonat

quin [kwin] *s F* unul din cei cinci gemeni

quince [kwins] *s bot* **1** gutui *(Cydonia vulgaria)* **2** gutuie

quincentenary [ˌkwinsen'ti:nəri], **quingentenary** [ˌkwindʒen'ti:nəri] **I** *s* cvincentenar, aniversare de 500 de ani **II** *adj* de cinci sute de ani

quinin [kwi'ni:n], **quinina** [kwi'ni:nə], **quinine** ['kwainain] *s ch* chinină

quinine tree [kwi'ni:n ˌtri:] *s bot v.* **quinquina**

quink [kwiŋk] *s* ← *F* cerneală de stilou

quinol ['kwinɔl] *s ch* hidrochinonă

quinquagenarian [ˌkwiŋkwədʒi-'nɛəriən] **I** *s* cvincvagenar, persoană în vârstă de 50 de ani **II** *adj* în vârstă de 50 de ani

Quinquagesima (Sunday) [ˌkwiŋkwə'dʒesimə (ˌsʌndi)] *s bis* ultima duminică înaintea postului mare; *aprox* lăsata secului

quinquennial [kwin'kweniəl] *adj* cincinal; care se întâmplă o dată la cinci ani

quinquennially [kwin'kweniəli] *adv* 1 pe cinci ani 2 o dată la cinci ani, din cinci în cinci ani

quinquennium [kwin'kweniəm], *pl şi* **quinquennia** [kwin'kweniə] *s* cincinal, perioadă de cinci ani; lustru

quinquereme [,kwiŋkwi'ri:m] *s ist* cvincveremă, galeră cu cinci rânduri de vâsle

quinquina [kwiŋ'kwainə] *s bot* arbore de chinină, chinchină *(Chinchina china)*

quins [kwinz] *s pl* cinci gemeni

quinsy ['kwinzi] *s med F* gâlci, – amigdalită; anghină

quint *s* 1 [kwint] *muz* chintă 2 [kwint] *muz* coarda mi 3 [kint] chintă *(la cărţi)*

quintal ['kwintəl] *s* chintal *(în Anglia = 50,8 kg; în S.U.A. = 45,35 kg)*

quinte [kẽt] *s* cvintă *(la scrimă)*

quintessence [kwin'tesəns] *s* 1 *filos* chintesenţă 2 esenţă, bază, chintesenţă; *fig* întruchipare

quintet(te) [kwin'tet] *s* 1 *muz* cvintet, chintet 2 grup de cinci, chintet

Quintilian [kwin'tiljən], **Marcus Fabius** *scriitor latin (sec. I)*

quintillion [kwin'tiljən] *s* 1 decalion 2 *amer* cvintilion

quintuple ['kwintjupəl] **I** *adj* 1 cvintuplu, încincit 2 (format) din cinci părţi **II** *s* cvintuplu, încincit **III** *vt* a încinci **IV** *vi* a se încinci

quintuplet ['kwintjuplit] *s* 1 grup de cinci 2 membru al unui grup de cinci gemeni; *pl* cinci gemeni

quip [kwip] *s* 1 glumă muşcătoare; remarcă usturătoare 2 spirit sarcastic; zeflemea 3 epigramă 4 tertip, subterfugiu, eschivare (de la un răspuns) 5 excentricitate, ciudăţenie

quire[1] ['kwaiə'] *s poligr* 1 testea/top de hârtie *(= 24-25 de coli)* 2 coală de tipar *(fălţuită)*; **in ~s** *(d. o carte)* nebroşat, nelegat

quire[2] *s* ← *înv* cor

Quirinal, the ['kwirinəl, ðə] *s* 1 palatul Quirinalului 2 *fig* guvernul italian

quirk[1] [kwə:k] *s* 1 calambur, joc de cuvinte 2 spirit, observaţie 3 capriciu, ciudăţenie 4 capriciu al soartei, întâmplare

quirk[2] *s mil sl* răcan, – recrut

quirt [kwə:t] *amer* **I** *s* cravaşă scurtă **II** *vt* a lovi cu cravaşa, a cravaşa

quisle ['kwizl] *vi* ← *F pol* a fi trădător/colaboraţionist, a colabora cu inamicul

quisling ['kwizliŋ] *s* quisling, colaboraţionist, trădător

quit [kwit] **I** *adj* 1 chit, achitat; împăcat 2 eliberat, scăpat **II** *pret şi ptc amer* **quit** [kwit] *vt* 1 a părăsi, a lăsa, a abandona; **to ~ one's house** a pleca din casă, a-şi părăsi domiciliul; **to ~ hold of smth** a lăsa ceva din mână, a da drumul la ceva 2 *poetic* a achita, a plăti; a răsplăti 3 *poetic* a şterge, a stinge *(o datorie)* **III** *(v. ~* **II)** *vi* ← *înv* a se purta, a se comporta **IV** *s* demisie; părăsire a serviciului

quitch (grass) ['kwitʃ (,gra:s)] *s bot* pir *(Triticum repens)*

quite [kwait] **I** *adv* 1 total, complet(amente), cu/întru totul, (pe) deplin, cu desăvârşire; **~ different** complet diferit; **~ another** cu totul altul; **~ right** perfect, admirabil; **to be ~ right** a avea perfectă dreptate; **I ~ see that** văd/înţeleg prea bine că 2 tocmai, exact; **it is ~ the thing** e tocmai ce (ne) trebuie; **it is not ~ the thing** nu e lucrul cel mai potrivit/nimerit 3 foarte; **~ a few** foarte mult *sau* multe; **~ a long time ago** foarte demult 4 ← *F* destul de, cam, relativ; nu cine ştie ce; **it is ~ good** e binişor **II** *interj* 1 într-adevăr! adevărat! aşa e! 2 desigur! fireşte!

quite so ['kwait ,sou] *interj v.* **quite II**

Quito ['ki:tou] *capitala Ecuadorului*

quits [kwits] *adj* chit; **to cry ~** a se da bătut, a se declara învins

quittance ['kwitəns] *s* 1 chitanţă 2 achitare, stingere *(a unei datorii)* 3 ← *înv* compensaţie, despăgubire

quiver[1] ['kwivə'] **I** *vi* 1 a tremura; a vibra; a dârdâi; a se înfiora, a fremăta 2 *tehn* a vibra, a trepida **II** *vt* a tremura/a fremăta din, a flutura; a face să vibreze **III** *s* 1 tremur(at), tremurătură, freamăt; palpitare; **with a ~ in one's voice** cu glas tremurat, cu tremur în glas 2 *tehn* vibraţie, oscilaţie, trepidaţie

quiver[2] *s* tolbă (cu săgeţi); **an arrow left in one's ~** *fig* o (ultimă) resursă încă nefolosită

quiverful ['kwivəful] *s* tolbă plină (cu săgeţi); **a ~ of children** *F* o droaie/o liotă de copii

quivering ['kwivəriŋ] *adj* tremurător; care palpită, fremătător

quiveringly ['kwivəriŋli] *adv* tremurând

qui vive [,ki: 'vi:v] *s*: **to be on the ~** a fi în alertă/alarmă, a fi cu ochii în patru

quixotic [kwik'sɔtik] *adj* 1 donchişotesc, fantast 2 exaltat, vizionar

quixotics [kwik'sɔtiks] *s pl ca sg* atitudine *sau* comportare donchişotească

quixotism ['kwiksə,tizəm] *s v.* **quixotics**

quixotize ['kwiksətaiz] **I** *vt* a trata în mod donchişotesc/fantezist/nerealist **II** *vi* a se comporta ca Don Quijote, a avea o comportare donchişotească

quixotry ['kwiksətri] *s v.* **quixotics**

quiz[1] [kwiz] *amer* **I** *s* 1 interogare, chestionare, examen oral; întrebări de control 2 emisiune-concurs, „cine ştie câştigă" **II** *vt* a examina (oral), a chestiona **III** *vi* a ţine examene (orale)

quiz[2] **I** *s* 1 batjocură, zeflemea, ironie, ironizare, persiflare 2 zeflemist, om ironic 3 ← *înv* om ciudat/sucit/original **II** *vt* 1 a privi batjocoritor/ironic *sau* neîncrezător 2 a zeflemisi, a persifla, a ironiza **III** *vi* a juca feste/renghiuri

quiz bee ['kwiz ,bi:] *s amer v.* **quiz**[1] **I** 2

quiz master ['kwiz ,ma:stə'] *s* examinator la o emisiune-concurs/la „cine ştie câştigă"

quiz show ['kwiz ,ʃou] *s v.* **quiz**[1] **I** 2

quizzical ['kwizikəl] *adj* 1 ironic, batcojoritor, sarcastic, zeflemitor (şi întrebător) 2 ciudat, sucit, original; nostim 3 *amer* (înzestrat cu spirit) critic 4 întrebător, curios

quizzically ['kwizikəli] *adv* 1 (în mod) zeflemitor (şi întrebător), sarcastic/batcojoritor/ironic; cu ironie, în zeflemea 2 (în chip) ciudat/original; nostim 3 (pe ton) întrebător/curios; cu curiozitate

quizzing glass ['kwiziŋ ,gla:s] *s* 1 monoclu 2 *înv* lornion

quod [kwɔd] *sl* I *s* zdup, gros, pârnaie, răcoare II *vt* a băga la răcoare/zdup/gros

quod vide ['kwɔd 'vaidi:] *interj lat* quod vide, vezi, cf

quoin [kɔin] I *s* 1 *arhit* colțar; cheie de boltă; colț; ungher 2 pană, ic II *vt* a fixa/a înțepeni cu o pană

quoits [kɔits] *s pl* joc cu inele aruncate într-un țăruș

quondam ['kwɔndæm] *adj* de odi-nioară/altădată, fost, ex-, vechi

quorum ['kwɔːrəm] *s* cvorum, număr necesar de membri; **to form a ~** a fi legal constituiți

quot. *presc de la* quotation

quota ['kwoutə] *s* 1 *ec* cotă(-parte); dividend 2 normă de lucru

quotable ['kwoutəbəl] *adj* 1 care merită să fie citat 2 *fin* cotat la bursă

quotation [kwou'teiʃən] *s* 1 citat 2 moto; deviză 3 citare 4 *fin* cotă, curs (la bursă)

quotation marks [kwou'teiʃən ‚maːks] *s pl* ghilimele, semnele citării

quotative ['kwoutətiv] *adj* 1 referitor la citate 2 înclinat spre citate, având mania citatelor

quote [kwout] I *vt* 1 a cita 2 a pune/ a cita între ghilimele, a pune între semnele citării 3 a pomeni, a menționa, a se referi la, a cita 4 *ec* a fixa, a stabili (un preț); a cota II *s* ← *F* 1 citat 2 *pl* ghilimele, semnele citării

quote sheet ['kwout ‚ʃiːt] *s ec* lista cursurilor, cota bursei

quoteworthy ['kwout‚wəːði] *adj v.* **quotable** 1

quoth [kwouθ] *vi defectiv (folosit la pers III și I ind prez și pret)* înv a grăi, a vorbi, a zice, a spune; ~ **the raven** zise corbul; ~ **he** a zice el b (așa) zice el, cică

quotidian [kwou'tidiən] I *adj* 1 cotidian, zilnic 2 banal, comun II *s med* temperatură/febră zilnică

quotient ['kwouʃənt] *s mat* 1 cât 2 coeficient

quotity ['kwoutiti] *s jur, ec* cotitate

quotum ['kwoutəm] *s* cotă(-parte)

Quran [kuˈrɑːn] *s rel v.* **Koran**

qv *presc de la* **quod vide**

qy *presc de la* **query**

R

R, r [ɑːʳ] *s* **1** (litera) R, r **2** *pl* **Rs** *sau* **R's** *sau* **r's: the three r's (reading, writing, 'rithmetic)** învăţătură (elementară), carte **R.** *presc de la* **1** rabbi **2** radius **3** railway **4** rand **5** real **6** Réamur **7** recipe **8** regiment **9** regina **10** **registered as trade mark** marca înregistrată **11 Republican** **12** rex **13** river **14** rook tură *(la şah)* **15 royal 16** ruble **17** rupee

r *presc de la* **1** rain **2** range **3** rare **4** rector **5** red **6** right **7** river **8** roentgen **9** rum

RA, R.A. *presc de la* **1 Regular Army 2 right ascension 3 Royal Academician 4 Royal Academy 5 Royal Artillery**

Ra *simbolul elementului* radium

R.A.A.F. *presc de la* **Royal Australian Air Force** aviaţia australiană

Rabat [rəˈbɑːt] *oraş în Maroc*

rabbet [ˈræbit] *tehn* **I** *s* **1** şanţ, uluc, jgheab, canelură; scobitură, îmbucătură **2** falţ; cercevea **II** *vt* a fălţui, a îmbina cu falţ

rabbet joint [ˈræbit ˌdʒɔint] *s tehn* îmbinare/îmbucare cu falţ

rabbi [ˈræbai], *pl* **rabbies** [ˈræbaiz] *s* rabin

rabbin [ˈræbin] *s* talmudist, rabin învăţat în ale Talmudului; doctrinar al iudaismului/al religiei mozaice *(în special în secolele II-III)*

rabbinate [ˈræbinit] *s* rabinat, funcţia *sau* calitatea de rabin

rabbinic(al) [rəˈbinik(əl)] *adj* rabinic, de rabin

rabbinism [ˈræbiˌnizəm] *s* talmudism, hassidism, specializare în doctrina iudaică/în religia mozaică

rabbinist [ˈræbinist] *s* talmudist, învăţat hassidic

rabbit [ˈræbit] **I** *s* **1** *zool* iepure de casă/vizuină *(Oryctolagus/Lepus cuniculus)* **2** *amer* iepure de câmp *(Lepus timidus/europaeus)* **3** *fig* laş, fricos, poltron **4** *F* mazetă, – jucător prost, ageamiu, începător **5** *sl*/tont(ălău), găgăuţă

rabbiter [ˈræbitəʳ] *s* vânător de iepuri

rabbit-hearted [ˈræbitˌhɑːtid] *adj* fricoş, laş, temător

rabbit hole [ˈræbit ˌhoul] *s* vizuină de iepure

rabbit hutch [ˈræbit ˌhʌtʃ] *s* cuşcă *sau* crescătorie de iepuri de casă

rabbiting [ˈræbitiŋ] *s* vânătoare de iepuri

rabbit it [ˈræbit it] *interj F* la dracu/ naiba! fi-r-ar să fie! moaşă-sa pe gheaţă!

rabbit punch [ˈræbit ˌpʌntʃ] *s* pumn dat în ceafă, dupac, scatoalcă

rabbitry [ˈræbitri] *s* (crescătorie de) iepuri de casă

rabbit waren [ˈræbit ˌwɔrən] *s* crescătorie de iepuri *(de casă)*

rabbity [ˈræbiti] *adj* **1** *(d. mâncare)* având gust de iepure de casă **2** ← *F* firav, plăpând, slăbuţ; timid **3** ← *F (d. joc)* prost, de începător/ ageamiu/mazetă

rabble[1] [ˈræbəl] *s* gloată, mulţime, prostime; drojdia societăţii

rabble[2] [ˈræbəl] **I** *s tehn* agitator **II** *vt* a amesteca cu agitatorul

rabblement [ˈræbəlmənt] *s* **1** *v.* **rabble**[1] **2** tulburare; tulburări

rabble rouser [ˈræbəl ˌrauzəʳ] *s amer* ← *F* demagog, agitator al gloatei

Rabelais [ˈræbəˌlei], **François** *scriitor francez (1494?-1553)*

rabic [ˈræbik] *adj vet, med* rabic, caracteristic rabiei

rabid [ˈræbid] *adj* **1** *vet, med* turbat, suferind de rabie/turbare **2** *fig* turbat, înverşunat; nebun; crunt **3** *fig* excesiv, nemăsurat, nebunesc

rabidly [ˈræbidli] *adv* **1** turbat, vehement, violent, cu înverşunare/ turbare **2** (în mod) excesiv, nebuneşte

rabidness [ˈræbidnis] *s* **1** *vet, med v.* **rabies 2** *fig* violenţă; furie; exacerbare

rabies[ˈreibiːz] *(pl ~)* *s vet, med* turbare, rabie, hidrofobie

R.A.C. *presc de la* **1 Royal Armoured Corps** trupele motorizate britanice **2 Royal Automobile Club**

raccoon [rəˈkuːn] *s v.* **racoon**

race[1] [reis] **I** *s* **1** cursă, alergare; curse, alergări; concurs, competiţie; **to**

ride in a ~ a concura la o cursă de cai, a participa la un concurs hipic; **to run (in) a ~** a participa la o alergare/cursă **2** *(for) fig* întrecere, goană, cursă *(după)*; luptă, competiţie, concurenţă *(pentru)* **3** curs/drum al vieţii, carieră, cale *(străbătută)*; **his ~ is (nearly) run** (aproape că) i-a apus steaua, e un om (aproape) sfârşit **4** *astr* orbită *(a soarelui)* **5** canal, scoc *(de moară, gater etc.)*; bief curent *(al apei)*, torent **7** *tehn* culisă; inel de rulare **II** *vi* **1** a alerga, a fugi, a goni; a galopa; **to ~ down the street** a goni pe stradă; **the river ~s down the valley** râul spumegă la vale; **his pen ~d over the paper** condeiul lui alerga pe hârtie; acoperea în grabă pagină după pagină **2** a participa la o cursă/întrecere, a concura, a alerga **3** (**with**) a se lua la întrecere, a concura, a se întrece (cu) **4** a ţine cai de curse **5** a se duce/ a juca la curse/a fi amator de curse **6** *tehn* a ambala (în gol) **7** *med (d. inimă, puls)* a bate prea repede **III** *vt* **1** a mâna *(calul)* repede, a grăbi, a zori **2** *auto* a conduce în mare viteză, a forţa; a ambala *(motorul)* în gol **3** a se întrece/a se lua la întrecere din fugă cu; **I'll ~ you (up) to the park** hai să alergăm până la parc; să vedem cine ajunge primul la parc **4** *pol* a forţa, a face să treacă *(un proiect)* prin parlament *etc.*

race[2] [reis] *s* **1** rasă, neam, speţă; gintă **2** sex, speţă **3** *biol* rasă, neam, soi, specie; **true to ~** de rasă bună/pură **4** neam; stirpe, viţă, descendenţă, origine; **of noble ~** de viţă nobilă/aleasă **5** tagmă, categorie, breaslă, grup, clasă **6** buchet, aromă *(a vinului)* **7** stil/caracter deosebit; particularitate, caracteristică, specific

race[3] [reis] *s bot* rădăcină

race along [ˈreis əˈlɔŋ] *vi cu part adv* a alerga, a goni, a fugi

race away [ˈreis əˈwei] *vt cu part adv* a juca/a pierde/a irosi la curse *(de cai)*

race boat ['reis ˌbout] *s* barcă de curse
race car ['reis ˌkaːʳ] *s* automobil de curse
race card ['reis ˌkaːd] *s* program al curselor de cai
race course ['reis ˌkɔːs] *s* 1 hipodrom; turf 2 curse *(de cai)*
race goer ['reis ˌɡouəʳ] *s* turfist, amator de curse *(de cai)*
race hatred ['reis ˌheitrid] *s* ură de rasă
race horse ['reis ˌhɔːs] *s* cal de curse
raceme [rə'siːm] *s bot* racem
race meeting ['reis ˌmiːtiŋ] *s* reuniune/zi de curse
racer ['reisəʳ] *s* 1 alergător 2 concurent, alergător *(la curse)* 3 cal de curse 4 vehicul *sau* ambarcațiune de curse
race relations ['reis ri'leiʃənz] *s pl pol* relații inter-rasiale/între naționalități conlocuitoare
race riot ['reis ˌraiət] *s* tulburări rasiale
race suicide ['reis 'suːisaid] *s* sociologie, biol dispariție a unei rase prin limitarea (voluntară a) înmulțirii
race track ['reis ˌtræk] *s* 1 hipodrom 2 teren *sau* pistă pentru curse *(↓ de automobile)*
raceway ['reis ˌwei] *s* 1 v. **race track** 2 *amer* scocul morii
Rachel ['reitʃəl] *nume feminin* Rașela, Rafira, Rahira
rachidian [rə'kidiən] *adj anat* rahidian
rachitic [rə'kitik] *adj med* rahitic
rachitis [rə'kaitis] *s med* rahitism
Rachmaninoff [ræk'mæni,nɔf], **Sergei** *compozitor rus* Rahmaninov, Serghei *(1873-1943)*
Rachmanism ['rækmə,nizəm] *s* exploatarea locatarilor din casele de raport/din locuințele mizere
racial ['reiʃəl] *adj* rasial
racialism ['reiʃə,lizəm] *s* rasism
racialist ['reiʃəlist] *s adj* rasist
racily ['reisili] *adv* 1 picant, savuros 2 cu (multă) verva
Racine [ra'sin], **Jean** *dramaturg francez (1639-1699)*
raciness ['reisinis] *s* 1 picanterie, caracter picant 2 vioiciune, vigoare; prospețime 3 buchet *(al vinului)* 4 naturalețe, caracter firesc
racing ['reisiŋ] **I** *adj* 1 în plină fugă/cursă, în plin elan 2 iute, rapid,

repede 3 *auto* ambalat 4 *med (d. puls)* precipitat, agitat **II** *s* 1 alergare, cursă 2 *auto* ambalare; accelerare; accelerație; demaraj
racing boat ['reisiŋ ˌbout] *s v.* **race boat**
racing bug ['reisiŋ ˌbʌɡ] *s F* turfist (pasionat), – mare jucător la curse
racing car ['reisiŋ ˌkaːʳ] *s* automobil de curse
racing path ['reisiŋ paːθ] *s* pistă de alergări
racing people ['reisiŋ ˌpiːpl] *s* turfiști, amatori de curse
racing stable ['reisiŋ ˌsteibl] *s* grajd (de cai) de curse
racing track ['reisiŋ ˌtræk] *s* 1 hipodrom; turf 2 *fig* curse *(de cai)*
racing world, the ['reisiŋ ˌwəːld, ðə] *s* lumea turfului/curselor, turf, turfiștii, spectatorii și jucătorii la cursele de cai
racism ['reisizəm] *s ↓ amer* rasism
racist ['reisist] *adj, s amer* rasist
rack¹ [ræk] **I** *s* 1 grătar; gratii; leasă 2 *ferov* plasă *(pt bagaje)* 3 raft, poliță; rafturi, stelaj; etajeră; suport *(pt scule);* stativ 4 cuier 5 rastel 6 iesle 7 *tehn* cremalieră, șină dințată **II** *vt* 1 a pune/a așeza pe rastel, grătar, poliță, în cuier *etc.* 2 a pune *(fân)* în iesle 3 a lega *(vitele)* la iesle
rack² **I** *s* 1 *od* instrument de tortură, roată; scaun de tortură; **to put on/to the ~ a** a trage/a pune pe roată **b** a supune la cazne 2 *fig* cazna, chinuri, torturi, supliciu; **to be on the ~** a sta ca pe ace, a fi chinuit la culme **II** *vt* 1 *od* a schingiui, a tortura, a chinui 2 *fig* a chinui, a tortura, a supune la cazne; **to ~ one's brains** a-și frământa creierii, a-și scormoni memoria 3 *fig* a estorca, a stoarce 4 a epuiza, a secătui *(pământul)*
rack³ *s* distrugere, nimicire, ruină, prăpăd
rack⁴ *vt* a pritoci, a trage *(vinul etc.)*
rack⁵ *s* 1 nor cumulus, oiță 2 drum urmat de un nor
rack⁶ *s* araki, rachiu de orez
rack⁷ **I** *s* trap ușor **II** *vi* a merge în trap ușor
rack car ['ræk ˌkaːʳ] *s ferov od* vagon descoperit

racket¹ ['rækit] *s* 1 *sport* rachetă *(de tenis etc.)* 2 *pl sport* varietate de tenis 3 rachetă *(pt mers pe zăpadă)*
racket² **I** *s* 1 zarvă, larmă, agitație, tărăboi; **to kick up/to make a ~** *v.* **racket about**; **to stand the ~ a** a plăti/a suporta cheltuielile **b** a suferi consecințele, a plăti oalele sparte **c** a înfrunta criticile; *fig* a înfrunta furtuna 2 (viață de) petreceri/desfătări/distracții; destrăbălare; **to go on the ~ a** *v.* **~ II b** a duce o viață de risipă 3 afaceri necinstite; afacere gangsterească; lovitură de gangster, contrabandă *(de alcool etc.);* **to be on the ~** a fi părtaș/complice la/a se băga într-o afacere necurată 4 *amer* escrocherie, pungășie; branșă *(în care e specializat un gangster)* **II** *vi* a duce o viață destrăbălată/de chefuri/petreceri, *F* a o ține numai în chefuri/petreceri; a merge în vâjâială
racket about ['rækit ə'baut] *vi cu part adv* a face tărăboi/gălăgie/scandal
racketeer [ˌræki'tiəʳ] **I** *s* 1 scandalagiu 2 petrecăreț, cheflju 3 *amer* gangster; escroc 4 *amer* afacerist; profitor **II** *vi* a face afaceri veroase **III** *vt* a escroca, a înșela, a jecmăni
rackety ['rækiti] *adj* 1 zgomotos, gălăgios 2 petrecăreț, cheflju
racking¹ ['rækiŋ] *adj* 1 *(d. prețuri etc.)* exorbitant, excesiv; de speculă 2 *(d. durere)* chinuitor, sfâșietor
racking² *s od* tragere pe roată
rack off ['ræk 'ɔːf] *vt cu part adv* a scoate *(vin, bere etc.)* din drojdie, tescovină
rack rail(way) ['ræk 'reil(ˌwei)] *s ferov* cale ferată cu cremalieră
rack rent ['ræk ˌrent] *s* chirie *sau* arendă exorbitantă
rackrenter ['ræk,rentəʳ] *s* 1 proprietar speculant 2 chiriaș speculat de proprietar
rack up ['ræk 'ʌp] *vt cu part adv amer* a realiza, a obține *(scorul dorit etc.)*
rack wheel ['ræk ˌwiːl] *s tehn* roată dințată
rack work ['ræk ˌwəːk] *s tehn* mecanism cu cremalieră
racon ['reikɔn] *s amer nav, tele* far/semnal radar pentru navigație

raconteur [ˌrækɔn'təːʳ] *s fr* (bun) povestitor *(de anecdote etc.)*

racoon [rə'kuːn] *s zool* raton, ursuleț spălător *(Procyon lotor)*

racquet ['rækit] *s v.* **racket**[1]

racy[1] ['reisi] *adj* 1 păstrând caracterele moștenite/ereditare, având caracteristici ereditare; care își trădează originea/proveniența 2 savuros, cu gust pronunțat, cu buchet aromat; picant 3 *fig (d. anecdote etc.)* picant; decoltat; *amer* porcos, scabros 4 plin de vervă, în vervă

racy[2] *adj (d. cai etc.)* bun pentru curse; de performanță

rad [ræd] *s fiz* rad *(unitate de măsură a radiației de ionizare = 100 ergi per gram)*

rad *presc de la* 1 **radical** 2 **radio** 3 **radius**

R.A.D.A. *presc de la* **Royal Academy of Dramatic Art**

radar ['reidaːʳ] *s* 1 radar, radiolocator 2 radiolocație, radiodetecție, radar 3 stație (de) radar

radar trap ['reidaː ˌtræp] *s* radar *(pt autovehiculele care depășesc viteza legală)*

R.A.D.C. *presc de la* **Royal Army Dental Corps** serviciul stomatologic al armatei

Radcliffe ['rædklif], **Ann** romancieră britanică *(1764-1823)*

raddle ['rædəl] I *s* culoare roșcată II *vt* 1 a vopsi în roșu 2 a farda violent; a vopsi, a sulemeni

raddled ['rædəld] *adj* 1 sulemenit, vopsit/fardat violent 2 mirat, uimit 3 *sl* matol, afumat

radial ['reidiəl] *adj* radial, cu raze; în formă de stea

radial engine ['reidiəl 'endʒin] *s fiz* motor radial/în stea

radial-ply ['reidiəl ˌplai] *adj atr auto (d. anvelopă)* radial

radiance ['reidiəns] *s* 1 *fiz* radiație; radiații 2 strălucire, iradiere, lucire 3 *fig* aureolă, nimb

radiancy ['reidiənsi] *s v.* **radiance**

radiant ['reidiənt] I *adj* 1 *fiz* iradiant, care (i)radiază 2 *fig* strălucitor, radios II *s fiz* punct radiant; sursă de căldură *sau* lumină

radiate ['reidiˌeit] I *vt* 1 *fiz* a (i)radia, a emite, a răspândi 2 *rad* a emite, a transmite, a difuza 3 *fig* a răspândi, a radia/a străluci de *(bucurie, sănătate etc.)* II *vi* 1 a

răspândi raze, a (i)radia 2 a fi dispus radial, a porni din același centru 3 *fig* a radia *(de sănătate, fericire etc.)*

radiation [ˌreidi'eiʃən] *s* 1 *fiz* (i)radiație 2 *fig* strălucire

radiation chemistry [ˌreidi'eiʃən 'kemistri] *s fiz* radiochimie; studiul efectelor chimice ale radiațiilor

radiation sickness [ˌreidi'eiʃən ˌsiknis] *s med* boală atomică/de iradiere

radiator ['reidiˌeitəʳ] *s* 1 radiator *(de calorifer etc.);* corp de încălzit 2 *fiz* corp radiant

radiator grille ['reidiˌeitə 'gril] *s auto* mască/grilă pentru radiator

radiator mascot ['reidiˌeitə 'mæskət] *s auto* emblemă *(pe radiator)*

radical ['rædikəl] I *adj* 1 radical; fundamental, esențial 2 *pol* radical, de convingeri radicale, (cu vederi) de stânga 3 *bot* fără tulpină II *s* 1 *mat, ch, lingv* radical, rădăcină 2 *pol* radical, om de stânga, < revoluționar

radicalism ['rædikəˌlizəm] *s* caracter radical/< revoluționar

radicalize ['rædikəlaiz] *vt* a radicaliza

radically ['rædikəli] *adv* 1 (în mod) radical/fundamental 2 la început, inițial

radices ['reidiˌsiːz] *pl de la* **radix**

radicle ['rædikəl] *s* 1 *ch* radical 2 *bot* radiculă 3 *anat* ramificație inițială

radicular [rə'dikjuləʳ] *adj* radicular

radii ['reidiˌai] *pl de la* **radius**

radio ['reidiou] I *s* 1 radio(difuziune) 2 (aparat de) radio II *vt* 1 a transmite/a difuza prin radio 2 *med* a trata cu radium

radioactive [ˌreidiou'æktiv] *adj ch, fiz* radioactiv

radioactive fall-out [ˌreidiou'æktiv 'fɔːl,aut] *s* căderi (de pulberi) radioactive

radioactivity [ˌreidiouæk'tiviti] *s* radioactivitate

radio announcer ['reidiou ə'naunsəʳ] *s* crainic (de radio), spicher (la radio)

radioastronomy ['reidiouəs'trɔnəmi] *s* radioastronomie

radio bearing ['reidiou ˌbɛəriŋ] *s tel* radionavigație; radiolocație

radio bearing station ['reidiou ˌbɛəriŋ 'steiʃən] *s tel* radiogoniometru

radio broadcasting ['reidiou 'brɔːd-ˌkaːstiŋ] *s* radiodifuziune

radio cab ['reidiou ˌkæb] *s auto* taxi înzestrat cu (stație de) radio

radio call ['reidiou ˌkɔːl] *s tel* semnal radio

radio car ['reidiou ˌkaːʳ] *s v.* **radio cab**

radio-chemistry [ˌreidiou 'kemistri] *s* radiochimie

radio communication [ˌreidiou kəˌmjuːni'keiʃən] *s tel* radiocomunicație

radio-compas [reidiou'kʌmpəs] *s nav, av* radio compas

radio-controlled [ˌreidioukən'trould] *adj* dirijat de la distanță, prin radio, radio ghidat

radio drama ['reidiou ˌdraːmə] *s* teatru radiofonic/la microfon; scenariu radiofonic

radioelement [ˌreidiou'elimənt] *s ch* element radioactiv, radioelement

radiogram ['reidiouˌgræm] *s* 1 *tel* radiogramă 2 *med* radiografie 3 ← *F* radio cu picup

radiograph ['reidiouˌgraːf] I *s* radiografie II *vt* a radiografia, a supune radiografiei

radiography [ˌreidi'ɔgrəfi] *s med etc.* radiografie(re), procedeul radiografiei

radio ham ['reidiou ˌhæm] *s sl* radio amator

radiolaria [ˌreidiou'lɛəriə] *s pl zool* radiolari

radio location [ˌreidiou lə'keiʃən] *s tel* radiolocație, radar

radiolocator ['reidiouˌlə'keitəʳ] *s tel* radiolocator

radiologic(al) [ˌreidiə'lɔdʒik(əl)] *adj med* radiologic

radiology [ˌreidi'ɔlədʒi] *s med* radiologie

radioman [ˌreidiou'mæn] *s* operator radio, radiotelegrafist

radiomarker [ˌreidiou'maːkəʳ] *s av, nav* radiofar, radiobalizǎ

radio range ['reidiou 'reindʒ] *s v.* **radiomarker**

radioreceiver [ˌreidiouri'siːvəʳ] *s tel* (radio)receptor, aparat de radio (recepție), *F* radio

radioscopic(al) [ˌreidiou'skɔpik(əl)] *adj med* radioscopic

radioscopy [ˌreidi'ɔskəpi] *s med* radioscopie, procedeul radioscopiei

radio show [ˌreidiou 'ʃou] *s* spectacol radiofonic; teatru la microfon

radio sonde ['reidiou ,sɔnd] *s tel, meteor* radiosondă

radio star [,reidiou 'staːʳ] *s astr* radiostea, corp ceresc care emite intens unde radio

radio-telegram [,reidiou'teligræm] *s tel* radiotelegramă, telegramă transmisă prin radio

radio telegraph [,reidiou teli,graːf] *s tel* radiotelegraf

radio-telegraphy [,reidiouti'legrəfi] *s tel* radiotelegrafie

radiotelephone [,reidiou'telifoun] *s tel* radiotelefon

radio-telephony [,reidiou ti'lefəni] *s tel* radiotelefonie, telefonie prin radio

radiotherapeutics [,reidiou,θerə-'pjuːtiks] *s pl ca sg med* 1 radiumterapie 2 radioterapie, roentgenterapie

radiotherapy [,reidiou'θerəpi] *s v.* radiotherapeutics

radio transmission [,reidiou ,træn-'zmiʃən] *s tel* emisiune radio; radiotransmisie

radio wave ['reidiou ,weiv] *s fiz* undă radio(fonică)

radish ['rædiʃ] *s bot* ridiche *(Raphanus sativus)*

radium ['reidiəm] *s ch* radiu(m)

radium əmanation ['reidiəm emə-'neiʃən] *s v.* radon

radium therapy [,reidiəm 'θerəpi] *s med* radiumterapie, radioterapie

radius ['reidiəs], *pl și* **radii** ['reidiai] *s* 1 *geom* rază (de cerc) 2 *fig* distanță, întindere; **within a ~ of a** pe o rază de **b** în limitele *cu gen* 3 spiță *(la roată)* 4 *anat* radius

radius vector ['reidiəs ,vektəʳ] *s anat, geom, astr, fiz* rază vectoare

radix ['reidiks], *pl și* **radices** ['rei-di,siːz] *s* 1 *mat* bază *(a unui sistem logaritmic etc.)* 2 izvor, sursă 3 *mat, ch lingv* ← *înv* radical, rădăcină 4 *v.* radicle 2, 3

R Adm *presc de la* **Rear Admiral**

radome ['reidoum] *s av* cupolă pentru echipamentul radar *(↓ pe avion)*

radon ['reidɔn] *s ch* radon, emanație

Rae [rei] *nume feminin v.* **Rachel**

Raeburn ['rei,bəːn], **Sir Henry** *pictor scoțian (1756-1823)*

RAF, R.A.F. *presc de la* **Royal Air Force**

Rafael ['ræfeiəl] *nume masculin*

raff [ræf] **I** *s v.* **riff-raff 1 II** *vi* a trăi în desfrâu, a duce o viață destrăbălată

raffia ['ræfiə] *s bot* rafie *(Raphia ruffia)*

raffish ['ræfiʃ] *adj* 1 scandalagiu, gălăgios 2 destrăbălat, desmățat 3 josnic, ordinar 4 lăudăros, fanfaron; care face pe grozavul

raffishly ['ræfiʃli] *adv* 1 mitocănește, golănește, ordinar 2 gălăgios, ca un huligan, desmățat 3 murdar, josnic

raffishness ['ræfiʃnis] *s* 1 golănie, huliganism, mitocănie *(gălăgioasă)* 2 desmăț(are), destrăbălare; nerușinare 3 scandal, gălăgie, manifestări huliganice

raffle¹ ['ræfəl] **I** *s* tombolă, loterie *(↓ filantropică)* **II** *vi* a juca la loterie/tombolă **III** *vt* a pune *(obiecte)* la loterie/tombolă

raffle² ['ræfəl] *s* 1 rebut 2 *v.* **riff-raff**

raft¹ [raːft] **I** *s* 1 *nav* plută 2 *nav* ponton; bac; pod umblător 3 masă plutitoare *(de gheață etc.)* **II** *vt* 1 a transporta cu pluta 2 a face o plută din 3 a traversa/a străbate cu pluta

raft² *s amer* 1 mulțime, gloată 2 *F* grămadă, noian, morman; − belșug, abundență 3 *sl* poligamie

raft across ['raːft ə'krɔs] *vi cu part adv* a traversa/a trece cu pluta

raft down ['raːft 'daun] *vi cu part adv* a coborî cu pluta, a plutări la vale

rafter ['raːftəʳ] *s* 1 plutaș 2 podar, pontonier 3 *constr* grindă; căprior; **from cellar to ~** de la temelie la acoperiș, de sus până jos

raftsman ['raːftsmən] *s v.* **rafter 1**

R.A.F.V.R. *presc de la* **Royal Air Force Volunteer Reserve** corpul de voluntari din rezerva aviației britanice

rag¹ [ræg] *s* 1 zdreanță, ruptură; petic/bucată de pânză; cârpă; **to tear smth to ~** a face ceva bucăți, a rupe; **to be worn to ~s** a ajunge numai zdrențe; **to spread every ~ of sail** *nav* a ridica toate pânzele pe care le are; **to pick ~s** a aduna/a strânge cârpe vechi 2 *pl* haine rupte/jerpelite/roase, zdrențe, rupturi, cârpe; **to be all in ~s, to go about in ~s** a umbla (îmbrăcat) în zdrențe, a fi zdrențăros 3 *fig peior* fițuică, ziar mizerabil/prost 4 *peior* steag zdrențuit; pânză ruptă 5 *fig F* pic, dram, umbră, idee

rag² *sl* **I** *s* 1 glumă grosolană; farsă zgomotoasă; **for a ~** în glumă 2 tărăboi, vacarm *(↓ făcut de tineri)* **II** *vt* 1 a tachina, a râde de, a necăji 2 a tulbura *(o prelegere etc.)*

rag³ *constr* **I** *s* calcar dur; piatră de construcție **II** *vt* a concasa, a măcina, a sfărâma

ragamuffin ['rægə,mʌfin] *s* 1 zdrențăros, coate-goale 2 vagabond, haimana; golan 3 ștrengar

rag-and-bone man ['rægən'boun mən] *s* 1 telal, negustor de haine vechi/de lucruri de ocazie 2 peticar

rag-bag ['rægbæg] *s* 1 sac pentru cârpe 2 *fig* adunătură de tot felul de obiecte; bric-à-brac 3 *F* țață, mahalagioaică; − femeie prost îmbrăcată

rag doll ['ræg dɔl] *s* păpușă făcută din cârpe

rage [reidʒ] **I** *s* 1 furie, turbare, supărare cumplită; **to fly/to get into a ~** a se înfuria, a-și pierde cumpătul, a-și ieși din fire 2 ← *F* hobby, pasiune; modă, vogă; **to be all the ~** − *F* a fi ultimul răcnet/strigăt, − a fi ultima modă; a face furori **II** *vt* 1 **(at, against)** a se înfuria, a se dezlănțui (împotriva − *cu gen)* 2 *fig (d. furtună)* a urla, a vui 3 *(d. animale)* a turba

ragged ['rægid] *adj* 1 zdrențuit; zdrențăros, rupt, în zdrențe, jerpelit 2 colțuros, dințat, zimțuit; neregulat; zgrunțuros, aspru, cu rugozități 3 nepieptănat, mițos, flocos 4 neîngrijit, neglijat 5 neglijent 6 necizelat, *F →* lucrat din topor

raggedness ['rægidnis] *s* 1 jerpeleală, aspect zdrențăros/jerpelit 2 rugozitate, asprime 3 *fig* lipsă de omogenitate/unitate; caracter inegal

raging ['reidʒiŋ] **I** *adj* furios, mânios; care urlă **II** *s* furie, mânie, turbare

raglan ['ræglən] *s, adj atr* raglan

ragman ['rægmən] *s v.* **rag-and-bone man**

ragout [ræ'guː] *s* tocană; ostropel

rag paper ['ræg ,peipəʳ] *s* hârtie făcută din cârpe/din deșeuri textile

rag picker ['ræg ,pikəʳ] *s* peticar

rags to riches ['rægz tə 'ritʃiz] *s fig* drumul de la mizerie la bogăție

ragtag/rag tag (and bobtail) ['ræg-
,tæg (ən 'bɒb,teil)] *s* drojdia so-
cietăţii, scursură; lepădătură

rag time ['ræg ,taim] **I** *s* dans
sincopat; muzică sincopată *(de
jazz)* **II** *adj atr* **1** cu ritm sincopat
2 dezordonat, nedisciplinat **3** ←
F de farsă, de comedie

rag trade ['ræg ,treid] *s* ← *F* indus-
tria îmbrăcămintei; design pentru
casele de modă

ragweed ['ræg,wi:d] *s bot* rugină
(Senecio jacobala)

ragwort ['ræg,wə:t] *s v.* **ragweed**

rah [rɑ:] *interj amer* ura! bravo! hai!

raid [reid] **I** *s* **1** raid, atac, incursiune
2 razie, descindere **II** *vi* **1** **(upon)**
a întreprinde un atac/o incur-
siune *(asupra – cu gen)*, a ataca
(cu ac) **2** a face/a opera o razie/
descindere **II** *vt* **1** a prăda **2** a
invada, a năvăli în; a ataca **3** a
opera o razie/descindere în

raider ['reidə^r] *s* **1** năvălitor, invada-
tor; participant la o incursiune/un
raid **2** participant la o razie/
descindere **3** *av* avion care face
o incursiune **4** *înv* corsar **5** *nav*
navă în cursă

raid into ['reid ,intə] *vi cu prep* a
invada, a năvăli în; **to ~ the
market** a provoca panică pe
piaţă

rail[1] [reil] **I** *s* **1** şină; **to get off/to
run off/to leave the ~s a** *ferov*
a deraia, a sări de pe linie **b** *fig* a
deraia, a o lua razna/alăturea cu
drumul **2** cale ferată, drum de
fier; transport feroviar; **by ~** pe
cale ferată, cu trenul **3** *fin* acţiuni
ale societăţilor/companiilor fero-
viare **4** drug; bară; traversă,
grindă **5** cuier *(pt pălării)* **6** balus-
tradă, mână curentă, parmaclâc,
parapet; **to lean over the ~s** a
se apleca peste parapet/balus-
tradă **7** *pl* grilaj, gard *(de ostreţe)*,
împrejmuire; zăbrele, gratii **II** *vt*
1 a transporta pe calea ferată; a
expedia/a trimite cu trenul/pe
calea ferată **2** a împrejmui, a
îngrădi, a înconjura cu un gard **3**
a împrejmui cu o balustradă

rail[2] *s orn* cârstei, cristei *(Rallus sp.)*

rail[3] *vi* a se deda la invective/
înjurături, a profera injurii

rail against/at ['reil ə,genst/ət] *vi cu
prep* **1** a ocărî, a blestema **2** a
critica, a ţine de rău, a blama

rail car ['reil ,kɑ:^r] *s ferov* automotor

rail chair ['reil ,tʃɛə^r] *s ferov* scaun
pentru şină, cuzinet al şinei,
alunecător

railed ['reild] *adj* **1** îngrădit, împrej-
muit **2** *ferov (în cuvinte com-
puse):* **double-~** cu linie dublă

railer ['reilə^r] *s* persoană care
profereazâ insulte/injurii/in-
vective

rail fence ['reil ,fens] *s amer* gard
din şine şi stâlpi

rail guard ['reil ,gɑ:d] *s ferov* grătar
de protecţie *(în faţa locomo-
tivei)*

rail head ['reil ,hed] *s* **1** *ferov* cap
de linie, (punct) terminus **2** *mil*
staţie de descărcare

rail in ['reil 'in] *vt cu part adv v.*
rail II **2**

railing ['reiliŋ] *s pl* **1** grilaj, gratii;
îngrăditură, gard *(de ostreţe)* **2**
rampă, balustradă, parmaclâc **3**
zăbrele, grilaj

raillery ['reiləri] *s* tachinărie, zefle-
mea, ironie blândă

rail off ['reil 'ɔ:f] *vt cu part adv* a
separa/a despărţi printr-un gard/
printr-o împrejmuire

railroad ['reil,roud] *amer* **I** *s* cale
ferată, drum de fier, transport
feroviar **II** *adj atr* feroviar; de la
calea ferată; pe calea ferată **III**
vt **1** a transporta *sau* a expedia
cu trenul **2** *pol fig* a face *(un
proiect de lege etc.)* să treacă
prin parlament, a forţa votarea
(unei legi etc.) **IV** *vi* **1** a călători
cu trenul **2** a lucra la căile ferate

railroader ['reil,roudə^r] *s amer* **1**
muncitor feroviar **2** proprietarul
unei căi ferate particulare

railroad jungle ['reil,roud 'dʒʌŋgl] *s
amer* **1** vagoane de marfă locuite
de vagabonzi **2** *fig* lumea vaga-
bonzilor

railroad system ['reil,roud ,sistəm]
s amer reţea feroviară/de căi
ferate

railway ['reil,wei] **I** *s* cale ferată,
drum de fier **II** *adj atr* feroviar; de
la calea ferată; pe calea ferată,
cu trenul **III** *vt* **1** a merge cu
trenul, a călători pe calea ferată
2 a construi o cale ferată

railway bed ['reil,wei 'bed] *s ferov*
terasament

railway board ['reil,wei 'bɔ:d] *s*
direcţia căilor ferate

railway brotherhood ['reil,wei
'brʌðə,hud] *s* sindicat al mun-
citorilor feroviari

railway car ['reil,wei 'kɑ:^r] *s ferov*
vagon de călători

railway carriage ['reil,wei 'kæridʒ] *s
v.* **railway car**

railway crossing ['reil,wei ,krɔsiŋ]
s ferov pasaj de/la nivel

railway engine ['reil,wei ,endʒin] *s
ferov* locomotivă

railway ferry ['reil,wei ,feri] *s nav*
feribot

railway guide ['reil,wei ,gaid] *s amer*
mersul trenurilor

railway junction ['reil,wei ,dʒʌŋk-
ʃən] *s* nod feroviar/de cale ferată;
încrucişare

railway line ['reil,wei 'lain] *s ferov*
linie ferată

railwayman ['reil,weimən] *s* (mun-
citor) feroviar

railway speed ['reil,wei 'spi:d] *s* mare
viteză, iuţeala fulgerului/vântului

railway station ['reil,wei 'steiʃən] *s
ferov* gară, staţie

railway system ['reil,wei 'sistəm] *s*
reţea feroviară/de căi ferate

railway terminal ['reil,wei 'tə:minəl]
s ferov (staţie) terminus, cap de
linie

railway ticket ['reil,wei 'tikit] *s* bilet
de tren

raiment ['reimənt] *s poetic* strai(e),
veşmânt, veşminte, – haină

rain [rein] **I** *s* **1** ploaie; **in the ~** pe
ploaie; în ploaie; **the ~ comes
out in torrents** plouă torenţial,
toarnă cu găleata; **it looks like
~** vine ploaia; *F* stă să plouă **2** *pl*
the ~s sezonul ploios, ploi *(la
tropice)* **3** *fig* ploaie, grindină,
potop *(de gloanţe, săgeţi, lovituri
etc.)* **4** şiroaie *(de lacrimi etc.)* **5**
noian, grămadă; năvală **II** *v
impersonal* a ploua; **it is ~ing**
plouă; **it ~s often** plouă des/
adesea; **it is ~ing cats and
dogs; it is ~ing pitchforks** *amer
F* toarnă cu găleata, plouă de
rupe pământul; **it never ~s but
it pours** *prov* o nenorocire nu
vine niciodată singură **III** *vi* a
şiroi, a cădea ca ploaia/grindina;
a curge cu nemiluita; **blows
were ~ing upon him** asupra lui
se abătuse o grindină de lovituri
IV *vt* **1** *(d. nori)* a ploua cu, a
cerne, a trimite *(picături etc.)*

2 *fig* a ploua cu, a revărsa, a împroșca cu, a copleși de; **to ~ blows on smb** a căra cuiva la pumni, a se năpusti asupra cuiva; **to ~ gifts on smb** a copleși pe cineva cu cadouri

rainbird ['rein,bə:d] *s orn* **1** cucul șopârlă *(Saurothera vetula)* **2** cuc cu ciocul galben *(Coccyzus ambricornus)*

rainbow ['rein,bou] *s* curcubeu

rainbow-hued ['rein,bou'hju:d] *adj* irizat

rainchart ['rein,tʃa:t] *s* hartă pluviometrică

rain check ['rein ,tʃek] *s* **1** tichet de control *(în cazul în care se întrerupe meciul, spectacolul)* **2** *fig* repetare/reafirmare a unei promisiuni amânate

raincoat ['rein,kout] *s* impermeabil, manta/haină de ploaie; pelerină

rain doctor ['rein ,dɔktə'] *s* vrăjitor/ șarlatan care încearcă să aducă ploaie

rainfall ['rein,fɔ:l] *s* **1** (cantitate de) precipitații **2** aversă, ploaie torențială; rupere de nori

rain forest ['rein ,fɔrist] *s* pădure tropicală

raingauge ['rein,geidʒ] *s* pluviometru

rain glass ['rein ,glɑ:s] *s* barometru

Rainier, Mount ['reiniə, maunt] *munte în S.U.A.*

raininess ['reininis] *s* climă ploioasă/umedă

rainless ['reinlis] *adj* secetos, uscat

rainlessness ['reinlisnis] *s* secetă, uscăciune

rainmaker ['rein,meikə'] *s* vraci/om care aduce ploaia; *aprox* paparudă

rain or shine ['rein ɔ: 'ʃain] *adv* **1** indiferent de vreme, pe orice vreme **2** *fig* indiferent de situație, în orice condiții, și la bine, și la rău

rainproof ['rein,pru:f] **I** *adj* **1** impermeabil **2** rezistent/inalterabil la ploaie, hidrofug **II** *s* manta de ploaie

rain shadow ['rein ,ʃædou] *s geogr* regiune submontană apărată de ploi

rain shower ['rein ,ʃauə'] *s* aversă de ploaie

rain storm ['rein ,stɔ:m] *s* vijelie, furtună cu ploaie

raintight ['rein,tait] *adj v.* **rainproof**

rainwater ['rein,wɔ:tə'] *s* **1** apă de ploaie **2** apă provenită din precipitații

rainwear ['rein,wɛə'] *s* îmbrăcăminte/haine de ploaie

rainworm ['rein,wə:m] *s zool* râmă *(Lumbricus terrestri)*

rainy ['reini] *adj* **1** ploios; umed; **to lay by against/for a ~ day** a strânge bani albi pentru zile negre **2** *(d. nori)* (aducător) de ploaie

Raipur ['raipuə'] *oraș în India*

raise [reiz] **I** *vt* **1** a ridica (în picioare), a înălța, a așeza vertical, a pune drept *sau* în picioare; **to ~ one's head** a a ridica/a înălța capul **b** *fig* a da semne de viață, a se ivi, a apărea **2** a ridica (sus), a înălța *(paharul, pălăria, jaluzelele, voalul)* **3** a scula, a ridica; **to ~ from the dead** a învia, a scula din morți; **to ~ Cain/the devil/ hell** a face un scandal monstru, a face tărăboi/gălăgie **4** a-și zbârli *(penele, părul, sprâncenele)* **5** a aduce la suprafață din adâncuri; **to ~ anchor** și *fig* a ridica ancora; **to ~ coal** a aduce cărbunele la suprafață; **to ~ smb from poverty** a scăpa pe cineva de sărăcie **6** a trezi *(interes etc.)*; a stârni *(praful etc.)*; a agita, a face să se agite; a provoca, a produce, a ridica *(o problemă);* **to ~ hopes** a da naștere la/a trezi speranță **7** a încuraja, a ridica; a remonta *(moralul etc.)* **8** a evoca, a chema *(un spirit etc.)* **9** a ridica, a înălța *(o statuie etc.);* a clădi, a construi *(un edificiu etc.)* **10** a crește *(vite etc.);* a cultiva, a crește *(cereale etc.)* **11** a-și crește *(copiii)* **12** a înălța în grad, a avansa, a înainta; **to ~ smb to power** a aduce pe cineva la putere **13** a spori, a urca, a ridica, a mări *(prețuri, salarii etc.)* **14** a face să crească *(aluatul etc.)* **15** a rosti, a scoate *(un strigăt etc.)* **16** a strânge, a aduna *(bani, fonduri, dări, soldați)* **17** *ec* a lansa *(un împrumut);* **to ~ the wind** *F* a face rost de bani **18** a ridica, a înceta *(blocada, asediul)* **19** *nav* a se apropia de *(coastă),* a începe să zărească *(țărmul)*

II *s* **1** urcare, sporire, mărire *(a prețurilor, salariilor etc.)* **2** *(la cărți)* relans **3** *min* suitoare, suiș

raised [reizd] *adj* **1** ridicat, înălțat **2** în/cu relief **3** *(d. aluat)* crescut

raised print ['reizd ,print] *s poligr* tipar în relief *(pentru orbi)*

raised quarterdeck ['reizd ,kwɔ:- tə'dek] *s nav* semidunetă

raise up ['reiz 'ʌp] *vt cu part adv* a-și crea, a-și face *(dușmani etc.)*

raisin ['reizən] *s* stafidă

raja(h) ['rɑ:dʒə] *s* rajah

Rajasthan [,rɑ:dʒə'stɑ:n] *stat în India*

rake¹ [reik] **I** *s* **1** greblă; **(as) lean as a ~** slab ca un țâr **2** răzuitoare, răzătoare; curățitoare; rașchetă **3** pieptene mare și rar; depănătoare **4** vătrai; cârlig pentru foc; lopățică pentru jeratic; prăjină cu cârlig *(la cuptorul de brutărie)* **5** lopățică a crupierului *(la cazinouri)* **6** *F* slăbănog, schelet, țâr **II** *vt* **1** a grebla; a netezi **2** a strânge, a aduna *(cu grebla sau fig)* **3** a scormoni/a căuta/a scotoci în *(hârtii, memorie etc.)* **4** a răzui, a râcâi **5** *med* a chiureta, a curăța **6** *mil* a secera cu mitraliera, a mitralia; a deschide tir/foc de baraj asupra *(cu gen)* **7** a scruta, a cerceta atent; a cuprinde cu privirea/ochii **III** *vi* **1** a lucra cu grebla, a grebla **2** *fig* a scormoni, a face cercetări/ investigații

rake² **I** *s* crai(don), berbant, libertin **II** *vi* a duce o viață desfrânată, a trăi în desfrâu

rake³ **I** *vi* a se abate de la verticală, a fi/a sta înclinat **II** *vi* a înclina, a apleca **III** *s* **1** înclinare, aplecare **2** *tehn* înclinație, deviere/abatere de la verticală/perpendiculară; unghi de degajare/înclinare

rake away ['reik ə'wei] *vi cu part adv* a curăța/a mătura cu grebla *(frunzele etc.)*

rakeful ['reikful] *s* cantitate *(de fân etc.)* luată cu grebla

rake in ['reik 'in] *vi cu part adv* **1** a strânge *(fisele)* de pe masa de joc **2** ← *F* a strânge, a aduna *(bani)*

rake off ['reik 'ɔ:f] *s amer sl* comision al intermediarului

rake out ['reik 'aut] *vi cu part adv* a scormoni, a iscodi, a scoate la iveală; **to ~ a fire** a scoate cenușa din sobă, a domoli focul

rake over ['reik ,ouvəʳ] *s* **1** greblă **2** persoană care greblează **3** ← *F* greblă, – pieptene

rake's progress ['reiks 'prougres] *s fig* decădere morală, afundare în mocirlă

rake together ['reik tə'geðəʳ] *vt cu adv* a strânge/a aduna cu grebla; a grebla

rake up ['reik ˌʌp] *vi cu part adv* **1** v. **rake together 2** a scormoni *(jeraticul);* a aţâţa *(focul)* **3** *fig* a scormoni, a zgândări, a reînvia *(amintiri, vrajbă)*

raking[1] ['reikiŋ] *s* **1** greblare **2** *pl* frunze *etc.* adunate cu grebla **3** *pl* fise adunate de pe masa de joc **4** scotocire, scormonire **5** *F* papară, chelfăneală; – mustrare, ocară

raking[2] ['reikiŋ] *adj* **1** înclinat; în pantă **2** *nav (d. navă etc.)* zvelt; *(d. catarg)* înclinat spre spate

rakish[1] ['reikiʃ] *adj* **1** libertin, dezmăţat, desfrânat, de crai (don) **2** şmecheresc; îndrăzneţ; dezinvolt

rakish[2] *adj* **1** *nav* zvelt; rapid **2** degajat, neprotocolar

rakishly ['reikiʃli] *adv* **1** ca un desfrânat/crai/libertin; ca un ticălos **2** şmechereşte, îndrăzneţ, dezinvolt; **with one's hat tilted** ~ cu pălăria (pusă) pe o ureche/ şmechereşte

rale [ra:l] *s med* ral, respiraţie zgomotoasă

Rale(i)gh ['rɔ:li], **Sir Walter** *navigator şi literat englez (1552?-1618)*

rallentando [ˌrælen'tændou] *s, adj, adv muz* rallentando

ralli car(t) ['ræli ˌka:(t)] *s* trăsură cu două roţi *(pt patru persoane)*

rally[1] ['ræli] **I** *s* **1** *pol* miting, întrunire, adunare **2** *mil* concentrare de trupe; regrupare a forţelor **3** concurs, competiţie *(de frumuseţe etc.)* **4** congres **5** restabilire, revenire **6** *com* nou avânt, revenire **7** *sport* efort/sprint final, ultim efort **8** *sport* repriză **II** *vt* **1** a aduna, a strânge, a ralia, a reuni **2** *mil* a regrupa, a aduna; a striga adunarea pentru **3** a reanima, a reînsufleţi, a rechema la viaţă **III** *vi* **1** *mil* a se regrupa, a se strânge, a se aduna **2** *pol* a se ralia, a se uni, a se (re)grupa **3** a-şi reveni, a-şi recăpăta forţele; a se reface, a se restabili **4** a se reculege

rally[2] *vt* a zeflemisi, a ironiza, a persifla, a lua în derâdere/ *F* balon

Ralph [rælf, ra:f, reif] *nume masc*

R.A.M. *presc de la* **Royal Academy of Music**

Ram, the ['ræm, ðə] *s astr* Berbecul

ram[1] [ræm] **I** *s* **1** *zool* berbec (necastrat) **2** *mil od* berbece **3** *nav* pinten **4** *tehn* berbec hidraulic; mai, piston; berbec basculant; *min* împingător de cărbuni **II** *vt* **1** *mil od* a sparge, a distruge, a sfărâma *(cu berbecele)* **2** *nav od* a ataca/a aborda cu pintenul etravei **3** *tehn* a presa, a tasa, a bate *(cu maiul)* **4** a înfunda, a înfige, a vârî, a băga *(prin batere);* a bate *(un par);* **to** ~ **smth into smb** *fig* a băga cuiva ceva în cap *sau* pe gât; **to** ~ **the argument home** a demonstra ceva în mod convingător, a-şi convinge ascultătorii **5** a îndesa, a presa, a băga cu forţa *(hainele, pălăria)* **6** a îndopa, a umple *(o pipă)* **7** a ciocni; a tampona, *F* a buşi *(o maşină etc.);* **to** ~ **one's head against smth** a se lovi/a se ciocni cu capul de ceva

ram[2] *s nav* lungime a vasului

ram[3] *adj* sever, riguros

R.A.M. *presc de la* **Royal Academy of Music**

Ramadan [ˌræmə'da:n] *s* ramazan *(la musulmani)*

Raman effect, the [ra:mən i'fekt, ðə] *s fiz* efectul Raman/de dispersare

ramble ['ræmbəl] **I** *vi* **1** a hoinări, a rătăci, a umbla fără ţintă; a face plimbări/excursii *(pe jos)* **2** *fig* a divaga, a face divagaţii, a bate câmpii; a vorbi vrute şi nevrute **II** *s* **1** hoinăreală; plimbare fără ţintă; excursie **2** *fig* incoerenţă; vorbărie incoerentă

rambler ['ræmbləʳ] *s* **1** bolnav, vântură-ţară; vagabond; excursionist **2** *F* palavragiu, vorbă lungă **3** *bot* plantă agăţătoare

rambling ['ræmbliŋ] **I** *adj* **1** *şi fig* rătăcitor, hoinar **2** *fig* incoerent, dezlânat, fără şir; aiurea **3** întortocheat; neregulat, dezordonat **4** *bot* agăţător **II** *s* **1** hoinăreală, vagabondaj **2** *fig* divagaţie; incoerenţă, vorbărie fără şir

rambling house ['ræmbliŋ ˌhaus] *s constr* casă cu multe coridoare *sau* ascunzişuri

rambunctious [ræm'bʌŋkʃəs] *adj amer* **1** dezordonat, nedisciplinat; gălăgios, turbulent **2** exuberant la culme, care nu-şi poate stăpâni energia/entuziasmul/ exuberanţa

rambunctiously [ræm'bʌŋkʃəsli] *adv amer* **1** în mod dezordonat/ nedisciplinat/gălăgios **2** exuberant *(la culme),* de un entuziasm zgomotos

rambunctiousness [ræm'bʌŋkʃəsnis] *s amer* **1** indisciplină, dezordine, gălăgie, caracter gălăgios **2** exuberanţă nestăvilită; entuziasm de nestăpânit

R.A.M.C. *presc de la* **Royal Army Medical Corps** medicii militari, serviciul sanitar al armatei

ram cat ['ræm ˌkæt] *s P* cotoi, motan, cotoşman

ram down ['ræm 'daun] *vt cu part adv* v. **ram II 1, 3**

ramekin ['ræmikin] *s* un fel de plăcintă, *aprox* papară

ramequin *s* v. **ramekin**

Rameses ['ræmi,si:z] *v.* **Ramses**

ramie ['ræmi] *s* **1** *bot* ramia *(Boehmeria sp.)*

ramification [ˌræmifi'keiʃən] *s* **1** ramificare, ramificaţie **2** bifurcare, răspântie **3** *ferov* linie secundară **4** *fig* ramură, branşă, secţie, subdiviziune **5** ← *F* ramuri, crengi, mlădiţe

ramify ['ræmifai] *vi* a se ramifica, a se bifurca

ram jet ['ræm ˌdʒet] *s av* statoreactor

rammed [ræmd] *adj* bătătorit; îndesat/bătut cu maiul

rammel ['ræməl] *s reg* **1** arboret **2** ţarină, ţelină **3** gunoi

rammer ['ræməʳ] *s* **1** muncitor care lucrează cu maiul **2** *constr* berbece; pilon; mai, pisălog **3** *mil* vergea *(de armă)* **4** *sl* labă, – mână, braţ

rammish ['ræmiʃ] *adj* **1** încăpăţânat ca un catâr/berbec **2** rău mirositor, puturos, împuţit, infect **3** *fig* desfrânat, porc, libidinos; lasciv

Ramon [rə'moun] *nume masc*

ramose ['reimous] *adj* rămuros, cu multe crengi

ramous ['reiməs] *adj v.* **ramose**

ramp¹ [ræmp] **I** vi **1** a se căţăra, a se urca; a se răsuci, a se învârti (ca o plantă agăţătoare) **2** a sări, a sălta **3** a avea un aer ameninţător; a se uita urât/chiorâş **II** vt a acoperi cu brazde de iarbă **III** s **1** rampă; platformă de încărcare **2** pantă, povârniş; rambleu, taluz; râpă; suiş, urcuş **3** geol falie (inversă); dislocare **4** ferov ac, acul macazului **5** contact, atingere; legătură, joncţiune, conexiune **6** bord, margine, bordură **7** bot fetică (Campanula rapunculus)

ramp² s/I s **1** şantaj; extorcare; jaf, prădăciune **2** hoţ, jefuitor; pungaş, ticălos **II** vt **1** a şantaja **2** a prăda, a jefui

rampacious [ræm'peiʃəs] adj F v. **rampageous**

rampage I ['ræmp(e)idʒ] s **1** furie, mânie, turbare, supărare, iritare; **to be on the ~** a face scandal/tărăboi, a face pe nebunul **2** gesturi demente/nebuneşti/de apucat; ţopăit de furie **3** P pungăşie, escrocherie **II** [ræm'peidʒ] vi a fi turbat, a se purta ca un nebun/apucat

rampageous [ræm'peidʒəs] adj **1** aprins, înfocat; impetuos **2** violent, zgomotos, gălăgios **3** nesupus, nedisciplinat **4** bădăran, grosolan

ramp along ['ræmp ə'lɔŋ] vi cu part adv a goni, a alerga foarte repede

rampancy ['ræmpənsi] s **1** furie, turbare; lipsă de stăpânire **2** violenţă, agresivitate **3** exagerare, exces **4** desfrâu, dezmăţ **5** înmulţire exagerată, răspândire rapidă, propagare

rampant ['ræmpənt] **I** adj **1** năvalnic, nestăpânit, frenetic **2** agresiv, violent, turbat **3** excesiv, exagerat **4** desfrânat, dezmăţat **5** (d. vegetaţie) luxuriant, bogat **II** s arhit **1** parapet, balustradă **2** arc rampant; boltă rampantă

rampantly ['ræmpəntli] adv **1** violent, agresiv; turbulent; turbat **2** exagerat

rampart ['ræmpɑ:t] **I** s **1** mil metereze, întărituri, (sistem de) fortificaţie **2** şi fig pavăză; protecţie, apărare; bastion **3** val de pământ; dig **4** tehn valţ, cilindru, sul; arbore, ax **II** vt a înconjura cu întărituri, a apăra

ramping ['ræmpiŋ] **I** adj violent, furtunos, furios **II** s acoperire a unui taluz (cu brazde de iarbă)

rampion ['ræmpiən] s v. **ramp¹ III 7**

rampsman ['ræmpsmən] s sl şut, – pungaş, hoţ

ramrod ['ræm‚rɔd] s **1** mil vergea (de armă); îndesător (la tun) **2** tehn baghetă; sondă **3** fig lucru (prea) rigid

Ramsay ['ræmzi], **Sir William** chimist britanic (1852-1916)

Ramses ['ræmsi:z] numele mai multor faraoni egipteni

ramshackle ['ræm‚ʃækəl] **I** adj **1** dărăpănat, dărâmat **2** improvizat; prost clădit, şubred, gata să se dărâme **II** s scoţ mitocan, mojic **III** vt a fărâmiţa, a fragmenta

ramson ['ræmzən] s bot leurdă (Allium ursinum)

ram up ['ræm ‚ʌp] vt cu part adv a astupa (o gaură); a înfunda

ran [ræn] pret de la **run¹**

R.A.N. presc de la **Royal Australian Navy**

ranch [rɑ:ntʃ] amer **I** s **1** fermă (întinsă, ↓ de animale) **2** imaş, islaz **3** ← F locuinţă, reşedinţă **II** vi **1** a avea/a conduce o fermă (↓ de animale) **2** a se ocupa de creşterea vitelor

rancher ['rɑ:ntʃəʳ] s amer **1** (mare) fermier, proprietar de „ranch" **2** crescător de vite

rancheria [‚rɑ:ntʃə'ri:ə] s amer **1** locuinţă de fermier **2** locuinţă de crescător de vite **3** sat de cowboy **4** cătun/sat de piei roşii

ranchero [rɑ:n'tʃɛərou] s v. **rancher**

ranchman ['rɑ:ntʃmən] s v. **rancher**

rancid ['rænsid] adj **1** râncez; **to grow ~** a (se) râncezi **2** (d. miros sau gust) acrit, înăcrit, acru, acriu **3** fig dezgustător, respingător

rancidity [ræn'siditi] s v. **rancidness**

rancidness ['rænsidnis] s râncezeală; alterare a gustului

rancor ['ræŋkəʳ] s v. **rancour**

rancorous ['ræŋkərəs] adj ranchiunos, răzbunător, vindicativ; plin de pică/ciudă; rău; afurisit

rancorously ['ræŋkərəsli] adv vindicativ; cu ranchiună/maliţie/ răutate/ciudă

rancour ['ræŋkəʳ] s ranchiună, pică, ciudă; răutate, maliţie

rand [rænd] s **1** ramă (de pantof); chenar, bordură **2** ← înv margine, capăt, extremitate **3** geogr podiş, platou **4** măsură de 1800 iarzi (= 1630 m)

R. and A. presc de la **Royal and Ancient (Golf Club** etc.)

Randal(l) ['rændəl] nume masc

randall grass ['rændəl ‚grɑ:s] s bot iarbă înaltă (Festuca elatior)

randan ['rændæn] s **1** ← reg tărăboi, zarvă, gălăgie **2** chef, zaiafet, benchetuială; **to go on the ~** a o ţine numai în chefuri; a chefui

R. § B. presc de la **Rhythm and Blues** stilul de blues ritmat (în muzica uşoară)

R. § D. presc de la **Research and Development**

random ['rændəm] **I** s **1** întâmplare, hazard; **at ~** a la întâmplare/ nimereală; întâmplător, haotic **b** într-o doară, pe negândite, fără chibzuială; **to speak at ~** a vorbi vrute şi nevrute/aiurea **2** bătaie a puştii **II** adj **1** întâmplător, (luat) la întâmplare **2** mat aleatoriu

random bullet ['rændəm ‚bulit] s mil glonţ rătăcit

randomly ['rændəmli] adv aiurea, la întâmplare/nimereală

random shot ['rændəm ‚ʃɔt] s împuşcătură la nimereală, foc tras în vânt; glonţ rătăcit

random walk ['rændəm ‚wɔ:k] s **1** fig mişcare haotică **2** mat mers aleatoriu

Randy ['rændi] nume masc v. **Randolph**

randy reg **I** adj **1** zgomotos, gălăgios, ţipător **2** grosolan, mitocănesc **3** Faţâţat, excitat, lasciv **II** s **1** cerşetor/calic insistent/ pisălog **2** caţă, femeie cicălitoare, F otravă, scorpie **3** fetişcană zburdalnică

ranee ['rɑ:ni] s ist regină hindusă; soţie sau văduvă de maharajah

rang [ræŋ] pret de la **ring¹**

range [reindʒ] **I** s **1** şir, rând; serie **2** lanţ, catenă; geogr lanţ muntos **3** ordine, rânduială, aranjament **4** categorie, clasă **5** mil bătaie (a tunului), tir; **within ~** a în bătaia tunului etc. **b** F la îndemână; **out of ~** a în afara bătăii tunului, puştii etc. **b** şi fig prea departe (pt a putea fi atins) **6** scară, gamă, gradaţie; diviziune

7 sferă *(de cuprindere)*, capacitate intelectuală, domeniu; specialitate; **it is out of my ~** nu e în/din domeniul meu, mă depășește **8** răspândire, rază *(de acțiune)*, anvergură **9** călătorie, plimbare, excursie **10** parcurs, traseu **11** grătar de sobă **12** mașină de gătit, plită **13** ciur, sită, strecurătoare **14** *ferov* traversă **15** cameră de trecere **II** *vt* **1** a rândui, a orândui, a aranja, a plasa/a pune în ordine **2** a alinia; a înșira **3** a clasifica, a clasa; a categorisi **4** a sorta, a așeza pe categorii, în grupe/teancuri *etc.* **5** a măsura, a potrivi; a socoti, a număra **6** a cutreiera, a colinda (prin); a trece peste, a trece dincolo de **7** *nav* a naviga de-a lungul *(cu gen)* **8** a atinge, a realiza *(un scop etc.)* **III** *vr* **1** a se situa, a se plasa, a se pune, a trece; **to ~ oneself among** a se situa/a se plasa printre; **to ~ oneself on the side of the enemy** a se da cu dușmanul, a trece de partea inamicului **2** a se pricopsi *(prin căsătorie)* **IV** *vi* **1** a hoinări, a rătăci, a colinda **2** *mil (d. armă)* a bate, a avea o bătaie (de); **it ~s ten miles** are o bătaie de 10 mile, bate la 10 mile **3** *(d. câini)* a adulmeca **4** *zool, bot* a fi răspândit; a crește, a avea răspândire, a se întinde

range about ['reindʒ ə'baut] *vi cu part adv v.* **range IV 1**

range between ['reindʒ bi,twi:n] *vi cu prep* a fluctua/a varia între

range boiler ['reindʒ ,bɔilə'] *s* căzănel de bucătărie

range centre ['reindʒ ,sentə'] *s mil* punct de ochire

range correction ['reindʒ kə'rekʃən] *s mil* corecție la distanță *(a tirului)*

range deviation ['reindʒ divi'eiʃən] *s mat* abatere longitudinală

range finder ['reindʒ ,faində'] *s mil* telemetru

range plate ['reindʒ ,pleit] *s mil* indicator de distanță *(la tunuri)*

ranger ['reindʒə'] *s* **1** pădurar *(↓ al domeniilor regale)* **2** *mil od* jandarm, grănicer *(↓ în S.U.A.)* **3** *pl mil* trupe de comandă/asalt/ șoc **4** haimana, vagabond; hoinar **5** tâlhar, hoț **6** copoi **7** *top* miră

range rod ['reindʒ ,rɔd] *s* jalon

range with ['reindʒ wið] *vi cu prep* **1** a se număra/a fi socotit printre, a fi unul din(tre) **2** a se alinia cu, a fi pe linie/direcție cu

ranging ['reindʒiŋ] *s* **1** *mil* reglare a tirului; ajustare a tragerilor **2** jalonare **3** clasificare, clasare

ranging rod ['reindʒiŋ ,rɔd] *s* jalon

Rangoon [ræŋ'gu:n] *oraș în Birmania* Rangun

rangy ['reindʒi] *adj amer* **1** sprinten, ager, iute **2** înalt și zvelt, musculos **3** vast, întins; spațios **4** rătăcitor, nomad, vagabond **5** muntos

rani ['rɑ:ni] *s v.* **ranee**

rank¹ [ræŋk] **I** *s* **1** *mil* rând, front, linie; **to fall into ~** a se alinia; **to break ~s** a rupe rândurile; a ieși din front; **to close the ~s** și *fig* a strânge rândurile; **to keep ~** *mil* a păstra rândurile, a rămâne în front; **to rise from the ~s a** a fi făcut ofițer din simplu soldat **b** *F* a se afirma, a izbândi, a răzbi *(în lume)* **2** *v.* **rank and file 2, 3 3** rang (social), cin; titlu (de noblețe); **a person of ~** o persoană din înalta societate/din lumea bună; **to pull ~** *fig* a face abuz de influență, putere *etc.* **4** *fig* clasă, treaptă, rang, ordin, categorie; **of the highest ~** de prima mână, de înaltă clasă **5** *mat* grad **6** câmp, pătrățel *(la șah)* **II** *vt* **1** a rândui, a aranja, a pune în ordine, a ordona **2** a aprecia, a prețui, a evalua **3** *mil* a avea grad mai mare decât, a fi superior *(cu dat)* **4** a atașa, a adăuga **III** *vi* a ocupa o funcție *(înaltă etc.)*, a avea un grad/rang *(înalt etc.)*; **to ~ high** *mil* a fi mare în grad **b** a deține un post înalt

rank² [ræŋk] **I** *adj* **1** *(d. vegetație)* rodnic; luxuriant, bogat, abundent, îmbelșugat **2** *(d. sol)* mănos, fertil, rodnic **3** *(d. teren)* năpădit/acoperit de buruieni, buruienos **4** părăginit, în paragină/părăsire, părăsit, ruinat, în ruine **5** putred, stricat **6** grosolan, ordinar, mojic, indecent; scârbos **7** rău mirositor, împuțit; rânced, iute, iuți; acriu **8** excesiv, extrem, violent, nemăsurat **9** viguros, tare, puternic **10** evident, vizibil; notoriu, cras **II** *adv* **1** (în mod)

flagrant/grosolan **2** (în mod) violent, cu violență; zdravăn

rank among ['ræŋk ə,mʌŋ] *vi cu prep* a se număra printre, a fi unul din(tre)

rank and fashion, the ['ræŋk ənd 'fæʃən, ðə] *s* înalta societate, lumea bună; protipendada, aristocrația

rank and file, the ['ræŋk ənd'fail, ðə] *s* **1** *mil* trupa, soldații de rând *(ant* ofițerii*)* **2** *pol* membrii de rând *(ai unui partid etc.)*, masa membrilor **3** masele, oamenii obișnuiți/de rând

ranker ['ræŋkə'] *s* **1** persoană care rânduiește/ordonează/clasifică **2** *mil* ofițer ridicat din rândurile soldaților/trupei

ranking ['ræŋkiŋ] *s* rang, treaptă

rankle ['ræŋkəl] **I** *vi* **1** a supura, a puroia, a face puroi **2** *fig* a roade pe cineva, a fi chinuitor/dureros, a durea; **it still ~s in my heart** rana din inima mea încă nu s-a vindecat **II** *vt* a supăra, a chinui; a otrăvi, a înveniná

rankness ['ræŋknis] *s* **1** abundență, bogăție, rodnicie, fertilitate **2** miros rânced, râncezeală **3** vigoare, putere **4** violență, virulență

rank with ['ræŋk wið] *vi cu prep* a sta alături de, a fi egal (în grad) cu, a fi pe picior de egalitate cu

ransack ['rænsæk] **I** *vt* **1** a scormoni, a scotoci, a răscoli; **to ~ one's brains** a-și stoarce/a-și sparge creierii *(pentru a-și aminti ceva)* **2** a percheziționa **3** a jefui, a prăda **II** *vi* a organiza o percheziție **III** *s* scotocire, scormoneală; percheziție

ransack after ['rænsæk ,ɑ:ftə'] *vi cu prep* a căuta *cu ac*

ransacker ['rænsækə'] *s* **1** persoană care efectuează o percheziție **2** tâlhar, jefuitor

ransom ['rænsəm] **I** *s* **1** răscumpărare; **to hold smb to ~** a cere o sumă de bani drept preț al răscumpărării cuiva **2** preț al răscumpărării; **worth a king's ~** care valorează milioane, de o valoare imensă **3** eliberare prin răscumpărare **4** ← *înv* izbăvire, mântuire **5** *jur od* amendă; învoială **II** *vt* **1** a răscumpăra **2** a scoate de sub amanet **3** *înv* a mântui, a izbăvi

ransomable ['rænsəməbəl] *adj* care poate fi răscumpărat

ransomer ['rænsəmə'] *s* persoană care răscumpără pe cineva

ransomless ['rænsəmlis] *adj* care nu poate fi răscumpărat

rant [rænt] **I** *vi* **1** a vorbi bombastic/emfatic/cu emfază; a vorbi cu îngâmfare **2** a declama, a vorbi pe un ton de declamație **II** *s* **1** patos, emfază **2** fanfaronadă **3** declamație

ranter ['ræntə'] *s* **1** fanfaron **2** declamator; orator bombastic **3** predicator, propovăduitor

ranting ['ræntiŋ] *adj* **1** emfatic, bombastic, sforăitor, umflat **2** zgomotos, gălăgios

ranunculus [rə'nʌŋkjuləs], *pl şi* **ranunculi** [rə'nʌŋkju,lai] *s bot* piciorul cocoşului (Ranunculus ficaria)

ranz-des-vaches [,rã:n(s)dei'vɑ:ʃ] *s muz* cântec ciobănesc elveţian (cântat din gură sau la bucium); yodler

R.A.O.C. *presc de la* **Royal Army Ordinance Corps** Artileria britanică

rap¹ [ræp] **I** *s* **1** lovitură (uşoară); **to give smb a ~ (on/over the knuckles) a** a plesni/a pocni pe cineva (peste degete) **b** *fig* a da cuiva peste nas; a face reproşuri cuiva **2** ciocănit (uşor), bătaie în uşă *sau* geam **3** *amer* acuzare, învinuire; condamnare; sentinţă; **to take the ~** a fi condamnat **4** *sl* cioacă, vrajă, – vorbire, discuţie, vorbă **II** *vi* **1** a bate, a ciocăni **2** *amer* a jura strâmb/fals, a fi sperjur **3** *amer* a striga, a ţipa; a înjura, a scoate o înjurătură **III** *vt* **1** a lovi, a ciocăni (în), a bate (în) **2** a ciocăni la (uşă, fereastră) **3** *amer* a mustra, a dojeni; a critica aspru **4** a transporta, a duce (cu un vehicul)

rap² *s* **1** *od* monedă falsă de jumătate de penny; **it is not worth a ~** nu face o para chioară/nici (cât) o ceapă degerată; **not a ~** deloc, câtuşi de puţin **2** bucăţică, mărunţiş, cantitate foarte mică; **I don't care a ~** nu-mi pasă nici cât negru sub unghie

rapacious [rə'peiʃəs] *adj* **1** (d. un animal, pasăre etc.) răpitor, de pradă **2** lacom, nesăţios; rapace, vorace, apucător, hrăpăreţ

rapacious bird [rə'peiʃəs ,bə:d] *s* pasăre răpitoare/de pradă

rapaciously [rə'peiʃəsli] *adv* rapace, lacom, cu lăcomie

rapaciousness [rə'peiʃəsnis] *s* lăcomie, rapacitate, caracter hrăpăreţ/nesăţios

rapacity [rə'pæsiti] *s v.* **rapaciousness**

rap at ['ræp ət] *vi cu prep* a da de/peste

R.A.P.C. *presc de la* **Royal Army Pay Corps** serviciul financiar-administrativ al armatei

rape¹ [reip] *s bot* **1** rapiţă (Brassica oleracea) **2** nap de câmp (Brassica napus)

rape² [reip] **I** *vt* **1** a silui, a viola **2** a răpi **3** *fig* a seduce, a încânta **II** *s* **1** viol, siluire **2** răpire, rapt **3** (of) *fig* violare, încălcare (cu gen); imixtiune, amestec (nelegitim) (în)

rape³ *s tehn* raşpel, raşpă, răzătoare

rape⁴ *s* **1** tescovină (folosită pt oţet) **2** vas pentru făcut oţet

rape cake ['reip ,keik] *s ind agr* turtă de rapiţă

rape of the Sabines, the ['reip əv ðə 'sæbainz, ðə] *s ist* răpirea Sabinelor

rape oil ['reip ,oil] *s* ulei de rapiţă

rape seed ['reip ,si:d] *s* (sămânţă de) rapiţă

Raphael ['ræfeiəl] *pictor italian* Rafael (1483-1520)

raphia ['ræfiə] *s v.* **raffia**

rapid ['ræpid] **I** *adj* **1** rapid, iute, repede **2** abrupt, în pantă rapidă **3** ← *reg* viu, animat, însufleţit **II** *s* **1** fugar, evadat **2** *pl* praguri (ale unui râu); vârtej, vâltoare, volbură

rapid change ['ræpid ,tʃeindʒ] *s fig* săritură, salt, schimbare

rapid fire ['ræpid ,faiə'] *s mil* tir rapid, tragere în vijelie

rapid firing ['ræpid ,faiəriŋ] *mil* **I** *s v.* **rapid fire II** *adj* cu tragere rapidă

rapidity [rə'piditi] *s* **1** rapiditate, repeziciune **2** iuţeală, viteză **3** *tehn* debit

rapidly ['ræpidli] *adv* iute, repede

rapid setting ['ræpid ,setiŋ] *adj constr (d. ciment)* cu priză rapidă

rapid transit ['ræpid ,trænzit] *s amer* **1** transport urban ultrarapid **2** *sport* şah fulger

rapier ['reipiə'] *s od* sabie/spadă scurtă, *aprox* floretă

rapier thrust ['reipiə ,θrʌst] *s* **1** atac cu spada *sau* floreta **2** *fig* fandare abilă, lovitură abilă/iscusită

rapine ['ræpain] *s* **1** jefuire, jaf **2** răpire

rapist ['reipist] *s amer* **1** tâlhar, bandit, jefuitor **2** violator, siluitor

rappel [ræ'pel] *sport* **I** *s* rapel (la alpinism) **II** *vi* a coborî în rapel/coardă

rapper ['ræpə'] *s* **1** ciocănel pentru bătut în uşă (folosit ca sonerie) **2** persoană care bate/loveşte

rapport [ræ'pɔ:'] *s fr* **1** raport, relaţie; **en/in ~** a în relaţii/legătură **b** la curent **2** proporţie, raport **3** relaţie/comunicare cu un mediu (la spiritism)

rapporteur [,ræpɔ:'tə:'] *s* raportor (la un congres, simpozion etc.)

rapprochement [ræ'prɔʃmãn] *s fr pol* apropiere, relaţii bune

rapscallion [ræp'skæljən] *s* ← *P* ticălos, nemernic

rapt [ræpt] *adj* **1** fermecat, fascinat, sedus, răpit **2** *rel* înălţat la ceruri **3** pierdut, cufundat, absorbit (în gânduri) **4** (d. atenţie) concentrat

raptatorial [ræptə'tɔ:riəl] *adj v.* **rapacious**

raptor ['ræptə'] *s orn* pasăre de pradă/răpitoare

raptorial [ræp'tɔ:riəl] **I** *adj v.* **rapacious 1 II** *s* pasăre răpitoare/de pradă

rapture ['ræptʃə'] *s* **1** extaz, încântare; **to fall/to go into ~s** a cădea în extaz, a fi în culmea încântării/extazului, a se extazia **2** răpire, rapt **3** *rel* înălţare la cer **4** grabă, iuţeală, viteză

raptured ['ræptʃəd] *adj* extaziat, căzut în extaz; entuziasmat

rapturous ['ræptʃərəs] *adj* **1** *v.* **raptured 2** încântător, fermecător, răpitor **3** entuziast, frenetic

rara avis ['rɛərə 'eivis] *s* pasăre rară, raritate, rara avis; om scump la vedere

rare¹ [rɛə'] *adj* **1** rar, neobişnuit, greu de găsit; care se întâmplă rareori **2** fără pereche, neasemuit, extraordinar; excelent, formidabil; **to have a ~ time** a se distra grozav/straşnic **3** *fiz* rărit, rar, rarefiat **4** *amer gastr* nefript, crud; nefiert; nefăcut

rare² *adv F* straşnic/grozav de, – foarte

rare and hungry ['rɛər ənd 'hʌŋgri] *adj F* mort/rupt de foame, – flămând la culme

rare bird ['rɛə ‚bəːd] *s v.* **rara avis**

rarebit ['rɛəbit] *s* plăcintă făcută din pâine, brânză topită și bere

rare earths ['rɛər əːðz] *s pl ch* pământuri rare, lantanide

rare eggs ['rɛər ‚egz] *s pl amer* ouă moi

raree show ['rɛəri‚ ‚ʃou] *s* 1 (cufăr cu) teatru de păpuși 2 spectacol, reprezentație

rarefaction [‚rɛəri'fækʃən] *s* rarefiere; răcire; subțiere

rarefactive [‚rɛəri'fæktiv] *adj* legat de rarefiere/rarefacție

rarefy ['rɛəri‚fai] I *vt* 1 a rarefia; a rări 2 a dilua 3 *fig* a rafina, a lustrui; a subția II *vi* a se rarefia

rare gas ['rɛə ‚gæs] *s ch* gaz rar/inert/ nobil

rarely ['rɛəli] *adv* 1 (a)rareori, rar 2 strașnic, grozav, excepțional, excelent

rareness ['rɛənis] *s v.* **rarity**

rareripe ['rɛə‚raip] I *adj* timpuriu; precoce, prematur II *s* trufanda

raring ['rɛəriŋ] *adj* ← *F* entuziast, nerăbdător, exuberant; **to be ~ to go** *etc.* a arde/a muri de nerăbdare să plece *etc.*

rarity ['rɛəriti] *s* 1 raritate, caracter rar/excepțional 2 raritate, curiozitate; piesă rară; obiect de anticariat 3 *fiz* rarefiere

R.A.S.C. *presc de la* **Royal Army Service Corps** corpul auxiliar al armatei britanice

rascal ['rɑːskəl] I *s* 1 ticălos, nemernic, pungaș 2 *F* măgar, porc; – hoțoman; ștrengar; **lucky ~!** norocosule! II *adj* 1 prăpădit, nenorocit; de nimic 2 slab, jigărit

rascaldom ['rɑːskəldəm] *s* 1 ticăloși, bandiți 2 ticăloșie, măgărie

rascalism ['rɑːskəlizəm] *s v.* **rascaldom** 2

rascality [rɑː'skæliti] *s v.* **rascaldom** 2

rascally ['rɑːskəli] *adv* mârșav, ticălos

rascal rout, the ['rɑːskəl 'raut, ðə] *s* plebea, gloata, prostimea; oamenii de rând, vulgul

raschel ['rɑːʃel] *s text* tricot (împletit rar)

rase [reiz] *vt v.* **raze**

rash[1] [ræʃ] *adj* 1 pripit, grăbit, iute; năpraznic, impetuos 2 imprudent, temerar, nechibzuit, nesăbuit, nesocotit

rash[2] *s med P* spuzeală, urticarie, erupție

rash[3] *s* foșnet

rash[4] *vt* 1 a tăia în felii/bucăți, a tranșa 2 a sfâșia, a rupe în două

rasher ['ræʃə'] *s* feliuță, felioară

rashly ['ræʃli] *adv* 1 în pripă, în grabă, pripit, grăbit 2 fără chibzuială, (în mod) nechibzuit/ nesăbuit/imprudent

rashness ['ræʃnis] *s* 1 pripă, grabă 2 nechibzuință, nesocotință 3 îndrăzneală, aroganță, semeție

rasp [rɑːsp] I *s* 1 *tehn* rașpă, raspel, pilă 2 răzătoare 3 zăngănit, scârțâit, scrâșnet II *vt* 1 *tehn* a răzui, a rade; a gelui; a rabota, a pili 2 a atinge în treacăt, a agăța 3 *fig* a irita, a zgâria (urechile) 4 *fig* a supăra, a irita (nervii cuiva); a enerva; a jigni III *vi* 1 a zângăni, a zdrăngăni; a scoate un scrâșnet *sau* scârțâit 2 a scârțâi (la vioară *etc.*)

raspatory ['ræspətəri] *s med* chiuretă (folosită în chirurgie)

raspberry ['rɑːzbəri] *s* 1 *bot* zmeură (Rubus idaeus) 2 **the ~** ← *F* gest de dispreț (făcut cu buzele); **to give smb the ~** a-i face cuiva ptt/un gest de dispreț 3 *sl* perdaf, muștruluială

raspberry cane ['rɑːzbəri ‚kein] *s bot* tufiș de zmeură, zmeuriș

rasped [rɑːspt] *adj* 1 (d. voce) răgușit, aspru 2 nervos, iritat, enervat

rasper ['rɑːspə'] *s* 1 *tehn* răzuitoare, raspel, mașină de răzuit 2 lucrător care răzuiește 3 ← *F* persoană enervantă; cătâr, încăpățânat 4 mărăciniș

rasping ['rɑːspiŋ] I *s* 1 răzătură, pilitură, strunjitură, span 2 râcâială, scrâșnitură, sunet enervant II *adj v.* **rasped**

raspingly ['rɑːspiŋli] *adv* în mod enervant/iritant

raster ['ræstə'] *s tel* raster, tipar de baleiaj

rat[1] [ræt] I *s* 1 *zool* șobolan, guzgan (Rattus sp.); **like a ~ in a hole** în mare încurcătură, la ananghie; **strâns cu ușa; like a drowning ~** ud leoarcă/ciuciulete/până la

piele; **to smell a ~** a mirosi/a bănui/a suspecta ceva; **to have ~s in the attic/belfry** *F* a fi scrântit la mansardă, a avea o doagă lipsă; **to give smb ~s** *F* a băga pe cineva în bucluc/– încurcătură 2 *F* turnător, musăr, – delator; iscoadă, spion, coadă de topor; spărgător de grevă; trădător; transfug 3 funcționar public 4 meșă (de păr) II *vi* 1 a stârpi șobolanii; a prinde șoareci (cu șoricari) 2 *pol* a fi transfug 3 *fig* a trăda, a fi trădător 4 a lucra sub preț/tarif; a lucra ca spărgător de grevă

rat[2] *interj F* fir-ar să fie! dracul să-l ia!

ratability [‚reitə'biliti] *s ec* posibilitate de evaluare/prețuire

ratable ['reitəbəl] *adj ec* 1 evaluabil, estimabil 2 impozabil; care poate fi taxat

ratably ['reitəbli] *adv* (în mod) proporțional

ratafee [‚rætə'fiː] *s v.* **ratafia**

ratafia [‚rætə'fiə] *s* 1 un fel de crușon 2 un fel de picromigdală

ratan [ræ'tæn] *v.* **rattan**

rataplan [‚rætə'plæn] I *s* 1 zăngănit/ răpăit de tobe 2 ciocănit/bătaie în ușă II *vi* a bate toba

rat-bag ['ræt‚bæg] *s sl* (în Australia și Noua Zeelandă) 1 trăsnit, țăcnit, zănatic 2 zurbagiu; nesuferit, antipatic

rat catcher ['ræt ‚kætʃə'] *s* 1 șoricar 2 *sl* costum, (excentric) de vânătoare

ratch [rætʃ] *s v.* **ratchet** 1

ratchel ['rætʃəl] *s* prundiș (de râu), galeți, piatră spartă

ratchet ['rætʃit] *s* 1 *tehn* roată cu clichet 2 *sl* castaniete

ratchet clutch ['rætʃit ‚klʌtʃ] *s tehn* ambreiaj

rate[1] [reit] I *s* 1 *ec* preț, tarif, curs; **at an easy ~** a la un preț/tarif/curs scăzut **b** *fig* ușor, fără efort(uri); **at the ~ of** la cursul de 2 *ec* rată (a plus valorii *etc.*) 3 normă, măsură; proporție; porție, tain 4 calcul, socoteală, evaluare 5 taxă; tarif, impozit, dare (pt apă, lumină, gaze etc.) 6 coeficient, grad, procent; etalon 7 ritm, mers, iuțeală, viteză; **at the ~ of...** a în ritm de... **b** cu viteza de...; **the clock has a gaining ~ of 10 minutes per day** ceasul înaintează/o ia înainte cu 10 minute pe zi // **at any ~** în orice caz, cu orice chip/preț; **to live at a high ~** a trăi pe picior mare **II** *vt* **1** a prețui, a prețălui, a evalua; a estima; a cota, a calcula **2** *fig* a aprecia, a prețui, a cota, a socoti, a considera; **he is ~d very highly** e foarte bine cotat/ apreciat **3** a regla, a potrivi *(un ceas etc.);* a regulariza *(mersul unui aparat etc.)* **4** *ec* a impune, a impozita **5** *nav* a clasifica, a clasa **6** *text* a topi, a muia *(inul, cânepa)*

rate² *vt* a ocărî, a face cu ou și cu oțet, a scărmăna, a dojeni

rate³ *vt* v. **ret**

rateable ['reitəbəl] *adj* v. **ratable**

rate as ['reit əz] *vi cu conj* a fi cotat/ apreciat/socotit drept/ca

rated ['reitid] *adj* **1** *fin* stabilit, evaluat, calculat estimativ **2** *tehn* nominal; evaluat, calculat, stabilit; normat; normal

rated capacity ['reitid kə'pæsiti] *s tehn* **1** capacitate nominală **2** productivitate, randament

rated horse power ['reitid 'hɔ:s ,pauə'] *s tehn* capacitate/putere nominală

rated output ['reitid 'autput] *s* **1** producție normală **2** randament normal

rate of climb ['reit əv 'klaim] *s av* viteză ascensională

rate of exchange ['reit əv ik'stʃeindʒ] *s fin* curs (de schimb)

rate of feed ['reit əv 'fi:d] *s tehn* ritm/ viteză de avansare

rate of interest ['reit əv 'intrist] *s fin* **1** rata/cuantumul dobânzii **2** procent(e), dobândă

rate of profit ['reit əv 'profit] *s fin* rata profitului

rate of surplus value ['reit əv 'sə:pləs ,vælju:] *s fin* rata plusvalorii

rate of travel ['reit əv 'trævəl] *s tehn* viteză de deplasare; valoarea deplasării relative

rate of work ['reit əv 'wə:k] *s ec* gradul de exploatare a forței de muncă

rate payer ['reit ,peiə'] *s ec* contribuabil

rate paying ['reit ,peiiŋ] *s ec* plata impozitelor *sau* taxelor

rate policy ['reit ,polisi] *s ec* politică tarifară

rater¹ ['reitə'] *s* **1** prețuitor, evaluator **2** taxator, funcționar care stabilește tarifele

rater² ['reitə'] *s* **1** *nav* vas de o anumită clasă/categorie; **ten-~** vas de 10 tone **2** *fig* persoană *etc.* de rang; **a first ~** o persoană de primul rang

rat face ['ræt ,feis] *s amer F* șmecher, cotcar

ratfish ['rætfiʃ] *s specie de pește din Pacific (Chimaera colhei)*

rathe [reið] *adj poetic* v. **rathe ripe**

rather I ['ra:ðə'] *adv* **1** mai bine/ degrabă/curând; preferabil; **I'd/I had ~ go** aș prefera să plec/să mă duc; **~ resign than do it** mai bine demisionezi decât s-o faci; **I would ~ you came tomorrow than today** aș prefera să vii mâine decât azi; **I'd ~ not** prefer să nu **2** mai exact/corect; mai sigur; de fapt; **late at night or ~ in the early morning** târziu în noapte sau mai exact în zori **3** *(arată gradul, măsura)* oarecum, întrucâtva, într-o oarecare măsură; destul de; **we know him ~ well** îl cunoaștem/știm destul de bine; **she is ~ better** se simte/e ceva mai bine; **I ~ think you are mistaken** mă tem că greșești **4** tare, prea; foarte; **it's ~ a pity** e mare păcat; **it's ~ too expensive** e mult prea scump **II** [ra:'ðə'] *interj F* oho! și încă cum! strașnic! perfect! grozav!

rathe ripe ['reið ,raip] *adj poet* precoce, timpuriu, tânăr, care se coace devreme

rathole ['ræt,houl] *s* **1** gaură de șobolan **2** *min* gaura prăjinii pătrate

rathskeller ['ra:tskelə'] *s* berărie *sau* restaurant la subsol *(în Germania),* pivniță, cramă, tunel

raticide ['rætisaid] *s* mijloc de de-·ratizare, substanță care omoară șoarecii, ↓ șoricioaică

ratification [,rætifi'keiʃən] *s* **1** ratificare **2** omologare **3** validare

ratify ['ræti,fai] *vt* **1** a ratifica **2** a valida **3** a omologa **4** a sancționa, a contrasemna, a întări

rating¹ ['ræitiŋ] *s* **1** evaluare, prețuire, prețăluire, apreciere **2** *ec* impunere, taxare **3** taxe comunale **4** categorisire, clasare, clasificare **5** poziție, clasă, rang **6** *amer școl* notă, notare **7** *nav*

grade inferioare, matrozi **8** *tehn* randament, productivitate **9** *amer* (grad de) popularitate, succes la public

rating² *s* ocară, dojană, mustrare

rating value ['reitiŋ ,vælju] *s ec tehn* valoare nominală

ratio ['reiʃiou] *s* **1** *mat* raport, proporție, relație, corelație; **in direct ~** direct proporțional **2** *tehn* raport de transmisie **3** *filos* rațiune, motiv, cauză

ratiocinate [,ræti'osi,neit] *vi* a raționa; a argumenta, a discuta

ratiocination [,ræti,osi'neiʃən] *s* **1** raționament, argumentare **2** silogism **3** concluzie, consecință

ration ['ræʃən] **I** *s* **1** rație, porție, tain **2** *pl mil etc.* provizii; alimente **3** *mil* rație **4** *mil* furaj **II** *vt* **1** a aproviziona cu alimente **2** a distribui/a da rații *(cu dat)* **3** a raționaliza, a norma

rational ['ræʃənəl] *adj* **1** rațional, logic, conform cu logica; înțelept **2** lucid, rațional, moderat, cu scaun la cap; **in his ~ moments** în clipele/momentele sale de luciditate **3** *mat* rațional

rational dress ['ræʃənəl 'dres] *s od* pantalonași de damă *(purtați în loc de jupoane)*

rationale [,ræʃə'na:l] *s* **1** rațiune de a fi/de a exista **2** analiză rațională; expunere/explicare rațională; argumentare

rationalism ['ræʃənə,lizəm] *s filos* raționalism

rationalist ['ræʃənəlist] *s adj* raționalist

rationality [,ræʃə'næliti] *s* **1** înțelepciune, rațiune; raționalism **2** minte, judecată, rațiune **3** temeinicie; caracter rațional

rationalization [,ræʃənəlai'zeiʃən] *s* **1** raționalizare **2** *ec* raționare, raționalizare **3** *mat* extragere a unui radical

rationalize ['ræʃənə,laiz] **I** *vt* **1** a explica în mod rațional/logic **2** *ec* a raționaliza, a raționa **II** *vi* **1** a gândi logic/rațional **2** a face speculații logice/filosofice

rational leanings ['ræʃənəl'li:niŋz] *s pl rel* îndoieli/dubii religioase; punere la îndoială a minunilor, a dogmelor *etc.*

rationally ['ræʃənəli] *adv* **1** în mod rațional **2** pe plan rațional

ration book ['ræʃən ˌbuk] *s* cartelă *(de alimente sau alte produse)*

ration card ['ræʃən ˌkɑ:d] *s v.* **ration book**

ratio of forces ['reiʃi,ou əv 'fɔ:siz] *s pol* raport de forțe

ratlin(e) ['rætlin] *s nav* grijea

ratling ['rætlin] *s v.* **ratline**

rat on ['ræt ɔn] *vi cu prep* **1** a părăsi *(la nevoie),* a abandona, a lăsa fără ajutor **2** a-și călca *(promisiunea)*

ratoon [ræ'tu:n] *bot* **I** *s* **1** lăstar de trestie de zahăr **2** frunze din inima tutunului **II** *vi* a da lăstari, a lăstări

rat race ['ræt ˌreis] *s* concurență aspră/neloială; luptă pe viață și pe moarte; luptă pentru existență/pâine

rats [ræts] *interj F* vax! prostii! fleacuri!

ratsbane ['ræts,bein] **I** *s* șoricioaică, otravă de șobolani/șoareci **II** *vt* a otrăvi cu șoricioaică

rat snake ['ræt ,sneik] *s zool* șarpe de casă *(Ptyas mucusus)*

rat tail ['ræt ,teil] *s* **1** coadă de șobolan **2** coadă de cal fără păr **3** cal cu coadă fără păr

rattan [ræ'tæn] *s bot* **1** trestie indiană; stuf *(Daemonorops)* **2** baston (de trestie)

rattan seat [ræ'tæn ,si:t] *s* fund de scaun împletit/din împletitură *(de trestie indiană)*

rat-tat ['ræt,tæt] *s* **1** răpăit *(de tobă etc.)* **2** huruit **3** bătaie puternică *(în ușă etc.)*

ratten ['rætən] **I** *vt* a împiedica *(pe muncitori)* de la lucru **II** *vi* a sabota lucrul

ratter ['rætə'] *s* **1** *zool* (câine) șoricar **2** *fig* trădător, coadă de topor

ratting ['rætin] *s* **1** trădare; oportunism, acțiuni de spărgător de grevă **2** concurs de șoricari

rattish ['rætiʃ] *adj* (ca) de șobolan

rattle ['rætəl] **I** *s* **1** sunătoare, cârâitoare, pârâitoare, morișcă **2** răpăit; zăngănit **3** *F* trăncăneală, flecăreală, pălăvrăgeală; **to give smb the ~** *amer sl* a năuci pe cineva/a lua capul cuiva cu vorba **4** palavragiu, flecar, moară-stricată **5** horcăit de moarte **6** *med ← P ↓ pl* angină difterică **7** *zool* clopoțel/inel *(din coada șarpelui cu clopoței)* **8** *F* zarvă,

zgomot, tărăboi, veselie **II** *vi* **1** a (h)urui, a zornăi, a răpăi; a dudui; **it ~d past** a trecut huruind pe lângă noi **2** a răsuna, a fi sonor/zgomotos **3** a trăncăni, a flecări, a pălăvrăgi; a vorbi ca o moară stricată **III** *vt* **1** a grăbi, a accelera *(votarea unei legi etc.)* **2** *sl* a năuci, a buimăci, a zăpăci

rattle bag ['rætəl ,bæg], **rattle bladder** ['rætəl ,blædə'] *s v.* **rattle I, 1**

rattle box ['rætəl ,bɔks] *s* **1** *v.* **rattle I, 1 2** *amer sl* treanca-fleanca, flecar, moară stricată, palavragiu

rattle brain ['rætəl ,brein] *s F v.* **rattle-head**

rattle-brained ['rætəl,breind] *adj F* zăpăcit, năuc, aiurit

rattle-head ['rætəl,hed] *s* aiurit, zăpăcit, zevzec, minte de păsărică

rattle headed/pated ['rætəl ,hedid/ ,peitid] *adj v.* **rattle-brained**

rattle-pate ['rætəl,peit] *s v.* **rattlehead**

rattler ['rætlə'] *s* **1** flecar, guraliv, moară stricată **2** zurbagiu, om zgomotos **3** *F* trăsură hodorogită; hodoroagă, rablă **4** *amer* tren de marfă **5** *zool v.* **rattle snake 6** lovitură de teatru, întâmplare nemaipomenită, știre senzațională **7** cal câștigător **8** băiat bun/de zahăr, tip grozav

rattle snake ['rætəl ,sneik] *s zool* șarpe cu clopoței, crotal *(Crotalus sp.)*

rattle trap ['rætəl ,træp] *s* **1** *v.* **rattler 3 2** *v.* **rattle box 2 3** *sl* bot, clanță, fleancă, – gură **4** *pl* calabalâc; bibelouri, fleacuri, nimicuri

rattle wort ['rætəl ,wə:t] *s bot* plesnitoare *(Crotalaria sagittalis)*

rattling ['rætlin] **I** *s* **1** (h)uruit, răpăit; zăngănit **2** *tehn* trepidație, bătaie a motorului **3** zgomot, gălăgie, tărăboi **II** *adj* **1** huruitor, zgomotos **2** *(d. vânt)* puternic **3** *(d. pas)* iute, vioi **4** *F* strașnic, grozav, minunat; **to have a ~ time** a petrece de minune

rat trap ['ræt ,træp] *s* **1** capcană/cursă pentru șobolani **2** *fig* situație disperată **3** pedală dințată *(la bicicletă)* **4** *v.* **rattle trap 3**

ratty ['ræti] *adj* **1** (ca) de șobolan/guzgan **2** infestat/plin de șobolani/guzgani **3** *F* jalnic, mizerabil, lamentabil **4** *sl* turbat, furios, cu capsa pusă

raucity ['rɔ:siti] *s* răgușeală, glas aspru/răgușit/hârâit

raucous ['rɔ:kəs] *adj* răgușit, aspru, hârâit

raucously ['rɔ:kəsli] *adv* răgușit, aspru, hârâit

raunchily ['rɔ:ntʃili] *adv amer* **1** șleampăt, neglijent, nețesălat **2** *(a vorbi)* mitocănește, grosolan

raunchiness ['rɔ:ntʃinis] *s amer* **1** neglijență, neîngrijire, nețesălare **2** grosolănie, mitocănie, vorbire neșlefuită

raunchy ['rɔ:ntʃi] *adj amer* **1** șleampăt, neîngrijit, nespălat, nețesălat **2** grosolan, mitocănos, grobian *(în vorbire)*

ravage ['rævidʒ] **1** *vt* a devasta, a pustii, a distruge, a ruina **II** *vi* a face ravagii **III** *s* distrugere, devastare, pustiire

R.A.V.C. *presc de la* **Royal Army Veterinary Corps** serviciul veterinar al armatei

rave [reiv] **I** *vi* **1** a delira, a aiura; a vorbi aiurea, a bate câmpii; **to ~ and storm** *F* a tuna și a fulgera; **you're raving** ești nebun! aiurezi! **2** *(d. mare, vânt)* a mugi, a urla **II** *vt* a lăuda excesiv, a sui în slava cerului **III** *s amer* reclamă/ publicitate exagerată

rave after ['reiv ˌɑ:ftə'] *vi cu prep* a se da în vânt după, a fi nebun/mort după, a înnebuni după

rave against/at ['reiv ə,genst/ət] *vi cu prep* a ocărî, a blestema *cu ac,* a se năpusti asupra *cu gen*

rave for ['reiv fə'] *vi cu prep v.* **rave after**

Ravel [ra'vel], **Maurice** *compozitor francez (1875-1937)*

ravel ['rævəl] **I** *s text* **1** încurcătură de ițe, ițe încurcate **2** ațe de însăilat **3** capăt de ață **4** *text* pieptene de netezit **II** *vt* **1** a încâlci, a încurca **2** a destrăma, a resfira, a desface, a despărți *(firele urzelii),* a descurca **III** *vi* **1** *(d. țesătură)* a se rări, a se destrăma **2** *(d. fire)* a se încurca **3** *fig* a decădea, a fi în decădere **4** *(d. drumuri)* a se degrada, a se strica

raven I ['reivən] *s orn* corb *(Corvus corax)* **II** ['reivən] *adj* negru ca pana corbului, corbiu **III** ['rævən] *vi* a ataca, a se năpusti asupra *(cu gen);* a devora **2** a prăda, a fura, a jefui **IV** ['rævən] *vi* a umbla după pradă; a trăi ca un animal de pradă

raven after ['rævən ‚aːftəʳ] *vi cu prep* a umbla după *(pradă)*

raven for ['rævən fəʳ] *vi cu prep* a umbla lihnit după; a-i fi foame/ poftă de

ravening ['rævəniŋ] *adj* rapace, răpitor, vorace

Ravenna [rə'venə] *oraş în Italia*

raven on ['rævən ɔn] *vi cu prep* a se năpusti asupra *cu gen;* a lua drept pradă *cu ac*

ravenous ['rævənəs] *adj* **1** hămesit, lihnit, mort de foame **2** lacom, nesăţios, vorace

ravenus appetite ['rævənəs'æpətait] *s* foame/poftă de lup

ravenously ['rævənəsli] *adv* cu o foame de lup, hămesit

ravenousness ['rævənəsnis] *s* foame de lup; voracitate

rave out ['reiv 'aut] *vt cu part adv* **1** a desface în fibre **2** *fig* a descurca, a descâlci, a lămuri

ravin(e) [rə'viːn] *s poetic* **1** pradă **2** jaf, tâlhărie

ravine [rə'viːn] *s* **1** râpă; viroagă **2** trecătoare, defileu, pas

raving ['reiviŋ] **I** *adj* nebun, dement; care delirează/aiurează **II** *s* delir, nebunie, aiureală

raving after/for ['reiviŋ ‚aːftəʳ/fəʳ] *s cu prep* dor (nebun) de

raving mad ['reiviŋ ‚mæd] *adj* nebun de legat

raving madness ['reiviŋ ‚mædnis] *s* nebunie furioasă, demenţă

ravioli [‚rævi'ouli] *s* ravioli, colţunaşi cu carne

ravish ['ræviʃ] *vt* **1** a silui, a viola, a necinsti **2** *fig* a încânta, a fermeca, a seduce **3** ← *înv* a răpi, a lua cu de-a sila; a prăda

ravisher ['ræviʃəʳ] *s* **1** răpitor, hoţ **2** siluitor, violator

ravishing ['ræviʃiŋ] *adj* încântător, fermecător, seducător, captivant

ravishment ['ræviʃmənt] *s* **1** siluire, viol, necinste **2** răpire, rapt, furt *(al unei persoane)* **3** *fig* fermecare, încântare, exaltare

raw [rɔː] **I** *adj* **1** crud, nefiert; necopt, nefript **2** brut, nelucrat; natural, neprelucrat **3** jupuit (de viu), jupuit de piele; sângerând **4** simţitor, sensibil **5** ageamiu, novice, lipsit de experienţă **6** şi

fig curat, pur, neprefăcut **7** nou (-nouţ) **8** *(d. aer etc.)* rece şi umed **9** *amer sl* dubios; necinstit, incorect **10** scabros; vulgar; **to pull a ~ one** a spune o glumă fără perdea **II** *s* **1** carne vie, rană, carne jupuită; jupuitură **2** **the ~** *fig* punctul slab, partea/coarda simţitoare **3** materie primă **III** *vt* a jupui (de piele)

Rawalpindi [rɔː'pindi] *oraş în Pakistan*

raw-boned ['rɔː'bound] *adj* costeliv, slăbănog, numai pielea şi osul/ oasele

raw deal ['rɔː 'diːl] *s* tratament aspru; purtare necivilizată/mitocănească

raw hide ['rɔː 'haid] *s* **1** piele crudă/brută/netăbăcită **2** bici din piele netăbăcită

raw leather ['rɔː 'leðəʳ] *s v.* **raw hide**

raw material ['rɔː mə'tiəriəl] *s* materie primă

raw metal ['rɔː 'metəl] *s* **1** metal brut **2** minereu

rawness ['rɔːnis] *s* **1** stare brută/crudă/neprelucrată **2** umezeală, răceală **3** *fig* lipsă de îndemânare *sau* de experienţă

raw oil [‚rɔː 'ɔil] *s* ţiţei brut

raw silk ['rɔː 'silk] *s* borangic, mătase brută

raw spirit ['rɔː 'spirit] *s* alcool curat *sau* natural

raw sugar ['rɔː 'ʃugəʳ] *s* zahăr nerafinat

Ray [rei] *nume masc v.* **Raymond**

ray¹ [rei] **I** *s* **1** *şi fig* rază; **not a ~ of hope** nici o rază/umbră de speranţă **2** dâră, linie, trăsătură **3** *mil* (în topografie) linie de vizare **4** *vet* râie **II** *vi* a radia, a iradia, a radia **III** *vt* **1** a supune razelor **2** a iradia *(lumină)*

ray² *s iht* calcan *(Raia sp.)*

ray³ *s muz* (nota) re

Rayah ['raːjə] *s* **1** *od* raia **2** turc nemahomedan, ţăran dintr-o ţară supusă de otomani

rayed [reid] *adj* în formă de raze

ray forth ['rei 'fɔːθ] *vi cu part adv v.* **ray¹ II**

raying ['reiiŋ] *s* radiere

rayless ['reilis] *adj* **1** (d. soare) fără raze **2** întunecat; orb

Raymond ['reimənd] *nume masc*

ray off ['rei 'ɔːf] *vi cu part adv v.* **ray¹ II**

rayon ['reiɔn] *s* **1** *text* mătase artificială, viscoză **2** *înv* rază

ray out ['rei 'aut] *vi cu part adv v.* **ray¹ II**

raze [reiz] *vt* **1** a demola, a dărâma **2** *fig* a distruge, a ruina; a nărui **3** *fig* a şterge, a rade, a suprima; **to ~to the ground** a şterge/a rade de pe faţa pământului **4** a răzui, a rade

razee ['ræziː] *od* **I** *s* ambarcaţiune cu înălţimea redusă prin îndepărtarea punţii superioare **II** *vt* **1** *nav* a reduce înălţimea unei ambarcaţi **2** *fig* a ciunti, a tăia, a reduce, a mutila

razing fire ['reiziŋ ‚faiəʳ] *s mil* foc razant

razor ['reizəʳ] **I** *s* **1** brici **2** aparat de ras **II** *vt* a rade; a răzui

razor-back ['reizə‚bæk] *s zool* spinare ascuţită/tăioasă

razor-back whale ['reizə‚bæk 'weil] *s zool* rorqual *(Balaenoptera sp)*

razor bill ['reizə ‚bil] *s orn* bodirian, cufundar *(Colymbus articus)*

razor blade ['reizə‚bleid] *s* lamă de ras

razor edge ['reizər ‚edʒ] *s* **1** tăiş de brici **2** *fig* muche de cuţit; situaţie grea/primejdioasă; **to be on the ~** a fi pe muche de cuţit; a fi la marginea prăpastiei **3** *fig* linie de demarcaţie, graniţă, distincţie; **to keep on the ~ of** a nu depăşi limitele *cu gen*

razor fish ['reizə ‚fiʃ] *s v.* **razor shell**

razor shell ['reizə ‚ʃel] *s zool* scoică din familia *Solenidae*

razor-slasher ['reizə‚slæʃəʳ] *s* asasin care foloseşte briciul

razor strop ['reizə strɔp] *s* curea de ascuţit briciul

razz [ræz] *amer sl* **I** *vt* a tachina, a necăji **II** *s* **1** tachinăre, bătaie de joc **2** *v.* **razzia raspberry 2**

razzia ['ræziə] *s* razie; descindere

razzle-dazzle ['ræzəl'dæzəl] **I** *s* **1** chef, petrecere, vâjâială; **to go on the ~** a merge în vâjâială; a o ţine numai în chefuri/petreceri **2** − agitaţie, forfotă, tevatură **3** − căluşei **II** *vt* **1** − a îmbăta, a ameţi **2** a păcăli, a înşela, a trage pe sfoară

razzmatazz ['ræzmə'tæz] *s* **F 1** *v.* **razzle-dazzle 2** aere de mironosiţă, nesinceritate, comportare ipocrită/de Tartuffe **3** ipocrizie, făţărnicie

Rb *simbolul rubidiului*

R.B.A. *presc de la* **Royal Society of British Artists**

R.B.C. *presc de la* **1 red blood cells 2 red blood count**

R.C. *presc de la* **1 Red Cross 2 Roman Catholic 3 reinforced concrete**

R.C.A. *presc de la* **1 Royal College of Art 2 Radio Corporation of America**

R.C.A.F. *presc de la* **Royal Canadian Air Force** aviația militară canadiană

R.C.M. *presc de la* **Royal College of Music**

R.C.M.P. *presc de la* **Royal Canadian Mounted Police** poliția călare canadiană

R.C.N. *presc de la* **Royal Canadian Navy; Royal College of Nursing** institutul de pregătire a infirmierelor

R.C.O. *presc de la* **Royal College of Organists**

R.C.P. *presc de la* **Royal College of Physicians** Academia Medicală Regală

R.C.S. *presc de la* **Royal College of Science; Royal College of Surgeons** Academia Regală de Chirurgie; **Royal Corp of Signals** trupele britanice de transmisiuni

R.C.T. *presc de la* **Royal Corps of Transport** trupele britanice de transporturi

R.C.V.S. *presc de la* **Royal College of Veterinary Surgeons** Academia Regală de Medicină Veterinară

R.D. *presc de la* **refer to drawer** *fin* returnați (cecul) emițătorului

rd *presc de la* **1 road 2 rod 3 round**

R.D.C. *presc de la* **the rural district council** *ist* consiliul districtului rural

R.E. *presc de la* **Royal Engineers** trupele britanice de pionieri

Re *simbolul reniului*

re¹ [rei] *s muz* (nota) re

re² *prep lat* cu privire la, în legătură cu; în privința *(cu gen)*

re *presc de la* **1 reference 2 regarding**

re- *pref* re-: **react** a reacționa

reach¹ [riːtʃ] **I** *vt* **1** a ajunge (până) la, a se întinde până la, a atinge; a sosi la; **the fire ~ed the stables** focul/incendiul s-a întins

până la grajd(uri); **to ~ home** a ajunge acasă; **to ~ old age** a ajunge până la adânci bătrâneți; **to ~ the end of one's journey** a ajunge la capătul călătoriei; **the letter ~ed me but yesterday** abia ieri mi-a parvenit/ajuns scrisoarea; **to ~ a high price** a atinge un preț ridicat; **the rumor hasn't yet ~ed him** zvonul încă nu i-a ajuns la urechi; **to ~ an agreement** a ajunge la o înțelegere/la un acord; a cădea de acord **2** a întinde, a da, a înmâna, a trece *(ceva, cuiva);* **~ me that glass** dă-mi te rog paharul ăla **II** *vi* a se întinde, a ajunge; **as far as the eye can ~** cât vezi cu ochii **III** *s* **1** atingere, ajungere; **to make a ~ for smth** a se întinde după ceva **2** accesibilitate, posibilitate de ajungere, acces; **within ~** accesibil; la îndemână, aproape; **beyond smb's ~; out of smb's ~** inaccesibil, imposibil de ajuns/atins **3** capacitate/posibilitate de înțelegere; talent, îndemânare; **it is beyond my ~** mă depășește, e mai presus de posibilitățile mele de înțelegere; **a man of deep ~** un om foarte destoinic **4** sferă de influență **5** strădanie, silință **6** curs de apă; bordee, porțiune dintre meandre; **the lower ~ es of the river** cursul inferior al râului **7** *amer* promontoriu, cap **8** *nav* mură, voltă

reach² *vi, s* **v. retch¹**

reachable [ˈriːtʃəbəl] *adj* accesibil, ușor de atins

reach across [ˈriːtʃ əˈkrɒs] *vi cu part adv* a se întinde, a se apleca; a întinde mâna

reach ahead [ˈriːtʃ əˈhed] *vi cu part adv* a fi în avans, a avea un avans *(asupra cuiva)*

reach down to [ˈriːtʃ ˈdaun tə] *vi cu part adv și prep* a se coborî până la, a ajunge (jos) până la

reach forth [ˈriːtʃ ˈfɔːθ] *vi cu part adv* **1** a întinde *(mâna)* **2** a prelungi, a lungi, a extinde, a întinde

reaching [ˈriːtʃiŋ] **I** *s* **1** întindere *(a mâinii etc.)* **2** sforțare pentru a ajunge la ceva, gest de apucare **II** *adj* extins, întins, care se întinde departe; **to have ~ hands** *fig* a fi foarte influent

reachless [ˈriːtʃlis] *adj* inaccesibil

reach-me-down [ˈriːtʃmiˈdaun] **I** *adj* de gata, confecționat **II** *s* **1** *și pl* îmbrăcăminte/haine de gata, confecții **2** *pl amer* pantaloni *sau* haine de gata

reach out [ˈriːtʃ ˈaut] *vt cu part adv* **v. reach forth II** *vi cu part adv* (for) a se întinde (după)

reach over [ˈriːtʃ ˈouvəʳ] *vi cu part adv* (to) a se întinde peste (până la, spre)

reacquire [ˌriəˈkwaiəʳ] *vt* a redobândi, a recăpăta

react [riˈækt] *vi* a reacționa, a avea o reacție

re-act [riˈækt] *vt* a rejuca *(un rol, a piesă);* a pune în scenă/a monta din nou

react against [riˈækt əˌgenst] *vi cu prep* a reacționa împotriva, a se împotrivi *(cu dat)*, a se ridica împotriva

reactance [riˈæktəns] *s el* reactanță, rezistență reactivă

reacting [riˈæktiŋ] *adj atr* de reacție

reaction [riˈækʃən] *s* **1** *ch, fiz* reacție **2** *psih* reacție; șoc, tulburare; traumatism **3** reacție, răspuns, mod de a reacționa; efect reciproc **4** *pol* reacțiune **5** *atr* reactiv, de reacție

reactionary [riˈækʃənəri] *adj, s pol* reacționar

reaction coil [riˈækʃən ˌkɔil] *s el* bobină de reacție

reaction paper [riˈækʃən ˌpeipəʳ] *s ch* hârtie indicatoare/de turnesol

reactivation [riˌæktiˌveiʃən] *s* reactivare, repunere în activitate

reactive [riˈæktiv] *adj* reactiv, cu caracter de reacție

reactivity [ˌriækˈtiviti] *s* reactivitate

react on [riˈækt ɔn] *vi cu prep* **1** a se repercuta asupra *(cu gen)*, a avea un efect (de bumerang) asupra *(cu gen)* **2** a acționa asupra *(cu gen)*, a influența cu ac

reactor [riˈæktəʳ] *s el* reactor, bobină de reactanță/șoc

react to [riˈækt tə] *vi cu prep* **1** a reacționa la **2** a fi sensibil la; a fi influențat de, a suferi influența cu gen

react upon [riˈækt əˌpɔn] *vi cu prep* **v. react on**

Read [riːd], **Herbert** *autor britanic (1893-1968)*

read¹ [ri:d] **I** *pret* și *ptc* **read** [red] *vt* **1** a citi; **to ~ smb a lesson** a ține cuiva o predică; **to ~ smb to sleep** a adormi pe cineva *(cu povești etc.);* **I always ~ myself to sleep** totdeauna trebuie să citesc ceva ca să adorm **2** a desluși; a descifra **3** *fig* a citi, a desluși *(pe chipul cuiva);* a explica **4** a ghici, a pătrunde, a pricepe; **to ~ riddles** a citi/a ghici cimilituri, a dezlega ghicitori; **to ~ the cards** a ghici în cărți; **to ~ smb like a book** a pătrunde în sufletul/gândurile cuiva; **to ~ the sky a** a face previziuni meteorologice **b** a citi în stele, a face previziuni astro-logice; **to ~ between the lines** a citi printre rânduri, a încerca să deslușească/descifreze sensul ascuns **5** a interpreta, a traduce; **to ~ proof** *poligr* a corecta șpalturi; a citi pentru corectură; a face corectura *(unui text)* **6** a studia, a învăța **7** *(d. termometru, contor etc.)* a indica, a arăta; **the ther-mometer ~s 20⁰ (centigrade)** ter-mometrul arată 20⁰C, sunt 20⁰ de grade *(deasupra lui zero)* **8** *pol* a prezenta în parlament, a da citire *(unei legi etc.)* **II** *(v. ~ I)* *vi* **1** *(of, about)* a citi (despre, de) **2** a studia, a învăța, a se pregăti; **to ~ for the bar** a învăța/a studia dreptul; a se pregăti pentru avoca-tură; **I do not ~ for honours** nu învăț pentru note/premiu **3** a suna, a glăsui; a răsuna; **the text ~s as follows** textul este următorul; iată textul; textul sună/glăsuiește astfel; **it ~s like a threat** sună o amenințare, pare să fie o ame-nințare **4** a se citi, a se preta la lectură; **it ~s easily** se citește ușor; **it ~s from left to right** trebuie citit de la stânga la dreapta; **the play ~s better than it acts** piesa sună mai bine citită decât jucată **IV** *s* **1** lectură, *(timp pentru)* citit, citire **2** ← *înv* povestire

read² [red] *adj* citit, învățat; informat

readability [ˌri:dəˈbiliti] *s* **1** acce-sibilitate, caracter accesibil; calitatea de a se preta la lectură/de a se citi ușor **2** lizibilitate, caracter lizibil

readable [ˈri:dəbəl] *adj* **1** bine scris, cursiv, plăcut la citit, care se citește ușor **2** lizibil, citeț

readableness [ˈri:dəbəlnis] *s* v. **readability**

read again [ˈri:dəˈgen] *vt cu part adv* a reciti, a citi din nou

read aloud [ˈri:d əˈlaud] *vt cu part adv* a citi (cu glas/voce) tare

read as [ˈri:d əz] **I** *vt cu conj* a interpreta ca **II** *vi cu conj* a însemna, a avea drept sens

readdress [riəˈdres] *vi* a readresa, a retrimite *(la o adresă nouă)*

Reade [ri:d], **Charles** *scriitor englez (1814-1884)*

reader [ˈri:dər] *s* **1** cititor; **he is not much of a ~** nu-i prea place să citească, e departe de a fi un cititor pasionat **2** recenzent; redactor, referent *sau* consilier de editură **3** *poligr* corector **4** *univ* conferențiar *sau* lector; docent **5** carte de citire; antologie, cresto-mație; culegere de texte **6** *sl* scrisoare, epistolă; *P →* carte **7** ← *F* bloc-notes **8** indice **9** recita-tor, declamator

reader's ticket [ˈri:dəz ˌtikit] *s* fișă *sau* cartotecă de cititor

readily [ˈredili] *adv* **1** prompt, cu grabă, rapid, iute **2** bucuros, cu dragă inimă

read in [ˈri:d ˈin] *vt cu part adv (d. computer)* a copia *sau* transfera informația de pe bandă *etc.*

read-in [ˈri:dˌin] *s automatică* descifrare/decodare a infor-mației *(de către un computer)*

readiness [ˈredinis] *s* **1** prompti-tudine, repeziciune, grabă **2** tragere de inimă, zel, entuziasm; **~ to please** dorința de a fi agreabil **3** stare de pregătire; calitatea de a fi gata *(pregătit);* **all is in ~** totul este (gata) pregătit; **the ~ is all** totul este să fii pregătit *(pentru orice even-tualitate)* **4** consimțământ, acord **5** vioiciune; ușurință, îndemâ-nare, abilitate

Reading [ˈrediŋ] *oraș în Anglia*

reading [ˈri:diŋ] *s* **1** citit, citire, lectură **2** *poligr* corectură **3** *pol* citire, prezentare *(a unui proiect de lege în parlament etc.);* **first ~** primă lectură *(pentru luarea în discuție);* **second ~ a** a doua lectură *(pentru aprobarea princi-piilor generale)* **b** *amer* dezba-tere generală asupra raportului comitetului/comisiei; **third ~ a** a

treia lectură *(pentru acceptarea versiunii amendate în cadrul comitetului/comisiei)* **b** *amer* (ultima) lectură a proiectului de lege, înaintea votului hotărâtor **4** prelegere, conferință **5** inter-pretare *(de texte),* explicare, exegeză **6** variantă *(a unui text)* **7** declamație, depoziție, mărtu-risire **8** știință, cunoștințe; **a man of wide ~** un om cult/citit **9** aspect, prezentare, înfățișare **10** indicație *(a unui aparat)*

reading age [ˈri:diŋ ˌeidʒ] *s psih școl* vârstă la care copilul normal poate citi

reading book [ˈri:diŋ ˌbuk] *s* **1** carte de citire **2** carte de citit/lectură

reading boy [ˈri:diŋ ˌbɔi] *s poligr* ajutor de corector *(care-i citește originalul)*

reading desk [ˈri:diŋ ˌdesk] *s* pupitru

reading glass [ˈri:diŋ ˌgla:s] *s* lupă *(pentru citit)*

reading lamp [ˈri:diŋ ˌlæmp] *s* **1** veioză **2** lampă de birou

reading matter [ˈri:diŋ ˌmætər] *s* (cărți de) lectură, lecturi, ceva de citit

reading room [ˈri:diŋ ˌru:m] *s* **1** sală de lectură **2** *poligr* secție de corectură

readjourn [ri:əˈdʒə:n] **I** *vt* a amâna din nou **II** *vi* a se amâna din nou, a fi amânat din nou

readjust [ˌri:əˈdʒʌst] *vt* **1** a adapta, a readapta, a reajusta **2** a regle-menta, a reorganiza **3** a reface, a drege, a repara, a îndrepta **4** a regla

readjustment [ˌri:əˈdʒʌstmənt] *s* **1** adaptare, readaptare (profe-sională) **2** reajustare; reorga-nizare

readmission [ˌri:ədˈmiʃən] *s* **1** repri-mire **2** reintegrare **3** reîncadrare

readmit [ˌri:ədˈmit] *vt* **1** a reprimi **2** a reintegra **3** a reîncadra

readmittance [ˌri:ədˈmitəns] *s* v. **readmission**

read off [ˈri:d ˈɔ:f] *vt cu part adv* **1** a citi cu ușurință **2** a explica, interpreta **3** tălmăci

read oneself in [ˈri:d wʌnself ˈin] *vr cu part adv (d. funcționar nou numit)* a citi jurământul solemn de angajare

readopt [ˌri:əˈdɔpt] *vt* a readopta

readoption [ˌri:əˈdɔpʃən] *s* readop-tare

readorn [,ri:ə'dɔ:n] *vt* a reîmpodobi

read out ['ri:d 'aut] *vi cu part adv* **1** a citi (cu glas/voce) tare, a citi răspicat; a da citire *(cu dat)* **2** *(d. computer)* a înregistra informaţia pe bandă magnetică

read-out ['ri:d,aut] *s automatică* înregistrare a informaţiei pe bandă magnetică *(de către un computer)*

read over ['ri:d 'ouvə'] *vt cu part adv* **1** a reciti, a citi din nou **2** a citi din scoarţă-n scoarţă/de la cap la coadă

read through ['ri:d 'θru:] *vt cu part adv v.* **read over**

read up ['ri:d 'ʌp] *vt cu part adv* a citi temeinic/cu temei **II** *vi cu part adv* a se pregăti, a învăţa, a studia

ready ['redi] **I** *adj* **1** gata, pregătit; **to be ~ a** a fi gata/pregătit **b** a fi pregătit/terminat **c** *(d. cărţi)* apărut; **dinner is ~** masa e servită/gata; **to get/to make ~ a** pregăti; **make ~!** *mil* atenţie! pregătiţi! **are you ~!** *sport* fiţi gata! **2** la îndemână, disponibil **3 (to)** *pred* dispus, bucuros, gata (să) **4** binevoitor, amabil **5** prompt, expeditiv, eficace, iute; **the readiest way** mijlocul cel mai simplu/eficace; **to be ~ with an answer** a avea un răspuns întotdeauna pregătit; a avea riposta promptă; **to have a ~ wit** a avea o minte promptă; **to meet with a ~ sale** *com* a se vinde/desface repede **6 ←** *înv* prezent! aici! **II** *adv* **1** gata (dinainte); **~ done** gata făcut **2** repede, îndată, prompt **III** *s* **the ~ 1** *sl* lovele, bani gheaţă/peşin; **to plank down the ~** a ieşi cu banii pe masă/la zar **2** *mil* poziţie de tragere *(a armei etc.);* **with the gun at the ~** cu arma pregătită **IV** *vt* **1** a pregăti, a prepara, a pune la punct; a antrena **2** *sl* a plăti cu bani gheaţă/peşin, a plăti pe loc **3** a corupe, a mitui, a unge osia (ca să nu scârţâie carul)

read at hand ['redi ət 'hænd] *adj pred* la îndemână

ready cash ['redi 'kæʃ] *s* bani gheaţă/peşin, numerar

ready-cooked ['redi'kukt] *adj (d. mâncare)* gata pregătit/preparat; gătit

ready for service ['redi fə' sə:vis] *adj amer* (de) gata

ready-made ['redi'meid] *adj* **1** (de) gata **2** gata făcut/confecţionat **3** *fig* apriorie, preconceput

ready-made clothes ['redi,meid 'klouðz] *s* haine (de) gata; confecţii

ready money ['redi 'mʌni] *s v.* **ready cash**

ready reckoner ['redi 'rekənə'] *s* tabel de calcul

ready state ['redi 'steit] *s tehn* stare de inerţie

ready, steady, go! ['redi 'stedi 'gou] *interj sport* pe locuri, fiţi gata, start!

ready to ['redi tə] *adj cu inf* gata să, mai-mai să, cât pe aici să; **to be ~ choke** a fi gata să se înece/sufoce

ready-to-eat ['reditə'i:t] *adj (d. mâncăruri)* gata preparat; semipreparat

ready to hand(s) ['redi tə 'hænd(z)] *adj pred v.* **ready at hand**

ready-to-wear ['reditə'wɛə'] *adj amer v.* **ready-made**

ready-witted ['redi'witid] *adj* ager/iute la minte, cu mintea ageră

reaffirm [,ri:ə'fə:m] *vt* **1** a reafirma **2** a confirma **3** a repeta, a reitera

reafforest [,ri:ə'fɔrist] *vt* a (re)împăduri

reafforestation [,ri:ə'fɔrist'eiʃən] *s* (re)împădurire

reagent [ri:'eidʒənt] *s ch* reactiv

reagent-paper [ri:'eidʒənt,peipə'] *s ch* hârtie de turnesol

real¹ [riəl] **I** *adj* **1** real, existent; adevărat; autentic, de domeniul realităţii; **it is the ~ thing a** e o realitate **b** e ceva veritabil; **c** e tocmai (ceea) ce ne trebuie, e un lucru grozav **2** veritabil, autentic, original; curat; pur, natural, nefalsificat **3** sincer, curat, neprefăcut **4** *jur* imobiliar, patrimonial; **real II** *adv amer sl* **1** pe bune/dreptate, de-adevăratelea, ~ efectiv, într-adevăr, cu adevărat, realmente **2** *(şi for)* a-ntâia, straşnic/grozav (de)

real², the *s filos* realul; realitatea

real³ [rei'a:l] *s ist* real *(monedă spaniolă)*

real estate ['riəl is'teit] *s jur* proprietate imobiliară; imobil(e)

real estate agent/operator ['riəl is,teit 'eidʒənt/'opəreitə'] *s* agent de

vânzări-cumpărări, misit de case/proprietăţi

real estate register ['riəl is,teit 'redʒistə'] *s* cadastru, opis funciar

realgar [ri'ælgə'] *s minr* realgar

realign [riə'lain] *vt* a regrupa, a realinia, a reconstitui

realignment [riə'lainmənt] *s* regrupare, realiniere *(de forţe etc.);* reconstituire

realism ['riəlizəm] *s* **1** realism **2** înţelepciune **3** veridicitate

realist ['riəlist] *s* realist

realistic [,riə'listik] *adj* realist

realistically [,riə'listikəli] *adv* în mod realist

reality [ri'æliti] *s* **1** realitate; adevăr; **in ~** de fapt, în realitate; la drept vorbind **2** realism; veridicitate **3** autenticitate

realizable ['riə,laizəbəl] *adj* **1** de înţeles, comprehensibil, inteligibil **2** realizabil, posibil, cu putinţă

realization [,riəlai'zeiʃən] *s* **1** înţelegere, faptul de a-şi da seama, conştiinţă *(a unei realităţi etc.)* **2** realizare, înfăptuire, îndeplinire

realize ['riə,laiz] *vt* **1** a înţelege *(bine, pe de-a-ntregul)*, a-şi da (bine) seama de, a vedea limpede, a pricepe **2** a realiza, a înfăptui, a îndeplini, a împlini *(speranţe, visuri)* **3** *ec* a realiza *(produsul etc.),* a converti în bani **4** *com* a obţine, a scoate, a realiza *(un profit etc.)*

really ['riəli] **I** *adv* cu adevărat, realmente, efectiv, într-adevăr; de fapt; **~ and truly** cum te văd şi cum mă vezi; **~?** serios? adevărat? **II** *interj* zău! serios! pe cuvânt! **not ~!** imposibil! cu neputinţă! nu se poate! *F* aiurea!

realm [relm] *s* **1** regat, împărăţie; ţară **2** *fig* tărâm; domeniu

realness ['riəlnis] *s v.* **reality**

Real-politik [re'alpoli,ti:k] *s pol germ* politică realistă, bazată pe realităţi (şi nevoi materiale)

real property ['riəl 'propəti] *s v.* **real estate**

realtor ['riəltə'] *s amer v.* **real estate agent**

realty ['riəlti] *s* **1** *v.* **real estate 2 ←** *înv* realitate, loialitate, credinţă

ream¹ [ri:m] *s* **1** top *(de hârtie)* **2** *tehn* maldăr, morman, mulţime, grămadă **3** *peior* maculatură

ream² *vt tehn* a adânci, a găuri, a lărgi *(o gaură);* a aleza, a ajusta

ream³ *vt amer* a stoarce *(fructe),* a stoarce *(zeama)* din fructe

ream⁴ *reg* I *vt* a spumui, a lua spuma de pe II *vi* a lua spuma

reamer ['ri:mə'] *s* **1** *tehn* alezor, zencuitor, lărgitor, unealtă de lărgit găuri **2** storcător *(de fructe)*

reanimate [,ri:'æni,meit] *vt* **1** a reanima, a (re)învia, a readuce la viață **2** *fig* a (re)însuflețí, a îmbărbăta, a încuraja, a înviora

reanimation [,ri:æni'meiʃən] *s* **1** reanimare; reînviere, readucere la viață **2** *fig* (re)însuflețíre, îmbărbătare, încurajare, înviorare

reannex [,ri:ə'neks] *vt* a reanexa

reannexation [,ri:ænik'seiʃən] *s* reanexare

reap [ri:p] I *vt* **1** *și fig* a secera **2** *și fig* a recolta, a culege *(roade, răsplată, glorie etc.)* **3** a trage folos de pe urma *(cu gen)* II *vi și fig* a secera, a recolta/a culege roadele; **to ~ as one has sown** *prov* cum îți vei așterne așa vei dormi; **to ~ where one has not sown** a culege roadele muncii altuia

reaper ['ri:pə'] *s agr* **1** secerător **2** mașină secerătoare; mașină de cosit, cositoare

Reaper, the ['ri:pə', ðə] *s fig* moartea

reaper and binder ['ri:pər ən 'baində'] *s agr* secerătoare-legătoare

reaping hook ['ri:piŋ ,huk] *s agr* seceră

reaping machine ['ri:piŋ mə'ʃi:n] *s agr* mașină de secerat, secerătoare

reapparel ['ri:ə'pærəl] *vt* a îmbrăca *sau* împodobi din nou

reapparition ['ri:æpə'riʃən] *s* reapariție (↓ fantastică)

reappear [,ri:ə'piə'] *vi* **1** a reapărea; a-și face din nou apariția **2** a se republica, a se reedita

reappearance [,ri:ə'piərəns] *s* reapariție

reapply [,ri:ə'plai] I *vt* a aplica din nou, a reaplica II *vi* **1** a se aplica din nou **2** (**for**) a cere din nou *(cu ac)*

reappoint [,ri:ə'point] *vt* a numi din nou, a reintegra *(în slujbă)*

reappointment [,ri:ə'pointmənt] *s* reintegrare

reappraisal [,ri:ə'preizəl] *s* **1** reevaluare, reapreciere, reestimare **2** reconsiderare; revizuire

reappraise [,ri:ə'preiz] *vt* **1** a reevalua, a reestima, a reaprecia **2** a reconsidera; a revizui

rear¹ [riə'] I *s* **1** spate, dos; coadă; fund; *mil* urmă, ariergardă; **to be in the ~** a) a veni la urmă/coadă b) *mil* a fi încheietor de pluton *etc.,* a forma ariergarda; **to bring/to close up the ~** a) *mil* a fi încheietor de pluton *etc.;* a forma ariergarda b) a încheia o procesiune, a merge în urma unui cortegiu/alai; **to take the enemy in the ~** *mil* a cădea în spatele inamicului **2** *mil* spatele frontului **3** *F* latrină, budă, privată, − closet II *adj* dinapoi, din spate/urmă/dos; de la coadă/sfârșit

rear² I *vt* **1** a ridica, a înălța; **to ~ one's head** a-și ridica/a-și înălța capul **2** a crește *(animale)* **3** a crește, a educa *(copii)* **4** a clădi, a construi, a înălța, a ridica II *vi* (*d. cai)* a se cabra

rear admiral ['riər 'ædmirəl] *s nav* contraamiral

rear-arch [,riər'a:tʃ] *s arhit* arc interior; arcadă interioară *(la fereastră sau ușă)*

rear boot ['riə 'bu:t] *s auto* portbagaj *(la spate)*

rear engined ['riər 'endʒind] *adj* cu motorul la spate

rear flap ['riə 'flæp] *s av* eleron, aripioară

rear guard ['riə 'ga:d] *s* **1** *mil* ariergardă **2** *auto* bară din spate

rearing ['riəriŋ] *s* **1** înălțare, ridicare **2** creștere *(a animalelor)* **3** creștere, educare, educație *(a copiilor)* **4** cabrare *(a cailor)* **5** construire, ridicare, înălțare, clădire

rear light ['riə 'lait] *s* **1** *auto, ferov, av* lumină/lampă (de semnalizare) din spate **2** *nav* lumină de semnalizare de la pupa

rearm [ri:'a:m] I *vt* a reînarma II *vi, vr* a se reînarma, a proceda la reînarmare

rearmament [ri:'a:məmənt] *s* reînarmare

rearmost ['riə,moust] *adj* **1** cel mai din spate/urmă **2** ultim

rearmouse ['riə,maus] *s zool* liliac

rearrange ['ri:ə'reindʒ] *vt* a rearanja, a reorândui; a reamenaja; a reorganiza

rearrangement [,ri:ə'reindʒmənt] *s* rearanjare, reorânduire, reamenajare, reorganizare

rear rider ['riə 'raidə'] *s* pasager pe șaua din spate *(a motocicletei etc.)*

rear sight ['riə 'sait] *s av* vizor, aparat de ochire

rear-vault ['riə'vo:lt] *s arhit* boltă/ogivă interioară

rear-view mirror ['riə,vju: ,mirə'] *s auto* oglindă retrovizoare

rearward ['riəwəd] I *adv* îndărăt, înapoi II *adj* din dos/spate, din urmă III *s mil* ariergardă

rearwards ['riəwədz] *adv v.* **rearward** I

reascend [riə'send] *vi* a urca din nou

reason ['ri:zən] I *s* **1** rațiune, logică, judecată, înțelepciune, minte; bun simț, înțelegere; **in (all) ~** a) (în mod) rațional/rezonabil, cuminte, înțelept b) pe bună dreptate, în mod întemeiat, cu temei; **open to ~** deschis la minte, rațional, înțelept; **bereft of ~** lipsit de judecată/înțelepciune/rațiune, inconștient; **to bring smb to ~** a aduce pe cineva la realitate, a face pe cineva să-i vină mintea la cap; **to come to ~** a-și băga mințile în cap, a se cuminți; **to hear ~; to listen to ~** a asculta de glasul rațiunii, a pleca urechea la argumente logice; **to lose one's ~** a-și mințile/rațiunea; **to stand to ~** a fi la mintea omului/*F* → cocoșului, a se înțelege de la sine **2** motiv, rațiune; temei; considerent, dreptate, justețe, argument; cauză, pricină; **with (good) ~** pe bună dreptate, cu temei, în mod just/întemeiat; **without ~;** **out of ~** fără temei/justificare, în mod neîntemeiat; **by ~ of** din cauza/pricina *cu gen;* datorită *cu dat/*by ~ that** în virtutea faptului că; **for ~s of health** din motive de sănătate; **for ~s of state** din rațiuni de stat, din considerente politice; **to have ~ (to do smth)** a avea dreptate/a fi îndreptățit (să facă ceva) II *vi* **1** a raționa, a gândi, a judeca; **to ~ in a circle** a se învârti într-un cerc vicios, a fi într-o dilemă **2** (**about**, **on**, **upon**) a medita, a reflecta (la, asupra – *cu gen*) **III** *vt* **1** a judeca, a chibzui, a cumpăni (bine) **2** a medita/a reflecta la *sau* asupra *(cu gen)* **3** a convinge, a persuada *(prin argumente, pe cale rațională)* **4** (**from**) a deduce (din)

reasonability [ˌriːzənəˈbiliti] *s v.* **reasonableness**

reasonable [ˈriːzənəbəl] *adj* **1** rezonabil, înțelept, cuminte, chibzuit **2** *(d. p . turi etc.)* rezonabil, convenabil, moderat, modest **3** just, drept, echitabil

reasonableness [ˈriːzənəblnis] *s* **1** caracter rezonabil/înțelept/rațional; înțelepciune, cumințenie **2** caracter convenabil, moderat/ rezonabil; ieftinătate **3** echitabilitate, echitate, justețe

resonably [ˈriːzənəbli] *adv* **1** (în mod) rezonabil/chibzuit/înțelept **2** (în mod) acceptabil/convenabil **3** (în mod) echitabil/just/drept

reason away [ˈriːzən əˈwei] *vt cu part adv* a înlătura/a respinge prin argumente raționale/pe calea rațiunii

reason down [ˈriːzən ˈdaun] *vt cu part adv* a ține în frâu; a înfrâna/ a(-și) stăvili pe cale rațională *(o patimă etc.)*

reasoned [ˈriːzənd] *adj* **1** întemeiat, (bine) motivat **2** chibzuit, bine gândit, înțelept, rațional **3** logic, rațional

reasoner [ˈriːzənər] *s* gânditor, cugetător, raisonneur

reasoning [ˈriːzəniŋ] **I** *s* **1** raționament, judecată, capacitate de a raționa **2** argumentare, discuție logică/argumentată; **there is no ~ with him** cu el e imposibil să discuți/de discutat **II** *adj* rațional, (înzestrat) cu judecată, înțelept

reason into [ˈriːzən ˌintə] *vi cu prep* a convinge/a determina să, a aduce la ascultare *etc.*

reasonless [ˈriːzənlis] *adj* **1** fără rațiune/judecată **2** neîntemeiat, nemotivat, nejustificat

reason out [ˈriːzən ˈaut] *vi cu part adv* a deduce; a iscodi; a izbuti să găsească prin gândire/meditație

reason out of [ˈriːzən ˌaut əv] *vi cu prep* a face *(pe cineva)* să renunțe la *(o convingere, un plan)*

reasons adduced [ˈriːzənz əˈdjuːst] *s pl jur* motivarea unei hotărâri

reason whether [ˈriːzən ˈweðər] *vi cu conj* a se întreba dacă

reason with [ˈriːzən wið] *vi cu prep* **1** a discuta (în contradictoriu) cu, a purta o discuție/dezbatere cu; **to ~ oneself** a se gândi și a se răzgândi **2** a aduce argumente *(cu dat);* a încerca să convingă *(cu ac);* a reflecta în sinea lui

reassemble [ˌriːəˈsembəl] **I** *vt* **1** a pune din nou laolaltă, a strânge, a aduna/a îmbina din nou **2** a întruni/a convoca din nou; a regrupa **3** *tehn* a reasambla **II** *vi* a se întruni/a se aduna din nou; *pol* a se redeschide

reassembly [ˌriːəˈsembli] *s* **1** *pol* redeschidere, reîntrunire *(a parlamentului etc.)* **2** *constr* despărțitură, perete despărțitor

reassert [ˌriːəˈsəːt] *vt* a reafirma, a afirma din nou

reassertion [ˌriːəˈsəːʃən] *s* reafirmare

reassess [ˌriːəˈses] *vt* **1** a reevalua, a evalua din nou **2** *fig* a reconsidera **3** *ec* a reimpune, a reimpozita *(un contribuabil, o marfă)*

reassessment [ˌriːəˈsesmənt] *s* **1** reevaluare **2** *fig* reconsiderare **3** *fin* reimpunere, reimpozitare

reassign [ˌriːəˈsain] *vt* a repartiza din nou, a încredința din nou *(o sarcină etc.);* a redistribui *(o sarcină etc.)*

reassignment [ˌriːəˈsainmənt] *s* nouă repartiție/distribuire *(a sarcinilor);* încredințare a unei sarcini *sau* misiuni noi

reassume [ˌriːəˈsjuːm] *vt* a presupune din nou, a relua ca premisă/ca punct de pornire

reassumption [ˌriːəˈʌmpʃən] *s* nouă ipoteză/presupunere (luată ca bază)

reassurance [ˌriːəˈʃuərəns] *s* **1** asigurare *(verbală)*, liniștire; potolire **2** *ec* reasigurare

reassure [ˌriːəˈʃuər] *vt* **1** a asigura *(în vorbe)*, a liniști, a potoli, a calma **2** *ec* a reasigura

reassuring [ˌriːəˈʃuəriŋ] *adj* liniștitor, care-ți dă/conferă siguranță; reconfortant

reassuringly [ˌriːəˈʃuərinli] *adv* (într-un mod) liniștitor; dându-ți/ conferindu-ți siguranță; pe un ton

încrezător/optimist/care-ți dă încredere/siguranță

reave [riːv] *pret și ptc* **reft** [reft] ← *înv și poetic* **I** *vt* **1** a pustii, a devasta **2** (**from**) a jefui, a fura, a lua cu japca (de la) **3** (**of**) a deposeda, a despuia, a priva, a văduvi (de) **II** *vi* a se ține de prădăciuni, a prăda, a jefui

reaver [ˈriːvər] *s* ← *înv, poetic* tâlhar, hoț

reawaken [ˌriːəˈweikən] *vt și fig* a redeștepta, a trezi din nou

Reba [ˈriːbə] *v.* **Rebecca**

rebaptize [ˌriːˈbæptaiz] *vt* a boteza din nou, a reboteza

rebarbative [riˈbɑːbətiv] *adj, lit* respingător, neatrăgător, rebarbativ

rebate I [ˈriːbeit] *s* **1** *com* rabat, reducere **2** *arhit* rebord, prag; treaptă **3** *tehn* uluc, scobitură, ieșitură **II** [ˈriːbeit] *vt înv* **1** a slăbi; a reduce puterea *(cu gen)* **2** a toci **III** [ˈriːbeit] *vi tehn* **1** a îmbina în **2** a face un feder/prag/o lambă

rebate plane [ˈriːbeit ˌplein] *s tehn* rindea de fălțuit

rebec(k) [ˈriːbek] *s ist muz aprox* violă *(cu trei coarde)*

Rebecca [riˈbekə] *nume fem* Rebeca, Reveca

rebel I [ˈrebəl] *s* **1** rebel, răzvrătit; insurgent, răsculat **2** *amer sl* locuitor din sud **II** [ˈrebəl] *adj* **1** rebel, răzvrătit, răsculat **2** al rebelilor **III** [riˈbel] *vi* (**against**) **1** a se răscula, a se răzvrăti, a se revolta *(împotriva – cu gen)* **2** a se ridica, a protesta *(împotriva – cu gen);* a se opune, a se împotrivi *(la sau cu dat)*

rebeldom [ˈrebəldəm] *s* **1** zonă/ regiune de rebeliuni/răzmerițe **2** *v.* **rebellion 1 3** spirit rebel/de revoltă, comportare rebelă

rebellion [riˈbeljən] *s* **1** răscoală, răzmeriță, răzvrătire, rebeliune; insurecție; **to rise in ~** a se răscula; **in open ~** răsculându-se pe față **2** împotrivire, rezistență; (mișcare de) protest

Rebellion, the [riˈbeljən, ðə] *s ist S.U.A.* Războiul de Secesiune *(1861-1865)*

rebellious [riˈbeljəs] *adj* **1** *și fig* rebel **2** rebel, răsculat, răzvrătit **3** nesupus, nedisciplinat

rebelliously [ri'beljəsli] *adv* **1** (în mod) rebel, insubordonat, refractar **2** (în mod) nedisciplinat, dezordonat, nesupus

rebelliousness [ri'beljəsnis] *s v.* **rebeldom 3**

rebind ['ri:baind], *pret și ptc* **rebound** [ri'baund] *vt poligr* a lega din nou

rebirth ['ri:bə:θ] *s* renaștere, regenerare, viață nouă

rebound [ri'baund] **I** *vi* **1** (**upon**) *și fig* a ricoșa (asupra – *cu gen*); a se întoarce *(ca un bumerang)* (împotriva – *cu gen*) **2** *(d. arcuri)* a se destinde **3** *tehn* a avea un recul **II** *s* **1** recul; ricoșeu, ricoșare **2** *și fig* salt înapoi; revenire *(la poziția inițială);* **to take smb on/the ~** a profita de slăbiciunea cuiva; a strânge pe cineva cu ușa

rebounding [ri'baundiŋ] **I** *adj* **1** cu ricoșeu **2** elastic; care-și revine (ușor) **II** *s v.* **rebound II**

rebroadcast ['ri:brɔ:d,ka:st] *vt rad* a retransmite

rebuff [ri'bʌf] **I** *s* **1** recul, aruncare/ împingere înapoi **2** riposta, răspuns viguros; **to give smb a fitting ~** a da cuiva riposta cuvenită **3** refuz; eșec neașteptat; **to suffer a ~ (from smb)** a întâmpina un refuz (din partea cuiva) **b** a înghiți hapul **II** *vt* **1** a arunca înapoi, a respinge **2** a respinge/a refuza categoric

rebuild ['ri:bild], *pret și ptc* **rebuilt** [ri:'bilt] *vt* a reconstrui, a reface, a reclădi

rebuilding ['ri:bildiŋ] *s* reconstruire, reconstrucție, reclădire, refacere

rebuke [ri'bju:k] **I** *s* **1** mustrare, dojană, repros; **without ~** ireproșabil, fără cusur, impecabil **2** imputare, acuzație **II** *vt* **1** (**for**) a dojeni, a mustra, a ocărî (pentru); a face reproșuri, a aduce acuzații *(cu dat)* (pentru) **2** a bate măr, a stâlci în bătăi

rebuking [ri'bju:kiŋ] *adj* mustrător, dojenitor, plin de reproșuri; pe ton de repros

rebukingly [ri'bju:kiŋli] *adv* ca un repros/o mustrare; pe un ton mustrător/de dojană, dojenitor

rebus ['ri:bəs] *s* rebus

rebut [ri'bʌt] **I** *vt* **1** a împinge înapoi, a respinge **2** *jur și fig* a refuta, a respinge *(ca nefondat)*, a dovedi netemeinicia *(cu gen);* a combate, a răsturna **3** a dezaproba **II** *vi jur* a riposta, a da replica

rebutment [ri'bʌtmənt] *s* **1** *jur* combatere, refutare, respingere; răsturnare, dovedire a netemeiniciei *(cu gen)* **2** dezaprobare

rebuttal [ri'bʌtəl] *s v.* **rebutment**

rebutter [ri'bʌtəʳ] *s jur* cuvânt în replică *(al pârâtului)*

rec. *presc de la* **1** receipt **2** record **3 recording 4 recreation**

recalcitrance [ri'kælsitrəns] *s* caracter recalcitrant/refractar; nesupunere, neascultare

recalcitrant [ri'kælsitrənt] *adj* recalcitrant, nesupus, refractar

recalcitrate [ri'kælsitreit] *vi* (**against, at**) a se arăta nesupus/refractar/ recalcitrant (la, față de); a se opune (la *sau cu dat)*

recalesce [,ri:kə'les] *vi met* a se reîncălzi, a se reînfierbânta

recalescence [,ri:kə'lesəns] *s met* reîncălzire, reînfierbântare

recalk ['ri:kɔ:k] *vt tehn* a ștemui

recall [ri'kɔ:l] **I** *vt* **1** a rechema **2** a abroga, a revoca *(o lege);* a contramanda *(un ordin)* **3** a-și retrage *(cuvinte, bani);* a retracta *(o afirmație)* **4** a-și călca *(cuvântul);* a-și lua *(vorba/vorbele)* înapoi **5** a evoca, a aminti (de); a trezi amintirea *(cu gen)* **6** a-și aminti (de), a-și reaminti **II** *s* **1** *pol* rechemare; revocare; destituire **2** abrogare; revocare; contramandare **3** *mil* rechemare; semnal de întoarcere **4** *teatru* chemare la rampă, bis(are) **5** aducere aminte, amintire; **beyond/past ~ a** iremediabil pierdut, cu desăvârșire uitat, pierdut **b** nefavorabil, ireparabil

recallable [ri'kɔ:ləbəl] *adj* **1** ↓ *pol* revocabil; care poate fi rechemat/revocat **2** *(d. evenimente etc.)* care poate fi evocat/amintit

recant [ri'kænt] **I** *vt* **1** a retracta, a-și lua *(vorba/vorbele)* înapoi **2** se lepăda de, a abdica de la **3** a dezaproba, a se desolidariza de **II** *vi* **1** a retracta, a-și lua vorba/ vorbele înapoi **2** a renunța la o părere *etc.*, a abdica de la un principiu *etc.*, a se dezice

recantation [,ri:kæn'teiʃən] *s v.* **recanting I**

recanting [ri:'kæntiŋ] **I** *s* **1** retractare, retragere a vorbelor, schimbare a părerii **2** dezicere, dezaprobare **II** *adj* **1** care retractează **2** apostat, renegat **3** care dezaprobă, care se dezice/desolidarizează

recap I ['ri:,kæp] *vt* **1** a reface capul *sau* învelișul *(la sau cu dat)* **2** a reșapa *(anvelope)* **3** ← *F* a recapitula, a revizui, a revedea **II** *s* ← *F* recapitulare, revedere, revizuire

recapitulate [,ri:kə'pitju,leit] *vt* a recapitula, a revedea

recapitulation [,ri:kə,pitju'leiʃən] *s* recapitulare, revedere

recapitulatory [,ri:kæ'pitjuleitəri], **recapitulative** [,ri:kæ'pitjulətiv] *adj* (cu caracter) recapitulativ, de recapitulare/revizie

recaption [ri:'kæpʃən] *s jur* reintrare în posesie/drepturi

recapture [ri:'kæptʃəʳ] **I** *s* **1** recapturare, reluare, prindere din nou **2** recuperare, recâștigare; regăsire **II** *vt* **1** a prinde/a apuca din nou, a recaptura **2** a recâștiga, a recupera; a regăsi

recast [ri:'ka:st] **I** *pret și ptc* **recast** [ri:'ka:st] *vt* **1** *tehn* a turna din nou **2** a transforma; a prelucra; a reconstitui, a reface **3** *teatru* a schimba distribuția *(unui spectacol)* **4** a arunca din nou **II** *s* **1** *tehn* returnare *(a metalului)* **2** modificare, transformare; prelucrare; reconstituire, refacere **3** *teatru* montare cu o nouă distribuție, nouă montare/versiune **4** rearuncare

recaulk ['ri:kɔ:k] *vt v.* **recalk**

recce ['reki] *mil sl* **I** *s* recunoaștere, misiune de recunoaștere **II** *vt* a recunoaște *(terenul)*, a face o recunoaștere pe **III** *vi* a face o recunoaștere, a recunoaște terenul

recd *presc de la* **received**

recede [ri'si:d] *vi* **1** (**from**) a (se) da înapoi, a da îndărăt, a se îndepărta, a se retrage (de la, din; din fața – *cu gen);* **to ~ into the background** *fig* a trece pe planul al doilea; a-și pierde importanța **2** (**from**) a renunța (la); a reveni (asupra – *cu gen);* *mil* a se retrage de pe *(o poziție etc.)* **3** *ec* a scădea în/a pierde din valoare, a se deprecia, a se ieftini

re-cede [riːˈsiːd] *vt* a retroceda

receding [riːˈsiːdiŋ] **I** *s* **1** retragere; îndepărtare **2** renunțare; revenire *(asupra unei hotărâri etc.)* **II** *adj* care se retrage/se îndepărtează/ dispare

receding tide [riːˈsiːdiŋ ˈtaid] *s* reflux

receipt [riˈsiːt] **I** *s* **1** primire **2** chitanță *(de primire)*, adeverință de plată **3** ↓ *pl* încasări, venit(uri) **4** *med* remediu; rețetă, prescripție/ ordonanță medicală **5** *înv* per- cepție; oficiu de depunere a banilor; ~ **of custom** vamă, punct vamal **II** *vt amer com* a da chitanță pentru, a iscăli de primire pentru

receipt book [riˈsiːt ˌbuk] *s* **1** chi- tanțier **2** carte de bucate/rețete

receivable [riˈsiːvəbəl] *adj* care poate fi primit; de primit

receive [riˈsiːv] **I** *vt* **1** a primi, a căpăta; **to ~ to heart** *fig* a pune la inimă **2** a încasa, a lua *(bani)* **3** a primi (în casă), a găzdui, a adăposti; a tăinui **4** a admite, a primi (înăuntru) **5** a accepta, a recunoaște; a confirma **6** a stabili, a statua; a împământeni **7** ↓ *jur* a considera, a avea în vedere **8** a cuprinde, a avea o capacitate de **II** *vi* **1** a primi vizite/ musafiri, a fi gazdă **2 (of)** a se împărtăși (din), a primi, a lua

received [riˈsiːvd] *adj* **1** primit **2** *com* achitat; încasat **3** acceptat, admis

received pronunciation [riˈsiːvd ˌprənʌnsiˈeiʃən] *amer* **Received Standard** *s fon* (pronunțarea în) engleza standard/oficială; pro- nunțarea literară britanică

receiver [riˈsiːvəʳ] *s* **1** primitor, persoană care primește/recep- ționează **2** destinatar **3** *com* consignatar **4** *fin* încasator; perceptor **5** *jur* tăinuitor *(de lucruri furate)*; gazdă de hoți; **no ~, no thief** *prov* dacă nu s-ar găsi tăinuitori, n-ar fi nici hoți; **the ~ is as bad as the thief** *prov* ce mi-e Baba Rada, ce mi-e Rada Baba **6** *jur* administrator din oficiu, executor judecătoresc; portărel **7** aparat de radio (recep- ție), radio (receptor), receptor **8** (micro)receptor *(la telefon)* **9** *tehn* recipient; rezervor; cisternă; colector

receivership [riˈsiːvəʃip] *s jur* calitatea de executor judecă- toresc/de administrator din oficiu

receiving [riˈsiːviŋ] *s* **1** primire; recepție **2** acceptare, admitere **3** *jur* tăinuire *(de lucruri furate)*

receiving aerial [riˈsiːviŋ ˌɛəriəl] *s telev* antenă de recepție

receiving apparatus [riˈsiːviŋ ˌæpə- ˈreitəs] *s v.* **receiver** 7

receiving end [riˈsiːviŋ ˈend] *s* **1** primitor, destinatar **2** *fig* țintă *(a unor atacuri etc.)*

receiving house/office [riˈsiːviŋ ˈhaus/ˈɔfis] *s* serviciu de mesa- gerii; oficiu poștal

receiving-order [riˈsiːviŋˈɔːdəʳ] *s jur* ordonanță judecătorească de instituire a unui executor judecă- toresc/administrator din oficiu

receiving set [riˈsiːviŋ ˈset] *s v.* **receiver** 7

receiving station [riˈsiːviŋ ˈsteiʃən] *s* **1** *tel* post/stație de recepție **2** *ferov* stație de destinație

recency [ˈriːsənsi] *s v.* **recentness**

recense [riˈsens] *vt* a revedea, a revizui; a controla, a verifica

recension [riˈsenʃən] *s* **1** revedere, revizuire; controlare, verificare **2** *text* revizuit *sau* controlat

recent [ˈriːsənt] *adj* **1** recent, de ultimă oră; **of ~ date** recent, de dată recentă **2** *(d. evenimente etc.)* nou, proaspăt, ultim

recently [ˈriːsəntli] *adv* de curând, recent, nu de mult; în ultima vreme; **as ~ as yesterday** nu mai departe decât ieri

recentness [ˈriːsəntnis] *s* caracter recent/de ultimă oră; noutate, prospețime

receptacle [riˈseptəkəl] *s* **1** *bot* receptacul **2** recipient, vas **3** *fig* loc de adunare/concen- trare/îngrămădire **4** *el* priză de curent

reception [riˈsepʃən] *s* **1** primire, recepționare; acceptare **2** primi- re, întâmpinare, mod de a întâm- pina/primi; **to give smb a warm ~** a primi călduros/cu căldură pe cineva; **the book enjoyed quite a favourable ~** cartea s-a bucu- rat de o primire foarte favorabilă **3** recepție, ceremonie/solem- nitate de primire **4** *psih* asimilare, recepționare **5** *tel* recepție, recepționare

reception clerk [riˈsepʃən ˌklɑːk, *amer* riˈsepʃən kləːʳk] *s* ↓ *amer v.* **receptionist** 1

reception desk [riˈsepʃən ˌdesk] *s* (birou de) recepție, poartă; dispecerat *(la hotel)*

receptionist [riˈsepʃənist] *s* **1** recep- ționer, funcționar la recepție; dispecer *(la hotel)* **2** secretar de cabinet **3** soră de cabinet *(a unui dentist etc.)*

reception order [riˈsepʃən ˌɔːdəʳ] *s med* autorizație de internare *(a unui alienat)*

reception room [riˈsepʃən ˌruːm] *s* sală de recepție; salon; sală/ cameră de primire

receptive [riˈseptiv] *adj* receptiv

receptively [riˈseptivli] *adv* (în mod) receptiv, cu mare receptivitate

receptiveness [riˈseptivnis] *s v.* **receptivity**

receptivity [ˌriːsepˈtiviti] *s* **1** receptivi- tate, caracter receptiv **2** *tehn* capacitate de absorbție *sau* de asimilare

receptor [riˈseptəʳ] *s tel* receptor

recess [riˈses] **I** *s* **1** cotlon, loc/colț retras, colțișor, tainiță **2** firidă, nișă; alcov **3** *pl fig* ascunzișuri, adâncuri, străfunduri *(ale inimii etc.)* **4** *anat, bot, zool* fosă, cavitate **5** *geogr* golfuleț, baie, scobitură (a țărmului) **6** *tehn* șanț, canelură, adâncitură, ca- nal; gât; falț, nut **7** reflux **8** între- rupere, pauză, interval; va- canță **9** *jur* suspendare; proro- gare **10** acord, protocol; con- cluzii *(după deliberare)* **II** *vt* **1** a ascunde într-o adâncitură **2** a forma o cavitate în **III** *vi* **1** a face o pauză/o întrerupere **2** *jur* a suspenda ședința, a intra în deliberare

recessed [riˈsest] *adj* **1** înfundat, astupat, băgat înăuntru **2** cu adâncituri, cu scobituri

recession [riˈseʃən] *s* **1** retragere; plecare **2** *ec* recesiune, depre- siune, criză **3** adâncire

recessional [riˈseʃənəl] **I** *adj* **1** de/ referitor la vacanță **2** *ec* referitor la recesiune/criză **II** *s bis* imn cântat la încheierea serviciului divin *(și ~* **hymn**)

recessive [riˈsesiv] *adj* **1** care dă înapoi/se retrage/se îndepărtea- ză **2** regresiv; descendent

Rechabite ['rekə,bait] *s* adept al temperanței/sobrietății, abstinent (total)

recharge [ri'tʃɑːdʒ] *vt* a reîncărca; **to ~ batteries** *fig* a-și lua o perioadă de odihnă, *F* a-și încărca bateriile **II** *s* reîncărcare; încărcătură nouă

réchauffé ['reiʃoufei] *s fr* 1 mâncare reîncălzită 2 *fig* supă reîncălzită; reluare/prelucrare a unei vechituri

recherché [rə'ʃɛəʃei] *adj fr* căutat, ultra rafinat, făcut; artificial

rechristen [ri'kristən] *vt* a reboteza

recidivist [ri'sidivist] *s* recidivist

recip *presc de la* 1 **reciprocal** 2 **reciprocity**

recipe ['resipi] *s* 1 rețetă (↓ culinară) 2 *fig* rețetă, soluție; remediu 3 *sl* încasări; rețetă, venituri

recipience [ri'sipiəns] *s* recepționare, recepție

recipient [ri'sipiənt] **I** *s* 1 recipient, vas 2 primitor; destinatar 3 laureat, câștigător (al unui premiu) **II** *adj* receptiv

reciprocal [ri'sprəkəl] **I** *adj* 1 reciproc; mutual 2 echivalent 3 *jur* bilateral, sinalagmatic **II** *s mat* funcție inversă; valoare inversă; figură reciprocă

reciprocality [ri,siprə'kæliti] *s v.* **reciprocity**

reciprocally [ri'siprəkəli] *adv* (în mod) reciproc, unul pe altul

reciprocate [ri'siprə,keit] **I** *vt* 1 a plăti cu aceeași monedă (pentru); a întoarce; a răspunde (în același fel) (la urări, salutări etc.); a împărtăși (sentimente etc.) 2 a face schimb de, a schimba (între ei) 3 *tehn* a imprima o mișcare de du-te vino (cu dat) **II** *vi* 1 (to) a face/a proceda la fel; a răspunde în același fel (la); a plăti cu aceeași monedă (pentru) 2 *tehn* a avea o mișcare de du-te vino

reciprocating [ri'siprə,keitiŋ] *adj tehn* cu mișcare rectilinie; oscilant; cu piston

reciprocating engine [ri'siprə,keitiŋ 'endʒin] *s tehn* motor/mașină cu piston

reciprocating rod [ri'siprə,keitiŋ 'rɔd] *s tehn* bielă

reciprocation [ri,siprə,kei'ʃən] *s* 1 reciprocitate 2 răspuns (la urări etc.)

reciprocity [,resi'prɔsiti] *s* reciprocitate; caracter reciproc

Recita ['retʃitsaː] *v.* **Reșița**

recital [ri'saitəl] *s* 1 *muz* recital 2 relatare, povestire, istorisire; expunere 3 recitare, declamare 4 enumerare

recitation [,resi'teiʃən] *s* 1 recitare; declamare; declamație 2 *școl amer* examinare; seminarizare

recitation room [,resi'teiʃən ,ruːm] *s* sală de curs, amfiteatru, aulă

recitative [,resitə'tiːv] *s, adj muz* recitativ

recite [ri'sait] **I** *vt* 1 a recita; a declama 2 a relata, a istorisi, a nara; a expune **II** *vi* 1 a recita; a declama 2 a povesti, a istorisi 3 *școl amer* a răspunde (la lecție), a spune lecția

reciter [ri'saitər] *s* 1 recitator; declamator 2 povestitor 3 culegere de texte pentru declamat

reciting note [ri'saitiŋ ,nout] *s muz* notă ținută/lungită

reck [rek] *(poetic – la neg sau interog)* **I** *vt* 1 a privi (îndeaproape), a preocupa 2 a îngrijora; a supăra, a necăji; **it ~s me not, I ~ it not** mă supără prea puțin; nu mă deranjează **II** *vi* 1 (of) a se preocupa (de), a-i păsa (de) 2 *impersonal* a conta, a avea importanță, a fi important; **it ~s little** nu contează, nu (prea) are importanță

reckless ['reklis] *adj* 1 (of) nepăsător, indiferent (față de, la; în fața – cu gen) 2 nesăbuit, nechibzuit, necugetat, nesocotit 3 temerar, cutezător 4 nedisciplinat, recalcitrant, insubordonat

recklessly ['reklisli] *adv* 1 cu nepăsare/indiferență, nepăsător 2 în mod nesăbuit/nesocotit/nechibzuit

recklessness ['reklisnis] *s* 1 nepăsare, indiferență 2 nesocotință, nechibzuință, necugetare 3 cutezanță, caracter temerar

reckling ['rekliŋ] **I** *s* prâslea, mezin **II** *adj* micuț, cel mai mic

reckon ['rekən] **I** *vt* 1 a socoti, a număra, a calcula, a trece/a pune la socoteală 2 a evalua, a prețui; a socoti, a aprecia 3 a considera, a socoti, a gândi, a crede 4 *la pas* a fi socotit/considerat, a trece drept **II** *vi* a-și

face socotelile/calculele, a calcula, a socoti; **to ~ without one's host** *prov* socoteala de-acasă nu se potrivește cu cea din târg

reckoner ['rekənər] *s* 1 *ec* socotitor, calculator 2 tabel de calcul 3 contor

reckon for ['rekən fər] *vi cu prep* a răspunde/a fi răspunzător/a fi responsabil pentru, a da socoteală de

reckoning ['rekəniŋ] *s* 1 socoteală; socoteli; calcul(e); cont(uri); **to be good at ~** a fi tare la aritmetică/socoteli; **to be out in one's ~s** a *și fig* a ieși prost la socoteală, a greși socotelile/calculele **b** *nav* a devia de la ruta stabilită; **even ~ makes long friends** *prov* socoteala dreaptă-i frăție curată; **to make no ~ of** a nu da atenție *cu dat*, a nu ține seama de 2 socoteli, răfuială, socoteală, seamă 3 (notă de) plată, socoteală, consumație (la restaurant) (↓ a fiecăruia) 4 evaluare, apreciere, prețuire, prețăluire 5 părere, opinie; socoteală 6 cronologie 7 *nav* estină, punct

reckoning up ['rekəniŋ 'ʌp] *s mat* adunare

reckon off ['rekən 'ɔːf] *vt cu part adv* a face (cuiva) lichidarea/socoteala

reckon on ['rekən ɔn] *vi cu prep v.* **reckon upon**

reckon over ['rekən 'ouvər] *vi cu part adv* a verifica, a controla, a cerceta

reckon up ['rekən 'ʌp] *vt cu part adv* a calcula, a număra, a aduna

reckon upon ['rekən ə,pɔn] *vi cu prep* 1 a se bizui/a se baza pe 2 a avea încredere în

reckon with ['rekən wið] *vi cu prep* 1 a lua în considerare; **she is to be reckoned with** trebuie să ținem seama și de ea 2 a se răfui cu

reclaim [ri'kleim] **I** *vt* 1 a repara, a îndrepta, a corecta, a reface 2 *fig* a vindeca, a îndrepta, a aduce pe calea cea bună 3 a recupera, a recâștiga 4 *agr* a asana; a recupera; a ameliora (un teren) 5 a domestici, a îmblânzi 6 *ch* a regenera 7 a cere înapoi, a reclama **II** *vi* 1 *agr* a face îmbunătățiri/ameliorări funciare 2 *jur* a face apel

III *s* **1** îndreptare, ameliorare, vindecare; **beyond/past** ~ ireparabil; iremediabil pierdut **2** recuperare, recâștigare **3** *tehn* cauciuc regenerat

reclaimable [ri'kleiməbəl] *adj* **1** reparabil, care poate fi îndreptat/corijat/corectat **2** recuperabil

reclaimant [ri'kleimənt] *s jur* reclamant

reclaim days [ri'kleim ,deiz] *s jur* termen de apel

reclaimed [ri'kleimd] *adj* **1** îndreptat, corectat **2** *fig* vindecat, îndreptat, adus pe calea cea bună **3** recuperat **4** *agr* asanat **5** domesticit, îmblânzit

reclamation [,reklə'meiʃən] *s* **1** reclamație **2** *și fig* îmbunătățire, ameliorare; asanare; recuperare **3** *agr* teren asanat/recuperat **4** regenerare; renovare **5** recuperare **6** îmblânzire, domesticire **7** *jur* amendament

réclame [rei'klæm] *s fr* **1** notorietate, faimă **2** publicitate, reclamă; arta de a-și face reclamă

recline [ri'klain] **I** *vi* **1** a sta aplecat *sau* înclinat **2** a sta culcat/întins, a se odihni **3** (**against**) a se rezema, a se sprijini (de) **II** *vt* a înclina, a apleca, a abate de la perpendiculară

recline on [ri'klain ɔn] *vi cu prep v.* **reckon upon**

reclining [ri'klainiŋ] *adj* **1** aplecat, înclinat **2** culcat; tolănit

reclining chair [ri'klainiŋ 'tʃɛəʳ] *s* **1** scaun pliant **2** strapontină

reclining seat [ri'klainiŋ 'si:t] *s auto* scaun rabatabil

recluse [ri'klu:s] **I** *s* pustnic, sihastru, hermit, schimnic **II** *adj* retras, izolat, singuratic, solitar

recluseness [ri'klu:snis] *s* retragere, izolare, sihăstrie

reclusion [ri'klu:ʒən] *s* **1** *v.* **recluseness 2** încarcerare, întemnițare

reclusive [ri'klu:siv] *adj v.* **recluse II**

recoal [ri'koul] *vt* a reîncărca/a reaproviziona cu cărbuni

recognition [,rekəg'niʃən] *s* **1** recunoaștere, apreciere *(a unor merite etc.);* faimă, renume **2** recunoaștere, cunoaștere; **beyond/past** ~ de nerecunoscut **3** cercetare, căutare

recognitory [ri'kɔgnitəri] *adj* cu caracter de recunoaștere

recognizable ['rekəg,naizəbəl] *adj* de recunoscut, care poate fi recunoscut, recognoscibil

recognizance [ri'kɔgnizəns] *s* **1** recunoaștere, admitere, mărturisire **2** angajament; îndatorire **3** cauțiune, zălog; garanție

recognizant [ri'kɔgnizənt] *adj* **1** recunoscător **2** care recunoaște *(ceva)*

recognize ['rekəg,naiz] **I** *vt* **1** a recunoaște, a identifica **2** a recunoaște, a mărturisi, a admite **3** a recunoaște valoarea/valabilitatea *(cu gen)* **4** a accepta; a înțelege; a-și da seama de **II** *vi jur* a promite să compară în fața tribunalului

recoil [ri'kɔil] **I** *s* **1** recul **2** retragere, dare înapoi **3** scârbă, oroare, silă **II** *vi* **1** *mil* a avea recul **2** (**from**) a se da înapoi (de la); a se feri (de); a se retrage din fața *(cu gen)* **3** (**from**) a-i fi silă (de) **4** a sări înapoi

recoil buffer [ri'kɔil ,bʌfəʳ] *s tehn* amortizor de recul

recoil on [ri'kɔil ɔn] *vi cu prep* **1** a ricoșa în/asupra *(cu gen)* **2** a se răsfrânge/reflecta/repercuta asupra, a se întoarce împotriva *(cu gen)*, a avea repercusiuni chiar asupra *(autorului etc.)*

recoil spring [ri'kɔil ,spriŋ] *s tehn* arc de recul

recoil upon [ri'kɔil ə,pɔn] *vi cu prep v.* **recoil on**

recoinage [ri'kɔinidʒ] *s* rebatere a monezilor

recollect [,rekə'lekt] *vt* a-și aminti, a-și aduce aminte de

re-collect [,rikə'lekt] **I** *vt* a reuni, a strânge/a aduna din nou **II** *vr* a-și reveni (în fire)

recollectedness [,rekə'lektidnis] *s* reculegere, concentrare; liniște/tihnă sufletească

recollection [,rekə'lekʃən] *s* **1** amintire, suvenir **2** memorie, aducere aminte; **to the best of my** ~ după câte îmi amintesc; **deeply embedded in one's** ~ adânc săpat în memorie

recolonization [ri'kɔlə,naizeiʃən] *s* recolonizare, nouă colonizare

recolonize [ri'kɔlə,naiz] *vt* a recoloniza, a coloniza din nou

recolour [ri'kʌləʳ] *vt* a recolora, a colora din nou

recombination [,ri:kɔmbi'neiʃən] *s* recombinare, nouă combinare

recombine [,ri:'kɔmbain] **I** *vt* a recombina, a combina din nou **II** *vi* a se recombina, a se combina din nou

recommence [,ri:kə'mens] **I** *vt* a reîncepe, a relua, a începe din nou/încă o dată **II** *vi* a reîncepe, a se relua, a începe din nou

recommencement [,ri:kə'mensmənt] *s* reîncepere, reluare, revenire

recommend [,rekə'mend] **I** *vt* **1** a recomanda; a sfătui; **he was ~ed to leave** a fost sfătuit să plece **2** (**to**) a da în sarcină/grijă *(cu dat)* **II** *s amer* ← *F* **1** recomandare, propunere **2** favoare, stimă, respect

recommendable [,rekə'mendəbəl] *adj* recomandabil, indicat; înțelept

recommendation ['rekəmen'deiʃən] *s* **1** recomandare, sfat **2** recomandare, sfat, recomandație **3** stimă, renume, reputație; favoare **4** *pl tehn* reguli de folosire

recommendatory [,rekə'mendətəri] *adj* **1** de recomandare **2** recomandabil, demn/vrednic de a fi recomandat

recommit [,ri:kə'mit] *vt* **1** a comite/a săvârși din nou **2** a reîntemnița **3** a reîncredința, a încredința din nou, a retrimite *(un proiect de lege unei comisii spre reexaminare)* **4** *mil* a reîncadra, a reintegra *(un ofițer)*

recommittal [,ri:kə'mitəl], **recommitment** [,ri:kə'mitmənt] *s* retrimitere, reîncredințare *(a unui proiect de lege unei comisii, spre reexaminare)*

recompense ['rekəm,pens] **I** *vt* a răsplăti, a recompensa, a premia **II** *s* **1** recompensă, răsplată, premiere, premiu **2** compensație

recompose [,ri:kəm'pouz] *vt* a recompune, a reconstitui

recomposition [,ri:kɔmpə'ziʃən] *s* recompunere, reconstituire

reconcilability [,rekənsailə'biliti] *s* caracter reconciliabil; posibilitate de împăcare, armonizare *etc.*

reconcilable ['rekən,sailəbəl] *adj* reconciliabil, care poate fi împăcat

reconcile ['rekən,sail] *vt* **1** a împăca, a împăciui, a aduce împăcarea/

pacea/înţelegerea între, a (re)concilia; **to be ~d** *v.* ~ **II 1 2 a** aplana *(un conflict)* **II** *vr* **1** a se (re)împăca, a se (re)concilia **2** (**to** + *subst sau* **-ing**) a se împăca *(cu gândul de a face ceva etc.);* a se resemna *(în faţa cu gen; sau să facă ceva)*

reconcilement ['rekən,sailmənt] *s* **1** (re)conciliere, împăcare **2** aplanare *(a unui conflict)* **3** înţelegere, împăcare, armonie

reconciler ['rekən,sailə'] *s* împăciuitor

reconciliation ['rekən,sili'eiʃən] *s v.* **reconcilement**

reconciliatory [,rekən'siliətəri] *adj* conciliant, conciliator, împăciuitor

recondite [ri'kondait] *adj* **1** ascuns, secret, tainic **2** *fig* neînţeles, abstrus, obscur **3** *fig* întunecat, obscur

recondition [,ri:kən'diʃən] *vt* **1** a recondiţiona; a repara, a reface; a restaura **2** a regenera **3** a îndrepta, a corecta, a corija

reconnaissance [ri'konisəns] *s fr mil* **1** recunoaştere, cercetare **2** detaşament de cercetare/recunoaştere

reconnaissance flare [ri'konisəns ,flɛə'] *s mil* rachetă luminoasă

reconnaissance plane [ri'konisəns ,plein] *s av* avion de recunoaştere/cercetare/observare

reconnoitre [,rekə'nɔitə'] *mil* **I** *vt* a cerceta; a face recunoaşterea *(cu gen)* **II** *vi* a pleca în recunoaştere; a face o cercetare **III** *s* misiune de cercetare/recunoaştere

reconquer [ri'konkə'] *vt* a recuceri

reconsider [,ri:kən'sidə'] *vt* a reconsidera, a reexamina, a cumpăni/ a judeca din nou

reconsideration [,ri:kən,sidə'reiʃən] *s* reconsiderare

reconsolidate [,ri:kən'sɔlideit] *vt, vi* a reconsolida, a consolida din nou

reconsolidation [,ri:kən,sɔli'deiʃən] *s* **1** reconsolidare, nouă consolidare/întărire

reconstruct [,ri:kən'strʌkt] *vt* a reconstrui, a reclădi; a reface; a restaura

reconstruction [,ri:kən'strʌkʃən] *s* **1** reconstrucţie, refacere; restau-

rare **2** *ist amer* perioada reconstrucţiei *(a reintegrării statelor secesioniste în cadrul federaţiei după războiul de secesiune din 1861-1865)*

reconvene [,ri:kən'vi:n] **I** *vt* a convoca din nou, a reconvoca **II** *vi* a se aduna/întruni din nou

reconvention [,ri:kən'venʃən] *s jur* acţiune/cerere reconvenţională **2** *fig* refacere, reconstrucţie

reconversion [,ri:kən'və:ʃən] *s ec* **1** reconvertire **2** trecere la producţia de pace

reconvert [,ri:kən'və:t] *vt* a reconverti, a converti din nou

reconvey [,ri:kən'vei] *vt jur* a retroceda

recopy [ri:'kɔpi] *vt* a recopia

record I [ri'kɔ:d] *vt* **1** *(d. aparat etc.)* a înregistra **2** a înregistra, a consemna, a nota, a lua act/notă de **3** a imprima, a înregistra **4** a eterniza, a imortaliza, a trece în istorie **5** *fig* a transmite, a trece mai departe **II** ['rekɔ:d] *s* **1** mărturie; **to bear** ~ a purta/a aduce mărturie **2** registru, catastif **3** proces-verbal, raport, dare de seamă **4** document/act (oficial), *înv* → hrisov; **on** ~ **a** oficial, înregistrat; cunoscut în mod public **b** cunoscut în istorie, care se cunoaşte; **to enter on the** ~ a trece în procesul-verbal; **to go on** ~ a acţiona *sau* vorbi oficial; a ţine să i se consemneze declaraţiile în procesul-verbal *etc.;* **off the** ~ *fig* **a** (în mod) neoficial **b** în particular; **to keep to the (matters of the)** ~ a se menţine/a se referi la fondul chestiunii; **out of the** ~ departe de fondul problemei; în afară de subiect; **to put/to place oneself on** ~ **a** a se evidenţia, a se face cunoscut **b** a-şi exprima (oficial) opinia **4** disc, placă; înregistrare pe bandă **5** palmares; dosar, cazier **6** monument istoric **7** record; **to break/to beat/to cut a** ~ a bate un record **8** *jur* stăpânire de drept

recordable [ri'kɔ:dəbəl] *adj* **1** care poate fi consemnat/înregistrat **2** memorabil, demn de a fi înregistrat/consemnat; care merită să treacă în istorie **3** care poate fi înregistrat *(pe disc etc.)*

recorder [ri'kɔ:də'] *s* **1** secretar *(care scrie procesul-verbal etc.);* grefier **2** arhivar **3** magistrat (principal) **4** aparat de înregistrare; magnetofon; instalaţie de captare a sunetului **5** *muz tip de* flaut; block-flöte

record-holder ['rekɔ:d ,houldə'] *s* **1** *sport* recordman **2** deţinător al unui record

recording [ri'kɔ:diŋ] **I** *s* **1** înregistrare **2** imprimare, înregistrare **3** relatare, povestire, naraţiune **II** *adj* înregistrator, de înregistrare; cu scriere/imprimare/înregistrare automată

recording altimeter/barometer [ri'kɔ:diŋ æl'timitə'/bə'rɔmitə'] *s fiz* barograf

recording angel [ri'kɔ:diŋ 'eindʒəl] *adj fiz* înger păzitor/al dreptăţii *(care ţine socoteala faptelor bune şi rele)*

recording instrument [ri'kɔ:diŋ 'instru:mənt] *s* aparat de înregistrare automată

recording meter [ri'kɔ:diŋ ,mi:tə'] *s* contor cu înregistrare automată

recording system [ri'kɔ:diŋ ,sistəm] *s* **1** mecanism cu înregistrare automată **2** sistem de înregistrare

recordist [ri'kɔ:dist] *s* operator de sunet

record library ['rekɔ:d ,laibrəri] *s* discotecă, colecţie de discuri

record player ['rekɔ:d ,pleiə'] *s amer* picup

recount [ri:'kaunt] *vt* a povesti, a relata

re-count [ri:'kaunt] **I** *vt* a socoti/a număra din nou **II** *s* renumărare, repetare a unei numărători

recoup [ri'ku:p] **I** *vt* **1** (**for**) a despăgubi, a compensa (pentru) **2** a reîmpărţi **3** *fin* a defalca **II** *vi* a se reface, a-şi reveni **III** *s jur* scăzământ, reţinere, scădere

recoupment [ri'ku:pmənt] *s* indemnizaţie, compensaţie, despăgubire

recourse [ri'kɔ:s] *s* **1** resursă, scăpare, refugiu; **to have** ~ **to** a a recurge la; a apela la **b** a-şi găsi scăparea în **2** (ultim) refugiu, adăpost, liman, scăpare **3** *jur* recurs **4** *v.* **recoupment 5** *com, fin* responsabilitate; **without** ~ fără responsabilitate *(formulă folosită de girantul unei poliţe)*

recover [ri'kʌvəʳ] **I** *vt* **1** şi *fig* a redobândi, a recăpăta; a recâştiga; a recupera; **to ~ consciousness** a-şi reveni în simţiri, a-şi recăpăta cunoştinţa; **to ~ one's feet** a se ridica în picioare, a se scula de jos *(după ce a căzut)*; **to ~ one's health** a se însănătoşi, a se face bine, a-şi reveni **2** *com, jur* a recupera, a redobândi; a încasa; a reintra în posesia *(cu gen)*; a primi ca despăgubire **3** *min* a extrage, a scoate, a exploata **4** a regenera **II** *vr* **1** a-şi reveni, a-şi veni în fire **2** a-şi redobândi calmul, a-şi reveni (în fire) **III** *vi* **1** (**of, from**) a se restabili, a se reface, a se însănătoşi (după, de pe urma — *cu gen)* **2** *jur* a câştiga *(procesul)* **IV** *s mil* scoaterea armei din poziţia de tragere

re-cover [ri:'kʌvəʳ] *vt* a reacoperi, a acoperi din nou

recoverable [ri'kʌvərəbəl] *adj* **1** recuperabil **2** vindecabil

recovered [ri'kʌvəd] *adj* **1** recuperat, redobândit, recâştigat **2** restabilit, însănătoşit; convalescent

recovery [ri'kʌvəri] *s* **1** redobândire, recăpătare; reluare **2** restabilire, vindecare, însănătoşire; **past ~ a** incurabil, nevindecabil **b** iremediabil pierdut **3** *jur* despăgubire; indemnizaţie **4** *tehn* regenerare; valorificare a deşeurilor; refacere, reconstituire **5** sortare, selecţionare **6** *av* revenire *(la orizontală)*, redresare

recovery of damages [ri'kʌvəri əv'dæmidʒiz] *s jur* daune interese

recovery of ideas [ri'kʌvəri əv aidiəz] *s* reminiscenţă, amintire; suvenir(uri)

recovery plant [ri'kʌvəri ,pla:nt] *s tehn* **1** instalaţie de recuperare/reciclare **2** instalaţie pentru extragerea produselor secundare

recovery station [ri'kʌvəri 'steiʃən] *s tehn* staţie; centru de reparaţii

recreancy ['rekriənsi] *s* ← *poetic* **1** laşitate, mişelie, poltronerie **2** ticăloşie, caracter mizerabil/de apostat *sau* de renegat

recreant ['rekriənt] **I** *s* ← *poetic* **1** fricos, laş, mişel, poltron **2** apostat, trădător **II** *adj* ← *poetic* mişel, ticălos, mizerabil, laş, fricos

recreate [,ri:kri'eit] **I** *vt* **1** a relaxa, a deconecta, a destinde **2** a distra, a amuza; a înviora **II** *vr* a se recrea, a se relaxa, a se deconecta; a se distra, a se amuza

re-create [,ri:kri'eit] *vt* a crea din nou, a recrea

recreation [,rekri'eiʃən] *s* **1** recreare, relaxare, destindere; amuzament, distracţie, agrement; înviorare **2** schimbare, transformare

re-creation [,ri:kri'eiʃən] *s* recreare, recreaţie

recreational [,ri:kri'eiʃənəl] *adj* recreativ, distractiv; deconectant

recreation area/ground [,ri:kri'eiʃən ,εəriə/,graund] *s* teren de joacă/agrement

recreative ['rekri,eitiv] *adj* **1** v. **recreational 2** tonic, înviorător, întăritor

recriminate [ri'krimi,neit] *vi* a se învinui reciproc, a(-şi) aduce acuzaţii/învinuiri (unul altuia)

recrimination [ri,krimi'neiʃən] *s* învinuire, incriminare, acuzaţie (reciprocă)

recriminative [ri'krimineitiv] *adj* cu caracter de incriminare (reciprocă)

recriminatory [ri'krimineitəri] *adj* v. **recriminative**

recross [ri'krɔs] *vt* a străbate/a traversa din nou

recrudesce [,ri:kru:'des] *vi* (*d. boală etc. şi fig*) a izbucni din nou, a reapărea, a reizbucni; (*d. focar etc.)* a se reaprinde; a avea o recrudescenţă

recrudescence [,ri:kru:'desəns] *s* recrudescenţă, revenire; reînviere

recrudescent [,ri:kru:'desənt] *adj* recrudescent, care revine; recurent

recruit [ri'kru:t] **I** *s* **1** recrut, *F* răcan **2** *mil* recrutare **3** novice, nou membru; învăţăcel **II** *vt* **1** a recruta **2** a completa, a întregi **3** a reface, a restabili; a recupera, a redobândi, a reînnoi **4** *nav* a aproviziona **III** *vi* **1** a se întări, a se fortifica **2** *fig* a-şi reface forţele, a se întrema **3** *nav* a se aproviziona

recruitment [ri'kru:tmənt] *s* **1** recrutare **2** completare, adaos **3** restabilire, înzdrăvenire **4** (re)împrospătare

recruit office [ri'kru:t ,ɔfis] *s mil* birou/cerc/oficiu de recrutare

rec. sec. *presc de la* **recording secretary**

rect. *presc de la* **1** rectangle **2** rectangular **3** receipt **4** rectified

recta ['rektə] *pl de la* **rectum**

rectal ['rektəl] *adj anat* rectal

rectangle ['rek,tæŋgəl] *s geom* dreptunghi

rectangular [rek'tæŋgjuləʳ] *adj geom* dreptunghiular

rectangular axis [rek'tæŋgjulər 'æksis] *s mat* axa coordonatelor

rectifiable ['rekti,faiəbəl] *adj* corectabil, amendabil; rectificabil; care poate fi îndreptat

rectification [,rektifi'keiʃən] *s* **1** rectificare, corectare, corijare, îndreptare **2** *el* redresare **3** *rad* detectare **4** *ch* rectificare, purificare

rectified alcohol ['rektifaid 'ælkæhɔl] *s ch* alcool rectificat

rectifier ['rekti,faiəʳ] *s* **1** rectificator **2** corector **3** *ch* purificator, rectificator, separator **4** *el* redresor **5** *rad* detector **6** *tehn* strung de rectificat

rectify ['rekti,fai] *vt* **1** a rectifica **2** a îndrepta, a corecta, a remedia **3** a potrivi, a regla; a ajusta *(un aparat)* **4** *ch* a rectifica, a purifica, a rafina **5** *el* a redresa **6** *rad* a detecta

rectifying column ['rekti,faiiŋ 'kɔləm] *s ch* coloană de redresare

rectilineal [,rekti'liniəl] *adj* rectiliniu, rectiliniar, în linie dreaptă

rectilinear [,rekti'liniəʳ] *adj* v. **rectilineal**

rectitude ['rekti,tju:d] *s* **1** corectitudine, cinste **2** justeţe, dreptate **3** caracter corect/onest; comportare corectă; onestitate **4** exactitate

recto ['rektou] *s* **1** *jur* dispoziţie de restituire *(a unei proprietăţi)* **2** *poligr* pagină de dreapta, recto *(ant verso)*

rector ['rektəʳ] *s* **1** *bis* paroh *(anglican)*; *aprox* protopop; *amer* pastor **2** *univ* rector **3** *scot* director *(de liceu etc.)*

rectorate ['rektəreit] *s* titlu *sau* funcţia de rector

rectorial [rek'tɔːriəl] **I** *adj* **1** de/referitor la paroh **2** de/referitor la rector **II** *s univ scot* alegerea rectorului

rectorship ['rektəʃip] *s v.* **rectorate**

rectory ['rektəri] *s* **1** casă parohială; prezbiteriu **2** parohie **3** venitul parohiei **4** preoție, slujbă de preot

rectum ['rektəm], *pl* **recta** ['rektə] *s anat* rect

rectus ['rektəs], *pl* **recti** ['rektai] *s anat* mușchi neted

recultivate [ri'kʌltiveit] *vt agr* a (re)valorifica *(un teren etc.)*, a cultiva din nou

recumbency [ri'kʌmbənsi] *s* **1** poziție culcată *sau* înclinată (pe spate); poziție orizontală; înclinare **2** odihnă, repaus

recumbent [ri'kʌmbənt] *adj* **1** culcat, întins, lungit **2** *fig* liniștit, tihnit; pasiv, inactiv

recuperate [ri'kuːpəreit] **I** *vi* a se reface, a se restabili **II** *vt* **1** a recupera; a redobândi, a recâștiga **2** *fig* a-și reface *(forțele etc.)* **3** *tehn* a regenera, a reface

recuperation [ri,kuːpə'reiʃən] *s* **1** recuperare, redobândire, recâștigare **2** *tehn* regenerare, refacere, recuperare **3** vindecare, însănătoșire, înzdrăvenire

recuperative [ri'kuːpərətiv] *adj* **1** de recuperare **2** regenerativ **3** tonic, întăritor

recuperator [ri'kuːpə,reitəʳ] *s* **1** recuperator; regenerator **2** mijloc de refacere *(a sănătății etc.);* tonic, întăritor

recur [ri'kəːʳ] *vt* **1** a reveni, a se repeta, a avea un caracter recurent **2** *mat* a se repeta, a avea un caracter repetabil **3** **(to, in, on)** a-ți reveni *(în minte etc.)*

recurrence [ri'kʌrəns] *s* **1** revenire, repetare, reiterare; caracter recurent; **a fact of frequent ~** un lucru frecvent, un fapt repetat **2** **(to)** recurgere (la)

recurrent [ri'kʌrənt] *adj* **1** periodic, repetat, care se repetă periodic; frecvent **2** ↓ *med* recurent **3** *tehn* de rapel/revenire/reluare

recurrently [ri'kʌrəntli] *adv* (în mod) recurent/repetat

recurring [ri'kʌriŋ] *adj v.* **recurrent**

recursion [ri'kəːʃən] *s* ← *elev* (re)întoarcere, revenire

recursion formula [ri'kəːʃən ,fɔːmjulə] *s mat* șir de termeni, expresie a unei serii succesive

recursive [ri'kəːsiv] *adj* **1** recurent, cu caracter de revenire/de întoarcere **2** care se dezvoltă din altul

recurvative [ri'kəːvətiv] *adj* încovoiat (spre înapoi), întors (spre spate)

recurvature [ri'kəːvətʃəʳ] *s bot* curbură, încovoiere

recurve [ri'kəːv] **I** *vt* a încovoia, a îndoi (spre spate) **II** *vi* a fi încovoiat, a se îndoi (spre spate)

recusant ['rekjuzənt] *s, adj* ← *înv* neconformist, dizident

recycle [ri:'saikəl] *vt* a recicla, a reutiliza, a refolosi *(deșeuri)*

recycling [ri:'saikliŋ] *s* reciclare, refolosire, reutilizare *(a deșeurilor)*

Red, the ['red, ðə] Marea Roșie

red [red] **I** *adj* **1** roșu; **to paint the town ~** *F* a o ține numai în chefuri/petreceri; a-și face de cap **2** rumen; roșu în obraji; **to grow/to become ~ in the face** a se aprinde la față **3** *pol* roșu, comunist, revoluționar **4** *(d. cai)* roib **5** însângerat; sângeros **II** *s* **1** roșu, culoarea roșie; **to see ~** a vedea roșu înaintea ochilor, a se mânia **2** *pol* comunist, roșu; *peior* extremist **3** bilă roșie *(la biliard)* **4** *ch* miniu *(de plumb)* **5** vin (roșu) **6** *med F* period, ciclu, — menstruație **7** *sl* aur **8** *com* debit; **to be in (the) ~** a fi în deficit; a fi debitor

red *presc de la* **1** reduce **2** reduction

redact [ri'dækt] *vt* a stiliza, a revizui, a redacta *(pentru tipar)*

redaction [ri'dækʃən] *s* **1** stilizare, revizuire, redactare *(pentru publicare)* **2** reeditare, ediție nouă *(revizuită)*

red admiral ['red 'ædmirəl] *s ent* fluture european viu colorat *(Vanessa atalanta)*

red adler ['red 'ɔːldəʳ] *s bot* anin roșu *(Alnus rubra)*

redan [ri'dæn] *s mil* redan *(fortificație cu zidurile în unghi ascuțit)*

red aniline ['red 'ænilain] *s ch* anilină (roșie), fucsină

red ant ['red 'ænt] *s ent* furnică roșie *(Formica rufa)*

red antimony ['red 'æntiməni] *s minr* stibină, antimonit

red arsenic ['red 'ɑːsnik] *s ch, minr* realgar, sulfură de arsen

red ash ['red 'æʃ] *s bot* frasin roșu (de Pensylvania) *(Fraxinus pensylvanica)*

red bait ['red ,beit] *vt amer sl* a persecuta, a prigoni pe comuniști/pe progresiști

red baiting ['red ,beitiŋ] *s amer sl* prigoană anticomunistă, persecutarea elementelor progresiste; vânătoare de vrăjitoare

red balls ['red 'bɔːlz] *s pl* firmă de cămătar *sau* casă de amanet

red blindness ['red 'blaindnis] *s med* daltonism

red blood-cells/corpuscles ['red 'blʌd,selz/'kɔː'pʌsəlz] *s pl* globule roșii, hematii

red blooded [,red 'blʌdid] *adj amer* **1** viguros, puternic, robust; energic **2** îndrăzneț, curajos **3** get-beget, de baștină

Red Book ['red 'buk] *s* **1** arhondologie, almanahul nobilimii **2** *pol* carte roșie

redbreast ['red,brest] *s orn* **1** prihor, prigorie *(Erithacus rubecula)* **2** sturz *(Turdus migratorius)*

red brick (university) ['red brik (,juni'vəːsiti)] *s (în Anglia)* universitate de provincie fără tradiție *(ant* Oxford și Cambridge)

red cabbage ['red 'kæbidʒ] *s bot* varză roșie

redcap ['red,kæp] *s F* **1** polițist militar **2** comisionar *(la gară etc.)*

red carpet I ['red 'kɑːpit] *s fig* primire/recepție protocolară/la cel mai înalt nivel **II** [red ,kɑːpit] *adj pol fig (d. primire etc.)* festiv, protocolar, la cel mai înalt nivel

red caviar ['red ,kæviɑːʳ] *s* icre de Manciuria

red cell ['red 'sel] *s fizl* eritrocită

red cent ['red 'sent] *s amer* **1** monedă (de aramă) de un cent **2** *F fig* para (chioară), gologan, sfanț; **it is not worth a ~** nu face două parale/nici cât o ceapă degerată

red coat ['red ,kout] *s ist* soldat britanic

Red Crescent, the ['red 'kresənt, ðə] *s* Semiluna Roșie

Red Cross, the ['red 'krɔs, ðə] *s* Crucea Roșie

Red Cross banner, the ['red 'krɔs ,bænəʳ, ðə] *s* drapelul britanic

red currant ['red 'kʌrənt] *s bot* **1** coacăz *(Ribes sp.)* **2** coacăză

red deer ['red 'diə'] *s zool* cerb *(Cervus sp.)*

redden ['redən] *vt* **1** a înroși, a vopsi în roșu **2** (**with**) a se îmbujora (de, din pricina – *cu gen*)

reddish ['rediʃ] *adj* roșiatic, roșcat, roșcovan

red duster ['red 'dʌstə'] *s sl nav* pavilion comercial/al flotei comerciale

rede [ri:d] *înv* **I** *s* **1** sfat, judecată **2** ursită, soartă **3** zicătoare, zicală **4** lămurire, explicație **5** povestire, istorisire **II** *vt* **1** a sfătui **2** a lămuri, a explica

redecorate [ri:'dekəreit] *vt* a (re)zugrăvi *(casa etc.);* a renova

redecoration [ri:,dekə'reiʃən] *s* (re)zugrăvire; renovare

redeem [ri'di:m] *vt* **1** a compensa, a îndrepta, a răscumpăra *(o greșeală etc.)* **2** a recupera; a scoate de sub amanet **3** *ec* a amortiza **4** a restitui, a reda, a da înapoi **5** a-și redobândi, a-și reface; **to ~ one's good name** a se reabilita, a-și reface reputația **6** a se ține de *(o promisiune etc.)* **7** a se folosi de, a folosi bine *(timpul etc.)* **8** a salva, a mântui, a izbăvi **9** a scăpa, a răscumpăra *(un prizonier etc.)* **10** *rel* a mântui, a izbăvi

redeemer [ri'di:mə'] *s* **1** salvator, mântuitor **2** răscumpărător

Redeemer, the [ri'di:mə', ðə] *s rel* Mântuitorul

redemption [ri'dempʃən] *s* **1** răscumpărare, eliberare, salvare; **beyond/past ~** iremediabil pierdut; nerecuperabil **2** *rel și fig* mântuire, izbăvire; **in the year of our ~ 1981** *etc.* (în) anul de grație/de la Cristos 1981 *etc.* **3** *ec* achitare, plată; amortizare, stingere *(a unei datorii);* scoatere de sub amanet **4** ispășire, expiere

redemption fund [ri'dempʃən, fʌnd] *s ec* fond de amortisment

redemptive [ri'demptiv] *adj* **1** cu caracter de răscumpărare/eliberare/salvare; salvator **2** *rel și fig* mântuitor, izbăvitor, care aduce mântuirea/răscumpărarea păcatelor

red ensign, the ['red 'ensain, ðə] *s nav pavilionul flotei britanice comerciale*

redeploy [,ri:di'plɔi] *vt* **1** a redistribui *(sarcinile)* **2** a repartiza din nou *(muncitorii etc.)* **3** *mil* a reorganiza, a reamplasa, a redisloca *(trupele etc.)*

redeployment [,ri:di'plɔimənt] *s* **1** redistribuire, nouă repartizare *(a sarcinilor etc.)* **2** *mil* reamplasare, redislocare *(a trupelor, a frontului etc.)*

redescend [,ri:di'send] **I** *vi* a coborî din nou, a face o nouă coborâre **II** *vt* a coborî din nou, a lăsa din nou în jos

redesign [,ri:di'zain] *vt tehn* a reproiecta

red-eyed ['red'aid] *adj* cu ochii roșii; plâns, cu ochii plânși/înroșiți de plâns

red fir [,red 'fə:'] *s bot* brad douglas/Douglas *(Pseudotsuga Douglasii/menziesii/taxifolia)*

red fish [,red 'fiʃ] *s iht* somon (mascul) în perioada reproducerii

red flag [,red 'flæg] *s* **1** steag/drapel roșu **2** semnal roșu **3** *F* period; reguli, ~ **menstruație; to carry the ~** *F* a arbora drapelul, ~ a fi la menstruație/ciclu

red gold [,red'gould] *s înv poetic* **1** aur masiv/veritabil **2** bani

Red Guard ['red 'ga:d] *s pol* (în China) tânăr activist, membru al unei brigăzi de tineret

red gum [,red 'gʌm] *s* **1** *bot* eucalipt, mahon australian *(Eucalyptus Rostrata)* **2** rășină; gudron **3** *med P* spuzeală *(la copii)*

red-haired ['red'hɛəd] *adj* cu părul roșu, roșcat

red-handed [,red'hændid] *adj* **1** cu mâinile roșii **2** *fig* cu mâinile pline de sânge; vinovat; **to be caught ~** a fi prins asupra faptului/în flagrant delict

red hat ['red 'hæt] *s* **1** *bis* pălărie de cardinal **2** *fig* cardinal **3** *mil sl* ofițer de stat major

redhead ['red,hed] *s* roșcat(ă), roșcovan(ă), persoană cu părul roșu, *F* morcoveață

red headed ['red 'hedid] *adj v.* **red-haired**

red heat ['red 'hi:t] *s tehn* incandescență la roșu

red herring [,red 'heriŋ] *s* **1** scrumbie afumată **2** *fig* mijloc de diversiune; tertip; pistă falsă; **to**

draw a ~ a încerca o diversiune **3** chichiță, chițibuș **4** *sl* răcan, ostaș, militar

red hot ['red 'hɔt] *adj* **1** roșu ca focul **2** incandescent, înroșit în foc **3** *fig* aprins, violent, vehement **4** proaspăt, nou-nouț

redial [ri'daiəl] *vt* a forma/a face din nou *(un număr de telefon etc.)*

rediffusion [,ri:di'fju:ʒən] *s tel* **1** retransmisie, retransmitere (prin cablu) **2** radioficare

Red Indian ['red 'indiən] *s* Piele Roșie, indian (nord american)

redingote ['rediŋ,gout] *s* costum de călărie pentru femei *(ca un frac sau o redingotă)*

redintegrate [re'dinti,greit] *vt* **1** a restabili integritatea *(cu dat);* a reface integral; a reunifica **2** a reînnoi, a reface; a restabili (în integritatea sa)

redintegration [re,dinti'greiʃən] *s* refacere (integrală); refacere a unității

rediscover [,ridis'kʌvə'] *vt* a redescoperi

rediscovery [,ridis'kʌvəri] *s* redescoperire

redistribute [,ridis'tribju:t] *vt* a redistribui, a împărți din nou, a reîmpărți

redistribution [,ridistri'bju:ʃən] *s* redistribuire, reîmpărțire

red lamp ['red ,læmp] *s* **1** felinar roșu *(ca simbol al bordelelor sau od al medicilor și farmaciilor)* **2** lumină de semnalizare; stop

red lane ['red 'lein] *s sl* gât(lej), gâtiță

red lead ['red 'led] *s ch* miniu de plumb

red lead cement/putty ['red ,led si'ment/pʌti] *s ch* chit de miniu

red-letter ['redletə'] *adj* **1** *(d. zi)* de sărbătoare, festiv, marcat cu roșu în calendar **2** *fig* memorabil, legat de amintiri plăcute; aniversar

red-letter day ['red'letə ,dei] *s* (zi de) sărbătoare

red light ['red 'lait] **1** *v.* **red lamp 2** (felinar folosit ca) semnal de pericol/primejdie; **to see the ~** *fig* a simți apropierea primejdiei/dezastrului; a prevesti un rău **3** cartier rău famat/al prostituatelor/al bordelelor

red liquor ['red 'likə'] *s ch* baiț, mordant, argăseală

red litmus paper ['red 'litməs ˌpeipə'] s hârtie roșie de turnesol

redly ['redli] adv (în) roșu; roșiatic; spre roșu

red man ['red 'mæn] s Piele Roșie, indian (nord american)

red meat ['red 'mi:t] s carne de vită, oaie sau miel

red mulberry ['red 'mʌl,bəri] s bot dud roșu american (Morus rubra)

redneck ['red,nek] s F bădăran, grobian, mârlan

red-necked ['red,nekt] adj 1 cu gâtul roșu 2 amer sl fig turbat, ca un taur furios

redness ['rednis] s 1 roșeață, roșeală 2 tehn incandescență la roșu

re-do [ri:'du:] vt a reface, a face din nou

red oil ['red 'oil] s ch oleină, acid oleic

redolence ['redouləns] s mireasmă, aromă, parfum (suav)

re-dolent ['redoulənt] adj 1 înmiresmat, parfumat; aromat; îmbătător 2 (d. miros) puternic, intens, violent 3 fig evocator

redolent of ['redoulənt əv] adj cu prep care sugerează/amintește (cu ac); ~ youth care amintește de tinerețe

redouble [ri'dʌbəl] I vt 1 a dubla, a îndoi 2 fig a înzeci, a intensifica; a mări, a spori; to ~ one's efforts a-și înzeci eforturile 3 a împături, a îndoi în patru; a împături la loc, a reîmpături 4 (la bridge) a recontra II vi a se înteți

redoubt [ri'daut] s mil redută, fort; fortificație

redoubtable [ri'dautəbəl] adj redutabil, de temut; înfricoșător, înspăimântător

redoubted [ri'dautid] adj 1 mil fortificat, întărit 2 înv v. redoubtable

redound [ri'daund] vi 1 (to) a sluji, a servi, a contribui (la) 2 (on, upon, to) a se răsfrânge, a se repercuta, a se reflecta, a se întoarce (asupra – cu gen)

redoutable [ri'dautəbəl] adj v. redoubtable

redox [ri:'doks] ch I s oxidare și reducere II adj referitor la oxidare și reducere

red pepper ['red 'pepə'] s bot 1 ardei iute, ciușcă (Capsicum frutescens longus) 2 ardei gras; gogoșar (Capricum annunum)

redpoll ['redpoul] s 1 orn cânepar (Carduelis canabina) 2 pl rasă de vite (roșii) ciute/fără coarne

redraft ['ri:ˌdrɑ:ft] I vt a alcătui din nou, a reîntocmi, a realcătui II s 1 proiect refăcut 2 com trată reciprocă

red rag ['red 'ræg] s fig pânză/cârpă roșie, lucru enervant/supărător

redraw ['ri:'dro:] I vt v. redraft I II vi (on, upon) fin a emite o trată reciprocă (asupra – cu gen)

redress[1] [ri'dres] I vt 1 a restabili, a reface 2 a îndrepta, a corecta, a corija (o nedreptate etc.); a fault confessed is half ~ed prov greșeala mărturisită e pe jumătate iertată 3 a repara, a drege; to ~ the balance a restabili egalitatea 4 a alina, a potoli, a ogoi 5 av a redresa II s 1 îndreptare, corijare, corectare; reparare (a unei nedreptăți, greșeli); beyond/ past ~ ireparabil, iremediabil; to have one's ~ against smb jur a chema pe cineva în garanție 2 reparație, satisfacție (prin duel etc.) 3 ușurare, alinare, potolire

redress[2] [ri'dres] vt 1 a îmbrăca/a înveșmânta din nou 2 tehn a reapreta; a finisa 3 constr a tencui 4 teatru a monta (o piesă) în costume noi

redressable [ri'dresəbəl] adj (d. greșeală etc.) reparabil, corijabil

redressal [ri'dresəl] s v. redressing[1] 1, 3

redressing[1] [ri'dresiŋ] s 1 restabilire, refacere 2 av și fig redresare 3 îndreptare, corectare, corijare; reparație 4 ușurare, alinare, potolire

redressing[2] [ri'dresiŋ] s 1 reîmbrăcare 2 tehn apret nou 3 constr tencuire

redressment [ri'dresmənt] s v. redress[1] II 1

red rose ['red 'rouz] s ist emblema comitatului Lancashire sau a casei Lancaster (în Războiul celor două roze)

Reds, the [redz, ðə] s pl amer Pieile Roșii, indienii nord-americani

Red Sea, the ['red 'si:, ðə] Marea Roșie

red-shift ['red'ʃift] s astr deplasare a liniilor spectrului

red-short ['red,ʃo:t] adj tehn (d. metal) sfărâmicios la roșu

redskin ['redskin] s v. Red Indian

red soil ['red 'soil] s agr pământ roșu

Red Star ['red 'stɑ:'] s steaua roșie (ca stemă a țărilor comuniste)

red tape ['red 'teip] I s F birocrație, birocratism, formalism; tipicărie II adj birocratic, tipicar, funcționăresc, formalist

red tapery/tapism ['red 'teipəri/ 'teipizəm] s v. red tape I

red tapist ['red 'teipist] s 1 slujbaș, funcționar 2 peior birocrat, conțopist, tipicar

reduce [ri'dju:s] I vt 1 a reduce, a micșora; a atenua, a diminua; a scădea, a descrește; to ~ one's weight a pierde din greutate, a slăbi; to ~ to nothing a reduce la zero 2 mat a reduce; a aduce (la același numitor) 3 a scurta, a prescurta 4 a preface, a transforma; to ~ to beggary/poverty a aduce pe cineva la sapă de lemn 5 a traduce; to ~ a Latin adage to English a traduce un dicton latin în englezește 6 ec a converti, a face schimb de, a schimba 7 a dilua, a subția 8 mil a retrograda, a coborî în grad; to ~ to the ranks a degrada (un gradat) 9 med a pune la loc, a îndrepta (un os dislocat, o articulație luxată) // to ~ to classes a clasifica; to ~ smth to writing a așterne ceva pe hârtie, a consemna ceva în scris II vi a slăbi, a face cură de slăbire; a ține regim

reduced [ri'dju:st] adj 1 redus, micșorat, diminuat 2 (d. prețuri etc.) redus, modest, moderat 3 (d. oameni) slăbit, firav 4 sărăcit, pauperizat, F adus la sapă de lemn

reduced circumstances [ri'dju:st 'sə:kmstənsiz] s pl sărăcie după prosperitate; in ~ strâmtorat, la strâmtoare, F adus la sapă de lemn

reduced goods [ri'dju:st 'gudz] s pl com solduri; mărfuri cu preț redus

reducer [ri'dju:sə'] s 1 reductor 2 reducător

reducibility [riˌdju:sə'biliti] s reductibilitate

reducible [ri'dju:səbəl] adj reductibil; care se poate micșora

reducing [ri'dju:siŋ] I s v. reduction 2 II adj 1 reductor, de reducere 2 de/pentru slăbire

reducing agent [ri'dju:siŋ 'eidʒənt] *s ch* reductor, reducător

reducing gear [ri'dju:siŋ 'giə⁰] *s tehn* demultiplicator, mecanism de demultiplicare

reductibility [ri'dju:ktibiliti] *s v.* **reducibility**

reductio ad absurdum [ri'dʌktiou æd æb'sə:dəm] *s lat* 1 reducere la absurd; dovadă/demonstrare a absurdității 2 aplicare exagerată a unui principiu

reduction [ri'dʌkʃən] *s* 1 *mat, log, ch, tehn* reducere; ~ **to absurdity** *v.* **reductio ad absurdity** 2 *tehn* presiune, compresi(un)e, comprimare 3 micșorare, contragere; scădere, diminuare 4 *com, ec* reducere; rabat; bonificație; remiză; micșorare *(a impozitului, prețurilor etc.)* 5 *tehn* rectificare, corectare, corecție 6 *med* reducțiune, sudare *(a oaselor)*; resorbție *(a unei tumori)* 7 *jur* reducere, micșorare *(a unei pedepse etc.)* 8 *mil* retrogradare 9 *mil* cucerire *(a unui oraș etc.)*

reductionism [ri'dʌkʃənizəm] *s* 1 analiză de amănunt (prin descompunere în constituenți imediați) 2 concepție simplificatoare *(de ex a înțelegerii generalului prin particular)*

reductionist [ri'dʌkʃənist] *s* adept al unei analize simplificatoare *(v.* **reductionism)**

reductionistic [ri,dʌkʃə'nistik] *adj* simplificator *etc. (v.* **reductionism)**

reductive [ri'dʌktiv] *s, adj* reductiv

reductively [ri'dʌktivli] *adv* 1 prin reducere 2 pe scurt 3 ca/drept urmare

redundance [ri'dʌndəns] *s v.* **redundancy**

redundancy [ri'dʌndənsi] *s* 1 exces, surplus, excedent; prisos(ință), supraabundență 2 redondanță, redundanță 3 *lit* pleonasm, tautologie; verbiaj; prolixitate

redundancy payment [ri'dʌndənsi 'peimənt] *s ec* indemnizație de șomaj (după vechimea în muncă)

redundant [ri'dʌndənt] *adj* 1 superfluu, de prisos, redundant, redondant 2 supraabundent; excesiv 3 *lit* pleonastic, tautologic; prolix

redundantly [ri'dʌndəntli] *adv* 1 supraabundent; (în mod) excesiv, din belșug 2 pleonastic; tautologic, prolix

reduplicate [ridju:pli,keit] I *vt* a repeta, a dubla, a relua *(o muncă)* II *adj* dublat, cu reduplicație

red-wood ['redwud] *adj scot* nebun de legat, zănatic

redwood *s bot* un soi de conifer *(Sequoia sempervirens)*

red worm ['red 'wə:m] *s* râmă *(folosită pentru momeală)*

redye [ri'dai] *vt* a revopsi

ree¹ [ri:] *reg* I *adj* furios, turbat, mânios 2 amețit/năucit de băutură, *F →* afumat II *s* beție

ree² *s reg* râu

ree³ *interj* di! die! hi! *(îndemn pentru cai)*

re-echo [ri:'ekou] I *vt* a repeta, a relua, a reverbera (ca ecoul) II *vi* a răsuna (ca un ecou) III *s* ecou, răsunet

Reed [ri:d], **John** *publicist american (1887-1920)*

reed¹ [ri:d] *s* 1 *bot* trestie; stuf *(Phragmites communis);* **to lean on a ~** a se bizui pe un fleac/nimic/o himeră; **a broken ~/**înv **bruised ~** un om pe care nu se poate conta/de nimic, un netrebnic 2 stuf *(ca acoperiș)* 3 ← *poetic* săgeată 4 fluier *(de trestie)*, caval 5 *muz* ancie *(la instrumente de suflat);* registru, tub de orgă 6 poezie bucolică/agresivă 7 *mil* fitil 8 *text* darac, pieptene 9 *tehn* ornament în formă de trestie, arc lamelar II *vt* 1 a acoperi *(o casă)* cu stuf 2 *constr* a împodobi cu ornamente în formă de trestie

reed² *s zool* chiag, al patrulea stomac al rumegătoarelor

reed bunting ['ri:d ,bʌntiŋ] *s orn* presură de trestie *(Emberiza schoeniclus)*

reeded ['ri:did] *adj* 1 acoperit cu stuf sau trestie 2 ca trestia/stuful 3 *muz* prevăzut cu ancie 4 *constr* împodobit cu ornamente în formă de trestie

re-edify [ri:'edifai] *vt* 1 a reface, a reclădi, a reda *(speranțe etc.)* 2 a reconstrui, a reclădi

re-edit [ri'edit] *vt* 1 a republica *(cu adnotări)*, a reedita 2 a revedea *(un text)*

re-edition [rii'diʃən] *s* 1 reeditare, republicare, retipărire 2 ediție nouă, reeditare

reedling ['ri:dliŋ] *s v.* **reed-pheasant**

reed mace ['ri:d ,meis] *s bot* papură *(Typha angustifolia)*

reed organ ['ri:d ,ɔ:gən] *s muz* harmonium, armoniu, orgă mică

reed-pheasant ['ri:d,fezənt] *s orn* pițigoi de stuf *(Panurus biarmicus)*

reed pipe ['ri:d ,paip] *s* 1 fluier; caval; cobuz 2 *v.* **reed stop**

reed sparrow ['ri:d ,spærou] *s P v.* **reed bunting**

reed stop ['ri:d ,stɔp] *s muz* tub de orgă, registru

re-educate [ri'edju:keit] *vi* a reeduca

re-education [ri,edju:'keiʃən] *s* reeducare

reedy ['ri:di] *adj* 1 *v.* **reeded** 1, 2 2 *(d. glas)* strident, ascuțit, subțire 3 *(d. o persoană)* subțirel, mlădios (ca o trestie)

reef¹ [ri:f] *s* 1 recif *(de coral);* stâncă submarină 2 *min* filon de cuarț aurifer

reef² I *s nav* terțarolă; **to let out a ~** a *nav* a da drumul unei terțarole **b** *F* a slăbi cureaua, a da drumul la curea, – a se face comod; **to take in a ~** a *nav* a lua o terțarolă **b** *fig* a acționa cu prudență, a fi cu băgare de seamă **c** ← *F* a întări disciplina II *vt* 1 *nav* a strânge o terțarolă la *(o velă)* 2 *fig* a restrânge; a reduce III *vi* a zmuci zăbala calului, a îndemna calul

reef claim ['ri:f ,kleim] *s min* concesiune auriferă

reefer ['ri:fə⁰] *s* 1 *nav* matelot care strânge pânzele; aspirant de marină 2 haină groasă la două rânduri 3 *amer sl* țigară cu marijuana 4 *sl* șut, – hoț de buzunare, pungaș 5 ← *F* frigider; frigorifer; vagon frigorific

reefing jacket ['ri:fiŋ ,dʒækit] *s v.* **reefer** 2

reef tackie ['ri:f ,tæki] *s nav* pălănci

reefy ['ri:fi] *adj* plin de recife/de stânci submarine

reek [ri:k] I *vi* 1 a fumega; a scoate aburi/vapori 2 a puți, a mirosi urât, a duhni; a avea un iz; **it ~s of swindling** *fig* miroase a escrocherie **II** s **1** scot, ← poetic fum **2** aburi, vapori; evaporare, vaporizare **3** duhoare, putoare, miros urât, iz **4** sl lovele, biștari, – bani **5** căpiță, claie (de fân)

reeking ['riːkiŋ] adj **1** fumegând; aburind **2** puturos, împuțit, care are un iz/miros urât

reeky ['riːki] adj **1** v. **reeking 2** afumat, plin de funingine; înnegrit de fum

reel¹ [riːl] **I** s **1** mosor, mosorel, bobină; **off the ~** ca o morișcă, fără încetare/oprire **2** el, cin bobină **3** poligr sul, rulou **4** nav tambur **5** text vârtelniță, depănătoare; sucală **6** tehn șanț, rilă (la un disc etc.) **II** vt **1** a desfășura, a debita, a depăna **2** fig a depăna, a debita (povești, versuri) **3** tehn a bobina, a înfășura **III** vi (d. lăcuste) a târâi

reel² vi **1** a se învârti, a se roti **2** a se clătina, a merge clătinându-se/legănându-se dintr-o parte într-alta; a merge pe șapte cărări **3** fig a se clătina din temelii, a fi pe ducă **4** nav a se clătina, a avea mișcare de ruliu **II** s **1** legănare, clătinare, oscilare **2** amețeală, vârtej, vertigo

reel³ s dans scoțian vioi

reelect [ˌriːiˈlekt] vt a realege

reelection [ˌriːiˈlekʃən] s realegere

reeler ['riːləʳ] s **1** text bobinator, muncitor care înfășoară bobine/mosoare **2** tehn vârtelniță

re-eligible [riˈelidʒibəl] adj eligibil din nou, calificat pentru realegere, care poate fi reales

reeling¹ ['riːliŋ] s text depănare, bobinare; înfășurare

reeling² **I** s **1** clătinare, legănare **2** nav ruliu **3** mers legănat **II** adj **1** care se învârtește **2** care se clatină/leagănă **3** (d. lovitură etc.) amețitor, năucitor

reeling apparatus/machine ['riːliŋ æpəˈreitəs/məˈʃiːn] s text aparat de bobinat

reel off ['riːl 'ɔf] vt cu part adv **1** v. **reel¹ II 1 2** a rosti (în pripă), a debita

reel up ['riːl 'ʌp] vt cu part adv a desfășura în întregime

reem [riːm] vi nav a instala pataraținele

re-embark [ˌriːimˈbɑːk] **I** vt a îmbarca din nou, a reîmbarca **II** vi a se reîmbarca

re-embarkation [ˌriːimbɑːˈkeiʃən] s reîmbarcare

reembody [ˌriːimˈbɒdi] vt a reîncărca

re-emerge [ˌriːiˈməːdʒ] vi a reapărea (la suprafață); fig a ieși din nou la iveală, a fi din nou pe tapet

re-emergence [ˌriːiˈməːdʒəns] s **1** revenire la suprafață **2** fig revenire, reapariție, recrudescență

re-emergent [ˌriːiˈməːdʒənt] adj **1** care revine la suprafață **2** fig care revine în actualitate/pe tapet, care reapare

reeming iron ['riːmiŋ ˌaiən] s nav patarațină

re-enact [ˌriːiˈnækt] vt **1** jur a repune în vigoare, a promulga din nou **2** a reconstitui, a reproduce (o scenă)

re-enactment [ˌriːiˈnæktmənt] s **1** jur repunere în vigoare, repromulgare **2** reconstituire, reproducere (a unei scene)

re-enforce [ˌriːinˈfɔːs] vt **1** v. **reinforce I 1 2** jur a repune în vigoare, a întări **3** fig a da puteri noi (cu dat), a întări, a consolida

re-enforcement [ˌriːinˈfɔːsmənt] s **1** v. **reinforcement 1 2** întărire, întăritură, proptea

re-engage [ˌriːinˈgeidʒ] **I** vt **1** a reangaja, a reprimi (în serviciu etc.) **2** tehn a angrena din nou, a reanclașa **3** mil a relua, a reangaja (ostilitățile etc.) **II** vi a se reangaja

re-engagement [ˌriːinˈgeidʒmənt] s reangajare

re-enlist [ˌriːinˈlist] mil **I** vi a se reangaja, a se înrola din nou **II** vt a reangaja, a înrola din nou

re-enlistment [ˌriːinˈlistmənt] s mil reangajare

re-enter ['riːˈentəʳ] **I** vt **1** a reintra în, a intra din nou în, a pune iar piciorul în (o casă, instituție etc.) **2** a reînscrie, a înscrie din nou **3** arte a reface cu dalta (o gravură etc.) **II** vi **1** a reintra **2** muz (d. instrumente) a intra, a-și face intrarea **3** teatru a reintra/a reveni (pe scenă)

re-enter for ['riːˈentə fəʳ] vi cu prep a se prezenta din nou la (un examen etc.)

reenthrone [ˌriːinˈθroun] vt și fig a reîntrona; a restabili

re-entrance ['riːˈentrəns] s **1** reintrare, revenire; reîntoarcere **2** reintegrare

re-entry ['riːˈentri] s **1** av astr reintrare în atmosfera terestră (a unei nave cosmice etc.) **2** jur reintrare/repunere în posesie/drepturi; reinstaurare

reermouse ['riəmaus] s înv v. **rat**

re-establish ['riːisˈtæbliʃ] vt a restabili, a reface; **to ~ one's affairs** ec a se reface (după criză); **to ~ one's health** a se reface, a se restabili, a se înzdrăveni

re-establishment ['riːisˈtæbliʃmənt] s **1** restabilire, refacere, restaurare; reintegrare **2** însănătoșire, înzdrăvenire, refacere

reeve¹ [riːv], pret și **rove** [rouv], ptc și **rove** [rouv] sau **roven** ['rouvən] vt nav **1** a trece (un odgon etc.) prin verigă/deschizătură/ inel etc. **2** (d. navă) a-și croi drum printre (bancuri etc.)

reeve² s **1** od prim magistrat (al unui oraș); consilier municipal; președintele consiliului comunal (în Canada) **2** administrator; arendaș **3** bis epitrop

reeve³ s orn femelă de ruff (Paroncella pugmax)

re-examination [ˌriːigˈzæmineiʃən] s **1** reexaminare, nouă cercetare, cercetare suplimentară **2** jur interogatoriu suplimentar; reanchetare

re-examine [ˌriːigˈzæmin] vt **1** a reexamina, a examina din nou **2** a revizui; a revedea, a reconsidera **3** jur a lua un interogatoriu suplimentar (cu dat); a ancheta din nou

re-export [ˌriːikˈspɔːt] **I** vt a reexporta, a exporta din nou **II** s reexportare; mărfuri reexportate

ref. presc de la **1** referee **2** reference **3** referred **4** refining **5** reformed **6** refunding

reface [riːˈfeis] vt **1** a repara; a reînnoi; a rectifica **2** a pune revere noi la (o haină) **3** v. **refashion 4** constr a reface fațada (unei clădiri)

refashion [riːˈfæʃən] vt a reînnoi, a face ca nou; a fățui din nou, a pune la punct

refection [riˈfekʃən] s **1** (re)împrospătare (a forțelor etc.) **2** gustare, mâncare **3** băutură răcoritoare

refective [ri'fektiv] *adj* înviorător, care te întremează

refectory [ri'fektəri] *s* trapeză, sală de mese, sufragerie comună, refectoriu *(la mănăstiri, internate, colegii);* cantină studențească

refectory table [ri'fektəri ,teibəl] *s* masă lungă și îngustă *(ca la trapeză etc.)*

refer [ri'fə:ʳ] *vt* **1 (to)** a deferi; a înainta, a supune *(unei alte persoane sau autorități);* a transmite/a supune spre aprobare *sau* avizare *(cu dat);* **to ~ a matter to the court a** a se adresa justiției/tribunalului, a supune un litigiu tribunalului **b** a acționa pe cineva în justiție **2 (to)** a atribui *(cu dat),* a pune pe socoteala *(cu gen)* **3** a reporta, a amâna **4** *școl* a amâna, a trânti *(un candidat)* **5** *ec* a imputa

referable to [ri'fə:rəbəl tə] *adj cu prep* **1** referitor la **2** care poate fi atribuit *cu dat;* care poate fi referit la

referee [,refə'ri:] **I** *s* **1** *sport, jur* arbitru **2** persoană care dă referințe **II** *vt sport* a arbitra **III** *vi* a fi arbitru, a funcționa/a servi ca arbitru, a arbitra

reference ['refərəns] **I** *s* **(to) 1** *jur* referire, înaintare, trimitere *(la o instanță superioară)* **2** *jur* competință **3** raport, legătură, relație, referință; **in/with ~ to your letter** în legătură cu/referitor la scrisoarea dvs; **without ~ to smth a** independent de ceva **b** fără a ține socoteală/cont de ceva **4** atribuire *(cu dat),* raportare *(la o cauză etc.)* **5** referință, trimitere, referire **6** pomenire, citare, menționare, aluzie; **~ must be made to it** trebuie să se menționăm; **to make ~ to smth** a menționa/a semnala ceva, a pomeni/a vorbi de ceva **7** *pl* referință, recomandație; **to go for a ~** a culege/a lua referințe *(despre cineva)* **8** persoană care dă referințe; informator; referent **II** *vt* a completa cu trimiteri, a pune referințele la *(un text etc.)*

reference book ['refərəns ,buk] *s* **1** carte documentară/de referință/de consultat *(dicționar, enciclopedie);* material documentar **2** îndreptar, îndrumar, ghid, călăuză

reference library ['refərəns ,laibrəri] *s* bibliotecă documentară/de studiu *(pentru cercetători, ant de împrumut)*

reference point ['refərəns ,point] *s* (punct de) reper

referendum [,refə'rendəm] *s pol* referendum, plebiscit

referent ['refərənt] *s* **1** referire **2** referent **3** referință

referral [ri'fə:rəl] *s* trimitere *(la o instanță superioară, la un medic specialist etc.)*

referred to [ri'fə:d tə] *adj* sus-menționat, mai sus pomenit; respectiv

referring to [ri'fə:riŋ tə] *prep* cu referire/privire la, în legătură cu

refer to [ri'fə: tə] **I** *vt cu prep* a trimite la, a îndruma la/către/spre; a dirija/a îndrepta către/spre, a pune să se adreseze *(cu dat);* **I have been referred to you** mi s-a spus să mă adresez dvs; mi s-a spus să vin aici; **I shall refer him to you** o să-l trimit la dvs, o să-i spun să vi se adreseze dvs; **~ drawer** *fin com* înapoiere a unui cec la emițător **II** *vi* **1** a se referi la, a face aluzie la; a menționa; **he is referred to as the Boss** i se spune Șeful, e cunoscut sub numele de Șeful; **she has never referred to it** întotdeauna a păstrat tăcere(a) în această privință **2** a apela/a recurge la, a face apel la; **I shall have to ~ the higher authorities** va trebui să apelez la autoritatea tutelară; va trebui să cer avizul/aprobarea autorității superioare

refigure [ri'figəʳ] *vt* a recalcula

refill I [ri:'fil] *vt* a reumple, a realimenta **II** [ri:'fil] *vi* a se alimenta din nou, a-și reumple rezervoarele *etc.;* a-și face (din nou) plinul **III** ['ri:fil] **1** mină *(pentru pix);* rezervă, schimb *(pt stilou, brichetă, creion cu pastă, ruj etc.)* **2** foi de schimb *(pentru bloc notes)*

refilling [ri:'filiŋ] *s* reumplere; facerea plinului

refine [ri'fain] **I** *vt* **1** a rafina **2** *tehn* a purifica, a curăți, a distila **3** *fig* a șlefui, a cizela, a ciopli; a perfecționa, a ameliora **II** *vi și fig* a se rafina; a se purifica

refined [ri'faind] *adj* **1** rafinat; fin **2** purificat, rafinat **3** *fig* delicat,

exagerat de subtil/rafinat **4** *fig* distins, cultivat; fin **5** precis, exact

refinedly [ri'faindli] *adv* (în mod) rafinat, cu mult rafinament/bun gust

refinement [ri'fainmənt] *s* **1** rafinare **2** *tehn* purificare, curățire, rafinare; distilare; limpezire; tratare **3** prelucrare; valorificare superioară **4** perfecționare, desăvârșire; ameliorare; rafinare **5** eleganță, rafinament **6** talent; calitate; pricepere, îndemânare

refiner [ri'fainəʳ] *s* **1** *tehn* cuptor de rafinare **2** (meșter) rafinor **3** purist *(în materie de limbaj etc.)*

refinery [ri'fainəri] *s* rafinerie; distilerie, instalație de purificare/curățire *etc.*

refine upon [ri'fain ə,pon] *vi cu prep* a specula, a face speculații subtile asupra *(unei probleme)*

refit [ri:'fit] **I** *vt* **1** a repara, a drege; a repune în funcțiune; a depana **2** *nav* a reechipa, a reutila, a rearma **II** *s* **1** reparație, revizie **2** reutilare, reechipare

reflate [ri:'fleit] *vt ec* a produce o reflație/inflație după deflație

reflation [ri:'fleiʃən] *s ec* reflație, inflație după deflație

reflect [ri'flekt] **I** *vt* **1** a reflecta, a răsfrânge; a oglindi **2** *fig* a reflecta, a oglindi **3 (on, upon)** *fig* a răsfrânge, a proiecta (asupra – *cu gen)* **4** ← *rar* a înfrânge, a supune; a umili **II** *vi* **1** a se reflecta, a se oglindi, a se răsfrânge **2 (on, upon)** a reflecta, a medita (la, asupra) **3 (on, upon)** a se repercuta, a se răsfrânge, a se întoarce (asupra – *cu gen)* **4** a dăuna *(cu dat),* a avea efecte negative (asupra – *cu gen)*

reflected [ri'flektid] *adj și fig* reflectat, oglindit, răsfrânt; **to shine with ~ light** a fi o copie palidă a cuiva, a străluci numai datorită cuiva

reflecting [ri'flektiŋ] **I** *s* **1** *v.* **reflection 1, 2 2** *v.* **reflection 3 3 (on, upon)** mustrare, dezaprobare, reproș, critică *(adusă cuiva)* **II** *adj* **1** care reflectă/răsfrânge/oglindește **2** *tehn* reflector **3** care meditează/chibzuiește/gândește

reflecting telescope [ri'flektiŋ 'teliskoup] *s v.* **reflector 1**

reflection [ri'flekʃən] s **1** fiz reflectare, răsfrângere, oglindire **2** reflecție, imagine reflectată, reflex **3** med arte v. **reflex 2 4** reflecție, meditare, reflectare; **(up)on** ~ după oarecare gândire, gândindu-mă mai bine; dacă stau să mă gândesc (bine) **5** dezaprobare, mustrare, reproș, blam; **to cast ~s on** a critica, a blama **6** și fig umbră

reflectional [ri'flekʃənəl] adj referitor la reflecție, cu caracter de reflecție; reflectant, reflector

reflectionless [ri'flekʃənlis] adj **1** fără reflecție/reflectare **2** negândit, făcut pe negândite

reflective [ri'flektiv] adj v. **reflecting II**

reflectively [ri'flektivli] adv **1** pe baza reflecției **2** (în mod) premeditat, chibzuit; pe baza meditației

reflectiveness [ri'flektivnis] s **1** fiz (capacitate de) reflectare/oglindire **2** chibzuință, cumpănire, meditație

reflectivity [,ri:flek'tiviti] s v. **reflectiveness**

reflect on [ri'flekt ɔn] vi cu prep **1** a ataca, a critica, a blama cu ac; a aduce reproșuri cu dat **2** a aduce o atingere (reputației cuiva); a pune sub semnul îndoielii cu ac

reflector [ri'flektər] s **1** fiz tehn reflector **2** imagine reflectată, reflex, reflecție, reflectare **3** sl oglindă folosită de trișori pentru a vedea cărțile adversarului

reflet [ri'flet] s fr reflex, lustru, irizație (în special la ceramică)

reflex ['ri:fleks] **I** s **1** fiz v. **reflection 1, 2 2** med, arte reflex **3** reflecție, imagine reflectată, reflex **II** adj psih etc. **1** reflex, independent de voință **2** introspectiv

reflex action ['ri:fleks ,ækʃən] s fizl act reflex

reflex arc ['ri:fleks ,ɑ:k] s fizl fascicol nervos care produce actele reflexe

reflex camera ['ri:fleks 'kæmərə] s fot aparat (fotografic)/cameră reflex

reflexible [ri:'fleksəbəl] adj **1** care răsfrânge/reflectă **2** reflexibil/ care se răsfrânge/reflectă

reflexion [ri'flekʃən] s v. **reflection**

reflexive [ri'fleksiv] gram **I** adj reflexiv **II** s **1** diateză/formă refle-

xivă, reflexiv **2** (verb) reflexiv **3** pronume reflexiv

reflexively [ri'fleksivli] adv în mod reflex

reflexive pronoun [ri'fleksiv 'prəunaun] s pronume reflexiv

reflexive verb [ri'fleksiv 'və:b] s verb reflexiv

reflexology [,riflek'sɔlədʒi] s fizl studiul reflexelor

refloat [ri'fləut] vt **1** a repune pe linia de plutire, a ranflua **2** ec a emite din nou (un împrumut) **3** a repune în funcțiune/F pe picioare, a reface (o întreprindere etc.)

reflourish [ri'flʌriʃ] vi **1** a reînflori, a înflori din nou **2** fig a se înviora, a prinde puteri; a recăpăta strălucire/viață

reflow [ri'fləu] **I** vi **1** a se revărsa, a deborda **2** a curge înapoi **II** s v. **reflux**

refluence [ri'fluəns] s v. **reflux**

refluent [ri'fluənt] adj **1** care curge înapoi **2** care se revarsă/debordează

reflux ['ri:flʌks] s **1** curgere înapoi **2** ch procedeu de fierbere cu lichefierea vaporilor

refoot ['ri:'fut] vt a tălpui (ciorapi)

reforest ['ri:'fɔrist] vt v. **reafforest**

reforestation ['ri:fɔris'teiʃən] s silv reîmpădurire

reforge ['ri:'fɔ:dʒ] vt **1** a forja din nou **2** fig a reface, a recrea

reform [ri:'fɔ:m] **I** vt **1** a reforma, a îmbunătăți, a ameliora, a îndrepta, a corecta **2** a stârpi, a extirpa, a înlătura (un abuz etc.) **3** amer jur a amenda, a modifica (o lege etc.) **4** a îndrepta, a corija (pe cineva) **II** vi **1** a se îndrepta, a se corija, a-și îndrepta purtările **2** amer jur a amenda/a modifica o lege etc.; a aduce amendamente **III** s **1** reformă **2** îmbunătățire, ameliorare, amendare, corectare

Reform [ri:'fɔ:m] s rel formă simplificată și raționalizată a iudaismului

re-form [ri:'fɔ:m] **I** vt **1** mil a forma din nou **2** a preface, a transforma, a forma încă o dată **II** vi mil a se regrupa, a se înjgheba din nou

reformation [,refə'meiʃən] s **1** transformare, prefacere **2** corijare, îndreptare (a năravurilor etc.)

re-formation [,ri:fɔ:'meiʃən] s re-formare

Reformation, the [,refə'meiʃən, ðə] s ist, rel Reforma (sec. XVI)

reformational [,ri:fɔ:'meiʃənəl] adj ist, rel referitor la reformă

reformative [ri:'fɔ:mətiv] adj v. **reformatory I**

reformatory [ri:'fɔ:mətəri] **I** adj corecțional, de îndreptare/corijare **II** s casă/școală de corecție/ de reeducare

Reform Bill/Act, the [ri'fɔ:m 'bil/ækt, ðə] s ist Reforma electorală din Anglia (1831-1832)

reformed [ri'fɔ:md] adj **1** reformat **2** fig îndreptat, corijat **3** fig pocăit, plin de căință (pentru păcatele săvârșite)

Reformed [ri'fɔ:md] adj rel referitor la iudaismul reformat (v. **Reform**)

reformer [ri'fɔ:mər] s **1** reformator, revoluționar **2** ist, rel adept al reformei **3** ist partizan al reformei electorale din 1831-1832

reforming [ri'fɔ:miŋ] **1** adj reformator, cu caracter de ameliorare/îmbunătățire/amendare **II** s v. **reformation 2**

reformism [ri'fɔ:mizəm] s pol reformism

reformist [ri'fɔ:mist] s reformist

reform school [ri'fɔ:m ,sku:l] s jur școală/casă de corecție/de reeducare

re-forwarding [ri:'fɔ:wədiŋ] s re-expediere

refr. presc de la **refraction**

refract [ri'frækt] vt fiz **1** a refracta **2** pas a se refracta

refraction [ri'frækʃən] s fiz refracție

refractive [ri'fræktiv] adj fiz refringent, refractant

refractivity [,ri:fræk'tiviti] s fiz refringență, capacitate de refractare

refractometer [,ri:fræk'tɔmitər] s fiz refractometru

refractor [ri'fræktər] s fiz corp refractant; refractor

refractoriness [ri'fræktərinis] s **1** caracter refractar, îndărătnicie; încăpățânare, nesupunere **2** med caracter refractar/rebel **3** tehn calitatea de a fi refractar (la căldură)

refractory [ri'fræktəri] **I** adj **1** refractar, încăpățânat, îndărătnic, neascultător **2** med (d. boală) refractar, rebel, persistent

3 *(d. organism)* viguros, puternic, rezistent; insensibil, imun **4** *fiz, tehn* refractar *(la căldură)* ‖ *s tehn* material refractar

refrain¹ [ri'frein] *s muz etc.* refren

refrain² I *vi* **1 (from)** a se reţine, a se abţine (de la); a se stăpâni **2** a se păzi (de) ‖ *vt* ← *înv* a(-şi) stăpâni, a(-şi) înfrâna *(o patimă etc.)*

re-frame [ri'freim] *vt* **1** a încadra/a înrăma din nou, a pune în ramă nouă **2** a refasona, a reface **3** *pol* a remania, a amenda *(o lege etc.)*

refrangibility [ri'frænʤi'biliti] *s fiz* capacitate de refracţie

refrangible [ri'frænʤibəl] *adj fiz* refringibil; refractabil

refresh [ri'freʃ] I *vt* **1** şi *fig* a împrospăta, a înviora **2** a răcori **3** a întări, a reconforta, a da puteri noi *(cu dat)* **4** a însufleţi, a anima; a aţâţa *(focul etc.)* **5** a zgândări *(o rană)* **6** a odihni, a recrea **7** a reîncărca *(o baterie etc.)* ‖ *vi* **1** a se reface, a se întrema, a se reconforta **2** a se odihni, a se recrea, a se relaxa III *vr* **1** *v.* ‖ **1**, **2 2** *nav* a se reaproviziona

refresher [ri'freʃəʳ] I *s* **1** băutură răcoritoare **2** lucru care înviorează/răcoreşte **3** reamintire, rememorare, împrospătare a memoriei; memento **4** *v.* **refresher course 5** *jur* onorar suplimentar al avocatului ‖ *adj* recapitulativ, cu caracter de repetiţie

refresher course [ri'freʃə ˌkɔ:s] *s* **1** curs recapitulativ **2** (curs de) perfecţionare/reciclare

refreshing [ri'freʃiŋ] I *adj* **1** înviorător; care dă puteri noi **2** *(d. somn)* reconfortant, odihnitor ‖ *s* **1** înviorare **2** odihnire **3** şi *fig* zgândărire *(a unei răni etc.)*

refreshing innocence [ri'freʃiŋ 'inəsəns] *s* candoare/nevinovăţie plăcută/gingaşă/atrăgătoare/ agreabilă

refreshment [ri'freʃmənt] *s* **1** gustare; aperitiv; mâncare; alimente *(pentru refacerea forţelor)* **2** băutură răcoritoare **3** răcorire, înviorare **4** împrospătare *(a memoriei etc.)*

refreshment room [ri'freʃmənt ˌru:m] *s* bufet *(în gară, la teatru etc.)*

Refreshment Sunday [ri'freʃmənt ˌsʌndi] *s bis* a patra duminică din postul mare/paştelui

refrig *presc de la* **1 refrigerating 2 refrigeration**

refrigerant [ri'friʤərənt] I *adj* răcoritor; refrigerent ‖ *s* **1** *med* febrifug, refrigerativ **2** *tehn* răcitor **3** *tehn v.* **refrigeratory**

refrigerate [ri'friʤəreit] I *vt* **1** a refrigera, a răci **2** a păstra la loc rece ‖ *vi* a se răci, a se răcori

refrigerating [ri'friʤəreitiŋ] I *adj* frigorific ‖ *s* răcire, refrigerare; congelare

refrigerating industry [ri'friʤəreitiŋ 'indəstri] *s* industria frigului, frigotehnică

refrigerating machine [ri'friʤəreitiŋ mə'ʃi:n] *s* frigorifer

refrigerating plant [ri'friʤəreitiŋ ˌplɑ:nt] *s* instalaţie frigorifică/de congelare

refrigeration [ri,friʤə'reiʃən] *s* **1** răcire, refrigerare; congelare **3** frigotehnică

refrigerator [ri'friʤə,reitəʳ] *s* frigider, răcitor electric

refrigeratory [ri'friʤə,reitəri] I *s tehn* refrigerent, serpentină de alambic ‖ *adj* frigorific, refrigerent

refringent [ri'frinʤənt] *adj fiz* refringent

reft [reft] *pret şi ptc de la* **reave**

refuel [ri:'fjuəl] *vi* a se (re)alimenta cu combustibil; a(-şi) face plinul

refuelling [ri:'fjuəliŋ] *s* (re)alimentare cu combustibil

refuge ['refjuʤ] I *s* **1 (from)** refugiu, adăpost (împotriva, contra – *cu gen);* **to seek/to take ~** *v.* ~ III; **city of ~** *ist* oraş care oferea ocrotirea ucigaşilor *(în Israelul antic);* **house of ~** azil/cămin pentru cei fără adăpost **2** adăpostire, refugiere **3** azil, liman, adăpost **4** *fig* scăpare, salvare, mântuire; **to take ~ in lying** a-şi găsi scăpare într-o minciună **5** refugiu pentru pietoni *(într-o staţie etc.)* ‖ *vt* a adăposti, a oferi refugiu/adăpost *(cu dat)* III *vi* a se refugia, a se adăposti, a se aciua

refugee [ˌrefjuˈʤi:] *s* refugiat *(religios sau politic)*

refugee camp [ˌrefjuˈʤi: ˈkæmp] *s* lagăr de/pentru refugiaţi

refulgence [riˈfʌlʤəns] *s* strălucire, splendoare

refulgent [riˈfʌlʤənt] *adj* strălucitor, sclipitor, splendid

refulgently [riˈfʌlʤəntli] *adv* (în mod) strălucitor/luminos, cu o strălucire orbitoare

re-fund [riˈfʌnd] *vt* a reînnoi *(o datorie)*

refund I [riˈfʌnd] *vt* **1** a rambursa, a da înapoi **2** a despăgubi, a compensa ‖ ['ri:ˌfʌnd] *s* **1** rambursare, înapoiere **2** plată/despăgubire pentru cheltuieli

refundable [riˈfʌndəbəl] *adj* rambursabil

refurbish [riːˈfə:biʃ] *vt* **1** a lustrui/a poliza din nou; a da un nou luciu *(cu dat)* **2** *fig* a înnoi, a renova **3** a pune la punct, a cizela

refurnish [riːˈfə:niʃ] *vt* a remobila, a mobila din nou

refusal [riˈfju:zəl] *s* **1** refuz; respingere; **to take no ~** a nu accepta nici un refuz; **to meet with ~; to get a flat ~** a întâmpina un refuz categoric/clar/net **2** *jur* drept de preempţiune; **first ~** drept de preempţiune, privilegiu/drept preferenţial; **to give the ~** a lăsa la libera alegere; **to have the ~ of smth a** a avea dreptul de a accepta *sau* de a refuza ceva **b** a putea căpăta oricând un lucru

refusal of justice [riˈfju:zəl əv ˈʤʌstis] *s jur* denegare de dreptate, refuzul de a face dreptate cuiva

refuse I ['refju:s] *s* **1** rebut, deşeu; deşeuri; resturi, rămăşiţe **2** gunoi, murdărie ‖ [riˈfju:z] *vt* **1** a refuza; a respinge; a nu accepta; **it is not to be ~d** nu e un lucru de refuzat; **to be ~d smth** a i se refuza ceva; **the horse ~d the fences** calul a refuzat să sară obstacolele **2** a respinge **3** a refuza, a nu consimţi; a interzice **4** *mil* a replia, a retrage III [riˈfju:z] *vi* **1** *(la cărţi)* a refuza cuiva o carte *sau* culoarea **2** *(d. cai)* a fi năravaş, a refuza să se supună

re-fuse ['ri:ˈfju:z] *vt* a retopi, a topi din nou

re-fusion ['ri:ˈfju:ʒən] *s* retopire

refutable ['refjutəbəl] *adj* care poate fi dezminţit/respins; refutabil, negabil

refutal [riˈfju:təl] *s* respingere, negare, refutare; combatere

refutation [,refju'teiʃən] *s v.* **refutal**

refute [ri'fjuːt] *vt* a dezminți, a combate, a respinge, a refuta

reg. *presc de la* **1** region **2** register **3** registered **4** regular **5** regulation

regain [ri'gein] **I** *vt* **1** a recâștiga, a redobândi; a recupera; **to ~ consciousess** a-și reveni (în fire/din leșin), a se trezi; **to ~ one's health** a se îndrepta, a se înzdrăveni **2** a se întoarce/a reveni *(la țărm etc.)* **II** *s v.* **regainment**

regainment [ri'geinmənt] *s* redobândire, recâștigare; recuperare; reintrare în posesie

regal ['riːgəl] *adj v.* **royal**

regale [ri'geil] **I** *vt* **1** a regala, a cinsti/a onora regește **2** a încânta, a regala, a desfăta; a fermeca **II** *vi* a se regala, a benchetui; a chefui **III** *s* **1** banchet, ospăț **2** regal, mâncarea aleasă, delicatese

regalia¹ [ri'geiliə] *s pl* privilegii/drepturi ale reginei **2** însemne ale regalității/monarhiei **3** însemne/insigne *etc.* ale unei funcții

regalia² *s* havană, trabuc (fin)

regalism ['riːgəlizəm] *s rel* doctrină a supremației ecleziastice a monarhului

regality [riː'gæliti] *s* **1** regalitate, monarhie; suveranitate regală **2** *pl* privilegii regale

regard [ri'gaːd] **I** *s* **1** privire, ochire, căutătură, uitătură **2** privință, punct de vedere; **with ~ to** *v.* **regarding; in ~ to/of a** *v.* **regarding b** față de, în raport cu; **in this ~** în această privință, din acest punct de vedere **3** părere, opinie; **in my ~** după părerea mea, după mine **4** atenție, considerație, respect, deferență; băgare de seamă; **without ~ to/for** fără a respecta *cu ac*, sfidând, ignorând *cu ac*, fără a băga în seamă *cu ac;* **to take ~ to smth** a acorda atenție unui lucru; **to take no ~ to smb a** a nu băga pe cineva în seamă **b** a nu ține seama de cineva **c** a nu avea nici un respect/nici o considerație pentru cineva; **to hold smb in great/high ~** a avea mult respect/multă stimă pentru cineva; **to have/to show ~ for smb**

a trata pe cineva cu respect/deferență; **out of ~ for** din respect pentru; **to have/to take ~ to** a se interesa de, a dovedi interes pentru **5** *pl* respecte, complimente, omagii, salutări; **give my kindest ~s to your father** transmite-i respectuoase salutări tatălui dumitale; **with kind ~s from** cu respectuoase omagii din partea *(cu gen)* **II** *vt* **1** a privi (↓ fix) **2** *fig* a ține cont/socoteală de, a avea în vedere; a acorda atenție *(cu dat); not to ~ smb's advice* a nu ține cont de sfatul cuiva **2** (as) a socoti, a considera (drept, ca); a privi, a judeca (drept ca) **3** *fig* a privi, avea legătură cu, a viza, a se referi la; **it doesn't ~ me** nu mă privește; **as ~s** *v.* **regarding 4** a prețui, a privi cu respect, a respecta

regardant [ri'gaːdənt] *adj* ← *înv* (privind) atent, cu privirile ațintite

regardful [ri'gaːdful] *adj* atent, grijuliu, plin de grijă/atenție; **~ of a** ținând seama de **b** atent la

regardfully [ri'gaːdfuli] *adv* **1** cu grijă **2** prevenitor, precaut, cu precauție

regarding [ri'gaːdin] *prep* cu privire la, în privința *(cu gen);* referitor/relativ la, cât despre, în ceea ce privește

regardless [ri'gaːdlis] **I** *adj* **1** nepăsător **2** *sl* luxos, scump, exagerat, excesiv **II** *adv F* în dușmănie, pe rupte, – fără să-i pese

regardlessly [ri'gaːdlisli] *adv* cu indiferență, nepăsător, fără să-i pese

regardlessness [ri'gaːdlisnis] *s* nepăsare, indiferență, neatenție, lipsă de grijă

regardless of [ri'gaːdlis əv] **I** *adj cu prep* neatent/nepăsător/indiferent la/față de **II** *prep* indiferent de, fără a ține seama de; **~ expense** indiferent de cost/preț, oricât ar costa

regatta [ri'gætə] *s* regat, concurs de canotaj

regelate ['riːdʒi,leit] *vi* a îngheța la loc

regelation [,riːdʒi'leiʃən] *s* reînghețare

regency ['riːdʒənsi] *s* **1** regență; consiliu de regență **2** domnie, stăpânire, putere

Regency, the ['riːdʒənsi, ðə] *ist* regența; *perioada 1810-1820 în Anglia sau 1715-1723 în Franța*

Regency dress ['riːdʒənsi ,dres] *s* îmbrăcăminte în stilul Régence

Regency furniture ['riːdʒənsi 'fəːnitʃəʳ] *s* mobilă în stilul Régence

Regency stripes ['riːdʒənsi ,straips] *s pl text* dungi late colorate

regenerate **I** [ri'dʒenə,reit] *vt* **1** a regenera; a reînvia, a readuce la viață **2** a înviora; a regenera; a reîmprospăta; a da un suflu nou de viață *(cu dat)* **II** [ri'dʒenə,reit] *vi* a se regenera, a se reface **III** [ri'dʒenərit] *adj* **1** regenerat, renăscut, reînnoit **2** ameliorat, îmbunătățit

regeneration [ri,dʒenə'reiʃən] *s* **1** regenerare **2** *ch, tehn* reacție **3** *fig* renaștere/reînviere spirituală

regenerative [ri'dʒenərətiv] *adj* **1** regenerator, cu caracter de regenerare/reînnoire/reînviere **2** *tehn* de recuperare/regenerare

regenerator [ri'dʒenə,reitəʳ] *s tehn* regenerator

regenesis [riː'dʒenəsis] *s* renaștere, refacere

Regensburg ['reːgəns,burk] *oraș în Germania*

regent ['riːdʒənt] **I** *s* **1** regent **2** *univ* membru al consiliului de conducere **II** *adj* regent

regent-bird ['riːdʒənt,bəːd] *s orn* pasăre australiană viu colorată *(Serviculus chrysocephalus)*

Regent House ['riːdʒənt ,haus] *s univ* Consiliul universității *(la Cambridge)*

regerminate [riː'dʒəːmi,neit] *vi* **1** a reîncolți, a germina din nou **2** *fig* a renaște, a reveni la viață

regicidal [,redʒi'saidəl] *adj* regicid

regicide ['redʒi,said] *s adj* regicid

régie [rei'ʒiː] *s fr* monopol de stat, regie

regild [riː'gild] *vt* a auri din nou

régime [rei'ʒiːm] *s fr* **1** *pol* regim, orânduire, sistem **2** regim

regimen ['redʒi,men] *s* **1** regim **2** *med* dietă, regim **3** regim social, sistem de guvernământ **4** administrare, administrație, conducere **5** *gram* regim, guvernare, dependență *(în sintaxă)*

regiment ['redʒimənt] *s* **1** *mil* regiment; batalion **2** *fig* mulțime, masă, liotă **II** ['redʒi,ment] *vt* **1** *mil* a înregimenta, a alcătui regimente din **2** *fig* a înregimenta, a afilia **3** a organiza, a ordona

regimental [,redʒi'mentəl] *adj mil* regimentar, regimental

regimentally [,redʒi'mentəli] *adv* pe regimente

regimentals [,redʒi'mentəlz] *s pl* **1** *mil* uniformă; **in full ~** în (uniformă de) mare ținută **2** uniformă de deținut/ocnaș, *F* haine vărgate

regimentation [,redʒimen'teiʃən] *s* **1** înregimentare, formare de regimente; formare de grupe **2** *fig* afiliere, înregimentare

Regina [ri'dʒainə] *s* **1** regina domnitoare *(↓ sub forma R. după semnătură)* **2** *jur* statul; **~ vs** Jones *etc.* procesul (penal al) lui Jones **3** *nume fem* Regina, Reghina

Reginald ['redʒinəld] *nume masc*

region ['riːdʒən] *s* **1** regiune; provincie, ținut, zonă, țară; **in the ~ of** în apropiere de **2** *fig* domeniu, sferă, tărâm **3** sector, raion, district *(al unui oraș)* **4** *med, biol* zonă, regiune **5** strat al atmosferei

regional ['riːdʒənəl] *adj* **1** regional; de ținut/provincie **2** (cu caracter) local/provincial

regionalism ['riːdʒənəlizəm] *s* regionalism, provincialism

register¹ ['redʒistə'] **I** *s* **1** registru, condică; borderou, listă, catastif, tabel; catalog, tablou; **to be on the ~** **a** a fi suspect(at) **b** a fi pe lista neagră **2** *nav* încărcătură, cargou, caric **3** *nav* registru naval/de clasificare **4** contor, aparat de înregistrare **5** înregistrator, dispozitiv de înregistrare **6** cantitate, temperatură *etc.* înregistrată de un aparat **7** *muz* registru, întindere a vocii **8** *tehn* oblon; clapetă, registru; clapă **9** *poligr* conținut, tablă de materii **10** *poligr* potrivire la semne **II** *vt* **1** a înregistra **2** a marca, a înregistra **3** a înscrie/a trece în registru, a înregistra, a consemna **4** a trimite/a expedia *(o scrisoare etc.)* recomandat **5** *amer ← F* a exprima, a trăda, a

manifesta *(emoții, sentimente)* **III** *vi* **1** a se înscrie în registru; a se instala *(la un hotel etc.)* **2** *poligr* a se potrivi la semne **IV** *vr* a se înregistra; a se anunța; a se înscrie

register² ['redʒistə'] *s v.* **registrar**; **Lord Clerk R~** șeful arhivelor statului/arhivar șef *(în Scoția)*

register card ['redʒistə ,kɑːd] *s* fișă de evidență

registered ['redʒistərəd] *adj* **1** înregistrat **2** înscris, marcat, consemnat **3** înmatriculat **4** *(d. scrisoare etc.)* recomandat; cu valoare declarată

registering ['redʒistəriŋ] **I** *adj atr* **1** înregistrator, de înregistrare **2** care înregistrează/marchează/consemnează **II** *s* **1** înregistrare **2** înscriere, trecere în registru; consemnare **3** expediere recomandată *(a unei scrisori etc.)* **4** *jur* transcriere **5** *amer ← F* exprimare, manifestare, trădare *(a unui sentiment)*

registering of divorce ['redʒistəriŋ əv dai'vɔːs] *s jur* transcrierea divorțului

registrable ['redʒistrəbəl] *adj* înregistrabil, care poate fi înregistrat; care poate fi reținut, memorabil

registrar [,redʒi'strɑː'] *s* **1** arhivar **2** *jur* grefier **3** notar; înregistrator, *aprox* ofițer de stare civilă; **to get married before the ~** a face căsătoria civilă **4** *univ* secretar (și arhivar) **5** medic care urmează un curs de specializare *(în spital)*

Registrar General [,redʒi'strɑː 'dʒenərəl] *s* **1** șeful oficiului de stare civilă **2** șeful secției statistice

registrarship [,redʒis'trɑːʃip] *s* funcție de registrar

registrary ['redʒistrəri] *s* secretar (șef) al universității Cambridge

registration [,redʒi'streiʃən] *s* **1** *v.* **registering II 1-4 2** *mil* țintire, ochire

registration mark [,redʒi'streiʃən ,mɑːk] *s auto* număr de înmatriculare

registration of mortgages [,redʒi 'streiʃən əv 'mɔːgidʒiz] *s jur* inscripție ipotecară

registry ['redʒistri] *s* **1** registratură **2** *v.* **registering II 1, 2 3** birou, oficiu **4** *nav* pavilion; **of Amer-**

ican **~** sub pavilion american **5** *v.* **register¹ I 1 6** oficiu de stare civilă **7** *v.* **registering II 3**

registry book ['redʒistri ,buk] *s* registru, condică de înregistrare; matricolă

registry marriage ['redʒistri ,mæridʒ] *s* căsătorie civilă

registry office ['redʒistri ,ɔfis] *s* **1** *v.* **registry 6 2** *înv aprox* oficiu de plasare

Regius professor ['riːdʒiəs prə'fesə'] *s univ* șef de catredă la Oxford *sau* Cambridge *(numit de rege)*

reglet ['reglit] *s* **1** *arhit* regletă, bandă între ornamente **2** *poligr* reglet, lamă de metal pentru separarea zațului

regnal ['regnəl] *adj* referitor la domnie, de domnie

regnal year ['regnəl ,jə:'] *s* **1** an de la urcarea pe tron **2** an jubiliar *(al unui suveran)*

regnant ['regnənt] *adj* **1** domnitor **2** dominant, preponderent, predominant, foarte răspândit

regorge [ri'gɔːdʒ] *vt* **1** *v.* **regurgitate I 2** a reînghiți **3** a turna înapoi

regrant ['riː'grɑːnt] **I** *vt* a reda, a acorda din nou **II** *s* redare, înapoiere

regrate [ri'greit] *vt ist, ec* a stoca *(mărfuri)* în vederea speculei

regrater [ri'greitə'] *s ist* speculant, persoană care stochează mărfuri

regressive [ri'gresiv] *adj* regresiv

regressiveness [ri'gresivnis] *s* regresivitate, caracter regresiv

regret [ri'gret] **I** *s* regret, părere de rău; căință; **much to my ~** spre marele meu regret, spre marea mea părere de rău/mâhnire/durere; **to feel/to have ~ for** a-i părea rău pentru/de, a regreta; a se căi pentru/de **II** *vt* a regreta, a-i părea rău de/pentru; **to ~ that** a-i părea rău că, a regreta că; **it is to be ~ted that** e regretabil că, păcat că; **I ~ to have to say it** trebuie s-o spun cu tot regretul

regretful [ri'gretful] *adj* plin de regrete/căință/remușcări/părere de rău; trist

regretfully [ri'gretfuli] *adv* cu regret, cu părere de rău; cu căință; cu tristețe

regrettable [ri'gretəbəl] *adj* regretabil, trist; **it is ~ that** e regretabil/ păcat/trist că

regrettably ['ri'gretəbli] *adv* (în mod) regretabil, din păcate

regrind [ri'graind], *pret și ptc* **reground** [ri'graund] *vt* 1 a reascuți, a ascuți din nou 2 a măcina din nou

regroup [ri:'gru:p] *vt* a regrupa

regrowth [ri'grouθ] *s* 1 regenerare 2 nouă creștere 3 repopulare

regt. *presc de la* **regiment**

regulable ['regjuləbəl] *adj* reglabil

regular ['regjulə'] **I** *adj* 1 regulat 2 precis, exact; regulat; riguros; **(as)** ~ **as clockwork** ca ceasul, cu precizie matematică 3 obișnuit, regulat, fix, cu caracter de regularitate; **at** ~ **hours** la ore fixe/regulate; **it is the** ~ **hour for dinner** e ora obișnuită de masă; **to do smth as a** ~ **thing** a face ceva în mod curent/obișnuit 4 uniform, regulat, ordonat; sistematic; **to lead a** ~ **life** a duce o viață regulată/cuminte; **a man of** ~ **habits** un om ordonat/cu o viață ordonată/regulată 5 reglementar, cum se cuvine, în conformitate cu regulile/practica; **not** ~ nereglementar; *jur* contrar procedurii curente; **in the** ~ **manner** a în mod reglementar, conform regulamentului **b** după obicei, conform obiceiului 6 obișnuit, curent, normal, regulat 7 simetric, armonios 8 *gram* regulat 9 *mil* regulat; activ, de carieră 10 *fig F* sadea, – adevărat, veritabil; **he is a** ~ **fellow**/*amer* guy *F* e o figură (tare), e un tip tare 11 (d. femeie) cu ciclul regulat, cu menstruația regulată **II** *s* 1 *mil* soldat de carieră 2 ← *F* client/mușteriu, obișnuit/vechi/cunoscut 3 ← *F* funcționar/slujbaș permanent **III** *adv F* 1 *v.* **regularly** 2 *de grad* cu adevărat, cu totul; **he was** ~ **angry** era supărat foc/nu glumă

regular army ['regjulə' 'a:mi] *s mil* armată regulată

regular bowels ['regjulə 'baulz] *s med F* scaun regulat

regular customer ['regjulə 'kʌstəmə'] *s v.* **regular II** 3

regular dinner ['regjulə 'dinə'] *s* 1 meniu fix 2 meniu complet

regular employment ['regjulə im'ploimənt] *s* angajament/serviciu regulat; slujbă/angajare permanentă

regularity [,regju'læriti] *s* 1 regularitate, caracter regulat 2 ordine, simetrie, uniformitate 3 continuitate

regularize ['regjulə,raiz] *vt* 1 a regulariza, a regula 2 a reglementa 3 a pune în ordine, a ordona, a aranja

regularly ['regjuləli] *adv* (în mod) regulat/obișnuit/curent, cu regularitate

regular salary ['regjulə 'sæləri] *s* salariu permanent/regulat

regular soldiers ['regjulə 'souldʒəz] *s pl mil* soldați din armata regulată, militari

regular travellers ['regjulə 'trævələz] *s pl* călători cu abonamente, posesori de abonamente; navetiști

regulate ['regju,leit] *vt* 1 *v.* **regularize** 2 a regla, a potrivi (ceasul etc.) 3 a adapta (la cerințe, condiții)

regulation [,regju'leiʃən] **I** *s* 1 ordin, ordonanță 2 *pl* regulament; statut 3 regularizare, reglare; potrivire 4 ordonare, aranjare 5 reglementare; **to bring under** ~ a reglementa (cu ac) **II** *adj atr* 1 legiferat, stabilit (prin regulament etc.) 2 reglementar

regulation mourning [,regju'leiʃən 'mo:niŋ] *s* doliu mare/după tipic

regulation speed [,regju'leiʃən ,spi:d] *s auto* viteză legală/permisă; **to exceed the** ~ a depăși viteza legală, a merge/conduce prea repede/cu viteză mare

regulative ['regju,leitiv] *adj* regulator

regulator ['regju,leitə'] *s* 1 regulator, egalizator; compensator, moderator 2 reglementator 3 cronometru

reguli ['regju,lai] *pl de la* **regulus**

reguline ['regjulain] *s ch* regulin

Regulus ['regjuləs] 1 *general roman* (m. 250 î.e.n.) 2 *astr* stea din constelația Leului

regulus¹ ['regjuləs] *s* 1 *ch* metal reductibil (în minereu) 2 *ch, met* metal impur rezultat din topirea mai multor minereuri 3 *orn* sfredeluș, bourel (Regulis sp.)

regulus², *pl* **reguli** ['regju,lai] *s* rege mic, regișor

regurgitate [ri'gə:dʒi,teit] **I** *vt* 1 a regurgita; a vomita, a voma 2 a vărsa înapoi, a turna la loc **II** *vi* 1 a vomita, a voma; a regurgita 2 a se revărsa, a țâșni înapoi

regurgitation [ri,gə:dʒi'teiʃən] *s* 1 vomitare, vomare; regurgitare 2 revărsare

rehabilitate [,ri:ə'bili,teit] *vt* 1 a reabilita 2 a repune (în drepturi) 3 a reconstrui, a restaura

rehabilitation [,ri:ə,bili'teiʃən] *s* 1 restabilire, restaurare 2 repunere în drepturi, reabilitare 3 refacere, reconstrucție, restaurare

rehandle¹ [ri'hændəl] *vt* a schimba mânerul la (o unealtă etc.)

rehandle² *vt* 1 a mânui din nou, a lua din nou în mână 2 *fig* a ataca/a trata din nou (o problemă etc.)

reharden [ri:'ha:dən] *vt* a recăli (metale)

rehash [ri:'hæʃ] **I** *vt* 1 a transforma, a prelucra, a înnoi 2 a prezenta într-o formă nouă, a readuce pe tapet **II** *s* vechitură transformată; *F fig* supă reîncălzită

rehear [ri:'hiə'], *pret și ptc* **reheard** [ri:'hə:d] *vt* 1 *jur* a cerceta din nou, a reexamina, a face noi audieri în (un proces etc.) 2 a auzi din nou, a reauzi

rehearing [ri:'hiəriŋ] *s jur* reaudiere, reexaminare (a unui caz etc.)

rehearsal [ri'hə:səl] *s* 1 *teatru etc.* repetiție 2 *fig* repetiție; repetare, repovestire 3 recitare, declamare

rehearse [ri'hə:s] **I** *vt* 1 *teatru* a repeta 2 a recita, a declama 3 a enumera; a număra din nou 4 a repovesti **II** *vi teatru* a face repetiții, a repeta (într-o piesă)

reheat ['ri:'hi:t] *vt* a reîncălzi; a fierbe din nou

rehoboam [,ri:ə'bouəm] *s* sticlă/carafă mare de vin

rehouse [ri:'hauz] *vt* a instala în locuință nouă, a da o nouă locuință (cu dat)

rehumanize [ri:'hju:mənaiz] *vt* a umaniza din nou, a reda caracterul omenesc/uman (cu dat)

Reich [raik] *s* reich(ul, german), imperiul german; **the first** ~ sfântul imperiu roman de neam german (962-1806); **the second** ~ cel de al doilea reich (1871-1919); **the third** ~ cel de al treilea reich, reichul hitlerist/nazist, nazismul german (1933-1945)

Reichstag ['raiks,taːg] *s ist* reichstag, parlamentul german

reification [,riːifiˈkeiʃən] *s* reificare, concretizare, materializare *(a unui concept abstract/a unei abstracțiuni)*

reificatory [,riːifiˈkeitəri] *adj* care reifică/materializează *(o abstracțiune)*

reify ['riːi,fai] *vt* a reifica, a materializa *(o abstracțiune)*

reign [rein] **I** *s* **1** domnie, stăpânire; **in the ~ of** sub domnia *cu gen* **2** *fig* putere, dominație, stăpânire **II** *vt* **1** (**over**) a domni, a stăpâni (peste); a guverna, a cârmui, a stăpâni *(cu ac)* **2** *fig* a domni; a predomina, a fi dominant; **silence ~s** e liniște/pace, domnește liniștea/tăcerea

reigning beauty ['reiniŋ ,bjuːti] *s* frumusețe, femeie frumoasă

reigning champion ['reiniŋ,tʃæmpiən] *s sport* deținător al titlului, campionul actual

reignite [,reigˈnait] *vi, vt* a (se) reaprinde, a (se) aprinde la loc

Reilly ['raili] *v.* **Riley**

reimbursable [,riːimˈbəːsəbl] *adj* rambursabil, recuperabil

reimburse [,riːimˈbəːs] *vt* **1** a restitui, a rambursa, a înapoia *(bani etc.)* **2** (**for**) a indemniza, a despăgubi (pentru)

reimbursement [,riːimˈbəːsmənt] *s* rambursare, restituire, înapoiere *(a unei sume)*

reimplant [,riːimˈplaːnt] *vt* a replanta, a planta din nou

reimport I [,riːimˈpɔːt] *vt* a reimporta **II** [riːˈimpɔːt] *s* **1** reimportare **2** mărfuri reimportate

reimpose [,riːimˈpouz] *vt* a reimpune, a impune din nou

reimposition [,riːimpouˈziʃən] *s* reimpunere, nouă impunere

reimpress [,riːimˈpres] *vt* a retipări, a imprima din nou

reimpression [,riːimˈpreʃən] *s* retipărire, reimprimare; ediție nouă

reimprim [,riːimˈprim] *vt v.* **reimpress**

Reims [riːmz] *v.* **Rheims**

rein [rein] **I** *s* și *fig* frâu; hăț; dârlog; **to give (a horse/smb) free ~; to give free ~ to (a horse/smb)** a da frâu liber (calului/cuiva); **to hold the ~(s)** a a ține hățurile/ dârlogii/frâul **b** *fig* a avea puterea

în mână; a fi la cârmă, a avea conducerea; **to give free ~ to one's illusions** a da frâu liber iluziilor/imaginației; **to draw ~** a strânge hățurile, a struni calul; **to put the ~(s) on** a pune hățurile pe, a înhăma; **to keep a tight ~ on/over smb** a ține pe cineva din scurt, a struni pe cineva; **to ride with a loose/slack ~ a** a călări la trap domol, a lăsa calul în voia lui **b** *fig* a fi un conducător blând, a nu fi sever **II** *vt* a ține în frâu

rein back ['rein 'bæk] *vt cu part adv* a ține calul în frâu; a trage calul înapoi

reincarnate [,riːinˈkaːnit] *adj* reîncarnat, reîntrupat **II** [riːˈinkaːneit] *vt* a reîncarna, a reîntrupa **III** [riːˈinkaːneit] *vi* a se reîncarna, a se reîntrupa

reincarnation [,riːinkaːˈneiʃən] *s* reîncarnare, reîntrupare

reincorporate [,riːinˈkɔːpo,reit] *vt* a reîncorpora, a reintegra, a încorpora din nou

reincorporation [,riːinkɔːpoˈreiʃən] *s* reîncorporare, reintegrare, încorporare din nou

reindeer ['rein,diəʳ] *s zool* ren (*Rangifer tarandus*)

reindeer moss ['rein,diə 'mɔs] *s bot* lichen (*Cladonia sp.*)

reinforce [,riːinˈfɔːs] **I** *vt* **1** a întări, a consolida, a fortifica **2** *mil* a întări, a aduce întăriri *(cu dat)* **3** *constr* a arma *(betonul)* **II** *s* întăritură, material de întărire

reinforced concrete [,riːinˈfɔːst ˈkɔnkriːt] *s* beton armat

reinforcement [,riːinˈfɔːsmənt] *s* **1** *mil pl* întăriri; completare *(a garnizoanei etc.)* **2** *v.* **reinforce II 3** ajutor, sprijin, întărire **4** *constr* armătură *(la beton armat)*

reinhabit [,riːinˈhæbit] *vt* a locui din nou în *(o casă)*

Reinhardt ['rain,haːt], **Max** *om de teatru austriac (1873-1943)*

rein in ['rein 'in] **I** *vt cu part adv* **1** a struni *(calul);* a ține *(calul)* la pas **2** *fig* a struni, a ține în frâu; a potoli, a domoli *(pe cineva)* **II** *vi cu part adv* a trage/a smuci de hățuri

reinless ['reinlis] *adj* **1** *(d. cal)* fără frâu/hățuri **2** *fig* fără control, nestăpânit, neînfrânat, lăsat liber/în voie

reins [reinz] *s pl înv* **1** *anat* rinichi **2**

șale, mijloc **3** *bibl* rărunchi, suflet, inimă

reinsert ['riːinˈsəːt] *vt* a reinsera, a insera din nou

reinsertion ['riːinˈsəːʃən] *s* reinserare, reinserție, nouă inserție

reinstall ['riːinˈstɔːl] *vt* **1** a reinstala **2** a restabili; a repune în drepturi, a reabilita, a reintegra

reinstalment ['riːinˈstɔːlmənt] *s* **1** reinstalare **2** restabilire, repunere în drepturi

reinstate [,riːinˈsteit] *vt* **1** *v.* **reinstall 2** a reface, a restabili *(sănătatea)*

reinstatement [,riːinˈsteitmənt] *s v.* **reinstalment 2**

reinsure [,riːinˈʃuəʳ] *vt* a face o nouă asigurare pentru, a asigura din nou

reintegrate [riːˈintə,greit] *vt* a reintegra

reinter [,riːinˈtəːʳ] *vt* a îngropa din nou/la loc, a reîngropa

reinterpret [,riːinˈtəːprit] *vt* a reinterpreta, a interpreta din nou; a interpreta într-o altă lumină

reinvest [,riːinˈvest] *vt* **1** a înveșmânta/a îmbrăca/a acoperi din nou **2** *ec* a investi din nou

reinvestment [,riːinˈvestmənt] *s* **1** (**with**) reinvestire (cu); restabilire *(a unui privilegiu)* **2** (**in**) repunere *(în funcție)*, reintegrare

reinvigorate [,riːinˈvigə,reit] *vt v.* **revigorate**

reinvigoration [,riːin,vigəˈreiʃən] *s v.* **revigoration**

reissue [riːˈiʃuː] **I** *vt* **1** a retipări, a republica, a scoate o nouă ediție din **2** a proclama *sau* promulga din nou *(un ordin etc.)* **II** *s* reeditare, retipărire, ediție nouă

reiterate [riːˈitə,reit] *vt* a repeta (într-una), a reitera

reiteration [riː,itəˈreiʃən] *s* repetare (continuă), reiterare

reiterative [riːˈitərətiv] *adj* repetitiv, reiterativ

reive [riːv] *scot* **I** *vt* a jefui, a prăda, a devasta, a pustii **II** *vi* a se ține de tâlhării/jafuri/prădăciuni

reiver ['riːvəʳ] *s scot* tâlhar, jefuitor

reject I [riˈdʒekt] *vt* **1** a respinge, a refuza, a nu accepta **2** a arunca, a lepăda **3** *med* a elimina, a scoate, a evacua *(prin defecare)* **4** *v.* **regurgitate I 1 5** ← *înv* a părăsi **II** ['riːdʒekt] *s* **1** rebut **2** lepădătură, scursură **3** persoană respinsă

rejectable [ri'dʒektəbəl] *adj* **1** care
poate fi aruncat/scos/eliminat,
dispensabil **2** bun de aruncat/
azvârlit, care merită să fie res-
pins, de aruncat/azvârlit (la gunoi)
rejectamenta [ri,dʒektə'mentə] *s pl*
resturi, gunoaie aruncate de valuri
rejectee [ri,dʒek'ti:] *s amer mil*
reformat, inapt
rejecter [ri'dʒektə'] *s v.* **rejector**
rejection [ri'dʒekʃən] *s* **1** respingere
2 refuz, refuzare **3** rebutare,
aruncare la rebut
rejection slip [ri'dʒekʃən ,slip] *s* aviz
de respingere/refuz *(al unui
manuscris)*
rejector [ri'dʒektə'] *s* persoană care
respinge/refuză/nu acceptă
rejig [ri:'dʒig] *vt ec* a reprofila, a
reutila *(pt o nouă destinaţie)*; a
schimba destinaţia *(unei fabrici
etc.)*
rejoice [ri'dʒois] **I** *vi* (**over**) a se
bucura, a se veseli (de, pentru),
a jubila **II** *vt* a înveseli, a bucura
(inima cuiva etc.) **III** *s* ← *înv*
bucurie
rejoice at/in [ri'dʒois ət/in] *vi* cu prep
a se bucura de *(un nume, o
reputaţie etc.)*
rejoicing [ri'dʒoisiŋ] **I** *adj* bucuros,
vesel, plin de bucurie, jovial **II** *s
pl* **1** bucurie, veselie; jubilare **2**
sărbătoare, sărbătorire; ben-
chetuire; petrecere
rejoicingly [ri'dʒoisiŋli] *adv* cu
bucurie, bucuros
rejoin¹ [ri'dʒoin] **I** *vt* **1** a se alătura
din nou *(cu dat)*; a reveni la; a
ajunge din urmă; **to ~ the col-
ours** *mil* a se (re)activa; **I shall
~ you there** eu am să vă regă-
sesc/întâlnesc acolo **2** a reuni, a
realipi; a lipi la loc **II** *vi (d. drumuri
etc.)* a se reuni, a se reîntâlni
rejoin² [ri'dʒoin] *vi* a replica, a
riposta, a răspunde
rejoinder [ri'dʒoində'] *s şi jur* răs-
puns, replică, ripostă
rejoint [ri'dʒoint] *vt* **1** a îmbina, a
împreuna, a încheia **2** *constr* a
rostui din nou
rejudge [ri:'dʒʌdʒ] *vi jur* a rejudeca;
a revizui *(un proces)*
rejuvenate [ri'dʒu:vi,neit] *vi* a
reîntineri, a da o nouă tinereţe
(cu dat)
rejuvenation [ri,dʒu:vi'neiʃən] *s* **1**
(re)întinerire **2** reînnoire, refacere

rejuvenescence [ri,dʒu:və'nesns] *s
v.* **rejuvenation**
rejuvenescent [ri,dʒu:və'nesənt] *adj*
1 care (te) întinereşte **2** care îţi
dă puteri noi, înviorător
rekindle [ri'kindl] *vi* a reaprinde, a
aprinde din nou
rel. *presc de la* **1** relating **2** relative
3 released **4** religion **5** reli-
gious
relabel ['ri:'leibl] *vt* a reeticheta, a
eticheta din nou/diferit
relapse [ri'læps] **I** *vi* **1** (**into**) a reveni
(la); a recădea (într-o *greşeală
etc.)*; a se apuca din nou (de), a
se deda din nou *(la un viciu etc.)*;
to ~ into silence a amuţi iarăşi
2 *med* a recidiva, a face o reşută
II *s* **1** reluare *(a unui viciu etc.)*,
recădere (în *greşeală etc.)*;
repetare *(a unei greşeli etc.)* **2** şi
med recidivă, reşută, recădere,
recidivare
relapsing fever [ri'læpsiŋ 'fi:və'] *s
med* febră recurentă
relate [ri'leit] **I** *vt* **1** a relata, a povesti,
a nara, a istorisi, a descrie, a
expune **2** (**to with**) a lega (de), a
asocia (cu), a raporta (la), a pune
în legătură, a stabili un raport
între **3** a înrudi, a lega prin
(raporturi de) rudenie **II** *vi* (**with**)
1 a fi în raport/relaţie/legătură
(cu) **2** a se înrudi, a fi înrudit (cu)
related [ri'leitid] *adj* **1** (**to**, **with**)
legat (de), asociat (cu), raportat
(la) **2** (**to**, **with**) înrudit (cu) **3**
relatat, narat, istorisit
relatedness [ri'leitidnis] *s* înrudire,
caracter înrudit
relater [ri'leitə'] *s* narator, povestitor;
persoană care relatează *(un
eveniment etc.)*
relating to [ri'leitiŋ tə] *prep* relativ/
referitor la; în privinţa *cu gen*, în
legătură cu
relation [ri'leiʃən] *s* **1** relaţie, legă-
tură, raport; asociaţie; analogie;
out of all ~ to; **bearing no ~ to**
fără/neavând nici o legătură cu
2 privinţă, raport, referire; **in ~ to
a** referitor/privitor/relativ la; în
privinţa *cu gen;* cât despre **b** în
raport/proporţie cu, faţă de, pe
lângă **3** *pl* relaţii, raporturi, ter-
meni **4** rudă, rubedenie, neam; **I
have no ~(s)** n-am nici un fel de
rude **5** ← *înv* înrudire, rudenie **6**
pl relaţii, *F →* proptele, pile

7 relatare, povestire, narare,
naraţiune, descriere, expunere
relational [ri'leiʃənəl] *adj* **1** de rude-
nie/înrudire **2** cu caracter de relaţie
relationless [ri'leiʃənlis] *adj* **1** fără
rude/rubedenii **2** fără relaţii/
legături
relation of forces [ri'leiʃən əv 'fo:siz]
s raport de forţe
relationship [ri'leiʃənʃip] *s* **1** *v.*
relation 1 2 *v.* **relation 5 3** mediu
(înconjurător)
relations of production [ri'leiʃənz
əv 'prədʌkʃən] *s pl ec* relaţii de
producţie
relatival [relə'taivəl] *adj gram* relativ
relative ['relətiv] **I** *adj* **1** comparativ,
relativ **2** respectiv, corespun-
zător; reciproc, interdependent **3**
gram relativ **4** *muz* relativ **II** *s* **1**
rudă, rubedenie **2** *gram* pronume
sau adjectiv relativ
relatively ['relətivli] *adv* (în mod)
relativ/comparativ
relativeness ['relətivnis] *s v.* **rela-
tivity**
relative to ['relətiv tə] *adj* cu prep
relativ/referitor la
relativism ['reləti,vizəm] *s filos*
relativism, *doctrină care con-
testă adevărurile absolute*
relativist ['relətivist] *s filos* relativist,
adept al relativismului
relativistic [,reləti'vistik] *adj* rela-
tivist; legat de relativism *sau* de
teoria relativităţii
relativity [,relə'tiviti] *s* relativitate;
caracter relativ
relativization [,relətivai'zeiʃən] *s*
relativizare; aplicare a teoriei
relativităţii
relativize ['relətivaiz] *vt* **1** a relativiza
2 a aplica *(unui lucru)* teoria
relativităţii
relator [ri'leitə'] *s* **1** narator, poves-
titor **2** prezentator al faptelor/
speţei/cazului
relax [ri'læks] **I** *vt* **1** a destinde, a
relaxa; a odihni **2** a dezlega, a
desface, a slobozi **3** *fig* a atenua,
a slăbi, a o lăsa mai moale; **to ~
one's efforts** a nu se mai omorî
(cu munca) **4** a îndulci, a atenua
(o pedeapsă) // **to ~ the bowels**
med a curăţa intestinele **II** *vi* **1** a
se relaxa, a se destinde; a se
odihni **2** *fig* a o lăsa mai moale **3**
fig a se înduplea, a se înmuia
4 a se distra, a se recrea

relaxant [ri'læksənt] **I** *adj* relaxant, odihnitor, care te destinde/relaxează; calmant **II** *s* (medicament) calmant

relaxation [ˌriːlæk'seiʃən] *s* **1** relaxare, destindere **2** slăbire, înmuiere **3** repaus, destindere, odihnă **4** distracție; divertisment **5** *jur* scutire de pedeapsă *sau* amendă

relaxed [ri'lækst] *adj* relaxat, destins

relaxed throat [ri'lækst 'θrout] *s med* faringită subacută

relaxing [ri'læksiŋ] **I** *adj* **1** odihnitor, care te relaxează/destinde/odihnește **2** *med* laxativ, ușor purgativ **3** (*d. climă etc.*) debilitant, care te slăbește **II** *s v.* **relaxation 1, 2, 3**

relay **I** ['riːlei] *s* **1** schimb (de cai), cal de poștă **2** ștafetă **3** lucru în schimburi (*în fabrică etc.*) **4** ['riːlei] *el* releu; comutator **5** ['riːlei] *rad* retransmisie, reluare (*a unei emisii*) **II** [ri'lei] *vt* **1** a schimba (*ca într-o ștafetă*) **2** a transmite de la unul la altul **3** [ri'lei] *rad* a retransmite, a releia

re-lay ['riː'lei], *pret și ptc* **re-laid** ['riː'leid] *vt* a reașeza, a așeza din nou, a repune; a reface; **to ~ the fire** a face iar focul

relay race ['riːlei ˌreis] *s sport* ștafetă

relay sistem ['riːlei ˌsistəm] *s* lucru în schimburi (*în fabrică etc.*)

releasable [ri'liːsəbəl] *adj* **1** *tehn* declanșabil, care se poate declanșa **2** *cin, com* care se poate difuza/da pe piață

release [ri'liːs] **I** *s* **1** eliberare, ușurare (*de o obligație, datorie etc.*); slobozire; iertare; scutire **2** *jur* punere în libertate **3** *jur* transmitere (*a unui drept, a unei proprietăți*) **4** *com* eliberare, livrare (*de mărfuri*) **5** autorizație de publicare (*în presă etc.*) *sau* de difuzare **6** *cin* difuzare **7** *ch* degajare, eliberare; punere în libertate; emitere **8** lansare (*a bombelor, parașutiștilor etc.*) **9** *el* decuplare, deconectare, întrerupere **10** *tehn* mecanism de declanșare/decuplare; declanșator **11** *auto* debreiere **12** *mil* retragere **13** *com* chitanță, recipisă **II** *vi* **1** a elibera; a slobozi; a pune în libertate **2** a elibera, a scuti, a descărca, a ierta (*de o datorie etc.*) **3** *jur* a ceda, a

transfera (*un drept, o proprietate*) **4** a lansa, a da drumul la **5** a autoriza publicarea *sau* difuzarea (*cu gen*) **6** *cin* a difuza; a prezenta în premieră **7** *ch* a elibera, a degaja, a emite **8** *tehn* a declanșa, a decupla; a destinde; a debloca, a da drumul la

releasee [riˌliː'siː] *s jur* cesionar

release on bail [ri'liːs ɔn 'beil] *s jur* eliberare provizorie/pe cauțiune

releaser [ri'liːsə] *s tehn* declanșator; demaror

releasor *s jur* cedent

relegatable ['reliˌgeitəbəl] *adj* **1** care poate/merită să fie surghiunit/exilat **2** care poate fi retrogradat **3** (**to**) susceptibil de a fi transferat/mutat (la)/deferit (*cu dat*)

relegate ['reliˌgeit] *vi* **1** a trimite, a îndrepta, a îndruma **2** *fig* a pune la dosar, a clasa **3** a surghiuni, a exila; a deporta; a goni, a alunga **4** a mazili, a demite, a degrada **5** a remite, a transmite, a supune (*spre rezolvare*)

relegation [ˌreli'geiʃən] *s* **1** surghiunire, exilare, deportare; alungare, gonire **2** surghiun, exil **3** mazilire, demitere, *elev* limojare; eliberare din funcție **4** retrogradare, degradare **5** trimitere, remitere **6** (**to**) transferare, deferire (la *sau cu dat*)

relent [ri'lent] **I** *vi* **1** a se domoli, a se potoli **2** a se înduplera, a se înmuia, a se înduioșa; a o lăsa mai moale **II** *vt* **1** a potoli, a domoli **2** a înduioșa, a înduplera, a face să se înduplece, a înmuia **3** a abandona, a părăsi, a renunța la

relentless [ri'lentlis] *adj* **1** neînduplecat, neîndurător, necruțător, implacabil **2** neabătut, asiduu; fără preget, neprecupețit

relentlessly [ri'lentlisli] *adv* **1** (în mod) necruțător/implacabil/neînduplecat **2** (în mod) neabătut/neconvenit

relentlessness [ri'lentlisnis] *s* caracter implacabil/necruțător; caracter neabătut/necurmat

relevance ['relivəns] *s* **1** legătură, relație; potrivire, raport **2** relevanță, importanță

relevancy ['relivənsi] *s v.* **relevance**

relevant ['relivənt] *adj* **1** relevant, important **2** pertinent, legat (*de chestiune*)

relevantly ['relivəntli] *adv* **1** (în mod) relevant; cu legătură **2** așa cum trebuie/se cuvine, potrivit

reliability [riˌlaiə'biliti] *s* **1** (coeficient de) siguranță; trăinicie **2** (caracter demn de) încredere; temeinicie, soliditate **3** *tehn* siguranța (în exploatare), (coeficient de) fiabilitate

reliable [ri'laiəbəl] *adj* **1** demn de încredere, de nădejde, sigur, pe care te poți bizui **2** trainic, solid

reliable firm [ri'laiəbəl 'fəːm] *s com* casă de încredere

reliableness [ri'laiəbəlnis] *s* **1** soliditate, temeinicie, trăinicie (*care conferă încredere*) **2** fiabilitate, caracter demn de încredere/care conferă/oferă siguranță **3** *v.* **reliability 1, 3**

reliance [ri'laiəns] *s și fig* sprijin, suport, nădejde, reazem

reliance in/on/upon [ri'laiəns in/ɔn/əˌpɔn] *s cu prep* încredere/nădejde în; **to place one's ~** a se bizui/baza pe, a-și pune nădejdea/speranțele în

reliant on [ri'laiənt ɔn] *adj cu prep* încrezător în; **to be ~ a** a conta pe, a se bizui/a se baza pe, a avea încredere în **b** a depinde de, a fi întreținut de

relic ['relik] *s* **1** urmă, rămășiță **2** *pl* relicve, vestigii **3** *poetic* rămășițe pământești, oseminte **4** *pl rel* moaște **5** amintire, suvenir

relict ['relikt] *s* **1** *geol* relicvă, fosilă, animal *sau* plantă din erele anterioare **2** ← *înv* văduvă

relief¹ [ri'liːf] *s* **1** ușurare, alinare; calmare, potolire **2** ușurare (*sufletească*); descărcare (*a nervilor*); destindere **3** reducere; descărcare, ușurare; degrevare **4** ajutor, asistență (↓ *pt săraci etc.*) **5** *mil* depresurare, scoatere de sub asediu; ajutoare, întăriri **6** *mil, nav* schimbare (*a gărzii, cartului etc.*) **7** *jur* reparare; reparație, despăgubire; câștig de cauză **6** *v.* **relief bus**

relief² *s* **1** relief; **in ~** în relief; **to bring/to throw out into (bold/high/full/sharp) ~** a scoate (puternic) în relief/evidență, a sublinia **2** *fig* culoare; relief; colorit; vigoare

relief bus [ri'liːf ˌbʌs] *s* autobuz pentru ranforsare; cursă suplimentară

relief from taxation [ri'li:f frəm tæk'seiʃən] *s ec* degrevare/scutire de impozite

relief map [ri'li:f ˌmæp] *s* hartă în relief

relief print(ing) [ri'li:f 'print(iŋ)] *s poligr* tipar înalt/în relief

relief road [ri'li:f 'roud] *s* rută ocolitoare, drum de decongestionare a traficului

relief troops [ri'li:f 'tru:ps] *s pl mil* ajutoare, întăriri

relief work [ri'li:f ˌwə:k] *s* 1 *constr* zidărie 2 acţiune/activitate pentru ajutorarea şomerilor

relievable [ri'li:vəbəl] *adj* 1 care poate fi alinat/potolit/uşurat 2 care are nevoie de ajutor/asistenţă

relieve[1] [ri'li:v] *vt* 1 a uşura, a alina, a ogoi, a potoli 2 a descărca, a despovăra; a degreva; **to ~ one's feelings/heart** a-şi uşura/a-şi descărca inima/sufletul; **to ~ nature** *F* a se uşura, a-şi face nevoile; **to ~ smb on his cash/purse** a uşura/a curăţa pe cineva de bani 3 a ajutora, a ajuta *(la nevoie)*, a scoate de la ananghie 4 *mil* a despresura *(pe asediaţi)* 5 *mil, nav* a schimba *(în post/gardă/cart)*; **to ~ the guard** a schimba garda 6 *tehn* a debloca 7 a distra, a amuza; a destinde, a relaxa

relieve[2] *vt* 1 a reliefa, a releva, a scoate în relief/evidenţă, a sublinia 2 a evidenţia, a face să se remarce

relieve of [ri'li:v əv] *vt cu prep* a lipsi, a priva/a văduvi de; **to relieve smb of his position** a demite/a înlocui/a elibera pe cineva din funcţie

relieving [ri'li:viŋ] **I** *s* 1 uşurare, alinare, mângâiere 2 despresurare, eliberare **II** *adj* cu caracter de ajutor(are)/asistenţă

relieving officer [ri'li:viŋ 'ɔfisəʳ] *s* epitrop *(al săracilor);* filantrop

relievo [ri'li:vou] *s it arte* relief

relig. *presc de la* **religion**

relight [ri'lait] **I** *vt* a reaprinde, a aprinde din nou **II** *vi* a se reaprinde

religion [ri'lidʒən] *s* 1 religie, cult (religios); **to get ~** *F* a se converti, a deveni credincios/bisericos 2 *fig* credinţă, crez 3 *v.*

religiousness 1 4 *pl bis* ritual, rituri 5 călugărie; **to enter ~** a se călugări; **to be in ~** a fi la mănăstire, a duce o viaţă monahală

religionism [ri'lidʒəˌnizəm] *s* 1 *v.* **religiousness** 1 2 bigotism, habotnicie

religionize [ri'lidʒənaiz] *vt* a converti *(la religie);* a atrage pe cineva de partea religiei

religionless [ri'lidʒənlis] *adj* nereligios, necredincios

religiose [ri'lidʒi'ous] *adj* bigot, habotnic

religiosity [riˌlidʒi'ɔsiti] *s v.* **religiousness**

religious [ri'lidʒəs] **I** *adj* 1 religios, evlavios, pios 2 plin de veneraţie/admiraţie 3 monahal, călugăresc **II** *s* 1 monah, călugăr 2 călugăriţă

religiously [ri'lidʒəsli] *adv* 1 (în mod) evlavios/cucernic/pios 2 din punct de vedere religios

religiousness [ri'lidʒəsnis] *s* 1 religiozitate, evlavie, pietate, cucernicie 2 *fig* religiozitate, sfinţenie, străşnicie

re-line [ri'lain] *vt şi tehn* a căptuşi din nou, a recăptuşi

relinquish [ri'liŋkwiʃ] *vt* 1 a abandona, a părăsi 2 a renunţa la, a abdica de la; a-şi retrage *(o pretenţie etc.)* 3 a lăsa *(din mână)*, a da drumul la 4 a se dezbăra de, a se lăsa de *(un nărav)*, a părăsi 5 a pierde *(nădejdea etc.)*

relinquishment [ri'liŋkwiʃmənt] *s* (of) abandonare, părăsire, *(cu gen)*, renunţare (la); abdicare (de la)

reliquary ['relikwəri] *s* relicvariu, raclă pentru moaşte *(sfinte)*

relique [relik, rə'li:k] *s înv v.* **relic**

reliquiae [ri'likwi,i:] *s pl* 1 rămăşiţe pământeşti, oseminte 2 moaşte 3 *geol* (rămăşiţe) fosile de plante *sau* animale; animale *sau* plante fosile

relish ['reliʃ] **I** *s* 1 savoare, gust (bun); aromă, parfum 2 condiment, mirodenie; *fig* stimulent 3 *fig* farmec, vrajă 4 poftă, gust, plăcere 5 delicatese, bunătăţi **II** *vt* 1 a condimenta, a adăuga mirodenii la, a da gust *(cu dat)*, a face picant 2 a mânca, a bea cu poftă/plăcere 3 *şi fig* a savura, a se desfăta/a se delecta cu, a-i plăcea grozav; **I do not ~ the**

prospect nu-mi surâde câtuşi de puţin această perspectivă **III** *vi* a avea gust *(bun, pronunţat);* a fi savuros/plăcut/apetisant/picant

relishable ['reliʃəbəl] *adj* savuros, gustos, apetisant, picant

relive [ri:'liv] *vt, vi* a retrăi, a trăi din nou

reload [ri:'loud] *vt* a reîncărca, a încărca din nou

relocate [ˌri:lou'keit] **I** *vt* 1 a localiza din nou, a re-localiza; a restabili aşezarea *(unui lucru);* a da de urma *(cu gen)* 2 a muta într-o locuinţă nouă 3 a muta (în altă slujbă), a detaşa **II** *vi* 1 a-şi schimba domiciliul/locuinţa, a se muta în alt cartier 2 a-şi schimba slujba/locul de muncă, a se muta (în alt serviciu)

relocation [ˌri:lou'keiʃən] *s* 1 relocalizare, găsire, precizare a aşezării 2 schimbare/mutare dintr-o locuinţă în alta, schimbare a domiciliului 3 schimbare a slujbei/a locului de muncă, mutare în alt serviciu, transfer(are)

relucent [ri'lu:sənt] *adj* strălucitor, luminos, briliant

reluct [ri'lʌkt] *vi ← înv* 1 a refuza, a nu voi, a se codi, a fi refractar; a nu manifesta entuziasm *sau* bunăvoinţă 2 a face lucrurile în silă/fără chef/în scârbă 3 (**against**) a se lupta (cu *sau* împotriva + *gen);* a combate

reluctance [ri'lʌktəns] *s* 1 silă, repulsie, neplăcere, dezgust; scârbă; **with much ~** *v.* **reluctantly** 2 şovăială, ezitare, codeală, codire 3 ← *înv* împotrivire, opoziţie, rezistenţă 4 *el* reluctanţă

reluctant [ri'lʌktənt] *adj* 1 fără/lipsit de tragere de inimă, nedoritor, fără poftă/chef/dorinţă; **to be ~ to go** a nu avea nici un chef/nici o poftă să meargă 2 şovăielnic, ezitant, şovăitor 3 care se opune/se împotriveşte/rezistă

reluctantly [ri'lʌktəntli] *adv* în silă; fără nici o tragere de inimă, în contra voinţei; cu părere de rău

relume [ri'lu:m] *vt poetic* 1 a reaprinde, a aprinde din nou *(lumina, flacăra etc.)* 2 a face să strălucească din nou, a reda strălucirea *(ochilor etc.)* 3 a însenina, a lumina *(cerul)*

rely on/upon [ri'lai ɔn/ə,pɒn] *vi cu prep* a se bizui/a se baza pe, a se încrede/a avea încredere în; **(you may)** ~ **it a** poți fi sigur de asta, te asigur că așa se va întâmpla **b** te poți bizui pe acest lucru

rem [rem] *s fiz* rem, echivalent, roentgen, unitate de radiație/ionizare *(absorbită de țesuturile umane)*

R.E.M. *presc de la* **rapid eye-movement** *faza R.E.M. a somnului (mișcări rapide ale ochilor în timpul somnului)*

remain [ri'mein] **I** *vi* **1** a rămâne; **it** ~**s to be seen** rămâne de văzut; **the fact** ~**s that** nu e mai puțin adevărat că **2** a rămâne, a sta, a zăbovi, a întârzia **3** a se menține, a rămâne la fel/neschimbat; **I** ~ **yours truly** rămân al dvs sincer *(ca formulă de încheiere)* **II** *s* **1** *pl* vestigii, urme; rămășițe pământești **2** *pl* resturi, rămășițe **3** *pl* opere postume **4** ← *înv* ședere

remain behind [ri'mein bi'haind] *vi cu part adv* a rămâne în urmă

remainder [ri'meində'] **I** *s* **1** rest, rămășiță, ceea ce rămâne **2** *mat* rest **3** *com* stoc nevândut **4** *jur* drept de moștenire *(a unui titlu nobiliar)* **II** *vt com* a vinde la solduri

remake¹ [ri:'meik] *vt* a reface

remake² ['ri:,meik] *s* lucru refăcut *(↓ film nou pe o temă veche/după un subiect vechi)*, remake, reluare a unui subiect de film

re-man [ri:'mæn] *vt* **1** *mil, nav* a (re)completa *(echipajul, efectivul)* **2** *fig* a încuraja, a îmbărbăta

remand [ri'mɑːnd] **I** *vt* **1** *jur* a reîntemnița, a trimite din nou la închisoare; **to** ~ **in custody** a cerceta în stare de reținere/arest **2** *înv* a trimite din nou, a retrimite; a remite **II** *s* reîntemnițare; retrimitere la închisoare *(pentru continuarea cercetărilor)*; **to be on** ~ a fi cercetat în stare de reținere/arest

remanence ['remənəns] *s* remanență

remanent ['remənənt] *adj* remanent; *tehn și* rezidual

remark [ri'mɑːk] **I** *s* **1** observație, comentariu, remarcă; replică, zisă, spusă; **to make/to pass** ~ **(on/upon)** a comenta, a spune

ceva (despre), a-și spune părerea (asupra – *cu gen*) **2** notă, însemnare, notiță **II** *vt* **1** a observa, a remarca, a băga de seamă **2** a declara, a spune, a afirma; a comenta; a replica **III** *vi* **(on, upon)** **1** a face o remarcă/observație/un comentariu, a-și spune părerea (despre, asupra – *cu gen*) **2** a atrage atenția (asupra – *cu gen*)

remarkable [ri'mɑːkəbəl] *adj* **1** remarcabil, deosebit, ieșit din comun **2** uluitor, extraordinar

remarkableness [ri'mɑːkəbəlnis] *s* caracter remarcabil/deosebit/excepțional/ieșit din comun

remarkably [ri'mɑːkəbli] *adv* **1** remarcabil, deosebit **2** excepțional; uluitor, uimitor **3** în cel mai înalt grad, remarcabil/excepțional/uluitor/uimitor de

Remarque [ri'mɑːk], **Erich Maria** *scriitor german din America (1898-1970)*

remarriage [ri'mæridʒ] *s* recăsătorire

remarry [ri'mæri] *vt* a se recăsători, a se căsători din nou

remblai [rɑ:'ble] *s* **1** rambleu **2** *mil* val de pământ *(ca fortificație)*

Rembrandt ['rembrænt], **van Rijn/Ryn** *pictor olandez (1606-1669)*

Rembrandtesque [,rembrænt'esk] *adj* artă în stilul lui Rembrandt, cu efecte puternice de lumină și întuneric

R.E.M.E. *presc de la* **Royal Electrical and Mechanical Engineers** *mil* (trupe de) geniști, mecanici și electricieni

remediable [ri'mi:diəbəl] *adj* **1** remediabil, care se poate remedia **2** corijabil, care se poate corecta/îndrepta

remedial [ri'mi:diəl] *adj* **1** vindecător, curativ **2** care remediază/corectează; de îndreptare **3** *tehn* de întreținere; de reparație

remedially [ri'mi:diəli] *adv* (cu caracter) corectiv, de remediere

remedial measures [ri'mi:diəl 'meʒəz] *s pl* măsuri de îndreptare, remedii corective

remedial therapy [ri'mi:diəl 'θerəpi] *s med* terapeutică, terapie corectivă

remediless ['remidilis] *adj* **1** iremediabil, ireparabil **2** *și fig* fără leac;

incurabil; de nevindecat, nevindecabil

remedy ['remidi] **I** *s* **1** remediu, leac; panaceu **2** medicament, leac, doctorie **3** corectiv, măsură/mijloc de îndreptare **4** *jur* reparație; satisfacție; compensație, despăgubire **5** *tehn* toleranță **II** *vt* **1** a remedia **2** a repara, a îndrepta **3** a corija, a corecta **4** *înv* a lecui, a tămădui, a vindeca

remember [ri'membə'] **I** *vt* **1** a-și aminti, a-și aduce aminte de; **can't you** ~ **the date?** nu-ți amintești data exactă? **2** a ține minte, a nu uita (de) **3** a face testamentul în favoarea *(cu gen)*; a avea grijă de *(cineva)* după moarte/prin testament **4** a răsplăti; a da bacșiș *(cu dat)*; a face cadou *(cu dat)* **5** a reaminti, a aduce aminte de; ~ **me to your wife** (transmite-i te rog) complimente doamnei/soției **6** a memora, a memoriza, a învăța pe dinafară **II** *vi* **1** a-și aminti, a-și aduce aminte **2** a nu uita, a ține minte, a păstra în memorie **II** *vr* **1** a-și veni în fire, a se desmetici **2** a reveni la o comportare civilizată/politicoasă/manierată, a-și reaminti bunele maniere/buna cuviință

rememberable [ri'membərəbəl] *adj* memorabil, de neuitat, vrednic/demn de ținut minte

remembrance [ri'membrəns] *s* **1** aducere aminte, amintire; memorie; **in** ~ **of** în amintirea *cu gen*; **to call smth to** ~ a-și aminti de ceva **2** amintire, suvenir, memento **3** pomenire, menționare **4** *pl* complimente, salutări

Remembrance Day [ri'membrəns 'dei] *s* Ziua Eroilor *(aniversarea armistițiului din 11 noiembrie 1918)*

remembrancer [ri'membrənsə'] *s* **1** perceptor; **King's/Queen's R~** perceptor al datoriilor către coroană/suverană; **City R~** Reprezentant al corporației breslelor londoneze **2** **(of)** memento *(cu gen)* v. *și* **reminder**

Remembrance Sunday [ri'membrəns ,sʌndi] *s* Duminică comemorativă *(în preajma aniversării armistițiului din primul război mondial, 11 noiembrie)*

remigration [ˌremiˈgreiʃən] s repatriere

remilitarization [ˌremilitəraiˈzeiʃən] s remilitarizare

remilitarize [riˈmilitəˌraiz] vt a remilitariza

remind [riˈmaind] vt a aminti, a reaminti (cu dat); **to ~ smb of smth a** a-i aminti cuiva de ceva **b** a evoca cuiva un lucru; **that ~s me!** apropo!

reminder [riˈmaindəʳ] s 1 memento, ceva care îți amintește de un lucru 2 aluzie 3 (scrisoare de) rapel

remindful of [riˈmaindful ˈəv] adj cu prep care amintește de; evocator cu gen

reminisce [ˌremiˈnis] vi rar a se lăsa în voia amintirilor, a povesti amintiri

reminiscence [ˌremiˈnisəns] s 1 reminiscență, amintire vlagă 2 pl memorii, amintiri

reminiscent [ˌremiˈnisənt] adj amintitor, care amintește

reminiscential [ˌremiˈnisenʃəl] adj cu caracter de reminiscență/amintire

reminiscent of [ˌremiˈnisənt əv] adj cu prep v. **remindful of**

remint [riˈmint] vt a bate din nou (monedă); a ștanța din nou

remise¹ [riˈmaiz] I s 1 înv remiză, depou, șopron (pt trăsuri sau diligențe) 2 înv trăsură închiriată (de la o remiză) 3 la scrimă contraatac, contra-asalt II vi la scrimă a face/a da un nou asalt

remise² [riˈmaiz] vt jur a ceda, a transfera, a înstrăina (o proprietate sau un drept)

remiss [riˈmis] adj 1 neglijent, nepăsător, indolent; **to be ~** a da dovadă de neglijență 2 molcom, molatic, bleg 3 ch diluat, dizolvat

remissible [riˈmisəbəl] adj scuzabil; care poate fi iertat

remission [riˈmiʃən] s 1 rel iertare, absolvire, dezlegare 2 ec scutire, iertare (de datorii) 3 jur renunțare (la pretenții, drepturi) 4 atenuare, diminuare, micșorare (a eforturilor, a durerii)

remissive [riˈmisiv] adj 1 îngăduitor, iertător 2 care diminuează/atenuează

remissly [riˈmisli] adv 1 (în mod) neglijent; fără griji, nepăsător 2 inexact, incorect

remissness [riˈmisnis] s 1 neglijență, nepăsare; indolență 2 moliciune; tărăgănare

remit [riˈmit] I vt 1 a remite, a transmite 2 a expedia, a trimite (prin mandat etc.) 3 com a plăti, a achita 4 jur a retrimite, a înainta (spre judecare) 5 a ierta, a absolvi de; a scuti de 6 jur a suspenda (executarea unei pedepse) 7 jur a micșora (o pedeapsă, o amendă) 8 a micșora, a domoli, a potoli, a îndulci; a atenua, a ogoi, a alina (o durere etc.) 9 jur a repune în drepturi, a reabilita; a repune în libertate II vi 1 (d. durere etc.) a scădea în intensitate, a se potoli, a se domoli, a se alina 2 a se micșora, a scădea III s jur retrimitere, înaintare (spre rejudecare)

remittal [riˈmitəl] s 1 iertare, absolvire (de o pedeapsă) 2 anulare (a unei datorii) 3 v. **remit III**

remittance [riˈmitəns] s 1 transmitere; expediere (prin mandat) 2 bani expediați (prin poștă etc.)

remittance man [riˈmitəns ˌmæn] s 1 emigrant întreținut în țara sa de baștină 2 fig trântor, leneș, pierde-vară

remittee [ˌrimiˈtiː] s persoană căreia i se remite ceva; destinatar, adresant

remittent [riˈmitənt] I adj intermitent, discontinuu; recurent II s med febră recurentă

remitter [riˈmitəʳ] s 1 remitent, expeditor (al unui mandat etc.) 2 jur v. **remit III**

remnant [ˈremnənt] s 1 rest, rămășiță 2 deșeu, reziduu; gunoi 3 urmă, rămășiță, vestigiu 4 bucățică, fragment, fărâmă 5 com cupon

remodel [riˈmɔdəl] vt 1 a remodela 2 a reconstitui, a reconstrui

remold [riˈmould] vt, vi amer v. **remould**

remonstrance [riˈmɔnstrəns] s 1 dojană, mustrare, ocară, ocărâre 2 protest 3 exclamație 4 manifestare

remonstrant [riˈmɔnstrənt] I s 1 protestatar 2 oponent, opozant, adversar II adj 1 protestatar, de protest 2 opoziționist, de opoziție

remonstrate [ˈremənˌstreit] I vi a protesta; a se opune, a face opoziție II vt 1 a protesta/a se ridica împotriva (cu gen)

remonstrate against [ˈremənˌstreit əˌgenst] vi cu prep v. **remonstrate II 1**

remonstrate with [ˈremənˌstreit wið] vi cu prep a dojeni, a mustra, a ocărî, a ține de rău cu ac

remonstratingly [ˈremənˈstreitiŋli] adv 1 plângându-se, nemulțumit, protestatar, protestând, cu reproș (în glas) 2 nemulțumit, cu nemulțumire, supărat, iritat

remonstrative [riˈmɔnstrətiv] adj 1 protestatar, iritat, supărat 2 plin de reproș, ca un reproș

remonstrator [ˌremənˈstreitəʳ] s protestatar, nemulțumit, persoană care protestează; reclamant

remorse [riˈmɔːs] s remușcare, mustrare de cuget, căință; **without ~** v. **remorselessly**

remorseful [riˈmɔːsful] adj muncit de cuget, plin de căință/remușcări; pocăit

remorsefully [riˈmɔːsfuli] adv cu căință/pocăință

remorseless [riˈmɔːslis] adj 1 lipsit de căință/remușcări, nepocăit 2 neîndurător, nemilos, fără milă/crutare

remorselessly [riˈmɔːslisli] adv 1 fără remușcări, fără mustrări de cuget 2 în mod necruțător/neîndurător/nemilos

remote [riˈmout] adj 1 îndepărtat; de departe 2 izolat, singuratic, solitar 3 distant, rezervat 4 fără legătură/înrudire; neînrudit; separat; divergent 5 străin, necunoscut 6 (d. șansă etc.) minim; slab, puțin probabil 7 vag; prea abstract 8 tehn dirijat de la distanță; teleghidat

remote control [riˈmout kənˈtroul] I s dirijare de la distanță; teleghidare II adj atr dirijat/comandat de la distanță; telecomandat; teleghidat

remotely [riˈmoutli] adv 1 departe, în depărtare 2 de departe, din depărtare 3 vag; slab; în mică măsură; prea puțin (probabil)

remoteness [riˈmoutnis] s 1 depărtare 2 caracter îndepărtat 3 rezervă; indiferență

remould¹ [ˈriːˈmould] vt 1 a remodela, a re-forma, a turna într-o formă nouă 2 auto a reface striurile/relieful (unei anvelope)

remould² [ˌriːˈmould] *s auto* cauciuc recondiţionat/anvelopă cu striurile refăcute

remount¹ [riːˈmaunt] **I** *vt* **1** a urca/a sui din nou *(o scară etc.)* **2** a încăleca din nou *(un cal etc.)* **II** *vi* **1** a se urca/a se sui din nou **2** a reîncăleca, a încăleca din nou

remount² **I** *s* **1** cal de schimb/rezervă/*înv* olac **2** *mil* remontă **II** *vi* a remonta cavaleria

removability [riˌmuːvəˈbiliti] *s* **1** *jur* amovibilitate **2** mobilitate; posibilitate de înlăturare/schimbare/extirpare

removable [riˈmuːvəbəl] **I** *adj* **1** detaşabil, mobil; amovibil **2** care poate fi schimbat/mutat/înlăturat; care poate fi extirpat **II** *s* judecător amovibil

removal [riˈmuːvəl] *s* **1** mutare, deplasare, transportare **2** schimbare a domiciliului, mutare (din casă) **3** îndepărtare, înlăturare, extirpare; suprimare, scoatere **4** destituire, concediere, demitere; transferare

remove [riˈmuːv] **I** *vt* **1** a muta, a urni/a mişca din loc; a îndepărta; **to ~ furniture** a muta mobilierul, a se ocupa de mutări de mobilier; **to ~ mountains** a urni/a muta munţii din loc, a face minuni **2** a scoate; **to ~ one's hat** a-şi scoate pălăria *(în semn de salut)* **3** a transfera, a muta **4** a destitui, a concedia, a demite **5** a îndepărta, a înlătura; a şterge; a elimina; a aboli; a extirpa; a smulge din rădăcini **6** a suprima, a înlătura; a ucide **7** a schimba *(farfuriile etc.)* (↓ *la pas)* **II** *vi* **1** a se muta *(din casă)* **2** a-şi schimba serviciul, a se muta în alt serviciu **3** a se îndepărta, a se retrage, a pleca **III** *vr v.* ~ **II IV** *s* **1** treaptă, grad, pas; **a cousin of the second** ~ un văr de-al doilea; **at many ~s** la mare depărtare/distanţă; **but one ~ from** la un pas de **2** distanţă, interval; etapă, escală **3** generaţie; neam, spiţă, stirpe, familie **4** mutare, transferare **5** *şcol* promovare; **to get one's ~** a promova/a trece clasa; **not to get one's ~** a rămâne repetent, a repeta clasa **6** *şcol* clasă intermediară **7** fel de mâncare

removed [riˈmuːvd] *adj* **1** *(d. rude)* (în)depărtat; **a cousin twice** ~ văr de-al doilea **2** depărtat, îndepărtat, aflat la mare distanţă

removedness [riˈmuːvdnis] *s* depărtare, (mare) distanţă

remover [riˈmuːvəʳ] *s* **1** persoană care mută/deplasează/îndepărtează *etc.* **2** *ch* decapant **3** *ch* soluţie pentru scos pete, îndepărtat vopseaua *etc.*

remunerate [riˈmjuːnəˌreit] *vt* **1** a remunera, a retribui, a plăti **2** *fig* a răsplăti, a recompensa

remuneration [riˌmjuːnəˈreiʃən] *s* **1** remuneraţie, retribuţie, retribuire, salarizare; plată, salariu, leafă **2** răsplată, recompensă

remunerative [riˈmjuːnərətiv] *adj* **1** remunerator, rentabil, lucrativ, profitabil **2** convenabil, avantajos

remuneratory [riˌmjuːnəˈreitəri] *adj jur v.* **remunerative 1**

Remus [ˈriːməs] *personaj legendar*

Rena [ˈriːnə] *nume fem*

renaissance [rəˈneisəns] *s* renaştere, reînnoire; reînviere

Renaissance, the *s ist* Renaşterea, epoca/perioada renaşterii

renal [ˈriːnəl] *adj anat, med* renal; nefritic

Renan [rəˈnã], **Ernest** *cărturar francez (1823-1892)*

renascence [riˈnæsəns] *s v.* **Renaissance**

Renascence, the *s v.* **Renaissance, the**

renascent [riˈnæsənt] *adj* care renaşte/reînviază/îşi revine; care cunoaşte o nouă înflorire

rencontre [renˈkɔntəʳ] *s v.* **rencounter I**

rencounter [renˈkauntəʳ] **I** *s* **1** ciocnire, duel, încăierare, bătaie, luptă **2** întâlnire întâmplătoare **II** *vt* **1** a întâlni *(pe câmpul de luptă, pe terenul de duel);* a se lupta/a se încăiera/a se duela cu **2** a întâlni din întâmplare

rend [rend], *pret şi ptc* **rent** [rent] **I** *vt* **1** a sfâşia, a rupe *(haine etc.)* **to ~ one's garments/hair** a-şi smulge hainele (de pe el)/părul (din cap) de disperare, a fi în culmea disperării; **to turn and ~** *fig* a se năpusti *(cu ocări)* asupra *(cuiva);* a lua brusc *(pe cineva)* la rost; a face pe cineva cu ou şi cu oţet; **to ~ the air** a sparge

liniştea, a produce un zgomot/o comoţie **2** a despica, a crăpa **3** *fig* a sfâşia, a frânge, a crăpa *(inima etc.)* **II** *v.* ~ **I** *vi* **1** a se rupe, a se sfâşia **2** a se crăpa, a se despica **III** *s* **1** sfâşiere, ruptură **2** crăpătură, despicătură

rend away from [ˈrend əˈwei frəm] *vt cu part adv şi prep* a despărţi/a rupe de

render [ˈrendəʳ] **I** *vt* **1** a da, a preda; a remite, a înmâna; **to ~ an account of** a face o dare de seamă/un raport asupra *(cu gen);* a da cont de **2** *com* a livra; a expedia; a preda **3** *mil* a preda, a închina *(o cetate etc.)* **4** a acorda, a da, a atribui; **to ~ thanks for** a aduce mulţumiri pentru **5** a înapoia, a restitui **6** a plăti, a achita; a da *(bir)* **7** a face, a aduce în stare de; **to ~ smb dizzy** a ameţi pe cineva, a da ameţeli cuiva; **to ~ smth waterproof** a impermeabiliza, a face impermeabil **8** a da, a oferi *(ajutor etc.);* a contribui cu **9** *teatru, muz* a interpreta **10** *arte* a exprima, a reda **11** a traduce; a interpreta **12** *constr* a tencui **13** a topi *(untura);* a extrage prin topire; a limpezi **II** *vi* a acorda recompense **III** *s* plată; răsplată, recompensă

render down [ˈrendə ˈdaun] *vt cu part adv v.* **render I 13**

rendering [ˈrendəriŋ] *s* **1** dare, predare; acordare **2** refacere, prefacere, transformare **3** *com* remitere; transmitere **4** *mil* predare, închinare *(a unei cetăţi etc.)* **5** *teatru, muz* interpretare **6** *artă* executare, execuţie, redare **7** traducere; interpretare, tălmăcire **8** *constr* tencuială

render into [ˈrendər ˈintə] *vi cu prep* a traduce în *(o altă limbă)*

render-set [ˈrendə ˌset] **I** *vt constr* a tencui de două ori; a aşterne două straturi de tencuială pe *(un zid)* **II** *s* tencuială dublă **III** *adj* cu tencuială dublă, tencuit de două ori

rendezvous [ˈrɔndivuː] *fr* **I** *s* **1** întâlnire, randevu **2** loc de întâlnire **3** *mil, nav* adunare a efectivului **II** *vt* a aduna, a strânge laolaltă **III** *vi* a se întâlni la locul fixat

rendition [ren'di∫ən] s 1 v. **render-ing** 1, 2, 4, 2 *amer* traducere 3 *muz* interpretare, redare; repre-zentare, transpunere 4 *înv jur* extrădare
Renée [rə'nei] *nume fem*
renegade ['reni,geid] I s 1 renegat, apostat 2 transfug, trădător, renegat, dezertor II *vi* a fi/a se dovedi un renegat/apostat, a-și renega credința
renegade from ['reni,geid frəm] *vi cu prep* a renega *cu ac*
renegado [,reni'ga:dou], *pl* **rene-gadoes** [,reni'ga:douz] s *înv* v. **renegade** I
renew [ri'nju:] I *vt* 1 a reînnoi 2 a renova, a recondiționa; a res-taura; a reface 3 a înnoi, a înlocui cu ceva nou 4 a repeta, a relua, a reitera; a reînnoi II *vi* 1 a se reînnoi; a renaște 2 a reîncepe
renewable [ri'nju:əbəl] *adj* care poate fi reînnoit/refăcut
renewal [ri'nju:əl] s 1 reînnoire 2 inovație, renovare, refacere, restaurare, recondiționare 3 renaștere, reînviere 4 repetare, reluare, reiterare
renewing [ri'nju:iŋ] s v. **renewal**
reniform ['reni,fo:m] *adj anat etc.* reniform, în formă de rinichi
renitence [ri'naitəns], **renitency** [ri'naitənsi] s 1 împotrivire/rezis-tență la forță; opoziție 2 caracter recalcitrant/refractar, recalci-tranță
renitent [ri'naitənt] *adj* 1 care se împotrivește/opune forței 2 recal-citrant, refractar
Rennes [ren] *oraș în Franța*
rennet¹ ['renit] s *zool* chiag (*la miel sau vițel*)
rennet² s măr renet
Reno ['ri:nou] *oraș în S.U.A.*
Renoir ['renwa:ʳ], **Pierre Auguste** *pictor francez (1841-1919)*
renounce [ri'nauns] I *vt* 1 a ceda, a renunța la; a abdica de la; **to ~ the world** a se retrage din societate/din viața mondenă; *fig* a se călugări 2 a repudia, a nu recunoaște; a se lăsa/a se le-păda de II *vi* a se da bătut III *s* (*la jocul de cărți*) renonsă, defosă
renouncement [ri'nausmənt] s 1 renunțare; cedare 2 repudiere, renegare, lepădare

renovate ['renə,veit] *vt* 1 a reînnoi, a renova, a repara, a restaura 2 a împrospăta, a înviora
renovation [,renə'vei∫ən] s 1 reno-vare, restaurare, reparație; res-taurație, reînnoire 2 împrospă-tare, înviorare
renovator ['renə,veitəʳ] s 1 înnoitor, inovator 2 ← *F* croitor care se ocupă de reparații de haine
renown [ri'naun] s 1 renume, faimă, glorie, reputație 2 ← *înv* zvon
renowned [ri'naund] *adj* renumit, vestit, celebru, faimos
rent¹ [rent] *pret și ptc de la* **rend** I, II
rent² s 1 ruptură; crăpătură, tăie-tură 2 șliț 3 *geol* crăpătură, falie 4 *fig* ruptură, rupere a relațiilor; schismă 5 împrăștiere a norilor
rent³ I s 1 chirie 2 *agr, ec* arendă; rentă 3 închiriere, dare cu chirie; **for ~** de închiriat 4 *sl* jaf II *vt* 1 a închiria, a da cu chirie 2 a închiria, a lua cu chirie 3 *agr, ec* a lua în arendă, a arenda 4 *agr, ec* a da în arendă, a arenda 5 *sl* a jefui (*ca în codru*) III *vi* 1 a fi închiriat 2 a fi arendat
rentable ['rentəbəl] *adj* 1 de închiriat 2 *agr, ec* de arendat
rental ['rentəl] s 1 arendă; cuan-tumul arendei *sau* rentei fun-ciare, chirie 2 închiriere, luare cu chirie (*a unei case*) 3 *amer* casă *etc.* închiriată 4 listă a aren-dașilor
rental library ['rentəl 'laibrəri] s *amer* bibliotecă de împrumut (*cu taxă sau abonament*)
renter ['rentəʳ] s 1 chiriaș, persoană care ia o casă cu chirie 2 aren-daș, persoană care ia în arendă (*un teren etc.*) 3 *brit* distribuitor de filme de cinema
rent-free ['rent,fri:] *adj* 1 scutit de chirie 2 scutit de arendă
rentier ['rã'tje] s *fr* rentier, persoană care trăiește din dividende/care taie cupoane
rent-roll ['rent ,roul] s registru al arendașilor/al impozitelor pe proprietăți funciare *sau* al veni-turilor din arenzi; *aprox* carte funciară
rent-service ['rent ,sə:vis] s servicii (personale) care înlocuiesc *sau* suplimentează arenda *sau* chi-ria; servituți
renumber [ri'nʌmbəʳ] *vt* a renume-

rota, a numerota din nou, a schimba numerele (la *sau cu dat*)
renunciant [ri'nʌnsiənt] I s persoană care renunță la ceva/la un drept II *adj* cu caracter de renunțare (*la un drept etc.*)
renunciation [ri,nʌnsi'ei∫n] s (of) 1 renunțare (*la un drept etc.*) 2 repudiere (*cu gen*) 3 lepădare de sine
renunciative [ri'nʌnsiətiv] *adj* 1 care renunță/abandonează 2 referitor la renunțare/renegare
renunciatory [ri'nʌnsietəri] *adj* v. **renunciative**
reoccupation [,riɔkju'pei∫ən] s reocupare
reoccupy [,ri'ɔkju,pai] *vt* a reocupa
reopen [ri'oupən] *vt, vi* a (se) redeschide, a (se) deschide din nou
reorder [ri'ɔ:dəʳ] I *vt* 1 a rearanja, a pune din nou în ordine, a schim-ba ordinea (*cu gen*) 2 a schimba ordinul *sau* comanda pentru, a comanda din nou II *s* 1 rearan-jare, reordonare, reorganizare 2 comandă nouă; ordin schimbat/modificat
reorganization [,riɔ:gənai'zei∫ən] s reorganizare; restructurare
reorganize [ri'ɔ:gən,aiz] *vt* a reor-ganiza; a restructura
reorient [ri:'ɔ:rient], **reorientate** [ri:'ɔ:rienteit] *vt* 1 a reorienta, a schimba orientarea (*cu gen*) 2 a readapta; a schimba concepțiile (*cuiva*)
reorientation [ri:,ɔ:rien'tei∫ən] s reorientare, schimbarea orien-tării/atitudinii/concepției
Rep. *presc de la* 1 **Republican** 2 **Republic**
rep¹ [rep] s *text* rips
rep² s *F* reprezentant (↓ *comercial*); comis voiajor
rep³ s *sl F* poamă, podoabă, stricat(ă), destrăbălat(ă), dezmățat(ă)
rep⁴ s *F* 1 *teatru sau* trupă teatrală cu repertoriu variat 2 trupă *sau* companie teatrală care joacă în turneu (*fără sală proprie*)
rep⁵ s *sl* faimă, nume, reputație
rep *presc de la* 1 **repair** 2 **repertory theatre** 3 **repetition** 4 **report** 5 **reporter** 6 **representative** 7 **republic**
repaid [ri'peid] *pret și ptc de la* **repay**

RE-REP

856

re-paid [ri'peid] *pret și ptc de la* **repay**

repaint I [ri'peint] *vt* **1** a repicta, a picta altfel/din nou **2** a revopsi, a vopsi din nou, a reface culoarea *(cu gen)* **II** ['ri:peint] *s* **1** repictare **2** revopsire **3** lucru revopsit

repair¹ [ri'pɛəʳ] **I** *vt* **1** a repara, a drege, a depana **2** a îndrepta, a repara *(o nedreptate etc.)*, a remedia **3** a vindeca, a tămădui **4** a renova, a face ca nou **II** *s* **1** *și pl* reparație, reparare, depanare; **under ~** în reparație **2** renovare **3** stare, condiție; **in (good) ~** în bună stare **4** piesă de rezervă **III** *adj* de/pentru reparație **2** de rezervă

repair² *vi* **(to) 1** a se înapoia, a se întoarce, a reveni (la) **2** *v.* **repair to**

repairable [ri'pɛərəbəl] *adj* **1** reparabil **2** care poate fi îndreptat/corijat, corijabil, corigibil

repairer [ri'pɛərəʳ] *s* **1** reparator **2** *v.* **repairman**

repairman [ri'pɛərmən] *s* **1** mecanic auto **2** lăcătuș

repair ship [ri'pɛə ˌʃip] *s nav* atelier plutitor

repair shop [ri'pɛə ˌʃɔp] *s* atelier *sau* secție de reparații/depanare

repair to [ri'pɛə tə] *vi cu prep* a se îndrepta către, a se duce la

repand [ri'pænd] *adj bot, zool* ondulat, cu marginea ondulată

repaper [ri:'peipəʳ] *vt* a tapeta din nou, a reface tapetul *(cu gen)*

reparable ['repərəbəl] *adj v.* **repairable**

reparation [ˌrepə'reiʃən] *s* **1** despăgubire, compensație; remediere, reparare *(a unei nedreptăți)*, desdăunare **2** *pl* despăgubiri *(↓ de război)*, compensații **3** *v.* **repair¹ II**, **1**, **2**

repartee [ˌrepɑ:'ti:] *s* **1** replică spirtuală; replică promptă, ripostă pe măsură **2** darul replicii (amuzante), spirit, haz; **to be good/quick at ~** a fi prompt la răspuns, a avea replică

repartition [ˌri:pɑ:'tiʃən] *s* **1** repartizare, repartiție, distribuire **2** reîmpărțire

repass [ri'pɑ:s] **I** *vi* a trece din nou/încă o dată, a reveni/a se (re)întoarce tot pe acolo **II** *vt* a trece din nou pe lângă/prin dreptul *(cu gen)*

repast [ri'pɑ:st] *s* **1** ospăț, banchet,

praznic **2** masă *(prânz etc.)* **3** *înv* mâncare, hrană, de-ale gurii

repatriate¹ [ri:'pætrieit] **I** *vt* a repatria **II** *vi* a se repatria

repatriate [ri:'pætri(e)it] *s* repatriat, persoană repatriată

repatriation [ˌri:pætri'eiʃən] *s* repatriere

repay [ri'pei], *pret și ptc* **repaid** [ri'peid] **I** *vt* **1 (to)** a plăti, a achita, a restitui, a înapoia *(cu dat)*; **to ~ smb in full** a restitui cuiva întreaga datorie **2** *fig* a răsplăti, a recompensa **II** *vi* **1** a plăti; a-și plăti/a-și achita datoriile; a se achita **2** a acorda o răsplată

re-pay [ri'pei], *pret și ptc* **re-paid** [ri'peid] *vt* a plăti încă o dată, a plăti din nou

repayable [ri'peiəbəl] *adj* **1** rambursabil, care poate fi plătit/achitat **2** care poate fi răsplătit

repayment [ri'peimənt] *s* **1** rambursare, plată, restituire, achitare **2** răsplată, recompensă

repeal [ri'pi:l] **I** *vt* **1** *jur* a abroga; a revoca **2** a anula, a contramanda **II** *s* **1** abrogare; revocare **2** anulare, contramandare **3 the ~** *amer ist* abrogarea legii prohibiției alcoolului

repealable [ri'pi:əbəl] *adj* **1** *jur* care poate fi respins, ușor de respins **2** revocabil, care poate fi revocat *sau* anulat

repeat [ri'pi:t] **I** *vt* **1** a repeta; **not ~ not** nu și iar nu; **he used language that will not bear ~ing** a folosit vorbe/cuvinte care nici nu se pot reproduce; limbajul lui nici nu se poate reproduce/repeta **2** a spune pe de rost, a repeta, a recita **II** *vi* **1** a repeta **2** *amer pol* a vota de mai multe ori **III** *vr* **1** *(d. persoană)* a se repeta, a repeta/a spune același lucru **2** *(d. eveniment etc.)* a se repeta, a reveni, a se produce/întâmpla încă o dată **IV** *s* **1** *muz* semnul repetării; repetare, reluare **2** ← *F* repetare, repetiție, reluare **3** ← *F bis* **4** *telev* reluare **5** *amer sl univ* repetenție **6** *amer sl* student repetent **7** *com* (comandă pentru) mărfuri similare cu transportul anterior

repeatable [ri'pi:təbəl] *adj* repetabil, care poate fi repetat, care se poate repeta

repeated [ri'pi:tid] *adj* repetat; **on ~ occasions** în repetate rânduri

repeatedly [ri'pi:tidli] *adv* în repetate rânduri/ocazii

repeater [ri'pi:təʳ] *s* **1** persoană care repetă **2** element care se repetă **3** *mil* pușcă cu repetiție **4** *mat* fracție periodică **5** *tehn* repetor amplificator, releu, emițător **6** *amer pol* alegător care votează de mai multe ori **7** *od* ceas cu repetiție

repeating decimal [ri'pi:tiŋ 'desiməl] *s mat* zecimală recurentă/care se repetă

repeating rifle [ri'pi:tiŋ 'raifl] *s v.* **repeater 3**

repel [ri'pel] *vt* **1** a respinge; a para, a arunca/a da înapoi *(pe inamic etc.)* **2** *fig* a respinge, a nu primi/accepta **3** *fig* a dezgusta, a provoca/a inspira dezgust *(cu dat)* **4** *amer sport sl* a învinge

repellent [ri'pelənt] *adj* **1 (to)** repulsiv, respingător, dezgustător *(cu dat)*; care provoacă dezgust/silă/antipatie *(cu dat)*; antipatic *(cu dat)* **2** *tehn* respingător; repulsiv; care respinge **3** impermeabil, impenetrabil

repel to [ri'pel tə] *vi cu prep* a provoca repulsie/scârbă/silă *(cu dat)*

repent¹ [ri'pent] **I** *vt* a regreta, a se căi pentru, a-i părea rău de **II** *vi* **(of)** a se căi, a avea remușcări, a-i părea rău (pentru)

repent² [ri'pent] *adj bot, zool* târâtor

repentance [ri'pentəns] *s* **1** căință, părere de rău, regret(e) **2** pocăință, penitență, remușcări

repentant [ri'pentənt] *adj* penitent, pocăit, plin de căință/remușcări

repeople ['ri:'pi:pəl] *vt* a repopula

repercussion [ˌri:pə'kʌʃən] *s* **1** repercusiune, urmare, consecință *(↓ negativă)* **2** reverberație, reflecție, răsunet, ecou **3** contralovitură, represalii

repercussive [ˌri:pə'kʌsiv] *adj* cu caracter de repercusiune, consecință *sau* represalii

repertoire ['repə,twɑ:ʳ] *s fr teatru, muz* repertoriu

repertory ['repətəri] *s* **1** repertoriu, catalog **2** *teatru* repertoriu **3** depozit, magazie; tezaur

repertory theatre ['repətəri 'θiətəʳ] *s* teatru *(ambulant)* cu repertoriu variat

repetend ['repi,tend] *s* **1** cifre care se repetă *(ale unei zecimale)* **2** cuvânt *sau* expresie/locuțiune care se repetă, *fig* refren; *fig* clișeu, slogan

répétiteur [repeti'tə:ʳ] *s fr muz* co-repetitor *(↓ la operă)*

repetition [,repi'tiʃən] *s* **1** repetare, reiterare, reluare **2** repetare/ învățare pe de rost/pe dinafară, recitare

repetitional [,repi'tiʃənəl], **repetitionary** [,repi'tiʃənəri] *adj* **1** repetat, recurent **2** repetitiv, cu caracter de repetiție **3** frecventativ, repetitiv

repetition work [,repi'tiʃən ,wə:k] *s tehn* fabricare în serie

repetitious [,repi'tiʃəs], **repetitive** [ri'petitiv] *adj v.* **repetitional**

repine [ri'pain] *vi* **(against, at)** a se plânge, a fi nemulțumit (de); a bombăni, a murmura (împotriva – *cu gen)*

repiner [ri'painəʳ] *s* (veșnic) nemul-țumit, protestatar

repining [ri'painiŋ] *adj* nemulțumit, protestatar

repique [ri'pi:k] *la jocul de pichet* **I** *s* câștig inițial de 30 de puncte *(înaintea începerii jocului)* **II** *vi, vt* a câștiga inițial 30 de puncte *(împotriva – cu gen)*

repl. *presc de la* **1** replace **2** replacement

replace [ri'pleis] *vt* **1 (by, with)** a înlocui (cu); **impossible to ~** de neînlocuit **2** a pune la loc; a restitui, a înapoia, a reda

replaceable [ri'pleisəbəl] *adj* de înlocuit, care poate fi înlocuit, înlocuibil, *elev* ramplasabil

replacement [ri'pleismənt] *s* **1** înlocuire, substituire **2** *tehn* schimbare; reînnoire **3** *tehn* piesă de schimb, înlocuitor

replant [ri'pla:nt] *vt* a replanta, a planta din nou

replantation [,ripla:n'teiʃən] *s* replantare

replay ! [ri:'plei] *vt sport* a rejuca, a juca din nou **II** ['ri:,plei] *s* **1** rejucare *(a unui meci);* reluare **2** *tehn* reluare *(a unei faze, la TV)*

replenish [ri'pleniʃ] **I** *vt* a reumple, a umple din nou **2 (with)** a completa (cu); a aproviziona din nou (cu)

replenishment [ri'pleniʃmənt] *s* **1** reumplere **2** completare **3** re-aprovizionare

repleteness [ri'pli:tnis] *s* plenitudine *etc. v.* **repletion**

replete with [ri'pli:t wið] *adj cu prep* suprasaturat de/cu, plin de, umplut cu; **to be ~** a abunda în; a fi plin de/suprasaturat cu

repletion [ri'pli:ʃən] *s* **1** (supra)sa-turare; supraîncărcare **2** saț, sațietate; **to eat to ~** a mânca pe săturate, a se ghiftui, a se îmbuiba

replevin [ri'plevin] *s jur* **1** recu-perare/recăpătare/reluare a bunurilor sechestrate *sau* ținute ca gaj **2** hotărâre de scoatere de sub sechestru **3** acțiune de scoatere *(a bunurilor)* de sub sechestru

replevy [ri'plevi] *vt jur* a scoate de sub sechestru; a redobândi, a recupera, a recăpăta *(bunurile sechestrate)*

replica ['replikə] *s* **1** *artă* copie (autentică), reproducere; replică **2** *muz* repetare, reluare

replicate[1] ['repli,keit] *vt artă* a face o copie/reproducere după; a copia

replicate[2] ['replikit] *s muz* ton cu una *sau* mai multe octave mai sus decât tonul dat

replicate[3] ['replikit] *adj bot* întors/ pliat spre sine

replication [,repli'keiʃən] *s* **1** *v.* **replica 1 2** *jur* răspuns, replică

replunge [ri'plʌndʒ] *vi* **1** a se arunca/a plonja din nou (în apă) **2** a recădea *(într-o patimă etc.);* **to ~ into debt** a face din nou datorii

reply [ri'plai] **I** *s* **1** răspuns *(↓ scris);* **in ~ to** ca răspuns la *(o scrisoare etc.)* **2** replică, răspuns **II** *vi* a răspunde, a replica

reply coupon [ri'plai ,ku:pən] *s* cupon *(poștal)* de răspuns; cupon poștal

reply-paid telegram [ri'plai'peid ,teligræm] *s* telegramă cu răs-puns plătit

repolish [ri'poliʃ] *vt* a lustrui/a poliza din nou; a da un nou lustru (la *sau* cu *dat)*

repone [ri'poun] *vt jur* a reabilita; a reintegra *(într-un post)*

repopulate [ri'popjuleit] *vt* a repo-pula

repopulation [,ripopju'leiʃən] *s* re-populare

report [ri'po:t] **I** *s* **1 (on)** raport, dare de seamă, expunere, expozeu (despre, asupra – *cu gen)* **2** zvon, veste, știre; **there is a ~ (to the effect) that** circulă un zvon (cum) că; **only by ~** numai din auzite **3** reputație, faimă, renume; **a man of good ~** un om cu faimă bună/care se bu-cură de o reputație bună **4** reportaj **5** foc de armă, detu-nătură, împușcătură **II** *vt* **1** a raporta, a relata, a expune **2** a face o dare de seamă/un raport asupra *(cu gen);* **to ~ progress** a raporta asupra situației/pro-greselor (făcute) **3** a raporta, a aduce la cunoștință; **to ~ smb sick** *mil* a da pe cineva bolnav **4** a face un reportaj despre **III** *vi* **1** a raporta **2 (on, upon)** a informa, a da informații (des-pre); a face un raport (asupra – *cu gen)* **3** a face un reportaj **4** a se prezenta *(la serviciu, supe-riorului etc.)*

reportable [ri'po:təbəl] *adj* care poate fi relatat *sau* raportat

reportage [ri'po:tidʒ] *s* **1** reportaj (literar) **2** literatură de reportaj

reportedly [ri'po:tidli] *adv* după cum se spune/zice/zvonește; pa-re-se, chipurile, din auzite

reported speech [ri'po:tid'spi:tʃ] *s gram* vorbire indirectă

reporter [ri'po:təʳ] *s* **1** reporter **2** raportor

reportorial [ripo:'to:riəl] *adj amer* referitor la/caracteristic pentru reporteri *(de ziar)*

reportorially [ripo:'to:riəli] *adv* în stilul/ maniera reporterilor, reporteri-cește

reposal [ri'pouzəl] *s* **1** odihnă **2 (in)** încredere (în), investire cu încre-dere *(cu gen);* **~ of trust/confi-dence in smb** acordare de încredere cuiva, încredere în cineva **3** încredere în cineva

repose [ri'pouz] **I** *s* **1** odihnă, repaus; tihnă; calm; somn **2** *tehn* repaus **II** *vi* a se odihni, a sta culcat, a se culca **III** *vt* a odihni; a culca, a așeza

reposeful [ri'pouzful] *adj* **1** odih-nitor, liniștitor; calmant **2** liniștit, tihnit

repose in [ri'pouz in] **I** *vt cu prep* a-și pune *(speranțele)* în **II** *vi cu prep* a se bizui pe, a se încrede în

repose on [ri'pouz ɔn] *vi cu prep v.* **repose in II**

reposit [ri'pɔzit] *vt* a depune, a pune, a așeza *(într-un loc sigur etc.)*

repository [ri'pɔzitəri] *s* **1** depozitar, deținător *(al unui secret etc.)* **2** depozit, magazie; antrepozit **3** muzeu **4** cavou

repossess [ˌri:pə'zes] *vt* **1 (of)** a repune în posesie *(cu gen);* a reda **2** a reintra în posesia/stăpânirea *(cu gen)*

repossession [ˌri:pə'zeʃən] *s* reintrare în posesie

repossess oneself of [ˌri:pə'zes wʌn,self əv] *vr cu prep* a reintra în posesia *(cu gen)*, a redobândi *(cu ac)*

repot [ri:'pɔt] *vi* a sădi o floare în alt ghiveci, a răsădi, a muta dintr-un ghiveci în altul

repoussé [rə'pu:sei] **I** *adj* ștanțat, matrițat, stampat; gofrat **II** *s* obiect ștanțat/matrițat/stampat/gofrat

repoussé work [rə'pu:sei'wə:k] *s* lucrătură în relief; gofraj

repp [rep] *s text* rips

repped [rept] *adj text* ripsat

reprehend [ˌrepri'hend] *vt* a mustra, a dojeni, a certa; a blama

reprehensible [ˌrepri'hensəbl] *adj* **1** reprobabil, blamabil, condamnabil **2** vinovat, culpabil

reprehensibleness [ˌrepri'hensəbəlnis] *s* **1** caracter condamnabil/reprobabil **2** vinovăție, vină; ticăloșie

reprehensibly [ˌrepri'hensəbli] *adj* (într-un mod) reprobabil/blamabil/condamnabil

reprehension [ˌrepri'henʃən] *s* dojană, mustrare; blam

represent [ˌrepri'zent] *vt* **1** *jur, com etc.* a reprezenta **2** a înfățișa, a prezenta **3** a simboliza, a semnifica, a reprezenta, a denota **4** a descrie, a zugrăvi, a reprezenta **5** *teatru* a juca, a reprezenta *(o piesă)* **6** *teatru* a juca, a interpreta *(un rol)*

representable [ˌrepri'zentəbl] *adj* reprezentabil, care se poate reprezenta

representation [ˌreprizen'teiʃən] *s* **1** *jur, com, pol etc.* reprezentare **2** închipuire, imaginare, reprezentare **3** relatare, expunere; **to make false ~s** a prezenta lucrurile într-o lumină falsă **4** *teatru* reprezentare, jucare **5** *teatru* interpretare, joc **6** reproș, mustrare; observație

representational [ˌreprizen'teiʃənəl] *adj* reprezentațional, realist, figurativ

representational art [ˌreprizen-'teiʃənəl ɑ:t] *s* realism (figurativ), caracter figurativ *(bazat pe reprezentare realistă)*

representationism [ˌreprizen'teiʃənizəm] *s filos* reprezentaționalism, teorie a reflectării (realității) în conștiință

representationist [ˌreprizen'teiʃənist] *s filos* reprezentaționalist, adept al teoriei reflectării (realității în conștiință)

representative [ˌrepri'zentətiv] **I** *adj* **1** reprezentativ **2** caracteristic, tipic; ilustrativ, grăitor **3** care simbolizează/reprezintă **II** *s* **1** reprezentant, împuternicit; trimis; deputat **2** *amer* membru al Camerei Reprezentanților **3** exemplu/eșantion reprezentativ, mostră

representatively [ˌrepri'zentətivli] *adv* (în mod) reprezentativ/caracteristic/tipic

representativeness [ˌrepri'zentətivnis] *s* **1** *pol* caracter reprezentativ **2** putere de reprezentare; plasticitate **3** caracter sugestiv/ilustrativ

represent oneself as [repri'zent wʌn'self əz] *vr cu prep* a se da drept, a se prezenta/a se înfățișa ca

repress [ri'pres] *vt* **1** a reprima, a înăbuși **2** *fig* a-și stăpâni, a-și reține, a ține în frâu

repressible [ri'presəbl] *adj* care poate fi reprimat *sau* ținut în frâu

repression [ri'preʃən] *s* represiune; reprimare, înăbușire *(a unei răscoale etc.)*

repressive [ri'presiv] *adj* **1** represiv **2** apăsător, care (te) oprimă

repressor [ri'presə'] *s* asupritor, tiran, despot, persoană care oprimă; autocrat (care recurge la represiuni)

reprieve [ri'pri:v] **I** *vt* **1** *jur* a acorda o suspendare a sentinței **2** *com* a amâna, a păsui; a acorda un termen *(unui debitor)* **II** *s* **1** *jur* grațiere; suspendare *sau* comutare a pedepsei **2** amânare, păsuire

reprimand ['repriˌmɑ:nd] *s* **1** mustrare, dojană **2** observație (severă) **II** *vt* a mustra, a dojeni, a certa, a ocărî, a face observații *(cu dat)*

reprint ['ri:ˌprint] **I** *vt* a retipări, a reedita **II** *s* **1** retipărire; reeditare, republicare **2** ediție nouă **3** extras, tiraje à part *(dintr-un articol etc.)*

reprisals [ri'praizəls] *s pl* represalii

reprise [ri'pri:z] *s* **1** *muz* repriză, reluare *(a unei teme etc.)* **2** *rar* reluare *sau* continuare *(a unei activități)* **3** *pl fin, ec* dobândă anuală

reproach [ri'proutʃ] **I** *s* **1** reproș; imputare **2** (motiv de) rușine; **to be a ~ to one's family** a fi rușinea familiei, a-și face familia de râs **3** *pl rel* catolică antifoane *(cântate în Vinerea Mare)* **II** *vt* (**with, for**) a ocărî, a certa (pentru); **to ~ smb with smth** a reproșa/a imputa cuiva un lucru

reproachable [ri'proutʃəbəl] *adj v.* **reprehensible**

reproachful [ri'proutʃful] *adj* **1** plin de reproșuri **2** *(d. ton)* de reproș **3** nevrednic, nedemn **4** *v.* **reprehensible**

reproachfully [ri'proutʃfuli] *adv* **1** pe un ton de reproș, cu reproș în glas **2** cu reproș în priviri, cu priviri mustrătoare

reproaching [ri'proutʃiŋ] *adj v.* **reproachful 1**

reprobate **I** ['reprouˌbeit] *vt* **1** a dezaproba, a condamna, a blama **2** a respinge, a refuza **II** ['reprouˌbeit] *s* **1** desfrânat, destrăbălat; ticălos; nemernic, netrebnic **2** *rel* apostat; ateu, păgân **III** *adj rel* **1** excomunicat **2** păcătos, stricat

reprobation [ˌreprou'beiʃən] *s* reprobare, dezaprobare

reproduce [ˌri:prə'dju:s] **I** *vt* **1** a reproduce **2** a relua, a copia, a repeta **3** a reînnoi, a reface; a prezenta din nou **II** *vi* a se reproduce, a se înmulți

reproducer [ˌri:prə'dju:sə'] *s* **1** reproducător **2** picup

reproducibility [,ri:prə,dju:sə'biliti] *s* caracter reproductibil; posibilitate de reproducere/refacere/reeditare; repetabilitate

reproducible [,ri:pra'dju:səbəl] *adj* reproductibil, care poate fi reprodus

reproducibly [,ri:prə'dju:səbli] *adv* permiţând reproducerea/repetarea; (într-un mod) reproductibil/repetabil/care permite reproducerea *sau* repetarea

reproduction [,ri:prə'dʌkʃən] *s* 1 reproducere, înmulţire 2 reproducere; copie 3 *ec* reproducţie

reproduction furniture [,ri:prə'dʌkʃən'fə:nitʃəʳ] *s* imitaţie de mobilă stil, mobilă de epocă (neautentică)

reproductive [,ri:prə'dʌktiv] *adj* 1 reproducător, reproductiv 2 *biol* de reproducere/înmulţire, sexual

reprographic [,reprə'græfik] *adj* reprodus (printr-un mijloc de multiplicare), şapirografiat, multiplicat, fotocopiat

reprography [re'prɔgrəfi] *s* reprografie, multiplicare, reproducere în mai multe exemplare; şapirografiere, fotocopiere

reproof[1] [ri:'pru:f] *s* reproş, dojană, mustrare; observaţie (severă)

reproof[2] [ri:'pru:f] *vt* 1 *poligr* a trage un nou şpalt/o nouă pagină *(dintr-un text);* a scoate o nouă perie/probă din 2 *text* a impermeabiliza din nou, a re-impermeabiliza

reprove [ri'pru:v] *vt* 1 *v.* **reprehend** 2 a condamna, a blama *(o faptă)*

reprover [ri'pru:vəʳ] *s* 1 cenzor, critic 2 persoană care dojeneşte/ocărăşte/condamnă

reproving [ri'pru:viŋ] *adj* mustrător, dojenitor; de reproş

reprovision [,riprə'viʒən] I *vt* a reaproviziona, a reface stocul/proviziile pentru II *vi* a se reaproviziona, a-şi reface stocul/proviziile

reps [reps] *s v.* **rep**

rept. *presc de la* **report**

reptile ['reptail] I *s* 1 reptilă, târâtoare 2 *fig* mişel, lingău, linguşitor II *adj* 1 târâtor 2 *fig* slugarnic, obsecvios; linguşitor 3 *fig* corupt, ticălos

reptilian [rep'tiliən] I *s v.* **reptile** I 1 II *adj* ca de reptilă

republic [ri'pʌblik] *s* 1 republică 2 *fig* cerc, clan, grup, lume *(literară etc.)* (↓ **the ~ of letters**)

Republican [ri'pʌblikən] *s amer* membru al Partidului Republican, republican

republican *s, adj* republican

republicanism [ri'pʌblikənizəm] *s* republicanism, spirit republican

republicanize [ri'pʌblikənaiz] *vt* a atrage de partea republicanilor, a converti la spiritul *sau* partidul republican; a face (să fie) republican

republication [,ripʌbli'keiʃən] *s* republicare, reeditare, retipărire

Republic Day [ri'pʌblik ,dei] *s* Ziua/Sărbătoarea Republicii *(de ex. 26 ianuarie în India)*

republish [ri'pʌbliʃ] *vt* a republica, a reedita, a retipări

repudiable [ri'pju:diəbəl] *adj* repudiabil, care poate fi repudiat/respins/refuzat

repudiate [ri'pju:di,eit] *vt* 1 a repudia, a respinge 2 a-şi părăsi *(soţia),* a divorţa de, a abandona 3 a refuza (să recunoască); a nega; **to ~ one's debts** a refuza să-şi plătească/a nu-şi recunoaşte datoriile 4 a nega/a nu recunoaşte autoritatea *(cu gen)*

repudiation [ri,pju:di'eiʃən] *s* 1 repudiere, respingere 2 negare, tăgăduire *(a unei datorii, obligaţii etc.)* 3 *înv* repudiere; părăsire *(a soţiei);* divorţ

repudiator [ri'pju:di,eitəʳ] *s* persoană/om care respinge/repudiază/refuză/tăgăduieşte/nu recunoaşte *(o obligaţie etc.);* persoană care dezavuează/nu recunoaşte pe cineva

repugnance [ri'pʌgnəns] *s* 1 **(for, against, to)** repulsie, aversiune, antipatie, silă (faţă de, pentru) 2 (auto)contrazicere; inconsecvenţă 3 incompatibilitate

repugnant [ri'pʌgnənt] *adj* 1 **(to)** respingător, antipatic, care repugnă, care stârneşte repulsie/aversiune *(cu dat)* 2 **(to, with)** refractar (la, faţă de); ostil *(cu dat)* 3 **(to, with)** contradictoriu, în contradicţie (cu); contravenind, opus *(cu dat)* 4 **(with)** incompatibil, ireconciliabil (cu)

repulse [ri'pʌls] I *vt* 1 a respinge 2 a dezminţi, a respinge *(acuzaţii*

etc.) 3 a refuza, a respinge *(o cerere etc.)* II *s* respingere, refuz; **to meet with/to suffer a ~** a fi refuzat, a întâmpina un refuz

repulsion [ri'pʌlʃən] *s* 1 *v.* **repugnance 1** 2 *v.* **repulse II**

repulsive [ri'pʌlsiv] *adj* 1 *v.* **repugnant 2** 2 *fiz* repulsiv; de respingere

repulsiveness [ri'pʌlsivnis] *s* 1 caracter respingător/repulsiv 2 *fiz* forţă de repulsie

repurchase ['ri:'pə:tʃis] I *vt* a recumpăra, a rechiziţiona II *s* recumpărare, rechiziţionare

repurification ['ri:,pjuərifi'keiʃən] *s* re-purificare, nouă purificare/curăţire

repurify [ri'pju:rifai] *vt* a purifica/a curăţi din nou/încă o dată; a absolvi din nou de vinovăţie

reputable ['repjutəbəl] *adj* 1 respectabil, onorabil, cinstit 2 care se bucură de o reputaţie/faimă bună; vrednic de stimă

reputably ['repjutəbli] *adv* (în mod) onorabil/cinstit

reputation [,repju'teiʃən] *s* reputaţie, renume, nume bun; glorie, faimă, celebritate; **a person of no ~** om neînsemnat/de nimic; **to have a ~ for wisdom** a fi (re)cunoscut ca un om înţelept

repute [ri'pju:t] I *s* reputaţie, renume, faimă; **of (good) ~** reputat, recunoscut, faimos; **to be held in high ~** a se bucura de/a avea o reputaţie foarte frumoasă II *vt pas* a avea reputaţia de

reputed [ri'pju:tid] *adj* 1 respectat, onorabil, cu reputaţie/faimă bună; celebru, faimos 2 presupus, ipotetic, prezumtiv

reputed as [ri'pju:tidəz] *adj cu prep* având reputaţia de

reputedly [ri'pju:tidli] *adv* după cum se crede/spune, după părerea oamenilor/generală

reputed pint [ri'pju:tid 'paint] *s* sticlă de bere *etc.* cu capacitate declarată/reglementară

req. *presc de la* 1 **require** 2 **required** 3 **requisition**

reqd. *presc de la* **required**

request [ri'kwest] I *s* 1 cerere; **at/on/upon ~** la cerere 2 dorinţă 3 revendicare, pretenţie 4 *com* cerere; **to be in great ~** a fi foarte căutat/cerut 5 rugăminte, dorinţă

6 întrebare, interpelare **II** *vt* **1** a cere, a solicita; a pretinde; **your presence is ~ed** e nevoie de prezența ta; ești invitat/solicitat să te prezinți **2** a ruga **3** a invita, a pofti

request programme [ri'kwest ,prougræm] *s* program *(radio sau tv)* la cererea ascultătorilor *sau* telespectatorilor; muzică *etc.* la cerere

request slip [ri'kwest ,slip] *s* fișă de sală/împrumut *(la bibliotecă)*

request stop [ri'kwest ,stop] *s* stație/ oprire facultativă

requicken [ri'kwikən] *vt* a re-ac- celera, a accelera/grăbi din nou; a înviora

requiem ['rekwi,em] *s muz, rel* recviem

requiescat [,rekwi'eskæt] *s* rugă(ciu- ne) pentru odihna sufletului cuiva; *aprox* recviem, parastas

require [ri'kwaiə'] *vt* **1** a cere, a reclama, a pretinde; a solicita; a insista asupra *(cu gen)* **2** a necesita, a reclama, a avea nevoie de, a solicita; **if ~d** dacă e nevoie **3** a impune, a obliga

requirement [ri'kwaiəmənt] *s* **1** cerință, revendicare, pretenție **2** necesitate, nevoie, trebuință **3** condiție de bază, premisă **4** dorință, rugăminte

requisite ['rekwizit] **I** *adj* **(to)** cerut, necesar, indispensabil (pentru *sau cu dat)* **II** *s* **1** lucru necesar/ indispensabil; premisă/condiție indispensabilă **2** *pl* rechizite

requisition [,rekwi'ziʃən] **I** *s* **1** *mil* rechiziție **in/under ~** rechiziționat, supus rechiziției; **to put in/to bring into/to call into ~ a** a rechiziționa **b** *fig* a pune în uz/ circulație **2** cerere, exigență, revendicare **3** ordonanță, ordin, prescripție oficială **II** *vt* **1** a rechiziționa **2** a supune rechiziției

requital [ri'kwaitəl] *s* **1** răsplată, recompensă **2** despăgubire, compensație, indemnizație **3** răzbunare; pedeapsă, represalii

requite [ri'kwait] *vt* **1** a răsplăti, a recompe.ısa; **to ~ smb with smth fo. a deed** a (răs)plăti pe cineva cu ceva pentru o faptă *(pozitivă sau negativă)* **2** a despăgubi, a indemniza; a com- pensa **3** a răzbuna; **to ~ like for**

like a aplica dictonul ochi pentru ochi și dinte pentru dinte; a plăti cu aceeași monedă

requited love [ri'kwaitid'lʌv] *s* dragoste împărtășită

rerail ['ri:'reil] *vt ferov* a repune pe șine

re-read ['ri:'ri:d] *vt* a reciti, a citi încă o dată

reredos ['riədos] *s bis* ornamentație/ decorație a altarului; *aprox* catapeteazmă

reremouse ['riə,maus] *s zool înv* v. **rat**

re-route [ri'ru:t] *vt* **1** a îndruma pe alt traseu/itinerar/pe altă rută; a schimba ruta *(cu dat)* **2** a trans- porta/a duce pe altă rută

re-routing [ri'ru:tiŋ] *s* schimbare a rutei/traseului/itinerarului

re-run ['ri:'rʌn] *s teatru, cin* reluare

res [reis] *s lat jur* lucru, obiect

res. *presc de la* **1** research **2** reserve **3** residence **4** resolution

resaddle [ri'sædəl] *vt* a înșeua din nou, a pune din nou șaua pe *(cal etc.)*

resale ['ri:,seil] *s* revindere, revân- zare *(a unui obiect cumpărat)*

rescind [ri'sind] *vt* ↓ *jur* a anula, a abroga, a revoca

rescission [ri'siʒən] *s* ↓ *jur* anulare, abrogare, revocare

rescore ['ri:'sko:'] *vt muz* a reor- chestra, a rearanja; a schimba orchestrația *sau* aranjamentul *(cu gen)*

rescue ['reskju:] **I** *s* **1** salvare, scăpare; mântuire; **to come/to go to smb's ~** a veni/a sări în ajutorul cuiva; a salva pe cineva **2** eliberare **3** *adj atr* salvator, de salvare **II** *vt* **1** a salva, a scăpa *(de la înec etc.);* a mântui **2** a elibera **3** *jur* a ajuta să evadeze **4** *jur* a priva de *(o proprietate etc.)*

rescue corps ['reskju: ,ko:] *s* echipă de salvare

rescuer ['reskju:ə'] *s* **1** salvator **2** mântuitor **3** eliberator

rescue work ['reskju: ,wə:k] *s* **1** acțiuni de salvare **2** reeducare *(a prostituatelor)*

reseal ['ri:'si:l] *vt* a sigila/a pecetlui din nou

research [ri'sə:tʃ] **I** *s* **1** cercetare (științifică); investigare, căutare **2** studiere atentă; explorare **II** *vi* a face cercetări științifice, inves- tigații *etc.*

researcher [ri'sə:tʃə'] *s* cercetător (științific); investigator

research work [ri'sə:tʃ ,wə:k] *s* (muncă de) cercetare (științifică)

research worker [ri'sə:tʃ ,wə:kə'] *s* v. **researcher**

reseat [ri:'si:t] **I** *vt* **1** a reînscăuna, a reașeza, a reinstala, a instala din nou **2** a repara *(un scaun)* **3** a remobila *(un teatru etc.)* **II** *vr* a se așeza la loc, a-și relua locul

resect [ri'sekt] *vt med* a rezeca, a face o rezecție *(cu gen)*

resection [ri:'sekʃən] *s med* rezecție

reseda ['residə] *s* **1** *bot* rezeda, rozetă, smeuriță, prescurea *(Reseda odorata)* **2** culoare verde pal/rezeda

resell [ri:'sel] *vt* a revinde, a vinde din nou

resemblance [ri'zembləns] *s* **1** **(to; between; of)** asemănare, simi- litudine (cu; între); **to bear (a) ~ to** v. **resemble 2** imagine, repre- zentare

resemblant [ri'zemblənt] *adj* v. **resembling**

resemble [ri'zembəl] *vt* a semăna/ a aduce cu *(sau cu dat)*, a fi asemănător/similar cu; **they ~ each other** seamănă (între ei)

resembling [ri'zembliŋ] *adj* **(to)** asemănător, similar (cu)

resent [ri'zent] *vt* **1** a nu-i plăcea, a-i displăcea, a nu putea suferi **2** a fi ofensat/jignit de; a fi supărat/iritat de

resentful [ri'zentful] *adj* plin de resentimente/antipatie/nemul- țumire

resentfully [ri'zentfuli] *adv* cu re- sentimente/ranchiună/pică; cu nemulțumire/iritare

resentfulness [ri'zentfulnis] *s* re- sentiment, nemulțumire; iritare

resentful of [ri'zentful əv] *adj cu prep* jignit/ofensat de; iritat/ supărat de

resentment [ri'zentmənt] *s* **1** resen- timent, pică, ranchiună **2** indig- nare, revoltă

reservable [ri'zə:vəbəl] *adj* care poate fi rezervat/reținut/păstrat

reservation [,rezə'veiʃən] *s* **1** rezer- vare, reținere *(a camerelor, locurilor)* **2** *fig* rezervă, reținere; **mental ~** ezitare, șovăială; re- zervă (nemărturisită), reținere **3** *fig* restricție, limitare; **without ~ a**

fără rezerve/șovăire/reținere; din toată inima **b** fără restricții **c** fără locuri rezervate **4** *jur* păstrare, rezervare *(a unui drept)* **5** *geogr* rezervație naturală **6** rezervație, țarc *(pt pieile roșii etc.)*

reserve [ri'zə:v] **I** *s* **1** rezervă **2** stoc, provizii, rezervă; **in** ~ în stoc **3** *v.* **reservation 2 4** *v.* **reservation 4, 5 5** *mil* (cadre de) rezervă **6** *sport* (jucător de) rezervă **II** *adj atr* de rezervă; de schimb **III** *vt* **1** a rezerva, a reține *(camere)* **2** a cumpăra, a reține *(bilete, locuri)* **3** (**for, to**) a pune deoparte, a păstra, a-și rezerva (pentru) **4** *jur* a-și rezerva *(un drept)* **IV** *vt* **1** (**for**) a se rezerva, a se păstra (pentru) **2** a nu se pronunța, a nu-și exprima judecata/hotărârea/opinia *etc.;* a sta/a rămâne în rezervă

reserve currency [ri'zə:v ,kʌrənsi] *s fin* rezerve monetare *(ale unei bănci);* acoperire, garanție

reserved [ri'zə:vd] *adj* **1** rezervat, reținut, păstrat; **all rights** ~ toate drepturile rezervate **2** pus deoparte, păstrat **3** rezervat, reticent; închis, necomunicativ; tăcut, retras

reserved list [ri'zə:vd ,list] *s v.* **reserve list**

reservedly [ri'zə:vidli] *adv* **1** cu oarecare rezerve/rețineri; cu reticență **2** cu prudență, cu băgare de seamă

reservedness [ri'zə:vidnis] *s* caracter reținut/rezervat; răceală, reținere

reserved occupation [ri'zə:vd ɔkju'peiʃən] *s* profesie/meserie care garantează scutirea de încorporare/de serviciu militar

reserved price [ri'zə:vd,prais] *s ec, fin* **1** *v.* **reserve price 2** *v.* **reserve I 1, 2**

reserved seat [ri'zə:vd 'si:t] *s* loc (care poate fi) rezervat *(la spectacol)*

reserve list [ri'zə:v ,list] *s mil* cadre de rezervă

reserve price [ri'zə:v ,prais] *s com* preț minimal/inițial/de pornire *(la licitație)*

reservist [ri'zə:vist] *s mil* rezervist, cadru de rezervă

reservoir ['rezə,vwa:'] *s* **1** rezervor, bazin **2** *amer* lac de acumulare

(la hidrocentrală) **3** rezervă, provizii, stoc **4** *fig* izvor, sursă

reset [ri:'set] *vt* **1** a repune, a restabili **2** a potrivi *(ceasul)* **3** a monta din nou, a schimba montura la *(bijuterie)* **4** *poligr* a culege din nou, a reculege; a schimba zațul la

resettle [ri:'setl] **I** *vt* **1** *v.* **reset 1 2** a recoloniza, a coloniza din nou **II** *vr* **1** a se reașeza; a se reinstala **2** a se stabili din nou **III** *vi* a se fixa/a se stabili/a se așeza din nou

resettlement [ri:'setlmənt] *s* **1** restabilire **2** recolonizare

reshape [ri:'ʃeip] *vt* **1** a reface, a forma din nou, a remodela **2** *fig* a prelucra **3** a reorganiza

reship [ri:'ʃip] *vt* **1** a reîmbarca **2** a reexpedia

reshipment [ri:'ʃipmənt] *s nav* **1** reîmbarcare **2** reexpediere

reshoe [ri:'ʃu:] *vt* a potcovi din nou

reshuffle [ri:'ʃʌfəl] **I** *vt* **1** a remania *(guvernul etc.)* **2** a regrupa, reface **II** *s* **1** remaniere (guvernamentală) **2** regrupare

reside [ri'zaid] *vi* **1** a locui, a domicilia **2** *ch* a precipita

reside in [ri'zaid in] *vi cu prep* **1** a caracteriza *cu ac* **2** a aparține, a fi inerent/propriu *cu dat;* a ține de

residence ['rezidəns] *s* **1** domiciliu, reședință; **to take one's** ~ a se stabili într-un loc, a-și stabili domiciliul **2** domiciliere, ședere; perioadă de domiciliere **3** *ch* sediment, depunere

residency ['rezidənsi] *s* **1** reședință *(în colonii)* **2** *amer med* stagiu de specializare

resident ['rezidənt] **I** *s* **1** rezident **2** *și pol* locuitor permanent **II** *adj* (**in**) **1** rezident (în); cu domiciliul (în) **2** inerent, propriu *(cu dat)* **3** *amer v.* **resident physician**

residential area [rezi'denʃəl 'ɛəriə] *s* cartier de locuințe (elegante)/de vile

residential course [rezi'denʃəl 'kɔ:s] *s* **1** curs urmat de elevi/studenți interni **2** *med* stagiu de specializare

residential district [rezi'denʃəl 'distrikt] *s* cartier de locuințe

residential estate [rezi'denʃəl is'teit] *s* teren parcelat/parcelabil destinat construcțiilor de locuințe; parc (de construcții)

residential hotel [rezi'denʃəl hou'tel] *s* hotel-pensiune *(cu clienți care locuiesc o perioadă îndelungată)*

residential qualification [rezi'denʃəl ,kwolifi'keiʃən] *s pol* cens electoral (domiciliar); condiție a domiciliului stabil *(pentru acordarea dreptului de vot)*

residential street [rezi'denʃəl 'stri:t] *s* stradă cu locuințe (elegante); cartier de vile

resident minister ['rezidənt 'ministə'] *s* reprezentant diplomatic, ministru (plenipotențiar)

resident physician ['rezidənt fi'ziʃən] *s* intern de spital

resident population ['rezidənt ,popju'leiʃən] *s* populație permanentă/stabilă

residentship ['rezidəntʃip] *s* rezidență, domiciliere; domiciliu, reședință

residua [ri'zidjuə] *pl* de la **residuum**

residual [ri'zidjuəl] *adj* **1** rezidual, restant **2** *mat* rămas ca rest (după scădere) **3** restant, lăsat ca rămășiță **4** rămas nelămurit/neexplicat

residuary [ri'zidjuəri] *adj v.* **residual 1**

residuary bequest [ri'zidjuəri bi'kwest] *s jur* moștenire reziduală/restantă; moștenire a unui legatar universal

residuary clause [ri'zidjuəri 'klɔ:z] *s jur* clauză reziduală/restantă *(privitoare la legatarul universal)*

residuary legatee [ri'zidjuəri legə'ti:] *s jur* legatar/moștenitor (cu titlu) universal

residue ['rezi,dju:] *s* **1** reziduu, reziduuri **2** *ch* sediment, depunere, precipitat **3** *com* rămășiță, excedent, sold **4** *jur* rest de moștenire *(netto)*

residuum [ri'zidjuəm] *pl* **residua** [ri'zidjuə] *s v.* **residue 2, 3, 4**

resign [ri'zain] **I** *vt* **1** a demisiona din *(un post etc.)* **2** a renunța la, a abandona; **to** ~ **all hope** a-și lua orice nădejde/speranță *(de la un lucru)* **3** (**to**) a ceda *(cu dat)* **II** *vi* **1** (**from**) a demisiona, a-și da demisia; **to** ~ **from presidency**; **to** ~ **as president** a demisiona din/a renunța la funcția de președinte **2** (**to**) a se resemna, a se supune soartei

re-sign [ri:'sain] *vt* a semna/a iscăli din nou

resignation [ˌrezig'neiʃən] *s* **1** demisie; **to send in/to tender one's** ~ a-şi da/a-şi înainta/a-şi prezenta demisia **2** renunțare *(la un drept etc.)*; abandonare *(a unui drept etc.)* **3** abdicare *(de la tron)* **4** resemnare; supunere *(în fața sorții)*

resigned [ri'zaind] *adj* **1** resemnat; supus *(în fața sorții)* **2** demisionat, demisionar

resignedly [ri'zainidli] *adv* cu resemnare, resemnat

resign oneself to [ri'zain wʌn,self tə] *vr cu prep* a se resemna în fața *(cu gen)*; a se supune la *(sau cu dat)*

resile [ri'zail] *vi* **1** *(d. minge etc.)* a sări înapoi; a ricoşa **2** *(d. corp elastic)* a-şi reveni (la forma inițială), a-şi relua/a-şi recăpăta forma **3** *fig* a-şi reveni, a se reface *(după o lovitură)*

resile from [ri'zail frəm] *vi cu prep* **1** *jur* a rezilia *(un contract etc.)* **2** **to ~ a statement** a-şi infirma/ tăgădui/retrage/retracta *(declarația)*; a-şi lua vorba înapoi

resilience [ri'ziliəns] *s* **1** *fiz* reziliență; elasticitate **2** revenire, salt înapoi **3** *fig* elasticitate, mobilitate **4** *fig* energie, vioiciune; curaj *(în fața sorții)*; **he has much** ~ nu se dă uşor bătut **5** optimism; mobilitate spirituală

resiliency [ri'ziliənsi] *s v.* **resilience**

resilient [ri'ziliənt] *adj* **1** *fig* rezilient, elastic **2** *fig* elastic, mobil **3** *fig* energic, vioi; viguros; **he is very ~** a nu se dă uşor bătut, e plin de curaj **b** îşi revine/se reface foarte uşor **4** optimist; cu un spirit mobil

resin ['rezin] *s* **1** răşină *(naturală)* **2** sacâz, colofoniu **3** gudron, catran; bitum, smoală

resinaceous [ˌrezi'neiʃəs] *adj* răşinos

resinate[1] ['rezinit] *s* (substanță) răşinoasă; răşină

resinate[2] ['rezi,neit] *vt* a preschimba în răşină, a polimeriza

resineferous [ˌrezi'nifərəs] *adj bot* răşinos, care produce răşină

resinification [ˌrezinifi'keiʃən] *s* transformare în răşină, rezinificare

resiniform [ˌrezini'fɔ:m] *adj ch* de compoziția/consistența/calitatea răşinii

resinify [re'zinifai] *vt* a transforma în răşină, a rezinifica

resinoid ['rezi,nɔid] **I** *adj* răşinos, *v.* **resiniform II** *s* (substanță) răşinoasă *sau* similară cu o răşină

resinous ['rezinəs] *adj* răşinos

resipiscence [ˌresi'pisəns] *s înv* recunoaştere a greşelii/vinovăției; (po)căință

resipiscent [ˌresi'pisənt] *adv înv* penitent, pocăit, care se căieşte, care-şi recunoaşte greşelile/ vinovăția

resist [ri'zist] **I** *vt* **1** a opune rezistență *cu dat*, a rezista/a se împotrivi la *sau cu dat* ; **the attack was ~ed** atacul a fost respins; **to ~ heat** a fi rezistent/ a rezista la căldură **2** *neg* a se abține de la, a se stăpâni/a se reține în fața *(cu gen)*; **I can never ~ temptation** nu mă pot împotrivi niciodată ispitei, sunt incapabil să rezist tentației/ispitei; **he cannot ~ a joke a** nu se poate (ab)ține să nu glumească, nu se lasă (nici mort) de glume **b** nu poate să nu râdă, nu se poate abține de la râs **II** *vi* a rezista, a se împotrivi, a opune rezistență **III** *s ch text* substanță de protecție; învelş/strat protector

resistance [ri'zistəns] *s* **1** rezistență, împotrivire, opoziție; **to offer ~ a** a opune rezistență, a se împotrivi **b** a face opoziție; **to take the line of least ~ a** a merge pe o linie de minimă rezistență **b** a alege calea cea mai uşoară, a evita dificultățile **2** *el* rezistență; reostat **3** *tehn* rezistență la temperaturi înalte

resistance box [ri'zistəns ,bɔks] *s el* cutie de rezistență

resistance bridge [ri'zistəns ,bridʒ] *s el* punte de rezistență

resistance coil [ri'zistəns ,kɔil] *s tel* cuplaj prin rezistență

resistance-coupled amplifier [ri'zistəns,kʌpld 'æmplifaiər] *s tel* amplificator cu rezistență

resistance coupling [ri'zistəns ,kʌpliŋ] *s tel* cuplaj galvanic

resistance force [ri'zistəns ,fɔ:s] *s tehn* forță de rezistență

resistance head [ri'zistəns ,hed] *s tehn* presiune care corespunde cu rezistența (în conducte)

resistance loss [ri'zistəns ,lɔs] *s el* pierderi ohmice

resistance movement [ri'zistəns ,mu:vmənt] *s pol* mişcare de rezistență/împotrivire/opoziție; maquis; partizanat, mişcare de partizani/gherilă

resistant, resistent [ri'zistənt] *adj* rezistent

resister [ri'zistər] *s* **1** persoană care opune rezistență/care se împotrivește; partizan al rezistenței **2** oponent, potrivnic, adversar **3** *fiz* corp rezistent **4** *fiz* forță de rezistență **5** *med* om/subiect/ bolnav rezistent *(la infecții etc.)*

resistibility ['rizistə'biliti] *s* **1** rezistibilitate, posibilitate de împotrivire/rezistență **2** (capacitate de) rezistență/împotrivire

resistible [ri'zistəbəl] *adj* căruia i se poate rezista, căruia i te poți împotrivi

resistive [ri'zistiv] *adj* **1** rezistent **2** capabil să reziste, care poate rezista

resistivity [ˌri:zis'tiviti] *s* **1** capacitate de a rezista **2** *el* rezistivitate, rezistență specifică

resistless [ri'zistlis] *adj* **1** irezistibil, căruia nu-i rezistă nimic/nimeni **2** ← *poetic* invincibil, de nebiruit; neclintit, nestrămutat, ferm **3** supus, care nu se opune/împotrivește **4** incapabil de a opune rezistență/de a se apăra; fără apărare, lipsit de apărare

resistor [ri'zistər] *s el* rezistor

Reşita ['reʃitʌ] *oraş în România* Reşița

re-sole ['ri:soul] *vt* a tălpui, a pingeli

resoluble [ri'sɔljubəl] *adj* **1** *ch* solubil; disociabil; dezagregabil **2** *fig* rezolvabil

re-soluble [ri:'sɔljubəl] *adj ch* redizolvabil, resolubil, care poate fi redizolvat/dizolvat din nou

resolute ['rezə,lu:t] *adj v.* **resolved**

resolutely ['rezə,lu:tli] *adv* cu hotărâre/fermitate ferm, decis, hotărât

resoluteness ['rezə,lu:tnis] *s* **1** hotărâre, decizie, caracter hotărât/de nezdruncinat/de nestrămutat **2** fermitate, dârzenie *v. şi* **resolve I**

resolution [,rezə'lu:ʃən] *s* **1** hotă-râre, rezoluție; decizie; moțiune; **to adopt/to carry/to pass a** ~ a adopta/a aproba o rezoluție; **to put a** ~ **in the meeting** a supune adunării o rezoluție/moțiune, a pune la vot o chestiune/moțiune **2** *v.* **resolve 1 3** *lit* deznodământ, punct culminant **4** fermitate, dârzenie, tărie *(de caracter);* **lack of** ~ lipsă de hotărâre/fermitate; caracter slab **5** *ch* descompunere; dezagregare; disociere; dizolvare **6** *fiz* descompunere *(a forțelor etc.)* **7** *mat* și *fig* rezolvare, soluționare; soluție
resolutive [ri'zɔljutiv] *adj* **1** *jur* rezolutoriu, de anulare **2** *med* resorbant
resolutive condition [ri'zɔljutivkən'difən] *s jur* condiție rezolutorie/de anulare *(a contractului);* condiție indispensabilă/sine qua non *(care duce la anularea unui contract etc.)*
resolvable [ri'zɔlvəbəl] *adj* **1** anulabil **2** *ch* reductibil **3** rezolvabil, ușor de rezolvat/soluționat
resolve [ri'zɔlv] **I** *s* hotărâre (interioară), decizie; **to make a** ~ **to do smth** a se hotărî să facă ceva, a lua hotărârea de a face ceva; **to keep one's** ~ a-și menține hotărârea, a rămâne neclintit/ferm (pe poziție) **II** *vt* **1** a decide, a hotărî **2** a determina, a hotărî (să facă ceva), a face **3** a rezolva, a soluționa **4** *fiz, ch* a descompune **5** *fig* a risipi, a înlătura *(îndoieli etc.)* **III** *vi* **1** a se descompune, a se desface (în părți componente) **2** **(upon** cu **-ing)** a se hotărî/a se decide (să) **3** *med* a se resorbi
resolved [ri'zɔlvd] *adj* **1** hotărât, decis; ferm, dârz, neclintit **2** care a fost hotărât/stabilit, care a făcut obiectul unei decizii/hotărâri
resolvedly [ri'zɔlvidli] *adv v.* **resolutely**
resolvent [ri'zɔlvənt] **I** *adj med* resorbant, care duce la resorbția unei tumori **II** *s* **1** solvent, dizolvant **2** *med* produs cu proprietăți resorbante
resolve oneself into [ri'zɔlv wʌn,self,intu] *vr cu prep* a se descompune în; a se preface/a se transforma în; a trece în

resolving power [ri'zɔlviŋ 'pauəʳ] *s* **1** discernământ, capacitate de discriminare/de a discerne/de a distinge **2** finețe de percepție *etc. (a unui aparat)*
resonance ['rezənəns] *s* **1** rezonanță **2** vibrație
resonant ['rezənənt] *adj* răsunător, sonor
resonant with ['rezənənt wið] *adj cu prep* răsunând de, plin de *(veselie, muzică etc.)*
resonate ['rezə,neit] *vi* **(with)** a răsuna (de)
resonator ['rezə,neitəʳ] *s fiz, muz* rezonator; cameră de rezonanță
resorb [ri'sɔ:b] *vt* a resorbi
resorbence [ri'sɔ:bəns] *s* capacitate de resorbție/resorbire
resorbent [ri'sɔ:bənt] *s v.* **resolvent II 2**
resorcin [ri'zɔ:sin], **resorcinol** [ri'zɔ:si,nɔl] *s ch* rezorcină, resorcină
resorption [ri'sɔ:pʃən] *s* resorbție
resort [ri'zɔ:t] *s* **1** resursă, mijloc; **the only** ~ ultima resursă **2** recurgere, faptul de a recurge; **without** ~ **to** fără a recurge la **3** *jur* instanță; **in the last** ~ *fig* în ultimă instanță; în caz extrem, F→ la o adică **4** stațiune *(climaterică, balneară etc.)* **5** loc de întâlnire; loc frecventat *(de hoți etc.)* **6** afluență; îmbulzeală, aglomerație, mulțime; **a place of great** ~ un loc foarte frecventat
re-sort [ri:'sɔ:t] *vt* a sorta/a tria din nou
resorter [ri:'zɔ:təʳ] *s* **(to)** frecventator *(cu gen)*
resort to [ri'zɔ:t tə] *vi cu prep* **1** a recurge la; a face uz de, a se folosi de *(forță etc.);* **to** ~ **blows** a ajunge la bătaie, a se lua la bătaie **2** a apela la, a se adresa *(cu dat)* **3** a frecventa *cu ac;* a se duce la/în
resound [ri'zaund] **I** *vi* **1** a răsuna, a fi sonor, a avea sonoritate **2** **(with)** a răsuna (de) **3** *fig* a avea răsunet/ecou **II** *vt* **1** a glorifica, a preamări, a slăvi; **to** ~ **smb's praise** a cânta/a ridica osanale cuiva **2** a reverbera *(un sunet)*, a relua, a face să răsune
resounding [ri'zaundiŋ] *adj* răsunător

resoundingly [ri'zaundiŋli] *adv* (în mod) răsunător/zgomotos; producând un răsunet
resource [ri'sɔ:s] *s* **1** resursă, *pl* mijloace, posibilități, resurse; **to be at the end of one's** ~**s** a nu mai avea ce să facă; a nu mai avea nici o resursă; **to leave smb to his own** ~**s** a lăsa pe cineva să se descurce singur/cum poate; **to draw upon one's own** ~**s** a se descurca singur/prin propriile mijloace **2** remediu, soluție; truc, stratagemă **3** divertisment, agrement, distracție; **it is my only** ~ e singura mea relaxare/distracție
resourceful [ri'sɔ:sful] *adj* descurcăreț, inventiv, ingenios; plin de resurse
resourcefulness [ri'sɔ:sfulnis] *s* caracter descurcăreț; ingeniozitate, inventivitate
resourceless [ri'sɔ:slis] *adj* **1** neajutorat, nedescurcăreț; lipsit de ingeniozitate/inventivitate **2** lipsit de resurse/mijloace/posibilități
resourcelessness [ri'sɔ:slisnis] *s* **1** lipsă de resurse, caracter nedescurcăreț, lipsă de simț practic **2** lipsă de mijloace/resurse/posibilități
resp. *presc de la* **1** respective **2** respectively
respect [ri'spekt] **I** *s* **1** respect, deferență, stimă, considerație; **out of** ~ **to/for** din respect pentru; **with all due** ~ **(to you)** cu tot respectul pe care vi-l port/datorez; vă rog să nu mi-o luați în nume de rău, iertați-mă că vă spun; **to have** ~ **for smb, to hold smb in** ~ a respecta pe cineva, a trata pe cineva cu respect/deferență, a avea considerație pentru cineva; **to be held in** ~ a se bucura de stimă/respect/considerație, a fi respectat; **to command/to enforce** ~ a se impune, a se face respectat; a impune respect **2** atenție, considerație; **to have/to pay** ~ **to smth** a ține cont/seamă/socoteală de ceva; **without** ~ **to smth** fără a ține seamă de ceva; **without** ~ **of persons** fără a ține seamă de cine e de față **3** privință, punct de vedere; prismă; raport, relație; **in all** ~**s**

în toate privințele; **in this ~** în privința asta, din acest punct de vedere; **in ~ of/to a** în ceea ce privește, cu privire la **b** dat fiind că; **in many ~s** în multe privințe, din mai multe puncte de vedere; **in ~ that** ← *înv* pentru că, întrucât, deoarece **4** *pl* omagii, complimente; respect; **to pay one's ~(s) to smb** a-și prezenta omagiile cuiva; **to pay one's last ~(s) to smb** a aduce un ultim omagiu cuiva; a-și lua rămas bun de la un decedat **II** *vt* **1** a respecta, a onora, a venera; a avea respect/stimă/considerație pentru/față de; **my ~ed colleague** onoratul meu coleg/confrate **2** a acorda atenție *(cu dat);* a ține seama/cont/socoteală de; a respecta; **to ~ smb's opinion** a ține seamă/cont de părerea cuiva; **he ~s nothing** nu ține seamă de nimic; **to ~ persons** a ține seama de/a avea respect pentru rangul fiecăruia; a se arăta servil/slugarnic/preocupat de ierarhii *etc.* **3** a privi (îndeaproape), a avea legătură cu, a se referi la; **that ~s my own interests** e o chestiune referitoare la propriile mele interese, asta privește propriile mele interese; **as ~s** *v.* **regarding III** vr a-și ține rangul/*înv* →ighemoniconul; a-și păstra demnitatea, a se respecta, a fi demn

respectability [ri,spektə'biliti] *s* **1** caracter onorabil/respectabil/venerabil; onorabilitate **2** demnitate; decență, cuviință **3** notabilitate, persoană de vază

respectable [ris'pektəbəl] *adj* **1** *și umor* onorabil, respectabil **2** care impune respect/stimă **3** cuviincios, decent, corect; demn **4** *(d. haine)* prezentabil **5** considerabil, respectabil, destul de/relativ mare

respecter [ris'pektəʳ] *s* snob, om slugarnic/servil/frânt din șale *(care pune preț pe rangul altora)* (↓ ~ **of persons**)

respectful [ris'pektful] *adj* respectuos, plin de respect; cuviincios, politicos; **to be ~ of smth** a respecta ceva, a ține seamă/cont de ceva

respectfully [ris'pektfuli] *adv* cu respect, politicos, cuviincios; cu

deferență; **yours ~** al dvs respectuos *(ca formulă de încheiere a unei scrisori)*

respectfulness [ris'pektfulnis] *s v.* **respect I 1**

respecting [ris'pektiŋ] *prep v.* **regarding**

respective [ris'pektiv] *adj* respectiv, corespunzător

respectively [ris'pektivli] *adv* respectiv; (pentru) fiecare în parte

respell [ri'spel] *vt* **1** a rescrie, a scrie din nou; a reortografia **2** a scrie altfel/în mod diferit, a rescrie (↓ fonetic)

Respighi [res'pi:gi], **Ottorino** *compozitor italian (1879-1936)*

respirable ['respirəbəl] *adj* respirabil, de respirat

respiration [,respə'reiʃən] *s* respirație

respirator [,respə'reitəʳ] *s* **1** mască de gaze **2** mască de praf, respirator

respiratory [ri'sp(a)irətəri] *adj* respirator, de respirație

respire [ri'spaiəʳ] **I** *vi* **1** a respira, a răsufla **2** *fig* a răsufla/a respira ușurat; a-și reveni; a căpăta din nou curaj **II** *vt* a respira

respite ['respait] **I** *s* **1** răgaz, păsuire, amânare **2** pauză, întrerupere, răgaz; **without ~** fără răgaz/întrerupere; neîncetat **II** *vi* **1** a păsui, a amâna; a acorda o amânare *(cu dat);* a acorda un răgaz *(cu dat)* **2** a alina, a ogoi, a aduce o alinare/ușurare *(cu dat)*

resplendence [ri'splendəns] *s* strălucire, splendoare

resplendency [ri'splendənsi] *s v.* **resplendence**

resplendent [ri'splendənt] *adj* strălucitor, splendid, plin de splendoare

resplendently [ri'splendəntli] *adv* în mod/chip strălucitor

respond [ri'spond] *vi* a răspunde, a riposta, a da un răspuns; **to ~ with a blow** a răspunde/a riposta prin/cu o lovitură

respondence [ri'spondəns], **respondency** [ri'spondənsi] *s* **1** ← *înv* răspuns **2** receptivitate, caracter receptiv **3** corespondență, potrivire

respondent [ri'spondənt] **I** *adj* **1** răspunzător, responsabil **2** vinovat **II** *s jur* pârât

respondent to [ri'spondənt tə] *adj cu prep* sensibil/simțitor la

respond to [ri'spond tə] *vi cu prep* **1** a reacționa la, a fi sensibil la **2** *tehn* a răspunde la *(comenzi etc.)*

response [ri'spons] *s* **1** răspuns, replică, ripostă; **in ~ to** ca răspuns la; **to make no ~** a nu răspunde în nici un fel; a nu da nici un răspuns; a nu riposta **2** reacție, răsunet, ecou; repercusiune, urmare; **to call forth/to have no ~ in smb** a nu avea nici un ecou la cineva, a nu face nici o impresie asupra cuiva

responsibility [ri'sponsə'biliti] *s* **1** răspundere, responsabilitate; **on one's own ~** pe propria răspundere; **the ~ rests with me** răspunderea e a mea, eu răspund **2** simț al răspunderii/datoriei; **he has no ~ a** nu are nici o obligație **b** e iresponsabil **3** îndatorire, obligație, atribuție, datorie; **the ~ is laid upon/falls upon him** lui îi revine această sarcină, lui îi incumbă să facă acest lucru

responsible [ri'sponsəbəl] *adj* **1** (**for**) responsabil, răspunzător (pentru); vinovat (de); **he is not ~ for his actions** e iresponsabil, nu e răspunzător de actele/faptele sale; **to be ~ to smb for smth** a răspunde de ceva în fața cuiva **2** *(d. funcție etc.)* de (mare) răspundere **3** competent, capabil **4** (demn) de încredere, pe care se poate conta; **in ~ quarters** în cercurile bine informate; din surse demne de încredere

responsion [ri'sponʃən] *s* **1** ← *înv* răspuns **2** *pl univ* examen preliminar licenței în umanistică *(la Oxford)*

responsive [ri'sponsiv] *adj* **1** (**to**) sensibil, simțitor (la) **2** impresionabil, sensibil, simțitor **3** inimos; cordial, entuziast; afectuos **4** *(d. motor)* nervos **5** *rad* selectiv

responsively [ri'sponsivli] *adv* cordial, afectuos; cu simpatie/înțelegere; **he answered quite ~** mi-a răspuns din toată inima, din răspunsul lui se vedea că mă înțelege/compătimește

responsory [ri'sponsəri] *s bis* (imn/cântec de) răspuns; *aprox* antifon

respray ['ri:'sprei] *vt* a revopsi (↓ *un automobil*)

rest¹ [rest] **I** *s* **1** odihnă, repaus; tihnă; somn; **one's last ~** odihna/ somnul de veci; **at ~ a** liniştit, nemişcat **b** *fiz* imobil, în nemişcare **c** mort, răposat **d** *(d. problemă)* înmormântat, lichidat, căreia i s-a pus cruce; **to set at ~ a** a linişti, a calma **b** a risipi, a împrăştia, a înlătura *(temeri etc.)* **c** a lichida, a rezolva *(o problemă);* **without (a) ~** fără odihnă/ răgaz/pauză; neîncetat; **to give smb a ~, to give a ~ to smb** a lăsa pe cineva să se odihnească; **give it a ~** *F* las-o baltă; termină cu asta; încetează; **to retire to ~** a se duce la culcare, a se duce să se odihnească; **to have/to take a good night's ~** a petrece o noapte liniştită, a dormi bine o noapte **2** *muz, tehn etc.* pauză; **to come to ~** *tehn* a se opri **3** rezemătoare *(pentru coate, braţe etc.);* suport, proptea **4** adăpost *(în staţie etc.)* **II** *vi* **1** a se odihni, a sta liniştit/tihnit; a avea odihnă/tihnă; **let him ~ in peace** odihnească(-se) în pace; **to ~ from one's labours** a se odihni după muncă; **I will not ~ until I do it** nu mă liniştesc/ nu-mi găsesc odihna până nu termin; **to be ~** (↓ *d. actor*) a şoma, a fi şomer, a nu juca, a nu fi distribuit în nici un rol, a nu avea angajamente **2** a dormi, a se odihni peste noapte **3** *fig (d. situaţie etc.)* a sta, a se afla; **the matter will not ~ there** lucrurile nu se vor opri aici; **there the matter ~s** aşa stau lucrurile, asta e situaţia **4 (on, upon)** a se sprijini, a se rezema (pe); *fig* a se bizui/a se baza (pe); a depinde (de); **a heavy responsibility ~s upon him** îi revine/îl apasă o grea răspundere; **trade ~s upon credit** comerţul depinde de credit; **his hands ~ed on the table** se sprijinea de masă **5 (on)** *(d. priviri etc.)* a se opri, a se fixa, a se aţinti *(asupra — cu gen); the light ~ed on her face* pe faţa ei cădea o rază de lumină **III** *vt* **1** a odihni; a fi odihnitor pentru; **it ~s the eyes** e odihnitor pentru ochi, îţi odihneşte privirea; **to ~ the**

mind a-şi odihni mintea/creierul; a se relaxa, a se destinde; **God ~ his soul** Dumnezeu să-l odihnească **2 (on)** a(-şi) sprijini, a(-şi) rezema (pe); *fig* a(-şi) baza, a(-şi) întemeia; **to ~ an assertion on good evidence** a-şi întemeia/sprijini afirmaţiile pe dovezi serioase; **to ~ the case** *amer jur* a-şi încheia pledoaria; a expune concluziile (apărării) **3** a lăsa jos, a depune *(la pământ)* **IV** *vr* a se odihni

rest² **I** *s* **1** rămăşiţă; **as for/to the ~** în rest, cât priveşte restul **2** **the ~** ceilalţi, restul; **among the ~ a** printre ceilalţi **b** printre altele; **the ~ of us** noi ceilalţi **3** *ec* (fond de) rezervă **4** *com* încheiere (a conturilor) **II** *vi* a rămâne; a continua să fie; **you may ~ assured that** puteţi fi încredinţat/ sigur că

rest³ *s sport* schimb lung de mingi *(la tenis)*

rest⁴ *s od* suport pentru lance la atac; **to lay/to set one's lance in ~; to be with one's lance in ~** a-şi sprijini lancea pentru asalt/ atac

re-staff [ri:'sta:f] *vt* a angaja din nou personal pentru *(o întreprindere)*

re-stage ['ri:steidʒ] *vt teatru* a pune în scenă într-o nouă montare, a relua

restamp ['ri:'stæmp] *vt* a timbra din nou, a retimbra *(o scrisoare, o chitanţă etc.)*

restart ['ri:'sta:t] **I** *vt* **1** a relua, a reîncepe **2** a repune în mişcare, a porni din nou **3** a stârni din nou *(vânatul)* **II** *vi* **1** a reîncepe, a se relua **2** a porni din nou, a fi repus în mişcare **III** *s* **1** reluare, reîncepere **2** repornire, repunere în mişcare **3** nouă stârnire *(a vânatului)*

restarting ['ri:'sta:tiŋ] *s v.* **restart III**

restate ['ri:'steit] *vt* **1** a reafirma **2** a expune/a formula/a enunţa din nou **3** a specifica din nou *(condiţii etc.)*

restatement ['ri:'steitmənt] *s* **1** reafirmare, reaserţiune **2** reformulare, nouă enunţare **3** respecificare

restaurant ['restərɔŋ] *s* restaurant

restaurant car ['restərɔŋˌka:ʳ] *s ferov* vagon restaurant

restaurateur [ˌrestərəˈtə:ʳ] *s* patron de restaurant, restaurator

rest-balk ['restbɔ:k] *s agr* spaţiu între brazde; hat

rest cure ['rest'kjuəʳ] *s* cură de odihnă

rest-day ['restˌdei] *s* **1** (zi de) sărbătoare **2** zi tihnită/de repaus/de odihnă, zi petrecută fără a munci

rested ['restid] *adj* odihnit, repauzat

restful ['restful] *adj* **1** odihnitor, repauzator **2** liniştit, tihnit

restfully ['restfuli] *adv* (în mod) odihnitor, liniştit, calm, tihnit

restfulness ['restfulnis] *s* **1** caracter odihnitor/liniştit/tihnit **2** linişte, tihnă, calm

rest-harrow ['rest,hærou] *s bot* o-sul-iepuraşului *(Ononis sp.)*

rest home ['rest,houm] *s* **1** sanatoriu, casă de sănătate, azil **2** casă de odihnă

rest house ['rest,haus] *s* **1** casă de odihnă **2** han; ospătărie

restiff ['restif] *adj v.* **restive**

restiform ['resti,fɔ:m] *adj anat* restiform

rest in ['rest in] *vi cu prep* a consta în

resting place ['restiŋ ,pleis] *s* **1** loc de odihnă; **one's last ~** loc de veci, mormânt **2** palier, refugiu *(pe scară)*

restitch ['ri:'stitʃ] *vt* a instala/a prinde/a coase din nou

restitution [ˌresti'tju:ʃən] *s* **1** restituire, înapoiere; **to make ~ of smth** a restitui ceva **2** restabilire, refacere, reparare, reconstrucţie; **to make ~** a compensa/a repara o pagubă/o pierdere **3** *fiz* revenire la forma iniţială

restive ['restiv] *adj* **1** *(d. animal)* nărăvaş **2** *fig* sălbatic; îndărătnic; dificil, nărăvaş **3** neliniştit, agitat, nervos, neastâmpărat, neodihnit

restiveness ['restivnis] *s* **1** fire nărăvaşă *(a calului)* **2** *fig* fire sălbatică/îndărătnică/rebelă **3** natură agitată/nervoasă

restless ['restlis] *adj* **1** *v.* **restive 3** **2** *(d. noapte)* de somn/insomnie; **to spend/to have a ~ night** a nu dormi/a se frământa/a se perpeli toată noaptea, a avea insomnie

restless flycatcher ['restlis 'flai-ˌkætʃəʳ] *s orn* păsărică australiană *(Seisurua inquieta)*

restlessly ['restlisli] *adv* **1** agitat, neliniştit; fără odihnă/tihnă **2** nervos, cu nervozitate, febril **3** neîncetat, fără răgaz

restlessness ['restlisnis] *s* **1** nelinişte, agitaţie, neastâmpăr **2** turbulenţă, caracter nestăpânit/rebel **3** nervozitate, agitaţie, febrilitate **4** insomnie, nesomn

rest mass ['rest‚mæs] *s fiz* masă *(a unui corp)* în repaus

re-stock ['ri:'stɔk] *vt* **1** a reîmprospăta (stocul); a reaproviziona **2** a repopula; a răsădi din nou

restocking ['ri:'stɔkiŋ] *s* **1** *com* reaprovizionare, refacere a stocului, reîmprospătare (a mărfurilor) **2** *silv* răsădire cu arbori *(a unei păduri)*, reîmpădurire **3** *iht* repopulare cu peşte *(a unui iaz etc.)*

restorable [ri'stɔ:rəbəl] *adj* **1** recuperabil, care poate fi restituit/redat **2** care poate fi restaurat

restoration [‚restə'reiʃən] *s* **1** restituire, înapoiere, redare **2** remitere, predare, înmânare; ~ **of goods taken in distraint** *jur* (ordin de) ridicare a sechestrului **3** refacere, restabilire **4** repunere în drepturi, reintegrare **5** readucere pe tron, restauraţie, reîntronare **6** restaurare; reparare, reparaţie **7** reconstituire **8** *biol* reconstituire *(a unui animal etc. preistoric)*

Restoration, the *ist* Restauraţia *(dinastiei Stuart, 1660)*

Restoration drama [‚restə'reiʃən 'dra:mə] *s ist, lit* teatrul Restauraţiei *(1660-1720)*

restorationism [‚restə'reiʃənizəm] *s filos, rel* credinţă în obţinerea/ atingerea fericirii în viaţa viitoare/ de apoi; doctrină a mântuirii universale

restorationist [‚restə'reiʃənist] *s filos, rel* adept al fericirii (universale) în viaţa viitoare/de apoi; doctrinar al mântuirii universale

restorative [ri'stɔrətiv] *s, adj med* tonic, fortifiant, întăritor

restoratively [ri'stɔrətivli] *adv med* (într-un mod) reparator; tinzând la refacerea organismului, sănătăţii, puterii *etc.*

restore [ri'stɔ:'] *vt* **1** a restitui, a reda, a înapoia **2** a restabili **3** a repune în drepturi, a reintegra **4** a reface, a repara; a restaura

re-store ['ri:'stɔ:'] *vt com* a reaproviziona

restorer [ri'stɔ:rə'] *s* **1** restaurator, reparator **2** *med v.* **restorative**

restrain [ri'strein] **I** *vt* **1** a reţine, a împiedica, a opri; a frâna, a stânjeni; a jena, a handicapa **2** a ţine închis/încuiat/sub cheie, a reţine cu de-a sila **3** a-şi stăpâni, a-şi reţine, a-şi înăbuşi, a-şi înfrâna; a-şi ţine (gura) **II** *vr* a se stăpâni, a se ţine în frâu, a se reţine

re-strain [ri:'strein] *vt* a încorda sau întinde din nou; a reîncorda *(un cablu etc.)*

restrainable [ri'streinəbəl] *adj* care poate fi reţinut/stăpânit/înfrânt/ constrâns/reprimat; care poate fi ţinut în frâu; represibil, reprimabil; uşor/nu greu de stăpânit

restrained [ri'streind] *adj* **1** stăpânit, reţinut **2** cumpătat, moderat **3** sobru **4** *com* modest, moderat, convenabil

restrainedly [ri'streinidli] *adv* (în mod) reţinut; cu reţinere/reticenţă/rezervă; cu stăpânire de sine; ţinându-se în frâu; stăpânindu-se

restraining [ri'streiniŋ] **I** *adj* restrictiv, cu caracter de restricţie **II** *s* **1** restricţie **2** strunire, stăpânire, ţinere în frâu **3** reprimare, înfrânare **4** constrângere, silire **5** detenţiune, reţinere

restraint [ri'streint] *s* **1** constrângere, forţare; silire **2** restricţie; *fig* corset; piedică; ~ **of trade** restricţii impuse comerţului; piedici impuse libertăţii comerţului; limitare *sau* tulburare a pieţei libere; **in** ~ **of** în vederea restricţiilor, restrictiv, pentru a restrânge/limita/mărgini; **without** ~ fără nici o restricţie, fără restricţii, (în mod) liber/nestânjenit; **to be under no** ~ a avea mână liberă, a fi liber să facă ce vrea; **to put a** ~ **on** a a ţine în frâu, a impune restricţii *cu dat* **b** a constrânge, a sili, a forţa; **to chafe under** ~ **a** a nu se lăsa constrâns, a nu suferi nici o restricţie **b** *fig* a se supune bombănind/în contra voinţei; **lack of** ~ nepăsare, indiferenţă; lipsă de jenă; **to speak without** ~ a vorbi deschis/fără nici o jenă; **to put a** ~

upon oneself a-şi impune o anumită rezervă **3** sobrietate, cumpătare, austeritate; moderaţie **4** interdicţie; **to keep smb under** ~ *jur* a ţine pe cineva sub interdicţie **5** detenţiune, reţinere

restrict [ri'strikt] *vt* **1** a restrânge, a limita, a mărgini; **to** ~ **a road** a limita viteza de circulaţie pe o arteră **2** a încorseta, a constrânge; **he was** ~**ed to ten cigarettes per day** i s-a interzis să fumeze mai mult de zece ţigări pe zi

restricted [ri'striktid] *adj* **1** restrâns, limitat, mărginit **2** *(d. dietă etc.)* sever **3** *fig* îngust, mărginit

restricted area [ri'striktid‚ɛəriə] *s auto* zonă de restricţie/de limitare a vitezei

restrictedly [ri'striktidli] *adv* (în mod) restrictiv/limitativ; tinzând la restricţii/limitări

restricted publication [ri'striktid ‚pʌbli'keiʃən] *s* publicaţie de uz intern

restriction [ri'strikʃən] *s* **1** restricţie; limitare, mărginire; **to set/to place** ~**s on smth** a impune restricţii la ceva/asupra unui lucru **2** restrângere, limitare, reducere

restrictive [ri'striktiv] *adj* restrictiv, limitativ

restrictive clause [ri'striktiv ‚klɔ:z] *s gram* propoziţie (relativ-)atributivă restrictivă

restring ['ri:'striŋ] *vt* **1** a înşira din nou pe aţă *(mărgele etc.)* **2** a schimba corzile la, a pune corzi noi la *(instrumente muzicale, rachetă de tenis etc.)*; a schimba cordajul *(cu dat)*

rest-room ['rest‚ru:m] *s* closet, toaletă, WC *(într-o fabrică, în magazin etc.)*

restructure ['ri:'strʌktʃə'] *vt* **1** a restructura, a reorganiza, a da o nouă structură/organizare/alcătuire *(cu dat)* **2** a reconstrui, a reclădi; a rearanja; a reface

restructuring ['ri:'strʌktʃəriŋ] *s* **1** restructurare, reorganizare; nouă organizare **2** reconstituire, rearanjare, refacere

restudy ['ri:'stʌdi] *vt* a studia/a cerceta din nou/încă o dată; a revizui, a revedea *(un dosar etc.)*

rest up ['rest 'ʌp] *vi cu part adv amer* a se odihni bine/total; a-şi acorda o (perioadă de) odihnă bună/ca lumea

rest with ['rest wɪð] *vi cu prep* **1** a incumba (cuiva); a reveni *(cu dat)* ca sarcină **2** a depinde de; **it rests with you to do it a** e la latitudinea ta dacă vrei s-o faci sau nu, depinde numai de tine **b** ție îți revine sarcina de-a o face **3** a fi de competenţa *cu gen*, a reveni *cu dat*, a sta în puterea *cu gen;* **the merit rests with him** totul i se datorează numai lui, e numai meritul lui, numai lui îi revine meritul pentru asta

restyle [riː'staɪl] *vt* **1** a remodela, a fasona din nou; a moderniza **2** a prelucra; a schimba; a înnoi; a restructura

restyling [riː'staɪlɪŋ] *s* **1** remodelare, refacere; modernizare **2** schimbare a stilului **3** prelucrare; refacere **4** refacere *(a unei coafuri etc.)*

result [ri'zʌlt] **I** *s* **1** rezultat, urmare, consecinţă, efect; **without ~** fără nici un rezultat, inutil; **to yield favourable ~s a** a da roade bune **b** a sfârşi cu bine; **as a ~ of** ca urmare a *(cu gen)*, ca/drept rezultat al *(cu gen)* **2** *mat* rezultat **3** sfârşit, încheiere, concluzie; efect; **in the ~** în cele din urmă, la sfârşit **II** *vi* **1** (**from**) a rezulta, a decurge (din); **nothing has ~ed from it all** n-a ieşit nimic din toate astea **2** a ieşi (până la urmă), a se termina *(bine, rău etc.)*

resultant [ri'zʌltənt] **I** *adj* **1** care rezultă/reiese/provine **2** emergent **3** *fiz* rezultant **II** *s fiz* rezultantă

resultful [ri'zʌltful] *adj* rodnic, fructuos, care dă roade/rezultate bune; spornic; eficace; cu spor

result in [ri'zʌlt ɪn] *vi cu prep* a avea drept rezultat/consecinţă, a duce la; a rezulta în; **to ~ failure** a nu duce la nimic, a duce la un eşec total

resultless [ri'zʌltlis] *adj* fără (nici un) rezultat; inutil, zadarnic, infructuos

resume [ri'zjuːm] **I** *vt* **1** a relua, a reîncepe; a continua; a reînnoda; **to ~ work** a relua lucrul; **to ~ a friendship** a reînnoda firul unei prietenii **2** a reocupa *(un loc);* a

recupera; a recâştiga **3** a recapitula; a relua **II** *vi* a reîncepe

résumé ['rezju͵meɪ] *s fr* **1** rezumat **2** *amer* curriculum vitae

resummon ['riː'sʌmən] *vt* **1** *jur* a cita din nou *(în faţa tribunalului);* a chema din nou în justiţie **2** a reconvoca, a convoca din nou *(o adunare)*

resummons ['riː'sʌmənz] *s* **1** *jur* nouă citaţie/citare *(în faţa tribunalului);* rechemare în faţa justiţiei **2** reconvocare, nouă convocare *(a unei adunări)*

resumption [ri'zʌmpʃən] *s* reluare, reîncepere

resurface [riː'sə:fis] **I** *vt şi fig* a´ readuce la suprafaţă **II** *vi nav şi fig* a reveni/a ieşi din nou la suprafaţă/iveală

resurge [ri'sə:dʒ] *vi* **1** a reapărea **2** a reînvia, a renaşte

resurgence [ri'sə:dʒəns] *s* **1** (re)înviere *(a unui popor)*, revenire la viaţă **2** *fig* renaştere (naţională), reînviere

resurgent [ri'sə:dʒənt] *adj* **1** *(d. speranţă etc.)* reînviat, renăscut, care reînvie/renaşte **2** restabilit *(după eşec etc.)* **3** ameliorat, îmbunătăţit; pe cale de a-şi reveni **4** rebel, insurgent, răsculat; revoluţionar

resurrect [͵rezə'rekt] **I** *vt* a reînvia; a face să reînvie/renască **II** *vi* a reînvia, a renaşte

resurrection [͵rezə'rekʃən] *s* **1** înviere; reînviere **2** *fig* renaştere, reînviere **3** *înv* deshumare, dezgropare

Resurrection, the [͵rezə'rekʃən, ðə] *s rel* învierea (lui Cristos)

resurrectionist [͵rezə'rekʃənist] *s* **1** partizan al unor teorii/idei demodate **2** *od* profanator de morminte *(care dezgroapă cadavre pentru disecţii)*

resurrection man [͵rezə'rekʃən ͵mæn] *s v.* **resurrectionist 2**

resurrection plant [͵rezə'rekʃən ͵plɑːnt] *s bot* **1** muşchi *din genul Selaginella;* **2** mâna Maicii Domnului, palma Sfintei Marii, roza Ierichon *(Anastatica hierochuntica)*

resurvey I [͵risə:'veɪ] *vt* **1** a revizui, a revedea, a reexamina **2** a remăsura, a măsura din nou (un teren) **II** ['riː'sə:vei] *s* **1** revizie,

revizuire, revedere, reexaminare **2** nouă măsurătoare *(cadastrală, topografică)*

resuscitate [ri'sʌsi͵teit] **I** *vt* **1** a readuce la viaţă, a reanima **2** a resuscita, a stârni din nou **II** *vi* a reînvia, a renaşte

resuscitation [ri͵sʌsi'teiʃən] *s* **1** reanimare, reînsufleţire, readucere la viaţă **2** renaştere, reînviere, revenire la viaţă

resuscitative [ri'sʌsitətiv] *adj* înviorător, dătător de viaţă; care (re)învie/reanimează/te face să renaşti

resuscitator [ri'sʌsi͵teitəʳ] *s* **1** (re)animator, persoană care readuce la viaţă/care redă vigoarea *sau* vioiciunea **2** persoană care reînvie o modă, o teorie *etc.* **3** *v.* **resurrectionist 1**

ret [ret] **I** *vt* a muia, a topi, a pune la topit *(cânepă etc.)* **II** *vi (d. fân)* a putrezi

ret *presc de la* **retain**

retable [ri'teibəl] *s bis* panou în spatele altarului

retail I ['riːteil] *s com* vânzare cu amănuntul/bucata, comerţ în detaliu/cu amănuntul **II** [ri:'teil] *vt* **1** *com* a vinde cu amănuntul/bucata/în detaliu **2** ← *F* a răspândi, a împrăştia *(zvonuri etc.);* **to ~ gossip** a umbla cu vorbe, – a purta vorba **3** a împărţi, a diviza, a mărunţi **III** ['riːteil] *adv com* cu amănuntul/bucata; **to sell goods ~** a vinde marfa cu amănuntul/cu bucata, a face comerţ cu amănuntul/en detail

retail dealer ['riːteil ͵diːləʳ] *s v.* **retailer**

retailer ['riːteiləʳ] *s com* negustor cu bucata/amănuntul

retailer of news ['riːteilərəv 'njuːz] *s* ← *F* colportor de veşti/ştiri/ zvonuri

retail price ['riːteil͵prais] *s com* preţ cu amănuntul

retail trade ['riːteil ͵treid] *s com* comerţ cu amănuntul/bucata/en detail

retain [ri'tein] *vt* **1** a reţine, a ţine pe loc/în loc, a stăvili, a opri **2** a reţine, a păstra **3** a păstra în memorie, a reţine, a memora **4** a menţine, a continua, a perpetua *(o tradiţie etc.)* **5** a angaja *(↓ un avocat);* a lua în serviciu

retainable [ri'teinəbəl] adj 1 care poate fi stăvilit/oprit/reținut/ținut în loc 2 care se poate păstra/ reține; vrednic de a fi păstrat/ reținut 3 memorabil, demn de reținut/memorat/ținut minte

retained object [ri'teind 'ɔbdʒikt] s gram complement direct sau indirect păstrat în construcții pasive

retainer [ri'teinəᵊ] s 1 înv servitor, slugă, om de serviciu; **old ~** slugă veche și credincioasă/ devotată 2 înv însoțitor; pl suită, trenă (a unui nobil) 3 arvună; jur avans, onorariu inițial (pt un avocat) 4 amer jur alegere a unui avocat 5 tehn opritoare, opritor, fixator, siguranță

retaining [ri'teiniŋ] adj 1 de reținere, care reține 2 tehn de fixare; de siguranță

retaining fee [ri'teiniŋ ,fi:] s jur angajament; onorariu de avocat (plătit cu anticipație)

retaining nut [ri'teiniŋ,nʌt] s tehn piuliță de fixare

retaining pin [ri'teiniŋ,pin] s tehn extractor

retaining wall [ri'teiniŋ,wɔ:l] s constr zid de sprijin/susținere; dig

retake I [ri:'teik], pret **retook** [ri:'tuk], ptc **retaken** [ri:'teikn] vt 1 a relua; a prinde din nou; a apuca din nou; a recaptura 2 a pune din nou stăpânire pe 3 cin a filma/a turna din nou (o scenă), a reface, a relua **II** ['ri:,teik] s cin reluare (a unei scene)

retaking [ri:'teikiŋ] s 1 reluare 2 recapturare, recucerire

retaliate [ri'tæli,eit] **I** vt (**upon**) a se răzbuna pentru (pe cineva), a plăti (cu dat) cu aceeași monedă (pentru); **to ~ an accusation upon smb** a întoarce o acuzație împotriva cuiva **II** vi (**on**) a recurge la represalii (împotriva – cu gen), a se răzbuna (pe); a plăti cu aceeași monedă (cu dat); a aplica legea talionului (cu dat)

retaliation [ri,tæli'eiʃən] s răzbunare, revanșă, represalii; **in ~; by way of ~** a ca/drept represalii **b** aplicând legea talionului, ochi pentru ochi și dinte pentru dinte; **to inflict/to exercise ~** a recurge/a trece la represalii

retaliative [ri'tælieitiv], **retaliatory** [ri'tæliətəri] adj 1 represiv, punitiv; cu caracter de represalii 2 cu caracter de răzbunare

retard [ri'ta:d] **I** vt a întârzia, a ține în loc, a face să zăbovească **II** vi 1 ← înv a întârzia, a sosi târziu 2 (d. ceas) a rămâne în urmă **III** s întârziere; **to be in ~ of smb** a fi în întârziere față de cineva

retardant [ri'ta:dənt] **I** adj v. **retardative II** s element/factor de întârziere/reținere

retardate [ri'ta:deit] **I** adj amer arierat (mintal), înapoiat, întârziat, handicapat (mintal) **II** s arierat (mintal), înapoiat, handicapat (mintal), S → oligofren

retardation [,ri:ta:'deiʃən] s 1 întârziere 2 fiz încetinire; întârziere; moderare 3 muz încetinire 4 med înapoiere (mintală), debilitate mintală, S → oligofrenie; caracter de handicapat mintal

retardative [ri'ta:dətiv], **retardatory** [ri'ta:dətəri] adj de încetinire, încetinitor

retarded [ri'ta:did] adj 1 întârziat 2 med și fig arierat; întârziat; nedezvoltat

retarder [ri'ta:dəᵊ] s 1 tehn încetinitor; dispozitiv de încetinire 2 factor de întârziere/încetinire

retardment [ri'ta:dmənt] s v. **retardation 1**

retch [retʃ] **I** vi 1 a avea grețuri 2 a râgâi 3 F a vărsa, a bori, – a voma **II** s 1 greață 2 eforturi de a voma

retching ['retʃiŋ] s v. **retch II**

retd presc de la 1 **retained** 2 **retired** 3 **returned**

retell ['ri:'tel], pret și ptc **retold** ['ri:'tould] vt 1 a repovesti 2 a spune din nou, a repeta

retention [ri'tenʃən] s 1 med retenție, reținere 2 reținere; păstrare, conservare; **to decide on the ~ of smth** a se hotărî să păstreze/ să rețină ceva 3 psih (capacitate de) memorare/reținere; memorie bună

retentionist [ri'tenʃənist] s pol conservator, înv tombateră; adversar al reformelor, adept al păstrării (↓ pedepsei capitale)

retentive [ri'tentiv] adj 1 (d. memorie) bun, sănătos; ~ of detail care reține toate amănuntele 2 păstrător; to be ~ of smth a

păstra/a ține/a conserva ceva 3 anat retentiv

retentively [ri'tentivli] adv atent, cu memorie bună; receptiv (la toate amănuntele etc.)

retentiveness [ri'tentivnis] s 1 capacitate/putere de a memora; memorie bună 2 v. **retentivity**

retentive of [ri'tentiv əv] adj cu prep atent la; care reține ușor cu ac

retentivity [,ri:ten'tiviti] s 1 fiz tehn forță coercitivă; capacitate de reținere; remanență 2 ch retentivitate

rethink I [,ri:'θiŋk] vt a regândi; a reconsidera **II** ['ri:,θiŋk] s reconsiderare; regândire

retiary ['ri:tiəri] s entom păianjen care țese plasă

reticence ['retisəns] s 1 (**about, on, upon**) reticență, rezervă față de, în privința (cu gen) 2 fire rezervată/reticentă/necomunicativă

reticent ['retisənt] adj 1 reținut, rezervat, reticent 2 tăcut, taciturn; necomunicativ; **to be very ~ on/upon smth** a trece ceva sub tăcere, a nu spune nimic despre ceva, a face un mister din ceva

reticently ['retisəntli] adv cu reținere/ rezervă

reticle ['retikəl] s fiz reticul

reticula [ri'tikjulə] pl de la **reticulum**

reticular [ri'tikjuləᵊ] adj reticular, în formă de rețea

reticulate I [ri'tikjulit] adj v. **reticulated II** [ri'tikjuleit] vt a acoperi cu o rețea **III** [ri'tikjuleit] vi a căpăta formă reticulară, a forma o rețea

reticulated [ri'tikjuleitid] adj reticular, retiform

reticulation [ri,tikju'leiʃən] s structură reticulară/în formă de rețea

reticule ['reti,kju:l] s 1 ← înv sac (de damă), pungă; geantă, poșetă 2 fiz v. **reticle**

reticulocyte [ri'tikjulə,sait] s biol reticulocită

reticulose [ri'tikjulous] adj v. **reticular**

reticulum [ri'tikjuləm], pl **reticula** [ri'tikjulə] s 1 zool rețea, ciur, al doilea stomac (la rumegătoare) 2 anat membrană reticulară

retie ['ri:'tai] vt a lega din nou (un pachet); a reface legătura (la sau cu dat)

retiform ['ri:ti,fɔ:m] *adj* retiform, reticular

retighten ['ri:'taitən] *vt* 1 a strânge/ a întinde din nou *(un cablu, o curea etc.)* 2 *tehn* a strânge din nou/mai tare *(un șurub, plăcuțele de frână)*

retile ['ri:'tail] *vt constr* 1 a repara *(acoperișul unei case);* a reface țiglele de pe *(acoperiș)* 2 a pardosi din nou, a reface pardoseala (la *sau* cu *dat)*

retimber ['ri:'timbər] *vt silv* a reîmpăduri; a răsădi cu puieți

re-tin ['ri:'tin] *vt* a spoi din nou *(o tingire, vase etc.)*

retina ['retinə], *pl* **retinae** ['retini:] *s anat* retină

retinae ['retini:] *pl de la* **retina**

retinal ['retinəl] *adj anat* al retinei, care ține de retină

retinitis [,reti'naitis] *s med* retinită, inflamație a retinei

retinue ['reti,nju:] *s* cortegiu, alai, suită, trenă

retiracy [ri'tairəsi] *s amer* izolare, retragere, sihăstrie, pustnicie

retiral [ri'tairəl] *scot s* 1 pensionare, ieșire la pensie; scoatere la pensie 2 demisie, demisionare

retire [ri'taiə²] I *vi* 1 a se retrage; **to ~ from the world** a părăsi lumea aceasta, a se duce pe lumea cealaltă 2 a pleca, a se duce; **to ~ for the night; to ~ to bed** a se duce la culcare, a se retrage în camera sa 3 a demisiona; a se retrage; a se pensiona 4 *mil* a bate în retragere, a se retrage, a se replia 5 a se depărta 6 *sport* a abandona; a se retrage *(din cursă etc.)* 7 a se da înapoi, a se retrage II *vt* 1 *mil* a retrage, a replia 2 *ec* a retrage din circulație *sau* de pe piață 3 a pensiona, a scoate la pensie; a pune în retragere; **to ~ from the world** a părăsi lumea aceasta, a se duce pe lumea cealaltă III *s mil* ordin de retragere; **to sound the ~** a suna retragerea, a da ordin de retragere

retired [ri'taiəd] *adj* 1 retras, singuratic, izolat; sihastru 2 izolat, îndepărtat, retras; mărginaș 3 *(d. funcționar, militar etc.)* pensionat 4 retras *(din afaceri etc.);* pus în retragere

retired list [ri'taiəd 'list] *s* 1 *mil* lista cadrelor în retragere; **to be on the ~** a fi pensionat, a fi scos la pensie; **to put/to place on the ~** a pensiona, a scoate din cadrele active 2 tabel al funcționarilor pensionați

retiredness [ri'taiədnis] *s* 1 izolare, retragere, singurătate; viață retrasă 2 situare într-un loc retras, izolare

retired pay [ri'taiəd 'pei] *s* pensie *(a unui ofiter sau funcționar)*

retiree [,ritaiə'ri:] *s* persoană pensionabilă/care se pensionează

retirement [ri'taiəmənt] *s* 1 izolare, singurătate, retragere, pustnicie, sihăstrie; **to live in ~** a trăi departe de lume, a sta singur/ izolat, a duce o viață de pustnic 2 retragere 3 *mil* repliere, retragere 4 *mil etc.* scoatere la pensie, pensionare 5 *sport* abandonare, părăsire, retragere *(din concurs etc.)* 6 *ec* scoatere/retragere din circulație *sau* de pe piață

retirement pension [ri'taiəmənt ,pensən] *s* pensie de bătrânețe

retiring [ri'taiəriŋ] I *s v.* **retirement** 2, 4 II *adj* 1 care se pensionează; pensionat; pensionar 2 retras, izolat 3 *fig* rezervat tăcut; timid, sfios 4 *mil* care se retrage/se repliază

retiring age [ri'taiəriŋ ,eidʒ] *s* vârsta pensionării/pensiei

retiring collection [ri'taiəriŋ kə'leksən] *s* chetă *(la sfârșitul serviciului religios, al unui concert etc.)*

retiring fund [ri'taiəriŋ ,fʌnd] *s* fond de pensii/pensionare

retiringly [ri'taiəriŋli] *adv* modest, cu modestie

retiringness [ri'taiəriŋnis] *s* modestie, caracter retras

retiring pension [ri'taiəriŋ ,pensən] *s* pensie (de bătrânețe)

retiring room [ri'taiəriŋ ,ru:m] *s eufem* baie, toaletă

retold [ri:'tould] *pret și ptc de la* **retell**

retool [ri:'tu:l] *vt ec* a reutila, a reechipa

retooling [ri:'tu:liŋ] *s ec* reutilare, reînnoire a utilajului

retort¹ [ri'tɔ:t] I *s* ripostă, replică, răspuns *(↓ impertinent sau ironic)* II *vt* 1 a riposta la 2 a

întoarce *(un argument, o insultă)* *vi* **(on)** a replica, a riposta, a răspunde *(cu dat)*

retort² *ch* I *s* retortă II *vt* a distila în retortă

retortion [ri'tɔ:sən] *s* 1 *v.* **retirement** 3 2 *jur* represalii

retouch [ri:'tʌtʃ] I *vt* 1 a retușa 2 a corecta, a îndrepta; a stiliza II *s* retuș; retușare

retouching [ri:'tʌtʃiŋ] *s* retușare, retuș

retrace¹ [ri:'treis] *vt* 1 a urmări până la origine/sursă; a căuta originea/sursa *(cu gen)* 2 a reconstitui, a reface (din memorie), a-și reaminti, a derula 3 a se înapoia/a se întoarce pe același drum; **to ~ one's steps** a face cale întoarsă, a lua drumul înapoi

retrace² [ri:'treis] *vt* a reface *(un desen)*, a trage din nou *(aceleași linii)*

retract [ri'trækt] I *vt* 1 a(-și) retrage, a(-și) trage înapoi *(ghearele etc.)* 2 a retracta *(spusele)*, a tăgădui, a nega, a nu recunoaște 3 a-și lua înapoi *(cuvântul, promisiunea)* 4 *lingv* a pronunța cu limba în fundul gurii II *vi* 1 a se retrage, a se trage înapoi 2 a se dezice, a retracta 3 a-și călca promisiunea, a-și lua vorba/cuvântul înapoi

retractable [ri'træktəbəl] *adj* 1 retractabil, care poate fi retras/ tăgăduit 2 *v.* **retractile**

retractable ball-point pen [ri'træktəbəl ,bɔ:l,point'pen] *s* ← *înv* pix

retractation [,ri:træk'teisən] *s* 1 retractare, dezicere, tăgăduire 2 discurs de retractare; palinodie

retractile [ri'træktail] *adj zool* retractil

retractility [,ri:trækt'tiliti] *s* retractilitate, caracter retractil

retraction [ri'træktʃən] *s* 1 retragere, tragere înapoi *(a ghearelor etc.)* 2 *amer v.* **retractation** 1

retractive [ri'træktiv] *adj* (cu caracter) de retragere

retractor [ri'træktər] *s anat* mușchi retractor

retraining [ri:'treiniŋ] *s* reeducare (profesională); perfecționare (în meserie)

retral ['ri:trəl] *adj* 1 posterior, din/ situat în spate 2 *(d. mișcare)* de retragere, înapoi; retro

retranslate [ˌriːtrɑːnsˈleit] *vt* a retraduce, a traduce din nou/încă o dată; a reface traducerea unui text

retranslation [ˌriːtrɑːnsˈleiʃən] *s* retraducere, nouă traducere; exercițiu de reconstituire a originalului, retro-versiune

retransmission [ˌriːtrænzˈmiʃən] *s* 1 retransmitere; retransmisie 2 reexpediere, retransmitere

retransmit [ˌriːtrænzˈmit] *vt* 1 a retransmite 2 a reexpedia

retraverse [ˌriːtrəˈvəːs] *vt* a traversa din nou, a străbate încă o dată

retraxit [riːˈtræksit] *s jur* renunțare

retread[1] [riːˈtred], *pret* **retrod** [riːˈtrɔd], *ptc* **retrodden** [riːˈtrɔdən] *vt* a călca/a bate din nou *(un drum);* a trece din nou prin *(un loc);* a bătători din nou

retread[2] *auto* I *vt* a reșapa, a reface, a recauciuca *(o anvelopă)* II *s v.* **retreading**

retreading [riːˈtrediŋ] *s auto* reșapare, refacere, recauciucare *(a unei anvelope)*

retreat [riːˈtriːt] I *vi* 1 *mil etc.* a se retrage, a bate în retragere 2 *sport* a se desprinde, a se descleșta 3 *fig* a se retrage, a se refugia *(de lume)* II *vt la șah* a retrage, a aduce înapoi, a fugi cu *(o piesă amenințată)* III *s* 1 *mil* retragere, repliere; **to sound/to beat the ~** a suna/a ordona retragerea, a da ordin de retragere; **to be in ~** a fi/a bate în retragere; a se replia; **to make good one's ~** a *mil* a se retrage/ a se replia în ordine b ← *F* a evada 2 *mil* (semnal de) stingere 3 *fig* retragere; descreștere; regresiune 4 refugiu, adăpost; liman, azil; **to go into ~ in the country** a se refugia/a se retrage, a evada la țară 5 cuib/vizuină de hoți/tâlhari

retreating [riːˈtriːtiŋ] I *s* retragere II *adj* în retragere, care se retrage

retreating chin [riːˈtriːtiŋˈtʃin] *s* bărbie turtită/adusă înăuntru

retreating forehead [riːˈtriːtiŋˈfɔrid] *s* frunte teșită

retrench [riːˈtrentʃ] I *vt* 1 a reduce, a restrânge; a micșora; a diminua 2 a suprima, a tăia, a cenzura *(un pasaj etc.)* 3 *mil* a fortifica, a întări II *vi* a se restrânge (materialicește), a face economii, a-și reduce cheltuielile

retrenchment [riːˈtrentʃmənt] *s* 1 reducere, restrângere; micșorare, diminuare 2 economii, restricții financiare 3 suprimare, tăiere; cenzurare *(a unui text)* 4 *mil* fortificație; poziție întărită; șanț de apărare

retrial [riːˈtraiəl] *s jur* rejudecare

retribution [ˌretriˈbjuːʃən] *s* 1 răsplată, recompensă; retribuție 2 *fig* pedeapsă; răzbunare *(a cerului)* 3 *jur* sentință (de condamnare), condamnare, hotărâre judecătorească

retributive [riːˈtribjutiv] *adj* 1 cu caracter de retribuție/răsplată/ recompensă 2 punitiv, de pedepsire; ca o pedeapsă sau răzbunare

retributive punishment [riːˈtribjutiv ˈpʌniʃmənt] *s jur* pedeapsă judiciară

retributory [riːˈtribjutəri] *adj v.* **retributive**

retrievable [riːˈtriːvəbl] *adj* 1 recuperabil, de regăsit 2 remediabil 3 *ec* încasabil, care se poate percepe 4 *automatică* care poate fi repercutat/regăsit *(în memoria computerelor etc.)*, (re)utilizabil

retrieval [riːˈtriːvəl] *s* 1 recuperare 2 refacere; reparație; remediere, îndreptare; **beyond/past ~ a** ireparabil, iremediabil **b** nerecuperabil 3 reabilitare, restabilire *(a reputației etc.)*

retrieve [riːˈtriːv] I *vt* 1 a recupera, a redobândi; a regăsi 2 a-și reface, a-și restabili; a reabilita *(reputația etc.)* 3 a salva, a scăpa; a mântui 4 a remedia, a îndrepta, a repara; **to ~ one's losses** a se reface; a recupera terenul pierdut 5 *(d. un câine de vânătoare)* a aporta *(vânatul)* 6 ← *înv* a dezgropa *(amintiri)* II *vr* a se reabilita, a-și reface/a-și restabili *(reputația etc.)* III *s v.* **retrieval** 2

retriever [riːˈtriːvər] *s* câine de aport

retrim [riːˈtrim] *vt* 1 a împodobi din nou, a reîmpodobi 2 a modifica; a rearanja; a ajusta; a refasona; a moderniza *(o pălărie, o haină etc.)*

retroact [ˈretrouˌækt] *vi* 1 *jur* a avea efect retroactiv/putere retroactivă; a acționa retroactiv 2 **(against)** a reacționa (la, față de, contra – *cu gen)*

retroaction [ˌretrouˈækʃən] *s* 1 *jur* acțiune retroactivă; efect retroactiv 2 *fig* reacție, contralovitură, ripostă

retroactive [ˌretrouˈæktiv] *adj* retroactiv

retroactivity [ˌretrouækˈtiviti] *s* retroactivitate, caracter retroactiv

retrocede [ˌretrouˈsiːd] I *vt jur etc.* a retroceda, a înapoia II *vi* a da înapoi, a ceda

retrocedent [ˌretrouˈsiːdənt] *adj* care retrocedează

retrocession [ˌretrouˈseʃən] *s* 1 *jur* retrocesiune, retrocedare 2 *fiz* mișcare retrogradă

retrochoir [ˈretrouˌkwaiər] *s arhit bis* parte a catedralei din spatele marelui altar

retroengine [ˈretrouˌendʒin] *s av* retromotor, retrorachetă

retrofire [ˈretrouˌfaiər] *av* I *vt* a aprinde o retrorachetă/un retromotor II *s* aprindere a retrorachetei/retromotorului

retroflex(ed) [ˈretrouˌfleks] *adj anat, bot, lingv* retroflex, întors spre înapoi

retroflexion [ˌretrouˈflekʃən] *s med, lingv* retroflexiune

retrogradation [ˌretrougrəˈdeiʃən] *s* 1 revenire, întoarcere înapoi 2 *fig* decadență, regres; degenerescență 3 *astr* mișcare retrogradă

retrograde [ˈretrouˌgreid] I *vi* 1 *astr, fiz* a retrograda 2 a degenera, a decădea II *adj* 1 retrograd; invers 2 *fig* retrograd, înapoiat 3 *pol* retrograd, reacționar; conservator

retrograde order [ˈretrouˌgreid ˈɔːdər] *s fiz, astr* ordine inversă

retrogress [ˌretrouˈgres] *vi* 1 a regresa, a da îndărăt/înapoi 2 a merge îndărăt/înapoi 3 a se înrăutăți, a se strica; a se agrava 4 *mat* a regresa

retrogression [ˌretrouˈgreʃən] *s* 1 *tehn, fiz* mișcare de recul; mișcare înapoi/retrogradă 2 *v.* **retrogradation** 3 3 *med* regres *(al maladiei)* 4 *mat* regres

retrogressive [ˌretrouˈgresiv] *adj* 1 retrograd; regresiv, care regresează/dă înapoi 2 *biol* regresiv; degenerescent

retroject [ˌretrouˈdʒekt] *vt* a proiecta/ a arunca înapoi

retropulsion [ˌretrou'pʌlʃən] *s med* 1 retropulsiune 2 retrocesiune

retro-rocket ['retrou, rɔkit] *s av etc.* retrorachetă, rachetă retropropulsoare

retrorse [ri'trɔːs] *adj bot* înclinat, încovoiat, aplecat

retrospect ['retrou,spekt] *s* privire retrospectivă; **to consider smth in ~** a arunca o privire retrospectivă asupra *(cu gen)*, a privi retrospectiv (la)

retrospection [ˌretrou'spekʃən] *s v.* **retrospect**

retrospective [ˌretrou'spektiv] *adj* 1 retrospectiv 2 *jur* (cu efect) retroactiv

retrospective law [ˌretrou'spektiv 'lɔː] *s jur* lege retroactivă/cu efect(e) retroactiv(e)

retrospect on [ˌretrou'spekt ɔn] *vi cu prep* a privi retrospectiv la

retrospect to [ˌretrou'spekt tə] I *vi cu prep* a se referi/a se raporta la, a privi II *s cu prep* trimitere/ referire la

retroussé [rə'truːsei] *adj fr (d. nas)* cârn

retrovaccination [ˌretrou,væksi-'neiʃən] *s med* retrovaccinare

retroversion [ˌretrou'vəːʃən] *s med, lingv* retroversiune

retry [riː'trai] *vt* 1 a încerca din nou, a pune din nou la încercare 2 *jur* a rejudeca, a repune pe rol

retsina [ret'siːnə] *s* vin grecesc cu aromă rășinoasă

rettery ['retəri] *s* loc folosit pentru topirea inului *sau* cânepii; topitorie de in *sau* cânepă

return [ri'təːn] I *vi* 1 (from) a se întoarce, a se înapoia, a reveni (de la, din); **to go never to ~ (again)** a pleca pentru totdeauna/ definitiv; **to ~ the way one came** a se înapoia pe același drum; **to ~ home** a se întoarce acasă **b** a se (re)întoarce în patrie; **to ~ from the dead** a învia din morți; **to ~ to the subject** a reveni la subiect; **let us ~ to our muttons** să revenim la oile noastre; **his colour has ~ed** i-a revenit culoarea în obraji, nu mai este așa palid; **to ~ to port** *nav* a se înapoia în port/la bază 2 a replica, a răspunde, a riposta II *vt* 1 a înapoia, a restitui, a reda; **to ~ a loan** a înapoia un împrumut, a da

banii înapoi, a-și plăti datoria 2 a repune, a pune la loc; **to ~ swords** *mil* a băga sabia în teacă; **to ~ smth to its place** a pune ceva la loc 3 a răspunde cu/prin; **to ~ good for evil** a răsplăti răul cu binele; **to ~ like for like** a plăti/ a răspunde cu aceeași monedă; **to ~ an answer** a da un răspuns; **to ~ thanks to smb** a aduce mulțumiri cuiva 4 a răspunde (în același fel) la; **to ~ smb's greeting/bow** a răspunde cuiva la salut, a răspunde la salutul cuiva; **to ~ a compliment** a răspunde la complimentele cuiva (printr-un compliment); **to ~ smb's love/ affection** a împărtăși dragostea cuiva; a răspunde cu afecțiune la afecțiunea cuiva; **to ~ smb's lead a** *(la cărți)* a răspunde la culoare **b** *fig* a sprijini inițiativa cuiva 5 a reflecta, a oglindi; a răsfrânge; a arunca înapoi 6 *ec* a raporta, a produce, a aduce *(dobândă etc.)* 7 a raporta, a anunța, a declara; **to ~ one's income** a-și declara veniturile; **to ~ the results of the elections** a comunica rezultatele alegerilor 8 *pol* a alege *(un deputat)* 9 *jur* a declara, a găsi *(vinovat)* III *s* 1 întoarcere, înapoiere, revenire; **the ~ of pupils to school** (re)deschiderea școlilor; **on one's ~ (home)** la întoarcere (acasă); **by ~ of mail/post** cu poșta următoare 2 repetare, revenire; **many happy ~s (of the day)!** *(la aniversarea cuiva)* la mulți ani (fericiți)! **to have a ~ of health** a se face bine, a se însănătoși, a-și reveni; **to have a ~ of one's illness** a avea o reșută, recădere/recrudescență a maladiei 3 restabilire, refacere; revenire la normal 4 *ec pl* câștig, profit, beneficiu; încasări, intrări; **to bring (in) a fair ~** a aduce beneficii frumoase 5 *com* refuzare, înapoiere, restituire *(a mărfurilor necorespunzătoare);* **on sale or ~** de vândut ori de restituit 6 *pl com* mărfuri refuzate; stoc nevândut; deșeuri 7 schimb; **in ~ for** în schimbul *cu gen* 8 *v.* **return ticket** 9 reflectare, oglindire 10 recompensă, răsplată; **in ~ for this service** drept răsplată pentru acest serviciu 11 raport oficial;

comunicat (oficial); dare de seamă; expunere; statistică; **~ of killed and wounded** *mil* lista pierderilor; **to make out a ~** a întocmi un raport 12 recensământ 13 ↓ *pl pol* rezultatele electorale/ alegerilor 14 *pol* alegere *(a unui deputat)* 15 *el* circuit invers 16 *min* galerie (auxiliară) de aeraj

re-turn [riː'təːn] *vt* a întoarce/a (ră)suci *(ceva)* pe toate fețele/părțile

returnable [ri'təːnəbəl] *adj* 1 care poate fi înapoiat/restituit 2 *pol* eligibil

return address [ri'təːn ə,dres] *s* adresă a expeditorului

return block [ri'təːn ,blɔk] *s tehn* scripete de ghidare, plan cu traversă

return conductor [ri'təːn kən,dʌktər] *s ferov* circuit de cale

return coupling [ri'təːn ,kʌpliŋ] *s tel* reacție

return duty [ri'təːn ,djuːti] *s ec* restituire a taxelor vamale

returned [ri'təːnd] *adj* 1 înapoiat, reîntors 2 restituit (expeditorului)

returned letter [ri'təːnd 'letər] *s* scrisoare trimisă înapoi expeditorului/trimisă retur

returned time [ri'təːnd 'taim] *s sport* timp oficial

returner [ri'təːnər] *s* 1 persoană care se înapoiază; repatriat 2 persoană care înapoiază/restituie

return flow [ri'təːn ,flou] *s* 1 reflux 2 curent invers, curgere în sens invers

return game [ri'təːn ,geim] *s sport v.* **return match**

returning [ri'təːniŋ] I *s* 1 (re)întoarcere, revenire, înapoiere 2 restituire 3 *com* rambursare 4 *com* retrimitere, înapoiere, refuzare 5 *pol* alegere *(a unui deputat)* II *adj* 1 care se (re)întoarce/înapoiază 2 care revine/se repetă

returning borough [ri'təːniŋ 'bʌrə] *s pol, od* oraș care are dreptul la reprezentare parlamentară

returning health [ri'təːniŋ 'helθ] *s* însănătoșire, revenire a sănătății

returning officer [ri'təːniŋ 'ɔfisər] *s* funcționar superior care controlează *sau* prezidează alegerile parlamentare; reporter, redactor *(al proceselor verbale ale alegerilor)*

return journey [ri'təːn 'dʒəːni] *s* (călătorie de) întoarcere/înapoiere

return match [ri'tə:n ,mætʃ] *s sport* (meci) retur/revanșă

return of expenses [ri'tə:n əv ik'spensiz] *s* listă de cheltuieli

return of income [ri'tə:n əv 'inkəm] *s fin, com* declarație de venituri; declarație de autoimpunere

return passage [ri'tə:n ,pəsidʒ] *s tehn* canal de reflux/prealpin/scăpare/transvazare

return pipe [ri'tə:n ,paip] *s* 1 *auto* țeavă/tub retur 2 *constr etc.* conductă inversă

return riser [ri'tə:n,raizəʳ] *s constr* coloană verticală de întoarcere

return spring [ri'tə:n ,spriŋ] *s tehn* arc/resort de întoarcere

return stroke [ri'tə:n ,strouk] *s tehn* cursă de înapoiere (a pistonului)

return ticket [ri'tə:n 'tikit] *s ferov etc.* bilet dus-întors

return trade (wind) [ri'tə:n ,treid (wind)] *s geogr* contraalizeu

return valve [ri'tə:n ,vælv] *s tehn* clapetă reversibilă, supapă/ventil de reținere

re-tyre ['ri:'taiəʳ] *vt* a schimba cauciucul la (o roată)

Reuben ['ru:bin] *s* 1 Rubens 2 *amer F* mitocan, mârlan, mojic

Reuben sandwich ['ru:bin ,sænd-widʒ] *s* tartină (din pâine prăjită de secară, cu friptură de vacă, șvaiter și varză murată)

reunify ['ri'ju:nifai] *vt* a reunifica

Réunion [ri:'ju:njən] *insulă în Oceanul Indian*

reunion *s* 1 reunire 2 adunare, reunire, întrunire

reunionist [ri:'ju:njənist] *s bis* unionist (partizan al unirii bisericii anglicane cu cea catolică)

reunite [,ri:ju:'nait] I *vt* 1 a uni din nou, a reuni; a pune la loc, a lipi, a alipi, a împreuna 2 *fig* a aduna, a strânge, a ralia, a întruni 3 a reconcilia, a împăca (din nou) II *vi* a se reuni, a se realipi 2 a se reconcilia, a se împăca

re-urge [ri:'ə:dʒ] *vt* a folosi din nou, a recurge din nou la (un argument); a argumenta din nou (o idee)

re-use [ri:'ju:z] *vt* a folosi/a întrebuința din nou

Reuther ['ru:θəʳ], **Walter Philip** *lider sindical american (n. 1907)*

re-utter [ri:'ʌtəʳ] *vt* a pronunța/a rosti din nou

rev. *tehn* ← *F* I *s* tură, turație II *vt* a mări turația (cu dat) III *vi* a-și mări turația

rev. *presc de la* 1 revenue 2 reverend 3 reverse 4 review 5 reviewed 6 revised 7 revision 8 revolution

revaccinate [ri:'væksineit] *vt med* a revaccina

revaccination [ri:,væksi'neiʃən] *s med* revaccinare

revalorization [ri:,vælərai'zeiʃən] *s ec* revalorizare

revalorize [ri:'væləraiz] *vt ec* a revaloriza

revaluation [ri:,vælju:'eiʃən] *s* reevaluare

revalue [ri:'vælju:] *vt* a reevalua

revamp [ri:'væmp] *vt* 1 a încăputa (un pantof) 2 *fig F* a cârpi, a petici 3 *tehn* a reutila/a reamenaja/a reechipa parțial 4 a renova, a restructura

revanche [ri'va:nʃ] *s fr* revanșă

revanchism [ri'va:nʃizəm] *s pol* revanșism, politică revanșardă

revanchist [ri'va:nʃist] *s pol* revanșard

revarnish [ri:'va:niʃ] *vt* 1 a lustrui din nou, a da un lustru nou (cu dat) 2 *fig* a repara, a reface, a cârpi; **to ~ smb's reputation** a restabili/a reface reputația cuiva; a scoate pe cineva basma curată

revascularization [ri:,væskjulərai-'zeiʃən] *s med* (operația de) revascularizare

reveal [ri'vi:l] I *vt* 1 a dezvălui, a da în vileag, a revela; **to ~ one's identity** a-și dezvălui adevărata identitate; a-și declina numele 2 a destăinui; a divulga; **to ~ one's soul to smb** a-și deschide inima/sufletul cuiva 3 a dovedi, a demonstra, a arăta, a revela (un talent) 4 *rel* a revela II *s constr* prag superior/fals

revealable [ri'vi:ləbəl] *adj* 1 care poate fi dezvăluit/revelat/dat în vileag 2 care poate fi divulgat/destăinuit

revealed religion [ri'vi:ld ri'lidʒən] *s* 1 religie revelată 2 doctrina revelației divine

revealer [ri'vi:ləʳ] *s* destăinuitor, persoană care destăinuie/dă în vileag o taină

revealing [ri'vi:liŋ] I *s* revelație II *adj* revelator

reveille [ri'væli] *s fr↓ mil* deșteptare, semnal de deșteptare

revel ['revəl] I *s* 1 *v.* revelry 2 *pl* od spectacol pentru curteni II *vi* a chefui, a benchetui, a se ține de petreceri

revelation [,revə'leiʃən] *s* 1 dezvăluire, dare în vileag, revelație 2 *fig* surpriză 3 destăinuire, dezvăluire 4 *rel* și *fig* revelație

Revelation, the [,revə'leiʃən, ðə] *s rel* Apocalipsa Sf. Ioan

revelationist [,revə'leiʃənist] *s rel* persoană care acceptă doctrina revelației divine

Revelationist, the [,revə'leiʃənist, ðə] *s rel* autorul Apocalipsei

revel away ['revəl ə'wei] *vt cu part adv* 1 a-și petrece (timpul) numai în chefuri/zaiafeturi/orgii 2 a-și risipi/da banii pe chefuri

revel in ['revəl in] *vi cu prep* a se desfăta/a se delecta cu; a savura din plin *cu ac*

reveller ['revələʳ] *s* 1 băiat de viață, chefliu, comesean vesel 2 destrăbălat, detracat, stricat

revelling ['revəliŋ] *s v.* revelry

revelry ['revəlri] *s* 1 chef, zaiafet, benchetuire, petrecere 2 orgie; desfrâu, orgii

revendication [ri,vendi'keiʃən] *s* revendicare, pretenție

revenge [ri'vendʒ] I *s* 1 răzbunare; **in ~ for** drept răzbunare pentru; **out of ~** *v.* revengefully; **to have/to take one's ~/on smb** a se răzbuna pe cineva; **to thirst for ~** a fi setos de răzbunare/a clocoti de dorul răzbunării 2 *sport* și *fig* revanșă; **to have one's ~** a-și lua revanșa; **to give smb his ~** a acorda cuiva revanșa II *vt* a răzbuna; a pedepsi; **to ~ a wrong** a se răzbuna pentru o nedreptate, a răzbuna o nedreptate III *vr* a se răzbuna; **to ~ oneself on smb for smth** a se răzbuna pe cineva pentru ceva

revengeful [ri'vendʒful] *adj* răzbunător, vindicativ; neiertător, care nu iartă

revengefully [ri'vendʒfuli] *adv* din răzbunare

revengefulness [ri'vendʒfulnis] *s* spirit de răzbunare

revenger [ri'vendʒəʳ] *s* răzbunător

revenue ['revi,nju:] s **1** venit (anual); câştig(uri), venituri, beneficii **2** bunuri care constituie surse de câştig

revenue authority ['revi:nju: ɔ:- ,θɔriti] s autoritate fiscală; fisc; percepţie

revenue cutter ['revi,nju:,kʌtəʳ] s nav şalupă cu motor armată pentru prevenirea contrabandei, şalupă folosită de grăniceri, şalupă de pază a coastei

revenue office ['revi,nju: ,ofis] s administraţie financiară; fisc

revenue officer ['revi,nju: ,ofisəʳ] s **1** administrator financiar, perceptor **2** vameş, funcţionar vamal

revenue stamp ['revi,nju: ,stæmp] s ec **1** timbru fiscal **2** banderolă care atestă plata taxei de timbru

reverberant [ri'və:bərənt] adj reverberant

reverberate [ri:'və:bə,reit] I vi **1** a reverbera **2** a răsuna (ca un ecou) **3** a se răsfrânge, a se reflecta II vt **1** a face să reverbereze, a reverbera **2** a reflecta, a răsfrânge **3** a relua ca un ecou, a repercuta

reverberating [ri:'və:bəreitiŋ] adj **1** reflectat, răsfrânt **2** reverberat **3** şi fig răsunător **4** tehn cu reverberaţie

reverberating furnace [ri:'və:bəreitiŋ 'fə:nis] s tehn cuptor cu reverberaţie

reverberation [ri'və:bə'reiʃən] s **1** reverberaţie **2** răsfrângere, reflectare; repercutare **3** ecou, răsunet, reverberaţie **4** bubuit (de trăsnet)

reverberative [ri'və:bərətiv] adj reverberant

reverberator [ri'və:bə,reitəʳ] s **1** reverberator **2** reflector

reverberatory furnace [ri'və:bərətəri 'fə:nis] s v. **reverberating furnace**

revere [ri'viəʳ] vt **1** a respecta, a fi deferent/respectuos cu; a onora **2** a venera, a adora, a slăvi

reverence ['revərəns] I s **1** veneraţie, adoraţie; respect, stimă, onoare; **to hold smb in ~, to feel ~ for smb** a venera/a adora pe cineva, a nutri/a avea un profund respect pentru cineva; **to pay ~ to smb** a manifesta o stimă profundă pentru cineva **2** od

plecăciune, reverenţă, închinăciune, temenea III vt **1** a venera, a adora **2** a respecta, a stima

reverend ['revərənd] I adj **1** respectabil, venerabil **2** bis cucernic, pios, evlavios **3** bis (prea)sfinţit (în titluri); **The Right R~ Dr. Smith** aprox Cuviosul Părinte Smith, doctor în teologie II s preot, reverend, pastor (anglican)

reverent ['revərənt] adj reverenţios, respectuos

reverential [,revə'renʃəl] adj v. **reverent**

reverently ['revərəntli] adv (în mod) reverenţios/respectuos

reverer [ri'viərəʳ] s adorator, închinător (al unui zeu etc.)

reverie ['revəri] s **1** reverie, visare **2** visuri, iluzii

reversal [ri'və:səl] s **1** schimbare totală/completă, întoarcere (a curentului de opinii etc.) **2** tehn inversare, reversare; schimbare a sensului de mişcare **3** tehn răsturnare, inversare (a imaginii) **4** av schimbare a direcţiei vântului **5** jur anulare, casare, revocare, abrogare, desfiinţare **6** jur renunţare

reverse [ri'və:s] I adj invers, contrariu, opus; răsturnat II s **1** revers **2** verso, contrapagină **3** invers, contradictoriu, opus; **it is just/ quite the ~** este exact invers/pe dos; **to be the very ~ of smb** a fi exact opusul/contrariul cuiva **4** fig lovitură (a soartei); năpastă, calamitate; **to suffer a ~** a a suferi/a avea un eşec b a suferi o pierdere materială/bănească **5** tehn mişcare în sens invers, cursă de întoarcere; schimbare a sensului de mişcare **6** tehn mecanism de schimbare a sensului de mişcare **7** auto marşarier; **to go/throw into ~** a da înapoi, a băga în marşarier **8** mil spate (al inamicului etc.) III vt **1** a inversa; **to ~ charge(s)** tel a vorbi/a telefona/a chema/a da telefon cu taxă inversă **2** a răsturna, a întoarce (pe dos); a schimba total (atitudinea etc.); **positions are ~ed** s-a schimbat radical situaţia, poziţiile s-au inversat; **to ~ arms** mil a întoarce puştile cu ţeava în jos **3** tehn a inversa, a schimba (sensul,

direcţia mişcării); a reversa **4** auto a pune/a băga (maşina) în marşarier **5** jur a anula, a casa; a revoca; a suprima, a abroga IV vr amer a se răzgândi, a-şi schimba gândul/intenţiile V vi a valsa în sens invers (de la stânga la dreapta)

reverse axle [ri'və:s ,æksl] s auto ax de marşarier

reverse batten [ri'və:s ,bætən] s mil artilerie care bate spatele inamicului

reverse bearing [ri'və:s ,bɛəriŋ] s **1** top viză/vizare inversă **2** av relevment de apropiere

reverse current [ri'və:s ,kʌrənt] s el şi fig contracurent

reverse curve [ri'və:s ,kə:v] s ferov contracurbă

reversed [ri'və:st] adj **1** răsturnat, inversat **2** invers, contrariu, opus

reversed fault [ri'və:st ,fo:lt] s v. **reverse fault**

reversed polarity [ri'və:st po'læriti] s fiz polaritate inversă

reversed stress [ri'və:st 'stres] s fiz, el tensiune alternativă; ciclu simetric al tensiunilor

reverse fault [ri'və:s ,fo:lt] s falie inversă/de ascensiune, falie de aruncare în sus

reverse flank [ri'və:s ,flæŋk] s mil flanc întors

reverse gradient [ri'və:s ,greidiənt] s contrapantă

reverser [ri'və:səʳ] s tehn reversor; schimbător de mers

reverse running [ri'və:s ,rʌniŋ] s tehn mişcare în sens invers; mers înapoi, cursă de înapoiere/ de întoarcere

reverse side [ri'və:s ,said] s **1** revers **2** dos, spate; partea opusă/ cealaltă

reverse turn [ri'və:s ,tə:n] s av evoluţie Immelmann, semibuclă Nesterov

reversi [ri'və:si] s v. **reversis**

reversibility [ri,və:sə'biliti] s reversibilitate, caracter reversibil

reversible [ri'və:səbəl] adj **1** reversibil **2** tehn reversibil, convertibil **3** jur revocabil, anulabil; casabil **4** text (d. ţesături) cu două feţe

reversible claw [ri'və:səbəl 'klo:] s auto fuzetă

reversible cycle [ri'və:səbəl 'saikl] s proces ciclic reversibil

reversible process [ri'vəːsəbə l 'prouses] *s* proces reversibil

reversible reaction [ri'vəːsəbə l ri'ækʃən] *s ch* reacţie reversibilă

reversible rotary switch [ri'vəːsəbə l 'routəri 'switʃ] *s el* întrerupător basculant

reversing [ri'vəːsiŋ] *s* 1 inversare, răsturnare; schimbare completă 2 *tehn* inversare/schimbare a sensului de mers; comutare

reversing controller [ri'vəːsiŋ kən'troulər] *s el* controlor pentru inversare

reversing gear [ri'vəːsiŋ 'giər] *s tehn* mecanism inversor/inversare

reversing key [ri'vəːsiŋ 'kiː] *s* 1 *el* comutator de sens reversor 2 *tel* manipulator dublu

reversing lever [ri'vəːsiŋ 'liːvər] *s tehn* manetă de comandă a inversorului

reversing motion [ri'vəːsiŋ 'mouʃən] *s astr* mişcare în sens retrograd

reversing point [ri'vəːsiŋ 'point] *s tehn* punct de inversare

reversing rod [ri'vəːsiŋ 'rod] *s tehn* tijă de manevră

reversing rolling mill [ri'vəːsiŋ ,rouliŋ 'mil] *s tehn* laminor reversibil

reversing triangle [ri'vəːsiŋ 'traiæŋgl] *s ferov* triunghi de întoarcere

reversing valve [ri'vəːsiŋ 'vælv] *s tehn* 1 supapă reversibilă 2 sertăraş pentru inversarea sensului de mişcare

reversion [ri'vəːʃən] *s* 1 întoarcere, revenire, înapoiere 2 *jur* reversiune, reversie; **in ~** reversibil 3 *biol* atavism 4 reziduu, rămăşiţă, rest

reversional [ri'vəːʃənəl], **reversionary** [ri'vəːʃənəri] *adj* 1 *jur* implicând dreptul de reversiune 2 *biol* atavic

reversioner [ri'vəːʃənər] *s jur* deţinător/posesor al dreptului de reversiune

reversion to type [ri'vəːʃən tə'taip] *s v.* **reversion 3**

reversis [ri'vəːsis] *s joc de cărţi în care câştigă cel care face mai puţine levate*

revert [ri'vəːt] I *vi jur* a reveni unui ascendent II *vt* a întoarce *(privirea etc.);* **to ~ one's eyes** a se uita înapoi/îndărăt; **to ~ one's steps** a reveni pe acelaşi drum, a face cale întoarsă

reverter [ri'vəːtər] *s jur* ascendent, căruiaîî revine o proprietate/moştenire

revertibility [,rivəːtə'biliti] *s jur* reversibilitate

revertible [ri'vəːtəbəl] *adj jur* reversibil

revert to [ri'vəːt tə] *vi cu prep* a se întoarce/a se înapoia/a reveni la; **to ~ type** *biol* a reveni la tipul primitiv; **to ~ a subject** a se referi din nou la/a relua un subiect

revet [ri'vet] *vt constr* a îmbrăca, a căptuşi *(cu piatră etc.);* **to ~ a trench** *mil* a căptuşi parapetul unei tranşee *(cu saci de nisip etc.)*

revetment [ri'vetmənt] *s constr* astereală, căptuşeală, căptuşire, manta, îmbrăcăminte, făţuială, placaj; îmbrăcare

revictual [ri'vitəl] I *vt* a reaproviziona II *vi* a se aproviziona din nou, a se reaproviziona

review [ri'vjuː] I *s* 1 revistă *(↓ literară sau ştiinţifică)* 2 privire generală; privire retrospectivă; trecere în revistă; bilanţ 3 *mil* (trecere în) revistă; **to pass in ~** a trece în revistă 4 *jur* revizuire *(a unui proces)* 5 recenzie, cronică; critică; analiză II *vt* 1 a revedea, a revizui; a corecta 2 a reexamina, a reconsidera, a analiza 3 a privi retrospectiv; a trece în revistă 4 *mil* a trece în revistă 5 a recenza, a scrie o recenzie/critică despre 6 a povesti a repeta, a expune III *vi* a face critică (literară), a fi cronicar (literar)

reviewable [ri'vjuːəbəl] *adj* susceptibil de revizuire

reviewal [ri'vjuːəl] *s v.* **review** I 4, 5

reviewer [ri'vjuːər] *s* recenzent; cronicar/critic (literar)

reviewing [ri'vjuːiŋ] *s* 1 revedere, revizuire 2 *mil* (trecere în) revistă 3 critică literară; recenzie

review order [ri'vjuː ,oːdər] *s mil* ordine/amplasament de paradă/pentru inspecţie

revile [ri'vail] I *vt* 1 a insulta, a ocărî, a ultragia; a înjura 2 a ponegri, a face cu ou şi cu oţet II *vi* (against) a aduce injurii *(cu dat);* a profera injurii (contra, împotriva – *cu gen)*

revilement [ri'vailmənt] *s* 1 *v.* **reviling** II 2 discurs injurios

reviler [ri'vailər] *s* detractor, defăimător, ponegritor

reviling [ri'vailiŋ] I *adj* injurios, insultător II *s* injurie; insultă, ocară

revisable [ri'vaizəbəl] *adj jur* susceptibil de revizuire

revisal [ri'vaizəl] *s* revedere, revizuire

revise [ri'vaiz] I *vt* 1 a revedea, a revizui; a corecta 2 *şcol* a recapitula, a revedea; a face o revizie a *(unor lecţii etc.);* **to be ~d** de recapitulat II *s poligr* revizie

revised [ri'vaizd] *adj* revăzut, revizuit; corectat

Revised Standard Version, the [ri'vaizd ,stændəd 'vəːʃən, ðə] *s bis* traducerea revizuită a Bibliei în S.U.A. *(1870-1884 şi 1946-1957)*

Revised Version, the [ri'vaizd 'vəːʃən, ðə] *s* traducerea revizuită a Bibliei *(în Anglia 1885; în S.U.A 1911)*

reviser [ri'vaizər] *s* corector, revizor

revising [ri'vaiziŋ] *s v.* **revisal**

revision [ri'viʒən] *s* 1 revedere, revizuire, revizie 2 ediţie revăzută şi corectată

revisionary [ri'viʒənəri] *adj* legat de revizie/revizuire/revedere

revisionism [ri'viʒənizəm] *s pol* revizionism

revisionist [ri'viʒənist] *s pol* revizionist

revisit [riː'vizit] *vt* a vizita din nou, a face o nouă vizită *(cu dat),* a se duce din nou la

revisor [ri'vaizər] *s v.* **reviser**

revisory [ri'vaizəri] *adj* de revizie *sau* control

revisualize [ri'viʒuəlaiz] *vt* a-şi închipui/a-şi imagina din nou; a retrăi/a revedea în amintire

revitalize [riː'vaitə,laiz] *vt* a reînsufleţi, a da din nou viaţă (la *sau cu dat)*

revivable [ri'vaivəbəl] *adj* care poate fi reînviat/reînsufleţit *sau* reînnoit

revival [ri'vaivəl] *s* 1 renaştere 2 regenerare, reînsufleţire, redeşteptare *(a naturii etc.)* 3 reluare, reapariţie *(a unui obicei etc.)* 4 *teatru* reluare 5 reluare, relansare, reiniţiere *(a unor tratative etc.)* 6 redobândire, recăpătare *(a conştiinţei etc.)* 7 *jur* repunere/reintrare în vigoare

revival of learning/letters, the [ri'vaivəl əv 'ləːniŋ/'letəz, ðə] *s ist* Renaşterea, înflorirea culturii în epoca Renaşterii

Revival style [ri'vaivəl ,stail] *s* stilul Renașterii, stil Renaștere

revive [ri'vaiv] **I** *vi* **1** a reînvia **2** *fig* a reveni la viață; a-și (re)veni în simțiri, a-și recăpăta conștiința **3** a se redeștepta; a renaște, a se reînsuflețí; a se trezi; **his spirits ~d** i s-a trezit din nou curajul; **her jealously ~d** a cuprins-o/a apucat-o din nou gelozia **4** *(d. modă, obiceiuri etc.)* a reveni; a renaște, a reînvia **5** *(d. natură etc.)* a reînvia, a renaște, a se înviora; a se regenera **6** *com* a lua avânt; a se restabili **7** *ch* a se dezoxida; a se reduce **II** *vt* **1** a reînvia **2** a reanima, a readuce la viață **3** a reînsuflețí, a face să renască; a redeștepta **4** a readuce la viață/în simțiri; a trezi *(din leșin etc.)* **5** *teatru* a relua **6** a reînnoi, a renova; a face din nou; a schimba **7** *ch* a dezoxida, a reduce; a regenera **8** *fig* a reanima, a reînsuflețí; a reîmprospăta, a reînvia *(amintiri, acuzații)*; **to ~ the conversation** a anima din nou conversația

reviver [ri'vaivə'] *s* **1** animator **2** *sl* întăritor, dușcă de băutură *(întăritoare)* **3** preparat care dă lustru mobilei

revivification [ri,vivifi'keiʃən] *s* **1** reînviere, reanimare, reînsuflețire; readucere la viață **2** *tehn* reactivare; regenerare

revivify [ri'vivi,fai] *vt v.* **revive** **II 1, 2, 3**

reviving [ri'vaiviŋ] **I** *adj* **1** care renaște/reînvie; nou **2** crescând **II** *s v.* **revival**

reviviscence [,revi'visəns] *s* **1** *v.* **revival 1, 2, 3 2** *med* reviviscență

reviviscent [,revi'visənt] *adj v.* **reviving I**

revocability ['revəkə'biliti] *s* **1** revocabilitate, caracter revocabil **2** *v.* **removability**

revocable ['revəkəbəl] *adj* revocabil, susceptibil de revocare; amovibil

revocation [,revə'keiʃən] *s* **1** revocare **2** anulare, abrogare; retragere *(a unui permis etc.)*

revocative [ri'vɔkətiv], **revocatory** ['revəkətəri] *adj* **1** revocator, de revocare **2** de destituire **3** de desființare **4** de anulare

revoke [ri'vouk] **I** *vt* **1** a revoca **2** anula, a abroga **3** a contramanda **4** a retracta, a retrage *(vorbe etc.)* **5** a retrage, a anula *(un permis etc.)* **II** *vi (la cărți)* a face o renonsă **III** *s (la cărți)* renonsă

revolt [ri'voult] **I** *s* **1** răscoală, revoltă, insurecție; rebeliune; răzvrătire; **to rise in ~** a se răscula, a se răzvrăti; **to stir up/to rouse to ~** a incita/a ațâța la răscoală/rebeliune **2** revoltă (interioară); nemulțumire, insatisfacție **II** *vi* **1** **(to, against)** a se revolta/a se indigna *(cu gen)*, a fi revoltat (de) **2** **(from, against)** a se răscula, a se răzvrăti, a se revolta (împotriva – *cu gen)*; **to ~ to the other side** a se revolta și a trece în tabăra cealaltă **III** *vt* a revolta, a indigna, a scoate din fire

revolted [ri'voultid] *adj* **1** răsculat, rebel, insurgent **2** *fig* revoltat, nemulțumit

revolter [ri'voultə'] *s* răsculat, insurgent, rebel

revolting [ri'voultiŋ] *adj* **1** revoltător, scandalos **2** revoltat, răsculat, răzvrătit, insurgent **3** supărător, insuportabil, imposibil (de suportat); **~ smell** miros insuportabil/care-ți mută nasul din loc

revolute[1] ['revə,luːt] *vi sl* a face pe revoluționarul; a duce activități revoluționare; a fi insurgent

revolute[2] *adj bot etc.* cu marginile întoarse/răsucite

revolution [,revə'luːʃən] *s* **1** *pol* revoluție, răscoală, răzmeriță **2** *tehn* rotație, revoluție, turație, rotire **3** *astr* (mișcare de) revoluție **4** mișcare giratorie

revolutionary [,revə'luːʃənəri] **I** *adj* **1** revoluționar **2** giratoriu, de rotire/rotație; de revoluție **II** *s v.* **revolutionist**

revolution counter [,revə'luːʃən ,kauntə'] *s tehn* **1** tahimetru **2** contor de turații/rotații

revolution door [,revə'luːʃən ,dɔː'] *s v.* **revolving door**

revolutionism [,revə'luːʃənizəm] *s* doctrină/teorie revoluționară; caracter revoluționar

revolutionist [,revə'luːʃənist] *s* revoluționar

revolutionize [,revə'luːʃə,naiz] *vt* a revoluționa

revolution window [,revə'luːʃən ,windou] *s constr* fereastră basculantă

revolve [ri'vɔlv] **I** *vi* **1** a se roti, a se învârti **2** a gravita, a avea o mișcare giratorie/de revoluție **3** a reveni periodic/ciclic/cu regularitate, a avea mișcare ciclică **4** *(d. idei)* a circula **II** *vt* **1** a medita la/a reflecta la, a frământa în minte, a fi frământat de **2** a învârti, a face să se învârtească/să se rotească

revolver [ri'vɔlvə'] *s* **1** revolver, pistol **2** *text* mangel

revolving [ri'vɔlviŋ] *adj* **1** rotitor, în rotație; care gravitează/se învârtește/se rotește **2** *tehn* turnant, pivotant; rotatoriu, giratoriu, rotativ **3** ciclic; (care revine) periodic

revolving base plate [ri'vɔlviŋ ,beis 'pleit] *s ferov* placă turnantă, disc turnant

revolving credit [ri'vɔlviŋ 'kredit] *s fin* credit reînnoit automat *(după acoperirea datoriei)*

revolving dome [ri'vɔlviŋ 'doum] *s constr* cupolă mobilă/turnantă

revolving door [ri'vɔlviŋ 'dɔː'] *s* ușă turnantă

revolving pendulum [ri'vɔlviŋ 'pendələm] *s fiz* pendul circular

revolving puddling furnace [ri'vɔlviŋ 'pʌdliŋ ,fəːnis] *s met* cuptor rotativ de pudlat/pudlaj

revolving screen [ri'vɔlviŋ 'skriːn] *s tehn* sită rotativă; ciur rotativ

revolving shutter [ri'vɔlviŋ 'ʃʌtə'] *s* rulou, stor, oblon rulant

revolving stage [ri'vɔlviŋ 'steidʒ] *s teatru* scenă turnantă

revolving turret [ri'vɔlviŋ 'tʌrit] *s tehn* turn rotitor (pentru macarale)

revue [ri'vjuː] *s fr teatru* (spectacol de) revistă/varieteu

revuist [ri'vjuːist] *s teatru* autor de texte de revistă, textier

revulsion [ri'vʌlʃən] *s* **1** întoarcere/schimbare totală *(a sentimentelor etc.)*; repulsie (bruscă) **2** **(from)** reacție (împotriva – *cu gen)* **3** *med* revulsiune **4** *fig* retragere, dare înapoi

revulsive [ri'vʌlsiv] *adj, s med* revulsiv

reward [ri'wɔːd] **I** *s* **1** recompensă, răsplată, premiu; **as a ~ for** drept/ca răsplată/recompensă pentru; **to offer a ~ for smb** a pune un premiu/preț pe capul cuiva; **to go to one's** ~ a se duce pe lumea cealaltă; a-l strânge Dumnezeu la el **2** *rar* pedeapsă, răzbunare **II** *vt* a răsplăti, a recompensa; a premia

rewardable [ri'wɔ:dəbəl] *adj (d. acțiuni etc.)* meritoriu, care merită o recompensă/o răsplată

rewarder [ri'wɔ:dəʳ] *s* răsplătitor, cel care oferă o răsplată/o recompensă

rewarding [ri'wɔ:diŋ] **I** *s v.* **reward I 1 II** *adj* **1** rentabil, profitabil, remunerativ, lucrativ **2** *fig* plin de satisfacții; rodnic

rewardless [ri'wɔ:dlis] *adj* nerăsplătit, prost răsplătit; lipsit de satisfacții; *v. și* **thankless**

re-weigh [ri:'wei] *vt* a recântări

rewind [ri:'waind], *pret și ptc* **rewound** [ri:'waund] *vt* **1** a întoarce *(ceasul)* **2** *text* a depăna **3** *el* a rebobina

re-wire [ri:'waiəʳ] *vt* a reface/a reînnoi instalația electrică *(a unei case)*

reword [ri:'wə:d] *vt* **1** a reformula; a repeta cu alte cuvinte **2** a repeta cu aceleași cuvinte

rewrite [ri:'rait] *vt* a scrie din nou, a rescrie; a modifica *(un text)*

rewrite man ['ri:,rait ,mæn] *s amer* redactor care prelucrează știrile, redactor de știri

Rex [reks] **1** *nume masc* **2** Măria/Majestatea Sa (Regele)

Reykjavik ['reikjə,vi:k] *capitala Islandei*

Reynard (the Fox) ['renəd (ðə 'fɒks)] *s lit* Jupân Rănică (Vulpoiul), maître Renard

Reynolds ['renəldz], **Sir Joshua** *pictor englez (1723-1792)*

r.f. *presc de la* **radio frequency**

R.F.C. *presc de la* **Rugby Football Club**

R.F.D. *presc de la* **Rural Free Delivery** *amer* poșta rurală (descentralizată)

R.G.S. *presc de la* **Royal Geographical Society**

Rh. *presc de la* **Rhesus (factor)**; **rhodium**

r.h. *presc de la* **right hand**

R.H.A. *presc de la* **Royal Horse Artillery** artileria tractată/hipo-mobilă (britanică)

rhabdomancy ['ræbdə,mænsi] *s* folosirea baghetei magice (pen-

tru descoperirea apei subterane sau mineralelor prețioase)

Rhadamanthine [,rædə'mænθain] *adj (d. judecător)* sever/neînduplecat (dar drept)

Rhadamanthine judges [,rædə-'mænθain'dʒʌdʒiz] *s pl* judecători inflexibili/de neînduplecat/severi dar drepți; justiția implacabilă

Rhadamanthus [,rædə'mænθəs] *s* judecător sever și incoruptibil (dar drept) *(în mit greacă – în infern)*

Rhaetian ['ri:ʃən] **I** *adj geogr* retic **II** *s lingv* dialectul retic

Rhaetian Alps, the ['ri:ʃən 'ælps, ðə] Alpii retici

Rhaetic ['ri:tik] *adj geogr* retic

Rhaeto-Romanic ['ri:tourou'mænik] *lingv* **I** *adj* reto-roman **II** *s* dialectul reto-roman

rhapsode ['ræpsoud] *s* rapsod

rhapsodic(al) [ræp'sɒdik(əl)] *adj* **1** *muz, lit* rapsodic **2** declamatoriu, emfatic, pompos **3** *fig* entuziasmat, înflăcărat; transportat, extaziat

rhapsodist ['ræpsədist] *s* **1** rapsod **2** recitator, declamator **3** entuziast

rhapsodize ['ræpsə,daiz] *vt* a compune/a scrie sub formă de rapsodie

rhapsodize about/on/over ['ræpsə-,daiz ə,baut/ɒn/,ouvəʳ] *vi cu prep* a preamări, a ridica în slăvile cerului, a cânta, a slăvi, a lăuda

rhapsody ['ræpsədi] *s* **1** *lit, muz* rapsodie **2** declamație (emfatică) **3** discurs pompos; vorbire/frazeologie (goală)

Rhea [riə] *nume fem*

Rheims [ri:mz] *oraș în Franța* Reims

Rhein, the [rain, ðə] *v.* **Rhine, the**

Rheinland ['rainlant] *v.* **Rhineland**

Rhemish ['ri:miʃ] *adj* legat de orașul Reims din Franța

Rhemish Biblle/Testament ['ri:miʃ ,baibl/'testəmənt] *s ist* traducerea *Noului Testament la colegiul englez din Rheims (1582)*

Rhenish ['ri:niʃ] *înv* **I** *adj* renan, referitor la fluviul Rin și la zona aferentă **II** *s* vin de Renania/Rin

rhenium ['ri:niəm] *s ch* reniu

rheological [,ri:ə'lɒdʒikəl] *adj* reologic, referitor la curgerea și defor-marea materiei

rheologist [ri'ɒlədʒist] *s* reolog, specialist în reologie

rheology [ri'ɒlədʒi] *s* reologie, știința curgerii și deformării materiei

rheophore ['ri:əfɔ:ʳ] *s el* reofor

rheoscope ['ri:əskoup] *s el* galva-noscop

rheostat ['ri:ə,stæt] *s el* reostat; rezistență reglabilă; potențiometru

rheotropic [,ri:ə'trɒpik] *adj* reotropic, care se orientează după curge-rea apei

rheotropism [ri:'ɒtrə,pizəm] *s* re-otropism, (tendință de) orientare după curgerea apei *etc.*

rhesus ['ri:səs] *s zool* maimuță în-rudită cu macacul *(Macaca Mulat(t)a)*

Rhesus baby ['ri:səs ,beibi] *s med* copil/prunc care suferă de boala hemolitică/din pricina factorului Rh

Rhesus factor ['ri:səs ,fæktəʳ] *s med* factor Rh *(care duce la boala hemolitică)*

rhesus macaque/monkey ['ri:səs mə'ka:k/'mʌnki] *s zool v.* **rhesus**

Rhesus-negative ['ri:səs ,negətiv] *adj med* cu Rh negativ

Rhesus-positive ['ri:səs ,pozitiv] *adj med* cu Rh pozitiv

rhet. *presc de la* **rhetoric**

rhetor ['ri:təʳ] *s* **1** *ist* retor, profesor de retorică/oratorie **2** *și peior* orator, retor, vorbitor

rhetoric ['retərik] *s* **1** retorică, oratorie; elocință **2** *peior* vor-bărie/frazeologie goală, retorică; cuvântare sforăitoare

rhetorical [ri'tɒrikəl] *adj* **1** retoric; oratoric **2** *(d. stil)* pompos, bombastic, umflat, emfatic

rhetorically [ri'tɒrikəli] *adv* **1** retoric **2** *peior* bombastic, umflat, emfatic

rhetorician [,retə'riʃən] *s* **1** *od* pro-fesor de retorică **2** retor, orator; bun vorbitor **3** *peior* vorbitor pompos; limbut, retor

rheum [ru:m] *s* **1** *med* catar; coriză, *F* guturai **2** *pl med* reumatism **3** ← *înv* salivă **4** ← *înv, poetic* lacrimă

rheumatic [ru:'mætik] **I** *adj med* reumatic **II** *s* **1** reumatic, bolnav de reumatism **2** ← *F* reumatism

rheumatically [ru:'mætikəli] *adv med* de pe urma reumatismului; reumatic; ~ **affected** reumatic, atins/suferind de reumatism/de dureri reumatice

rheumatic fever [ru:'mætik 'fi:və'] s med reumatism articular acut

rheumaticky [ru:'mætiki] adj F med reumatic, suferind/afectat de reumatism

rheumatics [ru:'mætiks] s pl ca sg ← F reumatism, afecțiune reumatică

rheumatism ['ru:mə‚tizəm] s med reumatism, afecțiune reumatică

rheumatoid ['ru:mə‚tɔid] adj med reumatismal, reumatic, reumatoid

rheumatoid arthritis ['ru:mə‚tɔid a:'θraitis] s med artrită reumatică

rheumatoid factor ['ru:mə‚tɔid 'fæktə'] s med agent reumatismal

rheumatological [‚ru:mətə'lɔdʒikəl] adj med reumatologic

rheumatologist [‚ru:mə'tɔlədʒist] s med reumatolog

rheumatology ['ru:mə'tɔlədʒi] s med reumatologie, studiul afecțiunilor reumatice

rheumy ['ru:mi] adj înv 1 urduros, cu urdori; care curge/se scurge; având o scurgere; F mucos 2 (d. aer) umed, de toamnă, rece și umed

rhexis ['reksis] s med ruptură a unui vas (sanguin)

R.H.G. presc de la **Royal Horse Guards** regimentul/trupele de gardă călare

rhimantus [ri'mæntəs] s bot clocotici (Alectrolophus crista gallii)

rhinal ['rainəl] adj anat, zool referitor la nări sau nas

Rhine, the ['rain, ðə] fluviul Rin, Rinul

rhine [rain] s reg șanț mare/lat

Rhineland ['rain‚lænd] Renania, regiunea/zona/bazinul Rinului

Rhinelander ['rain‚lændə'] s geogr renan

rhinestone ['rain‚stoun] s 1 piatră de Rin 2 ← F piatră (prețioasă) falsă, strass; diamant fals

Rhine wine ['rain ‚wain] s vin de Rin/ Renania

rhinitis [rai'naitis] s med rinită, F → guturai

rhino¹ ['rainou] s zool ← F rinocer

rhino² s sl lovele, lovă, monedă, biștari, gologani

rhinoceri [rai'nɔsərai] pl de la **rhinoceros**

rhinoceros [rai'nɔsərəs], pl și **rhinoceri** [rai'nɔsərai] s zool rinocer (Rhinocerotidae sp)

rhinoceros bird [rai'nɔsərəs ‚bə:d] s orn pasăre din sud-estul Asiei (Buceros rhinoceros)

rhinocerotic [‚rainousi'rɔtik] adj zool referitor la rinoceri, asemănător cu rinocerii

rhinology [rai'nɔlədʒi] s med rinologie, tratarea afecțiunilor nazale

rhinoplastic [‚rainou'plæstik] adj med rinoplastic, referitor la chirurgia plastică/estetică a nasului

rhinoplasty ['rainou‚plæsti] s med rinoplastie, chirurgie plastică/ estetică a nasului; îndreptarea/ corectarea nasului prin chirurgie plastică/estetică/prin operație

rhinoscope ['rainou‚skoup] s med rinoscop, oglindă folosită de ORL-iști

rhinovirus [‚rainou'vairəs] s med (virus care produce o) viroză respiratorie

rhizobium [rai'zoubiəm], pl **rhizobia** [rai'zoubiə] s agr bacterie de nodozități/care fixează azotul

rhizome ['raizoum] s bot rizom

rhizomorf ['raizou‚mɔ:f] adj bot rizomorf

rhizophagous [rai'zɔfəgəs] adj ent rizofag

rhizophorus [rai'zɔfərəs] adj bot cu rizom(i)

rhizosphere ['raizou‚sfiə'] s bot rizosferă

rho [rou] s 1 litera ro/rho (din alfabetul grecesc) 2 fiz meson rho

Rhoda ['roudə] nume fem

rhodamin ['roudə‚mi:n] s ch rodamină

Rhode Island ['roud 'ailənd] stat în S.U.A.

Rhode Island Red ['roud 'ailənd ‚red] s orn galinacee/pasăre de curte de culoare brun-roșcat

Rhodes [roudz] insula R(h)odos

Rhodesia [rou'di:ʃə] od Rodezia (actualmente Zimbabwe)

Rhodesian [rou'di:ʃən] od I adj din Rodezia (actualmente Zimbabwe) II s locuitor din Rodezia (actualmente Zimbabwe)

Rhodes Scholar ['roudz ‚skɔlə'] s univ bursier străin la Oxford

Rhodes Scholarships ['roudz ‚skɔləʃip] s pl univ burse acordate studenților străini la Oxford

Rhodian ['roudiən] I adj din/legat de (insula) R(h)odos II s locuitor din (insula) R(h)odos

rhodium ['roudiəm] s 1 ch rhodiu 2 bot lemn de trandafir (Convolvulus scoparius virgatus)

rhodium oil ['roudiəm ‚ɔil] s ch esență/ulei de trandafir

rhodium wood ['roudiəm ‚wud] s bot v. **rhodium 2**

rhododendron [‚roudə'dendrən] s bot rhododendron, smârdar, trandafir de munte (Rhododendron sp.)

rhodonite ['rodə‚nait] s minr rodonit

Rhodope Mountains, the ['rodəpi ‚mauntinz, ðə] (Munții) Rodopi

rhodopsin [rou'dɔpsin] s (culoarea) purpură, culoare purpurie

rhodora ['roudərə] s arbust nord american cu flori trandafirii (Rhodora)

rhomb ['rɔm] s 1 geom romb 2 v. **rhombohedron**

rhombi ['rɔmbai] pl de la **rhombus**

rhombic ['rɔmbik] adj rombic

rhombohedra [‚rombou'hi:drə] pl de la **rhombohedron**

rhombohedron [‚rombou'hi:drən], pl **rhombohedra** [‚rombou'hi:drə] s romboedru, cristal romboedric

rhomboid ['rɔmbɔid] adj romboid

rhomboidal [rɔm'bɔidəl] adj romboidal

rhomboidally [rɔm'bɔidəli] adv în formă rombică/de romb

rhomboideus [rɔm'bɔidiəs], pl **rhomboidei** [rɔm'bɔidiai] s anat (mușchi) romboid

rhombus ['rɔmbəs], pl și **rhombi** ['rɔmbai] s v. **rhomb 1**

rhoncus ['rɔŋkəs], pl **rhonchi** ['rɔŋkai] s med ral, roncus

Rhone, the [roun, ðə] (fluviul) Ron

Rho particle ['rou ‚pa:tikl] s fiz particulă ro/rho

rhotacism ['routə‚sizəm] s lingv rotacism

R.H.S. presc de la **Royal Historical Society; Royal Horticultural Society; Royal Humane Society** Societatea de salvare (a naufragiaților)

rhubarb ['ru:ba:b] s 1 bot revent, rabarbură, rubarbă (Rheus officinale) 2 med, farm purgativ din revent/rubarbă 3 culoare maro deschis 4 F gălăgie; murmur, rumoare; vorbărie neclară 5 sl hai, scandal, ceartă, sfadă

rhumb [rʌm] s nav cart (de compas), rumb

rhumba ['rʌmbə] s (dansul) rumba

rhumbs [rʌmz] s pl v. rhumb

rhyme [raim] I s 1 rimă; it has neither ~ nor reason n-are nici cap nici coadă; se potrivește ca nuca în perete 2 pl poezie (rimată); versuri II vi 1 (with) a rima (cu) 2 a scrie/ a face/a compune versuri/poezii; a fi poet III vi 1 a rima, a face să rimeze 2 a versifica

rhymed [raimd] adj rimat, cu rimă

rhymeless ['raimlis] adj nerimat, fără rimă

rhymer ['raimə'] s versificator

rhyme royal ['raim 'rɔiəl] s metr strofă de șapte versuri decasilabice rimând ababbcc (ca în poemul Shakespearian „Siluirea Lucreției")

rhyme scheme ['raim ˌski:m] s metr schema rimelor, tipar/aranjament al rimelor

rhymester ['raimstə'] s peior poetastru, poet prost/slab; versificator slab

rhyming ['raimiŋ] I adj 1 rimat, care rimează 2 fig care scrie versuri II s 1 căutare a rimei 2 ← F versificație

rhyming dictionary ['raimiŋ ˌdikʃənəri] s 1 dicționar de rime 2 ← F versificație

rhyming slang ['raimiŋ 'slæŋ] s lingv argou rimat (bazat pe înlocuirea criptică a cuvintelor cu altele care rimează cu ele; de ex: stairs = apples and pears; six months in jail = a sorrowful tale

rhymist ['raimist] s versificator; poetastru v. și rhymester

rhyolite ['raiəˌlait] s minr riolit, liparit

rhythm ['riðəm] s 1 ritm 2 cadență, măsură 3 succesiune (regulată) de evenimente, acțiuni etc.

rhythm and blues ['riðəm ən 'blu:z] s muz muzică blues ritmată

rhythmic(al) ['riðmik(əl)] adj 1 ritmic; cadențat, măsurat 2 ritmic, regulat, cu același ritm/ aceeași frecvență

rhythmically ['riðmikəli] adv 1 (în mod) ritmic/cadențat/măsurat/ ritmat 2 (în mod) regulat/ritmic; cu regularitate

rhythmless ['riðəmlis] adj neritmat, fără/lipsit de ritm; aritmic

R.I. presc de la Rhode Island; Rex et Imperator rege și împărat; Regina et Imperatrix regină și împărăteasă; Royal Institute; Royal Institution

ria ['riə] s geogr golfuleț format prin inundarea văii unui râu

riant ['raiənt] adj rar (d. față, ochi sau d. peisaj) plăcut, vesel, zâmbitor, agreabil, F râzăreț

riata [ri'ɑ:tə] s lasou

rib [rib] I s 1 anat coastă; to strike smb under the fifth ~ ← F a înjunghia/a ucide pe cineva 2 umor consoartă, jumătate, − nevastă 3 bot, zool nervură; striațiune 4 arc (la umbrelă) 5 balenă (la corset) 6 tehn renură; nervură de ghidare; umăr; colier; bordură 7 constr lonjeron; fermă; cosoroabă 8 min stâlp/picior de siguranță/de rocă 9 tehn bosaj, prelungire 10 nav nervură, schelet; coastă 11 bot năsturel, cardamă-de-izvoare (Nasturtium officinale) II vi 1 tehn a întări/a consolida/a sprijini cu căpriori/ stâlpi/grinzi etc. 2 agr a ara (un lan) pe jumătate 3 sl a lua peste picior/în balon − a tachina, a necăji

R.I.B.A. presc de la Royal Institute of British Architects

ribald ['ribəld] I adj 1 obscen, trivial; pornografic; decoltat; scârbos 2 licențios, libertin, desfrânat, stricat II s ← rar măscărici; gură spurcată; om porcos; care spune măscări

ribaldry ['ribəldri] s 1 obscenități, porcării; grosolănii; măscări; vorbe fără perdea 2 ← înv desfrâu, libertinaj, destrăbălare

riband ['ribənd] s v. ribbon

ribband ['ribənd] s 1 nav șipcă de trasare, brâu de protecție, linie diagonală pe plan de forme; legătură longitudinală provizorie 2 v. ribbon

ribbed [ribd] adj 1 cu nervuri; cu muchii; canelat; striat 2 vărgat, dungat

ribbed cotton ['ribd 'kɔtən] s text catifea, pluș-cord

ribbed insulator ['ribd insə'leitə'] s el izolator cu nervuri

ribbed radiator ['ribd reidi'eitə'] s auto etc. radiator cu lamele/ nervuri/aripioare

ribbed slab ['ribd 'slæb] s tehn placă cu nervuri

ribbed tube ['ribd 'tju:b] s tehn țeavă cu nervuri/aripioare

ribbed vault/(ing) ['ribd ˌvɔ:lt/(iŋ)] s arhit boltă gotică/ogivală

ribbing ['ribiŋ] s constr schelet (de grinzi); întăritură (prin bolți secundare)

ribbon ['ribən] I s 1 panglică, bandă 2 cordon, brâu 3 șiret, șnur 4 panglică de mașină de scris 5 pl fig și F hățuri, frâie; to handle/ to hold/to take the ~s a a ține hățurile b fig a conduce, a guverna 6 fâșie, pl petice, zdrențe, bucăți 7 sfoară de moșie, fâșie de pământ; teren, loc 8 zonă 9 crâmpei (de cer); perdea (de nori, ceață) 10 nav semnul liniei de plutire II vi (d. drum) a șerpui, a fi șerpuitor

ribbon building development ['ribən ˌbildiŋ di'veləpmənt] s constr construcție în lanț

ribboned ['ribənd] adj împodobit/ garnisit cu panglicuțe etc.

ribbon fish ['ribən ˌfiʃ] s iht diferite specii de pești plați

ribbon grass ['ribən ˌgrɑ:s] s v. ribwort

ribbon iron ['ribən ˌaiən] s tehn fier-balot; oțel-balot; platbandă

Ribbonism ['ribənizəm] s ist adeziune la Ribbon Society

ribbon lap machine ['ribən ˌlæp mə'ʃi:n] s text mașini de laminat pături; aparat de formare a vălului

Ribbon-man ['ribənmən] s ist membru în Ribbon Society

ribbon-saw ['ribənˌsɔ:] s tehn ferăstrău-bandă; ferăstrău panglică

Ribbon Society ['ribən sə'saiəti] s ist Societate secretă a irlandezilor romano-catolici implicată în crime din mediul rural (la începutul sec. XIX)

ribbon-worm ['ribənˌwə:m] s ent, med nemertin, vierme din familia Platy helminthes Nemertea

ribgrass ['ribˌgrɑ:s] s v. ribwort

ribless ['riblis] adj fără nervuri/ striuri/dungi/caneluri/renuri etc. v. rib

riboflavin [ˌraibou'fleivin] s ch, farm, med riboflavină, vitamina B_2

ribonucleic acid [ˌraibounju:'kli:ik 'æsid] s ch, biol acid ribonucleic

ribosomal [ˌraibə'souməl] adj ch, biol ribosonal

ribosome ['raibəˌsoum] s ch, biol ribozomă

ribwort ['rib,wə:t] *s bot* pătlagină *(Plantago sp.)*

Ricardian [ri'ka:diən] **I** *s* adept al (concepțiilor) lui David Ricardo **II** *adj* ricardian, legat de/aderând la concepțiile lui D. Ricardo

Ricardo [ri'ka:dou], **David** *economist englez (1772-1823)*

rice [rais] **I** *s bot* orez *(Oryza saliva)* **II** *vt amer gastr* a pasa (cartofii) prin strecurătoare pentru a le da formă de macaroane

rice-bowl ['rais,boul] *s agr* zonă agricolă care produce orez; regiune de orezării

rice corn ['rais ,ko:n] *s bot* **1** *v.* **rice 2** mălai tătăresc, sorg (Sorgum vulgare*)*

rice paddy ['rais ,pædi] *s agr* orezărie, lan de orez

rice paper ['rais ,peipə'] *s tehn* hârtie de orez

rice plantation ['rais pla:n'teiʃən] *s agr* plantație de orez; orezărie

rice powder ['rais ,paudə'] *s* pudră de orez

rice pudding ['rais ,pudiŋ] *s* budincă de orez

ricer ['raisə'] *s amer gastr* strecurătoare folosită pentru a da cartofilor forma de macaroane

ricercar [,ri:tʃə'ka:'] *s muz* ricercar(i) *(compoziție instrumentală similară cu fuga ↓ sec. XVI-XVIII)*

rice water ['rais ,wɔ:tə'] *s* zeamă de orez

rich [ritʃ] **I** *adj* **1** bogat, avut, înstărit, cu stare, cu dare de mână; **(as) ~ as Croessus** bogat ca Cresus; *F* putred de bogat; **to grow ~** a se îmbogăți; **will you be any the ~er for it?** (și) ce-ai să câștigi cu asta? **to strike it ~ a** a se îmbogăți peste noapte; a da de belșug **b** a nimeri în plin/drept la țintă **2** *agr* roditor, mănos, fertil, bogat **3** abundent, copios **4** luxos, somptuos; elegant **5** *(d. hrană etc.)* substanțial, consistent, abundent, < greu **6** *(d. culori)* intens, viu, strălucitor; cald **7** *(d. sunet)* pătrunzător, răsunător, puternic, amplu **8** *(d. miros)* puternic, pătrunzător **9** *(d. vin)* tare, vârtos **10** ← *F (d. întâmplare etc.)* cu haz, amuzant, hazliu, nostim; **that's ~!** asta-i strașnică/bună/tare! nostim (lucru) **II** *s ca pl* **the ~** bogății,

bogătașii, cei avuți; clasele avute; **the newly/new/vulgar ~** noii îmbogățiți; parveniții

Richard ['ritʃəd] *nume masc*

Richard Roe ['ritʃəd 'rou] *s jur* **1** inculpat imaginar; *aprox* Stan Păpușă **2** nume legal fictiv

Richardson ['ritʃədsən], **Samuel** *romancier englez (1689-1761)*

rich clay ['ritʃ 'klei] *s* argilă grasă

Richelieu [riʃə,ljə:], **Duc de** *cardinal și politician francez (1585-1642)*

richen ['ritʃən] **I** *vt* a îmbogăți *etc. v.* **enrich II** *vi* a se îmbogăți, a ajunge/a deveni bogat *v.* **to grow rich**

riches ['ritʃiz] *s pl* **1** avere, bogăție, avuții, bogății; bani; **to roll in ~** a se scălda în bani, a fi putred de bogat; **contentment is beyond ~** mulțumirea sufletească prețuiește mai mult decât bogăția **2** lucruri de preț, mari valori **3** abundență, bogăție, belșug **4** ← *înv* podoabe

rich in ['ritʃ in] *adj cu prep* bogat în, plin de, abundând în, încărcat de; **to be ~ hope** a fi plin de speranțe; **the book is ~ information** cartea abundă în informații; **the museum is ~ paintings** muzeul e foarte bogat, sunt multe tablouri în muzeu

rich lime ['ritʃ 'laim] *s constr* var gras

richly ['ritʃli] *adv* **1** bogat; luxos; somptuos **2** copios, abundent **3** pe deplin, din plin, întru totul, pe de-a-ntregul

Richmond ['ritʃmənd] **1** *oraș în S.U.A.* **2** *oraș în Anglia*

richness ['ritʃnis] *s* **1** *v.* **riches 1 2** abundență, bogăție, caracter copios **3** *agr* fertilitate, rodnicie **4** intensitate *(a culorilor)* **5** amploare *(a vocii etc.)* **6** consistență, valoare nutritivă *(a alimentelor)*

rich sauce ['ritʃ 'sɔ:s] *s gastr* sos concentrat

richt [riht] *adj etc. scot v.* **right I, II, III, IV**

Richter scale ['riktə ,skeil] *s* scara Richter *(seismologică)*

ricinus ['raisinəs] *s bot* ricin, rițină, căpușe *(Ricinus communis)*

rick¹ [rik] **I** *s* stog, claie, șiră; căpiță **II** *vt* a face *(snopii)* stog/claie

rick² **I** **1** *s* torticolis, răsucire a

gâtului, gât sucit **2** scrântire, luxație, scrânteală; (ră)sucire; **II** *vt* a-și scrânti, a-și luxa *(brațul etc.)*, a-și strâmba *(gâtul)*; **I ~ed my neck** mi-am sucit gâtul, am făcut un torticolis

rick cloth ['rik ,klɔθ] *s agr* acoperământ din căpițe de fân

ricker ['rikə'] *s agr* mașină/macara/elevator pentru clădit clăi de fân

ricketily ['rikitili] *adv* slab, (în chip) firav; fără vlagă/putere

ricketiness ['rikitinis] *s* **1** *med* rahitism **2** *fig* șubrezenie, lipsă de soliditate

ricket producing ['rikit prə'dju:siŋ] *adj med* care generează/produce rahitismul, care duce la rahitism

rickets ['rikits] *s pl* **1** *ca sg med* rahitism **2** *ca sg* înmuiere a oaselor **3** picioare rahitice/crăcănate *(la copii)*

rickettsia [ri'ketsiə] *s zool, med* ricketsie, microorganism parazit care produce ricketsiozele *(Rickettsia)*

rickettsial [ri'ketsiəl] *adj zool, med* legat de ricketsia/de ricketsioze

rickety ['rikiti] *adj* **1** *med* rahitic **2** *(d. sănătate)* șubred, precar, debil **3** *fig (d. mobilă etc.)* șubred

rickey ['riki] *s* grog, gin cu suc de fructe *(↓ chitră);* gin-lime

rickrack ['rik,ræk] *s v.* **ricrac**

ricksha ['rikʃə] *s* ricșă, trăsurică trasă de un om

ricksha cyclist/man/puller ['rikʃə ,saiklist/mən/,pulə'] *s* om care trage o ricșă, conducător de velo-ricșă/velo-taxi

rickshaw ['rikʃɔ:] *s v.* **ricksha**

rick stand ['rik ,stænd] *s* prepeleac, capră pentru căpițe

rick yard ['rik,ja:d] *s* curte de fermă

ricky-ticky ['riki'tiki] *adj* în stilul jazzului sentimental, cu iz din anii '20; în stilul jazz retro

ricky-tide ['riki,taid] *s muz* jazz sentimental *(amintind de anii '20); aprox* jazz retro

ricochet ['rikəʃei] **I** *s* ricoșare, ricoșeu **II** *vi* a ricoșa **III** *vt* a lăsa/a face să ricoșeze

ricrac ['rik,ræk] *s* ornament/șnur/lampas în zig-zag *(la rochii etc.)*

R.I.C.S. *presc de la* **Royal Institute of Chartered Surveyors** Asociația topografilor diplomați

rictal ['riktəl] *adj* cu un rictus, în formă de rictus

rictus ['riktəs] *s* rictus

rid [rid] **I** *pret şi ptc* **rid** [rid] *vi* **1** (**of**) a debarasa, a descotorosi, a elibera, a scăpa (de); **~ me of him** scapă-mă de el; ajută-mă să mă debarasez de el **2** (**of**) a curăţa (de); **to ~ smb of his money** *fig* F a curăţa pe cineva de bani; **to ~ ground/way** a-şi croi drum, a înainta **3** (**from, out, of**) a scăpa, a salva, a mântui (din, de) **II** *adj* eliberat, liber; **to get ~ of v. I**

ridable ['raidəbəl] *adj* **1** (*d. cal*) uşor de călărit, bun pentru călărie **2** (*d. drum*) pe care se poate merge călare, care poate fi străbătut călare

riddance ['raidəns] *s* **1** eliberare **2** descotorosire, scăpare; **(a) good ~ (of bad rubbish)! a** bine că am scăpat! **b** pagubă-n ciuperci! atâta pagubă! **c** adio şi n-am cuvinte! **d** zi bogdaproste c-ai scăpat; **to have a good ~ of** a scăpa de

riddel ['ridəl] *s bis* perdea (*la altar*)

ridden ['ridən] **I** *ptc de la* **ride I-II II** *adj* **1** împilat, asuprit, oprimat **2** F sub papuc **3** (*în cuvinte compuse*) ţintuit; apăsat; **bed-~** ţintuit la pat; **priest-~** dominat de cler

ridder ['ridər] *s* persoană care te scapă de o pacoste/belea; izbăvitor

riddle[1] ['ridəl] **I** *s* **1** ghicitoare, cimilitură; enigmă; **to speak in ~s** a vorbi enigmatic/în cimilituri; **to propose/to propound a ~ to smb** a spune cuiva o ghicitoare **2** mister, enigmă **3** persoană enigmatică **II** *vt* **1** a pune în încurcătură **2** *v.* **riddle out III** *vi* a vorbi enigmatic/în cimilituri/ca Pitia

riddle[2] **I** *s* **1** sită, ciur; **to make a ~ of smb** *v.* **~ II 2 2** stăvilar, zăgaz **II** *vt* **1** a cerne, a da/a trece prin sită/ciur **2** a ciurui (*cu gloanţe*); a găuri, a perfora; a străpunge **3** a replica/a da replici (*la sau cu dat*); a argumenta/a discuta în contradictoriu cu, a contesta **4** *fig* a rezuma, a prescurta

riddle-like ['ridəl,laik] *adj* **1** enigmatic **2** încurcat, nedesluşit

riddlemeree ['ridlmi'ri:] *s* vorbărie, sporovăială, trăncăneală, F ← gargară

riddle out ['ridəl 'aut] *vt cu part adv* a dezlega (*o ghicitoare, o enigmă*); a rezolva, a explica

riddler[1] ['ridlər] *s* **1** persoană care vorbeşte enigmatic/în cimilituri **2** persoană care spune ghicitori/cimilituri

riddler[2] *s* ciuruitor, lucrător care ciuruie obiecte

riddling[1] ['ridliŋ] *adj* enigmatic, misterios; neînţeles

riddling[2] *s* **1** ciuruire **2** *pl* materiale care nu trec prin ciur/sită

riddlingly ['ridliŋli] *adv* (vorbind) în cimilituri/ghicitori; (în mod) enigmatic; lăsând nedumeriri

ride [raid] **I** *pret* **rode** [roud], *ptc* **ridden** ['ridən] *vi* **1** (**on**) a călări, a merge călare (pe); **to ~ again** *fig* a-şi reveni (în puteri); a se înzdrăveni; a fi din nou pe picioare; **to ~ for a fall a** a călări nebuneşte **b** *fig* a se purta ca un zănatic/nebun/dement; a avea o purtare nesăbuită **c** a risca înfrângerea/să fie înfrânt; a juca la risc; **to ~ high** *fig* a avea succes, a triumfa, a izbuti, a reuşi; a-i merge bine; **to ~ to hounds** a vâna (călare) cu câini de vânătoare; **to let things ~ a** lăsa lucrurile în voia lor/soartei **2** a parcurge/a străbate călare **3** *fig* a domina, a stăpâni; a cuprinde; **to be ridden by thoughts** a fi cuprins/stăpânit de gânduri, a cădea pradă gândurilor **4** (*d. armăsar*) a călări (*iapa*) **5** *nav* a înfrunta (*valurile, furtuna*); **to ~ and tie** ← *înv* a călări pe rând/cu schimbul aceiaşi cai **6** *amer* a enerva, a sâcâi, a râcâi, a scoate din sărite **7** *sport* a se lăsa dus de (*o lovitură etc.*) pentru o suporta mai uşor **III** *s* **1** plimbare călare; **to go/to take a ~** a se plimba călare, a ieşi la plimbare (pe cal); **to give smb a ~ a** a plimba pe cineva călare **b** ← F a plimba **2** cursă (*de cai*) **3** plimbare/călătorie cu bicicleta **4** călătorie, drum, voiaj cu automobilul, autobuzul *etc.*; **to take smb for a ~ a** a lua pe cineva în călătorie **b** *amer sl* a răpi pe cineva în scopul asasinării; **to steal a ~ a** a călători fără bilet **b** a se plimba clandestin cu o maşină **5** alee, drum (*pentru călărie*)

rideable ['raidəbəl] *adj v.* **ridable**

ride about ['raid ə'baut] *vi cu part adv* a se plimba/a merge încoace şi încolo (*cu calul, trăsura etc.*)

ride along ['raid ə'loŋ] *vi cu part adv* a trece călare (*pe lângă cineva etc.*)

ride astride ['raid ə'straid] *vi cu part adv* a călări bărbăteşte (*în şa*)

rideau [ri:'dou] *s fr mil* val de pământ; cută a terenului

ride away ['raid ə'wei] *vi cu part adv* a se îndepărta/a pleca călare

ride back ['raid 'bæk] *vi cu part adv* a se înapoia (*călare*)

ride behind ['raid bi'haind] *vi cu part adv* **1** a călări la spatele cuiva **2** (*d. cal*) a fi înhămat la spate **3** a urma călare

ride by ['raid 'bai] *vi cu part adv v.* **ride along**

ride down ['raid 'daun] *vi cu part adv* **1** a trece călare peste **2** a depăşi/a întrece călare **3** a încolţi (*vânatul*) **4** a doborî, a dărâma

ride easy ['raid 'i:zi] *vi cu part adv* **1** a fi bun la călărie, a călări uşor/fără efort; a nu obosi la călărie **2** *nav* a nu avea tangaj mare (în timpul staţionării la ancoră)

ride hard ['raid 'ha:d] *vi cu part adv nav* a avea tangaj puternic la ancoră

ride in ['raid 'in] *vi cu part adv* a intra/a veni călare

rident ['raidənt] *adj* ← *rar* râzăreţ; râzând; vesel

ride officer ['raid ,ofisər] *s înv* vameş călare

ride off on ['raid 'o:f on] *vi cu part adv şi prep* a se lega de un amănunt (*pt a ocoli problema principală*)

ride on ['raid 'on] *vi cu part adv* a călări mai departe, a-şi continua drumul (*călare*)

ride out ['raid 'aut] **I** *vi cu part adv* a ieşi la călărie, a ieşi la plimbare călare **II** *vt cu part adv* a străbate, a trece bine (*o criză, furtuna etc.*)

ride over ['raid ,ouvər] *vi cu prep* **1** a trece peste **2** ← F a triumfa/a izbândi asupra (*cu gen*)

rider ['raidər] *s* **1** călăreţ **2** călător, drumeţ, voiajor **3** jocheu **4** biciclist **5** *poligr* intercalare **6** *jur* anexă; clauză suplimentară/adiţională **7** *mat* corecţie (*a unei formule*); exerciţiu aplicativ (*la o teoremă*) **8** *geol, min* vână, filon

rider keelson ['raidə ,ki:lsən] *s nav* contracarlingă

riderless ['raidəlis] *adj* fără călăreț

riderless horse ['raidəlis 'hɔːs] *s la curse* cal sălbatic/neînvățat/nestrunit/foarte năravaș

ridge [ridʒ] **I** *s* **1** creastă **2** culme, coamă; movilă **3** lanț/șir (de dealuri) **4** încrețitură, creț, cută **5** strat *(de flori etc.)* **II** *vi* **1** a se încreți, a (se) vălura **2** a face cute **3** *geol* a se stria **III** *vt* **1** a încreți, a face să se încrețească **2** a așeza în straturi **3** *constr* a pune culmea la *(un acoperiș de țiglă etc.)*

ridged [ridʒd] *adj* **1** striat, cu striuri/crețuri **2** *zool* în formă de carenă; cu șira spinării proeminentă **3** *constr (d. acoperiș)* în două pante **4** cu creastă

ridged roof ['ridʒd 'ruːf] *s constr* acoperiș în două pante

ridgel ['ridʒəl] *s* animal castrat parțial

ridgeless ['ridʒlis] *adj* **1** fără creastă/culme **2** fără striuri/striațiuni/crețuri

ridgelet ['ridʒlit] *s* **1** coamă mică *(de munte, acoperiș etc.)* **2** creț mic, mică zbârcitură

ridgeling ['ridʒliŋ] *s v.* **ridgel**

ridge-piece ['ridʒ,piːs] *s constr* grindă de culme a acoperișului, creastă de acoperiș

ridge pole ['ridʒ ,poul] *s* **1** bară orizontală a unui corp mare **2** *constr v.* **ridge-piece**

ridger ['ridʒə'] *s* lucru care se încrețește/face crețuri

ridge-tile ['ridʒ,tail] *s constr* țiglă/olan pentru creasta acoperișului

ridge-tree ['ridʒ,triː] *s constr v.* **ridge-piece**

ridge up ['ridʒ 'ʌp] *vi cu part adv v.* **ridge II 1**

ridgil ['ridʒəl] *s v.* **ridgel**

ridgling ['ridʒliŋ] *s v.* **ridgel**

ridgingly ['ridʒiŋli] *adv* cu zbârcituri/crețuri

ridgy ['ridʒi] *adj* **1** striat, cu striațiuni **2** ridat; încrețit, zbârcit

ridicule ['ridi,kjuːl] **I** *s* **1** (caracter) ridicol **2** zeflemea, bătaie de joc, derâdere; satiră, satirizare, ridiculizare; **to hold up to/to turn into/to cover with** ~ *v.* **II**; **to give cause for ~, to be open to** ~ a se face de râs, a fi ridicol

3 tip/om ridicol **4** lucru ridicol **II** *vt* a ridiculiza, a lua în râs, a satiriza; a-și bate joc de, a face de râs, a zeflemisi **III** *vi* a-și bate joc

ridiculer ['ridi,kjuːlə'] *s* zeflemist, ironist, persoană care-și bate joc

ridiculosity [,ridikjuː'lɔsiti] *s* **1** derâdere, ridiculizare **2** glumă; zeflemea

ridiculous [ri'dikjuləs] *adj* ridicol; caraghios; **to make** ~ *v.* **ridicule II; to make oneself** ~ a se face de râs(ul lumii)

ridiculously [ri'dikjuləsli] *adv* **1** (în mod) ridicol **2** până la ridicol

ridiculousness [ri'dikjuləsnis] *s v.* **ridicule I 1**

riding¹ ['raidiŋ] **I** *s* **1** călărie, călărit, echitație **2** plimbare/drum/călătorie călare; **to take a** ~ a face o plimbare călare **3** plimbare/călătorie cu bicicleta **4** călătorie, drum, voiaj **5** promenadă; alee pentru călărie **6** *od* turnir **II** *adj* **1** călare, (care merge) pe cal **2** *atr* de echitație/călărie

riding² *s* ținut, district *(în comitatul York)*

riding academy ['raidiŋ ə,kædəmi] *s* școală de călărie/echitație

riding boot ['raidiŋ ,buːt] *s* cizmă de călărie

riding breeches ['raidiŋ,britʃiz] *s pl* pantaloni de călărie

riding cap ['raidiŋ ,kæp] *s* șepcuță/șapcă de jocheu

riding cloack ['raidiŋ ,klouk] *s* **1** manta de călărie **2** pelerină de voiaj

riding coat ['raidiŋ ,kout] *s* **1** haină de călărie/redingotă **2** haină de voiaj

riding gauntlet ['raidiŋ ,gɔːntlit] *s* mănușă de călărie

riding habit ['raidiŋ ,hæbit] *s* costum de călărie *(pt femei)*

riding hag ['raidiŋ ,hæg] *s* ← *înv* coșmar, vis chinuitor

riding hall ['raidiŋ ,hɔːl] *s v.* **riding academy**

riding master ['raidiŋ ,mɑːstə'] *s* profesor de călărie/echitație

riding rod ['raidiŋ ,rɔd] *s* cravașă, biciușcă

riding school ['raidiŋ ,skuːl] *s v.* **riding academy**

riding wager ['raidiŋ ,weidʒə'] *s* pariu la curse

riding way ['raidiŋ ,wei] *s amer* vad, loc de trecere

riding whip ['raidiŋ ,wip] *s* cravașă

Riemann ['riːman], **Georg Friedrich** *matematician german (1826-1866)*

Rienzi [ri'enzi] **Nicolo/Cola di** *patriot italian (1313-1354)*

Riesling ['riːzliŋ] *s* (vin) risling

rifacimento [riː,fɑːtʃi'mentou], *pl* **rifacimenti** [riː,fɑːtʃi'menti] *s muz lit* versiune nouă/refăcută, revizuită *(a unei lucrări);* nouă ediție a unei lucrări

rife [raif] *adj* **1** răspândit; frecvent; curent **2** îmbelșugat, abundent, bogat **3** în floare, înfloritor

rifeness ['raifnis] *s* răspândire, propagare, lățire *(a unui zvon etc.)*

rife with ['raif wið] *adj cu prep* plin de, bogat în, abundând în

riff [rif] *s* frază muzicală (scurtă) repetată; secvență

riffle ['rifəl] **I** *s* **1** canelură/vană/orificiu la troacă/la stăvilar/la steampul pentru spălat aurul **2** *amer* vad, porțiune cu apă mică *(a unui pârâu)* **3** *amer* porțiune vălurită a unui curs de apă **II** *vt* **1** a văluri, a face să vălurească *(apa)* **2** a întoarce repede *(paginile)* **3** a împărți/a face/a da iute *(cărțile de joc, după ce au fost tăiate)* **III** *vi* (**through**) a frunzări, a citi pe sărite *(paginile unei cărți)*

riff-raff ['rif,ræf] *s* **1** rămășițe, resturi; gunoaie **2** lepădături, scursuri, drojdia societății; plebe, gloată **3** prostituată, femeie de stradă **4** *reg* șagă, – glumă

rifle¹ ['raifəl] **I** *s* **1** pușcă ghintuită; carabină **2** ghint *(la pușcă);* șanț, canelură, jgheab **3** *pl* pușcași; oameni înarmați **II** *vt* **1** a ghintui **2** a împușca, a doborî cu o împușcătură, a trage în **III** *vi* a trage cu arma

rifle² *vt* **1** a jecmăni; a devaliza **2** a intercepta, a deschide *(o scrisoare)*

rifle association ['raifəl ə,sousi'eiʃən] *s* societate de tir

rifle bar ['raifəl ,bɑː'] *s* proiectil de carabină; **(as) true as a** ~ ← *F* drept la țintă

rifle barrel ['raifəl ,bærəl] *s* țeavă ghintuită

rifle bird ['raifəl ˌbə:d] *s orn* pasăre a paradisului de culoare verde închis *(Ptiloris paradisiaca)*

rifle brigade ['raifəl bri'geid] *s mil* brigadă de pușcași

rifled[1] ['raifəld] *adj* ghintuit

rifled[2] *adj* jefuit, prădat; jecmănit

rifle file ['raifəl ˌfail] *s tehn* raspă, raspel, pilă mare/curbată

rifle green ['raifəl ˌgri:n] *adj* verde închis

rifle grenade ['raifəl gri,neid] *s mil* grenadă/granată de pușcă *(aruncată de un dispozitiv atașat la carabină)*

rifleman ['raifəlmən] *s* **1** *mil* pușcaș, carabinier **2** *v.* **rifle bird 3** *orn* pă-sărică galben-verzuie din Noua Zeelandă *(Acanthisida chloris)*

rifle pit ['raifəl ˌpit] *s mil* adăpost/ mască/tranșee pentru trăgători

rifler ['raifəʳ] *s tehn* raspă, pilă

rifle range ['raifəl ˌreindʒ] *s mil* **1** bătaie a puștii **2** poligon de tragere

rifle scope ['raifəl ˌskoup] *s mil amer* telemetru, cătare telescopică *(la carabină)*

rifle shot ['raifəl ˌʃot] *s mil* **1** împușcătură **2** tragere cu arma **3** *v.* **rifleman 1 4** *v.* **rifle range 1**

rifling[1] ['raifliŋ] *s* **1** ghintuire **2** ghint

rifling[2] *s* jefuire, prădare; deva-lizare; jaf

rift [rift] **I** *s* **1** crăpătură, fisură; des-picătură; **a ~ in the lute a** dez-acord, dezbinare, neînțelegere, dihonie **b** *v.* **I 2** țicneală, nebunie, *F →* doagă lipsă **3** luminiș; pată de lumină **II** *vt* **1** a spinteca, a despica, a crăpa **2** *și fig* a sfâșia, a rupe; a zdrobi *(inima)* **III** *vi* a se sfâșia, a (se) crăpa **IV** *adj (d. lemn)* spart, crăpat

rifted ['riftid] *adj* **1** *v.* **rift IV 2** *(d. ceață, nori)* rar, necompact

riftless ['riftlis] *adj* fără crăpătură/ spărturi/crevase *etc. v.* **rift I**

rift-valley ['rift,væli] *s* viroagă, vale formată printr-o alunecare de teren

rifty ['rifti] *adj* crăpat, fisurat; despicat; cu crăpături/fisuri/ despicături *etc.*

rig [rig] **I** *s* **1** *nav* greement, velatură **2** *fig* ținută, îmbrăcăminte, toa-letă; **in full ~** în mare ținută, *F* înțolit; **to get a new ~** a se înțoli **3** mecanism; instalație mecanică

4 *amer* cai și trăsură, echipaj **II** *vt* **1** *nav* a echipa, a arma; a greea **2** *fig* a falsifica, a măslui; a aranja (dinainte); **to ~ the market** *ec* a manipula piața, a produce (în mod artificial) urcări *sau* scăderi de prețuri

Riga ['ri:gə] *oraș în fosta U.R.S.S.*

rigadoon [ˌrigə'du:n] *s muz od* rigodon *(vechi dans francez)*

rigged [rigd] *adj* **1** *nav* greeat, cu velatură **2** *fig* măsluit, falsificat; aranjat (dinainte)

rigged oar ['rigd'ɔ:ʳ] *s nav* ramă de godiere

rigger ['rigəʳ] *s* **1** *nav* marinar care greează; gabier **2** *tehn* roată de curea **3** *amer constr* împrej-muire/gard de protecție *(în jurul unui șantier)*

rigging ['rigiŋ] *s* **1** *nav* greement; velatură, capelaj; manevre **2** *tehn* instalare, montaj; echipare, dotare **3** *fig* măsluire, falsificare; aranjare dinainte

rigging gear ['rigiŋ ,giəʳ] *s nav* tachelaj

rigging-loft ['rigiŋ,lɔft] *s* **1** *constr nav* atelier de garnitură/armare **2** *teatru* cintru, podul scenei, galerie pentru manevrarea deco-rurilor

riggish ['rigiʃ] *adj* desfrânat, des-trăbălat, libertin

right [rait] **I** *adj* **1** drept; perpen-dicular **2** drept, just, corect, cinstit; **to do the ~ thing by smb a** a se purta corect/cinstit cu cineva; a face pentru cineva ceea ce trebuie **b** a trata onorabil pe cineva; **bang/amer dead to ~s** *sl* prins asupra faptului/cu mâța-n sac **3** bun, just, îndrep-tățit; **to take a ~ view of things** a privi/a înțelege lucrurile așa cum trebuie **4** drept, adevărat; ~ **side up** așa cum trebuie; **to be ~** a avea dreptate; **of the ~ sort** *F* de treabă, cumsecade; **to be on the ~ road** a fi pe drumul cel bun; **that's ~, quite ~ a** așa e, adevărat **b** foarte bine! perfect! **~!; ~ oh!; ~ you are!** s-a făcut! ne-am înțeles! e în regulă! de acord! *F* valabil! strașnic! *sl* mișto! baban! **to be on the ~ side** a avea o situație bună **5** în bună stare, în stare perfectă, în condiție excelentă; **(as) ~ as**

rain/a trivet ← *F* a nu avea nici un cusur, a fi perfect; **to be in one's ~ mind** a fi în deplinătatea facultăților mintale, a fi sănătos la cap/minte; **are you all ~?** **a** ești mulțumit? **b** te simți bine? **c** mai dorești ceva? **to get ~** a îndrepta, a ameliora, a face să fie bine; **she'll be ~** *australian F* totul va fi în regulă; așa o să fie bine; **to set things ~** a îndrepta/ a reglementa/a restabili lucrurile; **to set smb ~** a face bine/a reface/a însănătoși pe cineva **6** curat, neamestecat; de rasă pură **7** drept, de partea dreaptă; **on the wall ~** pe peretele din dreapta **II** *s* **1** dreptate; justiție; **to do smb ~** a face dreptate cuiva **2** drept, titlu, privilegiu; **by what ~?** cu ce drept? **by ~** de drept **3** ordine, rânduială; **to set to ~s a** a pune în ordine, a rândui, a aranja **b** a îndrepta, a reglementa **4** *pl* amănunte (de culise), detalii, dedesubturi **5** **the ~** dreapta, partea dreaptă; **on the ~** în/la dreapta; **from ~ and left** *F* din toate părțile **6** *sport* dreaptă, lovitură dată cu dreapta **III** *adv* **1** drept (înainte *etc.*) **2** *v.* **right away 3** cu totul, pe de-a-ntregul, în întregime **4** chiar, tocmai, drept, exact; **~ at the top** sus de tot; drept/tocmai în vârf; **~ here** chiar aici **5** foarte bine, perfect; întru totul **6** just, corect, exact **7** la/spre dreapta

rightable ['raitəbəl] *adj* corigibil, corijabil

rightabout ['raitəˌbaut] **I** *s mil* (semi)întoarcere la dreapta; **to send smb to the ~** *F* a trimite pe cineva la plimbare, a da cuiva pașaportul/papucii **II** *adv* cu jumătate întoarcere la dreapta; **to turn/to face ~ a** *mil* a face o întoarcere la dreapta **b** ← *F* a-și schimba brusc părerea/opiniile; **to go ~** *nav* a vira scurt

right and left ['rait ən'left] *adv* **1** și cu dreapta și cu stânga **2** în dreapta și în stânga, în toate părțile **3** și de la dreapta și de la stânga, *F* din toate părțile

right-and-left screw ['raitən'left ˌskru:] *s tehn* șurub cu pas contrar/cu filet pe dreapta și pe stânga

right angle ['rait 'æŋgl] *s geom* unghi drept; **at ~s** în unghi drept; perpendicular

right-angled ['rait,æŋgld] *adj geom* în unghi drept, perpendicular

right-angled triangle ['rait,æŋgld 'tra'iæŋgl] *s geom* triunghi dreptunghic

right away ['rait ə'wei] *adv* îndată, imediat, pe loc, fără întârziere

right down ['rait 'daun] *F* I *adj* perfect, desăvârşit; complet, absolut II *adv* din toate punctele de vedere, întru totul, cu desăvârşire, absolut(amente)

right dress ['rait 'dres] *interj mil* alinierea la dreapta!

righten ['raitən] *vt ← reg înv* a pune în ordine, a rândui; a reglementa, a restabili

righteous ['raitʃəs] *adj* 1 drept, cinstit, onest 2 echitabil, just 3 justificat, îndreptăţit 4 virtuos

righteously ['raitʃəsli] *adv* 1 în mod cinstit/corect 2 în mod justificat/ îndreptăţit/echitabil, pe bună dreptate

righteousness ['raitʃəsnis] *s* 1 justeţe, justificare, echitate 2 (act de) dreptate, justiţie 3 virtute

righter ['raitə'] *s* apărător, protector, ocrotitor; sprijinitor

rightful ['raitful] *adj* 1 legal, legitim 2 îndreptăţit; cuvenit; justificat 3 echitabil, just, corect

rightfully ['raitfuli] *adv* 1 în mod legitim/legal 2 pe drept, pe bună dreptate, în mod just

rightfulness ['raitfulnis] *s* 1 legitimitate 2 dreptate, justiţie 3 îndreptăţire, justificare

right-hand ['rait,hænd] I *adj* 1 de la/ din dreapta; de pe partea dreaptă, drept 2 *tehn* cu filet pe dreapta II *adv* pe dreapta III *s şi fig* mână dreaptă, dreapta

right-hander ['rait,hændə'] *s* 1 *v.* **right II** 6 2 dreptaci, persoană care foloseşte numai mâna dreaptă

right-hand man ['rait,hænd ,mæn] *s* 1 om de încredere, mâna dreaptă *(a cuiva)* 2 *mil* soldat din flancul drept

right-hand(ed) screw ['rait,hænd(id) ,skru:] *s tehn* şurub cu filet pe dreapta

right-hearted ['rait'ha:tid] *adj v.* **right-minded 2**

rightish ['raitiʃ] I *adj* 1 spre dreapta, de dreapta; cam în dreapta 2 bunişor, bunicel, destul de bun II *interj* merge! valabil!

rightishly ['raitiʃli] *adv* 1 mai/cam spre dreapta 2 binişor, spre bine

rightism ['raitizəm] *s pol* conservatorism, tendinţă de dreapta

rightist ['raitist] *s pol* politician de dreapta

right, left and center ['rait 'leftənd 'sentə'] *adv* din toate părţile

rightless ['raitlis] *adj* 1 neîndreptăţit, nejustificat 2 ilegal, fără drept; nelegitim

right-lined ['rait,laind] *adj* format din linii drepte

rightly ['raitli] *adv* 1 *v.* **right III 1, 4, 5 2** (aşa) cum trebuie/se cuvine, în mod cinstit/just/corect

right-minded ['rait,maindid] *adj* 1 înţelept; întreg/sănătos la minte; echilibrat 2 bine intenţionat; corect, cinstit; onorabil

rightmost ['rait,moust] *adj* cel mai din dreapta, din extrema dreaptă

rightness ['raitnis] *s* 1 *geom* rectilinearitate; verticalitate *sau* orizontalitate perfectă 2 *v.* **right II 1, 3**

right off ['rait 'o:f] *adv v.* **right away**

right-of-way ['raitəv'wei] *s* 1 *auto* prioritate (de trecere) 2 *jur* servitute (de trecere)

right on ['rait 'on] *adv* drept/tot înainte; tot aşa

right-principled ['rait'prinsipəld] *adj* înţelept, cu principii sănătoase

right reverend ['rait'revərənd] *s bis* Sfinţia Sa (preotul)

right side ['rait ,said] *s* 1 *text* faţă *(a unei ţesături)* 2 *fig* parte (bună); **to be on the ~** a o duce bine; a nu avea probleme; **to get on the ~ of smb** a intra în graţiile cuiva, a fi/a sta bine cu cineva; **to be on the ~ of fifty** a nu fi împlinit/a nu avea încă cincizeci de ani, a avea sub 50 de ani

right-thinking ['rait,θiŋkiŋ] *adj v.* **right-minded 1**

right-to-work law ['raittə'wə:k ,lo:] *s jur amer* lege privitoare la libertatea angajării în slujbă; lege care interzice discriminările la angajare

right turn ['rait 'tə:n] *interj mil* la dreapta!

rightward ['raitwəd] I *adj* (îndreptat) spre dreapta; dinspre dreapta II *adv* la/spre dreapta

rightwards ['raitwədz] *adv înv v.* **rightward II**

right-wing ['rait'wiŋ] *adj pol* de dreapta

right-winger ['rait'wiŋə'] *s sport* extremă dreaptă

rightwise ['raitwaiz] *adv înv* la/spre dreapta

rigid ['ridʒid] *adj* 1 rigid; ţeapăn, băţos; dur, tare 2 *fig* dârz, aspru, neînduplecat 3 *fig* statornic, conservator 4 *(d. purtare)* sever, strict

rigidify [ri'dʒidifai] I *vt* a înţepeni, a face să fie rigid; a paraliza II *vi* a înţepeni, a se rigidiza, a deveni rigid

rigidity [ri'dʒiditi] *s* 1 rigiditate 2 dârzenie, neînduplecare; asprime, îndârjire 3 intransigenţă; severitate 4 statornicie; conservatorism 5 rezistenţă *(la ispită)*; virtute

rigidly ['ridʒidli] *adv* 1 rigid, cu rigiditate 2 aspru, cu asprime; cu stricteţe/severitate; strict, sever

rig in ['rig'in] *vt cu part adv nav* a retrage, a vârî înăuntru *(bompresul etc.)*

rigmarole ['rigmə,roul] *s* trăncăneală, sporovăială, vorbărie goală, *F →* gargară

rigor ['raigo:'] *s* 1 *v.* **rigour** 2 *med* răcire bruscă însoţită de frisoane *(înaintea unui acces de febră)* 3 *med* rigiditate, *← F* înţepenire a corpului *(datorită şocului, otrăvirii etc.)*

rigorism ['rigə,rizəm] *s* 1 *v.* **rigidity 2, 3** 2 exigenţă; purism *(în stil)* 3 austeritate

rigorist ['rigərist] I *s* 1 mare stilist, stilist riguros 2 *bis* rigorist II *adj v.* **rigorous 1**

rigor mortis ['rigə'mo:tis] *s med* rigiditate cadaverică

rigorous ['rigərəs] *adj* 1 sever, aspru; riguros, strict 2 exact, precis; minuţios

rigorously ['rigərəsli] *adv* 1 în mod riguros; cu precizie 2 cu străşnicie

rigour ['rigə'] *s* 1 rigoare, rigurozitate, stricteţe 2 severitate, asprime, duritate 3 intransigenţă, neînduplecare 4 *pl* rigori, măsuri riguroase 5 exactitate, precizie

rig out ['rig 'aut] *vt cu part adv* **1** *nav* a scoate afară *(bompresul etc.)* **2** ← *F* a împopoțona, a dichisi

rig up ['rig 'ʌp] *vt cu part adv tehn* a monta, a instala, a așeza la poziție

Rig-Veda ['rig'veidə] *s lit, mit, filos* Rig-Veda *(cărțile sfinte ale budiștilor)*

rile [rail] *vt* ← *F* a necăji, a supăra, a agasa; a enerva, a irita, a exaspera

Riley ['raili *nume masc;* **the life of ~** *sl* trai fără griji/pe vătrai, viață de huzur, *elev* la dolce vita, dolce farniente

rilievo [ri'ljevo, *pl* **~s** [ri'ljevoz] *s artă* it relief

Rilke ['rilkə], **Rainer Maria** *poet german (1875-1926)*

rill [ril] **I** *s* **1** râuleț, pârâiaș **2** ← *reg* rigolă **3** *v.* **rille II** *vi (d. pârâu)* a curge (murmurând) **III** *vt* a lăsa urme de scurgere pe, a șiroi pe

rille [ril] *s astr* șanț sau vale pe suprafața lunii

rillet ['rilit] *s poetic v.* **rill I 1**

rill mark ['ril ,mɑːk] *s geol* făgaș/ șănțuleț *(format prin scurgerea unui pârâiaș)*

rim [rim] **I** *s* **1** obadă *(la roată);* **golden ~** coroană; **~ of the belly** *anat* ← *înv* peritoneu **2** margine, buză *(la cană etc.)* **3** ramă *(de ochelari etc.)* **4** semn circular *(pe muchea monezilor)* **II** *vt* **1** a obăda, a pune obezi la *(o roată)* **2** a înconjura, a încercui

rim-brake ['rim,breik] *s* frână pe disc

rime[1] [raim] *s v.* **rhyme**

rime[2] **I** *s* ← *poetic* brumă; chiciură, promoroacă **II** *vi* **1** a cădea brumă **2** a se acoperi cu brumă, a fi brumat

rime frost ['raim ,frɔst] *s v.* **rime**[2] **I**

rime frosted ['raim ,frɔstid] *adj* acoperit cu brumă, brumat

rimeless ['raimlis] *adj v.* **rhymeless**

rimer[1] ['raimə'] **I** *s v.* **reamer II** *vt* a spația, a depărta

rimer[2] *s mil* palisadă

Rimini ['rimini] *oraș în Italia*

rimless ['rimlis] *adj* **1** fără ramă **2** fără margine

rimmed [rimd] *adj (în cuvinte compuse)* cu ramă; cu margine; **gold- ~** cu ramă de aur

Rimmon ['rimən] *nume masc biblic;*

to bow down in the house of ~ a face compromisuri, a-și călca în picioare convingerile, a abdica de la convingerile sale

rimose [rai'mous] *adj bot etc.* cu crăpături; cu spărturi

rimosity [rai'mɔsiti] *s bot, ent* crăpături, despicături

rimous ['raimus] *adj v.* **rimose**

rimple ['rimpəl] *vt, vi v.* **rumple**

Rimsky-Korsakoff ['rimski'kɔːsəkɔf], **Nikolai** *compozitor rus (1841-1908)*

rimulose ['rimjulous] *adj rar v.* **rimose**

rimy ['raimi] *adj* **1** *v.* **rime-frosted 2** rece și cețos

rind [raind] **I** *s* **1** coajă *(de portocală etc.)* **2** *bot* scoarță **3** crustă, pojghiță **II** *vt* a (des)coji, a dezghioca; a jupui

rinded ['raindid] *adj (în compuși)* cu coajă; cu pojghiță; **gold-~ fruit** fruct cu coaja aurie

rinderpest ['raində,pest] *s vet* pestă bovină

rindless ['raindlis] *adj* fără coajă

rindy ['raindi] *adj* **1** cu coajă **2** cu pojghiță

ring[1] [riŋ] **I** *s* **1** inel **2** cerc *(de metal)* **3** *tehn* rondelă; verigă; segment **4** cearcăn *(la ochi)* **5** rotocol *(de fum)* **6** ring; arenă **7** *bot, sport* inel **8** cerc, grup; colectivitate, colectiv; **the ~** (clică de) agenți de pariuri/bookmakeri **9** *ec* sindicat (patronal), cartel **10** loc de negocieri *(la bursă)* **11** ← *F* box, sport cu mănuși; careu magic **12** *sport* pistă **13** expoziție/târg/obor de vite **II** *vi* a alerga/a se învârti în cerc; a zbura în spirale **III** *vt* **1** a pune un inel pe/la/în *(deget, picior de porumbel etc.)* **2** a tăia în rondele **3** a împresura, a înconjura *(vânatul etc.);* a încercui

ring[2] [riŋ] **I** *pret* **rang** [ræŋ], *ptc* **rung** [rʌŋ] **1** *vi (d. clopot, ceas, telefon, monedă, sonerie)* a suna; **to ~ true** *fig* **a** a suna sincer, a avea un aer de sinceritate **b** a suna bine **2** (**with**) a răsuna (de) **3** *(d. clopot)* a bate, a suna **II** *(v. ~ I) vt* a suna, a bate, a face să sune *(un clopot);* **to ~ the knell a** a trage clopotul de înmormântare **b** *fig* a anunța sfârșitul; a (pre)vesti încetarea; **to ~ a peal a**

trage clopotele **2** a face să sune, a suna la *(sonerie etc.)* **3** a anunța, a vesti, a da *(alarma etc.)* **4** a sărbători prin sunete de clopot etc. **III** *s* **1** dangăt, sunet (de clopot) **2** sunet metalic **3** țârâit *(de sonerie, telefon);* **to give smb a ~** a suna/a căuta pe cineva la telefon **4** timbru *(al glasului);* intonație **5** *fig* impresie, aparență; **to have the ~ truth about it** a părea verosimil/ adevărat

ring about ['riŋ ə'baut] *vt cu part adv v.* **ring II 3**

ring armour ['riŋ ,ɑːmə'] *s od* armură de zale

ring back ['riŋ 'bæk] *vt cu part adv* a suna la telefon *(o persoană care te-a căutat anterior)*

ring bark ['riŋ ,bɑːk] *vt hort, silv* a inciza inelar/în cerc *(trunchiul unui arbore etc.)*

ring biscuit ['riŋ ,biskit] *s* colac

ring bolt ['riŋ ,boult] *s nav* inel de punt

ring bone ['riŋ ,boun] *s zool, vet* exortază *(la cai)*

ring cartilage ['riŋ ,kɑːtilidʒ] *s anat* (cartilajul) cricoid

ring circuit ['riŋ ,səːkit] *s el* circuite pe o singură siguranță

ring dove ['riŋ ,dʌv] *s orn* porumbel sălbatic, guguștiuc *(Streptopelia decaocto)*

ring down ['riŋ 'daun] **I** *vi cu part adv* **1** *teatru* a anunța lăsarea cortinei **2** *fig* a pune capăt *(la sau cu ceat);* a ajunge la o concluzie **II** *vt cu part adv* a da semnalul încetării *(cu gen);* **to ~ the curtain a** a lăsa cortina **b** *fig* a duce la bun sfârșit

ringed [riŋd] *adj* **1** *bot, zool etc.* inelat; în cercuri; compus din inele **2** încercuit; strâns într-un inel **3** cu verighetă, logodit **4** cercănat

ringer ['riŋə'] *s* **1** clopotar **2** sonerie, clopoțel **3** *sport, pol* concurent/ candidat introdus fraudulos **4** persoană care îndeplinește operațiunile de la **ring**[1] **III 5** *amer* cowboy, văcar **6** *v.* **ring-taw**; **to be a dead ~ for smb** *amer* ← *F* a semăna leit cu cineva, a fi aidoma cu cineva

ring fence ['riŋ ,fens] *s* gard, împrejmuire, îngrăditură *(de jur împrejurul unei proprietăți)*

ring finger ['riŋ ‚fiŋə'] *s* (deget) inelar
ring for ['riŋ fə'] *vi cu prep* a suna, a chema *(pe cineva)*
ring formed ['riŋ ‚fɔ:md] *adj* în formă de cerc, circular
ring handle ['riŋ ‚hændl] *s* toartă *(de cratiță etc.)*
ring hedge ['riŋ ‚hedʒ] *s v.* **ring fence**
ring in ['riŋ 'in] I *vt cu part adv* 1 v. **ring¹** III 3 2 a sărbători prin sunete de clopot; **to ~ the New Year** a petrece revelionul II *vi cu part adv muz* a ataca uvertura
ringing¹ ['riŋiŋ] *s* 1 ferecare cu inel *(a unui porumbel)* 2 încercuire, împresurare 3 *telev* dublare a imaginii 4 *hort* incizie inelară
ringing² I *adj* răsunător, sonor, clar *(ca un sunet de clopot)* II *s* 1 sunet; răsunet 2 țiuit *(în urechi)* 3 apel, chemare
ringing frost ['riŋiŋ 'frɔst] *s F* ger de crapă pietrele
ring-leader ['riŋ‚li:də'] *s* 1 căpetenie *(a răsculaților)* 2 instigator
ringled ['riŋld] *adj* 1 v. **ringed** 1, 3 2 ← *reg* logodit
ringless ['riŋlis] *adj* fără inel/verighetă
ringlet ['riŋlit] *s* 1 ineluş, verighetă 2 cârlionț, buclă, zuluf 3 ← *rar* cerculeț
ringleted ['riŋlitid], **ringlety** ['riŋliti] *adj* cârlionțat, buclat
ringlike ['riŋlaik] *adj* 1 în formă de inel; circular 2 *anat* inelar, anular
ring magnet ['riŋ ‚mægnit] *s el* magnet circular
ring mail ['riŋ ‚meil] *s od* armură de zale
ring man ['riŋ ‚mæn] *s* agent de pariuri *(la curse)*, bookmaker
ring master ['riŋ ‚mɑ:stə'] *s* maestru de manej *(la circ)*
ring-necked ['riŋ‚nekt] *adj orn* cu colier, gulerat
ring off ['riŋ 'ɔ:f] *vi cu part adv* a închide telefonul; a pune telefonul în furcă
ring out ['riŋ 'aut] *vt cu part adv* a sărbători *(plecarea cuiva)* prin sunete de clopot; **to ~ the old year** a sărbători revelionul
ring ouzel ['riŋ ‚u:zəl] *s orn* mierlă *(Turdus merula)*
ring pigeon ['riŋ ‚pidʒən] *s v.* **ring dove**
ring-plover ['riŋ‚plʌvə'] *s orn* specie de ploier/fluierar mic *(Charadrius sp.)*

ring road ['riŋ ‚roud] *s* şosea de centură
ring round ['riŋ 'raund] *vt cu part adv v.* **ring¹** III 3
ring shaken ['riŋ ‚ʃeikən] *adj (d. lemn)* cu crăpături inelare
ring shaped ['riŋ ‚ʃeipt] *adj v.* **ringlike** 1
ring side ['riŋ ‚said] *adj (d. loc, vedere etc.)* aproape de scenă/spectacol/acțiune; în miezul lucrurilor
ring-snake ['riŋ‚sneik] *s zool* 1 şarpe european obişnuit/de iarbă 2 *amer* şarpe mic gulerat *(Diadophis sp.)*
ringster ['riŋstə'] *s amer* ← *F* membru al unui cerc/al unei clici
ring-streaked ['riŋ‚stri:kt] *adj* ← *înv* cu dungi/cercuri colorate (pe corp)
ring-taile ['riŋ‚teil] *s* 1 *nav* bate pupa, velă la pupă 2 *orn* femelă de uliu 3 *orn* vultur auriu de mai puțin de trei ani 4 *zool* oposum, lemur *sau* veveriță cu coada formată din inele
ring-tailed ['riŋ‚teild] *adj zool, orn* 1 cu coada formată din inele (colorate diferit) 2 cu coada încârligată/întoarsă
ring-taw ['riŋ‚tɔ:] *s* joc de copii *(cu pietricele aşezate în cerc)*
ring thrush ['riŋ ‚θrʌʃ] *s orn* mierlă *(Turdus merula)*
ring time ['riŋ ‚taim] *s* ← *rar* perioadă a logodnei/dinaintea căsătoriei; logodnă
ring-top ['riŋ‚tɔp] *adj* cu vârful rotund
ring up ['riŋ 'ʌp] I *vt cu part adv* 1 a suna/a chema/a căuta la telefon; a telefona *(cu dat)*; **ring me up tomorrow** sună-mă mâine la telefon, dă-mi mâine un telefon; **~ John** caută-l (la telefon) pe John 2 a chema *(cu clopoțelul)*, a suna *(pe cineva)* 3 *teatru* a da semnalul de ridicarea a *(cortinei)* 4 *com* a înregistra *(vânzarea)* la casă II *vi cu part adv* 1 *teatru* a da semnalul de ridicare a cortinei/de începere 2 *fig* a începe o acțiune; a da semnalul de începere
ring wall ['riŋ ‚wɔ:l] *s* (gard de) zid de jur împrejurul unei proprietăți
ringworm ['riŋwə:m] *s med* herpes, impetigo; *F* pecingine

rink [rink] I *s* 1 patinoar (artificial); pistă de patinaj; pistă de curling 2 ← *F* jucător de **curling** II *vi* 1 a patina 2 a face patinaj pe rotile
rinse [rins] I *vt* a clăti; a limpezi; a spăla; **to ~ one's mouth** a-şi clăti gura; **to ~ one's throat** *fig F* a trage la măsea, a bea zdravăn II *s* 1 clătire, limpezire, spălare 2 ← *F* băutură, alcool 3 loțiune capilară/pentru spălarea *sau* vopsirea părului
rinse away/off/out ['rins ə'wei/'ɔ:f/ 'aut] *vt cu part adv v.* **rinse** I
rinser ['rinsə'] *s* persoană care spală; spălătoreasă
rinsing ['rinsiŋ] *s* 1 clătire, limpezire, spălare, spălat 2 *pl* lături, zoi; *fig* resturi, gunoaie
Rio Branco ['ri:ou'bræŋku] *provincie* în Brazilia
Rio de Janeiro ['ri:ou də dʒə'niərou] *oraş şi golf în Brazillia*
Rio Grande ['ri:ou 'grændi] 1 *fluviu* în Mexic 2 *oraş şi stat* în Brazilia
Rio Grande do Sul ['ri:ou 'grændi dou 'sul] *v.* **Rio Grande** 2
riot ['raiət] I *s* 1 tărăboi, zarvă, gălăgie; **to kick up a ~** *F* a face un tărăboi nemaipomenit 2 tulburări, dezordini; răzmeriță, răscoală 3 dezlănțuire, exces; dezmăț; **to run ~** a se dezlănțui, a-şi face de cap, a o lua razna; **to run ~ upon smth** a se da în vânt după ceva, a se înnebuni după ceva 4 desfrâu, desfrânare, destrăbălare; orgie 5 *fig* abundență, bogăție; nebunie; **the performance was a ~** spectacolul a făcut furori/a avut un succes monstru/nebun II *vi* 1 a face tărăboi/gălăgie/scandal 2 a provoca dezordini/tulburări; a se răscula, a se revolta 3 a se dezlănțui, a se porni (nebuneşte), a face excese 4 ← *F* înv a duce o viață dezordonată; a trăi în desfrâu 5 *(d. puls)* a bate puternic III *vt înv* 1 a răscula, a ațâța la revoltă/răscoală, a incita 2 a risipi, a irosi
Riot Act, the ['raiət ‚ækt, ðə] *s* 1 *ist* lege pentru reprimarea răscoalelor *(1815)* 2 *fig* dojană, mustrare, ocară; **to read ~ to smb** a trage cuiva un perdaf/o săpuneală
riot away ['raiət ə'wei] *vt cu part adv v.* **riot** III 1

rioter ['raɪətə'] *s* **1** insurgent, răsculat; element turbulent **2** chefliu, petrecăreț, băiat de viață

riot in ['raɪət in] *vi cu prep* a se deda la *(excese etc.)*, a se pune pe *(chefuri etc.)*

riotous ['raɪətəs] *adj* **1** turbulent **2** tumultuos, gălăgios, zgomotos **3** destrăbălat, desfrânat; dezordonat **4** exaltat **5** *(d. vegetație)* abundent, luxuriant

riotously ['raɪətəsli] *adv* **1** (în mod) turbulent/tumultuos **2** (în mod) gălăgios/zgomotos **3** (în mod) dezordonat, fără nici o ordine; în dezordine **4** (în mod) exaltat, cu exaltare **5** (în mod) imoral, fără jenă/rușine/scrupul; dezmățat, desfrânat, fără cumpătare/frâu **6** *(d. vegetație)* (în mod) luxuriant/ abundent

riotousness ['raɪətəsnis] *s* **1** *v.* **riot I 2 2** freamăt, agitație, vânzoleală, mișcare

riot squad ['raɪət 'skwɔd] *s amer* brigadă mobilă (de poliție)

rip¹ [rip] **I** *vt* **1** a spinteca, a despica, a tăia; a sparge *(lemne)* **2** a sfâșia, a rupe *(prada)* **3** a tăia; a deschide; a inciza **4** *constr* a dezveli *(o casă)*, a scoate acoperișul *(cu gen)* **II** *vi* **1** a merge repede, a alerga; **let her ~!** *auto* accelerează! dă-i bătaie! **2** a-și face de cap, a se zbengui **3** a înjura, a vorbi urât **III** *s* **1** despicătură, tăietură **2** ruptură, spărtură **3** spintecare **4** sfâșiere **5** deșirare

rip² *s* **1** mârțoagă, gloabă **2** destrăbălat, desfrânat **3** chefliu, petrecăreț

rip³ *s* **1** clipocit, clipocire *(a pârâului etc.)* **2** spumegare, clocot *(al apelor)* **3** vârtej, volbură, apă învolburată

R.I.P. *presc de la* **Requiesca(n)t in pace** odihnească-se în pace

riparian [raɪ'pɛəriən] **I** *adj* **1** riveran **2** de pe litoral/coastă **II** *s* proprietar riveran

rip away ['rip ə'weɪ] **I** *vt cu part adv* a smulge; a desface **II** *vi cu part adv* **1** a se sfâșia **2** a se descoase, a se deșira

rip cord ['rip ,kɔ:d] *s* av șnur/coardă pentru desfacerea parașutei *sau* umplerea unui balon de susținere cu gaze

rip current ['rip ,kʌrənt] *s v.* **rip tide**

ripe [raɪp] **I** *adj* **1** copt, matur **2** *fig* în vârstă, copt, < răscopt **3** *fig* copt la minte, înțelept, chibzuit, cu scaun la cap **4** (**for**) pregătit, gata (de, pentru); dispus (să) **5** desăvârșit, complet, terminat **II** *vi* **1** *înv v.* **ripen II 2** ← *reg* a îmbătrâni **III** *vt v.* **ripen I 1**

ripely ['raɪpli] *adv* **1** în mod matur, cu maturitate **2** (în mod) înțelept/ chibzuit, cu chibzuială

ripen ['raɪpən] **I** *vt* **1** a face să se coacă (repede), a coace **2** a maturiza **3** a duce la desăvârșire, a termina, a desăvârși **II** *vi* **1** *bot și fig* a se coace; a se maturiza **2** a se desăvârși, a se perfecționa

ripeness ['raɪpnis] *s* **1** maturitate **2** înțelepciune, chibzuință, scaun la cap

ripening ['raɪpniŋ] **I** *s* **1** *bot și fig* coacere; maturizare **2** (aducere la) desăvârșire, terminare **II** *adj* **1** *bot* favorabil coacerii **2** *bot și fig* în pârg; copt, matur

ripieno [ri'pjenou], *pl* ~**s** [ri'pjenous], *sau* **ripieni** [ri'pjenai] *s muz* instrument(ist) suplimentar; întărire/suplimentare a orchestrei

rip into ['rip ,intə] *vi cu prep* a lua în primire, a lua la ceartă/ocări/la trei(păzește); a certa, a ocărî, a face albie de porci, a face cu ou și cu oțet *(cu ac)*

rip off ['rip 'ɔ:f] *vt cu part adv* **1** a sfâșia, a smulge *(învelișul etc.)* **2** *sl* a jumuli, a stoarce, a trage în piept; – a jefui, a prăda

rip-off ['rip,ɔf] *s sl* jaf, prădăciune, prădare, jefuire

riposte [ri'pɔst] **I** *s* ripostă; contralovitură; răspuns cu aceeași monedă **II** *vi* a riposta, a da o ripostă

rip out ['rip 'aut] *vt cu part adv* **1** *v.* **rip off 2** a scoate *(un țipăt)* **3** a scăpa, a înăbuși între dinți *(o înjurătură etc.)*

ripper ['ripə'] *s* **1** spintecător **2** unealtă/sculă de desfăcut/spintecat/tăiat **3** *agr* plug, scarificator **4** *fig* om *sau* lucru epatant/ extraordinar/formidabil

ripping ['ripiŋ] *adj sl* trăsnitor, zăpăcitor, a-ntâia, – grozav

ripple¹ ['ripl] **I** *s* **1** val mic, undă; *pl* vălurele **2** clipocire, clipocit; susur, murmur; freamăt **3** buclă,

ondulație **4** pulsație, bătaie **5** *el* variație a curentului **II** *vi* **1** *(d. apă)* a se încreți, a văluri, a se undui **2** *(d. pârâiaș etc.)* a clipoci, a susura, a murmura **3** *(d. păr)* a se ondula, a se bucla, a se încreți **III** *vt (d. vânt)* a încreți (apa), a face vălurele pe apă

ripple² **I** *s* ragilă, pieptene de dărăcit **II** *vt* **1** a dărăci, a pieptăna cu ragila **2** a coji, a descoji; a dezghioca

rippled ['ripld] *adj* **1** vălurit, unduios, încrețit, cu vălurele **2** ondulat, creț

ripple-mark ['ripl,ma:k] *s* urmă a valurilor/a locului până unde au ajuns valurile

ripple of applause ['ripl əv ə'plɔ:z] *s* ropot (moderat) de aplauze; aplauze călduroase (dar nu frenetice)

ripple of conversation ['ripl əv kɔnvə'seiʃən] *s* val/tumult de conversație; (perioadă de) animație a conversației

ripple of laughter ['ripl əv 'la:ftə'] *s* hohot (vălurit) de râs; râs vălurit/ grațios

rippler ['riplə'] *s text v.* **ripple² I**

ripplet ['riplit] *s* val foarte mic, mică ondulație; *pl* vălurele

rippling ['ripliŋ] **I** *adj* **1** *v.* **rippled 2** care murmură/susură/clipocește **II** *s* **1** vălurele, crețuri, unde **2** *v.* **ripple¹ I 1, 2**

ripply ['ripli] *adj v.* **rippled 1**

riprap ['ripræp] **I** *s* prundiș, prund, pietriș **II** *vt* a face temelie din piatră spartă la *(o casă)*

rip-roaring ['rip'rɔ:riŋ] *adj amer* **1** robust, viguros **2** *(d. primire etc.)* entuziast, exuberant; gălăgios

rip saw ['rip ,sɔ:] *s tehn* ferăstrău de spintecat

rip-snorter ['rip,snɔ:tə'] *s sl* **1** om energic **2** acțiune care se manifestă cu multă energie

rip tide ['rip ,taid] *s* **1** *geogr* curent puternic de suprafață dinspre țărm **2** *fig* forțe/elemente psihologice contradictorii/conflictuale/ în conflict; contradicții psihologice

Ripuarian [,ripju'ɛəriən] *adj ist* referitor la francii care trăiau între afluenții Meusa și Mosella ai Rinului; despre/referitor la francii de pe Rin

Ripuarian law [ˌripju'ɛeriən 'lɔ] *s ist* (cod de) legi respectate de francii de pe Rin *(v.* **Ripuarian***)*

rip up ['rip 'ʌp] *vt cu part adv* **1** a spinteca, a despica **2** a înmuia în aburi

Rip van Winkle ['rip væn 'wiŋkəl] *s* (persoană foarte) demodată/*F* ruginită; om foarte demodat/rămas în urmă; *înv* ruginit *(personaj din schița omonimă a scriitorului american Washington Irving)*

rise I [raiz], *pret* **rose** [rouz], *ptc* **risen** ['rizən] *vi* **1** a se urca, a se sui, a se înălța; **to ~ in the world** a urca pe treptele societății; **to ~ in one's career** a face carieră, a ajunge cineva/un nume, a avea o carieră ascendentă, a cunoaște o frumoasă ascensiune; **to ~ above prejudices** a fi/a se dovedi mai presus de prejudecăți; **to ~ to it/to the occasion** a fi/a se dovedi la înălțimea situației **2** a se ridica de pe un scaun/în picioare, a se scula de jos **3** a se deștepta, a se scula (dimineața) **4** *(d. soare, lună)* a răsări, a se înălța; a se arăta **5** a se răscula, a se revolta, a face o răscoală; **to ~ in arms** a pune mâna pe arme, a participa la o insurecție armată **6** *fig (d. mare etc.)* a se agita; a se ridica; **my gorge/ stomach ~s at it** mi se întoarce stomacul pe dos când văd una ca asta, îmi vine rău când văd ce se întâmplă **7** *(d. vânt)* a se porni **8** *(d. adunare etc.)* a ridica ședința, a se încheia **9** *(d. prețuri, salarii)* a crește, a se ridica **II** *(v. ~ I) vt* **1** a se cățăra pe, a urca **2** a stârni, a speria *(vânatul)* **III** *s* **1** ascensiune, ridicare, înălțare; **~ and fall** creștere și descreștere, ridicare și coborâre (în istorie); înălțare și declin **2** *fig* ascensiune, parvenire; **~ to power** venire la putere **3** înălțare, avansare/ înaintare (în grad); **to be on the ~** a a fi în creștere **b** a fi în ascensiune **4** creștere, ridicare, urcare, sporire *(a prețurilor etc.)* **5** răsărit *(al soarelui, lunii etc.)* **6** ieșire la suprafață **7** izvor, proveniență, origine, sursă; **to give ~ to** a da naștere la; **to take its ~ in** a porni/a începe de la **8** *geol* ridicare *(a unor straturi)* **9** înălți-

me, ridicătură *(de teren)* **10** *tehn* săgeată **11** *constr* înălțime a unei trepte *v.* **riser 4** // **to get/to take a ~ out of smb** a **a** scoate din fire pe cineva **b** a păcăli pe cineva

rise against ['raiz ə͵genst] *vi cu prep* a se revolta împotriva *(cu gen)*; **my gorge/stomach/my whole soul rises against it** a mi se întoarce stomacul pe dos/îmi vine greață/îmi vine să vărs când aud de una ca asta **b** mi se revoltă/răscoală întreaga fire împotriva unui asemenea lucru

rise and shine ['raiz ən 'ʃain] *vi umor* a se trezi/a se scula (de dimineață) vesel/bine dispus și energic; a fi vioi dis-de-dimineață/încă de la sculare

rise bush ['raiz ͵buʃ] *s* legătură de vreascuri, crengi *etc.*

rise from/in ['raiz frəm/in] *vi cu prep* **1** a izvorî din **2** a proveni din

rise l ['raizəl] *s tehn* proptea, sprijoană

risen ['raizən] *ptc de la* **rise I-II**

riser ['raizər] *s* **1** persoană care se scoală *(devreme etc.)* **2** răsculat, insurgent **3** *tehn* coloană montantă; pieptene colector; câștig la turnare **4** stâlpișor de susținere a treptelor; treaptă intermediară

rishi ['riʃiː] *s rel* înțelept *sau* sfânt hindus

risibility [ˌrizi'biliti] *s* **1** înclinație spre comic, veselie, spirit vesel **2** comicărie; nostimadă

risible ['rizibəl] *adj* **1** pus pe râs, veșnic amuzat **2** caraghios, ridicol **3** derizoriu

risible faculties ['rizibəl 'fækjultiz] *s pl* capacitate de a râde; umor, simțul ridicolului

risible nerves ['rizibəl 'nəːvz] *s pl* nervii care stârnesc râsul; *v. și* **risible faculties**

rising ['raiziŋ] **I** *adj* **1** care se înalță, care se ridică **2** în ascensiune **3** *(d. soare)* care răsare **4** care crește/urcă/se ridică; în creștere/urcare; **to be ~ twenty** a merge pe douăzeci de ani; **~ five hundred** *amer* aproape cinci sute **II** *s* **1** răscoală, răzmeriță, revoltă, insurecție **2** sculare (din somn); **~ from the dead** înviere (din morți) **3** ridicare *(a ședinței)*; încheiere *(a dezbaterilor etc.)* **4** *astr* ascensiune;

răsărit *(al soarelui etc.)* **5** creștere, sporire, ridicare *(a prețurilor)* **6** avansare, ridicare, înălțare *(în rang)* **7** ridicătură a terenului **8** ← *F* bubuliță, bubă; pistrui

rising arch ['raiziŋ 'ɑːtʃ] *s arhit* arc rampant

rising butt ['raiziŋ 'bʌt] *s tehn, constr* dispozitiv care ridică ușa când se deschide; balama ridicătoare

rising generation, the ['raiziŋ ͵dʒenə- 'reiʃən, ðə] *s* noua generație, generația tânără/ascendentă/ care se ridică

rising hinge ['raiziŋ 'hindʒ] *s constr v.* **rising butt**

risk [risk] **I** *s* risc, pericol, primejdie; **at the ~ of** cu riscul/prețul *cu gen;* cu riscul de a; **at one's own ~** pe propriul său risc; **to take/to run the ~ of** a risca să, a se expune riscului de a; **at whatever ~** cu orice risc/preț **II** *vt* **1** a risca, a primejdui, a periclita **2** a încerca (cu orice risc), a risca, a îndrăzni să facă; **I'll ~ it!** eu totuși risc/îmi încerc șansele

riskful ['riskful] *adj* **1** riscant, periculos, primejdios; plin de riscuri/ primejdii **2** aventurist; riscant

riskily ['riskili] *adv* (în mod) riscat/ riscant

riskiness ['riskinis] *s* situație riscantă; riscuri, pericole

riskless ['risklis] *adj* sigur, nepericulos, neprimejdios, deloc riscant; fără/lipsit de primejdii/ riscuri/pericol

risk money ['risk ͵mʌni] *s fin* **1** cauțiune, garanție **2** manc de casă, bani lipsă

risky ['riski] *adj* **1** riscant, primejdios, periculos **2** riscat, îndrăzneț **3** *fig* decoltat, picant, deocheat

Risorgimento [riˌsɔːdʒi'mentou] *s ist* mișcarea de eliberare (și unitate) națională din Italia *(la mijlocul sec. XIX);* mișcarea lui Garibaldi

risotto [ri'zɔtou], *pl* **~s** [ri'zɔtouz] *s* rizoto, pilaf italienesc *(făcut cu supă, carne, ceapă și legume)*

risqué [ris'kei] *adj fr v.* **risky 3**

rissole ['risoul] *s* chifteluță

Rita ['riːtə] *nume fem*

ritardando [ˌritaː'dændou] *muz* **I** *adv, adj* ritardando **II** *s, pl* **~s** [ˌritaː- 'ændouz] *sau* **ritardandi** [ˌriːtaː- 'dændi] (tempo) ritardando/care încetinește

rite [rait] *s* rit, ritual, ceremonie; **conjugal/nuptial** ~**s** *înv* consumarea căsătoriei; pat nupțial

riteless ['raitlis] *adj* **1** fără ritual/tipic **2** care nu respectă riturile/ritualurile

ritenuto [,ritə'nu:tou] *muz* **I** *adv, adj* ritenuto, cu reținere **II** *s pl* ~**s** [,ritə'nu:touz] *sau* **ritenuti** [,ritə-'nu:ti] (tempo) ritenuto/cu reținere; pasaj cântat cu reducere imediată a tempoului

rite of passage ['rait əv 'pæsidʒ] *s* ritual care marchează schimbarea situației în viață *(de ex. majorat, căsătorie)*

ritornello [,ritə'nelou], *pl* ~**s** [,ritə-'nelouz] *sau* **ritornelli** [,ritə'neli] *s muz* riturnelă, scurt refren *sau* interludiu instrumental *(în cadrul unei piese vocale)*

ritual ['ritjuəl] **I** *s* **1** ritual, ceremonial, ceremonie **2** *bis* tipic, liturghier **II** *adj* ritual; conform ritului

ritualism ['ritjuə,lizəm] *s bis* ritualism

ritualist ['ritjuəlist] *s bis* ritualist

ritualistic [,ritjuə'listik] *adj* ritual(ist), care ține de rituri/ritualuri; care respectă ritualurile/tradițiile; formalist; *peior înv* tipicar

ritualize ['ritjuə,laiz] **I** *vi* a se conforma riturilor/ritualurilor/tradițiilor; a îndeplini ritualurile cerute **II** *vt* a supune riturilor/ritualurilor/tipicurilor obișnuite; a sanctifica prin ritualuri

ritually ['ritjuəli] *adv* în mod ritual, conform ritului/ritualului

ritual murder ['ritjuəl 'mə:də'] *s ist* jertfă adusă zeilor; sacrificarea/jertfirea cuiva ca o ofrandă adusă zeilor

ritzy ['ritsi] *adj F* **1** clasa întâi, de primă calitate/clasă, – luxos **2** de o eleganță ostentativă; șic, elegant; fercheș; după ultima modă, după ultimul strigăt al modei

riv *presc de la* **river**

rival ['rivəl] **I** *s* rival, concurent, potrivnic **II** *adj atr* rival; potrivnic, opus **III** *vt* a concura, a rivaliza cu **IV** *vi* (**with**) a rivaliza, a fi în concurență, a se lua la întrecere (cu)

rivalize ['raivəlaiz] *vi v.* **rival IV**

rivalry ['raivəlri] *s* rivalitate, concurență; emulație, întrecere

rive I [raiv], *pret* **rived** [raivd], *ptc* **riven** ['rivən] *vt* **1** *v.* **rip¹ I 1 2** (**from**) a smulge (de la) **II** *(v.* ~ **I**) *vi* a se

despica, a se crăpa **III** *s* crăpătură, despicătură; deschizătură; breșă

rive away ['raiv ə'wei] *vt cu part adv* a smulge

rivel ['rivəl] ← *înv* **I** *vi* **1** a se mototoli, a se boți, a se șifona **2** a se zbârci **II** *vt* a mototoli, a boți, a șifona

riven ['rivən] **I** *ptc de la* **rive I-II II** *adj* ← *poetic* spart, crăpat, despicat

rive off ['raiv'ɔ:f] *vt cu part adv v.* **rive away**

river¹ ['rivə'] **I** *s* **1** râu; fluviu; **down the** ~ în josul râului, în aval; **up the** ~ **a** în amonte, în susul apei; în sus pe râu **b** *amer F* la mititica/zdup/gros; **to sell down the** ~ *F* **a** a trage pe sfoară/*sl* în piept **b** a vinde, a trăda, *sl* a turna **2** *fig* puhoi, potop, noian; râuri, torente **II** *adj* de râu, fluvial

river² ['raivə'] *s înv* **1** muncitor care sfarmă piatră/pietre; pietrar **2** pădurar, lemnar; tăietor de lemne, salahor care sparge/despică lemne

riverain ['rivə,rein] *adj, s* riveran

river bank ['rivə 'bæŋk] *s* mal/țărm de râu/fluviu

river barge ['rivə ,ba:dʒ] *s nav* șalandă, șlep (fluvial)

river basin ['rivə ,beisn] *s* bazinul unui râu

river-bathing ['rivə,beiðiŋ] *s* baie/scăldare/înot într-un râu/fluviu

river bed ['rivə,bed] *s* albie/matcă de râu/fluviu

river boat ['rivə ,bout] *s nav* vas fluvial

river-borne ['rivə,bɔ:n] *adj* adus/transportat pe ape (interioare)/pe râuri/fluvii; (referitor la transportul) fluvial

river bottom ['rivə ,bɔtəm] *s* **1** fund al râului **2** *amer* aluviune

river branch ['rivə ,bra:ntʃ] *s* braț de râu/fluviu

river dragon ['rivə ,drægən] *s zool* crocodil

river driver ['rivə ,draivə'] *s amer* plutaș

rivered ['rivəd] *adj geogr* brăzdat de ape/râuri/fluvii/cursuri de apă

river fish ['rivə ,fiʃ] *s iht* pește de apă dulce

river god ['rivə ,gɔd] *s mit* zeu al unui râu/pârâu; zeitate/divinitate acvatică/a unui curs de apă

river goddess ['rivə ,gɔdis] *s mit* zeiță a unui râu/pârâu; zeitate acvatică/a unui curs de apă

river head ['rivə ,hed] *s* **1** *și fig* izvor **2** *fig* sursă

river horse ['rivə ,hɔ:s] *s zool* hipopotam

riverine ['rivə,rain] *adj* **1** *v.* **riparian I 1 2** de râu *sau* fluviu; fluvial

river keeper ['rivə ,ki:pə'] *s* paznic de pescuit

riverless ['rivəlis] *adj geogr* fără râuri *sau* fluvii; lipsit/nebrăzdat de cursuri de apă

river novel ['rivə ,nɔvəl] *s* roman-fluviu

river sand ['rivə ,sænd] *s constr* nisip de râu

riverside ['rivə,said] **I** *adj v.* **riparian I 1 II** *s v.* **river bank**

rivers of blood ['rivəz əv 'blʌd] *s pl* măcel, abator, vărsare de sânge

river Thames, the ['rivə 'temz, ðə] *s* (fluviul/râul) Tamisa

river watcher ['rivə 'wɔtʃə'] *s v.* **river keeper**

rivery ['rivəri] *adj rar* bogat în ape curgătoare; *v. și* **rivered**

rivet ['rivit] **I** *s* **1** nit, cui de nituit **2** nituire **II** *vt* **1** a nitui **2** *fig* a pironi, a țintui, a întări, a consolida **3** (**to, on**) a-și pironi/a-și aținti *(privirea etc)* (asupra – *cu gen*), a fixa cu privirea *(cu ac)*

riveter ['rivitə'] *s* **1** nituitor **2** mașină de nituit

riveting ['rivitiŋ] *s tehn* (asamblare prin) nituire

rivetless ['rivitlis] *adj* fără nituri, nenituit

rivetted ['rivitid] *adj* **1** nituit **2** țintuit **3** *fig* ațintit, fixat

rivetting ['rivitiŋ] *s v.* **riveting**

rivière [,rivi'ɛə'] *s fr* colier (bogat) de pietre scumpe/prețioase, rivieră

riving ['raiviŋ] *s* **1** crăpare, despicare **2** curgere, scurgere

rivulet ['rivjulit] *s* **1** pârâu, pârâiaș, râuleț **2** șuvoi, șiroi

Riza Shah Pahlavi/Pahlevi [ri:'za: ʃa: 'pa:ləvi] șahinșah al Iranului (1925-1941)

R.j. *presc de la* **read junction**

R.L. *presc de la* **Rugby League** Divizia națională de rugby

R.L.Y., Rly *presc de la* **railway**

R.M. *presc de la* **1 Resident Magistrate** magistrat stabil **2 Royal Mail** poșta britanică **3 Royal Marines** trupele din marina militară britanică

rm. *presc de la* **1 ream 2 room**

R.M.A. *presc de la* **Royal Military Academy**

R.M.S. *presc de la* **Royal Mail Steamer** vapor/vas poștal

r.m.s. *presc de la* **root-mean-square** *mat* rădăcina pătrată medie

R.N. *presc de la* **1 registered nurse** *amer* infirmieră calificată **2 Royal Navy** marina britanică

Rn *simbolul* radonului

RNA *presc de la* **ribonucleic acid**, ARN

R.N.A.S. *presc de la* **1 Royal Naval Air Service 2 Royal Naval Air Station** aeroport al marinei militare

RNAse ['ɑ:ren'eis] *s ch, amer* ribonuclează

rnd. *presc de la* **round**

R.N.L.I. *presc de la* **Royal National Lifeboat Institution** Societatea britanică (pentru bărcile) de salvare

R.N.(V.)R. *presc de la* **Royal Naval (Volunteer) Reserve** rezerviștii (voluntari) ai marinei militare britanice

R.N.Z.A.F. *presc de la* **Royal New Zeeland Air Force** aviația militară neo-zeelandeză

R.N.Z.N. *presc de la* **Royal New Zeeland Navy** marina neo-zeelandeză

roach[1] [routʃ] *s iht* babușcă, ocheană *(Rutilus rutilus);* **(as) sound as a** ~ sănătos tun

roach[2] *s amer* **1** *v.* **cockroach 2** *sl* țigară cu/de marijuana

roach backed ['routʃ ,bækt] *adj* **1** încovoiat, cocârjat; adus de spate **2** convex, rotund

roach-bellied ['routʃ ,belid] *adj* burtos, pântecos, cu burtă (rotundă/mare)

road [roud] **I** *s* **1** drum; cale; șosea; stradă; **to be on the** ~ **a** a fi pe drum/în călătorie, a călători **b** *teatru* a fi în turneu; **to take the** ~ **a** a porni la drum/în călătorie **b** *teatru* a pleca în turneu **c** a fi vagabond; a vagabonda; a duce o viață dezordonată; **to take to the** ~ *od* a se haiduci; a lua calea codrului; – a se face tâlhar de drumul mare; **to be in the** ~ a sta în drumul (cuiva); **get out of my ~!** dă-te la o parte (din calea mea); **by** ~ **a** pe drum; în drum **b** pe jos *sau* cu un vehicul **2** *fig*

cale; mijloc **3** *amer* cale ferată **4** *nav* radă **5** *min* galerie în cărbune **6** *mil* incursiune, raid **II** *vt (d. câine de vânătoare)* a urmări, a adulmeca, a amușina *(vânatul)* **III** *vi (d. câine de vânătoare)* a urmări/a adulmeca vânatul, a lua urma vânatului

roadability [,roudə'biliti] *s auto* ținută de drum

road bay ['roud ,bei] *s constr* dală, bloc *(la construcțiile de drumuri)*

road bed ['roud ,bed] *s* **1** terasament de cale **2** material pentru (infra-) structura unui drum **3** *amer* carosabil, parte carosabilă

road-block ['roud,blɔk] *s* obstacol (ridicat de poliție *sau* armată) pentru blocarea drumului/șoselei; punct de control (pe o șosea)

road board ['roud ,bɔ:d] *s* administrația drumurilor

road book ['roud ,buk] *s* ghid (↓ *automobilistic)*

road builder ['roud ,bildəʳ] *s* **1** constructor de drumuri; lucrător/muncitor la construcțiile de drumuri; ← *înv* pavagiu **2** *constr* buldozer cu lamă orientabilă

road building ['roud ,bildiŋ] *s* construcții rutiere/de drumuri

road clearance ['roud ,kliərəns] *s auto* gardă de sol

road crossing ['roud ,krɔsiŋ] *s* intersecție rutieră, încrucișare de drumuri

road fund licence ['roud ,fʌnd-'laisəns] *s F* certificat de plata impozitului auto/pe autovehicule

road hog ['roud ,hɔg] *s* **1** șofer turbulent/antipatic *(care nu se lasă depășit)* **2** maniac al vitezei, vitezoman; obstrucționist

road-holding ['roud,houldiŋ] *s auto* stabilitate la drum/de mers *(a auotvehiculului);* aderență

road house ['roud ,haus] *s* hotel, restaurant *etc.* la marginea drumului

road labourer ['roud ,leibərəʳ] *s* **1** *v.* **road builder 2** cantonier *(care îngrijește starea șoselelor)*

road maker ['roud ,meikəʳ] *s* constructor de drumuri

road man ['roud ,mæn] *s* lucrător/muncitor care întreține/repară drumurile

road map ['roud ,mæp] *s* hartă a drumurilor

road mender ['roud ,mendəʳ] *s* **1** *v.* **road labourer 2** *v.* **road man**

road metal ['roud ,metl] *s* îmbrăcăminte rutieră

road network ['roud ,netwə:k] *s* rețea rutieră

road post ['roud ,poust] *s* **1** indicator rutier **2** tabel indicator

road race ['roud ,reis] *s* cursă pe/de șosea

road ready ['roud ,redi] *adj* pregătit pentru/gata de (plecat la) drum; în bună stare de funcționare

road runner ['roud ,rʌnəʳ] *s orn* specie de cuc nord-american *(care fuge repede în loc să zboare) (Geococcyx californianus)*

road sense ['roud ,sens] *s* **1** reguli de circulație (rutieră) **2** aptitudini de șofer/conducător auto

road show ['roud ,ʃou] *s* **1** spectacol *(dat de o trupă teatrală)* în turneu; *pl* turneu **2** *amer* spectacol cinematografic select/de elită/rezervat/în cerc închis

roadside ['roudsaid] *s* margine de drum

roadsman ['roudzmən] *s v.* **roadman**

roadstead ['roud,sted] *s* **1** cal de călărie **2** vehicul rutier **3** *nav* vas ancorat în radă **4** automobil decapotabil cu două locuri

road tanker ['roud ,tæŋkəʳ] *s* autocisternă

road tax ['roud ,tæks] *s* taxă rutieră; taxă pentru folosirea șoselelor; impozit pe șosele

road test ['roud ,test] *s auto* verificare/încercare/testare *(a autovehiculelor)*

road toll ['roud ,toul] *s v.* **road tax**

roadway ['roud,wei] *s* **1** rambleu carosabil, parte carosabilă **2** cale de transport, drum; șosea; stradă **3** *auto* bandă (de circulație)

road wear ['roud ,wɛəʳ] *s* uzură a drumului

road works ['roud ,wə:ks] *s pl constr* **1** *v.* **road building 2** întreținerea (și repararea) drumurilor/șoselelor

roadsworthy ['roudz,wə:ði] *adj* **1** *auto v.* **road ready 2** *auto* în bună stare de funcționare; cu o bună ținută de drum/mers **3** *(d. cineva)* apt pentru călătorie, care nu suferă de rău de automobil/mașină, care poate pleca la drum; într-o situație/stare potrivită pentru drum

roam [roum] **I** *vi* a hoinări; a cutre-iera; a rătăci **II** *vt* a străbate, a parcurge **III** *s* hoinăreală; cutre-ier(at); rătăcire

roam about ['roum ə'baut] *vi cu part adv* a umbla/a rătăci de colo până colo

roan[1] [roun] *adj (d. cal)* dereș

roan[2] *s* piele de oaie argăsită

roar [rɔːr] **I** *vi* **1** a urla, a zbiera, a striga, a țipa; a răcni **2** a tuna, a bubui **3** *(d. vânt)* a mugi, a vâjâi, a urla **4** *(d. mare)* a mugi **5** a hohoti *vt* a răcni; a rosti, a cânta *etc.* cu voce tare **III** *vr cu adj:* to ~ **oneself hoarse** a urla *etc.* până când răgușeşte **IV** *s* **1** urlet, zbierăt; țipăt; răcnet **2** vâjâit, vuiet *(al furtunii)* **3** muget *(al mării)* **4** hohot *(de râs);* **to set the table in ~s** a distra/a amuza societatea, a stârni râsul come-senilor, a face masa/pe toată lumea de la masă să moară de râs; **everything went with a ~** *F* totul a mers ca pe roate

roarer ['rɔːrər] *s* **1** persoană zgomo-toasă/gălăgioasă; zurbagiu, scandalagiu, persoană care urlă/face scandal **2** *vet* cal cu/care suferă de tignafes **3** *amer* (fân-tână) țâșnitoare **4** *amer* treabă grozavă, lucru fantastic/extraor-dinar/nemaipomenit/de pomină; < minune, minunăție, grozăvie

roaring ['rɔːriŋ] **I** *adj* **1** zgomotos, violent, furtunos **2** viu, plin de viață, clocotitor; **a ~ success** un succes răsunător; **a ~ trade** un comerț înfloritor/prosper; **to do a ~ business/trade** a face afaceri strașnice/grozave; a-i merge strună afacerile/negoțul/treburile, a avea dever mare **II** *s* **1** urlet, zbierăt; răcnet **2** zgomot **3** sforăit, sforăială **4** *vet* (șuierat de) tignafes

roaring drunk ['rɔːriŋ ˌdrʌŋk] *adj* beat mort/criță

roaring forties ['rɔːriŋ 'fɔːtiz] *s pl geogr* zonă furtunoasă/turbu-lentă *(între latitudinea 40 și 50 grade sudice)*

roaring game, the ['rɔːriŋ 'geim, ðə] *s* (jocul de) curling/carling

roaring thirties, the ['rɔːriŋ 'θɜːtiz, ðə] *s pl ist* (al doilea) deceniu furtu-nos/al gangsterismului *(legat de prohibiția alcoolului)*

roaring twenties, the ['rɔː,riŋ 'twentiz, ðə] *s* deceniul furtunos/gangsterismului *(legat de prohi-biția alcoolului, 1919-1935)*

roast [roust] **I** *vt* **1** a frige; a coace; a prăji **2** a coace în spuză; a pârjoli; a încălzi la foc **3** *tehn* a calcina, a coace, a arde **4** *F* a lua peste picior, a tachina, a persifla **5** *amer F* a lua la trei parale; a săpuni, – a critica sever **II** *vt* a se încălzi (la foc) **III** *vi* a se frige; a se coace; a se prăji **IV** *s* **1** frigere; coacere; prăjire; **he rules the ~** *F* el are pâinea și cuțitul, – el dictează **2** friptură, carne friptă; mixed grill **3** bar-becue, petrecere/picnic în jurul grătarului/focului unde se frige un animal **4** *tehn* calcinare, ardere, coacere **5** *amer* ← *F* critică severă

roast beef ['roust,biːf] *s* friptură de vacă/vită (↓ mușchi), carne de vită/vacă la cuptor/friptă, *înv* → rosbif

roaster ['roustər] *s* **1** *met* cuptor de calcinare **2** mâncare *etc.* care se prăjeşte ușor **3** tigaie/aparat pentru prăjit cafeaua **4** prăjitor *(pentru diverse alimente)* **5** animal *sau* pasăre, cartof *etc.* pregătit(ă) pentru frigare **6** *met* furnal/cuptor pentru prăjirea minereului **7** *amer* ← *F* zi toridă/caniculară/de caniculă

roasting ['roustiŋ] **I** *adj* arzător; torid **II** *s* **1** prăjire *etc.* (v. **roast IV**) **2** *F* refec, săpuneală, – critică

roasting jack ['roustiŋ ˌdʒæk] *s* frigare

rob [rɔb] **I** *vt* **1** (of) a jefui, a prăda (de); **to ~ Peter to pay Paul** a lua de la unul ca să plăteşti pe altul, a te împrumuta dintr-un loc pentru a achita altă datorie **2** a fura **3** (of) *fig* a lipsi/a priva (de) **II** *vi* a face jaf *sau* prădăciuni

roband ['rɔbənd] *s nav* baeră de învergare

robber ['rɔbər] *s* **1** tâlhar, jefuitor **2** *od* haiduc

robbery ['rɔbəri] *s* tâlhărie, prădă-ciune, jaf

robe [roub] **I** *s* **1** robă; mantie; costum de ceremonie; veșmânt **2** *poetic* veșmânt, strai **3** *amer* garderob(ă) **4** *amer* pătură groa-să; blană folosită ca învelitoare/

plapumă **II** *vt* **1** a îmbrăca într-o robă **2** *poetic* a înveșmânta

robe de chambre [rɔbdə'ʃābr] *s fr* **1** haină de casă, halat *(bărbătesc)* **2** capot, robe de chambre *(pt femei)*

Robert ['rɔbət] *nume masc*

Roberta [rɔ'bəːtə] *nume fem*

Robeson ['roubsən], **Paul** *cântăreț și actor american (1898-1976)*

Robespierre ['roubzpjɛər] *revolu-ționar francez (1758-1794)*

robin ['rɔbin] *s orn* prihor, măcă-leandru *(Erithacus rubecola)*

robing ['roubiŋ] *s* **1** haină, veșminte, îmbrăcăminte **2** îmbrăcare *(cu roba etc.)*, punere/îmbrăcare a robei *etc.*

Robin Goodfellow ['rɔbin 'gud-ˌfeləu] *spiriduș benefic din fol-clorul englez*

robing-room ['roubiŋ ˌruːm] *s* ves-tiar, garderobă *(pt magistrați etc.)*

Robin Hood ['rɔbin 'hud] *haiduc legendar englez (sec al XII-lea?)*

robinia [rə'biniə] *s bot, silv* specie de salcâm nord-american *(Robi-nia sp.)*

robin redbreast ['rɔbin ˌredbrest] *s v.* **robin**

Robin-run-in-the-hedge ['rɔbin,rʌn in ðə 'hedʒ] *s bot* **1** silnic, coada ielelor *(Glechoma hederacea)* **2** turiță, asprișoară, cornățel *(Ga-lium aparine)*

robin's eye ['rɔbinz'ai] *s bot* năpras-nică, închegătoare, priboi că-presc, ciocul berzei *(Geranium robertianum)*

Robinson ['rɔbinsən], **Edwin Arling-ton** *poet american (1869-1935)*

Robinson Crusoe ['rɔbinsən 'kruː-sou] *eroul romanului cu același titlu de Daniel Defoe (1719)*

roblitz ['roublits] *s amer mil* atac-surpriză, atac prin surprindere cu rachete/cu proiectile tele-ghidate

robomb ['roubɔm] *s amer mil* ra-chetă; proiectil teleghidat

roborant ['roubərənt] *med* **I** *adj* tonic, întăritor, fortifiant **II** *s* (medi-cament) întăritor/fortifiant/tonic

robot ['roubɔt] *s* **1** robot **2** automat **3** *(în Africa de Sud)* semafor automat

robotics [rou'bɔtiks] *s automatică* robotică, știința (creării și utili-zării) roboților

robotism ['roubətizəm] *s tehn* **1** roboți **2** robotică, automatizare; mecanizare

robot traffic lights ['roubot'træfik ,laits] *s pl* semafor automat

robust [rou'bʌst] *adj* **1** robust, viguros, zdravăn; puternic, tare **2** violent, furios, aprig **3** *(d. muncă)* greu, intens

robustious [rou'bʌstʃəs] *adj* **1** *v.* **robust 1, 2 2** zgomotos, turbulent **3** necioplit, vulgar **4** *(d. timp)* furtunos, de furtună

robustly [roubʌstli] *adv* cu vigoare, viguros

robustness [rou'bʌstnis] *s* robustețe, vigoare; putere

roc [rɔk] *s mit, lit* pasărea Roc *(din poveștile orientale)*

R.O.C. *presc de la* **Royal Observer Corps** trupele britanice de recunoaștere

rocaille [rɔ'kai] *s fr artă* (stil de) ornamentație care imită stâncile *sau* scoicile (↓ *sec XVIII*)

rocambole ['rɔkəm,boul] *s bot, gastr specie de* praz folosit drept condiment *(Allium scorodoprasum)*

roche moutonnée ['rouʃ,mu:tə'nei] *s geol* masă stâncoasă supusă eroziunii glaciale/ghețarilor

Rochester ['rɔtʃistəʳ] **1** oraș în Anglia **2** oraș în S.U.A.

rochet ['rɔtʃit] *s* **1** *bis* stihar *(purtat* ↓ *de episcopi sau stareți)* **2** mantie scurtă *(purtată de nobili, de membrii Camerei Lorzilor)*

rock¹ [rɔk] *s* **1** stâncă; rocă; cap, promontoriu; **on the ~s** *F* **a** *(d. băuturi,* ↓ *whisky)* cu (cuburi de) gheață, on the rocks *(fără sifon)* **b** pe geantă/dric, păduche, lefter, strâmtorat, fără o para în buzunar **c** frânt/mort de oboseală, istovit, doborât, dărâmat; **to see ~s ahead** *fig* a vedea pericole în față **2** *amer* piatră; piatră de pavaj **3** *geol* rocă; piatră brută **4** *geol, agr* rocă-mamă **5** acadea, bomboană **6** *sl* briliant **7** *v.* **rock-cake**

rock² **I** *vt* **1** a legăna, a balansa; a clătina **2** a face să termure, să vibreze *sau* să oscileze **3** *(d. cutremure etc.)* a zgudui **II** *vi* **1** a se legăna, a se balansa; a se clătina **2** a tremura; a vibra; a oscila; a se zgudui **III** *s* legănare, legănat; balans(are)

rock³ *s înv* furcă de tors (pentru cânepă)

Rock, the ['rɔk, ðə] (stânca) Gibraltar

rockability [,rɔkə'biliti] *s muz* caracter/stil rock-and-roll

rock-and-roll ['rɔkən'roul] *s amer* rock-and-roll *(muzică sincopată puternică; gen de dans după această muzică)*

rock-and-roller ['rɔkən'roulə'] *s amer* amator/pasionat de muzică rock; (mare) dansator de rock

rock asphalt ['rɔk,æsfəlt] *s* **1** *constr* rocă asfaltică **2** *min* asfalt de rocă

rock bed ['rɔk ,bed] *s geol* strat de rocă

rock-bird ['rɔk,bə:d] *s orn* pasăre care se adăpostește/își face cuib în stânci, pasăre troglodită *(↓ Mormon fratercula)*

rock-bottom ['rɔk,bɔtəm] **I** *s* temelie solidă **II** *adj atr (d. preț)* foarte mic/scăzut

rock-bound ['rɔk,baund] *adj* înconjurat de stânci

rock breaker ['rɔk ,breikə'] *s tehn* concasor

rock-cake ['rɔk,keik] *s gastr* fursec crocant, prăjitură crocantă, *aprox* arlechin

rock candy ['rɔk ,kændi] *s gastr* zahăr candel/de gheață

rock cavity ['rɔk,kæviti] *s* cavitate stâncoasă

rock chisel ['rɔk ,tʃizl] *s* daltă de pietrar

rock-cork ['rɔk,kɔ:k] *s minr* asbezt ușor

rock crystal ['rɔk ,kristəl] *s* cristal de stâncă

rock-dove ['rɔk,dʌv] *s v.* **rock-pigeon**

rock drill ['rɔk ,dril] *s* **1** *min* perforator de rocă; foreză; sondă **2** *tehn* mașină de găurit

rock English ['rɔk,ingliʃ] *s lingv* (limba) engleză vorbită în Gibraltar

rocker ['rɔkə'] *s* **1** leagăn **2** *amer v.* **rocking chair 3** *tehn* balansier, balansor; culbutor **4** *text* bătător; meliță **5** *sl* moacă, bilă; cap; **(to be) off one's ~** (a fi) scrântit la bilă/cap, a-i fila o lampă, (a fi) plecat/dus/pornit (bine); a se țicni

rocker pin ['rɔkə,pin] *s constr* rotulă

rockery ['rɔkəri] *s* grădină alpină

rocket ['rɔkit] **I** *s* **1** *av, fiz* rachetă **2** *sl* săpuneală, papară, frecatul ridichii, – critică severă **II** *vi* **1** a zbura cu o rachetă **2** *fig (d. prețuri etc.)* a crește vertiginos **3** *av, fiz* a lansa o rachetă *sau* rachete **III** *vt mil* a bombarda cu rachete, a supune tirului rachetelor/proiectilelor teleghidate

rocketeer [,rɔki'tiə'] *s tehn mil* specialist în rachete/în tehnica rachetelor

rocketer ['rɔkitə'] *s vânăt* pasăre care se ridică vertical/care zboară drept în sus

rocket gun/launcher ['rɔkit ,gʌn/ lɔ:ntʃə'] *s mil* bazuka, armă care lansează rachete

rocket pistol ['rɔkit ,pistəl] *s* pistol cu rachete (pentru cosmonauți)

rocketry ['rɔkitri] *s mil* tehnica rachetelor/proiectilelor teleghidate

rock-fish ['rɔk,fiʃ] *s iht* pește care se ascunde/sălășluiește în stânci/între pietre

rock garden ['rɔk,ga:dn] *s* grădină alpină

rock gas ['rɔk ,gæs] *s* gaz natural

rock-goat ['rɔk,gout] *s zool* ibex

rock hewn ['rɔk ,hju:n] *adj* tăiat/ scobit în stâncă

rock-hopper ['rɔk,hɔpə'] *s orn* pinguin de statură mică *(Eudyptes sp.)*

Rockies, the ['rɔkiz, ðə] Munții Stâncoși *(în S.U.A.)*

rockiness ['rɔkinis] *s* caracter stâncos

rocking ['rɔkiŋ] *adj* **1** oscilant; basculant **2** care se clatină

rocking chair ['rɔkiŋ ,tʃeə'] *s* balansoar

rocking horse ['rɔkiŋ ,hɔ:s] *s* cal de lemn *(care se leagănă)*

rocking-stone ['rɔkiŋ,stoun] *s* piatră/bolovan gata să cadă/în echilibru instabil

rock kangaroo ['rɔk kæŋgə'ru:] *s zool* cangur mic, wallaby, wallaroo *(Petrogale sp.)*

rockless ['rɔklis] *adj* fără stânci/ bolovani/pietre

rocklet ['rɔklit] *s* stâncă mică; stâncuță; bolovan

rock-like ['rɔk,laik] *adj* (tare) ca stânca; stâncos

rockling ['rɔkliŋ] *s* **1** *iht specie de* cod mic, subțire, *aprox* mihalț marin *(Eadus mustella/motella)* **2** *orn v.* **rock-pigeon**

rock-lobster ['rɔk,lɔbstəʳ] *s* rac, stacoj

rock oil ['rɔk,ɔil] *s* 1 țiței 2 ozocherită, ceară de pământ

rock-pigeon ['rɔk,pidʒən] *s orn* porumbel sălbatic care se cuibărește printre stânci *(Columba livia)*

rock-plant ['rɔk,plɑ:nt] *s bot* plantă rupestră/care crește pe *sau* printre stânci

rock-rabbit ['rɔk,ræbit] *s zool* 1 specie de cățelul-pământului *(Spermophilus parryi)* 2 bursuc, viezure de stâncă *(Hyrax sp.)*

rock-rose ['rɔk,rouz] *s* trandafir sălbatic *(Cistus sau Helianthemum sp.)*

rock salt ['rɔk,sɔ:lt] *s* sare gemă/brută, halit

rock shaft ['rɔk ,ʃɑ:ft] *s* 1 min puț în rocă sterilă 2 arbore/ax oscilant

rock slide ['rɔk ,slaid] *s* avalanșă de pietre/stânci

rock soil ['rɔk ,sɔil] *s* teren/sol stâncos

rock-staff ['rɔk,stɑ:f] *s tehn* bielă/tijă de la foalele fierarului

rock tar ['rɔk ,tɑ:ʳ] *s minr* țiței, petrol

rockweed ['rɔk,wi:d] *s bot* algă cafenie *(Algus vesiculosus)*

rock-wool ['rɔk,wu:l] *s minr* lână minerală *(toarsă din calcar)*

rock-work ['rɔk,wə:k] *s* 1 *v.* **rockery** 2 *min* excavație/excavare în stâncă; lucru în stâncă

rocky[1] ['rɔki] *adj* 1 stâncos, cu stânci; pietros 2 *fig* nesimțitor, împietrit

rocky[2] *adj* 1 instabil, nestabil; care se leagănă/clatină 2 *(d. sănătate etc.)* șubred

Rocky Mountains, the ['rɔki 'mauntinz, ðə] Munții Stâncoși *(în S.U.A.)*

rococo [rə'koukou] I *s* (stil) rococo II *adj* 1 (în stil) rococo; umflat, pretențios; înflorit; afectat; pompos 2 demodat, învechit

rod [rɔd] *s* 1 vargă, vergea; nuia; băț; **to give smb the ~** a bate pe cineva cu varga/nuiaua; **to have a ~ in pickle for smb** *fig F* a i-o coace cuiva; – a avea pică pe cineva; **spare the ~ and spoil the child** *prov* bătaia e ruptă din rai; **to make a ~ for one's own back** a-și bate (singur) cuie în talpă; a-și tăia craca de sub picioare; **to kiss the ~** a accepta

ușor/resemnat/bucuros pedeapsa 2 *fig* nenorocire, năpastă, pedeapsă; flagel 3 vergea/băț de undiță 4 stinghie; **to ride the ~** *amer sl* a călători (clandestin) sub vagoane 5 *bis* toiag, cârjă 6 baghetă *(de magician)* 7 ← *poetic* sceptru 8 *tehn* tijă; levier; tirant 9 *constr* miră (de nivelment) 10 *sl* penis, membru 11 *măsură de lungime (aprox. 5 m)* 12 *amer sl* pistol, revolver, armă

rodded ['rɔdid] *adj* 1 *tehn* (prevăzut) cu tijă 2 în formă de baghetă

rode[1] [roud] *pret și ptc de la* **ride** I, II

rode[2] *vi* vânăt *(d. pasăre)* a zbura (spre țărm) seara

rodent ['roudənt] *adj, s zool* rozător

rodential [rou'denʃəl] *adj zool* rozător, rodent

rodenticide [rou'denti,said] *s* substanță folosită pentru deratizare; otravă pentru șoareci *etc.*

rodeo ['roudi,ou] *s amer* 1 strângere a vitelor pentru însemnare 2 rodeo, întrecere/spectacol de cowboy

Roderick ['rɔdərik] *nume masc*

Rodin [rɔ'dɛ̃], **François August** *sculptor francez (1840-1917)*

rodlet ['rɔdlit] *s amer* bastonaș

Rodney ['rɔdni] *nume masc*

rodomontade [,rɔdəmɔn'teid] I *s* fanfaronadă, lăudăroșenie, ifose II *vi* a face fanfaronadă, a se grozăvi, a se lăuda III *adj* fanfaron, vanitos, lăudăros

roe[1] [rou] *s zool* ciută; căprioară

roe[2] *s* 1 *iht* icre 2 *tehn* ape *(ale lemnului)*

roebuck ['rou,bʌk] *s zool* căprior, bărbătuș de căprioară

roentgen ['rɔntjən] *s fiz* roentgen

Roentgen, Wilhelm Conrad *fizician german (1845-1923)*

roentgenography [,rɔntjə'nɔgrəfi] *s* radiografie; radiologie

roentgenology [,rɔntjə'nɔlɔdʒi] *s* radiologie

Roentgen rays ['rɔntjən,reiz] *s pl* raze X (Roentgen)

roe stone ['rou ,stoun] *s min* calcar oolitic, oolit

rogation [rou'geiʃən] *s* 1 *bis* rugăciune; litanie 2 *ist Romei* lege supusă aprobării poporului

rogational [rou'geiʃənəl] *adj bis* cu caracter/legat de rugăciuni *sau* litanii; ca o litanie/rugăciune

Rogation days [rou'geiʃən,deiz] *s pl bis* litanie cântată timp de trei zile înaintea Înălțării

rogation flower [rou'geiʃən,flauəʳ] *s bot* poligala, amăreală *(Polygala vulgaris)*

Rogation Sunday [rou'geiʃən ,sʌndi] *s bis* duminica dinaintea Înălțării *(a cincea duminică după Paște)*

Rogation Week [rou'geiʃən ,wi:k] *s bis* săptămâna dinaintea Înălțării

rogatory ['rɔgətəri] *adj jur* rogatoriu

Roger ['rɔdʒəʳ] *s* 1 *nume masc* 2 *dans rustic englez*

roger I *s sl* regulat, – coit, copulație; amor II *vt sl* a regula, a se culca cu, – a face dragoste/amor cu III *vi sl* (**with**) a se regula, *F* a se culca, a face amor/dragoste, a se iubi (cu) IV *interj* 1 *av* (trec pe) recepție! am primit mesajul! am înțeles! în regulă! 2 *sl* s-a marcat! în regulă! – s-a făcut! gata!

Rogers ['rɔdʒəz], **Richard** *compozitor american de operete (n. 1902)*

Roget ['rɔʒei], **Peter Mark** *doctor și lexicograf englez (1779-1869)*

rogue [roug] *s* 1 pungaș, potlogar, cotcar, tâlhar 2 ștrengar, năzdrăvan, pezevenghi 3 ← *înv* haimana, derbedeu, vagabond 4 animal sălbatic solitar (↓ *elefant, bivol)*

rogue buffalo ['roug ,bʌfəlou] *s zool* bizon/bivol sălbatic *(despărțit de turmă)*

rogue elephant ['roug ,elifənt] *s zool* elefant sălbăticit/despărțit de turmă

roguery ['rougəri] *s* 1 pungășit, șmecherie, tâlhărie 2 ștrengărie, zbenguială, năzdrăvănie, zburdălnicie

rogues gallery ['rougz ,gæləri] *s amer* album la poliție cu fotografiile delincvenților

roguish ['rougiʃ] *adj* 1 șmecheresc, hoțesc, de pungaș/potlogar 2 năzdrăvan, ștrengăresc, nebunatic, zglobiu

roguishly ['rougiʃli] *adv* 1 ca un pungaș/hoț/potlogar 2 zburdalnic

roguishness ['rougiʃnis] *s v.* **roguery**

roil [rɔil] *vt amer* 1 a tulbura *(apa, vinul etc.)* 2 a supăra, a necăji, a irita, a scoate din fire/sărite

roily ['rɔili] *adj* **1** tulbure, tulburat **2** supărat, enervat, iritat, scos din fire

roineck ['rɔinek] *s (în Africa de sud)* **1** (colonist european) nou venit *(cu ceafa înroșită de soare)* **2** *peior* soldat englez/britanic

roister ['rɔistə'] *vi* a face tărăboi/ gălăgie/scandal

roisterer ['rɔistərə'] *s* **1** scandalagiu, zavergiu, zavragiu **2** fanfaron, lăudăros

roistering ['rɔistəriŋ] **I** *s* scandal, gălăgie, zarvă, tapaj **II** *adj* gălăgios, zgomotos, turbulent

rojamas [rou'dʒæməz] *s pl* îmbră-căminte/pijama de interior *(com-binație între capot și pijama)*

Roland ['roulənd] **1** *nume masc* **2** *lit* personaj legendar; **to give a ~ for an Oliver** a riposta energic; a plăti cu aceeași monedă

role, rôle [roul] *s* teatru, cin rol

Rolf [rɔlf] *nume masc dim de la* **Rudolf**

roll [roul] **I** *s* **1** rulou, sul **2** fișic **3** sul, val de pânză **4** (rol)film **5** *el* bobină **6** legătură de paie, balot **7** chiflă, corn; franzeluță **8** ↓ *pl* brutar **9** catalog, registru, catas-tif; rol, listă, tabel; **to call the ~** *mil* a face apelul; **to put a man on the ~** *mil* a trece un om în controalele armatei; **to strike smb off the ~** a șterge pe cineva de pe rol/*mil* din controalele armatei **10** *nav* (mișcare de) ruliu **11** mers legănat, legănare **12** bubuit *(de tunet, tun, tobă)* **13** tril *(al păsărelelor)* **14** *tehn* rotație, învârtire, rostogolire **15** *nav* tonou **16** *tehn* cilindru, rulou; sul **17** *arhit* volută *(la capitelul ionic)* **II** *vt* **1** a învârti, a rostogoli, a roti **2** a răsuci, a înfășura, a încolăci, a rula; **to ~ a cigarette** a-și ră-suci/a-și face o țigară; **to ~ into a ball** a face ghem; a face mototol **3** a netezi *(cu ruloul)*; a întinde *(aluatul)* **4** *tehn* a lamina; a cilin-dra *(drumuri)* **5** *lingv* a rula *(con-soana r)* **III** *vi* **1** a se rostogoli **2** a se roti, a se răsuci **3** a rula, a mer-ge *(cu un vehicul)* **4** *nav* a avea ruliu, a se legăna **5** *av* a zbura în tonou, a face un tonou **6** a bubui

Roll, the ['roul, ðə] *s* arhiva oficială

rollable ['rouləbəl] *adj* care poate fi rulat, rostogolit *etc. v.* **roll II, III**

roll about ['roul ə'baut] **I** *vt cu part adv* a rostogoli încoace și încolo **II** *vi cu part adv* a se rostogoli încoace și încolo

roll along ['roulə'lɔŋ] **I** *vt cu part adv* a rostogoli *(pe o distanță mai mare)*, a da de-a dura **II** *vi cu part adv v.* **roll III 3**

Rolland [rɔ'lã] *v.* **Roland**

rollaway ['roulə,wei] *s amer* pat pliant/mobil (care poate fi strâns și deplasat pe rotile)

roll away ['roul ə'wei] *vt cu part adv* a îndepărta (prin rostogolire)

rollback ['roul,bæk] *s amer ec* reducere generală a prețurilor (impusă de guvern)

roll back ['roul 'bæk] **I** *vt cu part adv* a rostogoli înapoi **II** *vt cu part adv* **1** a se rostogoli înapoi **2** *(d. ochi)* a se da peste cap

roll-back policy ['roul,bæk'pɔlisi] *s amer pl* politică agresivă/de forță

roll bar ['roul ,ba:'] *s auto* grindă/ lonjeron de întărire a plafonului caroseriei

roll by ['roul 'bai] *vi cu part adv* **1** a trece *(într-un vehicul, pe undeva, pe lângă ceva)* **2** *(d. tren etc.)* a trece *(ca fulgerul)* **3** *(d. timp)* a se scurge, a trece, a fugi

roll cage ['roul ,keidʒ] *s auto* caro-serie întărită cu lonjeron *(v.* **roll bar)**

roll-call ['roul,kɔ:l] *s* **1** *mil* apel (nominal) **2** *școl* strigare a cata-logului **3** semnal de apel

roll collar ['roul ,kɔlə'] *s v.* **roll-neck**

roll down ['roul 'daun] **I** *vt cu part adv* a coborî prin rostogolire, a da de-a dura *(în jos)* **II** *vi cu part adv* a coborî rostogolindu-se

rolled gold ['rould ,gould] *s met* strat de aur aplicat pe un metal

rolled into one ['rouldintə'wʌn] *adj* combinat, îmbinat, pus laolaltă, toate la un loc (într-un singur individ); **he's an engineer, artist and cook ~** în el se îmbină inginerul, artistul și bucătarul; are calitățile unui inginer, artist și bucătar (luate la un loc)

roller ['roulə'] *s* **1** tăvălug **2** făcăleț; sul **3** *tehn* rolă *(de ghidare)*; cilindru, compresor *(pt drumuri)*; cilindru de laminor **4** *poligr* val, rulou *(de imprimare)* **5** rotiță, rulou *(la mobile, pt transport)* **6** *muz* cilindru dințat *(la ariston*

etc.) **7** *tehn* laminorist; șofer de cilindru compresor **8** *med* bandaj lung rulat; sul/rolă de bandaj

roller bandage ['roulə ,bændidʒ] *s med v.* **roller 8**

roller bearing ['roulə ,bɛəriŋ] *s tehn* **1** rulment radial; lagăr de rosto-golire **2** *constr* reazem/rulment cu role

roller coaster ['roulə ,koustə'] *s* montagne russe *(în parcul de distracții)*

roller hockey ['rolə 'hɔki] *s sport* hochei jucat de sportivi pe patine cu rotile

roller skate ['roulə,skeit] **I** *s* patină cu rotile **II** *vi* a patina cu patine cu rotile

roller skating ['roulə ,skeitiŋ] *s* patinaj cu patine cu rotile

roller towel ['roulə ,tauəl] *s* prosop rulant, sul de prosop

rolley ['rɔli] *s v.* **rulley**

rollick ['rɔlik] **I** *s* **1** veselie exube-rantă **2** *v.* **romp II 3 3** petrecere, chef **II** *vi* **1** *v.* **romp I 2** a petrece, a chefui

rollicking ['rɔlikiŋ] **I** *s v.* **romp II 3 II** *adj* vesel, exuberant; de o vese-lie zgomotoasă

Rollin ['rɔlin] *v.* **Roland**

roll in ['roul 'in] **I** *vt cu part adv* **1** a băga înăuntru, a face să intre *(prin rostogolire)* **2** *sport* a repune în joc *(mingea)* **II** *vi cu part adv* **1** a intra rostogolindu-se **2** *(d. vehi-cule)* a intra cu un huruit puternic

rolling ['rouliŋ] **I** *s* **1** rostogolire **2** rulare **3** zgomot de rostogolire **4** *poligr* ungere cu cerneală **5** *tehn* laminare; cilindrare *(a drumu-rilor)* **6** *nav* ruliu **7** *ferov* legănare, clătinare **8** *av* tonou **II** *adj* **1** rulant, care rulează/se rostogo-lește **2** *(d. ani etc)* care trece/se scurge **3** deluros, vălurit, cu coline **4** *nav* cu ruliu; de/cu hulă **5** *(d. fum)* în suluri/rotocoale **6** care se bălăbănește; **to be ~ (in money)** a se scălda în gologani/ bani

rolling chock ['rouliŋ ,tʃɔk] *s nav* chilă de ruliu

rolling mill ['rouliŋ ,mil] *s* **1** laminor **2** uzină de laminat

rolling pin ['rouliŋ ,pin] *s* făcăleț *(pt aluat)*

rolling plant ['rouliŋ ,pla:nt] *s v.* **rolling stock**

rolling press ['roulin ,pres] *s* **1** *tehn* presă cu cilindru rostogolitor **2** *poligr* calandru

rolling resistance ['roulin ri'zistəns] *s tehn* rezistență la frecare

rolling restaurant ['roulin 'restə,rɔŋ] *s ferov* vagon restaurant

rolling rope ['roulin 'roup] *s nav* cablu la macaraua de ruliu

rolling stock ['roulin ,stɔk] *s* **1** *ferov* material rulant **2** parc auto

rolling stone ['roulin ,stoun] *s* **1** piatră de râu; **~s gather no moss** *prov* cine umblă mult nu prinde cheag **2** *fig* vântură-țară; pierde-vară; hoinar, haimana **3** *tehn* cilindru compresor

rolling surface ['roulin ,sə:fis] *s tehn* suprafață de rulare

rolling tank ['roulin ,tæŋk] *s nav* cisternă de ruliu

rolling train ['roulin ,trein] *s tehn* (tren) laminor

roll-neck ['roul,nek] *s* guler răsucit, col roulé

roll off ['roul'ɔːf] I *vt cu part adv* **1** a rostogoli în afară, a scoate prin rostogolire **2** a scanda, a declama (ritmic) II *vi cu part adv* **1** a ieși rostogolindu-se, a se rostogoli afară **2** *(d. persoane)* a ieși clătinându-se

roll of honour ['rouləv 'ɔnəʳ] *s* lista celor căzuți în război; tabelă de onoare

roll on ['roul 'ɔn] I *vt cu part adv* a întinde cu sulul/făcălețul *etc.* II *vi cu part adv* **1** a se rostogoli mai departe **2** *(d. timp)* a se scurge, a trece

roll-on ['roul,ɔn] *s* **1** corset elastic ușor, centură, ghenă **2** deodorant stick cu bilă

roll out ['roul 'aut] I *vt cu part adv* **1** a rosti **2** a spune *(versuri etc.)* cu glas tremurător II *vi sport (la rugby american)* a fenta, a face o eschivă

roll-out ['roul ,aut] *s sport* fentă, eschivă; *aprox* dribling

roll over ['roul 'ouvəʳ] I *vt cu part adv* a întoarce (din nou) pe partea cealaltă II *vi cu part adv* **1** a se răsuci, a se întoarce pe partea cealaltă **2** a se rostogoli

roll-top desk ['roul,tɔp 'desk] *s* birou american, măsuță cu rulou

roll up ['roul 'ʌp] I *vt cu part adv* **1** a răsuci, a rula **2** a înveli, a înfășura

(un pachet etc.) **3** *mil* a respinge *(inamicul)* II *vi cu part adv* **1** a se răsuci, a se întoarce, a se contorsiona **2** a se rostogoli **3** *(d. minge)* a ajunge la țintă **4** a muri **5** *(d. fum)* a se ridica în rotocoale/suluri **6** *(d. musafiri)* a sosi, a veni

roly-poly [,rouli'pouli] I *s* **1** ruladă cu dulceață **2** *F* buftea, copil dolofan; om rotofei **3** ← *reg* prăpădit, neisprăvit, om de nimic II *adj* grăsuț, plinuț, dolofan, durduliu

Rom¹ [rɔm], *pl* **Roma** ['rɔmə] *s* țigan, rom

Rom² *presc de la* **1** Roman **2** Romance **3** Romania

Roma ['rɔmə] *pl de la* **Rom¹**

Romaean [rou'miːən] *s ist* locuitor al Imperiului Roman de Răsărit

Romaic [rou'meiik] I *adj* neo-grec (esc) II *s* neo-greacă modernă/palicărească

romaika [rou'meiikə] *s* dans național grecesc *(cu figuri șerpuitoare și aruncări de batiste)*

romaine [rou'mein] *s bot, gastr amer* lăptucă, salată *(verde cu frunzele lungi) (Lactuca sativa longifol·)*

Romains [rɔ'mᴱ], **Jules** *scriitor francez (1885-1972)*

romaji ['roumaːdʒi] *s alfabet latin folosit pentru transliterarea celui japonez/scrieri japoneze*

Roman ['roumən] I *adj* **1** roman; latin **2** *rel* romano-catolic; *peior* – papistășesc II *s* **1** roman; latin; **when at Rome, do as the ~s do** *prov* când ești printre lupi trebuie să urli ca lupii **2** *rel* romano-catolic, *peior* papistaș **3** *pl poligr* caractere romane, litere drepte **4** *lingv* (limba) latină

roman [rɔ'mã] *s fr od* roman în versuri

roman-à-clef [rɔ'mã a'kle], *pl* **romans-à-clef** [rɔ'mãa'kle] *s* roman cu cheie *(în care se pot recunoaște persoane reale contemporane)*

Roman alphabet ['roumən'ælfəbit] *s* alfabetul latin

Roman balance/beam ['roumən 'bæləns/'biːm] *s* balanță romană, cântar

Roman candles ['roumən 'kændlz] *s pl* **1** varietate de joc de artificii **2** *av* aterizare dificilă

Roman capitals ['roumən 'kæpitəlz] *s pl poligr* verzale romane

Roman-Catholic ['roumən'kæθəlik] I *s* romano-catolic, *peior* papistaș II *adj* romano-catolic, *peior* papistășesc

Roman-Catholicism ['roumən'kæθəlisizəm] *s* (romano) catolicism

Romance [rə'mæns] I *adj lingv* romanic, (neo)latin II *s* limbile romanice/(neo)latine

romance I *s* **1** *od* roman cavaleresc (↓ în versuri) **2** roman (romantic) de dragoste *sau* aventuri; idilă, scriere idilică **3** viață romanțioasă/romantică; latură sentimentală (a vieții), aventuri (romantice); idilă, poveste de dragoste **4** *fig* romantism; caracter idilic; poezie **5** basm, poveste; feerie **6** *fig* fantezie, închipuire **7** farmec, vrajă **8** romantism, caracter romanțios, fire romanțioasă; idei/concepții romantice **9** ← *F* plăsmuire, ficțiune, închipuire **10** *muz* romanță II *vi* **1** a scrie romane romanțioase *sau* de aventuri **2** a lăsa frâu liber imaginației/închipuirii; a inventa; a exagera **3** a avea idei/concepții romantice III *adj atr* romantic, aventuros

Roman cement ['roumən si'ment] *s constr* ciment hidraulic roman

romancer [rou'mænsəʳ] *s* **1** autor de romane cavalerești **2** povestitor; plăsmuitor **3** mincinos; lăudăros; palavragiu

romancero [,roumæn'serou] *s sp* romancero, culegere de poeme epico-lirice spaniole

romancing [rou'mænsin] I *s* **1** scriere a romanelor cavalerești **2** povestire, narare **3** exagerare; plăsmuire, ficțiune; romanțare **4** *muz* compunere de romanțe II *adj atr* **1** plin de imaginație/fantezie; fantezist **2** fantastic, fantasmagoric

Roman collar ['romən ,kɔləʳ] *s bis* guler alb scrobit purtat de preoții catolici peste un guler negru

Roman Empire, the ['roumən 'empaiəʳ, ðə] *s ist* Imperiul Roman

Romanes ['rɔmənis] *s lingv* (limba) țigănească

Romanesque [,roumə'nesk] *adj* **1** *(d. stil)* romanesc **2** provensal, din Provence **3** romanesc, romantic, romanțios; fantastic

Roman face ['roumən'feis] *s poligr* familie antiqua

Roman figure ['roumən'figə'] *s poligr* cifră romană

roman fleuve ['rɔmã 'flœv] *s fr* roman fluviu/în multe volume

Roman holiday ['roumən'hɔlədi] *s* petrecere pe socoteala altuia

Romania [rou'meiniə] România

Romanian [rou'meiniən] **I** *adj* român; românesc **II** *s* **1** român **2** *lingv* (limba) română

Romanic [rou'mænik] *adj, s v.* **Romance**

Romanish [rou'mæniʃ] *adj, s v.* **Romish**

Romanism ['roumə,nizəm] *s* **1** catolicism **2** influenţă a Romei

Romanist ['roumənist] *s* **1** *v.* **Roman-Catholic I 2** romanist, specialist în istoria Romei **3** *lingv* romanist

Romanistic [,roumə'nistik] *adj* **1** *v.* **Roman-Catholic II 2** filocatolic, procatolic **3** *v.* **Romance I 4** privitor la istoria Romei/la latini/ romani

Romanization [,roumənai'zeiʃən] *s* **1** romanizare **2** catolicizare, convertire la catolicism

Romanize ['roumə,naiz] **I** *vt* **1** a romaniza, a latiniza **2** *rel* a converti la catolicism **3** *poligr* a scrie cu litere romane/drepte **II** *vi* **1** a folosi expresii *sau* citate latineşti **2** a trece/a converti la catolicism, a îmbrăţişa religia catolică

Roman law ['roumən'lɔ:] *s jur* drept roman

Roman letter ['romən'letə'] *s v.* **Roman II 3**

Roman nose ['roumən 'nouz] *s* nas roman (uşor curbat)

Roman numeral ['roumən'nju:mərəl] *s v.* **Roman figure**

Romanoff, Romanov [,rəma:'nɔf] Romanov (numele mai multor ţari ai Rusiei)

Romansch [rou'mænʃ] *s v.* **Romansh**

Roman school, the ['roumən 'sku:l, ðə] *s ist* şcoala romană de pictură (începutul secolului XVI)

Romansh [rou'mænʃ] *s, adj lingv v.* **Rhaeto-Roman**

Roman steelyard ['roumən'sti:lja:d] *s v.* **Roman balance/beam**

Roman string ['roumən'striŋ] *s muz* coardă foarte fină (pentru viori)

romantic [rou'mæntik] **I** *adj* **1** romantic **2** romanţios, romanesc **3** pitoresc **II** *s* **1** romantic **2** *pl* romantism exagerat, concepţii/ idei romantice/exaltate

romantically [rou'mæntikəli] *adv* (într-un) chip romantic, cu romantism

romanticism [rou'mænti,sizəm] *s* romantism

romanticist [rou'mæntisist] *s* romantic

romanticize [rou'mænti,saiz] **I** *vt* a exagera, a dramatiza, a face o întreagă poveste din **II** *vi* a deveni romanţios

Roman type ['roumən,taip] *s v.* **Roman II 3**

Romany ['rɔmə ni] **I** *s* **1** *v.* **Rom¹ 2** *lingv* (limba) ţigănească; **in ~** pe ţigăneşte **3** ţigănime **II** *adj* ţigănesc; al romilor

Romany rye ['rɔmə ni ,rai] *s* **1** prieten al ţiganilor/romilor **2** cunoscător al problemelor romilor/ţiganilor, specialist în problemele romilor

romanza [rou'mænzə] *s muz* romanţă

romaunt [rə'mɔ:nt] *s înv v.* **romance I 2**

rombowline [rom'boulin] *s nav* parâmă groasă de proastă calitate

Rome [roum] Roma

Romeo ['roumiou] *nume masc*

Romeward ['roumwəd] **I** *adv* spre/ către Roma **II** *adj* care duce la Roma; spre/către Roma

Romewards ['roumwədz] *adj v.* **Romeward I**

Romish ['roumiʃ] *adj peior* papistăşesc, papistaş

Romney ['rɔmni], **George** *pictor englez (1734-1802)*

romp [rɔmp] **I** *vi* a se zbengui, a zburda; a se hârjoni, a se juca **II** *s* **1** copil zburdalnic, ştrengar **2** fată băieţoasă, băieţoi **3** zburdălnicie, zbenguială, veselie; chef de joacă; hârjoană, hârjoneală; **to have a ~/a game of ~s** a se zbengui; **to win in a ~** *v.* **romp home**

romp along ['rɔmpə'lɔŋ] *vi cu part adv (d. caii de curse)* a alerga uşor/lejer

romp away ['rɔmpə'wei] *vi cu part adv v.* **romp home**

romper ['rɔmpə'] *s* ↓ *pl* barboteză, spilhozen, spielhosen

romp home ['rɔmp 'houm] *vi cu part adv (d. caii de curse)* Fa câştiga cursa plimbându-se; – a-şi întrece uşor concurenţii

romping ['rɔmpiŋ] **I** *adj* zburdalnic, nebunatic, neastâmpărat **II** *s* **1** zburdălnicie, zbenguială, veselie; neastâmpăr **2** fire neastâmpărată

rompish ['rɔmpiʃ] *adj* **1** zburdalnic, nebunatic, neastâmpărat **2** *(d. fată)* băieţos, zburdalnic, neastâmpărat **3** *(d. joacă)* gălăgios, zgomotos

romp past ['rɔmp'pa:st] *vi cu part adv* a depăşi/a întrece uşor/ plimbându-se

romp through ['rɔmp θru:] *vi cu prep* a trece uşor, a lua fără efort (un examen)

rompy ['rɔmpi] *adj v.* **rompish**

Romulus ['rɔmjuləs] *ist* fondator legendar al Romei

Ron [rɔn] *nume masc dim de la* **Ronald**

Rona ['rɔnə] *nume fem*

Ronda ['rɔndə] *nume fem*

rondache [rɔn'dæʃ] *s mil od* scut rotund

ronde [rɔnd] *s fr* **1** *poligr* scriere rondă, caractere ronde **2** *tehn* rondelă

rondeau ['rɔndou], *pl şi* **rondeaux** ['rɔndouz] *s lit* rondel

rondeaux ['rɔndouz] *pl de la* **rondeau**

rondel ['rɔndəl] *s v.* **rondeau**

rondo ['rɔndou] *s muz* rondo

rondure ['rɔndjuə'] *s lit* obiect/formă cu contur rotund; rotunzime, rotunjime, lucru rotund

rone [roun] *s* **1** *v.* **rowan 2** *scot* jgheab de acoperiş

Roneo ['rouniou] **I** *s* maşină/aparat de multiplicat; şapirograf **II** *pret şi ptc şi* **Roneo'd** ['rounioud] *vt* a multiplica, a şapirografia

Ronnie ['rɔni] **1** *nume masc dim de la* **Ronald 2** *nume fem de la* **Veronica**

Ronny *nume masc dim de la* **Ronald**

Ronsard [rõ'sa:'], **Pierre de** *poet francez (1524-1585)*

röntgen ['rɔntjən] *s v.* **roentgen** *etc.*

Röntgen rays ['rɔntjən,reiz] *s pl v.* **Roentgen rays**

roo [ru:] *s zool australian F* cangur

rood [ru:d] *s* 1 *rel* crucifix, cruce 2 *v.* **rod** 1 3 măsură de lungime *(5,029 m)* 4 măsură de suprafață, *aprox* prăjină *(10,117 ari)* 5 *fig* petec de pământ 6 *v.* **rod** 5

rood arch ['ru:d,ɑ:tʃ] *s arhit bis* arcada iconostasului *(sub care este așezat crucifixul)*

Rood Day ['ru:d,dei] *s bis* Ziua Crucii

rood loft ['ru:d,lɒft] *s arhit bis* galerie *sau* amvon unde se expune crucea/crucifixul

rood screen ['ru:d,skri:n] *s bis* catapeteasmă, iconostas

roof [ru:f] **I** *s* 1 acoperiș, acoperământ; **under one's ~** acasă, sub propriul său acoperiș; **to have a ~ over one's head** a avea un adăpost/acoperământ deasupra capului; a avea casă/ cămin; **to go trough/to hit/to raise the ~** *F* a-și ieși din pepeni/ țâțâni/sărite/fire; a face un scandal monstru; **to lift/to raise the ~ a** a aplauda foarte puternic **b** a face zgomot mare; **that would put the gilded ~ on it** *F* asta ar pune capac la toate; asta ar fi culmea 2 *av* plafon 3 imperială *(la omnibus)* 4 boltă *(a cerului etc.)* 5 *min* tavan, plafon 6 capotă *(la trăsură, automobil)* 7 *sl* găină, borsalină, - pălărie **II** *vt* 1 a acoperi *(o casă)*; a pune acoperiș la 2 *fig* a adăposti, a da azil *(cu dat)*

roofage ['ru:fidʒ] *s v.* **roofing** 1

roofer ['ru:fə'] *s* 1 lucrător care repară/ drege acoperișul 2 ← *F* scrisoare de mulțumire *(pt găzduire)*

roof garden ['ru:f,gɑ:dn] *s* grădină aranjată/instalată pe acoperișul casei

roof in ['ru:f'in] *vt cu part adv v.* **roof over**

roofing ['ru:fiŋ] *s* 1 material pentru acoperiș 2 acoperire, învelire 3 *fig* adăpost, azil, liman

roofless ['ru:flis] *adj* 1 fără acoperiș; dezvelit 2 fără adăpost

rooflet ['ru:flit] *s constr* acoperiș mic; șopron

roof-like ['ru:f,laik] *adj* ca un acoperiș, în formă de acoperiș

roof of heaven, the ['ru:fəv'hevən, ðə] *s* bolta cerului

roof of the mouth, the ['ru:fəvðə'mauθ, ðə] *s anat* cerul gurii, palatul

roof over ['ru:f'ouvə'] *vt cu part adv* a înveli, a acoperi

roof-rack ['ru:f,ræk] *s auto* portbagaj superior/pe capota mașinii

roof-shaped ['ru:f,ʃeipt] *adj v.* **rooflike**

roof timbering ['ru:f,timbəriŋ] *s constr* susținere a acoperișului

roof-top ['ru:f,tɒp] *s* terasă pe acoperiș

roofy ['ru:fi] *adj* acoperit

rooinek ['ruinek] *s v.* **roinek**

rook[1] [ruk] **I** *s* șah tură, turn **II** *vi* ← *înv* a face rocada *(la șah)*

rook[2] **I** *s* 1 *orn* cioară de câmp; corb *(Corvus frugilegus)* 2 trișor, șarlatan; măsluitor 3 ← *F înv* popă, preot, față bisericească **II** *vt* a trișa, a înșela, a trage pe sfoară; **to ~ smb of his money** a curăța pe cineva de bani *(la cărți)* **III** *vi* 1 a fura, a se ține de pungășii 2 *scot* a croncăni

rooker ['rukə'] *s v.* **rook**[2] 1, 2

rookery ['rukəri] *s* 1 colonie de animale *sau* păsări 2 *fig* casă veche supraaglomerată; șandrama 3 cartier de cocioabe 4 *sl* tripou (clandestin) 5 *sl* vizuină de hoți; cuib de pungași 6 *sl* bordel, casă de toleranță

rookie ['ruki] *s sl* 1 *mil* răcan, - recrut 2 ageamiu, boboc, - începător 3 membru nou al unei echipe

rookle ['rukəl] *vi reg* a râma (ca porcul)

rookler ['ruklə'] *s reg* râmător, porc

rook rifle ['ruk,raifl] *s* pușcă de vânătoare de calibru mic

rooky ['ruki] *s amer v.* **rookie**

room [ru:m] **I** *s* 1 cameră, odaie; încăpere; **to keep the ~** a nu ieși din casă/cameră; **to leave the ~** *F eufem* a se duce la toaletă/ baie/closet, *umor* a se duce să se spele pe mâini 2 *pl* locuință (↓ mobilată); apartament; **to live in ~s** a locui în camere mobilate 3 loc, spațiu; **to make ~ for** a face loc pentru *sau cu dat;* **~ for...!** *(imperativ)* (faceți) loc pentru...!; **there is no ~ to swing a cat/to turn in** n-ai loc nici măcar să te întorci/învârtești; **to be cramped for ~** a fi foarte înghesuit/strâmtorat, a o duce

prost cu spațiul 4 *fig* prilej, ocazie; **to give ~ for** a da prilej să/ocazie pentru; **there is ~ for improvement** e loc pentru mai bine 5 loc *(al cuiva);* **in the ~ of** în locul *cu gen;* în loc de; **in smb's ~** *înv* în locul *cu gen;* pentru *cineva;* **I would rather have his ~ than his company, I prefer his ~ to his presence** prefer să nu-l văd în ochi 6 *tehn* spațiu, lărgime 7 *(colectiv)* persoane adunate într-o cameră, societate (prezentă) 8 *amer sl* sală a bursei; **in the ~** între inițiați, între specialiștii bursei **II** *vi* 1 a locui în camere mobilate/ în apartament mobilat 2 (**with**) a împărți locuința (cu); a locui la comun **III** *vt* a adăposti, a da adăpost/azil *(cu dat),* a găzdui

roomage ['ru:midʒ] *s* capacitate (de cuprindere)

room and board ['ru:m ənd'bɔ:d] *s* casă și masă, pensiune completă

room divider ['ru:mdi'vaidə'] *s* mobilă folosită pentru împărțirea unei camere

roomed [ru:md] *adj (în cuvinte compuse)* cu (atâtea) camere; **three-~** cu/de trei camere

roomer ['ru:mə'] *s amer ferov* cușetă/cabină de vagon de dormit

roomful ['ru:mful] *s* odaie plină *(de persoane sau obiecte)*

roominess ['ru:minis] *s* spațiu mare/suficient; loc din belșug

rooming house ['ru:miŋ,haus] *s amer* 1 pensiune 2 camere mobilate

room mate ['ru:m,meit] *s* tovarăș/ coleg de cameră

room-ridden ['ru:m,ridən] *adj rar* obligat să stea în cameră/casă; țintuit (de boală) în casă; **to be ~** a nu avea voie să iasă din cameră/casă; a fi obligat să stea în casă

room service ['ru:m,sə:vis] *s* serviciu/servirea meselor în cameră *(la hotel)*

roomsome ['ru:msəm] *adj înv v.* **roomy**

roomstead ['ru:msted] *s înv* locuință, casă, cămin

room temperature ['ru:m,tempritʃə'] *s* temperatura camerei/odăii; temperatura normală de interior

roomy ['ruːmi] *adj* spațios, încăpător; vast

roop [ruːp] I *vi* a face gălăgie/(mult) zgomot; a fi gălăgios/zgomotos II *s* 1 răgușeală; voce răgușită 2 strigăt, chemare

roorback ['ruə,bæk] *s amer* calomnie, defăimare, afirmație calomnioasă; minciună politică

Roosevelt ['rouzə,velt] 1 **Franklin Delano** președinte al S.U.A. *(1882-1945)* 2 **Eleanor** soția lui *F. D. Roosevelt (1884-1962)* 3 **Theodore** președinte al S.U.A. *(1858-1919)*

roost [ruːst] I *s* 1 stinghie *sau* cracă *(pe care se culcă păsările); at ~* **a** *(d. păsări)* pe stinghie; la culcare **b** *fig F* în pat, la culcare; **to go to ~ a** *(d. păsări)* a se cocoța pe stinghie *sau* pe cracă (pentru a dormi) **b** *(d. oameni)* a se duce la culcare, a se culca; **to rule the ~** a comanda, a fi șef, a da tonul; **curses come home to ~** *prov* blestemele se întorc împotriva celui care le rostește 2 păsări cuibărite împreună *(la culcare)* 3 *fig* loc de dormit, pat; adăpost; acoperământ; cămin II *vi* 1 *(d. păsări)* a se cocoța *(pe stinghie sau cracă)* pentru noapte; a se cuibări, a se aciua 2 *fig* ← *F* a-și găsi adăpost III *vt* 1 a adăposti, a găzdui *(pe timpul nopții)* 2 *mil sl pas* a fi băgat la arest IV *vr* a-și stabili domiciliul/locuința

rooster ['ruːstər] *s amer orn* cocoș *(Gallus domesticus)*

root [ruːt] I *s* 1 rădăcină; **to take/to strike ~(s)** a prinde rădăcini, a se înrădăcina; **he has the ~ of the matter in him** e zdravăn (la minte); e înțelept, are mintea întreagă; nu greșește deloc; e foarte înțelept 2 *pl bot* rizocarp, rădăcină comestibilă 3 *mat, lingv* rădăcină, radical 4 *muz* sunet fundamental 5 strămoși, străbuni; întemeietori ai unei familii 6 *fig* izvor, sursă; rădăcină, fundament; esență, fond *(al unei probleme etc.);* **money is the ~ of all evil** banul e izvorul tuturor relelor 7 ghiveci de flori, *înv* sacsie 8 poalele/piciorul muntelui 9 *tehn* bază; rădăcină; vârf *(pentru sudură)* 10 *muz* notă

fundamentală a unui acord II *vt* 1 a înrădăcina, a implanta, a împlânta 2 *fig* a înțepeni, a pironi, a țintui; **to ~ smb to the ground/spot** a țintui pe cineva locului, a face pe cineva să rămână locului 3 *sl* a da un picior în fund/spate *(cu dat)* III *vi* 1 *și fig* a prinde rădăcini, a se înrădăcina 2 *(d. porc)* a râma 3 a cotrobăi, a scotoci 4 *amer sl* a pune o pilă/proptea, – a face o intervenție; a da ajutor/sprijin

root about ['ruːtə'baut] *vi cu part adv* v. **root** III 3

rootage ['ruːtidʒ] *s* stârpire, eradicare; distrugere, nimicire

root and branch ['ruːtənd'brɑːntʃ] I *s* rădăcină și ramuri II *adv* pe de-a-ntregul, complet, în întregime, cu desăvârșire

rootbeer ['ruːt,biə] *s amer* băutură efervescentă *din extract de plante*

rootborer ['ruːt,bɔːrər] *s ent* bostricid *(Hylesinus sp.)*

root-bound ['ruːt,baund] *adj* înrădăcinat; implantat; fixat

root breaker ['ruːt ,breikər] *s tehn* mașină de mărunțit sfecla *(la fabricile de zahăr)*

root bruiser ['ruːt ,bruːzər] *s* v. **root breaker**

root-built ['ruːt,bilt] *adj* făcut din rădăcini

root cellar ['ruːt ,selər] *s* pivniță *sau* cămară pentru *(păstrat plante)* rădăcinoase

root crop ['ruːt,krɔp] *s* 1 *bot* rădăcinoase 2 *agr* recoltă de rădăcinoase

root cutter ['ruːt ,kʌtər] *s agr* mașină/dispozitiv pentru tăiat rădăcini

root digger ['ruːt ,digər] *s agr* clește pentru scoaterea rădăcinilor comestibile

root eater ['ruːt ,iːtər] *s zool* animal care se hrănește cu rădăcini

root-eating ['ruːt,iːtiŋ] *adj* 1 *zool* care se hrănește cu rădăcini 2 *fig* (profund) înrădăcinat; inveterat, bine stabilit

rooted ['ruːtid] *adj* 1 cu rădăcini puternice, bine înrădăcinat 2 *fig* inveterat, (bine) stabilit

rootedness ['ruːtidnis] *s* înrădăcinare, caracter înrădăcinat/inveterat/ineradicabil/greu de eradicat

rooter ['ruːtər] *s* 1 *zool* râmător 2 *constr* scarificator 3 *amer sport sl* microbist – suporter/spectator entuziast/membru al galeriei

root fallacy ['ruːt,fæləsi] *s* eroare/greșeală fundamentală, premisă falsă/greșită (care viciază judecata); greșeală inițială

root fast ['ruːt,fɑːst] *adj* bine înrădăcinat

root for ['ruːt fər] *vi cu prep amer sl* a pune o pilă/proptea *cu dat*, – a interveni pentru; a sprijini *cu ac*, a încuraja *cu ac*

root forceps ['ruːt,fɔːsips] *s med* forceps/clește pentru extragerea rădăcinilor dinților

root hair ['ruːt ,hɛər] *s bot* peri radiculari

root idea ['ruːt,aidiə] *s* v. **root fallacy**

root in ['ruːt'in] *vt cu part adv* a fixa; a propti; a împiedica

rootless ['ruːtlis] *adj* 1 fără rădăcini 2 *fig* neîntemeiat, fără temei/bază/fundament, nefondat

rootlet ['ruːtlit] *s bot* radiculă, radicelă

root louse ['ruːt ,laus] *s ent* insectă care atacă rădăcinile *(Aphididae sp.)*

root-mean-square ['ruːt,miːn'skwɛər] *s mat* rădăcina pătrată a mediei aritmetice (a pătratelor unui set de numere)

root note ['ruːt ,nout] *s muz* notă fundamentală *(a unui acord)*

root out ['ruːt'aut] *vt cu part adv* 1 a smulge din rădăcini; a dezrădăcina 2 *fig* a stârpi, a extirpa, a eradica; a nimici

root parasite ['ruːt,pærəsait] *s bot, agr* parazit de rădăcină

root sign ['ruːt,sain] *s mat* (semn pentru) radical

root slicer ['ruːt ,slaisər] *s tehn* aparat/mașină de tăiat/tranșat rădăcinile/rădăcinoasele

root stock ['ruːt,stɔk] *s bot* rizom

root syllable ['ruːt,siləbl] *s lingv* silabă radicală

root up ['ruːt'ʌp] *vt cu part adv* v. **root out**

root word ['ruːt,wəːd] *s lingv* cuvânt de bază; radical, rădăcină

rooty¹ ['ruːti] *adj* rădăcinos, cu multe rădăcini

rooty² *s mil sl* pâine, pită

ropable ['roupəbəl] *adj australian sl* turbat, furios, înnebunit, scos din minți

rope [roup] **I** *s* **1** frânghie, funie; **to be at the end of one's ~ a** a fi la capătul puterilor **b** a nu mai avea bani, a da de fundul sacului; **to give smb plenty of** ~ a da cuiva frâu liber/mână liberă/deplină libertate; **give him enough ~ and he will hang himself** lasă-l să-și sape groapa și va cădea singur în ea; **name not a ~ in his house that hanged himself** *prov* nu vorbi de funie în casa spânzuratului **2** *nav* parâmă; odgon; manevră, curent; *pl* greement, tachelaj; **to know the ~s a** *nav* a cunoaște manevrele **b** *fig* a ști toate rosturile/dedesubturile/socotelile; **to put smb on the ~s** a pune pe cineva la curent **3** the ~ *fig* spânzurătoare; **to be on the high ~** a fi spânzurat **4** *amer* lasou **5** *pl* the ~s frânghiile din jurul arenei (*la circ, ring etc.*) **6** coardă (*pt alpiniști*); **on the ~** în coardă **7** *pl* ← *F* stratagemă, vicleșug; dibăcie, abilitate **8** *v.* **ropiness II** *vt* **1** a lega cu o funie/frânghie **2** *amer* a prinde cu lasoul **3** (*la curse*) a împiedica (*un cal*) să câștige (strângând hățurile) **III** *vi* (*d. bere etc.*) a deveni vâscos

ropeable [ˈroupəbəl] *adj v.* **ropable**

rope band [ˈroup ˌbænd] *s nav* saulă de învergare

rope dancer [ˈroup ˌdɑːnsər] *s* **1** dansator pe sârmă, acrobat **2** *și fig* echilibrist, acrobat

rope dancing [ˈroup ˌdɑːnsiŋ] *s* echilibristică, dans pe sârmă, acrobație

rope down [ˈroup ˈdaun] *vt cu part adv* a coborî (*un alt alpinist*) în coardă

rope drilling [ˈroup ˌdriliŋ] *s min* (metodă de) foraj cu cablu

rope drive [ˈroup ˌdraiv] *s tehn* **1** transmisie/acționare/comandă prin/cu cablu **2** predare/transmitere prin funie/cablu

rope hoist [ˈroup ˌhɔist] *s* troliu/palan cu cablu

rope house [ˈroup ˌhaus] *s* **1** fabrică de frânghii **2** instalație cu funii pentru producerea sării

rope in [ˈroup ˈin] *vt cu part adv* **1** a împrejmui cu frânghii **2** a prinde (*un hoț etc.*) **3** *ec* a asocia, a lua ca asociat, a lua/a face pe cineva

tovarăș la parte **4** a-și asigura concursul (*cu gen*) **5** a atrage, a convinge, a determina (*să ia parte la o acțiune*)

rope ladder [ˈroup ˌlædər] *s* scară de frânghie

rope maker [ˈroup ˌmeikər] *s* frânghier, fabricant de frânghii

rope making [ˈroup ˌmeikiŋ] *s* fabricare a funiilor/frânghiilor

ropemanship [ˈroupmənˈʃip] *s v.* **rope dancing**

rope moulding [ˈroup ˌmouldiŋ] *s arhit* torsadă, ornament împletit

rope off [ˈroup ˈɔːf] *vt cu part adv* **1** *v.* **rope in 1 2** a izola printr-un cordon

rope of hair [ˈroup əvˈhɛər] *s* coadă (*de păr*) împletită

rope of onions [ˈroupəvˈʌniənz] *s* funie de ceapă

rope of pearls [ˈroup əv ˈpəːlz] *s* colier de perle

rope of sand [ˈroup əvˈsænd] *s fig* **1** garanție înșelătoare; siguranță/securitate aparentă/înșelătoare **2** legătură șubredă de prietenie

rope out [ˈroup ˈaut] *vt cu part adv v.* **rope in**

rope pull [ˈroup ˌpul] *s* întindere a cablului

rope railway [ˈroupˈreilwei] *s v.* **rope way**

rope ripe [ˈroup ˌraip] *adj fig* bun de spânzurat

ropery [ˈroupəri] *s v.* **rope house 1**

rope's end [ˈroupzˌend] *nav* **I** *s* gârbaci, bici, capăt de parâmă **II** *vt* a biciui, a bate cu gârbaciul

rope spinner [ˈroupˌspinər] *s v.* **rope maker**

rope spinning [ˈroupˌspiniŋ] *s v.* **rope making**

rope walk [ˈroupˌwɔːk] *s* teren unde se confecționează frânghii; atelier în aer liber pentru fabricarea frânghiilor

rope walker [ˈroupˌwɔːkər] *s v.* **rope dancer**

rope walking [ˈroupˌwɔːkiŋ] *s v.* **rope dancing**

rope way [ˈroupˌwei] *s* funicular

rope work [ˈroupˌwəːk] *s* ornament/podoabe din frânghii

rope yard [ˈroupˌjɑːd] *s* fabrică *sau* atelier de frânghii/funii

rope yarn [ˈroupˌjɑːn] *s* **1** fibră de frânghie **2** *fig* fleac, lucru fără importanță, lucru mărunt, bagatelă

ropily [ˈroupili] *adv* ca o frânghie, în chip de frânghie

ropiness [ˈroupinis] *s* vâscozitate, întindere (*a băuturilor*)

ropy [ˈroupi] *adj* **1** ca o frânghie/funie **2** (*d. băuturi*) vâscos, care se întinde **3** (*d. alimente*) stricat, alterat **4** *F* prost, mizerabil, rău, stricat, de proastă calitate

roque [rouk] *s amer* joc de crochet jucat pe teren cu zgură

Roquefort [ˈrɔkfɔːr] *s* (brânză) Roquefort

roquelaure [ˈrɔkəˌlɔːr] *s od* pelerină bărbătească lungă până la genunchi

roquet [ˈrouki] *amer sport* (*la crochet*) **I** *vi* a produce un carambol **II** *vt* **1** a lovi (*mingea*) cu o altă minge **2** (*d. minge*) a lovi (altă minge) **III** *s* carambol, lovitură între două mingi

roral [ˈrourəl] *adj rar* înrourat, acoperit de/stropit cu rouă

roration [rouˈreiʃən] *s lit* cădere de rouă; înrourare

rorqual [ˈrɔːkwəl] *s zool* **1** rorqual, specie de hienă (*Psysalus antiquorum*) **2** specie de balenă cu aripioară dorsală (*Balenoptera sp.*)

Rorschach [ˈrɔːʃɑːk] *med psih* **I** *vt* a aplica (cuiva) testul Rorschach **II** *s* (și ~ **test**) test de inteligență bazat pe sugestiile produse de pete de cerneală

rorty [ˈrɔːti] *adj sl* **1** haios, – vesel, voios; **to have a ~ time** a se distra grozav, a petrece de minune **2** plăcut, agreabil

Rosa [ˈrouzə], **Salvator** *pictor și poet italian (1615-1673)*

rosace [ˈrouzeis] *s* rozetă, ornament în formă de roză

rosaceous [rouˈzeiʃəs] *adj* **1** *bot* rozaceu **2** ca trandafirul

Rosalie [ˈrouzəli] *nume fem*

Rosalind [ˈrɔzəlind] *nume fem*

Rosalyn [ˈrɔzəlin] *nume fem*

rosaniline [rouˈzæniˌliːn] *s ch* fucsină, rozanilină

rosarium [rouˈzɛəriəm] *s* grădină de trandafiri

rosary [ˈrouzəri] *s* **1** *bis* mătănii, rozar (*la catolici*) **2** *bis* carte de rugăciuni; **to go through the ~** a-și spune/a-și face rugăciunile **2** *v.* **rosarium**

rosa solis [ˈrouzəˈsoulis] *s bot* roua cerului (*Drosera rotundifolia*)

Roscian ['rɔʃiən] *adj* talentat ca actor, cu mare măiestrie artistică/dramatică, de mare talent (dramatic)

roscoe ['rɔskou] *s sl* revolver, pistol

Rose [rouz] *nume fem*

rose¹ *s* 1 *bot* trandafir, roză *(Rosa sp.);* **under the ~ a** în secret/taină; confidențial **b** *(d. copii)* din flori; **life is not all ~s** viața nu e alcătuită numai din bucurii; **it is no bed of ~s** a e o treabă/problemă grea; nu-i lucru ușor, nu-i treabă ușoară **b** situația e cam complicată/dificilă; **to gather (life's) ~s** a umbla ca fluturele din floare în floare, a umbla după plăceri, a duce o viață de plăceri; **it is a path strewn with ~s** e o viață de plăceri/desfătări/bucurii; **a ~ without a thorn** Nirvana, fericire ideală/imposibilă, bucurie neîntinată 2 *fig* trandafir, floare, bujor; **she is the ~ of the village** e cea mai frumoasă fată din sat 3 rozetă *(la pălărie, la cizmă etc.)* 4 sită *(la stropitoare, la duș);* pulverizator 5 *pl* roșeață *(în obraji),* îmbujorare; culori în obraji 6 (culoarea) roz, trandafiriu 7 *med F* brâncă, – erizipel II *adj* trandafiriu, roz III *vt* a colora în roz/trandafiriu

rose² *pret de la* rise I, II

rosé ['rouzei] *s* vin rosé/roze

Roseanne [rou'zæn] *nume fem*

rose apple fruit ['rouz,æpl'fru:t] *s bot* fruct de gherghin

roseate ['rouzi,eit] *adj* 1 și *fig* trandafiriu, roz 2 *fig* optimist, voios

rose bay ['rouz,bei] *s bot* 1 răchițică *(Epilobium angustifolium)* 2 leandru, oleandru *(Nervium oleander)* 3 ↓ *amer* smârdar, rododendron *(Rhododendron kotschvi)*

roseberry ['rouz,beri] *s bot* fruct de păducel

rose bit ['rouz,bit] *s tehn* 1 adâncitor conic 2 *min* tăiș/sfredel în formă de rozetă

rose box ['rouz,bɔks] *s bot* bârcoace *(Cotoneaster sp.)*

rose bud ['rouz,bʌd] *s* 1 mugure de trandafir 2 *F* boboc *(de fată)* 3 *amer* ← *F* debutantă, începătoare

rose burner ['rouz,bə:nər] *s tehn* arzător (de gaze) cu cap coronat

rose bush ['rouz,buʃ] *s* tufiș/tufă de trandafiri

rose campion ['rouz,kæmpjən] *s bot* curcubeu *(Lychnis coronaria)*

rose colour ['rouz,kʌlər] *s* 1 *v.* **rose¹** I, 6 2 aspect atrăgător, atracțiozitate 3 lucru plăcut/agreabil

rose coloured ['rouz,kʌləd] *adj v.* **roseate 1**

rose cut ['rouz,kʌt] *adj (d. diamante)* șlefuit în fațete triunghiulare în jurul unui hexagon central; tăiat în formă de briliant

rosed [rouzd] *adj v.* **roseate 1**

rose diamond ['rouz,daiəmənd] *s* aprox briliant

rose drop ['rouz,drɔp] *s* 1 nas roșu *(de bețiv)* 2 varietate de bomboană

rose engine ['rouz,endʒin] *s tehn* dispozitiv *(la strung)* pentru gravarea tiparelor curbate

rose gall ['rouz,gɔ:l] *s bot* nucă galică (pe măceș)

rose geranium ['rouz dʒi'reinjəm] *s bot* mușcată trandafirie *(Pelargonium)*

rose hip ['rouz,hip] *s bot* măceașă, fruct de măceș/de trandafir (sălbatic)

rose leaf ['rouz,li:f] *s* petală de trandafir; **crumpled ~** (mică) supărare, (mic) necaz; nor care-ți umbrește fericirea

roseless ['rouzlis] *adj* 1 fără trandafiri 2 *fig* palid, fără culoare

rose-like ['rouz,laik] *adj* ca un trandafir; ca de trandafir

rose-lipped ['rouz,lipt] *adj* cu buzele roșii; cu gura roșie

Roselyn ['rouzlin] *nume fem*

rose madder ['rouz,mædər] *s ch* culoare/vopsea/pigment roz pal

rose mallow ['rouz,mælou] *s bot* 1 specie de hibiscus american *(Hibiscus moscheutos)* 2 *v.* **hollyhock**

Rosemary ['rouzməri] *nume fem*

rosemary *s bot* rozmarin *(Rosmarinus officinalis)*

rose medallion ['rouz mi'dæljən] *s* porțelan chinezesc cu ornamentație variată *(↓ sec. XIX)*

rose noble ['rouz,noubl] *s od* monedă englezească de aur *(cu efigia unui trandafir)*

rose of Jericho ['rouz əv 'dʒerikou] *s bot* 1 Mâna Maicii Domnului, Palma Sfintei Marii *(Anastatica hierochuntica)* 2 roza Ierihonului *(Odontospermum pygmoeus)*

rose of May ['rouzəv'mei] *s bot* narcisă albă, zarnacadea *(Narcissus poeticus)*

rose of Sharon ['rouzə'ʃærən] *s* 1 *bot* specie de hibiscus *(Hibiscus syriacus)* 2 *bot* sunătoare, pojarniță *(Hypericum calycinum)*

rose of the Virgin ['rouz əv ðə 'və:dʒin] *s bot v.* **rose of Jericho**

roseola [rou'zi:ələ] *s med* rujeolă, *F* pojar

rose-pink ['rouz,piŋk] *adj* și *fig* trandafiriu, roz

rose-point ['rouz,pɔint] *vt* a împodobi *(dantela)* cu trandafiri

rose rash ['rouz,ræʃ] *s F v.* **roseola**

Roses, the ['rouziz,ðə] *s pl ist* Rozele *(ca emblemă a caselor de York și Lancaster)*

rose tree ['rouz,tri:] *s v.* **rose bush**

Rosetta [rou'zetə] *nume fem dim de la* **Rose**

rosette [rou'zet] *s* 1 rozetă *(ca decorație, ornament etc.)* 2 *v.* **rose window**

rose vinegar ['rouz 'vinigər] *s* oțet aromatic/de trandafiri

rose water ['rouz ,wɔ:tər] *s* 1 apă de trandafir 2 *fig* complimente; amabilitate, curtenie

rose window ['rouz ,windou] *s arhit* rozetă, rosa mistica, fereastră circulară compartimentată

rose wood ['rouzwud] *s* lemn de trandafir

Rosh Hashanah ['rɔʃhə'ʃa:nə] *s* anul nou evreiesc/mozaic, Roș Hașana

Rosicrucian [,rouzi'kru:ʃən] *s ist* complotist, conspirator

rosin ['rɔzin] I *s* 1 sacâz, colofoniu 2 ← *F* băutură pentru muzicanți II *vt* 1 a freca/a da arcușul cu sacâz 2 a astupa cu sacâz

Rosinante [,rɔzi'nænti] *s* gloabă, mârțoagă

rosiness ['rouzinis] *s* obraji trandafirii, culori în obraji, ten roz/trandafiriu

rosing ['rouziŋ] *s* vopsire/colorare în roz

rosin oil ['rɔzin,ɔil] *s* ulei extras din rășină de pin

rosland ['rɔslənd] *s* ← *reg* teren mocirlos

Roslyn ['rɔslin] *nume fem*

rosmarine ['rɔzməri:n] *s înv v.* **rosemary**

roso(g)lio [rou'zouljou] *pl* ~s [rou-
'zouljouz] *s* aperitiv/lichior foarte
aromatizat, *aprox florio*

rosorial [rɔ'souriəl] *adj zool* rozător,
referitor la rozătoare, al roză-
toarelor

RoSPA *presc de la* **Royal Society
for the Prevention of Accidents**

Ross [rɔs] *nume masc*

ross I *s* scoarță/coajă *(de copac)* II
vt a coji, a curăța *(un copac)* de
scoarță/coajă

rosser ['rɔsə'] *s sl* detectiv, copoi

Rossetti [rɔ'seti] **1 Christina Geor-
gina** *poetesă engleză (1830-
1894)* **2 Dante Gabriel** *poet și
pictor englez (1828-1882)*

rossing machine ['rɔsiŋ mə'ʃiːn] *s
silv* mașină de decorticat/de
curățat scoarța de pe arbori

Rossini [rɔ'siːni], **Gioacchino**
compozitor italian (1792-1868)

Rostand [rɔs'tɑ̃], **Edmond** *poet și
dramaturg francez (1868-1918)*

roster ['rɔstə'] I *s* **1** *nav mil* listă de
serviciu, tablou de corvezi; foaie
cuprinzând ordinele de serviciu
2 listă (de nume); registru II *vt* a
înregistra/a înscrie pe listă; a
trece în registru

Rostock ['rɔstɔk] *port în Germania*

Rostov ['rɔstɔv] *oraș în fosta
U.R.S.S.*

rostra ['rɔstrə] *s pl de la* **rostrum**

rostral ['rɔstrəl] *adj* **1** împodobit cu
ciocuri de corăbii **2** *orn* al cio-
cului; pe cioc/plisc

rostrate ['rɔstreit] *adj* **1** *orn* în formă
de plisc **2** *v.* **rostral 1**

rostrated [rɔs'treitid] *adj v.* **rostrate**

rostriform [,rɔstri'fɔːm] *adj v.* **ros-
trate 1**

rostrum ['rɔstrəm], *pl și* **rostra**
['rɔstrə] *s* **1** tribună, estradă,
platformă *(pt vorbitori)* **2** amvon
3 *orn* cioc, plisc **4** *nav* ← *înv*
proră, provă

rosy ['rɔuzi] *adj* **1** roz, trandafiriu **2**
rumen (în obraji); îmbujorat **3**
împodobit cu trandafiri **4** *v.* **rose-
like 5** propice, prielnic, favorabil

rosy-bosomed ['rɔuzi 'buːzəmd] *adj*
1 *poetic* cu pieptul împodobit cu
trandafiri **2** *fig* prosper, căruia îi
merge bine

rosy crowned ['rɔuzi 'kraund] *adj* cu
o cunună de trandafiri

rosy drop ['rɔuzi 'drɔp] *s v.* **rose
drop 1**

rosy-fingered ['rɔuzi'fiŋgəd] *adj* cu
degete trandafirii

rosy gills ['rɔuzi 'gilz] *s pl* ← *F* om
rumen în obraji, persoană săn-
toasă

rot¹ [rɔt] I *vi* **1** a putrezi; a se strica,
a intra în putrefacție, a se des-
compune **2** *fig* a putrezi, a zăcea
(în închisoare etc.) **3** *(d. socie-
tate, regim)* a degenera, a se
descompune, a putrezi, a decă-
dea **4** a se caria **5** *sl* a lua plasă,
a se înșela; a se prosti II *vt* **1** a
face să putrezească, a descom-
pune **2** *tehn* a dezagrega, a des-
compune **3** a rata, a pierde *(o
ocazie etc.)* **4** *sl* a lua în băscălie/
peste picior III *s* **1** putrezire, pu-
trefacție; descompunere; strică-
ciune **2** *și fig* putregai, strică-
ciune **3** *vet* casezie apoasă *(la
oi)* **4** *fig* prăbușire, surpare; că-
dere, insucces; **to stop the** ~ *mil*
a opri panica, a face să nu mai
scadă moralul soldaților **5** *sport
sl* partidă prost jucată, meci slab/
mizerabil **6** *F* prostii, fleacuri,
tâmpenii; **don't talk** ~ nu spune/
vorbi prostii; astea-s fleacuri;
what ~! absurd! ce prostie! IV
interj F vax! aiurea! fleacuri!

rot² *presc de la* **1 rotating 2 rotation**

rota ['rɔutə] *s* **1** programare prin
rotație; servicii programate prin
rotație; **according to a** ~ prin
rotație **2** *muz* rondo

Rota, the ['rɔutə, ðə] *s* **1** *bis* Sinodul
curții papale **2** *ist* clubul politic
Rota *(sec. XVIII)*

rot about ['rɔt ə'baut] *vi cu part adv*
a tăia frunză la câini, a pierde
vremea (de pomană)

Rota Club, the ['rɔutə 'klʌb, ðə] *s v.*
Rota 2

rotalian [rɔu'teiliən] *s zool* rotifer

rotaline ['rɔtəlain] *zool* I *adj* de
rotifer, al rotiferelor, referitor la
rotiferi II *s* rotifer

rotaplane ['rɔtə,plein] *s av* rotaplan

Rotarian [rɔu'tɛəriən] *s* membru al
unui Rotary Club

rotary ['rɔutəri] *adj* **1** turnant, pivo-
tant; giratoriu; de rotație **2** rotativ,
rotitor **3** prin rotație

Rotary Club ['rɔutəri ,klʌb] *s* aso-
ciație internațională a funcțio-
narilor din prestările de servicii

rotary crane ['rɔutəri ,krein] *s tehn*
macara pivotantă

rotary engine ['rɔutəri ,endʒin] *s* **1**
auto motor rotativ **2** *av* motor cu
cilindru rotativ

rotary flow ['rɔutəri ,flou] *s tehn*
mișcare de rotație

Rotary International ['rɔutəri intə-
'næʃənəl] *s uniune internațională
a oamenilor de afaceri*

rotary motion ['rɔutəri ,mouʃən] *s*
mișcare de rotație

rotary press ['rɔutəri ,pres] *s poligr*
rotativă

rotary pump ['rɔutəri ,pʌmp] *s tehn*
pompă centrifugă

rotary traffic ['rɔutəri ,træfik] *s*
circulație giratorie

rotate¹ ['rɔuteit] I *vi* **1** a se roti, a se
învârti, a efectua o rotație **2** a
face cu rândul/schimbul, a veni
sau a lucra prin rotație II *vt* **1** a
roti, a învârti, a întoarce, a răsuci
2 *tehn* a face să pivoteze *sau* să
basculeze **3** a schimba prin
rotație *(personalul etc.)* **4** *agr* a
alterna, a varia, a face asola-
mentul *(culturilor etc.)*

rotate² ['rɔuteit] *adj bot* rotiform

rotating [rɔu'teitiŋ] *adj v.* **rotary 1**

rotating body [rɔu'teitiŋ 'bɔdi] *s* corp
turnant

rotating crops [rɔu'teitiŋ 'krɔpz] *s pl
agr* culturi alternative/în asola-
ment

rotation [rɔu'teiʃən] *s* **1** rotație,
învârtire, rotire **2** alternare;
repetare ciclică/periodică; rota-
ție; **by/in** ~ prin rotație, alternativ

rotational [rɔu'teiʃənəl] *adj* **1** rotativ,
care se învârtește **2** *agr* în
asolament, alternativ

rotation of crops [rɔu'teiʃən əv
'krɔps] *s agr* asolament *(al cultu-
rilor)*

rotative ['rɔutətiv] *adj v.* **rotational**

rotator [rɔu'teitə'] *s* **1** *nav* elice **2** *v.*
rotifer

rotatorial [rɔutə'tɔriəl] *adj v.* **rotiferal**

rotatorian [rɔutə'tɔriən] *s v.* **rotifer**

rotatory ['rɔutətəri] *adj* **1** circular,
referitor la învârtire **2** *v.* **rotary 1**
3 alternativ, alternat, prin rotație/
alternanță **4** *anat* rotator **5** *v.*
rotiferal

rot away ['rɔtə'wei] *vi cu part adv* a
dispărea, a pieri

R.O.T.C. *presc de la* **Reserve
Officers Training Corps** *amer*
Școală de (antrenament pentru)
ofițeri de rezervă

rote[1] [rout] *s amer* vuiet al mareei/ fluxului

rote[2] *s* memorie; **by ~ a** pe de rost, pe dinafară **b** în mod/chip mecanic **c** din obișnuință

rote[3] *s muz vechi instrument cu coarde*

rote song ['rout ,sɔn] *s* cântec pentru copii *(destinat a fi învățat pe de rost)*

rot grass ['rɔt ,grɑ:s] *s bot* flocoșică, iarba cailor *(Holous lanatus)*

rotgut ['rɔt,gʌt] **I** *s F* **1** poșircă, – băutură proastă **2** basamac, adio mamă; – rachiu (tare) **II** *adj (d. băutură)* prost, care face rău

rother (soil) ['rɔðə ('sɔil)] *s înv reg* gunoi de grajd/vite, îngrășământ natural

rotifer ['routifə'] *s zool* rotifer

rotiferal [rou'tifərəl] *adj zool* referitor la rotifere

rotiform [routi'fɔ:m] *adj* ca o roată, în formă de roată

rotisserie [rou'tisəri:] *s* **1** rotiserie **2** rotisor

rot off ['rɔt 'ɔ:f] *vi cu part adv* a se ofili, a se veșteji

rotogravure [,routəgrə'vjuə'] *s* rotogravură, fotogravură reprodusă prin mașină rotativă

rotor ['routə'] *s* **1** *tehn* rotor **2** *nav* corn de rotație

rotor plane ['routə ,plein] *s av* autogir

Rotschild ['rɔtʃaild], **Nathan Mayer** *financiar englez (1777-1836)*

rotted ['rɔtid] *adj* **1** *v.* **rotten** 1 **2** cariat, intrat în putrefacție

rotten ['rɔtən] *adj* **1** putred; stricat; putrezit; **smth is ~ in the state of Denmark** e ceva putred în Danemarca **2** *(d. ou)* clocit, stricat **3** cariat **4** *(d. plămân)* mâncat, ros *(de ftizie)* **5** depravat, corupt moralicește, stricat; ticălos; **to be ~ to the core** a fi stricat/putred/vicios până-n măduva oaselor **6** *F* groaznic, – lamentabil, detestabil, mizerabil; **to feel ~** a fi prost dispus, a se simți prost/mizerabil **7** *F* prăpădit, nenorocit **8** de proastă calitate **9** *fig* mârșav, ticălos, păcătos, parșiv **10** *med ← F (d. tuse)* vindecat, trecut; **my cough is not yet ~** tusea încă nu m-a lăsat **11** *geol* friabil, găunos

rotten borough ['rɔtən 'bʌrə] *s ist*

„târg/burg putred" *(oraș depopulat reprezentat disproporționat în Parlament)*

rotten egg ['rɔtən 'eg] **I** *s* ou stricat/ clocit **II** *vt amer rar* a bombarda cu ouă clocite/stricate *(la o demonstrație);* a arunca cu ouă clocite/stricate în *(cineva)*

rotten luck ['rɔtən 'lʌk] *s ← F* ghinion

rottenly ['rɔtənli] *adv* **1** rău, prost, mizerabil, groaznic, lamentabil, detestabil **2** fără noroc, cu ghinion, (în mod) nefericit, nenorocit; sub o stea proastă **3** (în mod) imoral/depravat/vicios/dezmățat **4** (în mod) mârșav, parșiv

rottenness ['rɔtənnis] *s* **1** putreziciune, stricăciune **2** putrezire, putrefacție **3** *med* cariere; carie **4** *fig* corupție, depravare, stricăciune

rotten stone ['rɔtən 'stoun] *s minr, ch* (silicat de calciu descompus folosit ca) praf de curățat/lustruit vase

rotten trick ['rɔtən 'trik] *s ← F* mârșăvie, ticăloșie; renghi urât, festă mârșavă

rotten weather ['rɔtən 'weðə'] *s ← F* vreme urâtă/mizerabilă/proastă

rotter ['rɔtə'] *s* **1** nepriceput, ageamiu, om neîndemânatic **2** *sl* porc, *F* canalie, jigodie, lichea

Rotterdam ['rɔtə,dæm] *oraș în Olanda*

rotund [rou'tʌnd] *adj* **1** gras; plinuț, plin **2** sonor, răsunător **3** bombastic, umflat, emfatic **4** *← rar* rotund, sferic, globular

rotunda [rou'tʌndə] *s arhit* rotondă

rotundity [rou'tʌnditi] *s* **1** rotunzime, sfericitate, formă sferică/globulară **2** *← umor* corpolență, grăsime

roturier [rou't(j)uriei] *s* plebeu, roturier

Rouault [ru:'ou], **Georges** *pictor francez (1871-1958)*

rouble ['ru:bəl] *s* rublă

roué ['ru:ei] *s* crai(don), berbant *(↓ bătrân);* țap/porc bătrân; bărbat (vârstnic) cu mare experiență la femei; destrăbălat, detracat

Rouen [rwã] *port în Franța*

rouge[1] [ru:ʒ] *fr* **I** *s* ruj, fard, sulemeneală **II** *vi* a se ruja; a se farda, a se sulemeni **III** *vt* a ruja; a farda; a sulemeni

rouge[2] *s sport* hărțuială/ambuscadă în jurul mingii

rouge-et-noir ['ru:ʒei'nwa:'] *s* roșu și negru *(joc de cărți)*

rouge royal marble ['ru:ʒ 'rɔiəl ,ma:bl] *s minr* marmoră roșie/ roșietică belgiană

Rouget de Lisle [ruʒɛdə'lil], **Claude-Joseph** *militar și compozitor francez, autorul Marseillezei (1760-1836)*

rough [rʌf] **I** *adj* **1** aspru, grosolan, ordinar; **~ to the touch** aspru la pipăit **2** brut, neprelucrat; **in a ~ state** în stare brută **3** *(d. teren, drum)* accidentat; bolovănos, pietros; **to take smb over a ~road a** a se răfui cu cineva **b** a trata prost pe cineva **4** *(d. păr)* aspru; țepos; zburlit, netesălat **5** *(d. vreme)* aspru, vijelios; rece și tăios; rău; **to have a ~ time (of it)** a o duce greu; a trece prin/ a avea o perioadă proastă **6** *fig* necioplit, ordinar, grosolan, bădăran, mojic **7** *(d. glas)* alterat, răgușit; aspru **8** *muz* discordant **9** neprelucrat, nearanjat; sub formă de ciornă **10** aproximativ, estimativ **II** *s* **1** stare brută; **in the ~ a** în stare brută **b** neterminat **c** în ciornă **2** dezordine, lipsă de aranjare **3** neplăceri, parte neplăcută *(a vieții etc.);* **to take the ~ with the smooth** *v.* **rough it 2 4** *← F* bătăuș, scandalagiu, huligan **5** teren/câmp accidentat **6** cui, caia *(de potcoavă)* **III** *vt* **1** a schița; a face o ciornă/o schiță pentru **2** *F* a lua la trei (păzește), a bruftui, a se răsti la; **to ~ smb up the wrong way** a lua pe cineva în răspăr, a scoate pe cineva din pepeni/țâțâni/sărite **3** *amer* a trata cu asprime, a se purta aspru cu **4** a șlefui *(lentile etc.)* **5** *sl univ* a primi cu tropăieli *(un profesor îndrăgit)* **6** a potcovi cu caiele **IV** *vi* a se purta/a fi aspru/grosolan **V** *adv* dur, brutal, aspru, grosolan; **to treat ~** a trata aspru/cu asprime; a fi grosolan cu; **to live ~** a duce o viață aspră; **to sleep ~** a dormi prost, a petrece o noapte proastă *(afară, într-un pat prost etc.)*

rough accomodation ['rʌf ,əkəmə'deiʃən] *s* (condiții de) găzduire/ cazare nesatisfăcătoare; hotel *etc.* prost; adăpost primitiv, incomod

roughage ['rʌfidʒ] *s* **1** *agr* furaj grosier/grosolan/ordinar **2** *gastr, med* alimente greu digerabile, hrană indigestă *(care stimulează peristaltismul/mișcarea intestinelor)*

rough and ready ['rʌfən 'redi] *adj* **1** lucrat de mântuială, dat peste cap **2** aspru, grosolan dar energic

rough-and-tumble ['rʌfən'tʌmbl] **I** *adj* dezordonat, în dezordine; neregulat **II** *s* **1** încăierare, învălmășeală **2** talmeș-balmeș, amestec

rough attempt ['rʌf ə'tempt] *s* încercare primară/primitivă; schiță primordială; ciornă; proiect în stare brută/incipientă

rough breathing ['rʌf'briːðiŋ] *s med* respirație greoaie, raluri; răsuflare grea

rough-cast ['rʌfkɑːst] **I** *adj* **1** schițat în linii mari, abia schițat **2** *constr* tencuit brut; scămoșat **II** *s* tencuială brută, bruftuială **III** *vt* **1** a schița **2** *constr* a tencui brut, a bruftui

rough circle ['rʌf 'səːkl] *s* cerc aproximativ/imprecis/prost desenat

rough-clad ['rʌfklæd] *adj* prost îmbrăcat

rough coal ['rʌf 'koul] *s* cărbune ordinar/inferior

rough coat ['rʌf 'kout] *s constr* grund (de tencuială), primul strat de mortar/tencuială

rough copy ['rʌf 'kɔpi] *s* **1** ciornă, concept, formă brută *(a unui text)* **2** *(în gazetărie)* material brut/neprelucrat/de prelucrat; prima formă *(a unui material)* **3** *foto, artă* copie brută/schițată *(a unei fotografii, a unui tablou)*

rough country ['rʌf 'kʌntri] *s* ținut/teren accidentat

rough customer ['rʌf 'kʌstəmə'] *s v.* **rough II 4**

rough deal ['rʌf 'diːl] *s* tratament aspru/sever; grosolănie, purtare grosolană/mitocănească *(față de cineva)*

rough diamond ['rʌf 'daiəmənd] *s* **1** diamant neșlefuit **2** *fig* om valoros dar necioplit; *aprox* brânză bună în burduf de câine

rough draft ['rʌf 'drɑːft] **I** *s* **1** schiță (provizorie); ciornă **2** (ante)proiect **II** *vt* a schița

rough-dry ['rʌf'drai] **I** *adj (d. rufe)* uscat însă necălcat **II** *vt* a usca *(rufele)* fără a le călca

rough edge ['rʌf 'edʒ] *s* margine crestată *(la carte);* **to give smb the ~ of one's tongue** a lua pe cineva în primire/la trei (păzește)/la refec; a vorbi aspru/urât cu cineva; a-i trage cuiva o săpuneală (zdravănă); a-și vărsa focul pe cineva

roughen ['rʌfən] **I** *vt* **1** a înăspri, a face aspru **2** *constr* a buciarda **3** *poligr* a decapa **II** *vi* a se înnăspri, a deveni aspru

rough estimate ['rʌf 'estimit] *s ec* deviz aproximativ/estimativ; prețăluire din ochi; **on a ~** din ochi; după ochi; la prima vedere

rough-footed ['rʌffutid] *adj orn* cu pene la picioare

rough grazing ['rʌf 'greiziŋ] *s agr* (păscut în) pășune naturală

rough-grind ['rʌfgraind] *vt* a poliza/a ascuți sumar; a începe polizarea/ascuțirea *(unui instrument etc.)*

rough guess ['rʌf 'ges] *s* aproximație; apreciere estimativă

rough-handle ['rʌfhændl] *vt* a maltrata, a trata brutal

rough handling ['rʌf 'hændliŋ] *s* **1** maltratare, tratament prost/aspru/sever; *v. și* **rough deal 2** manipulare brutală/grosolană

rough-hew ['rʌfhjuː] *ptc și* **rough-hewn** ['rʌf,hjuːn] *vt* **1** a tăia *(piatră, lemn etc.)* grosolan; a prelucra brut **2** a schița, a dăltui provizoriu *(o statuie)*

rough house ['rʌfhaus] *sl* **I** *s* scandal; gălăgie **II** *vi* a face scandal; a participa la o încăierare

rough in ['rʌf 'in] *vt cu part adv* a grundui

roughish ['rʌfiʃ] *adj* **1** cam aspru; cam sever **2** cam necioplit/grosolan/mitocănos

rough it ['rʌfit] *vt cu pr* **1** a o duce de azi pe mâine **2** a lua lucrurile așa cum sunt, a primi (cu stoicism) și cele bune și cele rele, a se adapta împrejurărilor

rough justice ['rʌf 'dʒʌstis] *s* justiție/judecată sumară (↓ neoficială)

rough kindness ['rʌf 'kaindnis] *s* bunătate lipsită de amabilitate/aparent brutală/nepoliticoasă; bunătate deghizată; asprime

binevoitoare/neintenționată

rough-legged ['rʌf 'legd] *adj* **1** *orn v.* **rough-footed 2** *zool (d. cal)* cu picioarele păroase

rough luck ['rʌf 'lʌk] *s* ghinion, nenoroc, neșansă

rough makeshift ['rʌf 'meikʃift] *s* aranjament provizoriu/primar, expedient

rough music [,rʌf'mjuːzik] *s* zarvă, gălăgie, scandal, *F* umor muzică, *sl* hai

rough neck ['rʌf nek] *s amer* **1** *v.* **rough II 4 2** bădăran, necioplit, mocofan, mârlan, mitocan

roughness ['rʌfnis] *s* **1** asprime, rugozitate *(a unei suprafețe)* **2** caracter accidentat/bolovănos/pietros *(al unui drum)* **3** stare brută/neprelucrată **4** zburleală, neteșălare; asprime *(a părului etc.)* **5** asprime, rigoare *(a vremii)* **6** *fig* grosolănie, bădărănie, neciopleală, mojicie; caracter ordinar/grosolan/nepoliticos; nepolitețe; lipsă de politețe **7** tratament aspru/sever; maltratare **8** rágușeală, asprime *(a glasului);* stridență, asprime, lipsă de armonie *(a sunetelor)* **9** stare incipientă/informă; lipsă de rafinament *sau* prelucrare **10** aproximație, caracter estimativ/provizoriu **11** dezordine, lipsă de aranjare **12** *v.* **rough II 3**

rough nursing ['rʌf'nəːsiŋ] *s* purtare brutală *(a infirmierei sau dădacei față de bolnav sau copil);* tratament brutal, îngrijire lipsită de căldură *sau* tandrețe

rough out ['rʌf'aut] *vt cu part adv* **1** a ciufuli *(părul)* **2** a acorda aproximativ *(pianul etc.)*

rough passage ['rʌf 'pæsidʒ] *s nav* traversare (pe o mare) agitată

rough play ['rʌf 'plei] *s v.* **horse play**

rough remedies ['rʌf 'remədiz] *s pl* soluții/remedii brutale/aspre, remedii radicale (dar dureroase)

rough rider ['rʌf ,raidə'] *s* dresor de cai (neînvățați/sălbatici/nărăvași), maestru de călărie

roughshod ['rʌfʃɔd] *adj* potcovit cu caiele; **to ride ~ over a** a călca în picioare, a încălca, a nesocoti *(cu ac)* **b** a se purta brutal/grosolan cu

rough shooting ['rʌf 'ʃu:tiŋ] s teren de vânătoare foarte accidentat

rough side ['rʌf ,said] s v. **rough edge**

rough soldier ['rʌf 'souldʒəʳ] s mil F răcan, soldat prost, soldățoi; militar cazon

rough-spoken ['rʌf'spoukən] adj 1 (d. limbaj) grosolan, ordinar 2 (d. persoane) morocănos, ursuz; ordinar, mojic (la vorbă)

rough state ['rʌf'steit] s stare brută/neprelucrată; lipsă de rafinament/prelucrare; dezordine, nearanjare, stare primară (↓ de ciornă)

rough stuff ['rʌfstʌf] s sl v. **rough house**

rough style ['rʌf'stail] s stil frust/brut/direct/nerafinat/lipsit de eleganță, rafinament sau înflorituri

rough tongue ['rʌf 'tʌŋ] s fig limbă ascuțită/aspră; vorbire/vorbă neiertătoare/necruțătoare/aspră/dură/fără menajamente; v. și **rough edge**

rough translation ['rʌf trɑ:n'sleiʃən] s traducere brută/nestilizată/neprelucrată; ciornă/primă formă a unei traduceri

rough up ['rʌf 'ʌp] vt cu part adv a enerva, a sâcâi, a irita, a necăji

rough usage ['rʌf'ju:sidʒ] s purtare grosolană/brutală/mitocănească

rough wheather ['rʌf 'weðəʳ] s vreme proastă, timp urât/rău

rough work ['rʌf'wə:k] I s 1 treabă/muncă grea/care te solicită mult/care necesită forță/care cere multă putere; muncă/treabă aspră; hamalâc, muncă de salahor 2 violență, brutalitate; v. și **rough house** 3 ciornă, concept; proiect preliminar; v. și **rough attempt** II vt a prelucra brut; a eboșa

rough-wrought ['rʌf ,rɔ:t] adj semi-preparat; semi-prelucrat, prelucrat provizoriu; pregătit pentru finisare/definitivare

roulade [ru:'lɑ:d] s fr 1 ruladă (de carne) 2 muz ruladă (pe aceeași silabă)

rouleau ['ru:lou], pl și **rouleaux** ['ru:-louz] s fr fișic, top (de monede)

roulette [ru:'let] s fr 1 ruletă 2 mat, geom curbă generată 3 constr rulou (al zugravului) 4 rozetă (pentru dantelarea timbrelor)

rouletted [ru:'letid] adj fr (d. timbre) dantelat

Roumania [ru:'meiniə] v. **Romania**

Roumanian [ru:'meiniən] s, adj v. **Romanian**

Roumansh [ru:'mænʃ] s, adj v. **Romansh**

rouncy ['raunsi] s înv cal/armăsar de călărie/călărit/încălecat

round¹ [raund] I adj 1 rotund; circular; **a ~ peg in a square hole, a square peg in a ~ hole** fig om nepotrivit pentru postul pe care îl ocupă; **to make ~** a rotunji 2 sferic 3 rotunjit; **eyes ~ with astonishment** ochi măriți de uimire 4 (d. cifre) rotund; complet, întreg 5 (d. calcule) aproximativ, estimativ, în cifre rotunde 6 (d. glas) plin, sonor, bine timbrat 7 (d. stil) curgător, fluent 8 (d. ritm, mers etc.) vioi, iute; **at a ~ pace** în pas vioi, în mers rapid/viguros; **at a ~ trot** în trap rapid, în fuga/goana cea mai mare 9 sincer, deschis; aspru, brutal; **in ~ terms** pe un ton categoric; fără echivoc; **a ~ oath** o înjurătură cumplită II s 1 cerc; circumferință; **out of ~** ovalizat 2 rond, tură, turneu; **the daily ~(s)** rondul/circuitul cotidian/de fiecare zi; (inspecția pe) teren; **to make the ~** of a inspecta cu ac, a-și face rondul prin; **to go the ~s** a (d. polițist) a-și face rondul b (d. doctor etc.) a face vizite sau inspecții; a merge pe teren, a-și face terenul; (d. veste) a se răspândi 3 plimbare 4 ciclu; rând; rânduială (a treburilor zilnice etc.) 5 ocol, ocolire 6 sport rundă; repriză 7 mil foc (de armă), împușcătură, lovitură 8 (la cărți) levată 9 rând de pahare (servite la toată lumea); **to stand a ~ (of drinks)** a plăti un rând (de băutură) 10 felie, feliuță 11 ropot, explozie (de aplauze etc.) 12 fuscel, treaptă (de scăriță) III vt 1 a rotunji; a tăia rotund 2 a rotunji, a completa 3 a ocoli, a înconjura (un colț, un promontoriu); a lua un viraj 4 lingv a pronunța cu buzele rotunjite IV vi 1 a se rotunji, a deveni rotund 2 a se întoarce, a se învârti, a se răsuci 3 a se întregi, a se completa, a se rotunji V adv 1 în cerc, în jur, de jur împrejur; **to argue ~ and ~ the**

subject a se învârti în jurul subiectului, a bate câmpii; **all the year ~** în tot cursul anului, tot anul; **to sleep the clock ~** a dormi 12 ore în șir; **a long way ~** a un mare ocol b pe căi ocolite; **to turn ~** v. **~ IV 2 2** unul după altul 3 încoace; **bring it ~** adu-l încoace; **come ~ and see me tomorrow** treci mâine pe aici/pe la mine; **I'll call ~ tonight** am să trec diseară pe aici/pe la voi VI prep în jurul (cu gen); **~ the corner** după colț; **~ the world** în jurul lumii; **~ the body** pe după mijloc; **~ the clock** toată ziua (și noaptea); 12 sau 24 de ore; **to go ~ and ~ smth** a ocoli cu ac/a da ocol cu dat de multe/nenumărate ori; fig a se învârti în jurul subiectului/ F→ cozii

round² I vi ← înv a vorbi în șoaptă (misterios) II vt a șopti, a spune pe șoptite; **he ~ed me in the ear** mi-a șoptit la ureche

roundabout ['raundə,baut] I adj 1 ocolit, indirect; întortocheat; pe ocolite 2 ← înv corpolent, gras, trupeș II s 1 cale ocolită, ocol 2 călușei, carusel; **to lose on the swings what you make on the ~** a da pe mere ce-ai luat pe pere/prune 3 auto sens giratoriu 4 amer veston scurt

round about ['raund ə'baut] adv (de jur) împrejur, prinprejur

roundabout traffic system ['raundə,baut 'træfik 'sistəm] s v. **roundabout** II 3

round and round ['raund ənd 'raund] adv 1 de jur împrejur (de mai multe ori) 2 de mai multe ori la rând/în șir

round arch ['raund 'ɑ:tʃ] s arhit arc semicircular

round back ['raund 'bæk] s v. **round shoulders**

round dance ['raund ,dɑ:ns] s 1 vals 2 dans în cerc; aprox horă

round dozen ['raund 'dʌzən] s duzină întreagă; exact o duzină/douăsprezece

rounded ['raundid] adj 1 rotunjit 2 întreg, completat

roundel ['raundəl] s 1 rondelă; obiect rotund; disc; cerc 2 od scut mic rotund 3 tavă rotundă 4 arhit fereastră rotundă 5 v. **rondeau**

roundelay ['raundɪˌleɪ] *s* ← *înv* **1** rondo; cântec scurt cu refren **2** ciripit, cântec *(al păsărilor)* **3** dans în cerc

rounders ['raundəz] *s pl sport aprox* oină

round figure(s) ['raund ˌfɪgə(z)] *s (pl)* **1** cifră rotundă, număr rotund/întreg **2** cifră aproximativă (spusă pe ghicite), evaluare/apreciere estimativă/măsurare/estimare/apreciere din ochi/pe ghicite

round game ['raund 'geɪm] *s* joc de societate

round hand ['raund ˌhænd] *s* scriere rondă

Roundhead ['raund ˌhed] *s ist* cap rotund *(partizan al lui Cromwell)*

roundhouse ['raundhaus] *s* **1** *ferov* depou **2** *nav* ruf, sala cabinelor **3** ← *înv* (cameră de) arest **4** *box* sving

round in ['raund 'ɪn] *vt cu part adv nav* a braţa în vânt, a occli

roundish ['raundɪʃ] *adj şi fig* rotunjor, cam/aproape/aproximativ rotund

roundlet ['raundlɪt] *s* cerculeţ

roundly ['raundlɪ] *adv* **1** rotund, circular **2** în cerc, de jur împrejur **3** pe faţă, de la obraz, direct, sincer, fără menajamente **4** în cifre rotunde; în general, fără prea multe detalii **5** energic, viguros, îndrăzneţ **6** temeinic, serios

roundness ['raundnɪs] *s* **1** rotunjime, rotund; cerc **2** caracter circular *sau* sferic; circularitate; sfericitate **3** *fig* aproximaţie, exactitate relativă; evaluare/apreciere în linii mari/grosso modo/în cifre rotunde, *v. şi* **round figure(s) 4** rotunjime, plinătate, sonoritate plină/bine timbrată *(a glasului)* **5** fluenţă, caracter curgător; cursivitate, vioiciune *(a stilului, a versului, a ritmului etc.)* **6** sinceritate (brutală/exagerată); vorbire deschisă/fără menajamente; caracter direct/categoric/fără echivoc

round number ['raund 'nʌmbə'] *s* **1** număr întreg/rotunjit, cifră rotundă/rotunjită **2** *v.* **round figure(s)**

round of beef ['raund əv 'biːf] *s* fleică (rotundă) de vacă

round off ['raund 'ɔːf] *vt cu part adv v.* **round III 1, 2**

round on ['raund ɔn] *vi cu prep* a denunţa, a vinde, a da în vileag cu ac

round out ['raund 'aut] *vi cu part adv* a se rotunji (la faţă), a se îngrăşa

round robin ['raund 'rɔbɪn] *s* **1** petiţie/cerere/reclamaţie colectivă *(cu semnăturile în cerc – pt camuflarea iniţiatorului)* **2** *amer sport* (competiţie disputată în) sistem turneu

round score ['raund ˌskɔː'] *s mat F* douăzeci în cap, exact douăzeci

round shot ['raund ˌʃɔt] *s mil* ghiulea de tun

round shoulders ['raund 'ʃouldəz] *s pl* spate gârbovit/rotunjit; umeri căzuţi

roundsman ['raundzmən] *s* **1** comisionar; băiat de prăvălie *(care duce comenzile acasă la clienţi)* **2** procurist, agent comercial care se ocupă de comenzi **3** *amer* brigadier de poliţie, agent de supraveghere

round table conference ['raund ˌteɪbl 'kɔnfərəns] *s* conferinţă la masa rotundă

round text ['raund ˌtekst] *s v.* **round hand**

round timber ['raund 'tɪmbə'] *s constr* lemn rotund/neecarisat; buştean

round tour ['raund 'tuə'] *s* călătorie în circuit

round towel ['raund 'tauəl] *s v.* **roller towel**

round trip ['raund 'trɪp] *s* **1** bilet/călătorie în circuit **2** *amer* călătorie dus-întors

round-trip ticket ['raund ˌtrɪp 'tɪkɪt] *s amer* bilet dus-întors

round unvarnished tale, the ['raund ʌn'vɑːnɪʃt ˌteɪl, ðə] *s* adevărul gol-goluţ/fără fard/dichis/menajamente

round-up ['raund ˌʌp] *s* **1** *amer* strângere a vitelor *(pt numărătoare etc.)* **2** razie **3** trecere în revistă; dare de seamă; cronică

round up ['raund 'ʌp] *vt cu part adv* **1** a strânge laolaltă *(vitele)* **2** a aresta *(suspecţii etc.)* la o razie, a ridica

round up on ['raund 'ʌp ɔn] *vi cu part adv şi prep* a ataca pe neaşteptate

round vowel ['raund 'vauəl] *s lingv* vocală rotunjită

roundworm ['raund ˌwəːm] *s zool* limbric *(Ascaris lumbricoides)*

roup¹ [ruːp] *scot* **I** *s* licitaţie, mezat **II** *vt* a vinde/a scoate la licitaţie/mezat

roup² *s vet* ţâfnă, cobe

rouse¹ [rauz] **I** *vt* **1** a trezi, a deştepta **2** a îndemna, a îmboldi, a stimula; a stârni, a aţâţa; a înflăcăra, a însufleţi **3** (**in; out; up**) a trage cu putere (înăuntru; în afară; în sus) **4** a agita, a mesteca *(un lichid ↓ bere în timpul fermentării)*; a vântura **II** *vi* **1** a se deştepta, a se trezi **2** a se smulge din toropeală/moleşeală, a se dezmorţi **III** *vr* a se dezmetici

rouse² *vt* a săra *(scrumbii etc.)*

rouse³ *s* ← *înv* **1** pahar plin ochi **2** sorbitură/înghiţitură/gât dintr-un pahar; toast; **to take one's ~** a bea, a chefui, a se beţivi/beţivăni; **to give a ~ to** a bea în sănătatea cu *gen;* a toasta pentru **3** beţie, chef, beţiveală

rouse up ['rauz 'ʌp] *vi cu part adv v.* **rouse¹ II 1, 2**

rousing ['rauzɪŋ] **I** *adj* **1** însufleţitor, stimulativ **2** entuziasmant **3** *F* fantastic, straşnic, nemaipomenit **II** *s* **1** trezire, deşteptare **2** îmboldire, stimulare, stârnire; **he wants ~** trebuie scuturat niţel

Rousseau ['ruːsou] **1** Henri *pictor francez (1844-1910)* **2** Jean Jacques *scriitor şi filosof francez (1712-1778)* **3** Théodore *pictor francez (1812-1867)*

roustabout ['raustəbaut] *s* **1** *amer* muncitor portuar (necalificat); marinar fără calificare/brevet **2** *amer* lucrător/muncitor necalificat, salahor **3** *australian* argat, salahor, om bun la toate (↓ *la o fermă)*

rout¹ [raut] *mil* **I** *s* debandadă, derută; fugă dezordonată; **to put to ~.** ~ **II II** *vt* a pune pe fugă, a înfrânge

rout² *s* **1** ceată, bandă *(de cheflii)* **2** *jur* bandă *(de delincvenţi)* **3** ← *înv* serată, recepţie; petrecere

rout³ **I** *vi* a râma, a scormoni **II** *vt* a scoate (la iveală) scurmând/râmând

route [ru:t] **I** *s* rută, cale, itinerar; **en ~ (for)** în/pe drum (către un loc); pornit, în mers; **to be en/in ~ for** a fi pe drum către, a se îndrepta spre **II** *vt* **1** a dirija, a îndruma **2** a repartiza

route man ['ru:t ,mæn] *s amer v.* **roundsman 2**

route march ['ru:t ,mɑːtʃ] *s mil* marş de voie

route step ['ru:t ,step] *s mil* pas de marş

routine [ru:'ti:n] **I** *s* **1** rutină **2** ordine stabilită; practică împământenită **3** dibăcie, pricepere **4** *teatru* secvenţă fixă; interludiu *sau* intermezzo de balet **5** *automatică* secvenţă de programare care se repetă **II** *adj atr* curent obişnuit, normal, ordinar, regulat, şablon, banal; de fiecare zi, zilnic, cotidian

routine business [ru:'ti:n ,biznis] *s* treburi/afaceri curente

routinely [ru:'ti:nli] *adv* (în mod) curent/obişnuit/banal/cotidian; zilnic, cotidian, făcut/repetat în fiecare zi

routine work [ru:'ti:n ,wə:k] *s* serviciu curent; îndatoriri/treburi curente

routinism [ru:'ti:nizəm] *s rar* caracter rutinier/banal; banalitate, plictiseală (provenită din obişnuinţă); *F* ← fuşăraie

routinist [ru:'ti:nist] *s rar* muncitor *sau* funcţionar care face lucrurile de mântuială/care dă rasol (în virtutea obişnuinţei/rutinei)

rout out ['raut 'aut] *vt cu part adv* **1** a stârni din culcuş *(vânatul)* **2** *fig* a scoate cu de-a sila din casă *sau* din pat *sau* din ascunzătoare *etc.*

rout-seat ['raut,si:t] *s reg* bancă (lungă) închiriată pentru petreceri, nunţi *etc. v.* **rout² 3**

roux [ru:], *pl* ~ [ru:z] *s gastr* rântaş

rove¹ [rouv] **I** *vt* **1** a hoinări, a bate drumurile; a rătăci, a vagabonda **2** a se uita alene în toate părţile, a-şi lăsa privirile să rătăcească **II** *vt* a cutreiera la întâmplare **III** *s* hoinăreală; umblet (aiurea); vagabondaj; **to be on the ~** a cutreiera/a bate drumurile, a hoinări, a umbla de colo colo/ creanga/haihui/aiurea

rove² **I** *s* **1** *tehn* şaibă **2** *text* fir răsucit **II** *vt text* a răsuci

rove³ *pret şi ptc de la* **reave**

rove beetle ['rouv ,bi:tl] *s ent* insectă, gândac *(Staphylinidae sp.)*

Rover ['rouvə'] *s od* conducător/şef/ comandant de cercetaşi *(astăzi* **Venture Scout)**

rover ['rouvə] *s* **1** hoinar, vagabond, drumeţ rătăcitor **2** pirat, corsar **3** ţintă întâmplătoare; **at ~s** la întâmplare/nimereală; fără ţintă **4** *sport* minge care iese de pe teren

roving ['rouviŋ] **I** *adj* **1** rătăcitor, hoinar **2** *(d. ambasador sau reporter)* special *(fără sediu fix)* **II** *s* hoinăreală; vagabondaj; rătăcire

roving ambassador ['rouviŋ æm-'bæsədə'] *s pol* ambasador special/itinerant *(cu misiuni în mai multe ţări)*

roving commission ['rouviŋ kə-'miʃən] *s* delegare/delegaţie în mai multe localităţi *(pentru inspecţie, anchetă etc.)*

roving correspondent ['rouviŋ kɔris'pɔndənt] *s* trimis special al unui ziar, corespondent special

roving eye ['rouviŋ 'ai] *s aprox* ochi alunecoşi; priviri care umblă în toate părţile

roving-eye camera ['rouviŋ,ai 'kæmərə] *s telev* cameră mobilă de reportaj

row¹ [rou] *s* **1** şir, rând, linie; **in a ~** în/la rând; în şir; **to set in a ~** a înşirui, a alinia; **to have a hard ~ to hoe** *amer fig* a avea o problemă/misiune grea; **not a ~ of beans/pins** nici cât o ceapă degerată **2** străduţă; şir de case

row² [rou] **I** *vi* a vâsli, a lopăta; **to ~ in the same boat** a fi de aceeaşi părere, a fi la unison, a se înţelege de minune **II** *vt* **1** a mâna *(o barcă)* cu vâslele **2** a trece/a traversa cu barca *(pe cineva)* **III** *s* **1** vâslit, canotaj **2** plimbare cu barca

row³ [rau] ← *FI s* **1** tărăboi, scandal, zarvă, larmă; tapaj; **to kick up/ to make a ~ a** a face scandal/ tapaj **b** a protesta; **what's the ~?** ce s-a întâmplat? despre ce e vorba? ce e? **2** ceartă, discuţie, gâlceavă; **to have a ~ with smb** a se certa cu cineva **3** încăierare, bătaie **4** dojană, mustrare; **to get into a ~** a-şi atrage o mustrare; a primi observaţii **II** *vi* a se certa, a avea o ceartă **III** *vt* a certa, a mustra, a lua la zor

rowan ['rauən] *s bot* scoruşă *(Sorbus aucuparia)*

rowan tree ['rauən ,tri:] *s bot* scoruş de munte; sorb *(Sorbus aucuparia)*

row boat ['rou ,bout] *s* barcă cu vâsle; şalupă cu vâsle

rowdiness ['raudinis] *s v.* **row³ I 1**

row down ['rou 'daun] *vt cu part adv sport* a întrece la canotaj *(↓ în cursele în care bărcile se ciocnesc)*

rowdy ['raudi] **I** *adj* gălăgios, zgomotos, scandalagiu **II** *s* zurbagiu, scandalagiu; bătăuş, huligan; cuţitar

rowdyism ['raudiizəm] *s* maniere de scandalagiu/zurbagiu; huligan

Rowe [rou], **Nicholas** *poet şi dramaturg englez (1674-1718)*

rowel ['rauəl] **I** *s* **1** rozetă *(la pinten)* **2** rondelă/disc de piele *(pentru eliminarea sudorii calului)* **II** *vt* **1** a da pinteni *(calului)*, a îndemna *(calul)* cu rozeta pintenului **2** a pune *(unui cal)* rondela/discul pentru eliminarea sudorii

Rowena [rou'i:nə] *nume fem*

rowens ['rauənz] *s agr amer* **1** ţarină, (lot de) pământ lăsat să se odihnească **2** *şi pl* otavă

rower ['rouə'] *s* **1** vâslaş, barcagiu **2** *sport* canotor

row house ['rou ,haus] *s amer v.* **terrace(d) house**

rowing boat ['rouiŋ ,bout] *s v.* **row boat**

rowing machine ['rouiŋ mə'ʃi:n] *s sport* aparat pentru exersat vâslitul; barcă mecanică

rowlock ['rɔlək] *s nav* furchet

row out ['rou 'aut] *vt cu part adv* a istovi (cu vâslitul)

row over ['rou ,ouvə'] *vi cu prep* a traversa/a trece cu barca

row round ['rou ,raund] *vi cu prep* a înconjura cu barca

Rowton house ['rautən ,haus] *s* azil/ cămin pentru săraci

row up ['rou 'ʌp] *vi cu prep* a merge cu barca în susul *(unui râu etc.)*

Roxana [rɔk'sɑ:nə] *nume fem*

Roy [rɔi] *nume masc*

royal ['rɔiəl] **I** *adj* **1** regal, regesc **2** *fig* princiar, regesc, splendid, măreţ, magnific **II** *s* **1** coală mare de hârtie *(620 x 500 mm)* **2** *nav* rândunică **3** *mil* ← *od* **the ~** regimentul I infanterie **4** cerb *v.* **R~ stag**

Royal Academician ['rɔiəl ˌəkædə-'miʃən] *s* membru al Academiei Regale de arte; academist

Royal Academy ['rɔial ə'kædəmi] *s* Academia Regală de arte

Royal Air Force ['rɔiəl ˌɛə'fɔːs] *s* Aviația militară britanică

Royal Burgh ['rɔiəl 'bəːg] *s înv* burg/ oraș cu drepturi/prerogative speciale (*în Anglia*)

Royal Commission ['rɔiəl kə'miʃən] *s pol* comisie (↓ *de anchetă*) instituită de rege

Royal Duke ['rɔiəl ˌdjuːk] *s* duce de neam regesc; rudă a suve- ranului/monarhului

Royal Engineers ['rɔiəl endʒi'niəz] *s pl mil* corpul de pionieri, trupele de geniu (*în armata britanică*)

Royal Exchange ['rɔiəl iks'tʃeindʒ] *s ec bursa din Londra*

Royal family ['rɔiəl 'fæmili] *s* familia/ casa regală/domnitoare

royal fern ['rɔiəl 'fəːn] *s bot* specie de ferigă (*Osmunda regalis*)

Royal flush ['rɔiəl 'flʌʃ] *s* chintă regală (*la pocher*)

Royal Institution ['rɔiəl ˌinsti'tjuː ʃ ən] *s* Institutul regal pentru răspân- direa științelor naturii

royalism ['rɔiəlizəm] *s* monarhism, regalism

royalist ['rɔiəlist] *s, adj* 1 monarhist, regalist 2 *amer* reacționar, retro- grad, conservator (extremist) [↓ în **economic** ~ persoană conser- vatoare (în domeniul economic)]

royalistic [rɔiə'lis.ik] *adj* monarhist, regalist

royal jelly ['rɔiəl 'dʒeli] *s agr, farm* lăptișor de matcă

Royal Marines ['rɔiəl mə'riːnz] *s pl* Infanteria marină britanică

royal mast ['rɔiəl ˌmaːst] *s nav* arboret (*al rândunicii*)

Royal Navy ['rɔiəl ˌneivi] *s* marina (militară) regală britanică

Royal Oak ['rɔiəl ˌouk] *s* crenguță de stejar purtată la 29 mai (*în amintirea restaurării dinastiei Stuart în 1660*)

Royal Regiment ['rɔiəl ˌredʒimənt] *s mil* regiment de dragoni (sco- țieni) ai regelui Angliei

royal road ['rɔiəl ˌroud] *s fig* calea cea mai sigură *sau* ușoară

Royal Society ['rɔiəl sə'saiəti] *s* Academia Regală de științe naturale

Royal stag ['rɔiəl 'stæg] *s vânăt* cerb al cărui trofeu valorează (peste) douăsprezece puncte

Royal standard ['rɔiəl 'stændəd] *s* drapel/steag cu însemnele eral- dice ale monarhiei

royal tennis ['rɔiəl 'tenis] *s sport* tenis (pe teren cu zgură)

royalty ['rɔiəlti] *s* 1 regalitate, demnitate/rang de rege 2 *ca pl* familia regală; capete încoronate 3 regat; monarhie; domeniu regal 4 *pl* prerogative regale; redevență 5 *pl* drepturi/indem- nizații de autor *sau* inventator 6 redevență 7 arendă

Royalty fees ['rɔiəlti ˌfiːz] *s pl v.* **royalty** 5

Royal Victorian Chain ['rɔiəl vik- 'tɔriən ˌtʃein] *s* colanul ordinului Victoria (*înaltă decorație bri- tanică*)

Royal Victorian Order ['rɔiəl vik- 'tɔriən ˌɔːdə] *s* Ordinul Victoria (*înaltă decorație britanică*)

royal yard ['rɔiəl 'jaːd] *s nav* vergă de rândunică

Royce [rɔis] *nume masc*

Royston crow ['rɔistən ˌkrou] *s orn* corb cenușiu cu glugă (*Corvus conlix*)

rozzer ['rɔzəʳ] *s sl* sticlete, copoi, polițai

RP *presc de la* 1 **reply paid** 2 **reprint** 3 **reprinting**

R.P.C. *presc de la* **Royal Pioneer Corps** trupele regale de pionieri

r.p.m. *presc de la* **revolutions per minute**

RPO *presc de la* **Railway Post- Office**

r.p.s. *presc de la* **revolutions per second**

R.P.S. *presc de la* **Royal Pho- tographic Society**

rpt *presc de la* 1 **repeat** 2 **report**

R.R. *presc de la* 1 **railroad** 2 **rural route**

R.R.C. *presc de la* (**Lady of the**) **Royal Red Cross** (înaltă Doam- nă care patronează) Societatea Regală de Cruce Roșie

Rs *presc de la* 1 **reis** 2 **rupees**

RS *presc de la* 1 **recording secre- tary** 2 **revised statutes** 3 **right side** 4 **Royal Society**

RSA *presc de la* **Royal Scottish Academy/Academician, Royal Society of Arts**

R.S.D. *presc de la* **Royal Society of Dublin** Academia din Dublin

R.S.E. *presc de la* **Royal Society of Edinburgh**

R.S.F.S.R. *presc de la* **Russian Soviet Federated Socialist Republic**

R. Sigs *presc de la* **Royal Corps of Signals** trupele regale de semnalizare

R.S.M. *presc de la* **Regimental Sergeant Major** *aprox* major, plutonier major de intendență

R.S.P.C.A. *presc de la* **Royal Society for the Prevention of Cruelty to Animals** Societatea pentru protecția animalelor

R.S.V. *presc amer de la* **Revised Standard Version** (of the Bible)

R.S.V.P. *presc de la* **repondez s'il vous plaît** vă rugăm să răspun- deți (dacă acceptați sau nu invitația)

R.T. *presc de la* **Radio Telegraphy; Radio Telephony**

Rt *presc de la* **Radio telephone**

rt *presc de la* **right**

rte *presc de la* **route**

Rt. Hon. *presc de la* **Right Hon- ourable** (distinsul) deputat

Rt. Rev(d) *presc de la* **Right Rev- erend** *aprox* Sfinția Sa

R.U. *presc de la* **Rugby Union**

Ru. *presc de la* **ruthenium**

Ruanda (Urundi) ['rwaːndə (u'rundi)] *înv* Ruanda *țară în Africa*

rub [rʌb] **I** *vt* 1 a freca; **to ~ one's hands** a-și freca mâinile de satisfacție *etc.*; **to ~ one's hands sore** a-și freca mâinile până la sânge; **to ~ smb (up) the wrong way** a lua pe cineva în răspăr; a supăra/a contraria pe cineva; **to ~ elbows with** a fi cot la cot cu, a fi în cârdășie cu; **to ~ noses with smb a** a saluta pe cineva frecându-și nasul de al său **b** *F fig* a fi foarte intim cu cineva, a se bate pe burtă cu cineva; **to ~ shoulders with smb** a avea de-a face cu cineva, a se izbi de cineva **2** a roade, a uza; a transforma; a reduce; a măcina **3** a copia un model (*cu grafit*) **4** a curăți prin frecare; a lustrui; a șterge **5** a fricționa **II** *vi* **1** (**against/on/over**) a se freca (de); a freca (cu ac) **2** (*d. haine etc.*) a se uza **III** *s* **1** frecare **2** *v.*

rubbing I 2 3 ← *F* piedică, obstacol, impediment; greutate, dificultate; **there is the ~!** în asta constă toată dificultatea! aici e aici! **4** *sport* inegalitate de teren **5** *fig* imperfecțiune, greșeală **6** (piatră de) tocilă; piatră de ascuțit **7** v. **rubber²**

rub-a-dub(-dub) ['rʌbə,dʌb(,dʌb)] *s* răpăit (de tobe), bătaia tobelor

rub along ['rʌb ə'lɔŋ] *vi cu part adv* **1** a se descurca, a o scoate la capăt, a răzbi **2** a trăi în înțelegere, a se împăca bine **3** a o duce/a trăi de azi pe mâine

rubato [ru:'bɑːtou] *muz* **I** *adj* rubato **II** *pl* ~s [ru:'bɑːtouz] *sau* rubati [ru:'bɑːti] *s* stil rubato; pasaj cântat în stil rubato

rub away ['rʌb ə'wei] *vt cu part adv* **1** a uza prin frecare **2** a scoate prin frecare; a șterge

rubber¹ ['rʌbə'] **I** *s* **1** cauciuc, gumă **2** obiect de cauciuc **3** gumă (de șters), radieră **4** (pl) galoși **5** maseur, masor (la baia de aburi); **to have a ~** a-și face masaj, a se duce la masaj **6** v. **rub III 6 7** *tehn* sabot de frână; frecător; frotor **8** *fig* nenorocire, nenoroc **9** v. **rub III 3 II** *vt* a cauciuca; a impregna cu cauciuc **III** *vi amer sl* a lungi gâtul, a căsca gura (de curiozitate)

rubber² *s* **1** rober (la cărți) **2** *sport* meci din trei seturi (la tenis, cricket)

rubber cheque ['rʌbə ,tʃek] *s fin F* cec fără acoperire (refuzat de bancă)

rubber dollar ['rʌbə ,dɔlə'] *s ec* dolar devalorizat (de inflație)

rubber finger ['rʌbə ,fiŋə'] *s* burete pentru umezit degetele

rubber goods ['rʌbə ,gudz] *s pl com eufemistic* prezervative; anticoncepționale

rubberize ['rʌbəraiz] *vt* v. **rubber¹ II**

rubber match ['rʌbə ,mætʃ] *s sport* partidă/meci de departajare/baraj

rubberneck ['rʌbə,nek] *amer sl* **I** *vi* v. **rubber¹ III II** *s* turist curios, gură-cască

rubberneck car ['rʌbə,nek 'kɑː'] *s* autocar (pt turiști)

rubberneck tourist ['rʌbə,nek 'tuərist] *s* turist care face turul orașului în autocar

rubber plant ['rʌbə ,plɑːnt] *s bot* **1** arbore de cauciuc (Hevea sp.) **2** specie de arbust decorativ/ornamental (Ficus elastica)

rubber stamp ['rʌbə ,stæmp] **I** *s* ștampilă de cauciuc **II** *vt* **1** a ștampila **2** a aproba/a aviza/a parafa (în mod mecanic/automat)

rubber tree ['rʌbə 'triː] *s* v. **rubber plant**

rubbery ['rʌbəri] *adj* **1** de cauciuc **2** cauciucat **3** elastic, de consistența cauciucului

rubbing ['rʌbiŋ] **I** *s* **1** frecare **2** *med* fricționare; fricțiune, frecție **3** *tehn* polizare **4** *text* rostogol **5** desen copiat (cu ajutorul grafitului) **II** *adj* frecător, fricativ

rubbing alcohol ['rʌbiŋ ælkə'hɔl] *s med* alcool/spirt pentru frecții

rubbing bar ['rʌbiŋ ,bɑː'] *s nav* chilă falsă

rubbish ['rʌbiʃ] **I** *s* **1** gunoi; moloz; rebuturi; vechituri; **good riddance to bad ~** bine că am scăpat! călătorie sprâncenată! să vină/vii înapoi când mi-oi vedea ceafa! **2** *F* prostii, fleacuri, mofturi **3** *sl* bani, lovele, monedă **4** *minrl* rocă de calitate inferioară **II** *interj F* vax (albina)! aiurea (în tramvai)! **III** *vt australian* **1** a arunca/a da la gunoi **2** a critica (aspru), a freca (până îi merg fulgii), a freca ridichea (cuiva)

rubbish bin ['rʌbiʃ ,bin] *s* ladă/cutie de gunoi

rubbish cart ['rʌbiʃ ,kɑːt] *s* **1** tomberon **2** autogunoieră

rubbish heap ['rʌbiʃ ,hiːp] *s* morman de gunoi

rubbishing ['rʌbiʃiŋ] *adj* v. **rubbishy**

rubbishy ['rʌbiʃi] *adj* **1** plin de/acoperit de gunoaie **2** fără valoare, de nimic, de aruncat (la gunoi), de dat la coș

rubble ['rʌbəl] *s* **1** moloz, dărâmături **2** pietriș, prundiș; balast

rubble ice ['rʌbəl ,ais] *s* gheață sfărâmată

rubble walling ['rʌbəl ,wɔːliŋ] *s* v. **rubble work**

rubble work ['rʌbəl ,wəːk] *s constr* zidărie din piatră brută/nefasonată

rubbly ['rʌbli] *adj* sfărâmicios; sfărâmat; ca pietrișul

rube [ruːb] *s amer sl* țărănoi, mocofan

rubefacient [,ruːbi'feiʃənt] *adj med* care înroșește/irită pielea

rubefaction [,ruːbi'fækʃən] *s med* înroșire/iritare a pielii

rubefy ['ruːbi,fai] *vt* a înroși, a irita (pielea)

rubella [ruː'belə] *s med* rubeolă, pojar ușor

rubellite [ruː'bi,lait] *s minr* turmalină roșie

Rubenesque [,ruːbə'nesk], **Rubensian** [ruː'bensiən] *adj artă* Rubensian

Rubens ['ruːbinz], **Peter Paul** *pictor flamand (1577-1640)*

rubeola [ruː'biːələ] *s med* pojar, rujeolă

Rubicon, the ['ruːbikən, ðə] **I** *s* **1** *od* râu în Italia **2** câștigarea partidei (la pichet) înainte ca adversarul să facă 100 de puncte **II** *vt* a bate (la pichet) înainte ca adversarul să facă 100 de punte

rubicund ['ruːbikənd] *adj* rumen, roșcovan; rubicond

rubify ['ruːbifai] *vt* v. **rubefy**

rubiginous [ruː'bidʒinəs] *adj* ruginiu, de culoarea ruginei

rub in ['rʌb 'in] *vt cu part adv* a readuce în discuție, a insista asupra (cu gen); **don't rub it in!** *F* nu mai tot aduce vorba despre asta

Rubinstein ['ruːbin,stain] **1 Anton** *pianist și compozitor rus (1829-1894)* **2 Arthur** *pianist american (1886-1983)*

rub into ['rʌb ,intə] *vt cu prep* a face să pătrundă prin frecare/fricționare

rubious ['ruːbiəs] *adj poetic* rubiniu, de culoarea rubinului

ruble ['ruːbəl] *s* v. **rouble**

rub off ['rʌb 'ɔːf] *vt cu part adv* **1** v. **rub away 2 2** a jupui (de piele etc.)

rub out ['rʌb 'aut] *vt cu part adv* **1** a răzui, a rade, a șterge **2** *fig sl* a lichida, a curăța, a face de petrecanie (cu dat)

rubric ['ruːbrik] **I** *s* **1** rubrică **2** alineat, paragraf **3** *minrl* pământ roșu **II** *adj* v. **rubrical**

rubrical ['ruːbrikəl] *adj* **1** colorat, scris *sau* tipărit cu roșu (în calendar etc.) **2** (d. zi) festiv, de sărbătoare **3** împărțit în rubrici

rubricate ['ru:bri,keit] *vt* **1** a însemna cu roşu **2** a despărţi în coloane, capitole, secţiuni *etc.*

rubrication [,ru:bri'keiʃən] *s* **1** scriere *sau* marcare *sau* tipărire cu cerneală roşie **2** rubricatură, marcare a coloanelor/rubricilor; specificare a coloanelor/rubricilor **3** împărţire în capitole **4** pasaj, text, literă *etc.* însemnat(ă) cu roşu

rubricator ['ru:bri,keitə'] *s od* artist (cărturar) însărcinat să însemne cu roşu rubricile, pasajele *etc.* din manuscrise *sau* tipărituri

rubrician [ru:'briʃən] *s* adept (strict) al despărţirii în capitole, coloane *etc.*

rubricist ['ru:brisist] *s fig* conservator (rigid)

rubricity [ru:'brisiti] *s* roşeaţă, culoare roşie

rubstone ['rʌb,stoun] *s v.* **rub III** 6

rub up ['rʌb 'ʌp] **I** *vt cu part adv* **1** a lustrui **2** a împrospăta **II** *vi cu part adv* a se freca; a se hârşâi

Ruby ['ru:bi] *nume fem*

ruby I *s* **1** rubin; **above rubies** nepreţuit, inestimabil **2** culoare rubinie, rubiniu **3** vin roşu **4** *sl sport* borş, − sânge **5** *poligr* caractere de 5 1/2 puncte *sau amer* 3 1/2 puncte **II** *adj* rubiniu

ruby-glass ['ru:bi,gla:s] *s* sticlă colorată cu oxid de cupru *etc.*

ruby-red ['ru:bi,red] *adj v.* **ruby II**

ruby-tail ['ru:bi,teil] *s ent* insectă cu spinarea/coada rubinie *(Chrysis sp.)*

ruby wedding ['ru:bi ,wediŋ] *s* (aniversare a) 40 de ani de la cununie/căsătorie

ruby wood ['ru:bi ,wud] *s bot* santal *(Pterocarpus santalinus)*

R.U.C. *presc de la* **Royal Ulster Constabulary** jandarmeria britanică din Irlanda de Nord

ruche [ru:ʃ] *s* volan/volănaş de dantelă; ornament de dantelă

ruched [ru:ʃt] *adj* (împodobit/dichisit/ornamentat) cu volănaşe

ruching ['ru:ʃiŋ] *s* (împodobire/găteală cu) volănaş de dantelă

ruck¹ [rʌk] **I** *s* cută, creţ, încreţitură, fald **II** *vt* a încreţi, a plisa

ruck², the *s* mulţimea, gloata; oamenii de rând; **to get out of ~ a** a parveni (în viaţă), a urca pe scara socială **b** a ieşi din anonimat, a deveni cineva

ruckle¹ ['rʌkəl] **I** *s v.* **ruck¹** 1 **II** *vt* a mototoli, a şifona **III** *vi* a se mototoli, a se şifona

ruckle² **I** *s* horcăit **II** *vt* a horcăi

ruckle³ *s* maldăr, grămadă, morman

rucksack ['rʌk,sæk] *s* rucsac

ruck up ['rʌk 'ʌp] **I** *vt cu part adv* a încreţi, a face creţuri/cute în **II** *vi cu part adv* a se încreţi, a face cute/creţuri

ruckus ['rʌkəs] *s amer* tărăboi, zarvă, tapaj, gălăgie, scandal, hai

ructation [rʌk'teiʃən] *s înv med* eructaţie, F râgâială

ruction ['rʌkʃən] *s* **1** *sl* ceartă, sfadă **2** *v.* **ruckus**; **there'll be ~** iese/o să iasă/o să se lase cu scandal

rudd [rʌd] *s iht* roşioară (cu pană roşie), babuşcă, roşie, ocheniţă *(Scardinius erythrophthalmus)*

rudder ['rʌdə'] *s* **1** *nav* cârmă; vâslă, lopată pentru cârmit **2** *av* cârmă; direcţie **3** *fig* principiu conducător/călăuzitor, călăuză

rudder bar ['rʌdə ,baː'] *s av* palonier

rudder blade ['rʌdə ,bleid] *s nav* pana cârmei

rudder braces ['rʌdə ,breisiz] *s pl nav* balamalele cârmei

rudder-fish ['rʌdə,fiʃ] *s* peşte care urmăreşte vapoarele/corăbiile

rudderless ['rʌdəlis] *adj* **1** *nav* fără cârmă; în derivă **2** *fig* fără cârmă/conducere/conducător

rudder post ['rʌdə ,poust] *s* **1** *nav* etamboul cârmei **2** *av* axa cârmei

ruddiness ['rʌdinis] *s* roşeaţă/rumeneală în obraji

ruddle ['rʌdəl] **I** *s* cretă roşie; (culoare) ocru (↓ *pentru însemnarea oilor)* **II** *vt* **1** a însemna/a marca *sau* a colora cu ocru **2** a dunga (oile), a însemna (oile) cu o dungă

ruddock ['rʌdək] *s* **1** *orn* prihor(ie), prigorie *(Erithacus rubecola)* **2** *înv* ban de aur

ruddy ['rʌdi] *adj* **1** rumen (în obraji); roşcat, roşcovan **2** bronzat, arămiu **3** *sl* al naibii, dat dracului, − afurisit, blestemat

rude [ru:d] *adj* **1** rudimentar; grosolan; primitiv **2** prost crescut, nepoliticos, necuviincios, necivilizat, fără maniere; **don't be ~** fii politicos/cuviincios; poartă-te frumos; **to be ~ to** a jigni, a

ofensa, a insulta *cu ac* **3** insolent, obraznic; mojic **4** aspru, sever, feroce **5** *fig (d. lovituri, pasiuni etc.)* violent, vehement, puternic; brusc **6** brut, neprelucrat; crud **7** viguros, voinic, robust, sănătos

rude awakening ['ru:d ə'weikəniŋ] *s fig* trezire bruscă la realitate

rude beginning ['ru:d bi'giniŋ] *s* început greoi/dificil; stare primitivă/brută/crudă; rudiment

rude blast ['ru:d 'bla:st] *s* rafală puternică, vânt cumplit/violent

rude chaos ['ru:d 'keiəs] *s* haos total

rude classification ['ru:d ,klæsifi-'keiʃən] *s* clasificare primară/primitivă/grosolană

rude drawing ['ru:d 'drɔ:iŋ] *s* schiţă rudimentară; proiect iniţial/abia schiţat; rudiment

rude fare ['ru:d 'fɛə'] *s* mâncare proastă; meniu ordinar; masă ordinară/proastă

rude health ['ru:d 'helθ] *s* sănătate înfloritoare; vigoare, robusteţe; fire sănătoasă/robustă

rude ignorance ['ru:d 'ignərəns] *s* ignoranţă crasă/totală/jalnică

rudely ['ru:dli] *adv* **1** (în mod) grosolan, primitiv; fără îndemânare/pricepere; inabil **2** nepoliticos, necuviincios, fără cuviinţă **3** insolent, obraznic **4** aspru, sever **5** violent, vehement **6** brusc

rude man ['ru:d 'mæn] *s* **1** mitocan, mocofan, mojic **2** *mil* soldat prost, răcan

rude methods ['ru:d 'meθədz] *s pl* metode/procedee primitive/ordinare/rudimentare; metode brutale

rudeness ['ru:dnis] *s* **1** caracter rudimentar/grosolan/primitiv; primitivism **2** grosolănie, nepoliteţe; mojicie; proastă creştere; lipsă de maniere **3** obrăznicie, insolenţă **4** asprime, severitate; ferocitate **5** violenţă, vehemenţă **6** caracter brusc/neaşteptat

rude observer ['ru:d əb'zə:və'] *s* simplu observator; observator/spectator neavizat, superficial *sau* indiferent

rude passion ['ru:d 'pæʃən] *s* pasiune/patimă violentă/aprinsă/înflăcărată

rude path ['ru:d 'pa:θ] *s* potecă/cărare nebătătorită

rude plough ['ru:d 'plau] *s agr* plug primitiv

rude remarks ['ru:d ri'ma:ks] *s pl* mojicii, mitocănii; obrăznicii, vorbe impertinente/insolente; impertinență/insolență; insulte

rude reminder ['ru:d ri'maində'] *s* memento *sau* avertisment brutal *(care te trezește la realitate)*

rudery ['ru:dəri] *s v.* **rudeness**

Rudesheimer ['ru:dəs,haimə'] *s germ* vin alb de Rin/Renania

rude shock ['ru:d 'ʃɔk] *s* șoc brutal/violent/brusc; lovitură neașteptată

rude simplicity ['ru:d sim'plisiti] *s* simplitate/naivitate crasă

rude style ['ru:d ,stail] *s lit* stil frust/neformat; cruditate a stilului

rude things ['ru:d 'θiŋz] *s* vorbe grele, insulte, ocări; *v.* **rude remarks**

rude times ['ru:d 'taimz] *s* vremuri/timpuri grele/aspre

rude verse ['ru:d 'və:s] *s* versuri naive/lipsite de rafinament

rude version ['ru:d 'və:ʃən] *s* 1 versiune brută/preliminară; ciornă 2 *v.* **rough translation**

rude writer ['ru:d 'raitə'] *s* scriitor frust/lipsit de rafinament/fără stil

rudiment ['ru:dimənt] *s* 1 rudiment 2 *pl* prime noțiuni/elemente, cunoștințe elementare; baze

rudimental [,ru:di'mentəl] *adj v.* **rudimentary**

rudimentary [,ru:di'mentəri] *adj* rudimentar; nedezvoltat; elementar

rudish ['ru:diʃ] *adj* cam grosolan; cam/oarecum nepoliticos

Rudolf, Lake ['ru:dɔlf, ,leik] Lacul Rudolf *(în Africa)*

Rudolph ['ru:dɔlf] *nume masc*

Rudy ['ru:di] *nume masc*

Rudyard ['rʌdjəd] *nume masc*

rue¹ [ru:] **I** *vt* a regreta, a-i părea rău de; **to ~ the day** a blestema ziua (aceea) **II** *vi* a se căi, a avea remușcări, a fi plin de căință **III** *s* 1 ← *înv* regrete, remușcări; părere de rău, căință 2 milă, compasiune

rue² *s bot* rută, virnanț *(Ruta graveolens)*

rueful ['ru:ful] *adj* 1 trist, jalnic; lamentabil 2 melancolic; trist, mâhnit, îndurerat; **the Knight of the R~ Countenance** cavalerul tristei figuri, Don Quijote 3 ← *înv* milos, plin de milă

ruefully ['ru:fuli] *s* 1 jalnic; lamentabil 2 trist, cu tristețe/mâhnire 3 ← *înv* cu milă/menajamente

ruefulness ['ru:fulnis] *s* 1 tristețe, mâhnire, jale 2 ← *înv* milă

rufescence [ru:'fesəns] *s zool* culoare roșcată/roșiatică

rufescent [ru:'fesənt] *adj* de culoare roșcată, roșcat, roșiatic

ruff¹ [rʌf] *s* 1 guler încrețit 2 *orn, zool* guler

ruff² *s orn* 1 păun de mare *(Pavoncella pugnax)* 2 porumbel, guștiuc

ruff³ **I** *s (la cărți)* tai *(cu atu)* **II** *vt (la cărți)* a tăia *(cu atu)*

ruff⁴ *s iht* ghigorț, ghiborț *(Acerina cernua)*

ruffed [rʌft] *adj orn, zool* gulerat, (cu) colier

ruffian ['rʌfiən] **I** *s* 1 zurbagiu; cuțitar; huligan 2 ticălos; bandit, tâlhar, om brutal **II** *adj* 1 ticălos, mârșav 2 brutal, sălbatic

ruffianism ['rʌfiənizəm] *s* 1 huliganism, banditism 2 tâlhărie

ruffianly ['rʌfiənli] *adj* 1 brutal, ca o brută 2 de bandit/brută; huliganic

ruffle¹ ['rʌfəl] **I** *vt* 1 a ciufuli, a zburli, a lua în răspăr 2 a încreți, a tulbura, a face să unduiască/vălurească *(apa)* 3 a scoate din fire/răbdări; a tulbura; a zădărî; a zgândări 4 ← *F* a contrazice, a contraria; a zădărî 5 a plisa *(un guler)* 6 *v.* **ruckle¹** **II** *vi* 1 *(d. păr)* a se ciufuli, a se zburli 2 *(d. pene)* a se zburli 3 *(d. lac etc.)* a se ondula, a se încreți, a vălura, a se tulbura **III** *s* 1 manșetă gofrată din dantelă, volănaș 2 *sl* brățară, – cătușă 3 încrețire, ondulație, undă; *pl* vălurele 4 ← *rar* sfadă, gâlceavă 5 *v.* **ruff¹** 2

ruffle² *vi* ← *înv* 1 a face pe grozavul, a-și da aere (grozave), a se grozăvi, a se făli 2 a-și lua/da aere de superioritate 3 a fi certăreț/artăgos/supăracios/bățos; a avea artag

ruffle it out ['rʌfəlit 'aut] *vt cu pr și part adv* a-și da ifose; a se fuduli, a se împăuna

ruffler ['rʌflə'] *s* ← *F* 1 fanfaron, lăudăros, mincinos 2 tip arogant/înfipt/băgăreț 3 om artăgos/țâfnos

rufous ['ru:fəs] *adj* roșcovan; arămiu; brun-roșcat

Rufus ['ru:fəs] *nume masc*

rug [rʌg] *s* 1 covoraș, carpetă; **to pull the ~ (out) from under smb a** a-i tăia cuiva craca de sub picioare, a-i lua apa de la moară; a-și retrage sprijinul acordat cuiva **b** a da pe cineva de gol 2 pătură, pled

Rugbeian ['rʌgbiən] **I** *adj* legat de liceul/școala de la Rugby *(în comitatul Warwickshire)* **II** *s* (fost) elev la Rugby

Rugby ['rʌgbi] *s* 1 oraș (universitar) în Anglia 2 și r~ *v.* **Rugby football**

Rugby ball ['rʌgbi ,bɔ:l] *sport* balon oval, minge de rugbi

Rugby fives ['rʌgbi ,faivz] *s pl sport* turneul celor cinci națiuni *(la rugbi)*

Rugby football ['rʌgbi 'fut,bɔ:l] *s sport* rugbi, sportul cu balonul oval

Rugby League (football) [,rʌgbi 'li:g ('fut,bɔ:l)] *s sport* rugby profesionist jucat de echipe formate din 13 jucători

Rugby Union (football) ['rʌgbi 'ju:niən ('fut,bɔ:l)] *s sport* rugby de amatori jucat de echipe formate din 15 jucători

rugged ['rʌgid] *adj* 1 *(d. teren, drum)* accidentat, neuniform, neregulat 2 colțuros, aspru 3 *fig* necizelat, neșlefuit; brut 4 sever, aspru, neînduplecat 5 ← *F* robust, masiv, solid

ruggedize ['rʌgi,daiz] *vt tehn, text* a întări, a ranforsa, a face mai rezistent/tare/durabil

ruggedly ['rʌgidli] *adv* 1 aspru, cu asprime 2 viguros, cu vigoare

ruggedness ['rʌgidnis] *s* 1 asperitate, asprime *(a unei suprafețe)*; caracter colțuros; aspect neuniform 2 duritate, severitate, asprime *(a caracterului)*

rugger ['rʌgə'] *s F v.* **Rugby football**

rugose ['ru:gous] *adj* zbârcit, încrețit, cu cute; (cu aspect) rugos

rugosely ['ru:gousli] *adv* cu rugozități; ondulat, încrețit

rugosity [ru:'gɔsiti] *s* zbârcitură, încrețitură, rugozitate

rugous ['ru:gəs] *adj v.* **rugose**

Ruhr [ruə'] *râu și provincie în Germania*

ruin [ruin] **I** s **1** ruină **2** pieire, distrugere, năruire; **that will be the ~ of me** asta o să mă bage în mormânt/o să mă distrugă; **to bring to ~** a duce la ruină, a ruina, a distruge, a dărăpăna **3** pl ruine, dărâmături; **in ~s** în ruină, ruinat **II** vt **1** a ruina **2** a dărâma, a nărui, a distruge; a prăda; **to ~ a girl** a dezonora o fată **3** a sărăci, a ruina, a duce la sapă de lemn **III** vi **1** a decădea, a scăpăta **2** a se ruina **3** a cădea, a se prăbuși *(cu zgomot)*

ruination [ru:i'neiʃən] s **1** ruinare, dărâmare, dărăpănare; distrugere, ruină **2** și fig prăpăd, dezastru; nimicire, pieire; ruină

ruinous ['ru:inəs] adj **1** ruinător, distrugător, nimicitor **2** dezastruos, funest, nenorocit **3** ruinat, pierdut, decăzut

ruinously ['ru:inəsli] adv (în mod) ruinător/distrugător

ruinousness ['ru:inəsnis] s caracter ruinător/distrugător/falimentar

rule [ru:l] **I** s **1** regulă; normă, prescripție; lege; **as a (general) ~** de regulă, în general, în genere, de obicei; **by ~** după regulile stabilite, conform regulii; **to make it a ~ of** a-și face o regulă/ un obicei din, a se deprinde să **2** stăpânire, domnie, autoritate, putere; conducere; **under the ~ of** sub domnia/stăpânirea/autoritatea *cu gen;* în puterea *cu gen* **3** ← pl regulament **4** jur ordonanță, decizie **5** riglă, linie (gradată) **6** poligr interlinie, linie care desparte coloanele **7** linioară, liniuță, pauză (în punctuație) *(și en ~ sau em ~)* **II** vt **1** a cârmui, a guverna, a conduce, a domni asupra *(cu gen)* **2** jur a decide, a hotărî, a dispune **3** a linia, a trage linii pe; a trage *(linii)* cu rigla **III** vi com a cota, a se menține; **the market ~s high** piața se menține ridicată

rule absolute ['ru:l 'æbsəlu:t] s regulă absolută/jur obligatorie/ generală

ruleless ['ru:llis] adj dezordonat, dereglat, deranjat; în dezordine

rule of court ['ru:ləv 'kɔ:t] s jur sentință/decizie a tribunalului

rule off ['ru:l 'ɔ:f] vt cu part adv **1** a trage o linie dedesubtul *(cu gen)*

2 com a încheia *(un cont etc.)*

rule of the road ['ru:l əv ðə 'roud] s **1** legea circulației, regulament de circulație rutieră **2** nav reglementare a curselor vaselor

rule of three ['ru:l əv 'θri:] s mat regula de trei simplă

rule of tumb ['ru:l əv 'θʌm] s metodă empirică; **by ~** (în mod) empiric

rule out ['ru:l 'aut] vt cu part adv **1** a exclude, a elimina **2** jur a interzice **3** a bifa

ruler¹ ['ru:lə] s conducător, cârmuitor; domnitor, stăpânitor

ruler² s linie, riglă

rulership ['ru:ləʃip] s v. **rule I 2**

Rules, the ['ru:lz, ðə] s pl australian Regulamentul jocului de fotbal în Australia

ruling ['ru:liŋ] **I** adj **1** conducător; de conducere/guvernământ **2** curent, actual; predominant **II** s **1** cârmuire, guvernare, conducere **2** ordonanță/decizie/hotărâre judecătorească **3** liniere *(a hârtiei etc.)*

ruling out ['ru:liŋ ‚aut] s excludere, eliminare

ruling passion ['ru:liŋ 'pæʃən] s pasiune dominantă, motiv/imbold dominant

ruling pen ['ru:liŋ ‚pen] s trăgător *(pt linii)*

ruling prices ['ru:liŋ 'praisiz] s pl ec, com prețuri curente (pe piață); prețul pieței

rulley ['rʌli] s reg car/căruță de povară

ruly English [‚ru:li 'ingliʃ] s F engleză închistată/rigidă/conservatoare

Rum. presc de la **1 Rumania 2 Rumanian**

rum¹ [rʌm] s **1** rom **2** amer băutură alcoolică

rum² adj ← F ciudat, curios; straniu; **to feel ~** a nu se simți bine/în apele lui

Ruman ['ru:mən] adj, s **1** v. **Romanian 2** v. **Wallachian**

Rumania [ru:'meiniə] v. **Romania**

Rumanian [ru:'meiniən] adj, s v. **Romanian**

rumba ['rʌmbə] **I** s rumbă **II** vi a dansa rumba

rum baba ['rʌm ‚ba:bə] s gastr savarină

rumbelow ['rʌmbilou] s tra la la, rap rap rap *(ca refren)*

rumble¹ ['rʌmbəl] **I** vi **1** *(d. tunet)* a bubui, a hurui **2** a hodorogi; a hurui **3** *(d. mațe)* a chiorăi **II** vt a mormăi, a bodogăni, a murmura **III** s **1** bubuit, bubuitură, huruit *(de tunet)* **2** huruială; hodorogeală **3** zarvă, tumult, gălăgie **4** chiorăială *(a mațelor)* **5** scăunaș pentru bagaje *(la trăsură)*

rumble² vt **1** a simți din depărtare *(pe cineva)* **2** a pricepe, a înțelege, a ghici *(intențiile cuiva etc.)*

rumble off ['rʌmbəl 'ɔ:f] vi cu part adv a se îndepărta huruind

rumble seat ['rʌmbəl ‚si:t] s scaun rabatabil *(↓ în automobil)*

rumble-tumble ['rʌmbəl ‚tʌmbəl] s **1** zdruncinătură; hop **2** trăsură hodorogită, rablă, hodoroagă

rum blossom ['rʌm ‚blɔsəm] s F v. **rose drop 1**

rumbustious [rʌm'bʌstjəs] adj ← F zgomotos, gălăgios; scandalagiu

Rumelia [ru:'mi:liə] ist provincie în Balcani

rumen ['ru:men], pl **rumina** ['ru:-minə] s zool rumen, burduf *(la rumegătoare)*

rumina ['ru:minə] pl de la **rumen**

ruminant ['ru:minənt] **I** s zool rumegător **II** adj **1** zool rumegător **2** fig gânditor, meditativ

ruminate ['ru:mi‚neit] **I** vi **1** *(d. rumegătoare)* a rumega **2** fig a medita, a reflecta, a sta pe gânduri **II** vt a se gândi la, a medita la *sau* asupra *(cu gen)*

rumination [‚ru:mi'neiʃən] s **1** zool rumegare **2** fig reflectare, meditație

ruminative ['ru:minətiv] adj predispus la rumegare/meditație; contemplativ

rumly ['rʌmli] adv ← F (în mod) ciudat/straniu/curios

rummage ['rʌmidʒ] **I** vt **1** a răscoli, a scotoci, a răvăși; **to ~ the house from top to bottom** a întoarce cu susul în jos **2** a căuta pretutindeni **II** vt a scotoci, a cotrobăi, a răscoli **III** s **1** răvășire, răscolire, scotocire **2** căutare; percheziție *(vamală)* **3** boarfe, vechituri

rummage out ['rʌmidʒ 'aut] vt cu part adv a scoate la iveală, a descoperi

rummage sale ['rʌmidʒ ˌseil] *s* **1** vânzare/licitație de vechituri **2** bazar

rummage up ['rʌmidʒ 'ʌp] *vt cu part adv v.* **rummage out**

rummaging ['rʌmidʒiŋ] *s v.* **rummage III 1**

rummer ['rʌmə'] *s* stacană, pocal, pahar mare

rummy[1] ['rʌmi] *s* remi, rummy

rummy[2] *adj v.* **rum**[2]

rumness ['rʌmnis] *s* ciudățenie, bizarerie, curiozitate

rumor ['ru:mə'] *adj v.* **rumour**

rumour ['ru:mə'] **I** *s* **1** zvon; știre, veste; **a ~ is about that** se zvonește că **II** *vt* a răspândi zvonuri despre; **it is ~ed that** se zvonește că, se aude că, umblă vorba că; **he is ~ed to be dead** se zvonește că ar fi murit

rump [rʌmp] *s* **1** șezut, fund, dos; noadă **2** crupă *(la cal)* **3** târtiță *(la păsări)* **4** ← *F* rest, rămășiță

rumple ['rʌmpəl] **I** *vt* **1** a mototoli, a boți, a șifona **2** a ciufuli, a zburli **3** *F v.* **ruffle I 4 II** *vi (d. păr)* a se ciufuli, a se zburli

rumpled ['rʌmpəld] *adj* șifonat, mototolit; *(d. păr)* ciufulit

rumpling ['rʌmpliŋ] *s* mototolire, boțire

rump steak ['rʌmp ˌsteik] *s gastr* ramste(c)k, friptură din pulpă de vacă

rumpus ['rʌmpəs] *s F* tărăboi, scandal, – zarvă, zgomot; **to have a ~ with smb** ← *F* a se certa cu cineva

rumpus room ['rʌmpəs ˌru:m] *s amer* cameră de joacă/distracție *sau* salon de dans *(în pivniță/la subsol)*

rumpy ['rʌmpi] *s zool* pisică fără coadă *(din insula Man)*

rumrunter ['rʌm,rʌntə'] *s amer ←* *F* contrabandist de alcool

rum-shop ['rʌm,ʃɔp] *s amer F* debit/ magazin de băuturi spirtoase; cârciumă

rum shrub ['rʌm ˌʃrʌb] *s* salată/ cocteil de fructe; *aprox* crușon

run [rʌn] **I** *pret* **ran** [ræn], *ptc* **run** [rʌn] *vi* **1** a alerga, a fugi; **he came ~ning towards me** veni fugind/fuga la mine **2** a fugi, a o lua la fugă; a căuta să scape; **to ~ for it** a fugi ca să scape, a

scăpa (fugind); **cut and ~** *sl* fugi ca să scapi **3** a alerga; a se grăbi; **I ran to his aid** am alergat în ajutorul lui/să-l ajut **4** *sport* a alerga; a lua parte la alergări/ curse **5** *(d. mașini etc.)* a merge, a funcționa **6** *nav* a naviga; a pluti; **to ~ before the wind** a naviga cu vântul în spate **7** *(d. râuri etc.)* a curge **8** a curge, a se scurge; a se prelinge; a șiroi **9** *(cu adj)* a deveni, a se face; **my blood ran cold** îmi îngheață sângele în vine **10** *(d. o rană etc.)* a supura, a puroia **11** *(d. culori)* a se șterge, a ieși **12** *fig* a merge; a se desfășura; **that is how the argument ran** așa s-a desfășurat discuția **13** a se menține; a dura, a ține, a dăinui **14** *(d. un text etc.)* a glăsui, a suna, a spune **15** *(d. o piesă)* a se juca, a ține afișul **16** *(cu adj)* a se menține *(la un nivel, la o anumită valoare etc.)* **17** *jur* a fi în vigoare; a-și păstra efectul/valabilitatea **18** *(d. un zvon etc.)* a circula **19** *(d. plante)* a se cățăra; a se târî **20** a se mișca incontinuu, a nu se mai opri **21** *(d. ciorapi)* a se rupe, a i se duce un fir *sau* mai multe fire **22** *(d. timp etc.)* a trece, a se scurge **II** *(v. ~ I)* *vt* **1** a conduce, a dirija; a administra; a ține *(un hotel etc.);* a acționa, a porni *(o mașină etc.)* **2** a dirija *(circulația etc.);* a îndruma; a conduce **3** *nav* a fila **4** a urmări, a goni *(vânatul)* **5** a turna; a topi *(unt etc.);* a fuziona **6** a vârî, a băga, a împlânta, a înfige *(sabia etc.)* **7** a face *(carieră etc.)* **8** a face, a îndeplini *(un comision etc.)* **9** a trage, a trasa *(o linie)* **10** a introduce prin contrabandă, a face contrabandă de **11** a străbate, a parcurge *(o distanță)* **12** *sport* a realiza, a totaliza *(puncte)* **13** ← *F* a tachina; a lua în râs // **to ~smb hard a** a urmări pe cineva de aproape **b** a se ține aproape/strâns de cineva *(într-o competiție);* **to ~ a good race** fig a urma drumul bun; **to ~ a risk** a risca; **to ~ a chance of being** a fi posibil/probabil; a se putea întâmpla **III** *s* **1** alergare; fugă; **to break into a ~** a o rupe la fugă; **on the ~** în fugă; pe fugă; în

mișcare; veșnic grăbit; **to go with a ~** *F* a merge ca pe unt/ roate **2** *tehn* lot, serie **3** *tehn* etapă **4** *tehn* regim de lucru **5** *tehn* demaraj **6** *ferov* parcurs, distanță, traseu; **Cambridge is one hour's ~ from London** Cambridge este la o distanță/ depărtare de o oră de Londra **7** avânt; **to make a ~ at smb** a se arunca/a se năpusti asupra cuiva; **to take a ~** a-și lua avânt **8** banc de pești **9** bătaie, reproducere *(a peștilor)* **10** mers, funcționare *(a unei mașini etc.)* **11** plimbare, preumblare **12** *poligr* tiraj **13** întindere; direcție, dispunere; situație geografică **14** șir, succesiune, curs, mers *(al evenimentelor etc.)* **15** cerere *(a cumpărătorilor),* solicitare; **a ~ on the bank** *ec, fin* iureș/aflux de cereri de retragere a banilor de către depunători de la o bancă **16** categorie, clasă *(de oameni etc.)* **17** *min* plan înclinat **18** acces (liber) *(la bibliotecă etc.)* **19** *v.* **roulade 2 20** vizită scurtă **21** tendință; modă **22** ← *F* voie, poftă, dorință, plac **23** troacă **24** *amer* pârâu, pârâiaș // **a ~ for one's money a** întrecere/com- petiție dificilă **b** mulțumire/satis- facție pentru banii cheltuiți *(la curse etc.);* **in the long ~** în ultimă instanță; până la urmă/ sfârșit, în cele din urmă; **it's all in the day's ~** ← *F* sunt obișnuit/ deprins cu toate acestea

runabout ['rʌnəˌbaut] *s* **1** hoinar; haimana; vagabond **2** mașină, automobil *(mic)* **3** barcă cu motor **4** transfug

run about ['rʌnə 'baut] *vi cu part adv* a alerga de colo până colo; a zburda

run across ['rʌn ə,krɔs] *vi cu prep* a întâlni întâmplător *cu ac,* a da de/ peste

run after ['rʌn ,a:ftə'] *vi cu prep* **1** a alerga/a fugi după *sau* în căutarea *cu gen* **2** *F* a alerga după; a nu mai putea după; – a nu mai putea de dorul *cu gen*

run-against ['rʌn ə,genst] **I** *vi cu prep* a da de; a se ciocni de **II** *vt cu prep* a lovi/a izbi de; **he ran his head against a wall** se izbi cu capul de un perete/zid

runagate ['rʌnə,geit] *s înv* v. **run-about 1, 4**

run along ['rʌn ə'lɔŋ] *vi cu part adv* F a pleca, a o lua din loc, a se tot duce, a-și lua valea

run around ['rʌn ə'raund] *vt cu part adv* a duce cu mașina de colo până colo (↓ *pt comerț ilicit sau necinstit*)

run at ['rʌn ət] *vi cu prep* a se repezi la; a se repezi/a se năpusti asupra (*cu gen*)

runaway ['rʌnə,wei] **I** *s* **1** fugar; evadat, dezertor; transfug **2** creștere impetuoasă **3** cal ambalor **II** *adj atr* **1** fugar; evadat, dezertor **2** năvalnic, aprig, impetuos; aiurit, nebunesc **3** (*d. succes*) facil

run away ['rʌn ə'wei] *vi cu part adv* **1** (**with**) a fugi, a pleca (cu) **2** a fugi, a se ascunde **3** (*d. cai*) a se aprinde; a se ambala

runaway marriage ['rʌnə,wei 'mæridʒ] *s* căsătorie făcută fără voia părinților (*după fuga îndrăgostiților*)

run away with ['rʌn ə'wei wið] *vi cu part adv și prep* **1** a face pe cineva să-și piardă stăpânirea de sine **2** a învinge, a înfrânge, a întrece (*o echipă etc.*) **3** a folosi, a întrebuința, a uza *cu ac*

run-back ['rʌn,bæk] *s tehn* curent invers

run back ['rʌn 'bæk] **I** *vi cu part adv* **1** a alerga/a fugi înapoi **2** a se înapoia, a reveni, a se întoarce **3** *auto* a da înapoi, a merge în marșarier **II** *vt cu part adv tehn* a deplasa înapoi

run back over ['rʌn 'bæk ,ouvər] *vt cu part adv și prep* a trece în revistă, a revedea (*trecutul etc.*); a recapitula, a revedea, a relua punct cu punct

run by ['rʌn 'bai] *vi cu part adv* **1** a trece în fugă **2** (*d. timp*) a trece/a se scurge repede, a zbura

run down ['rʌn 'daun] **I** *vi cu part adv* **1** (*d. un mecanism*) a se opri, a înceta să funcționeze **2** (*d. o baterie etc.*) a se descărca **3** (*d. arcuri*) a se destinde **4** a (a)luneca **II** *vt cu part adv* **1** a opri (*un mecanism*) **2** a descărca (*o baterie etc.*) **3** a destinde (*un arc*) **4** a scufunda, a afunda **5** a încolți (*vânatul*) **6** ← F a ponegri, a vorbi de rău

run-down ['rʌn ,daun] **I** *s* **1** reducere numerică **2** analiză detaliată, detaliere, intrare în amănunte; despicarea firului în patru **II** *adj* **1** scăpătat, în declin, decăzut, în decădere **2** F dărâmat, prăpădit, distrus, la pământ

run dry ['rʌn 'drai] *vi cu adj* (*d. curs de apă*) a seca (↓ *vara*)

rune [ru:n] *s* **1** *lingv* rună **2** poem scandinav (↓ *finlandez*) **3** *poetic* stihuri; – pezie, poem; vers

rune-staff ['ru:n,stɑ:f] *s înv* **1** baghetă magică *sau* răboj pe care sunt scrise rune **2** calendar runic

rung[1] [rʌŋ] *ptc de la* **ring[2] I II**

rung[2] *s* **1** treaptă (*de scară*) **2** *tehn* traversă **3** spiță (*de roată*); braț (*al unei roți de mână*) **4** *nav* varangă

runged [rʌŋd] *adj* (*d. scară sau scăriță*) cu leațuri

rung ladder ['rʌŋ ,lædər] *s* scăriță, scară mobilă

rungless ['rʌŋlis] *adj* (*d. scară*) fără leațuri

runic ['ru:nik] *adj lingv* runic

run-in ['rʌn,in] *s* ceartă, sfadă

run in ['rʌn 'in] **I** *vt cu part adv* **1** a băga, a vârî, a introduce **2** a face să fie ales (*un candidat*), a vota **3** *tehn* a roda (*un motor, un automobil*) **4** ← F a (con)duce (*pe cineva*) la poliție; a aresta **II** *vi cu part adv* **1** a intra alergând; a da fuga; **I ran in to see him** am trecut pe la el (ca) să-l văd **2** *sport* a intra în corp-la-corp (*la box*)

run into ['rʌn ,intə] *vi cu prep* **1** a întâlni întâmplător *cu ac,* a da peste/de **2** a face (*datorii*) **3** (*d. o carte*) a fi publicat în (*mai multe ediții*) **4** a căpăta, a dobândi (*deprinderi*)

runless stockings ['rʌnlis 'stɔkiŋz] *s pl* ciorapi indeșirabili

runlet ['rʌnlit] *s* râuleț, râușor, pârâu

run low ['rʌn 'lou] *vi cu adj* **1** a scădea (*simțitor*) **2** a fi pe sfârșite/terminate, a se termina, a se epuiza

runnable ['rʌnəbəl] *adj* vânat potrivit pentru vânătoare/pentru a fi vânat

runnables ['rʌnəblz] *s pl text* ← F tricotaje

runnel ['rʌnəl] *s* **1** v. **runlet 2** canal (*de scurgere*), rigolă **3** viroagă, vâlcea

runner ['rʌnər] *s* **1** alergător **2** curier, mesager **3** contrabandist **4** ← *înv* polițist **5** talpă (*de sanie*) **6** *drumuri* pod **7** *el* transmițător de comandă **8** *tehn* rotor, roată de acționare **9** *met* canal de turnare **10** *nav* macara alunecătoare **11** *nav* roată cu zbaturi **12** *bot* plantă agățătoare **13** *bot* vlăstar, mlădiță

runner bean ['rʌnə ,bi:n] *s bot* fasole cățărătoare (↓ **scarlet runner**)

runner-up ['rʌnər'ʌp] *s sport* al doilea câștigător

running ['rʌniŋ] **I** *adj atr* **1** alergător, care aleargă **2** cursier, de curse **3** *și pred* succesiv, continuu; **three weeks ~** trei săptămâni la rând **4** (*d. o rană*) purulent, care supurează **5** (*d. apă*) curent, curgător **6** (*d. scripete etc.*) ușor **II** *s* **1** alergare, fugă; cursă **2** *tehn* funcționare (*a motorului etc.*) **3** mers, circulație (*a trenurilor etc.*) **4** supurare (*a unei răni*) **//** **to be out of the ~** a nu avea șanse de câștig; **to make the ~** **a** a mări viteza **b** *fig* a da tonul; **to take the ~** **a** a fi/a merge în frunte (*la curse*) **b** *fig* a lua inițiativa

running account ['rʌniŋ ə'kaunt] *s fin* cont curent

running board ['rʌniŋ ,bɔ:d] *s* treaptă, scară (*de vagon etc.*)

running brake ['rʌniŋ 'breik] *s auto* frână de picior

running bridge ['rʌniŋ 'bridʒ] *s tehn* pod rulant

running cold ['rʌniŋ 'kould] *s* guturai

running commentary ['rʌniŋ 'kɔməntəri] *s* radioreportaj

running dog ['rʌniŋ 'dɔg] *adj pol* umor trepăduș, lacheu, slugă plecată

running fight ['rʌniŋ 'fait] *s mil* retragere cu luptă; lupte date de ariergardă

running fire ['rʌniŋ 'faiər] *s mil* foc continuu (*de artilerie*)

running hand ['rʌniŋ 'hænd] *s* scris cursiv

running headline ['rʌniŋ 'hedlain] *s* colontitlu

running-in ['rʌniŋ 'in] *s auto* rodaj

running jump ['rʌniŋ 'dʒʌmp] *s sport* săritură/salt cu avânt; **have a ~ at yourself!** *sl* mână măgarul! simplifică peisajul! (du-te și) caută-mă pe partea cealaltă!

running knot ['rʌniŋ 'nɔt] *s* nod marinăresc/culant/care strangulează

running life ['rʌniŋ ,laif] *s auto* durată excepțională a vieții, longevitate

running mate ['rʌniŋ ,meit] *s amer* **1** *pol* candidat (pe aceeași listă) pentru postul imediat inferior *(de ex. președinte și vicepreședinte al S.U.A.)* **2** *sport* cal aparținând aceluiași grajd folosit pentru a antrena un cal de curse

running number ['rʌniŋ 'nʌmbə'] *s sport* număr de ordine *(al alergătorilor etc.)*

running path ['rʌniŋ 'pa:θ] *s v.* **running track**

running postman ['rʌniŋ 'poustmən] *s bot* australian viță *din genul Kennedy,* aprox telegraf

running repairs ['rʌniŋ ri'pɛəz] *s pl tehn* reparații curente/minore *(care implică și schimbarea unor piese)*

running rigging ['rʌniŋ 'rigiŋ] *s nav* manevră curentă; greement curent

running sore ['rʌniŋ 'sɔ:'] *s* rană infectată/care supurează

running stitch ['rʌniŋ 'stitʃ] *s* saia, împunsătură de ac pentru plisat

running title ['rʌniŋ 'taitl] *s poligr* colontitlu

running track ['rʌniŋ ,træk] *s sport* pistă de curse/alergări

running water ['rʌniŋ 'wɔ:tə'] *s* **1** apă curgătoare **2** apă curentă/de la robinet

runny ['rʌni] *adj* **1** lichid **2** înlăcrimat; care plânge

run-off ['rʌn,ɔ:f] *s amer pol* balotaj

run off ['rʌn'ɔ:f] *vi cu part adv* **1** a fugi, a scăpa fugind **2** *(d. apă etc.)* a curge, a se scurge **3** a face o digresiune *sau* digresiuni

run-of-the-mill ['rʌnəvðə'mil] *adj atr* obișnit, de rând; mijlociu; de duzină

run-on ['rʌnɔn] **I** *s* adaos; supliment **II** *adj atr* (d. versuri) continuu, cu angambament

run on ['rʌn'ɔn] *vi cu part adv* **1** a fugi/a alerga mai departe, a continua să fugă/alerge **2** *(d. o boală etc.)* a-și urma cursul **3** *(d. timp)* a trece, a se scurge; a zbura **4** *(d. versuri)* a se continua în versul următor, a avea angambamente **5** *(d. un text)* a continua

fără alineat **6** *(d. datorii)* a se aduna; a continua să crească

run-out ['rʌn,aut] *s* **1** uzură; uzare, întrebuințare **2** *tehn* excentricitate **3** *tehn* bătaie *(a unei piese)* **4** *cin* sfârșit de rolă/bandă

run out ['rʌn'aut] **I** *vi cu part adv* **1** a ieși alergând/în fugă; a alerga afară **2** *(d. flux)* a se retrage **3** *(d. apă etc.)* a se scurge; a se întinde *(pe o suprafață)* **4** *(d. o perioadă de timp)* a se scurge, a expira, a se încheia, a se termina **II** *vt cu prt adv* a da afară, a goni

run out of ['rʌn 'aut əv] *vi cu part adv și prep* a termina, a isprăvi *(provizii etc.)*

run over ['rʌn 'ouvə'] **I** *vt cu part adv* **1** a parcurge *(un document etc.)* cu privirea; a-și arunca ochii asupra *(cu gen)* **2** a repeta *(un rol etc.)* **3** *(d. o mașină etc.)* a călca **II** *vi cu part adv* a se revărsa, a deborda

run over to ['rʌn'ouvətə] *vi cu part adv și prep* a se duce/a merge la; a trece pe la

run short ['rʌn'ʃɔ:t] *vi cu adj* a fi pe sfârșite/terminate, a începe să se sfârșească; a fi în scădere/aproape să se termine, a fi gata să se epuizeze; **sugar is running short** nu (mai) prea avem zahăr în casă, o să trebuiască să cumpărăm zahăr, zahărul e pe sfârșite; **(our) time is running short, we are running short of time** nu mai prea avem timp, timpul (alocat nouă) e pe sfârșite, suntem aproape de sfârșit *(al orei, al programului etc.)*

run short of ['rʌn 'ʃɔ:t əv] *vi cu adj și prep* a i se termina, a nu prea avea, a înceta să mai aibă; **to ~ time** a nu mai avea timp/răgaz; a i se sfârși/termina răgazul/timpul/termenul de grație

runt [rʌnt] *s* **1** animal *(domestic)* pipernicit **2** ← *F* bondoc, pitic; *F* prâslea **3** mârțoagă, cal deșelat **4** țărănoi, mojic

run through ['rʌn'θru:] **I** *vi cu part adv* a se infiltra, a pătrunde **II** *vt cu part adv* **1** a străpunge *(pe cineva cu sabia etc.)* **2** a cheltui, a irosi **3** a parcurge cu privirea *cu ac,* a se uita la; a-și arunca ochii asupra *(cu gen)* **4** a șterge *(ceva scris)*

runtiness ['rʌntinis] *s* caracter pitic *sau* pipernicit

run to ['rʌn tə] *vi cu prep* **1** a atinge *(o cifră etc.),* a ajunge la **2** *fig* a cădea în *(extreme)* **3** a se transforma/a se preface în

runty ['rʌnti] *adj* pitic, mic; pipernicit, nedezvoltat

run-up ['rʌn,ʌp] *s* **1** *tehn* pornire *(a motorului)* **2** avânt *(înainte de a sări)*

run up ['rʌn'ʌp] **I** *vi cu part adv* **1** a (se) urca alergând/în fugă **2** a sosi/a veni în fugă **3** *(d. pești)* a urca spre izvorul râului **4** *(d. plante)* a crește repede **5** *(d. prețuri)* a crește, a se urca, a se mări **6** *sport* a sosi al doilea **II** *vt cu part adv* **1** a ridica, a construi **2** a face să crească repede *(prețuri etc.);* a spori brusc **3** a ridica, a înălța *(un steag etc.)* **4** *tehn* a porni *(motorul)*

run up against ['rʌn'ʌpə,genst] *vi cu part adv și prep* a întâlni *pe cineva* din întâmplare

run upon ['rʌn ə,pɔn] *vi cu prep* **1** a da de/peste; a întâlni întâmplător *cu ac* **2** *(d. gânduri)* a reveni mereu la

runway ['rʌn,wei] *s* **1** albie, matcă **2** *drumuri* cale, surafață de rulare **3** *av* câmp de rulaj, spațiu de decolare **4** *sport* pistă de curse/alergare **5** *silv* tobogan, plan înclinat *(pentru corhănirea buștenilor)* **6** potecă *(a animalelor)* spre locul de adăpat

rupee [ru:'pi:] *s* rupie

Rupert ['ru:pət] *nume masc*

rupestral [ru:'pestrəl] *adj* rupestru, pe piatră

rupiah [ru:'pi:ə] *s fin* rupie indoneziană, unitate monetară din Indonezia

rupicolous [ru:'pikələs] *adj rar v.* **rupestral**

rupture ['rʌptʃe'] **I** *s* **1** rupere **2** ruptură; spărtură; fractură **3** *fig* ruptură; neînțelegere **4** *med* hernie **5** *el* străpungere a izolației **II** *vt* **1** a sparge, a perfora, a rupe *(o membrană etc.)* **2** *fig* a rupe, a desface *(o legătură)* **III** *vi* **1** a se rupe; a se perfora **2** *med* a produce o hernie

ruptured ['rʌptʃəd] *adj* **1** rupt, perforat **2** *med* cu hernie

rupturewort ['rʌptʃəwə:t] *s bot* feciorică, iarba surpatului *(Herniraria glabra)*

rupturing ['rʌptʃəriŋ] *s v.* **rupture I**

rural ['ruərəl] *adj* rural, de țară, rustic; țărănesc; **in ~ seclusion** retras la țară/în liniștea rurală

rural constituency ['ruərəl kən'stituənsi] *s pol* circumscripție (electorală) rurală

rural dean ['ruərəl ,di:n] *s bis* vicar eparhial (rural)

rural district ['ruərəl ,distrikt] *s bis* eparhie, protopopie (rurală)

Rus. *presc de la* **1** Russia **2** Russian

rusa ['ru:sə] *s zool* cerb/căprioară din Asia de sud-est, ↓ sambar *(Cervus sp.)*

ruse [ru:z] *s* șiretlic, vicleșug, viclenie, truc

rush[1] [rʌʃ] *s* **1** *bot* papură, rugină *(Juncus sp.)* **2** *bot* pipirig, țipirig *(Scirpus lacustris)* **3** *bot* trestie; rogoz; stuf **4** *fig* (lucru de) nimic, fleac, lucru fără valoare; **I don't care a ~** *F* mă doare în cot, – nu-mi pasă câtuși de puțin; **it isn't worth a ~** *F* nu face două parale

rush[2] *vi* **1** a se grăbi, a se precipita; a se arunca; a se năpusti, a năvăli; **don't ~ to conclusions** nu trage concluzii pripite, nu te grăbi să tragi concluzii; **the bull ~ed at him** taurul se repezi la el/se năpusti asupra lui **2** a țâșni **3** a se ivi/a apărea brusc *(în amintire etc.)* **II** *vt* **1** a grăbi, a zori *(pe cineva)* **2** a face repede/în grabă/în pripă, a executa la repezeală **3** a invada, a năvăli în, a da năvală în **4** *mil* a lua cu asalt **5** *sl* a jumuli *(clienții)* **6** *amer* a se da bine pe lângă *(cineva)*, a face curte *(cuiva);* a lua cu binișorul, a duce cu zăhărelul/preșul **III** *s* **1** grabă, pripă; năvală; iureș **2** cursă *(a înarmărilor)* **3** săritură, salt **4** *mil* asalt; atac rapid **5** rafală (de vânt) **6** afluență, înghesuială; îngrămădire **7** *min* minereu fără valoare

rush at [rʌʃ ət] *vi cu prep* **1** a se repezi/a se năpusti la; a se năpusti asupra *(cu gen)* **2** a lua repede/pe nepusă masă/pe sus **3** a se grăbi să ajungă la *(o concluzie etc.);* a face în pripă

rush-bearing ['rʌʃ,bɛəriŋ] *s* festival annual (scoțian) la care se poartă trestii și ghirlande *(pentru a împodobi apoi pardoseala bisericii)*

rush-bed ['rʌʃ,bed] *s agr, geogr* stufăriș, stufărie

rush-bottom ['rʌʃ,botəm] *adj (d. mobilă)* cu fundul de trestie/papură

rush-candle/dip ['rʌʃ,kændl/,dip] *s v.* **rush light 1**

rushed [rʌʃt] *adj* **1** *(d. cineva)* ultra/supraaglomerat *(cu munca/lucru)*, ultraocupat; zorit, prins, hărțuit *(de treburi)*, alergat de colo până colo **2** *(d. treabă)* rasolit, făcut în pripă/la repezeală, dat peste cap, *F* fușerit

rushee [rʌ'ʃi:] *s amer școl* candidat care insistă să intre într-o asociație *(v.* **fraternity 2***)*

rusher ['rʌʃəʳ] *s F* om care muncește cât șapte, – om extrem de muncitor

rush holder ['rʌʃ,houldəʳ] *s* sfeșnic pentru lumânare, opaiț cu muc de trestie

rush hour ['rʌʃ,auəʳ] *s* oră de vârf

rush into ['rʌʃ,intə] *vi cu prep:* **to ~ print a** a publica *(cărți)* **b** a trimite unui ziar spre publicare

rush job ['rʌʃ,dʒɔb] *s* treabă *(ultra)* urgentă, urgență (maximă)

rush light ['rʌʃ,lait] *s* **1** lumânare cu muc de trestie, *aprox* opaiț **2** *fig* lumină/sclipire slabă; minte slabă/săracă/sărăcăcioasă; sărăcie spirituală **3** om de nimic/fără valoare; ratat

rush up ['rʌʃ,ʌp] *vt cu part adv* a grăbi, a accelera

rushy ['rʌʃi] *adj* acoperit cu *sau* făcut din papură *etc. (v.* **rush[1] 1-3***)*

rusk [rʌsk] *s* pesmet; biscuit

Ruski(i) ['rʌski:] *s înv* muscal, moscovit, *v. și* **Russkii**

Ruskin ['rʌskin], **John** *scriitor englez (1819-1900)*

Russ [rʌs] **I** *adj* rus(esc) **II** *s și ca pl* rus

Russel(l) ['rʌsəl] *nume masc*

Russell, Bertrand *filosof, matematician și scriitor englez (1872-1970)*

russet ['rʌsit] **I** *adj* roșcat, roșiatic; roșu-cafeniu **II** *s* culoare roșcată/roșiatică; roșu-cafeniu

russety ['rʌsəti] *adj v.* **russet I**

Russia ['rʌʃə] Rusia

Russian ['rʌʃən] **I** *adj* rus(esc) **II** *s* **1** rus **2** (limba) rusă

Russian boot ['rʌʃən ,bu:t] *s* cizmă largă/cu carâmbi largi

Russianism ['rʌʃənizəm] *s pol* rusofilie, tendințe rusofile

Russianize ['rʌʃənaiz] *vt* a rusifica

Russianizing ['rʌʃənaiziŋ] *s* rusificare

Russian leather ['rʌʃən ,leðəʳ] *s* iuft; toval

Russian roulette ['rʌʃən ru:'let] *s* forțare a norocului, act de bravură gratuită *(ex: descărcarea unui revolver ținut la tâmplă, dar având doar un glonte în butoiaș)*

Russian salad ['rʌʃən ,sæləd] *s* salată boeuf/à la russe

Russian Soviet Federated Socialist Republic, the ['rʌʃən 'souviət fedə'reitid 'souʃəlist ri'pʌblik, ðə] fosta Republică Sovietică Federativă Socialistă Rusă

Russification ['rʌsifi'keiʃən] *s* rusificare

Russify ['rʌsifai] *vt* a rusifica

Russkii, Russky ['rʌski:] *s umor sau peior* rusnac, muscal, moscovit

Russophil ['rʌsoufil], **Russophile** ['rʌsoufail] *s, adj* rusofil

Russophobe ['rʌsou,foub] *s, adj* rusofob

Russophobia [,rʌsou'foubiə] *s* rusofobie, antipatie față de ruși

rust [rʌst] **I** *s* **1** *met* rugină **2** *bot* rugina grâului *(Puccinia graminis)* **II** *vt* **1** *met* a oxida, a rugini, a face să ruginească **2** *fig* a lăsa să ruginească, a lăsa în părăsire; a distruge *(prin lipsă de întrebuințare)* **III** *vi* **1** *met* a (se) rugini, a se oxida **2** *fig* a se prosti *(din cauza lenei);* a deveni leneș și greoi **3** a regresa, a da înapoi

rust-coloured ['rʌst,kʌləd] *adj* roșu-cafeniu *sau* – galben

rustic ['rʌstik] **I** *adj* **1** rustic, provincial, rural **2** rustic, necioplit, grosolan **3** lucrat grosolan **II** *s* **1** țăran **2** *arhit* rustic(us)

rustical ['rʌstikəl] *adj v.* **rustic I**

rustically ['rʌstikəli] *adv* (în mod) rustic; ca la țară

rusticate ['rʌstikeit] **I** *vi* a se retrage *sau* a locui la țară **II** *vt* a rusticiza

rustication [rʌsti'keiʃən] *s* **1** retragere la țară, izolare în mediul rural/rustic **2** ruralizare, provincializare **3** rusticizare, ruralizare **4** eliminare/exmatriculare (de la universitate); suspendare dintr-un club *etc.*

rustic bridge ['rʌstik ˌbridʒ] *s* podeț țărănesc/simplu; punte din crengi *sau* bârne

rusticity [rʌs'tisiti] *s* **1** viață de (la) țară **2** caracter rustic, rusticitate **3** simplitate; stângăcie

rustic seat ['rʌstik ˌsi:t] *s* scaun țărănesc; scaun de crengi

rustic work ['rʌstik ˌwə:k] *s arhit* construcție din bârne neșlefuite

rust in ['rʌst 'in] *vi cu part adv fig* (d. cineva) a rugini, a mucezi *(stând într-un loc)*

rustiness ['rʌstinis] *s* caracter *sau* aspect ruginit; ruginire

rustle¹ ['rʌsəl] **I** *vi* **1** a foșni; a fremăta; a murmura **2** *F* a se agita, a se da peste cap, a umbla de colo până colo, a se manifesta energic **II** *vt* **1** a scutura, a zdruncina (făcându-l să foșnească) **2** *amer F* a dobândi cu mari eforturi, a se speti muncind pentru, a se omorî muncind pentru **III** *s* foșnet; freamăt; murmur

rustle² *vt amer* ← *F* a fura *(vite sau cai)*

rustler ['rʌslə'] *s* **1** plantă *sau* copac cu frunze foșnitoare **2** om vioi/energic/activ **3** hoț de cai **4** *min* încărcător, miner care încarcă vagonete

rustless ['rʌstlis] *adj* **1** neruginit, neoxidat **2** care nu ruginește, inoxidabil

rustle up ['rʌsəl 'ʌp] *vt cu part adv F* a produce/a face/a scoate la nevoie; a procura

rust out ['rʌst 'aut] *vi cu part adv fig* a putrezi

rustproof ['rʌst,pru:f] *adj v.* **rustless 2**

rusty ['rʌsti] *adj* **1** ruginit, mâncat/ros de rugină **2** ruginiu, de culoarea ruginii; roșu-cafeniu **3** părăsit, uitat; **his Latin is a bit ~** a cam început să uite latina **4** învechit, demodat **5** *F* căruia tot îi plouă și îi ninge, – ursuz, posac, morocănos

rut¹ [rʌt] *s* **1** făgaș, urmă *(de roți etc.)*; brazdă **2** *fig* făgaș, direcție **3** *fig* deprindere, obicei, rutină; **in a ~** pe același făgaș, imuabil, inebranlabil; neschimbat; tradițional **4** *tehn* șanț; canelură; jgheab; falț

rut² **I** *s* rut; (perioadă de) împerechere **II** *vi* (d. animale) a se împerechea

rut³ *s amer* vuiet, muget (al mării)

rutabaga [ˌrutə'beigə] *s bot* nap suedez *(Brassica napobrassica)*

Ruth [ru:θ] *nume fem*

ruth *s* ← *înv* **1** milă, îndurare, compasiune **2** durere, jale **3** căință, remușcare

Ruthenian [ru:'θiniən] *adj, s* rutean

ruthenium [ru:'θiniəm] *s ch* ruteniu

Rutheford ['rʌðəfəd], **Ernest** *fizician englez (1871-1937)*

ruthless ['ru:θlis] *adj* nemilos, crud, neîndurător; < barbar

ruthlessly ['ru:θlisli] *adv* cu cruzime, fără milă/cruțare, neîndurător; < barbar

ruthlessness ['ru:θlisnis] *s* cruzime, asprime; < barbarie

rutilant ['ru:tilənt] *adj rar* sclipitor, sclipicios, lucios, scânteietor

rutile ['ru:tail] *s minr, ch* bioxid de titaniu în stare nativă

rutted ['rʌtid] *adj* brăzdat de făgașe

ruttish ['rʌtiʃ] *adj zool* în perioada rutului, în excitație sexuală

rutty ['rʌti] *adj* (d. drumuri) brăzdat de făgașe

R.V. *presc de la* **Revised Version** versiune revizuită *(a Bibliei)*

Rwanda ['rwa:ndə] *od* Ruanda (Urundi)

Rwy. *presc de la* **Railway**

Ry. *presc de la* **Railways**

rye [rai] *s* **1** *bot* secară *(Secale cereale)* **2** *amer* whisky

rye bread ['rai,bred] *s* pâine de secară

rye flour ['rai ˌflauə'] *s* făină de secară

rye grass ['rai ˌgra:s] *s bot, agr* iarbă *(Lolium sp.)* folosită ca furaj

ryepeck ['rai,pek] *s nav* stâlp, țăruș de amarare

ryokan [ri'oukən] *s han* tradițional japonez

ryot ['raiət] *s* țăran, agricultor *(în India)*

S

S, s [es] *s* (litera) S, s

's¹ *contras din* **1** is **2** has **3** us

's² [z, s] **1** *(formează genitivul sintetic al s sg și al s pl care nu se termină în -s)* al; a, ai; ale; **my brother's friends** prietenii fratelui meu; **the children's toys** jucăriile copiilor **2** *(înlocuiește cuvântul* **shop** *„magazin" sau* **home** *„casă", „locuință"):* **at the bakers'** la brutărie; **at John's** la John, în casa lui John

s' *suf (formează genitivul sintetic al pl s)* al; a; ai; ale; **these writers' moral principles** principiile morale ale acestor sriitori

S. *presc de la* **1** Sunday **2** September **3** Saturday **4** Saxon **5** Socialist

S, S., s., s *presc de la* **south** *sau* **southern**

S., s. *presc de la* **1** saint **2** society **3** school

s. *presc de la* **1** substantive **2** second *sau* seconds **3** shilling *sau* shillings **4** see **5** section **6** sign **7** singular **8** son **9** series

Sa. *presc de la* **Saturday**

S.A. *presc de la* **1** South America **2** South Africa **3** Salvation Army

Saar, the ['sɑːʳ, ðə] *râu în Franța și Germania*

Sabaoth [sæ'beiɔθ] *s rel* Savaot

sabbatarian [ˌsæbə'tɛəriən] *s* **1** evreu care respectă sâmbăta **2** creștin care respectă duminica **3** adventist de ziua a 7-a

Sabbath ['sæbəθ] *s* **1** sabat, sâmbăta *(în mozaism)* **2** duminică, zi de sărbătoare *(la creștini)*

sabbatic(al) year [sə'bætikəl ˌjəːʳ] *s* **1** *bibl* fiecare al șaptelea an **2** *univ* (fiecare al șaptelea) an când profesorul nu are sarcini de predare

saber ['seibəʳ] *s, vt v.* **sabre**

Sabines ['sæbainz] *s pl ist* sabini

sable ['seibəl] **I** *s* **1** *zool* zibelină, samur *(Mustela zibellina)* **2** (blană de) samur **3** ← *poetic* negru, culoare neagră **4** *pl* ← *poetic* doliu **II** *adj atr* ← *poetic* negru; întunecat; de doliu

---

sabot ['sæbou] *s fr* **1** sabot, pantof de lemn **2** pantof *(de piele)* cu talpă de lemn

sabotage ['sæbəˌtɑːdʒ] **I** *s* **1** sabotaj **2** diversiune **3** activitate subversivă **II** *vt* a sabota

saboteur [ˌsæbə'təːʳ] *s fr* sabotor

sabre ['seibəʳ] **I** *s* **1** sabie, paloș **2** *pl mil* cavaleriști **II** *vt* a tăia cu sabia

sabre-rattle ['seibəˌrætl] *vi fig* a zăngăni armele

sabre rattler ['seibəˌrætləʳ] *s* **1** militarist **2** ațâțător la război

sabulous ['sæbjuləs] *adj* nisipos, granulos

sac [sæk] *s* **1** *biol* sac; pungă **2** (rochie) sac

saccharify [sæ'kæriˌfai] *vt* a zaharifica

saccharin(e) ['sækərin] *s ch* zaharină

saccharine ['sækəˌrain] *adj* **1** de zahăr; zaharos **2** extrem de/ foarte/prea dulce

saccharize ['sækəˌraiz] *vt* a zaharifica

sacerdotal ['sæsə'doutl] *adj* sacerdotal, preoțesc

sacerdotalism [ˌsæsə'doutəlizəm] *s* ← *peior* credință în harul preoțesc *sau* în importanța preoțimii

sachem ['seitʃəm] *s amer* **1** sachem, căpetenie indiană, șef indian **2** *fig* persoană importantă; personalitate *F* ștab

sack¹ [sæk] **I** *s* **1** sac (↓ *de pânză*) **2** (conținutul unui) sac **3** (rochie) sac **4** sac *(de dormit)* **5** *sl* pat **6** **the ~** *F* pașaportul, – concediere, dare afară **II** *vt* **1** a pune într-un sac *sau* în saci **2** *F* a da pașaportul *(cuiva),* a pune pe liber, – a concedia, a da afară

sack² *s* **?** *mil* prădare, jefuire; jaf; **to put to ~** a jefui, a prăda **II** *vt* ↓ *mil* a prăda, a jefui

sack³ *s od* vin alb sec *(importat din Spania și insulele Canare)*

sackbut ['sækbʌt] *s muz* **1** *od* un fel de trombon **2** *bibl* harfă

sackcloth ['sækklɔθ] *s text* pânză de sac; **to mourn/to repent in ~ and ashes** *fig* a-și pune cenușă în cap, a se căi amarnic

---

sacker ['sækəʳ] *s* jefuitor

sackful ['sækful] *s* **1** (of) un sac (plin) (de, cu) **2** *fig* cantitate mare; sac; tolbă

sacking ['sækiŋ] *s* **1** ambalare în saci **2** *text* pânză de sac

sack out ['sæk 'aut] *vi cu part adv amer sl* a se culca (↓ *noaptea*)

sack race ['sæk ˌreis] *s* alergare în saci

sacra ['seikrə] *pl de la* **sacrum**

sacral ['seikrəl] **I** *adj* **1** *rel* sacrat, sacru **2** *anat* sacrat, sacral **II** *s anat* os sacral, sacrum

sacrament ['sækrəmənt] **I** *s* **1** *bis* sacrament *(la catolici);* taină *(la ortodocși)* **2** *bis* împărtășanie **3** *fig* semn, simbol **4** *fig* jurământ solemn; făgăduială solemnă **II** *vt* a lega prin jurământ

sacramental [ˌsækrə'mentl] *adj* **1** *bis* sacramental; sacru, sfânt **2** *fig* solemn

Sacramento [ˌsækrə'mentou] **1** **the ~** *fluviu în California* **2** *oraș în California*

sacred ['seikrid] *adj* **1** sacru, sfânt; sfințit; **it was my ~ duty to do that** era datoria mea sfântă să fac aceasta **2** *(d. muzică etc.)* sacru, religios **3** *fig* sacru, scump **4** *fig* sacru, de neatins; inviolabil; ferit; **no place was ~ for him** nici un loc nu era sacru pentru el

sacred cow ['seikrid ˌkau] *s peior* lucru *sau* idee sacrosanctă

sacredly ['seikridli] *adv* cu sfințenie

sacredness ['seikridnis] *s* caracter sacru, inviolabilitate

sacred to ['seikridtə] *adj cu prep* dedicat, închinat *cu dat*

sacrifice ['sækrifais] **I** *s* **1** *bis etc.* sacrificare, jertfire; **the ~ of an animal to a god** sacrificarea/ jertfirea unui animal pentru un zeu **2** *bis etc.* sacrificiu, jertfă; ofrandă, prinos; **to make a ~** a aduce o jertfă *(unui zeu etc.);* **the great/last ~** supremul sacrificiu, jertfa supremă **3** *fig* sacrificiu; privațiune, lipsă **4** abnegație; jertfire *(de sine);* **at the ~ of** cu sacrificiul *cu gen;* **his parents made ~s in order to educate**

him părinții lui au făcut sacrificii ca să-l învețe **5** *fig ec* pierdere; **to sell at a** ~ a vinde în pierdere **II** *vt* **1** *bis și fig* a sacrifica, a jertfi **2** *fig ec* a vinde în pierdere **III** *vr* a se sacrifica, a se jertfi **IV** *vi bis* a sacrifica, a aduce un sacrificiu/ o jertfă

sacrificer ['sækri,faisəʳ] *s od* sacrificator; sacerdot; preot *sau* preoteasă

sacrificial [,sækri'fiʃəl] *adj* (ca) de sacrificiu

sacrilege ['sækrilidʒ] *s* sacrilegiu, profanare, pângărire; **it would be** ~ **to** ar fi un sacrilegiu să

sacrilegious [,sækri'lidʒəs] *adj* profanator, nelegiuit, *înv* ← sacrileg

sacrist ['sækrist] *s v.* **sacristan**

sacristan ['sækristən] *s bis* paracliser, crâsnic; sacristan

sacristy ['sækristi] *s bis* sacristie

sacrosanct ['sækrou,sæŋkt] *adj* sacrosan(c)t, sfânt

sacrum ['seikrəm], *pl* și **sacra** ['seikrə] *s anat* sacrum

sad [sæd] *adj* **1** trist; întristat, abătut; mâhnit; melancolic; ~**der but wiser** ? *F* care a învățat dintr-o experiență neplăcută; *cf* „tot pățitu-i priceput"; ~ **to say** din păcate/nefericire **2** (*d. o zi etc.*) trist, mohorât, posomorât; (*d. o priveliște etc.*) trist, întristător, jalnic **3** (*d. o greșeală etc.*) regretabil; condamnabil **4** *F umor* groaznic, – nemaipomenit, fără pereche; **he is a** ~ **coward** *F* îi e frică și de umbra lui, – e un fricos fără pereche **5** (*d. o culoare*) șters; închis, sumbru, întunecat **6** (*d. un accident etc.*) tragic, dureros **7** (*d. o situație*) jalnic, mizerabil, fără ieșire **8** ← *înv* serios // **in** ~ **earnest** cu toată seriozitatea

sadden ['sædən] **I** *vt* a întrista, a mâhni **II** *vi* a se întrista

saddle ['sædəl] **I** *s* **1** ș(e)a; **in the** ~ **a** în ș(e)a **b** la conducere; **to put the** ~ **on the wrong horse** *fig* a greși adresa **2** perniță de spate (la hamuri) **3** bucată (de carne) de la spate; mușchi **4** *geogr* coamă, spinare, creastă, ș(e)a **5** *geol* curmătură, cută anticlinală **6** *tehn* garnitură **7** *tehn* suport; cărucior; sanie transversală **8**

poligr rădăcina cotorului **II** *vt* **1** a înșeua, a pune ș(e)aua pe **2** (**with**) *și fig* a împovăra, a îngreuia (cu)

saddle bag ['sædəl ,bæg] *s* cobur de ș(e)a; desagi

saddle cloth ['sædəl,klɔθ] *s* cioltar, pătură de cal

saddle fast ['sædəl ,fa:st] *adj* care se ține bine în șea

saddle horse ['sædəl ,hɔ:s] *s* cal de călărie

saddle of mutton ['sædəl əv'mʌtən] *s* spate de berbec

saddler ['sædləʳ] *s* șelar

saddle roof ['sædəl ,ru:f] *s constr* acoperiș cu două versante

saddlery ['sædləri] *s* șelărie (*meserie sau atelier*)

saddle stitching ['sædəl 'stitʃiŋ] *s poligr* cusut prin mijloc

saddle up ['sædəl 'ʌp] *vi cu part adv* a înșeua calul *sau* caii

Sadducee ['sædju,si] *s bibl* saducheu

sadhu ['sa:du:] *s* om sfânt, sărac și rătăcitor (*în India*)

Sadie ['sædi] *nume fem v.* **Sarah**

sad iron ['sæd ,aiən] *s* fier de călcat (*masiv*)

sadism ['seidizəm] *s* sadism, cruzime extremă

sadist ['seidist] *s* sadic, om extrem de crud

sadistic [sə'distik] *adj* sadic

sadistically [sə'distikəli] *adv* sadic, cu sadism

saditorial [,sædi'tɔ:riəl] *s sl* articol de fond pesimist

sadly ['sædli] *adv* **1** trist, cu tristețe **2** jalnic; grozav (de)

sadness ['sædnis] *s* **1** tristețe, întristare, mâhnire; melancolie **2** tristețe, caracter trist/mohorât (*al unui peisaj etc.*) **3** stare de plâns, mizerie, jale

s.a.e. *presc de la* **stamped addressed envelope**

safari [sə'fa:ri] *s* expediție de vânătoare (↓ *în Africa de Est și Centrală*)

safe [seif] **I** *adj* **1** (**from**) ferit, la adăpost (de); în siguranță; sigur; protejat (contra – *cu gen*); **a** ~ **place** un loc sigur; **to keep** ~ **from recognition** a nu fi recunoscut; a rămâne incognito; **just to be on the** ~ **side** pentru mai multă siguranță **2** teafăr, săná-

tos; **he arrived** ~ **and sound** sosi teafăr și nevătămat; **3** sigur, lipsit de pericol, neprimejdios; **is 80 km** ~ **on this road?** nu e riscant să mergi cu 80 km (pe oră) pe drumul acesta? **is this dog** ~ **for small children?** câinele ăsta nu se repede la copiii mici? **4** sigur, eficace; de nădejde; solid; **a** ~ **method** o metodă sigură **5** (*d. cineva*) precaut, prudent **6** sigur; convins, încredințat; **it is** ~ **to say** se poate spune cu siguranță, se poate afirma categoric; **he is** ~ **to pass this exam** va trece sigur examenul, sunt convins/încredințat că va lua examenul // **it was not a** ~ **seat for the liberals** nu era un loc sigur pentru liberali **II** *s* **1** seif, casă de fier/bani **2** frigider

safe breaker/cracker ['seif ,breikəʳ/ ,krækəʳ] *s* spărgător de seifuri

safe conduct ['seif 'kɔndʌkt] *s* **1** salvconduct, bilet de liberă trecere **2** escortă

safe deposit ['seif di'pɔzit] *s v.* **safe** **II 1**

safeguard ['seif,ga:d] **I** *s* **1** (**against**) pază, protecție (împotriva – *cu gen*) **2** *v.* **safe conduct 3** (**against**) prevedere, precauți(un)e (împotriva – *cu gen*) **4** *tehn* dispozitiv de siguranță/ securitate; grilaj de protecție **5** *constr* contrașină **II** *vt* (**against**) a păzi, a proteja (împotriva – *cu gen*), a feri (de)

safe-keeping ['seif'ki:piŋ] *s* siguranță, securitate; protecție; păstrare (la loc sigur *etc.*)

safely ['seifli] *adv* **1** în siguranță; ferit, adăpostit **2** în stare bună; nevătămat **3** fără grijă/nici un risc; **it may** ~ **be said that** se poate spune cu siguranță că, se poate afirma categoric că

safety ['seifti] *s* **1** siguranță, securitate; protecție, pază (împotriva – *cu gen*); **with** ~ fără nici un risc; fără riscuri; în siguranță; **in** ~ în siguranță, la adăpost; ferit; **to play for** ~ a evita riscurile; **there is** ~ **in numbers** *prov* unirea face puterea **2** *v.* **safety catch**

safety appliance ['seifti ə'plaiəns] *s tehn* dispozitiv de siguranță/ securitate

safety belt ['seifti ˌbelt] *s* **1** *nav* centură de salvare **2** *av, min* centură de siguranţă **3** *silv* perdea parafoc

safety brake ['seifti ˌbreik] *s tehn* frână de siguranţă

safety catch ['seifti ˌkætʃ] *s mil* siguranţă (a trăgaciului)

safety curtain ['seifti ˌkə:tn] *s teatru* cortină de siguranţă

safety device ['seifti di'vais] *s tehn* dispozitiv de siguranţă/securitate/protecţie; aparat de control

safety education ['seifti ˌedju:-'keiʃən] *s* curs scurt de tehnica securităţii (în şcoli, întreprinderi etc.)

safety-first ['seifti'fə:st] *adj atr* care-şi apără pielea (mai întâi); precaut, prevăzător

safety gap ['seifti ˌgæp] *s auto* eclator

safety glass ['seifti ˌglɑ:s] *s tehn* securit, sticlă incasabilă; geam de siguranţă

safety hook ['seifti ˌhuk] *s tehn* carabină

safety island ['seifti ˌailənd] *s* refugiu (pt pietoni)

safety lamp ['seifti ˌlæmp] *s* lampă de siguranţă, ↓ *min* lampă Davy

safety limit ['seifti ˌlimit] *s tehn* limită de încărcare

safety line ['seifti ˌlain] *s ferov* linie de scăpare

safety lock ['seifti ˌlɔk] *s constr* broască de siguranţă

safety margin ['seifti ˌmɑ:dʒin] *s* margine/coeficient de siguranţă

safety match ['seifti ˌmætʃ] *s* chibrit

safety pin ['seifti ˌpin] *s* **1** ac de siguranţă **2** *tehn* ştift de siguranţă

safety razor ['seifti ˌreizəʳ] *s* aparat de ras/bărbierit

safety strip ['seifti ˌstrip] *s silv* perdea parafoc

safety train ['seifti ˌtrein] *s ferov* tren de ajutor

safety valve ['seifti 'vælv] *s* **1** *tehn* supapă/ventil de siguranţă **2** *fig* supapă de siguranţă; debuşeu; ieşire, scăpare

safety zone ['seifti ˌzoun] *s v.* **safety island**

saffian ['sæfiən] *s* saf(t)ian

saffron ['sæfrən] **I** *s* **1** *bot* şofran (Crocus sativus) **2** culoarea şofranului **3** *bot* şofrănel (Crocus banaticus) **II** *adj* de şofran; galben ca şofranul

saffron oil ['sæfrən ˌɔil] *s* ulei de şofran

S. Afr. *presc de la* **1 South Africa 2 South African**

sag [sæg] **I** *vi* **1** a se îndoi (sub greutate); a se încovoia; a se lăsa **2** (d. îmbrăcăminte etc.) a atârna; **the dress ~s at the back** rochia e prea largă la spate **3** a se ofili; a se trece **4** a se târî, a se mişca cu greu **5** a pierde din valoare; a-şi pierde valoarea; a nu mai avea acelaşi preţ **6** *nav* a se abate/a se îndepărta de la drumul drept **II** *vt* a face să se îndoaie etc. (v. ~ I) **III** *s* **1** îndoire, îndoitură, încovoiere; lăsare **2** lăsare (a pavajului etc.); tasare **3** scădere a preţului *sau* a valorii

saga ['sɑ:gə] *s lit* **1** saga, epopee nordică; legendă nordică **2** legendă, povestire **3** roman al unei familii

sagacious [sə'geiʃəs] *adj* **1** (d. cineva) perspicace, ager; inteligent; *rar* ← sagace **2** (d. un animal) inteligent

sagaciously [sə'geiʃəsli] *adv* cu perspicacitate

sagacity [sə'gæsiti] *s* **1** perspicacitate, vioiciune, agerime; inteligenţă; *rar* → sagacitate **2** inteligenţă (a animalelor)

sage¹ [seidʒ] **I** *adj* **1** înţelept; inteligent **2** ↓ *ironic* deştept **II** *s* **1** (om) înţelept; om inteligent **2** om deştept; *ironic* deştept

sage² *s bot* salvie, jale (Salvia officinalis)

sage brush ['seidʒ ˌbrʌʃ] *s bot* pelin (Artemisia sp.)

sage brusher ['seidʒ ˌbrʌʃəʳ] *s amer* cutreierător al preriilor

sage-green ['seidʒ ˌgri:n] *adj* verdegri

sagely ['seidʒli] *adv* cu înţelepciune, înţelepteşte

sage tea ['seidʒ ˌti:] *s med* ceai de salvie

saggar, sagger ['sægəʳ] *s* capsulă de porţelan

sagging ['sægiŋ] *s* **1** *tehn* flexiune, deformaţie; lăsare în jos **2** *meteor* precipitare **3** *geogr* depresiune

sagittal ['sædʒitəl] *adj* sagital, în formă de săgeată

Sagittarius [ˌsædʒi'tɛəriəs] *s astr* Săgetătorul

sagittary ['sædʒitəri] **I** *adj* **1** *v.* **sagittal 2** (ca) de săgeată **II** *s mit* centaur

sagittate ['sædʒiˌteit] *adj bot* sagitat

sagittiform [sə'dʒitiˌfɔ:m] *adj v.* **sagittate**

sago ['seigou] *s* sago (un fel de apret)

sago palm ['seigou ˌpɑ:m] *s bot* sagotier (Metroxylon sp.)

Sahara, the [sə'hɑ:rə, ðə] *s* deşert în Africa

sahib ['sɑ:hib] *s anglo-ind* **1** sahib, domnul **2** sahib, european

said [sed] **I** *pret şi ptc de la* **say I II** *adj atr* **the ~** numitul, amintitul; mai sus-amintitul/pomenitul

sail [seil] **I** *s* **1** *nav* velă *sau* vele, pânză *sau* pânze; vântrea *sau* vântrele; **to hoist/to make ~ a** a întinde velele/pânzele **b** *fig* a întinde pânzele, a pleca; **(in) full ~** şi *fig* cu toate pânzele întinse/sus; **to take the wind from/out of smb's ~s** *fig* a lua cuiva apa de la moară **b** a i-o lua cuiva înainte; **under ~** cu pânzele ridicate/întinse/sus, plecat, navigând; **to set ~ a** a înălţa/a ridica velele/pânzele **b** *fig* a pleca în călătorie (pe mare) **2** *nav* corabie, vas cu pânze, velier, navă cu vele *sau* veliere, corăbii cu pânze etc. **3** *nav* plimbare cu un vas cu pânze *sau* cu o barcă cu pânze; **to go for a ~** a face o plimbare cu un vas *sau* o barcă cu pânze **4** aripă (a unei mori de vânt) **5** ← *poetic* aripă (a unei păsări) **II** *vi* **1** *nav* a călători/a merge cu vasul, a naviga; (d. un vas) a naviga, a pluti; **to ~ along the coast** a naviga/a pluti de-a lungul coastei; **to ~ down a river** a naviga în josul unui fluviu; **to ~ round a cape** a circumnaviga un cap **2** *nav* (d. un vas) a pleca, a porni; a ridica pânzele; **ready to ~** gata de plecare **3** *nav* (d. cineva) a pleca într-o călătorie (pe mare) **4** *fig* (d. nori etc.) a pluti; a trece *sau* a se mişca lin; a luneca; a plana **5** *fig* (d. păsări, avioane etc.) a zbura; a plana, a zbura lin; a pluti **6** *fig* (d. cineva) a se mişca graţios, „a pluti" *sau* a se legăna; a păşi triumfal; a intra triumfal/maiestuos **III** *vt* **1** *nav* a naviga pe; a străbate (o mare etc.) **2** *nav* a conduce; a pilota; a cârmi 3 *nav* a transporta cu un velier *sau* cu o barcă cu pânze 4 a da drumul la *(corăbioare de hârtie)* 5 ← *poetic* a pluti în *(aer)*, a străbate *(cerul)*

sailboat ['seil,bout] *s nav* barcă cu pânze/vele

sail cloth ['seil ,klɔθ] *s text* pânză groasă de in *sau* cânepă

sailer ['seilə'] *s nav* 1 *v.* **sailing ship** 2 navă rapidă *(de orice fel)*

sail in ['seil 'in] *vi cu part adv* ← *F* 1 a se amesteca, a interveni; a lua măsuri hotărâte 2 a se apuca de lucru cu zel

sailing ['seiliŋ] *s nav* 1 navigație 2 sport nautic

sailing boat ['seiliŋ ,bout] *s v.* **sailing ship**

sailing line ['seiliŋ ,lain] *s hidr* șenal

sailing ship/vessel ['seiliŋ ,ʃip/,vesəl] *s nav* corabie, vas cu pânze, velier

sail into ['seil ,intə] *vi cu prep fig* a se năpusti asupra *(cuiva)*, *F* a lua la refec/la trei păzește *(pe cineva)*

sailor ['seilə'] *s* 1 *nav* marinar, *înv* ← corăbier, năier; matelot, matroz 2 pălărie (de) marinar

sailor boy ['seilə ,bɔi] *s nav* elev marinar

sailoring ['seiləriŋ] *s* viață de marinar

sailor man ['seilə ,mæn] *s* ← *vulg*, *umor v.* **sailor** 1

sailor's knot ['seiləz ,nɔt] *s nav* nod marinăresc

sailor suit ['seilə su:t] *s* costum marinar *(pt copii)*

sail plane ['seil ,plein] *s av* planor

sain [sein] *vt* ← *înv* 1 a face *(cuiva)* semnul crucii 2 a binecuvânta, a blagoslovi

saint [seint] **I** *s* 1 *rel* sfânt 2 **S**~ [snt, sint] *(înaintea unui nume)* Sfântul, Sf.: **S~ Helena** Sfânta/Sf. Elena 3 *fig* (om) sfânt **II** *adj atr* sfânt **III** *vt rel* a sanctifica; a canoniza

sainted ['seintid] *adj* 1 intrat în rândul sfinților; canonizat 2 sfânt; sacru; sfințit

sainthood ['seinthud] *s* 1 sfințenie, caracter sfânt 2 *rel* sfinți

saintlike ['seint,laik] *adj v.* **saintly**

saintliness ['saintlinis] *s* sfințenie; evlavie, cucernicie, pietate

saintly ['seintli] *adj* 1 sfânt; pios, evlavios, cucernic 2 *(d. viață etc.)* (ca) de sfânt

Saint Martin's summer [snt 'mɑ:tinz ,sʌmə'] *s meteor* vara fetelor bătrâne

saint's day [,seints 'dei] *s bis* ziua unui (anumit) sfânt

saintship ['seint,ʃip] *s v.* **sainthood**

Saint Valentine's day [snt 'vælən- tainz ,dei] *s bis* (Ziua) Sf. Valentin *(14 februarie, când iubitei i se trimit cadouri, versuri etc.)*

saith [seθ] *înv pt* **says** *(pers 3 sg prez de la* **to say**)

sake¹ [seik] *s:* **for the ~ of** pentru; de dragul *cu gen:* **do it for my ~** fă-o de dragul meu/pentru mine; **for God's/goodness/heaven's ~!** pentru Dumnezeu! **for pity's ~!** îndură-te! fie-ți milă! te rog din suflet! te implor! **he did it for the ~ of making money** a făcut asta pentru bani

sake² [sɑ:ki] *s* băutură alcoolică japoneză *(din orez, servită ↓ caldă)*

Sakhalin [,səkə'li:n] *insulă la est de Siberia* Sahalin

saki ['sɑ:ki] *s v.* **sake²**

sal [sæl] *s ch* sare

salaam [sə'lɑ:m] *(la mahomedani)* **I** *s* salamalec; temenea **II** *vt* a se ploconi dinaintea *(cuiva)*, a întâmpina cu un salamalec *sau* o temenea

salability [,seilə'biliti] *s ec* vandabilitate

salable ['seiləbəl] *adj ec* vandabil; care are căutare

salacious [sə'leiʃəs] *adj* 1 senzual; lasciv; lubric 2 desfrânat; destrăbălat

salad ['sæləd] *s* 1 salată; vinegretă 2 *bot* salată 3 *fig* amestecătură, ghiveci, „salată"

salad cream ['sæləd ,kri:m] *s v.* **salad dressing**

salad days ['sæləd ,deiz] *s pl* ani de tinerețe, lipsă de experiență

salad dressing ['sæləd ,dresiŋ] *s* sos pentru salată; maioneză

salad oil ['sæləd ,ɔil] *s* ulei comestibil *(dar nu de măsline)*

salamander ['sælə,mændə'] *s* 1 *zool* salamandră, *P* → salamâzdră *(Salamandra maculosa)* 2 făraș 3 *met* urs, bloc de metal *(în vatra cuptorului)*

salami [sə'lɑ:mi] *s* salam

sal ammoniac ['sæl ə'mouniæk] *s ch* clorură de amoniu, țipirig

salariat, the [sə'lɛəriæt, ðə] *s* salariații

salaried ['sælərid] *adj* salariat; cu salariu/leafă

salary ['sæləri] *s* salar(iu) *(lunar sau trimestrial)*

sale [seil] *s* 1 vânzare; **for ~** de vânzare; **on ~** în vânzare/comerț; de vânzare 2 licitație; **to put up for ~** a vinde la licitație 3 *com* sold

saleable ['seiləbəl] *adj v.* **salable**

sale of work ['seil əv 'wə:k] *s* vânzare de articole, hrană *etc.* pregătite acasă

sale price ['seil ,prais] *s com* 1 preț de vânzare 2 (preț de) sold

sale room ['seil ,ru:m] *s* sală de licitații

salesclerk ['seilz,klɑ:k] *s com* vânzător

salesgirl ['seilz,gə:l] *s com* vânzătoare

sales leaflet ['seilz,li:flit] *s poligr* foaie de reclamă, prospect

salesman ['seilzmən] *s com* 1 vânzător 2 comisionar 3 *amer* agent comercial; reprezentant comercial 4 mare comerciant; angrosist

salesmanship ['seilzmən,ʃip] *s* 1 *com* arta de a vinde *sau* de a găsi cumpărători 2 *fig* arta de a convinge

salespeople ['seilz,pi:pl] *s amer com* vânzători; comercianți, negustori

sales resistance ['seilz ri'zistəns] *s* refuz de a cumpăra ceva *(↓ în ciuda reclamei)*

sales slip ['seilz ,slip] *s com* bon (de vânzare)

sales tax ['seilz ,tæks] *s ec* impozit pe cifra de afaceri

saleswoman ['seilz,wumən] *s com* 1 vânzătoare 2 *amer* agent comercial (femeie); reprezentantă comercială 3 mare comerciantă; angrosistă

Salford ['sɔ:lfəd] *oraș în Anglia*

Salic law, the ['sælik ,lɔ:, ðə] *s ist* legea salică

salicylate [sə'lisi,leit] *s ch* salicilat

salicylic acid [,sæli'silik ,æsid] *s ch* acid salicilic

salience ['seiliəns] *s* 1 proeminență; ieșitură 2 *fig* proeminență, reliefare; scoatere în relief, subliniere, accentuare; **to give ~ to** a scoate în relief, a sublinia, a accentua *cu ac*

saliency ['seiliənsi] *s v.* **salience**

salient ['seiliənt] **I** *adj* **1** ieşit în afară, proeminent **2** *fig* proeminent, frapant, izbitor, care iese în relief; caracteristic; dominant **II** *s* parte care iese în afară; protuberanţă, proeminenţă, ieşitură

saliferous [sæ'lifərəs] *adj geol* salifer

salify ['sæli,fai] *vt ch* a salifia; a săra

salina [sæ'lainə] *s* **1** lac sărat; baltă sărată **2** salină; *înv* → ocnă de sare

saline ['seilain] **I** *adj* **1** sărat **2** *min etc.* salin, de sare **II** *s* **1** lac, izvor *etc.* sărat/salin; baltă sărată **2** *v.* **salina 2 3** *ch* sare metalică, ↓ sare de magneziu

salinity [sə'liniti] *s* salinitate

salinometer [,sæli'nomitər] *s* salinometru

Salisbury ['sɔːlzbəri] *s* **1** *capitala comitatului Wiltshire (Anglia)* **2** *capitala statului Zimbabwe*

saliva [sə'laivə] *s fizl* salivă, sputä

salivary [sə'laivəri] *adj anat* salivar

salivate ['sæli,veit] ↓ *med* **I** *vt* a face să saliveze; a provoca salivaţia *(cu gen)* **II** *vi* a saliva

salivation [,sæli'veiʃən] *s fizl, med* salivaţie, salivare

salivator ['sæli,veitər] *s med* substanţă care provoacă salivaţie

sallow¹ ['sæləu] *s bot* **1** salcie *(Salix sp.)*, ↓ salcie moale *(Salix caprea)* **2** (lemn de) salcie **3** ramură de salcie

sallow² **I** *adj (d. faţă etc.)* galben; pământiu; palid; bolnăvicios **II** *s* culoare palidă *sau* pământie *sau* bolnăvicioasă

sallowish ['sæləuiʃ] *adj* cam palid; gălbui

sallowness ['sæləunis] *s v.* **sallow II**

sallowy ['sæləui] *adj* cu (multe) sălcii

Sallust ['sæləst] *istoric şi om de stat roman* Salustiu *(87-35 î.e.n.)*

Sally ['sæli] *nume feminin v.* **Sarah**

sally **I** *s* **1** ieşire bruscă **2** *mil* ieşire *(dintr-o poziţie încercuită etc.)*, atac **3** ieşire; excursie scurtă; escapadă **4** *fig* ieşire, izbucnire; manifestare **5** replică neaşteptată; remarcă spirituală; vorbă de duh **II** *vi* **1** a ieşi brusc **2** *mil* a ieşi *(dintr-o poziţie încercuită etc.)*, a ieşi la atac, a ataca **3** a porni (la drum); a ieşi (la plimbare)

sally forth ['sæli 'fɔːθ] *vi cu part adv v.* **sally II 3**

Sally Lunn, sally lunn ['sæli 'lʌn] *s un fel de* prăjitură *(se serveşte la ceai,* ↓ *cu unt)*

sally out ['sæli 'aut] *vi cu part adv v.* **sally II 2-3**

salmagundi [,sælmə'gʌndi] *s* **1** *un fel de* ragout, tocană *(din carne tocată, ouă, anşoa, ceapă, piper, untdelemn şi oţet)* **2** *fig* amestec(ătură), *F* talmeş-balmeş, ghiveci

salmi ['sælmi] *s fr un fel de* ragout din carne de vânat

salmiac ['sælmiæk] *s ch* clorură de amoniu, ţipirig

salmon ['sæmən] **I** *s şi ca pl iht* somon *(Salmo salar)* **II** *adj* roz-portocaliu

salmonella [,sælmə'nelə] *s zool* salmonelă *(Salmonella sp.)*

salmon trout ['sæmən ,traut] *s şi ca pl iht* **1** păstrăv european *(Tratta tratta)* **2** păstrăv american *(Cristivomer namaycush)*

Salome [sə'loumi] *bibl* Salomeea

salon [sa'lɔːn] *s fr* **1** salon *(într-un hotel, pe vapor)* **2** salon *(într-o casă particulară,* ↓ *în ţările de limbă franceză)* **3** salon *(de artă)*; sală *(de expoziţie)*

Salonika [sə'lɔnikə] *port în Grecia* Salonic

saloon [sə'luːn] *s* **1** sală **2** *nav* salon *(pe vas)* **3** *auto* limuzină, sedan **4** *ferov* vagon-salon **5** *amer* cârciumă; birt; restaurant; bar; berărie

saloon bar [sə'luːn ,baːʳ] *s* bar *(de hotel sau restaurant, cu preţuri mai mari decât la un „public bar")*

saloon car [sə'luːn ,kaːʳ] *s v.* **saloon 3, 4**

saloon carriage [sə'luːn 'kæridʒ] *s v.* **saloon 4**

saloon keeper [sə'luːn ,kiːpəʳ] *s amer* cârciumar; birtaş; restaurant; proprietar de bar *etc.*

saloon stores [sə'luːn ,stɔːz] *s pl nav* mărfuri comercializate la bord

Salop ['sæləp] *v.* **Shropshire**

Salopian [sə'loupiən] *s locuitor din comitatul Shropshire sau oraşul Shrewsbury*

salse [sæls] *s geol* vulcan de noroi

salsify ['sælsifai] *s bot* barba caprei *(Tragopogon porrifolius)*

salt [sɔːlt] **I** *s* **1** sare (de bucătărie); **not/hardly worth one's ~** fără valoare, *F* care nu face două

parale; **to eat ~ with smb** *fig* a fi musafirul/oaspetele cuiva; **to rub ~ in smb's wound(s)** *fig* a pune sare pe rana cuiva; **to eat smb's ~** *fig* **a** a fi musafirul cuiva **b** a depinde de cineva; a fi întreţinut de cineva; a mânca pâinea cuiva; **with a grain/pinch of ~** *fig lat* cum grano salis, cu precauţie; critic; cu rezerve; **in~** (pus la) sărat; **above the ~** *a* în capul mesei **b** având o poziţie foarte înaltă; „care are pâinea şi cuţitul"; **to drop/to put (a pinch of) ~ on smb's tail** *fig* a pune cuiva sare pe coadă **2** salinitate **3** *ch* sare **4** *med* sare, ↓ *pl* săruri; purgativ **5** *fig* sare, haz, farmec, gust **6** *F* lup de mare, – marinar experimentat **II** *adj* **1** sărat; cu sare; păstrat în sare; cu gust *sau* miros de sare **2** *fig (d. lacrimi)* amar **3** *fig* de mare, marin **4** *fig* sărat; picant; de duh; nostim **5** *fig (d. preţuri) sl* sărat, piperat **6** salin **III** *vt* **1** a săra, a presăra cu sare, a pune sare în **2** a păstra/a conserva în saramură **3** *fig sl* a ridica; a exagera *(valoarea etc.)*

saltant ['sæltənt] *adj* săltăreţ, care saltă/sare

saltation [sæl'teiʃən] *s* **1** sărituri, salturi; dans, joc **2** salt, săritură **3** *fig* salt (brusc), schimbare (bruscă)

saltatory ['sæltətəri] *adj* **1** *v.* **saltant 2** *(d. dezvoltare etc.)* în salturi

salt away ['sɔːlt ə'wei] *vt cu part adv* a pune deoparte, a economisi *(bani)*

salt cellar ['sɔːlt ,selər] *s* solniţă

salted ['sɔːltid] *adj* **1** sărat **2** *F* trecut prin ciur şi dârmon, – experimentat

saltern ['sɔːltən] *s* **1** *min* salină **2** întreprindere pentru extracţia sării

saltiness ['sɔːltinis] *s* **1** gust sărat **2** caracter salin

salting ['sɔːltiŋ] *s* **1** sărare, sărat **2** ↓ *pl* sărătură, teren salin

saltire ['sɔːl,taiəʳ] *s (în heraldică)* cruce în formă de X

saltish ['sɔːltiʃ] *adj* cam sărat

Salt Lake City ['sɔːlt ,leik 'siti] *capitala statului american Utah*

saltlick ['sɔːlt,lik] *s* bulgăre de sare *(pt vite)*

salt liquor ['sɔːlt,likəʳ] *s tehn* saramură

salt mine ['sɔːlt ˌmain] *s* mină de sare, salină

salt of the earth, the ['sɔːlt əv ði 'əːθ, ðə] *s fig* sarea pământului, oamenii cei mai aleşi

salt pan ['sɔːlt ˌpæn] *s* **1** mic lac sărat **2** salină

saltpeter, saltpetre [ˌsɔːltˈpiːtəʳ] *s ch* salpetru, nitrat de potasiu

salt plug ['sɔːlt ˌplʌg] *s geol* dom de sare

Salt River, the ['sɔːlt ˌrivəʳ, ðə] numele a două râuri în S.U.A.

salt shaker ['sɔːlt ˌʃeikəʳ] *s amer* solniţă

salt-water ['sɔːlt ˌwɔːtəʳ] *adj atr* de apă sărată; marin

salt works ['sɔːlt ˌwəːks] *s sg şi pl v.* **saltern**

saltwort ['sɔːltˌwəːt] *s bot* **1** săricică *(Salsola kali)* **2** brâncă *(Salicornia herbacea)*

salty ['sɔːlti] *adj v.* **salt II 1, 4**

salubrious [səˈluːbriəs] *adj* salubru, favorabil sănătăţii, sănătos

salubriousness [səˈluːbriəsnis] *s* caracter salubru

salubrity [səˈluːbriti] *s* **1** salubritate, caracter salubru **2** sănătate perfectă

salutary ['sæljutəri] *adj* **1** folositor sănătăţii, *rar* → salutar **2** *fig* salutar, folositor, util

salutation [ˌsæljuˈteiʃən] *s* **1** salut(are) **2** (formă de) adresare *(într-o scrisoare)*; fel de a se adresa cuiva

salutatory [səˈluːtətəri] *adj (d. o cuvântare etc.)* de salut; de bun venit

salute [səˈluːt] **I** *s* ↓ *mil* salut; **to stand at the ~** *mil* a da onorul; **to take the ~** *mil* a primi onorul **II** *vi* ↓ *mil* a saluta; *mil* a da onorul, a trage o salvă **III** *vt* **1** ↓ *mil* a saluta; *mil* a da onorul *(cuiva);* a trage o salvă în onoarea *(cuiva)* **2** *fig* a întâmpina; a se înfăţişa, a se prezenta *(ochiului, privirii)*

salvage ['sælvidʒ] **I** *s* **1** *nav* salvare, operaţie de salvare a unei nave **2** *nav* obiecte salvate, încărcătură recuperată *(prin salvare)* **3** *nav* navă salvată **4** *nav* ranfluare **5** *nav* remuneraţie de salvare **6** salvare *(de la foc etc.)* **7** bun salvat *sau* bunuri salvate **8** *mil* trofeu **II** *vt* **1** *nav* a salva *(o navă)* **2** *nav* a recupera *(o încăr-*

cătură, prin salvare) **3** *nav* a ranflua **4** a salva *(bunuri)* **5** a valorifica *(materiale uzate)* **6** *mil sl* a înstrăina, a fura

salvaging ['sælvidʒiŋ] *s* **1** salvare; lucrări/operaţiuni de salvare *sau* recuperare **2** utilizare a deşeurilor

salvation [sælˈveiʃən] *s* **1** *rel* mântuire, izbăvire **2** salvare, *poetic* → izbăvire

Salvation Army, the [sælˈveiʃən ˌaːmi, ðə] *s* Armata Salvării *(organizaţia religioasă filantropică în Anglia şi S.U.A.)*

Salvationist [sælˈveiʃənist] *s* membru al organizaţiei „Armata Salvării"

salve¹ [sælv] **I** *s* **1** ← *înv* alifie (tămăduitoare) **2** *fig* leac, remediu **3** *fig poetic* balsam **II** *vt* **1** ← *înv* a unge *(cu o alifie)* **2** *fig* a linişti, a împăca *(conştiinţa etc.)* **3** *fig* a rezolva *(dificultăţi)*

salve² *vt v.* **salvage II**

salve oil ['sælv ˌɔil] *s ch* ulei medicinal

salver ['sælvəʳ] *s* tavă *(↓ de argint)*

salvia ['sælviə] *s bot* salvie, jale *(Salvia officinalis)*

salvo¹ ['sælvou], *pl* **salvo(e)s** ['sælvouz] *s* **1** *mil* salvă **2** ropot *(de aplauze)*

salvo² *s* **1** subterfugiu, pretext, scuză **2** *jur* rezervă

sal volatile [ˌsælvəˈlætili] *s ch* subcarbonat de amoniac uleios; praf de mirosit

salvor ['sælvəʳ] *s nav* persoană *sau* navă care ajută la salvarea unui vas *etc.*

Salzburg ['zaltsburk] *oraş în Austria*

S. Am. *presc de la* **1** South America **2** South American

Sam [sæm] *nume masculin* Samuel; **to stand ~** a plăti *(↓ pt consum de băuturi spirtoase);* **upon my ~!** *F* p-onoarea mea; să fiu bătrân (dacă te mint!)

Samarcand [ˌsæməˈkænd] *oraş în fosta U.R.S.S.* Samarkand, *înv* → Samarcanda

Samaritan [səˈmæritən] *s, adj bibl şi fig* samaritean, samarinean

samarium [səˈmɛəriəm] *s ch* samariu

Samarkand ['sæmə ˌkænd] *v.* **Samarcand**

samba ['sæmbə] *s* samba *(dans brazilian)*

sambo ['sæmbou] *s* **1** zambo *(bărbat pe jumătate negru, pe jumătate mulatru)* **2** S~ ← *F*, ↓ *peior* negru

sambuke ['sæmbjuːk] *s muz* od sambuca, *un fel de* harfă *(cu patru strune)*

same, the ['seim, ðə] **I** *adj* **1** acelaşi; aceeaşi; identic; aceleaşi **on ~ day** în aceeaşi zi; chiar în ziua aceea; **are you of ~ opinion?** eşti de aceeaşi părere? **which is ~ thing** ceea ce este (de fapt) acelaşi lucru; **it comes/ amounts to ~ thing** e (cam) acelaşi lucru, *F* cam tot acolo vine, tot un drac; **the very same thing, just/exactly ~ thing** absolut acelaşi lucru; **he is no longer ~ man** nu mai este acelaşi om, e un alt om; **at ~ time** odată, în acelaşi timp, totodată; **it's one and ~ problem** e una şi aceeaşi problemă **2** acelaşi *etc.;* neschimbat; **he looks ~ as ever** arată neschimbat; e aşa cum îl ştii; anii nu l-au schimbat (câtuşi de puţin); **the patient is much about ~** starea pacientului/ bolnavului e aproape neschimbată **3** acelaşi *etc.;* indiferent; **it is all ~ to me** mi-e indiferent/tot una; puţin îmi pasă **4** same *(cu that etc.);* **on that same day** în aceeaşi zi, chiar în ziua aceea **5** same *(d. viaţă etc.)* monoton, neschimbat **II** *pr* **1** acelaşi lucru; **it is much ~** e cam acelaşi lucru; **it is all ~ to me** *v.* **I 3**; **~ was said about him** acelaşi lucru se spunea/aceleaşi lucruri se spuneau despre el **2** aceeaşi persoană; sus-numitul; **one and ~** unul şi acelaşi **3** *rel jur* acesta; aceasta; aceştia; acestea **4** **same** *ec şi* ← *F* aşa ceva; acest lucru/obiect; **14 shillings for alternations to ~** 14 şilingi pentru a-l modifica **III** *adv* la fel, în acelaşi mod/fel/chip; **he recited ~ as you did** a recitat (în acelaşi mod *sau* stil) ca şi tine; **all ~** cu toate acestea, totuşi; oricât; **just ~** a exact/chiar în acelaşi fel **b** *v.* **all ~**

same as ['seim æz] *adv* ← *F* întocmai ca (şi), la fel ca (şi), precum; **he has his pride ~ anyone else** are şi el mândria lui (ca oricare)

sameness ['seimnis] *s* **1** identitate; asemănare perfectă **2** uniformitate, monotonie

Sam Hill ['sæm ‚hil] *s sl* iad

samiel ['sæmjel] *s meteor* simun

samlet ['sæmlit] *s iht* somon tânăr

Samoa [sə'mouə] *grup de insule în Pacific*

samovar ['sæmə‚vɑːʳ] *s rus* samovar

Samoyed(e) [‚sæmə'jed] *s adj* samoed

sampan ['sæmpæn] *s nav* şampană

samphire ['sæm‚faiəʳ] *s bot* **1** brâncă, căpriţă, iarbă sărată *(Salicornia herbacea)* **2** *Chrithmum maritimum*

sample ['sɑːmpəl] **I** *s* **1** mostră; exemplar; eşantion; probă **2** şablon, model, tipar **3** *poligr* probă de tipar **4** *met* epruvetă **5** *mat* selecţie **II** *vt* **1** a proba, a încerca; a gusta *(vinuri etc.)* **2** a recolta, a lua probe de **3** a alege, a selecta, a compara

sampler ['sɑːmpləʳ] *s* **1** luare de probe, eşantionare **2** *text* model *(de împletit)* **3** *text* laborant care prepară mostre **4** *tehn* gradeln **5** *tehn* probagiu **6** *cib* selector **7** *min* tester

Sampson ['sæmpsən] *nume masc* v. **Samson**

Samson ['sæmsən] *s* **1** *bibl nume masc* **2** *fig* bărbat foarte puternic

Samuel ['sæmjuəl] *nume masc, bibl*

samurai ['sæmu‚rai] *s şi pl* samurai

San Antonio [sæn æn'touni‚ou] *oraş în Texas (S.U.A.)*

sanative ['sænətiv] *adj rar* v. **sanatory**

sanatorium [‚sænə'tɔːriəm], *pl şi* **sanatoria** [‚sænə'tɔːriə] *s* sanatoriu

sanatory ['sænətɔri] *adj* curativ, vindecător

sanctification [‚sæŋktifi'keiʃən] *s* **1** *rel* sanctificare, canonizare; sfinţire **2** *fig* sfinţire **3** *rel etc.* purificare **4** *fig* sancţionare

sanctified ['sæŋktifaid] *adj* **1** sanctificat, sfinţit **2** v. **sanctimonious**

sanctify ['sæŋkti‚fai] *vt* **1** *rel* a sanctifica, a canoniza; a sfinţi **2** *fig* a sfinţi **3** *rel etc.* a purifica, a curăţa **4** *fig* a sancţiona, a consfinţi, a statornici

sanctimonious [‚sæŋkti'mouniəs] *adj* care face pe sfântul/evlaviosul; ipocrit, făţarnic

sanctimoniously ['sæŋkti'mouniəsli] *adv* cu evlavie prefăcută; ipocrit, făţarnic

sanctimoniousness [‚sæŋkti'mouniəsnis] *s* cu evlavie prefăcută; făţărnicie, ipocrizie

sanctimony ['sæŋkti'mouni] *s* evlavie/cucernicie prefăcută; ipocrizie religioasă

sanction ['sæŋkʃən] **I** *s* **1** sancţiune, aprobare, confirmare; consfinţire **2** *jur* sancţiune; pedeapsă; *pl* sancţiuni **II** *vt* **1** a sancţiona, a aproba, a confirma; a consfinţi **2** a sprijini, a susţine

sanctitude ['sæŋkti‚tjuːd] *s* sanctitate, sfinţenie

sanctity ['sæŋktiti] *s* **1** *rel etc.* sfinţenie, caracter sacru/sfânt **2** *rel* sanctitate **3** *pl fig* obligaţii sacre

sanctuary ['sæŋktjuəri] *s* **1** *bis* sanctuar, locaş sfânt; biserică; templu **2** *bis şi fig* altar **3** *fig* adăpost, refugiu; azil; **to seek ~** a căuta adăpost/refugiu *sau* azil **4** rezervaţie

sanctum ['sæŋktəm] *s* **1** *bis* sanctuar, locaş sfânt; sfânta sfintelor **2** *fig* ← *F* chilie; loc retras; cameră particulară; birou retras/particular

sand [sænd] **I** *s* **1** nisip; **a grain of ~** un grăunte de nisip; **built on** ~ *fig* clădit pe nisip **2** banc, prag de nisip **3** *pl* nisipuri **4** *pl* plajă **5** *pl* nisip *(într-o clepsidră);* **the ~s are running out** a timpul/vremea se apropie de sfârşit **b** zilele sunt numărate; sfârşitul e aproape **6** culoarea nisipului **7** *amer* ← *F* stăruinţă; insistenţă; perseverenţă; curaj, dârzenie **II** *vt* **1** a presăra *sau* a acoperi cu nisip **2** a îngropa în nisip **3** a amesteca cu nisip **4** a şlefui cu nisip *sau* şmirghel **5** a umple cu nisip **6** *nav* a face să eşueze

Sand [sɑːd], **George** *romancieră franceză (1804-1876)*

sandal ['sændəl] *s* **1** sanda(lă) **2** curéluşă *(de sanda etc.)*

sandal(l)ed ['sændəld] *adj* (încălţat) cu sandale

sandal wood ['sændəl ‚wud] *s* lemn de santal

sandarac ['sændə‚ræk] *s* **1** *ch* sandarac **2** *minr* realgar

sand asphalt ['sænd ‚æsfəlt] *s* asfalt nisipos, nisip asfaltos

sandbag ['sænd‚bæg] **I** *s* sac cu nisip **II** *vt* **1** a acoperi, a umple *sau* a apăra cu saci cu nisip **2** (**into** + **-ing**) *amer* ← *F* a forţa, a sili (să)

sand bank ['sænd ‚bæŋk] *s* banc de nisip

sand bar ['sænd ‚bɑːʳ] *s* banc, prag de nisip

sand bed ['sænd ‚bed] *s met* pat de turnare

sandblast ['sænd‚blɑːst] *s tehn* **1** sablat, sablaj, sablare **2** aparat de sablat

sand blow ['sænd ‚blou] *s met* incluziune de nisip

sand box ['sænd ‚bɔks] *s ferov* nisipelniţă

sandboy ['sænd‚bɔi] *s:* (**as) jolly/ happy as a** ~ *F* în al nouălea cer (de bucurie), – foarte fericit

Sandburg ['sændbəːg], **Carl** *scriitor american (1878-1967)*

sandcast ['sænd‚kɑːst] *vt met* a turna în (forme de) nisip

sandcastle ['sænd‚kɑːsl] *s* **1** castel de nisip *(făcut de copii)* **2** *fig* castel din cărţi de joc

sand clay ['sænd ‚klei] *s geol* sol nisipos-lutos

sand dune ['sænd ‚djuːn] *s geogr* dună de nisip

sanded ['sændid] *adj* **1** acoperit, umplut *etc.* cu nisip **2** de culoarea nisipului **3** *min* înnisipat

sander ['sændəʳ] *s* **1** *tehn* v. **sanding machine 2** *ferov* nisipelniţă

sanderling ['sændəliŋ] *s orn specie de ploier (Crocethia alba)*

sanders ['sændəz] *s înv* v. **sandal wood**

sand filter ['sænd ‚filtəʳ] *s tehn* filtru de nisip

sand glass ['sænd ‚glɑːs] *s* **1** clepsidră **2** *nav* nisipar

sand hill ['sænd ‚hil] *s geogr* dună de nisip

sand hog ['sænd ‚hɔg] *s* lucrător la terasament, terasier

San Diego [‚sæn di'eigou] *oraş în California*

sandiness ['sændinis] *s* caracter nisipos

sanding ['sændiŋ] *s* **1** presărare *sau* acoperire cu nisip **2** *tehn* sablare; înnisipare

sanding machine ['sændiŋ mə'ʃiːn] *s tehn* **1** maşină de şlefuit **2** maşină de netezit cu abrazivi

sandman ['sændmən] *s* Moş Ene; **the ~ is about** vine Moş Ene pe la gene

sand paper ['sænd ˌpeipəʳ] *s* şmirghel, glaspapir

sand piper ['sænd ˌpaipəʳ] *s orn* fluierar de râu *(Tringoides sau Actitis hypoleucus)*

Sandra ['sændrə] *nume fem v.* **Alexandra**

sand shoe ['sænd ˌʃuː] *s* espadrilă; sandală de plajă

sandstone ['sændˌstoun] *s* 1 gresie 2 *min* piatră de nisip

sand storm ['sænd ˌstɔːm] *s meteor* furtună de nisip

sand trap ['sænd ˌtræp] *s amer* denisipar; deznisipator

sandwich ['sændwidʒ] I *s* 1 sandviş 2 *v.* **sandwich man** 3 *text* amestecare prin straturi suprapuse II *vt* 1 a vârî, a băga, a intercala 2 a înghesui

sandwich board ['sændwidʒ ˌbɔːd] *s* panou-reclamă *(purtat de un* **sandwich man** 2)

Sandwich Islands, the ['sændwidʒ ˌailəndz, ðə] ← *înv* Insulele Hawaii

sandwich man ['sændwidʒ ˌmæn] *s* 1 persoană care face sandvişuri 2 om-reclamă, persoană care poartă afişe *(pe stradă)*

sandwort ['sændˌwəːt] *s bot* studeniţă *(Arenaria serpyllifolia)*

Sandy ['sændi] *poreclă dată unui scoţian*

sandy *adj* 1 nisipos; cu nisip 2 ca nisipul 3 *fig* nestatornic; înşelător 4 de culoarea nisipului; roşiatic

sane [sein] *adj* 1 sănătos la minte; raţional; judicios; normal 2 *(d. concepţii etc.)* sănătos, judicios

Sanford, Mount ['sænfəd, maunt] *munte în Alaska*

Sanforize ['sænfəˌraiz] *vt text* a şanforiza

San Francisco [ˌsæn fræn'siskou] *oraş în California*

San Francisco Bay [ˌsæn fræn-'siskou 'bei] Golful San Francisco

sang [sæŋ] *pret de la* **sing**

sangaree [ˌsæŋgə'riː] *s* băutură din vin, apă şi rachiu, cu mirodenii

sang froid ['sã 'frwa] *s fr* sânge rece

sangria [sæŋ'griːə] *s sp* băutură rece din vin roşu, suc de fructe şi sifon

sanguinary ['sæŋgwinəri] *adj* 1 *(d. o luptă etc.)* sângeros 2 *(d.*

cineva) setos/însetat de sânge 3 însângerat, pătat de sânge 4 *(d. limbaj)* plin de înjurături 4 roşu la faţă

sanguine ['sæŋgwin] *adj* 1 sanguin, sangvin 2 optimist 3 rumen, roşu la faţă; bucălat 4 *poetic* roşu ca sângele

sanguine of ['sæŋgwinəv] *adj cu prep* încrezător în; convins de *(reuşită etc.)*

sanguineous [sæŋ'gwiniəs] *adj* 1 sanguin, sangvin, sanguinic, de sânge 2 *(d. temperament)* sanguin(ic), sangvin(ic) 3 (roşu) ca sângele 4 sângeros, setos de sânge, sanguinar

sanguinity [sæŋ'gwiniti] *s* 1 ← *înv* consangvinitate, înrudire de sânge 2 temperament sanguin(ic); optimism; veselie; exuberanţă

Sanhedrin ['sænidrin] *s od* sanhedrin *(tribunal suprem la evrei)*

sanicle ['sænikəl] *s bot* sănişoară *(Sanicula europaea)*

sanies ['seiniˌiːz] *s med* secreţie sanguinolentă

sanitarian [ˌsæni'tɛəriən] I *adj* sanitar II *s* 1 inspector sanitar 2 igienist

sanitarium [ˌsæni'tɛəriəm], *pl şi* **sanitaria** [ˌsæni'tɛəriə] *s amer* sanatoriu

sanitary ['sænitəri] I *adj* sanitar; igienic II *s şi ca pl amer* toaletă, closet

sanitary belt ['sænitəri ˌbelt] *s med* centură igienică

sanitary engineering ['sænitəri ˌendʒi'niəriŋ] *s tehn* tehnică sanitară

sanitary napkin ['sænitəri 'næpkin] *s amer v.* **sanitary towel**

sanitary service ['sænitəri 'səːvis] *s med* serviciu sanitar

sanitary sewer ['sænitəri 'sjuːəʳ] *s hidr* canal de ape uzate

sanitary towel ['sænitəri ˌtauəl] *s med* tampon igienic

sanitation [ˌsæni'teiʃən] *s* 1 *med* sanitaţie 2 *hidr* asanare *(a bălţilor etc.)* 3 *hidr* canalizare

sanity ['sæniti] *s* 1 sănătate psihică/ sufletească; echilibru mintal 2 judecată sănătoasă 3 ← *rar* sănătate

San Juan [san 'hwan] *capitala statului Porto Rico*

sank [sæŋk] *pret de la* **sink** I, II

San Marino [ˌsæn mə'riːnou] *republică şi capitala ei*

sans [sanz] *prep fr* ← *înv poetic* fără

San Salvador [sæn 'sælvəˌdɔːʳ] *capitala statului El Salvador*

Sanscrit, Sanskrit ['sænskrit] *s* limba sanscrită

sans serif [san 'serif] *s poligr* caracter „grotesc"

Santa Claus/Klaus ['sæntə ˌklɔːz] *s aprox* Moş Crăciun

Santiago [ˌsænti'ɑːgou] *s* 1 *bot* pelin *(Artemisia cina)* 2 *med* santonină

santonica [sæn'tɔnikə] *s* 1 *bot* pelin *(Artemisia cina)* 2 santonină

santonin(e) ['sæntənin] *s med* santonină

São Paulo [sau 'paulu] *stat şi capitala lui în Brazilia*

sap[1] [sæp] I *s* 1 *bot* sevă; suc 2 *fig* sevă, vlagă, energie, vigoare, vitalitate 3 ← *poetic* sânge II *vt* 1 *bot* a scoate, a stoarce *etc.* seva din; a usca 2 a vlăgui, a epuiza, a emacia; a slăbi

sap[2] I *s* 1 *mil* tranşee de legătură/ apropiere; tranşee acoperită 2 *fig* subminare II *vt* 1 *mil* a mina 2 *(d. apă etc.)* a roade 3 *fig* a submina; a slăbi; a roade

sap[3] *şcol sl* I *s* 1 *F* tocilar 2 *F* toceală II *vi F* a toci

sap[4] *s F* tâmpit, cap sec, tont

saphead ['sæpˌhed] *s v.* **sap**[4]

sap-headed ['sæpˌhedid] *adj F* tâmpit, bătut în cap, tont

sapience ['seipiəns] *s* înţelepciune

sapiency ['seipiənsi] *s* înţelepciune

sapient ['seipiənt] *adj şi ironic* înţelept; *ironic* deştept

sapiential [ˌseipi'ənʃəl] *adj (d. o carte etc.)* plin de înţelepciune; moralizator; cu tâlcuri/pilde

sapless ['sæplis] *adj* 1 *bot* fără sevă, uscat 2 *fig* fără vlagă; neputincios, bicisnic; epuizat, sfârşit 3 *fig* fără conţinut

sapling ['sæpliŋ] *s* 1 *bot* puiet 2 *fig* tânăr neexperimentat

saponification [səˌpɔnifi'keiʃən] *s ch* saponificare

saponify [sə'pɔniˌfai] *ch* I *vt* a saponifica II *vi* a se saponifica

saponin(e) ['sæpənin] *s ch* saponină

sapour ['seipəʳ] *s* gust; savoare

sapper ['sæpəʳ] *s mil* pionier

Sapphic ['sæfik] *metr* I *adj* safic II *s* vers safic

sapphire ['sæfaiəʳ] *s minr* safir

sapphirine ['sæfə,ri:n] *adj* (ca) de safir, albastru *(ca safirul)*

sapphism ['sæfizəm] *s med* lesbianism

Sappho ['sæfou] *poetă greacă* Safo, Sappho *(sec. VI î.e.n.)*

sappy ['sæpi] *adj* **1** *bot* cu sevă; plin de sevă; zemos **2** *fig* plin de vigoare/energie, viguros, energic; puternic; tânăr **3** *v.* **sap-headed**

saprogenic [,sæprou'dʒenik] *adj* putred, de putrefacție

saprogenous [sæ'prɔdʒinəs] *adj v.* **saprogenic**

sapropel ['sæprə,pel] *s geol* sapropel, nămol fermentat

saprophyte ['sæprou,fait] *s biol* saprofită

saprophytic [,sæprou'fitik] *adj biol* saprofitic

sapwood ['sæp,wud] *s silv* alburn

Sara ['sɛərə] *nume fem v.* **Sarah**

saraband ['særə,bænd] *s* sarabandă *(muzică, dans)*

Saracen ['særəsən] *s ist* sarazin

Saracenic [,særə'senik] *adj ist* de sarazin

Saragossa [,særə'gɔsə] *oraş în Spania* Zaragoza, Saragosa

Sarah ['sɛərə] *nume fem* Sara

Sarajevo [,særə'jeivə] *oraş în fosta* Iugoslavie

Saratoga [,særə'tougə] *district în* New York

Saratov [sa'ratəf] *regiune şi capitala ei în fosta U.R.S.S.*

Sarawak [sə'ra:wæk] *teritoriu al Federaţiei* Malayezia

sarcasm ['sa:kæzəm] *s* **1** sarcasm, ironie usturătoare **2** sarcasm, expresie *etc.* sarcastică

sarcastic [sa:'kæstik] *adj* sarcastic; usturător; batcojoritor; caustic

sarcastically [sa:'kæstikəli] *adv* (pe un ton) sarcastic, batcojoritor

sarcenet [sa:snit] *s text* mătase *(pt căptuşeală)*

sarcoma [sa:'koumə], *pl şi* **sarcomata** [sa:'koumətə] *s med* sarcom

sarcophagus [sa:'kɔfəgəs], *pl* **sarcophagi** [sa:'kɔfə,gai] *s* sarcofag

Sard [sa:d] *adj, s v.* **Sardinian**

sard *s minr* sard

sardine [sa:'di:n] *s iht* **1** sardea *(Alosa sardina)* **2** sardeluţă *(Sardina pilchardus sardina)*

Sardinia [sa:'di:niə] **1** *insulă italiană* **2** *ist regat stăpânit de casa de* Savoia

Sardinian [sa:'di:niən] **I** *adj* sard, din Sardinia **II** *s* **1** sard, locuitor din Sardinia **2** *dialectul* sard

sardonic [sa:'dɔnik] *adj* sardonic; sarcastic; diabolic

sardonically [sa:'dɔnikəli] *adv* sardonic; sarcastic; diabolic

sardonyx ['sa:dəniks] *s minr* sardonix

Sargasso Sea, the [sa:'gæsou ,si:, ðə] Marea Sargasselor

sark [sa:k] *s* ← *înv* cămaşă

Sarmatia [sa:'meiʃiə] *ist* Sarmaţia

Sarmatian [sa:'meiʃiən] **I** *adj* **1** *ist* sarmatic **2** *geol* sarmaţian **II** *s* **1** *ist* sarmat **2** *geol* sarmaţian

sarong [sə'rɔŋ] *s* sarong *(bucată de stofă purtată în jurul coapselor de bărbaţi şi femei în Malayezia)*

Saroyan [sə'rɔiən], **William** *scriitor american (n. 1908)*

sarsaparilla [,sa:səpə'rilə] *s bot* sa(r)saparila, salce *(Smilax officinalis)*

sarsenet ['sa:snit] *s v.* **sarcenet**

sartor ['sa:təʳ] *s* ← *umor* croitor

sartorial [sa:'tɔ:riəl] *adj* de croitor

Sartre ['sa:tʳ], **Jean-Paul** *scriitor francez (n. 1905)*

sash¹ [sæʃ] *s* **1** eşarfă **2** *med* eşarfă; bandaj

sash² *s* toc/cadru (mobil) de fereastră

sash bolt ['sæʃ ,boult] *s* închizător/ zăvor de fereastră

sash cord ['sæʃ ,kɔ:d] *s auto* curea de ridicat geamul

sash fastener ['sæʃ ,fa:snəʳ] *s constr* foraibăr

sash square ['sæʃ ,skwɛəʳ] *s* ochi de fereastră/geam

sash strap ['sæʃ ,stræp] *s v.* **sash cord**

sash window ['sæʃ ,windou] *s* fereastră glisantă/ghilotină

sassafras ['sæsə,fræs] *s bot* sasafras *(Sassafras sp.)*

Sassenach ['sæsə,næk] *adj, s scot, irl* „saxon", englez

Sassoon [sæ'su:n], **Siegfried** *scriitor englez (1886-1967)*

sat [sæt] *pret şi ptc de la* **sit**

Sat. *presc de la* **1** Saturday **2** Saturn

Satan ['seitən] *s* Satan(a), diavolul, P ← Necuratul

Satanic(al) [sə'tænik(əl)] *adj* **1** satanic; al Satanei, drăcesc **2** s~ drăcesc, diavolesc, satanic; cumplit

satanically [sə'tænikəli] *adv* satanic, diavoleşte, drăceşte

Satanism ['seitə,nizəm] *s ist, lit etc.* satanism

Satanist ['seitənist] *s* închinător la Satan

satchel ['sætʃəl] *s* ghiozdan

satchel bag ['sætʃəl ,bæg] *s poligr* pungă pliată

sate¹ [seit] *pret şi ptc înv de la* **sit**

sate² *vt* a sătura

sated ['seitid] *adj* (**with**) sătul (de)

sateen [sæ'ti:n] *s text* imitaţie de satin

satellite ['sætə,lait] *s* **1** *astr* satelit; lună **2** *tehn* satelit, pinion planetar **3** *fig* satelit; acolit

satiability [,seiʃiə'biliti] *s* îndestulare, saţietate

satiable ['seiʃiəbəl] *adj* saturabil; care poate fi saturat

satiate ['seiʃi,eit] *vt* **1** a îmbuiba, a îndopa; a suprasatura **2** ← *rar* a sătura; a îndestula

satiated ['seiʃi,eitid] *adj* sătul

satiation [,seiʃi'eiʃən] *s* **1** îmbuibare, îndopare; suprasaturare **2** ← *rar* săturare; îndestulare

satiety [sə'taiiti] *s* **1** săturare; saţ; îndestulare; saţietate **2** *v.* **satiation 1**

satin ['sætin] *s text* satin, atlaz

satinet(te) [,sæti'net] *s text* satinet, satin subţire

satinize ['sætinaiz] *vt poligr* a satina, a netezi

satin paper ['sætin ,peipəʳ] *s poligr* hârtie satinată

satin spar ['sætin ,spa:ʳ] *s minr* var de calcit

satin wood ['sætin ,wud] *s bot* Chloroxylon swietenia

satiny ['sætini] *adj* **1** (ca) de satin **2** satinat, lucios, mătăsos

satire ['sætaiəʳ] *s* (**on, upon**) satiră (împotriva, la adresa – *cu gen*)

satiric(al) [sə'tirik(əl)] *adj* satiric; batjocoritor; sarcastic

satirically [sə'tirikəli] *adv* (într-un mod, pe un ton *etc.*) satiric, batjocoritor; < sarcastic

satirist ['sætərist] *s* satiric

satirize ['sætə,raiz] *vt* a satiriza; a batjocori; a biciui

satisfaction [,sætis'fækʃən] *s* **1** (**at, with**) satisfacţie, mulţumire (faţă de, pentru); **to smb's** ~ spre satisfacţia cuiva; **to demand ~ a** a cere satisfacţie, a pretinde scuze

b a cere satisfacție; a da dreptate; a da câștig de cauză **b** a da satisfacție, a accepta o provocare la duel; **it is a ~ that he is well again** mă bucur să aflu că s-a făcut bine **2** *rel* ispășire; răscumpărare; despăgubire, compensare, compensație; **to make ~ for** a compensa *cu ac*

satisfactorily [ˌsætisˈfæktərili] *adv* (într-un mod) satisfăcător, mulțumitor

satisfactoriness [ˌsætisˈfæktərinis] *s* caracter satisfăcător, condiție satisfăcătoare/mulțumitoare; acceptabilitate

satisfactory [ˌsætisˈfæktəri] *adj* **1** satisfăcător, mulțumitor; destul de bun; acceptabil **2** plăcut, bun

satisfiable [ˈsætis,faiəbəl] *adj* care poate fi satisfăcut

satisfied [ˈsætis,faid] *adj* **1** sătul **2** (**at, with**) satisfăcut, mulțumit (de)

satisfy [ˈsætis,fai] **I** *vt* **1** a satisface, a mulțumi *(pe cineva);* **to ~ the examiners** a trece un examen la limită/cu „suficient" **2** a satisface *(curiozitatea etc.)* **3** a astâmpăra *(foamea)* **4** a satisface, a îndeplini *(o dorință etc.)* **5** a satisface, a acoperi *(necesitățile),* a face față *(necesităților)* **6** a plăti *(o datorie)* **7** (**of; that**) a convinge *(pe cineva)* (de; că) **8** a compensa; a plăti (pentru); a ispăși (pentru) **II** *vr* a se convinge **III** *vi* a satisface; a fi destul

satisfying [ˈsætis,faiiŋ] *adj* satisfăcător, mulțumitor; îndestulător

satisfyingly [ˈsætis,faiiŋli] *adv* (în mod) satisfăcător, mulțumitor; îndestulător

satrap [ˈsætrəp] *s* **1** *ist* satrap **2** *fig* satrap, tiran, despot

satrapy [ˈsætrəpi] *s ist* satrapie

satsuma [sætˈsuːmə] *s bot* mandarin pitic

saturability [ˌsætərəˈbiliti] *s* saturabilitate

saturable [ˈsætʃərəbəl] *adj* saturabil; saturant

saturate [ˈsætʃə,reit] *vt* **1** a satura, a îmbiba, a impregna **2** *ch și fig* a neutraliza

saturated [ˈsætʃə,reitid] *adj* **1** saturat **2** *ch și fig* neutralizat

saturated compound [ˈsætʃə,reitid ˈkɔmpaund] *s ch* compus saturat

saturation [ˌsætʃəˈreiʃən] *s* **1** saturație, saturare; **to ~ până la** saturație **2** *fiz, ch* saturație; impregnare, îmbibare **3** *mil* concentrare, masare; solicitare maximă

saturation point [ˌsætʃəˈreiʃən ,point] *s cib etc.* punct de saturație; **to reach a/the/one's ~** *fig* a ajunge la saturație

saturator [ˈsætʃəˈreitər] *s ch* saturator

Saturday [ˈsætədi] *s* sâmbătă; **she'll arive (on) ~** va sosi sâmbătă; **I work ~s** ↓ *amer* lucrez sâmbăta

Saturn [ˈsætəːn] *s astr, mit* Saturn

Saturnalia [ˌsætəˈneiliə] *s pl lat* saturnalii

saturnine [ˈsætə,nain] *adj* **1** *astr* saturnin **2** *fig* saturnin; întunecat, întunecos; posomorât, mohorât; taciturn **3** de plumb *sau* cu plumb

saturnism [ˈsætə,nizəm] *s med* saturnism, intoxicație cu plumb

Saturn ring [ˈsætəːn ,riŋ] *s* **1 the ~** inelul lui Saturn **2** *s~ tel* electrod inelar

satyr [ˈsætər] *s* **1** *mit* satir **2** *med* bolnav de satiriazis **3** *fig* satir; desfrânat, crai, sare-garduri

satyriasis [ˌsætiˈraiəsis] *s med* satiriazis

satyric(al) [səˈtirik(əl)] *adj mit* de satir

satyromaniac [sæ,tirouˈmeiniək] *s v.* **satyr 2**

sauce [sɔːs] **I** *s* **1** sos; zeamă; **I shall serve him with the same ~** *fig* o să-i plătesc cu aceeași monedă **2** *fig* picanterie; farmec **3** suc de fructe **4** *amer* compot **5** ← *F* nerușinare, neobrăzare, impertinență **6** ← *reg* legumă, zarzavat **7** *amer* ← *F* băutură (alcoolică); **to get on the ~** *F* a prinde/a căpăta darul suptului *//* **what's ~ for the goose is ~ for the gander** *prov* nu cântări cu două cântare; nu fi pentru unii mumă, pentru alții ciumă **II** *vt* **1** *gastr* a găti cu sos **2** *gastr* a drege; a aromatiza; a asezona **3** *fig* a face atrăgător *sau* picant **4** *fig* a atenua, a micșora **5** ← *F* a vorbi obraznic cu; a se adresa obraznic *(cuiva)*

sauce boat [ˈsɔːs ,bout] *s* sosieră

sauce box [ˈsɔːs ,bɔks] *s* ← *F* nerușinat, obraznic

saucepan [ˈsɔːs,pæn] *s* cratiță, oală

saucer [ˈsɔːsər] *s* **1** farfurioară **2** suport *(pt pahar, ghiveci etc.),* taler **3** *tehn* pivot, talpă, călcâi **II** *adj atr (d. ochi)* mare, bulbucat

saucily [ˈsɔːsili] *adv* (în mod) obraznic, cu impertinență

sauciness [ˈsɔːsinis] *s* obrăznicie, impertinență, neobrăzare

saucy [ˈsɔːsi] *adj* **1** obraznic, impertinent, nerușinat **2** viu, vioi, vesel, voios **3** cochet; elegant, *F* fercheș, pus la punct; – la modă

Saudi Arabia [saːˈuːdi əˈreibiə] Arabia Saudită

sauerbraten [ˈsauə,braːtən] *s germ* friptură cu sos de marinată

sauerkraut [ˈsauə,kraut] *s germ* varză acră/murată

Saul [sɔːl] *bibl; nume masc*

sauna [ˈsɔːnə] *s* sauna, baie de aburi finlandeză

saunter [ˈsɔːntər] **I** *s* plimbare **II** *vi* **1** a se plimba, a face o plimbare; a lua aer **2** a hoinări (de colo până colo), a umbla de colo până colo, *F →* a umbla lela/creanga

saunterer [ˈsɔːntərər] *s* hoinar, pierde-vară

saurel [ˈsɔːrəl] *s ist* stavrid *(Trachurus trachurus)*

saurian [ˈsɔːriən] *adj, s iht* saurian

saury [ˈsɔːri] *s iht* un fel de scrumbie *(Scombresox saurus)*

sausage [ˈsɔsidʒ] *s* cârnat; salam; crenvurșt; cârnăcior; caltaboș

sausage dog [ˈsɔsidʒ ,dɔg] *s ← F* (câine) basset

sausage meat [ˈsɔsidʒ ,miːt] *s* tocătură *sau* carne pentru cârnați

sausage roll [ˈsɔsidʒ ,roul] *s* **1** pateu *(mic)* cu carne *sau* tocătură pentru cârnați **2** franzeluță cu crenvurști

saute [ˈsoutei] **I** *adj, s* soté **II** *vt* a prăji repede în grăsime

Sava, the [ˈsaːvə, ðə] *râu în fosta Iugoslavie*

savable [ˈseivəbəl] *adj* care poate fi salvat *etc.;* recuperabil

savage [ˈsævidʒ] **I** *adj* **1** sălbatic, primitiv, necivilizat; barbar **2** sălbatic, crud, nemilos, fioros, cumplit; barbar **3** *F* nebun, turbat, – ieșit/scos din fire **II** *s* **1** sălbatic, primitiv **2** sălbatic, brută, fiară **3** sălbatic, necioplit **4** animal sălbatic, fiară; ↓ cal nărăvaș

savagedom ['sævidʒdəm] *s* **1** sălbăticie **2** primitivism; (stare de) sălbăticie

savagely ['sævidʒli] *adv* cu sălbăticie, sălbatic

savagery ['sævidʒri] *s* **1** sălbăticie, primitivism **2** sălbăticie, cruzime, bestialitate

savagism ['sævidʒizəm] *s v.* **savagery**

savanna(h) [sə'vænə] *s geogr* savană

savant ['sævənt] *s fr* savant, învăţat

save[1] [seiv] **I** *vt* **1** (**from**) a scăpa, a salva (de); *rar* → a izbăvi, a mântui (de); **she was ~d from drowning** a fost salvată de la înec; **to ~ smb's life** a salva/a scăpa viaţa cuiva **2** (**from**) a salva, a feri, a păzi (de); **to ~ appearances** a salva aparenţele; **to ~ the situation** a salva situaţia **3** a economisi, a face economie de *(timp, bani);* a cruţa, a nu irosi; a scuti de; **that'll ~ us a lot of trouble** asta o să ne scutească de multă bătaie de cap; **we've been ~d a lot of trouble** am fost scutiţi de multă bătaie de cap **4** *rel* a mântui, a izbăvi **5** ← *rar* a ajunge la, a prinde *(trenul etc.)* **6** a exclude, a excepta; **(God) ~ the mark** iertaţi-mi/scuzaţi-mi expresia **7** a recupera, a salva **II** *vr* a se cruţa, a-şi cruţa puterile/forţele **III** *vi* **1** a economisi, a face economii; a fi econom **2** a ţine, a dura, a rezista **3** a salva **4** *rel* a mântui **IV** *s sport* apărare; respingere bruscă

save[2] **I** *prep* ← *înv, poetic* fără, cu excepţia *(cu gen)* **II** *conj* ← *înv, poetic* **1** dacă nu **2** numai că

saveable ['seivəbəl] *adj v.* **savable**

save-all ['seiv,ɔːl] *s* **1** *tehn* dispozitiv de protecţie *sau* recuperare **2** *tehn* vas pentru captarea picăturilor **3** şorţuleţ *(pt copii)* **4** salopetă; haină de protecţie

saveloy ['sævi,lɔi] *s* cârnat uscat *(condimentat puternic),* babic

saver ['seivəʳ] *s* **1** persoană economă; om strângător **2** *lucru care permite să se economisească bani, timp etc.;* **the new stove is a coal-~** noua sobă economiseşte mulţi cărbuni/consumă foarte puţini cărbuni **3** salvator

save that ['seiv ðət] *conj* ← *înv, poetic* numai/atât că; lăsând la o parte faptul că

save up ['seiv 'ʌp] *vt cu part adv* a strânge, a economisi *(bani)*

savin(e) ['sævin] *s bot* cetină de jnepeni *(Juniperus sabina)*

saving ['seiviŋ] **I** *adj atr* **1** salvator; de salvare **2** *econom,* strângător **3** *rel* mântuitor, izbăvitor **4** *jur* restrictiv, de interdicţie **II** *s* **1** salvare *etc. (v.* **save** I*)* **2** *ec* economie; **at a ~** cu profit/câştig **3** *pl* economii, bani puşi de o parte **III** *prep* **1** cu excepţia *(cu gen),* exceptând, afară de; **nothing remained ~ some ruins** nu a rămas nimic (în) afară de câteva ruine, nu au (mai) rămas decât câteva ruine **2** fără a prejudicia *sau* supăra *(cu ac);* **~ your reverence/presence** iertaţi-mi/scuzaţi-mi expresia; cu voia dvs.; dacă-mi permiteţi/daţi voie **IV** *conj* **1** dacă nu **2** numai că

saving grace ['seiviŋ ,greis] *s fig* consolare, compensaţie

savingly ['seiviŋli] *adv* cu economie

savings bank ['seiviŋz ,bæŋk] *s* casă de depuneri/economii

saving that ['seiviŋ ðət] *conj* atât/numai că, atâta, doar că

savior ['seivjəʳ] *s amer v.* **saviour**

saviour *s* **1** salvator, *poetic* ← izbăvitor **2 the S~** Mântuitorul

savoir faire ['sævwɑː 'fɛəʳ] *s fr* tact; comportare plină de tact *(în societate)*

savoir vivre ['sævwɑː 'viːʳ] *s fr* bună creştere; maniere alese; bun simţ

savor ... *amer v.* **savour**

savory ['seivəri] *s bot* cimbru *(Satureja hortensis)*

savour ['seivəʳ] **I** *s* **1** savoare, gust ales/deosebit **2** aromă, miros ales/deosebit **3** gust; iz **4** picanterie **5** urmă; iz; nuanţă **6** ← *poetic* (re)nume, reputaţie **II** *vt* **1** a da gust *(unei mâncări);* a condimenta, a asezona **2** a avea (un) gust *sau* (un) miros de **3** *fig* a aminti de, a aduce a; a avea iz de **4** ← *elev* a aprecia gustul, aroma *sau* mirosul *(cu gen);* a savura

savour of ['seivər əv] *vi cu prep* **1** a avea (un) gust *sau* (un) miros de; a mirosi a **2** *fig* a aminti de, a

aduce a; a avea iz de

savoury ['seivəri] **I** *adj* **1** savuros, (foarte) gustos; apetisant **2** plăcut mirositor **3** *şi fig* picant **4** plăcut, agreabil **5** ↓ *ironic* respectabil **II** *s* fel de mâncare *sau* aperitiv picant

Savoy [sə'vɔi] *ist* ducat şi dinastie Savoia

savoy *s bot* varză creaţă/nemţească *(Brassica oleracea)*

Savoyard [sə'vɔiɑːd] *adj, s* savoiard

savvy ['sævi] **I** *sl vi* a pricepe, a înţelege; **I never want to see again you ~!** Nu vreau să te mai văd! Ai înţeles?/Priceput? **II** *s F* cap, glagore; – simţ practic; spirit practic; pregătire, cunoştinţe **III** *s* pricepere, minte, judecată

saw[1] [sɔː] *pret de la* **see**

saw[2] *s* zicală; maximă; proverb

saw[3] **I** *s* ferăstrău **II** *pret* **sawed** [sɔːd], *ptc* **sawn** [sɔːn] *vt* **1** a tăia cu ferăstrăul; a ferăstrui; **to ~ wood a** a tăia lemne cu ferăstrăul **b** *amer F* a-şi vedea de treabă, – a lucra mai departe **c** *amer sl* a sforăi; **to ~ the air** *fig* a da din mâini, a gesticula **2** a cânta *(o melodie)* la vioară **III** *(v.* **~ II)** *vi* **1** *(d. ferăstrău)* a tăia cu ferăstrăul **3** *(d. lemne etc.)* a se tăia/a fi tăiat cu ferăstrăul

saw blade ['sɔː ,bleid] *s* lamă/pânză de ferăstrău

saw-bones ['sɔː ,bounz] *s* ← *umor* chirurg

saw bow ['sɔː ,bou] *s* arc/cadru de ferăstrău

saw buck ['sɔː ,bʌk] *s* capră *(de tăiat lemne)*

sawdust ['sɔː ,dʌst] *s* rumeguş

saw fish ['sɔː ,fiʃ] *s iht* peşte-ferăstrău *(Pristidae sp.)*

saw fly ['sɔː ,flai] *s ent* viespe-ferăstrău *(Tenthredinidae sp.)*

saw frame ['sɔː ,freim] *s* ramă de gater

saw horse ['sɔː ,hɔːs] *s v.* **saw buck**

saw log ['sɔː ,lɔg] *s* buştean de gater

saw mille ['sɔː ,mil] *s* fabrică de cherestea; joagăr; gater

sawn [sɔːn] *ptc de la* **saw** II, III

sawn-off shot-gun ['sɔːn ,ɔːf 'ʃɔt,gʌn] *s* carabină cu ţeavă scurtă *(a criminalilor)*

sawwort ['sɔː,wəːt] *s bot* gălbinare *(Serratula tinctoria)*

sawyer ['sɔːjəʳ] *s* **1** tăietor de lemne *(cu ferăstrăul)* **2** *ent* scarabeu *(Cerambycidae sp.)*

sax [sæks] *s muz* ← *F* saxofon

Sax. *presc de la* **Saxon**

saxhorn ['sæks,hɔːn] *s muz* saxhorn

saxifrage ['sæksi,freidʒ] *s bot* ochii șoricelului *(Saxifraga sp.)*

Saxon ['sæksən] **I** *s* **1** *ist* saxon, locuitor al Saxoniei **2** *ist* (anglo-)saxon **3** englez *(ant* irlandez, velș*)* **4** scoțian din sudul Scoției *(ant* **Highlander***)* **5** *od* (limba) anglo-saxonă **6** elementul germanic din limba engleză **7** dialectul saxon **II** *adj* **1** *ist* saxon, din Saxonia **2** *ist* (anglo-)saxon **3** englez **4** din sudul Scoției **5** *lingv* anglo-saxon; germanic **6** *lingv* saxon

Saxony ['sæksəni] *ist* Saxonia

saxophone ['sæksə,foun] *s muz* saxofon

saxophonist [sæk'sofənist] *s muz* saxofonist

saxtuba ['sækstjubə] *s muz* saxtuba *(saxhorn de dimensiuni mai mari)*

say [sei] **I** *pret și ptc* **said** [sed] *vt* **1** a spune, a zice, a rosti; a glăsui; a pronunța; a articula; **to ~ yes** a spune da; a aproba, a încuviința; **did you ~ anything?** ați spus ceva? **what do you ~ to a walk?** ce zici de o plimbare? ce-ai zice dacă am face o plimbare? **to ~ the word** a spune/a rosti cuvântul hotărâtor; a hotărî; a porunci; **~ what you like** *F* n-ai decât să spui ce vrei; – chiar dacă nu ești de acord; **I wouldn't ~ no** *F* (parcă) n-aș zice nu/ba; **to ~ to oneself** a-și spune/zice; **to ~ nothing of** ca să nu mai vorbim despre, fără a mai aminti/pomeni de; **to ~ a good word for** a pune o vorbă bună pentru; **they~/it is said that** se spune/zice/vorbește că; **to ~ no more** a nu mai spune/zice nimic, a tăcea; **~ no more!** *F* e clar! am priceput! **you said it** *amer F* s-a făcut! ce mai (încoace și încolo)! ai dreptate! așa e!; **when all is said and done** pe scurt, într-un cuvânt; **to ~ one's say** a spune ce are de spus **2** a spune, a zice, a afirma, a susține; a promite; **you said you would return sooner** spu-

neai că te vei întoarce mai curând; **no sooner said than done** zis și făcut; **he is said to be an expert** se spune că este un expert **3** ↓ *bibl* a spune, a scrie, a sta scris **4** a spune, a recita *(o poezie)* **5** a spune, a zice, a admite, a presupune; **~ it were true** să zicem/admitem că ar fi adevărat; **a sum of ~ £ 100** să zicem o sumă de 100 lire, o sumă de vreo 100 lire; **a boy, ~ John** un băiat, să zicem John **6** a repeta, a spune *(lecția)* **7** *(d. ceas etc.)* a indica, a arăta **8** *fig* a exprima, a spune **II** *(v. ~* **I)** *vi* **1** a vorbi **2** a zice, a scrie, a sta scris *//* **it goes without ~ing** se-nțelege de la sine, bine înțeles; e limpede/clar; **that is to ~** cu alte cuvinte, adică; **I ~ a** asculta, uite ce e; bagă de seamă, fii atent **b** ei poftim! extraordinar! ca să vezi! zău, pe cuvânt; **you don't ~ (so)!** *F* ei, taci! (ei) nu mai spune! ce vorbești?; **said I?** *sl* nu-i așa/ adevărat? **~s you** *amer F* gogoși, astea-s basme, ia mai lasă poveștile (astea), fugi de-aici; **~s/ said he?** ← *F* a spus/spune el asta? **III ~ 1** cuvânt, vorbă; părere; drept de a vorbi; **to have one's ~ on/to** a-și exprima părerea despre; **let him have his ~** să-și spună și el părerea, să spună și el ce crede/gândește/ părere are; **to say one's ~** a spune ce are de spus; **he has no ~ in the matter** nu are nimic de spus în chestiunea aceasta; nu participă la discuții **2** *amer* cuvânt hotărâtor, ultimul cuvânt **IV** *interj amer* **1** *F* ia te uită! ei poftim! nu mai spune! **2** *F* hei! ia ascultă!

saying ['seiiŋ] *s* **1** spunere, rostire; enunț **2** zicală; maximă; proverb; **as the ~ is/goes** cum se spune

say on ['sei 'ɔn] *vi cu part adv F* a zice mai departe, – a continua

say-so ['sei,sou] *s amer* ← *F* **1** asigurare, încredințare, afirmație **2** *v.* **say III 2 3** zvonuri

sb. *presc de la* **substantive**

S.B. *presc de la* **Scientiae Baccalaureus, Bachelor of Science**

'sblood [zblʌd] *interj* ← *înv* (ptiu), drace! mii de draci! la naiba!

Sc. *presc de la* **1 Scottish 2 Scots 3 Scotch**

sc. *presc de la* **1 scale 2 scilicet 3 scruple 4 scene 5 screw**

S.C. *presc de la* **1 Supreme Court 2 South Carolina**

scab [skæb] **I** *s* **1** *med* crustă *(pe un abces)* **2** *med* scabie, râie; favus **3** *vet* chelbie; râie *(↓ la oi)* **4** *bot* rugină *(a frunzelor)* **5** spărgător de grevă **6** ← *înv* ticălos, lepră **7** *met* defect de turnare **II** *vi* **1** *med* a se acoperi cu o crustă, a forma o crustă **2** a fi spărgător de grevă **III** *vt* drumuri a scarifica

scabbard ['skæbəd] *s* teacă *(de sabie etc.)*

scabble ['skæbəl] *vt* a ciopli *(piatra)*

scabby ['skæbi] *adj* **1** *med* acoperit cu o crustă **2** *med* cu scabie, scabios, râios **3** *vet* chelbos; râios **4** *bot* ruginit

scabies ['skeibiːz] *s med* râie, scabie

scabious¹ ['skeibiəs] *s bot* mușcata dracului *(Scabiosa ochroleuca)*

scabious² *adj v.* **scabby**

scabrous ['skeibrəs] *adj* **1** *v.* **scabby** **2** aspru *(la pipăit)* **3** dificil, plin de greutăți/dificultăți **4** scabros, necuviincios, indecent; nerușinat

scad [skæd] *s și ca pl v.* **saurel**

scads [skædz] *s pl amer F* mormane, grămezi *(de bani etc.)*

scaffold ['skæfəld] **I** *s* **1** eșafod; **to send to the ~** a condamna la moarte **2** *constr* schelet, schelă, eșafodaj, cintru **II** *vt constr* a eșafoda; a folosi schele la construirea *(cu gen)*

scaffolding ['skæfəldiŋ] *s constr* eșafodaj (de schelărie), estradă

scaffolding beams ['skæfəldiŋ ,biːmz] *s pl constr* grinzi de schelărie

scalable ['skeiləbəl] *adj* escaladabil; accesibil

scalar ['skeilə] *s mat* scalar, mărime scalară

scalawag ['skælə,wæg] *s v.* **scallywag**

scald¹ [skɔːld] **I** *vt* **1** a opări, a arde, a frige **2** a încălzi până aproape de fierbere; a opări; a încropi **3** a pasteuriza; a steriliza **II** *vi* a se opări **III** *s* arsură *(cauzată de un lichid fierbinte)*

scald² *s od* scald, poet scandinav

scald³ *s* ← *înv* râie, scabie

scaldic ['skɔːldik] *adj lit* scaldic, de scald

scalding ['skɔːldiŋ] *adj (d. lacrimi)* fierbinte

scale[1] [skeil] **I** *s* **1** *tehn* scală, scară *(a unui instrument);* riglă reductoare **2** scară, mărime, proporţie, dimensiune; **to ~** redus corect la scară; **on a large ~** pe scară mare/întinsă **3** *pl* cântar; balanţă; **to tip/to turn the ~(s)** *fig* a înclina balanţa; **to tip the ~s at** a cântări *(3 livre etc.),* a avea o greutate de; **the turning of a ~** *fig* puţin, un pic **4** *geogr* scară **5** *fig* scară *(socială etc.);* ierarhie **6** *muz* gamă **7** *muz* portativ **8** linie, riglă **9 the S~** *astr* Balanţa **II** *vt* **1** a urca, a se urca pe, a escalada *(cu o scară etc.)* **2** *mil* a escalada; a asalta, a ataca *(un zid)* **3** a determina scara de reprezentare *(cu gen)* **4** *tehn* a măsura cu o scală/scară **III** *vi* **1** a (se) urca; a se ridica **2** a corespunde, a fi corespunzător

scale[2] **I** *s* **1** solz *(de peşte etc.)* **2** *pl fig* pânză, văl *(pe ochi);* **to remove the ~s from smb's eyes** ← *elev* a deschide ochii cuiva **3** *med* coajă; crustă; putamen; **to come off in ~s** a a se descuama, a se exfolia **4** *ent* păduche verde *(Coccidae)* **5** *met* arsură, zgură, scorie, coajă, ţunder **6** tartru dentar, piatră **II** *vt* **1** a curăţa de solzi, a îndepărta solzii de pe **2** a descoji, a lua coaja de pe; a descuama, a exfolia **3** *met* a scoate zgura de pe, a curăţa de scorie/zgură **4** a arunca *(pietricele)* razant *(pe oglinda apei)* **III** *vi* **1** a se curăţa de solzi **2** a se coji; a se descuama, a se exfolia **3** *met* a se acoperi de zgură *etc. (v. ~ I, 5)*

scale beam ['skeil ˌbiːm] *s* braţ de balanţă

scale board ['skeil ˌbɔːd] *s* placă de furnir, placaj

scale down ['skeil ˌdaun] *vt cu part adv* a micşora, a reduce *(preţuri etc.)*

scale mark ['skeil ˌmaːk] *s tehn* **1** reper **2** gradaţie *(a unei scale)*

scalene ['skeiliːn] *adj geom* scalen

scalene/scalenous triangle ['skeiliːn/'skəˈliːnəs ˌtraiæŋgl] *s geom* triunghi scalen

scalenus [skəˈliːnəs] *s anat* muşchi scalen

scale up ['skeil ˈʌp] *vt cu part adv* a ridica *(preţuri etc.)*

scaliness ['skeilinis] *s* caracter solzos *sau* foliform

scaling ladder ['skeiliŋ ˌlædəʳ] *s* **1** scară de incendiu **2** *mil* scară de asalt

scall [skɔːl] *s med* eczemă, erupţie; coajă, crustă

scallawag ['skælə̩wæg] *s v.* **scallywag**

scallion ['skæljən] *s bot* **1** arpagic, eşalot *(Allium ascalonicum)* **2** praz *(Allium porrum)*

scallop ['skæləp] **I** *s* **1** *zool* specie de scoică *(Pectinidae sp.)* **2** *zool* scoică **3** *text* feston **II** *vt* **1** a festona **2** a cresta, a tăia în zigzag

scalloping machine ['skæləpiŋ məˈfiːn] *s text* maşină de trefilat

scallywag ['skæliˌwæg] *s* **1** animal nedezvoltat *sau* prost hrănit; vită slabă, boaită **2** *F* terchea-berchea, — om de nimic, pierdevară; haimana, vagabond

scalp [skælp] **I** *s* **1** *anat* scalp, pielea capului **2** scalp *(trofeu al indienilor americani);* **to take smb's ~** a scalpa pe cineva; **to be out for ~s** *fig* a fi gata de luptă; a se pregăti de război **b** a fi agresiv; a fi pus pe critică **3** *fig* trofeu **II** *vt* **1** a scalpa **2** a scoate *(coaja etc.);* a descoji **3** a smulge *sau* a tăia iarba din; a dezgoli **4** a critica violent/cu asprime

scalpel ['skælpəl] *s med, tehn* scalpel

scalper ['skælpəʳ] *s* **1** *amer sl* bişniţar, — mic speculant *(↓ de bilete)* **2** *ch* rest pe sită

scaly ['skeili] *adj* **1** solzos, cu solzi **2** *geol* solzos, foliform **3** *met* cu zgură/scorie **4** *med* cu coajă/crustă **5** *sl* murdar, rupt, uzat; sărăcăcios

scamp[1] [skæmp] *vt* a face de mântuială, a da peste cap, a-şi bate joc de

scamp[2] *s* nemernic, ticălos, om de nimic, neisprăvit

scamper ['skæmpəʳ] **I** *vi* a alerga/a fugi cât îl ţin picioarele, a fugi mâncând pământul; a merge foarte repede **II** *s* **1** fugă, grabă **2** galop **3** mers grăbit **4** călătorie rapidă **5** lectură grăbită

scampish ['skæmpiʃ] *adj* ticălos, mârşav, josnic, murdar

scan [skæn] **I** *vt* **1** *metr* a scanda **2** a cerceta/a examina atent/cu grijă; a scruta **3** a parcurge în grabă *(titlurile ziarului etc.),* a arunca o privire asupra *(cu gen)* **4** *tel* a explora/a sonda *(imaginea)* **II** *vi* **1** *metr* a scanda **2** *tel* a explora/ a sonda/a baleia imaginea

Scan(d). *presc de la* **1** Scandinavia **2** Scandinavian

scandal ['skændəl] *s* **1** scandal, faptă urâtă/ruşinoasă **2** scandal (public), vâlvă, zarvă; **that could give rise to ~** asta ar putea să stârnească/să işte un scandal/să dea naştere unui scandal **3** scandal, ruşine, ocară; **it is a ~ that** este o ruşine că **4** bârfeală, calomnie **5** *jur* calomnie(re)

scandal-bearer ['skændəl ˌbɛərəʳ] *s v.* **scandalmonger**

scandalize ['skændəlaiz] *vt* a scandaliza, a indigna, a ofensa; a şoca

scandalmonger ['skændəl ˌmʌŋgəʳ] *s* calomniator, bârfitor

scandalous ['skændələs] *adj* **1** scandalos, ruşinos; şocant **2** calomniator, bârfitor **3** *(d. un articol etc.)* de scandal

scandalously ['skændələsli] *adv* (în mod) scandalos, ruşinos

Scanderbeg ['skændə̩beg] *erou naţional albanez (1403?-1468)*

Scandinavia [ˌskændiˈneiviə] **1** *ist* Scandinavia *(Suedia, Norvegia, Danemarca şi Islanda)* **2** Peninsula Scandinavă

Scandinavian [ˌskændiˈneiviən] **1** *ist* scandinav **2** *lingv* nord-germanic **II** *s* **1** scandinav **2** *ist* viking **3** *lingv* limbă nord-germanică; vechea norvegiană

Scandinavian Peninsula, the [ˌskændiˈneiviən piˈninsjulə, ðə] Peninsula Scandinavă

scandium [ˌskændiəm] *s ch* scandiu

scannable ['skænəbəl] *adj metr* care poate fi scandat

scanner ['skænəʳ] *s tel* sistem de antenă rotitoare, explorator

scansion ['skænʃən] *s* **1** *metr* scandare **2** *tel* descompunere a imaginii

scant [skænt] **I** *adj* puţin, neîndestulător, insuficient; redus; restrâns; **to pay ~ attention to**

smb's advice a acorda puțină/ a nu acorda suficientă atenție sfaturilor cuiva; ~ **eyebrows** sprâncene rare; **with ~ courtesy** fără amabilitate, necurtenitor **II** vt a împuțina; a micșora, a reduce porția de

scantily ['skæntili] adv puțin; restrâns; neîndestulător, insuficient; rar; ~ **peopled** slab populat

scantiness ['skæntinis] s puținătate; insuficiență, neîndestulare; raritate, caracter rar

scantling ['skæntliŋ] s 1 tehn colțar mic, deșeu 2 min lemn de mină subțire 3 mărime/dimensiune prescrisă/prestabilită (a lemnului etc.) 4 stelaj (pt butoaie) 5 cantitate mică/neînsemnată; pic

scant of ['skænt əv] adj cu prep lipsit de; cu puțin

scant of breath ['skænt əv 'breθ] adj med cu dispnee/P → respirație scurtă

scanty ['skænti] adj limitat, mărginit, puțin, neîndestulător, insuficient; (d. spațiu) neîncăpător, strâmt; (d. prânz etc.) sărăcăcios

scape [skeip] s bot tulpină, lujer

'scape, scape vi, s ← înv v. **escape**

scapegoat ['skeip‚gout] s fig țap ispășitor

scapegrace ['skeip‚greis] s rar v. **scamp²**

scaphoid bone ['skæfoid ‚boun] s anat os scafoid

scapula ['skæpjulə], pl și **scapulae** ['skæpjuli:] s anat scapulă, omoplat

scapular ['skæpjulə'] **I** adj anat scapular, humeral **II** s 1 anat ligamentul umărului 2 bis umeraș; guler

scapulary ['skæpjuləri] adj, s v. **scapular**

scar¹ [ska:'] **I** s 1 cicatrice; rană; tăietură 2 fig urmă; rană **II** vt a umple de cicatrice sau răni **III** vi a se cicatriza

scar² s 1 prăpastie; mal abrupt; faleză 2 stâncă abruptă

scarab ['skærəb] s v. **scarabaeus**

scarabaeus [‚skærə'bi:əs], pl și **scarabaei** [‚skærə'bi:ai] s 1 ent scarabeu (Scarabeus sacer) 2 od scarabeu (pecete etc.)

scaramouch ['skærə‚mautʃ] s fanfaron, lăudăros

scarce [skɛəs] **I** adj (care se găsește)

rar; puțin; **a ~ book** o carte rară; **to make oneself ~** F a se topi; – a se depărta, a pleca; a dispărea **II** adv poetic v. **scarcely**

scarcely ['skɛəsli] adv 1 (de-)abia; tocmai, chiar; **he had ~ arrived when he was told** de-abia intră când i se spuse, cum intră i se spuse, nici n-apucă să intre că i se spuse 2 nu prea; nu tocmai/ chiar; **it is ~ true** nu este întru totul adevărat; nu e chiar așa; **I ~ think so** nu prea cred

scarcity ['skɛəsiti] s 1 (of) lipsă (de); puținătate; deficit 2 caracter rar, raritate 3 foame(te)

scare [skɛə'] **I** vt 1 a speria; a îngrozi, a înspăimânta 2 a alunga, a speria (păsările etc.) **II** vi a se speria **III** s spaimă; panică; **to get a ~** a se speria; **to throw a ~ into** amer a speria, a vârî spaima/groaza în; **you gave me a ~** m-ai speriat **IV** adj atr (d. povești etc.) de groază; înfiorător

scarecrow ['skɛə‚krou] s 1 sperietoare (de ciori), momâie 2 fig gogoriță

scarehead(ing) ['skɛə‚hed(iŋ)] s titlu senzațional (în ziar)

scaremonger ['skɛə‚mʌŋgə'] s panicard

scare up ['skɛə'ʌp] vt cu part adv ↓ amer F a găti, a încropi (o masă etc.), – a pregăti din ceva greu de găsit sau de folosit

scarf [ska:f], pl **scarfs** [ska:fs] și **scarves** [ska:vz] s 1 eșarfă; fular; șal; batic 2 cravată 3 pl ~s tehn îmbinare cu eclise

scarf pin ['ska:f ‚pin] s ac de cravată

scarfskin ['ska:f‚skin] s anat epidermă

scarification [‚skɛərifi'keiʃən] s 1 med scarificație 2 agr, min scarificare 3 fig criticare; critică

scarificator [‚skɛərifi'keitə'] s med scarificator

scarifier ['skɛəri‚faiə'] s 1 med, constr scarificator 2 agr scarificator; grapă cu cuțite

scarify ['skɛəri‚fai] vt 1 med, agr, constr a scarifica 2 fig a critica violent/cu asprime; a ofensa/a jigni printr-o critică aspră

scarlatina [‚ska:lə'ti:nə] s med scarlatină

scarlet ['ska:lit] **I** s 1 roșu aprins, stacojiu 2 stofă sau haină sta-

cojie/roșie **II** adj 1 stacojiu, (de un) roșu aprins 2 fig de prostituată, desfrânat, stricat

scarlet fever ['ska:lit ‚fi:və'] s med scarlatină

scarlet hat ['ska:lit‚hæt] s bis pălărie de cardinal

scarlet letter ['ska:lit ‚letə'] s literă roșie (**A**, simbol al adulterului, de la **adultery**)

scarlet pimpernel ['ska:lit 'pimpənəl] s bot scânteioară (Anagallis arvensis)

scarlet runner (bean) ['ska:lit ‚rʌnə' (bi:n)] s bot fasole mare (Phaseolus coccineus)

scarlet woman ['ska:lit ‚wumən] s 1 bibl Babilon 2 ← umor nerușinată; prostituată, femeie ușoară

Scarlet Woman rel Desfrânata cea mare (biserica catolică)

scarp [ska:p] s 1 pantă abruptă, povârniș 2 mil escarpă

scarry ['ska:ri] adj 1 plin de cicatrice 2 (d. teren) brăzdat de repezișuri

scary ['skɛəri] adj ← F 1 înfiorător, înspăimântător 2 sperios, fricos

scat [skæt] vi F a o șterge, a o lua pe aici încolo; ~! valea!

scathe [skeið] **I** vt 1 ← înv a vătăma; a face un rău (cuiva); a răni 2 a demasca; a critica aspru/violent 3 poetic a pârjoli, – a arde **II** s vătămare; pagubă; prejudiciu

scatheless ['skeiðlis] adj teafăr, nevătămat

scathing ['skeiðiŋ] adj (d. critică etc.) nimicitor, distrugător; usturător

scathingly ['skeiðiŋli] adv (în mod) nimicitor, distrugător; usturător

scatologic(al) [‚skætə'lodʒik(əl)] adj med scatologic

scatology [skæ'tolədʒi] s med, lit scatologie, coprolalie

scat singing ['skæt ‚siŋiŋ] s muz improvizație vocală de jazz, folosind silabe sugestive

scatter ['skætə'] **I** vt 1 a împrăștia, a risipi; a răvăși; a presăra 2 a împrăștia, a alunga (mulțimea etc.); a dispersa; a despărți 3 a risipi, a irosi, a cheltui (bani etc.) 4 a strica (planuri etc.), a nărui, a distruge (speranțe etc.) 5 tehn a difuza **II** vi (d. o mulțime etc.) a se împrăștia; a se risipi **III** s împrăștiere; risipire; difuzare

scatter-brain ['skætə‚brein] s zăpăcit, zvăpăiat, F fluieră-vânt

scatter-brained ['skætə,breind] *adj* zăpăcit, zvăpăiat

scatter-brains ['skætə,breinz] *s și pl v.* **scatter-brain**

scattered ['skætəd] *adj* **1** împrăștiat, risipit; răvășit **2** răzleț; rar; izolat **3** *fiz* difuz

scattering ['skætəriŋ] *adj* **1** (aflat) din loc în loc; așezat la intervale regulate **2** *(d. voturi etc.)* împărțit, divizat

scatter rug ['skætə ,rʌg] *s* covor mic, covoraș

scatty ['skæti] *adj sl* cam nebun, țicnit

scavenge ['skævindʒ] **I** *vt* **1** a curăța *(străzile)*, a mătura, a strânge gunoiul de pe/din **2** *met* a purja; a sufla; a elimina **II** *vi* **1** a curăța/ a mătura străzile **2** *med* a se curăța *(de gaze etc.)* **III** a căuta/ a umbla în căutare de hrană, a umbla după mâncare

scavenger ['skævindʒə^r] **I** *s* **1** măturător de stradă **2** animal *sau* pasăre *(↓ un vultur)* care se hrănește cu hoituri **3** *lit* scatolog **II** *vi v.* **scavenge II 1**

Sc. B. *presc de la* **Scientiae Baccalaureus** *lat,* **Bachelor of Science**

Sc. D. *presc de la* **Scintiae Doctor** *lat,* **Doctor of Science**

scenario [si'na:ri,ou] *s cin etc.* scenariu

scenarist ['si:nərist] *s cin etc.* scenarist

scend [send] *vt nav (d. navă)* a sălta

scene [si:n] *s* **1** scenă, loc al acțiunii; **the ~ is laid in England** acțiunea se petrece/are loc în Anglia; **the ~ of operations** *mil* teatrul operațiunilor; **on the ~** la *sau* de la fața locului; **to set the ~ for** a pregăti *(o nouă înscenare etc.)* **2** *teatru etc.* scenă *(parte dintr-un act);* tablou **3** *teatru etc.* decor; **behind the ~s** *fig* în culise **4** *fig* scenă, priveliște; tablou; spectacol; peisaj; **the little town made a beautiful ~** orășelul oferă un tablou încântător/o priveliște încântătoare; **a change of ~** o schimbare de decor; **silvan/ woodland ~** peisaj de pădure **5** *fig* scenă, scandal; **to make a ~** a face o scenă **6** scenă, teatru; **to quit the ~** a părăsi scena, a renunța la actorie **7** *lit* scenă, episod *(într-un roman)* **8** ← *înv*

teatru scenă *(într-un teatru)* // **not to be smb's ~** *sl* a nu prezenta interes pentru cineva; a nu-i conveni cuiva

scene painter ['si:n,peintə^r] *s teatru* decorator scenic

scenery ['si:nəri] *s* **1** *teatru* decor(uri); culise **2** *fig* decor; peisaj, priveliște, tablou

scene shifter ['si:n,ʃiftə^r] *s teatru* culisier, schimbător de culise

scenic(al) ['si:nik(əl)] *adj* **1** *teatru* scenic, de scenă; teatral, de teatru **2** de peisaj, privitor la peisaj **3** pitoresc **4** *(d. un tablou etc.)* dramatic, plin de dramatism

scenically ['si:nikəli] *adv* din punct de vedere scenic

scenographic(al) [,si:nou'græfik(əl)] *adj* scenografic

scenography [si:'nɔgræfi] *s* scenografic

scent [sent] **I** *vt* **1** *și fig* a mirosi, a adulmeca **2** a parfuma; a înmiresma **II** *vi* a adulmeca/a mirosi vânatul **III** *s* **1** miros; adulmecare **2** parfum; mireasmă **3** *și fig* urmă; **to be on the ~** a a fi pe urmele vânatului **b** *fig* a fi pe o pistă sigură; a fi pe drumul cel bun; **to get the ~ of** *și fig* a da de urma/urmele *(cu gen)* **4** *fig* nas; miros; simț; intuiție

scentless ['sentlis] *adj* **1** fără miros, nemirositor; neparfumat **2** ← *înv* fără miros/simțul mirosului

scepter ['septə^r] *s, vt amer v.* **sceptre**

sceptic ['septik] **I** *adj* sceptic; neîncrezător **II** *s* sceptic

sceptical ['septikəl] *adj v.* **sceptic I**

sceptically ['septikəli] *adj* sceptic, cu scepticism

scepticism ['septisizəm] *s* scepticism; neîncredere

sceptre ['septə^r] **I** *s* sceptru, toiag de rege **2** *fig* sceptru; domnie; conducere; putere **II** *vt* a încredința sceptrul; domnie; conducere; putere **II** *vt* a încredința sceptrul *(cuiva),* a proclama rege, domn *etc.;* a investi cu autoritate

sch. *presc de la* **school**

schadenfreude ['ʃa:dən,frɔidə] *s germ* bucurie răutăcioasă; haz de necazul altuia

schedule ['ʃedju:l] **I** *s* **1** program; plan; schemă **2** orar; tabel; grafic

3 listă; inventar; tabel **4** anexă; adaos **5** *tehn* regim // **on ~** punctual, exact (la timp), la timp; **to be behind ~** a întârzia **II** *vt* **1** a trece pe o listă, pe un tabel *etc.* **2** a înregistra **3** a programa; a fixa, a stabili; **the train is ~d to leave at 7** (potrivit orarului) trenul urmează/trebuie să plece la 7 **4** *jur* a anexa, a adăuga

scheduled ['ʃedju:ld] *adj* **1** planificat; prevăzut **2** tarifar

scheduling ['ʃedju:liŋ] *s* planificare calendaristică

Scheherazade [ʃi,hiərə'za:də] *lit* Șeherezada

Scheldt, the [ʃelt, ðə] *râu în Franța, Belgia și Olanda* Schelde, Escaut

schema ['ski:mə], *pl* **schemata** ['ski:mətə] *s* schemă; plan; diagramă

schematic [ski'mætik] *adj* **1** schematic, de principiu **2** schematic, superficial

schematically [ski'mætikəli] *adv* (în mod) schematic

schematism ['ski:mə,tizəm] *s* schematism, organizare schematică

schematist ['ski:mə,tist] *s* autor al unei scheme sau clasificări

schematization [,ski:mətai'zeiʃən] *s* schematizare

schematize ['ski:mə,taiz] *vt, vi* a schematiza

scheme [ski:m] **I** *s* **1** schemă, plan (sistematic); program; sistem; aranjament; organizare; **to lay a ~** a întocmi/a alcătui un plan; **under the present ~ of society** în cadrul organizării actuale a societății; **the ~ of things** ordinea din natură **2** uneltire; intrigă; complot **3** plan fantastic, utopic *sau* vizionar **4** diagramă astrologică **II** *vt* **1** a plănui, a proiecta; a întocmi o schemă *(cu gen)* **2** a pune la cale *(o faptă urâtă)* **III** *vi* **1** a face proiecte *sau* planuri **2** a unelti, a urzi intrigi

schemer ['ski:mə^r] *s* intrigant; uneltitor

scheming [ski:miŋ] *adj* uneltitor; trădător; ticălos

Schenectady [ski'nektədi] *oraș în S.U.A.*

scherzando [skɛə'tsændou] *adj, adv it muz* scherzando

scherzo ['skɛətsou], *pl și* **scherzi** ['skɛətsi:] *s it muz* scherzo

Schiller ['ʃilə'], **Friedrich** *scriitor german (1759-1805)*

schilling ['ʃiliŋ] *s* şiling *(austriac)*

schism ['sizəm] *s* **1** *rel* schismă **2** *fig* schismă, sciziune

schismatic [siz'mætik] *adj, s rel şi fig* schismatic

schist [ʃist] *s geol* şist

schistose ['ʃistous] *adj geol* şistos

schistosity [ʃi'stɔsiti] *s geol* şisto-zitate

schistous ['ʃistəs] *adj geol* şistos

schizoid ['skitsɔid] *adj med* schizoid, schizotism

schizophrenia [,skitsou'fri:niə] *s med* schizofrenie

schizophrenic [,skitsou'fri:nik] *adj, s med* schizofrenic

schizopod ['skitsou,pɔd] *adj, s zool* schizopod

schmal(t)z [ʃmælts] *s germ F* muzică *sau* literatură dulceagă/siropoasă

schmal(t)zy ['ʃmæltsi] *s germ F* dulceag, siropos

schnap(p)s [ʃnæps] *s* **1** *un fel de* rachiu (olandez) **2** *orice* băutură spirtoasă

schnitzel ['ʃnitsəl] *s* şniţel *(din carne de viţel)*

schnorkel ['ʃnɔ:kəl] *s* ← *înv* v. **snorkel**

schnozzle ['ʃnɔzəl] *s amer sl* nas

scholar ['skɔlə'] *s* **1** savant, om de ştiinţă, cărturar, învăţat; **a ~ and a gentleman** un om cu cultură şi educaţie aleasă **2** om studios; om care învaţă; **he is a quick ~** învaţă/prinde repede **3** *şcol, univ* bursier **4** om cu ştiinţă de carte **5** om instruit **6** ← *înv* student *(tânăr)* **7** *poetic, înv* învăţăcel, – discipol **8** *înv* învăţăcel, – şcolar, elev

scholarch ['skɔlɑ:k] *s od* director de şcoală

scholarly ['skɔləli] **I** *adj* **1** (de) savant, (de) erudit, (de) învăţat; cărturăresc **2** *(d. o traducere etc.)* ştiinţific **3** studios, preocupat de studiu **4** ordonat, metodic, meticulos **II** *adv* (într-un mod) savant, *rar* → cărturăreşte

scholarship ['skɔləʃip] *s* **1** învăţătură; erudiţie **2** *şcol, univ* bursă **3** ştiinţe umanistice **4** ştiinţă de carte

scholastic [skə'læstik] **I** *adj* **1** *od* scolastic **2** *fig* scolastic, dogmatic, pedant, formal **3** de învă-

ţământ; şcolar; academic, universitar **II** *s* **1** *od* scolast **2** dogmatic, pedant; formalist

scholastical [skə'læstikəl] *adj v.* **scholastik I**

scholastically [skə'læstikəli] *adv* (în mod) scolastic; dogmatic

scholasticism [skə'læsti,sizəm] *s* **1** *od* scolastică **2** *fig* dogmatism, pedanterie, formalism

scholiast ['skouli,æst] *s* scoliast, autor de scolii

scholium ['skouliəm], *pl* **scholia** [skouliə] *s* scolie, comentariu la un text clasic

school[1] [sku:l] **I** *s* **1** şcoală *(ca instituţie sau clădire);* **to keep a ~** a conduce o şcoală *(particulară);* **to go to ~ a** a se duce la şcoală, a intra la şcoală, a fi dat la şcoală **b** a urma o şcoală; **to leave ~** a termina/a absolvi şcoala **2** şcoală, lecţii, ore; **~ begins at 8** şcoala începe/orele încep la 8; **there will be no ~ today** azi nu se ţin ore/cursuri **3** **the ~** şcoala, elevii **4** *univ* şcoală *(a unei universităţi, pt studiul unui anumit obiect)* **5** *fig* şcoală *(a vieţii etc.)* **6** *fig* şcoală; mod de viaţă; concepţie *etc.;* **he belongs to the old ~** aparţine de şcoala veche **7** **the ~s** *od* scolastică; universităţile medievale şi sistemul lor **8** *fig* şcoală; discipoli **9** *pl* examene **10** facultate umanistică *sau* filologică **11** *mil, nav* şcoală; muştru; exerciţii, instrucţie **12** *muz* şcoală; sistem; teorie **II** *vi* **1** a da la şcoală; a instrui; a şcolariza **2** a creşte, a educa **3** *fig* a-şi stăpâni, a-şi înfrâna *(o pornire etc.)* **4** a dresa *(un cal)*

school[2] *s* banc (de peşti *etc.*)

schoolable ['sku:ləbəl] *adj* de vârstă şcolară

school age ['sku:l,eidʒ] *s* vârstă şcolară/de şcoală

schoolboard ['sku:l,bɔ:d] *s amer* consiliu de conducere a şcolii; comisie şcolară locală

school book ['sku:l,buk] *s şcol* manual

schoolboy ['sku:l,bɔi] *s* elev, şcolar

schoolfellow ['sku:l,felou] *s* coleg (de şcoală)

schoolgirl ['sku:l,gə:l] *s* elevă, şcolăriţă

school house ['sku:l,haus] *s* şcoală, clădirea şcolii

schooling ['sku:liŋ] *s* **1** şcoală, învăţătură, educaţie **2** şcolarizare **3** dresare (a unui cal) **4** ← *înv* lecţie; mustrare, dojană

school leaver ['sku:l ,li:və'] *s* **1** elev care a părăsit/abandonat şcoala **2** absolvent

schoolma'am ['sku:l,məm] *s v.* **schoolmarm**

schoolman ['sku:lmən] *s* **1** *şi* S~ *od* scolast **2** învăţător; profesor; educator

schoolmarm ['sku:l,mɑ:m] *s* **1** ← *F* învăţătoare *(↓ pedantă)* **2** *fig F* guvernantă; – femeie pedantă, cu principii demodate; *F* jandarm

schoolmaster ['sku:l,mɑ:stə'] *s* **1** învăţător, institutor **2** director de şcoală

schoolmastering ['sku:l,mɑ:stəriŋ] *s* funcţia de învăţător/institutor *sau* director de şcoală

schoolmate ['sku:l,meit] *s* coleg (de şcoală)

school miss ['sku:l,mis] *s* elevă, şcolăriţă *(↓ timidă)*

schoolmistress ['sku:l,mistris] *s* **1** învăţătoare, institutoare **2** directoare de şcoală

school of thought ['sku:lәv'θɔ:t] *s* şcoală (de gândire); concepţie

school oneself ['sku:l wʌn,selftә] *vr cu prep sau inf* a căuta să se deprindă/obişnuiască cu *sau* să; a se obişnui/a se deprinde cu *sau* să; a se învăţa cu *sau* să

school report ['sku:l ri'pɔ:t] *s şcol* **1** caracterizare **2** carnet de note

school report card ['sku:lri'pɔ:t, kɑ:d] *s amer v.* **school report 2**

schoolroom ['sku:l,ru:m] *s* clasă *(ca încăpere)*

school ship ['sku:l,ʃip] *s nav* navă-şcoală

school teacher ['sku:l,ti:tʃə'] *s* învăţător, institutor

school time ['sku:l,taim] *s* **1** (ore de) şcoală **2** (ani de) şcoală

school work ['sku:l,wə:k] *s şcol* **1** muncă/activitate în clasă **2** temă acasă

schoolyard ['sku:l,jɑ:d] *s* curtea şcolii

school year ['sku:l,jə:'] *s* an şcolar

schooner[1] ['sku:nə'] *s* **1** *amer* căruţă cu coviltir **2** *nav* goeletă

schooner² *s* **1** pahar pentru bere *(cca 1/3 l)* **2** *amer* pahar înalt *(pt bere)*

schooner-brig ['skuːnə‚brig] *s nav* bric-goeletă, brigantină

Schopenhauer ['ʃoːpən‚hauəʳ], **Arthur** *filosof german (1788-1860)*

Schubert ['ʃuːbət], **Franz** *compozitor austriac (1797-1828)*

Schumann ['ʃuːmən], **Robert** *compozitor german (1810-1856)*

schwa ['ʃwɑː] *s fon* sunet vocalic neaacentuat *(ca ə în* **about)**

sci. *presc de la* **1** science **2** scientific

sciatic [sai'ætik] *adj anat* sciatic

sciatica [sai'ætikə] *s med* sciatică

science ['saiəns] *s* **1** știință **2** știință; cunoștințe **3** științele naturii/ naturale **4** *fig* știință, artă, îndemânare, măiestrie

science degree ['saiəns di'griː] *s* titlu științific

science fiction ['saiəns 'fikʃən] *s* romane științifico-fantastice; literatură științifico-fantastică

sciential [sai'enʃəl] *adj* **1** cunoscător, priceput, expert **2** științific

scientific [‚saiən'tifik] *adj* **1** științific **2** *fig* de expert; priceput, îndemânatic, abil; artistic **3** privitor la științele naturii

scientifically [‚saiən'tifikəli] *adv* (în mod) științific **2** din punct de vedere științific

scientist ['saiəntist] *s* **1** om de știință, savant **2** naturalist specialist în științele naturii

scilicet ['sili‚set] *adv lat* adică, cu alte cuvinte; (și) anume

scimitar, scimiter ['simitəʳ] *s* sabie încovoiată *(orientală)*, iatagan

scintilla [sin'tilə] *s* **1** scânteie **2** *fig* strop, umbră; **not a ~ of truth** nici un grăunte de adevăr

scintillant ['sintilənt] *adj* scânteietor, care aruncă scântei

scintillate ['sinti‚leit] **I** *vt* **1** a arunca *(scântei etc.)* **2** a scânteia de; a radia de *(plăcere etc.)* **II** *vi* **1** a scânteia, a arunca scântei; a sclipi; a licări **2** *fig* a scânteia, a sclipi

scintillation [‚sinti'leiʃən] *s* **1** scânteiere, sclipire; licărire; scintilație **2** *fig* scânteiere *(de spirit etc.)* **3** *meteor* licărirea stelelor

scintillator ['sinti‚leitəʳ] *s* **1** *astr* stea sclipitoare **2** *fiz* scintilator

sciolism ['saiə‚lizəm] *s* spoială de știință; pseudoștiință

sciolist ['saiəlist] *s* pseudocunoscător, pseudosavant

scion ['saiən] *s* **1** *bot* altoi **2** *fig* vlăstar, urmaș, descendent

Scipio ['sipi‚ou] *ist* nume de generali romani

scirrhus ['sirəs] *s med* schir

scission ['siʃən] *s* divizare; tăiere

scissor ['sizəʳ] *vt* a tăia cu foarfecele

scissoring ['sizəriŋ] *s* **1** tăiere/tăiat cu foarfecele **2** *pl* tăieturi; decupaje *(din ziare etc.)*

scissors ['sizəz] *s pl* foarfece

sclerosis [skliə'rousis], *pl* **scleroses** [skliə'rousiːz] *s med* scleroză

sclerotic [skliə'rɔtik] *anat* **I** *adj* sclerotic **II** *s* sclerotică

sclerotomy [skliə'rɔtəmi] *s med* sclerotomie

sclerous ['skliərəs] *adj* tare, dur; osos

Sc. M. *presc de la* **Master of Science**

scobs [skɔbz] *s pl* **1** surcele; deșeuri **2** zgură

scoff [skɔf] **I** *s* **1** derâdere, batjocorire, batjocură; zeflemea; remarcă batjocoritoare **2** (obiect de) batjocură **3** *vulg* haleală, — mâncare, hrană **II** *vt amer* a-și râde de, a batjocori (la adresa — *cu gen)*, a vorbi disprețuitor (despre); a fi sfidător (față de); a-și râde (de)

scold [skould] **I** *vt* a mustra/a dojeni/ a certa aspru/sever/cu asprime **II** *vi* **1** a dojeni (aspru) **2** a ocărî; a vorbi supărat; a bombăni **III** *s* femeie gâlcevitoare

scoliosis [‚skɔli'ousis] *s med* scolioză

scollop ['skɔləp] *s, vt v.* **scallop**

scolopendrid [‚skɔlə'pendrid] *s zool* scolopendră *(Scolopendra cingulata)*

sconce¹ [skɔns] *s* **1** aplică, sfeșnic sau candelabru de perete **2** ← *înv* felinar

sconce² **I** *s* **1** *mil* întăritură; tranșee; fort; redută **2** șopron; colibă **3** adăpost; îngrăditură **II** *vt* a adăposti; a proteja; a îngrădi

sconce³ *s* **1** cască, coif **2** *F* tigvă, dovleac, — cap

sconce⁴ *vt univ* a amenda, a penaliza *(↓ la Oxford)*

scone [skoun] *s* un fel de biscuit *(din*

făină de grâu sau orz)

scoop [skuːp] **I** *s* **1** *agr etc.* lopată **2** *constr* cancioc **3** cupă, lingură *(de excavator etc.)* **4** căuș **5** *tehn* paletă amestecătoare **6** scoatere; excavare; **with a ~, at one ~** dintr-odată; dintr-o mișcare **7** *med* linguriță; chiuretă **8** *tehn* groapă de fundație **9** *geogr* groapă; depresiune; vale **10** *sl* câștig mare **11** *sl* știre senzațioală *(publicată într-un ziar înaintea altora)* **II** *vt* **1** a scoate cu lopata *etc. (v. ~* **1-4, 7)** **2** a săpa, a excava **3** *med* a curăța, a chiureta **4** *sl* a publica *(o știre)* înaintea altor ziare

scoop in ['skuːp 'in] *vt cu part adv F* a face, – a strânge *(bani)*

scoop out ['skuːp'aut] *vt cu part adv v.* **scoop II 1-3**

scoop shovel ['skuːp ‚ʃʌvəl] *s min* excavator cu cupă

scoop up ['skuːp 'ʌp] *vt cu part adv* **1** *v.* **scoop II 1-3 2** a strânge, a aduna, a îngrămădi

scoot [skuːt] **I** *vt F* a da bice *(cu dat)*; – a grăbi; a mâna **II** *vi* **1** *F* a da bătaie, – a se grăbi, a alerga, a fugi **2** *F* a spăla putina, a o șterge, – a fugi

scooter ['skuːtəʳ] *s auto* scuter

scop [skɔp] *s* poet, bard *(anglosaxon)*, aprox menestrel

scope¹ [skoup] *s* **1** *fig* orizont, sferă; întindere; gamă; **an undertaking of wide ~** o inițiativă sau o întreprindere de mare amploare/ de anvergură; **a mind of wide ~** o minte/un spirit cu vederi largi, un om cu orizonturi/vederi largi; **it is beyond my ~** mă depășește, nu este de competența mea; **within the ~ of** în limitele/ cadrul *cu gen;* în sfera, de domeniul *cu gen* **2** libertate; posibilități; **to give free ~ to one's imagination** a da frâu liber imaginației (sale); **he has full/free ~** are deplină libertate de acțiune **3** *tehn* câmp; diapazon **4** *nav* lungime de lanț filat la apă **5** ← *înv* țintă, scop

scope² *s opt* **1** aparat optic **2** periscop

-scope *suf* -scop: **telescope** telescop

-scopy *suf* -scopie: **bioscopy** bioscopie

scorbutic(al) [skɔːˈbjuːtik(əl)] *adj med* scorbutic

scorch [skɔːtʃ] I *vt* 1 a pârjoli; a pârli; a prăji 2 a ofili, a veșteji; a usca; a arde 3 *fig* a critica aspru/sever/violent *(pe cineva)*, *F* a desființa 4 *fig* a răni, a jigni *(sentimentele cuiva)* II *vi* 1 a se pârli, a fi pârlit; a se pârjoli 2 a se ofili, a se veșteji; a se usca; a arde 3 ← *F* a goni, a mâna, a merge cu mare viteză III *s* arsură superficială

scorched earth [ˈskɔːtʃt,əːθ] *s mil* pământ pârjolit

scorched-earth policy [ˈskɔːtʃt,əːθ ˈpɔlisi] *s mil* tactica pământului pârjolit

scorcher [ˈskɔːtʃəʳ] *s* ← *F* 1 zi caniculară/extrem de fierbinte/călduroasă 2 critică extrem de severă/aspră; remarcă usturătoare 3 maniac al vitezei

score [ˈskɔːʳ] I *s* 1 urmă, semn; tăietură; crestătură; zgârietură; dungă *(pe spinarea unui sclav etc.)* 2 răboj; socoteală; însemnare; **to run up a ~** a face o datorie; **I have some old ~s to settle with that fellow** am de rezolvat/pus la punct niște răfuieli vechi cu cetățeanul ăsta; **to pay/wipe off a ~** a-și achita datoria/nota; **și** *fig* a se socoti, a se răfui; **death pays all ~s** *prov* cine moare își plătește toate datoriile 3 *sport* scor; golaveraj *(la fotbal)*; **the ~ at half-time was 3-1** după prima repriză scorul era de 3 la 1; **to keep the ~** a înregistra scorul/rezultatele 4 spirit, vorbă de duh *(pe socoteala altuia)*; **to be given to making ~s** a-i plăcea să facă spirite pe socoteala altora 5 reușită, succes, izbândă, victorie; **what a ~!** ce succes! ți-a mers din plin! 6 douăzeci; **four ~ and seven** optzeci și șapte; **three ~ years and ten** șaptezeci de ani *(după biblie, vârstă de râvnit)* 7 *pl* zeci; **~s of people** zeci de/mulți oameni; **~s and ~s of** zeci și zeci de 8 motiv, cauză, temei; **on the ~ of** din cauza/pricina *cu gen*; în urma, ca rezultat *cu gen*; **console yourself on that** ~ liniștește-te/nu te neliniști în privința asta 9 *poligr* big 10 *muz* partitură II *vt* 1 a cresta, a tăia; a zgâria *(podeaua etc.)* 2 a însemna, a marca, a nota 3 *sport etc.* a marca *(un punct, un gol etc.)*; a câștiga, a înregistra *(succese, un avantaj etc.)* 4 a biciui, a bate, a flagela 5 *fig* a critica sever/aspru/violent 6 a estima; a aprecia *(răspunsul unui candidat etc.)*; a nota *(cu un calificativ etc.)* 7 *muz* a orchestra III *vi* 1 *sport etc.* a face un punct *sau* un număr de puncte; a marca 2 a ține socoteala *sau* socotelile 3 a câștiga un avantaj 4 a realiza un succes 5 a câștiga încredere/credit 6 a face crestături, răni, însemnări *etc.*

scoreboard [ˈskɔːˌbɔːd] *s sport* tabelă de marcaj

scorebook [ˈskɔːˌbuk] *s sport* agenda arbitrului; procesul-verbal al arbitrului *sau* arbitrilor

scorecard [ˈskɔːˌkɑːd] *s sport* formular *sau* buletin al participantului *sau* echipei

score down [ˈskɔːˈdaun] *vt cu part adv* a nota, a trece, a înregistra

score for [ˈskɔːˈfəʳ] *vt cu prep* a compune pentru *(orchestră etc.)*

score keeper [ˈskɔːˌkiːpəʳ] *s sport* marcator

scoreless [ˈskɔːlis] *adj sport* cu scorul (de) zero la zero, cu scor nul

score off [ˈskɔːrˈɔːf] *vt cu part adv fig F* a bate, – a învinge

score out [ˈskɔːrˈaut] *vt cu part adv* a șterge, a tăia *(un cuvânt etc.)*

scorer [ˈskɔːrəʳ] *s sport etc.* marcator

scoria [ˈskɔːriə] *s met* arsură, zgură, scorie

scorn [skɔːn] I *s* 1 dispreț; desconsiderare; **to laugh to ~, to pour ~ on** a trata cu dispreț *cu ac* 2 batjocură, zeflemea; remarcă batjocoritoare 3 (obiect de) batjocură II *vt* a disprețui; a nu putea suferi, a urî *(minciuna etc.)*

scorner [ˈskɔːnəʳ] *s* 1 disprețuitor 2 zeflemist

scornful [ˈskɔːnful] *adj* disprețuitor, plin de dispreț; batjocoritor

scornfully [ˈskɔːnfuli] *adv* disprețuitor, cu dispreț; batjocoritor

Scorpio [ˈskɔːpiˌou] *s astr* Scorpionul

scorpion [ˈskɔːpiən] *s* 1 *zool* scorpion *(Scorpionidae sp.)* 2 **the S~** *astr* Scorpionul

Scot [skɔt] *s* 1 *ist* scot 2 scoțian

scot *s* ← *înv* bani plătiți; taxă; impozit, dare; **to pay ~ and lot a** ← *înv* a plăti taxele comunale **b** *fig* a plăti până la ultima centimă; a plăti cu vârf și îndesat

Scot. *presc de la* 1 Scotland 2 Scottish 3 Scotch

Scotch [skɔtʃ] I *adj* 1 *(d. popor, limbă etc.)* scoțian 2 *umor* „scoțian", – zgârcit, avar II *s* 1 **the ~** scoțienii 2 dialect soțian 3 whisky scoțian 4 *un* pahar de whisky scoțian

scotch I *vt* 1 *v.* **score** II 1 2 a răni; a schilodi; a zdrobi 3 *fig* a înăbuși, a reprima *(un sentiment etc.)*; a înfrâna; **I don't ~ my mind** vorbesc deschis/sincer, nu-mi ascund părerea *sau* părerile, spun exact ceea ce cred 4 a scoate veninul *(unui șarpe)*, a face inofensiv 5 *tehn* a frâna; a bloca II *s* 1 crestătură; tăietură 2 *tehn* frână; sabot; butuc *(ca frână)* 3 *auto* camă de frână

Scotch answer [ˈskɔtʃˌɑːnsəʳ] *s* răspuns sub formă de întrebare

Scotch broth [ˈskɔtʃˌbrɔθ] *s* supă de arpacaș cu legume

Scotchman [ˈskɔtʃmən] *s* ↓ ← *peior* scoțian

Scotch mist [ˈskɔtʃˌmist] *s* ceață deasă cu burniță

Scotch tape [ˈskɔtʃˌteip] *s* scotch, bandă adezivă

Scotch whisky [ˈskɔtʃ ˌwiski] *s v.* **Scotch** II, 3-4

Scotchwoman [ˈskɔtʃˌwumən] *s* scoțiană

Scotch woodcock [ˈskɔtʃˈwudˌkɔk] *s* pâine prăjită cu ouă și pastă de anșoa

scot-free [skɔtˈfriː] I *adj* 1 ← *înv* neimpozabil, scutit de taxe *sau* impozite 2 (care a scăpat) nepedepsit; **to get off/to escape/to go ~** a ieși basma curată, a scăpa nepedepsit II *adv (a scăpa etc.)* nepedepsit

Scotia [ˈskouʃə] *poetic* Caledonia, – Scoția

scotia *s arhit* scoție

Scotic [ˈskɔtik] I *adj ist* privitor la vechii scoți II *s* ← *înv* dialectul scoțian

Scoticism [ˈskɔtisizəm] *s v.* **Scotticism**

Scotism ['skɔtizəm] *s filos* scotism *(filosofia lui John Duns Scotus)*

Scotland ['skɔtlənd] Scoţia

Scotland Yard ['skɔtlənd,jɑ:d] *s* Scotland Yard *(poliţie londoneză; ↓ biroul de investigaţii criminale)*

Scots [skɔts] **I** *adj* scoţian **II** *s* dialectul scoţian *(al limbii engleze)*

Scotsman ['skɔtsmən] *s* scoţian *(termen folosit ↓ în Scoţia)*

Scott [skɔt], **Sir Walter** *scriitor englez (1771-1832)*

Scotticism ['skɔtisizəm] *s* cuvânt scoţian; expresie scoţiană

Scottish ['skɔtiʃ] **I** *adj* **1** *(d. popor, limbă etc.)* scoţian **2** *fig ↓ umor* de scoţian; zgârcit, cărpănos **II** *s* **1** (limba) engleză vorbită de scoţieni **2 the ~** scoţienii

Scottish Gaelic ['skɔtiʃ 'geilik] *s v.* **Gaelic**

Scottish terrier ['skɔtiʃ,teriəʳ] *s zool* terier scoţian

scoundrel ['skaundrəl] **I** *s* ticălos, om de nimic **II** *adj atr* ticălos, mârşav, josnic

scoundrelly ['skaundrəli] *adj* ticălos, mârşav

scour¹ ['skauəʳ] **I** *vt* **1** a curăţa, a freca, a răzui; a lustrui **2** a curăţa, a spăla **3** a eroda, a roade; a decapa **4** *met* a băiţui; a degresa **II** *vi* a se curăţa *(prin frecare etc.)*; a se lustrui **III** *s* **1** curăţare, frecare *etc. (v. ~ I)* **2** lustru, luciu

scour² **I** *vt* a cutreiera, a colinda (prin) **II** *vi* a umbla peste tot; a colinda, a cutreiera

scour about ['skauər ə'baut] *vi cu part adv v.* **scour 2 II**

scourer ['skauərəʳ] *s* **I** burete de sârmă *(pt bucătărie)* **2** *met* băiţuitor; degresor **3** *agr* decorticator **4** *vet* purgativ puternic **5** ← *înv* explorator **6** ← *înv* huligan

scourge [skə:dʒ] **I** *s* **1** ← *înv* bici **2** *fig* bici, pedeapsă; năpastă, calamitate **II** *vt* **1** ← *înv* a biciui **2** *fig* a pedepsi, a osândi, a năpăstui; a cauza/a pricinui nenorociri *(cuiva)*

scouring rush ['skauəriŋ rʌʃ] *s bot* pipirig *(Equisetum hyemale)*

scout [skaut] **I** *s* **1** cercetaş *(tânăr făcând parte din organizaţia cercetaşilor)* **2** *mil* cercetaş; observator; *înv* → iscoadă **3** cercetare, observare; **on the ~**

în cercetare, plecat ca să cerceteze **4** *amer sl F* tip, cetăţean, individ **5** *univ* servitor *(la Oxford)* **II** *vt* **1** a nu slăbi din ochi, a urmări îndeaproape **2** a căuta; a cerceta **III** *vi* **1** *mil* a pleca *sau* a fi plecat în recunoaştere **2** a fi cercetaş *(membru al organizaţiei cercetaşilor)*, a activa ca cercetaş **3** a pleca *sau* a fi plecat în căutare de lemne *etc.*

scout² *vt* a respinge, a considera ridicol *(un plan etc.)*

scout about ['skaut ə'baut] *vi cu part adv v.* **scout¹ III 3**

scoutcraft ['skaut,krɑ:ft] *s* cercetăşie

scouthood ['skauthud] *s* cercetăşie

scoutmaster ['skaut,mɑ:stəʳ] *s* conducător al unui detaşament de cercetaşi

scow [skau] *s* **1** *nav* gabară **2** *min* screper-ladă

scowl [skaul] **I** *vi* (**at, on**) a se încrunta, a privi supărat *sau* < furios/mânios (la) **II** *vt* a se uita mânios la **III** *s* privire încruntată; încruntătură; privire furioasă/mânioasă

scowling [skauliŋ] *adj* încruntat; furios, mânios

scowlingly [skauliŋli] *adv* supărat, mânios, cu o căutătură mânioasă

scrabble ['skræbəl] **I** *vt* **1** a mâzgăli; a zgâria **2** a strânge la repezeală; a încropi **II** *vi* **1** a râcâi; a zgâria **2** a umbla în patru labe **3** a mâzgăli; a scrie neciteţ **4** *fig* (**for**) a (se) trudi, a munci din greu (pentru *existenţă etc.*) **III** *s* **1** mâzgălitură, mâzgăleală **2** zgârietură **3** *F v.* **scramble III**

scrag [skræg] *s* **1** „schelet ambulant", „piele şi oase", om foarte slab **2** animal foarte slab, boaită **3** *sl* gât

scrag end ['skræg,end] *s gastr* gât de oaie, berbec *sau* viţel

scraggily ['skrægili] *adv* (în mod) neregulat, asimetric

scragginess ['skræginis] *s* **1** neregularitate, caracter asimetric **2** slăbiciune, înfăţişare sfrijită *sau* costelivă

scraggly ['skrægli] *adj* **1** în dezordine; răvăşit; crescut la întâmplare **2** nepieptănat

scraggy ['skrægi] *adj* **1** neregulat, asimetric; cu zigzaguri **2** nepiep-

tănat **3** slab, costeliv, ogârjit

scram [skræm] *interj amer F* valea! întinde-o! şterge-o!

scramble ['skræmbəl] **I** *vi* **1** a se căţăra, a se urca *(cu mâinile şi picioarele)*; a se agăţa **2** a se târî de-a buşilea, a merge în patru labe **3** (**for**) a se bate (pentru *sau* pe *bani risipiţi pe jos etc.*); a căuta fiecare să apuce **4** (**for**) *fig* a (se) lupta (pentru o *funcţie etc.*) **5** *(d. plante)* a se agăţa **II** *vt* **1** a pune de-a valma, a amesteca; a îngrămădi **2** a arunca la grămadă *(bani etc.)* **3** a strânge, a aduna **4** a face jumări *(ouă)* **III** *s* **1** căţărare, căţărat, urcare; agăţare **2** bătaie, luptă *(pt ceva)*

scrambled eggs ['skræmbld,egz] *s* jumări, omletă

scramblers ['skræmbləz] *s pl bot* plante agăţătoare

scrannel ['skrænəl] *adj* ← *înv* **1** slab, costeliv **2** şuierător; strident; nemuzical; aspru

scrap¹ [skræp] **I** *s* **1** bucată, bucăţică, fărâmă; fragment; rămăşiţă, rest **2** *pl* firimituri, resturi **3** *tehn* deşeu, rebut **4** *met* fier vechi **5** *tel, fot* decupare de imagini **6** tăietură *(de ziar)* **7** şi *pl* jumări *(de slănină)* **8** *fig* pic, fărâmă **II** *vt* **1** a arunca, a da la gunoi **2** a da la rebut **3** *met* a da la fier vechi

scrap² **I** *s* **1** *F* ciorovăială, ciondăneală, – ceartă, sfadă **2** *F* păruială, burduşeală, – bătaie **II** *vi* **1** *F* a se ciorovăi, a se ciondăni, – a se certa **2** *F* a se părui, – a se bate

scrap book ['skræp,buk] *s* album cu tăieturi din ziare

scrap chisel ['skræp,tʃizəl] *s* ciocan-daltă

scrape [skreip] **I** *vt* **1** a răzui, a rade, a racla; a zgâria; **to ~ one's chin** a se rade, a se bărbieri; **to ~ one's boots** a-şi şterge ghetele la răzătoare; **to ~ the bottom of the barrel** ← *F* a recurge la ceea ce a mai rămas, la ceea ce ai mai prost, resturi *etc.* **2** a scârţâi cu *(arcuşul)*; a scârţâi la *(vioară)* **3** a hârşâi **4** a nivela *(o stradă etc.)* **5** a freca; a şterge **6** a juli, a zgâria *(genunchiul etc.)* **7** a scobi; a râcâi **8** a încropi, a strânge cu greutate *(bani etc.)*; **to ~ a living** a o încropi, a trăi de azi pe mâine, a lega două în curmei **II** *vi* **1** a răzui, a rade; a zgâria **2** (**against**) a se atinge, a se freca (de) **3** a face o reverență **4** a scârțâi *(la vioară)* **5** a (se) trudi, a munci din greu; **to ~ through an examination** a se strecura la un examen **6** a încropi, a agonisi; a trăi de azi pe mâine **III** *s* **1** răzuire etc. *(v. ~* I) **2** zgârietură **3** scârțâit; scârțâitură; hârșâit **4** necaz, nevoie, *F* belea; **to get into a ~** a ajunge la strâmtoare, *F* a da de belea/bucluc; *F* a-și găsi beleaua

scrape away/down ['skreip ə'wei/'daun] *vt cu part adv* a răzui, a înlătura

scrape dozer ['skreip ˌdouzər] *s constr* screper-buldozer

scrape off ['skreip 'ɔ:f] *vt cu part adv* v. **scrape away/down**

scrape out ['skreip 'aut] *vt cu part adv med* a racla

scraper ['skreipər] *s* **1** *tehn* șabăr, răzuitor **2** *tehn* screper **3** *constr* etc. racletă, răzuitoare **4** *tehn* rindea *sau* mașină de răzuit **5** *min* transportor cu raclete, dârg **6** *poligr* dăltiță **7** *nav* rașchetă

scrape through/together ['skreip ˈθru:/tə'geðər] *vt cu part adv* a încropi, a înjgheba, a agonisi, a strânge cu greu

scrap heap ['skræp ˌhi:p] *s* **1** grămadă de gunoi; **put the idea on the ~** *F* dă-o încolo de idee! **2** grămadă de fier vechi

scrapings ['skreipiŋz] *s pl* pilitură; așchii; șpan; răzuitură

scrap iron ['skræp ˌaiən] *s* fier vechi

scrapman ['skræpmən] *s* **1** colector de fier vechi **2** colecționar de lucruri vechi *sau* vechituri

scrap paper ['skræp ˌpeipər] *s* **1** deșeuri de hârtie **2** maculatură **3** hârtie de concept *sau* ciornă

scrapper ['skræpər] *s* **1** ← *F* scandalagiu, bătăuș **2** ← *F* boxer excelent

scrappiness ['skræpinis] *s* dezorganizare, lipsă de legătură *sau* sistemă

scrappy[1] ['skræpi] *adj* **1** făcut *sau* alcătuit din bucăți, resturi, rămășițe etc. **2** fragmentar; discontinuu; nelegat; nesistematic

scrappy[2] *adj amer* bătăios; certăreț

Scratch [skrætʃ] *s* ↓ **Old ~** *F* Nichipercea, Scaraoțchi, – diavolul

scratch I *vt* **1** a zgâria; a juli; a face o zgârietură în; **to ~ the surface** *fig* a nu merge la fondul chestiunii/problemei, a rămâne la suprafața problemei **2** *fig* a elimina, a șterge *(de pe o listă etc.)* **3** a așterne *(câteva rânduri etc.);* a mâzgăli **4** a râcâi; a zgâria, a zgrepțăna **5** a scărpina; **to ~ one's head** *fig* a se scărpina la ceafă, a fi nedumerit; a nu ști ce să facă; **to ~ smb's back** *fig* a peria/a linguși pe cineva; **~ my back and I will ~ yours** *prov* o mână spală pe alta (și amândouă fața) **6** a scârțâi *(o notă)* **7** a aprinde *(un chibrit)* **//** **to ~ a living** a lega două în curmei, a o duce de azi pe mâine **II** *vi* **1** a zgâria; a râcâi **2** a se freca, a se roade **3** *(d. o peniță etc.)* a scârțâi; a hârșâi **III** *vr* a se scărpina **IV** *s* **1** zgârietură; **to get off with a ~** a scăpa cu o zgârietură **b** *fig* ieftin **2** trăsătură *(de condei);* parafă **3** scărpinat; scărpinătură **4** scârțâit; hârșâit **5** semn, răboj, însemnare **6** *met* crăpătură **7** *met* raclare **8** *poligr* rit **9** *tel* sunet discordant/supărător **10** *sport* linie de pornire/start **11** *fig* zero/nimic; a o lua de la început **12** *fig* probă de curaj; încercare; ispitire; **to come (up) to the ~** **a** a nu da înapoi **b** a acționa cu hotărâre **V** *adj atr* **1** strâns, adunat, gătit, pregătit etc. în grabă; improvizat; făcut la întâmplare **2** scris în grabă; schițat

scratch along ['skrætʃə'lɔŋ] *vi cu part adv* a se descurca (cumva), a răzbi (cu greutate)

scratch cat ['skrætʃˌkæt] *s fig* scorpie, zgripțuroaică

scratch line ['skrætʃ ˌlain] *s sport* linia startului

scratch out ['skrætʃ 'aut] *vt cu part adv* **1** a șterge *(un rând etc.)* **2** a răzui, a curăți prin răzuire

scratch paper ['skrætʃ ˌpeipər] *s amer* v. **scrap paper 3**

scratch race ['skrætʃ ˌreis] *s sport* cursă fără obstacole

scratch together/up ['skrætʃ tə'geðər/'ʌp] *vt cu part adv* a agonisi, a înjgheba, a strânge cu greutate

scratchy ['skrætʃi] *adj* **1** *(d. o peniță etc.)* care zgârie **2** *(d. un sunet*

etc.) disonant, neplăcut, supărător **3** scârțâit; hârșâit **4** *(d. stofă etc.)* aspru; care zgârie; iritant **5** adunat/strâns la întâmplare; eterogen, amestecat

scrawl [skrɔ:l] **I** *vt* **1** a mâzgăli; a scrie neciteț **2** a umple cu mâzgălituri **II** *vi* a mâzgăli **III** *s* **1** mâzgălitură *sau* mâzgălituri **2** notiță, bilețel

scrawniness ['skrɔ:ninis] *s amer* slăbiciune, caracter costeliv

scrawny ['skrɔ:ni] *adj amer* slab, costeliv, uscățiv, sfrijit

screak ['skri:k] **I** *vi* **1** a scârțâi **2** a țipa **II** *s* **1** scârțâit **2** țipăt

scream [skri:m] **I** *vi* **1** a țipa, a scoate un sunet strident *sau* sunete stridente **2** a râde cu hohote *sau* isteric **3** *(d. vânt)* a șuiera; a vui, a vâjâi **4** *(d. sirenă)* a șuiera, a țiui **5** *(d. culori)* a fi țipător **II** *vt* a țipa, a rosti țipând; a striga **III** *vr cu adj* a țipa până când se face/devine roșu la față *etc.;* **he ~ed himself hoarse** a țipat până când a răgușit **IV** *s* **1** țipăt; sunet strident **2** hohot *sau* hohote de râs **3** șuierat; fluierat **4** *F* minune, minunăție, – om *sau* lucru nemaipomenit/extraordinar

screamer ['skri:mər] *s* **1** scandalagiu, gură-mare **2** *F* v. **scream IV 4 3** *amer* titlu senzațional *(într-un ziar)*

screaming ['skri:miŋ] *adj* **1** *(d. sunet)* țipător, strident **2** *(d. culori)* țipător, strident; viu **3** extrem de comic/hazliu/nostim

screamingly funny ['skri:miŋli'fʌni] *adj F* să te strici de râs (nu alta), grozav de amuzant

scream out ['skri:m'aut] *vt cu part adv* a țipa în gura mare; a scoate, a profera *(o înjurătură etc.)*

scree [skri:] *s* pietriș, prundiș; grohotiș

screech [skri:tʃ] **I** *vt* **1** a țipa; a pronunța strident **2** a face să scrâșnească; a pune brusc *(frâna)* **II** *vi* **1** a țipa **2** *(d. păsări)* a țipa; a striga; a cârâi **3** *(d. frână etc.)* a scrâșni, a scârțâi; **to ~ to a halt/a stop/a standstill a** a se opri brusc cu un scârțâit **b** *fig (d. o activitate)* a se opri/a înceta brusc **III** *s* **1** țipăt; sunet strident/pătrunzător; cârâit *(de pasăre)* **2** scârțâit, scrâșnit *(de frână etc.)*

screech owl [skri:tʃ,aul] *s* **1** *orn* strigă *(Tyto alba)* **2** *fig* cobe, prevestitor de rele

screechy ['skri:tʃi] *adj* țipător, care țipă; strident

screed [skri:d] *s* **1** *și pl ca sg* F poliloghie; – vorbărie; perorație; tiradă **2** listă *sau* scrisoare interminabilă **3** fâșie/petec de pământ **4** *text* cardă manuală

screen [skri:n] **I** *s* **1** ecran; paravan; scut; perdea; cortină (de protecție) **2** *rad, cin etc.* ecran **3** the ~ cinema(tograf) **4** gard, îngrăditură **5** *fig* perdea, paravan; adăpost; protecție; **under (the) ~ of night** la adăpostul/sub protecția nopții **6** *fig* mască; **to put on a ~ of indifference** a se preface că este indiferent **7** perdea, rețea *(împotriva insectelor)* **8** ciur, sită; grătar **9** *constr* voal, ecran **10** *fot, poligr* raster; diafragmă **11** *mil* escortă; acoperire **12** *nav* convoi **II** *vt* **1** a feri, a apăra, a face să nu se vadă **2** *fot* a diafragma **3** *opt* a ecrana, a blinda **4** a cerne, a trece prin sită; a ciurui; a sorta **5** a examina, a cerceta, a supune unei probe **6** *cin* a ecraniza; a arăta (pe ecran) **7** *fot, cin* a proiecta **8** *cin* a prelucra pentru cinema(tografie), a adapta **9** *fig* a selecta, a alege **10** *fig* a ascunde *(o vină etc.)* **III** *vi cin* a fi ecranizat *sau* potrivit pentru ecranizare; **he does not ~ well** *(d. un actor etc.)* nu este potrivit pentru filmare, nu este bun pentru cinematografie, nu este cinematografic

screening ['skri:niŋ] *s* **1** ferire *etc.* (*v.* **screen II**) **2** selectare, alegere **3** examen, probă **4** *tel* blindaj **5** *pl* resturi, rămășițe

screen pipe ['skri:n,paip] *s tehn* tub filtrant

screen play ['skri:n,plei] *s* scenariu *(cinematografic etc.);* adaptare

screen test ['skri:n,test] *s cin* probă, test *(de actorie)*

screen wiper ['skri:n,waipəʳ] *s auto* stergător

screen writer ['skri:n,raitəʳ] *s ↓ cin* scenarist, autor de scenarii

screever ['skri:vəʳ] *s* pictor cerșetor/ de stradă

screw [skru:] **I** *s* **1** *tehn* șurub; bulon; bolț elicoidal; **to apply/to turn**

the ~, **to put the ~(s) on** *și fig* a strânge șurubul; **to have a ~ loose** *fig* a-i lipsi o doagă **2** *av, nav* elice **3** *tehn* înșurubare; răsucirea șurubului **4** spirală **5** *nav* vapor cu elice **6** sul; pachet; cornet (de hârtie) **7** *fig* zgârcit, avar **8** ← F onorariu; leafă, salar(iu) **8** *amer sl* examinator chițibușar **10** F mârțoagă, gloabă **II** *vt* **1** a înșuruba; a fixa în șuruburi *sau* cu un șurub **2** a strânge, a fixa **3** (**out of**) a stoarce *(apă)* (din) **4** a apăsa, a presa; a îndesa **5** a (ră)suci *(brațul cuiva)* **6** *fig* a sili, a obliga **7** *fig* a stoarce, a extorca **III** *vi* **1** a se înșuruba **2** a se răsuci; a se învârti

screw blade ['skru:,bleid] *s nav* pală de elice

screw bolt ['skru:,boult] *s tehn* șurub (obișnuit)

screw cap ['skru:,kæp] *s tehn* **1** bușon filetat **2** piuliță olandeză

screw core ['skru:,kɔːʳ] *s tehn* tija bulonului

screw driver ['skru:,draivəʳ] *s* șurubelniță

screwed ['skru:d] *adj* **1** *tehn* filetat, cu șuruburi **2** *sl* agheasmuit, cherchelit, – amețit, < beat

screw jack ['skru:,dʒæk] *s tehn* vinci/cric cu șurub

screw off ['skru:'ɔ:f] *vt cu part adv* a deșuruba

screw on ['skru:'ɔn] *vt cu part adv tehn* a înșuruba

screw propeller ['skru: prə'peləʳ] *s nav, av* elice

screw pump ['skru:,pʌmp] *s tehn* pompă elicoidală

screw thread ['skru:,θred] *s tehn* filet

screw top ['skru:,tɔp] *s* căpăcel cu șurub *(la sticle)*

screw up ['skru:'ʌp] *vt cu part adv* **1** *tehn* a înșuruba, a strânge cu piulița **2** *fig sl* a zăpăci, a răvăși **3** a strânge; a închide strâns **4** *fig* a înăspri *(disciplina etc.)* // **to ~ courage** a-și lua inima în dinți; a prinde curaj; a se îmbărbăta

screwy ['skru:i] *adj* **1** (ră)sucit **2** zgârcit, avar; strângător **3** trăsnit, – năstrușnic; sărit/ieșit de pe fix, țicnit, șui **4** *sl* suspect, dubios

scribal ['skraibəl] *adj (d. o greșeală etc.)* de (tran)scriere/copiere

scribble ['skribəl] **I** *vt* **1** a mâzgăli,

a scrie necitet **2** a mâzgăli, a murdări **3** a mâzgăli; a scrie în grabă; a așterne **II** *vi* **1** a mâzgăli, a scrie necitet; a scrie în grabă **2** a mâzgăli, a face mâzgălituri *sau* purcoaie **III** *s* **1** mâzgălitură; scriere neciteață, scris necitet **2** *fig* maculatură

scribbler ['skribləʳ] *s fig* scrib, scriitoraș

scribe ['skraib] *s* **1** scrib; copist **2** știutor de carte, om cu știință de carte **3** scriitor; autor **4** ← *umor* funcționar, amploiat; secretar **5** *bibl* cărturar **6** *tehn* ac de trasat

scriber ['skraibəʳ] *s v.* **scribe 6**

scrim [skrim] *s text* pânză *(aspră)*

scrimmage ['skrimidʒ] **I** *s* ceartă, sfadă; încăierare; bătaie **II** *vi* a se certa, a se sfădi; a lua parte la o încăierare *sau* bătaie; a se înghesui, a se îmbulzi

scrimmager ['skrimidʒəʳ] *s sport* atacant *(la rugbi)*

scrimp [skrimp] **I** *vt* **1** a micșora, a reduce; a îngusta **2** *fig* a micșora, a reduce, a tăia **3** *fig* a fi zgârcit cu **II** *vi* (**on**) a fi econom *sau* zgârcit (cu) **III** *s amer* zgârcit, avar

scrimpily ['skrimpili] *adv* cu zgârcenie

scrimpy ['skrimpi] *adj* **1** sărac; frugal, economicos **2** rar **3** zgârcit, avar; strângător

scrimshank ['skrim,ʃæŋk] *vi F* a chiuli, – a fugi de sarcini grele

scrimshanker ['skrim,ʃæŋkəʳ] *s F* chiulangiu

scrimshaw ['skrim,ʃɔ:] *s* **1** bibelouri din scoici, fildeș *etc.* **2** sculptură în fildeș *etc.*

scrip[1] [skrip] *s* ← *înv* punguliță; desagă mică

scrip[2] *s* **1** bani de hârtie *(puși în circulație de armata de ocupație)* **2** bucată de hârtie; fițuică **3** notă; notiță; listă; chitanță; adeverință; certificat

script [skript] **I** *s* **1** scriere (de mână) **2** fel de a scrie **3** document, act *(scris);* (manu)scris original **4** *școl etc.* lucrare scrisă, teză **5** *cin, rad* scenariu; text **II** *vi cin, rad* a scrie un scenariu

scripted ['skriptid] *adj (d. un discurs etc.)* în formă scrisă, cu text scris

scripter ['skriptəʳ] *s telev, rad* **1** scenarist, autor de scenarii **2** autor de lecții, reportaje *etc.*

scriptorium [skrip'tɔ:riəm], *pl şi* **scriptoria** [skrip'tɔriə] *s* cameră/ încăpere pentru copierea manuscriselor *(într-o mănăstire)*

script show ['skript,ʃou] *s* program la radio sau televiziune transmis de mai multe ori pe săptămână la aceeași oră

scriptural ['skriptʃərəl] *adj* scriptural, biblic

scripture ['skriptʃə'] *s* **1** scriere; manuscris; document (scris) **2** **the S~** Sfânta Scriptură, Biblia **3** ← *înv* citat din Biblie

script writer ['skript ,raitə'] *s* scenarist, textier

scrivener ['skrivnə'] *s* ← *înv* **1** scrib, copist **2** notar

scrofula ['skrɔfjulə] *s med* scrofuloză

scrofulous ['skrɔfjuləs] *adj* **1** *med* scrofulos **2** *fig* corupt; imoral; stricat; degenerat

scroll [skroul] **I** *s* **1** sul *(de hârtie)*; pergament **2** *mat, fiz* spirală **3** *arhit* cartuș *(ca ornament)* **4** *tehn* filet plan, canelură, spirală **5** parafă **6** listă, tabel; inventar **II** *vt* **1** ← *rar* a face sul, a înfășura **2** *arhit* a împodobi cu cartușe

scroller shaft ['skroulə,ʃa:ft] *s tehn* arbore-melc

scroll saw ['skroul,sɔ:] *s* ferăstrău de traforaj

scrollwork ['skroul,wə:k] *s arhit* ornamentație cu cartușe

Scrooge, scrooge [skru:dʒ] *s fig* Harpagon, zgârcit, avar

scrotum ['skroutəm], *pl şi* **scrota** ['skroutə] *s anat* scrot

scrounge ['skraundʒ] **I** *vt* **1** *sl* a șparli, a mangli, – a șterpeli, a ura **2** ← *F* a căpăta cerșind **II** *vi* ← *F* a scotoci, a umbla

scrounge around ['skraundʒə'raund] *vi cu part adv v.* **scrounge II**

scrounger ['skraundʒə'] *s* **1** *F* milog, – cerșetor **2** ← *F* scotocitor, scormonitor **3** *sl* manglitor, – hoț

scrub[1] [skrʌb] **I** *s* **1** *bot* arbust **2** *bot* tufă; tufiș, tufăriș; lăstăriș **3** *bot* arbore pitic; plantă pitică **4** *zool* animal pitic **5** (om) pitic; om nedezvoltat **6** *fig* om de nimic **II** *adj atr* pitic, mic; nedezvoltat

scrub[2] **I** *vt* **1** a freca/a curăța *sau* a spăla cu peria **2** a curăța *(un gaz etc.)* de impurități, a îndepărta impuritățile din **II** *vi* **1** a freca *(cu peria)* **2** **(for)** a munci din greu, a

trudi (pentru) **III** *s* **1** frecat/frecare *sau* spălat/spălare cu peria **2** perie *(aspră)* **3** *amer sport* jucător de rezervă **4** persoană care lucrează din greu *sau* îndeplinește o muncă grea; salahor

scrubber ['skrʌbə'] *s* **1** *v.* **scrub III 4** **2** perie *(aspră)* **3** *tehn* scruber, epurator de gaze

scrubby ['skrʌbi] *adj* **1** cu arbuști; cu tufe/tufăriș/tufișuri **2** pitic, mic, nedezvoltat **3** inferior

scrubland ['skrʌb,lænd] *s* regiune păduroasă *(în Australia)*

scrubwoman ['skrʌb,wumən] *s* femeie de serviciu *sau* cu ziua

scruff [skrʌf] *s anat* ceafă; **to take by the ~ of the neck** a apuca/a lua de ceafă

scruffy ['skrʌfi] *adj* **1** plin de mătreață **2** plin de scame, zgură *etc.* **3** murdar; dezordonat; nepieptănat

scrumptious ['skrʌmʃəs] *adj F* pe cinste, grozav, colosal, formidabil, nemaipomenit

scrunch ['skrʌntʃ] *vt, vi* a mesteca cu zgomot; a ronțăi

scruple ['skru:pəl] **I** *s* **1** scrupul, considerent moral; remușcare; conștiință; **to have ~s about** a avea scrupule cu privire la; **a man of no ~s** un om lipsit de/fără scrupul(e) **2** *dram*, cantitate infimă, nimica toată **3** scrupul, (greutate de un) gram **II** *vt (cu inf)* a nu șovăi *(să facă ceva)*, a nu avea scrupule (când e vorba să)

scrupulosity [,skru:pju'lɔsiti] *s* scrupulozitate; conștiinciozitate; meticulozitate

scrupulous ['skru:pjuləs] *adj* **1** scrupulos, cinstit, corect, conștiincios **2** scrupulos, meticulos, atent, grijuliu

scrupulously ['skru:pjuləsli] *adv* (în mod) scrupulos, cu scrupulozitate; conștiincios; meticulos

scrupulousness ['skru:pjuləsnis] *s v.* **scrupulosity**

scrutable ['skru:təbəl] *adj* care poate fi examinat/cercetat

scrutator [skru:'teitə'] *s* cercetător atent

scrutineer [,skru:ti'niə'] *s* **1** cercetător, examinator **2** anchetator **3** *pol* membru al comisiei de validare a alegerilor **4** inspector *(al unei organizații internaționale)*

scrutinize ['skru:ti,naiz] *vt* a scruta, a cerceta/a examina atent/minuțios

scrutiny ['skru:tini] *s* **1** cercetare atentă/minuțioasă **2** *pol* validare *(a alegerilor)*

scud [skʌd] **I** *vi* **1** *(d. nori etc.)* a pluti, a zbura; a se fugări; a luneca **2** a fi mânat/împins de vânt; a fugi înaintea vântului **II** *s* **1** fugă, alergare; plutire; lunecare **2** *nav* fugă înaintea vântului **3** nori goniți de vânt; *meteor* nori fractonimbus **4** *min* intercalație de cărbune *sau* argilă **III** *vt tehn* a fălțui

scuff [skʌf] **I** *vi* a merge/a umbla târșâind/târând picioarele **II** *vt* **1** a răcâi *(cu picioarele)* **2** a roade, a strica *(pantofii)*

scuffed [skʌft] *adj* ros; zgâriat

scuffle ['skʌfəl] **I** *vi* a se încăiera, a se lua la bătaie **II** *s* încăierare, bătaie

scull [skʌl] *nav* **I** *s* **1** vâslă, ramă, lopată *(dintr-o pereche sau de la pupa)* **2** barcă *(mică, cu vâsle)* **II** *vi* a vâsli, a rama, a lopăta

sculler ['skʌlə'] *s v.* **scull I 2**

scullery ['skʌləri] *s* cameră de spălat vase, spălător

scullion ['skʌljən] *s* ← *înv* **1** ajutor de bucătar, băiat de bucătărie **2** nenorocit, ticălos, amărât

sculpt [skʌlpt] *vt, vi* a sculpta

sculptor ['skʌlptə'] *s* sculptor

sculptress ['skʌlptris] *s* sculptoriță

sculptural ['skʌlptʃərəl] *adj* sculptural; de sculptură

sculpturally ['skʌlptʃərəli] *adv* din punct de vedere sculptural

sculpture ['skʌlptʃə'] **I** *s* sculptură **II** *vt* **1** a sculpta; a dăltui **2** *fig (d. apă etc.)* a sculpta; a roade

sculpturesque [,skʌlptʃə'resk] *adj* sculptural, ca o sculptură

scum [skʌm] **I** *s* **1** spumă *(pe un lichid care fierbe)* **2** *met* spumă; depunere; crustă; zgură **3** *fig* scursură, lepădături, drojdie **II** *vi* a face spumă *etc. (v. ~* **II)** **III** *vt* a lua/a îndepărta spuma *etc. (v. ~* **II)** de pe

scumble ['skʌmbəl] *vt pict* a estompa

scummer ['skʌmə'] *s* lingură de îndepărtat spuma

scummy ['skʌmi] *adj* **1** (acoperit) cu spumă **2** ca spuma, spumos **3** nenorocit, amărât, ticălos

scupper ['skʌpər] *s nav* gaură de drenaj

scurf [skə:f] *s* 1 mătreață 2 coajă, crustă

scurfy ['skə:fi] *adj* 1 (acoperit) cu mătreață 2 de mătreață 3 (acoperit) cu zgură, scame *etc.*

scurrility [skə'riliti] *s* 1 limbaj injurios *sau* indecent/obscen; glume indecente/fără perdea 2 indecență, obscenitate; vulgaritate

scurrilous ['skʌriləs] *adj* 1 injurios, abuziv 2 indecent; obscen; vulgar; fără perdea

scurrilously ['skʌriləsli] *adv* 1 într-un limbaj indecent *sau* injurios; fără perdea 2 (în mod) vulgar, indecent

scurrilousness ['skʌriləsnis] *s v.* **scurrility** 2

scurry ['skʌri] **I** *vi* 1 a fugi, a goni, a alerga 2 a fi aferat/agitat 3 a lucra de mântuială; a da lucrurile peste cap **II** *vt* a mâna, a goni **III** *s* 1 fugă, goană, tropot; ~ **of feet downstairs** zgomot de pași grăbiți la parter 2 alergătură, agitație 3 ploaie neașteptată/din senin; viscol neașteptat/din senin

scurvily ['skə:vili] *adv* (în mod) josnic, ticălos

scurviness ['skə:vinis] *s* josnicie, ticăloșie, murdărie

scurvy ['skə:vi] **I** *adj* 1 infam, nemernic, ticălos, murdar **II** *s* 1 *med* scorbut 2 om de nimic, ticălos, nemernic

scut [skʌt] *s* 1 coadă scurtă (de iepure sau cerb) 2 coadă tăiată, ciot

scuta ['skju:tə] *pl de la* **scutum**

scutch [skʌtʃ] **I** *s* 1 *text* volant (al bătătorului) 2 ciocan (de pietrar) **II** *vt text* a melița

scutcheon ['skʌtʃən] *s* 1 *v.* **escutcheon** 2 tăbliță (cu numele locatarului)

scuttle¹ ['skʌtəl] *s* 1 vas/găleată de cărbuni (și ca măsură) 2 coș (cu fund îngust și deschidere largă)

scuttle² **I** *s* 1 *auto* torpedo, tăblia din față 2 chepeng; deschizătură 3 *nav* bocaport, tambuchi **II** *vt nav* a saborda (un vas)

scuttle³ **I** *s* fugă; goană; plecare bruscă **II** *vi v.* **scuttle away**

scuttle away ['skʌtələ'wei] *vi cu part adv* 1 a fugi, F a o lua la sănătoasa 2 *fig* a fugi de o răspundere *etc.* 3 a se grăbi, a fi zorit

scuttle butt ['skʌtəl,bʌt] *s nav* butoi cu apă de băut

scuttle off ['skʌtəl'ɔ:f] *vi cu part adv v.* **scuttle away**

scutum ['skju:təm] *pl* **scuta** ['skju:tə] *s* 1 scut 2 *anat* rotulă 3 *zool* carapace, țeastă

Scylla ['silə] 1 *mit* 2 stâncă în Messina; **between ~ and Charybdis** *fig* între Scylla și Charybda; între ciocan și nicovală

scythe [saið] **I** *s* coasă **II** *vt* a cosi

scytheman ['saiðmən] *s* 1 cosaș 2 *fig* moarte

Scythia ['siðiə] *ist* Sciția

Scythian ['siðiən] *ist* **I** *adj* scitic **II** *s* 1 scit 2 (limba) scită

S.D. *presc de la* **Scientiae Doctor, Doctor of Science**

'sdeath [zdeθ] *interj* ← *înv* la naiba! drace! mii de draci! ptiu!

SE *presc de la* **southeast(ern)**

sea [si:] *s* **I** *geogr* mare; **to sail on the ~** a naviga pe mare; **to swim in the ~** a înota în mare; **to be at ~** a a fi (plecat) pe mare; a fi în larg **b** a fi nesigur, șovăitor *sau* nedumerit, încurcat; **beyond/over the ~(s)** *adv* dincolo de mare, peste mare, peste mări **b** peste țări și mări, foarte departe **c** *adj atr* de peste mări; **by ~** pe mare; pe cale maritimă; cu vaporul; **to go to ~** a se face marinar; **to follow the ~** a fi marinar; **on the ~** a pe mare, în larg **b** pe malul/țărmul mării; **to take to the ~** a pleca pe mare/în larg; **by ~ and land** pe mare/apă și uscat 2 the ~s *nav* mare deschisă; larg 3 val; mare agitată; **high/heavy/rolling ~** val înalt; valuri înalte; **a ~ struck the boat** un val/< un taluz izbi barca 4 ← *înv* flux 5 **a ~ (of)** *fig* o mare (de sânge *etc.*), o mulțime, un noian (de)

sea anchor ['si:,æŋkə] *s nav* ancoră plutitoare; ancoră de furtună

sea anemone [si:ə'næməni] *s zool* actinie (Actiniaria)

sea bank ['si:,bæŋk] *s* țărm de mare, coastă (marină)

sea base ['si:,beis] *s mil* bază navală

sea bed ['si:,bed] *s* fund de mare, fundul mării

sea bird ['si:,bə:d] *s orn* pasăre de mare

seaboard ['si:,bɔ:d] *s nav v.* **sea-coast**

sea-borne ['si:,bɔ:n] *adj atr nav* maritim

sea breeze ['si:,bri:z] *s meteor* briză de mare/zi

sea calf ['si:,ka:f] *s zool* focă (Phoca vitulina)

sea captain ['si:,kæptən] *s nav* 1 căpitan de vas comercial; căpitan de cursă lungă 2 ← *poetic* navigator *sau* comandant *sau* amiral vestit

sea change ['si:,tʃeindʒ] *s* schimbare totală (↓ bruscă)

sea-coast ['si:,koust] *s* coastă (marină), țărm de mare, coasta mării, litoral, coastă (a unei țări)

sea cow ['si:,kau] *s zool* 1 sirenă (Sirenia sp.) 2 morsă, cal de mare (Odobenus rosmarus) 3 hipopotam (Hippopotamus amphibius)

sea craft ['si:,kra:ft] *s nav* 1 vase, nave, ambarcații 2 arta de a naviga

sea dog ['si:,dog] *s* 1 *zool v.* **sea calf** 2 *iht* specii de rechin (Squalidae etc. sp.) 3 *fig* lup de mare, marinar experimentat 4 *fig* corsar, pirat

sea eagle ['si:,i:gl] *s iht* 1 vultur de mare (Haliaetus sp.) 2 vultur pescar/de râuri (Pandion haliaetus)

seafarer ['si:,fɛərə] *s poetic* năier, – marinar, navigator

sea-faring ['si:,fɛəriŋ] *s* viață de marinar; călătorie *sau* călătorii pe mare

sea fight ['si:,fait] *s nav* bătălie navală, luptă pe mare

sea floor ['si:,flɔ:] *s* fund de mare

sea flower ['si:,flauə] *s bot* anemonă/dedițel de mare (Actinaria sp.)

sea foam ['si:,foum] *s* 1 spuma mării/valurilor 2 *minr* spumă de mare, piatră ponce

sea fog ['si:,fog] *s nav* ceață marină

sea folk ['si:,fouk] *s* oameni ai mării; oameni deprinși cu marea; marinari; pescari

sea food ['si:,fu:d] *s* pești de mare comestibili; moluște comestibile

sea front ['si: ˌfrʌnt] *s* partea dinspre mare a unei localități; faleză

sea gauge ['si: ˌgeidʒ] *s nav* **1** pescaj **2** sondă

sea-girt ['si:ˌgəːt] *adj poetic* încins, – înconjurat de mare

sea-going ['si:ˌgouiŋ] *adj nav* **1** maritim; de mare **2** navigant, de navigație; care călătorește pe mare

sea green ['si: ˌgriːn] *s* verde marin

sea gull ['si: ˌgʌl] *s orn* pescar, pescăruș de mare *(Laridae sp.)*

sea hog ['si: ˌhɔg] *s v.* **porpoise**

sea horse ['si: ˌhɔːs] *s* **1** *zool* căluț de mare *(Hippocampus)* **2** *v.* **sea cow 2 3** val cu creasta înspumată

sea inlet ['si: ˌinlit] *s* **1** *nav* priză de apă **2** baie; golf

sea jelly ['si: ˌdʒeli] *s zool* meduză *(Hydrozoa sp.)*

sea kale ['si: ˌkeil] *s bot* hodolean, varză de mare *(Crambe maritima)*

sea king ['si: ˌkiŋ] *s nav od* viking

seal¹ [siːl] **I** *s* **1** sigiliu; pecéte; ștampilă; **to set one's ~ to a** a(-și) pune pecetea/sigiliul pe b *fig* a-și pune pecetea pe; a parafa, a întări; **under the ~ of secrecy/ confidence** cu condiția păstrării secretului/discreției **2** *tehn* plombă de garanție, sigiliu; marcă; ștampilă **3** *tehn* dispozitiv de etanșare **4** *tehn* închidere etanșă, etanșare, izolare **5** *nav* călăfătuire **II** *vt* **1** a aplica/a pune pecetea/sigiliul/ștampila pe; a sigila; a ștampila **2** a sigila; a pecetlui **3** a ratifica, a confirma, a autentifica *etc.* prin aplicarea ștampilei **4** *fig* a adeveri, a confirma, a întări **5** *tehn* a etanșa, a izola, a închide; a astupa **6** *nav* a călăfătui **7** *fig* a pecetlui, a parafa **8** *fig* a hotărî (↓ *solemn*) **9** *fig* a închide; a astupa; **what I heard ~ed my lips** cele auzite m-au făcut să tac; **to ~ one's eyes** a închide ochii

seal² **I** *zool* focă *(Phoca vitulina)* **II** *vi* a pleca la vânătoare de foci

seal lawyer ['si:ˌlɔːjəʳ] *s nav sl* **1** gâlcevitor, certăreț **2** *iht* rechin

seal box ['si:l ˌbɔks] *s tehn* sifon

sea league ['si: ˌliːg] *s nav* leghe marină *(în Anglia și S.U.A., 5554,9 m)*

sealed ['si:ld] *adj* **1** sigilat; ștampilat **2** *tehn* etanș(at); izolt, astupat **3** închis, astupat

sealer ['si:ləʳ] *s nav* pescador de foci, navă/vas de vânat foci

sealery ['si:ləri] *s* **1** vânat/vânătoare de foci **2** loc unde se vânează foci

sea letter ['si: ˌletəʳ] *s nav* permis de navigație

sea levee ['si:li'viː] *s constr* dig maritim

sea level ['si: ˌlevəl] *s* nivelul mării

sea lily ['si: ˌlili] *s zool* comatula *(Crinoidea sp.)*

seal in ['si:l 'in] *vt cu part adv tehn* a încapsula

sealing wax ['si:liŋ ˌwæks] *s* **1** *poligr* ceară de sigiliu **2** *ch* ceară roșie

sea lion ['si: ˌlaiən] *s zool* **1** leu de mare *(Zalophus sp.)* **2** focă cu coamă *(Eumetopias jubatus)*

sea lock ['si: ˌlɔk] *s nav* ecluză maritimă

seal off ['si:l 'ɔːf] *vt cu part adv tehn* a etanșa, a izola

sealskin ['si:lˌskin] *s* piele *sau* blană de focă

seam [si:m] **I** *s* **1** *text* cusătură; tiv, tighel **2** *met* sudură, cusătură; locul lipiturii; falț, margine **3** *nav* cusătură, hurmuz **4** cută, încrețitură, zbârcitură **5** *geol* intercalație; strat; filon **II** *vt* **1** *text* a coase; a tricota links **2** *fig* a brăzda *(fața etc.)*; a încreți **3** *met* a suda; a lipi **III** *vi* **1** a se rupe, a crăpa; a face fisuri/crăpături **2** a se încreți; a face riduri

sea maid ['si: ˌmeid] *s* ← *înv, poetic* **1** sirenă **2** nereidă, nimfă a mării; zeiță a mării

seaman ['si:mən] *s* marinar, matelot, matroz *înv* → corăbier, *înv, poetic* → năier

seamanlike ['siˌmən ˌlaik] **I** *adj* de marinar, marinăresc **II** *adv* marinărește

seamanly ['si:mənli] *adj v.* **seamanlike I**

seamanship ['si:mənˌʃip] *s nav* marinărie; arta marinăriei; arta de a naviga; practică/experiență de marinar

sea mark ['si: ˌmɑːk] *s nav* semn maritim; far; geamandură; semnal de navigație costier; reper costier

sea mew ['si: ˌmjuː] *s v.* **sea gull**

sea mile ['si: ˌmail] *s* milă marină *(internațională = 1852 m)*

seamless ['si:mlis] *adj* fără cusături, dintr-o (singură) bucată

sea monster ['si: ˌmɔnstəʳ] *s* monstru marin

seamstress ['semstris] *s* cusătoreasă

seamy ['si:mi] *adj* cu (< multe) cusături; **on the ~ side a** *(d. o haină etc.)* pe dos **b** *fig* cu, prin *etc.* partea neplăcută a lucrurilor; în răspăr

Seanad Eireann ['sænɑːd 'ɛərən] *s* senat, cameră superioară *(în Irlanda)*

seance ['seians] *s fr* ședință; întrunire

sea otter ['si: ˌɔtəʳ] *s zool* lutru marin *(Latax lutris)*

sea piece ['si: ˌpiːs] *s pict* marină

sea plane ['si: ˌplein] *s nav, av* hidroavion

seaplane tender ['si:ˌplein'tendəʳ] *s nav, av* (navă) portavion

sea port ['si: ˌpɔːt] *s nav* port maritim

sea power ['si: ˌpauəʳ] *s pol* putere maritimă/navală

sear¹ ['siəʳ] **I** *adj* (↓ *d. frunze, flori*) uscat; mort; veșted, ofilit **II** *vt* **1** a usca; a veșteji, a ofili **2** a pârjoli *(pământul etc.)*, a arde; a usca; a întări **3** a arde cu fierul roșu; a cauteriza **4** *fig* a întări, a învârtoșa *(inima etc.)* **III** *s* uscare; ofilire, veștejire

sear² *s tehn* manetă de tragere/declanșare

search [səːtʃ] **I** *vt* **1** a căuta; a urmări, a fi în căutarea *(unui hoț etc.)* **2** a cerceta, a examina; a scotoci *(buzunarele etc.)*; a cotrobăi prin *sau* în; **to ~ one's memory** *fig* a căuta să-și aducă aminte, a-și cerceta memoria; **to ~ men's hearts** *fig* a cerceta inimile/sufletele oamenilor **3** *(d. frig etc.)* a răzbi/a trece prin **4** *med* a sonda, a cateteriza **II** *vi* **(for)** a căuta *(cu ac);* a examina *(cu ac)* **III** *s* **1** **(for, of)** căutare *(de sau cu gen);* **he was in ~ of a room** era în căutarea unei camere, căuta o cameră; **to make ~ for** a căuta *cu ac*, a fi în căutare *cu gen* **2** examinare, cercetare **3** *jur* percheziție **4** ← *rar* domeniu de cercetare; competență

searching ['sə:tʃiŋ] I adj 1 (d. o cercetare) amănunțit, minuțios 2 (d. priviri etc.) cercetător, iscoditor; critic 3 (d. vânt etc.) rece, tăios, pătrunzător II s ~s: ~s of the heart mustrări de cuget, mustrările conștiinței

searchlight ['sə:tʃ,lait] s 1 proiector 2 el reflector

searchlight beam ['sə:tʃ,lait,bi:m] s opt con de lumină

search out ['sə:tʃ 'aut] vt cu part adv 1 a căuta atent, a cerceta 2 a găsi, a afla

search party ['sə:tʃ,pɑ:ti] s grup/ echipă de căutare (a unei persoane dispărute)

search warrant ['sə:tʃ,worənt] s jur ordin de percheziție

sea rim ['si:,rim] s nav linia orizontului

searing ['siəriŋ] adj 1 dogoritor, foarte fierbinte; încins 2 fig ← F mistuitor; arzător

searing effect ['siəriŋ i'fekt] s 1 opt efect luminos; radiație luminoasă 2 med influența razelor de lumină (ca urmare a unei explozii nucleare)

sea robber ['si:,robəʳ] s nav pirat, corsar

sea rolling ['si:,rouliŋ] s nav hulă

sea rover ['si:,rouvəʳ] s nav 1 pirat, corsar 2 (vas) corsar

seascape ['si:skeip] s 1 vedere la mare; priveliște marină 2 v. sea piece

sea serpent ['si:,sə:pənt] 1 zool șarpe de mare (Hydrophidae sp.) 2 ↓ mit monstru marin

seashore ['si:,ʃo:ʳ] s țărm de mare, coastă, malul mării; litoral

sea-sick ['si:,sik] adj med suferind de rău de mare

sea sickness ['si:,siknis] s med rău de mare

seaside ['si:,said] s 1 v. seashore 2 litoral; stațiuni de coastă; to go to the ~ a se duce la mare

sea snake ['si:,sneik] s v. sea serpent

season ['si:zən] I s 1 anotimp, timp al anului, sezon; the rainy ~ anotimpul ploios/ploilor 2 timp, perioadă, vreme; for a ~ (pentru) un timp 3 sezon; the dead/dull/ off ~ sezonul mort 4 the ~ sezonul londonez (mai, iunie, iulie) 5 moment potrivit/oportun,

vreme potrivită; **out of** ~ nepotrivit, inoportun; într-un moment nepotrivit; **in** ~ **and out of** ~ a când trebuie și când nu trebuie, cu și fără rost b în orice timp/ vreme, totdeauna, mereu; **a world in** ~ un sfat dat la timp; **in good** ~ a la timp; când trebuie b din timp, de cu vremea // **Season's Greetings!** Sărbători fericite! (urare de Crăciun) II vt 1 gastr a drege; a asezona; a condimenta 2 fig a face picant, interesant etc.; a presăra cu anecdote etc. 3 tehn a îmbătrâni, a usca (lemn etc.) 4 ← înv a îmblânzi, a înduioșa, a înmuia III vi 1 a se aclimatiza, a se adapta; a se obișnui 2 tehn (d. lemn etc.) a se usca 3 a se coace, a se maturiza 4 a se banaliza, a deveni o rutină

seasonable ['si:zənəbəl] adj 1 de sezon; al anotimpului 2 oportun, potrivit, nimerit; făcut la timp

seasonably ['si:zənəbli] adv 1 în mod oportun/potrivit 2 la timpul sau în momentul potrivit

seasonal ['si:zənəl] adj 1 de sezon; al anotimpului 2 (d. un muncitor etc.) sezonier 3 regulat, periodic

seasonally ['si:zənəli] adv 1 într-un anumit anotimp 2 regulat, periodic

seasoned ['si:zənd] adj 1 călit; experimentat 2 asezonat, condimentat, piperat 3 fig piperat; sărat; picant

seasoning ['si:zəniŋ] s 1 uscare la aer; condiționare 2 preparare, pregătire 3 gastr asezonare, condimentare 4 gastr condiment, ingredient 5 fig picanterie

season ticket ['si:zən,tikit] s ferov etc. abonament

sea swallow ['si:,swolou] s orn 1 specie de petrel (Sterna hirundo) 2 v. stormy petrel

seat [si:t] I s 1 loc (de șezut/stat); scaun; bancă; canapea; **use that box for a** ~ șezi/stai pe lada aceea, folosește lada aia în chip de scaun; **a back** ~ un loc în spate (în mașină etc.); **to take a** ~ a se așeza, a lua loc; **to take one's** ~ a-și ocupa locul, a se așeza pe locul său (la teatru etc.); **have/take a** ~ luați loc,

ședeți, stați jos; **to be in the driver's** ~ F a fi șef(ul)/mai mare; ~ a conduce; **to kee pone's** ~ a nu-și părăsi locul, a rămâne pe loc (în caz de incendiu etc.); **to lose one's** ~ a-și pierde locul, a i se ocupa locul (de către altcineva); **to take a back** ~ to smb ← F a lăsa pe cineva să i-o ia înainte, să ocupe un post mai important etc. 2 teatru etc. loc, bilet 3 loc (în parlament etc.); **to lose one's** ~ a-și pierde locul în parlament, a-și pierde mandatul de deputat; a nu mai fi reales 4 tăblie (a scaunului) 5 tehn suprafață de reazem/sprijin 6 tehn locaș 7 loc, locaș (al unui organ etc.) 8 reședință 9 fund, spate, dos II vt 1 a pune/a așeza pe (un) scaun; a oferi/a da un scaun (cuiva); a invita a șadă/să ia loc; **to be** ~ed a se așeza, a lua loc, a sta jos b a ședea, a sta jos 2 (d. o încăpere etc.) a avea locuri pentru (un număr de persoane); **this hall will** ~ 10,000 în sala aceasta încap 10000 de oameni 3 a pune un scaun etc. sau scaune etc. în 4 a situa, a plasa, a așeza (într-un loc etc.) 5 tehn a așeza; a sprijini, a rezema III vr a se așeza, a lua loc, a se instala

seat belt ['si:t,belt] s auto, av centură de siguranță

seat box ['si:t,boks] s capra vizitiului

-seater ['si:təʳ] s (în cuvinte compuse cu numerale) automobil sau avion cu atâtea locuri; **a two-** ~ automobil/mașină sau avion cu două locuri

seat frame ['si:t,freim] s auto rama scaunului

seating ['si:tiŋ] s 1 instalare etc. pe scaune etc. 2 locuri de stat jos, scaune; bănci etc. (într-un teatru etc.) 3 suport; soclu; reazem 4 tehn fundație; locaș

seating room ['si:tiŋ,ru:m] s v. seating 2

SEATO ['si:tou] presc de la the Southeast Asia Treaty Organization

Seattle [si'ætəl] port în S.U.A.

sea urchin ['si:,ə:tʃin] s zool arici de mare (Echinoidea sp.)

sea wall ['si:,wo:l] s nav dig de mare; jeteu

seaward ['si:wəd] I *adj atr* dinspre mare II *adv amer v.* **seawards**

seawards ['si:wədz] *adv* spre/către mare

sea watch ['si: ‚wɔtʃ] *s nav* cart la ancoră

seaway ['si:‚wei] *s nav* 1 mare (deschisă), larg 2 canal maritim 3 cale maritimă, drum maritim

sea weed ['si: ‚wi:d] *s bot* 1 plantă marină *sau* plante marine 2 algă marină 3 iarbă de mare (*Zostera marina*)

sea wind ['si: ‚wind] *s* vânt de/ dinspre mare

sea wolf ['si: ‚wulf] *s* 1 *zool* lup de mare (*Anarrhichas lupus*) 2 pirat, corsar

seaworthy ['si:‚wə:ði] *adj nav* în bună stare de navigabilitate, capabil să țină marea

sea wrack ['si: ‚ræk] *s bot* algă cafenie (*Fucus vesiculosus*)

sebaceous [si'beiʃəs] *adj anat* sebaceu

Sebastian [si'bæstjən] *nume masc*

Sebastopol [si'bæstəpəl] *oraş în fosta U.R.S.S.* Sevastopol

seborrh(o)ea [‚sebə'riə] *s med* seboree

sec [sek] *adj fr* (*d. vin*) sec

sec. *presc de la* 1 **second** *sau* **seconds** 2 **secondary** 3 **secant** 4 **section** *sau* **sections** 5 **secretary**

secant ['si:kənt] *geom* I *adj* secant II *s* secantă

secateurs ['sekətəz] *s pl* foarfece de grădină/grădinar

secede [si'si:d] *vi* (**from**) a ieşi, a se retrage (*dintr-o organizaţie etc.*)

secession [si'seʃən] *s* 1 separare *sau* retragere formală 2 *şi* S~ *ist S.U.A.* secesiune

secessional [si'seʃənəl] *adj* separatist; de separare *sau* retragere

secessionist [si'seʃənist] *s* separatist

seclude [si'klu:d] I *vt* (**from**) a izola, a separa (de) II *vr* (**from**) a se izola, a se separa (de)

secluded [si'klu:did] *adj* izolat; retras; depărtat

seclusion [si'klu:ʒən] *s* 1 izolare; retragere 2 loc retras/izolat 3 izolare, singurătate

seclusive [si'klu:siv] *adj* solitar, retras

seclusively [si'klu:sivli] *adv* (în mod) retras; în singurătate/ izolare

seclusiveness [si'klu:sivnis] *s* retragere, izolare; singurătate

second¹ ['sekənd] *s* 1 secundă 2 *fig* clipă, moment, secundă

second² I *num* doilea; **the ~ street on the right** a doua stradă pe dreapta II *adj* 1 al doilea, alt; suplimentar, în plus, adiţional; **he took a ~ helping** luă o a doua porţie, mai luă (încă) o porţie; **I need a ~ pair of shoes** îmi mai trebuie o pereche de pantofi; **he was in ~ childhood** era senil, era în a doua copilărie; **on ~ thoughts** după ce m-am gândit mai bine, după o matură chibzuinţă; **in the ~ place** în al doilea rând, apoi 2 **a ~** un al doilea (*Napoleon etc.*) 3 (**to**) inferior (*cu dat*); mai prejos (de); **~ cabin** cabină de clasa a II-a; **at ~ hand** *fig* din a doua mână; indirect; **to play ~ violin** *fig* a cânta vioara a doua; **he was ~ to none** era neîntrecut, nu avea rival III *adv* 1 în al doilea rând 2 în rândul, grupul *etc.* al doilea IV *s* 1 **the ~** doi, două (*martie etc.*); **on the ~ of January** la doi ianuarie 2 următor 3 ajutor; adjunct; înlocuitor; suplinitor 4 *nav* (ofiţer) secund 5 *muz* secundă 6 *muz* vocea a doua; alto 7 *pl* marfă de calitatea a doua 8 *ferov etc.* (clasa) a doua 9 *pl* felul doi (de mâncare); **he ate everything on his plate and asked for ~s** mâncă totul din farfurie şi ceru felul doi V *vt* 1 a fi ajutorul, secundul *etc.* (*cuiva*); a ajuta; a seconda 2 a sprijini, a ajuta; a promova; a întări; **to ~ words with deeds** a întări cuvintele/ vorbele cu fapte VI *vi* a seconda; a fi ajutor, secund *etc.*

secondarily ['sekəndərili] *adv* 1 (în mod) indirect, mijlocit 2 (de abia) în al doilea rând

secondariness ['sekəndərinis] *s* caracter secundar *sau* inferior; inferioritate

secondary ['sekəndəri] I *adj* 1 secundar; subordonat; minor; inferior 2 secundar; dependent; derivat (*ant* primar) 3 secundar, următor, doilea 4 *şcol* secundar;

mediu 5 *geol* mezozoic 6 *ch* secundar; pseudo- II *s* 1 subaltern 2 reprezentant; trimis; împuternicit 3 ajutor; adjunct; înlocuitor

secondary accent ['sekəndəri ‚æksənt] *s fon* accent secundar

secondary modern/F mod ['sekəndəri 'mɔ:dən/mɔd] *s* şcoală secundară (*care nu pregăteşte elevi pentru universitate sau studii ulterioare – în Anglia, după 1944*)

secondary school ['sekəndəri ‚sku:l] *s* şcoală secundară, liceu

secondary stress ['sekəndəri ‚stres] *s fon* accent secundar

second best ['sekənd ‚best] *adj* al doilea; de calitatea *sau* categoria a doua; **to come off ~** a fi învins de altcineva; a ocupa locul al doilea

second childhood ['sekənd ‚tʃaild‚hud] *s* senilitate, a doua copilărie

second-class ['sekənd‚klɑ:s] I *adj* 1 de calitatea *sau* categoria a doua; inferior 2 (*d. un vagon etc.*) de clasa a doua; inferior II *adv ferov etc.* (cu) clasa a doua

second cousin ['sekənd ‚kʌzən] *s* văr de-al doilea; vară de-a doua

second-degree ['sekənddi'gri:] *adj atr* (*d. arsuri etc.*) de gradul al doilea

seconder ['sekəndə'] *s* sprijinitor, susţinător (*al unui proiect etc.*)

second estate ['sekəndis'teit] *s pol od* starea a doua

second floor ['sekənd ‚flɔ:'] *s* 1 etajul al doilea (*în Anglia, în Europa*) 2 etajul întâi (*în S.U.A.*)

second-guess ['sekənd‚ges] *vt* ← *F* a critica (*pe cineva*) *sau* a da un sfat (*cuiva*) (mult) prea târziu

second-hand ['sekənd'hænd] I *adj* 1 (*d. obiecte*) uzat, folosit, vechi 2 (*d. informaţii etc.*) indirect, de la a doua mână II *adv* 1 de ocazie; de la a doua mână; **to buy smth ~** a cumpăra ceva de ocazie 2 indirect, de la a doua mână

second hand ['sekənd ‚hænd] *s* secundar (*al ceasului*)

second-in-command ['sekəndinkə'mɑ:nd] *s* 1 *mil* locţiitor de comandant 2 *nav* secund 3 director adjunct

second lieutenant ['sekənd lef'tenənt] *s mil* al doilea locotenent

secondly ['sekəndli] *adv* în al doilea rând; pe de altă parte

second nature ['sekənd ‚neitʃəʳ] *s* a doua natură

second person ['sekənd ‚pəːsn] *s gram* persoana a doua

second-rate ['sekənd‚reit] *adj* **1** de calitatea/clasa *sau* categoria a doua; inferior; de mărimea a doua **2** indirect, mijlocit

second sight ['sekənd ‚sait] *s* clarviziune, a doua vedere

secpar ['sekpɑːʳ] *s astr* parsec

secrecy ['siːkrisi] *s* **1** izolare; singurătate **2** caracter ascuns/ secret/tainic **3** discreție; **to rely on smb's ~** a conta pe discreția cuiva **4** tendința de a fi secretos *sau* ascuns

secret ['siːkrit] **I** *adj* **1** secret, ascuns; tainic; nedivulgat; confidențial; **to keep smth ~ from smb a** a ascunde ceva de cineva, a feri ceva de ochii cuiva **b** a ascunde ceva cuiva, a nu divulga/destăinui ceva cuiva; **~ door** ușă secretă **2** *(d. cineva)* retras; ascuns **3** *(d. sentimente etc.)* secret, tainic, tăinuit, nemărturisit **4** *(d. un loc etc.)* retras, izolat; ferit; singuratic **II** *s* **1** secret, taină; **to keep a ~** a păstra un secret; **I have no ~s from you** nu am secrete față de tine; **to be in the ~** a cunoaște secretul; **to let smb into a ~** a împărtăși cuiva un secret; **in ~** în secret/ascuns; fără știrea cuiva; pe furiș **2** *fig* secret, cheie *(a succesului etc.)* **3** secret, mister; **the ~s of Egyptian embalming** secretul/taina/misterul îmbălsămării la egipteni **4** discreție

secret agent ['siːkrit 'eidʒənt] *s* agent secret; spion

secretaire [‚sekri'tɛəʳ] *s fr* secretar; măsuță de scris

secretarial [‚sekrə'tɛəriəl] *adj* de secretar *sau* secretariat

secretariat [‚sekri'tɛəriət] *s* secretariat *(serviciu, birou)*

secretary ['sekrətri] *s* **1** secretar; ↓ secretară **2** ministru **3** secretar *(al unei organizații etc.)* **4** secretar, birou de scris

secretary bird ['sekrətri ‚bəːd] *s orn* pasărea-secretar *(Sagittarius serpentarius)*

secretary general ['sekrətri 'dʒenrəl] *s* **1** secretar șef **2** *pol etc.*

secretar general **3** consilier *(de legație sau ambasadă)*

Secretary of Defense ['sekrətri əv di'fens] *s* ministru al apărării *(în S.U.A.)*

Secretary of State ['sekrətri əv 'steit] *s* **1** secretar de stat, ministru *(în Anglia)* **2** ministru de externe *(în S.U.A.)*

Secretary of State for Foreign Affairs ['sekrətri əv 'steit fə 'forinə'fɛəz] *s* ministru al Afacerilor Externe *(în Anglia)*

Secretary of State for Home Affairs ['sekrətri əv 'steit fə 'houmə'fɛəz] *s* ministru al Afacerilor Interne *(în Anglia)*

Secretary of State for War ['sekrətri əv 'steit fə 'wɔːʳ] *s* ministru de Război *(în Anglia)*

Secretary of the Air Force ['sekrətri əv ði 'ɛə‚fɔːs] *s* ministru al Aviației *(în S.U.A.)*

Secretary of the Army ['sekrətri əv ði 'aːmi] *s* ministrul Forțelor Armate *(în S.U.A.)*

secretaryship ['sekrətriʃip] *s* **1** funcția, obligațiile *sau* calificarea de secretar **2** funcția, rangul, obligațiile *etc.* de ministru

secrete [si'kriːt] **I** *vt* **1** *(from)* a ascunde, a tăinui *(de)*; a feri *(de)*; a ține într-un loc secret **2** *biol* a secreta, a produce prin secreție **II** *vr* a se ascunde

secretion [si'kriːʃən] *s biol* **1** secretare **2** secreție

secretive [si'kriːtiv] *adj* **1** ascuns; rezervat, discret; reticent **2** *biol* secretor

secretively [si'kriːtivli] *adv* în secret/taină, pe ascuns

secretiveness [si'kriːtivnis] *s* rezervă, caracter ascuns *sau* misterios

secretly ['siːkritli] *adv* în secret/ taină, pe ascuns, în mod secret

secret service ['siːkrit ‚səːvis] *s* **1** serviciu secret **2** *mil* serviciu de spionaj

sect¹ [sekt] *s* **1** *rel* sectă **2** *fig* sectă; grup(are); școală

sect² *s* secțiune, parte

sectarian [sek'tɛəriən] **I** *adj* **1** *rel* sectar, de sectă **2** *fig* sectar, de sectă; partizan **3** *fig* limitat, mărginit, sectar; dogmatic **II** *s* **1** *rel* sectant **2** *fig* sectar; dogmatic

sectarianism [sek'tɛəriənizəm] *s* sectarism

section ['sekʃən] **I** *s* **1** secțiune, secționare, tăiere **2** secțiune, tăietură; parte, porțiune; fâșie; segment **3** profil **4** *poligr* paragraf; capitol; parte; fascicul **5** secție; raion *(de mărfuri etc.)* **6** *constr* oțel profilat; tronson **7** *med* secțiune **8** secțiune transversală **II** *vt* a secționa; a împărți, a diviza; a împărți în secțiuni

sectional ['sekʃənəl] *adj* **1** secționat, împărțit în secțiuni **2** *tehn* demontabil **3** *tehn* transversal **4** *tehn* profilat **5** *fig (d. păreri etc.)* divizat, împărțit; diferit

sectionalism ['sekʃənə‚lizəm] *s* interese sectare; spirit de gașcă

sectional view ['sekʃənəl ‚vjuː] *s* vedere din profil

sectional wire ['sekʃənəl ‚waiəʳ] *s tehn* sârmă profilată

section cutter ['sekʃən ‚kʌtəʳ] *s ch* microtom

section engineer ['sekʃən ‚endʒi-'niəʳ] *s tehn* șef de șantier

section gang ['sekʃən ‚gæŋ] *s ferov amer* echipă de întreținere a unui sector

section mark ['sekʃən ‚maːk] *s poligr* (semn de) paragraf, semnul §

sector ['sektəʳ] *s* **1** sector; zonă **2** parte, porțiune **3** *mat* arc de cerc **4** *constr* baraj în sectoare **5** *tehn* culisă

secular ['sekjuləʳ] **I** *adj* **1** secular, laic; lumesc **2** *rel* secular; *(d. preoți)* de mir **3** secular, de secole/veacuri; străvechi **4** care se întâmplă o dată într-un secol **II** *s rel* preot de mir

secularism ['sekjulə‚rizəm] *s* **1** vederi/concepții laice **2** doctrina separării bisericii de stat *sau* învățământ

secularity [‚sekju'læriti] *s* **1** caracter secular/laic **2** *v.* secularism

secularization [‚sekjulərai'zeiʃən] *s* secularizare; laicizare

secularize ['sekjulə‚raiz] *vt* a seculariza *(averi etc.)*; a laiciza

secure [si'kjuəʳ] **I** *adj* **1** sigur; liniștit; ferit de primejdii *etc.*; **to live a ~ life** a duce o viață fără griji; **to feel ~ about the future** a nu-și face griji în privința viitorului/zilei de mâine **2** sigur, în siguranță; adăpostit; apărat; de nădejde; **a ~ hiding-place** un ascunziș sigur; **the village is now ~** satul este acum în deplină siguranţă/în afara oricărui pericol **3** *(d. un pod etc.)* solid, trainic; care nu prezintă nici un risc; sigur **4** *pred* în siguranţă, într-un loc sigur *(de unde nu poate fugi etc.)* **5** garantat; asigurat **II** *vt* **1 (from)** a asigura (împotriva – *cu gen);* a apăra, a proteja, a feri (de *sau* împotriva – *cu gen)* **2** a întări, a fortifica *(un oraş etc.)* **3** a întări, a consolida; a fixa; a asigura *(cu dispozitive de protecţie)* **4** a face rost de *(bilete etc.);* a cumpăra; a se asigura de **5** a câştiga, a repurta, a dobândi *(victoria)* **6** a realiza, a îndeplini *(scopul)* **III** *vr* a se asigura

securely [si'kjuəli] *adv* **1** în siguranţă, la adăpost, ferit **2** la loc sigur **3** din sursă sigură

securement [si'kjuəmənt] *s* asigurare

secure of [si'kjuərəv] *adj cu prep* sigur/încredinţat de; încrezător în *(victorie etc.)*

security [si'kjuəriti] *s* **1** siguranţă, securitate **2** siguranţă, încredinţare, convingere, certitudine **3** *pol* siguranţă; securitate **4** securitate, siguranţă; pază; protecţie; apărare **5** garanţie; zălog; **in** ~ **for** ca/drept garanţie pentru **6** *ec* garanţie; cauţiune **7** *ec* garant; chezaş; girant **8** *mil* contra-spionaj

Security Council, the [si'kjuəriti ,kaunsl, ðə] *s* Consiliul de Securitate

security risk [si'kjuəriti ,risk] *s* suspect, persoană dubioasă *(căreia nu i se pot încredinţa funcţii de stat)*

secy., sec'y. *presc de la* **secretary**

sedan [si'dæn] *s* **1** *auto* sedan, berlină **2** *v.* **sedan chair**

sedan chair [si'dæn ,tʃɛəʳ] *s* lectică; palanchin

sedate [si'deit] *adj* **1** liniştit, calm, netulburat **2** serios, grav, demn

sedatine ['sedəti(:)n] *s ch* antipirină

sedation [si'deiʃən] *s med* linişte; calmare, potolire, liniştire *(după administrarea de sedative)*

sedative ['sedətiv] *adj, s med* sedativ

sedentarily ['sedəntərili] *adv* (într-un mod) sedentar

sedentariness ['sedəntərinis] *s* caracter sedentar

sedentary ['sedəntəri] *adj* **1** sedentar; stabil; care nu face mişcare

2 *zool* fixat într-un anumit loc **3** *(d. conversaţie etc.)* care are loc şezând

sedge [sedʒ] *s bot* rogoz *(Carex sp.)*

sedgy ['sedʒi] *adj* **1** (acoperit) cu (< mult) rogoz **2** (ca) de rogoz

sediment ['sedimənt] *s* **1** *ch etc.* sediment, precipitat **2** *geol* nămol, noroi; sediment; depunere **3** drojdie; reziduu *(în alimente)*

sedimental [,sedi'mentəl] *adj v.* **sedimentary**

sedimentary [,sedi'mentəri] *adj* sedimentar; de sedimente

sedimentary rock [,sedi'mentəri ,rok] *s geol* rocă sedimentară

sedimentation [,sedimen'teiʃən] *s* sedimentare; depunere

sedition [si'diʃən] *s* răzvrătire, revoltă, *rar* → sediţiune

seditionary [si'diʃənəri] *adj* de răzvrătire; răzvrătitor, *rar* → sediţios

seditious [si'diʃəs] *adj* **1** *v.* **seditionary 2** înclinat spre răzvrătire

seduce [si'dju:s] *vt* **1** a seduce, a ademeni *(o fată)* **2** a seduce; a corupe; a ademeni; a duce pe căi greşite; **to ~ smb from his duty** a abate pe cineva de la datorie; a corupe pe cineva; **to ~ smb into doing smth** a ademeni/a îndemna pe cineva să facă ceva *(rău)* **3** a seduce, a ispiti, a atrage; < a fermeca

seducement [si'dju:smənt] *s v.* **seduction**

seducer [si'dju:səʳ] *s* seducător; ademenitor

seducible [si'dju:səbəl] *adj* care poate fi sedus *sau* corupt

seduction [si'dʌkʃən] *s* **1** seducere, ademenire; corupere **2** seducţie; farmec; (putere de) atracţie **3** seducţie, ispită

seductive [si'dʌktiv] *adj* seducător; ademenitor; ispititor

seductively [si'dʌktivli] *adv* (în mod) seducător, fermecător

seductiveness [si'dʌktivnis] *s* caracter seducător; farmec

seductor [si'dʌktəʳ] *s* seducător

sedulity [si'dju:liti] *s* silinţă, sârguinţă

sedulous ['sedjuləs] *adj* silitor, sârguitor, sârguincios; harnic; stăruitor; perseverent, asiduu

sedulously ['sedjuləsli] *adv* cu silinţă/hărnicie; asiduu, cu asiduitate

sedum ['si:dəm] *s bot* iarbă de şoaldină, şărpariţă *(Sedum acre)*

see [si:], *pret* **saw** [so:], *ptc* **seen** [si:n] **I** *vt* **1** a vedea; a zări; a observa; **can/do you ~ the top of the mountain?** vezi vârful muntelui? **I saw him coming** l-am văzut venind; **I saw him open the window** l-am văzut deschizând/cum a deschis fereastra; **he was seen to enter the pub** a fost văzut intrând în restaurant; **have you ever seen the like of it?** ai mai văzut/ pomenit aa ceva/una ca asta? **to ~ visions** a avea viziuni; **to ~ things** a avea vedenii/halucinaţii; **did you ~ how he behaved?** ai văzut/observat cum s-a comportat? **I shall be glad to ~ the last of this job** a să fiu fericit când o să isprăvesc treaba asta *sau* când o să se termine chestia asta; **to ~ stars** *fig* a vedea stele verzi *(fiind lovit în cap etc.);* **to ~ one's way (clear) to do/to doing smth** a vedea (limpede) ce are de făcut; **I don't know what she ~s in him** nu ştiu ce-o atrage/ce-a găsit la el; **I'll ~ you dead/in hell before that happens!** *F* odată cu capul! – n-am să fiu de acord niciodată cu aşa ceva! **2** a vedea, a viziona *(un spectacol)* **3** a vedea, a vizita *(pe cineva, un muzeu etc.);* a trece pe la *(cineva);* a întâlni *(pe cineva);* a se întâlni cu *(cineva);* a revedea; **(I'll) ~ you/I'll be ~ing you (later, soon** etc.) *F* pe curând; ne vedem curând, mai târziu *etc.;* **I'll ~ you at your house tonight** trec pe la tine deseară; ne vedem la tine deseară **4** a vedea; a-şi da seama de; a înţelege, a pricepe; **I ~ what you mean** înţeleg ce spui; văd încotro baţi; **he can't ~ the joke** n-a priceput/înţeles gluma; nu e în stare să priceapă gluma; **I don't ~ how to do it** nu ştiu cum să fac asta **5** a vedea, a-şi imagina, a-şi închipui; **she still saw him as he had been 30 years before** îl mai vedea aşa cum fusese cu 30 de ani în urmă; **I can't ~ him as a teacher** nu mi-l pot imagina/închipui ca profesor **6** a vedea, a recunoaşte, a descoperi *(o calitate a cuiva etc.);* a întrezări **7** a vedea, a întrezări, a prevedea *(ce va fi etc.)* **8** a vedea, a constata, a afla; **~ who is knocking at the door** vezi cine bate la ușă **9** *(la imperativ)* vezi, uită-te la *(pagina cutare);* deschideți (cartea) la **10** *fig* a vedea; a trece prin; a cunoaște; a apuca; **he had ~n the day of the first airplanes** apucase vremea primelor avioane; **this coat has ~n hard wear** haina aceasta a fost purtată mult **11** a vedea, a consulta *(un doctor etc.)* **12** a primi; a primi vizita *(cuiva)* **13** a merge cu, a însoți, a acompania *(pe cineva)* **14** a se întâlni cu; a face curte *(cuiva) sau (d. o fată)* a fi curtată, a i se face curte **15** *(cu ptc)* a avea grijă ca ... să fie ...; **I'll ~ the work done** voi avea grijă ca lucrarea să fie terminată **16** *cu neg* a trece de *(o vârstă);* **he will never ~ 50 years again** a/e trecut de cincizeci (de ani) **II** *vr* (↓ *cu adj*) a se vedea *(obligat etc.)* **III** *vi* **1** a vedea, a avea vedere bună, a fi văzător **2** a (se) vdea, a (se) întâlni; **I've ~n nothing of him all week** nu l-am văzut deloc toată săptămâna; **they ~ a lot of one another** se întâlnesc/văd mereu/foarte des; **he saw little of her** nu prea se întâlnea cu ea **3** a-și da seama, a înțelege, a pricepe; **as far as I can ~** după câte înțeleg/îmi dau seama, în măsura în care îmi dau seama; **I ~** înțeleg, pricep; aha! așa! da! **you ~** vezi (dumneata); știi; păi; cum să nu; **(you) ~?** ← *F* înțelegi (dumneata)? pricepi? **4** a vedea, a se gândi; **let me ~ – how does it begin?** stai puțin/ să mă gândesc puțin/să-ncerc să-mi aduc aminte – cum începe? **let me ~** stai puțin, o clipă; mda; **so I ~** văd; înțeleg; ei da; **~ here** ascultă, bagă de seamă, fii atent **5** a privi, a se uita; **~ – the moon is high** uită-te, luna e sus **6** a vedea, a se uita; a cerceta; a afla; **go and ~ for yourself** du-te și vezi singur

see² *s bis* **1** eparhie, episcopie; arhiepiscopie; arhiepiscopat **2** scaun episcopal, reședință epis-

copală *sau* arhiepiscopală **3** demnitate de episcop *sau* arhiepiscop

see about ['si: ə,baut] *vi cu prep* **1** a avea grijă/a se îngriji de; a se ocupa de **2** a cerceta *cu ac;* a face cercetări cu privire la; a urmări *cu ac* **3** a se gândi la; **I'll ~ that** (o) să mă gândesc // **we'll ~ that!** *F* termin eu și cu povestea asta! am eu grijă de chestia asta!

see after ['si: ,a:ftə'] *vi cu prep* a avea grijă de; a fi atent la *(bagaje etc.)*

seed [si:d] **I** *s și ca pl* **1** sămânță *sau* semințe; **a handful of ~(s)** un pumn de semințe; **in ~** cu/ având semințe; **to go/to run to ~ a** *bot* a se sălbătici; a nu mai înflori **b** *bot* a crește impetuos **c** *fig* a nu se mai dezvolta, a se opri din creștere **d** *fig* a se îmbrăca oricum, a nu-i (mai) păsa de ținuta exterioară **e** *fig* a decădea **f** *fig* a se strica; a se dărăpăna **g** *fig* a se ramoli; **to sow the ~s of strife/discord** *fig* a semăna vrajbă; a băga zâzanie **2** *fig* sămânța, germen(e); început **3** *biol* spermă; sămânță **II** *vt* **1** a semăna *(un câmp);* a însămânța **2** a curăța de sâmburi, a scoate sâmburii din *(stafide etc.)* **3** *sport* a alege, a selecționa *(jucători)* **III** *vi* **1** *agr* a semăna **2** *agr* a planta, a sădi **3** *bot* a da sămânță

seedage ['si:didʒ] *s agr* **1** semenologie, cultură seminceră **2** campanie de însămânțări; timpul semănatului **3** înmulțirea plantelor prin semințe

seed bed ['si:d ,bed] *s agr* răzor de sămânță

seed cake ['si:d ,keik] *s* prăjitură *sau* chec cu semințe (↓ *chimen)*

seeder ['si:də'] *s agr* **1** semănător **2** semănătoare

seed grower ['si:d ,grouə'] *s agr* cultivator de semințe

seed growing ['si:d ,grouiŋ] *s agr* semenologie, cultură seminceră

seedily ['si:dili] *adv F* ca unul căruia nu-i sunt boii acasă, – prost dispus

seediness ['si:dinis] *s F* **1** jerpeleală; – aspect zdrențaros **2** lipsă de chef, – dispoziție; mahmureală

seeding machine ['si:diŋ mə'ʃi:n] *s agr* semănătoare

seedling ['si:dliŋ] *s* **1** *agr* răsad, butaș **2** *silv* semințiș

seedling plant ['si:dliŋ ,pla:nt] *s silv* puiet

seedman ['si:dmən] *s v.* **seedsman**

seed oil ['si:d ,oil] *s* ulei vegetal

seed plant ['si:d ,pla:nt] *s bot* (plantă) spermatofită; fanerogamă

seedsman ['si:dsmən] *s* **1** *agr* semănător **2** vânzător de semințe *(de plante)*

seed time ['si:d ,taim] *s* perioadă de însămânțare, timpul semănatului

seed vessel ['si:d ,vesəl] *s bot* pericarp

seedy ['si:di] *adj* **1** cu semințe, plin de semințe **2** *text* cu impurități vegetale **3** *F* jerpelit, ca vai de lume; – ros, uzat **4** *F* căruia nu-i sunt boii acasă, care nu e în apele lui, – abătut

seeing ['si:iŋ] **I** *s* vedere, văz **II** *adj* văzător, care vede **III** *conj* având în vedere că, ținând seama de faptul că, întrucât, cum, deoarece **IV** *prep* ținând seama de, având în vedere; datorită *(cu dat)*

seeing as (how) ['si:iŋ əz (hau)] *conj F v.* **seeing III**

seeing that ['si:iŋ ðət] *conj v.* **seeing III**

see into ['si: ,intə] *vi cu prep* **1** a cerceta, a examina *cu ac* **2** a înțelege *cu ac,* a înțelege adevăratul sens *cu gen*

seek [si:k], *pret și ptc* **sought** [sɔ:t] **I** *vt* **1** a căuta; a căuta să găsească/afle; a umbla după; **to ~ safety** a căuta adăpost; **he was ~ing a quarrel** căuta ceartă/ râcă; **to ~ one's fortune** a-și căuta norocul, a umbla în căutarea norocului; **the reason for his behaviour is not far to ~** motivul comportării sale nu e greu de găsit **2** a se duce la *sau* în; **to ~ one's bed** a se duce la culcare **3** a cere *(un sfat);* a vrea să cunoască *(părerea cuiva)* **4** a se mișca/a se îndrepta (în mod firesc) spre; **the compass pointer always ~s the north** acul busolei se îndreaptă întotdeauna spre nord **II** *vi* a căuta; a cerceta

seek after/for ['si:k ,a:ftə'/fə'] *vi cu prep* a căuta, a urmări *cu ac*

seek out ['si:k 'aut] *vt cu part adv* **1** a căuta *(societatea cuiva etc.)* **2** a percheziţiona *(pe cineva, ceva)*

seek to ['si:k tə] *vt cu inf* a căuta să; a se strădui să

seel [si:l] *vt* a lega la (ochi)

seem [si:m] *vi* a părea, a da impresia; a se părea; **he ~s to be downcast** pare abătut; **he ~s to be living here** s-ar părea că locuieşte aici; **I ~ to hear her** parcă/am impresia că o aud; **there ~s no need of help** se pare că nu este nevoie de ajutor; **she ~s (to be) a good girl** pare (să fie) o fată bună; **you ~ to believe him** s-ar părea/faci impresia că-i dai crezare; **it ~s that** se pare că, s-ar părea că; **it ~s to me (that) it will snow** mi se pare/am impresia că va ninge

seeming ['si:miŋ] *adj* aparent; prefăcut; pretins

seemingly ['si:miŋli] *adv* **1** după câte s-ar părea; aparent **2** (în mod) evident, clar, limpede

seemlines ['si:mlinis] *s* bună-cuviinţă; decenţă

seemly ['si:mli] **I** *adj* **1** potrivit, cuvenit **2** cuviincios, decent **3** ← *înv* plăcut; frumos; atrăgător **II** *adv* cum trebuie/se cuvine

seen [si:n] *ptc de la* **see¹ I-III**

see of ['si: 'ɔ:f] *vt cu part adv* **1** (**at**) a însoţi, a acompania (la, până la *gară etc.)* **2** a face faţă *(cu dat)*, a rezista la *(un atac etc.)*; a respinge

see out ['si: 'aut] *vt cu part adv* **1** a ţine *sau* a rezista până la sfârşitul *(cu gen)* **2** a conduce *(pe cineva)* până la uşă, poartă, ieşire *etc.* **3** a duce până la capăt, a sfârşi cu bine *(lupta etc.)* **4** a trăi mai mult decât **5** *fig* a-şi lua rămas bun de la *(anul care se sfârşeşte etc.)* **6** ← *rar* a bea mai mult decât *(altul)*

see over ['si: 'ouvə'] *vt cu part adv* **1** a examina, a studia *(un raport etc.)* **2** *v.* **see round**

seep [si:p] **I** *vt* a se prelinge; a se infiltra, a se strecura **II** *s* spărtură, fisură *(prin care trece apa etc.)*

seepage ['si:pidʒ] *s* infiltraţie; scurgere; percolare

seer [siə'] *s* **1** văzător **2** clarvăzător, profet, proroc

seeress ['siəris] *s* **1** clarvăzătoare **2** femeie-profet, profetă

see round ['si: 'raund] *vt cu part adv* a vizita, a vedea; **would you like to ~ the old tower?** vreţi/aţi dori să vedeţi vechiul turn?

see-saw ['si:,sɔ:] **I** *s* **1** balans(are), legănare, legănat **2** scrânciob **II** *adj atr* **1** de balans(are); încoace şi încolo; în sus şi în jos **2** *fig* şovăitor, ezitant **III** *vt* a legăna (în sus şi în jos), a da în sus şi în jos **IV** *vi* a se legăna, a se balansa

seethe [si:ð] *vi* a fierbe, a clocoti; **madness was seething in his brain** *fig* îl cuprinsese nebunia, fusese cuprins de nebunie

see-through ['si:,θru:] *adj atr* prin care se poate vedea

see through **I** ['si: 'θru:] *vt cu part adv* **1** a da ajutor *(cuiva)*, a ajuta *(pe cineva)*, a scoate la liman *(pe cineva)*; a salva; a redresa **2** a asista până la capăt la *(operaţie etc.)*, a lua parte de la început până la sfârşit la *(război etc.)* **3** a duce până la capăt; a nu renunţa la; **he saw it through** a dus treaba la bun sfârşit; nu s-a lăsat până când nu a rezolvat problema **b** a rezistat până la capăt *sau* capătul puterilor **II** ['si: ,θru:] *vt cu prep* **1** a sprijini, a susţine, a ajuta *etc. (pe cineva)* în clipele grele *etc.;* **she saw me through all my troubles** m-a sprijinit tot timpul cât am avut necazuri **2** a ghici, a-şi da seama de *(planurile cuiva etc.)*

see too ['si: 'tə] *vi cu prep* a avea grijă/a se îngriji de; **you ought to have your heart seen to** ar trebui să te duci la (un) doctor să-ţi examineze inima

segment ['segmənt] **I** *s* **1** parte; porţiune; bucată; **a ~ of orange** o felie de portocală **2** segment; parte; secţiune; compartiment; diviziune **3** *geom* segment **4** *tehn* segment, lamelă **II** *vt* a segmenta, a împărţi în segmente

segmental [seg'mentəl] *adj* **1** segmentat; compartimentat **2** de segment *sau* segmente **3** în formă de segment

segmentary ['segməntəri] *adj v.* **segmental**

segmentation [,segmen'teiʃən] *s* segmentare

segment gear ['segmənt ,giə'] *s tehn* sector dinţat

segregate ['segri,geit] **I** *vt* **1** a separa, a izola **2** *tehn* a secreta **II** *vi* **1** a se separa, a se izola; a se scinda; a se segrega **2** *met* a segrega

segregated ['segri,geitid] *adj* **1** separat, izolat **2** *pol* caracterizat prin segregaţie rasială; cu regim diferenţiat; segregaţionist

segregation [,segri'geiʃən] *s* **1** separare, izolare; scindare; segregare **2** *met* segregare, segregaţie, licuaţie **3** *tehn* secreţie, excreţie

seigneur [se'njə:'] *s ist* senior (feudal)

seignior ['seinjə'] *s* **1** *ist* senior (feudal) **2** domn *sau* domnule

seigniorage ['seinjəridʒ] *s* **1** *ist* dreptul/privilegiul unui senior (feudal) **2** taxă pentru dreptul de a bate monedă

seigniorial [sei'njɔ:riəl] *adj ist* senorial

seigniory ['seinjəri] *s ist* **1** proprietate feudală **2** *v.* **seigniorage 1**

Seine, the [sein, ðə] *fluviu în Franţa* Sena

seine(net) ['sein(net)] *s* năvod

seining ['seiniŋ] *s* pescuit cu năvodul

seise [si:z] *vt v.* **seize 2**

seism ['saizəm] *s* seism, cutremur

seismal ['saizməl] *adj* seismic

seismic(al) ['saizmikəl] *adj* seismic

seismic wave ['saizmik ,weiv] *s* undă seismică

seismograph ['saizmə,gra:f] *s* seismograf

seismologic(al) [,saizmə'lodʒik(əl)] *adj* seismologic

seismologist [,saiz'mɔlədʒist] *s* seismolog

seismology [saiz'mɔlədʒi] *s* seismologie

seismometer [saiz'mɔmitə'] *s* seismometru

seismometric(al) [,saizmə'metrik(əl)] *adj* seismometric

seismoscope ['saizmə,skoup] *s* seismoscop

seizable ['si:zəbl] *adj* care poate fi prins, apucat *etc. (v.* **seize***)*

seize [si:z] *vt* **1** a prinde, a apuca *(violent);* a pune mâna pe; **I ~d him by the collar** l-am apucat de guler **2** *jur* a lua în posesiune/stăpânire, a pune stăpânire pe; a confisca, a popri, a sechestra

3 a pune stăpânire pe; a-și însuși; a cuceri *(o fortăreață etc.); a* captura **4** *tehn* a gripa **5** a se folosi de *(un prilej etc.);* a se agăța de *(un pretext etc.)* **6** *fig* a prinde, a înțelege, a pricepe *(o idee etc.)* **7** *(d. panică etc.)* a cuprinde, a pune stăpânire pe **8** a lua în captivitate, a lua prizonier; a aresta; a prinde, a pune mâna pe

seized of/with ['si:zd əv/wið] *adj* cu *prep jur* posedând, având în stăpânire *(ceva)*

seized with ['si:z wið] *adj* cu *prep* cuprins de *(teamă etc.);* **to be ~ fear** a fi cuprins de panică, de frică; **he was ~ a fit of coughing** îl apucă un atac de tuse

seize on ['si:z ɔn] *vi* cu *prep v.* **seize upon**

seize up ['si:z ʌp] *vi* cu *part adv tehn* a se gripa

seize upon ['si:z ə,pɔn] *vi* cu *prep* **1** a prinde, a apuca *cu ac,* a pune mâna pe **2** a pune mâna pe; a lua în stăpânire, a deveni/a se face stăpân pe

seizin ['si:zin] *s jur* proprietate funciară

seizure ['si:ʒər] *s* **1** *jur* confiscare; acaparare **2** acces, atac; atac de apoplexie

Sejm, the ['seim, ðə] *s pol* Seim *(camera deputaților în Polonia)*

sel. *presc de la* **1** selection *sau* **selections 2 selected**

selachians [si'leikiənz] *s pl iht* selachieni

seldom ['seldəm] *adv* rar(eori), *P→* arar(e); când și când; **very ~** foarte rar; **he ~, if ever, reads a book** foarte rar mai citește și el (câte) o carte, (abia) dacă mai citește o carte; **~ seen soon forgotten** *prov* ochii care nu se văd se uită

select [si'lekt] **I** *adj* **1** ales; select; de cea mai bună calitate **2** selectiv **3** dificil, mofturos, pretențios **4** accesibil celor puțini **II** *vt, vi* **1** a alege, a selecta, a selecționa **2** a tria, a sorta

select committee [si'lekt kə'miti:] *s pol* comisie specială

selection [si'lekʃən] *s* **1** alegere, selectare, selecționare **2** alegere, selecție **3** *tehn* triere, sortare **4** *biol* selecție *(naturală etc.)* **5** *lit* culegere, antologie

selective [si'lektiv] *adj fiz etc.* selectiv

selectively [si'lektivli] *adv* (în mod) selectiv

selectiveness [si'lektivnis] *s* caracter selectiv

Selective Service [si'lektis 'sə:vis] *s mil amer* **1** recrutare **2** serviciu militar

selectivity [si,lek'tiviti] *s fiz etc.* selectivitate

selector [si'lektər] *s* **1** *tel* căutător, selector **2** alegător; sortator **3** mic fermier *(în Australia)*

Selene [si'li:ni] *poetic* Selene, – luna

selenic acid [si'li:nik ,æsid] *s ch* acid selenic

selenite[1] ['seli,nait] *s și* S~ selenit, locuitor al lunii

selenite[2] *s minr* selenit

selenium [si'li:niəm] *s ch* seleniu

Seleucid [si'lu:sid] *s, adj ist* seleucid

self [self] **I** *s* **1** eu, sine; identitate; individualitate; personalitate; **to have no thought of ~** a nu se gândi la sine; **one's better ~** partea cea mai bună a omului; **one's other ~** prieten apropiat, mâna dreaptă, alter ego; **~ comes first ~ before all** *prov* mai aproape dinții decât părinții, pielea e mai aproape decât cămașa **2** *filos* eu, ego, subiect **II** *pr* ← *vulg* eu; *pl* noi; **let us drink to ourselves** să bem în sănătatea noastră **III** *adj atr* **1** identic; același **2** uniform; din același material *etc.*

self- *pref* auto-; automat; self-; **~-acting** automat; **~-induction** autoinducție, self-inducție

self-abandonment [,selfə'bændənmənt] *s* uitare de sine, abnegație

self-abasement [,selfə'beismənt] *s* umilire de sine

self-absorbed [,selfəb'zɔ:bd] *adj* **1** egocentric **2** preocupat, cufundat în gânduri

self-absorption [,selfəb'zɔ:pʃən] *s* **1** egocentrism **2** cufundare în (propriile sale) gânduri

self-abuse [,selfə'bju:s] *s* **1** abuz de sine **2** onanism, masturbare

self-acting [,self'æktiŋ] *adj* automat

self-adjusting [,selfə'dʒʌstiŋ] *adj* automat; cu reglare automată

self-admiration [,selfədmi'reiʃən] *s* autoadmirație; narcisism

self-advertisement [,selfəd'və:tismənt] *s* autoreclamă

self-appointed [,selfə'pɔintid] *adj* autoproclamat

self-approbation [,selfəprou'beiʃən], **self-approval** [,selfə'pru:vəl] *s* autoaprobare; automulțumire

self-asserting [,selfə'sə:tiŋ] *adj v.* **self-assertive**

self-assertion [,selfə'sə:ʃən] *s* **1** autoafirmare; dorința *sau* ambiția de a se impune **2** încredere în sine

self-assertive [,selfə'sə:tiv] *adj* **1** care vrea/caută să se impună; ambițios **2** încrezător în sine

self-assertiveness [,selfə'sə:tivnis] *s v.* **self-assertion**

self-assurance [,selfə'ʃuərəns] *s* siguranță de sine; încredere în sine; suficiență

self-assured [,selfə'ʃuəd] *adj* sigur de sine; încrezător în sine; suficient

self-assuredness [,selfə'ʃuədnis] *s v.* **self-assurance**

self-balanced [,self'bælənst] *adj fiz* autoechilibrat, autostabilizat

self-betrayal [,selfbi'treiəl] *s* trădare față de sine însuși

self-blood [,self'blʌd] *s* ← *înv* sinucidere

self-centred [,self'sentəd] *adj* egocentric; egoist

self-charge [,selft'ʃɑ:dz] *s fiz* sarcină proprie

self-closing [,self'klouziŋ] *adj tehn* care se autoînchide

self-cocking [,self'kɔkiŋ] *s* autoarmare, armare automată *(a unei arme de foc)*

self-collected [,self kə'lektid] *adj* stăpân pe sine, calm, stăpânit, cu sânge rece

self-colour [,self'kʌlə] *s* monocromie

self-coloured [,self'kʌləd] *adj* **1** de o singură culoare, monocrom **2** având culoare proprie/naturală

self-command [,self kə'mɑ:nd] *s v.* **self-control**

self-communion [,selfkə'mju:niən] *s* **1** ← *elev* reculegere **2** *elev* introspecție; autoanaliză

self-complacence [,self kəm'pleisəns], **self-complacency** [,selfkəm'pleisənsi] *s* mulțumire de sine, automulțumire; < înfumurare, îngâmfare

self-complacent [‚selfkəm'pleisənt] *adj* mulţumit de sine; < încrezut, plin de sine

self-complacently [‚selfkəm'pleisəntli] *adv* cu un aer, pe un ton *etc*. de automulţumire; < plin de sine (însuşi)

self-composed [‚selfkəm'pouzd] *adj* v. **self-collected**

self-conceit [‚selfkən'si:t] *s* încântare de sine, trufie, îngâmfare

self-conceited [‚selfkən'si:tid] *adj* îngâmfat, plin de sine, închipuit, fudul

self-condemnation [‚selfkɔndem-'neiʃən] *s* autocondamnare

self-confessed [‚selfkən'fest] *adj* mărturisit, declarat, care recunoaşte singur *că are un viciu etc.*

self-confidence [‚self'kɔnfidəns] *s* încredere *(adesea* exagerată) în sine/propriile sale puteri; aplomb; **lack of ~** neîncredere în sine

self-confident [‚self'kɔnfidənt] *adj (adesea* prea) încrezător în sine/ propriile sale puteri

self-confidently [‚self'kɔnfidəntli] *adv* cu încredere în sine; < cu prea multă încredere în sine; cu aplomb

self-conscious [‚self'kɔnʃəs] *adj* 1 conştient, care se cunoaşte pe sine 2 sfios, timid, ruşinos; stângaci

self-consciously [‚self'kɔnʃəsli] *adv* ruşinos, timid, cu timiditate; cu stângăcie; jenat

self-consciousness [‚self'kɔnʃəsnis] *s* 1 conştiinţă; conştienţă 2 sfială, sfiiciune, timiditate; stângăcie; jenă

self-consistent [‚selfkən'sistənt] *adj* 1 consecvent 2 logic

self-constituted [‚self'kɔnsti‚tju:tid] *adj* 1 autoconstituit 2 autointitulat; autoproclamat

self-contained [‚selfkən'teind] *adj* 1 independent, autonom, de sine stătător 2 *(d. locuinţă etc.)* izolat, separat 3 *(d. cineva)* retras, nesociabil; închis 4 *mil* autonom, capabil să ducă acţiuni independente 5 *tehn* autonom, independent; cu comandă autonomă

self-content [‚selfkən'tent] *s* mulţumire de sine; automulţumire

self-contented [‚selfkən'tentid] *adj* mulţumit de sine; automulţumit

self-contradiction [‚selfkɔntrə'dikʃən]

s contradicţie internă

self-contradictory [‚self‚kɔntrə'diktəri] *adj* contradictoriu, cu contradicţii interne

self-control [‚selfkən'troul] *s* autocontrol, stăpânire de sine, sânge rece, calm; **to lose one's ~** a-şi pierde (auto)controlul/stăpânirea de sine/sângele rece; a-şi ieşi din fire

self-controlled [‚selfkən'trould] *adj* stăpân pe sine, calm, cu sânge rece; stăpânit

self-conviction [‚selfkən'vikʃən] *s* autocondamnare

self-critical [‚self'kritikəl] *adj* autocritic

self-criticism [‚self'kritisizəm] *s* autocritică

self-culture [‚self'kʌltʃəʳ] *s* cultură de autodidact; autoeducaţie

self-deceit [‚selfdi'si:t] *s* autoînşelare, autoamăgire

self-deceiving [‚selfdi'si:viŋ] *adj* care se înşală singur

self-deception [‚selfdi'sepʃən] *s* v. **self-deceit**

self-defeating [‚selfdi'fi:tiŋ] *adj* contrar propriilor sale interese; dăunător sieşi

self-defence [‚selfdi'fens] *s mil etc.* autoapărare

self-delusion [‚selfdi'lu:ʒən] *s* v. **self-deceit**

self-denial [‚selfdi'naiəl] *s* jertfire de sine; abnegaţie; spirit de sacrificiu

self-denying [‚selfdi'naiiŋ] *adj* care-şi sacrifică propriile interese; plin de abnegaţie

self-dependence [‚selfdi'pendəns] *s* independenţă; bizuire pe sine

self-dependent [‚selfdi'pendənt] *adj* independenţă, care nu depinde de nimeni

self-destroyer [‚selfdi'strɔiəʳ] *s* sinucigaş

self-destruction [‚selfdi'strʌkʃən] *s* 1 sinucidere 2 autodistrugere

self-determination [‚self ‚di:tə:mi'neiʃən] *s pol* autodeterminare

self-development [‚selfdi'velɔpmənt] *s* autodezvoltare, dezvoltare proprie

self-devotion [‚selfdi'vouʃən] *s* 1 devotare, consacrare 2 jertfire de sine; abnegaţie

self-discipline [‚self'disiplin] *s* autodisciplină

self-drive [‚self'draiv] *adj atr* auto *(d.*

maşini) de închiriat (fără şofer)

self-educated [‚self'edjukeitid] *adj* autodidact

self-effacement [‚selfi'feismənt] *s* 1 *elev* autodepreciere; menţinere în umbră 2 ← *elev* modestie

self-employed [‚selfim'plɔid] *adj* care lucrează singur *(fără funcţionari etc.)*

self-esteem [‚selfi'sti:m] *s* părere bună/< foarte bună despre sine; prezumţie

self-evident [‚self'evidənt] *adj* clar, evident, care vorbeşte de la sine; axiomatic

self-examination [‚self ‚igzæmi-'neiʃən] *s* 1 autoexaminare; introspecţie 2 autocritică

self-explanatory [‚selfiks'plænətɔri] *adj* care nu are nevoie de explicaţii/lămuriri, de la sine înţeles, evident

self-feeding [‚self'fi:diŋ] *s tehn* autoalimentare

self-firer [‚self'faiərəʳ] *s* armă automată

self-governing [‚self'gʌvəniŋ] *adj* 1 *pol* autonom; cu autoconducere 2 *tehn* cu reglare automată

self-government [‚self'gʌvənmənt] *s* 1 *pol* autonomie; autoconducere 2 ← *rar* stăpânire de sine, calm, sânge rece

self-healing [‚self'hi:liŋ] *s* autovindecare

self-help [‚self'help] *s* 1 autoajutorare, folosirea propriilor (sale) forţe 2 autoperfecţionare

selfhood [‚self'hud] *s* 1 individualitate; personalitate 2 egoism

self-importance [‚selfim'pɔ:təns] *s* (auto)importanţă; părere foarte bună despre sine; suficienţă

self-important [‚selfim'pɔ:tənt] *adj* care-şi dă importanţă, plin de sine; încrezut, înfumurat

self-imposed [‚selfim'pouzd] *adj* pe care şi l-a impus singur, *rar →* autoimpus

self-induction [‚selfin'dʌkʃən] *s el* autoinducţie, selfinducţie

self-indulgence [‚selfin'dʌldʒəns] *s* îngăduinţă prea mare faţă de sine (însuşi); slăbiciune

self-interest [‚self'intrist] *s* propriul interes; < egoism

self-interested [‚self'intristid] *adj* interesat; care-şi cunoaşte/urmăreşte propriile (sale) interese; < egoist

self-invited [ˌselfin'vaitid] *adj* ne-invitat (de nimeni); nechemat

selfish ['selfiʃ] *adj* egoist; > interesat

selfishly ['selfiʃli] *adv* în mod egoist *sau* interesat

selfishness ['selfiʃnis] *s* egoism; > interes

self-justification ['selfdʒʌstifi-'keiʃən] *s* autojustificare

self-knowledge ['self'nɔlidʒ] *s* auto-cunoaștere, cunoaștere de sine

selfless ['selflis] *adj* altruist; > dezinteresat

selflessly ['selflisli] *adv* (în mod) altruist *sau* dezinteresat

selflessness ['selflisnis] *s* altruism; > caracter dezinteresat

self-loading [ˌself'loudiŋ] *adj* **1** *tehn* cu încărcare automată **2** *mil* semiautomat; automat

self-locking [ˌself'lɔkiŋ] *adj* care se închide singur, cu închidere automată

self-love [ˌself'lʌv] *s* **1** dragoste de sine **2** narcisism **3** instinct de autoconservare

self-made [ˌself'meid] *adj* **1** făcut singur **2** *(d. cineva)* care s-a realizat prin propriile sale puteri/mijloace

self-maiming [ˌself'meimiŋ] *s* auto-mutilare

self-mastery [ˌself'mɑːstəri] *s v.* **self-control**

self-motion [ˌself'mouʃən] *s tehn* mișcare independentă; autopro-pulsie

self-moving [ˌself'muːviŋ] *adj tehn* cu mișcare independentă; auto-propulsat

self-murder [ˌself'məːdəʳ] *s jur* sinu-cidere

self-murderer [ˌself'məːdərəʳ] *s jur* sinucigaș

self-mutilation [ˌself,mjuːti'leiʃən] *s* automutilare

self-neglect [ˌselfni'glekt] *s* **1** negli-jență; dezordine **2** caracter dezinteresat; altruism

selfness ['selfnis] *s* egoism

self-opinionated [ˌselfə'piniəˌneitid] *adj* **1** încrezut, închipuit, înfu-murat **2** încăpățânat, îndărătnic

self-partiality [ˌselfpɑː'ʃiæliti] *s* **1** supraapreciere a propriilor me-rite **2** lipsă de obiectivitate, subiectivism, părtinire

self-pity [ˌself'piti] *s* milă față de sine (însuși); văicăreală

self-portrait [ˌself'pɔːtrit] *s pict* autoportret

self-possessed [ˌselfpə'zest] *adj* stăpân pe sine, calm, cu sânge rece

self-possession [ˌselfpə'zeʃən] *s* stăpânire de sine, calm, sânge rece

self-praise [ˌself'preiz] *s* laudă de sine

self-preservation [ˌselfprezə'veiʃən] *s* instinct de autoconservare

self-profit [ˌself'prɔfit] *s* profit personal

self-propelled [ˌselfprə'pelt] *adj tehn* autopropulsat

self-protection [ˌselfprə'tekʃən] *s* autoapărare

self-raising/amer-**rising flour** [ˌself'reiziŋ/'raiziŋ ˌflauəʳ] *s* făină cu praf de copt

self-recording [ˌselfri'kɔːdiŋ] *adj tel* cu autoînregistrare; cu înregis-trare automată

self-regard [ˌselfri'gɑːd] *s* **1** senti-mentul demnității personale **2** grijă de sine

self-regulating [ˌself,regju'leitiŋ] *adj tehn* cu reglare automată

self-reliance [ˌselfri'laiəns] *s* încre-dere în *sau* bizuire pe propriile sale puteri; independență

self-reliant [ˌselfri'laiənt] *adj* încre-zător în sine/propriile sale puteri, care se bizuie pe propriile sale forțe; independent

self-renunciation [ˌselfriˌnʌnsi-'eiʃən] *s* renunțare la sine, lepă-dare de sine; abnegație

self-reproach [ˌselfri'proutʃ] *s* **1** repros față de sine însuși, autoin-criminare **2** mustrări de con-știință

self-respect [ˌselfri'spekt] *s* respect față de sine însuși, sentimentul demnității personale

self-respecting [ˌselfri'spektiŋ] *adj atr* care se respectă; care are sentimentul demnității personale

self-restrained [ˌselfri'streind] *adj* reținut, stăpânit; calm

self-restraint [ˌselfri'streint] *s v.* **self-control**

self-revelation [ˌself,revə'leiʃən] *s* autodemascare; dare în vileag a sentimentelor *etc.*

self-righteous [ˌself'raitʃəs] *adj* **1** *peior* sigur de sine; prezumțios; convins că numai el are dreptate

2 fățarnic, ipocrit

self-righteously [ˌself'raitʃəsli] *adv* **1** *peior* sigur de sine; prezumțios **2** (în mod) fățarnic, ipocrit

self-righteousness [ˌself'raitʃəsnis] *s* **1** *peior* siguranță de sine; prezumțios **2** fățărnicie, ipocrizie

self-rule [ˌself'ruːl] *s v.* **self-govern-ment**

self-sacrifice [ˌself'sækrifais] *s* sacrificiu de sine

selfsame [ˌself,seim] *adj* ← *elev* (chiar) același; **so many suc-cesses on the ~ day** atâtea succese în aceeași/într-o sin-gură zi

self-satisfaction [ˌself,sætis'fækʃən] *s* mulțumire de sine; automul-țumire; părere foarte bună des-pre sine

self-satisfied [ˌself'sætis,faid] *adj* mulțumit de sine; automulțumit

self-scorn [ˌself'skɔːn] *s* dispreț față de sine (însuși)

self-seeker [ˌself'siːkəʳ] *s* egoist; carierist

self-seeking [ˌself'siːkiŋ] *adj atr* egoist; care-și urmărește pro-priile sale interese

self-service [ˌself'səː'vis] **I** *s* auto-servire **II** *adj atr* cu autoservire

self-slaughter [ˌself'slɔːtəʳ] *s* ← *elev* sinucidere

self-sown [ˌself'soun] *adj bot* (care crește) sălbatic, neînsămânțat de om

self-starter [ˌself'stɑːtəʳ] *s el* **1** demaror automat **2** vehicul cu demaror automat

self-styled [ˌself'staild] *adj* autoin-titulat; pretins

self-sufficiency [ˌselfsə'fiʃənsi] *s* **1** independență; autonomie **2** *ec* independență economică **3** *ec* autarhie **4** *ec* autoaprovizionare **5** *peior* încredere în sine; pre-zumție; înfumurare, îngâmfare

self-sufficient/-sufficing [ˌselfsə-'fiʃənt/sə'faisiŋ] *adj* **1** independent; autonom **2** *ec* independent din punct de vedere economic **3** *ec* autarhic **4** *ec* care se autopro-vizionează **5** *peior* (prea) încre-zător în sine; prezumțios; înfu-murat, îngâmfat

self-suggestion [ˌselfsə'dʒestʃən] *s* autosugestie

self-support [ˌselfsə'pɔːt] *s* inde-pendență; autonomie

self-supported [ˌselfsə'pɔːtid] *adj* independent; autonom

self-supporting [ˌselfsə'pɔːtiŋ] *adj atr (d. cineva)* care se întreține singur; independent

self-taught [ˌself'tɔːt] *adj* 1 autodidact; autoinstruit 2 *(pe care l-a)* învățat singur

self-torture [ˌself'tɔːtʃəʳ] *s* autoflagelare; autotorturare

self-violence [ˌself'vaiələns] *s* ← *înv* sinucidere

self-will [ˌself'wil] *s* încăpățânare, îndărătnicie; bun plac, samavolnicie

self-willed [ˌself'wild] *adj* încăpățânat, îndărătnic

self-winding [ˌself'waindiŋ] *adj atr (d. ceas)* cu întoarcere automată

self-wisdom [ˌself'wizdəm] *s* părere foarte bună despre sine

self-wise [ˌself'waiz] *adj* cu o părere foarte bună despre sine; prezumțios; înfumurat

Selina [sə'liːnə] *nume fem*

Selkirk(shire) ['selkəːk(ʃiəʳ)] *comitat în Scoția*

sell [sel] **I** *pret și ptc* **sold** [sould] *vt* **1** a vinde; a desface; a face comerț/negoț cu; **to ~ smth dear** a vinde ceva scump/la un preț ridicat; **to ~ at a low price** a vinde ieftin; **a house to ~/to be sold** o casă de vânzare; **do you ~ rice?** vindeți/aveți/țineți orez?; **to ~ short** a subaprecia, a avea o părere prea proastă despre 2 a face reclamă *(cu dat);* a populariza 3 *fig* a vinde, a da; **to ~ one's life dearly** a-și vinde scump viața; **to ~ one's soul to the devil** *fig* a-și vinde sufletul diavolului 4 *fig* a vinde, a trăda 5 *F* a păcăli, – a înșela **II** *(v. ~ I) vr* 1 *fig* a se vinde; a deveni unealta cuiva 2 ← *F* a-și face auto-reclamă **III** *(v. ~ I) vi* 1 a vinde; a face vânzare; a se ocupa cu vânzarea; a face comerț/negoț 2 *(d. o marfă)* a se vinde; a se desface 3 *F (d. o idee etc.)* a prinde, – a avea succes **IV** *s* 1 ← *F* decepție, deziluzie; regret; **what a ~!** ce/mare păcat! 2 *amer F* coțcărie, potlogărie, pungășie, tragere pe sfoară 3 *sl* trădare

seller ['seləʳ] *s* 1 vânzător 2 lucru care se vinde/are căutare; ↓

succes de librărie, carte de succes

seller's market ['seləzˌmaːkit] *s com* (piață cu) cerere mai mare decât oferta

selling ['seliŋ] *adj* 1 *(d. preț etc.)* de vânzare/desfacere 2 vandabil; care are căutare; de succes 3 angajat ca vânzător

selling-off/out ['seliŋˌɔːf/ˌaut] *s* vânzare, desfacere

selling price ['seliŋˌprais] *s com* preț de vânzare

sell off ['sel'ɔːf] *vt cu part adv* a vinde cu rabat *sau* cu preț redus

sell on ['sel'ɒn] *vt cu prep* a convinge, a îndupleca; a îmbia; **couldn't I sell you on one more cigarette?** nu mai vrei/dorești o țigară? **he was sold on beer** era pentru bere, prefera berea; îi plăcea berea

sellotape ['seləˌteip] **I** *s* scotch, bandă adezivă **II** ← *F vt* a lipi cu scotch

sell-out ['sel'aut] *s* ← *F* 1 spectacol de mare succes 2 *amer* vânzare, desfacere

sell out ['sel'aut] *vt cu part adv* 1 *v.* **sell up 1 2** ← *F* a trăda; a înșela *(încrederea etc.)*

sell up ['sel'ʌp] *vt cu part adv* 1 a vinde tot *(stocul etc.)* 2 a vinde la licitație

Selma ['selmə] *nume fem*

seltzer ['seltsəʳ] *s* apă gazoasă, sifon

selvage, selvedge ['selvidʒ] *s* 1 *tehn* muchie 2 *text* margine, bordură; tiv

selves ['selvz] *pl de la* **self**

sem. *presc de la* **semicolon**

semanteme [si'mæntiːm] *s lingv* semantem

semantic(al) [si'mæntik(əl)] *adj* semantic

semantics [si'mæntiks] *s pl ca sg lingv* semantică, semasiologie

semaphore ['seməˌfɔːʳ] **I** *s* 1 *ferov etc.* semafor 2 *mil* semnalizare cu două fanioane **II** *vi* a semnaliza cu semaforul *sau* cu două fanioane

semasiological [siˌmeisiə'lɒdʒikəl] *adj* semasiologic, semantic

semasiology [siˌmeisi'ɒlədʒi] *s lingv* semasiologie, semantică

semblable ['sembləbəl] *adj* 1 aparent 2 asemănător, similar 3 potrivit, nimerit, cuvenit

semblance ['sembləns] *adj* 1 înfățișare (exterioară), aspect; formă 2 asemănare, similitudine 3 reproducere; copie 4 aparență; formă înșelătoare; **under the ~ of** sub aparența *cu gen*

semblant ['semblənt] *adj* 1 aparent, înșelător 2 fals, contrafăcut

seme [siːm] *s lingv* semn, semantem

semeiology [ˌsiːmai'ɒlədʒi] *s* 1 *lingv* semiologie, semiotică 2 *med* semiologie, simptomatologie

semeiotic [ˌsiːmi'ɒtik] *adj, lingv, med* semiotic

semen ['siːmən] *pl* **semina** ['siːminə] *s biol* spermă, sămânță

semester [si'mestəʳ] *s* 1 semestru, jumătate de an 2 *școl, univ* semestru; trimestru

semestral [si'mestrəl] *adj* semestrial

semi- *pref-:* **semicircular** semicircular

semi-annual [ˌsemi'ænjuəl] *adj* bianual; semestrial

semi-automatic [ˌsemiˌɔːtə'mætik] *adj* semiautomat

semibreve ['semiˌbriːv] *s muz* notă întreagă

semicircle ['semiˌsəːkəl] *s* semicerc

semicircular [ˌsemi'səːkjuləʳ] *adj* semicircular

semicolon [ˌsemi'koulən] *s* punct și virgulă

semi conductor [ˌsemikən'dʌktəʳ] *s el* semiconductor

semi-conscious [ˌsemi'kɒnʃəs] *adj* pe jumătate conștient

semidetached [ˌsemidi'tætʃt] *s* casă având zid/perete comun cu alta

semi-detached [ˌsemidi'tætʃt] *adj (d. casă)* despărțit de o altă casă printr-un zid/perete comun

semifinal [ˌsemi'fainəl] *sport* **I** *s* semifinală **II** *adj atr* de semifinală

semifinalist [ˌsemi'fainəlist] *s sport* semifinalist

semifinished [ˌsemi'finiʃt] *adj* 1 semifinit; semifabricat 2 semifinisat

semi-monthly [ˌsemi'mʌnθli] **I** *adj* bilunar, bimensual **II** *s* revistă *sau* ediție bilunară **III** *adv* bilunar, de două ori pe lună

seminal [ˌseminəl] *adj* 1 *biol* seminal; germinal 2 *fig* germinal, embrionar

seminar ['semiˌnaːʳ] *s univ* 1 seminar 2 (sală de) seminar

seminarian [,semi'nɛəriən] *s amer v.* **seminarist**

seminarist ['seminərist] *s* seminarist (↓ *romano-catolic*)

seminary ['seminəri] *s* **1** seminar (teologic) *(romano-catolic)* **2** *amer* seminar (teologic) *(pt alte confesiuni)* **3** ← *înv sau* ← *elev* şcoală secundară particulară pentru fete **4** *rar v.* **seminar 5** *agr* pepinieră **6** *fig* pepinieră; focar

seminate ['semineit] *vt fig* ← *înv* a semăna, a răspândi

semination [,semi'neiʃən] *s* **1** *fig* răspândire, difuzare *(a cunoştinţelor etc.)* **2** *biol* (di)seminaţie, diseminare

semi-occlusive [,semiə'klu:siv] *adj fon* semioclusiv

semiology [,semi'ɔlədʒi] *s v.* **semeiology**

semiotic(al) [,semi'ɔtik(əl)] *adj lingv, med* semiotic

semiotics [,semi'ɔtiks] *s pl ca sg lingv* semiotică

semiprecious [,semi'preʃəs] *adj* semipreţios

semiquaver ['semi,kweivə^r] *s muz* (notă) şaisprezecime

Semiramis [se'mirəmis] *regină asiriană* Semiramida *(800 î.e.n.)*

semi-rigid [,semi'ridʒid] *adj tehn* semirigid

semis ['semi:z] *s pl* (produse) semifabricate; materiale semifinite *sau* semifinisate

semisphere [,semi'sfiə^r] *s* emisferă

semispherical [,semi'sferikəl] *adj* semisferic

Semite ['si:mait] **I** *s* semit **II** *adj* semitic

Semitic [si'mitik] **I** *adj* semitic **II** *s* limbi semitice

Semitism ['semitizəm] *s şi lingv* semitism

semitone ['semi,toun] *s muz* semiton

semitropical [,semi'trɔpikəl] *adj geogr* subtropical

semivowel ['semi,vauəl] *s fon* semivocală

semiweekly [,semi'wi:kli] **I** *adj* care apare de două ori pe săptămână, bisăptămânal **II** *adv* de două ori pe săptămână, bisăptămânal **III** *s* publicaţie bisăptămânală

semolina [,semə'li:nə] *s* griş

sempiternal [,sempi'tə:nəl] *adj* ← *poetic* veşnic, etern, nepieritor

sempstress ['sempstris] *s* cusătoreasă

semsem ['semsem] *s v.* **sesame**

sen [sen] *s* sen *(monedă în Indonezia, Japonia, Kampuchia)*

SEN *presc de la* **State Enrolled Nurse**

senary ['si:nəri] *adj* format din şase părţi/elemente; *(d. versuri)* senar

senate ['senit] *s* **1** *pol, univ* senat **2** *pol* ← *elev* parlament

Senate house ['senit ,haus] *s univ* clădirea senatului *(↓ la Cambridge)*

senator ['senətə^r] *s pol* senator

senatorial [,senə'tɔ:riəl] *adj pol* **1** senatorial; de senat; al senatului **2** *amer* având dreptul de a participa la alegerile pentru senat

senatorship ['senətəʃip] *s pol* **1** calitatea de senator **2** durata mandatului de senator

send [send] **I** *pret şi ptc* **sent** [sent] *vt* **1** a trimite; a expedia; a transmite; **I'll ~ you some money if I can** o să-ţi trimit/expediez ceva bani dacă o să pot; **when did you ~ the letter?** când ai trimis/expediat scrisoarea? **to ~ smb to school** a da pe cineva la şcoală; **you should ~ your shoes to be reparaired** ar trebui să-ţi dai pantofii la reparat; **to ~ word** a trimite vorbă; a transmite un mesaj; **the boy was sent to buy some sugar** au trimis băiatul să cumpere zahăr; **the accident sent him looking for a new car** accidentul l-a făcut/ hotărât să caute o maşină nouă; **to ~ smb one's compliments/ love/respect** a transmite salutări cuiva; **to ~ smth to the bottom** a scufunda ceva; a da ceva la fund; **to ~ smb to glory/to kingdom come** a *F* a trimite/a expedia pe cineva pe lumea cealaltă; a face cuiva de petrecanie **b** *F* a lăsa pe cineva lat; a face pe cineva să vadă stele verzi; – a lăsa pe cineva fără cunoştinţă; **to ~ smb to sleep** a adormi pe cineva; **to ~ smb about his business** ← *înv*, **to ~ smb packing** *F* a da cuiva papucii, a trimite pe cineva la plimbare **2** a trimite, a arunca, a azvârli; a îndrepta; a trage; **they sent several shots into the enemy** au tras câteva focuri în urma inamicului/după inamic **3**

rad, telev a transmite, a difuza **4** a aduce într-o anumită stare; a face; **this noise will ~ me mad!** zgomotul ăsta o să mă înnebunească (până la urmă)! **the news sent them into great excitement** ştirea îi tulbură grozav *sau* îi lasă cu gura căscată; fură copleşiţi de emoţie aflând vestea **5** (↓ *d. muzică*) *F* a înnebuni *(pe cineva)*, a-i plăcea la nebunie *(cuiva)*; – a înfiora *(pe cineva)*; **his playing really ~s me!** felul lui de a cânta mă înnebuneşte (pur şi simplu)! **6** *(d. Dumnezeu etc.)* ← *elev sau înv* a trimite; a da; **heaven ~ that we arrive safely** să dea Domnul să ajungem cu bine; **what does fortune ~ them?** ce le pregăteşte soarta? **II** *vi* **1** a porunci, a da poruncă; **the king sent and had the prisoner brought to him** regele porunci şi prizonierul fu adus în faţa lui **2** a trimite vorbă; **they sent to tell us they would be late** ne-au înştiinţat că vor întârzia **3** *rad* a transmite; a emite **III** *s* **1** impuls, avânt **2** *nav* forţă, impuls *(al valurilor)*

send after ['send,ɑ:ftə^r] *vi cu prep* a chema *cu ac*, a trimite după

send along ['sendə'lɔn] *vt cu part adv* a trimite (↓ mai repede)

send away ['sendə'wei] *vt cu part adv* **1** a trimite (în altă parte) *(la studii, specializare etc.)* **2** a da afară, a goni; a izgoni

send away for ['sendə'weifə^r] **I** *vt cu part adv şi prep* a trimite după *(cumpărături etc.)* **II** *vi cu part adv şi prep com* a comanda *cu ac* prin poştă

send down ['send'daun] **I** *vt cu part adv* **1** a reduce, a scădea, a micşora *(preţuri, temperatura etc.)* **2** a trimite în jos *(fumul etc.)* **3** a trimite, a distribui *(unităţilor etc. în subordine)* **4** *univ* a exmatricula *(pt conduită proastă)* **5** *F* a trimite la puşcărie, a închide, – a întemniţa **II** *vi cu part adv* a trimite un mesaj, un ordin *etc.* unei unităţi *etc.* în subordine; **I'll ~ to the kitchen to get some more salad** (o să) dau ordin la bucătărie să aducă mai multă salată

sender ['sendə'] *s* 1 trimiţător 2 expeditor 3 transmiţător 4 *tel* emiţător de impulsuri; manipulator; buton

send for ['send fə'] *vi cu prep* 1 a chema *(doctorul etc.)*, a trimite după 2 a comanda *(o marfă)*, a face o comandă de

send forth ['send 'fɔ:θ] *vt cu part adv* 1 a da *(frunze etc.)*, a produce 2 a emite *(raze etc.)*, a emana

send in ['send'in] *vt cu part adv* 1 a da, a prezenta *(o declaraţie, demisia etc.)* 2 (for) a expune, a prezenta *(la o expoziţie)*

send-off ['send,ɔ:f] *s ← F* 1 impuls, avânt 2 (bune) urări *(la despărţire, la numirea cuiva într-o funcţie etc.)* 3 recenzie laudativă

send off ['send 'ɔ:f] *vt cu part adv* 1 a trimite, a expedia *(o scrisoare etc.)* 2 a alunga, a da afară 3 a conduce, a însoţi *(pe cineva care pleacă)*

send out ['send 'aut] *vt cu part adv* 1 a expedia; a distribui 2 *v.* **send forth**

send up ['send 'ʌp] *vt cu part adv* 1 a trimite în sus 2 *amer sl* F a băga la zdup, a trimite la răcoare, – a întemniţa

Senegal [,seni'gɔ:l] 1 *stat în Africa* 2 the ~ *fluviu în Africa*

Senegalese [,senigə'li:z] *adj, s* senegalez

senescence [si'nesəns] *s* bătrâneţe, senilitate

senescent [si'nesənt] *adj* care îmbătrâneşte

seneschal ['seniʃəl] *s od* majordom *(la curtea unui nobil feudal)*

senile ['si:nail] *adj* senil; bătrân

senility [si'niliti] *s* senilitate; bătrâneţe

senior ['si:njə'] I *adj* 1 senior *(ant junior)* 2 mai în vârstă; **she is three years ~ to me** e mai mare/ în vârstă ca mine cu trei ani 3 *amer (d. un semestru etc.)* ultim II *s* 1 bătrân, persoană mai în vârstă 2 *(cu adj posesive)* persoană mai în vârstă; **she is my ~ by three years, she is three years my ~** e mai mare/în vârstă ca mine cu trei ani 3 student în ultimul an 4 persoană importantă/marcantă

seniority [,si:ni'ɔriti] *s* 1 vârstă mai mare 2 vechime mai mare în muncă *sau* în serviciu

senna ['senə] *s* 1 *bot* siminichie *(Cassia angustifolia)* 2 *med* foi de siminichie

sennet ['senit] *s teatru od* (sunet de) trompete *(anunţând intrarea actorilor pe scenele elisabetane)*

sennight ['senait] *s ← înv* săptămână

sennit ['senit] *s nav* tresă, salamastră, parâmă împletită

señor [se'njɔ:'], *pl* **señores** [se'njɔ:res] *s span* señor, domn

señora [se'njɔ:rɑ] *s span* señora, doamnă

señorita [,senjo'ri:tə] *s span* señorita, domnişoară

sensation [sen'seiʃən] *s* 1 *fizl* senzaţie 2 senzaţie; simţire; sentiment 3 senzaţie, impresie 4 senzaţie, vâlvă; emoţie

sensational [sen'seiʃənəl] *adj* 1 senzaţional, de senzaţie; extraordinar 2 *fizl* senzorial, senzitiv 3 *filos* senzual

sensationalism [sen'seiʃənəlizəm] *s* 1 goană după senzaţional 2 *filos* senzualism

sensationalist [sen'seiʃənəlist] *s* 1 autor de cărţi de senzaţie 2 *filos* senzualist 3 persoană dornică de senzaţional

sensationalize [sen'seiʃənəlaiz] *vt* a trata ca pe ceva senzaţional

sensationally [sen'seiʃənəli] *adv* (în mod) senzaţional

sensation-monger [sen'seiʃən, mʌngə'] *s* colportor de ştiri senzaţionale

sense [sens] I *s* 1 *fizl* simţ; **he has a keen ~ of hearing** are auzul foarte fin, aude extraordinar de bine; **the five ~s** cele cinci simţuri 2 *fig* minte, judecată, luciditate; **to be out of one's ~s** a nu fi în toate minţile; **in one's (right) ~s** în toate minţile, cu mintea întreagă, sănătos la minte; **to take leave of one's ~s** a înnebuni, a-şi pierde minţile; **come to your ~s** termină/isprăveşte cu prostiile! nu te mai prosti! **to frighten smb out of his ~s** a speria pe cineva îngrozitor, a vârî pe cineva în spaieţi 3 simţ *(al umorului etc.)*; simţ, sentiment *(al datoriei etc.)*; conştiinţă 4 sens, judecată; înţelepciune; rost; **what's the ~ of doing that?** ce sens/rost are să facă asta? **to talk ~** a vorbi raţional/cu judecată; **he is a man of ~** e un om raţional/cu judecată/cu scaun la cap 5 sens, înţeles, accepţiune; **I'm using this word in its second ~** folosesc acest cuvânt în a doua sa accepţiune/în cel de-al doilea sens (al său); **in a ~** *fig* într-un sens; până la un punct, într-o anumită măsură; **to make ~** a avea sens/înţeles; **to make ~ of** a înţelege *cu ac;* **in the true ~ of the word** *fig* în adevăratul sens/ înţeles al cuvântului; **in no ~** *fig* în nici o privinţă 6 sens, direcţie; tendinţă 7 *fig* sens, esenţă *(a unui enunţ etc.)* 8 *fig* dispoziţie, stare de spirit, puls II *vt* 1 a simţi, a-şi da (↓ vag) seama de *sau* că 2 a pricepe, a înţelege 3 *tehn (d. aparate)* a înregistra, a detecta

senseful ['sensful] *adj* plin de sens/ înţeles *sau* semnificaţie

senseless ['senslis] *adj* 1 fără sens/ înţeles 2 fără sens, necugetat, nesăbuit; prost; prostesc; nebunesc 3 nesimţitor 4 căzut în nesimţire; leşinat

senselessly ['senslisli] *adv* (în mod) necugetat, prosteşte

senselessness ['senslisnis] *s* 1 lipsă de sens/înţeles 2 lipsă de sens/ noimă; nesăbuinţă; prostie; nebunie 3 nesimţire, lipsă de simţire 4 (stare de) nesimţire; leşin

sense of direction ['sens əv di-'rekʃən] *s tehn* sens, orientare

sense organ ['sens ,ɔ:gən] *s* organ senzorial

sensibility [,sensi'biliti] *s* 1 sensibilitate; simţire; emotivitate 2 sensibilitate *(a unui aparat)* 3 *fizl* sensibilitate; acuitate a simţurilor 4 *pl* susceptibilitate

sensible ['sensibəl] *adj* 1 raţional, cu judecată; inteligent; practic; logic; cuminte 2 mare, considerabil, apreciabil, sensibil 3 sensibil, perceptibil, perceput prin simţuri 4 ← *înv* sensibil, simţitor; emotiv 5 *fot etc.* sensibil

sensible of ['sensibləv] *adj cu prep* conştient de, care-şi dă seama de; **he was ~ having made a mistake** îşi dădu seama că a făcut o greşeală

sensibly ['sensibli] *adv* 1 (în mod) apreciabil, considerabil 2 (în mod) raţional; inteligent; înţelept

sensitive ['sensitiv] *adj* **1** sensibil; simțitor; impresionabil; emotiv **2** *(d. piele etc.)* sensibil **3** prea sensibil, susceptibil; supărăcios **4** *tehn* de precizie, precis

sensitively ['sensitivli] *adv* **1 cu** sensibilitate **2** cu susceptibilitate **3** *tehn* cu precizie

sensitiveness ['sensitivnis] *s v.* **sensitivity**

sensitive plant ['sensitiv ‚plɑ:nt] *s bot* sensitiva *(Mimosa pudica)*

sensitivity [‚sensi'tiviti] *s* sensibilitate

sensitize ['sensi‚taiz] *vt text etc.* a sensibiliza

sensorial [sen'sɔ:riəl] *adj v.* **sensory**

sensory ['sensəri] *adj fizl* senzorial

sensual ['sensjuəl] *adj* **1** senzual **2** ← *rar v.* **sensory**

sensualism ['sensjuə‚lizəm] *s* **1** senzualitate **2** *filos* sensualism

sensualist ['sensjuəlist] *s* **1** senzual, persoană senzuală **2** *filos* senzualist

sensualistic [‚sensjuə'listik] *adj* senzual

sensuality [‚sensju'æliti] *s* senzualitate; lascivitate; lubricitate

sensuous ['sensjuəs] *adj* **1** senzual, senzorial; care apelează la simțuri **2** estetic

sensuously ['sensjuəsli] *adv* **1** prin simțuri; cu simțurile **2** estetic

sensuousness ['sensjuəsnis] *s* **1** senzualitate, sensibilitate senzorială **2** plăcere estetică

sent [sent] *pret și ptc de la* **send**[1] **I**

sentence ['sentəns] **I** *s* **1** *jur etc.* sentință; verdict; **to pass/to give/to pronounce** ~ a da sentința *sau* verdictul; **under** ~ **of death** sub pedeapsa cu moartea **2** *gram* propoziție; frază **3** ← *înv* sentință; maximă **II** *vt jur* a condamna, *înv* ← a osândi

sententious [sen'tenʃəs] *adj* **1** sentențios; emfatic; plictisitor **2** ← *înv* sentențios, plin de sentințe

sententiously [sen'tenʃəsli] *adv* sentențios, emfatic

sentience ['senʃəns] *s* **1** simțire **2** facultatea de a simți, sensibilitate

sentient ['sentiənt] *adj* simțitor; conștient

sentiment ['sentimənt] *s* **1** sentiment, simțământ; simțire; atitudine; dispoziție; punct de vedere; **what are his ~s towards you?**

care sunt sentimentele lui față de dumneata? ce sentimente nutrește pentru dumneata? cum se poartă cu dumneata? **2** sensibilitate; sentiment; patos; participare **3** sentimentalism

sentimental [‚senti'məntəl] *adj* **1** *(d. cineva)* sentimental; emotiv **2** sentimental; duios; *peior* sentimental, dulceag

sentimentalism [‚senti'məntə‚lizəm] *s* sentimentalism

sentimentalist [‚senti'məntəlist] *s* sentimental, persoană sentimentală

sentimentality [‚sentimen'tæliti] *s* sentimentalitate; sentimentalism

sentimentalize [‚senti'məntə‚laiz] *vi* a se comporta ca un sentimental, *rar* → a sentimentaliza

sentinel ['sentinəl] *s rar v.* **sentry**; **to stand** ~ a sta de strajă/pază

sentry ['sentri] *s mil* santinelă; strajă; pază; **to keep** ~ a sta de pază/ strajă

sentry box ['sentri ‚bɔks] *s mil* gheretă *(a santinelei)*

sentry-go ['sentri‚gou] *s mil* serviciul de gardă

Seoul [soul] *capitala Coreii de Sud* Seul

Sep. *presc de la* **September**

sepal ['sepəl] *s bot* sepală

sepalous ['sepələs] *adj bot* cu sepale

separability [‚sepərə'biliti] *s* separabilitate, caracter separabil

separable ['sepərəbəl] *adj* separabil

separate I ['seprit] *adj* **1** separat; împărțit **2** separat; diferit, deosebit, special; distinct; individual; particular; independent; autonom **3** separat, izolat; retras; despărțit **II** ['sepə‚reit] *vt* **1** a separa, a despărți **2** a alege; a pune de o parte; a separa; a sorta **3** a separa; a izola; a detașa, a desprinde **4** a clasifica **5** *poligr* a despărți *(cuvinte)* în silabe **6** a împărți, a diviza **III** ['sepə‚reit] *vi* **1** a se despărți, a se separa **2** a se separa; a se izola; a se detașa, a se desprinde **3** a se despărți, a divorța; a trăi separat **4** a se despărți, a pleca (fiecare în altă parte)

separation [‚sepə'reiʃən] *s* **1** despărțire, separare **2** alegere; separare; sortare **3** separare; izolare; detașare, desprindere **4**

clasificare **5** *poligr* despărțire în silabe *(a cuvintelor)* **6** împărțire, divizare **7** despărțire, separație; divorț

separatist ['sepərətist] *s* separatist

separator ['sepə‚reitər] *s* **1** *tehn* separator **2** *agr* sită, trior **3** *min* aparat de separare/epurare

separatory ['sepəreitəri] *adj* separator, despărțitor

separatrix ['sepə‚reitriks] *s poligr* semn de despărțire

sepia ['si:piə] **I** *pl și* **sepiae** ['si:pi:] *s* **1** *zool* sepia *(Sepia officinalis)* **2** *ch etc.* sepia **II** *adj* (de culoare) sepia

sepoy ['si:pɔi] *s mil od* cipai *(soldat indian din armata anglo-indiană)*

sepsis ['sepsis] *s med* septicemie, stare septicemică

sept [sept] *s ist* sept, clan *(în Irlanda)*

Sept. *presc de la* **September**

septa ['septə] *pl de la* **septum**

September [sep'tembər] *s* septembrie, *P* ← răpciune

septemvir [sep'temvər] *s ist Romei* septemvir

septentrional [sep'tentrionəl] *adj* septentrional, nordic

septet(te) [sep'tet] *s muz* septet

septic ['septik] *adj med* septic

septic(a)emia [‚septi'si:miə] *s med* septicemie

septic tank ['septik ‚tæŋk] *s hidr* fosă septică

septuagenarian [‚septjuədʒi'nɛəriən] *s, adj* septuagenar

Septuagesima [‚septjuə'dʒesimə] *s bis* a treia duminică înainte de postul Paștelui *(la catolici)*

Septuagint ['septjuə‚dʒint] *s bis* Septuaginta

septum ['septəm], *pl* **septa** ['septə] *s anat* sept, perete despărțitor; membrană

sepulchral [si'pʌlkrəl] *adj* sepulcral; mormântal, de mormânt

sepulchre ['sepəlkər] *s* **1** ← *înv, bibl* mormânt; cavou **2** ← *rar* înmormântare

sepulture ['sepəltʃər] *s* **1** înmormântare, îngropăciune **2** ← *înv v.* **sepulchre 1**

seq. *presc de la* **1 sequel 2 sequentes, sequentia** *lat* următorii, următoarele

sequel ['si:kwəl] *s* **1** urmare, continuare **2** urmare, consecință, rezultat

sequela ['si:kwi:lə], *pl* **sequelae** [si'kwi:li:] *s med* sechelă

sequence ['si:kwəns] *s* 1 succesiune, șir, ordine, înșiruire; secvență; **in** ~ în succesiune, la rând, unul după altul 2 *v.* **sequel** 2 3 *cin* secvență; episod 4 suită *(la jocul de cărți)*

sequence of tenses ['si:kwənsəv 'tensiz] *s gram* corespondență/ concordanță a timpurilor

sequencing ['si:kwənsiŋ] *s* succesiune *(↓ în timp)*

sequent ['si:kwənt] **I** *adj* 1 următor 2 rezultat, care rezultă **II** *s v.* **sequel** 2

sequential [si'kwenʃəl] *adj* 1 consecvent 2 care urmează (după altul) 3 *tehn* continuu; secvențial

sequentially [si'kwenʃəli] *adv* 1 (în mod) consecvent 2 (în mod) consecutiv

sequester [si'kwestər] **I** *vt* 1 *jur* a sechestra; a confisca 2 a izola, a îndepărta; a separa **II** *vr*(**from**) a se izola (de), a se retrage

sequestered [si'kwestəd] *adj* (*d. viață, locuri etc.*) retras; liniștit

sequestrate [si'kwestreit] *vt v.* **sequester I** 1

sequestration [,si:kwe'streiʃən] *s* 1 *jur* sechestrare; confiscare; sechestru 2 retragere; izolare 3 *med* izolare; carantină

sequin ['si:kwin] *s* 1 *od* țechin *(monedă italiană)* 2 *text* paietă, fluturaș

sequoia [si'kwɔiə] *s bot* arborele seqoia *(Sequoia gigantea)*

ser. *presc de la* **series**

sera ['siərə] *pl de la* **serum**

seraglio [se'ra:li,ou] *s it* serai

serai [se'rai] *s* caravanserai

seraph ['serəf], *pl și* **seraphim** ['serəfim] *s* serafim

seraphic(al) [si'ræfik(əl)] *adj* serafic, de serafim

seraphim ['serəfim] *pl de la* **seraph**

Serb [sə:b] **I** *s* 1 sârb 2 (limba) sârbă **II** *adj* sârb(esc)

Serbia ['sə:biə] *republică în cadrul Iugoslaviei*

Serbian ['sə:biən] *s, adj v.* **Serb**

Serbo-Croatin ['sə:bou krou'eiʃən] *s, adj* sârbo-croat

sere [siə] *adj ← poetic* uscat; ofilit, veștejit; vested

serenade [,seri'neid] **I** *s* 1 serenadă **II** *vt* a cânta o serenadă *sau* serenade *(cuiva)*

serendipity [,serən'dipiti] *s* însușirea de a găsi obiecte interesante *sau* de valoare

serene [si'ri:n] *adj* senin; liniștit // **His S~ Highness** Luminăția Sa

serenely [si'ri:nli] *adv* senin, cu seninătate

serenity [si'reniti] *s* senin/liniște; seninătate // **His S~** Luminăția Sa

Sereth, the [sii'ret, ðə] *râu în România* Siret

serf [sə:f] *s* 1 șerb, iobag 2 sclav, rob

serfage ['sə:fidʒ] *s v.* **serfdom**

serfdom ['sə:fdəm] *s* 1 șerbie, iobăgie 2 sclavie, robie

serfhood ['sə:f,hud] *s* 1 *v.* **serfdom** 1, 2 2 șerbi, iobagi

serge [sə:dʒ] *s text* serj

sergeant ['sa:dʒənt] *s* 1 *mil* sergent 2 *jur* aprod 3 ofițer de poliție, polițist; comisar *(grad inferior inspectorului de poliție)*

sergeant-at-arms ['sa:dʒəntət'a:mz] *s v.* **serjeant-at-arms**

sergeant instructor of musketry ['sa:dʒənt in'strʌktər əv 'mʌskitri] *s mil* sergent instructor de trageri

sergeant major ['sa:dʒənt ,meidʒər] *s mil* 1 grad intermediar între subofițer și ofiter 2 *amer* plutonier major

sergeant of the guard ['sa:dʒənt əv ðə 'ga:d] *s mil* sergent ajutor al comandantului gărzii

Sergt., sergt. *presc de la* **sergeant**

serial ['siəriəl] **I** *adj* 1 în serie 2 *mat* curent **II** *s* 1 roman serial/în serie 2 *cin* (film) serial 3 serie de articole

serialize ['siəriə,laiz] *vt* 1 a publica *sau* a transmite în serie 2 a aranja/a dispune în serie *sau* serii

serially ['siəriəli] *adv* consecutiv, succesiv; în serie

serial production ['siəriəl prə'dʌkʃən] *s* producție în serie

seriate(d) ['siəriit(id)] *adj* 1 de serie 2 periodic 3 așezat unul după altul/în ordinea succesiunii

seriatim [,siəri'ætim] *adv* 1 în serie 2 unul după altul 3 punct cu punct

seriation [,siəri'eiʃən] *s* așezare în serie

sericultural [,seri'kʌltʃərəl] *adj* sericicol

sericulture ['seri,kʌltʃər] *s* sericicultură

sericulturist [,seri'kʌltʃərist] *s* sericicultor

series ['siəri:z], *pl* **series** ['siəri:z] *s* 1 serie, șir, rând; succesiune; înlănțuire; **in** ~ în serie; în lanț 2 *poligr* garnitură (de litere) 3 *mat* serie, șir; progresie 4 *el* legare în serie *(a amorselor)*

serif ['serif] *s poligr* picioruș, cârlig *(de literă)*

serio-comic(al) [,siəriou'kɔmik(əl)] *adj* 1 serios și comic/glumeț totodată 2 tragi-comic

serious ['siəriəs] *adj* 1 serios; sobru; grav; solemn; așezat, ponderat 2 serios, sever, rigid 3 serios, pozitiv, real, adevărat; sincer 4 serios, grav; periculos; cu care nu e de glumit 5 serios, important 6 *(d. o lucrare etc.)* serios, profund, adânc

seriously ['siəriəsli] *adv* 1 *(a vorbi etc.)* serios; cu seriozitate 2 serios; grav *(bolnav etc.)*

serious-minded ['siəriəs,maindid] *adj* *(d. cineva)* cu intenții serioase; cu preocupări serioase; serios

seriousness ['siəriəsnis] *s* 1 seriozitate 2 caracter serios *sau* grav; gravitate; importanță

serjeant(-at-arms) ['sa:dzənt(ət, a:mz)] *s* supraveghetor al ordinii *(în unele instituții);* aprod

sermon ['sə:mən] *s* 1 *bis* predică 2 *fig* predică, lecție, morală

sermonize ['sə:mənaiz] **I** *vi* 1 *bis* a predica; a ține o predică *sau* predici 2 *fig* a ține o predică *sau* predici, a face morală **II** *vt* 1 *bis* a predica, a ține o predică *sau* predici *(cuiva)* 2 *fig* a ține o predică *sau* predici *(cuiva)*

serology [si'rɔlədʒi] *s* serologie

serous ['siərəs] *adj biol* seros

serous membrane ['siərəs,membrein] *s anat* membrană seroasă

serpent ['sə:pənt] *s* 1 șarpe 2 *fig* șarpe; viperă; năpârcă

serpentine ['sə:pən,tain] **I** *s geol* serpentin(ă) **II** *adj* 1 de șarpe, șerpesc 2 *fig* ca de șarpe; șerpuit; cu multe cotituri; întortocheat; sinuos 3 *fig* de șarpe; trădător, ticălos; diabolic

serpently ['sə:pəntli] *adv F umor* în loc de **certainly** *(desigur)*

serpentry ['sə:pəntri] *s* **1** şerpi **2** crescătorie de şerpi **3** serpentină; şerpuitură

serpigo [sə:'paigou] *s med* lupus

serra ['serə], *pl* **serrae** ['seri:] *s* **1** *iht* peştele-ferăstrău *(Pristis)* **2** monstru marin *(legendar)*

serrate ['serit] *adj bot* serat

serrated [se'reitid] *adj bot* serat

serried ['seri:d] *adj* strâns, înghesuit; compact; umăr la umăr

serum ['siərəm], *pl* şi **sera** ['siərə] *s* **1** *fizl* ser **2** *fizl* limfă **3** zer

serval ['sə:vəl] *s zool* serval *(Leptailurus serval)*

servant ['sə:vənt] *s* **1** servitor, slujitor, *înv →* slugă; **your humble ~** al dvs. (prea) devotat *(formulă folosită uneori în scrisorile oficiale)* **2** *fig* slujitor *(al altarului etc.)* **3** funcţionar **4** sclav, rob

serve [sə:v] **I** *vt* **1** a fi servitorul/slujitorul *(cuiva);* a munci/a lucra la *sau* pentru **2** *fig* a sluji *(patria etc.);* a servi; a fi folositor *(cu dat);* a fi de ajutor *(cuiva)* **3** a servi *(masa etc.);* a da; a aduce **4** a servi *(un musafir, un client);* a deservi *(populaţia etc.);* a aproviziona **5** a trata *(pe cineva);* a se comporta/a se purta cu **6** *fig* a trece prin; a-şi face *(ucenicia etc.);* **to ~ one's time/term** a a-şi face stagiul **b** a-şi ispăşi pedeapsa/condamnarea; **to ~ time** a fi la închisoare, a fi închis **7** a deservi *(două circumscripţii etc.);* a funcţiona la *sau* în; a fi funcţionar *etc.* la *sau* în **8** a corespunde *(unui scop etc.);* a servi *(unui scop etc.);* **it ~s to show his cleverness** aceasta demonstrează/arată cât de deştept este **9** *sport* a servi *(mingea)* **10** *jur* a trimite *(o citaţie etc.);* a emite *(un mandat de arestare etc.);* **they ~d a summons on him** *(dar şi:* **they ~d him with a summons)** i-au trimis o citaţie // **it ~s him right** aşa-i trebuie **II** *vi* **1** a fi; a servi; a sluji; a funcţiona; **he ~s as cook** e bucătar **2** *mil* a-şi face serviciul militar/armata; a fi militar, marinar *etc.* **3** a servi, a fi de fclos/folositor; a fi de ajuns/suficient; **nothing will ~ but** nu va folosi/fi de folos decât, nimic nu va ajuta decât; **it will ~**

a este exact ceea ce trebuie **b** este exact cât trebuie; ajunge, e destul **4** a fi favorabil/prielnic; **as occasion ~s** când se va ivi prilejul/ocazia **5** *bis* a sluji, a oficia **6** a servi *(la masă etc.)* **7** *sport* a servi **III** *s sport* serviciu

serve as ['sə:vəz] *vi cu prep* a servi de/drept/ca, a fi folosit ca; **it may ~ an excuse** poate servi drept scuză

serve for ['sə:v fəʳ] *vi cu prep* **1** v. **serve as 2** a fi bun de/pentru

serve out ['sə:v'aut] *vt cu part adv* a i-o plăti *(cuiva)*

server ['sə:vəʳ] *s* **1** persoană care serveşte *sau* slujeşte; servitor; slujitor; *bis* ministrant *etc.* **2** tavă, platou

serve up ['sə:v 'ʌp] *vi cu part adv* a servi *(la masă)*

service ['sə:vis] **I** *s* **1** serviciu; slujbă; funcţie; muncă; lucru; **to go into ~** a fi angajat ca servitor *sau* servitoare; **to take smb into one's ~** a angaja pe cineva ca servitor *sau* servitoare; **hard ~** serviciu greu, muncă grea; **public ~s** servicii publice; **on active ~** *mil* în serviciu activ **2** serviciu, ajutor, sprijin; favoare; **he asked me for my ~** mi-a cerut/solicitat sprijinul; **to do smb a ~** a face un serviciu cuiva **3** folos; **will it be of any ~ to you?** o să-ţi fie de vreun folos? îţi va folosi la ceva? **4** *fig* dispoziţie, ordin, ordine; **at your ~** la dispoziţia dumneavoastră **5** *mil* (gen de) armă *(infanterie etc.)* **6** *ec* servire, deservire **7** *bis* serviciu *(divin)*, slujbă *(religioasă)* **8** serviciu, servire *(la masă)* **9** serviciu *(de cafea etc.)* **10** *sport* serviciu; servire **11** *jur* înştiinţare; aviz; publicare **12** *tehn* serviciu; deservire; reparaţii curente **13** *tehn* exploatare; regim **II** *vt* **1** a deservi *(un district etc.)* **2** a întreţine *(o maşină etc.);* a face revizia şi reparaţiile curente *(unei maşini etc.)*

serviceable ['sə:visəbəl] *adj* **1** folositor, util **2** *(d. haine etc.)* rezistent; durabil **3 ←** *înv* săritor; curtenitor, amabil

serviceableness ['sə:visəbəlnis] *s* **1** folos, utilitate **2** durabilitate, rezistenţă, trăinicie

service book ['sə:vis ˌbuk] *s bis* carte de rugăciuni, moliftelnic

service brake ['sə:vis ˌbreik] *s auto* frână de picior

service ceiling ['sə:vis 'si:liŋ] *s av* plafon practic

service dress ['sə:vis ˌdres] *s mil* ţinută de serviciu

service entrance ['sə:vis ˌentrəns] *s* intrare de serviciu; intrare din dos

serviceman ['sə:vismən] *s amer* militar; soldat, ostaş

service road ['sə:vis 'roud] *s drum* provizoriu *sau* de şantier

service shop ['sə:vis ˌʃɔp] *s* atelier pentru reparaţii curente

service station ['sə:vis ˌsteiʃən] *s* **1** *auto* staţie service de întreţinere **2** atelier de reparaţii **3** *amer* staţie de benzină

service woman ['sə:vis ˌwumən] *s mil* femeie care face parte din forţele armate

servicing ['sə:visiŋ] *s tehn* **1** întreţinere **2** deservire; mânuire

servient ['sə:viənt] *adj* **1** subordonat; dependent **2** *jur* grevat de servituţi

serviette [sə:vi'et] *s fr* şerveţel (de masă)

servile ['sə:vail] *adj* **1** de sclav *sau* sclavi **2** *fig* servil, slugarnic; linguşitor **3 ←** *înv* captiv; în robie

servilely ['sə:vaili] *adv* (în mod) servil, slugarnic

servility [sə:'viliti] *s* servilism, slugărnicie, *rar →* servilitate

serving ['sə:viŋ] *s* **1** porţie; bucată *(de tort etc.)* **2** *tehn* înveliş (protector); îmbrăcăminte **3** *el* izolaţie

servitor ['sə:vitəʳ] *s înv* slugă, – servitor; însoţitor

servitude ['sə:viˌtju:d] *s* **1** şi *fig* sclavie, robie; înrobire **2** servitute; obligaţie, constrângere **3** *jur* servitute

servo-mechanism ['sə:vou 'mekəˌnizəm] *s tehn* servomecanism

sesame ['sesəmi] *s bot* susan *(Sesamum indicum)*

sesquioxide [ˌseskwi'ɔksaid] *s ch* sescvioxid

session ['seʃən] *s* **1** şedinţă; sesiune *(a parlamentului etc.);* conferinţă; **to be in ~** a ţine şedinţă; a fi în şedinţă; **to go into secret ~** a ţine (o) şedinţă secretă **2** *univ* an universitar/academic; *amer* semestru **3** an şcolar; şcoală, lecţii, cursuri **4** curs; lecţie; oră **5** şedinţă *(de lucru – în orice sferă de activitate)* **6** *F* bătaie de cap, – întrevedere neplăcută, discuţie *(cu un poliţist etc.)*

sessional ['seʃənəl] *adj* **1** de şedinţă *sau* sesiune **2** care are loc în fiecare perioadă *etc. (v.* **session** 2-4)

sesterce ['sestərs] *s od* sesterţ *(monedă romană)*

sestertium [se'stə:tiəm], *pl* **sestertia** [se'stə:tiə] *s od* monedă romană de 1000 sesterţi

sestet [se'stet] *s* **1** *muz* sextet **2** *metr* strofă de şase versuri

set [set] **I** *pret şi ptc* **set** [set] *vt* **1** a pune, a aşeza, a situa; a aranja; a fixa, a stabili; **to ~ a book on the shelf** a pune/a aşeza o carte pe raft; **to ~ one's foot on** a pune piciorul pe, a călca (cu piciorul) pe; **to ~ the table** a pune masa; **to ~ one's name/ hand to** a-şi pune semnătura pe; **to ~ a limit to** a fixa/a stabili o limită *cu dat* **2** a pune *(în libertate etc.)*; **to ~ going** a pune în mişcare; a face să funcţioneze; **I ~ them laughing** i-am făcut să râdă; **to ~ in order** a pune în ordine; a ordona, a aranja **3** a pune în ordine, a aranja, a regla; a face să meargă/funcţioneze *(ceasul etc.);* a repara *(un mecanism)* **4** a monta; a ajusta **5** a sădi *(o plantă)* **6** a introduce; a vârî, a băga, a înfige *(un ţăruş etc.)* **7** a ascuţi *(coasa etc.)* **8** a pune, a aşeza *(cloşca pe ouă)* **9** a îndrepta, a dirija; a întoarce; a răsuci; **I ~ my face towards him** mi-am întors faţa spre el; **to ~ one's watch by the time-signal on the radio** a-şi potrivi ceasul după (semnalul de la) radio **10** a pregăti, a aranja *(scena etc.);* a găti, a înfrumuseţa, a împodobi **11** a pune, a aplica *(ştampila etc.)* **12** a strânge din *(dinţi)* **13** a fixa, a stabili *(valoarea, preţul etc.)* **14** a da *(o sarcină, un exemplu etc.)* **15** *muz* a pune pe note, a scrie partitura pentru **16** *poligr* a culege, a zeţui **17** *nav* a întinde, a desfăşura *(velele)* **18** a-şi face *(părul)* **19** a introduce *(o modă, un stil etc.);* a pune în circulaţie *(idei etc.)* **20** a face să nu mai funcţioneze, a opri *(un*

mecanism etc.) **II** *(v. ~* **I)** *vi* **1** *(d. păsări)* a sta pe ouă; a cloci **2** *(d. ciment etc.)* a se întări; a se solidifica; *(d. lapte etc.)* a se coagula **3** *(d. faţă)* a căpăta o expresie rigidă **4** *(d. o culoare etc.)* a se fixa; a prinde **5** a prinde formă; a se contura; a se modela **6** *(d. soare etc.)* a apune, a asfinţi; **his star has ~** *fig* steaua lui a apus **7** *(cu diverse part adv)* a porni, a pleca, a se duce, a merge **8** a se îndrepta, a se dirija, a avea direcţia *(spre nord etc.)* **9** *(d. o haină etc.)* a sta, a şedea; *(bine, rău etc.)* **10** *bot (d. un răsad etc.)* a prinde; a se dezvolta **III** *adj* **1** *(d. privire etc.)* fix; nemişcat; rigid **2** stabilit (dinainte), prestabilit; fixat dinainte; premeditat; intenţionat; **of ~ purpose** premeditat; cu premeditare; dinadins **3** *(d. un discurs etc.)* redactat, pregătit *etc.* dinainte **4** *(d. vreme)* neschimbat, stabil **5** ferm, hotărât, < neclintit **6** *(d. soare etc.)* care a apus/ asfinţit **7** *(d. cineva)* clădit, construit; **a well-~ man** un om solid **8** consistent; solidificat; întărit; *(d. lapte)* coagulat **9** gata, pregătit **IV** *s* **1** direcţie, sens; mers, curs; tendinţă, înclinaţie; puls; **the ~ of the wind** direcţia vântului; **the ~ of public opinion** tendinţa opiniei publice **2** contur, configuraţie *(a unui teren etc.);* trăsături; caracteristici **3** poziţie *(a capului);* postură; ţinută **4** *teatru* decor **5** grup (de persoane); societate, companie; număr; *peior* clică, gaşcă, < bandă **6** grup (de obiecte); colecţie; serie; număr; set; garnitură; ansamblu; agregat **7** *sport* set **8** *mat* ansamblu, serie, mulţime **9** *bot* lăstar // **to make a dead ~ at a** a face o critică aspră/ severă *(cu dat);* a se năpusti asupra *(cu gen)* **b** a căuta să influenţeze *(cu ac)*

set about I ['set ə,baut] *vi cu prep* **1** a se apuca de; a începe, a porni *cu ac;* **I must ~ my packing** trebuie să încep să împachetez/ să mă apuc să împachetez; **how shall I ~ this job?** cum să încep treaba asta? de unde/cu ce să pornesc? **to ~ working** a se

apuca să lucreze/de lucru **2** *F* a tăbărî *(pe cineva),* – a se năpusti asupra *(cuiva)* **II** ['set ə,baut] *vt cu prep* a face *(pe cineva)* să înceapă *(ceva)* **III** ['set ə'baut] *vt cu part adv ← F* a răspândi, a împrăştia *(un zvon)*

set against ['set ə,genst] *vt cu prep* **1** a pune/a îndrepta spre/către; **to set one's face against smth** *fig* a se împotrivi unui lucru, a fi împotriva unui lucru **2** a opune *cu dat* **3** a aţâţa *sau* a răscula/a ridica împotriva *(cu gen)* **4** a compara cu

set apart ['set ə,pa:t] *vt cu prep adv* **1** a pune de o parte, a rezerva; a păstra **2** a despărţi, a separa

set aside ['set ə,said] *vt cu part adv* **1** *v.* **set apart** 1 **2** a înlătura, a da de o parte; a respinge **3** a anula

set-back ['setbæk] *s* **1** piedică, obstacol **2** oprire *(în dezvoltare etc.)* **3** *mil* recul

set back ['set 'bæk] **I** *vt cu part adv* **1** a împiedica, a opri; a reţine; a împiedica/a opri dezvoltarea *(cu gen);* a stânjeni **2** a da înapoi *(ceasul)* **3** *← sl* a costa *(pe cineva)* **II** *vi cu part adv* **1** a opune rezistenţă, a reacţiona **2** a curge înapoi; a se retrage

set beside ['set bi,said] *vt cu prep* a compara cu, a pune alături de

set by ['set 'bai] *vt cu part adv* a pune de o parte; a economisi

set down ['set 'daun] **I** *vt cu part adv* **1** a pune/a aşeza jos; a descărca; a lăsa (jos); **the bus stopped to ~ an old man** autobuzul se opri ca să coboare un om bătrân **2** a pune/a aşterne pe hârtie; a nota, a însemna **3** a trece într-un registru *etc. (pe cineva),* a înregistra **4** a micşora, a potoli, a domoli *(zelul etc.)* **II** *vi cu part adv* a se lăsa (în jos); a se aşeza

set down as ['set 'daun əz] *vt cu part adv şi prep* a considera/a socoti *(pe cineva)* ca/drept

set down to ['set 'daun tə] **I** *vt cu part adv şi prep* a atribui *cu dat,* a pune pe seama *cu gen;* **shall we set it down to caprice?** să punem aceasta pe seama capriciului? **II** *vt cu part adv şi inf* a urma, a trebui să; **to train was ~ leave at 7** trenul urma/trebuia să plece la (ora) şapte

set forth ['set 'fɔ:θ] **I** *vt cu part adv* **1** a expune; a lămuri, a explica **2** a expune, a arăta **3** a lăuda, a recomanda **4** a face cunoscut; a proclama, a vesti; a declara **5** a specifica, a menționa *(într-un contract etc.)* **II** *vi cu part adv* a porni, a pleca (la drum)

Seth [seθ] *mit, bibl; nume masc* Set

set in ['set 'in] *vi cu part adv (d. un anotimp etc.)* a începe, a veni, a se instala

set-off ['setɔf] *s* compensație

set off ['set 'ɔ:f] **I** *vt cu part adv* **1** a scoate în relief/evidență, a reliefa **2** a contrasta, a pune în contrast **3** a marca; a semnala **4** a înfrumuseța; a împodobi **5** *(cu -ing)* a face să *(râdă etc.)* **6** a compensa, a contracara **7** a despărți, a separa **II** *vi cu part adv* **1** (**against**) a forma un contrast (față de) **2** *fig* a izbucni *(în râs etc.)*

set on ['set 'ɔn] *vt cu part adv* **1** (**to**) a pune (să), a îndemna (să; la) **2** a asmuți *(un câine)* **3** a pune în mișcare

set oneself against ['set wʌn'self ə,genst] *vr cu prep* a se împotrivi/ a se opune *cu dat*

set oneself to ['set wʌn'selftə] *vr cu prep* a se apuca de

set out ['set 'aut] **I** *vt cu part adv* **1** a delimita; a preciza; a defini; a marca **2** *constr* a jalona, a picheta, a marca **3** a expune *(spre vânzare etc.);* a etala **4** a expune, a prezenta *(motive etc.)* **5** *bot* a planta, a sădi **II** *vi cu part adv* a pleca, a porni

set piece ['set ,pi:s] *s* **1** operă *(literară, de artă)* de efect, ↓ folosind un stil convențional **2** focuri de artificii dispuse într-o anumită formă **3** *teatru* element de decor

setscrew ['set,skru:] *s* **1** *tehn* șurub opritor **2** *av* elice cu pas reglabil

sett [set] *s* **1** *drumuri* pavea **2** *nav* cotadă

settee [se'ti:] *s* divan *(mic)*; canapea; banchetă

setter ['setə] *s* **1** *zool* prepelicar **2** *tehn* reglor; mecanism de reglare **3** stimulare; ațâțător; instigator

setter-on ['setər,ɔn] *s v.* setter 3

setting ['setiŋ] *s* **1** punere, așezare, aranjare *etc.* (v. set I) **2** poziție,

situație **3** cadru, decor; mediu **4** *teatru* decor; montare **5** montură, montare *(a unei pietre prețioase)* **6** apus (↓ de soare), asfințit **7** *constr* zidărie; tencuială **8** direcție *(a unui curent etc.)*

settle ['setəl] **I** *vt* **1** a stabili, a instala, a așeza **2** a coloniza **3** a stabiliza, a face stabil; a fixa; a înțepeni **4** a pune ordine în *(afaceri etc.)* **5** a aranja, a căpătui *(pe cineva)* **6** a lăsa să se limpezească *(un lichid)*, a lăsa să se așeze **7** a risipi *(îndoieli)* **8** a liniști *(nervii etc.)* **9** a hotărî, a fixa, a stabili *(un termen etc.)* **10** a aplana *(o ceartă etc.)*, a împăca **11** a achita, a plăti *(o datorie etc.)* **12** a aloca, a fixa *(o rentă etc.)* **13** *F* a face de petrecanie *(cuiva)* **II** *vr* a se stabili; a se așeza *(într-un loc);* a se instala **III** *vi* **1** v. ~ **II** **2** a se cocoța, a se așeza *(pe o creangă etc.)* **3** *(d. boală etc.)* a se localiza **4** *(d. un lichid)* a se limpezi **5** *(d. zăpadă etc.)* a se așeza; *(d. vânt)* a porni, a începe să bată **6** *(d. un vas etc.)* a se scufunda **7** a aranja lucrurile *(cu cineva);* a achita, a plăti **8** *(d. o pasiune etc.)* a se liniști, a se domoli **9** *(d. pământ etc.)* a se tasa, a se bătuci, a se îndesa **IV** *s* laviță cu speteaza înaltă

settled ['setld] *adj* **1** *(d. vreme)* stabil; frumos, senin **2** *(d. o stare)* neschimbat, invariabil; fix **3** *(d. cineva)* stabilit, aranjat **4** colonizat **5** *(d. o idee)* fix, înrădăcinat

settle down ['setəl 'daun] **I** *vt cu part adv* **1** a stabili, a fixa; a coloniza; a așeza **2** a regla, a regula, a rezolva **II** *vi cu part adv* **1** a se stabili; a se așeza; a se instala **2** a se liniști, a se domoli; a-și calma nervii **3** *tehn* a se depune, a decanta; a se limpezi **4** *(d. vreme)* a deveni stabil, a se stabiliza, a se face frumos/senin

settle down to ['setəl 'dauntə] *vi cu part adv și prep* a se dedica, a se consacra *cu dat*

settle for ['setəl fə] *vi cu prep* a accepta *cu ac,* a se împăca cu

settle in ['setəl 'in] **I** *vt cu part adv* a obișnui, a deprinde, a face să se obișnuiască **II** *vi cu part adv* a se acomoda, a se desprinde, a

se obișnui; a se simți în largul lui

settle into ['setəl ,intə] *vi cu prep* a se obișnui/a se deprinde/a se acomoda cu

settlement ['setəlmənt] *s* **1** stabilire *(într-o țară etc.);* colonizare **2** așezare (omenească); colonie **3** instalare *(într-o locuință etc.)* **4** *tehn* depunere, sedimentare; lăsare în jos, coborâre **5** tasare *(a pământului)* **6** amplasare; amplasament **7** reglare, reglementare; rezolvare, soluționare **8** fixare, stabilire, hotărâre *(a unui termen etc.)* **9** înțelegere, tranzacție, acord **10** *jur* domiciliu legal

settle off ['setəl 'ɔ:f] *vt cu part adv* a adormi *(pe cineva)*

settle on ['setəl ɔn] *vt cu prep v.* **settle upon**

settle oneself to ['setəlwʌn'selftə] *vr cu prep* a se pregăti de *(somn etc.)*

settler ['setlə] *s* **1** colonist **2** *tehn* cuvă/butoi de limpezit; separator **3** *sl* lovitură hotărâtoare

settle up ['setəl 'ʌp] *vi cu part adv* **1** a achita ceea ce este de plată; **to ~ with the waiter** a-i plăti chelnerului (nota) **2** *(d. un grup)* a se socoti, a face socoteala (la sfârșit)

settle upon ['setəl ə,pon] **I** *vi cu prep* a se hotărî/a se decide în privința *(cu gen);* a alege (până la urmă) *cu ac* **II** *vt cu prep* a lăsa (drept) moștenire *(cuiva)*

settlings ['setliŋz] *s pl* sedimente, drojdii

set-to ['settə] *s* ← *F* luptă; încăierare; ciocnire

set to ['set tə] **I** *vi cu prep* a se apuca de; a începe să *(mănânce etc.)* **II** *vt cu part adv (d. mai multe persoane)* a se certa; a se încăiera

set-up ['setʌp] *s* **1** ținută, poziție, postură **2** structură, organizare, alcătuire; sistem **3** ridicare, instalare, montare; organizare **4** *sl* meci aranjat

set up ['set 'ʌp] *vt cu part adv* **1** a ridica, a înălța; a pune în poziție verticală **2** a stabili, a aranja; a căpătui, a organiza; a iniția, a înființa, a institui; a întemeia, a fonda **4** a cauza, a provoca *(o boală etc.)*, a determina **5** a aproviziona; a furniza *(cuiva)*

6 a restabili, a însănătoşi, a înzdrăveni *(pe cineva);* a remonta, a reface **7** a scoate *(un strigăt etc.)* **8** a dezvolta prin exerciţii fizice *(corpul)* **9** *tehn* a monta **10** a amenaja *(un parc etc.)*

set up as ['set 'ʌp əz] *vi cu part adv şi prep* **1** a începe să practice meseria de **2** a se da drept, a face pe, a pretinde că este

Sevastopol [sivas'tɔpəli] *port în Crimeea*

seven ['sevən] **I** *num* şapte **II** *s* şapte; şeptar

sevenfold ['sevən,fould] *adj, adv* înşeptit

seven-leagued ['sevən,li:gd] *adj (în basme)* de şapte poşte

seven seas, the ['sevən ,si:z, ðə] *s pl* oceanele lumii

seventeen ['sevən'ti:n] *num* şaptesprezece

seventeenth ['sevən'ti:nθ] *num* al şaptesprezecilea

seventh ['sevənθ] **I** *num* al şaptelea **II** *s* **1** septime **2** *muz* septimă

seventhly ['sevənθli] *adv* în al şaptelea rând

seventieth ['sevəntiiθ] **I** *num* al şaptezecilea **II** *s* a şaptezecea parte

seventy ['sevənti] *num* şaptezeci

Seven Years' War, the ['sevən ,jə:z 'wɔ:, θə] *s* Războiul de 7 ani *(1756-1763)*

sever ['sevər] **I** *vt* **1** *şi fig* a despărţi, a separa; a dezbina; a rupe, a desface **2** a tăia, a reteza *(capul etc.)* **II** *vt* **(from)** a se despărţi, a se separa (de); a se desface (de)

severable ['sevərəbəl] *adj* separabil; divizibil

several ['sevrəl] **I** *adj* **1** mai mulţi *sau* mai multe; câţiva; diferiţi, diverşi; ~ **times** de mai multe ori, în mai multe rânduri **2** fiecare; diferit; separat; **the** ~ **episodes of the novel** fiecare din episoadele romanului **3** respectiv, corespunzător; **each went his** ~ **way** fiecare a pornit pe drumul lui **4** *jur (d. un bun etc.)* individual, particular, al său (propriu) **II** *pr* mai mulţi *sau* mai multe; ~ **of them** mai mulţi dintre ei, unii dintre ei

severalize ['sevərə,laiz] *vt* a separa, a despărţi; a distinge

severally ['sevrəli] *adv* (în mod)

separat; distinct; în parte; individual

severalty ['sevrəlti] *s* **1** caracter particular/individual, trăsătură/caracteristică particulară **2** *jur* proprietate individuală

severance ['sevərəns] *s* **1** despărţire, separare **2** tăiere, retezare **3** *ec* reziliere a contractului de muncă

severance pay ['sevərəns ,pei] *s ec* compensaţie pentru concediere

severe [si'viər] *adj* **1** sever, aspru; strict **2** *(d. o pierdere etc.)* serios, grav, greu **3** *(d. vreme etc.)* aspru; *(d. vânt etc.)* tăios; crunt, cumplit **4** *(d. stil etc.)* sever, sobru **5** *(d. o remarcă etc.)* tăios, sarcastic, caustic, muşcător, aspru

severily [si'viəli] *adv* **1** (în mod) sever, cu severitate/asprime, aspru **2** (în mod) grav, serios; ~ **ill** grav bolnav

severity [si'veriti] *s* **1** severitate, asprime **2** seriozitate, gravitate

Severn, the ['sevərn, ðə] *râu în Anglia*

Severus [si'viərəs], **Septimius** *împărat roman* Septimiu Sever *(193-211)*

Sevilla [sei'viljə] *oraş în Spania*

Seville [sə'vil] *v.* **Sevilla**

sew¹ [sou] *vt* a drena, a usca *(un iaz etc.)*

sew² [sou], *pret* **sewed** [soud], *ptc* **sewn** [soun] **I** *vt* **1** a coase; a prinde cu aţă; a coase la un loc **2** *poligr* a broşa **II** *vi* a coase, a lucra cu acul

sewage ['su:idʒ] *s* **1** canalizare, canal pentru ape uzate **2** ape menajere/uzate; murdărie; deşeuri

sewage farm ['su:idʒ ,fɑ:m] *s agr* câmp de irigaţie

sewer¹ ['souər] *s* cusător *sau* cusătoreasă

sewer² ['su:ər] *s* canal colector *(pt canalizare)*

sewerage ['su:əridʒ] *s constr* canalizare; lucrare de canalizare

sewing ['souiŋ] *s* **1** cusut, coasere **2** *text* aţă de cusut

sewing machine ['souiŋ mə'ʃi:n] *s* maşină de cusut

sewing needle ['souiŋ ,ni:dl] *s ac* de cusut

sewing thread ['souiŋ ,θred] *s* aţă de cusut

sewn ['soun] *ptc de la* **sew²**

sex [seks] *s* **1** sex **2 the** ~ ← *umor* femeile, sexul frumos **3** sexualitate; viaţă sexuală/amoroasă; probleme sexuale; preocupări de ordin sexual

sexagenarian [,seksədʒi'nɛəriən] *adj, s* sexagenar

Sexagesima [,seksə'dʒesimə] *s bis* a doua duminică înainte de postul Paştelui

sexagesimal [,seksə'dʒesiməl] *num* al şaizecilea

sex appeal ['seks ə'pi:l] *s* sex appeal, nuri, farmec

sexavalence [,seksi'veiləns] *s ch* hexavalenţă

sexed [sekst] *adj* sexuat, cu sex

sexennial [sek'seniəl] *adj* de şase ani; care are loc la şase ani

sexivalent [,seksi'veilənt] *adj ch* hexavalent

sexless [sekslis] *adj* **1** asexuat, fără sex **2** rece din punct de vedere sexual

sextain ['sekstein] *s metr* sextină, strofă de şase versuri

sextant ['sekstənt] *s nav* sextant

sextern ['sekstə:n] *s* şase foi de hârtie

sextet(te) [seks'tet] *s muz* sextet

sextodecimo [,sekstou'desi,mou] *s poligr* 16⁰; coală împăturită în 16

sextolet ['sekstou,let] *s muz* sextolet

sexton ['sekstən] *s* **1** paracliser **2** cioclu, gropar

sextuple ['sekstjupəl] *adj* sextuplu, înşesit, de şase ori mai mare

sexual ['seksjuəl] *adj* sexual

sexuality [,seksju'æliti] *s* **1** sexualitate **2** senzualitate

sexualize ['seksjuəlaiz] *vt* **1** a diferenţia ca sex **2** a acorda un sex *(obiectelor neînsufleţite)*

sexually ['seksjuəli] *adv* din punct de vedere sexual

sexy ['seksi] *adj* **1** *F* sexy, – erotic; excitant **2** *F* sexy, – cu sex appeal, *P→* cu vino-ncoace

Seychelles, the [sei'ʃel, ðə] *insule în Oceanul Indian*

Seym, the ['seim, ðə] *s* Seim, seimul polonez; d:əta poloneză

Seymour ['si:mɔ:r] *nume masc*

sez you! ['sez ,ju:] *P* haida-de! *F→* fugi de-aici! ei, cum de nu!

SF *presc de la* **science fiction**

sforzando [sfɔ:'tsɑ:ndou] *s, adj, adv muz* sforzando

s.g. *presc de la* **specific gravity**

sgd. *presc de la* **signed**

Sgt., sgt. *presc de la* **Sergeant**

Sgt. Maj. *presc de la* **Sergeant major**

sh. *presc de la* **1 shilling** *sau* **shillings 2 sheet**

sh(h) [ʃʃʃ] *interj* s(s)t!

shabbily [ˈʃæbili] *adv* **1** *(îmbrăcat etc.)* sărăcăcios; zdrenţăros **2** *(în mod)* meschin; zgârcit, cu zgârcenie

shabbiness [ˈʃæbinis] *s* **1** uzură, uzare, ponosire *(a hainelor)* **2** caracter sărăcăcios *sau* zdrenţăros *(al hainelor)* **3** dărăpănare **4** meschinărie; zgârcenie

shabby [ˈʃæbi] *adj* **1** *(d. haine)* uzat, ponosit; zdrenţăros **2** neîngrijit; lăsat în paragină; sărăcăcios **3** meschin; zgârcit **4** josnic, ticălos, murdar; urât

shabby-genteel [ˈʃæbidʒenˈtiːl] *adj* care încearcă să-şi ascundă sărăcia

shabby-looking [ˈʃæbiˌluːkiŋ] *adj* cu înfăţişare sărăcăcioasă

shabrack [ˈʃæbræk] *s* cioltar, harşa

shack [ʃæk] *s* cocioabă, colibă; bojdeucă; baracă

shackle [ˈʃækəl] **I** *s* **1** *tehn* cercel, brăţară, inel (de legătură), verigă **2** *met* eclisă **3** *pl* cătuşe **4** *pl fig* lanţuri; impedimente, piedici, restricţii **5** *nav* cheie (de lanţ) **II** *vt* **1** a pune cătuşe *(cuiva)*, a pune în cătuşe *(pe cineva)* **2** *fig* a încătuşa, a opri, a stânjeni

shack up [ˈʃæk ˈʌp] *vi cu part adv* ← F a trăi împreună, a convieţui *(fără să fie căsătoriţi)*

shad [ʃæd] *s şi ca pl iht* specii de scrumbie *(Alosa sp.)*

shadberry [ˈʃædbəri] *s bot* specie de păr pădureţ *(Amelanchier canadensis)*

shaddock [ˈʃædək] *s bot* un fel de grapefruit

shade [ʃeid] **I** *s* **1** umbră; răcoare; **to put into the ~** *fig* a pune în umbră, a umbri, a eclipsa **2** nuanţă; colorit; tentă **3** *fig* umbră; lucru ireal; spirit; iluzie; **among the ~s** *poetic* în împărăţia umbrelor **4** abajur **5** *fiz* degradare a culorii // **a ~ of** F un pic/o idee de, – puţin **II** *vt* **1** a umbri, a feri de lumină *(cu ajutorul perdelelor etc.);* **he ~d his eyes with his hand** îşi puse mâna streaşină la ochi **2** a pune la umbră/răcoare

3 a umbri, a învălui în umbră; a întuneca; a ascunde **4** *pict* a umbri; a haşura **III** *vi* a se nuanţa; a se schimba puţin *sau* treptat

shade away/down [ˈʃeid əˈwei/ˈdaun] *vi cu part adv* a se atenua; a se estompa

shaded [ˈʃeidid] *adj* **1** umbros; umbrit **2** cu abajur **3** întunecos; închis

shadeful [ˈʃeidful] *adj* umbros

shade into [ˈʃeid ˌintə] *vi cu prep* a-şi schimba nuanţa în

shadeless [ˈʃeidlis] *adj* **1** fără umbră; deschis; *(d. pălării)* fără boruri **2** inexpresiv; fără nuanţe, nenuanţat

shadelessness [ˈʃeidlisnis] *s* **1** lipsă (totală) de umbră **2** inexpresivitate; lipsă de nuanţe

shader [ˈʃeidə] *s* apărător, protector

shadiness [ˈʃeidinis] *s* caracter umbros *sau* tenebros

shading [ˈʃeidiŋ] *s* **1** umbrire **2** umbre **3** haşurare **4** retuşare; retuş **5** umbră, urmă; nuanţă

shading cone [ˈʃeidiŋ ˌkoun] *s astr* con de umbră

shadoof [ʃəˈduːf] *s arab* cumpănă *(de fântână)*

shadow [ˈʃædou] **I** *s* **1** umbră *(a unui obiect);* **to cast a ~** a da/a arunca umbră; **the ~s of night** umbrele nopţii; întuneric **2** *fig* umbră, duh, spirit; nălucă, fantomă; fantasmă **3** *fig* umbră; acolit **4** *fig* umbră, pic, F idee **5** *tel* pată **II** *vt* **1** *poetic* a umbri *(fericirea etc.);* – a întrista, a mohorî **2** a fila, a urmări pas cu pas, a spiona

shadow cabinet [ˈʃædou ˌkæbinit] *s pol* cabinet fantomă

shadow effect [ˈʃædou iˈfekt] *s fiz* efect de umbră

shadower [ˈʃædouə] *s* agent (secret), spion

shadowgraph [ˈʃædouˌgrɑːf] *s* **1** siluetă; umbră chinezească **2** *med* radiografie

shadowing [ˈʃædouiŋ] *s* **1** umbrire **2** eclipsă

shadowless [ˈʃædoulis] *adj* fără umbră; deschis, descoperit

shadow-proof [ˈʃædouˌpruːf] *adj* opac

shadow show [ˈʃædou ˌʃou] *s* umbre chinezeşti

shadow test [ˈʃædou ˌtest] *s med* skiascopie

shadowy [ˈʃædoui] *adj* **1** umbros; umbrit **2** întunecat, posomorât, ursuz **3** obscur, neclar, neînţeles; vag **4** închipuit, imaginat; iluzoriu

shady [ˈʃeidi] *adj* **1** umbros; umbrit; **on the ~ side of thirty** *fig* trecut de 30 de ani **2** *(d. o tranzacţie etc.)* tenebros, suspect, dubios, necurat **3** *(d. un ou)* stricat; clocit

shaft [ʃɑːft] *s* **1** mâner *(al unei unelte etc.);* coadă **2** săgeată **3** *fig* săgeată, ac; înţepătură, împunsătură **4** ← *înv* lance, suliţă **5** rază; scânteiere; sclipire; fulger; scăpărare **6** cabină *(de lift)* **7** hulubă **8** *tehn* osie, ax, arbore, fus, valţ **9** *tehn* stâlp, coloană; bară; trunchi **10** *min* puţ **11** *text* iţă

shaft horse [ˈʃɑːftˌhɔːs] *s* cal rotaş/ de hulube

shafting [ˈʃɑːftiŋ] *s* **1** *tehn* transmisie **2** *nav* linie de arbori **3** coloane ornamentale

shaftman [ˈʃɑːftmən] *s min* miner în frontul de înaintare

shafty [ˈʃɑːfti] *adj text (d. lână)* aspru

shag[1] [ʃæg] *s orn* cormoran moţat *(Phalacrocorax graculus)*

shag[2] *s* **1** ← *rar* păr aspru; blană aspră **2** stofă păroasă **3** tutun prost, mahorcă

shagged (out) [ˈʃægd(ˌaut)] *adj sl* frânt, stors

shagginess [ˈʃæginis] *s* caracter păros/hirsut

shaggy [ˈʃægi] *adj* **1** păros; miţos; flocos; hirsut **2** *(d. păr)* aspru; zburlit; ţepos **3** *(d. cineva)* nepieptănat **4** neîngrijit; sălbatic

shagreen [ʃæˈgriːn] *s* **1** (piele de) şagrin **2** *poligr* (hârtie) şagren

shah [ʃɑː] *s* şah *(al Iranului etc.)*

shaitan [ʃaiˈtɑːn] *s arab* **1** S~ Şaitan, Satan **2** drac, diavol **3** om hain **4** furtună de nisip

Shak. *presc de la* **Shakespeare**

shakable [ˈʃeikəbəl] *adj* **1** *(d. fructe)* gata să cadă **2** care poate fi convins *sau* înduplecat

shake [ʃeik] **I** *pret* **shook** [ʃuk], *ptc* **shaken** [ˈʃeikən] *vt* **1** a scutura; a zgâlţâi; a zgudui, a zdruncina; a agita *(un lichid etc.);* a clătina din *(cap);* **to ~ one's fist at smb** a arăta cuiva pumnul, a ameninţa pe cineva cu pumnul **2** *fig* a zdruncina *(credinţa etc.);*

a zgudui *(ţinutul etc.)*; a slăbi; a clătina *(convingeri etc.)* **3** a pune doage la *(un butoi)* **4** a agita *(sabia etc.)*, a roti **5** a strânge *(mâna)*, a apuca de *(mână)* **6** *fig* a zdruncina nervii *(cuiva)*; a demonta; a distruge *(pe cineva)*; a doborî **II** *(v. ~ I)* *vi* **1** a tremura; a se clătina, a se cutremura; a se zgudui; a se zgâlţâi; **my voice shook** îmi tremura vocea; **to ~ with cold** a tremura de frig **2** a vibra **3** a se clătina; a ameţi **4** a şovăi, a ezita **5** *muz* a face triluri **III** *s* **1** tremur(are); freamăt; **to have the ~s with a ~ in her voice** cu un tremur în glas/voce, cu o voce tremurată/tremurătoare **2** scuturătură; zgâlţâitură; zguduire, zguduitură, zdruncin(ătură); **he has a ~ ← F** sănătatea lui e zdruncinată **3** *muz* tril **4** shake *(dans)* **5** *pl F* scofală, brânză; **he's no ~s** nu e nimic de capul lui

shakedown ['ʃeik,daun] *s* **1** pat/culcuş improvizat **2** *amer* şantaj **3** *nav, av* probă finală, test final *(al navei sau avionului)*

shake down ['ʃeik 'daun] *vt cu part adv* **1** a scutura *(fructe din pom)* **2** a dărâma, a demola **3** *sl* a stoarce bani de la

shaken ['ʃeikən] *ptc de la* **shake I-II**

shake off ['ʃeik 'ɔ:f] *vt cu part adv* a se descotorosi/a se dezbăra de

shake out ['ʃeik 'aut] *vt cu part adv* a scoate, a da afară *(scuturând)*; a deşerta *(scuturând)*; a scutura *(un covor etc.)*

shaker ['ʃeikəʳ] *s* **1** *amer* tremurător, membru al sectei tremurătorilor; quaker **2** *tehn* scuturător; sită vibratoare **3** *text* maşină de scuturat **4** dispozitiv pentru prepararea cocktailurilor

Shakespeare ['ʃeikspiəʳ], **William** poet şi autor dramatic englez *(1564-1616)*

Shakespearean, Shakesperian [ʃeik'spiərən] *adj* shakespearian

Shakespeareanism, Shakespe-rianism [ʃeik'spiərənizəm] *s* **1** stil shakespearian **2** expresie shakespeariană

shake-up ['ʃeik,ʌp] *s amer* **1** scuturătură, scuturare **2** epurarea aparatului de stat **3** mutare,

transferare **4** improvizaţie

shake up ['ʃeik 'ʌp] *vt cu part adv* **1** a scutura, a clătina, a agita **2** a amesteca *(scuturând)* **3** *fig* a clătina; < a zgudui **4** *fig* a şoca; a supăra; a tulbura

shakily ['ʃeikili] *adv* **1** clătinân-du-se, nesigur **2** cu voce tremu-rată **3** cu o mână tremurătoare

shakiness ['ʃeikinis] *s* lipsă de stabilitate *sau* echilibru; tremur

shaking ['ʃeikiŋ] **I** *adj* tremurat; tremurător; tremurând; care se clatină; nesigur **II** *s* **1** tremur(are) *etc. (v.* shake **II)** **2** *med* friguri, malarie

shako ['ʃækou], *pl* **shako(e)s** ['ʃækouz] *s mil* chivără

Shaks. *prescurt de la* **Shakespeare**

shaky ['ʃeiki] *adj* **1** tremurat; tremu-rător **2** *(d. cineva)* neputincios, bicisnic; infirm, bolnav; slab; slăbit **3** instabil, nesigur; oscilant **4** *(d. un argument etc.)* şubred, care nu stă în picioare

shale ['ʃeil] *s* **1** *geol* marnă, şist argilos *sau* bituminos **2** *min* rocă argiloasă în lamele

shale oil ['ʃeil ,ɔil] *s* ulei (obţinut) din şist bituminos

shale rock ['ʃeil ,rɔk] *s geol* rocă şistoasă

shall [ʃæl *forma tare* ʃəl, ʃl, ʃə *forme slabe*], *pret şi cond prez* **should** [ʃud *forma tare*] **I** *v aux* **1** *(pt formarea viitorului I la pers I sg şi pl)* voi; vom; o/am să; o/avem să; **we ~ arrive in time** vom sosi/ o să ajungem la timp **2** *(în prop interog, pt formarea viitorului I la pers II sg şi pl)* vei; veţi; o/am să; o/aveţi să; *(posibil şi la persoana I sg şi pl)* voi; vom; o/am să; o/ avem să; **~ we be back at seven?** ne vom întoarce/o să ne întoarcem la şapte? **~ you be staying there for a long time?** vei sta/o să stai/ai să stai/rămâi acolo mult timp? **3** *(pt formarea viitorului II, la pers I sg şi pl)* voi; vom; **I ~ have returned** mă voi fi întors **II** *v aux-modal (pt formarea viitorului, pers II şi III sg şi pl, exprimând necesitatea, obli-gaţia, caracterul legic etc. sau promisiunea din partea vorbi-torului)* (categoric) vei; o/ai să; (categoric) va; o/are să; (cate-goric) veţi; o/aveţi să; (categoric)

vor; o/au să; **he ~ not catch me** n-o să mă prindă (te asigur)! **the boy ~ have the toy** băiatul (îţi promit, te asigur) va primi/căpăta jucăria; **they ~ be told about it** li se vor aduce la cunoştinţă acestea (negreşit) **III** *v modal* **1** *(în prop enunţiative, ← înv, rar, sau în texte cu caracter juridic, statute, proclamaţii etc.)* trebuie; *(adesea, nu se traduce, redân-du-se prin viitor);* **thou shalt not steal** *bibl* să nu furi; **thou shalt believe in Milton** (trebuie) să credeţi în Milton; **the fine ~ not exceed one pound** amenda nu va depăşi o liră **2** *(în prop interog ↓ la pers I sg şi pl)* să; trebuie să; **~ I open the window?** (trebuie) să deschid fereastra?

shallop ['ʃæləp] *s* luntre; barcă; şalupă

shallot [ʃə'lɔt] *s bot* şalotă, hasme *(Allium ascalonicum)*

shallow ['ʃælou] **I** *adj* **1** *(d. un râu etc.)* puţin adânc; mic **2** *fig* superficial, de suprafaţă, fără adâncime; gol; deşert **II** *s pl* loc puţin adânc; vad

shallow-brained ['ʃælou,breind] *adj (d. cineva)* superficial, limitat, mărginit; de nimic

shallow-hearted ['ʃælou,ha:tid] *adj* **1** *v.* **shallow-brained 2** *(d. cine-va)* aspru; fără inimă; nesimţitor

shallowly ['ʃælouli] *adv* cu super-ficialitate, (în mod) superficial

shallowness ['ʃælounis] *s* **1** lipsă de adâncime **2** *fig* lipsă de adân-cime/profunzime, superficialitate

shalt ['ʃælt] *înv pers II sg prez de la* **shall**

shaly ['ʃeili] *adj geol* şistos, argilos

sham [ʃæm] **I** *adj* **1** prefăcut, simu-lat; fictiv; împrumutat **2** fals, calp, imitat, contrafăcut; falsificat; **~ diamond** diamant fals **II** *vt* **1** a simula *(boala etc.);* **to ~ illness** a simula o boală, a face pe bolnavul, a se preface bolnav **2** a imita, a maimuţări **III** *vi* a simula, a se preface **IV** *s* **1** simulare; impostură, înşelă-ciune, ipocrizie **2** (om) făţarnic, prefăcut; pungaş, escroc **3** *amer* agent (de poliţie)

shaman ['ʃæmən] *s rel* şaman

shamanism ['ʃæmənizəm] *s rel* şamanism

shamble ['ʃæmbəl] I *vi* a merge târșâind picioarele II *s* (mers) târșâit

shambles ['ʃæmbəlz] *s pl și ca sg* 1 abator, za(l)hana 2 *fig* măcel; teatru al/scenă a unui măcel

shame [ʃeim] I *s* 1 rușine, pudoare, simțul rușinii/pudoarei; **I take ~ to say that** îndrăznesc să spun că 2 rușine, ocară; necinste; pată (rușinoasă); **for ~! ~ on you!** (să vă fie) rușine! **it is a ~ that** este o rușine ca/să; **to put to ~ a** a face de ocară/rușine **b** *fig* a pune în umbră, a eclipsa; **to cry ~ on/ upon** a ocărî, a face de ocară *(pe cineva)* II *vt* 1 a rușina, a face să roșească de rușine 2 a face de rușine/ocară 3 a necinsti, a pângări; a profana III *vr* a se rușina, a-i fi rușine

shamefaced ['ʃeim‚feist] *adj* 1 rușinos; sfios; modest; timid 2 rușinat 3 ← *poetic* modest; discret; rezervat

shamefacedly [ʃeim'feisidli] *adv* rușinat; rușinos

shamefacedness [ʃeim'feisidnis] *s* rușine (↓ falsă); sfială; timiditate

shameful ['ʃeimful] *adj* rușinos; infam; condamnabil, reprobabil; odios; scandalos

shamefully ['ʃeimfuli] *adv* (în mod) rușinos, scandalos

shamefulness ['ʃeimfulnis] *s* rușine; infamie

shameless ['ʃeimlis] *adj* nerușinat, neobrăzat, fără rușine

shamelessly ['ʃeimlisli] *adv* (în mod) nerușinat, fără rușine

shamelessness ['ʃeimlisnis] *s* nerușinare, neobrăzare

shammer ['ʃæmə'] *s* simulant, prefăcut, ipocrit; farsor

shammy ['ʃæmi] *s* piele de capră neagră, șamoa

shampoo [ʃæm'pu:] I *s* 1 șampon *(săpun lichid sau praf)* 2 spălatul capului II *vt* a spăla cu șampon

shamrock ['ʃæm‚rɔk] *s bot* 1 trifoi alb *(Trifolium repens) (este emblema Irlandei)* 2 trifoi mărunt *(Medicago lupulina)* 3 măcrișul iepurelui *(Oxalis acetosella)*

Shanghai ['ʃæŋhai] oraș în R.P. Chineză

shank [ʃæŋk] *s* 1 picior; gambă; tibie, fluierul piciorului; **on ~'s mare** *F* apostolește, – pe jos 2

bot tulpină, tijă; codiță *(de floare)* 3 mâner *(de unealtă); (de lingură etc.)* 4 *poligr* corp de literă

shank bone ['ʃæŋk ‚boun] *s anat* tibie

shanker ['ʃæŋkə'] *s med* șancru

shank's pony ['ʃæŋks ‚pouni] *s:* **to use ~** *F* a merge apostolește/– pe jos

Shannon, the ['ʃænən, ðə] râu în Irlanda

Shansi ['ʃæn'si:] provincie în R.P. Chineză Șansi

shan't [ʃɑ:nt] *presc F de la* **shall not**

Shantung ['ʃæn'tʌŋ] *s* 1 provincie și peninsulă în R.P. Chineză San-Tung 2 *s~ text* șantung

shanty¹ [ʃænti] *s* cocioabă, bordei

shanty² *s* cântec marinăresc

shape [ʃeip] I *s* 1 formă; chip; configurație; conformație; figură; **to put/to get smth into ~** a aranja *sau* a organiza ceva cum trebuie; **to put/to get smth out of ~** a strica ceva; a strica forma *cu gen;* **to take ~** a căpăta formă *sau* contur; a se contura; a se concretiza, a se materializa; a prinde viață; **the island was square in ~** insula avea o formă pătrată 2 *fig* chip, formă, imagine 3 model; mostră; tipar 4 *fig* aspect, înfățișare; ținută; **straight to the ~** *(d. o haină)* (exact) pe măsură II *vt* 1 a da o formă *(cu dat);* a modela 2 a inventa, a născoci; a produce; a da naștere *(cu dat sau* la) 3 a aranja, a (o)rândui, a așeza, a pune în ordine 4 a îndrepta, a dirija; **to ~ one's course to** a se îndrepta/a se duce spre/către/la 5 ← *înv* a zămisli, a crea, a făuri III *vi* 1 ← *înv* a se potrivi, a fi potrivit/bun/ nimerit 2 *fig* a prinde viață; a se contura; a se dezvolta

shapeless ['ʃeiplis] *adj* 1 fără formă, inform; diform 2 amorf

shapelessness ['ʃeiplisnis] *s* 1 lipsa oricărei forme; urâțenie 2 diformitate

shapeliness ['ʃeiplinis] *s* frumusețe *(a unei forme etc.);* grație; simetrie

shapely ['ʃeipli] *adj* bine propor-ționat *sau* legat; simetric; armo-nios; frumos; plăcut

shard¹ [ʃɑːd] *s ent* elitră

shard² *s* ciob, hârb; fărâmă

share¹ [ʃɛə'] *s agr* brăzdar, fier lat

share² I *s* 1 parte; porțiune; partici-pare; contribuție; aport; **to go ~s** a împărți în mod egal; **you are not taking much ~ in the con-versation** nu prea iei parte la conversație; **his ~ of the work** partea lui de muncă, contribuția lui (la muncă); **you must take your ~ of the blame** ai și tu partea ta de vină 2 *ec* acțiune; cotă-parte II *vt* 1 a împărți, a divide, a diviza; a distribui 2 **(with)** a împărți (cu); a împărtăși (cu); a se bucura de *(ceva)* (cu)

share bone ['ʃɛə ‚boun] *s anat* osul pelvian

share cropper ['ʃɛə ‚krɔpə'] *s amer agr* dijmaș

shareholder ['ʃɛə‚houldə'] *s ec* acționar

share-out ['ʃɛə‚aut] *s* împărțire (a câștigului)

share out ['ʃɛə' 'aut] *vt cu part adv* a împărți, a distribui

shark [ʃɑːk] I *s* 1 *iht* rechin *(Sela-choidei sp.)* 2 *fig* rechin, om rapace; tâlhar, bandit 3 *amer sl* cunoscător, expert II *vt* 1 a devora, a înghiți 2 ← *înv* a fura; a escroca III *vi* a face escrocherii

shark on/upon ['ʃbk ɔn/ə‚pɔn] *vi cu prep F* a suge *(pe cineva),* – a stoarce, a jecmăni *(pe cineva)*

sharkskin ['ʃɑːk‚skin] *s* 1 piele de rechin 2 (piele de) șagrin

sharp [ʃɑːp] I *adj* 1 ascuțit, tăios 2 *fig* ascuțit, tăios, incisiv, mușcător; ironic; sarcastic; usturător, înțepă-tor 3 *fig* precis, exact 4 *(d. o pantă etc.)* brusc, abrupt 5 *(d. gust)* iute, picant; acru 6 *(d. sunete)* ascuțit, pătrunzător, strident 7 *(d. simțuri, intelect etc.)* fin, pătrunzător; ager 8 *(d. cineva)* abil; șiret; < șme-cher, viclean 9 *(d. o acțiune)* ne-cinstit, de pungaș/escroc 10 *(d. caracterul cuiva)* iute, aprins 11 *(d. o luptă etc.)* aprig, crunt, crâncen 12 energic, viguros 13 *fon* surd; mut 14 *muz* diez; înalt 15 *poligr* clar 16 *(d. lucru)* făcut repede/la iuțeală II *s* 1 *muz* diez 2 *sl* cotcar, tâlhar, escroc III *adv* 1 *(la ora ...)* precis, fix, exact 2 brusc, dintr-odată; subit // **look ~! a** fii cu ochii în patru! **b** (mai) iute/ repede! IV *vt* 1 *muz* a ridica tonul *(unei note etc.)* 2 *sl* a potlogări, a pungăși, – a înșela

sharp-cornered ['ʃɑːp,kɔːnəd] *adj* cu vârfuri/colțuri ascuțite

sharp-cut ['ʃɑːp,kʌt] *adj* limpede, clar, distinct

sharp-edged ['ʃɑːp'edʒd] *adj* (cu tăișul) ascuțit; tăios

sharpen ['ʃɑːpən] **I** *vt* **1** a ascuți; a ascuți vârful *(cu gen);* a da la tocilă **2** *fig* a ascuți *(contradicțiile etc.),* a spori; a înrăutăți **3** *fig* a ascuți *(mintea etc.);* a face mai ager **II** *vi* și *fig* a se ascuți

sharpener ['ʃɑːpnə'] *s* **1** ascuțitor, tocilar **2** *tehn* mașină de ascuțit; tocilă **3** ascuțitoare *(de creion)*

sharper ['ʃɑːpə'] *s* **1** trișor, jucător *(de cărți)* necinstit; pungaș, escroc

sharp-eyed ['ʃɑːp,aid] *adj* cu ochi(i) ageri, cu vederea pătrunzătoare

sharply ['ʃɑːpli] *adv* **1** aspru, cu asprime; tăios **2** (în mod) clar, distinct **3** brusc, pe neașteptate

sharpness ['ʃɑːpnis] *s* **1** ascuțime, caracter ascuțit/tăios **2** asprime, severitate; duritate; caracter tăios **3** exactitate, precizie **4** durere ascuțită/acută **5** agerime, perspicacitate **6** dibăcie, abilitate **7** ascuțiș, tăiș **8** *tel* claritate *(a imaginii)*

sharp-nosed ['ʃɑːp,nouzd] *adj* **1** cu nasul ascuțit **2** cu nasul/mirosul fin **3** șicanator; critic

sharp-set ['ʃɑːp,set] *adj* **1** lacom; flămând, < hămesit **2** bine ascuțit **3** *tel* reglat *(sub raportul clarității)* **4** *polig* reglat la clar

sharp-sighted ['ʃɑːp,saitid] *adj* **1** *v.* **sharp-eyed 2** perspicacitate

Shatt-al-Arab, the ['ʃætæl'ærəb, ðə] *fluviu în Asia* Șatt el Arab

shatter ['ʃætə'] **I** *vt* **1** a sfărâma, a fărâmița, a zdrobi **2** *fig* a distruge *(sănătatea etc.),* a nimici, a ruina; a zdruncina *(nervii);* a nărui, a spulbera *(speranțe etc.)* **II** *vi* a se sfărâma, a se strica; a se distruge

shatter-brained ['ʃætə,breind] *adj* **1** nebun, țicnit **2** nebunesc, nesăbuit

shattering ['ʃætəriŋ] *adj* **1** cutremurător; zdrobitor; dărâmător **2** strident; asurzitor

shave [ʃeiv] **I** *ptc* și **shaven** ['ʃeivən] *vt* **1** a rade, a bărbieri **2** a tăia barba *(cuiva)* **3** a tăia, a reteza; a tunde **4** a răzui **5** ← *F* a reduce puțin *(prețuri)* **II** *(v. ~* **I)** *vr* a se

rade, a se bărbieri **III** *(v. ~* **I)** *vi* **1** *v. ~* **II 2** a trece foarte aproape *(fără să atingă)* **IV** *s* **1** ras, bărbierit **2** apropiere; **to have a close/narrow ~** a scăpa ca prin urechile acului; a fi la un pas de ceva; **he won by a close ~** a câștigat la limită **3** brici; lamă de ras **4** *tehn* răzuitoare; cuțitoaie

shaveling ['ʃeivliŋ] *s* ← *peior* **1** călugăr *sau* preot ras *(complet sau parțial)* **2** tânăr

shaven ['ʃeivən] **I** *ptc de la* **shave I-III II** *adj* tuns

shaver ['ʃeivə'] *s* **1** bărbier, frizer **2** pehlivan, șmecher; escroc **3** *rar* imberb; – tânăr; băiat **4** aparat de ras; brici

Shavian ['ʃeiviən] **I** *adj* caracteristic pentru G.B. Shaw **II** *s* discipol *sau* admirator al lui G.B. Shaw

shaving ['ʃeiviŋ] *s* **1** ras, bărbierit **2** așchie; surcea

shaving brush ['ʃeiviŋ,brʌʃ] *s* pămătuf de ras/bărbierit

shaving cream ['ʃeiviŋ,kriːm] *s* cremă de ras

shaw [ʃɔː] *s* ← *înv, poetic* desiș, hățiș

Shaw, George Bernard *autor dramatic irlandez (1856-1950)*

shawl [ʃɔːl] *s* șal; eșarfă; broboadă

shawm [ʃɔːm] *s od un fel de* oboi

shay [ʃei] *s ↓ amer* ← *F* trăsură

she [ʃiː] **I** *pr* **1** ea; dânsa **2** *(cu un pr relativ)* cea care; **~ that is coming** cea care vine **II** *s* **1** fată; femeie; **is the child a he or a ~?** copilul e băiat sau fată? **~ of the fair hair** fata *sau* femeia *sau* cea cu părul blond **2** *zool* femelă

she- *semiprefix (indică sexul feminin):* **~-bear** ursoaică; **~-devil** diavoliță

sheaf [ʃiːf], *pl* **sheawes** [ʃiːvz] *s* **1** *agr* snop; legătură; mănunchi **2** mănunchi; legătură; teanc; pachet **3** *mil* snop

shear [ʃiə'] **I** *pret înv* **shore** [ʃɔː'], *ptc* și **shorn** [ʃɔːn] *vt* **1** a tunde *(cu foarfecele),* a tăia, a reteza **2** a tăia părul, lâna *etc.* de pe **3** *tehn* a mărgini, a tivi **II** *s* **1** tuns(oare); tundere **2** *min* forfecare

shearer ['ʃiərə'] *s* **1** tunzător *(de oi)* **2** *tehn* foarfece mecanic

shear legs ['ʃiə,legz] *s* **1** *constr* capră, trepied **2** *nav* bigă improvizată, capră

shearling ['ʃiəliŋ] *s* oaie care a fost tunsă o dată; cârlan

shear of ['ʃiərəv] *vt cu prep* a lipsi/a priva de *(un drept etc.)*

shears ['ʃiəz] *s pl* **1** foarfece *(mare);* foarfece de tuns **2** *constr* capră, trepied

she-ass ['ʃiː,æs] *s zool* măgăriță

sheat fish ['ʃiːt,fiʃ] *s iht* somn *(Silurus glanis)*

sheath [ʃiːθ], *pl* **sheaths** [ʃiːðz] **I** *s* **1** teacă; toc; cutie **2** *anat* membrană; înveliș **3** *tehn* husă; manta, înveliș; manșon; cămașă **4** înveliș, pătură, strat **5** prezervativ **II** *vt v.* **sheathe**

sheathe [ʃiːð] *vt* **1** a vârî/a băga în teacă *(sabia etc.);* a băga în toc *sau* cutie **2** *tehn* a acoperi, a căptuși; a înveli; a placa

sheathing ['ʃiːðiŋ] *s* **1** *constr* podea, dușumea **2** *el* armare **3** *tehn* căptușire; acoperire **4** *tehn* cămașă

sheath knife ['ʃiːθ,naif] *s* cuțit *(cu lamă fixă)* purtat în teacă

sheave [ʃiːv] *s tehn* **1** scripete **2** roată de cablu

sheave hole ['ʃiːv,houl] *s nav* ferestruică

Sheba ['ʃiːbə] *regat antic* Saba

shebang [ʃi'bæŋ] *s F* chestie, afacere, treabă; – situație

she-bear ['ʃiː,bɛə'] *s* ursoaică

shebeen [ʃə'biːn] *s scot, irl* cârciumă clandestină

she-cat ['ʃiː,kæt] *s* pisică, mâță

shed¹ [ʃed] *s* **1** șopron, șură; magazie; remiză; baracă **2** staul **3** atelier **4** *av* hangar **5** *el* izolator-clopot **6** *text* rost

shed², *pret* și *ptc* **shed** [ʃed] **I** *vt* **1** a vărsa *(lacrimi etc.),* a lăsa să cadă **2** a pierde *(dinți, părul etc.),* a lepăda **3** *fig* a revărsa *(lumină etc.),* a emana, a răspândi, a iradia **II** *vi* **1** *(d. frunze etc.)* a cădea **2** *(d. un animal)* a năpârli; a-i cădea părul

she'd [ʃiːd] *contras din* **1 she would 2 she had**

she-devile ['ʃiː,devəl] *s* diavoliță, drăcoaică

she-elephant ['ʃiː,elifənt] *s* femelă de elefant

sheen [ʃiːn] *poetic* **I** *s* **1** strălucire; sclipire; lucire, luciu **2** îmbrăcăminte bogată, straie bogate **II** *adj* strălucitor; nespus de frumos

sheeny ['ʃiːni] *adj* strălucitor; lucitor; scânteietor

sheep [ʃiːp] *s și ca pl* 1 oaie; **to cast/to make ~'s eyes at smb** a se uita galeș la cineva, a face ochi dulci cuiva; **black ~** *fig F* oaie neagră; **the ~ and the goats** *fig* oile și caprele; **(smb) may/might as well be hanged for a ~ as a lamb** *F* tot un drac, dă-i drumul *(de vreme ce pedeapsa nu face deosebiri între infracțiuni)* 2 *text* oaie 3 *fig* persoană sfioasă/timidă/rușinoasă *sau* supusă/ascultătoare 4 *pl fig* turmă, enoriași, parohieni

sheepberry ['ʃiːp,beri] *s bot* călin *(Viburnum opulus)*

sheep breeding ['ʃiːp 'briːdiŋ] *s* creșterea oilor, ovicultură

sheep cheese ['ʃiːp ,tʃiːz] *s* brânză de oaie

sheep cote ['ʃiːp ,kout] *s* stână, târlă

sheep dog ['ʃiːp ,dɔg] *s* câine ciobănesc, dulău (de stână)

sheep farming ['ʃiːp ,faːmiŋ] *s v.* **sheep breeding**

sheepfold ['ʃiːp,fould] *s* stână, târlă; țarc

sheepish ['ʃiːpiʃ] *adj* 1 sfios, timid, rușinos; fricos 2 prostuț, bleg

sheepishly ['ʃiːpiʃli] *adv* 1 sfios, timid, cu sfială/timiditate; cu frică 2 prostește, ca un prost

sheepishness ['ʃiːpiʃnis] *s* 1 sfială, sfiiciune, timiditate, rușinare; frică 2 înfățișare de om prost/bleg

sheep leather ['ʃiːp ,leðəʳ] *s* șevretă

sheepman ['ʃiːpmən] *s* 1 crescător *sau* negustor de oi 2 ← *înv* cioban, păstor; baci

sheep run ['ʃiːp,rʌn] *s* pășune (întinsă) pentru oi

sheepshank ['ʃiːp,ʃænk] *s nav* picior de câine *(nod)*

sheepskin ['ʃiːp,skin] *s* 1 piele de oaie 2 pergament *(din piele)*

sheep walk ['ʃiːp 'wɔːk] *s v.* **sheep run**

sheer¹ [ʃiəʳ] I *vi* 1 a devia, a se abate 2 *nav* a se legăna, a se clătina 3 a se încovoia II *s* 1 deviere, abatere 2 *nav* selatură 3 *nav* ambardee; evitare; evitare pe ancoră 4 curbură, încovoiere

sheer² I *adj* 1 *text* transparent; diafan 2 curat, pur; nediluat 3 absolut, complet, total 4 vertical; perpendicular; abrupt; râpos II *adv* 1 perpendicular; vertical 2 complet(amente), cu desăvârșire, perfect, absolut

sheers [ʃiəz] *s pl nav* bigă improvizată

sheet¹ [ʃiːt] *s nav* velă, pânză; școtă; **a ~ in/to the wind** *F* afumat, – amețit; **three ~s in/to the wind** *F* beat turtă/criță/–mort

sheet² I *s* 1 cearșaf; **(as) white as a ~** alb ca varul; **between the ~s** culcat (în pat), în pat; **to stand in a white ~** *fig* a se recunoaște vinovat, a-și recunoaște vinovăția *(în public);* a-și pune cenușă în cap 2 foaie (de hârtie), coală (de hârtie) 3 *tehn* pânză; strat; pătură; înveliș; placă 4 *tehn* schemă; diagramă; tabel 5 *met* foaie de tablă *(subțire)* 6 perdea *(de apă, fum etc.)* II *vt* 1 a acoperi cu un cearșaf 2 a întinde un strat *(de vopsea etc.)* peste 3 *tehn* a înveli; a placa

sheet anchor ['ʃiːt ,ænkəʳ] *s* 1 *nav* ancoră de siguranță/rezervă 2 *fig* ancoră de salvare; ultima speranță; unica speranță

sheet bend ['ʃiːt ,bend] *s nav* nod de școtă (simplu)

sheeted ['ʃiːtid] *adj* 1 acoperit cu un cearșaf *sau* giulgiu *sau* o husă 2 întins (ca un cearșaf) 3 *fig* continuu, neîntrerupt

sheeting ['ʃiːtiŋ] *s* 1 *met* îmbrăcăminte de tablă 2 *hidr* blindaj *(la galerii)* 3 *poligr* intercalare de maculatură

sheet iron ['ʃiːt ,aiən] *s met* tolă, tablă de metal

sheet lighting ['ʃiːt ,laitiŋ] *s meteor* fulger de căldură; fulger îndepărtat

sheet metal ['ʃiːt ,metəl] *s met* tablă

sheet music ['ʃiːt ,mjuːzik] *s* partituri pe foi volante

sheet pile ['ʃiːt ,pail] *s constr* palplanșă

she-fox ['ʃiː ,fɔks] *s* vulpe *(femelă)*

she-goat ['ʃiː,gout] *s zool* capră

sheik(h) [ʃeik] *s* șeic

Sheila ['ʃiːlə] *nume fem v.* **Cecilia**

shekels ['ʃekəlz] *s pl umor* gologani, – bani

sheldrake ['ʃel,dreik] *s orn* gâscă de peșteră *(Todorna vulpansea)*

shelf [ʃelf] *s* 1 raft, poliță; etajeră; stelaj; **to put on the ~ a** a pune la dosar/index **b** *fig* a trece pe linie moartă **c** *fig* a da afară, a concedia; a pensiona, a scoate la pensie 2 stâncă; prag; recif 3 *geol* rocă din culcuș; zonă terigenă; platformă continentală

shell [ʃel] I *s* 1 scoarță, coajă, înveliș; crustă; găoace; cochilie; valvă; țeastă; carapace 2 scoică 3 *ent* elitră 4 *fig* loc/punct vulnerabil 5 *met* carcasă/înveliș de tablă; strat; pojghiță; peliculă 6 *mil* obuz; șrapnel 7 *nav* corp de navă, cocă 8 *nav* pește de loh 9 *fiz* strat, pătură 10 *tehn* teacă; manta 11 *el* cuvă 12 *sport* schif II *vt* 1 a (des)coji, a curăța de coajă; a dezghioca, a decortica 2 *mil* a bombarda; a supune tirului artileriei III *vt, vi, vr* a se coji; a se jupui; a se dezghioca; *(d. coajă etc.)* a se desprinde, a cădea

she'll [ʃiːl] *contras din* 1 she will 2 she shall

shellac(k) [ʃə'læk] I *s* șe(r)lac II *vt* a acoperi *sau* a trata cu șe(r)lac

shellback ['ʃel,bæk] *s nav* lup de mare, marinar cu experiență

shelldrake ['ʃel,dreik] *s v.* **sheldrake**

Shelley ['ʃeli], **Percy Bysshe** *poet englez (1792-1822)*

shell fire ['ʃel ,faiəʳ] *s mil* bombardament de artilerie

shell fish ['ʃel ,fiʃ] *s zool* 1 crustaceu 2 testaceu

shelling ['ʃeliŋ] *s* 1 cojire; descojire; decorticare 2 ↓ *pl* coajă; coji; pleavă 3 *pl* boabe *sau* semințe decorticate/curățate 4 culegerea scoicilor 5 *mil* bombardament de artilerie *sau* aruncătoare

shell out ['ʃel'aut] *vt cu part adv F* a ieși cu *(banii)*, a scoate *(banii)* pe masă, – a plăti

shell-proof ['ʃel,pruːf] *adj* blindat; apărat împotriva obuzelor

shell-shaped ['ʃel,ʃeipt] *adj* concoidal, în formă de scoică

shell shock ['ʃel ,ʃɔk] *s med* șoc cauzat de o explozie; contuzie cauzată de suflul unei explozii

shell-shoked ['ʃel,ʃɔkt] *adj met* contuzionat de suflul unei explozii

shell snail ['ʃel ,sneil] *s zool* 1 moluscă *(terestră)* 2 ← *F* melc

shelly ['ʃeli] *adj* 1 *(d. un teren)* cu (< multe) scoici 2 ca scoica; ca de scoică

shelter ['ʃeltə'] **I** s **1** adăpost, acoperiș; ascunziș, refugiu, loc ferit; azil **2** apărare, protecție **3** umbrar; șopron; paravan **4** agr șură, grânar **II** vt **1** a oferi adăpost (cu dat), a adăposti; a apăra, a proteja, a feri **2** a găzdui; a da casă (cuiva) **III** vi a se adăposti; a se ascunde

shelter belt ['ʃeltə ˌbelt] s **1** silv perdea de protecție **2** meteor paravânt

sheltered ['ʃeltəd] adj **1** adăpostit, apărat **2** com protecționist

shelterless ['ʃeltəlis] adj lipsit de/ fără adăpost

shelter pit ['ʃeltə ˌpit] s mil adăpost individual

shelve [ʃelv] **I** vt **1** a pune/a așeza pe raft/poliță **2** fig a pune la dosar (un plan etc.); a amâna (o discuție etc.) **3** fig a destitui, a concedia, a da afară; a suspenda din serviciu **4** a prevedea cu rafturi/ polițe **II** vi a se înclina sau a se povârni lin/treptat

shelving ['ʃelviŋ] s rafturi, polițe; stelaj

shelvy ['ʃelvi] adj **1** cu bancuri și recife **2** ieșit în afară; care atârnă

Shem [ʃem] nume bibl Sem

Shemite ['ʃemait] s semit, evreu

Shemitic [ʃə'mitik] adj semit(ic)

she-monkey ['ʃiː ˌmʌŋki] s maimuță (femelă)

Shenandoah, the [ˌʃenən'douə, ðə] râu în S.U.A.

Shen-si ['ʃen'siː] provincie în R.P. Chineză Șensi

sheol ['ʃiːoul] s tărâm de jos; iad (la evrei)

shepherd ['ʃepəd] **I** s **1** cioban, păstor; mocan; baci **2** câine ciobănesc **3** fig păstor (spiritual), preot; față duhovnicească **II** vt a paște (oile), a păstori (turma)

shepherd dog ['ʃepəd ˌdɔg] s câine ciobănesc

shepherdess ['ʃepədis] s ciobăniță, păstoriță

shepherd's knot ['ʃepədz ˌnɔt] s bot sclipeți (Potentilla tormentilla)

shepherd's pie ['ʃepədz ˌpai] s musaca de cartofi

shepherd's purse ['ʃepədz ˌpəːs] s bot traista ciobanului (Capsella bursa-pastoris)

Sheraton ['ʃerətən] adj (d. mobilă) stil Sheraton (în Anglia, pe la 1800)

sherbet ['ʃəːbət] s **1** suc de fructe (rece) **2** șerbet

sherd [ʃəːd] s v. **shard²**

sheriff ['ʃerif] s **1** șerif, aprox prefect **2** scoț jur prim-președinte (al unui comitat) **3** amer șef de poliție (al unui district)

sheriffdom ['ʃerifdəm] s funcția de sheriff

sherry ['ʃeri] s vin de Xeres

sherry cobbler ['ʃeri ˌkɔblə'] s băutură din vin de Xeres, lămâie și zahăr

she's [ʃiːz] contras din **1** she is **2** she has

Shetland ['ʃetlənd] s **1** insulele Shetland **2** lână de Shetland

shew [ʃou], pret **shewed** [ʃoud], ptc **shewn** [ʃoun] vt, vr, vi v. **show I-III**

shewn [ʃoun] ptc de la **shew**

shibboleth ['ʃibəˌleθ] s **1** bibl șibbolet **2** semn distinctiv **3** parolă, lozincă **4** obicei caracteristic/specific

shield ['ʃiːld] **I** s **1** mil scut; **the other side of the** ~ fig reversul monedei; celălalt aspect al chestiunii/problemei **2** fig scut; apărător **3** tehn scut; ecran; paravan; armătură; blindaj **4** fot, tel diafragmă **II** vt **1** a apăra, a feri, a proteja **2** a ascunde, a tăinui **3** tehn a ecrana; a blinda

shield bearer ['ʃiːld ˌbɛərə'] s od scutier

shield drake ['ʃiːld ˌdreik] s v. **sheldrake**

shier ['ʃaiə'] s cal sperios

shift [ʃift] **I** vt **1** a (stră)muta, a schimba, a transfera; a deplasa; a întoarce; a schimba direcția (cu gen); a comuta; **to** ~ **one's lodging** a-și schimba locuința/ domiciliul, a se muta; **to** ~ **the sails** nav a schimba direcția pânzelor; **to** ~ **the blame** a da vina pe altul, a arunca vina asupra cuiva; **to** ~ **one's ground** fig a-și schimba atitudinea (într-o discuție etc.); **he** ~ed **his attention to other matters** își îndreaptă atenția spre alte probleme; **to** ~ **gears** auto a schimba viteza; **to** ~ **the scene** teatru a schimba decorul; **don't try to** ~ **the responsability on to me** nu căuta să arunci responsabilitatea asupra mea **2** sl F a face felul (cuiva),

– a omorî, a ucide **3** a schimba, a înlocui **4** bot a transplanta; a răsădi **5** a schimba (hainele) **6** F a linge (tot ce este în farfurie, paharul etc.), – a mânca sau a bea (tot ...) **III** vi **1** a-și schimba locul, domiciliul etc., a se muta; a se strămuta; a se deplasa; a se transfera; a se mișca; a se întoarce, a se înturna **2** a (se) feri, a se da în lături/într-o parte **3** auto a schimba viteza **4** (d. o scenă etc.) a se schimba **5** (d. vânt etc.) a-și schimba direcția **6** a o scoate la capăt; a se descurca; **to** ~ **for a living** a-și câștiga existența; **to** ~ **for oneself** a-și purta singur de grijă, a-și câștiga singur existența, a se descurca cum poate **7** ← înv a-și schimba hainele, a se schimba **III** s **1** schimbare; mutare; deplasare; **a** ~ **in emphasis** o schimbare de accent **2** schimb (al muncitorilor); **to work in** ~s a lucra în schimburi; **on the night** ~ în schimbul de noapte **3** pretext, subterfugiu, chichiță; scuză; **for a** ~ drept scuză/pretext **4** expedient; rezolvare; mijloc, mod, metodă; **to make** ~ a se descurca (cumva); a se strădui; a se zbate; **to make** ~ **with anything a** a se împăca cu orice **b** a se descurca în orice situație, a ști să iasă cu bine din orice încurcătură; **to put smb to** ~ a vârî pe cineva în încurcătură/ F→ belea **5** truc, șiretlic; viclenie; tertip, chițibuș; **to know smb's** ~s a cunoaște tertipurile cuiva **6** lingv mutație consonantică; schimbare fonetică **7** ← înv cămașă de noapte (pentru femei)

shift about ['ʃift ə'baut] vi cu part adv a-și schimba locul întruna

shift bar ['ʃift ˌbaː'] s auto tijă a schimbătorului de viteză

shifter ['ʃiftə'] s **1** el comutator **2** tehn pârghie de cuplare **3** ferov locomotivă de manevră **4** fig șmecher, pișicher

shiftily ['ʃiftili] adv **1** (în mod) nesincer, prefăcut; cu ipocrizie **2** (în mod) nehotărât, codindu-se

shiftiness ['ʃiftinis] s **1** ingeniozitate **2** prefăcătorie, ipocrizie

shifting ['ʃiftiŋ] adj **1** mobil, miș-cător; schimbător **2** schimbător, nestatornic **3** șiret, șmecher

shifting head ['ʃiftiŋ ˌhed] *s tehn* păpușă mobilă

shift key ['ʃift ˌkiː] *s* schimbător *(la mașina de scris)*

shiftless ['ʃiftlis] *adj* **1** leneș, moale; slab, fără vlagă **2** nedescurcăreț; netot, prost, bleg; lipsit de inițiativă; ineficace

shiftlessly ['ʃiftlisli] *adv* fără efect; ineficace; zadarnic

shiftlessness ['ʃiftlisnis] *s* **1** lene; moliciune **2** lipsă de resurse; ineficacitate

shift off ['ʃift'ɔːf] *vt cu part adv* a scăpa de; a se dezbăra/a se descotorosi de; a-și declina *(răspunderea)*

shifty ['ʃifti] *adj* **1** ingenios, plin de resurse **2** șmecher, pișicher

shilling ['ʃiliŋ] *s* șiling *(monedă de diverse valori: în Anglia 1/20 de liră sau 12 pence)*

shilly-shally ['ʃili,ʃæli] **I** *vi* a ezita, a șovăi, a fi nehotărât **II** *s* ezitare, șovăire, nehotărâre **III** *adj* șovăitor, șovăielnic **IV** *adv* (într-un mod) șovăitor

shily ['ʃaili] *adv v.* **shyly**

shim [ʃim] *s* **1** *tehn* adaos, inserie, bailag **2** *tehn* lamelă, suport **3** *constr* pană de fixare

shimmer ['ʃimə'] **I** *vi* a licări; a sclipi; a luci; a pâlpâi **II** *s* licărire; sclipire; lucire; pâlpâit

shimmery ['ʃiməri] *adj* licăritor; lucitor; pâlpâitor

shimmy ['ʃimi] *s* **1** tremur(at) **2** shimmy *(dans)* **3** *(auto)* șimi, oscilație *(a roților)*

shin [ʃin] **I** *s* tibie, fluierul piciorului **II** *vt* **1** a se cățăra pe *(o frânghie etc.)* **2** a lovi *(pe cineva)* cu piciorul *(în fluierul piciorului)*

shinbone ['ʃin,boun] *s v.* **shin I**

shindig ['ʃin,dig] *s amer sl F* zaiafet, bairam, – petrecere

shindy ['ʃindi] *s F* scandal, tărăboi, – gălăgie, larmă; încăierare; **to kick up a ~** a face scandal/ tărăboi

shine [ʃain] **I** *pret și ptc* **shone** [ʃɔn] *vi* **1** *și fig* a străluci; a luci; a lumina; **the moon is shining** luna strălucește; **his face shone with** *fig* îi radia fața de; fața îi ardea de **2** *fig* a străluci, a se remarca, a se evidenția; a fi eminent **II** *(v. ~* **I***) vt* **1** a face să strălucească *sau* să lucească **2**

← *F* a lustrui *(ghetele etc.)*; a poliza **III** *s* **1** strălucire; lumină *(a soarelui etc.)*; iradiere **2** luciu; lustru **3** *fig* strălucire, splendoare; măreție; farmec **4** *v.* **shindy 5** *amer* ← *F* simpatie *(pentru cineva)*, slăbiciune, drag; **to take a ~ to smb** a îndrăgi pe cineva

shiner ['ʃainə'] *s F* **1** – stea **2** *fig* – stea, luceafăr; corifeu **3** – briliant **4** – ochi învinețit; vânătaie **5** – văcsuitor de ghete, lustragiu

shingle[1] ['ʃiŋɡəl] **I** *s* șindrilă, șiță, draniță; olan, țiglă **II** *vt* **1** a înveli cu șindrilă *sau* țiglă **2** a tăia *(părul)* foarte scurt **3** a tăia foarte scurt părul *(cuiva)*

shingle[2] *s* pietriș, prundiș; galeți

shingles ['ʃiŋɡlz] *s pl și ca sg med* zona zoster

shingly[1] ['ʃiŋɡli] *adj* învelit/acoperit cu șindrilă *sau* țiglă

shingly[2] *adj* cu pietriș/prundiș

shininess ['ʃaininis] *s* strălucire; luciu; lustru

shining ['ʃainiŋ] *adj* **1** strălucitor; lucitor; luminos **2** *fig* strălucitor; *(d. cineva)* strălucit; eminent; remarcabil

shining coal ['ʃainiŋ ˌkoul] *s min* cărbune bituminos

shinny ['ʃini] *vt amer v.* **shin II**

Shinto(ism) ['ʃintouizəm] *s rel* șintoism, shintoism

shiny ['ʃaini] *adj* **1** strălucitor; lucitor **2** lucios, cu luciu **3** senin, cu soare, însorit

ship [ʃip] **I** *s* **1** navă, vas; corabie; vapor; bastiment; **to take ~** a se îmbarca; **when my ~ comes home/in** *fig* când o să-mi surâdă (și mie) norocul, *F* când o să mă pricopsesc și eu; **on board ~** pe bord; la bord **2** *nav* echipaj **3** *nav* vas cu trei catarge **4** ← *înv* cădelniță **5** *amer* avion; dirijabil **II** *vt* **1** *nav* a îmbarca; a lua la bord **2** a expedia (↓ cu vaporul); a transporta (↓ pe cale maritimă) **3** *nav* a fixa *(catargul etc.)* **III** *vi* **1** a se îmbarca **2** a se angaja ca marinar

-ship *suf (exprimă calitatea, condiția etc.)*; **friendship** prietenie; **kinship** înrudire; rudenie; **leadership** conducere

ship agent ['ʃip ˌeidʒənt] *s* agent maritim de navlosire

ship biscuit ['ʃip ˌbiskit] *s* pesmet marinăresc

shipboard ['ʃip,bɔːd] *s nav* **1** vas, navă **2** bord // **on ~** pe vas *sau* bord

shipboard plane ['ʃip,bɔːd'plein] *s av* avion îmbarcat

ship boat ['ʃip ˌbout] *s nav* șalupă de bord

ship boy ['ʃip ˌbɔi] *s nav* elev marinar, mus

ship builder ['ʃip ˌbildə'] *s nav* constructor de nave

ship building ['ʃip ˌbildiŋ] *s nav* construcții navale

shipbuilding yard ['ʃip,bildiŋ ˌjɑːd] *s nav* șantier naval

shipless ['ʃiplis] *adj nav* fără nave; *(d. un port etc.)* gol

shiplet ['ʃiplit] *s* corăbioară

shipload ['ʃip,loud] *s nav* încărcătura navei, caric

shiplock ['ʃip,lɔk] *s nav* ecluză navigabilă

shipman ['ʃipmən] *s* **1** ← *înv* marinar **2** *nav* căpitan **3** *nav* muncitor de port pe navă

shipmaster ['ʃip,mɑːstə'] *s nav* comandant de navă *(comercială)*

shipmate ['ʃip,meit] *s* tovarăș/ camarad de navă

shipment ['ʃipmənt] *s* **1** *nav* navlu **2** încărcare; expediere **3** încărcătură

ship money ['ʃip ˌmʌni] *s od* impozit pentru construirea vaselor de război

ship of the line ['ʃip əv ðə 'lain] *s nav* vas de linie

ship owner ['ʃip ˌounə'] *s nav* armator, proprietar de vas *sau* vase

shipper ['ʃipə'] *s* **1** *com* expeditor **2** *tehn* încărcător

shipping ['ʃipiŋ] *nav* **I** *adj atr* de navigație; maritim; naval **II** *s* **1** expediere, transport **2** flotă comercială, vase, nave **3** îmbarcare

shipping bill ['ʃipiŋ ˌbil] *s nav* permis de încărcare

shipping company ['ʃipiŋ ˌkʌmpəni] *s nav* companie armatorială; întreprindere de transporturi pe apă

shipping room ['ʃipiŋ ˌruːm] *s nav* spațiu de încărcare, cală

ship salvage ['ʃip ˌsælvidʒ] *s nav* ranfluare

ship's crew ['ʃips ,kru:] *s nav* echipaj

ship-shape ['ʃip,ʃeip] *adj, adv* în perfectă ordine

ship's number ['ʃips ,nʌmbəʳ] *s nav* indicativul *sau* denumirea navei

ship's papers ['ʃips ,peipəz] *s pl nav* actele de bord

ship's people ['ʃips ,pi:pl] *s ca pl nav* echipaj

ship's register ['ʃips ,redʒistəʳ] *s nav* 1 cartea tehnică a navei 2 societatea de clasificare a navei

ship's time ['ʃips ,taim] *s nav* oră a bordului, oră a fusului orar

ship's warrant ['ʃips ,wɔrənt] *s nav* navicert amendat

ship's waterline ['ʃips 'wɔ:tə,lain] *s nav* linie de plutire

shipway ['ʃip,wei] *s nav* cală de lansare

shipwork ['ʃip,wə:k] *s nav* 1 construcții navale 2 muncă de navă/bord

shipwreck ['ʃip,rek] I *s* 1 *nav* naufragiu 2 *nav* naufragiat 3 *fig* spulberare *(a speranțelor etc.)*; nimicire; ruină; distrugere II *vt* 1 *nav* a provoca naufragiul *(unui vas)*, a face să naufragieze 2 *fig* a spulbera; a nimici, a distruge III *vi* 1 *nav* a naufragia 2 *fig* a eșua; a fi distrus/nimicit

shipwright ['ʃip,rait] *s nav* 1 constructor de nave 2 marangoz, tâmplar de vapoare

shipyard ['ʃip,jɑ:d] *s nav* 1 șantier naval 2 cală de lansare

shire ['ʃaiəʳ] *s ← înv* comitat, district

-shire ['ʃiəʳ] *s (în alcătuirea numerelor de comitate);* **Yorkshire; Lancashire**

shirk [ʃə:k] I *vi (from)* a se eschiva, a se sustrage (de la) II *vt* a se eschiva/a se sustrage de la *(îndeplinirea unei obligații etc.);* a neglija III *s* eschivare, sustragere

Shirley ['ʃə:li] *nume fem*

shirr [ʃə:ʳ] I *vt* 1 a plia, a cuta, a face pliuri în *(stofă)* 2 a coace *(ouă în coajă)* în forme cu unt II *s* pliuri, cute

shirt [ʃə:t] *s* 1 cămașă *(bărbătească);* bluză; **to have not a ~ to one's back** a nu avea cămașă pe el, a fi în pielea goală **b** *fig* a nu avea nici cămașă pe el, a nu avea după ce bea apă;

to give smb a wet ~ *F* a scoate untul din cineva, – a pune pe cineva să muncească din greu; **near is my** ~ **but nearer is my skin** *prov* mai aproape e pielea decât cămașa, mai aproape dinții decât părinții 2 bluză cu mânecă lungă *(pt femei),* șemizetă 3 cămașă de noapte *(bărbătească)*

shirt-front ['ʃə:tʃ,frʌnt] *s* plastron

shirt-sleeve ['ʃə:t,sli:v] I *adj atr* 1 simplu; neceremonios 2 (de) plebeu; de rând; comun; umil, modest II *s:* **in one's ~s** în cămașă, fără haină

shirty ['ʃə:ti] *adj F* cu arțag/draci; cu capsa pusă

Shiva ['ʃi:və] *mit, rel* Șiva

shive [ʃaiv] *s* 1 bucată, fărâmă, fragment; așchie 2 *text* deșeuri

shiver¹ ['ʃivəʳ] I *s* 1 ↓ *pl* sfărâmătură; fărâmă, bucată; așchie; ciob, hârb 2 *geol* șist, ardezie II *vt* a sfărâma; a face bucăți; a face țăndări III *vi* a se sfărâma, a se face bucăți *sau* țăndări

shiver² [ʃaivəʳ] *vi* 1 **(with)** a tremura, < a dârdâi *(de frig)* 2 **(with)** a tremura, a se cutremura, a se înfiora *(de frică etc.)* II *s* tremur(at); fiori

shivering ['ʃivəriŋ] *s v.* **shiver²** II

shivery¹ ['ʃivəri] *adj* care se sparge ușor, fragil

shivery² *adj* 1 care tremură; înfiorat; înfrigurat 2 *(d. vreme)* rece

shoal¹ [ʃoul] I *s* 1 mulțime, grămadă; gloată 2 banc *(de pești)* II *vi* a veni *sau* a se mișca/a se deplasa cârduri-cârduri

shoal² I *s* 1 banc de nisip; traversadă; zonă cu bancuri de fund 2 *nav* fund mic 3 loc puțin adânc II *vi (↓ d. apă)* a scădea, a se micșora, a se împuțina; a se înnămoli

shoal water ['ʃoul ,wɔ:təʳ] *s nav* apă joasă

shoat [ʃout] *s* purcel

shock¹ [ʃɔk] I *s* cruce de snopi; căpiță 2 claie *(de păr)* II *vt* a așeza în căpițe

shock² I *s* șoc; lovitură, izbitură; zdruncinare; ciocnire; **to collide with a tremendous** ~ a se ciocni cu o violență/putere extraordinară 2 *med* șoc; atac; comoție 3 șoc electric 4 ← *F* atac de paralizie; apoplexie II *vt* 1 a șoca; a uimi

peste măsură; a ului; a dezgusta, a scârbi; a revolta, a ofensa, a scandaliza, a indigna 2 a izbi, a lovi (puternic); a zdruncina, a zgudui III *vi ← poetic* a se ciocni

shock absorber ['ʃɔk əb'sɔ:bəʳ] *s tehn* amortizor

shock brigade ['ʃɔk bri'geid] *s* brigadă de șoc

shocker ['ʃɔkəʳ] *s* 1 persoană *sau* lucru care șochează 2 roman bulevardier

shock-headed ['ʃɔk,hedid] *adj* cu părul zburlit/vâlvoi

shocking ['ʃɔkiŋ] I *adj (d. o știre etc.)* îngrozitor; paralizant; zguduitor 2 șocant, scandalos; revoltător, respingător; rușinos II *adv F* grozav de, al naibii de

shock tactics ['ʃɔk ,tæktiks] *s pl ca sg mil* tactică de șoc

shock troops ['ʃɔk ,tru:ps] *s pl mil* trupe de șoc

shock worker ['ʃɔk ,wɔ:kəʳ] *s* muncitor de șoc

shod [ʃɔd] *pret și ptc de la* **shoe** II

shoddiness ['ʃɔdinis] *s* proastă calitate, calitate inferioară

shoddy ['ʃɔdi] I *adj* 1 prost, de calitate proastă/inferioară; ieftin 2 falsificat 3 *text* cu scamă II *s* 1 lucru prost/de proastă calitate 2 *text* fibre de calitate inferioară 3 cauciuc uzat *sau* prost/inferior

shoe [ʃu:] I *s* 1 pantof; ↓ *amer* gheată; **put on your ~s** pune-ți pantofii, încalță-te; **to be in another man's ~s** a fi în situația *sau* pielea altuia; **to know where the ~ pinches** a ști unde-l doare; a ști ce înseamnă (durerea, necazul *etc.*); **to fill smb's ~s** a lua locul cuiva, a înlocui pe cineva; **that's another pair of ~s** *F* asta-i altă mâncare de pește, asta-i altă căciulă; **to die in one's ~s a** a muri subit/de moarte violentă **b** a muri în streang/spânzurat 2 potcoavă 3 *tehn* sabot; talpă; sanie; cuzinet 4 *nav* chilă falsă 5 *nav* talpă; papuc 6 *constr* țiglă II *vt* 1 a potcovi 2 a încălța 3 a pingeli

shoeblack ['ʃu: ,blæk] *s* văcsuitor, lustragiu

shoe brake ['ʃu: ,breik] *s tehn* frână cu saboți

shoe buckle ['ʃu:bʌkəl] *s* cataramă *(la pantofi)*

shoe cream ['ʃu: ˌkri:m] *s* cremă de ghete; vacs

shoe drill ['ʃu: ˌdril] *s agr* semănătoare cu brăzdare

shoe horn ['ʃu: ˌhɔ:n] *s* limbă de pantofi, încălțător

shoe lace ['ʃu: ˌleis] *s* șiret de pantofi *sau* ghete

shoe leather ['ʃu: ˌleðəʳ] *s* piele pentru pantofi

shoemaker ['ʃu: ˌmeikəʳ] *s* cizmar, P→ ciubotar

shoemaking ['ʃu:meikiŋ] *s* cizmărie *(ca meserie)*

shoe polish ['ʃu: ˌpɔliʃ] *s v.* **shoe cream**

shoer ['ʃu:əʳ] *s* potcovar

shoeshine ['ʃu: ˌʃain] *s* lustruit, văcsuit

shoe string ['ʃu: ˌstriŋ] *s v.* **shoe lace; on a ~** *(a începe etc.)* cu un capital foarte mic, de la mai nimic

shoe thread ['ʃu: ˌθred] *s* ață de cizmărie, fir smolit

shone [ʃɔn] *pret și ptc de la* **shine I-II**

shoo [ʃu:] **I** *interj* hâș! *(pt a goni păsările)* **II** *vt* a speria; a goni *(păsările)* **III** *vi (d. păsări)* a fugi, a pleca

shook [ʃuk] *pret de la* **shake I-II**

shoot [ʃu:t] **I** *pret și ptc* **shot** [ʃɔt] *vt* **1** a împușca, a omorî prin împușcare; **I'll be shoot if** F să mă tai/ să fiu al naibii dacă; **he was shot for desertion** a fost împușcat pentru dezertare; **to ~ the bull** *amer* F a vorbi ca să se afle în treabă; a îndruga verzi și uscate; – a vorbi ca să treacă timpul **2** a trage, a descărca *(o armă);* a arunca, a ținti *(o săgeată)* **3** a arunca, a azvârli *(gunoiul etc.)* **4** a arunca *(raze);* a se revărsa, a împrăștia *(lumină etc.);* **to ~ fire at smb** a (stră)fulgera pe cineva cu privirea **5** a trage repede *(zăvorul etc.)* **6** *sport* a marca *(un gol)* **7** a străbate, a traversa; **to ~ Niagara** *fig* a încerca imposibilul **8** ← F a fotografia **9** *min* a împușca **10** a goli, a deșerta **11** a împestrița; a colora într-altfel; a dunga **12** *astr* a lua altitudinea *(cu gen)* **II** *(v. ~ I) vi* **1 (at)** a trage *(cu arma etc.)* (în); a descărca arma, revolverul *etc.* (în) **2** a vâna *(cu pușca)* **3** a trece iute/în zbor/ca săgeata; *(d. stele)* a

cădea **4** a se ivi brusc, a apărea pe neașteptate; a țâșni; a se proiecta **5** *bot* a încolți; a miji; **buds are ~ing** crapă/se desfac mugurii **6** a durea; a zvâcni **7** *fot* a lua un instantaneu; a fotografia; a face un film, a filma **8** *(d. o armă)* a se descărca **9** a vâna *(cu pușca)* **10** *sport* a șuta **11** *sport* a juca golf *etc.* **III** *s* **1** *bot* mlădiță, vlăstar **2** *bot* mugur(e); boboc **3** (partidă de) vânătoare **4** tir; tragere la țintă **5** *mil, min* împușcătură **6** *min* gangă **7** *tehn* glisieră, uluc **8** scoc, jilip **9** zbor *(al unei săgeți etc.)* **10** grămadă *(de gunoi)*

shoot along ['ʃu:t ə'lɔŋ] *vi cu part adv* a se ivi brusc/pe neașteptate; a țâșni

shoot at ['ʃu:t ət] *vi cu prep ↓ F* a căuta să atingă *sau* să realizeze *cu ac;* a ținti la; a năzui la

shoot away ['ʃu:t ə'wei] *vt cu part adv v.* **shoot off**

shoot down ['ʃu:t 'daun] *vt cu part adv* **1** a doborî *(prin împușcare)*, a împușca **2** F a spune „nu" la, – a respinge

shoot for ['ʃu:t fəʳ] *vi cu prep ↓ amer* a urmări *cu ac;* a căuta să obțină *cu ac*

shoot forth ['ʃu:t 'fɔ:θ] **I** *vt cu part adv* a încolți; a înmuguri **II** *vt cu part adv* a da *(muguri)*

shooting ['ʃu:tiŋ] *s* **1** *și mil* tragere, foc **2** vânătoare cu arme de foc **3** dreptul de a vâna; permis de vânătoare **4** durere acută și bruscă **5** *fot* filmare **6** *min* împușcare **7** *geol* prospecțiune

shooting box ['ʃu:tiŋ ˌbɔks] *s* cabană de vânătoare

shooting brake ['ʃu:tiŋ ˌbreik] *s auto* combi, station

shooting flow ['ʃu:tiŋ ˌflou] *s* curgere rapidă

shooting gallery ['ʃu:tiŋ ˌgæləri] *s* pavilion de tir sportiv, tir *(pt amuzament)*

shooting iron ['ʃu:tiŋ ˌaiən] *s ← sl* armă (de foc)

shooting match ['ʃu:tiŋ ˌmætʃ] *s:* **the whole ~** F toată chestia/ afacerea

shooting star ['ʃu:tiŋ ˌsta:ʳ] *s* stea căzătoare; meteor

shooting war ['ʃu:tiŋ ˌwɔ:ʳ] *s* război real/adevărat

shoot off ['ʃu:t 'ɔ:f] *vt cu part adv* a reteza *(un braț etc.)* printr-un foc de armă

shoot out ['ʃu:t 'aut] **I** *vi cu part adv* **1** *(d. păsări)* a-și lua zborul brusc; a țâșni **2** a ieși în afară; a se proiecta în afară **II** *vt cu part adv* **1** a da *(muguri etc.)* **2** a împrăștia, a arunca *(scântei etc.)* **3** a țuguia, a strâmba *(buzele, în semn de dispreț);* a scoate *(limba)*

shoot up ['ʃu:t 'ʌp] **I** *vi cu part adv* **1** *(d. flăcări etc.)* a se ridica; a se înălța; a țâșni; a izbucni **2** *(d. copii etc.)* a se înălța; a crește repede/văzând cu ochii **3** *mil* a deschide focul, a începe să tragă **II** *vt cu part adv amer* a teroriza *(o regiune etc.)* prin focuri de armă

shop [ʃɔp] **I** *s* **1** magazin; prăvălie; dugheană; **to come to the wrong ~** *fig* a greși adresa; **all over the ~** împrăștiat/risipit peste tot; alandala, în neorânduială; **to talk ~** *fig* a discuta probleme profesionale *(în societate);* **to get a ~** *teatru* a căpăta un angajament **2** debit *(de tutun, de băuturi spirtoase)* **3** atelier *(de fabrică, mecanic etc.)* **II** *vi* a face *sau* a merge după cumpărături **III** *vt sl F* a băga la răcoare, – a vârî în închisoare

shop accident ['ʃɔp ˌæksidənt] *s tehn* accident de exploatare

shop assistant ['ʃɔp ə,sistənt] *s* vânzător *sau* vânzătoare *(într-un magazin)*

shop conditions ['ʃɔp kən'diʃənz] *s pl tehn* condiții de lucru

shop girl ['ʃɔp ˌgə:l] *s* vânzătoare *(într-un magazin)*

shopkeeper ['ʃɔp,ki:pəʳ] *s* negustor, comerciant, *înv* → neguțător

shopkeeping ['ʃɔp,ki:piŋ] *s* comerț, negoț, negustorie

shoplifter ['ʃɔp,liftəʳ] *s* hoț din magazine

shoplike ['ʃɔp,laik] *adj* **1** negustoresc, mercantil **2** de proastă calitate

shopman ['ʃɔpmən] *s* **1** *v.* **shopkeeper 2** *v.* **shop assistant 3** *amer* muncitor, lucrător

shop manual ['ʃɔp ˌmænjuəl] *s auto* manual de reparații

shopocracy [ʃɔ'pɔkrəsi] *s ← umor* negustori, negustorime

shopper ['ʃɔpəʳ] *s* cumpărător, client

shopping ['ʃɔpiŋ] *s* (mers la) cumpărături, târguieli

shopping bag ['ʃɔpiŋ ,bæg] *s* sacoşă *sau* pungă *(pt cumpărături)*

shoppy ['ʃɔpi] **I** *adj* **1** comercial; negustoresc; legat de comerţul cu bucata **2** ← *F* profesional; de specialitate **3** cu multe magazine **4** ← *F* (de) mic-burghez; servil; prefăcut **II** *s* ← *F* vânzătoare

shop-soiled ['ʃɔp,sɔild] *adj com* care şi-a pierdut aspectul de marfă

shop steward ['ʃɔp ,stjuəd] *s* delegat de atelier; reprezentant al muncitorilor; delegat sindical

shop-walker ['ʃɔp,wɔːkəʳ] *s* supraveghetor *(într-un magazin universal)*

shop window ['ʃɔp ,windou] *s* vitrină

shore¹ [ʃɔːʳ] *s* ţărm, mal, coastă; uscat; **off** ~ în larg; **in** ~ la ţărm; aproape *sau* mai aproape de coastă/ţărm; **on** ~ pe ţărm/coastă, pe uscat; **to set foot on** ~ a debarca

shore² **I** *s* **1** proptea; reazem, suport **2** *constr* pop *(pt armarea galeriilor)* **II** *vt* a propti; a sprijini

shore boat ['ʃɔː ,bout] *s nav* **1** şalupă de coastă *sau* ţărm **2** vas de cabotaj

shore dinner ['ʃɔː ,dinəʳ] masă pescărească

shore fast ['ʃɔː ,fɑːst] *s nav* parâmă dată (de) la uscat

shoreless ['ʃɔːlis] *adj poetic* neţărmurit, – fără hotar(e)

shore line ['ʃɔː ,lain] *s* **1** *hidr* linia malului **2** *geogr* (linie de) litoral

shoreman ['ʃɔːmən] *s* **1** locuitor de pe coastă **2** pescar de coastă **3** barcagiu **4** hamal de port

shorewards ['ʃɔː ,wədz] *adv* spre/către ţărm/coastă

shorn [ʃɔːn] **I** *ptc de la* **shear** **II** *adj* tuns

short [ʃɔːt] **I** *adj* **1** scurt; redus; restrâns; puţin; concis; succint; **a** ~ **stick** un băţ scurt; o scurtătură; **a** ~ **way off** nu departe; **a** ~ **time ago** nu de mult, de curând; **the days are getting** ~ zilele sunt mai scurte/se micşorează **2** *(d. cineva)* scund, mic, mic de statură **3** insuficient; deficitar; incomplet; **to fall** ~ **a** a nu

ajunge, a nu fi îndeajuns/suficient, a fi insuficient **b** a nu corespunde, a nu fi corespunzător; a nu fi la înălţime; a dezamăgi, a dezminţi aşteptările **c** a nu-şi atinge scopul; **to run** ~ a se termina, a se isprăvi; a se epuiza; a nu ajunge **4** *(d. un răspuns etc.)* scurt; tăios; sec; aspru; ~ **word** cuvânt de ocară; injurie; **she was very** ~ **with him** a fost foarte tăioasă cu el **5** *(d. o prăjitură etc.)* fraged; care se topeşte în gură, sfărâmicios **6** ← *sl (d. o băutură)* tare; **give me smth** ~ dă-mi ceva tare **II** *adv* **1** brusc, deodată, pe neaşteptate; **to stop** ~ a se opri brusc; **to cut smb** ~ a tăia cuiva vorba, a întrerupe pe cineva **2** termen scurt, pentru puţină vreme **III** *s* **1** scurtime; **for** ~ pe scurt; prescurtat; **in** ~ pe/în scurt, în câteva cuvinte; ca să nu (mai) lungim vorba **2** *fon* vocală *sau* silabă scurtă **3** lipsă, deficit **4** *pl* şort, pantaloni scurţi **5** *pl* cămaşă *(bărbătească)* scurtă **6** *cin* film de scurt metraj **7** *pl* resturi, rămăşiţe; rebut **8** *el* scurtcircuit **9** *lingv* prescurtare, formă prescurtată; **'phone' is** ~ **for 'telephone'** „phone" este prescurtat din „telephone" **10** *ec* mărfuri *sau* hârtii de valoare fără acoperire **11** *pl* tărâţă *(fină)* de grâu

shortage ["ʃɔːtidʒ] *s* lipsă, criză

shortbread ['ʃɔːt,bred] *s* prăjitură sfărâmicioasă din aluat fraged

shortcake ['ʃɔːt,keik] *s* **1** *v.* **shortbread 2** *amer* un fel de tort (cu cremă şi fructe)

short-change ['ʃɔːt,tʃeindʒ] *vt* a nu da restul cuvenit *cuiva (care a plătit o bancnotă sau monedă mare)*

short circuit ['ʃɔːt 'səːkit] *s el* scurtcircuit

shortcoming ['ʃɔːt 'kʌmiŋ] *s* **1** neajuns, lipsă, defect, deficienţă **2** lipsă, deficit

short cut ['ʃɔːt ,kʌt] *s* **1** drum scurt/de-a dreptul, scurtătură **2** *text* cută, încreţitură **3** metodă raţională

short-dated ['ʃɔːt,deitid] *adj* pe termen scurt

shorten ['ʃɔːtən] **I** *vt* **1** a scurta, a face scurt *sau* mai scurt, a

reduce, a micşora **2** a prescurta *(cuvintele etc.)* **3** *fig* a micşora, a diminua, a slăbi **4** a face fărâmicios/fraged *(aluatul)* **5** *el* a scurtcircuita **II** *vi* a se scurta, a deveni scurt *sau* mai scurt; a se micşora

short ends ['ʃɔːts ,endʒ] *s pl* scurtături, resturi de lemn

shortening ['ʃɔːtəniŋ] *s* **1** scurtare **2** prescurtare **3** tăiere **4** *gastr* grăsime pentru frăgezirea aluatului

shorter short story ['ʃɔːtə ,ʃɔːt stɔːri] *s lit* schiţă

short for ['ʃɔːt fəʳ] *adj cu prep* prescurtat pentru *sau* din; poreclă pentru

short-haired ['ʃɔːt,hɛəd] *adj* cu părul scurt

shorthand ['ʃɔːtʃ,hænd] *s* stenografie

short-handed ['ʃɔːtʃ,hændid] *adj* care duce lipsă de mână de lucru *sau* de personal

shorthead ['ʃɔːt,hed] *s* brahicefal

short-headed ['ʃɔːt,hedid] *adj* brahicefal

shorthorn ['ʃɔːt,hɔːn] *s* **1** rasă de vite cu coarnele scurte **2** *sl* nou venit **3** *sl* novice, ageamiu

short-hose ['ʃɔt,houz] *s* pantaloni golf

shortie ['ʃɔːti] *s* **1** ← *F* chiloţi; pantaloni scurţi, pantalonaşi **2** ← *F* film de scurt metraj **3** *F* ghemârdoc, – pitic, om mic de statură

shortish ['ʃɔːtiʃ] *adj* cam scurt, destul de scurt

short list ['ʃɔːt ,list] listă preferenţială *(a celor ce solicită o funcţie)*

short-lived ['ʃɔːt'livd] *adj* **1** de scurtă durată; efemer; de viaţă **2** care nu trăieşte mult

shortly ['ʃɔːtli] *adv* **1** în câteva cuvinte, pe scurt; concis **2** curând, peste puţin timp; degrabă; îndată, imediat **3** brusc, pe neaşteptate; abrupt **4** scurt, tăios; cu asprime

short mark ['ʃɔːt,mɑːk] *s poligr* semn de sunet scurt

shortness ['ʃɔːtnis] *s* **1** scurtime **2** statură mică **3** *fig* scurtime, concizie **4** *fiz* fragilitate, friabilitate **5** slăbiciune; imperfecţiune; ~ **of memory** lipsă de memorie; memorie slabă

short of ['ʃɔːtəv] *adj cu prep* **1** mai puțin decât/ca, sub **2** căruia îi lipsește *(ceva);* fără; care duce lipsă de; neavând suficiente *(mijloace etc.);* **he was ~ cash** nu-i ajungeau banii; nu avea bani; **he was ~ breath** gâfâia, respira greu; abia își trăgea sufletul; **3** *(cu adj)* nu tocmai/ prea; ne-; **your composition is ~ satisfactory** compoziția dumitale nu (prea) este satisfăcătoare/este nesatisfăcătoare **4** *(cu adj)* ca și; aproape; **our escape was (little/nothing) ~ miraculous** am scăpat ca prin minune

short order ['ʃɔːt ˌɔːdəʳ] *s* minut, comandă rapidă *(la restaurant);* **in ~** repede și fără osteneală

short-paid ['ʃɔːtˌpeid] *s (d. o scrisoare etc.)* francat insuficient

short-range ['ʃɔːtˌreindʒ] *adj atr* **1** cu rază mică de acțiune **2** care nu reclamă mult timp

short sale ['ʃɔːtˌseil] *s ec* vânzare în alb *(fără precizarea prețului)*

short short story [ʃɔːt ˌʃɔːt'stɔːri] *s* schiță; povestire/relatare foarte scurtă *(cu final neașteptat)*

short shrift ['ʃɔːt ˌʃrift] *s fig* expediere, neacordare a atenției cuvenite

short sight ['ʃɔːt ˌsait] *s* miopie

short-sighted [ˌʃɔːt'saitid] *adj* **1** miop **2** *fig* lipsit de prevedere, neprevăzător; mărginit, < obtuz

short-sightedness [ˌʃɔːt'saitidnis] *s* **1** miopie **2** *fig* lipsă de prevedere; mărginire, < obtuzitate

short-spoken ['ʃɔːtˌspoukən] *adj* **1** concis; laconic **2** tăios, aspru, nepoliticos

short-staffed [ˌʃɔːt'staːfd] *adj* cu personal incomplet

short story ['ʃɔːt ˌstɔːri] *s lit* nuvelă; povestire

short subject [ʃɔːt ˈsʌbdʒikt] *s cin* film de scurt metraj

short temper ['ʃɔːtˌtempəʳ] *s* caracter irascibil, irascibilitate; fire aprinsă/nestăpânită

short-tempered ['ʃɔːt'tempəd] *adj* irascibil, supărăcios, iute (la mânie); arțăgos

short ton ['ʃɔːt ˌtʌn] *s* tonă engleză (= 907,18 kg)

short-waisted ['ʃɔːtˌweistid] *adj* scurt în talie; cu talie ridicată

short wave ['ʃɔːt ˌweiv] *s tel* undă scurtă

short-winded ['ʃɔːt'windid] *adj* **1** cu respirație scurtă; care gâfâie; *med* cu dispnee **2** *fig* scurt, concis

short-witted [ʃɔːt'witid] *adj* sărac cu duhul, lipsit de spirit

shorty ['ʃɔːti] *s v.* **shortie**

shot¹ [ʃɔt] **I** *pret și ptc de la* **shoot I-II II** *adj* **1** *text* cu ape, moarat **2** dungat, vărgat; multicolor **3** ← *F* distrus, la pământ

shot² *s* socoteală, plată; notă de plată

shot³ I *s* **1** *mil* ghiulea **2** *ca și pl* alice **3** țintaș, trăgător **4** foc de armă, împușcătură; lovitură; **to have/ to take/to try a ~** *fig* a încerca, a face o încercare; **that remark is a ~ at you** această remarcă ți se adresează ție/te vizează pe tine; **to make a good ~ at** *fig* a nu greși, a nimeri *cu ac;* a ghici *cu ac;* **like a ~ a** imediat, *F* glonț, ca din pușcă **b** fără șovăire/ ezitare **c** bucuros, cu bucurie; **not by a long ~** nicidecum, nici vorbă, câtuși de puțin, *F* da' de unde **5** *min* explozie; împușcarea unei găuri **6** *fot* filmare **7** *nav* cheie de lanț **8** *cin* cadru; secvență **9** *sport* șut **10** încercare; șansă **11** doză **II** *vt* **1** a încărca *(o armă)* **2** a pune plumb la *(undiță)*

shote [ʃout] *s* purcel

shot-free ['ʃɔˌfriː] *adj v.* **scot-free**

shot gun [ʃɔtˌgʌn] *s* pușcă de vânătoare (↓ *cu 2 țevi)*

should ['ʃud *forma tare*, ʃəd, ʃd *forme slabe*] *pret și cond prez de la* **shall I** *v aux* **1** *(pt formarea cond prez și trecut, pers I sg și pl)* aș; am; **I ~ sing** aș cânta; **we ~ sing** am cânta; **I ~ have sung** aș fi cântat; **we ~ have sung** am fi cântat; **I ~ help him if I could** l-aș ajuta dacă aș putea **2** *(pt formarea viitorului în trecut, pers I sg și pl);* voi; vom; o/am să; o/ avem să; **I told him I ~ remember his advice** i-am spus că nu-i voi uita sfatul **3** *(pentru formarea subjonctivului analitic)* să; **it is necessary that you ~ tell her** trebuie să-i spui; **he didn't smoke lest she ~ scold him** nu fuma (de teamă) ca (ea) să nu-l certe; **~ the occasion arise** dacă se ivește prilejul/ocazia **II** *v modal* **1** *(arată obligația morală sau*

socială; *adesea, recomandabilitatea)* ar trebui, s-ar cuveni, ar fi cazul, s-ar cădea; ar fi bine; ar fi de dorit; **you ~ see her off to the station** ar trebui/ar fi cazul s-o conduci la gară; **you ~ see the play** ar trebui să vezi piesa; **he ~ have helped them** ar fi trebuit/ar fi fost cazul să-i ajute; e regretabil că nu i-a ajutat **2** *(arată probabilitatea logică)* ar trebui; ... după toate probabilitățile, probabil; **it ~ be in the drawer** ar trebui/trebuie să fie în sertar, probabil că este în sertar **3** *(în întrebările retorice și exclamații, exprimă surprinderea, dezaprobarea etc.) (traduceri contextuale);* **whom ~ we see?** pe cine crezi că am văzut? **why ~ I do that?** de ce să fac (una ca) asta? **I ~ think so** cred și eu, bineînțeles, desigur

shoulder ['ʃouldəʳ] **I** *s* **1** umăr; **~ to ~** umăr la umăr; **to put one's ~ to the wheel** *fig* a se apuca serios de lucru; a lucra din greu; *aprox* a pune umărul; **straight from the ~ a** *sport* (lovitură) directă **b** *fig* fățiș, direct, fără ocol(ișuri), drept în față; **to lay the blame on the right ~s** a învinui/a acuza pe cine trebuie/ pe drept pe cineva; **to have broad ~s a** a fi spătos, a fi lat în spate/spete **b** *fig* a duce la greu, a fi foarte rezistent **c** *fig* a putea face față tuturor sarcinilor; **to give smb the cold ~** *fig* **a** a întâmpina *sau* a trata pe cineva cu răceală; a-i face cuiva o primire glacială **b** a întoarce spatele cuiva; **to stand head and ~s above others** *fig* a fi cu mult deasupra altora; **to rub ~s with a** a sta alături de **b** *fig* a fi în relații intime cu; *F* a se bate pe burtă cu **2** umăr *(pt haine),* umeraș **3** *tehn* umăr; banchetă; prag; guler **4** *constr* eclisă de cuplare **II** *vt* **1** a da la o parte *sau* a împinge cu umărul; **to ~ one's way** a-și face/a-și croi drum (cu umerii) **2** a pune pe umăr *(o armă etc.)* **3** *fig* a-și lua, a-și asuma *(răspunderea etc.)*

shoulder blade ['ʃouldə ˌbleid] *s anat* omoplat

shoulder boards ['ʃouldə ˌbɔːdz] *s pl mil* epoleți

shouldered ['ʃouldəd] *adj* **1** *(în cuvinte compuse)* cu umeri(i) ...; **low-~** cu umerii lăsați **2** *tehn* cu praguri

shoulder of mutton ['ʃouldərəv-,mʌtn] *s* jigou, pulpă de berbec

shoulder slip ['ʃouldə,slip] *s med* luxație a umărului

shoulder stick ['ʃouldə,stik] *s* F călător pe blat/– fără bilet

sholder strap ['ʃouldə,stræp] *s* **1** *mil* epolet **2** *pl* bretele, umerașe *(la o cămașă de femeie)*

shoulder yoke ['ʃouldə,jouk] *s* cobiliță

shouldn't [ʃundnt] *contras din* **should not** *(v. shall)*

shouldst [ʃudst] *pers II sg prez înv de la* **shall**

shout [ʃaut] **I** *s* **1** strigăt; țipăt **2** *sl* rând *(la băutură)* **II** *vi* (at) a striga (la); a țipa (la); **to ~ with laughter** a râde cu hohote **III** *vt* a striga; a rosti strigând; **they ~ed their disapproval** și-au exprimat dezaprobarea prin strigăte *sau* strigând **IV** *vr (cu un adj)* a striga până când ...; **to ~ oneself hoarse** a striga până când răgușește

shout down ['ʃaut 'daun] *vt cu part adv* a face/a sili să tacă (prin strigăte); a striga mai tare decât

shout for ['ʃaut fə'] *vi cu prep amer* a sprijini/a susține călduros *(pe cineva)*

shouting ['ʃautiŋ] *s* **1** strigăte, vociferări **2** aclamații, urale

shove [ʃʌv] **I** *vt* **1** a împinge; a mișca; a urni **2** a îndesa; a vârî; a băga **3** a trânti; a pune, a așeza **4** a înghionti; a îmbrânci **5** a lovi, a izbi **6** a devia, a deplasa; a strămuta **II** *s* **1** împingere; mișcare, urnire **2** îndesare; vârâre; băgare **3** trântire; așezare, punere **4** înghiontire; ghiont; îmbrâncire; brânci **5** lovire, izbire **6** deviere, deplasare; strămutare

shove about ['ʃʌvə'baut] *vt cu part adv* a împinge încoace și încolo

shove around ['ʃʌvə'raund] *vt cu part adv* a da ordine *(cuiva)*, a trimite încoace și încolo, *F* a nu lăsa *(pe cineva)* să respire

shove aside ['ʃʌvə'said] *vt cu part adv* a împinge/a da la o parte

shove away ['ʃʌvə'wei] *vt cu part adv* a respinge; a da la o parte

shovel ['ʃʌvəl] **I** *s* **1** lopată; scafă; lopățică **2** *agr* brăzdar **3** *tehn* făraș; lopată **4** *tehn* cupă de excavator **5** pălărie cu borul lat *(la preoți)* **II** *vt* **1** a ridica, a întoarce, a săpa *sau* a curăța cu lopata **2** a înfuleca; a se îndopa cu *(mâncare);* a căra cu nemiluita

shovel crane ['ʃʌvəl ,krein] *s constr* macara-excavator

shovelful ['ʃʌvəlful] *s* lopată (plină)

shovel hat ['ʃʌvəl ,hæt] *s v.* **shovel** **I** 5

shoveller ['ʃʌvələ'] *s orn* rață lopătar *(Spatula clypeata)*

shove off ['ʃʌv'ɔf:] **I** *vt cu part adv* a împinge, a îndepărta/a desprinde *(o barcă)* de țărm, chei *sau* navă **II** *vi cu part adv* F a o șterge, a-și lua valea, a pleca pe aici încolo

shover ['ʃʌvə'] *s ← umor* șofer

show [ʃou] **I** *pret* **showed** [ʃoud], *ptc* **shown** [ʃoun] *vt* **1** a arăta; a indica *(drumul etc.)* **2** a arăta, a etala, a expune; **to ~ one's face** *fig* a-și arăta fața; a se arăta, a apărea; **to ~ one's teeth** *fig* a-și arăta colții; **to ~ a leg** *fig* ← F a se da jos din pat; **to ~ one's hand/cards** *fig* a da cărțile pe față; **to have nothing to ~ for it** a a nu ajunge la nici un rezultat; *F* a nu se scoate la capăt b a nu avea cu ce să se mândrească; **what films are they ~ing?** ce filme rulează? **the flowers (that) he ~ed** florile pe care le-a expus/le-a prezentat la expoziție **3** a arăta, a da dovadă de, a demonstra, a dovedi *(bunăvoință etc.);* **to ~ no sign of intelligence** a nu da nici un semn de înțelegere; **to ~ great courage** a da dovadă de mult curaj; **his new composition ~s him to be a great musician** ultima lui compoziție arată/dovedește că este un mare muzician **4** a arăta, a înfățișa, a prezenta; **to ~ symptoms of** a prezenta simptome de; **to ~ signs of** a da semne de; **to ~ a cause** a prezenta o justificare/un motiv **5** a duce, a conduce; a îndruma; **we ~ed him into the garden** l-am adus în grădină, i-am arătat grădina; **we were ~n over the castle** am fost (con)duși prin

castel, ni s-a arătat castelul **6** a arăta, a clarifica, a lămuri; **he has ~n the difference between** a arătat/a lămurit/a elucida *etc.* diferența/deosebirea dintre **7** *(d. un aparat)* a arăta, a indica; a înregistra **8** a arăta; a sublinia; a atrage atenția asupra *(cu gen)* **9** a-și arăta, a-și manifesta *(supărarea etc.)* **10** a arăta, a da în vileag; a scoate la lumină **11** a arăta; a acorda *(o favoare etc.)* **II** *(v. ~* **I**) *vr* a se arăta; *(că este crud etc.)* **III** *(v. ~* **I**) *vi* **1** a se vedea; a se ivi, a apărea; a-și face apariția; **the buds are ~ing** dau muguri, au început să se vadă mugurii **2** a arăta *(bine, frumos etc.),* a avea o înfățișare *(frumoasă etc.)* **3** *teatru* a juca *(într-un rol)* **IV** *s* **1** manifestare *(de mânie etc.);* izbucnire, acces **2** spectacol; priveliște, tablou; reprezentație; **the ~ begins at eight** spectacolul începe la opt; **good ~!** F strașnic! – bravo! minunat! **to make a good ~** *fig* a face figură bună; **the dancers made quite a ~** dansatorii au oferit un spectacol de neuitat **3** expoziție **4** vitrină **5** arătare; **by ~ of hands** *(a vota)* prin ridicare de mâini **6** aspect, înfățișare; aparență; impresie; **she made a great ~ of zeal** s-a arătat foarte zeloasă, a dat dovadă de mult zel *sau* exces de zel; **there is a ~ of reason in it** s-ar părea că există un sens/tâlc în asta; **her sympathy was mere ~** simpatia pe care o arăta era de paradă; **I don't like the ~ of things** nu-mi place cum arată lucrurile; **for ~** pentru a face impresie, de ochii lumii; **to be fond of ~** a-i plăcea să pozeze; **to put on a ~** a căuta să facă impresie b *fig* a-și pune o mască; **in ~** *(judecând)* după aparențe **7** *fig* semn, urmă **8** paradă, pompă, fast; **to be fond of ~** a-i plăcea luxul, parada *etc.* **9** *sl* treabă, chestie; afacere; **to boss the ~** a conduce (afacerea); **she gave the ~ away** *F* a trăncănit, a luat-o gura pe dinainte **10** ← *F* șansă, posibilitate; **they had no ~ at all** nu aveau nici o șansă **11** *mil sl* campanie; bătălie, luptă

show around ['ʃou ə'raund] **I** *vt cu part adv* a conduce/a însoți prin birouri, incintă *etc. (un vizitator, un nou angajat)* **II** *vt cu prep* a însoți/a conduce prin; a face *(cuiva)* cunoștință cu

show biz ['ʃou ,biz] *s F v.* **show business**

show boat ['ʃou:bout] *s* teatru plutitor

show business ['ʃou ,biznis] *s teatru, telev, cin* actorie

show case ['ʃou,keis] *s* vitrină *(de magazin, muzeu etc.)*

show-down ['ʃou,daun] *s* **1** arătare a cărților *(de joc)* **2** *fig* dare în vileag, demascare **3** *fig* aplanare *(a certei)*

show down ['ʃou 'daun] *vt cu part adv* a arăta, a pune pe masă *(cărțile)*

shower[1] ['ʃouəʳ] *s* persoană care arată, expune, demonstrează *etc.*

shower[2] ['ʃauəʳ] **I** *s* **1** aversă; ploaie torențială/repede/de vară; ~ **of hail** ploaie cu piatră, grindină **2** **(of)** *fig* ploaie *(de săgeți etc.);* râu *(de lacrimi);* răpăială *(de gloanțe etc.);* mulțime, abundență (de); jerbă *(de scântei etc.)* **3** duș **II** *vt* **1** a inunda, a uda, a stropi **2** *fig* a inunda; a bombarda *(pe cineva, cu scrisori etc.);* a copleși

shower bath ['ʃauə,ba:θ] *s* duș

showery ['ʃauəri] *adj* **1** ploios, cu averse **2** cu caracter de aversă

show girl ['ʃou,gə:l] *s* dansatoare de revistă

showily ['ʃouili] *adv (îmbrăcat)* țipător, fără gust

show in ['ʃou'in] *vt cu part adv* a conduce înăuntru

showiness ['ʃouinis] *s* **1** strălucire; ostentație; pompă, fast **2** excentricitate, bizarerie

showing ['ʃouiŋ] *s* **1** expunere, arătare; prezentare *(de modele etc.)* **2** performanță; meci reușit; spectacol izbutit **3** declarație; recunoaștere; **on the government's own ~** potrivit propriei declarații a guvernului

show-leg day ['ʃou,leg'dei] *s* ← *F* zi mohorâtă/posomorâtă/închisă

showman ['ʃoumən] *s* **1** proprietar de circ, menajerie *etc.* **2** saltimbanc, măscărici, clovn

showmanship ['ʃoumənʃip] *s* **1** arta de a organiza spectacole *sau*

petreceri publice **2** *com* arta de a prezenta mărfurile

show-me ['ʃou,mi:] *adj atr amer* ← *F* sceptic, neîncrezător

shown [ʃoun] *ptc de la* **show I-III**

show number ['ʃou,nʌmbəʳ] *s poligr* exemplar de probă

show-off ['ʃou,ɔ:f] *s* **1** aere, fandoseală **2** *F* fandosit; – pozeur

show off ['ʃou'ɔ:f] **I** *vt cu part adv* **1** a etala; a arăta în mod ostentativ **2** a se făli/a se mândri cu **3** a scoate în evidență *(frumusețea etc.)* **II** *vi cu part adv* a-și da aere, a face pe grozavul, a se grozăvi

show of hands ['ʃouəv'hændz] *s* vot deschis, votare prin ridicare de mâini

show out ['ʃou'aut] *vt cu part adv* a conduce afară *(din casă etc.)*

show over ['ʃou ,ouvəʳ] *vt cu prep* a conduce prin, a arăta *cu ac (cuiva)*

show place ['ʃou ,pleis] *s* punct de atracție turistică

show room ['ʃou,ru:m] *s* sală de expoziție

show round ['ʃou 'raund] *vt cu adv sau prep v.* **show around**

show up ['ʃou'ʌp] **I** *vt cu part adv* **1** a face să se vadă clar, a arăta limpede **2** a da în vileag; a demasca **3** a face să se simtă prost; a face de ocară **II** *vi cu part adv* a se vedea clar/foarte bine

show window ['ʃou ,windou] *s* vitrină *(de magazin)*

showy ['ʃoui] *adj* **1** atrăgător; de efect; frumos, prezentabil **2** țipător, bătător la ochi

shr *presc de la* **share** *sau* **shares**

shrapnel ['ʃræpnəl] *s mil* șrapnel

shred [ʃred] **I** *s* **1** fâșie; petic; zdreanță; cârpă; bucată; **to tear to ~s** a rupe în bucăți, a sfâșia; **to tear an argument to ~s** *fig* a arăta totala netemeinicie a unui argument **2** *fig* fărâmă, grăunte, pic *(de adevăr etc.)* **II** *vt* a rupe în bucăți, a sfâșia

shrew [ʃru:] *s* **1** *zool* șoarece de câmp *(Sorex sp.)* **2** scorpie, cață, megeră, femeie rea de gură

shrewd [ʃru:d] *adj* **1** ager, perspicace **2** fin, subtil; iscusit **3** șiret, viclean, șmecher **4** *F* spurcat la gură; – rău *sau* răutăcios **5** *(d. frig etc.)* tăios,

aspru; violent; crunt

shrewdly ['ʃru:dli] *adv* **1** cu agerime/perspicacitate **2** fin, subtil **3** cu șiretenie/viclenie

shrewish ['ʃru:iʃ] *adj* arțăgos, gâlcevitor, rău de gură

shriek [ʃri:k] **I** *vi* a țipa; a scoate un țipăt strident *sau* țipete stridente; **to ~ with laughter** a râde cu hohote **II** *vt* a rosti țipând **III** *s* țipăt, sunet strident

shrift [ʃrift] *s v.* **short shrift**

shrike [ʃraik] *s orn* sfrancioc, lupul vrăbiilor *(Lanius excubitor)*

shrill [ʃril] *adj* **1** ascuțit, strident, țipător, pătrunzător **2** zgomotos, gălăgios **3** insistent, supărător, plictisitor

shrill-tongued/-voiced ['ʃril,tʌŋd/ ,vɔist] *adj* cu voce ascuțită/ stridentă

shrilly ['ʃrili] *adj poetic v.* **shrill 1**

shrimp [ʃrimp] *s* **1** *zool* crevete *(Crangon vulgaris)* **2** *fig F* ghemotoc, prichindel, – pitic, fărâmă de om

shrine [ʃrain] **I** *s* **1** raclă; chivot **2** mormânt *(↓ al unui sfânt)* **3** *fig* altar; sanctuar; loc sfânt **II** *vt fig* a păstra cu venerație

shrink [ʃriŋk], *pret* **shrank** [ʃræŋk], *ptc* **shrunk** [ʃrʌŋk] *și* **shrunken** I ['ʃrʌnkən] *vi* **1** a se strâmta; a se scurta; a se contracta **2** *(d. scânduri etc.)* a se (s)coroji **3** a intra la apă/spălat **4** a se zbârci, a se încreți **5** a se micșora, a se împuțina, a scădea **6** **(from)** a se da înapoi, a se retrage (din fața – *cu gen)* **7** **(from)** *fig* a se retrage, a se da înapoi (de la); a se codi; a ezita *(să facă ceva);* **he shrank from telling me** se sfia *sau* ezita/se codea să-mi spună; **he shrank into himself** s-a închis/s-a zăvorât în sine **II** *(v. ~* **I)** *vt* **1** a contracta, a strânge; a strâmta **2** a (s)coroji **III** *s amer sl* psihiatru

shrinkage ['ʃriŋkidʒ] *s* **1** contractare, strângere; strâmtare **2** (s)corojire **3** *tehn* contracție

shrive [ʃraiv], *pret și* **shrove** [ʃrouv], *ptc și* **shriven** ['ʃrivən] *vt* ← *înv* a spovedi

shrivel ['ʃrivəl] **I** *vi* **1** a se contracta **2** a se zbârci; a se încreți **3** a se ofili **II** *vt* **1** a contracta **2** a zbârci; a încreți

shriven ['ʃrivən] *ptc de la* **shrive**

Shropshire ['ʃropʃiəʳ] *comitat în Anglia*

shroud [ʃraud] **I** *s* 1 giulgiu, linţoliu 2 înveliş; văl; **it was wrapped in a ~ of mystery** era învăluit în mister 3 *nav* sart **II** *vt* 1 a înfăşura în giulgiu/linţoliu 2 *fig* a înveli; a ascunde; a tăinui

shrove [ʃrouv] *pret de la* **shrive**

Shrove Sunday [ʃrouv 'sʌndi] *s bis* Duminica lăsatului sec de brânză

Shrovetide ['ʃrouv,taid] *s bis* lăsata secului *(cele trei zile înainte de Miercurea cenuşii)*

shrub [ʃrʌb] *s* arbust, tufă

shrubbery ['ʃrʌbəri] *s* arbuşti, tufe, tufăriş

shrubby ['ʃrʌbi] *adj* cu arbuşti/tufe

shrug [ʃrʌg] **I** *vt* a ridica din *(umeri)* **II** *s* ridicare *(a umerilor, din umeri)*

shrug off ['ʃr:g'ɔ:f] *vt cu part adv* a uita de, a lăsa deoparte *(supărarea etc.);* a nu-i (mai) păsa de

shrunk ['ʃrʌŋk] *ptc de la* **shrink**

shrunken ['ʃrʌŋkən] **I** *ptc de la* **shrink II** *adj* contractat; strâns; strâmtat; încreţit

shtg. *presc de la* **shortage**

shuck [ʃʌk] *s* 1 coajă; păstaie 2 coajă, crustă *(de rac etc.);* carapace; cochilie 3 ← *F* lucru de nimic/fără valoare; **it's no great ~s** *F* nu e mare brânză/ scofală

shucks [ʃʌks] *interj (exprimă dezamăgirea sau dezgustul)* ptiu! drace! brr!

shudder ['ʃʌdəʳ] **I** *vi* a se cutremura, a se înfiora, a tremura *(de frig, frică etc.);* **I ~ to think of it** mă cutremur/mă-nfior când mă gândesc la asta **II** *s* cutremur(are), tremur, fior *sau* fiori

shuffle ['ʃʌfəl] **I** *s* 1 târşire, (mers) târşit 2 şovăire, şovăială, ezitare 3 amestecare *(a cărţilor de joc)*; dat *(al cărţilor)* 4 truc, chichiţă, pretext; scuză *(↓ puţin inteligentă etc.)* **II** *vt* 1 a târşâi, a târî *(picioarele)* 2 a amesteca, a face, a da *(cărţile)* 3 a amesteca, a încurca, a zăpăci *(lucruri)* 4 a muta dintr-un loc în altul **III** *vi* 1 a merge *sau* a dansa târşâind picioarele, a târşâi picioarele 2 a se eschiva; *F* a trage la fit; – a minţi; a căuta să scape prin

minciuni, trucuri *etc.* 3 a se muta *(↓ repede)* dintr-un loc în altul, a-şi schimba locul 4 a se vânzoli, a se suci 5 a amesteca/a face/a da cărţile 6 a ezita, a şovăi

shuffle off ['ʃʌfəl 'ɔ:f] **I** *vt cu part adv* 1 a scăpa/a se descotorosi de 2 a scoate în grabă *(hainele)* **II** *vi cu part adv* 1 a pleca târşâind picioarele 2 *F* a da ortul popii, – a muri

shuffle off on/upon ['ʃʌə fl'ɔ:f on/ ə,pon] *vt cu part adv şi prep* a arunca *(răspunderea)* asupra *(cu gen)*

shuffle on ['ʃʌfəl'on] *vt cu part adv* a îmbrăca în grabă, a-şi pune repede *(haina)*

shuffling [ʃʌfliŋ] **I** *adj* 1 *(d. mers)* târşâit 2 *(d. cineva)* nehotărât, şovăitor **II** *s* 1 mers târşâit; târşâire *(a picioarelor)* 2 amestecare, dat *(al cărţilor)* 3 încurcătură, talmeş-balmeş, harababură

shufty ['ʃufti] *s sl* ochire, ocheadă, aruncătură de ochi

shun [ʃʌn] *vt* a evita, a ocoli; a se feri de; a se abţine de la

shunt [ʃʌnt] **I** *vt* 1 *ferov etc.* a manevra, a trece pe altă linie; a gara 2 *el* a şunta, a deriva 3 a nu da curs *(unui proiect etc.);* a amâna, a opri; a întrerupe **II** *vi* a se muta; a trece dintr-un loc în altul

shunter ['ʃʌntəʳ] *s ferov* 1 manevrat de vagoane; acar 2 locomotivă de manevră

shunting line ['ʃʌntiŋ ,lain] *s ferov* linie de manevră

shunting yard ['ʃʌntiŋ ,ja:d] *s ferov* (gară de) triaj

shush [ʃuʃ] *interj* sst! tăcere! linişte!

shut [ʃʌt] **I** *pret şi ptc* **shut** [ʃʌt] *vt* 1 a închide; a zăvorî; **~ the door please** închide uşa, te rog 2 a închide; a astupa *(un orificiu, urechile etc.)* 3 *tehn* a întrerupe; a decupla 4 a închide *(intrarea etc.)* a împiedica, a opri; a stăvili 5 a închide *(gura, umbrela etc.)*; a strânge **II** *(v. ~ I)* *vr* a se închide *(într-o casă etc.)* **III** *(v. ~ I)* *vi* 1 *(d. o uşă etc.)* a se închide *(uşor etc.)* 2 *(d. flori etc.)* a se închide **IV** *adj* închis; zăvorât; **the door is ~** uşa e închisă **V** *s* închidere

shut away ['ʃʌtə'wei] *vt cu part adv* a izola, a feri de lume

shut-down ['ʃʌt,daun] *s* 1 *tehn* pană; avarie; defect de exploatare; scoatere; scoatere din funcţiune 2 *ec* întrerupere a funcţionării; oprire a exploatării; sistare 3 închidere a unei întreprinderi

shut down ['ʃʌt 'daun] *vt cu part adv* 1 a lăsa (în jos) *(un transperant etc.)* 2 a închide, a trânti *(capacul etc.)* 3 a închide *(o întreprindere)* 4 *tehn* a întrerupe; a decupla

shut-eye ['ʃʌt,ai] *s F* nani, – somn

shut-in ['ʃʌtin] *amer* **I** *s* bolnav **II** *adj* 1 bolnav 2 închis; izolat

shut in ['ʃʌt'in] *vt cu part adv* 1 a închide; a zăvorî; a pune sub lacăt *sau* cheie 2 a înconjura, a împrejmui 3 a împiedica *(lumina etc.)*

shut off ['ʃʌt'ɔ:f] *vt cu part adv* 1 a despărţi, a separa, a izola 2 *el* a întrerupe 3 a exclude

shut oneself away ['ʃʌtwʌn,self-ə'wei] *vr cu part adv* a se izola (de lume)

shutout ['ʃʌtaut] *s* lock-out, oprirea/ interzicerea accesului muncitorilor în fabrică

shut out ['ʃʌt'aut] *vt cu part adv* 1 a interzice accesul/intrarea/pătrunderea *(cuiva)* 2 a înlătura, a exclude *(o posibilitate)* 3 a împiedica *(vederea)*

shutter ['ʃʌtəʳ] *s* 1 oblon; volet; jaluzea 2 *constr* cofraj 3 *el* întrerupător 4 *tehn* închizător; ventil 5 *fot* obturator; diafragmă

shuttle ['ʃʌtəl] *s* 1 *text* suveică 2 *drumuri* mişcare alternativă; pendulator 3 *fiz* tub pneumatic 4 *amer* tren suburban

shuttle box ['ʃʌtəl ,boks] *s text* caseta suveicii

shuttlecock ['ʃʌtəl,kok] *s* volant *(minge cu pene pt badminton)*

shuttle train ['ʃʌtəl,trein] *s v.* **shuttle 4**

shut up ['ʃʌt 'ʌp] **I** *vt cu part adv* 1 a închide (strâns); a zăvorî 2 a închide, a astupa *(ermetic etc.)* 3 a închide, a întemniţa 4 *sl* a lua piuitul/maul *(cuiva);* – a face să tacă, a reduce la tăcere **II** *vi cu part adv (d. uşă etc.)* a se închide // ~! *F* gura! (lasă) vorba! tacă-ţi fleanca!

shy¹ [ʃai] **I** *adj* **1** *(d. cineva etc.)* timid, sfios; ruşinos; rezervat; < sălbatic; fricos **2** *(d. cai)* sperios, cu nălucă **3** (of) *(d. cineva)* precaut, prudent (faţă de; în privinţa – *cu gen); v. şi* **shy of II** *vi* a sări în lături; a tresări, a se speria **III** *s un* timid *sau un* fricos, persoană timidă *sau* fricoasă

shy² ← *F* **I** *vt* a azvârli, a arunca *(o piatră etc.)* **II** *s* **1** azvârlire, aruncare **2** ← *F* încercare; **to have a ~ at smth** a face o încercare (de a obţine ceva) **3** *fig* remarcă ironică, batjocoritoare *sau* usturătoare

shyer [ˈʃaiəʳ] *s* cal sperios

Shylock [ˈʃai,lɔk] *s fig* cămătar hain

shy of [ˈʃai əv] *adj cu prep* **1** care ezită/şovăie să *(spună ceva etc.)* **2** care se fereşte de; **to fight ~** a se feri să, a căuta să nu **3** *amer* lipsit de; căruia nu-i ajunge *(ceva)*

si [siː] *s muz* (nota) si

sial [ˈsaiəl] *s geol* sial

Siam [saiˈæm] *stat în Asia îqv* Siam, *azi* Thailanda

Siamese [,saiəˈmiːz] **I** *adj* siamez, din Siam **II** *s* **1** siamez **2** (limba) siameză **3** pisică siameză

Siamese cat [ˈsaiə,miːz ˈkæt] *s v.* **Siamese II, 3**

Siamese Twins [ˈsaiə,miːz ˈtwinz] *s pl* **1** gemeni, fraţi siamezi *sau* surori siameze **2** *fig* fraţi siamezi, prieteni nedespărţiţi

Sibelius [siˈbeiliəs], **Jean** *compozitor finlandez (1865-1957)*

Siberia [saiˈbiəriə] *regiune în Rusia*

Siberian [saiˈbiəriən] *adj, s* siberian

sibilant [ˈsibilənt] *fon* **I** *adj* sibilant, şuierător **II** *s* (consoană) sibilantă

sibiling [ˈsibliŋ] *s* ← *elev* frate *sau* soră (de mamă *sau* tată)

Sibyl [ˈsibil] *mit nume fem*

sibyl *s mit şi fig* sibilă

sibylline [ˈsibi,lain] *adj* sibilin, profetic

sic [sik] *adv lat* sic, întocmai

Sicanian [siˈkeiniən] *adj* sicilian *(de altădată)*

siccative [ˈsikətiv] *adj, s* sicativ

Sicillian [siˈsiːljən] **I** *adj* sicilian **II** *s* **1** sicilian **2** dialectul sicilian

Sicily [ˈsisili] *insulă* Sicilia

sick¹ [sik] *adj* **1** *pred* căruia îi e greaţă; **to feel ~** a-i fi/veni greaţă, a-i veni să vomite; **to be ~** a

vomita **2** ↓ *amer ca pred* bolnav; indispus; **to take ~** a se îmbolnăvi; **she's a ~ woman** este o femeie bolnavă; **to go/to report ~** a anunţa că e bolnav (şi va lipsi) **3** *atr (d. un pat etc.)* pentru (oameni) bolnavi; *(d. concediu etc.)* de boală **4** având o culoare bolnăvicioasă; galben, palid **5** *fig* bolnăvicios, nesănătos **6** *fig* bolnav; tulburat; abătut; dezgustat; amărât; **to be ~ at heart** a tânji; a nu mai putea de dor/ alean; a avea inima grea; a nu-i fi la îndemână **7** bolnav sufleteşte; alienat **8** deranjat, stricat, deteriorat; *(d. sol)* neproductiv; **wheat-~** care nu mai produce grâu *(cât ar trebui);* **a ~ ship** o navă care necesită reparaţii

sick² *vt* a asmuţi *(un câine); ~* **him!** prinde-l! şo pe el!

sick bay [ˈsik,bei] *s nav* infirmerie de navă

sick bed [ˈsik,bed] *s* pat de suferinţă

sick call [ˈsik,kɔːl] *s* chemarea unui doctor *sau* preot la căpătâiul bolnavului

sicken [ˈsikən] **I** *vt* **1** a dezgusta, a scârbi; a face silă *(cuiva)* **2** *amer* a se îmbolnăvi **II** *vi* **1** a da semne de boală; a se îmbolnăvi **2** (at) *şi fig* a-i fi greaţă, a simţi scârbă (de) **3** *(d. plante)* a se ofili, a se veşteji

sickening [ˈsikəniŋ] *adj* **1** care produce scârbă/dezgust/greaţă **2** *fig* dezgustător, revoltător

sickeningly [ˈsikəniŋli] *adv* provocând dezgust *sau* greaţă; (în mod) revoltător

sicken of [ˈsikənəv] *vi cu prep şi fig* a-i fi greaţă/silă/scârbă de

sick-flag [ˈsik,flæg] *s nav* pavilion de carantină

sick for [ˈsik fəʳ] *adj cu prep* care tânjeşte după

sick-headache [ˈsikˈhed,eik] *s* migrenă; durere de cap însoţită de greaţă

sick humour [ˈsik ,hjuːməʳ] *s* umor negru

sickle [ˈsikl] *s* seceră

sick leave [ˈsik ,liːv] *s* permisie *sau* concediu de boală

sickle man [ˈsikl ,mæn] *s agr* secerător

sickler [ˈsikləʳ] *s v.* **sickle man**

sickle-shaped [ˈsikl,ʃeipt] *adj* în

formă de seceră

sickliness [ˈsiklinis] *s* stare morbidă/patologică; stare bolnăvicioasă

sick list [ˈsik, list] *s* lista bolnavilor; **to be on the ~** a lipsi din cauză de boală

sickly [ˈsikli] *adj* **1** bolnăvicios, suferind **2** bicisnic, neputincios; slab **3** *(d. surâs)* slab, şters; pierit **4** *(d. climă)* nesănătos **5** care produce greaţă; scârbos, respingător **6** sentimental

sickness [ˈsiknis] *s* **1** boală; maladie **2** greaţă

sick of [ˈsik əv] *adj cu prep* sătul *sau* plictisit de

side [said] **I** *s* **1** parte, latură; faţă; faţetă; **~ by ~** unul lângă altul, alături; **from every ~, from all ~s** din toate părţile, de pretutindeni; **the wrong ~ of the cloth** dosul stofei; **the six ~ of a cube** cele şase feţe ale unui cub; **the north ~** partea dinspre nord **2** *poligr* pagină; margine *(a unei pagini)* **3** *fig* aspect, latură *(a unei chestiuni etc.);* **there are two ~s to the story** chestiunea are/ prezintă două aspecte **4** pantă, versant, povârniş, coastă **5** *nav* bord **6** secţie; departament; sector *(într-o instituţie)* **7** jumătate *(de but etc.)* **8** parte *(într-un proces etc.)* **9** *sport* echipă **10** ← *F aere;* **to put on ~** a-şi da aere, *F* a face pe nebunul **11** ţărm, mal; coastă **12** linie, descendenţă **13** punct de vedere, opinie, concepţie *(într-o discuţie)* **14** perete *(al unei cutii etc.)* **15** *fig* parte; **to win smb over to one's ~** a câştiga pe cineva de partea sa; **he is on our ~** e de partea noastră; **to take ~s** a se declara de partea cuiva **16** *teatru sl* rol **II** *adj atr* **1** lateral; dintr-o parte **2** secundar; minor; adiacent **3** *(d. privire)* chiorâş, chiondorâş

side arms [ˈsaid ,ɑːmz] *s pl* arme albe *(baionetă etc.)*

sideboard [ˈsaid,bɔːd] *s* **1** bufet **2** *ferov* perete lateral *(la vagoane descoperite)*

side box [ˈsaid ,bɔks] *s* lojă laterală

sideburns [ˈsaid,bəːnz] *s pl amer* favoriţi; perciuni

side car [ˈsaid ,kɑːˈ] *s* ataş *(de motocicletă)*

-sided ['saidid] *adj (în cuvinte compuse)* cu ... latură: **four-~** cu patru laturi

side dish ['said,diʃ] *s* fel de mâncare în plus *(↓ pe lângă friptură)*

side door ['said ,dɔː] *s* **1** uşă laterală **2** uşă din spate; uşă de serviciu

side drum ['said ,drʌm] *s* tobă mică

side effect ['saidi'fekt] *s med* efect secundar

side face ['said ,feis] *s* **1** profil **2** *arhit* faţadă laterală

side glance ['said ,glɑːns] *s* **1** ocheadă; căutătură piezişă **2** menţiune în treacăt, aluzie

side hill ['said ,hil] *s amer* povârniş, pantă

side horse ['said ,hɔːs] *s* (cal) lăturaş

side issue ['said ,isju] *s* problemă/chestiune secundară

side land ['said ,lænd] *s* hotar, hat, răzor

sidelight ['said ,lait] *s* **1** lanternă laterală **2** lumină laterală **3** *fig* informaţii suplimentare *(care aruncă lumină asupra unei probleme)*

side-line ['said,lain] **I** *s* **1** *ferov* linie secundară **2** linie colaterală *(într-o familie)* **3** *ec* articol adiţional/suplimentar **4** *sport* linie de tuşă; loc pentru spectatori **II** *vt* a împiedica *(pe cineva)* să participe *(în mod)* activ *(la o competiţie etc.)*

sideling ['saidliŋ] *adj, adv* v. **sidelong**

sidelong ['said,lɔŋ] *adj, adv* oblic, pieziş; înclinat

side note ['said ,nout] *s* notă marginală *(pe pagină)*

sidereal [sai'diəriəl] *adj astr* sideral

siderite ['saidə,rait] *s minr* siderit

siderosis [,saidə'rousis], *pl* **sideroses** [,saidə'rousiːz] *s med* sideroză

side scene ['said ,siːn] *s teatru* culise

side show ['said ,ʃou] *s* **1** *teatru* completare *(la spectacol);* intermezzo **2** *fig* problemă secundară/adiacentă

side-slip ['said,slip] **I** *s* **1** alunecare într-o parte **2** *auto* derapaj, derapare **3** *av* glisadă, zbor pe aripă **4** copil nelegitim **5** ramură *(de copac)* **II** *vi* **1** a aluneca într-o parte **2** *auto* a derapa **3** a glisa, a face o glisadă

side-splitting ['said,splitiŋ] *adj* **1** care te face să mori de râs, foarte amuzant **2** *(d. râs)* cu hohote

side-step ['said,step] **I** *vi* a se da/a păşi într-o parte **II** *vt* a se da la o parte din calea *(cu gen);* a evita

sideswipe ['said,swaip] *vt amer ← F* a lovi într-o parte/lateral

side-track ['said ,træk] **I** *s ferov* linie laterală **II** *vt* **1** *ferov* a trece pe o linie de rezervă; a gara **2** *fig* a abate, a devia

side view ['said ,vjuː] *s* vedere laterală/din profil/dintr-o parte

sidewalk ['said,wɔːk] *s ↓ amer* trotuar

sideward(s) ['said,wəd(z)] *adv* v. **sideways**

sideways ['said,weiz] *adv* într-o parte; pe o parte; pieziş, oblic

side wind ['said ,wind] *s* **1** vânt lateral **2** *fig* influenţa indirectă *sau* străină/din afară

sidewise ['saidwaiz] *adv* v. **sideways**

side with ['said wið] *vi cu prep* a fi de partea *cu gen;* a simpatiza cu; a sprijini *(un partid etc.)*

siding ['saidiŋ] *s* **1** *ferov* linie secundară **2** *ferov* macaz, ac **3** perete lateral

sidle (along) ['saidəl (əlɔŋ)] *vi (cu part adv)* **1** a merge înclinat *(într-o parte)* **2** a merge speriat *sau* ruşinat/sfios *etc.*

Sidney ['sidni] *nume masc sau fem*

Sidney, Sir Philip ['sidni, sə: 'filip] *scriitor englez (1554-1586)*

Sidon ['saidən] *od capitala Feniciei*

siege [siːdʒ] **I** *s* asediu, împresurare; **to lay ~ to** a asedia, a împresura *cu ac;* **to raise the ~** a ridica asediul **II** *vt* a asedia, a împresura

Siegfried ['siːgfriːd] *mit nume masc*

Siemens ['siːmənz] *s el* siemens

Sienkiewicz [ʃen'kjewitʃ], **Henryk** *romancier polonez (1846-1916)*

sienna [si'enə] *s* (culoare) siena

sierra [si'ɛərə] *s geogr* sierra, lanţ de munţi

Sierra Nevada [si'ɛərə ni'vɑːdə] *lanţ muntos în California şi Spania*

siesta [si'estə] *s* siesta, odihnă de după-amiază

sieve [siv] **I** *s* **1** sită; ciur **2** coş împletit *(↓ ca măsură)* **3** *F* gură-spartă, – flecar, palavragiu **II** *vt* v. **sift I 1**

siffle ['sifl] *vi* a fluiera

sift [sift] **I** *vt* **1** a cerne, a da prin sită *sau* ciur; a strecura **2** *fig* a cerne; a examina, a analiza, a studia **3** *fig* a alege, a selecta **4** a presăra *(zahăr etc.)* **II** *vi (d. zăpadă etc.)* a se cerne

sifter ['siftə] *s* **1** *min* ciocan de claubaj **2** *met* ciocan de selectare **3** sită; ciur

Sig., sig. *presc de la* **1** signature **2** signal

sigh [sai] **I** *vi* **1** (for) a suspina, a ofta (după) **2** *fig (d. vânt)* a suspina; a geme **II** *vt* a şopti suspinând **III** *s* suspin, oftat

sight [sait] **I** *s* **1** vedere, privire; uitătură, căutătură; **long ~ a** căutătură lungă **b** prezbiţie; **short ~** miopie; **at/on ~** la vedere; **at first ~** la prima vedere; **in ~** vizibil, care se vede; la orizont; **to come in ~** a se vedea, a se ivi, a apărea; **to catch/to get ~ of** a zări, a vedea *cu ac;* **by ~** din vedere; **I know him by ~** îl ştiu/cunosc din vedere; **to lose ~ of a** a nu mai vedea, a pierde din vedere **b** *fig* a pierde din vedere, a uita, a neglija; **out of ~** invizibil; care nu se (mai) vede; ascuns vederii; **out of ~, out of mind** *prov* ochii care nu se văd se uită; **to play at ~** *muz* a cânta/a interpreta/a executa la prima vedere; **at (the) ~ of** la vederea *cu gen;* **their first ~ of land came after a week at sea** au zărit uscatul după o săptămână de călătorie pe mare; **out of my ~!** piei din ochii mei! să nu te văd! **2** *fizl* văz, vedere; **the sense of ~** simţul văzului, vedere **3** vedere; apariţie, înfăţişare; prezenţă; **I hate the ~ of him** nu pot să-l sufăr/văd în ochi, îmi face rău când îl văd/să-l văd **4** *F* altă-aia; arătare; – înfăţişare deplorabilă *etc.;* **these clothes make him look a perfect ~** *F* arată groaznic/îngrozitor în hainele astea **5** privelişte, tablou, scenă; spectacol; *F* panaramă; **to make a ~ of oneself** a se da în spectacol; **it was a ~ for sore eyes** ← *F* a fost o privelişte plăcută/un spectacol plăcut **b** a fost o surpriză plăcută **6** *sl* locuri care merită să fie văzute; puncte turistice de atracție **7** *tehn* vedere; câmp de vizibilitate **8** *tehn* vizor **9** *nav* observație astronomică **10** *constr etc.* viză **11** *mil etc.* cătare **12** ← *vulg* grămadă, mulțime *(de bani etc.);* **he's ~ too clever to be caught by the police** e prea deștept ca să-l prindă poliția **II** *vt* **1** a vedea, a zări **2** *mil* a pune cătare la *(o armă)* **3** a observa; a urmări **4** a ochi, a ținti **III** *vi* a ochi, a ținti

sight bar ['sait ,baːʳ] *s tehn* alidadă

sight distance ['sait ,distəns] *s* rază vizuală; vizibilitate

sighted ['saitid] *adj (în cuvinte compuse)* cu vederea ...; **short- ~** miop

sight glass ['sai ,glaːs] *s tehn* vizor; felinar; lanternă

sight hole ['sait ,houl] *s tehn* fereastră/ochi de observație

sighting device ['saitiŋ di'vais] *s tehn* dispozitiv de vizare

sighting line ['saitiŋ ,lain] *s tehn* diagramă; grafic

sightless ['saitlis] *adj* **1** orb, nevăzător **2** ← *poetic* care nu se vede, invizibil **3** urât, slut, hâd

sightliness ['saitlinis] *s* frumusețe, farmec

sightly ['saitli] *adj* plăcut la vedere, frumos, atrăgător

sight-read ['sait,riːd], *pret și ptc* **sight-read** ['sait,red] *vt* a cânta *sau* a executa la prima vedere *(a partiturii)*

sight rule ['sait ,ruːl] *s tehn* alidadă

sight-see ['sait,siː], *pret* **sight-saw** ['sait ,sɔː], *ptc* **sight-seen** ['sait ,siːn] *vi* a vizita locurile interesante, obiectivele turistice *etc.*

sight-seeing ['sait,siːiŋ] *s* vizitare a obiectivelor turistice; plimbare; **to go ~** a vizita obiectivele turistice; a face turul orașului *etc.*

sightsman ['saitsmən] *s* **1** ghid (turistic) **2** persoană care poate interpreta o partitură la prima vedere

sigil ['sidʒil] *s* sigiliu, pecete

sigilate ['sidʒileit] *vt, vi* a sigila

Sigismund ['sigismənd] *nume masc*

sigmatism ['sigmətizəm] *s lingv* sigmatism

sigmatron ['sigmətrɔn] *s fiz* sigmatron

sigmoid ['sigmɔid] *adj, s anat, mat* sigmoid

Sigmund ['sigmənd] *nume masc*

sign [sain] **I** *s* **1** semn, urmă; marcă, indiciu; **the ~s of suffering on her face** semnele suferinței de pe fața ei; **the ~s of the times** semnele timpului; **to make no ~ a** a nu da nici un semn de viață **b** a nu protesta **2** semn, mișcare, gest; **he nodded a ~ of approval** a încuviințat cu capul, a făcut cu capul un semn de aprobare **3** emblemă; firmă; reclamă; indicator **4** *med* simptom **II** *vt* **1** a semna, a-și pune semnătura pe, a iscăli **2** a însemna, a marca cu un semn **3** a exprima printr-un semn; a marca

signal ['signəl] **I** *s* **1** semnal **2** semnalizator **3** *fot* indicator **4** *tel* ochi de păpușă **5** aparat optic **6** *fig* semnal, semn **7** *pl mil* transmisiuni **II** *vt* **1** a semnala; a anunța, a vesti **2** a face semnale *(cuiva)* **III** *vi* a face semnale; a semnaliza **IV** *adj* **1** *atr* folosit ca semnal *sau* pentru semnalizare **2** remarcabil, însemnat, important

signal box ['signəl ,bɔks] *s ferov* punct de blocare; post de manevră

signal code ['signəl ,koud] *s* cod de semnale

signalize ['signə,laiz] *vt* **1** a semnala; a atrage atenția asupra *(cu gen)* **2** a scoate în evidență, a sublinia; a distinge

signaller ['signələʳ] *s tel* radiotelegrafist

signal light ['signəl ,lait] *s* **1** foc de semnalizare; semnal luminos **2** *ferov* semafor **3** *nav, av* baliză

signallizer ['signə,laizəʳ] *s fiz* semnalizator; aparat de semnalizare

signally ['signəli] *adv* elev eminamente; – în mod vizibil/vădit; categoric; evident

signalman ['signəlmən] *s* semnalizator *(persoană)*

signalment ['signəmənt] *s* semnalizare *(↓ pt poliție)*

signal word ['signəl ,wəːd] *s* parolă, cuvânt de ordine

signatory ['signətəri] **I** *s* semnatar, parte semnatară **II** *adj* semnatar, care a semnat

signature ['signətʃəʳ] *s* **1** semnătură, iscălitură **2** *poligr* signatură **3** *muz* indicarea semnelor de transpunere **4** ← *înv* semnătură, urmă

signature tune ['signətʃə ,tjuːn] *s rad, telev* semnal sonor

sign away [sain' ə'wei] *vt cu part adv* a semna transferul *(proprietății etc.)* sau renunțarea la *(proprietate etc.)*

signboard ['sain,bɔːd] *s* firmă *(la magazin)*

signer ['sainəʳ] *s* semnatar

signet ['signit] *s* **1** ștampilă; pecete, sigiliu **2** *poligr* semn de recunoaștere

signet ring ['signit,riŋ] *s* inel cu sigiliu

sign for ['sain fɔʳ] *vi cu prep* a semna de primire pentru; a primi *cu ac* formal *sau* cu forme legale

significance [sig'nifikəns] *s* **1** semnificație, sens, înțeles, tâlc **2** semnificație, importanță, însemnătate

significancy [sig'nifikənsi] *s v.* **significance**

significant [sig'nifikənt] *adj* **1** semnificativ; plin de *sau* cu înțeles; expresiv **2** semnificativ, important, însemnat

significantly [sig'nifikəntli] *adv* (în mod) semnificativ, cu înțeles

signification [,signifi'keiʃən] *s* sens, semnificație, înțeles *(al unui cuvânt)*

significative [sig'nifikətiv] *adj v.* **significant**

significative of [sig'nifikətiv əv] *adj cu prep* având înțelesul/semnificația/sensul de

signify ['signi,fai] **I** *vt* **1** a însemna, a avea sensul/înțelesul/semnificația de **2** a face cunoscut, a declara *(intenții etc.);* a fi un semn/indiciu de, a trăda **II** *vi* a avea o semnificație/un sens; a avea importanța/însemnătate

sign in ['sain 'in] *vi cu part adv* a se înregistra *(la hotel etc.)*

sign language ['sain ,læŋgwidʒ] *s* limbaj al semnelor/gesturilor/mimic

sign manual ['sain 'mænjuæl] *s* semnătură proprie *(a unui monarh etc.)*

sign off ['sain 'ɔːf] **I** *vt cu part adv* a renunța la *(un drept etc.);* a transfera, a ceda **II** *vi cu part adv* **1** *rad, telev* a anunța închiderea emisiunii **2** a încheia o scrisoare *(cu semnătura etc.)*

sign on ['sain 'ɔn] *vi cu part adv* **1** a se angaja, a fi angajat **2** *rad*, *telev* a începe emisiunea

signor ['si:njɔ:ʳ] *s it* domnul; domnule

signora [si:n'jɔ:rə] *s it* doamna; doamnă

signorina [,si:njə'ri:nə] *s it* domnișoara; domnișoară

sign post ['sain ,poust] *s* indicator rutier, semn

sign-up ['sainʌp] *adj atr* de angajare *sau* înscriere

sign up ['sain 'ʌp] **I** *vt cu part adv* **1** a angaja *(într-o funcție)* **2** a înscrie *(la un curs etc.)* **II** *vi cu part adv* **1** a se angaja *(ca muncitor etc.)* **2** a se înscrie *(la un curs etc.)*

Sikang ['ʃi:'kæŋ] *provincie în R.P. Chineză*

silage ['sailidʒ] *s agr* grâne însilozate

Silas ['sailəs] *nume masc*

silence ['sailəns] **I** *s* **1** liniște, tăcere; pace; ~ **gives consent** tăcerea înseamnă aprobare; ~ **is golden** *prov* tăcerea e de aur; **to put to** ~ a face să tacă; a reduce la tăcere; **to pass over in** ~ a trece sub tăcere; **to listen to smb in** ~ a asculta pe cineva în tăcere; **the** ~ **of night** liniștea/tăcerea/ pacea nopții **2** *fig* tăcere; uitare; **to pass into** ~ a fi dat/pradă uitării, a fi uitat **II** *vt și fig* a face să tacă, a reduce la tăcere; a înăbuși *(glasul conștiinței etc.)* **III** *interj* liniște! tăcere!

silenced ['sailənst] *adj tehn* silențios

silencer ['sailənsəʳ] *s* **1** *auto* silențiator; amortizor de zgomot **2** *tehn* tobă de eșapament **3** ← *F* argument decisiv/hotărâtor **4** ← *F* replică tăioasă/usturătoare

silent ['sailənt] **I** *adj* **1** tăcut, liniștit; taciturn, necomunicativ; mut; rezervat; reticent; **be** ~! tăceți! taci! liniște! tăcere! **2** nezgomotos; silențios **3** *fon, cin* mut **II** *s F v.* **silent film**

silent film ['sailənt ,film] *s cin* film mut

silently ['sailəntli] *adv* în tăcere, pe tăcute, fără zgomot

silent partner ['sailənt ,pa:tnəʳ] *s amer v.* **sleeping partner**

Silenus [sail'li:nəs] *mit*

Silesia [sai'li:ʃiə] *regiune în Polonia și Cehia* Silezia

silex ['saileks] *s minr* cremene; silex

silhouette [,silu:'et] *fr* **I** *s* siluetă, imagine **II** *vt* a proiecta *sau* a înfățișa ca siluetă/imagine

silica ['silikə] *s* **1** *ch* silice **2** *minr* cremene **3** *min* bioxid de silice

silicate ['silikit] *s ch* silicat

siliceous [si'liʃəs] *adj ch* silicios; *minr* cuarțos

silicic [si'lisik] *adj ch* silicic

silicon ['silikən] *s ch* siliciu

silicon dioxide ['silikən dai'ɔksaid] *s v.* **silica 3**

silicone ['sili,koun] *s ch* silicon

silicosis [,sili'kousis] *s med* silicoză

silk [silk] **I** *s* **1** mătase; **(as) soft as** ~ moale ca mătasea; ~ **and satins** *poetic* haine scumpe **2** *pl* mătăsuri; îmbrăcăminte de mătase **3** avocat al regelui *sau* reginei *(în Anglia)* // **to take** ~ a deveni avocat al regelui *sau* reginei *(în Anglia)* **II** *adj atr* **1** (ca) de mătase; mătăsos **2** îmbrăcat în mătase *sau* mătăsuri

silk breeder ['silk ,bri:dəʳ] *s* sericicultor

silken ['silkən] *adj* **1** de/din mătase **2** ca de mătase *sau* mătăsuri **3** *fig* mătăsos, catifelat; dulce; mieros **4** minunat, extraordinar

silk grass ['silk ,gra:s] *s bot* năgară *(Stipa sp.)*

silk grower ['silk ,grouəʳ] *s* sericicultor

silk gum ['silk ,gʌm] *s text* sericină

silk hat ['silk ,hæt] *s* cilindru, joben

silkiness ['silkinis] *s* **1** caracter mătăsos *sau* catifelat **2** *fig* onctuozitate, caracter mieros

silk mill ['silk ,mil] *s* fabrică de mătăsuri; filatură de mătase

silk screen ['silk ,skri:n] *s tehn* decorare prin site

silkweed ['silk,wi:d] *s bot* ceara albinei *(Asclepias sirica/syriaca)*

silkworm ['silk,wə:m] *s ent* vierme de mătase *(Bombyx mori)*

silky ['silki] *adj* **1** de mătase **2** ca de mătase; catifelat; lucios **3** *fig* mieros; dulceag; insinuant

sill [sil] *s* **1** pervaz **2** prag *(de ușă etc.)* **3** *constr* talpă inferioară **4** *constr* bară de susținere; cosoroabă *(la acoperiș)* **5** *el* bază; suport **6** *min* grindă de talpă

sillabub ['silə,bʌb] *s* **1** *(băutură din) lapte covăsit cu vin și zahăr* **2** *fig* stil pompos

sillily ['silili] *adv* prostește, în mod prostesc/stupid

silliness ['silinis] *s* **1** prostie; caracter prostesc/stupid **2** prostie, neghiobie, faptă *etc.* prostească

sill timber ['sil ,timbəʳ] *s ferov* traversă de lemn

silly ['sili] **I** *adj (d. cineva)* prost, neghiob, tont, nătâng, netot; **don't be** ~ **a** nu fi prost *sau* absurd **b** nu face pe prostul; **he's as** ~ **as can be** e prost de dă în gropi; **how** ~ **of you to do that!** ce prostie din partea ta să faci așa ceva! **2** *(d. ceva)* prostesc, idiot, stupid; necugetat; absurd; **a** ~ **idea** o idee prostească, absurdă *sau* ridicolă; **to do a** ~ **thing** a face o prostie *sau* o gafă; a face o boacănă **3** ← *F* năuc(it), zăpăcit, amețit *(în urma unei lovituri etc.);* **the blow knocked him** ~ lovitura l-a făcut să vadă stele verzi/l-a năucit/l-a amețit *sau* l-a făcut să-și piardă cunoștința; **he bored me** ~ m-a năucit cu trăncăneala lui, m-a plictisit de moarte **4** *înv* sărac cu duhul; ~ nevinovat, inocent **5** ← *înv* slab, neputincios, neajutorat, bicisnic **II** *s* prost, tont, neghiob

silo ['sailou] *agr* **I** *s* siloz **II** *vt* a însiloza

silt [silt] **I** *s mil* nămol; aluviune **II** *vt* a înnămoli *(un canal etc.)* **III** *vi* a se înnămoli; a se astupa, a se înfunda

silt up ['silt 'ʌp] *vt sau vi cu part adv v.* **silt II, III**

Silurian [sai'luəriən] *geol* **I** *adj* silurian **II** *s* **the** ~ silurian(ul)

silvan ['silvən] *adj* **1** de pădure; silvic; forestier **2** rustic

silver ['silvəʳ] **I** *s* **1** argint **2** monedă/ bani *sau* monede/bani de argint **3** bani; monede; *înv* → arginți; **have you any** ~ **on you?** ai (ceva) bani la tine? **4** argintărie; veselă/vase de argint **II** *adj* **1** de argint; **to be born with a** ~ **spoon in one's mouth** a se naște cu caiță/într-o zodie norocoasă **2** *(d. păr etc.)* cărunt; argintiu **3** argintat **III** *vt* **1** a arginta *(oglinzi etc.)* **2** *fig* a arginta; a albi; a încărunți; *(părul etc.)* **IV** *vi (d. păr etc.)* a albi, a încărunți

silver birch ['silvə ˌbəːtʃ] *s bot* mesteacăn (alb) *(Betula pendula)*

silver bromide ['silvə ˌbroumaid] *s ch* bromură de argint

silverer ['silvərə'] *s* argintar

silver fir ['silvə fəː'] *s bot* brad alb *(Abies pectinata)*

silver fish ['silvə ˌfiʃ] *s iht* 1 peștișor auriu *(Carassius auratus)* 2 tarpon *(Megalops atlanticus)* 3 numeroase alte specii de pești lucitori

silver foil ['silvə ˌfɔil] *s tehn* foiță/folie de argint

siver fox ['silvə'silvə, fɔks] *s zool* vulpe argintie *(Vulpes fulva sp.)*

silver grass ['silvə ˌgrɑːs] *s bot* ierbăluță *(Phalaris arundinacea)*

silver-grey ['silvəˌgrei] *adj, s* griargintiu

silver-haired ['silvəˌhɛəd] *adj* 1 cu părul argintiu 2 cu părul cărunt

silverly ['silvəli] *adj* 1 argintiu, de culoarea argintului 2 (ca) de argint 3 (cu sunet) argintiu

silvern ['silvən] *adj înv* argintos, − (ca) de argint

silver paper ['silvəˌpeipə'] *s v.* **silver foil**

silver-plate ['silvəˌpleit] I *s* argintărie, veselă de argint II *vt* a arginta

silversmith ['silvəˌsmiθ] *s* argintar

silver-tongued ['silvətʌŋd] *adj* elocvent, cu darul vorbirii

silverware ['silvəˌwɛə'] *s* tacâmuri de argint; argintărie

silver wedding ['silvə ˌwediŋ] *s* nuntă de argint

silver work ['silvə ˌwəːk] *s* argintărie, orfevrărie

silvery ['silvəri] *adj* 1 ca argintul, (ca) de argint 2 *(d. râs etc.)* argintiu

silver pig iron ['silvəi 'pig ˌaiən] *s met* fontă cenușie

Silvester [sil'vestə'] *nume masc* Silvestru

Silvia ['silviə] *nume fem*

silviculture ['silviˌkʌltʃə'] *s* silvicultură

sima ['saimə] *s geol* sima

Simeon ['simiən] *nume masc* Simion

simian ['simjən] I *s* maimuță (↓ antropoidă) II *adj* de maimuță

similar ['similə'] I *adj* 1 (to) asemănător, analog (cu); similar; la fel (cu); identic; omogen (cu) 2 *geom* asemenea II *s* obiect asemănător/similar

similarity [ˌsimi'læriti] *s* (between) asemănare, similitudine (între); analogie (între)

similarly ['similəli] *adv* în mod asemănător/similar

simile ['simili] *s ret* comparație

similitudine [si'militjuːd] *s* 1 înfățișare, chip, formă; in man's ~ după (chipul și) asemănarea omului; to assume the ~ of a căpăta înfățișarea/chipul *cu gen* 2 asemănare, similitudine 3 comparație; alegorie; pildă; parabolă

simitar ['simitə'] *s v.* **scimitar**

simmer ['simə'] I *vt* a fierbe la foc mic; a ține *(supa etc.)* sub punctul de fierbere II *vi* 1 *(d. un lichid)* a fierbe la foc mic; a fi pe punctul de a fierbe 2 (with) a fierbe, a clocoti (de) III *s* fierbere la foc mic

Simon ['saimən] *nume masc*

simony ['saiməni] *s bis od* simonie

simoom [si'muːm] *s* simun

simoon [si'muːn] *s* simun

simper ['simpə'] I *s* zâmbet prostesc *sau* afectat II *vi* a zâmbi/a surâde prostește *sau* afectat

simperingly ['simpəriŋli] *adv* zâmbind prostește

simple ['simpəl] I *adj* 1 simplu, necomplicat; inteligibil; ușor, lesnicios 2 simplu; natural, modest; a ~ life o viață simplă 3 simplu, natural, neartificial; neprefăcut; fără podoabe/zorzoane; ~ beauty frumusețe naturală 4 simplu, indivizibil 5 pur, neamestecat, curat 6 simplu; inferior; fără valoare 7 *(d. cineva)* simplu; cinstit; neprefăcut; sincer, deschis 8 simplu, de rând; lipsit de cultură, < incult 9 simplu, necompus 10 simplu, elementar; rudimentar; primitiv 11 simplu, nevinovat, inocent 12 neînsemnat, neimportant; nesemnificativ 13 simplu; ușor de tras pe sfoară; credul, lesne, crezător; < prost 14 *jur* simplu; necondiționat; absolut II *s* 1 (om) credul, naiv 2 buruiană de leac, plantă medicinală 3 obiect simplu, substanță simplă *etc.* 4 *lingv* cuvânt simplu *(ant* cuvânt compus) 5 *gram* propoziție simplă 6 ← *înv* om de rând; om de origine modestă/umilă III *vi* ← *înv* a căuta *sau* a strânge buruieni de leac

simple fraction ['simpəl ˌfrækʃən] *s mat* fracție simplă

simple-hearted ['simpəlˌhɑːtid] *adj* 1 naiv, credul 2 sincer, deschis

simple interest ['simpəl'intrist] *s fin* dobândă simplă

simple machine ['simpəl məˈʃiːn] *s tehn* unealtă simplă *sau* de bază

simple-minded ['simpəl'maindid] *adj* 1 *v.* **simple-hearted** 2 prost, stupid, nătâng 3 slab de minte; smintit, nebun

simple-mindedness ['simpəl'maindidnis] *s* 1 naivitate, credulitate 2 sinceritate 3 prostie, stupiditate 4 sminteală, nebunie

simpleness ['simpəlnis] *s v.* **simplicity**

simple sentence ['simpəl 'sentəns] *s gram* propoziție simplă

Simple Simon ['simpəl 'saimən] *s* prost, *F* nătăfleață, gogoman

simpleton ['simpəltən] *s* 1 naiv, credul 2 prostănac, prost, imbecil, nătâng

simplex ['simpleks] *s mat* simplex

simplicity [sim'plisiti] *s* 1 caracter simplu, simplitate 2 simplitate, lipsă de afectare, de prefăcătorie, de podoabe *etc.*; naturalețe 3 simplitate, naivitate, credulitate 4 prostie, stupiditate, imbecilitate

simplification [ˌsimplifi'keiʃən] *s* simplificare

simplifier ['simpliˌfaiə'] *s* simplificator

simplify ['simpliˌfai] *vt* a simplifica; a ușura

Simplon, the ['simplɔn, ðə] Simplon *(trecătoare)*

simply ['simpli] *adv* 1 (în mod) simplu; natural, firesc, fără afectare; cu simplitate 2 pur și simplu 3 numai, doar

simulacrum [ˌsimju'leikrəm], *pl* **simulacra** [ˌsimju'leikrə] *s* simulacru; prefăcătorie; pretext

simulate ['simjuˌleit] *vt* 1 a simula; a afecta 2 a imita; a lua înfățișarea de

simulated ['simjuˌleitid] *adj (d. diamante etc.)* fals, artificial

simulation [ˌsimju'leiʃən] *s* simulare, prefăcătorie; simulacru; imitare

simulator [ˌsimju'leitə'] *s tehn* simulator

simultaneity [ˌsiməltə'niːiti] *s* simultaneitate, concomitență

simultaneous [ˌsiməl'teiniəs] *adj* simultan, concomitent

simultaneously [ˌsiməl'teiniəsli] *adv* (în mod) simultan, concomitent

simultaneousness [ˌsiməl'teiniəsnis] *s v.* simultaneity

sin [sin] **I** *s* **1** păcat; **(as) black as ~** negru ca păcatul; **(as) ugly as ~** urât de mama focului; **to fall into ~** a cădea în păcat, a păcătui; **the seven deadly ~s** *rel* cele șapte păcate capitale; **to live in ~** ← *umor* a trăi împreună *(fără a fi căsătoriți)*, a conviețui **2** ← *F* mare greșeală; insultă; ofensă; sacrilegiu; crimă; **it's a ~ to stay indoors on such a fine day** este o crimă să stai în casă pe o vreme atât de frumoasă; **it is a ~ against good taste** este un atentat împotriva bunului gust **II** *vi* a păcătui; a face un păcat *sau* păcate; **liable to ~** păcătos, supus păcatului

Sinai, Mount ['sains, maunt] *bibl* Muntele Sinai

Sinai Peninsula, the ['sainai pi'ninsjulə, ðə] Peninsula Sinai

since [sins] **I** *adv* de atunci (încoace); **many months ~** cu multe luni în urmă, acum multe luni; **how long is it ~?** cât este de atunci? cât timp a trecut de atunci? **I haven't seen her ~** de atunci nu am mai văzut-o **II** *prep* de; de la; din; **~ then, ~ that time** de atunci (încoace), din momentul acela; **~ January the 14ᵗʰ** de la 14 ianuarie; **~ Easter** de la Paște/Pașți **III** *conj* **1** de când; din clipa când; din vremea când; de pe vremea când; **it's five years ~ I didn't see her** sunt cinci ani de când nu am (mai) văzut-o; **I've been waiting for him ~ he left** îl aștept de când a plecat **2** întrucât, deoarece, fiindcă, pentru că; **~ that is so** de vreme ce lucrurile stau astfel, dacă lucrurile stau astfel; dată fiind situația

sincere [sin'siəʳ] *adj* **1** sincer, deschis, fățiș, fără dedesubturi; cinstit; credincios **2** *(d. devotament etc.)* adevărat, real, neprefăcut

sincerely [sin'siəli] *adv* (în mod) sincer, cu sinceritate; în mod deschis, pe față; **yours ~, ~ yours** *(formulă de încheiere la scrisori)* cu stimă/respect; al dvs.

sincerity [sin'seriti] *s* sinceritate; cinste, onestitate; **in all ~** cu toată sinceritatea, cu mâna pe inimă/conștiință

sinciput ['sinsiˌpʌt] *s anat* sinciput; vertex

sine¹ [sain] *s mat* sinus

sine² *prep lat* fără; minus

sinecure ['sainiˌkjuəʳ] *s* sinecură

sinecurist ['sainiˌkjuərist] *s* sinecurist

sine die ['saini 'daii] *adv lat* sine die, fără termen

sine qua non ['saini kwei 'nɔn] *s lat* condiție sine qua non/obligatorie

sinew ['sinjuː] *s* **1** *anat* tendon **2** *fig* putere fizică, forță (musculară), mușchi **3** *fig* rezerve de energie; izvor de putere

sinewless ['sinjuːlis] *adj fig* fără putere, slab

sinewy ['sinjuːi] *adj* **1** *(d. carne)* cu tendoane **2** *fig* musculos, puternic, viguros **3** *fig (d. stil etc.)* viguros

sinful ['sinful] *adj* **1** păcătos; imoral **2** *F* idiot, fără nici un chichirez **3** ← *F* inutil, zadarnic

sinfully ['sinfuli] *adv* **1** în păcat; cu păcat **2** *F* în mod idiot/tâmpit, – prostește

sinfulness ['sinfulnis] *s* **1** păcat, păcătoșenie **2** păcătuire

sing [siŋ], *pret* **sang** [sæŋ], *ptc* **sung** [sʌŋ] **I** *vt* **1** *(vocal)* a cânta *(un cântec etc.);* **to ~ another song/ tune a** a cânta alt cântec; a întoarce foaia; *F→* **a** a schimba placa **b** a coborî tonul; *F→* **a** o lăsa mai moale; **to ~ a child to sleep** a adormi un copil cântându-i **2** a intona **3** a psalmodia **4** a cânta, a slăvi, a lăuda **II** *vi* **1** a cânta (din gură); **to ~ for joy** a cânta de bucurie; **to ~ dumb** *fig* a nu crâcni, *sau* a nu mai crâcni, a nu (mai) scoate o vorbă; **to ~ low** *fig* a vorbi prudent; **to ~ small** *fig F* a o lăsa mai moale; **to make smb ~ small** *fig F* a mai tăia nasul cuiva **2** *(d. albine etc.)* a zumzăi; *(d. păsări)* a cânta; a ciripi; *(d. greieri)* a țârâi; a cânta **3** *(d. vânt, gloanțe etc.)* a șuiera **4** *(d. izvor)* a murmura, a susura **5** *(d. urechi)* a vâjâi **6** *poetic* a cânta, – a scrie versuri **7** *(d. o melodie etc.)* a se cânta *(ușor etc.)*

sing. *presc de la* singular

singable ['siŋəbəl] *adj* **1** care poate fi cântat **2** ușor de cântat; melodios

Singapore [ˌsiŋə'pɔːʳ] *stat în Asia*

singe [sindʒ] *vt* a pârli; a arde ușor; **to ~ one's reputation** *fig* a-și păta numele/renumele/reputația

singer ['siŋəʳ] *s* **1** cântăreț **2** pasăre cântătoare **3** *fig* bard, rapsod, poet, cântăreț

Singhalese [ˌsiŋə'liːz] *adj, s* singalez

singing ['siŋiŋ] *s* **1** canto; cântare, cântat **2** cântare; intonare; interpretare **3** freamăt; foșnet *(al pădurii etc.)*

singing bird ['siŋiŋ ˌbəːd] *s orn* pasăre cântătoare

singing school ['siŋiŋ ˌskuːl] *s* școală de canto

single ['siŋgəl] **I** *adj* **1** unic; singur; individual, separat; **in ~ file** într-un singur șir, în șir indian; **there is not a ~ one left** nu a mai rămas nici unul **2** necăsătorit, celibatar **3** *(d. paturi etc.)* de/ pentru o singură persoană **4** *(d. suflet etc.)* sincer, deschis; cinstit **5** *tehn* cu o singură parte **II** *s* **1** bilet simplu, bilet pentru o (singură) călătorie **2** *sport* (partidă de) simplu **3** ↓ *pl* (bancnotă de) un dolar *sau* o liră **III** *vt* **1** a alege, a selecționa, a selecta; a remarca; a distinge **2** *agr* a rări *(porumbul etc.)*

single-acting ['siŋgəlˌæktiŋ] *adj tehn* cu acțiune simplă

single-barrelled ['siŋgəlˌbærəld] *adj (d. pușcă)* cu o singură țeavă

single bed ['siŋgəl ˌbed] *s* pat de o singură persoană

single-breasted ['siŋgəlˌbrestid] *adj (d. haină)* la un singur rând (de nasturi)

single-deck ['siŋgəlˌdek] *adj atr nav* cu o singură punte

single decker ['siŋgəl ˌdekəʳ] *s av* avion monoplan

single-engined ['siŋgəlˌendʒind] *adj atr* cu un singur motor

single-entry bookkeeping ['siŋgəl ˌentri 'bukˌkiːpiŋ] *s ec* contabilitate simplă

single-eyed ['siŋgəlˌaid] *adj* **1** chior **2** *fig* onest; franc, deschis

single eye-glass ['siŋgəl 'aiˌglɑːs] *s* monoclu

single file ['siŋgəl ˌfail] *s* șir indian

single-handed ['siŋǝl,hændid] I *adj* 1 ciung 2 făcut fără ajutor din afară, făcut de un singur om II *adv* singur, fără ajutor

single-hearted ['siŋǝl,ha:tid] *adj v.* **single-eyed** 2

single-minded ['siŋǝl,maindid] *adj v.* **single eyed** 2

single-mindedness ['siŋǝl, maindidnis] *s* 1 onestitate; franchețe 2 unitate de intenție *sau* scop

singleness ['siŋǝlnis] *s* 1 *v.* **single-mindedness** 2 celibat

single out ['siŋǝl' aut] *vt cu part adv v.* **single** III 1

singlet ['siŋlit] *s* flanelă (de corp)

single ticket ['siŋǝl, tikit] *s v.* **single** II 1

single track ['siŋǝl, træk] *s* cale *sau* ferov linie simplă

singly ['siŋli] *adv* 1 singur, fără ajutor (din afară) 2 (în mod) individual, separat; unul câte unul

sing of ['siŋ ǝv] *vi cu prep* a cânta despre; a cânta (cu ac); a slăvi cu ac

sing out ['siŋ 'aut] I *vi cu part adv* a fluiera; a striga; a chema II *vt cu part adv* a rosti, a transmite, a repeta (un ordin etc.) cu voce tare *sau* strigând

Sing Sing ['siŋ,siŋ] închisoare în statul New York

sing-song ['siŋ,sɔŋ] I *s* 1 lectură, interpretare, recitare *etc.* monotonă; vorbire tărăgănată 2 melopee 3 psalmodiere 4 lălăit, lălăială 5 concert improvizat; cor de amatori II *adj atr* monoton; tărăgănat; melopeic III *vt* a rosti *sau* a cânta monoton

singular ['siŋgjulǝ'] I *adj* 1 neobiș-nuit, ciudat, straniu; original, bizar, *rar→* singular 2 particular; singur, unic; singular II *gram s* (numărul) singular

singularity [,siŋgju'læriti] *s* 1 parti-cularitate 2 ciudățenie, origi-nalitate 3 exemplar unic

singularize ['siŋgjulǝ,raiz] I *vt* 1 a distinge, a remarca, a evidenția 2 a individualiza; a particulariza II *vr* a se distinge (de alții)

singularly ['siŋgjulǝli] *adv* 1 (în mod) ciudat, bizar, straniu 2 deosebit/ extraordinar de, cu totul 3 ← *înv* singur, fără ajutor din afară 4 *gram* la singular

sing up ['siŋ 'ʌp] *vi și vt cu part adv* a cânta mai tare/puternic

Sinhalese [,sinhǝ'li:z] *adj, s* singa-lez

sinister ['sinistǝ'] *adj* 1 stâng, din partea stângă 2 sinistru, pre-vestitor de rău, de rău augur; funest 3 (d. un gând etc.) ticălos, criminal, cumplit 4 (**to**) dezas-truos (pentru); nefericit, neno-rocit

sinistro-gyrate ['sinistrou' dʒaiǝrit] *adj* (d. scriere) sinistrogir

sinistrous ['sinistrǝs] *adj v.* **sinister**

sink [siŋk] I *pret* **sank** [sæŋk], *ptc* **sunk** [sʌŋk] *și înv* **sunken** ['sʌŋkǝn] *vi* 1 a se scufunda; a se afunda; a se da la fund; a se duce la fund; ~ **or swim** F ori-ori; **to be left to** ~ **or swim** a fi lăsat în voia soartei/în plata Domnului 2 a se lăsa (în jos); a cădea; (d. un zid) a se prăbuși, a se nărui; (d. o temelie) a se lăsa, a se slăbi; **to** ~ **into a chair/an armchair** a se lăsa într-un fotoliu; **to** ~ **on one's knees** a se lăsa/a cădea în genunchi; **his legs sank under him** i se înmuiară picioarele; nu-l mai țineau picioarele 3 (d. foc etc.) a slăbi; a începe să se stingă; (d. apă etc.) a scădea, a se micșora; a se împuțina 4 (d. soare etc.) a spune, a asfinți; a coborî 5 *fig* (d. inimă) a i se strânge, a-i sări din piept; **his spirits/heart sank** îi sări inima din piept; îl părăsi curajul; i se înmuiară picioarele 6 *fig* a se afunda (în zăpadă etc.) 7 *fig* (d. prețuri etc.) a scădea, a se micșora; a se ieftini 8 *fig* (d. furtună etc.) a se potoli, a se domoli; a scădea în intensitate 9 *fig* (d. cineva) a slăbi (< vă-zând cu ochii), a se stinge; a fi pe moarte, a i se apropia sfârșitul 10 *fig* a coborî (pe scara socială etc.) 11 *fig* (d. glas etc.) a slăbi 12 (**through**) (d. apă etc.) a pătrunde (prin) II (v. ~ I) *vt* 1 a (s)cufunda; a afunda; a da la fund 2 a înfunda; a vârî/a băga în pământ; a îngropa; a înfige (un par etc.) 3 a săpa (o groapă, un puț etc.); a fora 4 a apleca, a lăsa (capul – pe piept etc.), a sprijini 5 a coborî (vocea) 6 a

renunța la; a lăsa la o parte 7 a aplana (o ceartă etc.) 8 a achita, a stinge (o datorie) 9 *ec* a investi; a aloca (fonduri) 10 *fig* a determina scăderea (nivelului de trai etc.), a înrăutăți 11 *fig* a distruge, a ruina III *s* 1 chiuvetă; hazna; puț de scurgere; canal de scurgere 2 *el* șunt; derivație; ramificație 3 *teatru* trapă (a scenei) 4 *fig* cloacă, mocirlă

sinkage ['siŋkidʒ] *s* împotmolire (a roților etc.)

sinker ['siŋkǝ'] *s* 1 plumb (la undiță) 2 *text* platine 3 *sl* monedă falsă 4 *amer sl* dolar de argint

sinkhole ['siŋk,houl] *s* 1 canal (de scurgere); hazna 2 *geol* panor; dolină

sink in ['siŋk 'in] *vi cu part adv* 1 (d. lichide) a pătrunde, a intra (într-un corp solid) 2 *fig* a avea efect, a găsi ecou

sinking ['siŋkiŋ] I *adj* 1 care se scufundă *etc.* (v. **sink** I) 2 *atr* (d. o senzație etc.) de slăbiciune; de leșin 3 *atr fin* de amortizare II *s* 1 (s)cufundare; afundare 2 agra-vare 3 *constr* avansare 4 *min* săpare; adâncire (a unui puț)

sinking fund ['siŋkiŋ ,fʌnd] *s fin* capital de amortizare

sink into ['siŋk,intǝ] I *vt cu prep* a cufunda/a afunda în; a vârî/a băga în; a înfige în; a mușca din II *vi cu prep* 1 (d. apă etc.) a pătrunde în; a fi absorbit de; a se pierde în 2 (d. cuțit etc.) a pătrunde adânc în 3 (d. imagine etc.) a se imprima în, a se întipări în (memorie etc.), 4 a se cufunda în (somn, uitare); a cădea în (nesimțire etc.)

sinless ['sinlis] *adj* fără păcat; nevinovat, neprihănit

sinlessness ['sinlisnis] *s* nevino-văție, inocență, curățenie; sfin-țenie

sinner ['sinǝ'] *s* 1 păcătos; **as I am a** ~! F pe legea/cinstea mea! cum te văd și mă vezi! 2 păcătos, ticălos, nemernic, netrebnic

Sinn Fein ['ʃin 'fein] *s* mișcare și societate revoluționară irlandeză (întemeiată în 1905)

Sinological [,sainǝ'lɔdʒikǝl] *adj* sinologic

Sinologist [sai'nɔlǝdʒist] *s* sinolog

Sinology [sai'nɔlǝdʒi] *s* sinologie

sinter ['sintə'] *s* **1** *met* zgură, scorie; sinter; concrețiune **2** *geol* sinter; travertin **3** *tehn* produs sinterizat

sinuosity [,sinju'ɒsiti] *s* sinuozitate; circumvoluție

sinuous ['sinjuəs] *adj* **1** sinuos; cotit; șerpuit; ondulat; întortocheat **2** *fig (d. cineva)* întortocheat, încurcat, încâlcit **3** *fig (d. cineva)* neașteptat; pe care nu te poți bizui; care nu are un drum drept în viață

sinuously ['sinjuəsli] *adv* sinuos; cotit; șerpuit

sinus ['sainəs] *s* **1** *anat* sinus **2** ← *F* sinuzită

sinusitis [,sainə'saitis] *s med* sinuzită

Sion ['saiən] *munte lângă Ierusalim*

-sion *suf* -sie; -siune; **obsession** obsesie; **procession** procesi(un)e

Sioux [su:], *pl* **Sioux** [su:] *și* **Siux** [su:z] *s* indian din tribul Sioux

sip [sip] **I** *vt* a sorbi, a înghiți **II** *vi* **(of)** a sorbi (din); a bea câte puțin (din) **III** *s* sorbitură, înghițitură

siphon ['saifən] **I** *s* **1** sifon *(sticlă, aparat)* **2** *tehn* țeavă de aspirație **II** *vt hidr* a sifona; a evacua prin sifonare

siphon bottle ['saifən ,bɒtl] *s* (sticlă de) sifon

siphon off ['saifən 'ɔːf] *vt cu part adv* **1** *hidr* a evacua prin sifonare **2** *alim* a sifona

sipid ['sipid] *adj* savuros

sippet ['sipit] *s* **1** bucată, fărâmă **2** bucată de pâine prăjită *(înmuiată în sos etc.); frigănea*

sir [səː'] *s* **1** *(ca vocativ, neurmat de nume)* domnule; **dear** ~ dragă domnule; stimate domn(ule) **2** **S**~ *(așezat înaintea numelui mic arată titlul de* **knight** *sau* **baronet)** Sir *(John etc.)*

Siracusa [,sira'kuːza] *port în Italia* Siracuza

sire [saiə'] **I** *s* **1** *(ca vocativ)* sire, maiestate; Măria Ta **2** *poetic* părinte – tată; strămoș, străbun **3** *zool* animal de prăsilă; reproducător **II** *vt (↓ d. cai)* a procrea, a da naștere *(cu cal)*

siren ['saiərən] *s* **1** *mit* sirenă **2** *F* vampă, femeie fatală **3** *tehn* sirenă; fluier

siriasis [si'raiəsis], *pl* **siriases** [si'raiəsiːz] *s med* insolație

Sirius ['siriəs] *astr*

sirloin(steak) ['səː,lɔin(,steik)] *s gastr* mușchi *(de vacă)*

sirocco [si'rɒkou] *s meteor* sirocco

sirrah ['sirə] *s înv, peior (ca vocativ)* jupâne! – băiete!

sirup ['sirəp] *s* sirop

sirupy ['sirəpi] *adj* siropos

sis [sis] *s* ← *F* soră

sisal ['saisəl] *s text* sisal

siskin ['siskin] *s orn* scatiu *(Carduelis spinus)*

sissified ['sisifaid] *adj* ← *F* efeminat

sissy ['sisi] *s amer* ← *F* **1** surioară **2** băiat *sau* bărbat efeminat; homosexual **3** timid; fricos

sissyish ['sisiiʃ] *adj* ← *F* efeminat; alienat

sister ['sistə'] *s* **1** soră; surată; *dim* surioară **2** *bis* soră, călugăriță **3** infirmieră, soră; ↓ infirmieră șefă **4** *v.* **sissy 2**

sister-german ['sistə ,dʒəːmən] *s* soră bună/dreaptă

sisterhood ['sistə,hud] *s* **1** calitatea/situația de soră; înrudire ca soră **2** comunitate de infirmiere *sau* călugărițe

sister-in-law ['sistərin'lɔ], *pl* **sister-in-law** ['sistəz in 'lɔː] *s* cumnată

sister-like ['sistə ,laik] **I** *adj* (ca) de soră **II** *adv* ca o soră

sisterly ['sistəli] *adj, adv v.* **sister-like**

Sistine Chapel, the ['sistain 'tʃæpl, ðə] *s* Capela Sixtină

Sisyphus ['sisifəs] *mit* Sisif

sit [sit] **I** *pret și ptc* **sat** [sæt] *vi* **1** a ședea, a fi/a sta așezat; **to ~ over a glass of vine** a sta la un pahar de vin; **to ~ on one's hands** *F* a tăia frunză la câini; – a sta cu mâinile/brațele încrucișate; **to ~ pretty** *F* a-i merge bine; *cf* „are balta pește"; **to ~ tight** a nu se mișca, a ține bine *(în mașină etc.);* **how ~s the wind?** ← *F* a de unde bate vântul? **b** care este profitul/câștigul? **2** *pict* a poza, a fi model **3** a fi în ședință, a se întruni, a se reuni **4** *(d. păsări)* a sta, a fi cocoțat *(pe cracă etc.); (d. cloșcă)* a sta pe ouă, a cloci **5** *(d. haine)* a sta, a ședea, a veni *(bine etc.)* **6** *fig (d. comportare etc.)* a sta, a ședea *(frumos etc.)*, a se potrivi **II** *(v. ~ I)* *vt* **1** a sta pe; a se ține pe *(cal etc.)* **2** a așeza,

a face să se așeze **3** a rezema, a sprijini **III** *(v. ~ I)* *vr* a se așeza, a sta jos, a lua loc **IV** *s* **1** ← *F* loc, serviciu, slujbă **2** croială; ajustare *(a hainei)*

sit about/around ['sit ə'baut/ə'raund] *vi cu part adv F* a tăia frunză la câini, – a sta cu brațele/mâinile încrucișate *(↓ când alții lucrează)*

sit back ['sit 'bæk] *vi cu part adv* a nu face nimic, a sta cu mâinile încrucișate, *F →* a tăia frunză la câini

sit by ['sit 'bai] *vi cu part adv* a nu lua nici o măsură, a nu face nimic

sit down ['sit 'daun] **I** *vi cu part adv* **1** a se așeza, a sta jos, a lua loc **2** a ședea, a sta jos **3** *av* ← *F* a ateriza **II** *vt cu part adv* a face să se așeze

sit down for ['sit 'daun fə'] *vi cu part adv și prep* a asedia, a împresura *(o cetate etc.)*

sit-down strike ['sit ,daun 'straik] *s* greva brațelor încrucișate

sit down under ['sit 'daun ,ʌndə'] *vi cu part adv și prep* a se împăca cu; a răbda fără să se plângă de

site [sait] *s* **1** loc, poziție, situație **2** loc, așezare, amplasament; **on** ~ la locul de muncă; pe șantier; pe teren **3** pantă, coastă, povârniș

sited ['saitid] *adj ↓ (în cuvinte compuse)* așezat, situat, dispus; **a well-~ house** o casă bine plasată

site plan ['sait ,plæn] *s constr* plan de ansamblu

site road ['sait ,roud] *s constr* drum de șantier

sit for ['sitfə'] *vi cu prep* **1** a se prezenta la *(un examen)* **2** a prezenta *(o circumscripție electorală)*, a fi reprezentantul *(unei circumscripții electorale)*

sith [siθ] *conj, adv, înv, poetic v.* **since**

sit-in ['sit,in] *s* **1** grevă italiană **2** (protest social prin) ocuparea locurilor *(dintr-un local etc.)*

sit in ['sit 'in] *vi cu part adv* a avea grijă de un copil *sau* de copii *(în absența părinților)*

sit in for ['sit 'in fə'] *vi cu part adv și prep* a fi membru *cu gen;* a lua parte la; a participa la

sit in on ['sit 'in ɔn] *vi cu part adv și prep* a fi prezent fără a lua parte activă la

sit on ['sit ɔn] *vi cu prep* **1** a fi membru *cu gen* **2** a examina, a cerceta, a investiga *(un proces etc.)* **3** ← *F* a reprima *cu ac;* a suprima *cu ac;* a înăbuși *cu ac* **4** *F* a muștrului, a face cu ou și cu oțet, – a certa aspru *(pe cineva)*

sit out ['sit 'aut] *vt cu part adv* **1** a sta până la sfârșitul *(seratei etc.)* **2** a sta/a rămâne mai mult decât *(cineva)* **3** (a sta și) a nu lua parte la *(dans etc.)*

sitter[1] ['sitə'] *s* **1** persoană care stă jos *(în autobuz etc.)* **2** pict etc. (persoană care pozează ca) model **3** cloșcă; porumbiță *etc.* care stă pe ouă **4** *F* treabă ușoară, chestie simplă, fleac **5** persoană care are grijă de un copil *(în absența părinților)*

sitter[2] *s F v.* **sitting room**

sitting ['sitiŋ] **I** *s* **1** ședință, adunare, întrunire **2** ședință; dată, oară; **at one ~** dintr-o dată; dintr-o trăsătură de condei **II** *adj atr* **1** așezat, care stă jos **2** care clocește; pe ouă **3** în ședință **4** *(d. un deputat)* cu mandat, activ; care reprezintă o circumscripție

sitting room ['sitiŋ ‚ru:m] *s* **1** cameră de zi; cameră comună; salonaș **2** loc de stat jos

situate ['sitju‚eit] *vt* **1** a situa, a așeza, a plasa **2** a situa *(în anumite împrejurări etc.);* a încadra

situated ['sitju‚eitid] *adj* situat, așezat, plasat; **this is how I am ~** iată în ce situație mă aflu; **how is he ~ financially?** cum stă din punct de vedere financiar? care este situația lui financiară?

situation [‚sitju'eiʃən] *s* **1** poziție, așezare *(a unui oraș etc.);* amplasare **2** situație, stare *(financiară etc.)* **3** situație; slujbă, serviciu; **to be in a ~** a avea serviciu/slujbă, a fi angajat; **~s vacant** *(în ziare)* oferte de serviciu; **~s wanted** *(în ziare)* cereri de serviciu

situational [‚sitju'eiʃənəl] *adj* situațional, de situație

situation comedy [‚sitju'eiʃən 'kɔmidi] *s rad, telev* "satiră și umor" *(emisiune săptămânală cu personaje tipice)*

sit-up ['sitʌp] *s* poziția ghemuit *(la gimnastică)*

sit up ['sit ə‚ʌp] *vi cu part adv* **1** a ședea în capul oaselor **2** a nu se culca; a sta până târziu; a sta treaz *sau* de veghe **3** a ședea drept // **to make smb ~** *F* **a** a face pe cineva praf, a lăsa pe cineva cu gura căscată **b** a speti pe cineva, – a pune pe cineva să muncească foarte mult

sit upon ['sit ə‚pɔn] *vi cu prep v.* **sit on**

sitz bath ['sitz ‚ba:θ] *s* baie de șezut

Siva ['si:və] *mit* Șiva

six [siks] **I** *num* șase **II** *s* **1** grup de șase obiecte, persoane *etc.* **2** ← *F* șase peni; **two and ~** doi șilingi și șase penny // **to be at ~es and sevens** *F* a fi cu susul în jos/cu fundul în sus/vraiște/– în dezordine; **it is ~ of one and half a dozen of the other** e tot una, *F* e tot un drac, ce mi-e baba Rada, ce mi-e Rada baba

sixain ['siksein] *s metr* sextină, strofă de șase versuri

six-angled ['siks‚æŋgld] *adj geom* hexagonal

sixfold ['siks‚fould] *adj, adv* de șase ori, înșesit

sixfold polymer ['siks‚fould'pɔlimə'] *s ch* hexamer

six-footer ['siks'futə'] *s* ← *F* **1** om înalt de șase picioare **2** coșciug

sixpence ['sikspəns] *s* șase penny *(monedă sau valoare);* **it doesn't matter ~** n-are nici o importanță, e tot una

sixpenny ['sikspəni] *adj atr* **1** de șase penny, care costă șase penny **2** *fig* de doi bani, ieftin

six-shooter ['siks‚ʃu:tə'] *s* pistol cu șase gloanțe

sixteen ['siks'ti:n] *num* șaisprezece

sixteenth ['siks‚ti:nθ] **I** *num* al șaisprezecelea **II** *s și muz* șaisprezecime

sixteenth note ['siks'ti:nθ 'nout] *s muz amer* (notă) șaisprezecime

sixth [siksθ] **I** *num* șaselea **II** *s* **1** șesime, a șasea parte **2** *muz* sextă

sixth form ['siksθ ‚fɔ:m] *s școl* ultima clasă *(în școlile britanice)*

sixthly ['siksθli] *adv* în al șaselea rând

sixth sense ['siksθ ‚sens] *s* al șaselea simț, intuiție

sixtieth ['siksti:θ] **I** *num* șaizecilea **II** *s* a șaizecea parte

sixty ['siksti] **I** *num* șaizeci; **like ~** *amer F* ca focul; – cu mare viteză; cu forță **II** *s* **the sixties a** anii '60-'70 **b** anii 1860-1870 **c** anii 1960-1970

sixty-fourth note [‚siksti'fɔ:θ 'nout] *s muz* șaizecipătrime

sixty-four-thousand-dollar question, the ['siksti ‚fɔ: 'θauzənd ‚dɔlə kwestʃən, ðə] *s amer F* chestiunea numărul unu, – problema vitală

sizable ['saizəbəl] *adj v.* **sizeable**

sizar ['saizə'] *s univ* bursier *(la Cambridge sau Trinity College, Dublin)*

size [saiz] **I** *s* **1** mărime, măsură; format; dimensiune *sau* dimensiuni, proporții; volum; **of a ~** de aceeași mărime, de aceleași dimensiuni; **of no great ~** nu prea mare, destul de mic; **of all sorts of ~s** *F* de toate calibrele, fel de fel; **the ~ of life** (în) mărime naturală; **that's about the ~ of it** *F* corect, – așa este; așa stau lucrurile; **to cut smb down to ~** a nu exagera valoarea cuiva, a prezenta pe cineva la adevărata sa valoare **2** *text, ec* talie; măsură; număr **3** *mil* calibru; mărime **4** *poligr* corp de literă **5** *text* apret **6** *tehn* clei **7** statură; talie **8** ← *F* adevărata stare de lucruri **II** *vt* **1** a aranja, a clasa, a clasifica *etc.* după mărime, dimensiuni, înălțime *etc.* **2** a sorta **3** *tehn* a calibra; a standardiza **4** a lipi, a încleia **5** a potrivi, a ajusta

sizeable ['saizəbəl] *adj* mare, voluminos, de mărime considerabilă

-sized [saizd] *adj (în cuvinte compuse)* de (o) mărime ...; **small-~** mic, de mici dimensiuni

sizer ['saizə'] *s v.* **sizar**

size up ['saiz 'ʌp] *vt cu part adv* a aprecia, a evalua, a stabili aproximativ

sizing ['saiziŋ] *s* **1** așezare/dispunere după mărime **2** *fig* parte; tain **3** *tehn* dimensionare; calibrare; clasare **4** *text* încleiere

sizy ['saizi] *adj* lipicios, cleios

sizzle ['sizəl] **I** *vi* a sfârâi *(în tigaie etc.)* **II** *s* sfârâială

sizzler ['sizlə'] *s F* zi caniculară

Skager(r)ak ['skægə‚ræk] *strâmtoare între Danemarca și Norvegia* Skagerrak

skald [skɔːld] *s od* skald, scald, poet scandinav

skat [skæt] *s* scat *(joc de cărți)*

skate[1] [skeit] *s iht* calcan *(Raja batis)*

skate[2] **I** *s* **1** patină **2** *amer teatru* decor pe rotile **II** *vi* a patina; **to ~ on thin ice a** a fi într-o situație delicată *sau* dificilă *sau* periculoasă **b** a avea nevoie de mult tact (și prudență) *(în tratarea unei probleme etc.)*

skate[3] *s amer sl* **1** gloabă, mârțoagă **2** nenorocit; ticălos

skate over ['skeit ,ouvəʳ] *vi cu prep* a nu da/acorda importanță *cu dat*, a trece (repede) peste

skater ['skeitəʳ] *s* patin(at)or

skate round ['skeit ,raund] *vi cu prep v.* **skate over**

skating ['skeitiŋ] *s* patinaj

skating rink ['skeitiŋ ,riŋk] *s* patinoar

Skeat [skiːt], **Walter** *filolog englez (1835-1912)*

skedaddle [ski'dædəl] **F I** *vi* **1** a o întinde, a o lua din loc/la sănătoasa, a o șterge **2** – a fugi în dezordine/debandadă **II** *s* **1** – goană, fugă **2** – fugă în dezordine, debandadă

skeet (shooting) ['skiːt(ˌʃuːtiŋ)] *s sport* tragere în obiecte de argilă *(aruncate în aer)*

skeg [skeg] *s nav* călcâiul etamboului

skein [skein] *s* **1** scul, jurubiță, ghem **2** *tehn* filet

skeletal ['skelətəl] *adj* scheletic, de schelet

skeleton ['skelitən] **I** *s* **1** *anat* schelet; **reduced to a ~** slab ca un schelet/țâr **2** *tehn* carcasă **3** *tehn* schemă **4** *constr* schelet; structură; osatură **5** *nav* carcasă *(a unui vas)* **6** *pict* cadru; schiță, crochiu **II** *adj atr* **1** cu gratii **2** *text* ajurat **III** *vt* ← *rar* a schița (un roman etc.)

skeleton at the feast ['skelitən ət ðə'fiːst] *s fig* grijă, gând *etc.* care strică cheful/tulbură veselia

skeleton in the cupboard, the ['skelitən in ðə'kʌbəd, ðə] *s* secretul familiei; *aprox* rufele murdare (ale familiei)

skeletonize ['skelitə,naiz] *vt* **1** a reduce la forma de schelet; a lăsa numai oasele *(cu gen)* **2** a reduce la maximum/minimum **3**

a schița; a prezenta *sau* a descrie în linii mari/generale **4** a preface într-un schelet

skeleton key ['skelitən 'kiː] *s* speraclu

skelter ['skeltəʳ] *vi* a goni; a fugi cât îl țin picioarele

Skelton ['skeltən], **John** *poet englez (1460-1529)*

skeptic ... ['skeptik] *v.* **sceptic ...**

sketch [sketʃ] **I** *s* **1** desen; schiță; crochiu **2** *teatru* sceci, scenetă **3** *lit* schiță **4** schemă **5** *fig* fragment **II** *vt* **1** a desena; a schița, a face un crochiu *(cu gen)* **2** *fig* a schița *(un proiect etc.)*

sketch book ['sketʃ,buk] *s* **1** *pict* album se schițe/crochiuri **2** *lit* culegere de schițe **3** *ec* ciornă, bruion; strată

sketchily ['sketʃili] *adv* sumar, schițat, în linii mari; vag; fără amănunte

sketchiness ['sketʃinis] *s* **1** caracter sumar **2** lipsă de finisare **3** superficialitate, spoială

sketchy ['sketʃi] *adj* **1** sumar, schițat **2** nefinisat **3** vag; incomplet **4** superficial

skew [skjuː] **I** *adj* **1** oblic; pieziș **2** nesimetric **II** *adv* (în mod) oblic *sau* nesimetric **III** *s* oblicitate, poziție piezișă **IV** *vt* **1** a așeza oblic; a înclina **2** *fig* a denatura; a perverti

skewbald ['skjuːbɔːld] *adj (d. un cal)* bălțat

skewer ['skjuːəʳ] *s* **1** frigăruie **2** *text* suport; fus de lemn **3** ← *umor* spadă, sabie

skew-eyed ['skjuːaid] *adj* sașiu

skewness ['skjuːnis] *s* caracter oblic/pieziș

skew-whiff ['skjuːˌwif] *adj pred* F șui, – într-o parte; pe o parte

ski [skiː] **I** *și ca pl; pl* **~s** *s* schi **II** *pret și ptc* **skied** [skiːd] *și* **ski'd** [skid] *vi* a schia; a face schi

skiagram ['skaiəgræm] *s med* radiografie; roentgenogramă

skiagraph ['skaiəgrɑːf] *s med* radiografie

skiborne ['skiːˌbɔːn] *adj atr* transportat cu schiurile

skid [skid] **I** *s* **1** *tehn* talpă; sanie; patină; sabot (de frână); piedică *(la o căruță)* **2** *auto* derapare; patinare, alunecare **3** *nav* șină de alunecare, talpă de lansare *(a navelor)* **4** tălpice **5** *av* bechie

II *vt* **1** *tehn* a frâna; a bloca *(o roată);* a cala *(un cilindru)* **2** *auto* a face să derapeze **3** a pune pe tălpici **III** *vi* **1** *auto etc.* a derapa, a aluneca **2** *av* a aluneca pe o aripă; a glisa

skid board ['skid ,bɔːd] *s av* cală de roată

skin chain ['skid ,tʃein] *s auto* lanț antiderapant

skiddoo [ski'duː] *interj sl* șterge-o! valea! întinde-o!

skidlid ['skid,lid] *s* ← F cască de protecție *(a motocicliștilor)*

skid pan ['skid,pæn] *s* **1** *constr* sabot de oprire **2** *auto* teren alunecos *(special amenajat)*

skidproof ['skid,pruːf] *adj auto etc.* antiderapant

skid row ['skid ,rou] *s amer* ← F cartier sordid *(unde se strâng șomerii și bețivii)*

skier ['skiːəʳ] *s* schior

skiff [skif] *s* **1** *sport* schif **2** barcă ușoară, luntre

skiffle ['skifəl] *s* muzică populară asemănătoare cu folk-ul american *(spre sfârșitul anilor '50)*

ski jump ['skiː ,dʒʌmp] *s sport* săritură cu schiurile

skilful ['skilful] *adj* dibaci, îndemânatic, abil, priceput, iscusit; expert; **to be ~ at** a se pricepe la

skilfully ['skilfuli] *adv* cu îndemânare/dibăcie/pricepere

skilfulness ['skilfulnis] *s* **1** îndemânare, dibăcie, pricepere **2** experiență; cunoștințe

skill [skil] **I** *s* **1** dibăcie, îndemânare, abilitate, pricepere, iscusință; măiestrie, artă **2** *pedagogie* deprindere **3** calificare *(a muncitorilor)* **II** *vi:* **it ~s not a** tot una/ nu are importanța/însemnătate, nu contează **b** e inutil/zadarnic, nu are rost

skilled [skild] *adj* **1** *(d. muncitori)* calificat **2** **(in)** priceput (la, în); experimentat (în); competent

skilled worker/workman ['skild ,wəːkəʳ/ ,wəːkmən] *s* muncitor calificat

skillet ['skilit] *s* **1** *met* tighel; creuzet **2** tigaie; cratiță

skillful ... ['skilful] *amer v.* **skilful ...**

skilling ['skiliŋ] *s* șopron

skillless ['skillis] *adj* **1** neîndemânatic, nedibaci **2** nepriceput, fără experiență

skim [skim] **I** *vt* **1** a lua/a îndepărta spuma de pe **2** a smântâni *(laptele);* a lua crema de pe; **to ~ the cream off smth** *fig* a lua caimacul de pe ceva, a lua partea mai bună a unui lucru **3** *fig* a atinge ușor; a atinge în treacăt **4** a răsfoi *(o carte)* **5** *(d. păsări etc.)* a zbura foarte aproape de *(pământ)* **6** *fig* a face de mântuială, *F* a rasoli, a da peste cap **II** *vi* **1** a prinde o pojghiță/ crustă subțire **2** *fig* a trece în zbor; a pluti, a luneca

skim coulter ['skim ˌkoultəʳ] *s agr* antebrăzdar, antetrupiță

skimmed milk ['skimd ˌmilk] *s v.* **skim milk**

skimmer[1] ['skiməʳ] *s* **1** lingură de spumuit/pentru luat spuma **2** *tehn* racletă, răzuitoare **3** *constr* plug nivelator; greder **4** *met* separator de zgură **5** *av* hidroavion **6** *fig* ← *F* cititor superficial

skimmer[2] *vt* a (stră)luci

skim milk ['skim ˌmilk] *s* lapte degresat

skimming ['skimiŋ] *s* **1** luare, îndepărtare *(a spumei etc.);* smântânire *(a laptelui)* **2** formare a unei pojghițe **3** ↓ *pl* spumă îndepărtată/ înlăturată **4** *constr* nivelare de teren **5** (a)lunecare; plutire; trecere în zbor **6** contact superficial *(cu o problemă etc.);* răsfoire

skimp [skimp] **I** *vt* **1** a da/a împărți cu zgârcenie **2** *F* a rasoli, a da peste cap *(o treabă)* **II** *vi* **1** a fi zgârcit/calic; a se zgârci, a se calici **2** a trăi foarte econom

skimpily ['skimpili] *adv* cu zgârcenie; insuficient, neîndestulător

skimpiness ['skimpinis] *s* zgârcenie, economie; insuficiență

skimpy ['skimpi] *adv* ← *F* **1** redus; puțin; insuficient, neîndestulător **2** zgârcit, calic; econom

skin [skin] **I** *s* **1** *anat* piele; **to have a thick ~** *fig* a avea pielea groasă/obrazul gros, a fi nesimțit; a fi gros de obraz; **to have a thin ~** *fig* a fi susceptibil; **not to change one's ~** *fig* a nu-și schimba năravul; **he's mere ~ and bone** *fig* e numai piele și os, e numai pielea și osul de el; **to be in smb's ~** a fi în pielea cuiva; **to strip to the ~** a dezbrăca *sau* a se dezbrăca până la piele, a

despuia *sau* a se despuia; **to jump out of one's ~** *fig* a a-și ieși din fire *(de bucurie etc.)* **b** a tresări, a se înfiora *(de plăcere etc.);* **next (to) one's ~** *(a purta ceva)* (direct) pe piele; **to escape by/with the ~ of one's teeth** *fig* a scăpa ca prin urechile acului; **to fear for one's ~** *fig* a-și teme pielea; **to come off with a whole ~** *fig* a scăpa nevătămat/teafăr/neatins; **it's no ~ off my nose** *F* mă doare-n cot, – puțin îmi pasă, nu mă deranjează; **~ and bone(s)** *fig* (numai) pielea și osul, (numai) piele și oase; **soaked/drenched to the ~** ud până la piele; **to save one's ~** *F* a scăpa cu pielea întreagă, – a scăpa teafăr; **to get under smb's ~** *F* a înnebuni pe cineva, a plictisi de moarte pe cineva; a scoate din sărite pe cineva **2** piele *(a unui animal);* blană **3** *pl* piei; blănuri; pielărie; blănărie **4** *tehn* peliculă; pânză subțire **5** *text* lână tăbăcărească **6** înveliș; strat acoperitor **7** crustă; pieliță **8** burduf *(de piele, pt vin etc.)* **9** *nav* cocă **10** *sl* gloabă, mârțoagă **11** *amer sl* zgârcit, calic **II** *vi* **1** *med* a se cicatriza **2** a se jupui **III** *vt* **1** a jupui **2** *fig F* a jupui, a stoarce *(de bani)* **3** a decoji, a curăța de coajă

skin-deep ['skinˌdi:p] *adj* **1** *(d. răni)* superficial, la suprafața pielii **2** *fig* superficial, de suprafață

skin disease ['skin diˈzi:z] *s med* boală de piele, dermatoză

skin dresser ['skinˈdresəʳ] *s* pielar

skin effect ['skin iˈfekt] *s el* efect superficial/skin

skinflint ['skinˌflint] *s* zgârcit, calic *F* zgârie-brânză

skin game ['skin ˌgeim] *s* **1** box fără mănuși **2** *fig* luptă pe viață și pe moarte **3** *F* pungășie, – pungășeală, escrocherie **4** ← *F* joc necinstit

skink [skiŋk] *s zool* specie de șopârlă *(Scincus officinalis)*

skinned [skind] *adj* **1** acoperit cu piele **2** jupuit; cu pielea zdrelită

skinner ['skinəʳ] *s* **1** pielar **2** cojocar; blănar **3** *F* potlogar, coțcar, escroc

skinniness ['skininis] *s* slăbiciune, aspect costeliv

skinny ['skini] *adj* **1** slab, costeliv; piele și os **2** membranos **3** sărăcăcios

skint [skint] *adj sl* lefter, la pământ, fără o lețcaie

skin-tight ['skinˌtait] *adj (d. îmbră-căminte)* strâns pe talie, lipit de corp

skiogram ['skaiouˌgræm] *s v.* **skiagram**

skiograph ['skaiouˌgrɑ:f] *s v.* **skiagraph**

skip [skip] **I** *s* **1** salt, săritură (mică), hop **2** *rad* zonă de trecere **II** *vi* **1** a sălta, a zburda, a sări **2** *fig* a sări *(de la una la alta etc.),* a divaga **3** a sări coarda **4** *F* a o lua din loc, a o întinde; a spăla putina **III** *vt* **1** a sări *(ceva),* a sări a trece peste, a omite **2** a face să sară/salte

skipjack ['skipˌdʒæk] *s* **1** *iht* pește săritor *sau* zburător **2** *fig* încrezut; fandosit; *F* maimuțoi

ski plane ['ski:ˌplein] *s av* avion cu schiuri *(în loc de roți)*

skipper ['skipəʳ] *s* **1** *nav* comandant, căpitan *(de vas comercial);* comandant de costier; comandant de pescador **2** *fig* comandant, conducător; șef **3** *av* căpitan, comandant *(de aeronavă)* **4** *sport* căpitan/șef de echipă

skipping rope ['skipiŋ ˌroup] *s* coardă (de sărit)

skirl [skə:l] *s* sunet ascuțit *(al cimpoiului)*

skirmish ['skə:miʃ] **I** *s* **1** *mil* ambuscadă; hărțuială **2** încăierare **3** *fig* ceartă, discuție (aprinsă), altercație **II** *vi* **1** *mil* a angaja o ambuscadă **2** *mil etc.* a se încăiera **3** (**with**) a trage (în)

skirmisher ['skə:miʃəʳ] *s* **1** *mil* și *fig* hărțuitor **2** *mil* trăgător, pușcaș

skirmishing ['skə:miʃiŋ] *s mil* ambuscadă; (luptă de) hărțuială

skirt [skə:t] **I** *s* **1** pulpană **2** fustă; **to be always hanging on to smb's ~s** *fig* a se ține mereu de pulpana *sau* de fusta cuiva **3** *pl sl* fuste, muieri; femei; fete; **piece/bit of ~** *fig* fustă; muierușcă; fată **II** *vi* a trece pe la margini; a fi periferice; **the road ~s round the lake** drumul cotește în jurul lacului **III** *vt* **1** a ocoli *(un oraș etc.)* **2** *fig* a ocoli, a evita *(o chestiune etc.)*

skirting board ['skə:tiŋ ,bɔ:d] *s* **1** *constr* șipcă de bordură **2** *nav* brâu de acostare

skirt round ['skə:t ,raund] *vi cu prep și fig* a ocoli *cu ac*

ski runner ['ski:,rʌnə'] *s sport* schior

ski stick ['ski:,stik] *s* băț/baston de schi

skit[1] [skit] **I** *s* **1** parodie; satiră **2** scheci; schiță **II** *vt* a parodia; a satiriza

skit[2] *s F* grămadă, mulțime, – număr mare, serie

skittish ['skitiʃ] *adj* **1** jucăuș; fâșneț **2** cochet **3** nervos; sperios

skittishly ['skitiʃli] *adv* (în mod) jucăuș (*v.* **skittish**)

skittle ['skitəl] *s* **1** popic **2** *pl* popice **3** *F* baliverne, gogoși

skittle alley ['skitəl,æli] *s* popicărie

skittle away ['skitələ'wei] *vt cu part adv* **1** a risipi *sau* a cheltui în dreapta și în stânga **2** a neglija, a omite, a scăpa, a lăsa să-i scape

skive [skaiv] *vt* **1** a răzui *(piei)* **2** a tăia pieziș **3** a lustrui, a poliza (*un diamant etc.*)

skivvies ['skiviz] *s pl sl* chiloți

skivvy ['skivi] *s F* servantă, – fată în casă

skulk [skʌlk] **I** *s v.* **skulker II** *vi* **1** a sta ascuns/pitit, a se ține ascuns/în umbră **2** a pândi, a sta la pândă **3** *și fig* a se furișa, a se strecura; *fig* a se eschiva, *F* a trage chiulul

skulker ['skʌlkə'] *s F* chiulangiu

skull [skʌl] *s* țeastă, craniu, tigvă

skull and crossbones ['skʌlənd 'krɔs,baunz] *s* tigvă și două oase încrucișate *(pe sticle cu otravă etc.)*

skull cap ['skʌl ,kæp] *s* **1** bonetă, scufie, scufiță **2** *bot* gura lupului *(Scutellaria altissima)*

skunk [skʌŋk] *s zool* sconcs, specie de dihor din America de Nord *(Mephitis mephitica)*

sky [skai] **I** *s* cer; **to praise to the skies** *fig* a ridica în slăvi/în slava cerului *(pe cineva);* **under the open** ~ în aer liber, sub cer deschis; **out of a clear** ~ din senin, pe neașteptate, brusc **II** *vt* a ridica, a arunca *etc. (mingea etc.)*

sky-blue ['skai,blu:] *adj* azuriu, de azur

sky blue *s* azur, albastrul cerului, senin

sky-born ['skai,bɔ:n] *adj poetic* nepământean; – de origine divină

sky-clad ['skai,klæd] *adj F* gol-goluț/-pușcă

sky diver ['skai ,daivə'] *s* ← *F* parașutist

skyey ['skaii] *adj* **1** ceresc, al cerului; ca albastrul cerului **2** *fig* ceresc, divin

sky-high ['skai,hai] **I** *adj (d. munți etc.)* care se ridică până la cer(uri), foarte înalt **II** *adv* până în înaltul cerului

skyjack ['skai,dʒæk] *vt* ← *F* a deturna *(un avion)*

skyjacker ['skai,dʒækə'] *s* ← *F* pirat aerian

shyjacking ['skai,dʒækiŋ] *s* ← *F* deturnare de avion *sau* avioane

skylark ['skai,lɑ:k] *s orn* ciocârlie *sau* ciocârlan, *poetic* → lie *(Alauda arvensis)*

skylight ['skai,lait] *s constr* luminator; lucarnă

skyline ['skai,lain] *s* linie de orizont; contur, profil *(pe cer)*

sky pilot ['skai ,pailət] *s* ← *F* **1** preot **2** *av* pilot

skyrocket ['skai,rɔkit] *vi* a se înălța ca o rachetă *(brusc și vertical)*

sky sail ['skai,seil] *s nav* contrarândunică

skyscraper ['skai,skreipə'] *s constr* zgârie-nori

skyward ['skaiwəd] *adj, adv* spre/către cer

skywards ['skaiwədz] *adv* spre/către cer

sky way ['skai,wei] *s av* rută aeriană, drum aerian

sky writing ['skai,raitiŋ] *s av* reclamă aeriană

slab [slæb] **I** *s* **1** lespede; dală; placă *(de marmură etc.)* **2** bucată, felie, parte *(dintr-o masă solidă);* tabletă *(de ciocolată);* bucățică **3** *el* tablou; placă **4** *tehn* foaie **5** *met* bramă **6** *constr* lături; lătunoi **II** *vt* a acoperi cu lespezi, dale *etc.;* a pava cu dale

slab billet ['slæb,bilit] *s met* semifabricat; țaglă

slab-sided ['slæb,saidid] *adj* **1** *tehn* cu pereți laterali **2** *fig* slab, costeliv, uscățiv; înalt și slab; **a big** ~ **fellow** un lungan

slab wax ['slæb ,wæks] *s min* parafină în plăci

slack[1] [slæk] **I** *adj* **1** *(d. cineva)* slab; uscat; uscățiv; slăbit; vlăguit, stors **2** *fig (d. comerț etc.)* slab; mort; care lâncezește **3** *(d. o frânghie etc.)* slăbit, moale; destins **4** *fig* încet, lent; lipsit de energie **5** *fig (d. cineva)* delăsător; indolent; neglijent **6** *fon (d. o vocală)* deschis **7** *meteor (d. vreme)* staționar; *(d. vânt etc.)* moderat **8** *tehn* fără coeziune; slab; fixat slab; cu joc **II** *s* **1** *tehn s* joc **2** *tehn* încetinire **3** porțiune întinsă *(a unei frânghii etc.)* **4** *com etc.* (perioadă de) acalmie; inactivitate **5** *nav* mare staționară *(între flux și reflux)* **6** *pl* pantaloni marinărești **7** salopetă **III** *vi* **1** a slăbi, a ceda; a se înmuia; a se destinde **2** *(d. var)* a se stinge **3** *F (d. cineva)* a o lăsa mai moale; – a trândăvi, a lenevi **IV** *vt* **1** a slăbi, a micșora *(zelul etc.)*, a încetini *(viteza etc.); F* a o (mai) slăbi cu **2** a stinge *(varul)* **3** *tehn* a deșuruba **4** *tehn* a lăsa joc *(cu dat)* **5** a astâmpăra, a potoli *(setea)*

slack[2] *s* praf de cărbune

slack chain ['slæk ,tʃein] *s* **1** *tehn* slăbit neîntins **2** *ch* catenă liberă

slacken ['slækən] **I** *vt* **1** a încetini *(viteza etc.);* a slăbi *(intensitatea, zelul etc.);* a micșora, a diminua; a destinde *(mușchii etc.);* **he** ~**ed the reins** a slăbit hățurile **2** *fig* a slăbi, a îndulci **II** *vi* **1** *(d. frânghii etc.)* a se slăbi; a se lăsa **2** *(d. viteză etc.)* a se micșora; a se diminua; *(d. comerț etc.)* a stagna, a lâncezi **3** *(d. var)* a se stinge

slacker ['slækə'] *s* leneș; *F* chiulangiu; pierde vară

slack hours ['slæk ,auəz] *s pl* ore de trafic redus

slack lime ['slæk ,laim] *s* var stins

slackness ['slæknis] *s* **1** lipsă de energie **2** lene, trândăvie; lenevie, lenevire **3** slăbire *(a disciplinei etc.)* **4** destindere *(a mușchilor etc.)* **5** *ec* stagnare **6** neglijență, nebăgare de seamă **7** *tehn* jocul lagărului

slacks [slæks] *s pl* pantaloni largi

slack time ['slæk ,taim] *s* stagnare; acalmie

slack water ['slæk ,wɔ:tə'] *s* **1** *nav* staționarea mareei; apă moartă **2** apă stătătoare

slade¹ [sleid] *s agr* plaz, talpa plugului

slade² *s* **1** luminiș; dumbravă **2** vâlcea **3** pământ mocirlos

slag [slæg] *s met* zgură; scorie; cenușă

slag furnace ['slæg ˌfəːnis] *s met* cuptor de topit zgură

slaggy ['slægi] *adj* de *sau* cu zgură

slain [slein] *ptc de la* **slay**

slake [sleik] **I** *vt* **1** a astâmpăra, a potoli *(setea)* **2** a stinge *(varul)* **II** *vi (d. frânghii etc.)* a se slăbi; a se destinde; a se lăsa

slake clay ['sleik ˌklei] *s met* lipitură

slaking pit ['sleikiŋ ˌpit] *s* groapă de var

slalom ['slaːləm] *s sport* slalom

slam¹ [slæm] *la bridge* **I** *s* șlem **II** *vi* a face șlem

slam² *vt* a trânti, a izbi *(ușa etc.)* **II** *vi (d. uși etc.)* a se închide cu zgomot **III** *s* zgomot *(de ușă trântită etc.);* izbitură, trântitură

slam-bang ['slæm,bæŋ] *adv* brusc/ repede și cu zgomot

slam down ['slæm'daun] *vt cu part adv* a trânti, a închide cu zgomot *sau* violență *(un capac etc.)*

slander ['slaːndə'] **I** *vt* a calomnia, a bârfi, a ponegri **II** *vi* a umbla cu vorbe, a spune calomnii, a bârfi **III** *s* calomnii, bârfeli, defăimare

slander action ['slaːndər ˌækʃən] *s jur* proces de calomnie

slanderer ['slaːndərə'] *s* calomniator, defăimător; bârfitor

slanderous ['slaːndərəs] *adj* bârfitor, calomniator; defăimător

slanderously ['slaːndərəsli] *adv* (în mod) calomniator, defăimător

slanderousness ['slaːndərəsnis] *s* înclinație spre calomniere; calomniere

slang [slæŋ] *s* slang *(limbaj în general nefolosit în vorbirea serioasă; cuprinde cuvinte și expresii foarte familiare sau nepoliticoase, dintre care unele în exprimarea unor anumite grupuri sau categorii sociale etc.);* jargon; argou

slang expression ['slæŋ iks'preʃən] *s* expresie argotică/de slang

slanginess ['slæŋinis] *s* caracter de slang/argotic *(al unei conversații etc.)*

slanging ['slæŋiŋ] *s* ← *F (ploaie de)* injurii, ocări **2** mustrări, dojeni, *F* muștruluială

slanguage ['slæŋidʒ] *s* ← *umor* slang, argou

slangy ['slæŋi] *adj* **1** *(d. cineva)* care vorbește/se exprimă în slang/ argou **2** de slang/argou/jargon **3** *(d. îmbrăcăminte)* bătător la ochi; țipător

slant [slaːnt] **I** *vi* **1** a se înclina, a fi înclinat *sau* pieziș; a se povârni **2** *fig* a se povârni; a o lua pieziș **II** *vt* **1** a înclina; a povârni **2** *fig* a denatura; a falsifica; a prezenta tendențios **III** *s* **1** pantă, înclinare; povârniș **2** *amer* ← *F* punct de vedere, părere, opinie **3** *amer* ← *F* înclinație; tendință

slant distance ['slaːnt ˌdistəns] *s tel* distanță reală

slanting ['slaːntiŋ] *adj* **1** în pantă, înclinat **2** oblic **3** abrupt

slantingly ['slaːntiŋli] *adv* pieziș; oblic; în diagonală

slantwise ['slaːnt,waiz] *adv* oblic; pieziș; într-o parte

slap [slæp] **I** *vt* a pălmui, a lovi cu palma, a plesni, *F* → a cârpi **II** *s* **1** palmă; ~ **in the face** palmă peste obraz **2** *fig* palmă, insultă **III** *adv* **1** brusc, deodată, pe neașteptate; din senin; **to run ~ into smb** a se ciocni cu cineva; a se ciocni nas în nas cu cineva **2** drept, direct; **to hit smb ~ in the eye** a lovi pe cineva drept în ochi

slap and tickle ['slæpənd'tikl] *s F* giugiuleală

slap-bang ['slæp,bæŋ] **I** *adj atr* brusc, neașteptat; violent, impetuos, vehement **II** *adv* **1** (în mod) brusc, neașteptat; cu violență, impetuos, vehement **2** cu toată puterea, din răsputeri

slapdash ['slæp,dæʃ] **I** *s* **1** neatenție; lipsă de grijă **2** caracter brusc/ neașteptat **3** pripă, grabă **II** *adj atr* **1** pripit, necugetat **2** la repezeală, improvizat **3** impetuos, năvalnic, avântat **III** *adv* la întâmplare; în pripă, necugetat

slap down ['slæp'daun] *vt cu part adv F* a pune la punct; a închide gura *(cu gen);* a veni de hac *(cu dat)*

slapjack ['slæp,dʒæk] *s amer* ← *F gastr* clătită

slapping ['slæpiŋ] *adj F* grozav, formidabil, nemaipomenit

slap-stick comedy ['slæp,stik 'kɔmidi] *s* comedie ieftină/bufă

slap-up ['slæp,ʌp] *adj* ← *F* elegant, șic

slash [slæʃ] **I** *vt* **1** a tăia/a reteza la întâmplare; a ciopârți; a cresta *(cu un pumnal etc.)* **2** a da bice *(unui cal)*, a biciui **3** *fig* a critica aspru/sever, a șfichiui *(prețuri etc.)* **II** *vi* **1** a lovi în dreapta și în stânga; a lovi fără milă **2** *fig* a-și croi drum **3** *fig* a critica fără cruțare **III** *s* **1** tăietură; rană; crestătură **2** *text* șliț, tăietură; felie **3** lovitură (↓ violentă)

slasher ['slæʃə'] *s* **1** cuțit **2** certăreț, gâlcevitor **3** sabie, spadă **4** satâr **5** *fig* criticant; critic sever

slashing ['slæʃiŋ] *adj* **1** aspru, sever; < crunt, necruțător; *(d. critică și)* șfichiuitor, mușcător **2** *F* clasa prima, – excelent, grozav, nemaipomenit **3** imens, uriaș

slat [slæt] *s* **1** stinghie; șipcă *(la jaluzele etc.)* **2** *av* volet la bordul de atac **3** *tehn* canal de pană

slate [sleit] **I** *s* **1** *geol* gresie; șist; ardezie **2** placă de ardezie; tăbliță, plăcuță; **to clean the ~** *fig* a șterge trecutul cu buretele, a face tabula rasa; **to start with a clean ~** *fig* a deschide o pagină nouă; a începe o viață nouă **2** *amer pol* listă de candidați/ electorală **II** *vt* **1** a acoperi cu plăci de ardezie **2** *amer pol* a înscrie pe listă *(un candidat)* **3** *F* a da în tărbacă, a face ca pe o albie de porci; a trage un perdaf *(cuiva)*

slate break ['sleit ˌbreik] *s geol* intercalație șistoasă

slather ['slaːðə'] *s amer F* grămadă, mulțime

slattern ['slætən] *s* femeie șleampătă/neglijentă/murdară

slaty ['sleiti] *adj* **1** (ca) de ardezie **2** de culoarea ardeziei, cenușiu închis **3** stratificat, în plăci

slaughter ['slɔːtə'] **I** *s* **1** măcel, masacru, vărsare de sânge, ucidere, *P* → uciganie **2** tăiere, sacrificare *(a vitelor)* **II** *vt* **1** a măcelări; a ucide; **to ~ candidates** *fig* a trânti pe capete *(candidații la un examen etc.);* **to ~ smb** *fig* a desființa pe cineva, a distruge, a nimici **2** a tăia, a sacrifica *(vite)*

slaughterer ['slɔːtərə'] *s* **1** ucigaș, omorâtor **2** casap, parlagiu

slaughter house ['slɔ:tə,haus] *s* abator, za(l)hana

slaughterman ['slɔ:təmən] *s v.* **slaughterer 2**

slaughterous ['slɔ:tərəs] *adj* ucigaş; setos/însetat de sânge

Slav [sla:v] *s, adj* slav

Slav. *presc de la* **1 Slavic 2 Slavonian 3 Slavonic**

slave [sleiv] **I** *s şi fig* sclav, rob; **he's a ~ to convention** e un sclav al convenţiei/convenţiilor **II** *vi* a munci ca un rob, a se speti muncind

slave-born ['sleiv,bɔ:n] *adj* născut în sclavie *sau* din părinţi sclavi

slave dealer ['sleiv ,di:lə'] *s* neguţător/negustor de sclavi

slavedom ['sleivdəm] *s* robie, sclavie

slave driver ['sleiv 'draivə'] *s* **1** supraveghetor de sclavi; havildar **2** *fig* exploatator

slaver¹ ['sleivə'] *s* **1** *v.* **slave dealer 2** *nav* vas cu sclavi

slaver² **I** *vi* **1** a lăsa bale; a scuipa **2** *fig* a se linguşi **II** *s* **1** bale; scuipat **2** *fig* linguşire/măgulire grosolană

slavery ['sleivəri] *s* **1** *şi fig* sclavie, robie **2** *fig* muncă de rob

slaveship ['sleiv,ʃip] *s nav* vas cu sclavi

slave state ['sleiv ,steit] *s ist* stat sclavagist *(în S.U.A.)*

slave trade ['sleiv ,treid] *s* comerţ cu sclavi

slave trader ['sleiv ,treidə'] *s v.* **slave dealer**

slave traffic ['sleiv ,træfik] *s v.* **slave trade**

slavey ['sleivi] *s F* slujnicuţă, – servitoare, fată în casă

Slavic ['sla:vik] *adj, s v.* **Slavonic**

Slavicism ['sla:visizəm] *s lingv* slavonism

slavish ['sleiviʃ] *adj* **1** de sclav/rob; de şerb **2** *fig* slugarnic, servil

slavishly ['sleiviʃli] *adv fig* ca un sclav; servil

slavishness ['sleiviʃnis] *s* servilism, slugărnicie

Slavism ['sla:vizəm] *s lingv etc.* slavism

Slavist ['sla:vist] *s lingv* slavist

Slavonian [slə'vouniən] **I** *adj* **1** sloven; din Slovenia **2** slav; slavon **II** *s* **1** sloven **2** slav **3** *lingv* grupul limbilor slave

Slavonic [sle'vɔnik] **I** *adj* slav; slavon **II** *s lingv* grupul limbilor slave

Slavophil(e) ['sla:vou,fil] *s* slavofil

Slavophobe ['sla:vou,foub] *s* slavofob

slaw [slɔ:] *s* salată de varză *(tăiată)*

slay¹ [slei] *s text* vatală

slay², *pret* **slew** [slu:], *ptc* **slain** [slein] **I** *vt* **1** a ucide, a omorî; a măcelări **2** *fig* a distruge, a nimici **3** ← *înv* a lovi **II** *vi* a ucide

slayer ['sleiə'] *s* criminal, asasin

sleave [sli:v] *s* **1** fir subţire; borangic **2** *fig* ghem (încâlcit *de contradicţii etc.)*

sled [sled] *s, vt, vi v.* **sledge**

sledding ['slediŋ] *s* plimbare, mers *sau* transport cu sania

sledge [sledʒ] **I** *s* **1** sanie **2** drumuri mai **3** drumuri târnăcop **4** *min* ciocan de mână **5** *text* tachet **II** *vt* a duce/a transporta *sau* a plimba cu sania **III** *vi* a merge *sau* a se plimba cu sania

sledge hammer ['sledʒ ,hæmə'] *s* **1** baros; ciocan de spart piatră; ciocan de forjă **2** *text* ciocan bătător

sleek [sli:k] **I** *adj* **1** *(d. blană etc.)* lins, lucios, neted; moale **2** *(d. cineva)* cu părul neted/lins **3** *tehn* lustruit **4** *fig* mieros, linguşitor **II** *vt* a netezi, a lustrui; a da lustru *(cu dat)*

sleeky ['sli:ki] *adj v.* **sleek I**

sleep [sli:p] **I** *s* **1** somn; **dead/heavy ~** somn greu/de plumb/de moarte; **to go to ~ a** a adormi; a aţipi **b** *fig (d. picior etc.)* a amorţi; **to put to ~ a** a adormi *(un copil)* **b** *fig* a adormi *(bănuieli)* **c** a omorî *(un animal bolnav etc.)* făcându-l să sufere cât mai puţin **d** a anestezia; a narcotiza; **to drop with ~** a pica de somn, a dormi de-a-n-picioarele; **to have a good ~** a dormi bine; **to rouse smb from his ~** a trezi/a deştepta pe cineva din somn; **he didn't get much ~** nu prea dormea, nu dormea destul **2** hibernare **3** somnolenţă, toropeală; **eyes full of ~** ochi somnoroşi **4** *fig* somn (al morţii), somn veşnic **II** *pret şi ptc* **slept** [slept] *vi* **1** a dormi; a fi adormit; a adormi; **to ~ like a log/top** a dormi buştean/tun; **to ~ with one eye open a** a dormi iepureşte; **to ~ the clock round**

a dormi douăsprezece ore; **to ~ over one's work** a adormi lucrând **2** a dormi peste noapte, a mânea **3** *fig* a dormi; a lâncezi; a nu lucra, a nu fi activ, a nu funcţiona *etc.* **4** *fig* a dormi (somnul de veci) **5** a hiberna **III** *(v. ~* **I)** *vr (cu un adj.):* **to ~ oneself sober** a se trezi (din beţie) după ce a dormit, a dormi până când îşi revine (din beţie) **IV** *(v. ~* **I)** *vt* **1** a dormi; **to ~ a dreamless sleep** a dormi fără vise; **he didn't ~ a wink** nu a dormit o clipă, nu a închis ochii o clipă **2** a avea paturi pentru; a adăposti (noaptea); **the hotel ~s 250 people** hotelul are 250 paturi

sleep around ['sli:pə'raund] *vi cu part adv F* a se duce în crailâc; – a se culca cu cine nimereşte

sleep away ['sli:pə'wei] *vt cu part adv* **1** a petrece *sau* a pierde *(timpul)* dormind **2** a uita de *(griji etc.)* dormind; a îneca în somn

sleeper ['sli:pə'] *s* **1** persoană adormită/care doarme; **he's a light ~** are un somn/doarme uşor **2** somnoros **3** *ferov* vagon de dormit **4** *ferov* traversă

sleepily ['sli:pili] *adv* adormit; somnoros; cu un aer adormit

sleep in ['sli:p'in] **I** *vi cu part adv (d. personalul de serviciu)* a dormi acasă *(nu în oraş etc.)* **II** *vt cu part adv:* **his bed has not been slept in** nu a dormit acasă; **this room hasn't been slept in for months** de luni de zile nimeni nu a (mai) dormit în camera aceasta

sleepiness ['sli:pinis] *s* **1** somnolenţă; toropeală **2** *fig* apatie; letargie

sleeping ['sli:piŋ] **I** *s* dormit; somn **II** *adj* **1** adormit **2** *(d. membre)* amorţit

sleeping bag ['sli:piŋ ,bæg] *s* sac de dormit

sleeping car ['sli:piŋ ,ka:'] *s ferov* vagon de dormit

sleeping partner ['sli:piŋ ,pa:tnə'] *s ec* **1** partener/asociat puţin cunoscut şi care nu ia parte activă la afaceri **2** comanditar

sleeping pills ['sli:piŋ ,pilz] *s pl* somnifere

sleeping sickness ['sli:piŋ ,siknis] *s med* boala somnului, tripanosomiază

sleepless ['sli:plis] *adj* **1** fără somn, nedormit; **another ~ night** încă o noapte nedormită **2** treaz, în stare de veghe; agitat **3** *fig* neobosit **4** *fig (d. mare)* agitat, tulburat, în freamăt

sleeplessness ['sli:plisnis] *s* lipsă de somn; insomnie

sleep off ['sli:p'ɔ:f] *vt cu part adv v.* **sleep away 2; to sleep it off** ← *F* a dormi până când își revine din beție

sleep on ['sli:p ɔn] *vi cu prep* a dezbate/a discuta *(o problemă)* în timpul nopții/până a doua zi

sleep oneself sober ['sli:p wʌn,self 'soubəʳ] *vr cu adj* a dormi până când își revine din beție

sleep out ['sli:p'aut] *vi cu part adv* a dormi în altă parte *(nu acasă sau la locul de muncă)*

sleep through ['sli:p θru:] *vi cu prep* a dormi în timpul *(spectacolului etc.)*

sleep together ['sli:p tə'geðəʳ] *vi cu adv (d. un bărbat și o femeie)* a se culca împreună

sleep walker ['sli:p ,wɔ:kəʳ] *s* somnambul; lunatic

sleep walking ['sli:p ,wɔ:kiŋ] *s* somnambulism

sleep with ['sli:p wið] *vi cu prep* a se culca cu *(o femeie)*

sleepy ['sli:pi] *adj* **1** somnoros, adormit; **I feel ~** mi-e somn; **a ~ village** *fig* un sat adormit/liniștit **2** *fig* apatic; indolent; *F* adormit **3** *(d. fructe)* trecut; răscopt

sleepyhead ['sli:pi,hed] *s* somnoros

sleepy sickness ['sli:pi ,siknis] *s med* encefalită epidemică

sleet [sli:t] **I** *s* **1** ploaie cu zăpadă; lapoviță; zloată, măzăriche **2** promoroacă **II** *vi:* **it ~s** e lapoviță

sleety ['sli:ti] *adj* cu lapoviță *etc. (v.* **sleet***)*

sleeve ['sli:v] **I** *s* **1** mânecă; **to roll up one's shirt ~s** a-și sufleca mânecile *(de la cămașă)*; **to laugh in one's ~** a râde în barbă/pe înfundate; **to have smth up one's ~** ← *F* a avea ceva pregătit pentru orice eventualitate; **to pluck smb's ~** a trage pe cineva de mânecă; **to wear one's heart on one's ~** a fi cu inima deschisă, a nu avea gânduri ascunse; *F aprox* ce e-n gușă și-n căpușă **2** *tehn* mâne-

că; manșon; bucșă **II** *vt* a pune mâneci la

sleeved [sli:vd] *adj (în cuvinte compuse)* cu mâneci(le) ...; **short-~** cu mâneci scurte

sleeveless ['sli:vlis] *adj* fără mâneci/mânecă

sleigh [slei] *s* sanie *(ușoară, ↓ trasă de cai)*

sleigh bells ['slei,belz] *s pl* zurgălăi, clopoței

sleight [slait] *s* **1** dibăcie, îndemânare, abilitate **2** dexteritate, iuțeală de mână

sleight of hand ['slaitəv 'hænd] *s* prestidigitație

slender ['slendəʳ] *adj* **1** zvelt, subțirel, suplu **2** *(d. lame etc.)* tăios, ascuțit **3** *fig (d. speranțe etc.)* slab; puțin; redus **4** *lingv ↓ înv (d. vocale)* închis

slenderize ['slendə,raiz] **I** *vt* a face să slăbească **II** *vi* a (mai) slăbi, a (mai) scădea în

slept [slept] *pret și ptc de la* **sleep II-IV**

sleuth [slu:θ] *s* **1** *zool* copoi **2** *fig F* copoi, ~ agent, detectiv

sleuthhound ['slu:θ,haund] *s v.* **sleuth 1**

slew[1] [slu:] *pret de la* **stay**

slew[2] *s v.* **slough**

slew[3] **I** *vt* a învârti, a roti; a întoarce **II** *vi* a se învârti, a se întoarce, a se răsuci **III** *s* întorsătură; întoarcere; răsucire

slewed [slu:d] *adj sl* afumat, cherchelit, beat

slice [slais] **I** *s* **1** felie, bucată *(subțire)* **2** *fig* parte, porțiune, bucată; **a ~ of territory** o parte a teritoriului, o bucată de teritoriu; **~ of life** crâmpei/frântură de viață reală; descriere a unei experiențe reale *sau* trăite **3** cuțit de pește **4** *min* felie **II** *vt* **1** a tăia felii; **any way you ~ it** *amer F* oricum ai lua-o/suci-o, ~ oricum ai privi lucrurile **2** *fig* a tăia, a spinteca, a brăzda *(apa etc.)*

slice bar ['slais ,ba:ʳ] *s* vătrai; clește *(pt foc)*

slice off ['slais 'ɔ:f] *vt cu part adv* a tăia, a reteza; a desprinde

slicer ['slaisəʳ] *s* mașină de tăiat șunca *etc.*

slice up ['slais'ʌp] *vt cu part adv* a tăia felii

slick [slik] **I** *adj* **1** neted, lucios; lins **2** *(d. o suprafață)* lunecos **3** deștept, isteț; ingenios; abil; iute de minte **4** *F* șmecher; ~ șiret; rafinat **5** ← *F (d. un roman etc.)* bine scris, dar ușor *sau* superficial **6** *sl F* pe cinste, grozav, strașnic **II** *adv* **1** drept, direct; **to hit smb ~ in the eye** a lovi pe cineva drept în ochi **2** *(a funcționa etc.)* bine, perfect, fără cusur; lin **III** *vt amer* a aranja, a pune în ordine **IV** *vr* a se găti, a se aranja

slick down ['slik 'daun] *vt cu part adv* a face lucios *(părul)*; a pomăda

slicker ['slikəʳ] *s* **1** *(pardesiu)* impermeabil; *F* fâș **2** ← *F* persoană bine îmbrăcată, care vorbește repede și în care nu poți avea încredere; pungaș, escroc **3** *agr* târsitoare

slickly ['slikli] *adv* **1** *(în mod)* ingenios, abil, cu îndemânare **2** *F* șmecherește

slickness ['sliknis] *s* **1** caracter lunecos; lunecuș **2** deșteptăciune; ingeniozitate

slid [slid] *pret și ptc de la* **slide I-II**

slidden ['slidən] *ptc de la* **slide I-II**

slide [slaid] **I** *pret* **slid** [slid], *ptc* **slid(den)** ['slidən] *vi* **1** a (a)luneca; a glisa **2** a se da pe gheață **3** a se furișa, a se strecura **4** *fig (d. timp)* a trece pe nesimțite, a se scurge **II** *(v. ~ I)* *vt* a strecura, a furișa *(un obiect, o privire etc.)* **III** *s* **1** (a)lunecare **2** pantă *sau* pârtie lunecoasă **3** *ferov* linie de alunecare **4** grohotiș; alunecare de teren **5** *tehn* sanie; glisieră **6** lamă, port-obiect *(la microscop)*

slide bar ['slaid ,ba:ʳ] *s tehn* **1** glisieră **2** bară de ghidare

slide fastner ['slaid ,fa:snəʳ] *s* fermoar

slider ['slaidəʳ] *s* **1** *tehn* cursor; glisor **2** *F* vafelă *(pt înghețată)* **3** *zool amer* broască țestoasă de apă

slide rule ['slaid ,ru:l] *s tehn* riglă de calcul; șubler

slide valve ['slaid ,vælv] *s tehn* **1** vană; sertar **2** cutie de distribuție **3** valvă lunecătoare

sliding ['slaidiŋ] *adj* **1** (a)lunecător **2** ajustabil

sliding door ['slaidiŋ 'dɔ:ʳ] *s* ușă glisantă

sliding scale ['slaidiŋ ‚skeil] *s tehn* scală alunecătoare

slight [slait] **I** *adj* **1** *(d. un efort etc.)* mic, slab, neînsemnat; puțin; *(d. indispoziție etc.)* ușor; **a ~ mistake** o greșeală neînsemnată **2** zvelt, subțire, slab **3** *(d. masă)* frugal, sărăcăcios **4** fragil **5** slab, fără putere; neputincios **6** *(d. o cercetare etc.)* superficial **II** *vt* **1** a desconsidera, a nu respecta; < a disprețui; a nesocoti, a neglija **2** a nu fi politicos cu **III** *s* **1** nesocotire, neglijare; desconsiderare, < disprețuire; dispreț **2** *v.* **sleight IV** *interj* pentru (numele lui) Dumnezeu!

slight impression ['slait im'preʃən] *s poligr* tipar slab

slighting ['slaitiŋ] *adj* disprețuitor; umilitor; peiorativ

slightingly ['slaitiŋli] *adv* (în mod) disprețuitor; fără considerație/ respect; peiorativ

slightly ['slaitli] *adv* puțin, întrucâtva, cam; **I know him ~** îl cunosc întrucâtva; **he has ~ upset** era cam descumpănit

slily ['slaili] *adv v.* **slyly**

slim [slim] **I** *adj* **1** zvelt, cu talie subțire **2** *fig (d. speranțe etc.)* slab, mic; redus **3** *amer (d. masă etc.)* ușor; frugal **II** *vi* a căuta să slăbească/devină mai zvelt; a slăbi, a deveni mai zvelt

slime [slaim] **I** *s* **1** nămol, noroi; mâl; sediment; aluviune **2** *tehn* șlam; murdărie **3** mucozitate **II** *vt* a acoperi cu nămol *etc. (v. ~ I)*

sliminess ['slaiminis] *s* **1** caracter noroios, vâscos *etc. (v.* **slimy***);* vâscozitate **2** *fig* slugărnicie; servilism

slimness ['slimnis] *s* subțirime, zveltețe

slimsy ['slimzi] *adj* ← F fragil; slab

slimy ['slaimi] *adj* **1** noroios, mâlos; aluvionar **2** vâscos, lipicios, **3** slinos, murdar **4** *fig* dezgustător; servil, slugarnic

sling¹ [sliŋ] *s amer* ↓ F băutură din alcool *sau* ↓ gin, apă, zahăr și zeamă de lămâie

sling² **I** *pret și ptc* **slung** [slʌŋ] *vt* **1** a arunca din praștie **2** a arunca, a azvârli; **to ~ words** a vorbi mult, a trăncăni; a perora; **to ~ mud at smb** *fig* a împroșca cu noroi pe cineva; **to ~ one's book** *sl*

a-și lua tălpășița, a se duce pe-aici încolo, a pleca **3** a arunca pe umeri *(desaga etc.)* **4** *tehn* a lansa **II** *s* **1** praștie **2** aruncătură de praștie **3** aruncare, aruncătură **4** *fig* lovitură *(a soartei etc.)*

sling³ **I** *s* **1** laț, zbilț; curea; funie; frânghie **3** *mil* banduliera **3** *nav* sapan, țapan **4** *med* bandaj, eșarfă **II** *pret și ptc* **slung** [slʌŋ] *vt* **1** a prinde într-un laț/zbilț *sau* cu o curea; a ridica cu cureaua, funia *etc.* **2** *med* a pune *(brațul)* în eșarfă

slinger ['sliŋə'] *s* aruncător *(↓ cu praștia)*

sling hanger ['sliŋ ‚hæŋə'] *s constr* capră suspendată

sling off at ['sliŋ 'ɔ:f ət] *vi cu part adv* a-și bate joc/a-și râde de *(cineva)*

slingshot ['sliŋ‚ʃɔt] *s* praștie

slink¹ [sliŋk], *pret și ptc* **slunk** [slʌŋk] *vi* a se strecura, a se furișa

slink² **I** *pret și ptc și* **slunk** [slʌŋk] *vt (d. animale)* a lepăda *(pui)* **II** *s zool* avorton

slinky ['sliŋki] *adj* **1** furiș, ascuns; care se strecoară **2** sinuos, șerpuitor **3** suplu, subțire

slip [slip] **I** *pret și ptc și înv* **slipt** [slipt] *vi* **1** a (a)luneca; a scăpa *(printre degete etc.);* **she ~ped on the ice** a alunecat pe gheață; **my foot ~ped** mi-a alunecat piciorul, am alunecat **2** *(d. teren)* a aluneca; a se surpa; a se deplasa **3** a se strecura, a se furișa; a se vârî *(în pat etc.);* **she ~ped into her dressing gown** își puse repede/aruncă pe ea capotul; **errors that have ~ped into the text** erori care s-au strecurat în text **4** *tehn* a (a)luneca, a patina, a glisa **5** *(d. un nod)* a se desface **6** *(d. timp)* a zbura, a trece repede; a se scurge **7** *(d. cineva)* a se repezi *(undeva)*, a se duce repede/F fuga, a da fuga **8** *fig* a aluneca, a greși, < a păcătui; **he ~ped from the path of virtue** s-a abătut din calea virtuții **9** *fig (d. o ocazie etc.)* a-i scăpa *(din mână)* **10** *(d. cineva)* a se simți mai prost, a slăbi; a-i slăbi memoria *etc. //* **to let ~ a** a lăsa să-i scape *(un prilej etc.)* **b** a spune fără intenție **II** *(v. ~ I) vt* **1** pierde/a scăpa din

(memorie, atenție etc.) **2** *(d. un animal)* a scăpa/a se desface din *(lanț)* **3** a dezlega *(câini etc.);* a da drumul la *(sau cu dat)* **4** *zool* a lepăda (înainte de vreme) *(pui) //* **to ~ smth over on smb** *amer F* a trage pe cineva pe sfoară, – a păcăli pe cineva **III** *s* **1** (a)lunecare, pas greșit; **to make a ~** a (a)luneca, a face un pas greșit; a călca strâmb; **to give smb the ~** *fig* a-i scăpa cuiva (printre degete) **2** *fig* ghinion, nenoroc, accident; **there's many a ~ 'twixt cup and lip** *prov* n-aduce anul ce aduce ceasul; *aprox* nu zi hop până nu sari **3** *fig* pas greșit; greșeală; nesocotința; **to make a ~** a face un pas greșit; a greși; a face o nesocotință **4** *fig* greșeală, eroare; omisiune; **a ~ in spelling** o greșeală de ortografie **5** *fig* gafă; boroboață; < mojicie **6** *tehn* alunecare, glisare **7** *geol* deplasare/alunecare de teren **8** *poligr* șpalt **9** *poligr* ștraif **10** *nav* cală de lansare **11** curea, lesă *(pt câini)* **12** bucățică, foaie (de hârtie); bilet, bilețel **13** bucată, fâșie *(de pământ etc.)* **14** față de pernă **15** *pl* teatru culise **16** *pl* slip, chiloți de baie **17** *amer* combinezon, furou **18** gresie, cute **19** *bot* butaș **20** copil; **bastard ~** copil nelegitim; **a ~ of a girl** o fetiță slabă *sau* zveltă

slip away ['slip ə'wei] *vi cu part adv* **1** *(d. timp)* a zbura, a trece repede **2** a pleca pe furiș/nesimțite; a se furișa *etc.;* a dispărea

slip by ['slip ‚bai] *vi cu part adv v.* **slip away 1**

slip cover ['slip ‚kʌvə'] *s* **1** husă **2** supercopertă

slip down ['slip'daun] *vi cu part adv* a (a)luneca; a (a)luneca în jos

slip in ['slip 'in] **I** *vi cu part adv* **1** a se strecura/a se furișa (înăuntru) **2** *(d. erori)* a se strecura **II** *vt cu part adv* a strecura *(o vorbă etc.);* a introduce

slip into ['slip ‚intə] *vi cu prep* **1** a se transforma în; a deveni treptat *(altceva);* **the tango slipped into a waltz** tangoul se transformă (pe nesimțite) în vals **2** *sl* a se culca cu *(o femeie)*

slip knot ['slip 'nɔt] *s nav* nod alunecător

slip off ['slip 'ɔ:f] **I** *vt cu part adv* a scoate, a dezbrăca **II** *vi cu part adv* a dispărea; a pleca pe furiş **III** ['slip 'ɔ:f] *vi cu prep (d. cearşaf etc.)* a luneca jos de pe *(pat etc.)*

slip of memory ['slip əv'meməri] *s* lapsus memoriae, scăpare din vedere

slip of the pen ['slip əv ðə'pen] *s* lapsus calami, scăpare din condei

slip of the tongue ['slipəv ðə'tʌŋ] *s* lapsus linguae, greşeală de exprimare/vorbire

slip-on ['slipɔn] **I** *s* **1** bluză, pulover *etc.* care se îmbracă peste cap **2** rochie largă **II** *adj atr (d. articole vestimentare)* care se îmbracă uşor *sau* peste cap

slip on ['slip 'ɔn] *vt cu part adv* a-şi pune în grabă, a-şi arunca *(o haină)* pe sine/umeri

slip out ['slip'aut] *vi cu part adv* a ieşi tiptil/pe furiş

slip-over ['slip,ouvə'] *s* **1** pulover **2** cutie *(de vioară etc.);* toc

slip over *vi cu prep* a trece/a sări peste *(un pasaj etc.)*

slippage ['slipidʒ] *s tehn* alunecare; patinare

slipped disc ['slipt,disk] *s med* disc deplasat; deplasare de disc

slipper ['slipə'] *s* **1** papuc (de casă); condur **2** *tehn* berbec; cap de cruce; sabot de frână

slippered ['slipəd] *adj* cu papuci

slipperiness ['slipərinis] *s* caracter alunecos

slippery ['slipəri] *adj* **1** (a)lunecos; **to be on ~ ground a** a fi pe un teren lunecos **b** *fig* a fi pe un teren primejdios/nesigur **2** *fig* nesigur, instabil, nestabil **3** *fig* şiret; care-ţi scapă printre degete; **he's a ~ customer** este un pungaş

slippy ['slipi] *adj* **1** *F v.* **slippery 2** ← *F* iute, grăbit; **be ~ about it!** *F* dă-i zor/bătaie!

slipshod ['slip,ʃɔd] *adj* **1** încălţat neglijent; şleampăt **2** murdar, neglijent **3** *(d. stil etc.)* neglijent

slipslop ['slip,slɔp] *F* **I** *s* **1** poşircă, băutură proastă **2** *fig* trăncăneală, – vorbărie; sirop, – dulcegărie, sentimentalism **3** *fig* porcărie, – treabă murdară **II** *adj atr* siropos, – sentimental

slipt [slipt] *pret şi ptc înv de la* **slip I-II**

slip up ['slipʌp] *s F* boroboaţă, – gafă; omisiune

slit [slit] **I** *vt* **1** a face o deschizătură în, a crăpa, a despica, a spinteca **2** *tehn* a canela **II** *s* **1** deschizătură crăpătură, despicătură; fisură **2** *tehn* renură, şanţ **3** *text* şliţ, prohab **4** crestătură, tăietură, semn **5** fantă, crăpătură (lungă şi îngustă)

slither ['sliðə'] **I** *vi* a (a)luneca; a se rostogoli; *(d. şarpe etc.)* a se târî **II** *vt* a face să lunece; a târî *(picioarele etc.)*

sliver ['slivə'] **I** *s* **1** aşchie, ţandără **2** felie subţire *(de brânză etc.)* **II** *vt* a despica, a desface; a tăia felii

slivovitz ['slivəvits] *s* şliboviţă

slob [slɔb] *s F* haplea; nătâng, nepriceput

slobber ['slɔbə'] **I** *vi* **1** a-i curge balele; a saliva **2** *F* a se smiorcăi, – a fi plângăreţ **II** *vt* **1** a-i curge *(balele)* **2** a strica; a cârpăci *(o treabă)*, a nu face ca lumea **III** *s* **1** salivă, scuipat; bale **2** *F* smiorcăit, miorlăit, smiorcăială

slobberation [,slɔbə'reiʃen] *s sl* ţocăit, sărut zgomotos

slobbery [,slɔbəri] *adj* **1** noroios, mlăştinos **2** bălos, cu salivă

sloe [slou] *s bot* porumbar, târn *(Prunus spinosa)*

sloe gin ['slou,dʒin] *s* băutură din gin şi porumbele

slog [slɔg] **I** *vt* a lovi puternic (↓ *la box)*; a pocni *(mingea etc.)* **II** *vt* **1** a lovi puternic, a izbi; a pocni **2** a înainta cu greu, a merge cu efort **III** *s* **1** lovitură puternică, izbitură; pocnitură **2** *F* bătaie de cap; corvoadă, – muncă istovitoare; *F* toceală

slogan ['slogən] *s* **1** *od* strigăt de luptă **2** lozincă, slogan; deviză; motto

sloop [slu:p] *s nav* goeletă; barcaz; şalupă; slup

slop¹ [slɔp] **I** *s* **1** baltă, băltoacă, smârc; mocirlă, mlaştină **2** *pl* lături, zoaie, scursură **3** poşircă, apă chioară; zeamă lungă **II** *vt* **1** a vărsa *(apă etc.);* a scurge; a turna într-un alt vas; a transvaza, a deversa **2** a stropi **III** *vt* a se vărsa, a se scurge; a curge

slop² *s* haină largă; halat; cămaşă largă *sau* ţărănească

slop³ *s sl* copoi, – agent (de poliţie), poliţai

slop basin/bowl ['slɔp,beisən/,boul] *s* vas pentru zaţul de cafea *sau* firele de ceai folosite

slope [sloup] **I** *s* **1** pantă, povârniş; versant; coastă **2** pantă, povârnire, înclinare, înclinaţie **3** *drumuri* taluz **4** *constr* fruct **5** *mil* poziţie cu arma la umăr **II** *vi* a fi înclinat; a se înclina, a se apleca, a se povârni; a fi în pantă **III** *vt* **1** a înclina, a povârni, a apleca **2** *drumuri* a taluza **3** *tehn* a teşi

sloping ['sloupiŋ] *adj* povârnit, înclinat; în pantă

sloppily ['slɔpili] *adv* **1** neîngrijit; şleampăt **2** *fig* dulceag, siropos

sloppiness ['slɔpinis] *s* **1** udătură, udeală **2** caracter noroios, noroi; mâl **3** neglijenţă; dezordine *(în idei etc.);* caracter confuz **4** dulcegărie, sentimentalism

sloppy ['slɔpi] *adj (d. un drum etc.)* desfundat, cu noroi **2** ud; pătat de un lichid **3** *(d. o mâncare)* rar, apos; cu mult sos **4** murdar, soios, neîngrijit; şleampăt **5** neglijent, dezordonat **6** ceţos, vag, confuz **7** dulceag, sentimental, *F* siropos

slop shop ['slɔp,ʃɔp] *s* **1** ← *F* magazin de haine vechi (ieftine) **2** *nav* magazie (pe ţărm)

slop work ['slɔp,wə:k] *s* lucru prost făcut, lucru de mântuială, *F* rasoleală

slosh [slɔʃ] **I** *s* **1** zloată **2** *F* apă chioară, – băutură slabă **II** *vi* **1** a se bălăci/a se tăvăli în noroi **2** *(d. un lichid)* a se revărsa

slot¹ [slɔt] **I** *s* **1** fantă, crăpătură (lungă şi îngustă); deschizătură *(la un automat)* **2** *av* volet cu fantă **3** *tehn* jgheab, şanţ; uluc; canal, rigolă **4** *tehn* canelură, rost **5** *text* urmă, dâră, semn **6** crestătură; scobitură; tăietură **II** *vt* **1** a tăia; a cresta; a scobi **2** *tehn* a degroşa prin rindeluire

slot² *s* urmă (de animal)

sloth [slouθ] *s* **1** lene(vie), trândăvie; încetineală **2** amânare **3** *zool* leneş *(Bradypus)*

slothful ['slouθful] *adj* leneş, indolent

slothfully ['slouθfuli] *adv* fără nici o tragere de inimă; lenevos

slot machine ['slɔt mə'ʃi:n] *s* automat *(pt caramele etc.)*

slouch [slautʃ] **I** *vi* **1** a se pleoşti, a se turti **2** a se (a)pleca, a se gârbovi, a se cocârja **3** a umbla greoi **4** a atârna, a sta atârnat **II** *vt* a trage pe ochi *(pălăria etc.)* **III** *s* **1** om stângaci/neîndemânatic/greoi; urs **2** nepriceput; **he's no ~ at tennis** se pricepe la tenis **3** pleoştire, turtire **4** aplecare; gârbovire, cocârjare **5** mers greoi

slouch hat ['slautʃ,hæt] *s* pălărie moale cu boruri late

slouching ['slautʃiŋ] *adj* **1** pleoştit, lăsat în jos **2** cu umerii lăsaţi/ căzuţi

slouching hat ['slautʃiŋ,hæt] *s v.* **slouch hat**

slough[1] [slau] *s* **1** baltă, mlaştină; **~ of despond** ← *poetic* stare de deznădejde; durere, suferinţă, teamă *etc.* **2** *fig* deznădejde, desperare; stare de deprimare **3** *fig* marasm; degradare morală

slough[2] [slʌf] **I** *vi* **1** a-şi schimba pielea; a năpârli **2** *fig* a-şi schimba năravul **3** *(d. coaja unei răni)* a cădea, a se desprinde **II** *vt* a-şi schimba *(pielea)* **III** *s* **1** piele lepădată *(de şarpe etc.)* **2** coajă, crustă **3** *fig* obicei uitat

sloughy[1] ['slaui] *adj* mlăştinos; cu bălţi

sloughy[2] ['slʌfi] *adj med* cu crustă/ coajă

Slovak ['slouvæk] **I** *adj* slovac **II** *s* **1** slovac **2** (limba) slovacă

Slovakia [slou'vækiə] *ţară* Slovacia

sloven ['slʌvən] *s* **1** persoană murdară/neîngrijită/şleampătă **2** *F* mocofan, nespălat

Slovene [slou'vi:n] **I** *adj* sloven **II** *s* **1** sloven **2** (limba) slovenă

Slovenian [slou'vi:niən] *adj, s v.* **Slovene**

slovenliness ['slʌvənlinis] *s* neglijenţă, ţinută neglijentă; înfăţişare şleampătă

slovenly ['slʌvənli] **I** *adj* neglijent, murdar, neîngrijit; şleampăt **II** *adv* (în mod) neglijent

slovenry ['slʌvənri] *s* dezordine; murdărie

slow [slou] **I** *adj* **1** încet, lent; agale; cu viteză mică; **at a ~ pace** la pas, încet; **~ speed** viteză mică/ redusă **2** *(d. cineva)* încet; lent; ticăit, mocăit; fără spor; inactiv; leneş; delăsător, neglijent; **~ and**

steady wins the race *prov* încetul cu încetul se face oţetul; cu răbdarea treci şi marea; **to be ~ in coming** a veni încet; a întârzia; **he is ~ to anger** nu e iute la mânie, se supără/se înfurie greu **3** *(d. cineva)* încet, greoi (la minte); greu de cap; care înţelege greu **4** *(d. ceas)* care întârzie/rămâne în urmă; **my watch is 15 minutes ~** ceasul meu e în urmă cu 15 minute **5** *(d. un medicament etc.)* cu acţiune lentă, cu efect întârziat **6** *(d. timp etc.)* care trece greu; plictisitor; neinteresant **7** *(d. un oraş etc.)* fără viaţă, mort **8** *(d. afaceri etc.)* care stagnează; mort **9** *(d. foc)* încet; înăbuşit **10** demodat, învechit; care nu e la pas cu moda *sau* vremea **11** *(d. creştere etc.)* încet, lent; treptat; gradat **II** *adj* **1** încet, lent, fără grabă; agale; alene; **to go ~ a** a merge *sau* a funcţiona încet **b** a lucra încet, a nu se grăbi **2** încet, cu întârziere; **my watch is going ~** ceasul meu rămâne în urmă **III** *vi* a merge încet *sau* mai încet, a încetini mersul **IV** *vt* **1** a încetini **2** a întârzia *(creşterea etc.)*

slow-acting ['slou,æktiŋ] *adj tehn* cu mers încet; cu turaţie joasă

slow-burning ['slou,bə:niŋ] *adj tehn* cu ardere lentă

slowcoach ['slou,koutʃ] *s F* pierde-vară; gură-cască; adormit, mocăit

slow-down ['slou,daun] *s* ← *F* încetinire

slow down [slou'daun] **I** *vt cu part adv* **1** a micşora, a reduce *(viteza)* **2** a încetini; a amâna; a tergiversa **II** *vi cu part adv* **1** a micşora/a încetini/a reduce viteza; a merge mai încet **2** a deveni încet/ lent *sau* mai încet/mai lent

slow-motion film ['slou,moutʃən 'film] *s cin* film rulat cu încetinitorul

slowness ['slounis] *s* încetineală; tărăgănare

slow-paced ['slou,peist] *adj* **1** *(d. mers)* încet, agale **2** *(d. timp)* care se scurge alene/agale; interminabil, care nu se mai sfârşeşte

slow-up ['slouʌp] *s* ← *F* încetinire

slow up ['slou'ʌp] *vi şi vt cu part adv* *v.* **slow down**

slow-witted ['slou,witid] *adj* încet la minte, greu de cap

slow worm ['slou,wə:m] *s zool* şarpe de casă *(Anguis fragilis)*

slub [slʌb] *s text* scamă; puf; îngroşătură în fir

slubber ['slʌbə] *vt* **1** a murdări; a mâzgăli **2** a face de mântuială, a cârpăci

sludge [slʌdʒ] *s* **1** noroi, mâl; glod **2** zaţ, sediment **3** mocirlă, baltă, mlaştină **4** gheaţă plutitoare

sludgy ['slʌdʒi] *adj* noroios; cu noroi/mâl

slue [slu:] *s v.* **sludge** 3

slug [slʌg] *s* **1** *zool* melc fără casă; limax *(Limax sp.)* **2** *F* puturos, – pierde-vară, leneş, trântor **3** *tehn* bară, bloc **4** *tehn* melc **5** *poligr* interlinie **6** glonţ cilindric **7** *amer* fisă telefonică *(monedă de 5 cenţi)*

sluggard ['slʌgəd] **I** *s* leneş, trântor **II** *adj v.* **sluggish**

sluggish ['slʌgiʃ] *adj* **1** leneş, lenevos, încet, *F* → puturos, mocăit **2** *tehn* lent; inert; cu sensibilitate redusă **3** *tehn* vâscos, gros

sluggishly ['slʌgiʃli] *adv* încet, lent

sluggishness ['slʌgiʃnis] *s* lene, trândăvie

sluice [slu:s] **I** *s* **1** ecluză; stăvilar **2** *hidr* ecluzare **3** *hidr* canal de derivaţie **4** scoc **5** *silv* jilip **II** *vt* **1** a pune stăvilar *(cu dat)* **2** a iriga *(cu apa scursă prin stăvilar)*; a inunda

sluice dam ['slu:s,dæm] *s hidr* baraj cu stavile

sluice gate ['slu:s,geit] *s hidr* poartă de ecluză

sluiceway ['slu:s,wei] *s* **1** *agr* stăvilar în sistemele de irigaţie **2** *nav* ecluză navigabilă **3** *hidr* stavilă de golire

slum [slʌm] **I** *s* **1** cartier sărac/ sărăcăcios, mahala **2** stradă murdară **II** *vi* ← *F* a-i plăcea să viziteze cartierele sărace

slumber ['slʌmbə] ← *poetic* **I** *s* **1** ↓ *pl* somn; **to disturb smb's ~(s)** a tulbura somnul cuiva **II** *vi* a dormi (↓ liniştit)

slumber away ['slʌmbə'wei] *vt cu part adv* a petrece dormind *(vremea etc.)*

slumberland ['slʌmbə,lænd] *s* țara viselor

slumberous ['slʌmbərəs] *adj* 1 înclinat spre somn; somnoros; adormit 2 adormitor; soporific 3 *fig (d. un loc)* adormit; liniștit; patriarhal

slumber suit ['slʌmbə,su:t] *s* pijama

slumbery ['slʌmbəri] *adj* de somn; somnoros

slumbrous ['slʌmbrəs] *adj v.* **slumberous**

slum it ['slʌmit] *vt cu pr ← F* a trăi din te miri ce, a duce o viață de lipsuri/privațiuni

slummer ['slʌmər] *s* 1 filantrop 2 locuitor dintr-un **slum I**

slump [slʌmp] **I** *s* 1 *ec* prăbușire, scădere bruscă *(a prețurilor etc.);* criză, depresiune 2 alunecare de teren 3 *constr* tasare, refulare 4 cădere bruscă, prăbușire **II** *vi* 1 *ec (d. valori etc.)* a scădea brusc; a se prăbuși 2 *(d. o activitate)* a scădea, a se reduce 3 a cădea brusc, a se prăbuși; a se sparge gheața sub el 4 a nu avea succes, a da greș, a avea un eșec

slung [slʌŋ] *pret și ptc de la* **sling²** **I**

slunk [slʌŋk] *pret și ptc de la* **slink²** **I**

slur [slə:ʳ] **I** *vt* 1 a trece repede/ neatent peste, a nu ține seama de, a lăsa la o parte 2 a acoperi, a ascunde, a cocoloși *(greșeli etc.)* 3 a articula prost *sau* neclar *(cuvinte etc.);* a bolborosi 4 *muz* a lega *(note etc.)* 5 *poligr* a tipări murdar; a mânji 6 *fig* a discredita; a defăima **II** *s* 1 *poligr* tipar dublat 2 pată, murdărie; murdărire, mânjire; **to cast a ~ on smb's name** *fig* a păta/a terfeli/a murdări numele cuiva 3 articulare/ pronunție greșită *sau* nedeslușită 4 *muz* legato

slurred [slə:d] *adj* 1 șters; nedeslușit, neclar 2 *muz* legato

slurry ['slʌri] *s* 1 *geol* mâl; noroi 2 *min* șlam

slush [slʌʃ] **I** *s* 1 noroi; nămol; mocirlă, baltă 2 zloată; lapoviță 3 *tehn* unsoare, ulei 4 sentimentalism exagerat 5 *literatură* ieftină; film *etc.* fără valoare **II** *vi* *tehn* a unge, a lubrifia

slusher ['slʌʃəʳ] *s min* screper

slush fund/money ['slʌʃ,fʌnd/ ,mʌni] *s* fonduri secrete *(pt practici politice reprobabile)*

slushy ['slʌʃi] *adj* 1 cu zloată; noroios; mocirlos 2 *F* siropos, – dulceag, sentimental

slut [slʌt] *s* 1 femeie murdară/ nespălată/neglijentă/șleampătă 2 târâtură, otreapă, târfă 3 obrăznicătură, fată obraznică 4 *zool* cățea

sluttish ['slʌtiʃ] *adj* 1 *(d. o femeie)* murdar, nespălat, șleampăt 2 stricat, cu apucături de târfă

sluttishness ['slʌtiʃnis] *s* murdărie, neglijență

sly [slai] *adj* 1 șiret, viclean, pișicher, șmecher 2 hâtru, glumeț, bun de glume, hazos; ironic; mucalit 3 ascuns, tainic; furiș; **on the ~** pe furiș/ascuns/*F* șest

slyboots ['slai,bu:ts] *s* șmecher, pungaș, cotcar; vulpoi

slyly ['slaili] *adv* cu viclenie, viclean

slyness ['slainis] *s* șiretenie, viclenie

S.M. *presc de la* 1 **Scientiae Magister** – **Master of Science** 2 **Sergeant Major**

smack¹ [smæk] *s nav* pescador

smack² **I** *s* 1 gust; gust plăcut *sau* deosebit; savoare; aromă; miros; miros plăcut, parfum, mireasmă; miros particular, iz 2 *fig* iz, urmă; aromă; **a ~ of knowledge** ceva cunoștințe; o spoială de cunoștințe **II** *vi ← rar* a mirosi, a avea miros

smack³ **I** *s* 1 lovitură *(de bici, cu palma);* pocnet *(de bici);* plesnitură; pocnitură 2 sărut zgomotos 3 plescăit *(din buze)* **II** *vt* 1 a pocni/a plesni din *(bici);* a plescăi din *(buze)* 2 a pălmui, a plesni *(pe cineva),* a da/a trage o palmă *(cuiva)* 3 a săruta cu zgomot **III** *vi (d. bici)* a plesni, a pocni; *(d. grindină etc.)* a răpăi **IV** *adv* 1 cu putere, violent; cu zgomot, zgomotos 2 drept, direct, de-a dreptul

smacker ['smækəʳ] *s* 1 pocnitură, pocnet 2 palmă, scatoalcă 3 ← *F* sărutare zgomotoasă

smacking ['smækiŋ] *adj* 1 zgomotos, răsunător, tare 2 *(d. vânt etc.)* tare, puternic

smack of ['smæk əv] *vi cu prep* 1 a avea gust *sau* miros/iz de; a aduce 2 *fig* a aminti de; a aduce; a mirosi

small [smɔ:l] **I** *adj* 1 mic, mărunt; < minuscul; **a ~ house** o casă mică 2 mic, neînsemnat; redus; puțin; **a ~ sum** o sumă mică; **a ~ committee** un comitet restrâns; **in ~ numbers** în număr mic 3 slab; ușor; subțire; **~ wine** vin ușor; **~ beer** bere slabă; **~ voice** glas slab/șoptit 4 *(d. cineva)* sărac; de rând; umil, modest 5 *(d. venit)* slab, modest, redus 6 *(d. timp)* scurt 7 *(d. ore)* mic, prim; **in the ~ hours of the morning** în primele ore ale dimineții 8 *fig* mic, meschin; mărginit; limitat; ticălos, josnic; netrebnic 9 rușinat, jenat, *F* plouat 10 *(d. griji etc.)* mic, neînsemnat, mărunt, banal; zilnic, cotidian **II** *adv* 1 *(a scrie etc.)* mic, mărunt 2 în bucăți mici, mărunt 3 încet, cu voce joasă; șoptit **III** *s* 1 *pl* pantaloni scurți 2 *pl com* mărunțișuri 3 partea mică *sau* subțire *(a unui obiect)*

small ad ['smɔ:l,æd] *s* anunț la mica publicitate

small and early ['smɔ:lənd'ə:li] *s* serată scurtă, cu puțini invitați

small arms ['smɔ:l,ɑ:mz] *s pl mil* armament individual; arme portative

small beer ['smɔ:l,biəʳ] *s* 1 bere slabă *sau* proastă 2 ← *F* persoană neînsemnată; **to think no ~ of oneself** *F* a se crede buricul pământului, a se crede grozav 3 *F* fleacuri, prostii, – nimicuri; mărunțișuri

small calorie ['smɔ:l'kæləri] *s fiz* calorie mică

small capital ['smɔ:l'kæpitəl] *s poligr* capitaluță

small cattle ['smɔ:l,kætl] *s* vite mici/ mărunte

small change ['smɔ:l ,tʃeindʒ] *s* 1 mărunțiș, bani mărunți 2 *fig* vorbe de clacă, pălăvrăgeală

small clothes ['smɔ:l,klouðz] *s pl od v.* **small III 1**

small craft ['smɔ:l'krɑ:ft] *s nav* ambarcațiuni mici

small cranberry ['smɔ:l,krænbəri] *s bot* răchițele (Vaccinium oxycoccus)

small door ['smɔ:l,dɔ:ʳ] *s constr* portiță; ușiță

smallest chain ['smɔ:list,tʃein] *s mat* lanț minim

small fry ['smɔːl,frai] *s* **1** *iht* plevuş-că, peştişori, peşti mici, caracudă **2** *fig* copii mici **3** *fig* plevuşcă, oameni neînsemnaţi **4** *fig* lucruri neînsemnate, nimicuri, fleacuri

small hail ['smɔːl,heil] *s meteor* măzăriche tare

small hill ['smɔːl,hil] *s geogr* mamelon

small holder ['smɔːl,houldə^r] *s* **1** *od* răzeş **2** mic proprietar de pământ

small industry ['smɔːl'indəstri] *s* mica industrie

small intestine ['smɔːl in'testin] *s anat* intestinul subţire

smallish ['smɔːliʃ] *adj* cam mic; destul de mic; mititel

small-minded ['smɔːl'maindid] *adj* **1** meschin, josnic; răzbunător; mic la suflet **2** lipsit de orizont, îngust, limitat, mărginit

small nappe ['smɔːl'næp] *s geol* solz

smallness ['smɔːlnis] *s* **1** micime **2** puţinătate

small pica [,smɔːl'paikə] *s poligr* corpus

smallpox ['smɔːl,pɔks] *s med* variolă, vărsat

small shot ['smɔːl,ʃɔt] *s* alice

small slide ['smɔːl,slaid] *s tehn* săniuţă

small stuff ['smɔːl,staːf] *s nav* mărunţişuri *(parâme)*

small sword ['smɔːl,sɔːd] *s* spadă *(pt scrimă)*

small talk ['smɔːl,tɔːk] *s* taifas, flecăreală; bârfă măruntă

small-time ['smɔːl,taim] *adj atr* ← *F* neimportant, neînsemnat

small ware ['smɔːl,wɛə^r] *s* **1** fierărie; articole de menaj **2** mercerie

smalt [smɔːlt] *s* smalţ, email

smaragd ['smærægd] *s minr* smaragd, smarald

smarmy ['smaːmi] *adj F* care caută să ţi se vâre/bage sub piele; – servil, slugarnic, linguşitor

smart [smaːt] **I** *adj* **1** *(d. o lovitură etc.)* dureros, usturător; aspru, sever **2** iute, rapid; vioi; **look ~ about it!** *F* dă-i zor/bătaie! mişcă-te mai repede! **3** *(d. cineva)* deştept, inteligent, isteţ; ingenios; priceput; descurcăreţ; **he's a ~ one** *F* e un mare şmecher **4** *(d. un răspuns etc.)* prompt; inteligent, plin de duh, spiritual **5** elegant, şic; modern **II** *s* durere ascuţită/acută; usturi-

me **III** *vi (d. fum etc.)* a ustura; a înţepa **2** a produce durere **3** *(d. cineva)* a suferi; a simţi durere; **he will ~ for it** o să plătească pentru asta, o să-l coste scump

smart aleck ['sma:t'ælik] *s peior* deştept; mintos; om care face pe atotştiutorul

smarten ['sma:tən] *vt* **1** *v.* **smarten up 2** a grăbi *(pasul)*, a iuţi, a zori

smarten up ['sma:tən'ʌp] **I** *vt cu part adv* **1** a aranja, a dichisi, a găti, a împodobi, a face frumos **2** *fig* a lustrui; a pune la punct; a rafina **II** *vr cu part adv* a se aranja, a se dichisi, a se găti **III** *vi cu part adv* a deveni mai vioi, a se învâora, a se dezgheţa

smartly ['sma:tli] *adv* **1** prompt, repede **2** elegant **3** cu abilitate

smart money ['sma:t,mʌni] *s* **1** pensie de invaliditate **2** *ec* indemnizaţie pentru rezilierea unui contract **3** amendă *(pt neglijenţă în serviciu etc.)*

smartness ['sma:tnis] *s* **1** vioiciune (a minţii); isteţime, inteligenţă **2** şiretenie, viclenie **3** eleganţă

smart set, the ['sma:t,set, ðə] *s* lumea elegantă; înalta societate

smash [smæʃ] **I** *vt* **1** a lovi cu putere, a izbi; a trânti; a pocni; **he ~ed his head against the wall** s-a izbit/lovit cu capul de perete **2** a zdrobi; a sparge; a sfărâma, a face bucăţi; a distruge **3** a distruge, a nimici *(un adversar etc.)*; a spulbera **4** *sport* a doborî *(un record)* **II** *vi* **1** *(cu prep)* a se izbi, a se ciocni *(de)* **2** a se sparge, a se sfărâma, a se face bucăţi **3** a da greş, a eşua; a da faliment **III** *s* **1** *F* pocnitură, – lovitură; izbitură **2** zdrobire; spargere, sfărâmare; distrugere; **to go to ~es** ← *F* a se sparge, a se sfărâma **b** *fig* a da chix, a rupe cuiul, – a eşua, a da greş **3** *(in, with)* ciocnire *(cu o maşină etc.)* **IV** *adv* praf *(şi pulbere)*; **to go/to come ~** *v.* **to go to ~es, smash III 2**

smash-and-grab ['smæʃənd'græb] *adj atr* ← *F (d. furt)* executat rapid *(prin spargerea vitrinei)*

smasher ['smæʃə^r] *s* **1** distrugător **2** *F* minune, minunăţie, grozăv(en)ie **3** ← *F* argument decisiv/hotărâtor

smashing ['smæʃiŋ] *adj F* straşnic, grozav, a-ntâia, trăsnet

smash-up ['smæʃʌp] *s* **1** distrugere, nimicire **2** accident rutier *sau* de cale ferată; ciocnire

smatter ['smætə^r] *vt* a avea cunoş-tinţe superficiale de

smattering of, a ['smætəriŋəv, ə] *s cu prep* o idee vagă de, cunoştinţe superficiale de *(chimie etc.)*; o brumă/spoială de

smaze [smeiz] *s* (amestec de) ceaţă şi fum

smear [smiə^r] **I** *vt* **1** a unge, a gresa **2** a păta; a murdări, a mânji, a mâzgăli **3** *fig* a murdări, a păta *(numele etc.)*; a defăima **II** *s* **1** pată (de grăsime) **2** lichid unsuros **2** murdărie, pătare **4** *fig* clevetire, defăimare **5** *med* frotiu

smeary ['smiəri] *adj* **1** murdar, plin de noroi **2** unsuros; lipicios

smell [smel] **I** *pret şi ptc şi* **smelt** [smelt] *vt* **1** a mirosi *(o floare etc.)*; **I can ~ smth burning** îmi miroa-se a ars **2** *(d. animale)* a adul-meca; a amuşina; a mirosi **3** *fig* a mirosi; a adulmeca; a simţi; a presimţi **4** *fig* a mirosi a *(praf de puşcă)* **II** *(v. ~ I)* *vi* **1** a mirosi, a avea un miros *(plăcut etc.)*; **the wine ~s of the cask** vinul miroa-se a butoi/are un miros de butoi; **the cake ~s good** prăjitura miroase frumos **2** a avea miros/ simţul mirosului, a fi înzestrat cu miros **3** a mirosi, a avea un miros urât/neplăcut; a puţi; a duhni **4** *(d. animale)* a adulmeca; a amuşina **III** *s* **1** miros, simţul mirosului **2** miros (neplăcut/urât); putoare; duhoare **3** miros plăcut, mireasmă, parfum **4** mirosire; **to take a ~ at smth** a mirosi ceva

smeller ['smelə^r] *s* **1** persoană *etc.* care miroase/mirositoare **2** *sl* nară **3** *F* copoi; – agent; spion **4** *sl* lovitură în nas **5** *sl* băgăcios

smelling ['smeliŋ] *adj* mirositor, care miroase

smelling bottle ['smeliŋ ,bɔtəl] *s* sticluţă cu săruri mirositoare

smelling salts ['smeliŋ ,sɔːlts] *s pl* săruri mirositoare/de amoniac

smell of [smel əv] *s cu prep fig* urmă/semn de; iz de; nuanţă de

smell out ['smel 'aut] *vt cu part adv* **1** a adulmeca, a mirosi, a des-coperi prin miros **2** a vicia aerul din; a face să miroasă urât, a împuţi

smelly ['smeli] *adj* rău mirositor, puturos

smelt[1] [smelt] *pret și ptc de la* **smell I-II**

smelt[2] *met* **I** *vt* a topi **II** *vi* a se topi

smeltable ['smeltəbəl] *adj met* fuzibil

smelting furnace ['smeltiŋ,fə:nis] *s met* cuptor de topire

smew [smju:] *s orn* cufundar, gârbiță *(Mergus albellus)*

smile [smail] **I** *vi* **1** a zâmbi, a surâde; a schiţa un zâmbet/ surâs; a fi surâzător; **he ~d at/ on me** îmi zâmbi; **keep smiling! a** *fig* fruntea/capul sus! nu te pierde cu firea! **b** zâmbiţi vă rog! **2** a zâmbi/a surâde (dispreţuitor, compătimitor *etc.*); **he ~d at my request** zâmbi la rugămintea mea/auzul rugăminţii mele **3** (**upon**) *fig (d. soartă etc.)* a surâde, a fi favorabil/prielnic/ binevoitor *(cuiva)* **II** *vt* a exprima, a spune *etc.* zâmbind; **he ~d his approval** îşi dădu încuviinţarea/ aprobă zâmbind; **he ~d his thanks** mulţumi zâmbind // **to ~ a smile** a zâmbi, a surâde **III** *s* **1** zâmbet, surâs; **she was all ~s** zâmbea toată, era numai zâmbet **2** *fig* surâs, favoare *(a soartei etc.)* **3** *amer sl* băuturică, pahar, – băutură; cinste

smile away ['smailə'wei] *vt cu part adv* a îndepărta prin zâmbet/ zâmbind; **the child smiled away his tears** copilul zâmbi printre lacrimi

smiling ['smailiŋ] *adj* zâmbitor, surâzător

smilingly ['smailiŋli] *adv* zâmbind, surâzător

smirch [smə:tʃ] *şi fig* **I** *vt* a murdări, a mânji, a păta **II** *s* pată

smirk [smə:k] **I** *s* zâmbet superior/ atotcunoscător *sau* compătimitor *sau* afectat **II** *vi* zâmbi atotcunoscător *sau* compătimitor *sau* afectat

smite [smait], *pret* **smote** [smout], *ptc* **smitten** ['smitən] *vt* **1** a lovi, a izbi, a pocni *(cu arma, cu pumnul etc.)*; a bate **2** a înfrânge, a învinge, a birui *(oastea duşmană etc.)*; a nimici, a distruge **3** a doborî; a omorî, a ucide **4** *fig (d. o femeie etc.)* a cuceri, *F →* a da gata

smite off ['smait 'ɔ:f] *vt cu part adv ← poetic* a reteza, a tăia *(capul)*

smite upon ['smait ə,pɔn] *vi cu prep* a bate cu putere în *(uşă etc.)*; a lovi cu putere în

smith [smiθ] **I** *s* fierar; potcovar; *înv → făurar* **II** *vt* a forja; a făuri; a bate cu ciocanul

Smith, Adam *economist scoţian (1723-1790)*

smithcraft ['smiθ,kra:ft] *s* fierărie, făurărie, meşteşugul fierarului

smithereens ['smiðə'ri:nz] *s pl F* bucăţele, – fărâme; **to knock/to smash (in)to ~** a face fărâme *sau* ţăndări

smithery ['smiθəri] *s* fierărie; potcovărie *(ca meserie sau atelier)*

smithy ['smiði] *s* fierărie; forjă; potcovărie

smitten ['smitən] **I** *ptc de la* **smite II** *adj* **1** lovit, doborât; căzut **2** (**with**) *F* pălit; – îndrăgostit brusc (de) **3** *fig* lovit, doborât; la pământ

smitten with ['smitənwið] *ptc sau adj cu prep* **1** lovit de *(orbire etc.)* **2** paralizat de *(frică etc.)*

smock [smɔk] *s* **1** bluză (de lucru); salopetă; halat **2** ← *înv* combinezon **3** ← *înv* şorţ(uleţ)

smock frock ['smɔk,frɔk] *s* salopetă *(↓ a fermierilor)*

smocking ['smɔkiŋ] *s* pliseu, grup de cute înguste *(la rochii etc.)*

smog [smɔg] *s* (amestec de) fum şi ceaţă; ceaţă de fum

smoke [smouk] **I** *s* **1** fum; funingine; **(there is) no ~ without fire** *prov* nu iese fum fără foc; **to end in ~** *fig* a se alege praful (şi pulberea); **to go up in ~ a** a arde până la capăt, a arde tot **b** *fig* a nu lăsa nici o urmă, a se stinge fără urmă; **from ~ to smother** *fig* din lac în puţ, din ciubăr în găleată; **like ~** *sl* cât ai clipi din ochi, cât ai zice peşte **2** ţigară, ţigaretă; **will you have a ~?** vrei să fumezi? vrei o ţigară? **3** ← *rar* aburi, vapori; ceaţă **II** *vi* **1** a scoate/a emite fum; a fumega; *(d. lampă şi)* a afuma **2** a fuma; a fi fumător; **do you mind if I ~?** vă deranjează dacă fumez? **III** *vt* **1** a fuma *(tutun etc.)* **2** a afuma *(carne etc.)*; a pune la afumat/ fum; a usca la fum **3** a afuma, a murdări cu fum **4** *fig F* a adulmeca, a mirosi, – a simţi, a bănui **IV** *vr (cu adj)*: **he ~d himself sick** a fumat până când s-a îmbol-

năvit/i s-a făcut rău

smoke black ['smouk,blæk] *s ch* negru de fum; funingine

smoke bomb ['smouk,bɔm] *s mil* bombă fumigenă

smoke candle ['smouk,kændl] *s* lumânare fumigenă

smoked [smoukt] *adj* **1** fumuriu **2** afumat, acoperit de fum **3** *v.* **smoke-dried**

smoke-dried ['smouk,draid] *adj (d. jambon etc.)* afumat

smoke-dry ['smouk,drai] **I** *vt* a afuma *(peşte etc.)* **II** *vr (d. peşte etc.)* a se afuma

smoke house ['smouk,haus] *s* afumătorie, afumătoare

smokeless ['smouklis] *adj* fără fum; care nu scoate fum

smoke out ['smouk'aut] *vt cu part adv* **1** a scoate afară prin afumare *(un animal etc.)* **2** *fig* a scoate afară din ascunzătoare, închisoare *etc.*

smoker ['smoukə[r]] *s* **1** fumător **2** *ferov* vagon pentru fumători **3** concert unde fumatul este permis

smoke screen ['smouk,skri:n] *s* **1** *mil etc.* perdea de fum **2** *ch* perdea de ceaţă

smoke stack ['smouk,stæk] *s* **1** furnal **2** şemineu; horn

smokiness ['smoukinis] *s* **1** atmosferă plină de fum **2** gust de fum *sau* afumătură

smoking car ['smoukiŋ,ka:[r]] *s v.* **smoker 2**

smoking fire ['smoukiŋ ,faiə[r]] *s constr* foc mocnit

smoking room ['smoukiŋ ,ru:m] *s* cameră *sau* loc unde se poate fuma; fumoar

smoky ['smouki] *adj* **1** plin de fum **2** afumat, pus la fum **3** afumat, murdărit/înnegrit de fum **4** fumuriu, de culoarea fumului

smolder ... ['smouldə[r]] *amer v.* **smoulder ...**

Smolensk [smɔ'ljensk] *oraş în Rusia*

smolt [smoult] *s iht* somotei, somn tânăr

smooch [smu:tʃ] **I** *vi F* a se giugiuli, a se drăgosti **II** *s F* giugiuleală

smooth [smu:ð] **I** *adj* neted, întins, plan; fără accidente de teren; *(d. piele)* fără riduri/cute; lins *text* fără încreţituri; *(d. o suprafaţă etc.)* neted; lucios; lin; calm, liniștit; **to get to ~ water** *fig* a ajunge la liman; a ieși din încurcătură; **~ bore** *mil* țeavă linsă/neghintuită **2** *(d. păr, blană)* lins **3** *(d. mers etc.)* lin, egal; omogen; fără întreruperi; *(d. vorbire etc.)* lin; curgător; fluent **4** *(d. voce)* dulce, moale, plăcut; *peior* insinuant; mieros **5** chel; pleșuv; *(d. obraz etc.)* fără barbă; spân *sau* ras/bărbierit **6** *(d. cineva etc.)* liniștit, calm, egal **7** *(d. vin)* dulce **II** *s* **1** netezire; lustruire **2** netezime, caracter neted **3** *nav* calm, acalmie **III** *vt* **1** a netezi, a face neted; a întinde *(stofe etc.)*; a călca *(rufe);* **to ~ the ground** a nivela/a netezi/a egaliza terenul; **to ~ a plank** a rindelui/a da la rindea o scândură **2** *tehn* a șlefui, a poliza **3** *fig* a șlefui, a finisa *(versuri etc.);* a pune la punct; a rafina **4** a descreți *(fruntea)* **5** *fig* a liniști, a calma, a potoli, a domoli *(pasiuni, supărarea etc.)* **6** *fig* a ușura *(drumul etc.);* a face ușor *sau* mai ușor; a înlesni, a facilita **7** *fig* a acoperi, a scuza *(o greșeală etc.);* a micșora, a diminua **8** a îndulci *(o curbă etc.)*

smooth away ['smu:ðə'wei] *vt cu part adv* a înlătura *(un obstacol etc.);* a aplana *(un conflict etc.)*

smooth down ['smu:ð'daun] **I** *vt cu part adv* **1** a netezi *(părul);* a linge **2** a domoli, a liniști, a calma *(pe cineva)* **II** *vi cu part adv (d. mare etc.)* a se liniști, a se potoli

smoothen ['smu:ðən] **I** *vt* a netezi **II** *vi* a se netezi

smooth-faced ['smu:ð,feist] *adj* **1** neted, cu suprafața netedă **2** ras, bărbierit; cu fața rasă; spân **3** tânăr, *peior* imberb **4** *fig* mieros; onctuos; insinuant; lingușitor

smoothie ['smu:ði] *s F* periuță, – lingușitor; *F* tip mieros

smoothing iron ['smu:ðiŋ,aiən] *s* fier/mașină de călcat

smoothing plane ['smu:ðiŋ,plein] *s tehn* robanc

smoothing tool ['smu:ðiŋ,tu:l] *s tehn* unealtă de finisare

smoothly ['smu:ðli] *adv* (în mod) lin; fără piedici

smoothness ['smu:ðnis] *s* netezime, caracter neted

smooth out ['smu:ð'aut] *vt cu part adv* a netezi *(cute etc.)*

smooth over ['smu:ð'ouvər] *vt cu part adv* **1** *v.* **smooth III 7 2** a calma, a potoli, a domoli, a liniști *(pasiuni etc.)*

smooth-running ['smu:ð,rʌniŋ] *adj tehn* cu mers(ul) lin

smooth-spoken ['smu:ð,spoukən] *adj v.* **smooth-tongued**

smooth-tongued ['smu:ð,tʌŋd] *adj fig* mieros, insinuant, lingușitor

smoothy ['smu:ði] *s v.* **smoothie**

smote [smout] *pret de la* **smite**

smother ['smʌðər] **I** *s* **1** fum, abur *etc.* des *sau* înecăcios/înăbușitor; *nor* gros (de praf) **2** ← *înv* foc mocnit/înăbușit **II** *vt* **1** a înăbuși, a îneca, a sufoca **2** a înăbuși *(focul)*, a stinge **3** *fig* a înăbuși, a rosti înăbușit *(o înjurătură etc.)* **4** *fig* a înăbuși, a mușamaliza *(un scandal etc.)* **5** a acoperi; a înveli; a pune un strat *(de ciocolată etc.)* pe **III** *vi* a se înăbuși, a se sufoca, a se asfixia

smothering ['smʌðəriŋ] *adj* **1** înăbușitor, sufocant, asfixiat **2** *fig* mocnit, înăbușit

smothery ['smʌðəri] *adj v.* **smothering 1**

smoulder ['smouldər] **I** *vi* **1** a arde încet/fără flacără/mocnit/înăbușit **2** *fig* a mocni, a dospi **II** *s* **1** fum gros **2** *și fig* foc mocnit/înăbușit

smouldering ['smouldəriŋ] *adj și fig* mocnit, înăbușit

smudge [smʌdʒ] **I** *s* **1** pată; murdărie; mânjitură; *(în scris)* purcoi, mâzgălitură **2** ↓ *amer* foc *(împotriva insectelor etc.)* **II** *vt și fig* a murdări, a mânji, a păta

smudgy ['smʌdʒi] *adj* murdar, pătat, murdărit

smug [smʌg] *adj* ← *înv* fercheș, elegant, *peior* spilcuit **2** încrezut, infatuat, îngâmfat

smuggle ['smʌgəl] **I** *vt* **1** a face contrabandă cu; a trece prin contrabandă; a importa *sau* a exporta prin contrabandă **2** a aduce, a introduce, a trimite *etc.* pe furiș **II** *vi* a face contrabandă; a fi contrabandist

smuggle in ['smʌgəl 'in] *vt cu part adv* a introduce prin contrabandă

smuggle out ['smʌgəl'aut] *vt cu part adv* a scoate *sau* a exporta prin contrabandă

smuggler ['smʌglər] *s* contrabandist

smugness ['smʌgnis] *s* suficiență (de sine), automulțumire, îngâmfare

smut [smʌt] **I** *s* **1** murdărie; pată *(de funingine etc.)* **2** negru de fum; funingine; funigei **3** *fig* măscăriciune, obscenitate *sau* obscenități, *F* porcării **4** *agr* tăciune, mălură **II** *vt* a murdări cu funingine **III** *vi agr* a fi atins de tăciune/mălură

smutch [smʌtʃ] **I** *vt* a murdări, a mânji **II** *s v.* **smut 1**

smuttiness ['smʌtinis] *s* **1** murdărie; negreață **2** *fig* murdărie; obscenitate *sau* obscenități, măscăriciune

smutty ['smʌti] *adj* **1** murdar, mânjit; negru, înnegrit; pătat **2** *fig* murdar; rușinos; obscen

Smyrna ['smə:nə] *oraș în Turcia* Smirna, Izmir

snack [snæk] *s* **1** aperitiv; gustare *(între mese)* **2** sorbitură, înghițitură, dușcă *(de coniac etc.)* **3** parte, porțiune; **to go ~s with smb** a face pe din două cu cineva; a face parte cu cineva

snack bar ['snæk,ba:'] *s* bufet expres, snack bar

snaffle (bit) ['snæfəl(,bit)] *s* zăbală

snag [snæg] **I** *s* **1** ciot, butuc **2** protuberanță; ieșitură; umflătură **3** *v.* **snaggletooth 2** *F* hop; – obstacol neașteptat; **there's the ~!** (care va să zică) aici e buba! **5** ruptură, gaură *(în stofă);* *text* surplombă **6** *F* ciot, bucată; coltuc **7** *F* claie, – grămadă, mulțime **II** *vt* **1** a curăța de cioturi *etc. (un râu);* a draga **2** a tăia crăcile *(unui pom)* **3** a împiedica, a opri; a aduce în impas **4** *F* a prinde *(un taxi etc.)* **5** *F* a pune mâna pe *(un soț bun etc.)*

snaggletooth ['snægəl,tu:θ] *s* **1** dinte de formă neregulată; colț; dinte ieșit în afară **2** ciot, dinte rupt

snaggy ['snægi] *adj* **1** cu ramuri, rămuros **2** cu cioturi, cioturos

snail [sneil] *s* **1** *zool* melc *(Helicidae sp.);* **at the ~'s pace/gallop** cu iuțeală/viteză de melc **2** *tehn* melc, spirală

snail-paced ['sneil,peist] *adj* care merge ca melcul

snake [sneik] **I** *s* **1** *zool* şarpe; **to warm/to cherish a ~ in one's bosom** *fig* a încălzi şarpele la sân; **to rise ~ a face scandal; ~ in the grass** *fig* prieten fals; lup în piele de oaie **2** *fig* şarpe; viperă **II** *vt amer* a răsuci, a încolăci *(frânghia)*

snake bite ['sneik‚bait] *s* muşcătură de şarpe

snake charmer ['sneik‚tʃɑːməʳ] *s* îmblânzitor de şerpi

snakehead ['sneik‚hed] *s bot* bibilică *(Fritillaria meleagris)*

snaky ['sneiki] *adj* **1** şerpesc, de şarpe **2** şerpuit, cotit; în serpentină **3** *fig* de şarpe, perfid

snap [snæp] **I** *s* **1** muşcătură, apucare *etc*. neaşteptată *sau* iute; **the dog made a ~ at him** câinele se repezi să-l muşte **2** pocnet, pocnitură, plesnitură *(de bici)* **3** clănţănit *(al dinţilor)*; pocnet, ţăcănit *(al unui capac etc.)*; **not to care a ~** *F* a nu-i păsa (nici) cât negru sub unghie **4** plesnitură *sau* crăpătură *sau* ruptură neaşteptată **5** gustare rapidă/în picioare; aperitiv **6** schimbare bruscă de temperatură **7** *tehn* buterolă **8** *poligr* agrafă **9** fermoar **10** lacăt cu resort **11** *fig* vioiciune; vigoare, energie **12** *sl* pungaş, escroc **13** *sl* pungăşie, escrocherie **II** *adj atr* neaşteptat; nepregătit; neprevăzut **III** *adv* pe neaşteptate, brusc, deodată **IV** *vt* **1** *(d. câini etc.)* a înşfăca, a apuca, a muşca pe neaşteptate **2** a plesni/a trosni din *(bici, degete etc.)*; a ţăcăni; a ciocni **3** a descărca *(o armă)* **4** a pocni; a trânti; a închide cu zgomot *(un capac etc.)* **5** a rupe, a frânge *(un băţ etc.)*; a crăpa **6** a face *(ceva)* repede **7** *fot* a face *(cuiva)* un instantaneu **8** a pronunţa/a rosti scurt *(un ordin etc.)* **9** a rupe, a sfâşia; a distruge, a face praf **V** *vi* **1** *(d. câini etc.)* a înşfăca, a se repezi, a se năpusti **2** *(d. bici etc.)* a pocni, a plesni, a trosni; *(d. un copac etc.)* a pocni, a se închide cu zgomot; *(d. o ramă)* a ţăcăni **3** a plesni, a se sparge, a se rupe, a se frânge

snap at ['snæp ət] *vi cu prep* **1** a căuta să prindă *(o ocazie favorabilă etc.)*, a se prinde/a se agăţa de **2** a răspunde urât *sau* obraznic *cuiva*

snapdragon ['snæp‚drægən] *s bot* gura leului *(Antirrhinum majus)*

snap hammer ['snæp‚hæməʳ] *s tehn* ciocan de nituit

snap out ['snæp'aut] *vt cu part adv tehn* a deszăvorî; a decupla

snap out of it ['snæp'aut ət] *vi cu prep şi pr←* **F 1** a-şi reveni; a se însănătoşi **2** a se îmbunătăţi

snapper ['snæpəʳ] *s* **1** mitocan, bădăran **2** câine rău **3** observaţie *sau* remarcă tăioasă **4** *← F* pistol **5** *text* ruptură

snapping ['snæpiŋ] *adj* **1** *(d. câini)* (care muşcă) rău **2** arţăgos; supărăcios

snappish ['snæpiʃ] *adj* **1** *(d. câini)* gata să muşte; muşcător **2** *v.* **snapping 2 3** *(d. vorbire)* aspru, tăios **4** *(d. mare)* agitat, neliniştit

snappy ['snæpi] *adj* **1** *v.* **snapping 2 2** *v.* **snappish 1 3** *F* fercheş, pus la punct, – elegant, şic **4** *← F* vioi; energic

snaps [snæps] *s germ* rachiu, *F rar* → **şnaps**

snapshot ['snæp‚ʃɔt] *s* **1** *fot* instantaneu, fotografie/poză la minut **2** *mil etc.* foc/împuşcătură la întâmplare

snap up ['snæp'ʌp] *vt cu part adv* a căuta să prindă *(un chilipir)*; a cumpăra de zor

snare [snɛəʳ] **I** *s* cursă, capcană; laţ; **to lay a ~ to** *şi fig* a întinde o cursă *cu dat;* **to be caught in a ~** *şi fig* a fi prins în cursă/capcană, a cădea în cursă **II** *vt* **1** a prinde în cursă/capcană *sau* laţ **2** *fig* a prinde în cursă *(pe cineva)*

snarl [snɑːl] **I** *vi* **1** a-şi arăta colţii; a mârâi **2** *fig* a mormăi, a mârâi; a-şi arăta colţii **II** *s* **1** mârâit *(al unui animal)* **2** *fig* mârâit, mormăit; nemulţumire

snarling ['snɑːliŋ] *adj* **1** care-şi arată colţii; mârâit **2** *fig* care-şi arată colţii; mârâit; mormăit

snarly[1] ['snɑːli] *adj v.* **snarling**

snarly[2] *adj şi fig* încâlcit, încurcat

snatch [snætʃ] **I** *vt* **1** a apuca, a înşfăca, a înhăţa, a smulge; **he ~ed the book from my hand** îmi smulge cartea din mână; **to ~ a meal** a îmbuca ceva **2** *fig* a fura, a smulge *(un sărut, câteva minute de somn etc.)* **3** *sl* a răpi;

a fura; a înstrăina **II** *vi* a întinde mâna ca să ia ceva, a se întinde **III** *s* **1** prindere, înhăţare, înşfăcare; **to make a ~ at smth** a se repezi *sau* a se întinde ca să apuce ceva **2** interval scurt (de timp), perioadă scurtă; **a ~ of sleep** un pui de somn **3** fragment; fărâmă; parte; pic, strop; bucată, bucăţică; **~es of a song** fragmente dintr-un cântec; **a ~ of sunshine** o rază de soare *(printre nori)*

snatch at ['snætʃ ət] *vi cu prep* a se apuca, a se agăţa/a se prinde de; a apuca; a înhăţa, a înşfăca *cu ac*

snatcher ['snætʃəʳ] *s* **1** apucător; persoană care apucă, smulge, ia *etc*. **2** spărgător, hoţ **3** hoţ de cadavre

snatchy ['snætʃi] *adj* neregulat, sporadic

snazzy ['snæzi] *adj* **F** împopoţonat; – spilcuit, fercheş

sneak [sniːk] **I** *vt* **1** a duce, a transporta, a transfera *etc.* pe ascuns **2** *F* a sfeterisi, – a fura **II** *vi* **1** a se furişa, a se strecura; a merge pe furiş **2** *şcol sl* a pârî, a fi pârăcios **III** *s* **1** laş; ticălos, nemernic, secătură **2** *şcol sl* pârâtor, denunţător

sneak away ['sniːk ə'wei] *vi cu part adv* a pleca pe furiş

sneakers ['sniːkəz] *s pl amer* cipici; pantofi de tenis; bascheţi

sneaking ['sniːkiŋ] *adj* **1** ticălos, mişel, nemernic **2** ascuns, tainic, tăinuit, nemărturisit **3** servil, plecat

sneak off ['sniːk 'ɔːf] *vi cu part adv v.* **sneak away**

sneaksby ['sniːks‚bai] *s* **1** om de nimic **2** om rău; intrigant

sneak-thief ['sniːk‚θiːf] *s* pungaş, găinar

sneak-up ['sniːk‚ʌp] *s* linguşitor, lingău

sneaky ['sniːki] *adj* **1** fricos, laş **2** ticălos, netrebnic

sneer [sniəʳ] **I** *s* **1** surâs batjocoritor *sau* dispreţuitor; rânjet **2** expresie, insinuare *etc.* batjocoritoare *sau* dispreţuitoare; batjocură; sarcasm **II** *vi* **(at)** a zâmbi/a surâde batjocoritor (la); a-şi bate joc (de) **III** *vt* a rosti *(pe un ton)* batjocoritor

sneer away ['sniər'wei] *vt cu part adv* a ponegri, a defăima *(reputaţia cuiva)*

sneer down ['sniə 'daun] *vt cu part adv* a lua în râs *(o propunere etc.)*

sneering ['sniəriŋ] *adj* batjocoritor; sarcastic

sneeringly ['sniəriŋli] *adv* batjo-coritor; sarcastic

sneeze [sni:z] **I** *s* strănut(at) **II** *vi* a strănuta

sneeze gas ['sni:z,gæs] *s mil* gaz de strănutat

snick [snik] **I** *s* tăietură/crestătură uşoară **II** *vt* a tăia/a cresta uşor

snicker ['snikə'] **I** *vi* **1 (at)** a chicoti (pe seama – *cu gen*) **2** a neche-za **II** *s* **1** chicotit **2** nechezat

sniff [snif] **I** *vi* **1** a smiorcăi, a smârcâi, a trage aerul pe nas **2 (at)** *fig* a pufni, a bufni (la auzul etc. – *cu gen);* a strâmba din nas (la); **his suggestion is not to be ~ed at** propunerea lui nu este de dispreţuit/lepădat **II** *vt* **1** a mirosi, a trage pe nas/nări *(săruri etc.);* a priza *(tutun);* a aspira **2** *fig* a mirosi, a bănui, a simţi *(un pericol etc.)* **III** *s* **1** aspirare/ ↷spiraţie (pe nas); prizare *(a tutunului etc.)* **2** *fig* miros; adul-mecare

sniffle ['snifl] *vi, s v.* **snuffle**

sniffy ['snifi] *adj fig F* cu nasul pe sus, – dispreţuitor

snigger ['snigə'] **I** *vi* a chicoti; a râde pe înfundate; a zâmbi cu înţeles **II** *s* râs pe înfundate, chicotit; zâmbet cu înţeles

snip [snip] **I** *vt* a tăia (cu foarfeca) **II** *s* **1** tăietură (cu foarfeca) **2** ← *F* croitor **3** *pl tehn* foarfece de mână; foarfece de tinichigerie **4** *fig* ← *F* persoană neînsemnată, fitecine

snipe [snaip] **I** *s* **1** *orn* becaţ(in)ă *(Capella sp.)* **2** *fig* prost, găgăuţă, nerod **3** *mil* împuşcătură din ascunziş *sau* de franctiror **4** *amer sl* chiştoc, – muc (de ţigară) **II** *vi* **1** a vâna becaţ(in)e **2** *mil* a trage din ascunziş; a fi franctiror

sniper ['snaipə'] *s mil* **1** trăgător/ ţintaş de elită **2** franctiror

snippet ['snipit] *s* bucată, bucăţică; fragment *(dintr-o lucrare etc.);* extras; citat

snippety ['snipiti] *adj* fragmentar; alcătuit din fragmente

snippy ['snipi] *adj* **1** *v.* **snippety 2** *fig* scurt; tăios

snitch [snitʃ] *s umor* bec, – nas

snivel ['snivəl] **I** *vi* **1** a-i curge nasul/ *F* mucii **2** *F* a se smiorcăi, a scânci **II** *s* **1** mucozitate, scur-gere nazală, *F* muci **2** scâncet; smiorcăit; sclifoseală **3** *fig* moft; paradă

snob [snob] *s* snob

snobbery ['snobəri] *s* snobism

snobbish ['snobiʃ] *adj* snob; de snob

snobbishly ['snobiʃli] *adv* cu sno-bism; ca un snob

snobbishness ['snobiʃinis] *s* snobism

snobbism ['snobizəm] *s* snobism

snook [snu:k] *s* tiflă; **to cock a ~ at smb** a da cuiva cu tifla

snooker ['snu:kə'] *vt F* **1** a da peste cap, – a răsturna *(planuri)* **2** *F* a trage pe sfoară, a duce de nas, – a păcăli

snoop [snu:p] **I** *vi F* a-şi vârî nasul peste tot **II** *s F* băgăcios, curios **2** copoi, – detectiv

snoot [snu:t] *s F* **1** bec, – nas **2** mutră, – faţă, chip

snooze [snu:z] *F* **I** *vi* – a moţăi, a dormita; a aţipi **II** *s* pui de somn; – moţăială, aţipeală

snore [snɔ:'] **I** *vi (d. cineva)* a sforăi, *F* → a mâna porcii la jir, a trage aghioase **II** *vr:* **to ~ oneself awake** a se deştepta/a se trezi din cauza/pricina sforăiturilor proprii **III** *s* **1** sforăit **2** *tehn* uruit *(al motorului etc.)*

snore away ['snɔ:rə'wei] *vt cu part adv* a sforăi/a dormi sforăind cât e *(dimineaţa etc.)* de mare

snorkel ['snɔ:kəl] *s* **1** *nav* tub de alimentare cu aer *(la submarine)* **2** tub cu oxigen *(pt acvanauţi)*

snort [snɔ:t] **I** *vi* **1** a sforăi (cu zgomot); a respira/a răsufla anevoie *sau* cu zgomot **2** *(d. cai)* a (s)forăi **3** *(d. maşină)* a gâfâi **4** ← *F* a râde zgomotos **II** *vt* a rosti sforăind; a rosti făcând spume la gură **III** *s* **1** (s)forăit **2** duşcă; păhărel

snot [snɔt] *s vulg* muci

snotty ['snɔti] *adj vulg* plin de muci, muci, *F* mucos

snout [snaut] *s* **1** rât, *bot* **2** *peior* rât; *F* → bec, – nas **3** *constr etc.* bot, cioc; **~ of a kettle** cioc de ceainic **4** *tehn* ajutaj

snow [snou] **I** *s* zăpadă, omăt, ↓ *poetic* → nea; **roads in ~** dru-muri înzăpezite **2** *telev* înză-pezite **2** *telev* efect de zăpadă **II** *vi* a ninge, a cădea zăpadă; **it was ~ing** ningea **III** *vt (şi cu unele part adv)* a acoperi cu zăpadă; a înzăpezi; a troieni

snow ball ['snou,bɔ:l] *s* bulgăre de zăpadă

snow bank ['snou,bæŋk] *s* nămete, troian; morman de zăpadă

snow bird ['snou,bə:d] *s* **1** *orn* cocoşar *(Turdus pilaris)* **2** *sl* cocainoman

snow blast ['snou,blɑ:st] *s* viscol, viforniţă

snow blind ['snou,blaind] *adj med* suferind de ophtalmia nivalis

snow break ['snou,breik] *s* **1** dez-gheţ; topirea zăpezii **2** avalanşă (de zăpadă) **3** *silv* doborâtură de zăpadă **4** parazăpadă

snow broth ['snou,brɔθ] *s* **1** lapoviţă **2** apă din topirea zăpezii

snow-bound ['snou,baund] *adj* înzăpezit; troienit

snow-capped ['snou,kæpt] *adj (d. un munte)* acoperit cu zăpadă

snow-clad ['snou,klæd] *adj* – *poetic* acoperit cu zăpadă

Snowdon ['snoudən] *munte în Wa-les*

snow drift ['snou,drift] *s v.* **snow bank**

snowdrop ['snou,drɔp] *s bot* ghiocel *(Galanthus nivalis)*

snowfall ['snou,fɔ:l] *s* ninsoare; cădere *sau* cantitate de zăpadă

snow fence ['snou,fens] *s ferov* panou parazăpadă

snow flake ['snou,fleik] *s* **1** fulg de zăpadă/omăt/nea **2** *bot* ghiocei bogaţi *(Leucojum)*

snow flurry ['snou,flari] *s* viscol

snowlike ['snou,laik] *adj* (ca) de zăpadă

snowman ['snoumən] *s* om de zăpadă

snow-on-the-mountain ['snouənðə 'mauntin] *s bot* floarea miresei *(Euphorbia marginata)*

snow pack ['snou,pæk] *s* grosimea zăpezii

snow plough/ *amer* **plow** ['snou ,plau] *s drumuri* plug de zăpadă

snow shoe ['snou,ʃu:] *s* **1** şoşon **2** rachetă *(la încălţăminte)* **3** ← *rar* schi

snow slide/slip ['snou,slaid/,slip] *s* avalanşă de zăpadă

snow storm ['snou,stɔːm] *s* furtună de zăpadă; viscol

snow under ['snou'ʌndə'] *vt cu part adv ←F* a împovăra, a copleşi, a supraîncărca

snow-white ['snou,wait] **I** *adj* ca zăpada/neaua **II** *s* **1** *ch* alb de zinc **2** S~ W~ Albă ca Zăpada

snowy ['snoui] *adj* **1** de zăpadă **2** (ca) de zăpadă; alb ca zăpada

snub[1] [snʌb] **I** *vt* **1** a umili, a face de ocară; a da peste nas *(cuiva)* **2** a certa, a dojeni, a mustra **3** *tehn* a opri brusc **4** *nav* a opri în parâme *(o navă)* **II** *s* mustrare, dojană

snub[2] *adj (d. nas)* cârn

snubby ['snʌbi] *adj v.* **snub**[2]

snub-nosed ['snʌb,nouzd] *adj* (cu nasul) cârn

snuff[1] [snʌf] **I** *vt* **1** a tăia *sau* a potrivi mucul *(unei lumânări)* **2** a stinge cu mucarniţa **II** *s* muc (de lumânare); fitil (de lampă); feştilă

snuff[2] **I** *vt* **1** a aspira/a inhala cu putere *sau* zgomotos **2** a priza *(tutun)* **II** *vi* a aspira/a inhala cu putere *sau* zgomotos **III** *s* tutun *sau* praf de prizat

snuff box ['snʌf,bɔks] *s* tabacheră/cutie cu tutun de prizat

snuffers ['snʌfəz] *s pl* mucarniţă

snuffle ['snʌfəl] **I** *vt* a rosti pe nas; a rosti fonfăit **II** *vi* **1** a sforăi **2** a fonfăi, a fornăi, a vorbi fonfăit **III** *s* **1** sforăit **2** fonfăială, fornăială

snuff out ['snʌf'aut] **I** *vt cu part* **1** a stinge *(o lumânare);* a sufla în **2** *fig* a distruge, a nimici **II** *vi cu part adv sl* a da ortul popii, – a muri

snuffy ['snʌfi] *adj fig* **1** neplăcut, dezagreabil **2** supărat; plictisit; morocănos, ursuz

snug [snʌg] **I** *adj (d. o locuinţă etc.)* confortabil, comod, plăcut; tihnit; intim **2** *(d. cineva)* (instalat) confortabil; **to make oneself ~** a se face comod; **as ~ as a bug in a rug** *fig ← F* cât se poate de confortabil/comod **3** plăcut, agreabil **4** *(d. un venit)* bunicel, frumuşel; suficient **5** ascuns, ferit; în siguranţă **6** curat, îngrijit **7** *(d. îmbrăcăminte)* care stă bine pe corp; strâns **II** *vt* a pregăti, a aranja *(o cameră etc.);* a face confortabil/comod **III** *s* odăiţă; loc retras *(↓ la un han)*

snuggery ['snʌgəri] *s* cameră, locuinţă, situaţie *etc.* confortabilă; *şi fig* loc tihnit

snuggle ['snʌgəl] **I** *vi* a se strânge, a se ghemui *(în pat etc.);* a se cuibări; a se lipi *(de cineva)* **II** *vt* a strânge în braţe *(un copil etc.);* a cuibări

so[1] [sou] **I** *adv* **1** (cu adj şi adv) atât/aşa de *(bun, bine, plăcut etc.);* **I never saw anyone ~ surprised** n-am văzut un om mai surprins/uimit; **he isn't ~ very young** nu e chiar atât/aşa de tânăr; **he ~ kind as to write** fii bun şi scrie; **the young and the not~young** cei tineri şi cei în vârstă, cei tineri şi cei mai puţin tineri **2** atât; aşa, atât de mult, de rău, de bine *etc.*; *F* în halul ăsta; **why are you panting ~?** de ce gâfâi aşa?/*F* în halul ăsta? **3** (↓ *exclamativ*) atât/aşa de; foarte, extrem/extraordinar de; **I am ~ glad** îmi pare/nespus de bine, sunt foarte bucuros; **it's ~ kind of you** ce drăguţ din partea ta **4** *(înainte de prop consecutive introduse prin* that*)* aşa/atât de (încât; **the hill was ~ high that we couldn't climb it** dealul *sau* muntele era aşa/atât de înalt încât nu am putut să-l urcăm **5** *(înainte de prop consecutive introduse prin* but*)* aşa/atât de (încât să nu); **he isn't ~ deaf but he can hear a gun** nu este (chiar) aşa/atât de surd încât să nu audă tunul **6** aşa, astfel, în felul acesta; **how ~?** cum aşa? **he said ~** aşa spunea (el); **~ it is** aşa este; bineînţeles, (de)sigur; **stand just ~!** stai aşa! nu te mişca! **and ~ on/forth** şi aşa mai departe; **even ~** chiar aşa (stând lucrurile), chiar dacă lucrurile stau aşa; **just ~** chiar aşa, întocmai, exact; **~ and only ~** aşa şi numai aşa, aşa şi nu altfel; **~ said, ~ done** zis şi făcut; **I suppose ~** aşa cred/bănuiesc; după toate probabilităţile; **~ to say** ca să spunem/zicem aşa; **~ he said** aşa spus-a/grăit-a *sau* spune/zise/grăi el; **~ what!** şi ce-i cu asta? ei şi! **7** şi, la fel; de asemenea; **he is a writer and ~ is his friend** (el) e scriitor; tot scriitor e şi prietenul lui; **we are**

puzzled and ~ are you suntem nedumeriţi, şi voi la fel; sunteţi la fel de nedumeriţi ca şi noi; **~ many men ~ many minds** *prov* câte capete atâtea păreri **8** de aceea, astfel, în consecinţă; prin urmare; (care) va să zică, aşadar, deci; **~ he is here again?** (care) va să zică/aşadar iar e aici? **it was rather late, ~ we had to return** era destul de târziu, aşa că a trebuit să ne înapoiem // **I've known her 20 years or ~** să tot fie 20 de ani de când o cunosc **II** *conj* **1** (socotit *conj după unii autori) v.* **I** **8** **2** *(parte din conj* as ... so ...) aşa; **as you brew, ~ drink** *prov aprox* cum îţi vei aşterne, aşa vei dormi **3** *înv* fără numai, – numai, doar; **~ it be done, it matters not how** oricum, numai să se facă **III** *interj* aşa! foarte bine! perfect! **IV** aşa; adevărat; real; **if what he says is really ~, you'll have to change your plans** dacă ceea ce spune el este într-adevăr aşa, va trebui să-ţi schimbi planurile; **just ~** pus la punct, în perfectă ordine; **if everything is not just ~, your father will be angry** dacă nu sunt toate puse la punct, tatăl tău o să se supere

so[2] *s muz* sol (nota)

So. *presc de la* **1** South **2** southern

S.O. *presc de la* **Special Order**

soak [souk] **I** *vt* **1** a uda, a umezi, a (în)muia; a îmbiba; a macera; *tehn* a umecta **2** *fig* a uda până la piele, a uda leoarcă, a face ciuciulete **3** *fig* a stoarce, a jecmăni, a jupui **II** *vi* **1** a fi înmuiat, ud, umezit *etc.* (v. ~ **I 1**) **2** a fi absorbant **3** *F* a suge vârtos/ca un burete, a trage la măsea, a bea zdravăn **III** *s* **1** udare, umezire *etc.* (v. ~ **I 1**); **to give a ~ to** a (în)muia *etc.* (v. ~ **I 1**) cu ac **2** *sl* sugativă, – beţiv(an) **3** *sl* chiolhan, zaiafet, – beţie, chef

soakage ['soukidʒ] *s* **1** *tehn* îmbibare, impregnare **2** infiltrare, infiltraţie

soaker ['soukə'] *s* **1** *F* sugativă, – beţiv(an) **2** ← *F* ploaie cu băşici/torenţială **3** *pl* pantalonaşi de copil *(dintr-un material absorbant)*

soak in ['souk'in] *vt cu part adv* a absorbi

soaking ['soukiŋ] *adj* 1 *tehn* de macerare *etc.* (*v.* ~ **soak I** 1) 2 (*d. ploaie*) torenţial; care udă până la piele

soak into ['souk,intə] *vi cu prep* a se infiltra/a pătrunde în

soak oneself in ['souk wʌn,self'in] *vr cu prep* a se afunda în (*studierea etc.*); a studia temeinic *cu ac*

soak up ['souk'ʌp] *vt cu part adv* a absorbi

so-and-so ['souənd'sou] *s* cutare, *F* cutărică

so and so *adv* 1 aşa şi aşa 2 în felul acesta

soap [soup] **I** *s* 1 şi *ch* săpun 2 *fig F* tămâiere, – linguşire, vorbe mieroase 3 *sl* mită **II** *vt* 1 a săpuni, a spăla cu săpun 2 *fig F* a tămâia, – a linguşi

soap ashes ['soup,æʃiz] *s pl tehn* leşie din cenuşă de plante

soap bar ['soup,baːʳ] *s* calup de săpun

soap box ['soup,bɔks] *s fig* tribună improvizată

soap-boxer ['soup,bɔksəʳ] *s* ← *F* orator de stradă

soap bubble ['soup,bʌbl] *s* balon de săpun; **to blow ~s** a face baloane de săpun

soap dish ['soup,diʃ] *s* savonieră

soap flake ['soup,fleik] *s* fulg de săpun

soap holder ['soup,houldəʳ] *s* savonieră

soap opera ['soup ,opərə] *s amer rad, telev* serial (de zi) cu caracter melodramatic *sau* sentimental (*pt reclamă*)

soap stone ['soup,stoun] *s* 1 *minr* steatit 2 *ch* saponit 3 *poligr* talc

soap suds ['soup,sʌdz] *s pl* 1 clăbuci (de săpun) 2 leşie de săpun

soap works ['soup,wəːks] *s pl ca sg* fabrică de săpun

soapwert ['soup,wəːt] *s bot* săpunariţă, văcărică, săpunel (*Saponaria*)

soapy ['soupi] *adj* 1 cu săpun; plin de săpun 2 ca săpunul; spumos *sau* lunecos 3 *fig* linguşitor 4 *F* dulceag, – sentimental

soar [sɔːʳ] *vi* 1 a zbura sus; a se avânta/a se ridica în zbor 2 *fig* a se avânta (spre culmi), a se înălţa; **prices ~ed when war**

broke out preţurile au săltat/ s-au ridicat/au crescut când a izbucnit războiul 3 *av etc.* a plana; a pluti

soaring ['sɔːriŋ] **I** *s* 1 *av* planare, zbor planat 2 *fig* avânt, elan **II** *adj* 1 (*d. zbor*) planat 2 *fig* avântat; ridicat; ambiţios

so as ['sou əz] *conj* 1 *cu inf* ca să, pentru a; **I tell you that ~ to draw your attention** îţi spun acestea ca să-ţi atrag/pentru a-ţi atrage atenţia 2 numai dacă, cu condiţia ca; **I am willing to do any work, ~ it is honourable** sunt dispus/gata să fac orice muncă, numai să fie cinstită

sob [sɔb] **I** *vi* a plânge cu sughiţuri/ suspine/hohote **II** *vt* a rosti printre suspine **III** *s* suspin; hohot; plâns cu hohote

sobbingly ['sɔbiŋli] *adv* suspinând; hohotind

sobeit ['sou'bi:it] *adv înv* fără numai dacă, – afară doar dacă, numai dacă, afară de cazul când

sober ['soubəʳ] **I** *adj* 1 sobru; cumpătat, moderat; aşezat; calm, liniştit 2 treaz; nebăut; trezit din beţie; (**as**) ~ **as a judge** perfect/ cu desăvârşire treaz 3 obiectiv, la rece; **a ~ estimate of smth** o evaluare/o apreciere la rece/ obiectivă asupra unui lucru 4 (*d. adevăr*) adevărat, neexagerat, nedenaturat 5 (*d. o culoare*) sobru **II** *vt* a trezi (din beţie), a dezmetici **III** *vi* a se trezi (din beţie), a se dezmetici

sober-minded ['sobə,maindid] *adj* aşezat, cumpătat; raţional, înţelept

soberness ['soubənis] *s v.* **sobriety**

sob oneself to ['sɔb wʌn'self tə] *vr cu prep* (+ un subst) a plânge cu suspine/hohote până când (*adoarme etc.*)

sobriety [sou'braiəti] *s* 1 sobrietate 2 cumpătare, moderaţie 3 seriozitate, gravitate 4 calm, linişte; înţelepciune

sobriquet ['soubri,kei] *s* ← *elev* poreclă

sob story ['sɔb,stɔri] *s* poveste *sau* relatare sentimentală

Soc. *presc de la* 1 **Socialist** 2 **Society**

socage ['sɔkidʒ] *s od* sistem de arendare, în Anglia medievală,

potrivit căruia arendaşul plătea proprietarului sume fixe de bani *sau* era supus la anumite servituţi (*nemilitare*)

so-called ['sou'kɔːld] *adj* aşa-zis, aşa-numit

soccer ['sɔkəʳ] *s* fotbal (*spre deosebire de rugby*)

sociability [,souʃə'biliti] *s* sociabilitate

sociable ['souʃəbəl] **I** *adj* 1 sociabil, comunicativ, prietenos 2 (*d. o reuniune etc.*) neoficial, intim, amical **II** *s amer* ← *F* reuniune, serată

social ['souʃəl] **I** *adj* 1 (*d. o reformă, problemă etc.*) social; public 2 sociabil, comunicativ, prietenos 3 monden **II** *s* întrunire (*neoficială*); serată; petrecere

social democrat ['souʃəl'demə,kræt] *s pol* social-democrat

social disease ['souʃəldi'zi:z] *s med* boală venerică

social evening ['souʃəl'i:vniŋ] *s* serată

social evil ['souʃəl'i:vəl] *s* 1 rău social 2 prostituţie

social insurance ['souʃəlin'ʃuərəns] *s* asigurări sociale

socialism ['souʃə,lizəm] *s* socialism; **to build up** ~ a construi socialismul

socialist ['souʃəlist] *adj, s* socialist

socialistic [,souʃə'listik] *adj* socialist

socialite ['souʃə,lait] *s amer* persoană (care ocupă o poziţie socială) importantă

sociality [,souʃi'æliti] *s* 1 sociabilitate 2 tendinţă *sau* dorinţă de a se asocia

socialization [,souʃəlai'zeiʃen] *s* socializare

socialize ['souʃəlaiz] *vt* 1 a socializa 2 a naţionaliza 3 a face (*pe cineva*) socialist 4 *ped* a prelucra/a pregăti în comun (*un program etc.*)

socially ['souʃəli] *adv* 1 socialmente, (din punct de vedere) social 2 în societate 3 afabil, cu prietenie

social science ['souʃəl ,saiəns] *s* 1 sociologie 2 ştiinţă *sau* disciplină socială

social security ['souʃəl si'kjuriti] *s* 1 asistenţă socială; ajutor de stat pentru bolnavi, şomeri, bătrâni *etc.* 2 *amer* asigurări sociale

social service ['souʃəl 'səːvis] *s* serviciu social *(asigurat în parte prin taxe şi impozite; drumuri, îngrijire medicală, poliţie etc.)*

social welfare ['souʃəl ˌwelfɛəʳ] *s amer v.* **social security**

social work ['souʃəl ˌwəːk] *s* (activitate de) asistenţă socială *(de stat sau particulară)*; patronaj

social worker ['souʃəl ˌwəːkəʳ] *s* lucrător de la asistenţa socială; infirmieră *etc.*

society [sə'saiəti] *s* **1** societate, ↓ *înv* → obşt(i)e **2** societate, tovărăşie, companie; **in the ~ of one's friends** în societatea/tovărăşia/ compania prietenilor săi **3** societate **4** societate mondenă; societate înaltă, lumea mare; **to go into ~** a intra/a pătrunde/a-şi face intrarea în societate

sociological [ˌsousiə'lɔdʒikəl] *adj* sociologic

sociologically [ˌsousiə'lɔdʒikəli] *adv* (din punct de vedere) sociologic

sociologist [ˌsousiə'lɔdʒist] *s* sociolog

sociology [ˌsousiə'lɔdʒi] *s* sociologie

sock [sɔk] **I** *s* **1** şosetă, ciorap scurt **2** branţ **3** *teatru od* brodechin **4** *teatru* comedie **5** *teatru* muza comediei **6** puşculiţă, ciorap **II** *vt* a trage (cuiva) o mamă de bătaie

socker ['sɔkəʳ] *s v.* **soccer**

socket ['sɔkit] *s* **1** *tehn* cutie **2** *tehn* mintură **3** *tehn* manşetă; mufă; ştuţ **4** *tehn* soclu **5** *tehn* racord; bucşă **6** *tehn* doză, clichet **7** *el* dulie; fasung; rozetă **8** *constr* ghermea, pană de fixare **9** *ferov* scoabă (de traversă) **10** balama **11** *ant* alveolă (a dinţilor)

socle ['sɔkəl] *s* **1** *constr* postament **2** *tehn* soclu

Socrates ['sɔkrəˌtiːz] *filosof atenian Socrate (470?-399 î.e.n.)*

Socratic [sɔ'krætik] **I** *adj* socratic **II** *s* discipol *sau* urmaş al lui Socrate

sod [sɔd] *s* **1** iarbă; gazon **2** brazdă de iarbă **3** *fig poetic* ţărână, – pământ; **under the ~** în ţărână/ mormânt **4** *fig* ţară natală/ baştină **5** *sl* nătărău, prost **6** *sl* om plicticos, pacoste **7** *(apreciativ) sl* tip, cetăţean **8** *sl* pacoste, blestem, năpastă; mare bătaie de cap // **not to care/to**

give a ~ *sl* a nu-i păsa defel, a nu se sinchisi câtuşi de puţin; a-l durea în cot

soda ['soudə] *s* **1** sifon, apă gazoasă **2** *ch* sodă calcinată; carbonat de sodiu; bicarbonat de sodiu

soda ash ['soudə ˌæʃ] *s ch* sodă calcinată; carbonat de sodiu anhidru

soda fountain ['soudə 'fauntən] *s amer* răcoritoare *(într-un magazin, locul unde se servesc răcoritoare, suc de fructe, îngheţată etc.)*

sodality [sou'dæliti] *s* **1** tovărăşie; prietenie; frăţie **2** asociaţie; societate

soda water ['soudə ˌwɔːtəʳ] *s v.* **soda 1**

sodden ['sɔdən] *adj* **1** ud; plin de apă; îmbibat **2** *(d. pâine)* necopt, crud **3** *fig* îndobitocit, abrutizat *(de băutură etc.)*

sod it! ['sɔdit] *interj sl* drace! drăcia dracului! fir-ar să fie!

sodium ['soudiəm] *s ch* sodiu, natriu

sodium carbonate ['soudiəm ˌkaːbəneit] *s ch* carbonat de sodiu

sodium chloride ['soudiəm ˌklɔːraid] *s ch* clorură de sodiu, sare (de bucătărie)

sodium nitrate/nitre ['soudiəm ˌnaitreit/ˌnaitəʳ] *s ch* azotat de sodiu

sodium sulphate ['soudiəm ˌsʌlfeit] *s ch* sulfat de sodiu

Sodom ['sɔdəm] *bibl* Sodoma

sodomite ['sɔdəˌmait] *s* sodomist

sodomy ['sɔdəmi] *s* sodomie

soever [sou'evəʳ] *adv* **1** oricât de *(mare etc.)* **2** orice *(loc etc.)* **3** *(în prop neg)* deloc, defel; **no answer ~** nici un fel de răspuns, absolut nici un răspuns

sofa ['soufə] *s* sofa, canapea, divan

sofa bed ['soufə ˌbed] *s* divan-studio, recamier

so far ['sou faːʳ] *adv* până acum; deocamdată; **~ so good** deocamdată/până acum toate bune

so far as ['sou faːrˈəz] *conj* după câte (ştiu etc.), în măsura în care

soffit ['sɔfit] *s* **1** *el* sofită **2** *constr* intrados **3** *arhit* scafă

Sofia ['soufiə] *capitala Bulgariei*

soft [sɔft] **I** *adj* **1** moale; plastic; maleabil; ductil; **(as) ~ as butter** moale ca untul **2** moale, pufos; catifelat **3** moale (la pipăit); *fin*;

delicat **4** moale; slab; *(d. băuturi)* nealcoolic **5** *(d. un sunet)* lin, dulce; plăcut; slab **6** *(d. păr)* moale, mătăsos **7** *(d. somn)* dulce, lin, plăcut; liniştit **8** *(d. o culoare)* dulce; liniştitor; estompat **9** *(d. climă)* blând, dulce, plăcut **10** *(d. inimă)* milos; compătimitor; bun **11** *(d. timp)* ploios, umed **12** *(d. un răspuns etc.)* calm, liniştit; politicos; curtenitor **13** sentimental; dulceag **14** slab, moale, lipsit de fermitate/ hotărâre **15** *(d. muşchi)* slab, flasc **16** *(d. un serviciu etc.)* ← *F* uşor **17** *F* tâmpit, idiot; – mărginit, limitat **18** *fon* sonor; sibilant; paralizant **19** *(d. contur)* vag, neprecis **20** *poligr* neclar; fără contrast **21** *(d. cărbune)* brun, moale **22** *(d. preţuri)* instabil, nestabil, fluctuant **II** *s* parte moale **III** *adv* moale; liniştit; încet **IV** *interj* încet! domol! binişor!

softball ['sɔftˌbɔːl] *s sport* un fel de baseball *(pe un teren mai mic, cu o minge ceva mai mare şi mai moale)*

soft-boiled ['sɔftˌbɔild] *adj* **1** *(d. ou)* fiert moale **2** *F* cârpă, mălai-mare; – indulgent, îngăduitor; prea înţelegător

soft characteristic ['sɔft ˌkæriktəˈristik] *s el* caracteristică suplă

soft currency ['sɔft ˌkʌrənsi] *s fin* valută neconvertibilă *sau* instabilă

soft drink ['sɔft ˌdriŋk] *s* băutură nealcoolică

soften ['sɔfən] **I** *vt* **1** a înmuia; a slăbi, a domoli; a potoli; a uşura, a atenua **2** *mil* a slăbi *(rezistenţa inamicului etc.)* **II** *vi* a se înmuia; a slăbi, a se domoli, a se potoli; a se micşora, a se atenua

softening ['sɔfəniŋ] *adj* liniştitor, alinător, mângâietor

softening of the brain ['sɔfəniŋ əv ðə 'brein] *s* **1** *med* ramolisment cerebral **2** nebunie, demenţă, sminteală

soften up ['sɔfən ˈʌp] *vt* **1** *mil* a pregăti de foc **2** *mil* a slăbi prin bombardament *(apărarea inamicului)* **3** a pregăti sufleteşte; a preîntâmpina rezistenţa (cuiva); a înmuia; a îmbuna

soft goods ['sɔft ˌgudz] *s pl text* (produse) textile

soft grass ['soft ,grɑ:s] s bot flo-
coşică (Holcus lanatus)

softhead ['soft,hed] s imbecil,
tâmpit, nerod

soft-headed ['soft'hedid] adj bătut în
cap, imbecil, idiot

soft-hearted ['soft'hɑ:tid] adj 1
îngăduitor; înțelegător 2 bun,
milos; compătimitor 3 blând,
blajin

softie ['softi] s F v. **softy**

softish ['softiʃ] destul de/cam moale

soft money ['soft ,mʌni] s amer bani
de hârtie

softness ['softnis] s 1 și fig moli-
ciune 2 blândețe (a climei)

soft palate ['soft ,pælit] s anat vălul
palatului, palatul moale

soft picture ['soft ,piktʃəᵊ] s tel
imagine slabă

soft science ['soft ,saiens] s agr
știința solului, pedologie

soft sell ['soft ,sel] s com vânzare
prin recomandări sau convin-
gerea clienților

soft-soap ['soft,soup] vt F a duce cu
zăhărelul, – a convinge spunând
lucruri drăguțe; a flata

soft soap ['soft 'soup] s 1 săpun
lichid 2 fig ← F vorbe frumoase,
lucruri drăguțe (pt a convinge)

soft-spoken ['soft'spoukən] adj 1
încet, (rostit etc.) cu voce joasă
2 (d. cuvinte etc.) convingător;
grăitor

soft spot ['soft ,spot] s (for) slăbi-
ciune, feblețe (pentru)

software ['soft,wɛəᵊ] s cib progra-
me-control

soft wood ['soft ,wud] s lemn de
esență moale

softy ['softi] s F 1 gogoman, –
nătărău, prost 2 bicisnic, slăbă-
nog 3 cârpă, – om sentimental

soggy ['sogi] adj ud leoarcă; muiat

Soho [sou'hou] cartier în Londra

soil¹ [soil] s 1 sol, pământ, teren 2
fig teren 3 pământ (natal etc.),
țară 4 temelie, fundație

soil² I vt 1 a murdări, a mânji (↓ la
suprafață), a păta; a spurca 2
poligr a murdări, a impurifica 3 a
gunoi (pământul) II s 1 pată;
murdărie 2 agr îngrășământ 3 fig
murdărie; corupție

soil³ vt a hrăni cu furaj verde

soilage ['soilidʒ] s furaj verde

soilless ['soillis] adj și fig nepătat,
curat

soil log ['soil,log] s geol foraj

soilure ['soiləᵊ] s 1 murdărie 2 pată;
murdărie

soiree, soirée ['swa:rei] s fr serată

sojurn ['sodʒə:n] I vi a sta/a rămâne
un timp (într-un loc) II s ședere/
rămânere pentru un timp; vizită

soke [souk] s jur od jurisdicție

Sol [soul] s 1 soarele 2 mit zeul
soarelui 3 (în alchimie) aur

sol¹ [sol] s muz (nota) sol

sol² s ch sol, soluție coloidală

sol. presc de la 1 **solution** 2
soluble

solace ['solis] I s mângâiere, conso-
lare, alinare; **to find ~ in** a-și
găsi/a-și afla mângâierea/conso-
larea în II vt 1 a mângâia, a
consola (pe cineva); a înveseli;
a distra; a îmbărbăta 2 a alina, a
mângâia (durerea etc.); a ușura,
a micșora III vr a se mângâia, a
se consola

solacement ['solismənt] s conso-
lare, mângâiere

solanaceous [,solə'neiʃes] adj bot
din familia solanaceelor

solar ['souləᵊ] adj solar; de soare; al
soarelui

solar cell ['soulə ,sel] s fiz element
de baterie solară

solar day ['soulə ,dei] s astr zi solară

solarium [sou'lɛəriəm], pl **solaria**
[sou'lɛəriə] s solariu

solarization [,soulərai'zeiʃən] s 1 opt
solarizare 2 meteor insolație

solar plexus ['soulə ,pleksəs] s anat
plexul solar

solar prominence ['soulə 'promi-
nəns] s astr protuberanță solară

solar system ['soulə ,sistim] s astr
sistem solar

solar year ['soulə ,jəᵊ] s astr an solar

solatium [sou'leiʃiəm], pl **solatia**
[sou'leiʃiə] s compensație; mân-
gâiere

sold [sould] pret și ptc de la **sell** I,
II, III

solder ['soldəᵊ] I vt 1 met a suda, a
lipi 2 fig a suda; a uni, a lega II vi
met a se suda, a se lipi III s 1
met aliaj de lipit 2 met sudură 3
fig sudură; unire; legătură

soldering hammer/iron ['soldəriŋ
,hæməʳ/,aiən] s met ciocan de lipit

soldering paste ['soldəriŋ ,peist] s
auto pastă de lipit

soldier ['souldʒəʳ] I s 1 soldat, ostaș,
↓ poetic → oștean; **to go a ~** F a

pleca militar; – a intra în armată;
to play at ~s a se juca de-a
soldații; **old ~** a fig om trecut prin
multe, om cu experiență b scrum-
bie afumată; **to come the old ~
over** F a face pe nebunul/gro-
zavul cu (cineva) 2 constr mon-
tant II vi și **to go ~ing** a pleca la
armată/F militar

soldiering ['souldʒəriŋ] s 1 armată,
serviciu militar 2 sl eschivare de
la datorie

soldierlike ['souldʒə,laik] I adj (ca)
de soldat; soldățesc; milităros II
adv soldățește, ostășește

soldierly ['souldʒəli] adj 1 soldățesc,
ostășesc; de militar 2 milităros 3
marțial

soldier of fortune ['souldʒər əv'fɔ:-
tʃən] s 1 aventurier 2 mercenar

soldiership ['souldʒəʃip] s arta
militară

soldiery ['souldʒəri] s 1 soldați,
ostași; peior soldățime, soldățoi
2 arta militară

sole¹ [soul] I s 1 anat talpă 2 text
talpă (la ciorapi) 3 talpă; pingea
(la îmbrăcăminte) 4 tehn talpă;
fund 5 fund; bază; temelie; parte
de jos II vt a tălpui; a pingeli

sole² s iht 1 calcan (Eopsetta
jordani) 2 limbă de mare (Solea
solea)

sole³ adj atr singur, unic; exclusiv;
propriu

solecism ['soli,sizəm] s 1 solecism,
greșeală gramaticală 2 gafă;
impolitețe; necuviință

solely ['soulli] adv 1 singur 2 numai,
doar; exclusiv

solemn ['soləm] adj 1 solemn, grav;
serios 2 venerabil 3 sărbătoresc,
festiv, solemn 4 sacru

solemnity [sə'lemniti] s 1 solem-
nitate, caracter solemn 2 solem-
nitate, ceremonie, ceremonial;
ritual; celebrare, sărbătorire 3
solemnitate, gravitate

solemnization [,solemnai'zeiʃən] s
sărbătorire; celebrare (a unei
căsătorii etc.)

solemnize ['soləm,naiz] vt 1 a
sărbători; a celebra (a cununie
etc.); a ține (o sărbătoare) 2 a da
un caracter solemn (cu dat)

solemnly ['soləmli] adv (în mod)
solemn

solemness ['soləmnis] s v. **solem-
nity 1**

solenoid ['souli‚nɔid] *s el, tehn* solenoid

Solent, the ['soulənt, ðə] *canal între Anglia și insula Wight*

sole shoe ['soul ‚ʃu:] *s agr* plaz

sole weight ['soul ‚weit] *s tehn* greutate proprie

sol-fa ['sɔl 'fɑ:] *muz* I *s* 1 solfegiu 2 solfegiere II *vt, vi* a solfegia

solfatara [‚sɔlfə'tɑ:rə] *s geol* solfatară

solfeggio [sɔl'fedʒiou], *pl* și **solfeggi** [sɔl'fedʒi:] *s muz it* solfegiu

solicit [sə'lisit] *vt* 1 a solicita, a cere *sau* a ruga insistent/stăruitor; a căuta să obțină 2 *(d. femei)* a acosta *(un bărbat)* 3 *fig* a duce pe un drum greșit; a ademeni; a seduce

solicitation [sə‚lisi'teiʃən] *s* 1 solicitare; cerere *sau* rugăminte insistentă/stăruitoare 2 acostare *(a unui bărbat de către o femeie)* 3 *fig* abatere de la un drum drept; ademenire, ispitire

solicitor [sə'lisitər] *s* 1 solicitant, petiționar 2 *jur* avocat *(care are voie să pledeze numai în anumite instanțe inferioare)*; avocat consultant 3 *amer* agent *(electoral etc.)* 4 *amer jur* consilier judecătoresc; jurisconsult

Solicitor General [sə'lisitə'dʒenərəl] *s jur* 1 funcționar superior în Ministerul Justiției 2 ministru de justiție adjunct 3 *amer* procuror general *(în unele state din S.U.A.)*

solicitous [sə'lisitəs] *adj* 1 **(about, concerning, for)** îngrijorat, neliniștit (de; din cauza – *cu gen)*; preocupat (de) 2 **(of)** doritor, dornic (de)

solicitously [sə'lisitəsli] *adv* cu solicitudine, cu atenție binevoitoare

solicitousness [sə'lisitəsnis] *s v.* **solicitude**

solicitude [sə'lisi‚tju:d] *s* 1 solicitudine; grijă, atenție; preocupare 2 grijă *sau* preocupare exagerată 3 *pl* griji; necazuri; neliniște, îngrijorare

solid ['sɔlid] I *adj* 1 solid, în stare solidă 2 solid; compact; dens; masiv; plin 3 solid, tare; robust; puternic; durabil, trainic, rezistent 4 neîntrerupt, continuu 5 unit, omogen, uniform; strâns 6

(d. un argument etc.) solid, temeinic, serios; sigur; viguros 7 *poligr* compact, fără interlinii II *s* 1 *fiz* (corp) solid 2 corp geometric

solidarity [‚sɔli'dæriti] *s* solidaritate; unire, coeziune

solid geometry ['sɔlid dʒi'ɔmitri] *s* geometrie în spațiu

solidification [sə'lidifi'keiʃən] *s* solidificare

solidify [sə'lidi‚fai] I *vt* 1 a solidifica, a consolida, a întări 2 *fig* a consolida, a întări II *vi* 1 a se solidifica; a se consolida, a se întări 2 *fig* a se consolida, a se întări

solidity [sə'liditi] *s* 1 soliditate; tărie, trăinicie; rezistență 2 *geom* volum

solidly ['sɔlidli] *adv* (în mod) solid

solidness ['sɔlidnis] *s v.* **solidity** 1

solid-state ['sɔlis‚steit] *adj atr fiz* 1 al stării solide(lor) 2 cu tranzistori ce funcționează fără încălzire *sau* piese mobile

soliloquize [sə'lilə‚kwaiz] *vi* 1 *teatru* a monologa 2 a vorbi (de unul) singur

soliloquy [sə'liləkwi], *pl* **soliloquies** [sə'liləkwiz] *s* 1 *teatru* monolog 2 vorbire de unul singur

solipsism ['sɔlip‚sizəm] *s filos* solipsism

solitaire ['sɔli‚tɛər] *s fr* 1 ← *înv* pustnic, sihastru 2 singuratic 3 solitar *(briliant mare)* 4 solitaire *(joc de cărți)*

solitarily ['sɔlitərili] *adv* singur; în singurătate

solitariness ['sɔlitərinis] *s* singurătate, *rar* ← solitudine

solitary ['sɔlitəri] I *adj* 1 *(d. cineva)* singur; singuratic; retras; izolat *(de lume etc.)* 2 *(d. un caz etc.)* singur, unic 3 *(d. un loc etc.)* singuratic, retras, izolat; răzleț; depărtat *(de lume)*; necunoscut; nebătătorit II *s* (om) singuratic, solitar; pustnic

solitary confinement ['sɔlitəri kən'fainmənt] *s* (detențiune la) regim celular

solitude ['sɔli‚tju:d] *s* 1 singurătate, *rar* → solitudine; izolare 2 loc izolat/pustiu, pustietate

solo ['soulou] I *pl* și **soli** ['soulai] *s* 1 *muz* solo 2 motocicletă fără ataș II *adj, adv muz* solo

solo flight ['soulou ‚flait] *s av* zbor în simplă comandă

soloist ['soulouist] *s* 1 *muz* solist 2 *av* aviator individual

Solomon ['sɔləmən] *s* 1 *bibl nume masc* 2 *fig* înțelept

Solomon Islands, the ['sɔləmən ‚ailəndz, ðə] Insulele Solomon *(în Pacific)*

Solomon's seal ['sɔləmənz ‚si:l] *s bot* coada cocoșului *(Polygonatum vulgare)*

so long [‚sou 'lɔŋ] F *interj* pa! – la revedere! cu bine!

so long as [‚sou 'lɔŋ əz] *conj* atâta timp/vreme cât, cât timp, câtă vreme

solstice ['sɔlstis] *s astr* 1 solstițiu 2 *fig* culme, apogeu

solubility [‚sɔlju'biliti] *s ch* solubilitate

solubilizer [‚sɔljubi‚laizər] *s ch* solvent, dizolvant

soluble [‚sɔljubəl] *adj* 1 *ch* solubil 2 *fig* rezolvabil

solus ['soulus] *adj pred teatru* singur

solution [sə'lu:ʃən] *s* 1 *ch* soluție 2 soluție; rezolvare 3 *fig* dizolvare; fărâmițare; dezagregare

solvability [‚sɔlvə'biliti] *s* 1 *ec* solvabilitate 2 *mat* rezolubilitate 3 *ch* solubilitate *(a unei sări)*

solvable ['sɔlvəbəl] *adj* 1 *v.* **soluble** 1-2 2 *ec* solvabil; care se poate plăti

solvation [sɔl'veiʃən] *s ch* solvatare

Solvay ['sɔlvei], **Ernest** *chimist belgian (1838-1922)*

solve [sɔlv] *vt* 1 a rezolva *(o problemă, o dificultate etc.)*, a găsi o rezolvare pentru; a dezlega *(o enigmă etc.)*; a descifra *(înțelesul etc.)* 2 ← *înv* a achita, a plăti

solvency ['sɔlvənsi] *s ec* solvabilitate

solvent ['sɔlvənt] I *adj* 1 *ec* solvabil 2 *și fig* dizolvant II *s* 1 *ch* solvent 2 *fig* element dizolvant; distrugător

soma ['soumə] *s biol* corp, trup

Somaliland [sou'mɑ:li‚lænd] *regiune în Africa de Est*

somatic(al) [sou'mætik(əl)] *adj biol* somatic, privitor la corp/trup

somatology [‚soumə'tɔlədʒi] *s med* somatologie

somber ['sɔmbər] *adj amer v.* **sombre**

sombre *adj* 1 sumbru, întunecat, întunecos, posomorât, mohorât 2 *(d. cineva)* sumbru, melancolic; posomorât; ursuz

sombrero [sɔm'brerou] *s* sombrero, pălărie cu boruri late

sombrous ['sɔmbrəs] *adj* ← *înv v.* **sombre**

some I [səm, *sm forme slabe*, sʌm *formă tare*] *adj* **1** ceva, câtva, niște, puțin, o cantitate de, o cantitate oarecare de; **for ~ time** de câtva timp/câtăva vreme; pentru câtva timp/câtăva vreme; **~ milk** (puțin/ceva/niște) lapte **2** câțiva, niște; ceva; unii; un număr de; **he gave me ~ details** mi-a dat câteva/unele amănunte; **~ years ago** acum câțiva ani; **~ more books** încă vreo câteva cărți în plus **3** un oarecare, vreun, un; **~ person** un oarecare, cineva; **to ~ extent** într-o oarecare/anumită măsură, până la un anumit punct **4** *peior* oarecare; **he was writing ~ play** scria și el o piesă (chipurile) **5** ← *F* adevărat, în adevăratul înțeles al cuvântului; **he's ~ doctor!** *F* așa doctor mai zic și eu! ăsta da doctor! **6** ceva, un pic, nu glumă; **you'll need ~ courage** o să-ți trebuiască un pic de curaj **II** *pr* **1** ceva, câțiva; o cantitate (oarecare); **~ of the water was spilt** o parte din apă se vărsase **2** câțiva, unii; **~ are wise, and ~ are otherwise** *prov* unii (oameni) sunt înțelepți, alții dimpotrivă; **I rather fancy these ties; I'll buy ~** îmi plac cravatele astea – am să cumpăr câteva // **~ of these days** într-una din zilele astea; într-o zi; curând **III** *adv* **1** vreo, cam, aproximativ; **a village of ~ 100 houses** un sat cu vreo o sută de case **2** ← *F* ceva, câtva, întrucâtva; **it was ~ colder** era ceva/puțin mai frig; **he seemed angry ~** părea cam furios/supărat **3** *F* grozav, strașnic, colosal; **you'll have to walk ~ to get there in time!** o să ai de mers zdravăn ca să ajungi la timp!

-some *suf* **1** *(aflat într-o anumită stare);* **lonesome** singuratic **2** *(care provoacă o anumită stare);* **tiresome** obositor **3** -*zom:* **chromosome** cromozom

somebody ['sʌmbədi] **I** *pr* cineva; **~ else** altcineva, un altul; **~ or other has seen it** cineva trebuie s-o fi văzut; nu știu cine a văzut-o

II *s* cineva, persoană de vază/importantă; **he is (a) ~** e cineva, e o persoană importantă, nu e un oarecare/*F* → fitecine

someday ['sʌm'dei] *adv* într-o (bună) zi *(în viitor)*

some few ['sʌm'fju:] *adj* câțiva, niște

somehow ['sʌmhau] *adv* cumva, într-un fel oarecare, într-un fel *sau* altul; oricum; pentru un motiv oarecare

somehow or other ['sʌmhau ɔ:r 'ʌðə] *adv v.* **somehow**

someone ['sʌmwʌn] *pr, s v.* **somebody**

somersault ['sʌmə,sɔ:lt] **I a 1** tumbă, dare peste cap, salt; **to turn a ~** a face o tumbă, a se da peste cap, salt; **2** tresărire **3** *fig* schimbare totală *(a punctului de vedere etc.)* cotitură **II** *vi* a face o tumbă *sau* tumbe, a se da peste cap

Somerset ['sʌməsit] *v.* **Somersetshire**

somerset *s, vi v.* **somersault**

Somersetshire ['sʌməsit, ʃiə'] *comitat în Anglia*

something ['sʌmθiŋ] **I** *pr* ceva; **~ else** altceva; **it is ~ to hear him** e mare lucru să-l auzi; **to think ~ of oneself** a avea o părere foarte bună despre sine, a se crede cineva **II** *adv* întrucâtva, cam, puțin, într-o oarecare măsură; **he was ~ troubled** era cam neliniștit

something like ['sʌmθiŋ ,laik] *adv* **1** *F* – aproximativ, cam, aproape; **it must be ~ three o'clock** *F* să tot fie ora trei, – e aproximativ ora trei **2** *(ca adj)* *F* grozav, strașnic, clasa prima; **that's ~!** e o nebunie! grozav! colosal! fantastic! **that's ~ a cake!** (tii), ce prăjitură! așa prăjitură mai zic (și eu)!

something of ['sʌmθiŋ əv] *pr cu prep v.* **somewhat of**

sometime ['sʌm,taim] **I** *adv* **1** cândva, odată; nu se știe când **2** cândva, într-o (bună) zi *(în viitor)* **3** ← *înv* altădată, pe vremuri, odinioară, odată, cândva **II** *adj (care a) fost;* **his ~ professor** fostul său profesor

sometimes ['sʌm,taimz] *adv* **1** uneori, câteodată; din când în când; când și când; ocazional **2** ← *înv* altădată, cândva

someway(s) ['sʌm,wei(z)] *adv* cumva, oarecum, într-un fel oarecare

somewhat ['sʌm,wɔt] **I** *adv* întrucâtva, puțin, cam *(dificil etc.)* **II** *pr* ceva, puțin, *F* → un pic; **it loses ~ in the telling** pierde/ceva întrucâtva atunci când o povestești

somewhat of ['sʌm,wɔtəv] *pr cu prep* un fel de; **he is ~ a bore** e cam plictisitor; **~ a shock** un șoc destul de puternic

somewhere ['sʌm,wɛə'] *adv* **1** undeva; într-un loc oarecare; **~ else** (undeva) în altă parte, aiurea; **to get ~ a** a ajunge undeva **b** *fig* a ajunge undeva/la un rezultat (oarecare) **2** *(cu prepoziții)* în jurul/preajma *(cu gen);* puțin; **this happened ~ about 1400** aceasta s-a întâmplat (cândva) pe la anul 1400; **~ after 12 o'clock** ceva mai târziu de ora 12, puțin după ora 12

somnambulism [sɔm'næmbju,lizəm] *s* somnambulism

somnambulist [sɔm'næmbjulist] *s* somnambul

somnambulistic [sɔm'næmbju'listik] *adj* somnambulic

somniferous [sɔm'nifərəs] *adj* **1** somnifer **2** somnoros

somnific [sɔm'nifik] *adj* somnifer

somniloquence [sɔm'niləkwəns] *s* vorbire în somn; delir oniric

somnolence ['sɔmnələns] *s* somnolență; toropeală

somnolency ['sɔmnələnsi] *s v.* **somnolence**

somnolent ['sɔmnələnt] *adj* **1** somnolent; toropit; molești **2** adormitor

somnolently ['sɔmnələntli] *adv* **1** adormit; toropit **2** molesitor, toropitor

so much [,sou'mʌtʃ] *adv* **1** foarte mult; **thank you ~** (vă) mulțumesc foarte mult **2** atât(a); **~ for that** ajunge, să nu mai vorbim despre asta, destul

so much so that [,sou'mʌtʃ ,sou 'ðæt] *conj* într-atât(a) încât, într-o asemenea măsură încât/că

son [sʌn] *s* fiu, fecior; copil

sonant ['sounənt] *fon* **I** *adj* sonor **II** *s* consoană sonoră

sonar ['souna:'] *s nav, fiz* sonar; asdic

sonata [sə'nɑːtə] *s muz* sonată

sonatina [ˌsonə'tiːnə] *s muz* sonatină

song [sɔŋ] *s* 1 cântec, *rar* → cânt; cântare; melodie; ciripit *(al păsărilor);* **to burst forth into** ~ a începe să cânte; **for a (mere)** ~ *F* de pomană, pentru o nimica toată, – (pe) gratis; **it isn't worth an old** ~ nu face (nici) doi bani 2 poezie, versuri 3 *lit* cânt, canto

song bird ['sɔŋ bəːd] *s* pasăre cântătoare

song book ['sɔŋ ˌbuk] *s* carte *sau* culegere de cântece

songful ['sɔnful] *adj* melodios; muzical

songster ['sɔŋstəʳ] *s* 1 cântăreț 2 autor de cântece *sau* poezii; poet 3 pasăre cântătoare

songstress ['sɔŋstris] *s* 1 cântăreață 2 autoare de cântece *sau* poezii; poet(ă)

song thrush ['sɔŋ ˌθrʌʃ] *s* sturz (cântător) *(Turdus musicus)*

sonik ['sɔnik] *adj* sonic; sonor

sonic bang/boom ['sɔnik ˌbæŋ/ ˌbuːm] *s av* boom sonic

son-in-law ['sʌnim'lɔː], *pl* **sons-in-law** ['sʌnzin'lɔː] *s* ginere

sonnet ['sɔnit] *s lit* sonet

sonneteer [ˌsɔni'tiəʳ] *s* 1 sonetist 2 *peior* poetastru

sonny ['sʌni] *s (ca voc)* fiule, băiete

sonority [sə'nɔriti] *s* sonoritate; rezonanță

sonorous [sə'nɔːrəs] *adj* 1 sonor; răsunător 2 *(d. stil etc.)* bombastic, emfatic 3 *fon* sonor

sonorously [sə'nɔːrəsli] *adv* (pe un ton) răsunător

sonorousness [sə'nɔːrəsnis] *s v.* **sonority**

sonship ['sʌnʃip] *s* calitatea *sau* situația de fiu

soon [suːn] *adv* 1 curând, repede; îndată, neîntârziat, degrabă; **I'll come as** ~ **as I can** voi veni de îndată ce voi putea, voi veni cât mai curând posibil; **the** ~**er, the better** cu cât mai devreme, cu atât mai bine; ~**er or later** mai devreme *sau* mai târziu; **no** ~**er ... than** ... abia ... că (și) ...; **no** ~**er said than done** zis și făcut; **no** ~**er had he entered the house than a visitor came** (de-)abia intră în casă când/că veni un vizitator 2 bucuros; **I would just as** ~ **stay at home**

as go aș prefera să stau acasă decât să plec; **I'd go there as** ~ **as not** aș prefera să mă duc acolo, aș fi mai bucuros să mă duc acolo; **we had** ~**er go** mai bine am pleca; am prefera să plecăm 3 devreme *sau* prea devreme; **to speak too** ~ a fi prea sigur de ceea ce se va întâmpla, a anticipa

soot [suːt] **I** *s* funingine, negru de fum; calamină **II** *vt* a acoperi cu funingine

sooth [suːθ] **I** *adj* 1 ← *înv* adevărat; real 2 *poetic* dulce, alinător, mângâios **II** *s* ← *înv* adevăr; **in** ~ într-adevăr, *înv* cu adevărat

soothe [suːð] *vt* 1 a liniști, a domoli, a potoli, a calma *(durerea etc.)* 2 a mângâia, a consola; a alina

soothing ['suːðiŋ] *adj* liniștitor, mângâietor

soothsay ['suːθˌsei] *vi* a face profeții *sau* preziceri

soothsayer ['suːθˌseiəʳ] *s* profet; ghicitor

soothsaying ['suːθˌseiiŋ] *s* prezicere, profeție

sooty ['suːti] *adj* 1 acoperit cu funingine; murdar de funingine 2 negru ca funinginea 3 negru; negricios

sop [sɔp] **I** *s* 1 bucată (↓ de pâine) înmuiată în sos *etc.* 2 preț de răscumpărare; mită; cadou, dar **II** *vt* 1 a (în)muia *(pâine etc.)* în lapte *etc.* 2 a absorbi, a suge

sop. *presc de la* **soprano**

Sophia [sə'faiə] *nume fem* Sofia

Sophie ['soufi] *nume fem v.* **Sophia**

sophism ['sɔfizəm] *s* sofism

sophist ['sɔfist] *s* sofist

sophist(al) [sə'fistik(əl)] *adj* sofistic

sophistically [sə'fistikəli] *adv* (în mod) sofistic

sophisticate [sə'fistiˌkeit] **I** *vt* 1 a perverti, a corupe 2 a denatura, a falsifica *(un text etc.);* a contraface; a strica; a altera 3 a rafina; a rafina gusturile *(cuiva);* a face un om versat, experimentat *etc.* din *(cineva)* **II** *vi* a folosi sofisme **III** *s* persoană sofisticată

sophisticated [sə'fistiˌkeitid] *adj* 1 sofisticat; versat, experimentat; rafinat 2 *(d. un aparat etc.)* complicat; complex 3 sofisticat; nenatural

sophistication [sə'fistiˌkeiʃən] *s* 1 sofisticată; *rar* → sofisticărie 2 denaturare; pervertire; falsificare 3 experiență 4 rafinament; intelectualism

sophistry ['sɔfistri] *s* 1 sofistică 2 sofism

Sophocles ['sɔfəˌkliːz] *autor grec de tragedii* Sofocle *(496-406 î.e.n.)*

sophomore ['sɔfəˌmɔːʳ] *s amer univ* student în anul doi

-sophy *suf* -sofie, -zofie: **philosophy** filosofie

soporific [ˌsɔpə'rifik] *adj, s* soporific

sopping ['sɔpiŋ] *adj* (ud) leoarcă

soppy ['sɔpi] *adj* 1 *v.* **sopping** 2 ploios 3 ← *F* prea sentimental 4 murdar; neglijent

soprano [sə'prɑːnou] *muz* **I** *pl și* **soprani** [sə'prɑːniː] *s* (voce de) sopran(o) **II** *adj* de sopran(o)

sop up ['sɔp ʌp] *vt cu part adv* a absorbi; a șterge *(un lichid cu cârpa etc.)*

sorb (apple) ['sɔːb(ˌæpl)] *s bot* sorb, scoruș *(Sorbus domestica)*

sorbet ['sɔːbit] *s* șerbet

sorbic acid ['sɔːbik ˌæsid] *s ch* acid sorbic

Sorbonne, the [sɔr'bon, ðə] *universitate pariziană* Sorbona

sorcerer ['sɔːsərəʳ] *s* vrăjitor, magician; vraci

sorceress ['sɔːsəris] *s* vrăjitoare

sorcery ['sɔːsəri] *s* vrăjitorie; magie neagră; farmece, vrăji

sordid ['sɔːdid] *adj și fig* sordid, murdar; dezgustător

sordidly ['sɔːdidli] *adv* (în mod) josnic, murdar, sordid

sordidness ['sɔːdidnis] *s* aspect *sau* caracter sordid

sordine ['sɔːdin] *s muz* surdină

sore [sɔːʳ] **I** *adj* 1 dureros; inflamat; suferind; **I have** ~ **feet** mă dor picioarele; < am răni la picioare; **I'm** ~ **all over** mă doare peste tot; mă dor toate încheieturile; **to have a** ~ **throat** a-l durea în gât; **a** ~ **subject** *fig* un subiect delicat 2 necăjit, supărat, mâhnit, întristat 3 dureros, chinuitor; mare; greu; **a** ~ **trial** o grea încercare; **to be in** ~ **need of** a avea mare nevoie de **II** *s* 1 rană; inflamație; loc/punct sensibil 2 *fig* rană; punct sensibil **III** *adv* ← *înv* amarnic; grozav

sorehead ['sɔː,hed] *s* 1 *F* nevricos; arțăgos 2 *F* bombănit; „Ghiță-contra"; criticastru

sorely ['sɔːli] *adv* 1 aspru, sever; greu *(încercat etc.);* serios, grav *(rănit etc.)* 2 grozav, teribil, extrem (de)

sorghum ['sɔːgəm] *s bot* sorg *(Sorghum saccharatum)*

sorites [sɔ'raitiːz] *s log* sorit

sorority [sə'rɔriti] *s* comunitate, club *etc.* de femei *sau* fete

sorrel[1] ['sɔrəl] *s bot* măcriș *(Rumex acetosa)*

sorrel[2] I *adj (d. cai)* roib, roșcat II *s* (cal) roib

sorrily ['sɔrili] *adv* cu regret *sau* mâhnire/tristețe

sorrow ['sɔrou] I *s* 1 necaz, amără-ciune, supărare; întristare, mâh-nire, durere; **in ~ and in joy** la durere și la bucurie 2 regret, părere de rău; **to my great ~** spre marele meu regret/marea mea părere de rău; **to express ~ at/for** a-și exprima regretul/părerea de rău pentru II *vi* 1 **(at, for, over)** a se neliniști, a fi neliniștit, a-și face griji (din cauza/pricina – *cu gen)* 2 **(after, for)** a plânge (după), a fi trist/mâhnit/îndurerat (din cauza – *cu gen)*

sorrowful ['sɔrouful] *adj* 1 îngrijorat, neliniștit 2 nenorocit, supărat, mâhnit, trist 3 *(d. un cântec etc.)* jalnic, trist, duios; melancolic 4 *(d. un accident etc.)* deplorabil; duros; întristător

sorrowfully ['sɔroufuli] *adv* cu tristețe/mâhnire

sorrowfulness ['sɔroufulnis] *s* 1 tristețe, jale 2 caracter jalnic, întristător *sau* teribil/groaznic

sorry ['sɔri] *adj* 1 *pred* mâhnit, întristat; cuprins de regret; **(I'm) ~** îmi pare rău; pardon; scuzați; **I'm so ~** îmi pare foarte rău; **I'm ~ for him** îmi pare rău de el; îl deplâng; **to be ~ for oneself** *F* a-i fi tare milă de sine; – a fi deprimat/abătut 2 *atr* inferior, slab, prost, de proastă calitate 3 *atr (d. o scenă etc.)* jalnic, deprimant, întristător; sărăcă-cios, mizer, de plâns; amărât

sort [sɔːt] I *s* 1 fel, gen, categorie, specie; sort; **what ~ of people?** ce fel de oameni? **of all/different ~s** de toate felurile/soiurile, de tot felul, de diferite feluri, feluriți; **that's the ~ of man** așa e el, ăsta e el, ăsta e felul lui de a fi; **of that ~** de felul acesta; **coffee of a ~/of ~s** un fel de cafea, să-i zicem cafea, cafea – dacă se poate numi așa 2 calitate, fire, caracter; **he's not my ~** ← *F* nu e genul meu; **he's a good ~** e un băiat bun/e ispravă; **the better ~** ← *F* oamenii de vază 3 ← *rar* fel, chip, mod, manieră; **after a ~** într-un fel oarecare; oarecum; **in some ~** într-o oare-care/anumită măsură, până la un punct // **out of ~s** a indispus, < bolnav b prost dispus, fără chef, care nu e în apele lui; < întors pe dos II *vt* 1 a sorta; a tria; a alege; a clasifica 2 *scot* a pune în ordine, a aranja

sorter ['sɔːtə] *s tehn* mașină clasifi-catoare; trier

sortie ['sɔːti] *s* 1 *mil, av* misiune; ieșire 2 ieșire din cabină *(a unui cosmonaut)*

sortilege ['sɔːtilidʒ] *s* 1 ghicit, prezicere *(prin tragere la sorți)* 2 vrăjitorie; magie

sort of ['sɔːt əv] *adv* ← *F* ca și cum, de parcă; ca să spun/zic așa; cum să spun; **I ~ thought this would happen** m-am cam gân-dit (eu) că așa o să se întâmple, parcă am știut că așa se va întâmpla

sort-out ['sɔːtaut] *s* curățenie, ordine, (bună) rânduială

sort out ['sɔːt 'aut] *vt cu part adv* 1 v. **sort** II 1 2 a pune în ordine, a aranja 3 a aplana 4 *sl* a veni de hac *(cuiva)*, „a aranja"

S O S ['es'ou'es] *s* 1 *nav* SOS, apel de ajutor 2 ← *F* (apel de) ajutor

so-so ['sou'sou] I *adj* așa și așa; nu prea bun *etc.*; potrivit II *adv* așa și așa; nu prea bine *etc.*; potrivit

so soon as ['sou 'suːn əz] *conj* (de) îndată ce

sot [sɔt] *s* bețiv(an), alcoolic

so that [,sou 'ðət] *conj* 1 astfel încât/că 2 ca să, cu scopul de a; **I'll give you some details, ~ you may judge for yourselves** o să vă dau câteva detalii, ca să judecați singuri

sottish ['sɔtiʃ] *adj* 1 (ca) de bețiv 2 îndobitocit de băutură

Sou. *presc de la* **Southern**

sou [suː] *s F* ban, bănuț

soubrette [suː'bret] *s fr* subretă

soubriquet ['soubri,kei] *s* ← *elev* poreclă

Soudan, the [su'daːn, ðə] *regiune și stat în Africa* Sudan

Soudanese [,suːdə'niːz] *adj, s* sudanez

souffle ['suːfəl] *s med* suflu vezi-cular

soufflé ['suːflei] *s fr gastr* sufleu

sough[1] [sau] I *s* foșnet, freamăt, murmur; *fig* suspin II *vi (d. vânt etc.)* a fremăta, a murmura; a foșni; *fig* a suspina

sough[2] [sʌf] *s hidr* canal de scur-gere

sought [sɔt] *pret și ptc de la* **seek** I, II

sought-after ['sɔːt'ɑːftə] *adj atr* căutat, apreciat, care se bucură de aprecierea cumpărătorilor *etc.*

soul [soul] *s* 1 suflet; **upon my ~!** ← *rar* a pe legea/onoarea mea! b haiti! asta-i bună! 2 suflet, inimă, simțire; **he has no ~** nu are suflet/inimă; **to have a ~ for music** ← *F* a avea un simț înnăscut pentru muzică 3 *fig* suflet *(al omului etc.);* miez; forță motrice; **she's the life and ~ of any party** e sufletul oricărei reuniuni 4 *fig* spirit; personalitate; **the greatest ~s of the past** cele mai mari spirite ale trecutului 5 *fig (și fără art)* suflet, energie, viață; suflu; **he has no ~** nu are viață/energie 6 *fig* personificare, încarnare; **he is the ~ of honour** e cinstea personificată 7 *fig* suflet (de om), om, ființă (ome-nească); **there was not a ~ to be seen** nu se vedea țipenie de om; **the poor ~!** sărmanul/bietul de el! **my good ~** dragul meu; **don't tell a ~** să nu spui o vorbă nimănui

soulful ['soulful] *adj* emoționant; sentimental; însuflețit; mișcător; expresiv

soulfully ['soulfuli] *adv* cu sufletul/inimă; cu sentiment/simțire

soulfulness ['soulfulnis] *s* caracter emoționant; expresivitate

soulless ['soullis] *adj* lipsit de/fără suflet/inimă

soullessly ['soullisli] *adv* fără pic de inimă *sau* simțire

soullessness ['soullisnis] *s* lipsă de simțire; < inumanitate

sound¹ [saund] **I** *s* **1** sunet; răsunet; zgomot; glas, voce; ton; **within ~ of the cannons** la o distanță la care se puteau auzi tunurile **2** *fig* ton; sens, înțeles, conținut; **I don't like the ~ of the report** nu-mi place cum sună raportul, nu-mi place tonul raportului **3** *fon* sunet **4** *fig* vorbărie goală; vorbă goală **II** *vi* **1** a suna; a răsuna **2** *fig* a suna *(ciudat etc.)*, a părea **III** *vt* **1** a suna, a face să sune *sau* să răsune **2** *fon* a rosti, a pronunța **3** a suna, a da *(alarma)*; *(d. orologiu)* a bate *(orele)* **4** a exprima; a da glas *(cu dat)*; a declara, a face cunoscut; a proclama, a vesti

sound² **I** *adj* **1** intact, întreg; solid, robust; *(d. fructe etc.)* sănătos, nevătămat; fără cusur **2** *(d. trup etc.)* sănătos, zdravăn **3** *(d. minte etc.)* sănătos; logic; rațional **4** *ec* solid; sigur; stabil **5** *(d. o părere etc.)* bun, solid, temeinic; de nădejde; *(d. judecată etc.)* precis, clar; *(d. un sfat etc.)* folositor, util; recomandabil; corect; *(d. un titlu etc.)* legal, îndreptățit **6** *(d. un prieten etc.)* adevărat, de nădejde; de onoare **7** *(d. somn)* adânc **8** *(d. bătaie etc.)* strașnic, zdravăn **II** *adv* tare; complet; din plin; **to sleep ~** a dormi adânc

sound³ *s* **1** *nav* strâmtoare **2** *nav* braț de mare **3** *iht* bășică (de pește)

sound⁴ **I** *s* **1** *med, nav* sondă **2** *nav* sondare **3** *med* sondaj, tubaj, cateterism **II** *vt* **1** *nav* a sonda; a măsura adâncimea *(apei)* **2** *med* a sonda, a cateteriza **3** *fig* a sonda, a cerceta, a căuta să afle

sound-absorbent/-absorbing ['saundəb'sɔ:bənt/əb'sɔ:biŋ] *adj fiz* fonoabsorbant

soundboard ['saund,bɔ:d] *s muz* placă de rezonanță

sound detector ['saund di'tektə'] *s fiz* detector de sunete

sound effects ['saund i'fekts] *s pl rad, telev* efecte sonore

sounder ['saundə'] *s* **1** *nav* sondă **2** *tel* sunder; receptor

sound film ['saund ,film] *s cin* film sonor

sounding ['saundiŋ] **I** *adj* **1** sonor **2** răsunător; zgomotos **3** *fig* gol, fără conținut răsunător

sounding ['saundiŋ] *s* **1** *și fig* sondare, sondaj **2** *pl* apă puțin adâncă *(lângă coastă);* apă care poate fi măsurată cu sonda

sounding balloon ['saundiŋ bə'lu:n] *s meteor* balon-sondă

sounding board ['saundiŋ ,bɔ:d] *s* **1** placă de rezonanță **2** *fig* tribună

sounding lead ['saundiŋ ,led] *s* **1** *constr* fir cu plumb **2** *nav* sondă de mână

soundless ['saundlis] *adj* **1** silențios; fără zgomot; inaudibil **2** tăcut, taciturn **3** tăcut, liniștit **4** fără fund; insondabil

soundly ['saundli] *adv* **1** *(a raționa etc.)* (în mod) sănătos, logic; rațional **2** *(a dormi)* adânc, *F* buștean **3** complet, cu desăvârșire **4** *(a bate etc.)* zdravăn, strașnic

sound meter ['saund ,mi:tə'] *s tehn* sonometru

sound motion picture ['saund ,mouʃən 'piktʃə'] *s cin* film sonor

soundness ['saundnis] *s* **1** condiție/stare bună; sănătate **2** soliditate, trăinicie *(a argumentării etc.);* siguranță; justețe

sound-proof ['saund,pru:f] *adj* izolat acustic/fonic

sound signal ['saund ,signəl] *s* semnal sonor

sound track ['saund ,træk] *s fiz* pistă sonoră

sound wave ['saund ,weiv] *s fiz* undă sonoră

soup [su:p] *s* **1** supă **2** *sl* ceață deasă **3** *sl* nitroglicerină

soupcon [sup'sõ] *s fr* pic, *F* idee

soup kitchen [sup' ,kitʃin] *s* **1** cantină gratuită *(pentru săraci)* **2** *mil* bucătărie de campanie

soup ladle ['su:p ,leidəl] *s* polonic

soup plate ['su:p ,pleit] *s* farfurie de supă/adâncă

soup tureen ['su:p tə':ri:n] *s* supieră

soupy ['su:pi] *adj* **1** subțire, apos **2** *F* lacrimogen, – plângăreț **3** noros; cețos; umed

sour [sauə'] **I** *adj* **1** acru; acid; acidulat **2** *(d. miros etc.)* acru; stătut; urât; *(d. respirație etc.)* rău mirositor **3** *fig (d. cineva)* acru; supărăcios, irascibil; posac,

morocănos, ursuz **4** *fig* acru; amar; tăios; neplăcut, dezagreabil **5** *(d. pământ)* sterp, neroditor; mlăștinos; fără calcar **6** *muz* ← *F* fals, distonant **II** *vt* **1** a acri; a acidula **2** *fig* a otrăvi, a învenina; a irita **III** *vi* **1** a se acri; a se acidula **2** *fig* a se acri; a deveni ursuz

source [sɔ:s] *s* **1** *geogr* izvor **2** *fig* izvor, sursă; origine; obârșie

sour(ed) cream ['sauə(d) ,kri:m] *s* smântână

sourdine [suə'di:n] *s muz* surdină

sourdough ['sauə,dou] *s* căutător de aur cu multă experiență *(din Alaska sau Canada de Nord)*

sourish ['sauəriʃ] *adj* acrișor, cam acru, acriu

sourness ['sauənis] *s* **1** acrime, acreală; aciditate; gust acru **2** *fig* acrime; proastă dispoziție; *rar →* ursuzenie

souse¹ [saus] **I** *s* **1** saramură; marinată **2** carne sărată **3** (s)cufundare; îmbibare; înmuiere **4** *sl* bețiv(an) **II** *vt* **1** a pune la saramură, a săra; a marina; a mura **2** a (s)cufunda; a îmbiba; a înmuia **3** *sl* a chercheli, – a îmbăta **III** *vi* **1** a se (s)cufunda **2** a se (în)muia; a se îmbiba **3** *sl* a se chercheli, – a se îmbăta

souse² **I** *vt (d. o pasăre răpitoare)* a se năpusti/a se repezi asupra *(cu gen)* **II** *vi* **1** *(d. o pasăre răpitoare)* a se năpusti **2** *av* a veni în picaj **III** *s av* picaj **IV** *adv* brusc, pe neașteptate

soutane [su:'tæn] *s bis* sutană

south [sauθ] **I** *s* **1** sud, miazăzi **2** (regiune din) sud **II** *adj atr* de sau din sud; sudic **III** *adv* **1** (of) la sud (de) **2** spre/către sud, în direcția sud **3** dinspre sud

South Africa ['sauθ 'æfrikə] Africa de Sud

South-African ['sauθ 'æfrikən] *adj, s* sud-african

South America ['sauθ ə'merikə] America de Sud

South-American ['sauθ ə'merikən] *adj, s* sud-american

Southampton [,sauθ'æmptən] *oraș* în Anglia

south-bound ['sauθ,baund] *adj* mergând spre sud

South Carolina ['sauθ kærə'lainə] *stat* în S.U.A.

south-east ['sauθ'i:st] **I** *s* sud-est **II** *adj* sud-estic **III** *adv* **1** (of) la sud-est (de) **2** spre/către sud-est **3** dinspre sud-est

south-easter ['sauθ'i:stə'] *s* vânt (↓ puternic) de sud-est

south-easterly ['sauθ'i:stəli] *adj* **1** din(spre) sud-est, sud-estic **2** spre sud-est

south-eastern ['sauθ'i:stən] *adj v.* **south-easterly**

souther ['sauðə'] *s* vânt de/dinspre sud

southerly ['sʌðəli] *adj* **1** sudic; din *sau* dinspre sud **2** spre sud

southern ['sʌðən] *adj v.* **southerly**

southerner ['sʌðənə'] *s* **1** sudic, memorial; locuitor din sud **2** *ist* S.U.A. sudist

southernmost ['sʌðən,moust] *adj* cel mai sudic

southernwood ['sʌðən,wud] *s bot* pelin (Artemisia sp.)

Southey ['sauði], **Robert** *poet englez (1774-1843)*

South Pole, the ['sauθ,poul, ðə] *s* Polul Sud

South Seas, the ['sauθ ,si:z, ðə] *s* **1** Mările Sudului **2** Sudul Oceanului Pacific

southward ['sauθwəd] *adj atr* spre sud

southwardly ['sauθwədli] *adj v.* **southerly**

southwards ['sauθwədz] *adv* (în) spre/către sud

south-west [,sauθ'west] **I** *s* sud-vest **II** *adj* sud-vestic **III** *adv* **1** (of) sud-vest (de) **2** spre/către sud-vest **3** dinspre sud-vest

south-wester [,sauθ'westə'] *s* **1** vânt (puternic) de sud-vest **2** pălărie marinărească

south-westerly [,sauθ'westəli] *adj* **1** din (spre) sud-vest, sud-vestic **2** spre sud-vest

south-western [,sauθ'westən] *adj v.* **south-westerly**

souvenir [,su:və'niə'] *s fr* suvenir, amintire

sou'wester [,sau'westə'] *s v.* **south-wester**

sovereign ['sɔvrin] **I** *s* **1** suveran, monarh **2** stăpân absolut **3** stat suveran **4** sovereign (monedă britanică de aur în valoare de 20 șilingi) **II** *adj* **1** suveran, suprem; absolut **2** suveran, independent **3** (d. dispreț etc.) suprem; ex-

trem; maxim **4** (d. un leac etc.) suveran, suprem; excelent, minunat, neîntrecut

sovereignty ['sɔvrənti] *s* suveranitate; caracter suveran

Soviet ['souviət] **I** *s* **1** soviet **2** cetățean sovietic **II** *adj* sovietic

Soviet Union, the ['souviət ,ju:niən, ðə] Uniunea Sovietică

sovran ['sɔvrən] *adj*, *s poetic v.* **sovereign**

sow¹ [sau] *s* **1** scroafă, purcea; **to get/to take the wrong ~ by the ear** *fig* a greși adresa; a trage o concluzie greșită **2** *met* groapă de zgură

sow² [sou], *ptc și* **sown** [soun] **I** *vt* **1** *agr* a semăna; a însămânța **2** *fig* a semăna (vrajbă etc.); a încerca să răspândească **3** *fig* a sădi; a imprima **II** *vi agr* a semăna; a însămânța

sower ['souə'] *s agr și fig* semănător

so what? [,sou'wɔt] *interj* ei și? și ce (dacă)?

sowing ['souiŋ] *s agr* semănat; însămânțare

sowing machine ['souiŋ mə'ʃi:n] *s agr* semănătoare

sow thistle ['sou ,θisl] *s bot* susai (Sonchus oleraceus)

soya ['sɔiə] *s bot* soia (Soja hispida)

Sp. *presc de la* **1** Spain **2** Spanish **3** Spaniard

sp. *presc de la* **1** special **2** specific **3** species **4** spelling **5** specimen

spa [spɑ:] *s* **1** izvor mineral/de ape minerale **2** stațiune climaterică cu ape minerale; stațiune balneară/balneo-climaterică

space [speis] **I** *s* **1** *fiz etc.* spațiu **2** spațiu, loc (liber/disponibil); **for want of ~** din lipsă de spațiu **3** spațiu, distanță, depărtare **4** zonă, domeniu, câmp **5** spațiu, suprafață, întindere, loc **6** spațiu (cosmic); vid, gol; aer; văzduh; atmosferă **7** interval (de timp); răstimp; **within the ~ of** în decurs de **8** *poligr* interlinie, dursuș, spațiu **II** *vt* **1** a spația; a așeza din distanță în distanță/din loc în loc; a rări **2** *poligr* a spația

space beam ['speis ,bi:m] *s constr* traversă intermediară

spaced [speist] *adj* spațiat; rărit

space factor ['speis,fæktə'] *s tehn* factor de umplere

space fiction ['speis ,fikʃən] *s*

literatură despre zboruri interplanetare

space flight ['speis ,flait] *s* zbor spațial/extraterestru/cosmic

spaceless ['speislis] *adj* **1** lipsit de/ sferă spațiu infinit, nemărginit

space line ['speis ,alin] *s v.* **space I 8**

spacemen ['speismən] *s* astronaut, cosmonaut

spacer ['speisə'] *s* **1** *v.* **space I 8 2** *tehn* distanțier; bailag **3** bară pentru spații (la mașina de scris)

space radiation ['speis ,reidi'eiʃən] *s fiz* radiație spațială

space-saving ['speis,seiviŋ] *adj* care economisește spațiul

spaceship ['speis,ʃip] *s* navă cosmică

space station ['speis ,steiʃən] *s* stație interplanetară

space-time ['speis,taim] *s fiz* spațiu-timp

space warfare ['speis ,wɔ:fɛə'] *s mil* **1** război cu mijloace cosmice **2** război cosmic *sau* în cosmos

space wave ['speis ,weiv] *s* **1** *meteor* undă atmosferică **2** *tel* undă spațială

space weapon ['speis ,wepən] *s mil* armă cosmică

space-worthy ['speis ,wə:ði] *adj* corespunzător pentru un zbor cosmic

spacial ['speiʃəl] *adj* spațial

spacing ['speisiŋ] *s* **1** *poligr* spațiere **2** interval, distanță, depărtare **3** interval (de timp)

spacious ['speiʃəs] *adj* spațios, larg, întins, extins < vast; nelimitat

spade¹ [speid] **I** *s agr* hârleț, cazma; lopată; **to call a ~ a ~** a spune lucrurilor pe nume **II** *vt* a săpa cu hârlețul/cazmaua; a întoarce (pământul), cu hârlețul/cazmaua

spade² *s* ↓ *la pl* pică, verde (la cărți)

spadeful ['speidful] *s* cazma (plină)

spade work ['speid,wə:k] *s fig* muncă de început *sau* pionier(at); muncă grea de pregătire

spadish ['speidiʃ] *adj* (d. limbaj) direct, fără ocol(ișuri)

spado ['speidou], *pl* **spadones** [spə'douni:z] *s* **1** castrat, scopit **2** animal jugănit **3** impotent

spaghetti [spə'geti] *s pl it* spaghete; macaroane

spahee, spahi ['spɑ:hi:] *s mil* spahiu

Spain [spein] *țară* Spania

spake [speik] *pret înv de la* **speak I, II**

spall [spɔ:l] *s* așchie, țandără; bucățică, fragment

span¹ [spæn] *pret înv de la* **spin I, II**

span² I *s* 1 palmă, șchioapă *(ca măsură de lungime* = 9 inches; **short** ~ = 7 inches, șchioapă) 2 *av* anvergură; lonjeron 3 *constr* deschidere, lumină 4 *tehn* deschidere, câmp; distanță, interval 5 interval (de timp), durată, perioadă; răstimp 6 *nav* labă de gâscă 7 *met* învelitoare liniară II *vt* 1 a cuprinde, a măsura 2 a măsura cu palma 3 *(d. un pod etc.)* a trece peste *(un râu);* a acoperi 4 a construi/a ridica *(un pod etc.)* peste *(un râu)* 5 *fig* a cuprinde, a îmbrățișa *(un secol etc.)* 6 *el* a șunta

Span *presc de la* 1 **Spanish** 2 **Spaniard**

spandrel ['spændrəl] *s constr* arc de boltă

spangle ['spæŋgəl] I *s* 1 paietă, fluture (de metal); lamelă 2 *pl* stele sclipitoare/strălucitoare II *vt* 1 a împodobi cu paiete 2 *fig* a smălța; a presăra; a împodobi

spangled ['spæŋgəld] *adj (în cuvinte compuse)* smălțat/smălțuit/împodobit cu ...; **the star-~ heaven** cerul presărat cu stele

Spaniard ['spænjəd] *s* spaniol

spaniel ['spænjəl] *s* 1 *zool* spaniel, prepelicar 2 *fig* lingușitor, adulator, *F* lingău, periuță

Spanish ['spæniʃ] I *adj* spaniol, *înv* → spaniolesc II *s* 1 (limba) spaniolă 2 **the** ~ spaniolii

spank ['spæŋk] I *vt* a trage o palmă peste *(↓ șezut)* II *s* palmă *(↓ peste șezut)*

spanker ['spæŋkə'] *s* 1 cal iute 2 *nav* randă

spanker boom ['spæŋkə ‚bu:m] *s nav* ghiu

spanking ['spæŋkiŋ] *adj* 1 iute, rapid 2 *(d. vânt)* tare, tăios 3 *F* grozav, strașnic, nemaipomenit

spanner ['spænə'] *s tehn* cheie de piulițe/buloane

span-new ['spæn‚nju:] *adj ← reg* nou-nouț

spar¹ [spa:'] *s* 1 *nav* vergă 2 *av* lonjeron 3 *constr* bară, traversă; stinghie

spar² *s geol* (feld)spat

spar³ I *vi* 1 *(d. cocoși)* a se bate în pinteni 2 *sport* a se antrena *(la box)* 3 a se certa, a se sfădi; a se ciorovăi II *s* 1 luptă de cocoși 2 *sport* antrenament *(la box)*

spar deck ['spa:‚dek] *s nav* spardec, contracovertă

spare [spɛə'] I *adj* 1 disponibil; liber; de rezervă; suplimentar; excedentar, în plus 2 frugal; sobru; simplu; sărăcăcios 3 slab, uscățiv 4 *(d. păr etc.) rar* II *vt* 1 a cruța; a-i fi milă de *(viața cuiva etc.);* a ierta 2 a cruța, a scăpa *(pe cineva)* de; a menaja; a scuti de 3 a cruța, a menaja, a nu folosi; a nu face abuz de; a evita; **don't ~ your efforts** nu vă cruțați eforturile 4 a se dispensa/ a se lipsi de *(cu ac);* a renunța la; **can you ~ me a few moments?** poți să-mi acorzi câteva clipe? 5 a economisi; a pune de o parte III *vr* a se menaja; **he did not ~ himself** a nu se menaja, ne se cruța, nu-și precupețea eforturile **b** era foarte exigent cu sine însuși, nu-și ierta nimic IV *vi* 1 a fi econom 2 a fi iertător V *s* 1 surplus; parte excedentară 2 *tehn* piesă de schimb

sparely ['spɛəli] *adv* 1 cu economie; cu zgârcenie 2 puțin, insuficient

spareness ['spɛənis] *s* lipsă, sărăcie, absență

spare of ['spɛərəv] *adj cu prep* 1 puțin la *(trup)* 2 zgârcit la *(vorbă)*

spare parts ['spɛə ‚pa:ts] *s tehn* piese de schimb

spare tyre ['spɛə ‚taiə'] *s auto* anvelopă/pneu de rezervă

spare wheel ['spɛə‚wi:l] *s auto* roată de rezervă

sparge [spa:dʒ] *vt* 1 a stropi, a uda 2 *tehn* a barbota

sparing ['spɛəriŋ] I *adj* 1 sobru, cumpătat; econom; **he's ~ of words** e scump la vorbă 2 frugal; slab; puțin; sărăcăcios II *s* 1 cruțare; milă, iertare; menajamente 2 *pl* economii

sparingly ['spɛəriŋli] *adv* frugal; cumpătat; cu economie

sparingness ['spɛəriŋsnis] *s* cumpătare; economie

spark¹ [spa:k] I *s* 1 scânteie 2 *fig* pic, strop, umbră; scânteie; sclipire; **not a ~ of life** nici o umbră *sau* licărire de viață 3 *pl med* ← *F* (serviciu de) radiologie 4 *pl* electrician 5 *pl* reparator (de) radio II *vi* 1 a scânteia, a produce scântei 2 a ieși sub formă de scântei

spark² *s* băiat de viață; crai(don); filfizon II *vi F* a face pe craiul, a umbla după fuste

spark arrester ['spa:k ə'restə'] *s* 1 *ferov* parascântei 2 *tehn* cameră de scântei 3 *min* extinctor de scântei

spark coil ['spa:k ‚kɔil] *s el* bobină Runhmkoff/de inducție

spark gap ['spa:k ‚gæp] *s* 1 *el* zona arcului; distanță disruptivă 2 *fiz* eclator

sparkish ['spa:kiʃ] *adj (d. cineva) F* grozav; bine; – distins; fascinant 2 *F* gigea, mișto; – șic, elegant 3 *F* care muncește capul fetelor; *P* → iubeț, – iubăreț

sparkle ['spa:kl] I *vi* 1 a scânteia; a scăpăra 2 *(d. vin)* a face spumă, a fi spumos II *s* 1 scânteie; particulă scânteietoare 2 scânteiere, scăpare; strălucire; străfulgerare 3 *text* luciu 4 *fig* vioiciune; vivacitate, viață; strălucire

sparkler ['spa:klə'] *s* 1 foc bengal 2 obiect lucitor 3 *sl* diamant

sparklet ['spa:klit] *s* scânteioară, scânteiuță

sparkling ['spa:kliŋ] *adj* 1 *și fig* scânteietor, scăpărător, sclipitor, strălucitor 2 *(d. vin)* spumos, efervescent

spark off ['spa:k'ɔ:f] *vt cu part adv* a cauza, a pricinui, a stârni, a dezlănțui, a provoca

spark plug ['spa:k ‚plʌg] *s auto* bujie

sparrer ['spa:rə'] *s* 1 boxer 2 (om) certăreț, gâlcevitor

sparrow ['spærou] *s orn* vrabie *(Fringilla domestica)*

sparrow grass ['spærou ‚gra:s] *s bot* ← *F* sparanghel *(Asparagus officinalis)*

sparrow hawk ['spærou ‚hɔ:k] *s orn* uliul păsărilor, păsărar, coroi *(Accipiter nisus)*

sparry ['spa:ri] *adj geol* 1 (ca) de (feld)spat 2 cu (feld)spat

sparry iron ['spa:ri ‚aiən] *s geol* siderit

sparse [spa:s] *adj* rar, împrăștiat; risipit; puțin

sparsely ['spa:sli] *adv* rar; puțin; ici și colo

sparsity ['spa:siti] *s* raritate, caracter rar; puținătate

Sparta ['spɑːtə] *ist capitala Peloponezului*

Spartacus ['spɑːtəkəs] *conducătorul unei revolte a sclavilor împotriva Romei (71 î.e.n.)*

Spartan ['spɑːtən] *adj, s și fig* spartan

spasm ['spæzəm] *s* **1** *med* spasm; contracție; convulsie **2** acces, criză *(de tuse, gelozie etc.)*

spasmodic(al) [spæz'mɔdik(əl)] *adj, adv med* și *fig* spasmodic, convulsiv

spasmodically [spæz'mɔdikəli] *adv* (în mod) spasmodic

spastic ['spæstik] **I** *adj* **1** *med* spastic, spasmodic **2** *med* bolnav de paralizie spastică **3** *sl* prost; nepriceput **II** *s med*bolnav de paralizie spastică

spat¹ [spæt] *pret și ptc de la* **spit² I, II**

spat² *s* **1** icre de stridii **2** stridie tânără

spat³ *vi amer* a pocni, a face poc

spat⁴ *s* ghetră

spat⁵ *s amer* ceartă scurtă, ciorovăială

spate [speit] *s* **1** revărsare neașteptată a apelor **2** rupere de nori **3** *fig* potop *(de cuvinte etc.)*

spatial ['speiʃəl] *adj* spațial; cosmic

spatter ['spætəʳ] **I** *vt* **1** a împroșca, a stropi; **to ~ smb with mud** *fig* a împroșca pe cineva cu noroi **2** *fig* a defăima, a ponegri, a calomnia **II** *vi (d. peniță etc.)* a stropi **III** *s* **1** strop, pată *(de noroi etc.)* **2** împroșcătură, stropire; împroșcare **3** *fig* spoială, pospai **4** rafală *(de ploaie etc.)*

spatterdash ['spætə,dæʃ] *s* jambieră

spatula ['spætjulə] *s med* spatulă

spatular ['spætjuləʳ] *adj* spatulat, în formă de spatulă

spavin ['spævin] *s vet* spavan, os mort

spavined ['spævind] *adj* **1** cu spavan/os mort **2** *fig (d. un vers)* șchiop

spawn [spɔːn] **I** *s* **1** icre *(de pește)*; puiet, puieți; plevușcă **2** *fig peior* progenitură, odrasle, plozi; neam **3** *bot* miceliu **II** *vt iht* a depune *(icre, ouă)* **III** *vi* **1** *iht* a depune icre **2** *fig peior (d. oameni)* a se prăsi, a plodi

spawner ['spɔːnəʳ] *s* pește cu icre

spawning ['spɔːniŋ] **I** *adj* **1** *iht* care depune icre **2** *fig* prolific **II** *s* bătaia peștelui

spay [spei] *vt zool* a steriliza

speak [spiːk], *pret* **spoke** [spouk], *înv* **spate** [speik], *ptc* **spoken** ['spoukən] **I** *vi* **1** (**of, about**) a vorbi, ↓ *înv →* a grăi, a cuvânta (despre); **who is ~ing?** cine e la telefon/aparat? **the portrait ~s** *fig* portretul parcă vorbește/e viu; **so to ~** ca să spunem/zicem așa **2** (**on, upon**) a vorbi în public (despre); a ține o conferință *sau* conferințe (despre) **3** a vorbi, a sta de vorbă, a conversa **4** *(d. câini)* a începe să latre, a hămăi **5** *nav* a semnaliza **6** *muz* a începe să cânte; a răsuna // **roughly ~ing** în linii mari, aproximativ **II** *vt* **1** a spune, a rosti; a pronunța; a exprima; a enunța; **to ~ the truth** a vorbi adevărat, a spune adevărul; **not to ~ a word** a nu rosti/spune un cuvânt, a nu scoate o vorbă **2** a vorbi *sau* a ști, a cunoaște *(o limbă)*; **Romanian spoken** (aici) vorbim/se vorbește românește **3** *fig* a trăda; **that spoken him generous** acestea i-au trădat generozitatea; **his eye spoken friendship** în ochii lui se citea prietenia **4** *nav* a intra în legătură *(cu alt vas)*, a trimite semnale *(cu dat)*

speaker ['spiːkəʳ] *s* **1** vorbitor; interlocutor **2** vorbitor, orator **3** **the S~** *pol* președintele Camerei Comunelor *(în Anglia);* președintele Camerei Reprezentanților *(în S.U.A.)* **4** *rad* crainic **5** purtător de cuvânt

speakership ['spiːkə,ʃip] *s* calitatea de **speaker 3**

speaker wire ['spiːkə ,waiəʳ] *s tel* linie de serviciu

speak for ['spiːk fəʳ] *vi cu prep* **1** a vorbi pentru; a vorbi în favoarea *cu gen;* a sprijini, a favoriza *cu ac;* a lăuda **2** a pretinde, a cere, a reclama *cu ac*

speaking ['spiːkiŋ] **I** *adj* **1** vorbitor, care vorbește **2** *fig* grăitor, elocvent, expresiv; **a ~ look a** o privire expresivă **b** o privire elocventă/plină de înțeles // **on ~ terms** care își vorbesc, care nu sunt certați **II** *s* **1** vorbire; cuvânt, cuvântare; convorbire **2** *amer* miting

speaking trumpet ['spiːkiŋ ,trʌmpit] *s* megafon; portavoce

speaking tube ['spiːkiŋ ,tjuːb] *s* **1** *auto* tub acustic **2** *nav* portavoce

speak of ['spiːk əv] *vi cu prep* a aminti, a menționa, a pomeni *cu ac;* **nothing to ~** o nimica toată, prea puțin, mai nimic; despre care nu merită să vorbești

speak out ['spiːk'aut] *vi (cu part) adv* **1** a vorbi tare *sau* deslușit **2** a vorbi, a se exprima; a nu tăcea **3** a vorbi deschis/pe față

speak to ['spiːk tə] *vi cu prep* **1** a vorbi cu *(sau cuiva)*, a se adresa cuiva **2** a adeveri, a confirma *cu ac;* **I can ~ his having been ill** pot să confirm că a fost bolnav **3** a discuta *cu ac*, a se referi la, a vorbi despre *(o problemă etc.)* **4** a sta de vorbă cu, a vorbi aspru cu; a admonesta *cu ac* **5** *fig* a spune cuiva, a plăcea cuiva

speak up ['spiːk 'ʌp] *vi cu part adv* **1** *v.* **speak out 2** a vorbi mai tare

speak up for ['spiːk 'ʌp fəʳ] *vi cu part adv* și *prep* a interveni pentru *(cineva)*

spear [spiəʳ] **I** *s* **1** lance, suliță **2** țeapă, țepușă furcă, ostie *(de prins pește);* cange; harpon **4** lăncier, sulițaș **5** *min* dorn de apucare **II** *vt* **1** a străpunge cu lancea/suliță **2** a prinde *(pește)* cu ostia etc. *(v. ~* **I 3***)*

spear fish ['spiə ,fiʃ] *s iht* peștele-lance *(Tetrapturus sp.)*

spearhead ['spiə,hed] *s* **1** vârf de lance/suliță **2** *mil* avangardă; vârf

spear-leafed/-leaved ['spiə ,liːfd/ ,liːvd] *adj bot* cu frunze lanceolate

spearman ['spiəmən] *s v.* **spear I 4**

spearmint ['spiə,mint] *s bot* iarbă creață *(Mentha spicata)*

spear side ['spiə ,said] *s* linie bărbătească *(a unei familii)*

spec [spek] *s ← F* speculă, *fin ← F* speculație; **on ~** la noroc; la risc

spec. *presc de la* **1** special **2** specially **3** specification

special ['speʃəl] **I** *adj* **1** special, particular, determinat, anumit **2** specializat, de specialitate **3** special, aparte; deosebit **4** special, excepțional, deosebit, extraordinar **5** *(d. un ordin etc.)* special; expres; formal; urgent **II** *s* **1** ediție specială **2** tren special

special delivery ['speʃəl di,livəri] *s* predare urgentă *(a poștei)*

specialism ['speʃə‚lizəm] s specializare excesivă *sau* îngustă; deformaţie profesională

specialist ['speʃəlist] s specialist, expert

speciality [‚speʃi'æliti] s 1 particularitate. caracter specific/distinctiv, specific, caracteristică 2 specialitate; materie de specialitate 3 *ec* specialitate, produs principal

specialization [‚speʃəlai'zeiʃən] s 1 specializare 2 diferenţiere

specialize ['speʃə‚laiz] I vt 1 a specifica, a arăta în amănunt 2 a specializa; a restrânge la un anumit domeniu *(studii etc.)* 3 a diferenţia, a distinge, a deosebi 4 *biol* a adapta II vi 1 a intra în amănunte/detalii 2 (**in**) a se specializa, a deveni specialist (în) 3 *biol* a se adapta

specially ['speʃəli] adv 1 (în mod) special, anume 2 în special, îndeosebi, mai ales

special service ['speʃəl ‚səːvis] s 1 serviciu special/necombatant 2 unitate de cercetare-diversiune „comandos" 3 *pl amer* serviciul pentru probleme cultural-sportive

specialty ['speʃəlti] s 1 v. **speciality** 2 *jur* document; înţelegere

specie ['spiːʃiː] s 1 monedă (metalică) 2 (bani) numerar, bani peşin/gheaţă; **in ~ a** numerar, cu bani gheaţă **b** *ec* în aceeaşi monedă **c** *fig* cu aceeaşi monedă/măsură

species ['spiːʃiːz], pl **species** ['spiːʃiːz] s 1 *log, biol etc.* specie 2 specie, clasă, categorie, speţă, fel; rasă; soi, neam; varietate 3 *filos* specie, formă 4 *rel* (sfintele) daruri, pâine şi vin 5 **the ~** rasa umană, neamul omenesc

specif. *presc de la* **specifically**

specific [spi'sifik] I adj 1 *biol, log etc.* specific, propriu speciei 2 (**to**) specific, caracteristic, tipic (pentru, *sau cu dat*) 3 *med* specific 4 precis, exact, anumit; concret II s *med* remediu, medicament, leac

specifical [spi'sifikəl] adj v. **specific 1**

specifically [spi'sifikəli] adv 1 (în mod) specific, caracteristic 2 (în mod) precis, anume

specificate [spi'sifikeit] vt 1 a specifica; a menţiona; a defini 2 a preciza; a detaila

specification [‚spesifi‚keiʃən] s 1 specificare; menţionare, pomenire 2 specificaţie; listă; enumerare; descriere (↓ precisă); formulare exactă 3 *jur* clauză, stipulaţie 4 pl *tehn* specificaţii/prescripţii tehnice 5 *constr* caiet de sarcini

specific gravity [spi'sifik ‚græviti] s greutate specifică

specific heat [spi'sifik ‚hiːt] s *fiz* căldură specifică

specific weight [spi'sifik ‚weit] s greutate specifică

specify ['spesi‚fai] vr 1 a specifica; a enumera, a arăta etc. (în mod) amănunţit 2 a specifica, a preciza, a arăta precis

specimen ['spesimin] s 1 specimen; exemplar; mostră, eşantion; probă 2 *F* specimen, tip, individ

speciosity [‚spiːʃi'ɔsiti] s aparenţă, speciozitate

specious ['spiːʃəs] adj 1 aparent, amăgitor, înşelător, *rar* → specios 2 ipocrit, făţarnic

speciously ['spiːʃəsli] adv (în mod) făţarnic; de ochii lumii

speciousness ['spiːʃəsnis] s v. **speciosity**

speck [spek] I s 1 pată mică; semn mic; urmă mică; picăţea, picăţica 2 fărâmă, bucăţică, părticică; bob, grăunte; fir *(de praf)*; pic II vt a păta

speckle ['spekəl] I s 1 v. **speck I 1 2** pistrui II vt a păta; a împestriţa

speckled ['spekəld] adj 1 pătat; împestriţat; cu picăţele 2 pistruiat

specs [speks] s pl *F* iavaşale, – ochelari

spectacle ['spektəkəl] s 1 *teatru etc.* spectacol 2 *fig* spectacol, scenă, privelişte; **to make a ~ of oneself** a se da în spectacol 3 pl ochelari

spectacle case ['spektəkəl ‚keis] s 1 toc de/pentru ochelari 2 lentile pentru ochelari

spectacled ['spektəkld] adj cu ochelari

spectacular [spek'tæjulə] adj spectaculos; impresionant; de (mare) efect; impunător; pitoresc

spectator [spek'teitə] s spectator, privitor; martor (ocular)

spectatress [spek'teitris] s ← *rar* 1 spectatoare; privitoare 2 martoră

specter ['spektə] s *amer* v. **spectre**

spectra ['spektrə] pl de la **spectrum**

spectral ['spektrəl] adj 1 spectral, fantomatic, de stafie 2 *opt* spectral

spectral analysis ['spektrəl ə'nælisis] s *opt* analiză spectrală

spectre ['spektə] s spectru, fantomă, nălucă, apariţie

spectroscope ['spektrə‚skoup] s *opt* spectroscop

spectroscopic(al) [‚spektrə'skɔpik(əl)] adj *opt* spectroscopic

spectroscopy [spek'trɔskəpi] s *fiz* spectroscopie

spectrum ['spektrəm], pl **spectra** ['spektrə] s *opt* spectru

spectrum analysis ['spektrəm ə'nælisis] s *opt* analiză spectrală

specula ['spekjulə] pl de la **speculum**

speculate ['spekju‚leit] vi 1 (**on, upon**) a specula, a face speculaţii/presupuneri/supoziţii (cu privire la *sau* asupra – *cu gen*); a medita (la *sau* asupra – *cu gen*) 2 *com* a specula; a agiota, a juca la bursă

speculate on/upon ['spekju‚leit ɔn/ə‚pɔn] vi cu prep a conta pe

speculation [‚spekju'leiʃən] s 1 speculaţie; teorie; meditaţie, reflexie 2 speculaţie, presupunere, ipoteză 3 *com* speculaţie, agiotaj; joc la bursă 4 acţiune, operaţie *sau* întreprindere hazardată/riscantă

speculative ['spekjuleitiv] adj 1 speculativ, teoretic, rupt de practică; bazat pe speculaţii/supoziţii/ipoteze 2 (*d. minte etc.*) meditativ, contemplativ 3 *com* hazardat, riscat; întreprinzător

speculator ['spekju‚leitə] s *com* speculant, speculator

speculum ['spekjuləm], pl **specula** ['spekjulə] s 1 reflector 2 *med* oglindă; dilatator

sped [sped] pret şi ptc de la **speed II-III**

speech [spiːtʃ] s 1 vorbire, darul vorbirii, grai 2 limbă, limbaj, grai *(al unui popor etc.)* 3 fel/mod de a se exprima; vorbire; rostire; pronunţie; articulare 4 limbă vorbită 5 cuvântare, discurs; alocuţiune; conferinţă 6 cuvinte, vorbe 7 ← *rar* convorbire, discuţie 8 *muz* ton *(al orgii)* 9 ← *înv* zvon, vorbe

speech act ['spiːtʃˌækt] *s lingv* act de vorbire

speech clinic ['spiːtʃˌklinik] *s med* clinică logopedică

speech craft ['spiːtʃˌkrɑːft] *s* elocință, oratorie

speechful ['spiːtʃful] *adj* 1 guraliv, vorbăreț; flecar 2 (*d. priviri etc.*) expresiv, grăitor, elocvent

speechification [ˌspiːtʃfiˈkeiʃən] *s* 1 *peior* vorbire, – cuvântare, discurs 2 *peior* vorbărie, perorație

speechifier ['spiːtʃiˌfaiəʳ] *s peior* frazeolog; persoană căreia îi place se peroreze

speechify ['spiːtʃiˌfai] *vi* ← *peior sau umor* a vorbi, a ține un discurs *sau* discursuri; *peior* a perora

specchless ['spiːtʃlis] *adj* 1 mut, fără grai 2 *fig* mut, tăcut, neexprimat, fără vorbe 3 *fig* mut (*de uimire etc.*), încremenit, împietrit, înlemnit; **he was ~ with fright** încremenise/împietrise/înlemnise de groază/frică/spaimă 4 *sl* (beat) criță, beat mort

speechlessly ['spiːtʃlisli] *adv* fără vorbe; mut; tăcut

speechlessness ['spiːtʃlisnis] *s și fig* muțenie

speech maker ['spiːtʃˌmeikəʳ] *s* ↓ ← *peior* orator, vorbitor

speech map ['spiːtʃˌmæp] *s* hartă lingvistică

speech reading ['spiːtʃˌriːdiŋ] *s* înțelegerea celor spuse de cineva după mișcarea buzelor

speech sound ['spiːtʃˌsaund] *s fon* fonem; sunet al vorbirii

speech therapist ['spiːtʃˌθerəpist] *s med* logoped

speed [spiːd] **I** *s* 1 viteză, iuțeală, rapiditate; repeziciune; grabă; velocitate; **with all ~** cât se poate de repede; cu viteză maximă, cu maximum de viteză; în grabă mare, cu toată graba; **at full ~** în plină viteză; *v. și* **with all ~ (I 1)**; **to pick up ~** a câștiga viteză; **at a ~ of 40 km** cu o viteză de 40 km; **at ~** *auto* cu viteză (mare); **to put in the second ~** *auto* a băga în viteza a doua 2 *tehn* turație 3 *fot* foto sensibilitate 4 ← *înv* reușită, succes **II** *pret și ptc* **sped** [sped] *vt* 1 a susține, a sprijini (*un proiect etc.*); a facilita/a ușura votarea *etc.* (*unui proiect*

etc.) 2 a accelera; a grăbi, a iuți; a activ(iz)a 3 a trimite; a da drumul (*unei săgeți etc.*) 4 a-și lua rămas bun de la (*cineva*); a ura sănătate *sau* drum bun (*cuiva*) 5 ← *înv* a ajuta (*pe cineva, cuiva*); **God ~ him (well)!** să-l/să-i ajute Cel de Sus! **III** (*v. ~* **II**) *vi* 1 a goni; a merge repede; a se grăbi; a zbura; a trece în zbor; a face exces de viteză 2 ← *înv* a-i merge (↓ bine); a înflori, a prospera; **how have you sped?** cum ți-a mers?

speedboat ['spiːdˌbout] *s nav* vedetă rapidă

speed-change box ['spiːdˌtʃeindʒˈbɔks] *s auto* cutie de viteze

speeder ['spiːdəʳ] *s* 1 *tehn* transmisie 2 *text* flaier fin

speedily ['spiːdili] *adv* repede, iute; fără întârziere

speediness ['spiːdinis] *s* rapiditate; promptitudine

speeding ['spiːdiŋ] *s auto* exces de viteză

speed limit ['spiːdˌlimit] *s* 1 *auto* viteză (maximă) admisă 2 *tehn* limită de viteză

speed march ['spiːdˌmɑːtʃ] *s* marș forțat

speed meter ['spiːdˌmiːtəʳ] *s tehn* contor de rotații

speedo ['spiːdou] *s F v.* **speedometer**

speedometer [spiːˈdɔmitəʳ] *s tehn* vitezometru; tahometru

speed reducer ['spiːdriˈdjuːsəʳ] *s tehn* reductor de viteză

speedster ['spiːdstəʳ] *s* mașină, ambarcațiune *etc.* rapidă

speed trap ['spiːdˌtræp] *s auto* zonă de control al vitezei

speed-up ['spiːdʌp] *s și fig* accelerare

speed up ['spiːdʌp] *vt cu part adv* a accelera, a grăbi

speedway ['spiːdˌwei] *s* 1 autostradă 2 pistă de curse

speedwell ['spiːdˌwel] *s bot* șopârliță (*Veronica sp.*)

speedy ['spiːdi] *adj* 1 rapid, repede, iute; expeditiv; sprinten 2 grabnic, neîntârziat; urgent

spelean [spiːˈliːən] *adj* 1 de peșteră, al peșterilor; care trăiește în peșteri 2 spe(le)ologic

speleologist [ˌspiːliˈɔlədʒist] *s* spe(le)olog

speleology [ˌspiːliˈɔlədʒi] *s* spe(le)ologie

spell[1] [spel] **I** *s* 1 farmec, vrajă; descântec; **to cast/to lay a ~ on** a vrăji, a fermeca *cu ac* 2 *fig* farmec, vrajă, fascinație **II** *vt și fig* a fermeca, a vrăji

spell[2], *pret și ptc și* **spelt** [spelt] **I** *vt* 1 a ortografia; a scrie *sau* a pronunța/a rosti (*un cuvânt*) literă cu literă, *rar* → a litera 2 a scrie *sau* a tipări corect/ortografic 3 *fig* a însemna, a meni, a atrage după sine (*o nenorocire etc.*); a implica, a presupune **II** *vi* 1 a ortografia; a scrie *sau* a rosti un cuvânt *etc.* literă cu literă; *rar* → a litera 2 *școl sl* (*d. un cuvânt*) a se scrie, a se ortografia

spell[3] *s* 1 răstimp, interval (scurt) (de timp); **a long ~ of fine weather** o perioadă lungă de timp frumos; **he had a ~ of luck** norocul i-a surâs un timp/o vreme 2 pauză; odihnă, repaus; recreație 3 schimbare (*a gărzii etc.*); schimb (*al muncitorilor etc.*); **to give smb a ~** a înlocui pe cineva (*la lucru etc.*) 4 schimbare, alternare; **by ~s** alternativ, cu schimbul 5 *amer* (mână de) ajutor

spellbound ['spelˌbaund] *adj și fig* vrăjit, fermecat

speller ['speləʳ] *s* 1 ← *F* persoană care citește greu/silabisind 2 *v.* **spelling book/a bad ~** persoană care nu scrie corect/ortografic; **a good ~** persoană care scrie corect/ortografic

spelling[1] ['speliŋ] *s* ortografie; scriere; rostire *sau* scriere literă cu literă

spelling[2] *s* pauză, repaus (*în timpul lucrului*)

spelling book ['speliŋˌbuk] *s* 1 abecedar 2 îndreptar ortografic

spelt[1] [spelt] *pret și ptc de la* **spell**[2]

spelt[2] *s bot* alac, secară albă (*Triticum spelta*)

spelter ['speltəʳ] *s* ↓ *com* zinc

spencer ['spensəʳ] *s* sacou scurt, *rar* → spencer

Spencer, Herbert *filosof englez (1820-1903)*

spend [spend], *pret și ptc* **spent** [spent] **I** *vt* 1 a cheltui, a consuma; a irosi; a risipi; a sacrifica; **to one's blood** a-și vărsa sângele; **to ~ one's breath** a-și strica/a-şi bate gura degeaba/de pomană; **to ~ one's last** a cheltui (până la) ultimul ban **2** a (pe)trece *(timpul)* **3** a cheltui (tot), a consuma (în întregime), a termina, a isprăvi *(bani etc.);* a toca *(averea etc.);* a secătui, a vlăgui **II** *vr* **1** a se epuiza, a se istovi; a se consuma; a-şi cheltui puterile/ energia **2** *(d. furtună etc.)* a se linişti, a se potoli **III** *vi* **1** a cheltui **2** a cheltui, a fi cheltuitor/F → mână spartă **3** *(d. lumânări etc.)* a se consuma; a se uza; a se termina **4** *(d. un zăcământ etc.)* a fi bogat, a produce mult **5** *iht* a depune icre

spender ['spendəʳ] *s* cheltuitor, risipitor

spending money ['spendiŋ ˌmʌni] *s* bani de cheltuială/buzunar

spendthrift ['spend,θrift] *adj, s* cheltuitor, risipitor

Spenser ['spensəʳ], **Edmund** *poet englez (1552?-1599)*

Spenserian stanza [spen'siəriən ˌstænzə] *s metr* strofă spenseriană *(opt pentametri iambici şi un hexametru iambic, rimând ababbcbcc)*

spent [spent] **I** *pret şi ptc de la* **spend II** *adj* **1** uzat; utilizat; consumat **2** *fig* consumat; epuizat; frânt, sleit, istovit

spent acid ['spent ˌæsid] *s ch* acid mort

spent rocket ['spent ˌrokit] *s fig* om căruia i-a apus steaua; „fost"

sperm[1] [spəːm] *s fizl* spermă

sperm[2] *s* **1** spermanţet **2** *v.* **sperm whale**

spermatic [spəː'mætik] *adj* spermatic

spermatozoon [ˌspəːmətou'zouɔn], *pl* **spermatozoa** [ˌspəːmətou'zouə] *s biol* spermatozoid

sperm oil ['spəːm,ɔil] *s* ulei de spermaceti

sperm whale ['spəːm,weil] *s zool* caşalot *(Physeter)*

spew [spjuː] **I** *vt* **1** a vomita, a vărsa **2** a scuipa **3** *fig* a scuipa, a vărsa, a arunca **II** *vi* a vomita, a vărsa **2** a scuipa

sphagnum ['sfægnəm] *s bot* sfagnum, muşchi de turbă *(Sphagnum sp.)*

sphenoid ['sfenɔid] *anat* **I** *adj* sfenoid **II** *s* os sfenoid

sphenoidal [sfe'nɔidəl] *adj anat* sfenoid

spheral ['sfiərəl] *adj* **1** sferic **2** simetric; armonios

sphere [sfiəʳ] *adj* **1** *geom* sferă **2** *mat* sferă, domeniu; limită **3** obiect sferic; bilă; glob; sferă; *sl* balon, minge de fotbal **4** *astr* astru; stea; planetă; corp ceresc **5** ← *poetic* cer(uri) **6** *fig* sferă, domeniu *(de activitate etc.);* specialitate **7** competenţă; rază de acţiune; orizont

spheric(al) ['sferik(əl)] *adj* **1** sferic; rotund; globular **2** ← *poetic* ceresc; planetar

spheroid ['sfiərɔid] *s geom* sferoid, elipsoid

spheroidal [sfiə'rɔidəl] *adj* **1** *geom* sferoidal **2** globular

spherometer [sfiə'rɔmitəʳ] *s tehn* sferometru

spherule ['sferuːl] *s* sferulă; globulă; picătură

sphery ['sfiəri] *adj* **1** sferic; globular **2** ca un astru **3** *poetic* celest, – ceresc

sphincter ['sfiŋktəʳ] *s anat* sfincter

sphinx [sfiŋks], *pl şi* **sphinges** ['sfindʒiːz] *s mit şi fig* sfinx

sp. ht. *presc de la* **specific heat**

spice [spais] **I** *s* **1** condiment, mirodenie, aromat **2** *(of) fig* urmă, umbră, idee (de); gust (de) **3** *fig* sare, spirit, duh, haz; caracter picant; picanterie; savoare **II** *vt* **1** a condimenta, a drege **2** *fig* a da savoare, sare etc. *(unei povestiri etc.)*

spiced [spaist] *adj* **1** condimentat; dres (cu mirodenii) **2** *fig* savuros; picant

spicery ['spaisəri] *s* **1** condimente, arome, miroase, dresuri **2** *fig* farmec, haz

spick-and-span ['spikənd,spæn] *adj* **1** spilcuit, dichisit; *F* ca scos din cutie **3** nou-nouţ

spicule ['spikjuːl] *s bot* spicul

spicy ['spaisi] *adj* **1** condimentat, dres (cu mirodenii) **2** picant, ardeiat, piperat **3** *fig* picant; piperat; fără perdea; echivoc **4** *amer F* ţâfnos; – iute (la mânie); irascibil; arţăgos **5** *F* fercheş, gigea, – elegant

spider ['spaidəʳ] *s* **1** *ent* păianjen, *P* → paing **2** *tehn* (suport în) cruce **3** *el* corpul rotorului **4** pirostrie **5** trepied

spider web ['spaidə ˌweb] *s* pânză de păianjen; păienjeniş

spidery ['spaidəri] *adj* **1** (ca) de păianjen **2** fin, subţire *(ca firul de păianjen)* **3** *(d. picior etc.)* (slab) ca un fus/ca fusul **4** *(d. scris)* foarte mărunt

spier ['spaiəʳ] *s* spion; iscoadă

spigot ['spigət] *s* **1** cep; cana **2** *tehn* lagăr axial

spike [spaik] **I** *s* **1** vârf (de metal); ţeapă, ţepuşă **2** crampon; ţintă, cui *(la bocanci etc.)* **3** *tehn* dorn; cui; ştift; ac; pană; pivot **4** *ferov* crampon **5** *ic*, pană **6** ghimpe, spin, ţep(uşă) **7** *bot* (inflorescenţă în) spic **II** *vt* **1** a pune cuie/crampoane la *(încălţăminte)* **2** a bate în cuie; a pironi **3** *od* a pune în ţeapă **4** *fig* a zădărnici, a împiedica *(un complot etc.)* // **to ~ smb's guns** a împiedica pe cineva să atace; a dejuca planurile cuiva; a reduce pe cineva la tăcere

spiked [spaikt] *adj* (prevăzut cu) cuie, ţinte, piroane, crampoane etc. *(v.* **spike** I*)*

spikenard ['spaiknɑːd] *s* **1** *bot* nard *(Nardostachys jatamans)* **2** nard *(parfum)*

spiky ['spaiki] *adj* **1** (cu vârful) ascuţit **2** ţepos, ghimpos, spinos; cu ţepi/ghimpi

spile [spail] *s* **1** cep; cana **2** par, ţăruş, şarampoi

spill[1] [spil] **I** *pret şi ptc şi* **spilt** [spilt] *vt* **1** a vărsa *(un lichid)*, a împrăştia, a risipi *(↓ neintenţionat)* **2** *(d. un cal etc.)* a arunca, a azvârli; a răsturna, a da jos **3** *F* a da drumul la, – a rosti **II** *(v. ~* I*)* *vi* a vărsa, a se împrăştia, a se risipi; a se răspândi **III** *s* **1** vărsare *(a laptelui etc.)* **2** pată *(de lapte etc.)* **3** *F* ploaie cu băşici **4** ← *F* răsturnare; cădere *(de pe cal)*

spill[2] *s* **1** surcea, aşchie **2** sul de hârtie *(pt aprins pipa etc.)* **3** dop de lemn; cep; cana

spillage ['spilidʒ] *s min* pierderi prin scurgere

spillikin ['spilikin] *s* beţişor *(de os etc. pentru joc)*

spillway ['spil,wei] *s hidr* deversor; canal deversor

spilt [spilt] **I** *pret şi ptc de la* **spill**[1] **I-II II** *adj* vărsat, împrăştiat; **it's no use crying over ~ milk** *prov* n-are rost să plângi laptele vărsat

spin [spin] **I** *pret* **spun** [spʌn] şi înv **span** [spæn], *ptc* **spun** *vt* **1** *text* a toarce; a fila; a răsuci; a depăna; *(d. viermii de mătase)* a ţese *(un cocon);* **to ~ a yarn/a twist** *fig* a spune/a depăna o poveste *(↓ lungă sau neadevărată)* **2** a învârti, a roti; a răsuci; a face să se învârtească; **to ~ a top** a da drumul unui titirez; **to ~ a coin** a da/a arunca cu banul *(făcându-l să se învârtească)* **3** a dansa *(un vals)* **4** *tehn* a presa **5** *tehn* a centrifuga **II** *(v. ~ I)* *vi* **1** *text* a toarce; a fila; a depăna **2** a se învârti, a se roti, a se răsuci; a se învârteji; a se învolbura; **my head ~s** *fig* mi se învârteşte capul, simt ameţeală **3** *(d. păianjen etc.)* a ţese **4** a merge repede, a trece în goană *(cu bicicleta etc.)* **III** *s* **1** rotire, învârtire; răsucire; *av* vrilă; *tehn* patinare **2** *fiz* (moment de) spin **3** plimbare *sau* deplasare scurtă şi rapidă *(cu maşina etc.)* **4** *com* scădere bruscă *(a preţurilor etc.)* **5** *F* zăpăceală, – panică; **to go into a (flat) ~** *F* a-şi pierde capul, a se zăpăci (de tot), – a intra/în/ a fi cuprins de panică

spinach ['spinidʒ] *s bot* spanac *(Spinacia oleracea)*

spinage *s v.* **spinach**

spinal ['spainəl] *adj anat* spinal

spinal column ['spainəl ˌkɔləm] *s anat* coloana vertebrală, şira spinării

spinal cord ['spainəl ˌkɔːd] *s anat* măduva spinării

spin away ['spin ə'wei] *vi cu part adv (d. timp)* a zbura, a trece repede

spindle ['spindəl] **I** *s* **1** *text* fus, arbore, osie, ax; tijă **2** *bot* lujer; vrej **3** *constr* balustru **II** *vi* **1** a se întinde, a se lungi, a creşte în lungime **2** *bot* a creşte drept şi subţire

spindle-legged ['spindəl,legd] *adj* cu picioarele subţiri ca nişte fuse

spindlelegs ['spindəl,legz] *s pl* **1** picioare subţiri ca nişte fuse **2** *ca sg* om cu picioarele subţiri ca nişte fuse

spindle-shanked ['spindəl,ʃæŋkt] *adj v.* **spindle-legged**

spindle tree ['spindəl:tri:] *s bot* salbă moale *(Euonymus latifolius)*

spindly ['spindli] *adj* ca fusul, fusiform

spindrift ['spin,drift] *s* pulbere de apă; stropi de spumă

spindrift clouds ['spin,drift'klaudz] *s pl* (nori) cirus

spindry ['spin,drai] *vt* a stoarce *(rufe, ↓ la maşina de spălat)*

spine [spain] *s* **1** *anat* coloana vertebrală, şira spinării **2** creastă *(de munte)* **3** *zool, bot* ghimpe, spin, ţep, ţeapă **4** *fig* esenţă, miez, fond

spineless ['spainlis] *adj* **1** *zool* nevertebrat **2** *zool* fără ghimpi/spini **3** *fig* fără caracter/ şira spinării **4** *fig* fără nerv/ energie, moale

spinet ['spinit] *s muz od* spinetă

spinner ['spinə'] *s* **1** *text* torcător; filator **2** *text* maşină de tors/filat **3** *av* caserolă de elice

spinney ['spini] *s* **1** crâng, dumbravă **2** desiş, hăţiş

spinning ['spiniŋ] *adj* **1** torcător, care toarce **2** de tors **3** care se învârteşte; rotitor

spinning jenny ['spiniŋ ,dʒeni] *s text od* prima roată de tors

spinning wheel ['spiniŋ ,wi:l] *s text* roată de tors

spin-off ['spin,ɔ:f] *s* **1** subprodus, produs secundar **2** rezultat secundar

spin off ['spin'ɔf] *vi cu part adv av* a ieşi din vrilă

spin out ['spin'aut] *vt cu part adv* **1** *text* a toarce *(firul)* lung şi subţire **2** *fig* a întinde, a lungi *(vorba etc.)* **3** *fig* a născoci, a inventa, a scorni

Spinoza [spi'nouzə], **Baruch** *filosof olandez (1632-1677)*

spin round ['spin'raund] *vi cu part adv* a se învârti, a se roti, a se răsuci

spinster ['spinstə'] **I** *s* **1** torcătoare **2** fată bătrână; celibatară **II** *adj atr* necăsătorită, nemăritată

spinsterhood ['spinstə,hud] *s* condiţia de celibatar

spiny ['spaini] *adj* **1** ghimpos, spinos, ţepos **2** *fig* spinos, dificil; delicat; încurcat

spiraea [spai'riə] *s bot* taulă, tavalgă *(Spiraea)*

spiral ['spaiərəl] **I** spiral; elicoidal **II** *s* spirală

spirant ['spaiərənt] *fon* **I** *adj* spirant, fricativ **II** *s* sunet spirant, consoană spirantă/fricativă

spire[1] ['spaiə'] *s* **1** spirală **2** *tehn* spiră

spire[2] **I** *s* **1** clopotniţă (cu vârful ascuţit); turn; vârf (ascuţit) de clopotniţă; turn, biserică *etc.;* turlă (cu vârful ascuţit) **2** *constr* fleşă, săgeată **3** vârf ascuţit *(de munte),* pisc; ţanc **4** *bot* pai; lujer **II** *vi* a se înălţa drept; a ţinti în sus

spirit ['spirit] **I** *s* **1** spirit, principiu vital; suflet; intelect, minte; cuget; duh; **I shall be with you in (the) ~** voi fi alături de tine cu gândul/ sufletul/inima **2** spirit, duh; fantomă; geniu; demon; **evil ~s** duhuri/spirite rele **3** spiriduş, elf, gnom **4** *(cu adj)* spirit, personalitate; **he was one of the greatest ~s of his day** a fost unul din cele mai mari spirite ale timpului său **5** *fig* viaţă; vioiciune; entuziasm, înflăcărare; energie; **put a little more ~ into your work** pune mai mult suflet în muncă *sau* în lucrarea dumitale **6** *pl* stare sufletească, dispoziţie; **in high ~s** (< foarte) bine dispus; cu moralul (< foarte) ridicat; **in low ~s** (< foarte) prost dispus; cu moralul (< foarte) scăzut; **to keep up smb's ~s** a susţine moralul cuiva; **to recover one's ~s** a-şi reveni, a-şi veni în fire **7** caracter, temperament, fire, natură **8** înţeles/sens real/adevărat; spirit *(ant* literă*)*; **to take in the wrong ~** a înţelege/a interpreta greşit **9** spirt, alcool **10** *pl* băuturi alcoolice/spirtoase **11** *fig* spirit *(al vremii etc.);* tendinţă, tendinţe **II** *vt* a entuziasma, a înflăcăra, a însufleţi; a încuraja, a îmbărbăta

spirit away ['spirit ə'wei] *vt cu part adv* a face nevăzut; a escamota; a răpi; a fura

spirited ['spiritid] *adj* **1** spiritual, plin de duh; isteţ; ager; vioi; dezgheţat **2** energic; curajos; viguros **3** *(d. un cal)* iute, < aprig

spirit gauge ['spirit ,geidʒ] *s* alcoolmetru

spiritism ['spiri,tizəm] *s* spiritism

spirit lamp ['spirit ,læmp] *s* lampă de spirt

spiritless ['spiritlis] *adj* **1** lipsit de/fără viaţă, neînsufleţit, mort **2** *fig* lipsit de/fără viaţă; inexpresiv; insipid, searbăd **3** *fig* lipsit de/fără viaţă; moale; apatic; nepăsător, indolent **4** *fig* sfios, timid; fricos

spirit level ['spirit ˌlevl] *s* nivelă cu bulă de aer

spirit of wine ['spirit əv ˌwain] *s* alcool; distilat de vin

spiritual ['spiritʃuəl] **I** *adj* 1 spiritual, imaterial, eteric; neîntrupat; transcendental; supranatural 2 spiritual; intelectual 3 spiritual; duhovnicesc; religios; sacru 4 spiritual, plin de duh 5 spiritual, sufletesc 6 spiritist; supranatural **II** *s* 1 chestiune/problemă bisericească 2 cântec religios popular *(al negrilor din sudul S.U.A.)*

spiritualism ['spiritʃuəˌlizəm] *s* 1 spiritism 2 *filos* spiritualism; idealism

spiritualist ['spiritʃuəlist] *s* 1 spiritist; persoană care crede în spiritism 2 *filos* spiritualist; idealist

spiritualistic [ˌspiritʃuə'listik] *adj* 1 spiritist 2 *filos* spiritualist; idealist

spirituality [ˌspiritʃu'æliti] *s* spiritualitate

spiritualize ['spiritʃuəˌlaiz] *vt* a spiritualiza

spiritually ['spiritʃuəli] *adv* (din punct de vedere) spiritual

spiritualty ['spiritʃuəlti] *s* cler, clerici

spirituous ['spiritʃuəs] *adj* spirtos, alcoolic

spirt [spəːt] *vt, vi s v.* **spurt**

spit¹ [spit] **I** *s* 1 frigare 2 *geogr* limbă de pământ; banc de nisip 3 cazma, hârleț **II** *vt* a pune pe frigare

spit² **I** *pret și ptc* **spat** [spæt], *rar* [spit] *vi* 1 a scuipa; a expectora; **to ~ at/on/upon smb** a a scuipa pe cineva **b** *fig* a arăta ură *sau* dispreț față de cineva; **to ~ in smb's face** a scuipa pe cineva în față/obraz 2 a bura, a ploa slab; a ninge slab, a fulgui, a cerne **II** *(v. ~ I)* *vt* a scuipa, a expectora *(sânge etc.)* **III** *s* 1 scuipat, salivă 2 expectorare, expectorație, scuipare 3 bură, ploiță, ploaie slabă; ninsoare slabă, fulguială 4 ← *F* chip leit; **he is the very/the dead ~ of his father** seamănă leit cu taică-său, *F* e bucățica ruptă din taică-său

spital ['spitəl] *s* 1 *înv* bolniță, – spital; *înv* bolniță/– spital pentru săraci *sau* leproși; leprozerie 2 ← *înv* han, *reg* → făgădău 3 *fig* ← *înv* cloacă, hazna; mocirlă

spit and polish ['spit ənd 'poliʃ] *s* 1 *F* curățat la cataramă, *cf* „lună" 2 ← *F* ținută excesiv de îngrijită; *cf* „ca scos din cutie"

spite ['spait] **I** *s* ciudă, pică, necaz; < răutate, venin; < ură, dușmănie; **to have a ~ against smb, to bear smb a ~** a avea ciudă/pică/necaz pe cineva; < a purta cuiva dușmănie; **out of/in/from/for ~** din răutate *sau* ură/dușmănie; de necaz; **in ~ of** în ciuda *cu gen,* neținând seama de, cu toate *(eforturile etc.);* **in ~ of smb** în ciuda cuiva, împotriva voinței cuiva; **in ~ of that** cu toate acestea, totuși **II** *vt* a face în ciudă *(cuiva);* a înciuda; a necăji, a supăra; a ofensa, a jigni

spiteful ['spaitful] *adj* ciudos; < răzbunător; < dușmănos, rău(voitor)

spitefully ['spaitfuli] *adv* cu ciudă; < cu răutate/dușmănie

spitfire ['spitˌfaiəʳ] *s* 1 *nav* floc de furtună 2 *F* cață; gură rea; – megeră, femeie arțăgoasă/rea

Spitsbergen ['spitsˌbəːgən] *arhipeleag norvegian* Spitzbergen

spittle ['spitəl] *s* scuipat, salivă

spitton [spi'tuːn] *s* scuipătoare

spitz (dog) ['spits (ˌdɔg)] *s* (câine) șpiț

spiv [spiv] *s* *sl* 1 trântor, pierde-vară 2 escroc, pungaș 3 speculant, profitor; parazit

splash [splæʃ] **I** *vt* 1 a împroșca, a stropi; a păta, a murdări *(cu apă, noroi etc.)* 2 a vărsa *(un lichid);* **he ~ed the wine over the table** a vărsat vinul pe masă 3 *fig* a presăra; a împodobi; a smălța *(câmpul etc.);* a scălda *(în lumină etc.)* 4 a publica la loc de frunte *(în ziar)* 5 a bălăci *(picioarele)* **II** *vi* 1 a stropi; a țâșni 2 a se bălăci 3 a se împroșca; a se murdări 4 a lipăi, a merge *etc.* împroșcând *(în dreapta și în stânga)* 5 *(d. ploaie)* a pleoscăi, a răpăi 6 *(into)* a cădea pleosc/bâldâbâc *(în)* **III** *s* 1 stropire, împroșcare *(cu apă, noroi etc.)* 2 ← *F* sifon, apă gazoasă 3 strop, picătură *(de ploaie etc.)* 4 pleoscăit, răpăit *(al ploii)* 5 lipăit *(al pașilor)* 6 *fig* ← *F* senzație, furori 7 pată *(de culoare, lumină etc.)* 8 ← *F* pudră de/pentru față **IV** *interj* pleosc! bâldâbâc!

splash board ['splæʃ ˌbɔːd] *s auto etc.* apărătoare (de noroi)

splash down ['splæʃ 'daun] *vi cu part adv* (↓ *d. un vehicul spațial)* a ameriza

splasher ['splæʃəʳ] *s v.* **splash board**

splashy ['splæʃi] *adj* 1 care stropește, împroașcă *etc.* (v. **splash** **I** 1) 2 ud; noroios 3 stropit, pătat 4 *F* pe cinste, grozav; – senzațional, extraordinar

splatter ['splætəʳ] **I** *vt* 1 a stropi, a împroșca a murdări, a păta, a mânji 3 a împestrița **II** *vi* 1 a stropi; a țâșni 2 a se bălăci 3 a se împroșca 4 a lipăi 5 a vorbi neclar/nedeslușit/bălmăjit **III** *s* 1 *v.* **splash III** 1, 4, 5, 7 2 zăpăceală, harababură

splay [splei] **I** *s* 1 suprafață înclinată; pantă; unghi înclinat 2 mărire, lărgire, extindere **II** *adj* 1 înclinat; oblic, pieziș; în pantă 2 teșit 3 mărit, lărgit; evazat 4 strâmb 5 *fig* stângaci, neîndemânatic **III** *vt* 1 a mări; a lărgi; a evaza 2 a turti; a teși 3 a înclina 4 a luxa, a dezarticula, a scrânti **IV** *vi* 1 a se lărgi; a se evaza 2 a călca cu picioarele în afară *(având platfus)*

splay-foot ['splei ˌfut] *s* platfus

spleen [spliːn] *s* 1 *anat* splină 2 *med înv* ipohondrie, – melancolie 3 *fig* spleen, urât, proastă dispoziție; supărare; ciudă, pică; < ură; răutate; venin, fiere; **to vent one's ~ (up)on smb** a-și vărsa fierea/veninul pe cineva

spleenful ['spliːnful] *adj* 1 prost dispus, supărat; < arțăgos; < înveninat 2 melancolic, ipohondru

spleenwort ['spliːnˌwəːt] *s bot* 1 părul Maicii Domnului; acul pământului *(Asplenium sp.)* 2 spinarea lupului *(Anthyrium sp.)*

spleeny ['spliːni] *adj v.* **spleenful**

splendid ['splendid] *adj* splendid, minunat; extraordinar, strălucitor; superb

splendiferous [ˌsplen'difərəs] *adj amer umor v.* **splendid**

splendor *amer,* **splendour** ['splendəʳ] *s* 1 strălucire *(a soarelui etc.);* lumină puternică/< orbitoare, 2 splendoare, măreție; grandoare

splendorous ['splendərəs] *adj* strălucitor; măreț, splendid

splenetic [,spli'netik] **I** *adj* **1** *anat* splenic **2** *v.* **spleenful II** *s* **1** om iritabil/supărăcios/arțăgos **2** ipohondru

splenetical [spli'netikəl] *adj v.* **splenetic I**

splenic ['splenik] *adj anat* splenic

splice [splais] **I** *vt* **1** *tehn* a îmbina cap la cap **2** *nav* a matisa, a matisi **3** *hort* a altoi **4** *cin* a lipi *(un film)* **5** *sl* a cununa; a căsători // **to ~ the main brace** *sl* a bea ceva tare *(↓ după un efort greu)* **II** *vi sl* a se cununa; a se căsători **III** *s* **1** *tehn* îmbinare (cap la cap) **2** *nav* matisare, matisire **3** *el* conexiune directă a firului **4** *cin* lipitură *(în film)* **5** *sl* cununie; căsătorie

splint [splint] **I** *s* **1** așchie, țandără; surcea **2** *anat* osul peroneu **3** *vet* ganglion **4** *med* atelă **5** *tehn* șplint **II** *vt med* a aplica o atelă *(cu dat)*

splint bone ['splint ,boun] *s anat* osul peroneu

splinter ['splintər] **I** *s v.* **splint I 1 II** *vt* **1** a despica, a crăpa, a sparge; a face țăndări **2** *minr* a cliva **III** *vi* **1** a se despica, a (se) crăpa; a se așchia **2** *minr* a cliva

splintery ['splintəri] *adj* **1** cu așchii/ țăndări **2** *(d. lemn etc.)* care se despică *sau* crapă ușor **3** *minr* de clivaj

split [split] **I** *pret și ptc* **split** [split] *vt* **1** a despica, a crăpa, a sparge; a sfărâma; a face țăndări; a rupe; a spinteca; **to ~ smb's ears** *fig* a sparge cuiva urechile, a asurzi pe cineva **2** *minr* a cliva **3** a împărți, a diviza; a separa; a fărâmița *(forțele etc.)*; a dezbina, a învrăjbi; **they ~ the profits** au împărțit câștigul **4** *fiz* a dezintegra, a dezagrega *(atomi)* **5** *ch* a descompune, a disocia // **to ~ an infinitive** *gram* a intercala un adverb între particula **to** și infinitivul verbului *(ex.* **to always go** a se duce mereu; *în general se recomandă evitarea construcției)* **II** *(v. ~ I)* *vi* **1** a se despica, a crăpa, a se sparge; a se sfărâma; a se face țăndări; a se rupe; **my head ~s** *fig* îmi plesnește capul de durere **2** *minr* a se cliva **3** (**in, into**) *și fig* a se împărți, a se diviza, a se scinda

(**în**); *fig* a nu fi de acord, a fi în dezacord (unul cu celălalt); **he ~ with her** *F* a rupt-o cu ea, – a rupt legăturile cu ea **4** *fiz* a se dezintegra, a se dezagrega **5** *ch* a se descompune, a se disocia **6** *fig* a da greș, a nu reuși, *F* a o zbârci **III** *s* **1** despicare, crăpare, spargere; sfărâmare; rupere **2** *minr* clivare, clivaj **3** despicătură, crăpătură (în lung); fisură (longitudinală) **4** *fig* dezbinare; sciziune; învrăjbire; vrajbă **5** *el* ramificație, branșament **6** sticlă mică *sau* de jumătate **7** *tel* spațiu fals **8** *pl* **the ~s** șpagat, grand écart *(figură de gimnastică)* **IV** *adj* **1** despicat, crăpat; fisurat **2** *și fig* despărțit, divizat, împărțit

split infinitive ['split in'finitiv] *s gram* infinitiv cu adverb intercalat

split-level ['split,levl] *adj atr constr* de/cu niveluri diferite

split off ['split 'ɔːf] *vt cu part adv v.* **split I 1, 3**

split personality ['split ,pəːsə'næliti] *s psih* ambivalență psihică, dedublarea personalității

split ring ['split ,riŋ] *s* inel de/pentru chei

split second ['split ,sekənd] *s* fracțiune de secundă, clip(it)ă

splitter ['splitər] *s* **1** dizident, scizionist **2** persoană migăloasă; buchisit **3** persoană care se risipește în prea multe activități **4** ← *F* durere de cap îngrozitoare

splitting ['splitiŋ] *adj* **1** care crapă, despică *etc.* sau care se crapă *etc.* **2** dezagreabil **3** *(d. durerea de cap)* îngrozitor, teribil **4** *(d. cap)* care doare îngrozitor **5** *(d. o glumă)* care te face să mori de râs, grozav

splotch [splɔtʃ] **I** *vt* a păta, a murdări; a împroșca **II** *s* pată; murdărie; purcoi

splutter ['splʌtə] **I** *vt* **1** a îngăima, a boloborosi, a murmura, a rosti nedeslușit **2** a stropi; a împroșca **II** *vi* **1** a stropi **2** a țâșni **3** a vorbi nedeslușit/neclar, a murmura **4** *(d. friptură)* a sfârâi

spoil [spɔil] **I** *pret și ptc și* **spoilt** [spɔilt] *vt* **1** *și fig* a distruge; a strica *(o foaie de hârtie, gluma, efectul etc.)*; a deteriora *(un obiect)*; **bad weather ~t our holiday** timpul urât ne-a stricat/

compromis vacanța **2** a strica, a răsfăța, a răzgâia *(un copil etc.)*; a ocoli **3** *pret și ptc* **spoiled** ← *înv* a jefui, a prăda *(un ținut etc.)*; a deposeda **4** *înv* a răpune, – a ucide, a omorî **II** *(v. ~ I)* *vi* **1** *(d. hrană etc.)* a se strica, a se altera, a nu mai fi bun; a se învechi; a nu mai fi de folos; a nu mai folosi **2** ← *înv* a jefui, a prăda, a face prădăciuni **III** *s* **1** ↓ *pl* pradă; trofeu; obiecte/lucruri furate **2** premiu *(la un concurs etc.)* **3** *fig* pradă, victimă, jertfă **4** *pl amer F* împărțeală, – distribuire a posturilor *(între partizanii partidului care a câștigat alegerile)* **5** *constr* dragare; excavație **6** *min* haldă; rocă sterilă **7** *fig* comoară, tezaur *(literar etc.)* **8** ← *înv* stricăciune, pagubă

spoilage ['spɔilidʒ] *s* **1** stricare; ruinare **2** stricare, alterare *(a alimentelor)* **3** *tehn* rebut; deșeuri

spoil for ['spɔil fə] *vi cu prep F* a fi pus pe *(bătaie)*, – a fi gata de

spoil of ['spɔil əv] *vt cu prep* a prăda de; a lipsi/a deposeda de

spoilsman ['spɔilzmən] *s amer pol* spoliator, șacal *(persoană care după ce a contribuit la un succes electoral, își cere partea de pradă)*

spoil-sport ['spɔil,spɔːt] *s* persoană care strică plăcerea/cheful altora

spoilt [spɔilt] **I** *pret și ptc de la* **spoil I-II II** *adj* **1** stricat; spart **2** *fig* răsfățat; răzgâiat; cocolit

spoke[1] [spouk] *pret și înv ptc de la* **speak**

spoke[2] **I** *s* **1** spiță *(de roată etc.)* **2** treaptă *(de scară mobilă)* **3** *nav* cavilă de cârmă **4** frână *(de roată)*; lanț de piedică; **to put a ~ in smb's wheel** *fig* a pune cuiva bețe în roate **II** *vt* **1** a pune spițe la **2** a pune frână la, a opri cu frâna

spoken ['spoukən] **I** *ptc de la* **speak II** *adj (d. limbă etc.)* vorbit; oral

spokeshave ['spouk,ʃeiv] *s tehn* cuțitoaie

spokesman ['spouksmən] *s* purtător de cuvânt; reprezentant

spokewise ['spouk,waiz] *adv* în formă de spițe, radial

spoking ['spoukiŋ] *s tel* efect radial

spoliate ['spouli,eit] *vi, vt* a spolia, a jefui, a prăda

spoliation [ˌspouli'eiʃən] *s* **1** jefuire, prădare **2** spoliere, stoarcere

spoliator ['spouli,eitə'] *s* spoliator, jefuitor

spoliatory ['spoulieitəri] *adj* de jaf/ spoliere, prădalnic

spondaic(al) [spɔn'deiik(əl)] *adj metr* spondaic

spondee ['spɔndi:] *s metr* spondeu

spondulic(k)s [spɔn'dju:liks] *s pl amer sl* lovele, biștari, parale, marafeți

spondyl(e) ['spɔndil] *s anat* vertebră

spondylitis [ˌspɔndi'laitis] *s med* spondilită

sponge [spʌdʒ] **I** *s* **1** *zool* burete *(Phylum perifera)*; burete *(de baie);* **to pass the ~ over** *fig* a trece cu buretele peste; a da uitării ceva; **to throw in/up the ~** a se da bătut, a se recunoaște învins **2** materie/substanță spongioasă/buretoasă **3** curățare/ spălare cu buretele **4** *F* burete, sugativă, pilangiu, – bețiv **5** *F* parazit; linge-blide **II** *vt* **1** a șterge/a spăla *sau* a freca cu buretele **2** *fig* a șterge cu buretele, a da uitării **3** a absorbi, a absoarbe; a se îmbiba cu **III** *vi* **1** a absorbi, a absoarbe; a se îmbiba **2** a pescui/a aduna bureți

sponge bag ['spʌndʒ,bæg] *s* trusă mică (↓ *de plastic)*

sponge cake ['spʌndʒ,keik] *s* prăjitură-biscuit; pandișpan, pain d'Espagne

sponge electrode ['spʌndʒi,lektroud] *adj el* electrod macrocelular

sponge iron ['spʌndʒ,aiən] *s* fier spongios

spongelet ['spʌndʒlit] *s* burețel, burete mic

sponge on ['spʌndʒɔn] *vi cu prep* a stoarce (de bani) *(pe cineva)*

sponger ['spʌndʒə'] *s* parazit; lingău

spongious ['spʌndʒəs] *adj* spongios, buretos

spongy ['spʌndʒi] *adj* **1** spongios, buretos; poros **2** elastic **3** *anat (d. țesuturi)* cu caverne

sponsion ['spɔnʃən] *s* garanție, chezășie

sponson ['spɔnsən] *s* **1** *nav* casa zbaturilor **2** *av* flotor de sprijin

sponsor ['spɔnsə'] **I** *s* **1** naș *sau* nașă; **to stand ~ to a child** a fi naș *sau* nașă **2** chezaș, garant; **to stand ~ for smb** a fi garantul/chezașul

cuiva, a garanta pentru cineva **3** organizator; inițiator **4** persoană *sau* firmă care finanțează *(programe artistice la radio etc.* în *scopuri de reclamă)* **II** *vt* **1** a garanta, a răspunde de, a chezășui pentru **2** a organiza; a iniția; a patrona **3** a finanța *(un program televizat etc.)* în scopuri de reclamă

sponsorial [spɔn'sɔ:riəl] **I** *adj* de garant/chezaș **II** *s* naș *sau* nașă

sponsorship ['spɔnsə,ʃip] *s* **1** garanție, chezășie; răspundere, responsabilitate **2** nășie **3** tutelă, patronaj

spontaneity [ˌspɔntə'ni:ti] *s* **1** spontaneitate; caracter spontan **2** impulsivitate; caracter impulsiv **3** naturalețe; caracter firesc/natural

spontaneous [spɔn'teiniəs] *adj* **1** spontan, nesilit; natural, firesc; benevol; direct, nemijlocit **2** spontan, instinctiv, reflex **3** *bot* sălbatic; spontan

spontaneous combustion [spɔn-'teiniəs kəm'bʌstʃən] *s tehn* autoaprindere; aprindere spontană

spontaneous generation [spɔn-'teiniəs dʒenə'reiʃən] *s biol* generație spontanee

spontaneously [spɔn'teiniəsli] *adv* (în mod) spontan

spoof [spu:f] **I** *vt* **1** *F* a trage pe sfoară, a duce, – a înșela **2** a-și râde de; a face haz pe socoteala *(cu gen)* **II** *s F* tragere pe sfoară, – înșelătorie; potlogărie

spook [spu:k] *s ←* *umor* spiriduș; nălucă, fantomă

spooky [spu:ki] *adj←* *umor* (ca) de spiriduș; fantomatic

spool [spu:l] **I** *s* **1** *text* țeavă; haspel; mosor, bobină **2** *text* vârtelniță; mașină de depănat **3** *el* bobină **II** *vt text etc.* a bobina, a înfășura

spooler ['spu:lə'] *s text* mașină de bobinat

spoon [spu:n] **I** *s* **1** lingură; **to be born with a silver ~ in one's mouth** *fig* a se naște cu căiță; **to hang up the ~** *fig F* a da ortul popii, a o mierli, – a muri; **it takes a long ~ to sup with the devil** *prov* cine vrea să mănânce cu dracul are nevoie de o lingură lungă **2** *sport* crosă *(la golf)* **3** *min* lingură de lăcărit **II** *vt* **1** a lua/a scoate cu lingura **2** a scobi **III** *vi F* a se giugiuli

spoon bill ['spu:n,bil] *s orn* **1** lopătar *(Platalea sp.)* **2** rață lopătar *(Spatula clypeata)*

spoon bit ['spu:n,bit] *s tehn* burghiu lingură

spoondrift ['spu:n,drift] *s v.* **spindrift**

spoonerism ['spu:nə,rizəm] *s* schimbare involuntară de sunete (↓ inițiale) în două sau mai multe cuvinte (ex. „a well-boiled icicle" în loc de „a well-oiled bicycle")

spooney ['spu:ni] *adj v.* **spoony II**

spoon-fed ['spu:n,fed] **I** *adj* **1** *(d. bolnavi etc.)* hrănit cu lingura **2** *fig* răsfățat, răzgâiat; cocolit **3** *fig* subvenționat; finanțat; ajutat **II** *pret și ptc de la* **spoon-feed**

spoon-feed ['spu:n,fi:d], *pret și ptc* **spoon-fed** ['spu:n,fed] *vt* **1** a hrăni cu lingura **2** a ghiftui; a îmbuiba **3** *fig* a digera

spoonful ['spu:nful] *s* **1** lingură (plină); **a ~ of soup** o lingură de supă **2** *fig* puțin, pic

spoon meat ['spu:n,mi:t] *s* păsat, coleașă

spoony ['spu:ni] **I** *s F* **1** nerod, găgăuță, nătăfleț **2** îndrăgostit **II** *adj* **1** nerod, prost, nătăfleț **2** (upon) îndrăgostit ↓ lulea (de)

spoor [spuə'] *s* urmă *(a vânatului)*

sporadic [spə'rædik] *adj* sporadic; izolat; rar

sporadically [spə'rædikəli] *adv* (în mod) sporadic; rar

sporangium [spə'rændʒiəm], *pl* **sporangia** [spə'rændʒiə] *s bot* sporange

spore [spɔ:'] *bot* **I** *s spor* **II** *vi* a avea *sau* a forma spori

sporophyte ['spɔ:rou,fait] *s bot* sporofit

sport [spɔ:t] **I** *s* **1** distracție, amuzament, petrecere; obiect de distracție; **to be the ~ of fortune** *fig* a fi o jucărie în mâna soartei; **to say smth in ~** a spune ceva în glumă **2** distracție, amuzament *(în aer liber);* ↓ *pl* sport; **athletic ~s** atletism **3** campionat, întrecere sportivă, concurs sportiv **4** sportsman, sportiv **5** *F* băiat de treabă, – cavaler; **be a ~, don't say no** fii cavaler, nu spune „nu" **6** zeflemiseală, (luare în) derâdere, bătaie de joc, batjocorire; **to make ~ of** a-și bate joc/a-și râde de, a zeflemisi, a lua peste picior

7 *fig* ciuşcă, cal de bătaie, (obiect de) batjocură **8** ← *înv* curte, dragoste; peţit **9** ← *F* jucător *(la jocuri de noroc)* **II** *vt* **1** ← *F* a etala, a expune, a purta în mod ostentativ *(o haină etc.)* **2** a-şi (pe)trece *(timpul)* distrându-se *sau* făcând sport **III** *vr* ← *înv* a se distra, a se amuza, a petrece **IV** *vi* **1** a face sport, a practica sportul *sau* sporturi **2** a juca; a zburda; a petrece, a se veseli **3** a glumi, a nu fi serios; a face glume

sport body ['spɔːt,bɔdi] *s auto* caroserie de automobil sport

sportful ['spɔːtful] *adj* jucăuş; glumeţ; vesel; amuzant, distractiv

sporting ['spɔːtiŋ] **I** *adj* **1** sportiv, de sport **2** sportiv, căruia îi place sportul **3** *fig* sportiv, cinstit, frumos, cavaleresc **4** *fig* risca(n)t, nesigur; vag **5** *(d. puşcă)* de vânătoare **II** *s* **1** joc, joacă; distracţie **2** sport **3** vânătoare

sporting blood ['spɔːtiŋ,blʌd] *s* **1** pasiune pentru sport **2** curaj, îndrăzneală, temeritate

sporting house ['spɔːtiŋ,haus] *s* **1** hotel pentru sportivi **2** *amer* tripou, local cu jocuri de noroc **3** *amer* bordel

sporting rifle ['spɔːtiŋ,raifl] *s* armă de vânătoare

sportive ['spɔːtiv] *adj* **1** *v.* **sporting I 1, 2 2** *(făcut, spus etc.)* în glumă

sportless ['spɔːtlis] *adj* **1** *(d. o regiune etc.)* fără posibilităţi de practicare a sporturilor **2** trist, posomorât, mohorât

sportscar ['spɔːts,kaːʳ] *s auto* maşină sport

sportscast ['spɔːts,kaːst] *s rad, telev* emisiune sportivă; reportaj sportiv; cronică sportivă

sportscaster ['spɔːts,kaːstəʳ] *s rad, telev* comentator *sau* reporter sportiv

sports ground ['spɔːts,graund] *s* teren de joc *sau* sport; stadion

sportsman ['spɔːtsmən] *s* **1** sportiv, sportsman **2** vânător **3** pescar **4** *fig* om onest/cinstit; cavaler

sportsmanlike ['spɔːtsmən,laik] *adj* **1** de sportiv; demn de un sportiv; cinstit, frumos **2** de vânător

sportsmanship ['spɔːtsmən,ʃip] *s* sportivitate

sportswoman ['spɔːts,wumən] *s* sportivă

sporty ['spɔːti] *adj* **1** *v.* **sportsmanlike 2** spilcuit, dichisit

sporule ['spɔruːl] *s* **1** *bot, zool* spor **2** *fig* germene, embrion

spot [spɔt] **I** *s* **1** pată; urmă; semn **2** picăţea; bulină **3** *şi fig* pată; **without a ~** *fig* nepătat; neprihănit **4** coş, bubuliţă *(pe faţă etc.)* **5** loc; **on the ~** pe loc, imediat, fără întârziere, prompt; **to be on the ~ a** a fi de faţă, a fi martor ocular **b** *fig* a fi atent **c** *fig* a fi la înălţimea situaţiei; **tender ~** *fig* punct sensibil *sau* vulnerabil, loc nevralgic **6** loc, ungher, colţ **7** localitate **8** *pic*, strop; **won't you have a ~ of wine?** nu bei un strop/păhărel de vin? **9** *sl* locşor, – slujbă, situaţie **10** *sl v.* **spotlight I II** *vt* **1** a păta, a murdări; a mâzgăli; a mânji **2** *fig* a păta, a murdări, a mânji; a dezonora; a înjosi **3** *fig* a stabili, a identifica; a distinge; a recunoaşte; a-şi da seama de **4** *tehn* a repera; a puncta; a însemna **III** *vi* **1** *(d. o haină etc.)* a se păta, a se murdări **2** *(d. cerneală etc.)* a păta; a lăsa urme **IV** *adj atr* **1** *(d. piaţă etc.)* peşin; pe loc; prompt **2** local; localizat **3** punctiform

spot-check ['spɔt,tʃek] *vt* a verifica prin sondaj

spot goods ['spɔt,gudz] *s pl com* **1** marfă disponibilă/existentă **2** marfă cu livrare imediată **3** marfă cu plată pe loc

spotless ['spɔtlis] *adj* **1** nepătat, fără pată **2** *fig* nepătat; neprihănit; imaculat; ireproşabil

spotlessly ['spɔtlisli] *adv* fără să lase, să prezinte *etc.* o pată

spotlessness ['spɔtlisnis] *s* **1** curăţenie desăvârşită **2** *fig* neprihănire

spotlight ['spɔt,lait] **I** *s* **1** proiector, reflector **2** *pl teatru* luminile rampei **3** *fig* centrul atenţiei **4** *auto* proiector mobil **II** *vt* **1** a îndrepta reflectorul spre *sau* asupra *(cu gen)* **2** *fig* a pune în lumină; a scoate în relief, a sublinia

spot price ['spɔt,prais] *s com* **1** preţ cu livrare imediată **2** preţ cu plată pe loc

spotted ['spɔtid] *adj* **1** pătat; cu picăţele/buline **2** *şi fig* pătat, murdărit **3** *F* reperat *(de poliţie)*, – urmărit; suspect

spotted dick/dog ['spɔtid,dik/dɔg] *s* budincă de coacăze *sau* prune

spotted fever ['spɔtid,fiːvəʳ] *s med* **1** tifos exantematic **2** meningită meningococică

spotter ['spɔtəʳ] *s* **1** *fig* profanator, pângăritor **2** *av* avion de recunoaştere

spotter plane ['spɔtə,plein] *s v.* **spotter 2**

spottiness ['spɔtinis] *s* **1** caracter pătat, pestriţ *etc.* **2** *telev* imagine pătată

spotty ['spɔti] *adj* **1** pătat, cu pete; pestriţ; cu buline **2** *anat* plin de coşuri **3** *fig* neregulat, neuniform **4** *fig* pătat, pângărit

spousal ['spauzəl] **I** *adj* nupţial, de nuntă **II** *s* ↓ *pl* ← *înv* nuntă

spouse [spaus] *s* **1** soţ *sau* soţie **2** mire *sau* mireasă **II** *vt* ← *înv* a lua în căsătorie, a se căsători cu

spout [spaut] **I** *s* **1** gât *(de ceainic etc.)*; cioc; nas **2** *tehn* buză de golire; duză, ajutaj; deversor; bucşă **3** canal de scurgere; burlan (de scurgere); jgheab, uluc; urloi **4** *înv* munte de pietate **5** ţâşnitură; volbură; trombă, trâmbă **6** ţâşnire; izbucnire *(a apei etc.)* **II** *vt* **1** a arunca (cu putere) *(un lichid)*, a vărsa, a (a)zvârli; a împroşca; a scuipa *(lavă)* **2** a perora; a declama, a recita *(versuri)* **3** *sl* a amaneta **III** *vi* **1** *(d. lichide)* a ţâşni; a gâlgâi; a se revărsa **2** *min etc.* a erupe **3** a perora; a declama, a recita

spp. *presc de la* **species** *pl* specii

spraddle ['sprædəl] *vt F* a răscrăcăra, – a desface larg *(picioarele)*

sprag [spræg] *s* **1** piedică *(la roată)* **2** *min* proptă de susţinere *(a frontului de cărbune)*

sprain [sprein] **I** *vt* a suci, a scrânti, a luxa **II** *s* scrântitură, scrântire, luxare, luxaţie

sprang [spræŋ] *pret de la* **spring¹ I-II**

sprat [spræt] *s iht* **1** specie de scrumbie mică *(Clupea sprattus)*; şprot **2** diferite varietăţi de peşte mărunt, asemănător cu scrumbia

sprawl [sprɔːl] **I** *vt* **1** a desface, a întinde *(mâinile, picioarele)*; a răşchira, a răscrăcăra, a crăcăna *(picioarele)* **2** *mil* a desfăşura în linie de trăgători **II** *vi* **1** a-şi desface/a-și întinde brațele *sau* picioarele; a-și răschira/a-și crăcăna picioarele **2** a se întinde, a se tolăni; a sta tolănit **3** *(d. orașe etc.)* a se întinde, a se lăți, a se extinde **4** a se târî **III** *vr v. ~* **II IV** *s* **1** întindere *(a mâinilor etc.)* **2** lăbărțare **3** tolănire

spray[1] [sprei] **I** *s* **1** picături; stropi; lichid pulverizat; ceață fină **2** pulverizator **3** *tehn* jet; duză; duș **II** *vt* **1** a pulveriza **2** a împroșca, a stropi (fin) **3** *agr* a stropi; a iriga; a uda **4** *text* a difuza **III** *vi* a se pulveriza; a se împrăștia

spray[2] *s* **1** ramură, crenguță *(cu frunze și flori)* **2** ramuri

sprayer ['spreiə'] *s* pulverizator

spray gun ['sprei,gʌn] *s* **1** pulverizator **2** *tehn* pistol de pulverizat **3** *constr* mașină de torcretat

spray wood ['sprei,wud] *s* vreascuri, uscături

spread [spred] **I** *pret și ptc* **spread** [spred] *vt* **1** a desface, a întinde, a desfășura *(aripile etc.)* **2** a întinde, a așterne *(un covor etc.)* **3** a așterne, a pune, a întinde *(masa)* **4** a pune, a așterne, a împrăștia, a presăra, a distribui *(îngrășământ etc.)* **5** a răspândi, a împrăștia, a difuza *(o știre etc.)* **6** a răspândi, a propaga *(o boală etc.)* **7** a răspândi, a împrăștia, a exala *(un miros)* **8** a arăta, a expune, a etala **9** a extinde, a prelungi *(pe o perioadă de timp)* **II** *(v. ~ I)* *vr* **1** a se întinde; a se lăbărța **2** *F* a se întinde, – a vorbi prea pe larg **3** *F* a face pe nebunul, a se grozăvi, – a-și da aere; a căuta să facă impresie **III** *(v. ~ I)* *vi* **1** a se desface, a se întinde, a se desfășura **2** a se răspândi, a se împrăștia; *(d. știri etc.)* a se difuza; *(d. boli etc.)* a se propaga **IV** *s* **1** desfacere; întindere, desfășurare *(a aripilor etc.)*; anvergură; extensiune; expansiune **2** întindere, extindere; spațiu; lărgime, amploare **3** împrăștiere, răspândire; difuzare; propagare **4** chef, *F* bairam, zaiafet, – petrecere **5** față de masă **6** cuvertură de pat **7** aliment care se poate unge pe pâine

spread-eagle ['spred,i:gl] *amer adj atr* **1** patriotard; șovin **2** *(d. stil)* umflat, bombastic

spreader ['spredə'] *s* **1** *tehn* expansor, dispozitiv de lărgire **2** *tehn* distribuitor **3** distribuitor; propagator; răspânditor; colportor **4** *nav* întinzător; antenă de crucetă

spreadingly ['sprediŋli] *adv* crescând, din ce în ce mai mult

spree [spri:] *s F* chef, zaiafet, – petrecere; **what a ~!** asta zic și eu chef!

sprig [sprig] **I** *s* **1** rămurea, rămurică, crenguță; mlădiță; lăstar **2** țintă, cui *(mic fără floare)* **3** *fig ironic* țingău, – flăcăiandru **II** *vt* **1** a împodobi cu ramuri, a picta *etc.* cu *sau* în formă de ramuri **2** a bate în cuie

spriggy ['sprigi] *adj* **1** cu multe rămurele, lăstare *etc.* *(v. sprig I 1)* **2** ca o rămurea

sprightliness ['spraitlinis] *s* vioiciune, viață; însuflețire

sprightly ['spraitli] **I** *adj* viu, însuflețit, animat, vioi; voios, vesel **II** *adv* vioi, cu vioiciune; cu însuflețire; voios, vesel

spring[1] [spriŋ] **I** *pret* **sprang** [spræŋ], *ptc* **sprung** [sprʌŋ] *vi* **1** a sări, a sălta; a se ridica brusc în picioare; a țâșni; **he sprang out of bed** sări din pat; **he sprang over the ditch** sări șanțul, sări peste șanț; **to ~ to one's feet** a sări în picioare **2** a apărea, a răsări, a se ivi; a țâșni **3** *(d. o plantă etc.)* a răsări; a încolți; a înmuguri **4** *(d. un râu etc.)* a izvorî; *(d. un jet etc.)* a țâșni **5** *tehn* a se îndoi elastic; a se arcui **6** *(d. o scândură etc.)* a se (s)coroji; a se strâmba **7** *(d. o mină)* a exploda, a face explozie **8** a plesni; a crăpa **II** *(v. ~ I)* *vt* **1** a crăpa; a găuri; a face să plesnească; **to ~ a leak** *nav* a face o spărtură *(în vas)* **2** a exploda, a face să explodeze *(o mină)* **3** a stârni *(un stol)* **4** a sări peste *(un zid etc.)* **5** a anunța brusc *(o știre etc.)*; a dezvălui brusc, a da pe față *(un fapt)*; **to ~ surprises on smb** a provoca/a face surprize cuiva; **to ~ a joke** a face o glumă **III** *s* **1** săritură, salt **2** arc, resort **3** elasticitate, caracter elastic; flexibilitate **4** *fig* elasticitate; flexibilitate **5** izvor; șipot; cișmea **6** *fig* izvor, sursă; origine; obârșie; cauză, pricină; temei **7** *nav*

spărtură, crăpătură *(în vas)*

spring[2] **I** *s* **1** primăvară **2** ← *înv* zori, auroră **II** *adj atr* de primăvară, primăvăratic

spring at ['spriŋət] *vi cu prep și fig* a sări/a se repezi la *(cineva)*, a năpusti asupra *cuiva*

spring balance ['spriŋ,bæləns] *s* balanță cu arc/romană

spring bed ['spriŋ,bed] *s* somieră

springboard ['spriŋ,bɔ:d] *s* **1** *sport și fig* trambulină **2** *mil* cap de pod; bază de atac

springbok/springbuck ['spriŋ,bʌk] *s și ca pl zool* gazelă sudafricană *(Antidorchas euchore)*

spring carriage ['spriŋ,kæridʒ] *s* trăsură cu arcuri

spring clean(ing) ['spriŋ,kli:n(iŋ)] *s* curățenie de primăvară

spring crop ['spriŋ,krɔp] *s agr* cultură de primăvară

springe [sprindʒ] *s și fig* laț; capcană

springer ['spriŋə'] *s* **1** săritor; persoană *sau* animal care sare **2** vânat copoi **3** ← *înv* hăitaș **4** *bot* mlădiță **5** *constr* nașterea bolții

spring fever ['spriŋ,fi:və'] *s med* **1** astenie *sau* oboseală de primăvară **2** rinită spasmodică, febră de fân

Springfield ['spriŋ,fi:ld] *oraș în S.U.A.*

spring from ['spriŋ frəm] *vi cu prep fig* a izvorî din, a porni de la, a-și avea izvorul/cauza/obârșia în

springhead ['spriŋ,hed] *s* **1** izvor **2** *fig* izvor; obârșie; cauză

springiness ['spriŋinis] *s* elasticitate; flexibilitate

springless ['spriŋlis] *adj* **1** fără izvoare **2** fără arc *sau* arcuri **3** fără primăvară

springlet ['spriŋlit] *s* izvoraș

springlike ['spriŋ,laik] *adj* de primăvară, primăvăratic

spring lock ['spriŋ,lɔk] *s* broască cu închidere automată

spring onion ['spriŋ,ʌnjən] *s bot* ceapă de iarnă/ciorească *(Allium fistulosum)*

springtide ['spriŋ,taid] *s v.* **springtime**

spring tide ['spriŋ'taid] *s* **1** maree puternică, flux subit și violent; maree de sizigii **2** *fig* potop; revărsare **3** apele primăverii **4** *v.* **springtime 1**

springtime ['spriŋ,taim] *s* 1 (timp de) primăvară 2 *fig* primăvară; început

spring up ['spriŋ'ʌp] *vi cu part adv* v. **spring¹ I, 1, 2**

spring upon ['spriŋə,pɔn] *vi cu prep* v. **spring at**

spring water ['spriŋ,wɔ:tə'] *s* apă de izvor

spring well ['spriŋ,wel] *s* 1 fântână arteziană 2 izvor 3 *fig* izvor, sursă, obârşie, origine

spring wood ['spriŋ,wud] *s* 1 lăstăriş 2 lemn de primăvară

springy ['spriŋi] *adj* 1 elastic; flexibil 2 sprinten, agil 3 cu (< multe) izvoare

sprinkle ['spriŋkəl] I *vt* 1 (**with**) a stropi (cu); a pulveriza (cu); ~ **the linen** stropeşte rufele 2 (**on**) a presăra (pe); a risipi, a împrăştia (pe); **he ~d the floor with sand** presără nisip pe duşumea 3 a risipi, a cheltui *(bani)* II *vi* 1 a stropi 2 a presăra nisip *etc.* 3 a se cerne; a se presăra 4 a stropi; a ploua cu picături rare *sau* mărunt; a bura III *s* 1 stropitură 2 ploaie trecătoare, rară *sau* măruntă; bură, burniţă 3 fulguială *(de zăpadă)* 4 (**of**) pic, strop (de)

sprinkler ['spriŋklə'] *s* 1 stropitoare 2 *tehn* maşină de stropit

sprinkling ['spriŋkliŋ] *s fig* 1 v. **sprinkle** III 4 2 spoială, pospai; aparenţă

sprint [sprint] I *s* 1 *sport* sprint; finiş 2 *fig* efort final; încordare maximă II *vi* 1 *sport* a alerga pe o distanţă scurtă cu viteză maximă 2 a alerga foarte repede, a fugi

sprinter ['sprintə'] *s sport* sprinter

sprit [sprit] *s nav* spetează; vergă de contrarandă

sprite [sprait] *s* 1 spiriduş; elf; gnom; zână 2 ← *înv* fantomă, spirit

sprocket ['sprɔkit] *s* 1 *tehn* roată de lanţ 2 *nav* barbotin

sprout [spraut] I *vi bot* a germina; a încolţi; a înmuguri II *vt bot* a face să germineze, să încolţească *sau* să înmugurească III *s* 1 *bot* germen; lăstar, colţ, mlădiţă; mugur 2 *bot* varză de Bruxelles *(Brassica oleracea sp.)* 3 *fig* vlăstar; *F* puşti, ţânc

spruce¹ [spru:s] *s bot* molid, molift *(Picea sp.)*

spruce² I *adj* 1 îngrijit, aranjat,

dichisit; elegant 2 afectat II *vt F* a dichisi, a spilcui III *vi F* a se dichisi, a se spilcui, a se aranja

spruce fir ['spru:s,fə:'] *s* v. **spruce¹**

spruce oneself up ['spru:s wʌn,self'ʌp] *vr cu part adv* v. **spruce² III**

spruce up ['spru:s'ʌp] *vt şi vi cu part adv* v. **spruce² II, III**

sprung [sprʌŋ] *ptc de la* **spring¹**

spry [sprai] *adj* sprinten, agil

spryly ['spraili] *adv* cu vioiciune, sprinten

spryness ['sprainis] *s* vioiciune, sprinteneală

spt. *presc de la* **sea port**

spud [spʌd] I *s* 1 *agr* săpăligă; sapă; lopăţică 2 *hort* cuţitoaie *(pt cojit)* 3 cuţit *(scurt);* pumnal II *vt agr* a săpa cu săpăliga *sau* sapa

spudder ['spʌdə'] *s* v. **spud I 2**

spue [spju:] *vt, vi* v. **spew**

spume [spju:m] I *s* spumă II *vi* a face spumă; a spumega

spumous ['spju:məs] *adj* spumos, cu spumă; înspumat

spun [spʌn] I *ptc de la* **spin I, II** II *adj* tors; ţesut, filat

spun glass ['spʌn,glɑ:s] *s* fibră de sticlă

spunk [spʌŋk] I *s* 1 lemn care se aprinde uşor/repede; chibrit; iască 2 *fig* ← *F* viaţă, vioiciune, energie; ardoare, foc II *vi* a se aprinde, a lua foc

spunkily ['spʌŋkili] *adv F* voiniceşte, – cu curaj

spunkiness ['spʌŋkinis] *s* ← *F* curaj, vitejie; foc, ardoare

spun yarn ['spʌn,jɑ:n] *s nav* comandă *(saulă)*

spur [spə:'] I *s* 1 pinten; **to put/to set ~s to a horse** a da pinteni calului; **on the ~ of the moment** *fig* fără pregătire, pe moment, spontan; **to win one's ~s** a *od* a căpăta titlul de cavaler b *fig* a-şi face un nume, a câştiga renume/faimă 2 *tehn* pinten; echiu; dinte; gheară 3 *ferov* linie ferată terminus 4 *constr* contrafort 5 *orn* pinten *(de cocoş)* 6 ramificare *(a unui lanţ muntos)* 7 *bot* rădăcină principală *(a unui arbore)* II *vt* 1 a da pinteni *(calului)*, a îndemna 2 *fig* a îndemna, a îmboldi III *vi* 1 a da pinteni calului 2 a se grăbi

spurge [spə:dʒ] *s bot* laptele cucului/câinelui *(Euphorbia sp.)*

spur gear ['spə:,giə'] *s tehn* roată dinţată cilindrică

spurious ['spjuəriəs] *adj* 1 fals, falsificat, contrafăcut 2 fals, nesincer, prefăcut 3 nelegitim 4 ilogic; greşit

spuriously ['spjuəriəsli] *adv* 1 (în mod) fals; prin falsificare 2 (în mod) eronat, fals, greşit; ilogic

spuriousness ['spjuəriəsnis] *s* caracter fals *sau* eronat/greşit

spurn [spə:n] I *vt* 1 a împinge, a lovi *sau* a îndepărta cu piciorul 2 *fig* a refuza cu dispreţ/dispreţuitor, a dispreţui, a nesocoti, a nu ţine seama de II *s fig* refuz; dispreţuire, nesocotire

spurred [spə:d] *adj* pintenat; cu pinteni

spurrer ['spə:rə'] *s fig* stimulator; animator

spurry¹ ['spʌri] *adj* ca o rotiţă de pinten, în formă de stea

spurry² *s bot* hrana vacii *(Spergula arvensis)*

spurt [spə:t] I *vi* 1 a ţâşni; a izbucni 2 *fig* a creşte, a spori, a se ridica 3 *sport* a se ambala II *vt* a arunca *(flăcări etc.)* III *s* 1 jet, ţâşnitură *(de lichid);* împroşcare 2 suflu, curent; rafală *(de vânt)* 3 efort brusc; smucitură 4 *fig* izbucnire *(a unei patimi etc.)*

spur wheel ['spə:,wi:l] *s* v. **spur gear**

sputnik ['sputnik] *s* sputnic, satelit artificial al pământului

sputter ['spʌtə'] I *vi* 1 a scuipa *(când vorbeşte etc.)* 2 a vorbi repede *sau* incoerent 3 *(d. slănină etc.)* a sfârâi; a împroşca II *vt* 1 a rosti scuipând 2 a rosti/a pronunţa nedesluşit; a bolborosi III *s* 1 scuipat, scuipare 2 *(picături de)* scuipat 3 vorbire repede *sau* incoerentă; bolboroseală

sputum ['spju:təm], *pl* **sputa** ['spju:tə] *s* spută, scuipat, salivă; flegmă

spy [spai] I *s* 1 *mil şi fig* spion, iscoadă 2 spionare, spionaj II *vt* 1 a spiona, a iscodi 2 a vedea, a zări, a distinge, a observa; a descoperi 3 a cerceta, a examina, a studia

spyglass ['spai,glɑ:s] *s* ochean; binoclu

spy hole ['spai,houl] *s* 1 ochi, ferestruică mobilă/de observaţie 2 *min* gură de vizitare

spying glass ['spaiiŋ,gla:s] *s v.* **spyglass**

spy out ['spai 'aut] *vt cu part adv* a cerceta pe ascuns *(o zonă etc.)*, a spiona

Sq. sq. *presc de la* **square**

sqq. *presc de la* **sequentes** *lat* următorii *sau* următoarele

squab [skwɔb] **I** *adj* **1** bondoc, îndesat **2** *(d. păsări)* fără pene; care nu s-au zburătăcit **II** *s* **1** porumbel cu caș la gură **2** bondoc, buftea **3** per(i)nă *(pe canapea)* **4** canapea; otomană

squabble ['skwɔbəl] **I** *s* **1** ceartă, sfadă, gâlceavă; ciorovăială; păruială, încăierare **2** *poligr* zaț amestecat **II** *vi* (with) a se certa, a se sfădi (cu); a se ciorovăi (cu); a se părui, a se încăiera (cu)

squabbler ['skwɔbə'] *s* gâlcevitor, cată-ceartă

squabby ['skwɔbi] *adj* îndesat, bondoc

squad [skwɔd] *s* **1** *mil* detașament; grupă *(condusă de un sergent)* **2** grupă; echipă *(sportivă etc.)* **3** *fig* gașcă; bandă

squadron ['skwɔdrən] *s* **1** *mil* escadron; detașament **2** *amer mil* divizion *(de cavalerie)* **3** *nav* escadră **4** *av* escadrilă

squalid ['skwɔlid] *adj* **1** murdar, sordid **2** *fig* lăsat în părăsire; urât; jalnic, mizer, sărăcăcios **3** *fig* murdar, meschin, ticălos **4** bolnăvicios; slăbănog, neputincios

squalidity ['skwɔ'liditi] *s* **1** murdărie; mizerie **2** *fig* murdărie; meschinărie; ticăloșie

squall¹ [skwɔ:l] **I** *s* **1** vijelie; furtună *(scurtă, ↓ cu ploaie sau zăpadă)* **2** *nav* gren **3** ← *F* atmosferă încărcată; tulburare, agitație, neliniște **II** *vi* a fi vijelie

squall² **I** *s* țipăt, urlet, strigăt **II** *vi* a țipa, a urla, a striga

squally ['skwɔ:li] *adj* **1** vântos, furtunos; vijelios; cu rafale **2** *amer fig* amenințător; neliniștitor

squaloid ['skweilɔid] *adj* de rechin; ca rechinul

squalor ['skwɔlə'] *s* mizerie, murdărie, caracter sordid; sărăcie

squama ['skweimə], *pl* **squamae** ['skweimi:] *s anat, bot* scuamă

squamate ['skweimeit] *adj v.* **squamiferous**

squamiferous [skwei'mifərəs] *adj bot etc.* cu solzi, solzos, scuamos

squamous ['skweiməs] *adj v.* **squamiferous**

squander ['skwɔndə'] **I** *vt* a irosi, a cheltui *(bani, timp)*; a risipi, *F →* a toca, a face praf *(bani, avere)*; a pierde *(timp)* **II** *s* risipă

squanderer ['skwɔndərə'] *s* risipitor, cheltuitor

square [skweə'] **I** *s* **1** *geom etc.* pătrat; pătrățel; ~ **one** *fig* început, punct de plecare; **I'm back to ~ one with the work** trebuie s-o iau de la început/capăt; **on the ~** *F* pe cinstite, – (în mod) cinstit, corect **2** scuar, piață **3** grup de case *(cuprinse între patru sau trei străzi)*, cvartal **4** *mil* careu **5** *tehn* echer; șablon de unghiuri **6** *mat* (număr la) pătrat **7** *măsură de suprafață egală cu 100 picioare² sau 9,29 m²* **8** ← *înv* standard, criteriu, etalon **II** *vt* **1** *mat* a ridica la pătrat; **to ~ the circle** și *fig* a căuta cuadratura cercului **2** a da formă pătrată *sau* dreptunghiulară *(cu dat)* **3** a îndoi *(brațele)*; a îndrepta *(umerii)* **4** a pune în ordine *(socotelile)*; a achita *(un cont)* **5** *mat* a ridica la pătrat **6** a potrivi, a pune de acord, a face să concorde, a conforma **7** a mulțumi, a satisface *(creditori etc.)* **8** a mitui **9** *sport* a termina *(un meci)* la egalitate **10** *tehn* a netezi; a ciopli **III** *adj* **1** pătrat, în patru unghiuri/colțuri **2** *mat* (la) pătrat **3** *(d. fizic)* solid; *(d. umeri)* lat **4** *(d. o suprafață)* neted, egal, întins; șes **5** (with) în acord (cu); în ordine; potrivit, cum trebuie **6** *ec* chit; plătit, achitat **7** *(d. un refuz etc.)* categoric, hotărât **8** ← *F* cinstit, onest, deschis, fățiș **9** *(d. un joc etc.)* pentru *sau* cu patru persoane **10** *(d. masă)* substanțial, îmbelșugat, bogat, abundent **11** (with) paralel (cu); perpendicular (pe); drept (în fața *aparatului de filmat etc.)* **IV** *adv* **1** cinstit, onest, corect **2** în formă de pătrat, în patru colțuri **3** *amer* drept, direct, de-a dreptul **4** drept, vertical; țeapăn

square away ['skweərə'wei] *vt cu part adv amer* ← *F* a pune în ordine, a aranja, a pune la punct

square-bashing ['skweə,bæʃiŋ] *s mil* muștruluială, instrucție de front

square brackets ['skweə,brækits] *s pl poligr* paranteze drepte

square-built ['skweə,bilt] *adj* **1** (în formă de) pătrat **2** *fig* spătos, lat în spate; voinic, zdravăn

square dance ['skweə,da:ns] *s* cadril

squared circle ['skweəd,sə:kəl] *s* ring de box

squareface ['skweə,feis] *s sl* gin

square formation ['skweəfɔ:'meiʃən] *s mil* **1** dispozitiv de luptă pe două eșaloane **2** formație articulată pe două linii

square frame ['skweə,freim] *s nav* coastă dreaptă

squarehead ['skweə,hed] *s amer sl* **1** tâmpit; cap pătrat **2** *peior* imigrant scandinav, olandez *sau* german

square knot ['skweə,nɔt] *s nav amer* nod lat/de terțarolă

squarely ['skweəli] *adv v.* **square IV**

square measure ['skweə,meʒə'] *s* măsură de suprafață

squareness ['skweənis] *s* corectitudine; cinste

square off ['skweər'ɔ:f] *vi cu part adv sport* a lua poziția de atac *(la box)*

square rig ['skweə,rig] *s nav* greement pătrat

square-rigged ['skweə,rigd] *adj nav* cu greement pătrat

square root ['skweə,ru:t] *s mat* rădăcină pătrată

square up ['skweər'ʌp] *vi cu part adv ec* și *fig* a-și încheia socotelile; a-și plăti datoriile

square up to ['skweər'ʌptə] *vi cu part adv* și *prep* **1** a se pregăti să înfrunte *(un adversar)* **2** a aborda *(o problemă)*

squarish ['skweəriʃ] *adj* aproape pătrat; mai mult pătrat decât rotund

squash¹ [skwɔʃ] *s bot* dovlecel, bostănel *(Cucurbita pepo)*

squash² **I** *vt* **1** a zdrobi; a turti, a strivi; a comprima **2** *fig* a înăbuși, a reprima *(o răscoală)*; a zdrobi; a distruge, a nimici **3** *F* a închide gura *(cuiva)*; a pune la respect **II** *vi* **1** a fi turtit/strivit; a se turti **2** a se înghesui *(pe un singur scaun etc.)*; a se îndesa; a se împinge

III *s* **1** zdrobire; turtire, strivire; comprimare **2** înghesuială; îmbulzeală **3** pastă; terci **4** suc de fructe

squash hat ['skwɔʃ,hæt] *s* pălărie de fetru moale

squashiness ['skwɔʃinis] *s* **1** caracter moale *sau* flasc **2** caracter de pastă

squashy ['skwɔʃi] *adj* **1** moale; flasc **2** păstos **3** care se turteşte/se striveşte uşor

squat [skwɔt] **I** *vi* **1** a se aşeza pe vine; a se lipi de pământ **2** a se stabili ilegal pe un teren *sau* într-o casă/locuinţă **3** ← *F* a se aşeza, a lua loc; a şedea, a sta jos **II** *vr* a se ghemui, a se face mic **III** *adj* **1** strivit, turtit **2** ghemuit **3** *(d. cineva)* îndesat **IV** *s* **1** aşezare pe vine; ghemuire **2** stabilire ilegală pe un teren *sau* într-o casă/locuinţă

squatter ['skwɔtə'] *s* **1** persoană care stă pe vine *sau* ghemuit **2** intrus; băgăcios **3** persoană care se stabileşte ilegal pe un teren *sau* într-o casă/locuinţă

squatty ['skwɔti] *adj* scurt şi gras, bondoc; îndesat

squaw [skwɔ:] *s* **1** (femeie) indiană *(în America)* **2** *amer umor* babă *(şi ca soţie)*

squawk [skwɔ:k] *vi* **1** *(d. unele păsări)* a ţipa; a cârâi **2** *sl (d. cineva)* a ţipa, a zbiera; a protesta zgomotos

squaw man ['skwɔ:,mən] *s amer* bărbat alb căsătorit cu o indiancă

squeak [skwi:k] **I** *vi* **1** a ţipa; *(d. şoareci)* a chiţăi; *(d. câini)* a scheuna **2** *(d. o uşă etc.)* a scârţâi **3** *sl* a fi turnător/informator; a-şi trăda/denunţa tovarăşii **II** *vt* a rosti cu voce piţigăiată **III** *s* **1** ţipăt; cârâit **2** scârţâit **3** ← *F* scăpare; **to have a narrow/ near ~** a scăpa ca prin urechile acului

squeaky ['skwi:ki] *adj* **1** chiţăit; piţigăiat; strident **2** care scârţâie; scârţâit

squeal¹ [skwi:l] **I** *vi* a ţipa, a scoate un sunet strident/ascuţit: a schelălăi, a guiţa, a scânci *etc.* **II** *s* ţipăt; sunet strident/ascuţit: schelălăit; guiţat, scâncet *etc.*

squeal² *adj* slab, şubred, nerezistent

squeamish ['skwi:miʃ] *adj* **1** *(d. cineva)* care se scârbeşte uşor (de ceva); **to feel ~** a-i fi/a simţi greaţă **2** mofturos, pretenţios, gingaş la mâncare, lingav **3** ← *rar* dezgustător, scârbos, respingător

squeamishness ['skwi:miʃnis] *s* **1** greaţă; predispoziţie spre greaţă **2** nazuri, mofturi **3** sensibilitate excesivă

squeegee ['skwi:dʒi:] *s* **1** unealtă cu muchie de cauciuc *sau* piele *(pt spălat, măturat etc.)* **2** *fot* sul de cauciuc *(pt presarea fotografiilor)*

squeezability [,skwi:zə'biliti] *s* **1** compresibilitate **2** *fig* maleabilitate, flexibilitate

squeezable ['skwi:zəbəl] *adj* **1** comprimabil; compresibil; care se poate strânge/presa **2** *fig* maleabil, flexibil; îngăduitor

squeeze [skwi:z] **I** *vt* **1** a apăsa, a presa, a comprima, a strânge; **to ~ smb's hand** a strânge mâna cuiva **2** a stoarce *(o lămâie);* a tescui *(struguri);* a scoate, a stoarce *(sucul)* **3** *fig* a stoarce, a smulge, a obţine cu forţa *(bani, mărturii)* **4** *fig* a face presiuni asupra *(cuiva),* a sili, a constrânge **5** a strânge (în braţe), a îmbrăţişa călduros **6** a strecura, a furişa *(mâna, printr-o deschizătură etc.),* a vârî, a băga **7** a frământa *(aluatul)* **II** *vi* **1** *(d. o lămâie etc.)* a se stoarce *(uşor etc.)* **2** *(cu diverse prepoziţii şi particule adverbiale)* a-şi face loc *(prin, în etc.);* a răzbate *(prin, în etc.)* **III** *s* **1** strângere *(a mâinii etc.);* apăsare; comprimare; presiune **2** stoarcere, apăsare, presare **3** *fig* ← *F* stoarcere, smulgere *(de bani);* constrângere; şantaj **4** *fig* înghesuială; îmbulzeală **5** *F* greu, aman, strâmtoare, – dificultate, greutate **6** ← *F* îmbrăţişare **7** *min* tasare *(a terenului)*

squeezer ['skwi:zə'] *s* **1** storcător; exploatator **2** *tehn* presă de stors

squelch [skweltʃ] **I** *vt* a distruge, a nimici **II** *vi* a lipăi *(în noroi etc.)* **III** *s* **1** lovitură **2** lipăit

squib [skwib] **I** *s* **1** petardă; rachetă **2** *min* capsă; amorsă **3** *fig* satiră; pamflet **II** *vi* **1** a da drumul la petarde *sau* rachete **2** a exploda,

a detuna **3** *fig* a scrie satire *sau* pamflete **III** *vt* **1** a face să explodeze **2** *fig* a ataca prin satire *sau* pamflete

squid [skwid] *s zool* calmar *(Loligo sp.)*

squiff [skwif] *s sl* pilangiu, sugător, sugativă, – beţiv

squiffed [skwifd] *adj sl* afumat, aghezmuit, – beat

squiffy ['skwifi] *adj sl* un pic făcut, abţiguit, – ameţit

squiggle ['skwigəl] **I** *s* cârlionţ; buclă **II** *vt* **1** a scrie cu codiţe/floricele **2** *amer* a împodobi cu înflorituri, zorzoane *etc.* **III** *vi* a se răsuci

squill [skwil] *s bot* ceapă de mare *(Urginea maritima)*

squint [skwint] **I** *s* **1** *med* strabism; privire crucişă **2** *fig* tendinţă, înclinaţie; tendinţă perversă **3** ← *F* privire pe furiş/cu coada ochiului; privire, căutătură, ocheadă **II** *adj* **1** saşiu, cruciş **2** chiorâş, chiondorâş **3** care priveşte cu coada ochiului **4** înclinat, oblic **III** *vi* **1** *med* a avea strabism, a se uita saşiu/cruciş; *F →* a fi cu un ochi la făină şi cu altul la slănină **2** a se uita cu ochii întredeschişi/ jumătate închişi/furiş **3** *fig* a privi chiorâş/chiondorâş **4** (**from**) a devia, a se abate (de la) **IV** *vt* a ţine *(ochii)* pe jumătate închişi

squint-eye ['skwint,ai] *s* persoană saşie/cu privirea crucişă

squint-eyed ['skwint,aid] *adj v.* **squint II 1-3**

squint towards ['skwint tə'wɔ:dz] *vi cu prep* a înclina spre; a tinde spre; a avea simpatie pentru

squire ['skwaiə'] *s* **1** „squire", moşier, proprietar de pământ; boier de la ţară **2** judecător de pace **3** *od* scutier **4** însoţitor *(al unei doamne),* cavaler **5** *od* paj

squirearchy ['skwaiə,ra:ki] *s* **1** moşieri, latifundiari, boieri de la ţară **2** stăpânire/guvernare a moşierilor

squireen [skwai'ri:n] *s* mic proprietar de pământ; boiernaş

squireling ['skwaiəliŋ] *s v.* **squireen**

squirm [skwə:m] **I** *vi* **1** a se agita, a se vânzoli, a se suci **2** *fig* a se agita, a nu-şi găsi loc; a nu şti ce să facă; a se simţi jenat/încurcat **II** *s* **1** agitaţie, vânzoleală **2** *fig* agitaţie; freamăt; jenă squirmy ['skwə:mi] *adj* șerpuit; încolăcit; sinuos

squirrel ['skwirəl] *s zool* veveriță *(Sciurus sp.)*

squirt [skwə:t] **I** *vt* **1** a împroșca, a stropi; a spăla prin jet de lichid; a pulveriza **2** a uda **II** *vi (d. lichide)* a țâșni **III** *s* **1** țâșnitură, izbucnire; jet **2** seringă **3** *F* țafandache, filfizon, – înfumurat **4** *F* pântecarită, – diaree **5** ← *umor* doctor *sau* farmacist

squirt gun ['skwə:t‚gʌn] *s* pușcă cu apă *(jucărie de copii)*

sq. yd *presc de la* **square yard**

Sr. *presc de la* **1** Sir **2** Senior

Sri Lanka ['sri'læŋkə] *stat în Asia*

SS., ss. *presc de la* **1** Sancti *lat* – Saints **2** scillicet **3** sections

SS, s.s, S/S *presc de la* **steamship**

SSR, S.S.R. *presc de la* **Soviet Socialist Republic**

St. *presc de la* **1** Saint **2** Street **3** Strait

st. *presc de la* **1** statute *sau* statutes **2** stanza **3** stone *(ca unitate de măsură)*

Sta. *presc de la* **Station**

stab [stæb] **I** *vt* **1** a înjunghia, a străpunge; a răni *(cu un pumnal etc.);* to ~ smb in the back *și fig* a lovi/a ataca pe cineva pe la spate **2** a sacrifica, a înjunghia, a tăia *(vite)* **3** a vârî, a băga, a înfige *(cuțitul etc.)* **4** *tehn* a perfora, a străpunge **II** *vr* a se înjunghia; ~ yourself and pass the dagger *fig* bea și trece sticla mai departe **III** *vi* **1** a răni *sau* a înjunghia cu pumnalul *etc.* **2** *(d. durere)* a fi ascuțit *(ca o lovitură de pumnal)* **IV** *s* **1** lovitură *(de pumnal etc.)*, rană *(lăsată de pumnal etc.);* ~ in the back *și fig* lovitură/atac pe la spate **2** durere acută/ascuțită; junghi; săgetare **3** ← *F* încercare, tentativă

stab at ['stæb ət] *vi cu prep fig* a lovi în, a submina *(reputația cuiva)*

stabile ['steibail] *adj* stabil; fix; staționar

stability [stə'biliti] *s* **1** stabilitate, fixitate, trăinicie, rezistență; durabilitate; viabilitate **2** stator-nicie, constanță; stăruință **3** *tehn* siguranță de basculare **4** *constr* capacitate portantă *(a terenului)* **5** *ec* stabilitate **6** soliditate; tărie *(a caracterului)*

stabilization [‚steibilai'zeiʃən] *s* ↓ *ec* stabilizare, fixare

stabilize ['steibi‚laiz] *vt* **1** a stabiliza, a fixa; a consolida **2** *tehn* a egaliza **3** *nav* a stabiliza *(un vas)*

stabilizer ['steibi‚laizəʳ] *s* **1** *tehn, av* stabilizator **2** *min* coloană de stabilizare

stable¹ ['steibəl] *adj* **1** stabil, ferm; solid, rezistent; durabil, trainic; fix **2** *(d. cineva etc.)* hotărât, ferm; statornic, constant **3** *tehn* staționar; egal; stabil

stable² **I** *s* **1** grajd (de cai); staul (de vite) **2** cai (↓ *de curse*) din același grajd **II** *vt* a ține în grajd *sau* în staul

stable bar ['steibəl‚ba:ʳ] *s* stănoagă

stable boy ['steibəl‚boi] *s* ajutor de grăjdar; băiat la grajd

stable man ['steibəl‚mæn] *s* grăjdar

stableness ['steibəlnis] *s v.* **stability 1-2**

stabling ['steiblin] *s* **1** munca de grăjdar **2** grajd *sau* grajduri; staul *sau* staule

stably ['steibli] *adv* (într-un mod) stabil; ferm

staccato [stə'ka:tou] *adv, adj muz* staccato, sacadat

stack [stæk] **I** *s* **1** stog; căpiță; claie **2** grămadă *(de lemne etc.)*, morman **3** *mil* piramidă *(de arme)* **4** unitate de măsură pentru solide (= 4 yarzi³ = 3,05 m³) **5** *fig F* grămadă, mulțime; – noian; potop; șuvoi; **I have ~s of work** *F* am o grămadă de treabă; nu-mi văd capul de treabă **II** *vt* **1** a așeza în stog, căpiță *sau* claie; a stivui **2** *mil* a așeza *(armele)* în piramidă **3** a măslui *(cărțile)*

stack yard ['stæk‚ja:d] *s* curte *(de fermă)*, ogradă

staddle ['stædəl] *s* **1** partea de jos a stogului *sau* căpiței **2** suport; reazem; bază

stadia¹ ['steidiə] *pl de la* **stadium**

stadia² *s top* stadie

stadium ['steidiəm], *pl și* **stadia** ['steidiə] *s* **1** stadion; teren de sport **2** *od* stadie (= 202 yarzi = 192 m) **3** *med* stadiu *(al unei boli)*

Staël [stal], **Madame de** *scriitoare franceză (1766-1817)*

staff¹ [sta:f], *pl și* **staves** [steivz] *s* **1** băț; baston; toiag **2** *fig* toiag;

sprijin, ajutor, reazem **3** *pl* staves *muz* portativ **4** *tehn* riglă; miră de nivel

staff² *s* **1** personal; cadre; **to be on the ~** a face parte din personal; a fi încadrat; a fi unul dintre colaboratori **2** *mil* stat major **3** conducere *(a unei întreprinderi etc.);* **to be on the ~** a face parte din conducere

staff college ['sta:f‚kɔlidʒ] *s mil* școală superioară de război

staffing ['sta:fiŋ] *s* completare cu personal/cadre

staff officer ['sta:f‚ɔfisəʳ] *s mil* ofițer de stat major

staff of life ['sta:fəv'laif] *s* pâine, pâinea cea de toate zilele

Stafford(shire) ['stæfəd‚ʃiəʳ] *comitat în Anglia*

staff sergeant ['sta:f‚sa:dʒənt] *s mil* sergent de stat major

stag [stæg] **I** *s* **1** *zool* cerb; ren, caribu *etc.* mascul **2** *F* burlac, holtei, – celibatar **3** ↓ *amer* ← *F* bărbat care ia parte la o petrecere neînsoțit de soție *sau* prietenă **4** *amer* martor fals **5** *com* speculant *(la bursă)* **II** *vt* *sl* a urmări, a pândi, a spiona **III** *vi* **1** *com* a specula (la bursă) **2** a se duce la o petrecere *sau* la petreceri fără soție *sau* prietenă

stag beetle ['stæg‚bi:tl] *s ent* rădaș-că *(Lucanus damacervus)*

stage [steidʒ] **I** *s* **1** scenă; estradă; podium; platformă; tribună **2** *teatru* scenă **3 the ~** teatrul, arta dramatică **4** *fig* scenă; arenă; tărâm, câmp de activitate **5** *fig* etapă, fază, treaptă, stadiu **6** stație, oprire; haltă **7** odihnă *(la o scară);* pod **8** stagiu, perioadă **9** *od* poștalion, diligență **10** *poligr* piatră de frecare a cernelii **II** *vt* **1** *teatru* a pune în scenă; a monta, a juca **2** a plănui, a aranja, a pune la cale **III** *vi* **1** *od* a călători cu diligența/poștalionul **2** *teatru* a fi scenic, a se juca

stage box ['steidʒ‚bɔks] *s teatru* lojă de avanscenă, baignoire

stage coach ['steidʒ‚koutʃ] *s v.* **stage I 9**

stagecraft ['steidʒ‚kra:ft] *s teatru* măiestrie scenică; artă drama-tică; arta compoziției drama-tice

staged [steɪdʒd] *adj* 1 pus în scenă; jucat 2 *(d. un roman etc.)* dramatizat 3 înscenat; fals 4 treptat, în etape; planificat

stage direction ['steɪdʒ dɪ'rekʃən] *s teatru* indicaţie scenică

stage director ['steɪdʒ dɪ'rektər] *s teatru* director de scenă; regizor

stage door ['steɪdʒ,dɔːʳ] *s teatru* intrarea actorilor

stage effect ['steɪdʒɪ'fekt] *s teatru* efect scenic

stage fright ['steɪdʒ,fraɪt] *s teatru* trac

stage-manage ['steɪdʒ,mænɪdʒ] *vt* 1 *teatru* a pune în scenă; a monta 2 a organiza *(o nuntă etc.)*, a se ocupa cu organizarea *(cu gen)* (↓ *fără să se ştie public)*

stage manager ['steɪdʒ ,mænɪdʒəʳ] *s teatru* regizor (secund)

stage play ['steɪdʒ,pleɪ] *s teatru* 1 piesă; dramă 2 spectacol, reprezentaţie

stager ['steɪdʒəʳ] *s* 1 persoană *sau* animal cu experienţă 2 ← *înv* actor *sau* actriţă 3 *od* poştalion, diligenţă 4 cal de poştă

stage-struck ['steɪdʒ,strʌk] *adj* pasionat de teatru, care vrea neapărat să devină actor

stage whisper ['steɪdʒ,wɪspəʳ] *s teatru* aparteu

stagey ['steɪdʒɪ] *adj v.* **stagy**

staggard ['stægəd] *s* cerb de patru ani

stagger ['stægəʳ] I *vi* 1 a se clătina, a se bălăbăni, a nu fi sigur pe picioare; a merge clătinându-se 2 *fig* a şovăi, a ezita, a nu fi sigur; a nu şti ce să facă II *vt* 1 a clătina, a mişca 2 *fig* a descumpăni; a face să şovăie/ezite; a trezi îndoielile *(cuiva)* 3 *tehn* a aşeza/a amplasa în zigzag *sau* în trepte 4 a eşalona, a repartiza; a distribui III *s* 1 clătinare, clătinat; bălăbănire 2 *pl* ameţeală; leşin 3 *pl vet* capie *(a oilor)* 4 *tehn* amplasare/aşezare/dispunere în zigzag *sau* în trepte; grupare în şah 5 *av* decalaj *(al aripilor)*

staggering ['stægərɪŋ] *adj* aproape incredibil; uluitor; < cutremurător, zguduitor

staggeringly ['stægərɪŋlɪ] *adv* (în mod) uluitor; < zguduitor (de)

staginess ['steɪdʒɪnɪs] *s* teatralism; afectare; actorie

staging ['steɪdʒɪŋ] *s* 1 *teatru* punere în scenă; regie; regizare; dramatizare 2 *constr* schelă, schelărie, eşafodaj 3 *nav* debarcader 4 *min* pod de sondă

staging post ['steɪdʒɪŋ,poʊst] *s* 1 ↓ *av* escală 2 *mil* punct de etapă 3 *fig* etapă; jalon; punct

Stagirite, the ['steɪdʒɪ,raɪt, ðə] Stagiritul, Aristotel

stagnancy ['stægnənsɪ] *s* stagnare; nemişcare, inerţie

stagnant ['stægnənt] *adj* 1 stagnant, stătător 2 *fig* care stagnează; inert, adormit

stagnant water ['stægnənt,wɔːtəʳ] *s* apă stătătoare

stagnate ['stægneɪt] *vi* 1 a stagna 2 *fig* a stagna, a fi inert/inactiv

stagnation [stæg'neɪʃən] *s* 1 stagnare 2 *fig* stagnare, stare pe loc; nemişcare, inerţie

stagy ['steɪdʒɪ] *adj* 1 *teatru* scenic, de scenă; teatral, dramatic 2 *fig* teatral; artificial; făcut; nesincer

staid [steɪd] *adj* 1 neschimbat; fix; constant 2 aşezat, serios; cumpătat

stain [steɪn] I *s* 1 pată; murdărie; purcoi 2 *fig* pată, întinare; ruşine, ocară 3 *fig* pic, strop, puţin 4 *tehn* mordant; baiţ; decapant; vopsea; culoare; colorant II *vt* 1 a păta, a murdări, a mânji 2 *fig* a murdări, a păta, a mânji; a pângări 3 *tehn* a băiţui; a decapa; a vopsi; a colora 4 *poligr* a tipări în culori

stained [steɪnd] *adj* 1 pătat, murdărit 2 *fig* pătat; făcut de ocară; stigmatizat 3 *(d. hârtie etc.)* colorat 4 băiţuit

stained glass ['steɪnd,glɑːs] *s* sticlă colorată; vitraliu

stained paper ['steɪnd,peɪpəʳ] *s* hârtie marmorată

stainless ['steɪnlɪs] *adj* 1 curat, fără pete 2 *fig* curat, fără pată, neprihănit 3 *met* inoxidabil; anticoroziv

stair [steəʳ] *s* 1 treaptă *(de scară imobilă)* 2 *pl* scări, scară, trepte *(într-un bloc etc.)*

staircase ['steə,keɪs] *s* scară, casa scării

stairhead ['steə,hed] *s constr* podest

stairway ['steə,weɪ] *s v.* **staircase**

stair well ['steə,wel] *s* casa scării

stake [steɪk] I *s* 1 par; ţeapă; ţăruş; jalon; pichet; arac 2 stâlp; bulumac 3 pripon *(pt cai)* 4 rug 5 miză *(la joc)*; risc; rămăşag; interes, participare; **to be at ~** *fig* a fi în joc; a fi în pericol; **to place one's ~** *fig* a miza pe; **his honour is at ~** *fig* este în joc onoarea lui 6 ↓ *pl* premiu; recompensă *(la întreceri etc.)* II *vt* 1 a bate pari *sau* ţăruşi în; a îngrădi *sau* a jalona cu pari *sau* ţăruşi 2 a propti cu pari, araci *etc. (v. ~* I 1) 3 a priponi *(un cal etc.)* 4 a miza; a pune în joc; a risca 5 a trage în ţeapă

stake body ['steɪk,bɒdɪ] *s tehn* platformă cu stâlpi aplicaţi

stakeholder ['steɪk,hoʊldəʳ] *s* 1 depozitar *(la curse etc.)* 2 *jur* mandatar/împuternicit temporar

stakeout ['steɪk,aʊt] *s sl* punere sub supraveghere

stake out ['steɪk'aʊt] *vt cu part adv* 1 a formula, a avea *(pretenţii)* 2 *sl* a pune sub supraveghere

stake to ['steɪk tə] *vt cu prep amer* a cumpăra *cuiva ceva*; a trata cu; **his father promised to stake him to a car** tatăl lui i-a promis (să-i cumpere) o maşină

Stakhanovite [stæ'kænə,vaɪt] *s rus* stahanovist

stalactite ['stælək,taɪt] *s geol* stalactită

stalagmite ['stæləg,maɪt] *s geol* stalagmită

stale¹ [steɪl] I *adj* 1 *(d. pâine)* uscat, rece, vechi; rânced; *(d. bere)* trezit, răsuflat 2 *fig* vechi, trecut, răsuflat, învechit, perimat II *vt* a face să-şi piardă noutatea, prospeţimea, gustul *etc.* III *vi* a se învechi, a-şi pierde noutatea *sau* prospeţimea; a se strica, a se altera

stale² I *vi (d. cai, vite)* a urina II *s* urină *(de cai, vite)*

stale³ *s* coadă de greblă

stalemate ['steɪl,meɪt] I *s* 1 *şah* pat 2 *fig* impas; punct mort II *vt* 1 *şah* a da pat *(cuiva)*, a face pat *(pe cineva)* 2 *fig* a încolţi *(pe cineva)*; a aduce într-o situaţie fără ieşire

Stalin ['stɑːlɪn], **Joseph** conducător sovietic *(1879-1953)*

stalk¹ [stɔːk] *s* 1 *bot* tulpină, lujer 2 *bot* peţiol, coadă *(de frunză)*; peduncul *(de floare)* 3 toc, condei

stalk² I *vi* **1** a umbla/a păşi maiestuos *sau* mândru *sau* furios **2** *vânăt* a merge tiptil/încet; a vâna stând la pândă II *vt* **1** a vâna mergând tiptil *sau* stând la pândă **2** *fig* a se apropia de; a pândi, a urmări III *s* **1** mers maiestuos *sau* mândru/ţanţoş *sau* apăsat **2** *vânăt* mers tiptil

stalking horse ['stɔːkiŋ,hɔːs] *s* **1** cal după care se ascunde vânătorul **2** *fig* pretext, scuză

stalky ['stɔːki] *adj* **1** ca o tulpină, ca un lujer; lung; zvelt **2** *bot* cu tulpină, peţiol *sau* peduncul

stall¹ [stɔːl] I *s* **1** grajd; staul **2** despărţitură, boxă *(într-un grajd sau staul)* **3** dugheană, prăvălie, prăvălioară; tarabă, gheretă; stand **4** *bis* strană; jilţ **5** *teatru* stal, fotoliu de orchestră **6** apărătoare; degetar *(de cauciuc) etc.* **7** loc apărat/ferit; adăpost *(pt mineri etc.)* **8** *min* galerie de abataj **9** *tehn* oprire; stagnare; calare **10** *av* pierdere de viteză II *vt* **1** a vârî *sau* a ţine în grajd *sau* staul **2** a îngloda, a înnămoli, a vârî în noroi **3** *auto* a opri, a cala **4** a opri, a împiedica; a împiedica progresul *(cu gen)* III *vi* **1** a fi ţinut într-un grajd *sau* staul **2** a se îngloda, a se înnămoli **3** *auto* a se bloca, a se cala **4** *fig* a se opri, a fi împiedicat să progreseze

stall² I *s* **1** *amer sl* pretext, scuză **2** complice *(al unui hoţ)* II *vi* **1** *amer F* a răspunde în doi peri; — a se eschiva **2** *sport* a juca prost **3** *sport* a folosi tactica întârzierii/ tragerii de timp

stall-fed ['stɔːl,fed] I *ptc de la* **stall-feed 1** *adj (d. animale)* bine hrănit; îndopat

stall-feed ['stɔːl,fiːd], *pret şi ptc* **stall-fed** ['stɔːl,fed] *vt* **1** a hrăni (în grajd) **2** a hrăni, a pune pe îngrăşat *(animale);* a îndopa

stall holder ['stɔːl,houldə'] *s* **1** deţinător al unui loc de onoare *(în biserică etc.)* **2** *com* concesionar al unui chioşc *etc.*

stallion ['stæljən] *s* armăsar

stall off ['stɔːl'ɔːf] *vi cu part adv* a scăpa/a se debarasa de cineva **2** *sport* a-şi păstra avantajul

stall road ['stɔːl,roud] *s min* galerie de abataj

stalwart ['stɔːlwət] I *adj* **1** robust, voinic, solid, zdravăn **2** viteaz, brav, voinic **3** hotărât, ferm; neclintit II *s* **1** persoană robustă/ solidă **2** *pol* partizan ferm

stalwartly ['stɔːlwətli] *adv* cu vigoare/hotărâre

stamen ['steimən], *pl şi* **stamina** ['stæminə] *s bot* stamină

stamina ['stæminə] *s* **1** *pl de la* **stamen 2** vitalitate, putere; robusteţe; rezistenţă **3** *tehn* rezistenţă la oboseală

stammer ['stæmə'] I *vi* a se bâlbâi; a gângăvi II *vt* a bâlbâi; a gângăvi III *s* bâlbâială; gângăveală

stammerer ['stæmərə'] *s* bâlbâit; gângăvit

stamp [stæmp] I *vt* **1** a da/a lovi cu *(piciorul)*, a bate din *(picior)* **2** a călca în picioare *(iarba etc.);* a strivi sub picioare **3** (**on, upon**) a imprima, a marca (pe); a întipări; **to have one's initials ~ed on smth** a pune să i se graveze *etc.* iniţialele pe ceva **4** a bătători, a îndesa **5** *tehn* a etalona; a marca; a stampa **6** *met* a matriţa; a ştanţa **7** *min* a susţine/a sprijini cu popi **8** *min* a sfărâma, a zdrobi *(minereu)* **9** a bate *(monedă)* **10** a timbra, a franca; a ştampila **11** *fig* a caracteriza, a defini *(pe cineva);* a marca II *vi* **1** a bate din picioare **2** *ec* a plăti taxa de timbru **3** *tehn* a se întipări III *s* **1** ştampilă, pecete; sigiliu **2** *fig* pecete, urmă; amprentă **3** timbru, marcă **4** marcă *(a fabricii)* **5** marcă *(la aur etc.)* **6** etichetă **7** *fig* caracter, fel, gen, ordin; soi, teapă, calibru **8** *tehn* matriţă; ştanţă **9** *tehn* imprimare; amprentă; semn **10** *met* ştanţă, steamp

Stamp Act, the ['stæmp ,ækt, ðə] *s ist* „Legea timbrului" *(votată de parlamentul britanic în 1765)*

stamp album ['stæmp ,ælbəm] *s* album filatelic

stamp collector ['stæmp kə'lektə'] *s* filatelist, colecţionar de timbre

stamp duty ['stæmp,djuːti] *s fin* taxa de timbru

stampede [stæm'piːd] I *s* **1** fugă *(a animalelor);* streche *(a vitelor)* **2** panică **3** mişcare spontană a maselor II *vi* **1** *(d. animale)* a o lua la goană; a fi cuprinse de

spaimă; *(d. vite)* a fi cuprinse de streche **2** *(d. oameni)* a fi cuprinşi de panică, a-şi pierde capul; a fugi în debandadă/dezordine III *vt* **1** a pune pe fugă/goană *(animale)* **2** a stârni/a crea panică printre *sau* în rândul *(oamenilor)*

stamper ['stæmpə'] *s* **1** ştampilă, pecete **2** *met* matriţă de presat

stamping ground ['stæmpiŋ ,graund] *s amer← F* loc obişnuit *sau* favorit de întâlnire

stamp machine ['stæmp mə,ʃiːn] *s* **1** automat de/pentru timbre **2** *tehn* maşină de ştanţat

stamp out ['stæmp'aut] *vt cu part adv* **1** a stinge *(un foc)* **2** *fig* a distruge, a nimici; a dezrădăcina; a curma; a pune capăt *(unei epidemii etc.)*

stamp paper ['stæmp,peipə'] *s* hârtie timbrată

stance [stæns] *s* **1** poziţie *(a corpului)*, postură **2** *fig* atitudine, punct de vedere

stanch¹ [stɑːntʃ] *adj v.* **staunch**

stanch² I *vt* **1** a opri *(sângele)*, a opri curgerea *(sângelui)* **2** a obloji, a lega, a pansa II *vi (d. sânge)* a nu mai curge

stanchion ['stɑːnʃən] *s* **1** stâlp; proptea; pop; coloană de susţinere **2** *ferov* ţepuşă de vagon **3** *nav* baston de balustradă **4** *nav* montant de parapet

stand [stænd] I *pret şi ptc* **stood** [stuːd] *vi* **1** a sta (în picioare); a se ţine pe picioare; a sta/a se ţine drept; a rămâne în picioare; **she could hardly ~** de-abia se putea ţine/se ţinea pe picioare; **my hair stood on end** *fig* mi se făcuse părul măciucă **2** a sta pe loc, a nu merge mai departe, a se opri **3** *(d. un elev etc.)* a se scula/a se ridica în picioare **4** a sta, a afla, a fi situat; *(d. clădiri şi)* a se ridica, a se înălţa; a fi; **the castle ~s by the river** castelul e situat/ este/se află *etc.* lângă râu **5** a sta, a se opri; a se aşeza; a rămâne; **~ here** stai *sau* rămâi aici; **she was ~ing by the window** stătea/se aşezase *etc.* lângă/la fereastră **6** a rezista, a dura, a ţine, a se menţine; a se ţine tare/pe poziţie, a nu ceda; **how long did the fortress ~?**

cât (timp) a rezistat cetatea? **he stood firm** s-a ținut tare/ferm, nu a cedat **7** *(d. un contract etc.)* a fi valabil; a se menține **8** a sta *(de vorbă etc.)*; a fi *(într-o anumită stare sau situație)*; a se afla; a se găsi; **they stood talking** stăteau de vorbă; **to ~ in the genitive** a fi la genitiv; **how do we ~ in the matter of horses?** cum stăm în materie de cai? cum stăm cu caii? *(avem cai suficienți pentru expediție etc.)*; **to ~ open** a fi deschis; **to ~ sentry** a fi de santinelă; **to ~ (as) godfather to** a fi naș *(copilului)*; **tears stood in his eyes** avea lacrimi în ochi; **the thermometer ~s at** termometrul arată *(atâtea grade)*; **the wind ~s in the north** vântul e/ bate dinspre nord; **to ~ well with smb** a sta bine/a se afla în raporturi bune cu cineva; **to ~ in fear of** a-i fi frică/teamă de, a se teme de; **to ~ accused** a fi acuzat; a fi în situația de acuzat; **I have often stood his friend** i-am fost adeseori un prieten adevărat; **to ~ in need of** a avea nevoie de, a-i trebui ceva; **he ~s first on the list** e primul pe listă; **as the case ~s** după cum e cazul; **I don't know where I ~ a** nu știu unde sunt/mă aflu **b** nu știu în ce situație mă aflu/mă găsesc **9** a-și păstra/a-și menține valoarea/prețul **10** *nav* a merge, a se deplasa, a naviga **II** *(v. ~ I)* *vt* **1** a rezema, a sprijini; a așeza/a pune drept/în picioare/ vertical; **to ~ a ladder against a wall** a rezema o scară de un perete **2** a se opune, a se împotrivi, a rezista *(cu dat)*; a ține piept *(cu dat)*; a nu ceda în fața *(cu gen)* **3** a suporta, a răbda, a tolera, a suferi; a rezista la *(frig etc.)*; **I couldn't ~ her** n-o puteam suferi; o detestam **4** a fi supus la *(o probă etc.)* *(sau cu gen – unui examen etc.)* **5** *F* a face cinste *(cuiva)*; a plăti, a oferi *(o băutură etc.)* **6** a ține seama de, a cumpăni, a avea în vedere *(șansele etc.)* **III** *s* **1** oprire, popas; pauză; întrerupere; haltă; **to come to a ~** a se opri **2** ținută; poziție, postură **3** poziție, loc *(ocupat de cineva)* **4** *fig* poziție,

atitudine **his ~ is on strict interpretation of the law** rămâne/se menține la stricta interpretare a legii **5** opoziție, opunere, rezistență, împotrivire; **to make a ~ against** a se opune, a se împotrivi *cu dat* **6** suport; picior; soclu; postament; stativ; rastel, raft; etajeră; șevalet; cuier; trepied *etc.* **7** stație *(pt trăsuri etc.)*; (loc de) parcare **8** *com* (perioadă de) stagnare; sezon mort **9** stand *(pt mărfuri, la o expoziție etc.)*; tejghea; tarabă **10** *sport etc.* tribună; estradă; platformă **11** *muz* estradă **12** *agr* desime **13** *agr* recoltă *(pe o anumită porțiune)* **14** *silv* arboret **15** *nav* staționare *(a navei)*

stand against ['stændə,genst] *vi cu prep* a se împotrivi, a ține piept, a se opune *cu dat;* a fi împotriva *cu gen*

standage ['stændidʒ] *s min* colector de apă

standard ['stændəd] **I** *s* **1** stindard, steag, drapel; pavilion **2** standard, etalon; tip; normă **3** normă, model, măsură, regulă; îndreptar; criteriu **4** nivel *(de trai etc.)*; grad, calitate; **up to the ~** la nivelul dorit/cerut; la înălțime **5** titlu *(al aurului)* **6** piedestal; suport; consolă **II** *adj* **1** standard, etalon; normal, obișnuit **2** foarte bun, < excelent; (devenit) clasic; exemplar, model **3** *(d. limbi)* literar

standard bearer ['stændəd,bɛərəʳ] *s* **1** *mil* stegar, port-drapel **2** *fig* stegar; apărător

standard candle ['stændəd,kændəl] *s* lumânare zecimală

standard English ['stændəd,ingliʃ] *s* limba engleză literară

standardization [,stændədai'zeiʃən] *s* **1** standardizare **2** normare

standardize ['stændə,daiz] *vt* **1** a standardiza; a uniformiza; a tipiza **2** a norma

standard of living ['stændədəv'liviŋ] *s* nivel de trai

standard time ['stændəd,taim] *s* ora normală/legală

stand aside ['stændə'said] *vi cu part adv și fig* a se da în lături/la o parte

stand away ['stændə'wei] *vi cu part adv* **1** v. **stand aside 2** (**from**) a se depărta (de)

stand back ['stænd 'bæk] *vi cu part adv* **1** a se da/a se trage îndărăt/ înapoi **2** a sta în spate; a fi (situat) în spate **3** (**from**) a fi izolat/retras (de); a fi departe (de)

stand-by ['stænd,bai] **I** *s* susținător, sprijin(itor); om de încredere // **on ~** în expectativă/așteptare; gata să intervină **II** *adj atr* auxiliar; de rezervă

stand by I ['stænd 'bai] *vi cu part adv* **1** a fi alături; a se ține/a sta alături **2** a nu interveni; a fi un simplu spectator; a se abține **3** *fig* a fi alături; a fi de acord, a aproba **4** *tel* a sta/a rămâne la aparat; a fi atent; a fi gata **II** ['stænd bai] *vi cu prep* **1** *fig* a fi/a sta alături de *(cineva);* **if we ~ each other** dacă suntem uniți **2** a menține, a ține *(o promisiune etc.)*, a nu da înapoi de la; a rămâne la

standee [stæn'di:] *s amer* ← *F* spectator *sau* călător care stă în picioare

stander-by ['stændə,bai] *s* spectator, privitor, martor

standfast ['stænd,fa:st] *s* **1** persoană în care te poți încrede, om de nădejde **2** poziție fixă *sau* de repaus

stand for ['stænd fəʳ] *vi cu prep* **1** a înlocui *cu ac*, a sta/a fi în locul *cu gen* **2** a apăra, a susține, a sprijini *cu ac;* a fi pentru **3** a simboliza, a însemna *cu ac* **4** a candida la **5** *amer F* a înghiți, – a suporta, a răbda *cu ac*

stand-in ['stændin] *s cin* dublură

stand in ['stænd 'in] *vi cu part adv* **1** *cin* a fi dublura cuiva **2** *F* a face, – a costa; **how much does it stand you in?** cât te costă?

standing ['stændiŋ] **I** *adj* **1** (care stă) în picioare; așezat în picioare **2** nemișcat, fix, imobil; stabil **3** *fig* neclintit, neschimbat, invariabil **4** *agr* necules; nesecerat **5** *fig (d. un comitet etc.)* permanent **6** *(d. apă)* stătător **7** obișnuit, comun, uzual, cunoscut **II** *s* **1** ședere/stat în picioare **2** atitudine; poză **3** loc, poziție **4** stabilitate, fixitate; statornicie; lungă durată; **a custom of long ~** un obicei vechi **5** situație, rang, vază

standing army ['stændiŋ ,a:mi] *s mil* armată permanentă

standing backstay ['stændiŋ 'bæk,stei] *s nav* pataraţină

standing balance ['stændiŋ 'bæləns] *s fiz* echilibru stabil

standing block ['stændiŋ ,blɔk] *s nav* macara fixă

standing by ['stændiŋ ,bai] *s* timp de inactivitate

standing cropfield ['stændiŋ 'krɔp,fi:ld] *s agr* holdă

standing order ['stændiŋ 'ɔ:dəʳ] *s* 1 regulament 2 *pl* reguli procedurale *(în parlament)* 3 abonament *(la ziar etc.)* 4 *fin* ordin de plată fixă la intervale regulate *(din cont)*

standing rigging ['stændiŋ 'rigiŋ] *s nav* greement fix

standing room ['stændiŋ ,ru:m] *s* loc (de stat) în picioare

stand in with ['stænd 'in wið] *vi cu part adv şi prep* a fi alături de, a participa împreună cu

stand-off ['stændɔ:f] *s amer* 1 neparticipare 2 distanţă, depărtare

stand off ['stænd 'ɔ:f] *vi cu part adv* 1 *v.* **stand aside** 2 *v.* **stand away** 2

stand-offish [,stænd'ɔfiʃ] *adj* rezervat; rece, distant

stand-offishly [,stænd'ɔfiʃli] *adv* rece, cu răceală; pe un ton rezervat

stand-offishness [,stænd'ɔfiʃnis] *s* rezervă; răceală, distanţă

stand on I ['stænd ɔn] *vi cu prep* 1 a depinde de; a fi în funcţie de 2 a se prevala de 3 a se făli/a se lăuda cu 4 a ţine seama de; a respecta *(eticheta etc.)* 5 *sl* a se bizui/a conta pe 6 *v.* **stand upon** II ['stænd 'ɔn] *vi cu part adv nav* a-şi continua drumul

stand out ['stænd 'aut] *vi cu part adv* 1 a se desprinde, a se detaşa 2 a ieşi în afară, a se proiecta (în afară) 3 a se distinge clar/limpede 4 a ieşi în relief, a se reliefa, a se evidenţia 5 a nu ceda, a rezista; a se opune 6 **(for)** a lupta (pentru)

stand over I ['stænd 'ouvəʳ] *vi cu part adv* a aştepta, a rămâne în suspensie; a întârzia II ['stænd, ouvəʳ] *vi cu prep* a supraveghea *(pe cineva);* a veghea *(pe cineva);* a se îngriji de

standpoint ['stænd,pɔint] *s* punct de vedere

standstill ['stænd,stil] *s* 1 oprire; încetare 2 impas

stand to I ['stænd 'tu] *vi cu part adv* 1 *sport* a fi gata; ~! fiţi gata! 2 *mil* a fi gata (de luptă); ~! la arme! atenţiune! II ['stænd tə] *vi cu prep* 1 a menţine *cu ac;* a stărui, a persista în 2 a rămâne fidel/credincios *cu dat;* a-şi ţine *(cuvântul)* 3 *nav* a se îndrepta în direcţia *(nord etc.)/*spre

stand-up ['stændʌp] *adj atr* 1 drept, vertical 2 luat, mâncat, băut *etc.* în picioare 3 *(d. guler)* tare

stand up ['stænd'ʌp] *vi cu part adv* 1 a se scula (în picioare), a se ridica (în picioare) 2 a sta în picioare/drept

stand up against ['stændʌpə,genst] *vi cu part adv şi prep* a se ridica împotriva/contra *(cu gen);* a fi contra *(cu gen)*

stand upon ['stænd ə,pɔn] *vi cu prep* a se baza pe; a-şi cere *(drepturile etc.)*

stand up to ['stænd 'ʌp tə] *vi cu part adv şi prep* a înfrunta (cu curaj), a privi în faţă *cu ac*

stang ['stæŋ] *pret şi ptc înv de la* **sting I, II**

stanhope ['stænəp] *s* cabrioletă (↓ cu un singur loc)

stank [stæŋk] *pret de la* **stink I**

Stanley ['stænli] *nume masc*

stannary ['stænəri] *s* mină de cositor

stannate ['stæneit] *s ch* stanat

stannic ['stænik] *adj ch* stanic, de cositor

St. Anthony's fire [sənt 'æntəniz 'faiəʳ] *s med* erizipel

stanza ['stænzə] *s metr* strofă, stanţă

stanzaic ['stæn'zeik] *adj metr* strofic

staphylococcic [,stæfilou'kɔksik] *adj med* stafilococic

staphylococcus [,stæfilou'kɔkəs], *pl* **staphylococci** [,stæfilou'kɔksai] *s med* stafilococ

staple¹ ['steipəl] I *s* 1 cârlig; scoabă; belciug 2 capsă II *vt* 1 a fixa în scoabe 2 a capsa

staple² I *s* 1 *ec* produs principal *(al unei ţări etc.)* 2 *ec* marfă de serie; articol principal 3 *ec* materie primă 4 *text* fir, fibră *(de lână etc.)* 5 *fig* subiect principal, temă principală *(de discuţie etc.)* 6 *ec* magazie; antrepozit 7 *ec* centru comercial II *adj atr* 1 *ec* principal; de larg consum; de masă 2 *(d.*

un subiect etc.) principal, central

stapler ['steiplər] *s* capsator

star [sta:ʳ] I *s* 1 stea; astru; planetă; **to see ~s** *fig* a vedea stele verzi 2 *fig* stea, zodie; soartă; noroc; **to be born under a lucky ~** a se naşte într-o zodie norocoasă/cu stea în frunte 3 stea; decoraţie 4 *teatru etc.* stea, star, protagonist 5 *poligr* steluţă, asterisc 6 *mat* fascicul; stea II *vt* 1 a însemna cu asteriscuri 2 a împodobi cu stele 3 *teatru etc.* a prezenta ca pe o stea; a distribui ca „star"/protagonist III *vi* 1 a străluci (ca o stea) 2 *teatru etc.* a fi „star"/protagonist

star-blind ['sta:,blaind] *adj* pe jumătate orb

starboard ['sta:,bɔ:d] *nav* I *s* tribord II *vt* a vira la dreapta III *adv* la tribord

starch [sta:tʃ] I *s* 1 *ch* amidon 2 scrobeală 3 *fig* rigiditate, formalism, *F →* gomă II *vt* a scrobi

star chamber ['sta:,tʃeimbəʳ] *s* 1 tribunal secret *sau* arbitrar 2 judecată secretă *sau* arbitrară 3 pedeapsă divină 4 **the S~ C~** *od jur* Camera/Curtea înstelată *(tribunal suprem cu caracter secret, răspunzător numai în faţa regeluí Angliei – până în 1641)*

starched [sta:tʃt] *adj* 1 scrobit; apretat cu amidon 2 *fig* rigid, formal

starch sugar ['sta:tʃ ,ʃugəʳ] *s ch* dextroză

starchy ['sta:tʃi] *adj* 1 *ch cu* amidon, amilaceu 2 *v.* **starched**

star-crossed ['sta:,krɔst] *adj* născut sub o stea/într-o zodie nenorocoasă; nenorocos, nefericit

stardom ['sta:dəm] *s* 1 lumea stelelor; stele, aştri 2 *teatru etc.* stele

star dust ['sta: ,dʌst] *s astr* praf cosmic

stare [steəʳ] I *vi* 1 **(at)** a privi/a se uita fix/ţintă (la); a se uita/a privi cu ochii pierduţi (la); a privi/a se uita cu ochii mari/holbaţi, a se holba (la); a se zgâi (la); **to ~ after smb** a se uita fix/cu ochii pierduţi după cineva 2 a face ochii mari, a se mira, a fi cuprins de uimire, a se holba 3 a sări în ochi 4 *(d. păr)* a se zbârli, II *s* 1 privire fixă/aţintită *sau* încremenită 2 holbare, ochi mari, privire mirată

stare cat ['stɛə ˌkæt] *s amer sl* vecină curioasă

stare down ['stɛə 'daun] *vt cu part adv* a tulbura cu privirea *(pe cineva),* a întâlni privirea *(cuiva)* și a-l face să întoarcă capul

stare in ['stɛər in] *vi cu prep:* **to stare smb in the face a** a privi pe cineva (drept) în ochi **b** *(d. un obiect etc.)* a fi sub nasul cuiva; a sări în ochi **c** *(d. un pericol etc.)* a fi iminent; a amenința pe cineva

stare into ['stɛər ˌintə] *vt cu prep:* **to stare smb into silence** a face pe cineva să tacă privindu-l *(sever, fix)*

stare out ['stɛər 'aut] *vt cu part adv* a face să-și întoarcă privirile *(datorită privirii insistente)*

stare out of ['stɛər ˌautəv] *vt cu prep:* **to stare smb out of countenance** a zăpăci pe cineva cu privirea

starfish ['sta:ˌfiʃ] *s zool* stea de mare *(Asteroidea sp.)*

star flower ['sta:ˌflauəʳ] *s bot* balușcă *(Ornithogalum umbellatum)*

star gazer ['sta:ˌgeizəʳ] *s* **1** astrolog; cititor în stele **2** ← *umor* astronom

star gazing ['sta:ˌgeiziŋ] *s* **1** astrologie **2** *fig* (stare de) visare; absență

staring ['stɛəriŋ] **I** *adj* **1** *(d. ochi)* holbat; mirat **2** *(d. privire)* fix, ațintit **3** *(d. culori)* aprins; țipător **II** *adv* de-a binelea, total, complet, cu desăvârșire *(nebun etc.)*

stark [sta:k] **I** *adj* **1** rigid, țeapăn **2** clar/puternic reliefat *(pe un fond)* **3** dezolant; sterp **4** despuiat, (cu desăvârșire) gol **5** total, complet, desăvârșit; ~ **nonsense** curată prostie **6** *poetic* în putere, voinic, *înv* vladnic, – puternic **II** *adv v.* **staring II**

starkers ['sta:kəz] *adj sl* gol (pușcă)

starkly ['sta:kli] *adv* **1** hotărât, categoric; radical; brusc **2** *(mobilat etc.)* sărăcăcios **3** *v.* **staring II**

stark-naked ['sta:k'neikid] **I** *adj* în pielea goală, gol-goluț **II** *s* alcool *sau* gin nediluat

starless ['sta:lis] *adj* fără stele

starlet ['sta:lit] *s* **1** steluță **2** *cin* starletă

starlight ['sta:ˌlait] **I** *s* lumina stelelor **II** *adj* **1** înstelat **2** luminat de stele

starlike ['sta:ˌlaik] *adj* (ca) de stea; ca o stea; stelat

starling ['sta:liŋ] *s orn* graur *(Sturnus vulgaris)*

starlit ['sta:ˌlit] *adj v.* **starlight II**

starred [sta:d] *adj* **1** (presărat) cu stele; înstelat **2** împodobit cu stele **3** *teatru etc.* prezentat ca stea/„star"

starry ['sta:ri] *adj* **1** cu stele, înstelat **2** *astr* stelar, astral **3** stelat, în formă de stea **4** strălucitor, luminos

starry-eyed ['sta:ri,aid] *adj* visător, cu capul în nori; nepractic; de pe altă lume

Stars and Stripes, the ['sta:z ənd 'straips, ðə] *s* drapelul S.U.A.

star-spangled ['sta:ˌspæŋgld] *adj v.* **starred 1-2**

Star-Spangled Banner ['sta:ˌspæŋgld 'bænəʳ] *s* **1** imnul național al S.U.A. **2** *amer* drapelul de stat al S.U.A.

star-studded ['sta:ˌstʌdid] *adj* ← *F* cu multe stele (de cinema)

start [sta:t] **I** *vi* **1** a tresări, a tresălta; a sări în sus *(de spaimă etc.);* **he made me** ~ m-a speriat **2** *(cu part adv)* a se mișca brusc; a sări; a sălta; a se repezi, a se arunca; **to** ~ **forward** a sări în față; **to** ~ **forth** a se repezi afară **3** a porni, a pleca **4** a începe, a debuta; **to** ~ **again/ afresh** a o lua de la început/capăt **5** *tehn* a porni; a se pune în mișcare; *auto* a demara; *av* a decola **6** *sport* a porni, a lua startul **II** *vt* **1** a stârni *(păsări, vânat);* a zgorni *(vânat);* a izgoni; a speria **2** a desface; a destrăma; a dezlega; a slăbi *(o cusătură etc.)* **3** a începe *(masa, lucrul etc.);* a porni *(treaba etc.)* **4** a porni, a pune în mișcare *(un motor etc.)* **5** a lansa *(pe cineva);* a ajuta, a împinge **6** a înființa, a fonda, a întemeia *(o societate etc.)* **7** a da naștere la, a produce **8** *sport* a da startul *(cu gen)* **9** a ridica *(o problemă, o piedică etc.)* **III** *s* **1** tresărire, tresăltare; mișcare bruscă; săritură, salt; **to give smb a** ~ a speria pe cineva, a face pe cineva să tresară **2** început, debut; pornire; **to give smb a** ~ **in life** a ajuta cuiva să pornească (bine) în viață; **at the** ~ la început **3** *și tehn* pornire, plecare; *auto* demarare; *av* decolare **4** *sport* start; avans; avantaj **5** *sport* start, linie de plecare/pornire **6** ← *înv* izbucnire,

manifestare; scăpare *(a spiritului)*

starter ['sta:təʳ] *s* **1** persoană care pleacă/pornește; **I am an early** ~ pornesc devreme **2** început, debut; lansare; **for a** ~ pentru un început **3** născocitor, inventator *(de calomnii etc.)* **4** *sport* concurent la start; starter **5** *auto* demaror; starter; buton de pornire/ demarare **6** *tehn* dispozitiv de pornire **7** *pl* ← *F* primul fel (de mâncare) *(↓ supă, fructe, suc sau pește)* // **for ~s** ←ˈFˈ în primul rând; din capul locului

starter battery ['sta:tə 'bætəri] *s el* acumulator de pornire

starting coil ['sta:tiŋ ˌkɔil] *s auto* bobină de pornire

starting gate ['sta:tiŋ ˌgeit] *s sport* barieră de start

starting point ['sta:tiŋ ˌpɔint] *s tehn și fig* punct de plecare

starting post ['sta:tiŋ ˌpoust] *s* **1** stâlp/punct de plecare *(la cursele de cai)* **2** *fig* punct de plecare

startle ['sta:tl] **I** *vt* **1** a speria brusc, a face să tresară **2** a uimi, a surprinde; a lua prin surprindere **II** *vi* a tresări; a se înfiora **III** *s* tresărire *(de spaimă, uimire etc.);* spaimă; uimire

startler ['sta:tləʳ] *s* întâmplare *sau* declarație senzațională

startlingly ['sta:tliŋli] *adv* (în mod) surprinzător *etc. v.* **startling**

startling ['sta:tliŋ] *adj* **1** surprinzător; uimitor; neașteptat; < uluitor; senzațional **2** înspăimântător, înfiorător

starvation [sta:'veiʃən] *s* **1** foame, inaniție **2** foamete

starve [sta:v] **I** *vi* **1** a muri/a pieri de foame **2** a fi lihnit/a muri/a nu mai putea de foame **II** *vt* a înfometa; a lăsa să moară de foame

starve for ['sta:v fəʳ] *vi cu prep fig* a muri după; a muri de dorul *cu gen,* a nu mai putea după; a avea grozavă nevoie de

starve into ['sta:v ˌintə] *vt cu prep:* **to starve a garrison into surrender** a face (ca) o garnizoană să se predea prin înfometare

starveling ['sta:vliŋ] **I** *adj* **1** înfometat; slăbit de foame **2** sărac, sărman **3** inferior, de calitate proastă **4** puțin, insuficient **II** *s* **1** (om) flămând, lihnit, *F* mațe-goale **2** animal slab, pieritură

stash [stæ∫] *amer sl* **I** *vt* a ascunde, a tăinui *(bani)* **II** *s* ascunziș, tainiță

stasis ['steisis], *pl* **stases** ['steisi:z] *s med* stază

state [steit] **I** *s* **1** *pol* stat **2 the S~s** ← *F* Statele Unite **3 the S~s** *ist* Țările de Jos **4** stare, condiție; situație; **to be in a good ~ (of repair)** a fi în bună stare (de funcționare *etc.*); **what a ~ you are in!** în ce hal ești! **she's in a poor ~ of health** stă prost/nu stă bine cu sănătatea; **now don't get into a ~!** Fușurel! – nu te enerva! nu te supăra! ține-ți firea! **5** stare socială bună, vază, rang **6** pompă, ceremonie; fast; alai; măreție; **to lie in ~** *(d. corpul unui defunct)* a fi expus pe un catafalc de onoare **7** loc de onoare/cinste **8** structură; formă; constituție, caracter, natură, caracteristică, specific **II** *adj atr* **1** statal, de stat **2** de onoare **III** *vt* **1** a stabili, a fixa **2** a specifica, a formula **3** a afirma, a declara, a spune; a aminti, a menționa, a pomeni; **as has been ~d above** după cum s-a menționat/amintit mai sus **4** a constata **5** a expune *(cazul)* **6** a înștiința, a încunoștiința

state bank ['steit ,bæŋk] *s* bancă de stat

statecraft ['steit,krɑ:ft] *s* **1** arta guvernării **2** diplomație; politică

stated ['steitid] *adj* **1** stabilit, fix **2** regulat **3** declarat, fățiș, mărturisit **4** formulat, exprimat

State Department, the ['steit di'pɑ:-tmənt, ðə] *s* Departamentul de Stat *(ministerul de Externe al S.U.A.)*

statedly ['steitidli] *adv* permanent, tot timpul; regulat

State farm ['steit ,fɑ:m] *s* fermă/ gospodărie de stat; *(în fosta U.R.S.S.)* sovhoz

statehood ['steithud] *s* statalitate; suveranitate statală

State house ['steit ,haus] *s* sediul/ clădirea organului legislativ al unui stat *(în S.U.A.)*

stateless ['steitlis] *adj* **1** simplu; modest; lipsit de măreție **2** fără cetățenie; apatrid

statelessness ['steitlisnis] *s* condiția de apatrid

stateliness ['steitlinis] *s* **1** maiestate, măreție, caracter/aspect impunător **2** demnitate **3** strălucire **4** sublim

stately ['steitli] **I** *adj* **1** măreț, grandios, maiestuos, impunător **2** demn; falnic, mândru **3** sublim **II** *adv* demn, cu demnitate

stately house ['steitli ,haus] *s* casă-muzeu *(la țară)*

statement ['steitmənt] *s* **1** exprimare, formulare; specificare **2** afirmație, declarație; relatare; expunere, dare de seamă; **to make a ~** a face o declarație **3** *ec* extras de cont

state paper ['steit ,peipə'] *s* document oficial *sau* diplomatic

state room ['steit ,ru:m] *s* **1** sală de recepție; salon **2** *nav* cabină (de lux)

States, the ['steits, ðə] ← *F* Statele Unite

state's evidence ['steits 'evidəns] *s jur:* **to turn ~** a depune mărturie împotriva foștilor complici *(ca să scape de pedeapsă)*

States General, the ['steits ,dʒenrəl, ðə] *s pl ist* statele generale

stateside ['steit,said] *amer* ← *F* **I** *adj* american; privitor la Statele Unite; din S.U.A. **II** *adv* spre, în *sau* din S.U.A.

statesman ['steitsmən] *s* **1** om de stat **2** politician

statesmanlike ['steitsmən,laik] *adj* de om de stat

statesmanship ['steitsmən∫ip] *s v.* **statecraft**

state space ['steit ,speis] *s mat* mulțimea stărilor

static ['stætik] **I** *adj* static **II** *s* electricitate statică

statical ['stætikəl] *adj* static

statics ['stætiks] *s pl ca sg* **1** *fiz* statică **2** *tel* perturbații atmosferice; paraziți

station ['stei∫ən] **I** *s* **1** *tel* stați(un)e; post (de emisie) **2** stație, gară **3** *nav* port; gară maritimă **4** condiție, poziție socială; rang **5** post *(de poliție, de prim ajutor etc.)*; punct; loc; stație **6** atitudine, postură **7** nemișcare, imobilitate **8** *tehn* bază; centrală **9** *el* centrală electrică **II** *vt* **1** a așeza, a pune; a posta **III** *vr (cu compl circ de loc)* a se posta, a se instala

station agent ['stei∫ən ,eidʒənt] *s ferov* șef de gară

stationary ['stei∫ənəri] **I** *adj* **1** staționar **2** fix, imobil, nemișcat **II** *s pol* conservator

stationary regime ['stei∫ənəri rei'ʒi:m] *s tehn* regim permanent

station break ['stei∫ən ,breik] *s rad, telev* pauză pentru ca stațiile locale să-și anunțe numele

stationer ['stei∫ənə'] *s* papetar

stationer's (shop) ['stei∫ənəz (,∫op)] *s* papetărie *(magazin)*

stationery ['stei∫ənəri] *s* (articole de) papetărie

station house ['stei∫ən ,haus] *s amer* secție de poliție

station master ['stei∫ən ,mɑ:stə'] *s ferov* șef de gară

statism ['steitizəm] *s* **1** economie planificată/dirijată **2** ← *înv* politică

statist ['steitist] *s* **1** statistician **2** partizan al economiei planificate/ dirijate

statistic(al) [stə'tistik(əl)] *adj* statistic

statistically [stə'tistikəli] *adv* (din punct de vedere) statistic

statistician [,stæti'sti∫ən] *s* statistician

statistics [stə'tistiks] *s pl ca sg* statistică

statuary ['stætjuəri] **I** *adj* statuar, sculptural **II** *s* **1** statui **2** arta statuară, sculptură

statue ['stætju:] *s* statuie

statuesque [,stætju'esk] *adj v.* **statuary I**

statuette [,stætju'et] *s* statuetă

stature ['stæt∫ə'] *s* **1** statură, talie; boi **2** mărime, format **3** *fig* dimensiuni **4** *fig* calități

status ['steitəs] *s* **1** *jur* statut legal; apartenență; cetățenie **2** stare/ condiție socială **3** stare *(a lucrurilor)*, situație **4** situație; poziție *(a cuiva)*, loc

status quo ['steitəs'kwou] *s lat* status quo

statutable ['stætjutəbəl] *jur adj* statutar

statute ['stætju:t] *s* statut; lege; regulament

statute book ['stætju:t ,bu:k] *s jur* cod de legi

statute labour ['stætju:t ,leibə'] *s ist* clacă, robotă

statute law ['stætju:t ,lɔ:] *s jur* drept scris, jurisprudență

statute mile ['stætju:t ,mail] *s* milă englezească *(= 1609 m)*

statutory ['stætjutəri] *adj* statutar

staunch[1] [stɔ:nt∫] *adj (d. un prieten etc.)* de nădejde, loial, credincios; ferm, hotărât, neclintit, neșovăitor

staunch² *vt* a opri *(hemoragia, sângele)*

stave [steiv] **I** *s* **1** doagă *(de butoi)* **2** șipcă; stinghie **3** *muz* portativ **4** *metr* strofă, verset **II** *vt* **1** a desfunda *(un butoi)* **2** a pune doage la *(un butoi)*

stave in ['steiv 'in] **I** *vt cu part adv* a face o gaură în; a desfunda; a sparge, a strica **II** *vi cu part adv* a se desfunda, a se sparge, a se strica

stave off ['steiv 'ɔ:f] *vt cu part adv* **1** a preveni, a împiedica, a opri *(un dezastru etc.)* **2** a îngrădi, a restrânge; a întârzia, a amâna

stave rhyme ['steiv ‚raim] *s metr* aliterație

staves ['steivz] *pl de la* **staff¹**

stay¹ [stei] **I** *vi* **1** a sta, a rămâne; a continua; **the weather ~ed bad for another two days** vremea a continuat să fie/s-a menținut urâtă încă două zile; **~ where you are** rămâi acolo unde ești; **I can ~ only a few minutes** pot sta numai câteva minute; **to ~ in bed** a sta în pat; **won't you ~ for lunch?** nu vrei să rămâi la masă?; **to ~ put** a sta acolo unde e pus/așezat; **the fashion has come to ~** moda a prins definitiv; **are short dresses here to ~?** ← *F* o să rămână oare moda rochiilor scurte? **2** a sta, a locui, a domicilia **3** a sta (pe loc), a se opri, a face o întrerupere/o pauză; a aștepta **4** *F* a sta, – a rezista, a dura; **he doesn't ~ well** nu stă bine *(la puncte etc.)*; **the horse ~s five miles** calul rezistă cinci mile **5** ← *rar* a se odihni **II** *vt* **1** a opri; a înfrâna **2** a retrage *(mâna etc.)* **3** a opri, a împiedica *(cursul evenimentelor etc.)* **4** a reține; a preveni; a întârzia **5** *jur* a amâna, a păsui **6** a potoli, a astâmpăra *(foamea, setea)* **7** a aplana *(o ceartă)* **8** ← *înv* a aștepta **9** ← *elev* a-i întări *(încrederea etc.)* **III** *s* **1** ședere, rămânere; vizită *(într-un oraș etc.)* **2** piedică, obstacol; dificultate, greutate **3** prudență, băgare de seamă, precauție **4** *tehn* reazem; stâlp; suport; picior; montant **5** *fig* sprijin, ajutor **6** amânare, păsuire

stay¹ *s nav* strai

stay-at-home ['steiət'houm] *s F* cloșcar, – persoană care stă mereu acasă

stay away ['stei ə'wei] *vi cu part adv* **1** a nu veni, a absenta **2** a sta de o parte

stay block ['stei ‚blɔk] *s nav* bloc de ancoră

stayer ['steiəʳ] *s sport* concurent *sau* cal în stare să continue cursa până la capăt

stay in ['stei 'in] *vi cu part adv* a sta în/a nu ieși din casă

staying power ['steiiŋ 'pauəʳ] *s* rezistență; răbdare

stay-in strike ['steiin ‚straik] *s* greva brațelor încrucișate

stay on ['stei 'ɔn] *vi cu part adv* **(as)** a continua să funcționeze *(chiar după pensionare etc.)* (ca)

stay out ['stei 'aut] *vi cu part adv* a nu veni acasă *(din oraș etc.)*

stays [steiz] *s pl* corset

stay sail ['stei ‚seil] *s nav* velastrai

stay up ['stei 'ʌp] *vi cu part adv* a nu se mai culca, a sta până târziu

stay with ['stei wið] *vi cu prep amer* a mulțumi, a satisface; **this food does not ~ me** mâncarea asta nu mă satură

St. Bernard [snt 'bə:nəd] *s* **1** *numele a două trecători din Munții Alpi* **2** *zool* bernardin

STD *presc de la* **subscriber trunk dialling** *sistem prin care abonatul poate stabili singur legături telefonice de lungă distanță*

std. *presc de la* **standard**

stead [sted] **I** *s* **1** loc; **in smb's ~** în locul cuiva **2** folos; avantaj; ajutor; **to stand smb in good ~ a** a fi de mare folos/ajutor cuiva **b** a oferi un avantaj cuiva **II** *vt* a fi de folos *(cuiva)*; a ajuta

steadfast ['stedfəst] *adj* **1** stabil, ferm, fix, constant **2** durabil, trainic **3** *fig* neclintit, statornic; credincios

steadfastly ['stedfəstli] *adv* **1** cu fermitate **2** statornic

steadfastness ['stedfəstnis] *s* **1** stabilitate; fixitate; constanță; durabilitate **2** *fig* constanță, statornicie; credință

steadily ['stedili] *adv* **1** cu hotărâre/fermitate, fără ezitare **2** (în mod) constant

steadiness ['stedinis] *s* **1** stabilitate, fixitate **2** fermitate, hotărâre **3** constanță, statornicie

steady ['stedi] **I** *adj* **1** ferm, solid, tare; sigur; stabil; **he has a ~ hand** are o mână sigură; **on a ~ foundation** pe o temelie solidă; **to make ~** a stabiliza, a face stabil; a da stabilitate *(unei mese etc.);* **he is not very ~ on his legs** nu prea are siguranță/stabilitate în mers; nu se prea ține bine pe picioare **2** neîntrerupt, regulat, constant; stabil; **~ pulse** puls egal; **~ game** joc susținut **3** *fig* credincios, statornic **4** așezat, cuminte; serios; înțelept **II** *vt* **1** a consolida, a întări; a sprijini; a stabiliza, a face stabil; a da stabilitate *(cu dat)* **2** a potoli, a domoli; a calma, a liniști *(nervii)* **III** *vr* a-și ține echilibrul **IV** *vi* **1** a-și ține *sau* a-și menține echilibrul **2** a se mișca regulat **V** *s* **1** *tehn* lunetă **2** reazem, suport, proptea **3** *amer F* gagic *sau* gagică, – iubit *sau* iubită; logodnic *sau* logodnică **VI** *interj F* încet(ișor)! binișor!

steady on ['stedi 'ɔn] *interj v.* **steady VI**

steady state theory ['stedi ‚steit 'θiəri] *s* teoria expansiunii Universului datorită nașterii de noi atomi

steak [steik] *s* **1** bucată, felie *(de carne sau pește)* **2** biftec **3** costiță; antricot; cotlet

steal [sti:l] *pret* **stole** [stoul], *ptc* **stolen** ['stoulən] **I** *vt* **1** a fura, a sustrage, *F →* a sfeterisi, a șterpeli; a delapida; a răpi **2** *fig* a fura, a răpi, a cuceri, a câștiga *(inima etc.)* **3** *fig* a arunca (pe furiș); **to ~ a glance at smb** a trage cu ochiul la cineva **II** *vi* **1** a fura **2** *(↓ cu part adv)* a se furișa, a se strecura **III** *s* **1** *F* ciordeală, ciordit, *argotic* mangleală **2** ← *F* lucru furat *sau* cumpărat pe un preț de nimic; *F* chilipir **3** *amer sl* potlogărie, cotcărie, șarlatanie

steal away ['sti:l ə'wei] *vi cu part adv* a pleca pe furiș, *F* ← a o șterge

stealer ['sti:ləʳ] *s* hoț, tâlhar

stealth [stelθ] *s* **1** faptă ascunsă; procedeu secret; **by ~** în taină/secret/ascuns; pe ascuns; pe furiș **2** ← *înv* hoție, furt

stealthily ['stelθili] *adv* pe furiș, pe ascuns; în secret; tiptil

stealthy ['stelθi] *adj* ascuns, furiș, tainic, secret

steam [sti:m] **I** *s* **1** abur, vapori; **to let/to work off** ~ *F* a se răcori, a-și ușura năduful; **full** ~ **ahead** cu toată viteza înainte; **to get up** ~ *fig* a prinde viață; a se pune în mișcare; **under one's own** ~ prin propriile sale mijloace *sau* eforturi **2** forța/puterea aburului **3** ← *F* putere, vigoare; avânt, entuziasm **II** *vi* **1** a produce aburi **2** a se evapora **3** a face fum, a fumega; a aburi **4** *nav* a naviga cu aburi **III** *vt* a aburi; a expune la aburi; a trece prin etuvă

steam ahead/away ['sti:m ə'hed/ə'wei] *vi cu part adv* ← *F* a face mari progrese, a înainta cu pași mari

steamboat ['sti:m,bout] *s nav* navă cu abur; vapor

steam boiler ['sti:m ,boilə'] *s tehn* cazan cu abur; *nav* căldare marină

steam drive ['sti:m ,draiv] *s tehn* acționare cu abur

steam-driven ['sti:m,drivn] *adj tehn* acționat cu abur

steam engine ['sti:m ,endʒin] *s* **1** *tehn* mașină cu abur **2** *ferov* locomotivă

steamer ['sti:mə'] *s* **1** *nav* vapor **2** *text* aburitor **3** autoclavă

steam gauge ['sti:m ,geidʒ] *s* manometru

steam hammer ['sti:m ,hæmə'] *s tehn* ciocan cu abur

steaming ['sti:miŋ] **I** *s* **1** *tehn* aburire; dămfuire; antrenare cu vapori; spălare cu abur **2** *text* decatare **II** *adj* aburit; care aburește

steaming light ['sti:miŋ ,lait] *s nav* lumină de drum

steam iron ['sti:m ,aiən] *s* mașină de călcat cu aburi

steam jacket ['sti:m ,dʒækit] *s tehn* manta de abur

steam mill ['sti:m ,mil] *s* moară cu abur

steam pipe ['sti:m ,paip] *s tehn* țeavă cu abur

steam power ['sti:m ,pauə'] *s* energie de abur

steamship ['sti:mʃip] *s nav* vapor, navă cu abur

steamshop ['sti:m,ʃop] *s tehn* sala cazanelor

steam vessel ['sti:m ,vesəl] *s v.* **steamship**

steamy ['sti:mi] *adj* cu aburi, plin de aburi; aburit; aburind

stearic acid [sti,ærik ,æsid] *s ch* acid stearic

stearin ['stiərin] *s ch* stearină

steatite ['stiə,tait] *s minr* steatită

steed [sti:d] *s* **1** ↓ *poetic* fugar, – cal (de călărie); armăsar **2** ← *poetic* cal aprig; cal de luptă **3** *umor* gloabă, mârțoagă

steel [sti:l] **I** *s* **1** oțel **2** *fig* fier, sabie, spadă, paloș **3** amnar **II** *vt* **1** *met* a oțeli, a căli; a trata cu oțel **2** *fig* a căli, a oțeli; a împietri *(inima etc.)*

steel-clad ['sti:l ,klæd] *adj* blindat

steel concrete ['sti:l ,konkri:t] *s constr* beton armat

steel-hearted ['stil,hɑ:tid] *adj* cu inimă de piatră

steel-plated ['stil,pleitid] *adj* cuirasat, blindat

steel works ['sti:l ,wə:ks] *s pl și ca sg* oțelărie

steely ['sti:li] *adj* **1** *met* de oțel; călit, oțelit **2** *fig* de fier/oțel, tare; *(d. privire)* rece *(ca oțelul)*

steelyard ['sti:l,jɑ:d] *s* balanță romană

steep¹ [sti:p] **I** *adj* **1** abrupt, iute, râpos, prăpăstios **2** *fig F (d. prețuri)* sărat, piperat; – exagerat; extrem **II** *s* râpă; prăpastie

steep² *vt* **1** a înmuia; a cufunda, a afunda **2** a opări *(ceaiul)* **3** *fig* a scălda *(în lacrimi etc.)*; a cufunda *(în ignoranță etc.)*; a îneca

steepen ['sti:pən] **I** *vt* a face mai abrupt **II** *vi* a deveni mai abrupt

steeple ['sti:pəl] *s* **1** clopotniță **2** turlă

steeplechase ['sti:pəl,tʃeis] *s* alergare (hipică) cu obstacole

steepness ['sti:pnis] *s* **1** caracter abrupt/râpos **2** loc râpos

steer¹ [stiə'] **I** *vt* **1** *nav* a conduce, a pilota; a cârmi, a sta la cârma *(vasului)* **2** *av* a conduce, a pilota **3** *auto* a conduce, a fi la volanul *(mașinii)* **4** *tehn* a conduce; a pilota; a guverna **5** *fig* a conduce, a dirija; a îndruma **6** ← *F* a conduce, a duce *(pe cineva)*; a îndruma; a însoți **7** a urma *(o cale)* **II** *vi* **1** a conduce, a fi pilot, conducător auto, cârmaci *etc.* **2** *nav* a devia, a se abate // **to** ~ **clear of** *fig* a evita, a ocoli *(o conversație neplăcută etc.)* **III** *s amer sl* mită

steer² *s* boulean, bou tânăr, juncan; tăuraș

steerage ['stiəridʒ] *s* **1** conducere, pilotare, ghidare **2** *fig* conducere, dirijare, guvernare **3** direcție, curs, mers; cale; drum **4** *nav* clasa a treia *sau* a patra *(în comun)* **5** *nav* guvernare

steerer ['stiərə'] *s* **1** *nav* timonier, pilot, cârmaci **2** vas *sau* avion care ascultă de pilot

steering committee ['stiəriŋ kə'miti] *s pol* comisie care stabilește ordinea de zi; comitet de organizare

steering-gear ['stiəriŋ,giə'] *s* **1** *auto* direcție, comanda direcției **2** *tehn auto* mecanism de conducere/direcție **3** *nav* instalație de guvernare

steering light ['stiəriŋ ,lait] *s nav* lumină de guvernare

steering oar ['stiəriŋ,ɔ:'] *s nav* ramă-cârmă

steering station ['stiəriŋ ,steiʃən] *s nav* post de guvernare/cârmă

steering wheel ['stiəriŋ ,wi:l] *s* **1** *auto* volan (de direcție) **2** *nav* timonă, cârmă

steersman ['stiəzmən] *s nav* pilot, cârmaci, timonier

steeve [sti:v] *vi nav* a avea o înclinație prea mare

stegosaurus [,stegə'sɔ:rəs], *pl* **stegosauri** [,stegə'sɔ:rai] *s geol* stegozaur

Steinbeck ['stainbek], **John Ernst** *scriitor american (1902-1968)*

stele ['sti:li] *s arhit* stelă

Stella ['stelə] *nume fem* Stela *v.* **Estella**

stellar ['stelə'] *adj* **1** *astr* stelar; astral **2** stelat, în formă de stea **3** înstelat, plin de stele **4** *fig* de frunte, principal

stellate ['stelit] *adj* stelat; radial

St. Elmo's fire [snt'elmouz 'faiə'] *s* focul Sf. Elmo, flăcărui

stem¹ [stem] **I** *s* **1** *bot* trunchi; tulpină; lujer; coadă, peduncul **2** *lingv* tulpină **3** picior *(de pahar, lampă etc.)*; suport **4** *pl F* papainoage, catalige, – picioare **5** *tehn* tijă; prăjină; coadă **6** *poligr* linie de bază *(a literei)* **7** *fig* fel, gen; neam; gen **8** *fig* linie de descendență; ramură; trunchi; **II** *vt* a îndepărta tulpinile *(cu gen)*

stem² *vt* **1** a stăvili, a îndigui **2** *fig* a împiedica, a stăvili, a opri, a zăgăzui **3** a astupa *(o crăpătură etc.)*

stem[3] **I** s nav **1** etravă **2** rând (de operare) **3** stem, confirmare **II** vt **1** nav a lovi cu prova **2** fig a lupta împotriva (curentului etc.) **III** vi fig a lupta împotriva curentului

stemlet ['stemlit] s bot tulpiniță

stemmed [stemd] adj cu tulpină; **long- ~** cu tulpină lungă

stench [stentʃ] s miros greu/urât, duhoare, putoare

stencil ['stensəl] **I** s **1** șablon, tipar, model **2** matriță (pt mașina de scris) **II** vt tehn a matrița

Stendhal [ste'dal] scriitor francez (1783-1842)

stenograph ['stenə,græf] **I** vi a stenografia **II** s **1** stenogramă **2** mașină de stenografiat

stenographer [stə'nɔgrəfəʳ] s stenograf

stenographic(al) [,stenə'græfik(əl)] adj stenografic

stenographically [,stenə'græfikəli] adv stenografic

stenographist [ste'nɔgrəfist] s stenograf

stenography [ste'nɔgrəfi] s stenografie

stenosis [sti'nousis] s med stenoză

stentor ['stentɔːʳ] s stentor

stentorian [sten'tɔːriən] adj de stentor, stentorian; tunător

step [step] **I** s **1** pas; **~ by ~** pas cu pas, treptat, încet-încet; **in ~** în pas; **out of ~** în contratimp; neregulat; **to turn one's ~s to** a-și îndrepta pașii spre; **to keep ~ with** fig a ține pasul cu, a fi în pas cu **2** distanță, cale, drum; **it is a good ~** ← F o bucată bună de drum/mers; **the house is but a few ~s away** casa e doar la câțiva pași mai departe **3** pas (de dans) **4** (urmă de) pas, urmă; **to tread in the ~s of** a călca pe urmele cu gen **5** fig pas, măsură; demers; **to take ~s** a lua măsuri **6** fig pas, acțiune, act, mișcare; **false ~** pas greșit **7** treaptă (de scară); prag; pl scară, scări **8** tehn pas; treaptă; prag; etaj; graden **9** fig treaptă, grad; rang **10** el sincronism **11** nav talpă de catarg **12** mil pas, cadență; **out of ~** fără cadență **II** vt **1** a face (un pas) **2** a dansa (un cadril etc.) **3** a călca cu (piciorul) **4** a măsura cu pasul **5** a face trepte în, a construi trepte pe **6** nav a

fixa, a înfige (catargul) **III** vi **1** a păși, a călca // **to ~ on it** F a-i da bătaie, – a merge mai repede; **to ~ out of line** a se abate de la normă; a păși alăturea cu drumul **2** a merge; a veni sau a se duce; a se plimba

step aside ['step ə'said] vi cu part adv a se da la o parte, a se retrage (din alegeri etc.)

step bearing ['step ,bɛəriŋ] s tehn lagăr axial

step brother ['step ,brʌðəʳ] s frate vitreg

stepchild ['step,tʃaild] s copil vitreg

step dance ['step ,daːns] s step (dans)

step daughter ['step ,dɔːtəʳ] s fiică vitregă

step-down ['step,daun] adj tehn coborâtor; reductor; de reducție

step down ['step 'daun] **I** vt cu part adv a reduce, a micșora treptat **II** vi cu part adv (from) a-și da demisia (dintr-un post) a abdica (de la) **2** v. **step aside**

step father ['step ,faːðəʳ] s tată vitreg

Stephana ['stefənə] nume fem Ștefania

Stephanie ['stefəni(ː)] nume fem v. **Stephana**

Stephen ['stiːvən] nume masc Ștefan

Stephenson ['stiːvənsən], **George** inginer englez (1781-1848)

step in ['step 'in] vi cu part adv **1** a intra (↓ într-o casă) **2** a interveni (într-o discuție etc.)

step it ['step it] vt cu pr ← F a dansa

step ladder ['step ,lædəʳ] s scară mobilă

step mother ['step ,mʌðəʳ] s mamă vitregă

step on it ['step'ɔnit] vi cu prep și pr F a mări compasul, – a se grăji, a merge mai repede; a-i da bic e/ gaze

step out ['step 'aut] vi cu part adv **1** a ieși, a pleca (↓ pt scurt timp) **2** a pleca pentru mai mult timp; a se duce la o întâlnire **3** a începe să meargă repede, a grăbi pasul ∠ a lua parte activă la viața socială

step parent ['step ,pɛərənt] s părinte vitreg

steppe [step] s stepă

stepper ['stepəʳ] s **1** persoană care merge/pășește, rar → mergător **2** dansator **3** cal, fugar, bidiviu **4** pl F catalige, țurloaie, – picioare

stepping ['stepiŋ] s pășit, mers

stepping magnet ['stepiŋ ,mægnit] s el comutator în trepte

step sister ['step ,sistəʳ] s soră vitregă

stepson ['step,sʌn] s fiu vitreg

step-up ['step,ʌp] adj atr tehn **1** în trepte **2** multiplicator

step up ['step ,ʌp] **I** vt cu part adv **1** a ridica, a spori, a mări (producția etc.); a intensifica **2** el a ridica tensiunea (cu gen) **II** vi cu part adv **1** a înainta; a progresa, a face progrese **2** a se apropia de **3** a spori, a crește, a se mări

stepwise ['step,waiz] adv **1** în formă de trepte **2** fig pas cu pas, treptat

-ster suf peior sau arătând agentul: **dabster** cârpaci, zugrav, pictor prost; **rhymester** versificator

stere [stiəʳ] s ster, metru cub

stereo- pref stereo-: **stereotype** adj stereotip(ic)

stereo ['steriou] **I** adj v. **stereophonic II** s v. **stereo set**

stereometry [,steri'ɔmitri] s stereometrie

stereophonic [,steriə'fɔnik] adj stereofonic

stereoscope ['steriə,skoup] s stereoscop

stereoscopic [,steriə'skɔpik] adj **1** opt stereoscopic **2** tel stereofonic

stereo set ['steriou,set] s aparat stereo(fonic)

stereotype ['steriə,taip] **I** s **1** stereotipie **2** poligr placă de stereotipie, clișeu **3** fig clișeu; tipar **II** adj stereotip(ic) **III** vt **1** poligr a stereotipa **2** fig a folosi clișee pentru; a stabili, a fixa

stereotyped ['steriə,taipt] adj **1** poligr stereotipat, reprodus prin stereotipie **2** fig stereotip, șablon

stereotyper ['steriə,taipəʳ] s poligr stereotipist

stereotypy ['steriə,taipi] s poligr stereotipie

sterile ['sterail] adj **1** steril, sterp, neproductiv, arid **2** sterilizat **3** fig steril, neproductiv; sărac (în idei etc.); gol; plat; searbăd

sterile mass ['sterail ,mæs] s min rocă mamă sterilă

sterility [ste'riliti] s **1** sterilitate, neproductivitate, ariditate **2** fig sterilitate; sărăcie (în idei etc.); goliciune; platitudine

sterilization [ˌsterilaiˈzeiʃən] *s* sterilizare

sterilize [ˈsteriˌlaiz] *vt* a steriliza

sterlet [ˈstəːlit] *s iht* cegă *(Acipenser ruthenus)*

sterling [ˈstəːliŋ] **I** *adj* **1** ← *od (d. argint)* veritabil, bun *(= 9,25 puritate)* **2** *(d. moneda engleză)* veritabil, bun; standard, just; **10 pounds ~** zece lire sterline **3** *fig* veritabil; de bună calitate; < excelent **II** *s* valută engleză, bani englezești

stern¹ [stəːn] *adj* **1** aspru, sever, neînduplecat; rigid; riguros; serios **2** încruntat; sumbru **3** *(d. valuri)* năvalnic, furios

stern² *s nav* pupa

stern bench [ˈstəːn ˌbentʃ] *s nav* banchetă

Sterne [stəːn], **Laurence** *romancier englez (1713-1768)*

stern frame [ˈstəːn ˌfreim] *s nav* etambou

sternly [ˈstəːnli] *adv* cu asprime/ severitate

sternmost [ˈstəːnˌmoust] *adj* **1** *nav* cel mai apropiat de pupă **2** *fig* cel mai din urmă/spate

sternness [ˈstəːnnis] *s* asprime, severitate

sternpost [ˈstəːnˌpoust] *s nav* etambou

sternum [ˈstəːnəm], *pl* și **sterna** [ˈstəːnə] *s anat* stern

sternutation [ˌstəːnjuˈteiʃən] *s med* strănut(at)

sternway [ˈstəːnˌwei] *s nav* viteză înapoi

stertor [ˈstəːtə] *s med* sforăit; respirație grea *(în timpul unei boli)*

stertorous [ˈstəːtərəs] *adj med* stertoros, răgușit, greu

stet [stet] **I** *interj poligr* lasă așa (cum era)! e bine cum a fost; nu ține cont de corectură! **II** *vt poligr* a cere zețarului să tipărească *(cuvântul, textul)* așa cum a fost inițial *(fără să ia în seamă corectura)*

stethoscope [ˈsteθəˌskoup] *s med* stetoscop

stevedore [ˈstiːviˌdɔː] *s* docher, hamal din port; stivator

Stevenson [ˈstiːvənsən], **Robert Louis** *scriitor englez (1850-1894)*

stew¹ [stjuː] **I** *vt* **1** a fierbe *sau* a frige *sau* a găti înăbușit; a stufa **2** a face un compot de *(fructe)* **II** *vi* **1** a fierbe înăbușit; a se frige înăbușit; **let him ~ in his own grease/juice** *fig* lasă-l să fiarbă în propria lui zeamă **2** *fig* a se pârpăli, a se părpăli, a se încălzi **III** *s* **1** mâncare înăbușită; tocană **2** ↓ *pl* bordel, casă de toleranță **3** *F* zăpăceală; – neliniște; agitație, freamăt **4** ← *înv* târfă, prostituată // **to be in a (fine) ~** *fig* a fierbe, a fi ca pe ace/ghimpi, a-l trece nădușelile

stew² *s* eleșteu *sau* bazin *(pt pești sau stridii)*

steward [ˈstjuəd] *s* **1** administrator *(de moșie etc.)*, intendent **2** girant; econom *(al unui colegiu etc.)* **3** inspector, supraveghetor **4** organizator *(al unui spectacol etc.)* **5** maestru de ceremonii **6** steward; ospătar *(pe un vas etc.)* **7** reprezentant sindical

stewardess [ˈstjuədis] *s* **1** stewardesă; ospătară *(pe un vas etc.)* **2** fată de serviciu; servantă **3** menajeră **4** damă de companie

stewardship [ˈstjuədˌʃip] *s* funcție de steward *etc. (v. steward)*

stew pan/pot [ˈstjuː ˌpæn/pot] *s* cratiță

St. George's Channel [snt ˈdʒɔː-dʒizˈtʃænəl] *strâmtoare între Irlanda și Țara Galilor* Canalul Sf. George

stibium [ˈstibiəm] *s* stibiu, antimoniu

stich [stik] *s metr* vers, stih; verset

stichomythia [ˌstikouˈmiθiə], **stichomythy** [stiˈkomiθi] *s metr* stichomitie, succesiune de replici formate din câte un singur vers *(procedeu senecan)*

stick [stik] **I** *pret și ptc* **stuck** [stʌk] *vt* **1** a înfige, a implânta; a vârî, a băga *(ceva ascuțit)* **2** a împunge, a înțepa **3** a tăia, a înjunghia, a sacrifica *(animale)* **4** a lipi, a încleia; a fixa; a aplica; **to ~ bills** a lipi afișe **5** ← *F* a așeza, a pune; a plasa; **to ~ one's eyes on/upon** a-și fixa ochii/privirea asupra *(cu gen)* **6** a rezista la; a suporta, a îndura, a suferi **7** a bate, a învinge *(la cărți)* **II** *(v. ~ I)* *vi* **1** a se lipi; a adera; a se prinde, a se agăța; a se ține; **the envelope won't ~** plicul nu se lipește/ nu vrea să se lipească; **to ~ like a bur(r)** a se ține scai; **to ~ on a horse** a se ține bine pe cal **2** a sta, a rămâne *(acasă etc.)*; a se ține împreună; a ține unii cu alții **3** a rămâne pe loc *sau* în drum; a se împiedica *(d. ușă etc.)*, a se înțepeni; a se bloca; **to ~ in the mud** a se înfunda în noroi **4** a se încurca, a se zăpăci; a rămâne nedumerit/încurcat **5** a stărui, a persevera, a fi perseverent **6** *(cu diverse part adv)* a ieși, a se proiecta *(în afară etc.)* **III** *s* **1** băț; bețigaș, vargă, vergea; ramură; par; lemn; bâtă; baston; toiag; **to be at ~ and lift** *fig* a trăi de la mână până la gură/de azi pe mâine; **to fall from the ~s** *F* a da ortul popii, – a muri; **to swear a good ~** *F* a înjura vârtos/de mama focului **2** baton *(de ciocolată)* **3** *muz* arcuș **4** *muz* baghetă *(a dirijorului)* **5** *muz* bețișor de tobă, baghetă **6** *nav* ← *F* catarg **7** *pl* catrafuse, lucruri **8** lovitură; împunsătură; ghiont **9** lipire, aderare; încleiere **10** înfundare, oprire **11** *F aman,* – greu, strâmtoare **12** *F* bou, idiot, tâmpit **13** *F* pacoste, belea, – om plictisitor **14** *tehn* bară; stâlp **15** *av* manță **16** *poligr* reglet, culegar **17** *sport* poartă *(la crichet)* **18** *pl* provincie

stick around [ˈstik əˈraund] *vi cu part adv* ← *F* a nu se depărta *(de un loc)*, a sta pe aproape/prin preajmă

stick at [ˈstikət] *vi cu prep* **1** a se opri la; a ezita/a șovăi în legătură cu **2** a stărui/a persevera în

stick-at-nothing [ˈstikətˈnʌθiŋ] *adj atr* **1** care nu ține seama de nimic, fără scrupule **2** neînfricat, curajos

stick between [ˈstik biˌtwiːn] *vi cu prep* a oscila/a șovăi între

stick by [ˈstik ˈbai] *vi cu part adv* ← *F* a nu renunța la, a se ține de; a menține *cu ac*

sticker [ˈstikə] *s* **1** măcelar **2** cuțit de măcelar *sau* vânătoare **3** *fig* remarcă/observație tăioasă **4** *amer* etichetă; marcă **5** om perseverent/stăruitor **6** *F* cloșcar, – cazanier **7** *ch* adeziv

stick in [ˈstik in] *vi cu prep* a stărui/ a persevera în

sticking piece [ˈstikiŋ ˈpiːs] *s gastr* mușchi de la ceafă

sticking plaster [ˈstikiŋ ˈplaːstə] *s med* leucoplast

stick-in-the-mud ['stikinðə'mʌd] *s* **1** adormit; bleg, nătâng; lasă-mă-să-te-las **2** om cu vederi învechite; ultraconservator **3 S~** *F* cutărică, – cutare; **Mr. S~** domnul cum îi zice

stick-jaw ['stik,dʒɔ:] *s* caramea moale

stickle ['stikəl] *vi* **1** a se opune *sau* a obiecta *sau* a se certa cu înverșunare *(↓ pt fleacuri)* **2** a avea scrupule; a ezita; a șovăi

stickler ['stiklər] *s* **1** cârcotaș, cârciobar; pedant; formalist; maniac **2** problemă/chestiune dificilă *sau* încurcată

stickness ['stiknis] *s* vâscozitate; adezivitate

stick oneself above ['stik wʌn'self ə,bʌv] *vr cu prep fig* a se ridica deasupra *(altora)*

stick oneself up ['stik wʌn,self ʌp] *vr cu part adv F* a face pe grozavul/nebunul, a se grozăvi

stick out ['stik'aut] *vi cu part adv* **1** a ieși/a se proiecta în afară; a se bomba; a se bolti **2** *F* a mirosi, – a da de bănuit, a fi suspect **3** ← *F* a sta până la capăt; a răbda, a îndura **4** ← *F* a face grevă

stick out for ['stik 'aut fər] *vi cu part adv și prep* a insista/a stărui pentru; a cere, a pretinde *(o leafă mai mare etc.)*

stick pin ['stik ,pin] *s* ac de cravată

stickseed ['stik,si:d] *s bot* lipici *(Echinospermum Lappula)*

stick to ['stik tə] *vi cu prep* a se ține de; a nu se lăsa de; a menține *cu ac;* **to ~ the point** a rămâne la subiect; a nu pierde firul; a nu pierde din vedere ideea fundamentală/esențialul

stick-to-it-iveness ['stik'tu:it,ivnis] *s amer* ← *F* încăpățânare, stăruință, perseverență

stick up ['stik'ʌp] *vi cu part adv* a se ridica, a se înălța; *(d. păr)* a se zbârli

stick up for ['stik'ʌp fər] *vi cu part adv și prep* ← *F* a se ridica în apărarea *cu gen,* a apăra, a susține *cu ac*

stick up to ['stik'ʌp tə] *vi cu part adv și prep* a se ridica împotriva *cu gen,* a se opune, a rezista *cu dat*

stick with ['stik wið] *vi cu prep* a rămâne credincios/loial *cuiva,* a nu trăda *pe cineva*

sticky ['stiki] *adj* **1** cleios, lipicios; adeziv; vâscos **2** *(d. vreme)* umed; cețos

sticky about ['stikiə,baut] *adj cu prep* puțin binevoitor/dispus să *(facă ceva);* șovăitor în ceea ce privește

stiff [stif] **I** *adj* **1** țeapăn, rigid, tare, bățos; înțepenit; întărit, fixat; *(d. o perie etc.)* aspru; **a ~ collar** un guler tare; **he felt ~ after so much walk** își simțea picioarele amorțite/înțepenite după atâta umblet **2** tare, solid, compact; dens; gros; consistent **3** dificil, greu, anevoios; **a ~ examination** un examen greu/dificil **4** *(d. comportare etc.)* formal, ceremonios; rece; rigid **5** *(d. vânt etc.)* tare, puternic; aspru; **a ~ drink** o băutură tare; **a ~ price** un preț piperat/ridicat // **that's a bit ~!** F asta e (cam) prea de tot/din cale afară!; **to come to/to meet a ~ end** F a i se înfunda, a o păți, a ajunge rău/prost **II** *adv:* **to bore smb ~** a plictisi pe cineva de moarte, F a înnebuni pe cineva; **to scare smb ~** a speria pe cineva de moarte; a vârî groaza în cineva **III** *s sl* **1** cadavru **2** tont, prost

stiffen ['stifən] **I** *vt* **1** a întări; a apreta; a scrobi *(gulerul etc.)* **2** a înțepeni, a fixa; a consolida; a rigidiza **3** a solidifica; a face tare/compact/dens; a îngroșa **II** *vi* **1** a se întări; a se consolida **2** a înțepeni **3** a solidifica; a se face tare/compact/dens; a se îngroșa **4** *fig* a se înăspri; a deveni rece *sau* formal **5** *(d. vânt etc.)* a se înteți **6** *(d. prețuri etc.)* a crește, a spori

stiffener ['stifnər] *s* obiect *(guler etc.)* care te înăbușe

stiffening ['stifniŋ] *s text* apretură

stiff neck ['stif ,nek] *s* **1** *med* torticolis, înțepenire a gâtului **2** încăpățânare **3** (om) încăpățânat **4** aroganță; trufie, fudulie **5** (om) arogant; (om) fudul, încrezut

stiff-necked ['stif,nekt] *adj* **1** cu gâtul țeapăn *sau* înțepenit **2** *fig* încăpățânat, îndărătnic **3** arogant; fudul, încrezut

stiffness ['stifnis] *s* **1** rigiditate **2** soliditate **3** *fig* răceală; asprime, duritate **4** *fig* fermitate; hotărâre **5** *fig* tenacitate, perse-

verență, stăruință **6** *fig* silă, constrângere

stifle¹ ['staifl] **I** *vt* **1** a înăbuși, a sugruma **2** *și fig* a înăbuși, a stinge *(focul, o răscoală etc.);* a mușamaliza *(o afacere)* **II** *vi* a se înăbuși, a se sufoca, a se asfixia

stifle² *s zool* încheietura/articulația genunchiului *(la cai, câini)*

stifling ['staifliŋ] *adj* înăbușitor, sufocant

stigma ['stigmə], *pl și* **stigmata** ['stigmətə] *s* **1** stigmat, semn, urmă; cicatrice **2** *fig* stigmat, pată *(rușinoasă)* **3** *bot* stigmă

stigmatism ['stigmə,tizəm] *s opt* stigmatism

stigmatization [,stigmətai'zeiʃən] *s* **1** *zool* însemnare cu o danga **2** *fig* stigmatizare; înfierare

stigmatize ['stigmə,taiz] *vt* **1** *zool* a însemna cu o danga/cu fierul roșu **2** *fig* a stigmatiza; a înfiera

stile [stail] *s* pârleaz; gard puțin înalt; barieră; **to help a lame dog over the ~** *fig* a ajuta pe cineva la nevoie/să treacă un hop

stiletto [sti'letou], *pl* **stiletto(e)s** [sti'letouz] *s* stilet, pumnal mic

stiletto heel [sti'letou ,hi:l] *s* toc cui *(la pantof)*

still¹ [stil] **I** *adj* **1** liniștit, calm; potolit, domolit, tihnit; **to stand ~** a sta liniștit *sau* locului; **keep ~!** (păstrați) liniște! tăceți! **2** tăcut, silențios; rezervat; mut **3** *(d. muzică)* încet, liniștit; blând; duios **4** ← *înv* statornic, constant **II** *s* **1** liniște, tăcere; pace **2** *fot* fotografie **3** *cin* cadru **III** *vt* **1** a liniști, a face să tacă; a amuți **2** a liniști, a calma, a domoli, a potoli **IV** *vi* ← *rar (d. vânt etc.)* a se liniști, a se potoli

still² **I** *adv* **1** ← *poetic* întotdeauna, mereu; neîntrerupt, neîncetat **2** încă; în continuare; mai; și acum; **he is ~ there** e încă acolo, mai este acolo **3** *(cu un comp)* și chiar (și); **a ~ more beautiful landscape** un peisaj și mai frumos **4** totuși, cu toate acestea; **he hasn't acted properly; ~, he is your friend and you ought to help him** nu a procedat cum trebuie; totuși, este prietenul tău și s-ar cuveni să-l ajuți **II** *conj* totuși, dar; **it was useless, ~ 'they insisted** era inutil, totuși au insistat

still³ I *s* **1** alambic, aparat de distilat, distilator **2** distilerie **II** *vt* a distila

stillage ['stilidʒ] *s* stativ, stelaj

still birth ['stil ˌbəːθ] *s* naștere a unui copil mort

still-born ['stil,bɔːn] *adj (d. un copil)* născut mort

still life ['stil ˌlaif], *pl* **still lifes** ['stil,laifs] *s pict* natură moartă

stillness ['stilnis] *s* liniște, tăcere; pace

still room ['stil,ruːm] *s* **1** cameră de distilare **2** cămară *(pt alimente)*

stillstand ['stil,stænd] *s* oprire; stagnare; **to come to a ~** a se opri, a înceta

stilly ['stili] **I** *adj ← poetic* liniștit, tăcut; calm **II** *adv ← rar* liniștit, calm

stilt [stilt] **I** *s* **1** *pl* picioroange, catalige; **on ~s** *fig* bombastic, emfatic **2** *agr* bârsa plugului **3** *tehn* laț lung **II** *vt* a pune *sau* a ridica pe picioroange

stilted ['stiltid] *adj* **1** pe picioroange **2** *(d. stil)* pompos, prețios, bombastic

stiltedly ['stiltidli] *adv* (într-un stil) bombastic, artificial, nenatural

stiltedness ['stiltidnis] *s* prețiozitate, pompozitate *(a stilului)*

Stilton ['stiltən] *s* Stilton *(varietate de brânză superioară, albă, compactă, cu pete verzi)*

stimulant ['stimjulənt] **I** *adj* stimulator; tonic, întăritor; excitant **II** *s* stimulent; întăritor; excitant; alcool

stimulate ['stimju,leit] **I** *vt* **1** a stimula, a excita **2** *fig* a stimula, a îndemna, a îmboldi; a încuraja **II** *vi* a stimula

stimulating ['stimju,leitiŋ] *adj* **1** stimulator; excitant **2** *fig* stimulator, încurajator

stimulation [ˌstimju'leiʃən] *s* **1** stimul; impuls; excitare **2** *fig* stimulare, încurajare, îmboldire; îmbărbătare

stimulative ['stimjulətiv] **I** *adj v.* **stimulating II** *s* stimulent, excitant

stimuli ['stimjulai] *pl de la* **stimulus**

stimulus ['stimjuləs], *pl* **stimuli** ['stimjulai] *s* **1** *med etc.* șoc, impuls, stimul **2** *fig* stimulent; impuls, imbold; influență

sting [stiŋ] **I** *pret și ptc* [stʌŋ] *vt* **1** a înțepa; a împunge; a răni; *(d. muște etc.)* a pișca; *(d. urzică*

etc.) a ustura; a urzica; a bășica; **to be stung by remorse** *fig* a fi ros de remușcări **2** *amer sl* a trage pe sfoară, – a înșela **3** *fig* a îndemna, a stimula, a îmboldi **4** *← înv* a trage în țeapă **II** *(v. ~ I)* *vi* **1** *(d. urzică etc.)* a înțepa; a ustura; a urzica **2** *fig* a răni **3** *fig* a durea **III** *s* **1** ac; bold; vârf ascuțit **2** *bot* ac, țep; perișor iritabil **3** înțepătură; împunsătură; pișcătură; mușcătură; usturime; urzicătură; durere ascuțită **4** dinte veninos *(al unui șarpe)* **5** *fig* îndemn, imbold; provocare

stinger ['stiŋər] *s* **1** *← F* lovitură dureroasă; lovitură bine aplicată **2** *← F* remarcă usturătoare; aluzie înțepătoare **3** insectă *sau* plantă înțepătoare **4** băutură alcoolică din cremă de mentă, rachiu și gheață

stingily ['stindʒili] *adv* cu zgârcenie, parcimonios

stinginess ['stindʒinis] *s* **1** zgârcenie, avariție; parcimonie **2** sărăcie; puținătate; lipsă

stinging ['stiŋiŋ] *adj* **1** înțepător, pișcător, dureros, usturător **2** *fig* înțepător; mușcător; usturător

stingless ['stiŋlis] *adj* fără ac/țepi

stingy¹ ['stiŋi] *adj* **1** *v.* **stinging 2** *bot etc. cu ac;* cu țepi

stingy² ['stindʒi] *adj* **1** zgârcit, avar; parcimonios **2** sărac, sărăcăcios; puțin; rar; insuficient

stink [stiŋk] **I** *pret* **stank** [stæŋk] *sau* **stunk** [stʌŋk], *ptc* **stunk** [stʌŋk] *vi* **1** a puți, a mirosi greu/urât; a duhni **2** *fig* a avea o proastă reputație **II** *s* **1** miros urât/greu, putoare; duhoare **2** *sl* reacție publică puternică **3** *pl sl școl* chimie

stinkard ['stiŋkəd] *s rar v.* **stinker**

stink ball ['stiŋk ˌbɔːl] *s mil* bombă cu gaze asfixiante

stinker ['stiŋkər] *s* **1** persoană *sau* lucru care miroase (urât); animal puturos **2** *v.* **stink ball 3** *sl* nesuferit; persoană respingătoare

stinking ['stiŋkiŋ] *adj* **1** (rău) mirositor; puturos **2** *vulg* împuțit; – ordinar // **~ rich** putred de bogat

stink out ['stiŋk 'aut] *vt cu part adv* **1** *F* a împuți, a umple de duhoare **2** *← F* a face să plece din cauza mirosului (urât)

stint [stint] **I** *vt* **1** a restrânge, a limita, a reduce *(porțiile etc.)* **2** a face economie la; a se zgârci la; **he didn't ~ his praise** *fig* nu și-a precupețit laudele **II** *vi* a fi econom; a se restrânge **III** *s* **1** restrângere, limitare, reducere **2** limită, hotar, măsură **3** parte; porție; rație; cantitate **4** *min* schimb

stinted ['stintid] *adj* limitat, insuficient, neîndestulător; **~ in knowledge** mărginit

stint oneself of ['stint wʌn'self əv] *vr cu prep* a se restrânge în ceea ce privește *(cheltuielile etc.);* a face economie la

stipend ['staipend] *s* **1** leafă, salariu *(↓ al unui preot)* **2** stipendiu; bursă

stipendiary [stai'pendiəri] **I** *adj* **1** plătit; salariat **2** stipendiat; întreținut; cu bursă **II** *s* **1** salariat **2** stipendiat; bursier **3** *ist* vasal care plătea tribut suzeranului

stipes ['staipiːz], *pl* **stipites** ['stipiˌtiːz] *s bot* tulpină; peduncul

stipple ['stipəl] *vt* **1** a desena, a picta *sau* a grava cu puncte, a puncta **2** *poligr* a tampona

stipulate ['stipju,leit] *vt* a stipula; a specifica; a hotărî; a condiționa

stipulated ['stipju,leitid] *adj* stipulat, convenit; prescris

stipulate for ['stipju,leit fər] *vi cu prep* a stipula, a prevedea, a cere *cu ac*

stipulation [ˌstipju'leiʃən] *s* **1** stipulare; specificare; condiționare; prevedere **2** convenție; clauză; condiție

stipulator ['stipju,leitər] *s* stipulator, contractant

stipule ['stipjuːl] *s bot* stipelă

stir [stəːr] **I** *vt* **1** a agita, a tulbura; a deranja; a trezi; a neliniști **2** a mișca, a clinti, a urni; a muta; a deplasa **3** a (a)mesteca, a agita *(un lichid etc.);* a scutura, a clătina, a mișca; < a zgudui **4** *agr* a afâna **5** *fig* a pune în mișcare; a iniția, a întreprinde; a încuraja, a stimula **6** a scormoni *(focul)* **7** *fig* a stârni, a înflăcăra *(imaginația etc.);* a aprinde; a mișca *(inima etc.)* **II** *vi* **1** a se mișca, a se urni; a se clinti **2** a se trezi (din somn); a începe să umble/ să se miște/să circule **3** a se întâmpla, a avea loc **4** a ieși la ivealǎ/luminǎ **5** *fig* a fi activ; a depune eforturi, a se strǎdui, a se cǎzni; a fi ocupat **III** *s* **1** (a)mestecare, agitare **2** mișcare, agitație **3** mișcare, circulație; umblet **4** agitație, tulburare; neliniște; senzație, vâlvǎ; **to create a ~** a face senzație **5** ghiont; împinsǎturǎ **6** *sl* pârnaie, închisoare; **in ~** la rǎcoare, închis

stirabout ['stə:rə,baut] *s* terci de ovǎz

stir about ['stə:rə'baut] *vi cu part adv* a se mișca, a umbla; a se foi; a umbla de colo pânǎ colo; a hoinǎri

Stirling(shire) ['stə:liŋ(ʃiər)] *comitat* în Scoția

stir out ['stə:r 'aut] *vi cu part adv* a ieși *(din casǎ etc.)*

stirps [stə:ps], *pl* **stirpes** ['stə:pi:z] *s* **1** stirpe, neam, familie **2** *jur* strǎmoș *(din care descinde o familie)* **3** *bot* specie

stirrer ['stə:rə'] *s* **1** *pol etc.* agitator; instigator **2** *fig* persoanǎ activǎ **3** *ch* amestecǎtor **4** *fiz* agitator **5** *tehn* paletǎ de amestecat **6** fǎcǎleț

stirring ['stə:riŋ] *adj* **1** activ; ocupat; agitat **2** neliniștit, agitat **3** miș-cǎtor, emoționant; excitant, tulburǎtor **4** înviorǎtor; stimulator

stirrup ['stirəp] *s* **1** scarǎ (de la șa) **2** *tehn* brǎțarǎ; jug; etrier; bridǎ **3** *nav* atârnǎtor; sugrumǎtor

stir up ['stə:r'ʌp] *vt cu part adv* a stârni, a da naștere la *(tulburǎri etc.)*

stirrup cup/glass ['stirəp ,kʌp/,glɑ:s] *s* pahar la botul calului

stirrup leather/strap ['stirəp ,leðə'/ ,stræp] *s* curea de la scara șeii

stitch [stitʃ] **I** *s* **1** împunsǎturǎ, cusǎturǎ; știh; punct; **to put ~es in a wound** a coase o ranǎ; **he has not a dry ~ on** e ud leoarcǎ; **a ~ in time saves nine** *prov aprox* cine nu cârpește spǎrtura micǎ are necaz sǎ dreagǎ borta mare **2** fir, ochi *(la o țesǎturǎ etc.);* **to drop a ~** a sǎri un ochi **3** înțepǎturǎ, junghi *(în coastǎ)* **4** *agr* rǎzor **5** ← *înv* cale, distanțǎ **6** ← *înv* strâmbǎturǎ, jimbǎturǎ, grimasǎ **7** *F* țoale, – haine, îmbrǎcǎminte; **I haven't a ~ on** n-am o zdreanțǎ pe mine; sunt gol-goluț; **not to have a ~ to**

one's back a nu avea nici cǎmașǎ pe el, a fi sǎrac lipit pǎmântului **II** *vt* **1** a coase; a prinde; a tigheli; a lucra, a broda **2** *agr* a brǎzda **3** *poligr* a coase, a broșa **III** *vi* a coase; a lucra cu acul

stitch book ['stitʃ ,buk] *s poligr* carte broșatǎ; broșurǎ

stitcher ['stitʃə'] *s* **1** cusǎtor; croitor **2** *poligr* mașinǎ de broșat **3** *text* mașinǎ de cusut tricotaje **4** *pielǎrie* stepuitor

stitching needle/pin ['stitʃiŋ ,ni:dl/ ,pin] *s* ac de brodat

stithy ['stiði] *s* **1** nicovalǎ **2** fierǎrie, potcovǎrie

stiver ['staivə'] *s* nimic, bagatelǎ, fleac

St. Lawrence, the [snt 'lɔ:rəns, ðə] *fluviu în America de Nord* Sfântul Laurențiu

stlg. *presc de la* **sterling**

stoat [stout] *s și ca pl zool* hermelinǎ *(Mustela erminea)*

stock [stɔk] **I** *s* **1** *bot* trunchi *(de copac);* tulpinǎ; cotor; rizom **2** butuc, buștean **3** *agr* portaltoi **4** *fig* persoanǎ însensibilǎ; urs; „piatrǎ" **5** *biol* strǎmoș **6** des-cendențǎ, neam, stirpe **7** *ling* familie de limbi **8** pat de armǎ **9** stoc, cantitate; rezerve; provizii, bunuri; **he is a great ~ of infor-mation** *fig* e foarte bine informat **10** *ec* capital, fonduri, numerar; depuneri; *pl* acțiuni, efecte **11** *tehn etc.* depozit; materiale **12** *tehn* adaos, pǎpușǎ **13** *poligr* hârtie **14** *nav* traversǎ de ancorǎ **15** *nav* ax de cârmǎ **16** *text* masǎ fibroasǎ **17** *met* piesǎ brutǎ; eboșǎ; țaglǎ **18** rezervǎ de apǎ **19** *agr* vite; inventar viu **20** ciorbǎ de carne și legume **21** *fig* țintǎ, obiect *(al ironiei etc.)* **22** *teatru* repertoriu **23** cravatǎ; legǎturǎ; șal *(de purtat la gât)* **24** *zool* colonie de polipi **25** parte, por-țiune **26** *amer* câștig net *(dintr-o încǎrcǎturǎ a unui vas pescǎ-resc)* // **to take ~ of** *fig* a face bilanțul *cu gen,* a aprecia critic *cu ac* **II** *vt* **1** a aproviziona; a înzestra, a furniza; a prevedea; *(d. un magazin etc.)* a ține, a avea *(mǎrfuri etc.)* **2** a aduna, a strânge; a culege **3** *fig* a îmbo-gǎți, a spori *(cunoștințele etc.)* **4** a bǎga la închisoare, a închide **5** *od* a pune în obezi **III** *vi bot* a

îmboboci, a înmuguri; a se ramifica

stock account ['stɔk ə'kaunt] *s ec* cont de capital

stockade [stɔ'keid] *s* **1** palisadǎ, îngrǎditurǎ **2** luptǎ grevistǎ *(în Australia)*

stock adventurer ['stɔk əd'ventʃərə'] *s com* speculant de acțiuni

stock beet ['stɔk ,bi:t] *s bot* sfeclǎ furajerǎ *(Beta vulgaris)*

stock-blind ['stɔk,blaind] *adj* cu desǎvârșire orb

stock book ['stɔk ,buk] *s ec* registru de magazie

stock breeder ['stɔk ,bri:də'] *s* crescǎtor de vite

stock broker ['stɔk ,broukə'] *s com* agent de bursǎ, curtier

stock car ['stɔk ,kɑ:'] *s* **1** vagon *sau* camion de vite **2** *auto* automobil de serie

stock company ['stɔk ,kʌmpəni] *s* **1** *com* societate pe acțiuni **2** *teatru* ansamblu permanent

stock dealer ['stɔk ,di:lə'] *s* geam-baș, negustor de vite

stockdove ['stɔk,dʌv] *s orn* porum-bel sǎlbatic/de câmp *(Columba oenas)*

stock exchange ['stɔk iks'tʃeindʒ] *s com* bursǎ (de valori)

stock fair ['stɔk ,fɛə'] *s* târg de vite

stock farm ['stɔk ,fɑ:m] *s* cres-cǎtorie/fermǎ de vite

stock farmer ['stɔk ,fɑ:mə'] *s* cres-cǎtor de vite

stock farming ['stɔk ,fɑ:miŋ] *s* creșterea vitelor

stockfish ['stɔk,fiʃ] *s* batog uscat

stock gillyflower ['stɔk ,dʒiliflauə'] *s bot* micșunea, micsandrǎ *(Matthiola incana hiberna)*

stockholder ['stɔk ,houldə'] *s com* acționar; rentier

Stockholm ['stɔkhoum] *capitala* Suediei

stockinet [,stɔki'net] *s text* tricou; jerseu

stocking ['stɔkiŋ] *s* ciorap (lung); **in one's ~ feet** fǎrǎ pantofi; desculț

stockinged ['stɔkiŋd] *adj* cu ciorapi (lungi)

stock-in-trade ['stɔkin'treid] *s* **1** *fin* capital de bazǎ **2** stoc de mǎrfuri, depozit **3** *tehn* inventar (de instrumente)

stockish ['stɔkiʃ] *adj* greu de cap, prost, nǎtâng

stockist ['stɔkist] *s com* 1 acaparator de mărfuri 2 angrosist

stock jobber ['stɔk ˌdʒɔbəʳ] *s com* 1 speculant, jucător la bursă 2 curtier, agent

stockman ['stɔkmən] *s* crescător de vite

stock market ['stɔk ˌmɑːkiːt] *s* 1 *com* bursă de valori 2 târg de vite

stock-pile ['stɔkˌpail] I *s* 1 stoc; depozit (de materiale) 2 *constr* haldă 3 *hidr* depuneri pe fund II *vt* a acumula; a depozita

stockpot ['stɔkˌpɔt] *s* oală (↓ *de supă)*

stock raiser ['stɔk ˌreizəʳ] *s* crescător de vite

stock raising ['stɔk ˌreiziŋ] *s* creșterea vitelor

stock station ['stɔkˌsteiʃən] *s* stațiune de creșterea vitelor

stock-still ['stɔkˌstil] *adj* neclintit, nemișcat

stock-taking ['stɔkˌteikiŋ] *s* 1 *com* inventariere 2 *fig* bilanț, evaluare critică, analiză

stocky ['stɔki] *adj* îndesat, scurt, scund și gras

stockyard ['stɔkˌjɑːd] *s* 1 țarc de vite; ogradă; obor de vite 2 *tehn* teren de depozitare

stodgy ['stɔdʒi] *adj* 1 (d. mâncare) greu; nedigestibil 2 *fig* (d. stil) greoi, încărcat; plicticos 3 ticsit, plin până la refuz 4 gras, mătăhălos, greoi

stogie, stogy ['stougi] *amer* I *adj* greoi; aspru, butucănos; necioplit II *s* 1 pantof butucănos 2 *fig* trabuc lung, subțire și ieftin

Stoic ['stouik] I *adj* 1 *filos* stoic 2 **s~** *fig* stoic, nepăsător, indiferent II *s filos* stoic, persoană stoică

stoical ['stouikəl] *adj* 1 v. **stoic I** 2 2 **S~** v. **Stoic I** 1

stoically ['stouikəli] *adv* stoic, cu stoicism

stoicalness ['stouikəlnis] *s* stoicism; indiferență, nepăsare; sânge rece

Stoicism ['stouisizəm] *s* 1 *filos* stoicism 2 **s~** *fig* v. **stoicalness**

stoke [stouk] I *vt* a scormoni, a zgândări, a întreține (focul); a alimenta cu combustibil II *vi* a scormoni/a zgândări focul

stoke bar ['stouk ˌbɑːʳ] *s* vătrai

stokehold ['stoukˌhould] *s* 1 *ferov* focar, cameră de ardere 2 *nav* compartimentul căldării

stoke hole ['stouk ˌhoul] *s* 1 *tehn* ușa focarului 2 *drumuri etc.* groapă de sondaj

stoker ['stoukəʳ] *s* 1 fochist; mașinist; mecanic (la calorifer) 2 ← *rar* vătrai

stole[1] [stoul] *pret de la* **steal I, II**

stole[2] *s* 1 *bis* patrafir 2 eșarfă; boa

stolen ['stoulən] I *ptc de la* **steal 1 I, II** II *adj* furat

stolid ['stɔlid] *adj* 1 indiferent, nepăsător 2 impasibil; apatic; nesimțitor

stolidity [stɔ'liditi] *s* indiferență; flegmă; nesimțire

stolidly ['stɔlidli] *adv* cu indiferență, nepăsător; apatic

stomach ['stʌmək] I *s* 1 *anat* stomac; pântece; abdomen, burtă; **to turn smb's ~** *fig* a întoarce cuiva stomacul pe dos; a face greață cuiva; **on an empty ~** pe stomacul gol, nemâncat 2 poftă, apetit 3 *fig* poftă, chef; plăcere; înclinație, dispoziție; **I've no ~ for this heavy food** e o mâncare prea grea pentru stomacul meu; nu mă îmbie, e o mâncare prea grasă; **I have no ~ for learning** nu am (nici un) chef să învăț/de învățătură 4 ← *înv* fire, caracter, structură 5 ← *înv* vanitate; aroganță, înfumurare II *vi* 1 a suporta, a răbda, a înghiți (o insultă etc.) 2 ← *rar* a provoca greață (cuiva), a îngrețoșa 3 ← *înv* a încuraja, a îmbărbăta

stomach ache ['stʌmək ˌeik] *s* durere de stomac

stomachal ['stʌmәkəl] *adj* stomacal, de stomac

stomacher ['stʌmәkəʳ] *s* 1 *od un fel de* corsaj *sau* pieptar 2 *box* lovitură în stomac

stomachful ['stʌmәkful] *s peior* ← *F* cât poate suporta/răbda un om; cât îi ajunge unui om; prea mult; **I've had a/my ~ of your follies** sunt sătul (< până peste cap) de nebuniile tale

stomachic [stə'mækik] I *adj* 1 stomacal, de stomac 2 care stimulează apetitul *sau* digestia II *s med* medicament pentru stomac

stomachical [stə'mækikəl] *adj* v. **stomachic I**

stomach pump ['stʌmək ˌpʌmp] *s med* sondă stomacală

stomach tooth ['stʌmək ˌtuːθ] *s* dinte canin (la copii)

stomatitis [ˌstoumə'taitis] *s med* stomatită

stomp [stɔmp] I *s od* melodie de jaz cu ritm bine marcat; dansul respectiv II *vi* a merge *sau* a dansa cu pași apăsați

stone [stoun] I *s* 1 piatră; lespede; stei; dală; pietriș; prundiș; **a heart of ~** *fig* o inimă de piatră **a rolling ~ gathers no moss** *prov* piatra ce se rostogolește nimic nu dobândește; **within a ~'s throw** *fig* la o aruncătură de băț; **to leave no ~ unturned** *fig* a se face luntre și punte; a răsturna cerul și pământul; a se da peste cap 2 piatră scumpă (prețioasă), nestemată; diamant 3 sâmbure (de prună etc.) 4 piatră, grindină 5 *med* piatră, calcul 6 *fără pl* măsură de greutate (= 14 livre = 6,33 kg) 7 monument; piatră funerară 8 piatră de moară 9 ← *vulg* testicul II *vt* 1 a lapida; a lovi *sau* a ucide cu pietre 2 a scoate sâmburii (fructelor) 3 *tehn* a debavura 4 *drumuri* a pietrui; a așterne cu pietriș 5 a îngrădi cu pietre 6 a ascuți, a toci, a șlefui *etc.* cu o piatră 7 ← *înv* a împietri; a întări; a pietrifica

Stone Age, the ['stoun ˌeidʒ ˌðə] *s geol* epoca de piatră

stone axe ['stoun ˌæks] *s* topor de piatră

stone bed ['stoun ˌbed] *s constr* patul împietruirii

stone-blind ['stoun ˌblaind] *adj* cu desăvârșire orb

stone breaker ['stoun ˌbreikəʳ] *s* pietrar; spărgător de piatră

stone-broke ['stoun ˌbrouk] *adj sl* lefter, fără para chioară în buzunar

stoned [stound] *adj* (d. fructe) curățat de sâmburi

stone-dead ['stoun ˌded] *adj* mort de-a binelea

stone-deaf ['stoun ˌdef] *adj* cu desăvârșire surd

stone fruit ['stoun ˌfruːt] *s bot* drupă

stone-hearted ['stoun ˌhɑːtid] *adj fig* cu inima de piatră *sau* împietrită

stone leek ['stoun ˌliːk] *s bot* ceapă ciorească (Allium fistulosum)

stoneless ['stounlis] *adj* (d. fructe) fără sâmbure

stone marten ['stoun 'mɑːtin] *s zool* jder de piatră *(Martes foina)*

stone mason ['stoun ,meisən] *s* 1 pietrar 2 zidar

stone oil ['stoun ,oil] *s* țiței, petrol

stone pit/quarry ['stoun ,pit/,kwori] *s* carieră de piatră

stoner ['stounə'] *s v.* **stone mason**

stone-roofed ['stoun,ruːft] *adj* cu acoperiș de piatră

stone's throw ['stounz ,θrou] *s* aruncătură de băț, distanță mică, câțiva pași

stone-still ['stoun,stil] *adj* nemișcat, neclintit

stonewall ['stoun,woːl] *vi* a face obstrucții, a nu colabora *(în parlament etc.)*

stone ware ['stoun ,wɛə'] *s* articole de ceramică

stonework ['stoun,wəːk] *s* 1 *constr* lucrare de zidărie 2 sculptură din piatră 3 *min etc.* lucrare în piatră

stonewort ['stoun,wəːt] *s bot* algă înstelată *(Chara fragilis)*

stoniness ['stouninis] *s* 1 caracter pietros 2 *fig* neîndurare, asprime, cruzime

stony ['stouni] *adj* 1 acoperit cu pietre; cu pietre, pietros 2 (ca) de piatră; pietros 3 *fig* de piatră; împietrit; aspru, neîndurător, crud 4 *fig* rece, (ca) de piatră, nesimțitor

stony-hearted ['stouni,hɑːtid] *adj v.* **stone-hearted**

stood [stuːd] *pret și ptc de la* **stand** I, II

stool [stuːl] I *s* 1 scaun, scăunel, scăunaș *(fără spetează)*, taburet, taburel; **to fall between two ~s** *fig* a nu ști ce să aleagă 2 scăunel, rezemătoare de la picioare; bancă mică 3 *fizl* scaun, evacuare a materiilor fecale 4 *bot* butaș, stolon; trunchi, tulpină 5 *tehn* capră 6 ← *înv* scaun episcopal II *vi* 1 *fizl* a avea scaun 2 *bot* a face butași

stool pigeon ['stuːl ,pidʒən] *s* 1 porumbel *sau* pasăre momeală 2 ← *F* informator; denunțător; provocator

stoop¹ [stuːp] I *vt* 1 a (a)pleca, a înclina; a îndoi, a încovoia; a apăsa, a presa 2 ← *înv* a umili, a înjosi, a degrada II *vi* 1 a se (a)pleca, a se înclina; a se îndoi, a se încovoia; a se gârbovi 2 a condescinde, a catadicsi, a

binevoi 3 *(d. o pasăre de pradă etc.)* a se năpusti, a se repezi 4 ← *rar* a ceda, a se supune; a se umili III *s* 1 aplecare; încovoiere; gârbovire 2 bunăvoință; condescendență 3 ← *înv* umilire 4 năpustire *(a unei păsări de pradă etc.)*

stoop² *s amer* verandă; pridvor

stooped [stuːpt] *adj* 1 *v.* **stooping** 2 aplecat; înclinat 3 îndreptat în jos

stooping ['stuːpiŋ] *adj* (a)plecat, gârbov(it), adus

stoop-shouldered ['stuːp,ʃouldəd] *adj* cu umerii aduși (în față); gârbov(it)

stop [stop] I *vt* 1 a opri, a înceta, a întrerupe, a suspenda; a termina, a sfârși, a isprăvi; **~ talking!** nu mai vorbiți! tăceți! terminați cu vorba! 2 a umple, a astupa; a obtura; a plomba *(un dinte);* a închide *(o gaură);* a opri *(o scurgere etc.);* **to ~ smb's mouth** a închide gura cuiva, a face pe cineva să tacă; **to ~ a wound** a opri sângerarea unei răni; **to ~ the way** a opri/a tăia drumul 3 a opri; a reține; a preîntâmpina; **I ~ped him from doing it** l-am împiedicat să facă asta 4 *box* a bloca, a respinge *(o lovitură)* 5 *muz* a apăsa coardele, clapele *sau* găurile *(unui instrument)* 6 a sista, a înceta, a întrerupe *(plățile etc.)* 7 a tăia *(respirația)* 8 *nav* a lega, a fixa *(un cablu etc.)* 9 a pune semne de punctuație la, a puncta II *vi* 1 a se opri, a sta, a înceta, a se întrerupe; a se termina, a se sfârși, a se isprăvi; **~ a moment** stai o clipă; **don't ~** nu te opri, continuă, mergi mai departe; **he doesn't ~ short of anything** nu se dă înapoi de la nimic; nu-l poate opri nimic; **to ~ at nothing** a nu-l putea opri nimic, a nu se da în lături de la nimic; a accepta orice risc 2 a se opri, a sta, a face o oprire; a face haltă; a poposi, a zăbovi, a întârzia III *s* 1 oprire, încetare, întrerupere, suspendare; terminare; sfârșit, capăt; **to bring to a ~** a opri, a înceta; **to come to a ~** a se opri, a sta pe loc/locului; **to put a ~ to** a pune capăt *cu dat;* **without a ~** fără

oprire 2 *muz* clapă; gaură; coardă, strună; pedală *(la orgă)* 3 pauză, întrerupere 4 piedică, obstacol 5 ședere, vizită; popas; haltă 6 *tehn* limitor de cursă 7 *cin* diafragmă 8 *tehn* opritor; fixator 9 *ferov* haltă 10 stație de autobuz 11 dop 12 *fig* ton, manieră 13 *fon* consoană oclusivă/explozivă // **to pull out all the ~s** *F* a face pe dracul în patru, a se da peste cap 14 semn de punctuație, ↓ punct 15 *F* copoi, – agent

stop away ['stopə'wei] *vi cu part adv* 1 a se opri, a nu se mișca 2 a nu veni; a absenta

stop bath ['stop ,bɑːθ] *s fot* baie de fixare

stop by ['stop 'bai] *vi cu part adv amer* a trece pe la cineva; a intra

stopcock ['stop,kok] *s tehn* robinet de închidere

stop down ['stop 'daun] *vt cu part adv* a astupa (cu un dop)

stopgap ['stop,gæp] *s fig* măsură provizorie; expedient

stop gear ['stop ,giə'] *s tehn* mecanism/dispozitiv de blocare

stop-go ['stop,gou] *s ec* alternare rapidă a inflației și deflației

stop light ['stop ,lait] *s* 1 *auto* lampă de stop 2 semnal de oprire/roșu

stop off ['stop 'oːf] *vi cu part adv amer* a se opri în trecere/drum

stop-over ['stop,ouvə'] *s* oprire scurtă, escală, popas *(într-o călătorie, pt puțină vreme)*

stop over ['stop'ouvə'] *vi cu part adv* a întrerupe o călătorie, a face o escală

stoppage ['stopidʒ] *s* 1 oprire, întrerupere *(a circulației etc.)* 2 piedică, obstacol 3 pauză; popas; haltă 4 întârziere, tărăgănare, amânare 5 oprire/încetare a muncii; grevă 6 reținere *(de salariu)* 7 *tehn* deranjament; astupare; murdărire

stopper ['stopə'] I *s* 1 dop, tampon; astupătoare 2 piedică, obstacol; **to put a ~ on smth** a opri ceva, a pune capăt unui lucru 3 *nav* boț; stopă 4 *tehn* opritor, organ de închidere 5 *text* limitor de ac 6 *fot* baie de stopare II *vt* a închide, a astupa; a obtura

stopple ['stopəl] *vt v.* **stopper** II

stop press ['s.op ,pres] *s* (știre de) ultimă oră *(în ziare)*

stopt [stɔpt] *pret și ptc rar de la* **stop I, II**

stop up ['stɔp 'ʌp] **I** *vt cu part adv* a astupa (cu un dop *etc.*), a închide; a zidi **II** *vi cu part adv* **1** a nu se (mai) culca **2** *univ* a rămâne la colegiu

stop valve ['stɔp ˌvælv] *s tehn* **1** supapă de reținere **2** robinet de închidere

stop watch ['stɔp ˌwɔtʃ] *s* cronometru

storage ['stɔːridʒ] *s* **1** înmagazinare, depozitare; păstrare **2** magazie, depozit; rezervor **3** *cib* memorizare, memorie **4** *el* încărcare a acumulatorului

storage battery ['stɔːridʒ ˌbætəri] *s el* baterie de acumulator

storage life ['stɔːridʒ ˌlaif] *s el* durată de conservare

store [stɔːʳ] **I** *s* **1** stoc, rezervă, rezerve; provizie, provizii; abundență, belșug; **in ~** în rezervă, (pus) de o parte; **I have a surprise in ~ for you** îți pregătesc/am o surpriză pentru tine; **to set great ~ by** a acorda mare importanță *cu dat*, a pune mare preț pe; a aprecia foarte mult *cu ac* **2** materiale, bunuri **3** depozit, magazie; antrepozit **4** merinde, provizii, alimente **5** *fig* tezaur; comoară, sursă *(de informații)* **6** ↓ *amer* magazin, prăvălie **7** *pl și ca sg* magazin universal **II** *vt* **1** (**with**) a aproviziona, a înzestra, a prevedea (cu) **2** a aduna, a strânge; a îngrămădi **3** a ține/a păstra în depozit, magazie, antrepozit *sau* magazin

store cattle ['stɔːkætl] *s ca pl* vite de carne

storehouse ['stɔːˌhaus] *s* **1** depozit, magazie; antrepozit **2** hambar; grânar **3** cămară **4** *v.* **store I 5**

store keeper ['stɔːˌkiːpəʳ] *s* **1** ↓ *amer* proprietar de magazin, comerciant **2** magazioner

store room ['stɔːˌruːm] *s* magazie; cămară

store ship ['stɔːˌʃip] *s nav* navă-bază

storey ['stɔːri] *s constr* etaj, cat *(din exterior)*

storeyed ['stɔːrid] *adj* cu etaj *sau* etaje; **two-~** cu două etaje

storied¹ ['stɔːrid] *adj v.* **storeyed**

storied² *adj* **1** istoric, vestit, renumit **2** legendar; povestit ca o legendă *sau* ca un basm **3** ilustrat cu legende, povestiri *sau* fapte istorice

storiette [ˌstɔːriˈet] *s* istorioară, povestioară

stork [stɔːk] *s orn* barză *(Ciconia sp.)*

stork's bill ['stɔːks ˌbil] *s bot* **1** pliscul cocoarei *(Erodium cicutarium)* **2** pălăria cucului *(Geranium phaeum)*

storm [stɔːm] **I** *s* **1** furtună, vijelie; vifor; < uragan; > vânt **2** *fig* izbucnire; furtună *(de aplauze etc.)*; ploaie, potop *(de săgeți etc.)* **3** *fig* furtună; zbucium, freamăt, tulburare **4** *mil* asalt; atac; **to take by ~** *și fig* a lua cu asalt **II** *vt mil* a asalta, a ataca **III** *vi* **1** a fi furtună **2** *fig* a fi furios/mânios; a se dezlănțui **3** (**into** *etc.*) *fig* a năvăli ca o furtună (în *etc.*)

storm-beaten ['stɔːmˌbiːtn] *adj fig* încercat, oțelit; experimentat

storm blast ['stɔːm ˌblaːst] *s* rafală

storm-bound ['stɔːmˌbaund] *adj nav (d. un vas)* reținut *(într-un port etc.)* din cauza furtunii

storm canvas ['stɔːm ˌkænvəs] *s nav* velă de capă

storm centre ['stɔːm ˌsentəʳ] *s* **1** *meteor* centrul ciclonului **2** *fig* focar de agitație/tulburări

storm cloud ['stɔːm ˌklaud] *s* **1** nor de furtună **2** *fig* semn de furtună

storm glass ['stɔːm ˌglaːs] *s nav* ← *F* barometru

stormily ['stɔːmili] *adv* furtunos, vijelios

storminess ['stɔːminis] *s* **1** caracter furtunos **2** *fig* impetuozitate; violență; fire năvalnică/impetuoasă

storm jib ['stɔːm ˌdʒib] *s nav* foc de furtună

storm ladder ['stɔːm ˌlædəʳ] *s nav* scară de pisică

storm-proof ['stɔːmˌpruːf] *adj* apărat de furtună; rezistent la furtună

storm sail ['stɔːm ˌseil] *s nav* velă de furtună

storm-swept ['stɔːmˌswept] *adj* bântuit *sau* măturat de furtună

storm-tossed ['stɔːmˌtɔst] *adj (d. un vas)* aruncat de furtună (încoace și încolo)

storm water ['stɔːm ˌwɔːtəʳ] *s* apă pluvială/de ploaie

stormwind ['stɔːmˌwind] *s* furtună, vijelie

storm window ['stɔːm ˌwindou] *s* fereastră dublă

stormy ['stɔːmi] *adj* **1** furtunos; vântos **2** prevestitor de furtună **3** *fig* năvalnic, impetuos; zbuciumat, tulburat; violent

stormy petrel ['stɔːmi 'petrəl] *s orn* pasărea furtunii *(Hydrobates pelagicus)*

stort(h)ing ['stɔːtiŋ] *s* storting, parlament *(în Norvegia)*

story¹ ['stɔːri] **I** *s* etaj, cat *(din exterior)* **II** *vt* a așeza în etaje *sau* straturi

story² **I** *s* **1** povestire, poveste; narațiune; relatare; **a funny ~ a** o întâmplare hazlie/nostimă **b** o anecdotă **2** istorie, poveste; legendă, mit **3** *fig F* chestie, poveste; **that's another ~** asta e cu totul altă poveste; **the same old ~** vechea poveste; am mai auzit eu povestea asta, scuzele astea *etc.* **4** vorbă; vorbe; zvon; versiune; **the ~ goes that** se spune/se vorbește că, vorba merge că; **according to her ~** după ea/câte spune ea **5** ← *F* minciună, *F pl* brașoave, gogoși **6** poveste *(a vieții cuiva etc.)*, istorie, istoric; biografie **7** ← *F* mincinos **8** temă *(pt reportaj)* **II** *vt* a povesti, a relata **III** *vi* a povesti

story book ['stɔːri ˌbuk] *s* **1** carte de povestiri/istorioare *sau* povești **2** ← *rar* roman

story line ['stɔːri ˌlain] *s* fir narativ, acțiune; intrigă

story teller ['stɔːri ˌteləʳ] *s* **1** povestitor **2** autor de povestiri *sau* povești **3** *F* vânzător de brașoave/gogoși; – mincinos; flecar, palavragiu

stour [stuəʳ] *s* ← *înv* **1** luptă; ceartă **2** harababură; zarvă, larmă **3** furtună; vânt **4** praf/colb ridicat de vânt

stout [staut] **I** *adj* **1** voinic, viguros, zdravăn, robust; trupeș, corpolent **2** solid, rezistent, tare, puternic **3** curajos, brav, neînfricat; cutezător, hotărât; dârz **II** *s* „stout", bere neagră/porter *(tare)*

stout-hearted [ˌstautˈhɑːtid] *adj v.* **stout I 3**

stout-heartedly [,staut'hɑ:tidli] *adv* cu curaj/bărbăție, bărbătește

stout-heartedness [,staut'hɑ:tidnis] *s* curaj, bărbăție; dârz(en)ie

stoutish ['stautiʃ] *adj* durduliu, plinuț, rotofei

stoutly ['stautli] *adj* 1 viguros, cu vigoare/putere 2 energic, cu energie; cu hotărâre; dârz 3 solid *(construit etc.)*

stoutness ['stautnis] *s* 1 vigoare; robustețe 2 corpolență, trupeșie 3 curaj, bărbăție, vitejie 4 dârzenie; hotărâre

stove[1] [stouv] I *s* 1 sobă; plită; mașină de gătit 2 cuptor 3 etuvă 4 *hort* seră (caldă) II *vt* 1 a dezinfecta în etuvă 2 *hort* a pune în seră

stove[2] *pret și ptc de la* **stave** II

stove grate ['stouv ,greit] *s* grătar (de sobă)

stove house ['stouv ,haus] *s* seră

stove pipe ['stouv ,paip] *s* 1 burlan (de sobă) 2 ← *F* joben

stow [stou] *vt* 1 *nav* a arima; a stivui; a stiva; a pune la post *(o ancoră);* a strânge *(o tendă)* 2 a aranja, a pune în ordine 3 a ambala, a împacheta 4 a pune; a vârî; a băga 5 a pune bine, a păstra, a ascunde 6 a înmagazina, a depozita; a acumula, a strânge *(provizii etc.)* 7 (**with**) a încărca, a umple (cu) 8 *(d. un spațiu, o cameră etc.)* a fi încăpător pentru, a putea cuprinde, a găzdui *etc. (un număr de oameni etc.)* 9 *F* a termina/a isprăvi cu *(prostiile etc.),* – a pune capăt *(cu dat)*

stowage ['stouidʒ] *s* 1 *nav* arimaj, arimare; stivaj, stivare, stivuire; punere la post *(a unei ancore);* strângere *(a unei tende)* 3 *nav* cală, magazie 3 *nav* (taxă de) arimaj; (taxă de) magazinaj 4 aranjare, ordonare, punere în ordine 5 ambalare, împachetare 6 păstrare 7 înmagazinare, depozitare; acumulare, strângere *(a proviziilor etc.)* 8 mărfuri/bunuri înmagazinate, ambalate *etc.*

stowaway ['stouuə,wei] *s* pasager clandestin/*F*→ pe blat

Stowe [stou], **Harriet Beecher** *scriitoare americană (1811-1886)*

St. Paul [snt'pɔ:l] *capitala statului Minnesota (S.U.A.)*

St. Paul's (Cathedral) [snt 'pɔ:lz (kə'θi:drəl)] catedrala Sf. Paul *(în Londra)*

St. Petersburg [snt 'pi:təzbə:g] *od capitala Rusiei țariste* Sf. Petersburg

str. *presc de la* 1 **steamer** 2 *muz* **string** *sau* **strings**

strabismus [strə'bizməs] *s med* strabism

Strabo ['streibou] *geograf grec (?65-24 î.e.n.)*

straddle ['strædəl] I *vt* 1 a încăleca (pe); a călări (pe); a fi *sau* a umbla călare pe 2 *pol,* ↓ *amer* a ține în suspensie *(o problemă etc.),* a se menține în expectativă în ceea ce privește II *vi* 1 a fi *sau* a merge călare 2 a sta *sau* a umbla cu picioarele desfăcute/crăcănate 3 *pol,* ↓ *amer sl* a oscila; a șovăi; a sta în expectativă III *s* 1 răscrăcărare, răscrăcănare, desfacere *(a picioarelor)* 2 *pol,* ↓ *amer sl* oscilare, ezitare; politică de expectativă; duplicitate 3 *min* pilier

straddling ['strædliŋ] *adj* răscrăcărat, desfăcut

Stradivari [,strædi'vɑ:ri], **Antonio** *constructor de viori italian* Stradivarius *(1644-1737)*

Stradivarius [,strædi'vɑ:riəs] *s muz* (vioară) Stradivarius

strafe [streif] *vt* 1 *mil* a bombarda intens, a ține sub foc intens de artilerie 2 a distruge, a nimici; a prăpădi; a rade de pe fața pământului

straggle ['strægəl] *vi* 1 a crește, a se dezvolta, a se extinde *etc.* la întâmplare 2 (**from**) a se răzleți (de); a se despărți, a se depărta, a se dezlipi (de); a se dispersa, a se împrăștia 3 (**from**) a se abate, a devia (de la)

straggler ['stræglə[r]] *s* 1 *mil* soldat rătăcit de unitatea sa 2 *av* avion rătăcit de formație 3 *nav* navă rămasă în urmă *(față de convoi)* 4 animal rătăcit *(de turmă, cireadă etc.)* 5 hoinar; vagabond

straggling ['strægliŋ] *adj* răzleț(it); împrăștiat

straggly ['strægli] *adj* 1 *(d. păr)* răvășit, ciufulit, în dezordine 2 *(d. crengi)* încâlcit

straight [streit] I *adj* 1 drept; rectiliniu 2 drept, direct; exact, just; precis

3 echitabil, drept, corect; cinstit; fățiș, sincer, direct 4 ← *F* de nădejde/încredere, sigur 5 *amer (d. o băutură)* simplu, sec 6 *com* (vândut) la un preț fix *(indiferent de cantitate)* II *adv* 1 drept, direct, de-a dreptul; în linie dreaptă; drept înainte 2 *(a ochi etc.)* cu precizie, exact, precis 3 *(a vorbi etc.)* drept, cinstit, pe față, fățiș, sincer, fără înconjur 4 ← *rar* imediat, îndată, pe dată, fără întârziere, pe loc, numaidecât 5 drept, vertical III *s* 1 *sport* linie dreaptă 2 culoare *(la pocher)*

straight accent ['streit 'æksənt] *s poligr* accent lung

straight and narrow ['streitənd 'nærou] *s:* on the ~ trăind cinstit

straight angle ['streit ,æŋgl] *s geom* unghi de 180°

straight away ['streit ə'wei] *adv v.* **straight** II 4

straight edge ['streit ,edʒ] *s* 1 *constr* dreptar, netezitor 2 *tehn* riglă de verificare a suprafețelor și trasarea liniilor drepte 3 *text* lineal

straighten ['streitən] I *vt* 1 a îndrepta, a face drept 2 a ridica, a înălța *(capul etc.)* 3 *tehn* a redresa, a egaliza 4 a aranja, a potrivi, a îndrepta, a pune în ordine *(cravata etc.);* 5 *sl* a unge, – a mitui II *vr* a se îndrepta *(din spate etc.);* a ridica capul III *vi* a se îndrepta, a se face/a deveni drept *sau* vertical

straightforward [,streit'fɔ:wəd] I *adj* 1 deschis, cinstit, sincer, neprefăcut; *(d. stil etc.)* direct 2 *(d. privire etc.)* drept 3 de onoare; de nădejde/încredere *sau (d. o sarcină etc.)* simplu, necomplicat II *adv v.* **straightforwards**

straightforwardly [,streit'fɔ:wədli] *adv v.* **straightforwards**

straightforwardness [,streit'fɔ:-wədnis] *s* 1 cinste; sinceritate, lipsă de prefăcătorie 2 caracter direct *sau* simplu *(al exprimării etc.)*

straightforwards [,streit'fɔ:wədz] *adv* direct, de-a dreptul; sincer, fățiș, frans, deschis

straight-lined ['streit,laind] *adj* drept, rectiliniu

straightly ['streitli] *adv* drept, direct, în linie dreaptă, fără ocoluri

straightness ['streitnis] *s* **1** caracter drept/direct **2** *v.* **straight-for-wardness 1**

straight off ['streit 'ɔ:f] *adv v.* **straight II 4**

straightway ['streit,wei] *adv v.* **straight II 4**

strain¹ [strein] **I** *vt* **1** a încorda; a tensiona; a întinde; a trage de; **to ~ a rope** a întinde o frânghie **2** a solicita; a forța; a încorda *(mușchii, nervii etc.);* a ciuli *(urechile);* a surmena, a obosi peste măsură **3** *fig* a încorda *(atenția etc.);* a spori, a mări **4** a strânge *(în brațe etc.);* a apăsa, a presa **5** a strecura, a filtra; a trece prin *(filtru, sită etc.);* a cerne **6** a strâmba, a răsuci, a luxa *(un tendon etc.);* a încovoia **7** *tehn* a strâmba, a deforma; a încovoia **8** *fig* a exagera; a depăși; a forța; a viola; a încălca *(legea etc.);* **9** *fig* a răstălmăci, a interpreta greșit **II** *vi* **1** a se încorda, a se întinde **2** a se forța; a se căzni; a se opinti; a se sili **3** a se filtra, a se strecura; *(d. făină etc.)* a se cerne **III** *s* **1** încordare; tragere; tensiune; efort, sforțare **2** solici-tare; forțare; încordare *(a muș-chilor etc.);* surmenaj **3** *fig* încor-dare *(a atenției etc.)* **4** strecurare, filtrare; cernut, cernere **5** scrân-tire, luxație **6** *tehn* deformare; deformație; încovoiere

strain² *s* **1** naștere; zămislire **2** descendenți, vlăstare, urmași **3** origine; strămoși; descendență **4** neam; rasă; soi; specie **5** carac-teristică *sau* tendință moștenită *sau* firească **6** *biol* tulpină **7** ton, tonalitate, stil *(al unei cărți etc.);* manieră, mod **8** ← *poetic* melo-die, arie, cântec; motiv muzical *sau poetic;* accent

strained [streind] *adj* **1** încordat, întins **2** *fig* forțat; nefiresc; silit; exagerat **3** luxat, scrântit **4** filtrat, strecurat; cernut

strainedly ['streindli] *adv* (în mod) forțat; nefiresc

strainer ['streinə'] *s* **1** filtru; stre-curătoare **2** sită, ciur **3** *tehn* întinzător; bolț de întindere

strait [streit] **I** *adj* ← *înv* **1** îngust, strâmt **2** aspru, sever **II** *s* **1** ↓ *pl geogr* strâmtoare, ↓ *pl fig* strâm-toare, încurcătură; jenă (finan-ciară), nevoie **3** ← *rar geogr* istm

straiten ['streitən] *vt* **1** a îngusta, a strâmta **2** a contracta **3** ← *rar* a împiedica; a limita, a restrânge **4** *fig* a jena, a strâmtora *(bă-nește)*

straitened ['streitənd] *adj* și **in ~ circumstances** strâmtorat (bă-nește), în jenă financiară; **~ circumstances** jenă financiară, mijloace (materiale) reduse; sărăcie

strait jacket ['streit ,dʒækit] *s* cămașă de forță

strait-laced ['streit,leist] *adj fig peior* puritan, rigid (în concepții)

strake [streik] *s nav* filă (de bordaj)

stramonium [strə'mouniəm] *s* **1** *farm* stramoniu **2** *bot* laur, ciumăfaie *(Datura stramonium)*

strand¹ [strænd] **I** *s* ↓ ← *poetic* mal, țărm *(↓ nisipos);* plajă **II** *vt nav* a arunca pe coastă; a face să eșueze **III** *vi nav* a eșua; a se pune pe uscat, a fi aruncat la coastă

strand² **I** *s* **1** *text* tort; fir; fibră; jurubiță **2** șuviță *(dintr-o funie, de păr etc.);* vână, toron *(de cablu);* *el* liță, toron **3** *fig* trăsătură *(de caracter)* **II** *vt* a împleti, a răsuci; a torsada

stranded¹ ['strændid] *adj* **1** *nav* eșuat; aruncat pe coastă; împot-molit **2** *auto* în pană **3** *fig* (aflat) în nevoie, strâmtorat; lipsit de mijloace

stranded² *adj* (ră)sucit, împletit

stranded wire ['strændid 'waiə'] *s* **1** *el* liță **2** *tehn* cablu din fire de oțel

strange [streindʒ] **I** *adj* **1** străin, necunoscut, neștiut; nou; neo-bișnuit; **a ~ face** un chip necu-noscut, o figură necunoscută/ nouă; **the signature is ~ to me** nu cunosc semnătura aceasta **2** *înv* venetic, – străin, din altă țară **3** neobișnuit, ieșit din comun; ciudat, straniu, curios; bizar; uimitor, surprinzător; caraghios; extraordinar; **to hear a ~ noise** a auzi un zgomot ciudat; **~ clothes** îmbrăcăminte ciudată *sau* extravagantă; **~ to say** (lucru) curios, oricât de ciudat ar părea **4** jenat, stânjenit; nede-prins, neobișnuit, nefamiliarizat; **to feel ~** a nu se simți bine; a-i veni nu știu cum; **to feel ~ in**

company a se simți prost/jenat/ stingher/stânjenit în societate; **I am ~ to the work** sunt străin de munca aceasta, nu sunt deprins/obișnuit cu această muncă **II** *adv v.* **strangely**

strangely ['streindʒli] *adv* (într-un mod) ciudat, straniu; bizar

strangeness ['streindʒnis] *s* **1** ciudățenie, caracter straniu/ ciudat/bizar **2** lipsă de obișnuință

stranger ['streindʒə'] *s* **1** străin, necunoscut; **you are quite a ~ here** vii/te arăți foarte rar pe aici **2** *amer F (la vocativ)* amice! – prietene! domnule! **3** *jur* terț **4** *înv* venetic, – străin, persoană din altă țară

stranger to, a ['streindʒə tə, ə] *s cu prep* (un) începător/novice în; străin în ale *(cu gen);* neștiutor în ceea ce privește; **he is ~ fear** nu știe ce este/nu cunoaște frica

strangle ['stræŋgəl] **I** *vt* **1** a strangula, a strânge de gât, a suguma, a gâtui **2** *(d. guler etc.)* a strânge **3** *fig* a înăbuși, a gâtui; a reduce la tăcere; a reprima **II** *vi* a se sufoca

stranglehold ['stræŋgəl,hould] *s* **1** strangulare, gâtuire **2** *fig* sugru-mare, înăbușire; **to have a ~ on smb** a avea pe cineva la mână

strangles ['stræŋgəlz] *s pl* ↓ *ca sg vet* gurmă *(la cai)*

strangulate ['stræŋgju,leit] *vt* **1** *v.* **strangle I 2** *med* a strangula, a ligatura

strangulation [,stræŋgju'leiʃən] *s* **1** strangulare, sugrumare, gâtuire **2** *fig* înăbușire, gâtuire; reprimare **3** *med* strangulare, ligaturare

strangury ['stræŋgjuri] *s med* stran-gurie, tenesm

strap [stræp] **I** *s* **1** curea; cureluşă; cordon, șreang; bandă; fâșie; chingă **2** *tehn* curea, bandă; etrier; chingă **3** *tehn* clemă; scoabă **4** *constr* centură, brâu; cordon; șerpar **5** ureche *(la cizme)* **6** curea *(de ascuțit briciul)* **II** *vt* **1** a strânge cu cureaua etc. *(v. ~ I 1)* **2** a trage/a ascuți *(briciul)* pe curea **3** ← *F* a bate cu cureaua

strap band ['stræp ,bænd] *s tehn* eclisă

strap hanger ['stræp ,hæŋgə'] *s* pasager în picioare *(care se ține de curea în tramvai etc.)*

strap hanging ['stræp ,hæŋgiŋ] *s* ținere/agățare de curea *(în tramvai etc.)*

strapless ['stræplis] *adj (d. rochii etc.)* fără bretele

strapping ['stræpiŋ] *adj* **1** voinic, zdravăn, robust; bine făcut **2** monstruos, colosal, uriaș

strap up ['stræp'ʌp] *vt cu part adv* a strânge bine cu cureaua *(geamantanul etc.)*

Strasbourg [stras'buːʳ] *v.* **Strassburg**

strass [stræs] *s* stras; imitație (de piatră prețioasă)

Strassburg [ʃtrɑːs'buːrk] *oraș în Franța* Strasbourg

strata ['strɑːtə] *pl de la* **stratum**

stratagem ['strætidʒəm] *s* **1** *mil* stratagemă **2** șiretlic, vicleșug, truc

strategic(al) [strə'tiːdʒik(əl)] *adj* **1** *mil* strategic; operativ **2** strategic; avantajos

strategically [strə'tiːdʒikəli] *adv* (în mod *sau* din punct de vedere) strategic

strategics [strə'tiːdʒiks] *s pl ca sg v.* **strategy**

strategist ['strætidʒist] *s mil* strateg

strategy ['strætidʒi] *s* **1** *mil* strategie; tactică **2** fig strategie, tactică **3** *fig* șiretlicuri, vicleșuguri; uneltiri; **a ~ in the wind** semn a ceea ce se poate întâmpla; **a man of ~ a** momăie/sperietoare de paie **b** om neserios **c** persoană fictivă

Stratford-(up)on-Avon ['strætfəd (ə'p)on'eivən] *orășel în Anglia (în care s-a născut și a murit Shakespeare)*

stratification [,strætifi'keiʃən] *s* stratificare; stratificație

stratiform ['stræti,fɔːm] *adj* stratiform

stratify ['stræti,fai] **I** *vt* a stratifica; a așeza în straturi **II** *vi* a se stratifica; a se așeza/a se sedimenta în straturi

stratigraphic [,stræti'græfik] *adj* stratigrafic

stratigraphy [strə'tigrəfi] *s geol* stratigrafie

stratocracy [strə'tɔkrəsi] *s pol* stratocrație, guvernare de către militari

stratosphere ['strætə,sfiəʳ] *s meteor* stratosferă

stratospheric [,strætə'sferik] *adj meteor* stratosferic

stratostat ['strætoustæt] *s av* stratostat

stratum ['strɑːtəm], *pl și* **strata** ['strɑːtə] *s* **1** *geol* strat; formațiune **2** strat, pătură **3** *fig* pătură (socială)

stratus ['streitəs], *pl* **strati** ['streitai] *s meteor* (nor) stratus

Strauss [straus], **Johann** *compozitor austriac (1825-1899)*

straw [strɔː] *s* **1** (fir de) pai; paie; **to catch at a ~** a se agăța de un pai; **not to care a ~** a nu-i păsa câtuși de puțin; *F* a-l durea în cot; **the last ~** *fig* ultima picătură; limita; **it's the last ~!** *fig* asta-i culmea! asta mai lipsea! colac peste pupăză! **it is the last ~ that breaks the camel's back** *prov aprox* ultima picătură varsă paharul **2** pălărie de paie

strawberry ['strɔːbəri] *s bot* **1** căpșun *(Fragaria elatior)* **2** căpșună **3** frag; fragi (de pădure) *(Fragaria vesca)* **4** fragă

straw binder ['strɔː,baindəʳ] *s agr* legător de paie

straw-coloured ['strɔː,kʌləd] *adj* galben pai, de culoarea paiului

straw cutter ['strɔː,kʌtəʳ] *s agr* tocătoare de paie, șișcarniță

straw flower ['strɔː,flauəʳ] *s bot* flori de paie *(Helichrysum bracteatum)*

straw man ['strɔː,mæn] *s* **1** sperietoare de păsări **2** *fig* om de paie

straw poll/vote ['strɔː,poul/,vout] *s pol* vot preliminar *(de sondaj)*

straw wisp ['strɔː,wisp] *s* șomoiog/mănunchi de paie

strawy ['strɔːi] *adj* **1** păios; din paie *sau* (ca) de paie **2** acoperit cu paie

stray [strei] **I** *vi* **1** a se rătăci, a se răzleți; a se depărta; a se abate; **to ~ from the flock** a se rătăci de turmă **2** *poetic* a colinda, – a rătăci, a hoinări, a umbla **3** (from) *fig* a se abate (de la); a se depărta *(de subiect etc.)*; **he let his thoughts ~** își lasă gândurile să rătăcească în voie **II** *s* **1** animal rătăcit *(de turmă etc.)* **2** copil rătăcit *sau* al nimănui/vagabond **3** *jur* succesiune fără succesori **4** dispersie (electrică) **5** *tel* zgomot parazit **III** *adj atr* **1** rătăcit, răzleț(it); izolat **2** rătăcitor; hoinar; fără ț.l, care merge la întâmplare **3** întâmplător, ocazional; *(d. gânduri)* fără șir; *(d. un exemplu)* (luat) la întâmplare

strayed [streid] *adj* rătăcit, răzlețit; pierdut

straying ['streiiŋ] *adj fig* rătăcit, abătut de la drumul drept

streak [striːk] **I** *s* **1** trăsătură, linie; dungă; fâșie; **~ of lightning** (licărire de) fulger, fulgerare; **like a ~ (of lightning)** (iute) ca fulgerul, cât ai clipi din ochi **2** *fig* trăsătură de caracter; înclinație, tendință; vână; **there is a yellow ~ in him** în firea lui este ceva perfid *sau* laș **3** *min* filon, vână, strat **4** strat *(de grăsime etc.)* **5** *fig* urmă; notă; **a ~ of irony** o notă *sau* o doză de ironie **6** *fig* perioadă; lanț, șir; **a winning ~** un șir de reușite/succese **II** *vt* a stria, a linia; a dunga, a vărga, a vârsta, a vrâsta **III** *vi* a alerga nebunește

streakiness ['striːkinis] *s* **1** caracter vărgat/dungat **2** lipsă de uniformitate; inegalitate **3** *F* arțag; – iritabilitate **4** ← *F* nestatornicie, inconstanță

streaky ['striːki] *adj* **1** vărgat, dungat, cu *sau* în dungi **2** (amestecat) cu straturi de altă natură; *(d. slănină)* cu carne **3** neuniform, inegal **4** *F* căruia îi sare (repede) muștarul, – iritabil

stream [striːm] **I** *s* **1** curs de apă; apă curgătoare; fluviu; râu; șuvoi; torent **2** curent, curs; **to go/to swim/to row against the ~** *fig* a merge împotriva curentului; **to go/to sail/to float with the ~** *fig* a urma curentul; a merge în pas cu vremea **3** curent *(de aer)*; torent *(de lavă)*; val *(de lumină)*; șuvoi *(de sânge)*; șiroaie *(de lacrimi)*; potop *(de cuvinte)*; **in ~s, in a ~** *fig* șiroaie; torențial **4** *nav* curent de maree **5** *școl* nivel (de pregătire *sau* performanță) *(↓ al elevilor din aceeași clasă)* // **on ~** în producție **II** *vt* **1** a emite; a da drumul la; a răspândi; a emana; a împrăștia; a (i)radia **2** a desfășura *(un steag etc.)*; a arbora **3** *min* a spăla **III** *vi* **1** a izvorî, a ieși **2** a curge, a se scurge; *(d. lumină etc.)* a se răspândi; a răzbate; *(d. mulțime)* a se revărsa, a se scurge **3** *(d. un steag)* a flutura, a fâlfâi **4** *nav* a ancora **5** *(d. plete)* a flutura

stream anchor ['stri:m ˌæŋkəʳ] *s nav* ancoră de curent

streamer ['stri:məʳ] *s* **1** *poetic* flamură; – steag; fanion **2** serpentină *(de hârtie)* **3** rază *sau* geană de lumină *(la orizont)*; mănunchi de raze *(al aurorei boreale)* **4** fâșie; dungă **5** *amer* titlu de ziar pe toată lățimea paginii **6** *el* filament

stream gold ['stri:m ˌgould] *s* aur de râu

stream ice ['stri:m ˌais] *s* sloiuri de gheață *(pe râu)*

streaming ['stri:miŋ] *s* **1** curgere; scurgere **2** spălare *(a minereului, în apă curgătoare)*

streamlet ['stri:mlit] *s* râuleț, pârâiaș

streamline ['stri:mˌlain] **I** *s* **1** *hidr* firul apei **2** *meteor* linie de curent **3** direcție a curentului *(de apă etc.)* **II** *vt* **1** *hidr* a profila hidrodinamic **2** *tehn* a carena, a fuzela; a da o formă aerodinamică *(cu dat)* **3** *amer* a accelera *sau* a raționaliza *(procesul de producție)*

streamlined ['stri:mˌlaind] *adj* **1** *tehn* carenat, fuzelat; aerodinamic **2** *hidr* hidrodinamic **3** *F* care merge ca pe roate/uns

stream of consciousness ['stri:m əv'kɒnʃəsnis] *s psih, lit* fluxul conștiinței

stream with ['stri:m wið] *vi cu prep* a șiroi de *(apă etc.)*

streamy ['stri:mi] *adj* **1** ca de fluviu, râu *etc.*; curgător **2** cu multe fluvii, râuri *etc. sau* curente

street [stri:t] *s* **1** stradă, uliță; **in/** *amer* **on the ~** pe stradă; în stradă; **to be on/to walk the ~s** *fig* a a fi pe drumuri **b** a face trotuarul, a fi prostituată; **not in the same ~ with smb** *fig* cu mult inferior cuiva, incomparabil mai slab, mai prost *etc.* decât cineva; **to turn out into the ~** *fig* a arunca pe drumuri/în stradă; **~ ahead of** mult mai bun decât; **up one's ~** în preocupările sale; în domeniul său de activitate; **to be in Queer ~** a fi într-o situație grea; a avea necazuri *sau* datorii **2 the ~** ← *F* strada, locuitorii străzii **3 the S~** *amer* cercurile financiare *sau* ale bursei

street Arab ['stri:t ˌærəb] *s* copil al străzii/al nimănui/vagabond

streetcar ['stri:tˌkɑːʳ] *s amer* tramvai

street door ['stri:t ˌdɔːʳ] *s* ușa dinspre stradă/principală a casei

street front ['stri:t ˌfrʌnt] *s constr* fațadă

street railway ['stri:t ˌreilwei] *s* **1** linie de tramvai **2** cale ferată care taie străzile unui oraș

street sweeper ['stri:t ˌswi:pəʳ] *s* **1** măturător de stradă **2** mașină de măturat străzile

street urchin ['stri:t ˌəːtʃin] *s v.* **street Arab**

streetwalker ['stri:tˌwɔːkəʳ] *s* femeie care face trotuarul, femeie de stradă

streetward ['stri:twəd] **I** *adj (d. fereastră etc.)* care dă în stradă **II** *adv* înspre stradă, în direcția străzii

strength [streŋθ] *s* **1** putere, tărie, forță, vigoare; **~ of mind** *fig* tărie de caracter; forță morală; **by sheer ~** prin (simplă) forță; **by ~ of arm** cu puterea brațelor; prin forța brațelor; prin putere fizică; **on the ~ of** *fig* pe baza *cu gen;* în virtutea *cu gen;* datorită, mulțumită *cu dat;* ca/drept urmare *cu gen* **2** și *fig* soliditate, tărie; trăinicie, durabilitate **3** *fig* tărie, nădejde, reazem, sprijin **4** tărie, (forță de) rezistență *(a unui bastion etc.)* **5** *tehn* rezistență *(a materialelor etc.)* **6** *fiz* forță; intensitate **7** număr, forță numerică; *mil* efectiv; **what is your ~?** câți oameni *sau* soldați aveți? **in full ~** în număr (complet), cu toții, toți **8** *mil* controale; **on the ~** în controalele armatei **9** *ch ec.* titlu; concentrație, tărie

strengthen ['streŋθən] **I** *vt* **1** a întări, a consolida, a fortifica **2** a întări, a înzdrăveni, a fortifica **3** a confirma, a adeveri, a întări *(spusele cuiva etc.)* **4** a concentra *(o soluție etc.)*, a mări concentrația *(unei soluții etc.)* **5** *tehn* a fixa; a rigidiza **II** *vi* **1** a se întări, a se consolida, a se fortifica **2** *(d. cineva)* a se înzdrăveni, a se fortifica **3** *(d. cineva etc.)* a deveni puternic *sau* mai puternic, a câștiga noi puteri

strengthening ['streŋθəniŋ] **I** *s* **1** întărire, consolidare; rigidizare **2** *tehn* durcisare **II** *adj* care întărește, consolidează *etc.* **(strengthen I)** *sau* care se întărește *etc.* *(v.* **strengthen II***)*

strenuous ['strenjuəs] *adj* **1** încordat, greu, care cere mult efort; < obositor, < extenuant **2** *(d. un orator etc.)* viguros; zelos; înversunat, aprig **3** *(d. viață etc.)* activ, intens

streptococcal [ˌstreptou'kɒkəl] *adj med* streptococic

streptococcic [ˌstreptou'kɒksik] *adj med* streptococic

streptococcus [ˌstreptou'kɒkəs], *pl* **streptococci** [ˌstreptou'kɒksai] *s med* streptococ

streptomycin [ˌstreptou'maisin] *s med* streptomicină

stress [stres] **I** *s* **1** încordare; presiune, apăsare; povară; forță, putere **2** *fig* presiune, apăsare; tensiune; constrângere; solicitare; efort, strădanie; **under (the) ~ of poverty** constrâns de mizerie/sărăcie; datorită/din cauza sărăciei/mizeriei **3** *fon* accent; **to place the ~ on** a pune accentul pe; **to lay ~ on** *fig* a pune accentul pe; a accentua, a sublinia, a scoate în relief/evidență *cu ac;* a pune în valoare *cu ac* **II** *vt* **1** a apăsa, a presa; a solicita **2** *fig* a accentua, a sublinia, a scoate în evidență/relief; a pune accentul pe; a pune în valoare **3** *fon* a pune accentul pe **4** *tehn* a solicita

-stress *suf substantival feminin* -easă, -oare *etc.:* **seamstress** cusătoreasă

stretch [stretʃ] **I** *vt* **1** a întinde, a lungi, a extinde; a dilata; *met* a trage; **to ~ one's legs** a-și dezmorți picioarele, a face o plimbare **b** a întinde pasul, a merge mai repede **2** a lărgi, a lăți; a mări **3** a încorda, a întinde *(arcul etc.)* **4** *fig F* a întinde, a culca, a lungi, a doborî *(pe cineva)* **5** a întinde *(mâna etc.);* a oferi **6** a întinde, a desfășura, a desface *(aripile etc.)* **7** *fig* a forța, a exagera, a abuza de; a denatura, a se depărta de *(adevăr);* a răstălmăci, a interpreta într-un sens prea larg *(legea etc.);* a depăși *(limita);* **to ~ a point** a fi îngăduitor; a închide ochii; **aren't you ~ing it a bit?** *F* nu te bărbierești un pic? – nu exagerezi cumva? **8** *fig* ← *înv* a încorda, a suprasolicita, a forța;

a holba *(ochii)* II *vr* **1** a se
întinde, a-și dezmorți mădu-
larele **2** a se lungi, a se culca
III *vi* **1** a se lungi, a se întinde,
a se extinde; a se dilata **2** a se
întinde, a se lăți, a se lărgi; a
se mări **3** *(d. o câmpie etc.)* a
se întinde, a fi (situat), a se afla
4 *F* a lungi compasul/– pasul,
– a merge de zor, < a alerga **5**
F a se bărbieri, a croi la min-
ciuni, a spune brașoave, – a
minți, a exagera **6** *nav* a naviga
cu toate pânzele întinse IV *s* **1**
întindere, extindere **2** sforțare,
efort *(al imaginației etc.)*; **ner-
ves on the** ~ nervi încordați **3**
abuz; exagerare; ~ **of autho-
rity** abuz de autoritate **4** durată,
interval (de timp) *(neîntrerupt);*
at a ~ a fără oprire/întrerupere,
mereu, neîntrerupt **b** dintr-o
dată **5** spațiu, întindere; sector;
zonă, regiune; ~ **of open coun-
try** porțiune de teren deschis **6**
nav drum drept // **at full** ~ din
răsputeri, cu maximum de efort
stretcher ['stretʃəʳ] *s* **1** brancardă;
targă **2** *tehn* targă **3** *min* strân-
gător **4** *constr* cărămidă așezată
în lung **5** *F* gogoașă, minciună
gogonată
stretcher bearer ['stretʃə ,bɛərəʳ] *s*
mil brancardier
stretch forth/forward ['stretʃ 'fɔ:θ/
'fɔ:wəd] *vt cu part adv* a întinde
(mâna)
stretchiness ['stretʃinis] *s* elastici-
tate *(a unui material)*
stretch-out ['stretʃ,aut] *s amer* ← *F*
sistem în cadrul căruia un munci-
tor efectuează ore suplimentare
fără a fi plătit sau fiind plătit foarte
puțin
stretch out ['stretʃaut] I *vt cu part
adv* a întinde *(mâna)* II *vi cu part
adv* **1** a se întinde *(ca să apuce
ceva etc.)* **2** a întinde pasul **3** *(d.
o coloană etc.)* a se întinde; a se
lungi; a se subția
stretchy ['stretʃi] *adj* care se poate
întinde; extensibil; flexibil; elas-
tic
strew [stru:], *ptc și* **strewn** [stru:n]
vt **1** (**with**) a presăra, a acoperi
(cu); a smălța (cu) **2** a risipi, a
împrăștia; a presăra, a pulveriza;
a stropi **3** a așterne, a întinde *(un
covor etc.)* **4** *opt* a difuza

striate ['straiit] *vt* a stria; a canela
striated ['straiitid] *adj* striat; vărgat,
dungat
striation [strai'eiʃən] *s* **1** striere;
vărgare **2** striuri; dungi
stricken ['strikən] I *ptc înv de la*
strike I II, II *adj* ← *poetic* lovit *(de
durere etc.);* rănit; atins; copleșit;
îndurerat
strickle ['strikəl] *s* **1** gabarit **2** *text*
bătător, meliță **3** cute, piatră de
ascuțit **4** răzătoare, răzuitoare
strict [strikt] *adj* **1** strict, exact,
precis, riguros **2** perfect, absolut,
întreg; **the ~ truth** adevărul pur/
adevărat **3** strict, exigent; pre-
tențios; sever, aspru; drastic,
inflexibil; ~ **discipline** disciplină
severă/aspră/riguroasă
strictly ['striktli] *adv* **1** strict, sever,
cu asprime **2** (în mod) strict,
exact, precis; întocmai
strictness ['striktnis] *s* **1** strictețe,
severitate **2** strictețe, precizie,
exactitate
stricture ['striktʃəʳ] *s* **1** critică aspră/
severă; condamnare fără apel **2**
med strictură, contractare
stridden ['stridn] *ptc de la* **stride** I, II
stride [straid] I *pret* **strode** [stroud],
ptc **stridden** ['stridn] *vi* a păși/a
călca/merge/a umbla cu pași
mari; **to ~ across/over smth** a
păși peste ceva II *(v. ~ I)* *vt* **1** a
umbla cu pași mari pe *(stradă
etc.);* a măsura **2** a păși/a călca
peste *(un șanț etc.)* **3** a încăleca
(pe); a sta/a fi călare pe *(o cracă
etc.)* III *s* **1** pas mare/lung; mers;
fel a merge; **to make rapid/
great ~s** *fig* a înainta cu pași
mari/repezi, a face progrese
rapide; **to hit one's** ~ *fig* a ajunge
la viteza sa normală *sau* la
randamentul său obișnuit; **to
take smth in one's** ~ *fig* a face
ceva cu ușurință/fără efort **2** pas
*(ca distanță între picioarele
desfăcute la mers)*
stridence ['straidəns] *s* stridență,
caracter strident/țipător
stridency ['straidənsi] *s v.* **stridence**
strident ['straidənt] *adj (d. sunete
etc.)* strident, țipător; ascuțit,
tăios; discordant
stridently ['straidəntli] *adv* (în mod)
strident, ascuțit
stridor ['straidɔ:ʳ] *s* sunet strident
stridulate ['stridju,leit] *vi ent* a țârâi

stridulation [,stridju'leiʃən] *s ent*
țârâit
strife [straif] *s* **1** întrecere; luptă,
competiție, concurență; rivalitate
2 ceartă, luptă, conflict; neînțele-
gere, dezbinare, dihonie, vrajbă
3 strădanie, străduință, efort,
luptă
strike [straik] I *pret și ptc* **struck**
[strʌk] *vt* **1** a lovi, a pocni, *F* → a
atinge; a da/a trage o lovitură
(cuiva); a izbi; a ciocni; a bate
(fierul etc.); **to ~ smb in the face**
sau **mouth** *sau* **on the chin** a
lovi pe cineva peste față *sau*
gură *sau* bărbie; **he struck his
knee with his hand, he struck
his hand upon his knee** se lovi
cu mâna peste genunchi, își lovi
genunchiul cu mâna; **the tree
was struck by lightning** pomul
a fost lovit de trăsnet **2** a da, a
trage *(o lovitură);* **to ~ the first
blow a** a lovi primul, a da prima
lovitură **b** *fig* a provoca; **he
struck the table a heavy blow**
lovi în masă/masa cu putere, izbi
în masă cu pumnul **3** *(d. un vas
etc.)* a se izbi/a se ciocni/a se lovi
de *(o stâncă etc.);* **to ~ the
ground** *nav* a atinge fundul **4** a
da de/peste; a descoperi, a găsi;
a nimeri peste; **to ~ oil** *amer* a
descoperi (un zăcământ de)
petrol **b** *fig* a face o descoperire
profitabilă **c** *fig* a face o afacere
bună **d** *fig* a da de noroc; a reuși
(în viață, afaceri etc.); **to ~ the
path** a găsi poteca, a da de
potecă; **to ~ it rich** a se îmbogăți
brusc **5** *muz* a lovi, a atinge
(clapele); a ciupi *sau* a atinge
(strunele); a bate *(toba)* **6** a da,
a prinde *(rădăcini)* **7** a suna, a
bate *(ceasul, ora);* **it has struck
seven** a bătut ora șapte; **to ~ the
hour** *nav* a bate ora **8** a aprinde
(prin frecare sau lovire); **to ~ a
match** a aprinde/a trage un
chibrit; **to ~ a light** a scăpăra; a
scăpăra amnarul; **to ~ sparks
from flint** a scăpăra/a scoate
scântei din amnar, a scăpăra
amnarul; **to ~ sparks out of/
from** *și fig* a face să scapere *cu
ac,* a scoate scântei din **9** a bate
la *(ochi);* a impresiona (ochiul)
10 *fig* a impresiona; a face o
(anumită) impresie asupra *(cui-*

va); a izbi, a frapa; a părea *(cuiva);* **how does the idea ~ you?** cum ți se pare ideea aceasta? ce părere ai despre ideea aceasta? **the notion suddenly struck me that** deodată mi-a venit în minte gândul/ ideea că; mi-a străfulgerat gândul/ideea că; **I was struck by his style** am fost impresionat de/ m-a impresionat stilul lui **11** a bate *(monedă)* **12** *nav* a coborî *(pânzele, pavilionul)* **13** *amer F* a tapa; a atinge; **I struck him for 2 dollars** l-am tapat de doi dolari **14** a încheia *(un târg etc.),* a face *(o afacere)* **15** a lovi/a prinde cu cangea, cu harponul *etc.* **16** *el* a arde *(fuzibilul)* **17** *tehn* a stampa; a imprima **18** *(cu adj)* a face (mut *etc.);* a amuți **19** a ridica *(tabăra)* // **to ~ an attitude** a-și lua o poză; **to ~ a balance a** a încheia/a face un bilanț **b** *ec* a solda un cont **II** *(v. ~ I) vi* **1** a lovi, a da o lovitură; **to ~ at a ball** a lovi o minge **2** *(d. ceas)* a suna, a bate; **his hour has struck** *fig* i-a sunat/i-a bătut ceasul **3** *(d. plante)* a prinde rădăcini **4** *nav* a coborî pavilionul *sau* o pânză *sau* pânzele **5** a o lua, a o apuca, a se îndrepta *(într-o anumită direcție);* **they struck across the fields** au luat-o peste câmp **6** **(for)** a face grevă (pentru *etc.);* **7** *(cu adj)* a impresiona prin *(căldură etc.);* **the room ~s warm** camera este călduroasă **8** **(against** *etc.)* a se lovi (de *etc.)* **9** *(d. chibrit)* a se aprinde **10** **(through** *etc.)* a pătrunde (prin *etc.)* **11** a trece repede; a zbura; a țâșni **III** *s* **1** descoperire (a unui zăcământ) **2** *fig* lovitură (norocoasă); noroc; succes **3** *geol* orientarea straturilor **4** grevă; **to be on ~** a fi în grevă; **to go on ~** a declara/a face grevă

strike back ['straik 'bæk] *vi cu part adv* **1** a întoarce lovitura; a răspunde printr-o lovitură *sau* prin lovituri; a nu se lăsa mai prejos **2** a se întoarce, a face cale întoarsă neputând călători mai departe *etc.*

strike-bound ['straik ˌbaund] *adj* imobilizat, din cauza unei greve

strike breaker ['straik ˌbreikəʳ] *s* spărgător de grevă

strike committee ['straik kə'miti] *s* comitet de grevă

strike down ['straik 'daun] **I** *vt cu part adv* **1** a culca, a doborî, a trânti (la pământ) *(dintr-o lovitură)* **2** *fig* a face un rău *(cuiva);* a nenoroci **II** *vi cu part adv (d. soare)* a frige, a arde

strike home ['straik 'houm] *vi cu adv și fig* a lovi/a nimeri în plin

strike in ['straik'in] *vi cu part adv* **1** a începe **2** **(with)** a interveni *(cu o sugestie etc.);* a se amesteca

strike into ['straik ˌintə] *vt cu prep* a pătrunde/a se afunda în *(junglă etc.)*

strike off ['straik'ɔ:f] *vt cu part adv* **1** a tăia, a reteza, a desprinde *(cu barda etc.);* a decapita **2** a tăia, a șterge *(un cuvânt etc.)* **3** a nu pune la socoteală, a elimina **4** a improviza *(o lucrare literară etc.);* a compune la repezeală, a expedia **5** *ec* a face un rabat/o reducere de, a reduce **6** *poligr* a tipări, a trage *(un număr de exemplare)*

strike out ['straik 'aut] **I** *vt cu part adv* **1** a tăia, a șterge *(un cuvânt etc.);* a scoate; a răzui; a radia **2** a scoate, a face să iasă *(scântei)* **3** *fig* a avea (o idee nouă), a-i trece prin minte; a se gândi la; a concepe, a născoci, a inventa, a scorni **II** *vi cu part adv* **1** a lovi, a da (o lovitură *sau* lovituri) **2** **(for)** a porni repede, a o lua în grabă (spre)

strike out for oneself ['straik'aut fə wʌn'self] *vi cu part adv, prep și pr* a se descurca singur; a-și face o situație

strike pay ['straik ˌpei] *s* alocație acordată greviștilor pentru grevă

striker ['straikəʳ] *s* **1** grevist **2** *tehn* bolț; percutor **3** *el* aprinzător; aparat de aprindere **4** *met* berbecul ciocanului **5** *geol* direcție *(a stratului)* **6** *mil* percutor

strike through ['straik 'θru:] *vt cu part adv* a tăia, a șterge *(o propoziție etc.)*

strike up ['straik'ʌp] **I** *vt cu part adv* **1** a începe; a lega; a face *(prietenie etc.)* **2** a începe să cânte, a intona **II** *vi cu part adv* **1** **(with)** a lega/a face prietenie (cu) **2** *(d. muzică, orchestră etc.)* a începe (să cânte)

striking ['straikiŋ] *adj* **1** *atr* grevist; (aflat) în grevă **2** izbitor, frapant; remarcabil; extraordinar

strikingly ['straikiŋli] *adv* (în mod) izbitor, surprinzător

strikingness ['straikiŋnis] *s* caracter izbitor/surprinzător

Strindberg ['strindbə:g], **August** *scriitor suedez (1849-1912)*

string [striŋ] **I** *s* **1** sfoară; bucată de sfoară; coardă; șiret; cordon; șnur; ață; **to pull the ~s** *fig* a trage sforile; a conduce din umbră; **to have smb on a ~** *fig* a duce pe cineva de nas; a-și râde/a-și bate joc de cineva **2** coardă (de arc); **to have two ~s to one's bow** *fig* a dispune de mai multe resurse/ posibilități *(pt orice eventualitate)* **3** *muz* strună, coardă; **to harp on the same ~** *fig* a cânta (mereu) același cântec, a o ține una și bună **4** *pl muz* (instrumente cu) coarde **5** șirag *(de mărgele etc.);* șir; rând **6** șir, rând *(de trăsuri etc.);* coloană **7** șir, serie, succesiune **8** *mil* salvă *(de mitralieră)* **9** *bot* fibră, filament; ață *(la fasole etc.);* nervură *(la frunze)* **10** *constr* vang **11** *constr* profil, brâu **12** *sl* minciună gogonată, poveste de necrezut **13** *amer ← F* condiție, clauză **II** *pret și ptc* **strung** [strʌŋ] *vt* **1** a lega cu sfoară, cu un șiret *etc. (v. ~ I* **1***)* **2** *muz* a pune o strună/coardă *sau* strune/coarde la **3** a încorda, a întruni; a întinde coarda *(arcului)* **4** a crea o tensiune nervoasă în; a încorda *(nervii);* a excita **5** a înșira pe sfoară *sau* ață *(mărgele etc.);* a lega; a întinde **6** a lega cu sfoară *(un pachet)* **7** *amer F* a duce de nas, a trage pe sfoară, – a păcăli **III** *(v. ~ II) vi* a se deplasa/a se mișca în lanț/șir; a forma un șir

string along with ['striŋ ə'lɔŋ wið] *vi cu part adv și prep amer ← F* a fi devotat *cuiva;* a călca pe urmele *cuiva;* a cânta în strună *cuiva*

string bean ['striŋ ˌbi:n] *s bot* fasole verde

string board ['striŋ ˌbɔ:d] *s constr* vang

string course ['striŋ ˌkɔ:s] *s constr* profil, brâu

stringed [striŋd] *adj muz* cu sau de coarde

stringency ['strindʒənsi] *s* **1** stringență, necesitate absolută; urgență **2** strictețe, severitate, asprime, rigoare **3** strâmtoare (bănească), lipsă (de bani) **4** *ec* depresiune; lipsă

stringent ['strindʒənt] *adj* **1** stringent, imperios; urgent **2** riguros, strict, sever **3** *(d. argumentare etc.)* riguros, strâns; convingător **4** *ec* (↓ *d. bani)* puțin, neîndestulător

stringently ['strindʒəntli] *adv* cu stricteţe

stringer ['strinəʳ] *s* **1** *tehn* lonjeron, grindă longitudinală **2** *constr* vang

stringiness ['strinjinis] *s* vibrozitate, caracter fibros/aţos

string orchestra ['strin ‚ɔ:kistrə] *s muz* orchestră de coarde

string out ['strin 'aut] *vt cu part adv* a înşira *(pe funie etc.)*

string quartet ['strin kwɔ:'tet] *s muz* cuartet de coarde

stringy ['strini] *adj* **1** fibros, filamentos, aţos **2** vâscos, cleios **3** *fig* vânos; vânjos, musculos

strip [strip] **I** *vt* **1** a dezbrăca, a dezgoli, a despuia *(pe cineva)* **2** a dezbrăca, a scoate *(cămaşa etc.)* **3** a lua, a scoate, a jupui *(coaja etc.);* a îndepărta, a înlătura; a da jos *(ţiglele de pe acoperiş etc.)* **4** (of) a priva, a lipsi, a văduvi (de); a deposeda (de) **5** *tehn* a demonta; a scoate **6** *tehn* a toci *(un şurub etc.);* a deforma **7** a descoperi; a goli **8** *nav* a degrementa; a dezarma **9** *poligr* a pelicula **10** a mulge ultimul strop de lapte *(al vacii)* **II** *vi* **1** a se dezbrăca, a se despuia, a se dezgoli **2** *(d. arbori etc.)* a se jupui (de coajă), a se coji **3** *(d. coajă)* a se desprinde, a cădea **III** *s* **1** şipcă **2** fâşie; bandă; panglică **3** *poligr* ştraif **4** fâşie *(de pământ)* **5** *av* pistă de decolare şi aterizare **6** pagină umoristică *(într-un ziar etc.)* **7** *amer* distrugere, nimicire

strip cartoon ['strip ka:'tu:n] *s* comics, povestire în imagini

strip down ['strip 'daun] *vt cu part adv constr* a demonta; a demola

stripe [straip] **I** *s* **1** dungă; fâşie **2** dungă, crestătură *(pe piele)* **3** lovitură *(de bici etc.)* **4** *mil* galon; tresă; **to get one's ~s** a înainta în grad **5** *amer* fel, soi, specie **6** culoare distinctivă *sau* semn distinctiv **II** *vt* a dunga; a cresta

striped [straipt] *adj* dungat, vărgat, crestat, vârstat

stripling ['striplin] *s* adolescent, tânăr, *peior* ţingău

strip map ['strip ‚mæp] *s av* hartă cu traiectul de zbor

strip of ['strip əv] *vt cu prep* a deposeda de; a jefui; a prăda *cu ac*

stripper ['stripəʳ] *s* femeie care practică „strip tease"

strip tease ['strip ‚ti:z] *s* „strip tease" *(dezbrăcare treptată a unei femei în faţa publicului)*

stripy ['straipi] *adj v.* striped

strive [straiv], *pret* **strove** [strouv], *ptc* **striven** ['strivən] *vi* **1** *(cu inf)* a tinde, a năzui (să); a se sforţa, a se strădui (să); a face tot posibilul (să); **he strove to keep his self-control** se căznea/se strădua să-şi păstreze stăpânirea de sine/să se stăpânească **2** (against) a (se) lupta *(împotriva – cu gen);* a rezista, a se împotrivi *(cu dat)*

strive after ['straiv ‚a:ftəʳ] *vi cu prep* a năzui la/spre, a tinde spre/către; a urmări *cu ac;* a căuta să dobândească *ceva*; **what is he striving after?** ce urmăreşte? pentru ce se zbate?

strive for ['straiv fəʳ] *vi cu prep* **1** a lupta pentru; a urmări *(un scop);* a căuta/a se strădui să obţină *ceva* **2** a se certa pentru; a disputa *ceva*

striven ['strivən] *ptc de la* strive

striver ['straivəʳ] *s* aspirant; persoană care aspiră la ceva

strobe light ['stroub ‚lait] *s* lumină care se aprinde şi se stinge foarte repede; orgă de lumini

stroboscope ['stroubə‚skoup] *s opt* stroboscop

stroboscopic(al) [‚stroubə'skɔpik(əl)] *adj opt* stroboscopic

strode [stroud] *pret de la* stride I, II

stroke [strouk] **I** *s* **1** lovitură *(de secure etc.);* izbitură; **finishing ~ a** lovitură decisivă *sau* de graţie **b** *fig* argument hotărâtor/ decisiv **2** mişcare (ritmică); bătaie *(a vâslei etc.)* **3** *fig* lovitură; mişcare; idee *(genială etc.),* străfulgerare; **a ~ of luck** o lovitură norocoasă; un noroc neaşteptat **4** trăsătură *(de condei);* **with one ~ of the pen** dintr-o trăsătură de condei, dintr-un condei **5** bătaie *(a ceasului);* **it is on the ~ of seven** încă puţin şi o să bată (ora) şapte, e aproape (ora) şapte **6** mângâ-

iere, atingere *(cu mâna)* **7** *tehn* cursă *(a pistonului);* mers; timp **8** *poligr* linie **9** *text* bătaie **10** *nav* şef de rame **11** *nav* stil de ramare **12** *nav* cadenţă de ramare **13** *nav* cursa pistonului **II** *vt* **1** a mângâia, a dezmierda; a mângâia părul *(cuiva);* **to ~ smb's hair the wrong way** *fig* a lua pe cineva în răspăr; a se răsti la cineva **2** *nav* a da cadenţa de ramare *(cuiva),* a dirija *(vâslaşii)* **III** *vi nav* a fi şef de ramă

stroke capacity ['strouk kə'pæsiti] *s auto* cilindree

stroke counter ['strouk ‚kauntəʳ] *s tehn* contor de curse

stroke oar ['strouk ‚ɔ:] *s nav* rama/ vâsla de lângă pupa

stroke oarsman ['strouk ‚ɔ:zmən] *s nav* şef de rame

stroking ['stroukin] *s* **1** mângâiere; dezmierdare **2** *pl* ultimul lapte muls

stroll [stroul] **I** *vi* **1** a se plimba tacticos/în tihnă **2** a rătăci, a cutreiera **II** *vt* a străbate, a cutreiera; a se plimba tacticos prin *sau* pe **III** *s* **1** plimbare; preumblare *(făcută în tihnă)* **2** hoinăreală; cutreier

stroller ['strouləʳ] *s* **1** persoană care se plimbă; pieton **2** nomad; rătăcitor **3** actor ambulant **4** cărucior de copii, căruţ

strolling player ['stroulin ‚pleəʳ] *s* actor ambulant

strong [strɔn] **I** *adj* **1** *(d. cineva)* tare, puternic *(fiziceşte);* robust; vânjos; musculos; zdravăn; viguros; rezistent; **I feel quite ~ again** m-am refăcut, m-am înzdrăvenit, mi-am revenit **2** *fig (d. stil)* viguros; *(d. măsuri)* drastic; tare **3** *fig (d. cineva)* cu mână de fier/tare; autoritar **4** tare; întărit; rezistent; trainic, durabil; *(d. un castel)* întărit, fortificat **5** *(d. o armată etc.)* tare, puternic; rezistent **6** *(d. ceai, cafea etc.)* tare; concentrat **7** *(d. lumină, miros etc.)* puternic **8** (cu gust) înţepător, usturător; iute; cu miros tare **9** *gram (d. verbe)* neregulat **10** *fon* tare, nemuiat **11** *(d. un sentiment etc.)* puternic, intens; < violent **12** *(d. limbaj etc.)* tare, aspru; vulgar **13** *mil* de o anumită forţă (numerică); **how**

many ~ are they? ce efectiv au? câți (oameni) sunt? **II** *s* the ~ cei sănătoși *sau* cei puternici **III** *adv* **F** grozav, strașnic; – cu tărie/ energie; **to be going ~ F** a-i da înainte (fără șovăire)

strong-arm ['strɔŋ,ɑ:m] *vt amer* ← **F** a folosi forța fizică față de

strong box ['strɔŋ,bɔks] *s* seif, casă de bani

strong-built ['strɔŋ,bilt] *adv* (d. cineva) solid, voinic

strong form ['strɔŋ ,fɔ:m] *s fon* formă tare

strong-headed ['strɔŋ,hedid] *adj* **1** încăpățânat, căpățânos **2** foarte inteligent

strongheadedness ['strɔŋ,hedidnis] *s* încăpățânare, îndărătnicie

stronghold ['strɔŋhould] *s* **1** *mil* fortăreață, cetate; loc/punct întărit; fort **2** *fig* adăpost, refugiu

strong in ['strɔŋ in] *adj cu prep fig* tare la *(matematică etc.);* price- put la; < expert în

strongish ['strɔŋiʃ] *adj* destul de tare, tăricel *etc.* v. **strong I**

strong language ['strɔŋ ,læŋgwidʒ] *s* înjurături; expresii tari

strongly ['strɔŋli] *adv* cu putere, puternic, cu hotărâre, hotărât *etc.* v. **strong I**

strong-minded ['strɔŋ,maindid] *adj* hotărât, care știe ce vrea

strong-mindedness ['strɔŋ,main- didnis] *s* hotărâre; energie; bărbăție

strong point ['strɔŋ ,pɔint] *s* **1** *mil* punct de sprijin **2** *fig* punct tare/ forte

strong room ['strɔŋ ,ru:m] *s* **1** safeu, seif; tezaur *(la o bancă etc.)* **2** *med* cameră pentru șocați

strong wheat ['strɔŋ ,wi:t] *s bot* ghircă, grâu tare *(Triticum du- rum)*

strong-willed ['strɔŋ,wild] *adj* **1** încăpățânat **2** v. **strong-minded**

strontium ['strɔntiəm] *s ch* stronțiu

strop [strɔp] **I** *s* **1** curea pentru ascuțit briciul **2** *nav* zbir **II** *vt* a ascuți, a trage la curea *(briciul)*

strophe ['stroufi] *s metr* strofă *(în prozodia greacă)*

strophic(al) ['strɔfik(əl)] *adj metr* strofic

stroppy ['strɔpi] *adj* **F** întors, cu capsa pusă; – care nu vrea să asculte de alții

strove [strouv] *pret de la* **strive**

struck [strʌk] *pret și ptc de la* **strike I, II**

structural ['strʌktʃərəl] *adj* **1** struc- tural; organic; esențial, funda- mental **2** *fiz* structural, (ușor) construibil

structuralism ['strʌktʃərə,lizəm] *s gram etc.* structuralism

structuralist ['strʌktʃərəlist] *s gram etc.* structuralist

structurally ['strʌktʃərəli] *adv* **1** (din punct de vedere) structural **2** (în mod) organic, fundamental

structure ['strʌktʃəʳ] *s* **1** structură, construcție, alcătuire; compo- ziție; organizare; **the ~ of a language** structura unei limbi; **social ~** structură *sau* orânduire socială **2** *gram* structură (spe- cifică) **3** *constr* structură, con- strucție; edificiu **4** *minr* textură

structureless ['strʌktʃəlis] *adj* fără structură; amorf

strudel ['stru:dəl] *s germ gastr* ștrudel

struggle ['strʌgəl] **I** *vi* a (se) lupta, a se război; a ține piept **2** *fig* a (se) lupta, a se zbate; a face sforțări/ eforturi; **he ~d to his feet** se ridică în picioare cu greutate; **to ~ for one's living** a lupta pentru existență; **to ~ against diffi- culties** a lupta împotriva greu- tăților/dificultăților *sau* obsta- colelor; **to ~ for peace** a lupta pentru pace **3** *(cu prep)* a pă- trunde/a străbate cu greu, a răzbi (în, prin *etc.*) **II** *s* **1** luptă; ciocnire; încăierare; conflict; **the ~ for life/ existence** *biol* lupta pentru existență **2** efort, sforțare, stră- danie; încordare **3** întrecere, competiție; concurență

strum [strʌm] **I** *vi* a zdrăngăni, a cânta prost *(la pian etc.)* **II** *vt* a zdrăngăni la *(pian etc.)* **III** *s* zdrăngănit

Struma, the ['stru:mə, ðə] *râu în Bulgaria și Grecia*

strumpet ['strʌmpit] *s* prostituată, femeie stricată, târfă

strung [strʌŋ] *pret și ptc de la* **string II, III**

strut¹ [strʌt] **I** *vi* a păși/a merge țanțoș **II** *s* mers țanțoș

strut² **I** *s* **1** *constr* bară, traversă; sprijin; stâlp; contrafișă **2** *el* suport **3** *tehn* flaminaj **4** *min*

proptă **5** *nav* picior de catarg tripod **6** *drumuri etc.* bară com- primată **7** *av* longeron **II** *vt tehn* a sprijini, a propti

strut jack ['strʌt ,dʒæk] *s constr* vinci de strângere

strutter ['strʌtəʳ] *s* **F** fanfaron, – lăudăros

strutting ['strʌtiŋ] *s constr* antre- toază; întărire

strychnin(e) ['strikni:n] *s ch, med* stricnină

Stuart ['stjuət] **1** *nume masc* **2** *dinastie engleză (1603-1714, cu excepția perioadei republicane – 1649-1660)*

stub [stʌb] **I** *s* **1** buturugă, ciot, cioată, butuc **2** frântură; ciot; sfărâmătură **3** ciob; capăt *(de creion etc.)* **4** muc *(de țigară),* chiștoc **5** cotor, talon *(de chitanță etc.)* **6** *tehn* piesă de lungime mică; ax scurt **II** *vt* **1** a smulge din rădăcină, a dezrădăcina **2** *agr* a defrișa *(un teren),* a curăța de cioturi și rădăcini

stubbed [stʌbd] *adj* **1** plin de cioturi/ buturugi **2** puternic, viguros, robust **3** (d. păr) tuns scurt **4** bont, tocit *(la vârf)*

stubble ['stʌbəl] *s* **1** *agr* miriște **2** păr tuns scurt; barbă țepoasă/ nerasă

stubble field ['stʌbəl ,fi:ld] *s agr* mi- riște

stubble plough ['stʌbəl ,plau] *s agr* dezmiriștitor cu brăzdar

stubbly ['stʌbli] *adj* **1** *agr* (acoperit) cu paie secerate **2** *(d. barbă etc.)* țepos, aspru

stubborn ['stʌbən] *adj* **1** încăpă- țânat, îndărătnic; **(as) ~ as a mule** încăpățânat ca un catâr **2** (**to**) refractar (la, față de), recalcitrant (față de) **3** *(d. realitate etc.)* dur, aspru; nud

stubbornly ['stʌbənli] *adv* cu încă- pățânare/îndărătnicie

stubbornness ['stʌbənnis] *s* încă- pățânare, îndărătnicie; perse- verență; tenacitate; neînduplecare

Stubbs ['stʌbz], **William** *istoric englez (1825-1901)*

stubby ['stʌbi] *adj* **1** plin de/cu cioturi/buturugi **2** scurt și îndesat, scund și gras, butucănos

stub nail ['stʌb ,neil] *s tehn* caia

stub out ['stʌb 'aut] *vt cu part adv* a stinge *(o țigară, prin apăsare)*

stucco ['stʌkou] *constr* **1** *s* stuc; tencuială de ghips **II** *vt* a tencui *sau* a acoperi cu stuc

stuck [stʌk] *pret și ptc de la* **stick I, II**

stuck-up ['stʌk‚ʌp] *adj F* cu nasul pe sus, – încrezut, îngâmfat, plin de sine

stud[1] [stʌd] **I** *s* **1** herghelie; grajd; crescătorie de cai **2** cai *(dintr-o herghelie)* **3** armăsar de prăsilă

stud[2] **I** *s* **1** cui; țintă; caia; știft; deget **2** pioneză **3** buton **4** cep **5** *constr* stâlp, pilastru **6** *constr* pană de fixare **II** *vt* **1** a bate în cuie, a țintui **2** *fig* a presăra; a smălța; a cuprinde/a include (și)

stud book ['stʌd ‚buk] *s* pedigriu *(carte)*

studding sail ['stʌdiŋ ‚seil] *s nav* bonetă, aripă

student ['stju:dənt] *s* **1** student **2** elev, școlar **3** cercetător **4** savant, învățat, cărturar

studentship ['stju:dəntʃip] *s* **1** calitatea de student; studenție **2** bursă *(pt studenți)*

students' union ['stju:dənts ‚ju:niən] *s* **1** asociație studențească **2** club studențesc

stud farm ['stʌd ‚fa:m] *s v.* **stud**[1] **1**

stud horse ['stʌd ‚hɔ:s] *s* armăsar de prăsilă

studied ['stʌdid] *adj* **1** (**in**) versat (în); citit, instruit, cult **2** studiat; chibzuit; gândit, calculat; intenționat; premeditat; afectat

studio ['stju:di‚ou] *s* **1** *pict etc.* studio, atelier **2** *rad, cin* studio

studio apartment ['stju:di‚ou ə'pa:tmənt] *s amer* garsonieră

studio audience ['stju:di‚ou 'ɔ:diəns] *s rad, telev* spectatori ale căror reacții față de spectacol sunt înregistrate *sau* transmise

studio couch ['stju:di‚ou ‚kautʃ] *s* divan-pat, recamieră

studio floor ['stju:di‚ou 'flɔ:] *s cin* pavilion de filmare

studio lights ['stju:di‚ou ‚laits] *s telev* iluminatul studioului

studio manager ['stju:di‚ou ‚mænidʒə'] *s cin* director de studio

studious ['stju:diəs] *adj* **1** studios, de studiu; dedat studiului; **to lead/to live a ~ life** a duce o viață de studiu, a studia intens **2** studios, sârguincios, silitor **3** *v.* **studied 2**

studiously ['stju:diəsli] *adv* **1** cu silință/sârguință **2** cu grijă, meticulos

studiousness ['stju:diəsnis] *s* **1** silință, sârguință; caracter studios **2** scrupulozitate

studious of ['stju:diəs əv] *adj cu prep* dornic de; preocupat de

studious to ['stju:diəs tə] *adj cu inf* dornic să/de a, care se silește să

stud with ['stʌd wið] *vt cu prep fig* a presăra/a smălța cu

study ['stʌdi] **I** *s* **1** studiu; preocupare științifică; **much given to ~** studios, pasionat de studiu, dedat studiului **2** (**of**) studiere, studiu *(cu gen)* **3** ↓ *pl* studiu, studii, învățătură, carte **4** studiu; obiect de studiu; ceva ce merită să fie studiat/cercetat; **her face was a perfect ~** merita să te uiți la fața ei **5** scop, țel, țintă; zel, râvnă; efort; **his ~ is to learn well** se străduiește să învețe bine **6** îngândurare; gânduri; **to be in a ~** a fi cufundat în gânduri, a fi dus pe gânduri **7** cameră de lucru, birou, cabinet **8** *pict* studiu; crochiu, schiță **9** *muz* studiu; exercițiu **10** studiu; eseu; lucrare *(științifică etc.)* **II** *vt* **1** a studia, a învăța *(fizica etc.);* a face studii de; a-și însuși *(o limbă străină etc.)* **2** a studia, a cerceta, a examina; a observa; a ține sub observație **3** a se îngriji/a se preocupa de; a urmări *(propriile sale interese etc.)* **4** a studia, a pregăti *(o acțiune etc.);* a pune la cale; a premedita; a plănui **5** *teatru* a studia; a învăța (pe de rost) *(un rol)* **III** *vi* **1** a studia; a se ocupa cu studiul **2** (**for**) a se pregăti (pentru); a studia *(cu ac)* **3** (**for, on**) ← *înv* a se gândi, a medita (la)

study hall ['stʌdi ‚hɔ:l] *s univ* sală de studii; sală de lectură

study to ['stʌdi tə] *vi cu inf* a tinde/a năzui să; a se sili/a se strădui/ a-și da osteneala să

study up ['stʌdi 'ʌp] *vt cu part adv* ← *F* a învăța/a studia temeinic

stuff [stʌf] **I** *s* **1** material, materie; substanță **2** *text* material, stofă; țesătură **3** *tehn* (material de) umplutură **4** *fig* material; stofă; substanță; esență; chintesență; **he has good ~ in him** are stofă (în el) **5** *fig* material *(pt a scrie o carte etc.):* informații; date **6** lucru *sau* lucruri; marfă; bunuri; *F*

chestie; **that's the ~** ← *F* (asta) e (tocmai) ceea ce ne trebuie; **hot ~** *F* chestie nemaipomenită; **that's the ~ to give the troops!** *F* așa da! așa mai zic (și eu)! **7** lucru de nimic; fără valoare; **this play is poor ~** e o piesă slabă **8** *fig* prostii, fleacuri; bazaconii; baliverne; (**all**) **~ and nonsense!** (ce) prostii! *F* (ce) tâmpenii! (ce) aiureli! **none of your ~!** slăbește-mă cu prostiile tale! **... and ~** *F* ... și alte chestii/prostii // **to do one's ~** a fi la înălțime, a-și face meseria *sau* treaba așa cum se cuvine; **to know one's ~** a-și cunoaște meseria, a ști ce are de făcut **II** *vt* **1** a umple până la refuz, a ticsi, a întesa **2** a înghesui, a îndesa, a vârî, a băga **3** a astupa **4** *gastr* a umple (cu tocătura); a împăna **5** a îndopa, a îmbuiba **6** a îndopa, a îngrășa *(gâște etc.)* **7** a împăia **8** a tapisa *(scaune etc.)* **9** a plomba *(dinții)* **III** *vr, vi* (**on**) a se îndopa, a se îmbuiba (cu)

stuffed shirt ['stʌft ‚ʃə:t] *s amer peior* om prost și îngâmfat, „nulitate cu ifose"

stuffer ['stʌfə'] *s amer pol* măsluitor de urne

stuffily ['stʌfili] *adv* **1** înăbușitor; sufocant **2** plictisitor **3** (în mod) neplăcut

stuffiness ['stʌfinis] *s* **1** aer închis; lipsă de aerisire *sau* ventilație **2** zăpușeală **3** plictiseală, urât **4** amorțire, toropeală **5** ← *F* îngustime, mărginire; pedanterie

stuffing ['stʌfiŋ] *s* **1** *gastr* umplutură, tocătură **2** *auto* tapițerie; capitonaj **3** căptușeală; umplutură *(de câlți etc.)*

stuff up ['stʌf 'ʌp] *vt cu part adv* a înfunda (complet); a bloca (total)

stuffy ['stʌfi] *adj* **1** *(d. o încăpere etc.)* cu aer greu/închis; neaerisit; neventilat **2** *(d. aer)* greu, închis; înăbușitor, sufocant **3** *(d. vreme)* înăbușitor; cu zăduf **4** *(d. o carte etc.)* plictisitor, plicticos, neinteresant **5** searbăd; fad **6** *(d. un sentiment)* apăsător; neplăcut **7** amorțit, toropit; *(d. cap)* greu, buimac **8** ← *F* susceptibil; înțepat; care se formalizează ușor **9** *F* cu arțag, – arțăgos, iritabil, supărăcios **10** ← *F* îngust, mărginit; pedant

stull [stʌl] *s constr* cheson; căptu-
șeală de puț
stultification [ˌstʌltifiˈkeiʃən] *s* **1**
luare în râs, ridiculizare **2** mini-
malizare
stultify [ˈstʌltiˌfai] **I** *vt* **1** a lua în râs,
a-și bate joc de, a ridiculiza **2** a
bagateliza, a minimaliza **3** *jur* a
declara iresponsabil **II** *vr* ← *F* a
nu ști ce vrea; a se contrazice; a
se face de râs
stum [stʌm] **I** *s* must **II** *vt* a inten-
sifica *sau* a opri fermentația
(mustului sau vinului)
stumble [ˈstʌmbəl] **I** *vi* **1** (**over**) a
se împiedica, a se poticni (de) **2**
a se împletici **3** a face un pas
greșit **4** a se împletici la vorbă, a
se bâlbâi **5** *fig* a face un pas
greșit; a greși; a păcătui **II** *vt* ↓
fig a face *(pe cineva)* să se
împiedice *sau* să greșească **III** *s*
1 poticnire, poticneală; împiedi-
care; pas greșit **2** *fig* reținere,
împiedicare; obstacol, piedică **3**
fig pas greșit; greșeală; gafă
stumble across [ˈstʌmbəl əˌkrɔs] *vi*
cu prep a da de/peste, a întâlni
întâmplător
stumble against [ˈstʌmbəl əˌgenst]
vi cu prep **1** a se împiedica/a se
poticni de **2** *v.* **stumble across**
stumble along [ˈstʌmbəl əˈlɔŋ] *vi cu
part adv* a merge/a înainta potic-
nindu-se
stumble at [ˈstʌmbəl ət] *vi cu prep* **1**
a se împiedica/a se poticni de;
to ~ a straw *fig* a se împiedica
de un fleac/un ciot; **to ~ the
threshold** *fig* a greși *sau* a face
o gafă chiar de la început **2** *fig* a
șovăi în fața *(unei situații neaș-
teptate etc.)*
stumble into [ˈstʌmbəl ˌintə] *vi cu
prep v.* **stumble across**
stumble on [ˈstʌmbəl ɔn] *vi cu prep
v.* **stumble across**
stumbler [ˈstʌmblə'] *s* **1** om care se
poticnește mereu **2** *fig* încurcă-
lume **3** *fig* bâlbâit **4** *fig* neispravit;
zăpăcit
stumble through [ˈstʌmbəl θruː] *vi
cu prep* a trece/a traversa *(ceva)*
împiedicându-se; **to ~ a lesson**
fig a spune o lecție bâlbâindu-se
stumble upon [ˈstʌmbəl əˌpɔn] *vi cu
prep v.* **stumble across**
stumbling block [ˈstʌmbliŋ ˌblɔk] *s*
fig piatră de încercare; piedică

stumblingly [ˈstʌmbliŋli] *adv* **1**
poticnindu-se **2** *fig* șovăitor,
șovăind
stumer [ˈstjuːmə'] *s* **1** monedă *sau*
bancnotă falsă; cec fals **2** om
care nu e bun de nimic
stump [stʌmp] **I** *s* **1** butuc, buturugă,
ciot, cioată; buștean; **up a ~** *fig
amer F* în pom; pe geantă; **~ la**
strâmtoare **2** colț *(de dinte)*;
rădăcină **3** ciot *(de creion etc.)* **4**
muc *(de țigară)* **5** *pl* umor papai-
noage, catalige, **~ picioare**; **to
stir one's ~s** *F* a-i da bătaie, **~**
a-i da zor, a se grăbi **6** ↓ *amer*
tribună, estradă; **to go on the ~**
a ține discursuri publice; a ține
discursuri electorale/politice; a
face propagandă **II** *vi* **1** a umbla
greoi/sotânc, a sotâncăi; a șchio-
păta **2** *amer* ← *F* a ține discursuri
electorale **III** *vt* **1** a reteza; a tăia
o parte din **2** ← *F* a călca apăsat
pe **3** ← *F* a încurca, a zăpăci, a
pune în încurcătură **4** *sport* a
scoate din joc *(la crichet)*
stumpy [ˈstʌmpi] *adj* **1** cu butuci etc.
(v. **stump I 1)** **2** scurt și îndesat,
bondoc; *(d. deget)* butucănos
stun [stʌn] *vt* **1** a buimăci, a năuci,
a ameți *(printr-o lovitură etc.)*; *(d.
zgomot)* a asurzi; *(d. lumină)* a
orbi **2** *fig* a năuci, a buimăci; a
ului; a împietri; a copleși; a șoca
stung [stʌŋ] *pret și ptc de la* **sting I, II**
stunk [stʌŋk] *pret și ptc de la* **stink
I, II**
stunner [ˈstʌnə'] *s* **F 1** tip extra-
ordinar *sau* tipesă extraordinară;
~ mândrețe de bărbat *sau* femeie
2 nebunie, grozăvie, **~ frumu-
sețe**, lucru nemaipomenit
stunning [ˈstʌniŋ] *adj* **1** buimăcitor,
amețitor; uluitor **2** *F* înnebunitor,
~ nemaipomenit, extraordinar
stunt[1] [stʌnt] **I** *vt* a împiedica, a opri
(creșterea etc.); a opri creșterea/
dezvoltarea *(cu gen)*; a opri în
creștere/dezvoltare **II** *vi* a fi
împiedicat/oprit în creștere/
dezvoltare; a se pipernici, a se
chirci, a se sfriji **III** *s* oprire în
creștere/dezvoltare
stunt[2] *s* **F 1** ispravă, **~ tur de forță**;
număr de senzație *(al casca-
dorului)*; acrobație **2** bombă, **~**
știre senzațională **3** **~ truc**,
scamatorie **4** *av* **~ figură de înalt**
pilotaj

stunted [ˈstʌntid] *adj* oprit în creș-
tere; pipernicit
stunter [ˈstʌntə'] *s cin* cascador
stunt man [ˈstʌnt ˈmæn] *s v.* **stunter**
stupe [stjuːp] *s* cataplasmă, com-
presă *(fierbinte)*
stupefacient [ˌstjuːpiˈfeiʃiənt] *s*
stupefiant; narcotic
stupefaction [ˌstjuːpiˈfækʃən] *s*
stupefacție, consternare
stupefy [ˈstjuːpiˌfai] *vt* **1** a ameți *(cu
băutura etc.)*; a prosti; a năuci, a
buimăci **2** a stupefia; a ului; a
consterna
stupendous [stjuːˈpendəs] *adj* **1**
uimitor, uluitor, nemaipomenit **2**
vast, imens; copleșitor **3** măreț;
prodigios; fantastic
stupid [ˈstjuːpid] **I** *adj* **1** stupid; idiot;
prost, tâmpit; **to do a ~ thing**
a face o prostie; **(as) ~ as a
donkey** etc. prost ca noaptea/de
dă în gropi **2** *(d. o glumă etc.)*
prostesc, idiot, stupid, fără sare,
nesărat; searbăd; plictisitor **3**
amețit *(de băutură etc.)* **II** *s* idiot,
netot, tâmpit
stupidity [stjuːˈpiditi] *s* stupiditate,
prostie, imbecilitate
stupidly [ˈstjuːpidli] *adv* prostește,
(în mod) stupid
stupor [ˈstjuːpə'] *s* **1** *med* stupoare
2 apatie, indiferență **3** insensibili-
tate **4** amorțeală, amorțire *(a
membrelor)*
stuporous [ˈstjuːpərəs] *adj* **1** îm-
pietrit, încremenit; înțepenit **2**
med stuporos, în stare de stu-
poare
sturdily [ˈstəːdili] *adv* **1** cu putere,
puternic, tare, viguros **2** cu
hotărâre, ferm
sturdiness [ˈstəːdinis] **1** putere,
forță, robustețe, vigoare **2** hotă-
râre, fermitate
sturdy[1] [ˈstəːdi] *adj* **1** robust, puter-
nic, voinic; zdravăn **2** hotărât,
ferm, dârz
sturdy[2] *s vet* căpiere, căpială, capie
sturgeon [ˈstəːdʒən] *s iht* sturion
(Acipenseridae sp.); șip *(Acipen-
ser sturio)*; nisetru *(Acipenser
güldenstädti)*; morun *(Huso
huso)* etc.
stutter [ˈstʌtə'] **I** *vt* a bâigui, a
îngăima, a bâlbâi, a bolborosi **II**
vi a se bâlbâi, a se gângăvi **III** *s*
bâiguire, bâiguit, îngăimare,
bâlbâit, gângăvire, gângăvit

stutterer ['stʌtərəʳ] *s* gângav, bâlbâit
Stuttgart ['stutgɑrt] *oraș în Germania*
St. Vitus's dance [snt 'vaitəsiz 'dɑːns] *s med* „dansul sfântului Guy", chorea major
sty [stai] *s* 1 cocină (de porci) 2 *fig* cocină de porci, mlaștină 3 *fig* cocioabă, bojdeucă; chițimie
sty(e) *s med* urcior *(la ochi)*
Stygian ['stidʒiən] *adj* 1 *mit* stigian; al Styx-ului 2 și s~ infernal; de iad; întunecat, întunecos; posomorât, trist, jalnic
style [stail] I *s* 1 *od* stil *(condei)* 2 vârf, ascuțiș 3 daltă *(de gravor)* 4 ac *(de gramofon)* 5 stilet 6 ac, arătător 7 *bot* peristil 8 stil, manieră *(de a scrie etc.);* mod; modalitate; gen; fel; **that's not my** ~ nu e genul meu; **in** ~ în stil mare; **to live in grand** ~ a trăi pe picior mare; **in good** ~ de bun gust; de o manieră aleasă/distinsă; *(a se îmbrăca etc.)* cu gust; **in the** ~ **of** în/după stilul *cu gen;* **do you like his** ~ **of writing?** îți place felul cum scrie/felul lui de a scrie? **that's the** ~! *F* așa! bravo! grozav! 9 *lit* stil; stilistică 10 modă; **in the latest** ~ după ultimul jurnal 11 eleganță; șic; **there was no** ~ **about her** era cu totul lipsită de eleganță 12 stil (calendaristic) 13 gen, tip; factură, construcție; model *(de automobil etc.)* 14 titlu, nume 15 *com* firmă; nume comercial II *vt* a denumi; a numi; a caracteriza; a porecli, a supranumi
style book ['stail ,buk] *s* 1 îndreptar de ortografie și punctuație 2 manual de stilistică
stylet ['stailit] *s* stilet
stylish ['stailiʃ] *adj* stilat; șic, elegant
stylishly ['stailiʃli] *adv* cu eleganță, elegant, cochet
stylishness ['stailiʃnis] *s* eleganță; șic; cochetărie
stylist ['stailist] *s lit* stilist
stylistic [stai'listik] *lit* I *adj* stilistic, de stil II *s la pl* stilistică
stylistical [stai'listikəl] *adj v.* **stylistic** I
stylistically [stai'listikəli] *adv* (din punct de vedere) stilistic
stylistics [stai'listiks] *s pl ca sg lit* stilistică
stylite ['stailait] *s bis* stâlpnic

stylize ['stailaiz] *vt pict etc.* a stiliza
stylo(graph) ['stailə,græf] *s* stilou
styptic ['stiptik] *adj, s med* stiptic
Styria ['stiəriə] *provincie în Austria*
Styx, the ['stiks, ðə] *mit* (râul) Stix
Su. *presc de la* **Sunday**
suasion ['sweiʒən] *s* înduplecare, convingere, persuadare
suave [ʃwɑːv] *adj* 1 suav, dulce; plăcut, agreabil 2 afabil, curtenitor, îndatoritor
suavely ['ʃwɑːvli] *adv* 1 suav, cu suavitate 2 (în mod) afabil
sub [sʌb] *presc F de la* 1 **sublieutenant** 2 **submarine** 3 **substitute** 4 **subscription** 5 **subordinate**
sub- *pref* sub-; su-; **to subdivide** a subdiviza, a subîmpărți; **submarine** submarin; **subtraction** sustragere; scădere
sub. *presc de la* 1 **suburban** 2 **subaltern** 3 *v.* **sub**
subacid [sʌb'æsid] *adj* 1 *ch* subacid 2 întrucâtva/cam ironic
subacute [,sʌbə'kjuːt] *adj med* subacut
subalpine [sʌb'ælpain] *adj geogr* subalpin
subaltern ['sʌbəltən] *s* 1 subaltern 2 *mil* ofițer subaltern, locotenent *sau* sublocotenent
subalternate [sʌb'ɔːltənit] *adj* 1 subordonat 2 succesiv
subaqueous [sʌb'eikwiəs] *adj* subacvatic, submarin
sub-committee [,sʌbkə'miti] *s* subcomitet
subconscious [sʌb'kɔnʃəs] *psih* I *adj* 1 subconștient 2 inconștient; involuntar II *s the* ~ subconștientul
subconsciously [sʌb'kɔnʃəsli] *psih adv* 1 în subconștient 2 (în mod) inconștient, involuntar
subconsciousness [sʌb'kɔnʃəsnis] *s psih* subconștient
subcontinent [sʌb'kɔntinənt] *s geogr* subcontinent
subcontract [sʌb'kɔntrækt] I *s* contract secundar II *vt* a mai angaja un contractant pentru
sub-contractor [,sʌbkən'træktəʳ] *s* 1 *ec* furnizor intermediar 2 antreprenor
subcortical [sʌb'kɔːtikəl] *adj bot* subcortical
subcostal [sʌb'kɔstəl] *adj anat* subcostal

subcutaneous [,sʌbkjuː'teiniəs] *adj* subcutaneu, (de) sub piele
subdeb ['sʌb'deb] *s* fată *(↓ care nu a intrat încă în societate)*, adolescentă; codană
subdialect [sʌb'daiəlekt] *s lingv* subdialect
subdivide [,sʌbdi'vaid] I *vt* a subîmpărți, a subdiviza II *vi* a se subîmpărți, a se subdiviza
subdivision [,sʌbdi'viʒən] *s* subîmpărțire; subdiviziune
subdominant [sʌb'dɔminənt] *s muz* subdominantă
subdual [səb'djuːəl] *s* supunere, îngenunchere
subdue [səb'djuː] *vt* 1 a supune, a subjuga, a îngenunchea; a cuceri 2 a atenua, a micșora, a slăbi; a îmblânzi
subdued [səb'djuːd] *adj* 1 supus, îngenuncheat; cucerit 2 abătut, trist; preocupat; copleșit 3 atenuat, potolit, domolit; *(d. glas etc.)* liniștit, calm; stins
subedit [sʌb'edit] *vt* a face muncă de redactor la; a corecta, a pune la punct
sub-editor [sʌb'editəʳ] *s* 1 redactor *(de ziar etc.)* 2 *poligr* corector
sub-equatorial ['sʌb,ekwə'tɔːriəl] *adj geogr* subecuatorial
subheading ['sʌb,hedin] *s poligr* subtitlu
subhuman [sʌb'hjuːmən] *adj* subuman
subitem [sʌb'aitəm] *s* subpunct
subj. *presc de la* 1 **subjunctive** 2 **subject** 3 **subjective**
subjacent [sʌb'dʒeisənt] *adj* (situat) dedesubt; inferior
subject I ['sʌbdʒikt] *adj* supus, înrobit; cucerit II ['sʌbdʒikt] *s* 1 supus; cetățean 2 subiect, temă 3 obiect (de studiu), materie 4 specialitate *(a unui profesor etc.)* 5 subiect, persoană, om, individ 6 *gram* subiect 7 împrejurare; prilej, ocazie; motiv 8 noțiune fundamentală/de bază 9 *filos* substanță; subiect, eu, sine 10 *med* pacient, bolnav, caz III [səb'dʒekt] *vt* 1 a supune, a îngenunchea; a cuceri 2 ← *înv* a pune dedesubt
subjection [səb'dʒekʃən] *s* supunere; îngenunchere, înrobire; cucerire

subjective [səb'dʒektiv] *adj* **1** subiectiv; părtinitor **2** *gram* subiectiv; propriu subiectului

subjective case [səb'dʒektiv,keis] *s gram* (cazul) nominativ

subjectively [səb'dʒektivli] *adv* (în mod) subiectiv; din punct de vedere subiectiv

subjectiveness [səb'dʒektivnis] *s* subiectivitate, subiectivism

subjectivism [səb'dʒekti,vizəm] *s filos* subiectivism

subjectivity [,səbdʒek'tiviti] *s v.* **subjectiveness**

subject matter ['sʌbdʒikt ,mætər] *s* subiect, temă; fond, conținut

subject to I ['sʌbdʒikt tə] *adj cu prep* **1** expus la *sau cu dat* **2** pasibil de II ['sʌbdʒikt tə] *prep cu condiția cu gen*; sub rezerva *cu gen* III [səb'dʒekt tə] *vt cu prep* **1** a expune *(unei boli etc.)* **2** a aduce sub stăpânirea, influența *etc. cu gen* **3** a supune *(unui examen etc.)* **4** a pune la *(cazne etc.)*, a supune *(torturii etc.)*

subjoin [sʌb'dʒoin] *vt* a adăuga; a anexa, a pune la sfârșit

subjoinder [sʌb'dʒoindər] *s* adaos; remarcă adițională

subjugate ['sʌbdʒu,geit] *vt* **1** a subjuga, a înrobi, a îngenunchea **2** a micșora, a atenua; a înăbuși *(focul etc.)*

subjugation [,sʌbdʒu'geiʃən] *s* subjugare, supunere; cucerire

subjugator ['sʌbdʒu,geitər] *s* cuceritor, biruitor; înrobitor; asupritor

subjunct adjective [səb'dʒʌŋkt ,ædʒiktiv] *s gram* adjectiv folosit ca verb

subjunction [səb'dʒʌŋkʃən] *s* adăugare

subjunctive [səb'dʒʌŋktiv] *gram* I *adj* subjonctiv; conjunctiv II *s* (modul) subjonctiv, (modul) conjunctiv

sublease I [sʌb'li:s] *s* subarendare; subarendă; subînchiriere II ['sʌb,li:s] *vt* a subarenda; a subînchiria

sublet ['sʌb'let] *vt v.* **sublease**

sub-lieutenant [,sʌblə'tenənt] *s nav* sublocotenent

sublimate I ['sʌbli,meit] *vt* **1** *ch* a sublima **2** *fig* a purifica; a idealiza II ['sʌblimit] *s ch* sublimat

sublimation [,sʌbli'meiʃən] *s* **1** *ch* sublimare **2** *fig* purificare; idealizare

sublime [sə'blaim] I *adj* **1** sublim; măreț, grandios **2** *peior* sublim, grozav, nemaipomenit; trufaș II *s* the ~ sublimul III *vt ch* a sublima

sublimely [sə'blaimli] *adv* (în mod) sublim

sublimeness [sə'blaimnis] *s v.* **sublimity**

subliminal [sʌb'liminəl] *adj psih* subliminal; subconștient; inconștient

sublimity [sə'blimiti] *s* caracter sublim, sublimitate

sublunar [sʌb'lu:nər] *adj* sublunar, pământean, pământesc

sublunary ['sʌblu:nəri] *adj v.* **sublunar**

submachine gun ['sʌbmə'ʃi:n ,gʌn] *s mil* pușcă mitralieră

submarine ['sʌbmə,ri:n] I *s nav* submarin II *adj* submarin, subacvatic

submarine boat ['sʌbmə,ri:n ,bout] *s nav* submarin

submariner [sʌb'mærinər] *s nav* marinar de submarin

submerge [səb'mə:dʒ] I *vt* **1** a (s)cufunda, a afunda **2** *fig* a ascunde II *vi* a se (s)cufunda, a se afunda

submergence [səb'mə:dʒəns] *s* **1** (s)cufundare; imersiune **2** inundație; revărsare

submerse [səb'mə:s] *vt v.* **submerge I**

submersible [səb'mə:səbəl] *adj* submersibil

submersion [səb'mə:ʃən] *s v.* **submergence**

submission [səb'miʃən] *s* **1** supunere, ascultare **2** *fig* respect, deferență

submission of [səb'miʃənəv] *s cu prep* prezentare *(a actelor etc.)*

submissive [səb'misiv] *adj* supus, ascultător; docil; umil

submissively [səb'misivli] *adv* supus; docil

submissiveness [səb'misivnis] *s* supunere, ascultare; docilitate

submit [səb'mit] I *vt* **1** (to) a supune spre examinare/cercetare *(cu dat)*; a propune *(cu dat)*; to ~ a question a formula o întrebare în scris **2** (that) a îndrăzni să afirme, a afirma, a susține (că); I ~ that a material fact has been passed over îmi permit să atrag

atenția că a fost omis un fapt esențial II *vi* **1** (to) a se supune; *(cu dat)*; a ceda *(cu dat)* **2** a fi supus/ascultător/docil

submit oneself to [səb'mit wʌn'self tə] *vr cu prep* a se supune *(legii etc.)*

submittal [səb'mitəl] *s* supunere, ascultare; cedare

submittal to [səb'mitəl tə] *s* supunere la; ascultare de; cedare în fața *(cu gen)*

submit to [səb'mit tə] I *vt cu prep* a supune la *sau cu dat;* a obliga să treacă *(o probă, un examen etc.)* II *vi cu prep* a se supune *cu dat;* a asculta de; a da ascultare *cu dat*

submontane [sʌb'montein] *adj geogr* submontan, subalpin

submultiple [sʌb'mʌltipəl] *s mat* submultiplu

subnormal [sʌb'no:məl] I *adj* subnormal *(ca inteligență etc.)* II *s mat* subnormală

suborbital [sʌb'o:bitəl] *adj anat* suborbital

suborder ['sʌb,o:dər] *s* subordin

subordinate I [sə'bo:dinit] *adj* **1** (to) subordonat *(cu dat);* inferior *(cu dat);* secundar; auxiliar **2** *gram* secundar, subordonat II [sə'bo:dinit] *s* subaltern III [sə'bo:di,neit] *vt* **1** (to) a subordona *(cu dat)* **2** a trata ca pe un subaltern, ca pe un om mai puțin important *etc.* **3** (to) a supune *(cu dat);* a subjuga, a cuceri

subordinate clause [sə'bo:dinit ,klo:z] *s gram* (propoziție) subordonată/secundară

subordinating conjunction [sə'bo:-ineitiŋ kən'dʒʌŋkʃən] *s gram* conjuncție subordonatoare

subordination [,səbo:di'neiʃən] *s* (to) subordonare (față de)

suborn [sə'bo:n] *vt jur* a corupe, a mitui *(un martor)*

subornation [,sʌbo:'neiʃən] *s jur* corupere, mituire *(a unui martor)*

suborner [sə'bo:nər] *s jur* corupător, mituitor *(al unui martor)*

suboxide [sʌb'oksaid] *s ch* suboxid

subplot ['sʌb,plot] *s lit* intrigă secundară

subpoena [səb'pi:nə] *jur* I *s* citație *(implicând amenda în caz de neprezentare)* II *vt* a cita

subscribe [səb'skraib] **I** *vt* **1** a semna cu *(numele său)* **2** a-și pune semnătura pe *(un act)*, a subscrie, a semna, a iscăli **3** a subscrie la; a fi de acord cu; a sprijini; a favoriza **4** a subscrie la *(un fond etc.)*, a fi de acord să plătească; a contribui cu **II** *vr* a se iscăli, a semna; **I ~ myself your humble servant** prea supusul dvs. servitor **III** *vi* **1** a semna, a iscăli, a-și pune semnătura, a subscrie **2** (**to**) *fig* a subscrie (la), a fi de acord (cu); a consimți (să); a sprijini *(cu ac)* **3** a subscrie, a contribui; a plăti cotizații, abonamentul *etc.*; a fi abonat; **to ~ for/to a paper** a se abona *sau* a fi abonat la un ziar

subscribe for [səb'skraib fə^r] *vt cu part adv* a subscrie; **he only subscribed for one pound** nu a subscris decât o liră

subscriber [səb'skraibə^r] *s* **1** semnatar **2** (**to**) abonat (la)

subscript ['sʌbskript] *s mat* indice (inferior), index

subscription [səb'skripʃən] *s* **1** semnare, iscălire **2** semnătură, iscălitură **3** document/act semnat **4** consimțământ scris; aprobare scrisă **5** cotizație; abonament; contribuție (bănească); subscripție

subscription list [səb'skripʃən ˌlist] *s* listă de subscripție

subsequent ['sʌbsikwənt] *adj* următor, ulterior

subsequently ['sʌbsikwəntli] *adv* ulterior, după aceea, mai târziu

subsequent to ['sʌbsikwənt tə] *adj cu prep* de după; care urmează *cu dat;* ulterior *cu dat*

subserve [səb'sə:v] *vt* a contribui la; a ajuta la

subservience [səb'sə:viəns] *s* **1** (**to**) folos, utilitate (pentru) **2** servilism, slugărnicie **3** (**to**) subordonare (față de)

subserviency [səb'sə:viənsi] *s v.* **subservience**

subservient [səb'sə:viənt] *adj* **1** (**to**) de folos, folositor, util (pentru *sau cu dat)* **2** (**to**) subordonat *(cu dat);* inferior *(cu dat)* **3** (**to**) servil, slugarnic (față de); lingușitor (față de)

subside [səb'said] *vi* **1** a se micșora; a slăbi, a scădea, a descrește;

(d. furtună etc.) a se potoli, a se domoli **2** *constr (d. teren)* a se tasa; a se lăsa; a se denivela **3** *tehn* a slăbi, a ceda **4** *(d. un sediment)* a cădea la fund; a se depune, a se precipita **5** a se lăsa în jos; a se afunda *(într-un fotoliu etc.)*

subsidence [səb'saidəns] *s* **1** micșorare; slăbire, scădere, descreștere; potolire, domolire **2** *constr* tasare; denivelare **3** *tehn* slăbire, cedare **4** depunere *(a unui sediment);* precipitare

subsidiarily [səb'sidiərili] *adv* în subsidiar; în rândul al doilea

subsidiary [səb'sidiəri] **I** *adj* **1** subsidiar, complimentar, adițional, auxiliar **2** menținut sau întreținut prin subsidii **II** *s* **1** ajutor, susținător, sprijinitor **2** *ec* filială

subsidize ['sʌbsiˌdaiz] *vt* a subvenționa

subsidy ['sʌbsidi] *s* subvenție, subsidiu; dotare, înzestrare

subsist [səb'sist] *vi* **1** a subzista, a dăinui, a dura, a continua **2** (**on**) a subzista, a trăi, a se întreține (din)

subsistence [səb'sistəns] *s* **1** existență; continuare **2** caracter inerent **3** subzistență; (mijloace de) trai/existență; resurse; hrană

subsistence crop [səb'sistəns ˌkrɔp] *s agr* culturi agricole pentru uz personal

subsistent [səb'sistənt] *adj* **1** existent, real **2** inerent

subsist in [səb'sist in] *vi cu prep* a (con)sta în

subsoil ['sʌbˌsɔil] *s agr etc.* subsol

subsonic [sʌb'sɔnik] *adj fiz* subsonic

subspecies ['sʌbˌspi:ʃi:z], *pl* **subspecies** ['sʌbˌspi:ʃi:z] *s bot etc.* subspecie

subst. *presc de la* **1 substantive 2 substitute**

substage ['sʌbˌsteidʒ] *s geol* subetaj

substance ['sʌbstəns] *s* **1** substanță; materie **2** esență; fond; lucru esențial; **in ~** în fond, de fapt; **to have no ~** a nu avea (nici o) bază **3** realitate; fapte **4** ↓ ← *înv* avere; dare de mână

substandard [sʌb'stændəd] *adj* **1** *fiz etc.* subetalon, substandard **2** *lingv* neliterar; vorbit, de conversație

substantial [səb'stænʃəl] *adj* **1** real, material; faptic **2** substanțial, esențial, fundamental; important, însemnat **3** solid, trainic, stabil; durabil **4** cu stare/avere, avut, cu dare de mână **5** *(d. mâncare)* substanțial; hrănitor, nutritiv

substantialism [səb'stænʃəˌlizəm] *s filos* substanțialism

substantiality [ˌsəbstænʃi'æliti] *s* **1** existența reală; realitate **2** caracter material, materialitate **3** soliditate; trăinicie, durabilitate

substantially [səb'stænʃəli] *adv* **1** (în mod) substanțial/considerabil *sau* vital **2** efectiv, real(mente); în fond, de fapt **3** (în mod) solid/ temeinic

substantiate [səb'stænʃiˌeit] *vt* **1** a dovedi, a demonstra **2** a confirma, a adeveri, a întări **3** a da o formă concretă *(cu dat)*, a materializa

substantiation [səbˌstænʃi'eiʃən] *s* **1** probă, dovadă; demonstrație **2** argument, justificare; temei

substantival [ˌsʌbstən'taivəl] *adj gram* substantival

substantive ['sʌbstəntiv] **I** *s gram* substantiv *(eventual și pronume)* **II** *adj* **1** *atr gram* substantival **2** independent, neatârnat; autonom **3** substanțial, esențial, fundamental **4** concret; real; faptic **5** de durată, durabil; trainic **6** considerabil, important

substantively ['sʌbstəntivli] *adv gram* substantival, ca substantiv

substantiveness ['sʌbstəntivnis] *s* **1** esență, caracter esențial **2** realitate, caracter real; materialitate **3** soliditate, trăinicie, durată **4** independență, neatârnare; autonomie

substantive pay ['sʌbstəntiv ˌpei] *s mil* soldă de bază

substantive rank ['sʌbstəntiv ˌræŋk] *s mil* grad permanent

substation ['sʌbˌsteiʃən] *s* **1** *el* substație **2** *tel* post de abonat

substitute ['sʌbstiˌtju:t] **I** *vt* **1** (**for**) a avea, a folosi (în schimbul – *cu gen);* a substitui *(cu dat);* **to ~ margarine for butter** a înlocui untul cu margarina **2** a înlocui **II** *s* **1** (**for**) înlocuitor *(cu gen)* **2** (**for**) surogat, expedient (pentru) **3** schimb, înlocuire

substitute assignment ['sʌbsti,tjuːt ə'sainmənt] *s mil* numire provizorie

substitution [,sʌbsti'tjuːʃən] *s* 1 înlocuire, substituție 2 *mat* substituție, substituire

substratum [sʌb'strɑːtəm], *pl și* **substrata** [sʌb'strɑːtə] *s* 1 substrat; bază, temelie 2 *fig* substrat; bază; origine, sursă 3 *agr* subsol

subsume [səb'sjuːm] *vt* a subsuma; a include

subsurface [sʌb'səːfis] I *s* subteran II *adj atr* subteran, de sub pământ; de sub apă

subsurface craft [sʌb'səːfis,krɑːft] *s nav* 1 submarin 2 submarine

subtenant [sʌb'tenənt] *s* subarendaș; subchiriaș

subtend [səb'tend] *vt geom (d. o latură a triunghiului)* a se opune *(cu dat)*

subtense [sʌb'tens] *s mat* coardă corespunzătoare unui unghi

subterfuge ['sʌbtə,fjuːdʒ] *s* subterfugiu; chichiță

subterranean [,sʌbtə'reiniən] *adj* 1 subteran, subpământean 2 *fig* ascuns, secret; tainic

subterraneous [,sʌbtə'reiniəs] *adj v.* **subterranean**

subtile ['sʌtəl] *adj* subtil, fin

subtility ['sʌtlti] *s* subtilitate, finețe

subtilize ['sʌti,laiz] I *vt* 1 a face subtil *sau* mai subtil 2 a discuta în mod subtil II *vi* a purta o discuție subtilă; a despica firul în patru

subtitle ['sʌb,taitəl] *s poligr* subtitlu

subtle ['sʌtəl] *adj* 1 subtil, ager, ascuțit, fin 2 fin, subțire, delicat 3 subtil, ingenios; spiritual 4 rafinat 5 iscusit, dibaci

subtleness ['sʌtlnis] *s v.* **subtlety**

subtlety ['sʌtlti] *s* 1 subtilitate, agerime, ascuțime, finețe 2 finețe, subțirime 3 subtilitate, ingeniozitate 4 rafinament 5 iscusință, dibăcie

subtly ['sʌtli] *adv* (în mod) subtil

subtract [səb'trækt] *vt, vi mat* a scădea

subtracter [səb'træktəʳ] *s mat* scăzător

subtraction [səb'trækʃən] *s mat* scădere

subtractive [səb'træktiv] *adj* 1 *mat* de *sau* pentru scădere 2 *fiz* substractiv

subtrahend ['sʌbtrə,hend] *s mat* scăzător

subtropical [sʌb'trɔpikəl] *adj geogr* subtropical

subtropics [sʌb'trɔpiks] *s pl geogr* subtropice, regiuni subtropicale

suburb ['sʌbəːb] *s* 1 suburbie, mahala 2 the ~s *pl* suburbii, cartierele mărginașe 3 *pl* regiune de frontieră; margine, hotar

suburban [sə'bəːbən] *adj* suburban, periferic

suburbanite [sə'bəːbə,nait] *s* locuitor dintr-o suburbie

subvention [səb'venʃən] *s* subvenție, subsidiu

subversion [səb'vəːʃən] *s* 1 act subversiv; activitate subversivă 2 răsturnare *(a guvernului etc.)* 3 ruină; distrugere

subversive [səb'vəːsiv] *adj* 1 subversiv 2 distrugător, ruinător, distructiv

subversively [səb'vəːsivli] *adv* 1 (în mod) subversiv 2 (în mod) distrugător

subversiveness [səb'vəːsivnis] *s* 1 caracter subversiv *sau* diversionist 2 caracter distrugător

subvert [səb'vəːt] *vt* 1 a submina; a răsturna *(un regim etc.)* 2 a corupe, a strica *(moravuri etc.)*

subway ['sʌb,wei] *s* 1 *amer, scot* metrou 2 tunel/pasaj subteran

succedaneum [,sʌksi'deiniəm], *pl* **succedanea** [,sʌksi'deiniə] *s* succedaneu; înlocuitor

succeed [sək'siːd] I *vi* 1 **(to)** a urma, a veni, a succeda *(la tron etc.)* 2 **(in)** a reuși, a izbuti, a avea succes (în); **nothing ~s like success** *prov aprox* un succes atrage un altul; banul la bani trage II *vt* 1 a urma după *(sau cu dat)*, a veni după; a succeda *(cu dat)* 2 ← *rar* a moșteni *(pe cineva)*

succeeding [sək'siːdiŋ] *adj* 1 următor 2 viitor 3 succesiv

success [sək'ses] *s* 1 succes, izbândă, reușită; victorie; **without ~** fără succes; neizbutit; **to have ~** a se bucura de/a avea succes; **to be a ~** a fi un succes; a reuși; **I wish you ~!** îți doresc succes/ să reușești! 2 ← *înv* urmare, rezultat

successful [sək'sesful] *adj* 1 *(d. cineva)* care are succes; prosper; înfloritor; **I wasn't ~** n-am avut succes, n-am reușit/izbutit,

nu mi-a mers 2 *(d. o carte etc.)* de succes; izbutit, reușit; încununat de succes

successfully [sək'sesfuli] *adv* cu succes; (în mod) izbutit/reușit

succession [sək'seʃən] *s* 1 succesiune; urmare; suită; **in ~** succesiv, consecutiv; (rând) pe rând; **in close ~** la intervale scurte 2 șir, serie *(de victorii etc.);* succesiune; suită; perindare 3 *jur* succesiune; moștenire 4 succesiune *(la tron etc.)* 5 descendență, arbore genealogic

successional ['sək'seʃənəl] *adj* 1 succesiv 2 *jur* succesoral

successive [sək'sesiv] *adj* succesiv; consecutiv; regulat; treptat

successor [sək'sesəʳ] *s* succesor, urmaș; moștenitor

succinct [sək'siŋkt] *adj* succint; scurt; concis

succinctly [sək'siŋktli] *adv* (în mod) succint; pe scurt

succinctness [sək'siŋktnis] *s* caracter succint

succinic acid [sʌk'sinik ,æsid] *s ch* acid succinic

succor ['sʌkəʳ] *vt, s amer v.* **succour**

succory ['sʌkəri] *s bot* cicoare *(Cichorium intybus)*

succotash ['sʌkə,tæʃ] *s amer* mâncare din fasole și porumb verde, fierte împreună *(eventual cu carne)*

succour ['sʌkəʳ] I *vt* 1 a ajuta, sprijini; a susține 2 *mil* 1 a trimite întărituri *(cu dat)* II *s* 1 ajutor, sprijin 2 *pl mil* întărituri

succulence ['sʌkjuləns] *s* 1 suculență 2 *agr* nutreț de siloz/însilozat

succulency ['sʌkjulənsi] *s v.* **succulence**

succulent ['sʌkjulənt] *adj* 1 suculent; zemos 2 *fig* suculent; plin de miez; interesant; captivant, atrăgător

succumb [sə'kʌm] *vi* 1 **(to)** a muri, *rar* → a sucomba *(din cauza cancerului etc.)* 2 **(to)** a ceda *(ispitei, adversarului etc.);* a nu rezista *(cu dat sau* la)

such [sʌtʃ] I *adj* 1 *(urmat de art nehot)* așa, asemenea, astfel de, atare; ~ **a man** un astfel de/ asemenea om; un om ca el; ~ **books** astfel de/asemenea cărți; **in ~ weather** pe o asemenea vreme, pe o vreme ca aceasta; **why ask ~ a question?** de ce să pui o astfel de/o asemenea întrebare? **there is but one ~ man** există un singur om ca el *sau* de felul acesta; **there is no ~ thing** așa ceva nu există; **hats, coats, and ~ objects** pălării, haine și alte asemenea lucruri/ obiecte; **in ~ a way that** într-un asemenea mod încât; **~ as it is** (bun, rău) așa cum este; deși este așa cum este; chiar dacă nu e grozav 2 cutare; **in ~ or ~ a place** în cutare *sau* cutare loc; **Mr ~ and ~, Mr. ~ a one** domnul cutare 3 de același fel, asemănător; **~ master, ~ servant** cum e stăpânul așa e (el) și sluga; cum e sacul și peticul; **or some ~ rude remark** sau vreo remarcă/ observație nepoliticoasă de felul acesta; **~ is life** așa/asta e viața; **~ being the case** aceasta fiind situația, așa stând lucrurile 4 *exclamativ sau peior* așa; ce; niște; **~ a man!** ce om! **you do use ~ expressions!** folosește niște expresii (ce să-ți spun)! II *adv* atât/așa de; **~ a nice day** o zi atât de frumoasă; **~ a long time** atât timp/vreme, vreme atât de îndelungată III *pr* 1 acesta, aceasta, aceștia *sau* acestea; **~ was not my intention** nu aceasta era intenția mea; **man as ~** omul ca atare; **all ~** toți cei de felul acesta; **and ~** și ceilalți (de felul acesta) 2 ei, ele; *ac* îi, le; **people who leave parcels in the train cannot expect to recover ~** căile ferate nu răspund de pachetele uitate de pasageri în tren

such-and-such ['sʌtʃ ənd 'sʌtʃ] *adj atr* cutare; **on ~ a day** în cutare zi

such as ['sʌtʃ əz] I *pr cu conj* (toți) cei ce/care; **~ do so** (toți) cei ce/ care fac/procedează astfel II *adj cu prep* 1 asemeni *(cu dat)*, așa cum este, așa cum sunt; ca; de calitate, talia *etc. (cu gen)*; **poets ~ Chaucer** poeți ca Chaucer, poeți de talia lui Chaucer; **a system ~ that** un sistem ca acela 2 de exemplu/pildă, cum ar fi; **coniferous trees, ~ the fir and the pine** coniferele, cum ar fi de exemplu bradul și pinul

such ... as *adj (cu s) și prep* care *sau* pe care; **such people as you see** oamenii pe care-i vezi

such as to ['sʌtʃ əz tə] *adj cu conj și inf* astfel/așa încât să; **her conduct was ~ annoy** s-a purtat de așa manieră încât a deranjat, comportarea ei a stârnit indignare

suchlike ['sʌtʃ‚laik] ← *F* I *adj* asemănător; astfel de; analog; **and ~ examples** și exemple de felul acesta/asemănătoare II *pr* alții *sau* altele de felul acesta; **music, theatres and ~** muzica, teatrele și altele de felul acesta/ și așa mai departe

suck [sʌk] I *vt* 1 a suge *(lapte etc.)*; a absorbi; **to ~ one's fingers** a-și suge degetele; **go and teach your grandmother to ~ eggs** *fig* învață oul pe găină 2 a inhala; a sorbi; **to ~ air into one's lungs** a inhala aer în plămâni II *vi* 1 a suge (lapte) 2 a absorbi; a aspira; a inhala III *s* 1 sugere, supt; **child at ~** sugar, copil de țâță 2 inhalare, aspirare, sugere *(din pipă)* 3 aspirare, absorbire *(a apei etc.)* 4 *F* dușcă, înghițitură, strop

sucker ['sʌkə'] *s* 1 sugar, sugaci 2 *F* găgăuță; haplea; tâmpit; – credul, naiv 3 *tehn* piston de pompă, sorb 4 *silv* drajon 5 *iht v.* **sucker fish** 6 *bot* lăstar, mlădiță

sucker fish ['sʌkə ‚fiʃ] *s iht* cicar, mreană de mare *(Petronyzon marinus)*

sucking[1] ['sʌkiŋ] *adj* 1 sugaci; sugător 2 *F* geamiu, – începător 3 absorbant; aspirant

sucking[2] ['sʌkiŋ] *s* purcel de lapte

suckle ['sʌkəl] I *vi* (d. un copil etc.) a suge, a fi sugaci II *vt* 1 a alăpta; a da să sugă *(cu dat)* 2 *fig* a crește; a nutri, a hrăni

suckler ['sʌklə'] *s* 1 *zool* mamifer 2 *v.* **suckling**

suckling ['sʌkliŋ] *s* 1 sugaci, sugar 2 *fig* începător, novice, *F* geamiu

suction ['sʌkʃən] *s* sugere; aspirare, aspirație, absorbire

suction cleaner ['sʌkʃən ‚kli:nə'] *s* aspirator de praf

suction pump ['sʌkʃən ‚pʌmp] *s* pompă aspiratoare

suctorial [sʌk'tɔ:riəl] *adj* de sugere *sau* absorbție; adaptat pentru absorbție *etc.*

Sudan [su:'dɑ:n] *regiune și stat în Africa*

Sudanese [‚su:də'ni:z] *adj, s* sudanez

sudden ['sʌdən] I *adj* 1 brusc, neașteptat; subit; fără veste 2 *fig* iute, impetuos; neașteptat II *s:* **(all of) a ~, on a ~** *v.* **suddenly**

suddenly ['sʌdənli] *adv* deodată, brusc, pe neașteptate; fără veste; din senin

suddenness ['sʌdənnis] *s* 1 caracter brusc/neașteptat/subit 2 grabă; pripeală 3 caracter năprasnic *sau* impetuos

Sudetes Mountains, the [su:'di:ti:z ‚mauntinz, ðə] (Munții) Sudeți

sudorific [‚sju:də'rifik] *adj, s med* sudorific, diaforetic

suds [sʌdz] *s pl* 1 apă cu săpun 2 spumă/clăbuci de săpun 3 decocție

sue [sju:] I *vt* 1 a cere *(cuiva)*; a apela la; a stărui pe lângă 2 *jur* a da în judecată; a intenta proces *(cuiva)* 3 *jur* a cere daune/ despăgubiri pentru 4 ← *înv* a peți, a face curte *(cuiva)*, a curta II *vi* 1 *jur* a intenta proces 2 ← *înv* a peți; a face curte cuiva

suède [sweid] *s fr* velur

sue for ['sju:fə'] *vi cu prep* 1 *jur* a cere, a solicita, a pretinde *(daune etc.)* 2 a cere, < a implora *(milă etc.)*

sue out ['sju: 'aut] *vt cu part adv jur* a cere *sau* a obține *(o hotărâre judecătorească)*

suer ['sju:ə'] *s* 1 petiționar 2 *jur* reclamant, pârâș

suet ['su:it] *s* seu

suety ['su:iti] *adj* cu (< mult) seu

Suez ['su:iz] *port în Egipt*

Suez Canal, the ['su:iz kə'næl, ðə] Canalul de Suez

suf(f). *presc de la* **suffix**

suffer ['sʌfə'] I *vt* 1 a suferi, a suporta, a tolera, a răbda *(pe cineva etc.)* 2 a suferi *(o schimbare)* 3 a suferi *(o pagubă etc.)*; a îndura; **to ~ heavy losses** *mil* a suferi pierderi 4 ← *înv (↓ cu inf)* a permite, a îngădui; **he ~ed them to come** le-a permis/le-a îngăduit să vină; **he ~ed their presence** le-a permis să stea *sau* să fie și ei de față II *vi* 1 a suferi, a îndura; a pătimi; < a se chinui; **to ~ in silence** a suferi în tăcere

2 a fi omorât *sau* executat **3** *(d. un motor etc.)* a se strica, a se deteriora; a suferi stricăciuni **4** *(d. reputație etc.)* a avea de suferit **5** *mil* a suferi **6** ← *înv* a răbda; a rezista, a suporta

sufferable ['sʌfərəbəl] *adj* suportabil, tolerabil

sufferance ['sʌfərəns] *s* **1** toleranță; îngăduință; **he's here on ~** e tolerat aici **2** răbdare; **it is beyond ~** întrece limitele răbdării, e de nesuportat **3** ← *înv* suferință; durere **4** ← *înv* supunere; ascultare

sufferer ['sʌfərəʳ] *s* **1** suferind; persoană care suferă **2** martir **3** condamnat, osândit **4** victimă, jertfă **5** persoană îngăduitoare

suffer for ['sʌfə fəʳ] *vi cu prep* a avea de suferit pentru; a plăti pentru *(un act necugetat etc.)*

suffer from ['sʌfə frəm] *vi cu prep* a suferi de *(o boală etc.);* a-l durea *(capul etc.)*

suffering ['sʌfəriŋ] **I** *adj* suferind; bolnav **II** *s* suferință; durere

suffer oneself to ['sʌfə wʌn'self tə] *vr cu inf* la pasiv a se lăsa; **he suffered himself to be cheated** s-a lăsat înșelat

suffice [sə'fais] **I** *vi* a fi destul/suficient; a fi deajuns, a ajunge; **~ it to say that** e suficient/ajunge să spunem că **II** *vt* a ajunge *(cuiva)*, a fi destul/suficient pentru *(cineva);* a satisface, a mulțumi

sufficiency [sə'fiʃənsi] *s* **1** suficiență; îndestulare **2** capacitate, aptitudine **3** suficiență, încredere în sine, înfumurare **4** caracter adecvat/potrivit

sufficient [sə'fiʃənt] *adj* **1** suficient, îndestulător, destul **2** satisfăcător, mulțumitor

sufficiently [sə'fiʃəntli] *adv* **1** destul, în cantitate suficientă **3** *(cu adj și adv)* destul/suficient de

suffix ['sʌfiks] *s* **1** *lingv* sufix **2** *tel* semnal activ **II** *vt lingv* a adăuga un sufix la *(sau cu dat)*

suffixal ['sʌfiksəl] *adj gram* sufixal

suffixion [sʌ'fikʃən] *s lingv* sufixație

suffocate ['sʌfə,keit] **I** *vt* **1** a sufoca, a înăbuși, a asfixia **2** *fig* a înăbuși; a stinge **II** *vi* a se sufoca, a se înăbuși; a se asfixia

suffocation [,sʌfə'keiʃən] *s* sufocare, asfixiere

Suffolk ['sʌfək] *comitat în Anglia*

suffrage ['sʌfridʒ] *s* **1** vot, sufragiu **2** drept de vot, sufragiu **3** votare, scrutin **4** consimțământ, aprobare, sufragiu, sufragii **5** ↓ *pl* scurtă rugăciune

suffragette [,sʌfrə'dʒet] *s fr* sufragetă

suffragist ['sʌfrədʒist] *s* partizan/ adept al egalității femeilor

suffuse [sə'fju:z] *vt (d. lacrimi, lumină etc.)* a umple, a inunda, a scălda

suffusion [sə'fju:ʒən] *s* **1** revărsare; inundare **2** *med* hematom **3** *fig* roșeață, îmbujorare

sufi ['su:fi] *s arab* sufist

sufism ['su:fizəm] *s arab* sufism

sugar ['ʃugəʳ] **I** *s* **1** zahăr **2** *ch* hidrat de carbon; zaharoză **3** *fig* cuvinte mieroase; lingușire **II** *vt* **1** a îndulci; a pune zahăr în; a adăuga zahăr la **2** a presăra cu zahăr **3** *fig* a prezenta în culori mai atrăgătoare; a îndulci **III** *vi* **1** a se zaharisi **2** a se cristaliza

sugar basin ['ʃugə ,beisn] *s* zaharniță

sugar beet ['ʃugə ,bi:t] *s bot* sfeclă de zahăr *(Beta vulgaris)*

sugar bowl ['ʃugə ,boul] *s* zaharniță

sugar cane ['ʃugə ,kein] *s bot* trestie de zahăr *(Saccharum officinarum)*

sugar coat ['ʃugə ,kout] *vt* **1** a acoperi *sau* a presăra cu zahăr **2** *v.* **sugar II 3**

sugar corn ['ʃugə ,kɔ:n] *s v.* **sweet corn**

sugared ['ʃugəd] *adj* **1** (îndulcit) cu zahăr, îndulcit **2** *și fig* dulce ca mierea **3** *fig (d. cuvinte etc.)* dulce, plăcut; melodios

sugariness ['ʃugərinis] *s* **1** conținut de zahăr **2** dulceață; dulcegărie; vorbe mieroase

sugar loaf ['ʃugə ,louf] *s* căpățână de zahăr

sugar of milk ['ʃugər əv ,milk] *s ch* lactoză

sugar plum ['ʃugə ,plʌm] *s* bomboană

sugar refinery ['ʃugə ri'fainəri] *s* rafinărie de zahăr

sugar tongs ['ʃugə ,tɔŋz] *s pl* clește de zahăr

sugar works ['ʃugə ,wə:ks] *s pl și ca sg* fabrică de zahăr

sugary ['ʃugəri] *adj* **1** de *sau* cu zahăr; zaharos **2** dulce ca zahărul; excesiv de dulce **3** *fig* mieros; lingușitor; fals

suggest [sə'dʒest] **I** *vt* **1** a sugera, a propune *(un plan etc.);* **I ~ going to the theatre** propun să mergem la teatru **2** a sugera; a inspira; **what does this landscape ~ to you?** ce-ți sugerează *sau* ce-ți amintește peisajul acesta? **3** a vrea să spună; a insinua **II** *vr (d. o soluție)* a se impune; a-i trece *(cuiva)* prin minte

suggestibility [sə,dʒesti'biliti] *s* sugestibilitate

suggestible [sə'dʒestəbl] *adj* **1** sugestionabil; influențabil **2** care poate fi sugerat

suggestion [sə'dʒestʃən] *s* **1** sugestie, propunere; **at the ~ of** la sugestia/propunerea *cu gen* **2** aluzie; îndemn; sfat, povață **3** idee, teză; presupunere, ipoteză **4** *fig* semn, urmă; F→ idee **5** (of) reprezentare *(cu gen);* aducere-aminte *(cu gen)* **6** *psih* sugestie; sugerare **7** ispită, ispitire

suggestive [sə'dʒestiv] *adj* **1** sugestiv; plastic **2** plin de conținut; semnificativ **3** evocator; conotativ **4** ambiguu, echivoc

suggestively [sə'dʒestivli] *adv* (în mod) sugestiv

suggestive of [sə'dʒestiv əv] *adj cu prep* care sugerează *sau* evocă *cu ac*

suicidal [,su:i'saidəl] *adj* **1** de sinucidere **2** care vrea să se sinucidă **3** *fig* care înseamnă o adevărată sinucidere **4** *fig* distrugător, nimicitor, fatal

suicidally [,su:i'saidəli] *adv* **1** ca prin sinucidere **2** (în mod) distrugător

suicide ['su:i,said] **I** *s* **1** sinucidere **2** sinucigaș **II** *vi* ← *F* a se sinucide, a-și pune capăt zilelor

sui generis ['su:ai'dʒenəris] *adj lat* sui-generis, aparte, unic

suit [su:t] **I** *s* **1** costum (de haine); haine **2** *jur* proces, urmărire (judiciară); plângere, reclamație; **to bring a ~ against smb** a intenta cuiva (un) proces **3** rugăminte, cerere, insistență, stăruință; **at the ~ of smb** la rugămintea/cererea cuiva **4** curte *(făcută unei femei)* **5** culoare *(la jocul de cărţi);* **to follow ~ a** a juca în culoare **b** *fig* a face/a proceda la fel/în acelaşi fel; **in ~ with smth** în acord/armonie cu ceva **II** *vt* **1** a aranja *(pe cineva),* a fi bun/convenabil/potrivit pentru *(cineva),* a conveni *(cuiva);* **anything ~s me** mă împac/mă acomodez cu orice; mă mulţumesc cu orice; **does the climate ~ you?** te împaci/te-ai acomodat cu clima? **the five o'clock train will ~ me very well** trenul de cinci e foarte bun/convenabil pentru mine; **does Monday ~ you?** îţi convine lunea? **2** *(d. îmbrăcăminte etc.)* a i se potrivi *(cuiva);* a-i sta bine *(cuiva);* a-l prinde *(pe cineva);* **it doesn't ~ you to have your hair cut short** nu-ţi stă bine cu părul *(tăiat)* scurt **3** a fi potrivit/nimerit/indicat pentru; a-i sta/a-i şedea bine/frumos; **modesty ~s a girl** modestia (îi) şade bine unei fete **III** *vr* **1** a alege după gust **2** a face cum vrea/cum îl taie capul **IV** *vi* a face convenabil/potrivit/nimerit; a conveni; a se potrivi

suitability [ˌsuːtəˈbiliti] *s* caracter convenabil; oportunitate; potrivire

suitable [ˈsuːtəbəl] *adj* **(for)** potrivit, indicat, nimerit, adecvat (pentru); corespunzător *(cu dat);* convenabil (pentru *sau* cu dat); **to make smth ~ for** a adapta ceva la; **a ~ example** un exemplu potrivit/nimerit/corespunzător

suitableness [ˈsuːtəbəlnis] *s* v. **suitability**

suitably [ˈsuːtəbli] *adv* (în mod) corespunzător

suit case [ˈsuːt ˌkeis] *s* geamantan, valiză

suite [swiːt] *s* **1** suită, cortegiu, alai **2** set; garnitură; complet **3** *constr* anfiladă *(de încăperi)* **4** *muz* suită **5** *geol* serie, şir

suited [ˈsuːtid] *adj (în cuvinte compuse)* îmbrăcat; **black-~** îmbrăcat în negru

suited for [ˈsuːtid fər] *adj cu prep* bun/potrivit/nimerit pentru; convenabil/indicat pentru; aplicabil la

suited to [ˈsuːtid tə] **I** *adj cu prep* v. **suited for II** *adj cu inf* bun/potrivit *sau* indicat *sau* calificat să; bun de *(însurătoare etc.)*

suitor [ˈsuːtər] *s* **1** administrator; pretendent; peţitor **2** petiţionar, solicitant **3** *jur* reclamant, pârâş

sulk [sʌlk] **I** *vi* a fi supărat *sau* îmbufnat; a se supăra; a se bosumfla **II** *s* **1** ↓ *pl* supărare; îmbufnare; proastă dispoziţie; **to be in the ~s** a fi supărat *sau* îmbufnat; **to have (a fit of) the ~s** a se supăra; a se îmbufna

sulkily [ˈsʌlkili] *adv* îmbufnat; supărat; ursuz

sulkiness [ˈsʌlkinis] *s* proastă dispoziţie; supărare; îmbufnare

sulky [ˈsʌlki] *adj* supărat; îmbufnat; ursuz; posac

sullen [ˈsʌlən] *adj* **1** ursuz; posac; închis în sine, rezervat; supărat **2** *(d. priviri etc.)* neiertător, aspru **3** *(d. cer etc.)* închis; înnorat; apăsător

sullenly [ˈsʌlənli] *adv* ursuz, posac; supărat

sullenness [ˈsʌlənnis] *s* caracter ursuz *sau* posac; rezervă; supărare

Sullivan [ˈsʌlivən], **Arthur Seymour** *compozitor englez (1842-1900)*

sully [ˈsʌli] **I** *vt* **1** *şi fig* a murdări, a păta, a mânji **2** *fig* a mohorî, a întuneca **II** *vi* **1** *şi fig* a se murdări, a se păta, a se mânji **2** *fig* a se mohorî, a se întuneca

sulphamide [ˈsʌlfəmaid] *s ch* sulfamidă

sulphate [ˈsʌlfeit] *s ch* sulfat

sulphide [ˈsʌlfaid] *s ch* sulfură

sulphite [ˈsʌlfait] *s ch* sulfit

sulphur [ˈsʌlfər] *s ch* sulf, pucioasă

sulphur dioxide [ˈsʌlfə ˌdaiəksaid] *s ch* bioxid de sulf

sulphureous [səlˈfjuəriəs] *adj ch* sulfuros

sulphuretted hydrogen [ˈsʌlfjuˌretid ˈhaidrədʒən] *s ch* hidrogen sulfurat

sulphuric acid [sʌlˈfjuərik ˌæsid] *s ch* acid sulfuric

sultan [ˈsʌltən] *s* sultan

sultana [sʌlˈtaːnə] *s* **1** sultană **2** favorită **3** stafidă fină, sultanină

sultanate [ˈsʌltəˌneit] *s* sultanat

sultriness [ˈsʌltrinis] *s* zăduf, zăpuşeală

sultry [ˈsʌltri] *adj* **1** înăbuşitor, sufocant; arzător **2** *(d. temperament)* fierbinte, aprig; erotic

sum [sʌm] **I** *s* **1** sumă, total; rezultat **2** esenţă; fond; **in ~** pe scurt **3** problemă *sau* temă de aritmetică **II** *vt* **1** a socoti, a calcula, a aduna **2** a rezuma

sumac(h) [ˈsuːmæk] *s bot* scumpie, oţetar *(Rhus sp.)*

Sumatra [suˈmaːtrə] *insulă în Indonezia*

Sumerian [suːˈmiəriən] *adj, s ist* sumerian

sumless [ˈsʌmlis] *adj poetic* fără de număr, nemăsurat; neţărmurit

summarily [ˈsʌmərili] *adv* (în mod) sumar

summarize [ˈsʌməˌraiz] *vt* a rezuma; a recapitula

summary [ˈsʌməri] **I** *adj* **1** sumar, scurt; concis **2** *jur* sumar **II** *s* rezumat; recapitulare; conspect; expunere sumară

summary court of jurisdiction [ˈsʌməri ˌkɔːt əv ˌdʒuərisˈdikʃən] *s jur* instanţă sumară

summary offence [ˈsʌməri əˈfens] *s jur* contravenţie

summat [ˈsʌmət] *pr reg F* cevaşilea, – ceva

summation [sʌˈmeiʃən] *s* **1** totalizare; însumare **2** total, sumă **3** *jur* rezumat

summer [ˈsʌmər] **I** *s* **1** vară; **in (the) ~** vara, în timpul verii **2** *fig* înflorire; perioadă de înflorire **3** *poetic* vară, **~ an II** *adj atr* de vară; văratic

summer bird [ˈsʌməˌbəːd] *s* pasăre călătoare

summer house [ˈsʌmə ˌhaus] *s* **1** chioşc, pavilion **2** vilă; reşedinţă de vară

summer lightning [ˈsʌmə ˌlaitniŋ] *s* fulger difuz

summer-like [ˈsʌməˌlaik] *adj* (ca) de vară, văratic, estival

summer school [ˈsʌmə ˌskuːl] *s univ* cursuri de vară

summer's day [ˈsʌməz ˌdei] *s* **1** zi de vară **2** zi lungă

summer tide [ˈsʌməˌtaid] ← *poetic* v. **summer time 1**

summer time [ˈsʌmə ˌtaim] *s* **1** vară, timpul verii, timp de vară **2** ora standard în lunile de vară *(acceptată de unele ţări)*

summery [ˈsʌməri] *adj* v. **summer-like**

summing-up [ˈsʌmiŋˌʌp] *s* **1** *jur* cuvântul de încheiere al judecătorului **2** apreciere *(a unei situaţii etc.);* bilanţ; retrospectivă

summit ['sʌmit] *s* **1** vârf, creştet; pisc **2** *fig* culme; apogeu

summit talks ['sʌmit ,tɔːks] *s* discuţii la cel mai înalt nivel

summon ['sʌmən] *vt* **1** a soma **2** *jur* a cita **3** a convoca *(parlamentul etc.);* a invita; a aduna

summoner ['sʌmənəʳ] *s* **1** persoană care convoacă o adunare *etc.* **2** *jur* ← *înv* portărel

summons ['sʌmənz] **I** *pl* **summon-ses** ['sʌmənzis] *s* **1** *jur* citaţie; mandat; somaţie; avertisment; ← *F* proces-verbal **2** *mil* somare, somaţie **3** apel, chemare *(din partea autorităţilor);* convocare **II** *vt jur* ← *F* a cita

summon up ['sʌmən'ʌp] *vt cu part adv* a(-şi) aduna *(puterile);* a strânge, a încorda, a ridica *(moralul);* **he summoned up courage** îşi luă inima în dinţi; prinse curaj

sump [sʌmp] *s tehn* jomp, colector de apă

sumpter ['sʌmptəʳ] *s* animal de povară, samar

sumptuary ['sʌmptjuəri] *adj atr* privitor la cheltuieli; somptuar

sumptuous ['sʌmptjuəs] *adj* somptuos, măreţ; luxos

sum up ['sʌm 'ʌp] *vt cu part adv* a rezuma; a face un rezumat *(cu gen);* a recapitula

sun [sʌn] **I** *s* **1** soare; lumina soare-lui, lumină de soare/solară; **in the ~** la soare; **to rise with the ~** a se scula devreme/de dimi-neaţă; **under the ~** *fig* sub soare, pe pământ, în lumea aceasta; **where under the ~ can he be?** unde Dumnezeu o fi? **to see the ~** *fig* a se naşte; **his ~ is set** *fig* steaua lui a apus; **with the ~** în sensul acelor ceasornicului; **to take the ~ a** a măsura înălţimea soarelui **b** a se expune la soare; a se încălzi la soare; a face baie *sau* băi de soare **2** *poetic* vară, – an **3** ← *poetic* zi **II** *vt* a expune *sau* a încălzi *sau* a usca la soare **III** *vr* a se expune la soare; a se încălzi la soare; a face baie *sau* băi de soare **IV** *vi* **1** v. ~ **III 2** a lumina, a radia, a străluci

Sun. *presc de la* **Sunday**

sunbaked ['sʌn,beikt] *adj* **1** întărit la soare; copt la soare **2** ← *F* ars de soare; pârjolit de soare

sun bath ['sʌn ,baːθ] *s* baie de soare

sun-bathe ['sʌn,beið] *vi v.* **sun III**

sunbather ['sʌn,beiðəʳ] *s* persoană care face băi de soare

sunbeam ['sʌn,biːm] *s* rază de soare

sunblind ['sʌn,blaind] *s* perdea de soare; marchiză

sun bow ['sʌn ,bou] *s* curcubeu

sunburn ['sʌn,bəːn] *s* **1** arsură de soare **2** bronzare

sun-burnt ['sʌn,bəːnt] *adj* ars de soare, bronzat; cu arsuri de soare

Sunda Islands, the ['sʌndə ,ailəndz, ðə] (Insulele) Sonde *(în Indo-nezia)*

Sunda Strait, the ['sʌndə,steit, ðə] strâmtoare în Indonezia Sonde

Sunday ['sʌndi] *s* duminică; **when two ~s come together** ← *înv* la Paştele cailor

Sunday best ['sʌndi,best] *s* ← *F* hainele cele mai bune; costum *sau* rochie de sărbătoare

Sunday school ['sʌndi ,skuːl] *s* şcoală duminicală

sunder ['sʌndəʳ] **I** *vt* ← *înv* a des-părţi, a separa; a împărţi **II** *s:* **in ~** în bucăţi; în două

Sunderland ['sʌndələnd] *port în* Anglia

sundew ['sʌn,djuː] *s bot* roua cerului *(Drosera rotundifolia)*

sun dial ['sʌn,daiəl] *s* cadran solar

sundog ['sʌn,dɔg] *s meteor* parhelie

sundown ['sʌn,daun] *s* apus/asfinţit de soare

sundowner ['sʌn,daunəʳ] *s* **1** ← *F* pahar de whisky *etc.* băut seara **2** *austr* pribeag, vagabond *etc.* care cere găzduire peste noapte

sundrenched ['sʌn,drentʃt] *adj v.* **sunbaked**

sundries ['sʌndriz] *s pl* **1** felurite lucruri, diverse obiecte **2** diverse; cheltuieli diverse

sun-dry ['sʌn,drai] *vt* a usca la soare

sundry ['sʌndri] **I** *adj* diferit, divers, felurit; amestecat **II** *s v.* **sundries** *//* **all and ~** toţi (fără excepţie); **he invited all and ~** a invitat pe toată lumea

sunfast ['sʌn,faːst] *adj text* care nu se decolorează la soare, rezistent

sunfish ['sʌn,fiʃ] *s iht* peştele-lună *(Orthagoriscus mola)*

sunflower ['sʌn,flauəʳ] *s bot* floarea soarelui *(Helianthus sp.)*

sung [sʌn] *ptc de la* **sing**

sun glass ['sʌn ,glaːs] *s opt* **1** lentilă convergentă **2** *pl* ochelari de soare

sun glow ['sʌn,glou] *s meteor* **1** zori, auroră **2** crepuscul, amurg **3** coroană solară **4** căldură *sau* arşiţa soarelui

sun god ['sʌn,gɔd] *s mit* zeul soa-relui

sun hat ['sʌn, hæt] *s* pălărie de soare; panama

sun helmet ['sʌn ,helmit] *s* cască de soare

sunk [sʌnk] **I** *ptc de la* **sink I, II II** *adj v.* **sunken**

sunken ['sʌnkən] *adj* **1** (s)cufundat; afundat; coborât **2** *tehn* înecat; îngropat **3** *(d. obraji)* scofâlcit **4** înfundat; scobit; adânc **5** *(d. ochi)* dus în fundul capului

sunlamp ['sʌn,læmp] *s* lampă cu cuarţ, lampă cu raze ultraviolete

sunless ['sʌnlis] *adj* **1** fără soare; neluminat de soare; umbrit **2** mohorât, posomorât

sunlight ['sʌn,lait] *s* lumină de soare, lumina soarelui

sunlit ['sʌn,lit] *adj* luminat de soare

sun lounge ['sʌn ,laundʒ] *s* cameră cu ferestre mari

sunny ['sʌni] *adj* **1** expus la soare, însorit; **he is on the ~ side of fifty** *fig* nu a împlinit (încă) cincizeci de ani **2** *fig* vesel, voios; radios; fericit; *(d. caracter etc.)* optimist

sunny-side up eggs ['sʌni,saidʌp-'egz] *s* ouă-ochiuri

sun-proof ['sʌn,pruf] *adj* **1** care nu lasă să pătrundă/să treacă ra-zele soarelui **2** care nu se deco-lorează la soare, rezistent

sun ray ['sʌn ,rei] *s* **1** rază de soare **2** *pl* lumină ultravioletă, raze ultraviolete

sunrise ['sʌn,raiz] *s* **1** răsărit de soa-re; zori; **at ~** la răsăritul soarelui, în zori **2** răsărit, soare-răsare

sunroof ['sʌn,ruːf] *s* **1** *auto* acoperiş decapotabil **2** *constr* acoperiş plat

sunset ['sʌn,set] *s* **1** apus de soare, asfinţit; amurg **2** *fig* apus, asfinţit, scăpătat, declin

sunshade ['sʌn,ʃeid] *s* **1** umbrelă de soare **2** pălărie de soare **3** *constr* marchiză *(deasupra uşii)* **4** *fot* parasolar

sunshine ['sʌn,ʃain] *s* **1** lumină de soare, lumina soarelui; **in the ~** la soare **2** vreme senină/frumoasă; **a ray of ~ a** *fig* o rază de soare; plăcere; fericire **b** *fig* ← *F* un om vesel **3** *fig* prosperitate; spor; fericire

sunshiny ['sʌn,ʃaini] *adj* **1** însorit; cu mult soare; scăldat în soare **2** *fig* bucuros, vesel; < radiind de bucurie; < fericit

sun spot ['sʌn ,spɔt] *s* **1** *atr* pată de soare **2** pistrui

sunstroke ['sʌn,strouk] *s med* insolație

sun-struck ['sʌn,strʌk] *adj med* lovit de insolație

sun tan ['sʌn,tæn] *s* culoarea pielii bronzată de soare

suntrap ['sʌn,træp] *s* loc neobișnuit de însorit

sun-up ['sʌn,ʌp] *s amer* răsăritul soarelui

sunward ['sʌnwəd] **I** *adj* îndreptat/ orientat spre soare **II** *adv* v. **sunwards**

sunwards ['sʌnwədz] *adv* spre soare, în direcția soarelui

sunwise ['sʌn,waiz] *adv* în direcția acelor unui ceasornic

sun worship ['sʌn,wə:ʃip] *s* cultul soarelui

sun worshipper ['sʌn,wə:ʃipəʳ] *s* închinător la soare

sup [sʌp] **I** *vt* **1** a sorbi *(un lichid)* **2** a oferi o cină *(cuiva)* **II** *vi* a cina

sup. *presc de la* **1** superior **2** supply **3** supplement **4** supplementary **5** supreme

super ['su:pəʳ] **I** *adj* extra, de calitate superioară **II** *s* **1** *teatru* figurant **2** superintendent **3** ← *F* persoană de prisos **4** *com* produs de calitate superioară **5** *presc de la* **superfilm**

super- *pref* supra-, super-: **supertax** suprataxă; **superphosphate** superfosfat

superable ['su:pərəbəl] *adj* care poate fi învins/biruit

superabound ['su:pərə,baund] *vi* **(with)** a abunda (în); a fi din belșug/abundență; a supraabunda (în)

superabundance [,su:pərə'bʌndəns] *s* abundență, belșug; prisos; < supraabundență; exces

superabundant [,su:pərə'bʌndənt] *adj* abundent, îmbelșugat; <

supraabundent

superadd ['su:pər'æd] *vt* a supraadăuga; a mai adăuga

superaddition [,su:pərə'diʃən] *s* supraadăugare

superannuate [,su:pər'ænju,eit] **I** *vt* a pensiona, a scoate la pensie **II** [*și* supə'ræanjuət] *adj* v. **superannuated**

superannuated [,su:pə'rænjueitid] *adj* **1** pensionat **2** învechit; demodat; perimat **3** învechit, uzat

superannuation [,su:pə'rænju'eiʃən] *s* **1** pensionare **2** pensie **3** învechire; perimare; uzare

superatomic bomb [,su:pərə'tɔmik-'bɔm] *s mil* bombă cu hidrogen

superb [su'pə:b] *adj* **1** superb, splendid, minunat, excelent; de primul rang **2** superb, splendid, somptuos; luxos **3** *(d. clădiri)* maiestuos, impozant, impunător

superbly [su'pə:bli] *adv* superb, minunat

supercharge ['su:pə,tʃa:dʒ] *vt tehn* a supraîncărca; a supraalimenta

supercharger ['su:pə,tʃa:dʒəʳ] *s tehn* compresor de supraalimentare

supercilious [,su:pə'siliəs] *adj* **1** încrezut, îngâmfat, trufaș; superior **2** disprețuitor

superciliously [,su:pə'siliəsli] *adv* **1** încrezut; cu îngâmfare; cu un aer superior **2** cu dispreț

superciliousness [,su:pə'siliəsnis] *s* **1** îngâmfare, trufie; superioritate, aer superior **2** dispreț

superdominant [,su:pə'dɔminənt] *s muz* supradominantă

superduper ['su:pə'du:pəʳ] *s sl* clasa prima, a-ntâia, nemaipomenit

super-ego [,su:pər'i:gou] *s psih* supraeu

supereminence [,su:pər'eminəns] *s* **1** preeminență; poziție fruntașă **2** calitate supremă

supereminent [,su:pər'eminənt] *adj* preeminent

supererogate [,su:pər'erə,geit] *vi* a face mai mult decât i se cere, a face exces de zel

supererogation [,su:pər,erə'geiʃən] *s* exces de zel

supererogatory [,su:pərə'rɔgətəri] *adj* **1** făcut în plus; peste limita obligației **2** superfluu, de prisos; nedorit

superficial [,su:pə'fiʃəl] *adj* **1** superficial, de suprafață **2** artificial,

neautentic

superficialism [,su:pə'fiʃəlizəm] *s* superficialitate, neseriozitate; netemeinicie

superficiality [,su:pə,fiʃi'æliti] *s* **1** superficialitate **2** artificialitate **3** lucru făcut superficial

superficially [,su:pə'fiʃəli] *adv* (în mod) superficial

superficial measures [,su:pə'fiʃəl-,meʒəz] *s pl* măsuri de suprafață

superficies [,su:pə'fiʃi:z] *s sg și pl* **1** suprafață, arie **2** *fig* suprafață, exterior, aparență, înfățișare

superfilm ['su:pə'film] *s cin* superfilm, superproducție

superfine [,su:pə'fain] *adj* **1** extrafin; de calitate superioară **2** *(d. gust etc.)* suprarafinat; prețios

superfluity [,su:pə'flu:iti] *s* **1** superfluitate, caracter superfluu **2** prisos, excedent; exces

superfluous [su:'pə:fluəs] *adj* superfluu, de prisos; inutil

superfluously [su:'pə:fluəsli] *adv* (în mod) superfluu, inutil

superfluousness [su:'pə:fluəsnis] *s* superfluitate, caracter superfluu; inutilitate

superfortress [,su:pə'fɔ:tris] *s av mil* superfortăreață (zburătoare)

superheat [,su:pə'hi:t] *vt* a supraîncălzi

superheated [,su:pə'hi:tid] *adj* supraîncălzit

superheater [,su:pə'hi:təʳ] *s tehn* supraîncălzitor

superhet(erodyne) [,su:pə'hetərə-,dain] *s tel* superheterodină

superhuman [,su:pə'hju:mən] *adj* **1** supraomenesc **2** supranatural

superimpose [,su:pərim'pouz] *vt* **1** a suprapune, a pune unul peste altul **2** *poligr* a supratipări

superimposed [,su:pərim'pouzd] *adj* suprapus

superincumbent [,su:pərin'kʌmbənt] *adj* **1** suprapus **2** atârnat deasupra **3** *fig* apăsător, împovărător

superinduce [,su:pərin'dju:s] *vt* **1** **(on, upon)** a adăuga (la); a introduce în plus (peste) **2** a sprijini, a susține

superintend [,su:pərin'tend] *vt* a supraveghea; a conduce, a administra

superintendence [,su:pərin'tendəns] *s* supraveghere; conducere, administrare

superintendent [ˌsuːpərin'tendənt] *s* supraveghetor; conducător; administrator; director

Superior [suː'piəriəʳ] *lac în Canada*

superior I *adj* 1 (**to**) superior *(cu dat);* mai bun, mai rezistent (decât) *etc.;* ~ **forces** *mil* forțe superioare/mai mari 2 superior, excelent; de calitate superioară; *(d. cineva)* superior, extraordinar, puțin obișnuit 3 *(d. ton etc.)* superior, arogant, de superioritate; încrezut, infatuat 4 *ironic* sus-pus, – mare, important 5 *poligr* de sus, de deasupra rândului *etc.* II *s* 1 superior; director; șef; comandant 2 persoană cu calități superioare altora 3 *bis* egumen, abate, stareț 4 *poligr* literă de sus

superioress [suː'piəriəris] *s bis* egumenă, stareță

superiority [suːˌpiəri'ɔriti] *s* superioritate

superiority complex [suːˌpiəri'ɔriti-'kɔmpleks] *s* complex de superioritate

superiorly [suː'piəriəli] *adv* 1 de sus 2 mai bine, într-un mod superior

superior to [suː'piəriətə] *adj cu prep* deasupra *(ispitei etc.)*, mai presus de *(ispită etc.)*

superjacent [ˌsuːpə'dʒeisənt] *adj* aflat deasupra, de deasupra

superlative [suː'pəːlətiv] I *adj* 1 suprem, excelent, minunat, fără egal/pereche 2 *rar* ← superlativ II *s gram* (grad) superlativ; **in the** ~ la (gradul) superlativ

superlatively [suː'pəːlətivli] *adv* la superlativ, în cel mai înalt grad

superman ['suːpəˌmæn] *s* supraom

supermarket ['suːpəˌmaːkit] *s amer* „supermarket", mare magazin universal (↓ *cu autoservire)*

supermundane [ˌsuːpə'mʌndein] *adj* 1 nepământesc, nepământean; ceresc 2 fantastic; supranatural

supernal [suː'pəːnəl] *adj* 1 ceresc; divin, dumnezeiesc 2 înalt *sau* < foarte înalt

supernatural [ˌsuːpə'nætʃrəl] I *adj* supranatural II *s* the ~ supranaturalul

supernaturalism [ˌsuːpə'nætʃrəlizəm] *s* 1 supranatural 2 credință în supranatural *sau* minuni

supernaturally [ˌsuːpə'nætʃrəli] *adv* în mod supranatural

supernormal [ˌsuːpə'nɔːməl] *adj* supranormal; extraordinar

supernumerary [ˌsuːpə'njuːmərəri] I *adj* supranumerar II *s* 1 *teatru* figurant 2 persoană supranumerar

superphosphate [ˌsuːpə'fɔsfeit] *s ch* superfosfat

superpose [ˌsuːpə'pouz] *vt* a suprapune; a etaja *sau* a supraetaja

superposed [ˌsuːpə'pouzd] *adj* suprapus; etajat *sau* supraetajat

superposition [ˌsuːpəpə'ziʃən] *s* suprapunere

superpower ['suːpəˌpauə] *s* 1 superioritate; putere covârșitoare 2 *pol* putere suprastatală; suprapitere

superprofit [ˌsuːpə'prɔfit] *s ec* supraprofit

superrealism [ˌsuːpə'riəlizəm] *s* suprarealism

supersaturate [ˌsuːpə'sætʃəˌreit] *vt ch* a suprasatura

supersaturation [ˌsuːpəˌsætʃə'reiʃən] *s ch* suprasaturare

superscribe [ˌsuːpə'skraib] *vt* 1 a grava, a înscrie *(numele etc.)* 2 a scrie *(adresa, o mențiune etc.)*, a pune; a menționa 3 a pune adresa pe *(un plic etc.)*

superscription [ˌsuːpə'skripʃən] *s* 1 inscripție 2 adresă *(pe plic)* 3 antet 4 legendă *(pe hărți)*

supersede [ˌsuːpə'siːd] *vt* 1 (**by**) a înlocui (prin, cu) 2 a înlătura, a da la o parte 3 a elimina, a îndepărta *(un funcționar etc.)*

supersession [ˌsuːpə'seʃən] *s* 1 înlocuire 2 înlăturare 3 eliminare, îndepărtare *(dintr-un post etc.)*

supersonic [ˌsuːpə'sɔnik] *adj fiz* supersonic

supersonics [ˌsuːpə'sɔniks] *s pl ca sg* ultraacustică

superstar ['suːpəˌstaːʳ] *s cin* superstar; supervedetă

superstition [ˌsuːpə'stiʃən] *s* superstiție

superstitious [ˌsuːpə'stiʃəs] *adj* superstițios

superstitiously [ˌsuːpə'stiʃəsli] *adv* (în mod) superstițios

superstructure ['suːpə'strʌktʃəʳ] *s constr, tehn, filos* suprastructură

supertax ['suːpəˌtæks] *s* suprataxă; impozit pe supraprofit

supervene [ˌsuːpə'viːn] *vi* a surveni, a interveni

supervenient [ˌsuːpə'viːniənt] *adj* următor; în plus, suplimentar; adițional; complementar

supervention [ˌsuːpə'venʃən] *s* urmare, consecință

supervise ['suːpəˌvaiz] *vt* 1 a supraveghea 2 a conduce, a dirija

supervision [ˌsuːpə'viʒən] *s* 1 supraveghere 2 conducere, dirijare

supervisor ['suːpəˌvaizəʳ] *s* supraveghetor; controlor; administrator

supination [ˌsuːpi'neiʃən] *s fizl* supinație

supine[1] [suː'pain] *adj* 1 culcat pe spate, cu fața în sus 2 *fizl* în supinație 3 *F* lasă-mă-să-te-las, – nepăsător, indolent; moale

supine[2] ['suːpain] *s gram* supin

supp. *presc de la* 1 **supplement** 2 **supplementary**

supper ['sʌpəʳ] *s* cină, masă de seară; supeu; **to have** ~ a cina, a lua cina

supperless ['sʌpəlis] *adj* nemâncat *(seara)*, care nu a cinat

supper time ['sʌpəˌtaim] *s* vremea/ ora cinei

suppl. *v.* **supp**

supplant [sə'plaːnt] *vt* 1 a înlătura, a înlocui (↓ *prin forță, trădare etc.)* 2 a înlocui; a lua locul *(cu gen)*

supplantation [ˌsʌplaːn'teiʃən] *s* înlăturare; înlocuire

supplanter [sə'plaːntəʳ] *s* înlocuitor

supple ['sʌpəl] *adj* 1 *(d. trup etc.)* suplu, flexibil, mlădios 2 *tehn* suplu, flexibil, maleabil, elastic 3 ascultător, docil; supus; de înțeles, acomodabil, suplu 4 *(d. minte)* suplu, agil, iute, vioi

supplement ['sʌplimənt] I *adj* supliment; adaos; anexă II *vt* a suplimenta; a adăuga

supplemental [ˌsʌpli'mentəl] *adj v.* **supplementary**

supplementary [ˌsʌpli'mentəri] *adj* suplimentar; adițional; în plus

supplementary benefit [ˌsʌpli-'mentəri ˌbenefit] *s* beneficiu suplimentar de stat *(ca ajutor în Anglia)*

supplementation [ˌsʌplimen'teiʃən] *s* suplimentare; adăugare

suppletion [sə'pliːʃən] *s* suplimentare; adăugare

suppliant ['sʌpliənt] *adj* rugător

supplicate ['sʌpliˌkeit] *vt* a ruga, a implora, *înv* → a suplica

supplication [ˌsʌpli'keiʃən] *s* **1** implorare, rugă(minte) **2** cerere, *înv →* suplică

supplicatory ['sʌpli‚keitəri] *adj* rugător

supply[1] [sə'plai] **I** *vt* **1** (**with**) a aproviziona (cu) **2** a furniza; a livra; a procura; a da **3** a suplini, a umple golurile, a completa lipsurile *(cu gen)*, a înlocui **4** (**with**) *tehn* a alimenta (cu); a furniza *(curent etc.);* a aduce **II** *s* **1** aprovizionare; furnizare; procurare; livrare **2** rezervă, stoc **3** *ec* credit; fond; ofertă; **~ and demand** cerere şi ofertă **4** *pl* furnituri *(de birou, croitorie etc.)* **5** *pl* provizii, merinde, alimente **6** înlocuire, suplinire **7** înlocuitor, locțiitor **8** *tehn* alimentare *(cu benzină etc.)*

supply[2] ['sʌpli] *adv* cu supleţe, flexibil

supply current [sə'plai ‚kʌrənt] *s el* curent de alimentare

support [sə'pɔːt] **I** *vt* **1** a sprijini, a susţine, a propti *(un tavan etc.)* **2** *fig* a sprijini, a susţine; a întări *(sufleteşte etc.);* a mângâia, a alina; a ajuta **3** *fig* a sprijini, a susţine *(o propunere etc.);* a subscrie la; a sancţiona **4** *fig* a susţine, a întreţine *(o familie etc.)* **5** *fig* a întări; a veni în sprijinul *(unei teze etc.);* a adeveri, a confirma **6** a suporta, a îndura, a răbda; a tolera **7** a susţine; a întreţine *(o discuţie);* a duce **8** *teatru* a susţine, a juca *(un rol)* **II** *s* **1** sprijin, reazem; ajutor; **to speak in ~ of** a vorbi în sprijinul/ favoarea *cu gen;* **to lend ~** a acorda sprijin, a da ajutor **2** susţinător *(de familie etc.)* **3** *tehn* suport, consolă; postament; reazem **4** întreţinere, subzistenţă

supportable [sə'pɔːtəbəl] *adj* **1** suportabil, tolerabil; admisibil **2** *(d. o teză etc.)* care se poate susţine

supported flank [sə'pɔːtid ‚flæŋk] *s mil* flanc asigurat

supporter [sə'pɔːtə'] *s* **1** susţinător *(al unei teze etc.)*, partizan, adept **2** suport, proptea; reazem *sport* suporter

supporting [sə'pɔːtiŋ] *adj atr* **1** *mil* de sprijin **2** *teatru, cin* auxiliar; secundar; cu un rol secundar **3**

tehn de sprijin/reazem/suport/ susţinere

supporting part/role [sə'pɔːtiŋ ‚pɑːt/ ‚roul] *s teatru* rol secundar

supporting programme [sə'pɔːtiŋ ‚prougræm] *cin* completare *(la un film de lung metraj)*

supposable [sə'pouzəbəl] *adj* supozabil, de presupus

supposably [sə'pouzəbli] *adv* de presupus; probabil, după toate probabilităţile

suppose [sə'pouz] **I** *vt* **1** a presupune, a-şi închipui, socoti; a bănui; a crede; **~ we went for a walk** ce-ar fi să facem o plimbare? **~ the world were flat** să presupunem că lumea e plată; **I ~ (that) he won't return earlier** presupun/bănuiesc că nu va veni mai devreme; **I ~ him to be a painter** cred/bănuiesc/presupun că e pictor **2** a presupune, implica; a trage după sine; **success ~s effort** succesul presupune/implică efort **3** *pas cu inf* se presupune că; a trebui să; **everyone is ~d to know this rule** se presupune că toată lumea cunoaşte/toată lumea trebuie să cunoască această regulă; **he is ~d to be ill** se crede că este bolnav; **am I ~d to read the whole book?** trebuie să citesc toată cartea? **4** *pas neg cu inf ← F* a nu avea voie/a nu i se permite să; **he is not ~d to go there** n-are voie să se ducă acolo **II** *vi* a presupune, a face o presupunere *sau* presupuneri

supposed [sə'pouzd] *adj* presupus, pretins, aşa-zis

supposedly [sə'pouzdli] *adv* după cum se presupune; prin supoziţie

supposing [sə'pouziŋ] *conj* presupunând, dacă, în cazul când/că/ în care, în eventualitatea că; **~ it rains, what shall you do?** dacă plouă, ce ai să faci/ce te faci?

supposition [ˌsʌpə'ziʃən] *s* **1** presupunere; supoziţie, ipoteză; bănuială; prezumţie; **on (the) ~ that** presupunând/în ipoteza că **2** *log* sens, înţeles, semnificaţie *(a unui cuvânt)*

suppositional [ˌsʌpə'ziʃənəl] *adj* ipotetic, presupus

suppositions [ˌsʌpə'ziʃəs] *adj* **1** *v.* **suppositional 2** fals **3** *jur* substituit

suppositiously [ˌsʌpə'ziʃəsli] *adv* **1** prin supoziţie **2** (în mod) fals

suppositive [sə'pozitiv] **I** *adj* **1** *v.* **suppositional 2** fals **3** *gram (d. o conjuncţie)* condiţional **II** *s gram* conjuncţie condiţională

suppository [sə'pozitəri] *s med* supozitor

suppress [sə'pres] *vt* **1** a înăbuşi, a reprima *(o răscoală etc.)* **2** a interzice *(o carte etc.);* a confisca; a suprima; a interzice tipărirea *(unei cărţi etc.)* **3** a pune capăt *(unor fărădelegi etc.)*, a curma, a face să dispară **4** a înăbuşi *(un oftat etc.);* a reţine; a stăpâni **5** a ascunde, a tăinui; a trece sub tăcere; a nu destăinui *(un fapt)*

suppressed [sə'prest] *adj* **1** înăbuşit, reprimat **2** interzis; confiscat; suprimat **3** *(d. un oftat etc.)* înăbuşit; reţinut **4** ascuns, tăinuit; nedestăinuit

suppression [sə'preʃən] *s* **1** înăbuşire, reprimare *(a unei răscoale etc.)* **2** înăbuşire *(a unui oftat etc.);* reţinere **3** ascundere

suppressive [sə'presiv] *adj* represiv

suppurate ['sʌpju‚reit] *vi med* a supura, a puroia

suppuration [ˌsʌpju'reiʃən] *s med* supurare, supuraţie, puroiere

supr. *presc de la* **supreme**

supra- *prefix* supra-: **supramundane** suprapământesc

supranational [ˌsuːprə'næʃnəl] *adj* supranaţional, suprastatal

suprarenal [ˌsuːprə'riːnəl] *adj anat* suprarenal

supraspinal [ˌsuːprə'spainəl] *adj anat* supraspinos

supremacy [su'preməsi] *s* supremaţie; poziţie dominantă; preponderenţă

supreme [su'priːm] *adj* **1** suprem, suveran **2** suprem, cel mai mare, înalt *etc.* **3** suprem, critic, dificil, extrem, greu; fatal; ultim

Supreme Being, the [su'priːm ‚biiŋ, ðə] *s* Fiinţă supremă, Dumnezeu

Supreme Court [su'priːm ‚kɔːt] *s jur amer* Curtea supremă

supremely [su'priːmli] *adv* în cel mai înalt grad; suprem; extrem de *(bun etc.)*

Supreme Soviet, the [su'pri:m 'souviət, ðə] *s pol* Sovietul suprem

Supt., supt. *presc de la* **Superintendent**

sura ['suərə] *s* sura, capitol din Coran

surcease [sə:'si:s] ← *înv* I *vt, vi* a înceta II încetare; curmare

surcharge I [sə:'tʃɑ:dʒ] *vt* 1 a supraîncărca, a supraîmpovăra 2 a amenda 3 a cere suprataxă pentru 4 *tehn* a supraalimenta *(un motor etc.)* II ['sə:,tʃɑ:dʒ] *s* 1 supraîncărcare, supraîmpovărare 2 amendă 3 suprataxă 4 *tehn* suprasarcină

surcoat ['sə:,kout] *s* 1 bluză de vânt, vindiac 2 *od* bluză purtată peste armură

surd [sə:d] *s mat* număr irațional

sure [ʃuəʳ] I *adj* 1 *pred* sigur, convins/încredințat; **I'm ~ a** sunt sigur/convins/încredințat **b** *F* zău **c** categoric, precis **d** *F* ei, poftim! asta-i bună! fantastic! **I'm ~ I don't know** *F* zău că nu știu; **to be ~ of smth** a fi sigur de ceva; **to be ~ that** a fi sigur că; **to be ~ of oneself** a fi sigur de sine; **to make ~ of** a se convinge/a se încredința de; a se asigura de; a verifica *cu ac;* **to be ~** sigur, negreșit, hotărât, fără îndoială **b** ← *rar* haiti! extraordinar! ei, poftim! ia te uită! 2 *în constr nom cu inf* sigur ... negreșit ...; **he is ~ to come at seven** este sigur că va veni negreșit/neapărat la șapte 3 ↓ *atr* sigur, cert, neîndoios; de nădejde; **a ~ thing** ← *F* un lucru sigur; o certitudine; **~ proof** dovadă sigură/certă; **a ~ messenger** un mesager de nădejde; **for ~** ← *F* sigur, categoric // **be ~ to/and** vezi/caută să; fii atent să II *adj* ↓ *amer* sigur, desigur, fără îndoială; **as ~ as I'm standing here** cum mă vezi și cum te văd, ce mai încoace și încolo; **~ enough** *F* cum era de așteptat III *interj amer F* te cred! păi dar cum! – (de)sigur! bineînțeles!

sure-enough ['ʃuəri'nʌf] *adj amer* ← *F* real, adevărat; sigur

surefire ['ʃuə,faiəʳ] *adj (d. un câștigător, remediu etc.)* sigur; categoric

sure-footed ['ʃuə,futid] *adj* 1 stabil; sigur pe picioare 2 *fig* sigur, care nu dă greș

sure-footedly ['ʃuə,futidli] 1 *adv* cu siguranță în mers; sigur pe picioare 2 *fig* sigur; fără să dea greș

sure-footedness ['ʃuə,futidnis] *s* 1 stabilitate; siguranță în mers 2 *fig* siguranță; caracter sigur; reușită

surely ['ʃuəli] *adv* 1 (în mod) sigur; în siguranță; **slowly but ~** încet dar sigur 2 fără șovăire/șovăială, cu încredere 3 (în mod) sigur, cert, categoric, neîndoios, fără îndoială, cu siguranță; cu precizie

sureness ['ʃuənis] *s* 1 siguranță, certitudine 2 convingere fermă; siguranță; fermitate, hotărâre

surety ['ʃuəti] *s* 1 ↓ *jur* garanție, chezășie; cauțiune 2 ↓ *jur* garant, chezaș; **to stand ~ for** a lua pe garanție *cu ac;* a fi garantat pentru 3 *fin* aval 4 lucru sigur, certitudine; siguranță 5 convingere, siguranță 5 *tehn* siguranță, securitate

surf [sə:f] *s* 1 *nav* brizanți; resac; deferlare 2 val 3 *sport* surf

surface ['sə:fis] I *s* 1 suprafață; arie; zonă; regiune; **smooth ~** suprafață netedă; **the ~ of water** suprafața/oglinda apei 2 suprafață, parte de sus; exterior; aparență; **he looks at the ~ only** privește lucrurile numai la suprafață; privește lucrurile superficial; **a meaning that lies below the ~** o semnificație ascunsă 3 *geom* (supra)față 4 *av* plan II *vt* 1 a lustrui, a polei *(o suprafață)* 2 *nav* a aduce la suprafață *(un submersibil)* 3 *poligr* a satina, a velina 4 *drumuri* a îmbrăca, a pietrui III *vi (d. un pește etc.)* a ieși la suprafață

surface charge ['sə:fis ,tʃɑ:dʒ] *adj fiz* sarcină superficială

surface element ['sə:fis ,elimənt] *s mat* element de suprafață

surface fall ['sə:fis ,fɔ:l] *s drumuri* depresiune de teren

surface mapping ['sə:fis,mæpiŋ] *s geod* ridicare topografică

surface plate ['sə:fis,pleit] *s tehn* placă de control

surface ray ['sə:fis,rei] *s tel* undă de sol, fascicul terestru

surface tension ['sə:fis,tenʃən] *s tehn* tensiune superficială

surface-to-air ['sə:fistə'ɛəʳ] *adj av mil* sol-aer, antiaerian

surface-to-space ['sə:fistə'speis] *adj av* sol-cosmos

surfacing ['sə:fisiŋ] *s* 1 *tehn* strat de suprafață 2 *tehn* căptușire 3 *tehn* netezire a suprafețelor 4 *nav* ieșire la suprafață *(a unui submarin)*

surf bathing ['sə:f ,beiðiŋ] *s sport* surf(ing)

surf board ['sə:f ,bɔ:d] *s sport* tălpice pentru planking/acvaplan/surf

surfeit ['sə:fit] I *s* 1 supraabundență; prisos 2 exces, lipsă de cumpătare *(la mâncare și băutură);* îmbuibare; saț II *vt* a suprasatura; a îmbuiba, a îndopa III *vi* a se îmbuiba, a se îndopa

surfeiter ['sə:fitəʳ] *s* gurmand, *F* mâncău, găman

surfing ['sə:fiŋ] *s sport* surf(ing)

surf riding ['sə:f,raidiŋ] *s sport* surf(ing)

surfy ['sə:fi] *adj* cu brizant/resac

surg. *presc de la* 1 **surgeon** 2 **surgical**

surge [sə:dʒ] I *s* 1 val mare *sau* valuri mari de hulă; talaz, val *sau* talazuri, valuri II *vi* 1 *nav (d. un vas)* a se ridica *sau* a fi aruncat pe valuri 2 *tehn (d. un motor)* a galopa; a merge neregulat III *vt nav* a fila *(un cablu)*

surgeless ['sə:dʒlis] *adj (d. mare)* fără valuri, calm, liniștit

surgent ['sə:dʒənt] *adj* 1 *(d. valuri)* care se ridică; amenințător 2 *(d. mare)* furios, agitat

surgeon ['sə:dʒən] *s* 1 ← *înv* doctor 2 chirurg 3 *nav* medic de bord 4 *mil* medic militar

surgeoncy ['sə:dʒənsi] *s* calitate de medic militar

surgeon dentist ['sə:dʒən ,dentist] *s* chirurg stomatolog

surgery ['sə:dʒəri] *s* 1 chirurgie 2 sală de operații 3 cabinet medical

surgical ['sə:dʒikəl] *adj* chirurgical

surgically ['sə:dʒikəli] *adv* chirurgical, prin operație

surgical spirit ['sə:dʒikəl ,spirit] *s med* spirt medicinal

surgy ['sə:dʒi] *adj* 1 *(d. valuri)* care se ridică; < uriaș, enorm 2 *(d. mare)* agitat, furios

surlily ['sə:lili] *adv* ursuz, morocănos

surliness ['sə:linis] *s* supărare, proastă dispoziție, caracter ursuz

surly ['sə:li] *adj* **1** posac, ursuz, morocănos, posomorât **2** nesociabil **3** ← *rar* înfumurat; arogant
surmisable [sə:'maizəbəl] *adj* presupus; ipotetic; prezumtiv
surmisal [sə'maizəl] *s v.* **surmise** I
surmise I ['sə:maiz] *s* presupunere, bănuială; ipoteză II [sə:'maiz] *vt* a presupune, a bănui; a ghici
surmount [sə:'maunt] *vt* **1** a învinge, a birui, *rar* → a surmonta *(o dificultate etc.)* **2** a-şi stăpâni, a-şi înfrânge *(o pornire etc.)* **3** a pune deasupra *(cu gen)*/peste **4** *(d. zăpadă etc.)* a acoperi *(piscuri etc.)* **5** a urca, a escalada, a trece urcând
surmountable [sə:'mauntəbəl] *adj* surmontabil; care poate fi înfrânt
surmullet [sə:'mʌlit] *s iht* barbun de mare *(Mullidae sp.)*
surname ['sə:,neim] I *s* **1** nume de familie/patronimic **2** poreclă II *vt* **1** a da un nume de familie *(cuiva)* **2** a supranumi, a porecli
surpass [sə:'pɑ:s] *vt* **1** a întrece, a depăşi; a fi superior *(cu dat)* **2** *fig* a întrece, a depăşi *(orice închipuire etc.)*
surpassing [sə:'pɑ:siŋ] *adj atr* excepţional, fără egal/pereche, neîntrecut
surpassingly [sə:'pɑ:siŋli] *adv* extraordinar de *(bun etc.)*
surplice ['sə:plis] *s bis* stihar
surpliced ['sə:plist] *adj bis* cu stihar
surplus ['sə:pləs] I *s* surplus, excedent II *adj atr* excedentar; în sau de surplus
surplus value ['sə:pləs ,vælju:] *s ec* plusvaloare
surprise [sə'praiz] I *s* **1** surpriză, surprindere; emoţie neaşteptată; **to take smb by ~** a lua pe cineva prin surprindere **2** surpriză, cadou, dar **3** surprindere, uimire; mirare; **much to my ~, to my great ~** spre marea mea surprindere **4** surprindere; nepregătire; **to take a fort by ~** *mil* a lua un fort prin surprindere II *vt* **1** a surprinde, a mira, < a uimi, < a ului **2** a surprinde, a lua prin surprindere/pe neaşteptate; **to ~ smb in the act** a (sur)prinde pe cineva asupra faptului
surprise attack [sə'praiz ə'tæk] *s mil* atac prin surprindere

surprised [sə'praizd] *adj* surprins, mirat, < uimit, < uluit; **I shouldn't be ~ if** nu m-ar mira/surprinde dacă; **I'm ~ at you** mă uimeşti
surprisedly [sə'praizdli] *adv* cu surprindere, surprins
surprise into [sə'praiz,intə] *vt cu prep* a constrânge/a sili *(printr-o întrebare neaşteptată etc.)* să; **I surprised him into a confession** i-am smuls o mărturisire pe neaşteptate
surprising [sə'praiziŋ] *adj* surprinzător; neaşteptat
surprisingly [sə'praiziŋli] *adv* surprinzător/neaşteptat de *(bun etc.)*
surreal [sə'riəl] *adj* supranatural; din altă lume; fantastic
surrealism [sə'riə,lizəm] *s* suprarealism
surrealist [sə'riəlist] *adj, s* suprarealist
surrender [sə'rendər] I *vt* **1** *mil* a preda *(o cetate etc.)* **2** *jur* a ceda; a cesiona **3** a abandona; a se lepăda de; a părăsi; a pierde; **to ~ all hope** a pierde orice speranţă; **to ~ one's office** a demisiona **4** *ec* a răscumpăra *(o poliţă de asigurare)* II *vi mil* a capitula, a se preda; **to ~ at discretion** a capitula necondiţionat III *s* **1** *mil* capitulare, predare **2** *jur* cedare, cesionare *(de bunuri etc.)* **3** *fig* abdicare, renunţare **4** *ec* răscumpărare *(a unei poliţe de asigurare)*
surrender to [sə'rendə tə] *vi cu prep* **1** a se preda *(poliţiei etc.)*, a se da pe mâna *cu gen* **2** a se lăsa pradă *cu dat*, a se lăsa în voia *(disperării etc.)*
surreptitious [,sʌrəp'tiʃəs] *adj* furiş, clandestin; ascuns
surreptitiously [,sʌrəp'tiʃəsli] *adv* pe furiş/ascuns
surreptitiousness [,sʌrəp'tiʃəsnis] *s* caracter secret/tainic; clandestinitate
Surrey ['sʌri] *comitat în Anglia*
surrey *s amer* trăsură uşoară cu patru roţi
surrogate ['sʌrəgit] *s* **1** locţiitor; supleant; înlocuitor **2** surogat; succedaneu
surround [sə'raund] *vt* **1** a înconjura; a împrejmui; a îngrădi **2** *mil* a încercui

surrounding [sə'raundiŋ] *adj atr* înconjurător; ambiant; împrejmuitor
surroundings [sə'raundiŋz] *s pl* **1** împrejurimi, vecinătate, preajmă **2** mediu (înconjurător), ambianţă; anturaj
surtax ['sə:,tæks] I *s* suprataxă II *vt* a impune la suprataxă
surveillance [sə:'veiləns] *s* supraveghere; control
survey I [sə:'vei] *vt* **1** a cuprinde cu privirea *(un peisaj etc.)* **2** a trece în revistă; a examina, a cerceta, a studia; a inspecta **3** a ridica *(o hartă)* **4** *geod* a măsura *(un teren)* **5** a face releveul *(cu gen)* II ['sə:vei] *s* **1** cuprindere cu privirea **2** trecere în revistă; examen, examinare, cercetare, studiu, studiere; inspecţie, inspectare; anchetă; sondaj **3** *agr* hotărnicire **4** *geol* ridicare topografică; prospecţiune **5** *constr* releveu **6** expertiză
surveying panel [sə:'veiiŋ ,pænəl] *s geod* planşetă topografică
surveyor [sə:'veiər] *s* **1** controlor; supraveghetor; inspector **2** topometru; geodez; topograf
surveyor's rod [sə:'veiəz ,rod] *s* **1** top jalon **2** *constr* baliză
survival [sə'vaivəl] *s* **1** supravieţuire **2** rămăşiţă *(a unei datini etc.)*
survival kit [sə'vaivəl ,kit] *s* pachet cu strictul necesar *(la ascensiuni etc.)*
survival of the fittest [sə'vaivə ləv ðə 'fitist] *s biol* selecţie naturală
survivance [sə'vaivəns] *s* **1** *v.* **survival 2** *jur* drept de moştenire
survive [sə'vaiv] I *vi* a supravieţui, a rămâne în viaţă II *vt* a supravieţui *(unui naufragiu etc.);* a trăi mai mult decât
surviving [sə'vaiviŋ] *adj* care supravieţuieşte *(cu dat)*
survivor [sə'vaivər] *s* **1** supravieţuitor **2** *jur* singurul moştenitor rămas în viaţă
survivorship [sə'vaivəʃip] *s* **1** supravieţuire **2** *jur* drept de moştenire al celui rămas *sau* al celor rămaşi în viaţă
Susan ['su:zən] *nume fem* Suzana
Susanna(h) [su:'zænə] *nume fem v.* **Susan**

susceptibility [sə,septə'biliti] *s* **1** susceptibilitate; sensibilitate exagerată **2** sensibilitate; impresionabilitate

susceptible [sə'septəbəl] *adj* **1** susceptibil; exagerat de sensibil **2** sensibil; impresionabil

susceptible of [sə'septəbələv] *adj cu prep* susceptibil de; pasibil de; care permite/îngăduie *(o interpretare etc.)*

susceptible to [sə'septəbəltə] *adj cu prep* sensibil la *(durere etc.)*; ~ **flattery** sensibil la flatare, căruia îi place să fie măgulit/flatat

susceptive [sə'septiv] *adj* **1 susceptible 2** receptiv

susceptivity [,sʌsep'tiviti] *s* **1** *v.* **susceptibility 2** receptivitate

suspect I [sə'spekt] *vt* **1** (**of**) a suspecta, a bănui (de) **2** a se îndoi (de) **3** (**that**) a-și imagina, a-și închipui, a crede (că) **4** *fig* a simți, a mirosi, a adulmeca **II** *(v. ~ I)* *vi* a fi bănuitor, a nu avea încredere **III** ['sʌspekt] *s* suspect, persoană suspect **IV** *(v. ~ III) adj* suspect; bănuit

suspectable [sə'spektəbəl] *adj* care dă de bănuit, suspect

suspend [sə'spend] *vt* **1** a agăța, a atârna *(un tablou etc.)*; a suspenda **2** a suspenda, a opri **3** a suspenda *(un funcționar etc.)*; a exclude *(un sportiv etc.)*

suspended [sə'spendid] *adj* **1** atârnat, agățat; suspendat **2** suspendat, oprit

suspenders [sə'spendəz] *s pl* **1** *amer* bretele **2** jartiere

suspense [sə'spens] *s* **1** suspensie, întrerupere; **the question is in** ~ problema e în suspensie/nu e rezolvată **2** nesiguranță; nehotărâre **3** *lit* „suspense"; așteptare; încordare

suspension [sə'spenʃən] *s* **1** atârnare, agățare, suspendare **2** suspendare, încetare, oprire; întrerupere **3** *ch* suspensie **4** *tehn* sprijinire, rezemare **5** amânare; suspendare **6** suspendare, scoatere din activitate; eliminare *(a unui funcționar etc.)*

suspension bridge [sə'spenʃən ,bridʒ] *s* pod suspendat

suspension cable [sə'spenʃən ,keibl] *s* **1** *tehn* cablu de suspendare **2** *min* cablu liber

suspension pin [sə'spenʃən,pin] *s tehn* știft/bolț de suspensie

suspension points [sə'spenʃən ,points] *s pl* puncte de suspensie, puncte – puncte

suspension reactor [sə'spenʃən ri,æktər] *s fiz* reactor în suspensie

suspension tower [sə'spenʃən ,tauər] *s el* stâlp de susținere

suspensive [sə'spensiv] *adj* **1** suspendat, atârnat **2** *jur* suspensiv **3** nerezolvat, în suspensie

suspensor [sə'spensər] *s v.* **suspensory**

suspensory [sə'spensəri] *s* **1** *anat* mușchi *sau* os suspensor **2** *med* (bandaj) suspensor

suspicion [sə'spiʃən] **I** *s* **1** suspiciune, bănuială; presupunere; neîncredere; **above** ~ mai presus de orice bănuială; **with** ~ bănuitor, cu neîncredere; **on/ under** ~ bănuit, suspectat **2** *fig* urmă, pic, strop; umbră; *F* idee

suspicious [sə'spiʃəs] *adj* **1** bănuitor; neîncrezător **2** suspect, dubios; bănuit

suspiciously [sə'spiʃəsli] *adv* **1** (în mod) suspect **2** bănuitor, cu suspiciune

suspiciousness [sə'spiʃəsnis] *s* **1** caracter suspect **2** neîncredere, suspiciune, bănuială

suspicious of [sə'spiʃəsəv] *adj cu prep* care bănuiește *cu ac*: temător de; căruia îi e frică de

suspiration [,sʌspi'reiʃən] *s* oftat, suspin *(prelung)*

suspire [sə'spaiər] *vi ← poetic* a ofta, a suspina *(prelung)*

sustain [sə'stein] *vt* **1** a susține, a sprijini *(un zid etc.)*; a propti **2** a susține *(un efort etc.)*; a menține; a prelungi **3** a suferi *(o înfrângere etc.)*; a încerca *(o pierdere etc.)*; a îndura **4** *teatru* a susține, a juca *(un rol)* **5** a încuraja; a susține moralul *(cuiva)* **6** a face față *(cu dat)*, a rezista la **7** a confirma, a adeveri, a întări

sustained [sə'steind] *adj* susținut, de durată, prelungit; neîntrerupt, continuu

sustaining [sə'steiniŋ] *adj* **1** *atr* de susținere/sprijin **2** întăritor, fortifiant **3** adeveritor, doveditor

sustenance ['sʌstənəns] *s* întreținere; subzistență

sustentation [,sʌsten'teiʃən] *s* menținere, întreținere *(a vieții etc.)*

susurration [,sju:sə'reiʃən] *s poetic* susur, murmur; freamăt; șușotit

Sutherland(shire) ['sʌðələnd(,ʃiər)] *comitat în Scoția*

sutler ['sʌtlər] *s mil* cantinier; vivandieră

sutra ['su:trə] *s rel* sutra *(la brahmani)*

suttee [sʌ'ti:] *s rel hindusă od* **1** arderea soției odată cu soțul decedat **2** soția care ardea o dată cu soțul decedat

suture ['su:tʃər] **I** *s* **1** *med* sutură, cusătură **2** *med* catgut **3** *bot* sutură **II** *vt med* a sutura, a coase

Suzanne [sju'zæn] *nume fem v.* **Susan**

suzerain ['su:zə,rein] *s* **1** *ist* suzeran **2** *ist* senior suzeran **II** *adj atr* suzeran

suzerainty ['su:zərənti] *s* suzeranitate

svelte [svelt] *adj* zvelt; grațios; mlădios

Sverdlovsk [svir'dlɔfsk] *oraș în fosta U.R.S.S.*

SW *presc de la* **southwest(ern)**

SW. *presc de la* **1** Sweden **2** Swedish

S.W. *presc de la* **South Wales**

S.W.A. *presc de la* **South West Africa**

swab [swɔb] **I** *s* **1** pămătuf; mătură **2** *mil* perie de baie **3** *sl* om mătăhălos/greoi **4** *nav sl* marinar **5** *tehn, med* tampon **6** *nav* coadă de punte **II** *vt* a mătura, a curăța *etc.* cu pămătuful; a mătura

Swabia ['sweibiə] *od ducat în Germania* Suabia

Swabian ['sweibiən] *adj, s* **1** *od* suab **2** șvab

swaddle ['swɔdəl] **I** *s* fașă, scutec, *reg →* pelincă **II** *vt* a înfășa

swaddling clothes ['swɔdliŋ ,kləuðz] *s pl* scutece, feșe

swagger ['swægər] **I** *vi* **1** a se fuduli, a face pe grozavul **2** a se mândri, a se făli **3** a se plimba țanțoș **II** *s* **1** fudulie, mândrie; fală **2** fanfaronadă; lăudăroșenie

swagger cane/stick ['swægə,kein/ ,stik] *s mil* baston mic *(de trestie)*

Swahili [swa:'hi:li] *s* **1** *și ca pl* swahili, suahili **2** (limba) swahili

swain [swein] *s ← înv sau ← poetic* **1** flăcău, băiat de la țară **2** cioban, ciobănaș **3** drăguț, iubit

swallow¹ ['swɔlou] *s orn* rândunică, rândunea *(Hirundo sp.)*

swallow² I *vt* 1 a înghiți *(mâncare)*, a vârî pe gât; a sorbi 2 *fig* a înghiți *(un teritoriu etc.)* 3 a-și înăbuși *(o emoție etc.)*, a-și stăpâni 4 *fig* a înghiți *(o insultă etc.)* II *s* 1 *anat* gâtlej, beregată 2 înghițitură, sorbitură, dușcă

swallow dive ['swɔlou ˌdaiv] *s sport* săritură (în apă) stil „rândunică"

swallow tail ['swɔlou ˌteil] *s* 1 coadă de rândunică 2 *pl* ← F frac

swallow-tailed ['swɔlou,teild] *adj* 1 *orn* cu coada furcată 2 în coadă de rândunică

swallow up ['swɔlou 'ʌp] *vt cu part adv fig* a înghiți *(bani etc.)*

swallowwort ['swɔlou,wə:t] *s bot* iarba fiarelor *(Cynanchum nigrum)*

swam [swæm] *pret de la* swim I, II

swami ['swɑ:mi] *s Ia. hinduși* 1 domnule *(ca adresare unui brahman)* 2 idol; mică zeitate

swamp [swɔmp] I *s* mlaștină, baltă; băltoacă, smârc II *vt* 1 a (s)cufunda, a afunda 2 a inunda, a potopi, a îneca 3 *fig* a birui; a doborî III *vi* 1 a se (s)cufunda, a se afunda 2 *(d. o barcă)* a se umple cu apă 3 *fig* a se prăbuși

swampy ['swɔmpi] *adj* mlăștinos, mocirlos

swan [swɔn] *s* 1 *orn* lebădă *(Cygnidae sp.)* 2 *astr* Lebăda, constelația Lebedei

swan dive ['swɔn ˌdaiv] *s v.* swallow dive

swang [swæŋ] *pret înv de la* swing II, III

swank [swæŋk] I *vi* F a se grozăvi, a se țanțoși, – a-și da aere II *s* 1 F ifose, fanfaronadă, – lăudăroșenie 2 F ferchezuială, dichiseală

swanker ['swæŋkəʳ] *s* F fanfaron, – lăudăros

swanky ['swæŋki] *adj* 1 F umflat în pene, plin de ifose; fanfaron, – lăudăros 2 F fercheș, dichisit, ferchezuit, – elegant, fanfaron 3 șic, elegant

swansdown ['swɔnz,daun] *s* 1 puf de lebădă 2 *text* țesătură pufoasă jumătate lână

Swansea ['swɔnzi] *port în Wales*

swan song ['swɔn ˌsɔŋ] *s fig* cântec de lebădă

swap [swɔp] ← F I *s* schimb; troc, trampă, schimb în natură II *vt* a schimba (între ei); a face schimb/ troc cu; **to ~ stories** s/a schimba câteva cuvinte, a sta de vorbă III *vi* a face schimb (unul cu altul)

sward [swɔ:d] *s* pajiște; gazon; iarbă, verdeață

sware [swɛəʳ] *pret înv de la* swear

swarm¹ [swɔ:m] I *s* 1 roi *(de albine etc.)* 2 *fig* furnicar, mulțime II *vi* 1 *(d. albine)* a roi 2 **(with)** *fig* a furnica, a mișuna *(d.* 3 *(d. oameni)* a se înghesui, a se învălmăși III *vt* a înghesui, a ticsi

swarm² I *vt* a se urca/a se cățăra pe, a urca, a escalada II *vi* a (se) urca, a se cățăra

swarthiness ['swɔ:ðinis] *s* culoare oacheșă *(a pielii)*

swarthy ['swɔ:ði] *adj* cu piele închisă, brunet, oacheș

swash [swɔʃ] I *vt* 1 a lovi în *(apă etc.)*, a face să ple(o)scăie 2 a vărsa *(apa etc.)* II *vi* 1 a ple(o)scăi; *(d. apă și)* a clipoci 2 *v.* **swagger** I III *s* ple(o)scăit *(al apei etc.)*

swashbuckler ['swɔʃ,bʌkləʳ] *s* 1 fanfaron, lăudăros 2 bătăuș

swashbuckl(er)ing ['swɔʃ,bʌkl(ə)riŋ] I *adj* fanfaron, lăudăros II *s* fanfaronadă

swashing ['swɔʃiŋ] *adj* 1 fanfaron, lăudăros 2 ple(o)scăitor 3 ← *înv* voinic, tare, puternic

swash letters ['swɔʃ,letəz] *s pl poligr* litere ornamentale

swastika ['swæstikə] *s* zvastică

swat [swɔt] *vt* F a pocni, a atinge

swath [swɔ:θ] *s* 1 *agr* polog, brazdă de iarbă cosită *(dintr-o dată)* 2 *fig* șir, serie; rând

swathe [sweið] I *s* legătură; bandaj II *vt* 1 a lega, a.înfășura, a bandaja 2 a cuprinde, a înconjura

sway [swei] I *vt* 1 a legăna; a mișca încoace și încolo; a balansa 2 a mânui *(o sculă etc.)* 3 a purta *(sceptrul)* 4 a influența, a înrâuri 5 a conduce, a guverna 6 *nav* a ridica *(un arboret)* II *vi* 1 a se legăna, a se balansa 2 *(d. balanță)* a se înclina, a se apleca 3 a șovăi, a ezita, a fi nehotărât III *s* 1 legănare, balansare; du-te-vino 2 *fig* sceptru, conducere, stăpânire, domnie; **to hold ~ over** și *fig* a stăpâni, a fi stăpân pe

sway-backed ['swei,bækt] *adj (d. cai)* spetit

swayed [sweid] *adj (d. vite)* spetit

sway up ['swei 'ʌp] *vt cu part adv nav* a ridica *(un arboret)*

Swaziland ['swɑ:zi,lænd] *țară în Africa*

swear [swɛəʳ] I *pret* **swore** [swɔ:ʳ], *ptc* **sworn** [swɔ:n] *vi* 1 a jura; a depune un jurământ 2 **(at)** a înjura, < a ocărî *(pe cineva)* II *(v. ~ I) vt* 1 **(that,** *cu inf)* a (se) jura (să, că) 2 a declara solemn/sub (prestare de) jurământ 3 a depune, a presta *(un jurământ)* 4 a pune să jure

swear by ['swɛəbai] *vi cu prep* a jura pentru, a avea foarte multă încredere în; a pune mâna în foc pentru

swear in ['swɛər'in] *vt cu part adv* a lua jurământul *(cuiva)*, a pune să jure *(pe cineva)*

swear off ['swɛər'ɔ:f] *vi cu part adv* a jura că renunță la *(fumat etc.)*

swear to ['swɛətə] *vi cu prep* a atesta/a declara sub jurământ că

swear word ['swɛə ˌwə:d] *s* înjurătură; cuvânt urât

sweat [swet] I *s* 1 sudoare, transpirație; **to be in a ~, to be all of a ~** a fi ud de sudoare 2 *med* sudație 3 *constr* condens *(pe zid)* 4 corvoadă, muncă grea II *vi* 1 a asuda, a transpira, a năduși 2 a munci din greu, a trudi III *vt* 1 a face să asude/transpire 2 a asuda *(sânge);* a exsuda 3 a umple de transpirație *(haine)* 4 a hămuși *(piei)*

sweatband ['swet,bænd] *s* 1 bandă (de piele) în interiorul pălăriei 2 *peior* exploatator

sweated ['swetid] *adj (d. muncitori)* exploatat

sweat gland ['swet'glænd] *s anat* glandă sudoripară

sweating ['swetiŋ] *adj* 1 sudorific 2 asudat, transpirat 3 *(d. muncă)* istovitor și prost plătit 4 *(d. un patron etc.)* exploatator

sweat shirt ['swet ˌʃə:t] *s* tricou de bumbac cu mânecă lungă *(pt sport)*

sweaty ['sweti] *adj* 1 asudat, transpirat, nădușit 2 *fig* greu, istovitor, extenuant

Swede [swi:d] *s* suedez

Sweden ['swi:dən] Suedia

Swedenborg ['swi:dən,bɔ:g], **Emanuel** *filosof suedez (1688-1772)*

Swedish ['swi:diʃ] **I** *adj* suedez **II** *s* **1** (limba) suedeză **2 the** ~ suedezii

sweep [swi:p] **I** *pret și ptc* **swept** [swept] *vt* **1** a mătura; **the deck was swept by the waves** *fig* puntea era măturată de valuri; **to** ~ **the board** *fig* F a lua potul cel mare, a da lovitura, – a avea un succes deplin **2** a străbate *(mările, țara etc.)* **3** a baleia, a spăla **4** a șterge *(praful)* **5** *fig* a mătura, a lua cu sine, a duce, a căra // **to** ~ **smb off his feet a** a trânti pe cineva la pământ **b** F a da gata pe cineva *(sentimental)* **c** a cuceri pe cineva, a câștiga aprobarea cuiva; a atrage de partea sa pe cineva **II** *(v. ~ I) vi* **1** a mătura **2** a trece *sau* a se mișca *sau* a înainta repede; a goni; a zbura; a intra grăbit, a năvăli, a se năpusti; **he swept into the room** intră în cameră ca o vijelie **3** *(d. drum etc.)* a șerpui *(grațios, lin)* **4** *(d. o câmpie etc.)* a se întinde, a se extinde **III** *s* **1** măturare, măturat; **to give the room a** ~ a mătura odaia/prin cameră; **to make a clean** ~ **of** *fig* a scăpa complet de; a se debarasa/a se descotorosi de **2** mișcare *(cu brațul etc.)*; rotire, lovitură *(de vâslă etc.)*; bătaie *(de aripă)* **3** *fig* distanță accesibilă; rază de acțiune; cuprins **4** spațiu de deschidere *(a ușii etc.)*; zonă de învârtire *(a manivelei etc.)* **5** braț, cot, curbură, sinuozitate *(a unui râu etc.)* **6** trăsătură *(de penel etc.)* **7** *mil* bătaie *(a puștii etc.)* **8** coșar, măturător de coșuri **9** balansor *(de pompă)* **10** vâslă, lopată

sweep along ['swi:pə'lɒŋ] *vi cu part adv* a trece repede/în goană/în zbor

sweep-by ['swi:p,bai] *s* zbor; goană

sweep by ['swi:p'bai] *vi cu part adv* a trece în goană/zbor; a zbura

sweeper ['swi:pə'] *s* **1** *auto* măturător **2** coșar **3** *constr* măturătoare, mașină de măturat

sweeping ['swi:piŋ] **I** *adj* **1** iute, repede; impetuos, năvalnic, vijelios **2** *(d. o câmpie etc.)* întins, mare, larg **3** complet, cuprinzător; exhaustiv // ~ **reductions in prices** reduceri masive de prețuri; ~ **victory** victorie răsunătoare **II** *s* **1** măturare **2** *pl* gunoaie, gunoi; **the** ~**s of so-**ciety *fig* drojdia societății **3** *pl* text deșeu(ri)

sweepingly ['swi:piŋli] *adv* **1** repede, rapid, iute; (în mod) impetuos, năvalnic **2** fără alegere

sweepstake(s) ['swi:p,steik(s)], *pl* **sweepstakes** ['swi:p,steiks] *s* **1** totalizator *(la cursele de cai)* **2** loto; un fel de pronosport

sweep up ['swi:p'ʌp] *vt cu part adv* a curăța *(↓ dușumeaua)*

sweet [swi:t] **I** *adj* **1** dulce; **to taste** ~ a fi dulce, a avea un gust dulce; **to have a** ~ **tooth** a-i plăcea dulciurile **2** zaharat **3** *fig* dulce, suav, plăcut, agreabil; < minunat, încântător; **that's very** ~ **of you** F e foarte drăguț din partea ta; ~ **dreams!** vise plăcute **4** prietenos, afabil; **to be** ~ **on smb** ← F a fi îndrăgostit de cineva **5** *(d. flori etc.)* (plăcut) mirositor, suav; parfumat; înmiresmat **6** *(d. sunete etc.)* dulce, suav, melodios **7** *(d. hrană etc.)* proaspăt **II** *s* **1** dulceață, gust dulce **2** *pl* dulciuri **3** bomboană **4** *pl* vinuri dulci **5** *pl* poetic miresme, – parfumuri **6** *pl* părți/laturi/aspecte plăcute *(ale vieții etc.)* **7** ↓ *cu adj pos* scump *sau* scumpă, drag *sau* dragă, iubit *sau* iubită; **my** ~! scumpul meu; *sau* scumpa mea! etc.

sweet basil ['swi:t ,bæzəl] *s bot* busuioc *(Ocimum basilicum)*

sweetbread ['swi:t,bred] *s* momițe *(↓ de vițel)*

sweet briar/brier ['swi:t ,braiə'/ ,braiə'] *s bot* varietate de măceș *(Rosa eglanteria)*

sweet cherry ['swi:t ,tʃeri] *s bot* **1** cireș *(Prunus avium)* **2** cireașă

sweet corn ['swi:t ,kɔ:n] *s bot* porumb zaharat *(Zea mays saccharata)*

sweeten ['swi:tən] **I** *vt* **1** a îndulci, a face dulce *sau* mai dulce **2** a parfuma, a înmiresma **3** a împrospăta **4** *fig* a ușura; a face mai plăcut *(traiul etc.)* **5** *fig* a prezenta într-o lumină mai favorabilă

sweetener ['swi:tənə'] *s* **1** zaharină; substanță care îndulcește **2** F „argument convingător" – bani, cadou *etc.*

sweetening ['swi:tənin] *s gastr* substanță care îndulcește, edulcorant

sweetheart ['swi:t,ha:t] *s* iubită, drăguță *sau* iubit, drag

sweetie ['swi:ti] *s* **1** F drăgălășenie, bijuterie, bomboană, – om *sau* lucru drăguț **2** *(↓ în limbajul copiilor)* bombonică, bomboană **3** *(ca adresare, ↓ unei femei)* F scumpete, drăguțică

sweetish ['swi:tiʃ] *adj* dulceag

sweetly ['swi:tli] *adv* **1** plăcut; agreabil; suav; < minunat, încântător **2** *(a funcționa etc.)* lin **3** F grozav de *(frumos etc.)*

sweet marjoram ['swi:t 'ma:dʒerəm] *s bot* maghiran, măghiran *(Origanum majorana)*

sweetmeat ['swi:t,mi:t] *s* bomboană

sweetness ['swi:tnis] *s* **1** dulceață, gust dulce **2** *fig* dulceață; caracter agreabil/plăcut; farmec **3** mireasmă, parfum, miros plăcut; suavitate **4** caracter melodios, suavitate **5** prospețime **6** bunătate, blândețe

sweet oil ['swi:t ,ɔil] *s* ulei de măsline

sweet pea ['swi:t ,pi:] *s bot* indrușaim, indrișaim, sângele voinicului *(Lathyrus odoratus)*

sweet pepper ['swi:t ,pepə'] *s bot* ardei gras/dulce *(Caspicum annuum)*

sweet potato ['swi:t pə'teitou] *s bot* batată, cartof dulce *(Ipomoea batatas)*

sweet-scented ['swi:t,sentid] *adj* plăcut mirositor, parfumat

sweet-tempered ['swi:t,tempəd] *adj* bun, blând, blajin; binevoitor

sweet-tooth ['swi:t,tu:θ] *s* predilecție pentru dulciuri

sweet-toothed ['swi:t,tu:ðd] *adj* căruia îi plac dulciurile

sweet water ['swi:t ,wɔ:tə'] *s* apă dulce

sweet William/william ['swi:t ,wiliəm] *s bot* garofiță de grădină *(Dianthus barbatus)*

sweetwort ['swi:twə:t] *s* plantă plăcut mirositoare

swell [swel] **I** *pret* **swelled** [sweld], *ptc* **swelled** [sweld] *sau* **swollen** ['swoulən] *vt* **1** *și fig* a umfla; a mări **2** *muz* a intensifica **II** *(v. ~ I) vi* **1** *și fig* a se umfla; a se mări **2** *(d. ape)* a se umfla, a crește **III** *s* **1** umflare; bombare **2** ridicătură *(a pământului)* **3** *muz* intensificare **4** *muz* crescendo și diminuendo **5** *nav* hulă **6** *muz* foale *(de orgă)* **7** F tip elegant/șic **8** F grangur, știab, – persoană de seamă/vază IV *adj* 1 F fercheș, spilcuit, dichisit 2 *(d. un artist etc.)* de prim rang 3 *amer* F grozav, strașnic; *(d. cineva)* bine

swelldom ['sweldəm] *s* ← F societate mondenă

swelled head ['sweld ,hed] *s* F fumuri, ifose, – îngâmfare

swelling ['sweliŋ] I *adj* 1 umflat 2 inflamat 3 *fig* înfumurat, îngâmfat 4 *fig* bombastic, pompos, emfatic II *s* 1 umflătură; bubă; buboi 2 umflare, creștere *(a apei etc.)* 3 protuberanță; ieșitură; gâlmă 4 mărire, sporire 5 *fig* revărsare *(a unui sentiment etc.)*

swellish ['sweliʃ] *adj* F spilcuit, fercheș

swell mob ['swel ,mɔb] *s sl* escroci *sau* vagabonzi bine îmbrăcați

swelter ['sweltə'] I *vi* 1 a se înăbuși/ a nu mai putea de căldură 2 a năduși, a transpira, a asuda II *s* 1 sudoare, nădușeală; năduf 2 arșiță, zăduf 3 muncă anevoioasă

sweltering ['sweltəriŋ] *adj* foarte fierbinte; arzător; înăbușitor

swept [swept] *pret și ptc de la* **sweep** I, II

swept-back ['swept,bæk] *adj (d. păr)* dat *sau* pieptănat pe spate

swerve [swə:v] I *vi* 1 *(d. un cal)* a face o mișcare laterală 2 **(from)** *și fig* a se depărta *(↓ brusc)* (de; de la); a se abate (de la) 3 a se clătina II *s* **(from)** (în)depărtare, abatere (de la)

swift [swift] I *adj* repede, iute; grăbit; grabnic; ~ **to anger** *fig* iute la mânie; ~ **to take offence** *fig* susceptibil II *adv poetic* cu grăbire/– grabă, – iute, repede III *s* 1 ← *rar* curent, curs *(al apei)* 2 *orn* lăstun mare *(Cypselus apus)*

Swift, Jonathan *scriitor englez (1667-1745)*

swifter ['swiftə'] *s nav* cingătoare de cabestan

swift-footed ['swift,futid] *adj* iute de picior

swift-handed ['swift,handid] *adj* iute (de mână), agil

swiftness ['swiftnis] *s* iuțeală, repeziciune

swig [swig] ← F I *vt, vi* a înghiți/a sorbi hulpav II *s* sorbitură adâncă

swill [swil] I *vt* 1 *v.* **swig** I 2 a îmbuiba, a ghiftui 3 a îmbăta 4 a stropi bine *(grădina etc.)* II *vi* a bea lacom III *s* 1 lături, zoaie *(pt porci etc.)* 2 dușcă/înghițitură zdravănă 3 poșircă, băutură proastă 4 stropire/stropit cu apă multă

swill-down ['swil ,daun] *s v.* **swill** III, 4

swill down ['swil 'daun] I *vt cu part adv v.* **swill** I, 4 II *vt cu part adv v.* **swill** II

swiller ['swilə'] *s* bețivan, sugativă, băutor

swill-out ['swil,aut] *s v.* **swill** III, 4

swill out ['swil 'aut] *vt cu part adv v.* **swill** I, 4

swim I [swim], *pret* **swam** [swæm], *ptc* **swum** [swʌm] *vi* 1 a înota; a pluti; **to** ~ **against the stream** a merge/a acționa împotriva curentului/majorității; **to** ~ **with/ down the tide/stream** a se conforma majorității, a fi conformist, a nu merge contra curentului; **to** ~ **like a stone/brick** *umor* a înota/a se duce ca toporul la fund/ca un pietroi 2 a se scălda, a se bălăci, a se zbengui în apă 3 **(in)** *fig* a înota (în), a fi plin (de), a se scălda (în) 4 *fig* a plutí, a merge plutind/lunecând 5 a fi ameți, a avea amețeli/vertij; **my head ~s** mi se învârtește capul II *(v.* ~ **I)** *vt* 1 a trece/a traversa înot 2 a face/a da drumul să plutească 3 a inunda III *s* 1 înot; scăldătoare, scaldă; **to go for a** ~ a înota, a se duce la scăldat 2 *fig* vâltoare a evenimentelor, vârtej; tumult; **to be in the** ~ a fi în centrul evenimentelor, a fi la curent cu toate 3 (senzație de) amețeală, amețeli, leșin

swim bladder ['swim ,blædə'] *s iht* bășică înotătoare

swimmer ['swimə'] *s* 1 înotător 2 flotor, plutitor 3 plută

swimming ['swimiŋ] I *s* 1 înot 2 *v.* **swim** III, 3 II *adj* 1 de înot, referitor la înot 2 care înoată, înotător 3 *com* care merge ca pe roate, prosper

swimming bath ['swimiŋ ,ba:θ] *s și ca pl* bazin de înot (public)

swimming bladder ['swimiŋ ,blædə'] *s v.* **swim bladder**

swimming costume ['swimiŋ ,kɔstju:m] *s* costum de baie

swimmingly ['swimiŋli] *adv* ca pe roate, de minune, admirabil; ușor, fără dificultăți

swimming match ['swimiŋ ,mætʃ] *s* concurs de înot

swimming pool ['swimiŋ ,pu:l] *s* 1 bazin de înot, piscină; ștrand 2 stabiliment de băi

swimming trunks ['swimiŋ ,trʌŋks] *s pl* chiloți de baie

swimsuit ['swim,su:t] *s* costum de baie

Swinburne ['swin,bə:n] **Algernon Charles** *poet englez (1837-1909)*

swindle ['swindəl] I *vt* 1 a escroca, a înșela, a trage pe sfoară 2 a estorca, a stoarce *(bani de la cineva)* II *s* escrocherie, înșelătorie, pungășie, șarlatanie

swindler ['swindlə'] *s* escroc, pungaș, șarlatan

swine [swain] *s* 1 *și fig* porc 2 colectiv porci, porcine

swine breeding ['swain ,bri:diŋ] *s* creșterea porcilor/porcinelor

swine fever ['swain ,fi:və'] *s vet* pestă porcină

swine grass ['swain ,gra:s] *s bot* troscot *(Polygonum aviculare)*

swineherd ['swain,hə:d] *s înv, lit* porcar

swinery ['swainəri] *s* 1 cocină de porci 2 *v.* **swine** 2 3 *fig* porcărie

swing [swiŋ] I *s* 1 balansare, oscilație, legănare; du-te-vino; **to give smb a** ~ *v.* ~ III 4 2 învârtitură, tur 3 amplitudine (a unei oscilații) 4 *nav* învârtire pe loc 5 mișcare ritmată/cadențată; ritm, cadență 6 swing *(la box)* 7 *muz* swing, dans legănat 8 leagăn, balansoar 9 *tehn* impuls; vibrație, vibrare 10 *fig* toi; punct culminant; șvung; plină activitate; **to be in full** ~ **a** a fi în toi/în plină activitate **b** a munci din plin/pe brânci; **to get into the** ~ **of the work** a intra în/a prinde ritmul muncii 11 entuziasm, veselie; **to take/to have one's** ~ a nu mai putea de bucurie, a fi în culmea fericirii // **to go with a** ~ F a merge ca pe roate II *pret* **swung** [swʌŋ], *sau* **swang** [swæŋ], *ptc* **swung** [swʌŋ] *vi* 1 a se legăna; a se balansa; a oscila, a pendula; a se clătina, a se bălăbăni;

to ~ **to and fro** a se legăna
încoace și încolo **2** *fig* a fi spân-
zurat/condamnat la spânzu-
rătoare **3** a se întoarce, a se
răsuci, a se roti **4** *nav* a se învârti/
a face girații în jurul ancorei **5** a
se da în leagăn, a se legăna, a
se balansa **6** *mil* a face o întoar-
cere; a schimba direcția **7** a
dansa swing **III** *(v. ~ II)* *vt* **1** a
legăna, a balansa; a agita **2** a
roti, a învârti; a flutura *(o sabie
etc.);* **there is no room to ~ a
cat** F n-ai loc nici măcar să
întorci **3** a bălăbăni *(picioarele)*
4 a da în leagăn, a legăna **5** a
spânzura; a agăța, a atârna **6** a
răsuci, a întoarce **7** *amer ← F* a
duce la bun sfârșit/până la capăt
8 *amer pol* a atrage *(alegători)*
de partea sa
swingable ['swiŋəbəl] *adj* oscilant,
pivotant; rotitor, de pendulație
swing about ['swiŋ ə'baut] *vt cu part
adv v.* **swing III 6**
swing along ['swiŋ ə'lɔŋ] *vi cu part
adv* **1** a înainta/a merge cu pași
cadențați/în cadență **2** a merge
în pas degajat/agale
swing bar ['swiŋ ˌbɑːʳ] *s nav* palonier
swing bridge ['swiŋ ˌbridʒ] *s* pod
turnant/rotitor/mobil
swing crane ['swiŋ ˌkrein] *s tehn*
macara pivotantă
swing door ['swiŋ ˌdɔːʳ] *s* ușă
batantă
swinge [swindʒ] *vt ← înv* a bate; a
biciui
swingeing ['swindʒiŋ] *adj (↓ d.
reduceri bugetare)* drastic, sever
swinging ['swiŋiŋ] **I** *adj* **1** pivotant,
turnant, rotitor **2** *v.* **swingable II**
s **1** legănare, balansare **2** rotire,
pivotare, răsucire
swingle ['swiŋəl] **I** *s* meliță **II** *vt* a
melița, a bate
swing open ['swiŋ 'oupən] *vi cu part
adv (d. ușă)* a se deschide
(brusc, de perete)
swing round ['swiŋ 'raund] *vi cu part
adv* a se întoarce (complet/cu
180), a face o întoarcere com-
pletă
swing-wing ['swiŋˌwiŋ] *adj atr av* cu
aripi mobile
swinish ['swainiʃ] *adj* **1** porcin,
porcesc, referitor la porc **2** *fig*
porcesc, de porc, grosolan,
mojicesc

swinishly ['swainiʃli] *adv* porceşte,
ca un porc
swinishness ['swainiʃnis] *s* por-
cărie, ticăloşie, murdărie
swipe [swaip] **I** *vi* a lovi/a da cu
putere **II** *vt* a pocni, a lovi **III** *s* **1**
lovitură puternică **2** *tehn* troliu;
pârghie **3** *sl* pilangiu, bețivan **4**
sl șut, pungaș, hoț
swirl [swəːl] **I** *vi* a se învârti (ca
titirezul); a se roti ca un vârtej; a
se învolbura **II** *vt* a face/a forma
(vârtejuri) **III** *s* **1** vârtej, anafor **2**
trombă, turbion **3** *nav* dâră, siaj
4 nor de fum
swish[1] [swiʃ] **I** *vi* **1** a fâșâi, a foșni **2**
a susura, a murmura **II** *vt* a biciui,
a sfichiui **III** *s* **1** fâșâit, foșnet,
foșnitură **2** șuierătură, mișcare
șuierătoare *(a unei nuiele etc.)*
3 sfichi; lovitură *(cu varga)*
plesnitură/plesnet din bici; **to
have a ~ on** a-i da zor/bătaie, a
se grăbi
swish[2] *adj* F spilcuit, pus la fix/la
patru ace, ferches, – elegant
swish in ['swiʃ 'in] *vi cu part adv* a
intra cu un foșnet *(al rochiei etc.)*
swish off ['swiʃ 'ɔːf] *vt cu part adv* a
doborî/a cosi la pământ
Swiss [swis] **I** *adj* elvețian **II** *s* **1**
elvețiană; elvețiancă **2** the ~
elvețienii
Swiss chard ['swis ˌtʃɑːd] *s bot* sfe-
clă mangold *(Beta vulgaris
cicla)*
Swiss cheese ['swis ˌtʃiːz] *s* șvaițer
Swiss roll ['swis ˌroul] *s* ruladă cu
dulceață, gem *sau* cremă
switch [switʃ] **I** *s* **1** bețișor, nuia **2**
amer baston; ciomag; băț **3**
lovitură de nuia *sau* băț **4** *ferov*
ac, macaz **5** *el* întrerupător,
comutator, șaltăr; contact **6** *auto*
contact **7** *(șuviță/meșă de)* păr
fals **II** *vt* **1** a lovi, a bate (cu
nuiaua/biciul); a biciui; a da o
lovitură/o bătaie *(cu dat)* **2** a
scutura, a bate *(covoarele)* **3** a
șterge de praf *(mobila)* **4** a agita,
a mișca *(capul, coada)* **5** *ferov* a
manevra, a trece de pe o linie
pe alta **6** *el* a schimba sensul/
direcția *(curentului)* **III** *vi* **1** a da
lovituri *(de bici etc.)* **2** *auto* a
schimba viteza **3** a schimba
direcția
switchable ['switʃəbəl] *adj tehn*
manevrabil

switchback ['switʃˌbæk] *s* **1** *cin*
flashback **2** optul zburător *(la
bâlci)* **3** *fig* ceva care-și schimbă
direcția brusc
switchblade ['switʃˌbleid] *s amer* **1**
el cuțit/lamă de întrerupător **2**
cuțit de buzunar cu resort/arc
switchboard ['switʃˌbɔːd] *s tel*
pupitru/tablou de comandă
switchgear ['switʃˌgiəʳ] *s el* aparataj
electric de conexiuni
switch over ['switʃ 'ouvəʳ] *vi cu part
adv tel* a comuta; a schimba
canalul
switch over to ['switʃ 'ouvətə] *vi cu
part adv și prep* a trece la *sau* în
(tabăra adversă etc.), a trece de
partea *cu gen*
switch system ['switʃ ˌsistim] *s el* **1**
schemă de conexiuni **2** sistem
de întrerupere
switch yard ['switʃ ˌjɑːd] *s amer
ferov* triaj
Switz [swits] *presc de la* **Switzer-
land**
Switzer ['switsəʳ] *s* **1** *od* mercenar
(elvețian) **2** ← *înv* elvețian
Switzerland ['switsələnd] Elveția
swivel ['swivəl] **I** *s* **1** ax, pivot; țâțână
2 *nav* cârlig, verigă, ochi *(de
cablu);* tambur de lanț **II** *vi* a se
învârti, a se roti, a pivota; **free to
~** cu mișcare liberă **III** *vt* **1** a
atașa/a lega/a prinde cu un cârlig
2 a pivota, a face să se învâr-
tească
swivel chair ['swivəl ˌtʃɛəʳ] *s* scaun
rotitor/pivotant *(de dentist etc.)*
swivel-eyed ['swivəl ˌaid] *adj* ← F
sașiu, încrucișat, care privește
crucis
swivelling ['swivəliŋ] **I** *s* rotire,
învârtire; pivotare **II** *adj. v.*
swingable
swiz [swiz] *s* ← F decepție, dez-
amăgire
swizzle ['swizəl] **I** *s* ← F un fel de
cocktail *(↓ pe bază de rom)* **II** *vi* F
a trage la măsea, a bea zdravăn
swizzle stick ['swizəl ˌstik] *s* bețișor/
bețigaș pentru mixat băuturile
swob [swɔb] *s v.* **swab I**
swollen ['swoulən] **I** *ptc de la* **swell**
II *adj* **1** umflat **2** *fig* umflat, exa-
gerat; piperat **3** îngâmfat, afectat
4 *(d. stil)* pompos, bombastic,
emfatic
swollen-head ['swoulənˌhed] *s v.*
swelled head

swoon [swu:n] **I** *vi* **1** a leșina **2** *poetic*
(d. sunete etc.) a se stinge **II** *s* **1**
leșin **2** *med* sincopă

swoop [swu:p] **I** *vi* (**upon, on**) a se
abate/a se năpusti/a se prăvăli/
a tăbărî (asupra – *cu gen*) **II** *s* **1**
năpustire (a vulturului etc.); pră-
vălire, coborâre; atac (*în picaj*);
at one (fell) ~ dintr-o singură
lovitură, dintr-un singur atac **2**
deviere, abatere de la direcție

swop [swɒp] ← **FI** *vt* a face schimb
de, a schimba; **to** ~ **places** a
face schimb de locuri, a-și
schimba locurile; **never** ~ **horses
in the middle of the stream**
prov nu fă schimbări în toiul crizei
II *s* schimb (în natură), troc,
trampă

sword [sɔ:d] **I** *s* **1** sabie; paloș;
spadă; **to draw one's/the** ~ **a** a
scoate/a trage sabia din teacă **b**
a începe/a declanșa ostilitățile;
**to measure/to cross ~s with
smb a** a încrucișa sabia/spada
cu cineva **b** a-și măsura puterile
cu cineva; a se pune cu cineva;
to put to (the edge of) the ~ a
trece prin ascuțișul sabiei/prin
foc și sabie; **to fight with (the)
~(s)** a se duela, a se bate în duel;
draw ~**s!** *mil* scoateți sabia!
return ~**s!** *mil* sabia în teacă!; **at**
~ **point** în vârful sabiei, sub
amenințarea cu moartea **2** *tehn*
lamă; cuțit **II** *vt* ← *rar* a omorî, a
ucide

sword arm [ˈsɔ:d ˌɑ:m] *s* **1** brațul
drept **2** *fig* putere, dominație;
forță

sword bearer [ˈsɔ:d ˌbɛərər] *s* **1**
purtător de spadă; spadasin **2** *od*
spătar **3** *fig* militarist

sword belt [ˈsɔ:d ˌbelt] *s* centiron

sword blade [ˈsɔ:d ˌbleid] *s* tăiș de
sabie

sword cane [ˈsɔ:d ˌkein] *s* baston cu
șiș

sword craft [ˈsɔ:d ˌkrɑ:ft] *s v.*
swordsmanship

sword dance [ˈsɔ:d ˌdɑ:ns] *s* dansul
săbiilor (↓ în variantă scoțiană)

sword dancer [ˈsɔ:d ˌdɑ:nsər] *s*
executant al dansului săbiilor

sword fish [ˈsɔ:d ˌfiʃ] *s iht* pește-
sabie/-spadă (Xiphias gladius)

sword grass [ˈsɔ:d ˌgrɑ:s] *s bot* **1**
gladiolă (Gladiolus sp.) **2** diverse
specii de rogoz

sword law [ˈsɔ:d ˌlɔ:] *s fig* **1** domi-
nație a militariștilor **2** legea celui
mai tare, legea armelor/junglei

sword lily [ˈsɔ:d ˌlili] *s bot* gladiolă
(Gladiolus communis)

sword play [ˈsɔ:d ˌplei] *s* **1** duel;
scrimă **2** *fig* discuție tăioasă; duel
verbal; ripostă promptă

sword-shaped [ˈsɔ:d ˌʃeipt] *adj* în
formă de sabie, gladiolat

swordsman [ˈsɔ:dzmən] *s* duelist,
duelgiu, spadasin

swordsmanship [ˈsɔ:dzmənʃip] *s*
arta duelului; scrimă

sword stick [ˈsɔ:d ˌstik] *s v.* **sword
cane**

swore [swɔ:r] *pret de la* **swear**

sworn [swɔ:n] **I** *ptc de la* **swear I II**
adj jurat, legat prin/de un jurământ

sworn broker [ˈswɔ:n ˌbroukər] *s*
com curtier autorizat

sworn brothers [ˈswɔ:n ˌbrʌðəz] *s pl*
frați de cruce

sworn enemies [ˈswɔ:n ˌenəmiz] *s
pl* dușmani neîmpăcați/de moarte

sworn friends [ˈswɔ:n ˌfrendz] *s pl*
prieteni nedespărțiți/la cataramă/
la toartă; frați de cruce

sworn oath [ˈswɔ:n ˌouθ] *s jur* măr-
turie sub prestare de jurământ

swot [swɒt] **FI** *vi* a toci, a buchisi **II**
vt a toci, a buchisi, ~ a învăța pe
din afară/pe de rost **III** *s* **1** tocilar,
tocilă, bucher **2** toceală, buchi-
seală **3** – studiu greu/dificil; lucru
care cere efort

swot up [ˈswɒt ˈʌp] *vt cu part adv v.*
swot II

swum [swʌm] *ptc de la* **swim I II**

swung [swʌŋ] *pret și ptc de la* **swing
II III**

sybarite [ˈsibəˌrait] *s* sibarit; hedo-
nist, epicurean

sybaritic [ˌsibəˈritik] *adj* **1** de sibarit,
hedonist, epicurean **2** afemeiat,
muieratic **3** snob; rafinat

Sybil [ˈsibil] *nume fem*

sybil *s v.* **sibyl**

sycamore [ˈsikəˌmɔ:r] *s bot* **1** sico-
mor, smochin (Ficus sycomorus)
2 sicomor (Acer pseudopla-
tanus) **3** platan (Platanus sp.)

sycamore fig [ˈsikəˌmɔ: ˈfig] *s v.*
sycamore 2

sycamore maple [ˈsikəˌmɔ: ˌmeipl]
s v. **sycamore 2**

sycophancy [ˈsikəfənsi] *s* **1** lingu-
șeală, lingușire, adulație (josnică/
abjectă), măgulire **2** parazitism

sycophant [ˈsikəfənt] *s* lingușitor,
lingău; linge-blide; sicofant

Sydney [ˈsidni] *port în Australia*

syll. *presc de la* **syllable**

syllabi [ˈsiləˌbai] *s pl de la* **syllabus**

syllabic [siˈlæbik] *adj* silabic

syllabication [siˌlæbiˈkeiʃən] *s v.*
syllabification

syllabification [siˌlæbifiˈkeiʃən] *s*
silabisire

syllabify [siˈlæbifai] *vt* a silabisi; a
împărți în silabe

syllable [ˈsiləbəl] **I** *s* **1** silabă **2** *fig*
cuvânt; vorbă, sunet; **not to
utter a** ~ a nu scoate nici un
sunet/nici o vorbă **II** *vt v.* **sylla-
bify**

syllabled [ˈsiləbəld] *adj* (în cuvinte
compuse): **one-~** monosilabic,
cu o (singură) silabă

syllabus [ˈsiləbəs], *pl* și **syllabi**
[ˈsiləˌbai] *s* **1** *școl, univ* programă
(analitică); plan (de învățământ);
orar **2** expunere, conspect

syllepses [siˈlepsi:z] *pl de la* **syllep-
sis**

syllepsis [siˈlepsis], *pl* **syllepses**
[siˈlepsi:z] *s ret, gram* silepsă

syllogism [ˈsiləˌdʒizəm] *s log* silo-
gism

syllogistic [ˌsiləˈdʒistik] *adj log*
silogistic

syllogize [ˈsiləˌdʒaiz] *vi* a argumenta
logic/prin silogisme

sylph [silf] *s* **1** *mit* silf **2** *fig* silfidă,
femeie grațioasă; sirenă

sylphid [ˈsilfid] *s* silfidă

sylvan [ˈsilvən] *adj* silvestru, de
pădure/codru

Sylvester [silˈvestər] *nume masc*
Silvestru

Sylvia [ˈsilviə] *nume fem* Silvia

sylviculture [ˈsilviˌkʌltʃər] *s* silvi-
cultură

sylviculturist [ˌsilviˈkʌltʃərist] *s*
silvicultor

sym. *presc de la* **1 symbol 2
symmetrical**

symbiosis [ˌsimbiˈousis] *s biol*
simbioză

symbiotic [ˌsimbiˈotik] *adj biol* (cu
caracter) de simbioză, simbio-
tic

symbol [ˈsimbəl] *s* **1** simbol **2** semn;
emblemă

symbolic(al) [simˈbɒlik(əl)] *adj*
simbolic

symbolically [simˈbɒlikəli] *adv* (în
mod) simbolic

symbolics [sim'bɔliks] *s pl ca sg și rel* simbolică

symbolism ['simbə,lizəm] *s* simbolism

symbolist ['simbəlist] *s* simbolist

symbolistic(al) [,simbə'listik(əl)] *adj* simbolistic

symbolize ['simbə,laiz] **I** *vt* a simboliza; a reprezenta/a întruchipa (simbolic) **II** *vi* **1** a reprezenta/a fi un simbol **2** a recurge la/a se servi de simboluri

symbology [sim'bɔlədʒi] *s* **1** simbolică, simbologie **2** simbolism

symbololatry [,simbə'lɔlətri] *s* simbololatrie, cultul simbolurilor

symmetric(al) [si'metrik(əl)] *adj* simetric

sympathetic [,simpə'θetik] *adj* **1** (**to**) înțelegător, plin de înțelegere/ compătimire (față de); compătimitor **2** care provoacă/stârnește înduioșare/compătimire/simpatie; înduioșător **3** ← *rar* simpatic **4** solidar **5** *anat* simpatic

sympathetically [,simpə'θetikəli] *adv* **1** cu înțelegere/compătimire **2** în semn de simpatie/solidaritate

sympathetic ink [,simpə'θetik ,iŋk] *s* cerneală simpatică

sympathetic strike [,simpə'θetik ,straik] *s* grevă de solidaritate/ solidarizare

sympathize ['simpə,θaiz] *vi* a fi plin de înțelegere/compătimire/compasiune; a fi/a se arăta înduioșat *(de ceva sau cineva);* **I assure you that I ~** te rog să primești condoleanțele mele

sympathizer ['simpə,θaizər] *s* simpatizant; partizan, adept

sympathize with ['simpə,θaiz wið] *vi cu prep* **1** a împărtăși, a-și însuși *(sentimentele cuiva etc.)* **2** a înțelege *cu ac,* a avea înțelegere/compătimire pentru, a fi înduioșat de **3** a exprima condoleanțe *cu dat*

sympathizing [,simpə'θaiziŋ] *adj v.* **sympathetic 1**

sympathy ['simpəθi] *s* **1** compătimire, compasiune, înțelegere; milă; simpatie; înduioșare **2** *și pl* condoleanțe **3** simpatie, atracție; **to be in ~ with smb's ideas** a privi cu simpatie/a împărtăși ideile cuiva; **to have no ~ with** a nu aproba, a nu încuraja *cu ac;*

a fi adversar declarat al *cu gen* **4** *biol etc.* simpatie **5** ↓ solidaritate, simpatie **6** *muz* rezonanță

sympetalous [sim'petələs] *adj bot* simpetal

symphonic [sim'fɔnik] *adj* simfonic

symphonically [sim'fɔnikəli] *adv* simfonic

symphonist ['simfənist] *s muz* simfonist, autor de simfonii

symphony ['simfəni] **I** *s* **1** *muz* simfonie **2** *muz* ← *înv* armonie **3** *fig* armonie, consonanță, acord; potrivire **II** *adj* simfonic

symposia [sim'pouziə] *pl de la* **symposium**

symposium [sim'pouziəm] *pl și* **symposia** [sim'pouziə] *s* **1** simpozion **2** *ist Greciei* ospăț, banchet

symptom ['simptəm] *s* **1** simptom **2** *fig* semn, indiciu; manifestare

symptomatic [,simptə'mætik] *adj* simptomatic

symptomatically [,simptə'mætikəli] *adv* (în mod) simptomatic

syn. *presc de la* **1 synonym 2 synonymous 3 synonymy**

synaeresis [si'niərisis] *s lingv* sinereză

synaesthesia [,sini:s'θi:ziə] *s psih* sinestezie

synagogue ['sinə,gɔg] *s* sinagogă

sync(h) [siŋk] *s* ← *F* sincronizare

synchromesh ['siŋkrou,meʃ] *s auto* schimbător de viteză cu roți sincronizate

synchronic [sin'krɔnik] *adj* sincronic; simultan

synchronism ['siŋkrə,nizəm] *s* sincronism; izocromatism; simultaneitate, concomitență

synchronization [,siŋkrənai'zeiʃən] *s* sincronizare

synchronize ['siŋkrə,naiz] **I** *vt* **1** a sincroniza, a coordona *(în timp)* **2** a stabili simultaneitatea *(faptelor etc.)* **II** *vi* a coincide în timp, a fi simultan/concomitent/sincronic **2** *(d. ceasuri)* a arăta aceeași oră

synchronous ['siŋkrənəs] *adj v.* **synchronic**

synclinal [sin'klainəl] *s geol* sinclinal

syncopate ['siŋkə,peit] *vt* **1** *muz* a sincopa **2** *lingv* a contrage/a reduce *(cuvintele)* prin eliziune

syncopation [,siŋkə'peiʃən] *s* **1** *muz* sincopă, sincopare **2** *lingv* sincopare, contragere, contracție

syncope ['siŋkəpi] *s* **1** *muz, lingv* sincopă **2** *med* sincopă, leșin

syncretic [sin'kretik] *adj* sincretic

syncretism ['siŋkrə,tizəm] *s* sincretism

syndic ['sindik] *s* **1** *jur* jurisconsult, *rar* → sindic **2** reprezentant, împuternicit *(al unei instituții)* **3** membru al unui comitet *(la universitatea din Cambridge)*

syndicate I ['sindi,keit] *vt* a sindicaliza, a uni într-un sindicat **II** *s* ['sindikit] **1** sindicat (patronal) **2** organizație care vinde articole mai multor ziare concomitent

syndrome ['sindroum] *s med* sindrom

syne [sain] *adv scot v.* **since I**; **auld lang ~** zilele de demult

synecdoche [sin'ekdəki] *s lit* sinecdocă

synedrium [si'nedriəm], *pl* **synedria** [si'nedriə] *s* sinedriu, sfat bisericesc *(la vechii evrei)*

syneresis [si'niərisis] *s v.* **synaeresis**

synergist ['sinədʒist] *s anat* sinergist, mușchi sinergic

synergy ['sinədʒi] *s anat, med* sinergie; sinergism

Synge [siŋ], **John Millington** *dramaturg irlandez (1871-1909)*

syngenesis [sin'dʒenisis] *s* **1** *biol* reproducere sexuată **2** *geol* singeneză

synod ['sinəd] *s bis* sinod; sobor; conciliu; consiliu

synonym ['sinənim] *s lingv* sinonim

synonymic [,sinə'nimik] *adj* sinonimic

synonymity [,sinə'nimiti] *s v.* **synonymy**

synonymize [si'nɔni,maiz] *vt* ← *rar* a exprima prin sinonimie

synonymous [si'nɔni,məs] *adj lingv* sinonim, sinonimic

synonymously [si'nɔni,məsli] *adv* sinonimic; prin sinonime

synonymy [si'nɔnimi] *s lingv* sinonimie

synopses [si'nɔpsi:z] *pl de la* **synopsis**

synopsis [si'nɔpsis], *pl* **synopses** [si'nɔpsi:z] *s* sinopsis, rezumat; tabel sinoptic; punctaj

synoptic(al) [si'nɔptik(əl)] *adj* sinoptic

synoptically [si'nɔptikəli] *adv* (în mod) sinoptic

syntactic(al) [sin'tætik(əl)] *adj gram* sintactic

syntax ['sintæks] *s* sintaxă

syntheses ['sinθisi:z] *pl de la* **synthesis**

synthesis ['sinθisis], *pl* **syntheses** ['sinθisi:z] *s* sinteză

synthesize ['sinθi,saiz] *vt v.* **synthetize**

synthesizer ['sinθi,saizə'] *s* persoană care face o sinteză

synthetic(al) [sin'θetik(əl)] *adj* **1** sintetic **2** *ch etc.* artificial

synthetically [sin'θetikəli] *adv* (în mod) sintetic; sintetic, pe cale sintetică

synthetize ['sinθi,taiz] *vt* a sintetiza

syphilis ['sifilis] *s med* sifilis, lues

syphilitic [,sifi'litik] *adj med* sifilitic, luetic

syphon ['saifən] *s v.* **siphon**

Syracusa [,sairə'kju:zə] *od* Siracuza

Syracuse 1 ['sirə,kju:s] *oraş în S.U.A.* **2** ['sairə,kju:z] *v.* **Syracusa**

syren ['saiərin] *s v.* **siren**

Syria ['siriə] *ţară* Siria

Syriac ['siri,æk] *lingv od* **I** *adj* sirian **II** *s od* (limba) siriană, vechea aramaică din Siria

Syrian ['siriən] *adj, s* sirian

syringa [si'riŋgə] *s bot* **1** seringa sirinderică *(Philadelphus coronarius)* **2** liliac, iorgovan *(Syringa vulgaris)*

syringe ['sirindʒ] *s med* **1** seringă **2** pompă pentru clismă *sau* irigaţii

syringes ['sirindʒiz] *pl de la* **syrinx**

syrinx ['siriŋks], *pl şi* **syringes** ['sirindʒi:z] *s* **1** *muz* nai **2** *arhit* galerie *(în mormintele egiptene)* **3** *anat* trompa lui Eustachio **4** *med* fistulă **5** *orn* sirinx, syrinx

syrup ['sirəp] *s* **1** sirop **2** melasă distilată

syrupy ['sirəpi] *adj* siropos

syst. *presc de la* **system**

systaltic [si'stæltik] *adj fizl* sistaltic; care pulsează

system ['sistəm] *s* **1** sistem; **on a ~** pe baza unui sistem, după/conform cu un sistem **2 the ~** organismul **3** reţea *(hidrologică, feroviară, de comunicaţii, electrică, rutieră)* **4** metodă, sistem de organizare **5** *pol* regim, orânduire, sistem **6** *muz* distribuire a partiturilor; nomenclatură **7** *muz* pupitru **8** *geol* formaţie, sistem

systematic [,sisti'mætik] *adj* sistematic, metodic, rânduit, organizat

systematically [,sisti'mætikəli] *adv* **1** (în mod) sistematic **2** metodic, în mod organizat, în bună rânduială

systematics [,sisti'mætiks] *s pl ca sg* sistematică

systematism ['sistimə,tizə m] *s* sistematizare

systematist ['sistimətist] *s* sistematician, clasificator

systematization [,sistimətai'zeiʃən] *s* sistematizare

systematize ['sistimə,taiz] *vt* **1** a sistematiza **2** a clasifica, a ordona, a orândui

systematizer ['sistimə,taizə'] *s v.* **systematist**

systemic [si'stemik] *adj biol* somatic; sistemic, privind întregul organism

systemize ['sisti,maiz] *vt v.* **systematize**

systemizer ['sisti,maizə'] *s v.* **systematist**

systemless ['sistimlis] *adj* **1** fără sistem(ă); nesistematic **3** *biol* nestructurat

systole ['sistəli] *s med* sistolă

systolic [si'stɔlik] *adj fizl* sistolic

systyle ['sistail] *s arhit* sistil

syzygy ['sizidʒi] *s astr* sizigie, sizigiu

Szezecin [ʃtʃe'tsin] *oraş în Polonia*

Szeged ['seged] *oraş în Ungaria*

T

T, t [ti:], *pl* **Ts, T's** [ti:z] *s* **1** (litera) T, t;
to cross the t's (and dot the i's)
a pune punctul pe i; **to mark with
a ~** a stigmatiza, a înfiera; **(right)
to a~** foarte precis/exact, întocmai;
leit **2** obiect în formă de T

t *presc de la* **1** it: **'twas** era **2** *înv*
the: t'other celălalt

ta [tɑ:] *interj (în limbajul copiilor)*,
mulțumesc, mersi

t'a, taa [tɑ:] *s* pagodă chinezească

tab [tæb] *s* **1** gaică, agățătoare **2**
ureche *(la bocanc, șapcă etc.)* **3**
butonieră **4** *amer* socoteală,
calcul **5** contramarcă, contor **6**
av flettner

tabacosis [tæbə'kousis] *s med*
tabagism, intoxicație tabagică

tabard ['tæbəd] *s od* **1** manta *sau*
tunică de zale **2** livrea, tunică

tabaret ['tæbərit] *s od* **1** manta; caza-
că **2** tunică de zale *(a cavalerilor
medievali)* **3** haină, livrea, tunică
fără mâneci *(purtată de soli)*

tabasco [tə'bæskou], *pl* **~s** [tə'bæs-
kouz] *s gastr* **1** paprica, boia de
ardei **2** sos picant (tabasco)

tabby-cat ['tæbi,kæt] *s* pisică (ant
motan)

taberdar ['tæbədɑ:] *s univ* cărturar
de la (Queen's College) Oxford,
Oxonian

taberdarship ['tæbədɑ:ʃip] *s univ* ca-
litatea de cărturar de la (Queen's
College) Oxford

tabernacle ['tæbə,nækəl] **I** *s rel*
tabernaclu **2** *bibl* templu, locaș
de închinăciune; loc sfânt; cortul
mărturisirii **3** *bis* casă de rugă-
ciune **4** *bis* raclă (pentru moaște)
5 *bis* chivot (pentru împărtășa-
nie) **6** locuință portabilă; cort
portativ **II** *vt* a depune/a instala
într-un tabernaclu **III** *vi* a locui/a
sta temporar/provizoriu

tabernacled ['tæbə,nækəld] *adj*
prevăzut cu/având tabernaclu *(v.*
tabernacle*)*

tabernacle-work ['tæbə,nækəl,wə:k]
s arhit bis decorațiuni/ornamente
(ajurate) deasupra amvonului
etc.

tabernacle roof ['tæbə,nækəl ,ru:f]
s constr acoperiș în formă de cort

tabes ['teibi:z] *s med* tabes, ataxie
locomotrice

tabescence [tə'besəns] *s med* tabes-
cență, astenie, slăbiciune extre-
mă, pierdere a forțelor fizice,
epuizare (fizică)

tabetic [tə'betik] *adj med* tabetic,
ataxic

tabinet ['tæbinit] *s text* varietate de
poplin

tabla ['tæblə] *s muz* tobe mici/
tamburine pe care se cântă cu
mâinile *(în India)*

tablature ['tæblətʃə'] *s* **1** tablatură,
notație muzicală arhaică **2** *înv*
tablou mental, imagine mentală/
închipuită

table ['teibəl] **I** *s* **1** masă *(ca mobilă)*;
the ~s are turned s-au schim-
bat/inversat rolurile/lucrurile;
situația e complet diferită/alta; **to
lay a bill on the ~** *pol* a depune
un proiect de lege în parlament
2 masă *(de sufragerie);* **to clear
the ~** a strânge masa; **to be at ~**
a sta la masă; **to lay/to set the
~** a pune masa; **to leave the ~** a
se scula de la masă; **to sit down
to ~** a se așeza la masă; **to wait
at ~** a servi la masă **3** *fig* mân-
care, masă; **to keep a good ~** a
mânca/a trăi bine, a o duce bine
4 *fig* comeseni, oameni care stau
la masă; **to keep the ~ amused**
a-i distra pe comeseni **5** tabel,
listă, tablou; tarif; indicator **6**
placă; inscripție pe placă **7** the
~s *bibl* tablele legii **8** *geogr*
podiș, platou **9** *tehn* placă; banc
(de lucru) **10** *tehn* suprafață
plată; tablier; podea; talpă **11**
constr temelie, fundație **12** *pl ←*
înv (jocul de) table **II** *vt* **1** a
depune *(pe o masă, un birou
etc.);* **to ~ a bill** a depune un
proiect de lege în parlament **b**
amer a amâna/a tărăgăna un
proiect de lege; **to ~ a motion
of confidence** a cere un vot de
încredere **2** a înscrie/a grava pe
o tăbliță/placă **3** *(la cărți)* a juca
(o carte) **4** *constr* a împreuna, a
îmbuca *(grinzile)* **5** *nav* a întări,
a căptuși, a dubla *(o pânză)*

tableau ['tæblou], *pl* **tableaux**
['tæblouz] *s fr* **1** *teatru* tablou;
scenă (de efect); prezentare
pitorească **2** (și **~ curtain**) *teatru*
cortină de sfârșit de tablou **3**
tablou vivant **4** pictură, tablou **5**
registru oficial

tableau curtains ['tæblou ,kə:tənz]
s pl teatru (pereche de) cortine
care se trag lateral

tableau vivant ['tæblou'vi:vã], *pl*
tableaux vivants ['tæblou 'vi:vã]
s tablou vivant; car alegoric

table board ['teibəl ,bɔ:d] *s amer*
masă fără locuință, pensiune,
„masă fără casă"

table centre ['teibəl ,sentə'] *s* tișlai-
făr, mileu

table chair ['teibəl ,tʃɛə'] *s* scaun cu
spetează

table cloth ['teibəl ,klɔθ] *s* față de
masă

table cover ['teibəl,kʌvə'] *s* față de
masă (decorativă)

table-cut ['teibəl,kʌt] *adj (d. dia-
mant)* tăiat în fațete/fețe

tabled ['teibəld] *adj (tăiat)* în fațete

table d'hôte ['tɑ:bəl 'dəut] *s fr* **1**
masă comună **2** meniu fix

table d'hôte dinner ['tɑ:bəl 'dəut
,dinə'] *s* (masă/dejun cu) meniu
fix

table flap ['teibəl ,flæp] *s* tăblie
rabatabilă *(a mesei)*

table fork ['teibəl ,fɔ:k] *s* furculiță

tableful ['teibəlful] *s* **1** obiectele de
pe o masă; mâncărurile cu care
e încărcată o masă **2** mâncă-
rurile/mâncarea de pe masă

table furniture ['teibəl ,fə:nitʃə'] *s*
serviciu de sufragerie

table glass ['teibəl ,glɑ:s] *s* cristal
(pt masă sau birou)

table-knife ['teibəl ,naif] *s* cuțit de
masă *(ant de bucătărie);* cuțit
pentru mărunțit mâncarea

table land ['teibəl ,lænd] *s geogr*
podiș, platou

table leaf ['teibəl ,li:f] *s* **1** alonjă/
tăblie de masă **2** *v.* **table flap**

table licence ['teibəl ,laisəns] *s*
brevet pentru vânzarea băutu-
rilor (alcoolice) numai cu mân-
care

table-lifting ['teibəl ‚liftiŋ] *s* (iluzie de) ridicare a mesei prin spiritism; spiritism; iluzionism; şarlatanie

table-like ['teibəl‚laik] *adj* 1 plat, întins, ca suprafaţa mesei 2 lamelar, în plăci

table-linen ['teibəl‚linən] *s* garnitură (de albituri) pentru masă; faţă de masă şi şerveţele

table maid ['teibəl ‚meid] *s* slujnică/ servantă/fată care serveşte la masă

table man ['teibəl ‚mæn] *s* 1 pontator 2 ← *înv* figură de şah

table manners ['teibəl ‚mænəz] *s pl* educaţie pentru a mânca frumos (în lume); maniere alese la masă; distincţie/eleganţă la masă; **to have (fine)** ~ a mânca frumos/elegant; **to have no** ~ a mânca urât, a nu şti să mănânce (în lume)

table mat ['teibəl ‚mæt] *s* împletitură de rafie *etc. (pt protejarea mesei)* pe care se aşază vesela fierbinte

table money ['teibəl ‚mʌni] *s* 1 taxă pentru folosirea sufrageriei (la cluburi) 2 *mil* cheltuieli pentru masă; cheltuieli de reprezentare

table mountain ['teibəl ‚mauntin] *s* munte (cu vârful) plat/încununat de un platou

table napkin ['teibəl ‚næpkin] *s* şerveţel, şervet de masă

table of calculations ['teibəl əv ‚kælkju'leiʃənz] *s mat* tablă de calculat; abac

table of charges ['teibəl əv ‚tʃa:dʒiz] *s v.* **table of fares**

table of contents ['teibəl əv 'kontents] *s* tablă de materii, cuprins, sumar

table of fares ['teibəl əv 'fɛəz] *s* listă de preţuri; tarife

table of logarithms ['teibəl əv 'logəriðəmz] *s* tablă/tabel de logaritmi

table of multiplication ['teibəl əv ‚mʌltipli'keiʃən] *s mat* tabla înmulţirii

table oil ['teibəl ‚oil] *s* untdelemn/ ulei de salată

table rapping ['teibəl ‚ræpiŋ] *s* (iluzie de) bătăi în masă *(la spiritism)*

table salt ['teibəl ‚so:lt] *s* sare fină/ de masă

table slate ['teibəl ‚sleit] *s minrl* ardezie

Tables of the Law, the ['teibəlz əv ðə 'lo:, ðə] *s pl bibl* Tabelele Legii

table spoon ['teibəl ‚spu:n] *s* lingură de supă/masă

table spoonful ['teibəl ‚spu:nful] *s* (cantitatea care încape într-o) lingură de supă/masă

table stone ['teibəl ‚stoun] *s ist* dolmen, menhir

tablet ['tæblit] *s* 1 tăbliţă, placă *(cu inscripţie)* 2 carnet de note/ notiţe, bloc notes 3 bucată *(de săpun etc.)* 4 *v.* **tabloid**

table talk ['teibəl ‚to:k] *s* taifas, conversaţie *(la masă)*

table tennis ['teibəl ‚tenis] *s* ping-pong, tenis de masă

table tomb ['teibəl ‚tu:m] *s* mormânt acoperit cu o placă de piatră

table top ['teibəl‚top] *s* tăblie (superioară) a mesei

table-top ['teibəl‚top] *adj* pentru masă/mâncare, de folosit la masă/dineu *etc.*

table-turning ['teibəl‚to:niŋ] *s* (iluzie de) mişcare/răsucire a mesei *(la spiritism)*

table-ware ['teibəl ‚wɛər] *s* veselă şi tacâmuri

table water ['teibəl ‚wo:tər] *s* apă minerală de masă, apă gazoasă

table wine ['teibəl ‚wain] *s* vin de masă

tablier ['tæbliei] *s od* tablier, şorţ(uleţ) (la rochie)

tabling ['teibliŋ] *s* 1 *pol* depunere *(a unui proiect de lege)* 2 capacitate *(a unui restaurant, a unei sufragerii etc.);* ~ **for ten (persons)** seturi de tacâmuri pentru zece (persoane) 3 *nav* întărire, căptuşire, dublare *(a unei pânze)* 4 *constr* îmbucare, împreunare *(a grinzilor)*

tabling of a bill ['teibliŋ əv ə'bil] *s pol* 1 depunere/prezentare/ supunere a unui proiect de lege 2 *amer* amânare/tergiversare a unui proiect de lege

tabloid ['tæbloid] I *s* 1 *v.* **tablet** 1 2 *amer* gazetă-revolver/de scandal; presă bulevardieră 3 tabletă, pastilă, comprimat II *adj* comprimat, strâns; **in** ~ **form** în formă condensată; în formă de tabletă

tabloid journalism ['tæbloid ‚dʒə:nəlizəm] *s* gazetărie de scandal

taboo [tə'bu:] I *s* 1 tabu, interdicţie 2 carantină II *adj* interzis, prohibit,

tabu III *vt* 1 a interzice, a prohibi, a pune sub interdicţie 2 a pune în carantină 3 a boicota

taboo word [tə'bu:‚wə:d] *s lingv* cuvânt vulgar/indecent

Tabor ['teibər], **Mountain** Muntele Tabor *(în Palestina)*

taboret ['tæbərit] *s v.* **tabouret**

tabouret ['tæbərit] *s* 1 taburet, scăunel 2 tambur, tobă mică 3 tambur, gherghef *(pt broderie)*

Tabriz [tæ'bri:z] *oraş în Iran* Tabriz

tabu [tə'bu:] *s, adj, vt v.* **taboo**

tabular ['tæbjulə] *adj* 1 tabular, în formă de tabel *sau* tablă 2 lamelar, în formă de plăci 3 în formă de tablou/tabel sinoptic

tabula rasa ['tæbjulə'ra:sə] *s* 1 *lat* tabula rasa 2 *fig* minte virgină/ nevinovată/crudă/neformată

tabularize ['tæbjuləraiz] *vt* 1 a tabula, a aranja în formă de tabel/ diagramă 2 a netezi

tabularly ['tæbjuləli] *adv* în/sub formă tabulară/de tabel; tabularizat

tabular standard ['tæbjulə ‚stændəd] *s* 1 etalon/standard mediu; medie (aritmetică) a preţurilor

tabulate ['tæbju‚leit] *vt* 1 a întabula, a aranja în formă de tabel(ă) *sau* diagramă 2 a netezi; a da o formă netedă *(cu dat)* 3 a cataloga

tabulated ['tæbju‚leitid] *adj v.* **tabular**

tabulating machine ['tæbju‚leitiŋ mə'ʃi:n] *s* maşină de calculat/ tabulat

tabulation [‚tæbju'leiʃən] *s* 1 (în)tabulare 2 netezire

tabulator ['tæbju‚leitə] *s* tabulator

tacamahac ['tækəmə‚hæk] *s* răşină de arbori tropicali *sau* plopi canadieni

tac-au-tac ['tækou'tæk] *s fr* 1 (atac şi) ripostă promptă *(la scrimă)* 2 *fig* replică spontană/promptă; arta replicii

tace ['teisi] *vt imperativ lat:* ~ **is Latin for a candle!** nici un cuvânt despre asta!

tacet ['teiset] *vi imper muz* nu cânta! *(ca indicaţie pt o voce sau un instrument)*

tacheometer [‚tæki'omitər] *s v.* **tachymeter**

tacheometry [‚tæki'omitri] *s v.* **tachymetry**

tachism(e) ['ta:ʃizəm] *s v.* **action painting**

tachistoscope [təˈkistəˌskoup] *s opt, psih, med* tahistoscop, instrument de prezentare rapidă/pozitivă a imaginilor

tachistoscopic [təˌkistəˈskɔpik] *adj* tahistoscopic, care folosește tahistoscopul

tacho [ˈtækou], *pl* **tachos** [ˈtækous] *s F v.* **tachometer**

tachograph [ˈtækəˌgrɑːf] *s* tahograf; tahometru înregistrator

tachometer [tæˈkɔmitəʳ] *s* tahometru

tachometry [tæˈkɔmitri] *s* tahometrie

tachycardia [ˌtækiˈkɑːdiə] *s med* tahicardie

tachygrapher [tæˈkigrəfəʳ] *s* stenograf, scrib cu scriere rapidă (↓ *în antichitatea greco-romană*)

tachygraphical [ˌtækiˈgræfikəl] *adj* stenografic

tachygraphy [tæˈkigrəfi] *s* stenografie, scriere rapidă (↓ *în antichitatea greco-romană*)

tachymeter [tæˈkimitəʳ] *s* tahimetru

tachymetry [tæˈkimitri] *s* tahimetrie

tacit [ˈtæsit] *adj* tacit, implicit, subînțeles

tacitly [ˈtæsitli] *adv* în mod tacit/implicit

taciturn [ˈtæsiˌtəːn] *s* taciturn, om tăcut

taciturnist [ˈtæsiˌtəːnist] *s* taciturn

taciturnity [ˌtæsiˈtəːniti] *s* muțenie, caracter taciturn; taciturnitate; rezervă

Tacitus [ˈtæsitəs], **Cornelius** *istoric latin* Tacit *(55-117 e.n.)*

tack¹ [tæk] **I** *s* **1** cuișor; cui (cu cap rotund), țintă; **to come/to get down to brass ~s** ← *F fig* a trece la amănunte/la lucruri concrete, a intra în amănuntele problemei **2** însăilare, saia, împunsătură de ac; **to put a ~ in a coat** a însăila o haină **3** *nav* funie (în colțul pânzei) **4** *nav* rută, curs, traseu; schimbare de rută/curs; **to be/to sail on the port ~** a naviga/a merge cu vântul în babord; **to change ~** a schimba pânzele; **to sail on opposite ~** a naviga/a merge în sens contrar; **to be on the right ~** *fig* a fi pe calea cea bună/pe drumul cel bun; **to try another ~** *fig* a încerca o altă cale/tactică **5** vâscozitate; aderență *(a vopselelor etc.)* **6** *pol brit* clauză sub-

sidiară adăugată unui proiect de lege **II** *vt* **1** a prinde/a fixa a bate în ținte **2** a însăila; a împunge cu acul; a prinde (provizoriu) cu ață **3** a înlănțui, a lega, a uni; a alipi, a atașa; a adăuga *(ca un apendice)* **III** *vi* **1** *nav* a schimba mersul/ruta vasului; a pluti în zigzag **2** *fig* a-și schimba atitudinea/concepțiile/părerile; a adopta o nouă tactică

tack² *s nav* hrană

tack claw [ˈtæk ˌklɔː] *s tehn* unghie de capră *(pentru scos cuie)*

tack down [ˈtæk ˈdaun] *vt cu part adv v.* **tack¹ II 1**

tack-driver [ˈtækˌdraivəʳ] *s tehn* mașină de bătut ținte/cuie; pistol de împușcat cuie/ținte

tack-hammer [ˈtækˌhæməʳ] *s* ciocan cu gheară *(pt bătut și scos ținte);* teslă (mică)

tackiness [ˈtækinis] *s* vâscozitate, adezivitate, caracter lipicios

tackle [ˈtækəl] **I** *s* **1** unealtă, sculă, instrument **2** *nav* tachelaj, greement **3** ← *F* echipament; scule **4** *tehn* palan, sistem de scripeți **5** ← *F* lanț de ceas **II** *vt* **1** *nav* a lega *(funii)*, a fixa *(scripeți)* **2** *sport* a placa *(un adversar)* **3** *fig* a ataca *(o problemă, o chestiune);* a aborda *(o problemă, pe cineva)* **4** *fig* a se năpusti asupra *(mâncării etc.),* a se pune pe *(mâncare, treabă etc.)*

tackle fall [ˈtækəl ˌfɔːl] *s nav* curent, capătul liber al cablului palanului

tackle hook [ˈtækəl ˌhuk] *s tehn* cârlig de macara

tackle pulley [ˈtækəl ˌpuli] *s tehn v.* **tackle I 4**

tackler [ˈtæklə] *s sport* jucător care plachează *(la rugby)*

tackle to [ˈtækəl tə] *vi cu prep* a se apuca (cu nădejde) de *(o treabă etc.)*

tackling [ˈtækliŋ] *s* **1** *sport* placare, placaj; înlănțuire a adversarului **2** *fig* atacare, abordare *(a unei probleme etc.)*

tack rivet [ˈtæk ˌrivit] *s tehn* nit provizoriu

tack-room [ˈtækˌruːm] *s* încăpere/cameră unde se ține harnașamentul

tack weld [ˈtæk ˌweld] *s met* sudură de prindere

tacky [ˈtæki] *adj* **1** vâscos, lipicios, cleios **2** *amer* de prost gust; ordinar, mitocănesc; inferior, mizerabil, prost **3** *amer* jalnic, mizerabil, prăpădit

tacky party [ˈtæki ˌpɑːti] *s amer* bal costumat, serată cu costume fantezie

taco [ˈtɑːkou], *pl* **tacos** [ˈtɑːkouz] *s sp gastr* tortilla/plăcintă (de mălai) cu carne; *aprox* alivenci cu carne

taconite [ˈtækəˌnait] *s minrl* taconit

tact [tækt] *s* **1** tact, delicatețe, abilitate, diplomație **2** *muz* tact, cadență, măsură **3** pipăit, simț tactil

tactful [ˈtæktful] *adj* plin de tact, abil, cu tact, diplomat

tactfully [ˈtæktfuli] *adv* cu (mult) tact, cu abilitate/diplomație, abil

tactfulness [ˈtæktfulnis] *s v.* **tact 1**

-tactic [ˌtæktik] *suf* -tactic: **paratactic** paratactic

tactic [ˈtæktik] *s* tactică

tactical [ˈtæktikəl] *adj* **1** *mil* tactic **2** dibaci, îndemânatic, abil

tactically [ˈtæktikəli] *adv* tactic

tactician [tækˈtiʃən] *s* tactician

tactics [ˈtæktiks] *s pl ca sg* tactică

tactile [ˈtæktail] *adj* **1** tactil, referitor la simțul pipăitului **2** *fig* palpabil, tangibil

tactile hair [ˈtæktail ˌhɛəʳ] *s zool* păr foarte sensibil la pipăit

tactility [tækˈtiliti] *s* **1** caracter tactil **2** tangibilitate

tactless [ˈtæktlis] *adj* lipsit de tact, fără tact, inabil

tactlessly [ˈtæktlisli] *adv* fără tact

tactlessness [ˈtæktlisnis] *s* lipsă de tact/abilitate, inabilitate

tactual [ˈtæktjuəl] *adj v.* **tactile 2**

Tadjik, Tadzhik [tɑːˈdʒik] **I** *adj* tadjic **II** *s* **1** tadjic **2** *lingv* (limba) tadjică

Tadzhikistan [tɑːˌdʒikiˈstɑːn] *s* Tadjikistan

tadpole [ˈtædˌpoul] *s* **1** *zool* mormoloc **2 Tadpoles, the** *amer* ← *F* băștinașii de pe Mississippi

taedium vitae [ˈtiːdiəm ˈvaiti] *s* **1** spleen, blazare, plictis(eală) de viață **2** *med* obsesie a morții, manie de sinucigaș, tendință (morbidă) de sinucidere

tael [teil] *s* tael, ban de argint chinezesc

ta'en [tein] *adj poetic v.* **taken**

taenia ['ti:niə], *pl* **taeniae** ['ti:ni,i:] *s zool, med* tenie, F ← panglică *(Taenia solium)*

taenioid [ti:'niɔid] *adj zool* teniform, ca tenia/*F* panglica

TAF *presc de la* **Tactical Air Force**

taffata ['tæfitə] *s v.* **taffeta**

tafferel ['tæfril] *s v.* **taffrail**

taffeta ['tæfitə], **taffety** ['tæfiti] *s text* tafta

taffrail ['tæf,reil] *s nav* partea superioară a bolții pupei

Taffy ['tæfi] *s ←* Fvelș, gal, locuitor din Țara Galilor

taffy *s amer* 1 *v.* **toffee** 2 lingușire, adulare, tămâiere

tafia ['tæfiə] *s* spirt obținut prin distilarea trestiei de zahăr *(în Indiile de Vest)*

tag [tæg] I *s* 1 capăt, căpețel, căpătâi *(de sfoară etc.)* 2 bucată *(de stofă etc.)* care atârnă 3 *zool* vârf/capăt de coadă 4 ureche *(de gheață)*; agățătoare, gaică *(la haină)* 5 etichetă *sau* plăcuță *(atașată la valiză etc.)* 6 *teatru* epilog 7 cuvântare de încheiere 8 aforism, zicală banală, citat răsuflat 9 refren 10 adaos, umplutură *(la vers)* 11 *lingv* parte finală a unui enunț 12 coadă, înflorituă *(la litere)* 13 jocul de-a leapșa II *vt* 1 a atașa un capăt de metal la 2 a anexa, a atașa, a adăuga; **to ~ a speech with quotations** a-și presăra un discurs cu citate 3 a nu rima, a nu avea rimă 4 ← *F (d. câine sau fig)* a urmări îndeaproape, a fi pe urmele *(cu gen)*

tagalog [tə'gɑ:lɔg] *s* 1 filipinez, membru al principalei populații din insulele Filipine 2 *lingv* tagalogă, principala limbă vorbită în Filipine

tag day ['tæg 'dei] *s amer* zi de colectă publică

tag-end ['tæg,end] *s* rămășiță, (ultim) rest, capăt, căpețel

tagger ['tægə'] *s* 1 *tehn* vârf, papuc, bornă 2 *met* tablă foarte subțire

tagliatelle [,tæljə'teli], *pl* **tagliatelli** [,tæljə'telai] *s gastr* un fel de tăiței lați *(specialitate culinară italiană)*

tag line ['tæg ,lain] *s amer* (frază conținând) poanta unei anecdote/istorii amuzante

Tagore [tə'gɔ:'], **Rabindranath** *poet indian (1861-1941)*

tag question ['tæg ,kwestʃən] *s gram* întrebare disjunctivă

tag rag ['tæg ,ræg] *s v.* **rag tag**

tagster ['tægstə'] *s dial* babă, bătrână; muma pădurii, hârcă

tag tail ['tæg ,teil] *s* Flichea, parazit, linge-blide

tag team catch-as-catch-can ['tæg ti:m 'kætʃəz,kætʃ'kæn] *s sport* meci de catch în dublu *(pt două perechi de luptători)*

taguan ['tɑ:gwən] *s zool* veveriță marsupială *(Petaurista petaurista)*

Tahiti [tə'hi:ti] *insulă în Pacific*

Tahitian [tə'hi:tiən] I *adj* tahitian, din Tahiti II *s* 1 tahitian, locuitor din Tahiti 2 *lingv* limba tahitiană

tahr [tɑ:'] *s v.* **thar**

tahsil [tə'si:l] *s (în India)* administrație financiară/percepție regională

tahsil-dar [tə'si:l,dɑ:'] *s (în India)* perceptor, administrator financiar, taxeldar

Tai [tai] *popor din Asia de Sud-Est*

taiga ['taigə] *s* taiga

tail¹ [teil] I *s* 1 *zool, iht, orn* coadă; **with his ~ between his legs** cu coada între picioare; **to keep one's ~ up** *fig* a-și ține coada sus, a nu se da bătut; **to turn ~** a o lua la fugă/sănătoasa, a da bir cu fugiții; **to twist the ~ of** *fig* a chinui, a tortura *cu ac* 2 coadă, obiect în formă de coadă; **to look at smb out of the ~ of one's eye** a privi pe cineva cu coada ochiului 3 alai, suită, escortă 4 *fig pol* suporteri, aderenți, partizani 5 **the ~** *școl, sport* coada, urma 6 revers *(al monedei)*, stemă, pajură; **to toss heads or ~s** a da/a arunca cu banul; a juca riscă II *vt* 1 a pune coadă la *(un obiect)* 2 ↓ *amer* a urmări îndeaproape/pas cu pas, a nu slăbi 3 a lega, a atașa, a adăuga; **to ~ one folly to another** a face o prostie după alta 4 a veni în urma/coada *(unui alai etc.)* 5 a reteza/a scurta/a tăia coada *(unui animal)* 6 a curăța de cozi *(fructele)*

tail² I *s jur* drept de succesiune limitat; limitarea succesiunii; **an estate in (male) ~** o proprietate cu drept de moștenire limitat *(la descendenții în linie bărbătească)* II *adj* limitat din punctul de vedere al moștenirii

tail after ['teil ,ɑ:ftə'] *vi cu prep* a urmări îndeaproape

tail arm ['teil ,ɑ:m] *s constr* contrafișă, diagonală

tail away ['teil ə'wei] *vi cu part adv* 1 a se împrăștia, a se răsfira, a se rări 2 *(d. glas)* a se stinge treptat 3 a putrezi treptat

tail board ['teil ,bɔ:d] *s* 1 perete rabatabil *(la camion etc.)* 2 *hidr* prag deversant/de scurgere

tail bone ['teil ,boun] *s zool* coccis

tail buffeting ['teil ,bʌfətiŋ] *s av* bufeting

tail chute ['teil ,ʃu:t] *s av* parașută de frânare

tail coat ['teil ,kout] *s* frac

tail cone ['teil ,koun] *s av* con de ajutaj

tailed ['teild] *adj zool* 1 caudat; cu coadă 2 *(în cuvinte compuse)* cu coada...: **short-~** cu coada scurtă, scurt de coadă

tail end ['teil ,end] *s* 1 extremitate, coadă, capătul extrem; fund, spate; **to come in at the ~** a ajunge ultimul la potou, a fi coada cozii 2 sfârșit, încheiere

tail-end Charlie ['teil,end 'tʃɑ:li] *s av mil sl* tunar *sau* mitralior din coada fuselajului *(unui bombardier)*

tailet ['teilit] *s* codiță

tail-female ['teil'fi:,meil] *s jur* 1 linie (succesorală *sau* biologică) maternă/femeiască 2 proprietate transmisibilă numai pe linie feminină

tail gate ['teil ,geit] *s hidr* ecluză de golire

tail group ['teil ,gru:p] *s av* ampenaj

tail hammer ['teil ,hæmə'] *s tehn* ciocan cu pedală

tail house ['teil ,haus] *s min* fabrică pentru prelucrarea reziduurilor

tailing ['teiliŋ] *s* 1 rămășiță, rest 2 pleavă, drojdie; sediment; reziduuri, deșeuri

tail lamp ['teil ,læmp] *s v.* **tail light**

tailless ['teillis] *adj* berc, fără coadă

tail light ['teil ,lait] *s* 1 *auto* lumină din spate, stop 2 *ferov* felinar de semnal

tail male ['teil 'meil] *s* 1 (linie succesorală *sau* biologică) paternă/bărbătească 2 *jur* proprietate transmisibilă numai pe linie masculină

tail off ['teil 'ɔ:f] *vi cu part adv* 1 a o rupe la fugă/sănătoasa 2 *v.* **tail away**

tail on ['teil 'ɔn] **I** *vt cu part adv* a ataşa/a adăuga ca apendice/ supliment **II** *vi cu part adv* a face coadă, a sta/a se aşeza la coadă

tailor ['teilə'] **I** *s* croitor **II** *vt* a croi, a face *(haine)* **III** *vi* a face croitorie

tailor bird ['teilə ,bə:d] *s orn* pasăre croitor *(Orthotomus sutomis)*

tailored ['teiləd] *adj (d. haine)* ajustat pe corp

tailoress ['teiləris] *s* croitoreasă *(↓ pentru bărbaţi)*

tailoring ['teiləriŋ] *s* **1** meseria croitorului, croitorie **2** croială

tailorism ['teilərizəm] *s* **1** produse de croitorie **2** jargonul croitorilor

tailor-made costume/suit ['teilə- ,meid 'kɔstju:m/'su:t] *s* taior

tailor mades ['teilə ,meidz] *s pl mil sl* ţigări de fabrică/gata confec- ţionate *(nu răsucite de fumător)*

tailor's chair ['teiləz ,tʃɛə'] *s* scaun cu speteză, dar fără picioare, folosit de croitor pentru lucru

tailor's dummy ['teiləz ,dʌmi] *s* **1** manechin *(de croitor)* **2** *fig* fante, marţafoi

tailor's goose ['teiləz ,gu:s], *pl* **tailor's gooses** ['teiləz ,gu:siz] *s* fier de călcat *(de croitorie sau călcătorie)*

tailory ['teiləri] *s* **1** *v.* **tailoring 1 2** prăvălie *sau* atelier de croitor, croitorie

tail piece ['teil ,pi:s] *s* **1** sfârşit, parte finală, încheiere **2** *poligr* vignetă *(la sfârşit de capitol)*

tail pipe ['teil ,paip] *s auto* ţeavă de eşapament

tail plane ['teil ,plein] *s av* stabili- zator

tail post ['teil ,poust] *s nav* etambou

tails [teilz] *s pl v.* **tail coat**

tail signal ['teil ,signəl] *s ferov* semnal/lumină de la coada trenului

tail skid ['teil ,skid] *s av* bechie

tail slide ['teil ,slaid] *s av* glisadă de ampenaj, alunecare pe coadă

tail spin ['teil ,spin] *s* **1** *av* vrie, vrilă **2** *fig* panică *(generală)*

tail unit ['teil ,ju:nit] *s v.* **tail group**

tail up ['teil 'ʌp] *vi cu part adv* **1** *av etc.* a plonja cu botul înainte **2** a face coadă, a se aşeza la coadă

tail water ['teil ,wɔ:tə'] *s hidr* apă uzată

tail wind ['teil ,wind] *s nav* vânt prielnic/favorabil

Taimir [tai'mi'] *peninsulă în Siberia*

Taine [tein], **Hyppolyte** *critic fran- cez (1828-1893)*

taint [teint] **I** *vt* **1** a infecta, a polua **2** *fig* a molipsi, a infecta **3** *fig* a păta, a pângări; a strica **II** *vi* **1** a se molipsi, a se infecta, a se contamina **2** a se strica, a se altera **III** *s* **1** infecţie, molipsire, contaminare, contagiune **2** boală latentă **3** *fig* întinare, pătare; **without ~** *fig* fără pată, nepătat, imaculat **4** depravare, corupţie, imoralitate

tainted ['teintid] *adj* **1** alterat, stricat **2** *fig* pătat, pângărit, mânjit; **~ with insanity** atins de nebunie/ de alienaţie mintală

taintless ['teintlis] *adj şi fig* nepătat, fără pată, imaculat, curat

taipan ['tei,pæn] *s* **1** *od* om de afaceri străin *(în China)* **2** *zool* şarpe veninos din Australia

Taipei ['tai'pei] *capitala Taiwanului*

Taiping ['tai'piŋ] *s* participant la re- voluţia din Manciuria *(1848-1865)*

Taiwan ['tai'wa:n] Taiwan

taj [ta:dʒ] *s* tichie (conică) de derviş

Tajik [ta:'dʒik] *s, adj v.* **Tadjik**

Tajiki [ta:'dʒi(:)ki] *s lingv* (limba) tadjică

Taj Mahal, the ['ta:dʒ mə'ha:l, ðə] *s* templul Taj Mahal *(din India)*

take [teik] **I** *pret* **took** [tuk], *ptc* **taken** ['teikən] *vt* **1** a lua; **to ~ smth in one's hand** a lua ceva în mână **2 (from)** a lua cu împrumut, a împrumuta (de la); **to ~ money from smb** a împrumuta/a lua bani de la cineva **3 (from, out of)** a scoate (din); **to ~ a pas- sage from a book** a împrumuta/ a copia/a plagia un pasaj dintr-o carte; **to ~ one's hands out of one's pockets** a-şi scoate mâi- nile din buzunare **4** a fura, a lua **5** a apuca, a prinde, a lua, a pune mâna pe; **to ~ smb's arm** a lua de braţ pe cineva; **to ~ smb in one's arms** a lua/a strânge pe cineva în braţe; **he was taken by night** l-a apucat noaptea **6** a ocupa, a cuceri, a lua; a captura **7** a respira, a lua (aer); **to ~ a deep breath** a trage adânc aer în piept, a respira profund; **to ~ the air** a lua puţin aer, a face o plimbare **8** a face *(o baie, o plimbare, o fotografie)*; **to ~ a**

print from a negative a scoate/ a face o copie/o fotografie după clişeu **9** a cumpăra, a lua; **I'll ~ it** am să-l iau **10** a lua, a consuma, a mânca, a bea; **to ~ one's meal** a lua masa; **to ~ food** a mânca, a se hrăni; **to ~ a glass of port** a bea un păhărel de Porto; **to ~ medicines** a lua medicamente (pe cale bucală); **not to be taken** *(d. doctorii)* pentru uz extern **11** a închiria, a reţine, a angaja *(o cameră, bilete, locuri etc.);* **~ your seats!** *ferov* poftiţi în va- goane; **to ~ pupils** a da lecţii particulare **12** *şcol, univ* a se prezenta la, a susţine, a da *(un examen etc.)* **13** a lua cu sine, a duce, a conduce; **to ~ smb for a walk** a lua pe cineva la plim- bare; **to ~ smb home** a conduce pe cineva acasă **14** a porni pe, a lua *(un drum);* a face *(o călă- torie);* **to ~ a wrong street** a apuca/a o lua pe altă stradă; **to ~ ship** a se îmbarca pe un vapor **15** a accepta, a primi; a adopta; **to ~ a name** a primi un nume/o poreclă, a fi botezat (într-un anume fel); **to ~ no refusal** a nu accepta un refuz; **he took it in good part** nu s-a supărat deloc, a primit cu bunăvoinţă vestea; **~ my word for it** crede-mă pe cuvânt; **to ~ things for granted** a lua un lucru drept bun/sigur, a accepta un lucru fără a mai cerceta; **to ~ smb's advice** a accep- ta/a primi sfaturile cuiva; **to ~ legal advice** a se adresa unui avocat, a consulta un avocat **16** a cuprinde, a primi, a avea o capacitate de; **the car ~s five people** în automobil încap cinci pasageri/persoane **17** a înţelege, a pricepe; a interpreta, a tălmăci; **to ~ a hint** a înţelege o aluzie, a da curs unei aluzii/sugestii; **he cannot ~ a joke/jest** nu înţelege de glumă; n-are pic de umor **18** a surprinde/a prinde cu/asupra *(cu gen);* **to ~ smb in a lie** a prinde pe cineva cu minciuna **19** a se molipsi/a se contamina de, a lua, a prinde *(o boală)* **20** a considera, a socoti, a lua drept *(învăţat, artist etc.);* **how old do you ~ him to be?** ce vârstă îi dai? **I ~ it that you are in a hurry**

bănuiesc că ești grăbit **21** a necesita, a cere, a reclama; **it ~s time to do it** asta cere timp, e nevoie de mult timp pentru asta; **it will not/it won't ~ long/much time** nu va dura mult, nu va lua mult timp; **it will ~ some explaining** o să necesite multe explicații, e complicat de explicat **22** a încasa, a lua, a câștiga, a primi, a căpăta; **how much do you ~?** cât câștigi? ce salariu ai? **to ~ an honorary** a încasa un onorariu; **to ~ a trick** *(la cărți)* a câștiga o levată **23** a profita de *(un prilej etc.);* **to ~ holidays/ leave** a-și lua concediu/vacanță **II** *vi* **1** a avea succes, a plăcea, a reuși, a prinde; **the performance didn't ~** spectacolul n-a trecut rampa/n-a prins (la public) **2** a prinde, a avea efect **3** *(d. foc)* a se aprinde; a se întinde **4** *nav (d. pânză)* a prinde vântul **5** *fot* a fi fotogenic, nefotogenic *etc.* **III** *s* *v.* **taking I**

takeable ['teikəbəl] *adj* de luat, care poate fi luat

take about ['tekə'baut] *vt cu part adv* a plimba (prin oraș), a face turul orașului cu; **to take a girl about** a ieși (în lume) cu o fată

take after ['teik,ɑːftəʳ] *vi cu prep* a semăna cu *sau cu dat*, a moșteni pe; **he takes after his mother** e leit maică-sa; calcă pe urmele maică-si

take along ['teik ə'lɒŋ] *vt cu part adv* a lua/a duce cu sine; **take her along (with you)** ia-o cu tine

take apart ['teik ə'pɑːt] *vt cu part adv* **1** a separa, a despărți, a desface (în bucăți) **2** a descompune

take aside ['teik ə'said] *vt cu part adv* **1** a duce deoparte/la o parte **2** a lua la o parte (pentru confidențe)

take away ['teik ə'wei] *vt cu part adv* **1** răpi, a fura, a lua/a duce cu sine **2** a îndepărta, a duce de acolo/ de aici **3** a retrage, a lua; **to take a child away from school** a retrage un copil de la școală

take back ['teik 'bæk] *vt cu part adv* **1** a lua înapoi, a retrage, a scoate; **to ~ one's word** a-și lua vorba/cuvântul înapoi **2** a duce înapoi; a conduce înapoi

take care of ['teik 'kɛər əv] *vt cu s și prep* a avea grijă de

take-down ['teik,daun] **I** *s ← F* **1** umilire, umilință, jignire, afront **II** *adj atr* demontabil

take down ['teik 'daun] *vt cu part adv* **1** a coborî, a da jos *(din perete etc.)* **2** a dărâma, a demola **3** a demonta **4** a umili, a jigni; a pune la locul lui, a face să-și vadă lungul nasului **5** a înghiți **6** *fig* a suferi, a înghiți *(o umilință etc.)* **7** a nota, a lua *(note);* a înregistra, a consemna

take for ['teik fəʳ] *vt cu prep* a lua drept, a confunda cu, a considera *cu ac;* **I took you for your brother** te-am confundat cu fratele dumitale

take from ['teik frəm] *vi cu prep* a reduce, a micșora, a scădea, a diminua *cu ac*

take hold of ['teik 'hould əv] *vt cu s și prep* **1** a pune stăpânire pe; a apuca **2** a cuceri, a ocupa

take-home pay ['teik,houm 'pei] *s amer* salariu net

take-in ['teik,in] *s* păcăleală, înșelătorie, înșelăciune, escrocherie

take in ['teik 'in] *vt cu part adv* **1** a băga înăuntru, a lua înăuntru, a pofti înăuntru/în casă **2** a înmagazina, a băga în magazie/ hambar **3** a primi, a lua în gazdă/ pensiune; a da adăpost/azil *(cu dat)* **4** a cuprinde, a îngloba, a include **5** a cuprinde, a măsura cu privirea; a înțelege *(situația),* a-și da seama de **6** a strâmta, a îngusta *(haine etc.)* **7** a primi, a fi abonat *(un ziar)* **8** a lua de lucru acasă *(lenjerie, rufe la spălat)* **9** *nav* a se aproviziona cu *(apă etc.)* **10** *F* a trage pe sfoară, – a înșela, a păcăli **11** *nav* a lua *(apă);* **to ~ water** a avea o spărtură

take into ['teik ,intə] *vt cu prep* a lua; a primi; a băga; **to take smb into one's confidence** a se destăinui cuiva, a face pe cineva confidentul său; **to take it into one's head to do smth** a se ambiționa/ a se încăpățâna/a-și pune în minte să facă ceva

take in with ['teik 'in wið] *vi cu part adv și prep* a se atașa de, a ține la

take-leave ['teik,liːv] *s* rămas bun, adio

take leave ['teik 'liːv] *vt cu s* **1** a-și lua rămas bun **2** a-și lua concediu

take-leave visit ['teik,liːv 'vizit] *s* vizită de adio/de rămas bun/de plecare

taken ['teikən] *ptc de la* **take**

take-off ['teik,ɔːf] *s* **1** *av* decolare **2** *sport* avânt, elan **3** *sport* start, plecare; linie de plecare **4** *sport* trambulină **5** imitare, mimare

take off ['teik 'ɔːf] **I** *vt cu part adv* **1** a ridica, a scoate *(pălăria, haina)* **2** a ridica, a lua *(un capac, receptorul)* **3** a îndepărta, a da la o parte, a înlătura **4** a duce *(la închisoare)* **5** a abate, a distrage *(atenția, privirea)* **6** a scădea, a reduce, a micșora *(un preț)* **7** a elimina, a șterge de pe listă; a suprima **8** a imita, a mima; a parodia, a caracteriza **II** *vi cu part adv* **1** *av* a decola, a-și lua zborul **2** *fig* a-și lua elan/avânt, a-și face vânt **3** *(d. vânt)* a se potoli, a se domoli

take on ['teik 'ɔn] **I** *vt cu part adv* **1** a-și asuma, a(-și) lua asupra sa; a primi, a accepta *(o sarcină, răspundere etc.)* **2** a accepta *(o prinsoare, provocare);* **I'll take you on at backgammon** accept să joc table cu tine **3** a dobândi *(o calitate, formă),* a căpăta *(o culoare, formă);* a prinde *(un accent etc.)* **4** *(d. vehicul)* a lua, a îmbarca *(pasageri)* **5** a duce mai departe, a conduce; **I'll take you on a bit** te mai conduc puțin/o bucată de drum **II** *vi cu part adv* **1** a pune la inimă *(un necaz),* a se mâhni; a se plânge, a se lamenta; **don't ~ so!** nu le mai pune pe toate la inimă! nu te mai necăji atât **2** *fig (d. modă, curent etc.)* a prinde, a se răspândi; a face prozeliți **3** a se împrieteni, a se lega *(între ei)*

take-out ['teik,aut] *s* **1** semipreparat culinar, mâncare semipreparată **2** mâncare la pachet **3** *la bridge* schimbare a culorii

take out ['teik 'aut] *vt cu part adv* **1** a scoate, a extrage **2** a scoate din casă, a duce *(la plimbare, în oraș)* **3** a obține, a scoate *(un certificat, brevet etc.)* **4** a smulge, a scoate *(ceva de la cineva)*

take over ['teik 'ouvəʳ] *vt cu part adv* **1** a prelua, a lua asupra sa *(o afacere, datorii etc.)* **2** a trece *(pe cineva)* dincolo, a transborda **3** a muta la; **we are taking you over to New York** *tel* dăm legătura cu New York-ul

take part in ['teik 'pɑːt in] *vt cu s și prep* a lua parte/a participa la

taker ['teikəʳ] *s* **1** primitor **2** antreprenor

taker-in ['teikər,in] *s* înșelător; escroc; amăgitor

taker off ['teikər 'ɔːf] *s* imitator

take to ['teik tə] **I** *vt cu prep* **1** a duce la *(poștă etc.)* **2** a transporta *(la spital etc.)* **3** a lua asupra sa, a-și asuma; a-și atribui **4** a pune la inimă; **to take smth to heart** a pune ceva la inimă, a se mâhni din pricina *(cu gen)* **II** *vi cu prep* **1** a se îndrepta spre; a fugi către/în; **to ~ the mountains** a se refugia în munți **2** a apuca, a lua *cu ac;* **to ~ flight** a o lua la fugă/la sănătoasa; a-și lua picioarele la spinare, a da bir cu fugiții **3** a se apuca de; a se deda la; a se consacra *cu dat* **4** a se atașa de, a face o pasiune/a căpăta simpatie pentru

take-up ['teikʌp] *s* **1** *tehn* ambreiaj, ambreiere **2** *tehn* reglaj; compensare **3** *fot* înfășurare, rulare

take up ['teik ʌp] **I** *vt cu part adv* **1** a ridica *(de jos)*, a aduna, a strânge *(de pe jos)*; a sălta **2** a ridica, a sufleca *(mâneca etc.)* **3** a scoate *(pavajul etc.)* **4** *(d. vehicul)* a lua, a îmbarca *(pasageri)* **5** a apuca *(în mână)*, a ridica *(cu ac)*; a pune mâna pe *(arme etc.)* **6** a aresta, a înhăța *(cu ac)* **7** *com* a onora *(o poliță)* **8** a ridica, a pune *(o problemă)* **9** a accepta, a primi *(o provocare, un pariu)* **10** a adopta, a îmbrățișa *(o idee etc.)* **11** *ec* a percepe *(impozite etc.)* **12** a îmbrățișa *(o carieră etc.)*; a se apuca de; a se dedica *(cu dat)* **13** a lua, a ocupa, a se instala în *(o cameră)* **14** a absorbi, a ocupa *(timpul cuiva); pas* a fi ocupat/preocupat; **to be taken up with one's work** a fi complet absorbit de munca sa; **to be quite taken up with smb** a se gândi numai la cineva, a nu mai putea după cineva **15** *F* a lua repede/din scurt/tare/la trei păzește; **to take smb up short** a (i-o) reteza/a tăia vorba cuiva **16** a relua, a reîncepe **17** a înțelege; a interpreta; **to take smb up wrongly** a înțelege greșit pe cineva; a răstălmăci

vorbele cuiva **18** *auto* a amortiza, a absorbi *(zguduirile etc.)* **19** *tehn* a regla; a compensa **20** *fot* a înfășura, a rula **II** *vi cu part adv (d. vreme)* a se ameliora, a se îmbunătăți

take upon oneself ['teik ə,pɔn wʌn'self] *vt cu prep și pr* a lua asupra sa, a-și asuma

take up with ['teik ʌp wið] *vi cu part adv și prep* a se împrieteni cu, a lega prietenie cu; a se înhăita cu

take with ['teik wið] *vi cu prep înv* **1** a se da în dragoste cu **2** a fi mulțumit/satisfăcut de

taking ['teikiŋ] **I** *s* **1** luare, apucare, prindere **2** capturare **3** ocupare *(a unui oraș)* **4** captură, arestare, prindere **5** *pl* încasări; sume încasate; venituri **6** *jur* sustragere **7** *med* luare *(de sânge)*, sângerare **8** *tehn* ridicare *(topografică)*; alcătuire, schițare *(a unei diagrame, a unui plan)* **9** *cin* dublă; probă **10** ← *F* încurcătură, bucluc **11** ← *F* nedumerire, confuzie **II** *adj* **1** atrăgător; atractiv, ispititor, captivant, seducător **2** *med* contagios, molipsitor, infecțios

taking-back ['teikiŋ,bæk] *s* retractare; retragere *(a unei promisiuni etc.)*

taking-down ['teikiŋ,daun] *s* **1** coborâre, dare jos **2** consemnare, notare, înregistrare

takingly ['teikiŋli] *adv* (într-un mod) atrăgător/seducător/încântător

takingness ['teikiŋnis] *s* farmec, atracție, vino-încoace, nuri

taking-off ['teikiŋ,ɔːf] *s v.* **take-off**

taking-out ['teikiŋ,aut] *s* **1** extracție **2** scoatere *(a unei pete etc.)* **3** obținere, scoatere *(a unui act, brevet etc.)*

taking-over ['teikiŋ,ouvəʳ] *s* **1** preluare; luare în posesie/stăpânire **2** preluare *(a unui post, a gărzii etc.)* **3** *mil* schimbare a gărzii

taking-up ['teikiŋ,ʌp] *s* **1** preluare, adoptare, îmbrățișare *(a unei concepții etc.)* **2** *v.* **take-up 2, 3** **3** *auto* amortizare, absorbție *(a șocului)*

talapoin ['tælə,pɔin] *s* preot budist

talaria [təˈlɛəriə] *s pl mil lat* sandale înaripate *(ale lui Mercur etc.)*

talbot ['tɔːlbət] *s zool* specie de copoi

talc [tælk] *s minrl* talc

talcky ['tælki], **talcose** ['tælkous], **talcous** ['tælkəs] *adj* cu/de talc, ca talcul

talc(um) powder ['tælk(əm),paudəʳ] *s* pudră de talc

tale [teil] *s* **1** basm, poveste; povestire, istorisire; **to tell ~s a** a spune povești **b** a spune minciuni, a spune povești vânătorești; **that tells its own ~** e un lucru evident, nu mai necesită nici un fel de comentariu; **I've heard that ~ before** am mai auzit eu lucruri/povești dintr-astea; **his ~ is told** *fig* s-a sfârșit cu el **2** născocire, invenție, minciună **3** nuvelă, legendă, fabulă **4** zvon (fals); bârfă, clevetire; **to tell ~s out of school a** a dezvălui secrete **b** a purta vorba, a umbla cu vorbe **c** a cleveti, a bârfi **5** pâră, reclamație, denunț **6** ← *înv* număr; socoteală; cantitate; răboj; **the ~ is complete** numărul e complet, sunt toți prezenți

tale-bearer ['teil,bɛərəʳ] *s* **1** flecar, palavragiu; gură spartă **2** bârfitor **3** pârâtor, trădător, denunțător

tale-bearing ['teil,bɛəriŋ] **I** *adj* clevetitor, bârfitor; tranca-fleanca, flecar, care poartă vorba/vorbe **II** *s* bârfeală, bârfă, clevetire, trăncăneală, tranca-fleanca

talemonger ['teil,mʌŋgəʳ] *s v.* **talebearer**

talent ['tælənt] *s* **1** talent, har, înzestrare, dar; aptitudine **2** persoană talentată, talent; **to encourage local ~** a încuraja talentele locale **3** *înv* talent, taler

talented ['tæləntid] *adj* talentat, înzestrat, dotat

talentless ['tæləntlis] *adj* lipsit de talent, netalentat

talent money ['tælənt,mʌni] *s sport* primă alocată unui profesionist remarcabil

talent scout/spotter ['tælənt,skaut/,spotəʳ] *s amer sport, artă* descoperitor/vânător de talente

talent-spotting show ['tælənt,spotiŋ 'ʃou] *s* spectacol pentru descoperirea viitoarelor vedete *(aprox „Steaua fără nume")*

taler ['tɑːləʳ] *s înv* taler *(monedă)*

tales ['teiliːz] *s lat jur* **1** lista juraților supleanți/de rezervă **2** jurați supleanți

talesman ['teilzmən] *s jur* jurat supleant

tale-teller ['teil,telə'] *s v.* **tale-bearer**

tali ['teilai] *pl de la* **talus 1**

talion ['tæliən] *s* talion, legea talionului; ochi pentru ochi și dinte pentru dinte

talipes ['tæli,pi:z] *s med* picior strâmb/diform/bont

talipot ['tæli,pot] *s bot* palmier cu frunzele în evantai *(Corypha umbraculifera)*

talisman ['tælizmən] *s* talisman, amuletă

talismanic [,tæliz'mænik] *adj* care servește/slujește de talisman/amuletă; care te ferește de rău/deochi; cu proprietăți magice/benefice/de talisman

talk [tɔ:k] **I** *vi* **1** a vorbi; a glăsui; a se exprima; **to ~ in a low voice** a vorbi încet/cu glas scăzut; **to ~ by signs** a vorbi/a se exprima prin semne; **to ~ too much** a vorbi prea mult; **stop ~ing!** taci! nu mai vorbi! **now you are ~ing!** *F* așa mai vii de-acasă! ei, în sfârșit vorbești ceea ce trebuie! **to ~ through one's hat/through (the back of) one's neck** *F* **a** a spune prostii, a vorbi aiurea (în tramvai) **b** a exagera, a spune povești vânătorești **2 (to, with)** a vorbi *(cu sau cu dat);* a conversa, a discuta, a sta de vorbă/la taifas, a se întreține (cu); **I'd like to ~ to him** aș vrea să-i vorbesc; **to have nobody to ~ to/with** a nu avea cu cine să stea de vorbă; **to ~ to oneself** a vorbi singur/în sinea lui; **who do you think you are ~ind to?** cum îți permiți să vorbești așa? unde te trezești? **3** a flecări, a trăncăni, a îndruga (la) verzi și uscate; **to ~ big** a se făli, a se grozăvi; **he likes to hear himself ~** îi place să vorbească (mult), are mâncărime la limbă **4** a cleveti, a bârfi; **people are beginning to ~** lumea a început să vorbească/bârfească **II** *vt* **1** a vorbi *(o limbă, un jargon etc.);* **to ~ French** a ști (să vorbească) franțuzește, a vorbi franțuzește **2** a discuta (despre), a vorbi despre *(politică, afaceri etc.);* **to ~ dress** a vorbi despre modă/haine; **to ~ horse** a vorbi despre cursele de cai; **to ~ shop** a discuta chestiuni pro-

fesionale *(la o petrecere etc.);* **to ~ nonsense** a spune prostii **III** *s* **1** conversație, discuție, convorbire; taifas, taclale; **let us have some ~** să (mai) stăm puțin de vorbă; să vedem cum stau lucrurile; **to have a long ~ with smb** a avea o lungă discuție cu cineva, a sta de vorbă pe îndelete cu cineva; **to engage smb in ~** a angaja o discuție cu cineva, a se întreține cu cineva **2** vorbărie, vorbe goale/de pomană; banalități; gogoși; **he's all ~** *F* numai vorbele goale sunt de capul lui, numai gura e de el; **it's all ~** astea sunt vorbe în vânt/de pomană; **it will end in ~** n-o să iasă nimic din toată chestia asta; o să rămânem/o să ne alegem doar cu promisiunile/vorbele; astea-s doar vorbe (de clacă); asta-i vorbărie goală **3** vorbire; **that's the ~!** bine zis! așa te vreau! acum mai vii de-acasă! **4** subiect de bârfă/bârfeli/conversație **5** conferință; comentariu *(la radio etc.);* prelegere, lecție, curs

talkable ['tɔ:kəbəl] *adj* (despre) care se poate discuta

talk about ['tɔ:k ə,baut] *vi cu prep* **1** a vorbi/a discuta despre **2** a bârfi *cu ac*

talk at ['tɔ:k ət] *vi cu prep* **1** a face aluzie la *(o persoană de față);* **are you talking at me?** te referi la mine? **2** a zeflemisi, a lua în râs/balon *cu ac* **3** a vorbi înainte cu *(cineva, indiferent dacă ascultă sau nu)*

talkathon ['tɔ:kəθən] *s* discuție (publică) foarte lungă; vorbărie fără noimă

talkative ['tɔ:kətiv] *adj* vorbăreț, flecar, limbut

talkatively ['tɔ:kətivli] *adv* (în mod) locvace; în spirit flecar/vorbăreț/comunicativ; (pe un ton) sfătos; cu poftă de conversație

talkativeness ['tɔ:kətivnis] *s* limbuție, înclinație spre vorbărie/flecăreală/pălăvrăgeală

talk away ['tɔ:k ə'wei] **I** *vi cu part adv* a vorbi într-una/neîncetat, a trăncăni, a flecări **II** *vt cu part adv* **1** a petrece *(timpul)* discutând/trăncănind/flecărind, a irosi/a pierde *(vremea)* la taclale/taifas **2** a scoate din capul cuiva *(o idee etc.)* prin argumente

talk away at ['tɔ:k ə'weiət] *vi cu part adv și prep v.* **talk at 3**

talk back ['tɔ:k 'bæk] *vi cu part adv ↓ amer* a răspunde obraznic, a riposta (cu îndrăzneală)

talk down ['tɔ:k 'daun] **I** *vi cu part adv fig* a coborî tonul, a se coborî la nivelul publicului, a vorbi în termeni simpli; **to ~ to the students** a vorbi pe înțelesul studenților **II** *vt cu part adv* a reduce la tăcere *(cu ac)*, a închide gura *(cu dat)*

talked about ['tɔ:kt ə,baut] *adj cu prep* (mult/îndelung) discutat

talkee-talkee ['tɔ:ki,tɔ:ki] *s* **1** *v.* **talk III 2 2** engleză stricată *(↓ a negrilor din America)*

talker ['tɔ:kə'] *s* **1** vorbitor, orator **2** palavragiu, limbut, farfara; **great ~s are little doers** *prov aprox* vorbă multă, sărăcia omului; cel ce vorbește multe face puține; câinele care latră nu mușcă

talkfest ['tɔ:k,fest] *s* **1** *v.* **talkathon 2** întrunire (neoficială) pentru discuții; discuție liberă

talkie ['tɔ:ki] *s ← F* **1** film sonor/vorbitor **2 the ~s** cinematografia, industria cinematografică

talking ['tɔ:kiŋ] **I** *s* vorbărie, vorbă, vorbire; discuție, conversație; **to do all the ~ a** a întreține toată conversația **b** a monopoliza discuția/conversația; **have done with ~! a truce to ~!** încetați discuția! lăsați discuția! **II** *adj* **1** vorbăreț, limbut, flecar **2** *fig* expresiv, elocvent

talking book ['tɔ:kiŋ ,buk] *s* lecturi imprimate (pe bandă) pentru orbi

talking eyes ['tɔ:kiŋ ,aiz] *s pl* ochi (foarte) expresivi/care vorbesc

talking film ['tɔ:kiŋ ,film] *s v.* **talkie 1**

talking iron ['tɔ:kiŋ ,aiən] *s ← amer sl* pușcă, flintă

talking machine ['tɔ:kiŋ mə'ʃi:n] *s* gramofon, *înv* fonograf

talking (motion) picture ['tɔ:kiŋ (,mouʃən) 'piktʃə'] *s v.* **talkie 1**

talking point ['tɔ:kiŋ ,point] *s* argument, bază de discuție

talking-shop ['tɔ:kiŋ ,ʃop] *s peior, umor* palavrament, loc de vorbărie, – parlament

talking-to ['tɔ:kiŋ ,tə] *s* mustrare, perdaf, admonestare, săpuneală; **to give smb a good ~** a trage cuiva un perdaf/o săpuneală

talk into ['tɔ:k ,intə] *vt cu prep (urmat de* -ing) a convinge/a persuada/a determina *(pe cineva)* să facă ceva; **he talked me into going there** atâta m-a bătut la cap încât m-am dus, m-am dus numai de gura lui

talk of ['tɔ:k əv] *vi cu prep* 1 *v.* **talk about** 2 a discuta (mult) despre; **talking of pictures** *etc.* apropo/fiindcă veni vorba de filme; **talking of music, what was the concert like?** fiindcă veni vorba/dacă tot vorbim de muzică, cum a fost concertul?

talk of the town, the ['tɔ:k əv ðə 'taun, ðə] *s* subiect de bârfă/bârfeli/conversație; **to be ~** a intra în gura lumii, a fi subiectul principal de conversație/bârfă; **it was ~** toată lumea vorbea numai despre asta, povestea a făcut/a stârnit (multă) vâlvă

talk on ['tɔ:k 'ɔn] I *vi cu part adv* a vorbi în continuare, a continua să vorbească II *vi cu prep* a vorbi (↓ în public) despre *(un subiect)*, a conferenția despre

talk oneself hoarse ['tɔ:k wʌn,self 'hɔ:s] *vr cu adj* a vorbi până răgușește, a răguși de atâta vorbă

talk oneself into ['tɔ:k wʌn'self ,intə] *vr cu prep* a ajunge datorită trăncănelii la; **he talked himself into prison** nu și-a ținut gura și a ajuns la închisoare

talk out ['tɔ:k 'aut] *vt cu part adv* 1 a discuta *(o problemă)* până la capăt/sub toate raporturile/în toate amănuntele 2 *pol* a discuta *(un proiect de lege)* la nesfârșit *(pt a-i împiedica votarea)*

talk out of ['tɔ:k ,aut əv] *vt cu prep (urmat de* -ing) a convinge/a persuada/a face *(pe cineva)* să renunțe la o acțiune; **how can we talk him out of doing it!** cum l-am putea face să renunțe?

talk over ['tɔ:k 'ouvəʳ] *vt cu part adv* 1 *v.* **talk out** 1 2 *v.* **talk round** II

talk round I ['tɔ:k ,raund] *vi cu prep* a discuta pe ocolite *(cu ac)*; **to ~ a question** a discuta o problemă ocolind esențialul, a o lua de departe, a nu atinge miezul chestiunii II ['tɔ:k'raund] *vt cu part adv* a convinge *(pe cineva prin argumente/vorbe);* **to talk smb round (to one's way of thinking)** a

aduce pe cineva la punctul său de vedere/la vorba lui

talk show ['tɔ:k ,ʃou] *s* interviuri televizate/la televiziune/F televizor

talk up ['tɔ:k 'ʌp] I *vt cu part adv* a face vâlvă în jurul *(unei cărți etc.)* II *vi cu part adv v.* **talk back**

talkworthy ['tɔ:kwə:ði] *adj* care merită să fie discutat

talky ['tɔ:ki] *adj* 1 *v.* **talkative** 2 prolix; încâlcit

talky talk ['tɔ:ki ,tɔ:k] *s* F trăncăneală, tranca-fleanca, flecăreală, vorbărie (goală), gargară

tall [tɔ:l] I *adj* 1 înalt, mare, de statură mare/înaltă; **how ~ is he?** ce înălțime are? **he is six foot/feet ~** are un metru optzeci; **she is ~er by a head** e mai înaltă decât el cu un cap; **you have grown ~** ai crescut, te-ai înălțat, te-ai făcut mare 2 zvelt, subțire; înalt 3 F *fig* exagerat, fantastic; **~ excesiv**, greu de conceput; de necrezut; **it's ~ order asking me to do it** îmi ceri prea mult; ceea ce-mi ceri e greu de făcut II *adv sl* fălos, falnic, mândru; **to talk ~** a se da mare/grande, **~** a face pe grozavul, a se gate cu pumnul în piept; **to walk ~** a se împăuna, a merge ca un prinț/domn/lord

tallage ['tælidʒ] *s od* bir, impozit

Tallahassee [,tælə'hæsi] *capitala statului Florida*

tallboy ['tɔ:l,bɔi] *s* 1 scrin cu picioare înalte; comodă înaltă 2 pahar cu picior înalt 3 *av sl* bombă de mare calibru 4 *amer* grangur, ștab, persoană importantă

tallier ['tæliəʳ] *s ec* 1 socotitor, normator *(care controlează corespondența dintre scripte și marfa livrată)* 2 *v.* **tally clerck**

Tallin(n) ['tælin] *capitala Estoniei*

tallish ['tɔ:liʃ] *adj* înăltuț, destul de înalt

tallith ['tæliθ] *s rel* mozaică talăs, talit, broboadă/eșarfă purtată la rugăciune

tallness ['tɔ:lnis] *s* înălțime; statură înaltă

tallow ['tælou] I *s* 1 seu 2 grăsime II *vt* a unge cu seu/grăsime, a gresa III *vi* a produce grăsime

tallow chandler ['tælou ,tʃændləʳ] *s* lumânărar, fabricant *sau* negustor de lumânări

tallow chandlery ['tælou ,tʃændləri] *s* 1 negoț de/cu lumânări 2 fabricarea lumânărilor; meserie de lumânărar

tallower ['tælouəʳ] *s* 1 animal din care se scoate seu/grăsime 2 lumânărar

tallow-faced ['tælou,feist] *adj* palid, cu obrazul ca de ceară

tallowish ['tælouiʃ] *adj* unsuros, ca seul (de oaie); slinos

tallow tree ['tælou ,tri:] *s bot* arbore care exală seu *(Stillingia sp.)*

tallowy ['tæloui] *adj v.* **tallow-faced**

tall story/tale ['tɔ:l ,stɔri/,teil] *s* poveste vânătorească, basm, fantasmagorie; *pl* gogoși, bărbi

tall talk ['tɔ:l ,tɔ:k] *s sl* bărbiereală, bărbi, gargară; *F* tranca-fleanca, trăncăneală, **~** lăudăroșenie, vorbărie, vorbe de clacă

tally ['tæli] I *s* 1 răboj 2 pontaj, punctaj, însemnare, înregistrare *(cu puncte)* 3 etichetă *(atașată la bagaje, mărfuri etc.);* bilet/tichet de identificare 4 jeton *(de prezență)* 5 duplicat, copie *(de factură, document etc.);* corespondent, omolog, replică; element similar; **to live ~ with smb** a trăi (împreună/în concubinaj) cu cineva II *vt* 1 a însemna pe răboj 2 a ponta, a puncta, a bifa 3 a atașa o etichetă/un talon la *(un pachet etc.)* 4 *amer* a număra, a socoti, a calcula III *vi* 1 a concorda, a corespunde, a se potrivi 2 a scrie pe răboj; a face înregistrări 3 *sport* a înscrie, a marca

tally clerk ['tæli ,klɑ:k] *s com* pontator, controlor

tally-ho ['tæli,hou] I *interj* vânât ei! II *vt* vânât a asmuți *(câinii)* III *s amer* trăsură (cu 4 cai), echipaj

tally keeper ['tæli ,ki:pəʳ] *s v.* **tally clerk**

tallyman ['tælimən] *s* 1 *v.* **tally clerk** 2 negustor care dă lucruri în rate/pe credit și înseamnă pe răboj

tally sheet ['tæli ,ʃi:t] *s* 1 *com* borderou; foaie de pontaj 2 *amer pol* foaie de înregistrare a voturilor

tally-shop ['tæli,ʃɔp] *s înv* prăvălie unde se vând mărfuri în rate/pe credit

tally system/trade ['tæli ,sistim/,treid] *s com* comerț/negoț/vânzări pe credit pe termen scurt/*F* → pe răboj/veresie

tally with ['tæli wið] *vi cu prep* a corespunde/a se potrivi cu *sau* cu dat; a concorda cu

Talmud, the ['tælmud,ðə] *s* Talmudul

Talmudic [tæl'mudik] *adj* talmudic

Talmudical [tæl'mudikəl] *adj v.* **Talmudic**

Talmudist ['tælmudist] *s* talmudist

talon ['tælən] *s* **1** *zool, orn* gheară **2** talon; contramarcă; cupon **3** *(la cărți)* pachetul rămas după împărțirea cărților

talus[1] ['teiləs], *pl* **tali** ['teilai] *s anat* gleznă; *F* osul piciorului

talus[2] *s constr* taluz

tam [tæm] *s v.* **tam-o'-shanter**

TAM *presc de la* **television audience measurement** sondaj/statistică/recensământ al telespectatorilor

tamable ['teiməbəl] *adj v.* **tameable**

tamale [tə'mɑːli] *s sp* turtă de mălai cu carne *(în America Latină)*

tamandua [tə'mænduə] *s zool* furnicar american *(Tamandua tetradactyla)*

tamanoir ['tæmənwɑːʳ] *s zool* furnicar mare sud-american *(Myrmecophaga jubata)*

Tamara [tə'mærə] *nume fem*

tamarack ['tæmə,ræk] *s* **1** *bot* zadă/ lariță americană *(↓ Larix laricina)* **2** lemn de lariță americană

tamarind ['tæmərind] *s bot* **1** tamarind *(Tamarindus indica)* **2** fruct de tamarind

tamarisk ['tæmərisk] *s bot* tamarisc, tamariscă *(Tamarix gallica)*

tamber ['tæmbəʳ] *s lingv* timbru *(al unui sunet)*

tambour ['tæmbuəʳ] *s* **1** gherghef, tambur *(pt broderie)* **2** *înv* tambur, tobă

tamboura [tæm'buərə] *s muz* instrument indian cu coarde *(care ține acompaniament/isonul)*

tambourin ['tæmburin] *s muz* **1** tobă tubulară *(folosită în sudul Franței)* **2** muzică pentru tambourin **3** dans acompaniat de tambourin

tambourine ['tæmburin] *s* tamburină

Tamburlaine ['tæmbə,lein] *s v.* **Timur-Lenk**

tame [teim] **I** *adj* **1** domesticit, îmblânzit, domesticit **2** *agr* cultivat **3** *fig* supus, blând, domol; vlăguit, slab, fără energie **4** *fig (d. lucruri, acțiuni)* inofensiv, blând, domol **5** *fig (d. povestire*

etc.) nesărat, searbăd; banal, fad, insipid **6** *fig (d. persoană)* ținut pe lângă casă *(pt diferite servicii);* ~ **man** om de casă (al cuiva); *peior* → linge-blide **II** *vt* **1** a domestici, a îmblânzi; a dresa, a supune **2** *fig* a subjuga, a domina, a supune, a îmblânzi *(pe cineva)* **3** *fig* a atenua, a potoli, a liniști; a ține în frâu **III** *vi* **1** a se îmblânzi, a se domestici **2** *fig* a se banaliza, a deveni searbăd/nesărat/insipid/răsuflat

tameability [,teimə'biliti] *s* posibilitate/capacitate de domesticire

tameable ['teiməbəl] *adj* care poate fi domesticit/îmblânzit; (aproape) blând; apt pentru domesticire/ îmblânzire

tame acquiescence ['teim ,ækwi-'esəns] *s aprox* acord tacit

tame cat ['teim 'kæt] *s F* edec, linge-blide

tame down ['teim 'daun] **I** *vt cu part adv v.* **tame II** **II** *vi cu part adv* a se atenua, a se potoli, a se liniști

tameless ['teimlis] *adj* **1** sălbatic; care nu poate fi domesticit **2** nepotolit, (de) nestăpânit

tamely ['teimli] *adv* **1** blând, fără sălbăticie/răutate; cu blândețe **2** *fig* cuminte, blând; liniștit, calm; cu duhul blândeții

tameness ['teimnis] *s* **1** *zool* natură blândă/domesticită; blândețe **2** *fig* caracter inofensiv/blând/domol **3** lipsă de curaj, timorare **4** caracter searbăd/fad/nesărat **5** monotonie, banalitate; lipsă de viață

tamer ['teiməʳ] *s* **1** îmblânzitor (de fiare/animale) **2** dresor

Tamerlank ['tæmər,læŋk] *v.* **Timur Lenk**

Tamil ['tæmil] **I** *adj* tamil **II** *s* **1** tamil **2** *lingv* (limba) tamilă

Tammany ['tæməni] *amer* **I** *s* **1** *od* organizația centrală a partidului democrat **2** corupție politică, venalitate **II** *adj pol* corupt, venal

tammy[1] ['tæmi] *s v.* **tam o'shanter**

tammy[2] *s* strecurătoare; filtru; sită

Tam o'Shanter ['tæm ou'ʃæntəʳ] *s* eroul unei balade de Robert Burns

tam o'shanter *s* beretă scoțiană (cu pompon)

tamp [tæmp] *vt* **1** a tasa, a îndesa; a bătători **2** a astupa *(o gaură)*

Tampa Bay ['tæmpə ,bei] *golf în* America de Nord

tampan ['tæmpən] *s ent* căpușă veninoasă sud-africană *(din familia arahnidelor)*

Tampere ['tæmpere] *oraș în* Finlanda

tamperer with ['tæmpərə wið] *s cu prep* **1** falsificator de *(conturi, cecuri etc.)* **2** corupător de *(martori)*

tampering with ['tæmpəriŋ wið] *s* **1** falsificare, modificare *(a registrelor, conturilor etc.)* **2** cumpărare/ mituire, corupere *(a martorilor)*

tamper-proof ['tæmpə,pruːf] *adj* **1** sigur, inviolabil; ferit de primejdii; aflat în siguranță **2** *(d. încuietoare etc.)* de siguranță, sigur; care nu poate fi deschis/violat

tamper with ['tæmpə wið] *vi cu prep* **1** a se atinge de; a deschide, a viola *(corespondența, un colet)* **2** a falsifica; a modifica; a corecta cu ac, a face schimbări în **3** a sustrage, a se atinge de *(bani)* **4** a mitui, a corupe, a cumpăra *(martori)* **5** a strica *cu ac*, a umbla la *(un mecanism, aparat etc.)*

Tampico [tæm'piːkou] *oraș în Mexic*

tampion ['tæmpiən] *s* **1** tampon, dop mare **2** *mil* dop care astupă gura tunului

tampon ['tæmpon] *med* **I** *s* tampon **II** *vt* a tampona

tamponade ['tæmponeid], **tamponage** ['tæmpənidʒ] *s med* tamponare

tamtam ['tæmtæm] *s* **1** gong **2** *v.* **tomtom 1**

tan [tæn] **I** *s* **1** scoarță/coajă de stejar, argăseală; tanant **2** culoare cafenie; bronz *(al pielii)* **II** *vt* **1** a argăsi, a tăbăci **2** *F* a burduși, a tăbăci, – a bate **III** *vi* a se bronza **IV** *adj* bronzat, ars de soare

tan *presc de la* **tangent**

Tanagra ['tænəgrə] *centru cultural al* Eladei

Tanagra (figurine/statuette) ['tænəgrə figəˈriːn/stætʃəˈwet] *s ist, artă* tanagra, statuetă/figurină de *(lut ars din)* Tanagra

Tananarive [tənɑnɑˈriːv] Antananarivo *capitala Republicii Malgașe*

Tancred ['tæŋkrid] *luptător normand (1078-1112)*

tandem ['tændəm] **I** *s* **1** tandem, trăsurică/echipaj cu caii înhămați unul în spatele celuilalt **2** *(bicicletă)* tandem **3** *tehn* tandem **4** *el* cascadă **II** *adj* *(legat)* în tandem

tang [tæŋ] **I** *s* zăngănit; dangăt; zgomot puternic **II** *vi* a zăngăni; a zdrăngăni **III** *vt* a zăngăni din, a face să zăngăne

Tanganyika [ˌtæŋgəˈnjiːkə] **1** *regiune și lac în Africa* **2** *od* Tanganika *vechiul nume al Tanzaniei*

tangelo [ˈtændʒəˌlou], *pl* **tangelos** [ˈtændʒəˌlouz] *s bot* hibrid/corcitură de mandarină și grapefruit/grep

tangency [ˈtændʒənsi] *s mat* tangență

tangent [ˈtændʒənt] **I** *s* **1** *mat* tangentă; **to fly at a ~; to go off at a ~ a** a scăpa prin tangentă **b** a schimba brusc subiectul **2** digresiune **II** *adj* tangențial

tangent galvanometer [ˈtændʒənt ˌgælvəˈnɔmitəʳ] *s el* busolă de tangente

tangential [tænˈdʒenʃəl] *adj* tangențial

tangentially [tænˈdʒenʃəli] *adv* tangențial

tangential wheel [tænˈdʒenʃəl wiːl] *s tehn* rotor de turbină cu adeziune tangențială

Tangerine [ˌtændʒəˈriːn] **I** *adj* din Tanger **II** *s* locuitor din Tanger

tangerine *s bot* mandarină

tanghin [ˈtæŋgin] *s* **1** *bot* arbore din *Madagascar cu fructe otrăvitoare* **2** otravă din fructe de tanghin

tangibility [ˌtændʒəˈbiliti] *s* tangibilitate, caracter palpabil/tangibil; realitate

tangible [ˈtændʒəbəl] *adj* **1** tangibil, palpabil, real, material **2** clar, evident, real, palpabil

tangibleness [ˈtændʒəbəlnis] *s v.* **tangibility**

Tangier(s) [tænˈdʒiəʳ] Tanger *capitala Marocului*

tangle¹ [ˈtæŋgəl] **I** *s* **1** încurcătură, încâlcire; încâlceală, amestec; **to get one's hair in a ~** a-și încâlci/a-și încurca părul **2** *fig* încurcătură, încâlceală, harababură, talmeș-balmeș, zăpăceală, dezordine; **to get in a ~ a** a intra/a fi într-o mare încurcătură; a se încurca rău de tot **b** a se zăpăci, a se încurca, a se pierde; **my mind is/thoughts are in a complete ~** în mintea mea e o zăpăceală/încurcătură cumplită; **all his affairs are in a ~ a** i s-au

încurcat rău treburile **b** afacerile lui sunt într-o dezordine/încurcătură totală **3** încurcătură de circulație, blocare a traficului **4** dispută; ceartă **II** *vt* **1** a încâlci, a încurca, a amesteca; **to get ~d a** *v.* **~ III b** *fig* a intra într-o încurcătură/într-un bucluc **2** *fig* a zăpăci, a încurca; a încâlci, a complica **III** *vi* a se încurca, a se încâlci; a se întortochea

tangle² **1** *bot* specie de algă marină *(Laminaria saccharina)* **2** undiță/cârlig pentru pescuit alge

tanglefoot [ˈtæŋgəlˌfut] *s amer F* adio-mamă, – rachiu tare; whisky

tanglefooted [ˈtæŋgəlˌfutid] *adj amer sl* matol, obosit, făcut, *F* turtă, criță, împleticit la mers *(din cauza băuturii)*

tangleleg [ˈtæŋgəlˌleg] *s amer sl* rom *(v. și* **tanglefoot***)*

tangle up [ˈtæŋgəl ˈʌp] *vt cu part adv* **1** *v.* **tangle II 2** a strica, a deteriora

tangly [ˈtæŋgli] *adj* încurcat, încâlcit; confuz; amestecat

tango [ˈtæŋgou] **I** *s* tango **II** *vi* a dansa tango

tangram [ˈtæŋgræm] *s* măciucă chinezească

tangy [ˈtæŋi] *adj* **1** nu prea bun, cam/ușor dezagreabil (la gust) **2** cu un gust picant caracteristic (astringent)

tan house [ˈtæn ˌhaus] *s* tăbăcărie

tank¹ [tæŋk] *s* **1** cisternă, rezervor; bazin **2** *tehn* bazin; cuvă; bac; rezervor **3** *mil* tanc, car de luptă/asalt, blindat **4** *cin* cabină de înregistrare *(izolată fonic)*

tank² *presc de la* **hyperbolic tangent**

tanka [ˈtɑːŋkə] *s lit* tanka, poezie japoneză de 5 versuri, alcătuită din 31 de cuvinte

tankage [ˈtæŋkidʒ] *s* **1** capacitate *(a unei cisterne, a unui rezervor)* **2** reziduuri, deșeuri

tankard [ˈtæŋkəd] *s* cană cu capac *(de bere etc.)*

tank buster [ˈtæŋk ˌbʌstəʳ] *s mil sl* tun anti-tanc/AT

tank car [ˈtæŋk ˌkɑːʳ] *s ferov* (vagon) cisternă

tanked [ˈtæŋkt] *adj P beat* turtă/criță/cui

tank engine [ˈtæŋk ˌendʒin] *s ferov* locomotivă-tender

tanker¹ [ˈtæŋkəʳ] *s* **1** *nav* tanc petrolier, petrolier **2** *v.* **tank car 3** autocisternă

tanker² *s v.* **tankman**

tankman [ˈtæŋkmən] *s mil* tanchist

tank ship [ˈtæŋk ˌʃip] *s v.* **tanker¹ 1**

tank trailer [ˈtæŋk ˌtreiləʳ] *s auto* remorcă-cisternă

tank truck [ˈtæŋk ˌtrʌk] *s v.* **tamker¹ 3**

tank wag(g)on [ˈtæŋk ˌwægən] *s v.* **tank car**

tan liquor [ˈtæn ˌlikəʳ] *s* lichid tanant/argăseală *(pt tăbăcit/argăsit)*

tannate [ˈtæneit] *s ch* tanat

tanner¹ [ˈtænəʳ] *s* tăbăcar

tanner² *s ← F* monedă de șase penny

tannery [ˈtænəri] *s v.* **tan house**

tannic acid [ˈtænik ˌæsid] *s ch* acid tanic

tannin [ˈtænin] *s ch* tanin, acid tanic

tan ooze [ˈtæn ˌuːz] *s v.* **tan liquor**

tan pickle [ˈtæn ˌpikəl] *s v.* **tan liquor**

tan pit [ˈtæn ˌpit] *s* baie de argăseală

tanrec [ˈtænrek] *s v.* **tenrec**

tansy [ˈtænzi] *s bot* calapăr *(Tenacetum vulgare)*

tantalic [tænˈtælik] *adj ch* de/cu/referitor la tantal

tantalite [ˈtæntəˌlait] *s minr* tantalit

tantalization [ˌtæntəlaiˈzeiʃən] *s* **1** torturare, chinuire **2** tortură, supliciu

tantalize [ˈtæntəˌlaiz] *vt* **1** a tortura, a chinui, a supune chinurilor lui Tantal **2** a ațâța dorințele *(cuiva)*; a chinui cu false iluzii

tantalizing [ˈtæntəˌlaiziŋ] *adj* **1** chinuitor, torturant **2** amăgitor, înșelător **3** ispititor, tentant

tantalizingly [ˈtæntəˌlaiziŋli] *adv* chinuitor etc. (v. **tantalizing**)

tantalum [ˈtæntələm] *s ch* tantal

tantalus [ˈtæntələs] *s umor* suport cu încuietoare *(pt carafe de băutură)*

tantamount to [ˈtæntəˌmaunt tə] *adj cu prep* echivalent/egal cu; **it is ~ ten pounds** revine/se ridică la 10 lire; corespunde sumei de 10 lire; **it is ~ nothing** nu înseamnă nimic, e egal cu zero; **it is ~ saying that** e ca și cum ai spune că

tantara [ˈtæntərə] *s înv* fanfară *(de trompete)*; trâmbițare; sunet de trâmbițe/trompete; taratatata

tantivy [tæn'tivi] *înv* **I** *s* galop rapid **II** *adv* în galop/goană; mâncând pământul

tant pis [tã'pi] *adv fr* cu atât mai rău *(pentru el, pentru noi)*

tantra ['tæntrə] *s lit, rel, filos* tantra, carte sfântă a hindușilor *sau* budiștilor; carte mistică și magică *(din Panciatantra)*

tantric ['tæntrik] *adj rel, filos* referitor la tantra/Panciatantra/la filosofia și religia budistă; sfânt, sacru

tantrism ['tæntrizəm] *s rel, filos* filosofie (religioasă) budistă *(legată de Panciatantra/de cărțile sfinte)*

tantrist ['tæntrist] *s rel, filos* adept al (cărților sfinte ale) religiei budiste *(legat de Panciatantra)*

tantrum ['tæntrəm] *s F* țâfnă, – furie, istericale, turbare; **to fly/to get into ~s/a** – a-și ieși din fire/ pepeni, a-și pierde cumpătul; a vedea roșu înaintea ochilor

tan vat ['tæn ˌvæt] *s v.* **tan pit**

tan yard ['tæn ˌjɑːd] *s v.* **tan house**

Tanzania [ˌtænzə'niə] *stat în Africa*

Taoism ['tɑːouˌizəm] *s rel* taoism

Taoist ['tɑːouist] *s rel* taoist

tap¹ [tæp] **I** *s* **1** cep *(de butoi)* **2** cana, canea, robinet *(de butoi, rezervor etc.);* **to turn on the ~** a deschide robinetul/caneaua; **to turn off the ~** a închide robinetul; **on ~ a** *(d. băuturi)* la butoi *(și pregătit pentru consum)* **b** *fig* gata pregătit, la îndemână; **in ~** *(d. butoi)* gata pentru consum, cu caneaua pusă **3** băutură de la butoi **4** *v.* **tap room 5** *tehn* curgere, scurgere *(a metalului topit)* **6** *el* derivație, ramificație **7** *tehn* sfredel, filieră **II** *vt* **1** a da cep la, a pune canea la *(butoi)* **2** a găuri, a face gaură în **3** a face o tăietură/puncție/incizie în, a inciza *(un abces etc.);* a tăia, a străpunge; **to ~ a tree for resin** a face o incizie/tăietură într-un copac pentru a scoate rășină; **to ~ the furnace** *tehn* a găuri/a străpunge cuptorul **4** a trage, a scoate, a face să curgă *(vinul etc.)* **5** *și fig* a capta; **to ~ new sources of information** a aborda noi surse de informații **6** a devia, a deriva, a face o ramificație *(cu dat)* **7** a intercepta, a capta, a supraveghea *(con-*

vorbiri telefonice); **to ~ a telephone wire a** a face o derivație/ un cuplaj la telefon **b** a supraveghea telefonul cuiva **8** *F* a tapa/a stoarce de bani, – a împrumuta/a scoate bani de la *(cineva)* **9** *tehn* a fileta

tap² [tæp] *vt* a lovi ușurel, a atinge; a bate ușor *(cu degetul, palma etc.);* **to ~ one's forehead** a se bate/a se lovi cu palma peste frunte; **to ~ smb on the shoulder** a bate pe cineva pe umăr; **to ~ on the cheek** a mângâia/a bate ușurel pe obraz **II** *vi* **1** **(at, on)** a bate, a ciocăni (ușor) (în, la); a lovi *(cu ac)* **2** a bate/a scrie la mașină **III** *s* bătaie ușoară *(cu vârful degetelor, cu palma)* **2** *pl mil* stingerea, semnal de stingere **3** *pl mil* masa, semnal pentru masă **4** fleac, petic *(la pantofi)*

tapa ['tɑːpə] *s* **1** *bot* scoarță a dudului de hârtie *(folosită în Oceania pentru rogojini, îmbrăcăminte etc.)* **2** *text* țesătură din scoarță de tapa

tap anger ['tæp ˌæŋgər] *s v.* **tap borer**

tap borer ['tæp ˌbɔːrər] *s tehn* tarod, dorn

tap dance ['tæp ˌdɑːns] *s* step *(dans)*

tap dancer ['tæp ˌdɑːnsər] *s* dansator de step

tap dancing ['tæp ˌdɑːnsiŋ] *s* step, dans care bate ritmul lovind cu vârfurile și tocurile pantofilor

tape [teip] **I** *s* **1** panglică; bandă; fâșie; șiret **2** *sport* panglică, sfoară *(la sosire);* **to breast the ~** a tăia panglica, a sosi primul **3** **the ~s** *(la curse)* panglicile/ cordoanele de la start **4** *tel* banda de hârtie a telegrafului **5** *tehn* panglică (de fier) **6** *v.* **tape measure 7** bandă de magnetofon **II** *vt* **1** a lega cu panglică/ sfoară/șnur **2** *poligr* a coase cu șnur **3** a tivi; a împodobi/a orna cu șiret **4** a măsura *(cu ruleta)* **5** *mil și fig* a repera; a cunoaște, a descoperi; **to ~ an enemy battery** *mil* **a** a repera o baterie inamică **b** a reduce la tăcere o baterie inamică; **to get/have smb ~d** *F* a ști câte parale face cineva/cât îi poate pielea cuiva; – a cântări pe cineva din ochi

tape line ['teip ˌlain] *s v.* **tape measure**

tape-machine ['teipməˌʃiːn] *s tel* **1** aparat morse/de telegraf **2** magnetofon

tape measure ['teip ˌmeʒər] *s* ruletă/ panglică de măsurat

taper ['teipər] **I** *s* **1** lumânare subțire, lumânare de formă ascuțită/ conică **2** formă conică/ascuțită **3** *poetic* pâlpâire, licărire, – lumină slabă **II** *adj* conic, îngustat spre vârf, ascuțit **III** *vt* a îngusta spre vârf, a ascuți **IV** *vi* a avea formă conică/ascuțită, a se termina într-un vârf ascuțit

tape record ['teip riˈkɔːd] *vt* a înregistra pe bandă (magnetică/ de magnetofon)

tape-respond ['teiprisˌpond] *vi amer* a corespunda cu ajutorul benzilor de magnetofon *sau* al casetelor

tape-respondence ['teiprisˈpondəns] *s amer* corespondență prin benzi de magnetofon *sau* casete

tape-respondent ['teiprisˈpondənt] *s amer* corespondent/persoană care corespondează prin benzi de magnetofon *sau* casete

tapering ['teipəriŋ] *adj* conic, ascuțit la vârf, de formă conică

taper-stick ['teipəˌstik] *s* sfeșnic

tapestried ['tæpistrid] *adj* **1** tapisat, tapițat **2** tapetat

tapestry ['tæpistri] **I** *s* **1** tapiserie, goblen **2** tapet care imită goblenul **II** *vt* a tapisa, a decora, a tapeta

tapestry weaver ['tæpistri ˌwiːvər] *s* decorator care lucrează tapiserii/ goblenuri

tapestry work ['tæpistri wəːk] *s* **1** tapiserie, goblenuri **2** tapițerie **3** tapetare

tapestry worker ['tæpistri ˌwəːkər] *s* tapițer

tapeworm ['teipˌwəːm] *s F v.* **taenia**

tap hole ['tæp houl] *s met* supapă de evacuare

tap house ['tæp haus] *s* **1** cabaret **2** cârciumă; berărie

tapioca [ˌtæpi'oukə] *s* tapioca

tapir ['teipər] *s zool* tapir *(Tapirus indicus)*

tapis ['tæpiː], *amer și* ['tɑːpiː] *s fr:* **to be on the ~** *(d. o chestiune)* a fi pe tapet, a fi la ordinea zilei

tapotement [tə'poutmənt] *s med* tapotare, ciocănire ușoară *(la tratament prin masaj)*

tappet ['tæpit] *s tehn* **1** excentric **2** *tehn* tachet; camă

tappet rod ['tæpit ,rɔd] *s tehn* arbore cu came

tappit ['tæpit] *adj scot* moțat, cu creastă/moț

tappit hen ['tæpit ,hen] *s scot* **1** găină moțată **2** cană cu capac

tap room ['tæp ,ru:m] *s* **1** bar, tejghea *(într-o cârciumă)* **2** bar *(într-un local)*

tap root ['tæp ,ru:t] *s bot* rădăcină pivotantă

tapster ['tæpstər] *s* **1** barman, vainburș; bufetier **2** cârciumar

tapu [tə'pu:] *s adj* neo-zeelandez *v.* **taboo**

tap water ['tæp ,wɔ:tər] *s* apă de la robinet

tar [ta:ʳ] **I** *s* **1** gudron, catran; smoală **2** *fig F* (bătrân) lup de mare, — bătrân marinar/matelot, matroz încercat **II** *vt* a unge cu catran/smoală; **to ~ and feather a** a unge cu smoală și a tăvăli în pene *(ca gest de pedeapsă, batjocorire etc.)* **b** *fig* a face de două parale/de râsul lumii; **~red with the same brush** aidoma, deopotrivă, fiert în același cazan

ta-ra [ta'ra:] *interj reg v.* **ta-ta I**

taradiddle ['tærədidl] **F I** *s* minciună, poveste, basm, gogoașă, *sl* — cioc, barbă **II** *vi* a spune minciuni/brașoave/gogoși, a îndruga (la) verzi și uscate

taradiddler ['tærədidlər] *s F* mincinos, bărbier

tarantara [tə'ræntərə] *s v.* **tantara**

tarantass [,ta:rən'tæs] *s rus* brișcă *(fără suspensie/arcuri)*

tarantella [,tærən'telə] *s muz* tarantelă

tarantism ['tærəntizəm] *s od* mania dansului, dans patologic *(sub influența mușcăturilor de tarantula/păianjen)*

tarantula [tə'ræntjulə] *s ent* tarantulă, *specie de păianjen (Lycosa tarentula)*

taratantara [,ta:rə'tæntərə] *s v.* **tantara**

taraxacum [tə'ræksəkəm] *s* **1** *bot* dintele-leului *(Taraxacum officinale)* **2** *med* medicament extras din dintele-leului

tar board ['ta: ,bɔ:d] *s* carton asfaltat/gudronat

tarboosh ['ta:'bu:ʃ] *s* fes

tar brush ['ta: ,brʌʃ] *s* perie de smolit/de uns cu smoală; **to have a dash/touch of the ~** *amer fig* a-i curge (ceva) sânge de negru în vine; a fi corcit cu negri

tar camphor ['ta: ,kæmfər] *s* naftalină

Tardenoisian [,ta:də'nɔiziən] *arheol* **I** *s* cultură din epoca mezolitică caracterizată prin folosirea micilor unelte de silex/cremene **II** *adj* tardenoisian *(v.* **I** ~)

tardigrade ['ta:di,greid] **I** *s zool* tardigrad *(Tardigrada)* **II** *adj* lent, încet

tardily ['ta:dili] *adv* **1** târziu, tardiv, cu întârziere **2** agale, alene, încet, lent, fără grabă/zor

tardiness ['ta:dinis] *s* zăbavă; întârziere; încetineală

tardy ['ta:di] *adj* **1** întârziat, tardiv, (venit) cu întârziere; **to be ~ a** a întârzia, a fi în întârziere **b** a veni (prea) târziu, a fi tardiv **2** leneș, indolent, apatic, moale

tare¹ [tɛəʳ] **I** *s* **1** dara, tară **2** reducerea daralei **3** contragreutate **II** *vt* a calcula/a socoti daraua *(cu gen)*

tare² *s bot* măzăriche *(Vicia sativa)*

tare³ *s v.* **tear¹**

targe [ta:dʒ] *s ist* mic scut rotund

target ['ta:git] *s* **1** țintă *(pentru ochit)*; **to shoot/to fire at the ~** a trage la țintă; **to be a ~ for ridicule** *fig* a fi ținta batjocurii/ironiilor **2** sarcină, plan; normă; **to smash the ~** a sparge norma **3** țel, țintă **4** *ferov* semnal de zi **5** *tehn* șuber, clapetă, registru **6** *el* anticatod

target card ['ta:git ka:d] *s sport* răboj pentru punctele marcate de arcași *(de aceeași culoare ca și ținta)*

target figure ['ta:git ,figəʳ] *s ec* sarcină/cifră de plan; normă

target firing/practice/shooting ['ta:git ,faiəriŋ/,præktis/,ʃu:tiŋ] *s mil, sport* tragere la țintă, tir; *înv* → dare la semn

Tarheel(er) ['ta:hi:l(əʳ)] *s amer F* locuitor al statului California de Nord

Tarheel State ['ta:hi:l ,steit] *s amer F* statul California de Nord

tariff ['tærif] **I** *s* **1** tarif; taxă **2** tarif, listă de prețuri/tarife **II** *vt* **1** a tarifa, a evalua **2** a include în tarif

tariff reform ['tærif ri'fɔ:m] *s ec* **1** reformă protecționistă; abolire a sistemului liberului schimb **2** *amer* desființare a tarifelor vamale

tariff reformer ['tærif ri'fɔ:məʳ] *s ec* **1** protecționist **2** *amer* antiprotecționist

tarlatan ['ta:lətən] *s text* tarlatan, muselină

tarmac ['ta:mæk] *s av* **1** amestec asfaltic din care se fac pistele aerodromului **2** pistă de aterizare/decolare

tarmacadam [,ta:mə'kædəm] *s* pietre sau zgură *(pt construcții de drumuri)* folosind bitumul ca liant *(de obicei prescurtat sub forma* **tarmac***)*

tarn [ta:n] *s* iezer, lac de munte, tău

tarnation [ta:'neiʃən] *s amer F v.* **demnition**

tarnish ['ta:niʃ] **I** *vt* **1** a lipsi de strălucire, a lua lustrul/luciul *(cu gen)* **2** *fig* a defăima, a calomnia, a bârfi, a mânji, a păta *(reputația cuiva)* **II** *vi* a-și pierde luciul/lustrul/strălucirea, a deveni mat *(la culoare)* **III** *s* pată

taroc ['tærɔk] *s* **1** taroc *(joc de cărți)* **2** cărți de taroc *(pentru ghicit)*

tarot ['tærou] *amer s v.* **taroc**

tarp [ta:p] *s F amer, australian* prelată

tar paper ['ta: ,peipəʳ] *s v.* **tar board**

tarpaulin [ta:'pɔ:lin] *s* **1** pânză impermeabilă **2** prelată **3** foaie de cort **4** șapcă impermeabilă **5** haină de marinar **6** *v.* **tar I 2**

Tarpelan Rock, (the) [ta:'pi:ən ,rɔk, (ðə)] *s ist* stânca Tarpeeii/tarpeiană; loc de execuție

tarpon ['ta:pən] *s* pește argintiu *din Golful Mexic (Megalops atlanticus)*

tarradiddle ['tærə,didəl] *s v.* **taradiddle**

tarragon ['tærəgən] *s bot* tarhon *(Artemisia dracunculus)*

Tarragona [,tærə'gounə] *s* vin spaniol asemănător celui de Porto

tarras ['tærəs] *s v.* **trass**

tarrock ['tærək] *s orn* pescăruș islandez *(Rissa tridactyla)*

tarry¹ ['tæri] *vi* **1** a zăbovi, a întârzia; a pierde vremea (de pomană) **2** a lâncezi, a se lăsa pe tânjală **3** a șovăi, a ezita **4** (at, in) a locui, a sălășlui, a trăi (la, în)

tarry² *adj* mânjit cu smoală/catran, cătrănit

tarry breeks ['tæri ˌbriːks] *s v.* **tar I 2**

tarsal ['taːsəl] *adj anat* tarsian

tar seal ['taː ˌsiːl] *vt australian* a acoperi (drumurile) cu tarmac

tarsi ['taːsai] *pl de la* **tarsus**

tarsia ['taːsiə] *s arte* intarsie, mozaic de lemn

tarsier ['taːsiəʳ] *s zool* specie de lemur *din India*

tarsus ['taːsəs], *pl* **tarsi** ['taːsai] *s* 1 *anat* tars 2 *orn* pulpă 3 *ent* partea inferioară a piciorului

tart¹ [taːt] *adj* 1 acru, acidulat, înțepător; picant 2 *fig* mușcător, aspru; caustic 3 *fig* rigid, acerb

tart² *s* 1 tartă (cu fructe) 2 *amer* tort (cu foi)

tart³ *s F* damă, coardă, – stricată

tartan ['taːtən] *s* 1 stofă ecosez 2 pled scoțian, tartan 3 *fig* (soldat) scoțian

Tartar ['taːtəʳ] I *s* 1 tătar 2 cață, scorpie 3 femeie-jandarm, matahală (bărbătoasă) 4 persoană dificilă, om arțăgos; **to catch a ~** a-și găsi nașul; **a young ~** un drac de copil II *adj* tătar, tătăresc

tartar *s ch* tartru

Tartarean [taːˈtɛəriən] *adj* infernal, din tartar, iad

tartar emetic ['taːtəreˈmetik] *s ch* emetic, tartar stibiat/antimoniat

tartar(e) sauce ['taːtəˌsoːs] *s gastr* sos tartar

Tartaric [taːˈtærik] *adj v.* **Tartar II**

Tartarus ['taːtərəs] *s mit* infern, Tartar, lumea subpământeană

tartly ['taːtli] *adv* 1 cu acreală, caustic; mușcătură 2 aspru, cu asprime 3 cu țâfnă, țâfnos

tartness ['taːtnis] *s* 1 acreală, gust acru/înțepător; aciditate 2 *fig* causticitate; spirit mușcător 3 acreală, țâfnă

tartrate ['taːtreit] *s ch* tartrat

Tartuffe [taːˈtuf] *s* 1 *lit* Tartuffe, bigot 2 ipocrit, fățarnic

tar water ['taː ˌwɔːtəʳ] *s înv med* infuzie de gudron (folosită ca medicament)

Tarzan ['taːzən] *lit*

Tas *presc de la* **Tasmania**

task [taːsk] I *s* 1 sarcină, obligație, îndatorire; corvoadă, treabă, lucru (impus); **to apply oneself to a ~** a se pune pe treabă, a se apuca serios de lucru/treabă; **to set smb a ~** a da cuiva o treabă/sarcină/misiune 2 *școl* pedeapsă (scrisă); temă, lecție (pt acasă);

to set a pupil to ~ a pune pe un elev la lucru; **to take a person to ~ (for smth)** a cere cuiva socoteală (pentru ceva) II *vt* 1 a pune la treabă/lucru; a da de lucru (cu dat), a impune o sarcină/o muncă/un lucru (cu dat); a repartiza/ a fixa/a distribui o sarcină/misiune (cu dat) 2 a pune la (grea) încercare; a chinui; a solicita (memoria etc.) 3 *nav* a pune la probă/încercare, a testa

task force ['taːsk ˌfoːs] *s mil* unitate/ trupe de șoc/asalt; unitate/grup de comando; grup operativ

task group ['taːsk ˌgruːp] *s ↓ mil* echipă/detașament de șoc; *v. și* **task force**

taskmaster ['taːskˌmaːstəʳ] *s* 1 distribuitor de sarcini; conducător, șef, *F–* boss; **he is a hard ~** *F* e un adevărat tiran 2 supraveghetor; normator; pontator

task mistress ['taːskˌmistris] *s* femeie/funcționară care distribuie sarcinile; normatoare; dispeceră

task wage(s) ['taːsk ˌweidʒ(iz)] *s ec* plată/salariu în acord

task work ['taːsk ˌwəːk] *s* muncă în acord/cu bucata

task worker ['taːsk ˌwəːkəʳ] *s* muncitor/lucrător în acord

Tasmania [tæzˈmeiniə] *insulă în Oceania*

Tasmanian [tæzˈmeiniən] *adj, s* tasmanian

tass [tæs] *s scot* înghițitură, sorbitură (de rachiu etc.)

tassel ['tæsəl] I *s* 1 ciucure, canaf 2 pompon, moț 3 semn de carte 4 *bot* panicula terminală, mătase (la porumb) II *vt* a împodobi cu ciucure *sau* pompon III *vi bot* a face floare, a forma o panicula terminală

tassis ['tæsis] *s scot, irlandez* ceșcuță, ceașcă, cupă

Tasso ['tæsou], **Torquato** *poet italian (1544-1595)*

taste [teist] I *s* 1 gust, simțul gustului; **to have a keen sense of ~** a avea gustul/simțul gustului foarte dezvoltat; **to have a fine ~ in wines** a fi un bun degustător de vinuri, a avea gust fin pentru vinuri 2 gust, savoare; miros, aromă; **it has a burnt ~** are gust de ars, miroase a ars; **to leave a bad ~ in the**

mouth *și fig* a-ți lăsa un gust rău/ amar (în gură) 3 înghițitură, pic, fărâmă, bucățică; **a ~ of honey** un strop/pic de miere 4 *fig* urmă, pic, picătură, nuanță, undă; **there was a ~ of bitterness in his speech** se simțea o undă/umbră/nuanță de amărăciune în glasul lui; **to give the horses a ~ of the whip** a atinge ușor/a sfichiui caii cu biciul, a face caii să simtă biciul 5 (for) înclinație, preferință, predilecție, tendință (pentru); gust (pentru); **to have a ~ for dissipation** a fi mare amator de plăceri/distracții, a-i plăcea să ducă o viață ușoară; **it is not at all to my ~** nu e deloc pe gustul meu; **it is a matter of ~** e chestiune de gust/preferință/ apreciere; **~s differ; everyone to his ~** *prov* gusturile nu se discută; **to have a ~ for the cinema** a fi mare amator de cinema 6 bungust, rafinament, finețe, gust ales; **it is not in very good ~** nu e un lucru de bun gust; **in bad ~** de prost gust; **to have ~ in dress** a se îmbrăca cu mult gust, a fi elegant, a avea gust în materie de îmbrăcăminte 7 *fig* mostră, probă, dovadă; **to give a ~ of one's abilities** a da o dovadă de capacitate/pricepere/îndemânare II *vt* 1 a gusta; a savura; a simți/a percepe/a distinge gustul (cu gen); **I can ~ onion in the food** simt gustul de ceapă în mâncare 2 a gusta (din), a încerca (o mâncare etc.); a degusta (o băutură) 3 a lua, a pune în gură; a consuma; **not to ~ food** a nu pune gura pe mâncare 4 *fig* a gusta, a cunoaște, a încerca (un sentiment, o senzație etc.); a savura, a gusta (glume, povestiri etc.); **to ~ power** a cunoaște/a încerca bucuria autorității/puterii; **to ~ the joys of nature** a gusta din bucuriile/plăcerile naturii/traiului în aer liber III *vi* 1 a simți gusturile, a avea gust; **one cannot ~ when one has a bad cold** când ești răcit nu simți nici un gust 2 (of) (d. mâncare etc.) a avea un anumit gust; a avea gust/ miros/iz de ceva; **the wine ~s of the cork** vinul are gust de dop; **to ~ of nothing at all** a nu avea nici un gust; **to ~ well** a avea (un) gust bun, a fi plăcut la gust

taste bud ['teist ˌbʌd] *s anat* papilă gustativă

tasteful ['teistful] *adj* **1** cu gust bun, savuros, gustos, plăcut la gust **2** *fig* de bun-gust; elegant, șic

tastefully ['teistfuli] *adv* **1** gustos, cu gust, savuros **2** *fig* cu mult gust, cu bun-gust; șic

tastefulness ['teistfulnis] *s* **1** *v.* **taste I 2 2** bun-gust, eleganță, șic

tasteless ['teistlis] *adj* **1** insipid, fad, searbăd, fără nici un gust **2** *fig* anost, plicticos, nesărat, fără haz **3** lipsit de tact/diplomație **4** de prost-gust

tastelessness ['teistlisnis] *s* **1** caracter searbăd/insipid; lipsă de gust **2** *fig* lipsă de gust/ eleganță; prost-gust

taster ['teistəʳ] *s* **1** degustător *(de vinuri etc.)* **2** redactor/consilier/ recenzent/lector de editură

tastily ['teistili] *adv v.* **tastefully**

tastiness ['teistinis] *s v.* **tastefulness**

tasty ['teisti] *adj* **1** *v.* **tasteful I, 2 2** ← *P* grațios, elegant

tat¹ [tæt] **I** *vt* a înnoda, a lega **II** *s sl* zar (măsluit); **tit for ~** chit, dinte pentru dinte

tat² *s* **1** *v.* **tattiness 2** zdreanță; zdrențe **3** zdrențos, persoană zdrențăroasă/rufoasă

ta-ta [tæ'tɑ:] **I** *interj glumeț* pa (și pusi)! la re(vedere)! ciao! *(în limbajul copiilor)* tai-tai! **II** *s* **1** *(în limbajul copiilor)* plimbare **2** *sl* căţea, – mitralieră

tatami [tə'tɑ:mi] *s* **1** rogojină japoneză **2** unitate de măsură japoneză *(pentru suprafața camerelor)*

Tatar ['tɑ:təʳ] *s, adj v.* **Tartar**

Tatar Republic, the ['tɑ:tə ri'pʌblik, ðə] fosta RSS Tătară

Tate [teit], **Nahum** *dramaturg și poet englez (1657-1715)*

tater ['teitəʳ] *s P* barabulă, – cartof

tatler ['tætləʳ] *s v.* **tattler**

tatou [tæ'tu] *s zool* tatu gigantic *(Dasypus gigas)*

Tatra, the ['tɑ:trə, ðə] Munţii Tatra

tatter ['tætəʳ] *s* **1** tetal, negustor/ vânzător de haine vechi **2** *pl* zdrențe, bucăți (de stofă); **to tear to ~s** a zdrențui, a face bucăți **3** *pl* bulendre, boarfe, gioarse, zdrențe, cârpe **4** *pl F v.* **tatterdemalion**

tatterdemalion [ˌtætədi'meiljən] *s* cerșetor, calic, zdrențăros, coate-goale

tattered ['tætəd] *adj* zdrențăros, rupt, rufos

Tattersall (check) ['tætəsɔ:l (ˌtʃek)] *s text* tipar cadrilat, carouri *(pentru stofă ecosez)*

tattery ['tætəri] *adj v.* **tattered**

tatting ['tætiŋ] *s text* galon, dantelă lucrată cu suveica

tattle ['tætəl] **I** *s* trăncăneală, flecăreală, pălăvrăgeală **II** *vi* a flecări, a pălăvrăgi, a trăncăni, a vorbi vrute și nevrute

tattler ['tætləʳ] *s* **1** *v.* **telltale I 1, 2 2** bârfitor, clevetitor

tattle-tale ['tætəlˌteil] *s v.* **telltale I**

tattoo¹ [tæ'tu:] **I** *s* tatuaj; tatuare **II** *vt* **1** a tatua **2** *v.* **tarnish I 2**

tattoo² **I** *s* **1** semnal de stingere, stingerea; semnal al înserării/ amurgului; **to beat/to sound the ~** a suna stingerea; **to beat the devil's ~** *v.* **~ II 2 2** amurg, înserare **II** *vi* **1** *(d. inimă)* a bate, a zvâcni **2** a bate toba/darabana cu degetele **3** a bate din picioare *(de nerăbdare)*

tattoo³ *s anglo-indian* ponei

tattooer [tæ'tu:əʳ] *s* persoană care tatuează; (artist) specialist în tatuaje

tattooing [tæ'tu:iŋ] *s* tatuare; tatuaj

tattooist [tæ'tu:ist] *s v.* **tattooer**

tau [tɔ:] *s* litera T în alfabetul grecesc

tau cross ['tɔ: ˌkrɔs] *s* cruce asemănătoare cu litera T

taught [tɔ:t] *pret* și *ptc de la* **teach**

taunt¹ [tɔ:nt] **I** *vt* **1** a zeflemisi, a batjocori, a lua în derâdere; a lua peste picior/*F →* în balon **2** a tachina, a necăji **3** (**with**) a face *(cuiva)* reproșuri (pentru); **to ~ smb with smth** a reproșa cuiva un lucru (cu mult dispreț), a da cuiva peste nas pentru ceva **II** *s* **1** zeflemea, batjocură, sarcasm **2** tachinărie **3** reproș disprețuitor; ocară, injurie, afront **4** cal de bătaie, obiect al batjocurii/zeflemelii

taunt² *adj nav (d. catarg)* zvelt, foarte înalt

taunter ['tɔ:ntəʳ] *s* zeflemist, ironist

taunting ['tɔ:ntiŋ] **I** *s v.* **taunt¹ II 1, 2** **II** *adj* zeflemitor, ironic, sarcastic, batjocoritor

tauntingly ['tɔ:ntiŋli] *adv* batjocoritor, în zeflemea/batjocură, cu dispreț/sarcasm

taunt-masted ['tɔ:nt,mɑ:stid] *adj nav (d. vas)* cu catarge înalte

Taunus, the ['tɔ:nəs, ðə] Munţii Taunus

taupe [toup] *s* culoarea (gri) taupe; culoare de cârtiță; petit-gris

tauriform ['tɔ:ri,fɔ:m] *adj* **1** de forma unui taur **2** de forma coarnelor unui taur

taurine ['tɔ:rain] *adj* **1** taurin **2** bovin

tauromachian [ˌtɔ:rə'meikiən] *înv* **I** *adj* tauromahic, legat de coridă; referitor la coride/la luptele cu tauri **II** *s* toreador

tauromachy [tɔ:'rɔməki] *s înv* luptă cu tauri, tauromahie; coridă

Taurus [tɔ:rəs] *s* **1** *astr* Taurul (constelație și semn al zodiacului) **2** **the ~** Munţii Taurus *(în Turcia)*

taut [tɔ:t] *adj* **1** *(d. funie etc.)* încordat, întins, strâns **2** sclivisit, spilcuit; foarte îngrijit; pus la punct; **~ and trim** a *nav* în bună stare **b** *v.* **~ 2**

tauten ['tɔ:tən] **I** *vt* a întinde, a încorda, a strânge *(o funie etc.)* **II** *vi* a fi încordat/strâns/întins

tautly ['tɔ:tli] *adv* încordat, cu încordare/tensiune; în plină tensiune

tautness ['tɔ:tnis] *s* **1** încordare, întindere, tensiune **2** încordare/ tensiune nervoasă **3** zel, ardoare

tautog [tɔ:'tɔg] *s specie de* pește comestibil *din America (Tautoga onitis)*

tautologic [ˌtɔ:tə'lɔdʒik] *adj* tautologic

tautologically [ˌtɔ:tə'lɔdʒikəli] *adv* (în mod) tautologic

tautologize [tɔ:'tɔlə,dʒaiz] *vi* a se repeta, a comite o tautologie

tautology [tɔ:'tɔlədʒi] *s* tautologie, repetiţie

tautomer ['tɔ:təməʳ] *s ch* tautomer, compus organic cu structură recurentă/repetitivă

tautomeric [ˌtɔ:tə'merik] *adj ch (d. compus organic)* tautomeric, cu structură (moleculară) repetitivă/ recurentă

tautomerism [tɔ:'tɔmərizəm] *s ch* tautomerism, structură (moleculară) repetitivă/recurentă

tautophony [tɔ:'tɔfəni] *s lingv* tautofonie, repetiţie a aceluiași sunet

tavern ['tævən] *s* **1** cârciumă, tavernă **2** han, ospătărie

taverner ['tævənə⁽ʳ⁾] *s înv* cârciumar, proprietar de cârciumă/tavernă; hangiu

tavern haunter ['tævən ,hɔ:ntə⁽ʳ⁾] *s* client obișnuit al cârciumilor

tavern keeper ['tævən ,ki:pə⁽ʳ⁾] *s* **1** cârciumar **2** hangiu

T.A.V.R. *presc de la* **Territorial and Army Volunteer Reserve** rezerva de voluntari ai armatei teritoriale

taw[1] [tɔ:] *s* **1** (joc de) bile **2** linie de pe care se aruncă bilele *(la joc)*

taw[2] *vt* **1** a tăbăci (în vârtej) **2** a melița, a bate *(cânepa)*

tawdrily ['tɔ:drili] *adv* țipător, strident, bătător la ochi; vulgar

tawdriness ['tɔ:drinis] *s* **1** împopoțonare, lipsă de gust/eleganță **2** toaletă țipătoare/stridentă

tawdry ['tɔ:dri] *adj* împopoțonat; țipător, strident, bătător la ochi

tawed [tɔ:d] *adj industria pielii* argăsit/tăbăcit cu alaun/piatră acră

tawer ['tɔ:ə⁽ʳ⁾] *s* tăbăcar, argăsitor

tawery ['tɔ:əri] *s* tăbăcărie

tawniness ['tɔ:ninis] *s* **1** tăbăcire, argăsire **2** culoare de piele tăbăcită

tawny ['tɔ:ni] *adj* **1** maro-roșcat, roșietic, de culoarea pielii tăbăcite **2** *F școl* colosal, strașnic

taws(e) [tɔ:z] *s înv școl* ↓ *scoț* bici cu mai multe fâșii *(folosit pentru pedepsirea școlarilor)*

tax [tæks] **I** *s* **1** impozit, dare **2** taxă **3** tribut, contribuție **4** *fig* încordare, tensiune, sforțare; solicitare; exigență; **to be a great ~ on smb** a-i cere/a-i impune mari eforturi cuiva **II** *vt* **1** a impune *(la fisc)*, a impozita, a impoza, a taxa **2** *jur* a stabili *(daune, amenzi)* **3** *fig* a pune la încercare, a solicita, a încerca; a chinui **4** *amer ← F* a fixa prețul *(cu gen)*; **what will you ~ me?** cât îmi iei/ceri?

taxa ['tæksə] *pl de la* **taxon**

taxability [,tæksə'biliti] *s ec* impozabilitate, caracter impozabil

taxable ['tæksəbəl] **I** *adj* impozabil, supus impozitelor **II** *s* contribuabil

taxableness ['tæksəbəlnis] *s v.* **taxability**

taxably ['tæksəbli] *adv* (în mod) impozabil, în condiții de impunere/impozabilitate

taxation [tæk'seiʃən] *s* **1** fiscalizare, fiscalitate **2** impozit, dare **3** ← *înv* acuzație, învinuire, vină

tax carriage ['tæks ,kæridʒ] *s* ← *înv* trăsurică

tax collector ['tækskə'lektə⁽ʳ⁾] *s* perceptor; administrator *sau* inspector financiar

tax deductible ['tæks di'dʌktəbəl] *adj ec (d. cheltuială)* scutit de impozitul pe venit; care poate fi plătit înainte de scăderea impozitului pe venit

tax dodger ['tæks ,dɔdʒə⁽ʳ⁾] *s* evazionist fiscal

taxed cart ['tækst 'ka:t] *s v.* **tax carriage**

taxer ['tæksə⁽ʳ⁾] *s* agent fiscal

tax evasion ['tæksi'veiʒən] *s ec* evaziune fiscală

tax farmer ['tæks ,fa:mə⁽ʳ⁾] *s od* dregător care percepe impozitele

tax for ['tæks fə⁽ʳ⁾] *vt cu prep* a învinovăți/a învinui/a acuza de

tax-free ['tæks,fri:] *adj* scutit de impozit; neimpozabil

tax-gatherer ['tæks,gæðərə⁽ʳ⁾] *s înv v.* **tax collector**

tax haven ['tæks ,heivən] *s ec ← F* țară *sau* zonă în care impozitul pe venit este redus; „paradis financiar"

taxi ['tæksi] **I** *s* taxi(metru); mașină de piață **II** *vi* **1** a merge/a călători cu taxiul **2** *av* a rula/a merge pe sol; *(d. hidroavioane)* a merge pe apă

taxi-cab ['tæksi,kæb] *s v.* **taxi I**

taxi-dance hall ['tæksi,da:ns 'hɔ:l] *s amer* local de noapte *(cu dansatori de profesie)*

taxi dancer ['tæksi ,da:nsə⁽ʳ⁾] *s v.* **taxi girl**

taxidermal [,tæksi'də:məl] *adj* taxidermic/referitor la meșteșugul împăierii animalelor (cu un aer veridic/realist)

taxidermist ['tæksi,də:mist] *s* persoană care împăiază animalele (ca și cum ar fi vii)

taxidermy ['tæksi,də:mi] *s* împăiere a animalelor

taxi driver ['tæksi ,draivə⁽ʳ⁾] *s* șofer de taxi/piață

taxi girl ['tæksi ,gə:l] *s* ↓ *amer* dansatoare de profesie *(la bar)*, animatoare

taxiing ['tæksiiŋ] *s* **1** *auto* drum/mers cu taxiul; luare a unui taxi; cursă cu taxiul **2** *av* rulare pe pistă *(sau pe apă)* înainte de decolare *sau* la aterizare; tur de pistă

taximan ['tæksimən] *s v.* **taxi driver**

taximeter ['tæksi,mi:tə⁽ʳ⁾] *s* **1** *v.* **taxi I 2** taximetru, aparat de taxare

taxing ['tæksiŋ] *s* **1** impunere, impozitare **2** *av v.* **taxiing 2**

taxing district ['tæksiŋ ,distrikt] *s amer* circumscripție fiscală/financiară

taxing master ['tæksiŋ ,ma:stə⁽ʳ⁾] *s jur* verificator al cheltuielilor de judecată, expert care fixează cheltuielile de judecată

taxi-plane ['tæksi,plein] *s* avion taxi

taxi rank ['tæksi ,ræŋk] *s* stație de taxiuri

taxis ['tæksiz] *s* **1** *med* (în chirurgie) taxis, apăsare cu mâna pentru restabilirea unei luxații, hernii *etc.;* vindecare/reparare a unei luxații *sau* hernii prin presiune manuală **2** *ist Greciei* trupă; unitate militară *(de diferite proporții)* **3** *gram, ret* aranjament, dispunere, ordine; topică **4** *biol* mișcare a organismului într-o anumită direcție *(stimulată din exterior)*

taxi squad ['tæksi ,skwɔd] *s amer sport* rezerve, echipă secundă (la rugby american)

taxi stand ['tæksi ,stænd] *s amer v.* **taxi rank**

taxistrip ['tæksi,strip] *s av* pistă de rulare *(pentru decolare sau aterizare)*

taxi up ['tæksi ʌp] *interj mil sl* la mine! vino-ncoace! la raport!

taxiway ['tæksi,wei] *s av* pistă (de rulare)

taxless ['tækslis] *adj v.* **tax-free**

taxology [tæk'sɔlədʒi] *s v.* **taxonomy**

taxon ['tæksɔn] *pl și* **taxa** ['tæksə] *s biol* taxon, unitate sistematică, element de clasificare; grup taxonomic; gen *sau* specie

taxon *presc de la* **1 taxonomic 2 taxonomy**

taxonomic(al) [,tæksə'nɔmikəl] *adj* taxonomic, cu caracter de/relativ la clasificare

taxonomy [tæk'sɔnəmi] *s* taxonomie, știința clasificării

taxpayer ['tæks,peiə⁽ʳ⁾] *s ec* contribuabil

tax return ['tæks ri'tə:n] *s ec* declarație de venituri/impunere

tax with ['tæks wið] *vt cu prep v.* **tax for**

tax year ['tæks,jə:'] *s ec* an fiscal/financiar *(începe la 1 sau 6 aprilie în Marea Britanie și la 1 ianuarie sau 1 iulie în S.U.A.)*

taxying ['tæksiiŋ] *s v.* **taxiing**

Tay, the ['tei, ðə] *râu în Scoția*

Taylor ['teilə'], **Jeremy** *scriitor englez (1617-1667)*

tazza ['tætsə] *s it* fructieră, cupă ornamentată pentru fructe

TB *presc de la* **1** tubercle bacillus **2** *F* tuberculosis **3** *mil* torpedo boat

tb *presc de la* **terbium**

Tbilisi [dbi'li:si] *v.* **Tiflis**

T-bone ['ti:,boun] *s gastr* (mușchi cu) os terminal *(la vacă)*

tbs(p) *presc de la* **table-spoon(ful)**

Tc *presc de la* **technetium**

tc *presc de la* **tierce**

T.C.D. *presc de la* **Trinity College, Dublin**

Tchad [tʃæd] *stat în Africa* Ciad

Tchaikovsky [tʃai'kɔfski], **Piotr Ilytch** *compozitor rus (1840-1893)*

tchick [tʃik] **I** *s onomatopee* **1** hii! dii! *(îndemn pentru cai)* **2** ha! *(expresie a surprinderii sau disprețului)*; ei! **3** plescăit **II** *vi* a plescăi **III** *interj (de surprindere sau dispreț)* ha! ei (asta-i bună)!

tchr *presc de la* **teacher**

TD *presc de la* **1** tank destroyer **2** touch down

T.D. *presc de la* **1** *irlandez* **Teachta Dala** deputat, membru al parlamentului irlandez **2** **Territorial (Officer's) Decoration** decorație pentru (ofițerii din) armata teritorială

Te *presc de la* **tellurium**

tea [ti:] **I** *s* **1** *bot* ceai *(Camellia sinensis)* **2** ceai *(băutură)* **3** fiertură, infuzie, tizană; zeamă *(de carne etc.)* **II** *vi* a bea ceai **III** *vt* a trata cu ceai

tea and sympathy ['ti: ənd 'simpəθi] *s F* caritate, filantropie, operă de binefacere; opere caritabile; atitudine binevoitoare față de cei nefericiți; alinare a suferințelor

tea ball ['ti: ,bɔ:l] *s* strecurătoare de ceai *(în formă de ou)*

tea bell ['ti: ,bel] *s* clopoțel care cheamă familia la ceai (după-amiaza)

tea bibber ['ti: ,bibə'] *s umor* băutor inveterat de ceai, maniac al ceaiului

tea biscuit ['ti: ,biskit] *s* biscuit *sau* prăjiturică pentru ceai

tea board ['ti: ,bɔ:d] *s* tavă de servit ceai

tea caddy ['ti: ,kædi] *s* cutie de ceai

tea cake ['ti: ,keik] *s* prăjitură pentru ceai, brioșă *(cu unt)*

tea ceremony ['ti: ,seriməni] *s* ritualul/ceremonia (sevirii și băutului) ceaiului *(în Japonia)*

teach [ti:tʃ], *pret și ptc* **taught** [tɔ:t] **I** *vt* **1** a preda *(carte/învățătură)*; a învăța *(pe alții)*, a instrui; a da lecții *(cu dat)*; **to ~ smb mathematics** a învăța pe cineva matematică, a da cuiva lecții de matematică **2** a deprinde, a învăța (cu); a face să înțeleagă/deprindă; **to ~ smb manners a** a face pe cineva să fie politicos, a face educație cuiva **b** a pune pe cineva la locul lui **3** *fig* a da o lecție *(cu dat)*; **to ~ smb a lesson** a învăța pe cineva minte, a-i arăta cuiva **4** a dezvăța, a dezobișnui *(de un lucru)* **II** *vt* **1** a preda, a fi profesor; a da lecții; a exercita profesia didactică **2** a fi instructiv, a fi învățătură (de minte); **nothing ~es like experience** experiența e cel mai bun învățător/dascăl

teachable ['ti:tʃəbəl] *adj* **1** capabil/dotat pentru învățătură, apt/capabil să învețe **2** docil, ascultător; care poate fi învățat

teachableness ['ti:tʃəbəlnis] *s* **1** înclinație spre învățătură **2** docilitate, cumințenie

teacher ['ti:tʃə'] *s* **1** profesor de liceu; învățător, institutor **2** *fig* dascăl, învățător, pedagog **3** predicator, propovăduitor

teachers' college ['ti:tʃəz,kɔlidʒ] *s amer v.* **teacher training college**

teachership ['ti:tʃəʃip] *s* profesorat; funcție *sau* titlu de profesor

teacher training college ['ti:tʃə ,treiniŋ 'kɔlidʒ] *s* institut pedagogic; școală pedagogică/normală (superioară)

tea chest ['ti: ,tʃest] *s* cutie pentru exportul ceaiului *(din lemn, căptușită cu plumb sau aluminiu)*

teach-in ['ti:tʃ,in] *s amer univ* conferință urmată de discuții/dezbateri

teaching ['ti:tʃiŋ] *s* **1** predare, învățământ; învățare; expunere **2** învățătură, doctrină

teaching hospital ['ti:tʃiŋ ,hɔspitəl] *s med* spital clinic *(folosit pentru practica studenților)*

teaching line ['ti:tʃiŋ ,lain] *s școl, univ* materie, specialitate, disciplină *(pe care o predă un profesor)*

teaching-machine ['ti:tʃiŋ mə'ʃi:n] *s tehn școl* automat/robot/dispozitiv/mașină pentru predare

teaching staff, the ['ti:tʃiŋ ,sta:f, ðə] *s* corpul didactic

tea cloth ['ti: ,klɔθ] *s* **1** față de masă *sau* șervețel pentru servit ceaiul **2** cârpă de pahare

tea cosy ['ti: ,kouzi] *s* învelitoare, acoperitoare *(de pânză vătuită)* pentru ceainic

teacup ['ti:,kʌp] *s* ceașcă de ceai

teacupful ['ti:,kʌpful] *s* (cantitate de lichid care încape într-o) ceașcă de ceai

tea dance ['ti: ,da:ns] *s amer* ceai (dansant), petrecere, dans, party

tea dealer ['ti: ,di:lə'] *s* negustor de ceai

tea dinner ['ti: ,dinə'] *s* cină servită devreme *(pe la ora 18)*; ceai însoțit de o gustare consistentă

tea drinker ['ti: ,driŋkə'] *s* băutor/consumator/amator de ceai

tea equipage ['ti: 'ekwipidʒ] *s* serviciu de ceai

tea fight ['ti: ,fait] *s F v.* **tea party**

tea-garden ['ti:,ga:dən] *s* **1** grădină/local în aer liber unde se servește ceai și alte gustări; ceainărie în aer liber **2** *agr* plantație de ceai

tea gown ['ti: ,gaun] *s* rochie de casă

tea grower ['ti: ,grouə'] *s* plantator/cultivator de ceai

Teague [ti:g] *s peior* irlandez

tea house ['ti: ,haus] *s* ceainărie

teak [ti:k] *s bot* tek *(Tectona grandis)*

tea kettle ['ti: ,ketl] *s* ceainic

teal [ti:l] *s orn* lișiță *(Anas crecca)*

tea leaf ['ti: ,li:f] *s* **1** *bot* frunză de ceai **2** *pl* (infuzie de) ceai slab

team [ti:m] **I** *s* **1** atelaj *(de vite)*, (pereche de) vite înhămate/înjugate **2** *sport* echipă **3** brigadă, echipă *(de muncitori etc.)* **4** stol de rațe sălbatice **II** *vt* a înjuga, a înhăma

tea merchant ['ti: ˌmə:tʃənt] *s v.* **tea dealer**

team game ['ti:m ˌgeim] *s sport* joc colectiv/de echipă

teaming ['ti:miŋ] *s* 1 lucrare angajată de un antreprenor 2 circulație hipo(mobilă)

team mate ['ti:m ˌmeit] *s* coleg de echipă

team spirit ['ti:m ˌspirit] *s sport* și *fig* spirit colectiv/de echipă

teamster ['ti:mstər] *s* 1 cărutaș; conducător de atelaj 2 *amer* șofer de camion

team up with ['ti:m ˌʌp wið] *vi cu part adv* și *prep* a se alia/a se uni/a se înhăita cu

teamwise ['ti:m ˌwaiz] *adj* (*d. cai*) înhămați/atelați la un loc

team work ['ti:m ˌwə:k] *s* 1 lucru în colectiv, muncă în echipă 2 cooperare, conlucrare, colaborare; eforturi comune

tea oil ['ti: ˌɔil] *s* ulei comestibil din semințe de *Camellia oleifera*

tea party ['ti: ˌpa:ti] *s* 1 ceai, petrecere, serată 2 musafiri, societate (*la o petrecere*)

tea planter ['ti: ˌpla:ntər] *s agr* cultivator de ceai; plantator de ceai; proprietar al unei plantații de ceai

tea pot ['ti: ˌpɔt] *s* ceainic; **it is a tempest in a ~** e o furtună într-un pahar cu apă; **to stand ~ fashion** a sta cu mâinile în șolduri

teapoy ['ti:pɔi] *s* măsuță/gheridon (*cu 3 sau 4 picioare*) pentru (servit) ceai

tear¹ [tɛər] **I** *pret* **tore** [tɔ:ʳ], *ptc* **torn** [tɔ:n] *vt* 1 a sfâșia, a rupe (*haine, pânză etc.*); **to ~ to pieces** a rupe/a sfâșia în bucăți, a face bucăți/praf; **to ~ smb's character to rags/shreds** a face praf/de două parale pe cineva 2 *fig* a distruge, a strica, a face praf; **that's torn it!** na-ți-o frântă că ți-am dres-o! s-a dus naibii! 3 *fig* a dezbina, a despărți; a împărți în două (tabere); **the country was torn by civil war** un război civil dezbina țara; **he is torn (between conflicting feelings)** e cu inima îndoită, în sinea/sufletul/inima lui se dă o luptă; **to be torn with remorse** a fi chinuit de remușcări 4 a smulge,

a rupe; a lua cu de-a sila; **to ~ one's hair** a-și smulge părul din cap; **to ~ each other's hair** a se lua de păr; **to ~ a child from its mother** a smulge un copil de la sânul mamei; **to ~ a confession from smb** a smulge cuiva o mărturisire, a sili pe cineva să mărturisească 5 *sport* a întinde, a rupe (*o fibră musculară*); **to ~ a muscle** a face o întindere musculară; a clăca **II** (*v.* **I**) *vi* 1 a se rupe (de uzură), a se destrăma; a se uza (repede); **it ~s easily** nu e deloc rezistent, se rupe/se roade/se uzează ușor/repede 2 (**at**) a trage, a apuca (de) **III** *s* 1 uzură, roadere, uzare; rupere; ruptură, tăietură, deșirare; defect (*la o stofă etc.*) 3 *fig* furie, agitație; **to be in a ~** a fi furios la culme, a tuna și a fulgera **b** a fi agitat, a nu avea astâmpăr, a nu-și găsi locul 4 *fig* elan; avânt, șvung, viteză; **to go full ~** a merge în plină viteză; a-i da bice

tear² [tiə] **I** *s* 1 lacrimă 2 *fig* (picătură) de rouă 3 *pl fig* mâhnire, amărăciune, supărare **II** *vi* 1 a lăcrima, a plânge cu lacrimi 2 a se înlăcrima, a se umple de lacrimi **III** *vt* a înlăcrima, a umple de lacrimi

tearable ['tɛərəbəl] *adj* deșirabil, care se rupe ușor

tear about ['tɛər ə'baut] *vi cu part adv* a fugi, a se răspândi ca potârnichile în toate părțile

tear along ['tɛərə'lɔŋ] *vi cu part adv* 1 (*d. oameni*) a fugi mâncând pământul, a o ține tot într-o goană 2 (*d. vehicule*) a goni/a alerga în plină viteză

tear at ['tɛər ət] *vi cu prep* a trage de, a rupe, a sfâșia *cu ac*

tear away ['tɛərə'wei] **I** *vt cu part adv* a smulge, a lua, a îndepărta cu de-a sila **II** *vi cu part adv v.* **tear along 1**

tear back ['tɛə 'bæk] *vi cu part adv* a se întoarce într-un suflet/într-o goană/fugă

tear bomb ['tiə ˌbɔm] *s* bombă/grenadă lacrimogenă/cu gaze lacrimogene

tear down ['tɛə 'daun] **I** *vt cu part adv* a da jos, a smulge, a scoate, a rupe (*de pe perete etc.*) **II** *vi cu prep* a alerga/a trece în goană pe (*o stradă etc.*)

tear drop ['tiə ˌdrɔp] *s* lacrimă

tear duct ['tiə ˌdʌkt] *s anat* canal lacrimal

tearer ['tɛərər] *s* 1 persoană care rupe/smulge/sfâșie 2 *amer ← F* vânt năpraznic

tear-falling ['tiə ˌfɔ:liŋ] *adj* simțitor, sensibil; care varsă lacrimi

tear-filled ['tiə ˌfild] *adj* (*d. ochi*) înlăcrimat, plin de lacrimi

tearful ['tiəful] *adj* 1 *v.* **tear-filled** 2 plângăreț, înlăcrimat; plâns 3 trist, înduioșător

tearfully ['tiəfuli] *adv* înlăcrimat; cu lacrimi în ochi; cu glasul tremurând de emoție

tearfulness ['tiəfulnis] *s* 1 înlăcrimare, plâns(et), lacrimi; tristețe/mâhnire copleșitoare 2 caracter plângăreț, lamentare, lamentație 3 înduioșare, întristare

tear gas ['tiə ˌgæs] *s* gaz lacrimogen

tear in ['tɛər 'in] *vi cu part adv* a intra ca o furtună (*pe ușă*)

tearing ['tɛəriŋ] **I** *s* 1 sfâșiere, rupere 2 smulgere, îndepărtare **II** *adj* 1 *v.* **tearable** 2 istovitor, epuizant; chinuitor 3 puternic, extrem, culminant; **to be in a ~ fashion** a fi turbat/furios la culme; **she goes ~ fine** se îmbracă foarte bine/elegant 4 *F* scos din pepeni 5 (*d. glas*) strident, ascuțit 6 imoral, stricat

tearing lass ['tɛəriŋ ˌlæs] *s* fată destrăbălată, stricată

tearing voice ['tɛəriŋ ˌvɔis] *s* voce stridentă

tear into ['tɛər ˌintə] *vi cu prep* a intra ca o furtună în (*cameră etc.*)

tear-jerker ['tiə ˌdʒə:kəʳ] *s peior* lucrare (literară *etc.*) siropoasă/sentimentală

tearless ['tiəlis] *adj* 1 fără lacrimi 2 nesimțitor, insensibil

tearlessly ['tiəlisli] *adv* fără lacrimi, fără să plângă/să verse o lacrimă; calm, senin; nesimțitor, insensibil, rece

tear-off ['tɛər ˌɔ:f] **I** *adj* (*d. pagină etc.*) detașabil; perforat

tear off ['tɛər 'ɔ:f] **I** *vt cu part adv* a smulge **II** *vi cu part adv* a porni în goana cea mai mare

tear-off calendar ['tɛər ˌɔ:f 'kælindəʳ] *s* calendar cu pagini detașabile

tear oneself away ['tɛər wʌn ˌself ə'wei] *vr cu part adv* a se smulge dintr-un loc; a se da dus

tea room ['ti: ˌru:m] *s* 1 ceainărie 2 cofetărie

tear open ['tɛər 'oupən] *vt cu part adv* a rupe, a desface, a deschide *(o scrisoare etc.)*

tea rose ['ti: ˌrouz] *s bot* varietate *de* trandafir chinezesc cu parfum asemănător ceaiului

tear out ['tɛər 'aut] I *vt cu part adv* 1 a detașa, a rupe, a smulge *(o foaie etc.)* 2 a sustrage, a fura, a smulge 3 a scoate *(ochii etc.)* II *vi cu part adv* a ieși ca o furtună *(pe ușă)*

tear proof ['tɛə ˌpru:f] *adj* indeșirabil; rezistent la uzură

tear-shaped ['tiə ˌʃeipt] *adj* în formă de lacrimă

tear-sheet ['tɛə ˌʃi:t] *s* pagină/foaie/ filă ruptă dintr-o revistă, carte *etc.*

tear shell ['tiə ˌʃel] *s mil* proiectil cu gaze lacrimogene

tear stained ['tiə ˌsteind] *adj* udat/ stropit cu lacrimi

tear through ['tɛə θru:] *vi cu prep* a goni prin; a vizita în fugă

tear-up ['tɛər ˌʌp] *s* 1 smulgere (violentă) 2 dezrădăcinare

tear up ['tɛər 'ʌp] *vt cu part adv* 1 a rupe în bucăți, a face bucăți 2 a smulge din rădăcini, a dezrădăcina 3 a scoate *(pavajul);* a întoarce pe dos

teary ['tiəri] *adj v.* **tearful**

tea saucer ['ti: ˌsɔ:sər] *s* farfurioară *(pt ceașca de ceai)*

Teasdale ['ti:zdeil], **Sara** *poetesă americană (1881-1933)*

tease [ti:z] I *vt* 1 a pieptăna, a dărăci; a melița 2 a scămoșa, a scărmăna 3 a tapa *(părul)* 4 a tachina, a necăji 5 a sâcâi, a hărțui, a tracasa, a plictisi II *s* 1 pesoană care tachinează/necăjește; persoană care sâcâie/ hărțuiește 2 femeie căreia-i place să ațâțe bărbații, vampă

teasel ['ti:zəl] I *s* 1 *bot* scaiete, scai voinicesc *(Dipsacus)* 2 darac, mașină de dărăcit II *vt text* a dărăci, a pieptăna; a lânoși

teasel(l)er ['ti:zələr] *s* dărăcitor, lucrător la darac; meșteșugar care dărăcește lâna

teasel frame ['ti:zəl ˌfreim] *s* ramă de darac

teaser ['ti:zər] *s* 1 *v.* **tease** II, 1, 2 2 ← *F* problemă/chestiune dificilă/ spinoasă 3 reclamă, anunț publicitar

tea service/set ['ti: ˌsə:vis/ˌset] *s* serviciu de ceai

tea shop ['ti: ˌʃɔp] *s* 1 *v.* **tea room** 2 magazin pentru ceai

tea spoon ['ti: ˌspu:n] *s* linguriță de ceai/cafea

teaspoonful ['ti:ˌspu:nful] *s* (cantitate care încape într-o) linguriță de ceai/cafea

tea strainer ['ti: ˌstreinər] *s* strecurătoare *(pt ceai)*

teat [ti:t] *s* 1 sfârc (al sânului), *S →* mamelon 2 *tehn* fus, cep; bosaj, pivot

tea table ['ti: ˌteibl] *s* măsuță pentru ceai

tea taster ['ti: ˌteistər] *s* degustător de ceai

tea things ['ti: ˌθiŋz] *s pl v.* **tea service**

tea time ['ti: ˌtaim] *s* ora ceaiului

tea towel ['ti: ˌtauəl] *s* cârpă (curată) pentru (uscat) vesela/porțelanurile

tea tray ['ti: ˌtrei] *s* tavă pentru (servit) ceai

tea tree ['ti: ˌtri:] *s* australian *bot* arbore ale cărui frunze folosesc ca înlocuitor pentru ceai *(Leptospermum sp.)*

tea trolley ['ti: ˌtrɔli] *s* măsuță/ servantă pe rotile *(pt servit ceaiul)*

teaty ['ti:ti] *s v.* **teat** 1

tea urn ['ti: ˌə:n] *s* samovar

tea wafer ['ti: ˌweifər] *s v.* **tea biscuit**

tea wag(g)on ['ti: ˌwægən] *s v.* **tea trolley**

teazel ['ti:zəl] *s v.* **teasel**

teazle ['ti:zəl] *s v.* **teasel**

tec [tek] *s* 1 *sl* copoi, polițai, detectiv 2 roman polițist, carte polițistă

tec. *presc de la* **technical**

Tec(h) [tek] *s* ← *F* colegiu/institut tehnic; școală tehnică superioară

tech. *presc de la* 1 **technical** 2 **technically** 3 **technician** 4 **technological** 5 **technology**

techily ['tetʃili] *adv* cu țâfnă, țâfnos, morăcănos, ursuz

techiness ['tetʃinis] *s* țâfnă, iritare, supărare

technetium [tek'ni:ʃəm] *s ch* tehnețiu

technetronic [ˌtekni'trɔnik] *adj (d. societate)* influențat de tehnica modernă, tehnetronic

technic ['teknik] *adj v.* **technical** I

technical ['teknikəl] I *adj* 1 tehnic 2 formal II *s pl* 1 terminologie tehnică 2 detalii/amănunte tehnice

technicality [ˌtekni'kæliti] *s* 1 parte/ latură tehnică *(a unei probleme)* 2 *pl* detalii, amănunte, chestiuni mărunte/de amănunt 3 tehnicitate 4 *pl* terminologie/tehnică specială

technical knock-out ['teknikəl 'nɔkˌaut] *s sport* knock-out/ nocaut tehnic

technically ['teknikəli] *adv* (din punct de vedere) tehnic

technicalness ['teknikəlnis] *s* 1 tehnicitate, caracter tehnic 2 (înaltă) specializare, înaltă calificare 3 tehnicizare

technician [tek'niʃən] *s* tehnician

technicolor ['tekniˌkʌlər] *s, adj cin* tehnicolor

technics ['tekniks] *s pl* 1 *v.* **technique** 2 *ca sg* tehnică, științe tehnice

technique [tek'ni:k] *s* tehnică, tehnologie, metode/procedee tehnice

technism ['teknizəm] *s v.* **technicality** 1

technocracy [tek'nɔkrəsi] *s* tehnocrație

technocrat ['teknəˌkræt] *s* tehnocrat, adept al puterii tehnicii în societatea modernă

technocratic [ˌteknə'krætik] *adj* tehnocratic, referitor la puterea/ influența tehnicii în societatea modernă

technol. *presc de la* 1 **technological** 2 **technology**

technological [ˌteknə'lɔdʒikəl] *adj* tehnologic, tehnic

technologist [tek'nɔlədʒist] *s* tehnolog, tehnician de înaltă calificare, specialist în tehnică

technology [tek'nɔlədʒi] *s* 1 tehnică, științe tehnice/aplicate 2 tehnologie

techy ['tetʃi] *adj* 1 supărăcios, țâfnos, dificil, iritabil 2 năravaș; dificil 3 *fig (d. o problemă etc.)* delicat, dificil, spinos, anevoios

tectiform ['tektiˌfɔ:m] *adj* în formă de acoperiș

tectonic [tek'tɔnik] *adj* 1 *geol* tectonic 2 arhitectonic, de construcție

tectonically [tek'tɔnikəli] *adv geol, arhit* din punct de vedere tectonic

tectonics [tek'toniks] *s pl ca sg* **1** *geol* tectonică **2** știința construcțiilor

tectorial [tek'tɔ:riəl] *adj* acoperitor, învelitor; care învelește *sau* acoperă

tectorial membrane [tek'tɔ:riəl ,membrein] *s anat* membrană tectorială/de protecție *(a urechii interne)*

tectrices ['tektri,si:z] *s pl de la* **tectrix**

tectrix ['tektriks], *pl* **tectrices** ['tektri,si:z] *s orn* partea exterioară a penajului, pană exterioară

Tecumseh [ti'kʌmsə] *conducător al Pieilor Roșii (1768-1813)*

Ted [ted] **1** *v.* **Teddy 2** *v.* **Teddy boy**

ted [ted] *vt* a întoarce, a afâna *(fânul)*

tedder ['tedə'] *s agr* mașină de întors fânul

Teddy ['tedi] *nume masc* **1** *dim de la* **Theodore 2** *dim de la* **Edward**

Teddy bear ['tedi ,bɛə'] *s* ursuleț *(jucărie)*

Teddy boy ['tedi ,bɔi] *s* haidamac, huligan, bătăuș

Te Deum [,ti:'di:əm] *s rel* tedeum, imn de slavă

tedious ['ti:diəs] *adj* **1** plictisitor, anost, plicticos **2** obositor, supărător, incomod **3** încet; dificil; care ia mult timp

tediously ['ti:diəsli] *adv* (în mod) plictisitor/obositor

tediousness ['ti:diəsnis] *s* **1** plicticseală, caracter plicticos/plictisitor **2** încetineală obositoare, tărăgănare, zăbavă, tărăgăneală **3** oboseală, plictiseală

tedium ['ti:diəm] *s v.* **tediousness**

tee¹ [ti:] **I** *s* **1** litera T; **to a ~** exact, precis **2** obiect în formă de T **II** *adj tehn* în formă de T

tee² *sport* **I** *s* țintă, semn pentru minge *(la golf)* **II** *vt* a așeza *(mingea)* pentru prima lovitură **2** a da *(mingii)* prima lovitură

tee³ *s arhit* asiatică ornamentație (↓ *poleită)* în formă de umbrelă *(în vârful unei pagode)*

teehee [ti:'hi:] *interj, vi, s v.* **tehee**

teel [ti:l] *s anglo-indian bot* susan *(Sesamum indicum)*

teem¹ [ti:m] **I** *vi* **1** a mișuna, a furnica, a foi **2** *zool* a fi în gestație **3** a fi roditor/fertil **II** *vt* a da naștere la, a genera

teem² *vt tehn* a turna *(metalul)*

teeming ['ti:miŋ] *adj* **1** supraaglomerat, întesat **2** bogat, fecund, fertil **3** *(d. ploaie)* torențial

teemless ['ti:mlis] *adj* sărac

teem with ['ti:m wið] *vi cu prep* a abunda în; a fi plin de

teen age ['ti:n ,eidʒ] *s* adolescență; vârsta adolescenței

teen-ager ['ti:n,eidʒə'] *s* **1** adolescent, tinerel, băiețandru **2** adolescentă, tinerică, fetișcană

teener ['ti:nə'] *s F v.* **teen-ager**

teens [ti:nz] *s pl* adolescență, vârstă cuprinsă între 13 și 19 ani; **to be still in one's ~** a fi încă adolescent, a nu avea încă 20 de ani

teensy(-weensy) ['ti:nzi ('wi:nzi)] *adj v.* **teeny I**

teeny ['ti:ni] **I** *adj F* micuț, mititel(uț) **II** *s v.* **teen-ager**

teeny-bopper ['ti:ni,bɔpə'] *s F* fetișcană modernă (ca îmbrăcăminte, pasionată după muzică pop)

teeny-weeny ['ti:ni'wi:ni] *adj v.* **teeny I**

teeter ['ti:tə'] *amer ← F* **I** *vi* a se legăna, a se bălăngăni; a se balansa, a se da huța **II** *vt* a legăna, a da huța **III** *s* scrânciob, leagăn

teeth [ti:θ] **I** *s pl de la* **tooth II** *vi v.* **teethe**

teeth cutting ['ti:θ,kʌtiŋ] *s v.* **teething**

teethe [ti:ð] *vi* **1** *(d. dinți)* a ieși, a crește, a da **2** *(d. copil)* a-i crește/a-i ieși dinții **3** *fig* a începe; a se schița, a se profila

teething ['ti:ðiŋ] *s* creștere/ieșire a primilor dinți; prima dentiție, perioada când îi ies copilului dinții

teething-ring ['ti:ðiŋ,riŋ] *s med* inel dat sugarului să-l sugă când îi ies dinții

teething troubles ['ti:ðiŋ,trʌblz] *s pl med* dureri ale sugarului, în perioada primei dentiții/când îi ies dinții

teeth ridge ['ti:θ ,ridʒ] *s anat* creastă alveolară, alveole

teetotaciously [,ti:tou'teiʃəsli] *adv amer F* cu totul, pe de-a întregul

teetotal [ti:'toutəl] *adj* **1** abstinent (de la băutură), cumpătat, antialcoolic **2** *(d. băutură)* nealcoolic, fără alcool **3** ← *F* complet, absolut, total

teetotal(l)er [ti:'toutələ'] *s* **1** antialcoolic, abstinent (de la băutură), persoană cumpătată **2** membru al unei ligi antialcoolice

teetotal(l)ism [ti:'toutəlizəm] *s* temperanță, cumpătare, abstinență (de la băutură)

teetotum [ti:'toutəm] **I** *s* titirez **II** *vi* ← *înv* a se învârti (ca titirezul)

teff [tef] *s bot* cereală africană *(Eragrostis abysinica)*

TEFL *presc de la* **Teaching English as a foreign language**

tegmen ['tegmən], *pl* **tegmina** ['tegmənə] *s biol* tegument

tegmina ['tegmənə] *pl de la* **tegmen**

Tegucigalpa [tə,gjusə'gælpə] *capitala Hondurasului*

tegular ['tegjulə'] *adj* în formă de olane/țigle

tegulated ['tegjuleitid] *adj* compus din plăci în formă de țigle *sau* solzi

tegument ['tegjumənt] *s* **1** tegument, înveliș, piele, coajă **2** *ent* crustă; elitră

tehee [ti:'hi:] **I** *interj* hi-hi-hi! **II** *vi* a chicoti **III** *s* chicotit, chicot (înăbușit)

Teheran [,teiə'ra:n] *amer și* **Tehran** [te'hra:n] Teheran *capitala Iranului*

teil [ti:l] *s bot* tei *(Tilia sp.)*

teind [ti:nd] *s scot* **1** zeciuială, dijmă **2** proprietăți laice supuse zeciuielii pentru beneficiul bisericii

teknonymous [tek'nɔniməs] *adj (d. părinte)* denumit după copil *(în antropologie)*

teknonymy [tek'nɔnimi] *s (în antropologie)* practica denumirii părinților după progenitură

tektite ['tektait] *s geol* tectit, mineral sticlos (de origine necunoscută)

tel *presc de la* **1 telegram 2 telegraph 3 telephone**

telaesthesia [,teli:s'θi:ziə] *s psih* percepție ultrasenzorială a unor obiecte *sau* întâmplări îndepărtate

telamon ['teləmən] *s arhit* cariatidă (masculină), coloană în formă de bărbat

telar ['telə'] *adj* ca pânza de păianjen

telautogram [tel'ɔ:tə,græm] *s* **1** fototelegramă, telefoto **2** transmitere la distanță a desenelor, scrisorilor *etc.*

telautograph [tel'ɔ:tə,græf] *s* fototelegraf, aparat telefoto

Tel Aviv ['telə'vi:v] *oraş în Israel*

tele *pref* tele-: **telegram** telegramă

telecamera [,telə'kæmərə] *s* **1** cameră de televiziune **2** aparat/cameră pentru telefotografie; fototelegraf

telecast ['telə,ka:st] *vt* a televiza, a transmite la televizor

telecine ['teli'sini] *s* **1** telecinema, emisiuni cinematografice la televiziune

telecommunication [,telikə,mju:ni-'keiʃən] *s* telecomunicaţii

telefacsimile [,telifæk'simili] *s tel* transmitere prin telefon a materialelor grafice

teleferic [,telə'ferik] *s* teleferic

telefilm [,teli'film] *s* telefilm, film pentru televiziune

teleg. *presc de la* **telegraphy**

telegenic [,teli'dʒenik] *adj* telegenic

telegonic [,teli'gɔnik] *adj biol* telegonic, datorat unei descendenţe ancestrale (presupuse)

telegony [ti'legəni] *s biol* influenţă ancestrală (presupusă)

telegram ['telə,græm] *s* telegramă

telegrammic [,telə'græmik] *adj* lapidar, concis, telegrafic

telegraph ['teli,græf] **I** *s* **1** telegraf **2** semafor **3** *sport v.* **telegraph board II** *vi* a telegrafia **III** *vt* a telegrafia, a transmite prin telegraf

telegraph board ['teli,græf 'bɔ:d] *s sport* tabelă de marcaj; tabelă de participanţi la o cursă; tabelă de afişaj

telegrapher [tə'legrəfəʳ] *s* **1** persoană care trimite o telegramă **2** *amer v.* **telegraphist**

telegraphese [,teligra:'fi:z] *s* stil telegrafic/lapidar

telegraphic [,teli'græfik] *adj* telegrafic

telegraphist [tə'legrəfist] *s* telegrafist

telegraph key ['teli,græf ,ki:] *s tel* întrerupător; transmiţător

telegraph line ['teli,græf ,lain] *s tel* fir de telegraf; linie telegrafică

telegraph money order ['teli,græf 'mʌni ,ɔ:dəʳ] *s* mandat telegrafic

telegraph operator ['teli,græf 'ɔpəreitəʳ] *s v.* **telegraphist**

telegraph plant ['teli,græf ,pla:nt] *s bot* telegraf *(Desmodium gyrans)*

telegraph pole/post ['teli,græf ,poul/,poust] *s* stâlp de telegraf

telegraphy [ti'legrəfi] *s* **1** telegrafie **2** telegrafiere

telekinesis [,telikai'ni:sis] *s* telekineză, mişcare produsă prin spiritism

telelecture [,teli'lektʃəʳ] *s* **1** *tel* amplificator/difuzor la telefon **2** teleconferinţă

telelens [,teli'lenz] *s pl fot* teleobiectiv

Telemachus [ti'leməkəs] *lit* Telemac

Telemark ['teli,ma:k] *regiune în Norvegia*

telemechanics [,telimi'kæniks] *s pl ca sg* telemecanică

telemeter ['teləmitəʳ] *s* telemetru

telemetry [ti'lemətri] *s* telemetrie

teleological [,teliə'lɔdʒikəl] *adj* teleologic

teleology [,teli'ɔlədʒi] *s* teleologie

teleorganic [,teliɔ:'gænik] *adj biol* esenţial pentru viaţa organismelor vii

teleosaurus [,teliɔ'sɔ:rəs] *s zool* teleozaur *(în paleontologie)*

telepath [,teli'pa:θ] **I** *s* persoană predispusă la telepatie; mediu telepatic **II** *vi* a practica telepatia, a fi bun pentru/predispus la telepatie

telepathy [ti'lepəθi] *s* telepatie

telephone ['teli,foun] **I** *s* telefon; **over the ~** prin telefon, telefonic; **on the ~ a** care are telefon, care e (trecut) în cartea de telefon **b** prin telefon **c** în timp ce vorbeşte la telefon **II** *vi* a telefona, a da un telefon **III** *vt* a telefona, a spune la telefon

telephone book ['teli,foun ,buk] *s* carte de telefon

telephone booth/box ['telifoun ,bu:θ/,bɔks] *s* cabină telefonică

telephone call ['telifoun ,kɔ:l] *s tel* convorbire telefonică

telephone directory ['telifoun dai'rektəri] *s* carte de telefon

telephone exchange ['teli,foun iks'tʃeindʒ] *s tel* centrală telefonică

telephone exchange operator ['teli,foun iks'tʃeindʒ 'ɔpəreitəʳ] *s* telefonist(ă) *(la o centrală telefonică)*

telephone girl ['telifoun ,gə:l] *s v.* **telephone operator**

telephone kiosk ['teli,foun ,kiɔsk] *s v.* **telephone booth**

telephone line ['teli,foun ,lain] *s* linie telefonică; cablu telefonic

telephone number ['teli,foun ,nʌmbəʳ] *s* număr de telefon

telephone operator ['teli,foun 'ɔpəreitəʳ] *s* telefonistă

telephone orderly ['teli,foun'ɔ:dəli] *s mil* telefonist

telephone receiver ['teli,foun ri'si:vəʳ] *s* receptor (de telefon)

telephonic [,teli'fɔnik] *adj* telefonic

telephonist [ti'lefənist] *s* telefonist(ă)

telephony [ti'lefəni] *s* telefonie

telephoto ['teli,foutou] *s* telefoto

telephotograph [,teli'foutougra:f] *s tel* telefotograf

telephotography [,telifə'tɔgrəfi] *s* telefotografie

telephoto lens ['teli,foutou'lenz] *s foto* lentilă pentru telefotografie/pentru fotografie la distanţă

teleport [,teli'pɔ:t] *vt psih* a deplasa prin telekineză/spiritism

teleprinter ['teli,printəʳ] *s* teleimprimator, teletaip

teleprompter [,teli'prɔmtəʳ] *s telev* teleprompter, sul pe care se derulează textul prezentat la crainici *sau* vorbitori la televiziune

telerecord [,teliri'kɔ:d] *vt* a înregistra pe bandă video *(pentru reproducere la televiziune)*

telerecording [,teliri'kɔ:diŋ] *s* telerecording, înregistrare video pe bandă magnetică *(pentru reproducere la televiziune)*

telergy ['telə:dʒi] *s psih* forţă care acţionează asupra creierului în telepatie

telescope ['teli,skoup] **I** *s* **1** telescop; lunetă **2** sac de voiaj *(din două părţi îmbinate)* **II** *vi* **1** *tehn* a se telescopa **2** *ferov* a se ciocni, a se strivi **III** *vt* **1** *tehn* a telescopa **2** *ferov* a strivi, a turti

telescope bag ['teli,skoup ,bæg] *s v.* **telescope I 2**

telescope word ['teli,skoup ,wə:d] *s lingv* cuvânt compus prin telescopare

telescopic [,teli'skɔpik] *adj* **1** *opt* telescopic, făcut prin telescop **2** *astr* vizibil numai prin telescop **3** care poate fi telescopat, care intră unul în altul; rabatabil

telescopically [,teli'skoupikəli] *adv* **1** prin telescop **2** prin telescopare

telescopic funnel ['teli,skoupik ,fʌnəl] *s nav* coş de vapor rabatabil/care poate fi telescopat

telescopic observation [ˌteli'skɔpik ɔ:bzə'veiʃən] *s opt* observare/ observaţie prin telescop

telescopic sight [ˌteli'skɔpik ˌsait] *s mil, sport* lunetă *(la puşcă etc.)*

telescopic star [ˌteli'skɔpik ˌstaːʳ] *s astr* stea vizibilă numai cu telescopul

teleshow [ˌteli'ʃou] *s* spectacol televizat

teleslot [ˌteli'slot] *s* televizor *în care unele programe pot fi vizionate numai după introducerea unei monede*

telesthesia [ˌteli:s'θi:ziə] *s v.* **telaesthesia**

telesthetic [ˌteli:s'θetik] *adj v.* **telaesthetic**

telethon ['teləˌθɔn] *s amer F* program/transmisie maraton/mamut, program TV foarte lung *(↓ pentru strângerea unor fonduri)*

teletype ['teliˌtaip] *s v.* **teleprinter**

teleview ['teliˌvjuː] *vt* a viziona, a urmări *(un program televizat)*

televiewer ['teliˌvjuːəʳ] *s* telespectator

televise ['teliˌvaiz] *vt* a televiza, a transmite la televiziune/televizor

television ['teliˌviʒən] *s* **1** televiziune, TV **2** *F v.* **television set**

televisional ['teliˌviʒənəl] *adj* televizat, transmis prin televiziune; (prezentat) la televiziune

television buff ['teliˌviʒən ˌbʌf] *s amer F* maniac al televizorului, telespectator pasionat/maniac; – amator de televiziune, *elev* videofil

television set ['teliˌviʒən ˌset] *s* televizor

television viewer ['teliˌviʒən ˌvjuːəʳ] *s v.* **televiewer**

televisor ['teliˌvaizəʳ] *s v.* **television set**

televisual [ˌteli'viʒuəl] *adj* **1** televizat, transmis la televizor **2** referitor la televiziune; *elev* televiziv

telewriter ['teliˌraitəʳ] *s* heliograf, fototelegraf

telex, Telex ['teleks] **I** *s* (aparat *sau* sistem) telex; telegraf *sau* telegrafie telex **II** *vt* a transmite prin telex

telfer ['telfəʳ] *s, vt v.* **telpher**

telferage ['telfəridʒ] *s v.* **telpherage**

tell[1] [tel], *pret şi ptc* **told** [tould] **I** *vt* **1** a spune; **to ~ the truth** a spune adevărul; **I'll ~ you what!** uite ce e! bagă de seamă! **~ me another!, ~ it/that to the (horse-)marines!** asta să i-o spui lui mutu! **to ~ smb where to get off** *amer* a-i zice vreo două cuiva; a pune pe cineva la punct **2** a indica, a arăta, a spune; **to ~ the time** a spune cât e ceasul **b** a cunoaşte ceasul/orele; **to ~ smb the way** a arăta/a indica cuiva drumul, a îndruma pe cineva **3** a anunţa, a comunica, a informa de/despre, a pune la curent cu; **a little bird has told me so** mi-a spus/mi-a şoptit o păsărică; **didn't I ~ you so?** nu ţi-am spus eu? doar ţi-am spus! **4** a exprima, a spune; **it is more than words can ~** nici nu se poate exprima în cuvinte; nici nu-ţi găseşti cuvintele pentru aşa ceva **5** a povesti, a relata, a nara, a spune; **to ~ one's adventures** a-şi povesti/a-şi nara aventurile; **he told me all about it** mi-a povestit totul (din fir în păr) **6** a învăţa, a deprinde, a obişnui (cu un lucru) **7** a descrie, a prezenta, a înfăţişa, a expune **8** a dezvălui, a da în vileag/pe faţă; a anunţa, a proclama **9** a ghici; a discerne, a simţi, a vedea; **one can ~ that she is ill** se vede că e bolnavă **10** a distinge; **to ~ smb from smb else** a deosebi/a distinge pe cineva de altcineva, a spune care e unul şi care e celălalt; **to ~ the good from the bad** a distinge între bine şi rău **11** a recunoaşte, a identifica; **to ~ smb by his voice** a recunoaşte glasul cuiva/pe cineva după voce; **one can ~ the hand of woman** se cunoaşte că e făcut de o femeie, se cunoaşte mâna de femeie **12** a şti, a prevedea, a prezice; a garanta **13** *(d. ceas)* a indica, a arăta; a bate *(ora);* **to ~ the quarters** a suna/a bate sferturile **14** *(cu inf)* a porunci, a ordona, a comanda (să); a invita, a ruga (să); **~ him to come** spune-i să vină; **I told him not to go** i-am interzis/l-am oprit să se ducă; **to do as one is told** a face cum i se spune/ce i s-a spus; **I was told to apply here** mi s-a spus să mă adresez aici

15 a socoti, a număra; **all told** cu una cu alta, punând totul la socoteală; ţinând seamă de toate; în total **II** *vi* **1** a spune, a vorbi; **to ~ the world** *amer F* a ţipa în gura mare, a spune la toată lumea; **that I can ~ you** ascultă-mă pe mine, crede-mă pe cuvânt; **don't ~ me!, you're telling me!** *F* auzi vorbă! nu mai spune! **2** (of, about) a povesti, a spune; **to ~ about smb** a vorbi despre cineva, a spune ce mai face cineva; **to ~ smb of a subject** a vorbi cuiva despre o problemă **3** a fi grăitor/elocvent; **his face ~s of it** asta se citeşte pe faţa lui **4** a şti, a fi sigur; **you never can ~** nu se ştie niciodată/ ca pământul; să nu zici vorbă mare; **who can ~?** cine ştie? cine poate şti? **5** (on) a avea efect/urmări/influenţă (asupra – *cu gen);* a acţiona, a-şi produce efectul (asupra); **breed will ~; good blood ~s** *prov* sângele apă nu se face; **every little thing ~s** fiecare amănunt contează/ are efectul lui; **every blow/shot told** toate loviturile nimereau în plin/îşi atingeau ţinta; **the weather ~s on my health** vremea/clima îmi afectează/influenţează sănătatea; sufăr din cauza vremii **6** a face impresie; a sluji *(cu dat);* **this ~s for him; it ~s in his favour** asta pledează/este în favoarea lui; **everything ~s against her** toate sunt împotriva ei

tell[2] *s arheol* gorgan, movilă (cu rămăşiţele unor aşezări străvechi)

tellable ['teləbəl] *adj* care poate fi spus/povestit; demn de a fi povestit; comunicabil

teller ['teləʳ] *s* **1** narator, povestitor **2** *pol* persoană care numără/ verifică voturile *(în parlament)*, scrutator **3** casier; *înv* trezorier **4** *sport sl* lovitură decisivă

tellership ['teləʃip] *s* calitatea/ funcţia de scrutator *(v.* **teller 2***)*

telling ['teliŋ] **I** *s* spusă, vorbe; **to take a ~** a accepta un sfat; a primi/a accepta o dojană **II** *adj* grăitor, elocvent

tell of ['tel əv] *vi cu prep* a denunţa, a pârî, a turna *cu ac*

tell off ['tel'ɔːf] *vt cu part adv* **1** a repartiza, a desemna **2** a indica, a numi **3** *F* a pune la locul lui, a tăia/a reteza din nas *(cu dat);* **to tell smb off properly** a pune la punct pe cineva așa cum se cuvine; **to get told off** a găsi ceea ce caută, a-și găsi nașul

tell on ['tel ɔn] *vi cu prep* a influența, a afecta *cu ac;* a avea influență/ a acționa/a-și produce efectul asupra *(cu gen)*

tell over ['tel 'ouvəʳ] *vt cu part adv v.* **tell I 15**

telltale ['tel,teil] **I** *s* **1** limbut, farfara, gură-spartă, vorbăreț, flecar **2** denunțător, delator, pârâtor, turnător **3** *tehn* mecanism de semnalizare; contor; ceas de control **4** *nav* axiometru, indicator al poziției cârmei **II** *adj atr* **1** care te dă de gol, trădător **2** guraliv, bârfitor

tellurate ['telju,reit] *s ch* sare telurică

tellurian [te'ljuəriən] **I** *adj v.* **telluric** **II** *s* pământean, locuitor al pământului

telluric [te'ljuərik] *adj* teluric, terestru, pământesc

telluride ['telju,raid] *s ch* compus al teluriului cu un element electropozitiv

tellurism ['teljurizəm] *s fiz* telurism

tellurite ['telju,rait] *s ch, minrl* compus al teluriului

tellurium [te'ljuəriəm] *s ch* teluriu

tellurous ['teljurəs] *adj, ch, minrl* teluros, legat de teluriu

telly ['teli] *s ← F* **1** televiziune, TV **2** televizor

telly party ['teli ,pɑːti] *s ← F* vizionare în comun a unui program televizat

telpher ['telfəʳ] **I** *s* teleferic, funicular **II** *vt* a transporta cu telefericul/ funicularul

telpherage ['telfəridʒ] *s* (sistem de) transport cu telefericul

telpher line/way ['telfə,lain/,wei] *s* linie de teleferic/funicular

temblor [tem'blɔːʳ] *s sp* cutremur (de pământ)

temerarious [,temə'rɛəriəs] *adj* **1** temerar, nechibzuit, nesocotit, absurd **2** cutezător, îndrăzneț, curajos; viteaz; semeț **3** care nu ține seama de nimic, desperat, deznădăjduit *(v.* **desperate**)

temerity [ti'meriti] *s* **1** temeritate, cutezanță **2** nechibzuială, nesocotință **3** ușurință, pripeală

Temes ['temeʃ] Timiș

Temesvar ['temeʃvɑːʳ] Timișoara

temp [temp] *s F* angajat/salariat temporar/provizoriu (↓ funcționar)

temp. *presc de la* **1** tempore pe timpul *(cu gen)* **2** temperature **3** temporary (employer)

temper ['tempəʳ] **I** *s* **1** caracter, fire, temperament; **to be of a mild ~** a avea un caracter blând; **to be of an equal/even ~** a fi calm, a avea un caracter liniștit **2** dispoziție (trecătoare), toană, toane; capriciu; **to be in a good ~** a fi în toane bune **3** calm, liniște, echilibru (sufletesc); **to keep one's ~** a-și păstra calmul/firea, a se stăpâni, a fi calm; **to lose one's ~** a-și pierde cumpătul/ calmul, a-și ieși din fire/țâțâni; **to recover/to regain one's ~ a** a se liniști, a se calma; a-și veni în fire **b** a se stăpâni **4** (acces de) mânie/furie, supărare, țâfnă, irascibilitate; **to get into a ~** a se supăra, a se înfuria, a se necăji; **to show a ~** a-și manifesta furia/ mânia **5** *tehn* grad de călire *(a metalelor)* **II** *vt* **1** a tempera, a potoli, a liniști, a calma; a alina **2** a reglementa, a regula, a pune în ordine **3** *tehn și fig* a căli, a oțeli **4** *tehn* a muia; a amesteca și a frământa; a malaxa **5** *← înv* a adapta **III** *vi* a se potoli, a se tempera; a deveni moderat *sau* conciliant/înțelegător

tempera ['tempərə] *s arte* **1** tempera **2** lucrare în tempera

temperable ['tempərəbəl] *adj* **1** care poate fi bine amestecat; miscibil **2** care poate fi călit, ușor de călit

temperament ['tempərəmənt] *s* **1** *v.* **temper I 1, 3 2** amestec, compoziție; structură, stare

temperamental [,tempərə'mentəl] *adj* **1** temperamental, de caracter, din fire, constituțional; caracteristic pentru un anumit temperament **2** pasionat, pătimaș, plin de pasiune/căldură/temperament **3** instabil, ușor influențabil

temperamentally [,tempərə'mentəli] *adv* din punct de vedere temperamental/constituțional/psihic/al

caracterului, ca temperament/ constituție/structură

temperance ['tempərəns] *s* temperanță, sobrietate, cumpătare, abstinență *(↓ de la băutură)*

temperance hotel ['tempərəns hou'tel] *s* hotel/local unde nu se servesc băuturi alcoolice

temperance society ['tempərəns sə'saiəti] *s* societate moralizatoare/a temperanței *(care propovăduiește anti-alcoolismul, cumpătarea)*

temperate ['tempərit] *adj* **1** temperat, moderat **2** sobru, cumpătat; abstinent *(↓ de la băutură)*

temperately ['tempəritli] *adv* (în mod) temperat/moderat

temperateness ['tempəritnis] *s* **1** moderație, temperanță **2** *← înv* castitate

temperature ['tempritʃəʳ] *s* temperatură, căldură

temperature-humidity index ['tempritʃə hju:'miditi 'indeks] *s tehn* indice/factor al efectelor (dăunătoare) ale temperaturii și umidității

tempered ['tempəd] *adj* **1** *muz și fig* temperat **2** *tehn și fig* călit, oțelit **3** (bine) dispus

tempersome ['tempəsəm] *adj* irascibil, iritabil, nervos; repezit, pripit

tempest ['tempist] **I** *s* furtună, vijelie; uragan; **a ~ in a teapot** *amer* furtună într-un pahar cu apă **II** *vi (d. mare)* a se zbuciuma, a se agita; a vui, a vâjâi

tempest-beaten ['tempist,biːtən] *adj* ca o furtună/vijelie, vijelios, furtunos, sălbatic, violent; impetuos, făcut cu impetuozitate/cu violență

tempest-tossed ['tempist,tɔst] *adj* în voia valurilor (și a vântului), aruncat de colo-până colo de valuri/furtună

tempestuous [tem'pestjuəs] *adj* furtunos, vijelios, sălbatic, violent; impetuos

tempestuously [tem'pestjuəsli] *adv* ca o furtună/vijelie, vijelios, furtunos, sălbatic, violent; impetuos, cu impetuozitate; cu violență

tempestuousness [tem'pestjuəsnis] *s* violență, sălbăticie, vehemență; caracter vijelios/furtunos/ sălbatic/violent; caracter impetuos, impetuozitate

tempi ['tempi:] *pl de la* **tempo**
Templar ['templə'] *s* **1** *od* cavaler templier **2** *jur* avocat *sau* student în drept din **the Temple**
template ['templit] *s v.* **templet**
temple[1] ['templ] *s* **1** templu; sinagogă **2 the T~** sediul barourilor colegiilor de avocați din Londra
temple[2] *s anat* tâmplă
temple[3] *s text* tindec
temple bone ['templ ,boun] *s anat* os temporal
templet ['templit] *s tehn și fig* șablon, model, tipar
tempo ['tempou] *pl* **tempi** ['tempi:] *s* **1** *muz* tempo, timp **2** ritm, tempo; viteză
temporal[1] ['tempərəl] *adj* **1** temporar, vremelnic, trecător **2** *gram* temporal, de timp **3** laic, mirean, lumesc, secular
temporal[2] *anat* I *s* os temporal II *adj* temporal, referitor la tâmplă
temporal conjunction ['tempərəl kən'dʒʌkʃən] *s gram* conjuncție temporală/care introduce propoziții (circumstanțiale) temporale
temporality [,tempə'ræliti] *s* **1** caracter trecător/vremelnic/efemer/temporar; provizorat **2** *pl bis* avere a unui cleric
temporal lords/peers ['tempərəl ,lo:dz/,piəz] *s pl* membri laici ai Camerei Lorzilor
temporal power ['tempərəl ,pauə'] *s rel* putere/influență a unui cleric (↓ *a Papei*) în treburile/problemele laice
temporalty ['tempərəlti] *s înv* mirenii, laicii, oamenii de rând
temporarily ['tempərərili] *adv* (în mod) temporar/vremelnic/efemer/trecător; pentru un timp, provizoriu
temporariness ['tempərərinis] *s* vremelnicie; provizorat; caracter vremelnic/temporar/efemer/provizoriu/trecător
temporary ['tempərəri] *adj* temporar, vremelnic, provizoriu; efemer, trecător
temporization ['tempə,raizeiʃən] *s* **1** tărăgănare, amânare (veșnică), temporizare **2** șovăială, ezitare, codeală
temporize ['tempə,raiz] *vi* **1** a căuta să câștige timp, a tărăgăna, a temporiza, a amâna, a întârzia,

a zăbovi **2** a ezita, a șovăi, a se codi **3** a se adapta vremurilor și împrejurărilor
temporizer ['tempə,raizə'] *s* **1** persoană care temporizează/întârzie/amână; om care se codește **2** obstrucționist, persoană care face obstrucții
tempt [tempt] *vt* a ispiti, a ademeni, a tenta; a seduce; a ațâța, a provoca
temptability [,temptə'biliti] *s* slăbiciune în fața ispitei, supunere la ispită/tentație; caracter slab
temptable ['temptəbəl] *adj* supus ispitei/tentației
temptation [temp'teiʃən] *s* **1** tentație, ispită **2** ademenire, ispitire, seducere
Tempter, the ['temptə', ðə] *s rel* satana, diavolul
tempter ['temptə'] *s* ademenitor, seducător, persoană care ispitește
tempting ['temptiŋ] *adj* tentant, ispititor; atrăgător, atractiv; ademenitor, seducător
temptingly ['temptiŋli] *adv* (în mod) tentant/ispititor/ademenitor/seducător; cu atracție/seducție/ispită (*în glas etc.*)
temptress ['temptris] *s* circe, seducătoare, ispititoare, ademenitoare
tempura ['tempu:ra:] *s gastr* (mâncare japoneză din) pește *sau* moluște prăjit(e) în sos de unt
ten [ten] I *num* **1** *card* zece; **~ to one** mai mult ca sigur **2** *ordinal* zecelea, zece II *s* **1** nota zece **2** grup de zece
tenability [,tenə'biliti] *s* **1** defensibilitate, caracter defensibil; posibilitate de apărare **2** judiciozitate, caracter justificat, justificare (*a unei idei, teorii etc.*) **3** adecvare, potrivire (*pentru o slujbă etc.*)
tenable ['tenəbəl] *adj* **1** durabil, trainic, solid **2** justificabil, care poate fi susținut/apărat **3** folositor, util, utilizabil, bun **4** destoinic, capabil, bun
tenableness ['tenəbəlnis] *s v.* **tenability**
tenacious [ti'neiʃəs] *adj* **1** tenace, dârz, stăruitor, perseverent **2** persistent; tenace; **~ of life** viabil, plin de viață, rezistent; **to be ~ of one's opinions** a persista în opiniile lui **3** lipicios, adeziv,

aderent **4** *tehn* tenace, rezistent la rupere
tenaciously [ti'neiʃəsli] *adv* cu tenacitate/dârzenie, (în mod) perseverent/tenace/stăruitor/insistent
tenaciousness [ti'neiʃəsnis] *s v.* **tenacity**
tenacity [ti'næsiti] *s* **1** tenacitate, dârzenie, stăruință, perseverență **2** persistență, tenacitate **3** soliditate, durabilitate **4** adezivitate, aderență, caracter lipicios
tenaculum [ti'nækjuləm] *pl* **tenacula** [ti'nækjulə] *s med* instrument chirurgical pentru prinderea arterelor
tenail [ti'neil] *s mil* fortificație în formă de clește
tenancy ['tenənsi] *s* **1** ocupare/posesiune temporară (cu chirie *sau* arendă) **2** proprietate ocupată cu chirie *sau* arendă **3** calitate de chiriaș *sau* arendaș **4** termen pe care se arendează *sau* închiriază o proprietate
tenant ['tenənt] I *s* persoană (↓ țăran) care ia în arendă o parcelă de moșie; țăran – arendaș; **~ at will** arendaș fără contract **2** arendaș **3** chiriaș, locatar II *vt* **1** a arenda, a lua cu arendă **2** a închiria, a lua cu chirie
tenantable ['tenəntəbəl] *adj* **1** gata de a fi închiriat *sau* arendat **2** (*d. casă*) locuibil
tenant farmer ['tenənt ,fa:mə'] *s agr* țăran care lucrează în parte; *aprox* dijmaș; muncitor agricol
tenantless ['tenəntlis] *adj* de închiriat, liber, fără locator
tenant right ['tenənt ,rait] *s agr* drept de a lucra pământul în parte (*la expirarea contractului*)
tenantry ['tenəntri] *s* ← F **1** țărani (arendași) de pe moșie **2** locatari, chiriași
tench [tentʃ] *s iht* lin (*Tinca vulgaris*)
Ten Commandments, the ['ten kə'ma:ndmənts, ðə] *s pl bibl* cele zece porunci, Decalogul
tend[1] [tend] *vt* **1** a dirija, a îndruma, a îndrepta **2** a conduce, a întovărăși; a mâna (*vitele, oile*)
tend[2] *vt* **1** a îngriji, a veghea, a avea grijă de (*un bolnav etc.*) **2** a se interesa de, a-i păsa de **3** a sluji, a urma (*pe cineva*) **4** a supraveghea, a controla, a dirija (*o mașină, un aparat*)

tendance ['tendəns] *s ← înv* **1** îngrijire *(acordată cuiva)*; grijă, supraveghere **2** suită, alai, escortă; curteni

tendency¹ ['tendənsi] *s* tendință, înclinație; năzuință, aspirație, pornire

tendency² *s* **1** direcție, tendință, înclinație **2** efect, rezultat; scop

tendentious [ten'denʃəs] *adj* tendențios, cu tendință

tendentiously [ten'denʃəsli] *adv* (în mod) tendențios

tendentiousness [ten'denʃəsnis] *s* tendențiozitate, caracter tendențios

Tendenz novel [ten'dentz ,nɔvəl] *s lit* roman cu tendință

tender¹ ['tendəʳ] **I** *vt* **1** a oferi; a propune; a furniza **2** a prezenta, a înmâna; a întinde; a da *(demisia, o cerere)* **3** *amer* a organiza, a da *(o masă în cinstea cuiva etc.)* **4** *amer* a decerna, a conferi *(premii, distincții)* **5** *amer* a provoca, a produce, a aduce *(o jignire, o mutilare)* **II** *s* **1** *com* ofertă; propunere **2** *jur* sumă depusă, depozit *(pentru o datorie etc.)*

tender² *s* **1** *ferov* tender **2** mecanic, operator **3** *nav* navă-bază, bază plutitoare

tender³ **I** *adj* **1** gingaș, plăpând, delicat; fraged; **of ~ years** de vârstă fragedă **2** calm, blajin; delicat; **to be ~ of smb** a se purta cu grijă/mănuși/delicatețe cu cineva **3** *(d. constituție, sănătate)* firav, șubred, plăpând, slab **4** sensibil, delicat; bolnăvicios, belaliu **5** *(d. o situație)* delicat, dificil **6** impresionabil, sensibil **II** *vt* a muia; a face moale **III** *s ← înv* delicatețe; atenție, considerație

tenderer ['tendərəʳ] *s* **1** *com* ofertant **2** *jur, com* ofertant, persoană care-și ia angajamentul de a respecta clauzele fixate

tender-eyed ['tendər,aid] *adj* **1** cu ochi blânzi, cu privire blândă **2** cu vedere slabă; cam chior

tenderfeet ['tendə,fi:t] *pl de la* **tenderfoot**

tenderfoot ['tendə,fut], *pl și* **tenderfeet** ['tendə,fi:t] *s ← F* **1** persoană nou sosită, nou venit **2** novice, începător, ageamiu, nepriceput

tenderfooted ['tendə,futid] *adj* cu picioare sensibile/delicate

tender for ['tendə fəʳ] *vi cu prep jur, com* a cere, a solicita *(un împrumut etc.* în anumite condiții)

tender-hearted ['tendə,ha:tid] *adj* **1** slab de înger, sensibil; impresionabil **2** delicat, blând

tender-heartedly ['tendə,ha:tidli] *adv* cu blândețe/tandrețe, blând, tandru; delicat, cu delicatețe

tender-heartedness ['tendə, ha:tidnis] *s* inimă/fire blândă, blândețe

tenderize ['tendə,raiz] *vt* a frăgezi *(carnea)*

tenderling ['tendəliŋ] *s* **1** copil preferat; răsfățatul familiei **2** *pl zool* primele coarne ale cerbului

tenderloin ['tendə,lɔin] *s amer* (filé de) mușchi

Tenderloin District, the ['tendə,lɔin-'distrikt, ðə] *s amer* cartier al localurilor de noapte

tenderly ['tendəli] *adv* tandru, cu tandrețe/delicatețe/gingășie, gingaș

tender-minded ['tendə,maindid] *adj* **1** simțitor, sensibil; milos **2** tandru; duios

tender-mouthed ['tendə,mauðd] *adj* *(d. cal)* slab la zăbală/gură

tenderness ['tendənis] *s* **1** frăgezime, delicatețe **2** tandrețe, delicatețe, gingășie, blândețe **3** sensibilitate **4** grijă, prudență, chibzuială

tender subject ['tendə 'sʌbdʒikt] *s* problemă spinoasă/grea/dificilă; subiect delicat

tending ['tendiŋ] *s v.* **tendency¹**

tendinous ['tendinəs] *adj anat* vânos, cu vine; cu tendoane; *F* atos

tendment ['tendmənt] *s înv v.* **tendance 1**

ten-dollar word ['ten,dɔlə 'wɔ:d] *s amer F* cuvânt dificil *(ca sens și pronunțare)*; cuvânt elevat/pretențios

tendon ['tendən] *s anat* tendon, ligament

tendril ['tendril] *bot* **I** *s* cârcel; lujer **II** *adj* cățărător, urcător

tend to ['tend tə] **I** *vi cu prep* **1** a fi înclinat/aplecat, a se înclina spre/către **2** a fi îndreptat/a se îndrepta spre/către **3** *fig* a avea o înclinație/tendință/o pornire către/spre; a tinde spre/către **II** *vi cu inf* a avea tendința de a/să, a tinde să; **it tends to bore me**

începe să mă plictisească, mă cam plictisește

Tenebrae ['tenə,brei] *s pl bis* slujbe religioase ținute în săptămâna patimilor, *aprox* denii

tenebricose [ti'nebri,kous] *adj v.* **tenebrous**

tenebrific [,tenə'brifik] *adj* pe cale de a se întuneca

tenebrosity [,tenə'brɔsiti] *s* **1** întunecime, beznă, întuneric **2** obscuritate, caracter tenebros

tenebrous ['tenəbrəs] *adj* **1** întunecat, tenebros **2** posomorât, sumbru

tenebrousness ['tenəbrəsnis] *s v.* **tenebrosity**

tenement ['tenəmənt] *s* **1** proprietate/moșie arendată **2** casă/proprietate închiriată **3** casă de raport **4** apartament în locuințe ieftine/într-o casă de raport **5** *jur* privilegiu permanent; posesiune permanentă

tenemental [,tenə'mentəl] *adj* arendabil, de închiriat, care se poate închiria

tenementary [,tenə'mentəri] *adj v.* **tenemental**

tenement house ['tenəmənt ,haus] *s v.* **tenement 3, 4**

tenesmus [ti'nezməs], *pl* **tenesmuses** [ti'nezməsi:z] *s med* tenesmă, contracție a intestinelor și vezicii

tenet ['tenit] *s* **1** dogmă, doctrină, teză; principiu *(de bază)* **2** *← F* părere, opinie

tenfold ['ten,fould] **I** *adj* înzecit **II** *adv* înzecit, de zece ori (mai mult)

ten-gallon hat ['ten,gælən 'hæt] *s amer* pălărie de cowboy *(cu boruri foarte mari)*

tenia ['ti:niə] *s amer v.* **taenia**

Teniers ['teniəz] **1 David** pictor flamand (1582-1649) **2 David** (fiul) pictor flamand (1610-1690)

Tenn. *presc de la* **Tennessee**

tenne ['teni] *s, adj (heraldică)* maro, castaniu

tenner ['tenəʳ] *s ← F* **1** (bancnotă de) zece lire **2** *amer* (bancnotă de) zece dolari **3** (cifra) zece **4** *jur* (sentință de) condamnare la zece ani *(de închisoare corecțională)*

Tennessee [,teni'si:] **1** stat în S.U.A. **2 the ~** fluviu în S.U.A.

tennis ['tenis] *s sport* tenis

tennis arm ['tenis,ɑːm] *s med, sport* luxație (a brațului) de la jocul de tenis

tennis ball ['tenis ,bɔːl] *s* minge de tenis

tennis court ['tenis ,kɔːt] *s* teren de tenis

tennis elbow ['tenis ,elbou] *s v.* **tennis arm**

tennis ground ['tenis ,graund] *s v.* **tennis court**

tennis net ['tenis ,net] *s sport* plasă pe terenul de tenis, plasă de tenis

Tennyson ['tenisən], **Lord Alfred** *poet englez (1809-1892)*

Tennysonian [,teni'souniən] **I** *adj* în stilul/maniera poetului englez Alfred Tennyson; clasicizant **II** *s* tennysonian, cercetător *sau* admirator al operei lui Tennyson

tennis racket ['tenis ,rækit] *s sport* rachetă de tenis

tennis shoes ['tenis ,ʃuːz] *s pl* pantofi/papuci de tenis, *F →* teniși

tenon ['tenən] **I** *s* 1 *constr* cep, îmbinare 2 *tehn* prezon, știft, gheară de fixare **II** *vt* a îmbina cu cep

tenon saw ['tenən ,sɔː] *s* ferăstrău pentru tăiat cepuri

tenor ['tenəʳ] *s* 1 *muz* tenor; voce de tenor 2 curs, scurgere, trecere, direcție; succesiune 3 conținut/ sens general 4 tendință 5 *v.* **temper I 1**

tenor bell ['tenə ,bel] *s* clopot mare *(dintr-un carillon)*

tenor violin ['tenə vaiə'lin] *s muz* violă

tenotomy [te'nɔtəmi] *s med* tenotomie, tăiere/secționare a unui tendon

tenour ['tenəʳ] *s v.* **tenor 2, 3**

ten-percenter ['ten pə:'sentəʳ] *s ← F com, fin* comisionar *(care ia 10% la o tranzacție)*

ten-pin alley ['ten,pin'æli] *s amer* popicărie

tenpins ['ten,pinz] *s pl ca sg* (joc de) popice

tenpounder ['ten,paundəʳ] *s mil* tun cu ghiulele de 10 livre

tenrec ['tenrek] *s zool* tenrec, arici din Madagascar *(Tenrec ecaudatus)*

tense¹ [tens] *adj* 1 încordat, întins, țeapăn 2 *fig* iritat, agitat, încordat, sub tensiune

tense² *s gram* timp *(al verbelor)*

tensely ['tensli] *adv* cu încordare, încordat, rigid, țeapăn

tenseness ['tensnis] *s* 1 încordare, întindere, rigiditate 2 *fig* tensiune (emoțională), încordare, agitație

tensile ['tensail] *adj* 1 extensibil, care se poate întinde 2 *fiz* ductil; rezistent la întindere/tracțiune/ rupere

tensility [ten'siliti] *s* 1 caracter extensibil 2 *fiz* ductilitate

tension ['tenʃən] *s* 1 întindere, încordare, tensiune 2 *fig* (stare de) tensiune/încordare/agitație 3 extensibilitate 4 *fiz* elasticitate 5 *el* intensitate, voltaj

tensional ['tenʃənəl] *adj* 1 *fiz, tehn* de tensiune, referitor la tensiune/ întindere/încordare 2 *arhit* structural, de structură

tension bridge ['tenʃən ,bridʒ] *s* pod suspendat/în formă de arc

tensity ['tensiti] *s v.* **tenseness**

tenson ['tensən] *s od* 1 competiție/ concurs de improvizație între trubaduri 2 poezie improvizată de trubaduri la un concurs

ten spot ['ten ,spɔt] *s amer F v.* **tenner 2, 4**

ten strike ['ten ,straik] *s amer* 1 *sport* lovitură care doboară toate popicele 2 *fig* lovitură hotărâtoare/ decisivă/fatală; succes monstru

tent¹ [tent] **I** *s* 1 cort, *înv* șatră 2 coviltir, umbrar; șopron **II** *vi* a locui în corturi, a campa

tent² *med* **I** *s* tampon, fitil, meșă **II** *vt* 1 a pune meșă/tampon la *(o rană)* 2 a ține *(o rană)* deschisă cu meșa

tent³ *s* vin roșu (de Malaga)

tentacle ['tentəkəl] *s* 1 *zool* tentacul, antenă, corn(uleț) (de melc) 2 *bot* fir exterior, glandă cu tulpină

tentacled ['tentəkəld] *adj zool* (înzestrat) cu tentacule

tentacular [ten'tækjuləʳ] *adj zool* tentacular

tentaculate [ten'tækjulit] *adj v.* **tentacular**

tentative ['tentətiv] **I** *adj* 1 de probă/ încercare; empiric, experimental 2 provizoriu, temporar 3 *(d. zâmbet)* nesigur **II** *s* tentativă, încercare; probă, experiență

tentatively ['tentətivli] *adv* de probă, cu titlul de încercare/experiență/ probă; *F* într-o doară

tent bed ['tent ,bed] *s* 1 pat de campanie 2 pat cu polog/baldachin

tent cloth ['tent ,klɔθ] *s* pânză de cort

tent-coat ['tent,kout] *s* haină strânsă pe corp

tent-dress ['tent,dres] *s* rochie strânsă pe corp

tented ['tentid] *adj* 1 acoperit cu corturi/pânză de cort 2 înzestrat cu corturi

tenter ['tentəʳ] **I** *s* 1 amator de camping; turist care înnoptează în corturi 2 *text* gherghef *(pt uscat țesături)*, uscătoare automată 3 *v.* **tentacle 4** *pl v.* **tenterhooks II** *vt* a întinde (pe funie), a atârna/a prinde cu cârlige *(pt a se usca)*

tenter ground ['tentə ,graund] *s* teren pe care se întinde un gherghef

tenterhooks ['tentə,huks] *s pl* 1 copci *(la îmbrăcăminte);* **to be on ~** *fig* a sta ca pe ghimpi/ace, a fi chinuit de nesiguranță/așteptare 2 *text* carabină de întindere, întinzătoare

tenth [tenθ] **I** *num ordinal* zecelea; zece **II** *s* 1 zecime, a zecea parte 2 *od* zeciuială 3 *muz* a treia octavă

tenthly ['tenθli] *adv* în al zecelea rând; a zecea oară

tenthmeter ['tenθ,miːtəʳ] *s fiz* a zecea milionime dintr-un milimetru

tenth-rate ['tenθ,reit] *adj* foarte prost, de proastă calitate, mizerabil, de mâna a șaptea

tenth wave ['tenθ ,weiv] *s nav și fig* al nouălea val

tent peg ['tent ,peg] *s* țăruș pentru cort

tent-pegging ['tent,pegiŋ] *s mil, sport* exercițiu de lovire a unui țăruș cu lancea de către un călăreț

tent-pin ['tent,pin] *s v.* **tent peg**

tent pole ['tent ,poul] *s* par, țăruș pentru cort

tent rope ['tent ,roup] *s* frânghie/ funie pentru fixarea cortului

tent-stitch ['tent,stitʃ] *s* cusătură (paralelă) în diagonală

tenture ['tentʃəʳ] *s fr* tapet (de hârtie) pentru pereți

tenuis ['tenjuis], *pl* **tenues** ['tenjuiːz] *s lingv* oclusivă surdă *(k, p, t)*

tenuity [te'njuiti] *s* 1 rarefiere, rarefacție *(a aerului)* 2 subțirime, fluiditate 3 *fig* insuficiență, sărăcie, penurie; simplitate extremă

tenuous ['tenjuəs] *adj* 1 subțire, subțiratic 2 *fig* micuț, insuficient; simplu 3 subtil; fin

tenure ['tenjuə'] *s* 1 *jur* (drept de) posesiune/stăpânire 2 termen de stăpânire/posesiune 3 ocupare, deținere *(a unui post)* 4 durata exercitării/deținerii *(unei funcții)*

tenurial [te'njuəriəl] *adj* 1 *jur* legat de dreptul de posesiune *sau* de deținere a unui titlu 2 (legat) de titularizare; titularizat; titular

tenuto [ti'nju:tou] I *adj muz* (d. notă *etc.)* ținut, susținut; cu valoare întreagă II *adv muz* tenuto

ten-vee ['ten'vi:] *adj* F mizerabil, de groază, de cea mai proastă calitate *(în contrast cu* A₁*)*

ten-week stock ['ten,wi:k'stɔk] *s bot* micșunică; micsandră *(Matthiola incana annua)*

tenzon ['tenzən] *s od v.* **tenson**

teocalli [,ti:ou'kæli] *s* templu (aztec) din Mexic *(în formă de trunchi de piramidă)*

tepee ['ti:pi:] *s amer* cort al pieilor roșii; colibă indiană

tepefaction [,tepi'fækʃən] *s* încălzire moderată/ușoară

tepefy ['tepifai] I *vt* a încălzi moderat/ușor; F a încropi *(apa etc.)* II *vi* a se încălzi ușor/moderat; F a se încropi (nițel)

tepid ['tepid] *adj și fig* căldicel, căldicel

tepidity [te'piditi] *s* 1 stare căldicică/căldicuță, încropeală; temperatură nu prea ridicată 2 *fig* nepăsare, indiferență, răceală; atitudine căldicuță

tepidly ['tepidli] *adv* căldicel, nu prea cald, căldicel

tepidness ['tepidnis] *s v.* **tepidity**

tequila [ti'ki:lə] *s* techila, băutură alcoolică din America Latină

ter. *presc de la* 1 **terrace** 2 **territory**

ter- *pref* 1 tri-: **tercentenary** tricentenar 2 ter-: **tercet** terțet

terai [tə'rai] *s* pălărie cu boruri largi *(purtată în regiunile tropicale)*

teraph ['terəf], *pl* **teraphim** ['terəfim] *folosit și ca sg s rel od* amuletă/statuetă a unui zeu al casei/a unui oracol *(la vechii evrei)*

teratism ['terə,tizəm] *s* 1 *biol* teratism; monstruozitate; malforma-

-ție 2 *fig* pasiune pentru ciudățenii/curiozități/monstruozități

teratogenesis [,terətou'dʒenesis] *s v.* **teratogeny**

teratogenetic [,terətoudʒe'netik] *adj biol* teratogen

teratogeny [,terə'tɔdʒeni] *s biol* teratogenie, naștere/generare a monștrilor/monstruozităților; generare a malformațiilor

teratologist [,terə'tɔlədʒist] *s* teratolog, specialist în monștri/monstruozități

teratology [,terə'tɔlədʒi] *s* 1 *biol* teratologie 2 *fig* exagerare, afectare (în vorbire); povestiri fantasmagorice/exagerate

teratoma [,terə'toumə] *s med* tumoare alcătuită din țesuturi eterogene

terbium ['tə:biəm] *s ch* terbiu (pământ rar)

terce [tə:s] *s* 1 ← *înv* treime, a treia parte 2 *scot* drept de moștenire al văduvei 3 *bis* slujbă religioasă de la ora 3

tercel ['tə:səl] *s orn* (bărbătuș de) șoim călător

tercentenary [,tə:sen'ti:nəri] I *adj* tricentenar, de 300 de ani II *s* tricentenar, aniversare/comemorare a 300 de ani

tercentennial [,tə:sen'teniəl] *adj, s v.* **tercentenary**

tercet ['tə:sit] *s* 1 *muz* terțet 2 *lit* terțină, terțet

terebinth [,teri'binθ] *s bot* terebint, arborele din care se extrage terebentina *(Pistacia terebinthus)*

terebra ['teribrə], *pl și* **terebrae** ['teribri:] *s* 1 *ist Romei* sfredel pentru găurit ziduri de cetate 2 *ent* himenopteră sfredelitoare *(Terebra sp.)*

terebrate ['terəbreit] *vt* a perfora, a găuri

terebration [,terə'breiʃən] *s* perforare, pătrundere, găurire; scobire

teredo [te'ri:dou] *s zool* varietate de car *(Teredo navalis)*

Terence ['terəns] 1 Terențiu, *dramaturg latin (190?-159 î.e.n.)* 2 *nume masc*

Teresa [tə'ri:zə] *nume fem v.* **Theresa**

terete ['teri:t] *adj biol* cilindric, rotund (și neted)

terga ['tə:gə] *pl de la* **tergum**

tergal ['tə:gəl] *adj zool* dorsal

tergiversate ['tə:dʒivə,seit] *vi v.* **temporize** 1, 2

tergiversation [,tə:dʒivə'seiʃən] *s* 1 *v.* **temporization** 2 șovăiala, ezitare, codeală 3 eschivare, pretext, subterfugiu, tertip 4 nestatornicie, inconsecvență 5 renegare; apostazie

tergum ['tə:gəm], *pl* **terga** ['tə:gə] *s zool* spate, dos; coadă

term [tə:m] I *s* 1 termen; dată (limită); ultima zi; **to set/to put a ~ to smth a** a fixa un termen (final)/o limită pentru ceva **b** a pune capăt unui lucru 2 capăt, sfârșit 3 *med* termen *(al sarcinii)*; data nașterii 4 perioadă, durată, termen *(pt funcție sau întemnițare etc.)*; **for a ~ of three years** pe timp de trei ani, pe (un) termen de trei ani; **for a long ~** pe termen lung; **his ~ is up a** perioada funcției lui s-a încheiat **b** și-a ispășit pedeapsa; **for a short ~** pe termen scurt, pe timp limitat 5 *școl etc.* trimestru, pătrar; *univ* semestru 6 *jur* sesiune judecătorească 7 *pl* termeni, condiții, clauze; **on similar ~s** în condiții similare, în termeni asemănători; **to make/ to name one's own ~s** a stabili/ a dicta/a impune condițiile; **on equal ~s** pe picior de egalitate, în condiții de egalitate; **not on any ~s** cu nici un preț/chip 8 *pl* preț, condiții (materiale); **what are his ~s?** cât cere? ce preț cere? **on moderate ~s** la un preț modest/accesibil/moderat 9 *pl* acord, înțelegere; compromis; tranzacție; **to come to/to make ~s** a ajunge la o înțelegere, a cădea la învoială/de acord; **to bring to ~s** a face să cedeze/să capituleze; a pune cu botul pe labe 10 *pl* raporturi, relații, termeni; **to be on good/friendly ~s with smb** a fi în termeni buni/ a se avea bine cu cineva; **not to be on speaking ~s with smb** a nu fi în relații cu cineva, a nu vorbi cu cineva 11 termen; element; unitate *(de măsură);* **in ~s of a** exprimat în; ca **b** în funcție de/raport de; din punctul de vedere al *cu gen;* prin prisma *cu gen;* în termeni de; **contradiction in ~s** contradicție în

termeni, contradicție funda-
mentală; **to reduce a fraction to
lower ~s** *mat* a reduce/a sim-
plifica o fracție; **such are the ~s
of the problem a** *mat* acesta
este enunțul problemei **b** *fig*
acestea sunt elementele/datele
problemei; **to speak in ~s of
personal happiness** etc. *fig* a
cântări/a aprecia/a judeca totul
în funcție de fericirea personală
etc. **12** *lingv* termen, cuvânt; *pl*
denumire, nume; expresie, ex-
primare; **to use appropriate ~s**
a folosi termeni potriviți/adecvați
13 *pl* exprimare, mod/fel de a
vorbi, limbaj; **in strong ~s** în
termeni categorici/energici,
energic, categoric; **in flattering
~s** în termeni laudativi/măgulitori
14 *pl* *med* P period, soroc, reguli,
– menstruație **15** *arhit* ornament
sculptural **II** *vt* a denumi, a
desemna, a numi; **he was ~ed
a beast** i s-a spus că e o bestie
III *vr* a se intitula, a se numi, a-și
spune, a se da drept *(ceva)*; **to
~ oneself a poet** a-și zice/a se
intitula poet

termagancy ['təːməɡənsi] *s* turbu-
lență, violență, vehemență;
caracter certăreț/arțăgos

termagant ['təːməɡənt] **I** *s* zgripțu-
roaică, scorpie, cață, furie **II** *adj*
arțăgos, certăreț, violent, vehe-
ment, turbulent; hapsân, rău

term fee ['təːm‚fiː] *s jur* onorariu
plătit (avocatului) la fiecare
termen

terminable ['təːminəbəl] *adj* **1** limitat
în timp; urgent, presant, grabnic
2 determinabil, susceptibil de a
fi definit

terminableness ['təːminəbəlnis] *s* **1**
limitare în timp, urgență, caracter
urgent/presant **2** determinare,
definire, specificare

terminal ['təːminəl] **I** *adj* **1** terminal
2 hotarnic, de hotar **3** final,
terminal, de încheiere **4** defi-
nitiv, final, ultim **5** *med* fatal,
mortal, letal; fără vindecare,
necruțător **6** *ferov* etc. termi-
nus, ultim **7** *școl* trimestrial **II** *s*
1 v. **term I 2 2** punct final/
terminal **3** *ferov* gară/stație
terminus; *amer* cap de linie **4**
av aerogară **5** *el* bornă, termi-
nal **6** v. **termination 3**

terminal amplifier ['təːminəl 'æm-
plifaiə^r] *s tel* amplificator final/de
ieșire

terminal figure ['təːminəl ‚fiɡə^r] *s*
arhit cariatidă, statuie orna-
mentală

terminal moraine ['təːminəl ‚mɔ'rein]
s geol morenă frontală

terminal point ['təːminəl 'point] *s v.*
terminal II 3

terminate ['təːmi‚neit] **I** *vt* **1** a limita,
a stabili/a fixa sfârșitul/înche-
ierea *(cu dat)*; a fixa marginea/
granița/limita *(cu dat)* **2** a încheia,
a sfârși, a pune capăt la *(sau cu
dat)* **3** a restrânge, a mărgini, a
limita **4** *med* a întrerupe *(sarcina)*
II *vi* a se termina, a se sfârși, a
se încheia

terminater ['təːmineitə^r] *s* **1** per-
soană care încheie/termină/
desăvârșește *(o lucrare postu-
mă etc.)* **2** *astr* linie de demar-
cație *(a luminozității)*

termination [‚təːmi'neiʃ ə n] *s* **1**
capăt, sfârșit, limită, extremitate
2 încheiere, terminare, sfârșit;
concluzie; rezultat, consecință **3**
gram terminație, desinență, sufix
4 *tehn* mecanism/dispozitiv final/
terminal/marginal

terminative ['təːminətiv] *adj* **1** de
încheiere, final; conclusiv **2**
definitiv, absolut

terminer ['təːminə^r] *s jur* hotărâre,
decizie

termini ['təːminai] *pl de la* **terminus**

terminism ['təːminizə m] *s rel* **1**
*doctrină care susține limitarea
răgazului/timpului de pocăință* **2**
v. **nominalism**

terminist ['təːminist] *s filos, rel* adept
al doctrinei terminismului *sau*
nominalismului

terminological [‚təːminə'lɔdʒikəl]
adj terminologic, referitor la
terminologie

terminological inexactitude [‚təː-
:minə'lɔdʒikəl inig'zæktitjuːd] *s* F
umor inexactitate, îndepărtare
de la adevăr; neadevăr, – min-
ciună

terminologically [‚təːminə'lɔdʒikəli]
adv din punct de vedere termi-
nologic/al terminologiei/al ter-
menilor

terminology [‚təːmi'nɔlədʒi] *s* **1**
terminologie, nomenclatură **2**
știința terminologiei (tehnice)

terminus ['təːminəs], *pl* **termini**
['təːminai] *s* **1** *v.* **terminal II 3 2**
țintă (finală), scop, țel **3** extre-
mitate, capăt **4** hotar, limită,
graniță **5** piatră de hotar **6** the ~
mit zeul protector al granițelor

termitarium [‚təːmi'tɛəriəm], **termi-
tary** ['təːmitəri] *s ent* cuib/furnicar
de termite

termite ['təːmait] *s ent* termită
(Isoptera sp.)

termless ['təːmlis] *adj* **1** nelimitat,
nemărginit, fără limită **2** fără
termen (final), fără dată fixă (de
încheiere) **3** necondiționat; inde-
pendent, neatârnat **4** inexpri-
mabil, (de) nespus; inefabil

termor ['təːmə^r] *s jur* posesor (viager
sau pe termen), deținător al
dreptului de posesiune pe ter-
men *sau* pe viață

terms of reference ['təːmz əv 'refərəns]
s pl **1** coordonate individuale
(pentru o hotărâre, un raport etc.)
2 program(ă) cadru; definire a
(scopului și) proporțiilor unei
anchete *etc.;* coordonate esen-
țiale; termeni de bază; repere

terms of trade ['təːmz əv 'treid] *s ec*
balanță comercială externă,
raport între exporturi și importuri

term time ['təːm ‚taim] *s școl* trimes-
tru; perioada cursurilor; **during
~** în timpul cursurilor/anului
școlar

tern [təːn] *s* **1** triadă, (grup de) trei **2**
orn rândunică de mare *(Sterna
hirundo)*

ternary ['təːnəri] **I** *adj* ternar, (com-
pus) din trei **II** *s v.* **tern 1 2** *ch*
compus/corp ternar

ternate ['təːnit] *adj bot* ternar, așezat
în triade/în grupuri de trei

terne(plate) ['təːn(‚pleit)] *s met* tablă
mată; tablă cositorită

terotechnology [‚tiəroutek'nɔlədʒi] *s*
tehn terotehnologie, terotehnică,
tehnologia instalării și întreținerii
utilajului

terpene ['təːpiːn] *s ch* terpenă

Terpsichore [təːp'sikəri] *s mit* Ter-
psihora *(muza dansului)*

Terpsichorean [‚təːpsikə'riən] *adj*
referitor la dans/balet/Terpsi-
hora

terr. *presc de la* **territory**

terra ['terə] *s lat* terra, pământul

terra alba ['terə 'ælbə] *s lat* lut de pipă/
pentru confecționat lulele/pipe

terrace ['terəs] *s* **1** terasă **2** dig, zăgaz, stăvilar **3** alee, stradă, șir de case (cu vegetație bogată) **4** *geol* terasă **5** acoperiș neted/plat

terrace(d) house ['terəs(t) ,haus] *s arhit* casă cu etajele retrase

terraced roof ['terəst ,ru:f] *s arhit* acoperiș plat *(↓ al unei case din India sau din Extremul Orient)*

terra cotta ['terə 'kotə] *s* teracotă

terrae filius ['teri 'filiəs], *pl* **terrae filii** ['təri 'filiai] *s lat* **1** om ridicat de jos; persoană de origine modestă/obscură **2** *od* orator satiric la Universitatea Oxford

terra firma ['terə 'fə:mə] *s lat* pământ tare/ferm (sub picioare); uscat

terrain ['terein] *s* **1** regiune, teritoriu **2** teren, pământ, sol

terra incognita ['terə in'kɔgnitə] *s lat* pământ necunoscut; țară/regiune necunoscută/nestrăbătută **2** *fig* resursă neexploatată

terramara [,terə'mɑ:rə], *pl* **terramarae** [,terə'mɑ:ri:] *v.* **terramare**

terramare [,terə'mɑ:ri:] *s arheol* **1** locuință *sau* așezare lacustră *(↓ în Italia)* **2** depozit de pământ cu săruri de amoniu găsite în gorganele așezărilor lacustre din Italia

Terrance ['terəns] *nume masc v.* **Terence 2**

terrapin ['terəpin] *s zool* broască țestoasă de apă dulce *(Malaclemmys sp.)*

terraqueous [te'reikwiəs] *adj* **1** constând din apă și pământ **2** *(d. călătorii)* pe uscat și pe mare **3** amfibiu

terrarium [te'rɛəriəm], *pl și* **terraria** [te'rɛəriə] *s* **1** rezervație *sau* cușcă pentru animale terestre; grădină zoologică **2** glob de sticlă *etc.* cu plante vii în creștere

terra sigilata ['terə ,sidʒi'lɑ:tə] *s* **1** *geol* lut astringent din insula Lemnos **2** *artă* vase/ceramică din insula Samos

terrazzo [te'rætsou], *pl* **terrazzos** [te'rætsouz] *s arhit* material pentru (pardoseală de) mozaic

Terre Haute [,terə 'hout] *oraș în S.U.A.*

Terrell ['terəl] *nume masc*

Terrence ['terəns] *nume masc v.* **Terence 2**

terrene [te'ri:n] I *adj* pământesc, terestru II *s* **1** suprafața pământului **2** glob terestru

terreplein ['tɛə,plein] *s mil* teren plat unde se instalează o baterie; poziție de artilerie

terrestrial [tə'restriəl] I *adj* **1** terestru, pământesc; de pe uscat **2** *fig* pământesc, lumesc; prozaic II *s* pământean, locuitor al pământului

terrestrial globe [tə'restriəl 'gloub] *s* glob terestru; **the ~** pământul, globul

terrestrial planet [tə'restriəl 'plænit] *s astr* Mercur, Venus, Pământul *sau* Marte

terrestrial telescope [tə'restriəl 'teliskoup] *s* lunetă terestră

terret ['terit] *s* inel pentru hățuri

terre verte ['tɛə ,vɛ:t] *s artă* pământ moale verde folosit ca pigment

terrible ['terəbəl] *adj* **1** teribil, grozav, îngrozitor, groaznic, înspăimântător **2** *F* colosal, enorm, uriaș; teribil, formidabil, extraordinar; nemaipomenit **3** violent, aspru

terribly ['terəbli] *adv* **1** grozav, teribil, îngrozitor **2** *F* strașnic, grozav, formidabil

terricoline [te'rikəlain], **terricolous** [te'rikələs] *adj biol* care trăiește în pământ/în sol

Terrie ['teri] *nume masc dim de la* **Terence**

terrier[1] ['teriəʳ] *s* **1** câine din rasa terier **2** *umor v.* **territorial** II

terrier[2] *s od* cadastru, registru de impozit funciar, catastif

terrific [tə'rifik] *adj* **1** *v.* **terrible 1, 2** **2** oribil, scârbos

terrifically [tə'rifikəli] *adv v.* **terribly**

terrify ['terifai] *vt* a înspăimânta, a îngrozi, a speria, a înfricoșa

terrigenous [te'ridʒinəs] *adj* terigen, produs de sol/pământ

Terrill ['terəl] *nume masc*

terrine [te'ri:n] *s* **1** castron de supă **2** terină, vas de bucătărie incasabil

territ ['terit] *s v.* **terret**

territorial [,teri'tɔ:riəl] I *adj* **1** teritorial, referitor la teritoriu **2** funciar; cadastral; referitor la pământ II *s* soldat din armata teritorială britanică

Territorial and Army Volunteer Reserve [,teri'tɔ:riəl ənd ,ɑ:mi ,vɔlən'tiə ri'zə:v] *s mil* armata de voluntari ai corpului teritorial; gardă civilă

territorialism [,teri'tɔ:riəlizəm] *s bis* sistem al autorității religioase

(subordonată puterii civile)

territorialize [,teri'tɔ:riəlaiz] *vt* **1** a mări/a lărgi prin anexiuni teritoriale **2** *pol* a face dependent, a reduce la condiția de teritoriu dependent *(v.* **territory 2***)*

territorially [,teri'tɔ:riəli] *adv* din punct de vedere teritorial

territorial waters [,teri'tɔ:riəl 'wɔ:təz] *s pl* ape teritoriale

territory ['teritəri] *s* **1** teritoriu **2** *amer* teritoriu, posesiune **3** *fig* domeniu, sferă *(de activitate etc.)* **4** *sport* jumătate de teren a fiecărei echipe

Terror, the ['terə, ðə] *ist* Teroarea, perioada teroarei din Revoluția Franceză *(1793-1794)*

terror ['terə] *s* **1** teroare **2** spaimă, groază, înfricoșare **3** *fig* persoană înspăimântătoare *sau* oribilă; ciumă, spaimă, teroare, groază **4** *F* diavol împielițat, drac de copil **5** *F* tip insuportabil, oroare

terrorism ['terə,rizəm] *s* terorism, teroare

terrorist ['terərist] *s, adj* terorist

terroristic [,terə'ristik] *adj* terorist

terrorize ['terə,raiz] *vt* a teroriza

terror-smitten ['terə,smitn] *adj v.* **terror-stricken**

terror-stricken ['terə,strikn] *adj* îngrozit, înspăimântat, cuprins de spaimă/groază/panică

terror-struck ['terə,strʌk] *adj v.* **terror-stricken**

Terry ['teri] **1** Ellen *actriță britanică (1847-1928)* **2** *nume masc dim de la* **Terence 3** *nume fem dim de la* **Theresa**

terry *s* **1** *text* pluș, (pânză de) prosop, pânză flaușată **2** covor, preș, covoraș

terrylene ['terə,li:n] *s text* terilenă, tergal

Tersanctus [tə'sæŋktəs] *s bis* **1** Sfânta Sfintelor **2** imn de slavă

terse [tə:s] *adj* **1** concis, succint, lapidar; clar, răspicat **2** ← *înv* lustruit, curățit, frecat

terseness ['tə:snis] *s* concizie, conciziune, caracter succint/concis/lapidar; claritate

tertiares ['tə:ʃəriz] *pl de la* **tertiary** II

tertiary ['tə:ʃəri] I *adj* **1** *geol* terțiar **2** *orn* terțial **3** *ch* de gradul al treilea II *pl* **tertiares** ['tə:ʃəriz] *s* **1** *geol* terțiar, eră terțiară **2** culoare amestecată

tertium quid [ˈtə:ʃiəm ˈkwid] *s lat* terț; al treilea element; element intermediar

Tertullian [tə:ˈtʌljən] *teolog latin (160?-230 e. n.)*

tervalent [tə:ˈveilənt] *adj ch* trivalent

terza rima [ˈtɛətsə ˈri:mə] *s* terțină, terța rima

terzetto [tə:ˈtsetou], *pl* **terzetti** [tə:ˈtseti] *sau* **terzettos** [tə:ˈtsetouz] *s muz* terțet, trio vocal

Tesla [ˈteslə], **Nicola** *savant ceh (1847-1943)*

Tesla [ˈteslə] **1** *s* unitate de inducție magnetică **2** *v.* ~ **coil**

Tesla coil [ˈteslə ˌkɔil] *s el* bobină de inducție pentru curenți alternativi de înaltă frecvență

tesselate [ˈtesiˌleit] *vt* a lucra în mozaic

tesselated [ˈtesiˌleitid] *adj* mozaicat, lucrat în mozaic; pardosit cu plăci de culori diferite ca o tablă de șah; cadrilat

tessera [ˈtesərə], *pl* **tesserae** [ˈtesəˌri:] *s* **1** cub smălțuit; *pl* mozaic **2** zar

tesseral [ˈtesərəl] *adj (d. cristal)* teseral, de formă regulată

tessitura [ˌtesiˈtuərə] *s muz it* registru mediu (pentru o voce)

tessular [ˈtesjulər] *adj v.* **tesseral**

test¹ [test] **I** *s* **1** probă, încercare; experimentare; **to put to/through a** ~ a pune la încercare/probă; a proba, a încerca; **to be put through/to undergo a** ~ **a** a fi pus la încercare/probă, a fi verificat **b** a trece prin încercări grele; **to pass/to stand a** ~ a rezista unei încercări, a trece cu bine printr-o încercare; **to stand the** ~ **of time** a rezista (la proba) timpului **2** *ch, tehn etc.* analiză; examen; probă, încercare; control, verificare; ~ **by water** probă la apă **3** *fig* piatră de încercare; semn distinctiv; dovadă/probă concludentă **4** (**of, for**) *ch* reactiv (pentru) **5** cercetare, examinare, examen; **to pass the eye** ~ *mil etc.* a i se verifica vederea **6** *școl* (probă de) examen; lucrare/temă de control **7** *psih etc.* test **8** *ch* cupelație, scoaterea metalelor prețioase din aliaje **II** *vt* **1** a pune la probă/încercare, a proba; a verifica, a controla; a experimenta, a cerceta, a examina, a analiza **2** *ch* a determina (cu

ajutorul reactivului) **3** *ch* a cupela, a separa *(metalele prețioase)* **III** *vi* a face probe/analize/verificări *etc. (v.* ~ **II)**

test² *s* **1** *zool* carapace **2** *bot* coajă dură *(a unei semințe)*

testa [ˈtestə], *pl* **testae** [ˈtesti:] *s v.* **test²**

testable [ˈtestəbəl] *adj* **1** care se poate experimenta/verifica/cerceta **2** *jur* apt pentru a testa/a face testament **3** *jur* apt pentru a depune mărturie

testacean [tesˈteiʃən] *adj zool* țestos, cu carapace **2** *biol* de culoare cărămizie

testacy [ˈtestəsi] *s jur* calitate de testator a defunctului *(care lasă testament)*

testae [ˈtesti:] *pl de la* **testa**

testament [ˈtestəmənt] *s* **1** *jur* testament, *înv →* diată **2** *rel* testament, *înv →* diată

testamental [ˌtestəˈmentəl] *adj v.* **testamentary**

testamentary [ˌtestəˈmentəri] *adj* testamentar; succesoral

testamur [ˈtestəmər] *s lat* certificat de absolvire *(a unui examen)*

testate [ˈtesteit] *jur* **I** *adj* testat, succesoral, lăsat/rămas prin testament **II** *s* testator; **to die** ~ a muri lăsând un testament

testator [teˈsteitər] *s v.* **testate II**

testatrix [tesˈteitriks] *s jur* testatoare

test bench [ˈtest ˌbentʃ] *s tehn* banc de probă

test car [ˈtest ˌkɑ:r] *s auto* prototip; vehicul pentru încercări

test case [ˈtest ˌkeis] *s jur* speță/caz care generează jurisprudență

test drive [ˈtest ˌdraiv] *auto* **I** *s* cursă de probă **II** *vt* a testa/a încerca la drum/într-o cursă de probă

test engine [ˈtest ˌendʒin] *s tehn* prototip; motor de încercare

tester¹ [ˈtestər] *s* **1** experimentator, persoană care face probe/analize/experiențe; laborant **2** instalație/dispozitiv/mecanism/aparat pentru experiențe

tester² *s* baldachin, polog

tester³ *ist* **1** șiling depreciat *(din vremea lui Henric VIII)* **2** monedă de 6 penny

tester bed [ˈtestə ˌbed] *s* pat cu baldachin

testern [ˈtestən] *înv* **I** *s* monedă de 6 penny **II** *vt* a dărui *(cu dat)* o monedă *(↓ de 6 penny)*

testes [ˈtesti:z] *pl de la* **testis**

test flight [ˈtest ˌflait] *s av* zbor de încercare/probă

test-fly [ˈtestˌflai] *vi* a face un zbor de încercare/probă

test glass [ˈtest ˌglɑ:s] *s v.* **test tube 1**

test hop [ˈtest ˌhɔp] *s F v.* **test flight**

testicle [ˈtestikəl] *s anat, zool* testicul

testicular [tesˈtikjulər] *adj anat* testicular, referitor la testicule

testiculate [tesˈtikjuleit] *adj bot* în formă de testicul

testification [ˌtestifiˈkeiʃən] *s* **1** atestare **2** (depunere de) mărturie

testifier [ˈtestiˌfaiər] *s* martor

testify [ˈtestiˌfai] **I** *vt* **1** a atesta, a depune mărturie pentru, a declara (ca martor) **2** a întări prin jurământ, a declara solemn, a susține sus și tare **3** a manifesta *(o dorință etc.)* **II** *vi* a depune mărturie/ca martor, a face o declarație solemnă

testify to [ˈtestiˌfai tə] *vi cu prep* **1** a depune mărturie/a face o depoziție/declarație pentru/în favoarea *(cu gen)* **2** *fig* a dovedi, a demonstra, a arăta, a confirma *cu ac*

testily [ˈtestili] *adv* **1** cu încăpățânare/îndărătnicie **2** morocănos, țâfnos, ciufut; cu țâfnă

testimonial [ˌtestiˈmouniəl] **I** *s* **1** atestat, dovadă, certificat **2** declarație, depoziție, mărturie (scrisă) **3** (scrisoare de) recomandare/recomandație **II** *adj* doveditor, care atestă/confirmă

testimonial dinner [ˌtestiˈmouniəl ˈdinər] *s amer* banchet/festivitate în cinstea cuiva

testimonialize [ˌtestiˈmouniəlaiz] *vt* a oferi în cinstea cuiva

testimony [ˈtestiməni] **I** *s* **1** depoziție/mărturie (scrisă); declarație; *jur* dovadă/probă cu martori; **to bear** ~ **of a** a depune mărturie pentru/despre **b** *fig v.* **testify to 2 2** dovadă, certificat, atestat; **in** ~ **whereof** *jur* drept care certificăm **3** manifestare; protest **4** *bibl* tablele legii, Decalog; revelație divină **II** *vi înv v.* **testify II**

testiness [ˈtestinis] *s* **1** încăpățânare, îndărătnicie **2** țâfnă, caracter morocănos/supărăcios/țâfnos

testis ['testis], *pl* **testes** ['testi:z] *s v.* **testicle**

test liquor ['test ˌlikəˀ] *s ch* **1** soluţie normală **2** grad pentru măsurarea alcoolului

test load ['test ˌloud] *s tehn* sarcină de probă

test match ['test ˌmætʃ] *s sport* meci internaţional, întâlnire internaţională (↓ *meciul de cricket între Anglia şi Australia*)

test meal ['test ˌmi:l] *s med* masă/ dietă standard *(pentru probele medicale)*

test object ['test ˌɔbdʒikt] *s fiz* obiect minuscul *(pt verificarea microscopului)*

testosterone [te'stɔstəˌroun] *s ch, med* testosteron

test out ['test 'aut] *vt cu part adv* a verifica în practică

test paper ['test ˌpeipəˀ] *s* **1** *ch* hârtie (de) turnesol/indicatoare/reactiv **2** *şcol* lucrare/probă scrisă (preliminară), teză; lucrare de control

test piece ['test ˌpi:s] *s* **1** *tehn* vas de luat probele de metal **2** *muz* piesă impusă *(la concurs)*

test pilot ['test ˌpailət] *s av* pilot de încercare

test pressure ['test ˌpreʃəˀ] *s tehn* presiune de probă

testril ['testril] *s înv v.* **tester²**

test room ['test ˌru:m] *s tehn* cameră de probă/încercare/verificare/ experimentare

test run ['test ˌrʌn] *s auto* cursă de probă/încercare

test tube ['test ˌtju:b] *s* **1** eprubetă **2** cultură de bacterii **3** *ch* clorometru

test-tube baby ['test,tju:b 'beibi] *s biol* copil rezultat din însămânţare artificială

test-tube mother ['test,tju:b 'mʌðəˀ] *s* mamă a unui copil rezultat din însămânţare artificială

test type ['test ˌtaip] *s* planşă cu litere *(pt controlul vederii)*

testudinal [te'stju:dinəl] *adj* asemănător cu/relativ la broasca ţestoasă; cu carapace

testudinate [te'stju:dineit] *adj* arcuit, boltit

testudines [te'stju:diˌni:z] *pl de la* **testudo**

testudo [te'stju:dou], *pl* **testudines** [te'stju:diˌni:z] *s* **1** *v.* **tortoise 2** od scut, pavăză **3** *min* scut de protecţie **4** *arhit* plafon boltit **5** *muz* ← *înv* liră **6** *med* tumoare închistată

testy ['testi] *adj* **1** ţâfnos, iritabil, susceptibil, iute (la mânie), supărăcios; **to grow ~** a-i sări muştarul, a-şi pierde cumpătul **2** posac, ursuz, supărat

tetanic [tə'tænik] **I** *adj* tetanic, referitor la tetanos **II** *s* (medicament) convulsiv

tetanize ['tetəˌnaiz] *vt med* **1** a infecta (animale) cu tetanos; a rigidiza (ca la tetanos); a produce contracţii tetanoide; a tetaniza, a produce (experimental) tetanosul la *(animale etc.)*

tetanoid ['tetəˌnɔid] *adj med* tetanic, asemănător tetanosului; contractat, înţepenit

tetanus ['tetənəs] *s med* tetanos

tetany ['tetəni] *s med* tetanie, spasm muscular intermitent; hipocalcemie

tetchily ['tetʃili] *adv v.* **techily**

tetchiness ['tetʃinis] *s v.* **techiness**

tetchy ['tetʃi] *adj v.* **techy**

tête-à-tête [ˌteitə'teit] **I** *adv* în tête-à-tête, între patru ochi, în intimitate/confidenţă/particular **II** *adj* **1** tainic, secret, intim; confidenţial **2** particular, intim, privat **3** care priveşte numai două persoane (implicate) **III** *s* **1** tête-à-tête; convorbire/conversaţie intimă/confidenţială/între patru ochi/între două persoane **2** canapeluţă pentru două persoane care stau faţă în faţă

tête-bêche [tet'beʃ] *adj (d. timbru poştal)* tête-bêche, inversat, cu capul în jos

tether ['teðəˀ] **I** *s* **1** funie pentru priponit vitele, pripon **2** *fig* limită, margine; capacitate de îndurare/ rezistenţă *etc.;* **to be at/to come to the end of one's ~** a ajunge la capătul puterilor/răbdării, a nu mai fi în stare să suporte **II** *vt* a priponi, a ţine priponit; **to ~ smb by a short rope** a ţine pe cineva din scurt

tetra- *pref* tetra-: **tetravalent** tetravalent

tetrachloride [ˌtetrə'klɔ:raid] *s ch* tetraclorură

tetrachord ['tetrəˌkɔ:d] *s muz* **1** od liră antică cu patru strune **2** cvartă

tetracyclic [ˌtetrə'saiklik] *adj bot* cu patru cercuri *sau* volute; tetraciclic

tetrad ['tetræd] *s* **1** numărul patru **2** grup de patru; cvartet, cvatuor

tetradactyl [ˌtetrə'dæktil] *adj, s* tetradactil

tetradactylous [ˌtetrə'dæktiləs] *adj zool* cu patru degete, tetradactil

tetradiapazon [ˌtetrəˌdaiə'peizən] *s muz* octavă cvadruplă

tetraglossic [ˌtetrə'glɔsik] *adj* poliglot, în patru limbi

tetragon ['tetrəˌgɔn] *s geom* **1** patrulater **2** pătrat

tetragonal [te'trægənəl] *adj geom* **1** patrulateral **2** pătrat

tetragram ['tetrəˌgræm] *s* **1** tetragramă, cuvânt cu patru litere **2** numele ebraic al lui Dumnezeu *(scris în patru litere)*

Tetragrammaton [ˌtetrə'græmətən] *s v.* **tetragram**

tetragynous [te'trædʒinəs] *adj bot* cu patru pistile

tetrahedra [ˌtetrə'hi:drə] *pl de la* **tetrahedron**

tetrahedron [ˌtetrə'hi:drən], *pl* **tetrahedra** [ˌtetrə'hi:drə] *s geom, minrl* tetraedru

tetralogy [te'trælədʒi] *s* tetralogie

tetramerous [te'træmərəs] *adj* compus din/având patru părţi

tetrameter [te'træmitəˀ] *s* tetrametru

tetramorph ['tetrəmɔ:f] *s artă rel* îmbinarea celor patru evanghelişti într-o singură figură înaripată; icoana celor patru evanghelişti

tetrandrous [te'trændrəs] *adj bot* cu patru stamine

tetraploid ['tetrəˌplɔid] *adj biol* cu patru seturi de cromozomi haploizi

tetrapod ['tetrəˌpɔd] *s, adj zool* tetrapod, cvadruped

tetrapodous [te'træpədəs] *adj zool* patruped, tetrapod

tetrapterous [te'træptərəs] *adj orn, ent* cu patru aripi

tetrarch ['tetrɑ:k] *s ist* **1** membru al unui cvadrumvirat; unul din cei patru conducători **2** tetrarh, satrap/guvernator al unei provincii/al unui sfert din ţară

tetrarchate [te'trɑ:ˌkeit] *s ist* provincie/ţară guvernată de un tetrarh

tetrarchical [te'trɑ:kikəl] *adj ist* referitor la tetrarh *sau* tetrarhie

tetrarchy ['tetrɑ:ki] *s ist v.* **tetrarchate**

tetrastich ['tetrə,stik] *s metr* strofă în patru versuri; catren

tetrasyllabic [,tetrəsi'læbik] *adj* tetrasilabic

tetrasyllable [,tetrə'siləbəl] *s* cuvânt tetrasilabic/cu patru silabe

tetrode ['tetroud] *s el* lampă/valvă termoionică cu patru electrozi

tetter ['tetə'] *s med* pecingine, eczemă; chelbe

tetterwort ['tetəwə:t] *s v.* **celandine**

Teut. *presc de la* **Teutonic**

Teutomania [,tju:tə'meiniə] *s elev* germanofilie; admirație pentru teutoni/germani

Teutomaniac [,tju:tə'meiniək] *s* germanofil fanatic/înverșunat; admirator fanatic al teutonilor/germanilor

Teuton ['tju:tən] *s* teuton

Teutonic [tju:'tɔnik] **I** *adj* teutonic; referitor la vechii germani **II** *s* **1** *lingv* teutonica comună **2** limbă germanică (↓ *gotica veche*)

Teutonism ['tju:tə,nizəm] *s* teutonism, germanism

Teutonist ['tju:tənist] *s* teutonist, germanist

Teutonize ['tju:tə,naiz] *vt* a germaniza, a supune influenței teutone/germane

Teutophil ['tju:təfil], **Teutophile** ['tju:təfail] *adj, s* germanofil

Teutophobe ['tju:təfoub] *adj, s* germanofob

Teutophobia [,tju:tə'foubiə] *s* germanofobie

tevee ['ti:'vi:] *s* ← *F* televiziune, TV

tew [tju:] *vt* a muia (prin batere *sau* presare); a bate, a presa (*cânepă, in sau piele*)

tewel ['tju:əl] *s tehn* supapă de foraj

Tewkesbury ['tju:ksbəri] *oraș în Anglia*

Tex *presc de la* **Texas**

Texan ['teksən] **I** *adj* texan, din Texas **II** *s* texan, locuitor din Texas

Texas ['teksəs] *stat în S.U.A.*

Texas City ['teksəs ,siti] *oraș în S.U.A.*

Texas rangers ['teksəs ,reindʒəz] *s pl amer* jandarmerie/poliție călare din Texas

Texas tower ['teksəs ,tauə'] *s telev* instalație radar cufundată în mare

text [tekst] *s* **1** text **2** citat **3** temă, subiect; **to stick to one's ~** a se referi numai la subiect, a nu bate câmpii **4** *poligr* caractere gotice **5** *poligr* zaț **6** *amer v.* **text book**

text book ['tekst ,buk] *s* **1** manual (școlar), carte de școală **2** culegere de texte biblice **3** *muz* libret

text-hand ['tekst,hænd] *s* scris mare și frumos (*pentru manuscrisele trimise la tipar*)

textile ['tekstail] **I** *adj* textil **II** *s* țesătură, material (textil); stofă

text letter ['tekst ,letə'] *s poligr* literă mare ornamentală

texts [teksts] *s pl* bibliografie (obligatorie), cărți de studiu

textual ['tekstjuəl] *adj* **1** (*d. critică*) textual, referitor la text, de text **2** literal, textual, cuvânt cu cuvânt

textualist ['tekstjuəlist] *s* **1** erudit în materie de texte biblice *etc.* **2** *fig* bucher, om închistat, talmudist

texture ['tekstʃə'] *s* **1** textură, țesătură, țesut **2** *anat* țesut, structură **3** *geol etc.* textură **4** *text* desime, calitate a țesăturii

TF *presc de la* **1** **task force** **2** **territorial force** **3** **till forbidden** până la interzicere

tfr *presc de la* **transfer**

T.G.W.U. *presc de la* **Transport and General Workers' Union** sindicatul muncitorilor din transporturi și alte servicii

Th. *presc de la* **1** **thorium** **2** **Thursday**

-th *suf* **1** -lea: **the tenth** al zecelea **2** -ete, -ime: **dearth** scumpete; **breadth** lățime

Thackeray ['θækəri], **William Makepeace** *scriitor englez (1811-1863)*

Thad [θæd] *nume masc dim de la* **Thaddeus**

Thaddeus ['θædiəs] *nume masc*

Thai [tai] *s adj* tai(landez)

Thailand ['tai,lænd] Tailanda

Thailander ['tai,lændə'] *s* tailandez

thalamus ['θæləməs], *pl* **thalami** ['θæləmai] *s* **1** *ist Greciei* iatac, odaie interioară (ocupată de femei); gineceu **2** *anat* talam, zonă interioară a creierului (*rădăcina nervilor senzoriali*) **3** *bot* receptacul al unei flori

thalassic [θə'læsik] *adj* marin, talasic, referitor la o mare (mică/interioară)

thaler ['ta:lə'] *s od* taler (monedă germană)

Thales ['θeili:z] *filosof elen* Tales (din Milet) (640?-546 î.e.n.)

Thalia [θə'laiə] *mit* Talia (*muza comediei și a poeziei pastorale*)

thalidomide [θə'lidə,maid] *s ch, med* talidomidă, sedativ nociv (*produce malformații ale fătului*)

thalidomide baby/child [θə'lidə,maid ,beibi/,tʃaild] *s med* copil/prunc născut cu malformații (*datorate folosirii talidomidei de către mamă*)

thalli ['θælai] *pl de la* **thallus**

thallium ['θæliəm] *s ch* taliu

thallogen ['θælədʒən], **thallophyte** ['θæləfait] *s bot* talofită, plantă cu structură de algă, ciupercă *sau* lichen

thallus ['θæləs], *pl* **thalli** ['θælai] *s bot* talus

thalweg ['ta:lveg] *s geogr, geol* talveg

Thames, the ['temz, ðə] Tamisa; **to set the ~ on fire** a descoperi America/praful de pușcă

than [ðən; *formă tare* ðæn] **I** *conj* decât, ca **II** *adv înv v.* **then**

thanage ['θeinidʒ] *s ist* **1** rang nobil de **thane**/than **2** proprietate acordată unui **thane**/than

thanatology [,θænə'tɔlədʒi] *s* **1** *med* studiul fenomenelor care însoțesc moartea **2** *etnografie* ritualurile legate de moarte

Thanatos ['θænə,təs] *s mit* tanatos, chemarea morții

thane [θein] *s ist* **1** than, *aprox* conte (*în Anglia*) **2** nobil împroprietărit de rege **3** *scot* șef de clan ridicat la rangul de baron

thank [θæŋk] **I** *s v.* **thanks** **II** *vt* **1** a mulțumi (*cu dat*), a exprima mulțumiri/recunoștință față de (*cineva*); **to ~ smb for smth** a mulțumi cuiva pentru ceva; **~ you** mulțumesc, mersi; **~ God/heaven/goodness!** slavă domnului! bogdaproste! **~ing you in anticipation** mulțumindu-vă anticipat, cu mulțumiri anticipate; **to ~ one's stars** a mulțumi cerului/providenței/soartei; **~ you for nothing** nu prea am pentru/de ce să-ți mulțumesc **2** (*ca rugăminte*) a rămâne îndatorat (*cu dat*), a fi recunoscător (*cu dat*); **I will ~ you not to bother about my business** ți-aș fi recunoscător dacă nu te-ai mai ocupa de mine; te-aș ruga să-ți vezi de treburile tale **3** ← *umor* a datora un lucru (*cu dat*); a rămâne dator (*cu dat*);

you have to ~ **him for that** asta ai păţit-o din cauza lui, numai lui trebuie să-i mulţumeşti pentru asta; **you have only yourself to** ~ **for it** *F* de data asta ţi-ai făcut-o cu mâna ta, – numai tu eşti de vină III *interj* v. **thanks** II

thankful ['θæŋkful] *adj* recunoscător, plin de recunoştinţă/gratitudine

thankfully ['θæŋkfuli] *adv* cu recunoştinţă/gratitudine

thankfulness ['θæŋkfulnis] *s* recunoştinţă, gratitudine; mulţumită

thankless ['θæŋklis] *adj* 1 nerecunoscător, ingrat 2 *(d. muncă etc.)* ingrat; nerăsplătit

thanklessly ['θæŋklisli] *adv* fără pic de recunoştinţă, nerecunoscător

thanklessness ['θæŋklisnis] *s* nerecunoştinţă, ingratitudine, lipsă de recunoştinţă/gratitudine; nemernicie

thank-offering ['θæŋk,ofəriŋ] *s* 1 *rel* jertfă (de mulţumire), ofrandă 2 *fig* ofrandă, dar adus drept mulţumire

thanks [θæŋks] I *s pl* mulţumiri; mulţumită; recunoştinţă, expresia recunoştinţei; **many** ~ mii de mulţumiri; **I owe you many** ~ îţi rămân profund îndatorat; **to smile one's** ~ a mulţumi printr-un surâs; **no** ~ **are needed!** n-ai/n-aveţi pentru ce! pentru puţin/nimic; cu plăcere; **to give/to express/to offer** ~ **(to smb for smth)** a exprima mulţumiri/a mulţumi (cuiva pentru ceva); ~ **be to God!** slavă domnului! slavă ţie doamne! **to get small/much** ~ **for smth** a fi răsplătit prost pentru ceva II *interj* mulţumesc, mersi; bogdaproste; sărut-mâna; **very much** mulţumesc foarte mult

thanksgiving ['θæŋks,giviŋ] *s* 1 *bis* slujbă de mulţumire, tedeum 2 *fig* recunoştinţă, ofrandă; jertfă, sacrificiu

thanksgiving Day ['θæŋks,giviŋ'dei] *s amer* Ziua Recunoştinţei *(a patra joi din noiembrie)*

thanks to ['θæŋks tə] *prep* mulţumită, datorită *cu dat;* ~ **her** mulţumită/ datorită ei

thankworthy ['θæŋkwə:ði] *adj* demn/ vrednic de recunoştinţă/mulţumiri/laude

thar [ta:'] *s zool* antilopă *sau* capră sălbatică din Himalaia

Thasos ['tæsɔs] *insulă în Marea Egee*

that I *pr, pl* **those** [ðouz] 1 [ðæt] *(demonstrativ)* acela/aceea; *F* ăla; aia; *(în vorbirea indirectă)* acesta, aceasta, *F* ăsta, asta; **what is** ~? ce-i aia/asta? **who's** ~? a ăla/asta cine mai e? **b** cine-i/care-i acolo? **is** ~ **you?** tu eşti? ~ **is where I live** acolo locuiesc; ~ **was the news** am transmis radio-jurnalul/un buletin de ştiri; **after** ~ după aceea/asta; **but for** ~ dacă n-ar fi fost asta la mijloc, fără asta; ~ **is** adică; **like** ~ uite/iată aşa; **at** ~ pe deasupra, pe lângă asta, în plus; **and all** ~ şi toate celelalte, şi aşa mai departe 2 [ðæt] *(demonstrativ, accentuat)* aceasta, asta, lucrul ăsta; ~ **I will do** chiar asta am să şi fac; **I'm sorry,** ~ **I am** îmi pare tare rău, zău aşa; ~**'s it!** aşa e! asta este! bravo! ~**'s all** atâta tot; asta-i totul; ~**'s what he's like** aşa e el, aşa e în firea lui; **(and)** ~ **is** ~! şi cu asta basta! n-ai ce-i face! asta este! 3 [ðæt] *(demonstrativ, ant* **this)** cestălalt, celălalt; primul pomenit; **this is your book and** ~ **is mine** cartea ta şi aceea a mea 4 [ðæt] *(demonstrativ urmat de prep relativă)* **there is** ~ **in him which arouses pity** are în el ceva care stârneşte milă; **what is** ~ **I see?** ce văd acolo? 5 [ðət] *(relativ)* care; **the book** ~ **is there** cartea de acolo/care e acolo; **he** ~ **sows iniquity shall reap sorrow** *prov* cine seamănă vânt culege furtună; **wretch** ~ **I am!** nenorocitul de mine 6 [ðæt] *(relativ circumstanţial, adesea se omite)* în care; când; unde; **the day** ~ **he came** ziua când/în care a venit; **the house** ~ **I live in** casa unde/în care locuiesc 7 [ðæt] *(relativ, la ac)* pe care; **the man** ~ **you see** omul pe care-l vezi II *adj* [ðæt], *pl* **those** [ðouz] acela, ace(e)a, *F* ăla, aia III *conj* [ðət] 1 *(după* **it** *introductiv de subliniere, de obicei nu se traduce):* **it is to this** ~ **I don't agree** (tocmai) cu asta nu sunt de acord 2 *(de scop)* ca, pentru ca, numai (ca) să, în scopul de a *(sau cu gen):* **I went there** ~ **I may/might meet**

him m-am dus acolo ca să-l întâlnesc; **I would give the world** ~ **it had never happened** aş da nu ştiu ce să nu fi fost/să nu se fi întâmplat aşa 3 *(consecutiv)* încât: **I was so tired** ~ **I couldn't sleep** eram atât de obosit încât nici n-am putut adormi, eram prea obosit ca să adorm 4 *(exclamativ, indică regretul, indignarea etc.)* închipuieşte-ţi; ~ **I should live to see it!** închipuieşte-ţi/când te gândeşti că mi-a fost dat/că am ajuns să văd una ca asta 5 *(exclamativ, ca optativ)* de-ar da Dumnezeu! de s-ar putea! **o,** ~ **it were possible** o, de-ar fi posibil/cu putinţă 6 fără ca; **never a day passes** ~ **he doesn't come here** nu e zi (lăsată de la Dumnezeu) să nu vină pe aici // **but** ~ dacă nu *(urmat de condiţional);* **but** ~ **he comes** dacă n-ar veni; **in** ~ prin aceea că; **the more likely** ~... cu atât mai probabil cu cât...; **not** ~ nu că; **now** ~ acum că/când IV *adj* [ðæt] v. **this** III 1

thatch [θætʃ] I *s* 1 paie; stuf *(pt acoperiş)* 2 acoperiş de paie *sau* stuf; acoperiş de frunze 3 *fig* coamă/claie (de păr), păr bogat/ des/mult; podoabă capilară II *vt* a face un acoperiş de paie *sau* stuf la; a acoperi cu paie *sau* stuf

thatcher ['θætʃə'] *s constr* meşter în acoperişuri de stuf

thatching ['θætʃiŋ] *s* 1 paie *sau* stuf pentru acoperiş 2 meşteşugul facerii acoperişurilor de paie *sau* stuf

thatching knife ['θætʃiŋ ,naif] *s constr* cuţit pentru stuful folosit la acoperiş

thaumatology [,θɔ:mə'tɔlədʒi] *s* taumatologie

thaumatrope ['θɔ:mə,troup] *s fiz* taumatrop, disc minune

thaumaturge ['θɔ:mə,tə:dʒ] *s* 1 taumaturg, făcător de minuni 2 vrăjitor, magician; prestidigitator

thaumaturgic(al) [,θɔ:mə'tə:dʒik(əl)] *adj* taumaturgic; referitor la minuni *sau* la vrăjitorie

thaumaturgist [,θɔ:mə'tə:dʒist] *s* 1 v. **thaumaturge** 2 persoană care crede în minuni *sau* în vrăji

thaumaturgy ['θɔ:mə,tə:dʒi] *s* taumaturgie

thaw [θɔ:] **I** *vi* **1** a se topi, a se dezgheța, a se muia; a se dizolva **2** *fig* a deveni mai prietenos/cald/cordial, a se încălzi; a se dezgheța **II** *s* dezgheț, topire *(a zăpezilor);* dizolvare

thawless ['θɔ:lis] *adj (d. gheață etc.)* care nu se topește

thaw out ['θɔ:'aut] *vt* **1** a dezgheța, a topi, a lichefia **2** *fig* a face mai prietenos/cordial/intim, a dezgheța

thawy ['θɔ:i] *adj* fuzibil, care se poate topi

Th.D. *presc de la* **Doctor of Theology**

the I [ðə, înaintea vocalelor ði(:)] *art* **1** ~ **house** casa; ~ **chair** scaunul **2** *(distributiv)* pe; **a shilling ~ hour** un șiling ora/pe oră **II** [ði:] *adj:* **he is ~ romantic poet** e poetul romantic prin excelență; e cel mai mare poet romantic **III** [ðə] *adv (precedă un adj sau adv la comp)* cu cât... cu atât...; ~ **sooner ~ better** cu cât mai curând/repede, cu atât mai bine; **so much ~ more** cu atât mai mult; ~ **more ~ merrier** cu cât vom fi mai mulți, cu atât ne vom distra mai bine

the- *pref v.* **theo-**

theandric [θi'ændrik] *adj rel* referitor la caracterul deopotrivă divin și omenesc al lui Cristos

theanthropic [,θi:æn'θrɔpik] *adj rel* divin și uman în același timp; îmbinând divinitatea cu umanitatea

thearchy ['θi:ɑ:ki] *s* **1** conducere/stăpânire/guvernare divină/de către zei **2** *mit* ierarhia zeilor *(în Olimp etc.)*

theat. *presc de la* **theatrical**

theater... ['θiətə] *amer v.* **theatre...**

theatre ['θiətə] *s* **1** *și fig* teatru **2** literatură dramatică, dramaturgie, teatru **3** *univ* amfiteatru, aulă **4** *amer și* (sală de cinema)

theatre bill ['θiətə,bil] *s* afiș teatral/de teatru/de spectacol

theatregoer ['θiətə,gouə] *s* amator de teatru, spectator pasionat de teatru

theatregoing ['θiətə,gouiŋ] *s* frecventare a teatrelor

theatre-going ['θiətə,gouiŋ] *adj* amator/pasionat de teatru, care frecventează spectacolele teatrale

theatre-in-the-round ['θiətərinðə'raund] *s* spectacol/teatru jucat (pe o scenă) în mijlocul spectatorilor; reprezentație dată pe o scenă centrală; teatru circular

theatre of the absurd, the ['θiətər əv ði əb'sə:d, ðə] *s lit* teatrul absurdului

theatre sister ['θiətə ,sistə] *s med* asistentă/soră care îl asistă pe chirurg la operații

theatric [θi'ætrik] *adj v.* **theatrical I**

theatrical [θi'ætrikəl] **I** *adj* **1** teatral, scenic, de teatru **2** *fig* teatral, exagerat, afectat, nefiresc **II** *s pl* (spectacole de) teatru *(↓ de amatori)*

theatricalism [θi'ætrikəlizəm] *s* artă scenică

theatricality [θi,ætri'kæliti] *s* **1** caracter teatral/dramatic, teatralism **2** atitudine teatrală/afectată/nefirească; afectare, exagerare

theatricalize [θi'ætrikəlaiz] *vt și fig* a dramatiza

theatrically [θi'ætrikəli] *adv* în mod teatral/artificial/nefiresc

theatricalness [θi'ætrikəlnis] *s v.* **theatricality**

Thebae ['θi:bi:] *v.* **Thebes**

Thebaic [θi'beiik] *adj v.* **Theban I**

Thebaid ['θi:beiid] Tebaida

Thebaism ['θi:bəizəm] *s med* tebaism

Theban ['θi:bən] **I** *adj* teban **II** *s* teban, locuitor din Teba

Thebes ['θi:bz] Teba

theca ['θi:kə], *pl* **thecae** ['θi:si:] *s* **1** *bot* parte a plantei care servește de receptacul **2** *zool* teacă a unui organ

thé dansant [te dɑ̃'sɑ̃] *s fr* ceai dansant

thee [ði:] *pr pers ← înv* **1** pe tine, te **2** ție, îți **3** tu

thee and thou ['ði: ən' ðau] *vt ← înv* a tutui

theft [θeft] *s* furt, hoție; furtișag

theft-proof ['θeft,pru:f] *adj* antifurt, de siguranță

thegn [θein] *s v.* **thane**

theine ['θi:i:n] *s ch* teină; cafeină

their [ðə, *forma tare* ðɛə] *adj pos* lor; **they lost ~ patience** și-au pierdut răbdarea

theirs [ðɛəz] *pr pos* al/a/ai/ale lor; **that house is ~** casa aceea e a lor; **a friend of ~** un prieten de-al lor; ~ **not to reason why** nu au

ei căderea să judece/să se întrebe de ce

theism ['θi:izəm] *s rel* teism

-theism *suf* -teism: **polytheism** politeism

theist ['θi:ist] *s rel* teist

-theist *suf*-teist: **pantheist** panteist

theistic [θi:'istik] *adj rel* teist

Thelma ['θelmə] *nume fem*

them [ðəm *forma slabă,* ðem *forma tare*] **1** *pr pers* pe el/ele; li; lor; lor, el, ele; **many of ~** mulți dintre ei; **both of ~** amândoi! **none of** ~ nici unul (din/dintre ei); **it's ~!** ei/ele sunt! iată-i! iată-le! **2** *demonstrativ ← F* alea, ăia; ~ **boys** băieții ăia

thematic [θi'mætik] *adj* tematic

thematically [θi'mætikəli] *adv* (din punct de vedere) tematic

thematic catalogue [θi'mætik 'kætəloug] *s* catalog tematic/pe materii

theme [θi:m] *s* **1** temă, subiect, obiect *(de discuție etc.)* **2** compoziție; lucrare; eseu; disertație **3** *muz* temă, motiv **4** *gram* rădăcină, radical, temă **5** *amer* retroversiune, traducere în limbă străină **6** *ist* temă, provincie, regiune *(a Imperiului bizantin)*

theme song ['θi:m ,sɔŋ] *s* melodie principală; laitmotiv

Themistocles [θə'mistə,kli:z] *om de stat elen* Temistocle *(527?-460? î.e.n.)*

themselves *pr* **1** [ðəm'selvz] *de întărire* înșiși, însele; singuri, singure; chiar ei/ele; **they ~ told me so** chiar ei mi-au spus; mi-au spus ei înșiși; **they are not (quite) ~ lately** în ultima vreme nu prea sunt în apele lor; **by** ~ singuri, singure; cu mâna lor **2** [ðm'selvz] *reflexiv* se; **they will address ~ to you!** ți se vor adresa dumitale

then [ðen] **I** *adv* **1** atunci; pe atunci; în/pe vremea aceea; **by ~** până atunci, cam pe-atunci; **since ~** de-atunci (încoace); **(every) now and ~** când și când, din când în când; **what ~?** ei și? și ce-i cu asta? **now... ~...** când..., când...; ba..., ba...; **now hot ~ cold** când cald când rece **2** apoi, pe urmă, după aceea; ~ **we went home** apoi ne-am întors/dus acasă **3** pe lângă asta, pe deasupra, în plus;

and ~ I don't like it și în plus nici nu-mi place 4 pe urmă, la urma urmelor/urmei; **(and) ~ it is none of your business** la urma urmei/dacă stai și te gândești nici nu e treaba ta **II** *conj* **1** în acest caz, atunci; pe de altă parte; **well ~, do it** în cazul ăsta n-ai decât s-o faci; **but ~** dar, pe de altă parte **2** așadar, prin urmare, în consecință, deci; ~ **you may go** așadar poți să pleci; **now ~** ei, deci... **III** *adj* de (pe) atunci, din vremea aceea; **the ~ premier** primul ministru/premierul de pe atunci/din momentul acela

then and there ['ðen ən 'ðɛə'] *adv v.* **there and then**

thenar ['θi:nɑ:'] *s anat* **1** tenar **2** palmă (a mâinii) **3** talpă (a piciorului)

thence [ðens] ← *înv lit* **I 1** *adv* de-acolo, din locul acela **2** altundeva, în altă parte **II** *conj v.* **then II 2**

thenceforth ['ðens'fɔ:θ] *adv* de atunci înainte; ulterior, în continuare

thenceforward ['ðens'fɔ:wəd] *adv v.* **thenceforth**

then-clause ['ðen,klɔ:z] *s gram* apodoză

theo- *pref:* teo-: **theocracy** teocrație

theobromine [,θi:ou'broumi:n] *s ch* teobromină

theocentric [,θiə'sentrik] *adj rel filos* axat pe divinitate; avându-l pe Dumnezeu în centru

theocracy[1] [θi'ɔkrəsi] *s rel filos* **1** îmbinare a zeităților într-o singură personalitate **2** uniune spirituală cu divinitatea prin contemplație

theocracy[2] *s rel* **1** teocrație **2** țară guvernată de o castă sacerdotală

theocrat ['θiəkræt] *s* teocrat

theocratic [,θiə'krætik] *adj* teocratic

Theocritus [θi'ɔkritəs] *filosof elen* Teocrit *(sec. II î.e.n.)*

theodicean [θiɔ'diʃən] *adj rel* care susține existența providenței

theodicy [θi'ɔdisi] *s rel* credință în providență *(ca antonim al răului)*

theodolite [θi'ɔdə,lait] *s top* teodolit

Theodora [,θiə'dɔ:rə] *nume fem* Teodora

Theodore ['θiədɔ:'] *nume masc* Teodor, Tudor, Toader

Theodoric [θi'ɔdərik] *rege al ostrogoților* Teodoric *(454-526 e.n.)*

Theodosius [,θiə'dousiəs] *împărat roman* Teodosiu *(346?-395)*

theogonic [,θiə'gɔnik] *adj* teogonic

theogony [θi'ɔgəni] *s* teogonie

theol. *presc de la* **1** theological **2** theology

theologian [,θiə'loudʒiən] *s* teolog

theological [,θiə'lɔdʒikəl] *adj* teologic

theologics [,θiə'lɔdʒiks] *s pl ca sg v.* **theology**

theology [θi'ɔlədʒi] *s* teologie

theomachy [θi'ɔməki] *s mit* luptă/ceartă/zâzanie între zei

theomania [,θiə'meiniə] *s* **1** demență religioasă; manie religioasă **2** *med* paranoia celui care se crede Dumnezeu

theophany [θi'ɔfəni] *s rel* manifestare/revelație a divinității

theophoric [,θiə'fɔrik] *adj* care poartă numele unui zeu

Theophrastus [,θiə'fræstəs] *filosof și naturalist elen* Teofrast *(371-287 î.e.n.)*

theopneust ['θiəpnju:st] *adj rel* având inspirație divină

theor. *presc de la* **theorem**

theorbo [θi'ɔ:bou] *s muz od* teorbă, lăută, alăută

theorem ['θiərəm] *s* teoremă

theoret. *presc de la* **1** theoretical **2** theoretically

theoretic [,θiə'retik] *adj v.* **theoretical**

theoretical [,θiə'retikəl] *adj* **1** teoretic **2** (pur) speculativ

theoretically [,θiə'retikəli] *adv* (în mod) teoretic

theoretician [,θiəri'tiʃən] *s* teoretician

theoretics [,θiə'retiks] *s pl ca sg* teorie, latură/parte teoretică

theorician [θiə'riʃən] *s* **1** *v.* **theoretician 2** *v.* **theorizer**

theorist ['θiərist] *s v.* **theoretician**

theorize ['θiə,raiz] *vi* a face teorii; a face speculații, a specula, a filosofa

theorizer ['θiə,raizə'] *s* persoană care face teorii/speculații, ← *umor* filosof

theorizing ['θiə,raiziŋ] *s* **1** teoretizare **2** generare a unor teorii/speculații

theory ['θiəri] *s* **1** teorie **2** speculație (filosofică); teoretizare

theosoph ['θiəsɔf] *s* teozof

theosophic [,θiə'sɔfik] *adj* teozofic

theosophist [θi'ɔsəfist] *s v.* **theosoph**

theosophize [θi'ɔsəfaiz] *vi* a practica teozofia

theosophy [θi'ɔsəfi] *s* teozofie

theotechny ['θi:ətekni] *s lit* introducere a supranaturalului în literatură/într-o compoziție literară

therap. *presc de la* **therapeutics**

therapeutic [,θerə'pju:tik] *adj* terapeutic

therapeutically [,θerə'pju:tikəli] *adv* (pe plan) terapeutic, din punct de vedere terapeutic

therapeutic index [,θerə'pju:tik 'indeks] *s med* doză optimă *(a unui medicament)*

therapeutics [,θerə'pju:tiks] *s pl ca sg* terapeutică

therapeutist [,θerə'pju:tist], **therapist** ['θerəpist] *s med* (medic) terapeut; adept al medicinei vindecătoare/terapeutice

therapy ['θerəpi] *s med* terapie

there [ðɛə'] **I** *adv* **1** acolo, F→ colo; **down ~ a** acolo jos **b** pe meleagurile acelea, acolo; **in ~** acolo înăuntru; **out ~ a** acolo afară **b** în locurile acelea, acolo; **are you ~?** *(la telefon)* alo, m-auzi? ești la aparat? **c** *fig* mă urmărești? înțelegi? **who's ~? a** cine e acolo? **b** cine e la telefon/aparat? **heigh, you ~!** hei, tu ăla (de colo)! **to be all ~ a** F a fi zdravăn/sănătos la minte/cap **b** *sl* a fi treaz/cu ochii deschiși **c** *sl* a fi gata/pregătit; **I've been ~ (before)** F am mai fost eu pe-acolo, cunosc locul **b** știu! am experiență, sunt pățit **c** am aflat totul, știu totul **2** aici; ~ **you're right** aici ai dreptate; aici mai vii pe-acasă; ~ **we differ** în privința asta părerile noastre se deosebesc; ~**'s the difficulty/**F **rub** aici e buba, aici e toată greutatea **II** *adj* de acolo, F→ de colo; **give me that bottle** ~ dă-și mie sticla aia de colo **III** *interj* **1** ei! ajunge! liniștește-te! ~ **now!** ei, haide, haide! nu mai plânge; gata (cu plânsul) **2** iată, uite; ~ **you are!** **a** iată-te în sfârșit **b** poftim! ține! na! **c** iată unde erai! **d** s-a făcut! s-a aranjat! ~ **they come** iată-i (că vin); ~ **goes the bell** sună clopoțelul/soneria; ~**'s a dear** F

a (haide) fii drăguţ **b** vai ce drăguţ eşti **IV** *(subiect introductiv formal* **there is** [ðəz], **there are** [ðərə])*:* **~ is a book** ~ acolo e o carte; **~ is no money in it** nu iese nici un ban din (treaba) asta; **~ is no relying on her** pe ea nu te poţi bizui; nu te poţi încrede în ea; **~ is no going out today** azi nu e de ieşit din casă

thereabouts ['ðɛərə,bauts] *adv* **1** (cam) pe acolo; prin preajmă/ împrejurimi; nu departe de acolo **2** cam/aproximativ atât; cam aşa ceva; **at six or ~** cam pe la şase

thereafter [,ðɛər'ɑ:ftə'] *adv inv lit* **1** după aceea, ulterior, pe urmă **2** în consecinţă, prin urmare **3** *rel* în viaţa viitoare/de apoi

there and then ['ðɛərən 'ðen] *adv* atunci, pe loc, pe dată, chiar atunci

thereanent ['ðɛərə'nent] *adv scot* în legătură cu aceasta

thereat [,ðɛər'æt] *adv inv lit* **1** în legătură cu aceasta; (legat) de aceasta **2** la aceasta/asta

thereaway ['ðɛərə'wei] *adv inv lit* **1** departe **2** *v.* **thereabouts**

thereby [,ðɛə'bai] *adv* **1** prin aceasta; din aceasta; cu aceasta; astfel, în acest chip/mod, drept urmare **2** *înv reg v.* **thereabouts 1 3** ← *înv* despre aceasta, în legătură cu aceasta; **~ hangs a tale** e o poveste întreagă/cu cântec; şi asta nu e tot

therefor [,ðɛə'fɔ:'] *adv inv lit* pentru aceasta; **I am grateful ~** vă sunt recunoscător pentru aceasta

therefore ['ðɛə,fɔ:'] *adv conj* de aceea, din/pentru acest motiv; deci, aşadar, prin urmare, astfel, în consecinţă

therefrom [,ðɛə'frɔm] *adv* ← *înv* de acolo; de aici

therein [,ðɛər'in] *adv* ← *înv* **1** aici; acolo; dinăuntru; din el, din ea **2** în această privinţă, în ceea ce priveşte acest lucru

thereinafter [,ðɛərin'ɑ:ftə'] *adv jur* mai departe/jos

thereinbefore [,ðɛərinbi'fɔ:'] *adv jur* mai sus/înainte

thereof [,ðɛər'ɔv] *adv* ← *înv* din aceasta/el/ea; **in lieu ~** în loc de aceasta; **in observance ~** prin respectarea acesteia

thereon [,ðɛər'ɔn] *adv* ← *înv* **1** deasupra, pe el *etc.* **2** de aceasta

thereout [,ðɛər'aut] *adv* ← *înv* din aceasta/aceea; de acolo

Theresa [tə'ri:sə] *nume fem* Tereza

Therese [tə'ri:s] *nume fem* Tereza

therethrough [,ðɛə'θru:] *adv* ← *înv* prin aceasta, prin acest mijloc

thereto [,ðɛə'tu:] *adv* **1** ← *înv* la aceasta **2** în plus, în afară de aceasta

theretofore [,ðɛətu'fɔ:'] *adv* ← *înv* până atunci, înainte de asta

thereunder [,ðɛər'ʌndə'] *adv* ← *înv* dedesubt, mai jos; sub aceasta

thereunto [,ðɛərʌn'tu:] *adv v.* **thereto**

thereupon [,ðɛərə'pɔn] *adv* **1** la care; după care **2** *lit* despre aceasta, în legătură cu aceasta

therewith [,ðɛə'wið] *adv* ← *înv* **1** (o dată) cu aceasta, totodată **2** *v.* **thereupon 1**

therewithal [,ðɛəwið'ɔl] *adv v.* **therewith**

theriac ['θiriək] *s înv med* antidot împotriva muşcăturilor de şerpi veninoşi *etc.*

therianthropic [,θiri'ænθrəpik] *adj rel* referitor la cultul animalelor cu formă omenească

theriomorphic [,θiriou'mɔ:fik] *adj artă (d. divinitate)* zoomorf, cu formă de animal

therm [θə:m] *s fiz* **1** calorie mare **2** *amer* calorie mică **3** ← *înv* baie caldă

therm. *presc de la* **thermometer**

-therm *suf*-term: **exotherm** exoterm

thermae ['θə:mi:] *s pl ist* terme, băi publice

thermal ['θə:məl] *adj* termal, caloric; cald, fierbinte

thermal capacity ['θə:məl kə'pæsiti] *s tehn* capacitate/valoare termică

thermal equator ['θə:məl i'kweitə'] *s geogr* ecuator termic

thermal neutrons ['θə:məl 'nju:trənz] *s fiz* neutroni aflaţi în echilibru termic cu mediul înconjurător

thermal reactor ['θə:məl ri'æktə'] *s fiz* reactor termonuclear

thermal unit ['θə:məl 'ju:nit] *s* calorie, unitate de căldură

thermic ['θə:mik] *adj* termic, caloric; referitor la căldură

thermic balance ['θə:mik 'bæləns] *s fiz* bilanţ termic

thermion ['θə:miən] *s fiz* ion *sau* electron emis de o substanţă incandescentă

thermionic tube/valve [,θə:mi'ɔnik tju:b/,vælv] *s el* tub termionic, lampă/valvă termionică

thermistor [θə:'mistə'] *s el* rezistenţă termovariabilă

thermit ['θə:mit] *s tehn, ch* termit

thermite ['θə:mait] *s v.* **thermit**

thermocautery ['θə:mou'kɔ:təri] *s med* termocauter

thermochemical [,θə:mou'kemikəl] *adj* termochimic

thermochemistry [,θə:mou'ke-mistri] *s* termochimie

thermo-current [,θə:mou'kʌrənt] *s fiz* curent termic, termocurent

thermodynamic [,θə:moudai'næmik] *adj* termodinamic

thermo-dynamically [,θə:mou-dai'næmikəli] *adv fiz* (din punct de vedere) termodinamic

thermodynamics [,θə:mouai'næ-miks] *s pl ca sg* termodinamică

thermo-electric [,θə:mouj'lektrik] *adj* termoelectric

thermoelectricity [,θə:mouilek-'trisiti] *s fiz* termoelectricitate

thermoelectronic [,θə:mouilek-'trɔnik] *adj fiz* termoelectronic

thermo-element [,θə:mou'elimənt] *s* termo-element, termocuplu

thermogenesis [,θə:mouj'dʒenisis] *s fiz* termogeneză, geneză a căldurii

thermogene wool ['θə:moudʒi:n ,wu:l] *s* vată termogenă

thermogram ['θə:mou,græm] *s fiz* înregistrare făcută de un termometru automat; termogramă

thermograph ['θə:mou,grɑ:f] *s* termometru cu înregistrare automată; termograf

thermolabile [,θə:mou'leibil] *adj fiz* instabil/labil la căldură

thermoluminescent [,θə:mou,lu:-mi'nisənt] *adj fiz* luminiscent la încălzire; incandescent

thermolysis [θə:'mɔlisis] *s fiz* termoliză, descompunere prin efectul căldurii

thermomagnetic [,θə:moumæg-'netik] *adj fiz* termomagnetic

thermomagnetism [,θə:mou'mæg-nitizəm] *s fiz* termomagnetism

thermometer [θə:'mɔmitə'] *s* termometru

thermometric [,θə:mɔ'metrik] *adj* termometric

thermometry [θə:'mɔmitri] *s fiz* termometrie

thermo-nuclear [,θə:mou'nju:kliə'] adj fiz termonuclear

thermo-nuclear bomb [,θə:mou'nju:kliə 'bɔm] s bombă termonucleară

thermophil ['θə:moufil], thermophile ['θə:moufail] I adj termofil, care creşte/se dezvoltă la temperaturi înalte II s bacterie etc. care se dezvoltă la temperaturi înalte

thermopile ['θə:mou,pail] s el pilă termoelectrică

thermoplastic ['θə:mou,plæstik] I adj termoplastic, care poate fi plastifiat la căldură II s substanţă termoplastică/care se plastifiază la căldură

thermoplegia [,θə:mou'pli:dʒiə] s med termoplegie, şoc termic

thermopollution ['θə:moupə'lu:ʃən] s poluare termică (a mediului ambiant)

Thermopylae [θə:'mɔpə,li:] defileu în Grecia Termopile

thermoregulator [,θə:mouregju-'leitə'] s fiz tehn termoregulator, termostat

thermos bottle/flask ['θə:məs,bɔtl/ ,fla:sk] s termos

thermosetting ['θə:mə,setiŋ] adj ch (d. materiale plastice) plastifiabil prin încălzire

thermosiphon [,θə:mou'saifən] s tehn termosifon; circulaţie termică/a apei calde

thermosiphon (water) cooling [,θə:mou'saifən (,wɔ:tə) 'ku:liŋ] s auto răcire (a apei) prin termosifon

thermosphere ['θə:mə,sfiə'] s geol, astr termosferă, zonă (a atmosferei) deasupra mezosferei

thermostable [,θə:mou'steibəl] adj fiz termostabil, stabil la căldură

thermostat ['θə:mə,stæt] s termostat, termoregulator

thermotactic [,θə:mə'tæktik], thermotaxic [,θə:mə'tæksik] adj zool referitor la autoreglarea temperaturii corpului la animalele cu sânge cald

thermotaxis [,θə:mou'tæksis], thermotaxy [,θə:mou'tæksi] s zool (auto)reglarea temperaturii corpului (la animalele cu sânge cald)

thermotherapy [,θə:mou'θerəpi] s med termoterapie, vindecare prin căldură

thermotropic [,θə:mou'trɔpik] adj bot, zool termotropic, referitor la termotropie

thermotropism [,θə:mou'troupizm] s bot, zool termotropie, tendinţă de întoarcere către/apropiere de sursele de căldură

Theron ['θirən] nume masc

Thersites [θər'saiti:z] mit lit Tersit

thesaurus [θi'sɔ:rəs] s lexicon, dicţionar; enciclopedie; tezaur (de proverbe etc.)

these [ði:z] pr pl de la this

theses ['θi:si:z] pl de la thesis

Theseus ['θi:siəs] ist Tezeu

thesis ['θi:sis], pl theses ['θi:si:z] s 1 teză (de doctorat etc.); disertaţie 2 şcol compoziţie, lucrare scrisă; teză 3 prozodie tesis

Thespian ['θespiən] adj dramatic, tragic

Thess. presc de la Thessalonians bibl (Epistola către) Tesalonicieni

Thessalian [θe'seiliən] I adj din Tesalia II s locuitor din Tesalia

Thessalonica [,θesalo'naikə] oraş în Grecia Salonic

Thessaloniki [,θesalo'niki] v. Thessalonica

Thessaly ['θesəli] regiune în Grecia Tesalia

theta ['θi:tə] s theta, thita, a opta literă a alfabetului grecesc

Thetis ['θi:tis] mit mama lui Achile Tetis

theurgic(al) [θi:'ə:dʒik(əl)] adj teurgic, referitor la teurgie

theurgist ['θi:ə:dʒist] s filos 1 adept al teurgiei/al intervenţiei devine în viaţa omului 2 neoplatonician

theurgy ['θi:,ə:dʒi] s filos rel 1 teurgie; intervenţie divină sau supranaturală în viaţa omului 2 recurgere la intervenţia divină sau supranaturală în viaţa omului 3 ştiinţa magică a neo-platonicienilor

thews [θju:z] s pl 1 muşchi, tendoane; fig nervi 2 fig forţă, vigoare, tărie (de caracter); inteligenţă, capacitate mintală

thewy ['θju:i] adj muşchiulos, vânjos, viguros, puternic

they [ðei] pr 1 personal ei; ele 2 impersonal se; ~ say that... se spune/se zice/se vorbeşte că...; lumea zice că

thi- pref v. thio-

THI amer presc de la temperature-humidity index

thiamine ['θaiə,mi:n] s ch, med vitamina B1, anevrină, fiamină

Thibetan [ti'betən] adj v. Tibetan

thick [θik] I adj 1 gros; to have a ~ skin/hide a a avea pielea groasă b fig F a fi nesimţit/insensibil/ nesimţitor; the ~ end of the stick reversul medaliei; partea proastă/neplăcută a lucrurilor; necazul/dezavantajul unei situaţii 2 (d. păr, pădure etc.) des, stufos; bogat 3 dens, compact; aglomerat; (as) ~ as blackberries/hops/amer huckleberries a ticsit, înţesat, îndesat; aglomerat b din belşug/abundenţă 4 (d. lichid) gros, vâscos, consistent; tulbure 5 (d. pahar) murdar; gras, lipicios 6 (d. întuneric) adânc, beznă 7 (d. glas) adânc, profund, gros; îngroşat, răguşit, năcăit (de băutură) 8 ← F (d. persoane) strâns legat/unit, intim; to be (as) ~ as thieves a fi prieteni la toartă/cataramă, F a se bate pe burtă unul cu altul 9 reg v. thick-brained 10 F (prea) tare, prea de tot, ~ excesiv, exagerat; it's a bit (too) ~! e prea de tot! asta-i culmea! 11 poligr gras, aldin II adv 1 gros; în straturi groase 2 des, dens, compact III s 1 parte mai groasă (a degetului, a unui obiect) 2 fig mijloc, centru; inimă, toi; in the ~ of the forest în inima codrului; in the ~ of the battle/fight în toiul luptei; unde era lupta mai grea; to go through ~ and thin for smb a intra în foc pentru cineva, a se da peste cap de dragul cuiva 3 şcol sl tămâie, cizmă, ciubotă, clei

thick-brained ['θik'breind] adj greoi, bătut în cap, îngust la minte, greu de cap

thicken ['θikən] I vi 1 a se îngroşa; the plot ~s situaţia se complică; F se îngroaşă gluma 2 a se îndesi; a se înmulţi, a spori 3 fig a se complica II vt a îndesi, a îngroşa

thicket ['θikit] s 1 desiş, hăţiş, pădure deasă, codru des; inima codrului 2 tufiş, crâng 3 fig încâlceală, încurcătură, hăţiş

thick-eyed ['θik'aid] adj miop

thick-grown ['θik'groun] *adj* acoperit cu iarbă deasă

thickhead ['θik,hed] *s F* cap sec/de lemn, nătâng, nătărău

thick-headed ['θik,hedid] *adj* **1** *v.* **thick-brained 2** *(d. copac)* cu coama deasă

thick-lipped ['θik'lipt] *adj* cu buze groase/cărnoase/senzuale

thickly ['θikli] *adv* **1** în straturi groase **2** gros, dens, compact **3** cu voce groasă/îngroșată **4** în succesiune rapidă

thickness ['θiknis] *s* **1** grosime; densitate; consistență **2** strat; pătură **3** *fig* prostie, obtuzitate, tâmpenie **4** neclaritate, încâlceală *(la vorbă)*

thick register ['θik 'redʒistə'] *s* registru grav/de jos

thickset ['θik,set] **I** *adj* **1** (plantat) des **2** *(d. oameni)* bine legat, voinic, lat în spate; îndesat **II** *s* **1** tufiș des; gard viu des **2** *text* pânză groasă de salopetă

thick-sighted ['θik'saitid] *adj v.* **thick-eyed**

thick-skin ['θik,skin] *s F* nesimțit, pahiderm, om gros de obraz

thick-skinned ['θik'skind] *adj* **1** cu pielea groasă **2** *fig* nesimțit, nesimțitor; gros de obraz

thick-skull ['θik,skʌl] *s v.* **thick-skin**

thick-skulled ['θik'skʌld] *adj* **1** cu craniul foarte dur **2** *v.* **thick-brained**

thick-sown ['θik,soun] *adj agr* semănat des/în rânduri strânse

thick-tongued ['θik'tʌŋd] *adj* cu vocea îngroșată/groasă/răgușită

thick-wind ['θik,wind] *s vet* respirație greoaie

thick-witted ['θik'witid] *adj v.* **thick-brained**

thief [θi:f], *pl* **thieves** [θi:vz] *s* **1** hoț; pungaș **2** tâlhar **3** corsar, pirat

thief ant ['θi:f ,ænt] *s ent* furnică hoață *(care fură hrana de la altele)*

thief catcher ['θi:f ,kætʃə'] *s* detectiv

thief-proof ['θi:f,pru:f] *adj v.* **theft-proof**

thief-stolen ['θi:f,stoulən] *adj* furat/luat de hoți

thief taker ['θi:f ,teikə'] *s v.* **thief catcher**

Thiers [ti:'e'], **Louis Adolphe** *politician și istoric francez (1797-1877)*

thieve [θi:v] **I** *vi* a fura, a fi hoț, a se ține de furtișaguri **II** *vt* a fura

thievery ['θi:vəri] *s v.* **theft**

thieves ['θi:vz] *pl de la* **thief**

thievish ['θi:viʃ] *adj* **1** hoțesc, hoțoman; **she gave me a ~ look** m-a privit hoțește/ștrengărește **2** necinstit, tâlhăresc **3** de furat

thievishly ['θi:viʃli] *adv* hoțește/pe furiș/ascuns

thievishness ['θi:viʃnis] *s* înclinație spre hoție, necinste

thigh [θai] **I** *s anat* coapsă (↓ *partea interioară)*

thigh-bone ['θai,boun] *s anat* femur

thigh boot ['θai,bu:t] *s* cizmă care urcă mai sus de genunchi

thill [θil] *s* hulubă *(la trăsură)*

thiller ['θilə'] *s* cal înhămat la hulube

thill horse [θil ,hɔ:s] *s v.* **thiller**

thimble ['θimbəl] *s* **1** degetar; **knight of the ~** ← *umor* croitor **2** *tehn* mufă; manșon; cuplă; bucșă **3** *nav* ochet, rodanță

thimble case ['θimbəl ,keis] *s* toc/etui pentru degetar

thimbleful ['θimbəl,ful] *s* **1** înghițitură mică, strop **2** *fig* nimic, o nimica toată

thimblerig ['θimbəl,rig] **I** *s* scamatorie; truc, șmecherie **II** *vi* **1** a face scamatorii **2** a se ține de escrocherii **III** *vt* a escroca, a înșela

thimblerigged ['θimbəl,rigd] *adj* măsluit, aranjat dinainte

thimblerigger ['θimbəl,rigə'] *s* **1** scamator **2** *fig* pungaș, escroc

thin [θin] **I** *adj* **1** *(d. oameni)* slab, uscățiv, deșirat; slăbănog; **(as) ~ as a lath/rake/rail/whipping-post** slab ca un țâr/ogar; **to grow ~** a slăbi **2** *(d. obiecte)* subțire, subțirel, slab **3** *(d. lichid)* slab, diluat, apos **4** *(d. aer etc.)* rarefiat, rar **5** *(d. pretext etc.)* slab, șubred; cusut cu ață albă; neconvingător; superficial **6** *(d. glas)* slab, subțire **7** *(d. vegetație, păr, populație)* rar, rărit; puțin abundent/numeros // **to have a ~ time of it** a nu petrece deloc bine; a se plictisi de moarte **b** a o duce greu, a păți/a îndura multe (mizerii/necazuri) **II** *adv* subțire **III** *vt* **1** a subția **2** a dilua **3** a rări *(părul, vegetația etc.)* **IV** *vi* **1** *(d. oameni)* a slăbi, a se subția **2** *(d. lichid)* a se dilua **3** *(d. mulțime etc.)* a se rări, a se împrăștia **4** *(d. loc)* a se goli

thin away ['θin ə'wei] *vi cu part adv v.* **thin IV 3**

thin down ['θin 'daun] *vt cu part adv v.* **thin III 1, 2**

thine [ðain] ← *înv* **I** *adj pos* tău, ta, tăi, tale **II** *pr pos* al tău, a ta, ai tăi, ale tale

thing [θiŋ] *s* **1** lucru, obiect; articol; **the ~ in itself** lucrul în sine; **the last/latest ~ in dresses** ultima modă/ultimul răcnet/strigăt în materie de rochii/îmbrăcăminte; **an odd ~** *F* ce se nimerește, un lucru la întâmplare, indiferent ce **2** *pl* obiecte, articole, serviciu *(de masă, ceai etc.)*; **to clear away the ~s** a strânge masa **3** *pl* haine, îmbrăcăminte, veșminte; **to take off all one's ~s** a se dezbrăca, a se despuia **4** acțiune, gest; fapt; lucru // **it's a nice ~ to say** *umor* frumos îți șade să spui așa ceva! halal! **it's the clean ~** e un lucru cinstit; **to call ~s by their (proper) names** a spune lucrurilor pe nume; **to take ~s as they are/come** a lua lucrurile așa cum sunt; **the polite ~ requires it** o cere buna creștere/cuviință; **I'm not at all/I do not feel at all the ~** nu mă simt deloc bine/în apele mele; **not to look at all the ~** a nu arăta prea bine; **it will be just quite the ~ for you** e tocmai/exact ce-ți trebuie, asta îți lipsește; **to make a good ~ of smth** a profita de ceva; a se înfrupta din ceva; **he makes a regular ~ of walking** a își face un obicei din plimbare **b** plimbarea i-a intrat în obicei/sânge, mersul pe jos i-a devenit o a doua natură; **above all ~s** mai înainte de toate, mai presus de orice; **all ~s considered** neomițând nimic, ținând seama de toate; **among other ~s** printre alte lucruri, printre altele; **for one ~** mai întâi, în primul rând; **first ~ in the morning** cum te scoli, dis-de-dimineață; **the last ~ a** în ultimul moment, în urmă/sfârșit **b** ultimul lucru care-ți trece prin cap; **the next ~** pe urmă, apoi, după aceea; **no such ~** nicidecum, câtuși de puțin, nici vorbă; **to put first ~s first** a face mai întâi ceea ce trebuie; **not to know the first ~ of smth** a nu avea nici cea mai mică idee de ceva; **to be up to/to know a ~ or two** a avea experiență, a fi trecut prin ciur și prin dârmon; **how are/*F* how's ~s?** cum mai merg lucrurile/treburile/afacerile? cum ți-a mai mers? **to make ~s turn** a face să meargă lucrurile/treburile ca pe roate; **it is too much of a good ~** e cam prea mult; ce-i mult nu-i bun **5** punct, detaliu **6 ←** *F* persoană, ființă, creatură; **poor ~!** bietul de el! sărmanul! biata de ea! sărăcuța! **she's a dear old ~** e o băbuță tare dulce/cumsecade; **old ~!** hei, bătrâne! șefule! patroane! **7** obsesie, fobie

thingamy ['θiŋəmi], **thingumabob** ['θiŋəməbɔb], **thingumajig** ['θiŋəmə,dʒig], **thingumbob** ['θiŋəmbɔb], **thingummy** ['θiŋəmi] *s* **1** *F* cutare, ăla; drăcie, chestie; **where's the ~?** unde-i (chestia/ drăcia) aia? **Mrs Thingummy** madam cutare, madam aia (zi-i pe nume) **2** *F* spil, truc, socoteală

thin-gutted ['θin'gʌtid] *adj* subțirel, firav, slăbuț, pirpiriu

think [θiŋk], *pret și ptc* **thought** [θɔːt] **I** *vt* **1** a gândi, a se gândi/a medita, a reflecta la; **to ~ evil thoughts** a se gândi la lucruri rele **2** a concepe, a imagina; a-și închipui; **to ~ no harm** a nu avea intenții rele; **who would have thought it! I should never have thought it!** cine și-ar fi putut închipui una ca asta! **3** a înțelege, a concepe; a pricepe; **I can't ~ what you mean** nu înțeleg ce vrei să spui **4** a crede, a socoti, a considera; **to ~ smth necessary** a considera un lucru necesar, a socoti că e nevoie de ceva; **he was thought to be dead** se credea că a murit, era dat dispărut **II** *vi* **1** a gândi, a cugeta, a medita, a reflecta, a se gândi; **to ~ hard** a se gândi bine; a medita profund; a-și bate capul; **to give smb time to ~** a da cuiva timp/răgaz de gândire; **let me ~** dă-mi voie/lasă-mă/stai să mă gândesc **2** a-și închipui, a-și imagina; a crede, a fi de părere; **I ~ so** așa cred/socot; **I should hardly ~ so** nu prea cred, nu mi se pare posibil; **I**

should ~ so! cred și eu! bineînțeles! mie-mi spui?

thinkable ['θiŋkəbl] *adj* imaginabil, de conceput/închipuit/imaginat; posibil

think about ['θiŋk ə,baut] *vi cu prep v.* **think of**

think again ['θiŋk ə'gen] *vi cu adv* a se răzgândi; a se gândi mai bine; **~! a** mai gândește-te! gândește-te mai bine! nu te pripi! poate te răzgândești/te mai gândești! **b** (ia) adu-ți aminte bine!

think aloud ['θiŋk ə'laud] *vi cu part adv* a se gândi cu voce/glas tare

think back to ['θiŋk 'bæk tə] *vi cu adv și prep* a-și (re)aminti; a se întoarce înapoi cu gândul, a privi/ a se gândi la trecut

think big ['θiŋk 'big] *vi cu adv* a avea ambiții mari; a gândi lucrurile în mare; a avea planuri grandioase

think box ['θiŋk ,bɔks] *s F* minte, cutiuță, cap, creier, glagore

thinker ['θiŋkə] *s* **1** gânditor, cugetător **2** *v.* **think box**

think fit ['θiŋk 'fit] *vt cu adj* (↓ *neg*) a socoti/a considera/a crede potrivit/nimerit; a socoti că se cuvine; **I didn't think it fit (to leave early)** nu mi s-a părut potrivit/am socotit că nu se cuvine (să plec așa devreme); **if you think it fit** dacă așa crezi (tu) că e bine/nimerit/că se cuvine

thinking ['θiŋkiŋ] **I** *adj* gânditor; cugetător; **to put on one's ~ cap** *fig* a sta pe gânduri, a se gândi/ a reflecta serios **2** chibzuit, cuminte, înțelept **II** *s* **1** gândire, cugetare **2** părere, opinie; **to my ~** după părerea mea

thinking part ['θiŋkiŋ ,pɑːt] *s teatru* rol mut/fără cuvinte

think of ['θiŋk əv] *vi cu prep* **1** a se gândi/a reflecta/a medita la; a medita asupra *(cu gen)*; **to ~ everything** a se gândi la toate; **the best thing one can ~** e cel mai bun lucru care se poate imagina/găsi; **what am I thinking of?** unde mi-e capul? **I've never thought of it a** nu m-am gândit niciodată la asta **b** nici prin cap nu mi-a trecut **2** a-și imagina, a-și închipui *cu ac;* **~ that!** închipuiește-ți/gândește-te numai! **3** a-și aminti *cu ac,* a-și aduce

aminte de; **I can't ~ his name** nu-mi pot aduce aminte cum îl cheamă **4** a intenționa să, a avea intenția să, a-l bate gândul să; **I ~ going there** mă bate gândul să mă duc acolo **5** a judeca, a considera *cu ac;* a avea o părere/ impresie despre; **what do you ~ him?** ce impresie îți face? cum îl găsești? ce părere ai despre el? **to think too much/a great deal/ quite a lot of smb** a avea o părere prea bună despre cineva; **to think little/nothing of smb a** a avea o părere mizerabilă despre cineva **b** a nu acorda nici o importanță cuiva; **to think well highly/no end/the world of smb** a avea o părere excelentă despre cineva, a fi în admirația cuiva

think on ['θiŋk ɔn] *vi cu prep înv v.* **think of**

think out ['θiŋk 'aut] *vt cu part adv* a concepe, a imagina; a elabora (în minte); a chibzui

think out aloud ['θiŋk aut ə'laud] *vi cu part adv și adj v.* **think aloud**

think over ['θiŋk 'ouvə] *vi cu part adv* a cântări *(cu ac)* în minte, a se gândi/a medita/a reflecta la; **think it over!** mai gândește-te/ reflectează/chibzuiește! **on thinking it over** gândindu-mă mai bine; gândindu-mă și răzgândindu-mă

think piece ['θiŋk ,piːs] *s* comentariu (editorial)

think-so ['θiŋk ,sou] *s* presupunere/ supoziție (neîntemeiată), închipuire, părere

think-tank ['θiŋk,tæŋk] *s* **1** *pol ec* grup (consultativ) de experți **2** *sl* cutiuță, mansardă, dovleac, căpățână

think through ['θiŋk 'θruː] *vt cu part adv* a reconsidera, a considera/ a privi/a studia în ansamblu, a (re)examina în întregime/din cap în coadă

think twice ['θiŋk 'twais] *vi cu adv* a se gândi bine, a (se) gândi și a (se) răzgândi; a nu se pripi/grăbi, a nu acționa în grabă/pripă

think up ['θiŋk 'ʌp] *vt cu part adv v.* **think out**

think upon ['θiŋk ə,pɔn] *vi cu prep înv v.* **think of**

thin-lipped ['θin,lipt] *adj* cu buze subțiri

thinly ['θinli] *adv* **1** subțire, în straturi subțiri **2** rar, risipit; dezlânat **3** de-abia, foarte puțin; sumar

thinly peopled ['θinli ,pi:pld] *adj* depopulat, cu o densitate mică a populației

thinner ['θinə'] *s ch* diluant, solvent, dizolvant

thinness ['θinnis] *s* **1** subțirime **2** *fig* delicatețe, finețe **3** *fig* slăbiciune, caracter firav/plăpând/delicat **4** cantitate mică, puținătate; penurie **5** împrăștiere, risipire **6** *fig* superficialitate, caracter subțiratic/firav

thinnish ['θiniʃ] *adj* **1** subțirel, cam subțire **2** slăbuț, cam firav/slab/subțire

thin-skinned ['θin'skind] *adj* **1** cu piele subțire **2** sensibil, simțitor; susceptibil, supărăcios

thin-sown ['θin'soun] *adj agr* semănat rar/la intervale mari

thin-spun ['θin'spʌn] *adj text* (țesut) rar

thio- *pref* tio-: **thiophosphate** tiofosfat

thio acid ['θaiou 'æsid] *s ch* tioacid

thionyl ['θaiənil] *s ch* tionil, sulfinil

thio sulphate [,θaiou 'sʌlfeit] *s ch* tiosulfat

thio urea [,θaiou 'juəriə] *s ch* tiouree

third [θə:d] **I** *num* treilea, trei; **every ~ day** din trei în trei zile **II** *adj* treilea, trei **III** *s* **1** treime **2** *jur* terț, terță persoană **3** *muz* terță **4** *auto* viteza a treia **5** *școl* notă de trecere (la limită) **6** *pl com* mărfuri/marfă de calitatea a treia

third best ['θə:d 'best] **I** *adj* nu prea bun, de calitatea/mâna a treia, de proastă calitate; fără valoare **II** *s* lucru nu prea bun/de proastă calitate/de calitatea/*F* mâna a treia

third class ['θə:d 'klɑ:s] **I** *adj* **1** *ferov etc.* de clasa a treia **2** *com* de calitatea a treia **II** *adv ferov etc.* cu (clasa) a treia

third day ['θə:d 'dei] *s* (ziua de) marți, marțea

third degree ['θə:d di'gri:] *s* **1** gradul trei/al treilea **2** *amer* bătaie/torturi la interogatoriu; interogatoriu brutal, tortură polițienească

Third Estate, the ['θə:d is'teit, ðə] *s ist* starea a treia, burghezia franceză *(înainte de revoluția din 1789)*

third flow ['θə:d 'flou] *s* **1** etajul trei/al treilea **2** *amer* etajul doi/al doilea

third force ['θə:d 'fɔ:s] *s* (forța care acționează ca) arbitru/mediator/intermediar; forța de mijloc; element de mediere/conciliere

third form ['θə:d 'fɔ:m] *s școl* clasa a treia (elementară)

third gear ['θə:d 'giə'] *s auto* viteza a treia

third-grade ['θə:d'greid] *s amer școl* clasa a treia (primară)

third grader ['θə:d ,greidə'] *s amer școl* elev în clasa a treia primară

third-hand ['θə:d'hænd] *adj v.* **third-rate**

third house, the ['θə:d 'haus, ðə] *s pol* culisele parlamentului

thirdly ['θə:dli] *adv* în al treilea rând

third party ['θə:d 'pɑ:ti] *s v.* **third III 2**

third rail ['θə:d 'reil] *s amer* **1** *sl* băutură tare **2** troleu *(la un tren electric etc.)* **3** *fig* persoană incoruptibilă

third-rate ['θə:d'reit] *adj* de calitatea/mâna a treia; inferior; prost, slab

third sex, the ['θə:d 'seks, ðə] *s* homosexualii

thirdsman ['θə:dsmən] *s* arbitru

third world, the ['θə:d 'wə:ld, ðə] *s pol* **1** lumea a treia; țările slab dezvoltate/subdezvoltate/neprivilegiate **2** țările nealiniate din Africa, Asia și America Latină

thirst [θə:st] **I** *s* și *fig* sete; **~ for/after information** sete de informații/cultură **II** *vi* a-i fi sete, a fi însetat **III** *vt* (**to**) a dori fierbinte (să), a ține mult (să)

thirst after ['θə:st ,ɑ:ftə'] *vi cu prep v.* **thirst for**

thirster ['θə:stə'] *s* om setos/însetat, setilă

thirst for ['θə:st 'fə'] *vi cu prep* și *fig* a fi setos/însetat de; a muri după

thirstily ['θə:stili] *adv* cu sete, setos

thirstiness ['θə:stinis] *s* sete, însetare

thirsty ['θə:sti] *adj* **1** și *fig* însetat, setos; **to be ~** a-ți fi sete; a fi însetat **2** (**for/after**) *fig* doritor, însetat (de) **3** ← *F* care produce sete, care-ți usucă gâtlejul **4** *(d. sol)* uscat, arid; scorțos

thirteen ['θə:'ti:n] **I** *num* **1** *cardinal* treisprezece **2** *ordinal* treisprezecelea, treisprezece **II** *interj amer sl* șase! păzea! vine! atenție!

thirteenth ['θə:'ti:nθ] **I** *num ordinal* al treisprezecelea, treisprezece **II** *s* treisprezecime, a treisprezecea parte

thirties, the ['θə:tiz, ðə] *s pl* deceniul al patrulea, anii '30

thirtieth ['θə:tiiθ] **I** *num ordinal* al treizecilea, treizeci **II** *s* a treizecea parte

thirty ['θə:ti] *num* treizeci

Thirty-Nine Articles, the ['θə:ti ,nain 'a:tiklz, ðə] *s bis* crezul/jurământul preoților anglicani

thirty-one ['θə:ti,wʌn] *s* treizeci și unu *(joc de cărți)*

thirty-second-note ['θə:ti,sekənd-'nout] *s amer muz* treizecidoime

thirty-two-mo [,θə:ti'tu:mou] *s poligr* format în 32⁰

this [ðis], *pl* **these** [ðiz] **I** *pr demonstrativ (de apropiere)* acesta, aceasta; ăsta, *F* → asta; acela, aceea; **who is ~?** **a** cine e acesta/aceasta? cine e domnul/doamna? **b** cine e acolo? cine e la telefon? **~ is John (speaking)** aici e John, la telefon e John; **~ is Mrs Brown** (dați-mi voie să) vă prezint pe doamna Brown; **after ~** după aceea; **all ~** toate acestea; **like ~** astfel, așa; **before ~** mai înainte, anterior; **~ is how a** iată cum (trebuie procedat) **b** *(ca toast)* noroc! să trăiți! la mulți ani! **II** *adj demonstrativ (de apropiere)* acest, acesta, această, aceasta; *F* → ăst, ăsta, astă, asta; **~ morning** azi dimineață, în dimineața asta; **one of these days** (în) una din zilele astea; **~ day week** de azi într-o săptămână; **~ side of** înainte de, până la, mai devreme de/ca; **~ side of fifty** sub cincizeci de ani; **~ here house** ← *F* casa asta de-aici/pe care o vezi; **these three solid hours** de trei ceasuri (bune); **~ my boy** *F* băiatul ăsta al meu **III** *adv* **1** de grad *sau* cantitate *F* atât (de), așa (de); **~ much a** atât de mult, atâta **b** doar/măcar atât; **~ far** până aici; **~ tall** atât de înalt, atâtica **2** ← *F* de loc aici; **~ is where I live** aici stau/locuiesc, iată unde stau/locuiesc

Thisbe ['θizbi] *mit* Tisbe(ia)

this country ['ðis 'kʌntri] *s* **1** țara/patria noastră **2** țara asta (în care ne aflăm)

this house ['ðis ˌhaus] *s pol* parlamentul

thisness ['ðisnis] *s filos, gram* identitate; caracter definit

Thistle, the ['θisəl, ðə] *s* emblema națională a Scoției

thistle ['θisəl] *s bot* ciulin, scai, scaiete *(Carduus acanthoides)*

thistledown ['θisəl,daun] *s bot* puf de scai; **as light as ~** ușor ca fulgul/pana

thistle finch ['θisəl ,fintʃ] *s orn* sticlete *(Carduelis elegans)*

thistly ['θisli] *adj* **1** plin de scaieți/ciulini/spini **2** *fig* spinos; țepos; ascuțit

thither ['ðiðər] **I** *adv* ← *înv* acolo, într-acolo **II** *adj* (mai) îndepărtat **III** *vi* a se îndrepta într-acolo

thitherward(s) ['ðiðəwə:dz] *adv v.* **thither I**

thixotropic [ˌθiksə'tropik] *adj fiz (d. gel)* thixotropic, lichefiabil prin agitație

thixotropy [θik'sotrəpi] *s fiz* thixotropie, capacitate de lichefiere *(a unui gel)*

tho [ðou] *conj, adv v.* **though**

thole¹ [θoul] *s nav* furchet, furcă de vâslă

thole² *s arhit* cupolă

thole pin ['θoul ,pin] *s nav* cui de furchet

tholos ['θoulos], *pl* **tholoi** ['θouloi] *s arhit ist Greciei* **1** mormânt în formă de cupolă **2** cupolă

Thomaism ['toumeizəm] *s v.* **Thomism**

Thomas ['toməs] *s* **1** *nume masc* Toma **2** Dylan *poet englez (1914-1953)* **3** soldat britanic/englez **4** Toma necredinciosul

Thomism ['toumizəm] *s rel* Tomism

Thomist ['toumist] *s rel* tomist

Thomistic [tou'mistik] *adj rel* tomist

Thompson, the ['tompsən, ðə] *s* râu în Canada

Thomson ['tomsən] **1 James** *poet preromantic englez (1700-1748)* **2 James** *poet englez (1834-1882)*

thong [θoŋ] *s* **1** chingă, curea **2** bici

thonk-you-ma'am ['θoŋkjumæm] *s sl auto* hârtoapă, groapă

Thor [θɔ:ʳ] *mit* Tor *(zeul tunetului la scandinavi)*

thoraces ['θɔ:rə,si:z] *pl de la* **thorax**

thoracic [θɔ:'ræsik] *adj* toracic

thoracoscopy [ˌθɔrə'koskəpi] *s med* toracoscopie, radioscopie pulmonară/a toracelui

---

thoral ['θɔ:rəl] *adj* (referitor la patul) nupțial

thorax ['θɔ:ræks], *pl* **thoraces** ['θɔ:rə,si:z] *s* **1** *anat* torace, piept **2** *od* pieptar, platoșă, cuirasă

Thoreau ['θɔ:rou], **Henry David** *scriitor și filosof american (1817-1862)*

thoria ['θɔ:riə] *s ch* oxid de toriu

thorium ['θɔ:riəm] *s ch* toriu

thorn [θɔ:n] *s* **1** *și fig* spin, ghimpe, țeapă; **to be a ~ in smb's flesh/side** a-i fi cuiva ca un spin în ochi; **to be/to sit on ~s** a sta ca pe ghimpi/jeratic; **to put a ~ in smb's pillow** a provoca neplăceri/necazuri cuiva **2** *bot* porumbar, mărăcine *(Prunus spinosa)* **3** *lingv* literă runică *(echivalentul lui th)*

thorn apple ['θɔ:n ,æpl] *s bot* laur, ciumăfai *(Datura stramonium)*

thorn back ['θɔ:n ,bæk] *s iht* calcan țepos *(Raja clavata)*

thorn bush ['θɔ:n ,buʃ] *s* tufiș de mărăcini; mărăciniș

thorn hedge ['θɔ:n ,hedʒ] *s* gard de spini/glădiță

thornless ['θɔ:nlis] *adj* fără spini

thorn lizard ['θɔ:n ,lizəd] *s zool* reptilă australiană țepoasă *(Moloch sp.)*

thorn proof ['θɔ:n ,pru:f] *adj* ferit/apărat de spini/înțepături, care rezistă la înțepături

thorn tail ['θɔ:n ,teil] *s orn* colibri american *(Popelaria sp.)*

Thornton ['θɔ:ntən] *nume masc*

thorn tree ['θɔ:n ,tri:] *s bot* **1** arbust țepos **2** *(în Africa de Sud)* salcâm țepos

thorny ['θɔ:ni] *adj* **1** țepos, cu țepi **2** *fig* spinos; dificil, greu

thorough ['θʌrə] *adj* **1** minuțios, meticulos, amănunțit, detaliat, scrupulos **2** profund, complet **3** conștiincios, aprofundat, serios, vast **4** ferm, nestrămutat, categoric, deplin **5** desăvârșit, perfect, eminent; adevărat, sadea

thorough-bass ['θʌrə,beis] *s muz* **1** bas *(profund sau continuu)* **2** sistem de notări armonice

thorough-brace ['θʌrə,breis] *s amer auto* curea cu care se leagă capota motorului automobilelor tip sport

thorough-bred ['θʌrə,bred] **I** *adj* **1** *(d. cai, câini etc.)* de rasă,

---

pursânge **2** *fig* rasat, de rasă/calitate; elegant, grațios, fin **3** *fig* luminat (la minte), scuturat **II** *s* **1** animal de rasă *(↓ cal pursânge)* **2** ← *F* persoană rasată/fină/manierată; **she is a real ~** e foarte rasată, se vede că are rasă/clasă

thorough cut ['θʌrə ,kʌt] *s tehn* străpungere, găurire

thoroughfare ['θʌrə,fɛəʳ] *s* **1** arteră principală (de circulație), magistrală; stradă principală/frecventată **2** trecere, pasaj, trecătoare **3** (drept de) trecere; **no ~** trecerea/circulația/intrarea oprită/interzisă

thorough-going ['θʌrə,gouiŋ] *adj* **1** complet, total; categoric, radical **2** care duce lucrurile/care merge până la capăt; care nu se oprește la jumătatea drumului; fără compromisuri **3** întreprinzător, intrepid

thoroughly ['θʌrəli] *adv* **1** complet, cu totul, în întregime; până la capăt/sfârșit **2** profund; amănunțit, detaliat, în tot amănuntul **3** desăvârșit, perfect

thoroughness ['θʌrənis] *s* **1** totalitate, întregime; caracter total/complet **2** aprofundare, caracter aprofundat/profund **3** perfecțiune, desăvârșire

thorough-paced ['θʌrə,peist] *adj* **1** *(d. cal)* perfect/bine dresat/învățat *(pt toate mersurile)* **2** *fig* desăvârșit, complet, perfect; care este perfecțiunea întruchipată **3** *fig* deprins cu toate, trecut prin ciur și prin dârmon

thorp [θɔ:p] *s* ← *înv* sat, cătun

those [ðouz] **I** *pr demonstrativ (pl)* de la **that II** *adj demonstrativ pl* de la **that**

thou¹ [ðau] **I** *pr personal* ← *înv* tu **II** *vt v.* **thee and thou**

thou² *pl* și **~ 1** *F* mic **2** *amer sl* (sumă de) o mie de dolari

thou. *presc de la* **thousand**

though [ðou] **I** *conj* deși, cu toate că; chiar dacă; **as ~** ca și cum/când, de parcă **II** *adv* totuși, cu toate acestea

thought [θɔ:t] **I** *s* **1** gând, idee; cugetare, reflecție; **to be absorbed/buried/engrossed/lost/wrapped up in (one's own) ~s** a fi cufundat în/absorbit de/dus pe gânduri; **(as)quick/swift as ~** iute ca gândul; **on/upon second ~s a** după o matură/adâncă chibzuință **b** gândindu-se mai bine, răzgândindu-se; **to collect/ to compose one's ~s** a-și aduna gândurile/mințile; **to give ~ to** a se gândi/a cugeta/a reflecta la, a medita asupra *(cu gen);* **to take ~s** a medita adânc, a chibzui bine; a cugeta, a reflecta **b** a cădea pe gânduri, a se îngândura; **to dismiss/to discard from one's ~s** a-și scoate din minte *(ceva, pe cineva);* **to entertain/to harbour a ~** a nutri un gând; **I haven't given it a ~** nici prin cap nu mi-a trecut, nici nu m-am gândit la asta; **to read smb's ~s** a ghici gândurile cuiva **2** (capacitate de) gândire, cugetare, cuget, meditație **3** părere, opinie, idee; noțiune, concepție; **to my ~s** după părerea mea **4** intenție, plan, gând **5** atenție, grijă, considerație **6** întristare, mâhnire, îngrijorare; **to take no ~ for/of the morrow** a nu se îngriji/ îngrijora/a nu-i păsa de ziua de mâine **7** *F* pic, idee, strop, lecuță **II** *pret și ptc de la* **think**

thoughtful ['θɔ:tful] *adj* **1** gânditor, cugetător **2** meditativ, contemplativ, dus pe gânduri; **to be ~** a cădea pe gânduri, a fi absorbit de gânduri **3** serios, profund, adânc; cugetat, (bine) gândit **4** preocupat, atent, grijuliu

thoughtfully ['θɔ:tfuli] *adv* **1** (cu un aer) gânditor/meditativ **2** cu atenție/precauție/grijă, precaut, prudent **3** atent, prevenitor

thoughtfulness ['θɔ:tfulnis] *s* **1** meditare, gândire, chibzuială **2** chibzuință, înțelepciune **3** atenție, considerație, grijă, solicitudine

thought-laden ['θɔ:t,leidn] *adj* ← *poetic* **1** *v.* **thoughtful** 1, 2 **2** bogat în idei; greu de conținut

thoughtless ['θɔ:tlis] *adj* **1** nechibzuit, nesocotit, fără cap/minte **2** fără griji, nepăsător **3** egoist, neatent față de alții **4** prost, neghiob, aiurit

thoughtlessly ['θɔ:tlisli] *adv* (în mod) nechibzuit/necugetat, aiurea, aiurit, fără chibzuială; pripit

thoughtlessness ['θɔ:tlisnis] *s* **1** nechibzuință, nesocotință, lipsă de cap/înțelepciune; pripeală **2** nepăsare, lipsă de atenție, grijă

thought-out ['θɔ:t,aut] *adj* (bine) gândit, chibzuit, socotit, înțelept; făcut cu socoteală

thought-provoking ['θɔ:tprə'voukiŋ] *adj* fertil, incitant, stimulativ, care stimulează/stârnește gândirea

thought reader ['θɔ:t ,ri:dər] *s* psiholog (perspicace)

thought reading ['θɔ:t ,ri:diŋ] *s* citire/ghicire a gândurilor altuia

thought-side ['θɔ:t,said] *adj poetic* melancolic; dus pe gânduri

thought transference ['θɔ:t 'trænsfərəns] *s psih* telepatie, transmitere a gândurilor (altcuiva, la distanță)

thought-wave ['θɔ:t,weiv] *s* undă telepatică

thousand ['θauzənd] **I** *num* **1** *cardinal* o mie; **a ~ and one a** o mie unu **b** *fig* din belșug **c** nenumărate, nenumărați **2** *ordinal* miilea, o mie **II** *s* **1** mie; **one in a ~** unul dintr-o mie, om *sau* lucru excepțional; **many ~s of times** de mii de ori **2** imensitate, cantitate imensă; sobor, liotă; **by ~s** cu miile, mii și mii

thousandfold ['θauzənd,fould] **I** *adj* înmiit **II** *adv* înmiit, de o mie de ori

thousand-miler ['θauzənd,mailər] *s amer* ← *F* bluză de lucru, salopetă

thousandth ['θauzəndθ] **I** *num* al miilea, o mie **II** *s* **1** mia parte, o miime **2** a mia oară

Thrace [θreis] *ist* Tracia

Thracia ['θreiʃə] *v.* **Thrace**

Thracian ['θreiʃən] *s, adj ist* trac

Thraco-Illyrian [,θreikou i'liriən] *s, adj ist* iliro-trac

thraldom ['θrɔ:ldəm] *s* sclavie, robie, sclavaj, servitute

thrall ['θrɔ:l] **I** *s* **1** *și fig* rob, sclav **2** *poetic* robie, sclavie **II** *vt înv* a robi, a înrobi, a subjuga, a supune

thralldom ['θrɔ:ldəm] *s v.* **thraldom**

thrash [θræʃ] **I** *vt* **1** a ciomăgi, a bate (rău), a burduși **2** *fig* a învinge, a bate, a întrece **3** *v.* **thresh II** *vi* a se răsuci, a se zvârcoli

thrasher ['θræʃər] *s* **1** persoană care ciomăgește/bate **2** *v.* **thresher 1 3** *v.* **thresher 2 4** *iht* specie de rechin mare *(Alopias*

vulpes) **5** *orn* sturz american *(Mimidae sp.)*

thrashing ['θræʃiŋ] *s* **1** ciomăgeală, bătaie, burdușeală; bastonadă; **to give smb a (good) ~ a** a trage cuiva o bătaie/ciomăgeală bună **b** *fig* a învinge pe cineva, a bate măr pe cineva **2** *v.* **threshing**

thrashing floor ['θræʃiŋ ,flɔ:'] *s v.* **threshing floor**

thrashing machine ['θræʃiŋ mə'ʃi:n] *s v.* **threshing machine**

thrash out ['θræʃ'aut] *vt cu part adv* **1** a discuta, a dezbate pe larg, a diseca **2** a lămuri, a clarifica

thread [θred] **I** *s* **1** *și fig* fir; firicel; ață; **to hang by a ~** *fig* a atârna de un fir de păr/ață **2** *text* filament; fir tors; tort; fibră **3** *tehn* filet (de șurub) **4** *pl amer sl* țoale, țol, – (costum de) haine **II** *vt* **1** a băga ață în *(ac)* **2** a înșira *(mărgele etc.)* **3** a străbate, a pătrunde (prin); a trece cu greu prin/peste *(obstacole);* **to ~ one's way** a-și croi cu greu drum prin, a se strecura/a se furișa prin **4** *tehn* a fileta *(un șurub);* a ghintui *(o țeavă)* **III 1** (**in**) a se înșuruba **2** (**through**) a-și croi drum cu greu (prin), a se furișa, a se strecura (prin)

threadbare ['θred,bɛə'] *adj* **1** ros (complet), uzat de tot, jerpelit (la culme) **2** zdrențăros, în zdrențe, jerpelit **3** *fig* învechit, răsuflat, banal, banalizat

threadbareness ['θred,bɛənis] *s* **1** jerpeleală, uzură avansată **2** *fig* banalitate

threader ['θredər] *s tehn* mașină de filetat

threadfish ['θred,fiʃ] *s iht* pește african cu aripioarele terminate filiform *(Alectis ciliaris)*

threadlace ['θred,leis] *s* dantelă împletită din fir de in *sau* bumbac

threadlike ['θred,laik] *adj* **1** ca firul/ața **2** fibros, filamentos

thread-mark ['θred,mɑ:k] *s* filigran (pe bancnote)

threadneedle ['θred,ni:dl] *s* **1** (jocul de-a) podul *(în care un jucător trece pe sub brațele celorlalți)* **2** figură de dans popular *(în care dansatoarea trece pe sub brațul partenerului)*

Threadneedle Street ['θred,ni:dl 'stri:t] *s:* **(the Old Lady of) ~** Banca Angliei

thread paper ['θrĕd ‚peipə'] *s* **1** hârtie din care se face sfoară **2** *fig F* scobitoare, slăbătură, slăbănog

thread-shaped ['θrĕd‚ʃeipt] *adj bot*, *zool* filiform, ca un fir, în formă de fir

threadworm ['θredwə:m] *s med*, *zool* trichină

thready ['θredi] *adj v.* **threadlike**

threat ['θret] *s* amenințare

threaten ['θretən] **I** *vt* a amenința; **to ~ punishment** a amenința cu o pedeapsă **II** *vi* a fi amenințător, a amenința; a constitui un pericol

threatening ['θretənin] *adj* **1** amenințător **2** (cu caracter) de amenințare

three ['θri:] *num* trei

three-act ['θri:‚ækt] *adj (d. piesă)* în trei acte

three-acter ['θri:‚æktə'] *s teatru* piesă în trei acte

three ball ['θri:‚bɔ:l] *s sport* partidă de golf între trei jucători (fiecare cu mingea lui)

three-card trick ['θri:‚ka:d 'trik] *s* joc de noroc *(ghicirea damei din trei cărți puse cu fața în jos)*

three-colour(ed) ['θri:'kʌlə(d)] *adj* tricolor

three-cornered ['θri:‚kɔ:nəd] *adj* **1** în trei colțuri, triunghiular **2** *pol*, *sport* în trei, între trei concurenți

three-cornered hat ['θri:'kɔ:nəd 'hæt] *s* tricorn, pălărie în trei colțuri

three-D ['θri:'di:] **I** *adj* tridimensional, în relief, stereoscopic **II** *s* *cin* film tridimensional/în relief

three-decker ['θri:'dekə'] *s* **1** *nav* vas cu trei punți **2** *nav înv* corabie cu trei rânduri de baterii **3** *constr* clădire cu trei nivele **4** ← *umor* roman în trei volume

three-dimensional ['θri:‚dai'menʃənəl] *adj v.* **three-D I**

three-eight time ['θri:‚eit 'taim] *s muz* (măsură de) trei pe opt

three-engined ['θri:'endʒind] *adj av* trimotor, cu trei motoare

three-field system ['θri:‚fi:ld 'sistəm] *s agr* sistem de agricultură/cultură în trei asolamente

three-flowered ['θri:'flauəd] *adj bot* cu (inflorescența din) trei flori îngemănate

threefold ['θri:‚fould] **I** *adj* întreit, triplu **II** *adv* întreit, de trei ori

three-four time ['θri:‚fɔ: 'taim] *s muz* (măsură de) trei pe patru

three halfpence ['θri:'heipəns] *s* un penny și jumătate

three handed ['θri:'hændid] *adj* **1** triman, cu trei mâini **2** *(d. joc de cărți)* pentru trei persoane/jucători

Three-in-one [θri:in'wʌn] *s rel* Sfânta Treime, Trinitatea

three-lane ['θri:‚lein] *adj (d. arteră de circulație)* cu trei benzi (de circulație)

three-legged ['θri: 'legd] *adj (d. scăunele)* cu trei picioare

three-legged race ['θri:'legdreis] *s sport* cursă în care alergătorii au picioarele legate unul de altul

three-man ['θri:'mæn] *adj* tripartit; alcătuit din trei persoane; ternar

three-master ['θri:'ma:stə'] *s nav* vas/corabie cu trei catarge

three-mover ['θri:'mu:və'] *s* problemă (de șah) cu soluție în trei mutări

three-pair ['θri:pɛə'] *adj* la etajul II

three-pair back ['θri:pɛə 'bæk] *s* cameră din fund/cu vedere spre curte, la etajul II

threepence ['θrepəns] *s* (sumă de) trei peni

threepenny bit/piece ['θrepni 'bit/'pi:s] *s od* monedă (de argint) de trei peni

three-per-cents ['θri:pə'sents] *s pl ec* titluri/obligațiuni de stat cu dobândă de trei la sută

three-phase ['θri:‚feiz] *adj el* trifazat

three-piece ['θri:‚pi:s] *adj* din trei părți/bucăți

three-piece suit ['θri:‚pi:s 'su:t] *s* trois-pièces *(de damă)*

three-ply ['θri:‚plai] **I** *adj (d. furnir)* triplu, din trei straturi **II** *s* **1** furnir triplu **2** (și ~ **wool**) lână cu firul în trei (șuvițe)

three-point landing ['θri:‚point 'lændin] *s av* aterizare pe toate trei roțile deodată

three-point turn ['θri:‚point 'tə:n] *s auto* întoarcere din trei bucăți/mișcări

three-pole ['θri:‚poul] *adj el* tripolar

three-quarter ['θri:'kwɔ:tə'] **I** *adj* (de) trei sferturi **II** *adv* pe trei sferturi **III** *s* jucător de pe linia de trei sferturi *(la rugby)*

three-quarter back ['θri:‚kwɔ:tə 'bæk] *s sport v.* **three-quarter III**

three-quarter lenght ['θri:‚kwɔ:tə 'lengθ] *s* trois-quarts, troacar,

haină/mantou/pardesiu trei sferturi

three-ring circus ['θri:‚rin 'sə:kəs] *s* **1** circ cu trei arene **2** *fig* performanță extraordinară/nemaipomenită

three R's, the [θri:'a:z, ðə] (**reading, writing, 'rithmetic**) **1** carte, abecedar **2** baze, fundamente, elemente

threescore ['θri:'skɔ:'] *s num* șaizeci; ~ **-and-ten a** șaptezeci **b** șaptezeci de ani *(ca durată maximă a vieții)*

three-seater ['θri:‚si:tə'] *s* autoturism/mașină cu trei locuri

three-sided ['θri:‚saidid] *adj* cu trei laturi

threesome ['θri:səm] *s* **1** grup de trei, trio, terțet **2** *sport* joc în trei

three-speed ['θri:‚spi:d] *adj auto etc.* cu trei viteze

three-square ['θri:‚skwɛə'] *adj* **1** cu trei suprafețe plane **2** triunghiular

three-step ['θri:‚step] *s* dans în trei timpi

three-storied ['θri:‚stɔrid] *adj* cu trei etaje

three-story ['θri:‚stɔri] *adj v.* **three-storied**

three-stringed ['θri:‚strinḏ] *adj muz (d. instrument)* cu trei coarde/strune

three-tailed ['θri:‚teild] *adj* cu trei cozi

three-valved ['θri:‚vælvd] *adj tehn* **1** *(d. robinet, supapă etc.)* cu trei căi/faze **2** *ferov* cu linie triplă **3** *el (d. comutator)* cu trei faze/direcții

three wheeled ['θri: ‚wi:ld] *adj* cu trei roți

three-wheeler ['θri:‚wi:lə'] *s* automobil cu trei roți

three-wire ['θri:‚waiə'] *adj el* cu trei conductoare/fire/sârme

thremmatology [‚θremə'tɔlədʒi] *s* **1** *biol* creștere artificială **2** *agr* știința creșterii animalelor și plantelor; agrozootehnie

threne [θri:n] *s rar* bocet, cântec funebru; lamentație

threnetic [θri'netik] *adj rar* funebru, jalnic; cu caracter de bocet

threnode [θri'noud] *s* bocet, cântec funebru/de jale

threnodial [θri'noudiəl], **threnodic** [θri'nɔdik] *adj* (cu caracter) de lamentație/bocet/jale; funerar, jalnic, trist

threnodist ['θrenədist] *s* bocitor, bocitoare; persoană care bocește/se lamentează

threnody ['θrenədi] *s v.* **threnode**

thresh [θreʃ] *vt agr* **1** a îmblăti, a bate cu îmblăciul **2** a treiera

thresher ['θreʃəʳ] *s* **1** treierător **2** treierătoare, batoză, mașină de treier(at) **3** îmblăciu

threshing ['θreʃin] *s* **1** treierat, treieriș **2** *v.* **thresher 2**

threshing floor ['θreʃin ˌflɔːʳ] *s* arie de treier(at)

threshing machine ['θreʃin məˈʃin] *s v.* **thresher 2**

threshold ['θreʃould] *s* **1** prag **2** poartă; ușă **3** pridvor **4** *fig* prag, început, punct de plecare

threw [θruː] *pret de la* **throw I, II, III**

thrice [θrais] *adv înv lit* **1** de trei ori **2** (în mod) repetat, de mai multe ori

thrid [θrid] *vt înv v.* **thread²**

thrifallow [θriˈfælou] *vt agr* a ara a treia oară înainte de însămânțare/semănat

thrift [θrift] *s* **1** economie, cumpătare, chibzuială; frugalitate **2** ← *înv* prosperitate, înflorire; succes **3** *agr* creștere viguroasă **4** brazdă; gazon **5** *bot* limba-peștelui *(Statice armeria)*

thrift account ['θrift əˈkaunt] *s ec amer* cont de economii; cont (curent)/depozit de bancă/la CEC

thrift box ['θrift ˌbɔks] *s* pușculiță

thriftily ['θriftili] *adv* cu economie/ chibzuială/chibzuință; cumpătat, cu moderație

thriftiness ['θriftinis] *s v.* **thrift 1, 2**

thriftless ['θriftlis] *adj* risipitor, cheltuitor; nesocotit, nechibzuit

thriftlessly ['θriftlisli] *adv* (în mod) nechibzuit, fără chibzuială/ chibzuință

thriftlessness ['θriftlisnis] *s* risipă, cheltuială; nechibzuință, nesocotință

thrifty ['θrifti] *adj* **1** econom, chibzuit, socotit; cumpătat, moderat **2** bine administrat/gospodărit **3** *amer* înfloritor, prosper **4** ← *înv* folositor; profitabil, rentabil

thrill [θril] **I** *s* **1** fior, cutremur; tremur(at) nervos **2** emoție puternică **3** tresărire **4** *med* palpitație ușoară **5** senzație, emoție, caracter palpitant **6** *sl v.* **thriller 1**

7 ← *înv* burghiu, sfredel **II** *vt* **1** a înfiora, a cutremura, a face să se cutremure/să se înfioare; a da fiori/*(cu dat);* **to be ~ed with horror** a fi cutremurat/a se cutremura de groază **2** a emoționa, a tulbura, a mișca adânc/ profund, a face să vibreze/ palpite; a da palpații *(cu dat)* **3** ameți, a îmbăta; a electriza **4** ← *înv* a găuri, a sfredeli, a perfora, a străpunge **III** *vi* **1** (with) a se cutremura, a se înfiora, a tremura, a-l trece fiorii (de) **2** a fremăta, a vibra **3** a palpita, a zvâcni, a bate (cu putere)

thrilled [θrild] *adj* **1** înfiorat; emoționat, cuprins de emoție, palpitând **2** intrigat

thriller ['θrilɑʳ] *s* **1** operă senzațională (↓ *roman sau film polițist);* roman *sau* film de groază **2** melodramă

thrilling ['θrilin] *adj* **1** care-ți dă fiori, care te înfioară, înfiorător, de groază; pasionant, tulburător **2** palpitant, senzațional; cu suspens **3** mișcător, emoționant, înduioșător

thrillingly ['θrilinli] *adv* (în mod) mișcător/tulburător/pasionat/ palpitant

thrive [θraiv], *pret* **throve** [θrouv], *ptc* **thriven** ['θrivən] *vi* **1** a prospera, a înflori, a-i merge bine **2** a se îmbogăți, a se căpătui, a face avere **3** *bot, zool* a merge bine, a crește puternic/viguros

thriven ['θrivən] *ptc de la* **thrive**

thriving ['θraivin] *adj* **1** înfloritor, prosper **2** viguros

thrivingness ['θraivinnis] *s* prosperitate, propășire, înflorire

thro [θruː] *prep v.* **through**

throat [θrout] *s* **1** *anat* gâtlej; gât; grumaz; **full up to the ~** sătul până-n gât; **to cut smb's ~ a** a tăia gâtul cuiva **b** a suprima pe cineva; **to cut the ~ of smth a** a pune capăt *cu dat;* a răsturna, a nărui *(un plan, proiect etc.)* **b** a distruge, a face praf și pulbere *(un argument etc.);* **to cut each other's ~ a** a se dușmăni de moarte **b** a se certa, a se ciorovăi **c** a se distruge reciproc (prin concurență); **to fly at smb's ~** a se arunca/a se năpusti/a se repezi la cineva/asupra cuiva;

to catch/to grip/to have/to hold/to pin/to take smb by the ~ a înșfăca/a înhăța/a apuca pe cineva de gât; a strânge de gât pe cineva; **to clear one's ~** (a tuși pentru) a-și drege glasul; **to cram/to ram/to thrust smth down smb's ~** și *fig* a băga cuiva ceva cu de-a sila pe gât; a impune cuiva ceva *(un punct de vedere etc.);* **to jump down smb's ~ a** a închide gura cuiva, a nu lăsa pe cineva să vorbească **b** a respinge (cu violență) obiecțiile cuiva; **to have a sore ~** a te durea în gât; **he lies in his ~** minte de stinge/de îngheață apele; **to give smb the lie in his ~** a-i spune cuiva de la obraz că minte/că e mincinos; **to moisten one's ~** a-și uda gâtlejul, a trage la măsea; **to pour/ to send down the ~** a-și cheltui/ a-și toca *(averea)* cu chefurile **2** glas, voce; **a ~ of brass a** glas puternic, tunător **b** voce aspră **3** strungă, trecătoare, defileu **4** *tehn* gură de încărcare/alimentare; deschidere maximă **5** *nav* gât de ancoră

throat band ['θrout ˌbænd] *s* zgardă, curelușă la gâtul câinelui

throatily ['θroutili] *adv* (cu glas) gutural

throatiness ['θroutinis] *s* caracter gutural (al glasului)

throating ['θroutin] *s tehn* renură, canelură

throat latch ['θrout ˌlætʃ] *s v.* **throat band**

throat lozenge ['θrout ˌlɔzindʒ] *s med* bomboană de tuse; *aprox* bomboană „Negro"

throat microphone ['θrout ˌmaikrəfoun] *s med* amplificator laringian; aparat auxiliar pentru vorbire după operații la laringe

throat-sprayer ['θrout ˌspreiəʳ] *s med* pulverizator *(pt inflamații în gât)*

throatwash ['θrout ˌwɔʃ] *s* gargară

throaty ['θrouti] *adj* gutural, din gât

throb [θrɔb] **I** *s* **1** pulsație, palpitație, bătaie *(a inimii)* **2** tremur, agitație; fior **II** *vi* **1** a pulsa, a bate, a palpita **2** *fig* a tremura/a vibra/a palpita de emoție

throbbing ['θrɔbin] **I** *s* palpitare, palpitație **II** *adj* vibrant, tremurător, palpitând

throbless ['θrɔblis] *adj înv (d. inimă)* care nu mai bate/a încetat să bată

throe [θrou] **I** *s* ↓ *pl* **1** durere (chinuitoare) **2** chinurile facerii/ nașterii **3** convulsii/spasme violente **4** *fig* chin sufletesc **II** *vi* a suferi crunt, a se chinui cumplit

thrombi ['θrɔmbai] *pl de la* **thrombus**

thrombin ['θrɔmbin] *s ch, med* enzimă care produce cheaguri/ tromboză

thrombo- *pref* trombo-: **thrombophlebitis** tromboflebită

thrombocyte ['θrɔmbəsait] *s fizl, med* trombocită

thrombose ['θrɔmbous] **I** *vt* a tromboza, a produce tromboză **II** *vi* a se tromboza, a face un cheag/o tromboză

thrombosis [θrɔm'bousis], *pl* **thromboses** [θrɔm'bousi:z] *s med* tromboză

thrombus ['θrɔmbəs], *pl* **thrombi** ['θrɔmbai] *s* cheag (de sânge) care astupă un vas sanguin

throne [θroun] **I** *s* **1** tron **2** *fig* tron, sceptru, coroană, autoritate regală **3** *fig* autoritate supremă; poziție înaltă (în societate) **4** templu, sanctuar **II** *vt* **1** a așeza/ a înscăuna pe tron **2** a instala într-un post înalt **III** *vi rar* a trona

throne room ['θroun‚ru:m] *s* sala tronului

throng [θrɔŋ] **I** *s* **1** gloată, mulțime **2** îmbulzeală, aglomerație, grămadă **3** *scot* miez, inimă, toi **II** *vi* a se îmbulzi, a se îngrămădi; a veni grămadă, a da năvală **III** *vt* **1** a umple de lume, a înțesa **2** a înghesui, a îmbulzi **3** a asupri, a împila

thronged [θrɔŋd] *adj* **1** înțesat/plin de lume, (supra)aglomerat **2** *(d. mulțime)* compact, dens

throstle ['θrɔsəl] *s* **1** *orn* ← *poetic* sturzul viilor *(Turdus musicus)* **2** *text* mașină de filat cu inele, ring de filat

throstle-frame ['θrɔsəl ‚freim] *s v.* **throstle 2**

throttle ['θrɔtəl] **I** *s* **1** ← *F* gâtlej, beregată **2** *tehn* regulator, drosel **3** *auto* volet, fluturaș; supapă de reglaj/admisie; **to drive on/to give full ~** a merge în plină viteză/cu accelerația la maximum, a accelera tare/mult/la maximum; **F→** a călca accele-

ratorul/accelerația, a apăsa pe accelerație; **to open out the ~** a deschide supapa de admisie; a accelera, a apăsa pe accelerație/accelerator **II** *vt* **1** a sugruma, a strangula, a înăbuși, a strânge de gât **2** *tehn* a strangula **III** *vi* **1** a se sufoca; a răsufla/ respira greu **2** a muri de astmă

throttle back ['θrɔtəl ‚bæk] *vt cu part adv auto* a reduce accelerația; a lăsa motorul la ralanti

throttled-down ['θrɔtəd‚daun] *adj auto (d. motor)* (lăsat) la ralanti

throttle down ['θrɔtəl 'daun] *vt cu part adv v.* **throttle back**

throttle-valve ['θrɔtəl ‚vælv] *s v.* **throttle I 3**

through [θru:] **I** *prep* **1** prin; printre; peste; **~ a telescope** printr-un telescop; **to come/to go ~ smth** a străbate, a traversa ceva; a trece prin ceva; **to go ~ smb's pockets** a scotoci pe cineva prin buzunare; **to speak ~ one's nose** a vorbi pe nas; **to be half ~ a book** a fi citit/parcurs jumătate dintr-o carte; **to run one's sword ~ smb's body/~ smb** a străpunge pe cineva cu sabia; **to put one's pen ~ a paragraph** a tăia/a șterge un paragraf; **to be ~ one's work** a-și termina treaba **2** prin intermediul/mijlocirea *(cu gen);* de la, din; **~ the post** prin poștă; **to learn/to hear of smth ~ smb** a auzi un lucru prin/de la cineva/prin intermediul cuiva; **~ the newspapers** din ziare **3** mulțumită, datorită, grație *(cu dat)* **4** din pricina, din cauza *(cu gen),* datorită *(cu dat);* **~ illness** din cauză de boală, din pricina bolii; **to act ~ fear** a acționa datorită fricii/din teamă **5** *temporal* de-a lungul *(cu gen),* în (tot) timpul *(cu gen);* **all ~ the day** toată ziua, în tot cursul zilei; **~ all ages** de-a lungul secolelor/ veacurilor **6** *amer temporal* inclusiv, până la; **Monday ~ Friday** de luni până vineri (inclusiv) **II** *adv* **1** de la un capăt la celălalt; dintr-o parte în cealaltă; **to be wet ~ (and ~)** a fi ud leoarcă/până la piele; **to know smb ~ and ~** a cunoaște perfect (de bine) pe cineva, a ști perfect cât îi poate pielea cuiva; **to**

carry/to see smth ~ a duce ceva la bun sfârșit/până la capăt; **to let smb ~** a lăsa pe cineva să treacă; **to read a book ~** a citi o carte din scoarță în scoarță; **to run smb ~** a străpunge pe cineva *(cu sabia etc.)* **2** *direct;* **the train runs ~ to Edinburgh** trenul merge direct/fără oprire (până) la Edinburgh; **to book ~ to Glasgow** a lua bilet direct pentru Glasgow; **to put smb ~ to smb** a da cuiva legătura (telefonică) cu cineva **III** *adj* **1** *(d. tren, bilet, drum, zbor etc.)* direct **2** *tehn* continuu; de trecere, traversant **3** *pred* terminat, gata, sfârșit; **to be ~ a** a fi gata b a fi terminat **c** a fi *(un om)* sfârșit; a-și fi încheiat (rușinos) cariera; **to be ~ with smth a** a fi terminat/ isprăvit/sfârșit (cu) ceva **b** a fi sătul/a se fi săturat până-n gât de ceva; **to be ~ with smb** a fi terminat/isprăvit cu cineva; a nu mai vrea să vadă pe cineva **4** ros, rupt, găurit, ferfeniță **5** *pred* legat, în legătură *(telefonică etc.);* **you are ~** aveți legătura

through beam ['θru:‚bi:m] *s constr* grindă de susținere **2** *ferov* grindă continuă

through carriage/coach ['θru:‚kæridʒ/‚koutʃ] *s ferov* vagon direct

through coal ['θru:‚koul] *s minrl* cărbune brut/netăiat

through communication ['θru:‚kɔmju:ni'keiʃən] *s ferov* (inter) comunicație între vagoane

through connection ['θru: kə'nekʃən] *s ferov* legătură

throughfare ['θru:‚fɛəʳ] *s v.* **thoroughfare**

through-going ['θru:‚gouiŋ] *adj scot v.* **thorough-going**

through-going shaft ['θru:‚gouiŋ ‚ʃɑːft] *s tehn* arbore transversal

through insulator ['θru: insju'leitəʳ] *s el* izolator de trecere

throughly ['θru:li] *adv v.* **thoroughly**

through-other ['θru:‚ʌðəʳ] *adj scot* **1** în dezordine, răvășit **2** aiurit, zăpăcit, dezordonat

throughout [θru:'aut] **I** *adv* **1** pretutindeni, peste tot (locul); de la un capăt la celălalt **2** în toate privințele, complet; în întregime **II** *prep* **1** de la un capăt la celălalt al,

peste tot (cuprinsul – *cu gen); ~*
the country în toată țara, de la
un capăt la celălalt al țării, pe tot
cuprinsul/întinsul patriei 2 *tem-
poral* în tot cursul, de-a lungul *(cu
gen); ~* **the year** tot anul, în tot
cursul anului; ~ **the centuries** în
decursul veacurilor

throughput ['θru:ˌput] *s ec* 1 materii
(prime) și materiale introduse în
procesul de fabricație; materiale
prelucrate 2 produs, rezultat;
output *(al unui computer)*

through repeater ['θru: riˈpiːtəʳ] *s tel*
amplificator intermediar

through road ['θru: ˌroud] *s* drum
direct; cale de trecere; **no ~ a**
trecerea oprită **b** drum înfundat

through route ['θru: ˌruːt] *s* arteră
principală, magistrală, cale
directă de acces

through station ['θru: ˌsteiʃən] *s
ferov* stație în care trenul nu
oprește

through-stone ['θru:ˌstoun] *s constr,
arhit* piatră *sau* cărămidă ieșită
în afară (prin zid)

through street ['θru: ˌstriːt] *s amer
v.* **thorough-fare 1**

through ticket ['θru: ˌtikit] *s ferov*
bilet direct *(fără transbordare)*

through traffic ['θru: ˌtræfik] *s*
tranzit

through train ['θru: ˌtrein] *s ferov* 1
tren direct 2 tren care circulă fără
oprire

through way ['θru: ˌwei] *s amer v.*
thoroughfare 1

throve [θrouv] *pret de la* **thrive**

throw [θrou] I *pret* **threw** [θru:], *ptc*
thrown [θroun] *vt* 1 a arunca, a
azvârli, a zvârli (jos); a lansa *(un
proiectil, o piatră etc.);* **to ~
stones at smb a** a arunca cu
pietre după cineva **b** *fig* a aduce
învinuiri/acuzații cuiva; a da/a
arunca cu piatra în cineva; **to ~
smb a kiss** a face bezele cuiva;
**to ~ the blame/responsibility
on smb** a da/a arunca vina/
răspunderea pe cineva; **to ~ a
bridge over/across a river** a
face/a întinde un pod peste un
râu; **to ~ into jail** a arunca în/a
băga la închisoare; **to ~ a coat
etc. over one's shoulders** a-și
arunca/a-și trage/a-și pune o
haină pe umeri; **to ~ several
rooms into one** a lega/a uni mai

multe camere între ele; **to be
thrown idle** a fi dat afară/aruncat
în stradă, a fi lăsat să șomeze;
**to be thrown upon one's own
resources** a fi silit/nevoit să se
bazeze numai pe el/pe propriile
sale resurse/mijloacele/posibili-
tăți; **to ~ smb into a fever** a pune
pe cineva pe ghimpi/pe jeratic 2
a pune jos, a lepăda; a aban-
dona, a părăsi; *(d. animale)* a-și
lepăda *(pielea)* 3 *(d. animale)* a
făta, a naște 4 *sport* a trânti la
pământ/jos; *(d. cal)* a trânti
(călărețul); **to be ~n** a fi azvârlit
din șa, a fi trântit de cal 5 *amer*
← *F* a abandona (intenționat), a
renunța la *(o cursă etc.)* 6 *amer*
a da, a oferi *(o petrecere etc.)* 7
a transpune (în versuri) II *(v. ~ I)*
vi a arunca, a azvârli III *(v. ~ I)* *vr*
a se arunca, a se azvârli; **to ~
oneself into the fray** a se băga/
a se vârî unde e lupta mai mare/
în încăierare; **to ~ oneself at
smb's head** a se arunca de
gâtul cuiva IV *s* 1 aruncare,
azvârlire, lansare 2 aruncătură,
azvârlitură; **at a stone's ~ from**
la o azvârlitură/aruncătură de băț
de 3 *tehn etc.* anvergură, ampli-
tudine, întindere; cursă *(a pisto-
nului)* 4 *amer* ← *F* încercare;
let's have a ~ at it! hai să
încercăm! ce-ar fi să încercăm?
5 *amer com* preț pe unitate/
bucată; unitate cu care se vinde
un articol *(pereche, duzină,
bucată etc.)* 6 roata olarului

throw about ['θrou əˈbaut] *vt cu part
adv* a arunca încoace și încolo/
în toate părțile/peste tot; **to be
thrown about** a fi hurducat/
zguduit/aruncat încoace și încolo
(de trăsură etc.); **to throw one's
arms about** a gesticula, a-și
agita brațele; **to throw one's
money about** a-și arunca banii
pe fereastră/în vânt, a-și cheltui
averea nebunește/prostește

throw around ['θrou əˈraund] *vt cu
part adv v.* **throw about**

throw aside ['θrou əˈsaid] *vt cu part
adv* a da la o parte, a înlătura

throwaway ['θrouəˌwei] I *s* 1 *amer*
afiș/manifest/reclamă *(care se
distribuie pe stradă etc.)* 2 lucru
care se aruncă după folosire/
întrebuințare II *adj* 1 de aruncat,

care se aruncă după folosire/
întrebuințare; *(d. bun)* de folo-
sință imediată; efemer 2 *teatru*
secundar; șoptit, în surdină;
atenuat 3 degajat

throw away ['θrou əˈwei] *vt cu part
adv* 1 a arunca (departe/cât
colo), a azvârli (la gunoi); **to ~ a
card** a da jos/a defosa/a depune
o carte; **to ~ (one's) arms** *mil* a
depune/a arunca/a pune jos
armele 2 a irosi, a risipi (zadar-
nic); **to throw smth away on
smb** a strica orzul pe gâște; **to
~ one's life** a se sacrifica/a se
jertfi inutil/zadarnic; **to throw
one's words away** a-și răci gura
de pomană, a vorbi în pustiu 3 a
rata, a pierde *(un prilej)*, a lăsa
să-i scape *(o șansă)* 4 a atenua,
a nu sublinia

throwaway society ['θrouəˌwei
səˈsaiəti] *s ec* societate de con-
sum *(caracterizată prin arunca-
rea la gunoi imediat după între-
buințare a unor obiecte sau
materiale refolosibile)*

throw-back ['θrouˈbæk] *s* 1 mișcare
înapoi 2 recul 3 *fig* regres,
întoarcere înapoi 4 *biol* regres
atavic, atavism

throw back ['θrou ˈbæk] I *vt cu part
adv* 1 a arunca înapoi/îndărăt 2
↓ *mil* a respinge; a împinge
înapoi 3 a da/a împinge în lături
sau pe spate *(pălăria, perdele
etc.)* 4 *(d. oglindă)* a reflecta, a
răsfrânge II *vi cu part adv biol* a
se întoarce la un tip anterior

throw-down ['θrouˌdaun] *s sl* bătaie,
înfrângere, insucces

throw down ['θrou ˈdaun] *vt cu part
adv* 1 a arunca în jos/de sus în
jos 2 a lăsa/a pune jos; a depu-
ne; **to ~ (one's) tools** a între-
rupe/a lăsa lucrul; a se pune în/
a face/a declara grevă; **to ~
(one's) arms** *mil și fig* a depune
armele, a se preda 3 a doborî, a
dărâma, a da jos 4 *ch* a precipita,
a depune, a face să se precipite
5 *amer* ← *F* a dejuca, a contra-
cara; a respinge, a face să cadă
(un plan etc.)

thrower ['θrouəʳ] *s* 1 *sport* aruncător
(de suliță etc.) 2 olar

throw-in ['θrouˌin] *s sport* aruncare
de la tușă; repunere în joc *(a
mingii)*

throw in ['θrou 'in] *vt cu part adv* **1** a arunca, a azvârli înăuntru **2** a adăuga, a pune în plus (de bunăvoie, de la sine); **~ a few compliments!** mai adaugă şi tu câteva complimente! **3** a abandona; **to ~ one's hand/cards** a abandona/a părăsi jocul, a lăsa jos cărţile, a se scula de la masa de joc **4** a împărtăşi; **to ~ one's lot with smb** a-şi lega soarta de a cuiva

throwing ['θrouiŋ] *s v.* **throw IV 1**

throwing-about ['θrouiŋə,baut] *s* risipă, irosire a banilor

throwing-away ['θrouiŋə'wei] *s* **1** *şi fig* aruncare/azvârlire (la gunoi) **2** îndepărtare, eliminare **3** ratare, pierdere *(a unui prilej)*, irosire

throwing-back ['θrouiŋ,bæk] *s* **1** aruncare înapoi; înapoiere **2** refracţie, răsfrângere, oglindire **3** întârziere, tergiversare *(a unei lucrări etc.)*

throwing-down ['θrouiŋ,daun] *s* **1** aruncare, azvârlire (jos) **2** depunere *(a armelor)* **3** renunţare *(la un plan etc.)* **4** dărâmare, doborâre; demolare

throwing-out ['θrouiŋ,aut] *s* **1** jet, ţâşnire, emitere **2** *v.* **throwing-down 3 3** respingere *(a unui proiect etc.)*

throwing-over ['θrouiŋ,ouvəʳ] *s* părăsire, abandonare, lepădare *(a unui prieten etc.)*

throwing-up ['θrouiŋ,ʌp] *s* **1** aruncare în aer **2** vomare, vomitare, vărsătură **3** scoatere în relief, subliniere, reliefare **4** *v.* **throwing-down 3**

throw in with ['θrou'in wið] *vi cu part adv şi prep* a împărtăşi soarta cuiva

thrown [θroun] *ptc de la* **throw**

throw-off ['θrou,ɔːf] *s sport şi fig* start, început

throw off ['θrou'ɔːf] *vt cu part adv* **1** a arunca (la o parte) **2** a părăsi, a abandona/a se lăsa de *(un obicei etc.)* **3** a dezbrăca, a arunca *(hainele)* **4** a arunca, a lansa; a proiecta; a emite **5** *vânăt* a slobozi, a lăsa liber *(un câine)*

throw on ['θrou'ɔn] *vt cu part adv* **1** a-şi îmbrăca/a-şi trage repede *(o haină etc.)* **2** *vânăt* a pune *(câinii)* pe urma vânatului

throw oneself about ['θrou wʌn,self ə'baut] *vr cu part adv* a se zvârcoli, a da din mâini şi din picioare

throw oneself backwards ['θrou wʌn,self 'bækwədz] *vr cu adv* a se arunca înapoi

throw oneself down ['θrou wʌn,self 'daun] *vr cu part adv* a se arunca la pământ/pe burtă

throw open ['θrou 'oupən] *vt cu adj* a deschide *(uşa)* de perete

throw-out ['θrou,aut] *s* **1** *auto* debreiere (automată) **2** *tehn* ejector, aruncător **3** *el* întrerupător/disjunctor automat **4** *pl com* deşeuri, rebuturi; articole cu defect

throw out ['θrou 'aut] *vt cu part adv* **1** a arunca/a da/a scoate afară **2** a scoate în afară/în relief; **to ~ one's chest** a-şi umfla pieptul, a-şi scoate pieptul în afară; **to ~ into bold relief** a scoate în relief, a reliefa; a sublinia **3** a emite, a răspândi *(raze, căldură, miros etc.)* **4** a defosa, a arunca *(o carte de joc)* **5** a deranja, a întrerupe *(de la lucru)* **6** a lansa *(o provocare)* **7** *jur* a emite, a respinge; **to ~ a bill** a emite o ordonanţă de neurmărire, a anula un mandat de urmărire **8** a scoate; **to ~ the clutch** *auto* a debreia

throw over ['θrou 'ouvəʳ] *vt cu part adv* a abandona, a părăsi, a lăpăda de *(un prieten etc.)*

throw overboard ['θrou ,ouvə'bɔːd] *vt cu part adv* **1** *şi fig* a arunca peste bord **2** *fig* a se descotorosi/a se debarasa de; a lepăda, a arunca; a abandona, a părăsi; a renunţa la

throwster ['θroustəʳ] *s* **1** barbugiu, jucător de zaruri **2** *text* răsucitor, torcător

throw together ['θrou tə'geðəʳ] *vt cu part adv* **1** a reuni, a pune laolaltă **2** a strânge (în grabă) laolaltă, a aduce împreună **3** *fig* a scrie/a compune în grabă

throw up ['θrou 'ʌp] *vt cu part adv* **1** a arunca în sus **2** a ridica (cu putere) în sus **3** a înălţa/a clădi/a construi în grabă **4** a abandona, a renunţa la; a-şi da demisia din; a abdica de la; **to ~ the cards** a ceda în favoarea cuiva **5** a voma, a vomita, a vărsa *(mâncarea)*

thru [θruː] *prep amer v.* **through I**

thrum¹ [θrʌm] **I** *vt* **1** a bate *(toba/darabana)* cu degetele **2** a zângăni, a face să zdrăngănească/să zăngăne **II** *vi* a zdrăngăni *(la pian etc.)* **III** *s* zdrăngănit, zăngănit

thrum² *s text* **1** capătul firului **2** fir gros; smoc, ciucure **3** fragment, părticică; **not to care a ~** *fig F* a nu-i păsa nici cât negru sub unghie

thrush¹ [θrʌʃ] *s orn* sturz *(Turdus musicus)*

thrush² *s* **1** *med* aftă, *F* puşchea **2** *vet* umflătură *(în copita cailor)*

thrust [θrʌst] **I** *pret şi ptc* **thrust** [θrʌst] *vt* **1** (**into**) a vârî (cu forţa) (în); a băga, a înfige (în); a împinge (înăuntru); **to ~ a knife into smb's back** a-i înfige/a-i implânta/a-i vârî cuiva cuţitul în spate, a înjunghia pe cineva pe la spate; **to ~ smb into a dungeon** a arunca/a azvârli pe cineva în temniţă; **to ~ one's nose into everything** a-şi vârî nasul peste tot; **to ~ smth under smb's nose** a-i vârî cuiva ceva sub nas **2** a scoate; **to ~ one's head out of/through the window** a-şi scoate capul pe fereastră **3** (**through**) a-şi croi/a-şi face/a-şi deschide *(drum etc.)* (prin); a împinge, a face să treacă (prin) **II** (*v.* ~ **I**) *vi* **1** a se împinge, a se îmbrânci; a se vârî, a se băga; **to ~ through the crowd** a-şi croi drum/a-şi face loc (cu coatele) prin mulţime **2** *scrimă* a face o împunsătură, a da să împungă, a fanda; a ataca **III** (*v.* ~ **I**) *vr* a se împinge, a se îmbrânci, a se înghesui; a se vârî, a se băga **IV** *s* **1** împingere, îmbrâncitură, îmbrânceală; lovitură; **to give smb a ~** a-i da cuiva o lovitură; a îmbrânci/a împinge/a lovi pe cineva **2** *scrimă* înţepătură, împunsătură; fandare, atac **3** *fig* înţepătură, împunsătură, aluzie răutăcioasă, atac; ghimpe; **that is a ~ at me** asta e/a fost un atac/o aluzie la adresa mea **4** *tehn* reacţie, contrareacţie; contrapresiune, presiune axială/centrică, împingere laterală **5** *tehn* opritor, cui de blocare, limitator, fixator **6** *geol* şariaj

thrust and parry ['θrʌst ənd 'pæri] **I** *vi şi fig* a riposta prompt la un atac, a ataca şi apăra; *fig* a avea o ripostă/un răspuns la orice **II** *s* **1** *scrimă* atac şi parare **2** *fig* ripostă promptă, răspuns prompt

thrust aside ['θrʌst ə'said] *vt cu part adv* a da în lături, a îndepărta

thrust at ['θrʌst ət] *vi cu prep* a împunge, a da să împungă cu spada/bastonul etc. *(cu ac)*

thrust away ['θrʌst ə'wei] *vt cu part adv v.* **thrust aside**

thrust back ['θrʌst 'bæk] *vt cu part adv* **1** a împinge (violent) înapoi **2** a băga cu de-a sila la loc **3** a trânti *(ușa etc.)*

thrust block ['θrʌst ,blɔk] *s tehn* cuzinet de reazem

thrust down ['θrʌst 'daun] *vt cu part adv* a împinge în jos

thruster ['θrʌstə'] *s F* arivist; carierist; (om) înfigăreț

thrust forward ['θrʌst 'fɔ:wəd] *vt cu adv* a întinde/împinge înainte *(mâna etc.)*

thrust-hoe ['θrʌst,hou] *s agr* săpăligă

thrust on ['θrʌst ɔn] *vt cu prep v.* **thrust upon**

thrust oneself forward ['θrʌst wʌn,self 'fɔ:wəd] *vr cu adv* **1** a se băga mai în față, a șe vârî înainte **2** *fig* a se vârî/a se băga ca musca în lapte; a fi un intrus

thrust oneself through ['θrʌst wʌn,self 'θru:] *vr cu prep* a-și face/a-și croi drum prin, a da la o parte *(mulțimea etc.)*

thrustor ['θrʌstə'] *s tehn* servomotor

thrust out ['θrʌst 'aut] *vt cu part adv* a împinge/a scoate (în) afară; **to ~ one's tongue** a scoate limba

thrust stage ['θrʌst ,steidʒ] *s teatru* scenă extensibilă, prosceniu avansat (în mijlocul spectatorilor)

thrust through ['θrʌst θru:] **I** *vt cu prep* a străpunge cu, a băga prin **II** *vi cu prep* a-și croi drum prin, a răzbate prin

thrust up ['θrʌst 'ʌp] *vt cu part adv* a împinge în sus, a ridica brusc

thrust upon ['θrʌst ə,pɔn] *vt cu prep* a vârî/băga pe gât *(cuiva);* a obliga *(pe cineva)* la; **it was ~ me** a mi-a fost băgat pe gât cu de-a sila **b** am fost (absolut) silit s-o fac

thruway ['θru:,wei] *s amer v.* **thoroughfare**

Thu. *presc de la* **Thursday**

Thucydides [θu:'sidi,di:z] Tucidide *(istoric elen 471?-400 î.e.n.)*

thud [θʌd] **I** *s* bufnitură, zgomot înăbușit, lovitură/pocnitură surdă **II** *vi* a bufni, a pocni/a face un zgomot surd; a cădea cu o bufnitură

thug [θʌg] *s* **1** sugrumător, strangulator **2** *amer* bătăuș, mardeiaș, cuțitar

thuggee [θʌ'gi:] *s* **1** *ist* practicile organizației de tâlhari și asasini din India *(v.* **thug***)* **2** *F* banditism, huliganism

thuggery ['θʌgəri], **thuggism** ['θʌgizm] *s v.* **thuggee**

thuja ['θu:jə] *s bot* tuia *(Thuja occidentalis)*

Thule ['θju:li] **1** *insulă în Marea Nordului* **2** *mit* (ultima) Thule

thulium ['θju:liəm] *s ch* tuliu, pământ rar

thumb [θʌm] **I** *s* degetul mare (de la mână), *S* police; **under smb's ~** sub puterea/influența cuiva, la cheremul cuiva; **your fingers are all ~s** ai mână de mămăligă, tare ești neîndemânatic/stângaci **II** *vt* **1** a mânui stângaci/cu stângăcie **2** a murdări, a mânji **3** *amer* a solicita, a cere (arătând cu degetul mare); **to ~ a ride/lift** a face autostop, a merge/a călători cu autostopul

thumb-cuffs ['θʌm,kʌfs] *s pl od* (instrument de tortură alcătuit din) cătușe pentru degetele mari

thumb-index ['θʌm,indeks] **I** *s* indice, repertoar *(cu scobituri pentru litere),* repertoar cu ongleuri **II** *vt* a prevedea/a tipări *(un dicționar etc.)* cu indice marginal pentru litere

thumbless ['θʌmlis] *adj* **1** fără degetul mare de la mână **2** *fig* neîndemânatic, stângaci

thumb-mark ['θʌm,mɑ:k] *s* **1** urmă *(murdară)* de deget *(pe o carte etc.)* **2** amprentă a degetului mare

thumb nail ['θʌm ,neil] **I** *s* unghia degetului mare **II** *adj* concis, concentrat, lapidar

thumb-nail sketch ['θʌm,neil 'sketʃ] *s* **1** portret mic **2** *și fig* portret abia schițat **3** *fig* portret/caracterizare în câteva cuvinte

thumb nut ['θʌm ,nʌt] *s tehn* piuliță răsucită cu degetul mare

thumb-over ['θʌm,ouvə'] *s* **1** amprenta degetului mare **2** *amer fig* amprentă a personalității/caracterului

thumb pot ['θʌm ,pɔt] *s* glastră foarte mică *(pt ghiocei etc.)*

thumb-print ['θʌm,print] *s* **1** amprenta degetului mare *(în dactilo-*

scopie) **2** *amer fig* amprenta personalității (cuiva)

thumb pusher ['θʌm ,puʃə'] *s amer* ← *F* persoană care face autostop

thumb-register ['θʌm,redʒistə'] *s v.* **thumb-index I**

thumb-screw ['θʌm,skru:] *s* **1** *od* menghină, instrument de tortură pentru strâns degetul mare **2** *tehn* șurub de presiune/cu cap striat

thumb stall ['θʌm ,stɔ:l] *s med* capișon/pansament pentru protecția degetului mare/S policelui

thumb sucking ['θʌm,sʌkiŋ] *s* obiceiul sugacilor de a-și suge degetul mare

thumb tack ['θʌm ,tæk] *s amer* pioneză

thump [θʌmp] **I** *s* **1** bufnitură, lovitură, pocnitură (surdă) **2** cădere greoaie **3** lovitură grea; ghiont **II** *vt* **1** a lovi tare/vârtos **2** ← *F* a înghionti **III** *vi* **1** a lovi cu un zgomot surd; a bufni **2** *s/a* vinde gogoși, a pune bărbi, – a minți **IV** *interj* tronc!

thumper ['θʌmpə'] *s* **1** persoană care bate/lovește **2** toboșar, baterist **3** *F* minciună sfruntată/gogonată, brașoavă, – enormitate **4** *F* matahală **5** *F* tip grozav/tare

thumping ['θʌmpiŋ] **I** *s* **1** bubuitură, bufnitură; lovituri surde/înfundate **2** pumni, ghionturi (date în joacă); bătaie (copilărească), hârjoneală **II** *adj* **1** *(d. bufnituri)* surd, înăbușit **2** *F* urias, colosal, imens **3** evident, vădit **4** *F (d. minciună)* grosolan, gogonat, cusut cu ață albă **III** *adv F* foarte, strașnic/grozav de

thump out ['θʌmp 'aut] *vt cu part adv* a zdrăngăni *(o melodie)* la pian

thunder ['θʌndə'] **I** *s* **1** tunet, bubuit/ bubuitură de tunet; **to run from ~ into lightning** a cădea/a nimeri din lac în puț **2** *fig* bubuit, bubuitură, tunet **3** ropot (de aplauze) **4** furtună (cu descărcări electrice); **there is ~ in the air** a ne amenință o furtună, vine o furtună **b** *fig* atmosferă încărcată; **to look as black as ~** *F fig* a fi negru de furie/mânie; **5** *înv lit* trăsnet; **to be struck with ~** *fig* a rămâne (ca) trăsnit/înlemnit

6 *fig* ameninţare (cumplită), fulgere (şi trăsnete); **the ~s of the Vatican** excomunicare **7** *F (folosit în impreca*ţii) dracul, naiba; **by ~!** *v.* **~ IV; go to ~!** *amer* du-te naibii/dracului! **what the ~?, why in (the name of) ~?** (de) ce naiba/dracu? // **to run away with smb's ~, to steal smb's ~** a fura ideile cuiva, a i-o lua înainte cuiva **II** *vi* **1** *impersonal* a tuna; **it ~s** tună **2** a bubui, a trosni; a vui/a hurui asurzitor **3** *fig* (**against, at**) a tuna şi a fulgera (împotriva – *cu gen*), a fi mânios la culme (pe) **III** *vt* a rosti/ a anunţa/a proclama cu glas tunător **IV** *interj* la naiba! drace! ei, drăcia dracului!

thunder-and-lightning ['θʌndər ən-'laitniŋ] *s* **1** tunete şi fulgere; furtună **2** *fig* mânie turbată, tunete şi trăsnete/fulgere; **to assail smb with ~** a tuna şi a fulgera împotriva cuiva **3** *com* varietate de postav gri-fer

thunderation [,θʌndə'reiʃən] *interj amer F* ei, drăcia dracului! fir-ar să fie! la naiba/dracul!

thunder away ['θʌndər ə'wei] *vi cu part adv* (**against, at**) a tuna şi a fulgera (împotriva – *cu gen*)

thunder axe ['θʌndər ,æks] *s od* topor/secure de piatră *folosit(ă) de oamenii primitivi*

thunder ball ['θʌndə ,bɔːl] *s* fulger globular

Thunder bearer, the ['θʌndə ,bɛərər, ðə] *s v.* **Thunderer 1**

thunderbeat ['θʌndə,biːt] *vi ←* *înv* a trăsni; *(d. trăsnet)* a lovi

thunderblast ['θʌndə,blaːst] *s ← poetic* (bubuitură/bubuit/uruit de) tunet

thunderblasted ['θʌndə,blaːstid] *adj* lovit/nimicit/pârjolit de trăsnet

thunderbolt ['θʌndə,boult] *s* **1** trăsnet; **a ~ has fallen here** aici a căzut trăsnetul **2** *fig* lovitură distrugătoare/nimicitoare, lovitură de trăsnet **3** *fig* ştire senzaţională, *F* lovitură de trăsnet, bombă **4** *fig* erou îndrăzneţ/cutezător **5** *← înv* meteorit **6** *paleontologie* belemnit; unealtă de piatră

thunderbolt of war ['θʌndə,boult əv-'wɔːr] *s* erou de război

thunder bounce ['θʌndə ,bauns] *s înv* bubuit/huruit de tunet

thunderburst ['θʌndə,bəːst] *s v.* **thunder clap 1**

thunder clap ['θʌndə,klæp] *s* **1** bubuitură/bubuit/uruit de tunet **2** *v.* **thunderbolt 3**

thunder cloud ['θʌndə ,klaud] *s* nor de furtună

thunder crack ['θʌndə ,kræk] *s rar* bubuit(ură) de tunet

thunder dart ['θʌndə ,daːt] *s înv v.* **thunderbolt 1**

thunder darter ['θʌndə ,daːtər] *s v.* **Thunderer 1**

thunder down ['θʌndə 'daun] **I** *vi cu part adv* a se prăbuşi/a cădea/a coborî cu un zgomot asurzitor **II** *vt cu part adv* a trânti/a izbi cu zgomot

Thunderer, the ['θʌndərə, ðə] *s* **1** *mit* Jupiter, Zeus, Zeul fulgerelor, Tunătorul, purtătorul de trăsnete **2** *← umor* ziarul Times

thunder forth ['θʌndə 'fɔːθ] *vt cu part adv* a rosti/a arunca cu glas tunător *(blesteme etc.)*

thunder gust ['θʌndə ,gʌst] *s rar v.* **thunder storm**

thunder hammer ['θʌndə ,hæmər] *s paleontologie* ciocan de piatră

thunder head ['θʌndə ,hed] *s* (vârf de) nor cumulus

thunder-headed ['θʌndə,hedid] *adj (d. nor)* de furtună, aducător de furtună; ca un nor de furtună

thundering ['θʌndəriŋ] **I** *adj* **1** tunător, bubuitor; asurzitor; infernal **2** *fig (d. glas)* tunător, de tunet/stentor **3** *F fig* colosal, formidabil, straşnic; turbat; **to be in a ~ rage** a turba/a spumega de furie/mânie **4** *v.* **thumping II 4 II** *adv F* straşnic/grozav/fantastic de, din cale afară de; **I'm ~ glad to see you** mă bucur grozav că te văd; **a ~ great wolf** un lup cât toate zilele **III** *s* **1** *v.* **thunder I 1 2** *v.* **thunder clap 1**

thunderingly ['θʌndəriŋli] *adv* **1** ca tunetul, cu un zgomot asurzitor/ infernal **2** *v.* **thundering II**

thunderless ['θʌndəlis] *adj* fără tunete

thunder-like ['θʌndə,laik] *adj* ca tunetul

Thunder Master ['θʌndə 'maːstər] *s v.* **Thunderer 1**

thunderous ['θʌndərəs] *adj* **1** *v.* **thundering I 1 2** furtunos; de furtună; prevestitor de furtună

thunderously ['θʌndərəsli] *adv* **1** *v.* **thunderingly 1 2** (în chip) furtunos; prevestitor de furtună

thunder out ['θʌndər 'aut] **I** *vi cu part adv v.* **thunder away II** *vt cu part adv v.* **thunder forth**

thunder past ['θʌndə 'paːst] *vi cu part adv* a trece (pe undeva) cu un uruit/zgomot asurzitor

thunder peal ['θʌndə ,piːl] *s v.* **thunder clap 1**

thunder plant ['θʌndə ,plaːnt] *s v.* **houseleek**

thunder-proof ['θʌndə,pruːf] *adj rar* care rezistă la trăsnet; apărat contra trăsnetelor; înzestrat cu paratrăsnet

thunder-rain ['θʌndə,rein] *s rar* (aversă de) ploaie cu descărcări electrice

thunder-riven ['θʌndə,rivən] *adj* crăpat/despicat de trăsnet

thunderroll ['θʌndə,roul] *s v.* **thunderclap**

thunder shower ['θʌndə ,ʃauər] *s* ploaie/aversă cu descărcări electrice

thunder storm ['θʌndə ,stɔːm] *s* furtună (cu trăsnete), vijelie; **like a dying pig in a ~** (nedumerit) ca viţelul la poarta nouă

thunder-stricken ['θʌndə,strikən] **I** *adj* **1** lovit de trăsnet, trăsnit **2** *fig* uluit, uimit, înmărmurit, înlemnit, (rămas ca) trăsnit **II** *ptc de la* **thunderstrike**

thunderstrike ['θʌndə,straik] *pret* **thunderstruck** ['θʌndə,strʌk], *ptc* **thunderstruck** ['θʌndə,strʌk], *sau* **thunderstriken** ['θʌndə,strikən] *vt ← rar* **1** *(d. trăsnet)* a trăsni, a lovi **2** *fig* a ului, a înmărmuri, a lăsa trăsnit/*F →* paf/mască

thunderstroke ['θʌndə,strouk] *s* **1** (lovitură de) trăsnet **2** bubuitură de tun

thunderstruck ['θʌndə,strʌk] **I** *pret şi ptc de la* **thunderstrike II** *adj fig v.* **thunder-stricken I 2**

thunder tube ['θʌndə ,tjuːb] *s geol* fulgurit

thundery ['θʌndəri] *adj* **1** *v.* **thunderous 2 2** *fig* mânios, turbat; încruntat **3** *înv v.* **thundering I 2**

thunnus ['θʌnəs] *s v.* **tunny**

Thur *presc de la* **Thursday**

Thurber ['θəːbər], **James** *prozator american (1894-1961)*

thurible ['θjuəribəl] *s bis* cădelniţă

thurifer ['θjʊərɪfər] *s bis* dascăl/diacon *etc.* care poartă cădelnița

thuriferous [,θjʊə'rɪfərəs] *adj* **1** cu tămâie **2** care cădelnițează

thurification [,θjʊərɪfɪ'keɪʃən] *s bis* cădelnițare, tămâiere

thurify [,θjʊərɪfaɪ] *amer bis înv* **I** *vi* a cădelnița **II** *vt* a tămâia

Thuringia [θjʊ'rɪndʒɪə] *provincie în RFG* Turingia

Thuringian [θjʊ'rɪndʒɪən] *adj, s* turingian

thuringite [θjʊə'rɪndʒaɪt] *s minrl* thuringit

thurm [θɜ:m] *s geol* mică cută, falie; dislocare de strat

Thurman ['θɜ:mən] *nume masc*

thurrough ['θʌrə] *s reg* brazdă (de arătură)

thurruck ['θʌrək] *s reg agr* șanț de scurgere

Thurs. *presc de la* **Thursday**

Thursday ['θɜ:zdɪ] *s* **1** joi; **on ~** joi; **on ~s** joia, în fiecare joi; **~ before Easter, ~ in Holy Week** *rel* Joia Mare/Patimilor **2** *insulă în Oceania*

thurse [θɜ:s] *s înv sau reg* matahală, namilă

Thurston ['θɜ:stən] *nume masc*

thus¹ [ðʌs] *adv* **1** astfel, așa, în acest fel/mod/chip; **~ and ~** și așa și așa **2** *v.* **this III** **1**

thus² *s* tămâie

thusly ['ðʌslɪ] *adv F umor v.* **thus¹ 1**

thusness ['ðʌsnɪs] *s umor* calitatea de a fi astfel/așa; **why this ~?** care o fi cauza? oare de ce? de ce stau așa lucrurile?

thusssock ['θʌsək] *s v.* **tussock**

thuswise [ðʌs,waɪz] *adv F umor v.* **thus¹ 1**

thuya ['θuːjə] *s bot* arborele vieții, arbor vitae *(Thuja)*

thwack [θwæk] **I** *vt* **1** a lovi, a pocni, a cârpi, a plesni, a altoi **2** (**with**) *înv* a umple până la refuz (cu) **II** *s* lovitură zdravănă, pocnitură, bătaie

thwacker ['θwækər] *s* **1** persoană *sau* obiect care lovește vârtos **2** *tehn* unealtă de lemn pentru fasonarea țiglelor/olanelor

thwacking ['θwækɪŋ] **F I** *s* scatoalcă; chelfăneală; bătaie, ciomăgeală **II** *adj* strașnic, formidabil, grozav

thwacking knife ['θwækɪŋ ,naɪf] *s tehn* cuțit pentru fasonarea olanelor/țiglelor

thwaite¹ [θweɪt] *s înv reg* pământ deștelenit

thwart [θwɔ:t] **I** *vt* **1** a contracara; a pune bețe în roate *(cu dat);* a se împotrivi, a sta împotrivă, a se pune de-a curmezișul *(cu dat);* a contraria; **he can't bear being ~ed** nu acceptă să-i stea nimeni în cale/împotrivă **2** a zădărnici, a pune bețe în roate *(cu dat);* a da peste cap *(planuri, socoteli etc.);* a dejuca **3** a înfrânge, a învinge; **to be ~ed** a suferi o înfrângere, a fi înfrânt **4** ← *înv* a întretăia; a se încrucișa cu **II** *vi* **1** a merge de-a curmezișul, a traversa, a merge pieziș **2** *fig* a alerga încoace și încolo **3** (**with**) a fi în contrast/contradicție/opoziție (cu); a se opune (unul altuia); a veni în contradicție (cu); **III** *adj* **1** refractar, recalcitrant, îndărătnic **2** *v.* **thwarting I 2 3** contrar, potrivnic **IV** *s* **1** împotrivire, opoziție; obstacol, piedică; **in ~ of** în pofida/ciuda *cu gen* **2** *nav* bancă de lopătar

thwartedly ['θwɔ:tədlɪ] *adv rar* **1** transversal, de-a curmezișul; (în) cruciș **2** piezis, oblic

thwarter ['θwɔ:tər] *s* persoană care stă împotriva cuiva/care zădărnicește planurile cuiva; potrivnic, piedică

thwarting ['θwɔ:tɪŋ] **I** *adj* **1** stânjenitor, supărător, jenant **2** opus, contrar, potrivnic **3** respingător; neplăcut **II** *s* **1** zădărnicire, dejucare; împiedicare **2** *și pol* obstacol, piedică

thwartingly ['θwɔ:tɪŋlɪ] *adv* **1** potrivnic, contrar, opus **2** (în mod) supărător/stânjenitor **3** (în mod) respingător/neplăcut

thwartly ['θwɔ:tlɪ] *adv* **1** *rar v.* **thwartedly 1 2** *rar* îndărătnic, cu încăpățânare/îndărătnicie; opunând rezistență **3** *rar* în mod neplăcut; în mod respingător/rebarbativ **4** ← *înv* în opoziție/contrast

thwartness ['θwɔ:tnɪs] *s* caracter neplăcut *sau* respingător/rebarbativ

thwartship ['θwɔ:tʃɪp] *nav* **I** *adv* transversal, de-a curmezișul navei **II** *adj* transversal

thwartships ['θwɔ:tʃɪps] *adv v.* **thwartship I**

thwartways ['θwɔ:tweɪz] *adv rar* (de-a dreptul/razna) peste câmp

thworl [θɜ:l] *s v.* **whorl**

thy [ðaɪ] *adj posesiv înv, poetic* tău, ta, tăi, tale

thyiad ['θaɪæd] *s mit* bacantă

thylacine ['θaɪlə,siːn] *s zool* lup marsupial *(Thylacinus cynocephalus)*

thyme [taɪm] *s bot* cimbru (adevărat), lămâiță *(Thymus vulgaris)*

thymelaea [θɪmɪ'liːə] *s bot* limba-vrabiei *(Thymelaea passerina)*

thymelaeaceae [,θɪmɪlɪ'eɪʃiː] *s pl bot* plante din familia Thymelaeaceae

thymele ['θɪmɪliː] *s ist Greciei* altar *(în teatru ↓ al lui Dionysos)*

thymic ['θaɪmɪk] *adj anat, med* referitor la timus

thymol ['θaɪmɔl] *s* timol

thymus ['θaɪməs] *s* **1** *anat* timus **2** *v.* **thyme**

thyr- *pref v.* **thyro-**

thyratron ['θaɪrə,trɔn] *s tel* tiratron

thyro- *pref* tiro-: **thyroxine** tiroxină

thyroid ['θaɪrɔɪd] *anat* **I** *s v.* **thyroid gland** **II** *adj* **1** tiroid **2** tiroidian

thyroid(e)al ['θaɪrɔɪdəl] *adj anat, med* tiroidian, tiroidic

thyroidean ['θaɪrɔɪdɪən] *adj anat, med* tiroid(ian)

thyroid gland ['θaɪrɔɪd ,glænd] *s anat* (glanda) tiroidă

thyroidism ['θaɪrɔɪdɪzəm] *s med* tiroidism

thyrse [θɜ:s] *s* **1** *ist antică* baston înflorit purtat de Dionysos/Bacchus **2** *bot* thyrsus, inflorescență ca a liliacului

thyrsus ['θɜ:səs], *pl* **thyrsi** ['θɜ:saɪ] *s v.* **thyrse**

thyself [ðaɪ'self] ← *înv* **I** *pr de întărire* **1** tu (însuți/însăți) **2** pe tine (însuți/însăți) **3** ție (însuți/însăți) **II** *pr refl* te **III** *și* ← *poetic pr pers* tu

Ti *presc de la* **titanium**

ti¹ [tiː] *s bot* arbore cu rădăcini comestibile *(Cordyline sp.)*

Tian Shan, the [ti'ɑːn 'ʃɑːn, ðə] *v.* **Tien Shan**

tiara [ti'ɑːrə] *s* **1** diademă **2** tiară, mitră papală; cele trei coroane ale Papei **3** *fig* rang/demnitate de Papă

tiara'd [ti'ɑːrəd] *adj v.* **tiared**

tiared [ti'ɑːrəd] *adj* cu tiara/diadema pe cap

Tib [tɪb] *nume fem;* **on (saint) ~'s Eve** la Sfântu așteaptă, la paștele cailor

tib I *s* ← *înv* **1** fată din popor **2** damă, patachină, femeie de moravuri ușoare **3** gâscă **4** ← *reg* vițel **II** *vi școl sl* a trage la fit, a chiuli

tibby ['tibi] *s sl* bilă, dovleac, cap

tib cat ['tib ˌkæt] *s* pisică

Tiber, the ['taibəʳ, ðə] *râu* Tibru

Tiberias, the Sea of [tai'biəriæs, ðə si: əv] Marea Tiberiadei, Lacul Ghenizaret

Tiberius [tai'biəriəs] *împărat roman* Tiberiu *(42 î.e.n.-37 e.n.)*

Tibet ['ti'bet] *s* **1** *v.* **Tibet cloth 2** regiune în Asia

Tibetan [ti'betən] **I** *adj* tibetan **II** *s* **1** tibetan, locuitor din Tibet **2** *lingv* (limba) tibetană

Tibet cloth [ti'bet ˌklɔθ] *s text* tibet (de lână)

Tibetian [ti'betiən] *adj, s v.* **Tibetan**

tibia ['tibiə] *s anat* tibie

tibial ['tibiəl] *adj* **1** *anat* tibial **2** ← *înv* referitor la fluierul (piciorului)

tibio-tarsal [ˌtibiou'ta:səl] *adj anat* tibio-tarsian

Tibullus [ti'bʌləs] *poet latin* Tibul *(54-18 î.e.n.)*

Tibur ['taibəʳ] *ist v.* **Tivoli**

tic [tik] *s med* tic (nervos)

tic douloureux ['tik ˌdu:ləˈru:] *s med* nevralgie a trigemenului; spasm facial

tice [tais] *vt înv* F *v.* **entice**

ticement ['taismənt] *s înv* F *v.* **enticement**

tichodroma [ˌtikou'droumə] *s orn* cojoaică *(Tichodroma)*

tick¹ [tik] *s* **1** față *(de saltea sau pernă)* **2** dos de pernă **3** *v.* **ticking 1**

tick² I *vi* **1** a ticăi, a face tic-tac **2** *(d. păsări etc.)* a ciuguli, a da cu ciocul; a ciocăni **II** *vt* **1** *(d. ceas)* a bate *(minutele)* **2** a bifa, a însemna; a puncta; **to ~ one's i's** a pune punctele pe i *(în scris)* **III** *s* **1** ticăit, tic-tac; bătaie a ceasului; **on/to the ~** F la țanc, la fix; **on the ~ of three, at three to the ~** ← F la trei fix/precis, exact la trei **2** ← F clipă, clipită, moment, secundă; **half a ~!** așteaptă o clipă/o secundă! stați nițel!; **in two ~s, in (half) a ~** într-o clipă, cât ai clipi din ochi, cât ai zice pește **3** *pl* buline, picățele **4** punct *(pe i);* semn mic; bifă, bifare **5** ← F bucățică, părticică

tick³ I *s* **1** ← F credit, veresie, datorie; **on/upon ~** pe datorie/veresie; **to go on ~** a cumpăra/a lua pe datorie/credit; **to run (a/on) ~** a face datorii, a rămâne dator **2** cont, socoteală **II** *vi* **1** ← F a lua pe datorie; **to ~ with smb a** a obține credit la cineva; a cumpăra pe veresie/datorie de la cineva **b** a da cuiva pe datorie; a acorda credit cuiva **2** a da/a vinde pe datorie/credit **III** *vt* ← F **1** a da/a vinde pe credit/datorie **2** a cere credit pentru *(o marfă etc.);* a cere să ți se treacă în cont *(o datorie etc.)*

tick⁴ *s ent* **1** căpușă *(Ixodes sp.);* **as full as a ~** *amer* plin doldora **2** căpușă de oaie, mielăriță, chicheriță *(Melaphagus ovinus)* **3** musca-calului, muscă câinească *(Hippobosca sp.)*

tick⁵ *s vet* nărav *(la cai)*

tick away ['tik əˈwei] *vt cu part adv (d. ceas)* a marca timpul (ticăind); a marca printr-un tic-tac

tick bean ['tik ˌbi:n] *s bot* bob *(Vicia faba)*

ticked [tikt] *adj* cu picățele, cu buline

ticken ['tikən] *s v.* **ticking I**

ticker ['tikəʳ] *s* **1** balansier *(la ceas)* **2** ← F ceas *(de buzunar)* **3** *sl* inimă **4** telegraf **5** *tel* buzzer **6** *el* contact intermitent

ticker tape ['tikə teip] *s amer* **1** *tel* bandă de telegraf **2** *fig* bandă de hârtie *sau* confeti aruncată de la ferestre în cinstea unei celebrități

ticket ['tikit] **I** *s* **1** bilet *(de intrare, de călătorie);* **to collect the ~s** a lua/a strânge biletele de la călători; **to take a ~** a-și scoate/a-și lua/a-și cumpăra bilet; **to take a ~ at the University** a se înscrie la universitate; **to work one's ~** *nav* a munci pentru a acoperi prețul călătoriei **2** bon, tichet *(de cantină etc.);* **~ for soup** bon de cantină pentru săraci **3** bilet/loz de loterie **4** *com* etichetă (cu prețul) **5** legitimație de comisionar **6** afiș, aviz, anunț **7** adeverință, dovadă, recipisă **8** certificat; diplomă, brevet; **to get one's ~** *nav* a-și lua brevetul/examenul *(de pilot etc.)* **9** *amer pol* listă de candidați în alegeri; buletin de vot; **to vote a/the straight ~** a vota în bloc pe candidații partidului; **to be/to run ahead of the/one's ~s** a obține majoritatea față de alți candidați; **to be/to run behind the/one's ~** a obține mai puține voturi decât alți candidați; **to carry a ~** a obține victoria în alegeri pentru candidații săi; **to split a ~, to vote a mixed ~** a vota candidații mai multor partide **10** *amer pol* program (electoral) al unui partid **11** *pol* candidat oficial **12** *nav, mil* ordin de plată (cu ocazia lăsării la vatră); **to get one's ~** a fi lăsat la vatră; **to get one's (walking) ~** F *fig* a primi plicul, – a fi dat afară/concediat/destituit; **to give smb his (walking) ~** F *fig* a da cuiva plicul; **to work one's ~** *nav, mil* a se învârti; a trage chiulul **13** *ec* ofertă în plic închis *(la licitație)* **14** *înv v.* **tick³ I 15** ← *înv* carte de vizită **16** ← F **the ~** lucrul necesar/trebuincios, ceea ce trebuie; **that's the ~! a** asta e (tocmai) ceea ce ne trebuie! **b** așa stau lucrurile; **what's the ~? a** ce-i de făcut? **b** ce se urmărește prin asta? unde vor să ajungă? **c** *amer* ce-o să iasă (din asta)? **it is the (real) ~** e tocmai ceea ce trebuie **b** e un lucru veritabil; **it is not quite the ~** nu e tocmai ce trebuie, nu e un lucru tocmai potrivit **17** *amer* ← F proces-verbal de contravenție *(la circulație);* **to give a ~** a încheia (și înmâna) un proces-verbal de contravenție **II** *vt* **1** *com* a eticheta *(o marfă)*, a pune prețul la *(o marfă)*, a marca *(prețul)* **2** *amer* ← F a da/a elibera *(cuiva)* un bilet de călătorie; a trimite în călătorie **3** *(la licitație)* a depune *(o ofertă)* în plic închis

ticket agent ['tikit ˌeidʒənt] *s* agenție/casă de bilete

ticket clerk/collector ['tikit ˌklɑ:k/ kəˈlektəʳ] *s ferov* controlor (de bilete); conductor

ticketer ['tikitəʳ] *s* **1** cerșetor găzduit la azil **2** lucrător care lipește etichete

ticket holder ['tikit ˌhouldəʳ] *s* posesor al unui bilet *(de călătorie sau spectacol);* spectator *sau* călător plătitor; **season ~** abonat *(la spectacole, la tren etc.)*

ticketing ['tikitiŋ] *s* **1** *com* etichetare, marcare *(a preţurilor, mărfurilor)* **2** *ec* (vânzare prin) ofertă închisă

ticket inspector ['tikit ins'pektə^r] *s* controlor de bilete *(în autobuze etc.)*

ticket night ['tikit ,nait] *s* teatru *sl* spectacol/reprezentaţie de beneficiu *(încasările împărţindu-se proporţional cu biletele vândute de fiecare beneficiar)*

ticket nipper ['tikit ,nipə^r] *s* compostor (de bilete)

ticket office ['tikit ,ɔfis] *s amer* casă de bilete

ticket-of-leave ['tikitəv'li:v] *s* adeverinţă de eliberare condiţionată (din închisoare); **on ~** în libertate supravegheată

ticket porter ['tikit ,pɔ:tə^r] *s ← înv* comisionar *sau* hamal autorizat

ticket punch ['tikit ,pʌntʃ] *s ferov* perforator/cleşte de bilete, compostor

ticket punching ['tikit ,pʌntʃiŋ] *s* compostare/perforare a biletelor de călătorie

ticket scalper/spiv ['tikit ,skælpə^r/ ,spiv] *s ← F* speculant de bilete de spectacol

ticket up ['tikit 'ʌp] *vt cu part adv* v. **ticket II 1**

ticket window ['tikit ,windou] *s ferov* ghişeu de bilete

tickety-boo ['tikiti,bu:] *adj sl* valabil, în regulă, corect

tick fly ['tik ,flai] *s v.* **tick⁴ 3**

ticking ['tikiŋ] *s* **1** *text* nanchin; dril; pânză de saltea **2** *v.* **ticking-off 1**

ticking-off ['tikiŋ'ɔ:f] *s* **1** bifare, punctare; marcare, însemnare **2** *F fig* săpuneală, perdaf, refec, – dojană

ticking over ['tikiŋ 'ouvə^r] *s auto, av* mers la ralanti

ticking work ['tikiŋ ,wə:k] *s text* (un fel de) broderie pe dril

tickle ['tikəl] I *vt* **1** a gâdila; **to ~ the palm of** *F →* a unge *(pe cineva)*; a corupe, a mitui, a cumpăra; **to ~ the ivories** *← umor* a cânta la pian **2** a excita, a stârni, a stimula *(simţurile, imaginaţia etc.)*; a face plăcere *(cu dat)*; a gâdila; a măguli; *← F* a amuza, a înveseli, a bucura; **to ~ smb's ears** a mângâia/a flata pe cineva; **to ~ smb's fancy a** a stârni, a stimula

imaginaţia cuiva **b** a face poftă cuiva **c** a amuza pe cineva; **to ~ smb to death a** a face pe cineva să se prăpădească/să moară de râs **b** *amer* a bucura pe cineva din cale afară **3** a prinde *(păstrăvi)* cu mâna **4** *auto* a îneca *(carburatorul)* **5** a mişca uşor II *vi* **1** a fi gâdilitor; a gâdila; **my nose ~s** mă mănâncă nasul **2** a fi gâdilat; a simţi mâncărime/ gâdilitură III *s* **1** gâdilare, gâdilitură; **to give smb a ~** a gâdila pe cineva **2** iritaţie, mâncărime

tickled ['tikəld] *adj* **1** gâdilat **2** *fig* gâdilat, încântat, gratificat; **to be ~ pink/to death** *F* a muri de râs, a se distra grozav/de minune, a face un hai de pomină

tickle grass ['tikəl ,gra:s] *s bot* iarba vântului *(Agrostis scabra)*

tickler ['tiklə^r] *s* **1** lucru/obiect care gâdilă **2** persoană care gâdilă **3** *← F* întrebare dificilă, (întrebare) încuietoare; enigmă; problemă/ chestiune dificilă/grea/încurcată **4** *amer* agendă, bloc-notes **5** *amer ← F* sticluţă de buzunar *(pt coniac etc.)* **6** *amer sl* armă mică de buzunar **7** unealtă pentru scos cepul din vrană **8** *rad* bobină de reacţie

tickle-tail ['tikəl,teil] *s* **1** *← F* nuiaua *sau* băţul învăţătorului **2** învăţător

tickle text ['tikəl ,tekst] *s sl* popă, preot

tickle up ['tikəl 'ʌp] *vt cu part adv* a aţâţa, a stârni, a excita; a stimula; a îmboldi

tickling ['tikliŋ] I *adj* gâdilitor, care dă/produce mâncărime; pişcător, usturător, iritant II *s sl v.* **tickle III 2** prindere *(a păstrăvilor)* cu mâna

tickling weather ['tikliŋ ,weðə^r] *s ger*/frig care pişcă

ticklish ['tikliʃ] *adj* **1** gâdilicios **2** dificil, anevoios, greu; delicat; riscant; critic; complicat **3** susceptibil, dificil; irascibil, iritabil, iute (la mânie) **4** instabil, schimbăcios, nestatornic; şovăitor, nesigur

ticklishness ['tikliʃnis] *s* **1** sensibilitate la gâdilare/gâdilat **2** susceptibilitate, iritabilitate, irascibilitate **3** dificultate, caracter dificil/complicat/delicat *sau* riscant **4** nestatornicie, incon-

stanţă, caracter schimbăcios; şovăială, nesiguranţă

tickly ['tikli] *adj v.* **ticklish**

tick off ['tik 'ɔ:f] *vt cu part adv* **1** a bifa, a puncta, a însemna **2** *F* a lua pe cineva la refec/la trei (păzeşte), a trage cuiva un perdaf **3** a pune *(pe cineva)* la punct/la locul lui

tick out ['tik 'aut] *vt cu part adv* **1** *tel* a înregistra *(un mesaj)* **2** *tel* a transmite, a expedia *(o telegramă)*; a lansa *(un mesaj)*

tick over ['tik 'ouvə^r] *vi cu part adv auto, av* a merge în ralanti/în gol

tick-tack ['tik,tæk] I *s* **1** *v.* **tick² III 2** pulsaţie, ticăit, bătaie *(a inimii)* **3** ajutor de bookmaker **4** *v.* **ticker 2** II *vi* **1** *v.* **tick² I 1 2** *la curse* a exprima prin semne

tick-tack man ['tik,tæk 'mæn] *s v.* **tick-tack I 3**

tick-tick ['tik,tik] *s (în limbajul copiilor)* tic-tac, ceasornic; pendulă

tick-tock ['tik ,tɔk] I *s* **1** *F* ticăit/ tic-tac de pendulă **2** *v.* **tick² III 1** II *vi v.* **tick² I 1**

tickweed ['tik,wi:d] *s amer v.* **pennyroyal**

ticky ['tiki] *s (în Africa de Sud)* monedă de trei penny

tictac ['tik,tæk] *s* tic-tac, ticăit *(al ceasului)*

tid¹ [tid] *s* **1** *agr* vreme *sau* situaţie prielnică **2** dispoziţie, poftă, chef; toană

tid² *adj* suav, delicat; graţios

tid³ *s reg* **1** uger **2** căpiţă/grămadă mică/morman de fân

tid⁴ *adj reg* prost, neghiob, bleg

tidal ['taidəl] *adj* **1** referitor la/legat de maree/flux **2** asemănător fluxului, ca un flux

tidal air ['taidəl ,ɛə^r] *s* aer respirat; (cantitate de) aer care se inspiră şi se expiră

tidal basin ['taidəl ,beisn] *s nav* doc plutitor

tidal boat ['taidəl ,bout] *s nav* vas care circulă în funcţie de flux şi reflux

tidal breath ['taidəl ,breθ] *s v.* **tidal air**

tidal chart ['taidəl ,tʃa:t] *s nav* hartă a mareelor

tidal crack ['taidəl ,kræk] *s v.* **tide crack**

tidal dock ['taidəl ,dɔk] *s v.* **tidal basin**

tidal flow ['taidəl ˌflou] *s* trafic/ circulație în direcții opuse în diverse perioade ale zilei

tidal friction ['taidəl ˌfrikʃən] *s geol* fricțiune produsă de maree (care întârzie mișcarea diurnă a pământului)

tidal harbour ['taidəl ˌhaːbəʳ] *s nav* port închis

tidal river ['taidəl ˌrivəʳ] *s* fluviu, estuar în care pătrunde fluxul

tidal service ['taidəl ˌsəːvis] *s* serviciu naval legat de flux și reflux

tidal shore ['taidəl ˌʃɔːʳ] *s* coastă expusă mareei

tidal town ['taidəl ˌtaun] *s* port/oraș cu flux și reflux

tidal train ['taidəl ˌtrein] *s ferov* tren al cărui mers este în funcție de flux și reflux

tidal wave ['taidəl ˌweiv] *s* **1** *nav* val de flux **2** *fig* val de pasiune/ entuziasm *sau* indignare

tidbit ['tid,bit] *s v.* **titbit**

tiddledy-wink ['tidlidi,wiŋk] *s amer v.* **tiddl(e)y-wink**

tiddlekins ['tidl,kinz] *s rar umor* prichindel, puișor, păpușică, copilaș

tiddl(e)y ['tidli] *F* **I** *adj* afumat, cherchelit, abțiguit **II** *s* tărie, – băutură, alcool

tiddl(e)y-wink ['tidli,wiŋk] **I** *s* **1** fisă/ rotocoală aruncată într-o ceașcă în jocul „tiddl(e)y-wink" **2** *pl* joc în care concurenții aruncă rotocoale/fise într-o ceașcă *etc.* **3** *reg* cârciumă clandestină, tavernă, bombă **II** *adj P sl* pipernicit, pirpiriu; dărâmat; firav, obosit

tide [taid] **I** *s* **1** maree; flux și reflux; flux; **at all ~s** în orice moment, și în timpul fluxului și al refluxului; **the ~ comes in/flows/makes/ rises** vine fluxul/mareea; cresc apele; **the ~ goes down/out; the ~ ebbs/falls** începe refluxul, mareea se retrage; **the ~ is in/ up** mareea e înaltă; **the ~ is out/ down** mareea e joasă; **the ~ turns a** se schimbă fluxul **b** *fig* se schimbă lucrurile/situația; lucrurile iau altă întorsătură; **to go/to row against the ~ a** *fig* a merge împotriva/contra curentului **b** a întâmpina opoziție/ împotrivire **c** a lucra în condiții neprielnice/potrivnice/nefavorabile; **to go out with the ~** *nav*

a porni profitând de reflux; **to go/ to swim with the ~** *fig* **a** a urma cursul evenimentelor **b** a se da după vremuri, a fi oportunist; **to turn the ~** *fig* a schimba cursul/ mersul evenimentelor, a produce/a face/a marca o cotitură **2** *poetic* torent, revărsare, șuvoi, avalanșă; mare, ocean **3** *fig* soartă (schimbătoare), mers/ curs schimbător, vicisitudine (a soartei) **4** ← *F* (interval de) timp; zi **5** schimb (de douăsprezece ore), timp de lucru *(în industrie etc.)*; **to do one's ~** a termina schimbul, a-și face norma; **to work double ~s** *fig* a munci fără preget/răgaz, a munci zi și noapte **6** ← *înv* sezon, perioadă, anotimp *(al sărbătorilor etc.)* **II** *vi* **1** *nav* a se lăsa dus de flux *sau* reflux; a fi supus mareei **2** ← *înv* a surveni, a se întâmpla, a se petrece **III** *vt* **1** *(d. maree)* a purta, a duce, a transporta **2** a face să treacă peste *(o dificultate etc.)*; **to ~ it a** *nav* a se lăsa dus/purtat de flux *sau* reflux **b** *fig* a se lăsa în voia soartei/întâmplării, a se lăsa dus de evenimente

tide away ['taid ə'wei] *vi cu part adv* a se potoli, a se liniști, a scădea, a slăbi (treptat)

tide back ['taid 'bæk] *vi cu part adv* a se retrage odată cu refluxul

tide crack ['taid ˌkræk] *s geogr, nav* crăpătură/crevasă în gheața polară (datorită fluxului)

tide current ['taid ˌkʌrənt] *s* curent provocat de flux *sau* reflux

tided ['taidid] *adj* supus mareelor, cu flux și reflux

tide dial ['taid ˌdaiəl] *s nav* hidrometru/limnimetru cu cadran

tide down ['taid 'daun] **I** *vi cu part adv* a coborî odată cu refluxul **II** *vi cu prep* a coborî *(o apă)* odată cu refluxul

tide-driven ['taid,drivən] *adj* acționat de energia mareelor

tide duty ['taid ˌdjuːti] *s nav* taxă de cheiaj

tide gate ['taid ˌgeit] *s* **1** *nav* poartă de cap amonte *(la ecluză)* **2** *nav* loc foarte expus mareelor **3** gură a bazinului de evaporare

tide gauge ['taid ˌgeidʒ] *s* **1** *nav* hidrometru, limnimetru **2** *nav* maregraf **3** *hidr* miră de maree

tide harbour ['taid ˌhaːbəʳ] *s v.* **tidal harbour**

tide hour ['taid ˌauəʳ] *s nav* timp al portului

tide in ['taid 'in] *vi cu part adv nav* a intra în port odată cu fluxul

tide it over ['taid ˌit 'ouvəʳ] *vt cu pr și part adv* **1** *nav* a traversa cu ajutorul mareei **2** *fig* a ieși cu bine dintr-o perioadă dificilă/dintr-o criză **3** *fig* a aștepta să treacă o perioadă dificilă/de criză

tide land ['taid ˌlænd] *s amer* teren supus inundațiilor provocate de flux

tidelands oil ['taidləndz ˌoil] *s amer* țiței extras din platoul continental

tideless ['taidlis] *adj* fără maree/flux

tide lock ['taid ˌlɔk] *s nav* ecluză de maree

tide mark ['taid ˌmaːk] *s nav* **1** limita fluxului *sau* refluxului **2** *v.* **tide gauge 1**

tide mill ['taid ˌmil] *s* moară pentru evacuarea apei fluxului

tide on ['taid 'ɔn] *vi cu part adv* a face progrese, a înainta, a progresa

tide out ['taid 'aut] *vi cu part adv nav* a ieși din port odată cu refluxul/ purtat de reflux

tide over ['taid 'ouvəʳ] *vi cu prep* a învinge/a birui/a trece *(un obstacol)*, a sări *(un hop)*

tide pole ['taid ˌpoul] *s v.* **tide gauge**

tide pool ['taid ˌpuːl] *s* smârc rămas după reflux

tide power ['taid ˌpauəʳ] *s* energia mareelor

tide predictor ['taid pri'diktəʳ] *s nav, geogr* instrument pentru calcularea orarului fluxului și refluxului

tide railroad ['taid ˌreilroud] *s ferov* (linie de) cale ferată care duce la țărmul mării

tide-rip(s) ['taidrips] *s (pl)* valuri mari/mare agitată la ciocnirea mareelor

tide rock ['taid ˌrɔk] *s geogr, nav* stâncă acoperită de flux și dezgolită de reflux

tide rode ['taid ˌroud] *s iht* pește care se deplasează după maree

tidesman ['taidzmən] *s v.* **tidewaiter 1**

tide stream ['taid ˌstriːm] *s geogr, nav* flux

tide table ['taid ˌteibl] *s nav* efemeridă de maree

tide up ['taid 'ʌp] *vt cu part adv* a urca *(un râu)* odată cu fluxul

tidewaiter ['taid,weitəʳ] *s* **1** *nav od* vameș (care întâmpină vasele) **2** ← *F* oportunist

tidewater ['taid,wɔ:təʳ] *s* **1** apă supusă mareelor; apă a fluxului *sau* refluxului **2** țărm de mare **3** *atr* costier, de litoral

tide wave ['taid ,weiv] *s nav* val de flux/maree

tide way ['taid ,wei] *s* **1** teren expus fluxului/mareei **2** canal supus mareei **3** *hidr* sens al curentului

tide wheel ['taid ,wi:l] *s tehn* roată (hidraulică) acționată de flux și reflux

tidily ['taidili] *adv* ordonat, rânduit, îngrijit, curat; în ordine/bună rânduială

tidiness ['taidinis] *s* (bună) rânduială, ordine (desăvârșită), curățenie, aspect îngrijit

tidings ['taidiɲz] *s pl* (of) vești, știri, noutăți (despre/de la)

tidology [,tai'dɔlɔdʒi] *s geogr rar* teoria mareelor/fluxului și refluxului

tidy ['taidi] **I** *adj* **1** ordonat, rânduit, în (bună) rânduială/ordine **2** curățel, îngrijit; fercheș, ferchezuit **3** *F* bunișor, frumușel, – considerabil, – substanțial; **at a ~ pace** repejor, destul de repede; **to cost a ~ penny** a costa o sumă frumușică, a costa destul de mult // **to feel pretty ~** ← *F* a se simți destul de bine **II** *vt* **1** a (o)rândui, a ordona, a aranja, a pune în ordine **2** a ferchezui, a aranja; a îngriji *(părul etc.)* **3** a deretica; a curăța *(o cameră etc.)* **III** *vr* a se aranja, a-și aranja ținuta/toaleta **IV** *vi* **1** a face ordine/rânduială, a pune lucrurile la locul lor **2** a face curățenie; a deretica prin casă **V** *adv* ← *F* destul de, cam, relativ **VI** *s* **1** șervețel ornamental, broderie *(pt spătare, brațe de fotoliu etc.)* **2** coșuleț, sac, vas pentru mărunțișuri

tidy away ['taidi ə'wei] *vt cu part adv* **1** a pune bine/deoparte, a strânge **2** a pune la locul lui; a face rânduială/ordine în

tidyism ['taidiizəm] *s rar* mania curățeniei; curățenie meticuloasă

tidy oneself up ['taidi wʌn,self 'ʌp] *vt cu part adv v.* **tidy III**

tidy up ['taidi 'ʌp] **I** *vt cu part adv v.* **tidy II 1, 3 II** *vi cu part adv v.* **tidy IV**

tie¹ [tai] **I** *vt* **1** a lega *(cu sfoară, șiret etc.)* a șnurui **2** a înnoda, a lega; a îmbina; **to ~ smth in a knot** a înnoda, a face un nod la ceva; **to ~ smth in a bow** a lega cu o fundă, a face fundă la ceva **3** *fig* a obliga, a sili, a constrânge; **to be ~d for/to time** a fi obligat/a avea obligații pe timp limitat **4** *med* a lega, a suda, a face ligatura *(unei artere)* **5** *muz* a lega între ele *(notele)* **6** *ferov* a pune traverse la **7** *tehn* a ancora, a fixa cu cârlige/scoabe **8** *sport* a egala *(pe adversar)*, a ajunge la egalitate cu *(echipa adversă etc.)* **II** *vi* **1** *sport* a egala, a ajunge la egalitate **2** a face remiză/meci nul, a remiza **III** *vr fig* a se obliga, a se lega **IV** *s* **1** legătură **2** nod; fundă **3** cravată **4** *amer* șiret de pantofi/ghete **5** *amer* pantofi cu șireturi **6** ureche *(de cizmă)* **7** *muz* legato **8** *tehn* tirant, colier; scoabă; clamă; piesă de ancorare **9** *constr, ferov* traversă **10** *nav* atârnătoare de vergă **11** *pl fig* legături, relații, raporturi *(de sânge, prietenie etc.)* **12** ← *F fig* căsătorie, mariaj **13** *fig* obligație, sarcină, răspundere **14** *sport* egalitate de puncte; meci nul/nedecis, meci egal; remiză; **to play off a ~** a rejuca un meci terminat la egalitate **15** *pol* egalitate de voturi, balotaj

tie² *s reg* **1** față de pernă **2** pilotă

tie³ *s nav* trotă

tieback ['tai,bæk] *s* bandă/cordon de draperie *(care o ține strânsă, prinsă într-o parte)*

tie bar ['tai ,ba:ʳ] *s constr* vergea metalică/hobană de ancorare

tie-beam ['tai,bi:m] *s constr* grindă de ancorare

tie bolt ['tai ,boult] *s constr* șurub de îmbinare/fundație/ancorare; bolț de legătură

tie-break ['tai,breik] *s sport* mijloc de departajare *(a concurenților aflați la egalitate);* (meci de) baraj

tie clip ['tai ,klip] *s* ac/agrafă de cravată

tied [taid] *adj* **1** legat **2** *fig* legat de mâini și de picioare **3** terminat cu rezultat nedecis

tie down ['tai 'daun] *vt cu part adv* **1** a lega de mâini (și de picioare) **2** *fig* a obliga, a sili, a forța **3** *fig* a împiedica, a opri

tie-in ['tai ,in] *s amer com* **1** anunț publicitar (subsidiar) **2** vânzare condiționată **3** articol fără căutare *(băgat pe gâtul consumatorului)*

tie in ['tai 'in] **I** *vt cu part adv poligr* a șnurui **II** *vt cu prep* a face *(pachet etc.)* din

Tien Shan, the [ti:'en 'ʃa:n, ðə] *munți în Asia*

Tientsin ['tjen'tsin] *oraș în R.P. Chineză* Tiențin

tie on ['tai 'ɔn] *vt cu part adv* a atașa, a fixa, a lega *(de ceva)*

tie oneself down/up ['tai wʌn,self 'daun/'ʌp] *vr cu part adv* a se obliga, a se lega

tie piece ['tai ,pi:s] *s constr* traversă; bară de legătură; pană

tie pin ['tai ,pin] *s* ac de cravată

tie plate ['tai ,pleit] *s* **1** *tehn* placă de ancorare/fundație, contraplacă **2** *ferov* placă de cale

Tiepolo ['tjepɔlo], **Giovanni Battista** *pictor italian (1696-1770)*

tier¹ [tiəʳ] **I** *s* **1** rând, șir; strat (suprapus); etaj, cat; **in ~s; ~ upon ~** în straturi (suprapuse); etajat; în amfiteatru **2** *teatru* rând de loji *sau* scaune **3** *(la orgă)* șir de tuburi **II** *vt* a înșirui, a aranja; a așeza în/la șir **III** *vi* **1** a fi/a sta în șiruri/rânduri/straturi **2** a avea etaje/caturi, a fi etajat **3** a se stratifica, a se etaja; a se orândui în șiruri/straturi/etaje

tier² ['taiəʳ] *s* **1** *sport* partener egal **2** *amer* șorțuleț, pestelcuță *(de copil)* **3** armătură, întăritură, piesă de susținere **4** *nav* paniol

tierce [tiəs] *s* **1** unitate de măsură *(= 191 l)* **2** treime, a treia parte **3** *muz, scrimă* terță **4** *(la cărți)* terță, suită de trei cărți la culoare

tiercel ['tiəsəl] *s v.* **tercel**

tie rod ['tai ,rɔd] *s* **1** *auto* bară de direcție **2** *constr* tirant **3** *ferov* bielă cuplată

Tierra del Fuego ['tjera del'fwego] Țara de Foc

tiers état ['tjɛəzei 'ta:] *s fr ist* starea a treia; clasa de mijloc; burghezia *(în opoziție cu nobilimea și clerul)*

tie to ['tai tə] **I** *vt cu prep* **1** şi *fig* a lega/ a fixa/a ataşa de **2** *fig* a căsători cu, a uni prin căsătorie cu **3** *fig* a îngrădi prin, a face să se încadreze în *(reguli etc.)* **II** *vi cu prep* a se lega de; **a man to ~** un om de nădejde/pe care te poţi bizui

tie together ['tai tə'geðə'] *vt cu part adv* a lega împreună/laolaltă, a îmbina

tie-up ['tai,ʌp] *s amer* **1** coaliţie, uniune, alianţă **2** stagnare *(a lucrului)*

tie up ['tai 'ʌp] *vt cu part adv* **1** a fixa, a lega **2** v. **tie together 3** *fig* a încătuşa, a lega **4** a înfăşura, a înveli, a ambala; a lega **5** *fig* a lega de anumite condiţii; **to be tied up** *F* a fi căsătorit/la jug **6** *ec* a depune, a consemna *(o sumă)* **7** *sl* a se lepăda de, a lăsa baltă

tie up with ['tai 'ʌp wið] *vi cu part adv* şi *prep* v. **tie to II**

tie vote ['tai ,vout] *s amer pol* balotaj, egalitate de voturi

tie wig ['tai ,wig] *s* **1** perucă care se leagă (cu panglică) la spate **2** perucă cu coadă

tiff¹ [tif] **I** *s* **1** ciondăneală, ciorovăială, altercaţie **2** îmbufnare, supărare; toană (proastă); **to take ~** a se ofensa, a se simţi jignit; **to go away in a ~** a pleca supărat/bosumflat **II** *vt* **1** a se ciondăni, a se ciorovăi, a avea o ceartă/un mic scandal **2 (at)** a se îmbufna, a se bosumfla, a se supăra (pe); a face mutre *(cu dat)*

tiff² ← *F* **I** *s* **1** înghiţitură, duşcă **2** băutură **II** *vi* a lua un aperitiv **III** *vt* a sorbi/a bea înghiţitură cu înghiţitură

tiff³ ← *înv* **I** *vt* a îmbrăca, a împodobi; a împopoţona **II** *vr* a se găti, a se îmbrăca; a se împopoţona; *F* a se înţoli **III** *s* **1** ţinută **2** atitudine **3** poziţie

tiff⁴ *s minrl* calcită

tiffany ['tifəni] *s* **1** *text* tul de mătase **2** *reg* sită de mătase

tiffin ['tifin] **I** *s* **1** micul dejun, gustarea de dimineaţă **2** dejun, prânz **3** înghiţitură, duşcă **II** *vi* **1** a lua micul dejun/gustarea de dimineaţă **2** a dejuna, a prânzi

tiffish ['tifiʃ] *adj* ← *F* ţâfnos, supărăcios, susceptibil; îmbufnat, bosumflat

tiffishy ['tifiʃi] *adj v.* **tiffish**

tiff oneself out ['tif wʌn,self 'aut] *vr cu part adv înv* a se dichisi, a se găti; *F* a se înţoli; a se împopoţona

Tiflis [tif'li:s] *capitala RSS Georgiene* Tbilisi

tig¹ [tig] **I** *s* (jocul de-a) leapşa; **long ~** leapşa pe cocoţate; **to play ~** a juca/a face leapşa **II** *vt şcol* a atinge *(pe cineva)* la leapşa

tig² *s scot* cană mare cu fundul lat

tiger ['taigə'] *s* **1** *zool* tigru *(Felis tigris)* **2** *fig* călău, criminal, om sângeros/crud **3** *sport* adversar de temut **4** *F* fudul, om fălos/ţanţoş **5** *înv* paj, piccolo, grum *(în livrea)* **6** *amer sl* (al patrulea) strigăt de ura; hip, hip, ura!

tiger cat ['taigə ,kæt] *s zool* felină sălbatică de talie mică *(ex. Felis tigrina etc.)*

tigerish ['taigəriʃ] *adj* **1** ca un tigru; ca de tigru **2** crud, sângeros, sălbatic, feroce **3** ← *F* fudul, umflat în pene

tigerism ['taigərizəm] *s* **1** caracter feroce/sălbatic; ferocitate, sălbăticie, cruzime **2** ← *F* fudulie, împăunare; ostentaţie

tiger-lily ['taigə,lili] *s bot* crin oranj pătat *(Lilium tigrinum)*

tiger meat ['taigə ,mi:t] *s mil sl* carne de vită/vacă

tiger moth ['taigə ,mɔθ] *s ent* fluturele omidei-urs *(Arctia sp.)*

tiger's eye ['taigəz ,ai] *s* **1** *minrl* varietate de cuarţ, piatră semipreţioasă **2** *amer* smalţ cu luciu asemănător pietrelor semipreţioase

tiger-spotted ['taigə,spotid] *adj* tigrat, vărgat, dungat

tiger-wood ['taigə,wud] *s* lemn cu dungi folosit la fabricarea mobilei

tight [tait] **I** *adj* **1** îndesat, compact; dens, consistent **2** solid, rezistent; bine clădit/lucrat **3** voinic, vânjos, solid, trupeş **4** etanş, ermetic; impermeabil **5** (bine) înţepenit, fix **6** *(d. sfoară etc.)* (bine) întins; încordat, strâns; **to keep a ~ hand on the reins a** a ţine strâns frâul/frânele **b** *fig* a ţine oamenii din scurt; **(as) ~ as a drum** bine întins, foarte încordat, întins/încordat la maximum **7** *F* cherchelit, afumat, – beat; **(as) ~ as a fiddler**/*amer* **brick/**

drum *F* beat criţă/mort/cui **8** *(d. nod, şurub etc.)* (bine) strâns **9** *(d. haine, încălţăminte)* strâmt; (prea) ajustat, ţest; **~ round the waist** (ajustat) pe talie **10** ← *F* apăsător, greu, opresiv **11** ← *F* dificil, greu, critic; **in a ~ corner/place/squeeze** la strâmtoare/ananghie, încolţit, strâns cu uşa **12** *amer F v.* **tight-fisted 13** *sport (d. meci) (cu scor)* disputat, echilibrat, strâns **14** *com* rar, sărac, slab, deficitar; *(d. piaţă)* într-o stare critică, în criză; **money is ~** e lipsă de bani pe piaţă **15** ← *înv F* curăţel, drăguţ, cochet **16** *amer* ← *înv* sprinten, agil **II** *adv* **1** ermetic/strâns/bine *(închis etc.)* **2** ferm, tare, bine, cu fermitate; **to hold smth ~** a ţine ceva strâns/bine; **to blow/to pump ~** a umfla bine *(mingea, pneurile etc.)*; **blow me ~!** drace! phii! fir-ar să fie! **to sit ~** ← *F* **a** a şedea ţeapăn/nemişcat/impasibil **b** a nu se lăsa, a se ţine bine/tare **c** a nu se lăsa dus/păcălit/amăgit **3** *v.* **tightly 2**

tight-belted ['tait'beltid] *adj* încins (strâns), strâns cu cureaua/brâul/chimirul

tight corner ['tait 'kɔ:nə'] *s F* încurcătură, ananghie, situaţie neplăcută; **to be in a ~** a fi strâns cu uşa/la ananghie/la strâmtoare/în mare încurcătură; a fi înghesuit rău; a nu şti pe unde să scoată cămaşa

tight-drawn ['tait'drɔ:n] *adj (d. buze etc.)* strâns

tighten ['taitən] **I** *vt* **1** a încorda, a întinde, a strânge *(o curea, o sfoară etc.)* **2** a etanşa, a închide (ermetic) **3** a înăspri, a întări, a intensifica **II** *vi* **1** şi *fig* a se întinde, a se încorda **2** a se contracta, a se strânge

tightener ['taitənə'] *s* **1** *tehn* tensor, întinzător **2** *anat* muşchi tensor **3** şnur, şiret **4** *sl* porţie respectabilă; masă îmbelşugată, ospăţ regesc; **to do a/the ~** a mânca pe săturate/rupte

tightening ['taitəniŋ] *s* **1** strângere **2** încordare, întindere **3** înăsprire; intensificare

tightening key ['taitəniŋ ,ki:] *s tehn* pană de reglare; cheie de acordor

tighten up ['taitən 'ʌp] *vt cu part adv* v. **tighten I 3**

tight-fisted ['tait'fistid] *adj* **1** cu pumnul strâns **2** *fig* strâns la pungă, zgârcit, avar, zgârie-brânză

tight-fisted hand ['tait,fistid 'hænd] *s* **1** zgârcit, calic, avar, harpagon, zgârie-brânză **2** pumn brutal

tight fitting ['tait :fitiŋ] *adj* **1** *v.* **tight I 9 2** *tehn* închis ermetic; bine ajustat

tightish ['taitiʃ] *adj* ← F **1** cam strâmt, strâmtuț **2** cam prost/ dificil/critic

tight-laced ['tait'leist] *adj* **1** strâns (tare) în corset **2** *fig* încorsetat; obtuz, cu ochelari de cal; demodat

tight-lipped ['tait'lipt] *adj* **1** cu buzele strânse *(pentru a-și stăpâni emoția, nemulțumirea etc.)* **2** taciturn, tăcut, necomunicativ **3** mut, care nu scoate o vorbă, căruia nu poți să-i scoți nici cu cleștele o vorbă din gură; care nu vrea să mărturisească **4** discret, rezervat

tightly ['taitli] *adv* **1** *v.* **tight II 1, 2 2** strâns (pe corp), fest; strâmt; **to be ~ packed** a fi înghesuiți ca sardelele

tightness ['taitnis] *s* **1** etanșeitate; închidere ermetică; impermeabilitate **2** densitate **3** tensiune, încordare; atmosferă încordată; apăsare, opresiune

tight-packed ['tait'pækt] *adj* (foarte) înghesuiți, ca sardelele (în cutie)

tight place ['tait ,pleis] *s* F *v.* **tight corner**

tight rope ['tait ,roup] *s* **1** funie/frânghie bine întinsă **2** sârmă *(pt echilibriști);* **to be on the ~** *sl* a fi pe muchie de cuțit/pe marginea prăpastiei; **to perform on the ~** a face echilibristică, a dansa pe sârmă

tight-rope dancer/walker ['tait,roup ,dɑ:nsəʳ ,wɔ:kəʳ] *s* echilibrist, dansator pe sârmă

tights [taits] *s pl* **1** pantalon *sau* costum de balerin, dress, maiou/ costum (de balet) **2** ← *înv* pantaloni strâmți/înguști/burlan

tight spot ['tait ,spot] *s v.* **tight corner**

tight squeeze ['tait ,skwi:z] *s* strâmtoare, strânsoare, dificultate; *v. și* **tight corner**

---

tight-wad ['taitwɔd] *s amer v.* **tight-fisted hand 1**

tight waistcoat ['tait ,weistkout] *s* cămașă de forță

tigon ['taigən] *s zool* corcitură între tigru și leoaică

tigress ['taigris] *s zool* tigroaică

tigrine ['taigrain] *adj rar v.* **tiger-spotted**

Tigris, the ['taigris, ðə] *fluviu* Tigru

tigrish ['taigriʃ] *adj v.* **tigerish**

tike [taik] *s v.* **tyke**

til [til] *s bot specie de* susan *(Sesamum indicum/orientale)*

Tilbury ['tilbəri] *port în* Anglia

tilbury *s un fel de* gabrioletă

tilde ['tildə] *s* tildă

tile¹ [tail] **I** *s* **1** țiglă; olan; **to have a ~ loose** *sl* a-i lipsi o doagă; a avea sticleți (în cap) **2** cahlă, placă de faianță/teracotă *(pt sobă)* **3** cărămidă cu goluri **4** *sl* găină, – pălărie, joben, țilindru; **to fly a ~** a da jos pălăria din capul cuiva **II** *vt* **1** a acoperi/a învelii cu țigle/olane **2** a acoperi/a căptuși/a pardosi cu plăci de ceramică **3** a obliga (pe cineva) să-și țină gura/să păstreze un secret; **we are ~d** suntem (doar) între noi

tile² *s bot* tei *(Tilia sp.)*

tile burner ['tail ,bə:nəʳ] *s* fabricant de țigle

tile clay ['tail ,klei] *s v.* **tile earth**

tile colour ['tail ,kʌləʳ] *s* cărămiziu, culoare cărămizie

tile-coloured ['tail,kʌləd] *adj* cărămiziu, de culoarea cărămizilor/ olanelor/țiglelor

tile-drain ['tail,drein] **I** *s agr* dren/tub/ țeavă de argilă arsă/olan *(pt drenaj, irigații etc.)* **II** *vt agr rar* a drena/a canaliza cu olane

tile dust ['tail ,dʌst] *s* cărămidă măcinată/sfărâmată

tile earth ['tail ,ə:θ] *s* argilă pentru țigle/olane

tile field ['tail ,fi:ld] *s* teren argilos *(ca materie primă pentru fabricarea țiglelor/olanelor)*

tile floor ['tail ,flɔ:ʳ] *s* pardoseală din plăci de ceramică

tile in ['tail 'in] *vt cu part adv* a învelii, a îmbrăca în olane/țigle; a acoperi cu țigle/olane

tile kiln ['tail ,kiln] *s* **1** cuptor pentru țigle/olane **2** cărămidărie

tile maker ['tail ,meikəʳ] *s v.* **tile burner**

---

tile making ['tail ,meikiŋ] *s* **1** confecționarea/fabricarea țiglelor/ olanelor **2** confecționarea/fabricarea plăcilor de ceramică

tiler ['tailəʳ] *s* **1** meseriaș care pune țigle/olane pe acoperișuri **2** meseriaș care pardosește *sau* acoperă pereții cu plăci de ceramică **3** *v.* **tile kiln 4** *v.* **tile burner**

tile roof ['tail ,ru:f] *s* acoperiș de țiglă/olane

tilery ['tailəri] *s* fabrică de olane *sau* plăci de ceramică

tile shard ['tail ,ʃɑ:d] *s* ciob de țiglă/ olan

tile stone ['tail ,stoun] *s* piatră care poate fi sfărâmată în plăci *(pt a fi folosită în locul olanelor)*

tile-works ['tail,wə:ks] *s v.* **tilery**

tiliacea [,tili'eiʃə] *s agr, bot* tiliacee, din familia teiului

tiling ['tailiŋ] *s* **1** învelire/acoperire cu țigle/olane **2** acoperiș de țiglă/ olane **3** țigle/olane folosite pentru acoperiș **4** pardosire *sau* căptușire cu plăci de ceramică **5** pardoseală de ceramică/plăci ceramice

till¹ [til] **I** *prep* **1** *temporal* până (la); **~ due** *com* până la scadență; **never/not ~ then** abia atunci, abia de-atunci încoace; **not ~ after ten o'clock** abia după ora zece **2** ← *înv spațial* până la/în *sau* lângă **II** *conj* până (ce)/să; **don't rejoice ~ it is over** nu te bucura până nu se termină, nu zice hop până n-ai sărit; **not ~** abia când/dacă, decât (când/ dacă)

till² *s com* sertar la tejghea *etc. (în care se țin banii);* **to be caught with one's hand in the ~** a fi prins în flagrant delict/asupra faptului

till³ *vt agr* a ara, a lucra, a cultiva *(pământul)*

till⁴ *s geol* (teren de) argilă cu blocuri; argilă eratică

till⁵ *s v.* **til**

tillable ['tiləbl] *adj agr* arabil, cultivabil

tillage ['tilidʒ] *s agr* **1** arătură, pământ arat **2** munca câmpului; plugărit; cultivare, cultură; **in ~** cultivat, arat, lucrat

tillage ground/land ['tilidʒ ,graund/ ,lænd] *s* teren cultivat/lucrat/arat

tiller¹ ['tilə'] *s* **1** agricultor, plugar; muncitor/lucrător agricol **2** cultivator *(mașină agricolă)* ·

tiller² *s* **1** *nav* fusul cârmei; cârmă **2** *tehn* tirant; bielă

tiller³ **I** *s agr* **1** lăstar, mlădiță **2** puiet, copac tânăr **II** *vi* a încolți, a scoate colți

tiller chain ['tilə ,t∫ein] *s nav* lanț al cârmei; lanț de guvernare

tiller rope ['tilə ,roup] *s nav* odgon/ cablu al cârmei; odgon/cablu de guvernare

till money ['til ,mʌni] *s com* încasări, bani din casă/tejghea

tilt¹ [tilt] **I** *vt* **1** a înclina, a apleca; a așeza pe/într-o parte **2** *od* a ataca cu lancea la turnir **3** *od* a ataca cu, a întinde *(lancea)* **4** a răsturna, a trânti jos, a da peste cap **5** a lua apărarea *(cu gen)* **II** *vi* **1** a se legăna, a se clătina, a se balansa **2** a se înclina, a se apleca **3** a bascula, a cădea **4** a lupta *(↓ cu lancea)* **5** *amer F* a veni/a merge în goana mare **III** *s* **1** înclinație, înclinare, aplecare; pantă, clină **2** lovitură *(de lance etc.)* **3** ↓ *pl* luptă cu lancea, turnir, întrecere cavalerească; **at full ~ a** cu toată forța **b** în plin galop; **to run full ~ against smb** a ataca violent pe cineva

tilt² **I** *s* **1** coviltir **2** *nav* pânză de corabie *(întinsă ca umbrar)* **II** *vt* a acoperi cu un coviltir/cu o foaie de cort *etc.*

tilt against/at ['tilt ə,genst/ət] *vi cu prep* **1** *od* a izbi (cu lancea) în **2** a se năpusti asupra

tilt boat ['tilt ,bout] *s* barcă cu umbrar/baldachin

tilt deck ['tilt ,dek] *s constr* platformă basculantă

tilter ['tiltə'] *s* **1** luptător *(cu lancea etc.)* **2** *tehn* dispozitiv de basculare/răsturnare; masă oscilantă

tilth [tilθ] *s* **1** plugărit, arat; munca câmpului; **out of ~** înțelenit **2** strat arabil; adâncime a arăturii

tilt hammer ['tilt ,hæmə'] *s met* ciocan cu pedală; ciocan de forjat cu arc

tilting ['tiltiŋ] **I** *s* **1** *v.* **tilt**¹ **III 1, 3 2** vărsare *(a conținutului)* **II** *adj* **1** înclinat, aplecat **2** basculant

tilting cart ['tiltiŋ ,ka:t] *s ferov* vagon basculant/dumcar

tilting lance ['tiltiŋ ,la:ns] *s od* lance de turnir/pentru întreceri cavalerești

tilting match ['tiltiŋ ,mæt∫] *s* turnir, întrecere între cavaleri (la lupta cu lancea)

tilting seat ['tiltiŋ ,si:t] *s* strapontină

tilting spear ['tiltiŋ ,spiə'] *s v.* **tilting lance**

tilt on ['tilt ɔn] *vi cu prep* a găsi, a da peste

tilt over ['tilt 'ouvə'] **I** *vi cu part adv* a se răsturna **II** *vt cu part adv* a răsturna, a da peste cap

tilt up ['tilt 'ʌp] *vt cu part adv* **1** a face să basculeze, a ridica într-o parte **2** a redresa

tilt yard ['tilt ,ja:d] *s înv* arenă pentru turnir

Tim [tim] *nume masc dim de la* Timothy

timbal ['timbəl] *s muz* timpan

timbale [tæm'ba:l] *s* budincă (rotundă) cu carne *sau* pește

timber ['timbə'] **I** *s* **1** cherestea, lemnărie, material lemnos, lemn de construcție; **a pretty piece of ~** *nav* un vas cochet/elegant **2** bucată de lemn *(de construcție);* bârnă, grindă, căprior; **shiver my ~s!** să mă ia dracu! ei drăcia dracului! **3** parte lemnoasă *(a unei unelte etc.)* **4** *scot* vas de lemn **5** buștean **6** coastă *(de corabie)* **7** *amer* pădure **8** ← *F* chibrit **9** obstacol *(la alergări)* **10** *pl sl* picioare de lemn/greoaie **11** *amer* calitate, soi; **a man of the right sort of ~** un om de nădejde/ispravă, un om dintr-o bucată **II** *vt* **1** *constr* a clădi partea lemnoasă *(a unei construcții);* a căptuși cu lemn **2** a sprijini, a propti; *min* a arma **3** *fig* a făuri, a plăsmui; a forma, a crea **III** *adj atr* lemnos, de/din lemn

timber bridge ['timbə ,bridʒ] *s* pod de lemn

timber carriage ['timbə ,kæridʒ] *s auto* remorcă de transportat bușteni

timber cart ['timbə ,ka:t] *s* car (cu roțile înalte) cu cârlig pentru căratul cherestelei, buștenilor *etc.*

timber-claim ['timbə,kleim] *s* concesiune forestieră

timbered ['timbəd] *adj* **1** de cherestea/lemn; lemnos **2** păduros, împădurit

timber forest ['timbə ,fɔrist] *s* pădure de arbori înalți

timber frame/framing ['timbə ,freim/ ,freimiŋ] *s* (perete) de paiantă

timber-head ['timbə,hed] *s nav* cap de buștean/grindă (de care se prind odgoanele); școndru

timber-headed ['timbə,hedid] *adj sl* tont, gogoman, nătâng, neghiob

timber hitch ['timbə ,hit∫] *s nav* nod de școndru; nod de lemn

timbering ['timbəriŋ] *s* **1** împădurire; vegetație arborescentă **2** bogăție naturală în păduri **3** *min* armare, susținere minieră; **~ and walling** construire (a galeriilor *etc.*) **4** lemnărie, cherestea, lemn de construcție

timber land ['timbə ,lænd] *s amer* ținut împădurit; zonă de păduri *(folosite pentru cherestea)*

timber-line ['timbə ,lain] *s geogr, bot* limita (climaterică) a pădurilor *(↓ a arborilor de construcție/pentru cherestea)*

timber mechant ['timbə ,mə:t∫ənt] *s* cherestegiu, negustor de cherestea

timber partition ['timbə ,pa:'ti∫ən] *s* perete de lemn; palplanșă

timber ship ['timbə ,∫ip] *s nav* navă/ corabie de lemn

timber toe(s) ['timbə ,tou(z)] *s (pl) F umor* **1** picior de lemn **2** ↓ *pl* invalid cu picior de lemn **3** om încălțat cu saboți de lemn; om cu pas greoi

timber trade ['timbə ,treid] *s* comerț de cherestea, cherestegerie

timber tree ['timbə ,tri:] *s* arbore de construcție

timber wolf ['timbə ,wulf] *s zool* lup cenușiu (mare) din America de Nord *(Canis lupus lycaon)*

timber work ['timbə ,wə:k] *s* **1** construcție de lemn **2** lemnărie *(a unei construcții)*

timber yard ['timbə ,ja:d] *s* **1** fabrică de cherestea **2** depozit de cherestea

timbre ['tæmbə] *s muz, lingv* timbru

timbrel ['timbrəl] *înv* **I** *s* tamburină; tobă mică **II** *vt rar* a cânta *(o melodie)* acompaniindu-se la tamburină

Timbuctoo [,timbʌk'tu:] **1** Timbuctu *oraș în Mali* **2** *fig* capătul pământului/lumii, fundul pământului, la dracu în praznic, unde și-a înțărcat dracul copiii

time [taim] **I** *s* **1** timp, vreme; **in (the course of)** ~ cu vremea/timpul, în decursul timpului; ~ **is money** timpul costă bani/e prețios; ~ **will tell/show** vom vedea, timpul ne va dovedi adevărul; **all the** ~ tot timpul; **to have** ~ **on one's hand** a dispune de timp, a avea timp disponibil; **to kill** ~ a omorî vremea; **to spend one's** ~ **(in) talking** *etc.* a-și petrece timpul cu vorba/vorbind *etc.*; **to take one's** ~ a nu se grăbi, a o lua încetișor; ~ **presses/is pressing** ne presează timpul; e urgent; **to be pressed for** ~ a fi grăbit, a nu avea timp de pierdut; **to fritter/to potter away/to waste one's** ~ a-și pierde/a-și irosi vremea zadarnic; ~ **and straw make medlars ripe** *prov* încetul cu încetul se face oțetul; **truth is the daughter of** ~ cu timpul adevărul iese ca untdelemnul la suprafață; **we take no note of** ~ **but its loss** nu prețuim timpul decât atunci când nu-l mai avem **2** răgaz, timp liber/disponibil **3** răstimp, (interval de) timp, răgaz; **for a long** ~ **a** timp îndelungat, multă vreme **b** pe/pentru timp îndelungat/multă vreme; **for a/some** ~ **a** câtva timp, o vreme **b** pentru câtva timp/o vreme **c** temporar, vremelnic **4** *com* pe termen (scurt); **in a day's** ~ într-o zi, a doua zi, peste o zi; **in no** ~ **(at, all), in less than no** ~ cât ai clipi din ochi, cât ai zice pește; **a long** ~ **since** demult, cu multă vreme în urmă; **to have a thin/terrible** ~ **of it** a duce prost/mizerabil **5** perioadă, epocă, timp, vreme; anotimp, sezon **6** stagiu, termen; **to be out of one's** ~ **a** a-și fi făcut stagiul **b** a-și fi ispășit pedeapsa/condamnarea **7** termen, soroc; timp, durată; ~ **is up/out!** a trecut timpul! gata! e ora! **all in good** ~ toate la timpul/vremea lor; **at any** ~ **a** vreodată **b** oricând; **at all** ~**s** oricând, întotdeauna; **at one** ~ odată, într-un rând; **at no** ~**(s)** niciodată; **(at) some** ~ **or other** cândva, vreodată; **at that/the** ~ în momentul acela, pe atunci; **at** ~**s** uneori, câteodată; **to be behind (one's)** ~ a fi în întâr-

ziere; **to be ahead of/before (one's)** ~ a fi în avans, a veni înainte de termen/prea devreme; **to be born before one's** ~**(s), to be ahead of one's** ~**(s)** a avea idei avansate; **to be behind the** ~**s** a fi retrograd/ruginit, a avea idei învechite; **by that** ~ **a** până atunci, între timp **b** pe atunci; **from this** ~ **(forth/on)** de-acum înainte; **from** ~ **to** ~ din când în când; **for the** ~ **being** pentru moment, deocamdată; **in due/proper** ~ la timpul cuvenit/potrivit, la vreme; în timp util; **in (good)** ~ din timp, de cu vreme; **on** ~; **up to** ~ la fix/țanc; la ora fixă/stabilită; **it is high/full** ~ **to do it** era demult timpul s-o facem, trebuie făcut de urgență; **it is more than** ~ e ultimul moment, nu mai e timp de pierdut; **out of** ~ într-un moment nepotrivit; **to be out of one's** ~ a fi greșit ora, a sosi la altă oră; **to pass/to bid/to give smb the** ~ **of (the) day** a da binețe/bună ziua cuiva; **to know the** ~ **of day** *sl* **a** a fi perfect treaz **b** a nu fi ageamiu, a se pricepe, a le ști pe toate; **to put smb up to the** ~ **of day** a vinde pontul cuiva **8** *și pl* vremuri, epocă; **from** ~ **immemorial, from** ~ **out of mind/memory** din timpuri imemoriale, din vremuri străvechi; **in these** ~**s; as** ~**s go** în vremurile acestea; **in** ~**s gone by** în vremuri apuse/trecute, pe vremuri; **when** ~ **was a** pe vremuri, odinioară **b** pe atunci; **in the good old** ~**s; in** ~**s of old/yore** în vremuri de demult; **to comply with/to yield to the** ~**s** a se da după vremuri; ~ **was when...** a fost un timp/o vreme când... **9** oră, timp *(după ceas)*; *(d. ceas)* **to lose** ~ a rămâne în urmă; **to gain** ~ a o lua/a merge înainte; **to keep bad** ~ a nu merge bine; **to tell/to give smb the** ~ **of day** a spune cuiva cât e ceasul; **what** ~ **is it? what is the** ~**?** ← *F* **what** ~ **are you?** cât e ceasul? **what** ~ **do you make it?** ← *F* cât e ceasul la tine? **10** termen, soroc *(al nașterii);* **she is near her** ~ i se apropie sorocul/termenul, trebuie să nască **11** ← *F* distrac-

ție, amuzament; petrecere, chef; **to have o good/fine/jolly** ~ a se distra/a petrece bine/de minune; **to have a bad** ~ a nu se distra deloc; **to go on a** ~ *amer* a pleca la petrecere/chef; **to have the** ~ **of one's life** a petrece clipele cele mai frumoase ale existenței/vieții **12** existență, viață; **it will last my** ~ va dura cât mine **13** etate, vârstă; **at his** ~ **of life** la vârsta/anii lui **14** dată, rând, oară; ocazie, prilej; ~ **after** ~, ~ **and (~) again** în repetate rânduri, nu o dată; **at a** ~ dintr-o dată; **at other** ~**s** cu alte prilejuri/ocazii, în alte rânduri; **(at) some other** ~ cu (vreo) altă ocazie; **by** ~**s** alternativ, cu schimbul/rândul; **many** ~**s, many a** ~ adeseori, de multe ori; ~**s out of/without number** de nenumărate ori **15** *mat pl* ori, înmulțit cu; **five** ~**s six** de cinci ori șase; **ten** ~**s as big** de zece ori mai mare/pe atât **16** *muz* lungime; durată **17** *muz* tact; măsură; ritm; **to beat** ~ **a** a bate măsura **b** *mil și fig* a bate pasul pe loc; **to keep** ~ **a** a bate măsura **b** a păstra/a ține măsura; **to mark (the)** ~ *mil și fig* a bate pasul pe loc **18** *sl* plată, taxă *(pt birjă sau taxi)* **II** *vt* **1** a fixa, a stabili *(termenul pentru, momentul – cu gen)* **2** a alege, a potrivi momentul *(cu gen)* **3** a stabili, a fixa, a hotărî data *(cu gen)* **4** a se adapta *(vremurilor etc.);* a se acomoda cu, a se da după **5** a face să fie oportun, a face la timpul potrivit **6** a soroci, a fixa, a hotărî, a acorda *(un termen)* **7** a cronometra, a măsura **8** a regla, a potrivi *(ceasul etc.)* **9** *muz* a indica măsura *(după metronom);* a acompania în tact **III** *vi* **1** *sport* a lovi la timp/la momentul potrivit **2** *muz* a păstra, a ține măsura **3** **(to, with)** *muz* a fi/a cânta la unison (cu) **IV** *interj* **1** ajunge! destul! **2** *sport* începeți! **3** *(la localuri)* ora închiderii! ~ **gentlemen please!** vă rugăm, se închide! ora închiderii, domnilor

time alarm ['taim ə'laːm] *s* (ceas) deșteptător

time-and-motion ['taimənd'mouʃən] *adj ec* ergonometric; care măsoară

randamentul operațiilor indus-
triale

time ball ['taim ˌbɔːl] *s* bilă aruncată
din turn la observatorul astro-
nomic pentru a marca ora exactă

time bargain ['taim ˌbaːgin] *s com*
tranzacție/afacere cu termen

time belt ['taim ˌbelt] *s* fus orar

time bill ['taim ˌbil] *s v.* **time table 3**

time bomb ['taim ˌbɔm] *s mil* bombă
cu întârziere/cu acțiune întâr-
ziată; mașină infernală

time book ['taim ˌbuk] *s* **1** *v.* **time
sheet 1, 2 2** *ferov* mersul trenu-
rilor *(carte)*

time capsule ['taim ˌkæpsjuːl] *s*
capsulă îngropată *(la temelia
unei clădiri etc.)* pentru a indica
generațiilor viitoare aspecte ale
vieții contemporane

time card ['taim ˌkaːd] *s v.* **time
sheet 1, 2**

time charter ['taim ˌtʃaːtəʳ] *s nav*
navlosire pe termen; charter pe
timp scurt

time clause ['taim ˌklɔːz] *s gram*
(propoziție) circumstanțială
temporală/de timp

time clerk ['taim ˌklaːk] *s* **1** pontator
2 cronometror

time clock ['taim ˌklɔk] *s* ceas de
pontaj

time-consuming ['taimkənˈsjuːmiŋ]
adj care necesită/reclamă/con-
sumă mult timp, care constituie
o risipă de timp

time deposit ['taim diˈpɔzit] *s ec
amer* depunere pe termen

time detector ['taim diˈtektəʳ] *s* ceas
de control

time-expired ['taimiksˈpaiəd] *adj mil*
cu serviciul militar satisfăcut

time exposure ['taim iksˈpouʒəʳ] *s fot*
expunere îndelungată

time factor ['taim ˌfæktəʳ] *s* **1** factorul
timp *(în special ca și constrân-
gere);* termen-limită, dată-limită
2 trecerea/scurgerea timpului *(în
defavoarea cuiva)*

time freight ['taim ˌfreit] *s com*
transport/fraht de mare viteză;
coletărie rapidă

time fuse ['taim ˌfjuːz] *s* **1** *min*
amorsă de siguranță/cu întâr-
ziere **2** *mil* focos de distanță

time glass ['taim ˌglaːs] *s* clepsidră,
ceas de nisip

time-honoured ['taim ˌɔnəd] *adj*
tradițional, consfințit de datină/

obiceiuri; secular; venerabil; de
veacuri

time it out ['taimit 'aut] *vt cu pr și
part adv* ← *F* a t(ă)răgăna, a
tergiversa, a lungi

timekeeper ['taim ˌkiːpəʳ] *s* **1** *v.* **time
clerk 1, 2 2** *muz* persoană care
ține/bate tactul **3** ceasornic
exact; **to be a good ~ a** *(d. ceas)*
a merge bine/exact **b** *(d. oameni)*
a fi punctual

time keeping ['taim ˌkiːpiŋ] *s* **1**
pontaj, cronometrare **2** mers
exact/regulat *(al ceasului)*

time lag ['taim ˌlæg] *s* **1** decalaj în
timp; rămânere în urmă **2** tem-
porizare, întârziere

time-lapse ['taim ˌlæps] *adj cin*
filmare spațială/lentă *(a deschi-
derii unei flori etc.)*

timeless ['taimlis] *s* **1** nedatat, fără
dată **2** ← *poetic* veșnic, fără
sfârșit **3** inoportun, nepotrivit

time limit ['taim ˌlimit] *s* **1** limită de
timp *(pt orator etc.)* **2** *com* ter-
men, scadență

timeliness ['taimlinis] *s* oportu-
nitate, caracter oportun

timely ['taimli] **I** *adj* **1** oportun;
potrivit **2** actual, de actualitate **II**
adv **1** curând; devreme **2** (în
mod) convenabil/oportun/potri-
vit; la vreme

timeous ['taimiəs] *adj ↓ scot v.*
timely I

timeously ['taimiəsli] *adv ↓ scot*
tocmai/taman la timp/vreme; la
timpul/momentul potrivit; la
țanc

time payment ['taim ˌpeimənt] *s
amer* plată în rate

timepiece ['taim pi:s] *s* **1** crono-
metru **2** ceas(ornic)

time pleaser ['taim ˌpliːzəʳ] *s v.* **time
server**

time proof ['taim ˌpruːf] *adj rar* du-
rabil, trainic

time purchase ['taim ˌpəːtʃis] *s v.*
time bargain

timer ['taiməʳ] *s* **1** *v.* **time clerk 2** *v.*
timepiece 3 *tehn* regulator (cu
program) **4** *auto* distribuitor de
aprindere

time-saving device ['taim ˌseiviŋ
diˈvais] *s* aparat de uz casnic

time-scale ['taim ˌskeil] *s* scară (de
măsurare) a timpului; suită de
evenimente luată pentru timpul
istoric

time server ['taim ˌsəːvəʳ] *s* **1** opor-
tunist; conformist **2** fățarnic, ipo-
crit **3** persoană servilă/slugar-
nică, slugă plecată

time-serving ['taim ˌsəːviŋ] **I** *adj* **1**
oportunist; conformist **2** fățarnic,
ipocrit **3** slugarnic, servil **II** *s*
oportunism; conformism

time-sharing ['taim ˌʃɛəriŋ] *s* folosire
(a unui computer etc.) de către
mai mulți parteneri (simultan)

time sheet ['taim ˌʃiːt] *s* **1** foaie de
prezență **2** fișă de pontaj **3** *nav*
program de descărcare

time signal ['taim ˌsignəl] *s rad etc.*
semnal pentru ora exactă

time signature ['taim ˌsignitʃəʳ] *s
muz* fracție care indică măsura

time-stained ['taim ˌsteind] *adj*
îngălbenit de vreme

time-stricken ['taim ˌstrikn] *adj*
gârbovit de ani/bătrânețe

time-study ['taim ˌstʌdi] *s* crono-
metraj

time switch ['taim ˌswitʃ] *s tehn*
comutator automat (programat
dinainte)

time table ['taim ˌteibl] *s* **1** orar;
program **2** *ferov* mersul trenu-
rilor **3** ordine de zi, agendă, pro-
gram

time-taking ['taim ˌteikiŋ] *adj* care
cere/consumă (mult) timp

time-travel ['taim ˌtrævəl] *s* călătorie
(imaginară) în/prin timp

time up ['taim' ʌp] *vt cu part adv muz*
a intona

time value ['taim ˌvæljuː] *s muz*
lungime, durată, valoare *(a unei
note)*

time work ['taim ˌwəːk] *s ec* muncă
(plătită) cu ora/ziua

time worker ['taim ˌwəːkəʳ] *s ec*
muncitor (plătit) cu ziua/ora

time worn ['taim ˌwɔːn] *adj* **1** mâncat
de vreme, uzat, ros **2** *fig* învechit,
demodat **3** secular; de veacuri;
venerabil **4** blazat

time zone ['taim ˌzoun] *s v.* **time belt**

timid ['timid] *adj* **1** timid, sfios **2** *v.*
timorous 3 *(d. animale)* sperios,
sălbatic; **(as) ~ as a hare/rabbit**
fricos ca un iepure

timidity [tiˈmiditi] *s* **1** timiditate,
sfială, sfiiciune **2** *v.* **timorous-
ness**

timidly ['timidli] *adv* **1** sfios, cu
sfială **2** *v.* **timorously**

timidness ['timidnis] *s v.* **timidity**

timing ['taimiŋ] s 1 sincronizare; potrivire în timp; coordonare 2 îndeplinire/execuţie la timp 3 *sport etc.* cronometraj, cronometrare 4 *tehn, auto* reglare a aprinderii 5 *fot* calcul al timpului de expunere 6 temporizare

Timis, the ['timis, ðə] *râu* Timiş

Timişoara [ˌtimiˈʃwɑːrɑ] Timişoara

timist ['taimist] *s muz* instrumentist/ muzicant care bate/păstrează tactul/măsura *(pentru o formaţie)*

timocracy [ti'mɔkrəsi] *s pol* plutocraţie, dominaţie/domnie/guvernare a bogătaşilor/a celor avuţi

timocratic [ˌtimoˈkrætik] *adj pol* plutocratic, caracterizat prin/ legat de plutocraţie/de dominaţia bogătaşilor/celor avuţi

Timon ['taimən] *s* 1 ← *F* mizantrop 2 *lit* Timon (din Atena)

Timonism ['taimənizəm] *s* mizantropie *(după Timon din Atena)*

Timor ['tiːmɔːr] *insulă în Arhipelagul malaez*

timorous ['timərəs] *adj* timorat, intimidat, fricos, şovăielnic, şovăitor

timorously ['timərəsli] *adv* cu frică/ teamă/timiditate, timid

timorousness ['timərəsnis] *s* frică, teamă, sfială, şovăială

timorsome ['timəsəm] *adj v.* **timorous**

Timothy ['timəθi] *nume masc* Timotei

timothy grass ['timəti ˌɡrɑːs] *s bot* timoftică *(Phleum pratense)*

Timour [ti:'muər] *v.* **Timur Lenk**

timous ['taiməs] *adj* ↓ *scot v.* **timely**

timously ['taiməsli] *adv* ↓ *scot v.* **timeously**

timpani ['timpəni] *pl de la* **timpano**

timpanist ['timpənist] *s muz* timpanist

timpano ['timpənou], *pl* **timpani** ['timpəni] *s muz* timpan

Timur Lenk [ti:'muə ˌleŋk] *cuceritor oriental (1336?-1408)*

tin [tin] **I** *s* 1 staniu, cositor 2 tablă (cositorită) galvanizată 3 cutie de conservă; **straight from the ~** *şi fig F* de la prima mână, direct de la sursă; proaspăt, cald 4 bidon; cană; gamelă; căniţă; tinichea 5 formă de copt 6 veselă, vase *(de cositor sau tablă)* 7 *sl* lovele, biştari, – bani; **to be in ~** a se scălda în gologani/parale;

a avea bani **II** *adj* 1 de cositor 2 de tablă 3 *sl* slab, prost, de proastă calitate **III** *vt* 1 a cositori, a spoi 2 a acoperi cu staniol 3 a face conserve din, a conserva (în cutii)

Tina ['tiːnə] *nume fem*

tin and temper ['tin ənd 'tempər] *s* aliaj de staniu cu cupru

tin-bearing ['tin ˌbɛəriŋ] *adj min* bogat în cositor/staniu

tincal ['tiŋkəl] *s ch* borax (natural) brut

tin can ['tin ˌkæn] *s sl* 1 *mil* tanc 2 *nav* distrugător, contratorpilor

tin canister ['tin ˌkænistər] *s* 1 bidon; canistră 2 cutie de tablă

tin case ['tin ˌkeis] *s* 1 cutie de tablă 2 bidon

tin case shot ['tin ˌkeis ˌʃɔt] *s mil* mitralie

tin cow ['tin ˌkau] *s mil sl* lapte condensat/în cutii de conserve; conservă de lapte

tinct [tiŋkt] ← *înv poetic* **I** *s* 1 culoare; vopsea 2 *med* tinctură 3 *od* elixirul vieţii **II** *adj* colorat; vopsit **III** *vt* a colora

tinct. *presc de la* **tincture**

tinctorial [tiŋk'tɔriəl] *adj* 1 colorant, cu proprietăţi colorante 2 tinctorial, referitor la vopsit

tincture ['tiŋktʃər] **I** *s* 1 *ch, med* tinctură 2 culoare, vopsea 3 *arte* nuanţă, ton 4 *fig* spoială, lustru, cunoştinţe superficiale **II** *vt* 1 **(with)** a vopsi, a boi (cu) 2 **(with)** *şi fig* a da o spoială (de)

tindal ['tindəl] *s* ofiţer inferior ridicat dintre gărzile băştinaşe (în India)

tinder ['tindər] *s* 1 iască 2 arbore uscat şi găunos 3 *nav* pânză de semnalizare

tinder-like ['tində ˌlaik] *adj* 1 (uscat) ca iasca 2 uşor inflamabil

tindery ['tindəri] *adj v.* **tinder-like**

tinea ['tiniə] *s* 1 *med* tricofiţie, coajă (pe pielea capului), *F* chelbe 2 *med* pecingine 3 *ent* molie *(Tinea sp.)*

tin filings ['tin ˌfailiŋz] *s pl* pilitură de cositor

tin fish ['tin ˌfiʃ] *s nav* 1 torpilă 2 submarin

tinfoil ['tin'fɔil] **I** *s* (foiţă de) staniol **II** *vt v.* **tin III** 2

ting [tiŋ] *vi F v.* **tinkle I**

tinge [tindʒ] **I** *s* 1 nuanţă, tentă, ton; **to have a ~ of blue/a blue ~** a

bate în albastru, a avea o nuanţă albăstrie 2 *fig* nuanţă, iz 3 vopsea 4 *com* primă, premiu, gratificaţie **II** *vt* **(with)** 1 a colora, a vopsi (în/cu); a da o nuanţă *(cu dat)* 2 *fig* a da o spoială/un aspect/un iz *(cu dat)*

tingle ['tiŋgl] **I** *vi* 1 a ţiui, a zbârnâi, a zumzăi, a bâzâi, a suna; **my ears are tingling** îmi ţiuie urechile 2 a furnica, a da/a produce o mâncărime 3 a tremura, a palpita 4 **(with)** a arde *(de dorinţă etc.)* **II** *s* 1 ţiuit, bâzâit, zumzăit, zbârnâit 2 furnicătură, mâncărime

tingler ['tiŋglər] *s sl* scatoalcă, – palmă zdravănă

tingling ['tiŋgliŋ] **I** *adj* 1 *(d. urechi)* care ţiuie 2 care te furnică; usturător, pişcător 3 *(d. conştiinţă etc.)* neliniştit, tulburat, agitat **II** *s v.* **tingle II**

tin god ['tin ˌgɔd] *s* idol de tinichea; idol fals/amăgitor/care nu merită veneraţia

tin hat ['tin ˌhæt] *s sl mil* cască (de oţel); **to be ~s** a fi pilit/beat/criţă; **that puts the ~ on it!** asta e culmea! asta le pune capac la toate!

tinhorn ['tin ˌhɔːn] *s amer* fanfaron, lăudăros

tinker ['tiŋkər] **I** *s* 1 spoitor *(de cazane, tingiri etc.)* 2 cazangiu; tinichigiu 3 *fig* cârpaci, meseriaş prost; **to have a ~ at a thing** a cârpăci un lucru 4 *sl* politician/ strateg de cafenea 5 *mil* mortier; tun mic 6 *iht* aterină 7 *orn* specie de pinguin *(Alca torda)* **II** *vt* 1 a drege, a spoi *(cazane etc.)* 2 ← *F* a cârpăci, a repara de mântuială **III** *vi* a cârpăci, a face reparaţii de mântuială

tinkerly ['tiŋkəli] **I** *adj* prost lucrat, făcut de mântuială/ca de un cârpaci **II** *adv* ca un cârpaci, prost; de mântuială

tinker's news ['tiŋkəz ˌnjuːz] *s pl ca sg* poveste răsuflată/arhicunoscută

tin kettle ['tin ˌketl] *s* 1 cazan/ceaun cositorit 2 *F* pian hodorogit

tinkle ['tiŋkl] **I** *vi* 1 a ţiui; a suna (subţirel) 2 *fig* a chema *(enoriaşii)* la biserică **II** *s* sunet/ dangăt subţirel *(de clopoţei etc.)*; **to give smb a ~** a suna pe cineva la telefon

tinkler¹ ['tiŋklə'] *s* **1** *v.* **tinker I 1 2** vagabond, haimana

tinkler² *s sl* clopoţel, zurgălău

tin liqour ['tin ,likə'] *s tehn* baiţ, mordant (de cositor)

tin Lizzie ['tin ,lizi] *s amer* ← *umor* automobil ieftin *sau* vechi, rablă

tinman ['tinmən] *s* **1** *v.* **tinker I 2 2** *v.* **tin moulder**

tin mine ['tin ,main] *s* mină de cositor/staniu

tin moulder ['tin ,mouldə'] *s* meşteşugar care face vase de cositor

tinned [tind] *adj* **1** cositorit **2** conservat în cutii de conserve **3** *sl fig* (d. muzică) înregistrat (pe disc sau bandă)

tinned cow ['tind ,kau] *s v.* **tin cow**

tinned goods ['tind ,gudz] *s pl* conserve

tinned loaf ['tind ,louf] *s* pâine coaptă în formă

tinner ['tinə'] *s* **1** *v.* **tinker I 1, 2 2** ← *înv* miner într-o mină de cositor

tinneries ['tinəriz] *s pl* mină de cositor

tinnery ['tinəri] *s* industria cositorului

tinniness ['tininis] *s* sunet metalic neplăcut/ca de tinichea (al unui pian etc.)

tinning ['tiniŋ] *s* cositorire

tinnitus ['tinitəs] *s med* acufenă, ţiuit (continuu) în urechi

tinny ['tini] *adj* **1** cu/de cositor **2** cu gust de cositor **3** ca de tinichea **4** care sună ca o tinichea; metalic **5** *sl înv* bogat, plin de gologani **6** *artă* (d. colorit) aspru, dur, metalic, sec

tinny piano ['tini pi,ænou] *s F v.* **tin kettle 2**

tin opener ['tin ,oupənə'] *s* deschizător de conserve

tin ore ['tin ,ɔ:'] *s* casiterit, minereu de cositor

tin pan ['tin ,pæn] *s* **1** formă pentru copt **2** farfurie de tablă

Tin-Pan Alley ['tin,pæn 'æli] *s* **1** cartier al compozitorilor şi interpreţilor de muzică uşoară **2** lumea compozitorilor şi interpreţilor de muzică uşoară **3** muzică uşoară

tin plate ['tin ,pleit] **I** *s* **1** tablă de cositor **2** tablă cositorită/galvanizată; tinichea **II** *vt* a cositori

tin pot ['tin ,pɔt] **I** *s* **1** oală de tablă; cutie de tinichea **2** *mil sl* chivără, chipiu **3** *nav sl* cuirasat **4** *tehn* baie de cositor **II** *adj atr F* sărăcăcios, prăpădit, amărât

tin-pot town ['tin,pɔt 'taun] *s* (cartier de) cocioabe/maghernițe, bidonville

tin pyrite ['tin 'pairait] *s minrl* staniu, pirită staniferă

tin salt ['tin ,sɔ:lt] *s v.* **tin liquor**

tinsel ['tinsəl] **I** *s* **1** beteală; paiete **2** lamé; brocart **3** *fig* zorzoane, farafastâcuri, găteli **4** *fig* strălucire amăgitoare/înşelătoare **II** *adj* **1** sclipitor **2** superficial, amăgitor, aparent; care-ţi ia ochii; prefăcut **III** *vt* a împodobi cu beteală; a găti, a dichisi

tinsel over ['tinsəl 'ouvə'] *vt cu part adv v.* **tinsel III**

tin sheet ['tin ,ʃi:t] *s* tablă cositorită/galvanizată

tin shop ['tin ,ʃɔp] *s* atelier de tinichigerie

tinsmith ['tinsmiθ] *s v.* **tinker I 2**

tin solder ['tin ,souldə'] *s* (aliaj de) cositor pentru lipit

tin star ['tin ,sta:'] *s sl* detectiv (particular)

tinstone ['tin,stoun] *s minrl* casiterit

tin stuff ['tin ,sta:f] *s min* minereu de cositor brut

tint [tint] **I** *s* **1** culoare, colorit, coloraţie; tentă, nuanţă, ton; **to have a yellowish ~** a bate în galben, a fi gălbui **2** *arte* haşură **II** *vt* a colora, a nuanţa, a da nuanţe (unui tablou etc.); **to ~ by dabbing with rubbers** a estompa

tin tack ['tin ,tæk] *s* cuişor, ţintă (de tapiţerie)

tint drawing ['tint ,drɔ:iŋ] *s* **1** desen sau pictură în nuanţele aceleiaşi culori; laviu **2** *tehn* epură cu laviu

tinted glasses ['tintid ,gla:siz] *s pl* ochelari de soare

tinting ['tintiŋ] *s* **1** nuanţare, gradare a culorilor; colorare **2** *poligr* tonare

tintinnabula [,tinti'næbjulə] *pl de la* **tintinnabulum**

tintinnabulation [,tinti,næbju'leiʃən] *s* clinchet de clopoţei; zornăit; zăngănit

tintinnabulous [,tinti'næbjuləs] *adj lit rar* (d. clopoţel) zornăitor, sonor, care clincăne

tintinnabulum [,tinti'næbjuləm], *pl* **tintinnabula** [,tinti'næbjulə] *s* **1** *poetic v.* **tintinnabulation 2** *od* clopoţel (la romani) **3** zornăit (al rimei)

tintless ['tintlis] *adj arte* **1** incolor **2** nenuanţat, negradat

tinto ['tintou] *s com* soi de vin spaniol

tintometer [tin'tɔmitə'] *s fiz* colorimetru, tintometru

Tintoretto [,tintə'retou], **Jacopo Robusti** *pictor italian (1518-1594)*

tints of the rainbow ['tints əv ðə 'reinbou] *s pl* culorile curcubeului

tinty ['tinti] *adj artă* prost gradat din punct de vedere coloristic, cu policromie greşită, cu o gradaţie defectuoasă a culorilor

tintype ['tintaip] *s fot* ferotipie

tin ware ['tin ,wɛə'] *s* obiecte de cositor *sau* tinichea

tin whistle ['tin ,wisl] *s muz* flageolet

tin works ['tin ,wə:ks] *s* **1** topitorie de cositor **2** fabrică de tablă

tiny ['taini] *adj* micuţ, mititel, mititeluţ; **a ~ tot** un prichindel, o gâgâlice de copil

tip¹ [tip] **I** *s* **1** vârf; extremitate; capăt; **from ~ to ~ a** de la un capăt la altul (al aripilor) **b** ← *F* de la cap la coadă, de la un capăt la celălalt; **to walk on the ~s of one's toes** a umbla în vârful picioarelor; **I have it on the ~ of my tongue** îmi stă pe limbă; **to have smth at the ~ of one's fingers** a şti/a cunoaşte ceva la perfecţie **2** *anat* lob al urechii **3** bombeu, vârf (la pantofi) **4** vârf/ capăt metalic, măciulie (la baston, umbrelă etc.); dragon (la sabie) **5** colţ (de basma etc.) **6** *bot* antenă **II** *vt* **1** a pune vârf la (sau cu dat) **2** a reteza vârful (cu gen); a tunde

tip² **I** *vt* **1** a înclina, a apleca, a face să se încline; **to ~ the scale(s)/ balance/beam a** a face cântarul/ balanţa să se încline **b** *fig* a precumpăni, a fi hotărâtor/decisiv, a înclina balanţa (în favoarea unui lucru) **2** a deşerta, a răsturna, a face să basculeze; a culbuta **3** a face să cadă, a doborî **4** a atinge/a lovi uşor **II** *vi* **1** a se înclina, a se apleca **2** a se răsturna, a se bascula, a culbuta **3** a se întoarce într-o parte **III** *s* **1** înclinaţie, înclinare, aplecare **2** loc de descărcare (pentru gunoi etc.) **3** lovitură/atingere uşoară; **to miss one's ~ a** (d. acrobaţi) a greşi/a executa prost o figură **b** *fig* a nu izbuti în viaţă, a fi ratat **4** *v.* **tipper² 5** *v.* **tip car**

tip³ I *s* **1** *F* ciubuc; – bacșiș; **what's the ~?** *(la restaurant etc.)* cât face (socoteala)? **2** mic dar/cadou bănesc **3** *(la curse, bursă sau fig)* pont (vândut cuiva); informație/indicație confidențială; sfat discret; **take my ~** ascultă-mă pe mine; îți vând un pont sigur **II** *vt* **1** *F* a da bacșiș/ciubuc *(cu dat)* **2** a dărui, a face cadou niște bani *(cu dat)* **3** ← *F* *(la curse, bursă etc.)* a sfătui/a informa discret, a vinde un pont (sigur) *(cu dat)* **4** *sl* a arunca, a azvârli, a da; **~ us your fin/fist/flipper!** bate laba! **don't ~ me any of your jaw!** ține-ți gura! nu mă ameți (cu vorba)! **to ~ smb the wink** a face cuiva semn pe ascuns, a face cuiva cu ochiul **5** *sl* a scoate, a ieși cu *(bani)* **III** *vi* a da bacșiș(uri)

tip and run ['tip ənd ‚rʌn] **I** *s sport* varietate de crichet **II** *adj atr (d. atac etc.)* prin surprindere, precipitat

tip car ['tip ‚ka:ʳ] *s ferov* vagon basculant

tip cart ['tip ‚ka:t] *s tehn* cărucior basculant/culbutor; tomberon

tip cat/cheese ['tip ‚kæt/‚tʃi:z] *s* **1** țurcă **2** (jocul de-a) țurca

tip down ['tip ‚daun] *vt cu part adv sl* a doborî, a da jos, a dărâma

tip lorry ['tip ‚lɔri] *s auto* (auto)basculantă, camion cu benă basculantă

tip off¹ ['tip 'ɔ:f] *vi cu part adv* a bea dintr-o dușcă/până la fund, a da pe gât/peste cap; **to tip one's boom off** *sl* a a pleca în călătorie **b** *F* a da bir cu fugiții, a o lua la sănătoasa

tip off² *vt cu part adv sl* a avertiza, a preveni, a vinde un pont *(cu dat)*

tip out ['tip 'aut] **I** *vt cu part adv* a deșerta, a răsturna, a goli **II** *vi cu part adv* a se deșerta (prin răsturnare)

tip over ['tip 'ouvəʳ] **I** *vt cu part adv* **a** a face să basculeze, a răsturna **b** *v.* **tip out I II** *vi cu part adv* a se răsturna **III** *vi cu prep* a trece peste; **to ~ the perch** *sl* a o mierli, a da în primire, a da ortul popii

tippable ['tipəbəl] *adj* **1** care primește bacșiș **2** corupt, care poate fi mituit

tipper¹ ['tipəʳ] *s* meseriaș care pune măciulii la bastoane și umbrele

tipper² *s* **1** dispozitiv de basculare/culbutare/răsturnare **2** (muncitor) basculator/culbutor **3** ← *F* persoană care vinde ponturi pentru curse *etc.* **4** persoană care dă bacșiș **5** *v.* **tip car**

Tipperary [‚tipə'rɛəri] *comitat în Irlanda*

tippet ['tipit] *s* **1** eșarfă **2** (capă de) blană; **to turn ~** *înv fig* a deveni un renegat; a se dezice **3** capișon, glugă

tippet grebe ['tipit gri:b] *s orn* cufundar, corcodel *(Podiceps cristatus)*

tipping ['tipiŋ] *adj* **1** basculant; culbutant **2** *F* strașnic, grozav, formidabil

tipping cart ['tipiŋ ‚ka:t] *s v.* **tip cart**

tipping seat ['tipiŋ ‚si:t] *s* strapontină

tipping wag(g)on ['tipiŋ ‚wægən] *s v.* **tip car**

tipple ['tipəl] **I** *vi* a trage la măsea, a bea pe rupte; a chefui **II** *vt* a bea, a da pe gât; **to ~ (away) one's cares** a-și îneca amarul/necazurile în băutură **III** *vr* a se îmbăta **IV** *s* **1** băutură alcoolică/spirtoasă; **what's your ~?** ← *F* ce (vrei să) bei? **2** *fig* excitant

tippler ['tiplәʳ] *s* bețivan, pilangiu

tippling house ['tipəliŋ ‚haus] *s* cârciumă

tippy ['tipi] *adj F* **1** șovăielnic, ezitant; care se clatină/care abia se ține pe picioare **2** fâțâit, cu mișcări afectate, care se fâțâie (îngrozitor)

tipsify ['tipsifai] *vt F* a îmbăta; a ameți

tipsily ['tipsili] *adv* ca un om beat; ca la beție

tipsiness ['tipsinis] *s* beție, ameteală

tipstaff ['tip‚sta:f], *pl și* **tipstaves** ['tip‚sta:vz] *s* **1** *înv* baston de portărel **2** *fig* portărel

tipstaves ['tip‚sta:vz] *pl de la* **tipstaff**

tipster ['tipstəʳ] *s* vânzător de ponturi

tipsy ['tipsi] *adj* **1** cherchelit, pilit, beat, amețit de băutură; **to get ~** a se pili, a se îmbăta; **to make ~** a îmbăta **2** de om beat

tipsy cake ['tipsi ‚keik] *s* budincă/prăjitură cu rom *etc.*

tip tilt ['tip ‚tilt] *vt* a strâmba (din nas), a ridica (nasul) pe sus

tip tilted ['tip ‚tiltid] *adj* **1** cârn **2** cu nasul pe sus, care strâmbă din nas

tiptoe ['tip‚tou] **I** *s* vârful picioarelor; **on ~(s)** în vârful picioarelor; **to be/to stand on ~(s)** **a** a sta în vârful picioarelor **b** *fig* a fi în culmea încordării, a sta ca pe ghimpi; a muri de curiozitate *etc.* **II** *adj* maxim, cel mai mare; la culme, extrem **III** *adv* **1** în vârful picioarelor **2** tiptil, pe furiș, în vârful picioarelor **3** *fig* în culmea încordării, ca pe ace, încordat **IV** *vi* a merge tiptil/în vârful picioarelor

tiptop ['tip‚tɔp] *F* **I** *s* **1** *(d. persoane)* perfecțiune, (întruchipată), culme a perfecțiunii, *pl* cremă, caimac **2** *(d. lucruri)* cremă, tot ce e mai bun **II** *adj* excelent, admirabil, superior

tip topper ['tip ‚tɔpəʳ] *s sl* **1** tip bine/fain, – om distins/elegant/bine **2** băiat de zahăr, amor, bomboană; – om de nădejde; om destoinic, om priceput (la toate) **3** bombă, minune, grozăvie

tip truck ['tip ‚trʌk] *s v.* **tip lorry**

tip(p)ulary ['tipjuləri] *adj ent* **1** din neamul țânțarilor **2** de țânțar **3** asemănător cu țânțarii **4** ca la țânțari

tip up ['tip 'ʌp] **I** *vt cu part adv v.* **tip over I II** *vi cu part adv v.* **tip² II 2, 3**

tip-up seat ['tip‚ʌp 'si:t] *s v.* **tipping seat**

tip wag(g)on ['tip ‚wægən] *s v.* **tip car**

TIR *presc de la* **Transport International Routier**

tirade [tai'reid] *s* tiradă; șuvoi de cuvinte

tirailleur [‚tirai'ə:ʳ] *s mil* **1** tiralior, trăgător **2** trăgător de elită, lunetist

Tirana [ti'ra:nə] *capitala Albaniei*

Tirane [ti'ra:nə] *v.* **Tirana**

tire¹ [taiəʳ] **I** *vt* **1** a obosi, a osteni; a istovi, a extenua, a epuiza; **to ~ smb to death** **a** a osteni/a istovi pe cineva din cale afară **b** *fig* a plictisi pe cineva de moarte **2** a plictisi (la culme), a sătura **II** *vi* **1** a obosi, a osteni, a fi istovit/extenuat **2** (*of, with*) a se plictisi/a se sătura (până-n gât) (de); a fi dezgustat (de) **III** *s* ← *F* oboseală, surmenaj

tire² *amer* **I** *s* **1** cerc (de fier) la roată; bandaj (de roată) **2** *auto* pneu, anvelopă, cauciuc **II** *vt* **1** a cercui, a pune cerc la *(o roată)* **2** a schimba/a pune cauciuc(uri) la *(automobil, bicicletă)*

tire³ ← *înv* **I** *s* **1** găteală, podoabe **2** îmbrăcăminte, haine, veşminte **3** garnitură de pat **4** coafură, pieptănătură **5** *fig* pompă, fală **II** *vt* **1** a găti, a dichisi **2** a îmbrăca, a înveşmânta

tired [taiəd] *adj* **(of, with) 1** obosit, ostenit; extenuat, istovit, epuizat; **to get/to grow ~ (of/with smth) a** a obosi, a osteni (de ceva) **b** *fig* a se plictisi, a se sătura (până-n gât) (de ceva) **2** plictisit, sătul (până-n gât/până-n măduva oaselor) (de), dezgustat (de)

tiredness ['taiədnis] *s* **1** oboseală; istovire, extenuare, epuizare; surmenaj **2** *fig* plictiseală; saturaţie; dezgust

tireless¹ ['taiəlis] *adj* **1** neobosit, inepuizabil, neostenit **2** *(d. eforturi etc.)* neobosit, neîncetat, susţinut

tireless² *adj* **1** *(d. roată)* fără cerc/bandaj **2** *auto* fără anvelope/pneuri/cauciucuri

tirelessly ['taiəlisli] *adv* neobosit, neostenit, fără odihnă; fără a obosi

tirelessness ['taiəlisnis] *s* caracter neobosit/neostenit/inepuizabil; rezistenţă (uimitoare) la oboseală

tire out ['taiər 'aut] *vt cu part adv* a istovi (din cale afară); a extenua, a epuiza; **to be tired out (with smth)** a-ţi fi lehamite (de ceva)

Tiresias [tai'ri:si,æs] *mit, lit* Tirezias *(profet teban)*

tiresome ['taiəsəm] *adj* **1** 'obositor, istovitor **2** plictisitor, plicticos **3** nesuferit, exasperant, supărător

tiresomeness ['taiəsəmnis] *s* **1** caracter obositor/istovitor **2** caracter plictisitor, plictiseală **3** caracter enervant/supărător

tire trouble ['taiə, trʌbəl] *s auto* pană de cauciuc

tire valve ['taiə ,vælv] *s auto* valvă (la cauciuc)

tirewoman ['taiə,wumən] *s înv* cameristă; garderobieră

tiring ['taiəriŋ] **I** *adj* v. **tiresome II** *s amer* **1** cercuire, bandajare *(a*

roţii) **2** montare a pneurilor *(la maşină, bicicletă etc.)*

tiring house ['taiəriŋ ,haus] *s înv v.* **tiring room**

tiring room ['taiəriŋ ,ru:m] *s teatru* **1** ← *înv* cabină *(a actorilor)* **2** garderobă

tirl [tə:l] **I** *vi* **1** a tremura, a se cutremura **2** *(d. vânt)* a se schimba brusc **II** *vt* **1** a roti, a învârti **2** a învolbura **3** a dezgoli, a despuia **III** *s* învârtire, rotire **2** vârtej

tiro ['tai,rou] *s* începător, novice; ageamiu

tirocinium [,taiərou'sinjəm] *s lat* **1** ucenicie **2** *mil* serviciu de recrut/ *F* răcan **3** (elemente/noţiuni de) bază, elemente fundamentale, primele noţiuni *(ale unei arte, ale unui meşteşug etc.)*

Tirol [ti'roul] *provincie în Austria*

Tirolean [,tirou'liən] *adj, s* tirolez

Tirolese [,tirə'li:z] *adj, s v.* **Tirolean**

Tirso de Molina ['tiərso de mɔ'lina] *dramaturg spaniol (1571?-1648)*

'tis [tiz] *formă contrasă de la* **it is**

tisane [ti'zæn] *s* tizană, infuzie, fiertură

tish-ho! ['tiʃhou] *interj* hapciu!

tisic(k) ['tisik] *s* ftizic, tuberculos

Tiso ['tji:sou], **Josef** *om de stat slovac (1887-1947)*

tissue ['tisju:] **I** *s* **1** ţesătură; stofă fină/subţire; voal **2** *biol* ţesut **3** *fig* textură, împletitură, urzeală; ţesătură; păienjeniş *(de minciuni etc.)* **4** ← *înv* stofă de fir *(de aur/argint)* **5** v. **tissue-paper II** *vt* **1** a ţese; a urzi; a împleti **2** a şterge *(machiajul, crema etc.)* cu şerveţele de hârtie

tissued ['tisju:d] *adj* ţesut, urzit, împletit

tissue-paper ['tisju:,peipə'] *s* hârtie de mătase, foiţă

Tisza, the ['tisə, ðə] *(râul)* Tisa

tit¹ [tit] *s* **1** v. **titmouse 2** căluţ; mârţoagă, gloabă **3** ← *înv peior* târfă, otreapă

tit² *s v.* **teat**

Tit *presc de la* **Titus**

tit. *presc de la* **title**

Titan ['taitən] *s* **1** *mit* titan; gigant **2** ← *poetic* soarele

titan¹ **I** *s v.* **Titan II** *adj v.* **titanic¹**

titan² *s v.* **titanium**

titanate ['taitə,neit] *s ch* titanat, sare de titaniu/a acidului titanic

Titanesque [,taitə'nesk] *adj v.* **titanic¹**

Titania [ti'ta:niə] *lit* regină a zânelor, soţia lui Oberon

titanic¹ [tai'tænik] *adj* titanic, supraomenesc; gigant, colosal, uriaş

titanic² *adj ch* titanic, referitor la titaniu

titaniferous [,taitə'nifərəs] *adj minrl* titanifer, care conţine titaniu

titanium [tai'teiniəm] *s ch* titaniu

titbit ['tit,bit] *s* **1** bucăţică gustoasă/bună; delicatese; gustare aleasă **2** pasaj picant/savuros; noutate/bârfă picantă

titer ['taitə'] *s amer v.* **titre**

tit for tat ['tit fə 'tæt] *s adv* dinte pentru dinte; **to give ~ a** a plăti cu aceeaşi monedă, a fi chit **b** a riposta prompt, a nu se da bătut

tithable ['taiðəbəl] *adj od* (care poate fi) supus zeciuielii; impozabil, care poate fi dijmuit *(în sistemul zeciuielii/dijmei)*

tithe [taið] **I** *s* **1** zecime, a zecea parte **2** *fig* fărâmă, bucăţică, picătură, iotă; **not a ~!** nici o iotă/fărâmă **3** *bis* zeciuială, dare plătită autorităţilor bisericeşti; **to levy a ~ (on smth)** a dijmui (ceva); **to take one's ~ of** *fig* a decima **II** *vt* **1** a dijmui, a zeciui **2** a plăti dijmă/zeciuială pe **III** *adj înv v.* **tenth**

tithe collector ['taið kə'lektə'] *s* dijmuitor, perceptor al zeciuielii

tithe-free ['taið,fri:] *adj* scutit de zeciuială

tithe-gatherer ['taið,gæðərə'] *s v.* **tithe collector**

tithe owner ['taið ,ounə'] *s bis* beneficiar al zeciuielii

tithe payer ['taið ,peiə'] *s* contribuabil supus zeciuielii

tithe proctor ['taið ,prɔktə'] *s v.* **tithe collector**

tither ['taiðə'] *s* **1** v. **tithe collector 2** v. **tithe payer 3** *bis* partizan al zeciuielii

tithing ['taiðiŋ] *s* **1** v. **tithe I 2 2** percepere *sau* plată a zeciuielii

Titian ['tiʃən] **I** *s* **1** (Tiziano Vecellio) *pictor italian (1477-1576)* **2** roşcată (arămie), femeie cu părul arămiu **II** *adj v.* **Titian red**

Titianesque ['tiʃənesk] *adj* artă tiţianesc, ca (la) Tiţian, în stilul lui Tiziano Vecellio

Titian red ['tiʃən 'red] *adj (↓ d. păr)* arămiu, roşu-auriu

Titicaca, Lake [ˌtitiˈkaka, leik] (lacul) Titicaca

titillate [ˈtiti,leit] vt 1 a gâdila 2 fig a excita, a stârni, F ← a gâdila

titillation [ˌtitiˈleiʃən] s 1 gâdilare, gâdilitură 2 fig excitare, excitaţie, stârnire

titivate [ˈtiti,veit] ← F I vt 1 a împopoţona, a dichisi, a găti 2 a umbla cu mănuşi cu, a trata cu blândeţe pe (cineva) II vi a se împopoţona, a se dichisi, a se ferchezui, a se găti

titlark [ˈtit,laːk] s orn fâsă (Anthus sp.)

title [taitəl] I s 1 poligr etc. titlu 2 v. **title page** 3 capitol, titlu, secţiune 4 pl cin titluri, generic 5 titlu (nobiliar sau onorific); demnitate, rang, grad; **to bear a ~** a avea un titlu (de nobleţe) 6 jur titlu, drept, calitate, vocaţie; document, act doveditor al unui drept; **~ to property** titlu de proprietate; **to clear a ~** a prezenta un titlu, a demonstra un drept; **by onerous ~** jur cu titlu oneros; **~s to fame** fig titluri de glorie 7 ch titlu, titru (al unui aliaj) II vi 1 a intitula, a denumi 2 poligr a pune titlul pe cotorul (unei cărţi) 3 cin a titra 4 a îndreptăţi, a da drepturi

titled [ˈtaitəld] adj (investit) cu titluri, titrat; nobil

title deed [ˈtaitəl ,diːd] s titlu/act de proprietate; act/document/titlu doveditor al unui drept

title holder [ˈtaitəl ,houldər] s 1 posesor al titlului (nobiliar) 2 sport deţinător al titlului, campion

title leaf [ˈtaitəl ,liːf] s poligr pagină titlu, foaie de titlu

titleless [ˈtaitəllis] adj 1 poligr etc. fără titlu 2 jur fără titlu/drept/ vocaţi

title page [ˈtaitəl ,peidʒ] s poligr pagină (de) titlu, frontispiciu, copertă interioară

title part/role [ˈtaitəl ,paːt/,roul] s teatru, cin rol titular

title rol(e)ist [ˈtaitəl ,roulist] s teatru, cin protagonist, interpret/deţinător al rolului titular

titling¹ [ˈtaitliŋ] s 1 v. **titlark** 2 v. **titmouse**

titling² s poligr imprimarea titlului (cu aur etc.) pe coperta cărţii

titmal [ˈtitməl] s orn piţigoi albastru/ vânăt (Parus caeruleus)

titmice [ˈtit,mais] pl de la **titmouse**

titmouse [ˈtit,maus], pl **titmice** [ˈtit,mais] s orn piţigoi (Parus sp.)

Tito [ˈtiːtou], **Iosip Broz(ovitch)** om de stat iugoslav (1892-1980)

Titograd [ˈtiːtogrɑːd] oraş în Iugoslavia

titrate [ˈtaitreit] vt ch a titra, a doza

titrated [ˈtaitreitid] adj ch titrat

titrating [ˈtaitreitiŋ] s v. **titration**

titration [taiˈtreiʃən] s ch titrare, dozare volumetrică

titre [ˈtaitər] s ch 1 titru (al unei soluţii) 2 titlu, titru (al unui aliaj)

titter¹ [ˈtitər] I vi a chicoti, a râde pe înfundate, a se hlizi II s 1 chicot, chicoteală; hlizeală 2 sl puştoaică, fetişcană, codană

titter² vi a se legăna, a se hâţâna

tittering [ˈtitəriŋ] s chicoteli, chicote, râsete înfundate

tittivate [ˈtitiveit] vt, vi v. **titivate**

tittle [ˈtitəl] s 1 ← înv liniuţă (ca semn de prescurtare); punctuleţ, punct 2 fig amănunt meschin, fleac, bagatelă; iotă; **not a/one ~** nici un pic, nici o iotă; **to a ~** exact, întocmai, până în cele mai mici amănunte

tittlebat [ˈtitəl,bæt] s iht peşte spinos (Gasterosteidae sp.)

tittle-tattle [ˈtitəl,tætəl] I s 1 trancăneală, flecăreală, palavre; vorbe de clacă, bârfeli; **the ~ of the day** bârfa zilei, ultimele cancanuri 2 palavragiu, flecar, gură-spartă II vi 1 a trăncăni, a pălăvrăgi, a flecări 2 a sta de vorbă/la taifas, a tăifăsui III adj guraliv, limbut, flecar

tittle-tattler [ˈtitəl,tætər] s flecar, palavragiu, tranca-fleanca; ţaţă, cumătră, mahalagioaică; persoană care se ţine de bârfeli/ mahalagisme

tittle-tattling [ˈtitəl,tætliŋ] s v. **tittletattle** I 1

tittup [ˈtitəp] ← F I vi 1 a ţopăi, a sălta 2 a merge repede; a merge în galop uşor II s 1 ţopăială, salturi 2 mers grăbit 3 galop uşor

tittuppy [ˈtitəpi] adj F 1 sprinten, săltăreţ; sprinţar 2 neastâmpărat; nestatornic 3 instabil, şovăielnic, inconstant

titty [ˈtiti] s 1 în limbajul copiilor ţâţişoară, ţâţică 2 ← F suzetă; biberon

titubant [ˈtitjubənt] adj împleticit (la mers)

titubate [ˈtitjubeit] vi 1 a se împletici (la mers); a nu se ţine bine pe picioare 2 a se bâlbâi, a se împletici/a se împiedica la vorbă 3 a se tăvăli (pe jos)

titubation [ˌtitjuˈbeiʃən] s 1 împleticire (la mers, vorbă etc.) 2 med agitaţie, nelinişte, neastâmpăr 3 tăvălire

titular [ˈtitjulər] I adj 1 titular, nominal 2 onorific, onorar 3 cuvenit (unei funcţii); legat de titlu/funcţie/post II s titular (suplinit de altcineva)

titular bishop [ˈtitjulə ,biʃəp] s bis catolică episcop care poartă numele unui sfânt, apostol etc.

titularly [ˈtitjuləli] adv 1 în virtutea unui titlu 2 (doar) cu numele, de formă, (în mod) nominal

titular saint [ˈtitjulə ,seint] s bis patron/hram al unei biserici; sfânt protector

titulary [ˈtitjuləri] adj, s v. **titular**

Titus [ˈtaitəs], **Flavius Vespasianus** împărat roman (40?-81)

-tive suf -tiv; **applicative** aplicativ

Tivoli [ˈtivəli] localitate în Italia

tivy [ˈtivi] adv v. **tantivy** II

tizzy [ˈtizi] s sl 1 ← înv monedă de şase peni 2 agitaţie, surescitare; **all in a ~** în mare fierbere/agitaţie, pe jeratic/cărbuni

T-joint [ˈtiː,dʒoint] s tehn 1 teu (armătură) 2 îmbinare în T

T-junction [ˈtiː,dʒʌŋkʃən] s drum, intersecţie în formă de T

tk presc de la 1 tank 2 truck

TKO presc de la technical knockout

tkt. presc de la ticket

Tl presc de la Thalium

TL presc de la 1 total loss 2 truck load

tlr. presc de la 1 tailor 2 trailer

T.L.S. presc de la 1 Times Literary Supplement 2 typed letter signed scrisoare dactilografiată semnată de mână

Tm. presc de la Thalium

TM presc de la 1 technical manual 2 trade mark 3 transcendental meditation 4 true mean

T-man [ˈtiː,mæn] s amer ← F inspector financiar

tmema [ˈtmiːmə], pl **tmemata** [ˈtmiːmətə] s grec secţiune/paragraf/ fragment dintr-un text

tmesis [(t)'mi:sis], *pl* **tmeses** [(t)'mi:si:z] *s gram* intercalare (a unui cuvânt) între cele două părți ale unui cuvânt (compus) *sau* ale unei sintagme *(ex.:* **what things soever, any which person,** *sl* **abso-bloody-lutely)**

TMO *presc de la* **telegraphic money order** mandat telegrafic

tn. *presc de la* **1** ton **2** town **3** train

TN *presc de la* **true north**

TNT *presc de la* **trinitrotoluen**

TO *presc de la* **1** telegraph office **2** turn over

to [tu:; tə] **I** *prep* **1** *(cu verbe de mișcare – indică direcția)* către, spre; **he was going ~ the shop** mergea spre magazin **2** *(indică destinația)* la; spre; **introduction ~** introducere în/la; **to speak ~ the question** a vorbi la chestiune; **~ my shame** spre rușinea mea **3** *(indică scopul, ținta)* la; **to invite smb ~ dinner** a invita pe cineva la masă **4** *(folosit pt. dativ)* **to speak ~ smb** a vorbi cuiva; **to take off one's hat ~ smb** a saluta pe cineva, a-și scoate pălăria în fața cuiva **5** *(indică relația, raportul)* la, de; despre; **as ~ this** cât despre asta; **here's ~ you!** *F* în sănătatea ta! să trăiești! **back ~ back** spate în spate **6** *(indică legătura)* la, de; **fastened ~ the bed** legat de pat **7** *(indică limitarea)* până (la), la, în; **~ the amount of** până la suma de; **confined ~ one's room** (re)ținut în casă **8** *(indică conformitatea)* conform cu, după, potrivit *(cu sau cu dat)*; **~ one's heart's content** după pofta inimii; **~ my knowledge** după câte știu eu **9** *(indică comparația sau raportul)* în comparație cu, pe lângă; **she is but a child ~ me** e doar (ca) un copil pe lângă mine; **he is a real brother ~ me** e ca un adevărat frate pentru/față de mine **10** *(temporal)* până la; **~ the last** până la urmă; **a quarter ~ two** două fără un sfert **11** *muz* acompaniat de, în sunetele *(cu gen);* **to dance ~ the radio** a dansa după radio **II** *(particulă a infinitivului)* **1** a; **~ go** a merge **2** *(înlocuiește infinitivul omis)* **I don't do it because I don't**

want ~ n-o fac pentru că nu vreau (s-o fac) **III** *adv* **1** închis; **to hang the door ~** a trânti ușa (închizând-o) **2** în simțiri; **to come ~** a-și veni în fire/simțiri, a se trezi din leșin **3** înainte, mai departe; *v.* **to-and-fro**

toad [toud] *s* **1** *zool* broască râioasă/ buboasă *(Bufo sp.);* **to eat ~s for smb; to eat smb's ~s** *fig v.* **toady II 2** *F* scârbă, scârnăvie, canalie, nemernic **3** *F* lingău, lingușitor, linge blide **4** *F* otreapă, știoalfă, femeie murdară/împuțită/ șleampătă

toad eater ['toud ,i:tə'] *s v.* **toad 3**

toad-eating ['toud,i:tiŋ] **I** *adj* lingușitor, slugarnic, servil; parazit **II** *s* slugărnicie, lingușire (josnică), servilitate; parazitism

toadey ['toudi] *s v.* **toady**

toad-fish ['toud,fiʃ] *s iht* pește cu înțepătură otrăvitoare *din familia Batrachoididae (↓ Opsamus tau)*

toad flax ['toud ,flæks] *s bot* linariță *(Linaria vulgaris)*

toad head ['toud ,hed] *s orn* specie de ploier *(Charadrius dominicus)*

toadlet ['toudlit] *s zool* broască râioasă mică, pui de broască râioasă

toad lily ['toud,lili] *s bot* **1** *hort* nume al mai multor specii de lalea, bibilică *(Fritillaria)* **2** nufăr nord-american *(Nymphaea odorata)* **3** lăptucă nord-americană *(Montia cleanissoi)*

toadling ['toudliŋ] *s v.* **toadlet**

toad lizard ['toud ,lizəd] *s zool* iguană *(Iguana)*

toad pipe ['toud ,paip] *s bot* barba-ursului, părul-porcului, coada șoricelului *(Equisetum)*

toadrock ['toud,rok] *s v.* **toadstone**

toad's cap/hat ['toudz ,kæp/,hæt] *s v.* **toadstool**

toadskin ['toudz,kin] *s amer sl (în limbajul tineretului)* marcă poștală de cinci cenți

toad spit(t)le ['toud ,spitəl] *s ent* larvă *(↓ de Cercopis spumaria)*

toad-spotted ['toud,spotid] *adj înv lit* cu pete urâte

toadstone ['toud,stoun] *s* piatră prețioasă legendară

toadstool ['toud,stu:l] *s bot* **1** ciupercă otrăvitoare **2** ciupercă mare

toady ['toudi] **I** *s v.* **toad 3 II** *vt* a linguși (în mod abject), a adula, a peria, a linge; a se gudura/ se linguși pe lângă **III** *vi* **(to)** a se linguși, a se gudura (pe lângă)

toadyish ['toudiiʃ] *adj v.* **toadeating I**

toadyism ['toudiizəm] *s v.* **toadeating II**

to-and-fro ['tu:ənd'frou] **I** *adv* încoace și încolo **II** *adj atr (d. mișcare)* de dute-vino **III** *s* mișcare de dute-vino; forfotă, agitație

toast[1] [toust] **I** *s* **1** pâine prăjită; pesmet **2** felie de pâine prăjită; **to know which side one's ~ is buttered** *fig* a ști dincotro bate vântul, a-și cunoaște (prea) bine interesele; **to have smb on ~** *sl* a trage în piept pe cineva (în mod barbar); *F* a trage clapa cuiva **b** a avea pe cineva la mână/la cheremul său **c** a pune cuiva sula în coastă **3** *pl* frigănele **II** *vt* **1** a prăji, a rumeni *(pâinea)* **2** ← *F* a-și încălzi la foc *(picioarele etc.)* **III** *vi* **1** a se prăji, a se rumeni **2** ← *F* a se încălzi la foc; a se prăji la soare

toast[2] **I** *s* **1** toast, închinare *(a paharului);* **to give/to propose a ~** a rosti un toast; a închina paharul; **to give smb a ~** a bea în sănătatea/cinstea cuiva, a toasta pentru cineva; **to pledge a ~** a accepta/a bea toastul propus de cineva **2** persoană sărbătorită/pentru care se toastează **3** toast, lucru pentru care se toastează **4** obiect al admirației generale **II** *vt* a toasta pentru *(cineva sau ceva);* a închina paharul/a bea în sănătatea *(cu gen);* **to ~ smb's health** a bea în sănătatea cuiva **III** *vi* a toasta

toast and water ['toust ənd 'wo:tə'] *s v.* **toast-water**

toaster[1] ['toustə'] *s* **1** grătar pentru prăjit pâinea **2** tigaie pentru prăjit brânză **3** aliment (de) prăjit

toaster[2] *s* **1** persoană care propune toasturi; persoană care prezidează un banchet **2** persoană care toastează

toasting fork/iron ['toustiŋ ,fok/ ,aiən] *s* **1** furculiță de prăjit pâinea **2** ← *umor* sabie, spadă, spangă

toast list ['toust ,list] *s* listă a toasturilor/a persoanelor pentru care se toastează (la un banchet)

toast master ['toust ,ma:stə'] *s v.* **toaster² 1**

toast rack/stand ['toust ,ræk/,stænd] *s* suport pentru feliile de pâine prăjită

toast-water ['toust,wo:tə'] *s* apă în care s-a muiat pâine prăjită *(ca băutură pentru bolnavi)*

tobacco [tə'bækou] *s* **1** *bot* tutun *(Nicotiana tabacum)* **2** tutun (de pipă); tabac (de prizat *sau* mestecat)

tobacco box [tə'bækou ,bɔks] *s* **1** tabacheră **2** cutie pentru tutun

tobacco-coloured [tə'bækou,kʌləd] *adj* de culoarea tutunului

tobacco cutter [tə'bækou ,kʌtə'] *s* **1** maşină de tăiat tutun **2** cuţit de tăiat tutun

tobacco-cutting machine [tə'bækou,kʌtiŋ mə'ʃi:n] *s v.* **tobacco cutter 1**

tobacco fiend [tə'bækou ,fi:nd] *s* fumător înrăit/pasionat/inveterat

tobacco heart [tə'bækou ,ha:t] *s med* tabagism, boală de inimă pricinuită de fumat

tobacco jar [tə'bækou ,dʒa:'] *s* borcan *sau* cutie cu capac pentru păstrat tutunul

tobacconist [tə'bækənist] *s* **1** tutungiu; **at the ~'s (shop)** la tutungerie/debit **2** fabricant de tutun

tobacco pipe [tə'bækou ,paip] *s* lulea, pipă

tobacco plant [tə'bækou ,plɑ:nt] *s v.* **tobacco 1**

tobacco pouch [tə'bækou ,pautʃ] *s* pungă de/pentru tutun

tobacco roll [tə'bækou ,roul] *s com* păpuşă/sul de (frunze de) tutun

tobacco spinner [tə'bækou ,spinə'] *s* muncitor într-o fabrică de ţigări

tobacco stopper [tə'bækou ,stɔpə'] *s* unealtă pentru îndesat tutunul în lulea, tacâm/futac de pipă

tobacco tongs [tə'bækou ,tɔŋz] *s sg* şi *pl* cleştişor pentru tăciuni *(folosit pentru aprins pipa)*

tobacco twister [tə'bækou ,twistə'] *s v.* **tobacco spinner**

tobacco wrapper [tə'bækou ,ræpə'] *s* foiţă pentru învelit havanele/trabucurile

to-be [tə'bi:] *adj* viitor; făgăduit; în perspectivă; **the bride ~** viitoarea mireasă

tober ['toubə'] *s sl* şosea, drumul mare

Tobias [tə'baiəs] *nume masc*

toboggan [tə'bɔgən] **I** *s* sanie **II** *vi* a se da cu sania; a coborî o pantă

tobogganer [tə'bɔgənə'] *s* toboganist, persoană care se dă cu toboganul

toboggan run/slide [tə'bɔgən ,rʌn/,slaid] *s* **1** pistă/pantă de sănius **2** derdeluş

Toby¹ ['toubi] **1** *nume masc dim* de la Tobias **2** *nume fem*

Toby² *s* căţeluş *(în teatrul englez de păpuşi)*

toby¹ *s* **1** cană de bere **2** *sl* fesă, bucă

toby² *s reg* **1** stradă, uliţă **2** drum, şosea **3** tâlhărie (la drumul mare)

toby-collar ['toubi,kɔlə'] *s* guler govrat înalt *(ca în portretele lui El Greco etc.)*

Toby-jug ['toubidʒʌg] *s v.* **toby¹ 1**

tobyman ['toubimən] *s înv* tâlhar (la drumul mare)

toby spice ['toubi ,spais] *s sl înv* atac tâlhăresc, jaf (la drumul mare)

toc [tɔk] *s tel, mil, av* litera „t"

tocan ['tɔkən] *s v.* **toco²**

toccata [tə'ka:tə] *s muz* tocată

Toc H ['tɔk ,eitʃ] *s* societate de ajutorare/frăţie a veteranilor şi văduvelor de război *(de la Talbot House* – Clubul Militarilor)

Tocharian [to'ka:riən] *adj, s lingv* toharian

tocher ['tɔkə'] *scot* **I** *s* zestre; dotă **II** *vt* a înzestra; a dota/a face zestre *(cu dat)*

tocherless ['tɔkəlis] *adj scot* fără zestre, sărac

toco¹ ['tɔkou], *pl* **tocos** ['tɔkouz] *s sl şcol/*bătaie, pedeapsă corporală; lovituri; ghionturi; **to administer ~ to a boy** a pedepsi un elev cu bătaia, a trage o bătaie unui elev; **to nap ~ for yam** a primi mai multe lovituri decât dai

toco² *s orn* tucan *(Rhamphastus)*

tocology [tɔ'kɔlədʒi] *s med* obstetrică

to-come [tə'kʌm] **I** *adj lit* viitor, din viitor; ce va să vie **II** *s* viitor, ziua de mâine; devenire

tocopherol [tɔ'kɔfərɔl] *s ch* vitamina E uleioasă *(extrasă din seminţe etc.)*

tocsin ['tɔksin] *s* **1** clopot de alarmă/dandana **2** tocsin, (semnal de) alarmă

tod¹ [tɔd] **I** *s* **1** ← *înv* tufiş **2** ← *înv* unitate de măsură pentru lână *(28 pfunzi/livre = 12,7 kg)* **II** *vi* ← *înv* a avea greutatea de/a trage 28 de pfunzi/livre

tod² *s scot înv* **1** vulpe **2** *fig* vulpoi (bătrân), şmecher, pişicher, pehlivan

tod³ *s amer F v.* **toddy**

to-day [tə'dei] *adv, s v.* **today**

today [tə'dei] **I** *adv* **1** astăzi, azi; **~ week** de azi într-o săptămână; **~ a man, to-morrow a mouse** azi bogat, mâine sărac; **here ~ and gone to-morrow** *F* azi aici mâine în Focşani **2** în zilele noastre, în vremea noastră, astăzi **II** *s* **1** ziua de azi/astăzi **2** zilele/vremurile/timpurile noastre, ziua de azi; **~'s children** copiii din ziua de azi

toddle ['tɔdəl] **I** *vi* **1** a şotâncăi; a merge greoi/clătinându-se **2** *(d. copilaş)* a începe să umble/meargă **3** ← *F* a umbla/a se plimba agale/alene **4** *F* a se căra, a-şi lua valea, a o întinde **II** *vt* a-şi urma *(drumul)* **III** *s* **1** şotâncăială, mers greoi **2** umblet/mers şovăitor *(al copilaşilor etc.)* **3** ← *F* plimbare (scurtă), raită; **let's go for a ~!** hai să dăm şi noi o raită pe acolo! ia să facem şi noi câţiva paşi **4** *v.* **toddler**

toddle home ['tɔdəl 'houm] *vi cu part adv* a se întoarce acasă

toddle in ['tɔdəl 'in] *vi cu part adv* a intra agale, a veni cu paşi mărunţi

toddle off ['tɔdəl 'ɔ:f] *vi cu part adv F* a o lua din loc, a-şi lua valea, a se căra

toddle out ['tɔdəl 'aut] *vi cu part adv* a ieşi agale (la plimbare)

toddler ['tɔdlə'] *s* copilaş/ţânc care începe să umble

toddle round ['tɔdəl 'raund] *vi cu part adv* **(to)** a se duce la plimbare (până la)

toddy ['tɔdi] *s* **1** grog cald; rachiu cu apă **2** vin/suc de palmier

to-do [tə du:] *s F* tărăboi, – zarvă, agitaţie; **what a ~!** ce aiureală! ce circ! **to make a great ~ a** a face mare tărăboi **b** a face mofturi/nazuri

tody ['toudi] *s orn* pasăre tropicală asemănătoare cu pescărușul *(Todus)*

toe [tou] **I** *s* **1** deget de la picior; **the light fantastic ~** *umor* dans, țopăială; **from top/tip to ~** din cap până-n picioare, din creștet până-n tălpi; **on one's ~s a** plin de viață/energie/vitalitate **b** vesel, voios **c** agitat, fără astâmpăr **d** activ, energic; hotărât; **be on your ~s!** dă-i bătaie/drumul! pune-te pe treabă! **to tread/to step/to tramp on smb's ~s a** a călca pe cineva pe picior **b** *fig* a călca pe cineva pe bătătură/coadă, a jigni pe cineva **2** vârf *(al piciorului, pantofului, ciorapului);* **to turn one's ~ in** v. **~ in; to turn one's ~ out** v. **~ out; with one's ~s up** *F mort,* dus pe lumea cealaltă; **to turn up one's ~s (to the daisies)** *sl* a mirosi florile de la rădăcină, a avea grădiniță pe burtă, *F* a da ortul popii **3** extremitate inferioară; capăt de jos; bază; pivot **4** parte anterioară/dinainte **5** *tehn* pivot; vârf; crapodină **II** *vt* **1** a lovi/a atinge cu vârful piciorului; **to ~ smb** *F* a da/a trage cuiva un picior; **to ~ the line/mark/ scratch a** *sport etc.* a se alinia (la start) **b** *fig* a fi disciplinat, a se supune/a se integra disciplinei/regulilor **2** a încăputa *(ciorapi)*

toe and heel it ['tou ənd 'hi:l it] *vt* v. **toe it**

toe basin ['tou ,beisn] *s hidr* puț de amortizare

toe cap ['tou ,kæp] *s* bombeu, vârf *(de pantof etc.)*

toe clip ['tou ,klip] *s* cureaua pedalei, curea de pedală *(la bicicletele de curse)*

toed [toud] *adj* **1** cu degetele de la picior (de o anumită formă *etc.*) **2** *(d. încălțăminte)* cu bombeu, cu vârf

toe dance/dancing ['tou ,da:ns/ ,da:nsiŋ] *s* poante, dans în vârful picioarelor

toe-hold ['tou,hould] *s* **1** loc (îngust) de pus piciorul; punct de sprijin; priză (pentru picior) **2** *fig* cap de pod (firav); reazem (nu prea sigur)

toe in ['tou 'in] *vi cu part adv* **1** a călca/a umbla/a merge cu vârfurile picioarelor înăuntru **2** *auto (d. roți)* a avea convergență, *F* a călca înăuntru

toe it ['tou it] *vt cu pr← F* **1** a dansa **2** a călca, a păși

toe nail ['tou ,neil] *s* **1** unghie (de la picior) **2** cui bătut oblic

toe out ['tou 'aut] *vi cu part adv* **1** a călca (cu vârfurile picioarelor) în afară, a umbla cu picioarele desfăcute **2** *auto (d. roți)* a avea convergență negativă, *F* a călca în afară

toff [tɔf] **I** *s sl* **1** marțafoi, filfizon, – fante; **to act the ~** a face pe gomosul **2** burjui, îmbuibat; grangur, ștab; – bogătaș; **the ~s** crema societății, înalta societate, ștabii **II** *vt* v. **toff up I**

toffee ['tɔfi] *s* caramea; acadea; bomboană de pralină; **not for a ~ a←** *F* nici în ruptul capului, cu nici un preț; nicidecum; pentru nimic în lume; **b** câtuși de puțin, nicidecum, deloc

tofficky ['tɔfiki] *adj sl* **1** înfumurat, încrezut; căruia nu poți să-i ajungi cu prăjina la nas **2** de filfizon/ marțafoi; snob, *umor →* snobistic

toffishness ['tɔfiʃnis] *s sl* **1** aere, fumuri (de grande), îngâmfare, înfumurare **2** fire de filfizon/ marțafoi; – snobism

toff oneself out/up ['tɔf wʌn, self 'aut/ 'ʌp] *vr cu part adv* v. **titivate II**

toff up ['tɔf 'ʌp] *sl* **I** *vt cu part adv* a împopoțona, a găti **II** *vi cu part adv* v. **titivate II**

toffy ['tɔfi] *s* v. **toffee**

toft [tɔft] *s* **1** mică gospodărie (agricolă/țărănească); casă cu curtea ei **2** *înv* vatră, cămin, coș, fum **3** *înv reg* delușor **4** *sl* fante (înfumurat), marțafoi, filfizon

toftman ['tɔftmən] *s înv* mic agricultor/fermier, (țăran) proprietar al unei mici gospodării; gospodar

tog [tɔg] *sl* **I** *s ↓ pl* țoale, țol, – haine; **~ and kick** haină și pantaloni **II** *vt* a înțoli, – a îmbrăca **III** *vi* v. **titivate II**

toga ['tougə], *pl* **togae** ['toudʒi] *s od* togă

toga'd ['tougəd] *adj* v. **togaed**

togae ['toudʒi] *pl de la* **toga**

togaed ['tougəd] *adj* îmbrăcat cu/ înveșmântat în togă

toga praetexta ['tougə pri'tekstə] *s lat* togă purpurie *(purtată de tineri, magistrați etc.)*

togated [tou'geitid] *adj* **1** v. **togaed 2** *fig* maiestuos, impunător; mândru, țanțoș; îngâmfat

toga virilis ['tougə vi'railis] *s lat* togă albă *(îmbrăcată la vârsta de 14 ani, ca semn al bărbăției)*

together [tə'geðə^r] **I** *adv* **1** (with) împreună/laolaltă (cu); **to act ~** a acționa împreună/de comun acord/concomitent; **to bind ~** a lega împreună/laolaltă/la un loc; **to bring ~ a** a strânge, a aduna (laolaltă); a întruni, a acumula **b** a se aduna, a se întruni **c** a se acumula, a se strânge; **~ we stand or fall** împreună vom birui sau vom muri; să fim solidari până la capăt **2** laolaltă; unul cu altul, unul față de celălalt; **to belong/to go ~** a merge împreună/mână în mână, a se potrivi, a face pereche; **to strike ~** a ciocni unul de altul **3** (with) *temporal* concomitent/simultan/în același timp (cu); **all ~ a** toți deodată/în același timp **b** *muz* cu toții în cor **4** unul după altul, la rând, în șir, consecutiv; fără întrerupere, necontenit; **for five days ~** cinci zile la rând/în șir **5** puse/puși cap la cap, împreună, adunate; adunați; **taken ~** puse laolaltă **II** *interj nav* toți odată

togged off/up ['tɔgd 'ɔ:f/'ʌp] *adj sl* înțolit, îmbrăcat; împopoțonat, dichisit

toggery ['tɔgəri] *s sl* îmbrăcăminte (↓ specială); haine, veșminte; găteală; **bishop's ~** veșminte/ odăjdii de episcop

toggle ['tɔgəl] **I** *s* **1** *nav* cavilă de parâme **2** *tehn* piron, cârje; sistem/mecanism cu pârghii cotite **II** *vt nav* a prevedea cu cavilă de parâme

toggle joint ['tɔgəl ,dʒɔint] *s tehn* articulație sferică/cu rotulă; articulație cu nucă

toggle-lever ['tɔgəl,li:və^r] *s tehn* pârghie cotită; pârghie articulată

toggle-lever tongs ['tɔgəl,li:və 'tɔŋz] *s pl tehn* clește cu brațe cotite

toggle-pin ['tɔgəl,pin] *s* v. **toggle I 1**

toggle-press ['tɔgəl,pres] *s tehn* presă cu genunchi; presă cu pârghii cotite

toggle-switch ['tɔgəl,switʃ] *s sl* întrerupător cu manetă; manetă de întrerupător; ruptor

tog off/out/up ['tɔg 'ɔːf/'aut/'ʌp] *sl* **I** *vt cu part adv v.* **titivate I II** *vi cu part adv* a se pune la (marele) fix, a se pune la țol festiv/la patru ace

Togolese [,tougou'liːz] **I** *adj* togolez, din Togo **II** *pl* **~s** togolez, locuitor din Togo

toil¹ [tɔil] **I** *vi* **1 a** (se) trudi, a munci (din greu), a se speti (muncind) **2** a înainta cu greu, a se târî (înainte), a-și continua drumul (anevoie) **3** a-și continua munca, a-și vedea de treabă/lucru/muncă **II** *s* trudă, muncă grea/anevoioasă; osteneală; **after great ~** după multă trudă/osteneală

toil² *s* ↓ *pl* **1** vânat *fig* capcană, cursă; laț; plasă; mreajă; **to be taken/to get caught in the ~s a** a cădea în cursă/capcană **b** *fig* a fi prins în mreje, a fi fermecat/vrăjit **2** *pl* pânză de păianjen

toil along ['tɔil ə,lɔŋ] *vi cu prep* a înainta cu greu/a se târî de-a lungul *(cu gen)*

toil and moil ['tɔil ənd 'mɔil] *vi* **1** a munci din greu, a (se) trudi, a se speti (muncind) **2** a-și câștiga pâinea cu sudoarea frunții

toil at ['tɔil ət] *vi cu prep* a munci din greu/ca un rob la, a trudi la, a se chinui cu

toile [twaːl] *s text* **1** pânză/stofă (pentru îmbrăcăminte) **2** tipar de îmbrăcăminte (pe muselină), patron, mulaj

toile de Jouy [,twaːl də 'ʒwiː] *s text* imprimeu în culori deschise *(pe bumbac sau in)*

toiler ['tɔilər] *s* **1** truditor, muncitor **2** om trudit **3** *fig* cal de bătaie/poștă, hamal, rob, sclav

toilet ['tɔilit] *s* **1** toaletă, ținută; găteală; **to make one's ~** a-și face toaleta; a se dichisi; a se îngriji **2** toaletă, îmbrăcăminte **3** closet, toaletă **4** *amer* (cameră de) baie *(cu closet)* **5** *med* toaletă, curățire, îngrijire *(a rănii)* **6** (măsuță de) toaletă

toilet case ['tɔilit ,keis] *s* trusă de toaletă/voiaj/călătorie

toilet cover ['tɔilit ,kʌvər] *s* șervețel pentru masa de toaletă

toilet glass ['tɔilit ,glaːs] *s* oglindă de toaletă

toilet paper ['tɔilit ,peipər] *s* hârtie igienică/de toaletă

toilet powder ['tɔilit ,paudər] *s* pudră de toaletă (folosită după baie)

toilet roll ['tɔilit ,roul] *s* sul de hârtie igienică

toiletry ['tɔilitri] *s amer* articole de toaletă

toilet service/set ['tɔilit ,səːvis/,set] *s* trusă/garnitură/serviciu de toaletă

toilet soap ['tɔilit ,soup] *s* săpun de toaletă

toilet sponge ['tɔilit ,spʌndʒ] *s* burete de baie

toilet table ['tɔilit ,teibəl] *s v.* **toilet 6**

toilette [tɔi'let] *s fr v.* **toilet 1, 2**

toilet training ['tɔilit ,treiniŋ] *s* **1** deprinderea *(copilului mic)* să se ceară la oliță; deprinderi igienice/de curățenie; învățare cu igiena/curățenia **2** învățare *(a unui animal)* să se ceară afară/să fie curat

toilet ware ['tɔilit ,wɛər] *s com* articole de toaletă, articole/obiecte pentru baie

toilet water ['tɔilit ,wɔːtər] *s* apă de toaletă

toilful ['tɔilful] *adj* **1** trudit, muncit, supraîncărcat cu muncă **2** *v.* **toilsome**

toilfully ['tɔilfuli] *adv v.* **toilsomely**

toil-hardened ['tɔil,haːdənd] *adj* călit în muncă; deprins cu munca (grea)

toilless ['tɔillis] *adj* ușor, fără osteneală; care nu te obosește

toil on ['tɔil 'ɔn] *vi cu part adv v.* **toil¹ I 2, 3**

toils [tɔilz] *s pl v.* **toil²**

toilsome ['tɔilsəm] *adj* **1** anevoios, dificil, trudnic, laborios **2** obositor, greu

toilsomely ['tɔilsəmli] *adv* cu (multă) trudă/caznă; anevoie, cu greutate/caznă; trudit; căznit; cu multă osteneală

toilsomeness ['tɔilsəmnis] *s* caracter anevoios/dificil/obositor; dificultate

toil through ['tɔil θruː] *vi cu prep* a-și croi anevoie drum prin, a străbate cu greu *cu ac*

toil upward ['tɔil 'ʌpwəd] *vi cu part adv* a se urca/a se înălța/a se ridica cu trudă

toil-worn ['tɔil ,wɔːn] *adj* istovit, extenuat, epuizat, surmenat

toing and froing ['tuiŋ ənd 'frouiŋ] *s* dute-vino, agitație, mișcare într-o parte și într-alta; pendulare (permanentă)

Tokay [tou'kei] *s* **1** (vin de) Tokay **2** *bot* (strugure de) Tokay

toke [touk] *s sl* haleală, crăpelniță, potol, – mâncare

token ['toukən] **I** *s* semn; indiciu; simptom; simbol, dovadă; **in ~ of**; **as a ~ of** în semn de; **in ~ that** ca semn că; **by the same ~; by (this) ~;** *F* **more by ~ a** ca probă/dovadă că **b** pe deasupra, în plus, ba mai mult decât atât **c** tocmai de aceea **d** prin urmare, deci; **by ~ of** conform/potrivit cu *sau cu dat;* ținând seama de **II** *adj* simbolic, ca simbol; semnificativ; **for a ~** ca semn (de recunoaștere), ca dovadă **III** *vt* a denota, a simboliza, a dovedi, a fi semn/simbol de

tokenism ['toukənizəm] *s* (efectuare a unui) efort simbolic; (efort) minim necesar; linie de minimă rezistență

token money ['toukən ,mʌni] *s ec* **1** monedă fiduciară/divizionară **2** circulație fiduciară

token payment ['toukən ,peimənt] *s ec* plată simbolică

token resistance ['toukən ri'zistəns] *s* împotrivire/opoziție/rezistență simbolică

token strike ['toukən 'straik] *s* grevă de avertisment

token vote ['toukən 'vout] *s pol* vot provizoriu/de probă *(asupra unui buget etc.);* testare a opiniei *(deputaților etc.) v.* și **straw vote**

Tokharian [tɔ'kaːriən] *adj, s v.* **Tocharian**

toko ['toukou] *s v.* **toco**

tokology [tɔ'kɔlədʒi] *s med* obstetrică

Tokyo ['toukjou] *capitala Japoniei* Tokio

tola ['toulə] *s* greutate, unitate de măsură *(=11,66 grame)* folosită în India

tolbooth ['toul,buːð] *s v.* **tollbooth**

told [tould] *pret și ptc de la* **tell**

tol-de-rol ['touldə'roul] *s* tra-la-la, refren

Toledo [tɔ'leidou] *s* **1** oraș în Spania **2** [tɔ'leidou] *od* sabie de Toledo **3** [tə'liːdou] *oraș în S.U.A.*

tolerable ['tɔlərəbəl] **I** *adj* **1** suportabil, tolerabil; acceptabil **2** bunișor, bunicel; mediocru, pasabil **3** *amer* drăguț, simpatic **4** ← *înv* relativ sănătos **II** *adv amer v.* **tolerably**

tolerableness ['tɔlərəblnis] *s* **1** caracter suportabil/tolerabil; intensitate/măsură suportabilă **2** *F* calitate bunicică/bunișoară; calitate acceptabilă; caracter acceptabil/satisfăcător

tolerably ['tɔlərəbli] *adv* **1** tolerabil, suportabil; acceptabil **2** relativ, destul de, suportabil de

tolerance ['tɔlərəns] *s* **1** toleranță; îngăduință, indulgență **2** *com*, *tehn* mică toleranță

tolerant ['tɔlərənt] *adj* **1** tolerant; îngăduitor, indulgent **2** *med* care suportă/tolerează bine medicamentele

tolerate ['tɔləreit] *vt* **1** a tolera; a suporta, a îndura; a răbda **2** a permite, a îngădui, a accepta, a tolera **3** *med* a tolera, a suporta

toleration [,tɔlə'reiʃən] *s* **1** tolerare **2** *v.* **tolerance 1**

tolite ['toulait] *s ch* trinitrotoluen

toll¹ [toul] **I** *vt* a trage *(clopotele)* **II** *vi (d. clopot etc.)* a bate, a suna (a jale, funerar); **for whom the bell ~s** cui îi sună ceasul **III** *s* **1** dangăt/bătaie/sunet de clopot (funebru) **2** bătaie ritmică *(a ceasului etc.)*

toll² **I** *s* **1** impozit; dare; taxă; vamă; *od* acciz **2** uium, oiem *(la moară)* **3** *fig* plată, vamă; *(d. calamitate, accident, război);* **to take its** *~* a face victime, ravagii *etc.;* **the earthquake took a heavy ~ of human lives** cutremurul a făcut multe victime omenești; **the ~ of the roads** mortalitatea de pe urma accidentelor de circulație **II** *vt* **1** a percepe/a încasa dări/taxe **2** *(d. morar)* a-și lua uiumul

tollable ['touləbl] *adj ec* impozabil, supus la taxe/impozite *etc.*

tollage ['toulidʒ] *s* impozitare, taxare

toll bar ['toul ,bɑːʳ] *s* barieră unde se încasează taxe/impozite

tollbooth ['toul,buːð] *s scot* **1** închisoare, temniță **2** vamă, birou vamal *(la bariere, la intrarea pe o șosea pentru a cărei folosire se plătește o taxă)* **3** *înv* primărie

toll bridge ['toul ,bridʒ] *s* pod pentru folosirea căruia se percepe taxă

toll call ['toul, kɔːl] *s* convorbire (telefonică) interurbană

toll collector ['toul kə'lektəʳ] *s* taxator *(pt poduri, drumuri etc.)*

toll exchange ['toul iks'tʃeindʒ] *s* centrală telefonică interurbană

toll gate ['toul ,geit] *s v.* **toll bar**

toll house ['toul ,haus] *s v.* **tollbooth**

toll keeper ['toul ,kiːpəʳ] *s v.* **toll collector**

tol-lol ['toul ,loul] *adj sl* așa și așa, ceac-pac

tol-lol-ish ['toul,louliʃ] *adj sl v.* **tol-lol**

toll road ['toul ,roud] *s* autostradă pentru folosirea căreia se plătește taxă

toll service ['toul ,səːvis] *s auto*, *ferov* trafic suburban

toll-thorough ['toul,θʌrə] *s jur* taxă *(încasată de municipalitate)* pentru folosirea unei șosele, a unui pod *etc.*

toll traverse ['toul trə'vəːs] *s jur etc.* taxă pentru (trecerea pe o) servitute; taxă percepută pentru traversarea unei proprietăți particulare

Tolstoy ['tɔlstɔi], **Lev Nikolayevich** scriitor rus (1828-1910)

Toltec ['toltek] *s* **1** toltec, membru al unei populații americane dinaintea aztecilor **2** *lingv* (limba) toltecă

Toltecan ['toltekən] *adj* toltec, referitor la populația toltecă *(dinaintea aztecilor)*

tolu [tou'luː] *s ch, med* balsam de tolu *(din arborele sud-american Myroxylon balsamum)*

toluen ['tɔlju,iːn] *s ch* toluen

toluidine [tɔ'ljuːi,diːn] *s ch* toluidin

tolule ['toulju:l] *s ch* toluen

Tom [tɔm] **I** *nume masc dim de la* **Thomas; (any) ~, Dick and Harry a** oricine, fitecine, fiecine; toată lumea **b** *peior* plevușcă, terchea-berchea. fitecine, caracudă **II** *s* Moș Toma, unchiul Tom, optimist caritabil

tomahawk ['tɔmə,hɔːk] **I** *s* tomahawk *(secure (mică) a pieilor roșii);* **to bury the ~** *fig* a face pace **II** *vt* **1** a ucide cu securea **2** *fig* a critica aspru, a face praf, a măcelări

tomalley ['tɔmæli] *s gastr* grăsime extrasă din homar *(folosită pentru prepararea unui sos verde)*

Tom and Jerry ['tɔm ənd ,dʒeri] *s amer F* grog cu ou(ă); șodou cu rom

tomato [tə'mɑːtou], *pl* **tomatoes** [tə'mɑːtouz] *s* **1** *bot* (pătlăgea) roșie, tomată *(Solanum Lycopersicon)* **2** *amer sl* femeie nurlie **3** *amer sl* mutră, moacă, – față **4** *amer sl* boxer prost

tomato juice [tə'mɑːtou ,dʒuːs] *s* suc de roșii

tomato sauce [tə'mɑːtou ,sɔːs] *s* sos tomat

tomb [tuːm] **I** *s* **1** mormânt; criptă **2** monument funerar; cavou **3** *the ~ fig* moartea **II** *vt* a înmormânta, a îngropa

tombac(k) ['tɔmbæk] *s* tombac, aliaj de cupru și zinc

tombola ['tɔmbələ] *s* tombolă

tomboy ['tɔm,bɔi] *s* băiețoi, fată cu apucături de băiat

Tombs, the ['tuːmz, ðə] *s amer* penitenciarul orașului New York

tombstone ['tuːm,stoun] *s* piatră funerară/de mormânt

tom cat ['tɔm,kæt] *s zool* ← *F* cotoi, motan, cotoșman

tomcod ['tɔm,kɔd] *s iht* peștișor din genul Mocrogadus

Tom Collins ['tɔm 'kɔlinz] *s amer* ← *F* cocteil cu gin și lămâie

tome [toum] *s* tom, volum

tomentose [tə'mentous], **tomentous** [tə'mentəs] *adj bot* pufos, acoperit cu puf

tomfool [,tɔm'fuːl] **I** *s* **1** neghiob, nătâng, gogoman **2** bufon, măscărici **II** *vi* a face pe prostul/nebunul

tomfoolery [,tɔm'fuːləri] *s* **1** bufonerie, caraghioslâc; prostii **2** nebunii, zbenguială, zburdălnicie

tomjon ['tɔm,dʒon] *s v.* **tonjon**

Tommie ['tɔmi] *nume masc v.* **Tom**

Tommy ['tɔmi] *s* **1** ← *F* soldat englez tipic **2** *F* soldat prost, răcan **3** *nume masc v.* **Tom**

tommy *s* **1** ← *F* pâine; pită; alimente date muncitorilor cu plată; plată în alimente **2** *tehn* șurubelniță; cheie

Tommy Atkins ['tɔmi ,ætkinz] *s v.* **Tommy 1**

tommy bar ['tɔmi ,bɑːʳ] *s tehn* bară de manipulare

Tommy gee ['tɔm ,dʒi:] *s F* gangster înarmat cu pistol mitralieră/cu un automat

Tommy gun ['tɔmi ,gʌn] *s mil* automat, pușcă automată Thomson

tommyrot ['tɔmi,rɔt] *s sl* vax, aiureală, prostii, – baliverne

tommy screw ['tɔmi ,skru:] *s tehn* șurub de strângere

tommy shop ['tɔmi ,ʃɔp] *s* **1** bufet, cantină *(în fabrică etc.)* **2** brutărie, franzelărie **3** gustare, sandviș *(cu care pleacă muncitorii la lucru)*

Tom o'Bedlam ['tɔmə'bedləm] *s od* cerșetor (nebun) scăpat de la ospiciu

tomorrow [tə'mɔrou] **I** *adv* mâine; ~ **month** de mâine într-o lună; **the day after** ~ poimâine; **like there's no** ~ *sl* în disperare/dușmănie, aiurea; nebunește, fără noimă; fără grija zilei de mâine; ~ **come never** paștele cailor, sfântul așteaptă, calendele grecești; **never put off till** ~ **what you can do today** *prov* nu lăsa pe mâine ce poți face astăzi; ~ **never comes** *prov* mâine înseamnă niciodată **II** *s* (ziua de) mâine

to-morrow *adv, s v.* **tomorrow**

tompion ['tɔmpiən] *s v.* **tampion**

tom rot ['tɔm ,rɔt] *s v.* **tommyrot**

Tom Thumb ['tɔm ,θʌm] *s* **1** *lit* Tom degețelul; prichindel **2** plantă pitică

Tom Tiddler's ground ['tɔm 'tidləz ,graund] *s* **1** joc de copii **2** *fig* țara unde umblă câinii cu colaci în coadă; sat fără câini, țara lui Cremene

tomtit ['tɔm,tit] *s* **1** *v.* **titmouse 2** pici, țânc, puști

tomtom ['tɔm,tɔm] **I** *s* tam-tam, tobă **II** *vi* a bate tam-tamul

-tomy *suf* -tomie: **tracheotomy** traheotomie

ton¹ [tʌn] *s* **1** tonă **2** *F* grămadă, – cantitate mare/imensă **3** *F* liotă, – mulțime, număr mare, imensitate; ~**s of people** mulțime/ potop/sobor de oameni **4** ← *F* povară grea/copleșitoare **5** *sl* viteză de peste *160* km/oră

ton² *s fr* modă, ton; tipar, standard, etalon

tonal ['tounəl] *adj muz* tonal

tonality [tou'næliti] *s* tonalitate

tonally ['tounəli] *adv*↓ *muz* (în mod) tonal, după modalități tonale, respectând reguli tonale

tondo ['tɔndou], *pl* **tondi** ['tɔndi:] *s artă* pictură, tablou *sau* basorelief de formă circulară/rotund/ rotundă *sau* de medalion

tone [toun] **I** *s* **1** *muz* ton, sunet **2** *lingv* ton; intonație; modulație **3** ton, mod/fel de exprimare **4** *fig* atitudine, ton **5** *fig* inițiativă, ton **6** nivel, caracter general **7** *artă* nuanțare **8** *med* tonus **II** *vt* **1** a da *(sunetului)* tonul dorit/calitatea dorită; a nuanța **2** a acorda *(un instrument)* **3** *fot* a colora prin revelatori/agenți chimici; a schimba culoarea *(unei fotografii)* **III** *vi* **1** a căpăta un ton; a se nuanța **2** **(with)** a se armoniza, a se potrivi (cu)

tone arm ['toun ,ɑ:m] *s* braț de picup/patefon

tone colour ['toun ,kʌlər] *s muz* timbru *(al unui instrument)*

tone control ['toun kən'troul] *s rad* tonalitate, ton; buton de acordare a tonului, toncontrol

tone deaf ['toun ,def] *adj muz* incapabil să perceapă diferențele de ton; aton, afon

tone down ['toun 'daun] **I** *vt cu part adv* a atenua; a diminua; a potoli **II** *vi cu part adv* **1** a se atenua, a se potoli **2** *fig* a coborî tonul

toneless ['tounlis] *adj* **1** fără glas/ voce **2** *(d. culori)* fără strălucire/ lustru/luciu, șters, tern **3** *fig* inexpresiv, lipsit de expresie

tonelessly ['tounlisli] *adv* **1** cu glasul voalat; fără voce **2** *fig* (în mod) inexpresiv

tonelessness ['tounlisnis] *s* **1** absență a tonului/tonalității **2** *fig* inexpresivitate

toneme ['touni:m] *s lingv* tonem, fonem care se distinge doar prin ton

tone poem ['toun ,pouim] *s* **1** *muz* poem simfonic **2** *artă* pictură/ tablou cu efecte poetice rezultate din armonia cromatică

toner ['tounər] *s* **1** pigment organic pur (și puternic) **2** *ch fot* reactiv pentru colorarea fotografiilor **3** expert în culori/cromatică

tone syllable ['toun ,siləbəl] *s lingv* silabă accentuată tonică

tonetic [tou'netik] *adj lingv* legat de ton(uri)/intonație; intonațional

tonetician [,tounə'tiʃən] *s lingv* (fonetician) specialist în intonație

tonetics [tou'netiks] *s lingv* partea din fonetică ce se ocupă de tonuri; intonație

tonette [tɔ'net] *s muz* gen de fluier mic, flaut simplu; *aprox* piculină

tone up ['toun 'ʌp] **I** *vt cu part adv* **1** a întări, a intensifica **2** a sublinia, a accentua **II** *vi cu part adv* a se reface, a-și reveni, a se înzdrăveni

tong [tɔŋ] *s* societate secretă, asociație *sau* breaslă *(în China)*

tonga ['tɔŋgə] *s* șaretă *(în India)*

tongs [tɔŋz] *s pl* **1** clește; **I would not touch it with a pair of** ~ nu m-aș atinge de el/de așa ceva nici cu mănuși/cu un clește; mi se face scârbă/greață numai când aud de așa ceva/de una ca asta **2** cleștișor *(pt zahăr etc.)* **3** ← *F* pantaloni (de salopetă)

tongue [tʌŋ] **I** *s* **1** *anat* limbă; **to put out one's** ~ a scoate/a-și arăta limba; **with one's** ~ **hanging out a** însetat, care moare de sete, cu limba scoasă/atârnându-i de un cot **b** *fig* nerăbdător, în așteptare (și emoție); cu limba scoasă/ atârnându-i de un cot; **to have a sharp/caustic** ~ a avea limba ascuțită, a fi rău de gură; **to have one's** ~ **at command** a-și stăpâni limba, a-și ține gura; **to give** ~ **a** a se pronunța, a glăsui **b** *v.* ~ **III 2**; **to give** ~ **to** a exprima, a rosti; **to have a flippant/glib/ ready** ~, **to have one's** ~ **well hung/oiled** a fi bun de gură, a avea papagal; a riposta prompt; **to hold/to keep/to curb/to bridle on one's** ~, **to put a curb/ a bridle on one's** ~ **a** a tăcea, a-și ține gura bine închisă, a-și pune lacăt la gură **b** a-și măsura cuvintele, a fi măsurat la vorbă; **to find one's** ~ **(again) a** a-și recăpăta glasul, a-și reveni **b** a prinde glas, a-și dezlega limba; **to have lost one's** ~ a-și pierde graiul, a amuți, a fi mut *(de uimire, emoție, timiditate);* **to loosen smb's** ~ a dezlega limba cuiva; **to keep one's** ~ **in one's mouth/between one's teeth** *F* a-și ține gura; **to keep a civil** ~ **in one's head** a vorbi cuviincios/ politicos; **his** ~ **failed him** și-a pierdut glasul/graiul; **to oil one's** ~ a vorbi măgulitor, a fi lingușitor;

to have/to speak with one's ~ in one's cheek a vorbi ironic/în batjocură; to have a smooth ~ a a fi mieros la vorbă b a fi bun orator/vorbitor, a ști să vorbească bine; to wag one's ~ a v. ~ III 1 b a avea darul vorbirii 2 *fig* grai, vorbire, glas 3 limbă (vorbită), limbaj; to have the gift of ~s a a avea talent la limbi (străine) b *rel* a căpăta darul vorbirii prin revelație divină; a căpăta însușirea glosolaliei 4 limbă de foc, flacără 5 limbă de pământ 6 limbă de pantofi 7 limbă de clopot 8 ac de cântar/balanță; lamă de cuțit 9 *ferov* ac de macaz 10 oiște 11 *tehn* limbă, feder 12 *el* indus II *vt* 1 a lua (pe cineva) iute/repede/la refec/la trei (păzește); a sări cu gura pe (cineva) 2 ← *înv* a vorbi, a grăi, a rosti 3 a linge, a atinge cu vârful limbii 4 *tehn* a uni/a asambla prin îmbinare cu lambă și uluc III *vi* 1 a flecări, a trăncăni, a sporovăi, a vorbi vrute și nevrute 2 (d. copoi etc.) a lătra (vestind descoperirea vânatului)

tongue-and-fore gum consonant ['tʌŋ ənd fɔː ˌgʌm 'kɔnsənənt] *s lingv* consoană prepalatală

tongue-and-groove joint ['tʌŋənd-'gruːv ˌdʒɔint] *s tehn* îmbinare cu lambă și uluc

tongue bit ['tʌŋ ˌbit] *s* zăbală

tongue bone ['tʌŋ ˌboun] *s anat* os hioid

tongued [tʌŋd] *adj* (în cuvinte compuse) cu limba...; **double-~** cu limba despicată/bifurcată

tongue depressor ['tʌŋ di'presə^r] *s med* apăsător de limbă (folosit pentru examinarea laringelui)

tongue flame ['tʌŋ ˌfleim] *s tehn* flacără oxihidrică

tongue lashing ['tʌŋ ˌlæʃiŋ] *s* admonestare/ceartă severă; critică aspră; reproșuri severe/aspre

tongueless ['tʌŋlis] *s* 1 fără limbă, cu limba tăiată 2 mut, fără glas/grai, căruia i-a pierit graiul/i s-a luat piuitul/*sl* maul/maua; I was ~ îmi luase piuitul/maul/maua; îmi pierise graiul/glasul; eram mut

tonguelet ['tʌŋlit] *s* limbuță, limbișoară

tongue-shaped ['tʌŋ ˌʃeipt] *adj* în formă de limbă

tongue-tie ['tʌŋˌtai] *s med* împiedicare/piedică la vorbire (din pricina tăierii frenului limbii)

tongue-tied ['tʌŋ'taid] *adj* 1 care nu poate vorbi, mut 2 *fig* amuțit, mut, rămas fără glas

tongue twister ['tʌŋ ˌtwistə^r] *s* ← *F* cuvânt *sau* cuvinte greu de rostit

tonguing ['tʌŋiŋ] *s* ← *F* mustrare, dojană, perdaf; predică

tonguing cutter ['tʌŋiŋ ˌkʌtə^r] *s tehn* freză

tonguing plane ['tʌŋiŋ ˌplein] *s constr* rindea pentru lambă și uluc

-tonia *suf* -tonie: **hypertonia** hipertonie

tonic ['tɔnik] I *adj* tonic II *s* 1 *med* tonic 2 *muz* tonică

tonic accent ['tɔnik 'æksənt] *s lingv* accent tonic (pe o silabă)

tonicity [tou'nisiti] *s med* tonicitate, ton

tonic spasm ['tɔnik ˌspæzəm] *s med* spasm muscular, contracție permanentă a mușchilor

tonic water ['tɔnik ˌwɔːtə^r] *s* apă tonică, băutură răcoritoare foarte acidulată/cu mult acid carbonic

to-night [tə'nait] *adv, s* v. **tonight**

tonight [tə'nait] I *adv* diseară, astă seară; la noapte II *s* seara *sau* noaptea asta

tonish ['touniʃ] *adj* elegant, (foarte) la modă; de înaltă clasă; en vogue

tonite [tə'nait] *adv amer* v. **tonight**

tonjon ['tɔndʒɔn] *s anglo-indian* palanchin

tonk [tɔŋk] *vt sl* 1 a chelfăni; a-i da de cheltuială (cu dat) 2 *sport F* a bate măr; – a învinge ușor

Tonkin ['tɔn'kin] *oraș în R.P. Chineză*

Tonkinese ['tɔnkini:z] *adj, s* tonchinez

ton-mile ['tʌn,mail] *s ec, com* tonă-milă, unitate de măsură pentru mărfurile transportate

tonn. *presc de la* **tonnage**

tonnage ['tʌnidʒ] *s nav* 1 tonaj; capacitate de încărcare 2 taxe (în funcție de tonaj)

tonne [tʌn] *s* tonă metrică (1000 kg)

tonneau ['tɔnou] *s auto* lunetă, partea din spate a habitaclului/cabinei; canapelele/locurile din spate

tonometer [tou'nɔmitə^r] *s* tonometru

tonsil ['tɔnsəl] *s* 1 *anat* amigdală, tonsilă 2 *pl F* gâlci, – amigdalită

tonsillar ['tɔnsilə^r] *adj anat, med* tonsilar, referitor la amigdale/tonsile

tonsillectomy [ˌtɔnsi'lektəmi] *s med* tonsilectomie, operație de amigdale

tonsillitis [ˌtɔnsi'laitis] *s med* amigdalită, tonsilită

tonsillotomy [ˌtɔnsi'lɔtəmi] *s med v.* **tonsillectomy**

tonsorial [tɔn'sɔːriəl] *adj* ← *umor* de bărbier/frizer

tonsorial parlor [tɔn'sɔːriəl 'paːlə^r] *s amer* frizerie

tonsure ['tɔnʃə^r] I *s* tonsură II *vt* a tunde cu tonsură

tontine ['tɔntiːn] *s com* anuitate, tantiemă

ton-up boys ['tʌnˌʌp 'bɔiz] *s pl sl* motocicliști care au beția vitezei, vitezomani (care circulă cu peste 160 km/oră v. **ton** 5)

tonus ['tounəs] *s med* 1 tonus 2 convulsie tonică

Tony ['touni] I 1 *nume masc dim de la* **Anthony** 2 *nume fem dim de la* **Antonia** II *s amer teatru* premiu anual pentru cel mai bun spectacol

tony *adj F* șic, – elegant; fercheș

too [tuː] *adv* 1 prea; foarte; ~ **bad!** păcat! **to be one ~ many** a fi de prisos; **he is one ~ many for me a** n-am ac de cojocul lui, e mai tare ca mine **b** nu mai știu ce să mă fac cu el; ~ **much by far, far ~ much** (cu) mult prea mult; ~ **good to be true** prea frumos ca să fie adevărat; **it's none ~ pleasant** nu e deloc plăcut; ~ **good by half** strașnic, grozav; deștept foc; **none ~ good** nu cine știe ce (bun etc.); **none ~ much** nu știe ce (mult); nu prea mult; abia suficient 2 de asemenea, și; **me ~** și eu (așișderea) 3 de altfel, de altminteri, pe de altă parte 4 pe deasupra, în plus, mai mult decât atât; **he is an actor and a good one ~** e actor, și încă foarte bun

toodle-oo [ˌtuːdəl'uː] *interj F* pa (și pusi)! cu bine! ciao!

took [tuk] *pret de la* **take** I, II

tool [tuːl] I *s* 1 unealtă, sculă; instrument 2 *fig* instrument, mijloc, unealtă; agent, coadă de topor

3 *tehn* mașină-unealtă **4** *poligr* ornamentație în relief **5** *sl* sculă, unealtă, daravelă, – penis **II** *vt* **1** a prelucra cu o sculă/unealtă; a ciopli *(piatră)* **2** *poligr* a ornamenta **3** *sl* a mâna *(caii etc.)* **III** *vi sl* a se plimba *(cu trăsura)*

tool along ['tu:l ə'lɔŋ] **I** *vt cu part adv sl auto* a (con)duce *(pe cineva)* cu mașina; a conduce degajat *(mașina)* **II** *vi cu part adv sl auto* a merge, a mâna, a conduce

tool angle ['tu:l ˌæŋgəl] *s tehn* unghi de ascuțire; unghi de cuțit

tool bag ['tu:l ˌbæg] *s* trusă/set de scule/cu unelte

tool block ['tu:l ˌblɔk] *s tehn* port-cuțit

tool box ['tu:l ˌbɔks] *s tehn* **1** ladă cu scule/unelte **2** *v.* **tool block**

tool engineering ['tu:l endʒi'niəriŋ] *s tehn* sculărie, sculărit, uzinaj; fabricare a sculelor

tool equipment ['tu:l i'kwipmənt] *s* trusă/set de scule

tool grinder ['tu:l ˌgraində^r] *s tehn* mașină de ascuțit (unelte)

tool head ['tu:l ˌhed] *s tehn* sanie port-cuțit *(la mașini-unelte)*

tool holder ['tu:l ˌhouldə^r] *s* dispozitiv de prindere a sculelor; *v.* **tool head**

tool house ['tu:l ˌhaus] *s* sculărie *(atelier)*

tooling ['tu:liŋ] *s* **1** dăltuire, sculptare, modelare, cizelare *(↓ a pietrei cu dalta)* **2** ornamentație gofrată, gofraj *(↓ pe copertile cărților)* **3** *tehn* uzinaj, prelucrare *(a pieselor)* **4** *tehn* scule, sculărie

tool joint ['tu:l ˌdʒɔint] *s tehn* racord de prăjini, racord special

tool kit ['tu:l ˌkit] *s v.* **tool bag**

tool maker ['tu:l ˌmeikə^r] *s* (lăcătuș) sculer

toolman ['tu:lmən] *s v.* **tool maker**

tool outfit ['tu:l ˌautfit] *s v.* **tool equipment**

tool post ['tu:l ˌpoust] *s tehn* sanie port-cuțit *(la mașini-unelte)*

tool-rest ['tu:l ˌrest] *s tehn v.* **tool post**

tool room ['tu:l ˌru:m] *s v.* **tool house**

tool-shed ['tu:l ˌʃed] *s* șopron *sau* șură pentru unelte de grădinărit

tool shop ['tu:l ˌʃɔp] *s v.* **tool house**

tool steel ['tu:l ˌsti:l] *s met* oțel de scule

tool wag(g)on ['tu:l ˌwægən] *s ferov* vagon de montaj

tool work ['tu:l ˌwə:k] *s tehn* fabricare a sculelor; sculărie

toon [tu:n] *s bot* arbore indian asemănător cu mahonul (Cedrela toona) folosit pentru mobilă

toot [tu:t] **I** *vt* a suna din *(corn, sirenă, claxon etc.);* **to ~ one's own horn a** a se lăuda (singur), a-și face singur reclamă **b** *auto* a claxona **II** *vi* **1** *(d. corn, sirenă etc.)* a suna **2** *(d. păsări)* a țipa **III** *s* sunet *(de corn, trompetă, claxon)*

tooth [tu:θ] **I** *pl* **teeth** [ti:θ] *s* **1** *anat* dinte, măsea; **to breed/to cut/to get teeth** a-i crește/a-i apărea/a-i ieși dinții; **to lose a ~** a-i cădea un dinte; **to pull out/to take aut/to draw/to extract a ~** a scoate/a extrage un dinte; **to have a ~ taken out/pulled out/drawn/extracted** a-și scoate un dinte (la dentist); **to knock a ~ out of smb's mouth** a bate rău pe cineva, a-i scoate cuiva și dinții din gură; **to set/to clench one's teeth** a strânge din dinți, a-și încleșta dinții; **to set smb's teeth on edge a** a enerva/a irita pe cineva **b** a strepezi dinții cuiva; **to shed one's teeth** a-i cădea dinții de lapte, a schimba dinții/dentiția; **to have a dainty ~** a avea dinți frumoși/dantură frumoasă; **from one's teeth** *fig* din vârful buzelor, de formă, nesincer; **long in the ~** *fig* bătrân, îmbătrânit; **in the teeth of a** în ciuda/pofida *cu gen* **b** împotriva *cu gen*, înfruntând *cu ac;* **to the teeth a** pe față/șleau, de la obraz **b** până-n dinți **c** până-n gât, până peste cap; **armed to the teeth a** înarmat până-n dinți **b** bine pregătit; pus la punct până la ultimele amănunte; complet, desăvârșit, perfect; definitiv; **from the teeth forward/outward** ← *înv* numai din buze (nu din inimă), nesincer; **to cut one's eye-teeth** *fig* **a** a se căli, a câștiga experiență de viață **b** a fi călit/hârșit (în viață)/a fi trecut prin ciur și dârmon **c** a fi (un om) cumpătat/echilibrat/ așezat; **to escape by/with the skin of one's teeth** a scăpa ca prin urechile acului; **to kick smb in the teeth** *F* a trata mizerabil pe cineva, a se purta oribil cu

cineva; a lovi pe cineva când e căzut la pământ; **to lie in one's teeth** a minți cu nerușinare/cu bună știință; **to put teeth into a law/regulation etc.** a face o lege/ordonanță *etc.* eficace/să aibă eficacitate; a pune în aplicare o lege/un regulament *etc.*; **to take the bit between one's teeth** a lua frâul în dinți; **smth to get one's teeth into** lucru serios, *F* treabă serioasă, ceva de care merită să te apuci; **to show one's teeth a** a-și arăta dinții *(zâmbind sau rânjind)* **b** *fig* a-și arăta colții; a-și scoate colții; a-și da arama pe față; **to cast one's colt's teeth** a-și băga mințile în cap, a se cuminți; **to sink ~ into, to get one's teeth into a** a-și băga dinții în, a înfuleca din **b** a se apuca zelos de; **to have a ~ against, to have an aching ~ at** a avea pică/ciudă pe; **teeth and all/nail** *v.* **tooth and nail 2** *tehn* dinte *(de furcă, ferăstrău, roată dințată)* **3** dinte *(de pieptene)* **4** *fig* gust, simțul gustului; poftă; **pleasing to the ~** plăcut la gust; **to have a sweet ~** a fi (mare) amator de dulciuri **II** *vt* **1** a mușca din; a apuca/a prinde cu dinții; a mesteca **2** *tehn* a dința, a face dinți la *(o roată etc.)* **III** *vi* a se angrena

toothache ['tu:θˌeik] *s* durere de dinți; **to have a (bad) ~** a-l durea (rău) dinții

tooth and nail ['tu:θ ənd'neil] *adv* **1** cu ghearele și cu dinții **2** *fig* cu toată puterea, pe rupte, din răsputeri **3** cu înverșunare/ disperare, pe viață și pe moarte, până la ultima picătură de sânge

tooth-billed ['tu:θˌbild] *adj (d. pasăre)* cu ciocul dințat, cu dinți la cioc

tooth brush ['tu:θ ˌbrʌʃ] *s* periuță de dinți

tooth-brush moustache ['tu:θ ˌbrʌʃ mus'ta:ʃ] *s* mustață tăiată scurt/ca o perie

tooth comb ['tu:θ ˌkoum] *s* pieptene des

tooth drawer ['tu:θ ˌdrɔ:ə^r] *s peior* dentist

toothed [tu:θt] *adj* **1** dințat, cu dinți **2** *(în cuvinte compuse)* cu dinții...; **gap-~** știrb, cu dinții rari; cu strungăreață

toother ['tu:θəʳ] *s* ← *F* lovitură peste gură/la dinți

toothful ['tu:θful] *s* dușcă, înghițitură

tooth-glass ['tu:θˌglɑːs] *s* păhăruț/pahar pentru clătit dinții/dantura; pahar pentru apă de gură

toothing ['tu:θiŋ] *s* 1 dințare; zimțuire 2 *tehn* angrenare, angrenaj *(la roțile dințate)* 3 *arhit* cărămizi proeminente folosite la îmbucarea zidurilor 4 îmbucătură, îmbucare

toothing-plane ['tu:θiŋˌplein] *s tehn* rindea dințată

toothless ['tu:θlis] *adj* fără dinți, știrb

toothlet ['tu:θlit] *s* 1 dințișor, dinte mic 2 zimț

tooth-like ['tu:θˌlaik] *adj* dințat; în formă de dinte, dentiform

toothmug ['tu:θˌmʌg] *s* cană pentru apă de gură; *v. și* **tooth-glass**

tooth paste ['tu:θ ˌpeist] *s* pastă/cremă de dinți

toothpick ['tu:θˌpik] *s* 1 scobitoare 2 cutie de scobitori 3 *mil sl* baionetă, șpangă

tooth powder ['tu:θ ˌpaudəʳ] *s* praf de dinți

tooth shell ['tu:θ ˌʃel] *s zool* 1 moluscă *din genul Scaphopoda* 2 scoică *(lungă, tubulară, de forma fildeșilor)* a acestei moluște

toothsome ['tu:θsəm] *adj* gustos, savuros, bun la gust; suculent

toothsomeness ['tu:θsəmnis] *s* gust (plăcut), savoare; suculență

toothwort ['tu:θˌwəːt] *s bot* colțișor *(Dentaria bulbifera)*

toothy ['tu:θi] *adj* 1 *(d. gură)* dințos, jimbat, cu dinți proeminenți 2 *(d. zâmbet)* larg, deschis, cu toți dinții, cu gura până la urechi 3 *înv ↓ fig* colțos, mușcător, aspru 4 *fig* eficace, efectiv, de efect; viguros 5 *v.* **toothsome** 6 *(d. hârtie)* de o asprime plăcută, nelucios

tootle ['tu:təl] ← *umor* I *vi* 1 a sufla *(din trompetă etc.)*, a suna *(din flaut etc.)* 2 *v.* **tongue** III, 1 II *s* 1 sunet *(de trompetă etc.)* 2 trăncăneală, flecăreală, vorbărie, pălăvrăgeală

tootle along/around ['tu:təl ə'lɔŋ/ə'raund] *vi cu part adv F* a se învârti de colo (până) colo, a se

fâțâi; a arde gazul; a pierde vremea, a tăia frunze la câini

too-too ['tu:'tu:] ← *F* I *adj* exagerat, din cale-afară II *adv* nespus/strașnic/grozav/extrem de

toots [tu:ts] *s sl (numai la vocativ)* iubito! iubire! **yes, my ~!** sigur, iubito/iubițico!

tootsy-(wootsy) ['tutsi ('wutsi)] *s (în limbajul copiilor)* picioruș

top¹ [tɔp] I *s* 1 vârf; parte de sus/superioară; creștet; coamă, culme, creastă; pisc; **from ~ to bottom a** de sus până jos **b** din cap până-n picioare **c** din pod până-n pivniță; **from ~ to toe** din cap până-n picioare, din creștet până-n tălpi; **to be at the ~ of the tree a** a fi în vârful copacului **b** *fig* a fi în vârful piramidei (sociale) **c** *fig* a fi la putere; **she took up her hair on ~ of the head** și-a făcut coafură montantă; **on (the) ~ of smth** deasupra, peste ceva; **on ~** deasupra; în vârf; peste; **to be on ~** *fig* **a** a fi în avantaj **b** a conduce jocul **c** *sport* a fi în fruntea clasamentului; **on ~ of it all** pe deasupra, în plus; unde mai pui că; colac peste pupăză; **to go to bed on ~ of one's supper** a se culca imediat după cină; **to come out on ~ a** a ieși bine/în avantaj **b** a triumfa, a ieși învingător; **to feel on ~ of one's form** a se simți în formă excelentă; **to go over the ~ a** *mil sl* a trece peste o fortificație; a debușa la atac **b** a se căsători 2 *fig* culme; pisc; grad maxim/extrem; **at the ~ of one's speed** cu maximum de viteză; cu cea mai mare iuteală; **at the ~ of one's voice** cât se poate de tare, spărgându-și plămânii/pieptul; **the ~ of the morning (to you)!** *(în vorbirea irlandezilor)* bună dimineața! bună să-ți fie vremea! ziua bună! 3 *fig* rang superior; frunte; culme; **to be ~ of the form** *școl* a fi primul în/pe clasă; a fi premiant; a fi șef de promoție 4 parte de sus/superioară *(a unei mese etc.)* 5 imperială *(la omnibus etc.)*; **to climb on ~** a se urca pe imperială 6 *auto* capotă 7 acoperiș, poclit *(de trăsură)* 8 capac 9 căpută *(de pantof)* 10 *tehn*

tavan; cap 11 *poligr* cap (de pagină); partea de sus *(la o hartă)*; margine de cap *(la carte)* 12 punct maxim *(al fluxului)* 13 *v.* **top gear** 14 *min* acoperiș, tavan 15 *nav* gabie 16 *sl v.* **top kick** II *adj* 1 (din partea) de sus; superior; din/de la vârf 2 maxim, cel mai mare

top² *s* titirez, sfârlează; **old ~!** *sl* bătrâne! șefule! **to sleep like a ~** a dormi buștean/adânc

topaz ['toupæz] *s* topaz

topazolite [tou'pæzəˌlait] *s minrl* piatră prețioasă galbenă *sau* verde, soi de granat

top banana ['tɔp bə'naːnə] *s amer teatru sl ↓* bombă, mare vedetă, – protagonistă *(a unui spectacol de revistă)*

top beam ['tɔp ˌbiːm] *s constr* coronament superior

top boot ['tɔp ˌbuːt] *s* 1 cizmă înaltă *(cu carâmbul de altă culoare)* 2 *auto* husă de capotă

top box ['tɔp ˌbɔks] *s* 1 *met* cutie de formare superioară 2 *ferov* cutia vagonului

top chisel ['tɔp ˌtʃizəl] *s tehn* daltă de fierărie; daltă de forjă

top coat ['tɔp ˌkout] *s* ← *înv* pardesiu

top copy ['tɔp ˌkɔpi] *s* original, primul exemplar, exemplarul unu *(nu copia făcută la indigo)*

top cut ['tɔp ˌkʌt] *s min* havaj superior

top cutter ['tɔp ˌkʌtəʳ] *s sl v.* **top kick**

top dog ['tɔp ˌdɔg] *s* ← *F* câștigător, învingător

top drawer ['tɔp ˌdrɔːəʳ] I *s* sertar de sus *(la scrin etc.)* II *adj* ← *F* strict confidențial/secret

top-dress ['tɔp ˌdres] *vt agr* a răspândi/a împrăștia îngrășăminte la suprafața ogorului/arăturii

top-dressing ['tɔp ˌdresiŋ] *s* 1 *agr* gunoire a/de suprafață; împrăștiere/răspândire a îngrășămintelor pe suprafața arăturii 2 *constr* îmbrăcăminte (exterioară) a drumului

tope¹ [toup] *vi* a o ține tot într-o beție, a se îmbăta regulat

tope² *s iht* câine de mare, *specie de rechin (Galeus canis)*

tope³ *s anglo-indian* plantație *sau* dumbravă *(↓ de mango)*

tope⁴ *s* templu/altar budist cu cupolă rotundă

topee ['toupi:] *s v.* **topi**

top end ['tɔp ,end] *s* vârf, creștet

toper ['toupə^r] *s F* bețivan, sugativă, pilangiu

top flight ['tɔp ,flait] **I** *s* treapta cea mai de sus, ultima treaptă a scării **II** *adj amer F* de prima calitate, de mâna/calitatea întâi

top fruit ['tɔp ,fru:t] *s agr* fruct de copac *(nu de arbust)*

topgallant [,tɔp'gælənt] *s* **1** *nav* arboret **2** *fig* vârf, culme

topgallant mast [,tɔp'gælənt 'ma:st] *s nav* arboretul zburătorului

topgallant sail/yard [,tɔp'gælənt 'seil/'ja:d] *s nav* zburător

top gas ['tɔp ,gæs] *s met* gaz de furnale

top gear ['tɔp ,giə^r] *s auto* viteză maximă; priză directă; **on ~** în viteză maximă; în priză directă

top grosser ['tɔp ,grousə^r] *s amer F* (mare) succes de casă/public/box-office, film *sau* piesă de mare succes; spectacol care se joacă cu casa închisă

top-hamper ['tɔp,hæmpə^r] *s ↓ nav* povară care îngreuiază vârful *(↓ catargului, velelor)*

top hat ['tɔp ,hæt] *s* joben, țilindru

top-heavy ['tɔp,hevi] *adj* **1** cu vârful mai greu; instabil **2** *av* greu de bot **3** *nav* supraîncărcat în partea superioară **4** *sl* obosit, băut, matol, împușcat în aripă

Tophet ['toufet] *s* iadul, gheena, focul/flăcările iadului

tophi ['toufai] *pl de la* **tophus**

top-hole ['tɔp,houl] *adj F* **1** de prima calitate, a-ntâia **2** strașnic, strălucit, grozav; ca focul

tophus ['toufəs], *pl* **tophi** ['toufai] *s* **1** *med* tof; tartru dentar **2** *med* tof, depozit de cuarț la încheieturi **3** *geol* tuf

topi ['toupi] *s* cască colonială

topiarian [,toupi'ɛəriən] *adj hort v.* **topiary**

topiarist ['toupiərist] *s hort* horti-cultor/grădinar care se ocupă de aranjarea/tunderea arbuștilor și arborilor ornamentali

topiary ['toupiəri] *adj hort* legat de horticultura ornamentală/de arta tunderii și aranjării arbuștilor și arborilor ornamentali

topiary art ['toupiəri ,a:t] *s hort* horticultură/grădinărie ornamen-tală, arta tunderii și aranjării

arbuștilor și arborilor în scopuri decorative/ornamentale

topiary garden ['toupiəri ,ga:dn] *s* grădină englezească/în stil en-glezesc

topic ['tɔpik] *s* **1** temă, subiect (de dis-cuție) **2** expunere, argumentație

topical ['tɔpikəl] *adj* **1** actual, de (mare) actualitate **2** (de interes) local

topical allusion ['tɔpikəl ə'lu:ʒən] *s* aluzie curentă/contemporană/de actualitate; aluzie/referire la un eveniment curent *sau* la per-soane în viață

topicality [,tɔpi'kæliti] *s* actualitate, caracter actual/de ultimă oră

topical song ['tɔpikəl ,sɔŋ] *adj muz* cântec (↓ satiric) inspirat din actualitate; *aprox* „cântecel *sau* cuplet politic", „cântec de briga-dă"; ceastușca

topics ['tɔpiks] *s pl (folos ca sg) rar lingv* topică, ordinea cuvintelor

top kick ['tɔp ,kik] *s mil* sergent de companie; major

top knocker ['tɔp ,nɔkə^r] *s sl v.* **top kick**

topknot ['tɔp,nɔt] *s* **1** moț; fundă **2** creastă, moț

toplander ['tɔp,lændə^r] *s min* miner care lucrează la săparea puțu-rilor

topless ['tɔplis] *adj* **1** (d. pomi) cu vârful retezat; fără vârf **2** (d. costum de baie etc.) fără partea superioară **3** (d. persoană) dez-brăcat până la brâu, cu torsul/trupul gol

top light ['tɔp ,lait] *s nav* lumină de semnalizare *(la catargul din mijloc)*

top liner ['tɔp ,lainə^r] *s amer* actor (foarte) popular; stea; star; actor de mare popularitate

toplofty ['tɔp,lɔfti] *adj ← F umor* înfumurat, îngâmfat, arogant, disprețuitor; căruia nu-i ajungi cu prăjina la nas

topman ['tɔpmən] *s nav* gabier

top mark ['tɔp ,ma:k] *s nav* semn de geamandură

topmast ['tɔp,ma:st] *s nav* arbore gabier

topmast fid ['tɔp,ma:st ,fid] *s nav* cavilă, cavilieră

topmost ['tɔpmoust] *adj* **1** cel mai din vârf, cel mai de sus **2** cel mai important

top notch ['tɔp ,nɔtʃ] *F* **I** *adj* exce-lent, strașnic, de prima mână/calitate **II** *s* **1** culme, punct culminant; vârf; **to be a ~ above the other** a-i întrece cu mult pe ceilalți **2** cremă, – elită

top notcher ['tɔp ,nɔtʃə^r] *s F* **1** *sport* as, jucător de mare clasă **2** lucrare *(literară etc.)* excep-țională, capodoperă

top note ['tɔp ,nout] *s muz* notă înaltă/de cap

topo. *presc de la* **topography**

topocentric [,tɔpou'sentrik] *adj* topocentric, legat/văzut dintr-un anumit punct

topog. *presc de la* **topography**

topographer [tə'pɔgrəfə^r] *s* topograf

topographic(al) [,tɔpə'græfik(əl)] *adj* topografic

topography [tə'pɔgrəfi] *s* topografie

topoi ['tɔpɔi] *pl de la* **topos**

topological [,tɔpə'lɔdʒikəl] *adj* topologic, referitor la (schim-bările de) formă

topologist [tɔ'pɔlədʒist] *s* topolog, specialist în topologie

topology [tɔ'pɔlədʒi] *s* topologie

topometry [tɔ'pɔmetri] *s* topometrie

toponym ['tɔpənim] *s lingv* toponim, denumire geografică, nume geografic; element de toponimie/toponomastică

toponymy [tə'pɔnimi] *s* toponimie, toponomastică

topos ['tɔpɔs], *pl* **topoi** ['tɔpɔi] *s filos, lit* topos, temă majoră; subiect principal/major; temă recurentă *(în operele literare etc.)*

top overhaul ['tɔp'əuvəhɔ:l] *s tehn* reparație capitală

topper ['tɔpə^r] *s F* **1** *v.* **top hat 2** *fig* tip tare/extraordinar; figură, față **3** – obiect folosit ca reclamă **4** *v.* **top kick**

topping ['tɔpiŋ] *adj* **1** înalt, domi-nant **2** *fig* excelent, excepțional, fantastic **3** ← *F* distins, elegant; șic

toppingly ['tɔpiŋli] *adv F* minunat, splendid, strașnic, grozav

topple ['tɔpəl] **I** *vt* a răsturna; a rostogoli **II** *vi* a se răsturna, a se rostogoli

topple down/over ['tɔpəl 'daun/'ouvə^r] **I** *vt cu part adv v.* **topple I** **II** *vi cu part adv v.* **topple II**

top roll ['tɔp ,roul] *s tehn* rolă de presare/apăsare

top rope ['tɔp ,roup] *s nav* parâmă de ridicare (*sau* coborâre) a arborelui gabier

topsail ['tɔpsəl] *s nav* gabier, vela gabier

top-secret ['tɔp ,si:krit] *adj v.* **top drawer** II

top-seeded player ['tɔp,si:did 'plɛəʳ] *s sport amer F* favorit, jucător cu mari șanse de câștig (↓ *într-un campionat de tenis*)

top seller ['tɔp ,seləʳ] *s* 1 best-seller, carte de mare succes 2 șlagăr

top sergeant ['tɔp ,sɑ:dʒənt] *s v.* **top kick**

topside ['tɔp,said] I *s* 1 *nav* bord liber 2 *gastr* strat exterior al fripturii de vacă II *adv* 1 *nav* pe puntea (superioară) 2 sus (de tot); la vârf 3 la cel mai înalt nivel 4 în poziția cea mai avantajoa-să/favorabilă

topsider ['tɔp,saidəʳ] *adv v.* **topside** II 1

top soil ['tɔp ,soil] *s geogr*, *agr* stratul superior/suprafața unui teren

top speed ['tɔp ,spi:d] *s v.* **top gear**

top step ['tɔp ,step] *s* treaptă de sus, ultima treaptă (*a scărilor*)

top stor(e)y ['tɔp ,stɔri] *s* 1 ultimul etaj 2 *sl* dovleac, bostan, cutiuță, bilă, – cap

topsy-turvily ['tɔpsi,tə:vili] *adv v.* **topsy-turvy** II

topsy-turvy ['tɔpsi,tə:vi] I *adj* cu susul în jos, anapoda; răvășit, întors pe dos II *adv* invers, cu susul în jos, pe dos III *vt* a întoarce cu susul în jos/pe dos IV *s* talmeș-balmeș, încurcătură, vălmășag, zăpăceală

topsy-turvydom ['tɔpsi,tə:vidəm] *s v.* **topsy-turvy** IV

top view ['tɔp ,vju:] *s* vedere de sus; proiecție verticală; vedere în plan

top wall ['tɔp ,wɔ:l] *s min* acoperiș

toque [touk] *s* 1 tocă 2 *zool* specie de macac (*Macaca pileata*)

toquilla [tə'kijə] *s* 1 *bot* palmier sud-american (*Carludovica palmata*) 2 *text* fibră obținută din frunzele de palmier sud-american

tor [tɔ:ʳ] *s reg* dâmb, delușor *sau* pisc stâncos; buză de deal

Torah ['tourə] *s* 1 cărți sfinte ale evreilor 2 sul cu tablele legii 3 lege (divină)

torc [tɔ:k] *s v.* **torque** I

torch [tɔ:tʃ] *s* 1 *și fig* făclie, torță; **to pass on the** ~ a continua tradiția 2 lanternă 3 *tehn* lampă de lipit 4 incendiator

torch bearer ['tɔ:tʃ ,bɛərəʳ] *s și fig* purtător de făclie, făclier

torchère ['tɔ:tʃiəʳ] *s* 1 sfeșnic înalt 2 lampadar, lampă cu picior

torch fishing ['tɔ:tʃ ,fiʃiŋ] *s* pescuit nocturn/de noapte (*la lumina torțelor*)

torchlight ['tɔ:tʃ,lait] *s* 1 (lumină de) făclie/torță 2 (lumină de) lanternă

torchlight procession ['tɔ:tʃ,lait prə'seʃən] *s* retragere cu torțe

torch-lit rally ['tɔ:tʃ,lit ,ræli] *s v.* **torchlight procession**

torchon (lace) ['tɔ:ʃən (,leis)] *s text* dantelă țărănească, dantelă ordinară cu desene geometrice

torchon paper ['tɔ:ʃən ,peipəʳ] *s* hârtie gofrată

torch singer ['tɔ:tʃ ,siŋəʳ] *s amer* cântăreț de romanțe/cântece sentimentale

torch song ['tɔ:tʃ ,sɔŋ] *s amer* cântec sentimental

tore [tɔ:ʳ] *pret de la* **tear**[1] I, II

toreador ['tɔriə,dɔ:ʳ] *s* torero, toreador

torero [tɔ'rɛərou], *pl* **toreros** [tɔ-'rɛərouz] *s sp* toreador, luptător cu taurii

toreutic [tə'ru:tik] *adj* toreutic, referitor la ornamentarea metalelor (*prin ambosaj, modelare, sculptură*)

toreutics [tə'ru:tiks] *s pl folos ca sg* artă toreutică, arta (și studiul) ornamentării metalelor/a vaselor metalice

tori ['tɔ:rai] *pl de la* **torus**

toric ['tɔrik] *adj* în formă de torus, toric, convex

torii ['tɔ:rii], *pl* ~**s** intrare într-un altar/templu șintoist formată din trilitoni (*în Japonia*)

torment I ['tɔ:mənt] *s* 1 *v.* **torture** I 2 izvor/motiv de suferință/chin II [tɔ:'ment] *vt v.* **torture** I 1

tormentil ['tɔ:məntil] *s bot* buruiană de cinci degete (*Potentilla tormentilla*)

tormentor [tɔ:'mentəʳ] *s* 1 *v.* **torturer** 2 lucru chinuitor, izvor de suferință 3 *agr* grapă cu roți 4 *teatru* prima culisă

tormentress [tɔ:'mentris] *s* femeie fatală; femeie/iubită care-și chinuiește iubitul/care aduce suferință

tormina [tɔ:'minə] *s pl med* colici

torn [tɔ:n] *ptc de la* **tear**[1] I, II

tornadic [tɔ:'nædik] *adj meteor* furtunos, de furtună, legat de tornade/uragane

tornado [tɔ:'neidou] *s* 1 tornadă, ciclon, uragan 2 *fig* furtună/explozie (*de aplauze, urale etc.*)

tornado lamp [tɔ:'neidou ,læmp] *s* felinar de vânt

toroid ['tɔ:rɔid] *s* figură toroidală/în formă de torus

toroidal [tɔ:'rɔidəl] *adj* toroid(al), în formă de torus, toric, convex

Toronto [tə'rɔntou] *oraș în Canada*

torose ['tɔ:rous] *adj* 1 *bot* de formă cilindrică și cu noduri din loc în loc; de forma tulpinii de trestie 2 *zool* cu monturi/umflături

torpedo [tɔ:'pi:dou] I *s* 1 torpilă 2 petardă 3 *mil* mină 4 *iht* (pește) torpilă (*Torpedo marmorata*) II *vt* 1 a torpila, a ataca cu torpile 2 *fig* a torpila, a submina, a distruge, a nărui; a paraliza (*o acțiune*)

torpedo boat [tɔ:'pi:dou ,bout] *s nav* torpilor; vedetă torpiloare

torpedo-boat destroyer [tɔ:'pi:dou-,bout dis'trɔiəʳ] *s nav* contratorpilor

torpedo body [tɔ:'pi:dou ,bɔdi] *s auto* caroserie ultra-aerodinamică (*la automobilele de curse*)

torpedo bomber [tɔ:'pi:dou ,bɔməʳ] *s av* bombardier torpilor

torpedoing [tɔ:'pi:douiŋ] *s* torpilare

torpedo juice [tɔ:'pi:dou ,dʒu:s] *s amer sl* mișmaș, băutură făcută în casă (*din ingrediente ieftine*)

torpedo man [tɔ:'pi:dou ,mæn] *s nav*, *mil* torpilor; vedetă torpiloare

torpedo-net [tɔ:'pi:dou,net] *s nav* plasă împotriva torpilelor

torpedo plane [tɔ:'pi:dou ,plein] *s v.* **torpedo bomber**

torpedo tubs [tɔ:'pi:dou ,tʌbz] *s nav* tub lanstorpile

torpefy ['tɔ:pəfai] *vt* a toropi, a amorți; a aduce în stare de torpoare/amețeală; a adormi, a face somnolent

torpid ['tɔ:pid] I *adj* 1 adormit, toropit 2 amorțit, înțepenit 3 *fig* indolent, apatic, inactiv II *s pl* întreceri de canotaj (*la Oxford*)

torpidity [tɔ:'piditi] *s* 1 somnolență, toropeală 2 amorțeală, înțepenire 3 indolență, apatie, inactivitate

torpidly ['tɔːpidli] *adv* toropit, somnoros, adormit, somnolent

torpidness ['tɔːpidnis] *s v.* **torpidity**

torpify ['tɔːpifai] *vt v.* **torpefy**

torpor ['tɔːpə'] *s v.* **torpidity**

torps [tɔːps] *s nav F* ofiţer torpilor/ care comandă lansarea torpilelor

torquate ['tɔːkeit] *adj zool orn* gulerat, cu guler colorat *(de pene sau blană)*

Torquay [,tɔːˈkiː] *localitate în Anglia*

torque [tɔːk] **I** *s* **1** *tehn* moment/ cuplu de torsiune **2** *od* colier de metal răsucit **II** *vt* a supune cuplului de torsiune, a răsuci

torque converter ['tɔːk kənˈvəːtə'] *s tehn* convertizor al cuplului de torsiune

torrefaction [,tɔriˈfækʃən] *s tehn* calcinare, prăjire *(a minereului)*, torefiere, ardere

torrefy ['tɔriˌfai] *vt tehn* a torefia, a arde, a calcina, a prăji *(minereuri)*

torrent ['tɔrənt] *s* **1** torent **2** *pl* aversă, ploaie torenţială **3** *fig* potop, torent, val; năvală

torrential [tɔˈrenʃəl] *adj* **1** torenţial **2** iute; învolburat

torrentially [tɔˈrenʃəli] *adv* torenţial

Torres Strait ['tɔːriz ˌstreit] *s* strâmtoarea Torres

Torricelli [,tɔriˈtʃeli], **Evangelista** *fizician italian (1608-1647)*

Torricellian [,tɔriˈtʃeliən] *adj* toricelian, referitor la Torricelli

Torricellian experiment [,tɔriˈtʃeliən ikˈsperimənt] *s fiz* experienţa lui Torricelli *(cu tubul de mercur)*; principiul barometric

Torricellian tube [,tɔriˈtʃeliən ˌtjuːb] *s fiz* tubul lui Torricelli

Torricellian vacuum [,tɔriˈtʃeliən ˌvækjuːm] *s fiz* vidul lui Torricelli *(deasupra coloanei de mercur)*

torrid ['tɔrid] *adj* torid, fierbinte

torridity [tɔˈriditi] *s* căldură toridă, arşiţă

torridness ['tɔridnis] *s v.* **torridity**

torrid zone ['tɔrid ˌzoun] *s* zonă toridă

torse [tɔːs] *s* coroniţă, coroană *(în heraldică)*

torsel ['tɔːsəl] *s arhit* ornament în spirală

torsi ['tɔːsi], *pl de la* **torso**

torsion ['tɔːʃən] *s* **1** *tehn* torsiune **2** răsucire, întoarcere, sucire, torsiune

torsional ['tɔːʃənəl] *adj* de torsiune

torsional balance ['tɔːʃənəl ˈbæləns] *s tehn fiz* balanţă de torsiune

torsional load ['tɔːʃənəl ˈloud] *s fiz* sarcină de torsiune/răsucire

torsion balance ['tɔːʃən ˌbæləns] *s fiz* balanţă de torsiune

torsion bar ['tɔːʃən ˌbaː'] *s auto* bară de torsiune

torsionless ['tɔːʃənlis] *adj fiz* fără torsiune, ferit de torsiune/răsucire

torsion pendulum ['tɔːʃən ˌpendələm] *s fiz* pendul de torsiune; pendul rotativ

torsk [tɔːsk] *s iht* peştele din familia codului *(Gadus morrhua)*

torso ['tɔːsou], *pl* **torsos** ['tɔːsouz] şi **torsi** ['tɔːsi] *s* **1** *anat* tors, trunchi **2** *fig* fragment (literar)

tort [tɔːt] *s fr jur* **1** prejudiciu **2** ofensă

torte [tɔːt], *pl* **torten** ['tɔːtən] *sau* **tortes** ['tɔːts] tortă, tort *(↓ de ciocolată etc.)*

torticolis [,tɔːtiˈkɔlis] *s med* torticoli, crampă a gâtului; gât sucit, cârcel

tortilla [tɔːˈtiːjə] *s sp* turtă (fierbinte) de mălai, tortila

tortious ['tɔːʃəs] *adj jur* dăunător, care aduce un prejudiciu *(cu dat)*, care prejudiciază *(cu ac)*; vinovat

tortiously ['tɔːʃəsli] *adv jur* într-un mod dăunător; aducând un prejudiciu *(cu dat)*, prejudiciind *(interesele cuiva etc.)*

tortoise ['tɔːtəs] *s v.* **turtle²**

tortoise shell ['tɔːtəs ˌʃel] *s v.* **turtle shell**

tortoise-shell butterfly ['tɔːtəsˌʃel ˈbʌtəflai] *s ent* fluture cu pete negre şi galbene

tortoise-shell cat ['tɔːtəs ˌʃelˌkæt] *s* pisică cu pete negre şi galbene

tortrix ['tɔːtriks] *s ent* specie de molie care răsuceşte frunzele pentru a-şi face cuib (Tortrix sp.)

tortuous ['tɔːtʃəs] *adj* **1** întortocheat; sinuos, şerpuitor **2** *fig* nesincer; lipsit de sinceritate/francheţe

tortuosity [,tɔːtjuˈɔsiti] *s* **1** întortochere, sinuozitate **2** *fig* nesinceritate, făţărnicie, lipsă de francheţe

tortuously ['tɔːtʃəsli] *adv* pe ocolite; şerpuind, şerpuitor

tortuousness ['tɔːtʃəsnis] *s v.* **tortuosity**

torturable ['tɔːtʃərəbəl] *adj* **1** care poate fi chinuit/torturat; care poate fi supus torturilor **2** *fig (↓ d. cuvinte)* care poate fi denaturat/deformat

torture ['tɔːtʃə'] **I** *s şi fig* tortură, chin; supliciu; caznă; **to put to the ~** a supune/a pune la chinuri/ suplicii/cazne, a tortura, a chinui, *v.* **~ II 1 II** *vt* **1** a tortura, a chinui **2** *fig* a denatura, a răstălmăci

torture hat ['tɔːtʃə ˌhæt] *s mil sl* mască de gaze

torturer ['tɔːtʃərə'] *s* călău, persoană care chinuieşte/torturează

torturing ['tɔːtʃəriŋ] *adj* chinuitor, torturant

torturous ['tɔːtʃərəs] *adj* chinuitor, torturant; care (te) chinuie/ torturează; supărător; dureros

torula ['tɔrələ], *pl* **torulae** ['tɔrəliː] *s bot* ciupercă de drojdie care nu are spori şi nu produce fermentaţie alcoolică

torus ['tɔːrəs], *pl* **tori** ['tɔːrai] *s* **1** *arhit* tor, toron, mulură convexă a unui profil semicircular *(la baza unei coloane);* profil jumătate rotund **2** *bot* receptacul al florii **3** *anat* creastă netedă a osului sau muşchiului **4** *geom* corp geometric format prin rotirea unei curbe închise **5** protuberanţă, umflătură, convexitate, ieşitură (rotundă)

tory ['tɔːri] **I** *s* **1** *pol* membru al partidului conservator **2** *amer od* (colonist) american rămas credincios coroanei britanice *(în timpul războiului american de independenţă 1774-1779); od* tory **II** *adj* conservator; *od* tory

Toryism ['tɔːriizəm] *s pol* conservatorism, atitudine conservatoare

Toscana [tɔsˈkaːnə] *s* **Tuscany**

Toscanini [,tɔskəˈniːni], **Arturo** *muzician italian (1867-1957)*

tosh [tɔʃ] *s sl* **1** rahat, vax, – fleac; prostie **2** *v.* **mackintosh**

toss [tɔs] **I** *vt* **1** a azvârli, a arunca **2** a scutura, a zgudui, a clătina; a legăna puternic; *(d. valuri)* a sălta, a legăna; **to ~ one's head a** a da/a scutura din cap; a-şi scutura părul de pe frunte **b** a da din cap în semn de dispreţ **3** a împunge (cu coarnele) **4** *fig* a tulbura, a nelinişti, a alarma **5** ← *înv* a citi pagină cu pagină **II** *vi*

1 a se mișca încoace și încolo, a se zvârcoli, a se răsuci *(în pat etc.)* **2** a se perpeli, a se agita **3** a se bălăbăni, a se legăna încoace și încolo **4** *nav* a tanga, a sălta pe valuri **5** a da cu banul, a trage la sorți; **to ~ for smth** a alege ceva prin tragere la sorți; **to ~ for sides** *sport* a trage la sorți partenerii *sau* terenul **6** *(d. valuri)* a clipoci **III** *s* **1** aruncare/ azvârlire (în sus) **2** zdruncinătură, zguduire; scuturare; **a ~ of the head** o clătinare a capului/ din cap *(în semn de enervare sau dispreț)* **3** distanță a aruncării **4** tragere la sorți prin dare cu banul; **to win the ~ a** a câștiga la (tragere la) sorți **b** a câștiga la joc *(riscă)*; **it's not worth the ~** *F* nu face banii, – nu merită; **to argue to ~** a se certa în privința unei alegeri; **to lose the ~ a** a pierde la tragerea la sorți **b** a pierde la riscă **5** cădere de pe cal; **to take a ~** a fi azvârlit din șa **6** *agr* hambar

toss about ['tɔs ə'baut] **I** *vt cu part adv* **1** a arunca/a sălta/a azvârli încoace și încolo; **to toss one's money about** a azvârli/a arunca banii pe fereastră, a-și face praf averea; **I don't want my name to be tossed about** *F fig* nu vreau să intru în gura lumii **2** a zbuciuma, a chinui, a agita; **I have been tossed about quite a lot** tare am fost zbuciumat (în ultima vreme) **II** *vi cu part adv v.* **toss II 1,2**

toss aloft ['tɔs ə'lɔft] *vt cu part adv* a azvârli în sus

tosser ['tɔsə'] *s* jucător de riscă; persoană care dă cu banul

tossing ['tɔsiŋ] *s* **1** *sport* aruncare, azvârlire *(a mingii)* **2** hurducătură; aruncare încoace și încolo **3** *min* spălare *(a minereului)*

toss off ['tɔs 'ɔːf] **I** *vt cu part adv* **1** *v.* **toss I 1 2** *F* a da pe gât (dintr-o dușcă) **3** a se pregăti în grabă pentru **4** a-și petrece/a-și irosi *(timpul)* **II** *vi cu part adv sl* a se masturba, a practica masturbația/onania

toss oneself off ['tɔs wʌn,self 'ɔːf] *vr cu part adv v.* **toss off II**

toss over ['tɔs 'ouvə'] *vt cu part adv v.* **toss about I, 1**

toss overboard ['tɔs 'ouvə,bɔːd] *vt cu part adv și fig* a arunca peste bord

tosspot ['tɔs,pɔt] *s* ← *înv* bețiv, bețivan

toss-up ['tɔs,ʌp] *s* **1** *v.* **toss III, 4 2** chestiune nesigură/dubioasă/ îndoielnică, dilemă, șaradă, problemă

toss up ['tɔs 'ʌp] **I** *vt cu part adv* **1** *v.* **toss aloft 2** ← *F* a pregăti repede, a face cât ai bate din palme **II** *vi cu part adv v.* **toss II, 5**

tost [tɔst] *poetic pret și ptc de la* **toss I, II**

tot¹ [tɔt] *s* **1** copilaș, țânc, gâgâlice, puști **2** *F* strop, păhărel, dușcă

tot² ← *F* **I** *s* sumă; adunare **II** *vt* a aduna/a socoti în total, a totaliza **III** *vi* a însuma, a totaliza

tot. *presc de la* **total**

total ['toutəl] **I** *adj* **1** total; întreg **2** absolut, deplin, total; categoric **II** *s* total, sumă; întreg **III** *vt* **1** a aduna, a totaliza **2** a însuma, a fi egal cu **3** *sl amer* a face praf, a buși rău *(o mașină)* **IV** *vi v.* **total to, total up to**

total eclipse ['toutəl i'klips] *s astr* eclipsă totală

total internal reflection ['toutəl in'təːnəl ri'flekʃən] *s fiz* reflecție internă totală *(fără refracție)*

totalitarian [tou,tæli'tɛəriən] *adj* totalitar

totalitarianism [tou,tæli'tæriənizəm] *s* totalitarism

totality [tou'tæliti] *s* totalitate; întreg, întregime

totalizator ['toutəlai,zeitə'] *s* totalizator

totalize ['toutəlaiz] *vt* a totaliza

totalizer ['toutəlaizə'] *s* totalizator

totally ['toutəli] *adv* total(mente), în întregime; cu desăvârșire

total recall ['toutəl ri'kɔːl] *s psih* memorie perfectă, capacitate de a-și aminti clar/perfect toate amănuntele unei întâmplări

total to ['toutəl tə] *vi cu prep v.* **total III 2**

total up to ['toutəl 'ʌp tə] *vi cu part adv și prep v.* **total III 2**

total war ['toutəl 'wɔː'] *s mil* război total

tote¹ [tout] **I** *vt amer* a transporta, a duce **II** *vi* a proceda cinstit

tote² *s sl v.* **totalizer**

tote bag ['tout ,bæg] *s F* sacoșă/sac foarte mare, toașcă

tote box ['tout ,bɔks] *s amer* cutie, cutiuță; lădiță

totem ['toutəm] *s* totem

totemic [tou'temik] *adj* totemic

totemism ['toutə,mizəm] *s* totemism

totemistic [,toutə'mistik] *adj sociologie rel* totemistic, legat de toteme/de adorația totemelor

totem-pole ['toutəm,poul] *s* **1** totem; stâlp totemic; stâlp sculptat cu toteme **2** *fig* ierarhie, scară ierarhică

tote up ['tout 'ʌp] *vt cu part adv* a trece în revistă, a înșira, a înșirui, a socoti; **to ~ acquaintances** a vorbi de/a enumera cunoștințe comune

t'other, tother ['tʌðə'] *pr* ← *înv poetic reg* celălalt

toties quoties ['touʃiːz 'kwouʃiiːz] *adv lat* de fiecare dată, cu fiecare prilej/ocazie; întotdeauna; *F* toată ziua bună ziua

toto caelo/coelo ['toutou 'siːlou] *adv lat* ca de la cer la pământ; total, pe de-a-ntregul, întru totul; **they differ ~** între ei e o deosebire/ diferență ca de la cer la pământ; nu se aseamănă câtuși de puțin; nici nu se pot imagina doi oameni mai diferiți/deosebiți

Tottenham ['tɔtənəm] *localitate în Anglia*

totter¹ ['tɔtə'] **I** *vi* **1** a se clătina, a se bălăbăni; a merge clătinându-se **2** *(d. construcție)* și *fig* a fi șubred, a fi gata să se prăbușească; a se clătina **II** *s* clătinare; bălăbăneală

totter² *s F* persoană *(↓ cerșetor)* care adună lucruri din gunoaie

totterer ['tɔtərə'] *s* **1** persoană care se clatină (pe picioare) **2** lucru șubred; clădire șubredă, dărăpănată **3** *fig* idee *sau* instituție firavă, instabilă

tottering ['tɔtəriŋ] *adj* **1** care se clatină/se bălăbănește **2** șubred, dărăpănat **3** nesigur, instabil

tottery ['tɔtəri] *adj* **1** care se clatină, (care e) pe punctul de a se prăbuși; care merge nesigur/ clătinându-se **2** instabil, nesigur; șubred

totting ['tɔtiŋ] *s* **1** adunare, socoteală; total; sumă **2** totalizare; adițiune **3** punere la socoteală (a unor defecte); adunare a greșelilor **4** adunare/strângere/recuperare a obiectelor reutilizabile/refolosibile din gunoaie; strângerea cârpelor, fierului vechi *etc.*

totting-up ['totiŋ,ʌp] *s v.* **totting 2, 3**

tot up ['tɔt 'ʌp] **I** *vt cu part adv v.* **tot² II II** *vi cu part adv v.* **tot² III**

toty ['touti] *s* pescar *sau* marinar *(în Pacific)*

toucan ['tu:kən] *s orn* tucan *(Ramphastus uragnirostris)*

touch [tʌtʃ] **I** *vt* **1** a atinge *(cu mâna etc.);* **to ~ the (raw) spot** a atinge punctul nevralgic **2** a face să se atingă/ciocnească **3** a ajunge până la, a atinge; a da cu mâna de **4** *fig* a egala; a ajunge din urmă; a se măsura/compara cu **5** a pipăi **6** ↓ *negativ* a se atinge de *(băutură etc.);* a avea de-a face cu **7** a atinge ușor, a mângâia *(coardele etc.)* **8** a apăsa pe *(sonerie etc.)* **9** *fig* a înduioșa, a mișca; a atinge **10** a afecta, a mâhni, a atinge; **to ~ smb to the quick a** a lovi pe cineva în plin **b** a atinge pe cineva la coarda simțitoare; a afecta profund pe cineva **11** a impresiona, a face impresie asupra *(cu gen)* **12** a influența; a modifica; a produce un efect asupra *(cu gen)* **13** *fig* a se referi la, a aborda, a atinge *(o problemă etc.)* **14** *fig* a privi (îndeaproape), a afecta, a atinge; a avea legătură cu **15** a contura; a marca; a retușa **16** a colora, a nuanța **17** *(d. ger etc.)* a vătăma, a ataca, a altera, a strica, a dăuna *(cu dat)* **18** *sl* a tapa *(de bani)*, a stoarce/a împrumuta *(bani)* de la; **to ~ smb for money** a scoate/a ciupi bani de la cineva, a tapa pe cineva de bani **19** *geom* a fi tangent la **II** *vi* **1** a se atinge, a fi/a veni în contact; a se ciocni, a se lovi **2** *(at)* *nav* a acosta (la, în) **III** *s* **1** pipăit, simțul pipăitului; **by the ~** după pipăit; **hard to the ~** aspru *(la pipăit)* **2** și *fig* atingere, contact; **to give smb a ~** a atinge pe cineva **3** *fig* contact; legătură; **to be/to keep in ~ with smb** a fi în contact/legătură cu cineva, a păstra/ține legătura/contactul cu cineva; **to be in ~ with the situation** a fi la curent cu situația; **to lose ~ with smb** a pierde legătura cu

cineva **b** a nu mai fi în relații (strânse) cu cineva; **to be out of ~ with the situation** a nu mai fi la curent cu situația; **to get in/into ~ with smb** a lua legătura/a intra în contact cu cineva; **to put smb in ~ with a person** a pune pe cineva în legătură cu o persoană, a face cuiva legătura cu o persoană **4** tușeu; atingere/lovitură ușoară; **to give the finishing ~es to** a face ultimele retușuri *(unui tablou etc.);* **to play with a delicate/light ~ muz** a avea un tușeu fin/delicat **5** *fig* pecete personală, caracteristică, notă specifică; cașet; **it has a peculiar ~ about it** are o notă cu totul personală/distinctă **6** *fig* influență, înrâurire **7** pic, pictură, **a ~ of rouge** un pic de ruj; **with just a ~ of scent** parfumat discret **8** semn, indicație; nuanță; undă *(de amărăciune etc.)* **9** acces, atac *(al bolii)* **10** *sport* tușă; **out of ~** în afara terenului *(de joc)* **11** *v.* **touch stone 12** diferență mică, **to have a near ~ F** a scăpa ca prin urechile acului; **to win by a ~** *sport* a câștiga la o diferență mică de puncte/la scor mic

touchable ['tʌtʃəbəl] *adj* palpabil, pipăibil, care poate fi atins

touch-and-go ['tʌtʃənd'gou] **I** *adj* nesigur, îndoielnic, instabil; riscat **II** *s* situație îndoielnică/nesigură/riscată; instabilitate

touch body ['tʌtʃ ,bodi] *s anat, fizl* celulă *sau* organ în legătură cu simțul pipăitului

touch-down ['tʌtʃ,daun] *s* **1** atingere **2** *sport* cădere/punere a mingii **3** *av* aterizare, atingere a pistei

touched [tʌtʃt] *adj* **1** înduioșat, mișcat, emoționat, impresionat **2** *F* trăsnit, scrântit, țicnit; **~ in the upper storey** scrântit la mansardă

toucher ['tʌtʃər] *s* persoană care atinge/care pipăie // **to a ~ F** aidoma, întocmai, exact, precis; **as near as a ~** foarte aproape de, la un pas de; **it was a near ~ (for me)** am scăpat ca prin urechile acului

touch football ['tʌtʃ 'futbɔ:l] *s sport amer* rugby în care nu se practică placajul, ci atingerea

touch-hole ['tʌtʃ,houl] *s mil* gaură pentru detonarea tunului

touchily ['tʌtʃili] *adv v.* **techily**

touchiness ['tʌtʃinis] *s* **1** *v.* **techiness 2** sensibilitate, inimă slabă/simțitoare

touching ['tʌtʃiŋ] **I** *adj* înduioșător, mișcător, impresionant **II** *prep* referitor/privitor la, cu privire/referire la

touchingly ['tʌtʃiŋli] *adv* (în mod) mișcător/emoționant/tușant

touch-in goal ['tʌtʃ,in 'goul] *s sport* teren de țintă *(la rugbi)*

touch judge ['tʌtʃ ,dʒʌdʒ] *s sport* arbitru de tușă

touch line ['tʌtʃ ,lain] *s sport* (linie de) tușă

touch-mark ['tʌtʃ,mɑ:k] *s* semnul/marca fabricantului (pe tacâmuri)

touch-me-not ['tʌtʃ,mi:'nɔt] *s* **1** persoană simțitoare/ultrasensibilă **2** *bot* slăbănog *(Impatiens nolitangere)*

touch-needle ['tʌtʃ,ni:dəl] *s* ac de aur *sau* argint folosit ca etalon pentru testarea titlului aliajelor

touch off ['tʌtʃ 'ɔ:f] *vt cu part adv* **1** a schița **2** *mil* a descărca; a exploda

touch of nature ['tʌtʃ əv 'neitʃər] *s* **1** caracteristică/însușire/trăsătură firească/moștenită/de la natură **2** *fig* manifestare înduioșătoare, izbucnire a sentimentelor care stârnește compătimirea

touch of the pen ['tʌtʃəv ðə 'pen] *s* trăsătură de condei

touch on ['tʌtʃ 'ɔn] *vi cu part adv v.* **touch I 11**

touch paper ['tʌtʃ ,peipər] *s od* hârtie impregnată cu nitrat *(pentru aprinderea prafului de pușcă);* fitil

touch stone ['tʌtʃ ,stoun] *s* **1** piatră pentru încercat metale prețioase **2** *fig* piatră de încercare; standard; criteriu; **to put smb to the ~** a pune pe cineva la încercare

touch typing ['tʌtʃ ,taipiŋ] *s* dactilografie(re) oarbă, scris la mașină în sistemul „blind"

touch-typist ['tʌtʃ,taipist] *s* dactilografă perfectă

touch-up ['tʌtʃ ,ʌp] *s* **1** retuș, retușare **2** înviorare, împrospătare *(a culorilor)*

touch up ['tʌtʃ‚ʌp] *vt cu part adv* **1** a retușa, a face/a aduce unele retușuri *(cu dat)* **2** a lustrui, a da un nou lustru *(cu dat)* **3** a împrospăta, a înviora *(culorile); a da o* nouă strălucire *(obrajilor etc.)* **4** *fig* a șlefui, a îmbunătăți, a ameliora **5** *și fig* a stimula; a îmboldi *(calul etc.);* **I'll touch him up about it** am să-i mai aduc eu aminte

touchwood ['tʌtʃ‚wud] *s* **1** *v.* **tinder 1 2** variantă a jocului de-a prinselea

touchy ['tʌtʃi] *adj* **1** *v.* **techy 2** ultrasensibil, extrem de simțitor/ sensibil

tough [tʌf] **I** *adj* **1** dur, tare, solid, rezistent; rigid **2** *fig* viguros, robust, rezistent, vânjos **3** tenace; încăpățânat, inflexibil **4** insistent, persistent **5** dificil, greu **6** ← *F fig* trist, neplăcut **7** *amer sl* banditesc, criminal, gangsteresc **II** *s* huligan; bandit, gangster, răufăcător; cuțitar, mardeiaș

tough customer [‚tʌf 'kʌstəməʳ] *s F* scandalagiu, bătăuș, haidamac

toughen ['tʌfən] **I** *vt* a întări, a solidifica, a învârtoșa **II** *vi* a se întări, a se învârtoșa, a se solidifica

tough guy ['tʌf 'gai] *s F* (om) dur, tip tare; persoană greu de învins *sau* impresionat; om călit; om trecut prin ciur și prin dârmon

toughie ['tʌfi] *s* **1** *v.* **tough guy 2** problemă/chestiune/chestie dificilă; mare dificultate; problemă

toughish ['tʌfiʃ] *adj* **1** cam tare/ aspru/dur **2** cam greu/dificil/ spinos

tough luck ['tʌf 'lʌk] *s* ← *F* ghinion, neșansă

toughly ['tʌfli] *adv* **1** cu duritate/ asprime, dur, aspru **2** viguros, cu vigoare **3** cu încăpățânare/îndărătnicie

tough-minded ['tʌf 'maindid] *adj* realist, rece, calculat; deloc sentimental, cu picioarele pe pământ; cu capul (bine înfipt) pe umeri

toughness ['tʌfnis] *s* **1** duritate, asprime **2** solidare **3** tenacitate, rezistență, persistență **4** vigoare, forță **5** încăpățânare, îndărătnicie **6** dificultate, greutate

Toulon [tu'lõ] *port în Franța*

Toulouse [tu:'lu:z] *oraș în Franța*

Toulouse Lautrec [tu:'lu:z lou'trek], **Henri** *pictor francez (1864-1901)*

toupee [tu:'pi:] *s* moț

toupet [tu:'pei] *s v.* **toupee**

tour [tuəʳ] **I** *s* **1** călătorie, voiaj (de agrement); tur; excursie; plimbare; cursă; **to start on a ~** a pleca în voiaj/călătorie; **to make a ~ of/through a country** a călători printr-o țară, a vizita o țară; **to be on ~** a fi plecat în călătorie, a voiaja **b** a fi în turneu **2** turneu; **to take a company on ~** *teatru* a pleca în turneu cu trupa **3** rond, tur; rând *(la serviciu); mil* jurnă; **in/by ~s** alternativ, pe rând **4** tur de dans **5** ← *înv* întoarcere, mișcare circulară **6** ← *înv* fel, procedeu, manieră **7** perucă **II** *vi* **1** a călători, a voiaja, a face călătorii; **to go ~ing/a ~ (through/about a country)** a călători, a voiaja (printr-o țară) **2** ← *înv* a se întoarce, a reveni **III** *vt* **1** a cutreiera, a colinda *(o țară)* **2** a face un turneu prin *(provincie etc.)*

Touraine [tu:'ren] *provincie în Franța*

tour de force [turdə 'fɔrs] *s fr* tur de forță; realizare impresionantă/ remarcabilă; lucru surprinzător

tourer ['tuərəʳ] *s* **1** turist (automobilist) **2** *v.* **touring car**

touring ['tuəriŋ] **I** *s* turism; călătorii **II** *adj* **1** turistic, de turism **2** voiajor, călător; plecat în călătorie/voiaj

touring car ['tuəriŋ ‚ka:ʳ] *s* (auto)turism, mașină mică

touring company ['tuəriŋ ‚kʌmpəni] *s teatru* trupă/companie care face turnee

tourism ['tuərizəm] **I** *s* turism **II** *adj atr* de turism, turistic

tourist ['tuərist] *s* turist; călător

tourist agency ['tuərist ‚eidʒənsi] *s* agenție/birou/oficiu de turism

tourist class ['tuərist ‚kla:s] *s* clasă turist/obișnuită; clasa a III/II-a *(în contrast cu clasa lux, în transporturile navale, aeriene etc.)*

touristic [tuə'ristik] *adj* turistic

tourist ticket ['tuərist ‚tikit] *s* bilet în circuit; bilet de excursie

tourist trap ['tuərist ‚træp] *s* punct de atracție turistică *(exploatat la sânge);* loc de unde turiștii sunt jecmăniți

touristy ['tuəristi] *adj peior* **1** frecventat de turiști **2** destinat turismului, potrivit pentru turism **3** rezervat turiștilor

tourmaline ['tuəmə‚li:n] *s minrl* turmalină, piatră semiprețioasă

tournament ['tuənəmənt] *s* **1** *od* turnir, întrecere cavalerească **2** competiție sportivă, concurs; turneu

tournedos ['tuənə‚dou], *pl* ~s turnedos, mușchiuleț de vacă cu seu

Tourneur ['tə:nəʳ], **Cyril** *dramaturg englez (1575?-1626)*

tourney ['tuəni] **I** *s v.* **tournament 1 II** *vi* a lua parte la un turnir/ întrecere cavalerească

tourniquet ['tuəni‚kei] *s* **1** *od* instrument de tortură, turnichet **2** *med* bandaj de compresie *(pentru artere)*

tour of hair [tuər əv 'hɛəʳ] *s v.* **tour I 7**

Tours [tu:ʳ] *oraș în Franța*

tour through ['tuə θru:] *vi cu prep* a face un turneu/o călătorie prin, a face turul *cu gen;* a vizita (de la un capăt la altul – *cu ac*)

tousle ['tauzəl] *vt* **1** a ciufuli, a zbârli, a răvăși **2** a șifona, a boți

tousled ['tauzəld] *adj* **1** ciufulit, zbârlit, buhos, cu părul răvășit **2** șifonat, boțit

tous-les-mois [‚tu:lei 'mwa:] *s fr gastr* amidon alimentar din tuberculi de canna

tousy ['tauzi] *adj scot* ciufulit, zbârlit

tout [taut] **I** *s* **1** *com* șleper, agent de reclamă; vânzător care strigă marfa **2** *(la curse)* turist bine informat/plin de ponturi **3** *fig sl* spion, agent, iscoadă **4** joc de cărți **II** *vt* **1** *com* a face reclamă (zgomotoasă) pentru, a striga *(o marfă)* **2** *com* a atrage *(clienții)* prin reclamă **3** *fig* a trâmbița

tout court [tu'kuʳ] *adv* pur și simplu, pe scurt *(fără explicații/cuvinte suplimentare)*

tout ensemble [tutɑ̃'sɑ̃bl] *s* **1** totalitate, globalitate, (lucru/privit în) ansamblu **2** *muz* ansamblu orchestral *etc.;* tutti

tout for ['taut fəʳ] *vi cu prep* ← *înv* a căuta cu privirea/din ochi *cu ac*

tout on ['taut ɔn] *vi cu prep* a spiona, a iscodi, a supraveghea *cu ac*

touzle ['tauzəl] *vt v.* **toușle**

tovarish [tə'va:riʃ] *s rus* tovarăș

tow¹ [tou] **I** *s* cablu/odgon de remorcă; remorcă, edec; **to take in ~** *şi fig* a remorca; a trage după sine; **to be taken in ~ a** a fi remorcat **b** ← *F fig* a fi condus/călăuzit, a fi purtat de colo până colo; **to be in smb's ~** *F* a fi în trena/la remorca cuiva **II** *vt* **1** a trage, a târî (după sine) **2** a remorca **III** *vi* a merge/a fi remorcat

tow² *s text* fuior; deşeuri; câlţi

towage ['touidʒ] *s* remorcare, remorcaj; tragere la edec

toward I [tə'wɔ:d] *prep poetic, înv* v. **towards II** ['touəd] *adj* ← *înv* **1** ascultător, docil, blând, supus **2** apt, capabil **3** favorabil, propice

towardness ['touədnis] *s* ← *înv* docilitate, supunere

towards [tə'wɔ:dz] *prep* **1** spre, către, în direcţia (cu gen) **2** faţă de, referitor la, privitor la, în legătură cu **3** pentru, în scopul de a (sau cu gen); **I did it ~ helping you** am făcut-o pentru a te ajuta **4** *temporal* aproape de, spre, către; **~ the end of the year** spre/către sfârşitul anului

towboat ['tou,bout] *s* v. **tug-boat**

towel ['tauəl] **I** *s* **1** prosop, ştergar **2** *înv* bâtă, retevei **II** *vt* **1** a şterge cu prosopul **2** ← *înv* a ciomăgi, a bate **III** *vi* a se şterge cu prosopul

towel horse/rail ['tauəl ,hɔ:s/,reil] *s* suport/bară pentru prosop

towelling ['tauəliŋ] *s* **1** *text* material/pânză de prosop **2** *sl* mardeală, – ciomăgeală

tower ['tauər] *s* **1** turn **2** bastion, fortăreaţă **3** *fig* sprijin, reazem; apărător, protector **4** *tehn* suport, pilon **5** *mil* turelă

Tower, the ['tauər, ðə] *v.* **Tower of London**

tower above ['tauərə,bʌv] *vi cu prep* **1** a se înălţa, a se ridica (deasupra, peste); a domina *cu ac* **2** *fig* a se înălţa, a se ridica peste/deasupra (cu gen); a întrece (colegii etc.)

towered ['tauəd] *adj* **1** flancat/apărat de turnuri; crenelat, prevăzut cu tunuri **2** *în cuvinte compuse*; cu turnuri...: **many ~** cu multe tunuri

towering ['tauəriŋ] *adj* **1** foarte înalt; semeţ, falnic; dominant; impozant **2** (d. mânie etc.) violent, nestăpânit

Tower of London ['tauərəv 'lʌndən] *s* Turnul Londrei, – castel, închisoare şi muzeu al bijuteriilor din Londra

tower over ['tauər ,ouvər] *vi cu prep v.* **tower above**

tower rock ['tauə ,rɔk] *s* stâncă înaltă; faleză

towing line ['tauiŋ ,lain] *s v.* **towing rope**

towing path ['tauiŋ ,pa:θ] *s nav* poteca edecului

towing rope ['tauiŋ ,roup] *s nav* cablu de remorcare

town [taun] **I** *s* **1** oraş; **out of ~, outside the ~ a** plecat din oraş **b** în afara oraşului; **to be in ~ a** a fi în *sau* la oraş, a se fi dus la oraş **b** a nu fi acasă, a fi ieşit în oraş **c** a fi la Londra; **to leave ~ a** a pleca la ţară & a părăsi oraşul; **the child has come to ~** ← *F umor* copilul s-a născut/a venit pe lume; **it is all over the ~** a făcut înconjurul oraşului, toată lumea vorbeşte despre asta; **to paint the ~ red** a o face lată, a face chefuri, a o ţine tot în chefuri/petreceri **2** Londra, capitala; **to go up to ~** a se duce la Londra **3 the ~** orăşenii, locuitorii oraşului, oraşul; **to be on the ~ a** a trăi din prostituţie **b** a trăi pe spinarea prostituatelor, a fi peşte/întreţinut **c** a trăi din opere de binefacere **d** a duce o viaţă de chefuri **4** centrul oraşului, centru, oraş **5** cartier aristocratic al Londrei **6** *amer* comună **7** *od* teritoriu/district supus dijmei; subdiviziune a unui comitat **II** *adj atr* **1** urban, orăşenesc; municipal **2** de oraş **3** citadin, de la oraş

town and gown, the ['taun ənd 'gaun, ðə] *s* ← *F* lumea universitară (de la Oxford şi Cambridge)

town band ['taun ,bænd] *s* muzica/fanfara oraşului

town clerk ['taun ,kla:k] *s* secretar al primăriei; arhivar; grefier municipal

town council ['taun ,kaunsəl] *s* consiliu orăşenesc *sau* municipal

town councillor/counsellor ['taun ,kaunslər] *s* consilier municipal

town crier ['taun ,kraiər] *s od* crainicul/pristavul oraşului; toboşar *sau* altă persoană care anunţa proclamaţiile, ordonanţele *etc.*

town dweller ['taun ,dwelər] *s* orăşean

townee [tau'ni:] *s univ sl* locuitor al unui oraş universitar

towney ['tauni] *s v.* **townee**

town folk ['taun ,foulk] *s v.* **townsfolk**

town gas ['taun gæs] *s* gaz de iluminat

town hall ['taun ,hɔ:l] *s* primărie

town house ['taun ,haus] *s* **1** casă la oraş (a unui moşier etc.) **2** locuinţă urbană

townie ['tauni] *s v.* **townee**

townless ['taunlis] *adj geogr* fără oraşe, rural

townlet ['taunlit] *s* orăşel, târguşor

town mains ['taun ,meinz] *s pl* (sistem de) canalizare a oraşului; conductele principale dintr-un oraş

town management ['taun ,mænidʒmənt] *s* **1** gospodărie comunală **2** urbanism, urbanistică

town mayor ['taun ,mɛər] *s* primar, preşedintele Consiliului municipal, districtual *sau* orăşenesc

town meeting ['taun ,mi:tiŋ] *s amer* întrunire a alegătorilor pentru rezolvarea treburilor obşteşti

town planner ['taun ,plænər] *s* (arhitect) urbanist; sistematizator

town planning ['taun ,plæniŋ] *s* urbanism, urbanistică; sistematizare (a oraşelor)

townsfolk ['taunz,fouk] *s colectiv* orăşeni, cetăţeni; oraş, obşte

township ['taun ,ʃip] *s* **1** *od* parohie **2** comună **3** *amer* oraş **4** *amer* district, diviziune teritorială

townsman ['taunzmən] *s* **1** *v.* **town dweller 2** concetăţean

townspeople ['taunz,pi:pl] *s v.* **townsfolk**

town talk ['taun ,tɔ:k] *s înv v.* **talk of the town**

townward(s) ['taun,wədz] *adv* către spre/înspre oraş, la oraş; în direcţia oraşului

town water ['taun ,wɔ:tər] *s* apă de conductă; apă din reţeaua urbană

towpath ['tou,pa:θ] *s v.* **towing rope**

tow rope ['tou ,roup] *s v.* **towing rope**

tow-row ['tau ,rau] *s F v.* **to-do**

tox- *pref v.* **toxo**

tox(a)emia [tɔk'si:miə] *s med* **1** septicemie **2** hipertensiune arterială în timpul sarcinii

tox(a)emic [tɔk'si:mik] *adj med* **1** septicemic, legat de septicemie **2** legat de hipertensiunea arterială în timpul sarcinii

toxic ['tɔksik] *adj* toxic

toxically ['tɔksikəli] *adv* în mod toxic; într-o doză toxică

toxicity [tɔk'sisiti] *s* toxicitate

toxicological [,tɔksikə'lɔdʒikəl] *adj med* toxicologic

toxicologist [,tɔksi'kɔlədʒist] *s med* toxicolog, specialist în intoxicații

toxicology [,tɔksi'kɔlədʒi] *s med* toxicologie

toxicomania [,tɔksikou'meinjə] *s med* toxicomanie, consum de droguri/stupefiante

toxicosis [,tɔksi'kousis] *s med* toxicoză

toxin ['tɔksin] *s med* toxină

toxophilite [tɔk'sɔfi,lait] **I** *adj* legat de tragerea cu arcul/la țintă **II** *s* **1** arcaș (pasionat), amator de tragere cu arcul **2** cercetător al tragerii cu arcul

toxophily [tɔk'sɔfili] *s* tragere (la țintă) cu arcul, sportul/arta arcașilor, *înv* ↓ dare la semn

toy [tɔi] **I** *s* **1** jucărie **2** bibelou **3** lucru mititel/diminutival; **a ~ of a house** o căsuță ca de jucărie **4** *sl* ceapă, orologiu, – ceas **II** *adj atr* de jucărie; de copii **III** *vi* (with) **1** a se juca (cu) **2** a se amuza, a se distra (cu)

toy book ['tɔi ,buk] *s* carte cu poze/jucării; album (cu poze)

toy box ['tɔi ,bɔks] *s* cutie cu/pentru jucării

toy dealer ['tɔi ,di:lər] *s* negustor de jucării

toy dog ['tɔi ,dɔg] *s* **1** cățeluș de pluș **2** cățel de salon

toyman ['tɔimən] *s* v. **toy dealer**

Toynbee ['tɔinbi], **Arnold Joseph** *savant englez (1889-1975)*

toy railway ['tɔi ,reilwei] *s* **1** tren(uleț) mecanic **2** ← *F* cale ferată îngustă/cu ecartament îngust

toyshop ['tɔi,ʃɔp] *s* magazin cu/de jucării

toy soldier ['tɔi ,souldʒər] *s* **1** soldat de plumb **2** *fig peior* soldat de paradă

toy with ['tɔi wið] *vi cu prep* **1** *și fig* a se juca cu; **to ~ smb's feelings** a se juca cu/a-și bate joc de sentimentele/inima cuiva **2** a se distra/amuza cu

Tpilisi [t'pilisi] *v.* **Tiflis**

Tpr. *presc de la* **trooper**

TR *presc de la* **1 tons registered 2 transmit-receive**

tr. *presc de la* **1** translated **2** translation **3** translator **4** transpose **5** troop **6** trustee

trabeate ['treibiit] *adj constr* alcătuit din/construit cu bârne *(în loc de bolți)*

trabeation [,treibi'eiʃən] *s arhit, constr* folosire a bârnelor în construcție *(în locul bolților sau arcadelor)*

trabecula [trə'bekjulə], *pl* **trabeculae** [trə'bekjuli:] *s* **1** *anat* fâșie de țesut conjunctiv **2** *bot* proiecție *sau* proces în formă de rază

trabecular [trə'bekjulə], **trabeculate** [trə'bekjulit] *adj* **1** *anat* în legătură cu/în formă de fâșie de țesut conjunctiv **2** *bot* în formă de rază

Trabzon ['trɑ:bzɔ:n] *v.* **Trebizond**

tracasserie [trə'kæsəri] *s fr* **1** tracasare, supărare, necaz **2** ceartă, sâcâială (măruntă), ciondăneală

trace [treis] **I** *s* **1** urmă (de picior); călcătură; **to cover one's ~s** a-și șterge urmele, a face să dispară orice urmă; **to double on one's ~** *a vâna* a pune lațuri **b** *fig* a încurca urmele; **to kick over the ~s** *fig* (d. persoană) a fi năravaș/nesupus, a refuza să se supună; a face pe nebunul **2** urmă, indiciu; semn; rămășiță, vestigiu; **without a ~** fără urmă; **to leave no ~ behind** a nu lăsa nici o urmă; **to find a ~ of** a da de, a prinde; a lua urma *cu gen;* **to lose all ~ of smb** a pierde complet urma cuiva, a nu-i mai ști cuiva de știre; **to remove all ~ of smth** a face să dispară/a înlătura orice urmă a unui lucru; **to keep ~ of** a urmări, a nu pierde din vedere *cu ac* **3** fig grăunte, urmă, undă, pic *(de adevăr etc.)* **4** făgaș, urmă **5** ← *înv* cărare, potecă **II** *vt* **1** a trasa, a schița, a desena **2** a scrie pe îndelete/cu migală **3** a copia *(prin transparență),* a calchia, a decalca **4** a găsi urme/semne de; a urmări (în trecut) **5** *vânăt* a urmări, a lua urma *(cu dat)* **6** a înainta pe *(drum, potecă etc.)*

traceable ['treisəbəl] *adj* **1** care poate fi trasat/desenat/schițat **2** căruia i se poate da de urmă, care poate fi urmărit; **it is ~ to Shakespeare** *(motivul etc.)* poate fi urmărit până la Shakespeare

trace back ['treis 'bæk] *vt cu part adv* a urmări (în decursul istoriei); **it can be traced back to the Middle Ages** i se poate urmări filiația încă din evul mediu

trace horse ['treis ,hɔ:s] *s* cal lăturaș

traceless ['treislis] *adj* fără urmă/urme

trace over ['treis 'ouvər] *vt cu part adv v.* **trace II 1-3**

tracer[1] ['treisər] *s* **1** urmăritor **2** instrument de desenat/tras linii **3** desenator **4** *mil* proiectil/cartuș trasor

tracer[2] *s v.* **trace horse**

tracer bullet/shell ['treisə ,bulit/,ʃel] *s v.* **tracer**[1] **4**

tracery ['treisəri] *s* **1** motiv decorativ **2** *arhit* ornament traforat

trachea [trə'ki:ə], *pl* **tracheae** [trə'ki:i:] *s anat* trahee *(arteră)*

tracheae [trə'ki:i:] *pl de la* **trachea**

tracheal [trə'ki:əl], **tracheate** [trə'ki:eit] *adj anat zool, bot* traheal

tracheitis [,treiki'aitis] *s med* traheită

tracheoscopy [,træki'ɔskəpi] *s med* traheoscopie

tracheotomy [,træki'ɔtəmi] *s med* traheotomie

trachoma [trə'koumə] *s med* trahom(ă); conjunctivită granuloasă

trachomatous [trə'kɔmətəs] *adj med* suferind de trahomă; legat de trahomă

trachyte ['treikait] *s minrl* trahit

trachytic [trə'kitik] *adj minrl* trahitic, de consistența *etc.* trahitului

tracing ['treisiŋ] **I** *s* **1** urmărire **2** copiere *(prin transparență,* calchiere, decalcare) **3** desen, schiță; plan decalcat **4** înregistrare *(a unui aparat)* **II** *adj mil (d. glonte)* trasor

tracing paper ['treisiŋ ,peipər] *s* hârtie de calc/copiat

track [træk] **I** *s* **1** urmă *(de pași etc.)*; pistă, urmă; dâră *(de sânge etc.)*; făgaș; **to follow the ~** *vânăt* a merge pe o urmă; **to follow in smb's ~** *și fig* a merge pe urmele cuiva; **to be on smb's** ~ a fi pe urmele cuiva; **to keep** ~ **of** a nu pierde din ochi/vedere, a urmări, a se interesa de; **to lose** ~ **of** a pierde/a scăpa *(pe cineva)* din ochi; a pierde urma cuiva; **to make** ~ **for** *sl* a se ține după, a urmări *cu ac,* a porni pe urmele *cu gen;* **to put smb on the wrong** ~; **to throw smb off the** ~ a pune pe cineva pe o pistă greșită/falsă; **to put smb on the right** ~ a pune pe cineva pe calea cea bună; **to cover up one's** ~**s** a-și șterge urmele, a face să dispară orice urme/indicii; **to make** ~**s** *F* a dispărea, a o șterge, a se evapora **2** drum, cale, potecă, cărare; curs, traseu, traiectorie; **to fall dead in one's** ~ a cădea mort pe loc/în drum; **to be off the** ~ **a** a fi pierdut direcția **b** a se rătăci, a se fi rătăcit **c** *F* a o lua razna, a vorbi (într-aiurea); **to be off the beaten** ~ a fi cu totul neobișnuit/ieșit din comun **3** *nav* rută regulată **4** *sport* pistă (de alergări) **5** *ferov* linie/cale ferată; șină; **off the** ~ deraiat, sărit de pe linie; **to leave the** ~ a deraia; **to clear the** ~ a libera/a degaja linia; **across the** ~**s** *amer;* **on the wrong side of the** ~**s** *amer* în cartierele mărginașe/sărace ale orașului; la mahala, în suburbii; în sărăcime **6** *nav* trecătoare navigabilă îngustă **7** *nav* rotire a elicei **8** *nav* dâră/urmă lăsată de vapor **9** *geol* urmă de fosile **10** *tehn* șenilă; drumul unui tractor cu șenile **II** *vt* **1** *v.* **trace II 5 2** a descoperi, a scoate la iveală/lumină *(pe baza unor urme)* **3** *v.* **tug I 4** *(d. vehicule)* a avea un ecartament de; **it** ~**s 40 inches** are distanța între roți de un metru

trackage ['trækidʒ] *s amer ferov* rețea feroviară

track and field events ['træk ənd 'fi:ld i'vents] *s pl sport* atletică ușoară, atletism de pistă/câmp

track athletics ['træk æθ'letiks] *s pl v.* **track and field events**

track boat ['træk ,bout] *s nav* șalandă de canal

track chart ['træk ,tʃɑ:t] *s* hartă a căilor maritime/a rutelor-navigabile

track clearer ['træk ,kliərəʳ] *s ferov* curățitor de cale

track down ['træk 'daun] *vt cu part adv* a depista, a descoperi, a da de urma *cu gen;* a încolți

tracked ['trækt] *adj* cu șenile

tracker ['trækəʳ] *s* **1** agent (de poliție), polițist, detectiv, copoi **2** urmăritor **3** edecar **4** *nav* remorcher; cablu de remorcă

track gauge ['træk ,geidʒ] *s ferov* ecartament

track-layer ['træk,leiəʳ] *s amer v.* **trackman**

track laying ['træk ,leiiŋ] **I** *s ferov* montare a șinelor/căii/liniei **II** *adj auto* cu șenile

trackless ['træklis] *adj* **1** *v.* **traceless 2** fără drum (făcut) **3** *ferov* fără șine/linie

trackless trolley ['træklis ,troli] *s amer* troleibus, *F* troleu

trackman ['trækmən] *s ferov* linior, lucrător de cale

track rail ['træk ,reil] *s v.* **track I 5**

track record ['træk 'rekɔ:d] *s fig* dosar, palmares, trecut (al cuiva); realizări, merite

track shoe ['træk ,ʃu:] *s* **1** sabot de șenilă **2** *sport* gheată cu crampon

track spacing ['træk ,speisiŋ] *s ferov* ecartament/spațiu dintre linii

track-suit ['træk,su:t] *s sport* trening, costum de antrenament

track system ['træk ,sistəm] *s școl amer* grupare a elevilor pe nivele *v. și* **streaming**

track up ['træk 'ʌp] *vt cu part adv v.* **track down**

trackwalker ['træk ,wɔ:kəʳ] *s amer ferov* revizor de cale/linie

trackway ['træk,wei] *s amer* **1** *v.* **track I 5 2** pavaj, caldarâm, parte carosabilă

tract¹ [trækt] *s* **1** întindere, suprafață; regiune, ținut **2** *anat* tract, traiect; tub *(digestiv etc.)* **3** ← *înv* perioadă *(de timp etc.)*

tract² *s* broșură; mic tratat; opuscul

tract³ *s bis catolică* imn religios *(cântat în loc de aleluia)*

tractability [,træktə'biliti] *s* **1** maniabilitate **2** *și fig* maleabilitate **3** *fig* docilitate, caracter supus, docil

tractable ['træktəbəl] *adj* **1** maniabil, ușor de mânuit, maleabil **2** ușor de prelucrat **3** *fig* docil, supus, blând, maleabil

tractableness ['træktəbəlnis] *s v.* **tractability**

tractably ['træktəbli] *adv* (în mod) înțelegător/cu înțelegere; binevoitor, amabil

Tractarian [træ'ktɛəriən] *s ist, rel* sprijinitor al mișcării oxfordiene

Tractarianism [træ'ktɛəriə,nizəm] *s ist, rel* promovarea mișcării oxfordiene

tractate ['trækteit] *s* tratat, lucrare *(despre un subiect)*

traction ['trækʃən] *s* **1** tracțiune **2** tragere **3** *med* contracție, contractare **4** atracție **5** *amer* transport public/în comun

tractional ['trækʃənəl] *adj fiz, tehn* referitor la tracțiune, de tracțiune

traction engine ['trækʃən ,endʒin] *s* locomobilă, motor de tracțiune

traction wheel ['trækʃən ,wi:l] *s tehn, auto* roată tractrice/de tracțiune

tractive ['træktiv] *adj* de tracțiune; tirant; tractrice

tractor ['træktəʳ] *s* **1** tractor **2** *v.* **tractor plane 3** *tehn* motor de tracțiune; instalație de tracțiune **4** echipament de tracțiune/remorcare

tractor cultivator ['træktə kʌlti'veitəʳ] *s agr* tractor prășitor

tractor-drawn artillery ['træktə ,drɔ:n ɑ:'tiləri] *s mil* artilerie tractată/motorizată

tractor driver/operator ['træktə ,draivəʳ/'ɔpəreitəʳ] *s* tractorist

tractor plane ['træktə ,plein] *s av* avion cu elice tractrice

Tracy ['treisi] *nume masc*

trad [træd] *F* **I** *s* jazz tradițional **II** *adj (d. jazz)* tradițional

trade [treid] **I** *s* **1** măiestrie, îndeletnicire, profesie (manuală); **two of a** ~ **a** doi de aceeași meserie **b** *fig* concurenți, rivali; **by** ~ de meserie; **everyone to his** ~ fiecare la locul lui; **to carry on/to drive/to follow/to ply a** ~ **a** a exercita o meserie/profesie **b** a se ocupa cu negoțul **2** *pl v.* **trade unions 3** comerț, negoț; **by way of** ~ pe cale comercială; **to be in (the cotton)** ~ a face negoț (cu bumbac); a fi negustor/comerciant (de bumbac); **to carry on/to drive a good/roaring** ~ a-i merge bine negoțul, a face afaceri strașnice; ~ **is brisk**

afacerile merg bine; ~ **is dull/ slack/at a standstill** comerțul stagnează, nu merg afacerile; **to leave off/to give up** ~ a se lăsa de negoț, a se retrage din afaceri **4** afacere, tranzacție (comercială); **to force a** ~ a încheia cu de-a sila o tranzacție **5 the** ~ *com* comercianții, furnizorii autorizați **6 the** ~ *com* clientela, clienții, cumpărătorii **7** *amer pol* înțelegere, învoială; complicitate; conivență **8** *sport sl* pariuri *(la curse etc.)* **9** *amer* material, stofă; *peior* zdrențe, vechituri **10** *pl v.* **trade winds 11** *nav* călătorie cu destinație precisă; rută/ cursă regulată **12** *min* steril, rocă sterilă, gangă **13** ← *înv* urmă, călcătură; direcție; drum, cărare, potecă **14** ← *F* unealtă, sculă **15** ← *înv* sforțare, istovire **16** *sl nav* (serviciu de) submarine **II** *adj* **1** comercial, de comerț **2** mercantil, negustoresc **III** *vi* **1** (**in**) a face negoț/comerț (de, cu) **2** (**with**) a face negustorie/afaceri (cu) **IV** *vt* **1** a negocia; **to ~ smth for smth else** a face schimb de mărfuri, a face troc, a da un lucru în schimbul altui lucru **2** (**with**) a face schimb de, a schimba (cu)

Trade, the ['treid, ðə] *s* ← *F* **1** negoț de băuturi spirtoase **2** *nav* (serviciu de) submarine

trade agreement ['treid ə,gri:mənt] *s* acord comercial

trade balance ['treid,bæləns] *s ec* balanță comercială

Trade Board ['treid ,bɔːd] *ist od ec* comisie de arbitraj/împăciuire *(pentru conflictele industriale)*

trade cycle ['treid ,saikəl] *s ec* alternare a perioadelor de prosperitate și criză, flux și reflux *(al condițiilor economice)*

trade discount ['treid ,diskaunt] *s ec* scont comercial

trade disease ['treid di'ziːz] *s* maladie/boală profesională

trade disputes ['treid ,dispjuːts] *s pl* conflicte industriale/de muncă

trade edition ['treid i'diʃən] *s* ediție comercială/obișnuită

trade-in ['treid,in] *s com* schimbare a unui articol vechi cu unul nou

trade in ['treid 'in] **I** *vt cu part adv* **1** a face trafic de *(influență etc.)*

2 *com* a schimba *(un automobil vechi cu unul nou etc.)*

trade journal ['treid ,dʒəːnəl] *s* revistă comercială

trade-last ['treid,lɑːst] *s amer* schimb de amabilități/complimente *(în presă)*

trade mark ['treid ,mɑːk] *s* marca fabricii/înregistrată

trade mission ['treid ,miʃən] *s* misiune comercială; misiune economică

trade name ['treid ,neim] *s v.* **trade mark**

trade off ['treid 'ɔːf] *vt cu part adv com* a face troc cu/schimb de; a schimba (prin bună înțelegere); a negocia/a vinde în compensație/contrapartidă

trade-off ['treid,ɔːf] *s com* schimb în natură, troc; comerț/negoț în compensație/contrapartidă

trade on ['treid 'ɔn] *vi cu part adv fig* a exploata, a profita (de pe urma – *cu gen*)

trade paper ['treid ,peipər] *s* ziar comercial; publicație comercială/ economică *(într-un anumit domeniu)*

trade plates ['treid ,pleits] *s auto* numere (auto) provizorii; numere de atelier *(folosite înaintea înscrierii în circulație)*

trade price ['treid ,prais] *s com* preț cu ridicata/de gros/engros

trader ['treidər] *s* **1** comerciant, negustor (↓ *angrosist*) **2** afacerist, om priceput la afaceri **3** *nav* vas comercial, navă care face curse regulate *(pe aceeași rută)*

trade route ['treid ,ruːt] *s* rută comercială, drum comercial

tradescantia [,trædes'kænʃiə] *s bot* buruiană/plantă perenă *din genul Tradescantia*

trade school ['treid ,skuːl] *s* **1** școală profesională; liceu industrial; *înv* → școala de (arte și) meserii **2** școală comercială

trade secret ['treid ,siːkrit] *s ec, com* secret comercial; patent; dispozitiv, procedeu care oferă avantaje economice *(nefiind cunoscut de alții)*

tradesfolk ['treidz,fouk] *s v.* **tradespeople**

trade show ['treid ,ʃou] *s cin* vizionare/prezentare (comercială) a

unui film (în vederea achiziționării)

trade sign ['treid ,sain] *s* firmă (comercială)

tradesman ['treidzmən] *s* **1** negustoraș, mic negustor/comerciant **2** furnizor **3** *reg* meseriaș, meșteșugar

tradesmen's entrance ['treidzmən 'entrəns] *s* intrare/scară de serviciu

tradespeople ['treidz,piːpl] *s* colectiv **1** negustorime, lumea negustorilor **2** furnizori

trades union ['treidz ,juːniən] *s v.* **trade union**

Trades Union Congress ['treidz ,juːniən 'kɔngres] *s* Congresul Sindicatelor britanice; *înv* congresul trade-unioanelor; organ executiv suprem al mișcării sindicale britanice

tradeswoman ['treidz,wumən] *s* **1** negustoreasă **2** furnizoare

trade union ['treid 'juːniən] *s* sindicat (muncitoresc)

trade unionism ['treid 'juːniənizəm] *s* mișcare sindicală, sindicalism

trade unionist ['treid 'juːniənist] *s* sindicalist; membru de sindicat

trade-union movement ['treid ,juːniən 'muːvmənt] *s v.* **trade unionism**

trade upon ['treid ə,pɔn] *vi cu prep v.* **trade on**

trade winds ['treid ,windz] *s pl geogr* (vânturi) alizee

trading ['treidiŋ] **I** *s v.* **trade I 3 II** *adj.* comercial, de comerț

trading capital ['treidiŋ ,kæpitəl] *s ec* capital comercial; fond de rulment

trading company ['treidiŋ ,kʌmpəni] *s ec* companie/societate comercială

trading estate ['treidiŋ ,is'teit] *s arhit, ec* zonă destinată construcțiilor industriale și comerciale, zonă comercială; construcții pentru firmele industriale și comerciale; *aprox* spații economice

trading house ['treidiŋ ,haus] *s ec* casă de comerț

trading port ['treidiŋ ,pɔːt] *s nav* port comerial

trading-post ['treidiŋ ,poust] *s com, ec* punct comercial; stațiune pentru comerțul cu băștinași *(în zonele izolate)*

trading stamp ['treidiŋ ,stæmp] *s com* cupon, tichet (de rabat/reducere) oferit clientului (pentru cumpărarea altor articole)

trading town ['treidiŋ ,taun] *s* oraş comercial

trading vessel ['treidiŋ ,vesəl] *s nav* navă comercială, vas comercial

tradition [trə'diʃən] *s* 1 tradiţie, datină, obicei (străvechi) 2 tradiţie (orală), legendă 3 *jur* cutumă; obiceiul pământului 4 *jur* predare, înmânare; transferare

traditional [trə'diʃənəl] *adj* 1 tradiţional 2 legendar, tradiţional, transmis din gură în gură/din generaţie în generaţie 3 *jur* consuetudinar, care ţine de datini/cutume/tradiţie

traditionalism [trə'diʃənəlizəm] *s* tradiţionalism

traditionalist [trə'diʃənəlist] *s* tradiţionalist

traditionary [trə'diʃənəri] *adj v.* **traditional**

traditionist [trə'diʃənist] *s* tradiţionalist; persoană care ţine la tradiţii.

traditor ['trædiitə] *pl* ~**s** ['trædiitəz] *sau* ~**es** [trædi'touriz] *s ist* creştin (primitiv) care şi-a trădat credinţa/a cedat persecuţiilor (*predând autorităţilor biblia sau obiectele de cult);* apostat

traduce [trə'dju:s] *vt* 1 a defăima, a ponegri, a detraca; a cleveti, a bârfi 2 ← *înv* a expune 3 *înv* a tălmăci, – a traduce

traducement [trə'dju:smənt] *s* defăimare, ponegrire, detractare, calomniere; clevetire, bârfire

traducer [trə'dju:sə'] *s* detractor, calomniator, defăimător; clevetitor, bârfitor

traducian [trə'dju:ʃən] *s filos rel* adept al credinţei că trupul are viaţă veşnică

traducianism [trə'dju:ʃənizəm] *s filos rel* credinţă în viaţa viitoare a trupului şi sufletului

traducianist [trə'dju:ʃənist] *s filos rel v.* **traducian**

Trafalgar, Cape [trə'fælgə, keip] Capul Trafalgar

Trafalgar Square [trə'fælgə ,skwɛə'] Piaţa Trafalgar (*din Londra*)

traffic ['træfik] **I** *s* 1 circulaţie, mişcare (a vehiculelor), trafic; **beware of** ~**!** atenţie la circulaţie/vehicule! **a block in the** ~ gâtuire/blocare a circulaţiei; **to open a road for** ~ a da în exploatare/circulaţie o şosea; **road fit for** ~ şosea deschisă traficului/circulaţiei publice; **a road carrying a great deal of** ~ arteră de/cu circulaţie intensă 2 *nav* navigaţie comercială 3 negoţ, comerţ, trafic comercial 4 trafic/comerţ ilicit/ilegal; **to be engaged in the drug** ~ a face trafic de/cu stupefiante, a trafica droguri 5 *atr* de/referitor la circulaţie **II** *vi v.* **trade III III** *vt v.* **trade IV**

traffic accident ['træfik ,æksidənt] *s* accident de circulaţie

trafficator ['træfi,keitə'] *s auto* 1 semnalizator (de direcţie) 2 lampă de semnalizare (↓ *mobilă*)

traffic away ['træfik ə'wei] *vt cu part adv* a-şi vinde (*onoarea etc.*); a-şi trăda (*principiile etc.*)

traffic circle ['træfic ,sə:kl] *s amer auto* sens giratoriu

traffic cop ['træfik ,kɔp] *s sl v.* **traffic officer**

traffic department ['træfik di'pa:tmənt] *s* 1 *ferov* (serviciu de) mişcare 2 *tel* serviciu de exploatare

traffic for ['træfik fə'] *vi cu prep* a se tocmi/a se târgui pentru

traffic indicator ['træfik indi'keitə] *s auto* indicator de circulaţie

traffic island ['træfik, ailənd] *s auto, drumuri* insulă (pentru pietoni), refugiu pietonal/pentru pietoni

traffic jam ['træfik ,dʒæm] *s* gâtuire/blocare a circulaţiei, ambuteiaj,încurcătură de circulaţie

trafficker ['træfikə'] *s* 1 traficant 2 negustor, comerciant

trafficless ['træfiklis] *adj* pustiu, gol, deşert; necirculat

traffic lights ['træfik ,laits] *s pl* stop, semafor/semafoare pentru dirijarea circulaţiei

traffic manager ['træfik ,mænidʒə'] *s ferov* împiegat de mişcare; şeful biroului de mişcare

traffic officer ['træfik ,ɔfisə'] *s* agent de circulaţie

traffic sign ['træfik ,sain] *s auto* semn/indicator de circulaţie

traffic signals['træfik ,signəlz] *s pl v.* **traffic lights**

traffic superintendent ['træfik ,sju:pərin'tendənt] *s v.* **traffic manager**

traffic ticket ['træfik ,tikit] *s amer auto* proces-verbal de contravenţie

traffic violator ['træfik vaiə'leitə'] *s* contravenient la legea circulaţiei

traffic warden ['træfik ,wɔ:dən] *s auto* agent de circulaţie voluntar; auxiliar voluntar al poliţiei rutiere

trag. *presc. de la* 1 **tragedy** 2 **tragic**

tragacanth ['trægə,kænθ] *s ch, farm, text* gumă (albă sau roşcată) *extrasă din plante din genul Astragalus*

tragedian [trə'dʒi:diən] *s* 1 *teatru* tragedian, actor de tragedie 2 autor de tragedii, dramaturg tragic

tragedienne [trə,dʒidi'en] *s fr* tragediană, actriţă de tragedie

Tragedy ['trædʒidi] *s* muză tragică

tragedy ['trædʒidi] *s* 1 *teatru* tragedie; dramă; **to take to** ~ a interpreta roluri tragice 2 *fig* întâmplare/poveste tragică; lucru tragic; **to make a** ~ **out of commonplace occurrence** a lua în tragic o banalitate

tragic actor ['trædʒik ,æktə'] *s v.* **tragedian 1**

tragic(al) ['trædʒik(əl)] *adj* 1 *teatru* tragic, de tragedie 2 *fig* tragic, funest; îngrozitor 3 ← *F* trist, grav; **don't be so** ~ **about it!** n-o lua chiar aşa în tragic!

tragically ['trædʒikəli] *adv* 1 (în mod) tragic/nefericit; din nefericire 2 trist, grav, cu tristeţe;(în) tragic 3 *teatru etc.* în stil tragic,în stilul tragediei (antice)

tragic drama ['trædʒik 'dra:mə] *s teatru* 1 tragedie, dramă tragică 2 teatru tragic

tragic irony ['trædʒik 'airəni] *s lit, teatru* subtext/înţeles ascuns tragic (*cunoscut publicului, dar nebănuit de erou ↓ în tragedia greacă);* ironie a soartei

tragicomedy [,trædʒi'kɔmidi] *s* tragicomedie;melodramă

tragicomical [,trædʒi'kɔmikəl] *adj* tragicomic

tragic play ['trædʒik 'plei] *s v.* **tragedy 1**

tragopan ['trægə,pæn] *s orn* specie de fazan albastru *din India (Ceriornis satyra)*

trahison des clercs [tra:i'zɔŋ dei 'klɛə] *s lit* trădare (*a taloanelor/ standardelor/valorilor*) de către intelectuali

trail [treil] **I** *vt* **1** (**along/after/behind**) a târî, a trage (după sine); **to ~ one's coat** a a sfida, a avea o atitudine de sfidare **b** a căuta ceartă/râcă; **~ arms!** *mil* arma/armele în bandulieră! **2** a remorca **3** a urmări, a fila (pe cineva) **4** *v.* **trace II 5** a călca/a păşi pe *(iarbă etc.)* **II** *vi* **1** a se târî pe jos, a mătura pământul/podelele; a atârna până la pământ **2** *bot* a se târî **3** a se târî, a târî picioarele, a merge încet **III** *vr* a se târî; a trage/târşi/târâi/târşâi picioarele **IV** *s* **1** *v.* **track I 1 2** dâră *(de sânge, fum etc.)* **3** marcaj *(pe munte)* **4** trenă **5** şir, rând, alai, procesiune **6** cărare, potecă; drum; **to take the back ~** *amer F* a face calea întoarsă **7** *bot* lăstar târâtor **8** *mil* bandulieră, cumpănire; **at the ~** în cumpănire **9** *mil* călcâiul afetului la bandulieră

trail along ['treil ə'lɔŋ] *vi cu part adv v.* **trail II 3**

trail angle ['treil ˌæŋgl] *s av* unghi de remanenţă

trail away ['treil ə'wei] *vi cu part adv* **1** a se îndepărta târându-şi picioarele **2** *şi fig* a se pierde în depărtare

trail behind ['treil bi'haind] *vi cu prep* a se târî în urma celorlalţi

trail blazer ['treil ˌbleizəʳ] *s* deschizător de drumuri, pionier

trail box ['treil ˌbɔks] *s mil* cutia lunetei *(la afetul de tun)*

trailer ['treiləʳ] *s* **1** plantă târâtoare/agăţătoare **2** remorcă *(de camion, tramvai etc.)*, auto rulotă **3** codaş, persoană care rămâne în urmă **4** vânător **5** *cin* forşpan **6** *el* port-perie

trailer camp/court/park ['treilə ˌkæmp/ˌkɔːt/ˌpaːk] *s* camping; parc de rulote/remorci

tailerize ['treilə,raiz] *vi amer* a-şi petrece concediul/vacanţa călătorind într-un automobil cu rulotă/remorcă

trailer park ['treilə ˌpaːk] *s amer v.* **trailer camp**

trail for ['treil fəʳ] *vi cu prep* a fi în căutare de/în căutarea *cu gen*, a căuta *cu ac*

trailing ['treiliŋ] **I** *s* **1** târâre, târâire **2** târşâire, târâire *(a picioarelor etc.)* **3** atârnare, târâre de pământ

4 rămânere în urmă, decalaj **5** sfârşit/final neconcludent/în coadă de peşte; încheiere neconvingătoare; lăsare baltă **II** *adj* **1** care atârnă/se târăşte pe jos **2** care rămâne în urmă **3** rămas neterminat/în coadă de peşte **4** care urmează să continue

trailing edge ['treiliŋ ˌedʒ] *s* **1** *av* bord de fugă **2** *el* curbă descendentă a amplitudinii *(pulsaţiei etc.)*

trailing wheel ['treiliŋ ˌwiːl] *s tehn* roată liberă *(nemotrice)*

trail off ['treil'ɔːf] *vi cu part adv v.* **trail away**

train[1] [trein] **I** *s* **1** *ferov* tren; garnitură; **by ~** cu trenul; **the ~ is off** trenul a plecat/tocmai porneşte; **to get into ~** the a se urca/a se îmbarca în tren; **to get off the ~** a se da jos/a coborî din tren; **to miss one's ~** a pierde/a scăpa trenul; **to take the ~** a lua trenul, a merge cu trenul; **to catch the ~** a prinde trenul **2** trenă, suită, alai; echipaj; **to be in smb's ~** a face parte din suita/trena cuiva **3** şir, rând; lanţ; înlănţuire; **in another ~ of thoughts** în altă ordine de idei **4** *fig* curs, mers; cale; **in ~** pus la punct, bine aranjat, bine organizat; **everything is in ~** totul e perfect (aranjat); toate lucrurile sunt bine pregătite/puse la punct; **to set in ~** a pune în mişcare; **he is in (good) ~** îi merge bine/de minune **5** trenă *(de rochie)*, coadă *(de cometă, păun etc.)*; **in the ~ of** a în urma *cu gen*; **b** ca/drept urmare a, ca rezultat al; **misfortunes following in the ~ of war** nenorocirile aduse de război **6** *mil* coada afetului **7** *tehn* tren laminor; transmisie prin angrenaje **8** curs de râu **9** sanie **II** *vt* **1** a instrui, a învăţa, a pregăti, a forma; a face educaţie *(cu dat)*; a califica; a stila *(pe cineva)*; a educa, a exersa *(urechea muzicală etc.)*; **to ~ smb for smth/to do smth** a instrui/a pregăti pe cineva pentru ceva/să facă ceva; a familiariza pe cineva cu un lucru **2** *mil* a instrui, a face instrucţie cu **3** *sport* a antrena **4** a dresa *(un animal)* **5** a deprinde *(un copil)* la oliţă **6** *hort* a dirija *(creşterea unei plante)*; a trage

pe spalier **7** a trage, a târî *(după sine)* **8** *min* a urmări, a urma *(un filon)* **9** *mil* (**upon, at**) a îndrepta, a aţinti, a dirija (tirul, arma) (spre, asupra–*cu gen)*; a ochi în/spre; **to ~ one's gun at/upon smb** a lua/a prinde pe cineva în bătaia puştii, a îndrepta arma/pistolul spre cineva **III** *vi* **1** a (se) exersa, a face exerciţii, a se pregăti, a se instrui, a se forma **2** *sport* a se antrena, a face antrenament(e) **3** *mil* a face instrucţie **4** *←F* a merge cu trenul **5** *amer* a zburda, a se zbengui, a face nebunii

train[2] **I** *s* **1** ademenire, momire **2** stratagemă; cursă, capcană, momeală **II** *vt* a ademeni, a momi, a atrage

trainable ['treinəbəl] *adj* **1** educabil, susceptibil, de educaţie/disciplinare **2** *(d. animal)* care poate fi dresat

train along ['trein ə'lɔŋ] *vt cu part adv v.* **train**[1] **II 6**

trainband(s) ['trein ˌbændz] *s ist* (detaşament de) miliţie orăşenească *(la Londra, în sec. XVI-XVIII)*

train bearer ['trein ˌbɛərəʳ] *s od* paj

train butcher ['trein ˌbutʃəʳ] *s amer* vânzător ambulant în trenuri

train diagram ['trein ˌdaiəgræm] *s ferov* graficul trenurilor

train dispatcher ['trein dis'pætʃəʳ] *s ferov* dispecer, impiegat de mişcare

train down ['trein 'daun] *vi cu part adv* **1** *sport* a-şi reduce greutatea prin antrenamente **2** *fig* a slăbi, a se jigări

train dress ['trein ˌdres] *s* rochie cu trenă; rochie lungă

trained [treind] *adj* **1** educat, învăţat, instruit **2** calificat, cu experienţă, versat, exersat, deprins; stilat; **badly ~** nestilat **3** dresat **4** *sport* antrenat; călit

trained nurse ['treind 'nəːs] *s* infirmieră calificată; asistentă (medicală) specializată

trained parrot ['treind 'pærət] *s* papagal vorbitor

trainee [trei'niː] *s* **1** *mil* recrut; elev la o şcoală specială **2** *sport* elev *(al unui maestru)*; sportiv care se antrenează

trainer ['treinəʳ] *s* **1** instructor, antrenor **2** dresor **3** *← înv* rezervist, membru al miliţiei populare

train ferry ['treɪn ˌferɪ] *s* feribot

trainful ['treɪnful] *s* pasageri *sau* mărfuri dintr-un tren

train guard ['treɪn ˌgɑːd] *s amer ferov* conducător/şef de tren

training [treɪnɪŋ] *s* **1** instruire, pregătire, formare; cultivare; exersare; perfecţionare; **to be in ~ a** a-şi face stagiul/ucenicia **b** *sport* a se antrena **c** *sport* a fi în formă/antrenat **2** *mil* instrucţie; serviciu militar; pregătire; **to keep troops in ~** a menţine pregătirea trupelor **3** *sport* antrenare, antrenament, **to go into ~** a se antrena; **to be out of ~** a nu mai fi antrenat/în formă **4** dresaj, dresare, dresură **5** *mil* punere în bătaie *(a unui tun etc.)*; înălţare, aţintire *(a armei)*

training machine ['treɪnɪŋ məˈʃiːn] *s av* avion/aparat-şcoală

training school ['treɪnɪŋ ˌskuːl] *s* **1** *v.* **teacher training college 2** şcoală profesională

training ship ['treɪnɪŋ ˌʃɪp] *s nav* navă-şcoală

train it ['treɪnɪt] *vt cu pr F v.* **train¹ III 4**

train jumper ['treɪn ˌdʒʌmpəʳ] *s ferov amer* călător/pasager clandestin/ fără bilet

trainless ['treɪnlɪs] *adj* **1** *(d. rochie)* fără trenă/coadă **2** *(d. ţinut)* fără reţea feroviară

trainman ['treɪnmən] *s amer* **1** muncitor feroviar **2** *pl* personalul trenului

train master ['treɪn ˌmɑːstəʳ] *s v.* **train guard**

train-mile ['treɪn ˌmaɪl] *s ferov* milă parcursă *(de un tren – ca unitate de măsură pentru traficul feroviar)*

train of events ['treɪn əv ɪ'vents] *s* suită/înlănţuire/lanţ de evenimente; concurs de împrejurări; context (situaţional)

train of ideas/thought ['treɪn əv aɪ'dɪəz/'θɔːt] *s* înlănţuire/lanţ/ suită/ordine de idei; **in the same ~** în aceeaşi ordine de idei

train oil ['treɪn ˌɔɪl] *s* **1** untură de balenă **2** ←*înv* untură de peşte

train service ['treɪn ˌsəːvɪs] *s ferov* serviciu/birou de mişcare

trainsick ['treɪnˌsɪk] *adj* care are/ suferă de rău de tren/voiaj/călătorie; **to be ~** a avea rău de tren

train sickness ['treɪn ˌsɪknɪs] *s* rău provocat de mersul trenului, rău de voiaj/călătorie

train-spotter ['treɪnˌspɒtəʳ] *s* persoană care colecţionează numere de locomotivă

train staff ['treɪn ˌstɑːf] *s ferov* personalul trenului

train up ['treɪn ˌʌp] **I** *vt cu part adv* **1** *v.* **train¹ II 1, 6 II** *vi cu part adv F* a se grăbi

train with ['treɪn wɪð] *vi cu prep amer* a fi în/a avea relaţii/legături cu; a frecventa *cu ac;* a se frecventa/ a se vedea cu

train work ['treɪn ˌwəːk] *s tehn* angrenaj; mecanism de ceasornic

traipse [treɪps] *vi v.* **trapse II**

trait [treɪt] *s* **1** trăsătură, linie **2** caracteristică, trăsătură; particularitate; specific

traitor ['treɪtəʳ] *s* trădător; **a ~ to one's country** trădător de patrie; **to turn ~** a trăda, a-şi trăda/a-şi vinde ţara, a trece de partea inamicului

traitorous ['treɪtərəs] *adj* **1** trădător **2** necredincios, lipsit de loialitate; nesincer **3** perfid

traitorousness ['treɪtərəsnɪs] *s* **1** *v* **treacherousness 1 2** *v* **treachery 1**

traitress ['treɪtrɪs] *s* trădătoare

Traian ['treɪdʒən], **Marcus Ulpius** împărat roman Traian (53-117 e.n.)

traiectory ['trædʒɛktərɪ] *s* traiectorie

tra-la [trə'lɑː] *inter* ha, ha, ha! tra-la-la! bravo! *(exprimă veselia, bucuria)*

tram¹ [træm] **I** *s* **1** tramvai; **to go by ~** a merge cu tramvaiul **2** linie de tramvai **3** *min* vagonet, cărucior **II** *vt* **1** a duce/a transporta cu tramvaiul **2** *min* a împinge/a duce *(un vagonet)* **III** *vi* **1** a merge cu tramvaiul **2** *min* a transporta *(minereu etc.)* cu vagonetul

tram² *s text* fir de mătase dublu răsucit

tram³ *s v.* **trammel I 5**

tram car ['træm ˌkɑːʳ] *s* (vagon de) tramvai

tram conductor ['træm kən'dʌktəʳ] *s* taxator *(în tramvai)*

tram driver ['træm ˌdraɪvəʳ] *s* manipulant, vatman

tram it ['træm ɪt] *vt cu pr v.* **tram¹ III 1**

tram line ['træm ˌlaɪn] *s* **1** linie de tramvai **2** şină de tramvai

trammel ['træməl] **I** *s* **1** năvod *(cu maliţă)* **2** laţ pentru prins păsări **3** piedică *(pt dresat caii)* **4** *fig* ↓ *pl* piedică, frână, oprelişte, obstacol; dificultate; încorsetare **5** *tehn* şubler **6** năvodar **7** elipsograf **II** *vi* **1** ←*înv* a prinde în plasă; a încurca, a împiedica **2** *fig* a împiedica, a înfrâna, a opri, a pune beţe-n roate *(cu dat)*

trammer ['træməʳ] *s min* vagonetar

tramontana [træmɒn'tænə] *s it* tramontana, vânt (rece) care bate dinspre ţărmul nordic al Adriaticei

tramontane [trə'mɒntɪn] **I** *adj* **1** transalpin, de dincolo de munţi **2** străin **II** *s* **1** persoană de dincolo de munţi; persoană care locuieşte într-o regiune transalpină **2** străin **3** *v.* **tramontana**

tramp [træmp] **I** *s* **1** vagabond, hoinar **2** drum/mers lung şi obositor pe jos; cutreierare, umblet; **to be on the ~ a** a colinda ţara/prin ţară **b** *F v.* **~ II 1 3** tropăit, zgomot de paşi greoi **4** *nav* cargobot *(care ia şi pasageri în curse ocazionale);* tramp **5** *F* damă; stricată; femeie rea de muscă **II** *vi* **1** a hoinări, a vagabonda, a umbla haimana **2** a tropăi, a merge, greoi; a umbla (cu dificultate); **to ~ up and down the corridor** a măsura coridorul cu paşi greoi **III** *vr* a parcurge, a traversa (pe jos); a bate *(drumurile, străzile)*

tramp along ['træmp ə'lɒŋ] *vi cu part adv* a umbla/a călători pe jos; a merge anevoie; **to tramp wearily along** a-şi urma cu greu drumul

tramper ['træmpəʳ] *s v.* **tramp I 1 2** *pl scot*, ghete, bocanci

tramping ['træmpɪŋ] *s* **1** vagabondaj **2** *v.* **tramp I 3** *nav* tramping

tramp it ['træmpɪt] *vt cu pr* a o lua/a merge/a umbla pe jos/cu piciorul; a face drumul pe jos

trample ['træmpəl] **I** *vt* **1** şi *fig* a călca în picioare, a zdrobi sub tălpi **2** a tescui, a stoarce, a presa **3** *v* **trample on 4 II** *s* **1** tropăit, zgomot de paşi **2** şi *fig* călcare în picioare; zdrobire *(sub tălpi)*

trampler ['træmpləʳ] *s* **1** persoană care calcă greoi/zgomotos **2** persoană care calcă totul în picioare

trample underfoot ['træmpəl ˌʌndə'fut] *vt cu part adv v.* **trample on 4**

trampling ['træmpliŋ] *s v.* **trample II**

trampoline ['træmpəlin] **I** *s* plasă elastică folosită *(de către acrobați etc.)* ca trambulină **II** *vi (d. acrobat)* a face salturi cu ajutorul plasei elastice

tramp on ['træmp 'ɔn] *vi cu part adv v.* **tramp along**

trampoose ['træmpu:s] *vi sl* a umbla haihui, a bate țara în lung și în lat, a vagabonda

tramroad ['træm ˌroud] *s* **1** *amer v.* **tramway 2** *min* linie de vagonet

tramtag ['træmtæg] *s austral* distracție/joc constând din urcarea și coborârea repetată (într-un și dintr-un tramvai în mers)

tramway ['træm ˌwei] *s* linie de tramvai

trance [trɑ:ns] *s* **1** *med* transă, catalepsie **2** *fig* transă, extaz *(religios etc.)*; **to fall into a ~ a** a cădea în extaz **b** *F* a avea o criză de isterie **3** transă (hipnotică), hipnoză; **to fall/to go into a ~** a intra în stare de hipnoză, a cădea în transă (hipnotică); **to send smb into a ~** a hipnotiza pe cineva, a face pe cineva să cadă în transă hipnotică **b** a face pe cineva să cadă în extaz

tranche [trɑ̃:ʃ] *s ec, fin* tranșă, porție, cotă (↓ *de venituri, acțiuni etc.)*

tranquil ['træŋkwil] *adj* liniștit, calm, senin, domol

tranquil(l)ity [træŋ'kwiliti] *s* liniște, calm, seninătate

tranquil(l)ize ['træŋkwilaiz] *vt* a calma, a potoli, a domoli, a liniști

tranquil(l)izer ['træŋkwiˌlaizəʳ] *s med* tranchilizant, calmant, sedativ

tranquil(l)izing ['træŋkwiˌlaiziŋ] *adj* calmant, liniștitor, tranchilizant

tranquilly ['træŋkwili] *adv* perfect liniștit, cu un calm desăvârșit

trans- *pref* trans-: **transplant** transplant

trans. *presc de la* **1** transactions **2** transitive **3** transportation **4** translation **5** translator **6** transverse

transact [træn'zækt] **I** *vt* **1** a negocia, a trata *(o afacere)*; a se tocmi pentru **2** a încheia, a executa, a îndeplini, a face (treburi *etc.)* **II** *vi* (**with**) a face afaceri, a perfecta tranzacții (cu)

transaction [træn'zækʃən] *s* **1** tranzacție, afacere; operație comercială **2** negociere, conducere a afacerilor; gestiune **3** efectuare, încheiere, îndeplinire (a unor treburi) **4** *pl* procese verbale, acte, lucrări *(ale ședințelor unei academii etc.)*

transactor [træn'zæktəʳ] *s* negociator, persoană care încheie/face o tranzacție

transalpine [trænz'ælpain] **I** *adj* transalpin, de la nord de Alpi **II** *s* locuitor din nordul Alpilor

Transalpine Gaul [trænz'ælpain 'gɔ:l] *ist* Galia transalpină

transatlantic [ˌtrænzət'læntik] *adj* **1** transatlantic, de dincolo de ocean **2** american

transatantic liner [ˌtrænzət'læntik ˌlainəʳ] *s nav* (pachebot) transatlantic

trans-Caspian [ˌtræns'kæspiən] *adj* transcaspian

Trans-Caucasia [ˌtrænskɔː'keizjə] Transcaucazia

Transcaucasian [ˌtrænskɔː'keizjən] *adj, s* transcaucazian

transceiver [træn'si:vəʳ] *s rad* aparat de emisie-recepție, emițător-receptor

transcend [træn'send] **I** *vt* **1** a depăși, *(limitele — cu gen)*, a trece (dincolo) de **2** *fig* (**in**) a întrece, a depăși (într-o *privință*) **II** a fi superior, a se ridica deasupra celorlalți, a excela

transcendence [træn'sendəns] *s filos* transcendență

transcendency [træn'sendənsi] *s v.* **transcendence**

transcendent [træn'sendənt] **I** *adj* **1** *v.* **transcendent(al) 1 2** care iese din comun, neobișnuit, extraordinar **3** excelent, eminent; sublim **II** *s* (lucru) sublim; exemplar, extraordinar

transcendental [ˌtrænsen'dentəl] *adj* **1** transcendent(al), transcendent **2** ← *F* abstract **3** *mat* transcendent

transcendental cognition [ˌtrænsen'dentəl kəg'niʃən] *s filos rel* cunoaștere apriorică/transcendentală

transcendentalism [ˌtrænsen'dentəˌlizəm] *s filos* transcendentalism

transcendentalist [ˌtrænsen'dentəlist] *s filos* transcendentalist

transcendentalize [ˌtrænsen'dentəˌlaiz] *vt* **1** a face să fie transcendent, a atribui calități transcendentale **2** a idealiza, a transcendentaliza

transcendentally [ˌtrænsen'dentəli] *adv* (în mod) transcendental, dincolo de simțuri; mai presus de experiență/de cunoaștere directă

transcendental meditation [ˌtrænsen'dentəl medi'teiʃən] *s filos rel* meditație transcendentală detașată/care te scoate din realitatea imediată *(pentru obținerea detașării, a independenței spirituale etc.); aprox* yoghism

transcendental object [ˌtrænsen'dentəl 'ɔbdʒikt] *s filos* obiect ireal (necunoscut și imposibil de cunoscut); realitate mai presus de posibilitățile cunoașterii

transcendental unity [ˌtrænsen'dentəl 'ju:niti] *s filos* unitate transcendentală (determinată de cunoaștere)

trascontinental [ˌtrænzkɔnti'nentəl] *adj* transcontinental, care traversează continentul *(de la un capăt la altul)*

transcribe [træn'skraib] *vt* **1** a transcrie, a copia; a reproduce *(o stenogramă)* **2** *lingv* a transcrie fonetic **3** *muz* a transpune, a transcrie *(pt alt instrument etc.)*

transcriber [træn'skraibəʳ] *s* copist; persoană care transcrie

transcript ['trænskript] *s* **1** copie, transcriere **2** reproducere; transcriere a unei stenograme

transcription [træn'skripʃən] *s* **1** transcriere; copiere; reproducere; transcripție **2** *v.* **transcript 1 3** *lingv* transcriere fonetică **4** *muz* transcriere, transpunere

transcriptional [træn'skripʃənəl] *adj* referitor la transcriere, transpunere, copiere, reproducere *v.* **transcription**

transcriptive [træn'skriptiv] *adv v.* **transcriptional**

transducer [trænz'dju:səʳ] *s fiz, el, tehn* convertizor, dispozitiv de transformare a variațiilor unei cantități/unități de măsură în variații ale alteia

transect [træn'sekt] *vt* **1** a tăia, a secționa **2** *anat* a diseca, a face o secțiune în

transection [træn'sekʃən] *s* secţiune, tăietură

transept ['trænsept] *s arhit* transept

transexual [ˌtræn'seksjuəl] *adj v.* **transsexual**

transf. *presc de la* **transfered**

transfer I [træns'fəːʳ] *vt* **1** a trasfera; a deplasa; a muta; a transborda; a trece *(în rezervă etc.)* **2** *jur* a remite, a transmite, a transfera, a preda **3** *com* a vira *(bani)* **4** a calchia, a copia, a decalca, a transpune *(un desen etc.)* **II** ['trænsfəːʳ] *s* **1** transfer; mutare; schimbare; deplasare **2** transformare, schimbare **3** *jur* remitere, predare, transfer, transmitere; (act de) cedare/cesiune **4** *com* virament **5** (bilet de) transbordare/corespondenţă **6** *şcol* mutare *(în altă clasă etc.)* **7** *mil* soldat mutat în alt regiment **8** calchiere, copiere, decalcare; transpunere *(a unui desen, a culorilor)* **9** *pl* abţibilduri, poze de copiat

transferability [ˌtrænsfərəˈbiliti] *s* **1** transmisibilitate, caracter transmisibil **2** posibilitate de transferare/mutare/deplasare

transferable [træns'fəːrəbəl] *adj* **1** transferabil **2** transmisibil; **the invitation is not ~** invitaţia nu e transmisibilă **3** *jur* negociabil, care poate fi cedat/cesionat, care poate face obiectul unei tranzacţii **4** transportabil **5** susceptibil de calchiere/copiere/decalcare/transpunere

transferable vote [træns'fəːrəbəl 'vout] *s pol* vot transferabil *(unui al doilea candidat, în cazul când primul este eliminat)*

transfer-book ['trænsfəbuk] *s ec, fin, com, jur* registru de transfer al/de transferare a proprietăţilor, acţiunilor *etc.*

transfer company ['trænsfə ˌkʌmpəni] *s amer* societate de transport care asigură transbordarea pasagerilor *(între gări apropiate etc.)*

transferee [ˌtrænsfəˈriː] *s jur, com* cesionar

transference ['trænsfərəns] *s* **1** *jur, ec* transmitere, transferare, cedare *(a unei creanţe etc.)* **2** *psih* transfer afectiv

transfer fee ['trænsfə ˌfiː] *s sport* sumă/bursă plătită pentru trans-ferul unui jucător; taxă de transfer *(pentru un jucător profesionist)*

transfer ink ['trænsfər ˌiŋk] *s poligr* tuş litografic, cerneală litografică/de transport

transfer list ['trænsfəˌlist] *s sport* listă de jucători (profesionişti) diponibili pentru transfer; jucători transferabili

transferor [træns'fəːrəʳ] *s jur, com* persoană care cedează un bun/efect

transfer paper ['trænsfə ˌpeipəʳ] *s* **1** hârtie de calc **2** document/act scris pe hârtie de calc; copie **3** *poligr* hârtie litografică

transferrer ['trænsfəːrəʳ] *s* **1** transmiţător **2** *v.* **transferor 3** *poligr* muncitor litograf

transferrin [træns'fəːrin] *s ch, biol* transferin, interferon, proteină care transportă fierul în sânge

transfer RNA ['trænsfə: 'ɑːrˌen 'ei] *s ch, biol* transferul acidului ribonucleic *(pentru sinteza proteinelor)*

transfer service ['trænsfəˌsəːvis] *s* serviciu de legătură/transbordare

transfer table ['trænsfə ˌteibəl] *s* **1** *tehn* platformă mobilă; cărucior **2** *ferov amer* transbordor

transfiguration [ˌtrænsˌfigjuˈreiʃən] *s* transfigurare, transfiguraţie; transformare, prefacere

Transfiguration, the [ˌtrænsˌfigjuˈreiʃən, ðə] *s rel* Schimbarea la faţă

transfigure [træns'figəʳ] *vt* a transfigura, a transforma, a preface

transfinite [træns'fainait] *adj* **1** *filos* (care trece) dincolo de lumea finită; transcendental **2** *mat (d. număr)* care depăşeşte toate numerele finite

transfix [træns'fiks] *vt* **1** a străpunge, a perfora **2** *(d. frică etc.)* a ţintui locului, a încremeni, a face să rămână pironit/încremenit

transfixed [træns'fikst] *adj* ţintuit, pironit, încremenit *(de groază etc.)*

transfixion [træns'fikʃən] *s* **1** străpungere, perforare **2** ţintuire *(cu privirea etc.)*

transform I [træns'fɔːm] *vt* **1** a transforma, a preface, a schimba; a metamorfoza **2** a reforma, a reorganiza **3** *ch, fiz* a transforma, a converti, a transmuta **II** ['trænsˌfɔːm] *s mat, lingv* produs al transformării

transformable [træns'fɔːməbəl] *adj* transformabil, convertibil, susceptibil de transformare/reformare

transformation [ˌtrænsfəˈmeiʃən] *s* **1** transformare **2** schimbare, prefacere, modificare, reformare **3** reformă, reorganizare **4** *ch* transmutaţie **5** ← *înv* metamorfoză

transformational [trænsfəˈmeiʃənəl] *adj lingv etc.* transformaţional

transformation scene [ˌtrænsfəmeiˈʃən siːn] *s teatru etc.* schimbare a decorurilor *etc.* în văzul publicului; scenă spectaculoasă *(de schimbare a decorurilor fără lăsarea cortinei)*

transformative [træns'fɔːmətiv] *adj* transformativ, transformaţional; referitor la transformare *sau* convertire *v.* **transform**

transformer [træns'fɔːməʳ] *s* **1** transformator **2** *fig* reformator, transformator

transformer station [træns'fɔːmə ˌsteiʃən] *s el* staţie de transformare

transformism [træns'fɔːmizəm] *s biol* transformism

transformist [træns'fɔːmist] *adj, s* transformist

transfuse [træns'fjuːz] *vt* **1** a injecta; a face o transfuzie *(de sânge)* **2** a traversa **3** (**with**) a îmbina, a impregna (cu) **4** *fig* a insufla, a inculca, a transmite, a inspira

transfusion [træns'fjuːʒən] *s* **1** transfuzie; injecţie intravenoasă **2** transvazare **3** *fig* insuflare, inculcare, transmitere

transgress [trænz'gres] **I** *vt* a încălca, a viola, a nu respecta; a depăşi *(atribuţiile, competenţa)* **II** *vt* **1** a contraveni la lege, a (în)călca legea/regulile/convenţiile **2** a păcătui, a greşi

transgression [trænz'greʃən] *s* **1** infracţiune, încălcare *(a legii etc.)*; contravenţie **2** păcat, greşeală

transgressive [trænz'gresiv] *adj* **1** *jur* culpabil, vinovat *(de un delict sau contravenţie)* **2** *jur* culpabil, vinovat care dovedeşte o vină/vinovăţie **3** *geol* transgresiv

transgressor [trænz'gresəʳ] *s* **1** infractor, contravenient; persoană care încalcă/violează legea **2** păcătos

tranship [træn'ʃip] *vt, vi v.* **transship**

transhumance [træns'hju:məns] *s sociologie* transhumanță, deplasare după anotimp

transience [trænziəns], **transiency** [trænziənsi] *s* caracter efemer/ trecător; durată (prea) scurtă; vremelnicie, efemeritate

transient ['trænziənt] **I** *adj* **1** trecător, pasager, efemer; tranzitoriu, vremelnic **2** fugar, fugitiv; grăbit, rapid **3** întâmplător, ocazional, accidental **4** *amer* în tranzit **II** *s amer* pasager, trecător/în tranzit

transiently ['trænziəntli] *adv* **1** (în mod) pasager, efemer; în trecere/ treacăt **2** (în mod) tranzitoriu/ vremelnic **3** în fugă/pripă, fugitiv, grăbit, in grabă **4** (in mod) întâmplător/ocazional/accidental, din întâmplare, cu totul întâmplător; aleatoriu **5** *amer* în tranzit

transient note ['trænziənt ‚nout] *s muz* notă de trecere

transilluminate [‚trænzi'lu:mi‚neit] *vt* a lumina puternic (și în profunzime) pentru diagnostic, investigație *etc.*

transillumination [‚trænzi‚lu:mi-'neiʃən] *s* luminare puternică (și în profunzime) pentru diagnostic *sau* investigație

Transilvania [‚trænsil'veinjə] *v* **Transylvania**

Transilvanian [‚trænsil'veinjən] *s, adj v.* **Transylvanian**

transire [træn'zaiəʳ] *s ec* autorizație vamală pentru tranzitarea unor mărfuri

transistor [træn'zistəʳ] *s* tranzistor

transistorize [træn'zistə‚raiz] *vt el* a tranzistoriza

transistorized [træn'zistə‚raizd] *adj rad, telev* tranzistorizat, echipat cu tranzistori

transistor radio [træn'zistə 'reidiou] *s* (aparat de) radio cu tranzistori

transit [trənsit] **I** *s* **1** tranzit; **in/for ~** în/de tranzit **2** transport **3** trecere, pasaj, traversare **4** parcurs, drum **5** *astr* trecere prin meridian *sau* în dreptul soarelui **6** *astr* teodolit universal **II** *vt* **1** *mat* a intersecta **2** *astr* a trece prin dreptul (*cu gen*)

transit camp ['trənsit ‚kæmp] *s* lagăr/ tabără de tranzit *(pentru soldați, refugiați etc.)*

transit circle ['trænsit ‚sə:kl] *s astr* cerc meridian

transit compass ['trænsit ‚kʌmpəs] *s fiz* teodolit cu busolă

transit duty ['trænsit ‚dju:ti] *s ec* taxe de tranzit

transit instrument ['trænsit ‚instrumənt] *s astr* lunetă meridiană; teodolit cu busolă

transition [træn'ziʃən] *s* **1** tranziție **2** trecere; evoluție; schimbare **3** perioadă/etapă/stadiu de tranziție; caracter intermediar **4** *muz* modulație

transitional [træn'ziʃənəl] *adj* de tranziție/trecere; (cu caracter) intermediar

transition curve [træn'ziʃən ‚kə:v] *s* **1** *mat, av* curbă de trecere **2** *ferov* curbă de racordare

transition tumour [træn'ziʃən ‚tju:məʳ] *s med* tumoare benignă cu tendință de malignizare/ cancerizare

transitive ['trænsitiv] *gram* **I** *adj* tranzitiv **II** *s* verb tranzitiv

transitively ['trænsitivli] *adv gram* (în mod) tranzitiv

transitiveness ['trænsitivnis] *s gram* caracter tranzitiv, tranzitivitate

transitivity [‚trænsi'tiviti] *s v.* **transitiveness**

transitivization [‚trænsitivai'zeiʃən] *s gram* tranzitivare

transitorily ['trænsitərili] *adv* vremelnic, (în mod) tranzitoriu/ trecător/efemer/fugitiv; în trecere

transitoriness ['trænsitərinis] *s v.* **transcience**

transitory ['trænsitəri] *adj* **1** tranzitoriu **2** *v.* **transient I**

transitory action ['trænsitəri 'ækʃən] *s jur* acțiune tranzitorie

transit permit ['trænsit ‚pə:mit] *s com, ec* document de tranziție (al mărfurilor)

transit theodolite ['trænsit θi'ɔdə-‚lait] *s astr* teodolit universal, teodolit cu lunetă centrală

transit visa ['trænsit ‚vaizə] *s* viză de tranzit *(pe pașaport)*

Transjordan ['træns‚dʒɔ:dən] *regiune* în Orientul Apropiat Transiordania

Transjordanian [‚trænsdʒɔ:'deiniən] *adj, s* transiordanian

transl. *presc de la* **1** translated **2** translation

translatable [træns'leitəbəl] *adj* traductibil, care se poate traduce/tălmăci

translate [træns'leit] **I** *vt* **1** a traduce; a tălmăci; **to ~ from one language into another** a traduce dintr-o limbă într-alta **2** (**as**) a interpreta; a înțelege, a lua (drept, ca) **3** ← *înv* a metamorfoza; a schimba; a transpune **4** *com* a descifra, a decodifica **5** *bis* a transfera *(un episcop)* **6** *rel* a ridica/a înălța la ceruri **7** *tehn* a face translația *(cu gen)*, a imprima/a da o mișcare de translație *(cu dat)* **8** *telev* a retransmite, a relua **9** ← *F* a transforma *(hainele etc.)*; a cârpăci, a cârpi; a recondiționa **II** *vi* **1** a traduce, a face o traducere/tălmăcire **2** ← *F* a se explica, a-și lămuri intențiile *etc.*

translation [træns'leiʃən] *s* **1** traducere; tălmăcire **2** interpretare **3** lucrare tradusă, traducere; versiune **4** descifrare; decodificare **5** explicare, explicație **6** *bis* mutare, transferare *(a unui episcop)* **7** *rel* ridicare/înălțare la ceruri **8** *fiz, tehn* (mișcare de) translație **9** *telev* retransmisie, reluare

translational [træns'leiʃənəl] *adj* **1** referitor la traduceri; de traducere **2** *tehn, fiz* de translație

translator [træns'leitəʳ] *s* **1** traducător; translator **2** *telev* aparat de retransmitere/reluare

translatress [træns'leitris] *s* traducătoare; translatoare

transliterate [trænz'litə‚reit] *vt* a transcrie/a transpune *(într-un alt alfabet)*

transliteration [trænzlitə'reiʃən] *s* transliterație, transcriere, transpunere *(într-un alt alfabet)*

transliterator [trænzlitə'reitəʳ] *s* **1** persoană care face operația de transliterare/transpunere/transcriere *(într-un alt alfabet)* **2** aparat care face operația de transliterare/transcriere/transpunere *(într-un alt alfabet)*

translocation [‚trænzlou'keiʃən] *s* **1** deplasare, mutare din loc în loc; dislocare **2** *bot* deplasare a substanțelor în organismul plantei

translucence [trænz'lu:səns], **translucency** [trænz'lu:sənsi] *s* **1** transluciditate, caracter diafan/translucid **2** ← *înv* transparenţă

translucent [trænz'lu:sənt] *adj* **1** translucid **2** ← *înv* transparent

translucently [trænz'lu:səntli] *adv* **1** în mod translucid **2** ← *înv* prin transparenţă; în mod transparent

translucid [trænsˈlu:sid] *adj v.* **translucent 1**

translunary [trænz'lu:nəri] *adj* **1** *astr* situat/aflat dincolo de lună; de dincolo de lună/*poetic* de astrul zilei **2** *fig* imaterial, abstract; vizionar, transcedental

transmarine [ˌtrænzmə'ri:n] *adj* *geogr* de dincolo de mare; *lit* de peste mări (şi ţări)

transmigrant [trænz'maigrənt] **I** *adj* migrator; aflat în tranzit; care străbate o ţară **II** *s* străin/persoană care străbate o ţară în tranzit (în drum spre alta); turist în tranzit

transmigrate [ˌtrænzmai'greit] *vi* **1** a emigra, a migra dintr-o ţară în alta **2** *(în metempsihoză)* a transmigre, a suferi o metempsihoză

transmigration [ˌtrænzmai'greiʃən] *s* **1** *rel* transmigraţie **2** metempsihoză; transmigraţie

transmigrator [ˌtrænzmai'greitəʳ] *s v.* **transmigrant II**

transmigratory [ˌtrænzmai'greitəri] *adj v.* **transmigrant I**

transmissable [trænz'misəbəl] *adj v.* **transmissible**

transmissibility [ˌtrænsmisə'biliti] *s* transmisibilitate

transmissible [trænz'misəbəl] *adj* transmisibil

transmission [trænz'miʃən] *s* **1** transmisie, transmitere **2** *rad* emisie, transmisie; emisiune

transmission case [trænz'miʃən, keis] *s tehn, auto* cutie de transmisie

transmission line [trænz'miʃən ˌlain] *s el* linie de înaltă tensiune

transmission rod [trænz'miʃən ˌrod] *s tehn* tijă de transmisie

transmission unit [trænz'miʃən ˌju:nit] *s fiz* unitate de transmisie a sunetelor; *aprox* decibel

transmissive [trænz'misiv] *adj* **1** transmiţător, care transmite **2** transmis **3** transmisibil

transmit [trænz'mit] **I** *vt* **1** a transmite; a conduce, a face să treacă *(curentul electric etc.)* **2** *rad* a transmite, a emite; a (radio)difuza **3** a transmite ca moştenire, a lăsa moştenire, a transmite pe cale ereditară **II** *vi rad* a transmite, a emite

transmittable [trænz'mitəbəl] *adj* **1** transmisibil, care poate fi transmis/înmânat **2** *jur* transmisibil, transferabil, care poate fi transmis *sau* cedat altei persoane

transmittal [trænz'mitəl] *s v.* **transmission**

transmitter [trænz'mitəʳ] *s* **1** transmiţător **2** expeditor **3** *tel* emiţător, transmiţător; traductor; manipulator; microfon **4** *rad* emiţător, post/staţie de radio/emisie

transmitter-receiver [trænz'mitə, riˈsi:vəʳ] *s v.* transceiver

transmitting aerial [trænz'mitiŋ ˌɛəriəl] *s red* antenă de emisie

transmitting station [trænz'mitiŋ ˌsteiʃən] *s v.* **transmitter 4**

transmogrification [trænz,mogrifi-'keiʃən] *s* ← *umor* schimbare, metamorfoză, transformare

transmogrify [trænz'mogri,fai] *vt* ← *umor* a transforma, a schimba (la faţă), a metamorfoza

transmontane [ˌtrænzmon'tein] *adj* transmontan, transalpin; de/situat dincolo de munţi

transmutability [ˌtrænzmju:tə'biliti] *s* capacitate de transmutare

transmutation [ˌtrænzmju:'teiʃən] *s* **1** transmutaţie **2** transformare, conversiune, convertire **3** ← *F* schimbare, modificare

transmutation of fortune, the [ˌtrænzmju:'teiʃən əv 'fɔ:tʃən, ðə] *s jur* schimbare de proprietate/a proprietarului

transmutative [trænz'mju:tətiv] *adj* **1** referitor la transmutare/transmutaţie; bazat pe transmutaţie **2** *jur* bazat pe transfer/transmitere de proprietăţi

transmute [trænz'mju:t] *vt* **1** a transmuta **2** (into) a transforma, a preface, a schimba (în)

transmuter [trænz'mju:təʳ] *s* **1** *ch etc.* agent/element/factor de transmutare/transmutaţie **2** persoană care se ocupă de transmutare/transmutaţie; alchimist **3** element/factor/agent de transformare

transnational [trænz'næʃənəl] *ec* **I** *adj* transnaţional, supranaţional, care depăşeşte graniţele/limitele naţionale *(d. societăţi, trusturi internaţionale)* **II** *s v.* **transnational company**

transnational company/corporation [trænz'næʃənəl kʌmpəni/ˌkɔ:pəˈreiʃən] *s ec* societate transnaţională, concern/trust transnaţional/multinaţional/internaţional

transoceanic [ˌtrænz,ouʃi'ænik] *adj* transoceanic, de peste ocean

transom ['trænzəm] *s* **1** traversă, bară transversală **2** *arhit* impostă **3** *nav* oglinda/cadrul pupei

transom bar ['trænzəm ˌba:ʳ] *s v.* **transom 2**

transom window ['trænzəm ˌwindou] *s arhit* supralumină

transonic [træn'sonik] *adl fiz, av* supersonic, trans-sonic, referitor la viteze apropiate de cea a sunetului

transp. *presc de la* **transportation**

transpacific [ˌtrænzpə'sifik] *adj geogr* **1** (situat) dincolo de Pacific **2** care traversează Pacificul, transoceanic

transparence [træns'pærəns] *s v.* **transparency 1**

transparency [træns'pærənsi] *s* **1** transparenţă; limpezime, claritate **2** (hârtie) transparentă **3** *fot* diapozitiv, pozitiv pe sticlă

transparent [træns'pærənt] *adj* **1** transparent, străveziu **2** *fig* evident, clar, transparent, vizibil; *F*→ cusut cu aţă albă **3** *fig* diafan **4** inefabil **5** sincer, franc, deschis, neprefăcut

transparently [træns'pærəntli] *adv* **1** în mod transparent, în transparenţă **2** *fig* (în mod) vizibil/evident/clar/transparent; într-un mod care-ţi sare în ochi **3** în mod inefabil **4** (în mod) sincer/deschis/franc, fără prefăcătorie; *F* de la obraz

transparentness [træns'pærəntnis] *s v.* **transparency**

transpierce [træn'piəs] *vt* a străpunge, a perfora

transpirable [træns'paiərəbəl] *adj* **1** exudat, care iese/este eliminat prin transpiraţie **2** *(d. taină etc.)* care poate ieşi la iveală, care se poate afla/care s-ar putea să transpire/să fie dat în vileag

transpiration [ˌtrænspəˈreɪʃən] s 1 transpirație, asudare 2 sudoare, transpirație, nădușeală 3 *fig* ieșire la iveală, divulgare, transpirare *(a unui secret)*

transpiratory [trænsˈpaɪərətəri] *adj* referitor la transpirație/exudație/ F sudoare/nădușeală

transpire [trænˈspaɪəʳ] I *vi* 1 a transpira, a asuda, a năduși 2 *(de. secret etc.)* a se afla, a deveni de notorietate publică, a transpira 3 a se strecura, a se furișa 4 a se infiltra 5 *vulg* a se întâmpla, a se petrece, a avea loc; **all that ~d** tot (ceea) ce s-a întâmplat II *vt* a elimina prin transpirație, a exuda

transplant I [trænsˈplɑːnt] *vt* 1 a transplanta 2 *fig* a muta, a transfera, a strămuta 3 *med* a grefa, a transplanta II *vi med* 1 a face grefe/transplanturi 2 a se preta la transplantare III [ˈtrænsˌplɑːnt] s 1 puiet transplantat 2 *med* transplant, grefă 3 *med* transplantare; **heart ~ man** om cu inima transplantată/cu grefă de cord

transplantable [trænsˈplɑːntəbəl] *adj bot, med* transplantabil, care poate fi transplantat

traansplantation [ˌtrænsplænˈteɪʃən] s v. **transplant III 2, 3**

transplanter [trænsˈplɑːntəʳ] s 1 *bot, met* persoană care efectuează o transplantare/un transplant 2 *silv, agr* unealtă folosită pentru transplantare

transponder [trænˈspɒndəʳ] s *rad* dispozitiv de recepție-transmisie automată

transpontine [trænzˈpɒntaɪn] *adj* 1 situat la sud de Tamisa 2 *fig* melodramatic, de melodramă

transpontine drama, the [trænzˈpɒntaɪn ˌdrɑːmə, ðə] s *teatru* (teatru de) melodramă

transport I [trænsˈpɔːt] *vt* 1 a transporta, a duce, a căra 2 v. **transplant I, 2 3** *fig pas* a entuziasma; a transporta, a face să cadă în extaz; **to be ~ed with delight** a fi transportat/entuziasmat la culme; a se extazia, a cădea în extaz 4 *od* a deporta, a trimite (peste ocean) la muncă silnică II [ˈtrænsˌpɔːt] s 1 transport 2 transportare; cărăușie *com* livrare 3 *nav* vas de transport

4 *fig* (acces de) entuziasm, extaz; **to be in ~s** *v. ~* I 3 5 *fig* (acces de) furie/mânie 6 *od* deportat, ocnaș *(trimis peste ocean)*

transportability [ˌtrænspɔːtəˈbɪlɪti] s posibilitate de a fi transportat/cărat/deplasat; transportabilitate

transportable [trænsˈpɔːtəbəl] *adj* transportabil, ușor de transportat/cărat; portativ; care poate fi transportat

transportation [ˌtrænspɔːˈteɪʃən] s 1 v. **transport II 1, 2 2** mijloc de transport 3 *amer* speze de transport 4 *amer* foaie de drum; bilet de călătorie 5 *od* deportare

transport café [ˈtrænspɔːt ˌkæfeɪ] s cafenea *sau* bufet pentru persoane în tranzit *(șoferi); aprox* han, birt, bufet expres

transport charges [ˈtrænspɔːt ˌtʃɑːdʒɪz] s v. **transportation 3**

transporter [trænsˈpɔːtəʳ] s 1 antreprenor, agent de transport/cărăușie 2 *tehn* transportor, conveior, bandă transportoare

transsporter bridge [trænsˈpɔːtə ˌbrɪdʒ] s pod de transbordare

transport plane [ˈtrænspɔːt ˌpleɪn] s avion de transport

transport service [ˈtrænspɔːt ˌsəːvɪs] s *com* serviciu de expediție/transport

transport vessel [ˈtrænspɔːt ˌvesəl] s v. **transport II 3**

transport worker [ˈtrænspɔːt ˌwəːkəʳ] s *ec* 1 muncitor din transporturi 2 funcționar la o întreprindere de transport; funcționar din transporturi

transposal [trænsˈpəʊzəl] s v. **transposition**

transpose [trænsˈpəʊz] *vt* 1 a transpune 2 a modifica, a schimba *(ordinea etc.)* 3 *muz* a transpune; a transcrie

transposer [trænsˈpəʊzəʳ] s *mu* muzician care transcrie/transpune lucrări muzicale

transposing instrument [trænsˈpəʊzɪŋ ˈɪnstrəmənt] s *muz* instrument/dispozitiv care transpune automat sunetele în altă gamă

transposing piano [trænsˈpəʊzɪŋ pɪˈænəʊ] s *muz* pian care efectuează (automat/mecanic) transpunerea în altă gamă

transposition [ˌtrænspəˈzɪʃən] s 1 transpunere, transpoziție, (per)

mutare, strămutare, schimbare 2 inversiune; trecere

transpositional [trænspəˈzɪʃənəl], **transpositive** [trænsˈpɒzɪtɪv] *adj* referitor la/bazat pe transpunere/transpoziție

trans-Saharian [ˌtræns səˈhɛəriən] *adj* trans-saharian, care străbate (deșertul) Sahara

transsexual [trænzˈseksjuəl] I *adj (d. persoană)* intersexual, hermafrodit; care prezintă caracteristici fizice ale unui sex și psihologia celui opus; androgin II s hermafrodit; persoană hermafrodită/care prezintă caracteristicile fizice ale unui sex și psihologia celui opus

transship [trænsˈʃɪp] *nav* I *vt* a transborda II *vi* a face o transbordare

transshipment [trænsˈʃɪpmənt] s *nav* transbordare

trans-Siberian [ˌtræns saɪˈbɪəriən] *adj, s* trans-Siberian

trans-sonic [trænsˈsɒnɪk] *adj v.* **transonic**

transubstantiate [ˌtrænsəbsˈtænʃɪeɪt] *vt rel* a transforma o substanță în alta; a preface *(mai ales* împărtășania în trupul și sângele Mântuitorului prin simțire)

transubstantiation [ˌtrænsəbstenʃɪˈeɪʃən] s *rel* doctrină a transsubstanțierii

transudation [ˌtrænsuˈdeɪʃən] s *fiz, biol* trans-sudație, trecere (a unui lichid) prin porii *sau* interstițiile unei membrane *etc.; aprox* osmoză

transudatory [ˌtrænsuˈdeɪtəri] *adj fizl* bazat pe transsudație/pe trecere (unui lichid) prin porii *sau* interstițiile unei membrane *etc.; aprox* osmotic, bazat pe osmoză

transude [trænsˈsjuːd] *vi fiz (d. lichid)* a trece prin porii *sau* interstițiile unei membrane *etc.; aprox* a trece prin osmoză

transuranic [ˌtrænzjuˈrænɪk] *adj ch, fiz (d. element)* transuranic, cu număr atomic/greutate atomică superioară uraniului

Transvaal [ˈtrænzvɑːl] *regiune în Africa de Sud*

Transvaal daisy [ˈtrænzvɑːl ˌdeɪzi] s *bot* gerbera, plantă sud-africană cu floare portocalie *(Gerbera jamesoni)*

Transvaaler ['trænzvɑ:lə^r] *s geogr* locuitor din Transvaal

transversal [trænz'vɜ:səl] **I** *adj* transversal, (pus/așezat) în curmeziș **II** *s* **1** *geom* linie transversală **2** *anat* mușchi transversal

transversally [,trænz'vɜ:səli] *adv* transversal, în curmeziș, de-a curmezișul

transverse [trænz'vɜ:s] *adj v.* **transversal I**

transverse beam [trænz'vɜ:s,bi:m] *s constr* traversă; bară transversală; grindă de coamă

transversely [trænz'vɜ:sli] *adv v.* **transversally**

transverse magnet [trænz'vɜ:s ,mægnit] *s fiz, el* magnet cu poli laterali

transverse table [trænz'vɜ:s ,teibl] *s ferov* platformă rulantă, transportor de vagoane

transverse wave [trænz'vɜ:s ,weiv] *s fiz* undă transversală *(care vibrează perpendicular pe direcția propagării)*

transvest [træns'vest] **I** *vt* a îmbrăca în haine specifice sexului opus **II** *vr* a se travesti, a se îmbrăca în haine specifice sexului opus; a avea obiceiuri de travestit

transvestism ['trænsves,tizəm] *s psih, med* practică/obiceiuri de travestit; deghizare/travestire în îmbrăcămintea sexului opus; manifestări homosexuale de travestit

transvestist ['træns,vestist], **transvestite** ['trænsves,tait] *s psih, med* travestit, persoană care se travestește *(în haine specifice sexului opus)*

Transylvania [,trænsil'veiniə] Transilvania

Transylvanian [,trænsil'veiniən] **I** *adj* transilvănean, ardelenesc; ardelean **II** *s* ardelean, transilvănean

Transylvanian Alps, the [,trænsil-'veiniən,ælps, ðə] Carpații Românești

tranter ['træntə^r] *s reg* **1** căruțaș; cărăuș **2** negustor ambulant *(de pește)*

trap¹ [træp] **I** *s* **1** *și fig* capcană, cursă; laț; **to set smb a ~** a întinde cuiva o cursă; **to walk into a ~** a cădea/a intra într-o capcană/cursă, a se lăsa prins

2 trapă, chepeng **3** *sl* copoi, sticlete, – polițist **4** *tehn* sifon, tub de drenaj **5** brișcă, trăsurică cu două roți **6** *sport* dispozitiv pentru lansarea talerelor *(la tir)* **II** *vt* **1** a prinde în capcană/cursă/laț **2** a instala capcane în *(o pădure etc.)* **3** *teatru* a instala trape pe *(scenă)* **4** *tehn* a prevedea cu sifon **5** *sport* a bloca *(mingea)* cu latul piciorului

trap² **I** *s pl F* catrafuse, calabalâc, – bagaje; **to pack one's ~ (s)** a-și face bagajele; a-și lua catrafusele **II** *vt* a împodobi, a împopoțona; a garnisi

trap³ *s geol* **1** trapă, dislocație, monoclină, monoclinal **2** piatră/ rocă șistoasă **3** piatră (șistoasă) pentru drumuri

trap⁴ *s scot* scăriță/scară mobilă pentru podul cu fân

trap-ball ['træp,bɔ:l] *s sport aprox* talere, tragere la țintă pentru doborârea talerelor *v.* **trap¹ 6**

trap-door ['træp,dɔ:^r] *s v.* **trap I 2**

trapes [treips] *vi v.* **trapse II**

trapeze [trə'pi:z] *s geom* trapez

trapeze artist [trə'pi:z ,ɑ:tist] *s* trapezist, zburător *(la circ)*

trapezist [trə'pi:zist] *s v.* **trapeze artist**

trapezium [trə'pi:ziəm] *s* **1** *v.* **trapeze 2** *anat* osul trapezoid

trapezius [trə'pi:ziəs] *s anat* (mușchi) trapez(ius)

trapezoid ['træpi:zɔid] *s* **1** *geom* trapezoid **2** *v.* **trapezium 2**

trapezoidal [,træpi'zɔidəl] *adj* trapezoidal, în formă de trapez

Trapezus ['træpizəs] *ist v.* **Trebizond**

trappean ['træpiən] *adj minr* de natura stâncii *v.* **trap³ 2**

trapper ['træpə^r] *s* vânător *(de blănuri)*

trappiness ['træpinis] *s F* caracter înșelător; capcană, șiretlic, înșelăciune; trădare

trappings ['træpiŋz] *s pl* **1** valtrap, harnașament, hamuri *(de paradă)* **2** *F* podoabe, găteli, ornamente **3** *F* însemne, semne distinctive *(ale unei funcții);* ținută de paradă, mare ținută **4** *fig* înflorituri, floricele, ornamente (stilistice)

Trappist ['træpist] *s bis* (călugăr) trapist

trappy ['træpi] *adj F* **1** *v.* **treacherous 2** primejdios, periculos

trap rock ['træp ,rɒk] *s v.* **trap³ 2**

traps [træps] *s pl v.* **trap² I**

trapse [treips] **I** *vt* a cutreiera, a (stră)bate **II** *vi* **1** a vagabonda, a hoinări, a umbla aiurea **2** a se târî *(de colo până colo)* **3** a-și târî *(poala rochiei)* pe jos **III** *s F* târâtură, otreapă, lepădătură

trap shooter ['træp ,ʃu:tə^r] *s sport* trăgător de talere

trap shooting ['træp ,ʃu:tiŋ] *s sport* probă de talere

trap stone ['træp ,stoun] *s v.* **trap³ 3**

trash [træʃ] *s* **1** rebut; rămășițe; brac; gunoi **2** resturi de crăci *sau* trestii **3** *F* prostie, fleac fără valoare; moft, bagatelă, < porcărie **4** ratat, nimic, zero, persoană fără nici o valoare/importanță

trash can ['træʃ ,kæn] *s amer* cutie/ ladă de gunoi

trashery ['træʃəri] *s* fleacuri, lucruri fără valoare/de duzină, *F* vaxuri, prostii *etc. v.* **trash 3**

trash ice ['træʃ,ais] *s* sloiuri plutitoare

trashiness ['træʃinis] *s* lipsă de valoare, valoare mică

trashy ['træʃi] *adj* de nimic/duzină, fără valoare; de proastă calitate

trass [træs] *s minrl* tras, tuf folosit la fabricarea cimentului

trattoria [,trætə'riə] *s it* birt, ospătărie, local ieftin *(în Italia)*

trauma ['trɔ:mə] *pl și* **traumata** ['trɔ:mətə] *s med* traumă, traumatism

traumata ['trɔ:mətə] *pl de la* **trauma**

traumatic [trɔ:'mætik] *adj med* traumatic

traumatism ['trɔ:mətizəm] *s v.* **trauma**

traumatology [,trɔ:mə'tɒlədʒi] *s* traumatologie

travail ['træveil] *înv* **I** *s* **1** *v.* **throes 2** *fig* trudă, muncp grea/istovitoare **II** *vi* **1** a fi în chinurile/durerile facerii **2** *fig* a (se) trudi, a se speti muncind

travail pains/pangs ['træveil ,peinz/ ,pæŋz] *s pl v.* **throes**

travel ['trævəl] **I** *vi* **1** a călători; a face călătorii/o călătorie; **to ~ light** a călători cu bagaj mic/puțin; **to~ round the world** a face înconjurul lumii, a străbate lumea; **to**

~ wide(ly) a călători mult **2** a se propaga, a se răspândi; a se mișca, a se deplasa **3** *(d. privire, gânduri)* a umbla, a rătăci, a trece; **my eyes ~led down the street** am parcurs strada cu privirea; **to ~ out of the record** *fig* a divaga, a se abate/îndepărta de la subiect; *F* a o lua alăturea cu drumul, a bate câmpii **4** *(d. vânat)* a se duce la sursa de hrană **5** *(d. băutură)* a se urca la cap **II** *vt* **1** a parcurge, a străbate *(un ținut etc.)* **2** a mâna din urmă, a împinge înainte **III** *s* **1** călătorie, voiaj; **to be on one's ~** a fi (plecat) în călătorie/voiaj **2** *pl* note/amintiri/impresii de călătorie **3** *tehn* mișcare, cursă; circuit **4** *mil* traiectorie

travel agency ['trævəl ,eidʒənsi] *s* agenție/birou de voiaj/turism

travel agent ['trævəl ,eidʒənt] *s* **1** birou turistic/de turism **2** agent/persoană care ține un birou de vuiaj/turism

travel book ['trævəl ,buk] *s* carte cu amintiri/impresii de călătorie

travel bureau ['trævəl ,bjuərou] *s* v. **travel agency**

traveled ['trævəld] *adj amer* v. **travelled**

traveler ['trævələʳ] *s amer* v. **traveller**

travel for ['trævəl fəʳ] *vi cu prep com* a fi procurist *sau* comis voiajor pentru *sau* al *(cu gen)*

travel in ['trævəl in] *vi cu prep com* a fi comis voiajor în *(o anumită branșă)*

traveling ['trævəliŋ] *s, adj amer* v. **travelling**

travelled ['trævəld] *adj* **1** *(d. oameni)* voiajat, călătorit, umblat (prin lume) **2** *(d. drum)* bătut, umblat

traveller ['trævələʳ] *s* **1** călător; voiajor; pasager **2** *com* comis voiajor; voiajor comercial; **he is a ~ in ties** e comis voiajor al unei fabrici de cravate **3** cursor *(la rigla de calcul)* // **to tip smb ~** *F* a spune cuiva gogoși, a duce pe cineva cu preșul

traveller's cheque ['trævələz ,tʃek] *s ec* cec de călătorie

traveller's joy ['trævələz ,dʒɔi] *s bot* clematită, vița albă *(Clematis vitalba)*

traveller's tale ['trævələz ,teil] *s* poveste/povestire vânătorească; basm, poveste greu de crezut

travelling ['trævəliŋ] **I** *s* **1** v. **travel III 1 2** deplasare, mișcare **3** *cin* traveling **II** *adj* **1** călător, pasager; care călătorește **2** ambulant; mobil

travelling apron ['trævəliŋ ,eiprən] *s tehn* bandă transportoare fără sfârșit *(la conveyer)*

travelling bag ['trævəliŋ ,bæg] *s* sac de voiaj

travelling cap ['trævəliŋ ,kæp] *s* șapcă/șepcuță de călătorie/pentru voiaj

travelling clock ['trævəliŋ ,klɔk] *s* ceas (deșteptător) de voiaj

travelling companion ['trævəliŋ kəm'pænjən] *s și fig* tovarăș de drum/călătorie

travelling crane ['trævəliŋ ,krein] *s tehn* pod rulant, macara mobilă

travelling expenses ['trævəliŋ ik'spensiz] *s pl* speze/cheltuieli/indemnizație de deplasare

travelling fellowship ['trævəliŋ ,felouʃip] *s* bursă de studii (în țări străine)

travelling kitchen ['trævəliŋ ,kitʃin] *s* bucătărie de campanie

travelling requisites ['trævəliŋ 'rekwizitis] *s pl com* articole de voiaj

travelling rug ['trævəliŋ ,rʌg] *s* pătură/țol penrtu luat în călătorie

travelling salesman ['trævəliŋ ,seilzmən] *s* v. **traveller 2**

travelling speed ['trævəliŋ ,spi:d] *s* viteză de mișcare/deplasare

travelling wave ['trævəliŋ ,weiv] *s fiz* undă călătoare (ale cărei particule se deplasează în direcția propagării undei)

travelogue ['trævəloug] *s amer* **1** conferință (geografică)/cozerie însoțită de proiecții **2** film de călătorii

travel sick ['trævəl ,sik] *adj* care suferă de/are rău de voiaj/călătorie

travel sickuess ['trævəl , siknis] *s med* rău de voiaj/călătorie

travel-soiled ['trævəl,sɔild] *adj* prăfuit, plin de pref, acoperit de praful/colbul drumurilor

travel-stained ['trævəl,steind] *adj* (uzat și) murdar din pricina călătoriilor/drumurilor v. și **travel-soiled**

travel-weary ['trævəl,wiəri] *adj* ostenit/obosit de drumuri/călătorii

travel-worn ['trævəl,wə:n] *adj* **1** obosit/istovit de drum **2** *(d. haine)* ros de pe urma călătoriilor

traversable ['trævə:səbəl] *adj (d. pustiu, ținut etc.)* care se poate străbate/traversa; practicabil, utilizabil

traversal ['trævə:səl] *s geom* linie transversală de intersecție

traverse ['trævə:s] **I** *vt* **1** a traversa, a străbate, a trece prin **2** a parcurge, a trece în revistă, a cerceta atent/în profunzime; a examina atent **3** a pune de-a curmezișul *(cu gen)* **4** *jur* a nega, a tăgădui, a refuta **5** *F* a se împotrivi, a se opune *(cu dat);* a contrazice **6** *mil* a îndrepta *(arma)* într-o direcție **II** *vi* **1** *jur* a face opoziție, a se împotrivi **2** *(d. cal)* a se pune de-a curmezișul **3** a merge în curmeziș, a tăia de-a curmezișul **III** *s* **1** traversare **2** trecere de-a curmezișul **3** *jur* opoziție **4** ← *înv* piedică, obstacol **5** *mil etc.* traversă, meterez **6** *mat* linie transversală **7** *nav* rută în zig-zag **8** *mil* ochire orizontală **IV** *adj înv* v. **transversal I**

traverser ['trævə:səʳ] *s* **1** *ferov* transbordor **2** v. **travelling crane**

traverse table ['trævə:s ,teibl] *s* v. **traverser I**

travertin(e) ['trævətin] *s minrl* travertin

travesty ['trævisti] **I** *s* **1** travestire **2** *teatru* travesti **3** *fig* parodie, denaturare *(a justiției etc.);* batjocură, caricatură **II** *vt* **1** a parodia, a ridiculiza, a-și bate joc de **2** a călca în picioare

Travis ['trævis] *nume masc*

trawl [trɔ:l] *nav* **I** *vt* a trage pe fund *(o plasă)* **II** *vi* a pescui cu plasa/traulul **III** *s* traul, năvod

trawler ['trɔ:ləʳ] *s nav* **1** trauler **2** dragă **3** pescar care folosește traulul

trawl-line [trɔ:l,lain] *s amer* traul, plasă mare de pescuit; *aprox* talian

trawl-net [trɔ:l,net] *s* traul, năvod

tray [trei] *s* **1** tavă; tăviță **2** *fot etc.* chiuvetă *(de developat etc.);* baie **3** covată, copaie; scoc **4** compartiment *(de cufăr etc.)*

trayful ['treiful] *s* (of) tavă plină (de/ cu)

treacherous ['tretʃərəs] *adj* 1 trădă- tor, necredincios; lipsit de loiali- tate; perfid 2 nesigur, schimbă- tor; fals, înșelător, pe care nu te poți bizui

treacherously ['tretʃərəsli] *adv* (în mod) înșelător/perfid/neleal

treacherousness ['tretʃərəsnis] *s* 1 caracter neleal/trădător; perfidie; necredință 2 caracter înșelător/ schimbător

treachery ['treitʃəri] *s* 1 trădare; **there was some ~ afoot** se punea la cale/se uneltea o trădare 2 v. **treacherousness** 1

treacle ['tri:kəl] I *s* melasă; glucoză alimentară II *vt* a unge cu melasă III *vi med înv* a da/a prescrie melasă

treacly ['tri:kli] *adj* 1 de melasă; ca melasa; prea dulce 2 foarte/ extrem de grețos/de dulce 3 *fig* mieros; grețos

tread I [tred], *pret* trod [trɔd], *ptc* **trodden** ['trɔdən] *vt* 1 a călca (în picioare/sub picior), a merge/a trece peste; a pune piciorul pe; **to ~ the boards** *fig* a urca pe scenă, a se face actor; **to ~ underfoot** a călca în picioare; a terfeli, a batjocori 2 *v.* **trample** I 1 3 ← *poetic* a-și urma drumul; **to ~ a room from end to end** a măsura o odaie în lung și-n lat; **to ~ a step** a face un pas; **to ~ a measure** ← *înv* a schița un pas de dans; **to ~ water** a călca apa (pentru a se ține pe loc) 4 *(d. cocoș etc.)* a călca *(o găină etc.)* II *(v. ~ I) vt* a călca, a păși, a merge; **to ~ lightly a** a călca ușor **b** a păși prudent/cu prudență **c** *fig* a fi precaut/cu băgare de seamă; **to ~ in smb's (foot-) steps** a călca/a merge pe urmele ciuva; **to ~ on air** *fig* a fi în culmea bucuriei/în al nouălea cer; **to ~ on smb's corns/toes a** a călca pe cineva pe bătătură **b** *fig* a călca pe cineva pe coadă, a jigni, a ofensa pe cineva; **to ~ (as) on eggs a** a călca ca pe ouă **b** a fi extrem de prudent/precaut; **to ~ on the gas, to ~ on it a** *auto* a apăsa pe accelerator, a acce- lera, *F* a călca accelerația **b** a-i da zor/bătaie/bice; **to ~ on the**

heels of a a a merge/a păși în urmă *cu gen* **b** *(d. eveniment etc.)* a urma curând după; **to ~ on smb's neck** a ține piciorul pe grumazul cuiva; a ține pe cineva sub călcâiul său III *s* 1 pas, mers, umblet, călcătură 2 (zgomot) de pași 3 (distanța de un) pas 4 *constr* treaptă, înveliș de treaptă 5 loc pentru pus piciorul; loc de pășit 6 *orn* împerechere *(a masculului);* călcare *(a femelei)* 7 *biol* germeni, plozi *(la ou)*

tread away ['tred ə'wei] *vi cu part adv* a călca strâmb, a face lucruri incorecte

tread board ['tred ˌbɔːd] *s constr* suprafața superioară a treptei; treaptă (de scară)

tread down ['tred 'daun] *vt cu part adv v.* **trample** I 1, 2

tread in ['tred 'in] *vt cu part adv* a înfunda/a băga *(cu piciorul)* în pământ

treadle ['tredəl] I *s* pedală *(de bici- cletă, mașină de cusut etc.)* II *vt* a împinge/a mișca cu ajutorul pedalei

treadle press ['tredəl ˌpres] *s poligr înv* presă de picior

treadmill ['tred.mil] *s* 1 roată de ocnă *(instrument de tortură)* 2 *fig* rutină, muncă mecanică/mono- tonă

tread out ['tred 'aut] *vt cu part adv* 1 *v.* **trample** I 2 a stinge *(jarul)* călcându-l în picioare 3 *fig* a înăbuși, a zdrobi *(o răscoală etc.)*

tread-wheel ['tred ˌwiːl] *s v.* **treadmill**

treason ['tri:zən] *s* 1 *jur* trădare de țară, înaltă trădare; **to talk ~** a îndemna la trădare 2 *v.* **treach- erousness** 1

treasonable ['tri:zənəbəl] *adj* 1 (cu caracter) trădător/de trădare; care constituie o trădare 2 *v.* **treacherous** 1

treason felony ['tri:zən ˌfeləni] *s jur* complot contra siguranței statului

treasonous ['tri:zənəs] *adj* trădător, legat de (înaltă) trădare/de trădare de țară *v. și* **traitorous**

treasure ['treʒər] I *s* 1 comoară; tezaur; **to hold ~** a tezauriza 2 *fig* comoară, lucru de preț II *vt* 1 a păstra ca pe o comoară/cu sfințenie; **to ~ a memory** a păstra o amintire (frumoasă) 2 *fig* a venera, a adora

treasure house ['treʒə ˌhaus] *s* 1 tezaur *(muzeistic etc.)* 2 *v.* **treasury** 1

treasure hunt ['treʒə ˌhʌnt] *s* că- utare de comori

treasure hunter ['treʒə ˌhʌntər] *s* căutător de comori

treasurer ['treʒərər] *s* 1 vistiernic 2 econom, administrator, gestio- nar 3 trezorier, casier *(al unei societăți)*

Treasurer of the Household ['treʒərər əv ðə 'haushould] *s* administrator al casei regale

treasurership ['treʒərəʃip] *s* 1 funcție de vistiernic 2 economat 3 *v.* **treasury** 1

treasure ship ['treʒə ˌʃip] *s nav înv* galion

Treasure State ['treʒə ˌsteit] *s amer F* statul Montana (din S.U.A.)

treasure trove ['treʒə ˌtrouv] *s jur* comoară (găsită), tezaur (fără propietar)

treasure up ['treʒər ˌʌp] *vt cu part adv* a tezauriza, a acumula, a strânge, a aduna

treasury ['treʒəri] *s* 1 visterie, tezaur *(de stat),* trezorerie 2 antologie; tezaur *(literar);* crestomație 3 *fig* comoară/sursă de informații; enciclopedie

Treasury, the ['treʒəri, ðə] *s* 1 trezoreria britanică; Ministerul de Finanțe; **Lords of ~** consiliul Ministerului de Finanțe/trezo- reriei britanice 2 *amer* Ministerul de Finanțe

Treasury bench, the ['treʒəri ˌbentʃ, ðə] *s* Banca ministerială *(în parlamentul britanic)*

treasury bill ['treʒəri ˌbil] *s ec* bon de tezaur

treasury note ['treʒəri ˌnout] *s* ← *înv* bancnotă *(de o liră sau jumătate de liră)*

treasuryship ['treʒəri ˌʃip] *s v.* **treasurership** 1, 2

treat [tri:t] I *vt* 1 a trata, a se purta cu; **to ~ smb fair(ly)** a se purta corect/echitabil/frumos cu cine- va, a trata pe cineva cum se cuvine 2 a considera, a socoti, a lua drept *(o glumă etc.)* 3 *med* a trata, a îngriji 4 a trata, a dezbate, a discuta, a analiza *(un subiect etc.)* 5 *ch, tehn* a prelucra, a trata; a îmbogăți *(un minereu)* 6 (**to**) a trata (cu), a da, a oferi, a servi *(cu dat);* **to ~ smb to a dinner** a invita pe cineva la masă; a ospăta pe cineva; a oferi cuiva o masă **7** *pol* a cumpăra/a corupe *(alegătorii)* cu mâncare și băutură **II** *vi* **1** a trata lumea/pe ceilalți, a face cinste *(la toată lumea);* **I'm ~ing** fac eu cinste, e rândul meu (la plată) **2 (of)** *v.* **~ I 4 3 (for)** a duce tratative, a negocia, a purta negocieri, a trata (pentru) **III** *s* **1** desfătare, bucurie, plăcere, încântare; **it's a ~ hearing him speak English** e o adevărată încântare să-l auzi vorbind englezește **2** tratație, cinste; **to stand ~** a face cinste, a trata pe toată lumea; **it's my ~** e rândul meu, fac eu cinste, eu plătesc (la toată lumea) **3** *școl* picnic *sau* excursie (pentru elevi fruntași) **4 ← F** a ~ foarte (tare); foarte bine **it's a perfect ~** e minunat/strașnic; **he's getting on a fair ~** a a face progrese uimitoare **b** afacerile îi merg strașnic/de minune

treatable ['tri:təbəl] *adj înv* tratabil, vindecabil; care poate fi tratat

treater ['tri:tə'] *s* negociator

treatise ['tri:tiz] *s* **(on)** tratat, broșură (de, despre)

treatment ['tri:tmənt] *s* **1** tratament **2** purtare *(față de cineva)* fel de a trata, tratament; primire; **the (full) ~** *F* modul obișnuit de a trata/de a se purta cu o anumită persoană **3** tratare, mod/fel de a trata *(un subiect etc.)* **4** *ch, tehn* prelucrare, tratare; îmbogățire *(a minereului)* **5** *med* tratament, cură, îngrijire

treaty ['tri:ti] *s* **1** *pol, com* tratat, acord; convenție; înțelegere; **under this ~** în baza acestui tratat, în conformitate cu prezentul tratat; **to enter into/to close a ~ with** a încheia un tratat cu **2** *înv* negocieri, tratative; **to be in ~ with smb for smth** a duce tratative cu cineva pentru ceva

treaty port ['tri:ti ˌpɔ:t] *s nav* port deschis

Treabizond ['trebiˌzɔnd] *ist* Trapezunt, Trebizonda

treble ['trebəl] **I** *s* **1** număr triplu **2** *muz* falset **II** *adj* **1** triplu, întreit **2** *muz* ascuțit, înalt, de falset **III** *vt* a tripla, a întrei **IV** *vi* a se tripla, a se întrei

treble chance ['trebəl tʃɑ:ns] *s* triplare a șanselor *(la pariuri, loterie etc.)*

treble clef ['trebəl ˌklef] *s muz* cheie de sol

trebly ['trebli] *adv* întreit, de trei ori

trebuchet ['trebju.ʃet], **trebucket** ['tri:bʌkit] *s* **1** *od* mașină de război pentru aruncarea pietrelor *etc.* **2** cântar de precizie (pentru obiecte ușoare)

trecentist [trei'tʃentist] *s it* scriitor *sau* artist (italian) din sec. XIV

trecento [trei'tʃentou] *s it* trecento, secolul XIV

tree [tri:] **I** *s* **1** copac, arbore, pom; **up a ~** *Fa* la ananghie, în pom **b** încolțit, strâns cu ușa; **at the top of the ~** în vârful piramidei; pe cea mai înaltă treaptă *(în profesia respectivă)* **2** arbore genealogic **3** calapod; șan **4** *tehn* arbore; ax; vilbrochen **II** *vt* **1** a face/a sili să se urce în copac **2** *fig* a încolți

tree agate ['tri:ˌægit] *s minrl* agat(ă) cu urme ramificate

tree calf ['tri:ˌkɑ:f] *s poligr* legătură (de cărți) în piele cu încrustație în formă de ramuri

tree creeper ['tri: ˌkri:pə'] *s orn* pasăre cățărătoare/care se cațără pe pomi/în copaci

tree culture ['tri:ˌkʌltʃə'] *s* arboricultură

treed [tri:d] *adj* cu pomi/arbori; bogat în vegetație; împădurit

tree-dozer ['tri:ˌdouzə'] *s agr, silv* buldozer pentru doborârea copacilor

tree dweller ['tri: ˌdwelə'] *s* animal arboricol; locuitor al pădurii

tree-fern ['tri:ˌfə:n] *s bot* ferigă arborescentă *(Cyathea sb.)*

tree frog ['tri:ˌfrɔg] *s zool* brotac, brotăcel *(Hyla arborea)*

tree-goose ['tri:ˌgu:s] *s orn* gâscă arctică *(Anas leucopsis) (care poposește în Anglia)*

tree-hopper ['tri:ˌhɔ:pə'] *s ent* insectă *din familia Menbracidae*

tree ivy ['tri: ˌaivi] *s bot* iederă *(Hedera helix)*

treeless ['tri:lis] *adj* fără arbori; lipsit de vegetație; neîmpădurit

tree-like ['tri:ˌlaik] *adj* ca un pom/copac; *S →* dendroid

tree limit ['tri:ˌlimit] *s geogr* limita vegetației arborescente

tree-line ['tri:ˌlain] *s v.* **timber-line**

tree-milk ['tri:ˌmilk] *s bot* suc de copac *sau* arbust folosit în locul laptelui

treen [tri:n] *s (colectiv)* obiecte de lemn, bric-a-bracuri, antichități; vechituri (de lemn)

tree nail ['tri:ˌneil] *s nav* pană de lemn, ic

tree of heaven ['tri: əv 'hevən] *s bot* arbore asiatic ornamental cu flori rău mirositoare *(Alinthus sp.)*

tree of knowledge ['tri: əv 'nolidʒ] *s* **1** *bibl* pomul cunoașterii **2** *fig* totalitatea ramurilor științei, știință, cunoaștere (în general); cultură

tree of liberty ['tri: əv 'libəti] *s* copacul/pomul/arborele libertății *(plantat într-o piață publică)*

tree of life ['tri: əv 'laif] *s bot v.* **arbor vitae**

tree onion ['tri: ˌʌnjən] *s bot* arpagic *(Album cepa viviparium)*

tree resin ['tri:ˌrezin] *s ch* gudron rezultat din distilarea lemnului

tree-ring ['tri:ˌriŋ] *s bot, silv* inel anual *(în trunchiul copacului)*

tree-shrew ['tri:ˌʃru:] *s zool* veveriță arborescentă *(tupaiidae sp.)*

tree sparrow ['tri: ˌspærou] *s orn* **1** vrabie micuță care stă între pomi *(Passer montanus)* **2** vrabie care se ascunde în pomi *(Spizella arborea)*

tree surgeon ['tri: ˌsə:dʒen] *s bot, silv* dendrolog/silvicultor care tratează/vindecă arborii pe cale de a se usca

tree surgery ['tri: ˌsə:dʒeri] *s bot, silv* tratarea/vindecarea arborilor pe cale de a se usca

tree-toad ['tri:ˌtoud] *s zool* animal amfibiu arborescent cu ventuze la degete *(Hylidae sp.)*

tree-tomato ['tri: təˈmɑ:tou] *s bot* arbust sud-american cu fructe roșii de forma lămâilor *(Lycopersicon sp.)*

tree top ['tri:ˌtop] *s* vârf/creastă de copac

tree trunk ['tri: ˌtrʌŋk] *s* trunchi de copac

tref [treif], **trefa(h)** ['treifə] *adj* ebraică, idiș prihănit, pângărit, ne-curat, ne-cușer, treif, care nu este cușer

trefoil ['trefoil] **I** *s* **1** *bot* trifoi *(Trifolium arvense)* **2** motiv decorativ în formă de trifoi/cu trei loburi **II** *adj* în formă de trifoi; trilobat

trehala [tri'ha:lə] *s ent, bot* mană produsă de coconul unui gândac din Asia Mică

trek [trek] **I** *s* **1** călătorie/drum *(cu carul cu boi)*; **on the ~** în călătorie, pe drum **2** escală, haltă **3** emigrare, mutare dintr-un ținut într-altul **II** *vi* **1** a călători *(cu carul cu boi)* **2** a emigra **3** *sl* a o șterge, a o întinde, a se ușchi, – a pleca **4** *(d. bou)* a trage la car, a fi înjugat

trek boer ['trek ,bər] *s od* bur nomad; emigrant bur

trekker [trekə'] *s* **1** călător într-un car cu boi **2** emigrant

trellis ['trelis] **I** *s* **1** împletitură de nuiele, leasă **2** spalier **3** (grătar de) zăbrele **II** *vt* **1** a acoperi cu împletitură de nuiele *sau* grătar de zăbrele **2** *agr* a pune (vița) pe spalier

trellis work ['trelis ,wə:k] *s v.* **trellis I 1**

trematode ['tremə,toud] *s zool* (vierme) trematod

tremble ['trembəl] **I** *vi* **1** a tremura, a dârdâi; a vibra; **to ~ with anger** *etc.* a tremura de furie *etc.*; **to~ like an aspen leaf** a tremura ca varga/frunza; **to~ all over** a tremura din tot trupul **2** *fig* a-i fi teamă, a fi îngrijorat/neliniștit, a tremura; **to ~ at the thought of** a tremura la gândul că **3** a vibra, a trepida; **to ~ in the balance** *fig* a se afla la o răscruce, a fi într-un punct/moment critic **II** *s* tremur, freamăt, palpitare; vibrație; **to be all in/of a ~** a tremura tot; a tremura ca varga

trembler ['trembə'] *s* **1** fricos, laș, poltron **2** *el* întrerupător automat

trembling ['tremblin] **I** *adj* tremurător, tremurând **II** *s* tremur, tremurat, tremurătură; fior; freamăt

trembling bog ['tremblin 'bog] *s* mlaștină foarte umedă care tremură la orice atingere

tremblingly ['tremblinli] *adv* tremurând (tot)

trembling poplar ['tremblin 'poplə'] *s bot* plop tremurător *(Populus tremula)*

trembly ['trembli] *adj F* **1** tremurător **2** fricos, speriat, care are tremurici, care tremură mereu **3** timid, sfios, intimidat

tremendous [tri'mendəs] *adj* **1** groaznic, îngrozitor, înspăimântător,

înfricoșător **2** *F* colosal, imens, – extraordinar, uimitor; formidabil; **it makes a ~ difference** e o diferență ca de la cer la pământ **3** *F* fantastic, grozav, strașnic, nemaipomenit; **he is a ~ eater** e un mâncău cum nu s-a mai văzut

tremendously [tri'mendəsli] *adv* **1** teribil, îngrozitor, înspăimântător **2** (în mod) extraordinar/uluitor **3** *F* grozav/teribil/strașnic de

tremendousness [tri'mendəsnis] *s* **1** caracter îngrozitor/înfricoșător **2** enormitate, imensitate **3** caracter extraordinar/neobișnuit

tremolo ['tremə,lou] *s muz* tremolo

tremor ['tremə'] *s* **1** *v.* **tremble II 2** *med* tremo **3** trepidație **II** *vi* **1** *(d. glas)* a tremura **2** a vibra

tremulous ['tremjuləs] *adj* **1** *v.* **trembling I 2** *v.* **timid 1**

tremuslously ['tremjuləsli] *adv* **1** *v.* **tremblingly 2** *v.* **timidly**

tremulousness ['tremjuləsnis] *s* **1** tremur *(al vocii etc.)* **2** *v.* **timidity**

trenail ['tri:neil] *s v.* **treenal**

trench [trentʃ] **I** *s* **1** tranșee; **to mount the ~es** *mil* a face de gardă în tranșee **2** șanț, canal **3** drum în pădure **II** *vt* **1** a săpa tranșee/șanțuri în; a brăzda *(pământul)* cu șanțuri/tranșee **2** a desfunda *(un teren)* **3** a face, a scobi *(un jgheab)* **4** a cresta *(o scândură)*

trench about ['trentʃ ə'baut] *vi cu part adv* a săpa tranșee de jur împrejur, a se înconjura de tranșee

trench along ['trentʃ ə'lon] *vi cu part adv* a înainta săpând tranșee

trenchancy ['trentʃənsi] *s* **1** caracter tăios/tranșant/ferm; fermitate, energie **2** causticitate

trenchant ['trentʃənt] *adj* **1** ← *poetic* ascuțit, tăios **2** *fig* tăios, mușcător **3** *fig* tranșant, energic, hotărât

trenchantly ['trentʃəntli] *adv* (în mod) tranșant/categoric/hotărât/ viguros; (în mod) incisiv/mușcător/penetrant

trench around ['trentʃ ə'raund] *vi cu part adv v.* **trench about**

trench bomb ['trentʃ ,bom] *s mil* grenadă de mână

trench cap ['trentʃ ,kæp] *s mil* bonetă; calotă

trench cart ['trentʃ ka:t] *s* cărucior/ cărucioară cu roți foarte mici *(pt folosire în tranșee)*

trench coat ['trentʃ ,kout] *s* trenci, haină de ploaie, fulgarin

trench down ['trentʃ 'daun] *vi cu part adv v.* **trench along**

trencher¹ ['trentʃə'] *s mil* pionier; genist; soldat care sapă tranșee

trencher² *s* **1** fund de lemn *(pr. tăiat carnea etc.)* **2** ← *înv* bucate alese, masă bună **3** *v.* **trencher cap**

trencher cap ['trentʃə ,kæp] *s univ* ← *F* tocă

trencher-fed ['trentʃə,fed] *adj (d. câine de vânătoare)* care aparține unui vânător, proprietatea personală a unui vânător

trencherman ['trentʃəmən] *s* mâncău, gurmand, *F* → găman; **he is a poor ~** mănâncă puțin/cât o păsărică

trench fever ['trentʃ ,fi:və'] *s med* febră recurentă; tifos recurent

trench foot ['trentʃ,fut] *s med, mil* jupuire/macerare a țesuturilor *(boală de picioare provocată de șederea îndelungată în tranșee umede)*

trench mortar ['trentʃ ,mo:tə'] *s mil* mortier(ă); aruncător de mine

trench on/upon ['trentʃ on/ə,pon] *vi cu prep* **1** a încălca, a viola, a atinge *cu ac* **2** a uzurpa *cu ac* **3** a friza *cu ac*, a fi vecin/asemănător cu

trench works ['trentʃ ,wə:ks] *s pl* săpături, tranșee

trend [trend] **I** *s* **1** direcție, orientare **2** *v.* **tendency II** *vi* **(to, towards)** **1** a fi îndreptat/orientat (spre, în direcția – *cu gen*) **2** *fig* a tinde către

trendily ['trendili] *adv F* după ultima modă/ultimul strigăt (al modei), foarte elegant/modern/la modă; (foarte) en vogue

trendiness ['trendinis] *s F* eleganță, mondenitate, stil ultramodern, rafinament; îmbrăcare/găteală în pas cu moda/după ultimul strigăt (al modei)

trendy ['trendi] **I** *adj F* (foarte) modern/elegant/la modă; (îmbrăcat) după ultimul strigăt (al modei); ultramodern; ultraelegant **II** *s F* dandy *sau* cochetă; arbitrul eleganței, persoană foarte elegantă *(îmbrăcată după ultima modă/după ultimul strigăt al modei)*

Trent the ['trent ðə] *râu în Anglia*

trental ['trentəl] *s bis catolică* serie de 30 de parastase/de slujbe succesive pentru morți

trente-et-quarante [trăteka'ră:t] *s* trente-et-quarante *(joc de cărți, v. și* **rouge-et-noir***)*

trepan[1] [tri'pæn] *med* **I** *s* trepan **II** *vt* a trepana, a face o trepanație *(cu dat)*

trepan I *s v.* **trap**[1] I II *vt* 1 a ademeni, a momi, a atrage; **to ~ smb into doing smth** a duce pe cineva cu zăhărelul până face ceva 2 a înduplica pe cineva prin viclenie să facă ceva 3 a lua prin surprindere, a prinde/a atrage în cursă

trepanation [trepənei∫ən] *s med* trepanație

trepang [tripæŋ] *s zool* actinie comestibilă din Pacific *(Actinopyga Holotturia) v.* și **bêche de mer**

trepanning [tri'pæniŋ] *s med* trepanare

trephination [,trefi'nei∫ən] *s med* trepanație *(cu aparatură perfecționată)*

trephine [tri'fi:n] **II** *s med* trefin, aparat de trepanație perfecționat **II** *vt* a face o trepanație *(cuiva)*, a trepana *(țeasta, corneea)* cu trefinul/cu aparatură perfecționată

trepidation [,trepi'dei∫ən] *s* 1 trepidație, tremur 2 agitație, îngrijorare, tulburare 3 *v.* **tremor** I 2

treponema [,trepə'ni:mə] *s ent* treponema

trespass ['trespəs] **I** *vi* 1 *jur* a încălca legea, a comite un delict *sau* o contravenție 2 *jur* a încălca/a viola o proprietate (particulară); a călca granița unei proprietăți **II** *s* 1 *jur* delict, contravenție, încălcare a legii 2 violare, încălcare *(a unei proprietăți, a frontierei etc.)* 3 abuz, ofensă; **~ upon smb's privacy** amestec nepermis în intimitatea/în viața particulară a cuiva; **~ upon smb's patience** încercare de a abuza de răbdarea cuiva 4 *rel* greșeală, păcat; **forgive us our ~es** și iartă-ne nouă greșelile noastre

trespass against ['trespəs ə,genst] *vi cu prep* 1 a leza *cu ac;* a dăuna; a face rău *cu ac;* 2 a încălca, a viola, a nu respecta *cu ac* 3 a

ofensa *cu ac;* a greși împotriva *(cu gen);* **as we forgive them that ~ us** *rel* așa cum iertăm și noi greșiților noștri

trespasser ['trespəsə'] *s* 1 persoană care violează/încalcă o proprietate *(braconier);* **~s will be prosecuted** *(ca afiș)* intrarea interzisă/oprită! atenție, proprietate particulară! 2 contravenient; delicvent 3 *rel* păcătos

trespass on/upon ['trespəs ɔn/ə,pɔn] *vi cu prep* 1 *v.* **trespass against** 2 2 a abuza de, a încălca limitele *(cu gen);* **to~ smb's hospitality** a abuza/a profita prea mult de ospitalitatea cuiva

tress [tres] **I** *s* 1 coadă împletită, cosiță 2 *pl* plete, cosițe **II** *vt (la pic)* a împleti

-tress *suf* 1 -toare; **directress** directoare 2 -trice; **bisectress** bisectrice

tressed [trest] *adj* cu plete ... *(folosit în adjective compuse);* **black-~** cu plete negre

tressy ['tresi] *adj* cu păr bogat; cu plete (bogate)

trestle ['tresəl] *s* 1 *constr* capră, suport, postament; piedestal 2 *constr v.* **trestle-tree**

trestle bridge ['tresəl ,bridʒ] *s constr* estacadă, pod din capre

trestle-table ['tresəl,teibl] *s* masă așezată pe capre de lemn; masă demontabilă

trestle-tree ['tresəl ,tri:] *s nav* crucetă

trestle work ['tresəl ,wə:k] *s constr* picioare de pod (capre)

tret [tret] *s od, ec* supliment, greutate suplimentară adăugată drept compensație pentru pierderile de la transport

trevally [tri'væli] *s iht* pește comestibil australian *(Caranx sp.)*

Trevelyan [tri'veiljən], **George Macaulay** *istoric englez (1876-1962)*

Trevor ['trevə] *nume masc*

trews [tru:z] *s pl* pantaloni ecosez din lână *(purtați de unele regimente scoțiene)*

trey [trei] *s* (numărul) trei *(la zaruri sau cărți)*

trf. *presc de la* **tuned radio frequency**

T. R. H. *presc de la* **Their Royal Highnesses** Majestățile lor, MMLL

tri- *pref* tri-; **tri-colour** tricolor

triable ['traiəbəl] *adj* 1 *jur* care poate fi tradus în justiție; de competență judecătorească 2 care poate fi încercat, care merită să fie încercat

triacetate ['trai'æsiteit] *s, adj ch* triacetat

triad ['traiæd] *s* 1 triadă, grup de trei 2 *ch* element trivalent 3 *muz* acord triplu

triadelphous [,traiə'delfəs] *adj bot* cu staminele unite în trei fascicule

triadic [tra'iædik] *adj* triadic, în formă de triadă; alcătuit din trei elemente

trial ['traiəl] **I** *s* 1 încercare, probă; experiență; **on ~ a** de probă; pe încercate **b** supus la încercare; **by way of ~; as a ~ measure** cu titlu de încercare; **to give smth a ~; to make the ~ of smth** a pune un lucru la încercare/probă; **to stand a ~** a fi supus la probe/încercări; **to proceed by ~ and error** a aplica metoda eliminărilor/aproximațiilor succesive 2 *fig* (mare) încercare, durere, mâhnire, nenorocire; necaz; chin 3 *sport* trial, probă, concurs 4 *jur* proces *(penal)*, judecată; dare în judecată; judecare *(a unei spețe);* **to be on ~** a fi în curs de judecare, a fi judecat; **to bring to ~, to put to/on ~** a aduce/a traduce în fața tribunalului; a chema în judecată; a intenta un proces *(cu dat);* **to stand one's ~** a fi chemat în fața judecății; **to be sent for ~** a fi trimis în fața judecății/tribunalului; **to grant (smb) a new ~** a admite apelul/recursul *(cuiva)* **II** *adj* de probă; încercare; experimental

trial and error ['traiəl ənd 'erə'] *s* 1 metoda aproximărilor succesive 2 *pedagogie* metoda învățării din greșeli

trial balance ['traiəl ,bæləns] *s com* balanță de verificare; balanță sumelor

trial-balance book ['traiəl,bæləns 'buk] *s com* registru de solduri

trial ballon ['traiəl bə'lu:n] *s* și *fig* balon de încercare

trial by court-martial ['traiəl bai 'kɔ:t'ma:∫əl] *s jur* trimiterea în fața curții marțiale/tribunalului militar

trial by juri ['traɪəl baɪ 'dʒuəri] *s jur* proces cu jurați/la curtea cu juri

trial court ['traɪəl ˌkɔ:t] *s jur amer* instanță inferioară, (tribunal de) primă instanță

trial eights ['traɪəl ˌeits] *s sport* cursă/serie de verificare *(la canotaj)*

trial flight ['traɪəl ˌflaɪt] *s v.* **test flight**

trial game ['traɪəl ˌgeim] *s sport* meci/concurs de selecție, trial

trial heat ['traɪəl ˌhi:t] *s sport* serie; cursă de verificare *sau* baraj

trial judge ['traɪəl ˌdʒʌdʒ] *s jur amer* judecător de la prima instanță/ instanța inferioară

trial jury ['traɪəl ˌdʒuəri] *s jur* jurați *(la un proces penal)*

trial lawyer ['traɪəl ˌlɔ:iə'] *s amer jur* avocat pledant

trial match ['traɪəl ˌmætʃ] *s sport* trial, probă, meci de verificare; probă/meci de selecție

trial of strength ['traɪəl əv 'etreŋθ] *s* încercarea puterilor *(între două persoane)*

trial period ['traɪəl ˌpiəriəd] *s* perioadă de probă/încercare

trial run ['traɪəl ˌrʌn] *s* **1** *tehn* mers *sau* cursă de probă **2** *auto, nav* cursă/drum de probă/de verificare **3** *fig* experiență, probă, experiment; verificare

trial stretch ['traɪəl ˌstretʃ] *s auto* pistă de încercare

trial trip ['traɪəl ˌtrip] *s* **1** călătorie de probă **2** *nav, auto v.* **trial run**

triangle ['trai̯ˌæŋgəl] **1** *s geom, mat etc.* triunghi; **the eternal ~** *F* triunghiul conjugal, menaj în trei **2** *amer* echer

Triangle, the ['trai̯ˌæŋgəl, ðə] *s astr* Triunghiul

triangle of forces ['trai̯ˌæŋgəl əv 'fɔ:siz] *s fiz* triunghiul forțelor *(în echilibru)*

triangular [trai̯'æŋgjulə'] *adj* **1** triunghiular **2** *pol* tripartit

triangular compasses [trai̯'æŋgjulə 'kʌmpəsiz] *s geom* compas cu trei picioare *(pentru marcarea triunghiurilor)*

triangularity [trai̯ˌæŋgju'læriti] *s* triunghiularitate, formă triunghiulară

triangularly [trai̯'æŋgjuləli] *adv* în formă de triunghi, ca un triunghi

triangular numbers [trai̯'æŋgjulə 'nʌmbəz] *s mat* sumă a seriilor

triangular pyramid [trai̯'æŋgjulə 'pirəmid] *s geom* piramidă (cu baza) triunghiulară

triangulate I [trai̯'æŋgjulit] *adj* **1** *v.* **triangular 2** *zool* cu dungi triunghiulare **II** [trai̯'æŋgju ˌleit] *vt* **1** a da formă de triunghi *(cu dat)* **2** a face triangulația *(unui ținut etc.)*

triantelope [trai̯'æntiluop] *s ent* păianjen australian cu trupul turtit

Trias ['traɪəs] *s geol* trias, prima perioadă mezozoică *(între permian și jurasic)*

Triassik [trai̯'æsik] **I** *adj* triasic **II** *s* triasic, perioada triasică

triatomic [ˌtrai̯ə'tomik] *adj ch* **1** triatomic, cu molecula alcătuită din trei atomi **2** cu trei atomi *sau* radicali care pot fi înlocuiți

triaxial [trai̯'æksiəl] *adj* triaxial

trib. *Presc de la* **tributary**

tribade ['tribəd] *s med* lesbiană, tribadă, femeie care practică lesbianismul/safismul/amorul safic

tribadism ['tribədizəm] *s med* lesbianism, tribadism, safism, relații sexuale între femei

tribal ['traɪbəl] *adj* tribal, de trib

tribalism ['traɪbəlizəm] *s* sistem tribal; orânduire primitivă

tribalist ['traɪbəlist] *s* adept al organizației tribale/al tribalismului; primitivist

tribalistic [ˌtraɪbə'listik] *adj* tribal, primitiv; organizat în triburi/după sistemul tribal/triburilor

tribally ['traɪbəli] *adv* în triburi, cu organizare tribală, după sistemul tribal/triburilor

tribasic [trai̯'beisik] *adj ch* tribazic

tribe [traɪb] *s* **1** trib **2** neam, seminție; *peior* clan, tagmă, familie **3** *biol* subfamilie

tribesman ['traɪbzmən] *s* membru al unui trib

triblet ['triblit] *s tehn* mandrină pentru prelucrat tuburi, cercuri etc.

tribrach ['traɪbræk] *s* **1** tribrah **2** obiect cu trei brațe *(unealtă preistorică de cremene/silex)*

tribrachic [trai̯'brækik] *adj* **1** *(d. metru, în prozodie)* amfibrahic, cu trei silabe **2** cu trei brațe, tribrahic

tribulation [ˌtribju'leiʃən] *s* necaz, năpastă, nenorocire, șir de necazuri; durere, mâhnire

tribunal [trai̯'bju:nəl] *s* **1** tribunal, curte de justiție, judecătorie **2** *od* comisie pentru scutire de serviciul militar

tribunate ['tribjunit] *s ist* tribunat, funcție de tribun *(în Roma antică)*

tribune[1] ['tribju:n] *s* **1** *ist* tribun **2** orator popular; apărător al poporului **3** *peior* demagog

tribune[2] *s* **1** tribună *(pt public)* **2** bis tron *(episcopal)* **3** ← *înv* tribunal bisericesc

tribuneship ['tribju:n ˌʃip] *s v.* **tribunate**

tribunicial, tribunitial [ˌtribju'niʃəl] *adj ist Romei* tribunciar, de tribun, referitor la tribuni

tributarily ['tribjutərili] *adv* în mod tributar *sau* auxiliar; prin contribuție *sau* tribut

tributariness ['tribju:'tərinis] *s* **1** caracter tributar; situația de a fi tributar **2** caracter auxiliar/subsidiar, ajutător **3** *biol* caracter secundar/subsidiar/inferior

tributary ['tribjutəri] **I** *adj* **1** tributar, care plătește tribut **2** auxiliar, subsidiar, ajutător, tributar **3** *biol* secundar, inferior **II** *s* **1** (stat) tributar **2** persoană care plătește bir/tribut **3** *geogr* afluent

tributary steam ['tribjutəri 'stri:m] *s v.* **tributary**

tribute ['tribju:t] *s* **1** tribut, bir; **to pay ~ to a** a plăti tribut/bir *(cu dat)* **b** *fig* a plăti tribut; a aduce omagiu *(cu dat);* **to lay under ~** a obliga să plătească tribut/bir **2** *fig* tribut, prinos, omagiu; jertfă, ofrandă **3** *ec* redevență acordată proprietarului unei mine **4** *ec* cotă parte/participare la beneficii *(pt muncitori)*

tribute money ['tribju:t ˌmʌni] *s od v.* **tribute 1**

tricapsular [tri'kæpsjulə'] *adj bot* tricapsular, cu trei capsule

tricar [tri'kɑ:'] *s* automobil/motocicletă de transport *(cu trei roți)*

trice[1] [trais] *s* clipă, clipită, moment; **in a ~** cât ai clipi din ochi

trice[2] *vt nav* a ridica *(o velă)*

tricentenary [ˌtraisen'ti:nəri] *s v.* **tercentenary II**

tricephalic [tri'sefəlik] *adj* tricefal, cu trei capete

tricephalus [tri'sefələs] *s* (monstru) tricefal

triceps ['traiseps] *s anat* triceps

trice up ['trais 'ʌp] *vt cu part adv nav v.* **trice²**

trichiasis [tri'kaiəsis] *s med* trichiază, iritare a ochiului datorită întoarcerii genelor

trichina [tri'kainə], *pl* **trichinae** [tri'kaini:] *s zool, med* trichină *(Trichinella spiralis)*

trichinae [tri'kaini:] *pl de la* **trichina**

trichinosis [ˌtriki'nəusis] *s med* trichinoză

trichinous ['trikinəs] *adj med* trichinos, suferind de *sau* legat de trichinoză *sau* trichină

trichloride [trai'klɔ:raid] *s ch* triclorură

trichome ['traikoum] *s bot* păr/perişor *sau* ţeapă care creşte din epiderma plantelor

trichomonad [ˌtrikəu'mɔnæd] *s pl, ent* tricomonas

trichotomic [ˌtrikə'tɔmik] *adj* legat de tricotomie; trifurcat

trichotomize [tri'kɔtəmaiz] **I** *vt* a diviza/a împărţi în trei *(natura umană în trup, suflet şi spirit)* **II** *vi* a practica tricotomia, a practica diviziunea/împărţirea în trei

trichotomous [tri'kɔtəməs] *adj v.* **trichotomie**

trichotomy [tri'kɔtəmi] *s* tricotomie, diviziune/împărţire în trei

trichroic [trai'krɔik] *adj fiz (d. cristal privit în trei direcţii diferite)* tricolor, care arată trei culori

trichroism ['traikrou,izəm] *s fiz* tricroism; manifestare/expunere a trei culori

trichromatic [ˌtraikrou'mætik] *adj fiz* **1** tricromatic **2** tricolor **3** bazat pe trei senzaţii coloristice

trichromatic photography [ˌtraikrou'mætik fə'tɔgrəfi] *s fot* fotografie color bazată pe procedeul celor trei culori fundamentale

trichromatism [trai'kroumə,tizəm] *s fiz* tricromatism

trick [trik] **I** *s* **1** truc, şiretlic, şmecherie, artificiu; subterfugiu; chichiţă; **to do the ~** *sl* a-şi facetreaba, a o plesni/lovi în plin, – a nimeri bine/în plin, a obţine rezultatul dorit; **a ~ worth two of that** o soluţie/idee mai bună, un expedient mai eficace; **how's ~s?** *sl* care mai e viaţa ta? cum te mai lauzi? – cum îţi merge?

cum îţi merg treburile/lucrurile? **that will do the ~** *sl* tocmai asta o să facă trampa **2** scamatorie, truc, şarlatanie; **the whole bag/box of ~s** *F* tot şirul/şiragul de scamatorii/panglicării/trucuri; **to teach a dog ~s** a dresa un câine să facă figuri **3** festă, farsă, renghi, poznă; **to play a ~ on smb, to play smb a ~** a juca o festă/un renghi cuiva; **to be up to one's old ~s (again)** a-şi da iar în petic, a-şi face iar de cap; **he has been up to all manner of ~s in his life** a făcut tot felul de pozne/porcării la viaţa lui; **to be up to one's ~** a se apuca de prostii, a-şi face de cap, a se ţine numai de prostii/rele; **to be up to smb's ~** *F* a se prinde/a înţelege ce vrea omul, a ştii la ce să te aştepţi de la cineva **4** iluzie, înşelare, festă *(pe care ţi-o joacă simţurile)* **5** secret, taină **6** obicei, nărav, manie, tic; manierism; **to have the ~ of repeating oneself** a avea obiceiul de a se repeta **7** *(la cărţi)* levată **8** *nav* schimb/serviciu/rând la timonă **II** *vt* **1** a înşela, a păcăli, a trage pe sfoară **2** *sport* a dribla; a fenta **III** *vi* a se ţine de pozne, a juca renghiuri/feste

trick cyclist ['trik ,saiklist] *s* **1** acrobat pe bicicletă; biciclist care face acrobaţii **2** *sl* psihiatru, doctor de nervi/nebuni

trickery ['trikəri] *s* înşelătorie, şmecherie, viclenie; şarlatanie

trick flying ['trik ,flaiiŋ] *s av* zbor acrobatic, acrobaţii aeriene

trickily ['trikili] *adv* **1** şmechereşte, viclean, cu şmecherie; isteţ **2** (în mod) periculos, primejdios; cu multe capcane/pericole **3** (în mod) prudent, cu prudenţă/precauţie

trickiness ['trikinis] *s* **1** caracter înşelător/perfid/dubios **2** ← *F* complicaţie, caracter complicat *(al unui mecanism etc.)*

trick into ['trik ,intə] *vt cu prep* a atrage/a momi/a ademeni/a băga *(pe cineva)* în *(complicaţii etc.)*

trickish ['trikiʃ] *adj v.* **tricky**

trickle ['trikəl] **I** *vi* **1** a se prelinge, a se scurge (încet), a picura **2** a se strecura, a pătrunde (picătură cu picătură/încetul cu încetul); a

se infiltra; **to ~ round to see smb** *F* a vizita pe cineva pe furiş/în/pe ascuns **II** *vt* a lăsa/a face să picure/să se prelingă/să cadă picătură cu picătură; a picura, a pica **III** *s* **1** dâră, şuviţă, şiroi *(de apă etc.)* **2** picurare, prelingere, scurgere înceată; **to set the tap at a ~** a lăsa robinetul să picure **3** cantitate mică/redusă, pic, picătură

trickle along ['trikəl ə,lɔŋ] *vi cu prep* a se prelinge/a se scurge pe lângă/de-a lungul *(cu gen)*

trickle down ['trikəl 'daun] *vi cu part adv v.* **trickle I 1**

trickle out ['trikəl 'aut] *vi cu part adv* **1** a se scurge/a se prelinge picătură cu picătură **2** *fig* a ieşi încetul cu încetul la iveală, a transpira cu încetul

trick lock ['trik ,lɔk] *s* lacăt/încuietoare cu cifru

trick or treat ['trik ɔ: 'tri:t] *s amer* „ne daţi ori nu ne daţi" *(joacă a copiilor care fac farse/pozne la casele unde li se dau dulciuri, când colindă de* **Hallowe'en***)*

trick out ['trik 'aut] *vt cu part adv* a împodobi, a decora, a găti; a împopoţona

trick out of ['trik ,aut əv] *vt cu prep* a păgubi/a lipsi *(pe cineva de un lucru)* prin înşelăciune/înşelătorie, a smulge *(un lucru de la cineva)* ducându-l cu vorba; a escroca de

trick riding ['trik ,raidiŋ] *s* voltijă

trick shot ['trik ,ʃɔt] *s cin* trucaj, scenă trucată

tricksily ['triksili] *adv* **I** *v.* **trickly 1 2** jucăuş, în joacă; care zburdă zbenguindu-se, făcând pe nebunul **3** în glumă/joacă, din amuzament, ca distracţie; cu haz

tricksiness ['triksinis] *s* **1** haz, amuzament, veselie **2** caracter jucăuş; poftă de joacă/zbenguială/zburdat

trickster ['trikstə'] *s* şarlatan, escroc, şmecher; pişicher

tricksy ['triksi] *adj* **1** strengăresc, zburdalnic **2** *v.* **tricky**

trick up ['trik 'ʌp] *vt cu part adv v.* **trick out**

tricky ['triki] *adj* **1** viclean, şmecheresc, şmecher **2** înşelător, amăgitor **3** abil, descurcăreţ **4** complicat, delicat, spinos

triclinia [trai'klinie] *pl de la* **triclinium**

triclinic [trai'klinik] *adj minrl (d. cristal)* cu trei axe oblice inegale

triclinium [trai'klinim], *pl* **triclinia** [trai'klinie] *s ist Romei* **1** tricliniu, masă de ospăț cu divanul pe trei laturi **2** sufragerie cu **triclinium 1**

tricolour ['trikələ'] **I** *adj* tricolor, în trei culori **II** *s* (steag) tricolor

tricoloured ['trai,kʌləd] *adj* tricolor, în/cu trei culori

tricorn ['trai,kɔ:n] **I** *adj* **1** *(d. animal imaginar)* tricorn, cu trei coarne **2** *(d. pălărie)* cu borul răsucit în sus pe trei laturi **II** *s* **1** tricorn, animal imaginar/închipuit cu trei coarne **2** tricorn, pălărie cu borul întors pe trei laturi

tricorne ['trai,kɔ:n] *adj v.* **tricorn I**

tricorporal ['trai,kɔ:pərəl], **tricorporate** ['trai,kɔ:pərit] *adj heraldică* cu trei trupuri și un singur cap

tricot ['trikou] *s fr* **1** *text* tricot **2** tricou, cămașă tricotată

tricotyledonous [,traikɒti'li:dənəs] *adj bot* tricotiledonat

tricrotic [trai'krɒtik] *adj med (d. plus)* cu bătăi triple, tricrotic

tricuspid [trai'kʌspid] *anat* **I** *adj* tricuspid; cu trei vârfuri **II** *s* **1** tricuspid, măsea (cu trei rădăcini) **2** valvulă tricuspidă

tricycle ['traisikəl] **I** *s* triciclu, tricicletă **II** *vi* a merge cu tricicleta **III** *vt* a transporta cu triciclu

tricyclist ['traisiklist] *s* triciclist, persoană care merge pe triciclu

tridaectyl(ous) [trai'dæktil(əs)] *adj zool* tridactil, cu trei degete *(la labele din față sau spate)*

trident ['traidənt] *s* trident

tridentate [trai'denteit] *adj zool* cu trei dinți *sau* colți

Tridentine ['traidentin] **I** *adj* referitor la conciliul/sinodul de la Trent *(1545-1563) (ca bază a romanocatolicismului)* **II** *s* romanocatolic fervent *sau* rigid/habotnic; om mai catolic decât Papa

tridigitate [trai'didʒiteit] *adj v.* **tridactylous**

tridimensional [,traidi'menʃənəl] *adj fiz, cin* tridimensional, cu trei dimensiuni; în relief

triduum ['tridjuəm] *s bis catolică* trei zile de rugăciune *(înaintea unei sărbători)*

tridymite ['traidimait] *s minrl* silicat găsit în *cavitățile rocilor vulcanice*

tried [traid] *adj* **1** încercat, probat, experimentat; pus la încercare **2** cu experiență, încercat

triennia [trai'eniə] *pl de la* **triennium**

triennial [trai'eniəl] **I** *adj* trienal **II** *s* **1** perioadă de trei ani **2** *bot* plantă trianuală **3** *bis anglicană* vizită episcopului o dată la trei ani

triennally [trai'eniəli] *adv* din trei în trei ani/o dată la trei ani

triennium [trai'enəm], *pl* **trienniums** [trai'enəmy] *sau* **triennia** [trai'eniə] *s* perioadă trienală/de trei ani

Trier ['tri:ᵊ] *s* **1** magistrat însărcinat cu examinarea recuzării juraților **2** *oraș* în Germania

trier ['traiə'] *s* **1** persoană care încearcă **2** om insistent/perseverent **3** *jur* judecător; magistrat

trierarchy ['traiə,rɑːki] *s ist Greciei* flotă întreținută de cetățenii Atenei

Trieste [tri:'est] *peninsulă și oraș în Italia*

trifacial [trai'feiʃəl] *adj anat* trifacial, referitor la (nervul) trigemen

trifid ['traifid] *adj biol* împărțit în trei (lobi)

trifle ['traifəl] **I** *s* **1** fleac, bagatelă, nimic, prostie, moft; **it's a mere ~** e un moft/fleac/o nimica toată; **it's no ~** nu e lucru ușor; **to stick at ~s** a se ocupa de fleacuri **b** a vâna greșeli (mărunte); **it is a ~ difficult** *etc.* e puțin cam dificil *etc.* **2** mic dar/cadou; sumă simbolică **3** podoabă fără valoare, fleac; breloc **4** divertisment, amuzament **5** cositor *(pt spoit)* **6** the ~s vase de cositor **7** tartă de fructe **II** *vi* (**with**) *fig* a se juca, a glumi (cu); a se purta neserios/ușuratic (cu); a-și bate joc (de); **to ~ with one's food** a ciuguli din mâncare, a mânca fără poftă/ neatent/cu gândul aiurea; **to ~ with one's keys** *etc.* a se juca cu cheile *etc.*, a învârti cheile *etc.* în mână; **to ~ with a woman** a flirta (ușuratic) cu o femeie, a-și bate joc de o femeie

trifle away ['traifəl ə'wei] *vt cu part adv* a risipi, a arunca/a azvârli pe fereastră; a cheltui de pomană

trifler ['traiflə'] *s* om ușuratic/neserios; persoană care nu ia lucrurile în serios

trifle with ['traifəl wið] *vi cu prep* a se juca/a glumi cu; a-și bate joc de *v.* **trifle II**

trifling ['traifliŋ] **I** *adj* **1** neînsemnat, mărunt, neglijabil, de nimic, (prea) puțin important **2** neserios, superficial, care ia lucrurile în glumă **II** *s* **1** neseriozitate, ușurință, comportare ușuratică **2** ton glumeț/ușuratic/neserios/de zeflemea **3** *F v.* **trifle I 1**

trifoliate [trai'fouliit], **trifoliated** [trai'fouliitid] *adj* **1** *bot* trilobat, cu trei foi **2** *arhit* cu ornamentație în formă de trifoi

trifolium [trai'fouliəm] *s v.* **trefoil I 1**

triforia [trai'fɔ:riə] *pl de la* **triforium**

triforium [trai'fɔ:riəm], *pl* **triforia** [trai'fɔ:riə] *s arhit* trafor

triform(ed) ['traifɔ:m(d)] *adj* triform, cu trei părți, forme *sau* corpuri

trifurcate¹ ['traifə:kit] *adj* trifurcat; cu trei ramuri

trifurcate² ['traifəkeit] **I** *vt* a împărți în trei ramuri **II** *vi* a se trifurca, a se împărți în trei ramuri

trifurcation [,traifə:'keiʃən] *s* trifurcare, trifurcație, împărțire în trei ramuri

trig¹ [trig] **I** *s* opritoare, piedică de roată; frână **II** *vt* a opri, a împiedica, a frâna, a propti

trig² *scot* **I** *adj* **1** *v.* **trim** **I 2** corect, exact, pus la punct **3** voinic, viguros; sănătos **II** *vt* **1** a ține în ordine, a ține curat; a îngriji, a dichisi **2** a umple, a îndesa, a ticsi **III** *s* marțafoi, țafandache, filfizon

trigamist ['trigəmist] *s* **1** trigam, poligam, bărbat cu trei soții **2** femeie poliandră/cu trei soți

trigamous ['trigəməs] *adj* **1** trigam; cu trei soții *sau* soți **2** căsătorit(ă) de trei ori

trigamy ['trigəmi] *s* trigamie; căsătorie cu trei soții *sau* soți

trigeminal [trai'dʒeminəl] *adj anat, med* trigeminal, trifacial, referitor la (nervul) trigemen

trigeminal neuralgia [trai'dʒeminəl njuə'rældʒiə] *s med* nevralgie a trigemenului, inflamație a nervului trigemen

trigeminus [traidʒeminəs], *pl* **trigemini** [trai'dʒeminai] *s anat* (nervul) trigemen

trigger ['trigər] **I** *s* **1** *mil* trăgaci, co-coș; piedică; **quick on the ~ a** *v.* **trigger-happy 1, 2 b** cu reacții prompte **2** *tehn* mecanism de declanșare; piedică (de siguranță) **3** *sl* pistolar, gangster; asasin **II** *vt* **1** a declanșa, a pune în mișcare **2** a impulsiona, a activa, a activiza; a da un impuls *(cu dat)*

trigger action ['trigər ˌækʃən] *s mil* declanșare

trigger-fish ['trigə ˌfiʃ] *s iht* pește țepos *(din familia Balistidae)*

trigger-happy ['trigə ˌhæpi] *adj* **1** gata urcând să tragă, cu degetul veșnic pe trăgaci **2** iresponsabil; agresiv, belicos **3** *mil* nervos la trageri

trigger off ['trigər 'ɔ:f] *vt cu part adv v.* **trigger II**

triglot ['traiglɔt] *adj (d. carte etc.)* scris în trei limbi, trilingv

triglyph ['trai,glif] *s arhit* triglif(ă)

triglyphic(al) ['trai,glific] *adj arhit* **1** în stilul triglifelor **2** împodobit cu triglife

trigon ['traigɔn] *s* **1** trigon *(în astrologie)* **2** *geom* triunghi **3** *muz* liră *sau* harfă triunghiulară

trigonal ['traigənəl] *adj* triunghiular, trigonal

trigonally ['traigənəli] *adv* triunghiular, trigonal, în formă de triunghi *sau* trigon

trig oneself out ['trig wʌn'self 'aut] *vt cu part adv v.* **titivate II**

trigoneutic [trigənu:tik] *adj ent* care ouă de trei ori pe an; care scoate trei rânduri de pui

trigonometrical [ˌtrigənə'metrikəl] *adj* trigonometric

trigonometry [ˌtrigə'nɔmitri] *s* trigonometrie

trigram [tri'græm], **trigraph** ['trai,grɑ:f] *s* **1** *lingv* (grup de) trei semne/litere reprezentând un singur sunet **2** *geom* figură alcătuită din trei linii

trigynous ['tridʒinəs] *adj bot* cu trei pistile

trihedra [trai'hi:drə] *pl de la* **trihedron**

trihedral [trai'hi:drəl] *adj geom* triedric, triedru

trihedron [trai'hi:drən], *pl și* **trihedra** [trai'hi:drə] *s geom* triedru

trike [traik] *s F v.* **tricycle**

trilabiate [trai'leibieit] *adj* cu trei buze/labii

trilaminar [trai'læminə] *adj* alcătuit din trei straturi

trilateral [trai'lætərəl] *adj* trilateral

trilby ['trilbi] *s* **1** *v.* **trilby hat 2** *pl* picior; laba piciorului

trilby hat ['trilbi ˌhæt] *s* pălărie moale (de fetru)

trilemma [trai'lemə] *s* **1** raționament/ judecată cu trei premise **2** *F* dilemă grea, alegere între lucruri/ alternative (neplăcute)

trilinear [trai'liniə] *adj geom* trilinear

trilingual [trai'liŋgvəl] *adj* trilingv

triliteral [trai'litərəl] *adj lingv* **1** (scris) cu trei litere, alcătuit din trei litere **2** *(d. limba semită)* cu rădăcini alcătuite din trei consoane

trilith ['traili θ] *s v.* **trilithon**

trilithic [trai'li θik] *adj arhit* **1** în formă de trilit **2** referitor la triliton

trilithon [trai'li θɔn] *s arhit* triliton, monument alcătuit din două blocuri de piatră verticale și unul transversal

trill [tril] **I** *s* **1** tril **2** tremolo, tremur al vocii **3** *lingv* r vibrat/graseiat **II** *vi* **1** a face/a scoate triluri **2** a cânta tremurat **III** *vt* **1** *muz* a cânta în/cu triluri **2** *lingv* a rula, a graseia, a face să vibreze *(consoana r)*

trillion ['triljən] *s* **1** trilion **2** *amer* bilion

trilobate [trai'loubeit] *adj bot* trilobat

trilobite ['trailə,bait] *s zool* trilobat, artropod paleozoic fosil cu corpul din trei lobi

trilocular [trai'lɔkjulə] *adj zool* cu trei celule *sau* compartimente

trilogy ['trilədʒi] *s* trilogie

trim [trim] **I** *adj* **1** îngrijit; curățel; dichisit, cochet, fercheș; pus la punct **2** în bună stare (de funcționare), în ordine **II** *vt* **1** a rândui, a aranja, a pune în ordine **2** a potrivi, a tăia, a reteza *(mustața, un fitil, mucul)*; **to ~ one's nails** a-și face/tăia unghiile; **to ~ meat** a pregăti carnea **3** a aranja, a potrivi *(crengile unui copac);* a curăți *(un pom, o rană)* **4** a ciopli, a netezi; a da la rindea **5** a împodobi, a garnisi, a ornamenta **6** *nav* a echilibra încărcătura *(unui vas)* **7** *nav* a orienta, a îndrepta *(într-o direcție)* **8** *fig F* a muștrului, a scutura, a certa **III** *vi fig* a se da după cum bate vântul, a se da bine și cu unii și cu alții, a dori să

împace și capra și varza **IV** *s* **1** (bună) rânduială, ordine, aranjament, dispoziție **2** pregătire, formă, dispoziție *(pentru luptă, râs etc.);* **in ~ a** sănătos *(voinic);* vânjos; în formă (bună) **b** bine îmbrăcat, așa cum se cuvine; **in fighting ~** *mil, nav* în dispoziție de luptă; gata de luptă/atac; **to be out of ~ a** a nu fi în formă **b** a nu fi în apele sale/în toane bune **3** *nav* echilibru, bună repartizare a încărcăturii *sau* balastului; **in ~** echilibrat, cu încărcătura bine repartizată; **out of ~** prost echilibrat **4** *nav* înclinare longitudinală, orientare **5** potrivire a părului, tunsoare **6** *amer constr* căptușeală de scânduri

trimaran ['traimə,ræn] *s nav* trimaran

trimer ['traimə] *s ch* trimer; compus trimeric

trimeric [trai'merik] *adj ch* trimeric

trimerous ['trimərəs] *adj* alcătuit din trei părți; tripartit

trimester [trai'mestə] *s* **1** trimestru **2** termen trimestrial

trimestr(i)al [trai'mestriəl] *adj* trimestrial

trimeter ['trimitə] *s metrică* trimetru, vers (alcătuit) din trei picioare iambice

trimetric(al) [trai'metrik(əl)] *adj metrică* trimetric, trimetru, cu trei picioare

trimly ['trimli] *adv* aranjat, îngrijit, cu grijă; în (perfectă) ordine, în bună rânduială

trimmer ['trimə] *s* **1** persoană care potrivește/aranjează *sau* împodobește **2** foarfecă mare de grădină **3** *fig* oportunist; persoană șovăielnică/lipsită de fermitate **4** *constr* tălpoaie

trimming ['trimiŋ] *s* **1** aranjare, rânduire, rânduială, punere în ordine **2** *hort* curățire *(a crengilor, copacilor);* potrivire **3** ajustare, nivelare, aliniere; tăiere, potrivire *(a mucului de la lumânare etc.)* **4** podoabă, ornament, garnitură *(la îmbrăcăminte),* împodobire, ornamentație, *pl* fireturi, găitane, ceaprazuri **5** *gastr* asezonare, condimentare; *pl* garnitură **6** *F* muștruluială, ~ mustrare, corecție **7** *nav* echilibrare *(a calei sau încurcăturii)* **8** *nav* orientare a velelor **9** *fig* oportunism, politică șovăielnică/ezitantă **10** *constr* armătură **11** *pl* bucățele, firimituri, resturi, fragmente; pilitură *(de fier)*

trimnes ['trimnis] *s* **1** *v.* **trim IV 1 2** aspect îngrijit **3** ținută/toaletă îngrijită/elegantă

trimolecular [ˌtraiməˈlekjuləʳ] *adj* trimolecular

trimorphic [traiˈmɔ:fik] *adj bot, zool, minrl* triform, existând în/având trei forme distincte

trimorphism [traiˈmɔ:fizəm] *s bot, zool, minrl* trimorfism, prezență/ existență în trei forme distincte

trimorphous [traiˈmɔ:fəs] *adj v.* **trimorphic**

trim up ['trim 'ʌp] *vt cu part adv v.* **trim II 1, 2, 5**

trinal ['trainəl] *adj referitor la* **trine II**

trine [train] **I** *adj* **1** triplu, întreit **2** *astrologie (d. două planete)* depărtate la o treime de zodiac/ la 120⁰ diferență **II** *s astrologie* aspectul a două planete la o distanță de o treime de zodiac/ de 120⁰; **in ~ to** în conjuncție, situate la o distanță de 120⁰/de o treime de zodiac

trine immersion ['train iˈmə:ʃən] *s bis* botez(are) prin trei imersiuni

Trinidad ['triniˌdæd] *insulă în Atlantic*

Trinitarian [ˌtriniˈtɛəriən] *s bis* **1** adept al doctrinei trinității **2** călugăr al ordinului Sfintei Treimi

trinitarianism [ˌtriniˈtɛəriənizəm] *s rel* trinitarianism, doctrina trinității

trinitate ['trinitreit] *s ch* trinitrat

trinitrocellulose [traiˌnaitrouˈseljuluoz] *s ch* trinitroceluloză, fulmicoton

trinitrotoluene [traiˌnaitrouˈtɔlju,i:n] *s ch* trinitrotoluen, TNT

trimitrotoluol [traiˌnaitrotolju:,ol] *s ch* trinitrotoluen

Trinitry ['triniti] *s rel* (Sfânta) Treime, Trinitatea

Trinitry Brethren ['triniti ˌbreðrən] *s nav* asociație a piloților, paznicilor de faruri și geamanduri *etc. v.* **Trinity House**

Trinitry House ['triniti ˌhaus] *s nav* asociație engleză pentru recrutarea și instruirea piloților, balizaj, întreținerea farurilor *etc.*

Trinitry House boat ['triniti ˌhaus 'bout] *s nav* vas de balizaj

Trinitry Sitting ['triniti ˌsitiŋ] *s jur* sesiune judecătorească/a tribunalelor la începutul verii

Trinitry Sunday ['triniti ˌsʌndi] *s bis* duminica Sfintei Treimi

Trinitry term ['triniti ˌtə:m] *s univ* trimestrul de vară

trinket ['triŋkit] *s* **1** breloc; ornament, podoabă (fără valoare), bijuterie falsă **2** bibelou (fără valoare) **3** *fig* bagatelă, fleac, moft

trinketry ['triŋkitri] *s* **1** podoabe/ bijuterii fără valoare **2** fleacuri, nimicuri

trinomial [traiˈnoumiəl] **I** *s mat* trinom **II** *adj* **1** *mat* cu trei termeni **2** *lingv* alcătuit din trei cuvinte/ termeni

trinomialism [traiˈnoumiəlizəm] *s elev* trinomialism, definire/denumire a noțiunilor prin folosirea a trei termeni

trio ['tri:ou] *s* **1** *muz* trio **2** grup de trei, trio, terțet **3** *av* formație de trei avioane

triode ['traioud] *s tel* trioda

trioecious [traiˈi:ʃəs] *adj bot* cu organe masculine, feminine si hemafrodite pe plante separate

triole ['traiəl] *s v.* **triolet**

triolet ['tri:ou,let] *s muz etc.* triolet

trior ['traiəʳ] *s v.* **trier**

trioxide [traiˈɔksaid] *s ch* trioxid

trip [trip] **I** *s* **1** excursie, (scurta) călătorie, plimbare/voiaj de agremenet; **to go for/on a ~, to make a ~** a face o excursie/un mic voiaj; a voiaja, a călători **2** parcurs, distanță parcursă, drum **3** călătorie (cu avionul) **4** pas ușor, mers (grațios) **5** piedică (pusă cuiva) **6** pas greșit, poticneala; poticnire **7** *fig* greșeală, pas greșit, acțiune greșită **8** *tehn* mecanism/dispozitiv de declanșare **9** parc de vagoane **10** *(la pescuit)* prada, cantitate de pește prins **II** *vi* **1** a merge cu pași mărunți, a umbla repejor **2** a se poticni, a se împiedica *(la mers sau în vorbă)* **3** a călca strâmb/ pe de lături **4** ← *F* a greși, a face o greșeală/un păcat; **to catch smb ~ping** *v.* **trip up I 5** *tehn* a se declanșa **6** *nav (d. ancoră)* a derapa **7** ← *înv* a face o excursie/o scurtă călătorie **III** *vt* **1** a pune piedică *(cuiva);* a face să se poticnească/să se răstoarne, a răsturna **3** *nav* a lăsa *(ancora)* să plutească în apă **4** *F v.* **trip up I 1**

trip across ['trip əˈkros] *vt cu part adv* a traversa cu pași mărunți

trip along ['trip əˈloŋ] *vi cu prep* a merge cu pași mărunți de-a lungul *(cu gen)*

tripartite [traiˈpa:tait] *adj* **1** tripartit, împărțit în trei *(părți)* **2** *pol* tripartit, în trei **3** *jur* încheiat în trei exemplare; tripartit, între trei părți, trilateral

tripartite indenture [traiˈpa:tait inˈdentʃəʳ] *s* contract *(de ucenicie)* în trei exemplare

tripartitely [traiˈpa:taitli] *adv* (în mod) tripartit

tripartition [ˌtraipa:ˈtiʃən] *s* caracter tripartit; împărțit în trei (elemente)

trip away ['trip əˈwei] *vi cu part adv* a se îndepărta cu pași ușori

tripe [traip] *s* **1** drob 2 măruntaie, mațe; burtă **3** *F* fleacuri, prostii; maculatură, marfă de la foc

tripe-de-roche ['tripdəˈrɔʃ] *s* alge/ substanțe extrase din licheni folosite la hrană *(de vânători etc.)*

tripe man ['traip ˌmæn] *s* vânzător de măruntaie, mațe, burtă *etc.;* măcelar care vinde mațe, măruntaie *etc.*

tripery ['traipəri] *s colectiv v.* **tripe 2**

tripetalous [traiˈpetələs] *adj bot* cu trei petale, tripetal

trip gear ['trip ˌgiəʳ] *s v.* **trip I 8**

trip hammer ['trip ˌhæməʳ] *s tehn* ciocan mecanic

triphase ['traiˌfeiz] *adj el* trifazat, trifazic

triphibious [traiˈfibiəs] *adj mil (d. operatii, maneve)* pe uscat, pe apă și în aer; combinat

triphthoug ['trifθoŋ] *s lingv* triftong

triphyllous [ˌtraiˈfiləs] *adj bot* cu trei frunze

trip in ['trip 'in] *vt cu part adv tehn* a ambreia *(o piesă)*

tripinnate [traiˈpinit], **tripinnated** [traiˈpinitid] *adj bot* cu trei ...

triplane ['traiˌplein] *adj, s av* triplan

triple ['tripəl] **I** *adj* triplu, întreit **II** *vi* a se tripla, a crește de trei ori **III** *vt* a tripla, a întrei

Triple Alliance ['tripəl əˈlaiəns] *s ist* Tripla Alianța

triple crown ['tripəl ˌkraun] *s v.* **tiara 2**

triple-decker ['tripəl ˌdekəʳ] *s amer F* sandviș cu trei felii de pâine

Triple Entente, the ['tripəlʌnˈta:nt, ðə] *s ist* Tripla Înțelegere, Antanta

triple fogue ['tripəl,fju:g] *s muz* fugă, fugă triplă/cu trei teme

triple jump ['tripəl,dʒʌmp] *s sport* triplu salt

triple play ['tripəl ,plei] *s sport* atac cu trei jucători de câmp *(la baseball)*

triple rhyme ['tripəl,raim] *s metrică* rimă trisilabică

triplet ['triplit] *s* 1 *v.* **trio** 2 *pl* trigemeni, trei gemeni 3 *muz* terțet; triolet 4 *tel* rețea de trei stații/posturi

triple time ['tripəl,taim] *s muz* măsură în trei timpi

trip lever ['trip ,li:vər] *s tehn* pârghie de declanșare/cu manetă/cu declic

triple window ['tripəl ,windou] *s arhit* fereastră alcătuită din trei părți

triplex ['tripleks] I *s* 1 *v.* **triple time** 2 *muz* compoziție alcătuită din trei părți 3 *tehn* sticlă securit/triplex II *adj tehn* triplex; cu trei cilindri, cu acțiune triplă

triplex board ['tripleks ,bɔ:d] *s tehn* carton triplex

triplicate I ['triplikit] *adj* 1 *v.* **triple** I 2 *v.* **tripartite** 3 II ['tri-pli,keit] *s* triplicat, exemplarul trei III ['tripli,keit] *vt* 1 *v.* **triple** III 2 a redacta în trei exemplare

triplication [,tripli'keiʃən] *s* triplare

triplicity [tri'plisiti] *s* triplicitare, caracter triplu

triploid ['triploid] I *adj (d. organism sau celulă)* cu trei seturi haploide de cromozoni II *s biol* organism triploid; celulă triploidă

triply ['tripli] *adv* triplu, întreit

tripod ['traipod] I *s* 1 trepied 2 masă *sau* scaun cu trei picioare II *adj art* cu trei picioare

tripodal ['traipodəl] *adj v.* **tripod** II

Tripoly ['tripəli] *capitala Libiei*

tripoli *s minrl* tripoli

Tripolis ['tripəlis] *ist oraș în Liban*

Tripolitan [tri'politən] I *adj* tripolotan; din Tripolis II *s* locuitor din Tripolis

Tripolitania [,tripəli'teiniə] *regiune în Africa*

tripos ['traipos] *s* 1 exemen de licență în litere *(la Cambridge)* 2 lista licențiaților în litere *(la Cambridge)*

trip over ['trip ,ouvər] *vi cu prep* a se poticni la *(o treaptă, un cuvânt etc.)*

tripper ['tripər] *s* 1 ← *F* drumeț; turist; excursionist; vilegiaturist 2 persoană care pune piedică cuiva

trippery ['tripəri] *adj (d. stațiune)* frecventat; solicitat; animat

tripping ['tripiŋ] I *adj* agil, care se mișcă ușor și repede II *s* 1 piedică *(pusă cuiva)* 2 pas ușor 3 poticneală; pas greșit; călcătură strâmbă 4 *tehn* declanșare; demarare 5 *nav* derapare a ancorei

trippingly ['tripiŋli] *adv* 1 agil, iute; cu agilitate/ușurință 2 liber, fluent, curgător *(la vorbă)*, volubil

trip recorder ['trip ri'kɔ:dər] *s* kilomertaj

triptych ['triptik] *s arte* triptic

triptyque [trip'ti:k] *s arte, ec* triptic, permis vamal pentru autovehicule

trip up ['trip ,ʌp] I *vt cu part adv F* a prinde cu ocaua mică/cu mâțan sac/pe picior greșit; **to ~ a witness** a prinde pe un martor cu minciuna II *vi cu prep* a sui *(scările etc.)* cu pas ușor/elastic

triquetra [trai'kwi:trə], *pl* **triquetrae** [trai'kwi:tri] *arhit* triquetra, ornament simetric din trei arce legate

triquetral [trai'kwi:trəl] *adj arhit* alcătuit din trei arce legate

trireme ['trairi:m] *s nav* triremă

Trisagion [tri'sægion], *pl* **trisagia** [tri'sægiə] *s bis* ortodoxă imn de slavă *(cu trei invocații)*

trisect [trai'sekt] *vt* a tăia în trei părți, a triseca

trishaw ['trai,ʃɔ:] *s* rișcă-bicicletă cu trei roți

triskelion [tri'skeli,on] *s artă* figură simbolică cu trei linii/picioare pornind dintr-un centru comun

trismus ['trizməs] *s med* trismus, contracție/strângere convulsivă a maxilarelor

Tristan ['tristən] *nume masc v.* **Tristram**

triste [tri:st] *adj* trist, melancolic, sumbru, întunecat, mohorât, posomorât; întristat, mâhnit

tristful ['tristful] *adj inv v.* **triste**

tristichous ['tristikəs] *adj bot* tristic, dispus în trei șiruri verticale

tristigmatic [,tristig'mætik] *adj bot* cu trei stigmate/stiluri

Tristram ['tristrəm] *nume masc v.* **Tristan**

tristylous [trai'stailəs] *adj bot v.* **tristigmatic**

trisulphide [trai'sʌlfaid] *s ch* trisulfură

trisyllabic [,traisi'læbik] *adj* trisilabic

trisylable [trai'siləbəl] *s* cuvânt compus din trei silabe, cuvânt trisilabic

trit. *presc de la* **triturate**

tritagonist [trai'tægənist] *s teatru* tritagonist, al treilea actor ca importanță; rol secundar *(în teatrul grec antic)*

trite [trait] *adj* 1 banal, comun, plat 2 răsuflat, uzat, banalizat

tritely ['traitli] *adv (in mod)* banal/plicticisitor, fără haz, fără sare și piper

triteness ['traitnis] *s* 1 banalitate, platitudine 2 platitudine, banalitate, loc comun; lucru răsuflat

triternate [trai'tə:nit] *adj bot* tritern, cu 27 de frunzulițe

tritheism ['traiθi:izəm] *s rel* triteism, doctrină a separației dintre Dumnezeu tatăl, fiul și Sfântul duh

tritheist ['traiθi:ist] *s rel* triteist, adept al doctrinei separație dintre Dumnezeu tatăl, fiul și Sfântul duh

tritheistic(al) [,traiθi:'istik(əl)] *adj rel* triteist, care crede în separația celor trei fețe ale lui Dumnezeu

tritiate ['triti,eit] *vt ch* a înlocui hidrogenul cu tritium în *(o substanță)*

tritiation [,triti'eiʃən] *s ch* tritiare, introducere a tritiului în locul hirogenului

tritium ['tritiəm] *s ch* tritiu, hidrogen greu radioactiv

Triton ['traitən] *s mit* triton, semizeu marin *(cu coadă de pește și înarmat cu trident)*

triton ['traiton] *s* 1 *ch, fiz* nucleu de tritiu *(cu un proton și doi neutroni)* 2 *zool* gasteropod marin cu scoică lungă conică *(Cymatiidae sp.)* 3 *zool* salamandră de apă *v.* **newt**

tritone ['trai,toun] *s muz* 1 interval de trei tonuri 2 cvartă mărită

triturable ['tritjuərəbəl] *adj* care poate fi triturat/mărunțit/măcinat

triturate ['tritju,reit] *vt* 1 a tritura, a pisa/a măcina fin 2 a mesteca bine/intens, a mastica perfect

trituration [,tritju'reiʃən] *s* 1 triturare, măcinare, sfărâmare, fărâmițare, pisare *(în mojar)*; mărunțire până la pulbere 2 masticație, mestecare

triturator [ˌtritjuˈreitəʳ] *s* **1** persoană care triturează/sfărâmă în mojar **2** masticator, persoană care mestecă/mastichează (bine) **3** instrument de triturare/măcinare; pisălog/pistil pentru mojar

triumph [ˈtraiəmf] **I** *s* **1** triumf; victorie, succes **2** *od* (purtare în) triumf **II** *vi* **1** (**over**) a triumfa (asupra), a învinge *(cu ac)* **2** a sărbători victoria/triumful

triumphal [traiˈʌmfəl] *adj* triumfal, glorios; victorios

triumphal arch [traiˈʌmfəl ˈɑːtʃ] *s* arc de triumf; arc/monument triumfal

triumphant [traiˈʌmfənt] *adj* **1** triumfător **2** victorios

triumpher [traiˈʌmfəʳ] *s* învingător, cuceritor, triumfător

triumvir [traiˈʌmvəʳ], *pl* și **triumviri** [traiˈʌmvi,riː] *s ist* triumvir

triumviral [traiˈʌmvirəl] *adj ist* de triumvir

triumvirate [traiˈʌmvirit] *s* **1** *ist* triumvirat **2** *F v.* **trio 2**

triumviri [traiˈʌmvi,riː] *pl de la* **triumvir**

triune [ˈtraijuːn] *adj* triunic, triunitar, alcătuit din trei părți îmbinate

triunity [traiˈjuːniti] *s* triunitate, trinitate; unitate a celor trei părți componente

trivalence [traiˈveiləns] *s ch* trivalență

trivalent [traiˈveilənt] *adj ch* trivalent

trivalve [ˈtraivælv] *adj* trivalv, cu trei valve/valvule

trivalvular [ˌtraiˈvælvjuləʳ] *adj v.* **trivalve**

trivet [ˈtrivit] *s* **1** trepied; scaun *sau* obiect cu trei picioare; **(as) right as a ~** *F* perfect, desăvârșit, grozav, strașnic; fără cusur **2** pirostrii *(pe grătarul căminului)*

trivia [ˈtriviə] *s pl* fleacuri, bagatele, lucruri minore/fără importanță; lucruri fără valoare

trivial [ˈtriviəl] *adj* **1** *v.* **trite 1, 2 2** neînsemnat, fără valoare/importanță/însemnătate; minor **3** comun, obișnuit, normal **4** josnic, ordinar, grosolan

triviality [ˌtriviˈæliti] *s* **1** *v.* **triteness 2** lipsă de importanță/însemnătate/valoare, caracter neînsemnat **3** josnicie, caracter josnic/ordinar

trivialize [ˈtriviə,laiz] *vt* a banaliza

trivially [ˌtriviəli] *adv* **1** (în mod) banal/obișnuit; ordinar **2** (în mod) ușuratic/frivol/neserios

trivialness [ˈtriviəlnis] *s v.* **triviality**

trivium [ˈtriviəm] *s od univ* trivium, curs de gramatică, retorică și logică *(la universitățile medievale)*

triweekly [traiˈwiːkli] **I** *adj* care are loc/se întâmplă de trei ori pe săptămână **II** *adv* trisăptămânal, de trei ori pe săptămână

-trix *suf* -toare: **generatrix** generatoare

troat [trout] *vi (d. cerb)* a boncăni

trocar [ˈtroukɑːʳ] *s med* trocar, seringă pentru puncții (seroase) la hidropizie

trochaic [trouˈkeiik] *adj* trohaic

trochanter [trouˈkæntəʳ] *s* **1** *anat, zool* trohanter, trocanter, ligament al mușchilor pe șold **2** *ent* al doilea segment al piciorului insectelor

troche [trouʃ] *s med, farm* pastilă, tabletă, comprimat

trochee [ˈtroukiː] *s prozodie* troheu

trochilus [ˈtrɔkiləs] *s orn* **1** sfredeluș, împărătuș **2** (pasărea) colibri

trochiter [ˈtrɔkitəʳ] *s anat* trochiter

trochlea [ˈtrɔkliə], *pl* **trochleae** [ˈtrɔkli,iː] *s anat* trohlee

trochlear [ˈtrɔkliəʳ] *adj anat* trohlear

trochoid [ˈtroukɔid] **I** *adj* **1** *anat* trohoid **2** *geo* trohoid, spiral, generat de curbe care se îmbină **3** *zool* trohoid **II** *s* **1** *anat* articulație trohoidală **2** *geom* curbă trohoidă **3** *zool* scoică trohoidă

trochoidal [trouˈkɔidəl] *adj* trohoid, în formă de spirală

trochus [ˈtroukəs] *s zool* scoică trohoidală *(genul Trochus)*

troctlite [ˈtrɔktəlait] *s minrl* troctolit

trod¹ [trɔd] *pret de la* **tread I, II**

trod² *s ← înv* potecă, drum, cărare

trodden [ˈtrɔdən] *ptc de la* **tread I, II**

troggin [ˈtrɔgin] *s înv ←* marchitănie, mărunțișuri, marfa negustorului ambulant

troggs [trɔgz] *s pl scot* haine; vechituri

troglodyte [ˈtrɔglə,dait] *s* **1** troglodit **2** pustnic, sihastru, ermit

troglodytic(al) [ˌtrɔgləˈditik(əl)] *adj* (de) troglodit

trogon [ˈtrougɔn] *s orn* pasăre tropicală cu penaj viu colorat *(Trogon sp.)*

Troia [ˈtrouə] *ist v.* **Troy**

Troic [ˈtrɔik] *adj v.* **Trojan I**

troika [ˈtrɔikə] *s* **1** troică, trăsură trasă de trei cai **2** *pol* triumvirat, conducere tripartită, *F* troică

Troilus [ˈtrɔiləs] *lit, mit* fiu al lui Priam și iubit al Cresidei

Trojan [ˈtroudʒən] **I** *adj* troian **II** *s* **1** *ist* troian, locuitor al Troiei **2** *F fig* curajos, viteaz, brav; persoană inimoasă; persoană rezistentă

Trojan horse, the [ˈtroudʒənˈhɔːs, ðə] *s mit* Calul troian

troke [trouk] *s scot* **1** schimb, troc **2** mărunțișuri **3** legături de familie

troll¹ [troul] **I** *vt* **1** a rostogoli, a da de-a dura **2** a cânta, a fredona **3** a pescui **II** *vi* **1** a se rostogoli **2** a se mișca de colo până colo; a hoinări **3** *muz* a cânta un canon **III** *s* **1** revenire, repetare **2** refren **3** *muz* canon

troll² *s* trol, spiriduș *(în mitologia scandinavă)*

troller [ˈtroulə̱ʳ] *s v.* **trolley**

trolley [ˈtrɔli] *s* **1** *el* troleu **2** cărucior vagonet; drezină; **off one's ~** *sl înv* sărit de linie, țicnit **3** *v.* **trolley car**

trolley bus [ˈtrɔli ,bʌs] *s* troleibuz

trolley car [ˈtrɔli,kɑːʳ] *s amer* **1** tramvai **2** troleibuz

trolley track [ˈtrɔli ,træk] *s amer* șină de tramvai

trolley wheel [ˈtrɔli ,wiːl] *s tehn* rolă de contact/curent al troleului

trolley wire [ˈtrɔli ,waiəʳ] *s el* troleu, fir de contact/cale/troleu

trollop [ˈtrɔləp] **I** *s* **1** persoană șleampătă/neglijentă/dezordonată/nețesălată **2** *v.* **trapse III II** *vi* a se târî *(cu pas greioi);* a umbla/a merge încet/greioi

trollop along [ˈtrɔləp əˈlɔŋ] *vi cu part adv v.* **trollop II**

Trollope [ˈtrɔləp], **Antony** romancier englez (1815-1882)

trollopish [ˈtrɔləpiʃ], **trollopy** [ˈtrɔləpi] *adj* dezănțat, desmățat, stricat, ordinar; de prostituată/târfă/damă (ordinară)/F șteoalfă, feloarță

trombone [trɔmˈboun] *s muz* trombon

trombonist [trɔmˈbounist] *s muz* trombonist

trommel [ˈtrɔməl] *s tehn* tambur; tobă; ciur rotativ

trompe [trɔmp] *s tehn* suflantă hidraulică

trompe-l'oeil [trõp'lə:] *artă* **I** *s* pictură (natură moartă) care imită realitatea, imitație (servilă) a realității; trompe l'oeil **II** *adj (d. natură moartă etc.)* naturalist, prea realist, fotografic, ca o fotografie

Tromsö ['trɔmsou] *oraş în Norvegia*

-tron *suf–*tron: **cyclotron** ciclotron

Trondheim ['trɔnd,haim] *oraş în Norvegia*

-trone *suf v.* **tron**

troop [tru:p] **I** *s* **1** trupă detaşament **2** *pl* trupe **3** ceată, grup; bandă **4** *amer mil* escadron; baterie **5** cârd, turmă, cireadă **II** *vi* **1** a mărşălui, a merge buluc/de-a valma **2** a se aduna, a se strânge **III** *vt* a înălţa, a ridica *(drapelul garnizoanei)*

troop away ['tru:p ə'wei] *vi cu part adv* a se îndepărta, a se abate

troop-carrier ['tru:p,kæriə*] *s mil* **1** avion de transport(at trupe) **2** *amer* vehicul blindat pentru transportul trupelor; transportor (de trupe) blindat

trooper ['tru:pə*] *s* **1** *mil* soldat *(cavalerist);* **to swear like a ~** a înjura birjăreşte/ca un birjar **2** *mil* tanchist **3** cal de cavalerie **4** poliţist călare *(în Australia)* **5** *nav* vas de transportat trupe

troop horse ['tru:p ,hɔ:s] *s v.* **trooper 3**

trooping the colours ['tru:piŋ ðə'kʌləz] *s mil* ceremonia schimbării/transferului drapelelor; *aprox* schimbarea gărzii *(în cadrul unei parăzi)*

troop off ['tru:p 'ɔ:f] *vi cu part adv v.* **troop away**

troop-ship ['tru:p,ʃip] *s nav, mil* navă de transportat trupe; navă pentru transporturi militare

troop train ['tru:p ,trein] *s mil* tren regimental/militar

trop. *pres de la* **1** tropic **2** tropical

tropaeolum [trou'pi:ələm] *s bot* plantă agăţătoare *sau* târâtoare sud-americană cu flori galbene *sau* stacojii *(Tropaeolum sp.)*

trope [troup] *s lit* trop, figură de stil

trophic ['trɔfik]*adj biol* trofic

-trophic *pref* -trofic: **eutrophic** eutrofic

trophied ['troufid] *adj* împodobit cu trofee/un trofeu

trophoblast ['trɔfə,blæst] *s biol* trofoblast, strat de ţesut exterior care hrăneşte embrionul

trophoneurosis [,trɔfənju:'rousis] *s biol* subnutriţie datorată unei tulburări nervoase

trophy ['troufi] *s* **1** trofeu **2** pradă, captură **3** panoplie (cu trofee)

-trophy *suf* -trofie: **hypertrophy** hipertrofie

tropic ['trɔpik] **I** *s* tropic **II** *adj v.* **tropical[1]**

-tropic *suf* -tropic: **neurotropic** neurotropic

tropical[1] ['trɔpikəl] *adj* **1** tropical **2** *fig* arzător, fierbinte, înflăcărat, înfriguat

tropical[2] *adj* figurat, metaforic

tropically[1] ['trɔpikəli] *adv* ca la tropice

tropically[2] *adv* (în mod) figurat/ metaforic

tropicals ['trɔpikəlz] *s pl* haine (uşoare) de vară, costum tropical

tropic-bird ['trɔpik,bə:d] *s orn* pasăre marină *(Phaethon sp.)*

tropism ['troupizəm] *s biol* tropism

-tropism *suf* -tropism: **heliotropism** heliotropism

tropological [,trɔpə'lɔdʒikəl] *adj* **1** (în sens) figurat/metaforic; tropologic, tropic **2** *rel (d. interpretarea scripturii)* (în sens) figurat/metaforic

tropology [trə'pɔlədʒi] *s* **1** *lingv, lit* metaforixare, folosire metaforică/figurată a cuvintelor **2** *rel* interpretare figurată a textelor sfinte

tropopause ['trɔpə,pɔ:z] *s meteo, geol* graniţa dintre troposferă şi stratosferă; tropopauză

troposphere ['trɔ:pə,sfiə*] *s geogr* troposferă

tropospheric [,trɔpə'sferik] *adj geol, geogr* troposferic, referitor la troposferă

-tropous *suf* -trop: **hypermetropous** hipermetrop

troppo ['trɔpou] *adv muz it* troppo, prea; **ma non** ~ ma non troppo, dar nu prea mult; fără exagerare

-tropy *suf* -tropie: **entropy** entropie

trossers ['trɔsez] *s pl înv v.* **trousers**

trot [trɔt] **I** *vi* **1** a merge la trap **2** *fig* a umbla/a merge repede şi cu paşi mărunţi **3** *sport* a merge/a alerge în pas de gimnastică **4** *sl* a se furişa *(ziua în amiaza mare)*

II *vt* **1** a lăsa *(calul)* să mearga la trap; a porni *(calul)* la trap; a aduce la trap **2** a străbate în/la trap **3** a alunga, a face să alerge, a mâna din urmă *(pe cineva)* **4** *şcol sl* a copia, a se sluji de fiţuici/ copiuţe **III** *s* **1** trap; **at/on full** ~ în trap bun; repede, iute, la trap; **at a slow/easy** ~ în trap uşor; **to break into a** ~ a porni la trap; **to put/to bring on a** ~ *fig v.* ~ **II 3 2** ← *F*plimbare, mers agale; **to go for a** ~ a face o mică plimbare, a-şi desmorţi picioarele **3** *amer* alergătură **4** *sl amer* fiţuică, copiuţă **5** *pl F*cufureală, diaree; **on the** ~ *F* ocupat, alergat, hărţuit; veşnic pe picioare/în umblet/ umblătură; **they kept him on the** ~ l-au hărţuit/alergat ca pe hoţii de cai; l-au ţinut tot într-o alergătură/într-un umblet **b** la rând în şir; **for three weeks on the** ~ trei săptămâni la rând/în şir **6** *pl F australian* (întâlnire pentru) curse de marş/alergări **7** ţânc, copilaş (care începe să umble)

trot about ['trɔt ə'baut] *vi cu part adv* a se agita, a forfoti (de colo până colo)

trot away ['trɔt ə'wei] *vi cu part adv* **1** a porni/a pleca la trap **2** *F fig* a o lua din loc, a o şterge, a spăla putina

trot cosy ['trɔt ,kouzi] *s scot* passemontagne, petrecut peste pălărie *sau* şapcă şi încheiat sub bărbie

troth [trɔθ] ← *înv* **I** *s* fidelitate, credinţă, loialitate; **in** ~ realmente, efectiv, cu adevărat, într-adevăr; **by my** ~ pe cuvântul meu (de onoare), pe onoarea mea; **to pligh one's** ~ *v.* **II II** *vi* aşi da cuvântul (de onoare), a se jura; a se obliga, a se lega, a se angaja

trot off ['trɔt 'ɔ:f] **I** *vi cu part adv v.* **trot away II** *vi cu part adv* a goni, a alunga; **to trot smb off his legs** a face pe cineva să se spetească alergând, a pune pe cineva pe drumuri

trot out ['trɔt 'aut] **I** *vi cu part adv* **1** a lungi pasul, a merge întins **2** *(d. cal)* a porni la trap **3** *fig* a da ortul popii, a se duce pe lumea cealaltă **II** *vt cu part adv* **1** *v.* **trot II 1 2** ← *F* a prezenta, a înfățișa, a aduce (înaintea cuiva) **3** a pune în evidență lumina, a scoate în relief **4** a etala, a face parade, a se făli/mândri cu **5** ← *F* a supralicita, a urca *(prețul unei licitații);* a oferi mai mult pentru

Trotsky ['trɔtski], **Leon (David Bronstein)** *politician rus (1879-1940)*

Trotskyism ['trɔtskiizəm] *s pol* trotkism

Trotskyist ['trɔtskiist] *s, adj* trotkist

Trotskyite ['trɔtskiait] *s pol* trotkist

trotter ['trɔtə'] *s* **1** (cal) trăpaș **2** copită **3** picior *(de porc etc.)* **4** *sl* labă, cazma, – mână

trotting ['trɔtiŋ] *s* **1** (mers la) trap **2** *fig* umblet, mers (rapid și cu pași mărunți) **3** *sport* alergare (ușoară) **4** *mil* pas alergător **5** *F* plimbare *v.* **trot III 2 6** *amer F* alergătură **7** *sport* cursă de trap

trottoir ['trɔtwɑ:'] *s fr* trotuar

trotyl ['troutil] *s ch* trotil

troubadour ['tru:bə,duə'] *s* trubadur

troubadourish [,tru:bə,duriʃ] *adj* trubaduresc, de trubadur

trouble ['trʌbəl] **I** *s* **1** necaz, supărare, neplăcere; belea, bucluc, năpastă, nenorocire; strâmtoare, ananghie; încurcătură; griji, nevoi; **the ~ is that...** necazul/ nenorocirea/buclucul este că...; **what's the ~?** Ce s-a întâmplat? Care-i buba/baiul? **To be in ~ a** a da de belea/bucluc; a intra/a cădea mesa **b** a fi la ananghie; **to have ~ with smb** a avea de furcă cu cineva; **to get into ~ a** a avea necazuri, a intra într-o încurcătură/într-un bucluc **b** a da de/a vedea pe dracu, a o păți rău **c** a avea încurcături/de-a face *(cu poliția etc.);* **to get smb into ~** a băga pe cineva mesa/la apă; **to give ~ to smb, to put smb to (the) ~** a pricinui/a aduce cuiva complicații/neplăceri; **to get out of ~** a ieși din/a scăpa de încurcături; **to keep out of ~** a se feri de/a evita orice neplăcere; **to ask/to look for ~** a o căuta cu lumânarea; a se lega la cap fără să-l doară **2** osteneală, deranj, bătaie de cap; efort, sforțare, strădanie, străduință; **to take ~** a se strădui, a-și da osteneala/ silința; **to take the ~ to do smth, to go to the ~ of doing smth** a-și da osteneala/a se strădui să

facă ceva; **to put smb to ~, to give smb ~** a da de furcă/a da bătaie de cap cuiva; a deranja/a importuna pe cineva; **to save smb the ~ of doing smth** a scuti/a cruța pe cineva de efortul de a face ceva; **it is no worth the ~** nu merită osteneala, *F →* nu face banii; **it is no ~ (at all)!, don't mention the ~!** n-a fost nici un deranj! n-aveți pentru ce (să-mi mulțumiți!) cu toată plăcerea! **to spare no ~** a nu-și cruța eforturile/osteneala, a nu precupeți nici un efort; **to have all one's ~ for nothing** a se căzni/ a se munci degeaba/de pomană **3** dificultate, greutate; **to have some ~ to do smth** a întâmpina greutăți în realizarea unui lucru **4** *și pl* tulburări, dezordini, încăierări; agitație publică, conflicte **5** *med* afecțiune, tulburări, maladie, boală; durere, neplăcere **6** *tehn* pană, deranjament; avarie **II** *vt* **1** a tulbura, a deranja; a importuna, a incomoda; a face să se deranjeze/ostenească; **to ~ smb at work** a deranja pe cineva de la lucru; **don't let me ~ you!** vă rog nu vă deranjați (din cauza mea/pentru mine); **excuse me for troubling you, I'm sorry to ~ you** iertați-mă că vă deranjez; **may I ~ you for a glass of water?** v-aș putea deranja să-mi dați un pahar cu apă? **may I ~ you to shut the door?** sunteți bun să închideți ușa? dacă nu vă deranjază, puteți închide ușa? **2** a neliniști, a îngrijora, a tulbura, a preocupa, a alarma, a supăra, a necăji; a chinui; a face să sufere; **my joints ~ me** mă supără/ necăjesc încheieturile; **to be ~d with/by memories** a fi chinuit/ tulburat de amintiri; **don't let it ~ you** nu-ți fă griji în privința asta; nu te sinchisi de asta; **to ~ one's head about smth** a-și face griji din pricina unui lucru **3** a face să se tulbure, a tulbura *(apa etc.)* **4** ← *F* a traduce în fața justiției/a da în judecată *(pt achitarea datoriilor)* **III** *vi* **1** a se deranja, a se osteni, a-și da osteneala; **don't ~ (to write etc.)** nu te deranja (să scrii etc.); **you needn't ~!** nu e nevoie să vă deranjați! lăsați!

2 a se neliniști, a se îngrijora, a-și face griji **IV** *vr v.* **~ III**

trouble feast ['trʌbəl ,fi:st] *s* persoană care strică cheful, pacoste, belea

trouble hunter ['trʌbəl ,hʌntə'] *s amer* reparator/depanator (de radio, televizoare *etc.)*

trouble maker ['trʌbəl ,meikə'] *s* **1** persoană care tulbură liniștea/ ordinea (publică); scandalagiu, zurbagiu **2** intrigant, persoană care produce agitație/certuri *etc.*

trouble man ['trʌbəl ,mæn] *s v.* **trouble hunter**

trouble-monger ['trʌbəl,mʌŋə'] *s v.* **trouble maker**

trouble oneself to ['trʌbəl wʌn'self tə] *vr cu inf* a se osteni/a-și da osteneala

troubler ['trʌblə] *s v.* **trouble maker**

troubleshoot ['trʌbəl,ʃu:t] *vi amer* a depana radiouri, televizoare *etc.;* a detecta și înlătura/remedia defecțiuni tehnice

trouble shooter ['trʌbəl ,ʃu:tə'] *s amer* depanator; tehnician care detectează defectele/penele

trouble shooting ['trʌbəl ,ʃu:tiŋ] *s* depanare; detectare a defecțiunilor tehnice

troublesome ['trʌbəlsəm] *adj* **1** supărător, neplăcut; care tulbură/ stinghereşte/jenează **2** enervant, supărător, care deranjează **3** chinuitor **4** obositor, dificil, anevoios; care îți dă bătaie de cap **5** *(d. copil)* neastâmpărat, obraznic

troublesomely ['trʌbəlsəmli] *adv* (în mod) supărător/enervant; (în mod) chinuitor/obositor

troublesomeness ['trʌbəlsəmnis] *s* caracter supărător, dificil *sau* obositor

trouble-spot ['trʌbəl,spot] *s* focar/ centru de tulburări; „punct fierbinte"; loc unde se produc adesea tulburări, incidente *etc.*

troublous ['trʌbləs] *adj înv* agitat, tulburat, neliniștit; tulbure

troublous times ['trʌbləs 'taimz] *s pl înv lit* vremuri tulburi/de agitație/ de neliniște/de restriște

trough [trɔf] *s* **1** albie, copaie, covată **2** troacă **3** jgheab, uluc, canal; **the ~ of the sea** baza/piciorul valului **4** scobitură, adâncitură **5** *geol* sinclinal **6** *meteor* depresiune, zonă depresionară

trough fault ['trɒf ˌfɔːlt] *s geol* graben, scufundare în trepte

trough floor ['trɒf ˌflɔːʳ] *s tehn* platelaj în formă de jgheab

troughful ['trɒfful] *s* (o) covată/ copaie/albie *sau* troacă (plină)

trough iron ['trɒf ˌaiən] *s met* oțel (de profil) U

trough truck ['trɒf ˌtrʌk] *s ferov* vagon-cisternă

trough valley ['trɒf ˌvæli] *s hidr, geogr* vale în formă de albie/ covată

trounce [trauns] *vt* **1** a biciui, a bate **2** a pedepsi, a sancționa **3** a dojeni, a mustra (aspru) **4** *sport* a învinge la scor; a zdrobi, a face praf

troupe [truːp] *s teatru* trupă, companie

trouper ['truːpəʳ] *s teatru* membru al unei trupe/companii teatrale

trouser clip ['trauzə ˌklip] *s sport* agrafă pentru prins pantalonul (ciclistului)

trousered ['trauzəd] *adj* **1** cu pantaloni/care poartă pantaloni **2** (*în cuvinte compuse*) cu pantalonii ...; **ragged-~** cu pantalonii zdrențăroși; rupt în fund, zdrențăros

trousering ['trauzəriŋ] *s text* material/stofă de/pentru pantaloni

trouser leg ['trauzə ˌleg] *s* crac de pantalon

trouser pocket ['trauzə ˌpɒkit] *s* buzunar de la pantalon

trouser press ['trauzə ˌpres] *s* presă pentru (călcat) pantaloni

trouser role ['trauzə ˌroul] *s teatru* (↓ *operă*) rol jucat de o femeie în travesti

trousers ['trauzəz] *s pl* pantaloni; **she wears the ~** la el în casă cântă găina; e sub papucul nevestii

trouser stretcher ['trauzə ˌstretʃəʳ] *s* întinzător de pantaloni

trouser suit ['trauzə ˌsuːt] *s* costum femeiesc alcătuit din pantaloni și jachetă

trousseau ['truːsou] *s fr* trusou; zestre, dotă

trout [traut], *pl* ↓ **trout** [traut] **I** *s* **1** *iht* păstrăv **2** *sl peior* muiere, damă, fustă; **old ~** băbătie, babornită, babă **II** *vi* a da la/a pescui păstrăvi

trout-coloured ['traut ˌkʌləd] *adj* pătat; cu picățele

trout farm ['traut ˌfɑːm] *s* păstrăvărie

troutlet ['trautlit], **troutling** ['trautliŋ] *s iht* păstrăv mic, păstrăvior

trouty ['trauti] *adj iht* ca păstrăvul; din familia păstrăvului

trouvaille [truːˈvai] *s fr* **1** lucru găsit; mană cerească; pomană, pară mălăiață **2** raritate; comoară **3** găselniță, truvai; gag

trove [trouv] *s v.* **treasure trove**

trover ['trouvəʳ] *jur* **1** apropriere **2** acțiune în restituire/restituție

trouvère [truːˈvɛəʳ] *s od lit* truver, trubadur

trow [trou] *vi* ← *înv* a crede, a socoti, a fi de părere, a-și da cu părerea; **I ~ that** părerea mea e că ..., eu chitesc că ...

trowel ['trauəl] **I** *s* **1** mistrie; paletă; **to lay (it) on with a ~ a** a exagera peste măsură, a sări peste cal **b** a vorbi extrem de lingușitor, a peria (*pe cineva*) în mod bătător la ochi **2** fâraș de grădină **II** *vt* a netezi cu mistria

Troy [trɔi] *ist* Troia

Troyes [trwɑː] *oraș în Franța*

troy weight ['trɔi ˌweit] *s* sistem de greutăți pentru metale prețioase

trs. *presc de la* **transpose**

truancy ['truːənsi] *s* **1** neglijare a îndatoririlor; absenteism **2** *F* chiul, fit, – absențe (*de la școală sau slujbă*)

truant ['truːənt] **I** *adj* **1** absent nemotivat, care chiulește; chiulangiu **2** ← *înv* leneș, trândav, indolent **3** (*d. gânduri etc.*) vagabond, rătăcitor **II** *s* **1** *F* chiulangiu; **to play ~** a trage chiulul/la fit, a lipsi nemotivat **2** ← *înv* leneș, trândav

truant officer ['truːənt ˌɒfisəʳ] *s amer școl* inspector care urmărește elevii chiulangii

truantry ['truːəntri] *s v.* **truancy**

truce [truːs] *s* **1** armistițiu; suspendarea ostilităților **2** *fig* sfârșit, capăt, terminare; (a) **~ to jesting** deajuns cu gluma! am glumit destul

truce bearer ['truːs ˌbɛərəʳ] *s mil* sol/ mesager de pace; parlamentar pentru armistițiu

truce breaker ['truːs ˌbreikəʳ] *s mil* violator al armistițiului

truceless ['truːslis] *adj* **1** *mil* fără armistițiu **2** *fig* neîncetat; fără răgaz

trucial ['truːʃəl] *adj ist* legat de/prin armistițiul din 1835 dintre Marea Britanie și șeicii arabi

truck¹ [trʌk] *s* **1** troc; schimb (în natură) **2** *ec* plată în natură (*pt muncitori*) **3** ← *F* raporturi, relații, legături, contact(e); **to have no ~ with smb** a nu fi în relații/a nu avea de-a face cu cineva, a nu avea comerț/legături cu cineva **4** *F* mărunțișuri, fleacuri; lucrușoare **5** *amer sl* zdrențe, vechituri, resturi, gioarse **6** ← *F* prostie, absurditate, stupiditate **7** *amer* legume, zarzavaturi (*pt piață*) **8** *pl* ← pantaloni **II** *vi* **1** a face troc/schimb (în natură); **to ~ in smth with smb** a face schimb/troc de ceva cu cineva **2** *amer* a face grădinărie/grădinărit, a cultiva legume/zarzavaturi **III** *vt* **1** a face schimb de, a schimba (*ceva pe altceva*) **2** a face comerț ambulant cu/de

truck² **I** *s* **1** *ferov* vagon (-platformă); vagon de marfă **2** (↓ *amer*) (auto)camion; remorcă **3** vagonet, cărucior (*pt bagaje etc.*) **4** *tehn* rulou, tăvălug, valț; roată **5** *nav* butonul giruetei, scripete în vârful catargului **II** *vt* a transporta cu vagon-platforma *sau* cu camionul

truckage ['trʌkidʒ] *s* **1** *colectiv* ← *F* căruțe; camioane **2** cărăușie; camionaj

trucker ['trʌkəʳ] *s amer* **1** camionagiu; șofer de camion **2** grădinar (de legume, zarzavaturi)

truck farm ['trʌk ˌfɑːm] *s* grădină de zarzavaturi/legume (↓ *pt piață*)

truck farmer ['trʌk ˌfɑːməʳ] *s amer* legumicultor, zarzavagiu; grădinar, cultivator de legume

truck farming ['trʌk ˌfɑːmiŋ] *s amer* legumicultură

truck frame ['trʌk ˌfreim] *s ferov* cadru de boghiu, șasiul boghiului

truck garden ['trʌk ˌgɑːdn] *s amer v.* **truck farm**

truck gardener ['trʌk ˌgɑːdnəʳ] *s amer v.* **truck farmer**

truck gardening ['trʌk ˌgɑːdniŋ] *s amer v.* **truck farming**

truck house ['trʌk ˌhaus] *s* magazie de mărfuri

trucking ['trʌkiŋ] *s v.* **truckage 2**

trucking house ['trʌkiŋ ˌhaus] *s v.* **truck house**

truckle ['trʌkəl] **I** s **1** ← *înv* rotiță **2** ← *înv* pat pe rotile **3** *reg* burduf (mic) de brânză **II** *vi* ← *înv* a împinge/a mișca pe rotile

truckle bed ['trʌkəl ‚bed] s ← *înv* pat (scund) pe rotile

truckler ['trʌklə^r] s lingău, lingușitor, periuță

truckle to ['trʌkəl tə] *vi cu prep* a se ploconi/a se apleca/a se înjosi în fața *(cu gen)*

truck load ['trʌk ‚loud] s (încărcătura unui) vagon, vagonet *sau* cărucior

truckman ['trʌkmən] s v. **trucker**

truck shop ['trʌk ‚ʃop] s *od* prăvălie/ magazin pentru muncitorii plătiți în natură *v.* **truck system**

truck system ['trʌk ‚sistəm] s *od* (sistem de) plată în natură/ mărfuri a muncitorilor

truculence ['trʌkjuləns] s **1** agresivitate, caracter agresiv, brutalitate, duritate **2** ferocitate, cruzime

truculency ['trʌkjulənsi] s *v.* **truculence**

truculent ['trʌkjulənt] *adj* **1** agresiv, brutal; barbar **2** feroce, crunt, crud **3** *(d. stil etc.)* caustic, necruțător, mușcător; dur, brutal

truculently ['trʌkjuləntli] *adv* **1** (în mod) agresiv/brutal **2** cu ferocitate/cruzime; crunt, barbar; crud

trudge [trʌdʒ] **I** *vi* a-și târî picioarele, a merge târșind picioarele **II** s drum lung/obositor

trudge (o)n stroke ['trʌdʒən ‚strouk] s *sport* stil de înot similar cu craulul; craul cu foarfecă

Trudy ['truːdi] *nume fem dim de la* **Gertrude**

true [truː] **I** *adj* **1** adevărat; real; conform cu realitatea; exact; ferit de minciună; **it is (as) ~ as gospel** e adevărul adevărat; **(as) ~ as I stand here** cum te văd și cum mă vezi; **it is likely to be ~** are toate șansele să fie așa; **astfel/adevărat; it is quite ~ that ...** e cât se poate de/perfect adevărat că ...; **to come ~** a se împlini, a se realiza; **to hold ~ for** a fi/a rămâne valabil pentru, a se aplica probabil, cu șanse de a fi real/cu putință; **can it be ~?** e oare cu putință?/posibil? **2** veritabil, adevărat, original, real,

nefalsificat; **to know smb's ~ nature** a cunoaște adevăratul caracter al cuiva **3** fidel, devotat, credincios, loial; constant; de nădejde; **(as) ~ as flint/steel** credincios ca un câine; devotat trup și suflet; **to be ~ to one's word** a-și ține cuvântul, a fi credincios cuvântului dat; **to be ~ to one's salt** a-și sluji cu credință/devotament stăpânul; **to be ~ to the last** a nu-și dezminți niciodată loialitatea/ devotamentul **4** sincer, cinstit, onest **5** autentic, conform cu originalul; fidel; corect, exact, precis; **~ to life a** veridic realist **b** reprodus exact/fidel **c** *(d. portret)* ca viu, de o asemănare izbitoare; **~ to nature** după natură, fidel/conform naturii; **~ to specimen** *com* conform cu mostra/eșantionul **6** *anat, zool* adevărat; tipic **7** legal, legitim; adevărat **8** *tehn* rectificat, ajustat; rectiliniu, drept; regulat, bine potrivit; **out of ~ a** strâmb **b** neregulat; **to go/to get out of ~** a se strâmba, a se îndoi; **to go ~** a merge bine/regulat **II** *adv* **1** adevărat, într-adevăr; exact; **tell me ~** spune-mi adevărat/exact, precis, corect **2** la țintă; **to aim ~** a trage drept la țintă, a ținti bine/perfect **III** *interj* adevărat! într-adevăr! așa e! **IV** *vt tehn* a rectifica, a netezi; a ajusta; a îndrepta

true bill ['truː 'bil] s *jur* verdict de inculpare/de punere sub acuzație

true-blue ['truː 'bluː] *adj* **1** albastru veritabil **2** *v.* **true I 1, 3, 4 3** zelos, îndârjit, înverșunat, neîmpăcat **4** *v.* **true-born**

true-born ['truː 'boːn] *adj* get-beget, autentic, veritabil, adevărat

true-bred ['truː 'bred] *adj* **1** *v.* **thorough-bred I 2** bine crescut/ educat, politicos, cuviincios

true-breed ['truː 'briːd] s *biol* rasă pură/originală/bună

true-derived ['truː di'raivd] *adj v.* **true I 3**

true-hearted ['truː 'haːtid] *adj v.* **true I 4, 5**

true-heartedness ['truː 'haːtidnis] s *v.* **trueness 2, 3**

true love ['truː 'lʌv] s **1** iubit, ibovnic; amant **2** iubită, ibovnică; amantă **3** nod dublu

true love's knot ['truː ‚lʌvz 'not] s v. **true love 3**

trueness ['truːnis] s **1** adevăr, caracter adevărat; veridicitate; autenticitate **2** fidelitate, loialitate, credință **3** sinceritate, lealitate **4** legalitate, legitimitate

true penny ['truː 'peni] s ← *fig* om cinstit/dintr-o bucată; băiat bun/ de zahăr

truff [trʌf] *vt scot* a fura, a șterpeli

truffle ['trʌfəl] s *bot* trufă *(Tuber cibarium)*

truffle-bed ['trʌfəl ‚bed] s *agr* teren cu tufe

truffled ['trʌfəld] *adj gastr* umplut/ garnisit cu trufe

truffle-dog ['trʌfəl‚dog] s câine dresat pentru căutarea trufelor

truffle-grower ['trʌfəl ‚grouə^r] s crescător/cultivator de trufe

truffle-growing ['trʌfəl‚grouiŋ] s *agr* creșterea/cultura trufelor

truffle-pig ['trʌfəl‚pig] s *agr* porc dresat pentru descoperirea trufelor

trug [trʌg] s **1** șiștar, găleată, doniță (de lemn) **2** coșuleț făcut din bețe *(pentru grădinărit)*

truism ['truːizəm] s truism; adevăr axiomatic; platitudine, banalitate

truistic ['truː'istik] *adj* axiomatic; banal

trull [trʌl] s ← *înv* femeie de stradă, prostituată

truly ['truːli] *adv* **1** cu adevărat, într-adevăr **2** *(ca formulă de încheiere a scrisorilor)* devotat, sincer; **yours ~** al dvs sincer/ devotat **3** exact, precis; just, drept

Truman ['truːmən], **Harry S.** politician american (1884-1972)

trumeau [truː'mou], *pl* **trumeaux** [truː'mouz] s *fr* stâlp despărțitor (al unei arcade etc.)

trump¹ [trʌmp] **I** s **1** (la cărți) atu; **to play ~'s** a juca atu; **to play no ~** a juca fără de atu; **to put smb to his ~s a** a sili pe cineva să taie cu/să joace atu **b** *fig* a sili pe cineva să-și folosească ultimele resurse; **to be put to one's ~s** a fi pus în mare încurcătură; **all his cards are ~s; everything turns up ~s with him** *F* are un noroc porcesc, – toate îi merg în plin, nu dă greș niciodată **2** *F* băiat bun/ de zahăr **3** *F* fată bună **II** *vt* **1** (la cărți) a tăia cu atu **2** a lua cu atu **III** *vi* **1** a juca atu **2** a tăia cu atu

trump² *s înv* **1** *v.* **trumpet I** 1, 2, 4 **2** *rel* trâmbița judecății de apoi

trump card ['trʌmp ˌkɑːd] *s* **1** *(la jocul de cărți)* atu **2** *fig* atu, resursă principală/valoroasă; argument decisiv; avantaj (secret)

trumpery ['trʌmpəri] **I** *s* **1** beteală; paiete; fluturași de aur; podoabe, găteli **2** *fig* fleac, fleacuri, nimicuri; prostii, absurdități **II** *adj* **1** fără valoare, de nimic **2** neîntemeiat, nefondat, ridicol

trumpet ['trʌmpit] **I** *s* **1** trompetă, trâmbiță, surlă **to blow one's own ~** a-și face singur reclamă, a se făli, a se impune, a se umfla în pene **2** cornet/tub acustic **3** pâlnie, corn; porta-voce, megafon (de mână) **4** sunet de trâmbiță/trompetă **5** muget de elefant **II** *vt și fig* a trâmbița **III** *vi* **1** a suna din trâmbiță/trompetă **2** *(d. elefant)* a mugi

trumpet call ['trʌmpit ˌkɔːl] *s* **1** *v.* **trumpet 4 2** *fig* chemare la luptă/bătălie; sunet de goarnă/trâmbiță

trumpet creeper ['trʌmpit ˌkriːpə'] *s bot* plantă agățătoare nord-americană cu flori în formă de trompetă (Campsis radicans)

trumpeter ['trʌmpitə'] *s* **1** *mil* trompet **2** trompetist, trâmbițaș; **to be one's own ~** a-și face singur reclamă, a-și lăuda singur meritele

trumpet-flower ['trʌmpit ˌflauə'] *s bot* plantă cu flori în formă de trompetă

trumpet-leaf ['trʌmpit ˌliːf] *s bot* plantă cu frunze în formă de trompetă

trumpet major ['trʌmpit 'meidʒə'] *s mil* trompet-major

trumpet player ['trʌmpit ˌpleiə'] *s muz v.* **trumpeter 2**

trumpet-shaped ['trʌmpit ˌʃeipt] *adj* în formă de trompetă

trumpet-shell ['trʌmpit ˌʃel] *s v.* **triton 2**

trumpetteer ['trʌmpi'tiə'] *s v.* **trumpeter**

trumpet-vine ['trʌmpit ˌvain] *s v.* **trumpet creeper**

trump over ['trʌmp 'ouvə'] *vt cu part adv (la cărți)* a tăia cu o carte mai mare

trump up ['trʌmp 'ʌp] *vt cu part adv* a ticlui, a născoci, a fabrica, a inventa; **to ~ charge against smb** a înscena/a ticlui acuzații împotriva cuiva

truncal ['trʌŋkəl] *adj* **1** *bot, silv* de trunchi, al trunchiului (unui copac) **2** *anat* al trunchiului/corpului

truncate ['trʌŋkeit] *vt* **1** a trunchia, a reteza vârful *(cu gen)* **2** *fig* a trunchia, a deforma; a masacra *(un text etc.)* **3** a scurta, a reduce, a micșora

truncated cone ['trʌŋkeitid 'koun] *s geom* trunchi de con

truncated pyramid ['trʌŋkeitid 'pirəmid] *s geom* trunchi de piramidă

truncately ['trʌŋkeitli] *adv* în formă de trunchi; trunchiat

truncation [trʌŋ'keiʃən] *s* **1** trunchiere, retezare la vârf **2** *fig* deformare, masacrare, distorsiune *(a unui text)* **3** *fig* scurtare, reducere, micșorare

truncheon ['trʌntʃən] **I** *s* **1** matracă, baston, bâtă *(de polițist)*; vână de bou **2** *înv* măciucă, bâtă **3** sceptru **II** *vt* a ciomăgi, a bate cu matraca/bastonul etc.

truncheoneer [ˌtrʌntʃə'niə'] *s* persoană înarmată cu matracă/baston de cauciuc; bătăuș

trundle ['trʌndəl] **I** *s* rotiță de mobilă **II** *vt* **1** a face să se învârtească/să se rostogolească **2** a împinge *(o roabă etc.)* **III** *vi* a se rostogoli, a se da de-a rostogolul/de-a dura

trundle bed ['trʌndəl ˌbed] *s v.* **truckle I 2**

trunk [trʌŋk] *s* **1** trunchi **2** *bot* trunchi, tulpină; butuc **3** *anat* tors, bust, trunchi **4** *pl* pantaloni scurți; chiloți *(de baie)*; slip **5** *od* pantaloni scurți bufanți **6** *anat* arteră principală **7** arteră *(de circulație)*, magistrală **8** *tehn* conductă principală **9** *min* puț de aeraj/aerisire **10** *tehn* coș; jgheab, uluc; căuș, covățică **11** trompă *(de elefant)* **12** cufăr *(de voiaj)*, geamantan mare **13** *amer auto* portbagaj **14** *sl* felinar, trompă – nas **15** *sl* capsoman, cap de lemn, – prost(ovan)

trunk call ['trʌŋk ˌkɔːl] *s* convorbire (telefonică) interurbană

trunk drawers ['trʌŋk ˌdrɔːəz] *s pl v.* **trunk 4**

trunkful ['trʌŋkful] *s* (un) cufăr/geamantan (plin); (o) valiză (plină); **a ~ of clothes** un geamantan (plin) cu haine; haine cât încap într-un geamantan (plin)

trunk glacier ['trʌŋk ˌɡlæsiə'] *s geol* ghețar principal *(din care se ramifică alții)*

trunkless ['trʌŋklis] *adj* **1** fără trunchi **2** fără trompă **3** fără geamantan/valiză etc.

trunk-nail ['trʌŋk ˌneil] *s* cui cu cap ornamentat/împodobit

trunk hose ['trʌŋk ˌhouz] *s v.* **trunk 5**

trunk line ['trʌŋk ˌlain] *s* **1** *ferov* linie principală **2** *tel* linie interurbană; circuit interurban

trunk road ['trʌŋk ˌroud] *s* drum principal; șosea principală

Trunks [trʌŋks] *s* serviciul (telefonic) interurban

trunnion ['trʌnjən] *s* **1** *mil* suport cilindric la țeava tunului *sau* mortierei **2** *tehn* supapă de susținere la mașina cu aburi

truss [trʌs] **I** *s* **1** teanc, legătură, maldăr; mănunchi; ciorchine **2** *med, sport* (bandaj) suspensor **3** *constr* fermă de acoperiș; grindă cu zăbrele **4** *nav* troță de vergă **II** *vi* **1** a înmănunchia; a lega strâns/împreună/laolaltă **2** a lega cu mâinile la spate **3** a lega aripile și picioarele *(unei păsări)* **4** *constr* a întări/a consolida prin ferme/grinzi

truss bolt ['trʌs ˌboult] *s tehn* bolț de ancorare

truss frame ['trʌs ˌfreim] *s constr* căpriori

trussing ['trʌsiŋ] *s v.* **truss frame**

truss up ['trʌs 'ʌp] **I** *vt cu part adv* **1** *v.* **truss II 2** ← *înv* a lega, a fixa, a potrivi *(îmbrăcămintea)* **3** *înv* a spânzura, a atârna în ștreang *(un osândit)*

trust [trʌst] **I** *s* **1** (in) încredere (în); crezare, crezământ; **on ~** pe încredere; fără a mai cerceta; **to place/to put/to repose one's ~ in smb** a-și pune (toată) încrederea în cineva, a acorda încredere cuiva; **to go upon ~** a se bizui pe ceea ce i se spune; a avea încredere în oameni **2** (situație de) răspundere, respectabilitate (înaltă); datorie, îndatoriri, obligații; **to desert one's ~** a dezerta/a lipsi de la datorie **3** *fig* speranță, nădejde **4** *com* credit; **on ~** pe credit/veresie **5** *com și fig* depozit, lucru dat în păstrare; sumă depusă **6** păstrare, grijă, pază; **to commit/to**

leave smth to smb's ~ a încredința un lucru (în grija) cuiva; **to hold on/in** ~ a avea în păstrare; **to be held in ~; to be under ~** a fi (dat) în păstrare **7** *jur, pol* tutelă; administrație prin tutelă/procură **8** *ec* trust **II** *vt* **1** a acorda încredere *(cu dat)*, a avea încredere în, a se încrede în, a-și pune încrederea în; a se bizui pe; **he is not a man to be ~ed** nu e un om pe care să te poți bizui/în care să poți avea încredere; ~ **him to do it/for that** te poți încrede în/bizui pe el; ~ **me!** lasă pe mine! **not to ~ one's memory** a nu avea încredere în/a nu conta pe memoria sa; **I could hardly/scarcely ~ my own eyes** nici nu-mi venea să-mi cred ochilor; **I ~ you to do it tomorrow** te las pe tine s-o faci mâine; **I never ~ the children out of my sight** nu-i pierd niciodată pe copii din ochi **2 (to, with)** a încredința, a lăsa în seama/grija/ păstrarea *(cu dat)* **3** *com* a face/ a acorda credit, a da pe credit *(cu dat)* **4** a spera, a nădăjdui; ~**ing to hear further from you soon** *(în scrisori comerciale)* în speranța că vom primi în curând răspunsul dvs **II** *vr* **1** a se încrede în sine (însuși), a se bizui pe sine însuși; a îndrăzni, a avea curaj; **I could not ~ myself to go so far** mi-am dat seama că nu voi (putea) ajunge până acolo **2 (to)** a se lăsa în seama/grija/nădejdea *(cu gen)* **IV** *vi* **(in, into, on, to)** a se încrede, a-și pune încrederea/speranța/nădejdea (în); a se bizui (pe); **to ~ in/to luck/chance** a se încrede/a-și pune nădejdile în steaua sa norocoasă/în norocul său; **may I ~ in you?** mă pot bizui pe tine?

trust company ['trʌst ˌkʌmpəni] *s ec* **1** societate/întreprindere de gestiune; fundație **2** bancă comercială

trust deed ['trʌst ˌdi:d] *s jur* procură, mandat

trusted ['trʌstid] *adj* de încredere/ nădejde, pe care te poți bizui

trustee [trʌ'sti:] *s* **1** curator; epitrop **2** tutore **3** administrator; mandatar; membru în consiliul de administrație al unei societăți

trusteeship [trʌ'sti:ʃip] *s* **1** curatelă; epitropie **2** *jur pol* tutelă; mandat; **territories under ~** teritorii sub tutelă/mandat

trustful ['trʌstful] *adj* **1** încrezător, plin de încredere; credul **2** *v.* **trustworthy 1**

trustfulness ['trʌstfulnis] *s v.* **trustness**

trustification [ˌtrʌstifi'keiʃən] *s ec* cartelare, coalizare *(a societăților pe acțiuni)* într-un trust

trustify ['trʌstifai] **I** *vt ec* a cartela, a integra, a fuziona (societăți pe acțiuni), a reuni/coaliza într-un trust **II** *vi* a se cartela, a se uni într-un trust

trustily ['trʌstili] *adv* (în mod) fidel, cu credință, fidelitate

trustiness ['trʌstinis] *s* **1** fidelitate, loialitate, credință **2** onestitate, cinste

trustingly ['trʌstiŋli] *adv* încrezător, confident, cu încredere, fără șovăială/îndoieli

trustless ['trʌstlis] *adj* **1** nesigur, nestatornic; pe care nu te poți bizui; nedemn de încredere **2** neîncrezător, bănuitor, suspicios

trust territory ['trʌst ˌteritori] *s pol, geogr* teritoriu sub tutelă/mandat *(încredințat de Națiunile Unite)*

trust to ['trʌst tə] *vi cu prep* a se încrede (↓ exagerat, prea mult) în; a avea (↓ prea multă) încredere în; a se bizui (↓ în mod exagerat/greșit) pe; **we must not ~ luck** nu trebuie să ne bizuim pe/încredem în noroc; nu trebuie să lăsăm lucrurile în voia soartei/la voia întâmplării; **one shouldn't ~ memory in such case** în asemenea situații/cazuri/ într-un asemenea caz nu trebuie să te încrezi în memorie/nu trebuie să te bizui (exclusiv) pe memorie; memoria îți mai joacă și feste; **we must ~ meeting smb who knows smth about such things** să sperăm că vom da peste cineva care se pricepe la asemenea lucruri

trustworthily ['trʌstwə:ðili] *adv* într-un mod care inspiră încredere; de o manieră care-ți dă siguranță/inspiră încredere

trustworthiness ['trʌst,wə:ðinis] *s* **1** *v.* **trustiness 2** exactitate, veridicitate; corectitudine; adevăr

trustworthy ['trʌst,wə:ði] *adj* **1** demn de încredere; credincios, loial, fidel **2** cinstit, onest **3** demn de crezare; veridic, exact

trusty ['trʌsti] **I** *adj* fidel, credincios, statornic; devotat **II** *s* deținut cu comportare bună *(care se bucură de privilegii)*

trusty and well-beloved ['trʌsti ənd ˌwel bi'lʌvd] *adj (ca formulă de adresare a suveranului către supuși)* iubiți și credincioși; **my ~ subjects** supușii mei iubiți și credincioși

truth [tru:θ], *pl* **truths** [tru:ðz] *s* **1** adevăr; realitate, veridicitate; **to speak/to tell the ~** a spune adevărul; **to speak the ~; the whole ~ and nothing but the ~** *jur* a spune adevărul, tot adevărul și nimic altceva decât adevărul; **to tell (you) the ~;** *înv* ~ **to say ...** adevărul este că ..., ca să spun drept ..., ca să nu (te) mint; **in ~! by my ~!** pe legea mea! pe cuvântul meu! **to get at the ~ of a matter** a pătrunde în miezul unei chestiuni; **that's the ~ of it!** asta e realitatea! **to tell smb some whole ~s** a-i spune cuiva câteva vorbe de la obraz; **to strain/to stretch the ~** a exagera; ~ **will out** *prov* adevărul iese întotdeauna la lumină/ iese ca untdelemnul la suprafață; ~ **lies at the bottom of the well** *prov* adevărul nu umblă pe toate drumurile; **speak the ~ and shame the devil** *prov* adevărul înainte de toate **2** veridicitate, veracitate, verosimil **3** conformitate, exactitate, fidelitate; realism **4** *tehn* ajustare precisă, precizie/ finețe de ajustare/la instalare; **out of ~** prost/greșit ajustat

truth drug ['tru:θ ˌdrʌg] *s med* ser al adevărului *(folosit de poliție, organele judiciare etc.)*

truthful ['tru:θful] *adj* **1** sincer, franc, deschis **2** (reprodus) fidel/exact/ corect **3** *v.* **trustworthy**

truthfully ['tru:θfuli] *adv* **1** (în mod) veridic/realist **2** fidel, întocmai, corect, exact

truthfulness ['tru:θfulnis] *s* **1** since-ritate, franchețe, loialitate; bună credință **2** *v.* **truth 2 3** realism; asemănare, fidelitate, exactitate *(a unui portret etc.)*

truthless ['truːθlis] *adj* 1 *v.* **trustless** 1 2 neadevărat, fals; incorect, eronat, greşit; mincinos

truthlessness ['truːθlisnis] *s* falsitate; rea credinţă

truth table ['truːθ ˌteibəl] *s* listă-martor, tabel martor/de control *(pentru verificarea exactităţii răspunsurilor, propoziţiilor logice etc.)*

truthy [truːθi] *s, adj v.* **truthful**

try [trai] **I** *vt* 1 *v.* a încerca, a proba, a pune la încercare; a pune/a supune la grele încercări; **to ~ one's fortune/luck** a-şi încerca norocul; **to ~ one's hand at smth** a-şi încerca îndemânarea/priceperea/dibăcia la ceva; **to ~ one's strength against smb** a-şi încerca/a-şi măsura puterile cu cineva 2 a experimanta, a proba, a încerca, a face proba *(cu dat);* a gusta, a degusta; **to ~ a medicine upon** a încerca/a experimanta un medicament pe; a trata în mod experimental cu un medicament 3 *tehn* a verifica, a proba, a încerca, a supune la probe/încercări 4 *cu inf* a încerca, a se strădui, a căuta (să); **to ~ to smile** a se sili să zâmbească, a avea un zâmbet silit; **to ~ one's best/hardest/damnedest** a face tot posibilul, a încerca să facă pe dracu-n patru 5 *ch* a curăţi, a purifica; a rectifica 6 *fig* a îndrepta, a corija *(prin încercări repetate)* 7 *fig* a pune/a supune la (grea) încercare; a obosi; a chinui; **he was very hard tried** a trecut prin încercări grele, a fost greu încercat de soartă 8 a deprima; a slăbi; a necăji, a chinui 9 *şcol* a examina, a interoga, a întreba, a asculta 10 *jur* a judeca *(un proces, un acuzat);* **to be tried for theft** a fi judecat pentru furt 11 a rezolva, a decide, a hotărî *(o chestiune)* 12 *amer jur* a pleda în *(un proces)* 13 *tehn* a lustrui; a gelui, a da la rindea 14 *tehn* a extrage prin topire; a topi *(seu etc.);* a purifica **II** *vi* a face o încercare, a încerca; a-şi încerca puterile; a se strădui, a-şi da osteneală; **to ~ hard** a-şi da toată osteneala; a face mari eforturi; **it is worth ~ing** (în orice caz) merită osteneala/merită să încerci; **~ again!** a mai încerca

o dată! mai fă o încercare **b** *şcol* încă o dată (te rog) **III** *s* 1 încercare; tentativă; probă, experienţă; **to have a ~ at/for smth** a încerca ceva, a face o încercare cu ceva, a-şi încerca norocul la ceva; **let's have a ~!** ia să încercăm (noi); **at the first ~** din prima încercare 2 *(la rugbi)* eseu, încercare; **to convert a ~** a transforma o încercare/un eseu 3 *teatru* cabotinism, joc artificial/nenatural

try back ['trai 'bæk] *vi cu part adv* 1 *(d. copoi etc.)* a căuta din nou/a relua o urmă pierdută 2 *fig* a reîncepe după repararea unei greşeli; a lua totul de la capăt/de la început

try down ['trai 'daun] *vt cu part adv v.* **try I** 14

try for ['trai fəʳ] *vi cu prep* a se strădui/a căuta/a încerca să obţină *cu ac;* a-şi încerca norocul la/cu; **to ~ a post** a candida/a concura pentru o slujbă

try gauge ['trai ˌɡeidʒ] *s tehn* etalon; contracalibru

trying ['traiiŋ] *adj* 1 chinuitor, obositor, penibil, dificil 2 supărător, jenant, stânjenitor 3 sâcâitor, plictisitor, enervant, iritant

tryingly ['traiiŋli] *adv* 1 (într-un mod) chinuitor/obositor/penibil/dificil 2 (în mod) supărător/jenant/stânjenitor 3 (în mod) sâcâitor/plictisitor/enervant/iritant; de o manieră supărătoare

tryingness ['traiiŋnis] *s* caracter dificil/penibil/obositor/plictisitor

trying-on ['traiiŋˌɔn] *s* probă, probare *(a hainelor)*

trying plane ['traiiŋ ˌplein] *s tehn* rindea, gealău; cuţitoaie

try-on ['trai,ɔn] *s ← F* 1 încercare/tentativă de înşelătorie/înşelăciune; cacialma, bluff, încercare de mistificare 2 *fig* balon de încercare

try on ['trai 'ɔn] **I** *vt cu part adv* 1 a proba, a încerca *(o haină)* 2 *sl* a începe, a întreprinde, a iniţia; a încerca; **to try it on with smb** a încerca să vadă dacă poate duce de nas pe cineva/dacă-i merge/dacă se prinde cu cineva; **you just try it on** încearcă şi ai să vezi (dacă-ţi dă mâna) **II** *vt cu prep* a proba/a încerca/a experi-

menta pe; **to try it on smb a** a încerca ceva pe pielea altuia, a folosi pe cineva drept cobai **b** a căuta să înşele/ducă pe cineva cu ceva **c** *teatru* a încerca *(o piesă)* dacă are priză la public

try oneself out ['trai ˌwʌn'self 'aut] *vt cu part adv* a fi la capătul încercărilor

try-out ['trai,aut] *s* 1 *tehn* probă (tehnologică); încercare, încercări 2 *sport* joc/meci/concurs de verificare/selecţie 3 *teatru* reprezentaţie de probă; avanpremieră

try out ['trai 'aut] *vt cu part adv* a încerca, a proba, a verifica *(în faţa publicului etc.)*

trypanosome ['tripənəˌsoum] *s zool, med* tripanozomă

trypsin ['tripsin] *s ch* tripsină

trysail ['trai,seil] *s nav* raudă, velă aurică

try square ['trai ˌskwɛəʳ] *s tehn* echer al tâmplarului/dulgherului (cu o latură metalică)

tryst [trist] **I** *s* 1 ← *înv, poetic* întâlnire *(de dragoste);* rendez-vous; **to keep a ~** a veni la întâlnire; **to break ~** a nu veni la întâlnire 2 loc de întâlnire **II** *vt înv, poetic* a fixa/a da o întâlnire *(cu dat)* **III** *vi scot* a se întâlni *(în urma unei înţelegeri)*

tryster ['tristəʳ] *s ← înv, poetic* persoană care-şi dă o întâlnire *(amoroasă)/*un rendez-vous; iubit care se întâlneşte cu iubita; iubită care vine la o întâlnire

trysting day ['tristiŋ ˌdei] *s* zi fixată pentru o întâlnire

try up ['trai 'ʌp] *vt cu part adv v.* **try I** 13

try-your-strength machine ['trai,jɔː'streŋθ məˈʃiːn] *s* aparat pentru încercarea puterilor *(la bâlci etc.)*

ts. *presc de la* **tensile strength**

tsar [zɑː] *s* ţar

tsardom ['zɑːdəm] *s ist* 1 ţarat, imperiu 2 domnie a unui ţar

tsarevitch ['zɑːrevitʃ] *s ist* ţarevici

tsarina [zɑː'riːnə] *s ist* ţarină

tsarism ['zɑːrizəm] *s* ţarism

tsarist ['zɑːrist] *adj* ţarist

Tschaikovsky [tʃaiˈkɔvski] *v.* **Tchaikovsky**

tsetse ['tsetsi] *s ent* musca ţeţe *(Glossina morsitans)*

T.S.H. *presc de la* **1 Their Serene Highnesses** Înălțimile Lor, Altețele lor (princiare) **2 thyroid-stimulating hormone** hormon tiroidian

T-shirt [ˈtiː, ʃəːt] *s* tricou sport (fără guler); maiou cu mânecuțe

tsp. *presc de la* **1 teaspoon 2 teaspoonful**

T-square [ˈtiː, skwɛəˀ] *s* teu

T-strap shoe [ˈtiː, stræp ˈʃuː] *s* pantof de damă cu baretă în formă de T

tsunami [tsuˈnɑːmi] *s geogr* **1** succesiune/serie de valuri/talazuri ce urmează unui cutremur marin **2** *v.* **tidal wave 2**

Tswana [ˈtswɑːnə] *s* **1** *geogr* popor/populație din Botswana/*od* Bechuanaland **2** *lingv* limbă bantu din Botswana

T.T. *presc de la* **1** teetotal **2** teetotaller **3** telegraphic transfer **4** teletypewriter **5** Tourist Trophy **6** tuberculin-tested

T-type aerial [ˈtiː, taipˈɛəriəl] *s tel* antenă în formă de T

TU *presc de la* **1 trade union 2 transmission unit**

tuan [twɑːn] *s* (↓ *vocativ*) stăpân; domn (↓ *în Malaezia*)

Tuareg [ˈtwɑːreg] *adj, s* tuareg

tuatara [, tuːəˈtɑːrə] *s zool* (reptilă) iguana *din Noua Zeelandă*

tub [tʌb] **I** *s* **1** cadă; baie; albie; **to have a ~** *v.* **~ III, 1 2** hârdău (*pt plante mari etc.*), putină, ciubăr **3** butoi, boloboc; **a tale of a ~** basm, poveste (vânătorească), născocire, plăsmuire; fabulă **4** *tehn* cuvă; bazin; rezervor **5** *min* vagonet **6** găleată, doniță; vadră **7** *sport, nav* barcă/ambarcațiune de antrenament; **it is an old ~** e o epavă ambulantă/o corabie hodorogită **II** *vt* **1** a spăla, a îmbăia, a face baie (*cu dat*); **to be ~bed** a fi spălat/curat **2** a așeza/a pune (*o plantă*) în hârdău/ladă **3** a pune/a turna (*ulei*) într-o putină *etc.* **4** *sport* a antrena (*canotorii*) **III** *vi* **1** a face baie, a se îmbăia **2** *sport* a se antrena într-o barcă de antrenament

tuba [ˈtjuːbə] *s muz* tubă

tubage [ˈtjuːbidʒ] *s med* tubaj

tubal [ˈtjuːbəl] *adj anat, med* tubar

tubal respiration [ˈtjuːbəl , respiˈreiʃən] *s med fizi* suflu tubar

tuba player [ˈtjuːbə, plɛəˀ] *s muz* suflător/muzician care cântă la tubă, tubist

tubber [ˈtʌbəˀ] *s* **1** dogar, butnar **2** *min* târnăcop dublu

tubbing [ˈtʌbiŋ] *s* **1** *min* susținere cu cuvelaj/tubing; cuvelaj, îmbrăcăminte lemnoasă **2** *F* îmbăiere, baie

tubby [ˈtʌbi] *adj* **1** (gras) ca un butoi; bondoc; dolofan **2** *muz* cu sunet înfundat/dogit

tube [tjuːb] **I** *s* **1** tub, țeavă **2** burlan, conductă **3** *auto* cameră **4** *rad, telev* tub, lampă **5** tub (*de vopsea, pastă etc.*) **6** *anat* tub; canal; tract; trompă **7** ← *F* metrou (↓ *la Londra*); **in the/by ~** cu metroul **II** *adj atr* tubular, în formă de tub **III** *vt* **1** a prevedea cu tuburi **2** *med* a tuba; a drena **IV** *vt* a merge cu/a lua metroul

tube cleaner [ˈtjuːb, kliːnəˀ] *s tehn* ștergător de țeavă, destupător

tube colour [ˈtjuːb , kʌləˀ] *s* tub de vopsea; vopsea în tub

tubectomy [tjuːˈbektəmi] *s med* tubectomie, rezecție a trompelor

tube cutter [ˈtjuːb , kʌtəˀ] *s tehn* dispozitiv de tăiat țevi

tube flower [ˈtjuːb , flauəˀ] *s bot* arbust ornamental din India cu corolă tubulară (*Clerodrendon siphonanthus*)

tube foot [ˈtjuːb , fut] *s zool* pseudopod apucător/cu ventuză (*la steaua de mare*)

tube it [ˈtjuːbit] *vt cu pr F v.* **tube III**

tube-man [ˈtjuːb, mæn] *s* funcționar de la metrou

tuber [ˈtjuːbəˀ] *s* **1** *bot* tubercul; excrescență **2** *F* barabulă, – cartof

tube radiator [ˈtjuːb , reidieitəˀ] *s tehn* radiator tubular

tubercle [ˈtjuːbəkəl] *s bot, med* tubercul

tubercle bacillus [ˈtjuːbəkəl bəˈsiləs] *s med* bacilul Koch/tuberculozei

tubercular [tjuː, bəːkjuləˀ] *adj* **1** *med* tuberculos **2** *bot, med* tubercular

tuberculate [tjuːˈbəːkjulit] *adj bot* tubercular, în formă de tubercul

tuberculation [, tjuːbəːkjuˈleiʃən] *s bot* formare/creștere a tuberculilor

tuberculin [tjuːˈbəːkjulin] *s med* tuberculină

tuberculinization [tə, bəːkjulinaiˈzeiʃən] *s med* tuberculinizare

tuberculin test [tjuːˈbəːkjulin, test] *s med* intradermo-reacția la tuberculină, I.D.R., diagnostic cu tuberculină

tuberculin-tested [tjuːˈbəːkjulin, testid] *adj* (*d. lapte*) verificat, de la vaci imune la tuberculoză

tuberculization [, tjuːbəːkjulaiˈzeiʃən] *s med* tuberculizare

tuberculized [tjuːˈbəːkjulaizd] *adj med* tuberculizat, ftizic, tuberculos, *F* ofticos

tuberculosis [tjuː, bəːkjuˈlousis] *s med* tuberculoză, *F →* Tbc

tuberculous [tjuːˈbəːkjuləs] *adj v.* **tubercular**

tuberose[1] [ˈtjuːbə, rouz] *s bot* tuberoză, chiparoasă (*Polyanthes tuberosa*)

tuberose[2] *adj* **1** noduros, acoperit cu tuberculi **2** *v.* **tubercular 3** care produce tuberculi, tuberos

tuberosity [, tjuːbəˈrositi] *s* tuberozitate

tuberous [ˈtjuːbərəs] *adj v.* **tubercular**

tuberous root [ˈtjuːbərəs , ruːt] *s bot* rădăcină tuberculară

tube-shell [ˈtjuːb , ʃel] *s zool* scoică bivalvă tubulară

tube station [ˈtjuːb , steiʃən] *s* stație de metrou

tube-well [ˈtjuːb, wel] *s* puț american, fântână (adâncă) tubulară

tubful [ˈtjʌbful] *s* (conținutul unui) hârdău *etc. v.* **tub 1**

tubicolous [tjuːˈbikələs] *adj zool, ent* **1** tubicol, care construiește tuburi **2** care trăiește în locuințe tubulare

tubicorn [ˈtjuːbi, koːn] *zool* **I** *adj* (*d. rumegător*) cu coarnele găunoase **II** *s* rumegător cu coarnele găunoase

tubiform [ˈtjuːbi, foːm] *adj v.* **tubular**

tubilingual [, tjuːbiˈliŋwəl] *adj orn* cu limba de formă tubulară

tubing [ˈtjuːbiŋ] *s tehn* **1** țevărie, țevi, conducte **2** cuvelaj, tubing (*în industria petrolului*)

Tübingen [ˈtjuːbiŋən] *oraș* (*universitar*) *în* Germania

tubing machine [ˈtjuːbiŋ məˈʃiːn] *s tehn* mașină de extrudat tuburi

tub-thumper [ˈtʌb , θʌmpəˀ] *s peior* orator de bâlci; tranca-fleanca, vorbitor/flecar (*care ține discursuri sforăitoare*)

tub-thumping ['tʌb ˌθʌmpiŋ] **I** s oratorie de bâlci **II** adj bombastic, umflat

tubular ['tju:bjuləʳ] adj tubular, cilindric

tubular boiler ['tju:bjulə 'bɔiləʳ] s tehn cazan tubular (↓ de calorifer)

tubular brick ['tju:bjulə 'brik] s constr cărămidă celulară

tubular bridge ['tju:bjulə 'bridʒ] s tehn, ferov pod de formă tubulară

tubular drill ['tju:bjulə 'dril] s mine lingură de lăcărit

tubulated ['tju:bjuˌleitid] adj v. **tubular**

tubule ['tju:bju:l] s tubuleț; tub mic; țeavă subțire

tubulous ['tju:bjuləs] adj v. **tubular**

TUC presc de la **Trades Union Congres**

tuck¹ [tʌk] **I** s **1** cută, pliu, creț, încrețitură, pliseu; pensă; **to take up/to put/to make a ~** a face o cută/un pliu (la o haină) **2** nav bolta pupei **3** școl sl haleală, potol, ~ mâncare **II** vt **1** a plisa, a încreți; a face o cută/un pliu la **2** a scurta (o haină etc.) **3** a îndoi, a strânge **4** a băga, a vârî; **to ~ one's head under one's wing** a-și vârî/a-și ascunde capul sub o aripă; **to ~ one's legs under oneself** a-și trage picioarele sub sine, a se așeza turcește; **to ~ a blanket** etc. **round smb** a înfășura pe cineva într-o pătură etc.; **to ~ one's arm in smb's else's** a-și trece/a-și strecura brațul sub al altcuiva **5** a ascunde, a pune bine/deoparte (într-un cufăr etc.)

tuck² s înv **1** fanfară (alcătuită din trompete) **2** scot ropot/sunet/bătaie de tobe; **by ~ of drum** a prin/cu bătăi de tobă **b** la sunetul/chemarea tobelor

tuck away [tʌk ə'wei] vt cu part adv v. **tuck¹ II 2**

tucker¹ ['tʌkəʳ] s **1** ← înv șemizetă, camizol **2** ← înv șal lung de dantelă; mantelută de dantelă **3** ← F toaletă elegantă (a unei femei) **4** sl v. **tuck-in 2**

tucker² vt amer← F a istovi, a speti, a obosi din cale afară, a dărâma

tucker out ['tʌkər 'aut] vt cu part adv ↓ pas v. **tucker²**

tucket ['tʌkit] s înv trâmbițare, sunet de trompetă

tuck-in ['tʌk ˌin] s F **1** chiolhan, chef, ~ ospăț, petrecere **2** haleală, crăpelniță, potol, ~ mâncare; **to have a good ~** v. **tuck in II**

tuck in ['tʌk 'in] **I** vt cu part adv **1** a îndoi/a băga/a vârî înăuntru (marginea unei haine, unui cearșaf etc.) **2** a înveli bine (pe cineva) cu plapuma etc. **3** a îndesa, a vârî cu de-a sila (cămașa în pantaloni etc.) **II** vi a mânca solid/zdravăn/cu poftă/pe rupte

tuck-in blouse ['tʌk ˌin 'blauz] s bluză care se bagă în fustă

tuck into ['tʌk ˌintə] vi cu prep F a se înfige la (mâncare); ~ **it!** înfigeți-vă/dați-i năvală (la mâncare)!

tuck-net ['tʌk,net] s plasă mică (a pescarului) pentru scoaterea peștilor dintr-un năvod

tuck-out ['tʌk,aut] s v. **tuck-in**

tuck-seine ['tʌk,sein] s v. **tuck-net**

tuck-shop ['tʌk ˌʃɔp] s patiserie, patibar; cofetărie mică

tuck up ['tʌk 'ʌp] vt cu part adv a sufleca (mânecile etc.)

Tucson [tu:'sɔn] oraș în S.U.A.

tucum ['tu:kəm], **tucuma** [təˈkʌmə] s bot, silv palmier brazilian a cărui fibră se folosește pentru funii (Astrocaryum tucuma)

Tudor ['tju:dəʳ] adj arte, arhit în stil Tudor

Tudor arch ['tju:dər ˌɑ:tʃ] s arhit arcadă turtită cu 4 centri

Tudor flower ['tju:də ˌflauəʳ] s arhit, artă ornament în formă de trifoi

Tudor rose ['tju:də ˌrouz] s arhit, artă trandafir stilizat (alb și roșu)

Tudor style ['tju:də ˌstail] s arhit, artă stil Tudor (cu bârne între zidărie)

Tue. presc de la **Tuesday**

tue irons ['tju: ˌaiənz] s pl clește de forjă

Tues. presc de la **Tuesday**

Tuesday ['tju:zdi] **I** s marți; **on ~** v. ~ **II; on ~s** marțea, în fiecare marți **II** adv ← F marți

tufa ['tju:fə] s geol **1** tuf calcaros **2** tuf vulcanic

tuff [tʌf] s v. **tufa**

tuffacious [tju:'feiʃəs] adj geol legat de tuful vulcanic; de natura tufului vulcanic

tuft [tʌft] **I** s **1** smoc (de iarbă, de păr etc.) **2** orn smoc de pene; egretă; moț **3** ciucure, pompon **4** ← F univ student nobil (care

poartă pompon la tocă) **5** barbișon, cioc **II** vt **1** a împodobi/a garnisi cu ciucuri/pompoane etc. **2** vânat a goni, a hăitui, a stârni din ascunzătoare

tufted ['tʌftid] adj **1** moțat **2** (**with**) acoperit (cu tufișuri etc.) **3** împodobit cu pompon/ciucure

tufter ['tʌftəʳ] s vânat câine dresat să stârnească vânatul

tuft hunter ['tʌft ˌhʌntəʳ] s **1** snob, persoană amatoare de relații sus puse **2** univ snob, student care se învârtește în cercuri aristocratice

tuft-hunting ['tʌft ˌhʌntiŋ] s snobism, cultivarea persoanelor cu titluri/aristocraților; cultivarea marilor intelectuali

tufty ['tʌfti] adj bot care crește în smocuri/mănunchiuri

tug [tʌg] **I** s **1** smucitură, zvâcnitură; **to give (a rope) a good ~** a trage vârtos/zdravăn/cu inimă (de funie); **to feel a ~ at one's heart('s) strings** a avea o strângere de inimă; a i se rupe/a i se frânge inima de milă **2** v. **tug-boat 3** (la hamuri) curea; șleau; ștreang **4** sl (elev) bursier **II** vt **1** a trage după sine (cu greu); **he ~ged me this way and that** m-a cărat/m-a tras/târât după el prin toate părțile/locurile **2** a trage/a apuca de (mânecă etc.) **3** nav a remorca **III** vi (**at**) **1** v. ~ **II 2 2** a trage zdravăn din (vâsle etc.)

tug along [tʌg ə'lɔŋ] vt cu part adv v. **tug II 1**

tug-boat ['tʌg ˌbout] s nav remorcher

tug in ['tʌg 'in] vt cu part adv a băga/a aduce în discuție (o problemă, un subiect)

tug of war ['tʌg əv 'wɔ:ʳ] s **1** sport joc/luptă cu odgonul **2** ← F luptă hotărâtoare/decisivă

tui ['tu:i] s orn pasăre viu colorată din Noua Zeelandă, care se hrănește cu miere (Prosthemadera novoseelandiae)

tuition [tju:'iʃən] s **1** învățământ, instrucție; lecții, ore (de clasă); predare; ~ **in one's mother tongue** învățământ în limba maternă **2** educație, creștere

Tula ['tulə] oraș în fosta URSS

tular(a)emia [ˌtu:ləˈri:miə] s med vet tularemie, infecție bacteriană răspândită de insecte

tular(a)emic [ˌtuːlə'riːmik] *adj med vet* tularemic, legat de tularemie

tulchan ['tʌlkən] *s scot* vițel împăiat așezat lângă vacă pentru a-i stimula lactația

tulchan bishops ['tʌlkən ˌbiʃəps] *s pl od* episcopi titulari în numele cărora baronii strângeau impozite după reformă *(în Scoția)*

tulchin ['tʌlkin] *s v.* **tulchan**

tulip ['tjuːlip] *s bot* lalea *(Tulipa)*

tulipist ['tjuːlipist] *s* cultivator de lalele

tulip poplar ['tjuːlip ˌpɒplər] *s v.* **tulip-tree**

tulip root ['tjuːlip ˌruːt] *s agr* mălură/ tăciune care atacă ovăzul

tulip-tree ['tjuːlip ˌtriː] *s bot* 1 tulipier, *arbore nord-american cu lemn moale alb și flori în formă de lalele (Liriodendron tulipifera)* 2 *arbore asemănător cu magnolia (Magnolia sp.)*

tulip wood ['tjuːlip ˌwud] *s bot v.* **tulip-tree 2**

tulle [tjuːl] *s text* tul

Tulsa ['tʌlsə] *oraș în S.U.A.*

tulwar ['tʌlwaːr] *s anglo-indian* sabie încovoiată

tum[1] [tʌm] *s muz* sunet scos de banjo *sau* de un instrument similar

tum[2] *s (în limbajul copiilor)* burtică, burtă, stomăcel, pântece

tumble ['tʌmbəl] **I** *s* 1 tumbă 2 cădere, tumbă; **to have a nasty ~** a cădea rău; *înv* a face alivanta pe spinare 3 salt mortal 4 *fig* dezordine, învălmășeală, talmeș-balmeș // **to take a ~** *amer F* a se prinde, a ghici, a înțelege **II** *vi* 1 a face o tumbă 2 a cădea; a se prăvăli 3 *fig* a se prăbuși, a se nărui 4 a face un salt mortal 5 *amer sl* a cădea de acord/la înțelegere/la învoială, a consimți; a fi de aceeași părere; a se înțelege **III** *vt* 1 a trânti (jos), a răsturna 2 *F* a pune jos, a încăleca *(o femeie)* 3 a rostogoli, a da de-a dura 4 a răvăși, a deranja; a ciufuli; a șifona, a boți

tumble-about ['tʌmbəl əˌbaut] *adj ←F* șubred, care se clatină; care nu e fix, care are un joc

tumble about ['tʌmbəl ə'baut] *vi cu part adv v.* **toss II 1, 2**

tumble across ['tʌmbəl əˌkrɒs] *vi cu prep ←F* a da peste *(cineva)* din întâmplare, a întâlni întâmplător

tumble bug ['tʌmbəl ˌbʌg] *s ent* cărăbuș *(Melolontha vulgaris)*

tumble-down ['tʌmbəlˌdaun] *adj* dărăpănat, pe jumătate ruinat; în stare proastă

tumble down ['tʌmbəl 'daun] **I** *vi cu part adv* 1 *v.* **tumble II** 2 2 a se rostogoli, a se da de-a dura/de-a rostogolul/de-a berbeleacul **II** *vi cu part adv* 1 *v.* **tumble III** 1 2 a doborî *(din zbor)*

tumble-drier ['tʌmbəlˌdraiər] *s v.* **tumbler-drier**

tumble in ['tʌmbəl 'in] **I** *vi cu part adv v.* **turn in 1 1 II** *vt cu part adv* a arunca înăuntru

tumble into ['tʌmbəl ˌintə] **I** *vi cu prep* 1 a se trânti în *(pat)* 2 a se vârî, a se băga/a intra în *(așternut etc.)*; **to ~ one's clothes** a-și trage repede o haină pe sine **II** *vt cu prep* a arunca înăuntrul *(cu gen)*

tumble on ['tʌmbəl ɒn] *vi cu prep* a da peste/a nimeri/a găsi din întâmplare

tumble out ['tʌmbəl 'aut] **I** *vi cu part adv* 1 a cădea, a se rostogoli (afară) 2 *←F* a se trezi, a se deștepta 3 *←F* a se da jos din pat, a se scula **II** *vt cu part adv* a arunca afară

tumble over ['tʌmbəlˌouvər] *vi cu prep* a cădea peste

tumbler ['tʌmblər] *s* 1 pahar mare fără picior *(↓ bombat)*; pocal 2 pahar gradat 3 *←înv* saltimbac, acrobat; clovn 4 hopa Mitică *(jucărie)* 5 *tehn* culbutor, basculator; mecanism de inversare 6 *el* întrerupător (basculant); cheie, șaltăr

tumbler-drier ['tʌmblə ˌdraiər] *s* mașină rotativă de călcat rufe

tumblerful ['tʌmbləful] *s* (un) pahar plin (ochi/până sus)

tumble to ['tʌmbəl tə] *vi cu prep F* a se prinde, a pricepe, a înțelege, a sesiza *(dintr-o dată/brusc)*; a-și da seama deodată de; **you've tumbled to it!** *(în sfârșit)* ți-a căzut/picat fisa! în fine te-ai prins și tu!

tumble up ['tʌmbəl 'ʌp] **I** *vi cu part adv v.* **tumble out I 2 II** *vi cu prep* a urca cu greu *(cu ac)*

tumble upon ['tʌmbəl əˌpɒn] *vi cu prep v.* **tumble on**

tumble-weed ['tʌmbəlˌwiːd] *s bot* 1 *plante ierbacee (ale căror se-*

minte sunt purtate de vânt, toamna) 2 *v.* **amaranth**

tumbling ['tʌmbliŋ] **I** *adj* dărăpănat, gata să se prăbușească **II** *s* acrobație, acrobatică

tumbling barrel ['tʌmbliŋ ˌbærəl] *s tehn* tobă de curățat piese turnate

tumbling bay ['tʌmbliŋ ˌbei] *s hidr* 1 surplus de apă *(dintr-un rezervor etc.)* 2 eleșteu/lac de deversare *(a surplusului de apă)*

tumbling box ['tʌmbliŋ ˌbɒks] *s v.* **tumbling barrel**

tumbling-down ['tʌmbliŋ'daun] *s* prăbușire, ruinare, dărâmare

tumbling tom ['tʌmbliŋ 'tɒm] *s v.* **tumbler 4**

tumbrel ['tʌmbrəl] *s* 1 *mil* faeton *(pt muniții)* 2 *od* faeton pentru transportarea condamnaților la ghilotină

tumbrill ['tʌmbril] *s v.* **tumbrel**

tumefaction [ˌtjuːmi'fækʃən] *s med* tumefiere

tumefy ['tjuːmifai] **I** *vi* a se tumefia, a se umfla **II** *vt* a tumefia, a provoca o tumefiere/o umflătură *(cu dat)*

tumescence [tjuː'mesəns] *s v.* **tumidity 1**

tumescent [tjuː'mesənt] *adj v.* **tumid 1**

tumid ['tjuːmid] *adj* 1 *med* tumefiat, umflat 2 *fig* bombastic, emfatic, pompos

tumidity [tjuː'miditi] *s* 1 *med* umflătură; turgescență 2 emfază, pompozitate, pompă, caracter bombastic

tumidly ['tjuːmidli] *adv* 1 *med* (în mod) tumescent 2 (în mod) bombastic, umflat, emfatic, pompos; cu emfază

tumidness ['tjuːmidnis] *s v.* **tumidity**

tummy ['tʌmi] *s umor și în limbajul copiilor* burtică, burtă, pântece; stomăcel; **how's our ~?** ne mai doare burtica?

tumour ['tjuːmər] *s med* tumoare, tumoră, umflătură

tumtum[1] ['tʌmtʌm] *s anglo-indian* docar, trăsurică

tumtum[2] *s v.* **tum**[1]**, tum**[2]

tumular ['tjuːmjulər], **tumulary** ['tjuːmjuləri] *adj* tumular, în formă de tumulus

tumuli ['tjuːmjulai] *pl de la* **tumulus**

tumult ['tju:mʌlt] *s* **1** tumult, zarvă; fierbere, clocot; răzmeriță **2** neliniște/agitație sufletească, freamăt

tumultuary [tju(:)'mʌltjuəri] *adj v.* **tumultuous 1, 2**

tumultuous [tju:'mʌltjuəs] *adj* **1** tumultuos, agitat; zgomotos; violent, vehement **2** turbulent, nedisciplinat **3** stârnit, ațâțat

tumultuously [tju:'mʌltjuəsli] *adv* (în mod) tumultuos/furtunos/agitat/violent/vehement/vijelios

tumultuousness [tju:'mʌltjuəsnis] *s* **1** tumult, agitație, caracter tumultuos/agitat **2** violență, vehemență, turbulență

tumulus ['tju:mjuləs], *pl* **tumuli** ['tju:mjulai] *s* **1** tumulus **2** gorgan, movilă, tumul

tun [tʌn] **I** *s* butoi mare, butie, boloboc **II** *vt* a turna, a pune în butoi; a păstra în butoi

tuna¹ ['tju:nə], *pl* ~**s** *sau* ~ **1** *iht* ton **2** carne de ton (↓ conservată) (*Thunnus thynnus*)

tuna² *bot* **1** păr care face fructe țepoase (*Opuntia tuna*) **2** pară țepoasă, *fruct de Opuntia tuna*

tuna³ *s iht* țipar neo-zeelandez (*Anguilla aucklandii*)

tunable ['tju:nəbəl] *adj* **1** *v.* **tuneful 2** care se poate acorda

tunableness ['tju:nəbəlnis] *s v.* **tunefulness**

tun-bellied ['tʌn,belid] *adj F* burduhos, pântecos

tundra ['tʌndrə] *s* tundră

tune [tju:n] **I** *s* **1** melodie; cântec; arie; **give us a ~!** cântă-ne ceva! **to sing (to) another/a different ~, to change/to lower one's ~** *fig* **a** a se potoli, a se calma, a se domoli **b** a coborî tonul/glasul, *F* a o lăsa mai moale **c** a schimba macazul; **to call the ~ a** a da tonul **b** *fig* ← *F* a da tonul/porunca, a fi stăpânul; **to dance/to pipe to smb's ~** a juca după cum îi cântă cineva; **the ~ the old cow died of a** cacofonie, muzică proastă (care-ți zgârie urechile) **b** poveste veche/cu cântec **c** banc răsuflat **d** sfaturi date în loc de ajutor **2** acord; armonie; **to be in ~ a** a fi (bine) acordat; a suna bine **b (with)** a se armoniza/a se acorda/a se potrivi (cu); a fi în ton (cu) **c (for)**

a fi dispus, a avea dispoziție/chef (pentru); **to be out of ~ a** a fi dezacordat, a suna prost **b (with)** *fig* a nu se potrivi/a nu se armoniza/a nu fi în ton cu **c (for)** a nu fi/a nu se simți dispus/a nu avea dispoziție/chef pentru; **to sing in ~** a cânta corect/just/bine; **to sing out of ~** a cânta fals; **to get out of ~** a se dezacorda; **to fall out of ~** (*d. orchestră etc.*) a o lua pe de lături, a începe să cânte fals; **in perfect ~** *fig* bine pus la punct, care funcționează perfect **3** *fig* acord, armonie, (bună) înțelegere **4** dispoziție, stare de spirit, toane (bune) **5** sumă; cantitate; mărime; **to the ~ of** (până) la suma de **II** *vt* **1** a acorda (*un instrument*) **2** a crea/a genera (*o stare de spirit*); a produce, a da (*o anumită dispoziție*) **3** *tehn* a pune la punct, a regla, a ajusta

tuneful ['tju:nful] *adj* melodios, armonios; muzical

tunefully ['tju:nfuli] *adv* (în mod) melodios/armonios/armonic/muzical

tunefulness ['tju:nfulnis] *s* caracter melodios

tune in ['tju:n 'in] *vt cu part adv v.* **tune II 3 2** a prinde (*un post de radio*)

tune in to ['tju:n 'in tə] *vi cu part adv și prep v.* **tune in 2**

tuneless ['tju:nlis] *adj* **1** nemelodios; nearmonios; discordant **2** (*d. glas*) fără viață/vlagă; mort; lipsit de sonoritate

tunelessly ['tju:nlisli] *adv* **1** (în mod) fals, nearmonios/discordant/nemelodios **2** surd, înfundat, fără sonoritate/sunet/vlagă

tune out ['tju:n 'aut] *vt cu part adv* **1** a dezacorda **2** a dezorganiza, a deranja, a tulbura

tuner ['tju:nə'] *s* **1** acordor (*de piane*) **2** *tel* acordare, acord

tune up ['tju:n 'ʌp] **I** *vt cu part adv v.* **tune II 3 II** *vi cu part adv* **1** (*d. orchestră*) a-și acorda instrumentele **2** ← *F* a începe să cânte, a-și da drumul la voce **3** *F* (*d. copil*) a face muzică, – a începe să plângă **4** (*d. sportiv*) a se antrena (*pt concurs*)

tung [tʌŋ] *s v.* **tung-tree**

tungoil ['tʌŋɔil] *s* ulei de tung (*folosit pentru verniuri*)

tungstate ['tʌŋsteit] *s ch* wolframat, tungstenat

tungsten ['tʌŋstən] *s ch* tungsten, wolfram

tungstic ['tʌŋstik] *adj ch* tungstenic, wolframic

tungstic acid ['tʌŋstik 'æsid] *s ch* acid wolframic/tungstenic

tungstite ['tʌŋstait] *s minrl* tungstit, meimacit

tungstous ['tʌŋstəs] *adj ch* tungstenos

tung-tree ['tʌŋ,tri:] *s* arbore chinezesc (*Aleurites sp.*) care produce uleiul folosit la verniuri

Tungus, Tunguz ['tʌŋgus] *adj, s* tungus

tunic ['tju:nik] **1** *s mil od* tunică **2** *biol, anat* membrană, înveliș **3** *v.* **tunicle**

tunica ['tju:nikə], *pl* ~**s** *sau* **tunicae** ['tju:niki:] *s v.* **tunic 2**

tunicate ['tju:nikit] **I** *adj* **1** *zool* învelit într-o tunică **2** *bot* cu straturi concentrice **II** *s* animal marin din genul Urochorda

tunicle ['tju:nikəl] *s bis catolică* odăjdii

tuniness ['tju:ninis] *s v.* **tunefulness**

tuning coil ['tju:niŋ ,kɔil] *s telev, rad* bobină de acord, condensator variabil

tuning fork ['tju:niŋ ,fɔ:k] *s muz* diapazon

tuning knob ['tju:niŋ ,nɔb] *s rad* buton de acord

tuning peg/pin ['tju:niŋ ,peg/,pin] *s muz* cheie/cui de întins coarda

Tunis ['tju:nis] *capitala Tunisiei*

Tunisia [tju:'niziə] *țară în Africa*

Tunisian [tju:'niziən] *adj, s* tunisian

tunnel ['tʌnəl] **I** *s* **1** *ferov* tunel **2** galerie; pasaj; trecere **II** *vt* a săpa un tunel prin **III** *vi* (**through, into**) a săpa un tunel (prin/în)

tunneling ['tʌnəliŋ] *s* **1** săpare/străpungere a unui tunel **2** ← *F* (sistem de) tuneluri

tunnel-net ['tʌnəl,net] *s* vârșă, plasă de pescuit

tunnel vision ['tʌnəl ,viʒən] *s med* vedere îndreptată doar înainte (deficiență lateral)

tunny (fish) ['tʌni (fiʃ)] *s iht* thon (*Thynnus thynnus*)

tuny ['tju:ni] *adj* ← *F* **1** *v.* **tuneful 2** (*d. melodie*) ușor de reținut/învățat

tup [tʌp] **I** *s* **1** berbec (necastrat) **2** *constr* berbec **3** *tehn* baros, ciocan greu **II** *vt* (d. berbec) a mârli, a se împerechea cu *(o oaie)*

Tupamaro [,tju:pə'mɑːrə], *pl* ~**s** *s pol* partizan din Uruguay, membru al organizației de gherilă Tupamaro

tupelo ['tju:pi,lou], *pl* ~**s** *s bot* **1** arbore din zonele mlăștinoase ale Americii de Nord (Nyssa sp.) **2** lemn de tupelo

Tupi [tuːˈpiː] **I** *s* **1** tupi, membru al unei populații amerindiene din Amazonia **2** limba tupi **II** *adj* tupi, referitor la populația *sau* limba tupi

tuppence ['tʌpəns] *s F v.* **twopence**

tuppenny ['tʌpəni] *s, adj F v.* **twopenny**

tugue [tuːk] *s* (fes ca o) glugă *(în Canada)*; șapcă/tocă canadiană

tu quoque [tjuːˈkwoukwi] *interj* și tu la fel! la fel și ție! idem! *F→* cine zice ăla e!

tur [təː] *s zool* zimbru

Turanian [tjuˈreiniən] *adj, s* turanic; turano-uralo-altaic

turban ['təːbən] *s* turban

turbaned ['təːbənd] *adj* cu turban (pe cap); împodobit cu turban, care poartă turban

turban lily ['təːbən ,lili] *s bot specie* de crin roșu european (Lilium pomponium)

turban shell ['təːbən ,ʃel] *s zool* moluscă cu cochilia spirală (Turbo sp.)

turban stone ['təːbən ,stoun] *s* piatră funerară *(la mahomedani)*

turbant ['təːbənt] *s v.* **turban**

turbary ['təːbəri] *s* **1** turbărie, exploatare de turbă **2** dreptul de exploatare a turbei pe islaz *sau* pe terenul altcuiva

turbellarian [,təːbiˈlɛəriən] *zool* **I** *s* vierme ciliform (Turbellaria sp.) **II** *adj* referitor la viermii din familia Turbellaria

turbid ['təːbid] *adj* **1** tulbure **2** *fig* nebulos, confuz, vag **3** *fig* încurcat, complicat

turbidity [təːˈbiditi] *s* **1** culoare tulbure; tulbureală **2** *fig* nebulozitate, caracter vag/confuz **3** complicație, caracter încurcat/complicat

turbidly ['təːbidli] *adv* **1** (în chip) tulbure, nebulos **2** încurcat, complicat

turbidness ['təːbidnis] *s v.* **turbidity**

turbillion [təːˈbiliən] *s rar* vârtej, turbion

turbinal ['təːbinəl] *adj* **1** în formă de vârtej **2** *anat* în formă de cornet **3** care se învârtește ca titirezul

turbinate ['təːbinit] *adj v.* **turbinal**

turbination [,təːbiˈneiʃən] *s* mișcarea în formă de vârtej

turbine ['təːbin] *s* turbină

turbine alternator ['təːbin ˈɔːltə,neitə'] *s el* turboalternator

turbine boat ['təːbin ,bout] *s nav* ambarcațiune propulsată de turbine

turbine-driven ['təːbin,drivən] *adj* cu turbină, acționat de turbine

turbit ['təːbit] *s orn* porumbel domestic gulerat, cu ciocul scurt

turbo- *pref* turbo-: **turbo-generator** turbo-generator

turbo-alternator [,təːbouˈɔːltə,neitə'] *s el* turbo-alternator

turbo-blower [,təːbouˈblouə'] *s tehn* turbosuflantă

turbo-compressor ['təːboukəm-ˈpresə'] *s tehn* turbocompresor

turbo-dynamo [,təːbouˈdainə,mou] *s el* turbodinam, grup turbogenerator

turbo-generator [,təːbouˈdʒenə,reitə'] *s el* turbogenerator

turbo-jet (engine) [,təːbouˈdʒet ('endʒin)] *s av* turboreactor

turbo-prop [,təːbouˈprɔp] *adj, s av* turbopropulsor

turbosupercharger [,təːbouˈsuːpə-,tʃɑːdʒə'] *s v.* **turbocompressor**

turbot ['təːbət] *s iht* paltus, specie de calcan (Hippoglossus hippoglossus)

turbulence ['təːbjuləns] *s* **1** turbulență, nesupunere **2** impetuozitate; vehemență, violență **3** *v.* **tumult 1**

turbulent ['təːbjulənt] *adj* **1** *v.* **tumultuous 1, 2 2** *fig* furtunos, impetuos, clocotitor

turbulently ['təːbjuləntli] *adv* (în mod) turbulent *sau* tumultuous *(v. și* **tumultuously***)*

turco ['təːkou] *s* soldat algerian *(în armata franceză)*

Turco- *pref* turco-: **Turco-Tartar** turco-tătar

Turcoman ['təːkoumən], *pl* **Turcomans** ['təːkoumənz] *s* **1** turcmen **2** *lingv* (limba) turcmenă

Turcoman carpet ['təːkoumən ,kɑːpit] *s* covor de turcmenia; covor turcesc

Turcophil ['təːkoufil] *adj, s* turcofil

Turcophobe ['təːkoufoub] *adj, s* turcofob

turd [təːd] *s vulg* scârnă, – scârnăvie, murdărie, excremente; baligă

turdus ['təːdəs] *s v.* **thrush²**

tureen [təˈriːn] *s* **1** supieră **2** sosieră **3** terină

turf [təːf] **I** *pl și* **turves** [təːvz] *s* **1** gazon, turf **2** *sport* curse (de cai), alergări; turf; lumea turfului/curselor **3** brazdă de iarbă **4** turbă **II** *vt* **1** a acoperi cu brazde de iarbă **2** *v.* **turf out**

turf accountant ['təːfəˈkauntənt] *s* agent de pariuri, bookmaker

turf-clad ['təːf,klæd] *adj* acoperit cu gazon *sau* cu brazde de iarbă

turf drain ['təːf ,drein] *s* șanț *sau* jgheab de scurgere acoperit de iarbă

turfed [təːft] *adj* (acoperit) cu gazon

turfite ['təːfait], **turfman** ['təːfmən] *s* turfist, cursist, (mare) amator de curse (de cai)

turf moor ['təːf ,muə'] *s* mlaștină cu turbă, turbărie

turf out ['təːf 'aut] *vt cu part adv sl* **1** a da un picior (în fund) *(cu dat)*, – a da afară (pe scări); a azvârli/a arunca afară **2** a da cu piciorul *(unui lucru)*; a arunca pe fereastra/la gunoi

turfy ['təːfi] *adj* **1** *v.* **turf-clad 2** de turbă **3** referitor la cursele de cai

Turgenev [tur'gjenif], **Ivan** prozator *rus* Turgheniev *(1818-1883)*

turgent ['təːdʒənt] *adj v.* **tumid**

turgescence [təːˈdʒesəns] *s* turgescență, umflare (congestivă), congestie; *S* hiperemie

turgescent [təːˈdʒesənt] *adj* turgescent *etc. v.* **tumid**

turgid ['təːdʒid] *adj v.* **tumid**

turgidity ['təːdʒiditi] *s v.* **tumidity**

turgidly ['təːdʒidli] *adv* (în stil) bombastic/umflat/emfatic

turgor ['təːgə'] *s* **1** *bot* rigidizare a celulelor datorită absorbției apei **2** *v.* **turgescence**

Turgot [tjur'gou], **Anne Robert Jacques** economist și om de stat francez (1727-1781)

Turin [tjuˈrin] *oraș în Italia* Torino

turion ['tuəriən] *s bot* rădăcină tuberoasă

Turk [tə:k] *s* turc; **he's a ~ ← F** e un tiran/un despot; **to turn ~** a se burzului, a se înfuria, a se oțărî; a se aprinde de mânie

Turkestan [ˌtə:ki'sta:n] *regiune în Asia*

Turkey ['tə:ki] Turcia

turkey ['tə:ki] *s* **1** *orn* curcan; curcă; **to talk (cold) ~** a vorbi pe șleau; a spune lucrurilor pe nume **2** carne de curcan **3** *amer sl* fiasco, eșec, cădere

turkey buzzard ['tə:ki ˌbʌzəd] *s orn amer* condor *(Cathartes aura)*

Turkey carpet ['tə:ki ˌka:pit] *s* covor turcesc

turkey cock ['tə:ki ˌkɔk] *s* **1** *orn* curcan **2** *fig* păun, persoană înfumurată/umflată ca un curcan

turkey hen ['tə:ki ˌhen] *s orn* curcă

Turkey in Asia ['tə:ki in ˌeiʃə] Turcia asiatică

Turkey in Europe ['tə:ki in ˌjuərəp] Turcia europeană

Turkey leather ['tə:k ˌleðəʳ] *s tehn* piele (tăbăcită în ulei) folosită în legătorie

turkey poult ['tə:ki ˌpoult] *s orn* curcănaș, pui de curcă

Turkey red ['tə:ki ˌred] *s* **1** colorant/pigment/vopsea de roibă *sau* alizarină **2** *text* pânză (de bumbac) vopsită cu roibă *sau* alizarină

turkey vulture ['tə:ki ˌvʌltʃəʳ] *s v.* **turkey buzzard**

Turki ['tə:ki] *lingv* **I** *s* limbile turcice **II** *adj* turcic, referitor la limbile turcice

Turkish ['tə:kiʃ] **I** *adj* turcesc **II** *s lingv* (limba) turcă

Turkish bath ['tə:kiʃ 'ba:θ] *s* **1** baie turcească/de aburi **2** *și pl* clădire a băii turcești/de aburi

Turkish coffee ['tə:kiʃ 'kɔfi] *s* cafea turcească/gingirlie

Turkish delight ['tə:kiʃ di'lait] *s* rahat

Turkish music ['tə:kiʃ 'mju:zik] *s* muzică (militară) turcească, meterhanea

Turkish tobacco ['tə:kiʃ tə'bækou] *s* tutun turcesc

Turkish towel ['tə:kiʃ 'tauəl] *s* prosop gros plușat

Turkism ['tə:kizəm] *s* turcism

Turkmen ['tə:kmen] *adj, s* turcmen

Turkmenia [tə:k'menjə] *regiune în Asia*

Turkmenistan [ˌtə:kmeni'sta:n] *regiune în Asia* Turcmenistan

Turko- *pref v.* **Turco-**

Turkoman ['tə:kəmən] *s v.* **Turcoman**

Turku ['turku] *oraș în Finlanda*

turmeric ['tə:mərik] *s bot* șofran de India, curcuma *(Curcuma longa)*

turmeric paper ['tə:mərik ˌpeipəʳ] *s ch* hârtie de curcuma

turmeric plant ['tə:mərik ˌpla:nt] *s v.* **turmeric**

turmoil ['tə:mɔil] **I** *s* **1** *v.* **tumult 2** dezordine, harababură, răvășeală **II** *vt* a deranja; a hărțui **III** *vi* a fi îngrijorat/tulburat/neliniștit, a fremăta, a se agita

turn [tə:n] **I** *vt* **1** a întoarce; a răsuci; a învârti; a face să se întoarcă/să se învârtească/să se răsucească; **to ~ the key on/upon smb** a încuia pe cineva (înăuntru); **to ~ the key to smb** a închide/a trânti cuiva ușa în nas **2** a învârti, a răsuci *(un buton, robinet etc.)*; **to ~ the light low** a face lumina/lampa mică **3** a întoarce (pe partea cealaltă/cu fața în sus); **to ~ one's back (upon smb)** a se întoarce cu spatele (la cineva), a întoarce spatele (cuiva); **without ~ing a hair** *F fig* fără să clipească (din ochi); fără să se clintească; fără teamă; **to ~ the day against smb** a schimba raportul de forțe; **to ~ one's tail to the manger** *fig* a pune căruța înaintea boilor; **to ~ tippet** *fig* a se schimba complet; a se dezice **4** a întoarce (în altă direcție), a devia; a abate (din drum); a îndrepta, a dirija; **to ~ the bridle/rein** *fig* a se întoarce din drum, a face cale întoarsă; **to ~ smb from one's/the door** a alunga/a izgoni pe cineva; **to ~ a blow** a para/a face să devieze o lovitură; **to ~ the conversation/talk into other chronicles** a schimba discuția/subiectul; **to ~ the points** *ferov* a schimba macazul; **to ~ the die/dice; to ~ the fate of the day/the sway of the battle** a schimba roata norocului/mersul/soarta bătăliei; **to ~ one's religion** a-și schimba religia; a fi apostat **5** a

îndrepta *(atenția etc.)*; a întoarce *(capul, privirea)*; **to ~ one's hand to** a se apuca de; **to ~ a deaf ear to** a nu pleca urechea la, a fi surd la *(o rugăminte etc.)*; **to ~ the blind eye to/on** a închide ochii la/asupra *(cu gen)* **6** a răsturna, a întoarce (cu susul în jos); **to ~ inside out** a întoarce pe dos *(haina, buzunarele)* **7** (**into, to**) a preface, a transforma, a preschimba (în); a face să devină *(cu ac)*; **to ~ milk into butter** a alege untul; **love was ~ed to hatred** dragostea s-a preschimbat în ură **8** *ec* a converti, a preschimba; a preface în *(bani lichizi etc.)*; **to ~ an honest penny** a câștiga un ban cinstit/o pâine **9** a ocoli, a întoarce, a da *(colțul etc.)*; **to ~ the corner a** a da colțul, a trece de colț **b** a ieși (cu bine) dintr-o situație grea/dintr-o criză **c** a scăpa de boală **10** a acri, a covăsi, a strica *(laptele)* **11** a ajunge la *(un moment etc.)*, a împlini, a atinge *(o vârstă)*; **he is/has ~ed forty** e trecut de patruzeci de ani; **it is ~ed five** e trecut de (ora) cinci **12** a suci, a învârti *(capul cuiva)*; a ameți, a îmbăta; a face să-și piardă mințile **13** a scârbi, a îngrețoșa, a face rău/greață *(cu dat)*; **to ~ smb's stomach** a face greață cuiva, a face să i se întoarcă stomacul pe dos cuiva **14** *tehn* a strunji, a fasona; a presa, a modela, a rotunji **15** *fig* a cizela; a da o formă la *(sau cu dat)* **16** a traduce în altă limbă **II** *vr v.* **III 1, 2 III** *vi* **1** a se învârti, a se răsuci; a se roti; **to ~ in one's grave** a se răsuci/a se zvârcoli în mormânt; **to ~ on one's heels** a face stânga împrejur **2** a se întoarce, a se învârti *(printr-un loc, către cineva etc.)*; **to ~ as if to go** a da să plece; **to ~ short** a se întoarce brusc **3** (**to**) a se îndrepta (către), a o face (la), o lua (spre); **to ~ homewards** a o lua/a se îndrepta spre casă; **to ~ down a street** a o lua/a o apuca pe o stradă; a coti pe o stradă; **my thoughts often ~ to him** gândurile mele se îndreaptă adesea către el, mă gândesc mereu la el; **not to know were** to/which **way to ~ a** a nu şti încotro s-o apuce **b** a nu şti ce să facă (mai întâi) **4 (to)** a se adresa (la), a consulta (pe); a recurge (la); **you can always ~ to me** mi te poţi adresa întotdeauna mie; îmi poţi cere oricând ajutorul **5** *(d. vânt, curent)* a se schimba, a se muta; a se inversa; **my luck has ~ed** *fig* s-a schimbat roata norocului *(pt mine)* **6** *(ca verb copulă)* a deveni, a se face, a se preface, a se transforma/a se schimba în; **to ~ angry** a se înfuria; **to ~ bankrupt** a da faliment; **to ~ cold** a se răci; **to ~ grey** a încărunţi, a albi; **to ~ pale** a păli (la faţă), a se îngălbeni; **to ~ red** a roşi, a se împurpura la faţă, a se înroşi; **to ~ yellow** a îngălbeni **7 (to)** a se preface (în); a trece (în/la); a deveni; **to ~ Catholic** a trece la catolicism; **to ~ Socialist** a căpăta convingeri socialiste, a se orienta spre stânga/socialism; **to ~ to gold** a se preface în aur; **to ~ to tragedy** a lua o întorsătură tragică; **to ~ all the colours of the rainbow** *fig* a se face verde-galben la faţă, a trece prin toate culorile curcubeului **8** a se acri; a se strica; **the milk has ~ed (sour)** laptele s-a acrit/brânzit/covăsit; **to ~ into/to vinegar** a se oţeti **9** a se învârti *(de ameţeală);* **my head ~s** mi se învârteşte capul, am ameţit de tot **10** a-i veni greaţă, a i se întoarce stomacul pe dos; **my stomach ~s at it** îmi vine/mi se face greaţă când aud de una ca asta **11** *tehn* a se strunji **IV** *s* **1** învârtire, învârtitură; tur; **in the ~ of a hand** cât ai clipi din ochi, cât ai zice peşte; **it rests upon the ~ of a die** *fig* atârnă numai/doar de un fir de păr; **done to a ~** tocmai bun/rumenit, fript/rumenit atât cât trebuie **2** *tehn* rotaţie, rotire, tur **3** schimbare de direcţie; viraj; întoarcere; giraţie; **to take a short ~** a vira scurt **4** *fig* întorsătură, cotitură, schimbare; **to be on the ~** a fi la o răscruce/cotitură; **it has taken a ~ for the worse** lucrurile au început să meargă mai prost/să se înrăutăţească; lucrurile au luat

o întorsătură proastă; **upon the ~ of five** când suna/bătea ora cinci **5** *med* criză; moment greu *(al unei boli)* **6** ↓ *mil* întoarcere **7** şerpuitură, meandră, cot, cotitură; **there is a sharp ~ in the road** drumul coteşte brusc **8** variaţie, schimbare **9** întoarcere înapoi, mişcare înapoi, schimbare totală de direcţie **10 (for)** *fig* înclinaţie, înclinare, aplicare, pornire (pentru, spre), talent (la); dispoziţie (pentru); **to be of a lively ~** a avea vioiciune/temperament vioi; a fi vesel/vioi/bine dispus; **to be of a studious ~** a fi studios/silitor din fire, a-i plăcea să înveţe; **to have a ~ for smth** a avea o înclinaţie spre/către ceva; a avea talent la ceva **b** a-i plăcea ceva; **to have a fair ~ for smth** a avea şanse la/cu ceva **11** *lit* formă, structură, înfăţişare; turnură de frază **12** plimbare, tur; **to take a ~** a face o plimbare/un tur/câţiva paşi; **to walk a ~** a umbla de colo până colo **13** rând, tur, schimb, tură; *min* şut; **in ~, by ~s; ~ and ~ about** (rând) pe rând, unul după altul, alternativ; **it's not my ~** nu e rândul meu, nu sunt eu la rând; **when it comes to his ~** când îi vine rândul; **everything in its ~** fiecare lucru la rândul/timpul său/la momentul/timpul potrivit; **to take ~s in/at doing smth, to take it in ~s to do smth** a face ceva cu schimbul/pe rând; **to supply smb's ~** a ţine locul cuiva, a face în locul cuiva; **to take one's ~** a intra în schimb/tură; a-şi lua locul/rândul **14** număr de program/spectacol **15** serviciu *(adus cuiva);* ajutor *(prietenesc);* **to do smb a (good) ~** a face cuiva un (mare) serviciu, a ajuta prieteneşte pe cineva; **~ for ~; one good ~ deserves another** *prov* serviciu contra serviciu **16** festă, renghi; **to do smb a bad/an ill ~ a** a juca cuiva o festă urâtă **b** a face cuiva un prost serviciu **17** prilej, ocazie; **at every ~** la fiecare pas, în fiecare clipă/moment **18** folos, câştig, profit, beneficiu **19** scop, intenţie; **it will serve my ~** o să-mi servească; îmi convine; mă aranjează (de

minune) **20** ← *F* şoc, spaimă; lovitură; **to give smb quite a ~** a produce un şoc cuiva, a fi un adevărat şoc/o adevărată lovitură pentru cineva; a speria rău pe cineva; **you gave me such a ~!** *F* vai ce spaimă/sperietură mi-ai tras! **21** *nav* voltă **22** figură de patinaj **23** *el* spiră **24** *pl F* soroc, period, ciclu, ~ menstruaţie **25** *tehn* strung **26** zăvor *(la fereastră)* **27** *poligr* şpis, musculiţă **28** *muz* grupet

turn about ['tə:n ə'baut] **I** *vt cu part adv* **1** *v.* **turn I 4 2** a frământa (în minte) **II** *vi cu part adv* **1** *v.* **turn III 2 2** a face/a executa o întoarcere

turn against ['tə:n ə'genst] *vi cu prep* **1** a se întoarce împotriva *(cu gen);* a se arăta ostil faţă de **2** *şi fig* a se revolta, a se răscula, a se ridica împotriva *(cu gen);* **my stomach turns against it** îmi face greaţă

turn and turn about ['tə:n ənd 'tə:n ə,baut] *s* alternanţă, schimb, schimbare; trecere la rând

turn around ['tə:n ə'raund] *vt cu part adv amer v.* **turn round**

turn aside ['tə:n ə'said] **I** *vt cu part adv* a abate, a face să devieze; a para **II** *vi cu part adv* a se îndepărta, a se retrage

turn away ['tə:n ə'wei] *vt cu part adv* **1** a întoarce (într-o parte) **2** *v.* **turn aside I 3** *fig* a expedia *(pe cineva),* a face vânt *(cuiva)*

turn away from ['tə:n ə'wei frəm] *vi cu part adv şi prep* **1** a-şi întoarce faţa de la, a întoarce spatele *(cu dat)* **2** a părăsi, a abandona

turnback ['tə:n,bæk] *s* **1** laş, fricos, poltron **2** *v.* **turn-over 5**

turn back ['tə:n 'bæk] **I** *vt cu part adv* **1** a face să se întoarcă, a întoarce înapoi **2** a izgoni, a alunga; a da afară **3** a răsfrânge, a îndoi; a lăsa în jos; a-şi sufleca **II** *vi cu part adv* a se întoarce din drum; a face cale-ntoarsă

turn-bench ['tə:n ,bentʃ] *s tehn* polizor, (roată de) tocilă

turn bridge ['tə:n ,bridʒ] *s* pod mobil/turnant

turn buckle ['tə:n ,bʌkəl] *s tehn* conexiune, cuplaj

turn-cap ['tə:n,kæp] *s tehn* căciulă rotitoare a unui coş de fabrică

turncoat ['tə:n,kout] *s* 1 renegat, apostat; transfug; dezertor 2 *pol* cameleon

turn cock ['tə:n ,kok] *s tehn* robinet de închidere

turn-down ['tə:n,daun] I *adj* (d. *guler*) răsfrânt, lăsat în jos II *s* 1 refuz, respingere, refuzare *(a unei oferte/propuneri)* 2 guler răsfrânt 3 *v.* **turn-over** 5

turn down ['tə:n 'daun] I *vt cu part adv* 1 *v.* **turn back** I 3 2 a îndoi *(colţul unei pagini)* 3 a întoarce; **to ~ the bed** a desface patul 4 a micşora, a face mai mic *(lumina)*; a reduce *(flacăra)* 5 a respinge *(o propunere)* 6 a refuza, a respinge *(pe cineva); mil* a reforma 7 a umili, a înjosi II *vi cu part adv* a fi răsfrânt/îndoit/întors/ lăsat în jos, a fi căzut; **the corners of his mouth ~ are** colţurile gurii lăsate în jos

turn-down collar ['tə:n,daun 'kolə'] *s* guler răsfrânt

turned commas ['tə:nd 'koməz] *s pl* ghilimele

Turner ['tə:nə'], **Joseph** *pictor englez (1775-1851)*

turner *s* 1 strungar 2 *amer* gimnast amator; persoană care practică gimnastica în timpul liber

Turneresque [,tə:nə'resk] *adj* în genul/stilul pictorului englez Turner

turnery ['tə:nəri] *s* 1 (atelier de) strungărie 2 strungărie, meşteşugul strungarului 3 obiecte/ piese strunjite

turn-in ['tə:n,in] *s* interiorul supracopertei/cămăşii de la o carte

turn in ['tə:n 'in] I *vt cu part adv* 1 a îndoi înăuntru; a băga/a face să intre înăuntru 2 a preda *(echipamentul militar, sportiv etc.)* 3 a demisiona din, a părăsi de bună voie *(o slujbă)* II *vi cu part adv* 1 a fi întors/răsucit spre înăuntru; **her toes ~** merge cu vârfurile picioarelor aduse înăuntru 2 a intra 3 ← *F* a se duce/a merge la culcare, a se culca 4 a se întoarce (acasă), a reveni

turn in and out ['tə:n 'in ənd 'aut] *vi cu part adv* a se încolăci, a şerpui

turning ['tə:niŋ] *s* 1 cotitură, serpentină 2 răscruce, răspântie, încru-

cişare de drumuri; **at every ~** *fig* la fiecare pas 3 rotaţie 4 *astr* (mişcare de) revoluţie 5 strunjire 6 *v.* **turnery** 2

turning back ['tə:niŋ 'bæk] *s* întoarcere, înapoiere, revenire

turning bridge ['tə:niŋ ,bridʒ] *s v.* **turn bridge**

turning chisel ['tə:niŋ ,tʃizl] *s tehn* cuţit de strung

turning circle ['tə:niŋ ,sə:kl] *s auto* diametru al cercului de rotire/ întoarcere

turning down ['tə:niŋ 'daun] *s* 1 *v.* **turn-down** II 1, 2 2 *v.* **turning** 5

turning out ['tə:niŋ 'aut] *s* 1 ieşire; dare afară, scoatere 2 *tehn* lărgire a unei găuri *(cu burghiul)*

turning over ['tə:niŋ 'ouvə'] *s* 1 răsfoire 2 răsturnare

turning point ['tə:niŋ ,point] *s* 1 moment hotărâtor/decisiv/crucial; (punct de) cotitură 2 moment de criză

turning saw ['tə:niŋ ,so:] *s tehn* ferăstrău cu coardă

turning tool ['tə:niŋ ,tu:l] *s tehn* cuţit de strung

turn inside out ['tə:n 'insaid ,aut] *vt cu adv şi adv* a întoarce pe dos *(o haină etc.)*

turn into ['tə:n ,intə] I *vt cu prep* 1 a transforma/a preface/a preschimba în 2 a traduce în II *vi cu prep* a se preface/a se transforma/a se preschimba în; a se face, a deveni *(lichid)*

turnip ['tə:nip] *s* 1 nap (turcesc); rapiţă sălbatică *(Brassica rapa rapifera)* 2 *sl* ceapă, ornic, – ceas mare de buzunar

turnip cabbage ['tə:nip ,kæbidʒ] *s bot* nap, broajbă *(Brassica napus)*

turnip-top ['tə:nip,top] *s bot* frunze de nap (comestibile)

turnipy ['tə:nipi] *adj* 1 ca napul 2 cu gust de nap

turnkey ['tə:n,ki:] *s* temnicer

turn-off ['tə:n,o:f] *s v.* **turn-out** 6

turn off ['tə:n 'o:f] I *vt cu part adv* 1 a opri *(apa etc.)*, a stinge, a închide *(lumina etc.)*; **to ~ the steam** *fig v.* **~** II 3 2 **(from)** a abate (de la); a face să devieze (de la) 3 *v.* **turn out** I 2 4 a repudia 5 *ferov* a gara, a trage *(pe o linie)* II *vi cu part adv* 1 a se abate din drum; a-şi schimba

drumul, a coti 2 **(to)** a o lua, a o apuca *(la dreapta etc.)* 3 a înceta/a lăsa lucrul, a intra în grevă III *vi cu prep* a părăsi *(drumul etc.);* a se abate din/de la; *(d. stradă)* a coti din, a face colţ cu

turn of speed ['tə:n əv 'spi:d] *s* 1 rapiditate, capacitate de a intra repede în viteză 2 mers rapid, iuţeală, rapiditate, agilitate

turn on I ['tə:n 'on] *vt cu part adv* 1 a deschide, a da drumul la *(apă etc.);* **to ~ the steam** *fig* a se apuca pe rupte de treabă 2 a aprinde *(lumina, radioul etc.)* 3 *cu inf* a pune să facă ceva 4 *pas* a fi răsturnat, a cădea pe spate 5 *v.* **turn upon** I II *vi cu prep* 1 a se îndrepta/a se întoarce spre abate spre/către 2 *(d. conversaţie)* a se învârti în jurul *(cu gen)* 3 a se năpusti asupra *(cu gen)*, a se da la, a ataca *cu ac;* a se lega/a se agăţa de; a-i căuta pricină *(cuiva)* 4 a depinde/a atârna de

turn oneself about ['tə:n wʌn,self ə'baut] *vr cu part adv* a se reface *(financiarmente, materialiceşte)*

turn oneself round ['tə:n wʌn,self 'raund] *vr cu part adv* 1 a se învârti de jur împrejur 2 *fig* a se învârti, a se procopsi, a se aranja (mai bine)

turn-out ['tə:n,aut] *s* 1 adunare, asistenţă, auditoriu 2 trăsură, echipaj 3 *mil* ţinută, uniformă 4 *ec* producţie globală 5 grevă 6 *ferov* ramificaţie, bifurcaţie, branşament; linie de garaj 7 *amer* punere în libertate *(a unui arestat)*

turn out ['tə:n'aut] I *vt cu part adv* 1 a întoarce/a scoate *(picioarele)* în afară 2 a izgoni, a alunga, a da afară; a evacua *(un chiriaş);* a concedia; **turn him out!** afară cu el! daţi-l afară! **to ~ in the cold** *fig* a face *(cuiva)* un duş rece, a descuraja *(pe cineva)* 3 *pol* a răsturna *(un guvern etc.)* 4 *mil* a suna deşteptarea *sau* alarma pentru; a pune în stare de alarmă 5 a mâna *(vitele)* la câmp 6 a produce, a fabrica, a face, a confecţiona 7 a întoarce pe dos *(buzunarul etc.);* a goli *(un sertar etc.);* a face *(curăţenie generală)* în

8 *sl v.* **titivate** II 9 *v.* **turn off I 1** II *vi cu part adv* **1** a ieşi/a apărea în public; a ieşi în lume **2** *fig* a ieşi la iveală; a se arăta, a se dovedi, a se sfârşi/a ieşi *(bine, rău etc.);* **to ~ badly/ill** a ieşi prost/rău; **to ~ right** a izbuti, a reuşi; **to ~ for the best** a se sfârşi cu bine; **to ~ (to be) a failure** a se dovedi un fiasco; **it turns out that** se constată/se dovedeşte că; **to ~ (to be) true** a se dovedi (că e) adevărat **3** a se întâmpla, a se petrece; **as it turned out** după cum s-a dovedit **4** a deveni, a se face, a se transforma/a se preface în; **to ~ a great star** a devenit o mare vedetă **5** *v.* **turn off** II **3 6** ← *F* a se da jos din pat, a se scula *(de dimineață)*

turn out of ['tə:n ˌaut əv] *vt cu prep* a da afară/a izgoni/a alunga din; **to turn smb out of his/her job** a lăsa pe cineva pe drumuri

turn-over ['tə:n,ouvə^r] *s* **1** răsturnare, întoarcere **2** *tehn* culbutare **3** *ec* cifră de afaceri; randament; producție **4** *ec* fluctuație a muncitorilor/a mâinii de lucru **5** *gastr* ruladă cu dulceață de mere **6** răsfrângere, îndoitură *(a ciorapului etc.)* **7** articol *(de ziar)* cu continuarea pe altă pagină

turn over ['tə:n 'ouvə^r] I *vt cu part adv* **1** a întoarce *(o pagină);* a răsfoi; **please ~!** *(într-o scrisoare etc.)* continuarea/continuă pe verso; **to ~ a new leaf** *fig* a începe o viață nouă, a se îndrepta **2** *fig* a rumega *(în minte),* a medita/a chibzui asupra *(cu gen),* a întoarce pe toate părțile **3** a răsturna, a întoarce *(brazda etc.)* **4** a preda, a transfera, a transmite; a da pe mâna *(cu gen)* **5** *ec* a realiza, a dobândi, a câştiga; a avea o cifră de afaceri de II *vi cu part adv* **1** a capota, a se răsturna **2** *fig pol* a fi transfug, a trece într-un alt partid/la inamic

turnpike ['tə:n,paik] *s* **1** *od* barieră a oraşului *(unde se percepea vama)* **2** *înv v.* **turnstile 3** *mil* capră de sârmă ghimpată

turnpike man ['tə:n,paik ˌmæn] *s od* vameş, persoană care percepe taxa de trecere la o barieră; încasator de barieră

turn round ['tə:n 'raund] I *vt cu part adv* **1** a învârti, a întoarce, a răsuci **2** *fig* a învârti *(pe cineva),* a duce de nas II *vt cu prep* a răsuci pe/după; **to turn smb round one's finger** a avea pe cineva în buzunar, a face ce vrea cu cineva III *vi cu part adv* **1** a se învârti, a se roti, a se răsuci; **to ~ and round** a se învârti neîncetat; **my head turns round** mi se învârteşte capul, mă apucă amețeala **2** a se întoarce, a se răsuci, a se mişca **3** *v.* **turn over** II **2 4** *v.* **turn on** II **3**

turnscrew ['tə:n,skru:] *s* şurubelniță

turn-sick ['tə:n,sik] *s v.* **sturdy²**

turnside ['tə:n,said] *s vet* capie *(la câini şi vite)*

turnsole ['tə:n,soul] *s* **1** *bot* floarea soarelui *(Helianthus annuus)* **2** *ch* turnesol

turnspit ['tə:n,spit] *s od* persoană *sau* câine care răsuceşte frigarea

turnstile ['tə:n,stail] *s* cruce de barieră, mică barieră rotitoare

turnstone ['tə:n,stoun] *s orn* pasăre ca ploierul care întoarce pietrele în căutarea hranei *(Arsenaria sp.)*

turntable ['tə:n,teibəl] *s* **1** *tehn* placă/masă turnantă/rotativă; platformă turnesol **2** platan *(de patefon, picup)*

turn to ['tə:n tə] I *vi cu prep* **1** a întoarce, a îndrepta spre/către; **to turn smb's attention to** a îndrepta atenția cuiva spre, a atrage atenția cuiva asupra *(cu gen);* **to turn one's eyes to** a se uita la; **to turn one's hand to** a se apuca de *(o treabă)* **2** a preface/a transforma/a preschimba în; **to ~ account/advantage/profit** a trage foloase din, a profita de, a valorifica II *vi cu prep* **1** *v.* **turn into** II **2** ← *F* a se pune pe, a se apuca de *(lucru, treabă)*

turn-up ['tə:n,ʌp] I *s* **1** manşetă/ mânecă suflecată/sumeasă **2** manşetă de pantalon **3** *(la cărți)* carte întoarsă/dată pe față; **it's a mere ~** *fig* e o chestie de şansă/noroc **4** *F* păruială, încăierare, bătaie II *adj* rabatabil; care se poate întoarce

turn up ['tə:n 'ʌp] I *vt cu part adv* **1** a ridica în sus *(gulerul etc.);* **to ~ one's toes** *sl* a mirosi florile de

la rădăcină, a avea grădiniță pe burtă, – a se duce pe lumea cealaltă **2** a sufleca, a sumete, a răsfrânge **3** a da *(o carte de joc)* pe față; **to ~ one's mask** a-şi scoate masca; a-şi da arama pe față **4** a căuta în dicționar *(un cuvânt)* **5** a da peste cap *(ochii)* **6** *sl* a găbji, a agăța, a înhăța, – a aresta **7** *sl* a renunța la **8** *sl jur* a achita din lipsă de dovezi **9** *agr* a întoarce *(brazda etc.);* a deşteleni **10** a dezgropa **11** a ridica *(un fitil),* a face mai mare *(flacăra etc.)* **12** ← *F pas* a fi ruinat, a ajunge la sapă de lemn II *vi cu part adv* **1** a se răsfrânge/a se îndoi în sus; **her nose turns up** e cârnă, are nasul în vânt **2** a-şi face apariția, a se ivi, a se prezenta, a sosi *(pe neaşteptate);* **to ~ at a place** a se înfățişa undeva; **I waited for him but he never turned up** l-am aşteptat degeaba pentru că n-a venit **3** a ieşi la iveală, a se găsi, a fi regăsit **4** *(d. prilej etc.)* a se ivi, a se întâmpla, a surveni **5** *v.* **turn out** II **2**

turn-up bed ['tə:n,ʌp 'bed] *s* pat pliant

turn upon ['tə:n ə,pɔn] I *vt cu prep* **1** a ridica *(sabia etc.)* asupra *(cu gen)* **2** a întoarce/a îndrepta împotriva/asupra *(cu gen)* II *vi cu prep* a se învârti în jurul *(cu gen)*

turn-up trousers ['tə:n ˌʌp 'trauzəz] *s pl* pantaloni cu manşetă

turpentine ['tə:pəntain] I *s* terebentină II *vt* **1** *med* a fricționa cu terebentină **2** *amer* a extrage terebentină

turpentine tree ['tə:pəntain 'tri:] *s bot* terebint *(Pistacia terebinthus)*

turpeth ['tə:piθ] *s* **1** *bot* jalap, viță australiană *(Operculina turpethum)* **2** *bot, farm* rădăcină de jalap *(cu proprietăți purgative)* **3** *v.* **turpeth mineral**

turpeth mineral ['tə:piθ ˌminərəl] *s minrl* calomel, sulfat galben de mercur

turpitude ['tə:pi,tju:d] *s* **1** turpitudine, urâciune, hidoşenie **2** infamie, josnicie, ticăloşie

turps ['tə:ps] *s F v.* **turpentine** I

turquoise ['tə:kwɔiz] *s* peruzea, turcoază

turquoise blue ['tə:kwɔiz ˌblu:] *s* albastru de peruzea, culoarea turquoise

turquoise green ['tə:kwɔiz ˌgri:n] *s* verde de peruzea/turcoază, verde-albăstrui

turret ['tʌrit] *s* **1** *constr* foişor, turnuleţ, turn **2** *mil, av, nav* turelă **3** *tehn* cap revolver

turreted ['tʌritid] *adj* **1** *arhit* crenelat, cu turnuleţe/foişoare **2** *mil, av* prevăzut cu turelă/turele

turret gun ['tʌrit ˌgʌn] *s nav, mil* tun cu bătaie lungă *(în turela vasului)*

turret lathe ['tʌrit ˌleið] *s tehn* strung revolver

turret ship ['tʌrit ˌʃip] *s nav* cuirasat

turret steps ['tʌrit ˌsteps] *s pl* scară în spirală

turtle¹ ['tə:təl] *s orn* turturică, turturea *(Turtur sp.)*

turtle² ['tə:təl] *s zool* (broască) ţestoasă *(↓ de mare) (Testudo; Chelonia);* **to turn (the) ~ a** a capota, a se răsturna **b** *nav* a se şavira

turtle dove ['tə:təl ˌdʌv] *s* v. **turtle¹**

turtle-neck ['tə:təl ˌnek] *s* guler colant, col roulé, roling; *v.* **polo-neck**

turtle shell ['tə:təl ˌʃel] *s* carapace de broască ţestoasă; baga

turtle-soup ['tə:təl ˌsu:p] *s gastr* supă de broască ţestoasă

Tuscaloosa [ˌtʌskə'lu:sə] *localitate în S.U.A.*

Tuscan ['tʌskən] **I** *adj* toscan, din Toscana **II** *s* **1** locuitor din Toscana **2** dialectul toscan

Tuscan order ['tʌskən 'ɔ:də'] *s arhit* (ordinul) toscan

Tuscan straw ['tʌskən 'strɔ:] *s* pai (fân) de grâu folosit la împletirea pălăriilor

Tuscany ['tʌskəni] *provincie în Italia* Toscana

tush¹ [tʌʃ] *s* dinte (de cal)

tush² ← *înv* **I** *interj* ptiu! **II** *vi* a face ptiu, a-şi exprima dezaprobarea

tushery ['tʌʃəri] *s* **1** abuz de arhaisme *(în literatură)* **2** ← *F* romane pline de arhaisme

tusk [tʌsk] **I** *s* colţ *(de mistreţ etc.),* fildeş, colţ *(de elefant)* **II** *vt* a răni cu colţii

tusked ['tʌskt] *adj (d. elefant etc.)* cu colţi/fildeşi

tusker ['tʌskə'] *s* elefant *sau* mistreţ adult (cu colţii dezvoltaţi)

tusser ['tʌsə'] *s* v. **tussore**

tussive ['tʌsiv] *adj med* **1** legat de tuse; care însoţeşte tusea **2** care provoacă tusea

tussle ['tʌsəl] **I** *vi* a se încăiera, a se bate, a se lupta **II** *s* încăierare, bătaie, luptă

tussock ['tʌsək] *s* **1** smoc *(de iarbă sau păr)* **2** *orn* moţ

tussock grass ['tʌsək ˌgra:s] *s bot* iarbă din Patagonia care creşte în smocuri *(↓ Poa Flabellata)*

tussock moth ['tʌsək ˌmɔθ] *s ent* molie cu larve moţate *(Orgyia sp.)*

tussocky ['tʌsəki] *adj* **1** *bot* care creşte în smocuri **2** moţat, cu moţ

tussore ['tʌsə'] *s* **1** *zool* vierme de mătase din India **2** *text* ţesătură de mătase indiană

tut¹ [tʌt] **I** *interj* ei (poftim)! asta-i bună! **II** *vi* a scoate exclamaţii de ciudă *sau* enervare

tut² *s min* treabă, muncă, slujbă, lucru; **by (the) ~, upon ~** cu bucata

Tutankhamen [ˌtu:tən'ka:men] *faraon* Tutankamon *(cca 1358 î.e.n.)*

tutela [tju:'ti:lə], *pl* **tutelae** [tju:'ti:li:] *s jur* tutelă

tutelage ['tju:tilidʒ] *s* **1** *jur* tutelă **2** supraveghere, pază **3** învăţământ, educaţie

tutelar ['tju:tilə'] *adj* **1** tutelar **2** ocrotitor, păzitor

tutelary ['tju:tiləri] *adj* v. **tutelar**

tutenag(ue) ['tju:tənæg] *s* **1** aliaj de zinc, cupru şi nichel **2** *(folos. impropriu)* zinc

Tutenkhamon [ˌtu:tən'ka:mən] *v.* **Tutankhamen**

tutor ['tju:tə'] **I** *s* **1** profesor *(↓ particular);* preceptor, meditator, repetitor **2** *univ* asistent, preparator/îndrumător *(al studenţilor)* **3** *amer univ* profesor suplinitor **4** *jur* tutore, epitrop **5** ← *înv* supraveghetor **6** îndrumar, îndrumător, ghid, carte ˜(de instrucţiuni) **II** *vt* **1** a instrui, a medita, a învăţa, a pregăti **2** *fig* a dăscăli, a mustra, a dojeni **3** ← *înv* a supraveghea, a avea în supraveghere

tutoress ['tju:təris] *s* **1** profesoară; învăţătoare, institutoare **2** preparatoare, meditatoare **3** *univ* asistentă, preparatoare **4** *jur* tutore

tutorial [tju:'tɔ:riəl] **I** *adj* **1** de preceptor/meditator/repetitor **2** tutelar, de tutore **3** *univ* practic; de seminar **II** *s pl şcol, univ* lucrări practice *(de seminar sau laborator)*

tutorial class [tju:'tɔ:riəl 'kla:s] *s univ* seminar; oră practică; oră de laborator

tutorial system [tju:'tɔ:riəl 'sistəm] *s univ* sistem de învăţământ bazat pe îndrumarea nemijlocită

tutorship ['tju:tə,ʃip] *s* slujbă/funcţie/rang de tutore

tutory ['tju:təri] *s jur* tutelă

tutsan ['tʌtsən] *s bot* sunătoare *(Hypericum perforatum)*

tutti ['tuti] *s muz* tutti

tut-tut (tut) ['tʌt-tʌt (ˌtʌt)] *interj* tţ-tţ-tţ!

tutu¹ ['tu:tu:] *s fr* tutu/jupă de balerină

tutu² *s bot* arbust neozeelandez cu seminţe otrăvitoare *(Coriaria sp.)*

tut-work ['tʌtˌwə:k] *s min* lucru/muncă în acord/cu bucata

tu-whit/whoo [tə'wit/'wu:] **I** *interj* hu-hu! u-hu! *(ţipătul bufniţei)* **II** *vi* a face ca bufniţa

tux [tʌks] *s* v. **tuxedo 1**

tuxedo [tʌk'si:dou] *s amer* **1** smoching **2** *sl* cămaşă de forţă

tuxedo junction [tʌk'si:dou ˌdʒʌŋkʃən] *s amer sl* bar *sau* salon frecventat de amatorii de swing

tuyère [tju:'εə'] *s tehn* gură de vânt *(la furnale)*

TV *presc de la* **1** television **2** terminal velocity

TVA *presc de la* Tennessee Valley Authority

TV dinner ['ti:vi: ˌdinə'] *s amer* → *F* preparate culinare (congelate şi) preambalate

Tver [tvjε'] *localitate în fosta URSS*

Tvl. *presc de la* Transvaal

twaddle ['twɔdəl] **I** *s* **1** trăncăneală, flecăreală **2** palavre, baliverne **II** *vi* a trăncăni, a pălăvrăgi, a vorbi/a îndruga (la) verzi şi uscate

twaddler ['twɔdlə'] *s* flecar, palavragiu

Twain [twein], **Mark** *scriitor american (1853-1910)*

twain *num, adj, pr, s* ← *înv poetic* doi, două

twaite (shad) ['tweit (ʃæd)] *s iht* scrumbie europeană *(Alosa finta)*

twang [twæŋ] **I** *s* **1** nazalizare, fârnâială, voce nazală; **to speak with a ~** *v.* **~ II 1 2** şuierat; bâzâit; zbârnâit **3** *scot* gust scârbos **II** *vi* **1** a (se) fârnâi, a vorbi nazal/pe nas **2** a zbârnâi, a vibra; a zornăi, a zdrăngăni, a zăngăni **3** *(d.*

trâmbiță *etc.)* a suna, a răsuna **III** *vt* a ciupi, a face să vibreze *(o coardă)* **IV** *interj* **1** sfâr! **2** bâz! **3** ding-dang!

'twas [twɔz] *formă contrasă de la* **it was**

twat [twɔt] *s vulgar* **1** păsărică, gaură, – vulvă **2** fustă, muiere, femeie

tway blade ['twei ,bleid] *s bot* orhidee *din specia Listera*

tweak [twi:k] **I** *vt* a pișca, a ciupi **II** *s* **1** pișcătură, ciupitură **2** ← *F* șiretlic, viclenie, truc

tweaker ['twi:kəʳ] *s sl* praștie (de copii)

twee [twi:] *adj F* **1** ultra delicat; afectat, ultra rafinat **2** ciudat, trăsnit, original

Tweed, the ['twi:d, ðə] *râu în Anglia*

tweed [twi:d] *s* **1** *text* tuid, tweed **2** *pl* costum de golf

tweedle ['twi:dəl] **I** *s* scârțâit; zdrăngănit **II** *vi* **1** a scârțâi *(la vioară)* **2** a zdrăngăni *(la pian)* **3** a ciripi, a cânta **III** *vt* **1** a scârțâi *(la vioară)* **2** a zdrăngăni *(la pian)* **3** a linguși, a flata

tweedledum and tweedledee ['twi:dəl'dʌm ən twi:dəl'di:] *s* persoane *sau* lucruri greu de deosebit; **it's** ~ ce mi-e Rada baba, ce mi-e Rada baba; ce mi-e una, ce mi-e alta

tweedy ['twi:di] *adj* din/de tuid

'tween [twi:n] *prep, adv formă contrasă de la* **between**

tweendeck ['twi:n,dek] *s nav* interpunte, întrepunte

tweeny ['twi:ni] *s* ← *F* **1** ajutoare de bucătăreasă; slujnică, slujnicuță **2** havană scurtă

tweet [twi:t] **I** *interj* cirip (cirip) **II** *vi* a ciripi; a piui **III** *s* ciripit; piuit

tweeter ['twi:təʳ] *s tel* difuzor pentru reproducerea semnalelor de înaltă frecvență

tweezer ['twi:zəʳ] *vt* a smulge/a scoate/a îndepărta cu penseta

tweezers ['twi:zəz] *s pl* **1** pensetă **2** cleștișor **3** *poligr* cleștiță **4** ← *înv* trusă (medicală)

twelfth [twelfθ] **I** *num* al doisprezecelea; doisprezece **II** *s mat etc.* doisprezecime

Twelfth-cake ['twelfθ,keik] *s* tort(ă) de Bobotează *(în care se pune o monedă sau un bob de fasole pentru alegerea protagonistului sărbătorii)*

Twelfth Day ['twelfθ 'dei] *s bis* (ziua de) Bobotează

twelfth man ['twelfθ 'mæn] *s sport* (jucător de) rezervă *(la cricket etc.)*

Twelfth Night ['twelfθ 'nait] *s bis* **1** seara de Bobotează **2** Ajunul Bobotezii; Noaptea regilor

twelfth part ['twelfθ 'pɑːt] *s* a douăsprezecea parte, douăsprezecime

Twelfth tide ['twelfθ 'taid] *s* Bobotează (și Ajunul)

twelve [twelv] **I** *num* **1** doisprezece **2** doisprezecilea **II** *s* **1** duzină **2** grup de douăsprezece persoane **3** *poligr* format de douăsprezece file *(douăzeci și patru pagini)*

Twelve, the *s rel* doisprezece apostoli

twelvefold ['twelv,fould] **I** *adj* de douăsprezece ori mai mare *sau* mai numeros **II** *adv* de douăsprezece ori (mai mult)

twelve-mo ['twelv,mou] *s v.* **twelve** **II 3**

twelvemonth ['twelv,mʌnθ] *s* an, douăsprezece luni

twelve note ['twelv,nout] *s muz* gamă dodecafonică

twelve-note ['twelv,nout] *adj muz* dodecafonic

twelve pence ['twelv ,pens] *s rar od* șiling

twelve-penny ['twel,peni] *adj rar od* **1** (în valoare) de un șiling **2** *fig* neînsemnat, mărunt, fără valoare

twelve-tone ['twelv,toun] *adj muz v.* **twelve-note**

twelve tribes ['twelv ,traibz] *s pl bibl* cele douăsprezece triburi din Iudeea

twenties, the ['twentiz, ðə] *s pl* **1** cifrele de la 20 la 29 **2** deceniul al treilea

twentieth ['twentiiθ] **I** *num* douăzecilea, douăzeci **II** *s mat etc.* douăzecime

twenty ['twenti] **I** *num* **1** douăzeci; ~ **times** *F* de o sută/o mie de ori **2** *v.* **twentieth I II** *s* douăzeci; grup de douăzeci

twentyfold ['twenti,fould] **I** *adj* de douăzeci de ori mai mare *sau* mai numeros **II** *adv* de douăzeci de ori mai mult

twenty-fourmo ['twenti ,fɔ:mou] *s poligr* format de 24 file/48 de pagini la coală

twentymo ['twentimou] *s poligr* format de douăzeci de file *(patruzeci de pagini)*

'twere [twər *formă slabă,* twəːr *formă tare*] *formă contrasă de la* **it were**

twerp [twəːp] *s sl* **1** jigodie, javră, jivină, lepră, scârbă; tip scârbos **2** nătâng, tâmpit, bou

Twi [twi:] *s lingv* (limba) asanti

twibil(l) ['twai,bil] *s* **1** *tehn* topor cu 2 tăișuri; topor cu tăiș drept în cruce **2** *od* halebardă

twice [twais] *adv* **1** de două ori; repetat; **to think** ~ a se gândi bine, a se gândi și a se răzgândi; **not to think** ~ **about smth a** a uita de un lucru, a nu se mai gândi la un lucru **b** a face un lucru fără să se gândească/fără să stea pe gânduri/fără să chibzuiască; **he did it at/in** ~ *F* a izbutit la a doua încercare/din două încercări/eforturi *etc.* **2** îndoit, dublu, de două ori; ~ **as much** de două ori pe atât; **he is** ~ **the man he was** e de două ori mai voinic/puternic decât a fost

twice-laid ['twais,leid] *adj* **1** făcut din fibre de funie veche/uzată **2** *fig* cârpit, peticit, cârpăcit; făcut din vechituri/resturi *etc.*

twice-normal ['twais,nɔːməl] *adj ch* dublu normal

twicer ['twaisəʳ] *s* **1** *poligr* zețar-tipograf **2** ← *F bis* om bisericos *(care asistă la amândouă slujbele de duminică)* **3** ← *F* cumulard **4** *sl* trișor, escroc, păcălici; taler/om cu două fețe, fățarnic, Tartuffe, ipocrit

twice-told ['twais,tould] *adj* **1** repovestit, povestit încă o dată **2** (bine) cunoscut, banalizat, (devenit) banal

Twickenham ['twikənəm] *localitate în Anglia*

twicoloured ['twi,kʌləd] *adj* **1** bicolor, în două culori **2** multicolor; bălțat

twiddle ['twidəl] **I** *vt* a învârti/a răsuci (în mână), a se juca cu; **to** ~ **one's fingers/thumbs a** a bate darabana cu degetele **b** *fig v.* ~ **II 3 II** *vi* **1** a se învârti, a se răsuci **2** (**with**) a se juca (cu) **3** a tăia frunze la câini, a arde gazul **III** *s* **1** învârtire, răsucire **2** zorzoane, podoabe, nimicuri

twiddler ['twidlə'] *s* pierde-vară, trântor, leneş

twifold ['twaifould] *adj, adv v.* **twofold**

twiformed ['twaifo:md] *adj* alcătuit din două părţi/forme; dublu

twig[1] [twig] **I** *s* 1 rămurică, rămurea; **to hop the ~** *F* a da ortul popii, a da în primire, a se duce pe lumea cealaltă 2 nuia, vergea, smicea 3 *lit* nuia fermecată; baghetă magică 4 *anat* arteră terminală; nerv terminal **II** *vt* a bate cu nuiaua

twig[2] *sl* **I** *vt* 1 *v.* **tumble to** 2 a urmări, a supraveghea (îndeaproape) 3 a zări; a recunoaşte **II** *vi* a se prinde, a prinde şpilul, a pricepe, a înţelege

twig[3] *s înv* fason, modă

twigged [twigd] *adj v.* **twiggy 1, 2**

twiggy ['twigi] *adj* 1 rămuros; cu multe rămurele 2 în formă de ramuri, ramificat 3 *fig* subţire, fin, delicat

twilight ['twailait] **I** *s* 1 amurg, crepuscul 2 *fig* amurg, asfinţit, scăpătat, apus; declin 3 lumină slabă, obscuritate, întuneric, clarobscur **II** *adj* 1 crepuscular; (referitor) la amurg/asfinţit/apus 2 întunecos, slab luminat, clarobscur 3 *fig* în declin/decădere, în amurg/asfinţit; în amurgul vieţii

twilight arc ['twailait ,a:k], **twilight arch** ['twailait ,a:tʃ], **twilight curve** ['twailait ,kə:v] *s astr* umbra pământului *(vizibilă la apus până la crepuscul)*

twilighted ['twailaitid] *adj v.* **twilit**

Twilight of the Gods, the ['twailait əv ðə 'gɔdz, ðə] *s* Amurgul Zeilor

twilight sleep ['twailait ,sli:p] *s med* narcoză/anestezie parţială (↓ *pentru uşurarea durerilor facerii)*

twilight switch ['twailait ,switʃ] *s el* întrerupător al iluminatului public

twilight zone ['twailait ,zoun] *s* 1 *geom etc.* zonă intermediară 2 *fig* zonă crepusculară 3 *urbanistică* mahala îmbătrânită, zonă urbană părăginită

twilit ['twailit] *adj* 1 crepuscular, ţinând de crepuscul/asfinţit 2 slab luminat, întunecos, pe cale de a se întuneca; cu lumină slabă/crepusculară

twill [twil] *text* **I** *s* diagonal, (stofă cu) ţesătură diagonală **II** *vt* a ţese în diagonală

'twill *formă contrasă de la* **it will**

twilled [twild] *adj text* diagonal

twilly (devil) ['twili ,devl] *s text* maşină de destrămat deşeuri

twin [twin] **I** *s* 1 (frate) geamăn; (soră) geamănă 2 (lucru) pereche 3 *tiz*, omonim **II** *adj* 1 geamăn 2 pereche 3 *tehn* jumelat, îngemănat, dublu; bifilar 4 omonim, omonimic **III** *vi* 1 a da naştere la gemeni 2 (**with**) *fig* a face/a fi pereche (cu), a fi frate bun (cu) **IV** *vt* a îngemăna, a uni, a lega

twin beds ['twin ,bedz] *s pl* paturi (identice) alăturate

twin berry ['twin ,beri] *s amer bot* arbust cu flori roşietice şi boabe negre lucioase *(Lonicera involucrata)*

twin-birth ['twin,bə:θ] *s* naştere de gemeni

twin-born ['twin,bo:n] *adj* născut o dată *(cu un frate geamăn)*

Twin Cities ['twin 'sitiz] *s pl* „Oraşele gemene" din S.U.A. *(St. Paul şi Minneapolis)*

twin-deck bus ['twin'dek ,bʌs] *s* autobuz cu imperială

twin door ['twin 'do:'] *s* uşă dublă

twine[1] [twain] **I** *s* 1 sfoară; şnur 2 *text* tort; mănunchi de fire 3 împletire, răsucire; întreţesere 4 împletitură; coş împletit **II** *vt* 1 a împleti, a răsuci 2 a înfăşura; a încolăci, a îmbrăţişa; a cuprinde **III** *vi* a şerpui, a undui

twine[2] *scot* **I** *vt* a tăia, a despărţi, a desface **II** *vi* a se despărţi

twined [twaind] *adj* 1 răsucit, împletit (laolaltă) 2 înfăşurat, încolăcit 3 şerpuitor; unduitor

twin-engined ['twin'endʒind] *adj av etc.* bimotor, cu două motoare

twiner ['twainə'] *s* 1 împletitor, răsucitor 2 *text* aparat/maşină de răsucit fire 3 *bot* plantă volubilă

twin flower ['twin 'flauə'] *s bot amer* plantă cu flori împerecheate *(Linnaea sp.)*

twinge [twindʒ] **I** *s* 1 durere bruscă; junghi; acces de durere 2 spasm; tresărire **II** *vt* 1 *şi fig* a chinui, a face să doară 2 *(d. conştiinţă)* a mustra, a chinui, a tortura **III** *vi* a durea, a fi dureros

twinge of conscience ['twindʒ əv 'kɔnʃəns] *s* remuşcare, mustrare/ mustrări de conştiinţă

twin girder ['twin 'gə:də'] *s tehn* grindă-cheson

twin ignition ['twin ig'niʃən] *s auto* dublă aprindere

twin-jet plane ['twin,dʒet 'plein] *s av* bireactor, avion cu două motoare cu reacţie

twink [twiŋk] *s, vi, vt v.* **twinkle**

twinkle ['twiŋkəl] **I** *s* 1 licărire, scânteiere, scăpărare; licăr 2 clipire, clipit; **with a ~ in his eye** clipind (şiret) din ochi 3 clipă, moment, clipită 4 tresărire; mişcare bruscă **II** *vi* 1 a licări; a pâlpâi; a scăpăra, a scânteia 2 a clipi **III** *vt* 1 a aprinde; a face să scânteieze 2 a clipi din (ochi)

twinkler ['twiŋklə'] *s* 1 persoană care clipeşte des 2 semnalizator intermitent

twinkling ['twiŋkliŋ] *s* 1 *v.* **twinkle I 1, 3** 2 clipire, clipit; **in a ~, in the ~ of an eye/umor of a tea-cup** într-o clipă/secundă, cât ai clipi din ochi, cât ai zice peşte

twinned [twind] *adj v.* **twin II 1, 2, 3**

twinning ['twiniŋ] *s* 1 îngemănare, împerechere, îmbinare (a două elemente) 2 legare, unire 3 naştere a doi gemeni 4 *minrl, geol, fiz* formare a unor cristale duble/îngemănate

twin rudder ['twin 'rʌdə'] *s nav* cârmă dublă

Twins, the ['twinz, ðə] *astr* (constelaţia) Gemenii, Castor şi Polux

twin screw ['twin 'skru:] *s tehn* elice dublă

twin set ['twin 'set] *s* set *(pulover şi jachetă)*

twinship ['twinʃip] *s* 1 îngemănare 2 asemănare, similitudine

twin towns ['twin 'taunz] *s pl* oraşe înfrăţite *(din ţări diferite)*

twin track ['twin 'træk] *s ferov amer* linie ferată dublă

twin wheels ['twin 'wi:lz] *s pl auto* roţi jumelate/îngemănate/pereche

twin wire ['twin 'waiə'] *s* 1 *el* conductor cu vână dublă 2 *tel* fir dublu

twirl [twə:l] **I** *s* 1 învârtire, rotire (rapidă) 2 vârtej; volbură 3 cârlionţ **II** *vt* 1 a răsuci *(mustaţa etc.)* 2 a învârti/a roti repede/într-un vârtej **III** *vi* a se roti, a se învârti (repede)

twirp [twə:p] *s v.* **twerp**

twist [twist] **I** *s* 1 *v.* **twirl I 1** 2 contorsionare, răsucire, strâmbare, deformare 3 *muz* twist

4 îndoitură; cotitură, cot **5** pâine împletită, colac **6** cornet/pungă de hârtie (răsucită) **7** frânghie, funie; sfoară; șnur; fir răsucit **8** *tehn* cablaj **9** specific, particularitate, caracteristică, pecete **10** înșelăciune, amăgire **11** ← *F* poftă de mâncare, apetit **II** *vt* **1** *v.* **twirl II 1, 2 2** a îndoi; a răsuci; a contorsiona; a strâmba, a deforma **3** a împleti **4** a stoarce *(rufe)* **5** a chinui **6** *F* a trage pe sfoară, – a păcăli, a înșela **7** *sl* a spânzura, a pune în ștreang **III** *vi* **1** *v.* **twirl III 3 2** *v.* **twine¹ III**

twist cabler ['twist ˌkeiblər] *s tehn* mașină de dublat și răsucit fire

twist drill ['twist ˌdril] *s tehn* sfredel/ burghiu spiral/helicoidal

twisted ['twistid] *adj* **1** strâmb, diform **2** răsucit; contorsionat

twister ['twistər] *s* **1** persoană care răsucește *etc.* **2** *v.* **twiner 1, 2 3** ← *F* mincinos; șarlata; escroc **4** *F* gogoașă, minciună gogonată **5** ← *F* dificultate, lucru dificil; problemă spinoasă/complicată **6** cuvânt greu de pronunțat **7** frământare de limbă, joc de cuvinte greu de rostit **8** pâine împletită; *aprox* mucenic, sfințișor **9** covrigar

twist oneself into ['twist wʌn,self, intə] *vr cu prep* a se furișa în

twisty ['twisti] *adj* **1** *v.* **twisted 1 2** *fig* indispus, prost dispus, întors (pe dos)

twit¹ [twit] **I** *s* **1** dojană, mustrare; reproș **2** zeflemea, batjocură; împunsătură, ac **II** *vt* **1** a lua în râs, a ridiculiza **2** a dojeni, a mustra

twit² *s sl* **1** rahat (în ploaie), nimic, zero, prăpădit **2** *v.* **twerp 2 3** bâț, bâțâială, nervi, nervozitate

twitch¹ [twitʃ] **I** *s* **1** spasm; convulsie; tic nervos **2** smulgere; tragere; rupere **3** *F v.* **twit² 3 II** *vt* **1** a smulge **2** a trage *(de mânecă etc.)* **III** *vi* **1** a se contracta, a avea o convulsie/un spasm/o contracție **2** (at) a trage (de)

twitch² *s v.* **couch grass**

twitchety ['twitʃəti] *adj F* țâfnos, nervos, cu țâfnă, – iritabil

twite [twait] *s orn* scatiu de munte *(Acanthis flavirostris)*

twitter¹ ['twitər] **I** *s* **1** *v.* **tweet III 2** vorbărie, flecăreală, trăncăneală

3 agitație, freamăt, nervozitate; **in a ~** agitat; emoționat; nervos **II** *vi* **1** *v.* **tweet II 2** a fi agitat/ nervos/în agitație; a fremăta, a trepida (de emoție)

twitter² *vt* a certa, a mustra, a dojeni

'twixt [twikst] *formă contrasă de la* **betwixt**

two [tu:] **I** *num* **1** doi; două; **one ~! one ~!** *mil, sport* un-doi! **in ~ shakes/ticks/twos** *F* într-o clipă/ secundă, cât ai clipi din ochi, cât ai zice pește; **to put ~ and ~ together** a pune lucrurile cap la cap, a stabili o legătură între lucruri, a trage concluziile de rigoare; **that makes ~ of us** ← *F* a la fel și eu, asta mi se aplică și mie/e valabil și pentru mine; **b** vreau/aș vrea și eu **2** doilea, doi **II** *s* (grup de) doi/două; **in/by ~s** (doi) câte doi; **by ~s and threes** (în grupuri de) câte doi-trei (odată); **in ~s** cât ai zice pește/ cât ai bate din palme, cât ai clipi din ochi

two-barrelled ['tu:ˈbærəld] *adj* cu două țevi; jumelat

two-bit ['tu:ˌbit] *adj amer sl* **1** în valoare de 25 de cenți **2** *fig v.* **twopenny II 2**

two bits ['tu:ˈbits] *s pl amer sl* (suma de) 25 de cenți

two-by-four ['tu:baiˈfɔːr] **I** *adj* **1** care măsoară 2x4 țoli *sau* 2x4 picioare **2** *fig F* mic, îngust, înghesuit **3** *fig F* mărunt, meschin, de două parale **II** *s tehn* scândură *sau* cherestea groasă de 2 țoli și lată de 4 țoli *(indiferent de lungime)*

two-chamber system ['tu:ˈtʃeimbə ˌsistim] *s pol* sistem bicameral

two-colour ['tu:ˈkʌlər] *adj* bicolor, în două culori

two-cornered hat ['tu:ˈkɔːnəd ˈhæt] *s od* bicorn

two-cycle engine ['tu:ˈsaikl ˈendʒin] *s tehn* motor în doi timpi

two-decker ['tu:ˈdekər] *s* **1** *nav* vas cu două punți **2** ← *F* tramvai *sau* autobuz cu imperială **3** ← *F teatru* piesă în două acte

two-dimensional ['tu:daiˈmenʃənəl] *adj* bidimensional (fără relief)

two-edged ['tu:ˈedʒd] *adj* și *fig* cu două tăișuri

two-engine(d) [tu:ˈendʒin(d)] *adj av* bimotor

two-engine(d) jet plane ['tu:ˌendʒin(d) ˈdʒet ˌplein] *s av* (avion) bireactor; avion cu două motoare cu reacție

two-eyed ['tu:ˈaid] *adj* **1** cu doi ochi **2** *tehn* binocular

two-faced ['tu:ˈfeist] *adj* **1** *text* cu două fețe **2** *fig* fățarnic, cu două fețe, fals, ipocrit

twofer ['tu:fər] *s amer* **1** *teatru* bilet de favoare *(care-ți dă dreptul la două bilete cu preț redus)* **2** marfă ieftină, fleac **3** țigară ieftină

two-fisted ['tu:ˈfistid] *adj* **1** ambidextru **2** ← *F fig* viguros; bărbătos; viril **3** stângaci, neîndemânatic

twofold ['tu:fould] **I** *adj* **1** dublu; îndoit **2** în două straturi **3** *text* din două fire **II** *adv* îndoit, dublu; de două ori pe-atât

two-footed ['tu:ˈfutid] *adj* biped, cu două picioare

two-four (piece) ['tu:ˈfɔː (ˌpi:s)] *s muz* piesă/bucată în măsură de 2/4

two-four time ['tu:ˈfɔː ˈtaim] *s muz* măsură de 2/4

two-handed ['tu:ˈhændid] *adj* **1** biman, cu două mâini **2** *(d. sabie etc.)* pentru două mâini **3** *(d. joc de cărți)* care se joacă în doi

two-handled ['tu:ˈhændəld] *adj* **1** cu două mânere **2** cu două toarte

two-headed ['tu:ˈhedid] *adj* cu două capete, bicefal

two-high (rolling) mill ['tu:ˌhai ('rouliŋ) 'mil] *s tehn* laminor duo

two-horse ['tu:ˈhɔːs] *adj (d. trăsură etc.)* cu doi cai, tras de doi cai

two-legged ['tu:ˈlegd] *adj* cu două picioare, biped

two-masted ['tu:ˌmɑːstid] *adj nav* cu 2 catarge

two-oar ['tu:ˌɔːr] *s nav* ambarcațiune/barcă cu două vâsle

twopence ['tʌpens] *s* **1** (suma de) doi penny; **I don't care (a) ~** *F* nu-mi pasă nici cât negru sub unghie; **it isn't worth ~** *F* nu face două parale/doi bani/nici cât o ceapă degerată **2** monedă de 2 penny

twopenny ['tʌpeni] **I** *s* **1** *v.* **twopence 1 2** *od* bere ieftină **3** bilă, căpățână, dovleac **II** *adj* **1** (în valoare) de doi penny **2** *fig* ieftin, fără valoare, de nimic

twopenny-halfpenny ['tʌpeni-'heipəni] **I** s (suma de) doi penny și jumătate **II** adj **1** (în valoare de) doi penny și jumătate **2** fig v. **twopenny II 2**

twopennyworth ['tʌpeni,wə:θ] s ← F (lucru în) valoare de doi penny

two-petalled ['tu:'petəld] adj bot bipetal

two-phase ['tu:'feiz] adj el bifazat, cu două faze

two-piece ['tu:'pi:s] adj din două părți/piese

two-piece costume/suit ['tu:'pi:s ,kɔstju:m/,su:t] s deuxpièces, două piese

two-pin ['tu:'pin] s el fișă dublă

two-ply ['tu:'plai] adj **1** tehn duplex **2** text dublat, în două fire

two-ply board ['tu:'plai 'bɔ:d] s tehn carton duplex

two-ply yarn ['tu:'plai 'jɑ:n] s text fir răsucit în două

two-pole ['tu:'poul] adj el bipolar, cu doi poli

two-seater ['tu:'si:tə'] s **1** auto mașină/automobil sport/cu două locuri **2** av avion cu două locuri

two-sided ['tu:'saidid] adj **1** cu două laturi; bilateral **2** fig complex, complicat, cu multe fațete

twosome ['tu:səm] **I** s **1** pereche, cuplu, grup de doi **2** joc în doi/pentru doi jucători **3** muz dans pentru perechi **4** ← F convorbire între patru ochi **II** adj pentru două persoane, pentru perechi

two-speed ['tu:'spi:d] adj (d. motor) cu două viteze

two-spot ['tu:'spɔt] s **1** (la cărți) doi **2** piesă/piatră de domino (valorând două puncte) **3** amer sl (bancnotă de) doi dolari

two-step ['tu:,step] **I** s muz pas de doi, pas de deux **II** adj în două trepte/etape/faze

two-storied ['tu:'stɔrid] adj **1** cu două etaje **2** amer cu etaj

two-story ['tu:'stɔ:ri], adj v. **two-storied**

two-stroke ['tu:'strouk] **I** adj tehn în doi timpi **II** s ← F motocicletă în doi timpi

two-throw ['tu:'θrou] adj tehn (d. vilbrochen) cu două coturi

two-time ['tu:'taim] vt amer sl a încornora, a-și înșela (soțul, iubitul etc.)

two-time loser ['tu:,taim 'lu:zə'] s amer sl **1** recidivist **2** persoană divorțată de două ori

two-timer ['tu:'taimə'] s amer sl persoană care duce o viață dublă; soț sau amant necredincios

two-tone ['tu:,toun] adj **1** muz cu două sunete/tonuri **2** bicolor, în două culori

two-tongued ['tu:'tʌŋd] adj mincinos; fățarnic, prefăcut, fals

'twould [twud] formă contrasă de la **it would**

two-up ['tu:'ʌp] s rișcă jucată cu două monezi

two-way ['tu:,wei] adj **1** tehn cu două căi/canale; cu două direcții/poziții; bilateral; duplex **2** (d. circulație etc.) în ambele sensuri

two-way cock ['tu:,wei'kɔ:k] s tehn robinet cu două poziții

two-way street ['tu:,wei'stri:t] s arteră de circulație/stradă cu două sensuri de circulație/cu circulația în ambele sensuri

two-way switch ['tu:,wei'switʃ] s el comutator cu două căi

two-way television ['tu:,wei 'teli-'viʒən] s telev televiziune bilaterală

two-way traffic ['tu:,wei 'træfik] s circulație în ambele sensuri

two-way valve ['tu:,wei'vælv] s v. **two-way cock**

two-wheeler ['tu:'wi:lə'] **I** adj cu două roți **II** s ← F trăsură etc. cu două roți

two-wire ['tu:'waiə'] adj el bifilar

two-yearly ['tu:'jə:li] adj bienal, (care are loc) o dată la doi ani

two-year-old ['tu:,jə:r'ould] **I** adj în vârstă de doi ani **II** s **1** copilaș/copil de doi ani **2** mânz/cal de doi ani

twp. presc de la **township**

TWX presc de la **teletypewriter exchange**

twybill ['twai,bil] s v. **twibill**

twyer ['twaiə'] s tehn gură de vânt (la furnal)

Tyburn ['taibə:n] s od loc de execuție publică (la Londra); **to dance the ~ jig** fig a muri în ștreang/spânzurat

Tyburn tree, the ['taibə:n ,tri:, ðə] s ← înv spânzurătoare

Tycho Brahe ['taikou 'brɑ:ə] astronom danez (1546-1601)

Tychonian [tai'kouniən], **Tychonic** [tai'kɔnik] adj astr referitor la (sistemul astronomic creat de) Tycho Brahe

tycoon [tai'ku:n] s **1** od șogun, mandarin (în Japonia) **2** ← F fig magnat (al finanțelor); mare industriaș; grangur

tye [tai] vt brit min a spăla (minereu) într-un șteamp/într-o troacă

tying ['taiiŋ] adj ↓ jur care te obligă/leagă, (cu caracter) obligatoriu

tyke [taik] s **1** javră, corcitură, jigodie **2** fig jigodie, javră, jivină, lepră, japiță, secătură **3** amer țânc, copilaș, țică **4** locuitor din comitatul Yorkshire **5** reg bădăran, țărănoi, mocofan **6** F diavol/drac împielițat, drac de copil

Tyler ['tailə'], **Wat** conducător al răscoalei țărănești (m. 1381)

tylopod ['tailou,pɔd] zool **I** s tilopod, animal cu degetele prevăzute cu pernuțe (în loc de copite); cămilă **II** adj tilopod, cu degetele prevăzute cu pernuțe (în loc de copite)

tylopodus [tai'lɔpədəs] adj v. **tylopod II**

tylosis [tai'lousis] s med tiloză

tympan ['timpən] s v. **tympanum**

tympana ['timpənə] pl de la **tympanum**

tympanic bone [tim'pænik 'boun] s anat osul timpanului

tympanic membrane [tim'pænik 'membrein] a anat timpan, membrană timpanică

tympanist ['timpənist] s muz timpanist; toboșar

tympanites [,timpə'naiti:z] s med meteorizare, meteorism, timpanism; gaze (în intestine)

tympanitic [,timpə'nitik] adj med meteorizat; referitor la meteorism/timpanism; care are gaze în intestine

tympanum ['timpənəm], pl **tympana** ['timpənə] a anat, arhit timpan

Tyndall effect ['tindəl i'fekt] s fiz efect Tyndall

Tyne, the [tain, ðə] râu în Anglia

Tynemouth ['tain,mauθ] comitat în Anglia

Tynwald ['tinwəld] s pol adunare anuală legislativă în Insula Man (pentru proclamarea/popularizarea noilor legi)

Typ. presc de la **typographical**

typal ['taipəl] *adj* tipal, referitor la tipuri/caractere; taxonomic, referitor la clasificare

type¹ [taip] **I** *s* **1** tip **2** model **3** gen, soi, speţă; sortiment; clasă **4** *poligr* caracter, literă; tip **II** *vt* **1** a tipiza, a fi un exemplu tipic de **2** a atribui unui tip, a stabili tipul/clasa *(unui individ)* **3** a caracteriza **4** *v.* **type-cast 5** *biol* a determina grupa sanguină *(cu gen)*

type² *vt* a dactilografia, a bate la maşină

type alloy ['taip ə'lɔi] *s poligr* aliaj de litere

type analysis ['taip ə'nælisis] *s ch* analiză pe grupe structurale

type area ['taip ˌɛəriə] *s poligr* oglinda culegerii

type bar ['taip ˌbɑːʳ] *s* bară pentru spaţiu *(la maşina de scris)*

type cabinet ['taip ˌkæbinit] *s poligr* regal de litere

type carrier ['taip ˌkæriəʳ] *s poligr* transportor de litere

type case ['taip ˌkeis] *s* casă/casetă de litere

type-cast ['taip ˌkɑːst] *vt teatru cin* a distribui *(un actor)* într-un rol potrivit, în genul acelora în care a avut succes *etc.*

type caster ['taip ˌkɑːstəʳ] *s poligr* turnător de litere

type-casting machine ['taip ˌkɑːstiŋ mə'ʃiːn] *s poligr* maşină de turnat litere

type catalogue ['taip ˌkætəloug] *s poligr* probar de litere

type face ['taip ˌfeis] *s poligr* **1** tipar uns cu cerneală **2** tipar imprimat cu cerneală

type founder ['taip ˌfaundəʳ] *s v.* **type caster**

type foundry ['taip ˌfaundri] *s poligr* topitor de litere

type genus ['taip ˌdʒiːnəs] *s biol* gen, tip

type-high ['taip ˌhai] *adj poligr* de înălţimea obişnuită a literelor

type matrix ['taip ˌmeitriks] *s poligr* matriţă de litere

type metal ['taip ˌmetəl] *s poligr* aliaj poligrafic, metal de litere

typescript ['taip ˌskript] *s* manuscris/ text/exemplar dactilografiat; copie dactilografiată

type setter ['taip ˌsetəʳ] *s poligr* zeţar, culegător

type setting ['taip ˌsetiŋ] *s poligr*

zeţărie, culegătorie

type-setting machine ['taip ˌsetiŋ mə'ʃiːn] *s* maşină de cules (litere)

type species ['taip ˌspiːʃiz] *s biol* specie reprezentativă

type specimen ['taip ˌspesimən] *s biol* specimen reprezentativ/tip

type specimen book ['taip ˌspesimən 'buk] *s poligr v.* **type catalogue**

type-wheel ['taip ˌwiːl] *s poligr, tel* sul cu litere în relief

typewrite ['taip ˌrait] *vt înv v.* **type²**

typewriter ['taip ˌraitəʳ] *s* **1** maşină de scris **2** *înv v.* **typist**

typewriter copy ['taip ˌraitə 'kɔpi] *s poligr* material dactilografiat (pentru cules); exemplar dactilografiat

typewriting ['taip ˌraitiŋ] *s v.* **typing**

typewritten ['taip ˌritən] *adj* dactilografiat, scris la maşină

typhlitic [tif'litik] *adj med* **1** referitor la tiflită **2** referitor la/suferind de inflamaţia cecum-ului

typhlitis [tif'laitis] *s med* tiflită, cecită, inflamaţie a cecum-ului

typhogenic [ˌtaifou'dʒenik] *adj med* tifogen, care produce tifosul *sau* febra tifoidă

typhoid ['taifɔid] *s v.* **typhoid fever**

typhoidal [tai'fɔidəl] *adj med* tifoidal, referitor la febra tifoidă

typhoid condition ['taifɔid kən'diʃən] *s v.* **typhoid state**

typhoid fever ['taifɔid 'fiːvəʳ] *s med* febră tifoidă, tifos

typhoid state ['taifɔid 'steit] *s med* stare tifoidă; vitalitate scăzută; apatie

typhonic [tai'fɔnik] *adj meteor, geogr* de taifun/furtună; ca un taifun; caracteristic taifunului

typhoon [tai'fuːn] *s* taifun; uragan

typhous ['taifəs] *adj med* tific

typhus ['taifəs] *s med* tifos

typic ['tipik] *adj înv poetic v.* **typical**

typical ['tipikəl] *adj* **1** (of) tipic, caracteristic, reprezentativ (pentru); **that's ~ of him** asta îl caracterizează; e caracteristic pentru el; totdeauna aşa face **2** tip, model

typicality [ˌtipi'kæliti] *s* caracter tipic/reprezentativ; natură caracteristică; stil caracteristic

typically ['tipikəli] *adv* (în mod) tipic/ caracteristic/specific; într-un mod cu totul propriu

typicalness ['tipikəlnis] *s v.* **typicality**

typification [ˌtipifi'keiʃən] *s* tipizare; reprezentare tipică; simbolizare

typifier ['tipiˌfaiəʳ] *s* reprezentant tipic, model

typify ['tipifai] *vt* **1** a simboliza, a reprezenta; a fi tipic/caracteristic/ reprezentativ pentru; a fi prototipul *(cu gen)* **2** a tipiza, a caracteriza

typing ['taipiŋ] *s* dactilografiere; dactilografie

typing pool ['taipiŋ ˌpuːl] *s F* biroul dactilografelor; birou de dactilografie/de copiat acte

typist ['taipist] *s* dactilograf; dactilografă

typist's error ['taipist 'erəʳ] *s* greşeală de dactilografiere/maşină/ frapă

typo ['taipou] *s* **1** *poligr* (muncitor) tipograf **2** *F v.* **typographical error**

typo- *pref* tipo-: **typography** tipografie

typo. *presc de la* **typographical**

typographer [tai'pɔgrəfəʳ] *s* **1** *v.* **typo 1 2** maşină de cules, tipograf

typographical [ˌtaipə'græfikəl] *adj* tipografic, de tipar

typographical error [ˌtaipə'græfikəl 'erəʳ] greşeală de tipar/culegere/ cules

typographically [ˌtaipə'græfikəli] *adv* (din punct de vedere) tipografic/poligrafic; cu tipar/tipografie

typography [tai'pɔgrəfi] *s* tipografie, tipar înalt

typolithography [ˌtaipoli'θɔgrəfi] *s poligr* **1** tipolitografie; reproducere **2** centru de multiplicare, reprografie

typological [ˌtaipə'lɔdʒikəl] *adj* **1** tipologic; caracterologic; referitor la tipuri *sau* caractere; taxonomic **2** referitor la studiul şi interpretarea tipologică a textelor biblice

typologist [tai'pɔlədʒist] *s* **1** tipolog, caracterolog; specialist în tipologie/caracterologie **2** specialist în interpretarea textelor biblice din punct de vedere tipologic

typology [tai'pɔlədʒi] *s* tipologie

typometer [tai'pɔmitəʳ] *s poligr* tipometru

typometry [tai'pɔmitri] *s poligr* tipometrie

typonym ['taipənim] *s biol* nume tipologic, denumire a unui tip

typotelegraph [ˌtaipo'teligrɑːf] *s tel* teleimprimator, telegraf automat

typotelegraphy [ˌtaipoti'legrəfi] *s tel* tipotelegrafie automată

tyrannical [ti'rænikəl] *adj* tiranic, de tiran

tyrannicidal [tiˌræni'saidəl] *s* **1** tiranicid **2** ucidere/doborâre a unui tiran/despot **3** tiranicid, asasin/ucigaş al unui tiran/despot

tyrannicide [ti'rænisaid] *s* **1** ucidere a unui tiran **2** ucigaş de tirani

tyrannize ['tirənaiz] **I** *vt* a tiraniza, a teroriza **II** *vi* (**over**) a se comporta ca un tiran (cu), a exercita o putere autocratică (asupra); a tiraniza, a teroriza *(cu ac)*

tyrannosaur(us) [ti'rænəˌsɔːr(əs)] *s zool* tyranozaur(us), dinozaur biped fosil *(Tyrannosaurus rex)*

tyrannous ['tirənəs] *adj* **1** v. **tyrannical 2** *(d. vânt)* năpraznic, violent

tyrannously ['tirənəsli] *adv* v. **tyrannically**

tyranny ['tirəni] *s şi fig* tiranie, despotism

tyrant ['tairənt] *s* tiran, despot; **to play the ~** a face pe tiranul; **to be a domestic ~** a fi tiranul familiei, a-şi teroriza familia

tyrant-bird/fly-catcher ['tairəntˌbəːd/'flai ˌkætʃəʳ] *s orn* pasăre din America care le alungă pe celelalte păsări din jurul cuibului *(Tyrannus sp.)*

Tyre [taiəʳ] *ist* localitate în Palestina Tir

tyre *s, vt* v. **tire**[1]

tyre bead ['taiəˌbiːd] *s auto* talpă/talon de anvelopă

tyre blow-out/break ['taiə ˌblouaut/ˌbreik] *s auto* explozie de cauciuc

tyre cement ['taiə si'ment] *s auto* soluţie de lipit camere *sau* anvelope

tyre chain ['taiə ˌtʃein] *s auto* lanţ antiderapant

tyre cord ['taiə ˌkɔːd] *s text* cord/suport textil pentru anvelope/pneuri auto

tyre cover ['taiə ˌkʌvəʳ] *s auto* anvelopă

tyre flap ['taiə ˌflæp] *s auto* bandaj de geantă

tyre gauge ['taiə ˌgeidʒ] *s auto* manometru

tyre inflator ['taiər in'fleitəʳ] *s auto* pompă *(pt cauciucuri)*

tyre inner tube ['taiər ˌinə 'tjuːb] *s auto* cameră (de aer)

tyre iron lever ['taiərˌaiən 'liːvəʳ] *s auto* levier *(pentru montat pneurile/anvelopele)*

tyre mould ['taiə ˌmould] *s tehn* matriţă/menghină pentru vulcanizat anvelope

tyre noise ['taiə ˌnɔiz] *s auto* agomot făcut de pneuri la rulare; uruitul cauciucurilor

tyre outer cover ['taiər ˌautə'kʌvəʳ] *s* v. **tyre cover**

tyre patch ['taiə ˌpætʃ] *s auto* petec de anvelopă/pneu

tyre patch kit ['taiə ˌpætʃ 'kit] *s auto* trusă pentru pus petece auto

tyre press ['taiə ˌpres] *s auto* presă de anvelope

tyre pressure gauge ['taiə ˌpreʃə 'geidʒ] *s* v. **tyre gauge**

tyre pump ['taiə ˌpʌmp] *s* v. **tyre inflator**

tyre puncture ['taiə ˌpʌŋktʃəʳ] *s auto* pană de cauciuc

tyre repair kit ['taiə ri'pɛə 'kit] *s* v. **tyre patch kit**

tyre sculpture ['taiə ˌskʌlptʃəʳ] *s auto* profil/relief al benzii de rulare; rizuri/striuri ale anvelopei/pneurilor

tyre soling ['taiə ˌsouliŋ] *s auto* reşapare completă a pneului/anvelopei

tyre squealing ['taiə ˌskwiːliŋ] *s auto* fluierat al pneurilor la rulare

tyre texture ['taiə ˌtekstʃəʳ] *s* v. **tyre cord**

tyre tread ['taiə ˌtred] *s auto* bandă de rulare

tyre tread design ['taiə ˌtred di'zain] *s auto* v. **tyre sculpture**

tyre tube ['taiə ˌtjuːb] *s* v. **tyre inner tube**

tyre valve ['taiə ˌvælv] *s auto* valvă de cameră/pneu

Tyrian ['tiriən] *ist* **I** *s* locuitor din Tyr *(în Fenicia);* tirian, fenician **II** *adj* referitor la Tyr *(în Fenicia)* tirian, fenician

Tyrian dye/purple ['tiriən 'dai/'pəːpl] *s* **1** *od* (culoarea extrasă din) purpură **2** purpură, culoarea purpurei

tyring ['taiəriŋ] *s* v. **tiring**

tyro ['taiərou] *s* v. **tiro**

Tyrol, the [ti'roul, ðə] *regiune în Austria* Tirol

Tyrolean [ti'rouliən] *adj, s* v. **Tyrolese**

Tyrolese [ˌtirə'liːz] *adj, s* tirolez

Tyrolienne [tiˌrouli'en] *s muz* **1** tiroleză, dans popular tirolez **2** muzică populară tiroleză

Tyrone [ti'roun] **1** *nume masc* **2** *comitat în Irlanda*

tyrosine ['tairəˌsiːn] *s ch* tirozină, aminoacid cristalin obţinut prin descompunerea proteinei

Tyrrhene [ti'riːn], **Tyrrhenian** [ti'riːniən] *s, adj ist* etrusc, tirenian

Tyrrhenian (Sea), the [tiˌriːniən (ˌsiː), ðə] Marea Tireniană

tzar [zɑː] *s* v. **tsar**

tzardom ['zɑːdəm] *s* v. **tsardom**

tzarevitch ['zɑːrivitʃ] *s* v. **tsarevitch**

tzarevna [zɑː'revnə] *s rus* ţarină, ţarevnă

tzarina [zɑː'riːnə] *s* v. **tsarina**

tzarism ['zɑːrizəm] *s* v. **tsarism**

tzarist ['zɑːrist] *s* v. **tsarist**

tzaritza [zɑː'ritsə] *s rus* ţarină

tzetse ['tsetsi] *s* v. **tsetse**

tzetze ['tsetsi] *s* v. **tsetse**

tzigane [tsi'gɑːn] **I** *s* ţigan, rom (↓ *din Ungaria)* **II** *adj muz etc.* ţigănesc, ţigan; de ţigani

U

U, u [juː] *litera* U, u

U. *presc de la* **1 university 2 uranium**

u. *presc de la* **1 uncle 2 unit 3 upper**

UAR *presc de la* **United Arab Republic** R.A.U.

Ubangi [juːˈbæŋgi] *râu în Africa* Ubanghi

ubble-gubble [ˌʌblˈgʌbl] *s amer* bălmăjeală, aiureală; vorbărie goală, spanac(uri)

uberous [ˈjuːbərəs] *adj* cu mult/bogat în lapte; *(d. vacă)* care dă lapte mult

ubiety [juːˈbaiiti] *s* localizare; loc stabilit; ancorare într-un loc/ spaţiu

ubiquitarian [juːˌbikwiˈtɛəriən] *s rel* ubicvitarian, ubicvist

ubiquitarianism [juːˌbikwiˈtɛərienizə m] *s rel* ubicvism, ubicvitate

ubiquitism [juːˌbikwitizə m] *s v.* **ubiquitarianism**

ubiquitous [juːˈbikwitəs] *adj* ubicuu, omniprezent; prezent peste tot; care poate fi găsit oriunde

ubiquity [juːˈbikwiti] *s* ubicuitate, omniprezenţă, calitatea de a fi ubicuu/omniprezent

U-boat [ˈjuːˌbout] *s nav* ← *F* submarin (german)

UC *presc de la* **1 under charge 2 University College**

uc. *presc de la* **upper case**

UCCA *presc de la* **University Central Council on Admissions**

udal [ˈjuːdəl] *s jur* (↓ *ist, scot)* (drept de proprietate dobândit prin) mansuetudine

Udall [ˈjuːdəl], **Nicholas** *dramaturg englez (1505-1556)*

udaller [ˈjuːdələʳ], **udalman** [ˈjuːdəlmən] *s jur* proprietar prin mansuetudine *v.* **udal**

UDC *presc de la* **1 universal decimal classification 2** *ist* **urban district council**

udder [ˈʌdəʳ] *s* uger

uddered [ˈʌdəd] *adj (d. animale)* mamelat, cu uger/mamele

U.D.I. *presc de la* **unilateral declaration of independence**

udometer [juːˈdɔmitəʳ] *s* pluviometru

udometric [juːdɔˈmetrik] *adj* pluviometric

U-English [ˈjuːˈiŋgliʃ] *s* engleza cultă/elevată/aristocratică *(presc de la* **upperclass English)**

UFO, ufo *presc de la* **Unidentified Flying Object** OZN

Uganda [juːˈgændə] *regiune în Africa*

Ugandan [juːˈgændən] *s, adj* ugandez

ugh [uh, ʌh] *interj* **1** *(exprimă uşurarea)* uf! **2** *(exprimă dezgustul etc.)* pfui! fui!

uglesome [ˈʌgləsəm] *adj ←* *înv* urât, slut, hâd

ugli [ˈʌgli] *s bot* tangelo, *hibrid de mandarină cu grapefruit*

uglification [ˌʌglifiˈkeiʃ ən] *s* urâţire

uglify [ˈʌgliˌfai] *vt* a urâţi

uglily [ˈʌglili] *adv* urât, mârşav, scârbos

ugliness [ˈʌglinis] *s* urâţenie, sluţenie, hidoşenie

ugly [ˈʌgli] **I** *adj* **1** urât; hidos; hâd **2** neplăcut, neatrăgător, antipatic **3** ameninţător, cu o înfăţişare ameninţătoare **II** *s v.* **ugli**

ugly customer [ˈʌgli ˈkʌstəməʳ] *s* **1** matahală, zdrahon, huidumă **2** haidamac, mardeiaş

ugly duckling [ˈʌgli ˈdʌkliŋ] *s* persoană (neatrăgătoare) cu calităţi ascunse

Ugrian [ˈuːgriən] *adj v.* **Ugric**

Ugric [ˈuːgrik] *s, adj* ugric

Ugro-Finnic [ˈuːgrouˈfinik] *adj* ugrofinic

UGT. *presc de la* **urgent**

UH *presc de la* **upper half**

UHF, uhf. *presc de la* **ultrahigh frequency**

uh-huh [ˈʌˈhʌ] *interj* îhî! *(exprimă încuviinţarea/confirmarea)*

Uhland [ˈuːlant], **Johann Ludwig** *poet şi istoric german (1787-1862)*

Uighur [ˈwiːguəʳ] *s, adj v.* **Uigur**

Uigur [ˈwiːguəʳ] *s, adj* uigur

Uitlander [ˈeitlandəʳ] *s* străin (↓ englez) din Africa de Sud

UK *presc de la* **United Kingdom (of Great Britain and Northern Ireland)**

UKAEA *presc de la* **United Kingdom Atomic Energy Authority**

ukase [juːˈkeiz] *s* ucaz, poruncă; decret, ordin

Ukraine, (the) [juːˈkrein, (ðə)] Ucraina

Ukrainian [juːˈkreiniən] **I** *adj* ucrainian **II** *s* **1** ucrainian; ucraineancă **2** *lingv* (limba) ucraineană

ukulele [ˌjuːkəˈleili] *s* (ghitară) havaiană

Ulan Bator [uˈlɑːn ˈbɑːtɔːʳ] *capitala R. P. Mongole*

-ular *suf* -ular: **tentacular** tentacular

ulcer [ˈʌlsəʳ] *s* **1** *med* P bubă, buboi, – pustulă, ulceraţie **2** *med* ulcer **3** *fig* corupţie, stricăciune, putreziciune

ulcerable [ˈʌlsərəbəl] *adj med* predispus la ulcer(aţie)

ulcerate [ˈʌlsəˌreit] *vt* **1** *med* a ulcera, a produce o ulceraţie în *sau cu dat* **2** *fig* a răni, a jigni de moarte, a mortifica

ulceration [ˈʌlsəˌreiʃ ən] *s* **1** *med* ulceraţie **2** *fig* rănire, jignire (mortală), mortificare

ulcerative [ˈʌlsəˌreitiv] *adj med* **1** ulceral **2** legat de ulceraţie

ulcered [ˈʌlsəd] *adj med* **1** ulcerat; plin de ulceraţii **2** de natură ulceroasă, ulceros

ulcer-like [ˈʌlsəˌlaik] *adj med* ulceriform, ulceros *v.* **ulcered**

ulcerous [ˈʌlsərəs] *adj* ulceros, (legat) de ulcer

ulcerousness [ˈʌlsərəsnis] *s med* caracter *sau* aspect ulceros

ule [ˈjuːl] *s bot* arbore de cauciuc *(Castillo elastica)*

ulema [juːˈliːmə] *s rel* mahomedană doctor în teologie şi drept divin (↓ în fostul Imperiu Otoman)

-ulent *suf* -ulent: **pulverulent** pulverulent

Ulfila [ˈulfilə] *v.* **Ulfilas**

Ulfilas [ˈulfiˌlæs] Wulfila *prelat al goţilor (311?-381)*

uliginal [juˈlidʒinəl], **uliginose** [juˈlidʒinous] *adj bot* care creşte în locuri mlăştinoase

uliginous [juˈlidʒinəs] *adj v.* **uliginal**

ullage [ˈʌlidʒ] *nav, com* **I** *s* **1** ulaj, cantitate (de lichid *etc.*) necesară umplerii unui butoi cu nivel scăzut; golul rezervorului *etc.;* **filling up of the** ~ umplerea (la loc) a unui butoi cu nivel scăzut **2** *com* (şi **wet** ~) vin *etc.,* care rămâne într-un butoi **3** *în gravură* aşchie scoasă cu dalta **II** *vt com* **1** a calcula cantitatea de lichid care lipseşte din *(un butoi)* **2** a trage puţin lichid *(dintr-un butoi)* **3** a umple la loc *(un butoi cu nivel scăzut)*

ulmic acid ['ʌlmik ˌæsid] *s ch* acid ulmic

ulna ['ʌlnə] *s anat* **1** cubitus **2** scobitura cotului

ulnar ['ʌlnəʳ] *adj anat* cubital; legat de cubitus *sau* de cot

-ulose *suf* -uloză: **levulose** levuloză

-ulous *suf* -ol: **ridiculous** ridicol

Ulpian ['ʌlpiən], **Domitius Ulpianus** jurist roman *(170?-228)*

Ulster ['ʌlstəʳ] Ulster, Irlanda de Nord *(parte din regatul unit al Marii Britanii şi Irlandei de Nord)*

ulster *s* raglan; manta

ulster custom ['ʌlstə ˌkʌstəm] *s jur* formă de posesie funciară sau arendă *(în Irlanda)*

ulsterman ['ʌlstəmən] *s* irlandez din Ulster/Nord

ulsterwoman ['ʌlstə ˌwumən] *s* irlandeză din Ulster/Nord

ult. *presc de la* **1** ultimate **2** ultime

ulterior [ʌl'tiəriəʳ] *adj* **1** ulterior, subsecvent, de mai târziu, posterior **2** ascuns, tainic, abscons

ultima ['ʌltimə] *lat* **I** *adj* ultim, suprem; ~ **ratio** argument suprem (↓ forţa) **II** *s fon, lingv* ultima silabă

ultimacy ['ʌltiməsi] *s* **1** calitatea de a fi ultimul, caracter ultim/final **2** caracter fundamental/de bază

ultimata [ˌʌlti'meitə] *pl de la* **ultimatum**

ultimate ['ʌltimit] *adj* **1** ultim, final **2** fundamental, de bază, esenţial **3** the ~ **facts of nature** fenomene transcendentale inexplicabile *sau* inefabile

ultimate analysis ['ʌltimit ə'næ.lisis] *s* **1** *ch* analiză elementară **2** ultima analiză, fond; **in the** ~ în ultimă analiză, în fond, la urma urmei

ultimately ['ʌltimitli] *adv* **1** la sfârşit, în fine, în cele din urmă; (până) la urmă **2** esenţialmente, funciarmente; în fond, în ultimă instanţă

ultimate weapon ['ʌltimit 'wepən] *s mil* armă absolută

Ultima Thule ['ʌltimə 'θju:li] *s* ultima thule, capătul pământului

ultimatum [ˌʌlti'meitəm], *pl şi* **ultimata** [ˌʌlti'meitə] *s* ultimatum

ultimo ['ʌlti mou] *adv* din luna trecută; **on the 20th** ~ la 20 ale lunii trecute

ultimogeniture [ˌʌltimou'dʒenitʃəʳ] *s jur* ultimogenitură, principiu juridic după care moştenirea revine ultimului născut

ultra ['ʌltrə] **I** *s* extremist **II** *adj* extrem, care întrece limitele

ultra- *pref* ultra-: **ultrashort** ultrascurt

ultra-conservative ['ʌltrə kɔn'sə: vətiv] *adj pol* ultra-conservator

ultracritical ['ʌltrə'kritikəl] *adj* ultracritic

ultra-fashionable ['ʌltrə'fæʃənəbl] *adj* (îmbrăcat) după ultima modă/ ultimul strigăt (al modei), elegant

ultra-flat ['ʌltrə'flæt] *adj* extra-plat

ultra-high ['ʌltrə'hai] *adj rad (d. frecvenţă)* ultraînaltă

ultraism ['ʌltrəizəm] *s* extremism

ultraist ['ʌltrəist] **I** *s v.* **ultra I II** *adj v.* **ultraistic**

ultraistic [ˌʌltrə'istik] *adj* (cu caracter) extremist

ultramarine [ˌʌltrəmə'ri:n] **I** *adj* **1** de peste mări **2** *sl* necuviincios, indecent **II** *s* **1** ultramarin **2** sineală, albastru de rufe

ultramicroscope [ˌʌltrə'maikrə ˌskoup] *s* ultramicroscop

ultramicroscopic(al) [ˌʌltrəˌmaikrə 'skɔpik(əl)] *adj* ultramicroscopic

ultramodern [ˌʌltrə'mɔdən] *adj* ultramodern

ultramontane [ˌʌltrə'mɔntein] **I** *adj* **1** ultramontan, de dincolo de munţi, de peste munţi **2** *ist* cisalpin, italian **3** *od rel* papistăşesc, care sprijină supremaţia papei **II** *s* **1** italian; *ist* cisalpin **2** *rel* adept al supremaţiei papei/al papistăşiei, papistaş

ultramontanism [ˌʌltrə'mɔntinizəm] *s* caracter ultramontan

ultramontanist [ˌʌltrə'mɔntinist] *s v.* **ultramontane II 2**

ultramundane [ˌʌltrə'mʌndein] *adj* situat în afara lumii noastre; situat în afara sistemului nostru solar

ultra-red [ˌʌltrə'red] *adj fiz* infraroşu

ultrarevolutionary [ˌʌltrəreve 'lu:ʃənəri] *adj, s* ultrarevoluţionar

ultra-rich ['ʌltrə'ritʃ] *adj* putred de bogat, care se scaldă în gologani/bani

ultra-royalist ['ʌltrə'rɔiəlist] *adj, s* ultra-regalist

ultra-sentimental ['ʌltrəˌsenti'mentl] *adj* sentimental până la exagerare, exagerat de sentimental

ultrashort [ˌʌltrə'ʃɔ:t] *adj* ultrascurt

ultra-short wave [ˌʌltrə'ʃɔ:t ˌweiv] *s el, tel* undă ultrascurtă

ultrasonic [ˌʌltrə'sɔnik] *adj* ultrasonic; supersonic

ultrasound [ˌʌltrə'saund] *s fiz* ultrasunet

ultraviolet [ˌʌltrə'vaiəlit] *s, adj* ultraviolet

ultraviolet light [ˌʌltrə'vaiəlit 'lait] *s fiz* lumină ultravioletă; raze ultraviolete

ultra vires [ˌʌltrə 'vaiəri:z] **I** *adj jur* **1** care depăşeşte puterile, competenţa *sau* autoritatea cuiva **2** abuziv **II** *vi* a comite un abuz de putere

ultravirus [ˌʌltrə'vairəs], *pl* **ultraviri** [ˌʌltrə'vairai] *s med* ultravirus

ululant ['ju:ljulənt] *adj* **1** urlător, ţipător, care urlă/ţipă; zgomotos, gălăgios **2** jelitor, care boceşte/ plânge/jeleşte/se lamentează

ululate ['ju:lju leit] *vi* **1** a urla, a ţipa **2** a se jeli/lamenta, a boci; a plânge

ululation [ˌju:lju'leiʃən] *s* **1** urlet *sau* ţipăt prelung; vaier (prelung) **2** bocet, plânset; lamentaţie

Ulysses [ju:'lisi:z] *mit, ist, lit* Ulise, Odiseu

umbel ['ʌmbəl], **umbella** [ʌm'belə], *pl şi* **umbellae** [ʌm'beli:] *s bot* umbelă, inflorescenţă umbeliformă

umbellate ['ʌmbileit], **umbellated** ['ʌmbileitid] *adj bot* umbelifer

umbellet ['ʌmbilit] *s bot* umbelulă

umbellifer [ʌm'belifəʳ] *s bot* umbeliferă

umbelliferous [ˌʌmbe'lifərəs] *adj bot* umbelifer

umbelliform [ʌm'belifɔ:m] *adj bot* umbeliform

umbellule [ʌm'belju:l] *s bot* umbelulă

umber ['ʌmbəʳ] **I** *s* **1** pământ/lut ocru/ roşietic (şi **raw** ~); **burnt** ~ pământ/lut ars (mai închis la culoare) **2** (culoarea) ocru **II** *adj* ocru; roşietic **III** *vt* a colora ocru/ roşietic; a înroşi

umber bird ['ʌmbə͵bə:d] *s orn* bâtlan roșu african *(Scopus umbretta)*

umbilical [ʌm'bilikəl] *adj* **1** ombilical **2** central, din partea centrală a abdomenului

umbilical cord [ʌm'bilikəl ͵kɔ:d] *s anat* cordon ombilical

umbilicus [ʌm'bilikəs] *s* **1** *anat* ombilic, buric **2** *fig* buric, centru; inimă; miez

umbles ['ʌmbəlz] *s pl înv* măruntaie/ organe interne *sau* resturi de la carnea de vânat *(↓ cerb)*

umbo ['ʌmbou], *pl și* **umbones** [ʌm'bouni:z] *s* **1** *mil* bosă, bumb, protuberanța *(la scut)* **2** *zool* protuberanță; nod; moț

umbonal ['ʌmbənəl], **umbonate** ['ʌmbənit] *adj* protuberant, cu protuberanța *etc. v.* **umbo**

umbra ['ʌmbrə] *s* **1** zonă de umbră **2** *astr* con de umbră **3** penumbră

umbrage ['ʌmbridʒ] *s* **1** umbră **2** frunziș **3** umbrar **4** aluzie; indicație **5** îndoială, suspiciune, bănuială **6** resentiment; supărare; pică; ranchiună; **to take ~** a se ofensa, a se supăra

umbrageous [ʌm'breidʒəs] *adj* **1** umbros **2** răcoros **3** adăpostit **4** întunecos **5** supărăcios, țâfnos, gata să se ofenseze

umbrageousness [ʌm'breidʒəsnis] *s* hipersensibilitate, susceptibilitate exagerată, *F* arțag

umbrella [ʌm'brelə] *s* umbrelă

umbrella aerial [ʌm'brelə ͵ɛəriəl] *s telev* antenă-umbrelă

umbrella barrage [ʌm'brelə ͵bæra:ʒ] *s mil* baraj de protecție

umbrella bird [ʌm'brelə ͵bə:d] *s orn* pasăre nord-americană cu creasta răsfirată *(Cephalopterus sp.)*

umbrella case/cover(ing) [ʌm'brelə ͵keis/͵kʌvər-(iŋ)] *s* toc/husă de umbrelă

umbrella duty [ʌm'brelə ͵dju:ti] *s av, nav sl* zbor de escortă/însoțire *(pt avioane de vânătoare)*

umbrellaed ['ʌmbreləd] *adj F* procopsit cu umbrelă; apărat de umbrelă

umbrella man [ʌm'brelə ͵mæn] *s* **1** fabricant de umbrele **2** *av sl* parașutist

umbrella-shaped [ʌm'brelə͵ʃeipt] *adj* umbeliform, în formă de umbrelă

umbrella sheath [ʌm'brelə ͵ʃi:ð] *s v.* **umbrella case**

umbrella stand [ʌm'brelə ͵stænd] *s* cuier/suport pentru umbrele

umbrella term [ʌm'brelə ͵tə:m] *s* termen generic *sau* vag

umbrella tree [ʌm'brelə ͵tri:] *s bot* magnolie americană *(Magnolia tripetala)*

umbrette [ʌm'bret] *s orn v.* **umber bird**

Umbria ['ʌmbriə] *regiune în Italia*

Umbrian ['ʌmbriən] *s, adj ist* umbrian

umiak ['u:mi͵æk] *s* caiac/umiac, barcă din piele *(la eschimoși)*

umlaut ['umlaut] **I** *s lingv* **1** umlaut, metafonie *(palatalizare a vocalelor a, o, u – în germană)* **2** tremă, umlaut, diereză, semn diacritic **II** *vt* a schimba/a modifica prin umlaut

ump [ʌmp] *s, vt, vi F v.* **umpire**

umph [hm, ʌmf] *interj c.* **humph** **I**

umpie ['ʌmpi] *s austr F v.* **umpire**

umpirage ['ʌmpaiəridʒ] *s sport* **1** arbitraj, arbitrare **2** hotărâre a arbitrului **3** funcție *sau* autoritate de arbitru

umpire ['ʌmpaiər] **I** *s* arbitru **II** *vt* a arbitra **III** *vi* a arbitra, a funcționa ca arbitru

umpireship ['ʌmpaiəʃip] *s* funcția *sau* meseria de arbitru

umpteen [͵ʌmp'ti:n] *adj umor* **1** mulți, numeroși **2** mult, enorm, colosal (de mult)

umpteenth [͵ʌmp'ti:nθ] *num umor* al nu știu câtelea

umpty ['ʌmpti] *adj F* **1** *(d. o persoană)* indispus, care se simte prost/nu e în apele lui **2** *(d. un spectacol)* nereușit, ratat, slab, prost

umpty show ['ʌmpti ͵ʃou] *s teatru F* **1** piesă proastă/slabă **2** spectacol slab/nereușit/ratat

umpty-umpth ['ʌmpti ͵ʌmpθ] *adj v.* **umpteen**

UMT *presc de la* **universal military training**

umteen [ʌm'ti:n] *adj v.* **umpteen**

UN *presc de la* **United Nations**

'un [ən] *F* **I** *pr* cineva; unul, una **II** *s* persoană; **a little ~** un țânc, un copilaș, o gâgâlice de copil

un- *pref* **1** ne-: **unaffected** neafectat **2** in-: **unacceptable** inacceptabil

UNA *presc de la* **United Nations Association** Asociația pentru Națiunile Unite

unabandoned [͵ʌnə'bændənd] *adj* **1** nelăsat în părăsire, neabandonat **2** *(d. obicei, tradiție)* remanent, continuat, păstrat, dus mai departe **3** *(d. nărav)* înrădăcinat, de care nu te dezbari

unabashed [͵ʌnə'bæʃt] *adj* **1** *v.* **unashamed 2** mândru, trufaș, țanțoș, orgolios; arogant

unabated [͵ʌnə'beitid] *adj* **1** (de) neabătut **2** nedomolit, nepotolit, necurmat **3** neclintit, inflexibil; dârz

unabatedly [͵ʌnə'beitidli] *adv* fără încetare

unabating [͵ʌnə'beitiŋ] *adj* persistent, susținut

unabbreviated [͵ʌnə'bri:vi͵eitid] *adj v.* **unabridged 1**

unabetted [͵ʌnə'betid] *adj* **1** neîncurajat, nesprijinit **2** *(d. un răufăcător)* fără complici, care a lucrat singur

unabiding [͵ʌnə'baidiŋ] *adj* efemer, trecător, instabil, nestatornic

unable [ʌn'eibəl] *adj* incapabil, neputincios; **to be ~ to a** a nu putea să, a fi incapabil să **b** a fi/a se afla în imposibilitate să/de a

unableness [ʌn'eibəlnis] *s* incapacitate, neputință

unabolishable [͵ʌnə'boliʃəbl] *adj* de nedesființat, stabil, sigur, remanent

unabridged ['ʌnə'bridʒd] *adj* **1** neprescurtat; neabreviat **2** întreg; neciuntit; fără tăieturi

unabrogated [ʌn'æbrougeitid] *adj* neabrogat, rămas (încă) în vigoare

unabsolved [͵ʌnəb'solvd] *adj* neabsolvit (de pedeapsă); neiertat, care nu a obținut iertarea

unabsorbent [͵ʌnəb'sɔ:bənt] *adj* hidrofug; neabsorbant

unacademic [͵ʌnækə'demik] *adj* neacademic

unaccented ['ʌnək'sentid] *adj v.* **unaccentuated 1**

unaccented beat ['ʌnək'sentid 'bi:t] *s muz* timp slab/nemarcat

unaccented octave ['ʌnək'sentid 'okteiv] *s muz* octavă micșorată

unaccentuated ['ʌnək'sentju͵eitid] *adj* **1** neaccentuat, fără accent **2** nesubliniat; fără apăsare/subliniere

unacceptability [͵ʌnəkseptə'biliti] *s* caracter inacceptabil/imposibil, inacceptabilitate

unacceptable [,ʌnək'septəbl] *adj* inacceptabil, de neacceptat; intolerabil

unaccepted [,ʌnək'septid] *adj* 1 neacceptat 2 *v.* **unacceptable**

unaccessible [,ʌnək'sesəbl] *adj* inaccesibil, de neatins; la care nu se poate ajunge

unaccessibleness [,ʌnək'sesəblnis] *s* inacceptibilitate, caracter inaccesibil; imposibilitate (de realizare)

unacclimated [,ʌnə'klaimətid] *adj* neaclimatizat; prost aclimatizat

unacclimatized [,ʌnə'klaimətaizd] *adj v.* **unacclimated**

unaccommodated [,ʌnə'kɔmə,deitid] *adj* 1 nearanjat, necazat, neinstalat 2 neaprovizionat, prost aprovizionat

unaccommodating [,ʌnə'kɔmə,deitiɳ] *adj* 1 incomod, neconfortabil, lipsit de confort 2 neprimitor, neospitalier, inospitalier

unaccompanied ['ʌnə'kʌmpənid] *adj* 1 neînsoțit, singur 2 *muz* fără acompaniament; **sonata** *etc.* **for ~ violin** sonată *etc.* pentru vioară solo

unaccomplishable [,ʌnə'kɔmpliʃəbl] *adj* irealizabil, nerealizabil, imposibil (de făcut/realizat)

unaccomplished [,ʌnə'kɔmpliʃt] *adj* 1 nedesăvârșit; neperfectat 2 nerealizat, nefăcut 3 imperfect, cu imperfecțiuni

unaccountability [,ʌnəkauntə'biliti] *s* caracter inexplicabil/nejustificabil; lipsă de justificare/motivare

unaccountable [,ʌnə'kauntəbl] *adj* 1 inexplicabil, fără explicație, de neexplicat 2 nejustificat, nemotivat

unaccountableness [,ʌnə'kauntəblnis] *s* 1 caracter inexplicabil *sau* nejustificat 2 iresponsabilitate; comportare/purtare absurdă; absurditate; absurditate a comportamentului; nesăbuință

unaccountably [,ʌnə'kauntəbli] *adv* (în mod) inexplicabil *sau* nejustificat

unaccounted for [,ʌnə'kauntid fəʳ] *adj cu prep* 1 neexplicat 2 *com* neînregistrat/netrecut *(într-un registru etc.)* 3 de nejustificat, fără justificare/motiv

unaccredited [,ʌnə'kreditid] *adj* neacreditat

unaccustomed [,ʌnə'kʌstəmd] *adj* **(to)** neobișnuit, nedeprins (cu/să)

unaccustomedness [,ʌnə'kʌstəmdnis] *s* **(to)** neobișnuință, lipsa deprinderii (de a); lipsă de experiență

unachievable [,ʌnə'tʃi:vəbl] *adj* 1 *v.* **unaccomplishable** 2 de neexecutat

unachieved [,ʌnə'tʃi:vd] *adj* neterminat, neisprăvit, nerealizat

unacknowledged [,ʌnək'nɔlidʒd] *adj* nerecunoscut; neconsacrat

unacquaintance [,ʌnə'kweintəns] *s* **(with)** ignoranță/necunoaștere *(cu gen)*; neștiință

unacquaintedness [,ʌnə'kweintidnis] *s v.* **unaquaintance**

unacquainted with [,ʌnə'kweintid wið] *adj cu prep* necunoscător al *(cu gen)*; nepus la curent/nefamiliarizat cu

unacquirable [,ʌnə'kwairəbl] *adj* de nedobândit, imposibil de dobândit

unacquired [,ʌnə'kwaiəd] *adj* 1 (rămas) nedobândit 2 înnăscut, firesc, de la natură *(nu însușit prin educație)*

unacquitted [,ʌnə'kwitid] *adj (d. acuzat)* neachitat, neabsolvit de pedeapsă

unactable [ʌn'æktəbl] *adj teatru etc.* de nejucat

unacted [ʌn'æktid] *adj teatru etc.* nejucat, inedit

unacted upon [ʌn'æktid ə,pɔn] *adj cu prep (d. metal)* neatacat (de acizi), necorodat

unadaptable [,ʌnə'dæptəbl] *adj* inadaptabil, greu adaptabil

unadapted [,ʌnə'dæptid] *adj* 1 neadaptat 2 *v.* **unadaptable**

unaddressed [,ʌnə'drest] *adj (d. scrisoare, pachet)* fără adresă

unadhesive [,ʌnəd'hi:siv] *adj* neaderent, lipsit de adezivitate/aderență

unadjudged [,ʌnə'dʒʌdʒd] *adj* 1 *jur* nejudecat, în litigiu; nerezolvat; în suspensie 2 *(d. un premiu)* neatribuit; neadjudecat

unadjusted [,ʌnə'dʒʌstid] *adj* 1 neajustat 2 *v.* **unadapted**

unadmired [,ʌnəd'maiəd] *adj* fără admiratori, care nu inspiră admirație

unadmiring [,ʌnəd'maiəriɳ] *adj* **(of)** indiferent, nepăsător, insensibil, rece (față de)

unadmissible [,ʌnəd'misəbəl] *adj rar* inadmisibil, inacceptabil

unadmitted [,ʌnəd'mitid] *adj* 1 neadmis 2 *(d. greșeală etc.)* nemărturisit, nerecunoscut

unadmonished [,ʌnəd'mɔniʃt] *adj* neprevenit

unadorned [,ʌnə'dɔ:nd] *adj* neornamentat, neînfrumusețat; natural; pur

unadulterated [,ʌnə'dʌltəreitid] *adj* 1 *(d. băutură)* pur, natural, neamestecat 2 *(d. sentimente)* curat, pur, sincer; **out of ~ malice** din pură răutate/maliție

unadvantageous ['ʌn,ædvən'teidʒəs] *adj* neavantajos, nefavorabil

unadventurous [,ʌnəd'ventʃərəs] *adj* lipsit de spirit de aventură; cuminte, prudent

unadvertised [,ʌn'ædvə,taizd] *adj* căruia nu i s-a făcut/nu i se face reclamă

unadvisable [,ʌnəd'vaizəbl] *adj* 1 nerecomandabil 2 lipsit de înțelepciune 3 nerațional, refractar la sfaturi; care nu vrea să asculte de glasul rațiunii 4 *(d. o acțiune)* nerecomandabil, nesăbuit, imprudent

unadvisableness [,ʌnəd'vaizəblnis] *s* 1 încăpățânare 2 nesăbuință 3 caracter nerecomandabil/imprudent

unadvised [,ʌnəd'vaizd] *adj* 1 nesfătuit, neavizat; neinformat 2 greșit; lipsit de înțelepciune; absurd; nerațional 3 greșit, nesăbuit

unadvisedly [,ʌnəd'vaizidli] *adv* (în mod) nesăbuit/necugetat/imprudent/nechibzuit

unadvisedness [,ʌnəd'vaizidnis] *s v.* **unadvisableness** 2

unaesthetic [,ʌni:s'θetik] *adj* inestetic; lipsit de frumusețe

unaffable ['ʌn'æfəbəl] *adj* neprevenitor, nepoliticos; lipsit de bunăvoință *sau* curtenie

unaffected [,ʌnə'fektid] *adj* 1 neafectat, natural, lipsit de afectare 2 sincer, simplu, direct

unaffectedly [,ʌnə'fektidli] *adv* (în mod) firesc/simplu/natural; fără afectare, cu naturalețe

unaffectedness [,ʌnə'fektidnis] *s* simplitate, naturalețe, lipsă de afectare

unaffiliated [,ʌnə'fili,eitid] *adj* neafiliat; neînregistrat; neînregimentat

unaffirmed [ˌʌnəˈfəːmd] *adj* neafirmat; nesusţinut

unaffrighted [ˌʌnəˈfraitid] *adj lit sau înv* neînfricoşat

unafraid [ˌʌnəˈfreid] *adj* netemător; neînfricat; tare de înger, curajos

unaggressive [ˌʌnəˈgresiv] *adj* lipsit de agresivitate; inofensiv, paşnic, pacific

unagreeable [ˌʌnəˈgriːəbl] *adj rar* 1 neplăcut 2 (to) incompatibil (cu)

unagreeable to [ˌʌnəˈgriːəbl tə] *adj cu prep* care nu concordă cu

unaided [ʌnˈeidid] *adj* fără ajutorul nimănui, neajutorat, lipsit de ajutor

unailing [ʌnˈeiliŋ] *adj* sănătos, zdravăn, care nu simte nici o durere

unaired [ʌnˈɛəd] *adj* neaerisit, lipsit de aer; *(d. aer)* stătut, înăbuşitor

unalarmed [ˌʌnəˈlaːmd] *adj* liniştit, calm, ferit de spaimă

unalienable [ʌnˈeiljənəbəl] *adj* inalienabil, de neînstrăinat

unalienated [ˌʌnˈeiliəneitid] *adj* nealienat, neînstrăinat

unaligned [ʌnəˈlaind] *adj* 1 nealiniat 2 neangajat, neînregimentat; neutru

unallayed [ˌʌnəˈleid] *adj* 1 *(d. durere etc.)* neogoit, nepotolit, neostoit, neabătut, neuşurat 2 *înv (d. fericire etc.)* neumbrit, neîntunecat

unalleviated [ˌʌnəˈliːviˌeitid] *adj (d. durere, suferinţă)* 1 neîmblânzit, nepotolit 2 *v.* **unallayed 1**

unalloted [ˌʌnəˈlɔtid] *adj (d. fonduri, timp etc.)* disponibil

unallowable [ˌʌnəˈlauəbl] *adj* (de) nepermis/neîngăduit, inadmisibil, intolerabil

unalloyed [ˌʌnəˈlɔid] *adj* 1 *(d. metal)* pur, nealiat 2 *fig* pur, curat; neumbrit; desăvârşit

unalterability [ʌnˌɔːltərəˈbiliti] *s v.* **unalterableness**

unalterable [ʌnˈɔːltərəbl] *adj* 1 (de) neschimbat/nemodificat; care nu poate fi schimbat 2 nestrămutat; neabătut 3 consecvent 4 constant; fidel, credincios

unalterableness [ʌnˈɔːltərəblnis] *s* invariabilitate, caracter nealterabil

unalterably [ʌnˈɔːltərəbli] *adv* 1 fără putinţă de schimbare/modificare 2 (în mod) ferm/nestrămutat/neclintit; cu dârzenie/consecvenţă 3 (în mod) constant

unaltered [ʌnˈɔːltəd] *adj* 1 neschimbat, nemodificat 2 *v.* **unalterable 2, 3**

unaltering [ʌnˈɔːltəriŋ] *adj* care nu se schimbă, neschimbat, neschimbător, neschimbăcios, statornic, constant, permanent

unamazed [ˌʌnəˈmeizd] *adj* (by) deloc uimit/surprins (de); calm, rece, indiferent faţă de

unambiguity [ˌʌnæmbiˈgjuiti] *s* lipsă de echivoc/ambiguitate, claritate, precizie, caracter categoric/precis

unambiguous [ˌʌnæmˈbigjuəs] *adj* ferit de ambiguitate/echivoc; fără echivoc, clar; răspicat

unambiguously [ˌʌnæmˈbigjuəsli] *adv* limpede, clar, fără echivoc/ambiguitate

unambiguousness [ˌʌnæmˈbigjuəsnis] *s v.* **unambiguity**

unambitious [ˌʌnæmˈbiʃəs] *adj* lipsit de ambiţii, modest; cuminte, la locul lui

unamenable [ˌʌnəˈmiːnəbəl] *adj* 1 recalcitrant, dificil, nesupus, neascultător 2 împietrit, neînduplecat, inflexibil 3 *jur* iresponsabil

unamendable [ˌʌnəˈmendəbəl] *adj* incorigibil, de necorectat/neîndreptat, refractar la educaţie; ineducabil

unamended [ˌʌnəˈmendid] *adj* nemodificat; fără amendamente

un-American [ˈʌnəˈmerikən] *adj* antiamerican

un-American Activities Committee [ˌʌnəˈmerikən əkˈtivitiz kəˈmiti] *s od* Comitetul (Senatului S.U.A.) pentru cercetarea activităţilor antiamericane

un-Americanize [ˈʌnəˈmerikəˌnaiz] *vt* a dezamericaniza

unamiability [ʌnˌeimiəˈbiliti] *s* lipsă de amabilitate/cordialitate/politeţe, răceală

unamiable [ʌnˈeimiəbl] *adj* lipsit de amabilitate *sau* blândeţe; neprietenos; antipatic

unamiableness [ʌnˈeimiəblnis] *s v.* **unamiability**

Unammuno y Jugo [ˌunaˈmuno i ˈhugo], **Miguel de** *filosof şi scriitor spaniol (1864-1936)*

unamplified [ʌnˈæmplifaid] *adj* neamplificat

unamused [ˌʌnəˈmjuːzd] *adj* neamuzat, plictisit, rece; care nu face haz

unamusing [ˌʌnəˈmjuːziŋ] *adj* fără haz, fără sare şi piper; neamuzant, plictisitor

unan. *presc de la* **unanimous**

unanalysable [ˈʌnˈænəlaizəbl] *adj* neanalizabil, care nu se pretează la analiză

unanalytical [ˌʌnænəˈlitikəl] *adj* neanalitic

unanimated [ˈʌnˈænimeitid] *adj* neînsufleţit

unanimity [ˌjuːnəˈnimiti] *s* unanimitate

unanimous [juːˈnæniməs] *adj* unanim

unanimously [juːˈnæniməsli] *adv* (în mod) unanim, în unanimitate; într-un glas

unanimousness [juːˈnæniməsnis] *s* unanimitate, caracter unanim

unannexed [ˌʌnəˈnekst] *adj* neanexat

unannounced [ˌʌnəˈnaunst] *adj* neanunţat, nevestit; neproclamat

unanswerable [ʌnˈɑːnsərəbəl] *adj* 1 fără răspuns, la care nu se poate răspunde 2 incontestabil, irefutabil, peremptoriu; (de) netăgăduit; categoric; precis

unanswerableness [ʌnˈɑːnsərəbəlnis] *s* caracter irefutabil *(la unui argument etc.)*

unanswerably [ʌnˈɑːnsərəbli] *adv* fără putinţă de răspuns *sau* tăgadă

unanswered [ʌnˈɑːnsəd] *adj* rămas fără răspuns

unanticipated [ˌʌnænˈtisipeitid] *adj* neprevăzut, neaşteptat

unapparelled [ˌʌnəˈpærəld] *adj* neîmbrăcat; fără haine, dezbrăcat

unapparent [ˌʌnəˈpɛərənt] *adj* 1 inaparent 2 neevident; vag; neclar

unappealable [ˌʌnəˈpiːləbəl] *adj jur* fără (drept de) apel; definitiv

unappeasable [ˌʌnəˈpiːzəbəl] *adj* 1 *(despre foame, sete, suferinţă etc.)* nepotolit, nedomolit, neostoit, neogoit 2 tulburat/agitat peste măsură

unappeased [ˌʌnəˈpiːzd] *adj* nepotoplit, nedomolit; neîmpăcat; neliniştit

unappetizing [ʌnˈæpətaiziŋ] *adj* 1 neatrăgător; neispititor; care nu-ţi face poftă 2 respingător, repulsiv

unapplied [ˌʌnəˈplaid] *adj* neaplicat; nefolosit; neutilizat

unapplied for [,ʌnə'plaid fər] *adj cu prep* nesolicitat (încă)

unappreciated [,ʌnə'priːʃieitid] *adj* 1 neapreciat, neprețuit (cum se cuvine) 2 *v.* **unacknowledged**

unappreciative [,ʌnə'priːʃiətiv] *adj* 1 care nu apreciază/prețuiește (suficient/cum se cuvine) 2 nerecunoscător, ingrat

unapprehended [,ʌnæpri'hendid] *adj* 1 neînțeles 2 care nu a fost prins, aflat în libertate

unapprehensive [,ʌnæpri'hensiv] *adj* 1 neinteligent, lipsit de înțelegere; obtuz 2 (**of**) nepăsător (față de), căruia nu-i pasă (de)

unapprehensiveness [,ʌnæpri'hensivnis] *s* 1 lipsă de inteligență/înțelegere, opacitate, obtuzitate 2 nepăsare

unapprised of [,ʌnə'praizd əv] *adj cu prep* neprevenit de, ignorând *(cu ac)*, necunoscător *(cu gen)*

unapproachable [,ʌnə'prəutʃəbəl] *adj* de care nu te poți apropia; inaccesibil; inabordabil

unapproachableness [,ʌnə'prəutʃəblnis] *s* inaccesibilitate, caracter inaccesibil

unapproached [,ʌnə'prəutʃt] *adj* neatins; care nu poate fi atins; care nu a fost abordat

unappropriated [,ʌnə'prəuprieitid] *adj* 1 neînsușit 2 nealocat, nerepartizat

unappropriated blessing [,ʌnə'prəuprieitid 'blesiŋ] *s F* 1 fată de măritat 2 fată bătrână

unapproved [,ʌnə'pruːvd] *adj* neaprobat, care nu a primit aprobare; clandestin

unapt [ʌn'æpt] *adj* 1 inapt, incapabil, neputincios 2 nepotrivit, impropriu 3 ~ **to do smth** (prea) puțin dispus/înclinat să facă ceva

unaptly [ʌn'æptli] *adv* impropriu; **not ~ called a plagiarist** numit pe bună dreptate plagiator

unaptness [ʌn'æptnis] *s* 1 nepotrivire; caracter inoportun 2 incapacitate; inaptitudine

unarmed [ʌn'ɑːmd] *adj* 1 neînarmat, nefortificat, neîntărit 2 *bot, zool* fără arme de apărare

unarmoured [ʌn'ɑːməd] *adj mil* fără armură/paloșă; neblindat, necuirasat

unarrested [,ʌnə'restid] *adj* neîncetat; fără oprire, necurmat, continuu

unartful [ʌn'ɑːtful] *adj* 1 simplu, natural, fără artificii 2 *rar* nedibaci, neîndemânatic

unartificial [,ʌnɑːti'fiʃəl] *adj* neartificial, natural, simplu, ferit de artificialitate

unartistic ['ʌnɑː'tistik] *adj* inestetic, lipsit de artă/finețe; lipsit de merite artistice/de valoare artistică

unascertainable [,ʌnæsə'teinəbəl] *adj* neverificabil; nedeterminabil

unascertained [,ʌnæsə'teind] *adj* 1 neverificat, neatestat, nerecunoscut 2 *lingv* neatestat

unasg. *presc de la* **unassigned**

unashamed [,ʌnə'ʃeimd] *adj* care nu a fost rușinat/făcut de rușine/de râs; care nu a suferit o rușine/înjosire

unaskable [ʌn'ɑːskəbəl] *adj* 1 (d. o întrebare etc.) care nu trebuie pus 2 care nu trebuie cerut/râvnit

unasked for [ʌn'ɑːskt fər] *adj cu prep v.* **uncalled for**

unaspirated [ʌn'æspireitid] *adj lingv* neaspirat, fără aspirație

unaspiring [,ʌnəs'paiəriŋ] *adj v.* **unambitious**

unassailability [,ʌnəseilə'biliti] *s* 1 inatacabilitate, caracter inatacabil 2 caracter indiscutabil, incontestabil, irefutabil *(al unor argumente etc.)*

unassailable [,ʌnə'seiləbəl] *adj* 1 (d. o fortăreață etc.) de necucerit, invulnerabil 2 (d. concluzii, argumente) incontestabil, indiscutabil, irefutabil, zdrobitor, mai presus de orice discuție

unassailably [,ʌnə'seiləbli] *adv* 1 (în mod) inatacabil; ferit de atacuri 2 *jur* (în mod) inatacabil/irefutabil; mai presus de/în afară de orice îndoială; (în mod) implicit

unassaultable [,ʌnə'sɔːltəbəl] *adj v.* **unassailable 1**

unassayed [,ʌnə'seid] *adj* neîncercat, neaprobat, neverificat

unasserted [,ʌnə'səːtid] *adj* neafirmat; nesusținut

unassertive [,ʌnə'səːtiv] *adj* 1 modest, timid; așezat, la locul lui 2 care nu știe să se impună

unassignable [,ʌnə'sainəbəl] *adj* 1 greu de precizat/stabilit/determinat, care nu poate fi determinat cu precizie 2 *jur* netransferabil, inalienabil

unassigned [,ʌnə'saind] *adj* nerepartizat, nedistribuit, neatribuit

unassimilated [,ʌnə'simileitid] *adj* neasimilat; prost asimilat

unassisted [,ʌnə'sistid] *adj v.* **unaided**

unassociated [,ʌnə'souʃieitid] *adj* 1 fără asociați 2 fără legătură (cu ceva), nelegat (de ceva)

unassuaged [,ʌnə'sweidʒd] *adj (d. suferințe, foame etc.)* nedomolit, nepotolit, neostoit, neogoit, nealinat

unassuming [,ʌnə'sjuːmiŋ] *adj* modest, cuminte, fără pretenții, la locul lui

unassured [,ʌnə'ʃuəd] *adj* 1 (d. succese etc.) nesigur, îndoielnic 2 *ec* neasigurat

unastonished [,ʌnəs'toniʃt] *adj* nesurprins, care nu e mirat, calm, impasibil *v. și* **unamazed**

unatonable [,ʌnə'tounəbəl] *adj (d. păcat etc.)* (de) neiertat, de neispășit, care nu se poate răscumpăra

unatoned [,ʌnə'tound] *adj (d. păcat etc.)* neispășit, nerăscumpărat

unattached [,ʌnə'tætʃt] *adj* 1 nelegat, neatașat, neprins; neînsoțit; ~ **young lady** tânără nelogodită; ~ **bachelor** burlac liber/neangajat față de nimeni 2 *mil* în disponibilitate 3 (d. ziarist) independent 4 (d. preot) fără parohie

unattackable [,ʌnə'tækəbəl] *adj* inatacabil

unattainable [,ʌnə'teinəbəl] *adj (d. țel etc.)* de neatins, imposibil de atins; suprem

unattainableness [,ʌnə'teinəblnis] *s* inaccesibilitate; caracter irealizabil

unattained [,ʌnə'teind] *adj* 1 nemurdărit, nepătat, imaculat 2 *fig* imparțial, nepărtinitor

unattemptable [,ʌnə'temptəbəl] *adj* care nu poate fi încercat

unattempted [,ʌnə'temptid] *adj* lipsit de participare/participanți; fără participare *sau* public

unattending [,ʌnə'tendiŋ] *adj* (**to**) neatent (la)

unattentive [,ʌnə'tentiv] *adj* 1 (**to**) neatent (la, față de) 2 neprevenitor, neserviabil

unattenuated [,ʌnə'tenjueitid] *adj* neatenuant, neslăbit, nemicșorat, nediminuat

unattested [ˌʌnə'testid] *adj* nedovedit; neconfirmat; necoroborat

unattired [ˌʌnə'taiəd] *adj* **1** neîmbrăcat, dezbrăcat **2** fără găteli,neîmpodobit, neornamentat **3** *fig (d. adevăr)* gol-goluţ, curat

unattractive [ˌʌnə'træktiv] *adj* neatrăgător, lipsit de atracţie; neispititor; neplăcut

unattractiveness [ˌʌnə'træktivnis] *s* lipsă de atracţie, caracter neatrăgător

unaugmented [ˌʌnɔ:'g'mentid] *adj* nesporit, nemărit, neadăugat

unauspicious [ˌʌnɔ:s'piʃəs] *adj* nefavorabil, care nu e propice; sumbru, funest, de rău augur

unauthentic [ˌʌnɔ:'θentik] *adj* neautentic, lipsit de autenticitate

unauthenticated [ˌʌnɔ:'θentikeitid] *adj* **1** neautentificat **2** neconfirmat

unauthenticity [ˌʌnɔ:θen'tisiti] *s* lipsă de autenticitate, caracter neautentic

unauthoritative [ˌʌnɔ:'θɔ:ritətiv] *adj* fără autoritate, lipsit de autoritate; neautoritar

unauthorized [ʌn'ɔ:θə,raizd] *adj* **1** neîngăduit, neautorizat; făcut fără permisiune/autorizaţie **2** abuziv; fraudulos, pirateresc **3** neoficial

unauthorized requisitioning [ʌn'ɔ:θə,raizd ,rekwi'ziʃəniŋ] *s* rechiziţie abuzivă

unavailability [ˌʌnəveilə'biliti] *s* **1** indisponibilitate; lipsă, absenţă **2** inutilitate, ineficacitate

unavailable [ˌʌnə'veiləbəl] *adj* de negăsit, care lipseşte; absent *(de pe piaţă etc.)*

unavailableness [ˌʌnə'veiləbəlnis] *s* v. **unavailability**

unavailing [ˌʌnə'veiliŋ] *adj* inutil, zadarnic, fără rost, care nu slujeşte/serveşte la nimic

unavailingly [ˌʌnə'veiliŋli] *adj* zadarnic, inutil, în van

unavenged [ˌʌnə'vendʒd] *adv* nerăzbunat

unavoidable [ˌʌnə'vɔidəbəl] *adj* **1** inevitabil, de neevitat, imposibil de evitat, de care nu poţi scăpa **2** ineluctabil

unavoidableness [ˌʌnə'vɔidəbəlnis] *s* inevitabilitate

unavoidably [ˌʌnə'vɔidəbli] *adv* inevitabil

unavowed [ˌʌnə'vaud] *adj* nemărturisit; tainic, (nutrit în) ascuns/secret

unawakened [ˌʌnə'weikənd] *adj* **1** netezit, adormit; toropit **2** latent, în stare latentă

unawarded [ˌʌnə'wɔ:did] *adj* nerăsplătit, nerecompensat

unaware [ˌʌnə'wɛəʳ] *adj* **1** luat prin surprindere/pe neaşteptate **2** surprins, mirat, uimit **3** neatent **4** în necunoştinţă de cauză; inconştient

unawareness [ˌʌnə'wɛərnis] *s* neştiinţă, ignoranţă

unawares [ˌʌnə'wɛəz] *adv* **1** pe neaşteptate, pe nepusă masă; prin surprindere **2** fără voie; inconştient

unawed [ʌn'ɔ:d] *adj* **1** neînfricat, neînspăimântat **2** neintimidat, care nu se lasă intimidat **3** neimpresionat

unbaffled [ʌn'bæfld] *adj* nepăcălit, neînşelat

unbaked [ʌn'beikt] *adj* necopt (bine), crud, nefăcut

unbalance [ʌn'bæləns] **I** *s* **1** dezechilibru, defect de echilibrare **2** *ec* debalanţă, dezechilibru **II** *vt* **1** a dezechilibra **2** a zăpăci, a înnebuni **III** *vi* a se dezechilibra

unbalanced [ʌn'bælənst] *adj* **1** şi *fig* dezechilibrat **2** lipsit de echilibru

unbale [ʌn'beil] *vt com nav* a despacheta *(baloturi de marfă)*

unballast [ʌn'bæləst] *vt nav* a delesta *(o navă)*

unballasted ['ʌn'bæləstid] *adj* **1** *nav* delestat **2** *ferov* nebalastat **3** instabil, nestabil

unbandage [ʌn'bændidʒ] *vt* a scoate bandajul de pe

unbank [ʌn'bæŋk] *vt* a aţâţa *(focul, îndepărtând cenuşa care-l acoperă)*

unbannered [ʌn'bænəd] *adj* fără drapel/steag

unbaptized ['ʌnbæp'taizd] *adj* nebotezat

unbearable [ʌn'bɛərəbəl] *adj* insuportabil, imposibil

unbearableness [ʌn'bɛərəbəlnis] *s* caracter insuportabil *(al unei dureri)*

unbearably [ʌn'bɛərəbli] *adv* (în mod) insuportabil, de nesuportat; peste putinţă de îndurare

unbearded [ʌn'biədid] *adj* **1** imberb **2** *bot* lipsit de cârcei, mustăţi *sau* ţepi

unbearing [ʌn'bɛəriŋ] *adj* nerodnic, sterp

unbeatable [ʌn'bi:təbəl] *adj* imbatabil, de neînvins

unbeaten [ʌn'bi:tn] *adj* **1** nebătătorit, nebătut, necălcat; **the ~ path of science** domeniile necercetate ale ştiinţei **2** nebătut, neînfrânt; neînvins, neîntrecut **3** *(d. un record)* neatins/nebătut (încă); rămas încă în picioare

unbeautified [ʌn'bju:tifaid] *adj* neînfrumuseţat

unbeautiful [ʌn'bju:tiful] *adj* lipsit de frumuseţe; urât

unbecoming [ˌʌnbi'kʌmiŋ] *adj* **1** indecent, lipsit de decenţă/cuviinţă; necuviincios; nepotrivit **2** ruşinos, de ruşine **3** degradant, înjositor

unbecomingly [ˌʌnbi'kʌmiŋli] *adv* **1** (în mod) nepotrivit/impropriu/deplasat/necuviincios/indecent **2** într-un mod dezavantajos/care dezavantajează

unbecomingness [ˌʌnbi'kʌmiŋnis] *s* caracter nepotrivit/impropriu/deplasat

unbed [ʌn'bed] *vt* a scoate *(o piatră etc.)* din locul ei, a deplasa

unbedecked [ˌʌnbi'dekt] *adj* neîmpodobit, neînfrumuseţat

unbefitting [ʌnbi'fitiŋ] *adj* **1** nepotrivit, care nu se cuvine, care nu cade (să fie făcut) **2** v. **unbecoming 1**

unbefriended [ˌʌnbi'frendid] *adj* fără prieteni; părăsit de prieteni/toţi

unbegun [ˌʌnbi'gʌn] *adj* (încă) neînceput

unbeholden [ˌʌnbi'houldn] *adj* **1** ← *înv* neobligat, neîndatorat **2** ← *poetic* (de) nevăzut, invizibil

unbejuggled [ˌʌnbi'dʒʌgld] *adj* ← *F* neînşelat, nepăcălit

unbeknown [ˌʌnbi'noun] *adj* necunoscut; obscur, neştiut

unbeknownst [ˌʌnbi'nounst] *adj* v. **unbeknown**

unbelief [ˌʌnbi'li:f] *s* necredinţă; incredulitate

unbelievability [ˌʌnbili:və'biliti] *s* **1** v. **unbelief 2** caracter incredibil

unbelievable [ˌʌnbi'li:vəbəl] *adj* de necrezut, de neconceput, nemaipomenit; **it is ~ that** e de necrezut că, nici nu-ţi vine să crezi că

unbeliever [,ʌnbi'liːvəʳ] *s* necredincios; incredul

unbelieving [,ʌnbi'liːviŋ] *adj* necredincios; incredul

unbelieving Thomas [,ʌnbi'liːviŋ 'tɔməs] *s bibl şi fig* Toma Necredinciosul

unbeloved [,ʌnbi'lʌvd] *adj* neiubit, neîndrăgit

unbelt [ʌn'belt] *vt* a descinge, a scoate *(cureaua, sabia etc.)*

unbelted [ʌn'beltid] *adj* fără cingătoare, fără centură, neîncins

unbend [ʌn'bend], *pret şi ptc* **unbent** [ʌn'bent] I *vt* **1** a dezdoi; a îndrepta **2** a slăbi, a relaxa **3** a înmuia, a muia, a reduce *(puterile, vigoarea)* II *vi* **1** a se dezdoi, a se îndrepta **2** a se relaxa, a slăbi încordarea **3** a se înmuia

unbendable [ʌn'bendəbəl] *adj v.* **unbending**

unbending [ʌn'bendiŋ] *adj* **1** rigid, ţeapăn; care nu poate fi îndoit, inflexibil, lipsit de/fără flexibilitate **2** hotărât, decis, ferm **3** încăpăţânat **4** auster

unbendingly [ʌn'bendiŋli] *adv* **1** (în mod) inflexibil, fără flexibilitate **2** (în mod) ferm, cu fermitate/tărie; fără a se încovoia/îndoi/apleca **3** (în mod) neabătut **4** (în mod) auster

unbendingness [ʌn'bendiŋnis] *s* **1** tărie, fermitate **2** inflexibilitate **3** caracter intransigent, intransigenţă

unbeneficed [ʌn'benifiːst] *adj* fără beneficiu

unbeneficial [,ʌnbeni'fiʃəl] *adj* neavantajos; neprielnic; **~ to health** dăunător sănătăţii; **the treatment was ~** tratamentul era ineficace

unbenign [,ʌnbi'nain] *adj* **1** neprielnic, nefavorabil **2** rău, răutăcios

unbent [ʌn'bent] *pret şi ptc de la* **unbend**

unbeseeming [,ʌnbi'siːmiŋ] *adj* nepotrivit, necuvenit; necuviincios, deplasat

unbeseemingness [,ʌnbi'siːmiŋnis] *s* caracter nepotrivit; inoportunitate

unbesought [,ʌnbi'sɔːt] *adj lit* nerugat, fără a se lăsa rugat (de două ori)

unbestarred [,ʌnbi'staːd] *adj* fără stele

unbetty [ʌn'beti] *vt sl înv* a deschide cu o bară de fier, a forţa cu ranga

unbias(s)ed [ʌn'baiəst] *adj* **1** drept, nepărtinitor, imparţial, fără prejudecăţi **2** *(d. bilă etc.)* echilibrat, cu centru de greutate stabil

unbias(s)ed error [ʌn'baiəst 'erəʳ] *s mat* eroare aleatorie/nesistematică

unbiddable [ʌn'bidəbəl] *adj* dificil, neascultător; neastâmpărat, obraznic

unbidden [ʌn'bidən] *adj* nepoftit, nerugat, neinvitat; neaşteptat, spontan

unbigoted [ʌn'bigətid] *adj* lipsit de prejudecăţi/de fanatism; nefanatic, potolit

unbind [ʌn'baind] *vt* a dezlega, a desface

unbirthday [ʌn'bəːθ,dei] *adj umor (d. un cadou)* dat/oferit fără un prilej anume *(nu la o aniversare/ ziua de naştere)*

unbishop [ʌn'biʃəp] *vt* a mazili *(un prelat)*, a lipsi de demnitatea episcopală; *aprox* a răspopi

unbitt [ʌn'bit] *vt nav* a desface *(o parâmă etc.)* de la baba

unblam(e)able [ʌn'bleiməbəl] *adj* care nu poate fi ţinut de rău, mai presus de orice acuzaţie/învinuire/vinovăţie; nevinovat

unblam(e)ableness [ʌn'bleiməbəlnis] *s* caracter ireproşabil

unblamed [ʌn'bleimd] *adj* **1** căruia nu i se reproşează nimic, ferit de acuzaţii/învinuiri **2** *v.* **unblemished**

unbleached [ʌn'bliːtʃt] *adj* nealbit

unblemished [ʌn'blemiʃt] *adj şi fig* nepătat, fără pată; imaculat

unblended [ʌn'blendid] *adj* neamestecat, pur, curat; **~ with** ferit de, fără

unblessed [ʌn'blest] *adj* nebinecuvântat, neblagoslovit; **~ with success** eşuat, neîncununat de succes

unblighted [ʌn'blaitid] *adj* **1** *(d. grâne)* neatacat de rugină *sau ger*; nears de soare; nestricat de ploaie **2** *fig* neumbrit, senin, curat

unblindfold [ʌn'blaind,fould] *vt* **1** a dezlega ochii *(cuiva)* **2** *fig* a deschide ochii *(cuiva)*

unblock [ʌn'blɔk] *vt* a debloca *(un drum etc.)*

unblooded [ʌn'blʌdid] *adj (d. cai)* care nu e pur sânge

unbloody [ʌn'blʌdi] *adj* **1** anemic, exanguu, lipsit de sânge **2** neînsetat de sânge, nesângeros

unblown¹ [ʌn'bloun] *adj* nesuflat (de vânt)

unblown² [ʌn'bloun] *adj bot* neînflorit, în mugure

unblushing [ʌn'blʌʃiŋ] *adj* **1** *v.* **unashamed 2** neruşinat, care nu se ruşinează niciodată, care nu roşeşte **3** îndrăzneţ (din cale afară)

unblushingly [ʌn'blʌʃiŋli] *adv* fără să roşească; cu neruşinare; cu cinism

unbodied [ʌn'bɔdid] *adj* neîntru(chi)pat; lipsit de corp, imaterial

unboiled [ʌn'bɔild] *adj* nefiert, crud

unbolt [ʌn'boult] *vt* a trage *(zăvorul)*, a deschide

unbone [ʌn'boun] *vt* a dezosa, a scoate oasele din

unbonnet [ʌn'bɔnit] I *vt* a scoate, a lua pălăria *sau* şapca de pe capul *(cuiva)* II *vi* a se descoperi, a-şi scoate pălăria *sau* şapca

unborn [ʌn'bɔːn] *adj* **1** nenăscut (încă) **2** viitor, care va să vină, în perspectivă (de a apărea)

unborrowed [ʌn'bɔroud] *adj* neîmprumutat (de la nimeni), original

unbosom [ʌn'buzəm] *vt* a destăinui, a dezvălui, a încredinţa, a împărtăşi

unbottomed [ʌn'bɔtəmd] *adj* **1** fără fund **2** fără temelie **3** *fig* pe care te poţi bizui, nesigur, fără căpătâi

unbought [ʌn'bɔːt] *adj com (d. marfă)* **1** (aflat) în stoc/în magazin **2** nevândut, nevandabil, care nu se cumpără

unbound [ʌn'baund] I *pret şi ptc de la* **unbind** II *adj* **1** dezlegat, desfăcut **2** dezlănţuit **3** eliberat, slobozit, slobod

unbounded [ʌn'baundid] *adj* **1** nemărginit, fără limite/margini **2** uriaş, colosal, enorm

unboundedly [ʌn'baundidli] *adv* fără margini, nespus de mult

unboundedness [ʌn'baundidnis] *s* caracter nemărginit/nelimitat

unbox [ʌn'bɔks] *vt com* a dezambala; a scoate din cutie; a desface, a despacheta *(mărfuri)* din lăzi/cutii *etc.*

unbrace [ʌnˈbreis] *vt* **1** a dezlega, a desface **2** a (e)libera, a slobozi; a destinde, a relaxa *(nervii)*

unbraid [ʌnˈbreid] *vt* a despleti, a desface *(părul etc.)*

unbrained [ʌnˈbreind] *adj rar* fără creier

unbreakable [ʌnˈbreikəbəl] *adj* incasabil

unbreathable [ʌnˈbriːðəbəl] *adj* de nerespirat, irespirabil

unbred [ʌnˈbred] *adj* **1** prost **2** ~ **to/ in** care nu a fost crescut pentru *(o meserie)*

unbreech [ʌnˈbriːtʃ] *vt* a dezbrăca de pantaloni, a(-i) scoate pantalonii *(cuiva)*

unbribable [ʌnˈbraibəbəl] *adj* incoruptibil, cinstit, greu de corupt, care nu poate fi mituit

unbridge [ʌnˈbridʒ] *vt mil* a arunca în aer podurile din *(o localitate etc.)*

unbridle [ʌnˈbraidəl] *vt* **1** a scoate frâul din gura *(calului)*; a da frâu liber *(calului)* **2** *fig* a da frâu liber (la *sau* cu *dat*)

unbridled [ʌnˈbraidəld] *adj* **1** nestrunit, fără frâu **2** *fig* nestăpânit, neînfricat, slobod, fără frâu

unbroken [ʌnˈbroukən] *adj* **1** întreg; nespart, neatins, intact **2** neîntrerupt, neîncetat, continuu, fără contenire **3** nespus, nestăpânit; refractar **4** nedomesticit, sălbatic, nărăvaş

unbrokenly [ʌnˈbroukənli] *adv* (în mod) neîntrerupt, fără încetare, (în) continuu, neîncetat; în şir, la rând

unbrokeness [ʌnˈbroukənnis] *s* continuitate, caracter neîntrerupt; permanenţă

unbrotherly [ʌnˈbrʌðəli] *adj* lipsit de sentimente (frăţeşti), nepotrivit pentru/de neaşteptat de la un frate

unbruised [ʌnˈbruːzd] *adj* nevătămat, neatins

unbrushed [ʌnˈbrʌʃt] *adj* **1** neperiat **2** *(d. dinţi)* nespălaţi

unbuckle [ʌnˈbʌkəl] *vt* a descătărăma *(o centură, un pantof etc.)*

unbuild [ʌnˈbild] *vt* a dărâma, a nărui

unbuilt [ʌnˈbilt] *adj* neconstruit, neclădit

unburden [ʌnˈbəːdn] **I** *vt* **1** a descărca **2** *fig* a uşura *(sufletul etc.)* **II** *vr* a se destăinui, a-şi deschide inima

unburied [ʌnˈberid] *adj* neîngropat, neînhumat

unburnable [ʌnˈbəːnəbəl] *adj* care nu arde, ignifug

unburthen [ʌnˈbəːðən] *vt înv* v. **unburden**

unbury [ʌnˈberi] *vt* **1** a exhuma, a dezgropa **2** *fig* a dezgropa *(trecutul etc.)*

unbusinesslike [ʌnˈbiznis,laik] *adj* **1** nepractic, nepriceput în afaceri, care nu are simţul afacerilor **2** *(d. un procedeu)* incorect, necinstit **3** necomercial, contrar regulilor comerţului

unbutton [ʌnˈbʌtən] *vt* a descheia *(o haină)*

unbuttoned [ʌnˈbʌtənd] *adj* descheiat (la nasturi)

unc [ʌŋk] *s F* v. **uncle 1**

uncage [ʌnˈkeidʒ] *vt* a lăsa liber, a lăsa să scape *(o pasăre, un animal)* din cuşcă, a pune în libertate, a elibera, a slobozi

uncaged [ʌŋˈkeidʒd] *adj* slobod, liber, eliberat, slobozit, pus în libertate, căruia i s-a dat drumul din cuşcă

uncalculated [ʌnˈkælkju,leitid] *adj* **1** necalculat, neintenţionat, fără voie **2** improvizat, făcut din/la inspiraţie

uncalled for [ʌnˈkɔːldfəʳ] *adj cu prep* **1** nedorit, indezirabil; supărător **2** v. **unavailing 3** nepotrivit, nelalocul lui, care nu se cuvine (făcut), inoportun

uncandid [ʌnˈkændid] *adj* nesincer, lipsit de sinceritate/candoare; fals

uncannily [ʌnˈkænili] *adj v* **1** într-un mod straniu/ciudat **2** într-un mod nefiresc

uncanny [ʌnˈkæni] *adj* **1** straniu, ciudat; supranatural **2** nefiresc, nenatural **3** supraomenesc

uncanonical [,ʌnkæˈnɔnikəl] *adv bis rel* **1** necanonic, neconform cu canoanele **2** apocrif **3** *(d. îmbrăcăminte)* laic, (de) mirean

uncanonize [ʌnˈkænənaiz] *vt rel bis* a şterge din rândul sfinţilor

uncap [ʌnˈkæp] **I** *vt* **1** a scoate *(şapca, pălăria etc.)* **2** a descoperi *(ceva)* **II** *vi* a se descoperi; a-şi scoate pălăria

uncapsizable [,ʌnkæpˈsaizəbl] *adj* care nu se poate răsturna

uncared-for [ʌnˈkɛəd fɔːʳ] *adj* neîngrijit, de care nu se îngrijeşte

nimeni; părăsit, lăsat în paragină

uncaressed [,ʌnkəˈrest] *adj* nemângâiat

uncaring [ʌnˈkɛəriŋ] *adj* nepăsător, căruia nu-i pasă; neglijent

uncarpeted [ʌnˈkɑːpitid] *adj (d. duşumea etc.)* fără covor, gol, neacoperit de covoare

uncart [ʌnˈkɑːt] *vt* a descărca dintr-o căruţă/car

uncase [ʌnˈkeis] *vt* a scoate din ladă/din cutie

uncased [ʌnˈkeist] *adj* fără cutie

uncatalogued [ʌnˈkætəlogd] *adj* **1** necatalogat, care nu apare în catalog/pe listă **2** neclasificat

uncate [ˈʌnkit] *adj* în formă de cârlig, încârligat

uncaught [ʌnˈkɔːt] *adj* care n-a fost prins, (aflat) în libertate

uncaused [ʌnˈkɔːzd] *adj* fără cauză/pricină, nemotivat, nejustificat; gratuit

unceasing [ʌnˈsiːsiŋ] *adj* **1** neîncetat, continuu, fără sfârşit **2** *(d. muncă, efort etc.)* asiduu, susţinut, neîntrerupt

uncemented [,ʌnsiˈmentid] *adj* necimentat

uncensored [ʌnˈsensəd] *adj (d. o scrisoare, un text)* necenzurat

uncensured [ʌnˈsenʃəd] *adj* necriticat, nesupus criticilor

uncentral [ʌnˈsentrəl] *adj* periferic, (situat) departe de centru

unceremonious [,ʌnseriˈmouniəs] *adj* neceremonios; care nu se jenează

unceremoniousness [,ʌnseriˈmouniəsnis] *s* **1** lipsă de ceremonie, caracter neprotocolar **2** lipsă de jenă/ruşine

uncertain [ʌnˈsəːtən] *adj* **1** nesigur; îndoielnic; dubios; **in no ~ terms** clar (şi răspicat); (în mod) categoric/răspicat; fără/lipsit de echivoc/ambiguitate, neechivoc **2** nesigur (pe sine), şovăielnic, ezitant **3** schimbător, inconstant, capricios, nestatornic

uncertainly [ʌnˈsəːtənli] *adv* (în mod) nesigur; fără ţintă; la voia întâmplării

uncertainty [ʌnˈsəːtənti] *s* **1** nesiguranţă, caracter îndoielnic/dubios/nesigur **2** dubiu, îndoială, nesiguranţă, şovăială, ezitare, neîncredere **3** element/lucru/factor nesigur/îndoielnic, semn de întrebare **4** nestatornicie, inconstanță; caracter schimbător/nestatornic/capricios

uncertainty principle, the [ʌn'sə:tənti 'prinsipl, ðə] *s fiz* principiul relativității

uncertificated [,ʌnsə'tifikeitid] *adj* fără certificat(e), fără diplomă, netitrat

uncertified [ʌn'sə:tifaid] *adj* **1** necertificat; neatestat **2** neomologat

unchain [ʌn'tʃein] *vt* a descătușa, a scoate din lanțuri

unchallengeable [ʌn'tʃælindʒəbəl] *adj* indiscutabil, categoric

unchallenged [ʌn'tʃælindʒd] *adj* **1** incontestabil **2** indiscutabil, irefutabil, de necombătut **3** necontestat, mai presus de orice îndoială

unchancy [ʌn'tʃɑ:nsi] *adj scot* **1** nenorocos, ghinionist, inoportun **2** *(d. un dușman)* periculos, primejdios

unchangeable [ʌn'tʃeindʒəbəl] *adj* **1** neschimbător, constant, statornic **2** imuabil; inalterabil

unchangeableness [ʌn'tʃeindʒəbəlnis] *s* **1** caracter statornic/constant; constanță, statornicie; stabilitate **2** imuabilitate, caracter imuabil/inalterabil

unchangeably [ʌn'tʃeindʒəbli] *adv* (în mod) constant/statornic/invariabil

unchanged [ʌn'tʃeindʒd] *adj* neschimbat, nemodificat; intact, așa cum era

unchanging [ʌn'tʃeindʒiŋ] *adj v.* **unchangeable 1**

uncharacteristic [,ʌnkæriktə'ristik] *adj* necaracteristic, atipic; neobișnuit; neașteptat *(de la cineva etc.)*

uncharged [ʌn'tʃɑ:dʒd] *adj* **1** *(d. armă)* neîncărcat, descărcat **2** neinculpat, nepus sub acuzare, care nu e acuzat

uncharged for [ʌn'tʃɑ:dʒd fəʳ] *adj cu prep* franco, gratuit

uncharitable [ʌn'tʃæritəbəl] *adj* lipsit de caritate/generozitate/filotimie; nemilos, neîndurător

uncharitableness [ʌn'tʃæritəbəlnis] *s* lipsă de caritate/milă/îndurare

uncharitably [ʌn'tʃæritəbli] *adv* fără caritate/cruțare, fără milă, (în mod) nemilos

uncharted [ʌn'tʃɑ:tid] *adj* netrecut/neînregistrat pe hartă; neexplorat

unchary [ʌn'tʃɛəri] *adj* (of) generos, mărinimos (cu); care nu se zgârcește (la)

unchaste [ʌn'tʃeist] *adj* **1** desfrânat, depravat, stricat **2** corupt, imoral **3** infidel, necredincios **4** nerușinat, indecent

unchastened [ʌn'tʃeisnd] *adj* nepedepsit, scăpat fără pedeapsă

unchastity [ʌn'tʃæstiti] *s* **1** lipsit de castitate **2** imoralitate, corupție **3** infidelitate, necredință

uncheated [ʌn'tʃi:tid] *adj* **1** neînșelat, nepăcălit, neindus în eroare **2** conștient, care știe ce face **3** care nu-și face iluzii

unchecked [ʌn'tʃekd] *adj* **1** fără oprire/încetare/contenire, necontenit **2** *v.* **unhampered 3** nestăvilit

uncheerful [ʌn'tʃiəful] *adj* trist, abătut; posac, lipsit de veselie

unchivalrous [ʌn'tʃivəlrəs] *adj* lipsit de cavalerism

unchivalrously [ʌn'tʃivəlrəsli] *adv* (într-un mod) necavaleresc; necurtenitor

unchristened [ʌn'krisnd] *adj* **1** *v.* **unbaptized 2** necreștinat

unchristian [ʌn'kristjən] *adj* **1** necreștinesc, păgân(esc) **2** *F* neconvenabil, nepotrivit

unchurch [ʌn'tʃə:tʃ] *vt* a excomunica, a izgoni din sânul bisericii

uncial [,ʌnsiəl] *poligr* **I** *adj (d. literă, manuscris)* uncial **II** *s* **1** (literă) uncială **2** (scris) uncial **3** majusculă

uncircumcised [ʌn'sə:kəm,saizd] *adj* necircumcis, *fig* creștin, ne-evreu; **the ~** *bibl* arienii; ne-evreii

uncircumcision [,ʌnsə:kəm,siʒən] *s rel* lipsa/absența circumciziei

uncircumspect [ʌn'sə:kəmspekt] *adj* imprudent, lipsit de precauție/prudență/circumspecție; necircumspect; care riscă

uncircumstantial [,ʌnsə:kəm,stænʃəl] *adj* **1** lipsit de amănunte **2** vag, imprecis, neprecizat

uncivil [ʌn'sivl] *adj* **1** nepoliticos, necuviincios, necivilizat, nemanierat, prost crescut **2** antisocial, nesociabil; necetățenesc

uncivilized [ʌn'sivilaizd] *adj* necivilizat; necioplit, lipsit de maniere; bădăran, mojic

unclad [ʌn'klæd] *adj v.* **unclothed**

unclaimed [ʌn'kleimd] *adj* **1** nerevedicat, nereclamat, necerut **2** *(d. un obiect, o proprietate etc.)* fără stăpân

unclarified [ʌn'klærifaid] *adj* neclarificat, nelimpezit

unclasp [ʌn'klɑ:sp] *vt* **1** a descuia, a deschide **2** *și fig* a desface, a deschide *(brațele)*

unclassable [ʌn'klɑ:səbəl], **unclassible** [ʌn'klɑ:sibl] *adj* neclasificabil, de neclasificat

unclassical [ʌn'klæsikəl] *adj* contrar tradiției clasice, neclasic, modern

unclassifiable [ʌn'klæsi,faiəbəl] *adj* imposibil de clasificat, care nu se pretează la clasificare

uncle ['ʌŋkəl] *s* **1** unchi; **to hollow/amer ← F to holler ~ a** a striga „ajutor" **b** a striga „gata"! a se da bătut, a se recunoaște învins **2** *fig* sprijinitor, susținător **3** *sl* cămătar *(de la un munte de pietate)*

unclean [ʌn'kli:n] *adj* **1** murdar **2** neîngrijit, netesălat; nespălat **3** *fig* prihănit, impur, indecent; imoral

uncleanable [ʌn'kli:nəbəl] *adj* care nu se poate curăța; *(d. pată)* care nu iese

uncleaned [ʌn'kli:nd] *adj v.* **unclean 2**

uncleanliness [ʌn'klinlinis] *s* **1** murdărie, lipsă de curățenie **2** lipsă de grijă/îngrijire, caracter șleampăt/murdar **3** *v.* **uncleanness 2**

uncleanly **I** [ʌn'klinli] *adj* **1** murdar, jegos, soios, slinos **2** *fig* impur, necurat, lipsit de puritate *(↓ din p. de v. moral)*; murdar, parșiv *(ca și comportare)* **II** [ʌn'kli:nli] *adv* (în chip/mod) impur/murdar; fără puritate (morală); *F* parșiv, josnic

uncleanness [ʌn'kli:nnis] *s* **1** murdărie, neîngrijire, lipsă de curățenie **2** lipsă de puritate; obscenitate, indecență

Uncle Anthony ['ʌŋkəl 'æntəni] *s F*: **to be helping ~ to kill dead mice** a căra apă cu ciurul; a tăia frunză la câini

unclear [ʌn'kliəʳ] *adj* neclar, lipsit de claritate; obscur; de nepătruns

uncleared [ʌn'kliəd] *adj* 1 *(d. sirop etc.)* nelimpezit 2 *(d. nor, îndoială)* nerisipit, care mai persistă 3 *(d. mister)* nelămurit, neelucidat, nepătruns încă 4 *(d. masă etc.)* nestrâns, necurăţat 5 *(d. ţeavă etc.)* nedesfundat 6 *agr (d. câmp)* nedefrişat, nedeştelenit 7 *jur (d. acuzat)* nedisculpat, încă sub acuzaţie 8 *(d. datorie)* neachitat; nelichidat; neplătit 9 *(d. marfă)* care nu a trecut încă prin vamă, nevămuit

unclearness [ʌn'kliənis] *s* neclaritate, lipsă de claritate

Uncle Benny ['ʌŋkəl 'beni] *s amer F* munte de pietate, casă de amanet

Uncle Dudley ['ʌŋkəl 'dʌdli] *s amer F* mandea, eu ăsta, subsemnatul

Uncle Sam ['ʌŋkəl 'sæm] *s* 1 unchiul Sam, americanul tipic 2 poporul american, americanii 3 S.U.A., Statele Unite ale Americii

Uncle Sam's attic ['ʌŋkəl 'sæmz 'ætik] *s amer umor* (statul) Alaska

Uncle Sam's circus ['ʌŋkəl 'sæmz 'səːkəs] *s amer nav sl* flota militară a S.U.A.

Uncle Sam's heel ['ʌŋkəl 'sæmz 'hiːl] *s amer umor* statul Florida *(S.U.A.)*

Uncle Sam's party ['ʌŋkəl 'sæmz 'paːti] *s amer umor* zi de plată/salarii

Uncle Sam's pocket handkerchief ['ʌŋkəl 'sæmz 'pɔkit 'hændkə,tʃiːf] *s amer umor* statul Delaware *(S.U.A.)*

uncleship ['ʌŋkəl,ʃip] *s* calitatea de unchi, gradul de rudenie al unchiului

Uncle Tom ['ʌŋkəl 'tɔm] *s* 1 *lit* negrul smerit/docil/supus albilor *(după personajul principal din romanul „Coliba unchiului Tom" de Harriet Beecher-Stowe)* 2 *sl* cămătar, proprietar al unei case de amanet/al unui munte de pietate

Uncle Whiskers ['ʌŋkəl 'wiskəz] *s amer F* 1 guvernul federal al S.U.A. 2 poliţia federală, FBI-ul 3 agent al poliţiei federale/al FBI-ului

unclimbable [ʌn'klaiməbəl] *adj (d. munte)* inaccesibil

unclipped [ʌn'klipt] *adj* 1 *(d. păr, iarbă etc.)* netuns, netăiat, nescurtat 2 *(d. bilet)* neperforat

unclipt [ʌn'klipt] *adj v.* **unclipped**

uncloak [ʌn'klouk] *vt* 1 a dezbrăca de manta/pelerină *etc.* 2 *fig* a dezvălui, a da în vileag, a revela

unclog [ʌn'klɔg] *vt* a destupa, a degaja

unclose [ʌn'klouz] I *vt* 1 a desface, a deschide *(ochii etc.)* 2 *fig* a divulga, a dezvălui II *vi* a se deschide, a se desface

unclosed [ʌn'klouzd] *adj* deschis, descoperit; expus; *(d. rană, tăietură etc.)* deschis, neînchis (încă), care nu se închide

unclothe [ʌn'klouð] I *vt* a despuia; a dezbrăca II *vi* a se dezbrăca, a se despuia, a-şi scoate hainele/îmbrăcămintea

unclothed [ʌn'klouðd] *adj* dezbrăcat, neîmbrăcat; gol, despuiat

unclotted [ʌn'klɔtid] *adj (d. sânge)* neînchegat, necoagulat

uncloud [ʌn'klaud] *vt* a însenina, a risipi norii de pe *(cer)*

unclouded [ʌn'klaudid] *adj* şi *fig* senin, fără nori

uncloudedness [ʌn'klaudidnis] *s* limpezime; seninătate

uncloudy [ʌn'klaudi] *adj v.* **unclouded**

unclubbable [ʌn'klʌbəbəl] *adj* nesociabil, sălbatic; nescos în lume, necivilizat

unco [ʌŋkou] *reg* I *adj* 1 *v.* **uncanny** 1 2 *v.* **unbeknown** 3 extraordinar, ieşit din comun, nemaipomenit II *adv* foarte, straşnic/grozav (de), neobişnuit/extraordinar de III *s* 1 noutate 2 străin 3 necunoscut 4 *pol* veşti, ştiri

uncoacted [,ʌŋkou'æktid] *adj înv* 1 voluntar, benevol, făcut de bunăvoie 2 singur, nesilit de nimeni, din proprie iniţiativă

uncoagulated [,ʌŋkou'ægjuː,leitid] *adj* necoagulat, neînchegat

uncock [ʌn'kɔk] *vt* 1 *mil* a lăsa cocoşul *(armei)* în jos fără ca arma să ia foc 2 a lăsa în jos borurile *(unei pălării)*

uncogent [ʌn'koudʒənt] *adj* neconvingător, lipsit de logică/soliditate

unco guid, (the) ['ʌŋkou 'gwid, ðə] *s scot peior (colectiv)* habotnicii, bigoţii, persoanele ultra-religioase/bisericoase; oamenii de o religiozitate rigidă/cu concepţii religioase rigide; ultramoraliştii, tartufii

uncoiled [ʌn'kɔild] *adj* desfăcut, desfăşurat, întins

uncoined [ʌn'kɔind] *adj* 1 *(d. metale)* nebătut în monede; netransformat în bani 2 *fig* original, autentic 3 *fig* neprefăcut, nefăţarnic

uncollated [,ʌŋkə'leitid] *adj* necolaţionat, neconfruntat, neverificat

uncollected [,ʌŋkə'lektid] *adj* 1 neadunat, nestrâns 2 răvăşit, în dezordine 3 nestăpânit, impulsiv 4 lipsit de calm

uncolonized [ʌn'kɔlənaizd] *adj* necolonizat

uncoloured [ʌn'kʌləd] *adj* lipsit de culoare, cu culori şterse/palide; palid, necolorat

uncombed [ʌn'koumd] *adj* nepieptănat

uncombinable [ʌnkəm'bainəbəl] *adj* care nu se poate combina, dificil de combinat

uncombined [,ʌŋkəm'baind] *adj* 1 necombinat 2 pur, în stare pură

uncome-at-able [ʌn'kʌm'ætəbl] *adj F* 1 inaccesibil, de neatins 2 de neobţinut, greu de procurat/găsit/obţinut

uncomeliness [ʌn'kʌmlinis] *s* lipsă de graţie, urâţenie

uncomely [ʌn'kʌmli] *adj* neatrăgător; lipsit de atracţie/frumuseţe; fără vino-ncoace/haz

uncomfortable [ʌn'kʌmftəbəl] *adj* 1 incomod; lipsit de confort, neconfortabil 2 penibil, supărător, stânjenitor 3 stânjenit, incomodat

uncomfortableness [ʌn'kʌmftəbəlnis] *s* 1 lipsă de confort/comoditate, caracter incomod 2 lipsă de mângâiere, neconsolare

uncomfortably [ʌn'kʌmftəbli] *adv* 1 neconfortabil, incomod 2 dezagreabil, neplăcut; neliniştitor

uncomforted [ʌn'kʌmfətid] *adj* nemângâiat, neconsolat; care nu-şi găseşte alinare/consolare/mângâiere

uncommemorated [,ʌŋkə'memə,reitid] *adj* necomemorat; dat uitării, uitat

uncommercial [,ʌŋkə'məːʃəl] *adj* 1 necomercial 2 *(d. ţară)* care face comerţ puţin, cu comerţ slab

uncommissioned [,ʌŋkə'miʃənd] *adj* 1 **(to)** nesolicitat/neangajat/nedelegat (să) 2 fără slujbă, neangajat 3 *(d. colaborare etc.)* nesolicitat; necomandat; voluntar

uncommitted [,ʌnkə'mitid] *adj v.*
unaligned 2

uncommon [ʌn'komən] I *adj* ne-
obișnuit; deosebit; extraordinar;
rar II *adv v.* **uncommonly**

uncommonly [ʌn'komənli] *adv* 1
neobișnuit, nemaipomenit, extra-
ordinar 2 grozav, strașnic, ne-
maipomenit

uncommonness [ʌn'komənnis] *s* 1
caracter ieșit din comun/rar/ex-
traordinar 2 ciudățenie, lucru ne-
obișnuit

uncommunicated [,ʌnkə'mju:ni-
,keitid] *adj* necomunicat, ne-
anunțat, (ținut) secret

uncommunicative [,ʌnkə'mju:-
nikətiv] *adv* necomunicativ, re-
zervat, taciturn; tăcut, moro-
cănos; închis în sine

uncommunicatively [,ʌnkə'mju:
nikətivli] *adj* (în mod) necomu-
nicativ/taciturn/rezervat; tăcut,
în tăcere; (rămânând) închis în
sine

uncommunicativeness [,ʌnkə'mju:
nikətivnis] *s* lipsit de comu-
nicativitate; caracter taciturn/
rezervat/tăcut/închis (în sine);
fire morocănoasă

uncompanionable [,ʌnkəm'pæniə-
nəbəl] *adj* nesocialbil, neprie-
tenos; dezagreabil

uncompelled [,ʌnkəm'peld] *adj*
nesilit, neconstrâns

uncompensated [ʌn'kompən,seitid]
adj 1 necompensat 2 decom-
pensat 3 nedespăgubit; nerăs-
plătit

uncomplaining [,ʌnkəm'pleiniŋ] *adj*
care nu se plânge niciodată,
modest, cuminte, la locul lui; mut

uncomplainingly [,ʌnkəm'pleiniŋli]
adv fără să se plângă, cu resem-
nare, resemnat

uncomplainingness [,ʌnkəm-
'pleiniŋnis] *s* răbdare, resemnare;
modestie; conformisim

uncomplaisant [,ʌnkəm'pleizənt]
adj neîndatoritor, puțin îndato-
ritor; lipsit de amabilitate

uncompleted [,ʌnkəm'pli:tid] *adj*
nedesăvârșit, nedus până la
capăt; lăsat neterminat/nede-
săvârșit; imperfect

uncompliant [,ʌnkəm'plaiənt] *adj*
inflexibil, inadaptabil, dificil

uncomplicated [ʌn'komplikeitid] *adj*
simplu, fără complicații; clar

uncomplimentary [,ʌnkompli-
'mentəri] *adj* ireverențios, nu prea
amabil; lipsit de amabilitate

uncomplying [,ʌnkəm'plaiiŋ] *adj* 1
nesupus, insubordonat 2 *v.* **un-
compromising**

uncompounded [,ʌnkəm'paundid]
adj 1 necompus, simplu 2 fără
complicații, simplu

uncomprehended [,ʌnkompri'hendid]
adj 1 neînțeles, privat/lipsit de
înțelegere/compasiune 2 *v.* **un-
comprehensive 1**

uncomprehending [,ʌnkompri'hendiŋ]
adj 1 neînțelegător, lipsit de înțe-
legere/compasiune 2 necuprin-
zător, neîncăpător 3 care nu înțe-
lege nimic, incapabil să înțeleagă

uncomprehensible [,ʌnkompri-
'hensəbəl] *adj* 1 (de) neînțeles;
obscur, ermetic 2 (cu caracter
de) nepătruns, neînțeles

uncomprehensive [,ʌnkompri-
'hensiv] *adj* 1 incomplet, necu-
prinzător 2 ← *înv* de neînțeles

uncompromising [ʌn'komprə-
,maiziŋ] *adj* intransigent, care nu
face compromisuri; ferm

uncompromisingly [ʌn'komprə-
,maiziŋli] *adv* 1 (în mod) tranșant/
rigid/ferm/intransigent; cu intran-
sigență; fără compromisuri 2 (în
mod) încăpățânat/obstinat/ferm;
cu încăpățânare/obstinație; fără
a ceda nici o iotă

unconcealed [,ʌnkən'si:ld] *adj* fățiș,
deschis, (făcut) pe față

unconceived [,ʌnkən'si:vd] *adj* 1
nenăscut 2 neconceput 3 negân-
dit

unconcern [,ʌnkən'sə:n] *s* nepă-
sare, indiferență, lipsă de interes

unconcerned [,ʌnkən'sə:nd] *adj*
nepăsător, indiferent; fără grijă

unconcernedly [,ʌnkən'sə:nidli] *adv*
(în mod) nepăsător/indiferent/
pasiv/impasibil; cu un aer de
nepăsare/indiferență

unconcernment [,ʌnkən'sə:nmənt] *s*
înv v. **unconcern**

unconciliating [,ʌnkən'silieitiŋ] *adj*
neconciliant; aspru, sever

unconciliatory [,ʌnkonsili'eitəri] *adj*
v. **unconciliating**

unconclusive [,ʌnkən'klu:siv] *adj*
neconcludent

uncondemnable [,ʌnkən'demnəbəl]
adj de necondamnat; nevinovat,
fără vină

uncondemned [,ʌnkən'demnd] *adj*
necondamnat

unconditional [,ʌnkən'diʃənəl] *adj*
necondiționat, fără condiții

unconditionally [,ʌnkən'diʃənəli]
adv fără condiții, (în mod) necon-
diționat, fără rezerve

unconditioned [,ʌnkən'diʃənd] *adj*
necondiționat, absolut, total, fără
rezerve

unconditioned reflex [,ʌnkən-
'diʃənd rifleks] *s biol* reflex necon-
diționat/spontan

unconfessed [,ʌnkən'fest] *adj v.*
unspoken 2

unconfined [,ʌnkən'faind] *adj* 1
neîngrădit, nelimitat 2 ferit de
constrângeri/îngrădire, liber

unconfirmed [,ʌnkən'fə:md] *adj*
neconfirmat

unconformable [,ʌnkən'fɔ:məbəl]
adj 1 independent; refractar 2
(to) care nu e în conformitate cu;
incompatibil cu

unconformableness [,ʌnkən'fɔ:-
məbəlnis] *s v.* **unconformity**

unconformably [,ʌnkən'fɔ:məbli]
adv 1 (to) (în mod) neconform
(cu *realitatea etc.*); altfel, dimpo-
trivă, cu totul altfel; fără para-
lelism 2 (în mod) nonconformist/
neconformist; fără supunere, (în
mod) rebel, răzvrătit

unconformity [,ʌnkən'fɔ:miti] *s* 1
(to) neconformitate, nepotrivire,
lipsă de conformitate (cu) 2 (to)
dezacord (cu) 3 neconformism

unconfronted [,ʌnkən'frʌntid] *adj*
neconfruntat, nepus față-n față

uncongealable [,ʌnkən'dʒi:ləbəl]
adj necongelabil, care nu în-
gheață

uncongealed [,ʌnkən'dʒi:ld] *adj* 1
necongelat, neînghețat 2 ne-
coagulat

uncongenial [,ʌnkən'dʒi:niəl] *adj* 1
neprietenos; dezagreabil, anti-
patic; lipsit de căldură/prietenie/
amabilitate 2 (to) nefavorabil;
ostil *(cu dat);* impropice (pentru
sau cu dat)

uncongeniality [,ʌnkən'dʒi:ni'æliti]
s 1 caracter antipatic 2 (to) ca-
racter neprielnic, nefavorabil
(față de); caracter neplăcut 3 (to)
adversitate (față de)

unconjugal [ʌn'kondʒugəl] *adj*
nepotrivit pentru căsătorie/pen-
tru viața conjugală

unconnected [ˌʌnkə'nektid] *adj* **1** (**with, to**) fără legătură (cu); nelegat (de *o problemă etc.*) **2** irelevant, lipsit de importanță

unconquerable [ʌn'kɔŋkərəbəl] *adj* **1** invincibil, de neînvins **2** (de) nestăpânit; neînfrânat

unconquerableness [ʌn'kɔŋkərəbəlnis] *s* invincibilitate, caracter invincibil

unconquered [ʌn'kɔŋkəd] *adj* **1** necucerit **2** neînvins, neînfrânt, neîngenunchiat

unconscientious [ˌʌnkɔnʃi'enʃəs] *adj* lipsit de conștiinciozitate, neconștiincios

unconscientiousness [ˌʌnkɔnʃi'enʃəsnis] *s* lipsă de conștiinciozitate, superficialitate, chiul

unconscionable [ʌn'kɔnʃənəbəl] *adj* **1** *v.* **unconscious 2** lipsit de scrupule, neprincipial, imoral, venal; ticălos **3** excesiv, exorbitant **4** scandalos, uluitor; de necrezut; incredibil

unconscionableness [ʌn'kɔnʃənəbəlnis] *s* **1** lipsă de conștiință/scrupule/principii **2** imoralitate, venalitate **3** caracter excesiv/exorbitant **4** caracter scandalos/uluitor/de necrezut

unconscionably [ʌn'kɔnʃənəbli] *adv* **1** fără scrupule, neprincipial **2** (în mod) imoral/venal **3** (în mod) scandalos/uluitor/incredibil

unconscious [ʌn'kɔnʃəs] **I** *adj* **1** (**of**) inconștient; care nu-și dă seama (de) **2** involuntar, (făcut) neintenționat/din greșeală **II** *s* subconștient

unconsciously [ʌn'kɔnʃəsli] *adv* **1** (în mod) inconștient; fără să-și dea seama **2** fără conștiință

unconsciousness [ʌn'kɔnʃəsnis] *s* **1** inconștiență **2** (**of**) insensibilitate (la, față de)

unconsecrated [ʌn'kɔnsəˌkreitid] *adj* nesfințit, nesanctificat

unconsenting [ˌʌnkən'sentiŋ] *adj* (**to**) care nu consimte, refractar (la)

unconsidered [ˌʌnkən'sidəd] *adj* **1** nechibzuit, (făcut) fără chibzuială, lipsit de înțelepciune **2** *v.* **unconnected 2**

unconsolable [ˌʌnkən'souləbəl] *adj* (de) neconsolat/nemângâiat; îndoliat

unconsoled [ˌʌnkən'sould] *adj* nemângâiat, neconsolat; trist; îndoliat, cernit

unconstitutional [ˌʌnkɔnsti'tju:ʃənəl] *adj* neconstituțional, contrar constituției

unconstitutionality [ˌʌnkɔnstiˌtju:ʃə'næliti] *s* caracter neconstituțional/anticonstituțional

unconstitutionally [ˌʌnkɔnstiˌtju:ʃənəli] *adv* (în mod) neconstituțional

unconstrained [ˌʌnkɔns'treind] *adj v.* **unconfined 2**

unconstrainedly [ˌʌnkɔns'treinidli] *adv* nesilit, fără constrângere, (în mod) liber

unconstraint [ˌʌnkɔns'treint] *s* **1** lipsă de constrângere; libertate **2** spontaneitate; dezinvoltură

unconsumed [ˌʌnkən'sju:md] *adj* **1** neconsumat; nefolosit (în întregime) **2** nepotolit, neostoit, neastâmpărat

unconsummated marriage [ʌn'kɔnsəmeitid 'mæridʒ] *s jur* căsătorie neconsumată

uncontaminated [ˌʌnkən'tæmiˌneitid] *adj* **1** nemolipsit, necontaminat **2** nepoluat

uncontemplated [ʌn'kɔntəmˌpleitid] *adj* **1** neașteptat, neprevăzut **2** neplanificat, neintenționat

uncontested [ˌʌnkən'testid] *adj v.* **unchallenged 3**

uncontinuous [ˌʌnkən'tinjuəs] *adj* discontinuu, lipsit de continuitate; întrerupt (din loc în loc)

uncontracted [ˌʌnkən'træktid] *adj* (*d. cuvânt*) incontestabil, irefutabil

uncontradictable [ˌʌnkɔntrə'diktəbəl] *adj* incontestabil, irefutabil

uncontradicted [ˌʌnkɔntrə'diktid] *adj* **1** ferit de contrazicere **2** necombătut

uncontrollability [ˌʌnkɔnˌtroulə'biliti] *s* imposibilitate de a controla; neascultare, nesupunere (*a unui copil etc.*)

uncontrollable [ˌʌnkən'trouləbəl] *adj* **1** necontrolabil **2** *v.* **unconquerable 2**

uncontrollableness [ˌʌnkən'trouləbəlnis] *s v.* **uncontrollability**

uncontrolled [ˌʌnkən'trould] *adj* **1** necontrolat **2** *v.* **unbridled 2**

uncontroversable [ˌʌnkɔntrə'vɜ:səbəl] *adj v.* **uncontrovertible**

uncontroversial [ˌʌnkɔntrə'vɜ:ʃəl] *adj* care nu ridică controverse; indiscutabil, clar

uncontroverted [ˌʌnkɔntrə'vɜ:tid] *adj* necontestat

uncontrovertible [ˌʌnkɔntrə'vɜ:təbəl] *adj* incontestabil, indiscutabil, irefutabil; neîndoios, neîndoielnic; mai presus de (orice) îndoială

unconventional [ˌʌnkən'venʃənəl] *adj* **1** neconvențional; original **2** neformalist

unconventionality [ˌʌnkənvenʃə'næliti] *s* neconformism, lipsă de convenționalism; independență față de convenții; originalitate; neconformism

unconventionally [ˌʌnkən'venʃənəli] *adv* **1** (în mod) neconvențional/neconformist; fără convenționalism **2** (în mod) original

unconversable [ˌʌnkən'vɜ:səbəl] *adj* nesociabil, necomunicativ

unconversant with [ˌʌnkən'vɜ:sənt wið] *adj cu prep* neversat în, nedeprins/nefamiliarizat cu

unconverted [ˌʌnkən'vɜ:tid] *adj* neconvertit

unconvertible [ˌʌnkən'vɜ:təbəl] *adj* (**into**) neconvertibil, de nepreschimbat (în)

unconvicted [ˌʌnkən'viktid] *adj* **1** necondamnat, scăpat de condamnare **2** a cărui vină nu a fost stabilită

unconvinced [ˌʌnkən'vinst] *adj* deloc/întru nimic convins; plin de îndoială/îndoieli

unconvincing [ˌʌnkən'vinsiŋ] *adj* neconvingător, deloc convingător/concludent

uncookable [ʌn'kukəbəl] *adj* de negătit, care nu poate fi gătit, care nu e de gătit

uncooked [ʌn'kukt] *adj* nefript; nefiert; nefăcut; necopt, crud

uncool [ʌn'ku:l] *adj sl* **1** încorsetat, strâns, țeapăn; nedegajat, lipsit de degajare **2** nasol, scârbos, neplăcut **3** *muz* opus stilului „cool" (*în muzica de jazz*)

uncoop [ʌn'ku:p] *vt* **1** a lăsa (*o găină*) să fugă; **2** ← *F* a lăsa (*un prizonier sau deținut*) să scape

uncooperative [ˌʌnkou'ɔpərətiv] *adj* **1** care nu vrea să ajute/să colaboreze **2** refractar, dificil, ostil

uncoordinated [ˌʌnkou'ɔ:di‚neitid] *adj* necoordonat, lipsit de coordonare

uncoquettish [ˌʌnkou'ketiʃ] *adj* fără/ferit/lipsit de cochetărie

uncord [ʌn'kɔ:d] *vt* a dezlega, a desface *(un obiect)* din legături

uncordial [ʌn'kɔ:diəl] *adj* lipsit de cordialitate

uncork [ʌn'kɔ:k] *vt* a destupa, a scoate dopul la *(sau cu dat)*

uncorked [ʌn'kɔ:kt] *adj* **1** destupat; fără dop **2** *fig (d. subiect etc.)* deschis, abordat, atins

uncorrected [ˌʌnkə'rektid] *adj* necorectat, necorijat; neîndreptat

uncorroborated [ˌʌnkə'rɔbəreitid] *adj* **1** v. **unconfirmed 2** nesusținut *(de dovezi, fapte etc.)*

uncorrupted [ˌʌnkə'rʌptid] *adj* ferit de corupție; neprihănit, necorupt, pur

uncorruptible [ˌʌnkə'rʌptibəl] *adj* incoruptibil; corect, cinstit; care nu poate fi mituit/corupt

uncostly [ʌn'kɔstli] *adj* **1** ieftin **2** fără valoare

uncountable [ʌn'kautəbəl] *adj* **1** nenumărabil, care nu poate fi numărat **2** v. **uncounted**

uncounted [ʌn'kautid] *adj* nenumărabil, fără număr; imens, enorm, incomensurabil

uncouple [ʌn'kʌpəl] *vt* **1** a decupla **2** a desface; a despacheta

uncoupled [ʌn'kʌpəld] *adj* **1** *tehn* decuplat, detașat, desfăcut **2** *auto* debreiat

uncourteous [ʌn'kɔ:tjəs] *adj* v. **uncivil**

uncourteously [ʌn'kɔ:tjəsli] *adv* (în mod) nepoliticos/necurtenitor, fără curtenie/politețe/amabilitate

uncourteousness [ʌn'kɔ:tjəsnis] *s* v. **uncourtliness**

uncourtliness [ʌn'kɔ:tlinis] *s* lipsă de curtoazie/gentilețe/amabilitate/politețe; grosolănie

uncourtly [ʌn'kɔ:tli] *adj* **1** nepoliticos, necurtenitor **2** lipsit de grație

uncouth [ʌn'ku:θ] *adj* **1** necivilizat; needucat; sălbatic; troglodit, barbar **2** barbar, crud, sălbatic; aspru **3** zurbagiu, scandalagiu **4** desfrânat, destrăbălat **5** stângaci, lipsit de dibăcie, nedibaci

uncouthly [ʌn'ku:θli] *adv* **1** stângaci, cu stângăcie **2** aspru, grosolan; sălbatic, barbar

uncovenanted [ʌn'kʌvinəntid] *adj* neconvenit, nestipulat prin contract *sau* tratate *etc.*

uncover [ʌn'kʌvə'] **I** *vt* **1** a descoperi; a ridica vălul *etc.* de pe **2** a dezvălui, a da în vileag **II** *vi* a se descoperi; a-și scoate pălăria *etc.* **III** *vr* ~ **II**

uncovered [ʌn'kʌvəd] *adj* și *fig* descoperit

uncoveted [ʌn'kʌvitid] *adj* nerâvnit, la care nu jinduiește/râvnește nimeni

uncramped [ʌn'kræmpt] *adj* liber, nestânjenit

uncreasable [ʌn'kri:səbl] *adj text* v. **uncrushable**

uncreate [ˌʌnkri'eit] **I** *vt* a distruge, a nimici; a stârpi **II** *adj* [ˌʌnkri'eit] (de) neînfăptuit, necreat

uncreated [ˌʌnkri'eitid] *adj* fv. **uncreate II**

uncredit [ʌn'kredit] *adj* (d. zvon) neconfirmat, neacreditat

uncritical [ʌn'kritikəl] *adj* **1** lipsit de spirit critic **2** binevoitor, indulgent; care nu face reproșuri; care nu aduce critici

uncriticized [ʌn'kritisaizd] *adj* necriticat, ferit de critici

uncropped [ʌn'krɔpt] *adj* **1** netuns **2** *(d. floare etc.)* neculeș

uncross [ʌn'krɔs] *vt* **1** a desface *(brațele și picioarele)* **2** a despărți, a desface, a descrucișa

uncrossable [ʌn'krɔsəbəl] *adj (d. prăpastie etc.)* de netrecut

uncrossed [ʌn'krɔst] *adj* **1** necontrariat **2** neșters, neradiat; nebifat **3** *(d. picioare, mâini)* neîncrucișate **4** *com* nebarat **5** *(d. pădure, ținut, ocean etc.)* nestrăbătut

uncrowded [ʌn'kraudid] *adj* neaglomerat, ferit de aglomerație; cu populație *etc.* rară; cu lume puțină; nefrecventat

uncrown [ʌn'kraun] *vt* a detrona, a deposeda *(un rege etc.)* de coroană

uncrowned [ʌn'kraund] *adj* neîncoronat

uncrushable [ʌn'krʌʃəbəl] *adj text* care nu se mototolește, neșifonabil

UNCTAD *presc de la* **United Nations Conference on Trade and Development**

unction ['ʌŋkʃən] *s* **1** miruire, ungere cu mir **2** *fig* glas mieros **3** poftă; apetit

unctuosity [ˌʌŋktju'ɔsiti] *s* onctuozitate, caracter onctuos/mieros, *F* slinoșenie, mieroșenie

unctuos [ˌʌŋktjuəs] *adj* **1** unsuros, gras, uns; uleios, grăsos **2** slinos, murdar; grețos **3** *fig* onctuos, mieros, dulceag **4** maleabil, plastic; lipicios

uncultivable [ʌn'kʌltivəbəl] *adj (d. pământ)* necultivabil

uncultivated [ʌn'kʌltiveitid] *adj* **1** *agr* necultivat, nelucrat **2** *fig* necultivat, incult, fără/lipsit de educație/cultură

uncultivatedness [ʌn'kʌlti‚veitidnis] *s* incultură, lipsă de cultură

uncultured [ʌn'kʌltʃəd] *adj* v. **uncultivated 2**

uncurable [ʌn'kjuərəbəl] *adj* incurabil, nevindecabil, de nevindecat

uncurbed [ʌn'kə:bd] *adj* **1** nestăvilit, nedomolit, nepotolit **2** nestăpânit, neținut în frâu; slobod

uncured [ʌn'kjuəd] *adj* **1** nevindecat **2** neîngrijit **3** netratat

uncurious [ʌn'kjuəriəs] *adj* lipsit de curiozitate; apatic, indiferent

uncurl [ʌn'kə:l] **I** *vt* a desface *(bucle)* **II** *vi* **1** a-și desface buclele **2** a se desfășura, a se descolăci

uncurrent [ʌn'kʌrənt] *adj (d. bani)* scoși din circulație, care nu au curs, care nu circulă

uncurtain [ʌn'kə:tən] *vt* **1** a trage/a da la o parte/a ridica perdeaua de pe **2** *fig* a dezvălui, a releva, a descoperi

uncurtained [ʌn'kə:tənd] *adj* descoperit, fără perdea

uncushioned [ʌn'kuʃənd] *adj* fără perne/canapele; necapitonat

uncustomary [ʌn'kʌstəməri] *adj* neobișnuit, care nu se întâlnește frecvent

uncustomed [ʌn'kʌstəmd] *adj (d. marfă)* nevămuit, netrecut prin vamă; de contrabandă

uncut [ʌn'kʌt] *adj* **1** netăiat **2** *(d. piatră prețioasă)* neșlefuit, brut **3** *(d. piesă)* netrunchiat, întreg

undamaged [ʌn'dæmidʒd] *adj* **1** intact, neatins **2** în perfectă stare; fără avarii

undamnified [ʌn'dæmnifaid] *adj* v. **undamaged**

undamped [ʌn'dæmpt] *adj* el, rad susținut, continuu, neamortizat

undarkened [ʌn'da:kənd] *adj* și *fig* neîntunecat

undated¹ [ʌn'deitid] *adj* nedatat, fără dată

undated² [ʌn'deitid] *adj bot* ondulat, vălurit

undaughterly [ʌn'dɔ:təli] *adj* nedemn de o fiică

undaunted [ʌn'dɔ:ntid] *adj* 1 nedomolit, nepotolit 2 neînfricat, fără teamă; brav, curajos

undazzled [ʌn'dæzld] *adj* neorbit, care nu se lasă orbit *(de ceva/cineva)*

undebarred [ˌʌndi'ba:d] *adj* (from) neexclus (de la); ~ **from doing smth** liber de (obligația) de a face ceva, nesilit la ceva (nedorit), neobligat să facă ceva

undebased [ˌʌndi'beist] *adj* nestricat, nealterat; curat, neamestecat

undebated [ˌʌndi'beitid] *adj* nediscutat, nedezbătut

undecagon [ʌn'dekə,gon] *s geom* endecagon, patrulater cu 11 laturi

undecayed [ˌʌndi'keid] *adj* 1 intact, nedegradat, în stare bună 2 *(d. lemn)* neputrezit 3 *(d. dinte)* necariat, sănătos

undecaying [ˌʌndi'keiiŋ] *adj* nepieritor, durabil

undeceive [ʌn'disi:v] *vt* 1 a trezi la realitate 2 *fig* a lumina *(mintea cuiva etc.)*; a demistifica

undecided [ˌʌndi'saidid] *adj* nehotărât, indecis; șovăitor, șovăielnic

undecipherable [ˌʌndi'saifərəbəl] *adj* indescifrabil; greu de descifrat

undeciphered [ˌʌndi'saifəd] *adj* nedescifrat

undecisive [ˌʌndi'saisiv] *adj* nedecisiv, nehotărâtor

undeck [ʌn'dek] *vt* a despuia de podoabe

undecked [ʌn'dekt] *adj* 1 neornamentat, neîmpodobit, lipsit de podoabe/artificii 2 căruia i s-au scos podoabele/ornamentele

undeclared [ˌʌndi'klɛəd] *adj* nedeclarat; nemărturisit; ascuns, tainic

undeclinable [ˌʌndi'klainəbəl] *adj* nedeclinabil, indeclinabil; care nu poate fi declinat; fără declinare/flexiune

undecomposed [ˌʌndikəm'pouzd] *adj* nedescompus (în părțile componente)

undecorated [ʌn'dekə,reitid] *adj* neîmpodobit, fără podoabe/zorzoane/găteli; simplu

undefaced [ˌʌndi'feist] *adj* nedesfigurat; intact

undefeated [ˌʌndi'fi:tid] *adj* neînvins, care nu a cunoscut înfrângerea

undefended [ˌʌndi'fendid] *adj* fără/lipsit de apărare, neapărat, neocrotit, neprotejat; nepăzit

undefiled [ˌʌndi'faild] *adj* nepângărit, pur, nepătat; intact

undefinable [ˌʌndi'fainəbəl] *adj* indefinisabil, greu de definit; inefabil; nedefinit

undefined [ˌʌndi'faind] *adj* 1 nedefinit 2 *v.* **undefinable**

undelayed [ˌʌndi'leid] *adj* (făcut) fără întârziere; prompt, imediat; rapid

undelivered [ˌʌndi'livəd] *adj com* 1 nelivrat, nepredat; nefurnizat 2 *(d. trimiteri poștale)* nepredat, neînmânat (expeditorului) 3 *(↓ d. lovitură)* nedat (încă), rămas doar ca o simplă amenințare/în faza de amenințare; care plutește în aer

undemanding [ˌʌndi'ma:ndiŋ] *adj* 1 lipsit de exigență *sau* pretenții; nepretențios; modest, simplu 2 care nu cere/pretinde eforturi (prea mari), care nu te solicită (prea mult)

undemocratic [ˌʌndemə'krætik] *adj* nedemocratic; antidemocratic; care nu respectă democrația, contrar democrației

undemolishable [ˌʌndi'moliʃəbəl] *adj* indestructibil

undemonstrable [ˌʌndi'monstrəbəl] *adj* nedemonstrabil, de nedemonstrat

undemonstrated [ˌʌndemən'streitid] *adj* (încă) nedemonstrat

undemonstrative [ˌʌndi'monstrətiv] *adj* neexpansiv; simplu, la locul lui; temperat; care nu face mult caz *(ant.* zgomotos)

undeniable [ˌʌndi'naiəbəl] *adj* (de) netăgăduit, incontestabil; irefutabil

undeniably [ˌʌndi'naiəbli] *adj* (în mod) incontestabil/indiscutabil; mai presus de orice îndoială

undenominational school [ˌʌndinɔmi'neiʃənəl ˌsku:l] *s* școală laică

undependable [ˌʌndi'pendəbəl] *adj* *v.* **unreliable**

under ['ʌndər] **I** *prep* 1 sub, dedesubtul; ~ **one's breath** cu glas scăzut; în șoaptă, pe șoptite; **to be/to labour ~ a delusion/an impression** a fi pradă unei iluzii, a avea o idee falsă; a se înșela 2 în, într-o *(categorie etc.)*; ~ **the head of expenses** la capitolul/în coloana de cheltuieli; ~ **separate cover** (prin curier) separat, cu altă poștă, în alt plic **II** *adv* jos, dedesubt; **to go ~ a** a eșua, a cădea, a suferi un eșec **b** a decădea; **to knuckle ~** a se supune, a ceda **III** *adj* 1 inferior, (din partea) de jos 2 subordonat, inferior, în subordine 3 (de) pe lângă

under-achiever ['ʌndərə'tʃi:vər] *s amer* elev *sau* student ale cărui rezultate sunt inferioare posibilităților sale/care nu știe să se afirme/care se afirmă sub posibilitățile sale (reale)

underact [ˌʌndər'ækt] **I** *vi teatru* a juca simplu/natural/fără afectare **II** *vt teatru* a interpreta natural/simplu/cu discreție/fără cabotinism/exagerare

under age ['ʌndər 'eidʒ] *adj* 1 minor, care n-a ajuns la majorat 2 *fig* necopt, imatur; neisprăvit

underarm ['ʌndər,a:m] *adj v.* **underhand**

underbade [ˌʌndə,beid] *pret de la* **underbid**

underbelly ['ʌndə,beli] *s* 1 burtă, pântece, abdomen 2 *fig* punct slab/sensibil

underbid I [ˌʌndə'bid], *pret* **underbade** [ˌʌndə'beid] *sau* **underbid** [ˌʌndə'bid], *ptc* **underbidden**/[ˌʌndə'bidn] *vt* 1 *com* a sublicita *(concurenții)*, a oferi condiții *sau* prețuri mai avantajoase decât *(concurența)* 2 *com* a oferi *(mărfuri etc.)* sub prețul *(pieței etc.)* 3 *(la cărți):* **to ~ one's hand** a-și sublicita cărțile, a cere mai puțin decât valoarea cărților din mână **II** ['ʌndə,bid] *s com* ofertă ieftină/joasă/sub prețul pieței *sau* concurenței; ofertă foarte avantajoasă/la preț redus

underbidden [ˌʌndə'bidən] *ptc de la* **underbid**

underbidder ['ʌndə,bidə] *s* persoană care oferă *(ceva)* sub prețul pieței/concurenței

underbody ['ʌndə,bɒdi] *s v.* **under-carriage**

underbred ['ʌndə,bred] *adj* **1** prost crescut/educat, needucat, fără cei șapte ani de-acasă **2** *(d. animal)* de rasă proastă

underbrush ['ʌndə,brʌʃ] *s* **1** cătină **2** pădure tânără **3** subarboret

undercall ['ʌndə,kɔːl] *vt v.* **underbid I, 2**

under-carriage ['ʌndə,kærɪdʒ] *s av* tren de aterizare

undercarriage half ['ʌndə,kærɪdʒ ,haːf] *s av* semitren de aterizare

undercart ['ʌndə,kaːt] *s F v.* **under-carriage**

undercharge ['ʌndə,tʃaːdʒ] **I** *vt* **1** a socoti mai puțin, a plăti sub tarif **2** a încărca insuficient *(o armă)* **3** a încărca incomplet/insuficient *(un vagon, camion etc.)* **II** *s com* **1** încărcătură incompletă **2** plată, socoteală *etc.* în minus/econo-micoasă

underclad [,ʌndə'klæd] *adj* îmbrăcat prea ușor/subțire

underclass ['ʌndəklaːs] *s amer univ* anul întâi *sau* doi al unui colegiu

underclassman ['ʌndəˌklaːsmən] *s amer univ* student în anul întâi *sau* doi al unui colegiu; *aprox* boboc

under-clerk ['ʌndə'klaːk] *s* funcțio-nar subaltern; mic funcționar/ slujbaș

underclothes ['ʌndə'klouðz] *s pl* lenjerie (de corp); *eufemistic* indispensabili, izmene

underclothing [,ʌndə'klouðɪŋ] *s v.* **underclothes**

undercoat ['ʌndə,kout] **I** *s* **1** haină purtată sub palton; vestă purtată sub haină **2** puf de blană la animale **3** *auto tehn* strat protec-tor de vopsea **II** *vt auto* a acoperi *(caroseria)* cu un strat protector de vopsea

under-commissary [,ʌndə'kɒmisəri] *s* subcomisar

under-cook [,ʌndə'kuk] *s* ajutor de bucătar; ajutoare de bucătă-reasă

undercooling [,ʌndə'kuːlɪŋ] *s fiz* **1** suprarăcire **2** răcire insuficientă, subrăcire

undercover [,ʌndə'kʌvər] *adj v.* **underhand I 1**

undercroft [,ʌndə'krɒft] *s* **1** subsol, beci boltit **2** *bis* criptă

undercurrent [,ʌndə'kʌrənt] *s și fig* curent subteran

undercut I [,ʌndə'kʌt] *vt* **1** a tăia pe dedesubt **2** *com* a da/a vinde mai ieftin/sub preț **3** *ec* a sublicita **II** [,ʌndə'kʌt] *vi* a se angaja sub tarif/cu un salariu mai mic decât cel obișnuit **III** ['ʌndəkʌt] *s* **1** tăietură la bază **2** mușchi filé

undercutter [,ʌndə'kʌtər] *s tehn* haveză

under-developed [,ʌndədi'veləpt] *adj* **1** slab dezvoltat **2** subdez-voltat; nedezvoltat

underdeveloped countries [,ʌndədi'veləpt 'kʌntriz] *s pl* țări subdezvoltate/slab dezvoltate

underdo ['ʌndə'duː)], *pret* **underdid** ['ʌndə'did], *ptc* **underdone** ['ʌndə'dʌn] *vt* **1** a face doar pe jumătate, a nu încheia/termina/ sfârși; a lăsa pe jumătate nefăcut **2** *gastr* a frige *sau* prăji *(carnea)* puțin; a lăsa *(friptura etc.)* în sânge *(folos. ↓ la ptc)* **3** *înv v.* **underact II**

underdid ['ʌndə'did] *pret de la* **underdo**

underdog ['ʌndə,dog] *s* **1** subor-donat, inferior, subaltern **2** su-pus, persoană umilă

underdone ['ʌndə'dʌn] *adj* **1** nefript, nefăcut, crud **2** nefiert, crud

underdose ['ʌndədous] **I** *vt* a doza insuficient/incomplet **II** *s* doză insuficientă/slabă

underdress [,ʌndə'dres] *vi* a fi negli-jent în îmbrăcăminte, a nu acor-da suficientă atenție toaletei; **to be ~ed** *od* **a** a nu avea preocu-pări de eleganță; a fi îmbrăcat ne-corespunzător *(la o serată etc.)*, a nu avea ținuta corespunzătoare **b** a fi îmbrăcat prea ușor/subțire

underestimate [,ʌndər'esti,meit] *vt* a subestima, a subevalua, a subaprecia

underestimation [,ʌndəresti'meiʃən] *s v.* **underestimate II**

under-excitation [,ʌndəreksai'teiʃən] *s el* subexcitație

underexpose [,ʌndərik'spouz] *vt fot* a subexpune

underexposure [,ʌndərik'spouʒər] *s fot* subexpunere

underfed [,ʌndə'fed] *adj* prost hrănit, subnutrit

underfeed [,ʌndə'fiːd] *vt* a subnutri, a hrăni prost

underfired [,ʌndə'faiəd] *adj (d. ceramică)* insuficient ars

underfloor ['ʌndə,flɔːʳ] *adj arhit* (↓ *d. calorifer)* (așezat) sub du-șumea/pardoseală

underflow ['ʌndə,flou] *s* curent subteran

underfoot [,ʌndə'fut] *adv* **1** sub picioare/tălpi; **to trample/to tread ~ a** *și fig* a călca în picioare **b** a încălca, a viola **2** pe jos, la pământ **3** *fig* supus, umilit, călcat/zdrobit în picioare; în stare de supunere/umilință **4** *fig* ca o piedică/un obstacol

underframe [,ʌndə'freim] *s tehn* schelet, cadru, șasiu *(de mașină, vagon etc.)*

under-freight ['ʌndə,freit] *vt com nav* a subnavlosi *(un vas)*

under-gardener ['ʌndə,gaːdnəʳ] *s* ajutor de grădinar

undergarment ['ʌndə'gaːmənt] *s v.* **underclothes**

undergo [,ʌndə'gou], *pret* **under-went** [,ʌndə'went], *ptc* **under-gone** [,ʌndə'gɒn] *vt* **1** a trece prin, a suferi *(neplăceri etc.)* **2** a i se face, a suferi *(o operație etc.)* **3** a trece, a da *(un examen)* **4** a păți, a i se întâmpla, a avea de suferit

undergone [,ʌndə'gɒn] *ptc de la* **undergo**

undergrad [,ʌndə'græd] *s v.* **under-graduate**

undergraduate [,ʌndə'grædjuit] *s* student

undergraduette [,ʌndə'grædjuət] *s* studentă

underground I ['ʌndə,graund] *adj* **1** subteran, subpământean, de sub pământ **2** *v.* **underhand I 1** **3** ↓ *pol* în ilegalitate, ilegal, clandestin, tainic **II** [,ʌndə'graund] *adv* **1** sub/din pământ **2** în subteran **3** pe ascuns, în taină/ secret **III** ['ʌndə,graund] *s* **1** sub-teran **2** metrou, metropolitan **3** ilegalitate

underground floor ['ʌndə,graund 'flɔːʳ] *s constr* demisol

underground press ['ʌndə,graund ,pres] *s* **1** presă liberă/neoficială/ neconvențională *sau* experi-mentală **2** presă clandestină

underground savage [ʌndə,graund 'sævidʒ] *s nav sl* mașinist care lucrează în camera cazanelor pe o navă de război

underground shaft [ˈʌndəˌgraund ˌʃɑːft] *s min* puţ orb

underground water [ˈʌndəˌgraund ˌwɔːtəʳ] *s geol* apă subterană/de adâncime; pânză freatică

underground worker [ˈʌndəˌgraundˌwəːkəʳ] *s min* miner care lucrează în subteran

underground working [ˈʌndəˌgraund ˌwəːkiŋ] *s min* exploatare subterană

undergrown [ˈʌndəˌgroun] *adj* 1 neisprăvit; imatur, necopt 2 pitic, necrescut

undergrowth [ˈʌndəˌgrouθ] *s v.* **underbrush**

underhand [ˈʌndəˌhænd] I *adj* 1 ascuns, tainic; clandestin; (făcut) în ascuns 2 viclean, şiret 3 necinstit, neonest II *adv* 1 în secret/taină; pe ascuns 2 pe furiş

underhanded [ˈʌndəˌhændid] *adj v.* **underhand** I

underhandedly [ˈʌndəˌhændidli] *adv v.* **underhand** II

underhandness [ˈʌndəˌhændnis] *s* clandestinitate, caracter clandestin

underhung [ˌʌndəˈhʌŋ] *adj anat* prognat, cu prognatism

under-inflated [ˌʌndərinˈfleitid] *adj auto (d. pneu etc.)* insuficient umflat; (umflat) slab

under-inflation [ˌʌndərinˈfleiʃən] *s auto* umflare insuficientă/slabă *(a unui pneu etc.)*

under-jaw [ˈʌndəˌdʒɔː] *s* falcă de jos, maxilar inferior, mandibulă inferioară

under-king [ˈʌndəˌkiŋ] *s rar* vicerege

underlaid [ˌʌndəˈleid] *pret şi ptc de la* **underlay**

underlain [ˌʌndəˈlein] *ptc de la* **underlie**

underlay [ˌʌndəˈlei], *pret şi ptc* **underlaid** [ˌʌndəˈleid] I *vt* 1 a pune dedesubtul *(cu gen)*, a aşeza/a pune sub *(un alt lucru, ↓ ca suport etc.)* 2 *tipogr* a pune *(hârtie)* dedesubtul *(zaţului etc.)* II *vi mine (d. strat)* a se înclina *(în raport cu verticala)* III *pret de la* **underlie**

underlease [ˈʌndəliːs] I *vt* a subînchiria *(o casă)*; a subarenda *(o fermă)* II *s* subînchiriere; subarendare

underlessee [ˈʌndəleˈsiː] *s* 1 subchiriaş, sublocatar 2 *agr* subarendaş

underlessor [ˈʌndəleˈsɔːʳ] *s* 1 chiriaş care subînchiriază *(o casă)* 2 arendaş care dă *(o fermă)* în subarendă

underlet [ˌʌndəˈlet] *vt* 1 a închiria *sau* a arenda sub valoarea reală 2 a subînchiria; a subarenda

underletter [ˌʌndəˈletəʳ] *s* 1 *v.* **underlessor** 2 *com, nav* subnavlositor *(al unui vas)*

underlie [ˌʌndəˈlai], *pret* **underlay** [ˌʌndəˈlei], *ptc* **underlain** [ˌʌndəˈlein] *vt* 1 a fi/a sta la baza *(cu gen)*; a se afla dedesubtul *(cu gen)* 2 *fig* a fundamenta, a susţine, a întemeia

underline [ˌʌndəˈlain] *vt* 1 a sublinia 2 *fig* a întări, a sublinia, a reliefa, a scoate în relief, a releva

underlinen [ˌʌndəˌlinən] *s* rufărie/lenjerie de corp

underling [ˈʌndəliŋ] *s* 1 *v.* **underdog** 1 2 lacheu, agent plătit, slugă (plecată)

underlip [ˌʌndəˈlip] *s anat* buză inferioară

underload [ˌʌndəˈloud] *vt* a încărca insuficient/sub cotă, a subîncărca

underloading [ˌʌndəˈloudiŋ] *s* încărcătură insuficientă/în minus

underlying [ˌʌndəˈlaiiŋ] *adj* 1 de dedesubt, inferior 2 subiacent; de la baza *(cu gen)* 3 fundamental, de bază

underman [ˈʌndəˌmæn] *vt nav* a echipa *(un vapor etc.)* cu prea puţini oameni

undermanned [ˌʌndəˈmænd] *adj nav (d. vas)* cu (un) echipaj mic/insuficient

undermentioned [ˌʌndəˈmenʃənd] *adj* mai jos pomenit, citat mai jos, pomenit/menţionat ulterior

undermine [ˌʌndəˈmain] *vt* a submina; a slăbi

undermost [ˈʌndəˌmoust] *adj* 1 cel mai de jos 2 cel mai mic

underneath [ˌʌndəˈniːθ] *prep, adj, adv poetic v.* **under**

undernourish [ˌʌndəˈnʌriʃ] *vt* a subalimenta, a subnutri

undernourished [ˌʌndəˈnʌriʃt] *adj v.* **underfed**

undernourishment [ˌʌndəˈnʌriʃmənt] *s* subnutriţie; inaniţie; hrană proastă

under-officer [ˌʌndərˈɔfisəʳ] I *s mil* ofiţer inferior, subofiţer II *vt* a dota

(o trupă) cu prea puţini ofiţeri

underpaid [ˌʌndəˈpeid] I *pret şi ptc de la* **underpay** II *adj* prost plătit, plătit sub tarif, cu un salariu de mizerie

underpants [ˈʌndəˌpænts] *s pl F* chiloţi; izmene

underpart [ˈʌndəˌpɑːt] *s* 1 parte inferioară/de jos 2 *teatru* rolişor, rol mic/secundar/minor

underpass [ˈʌndəˌpɑːs] *s* pasaj subteran/inferior; trecere denivelată; intersecţie

underpath [ˈʌndəˌpɑːθ] *s* pasaj subteran/denivelat

underpay [ˌʌndəˈpei], *pret şi ptc* **underpaid** [ˌʌndəˈpeid] *vt* a plăti prost/sub tarif

underpin [ˌʌndəˈpin] *vt* 1 a subzidi, a sprijini, a propti, a rezema *(o zidărie etc.)* 2 a pune temelia la

underplay [ˌʌndəˈplei] *vt* 1 *teatru v.* **underact** II 2 **undercut** I 2

underplot [ˈʌndəˌplɔt] *s* acţiune/intrigă secundară *(a unui roman etc.)*

underpopulated [ˌʌndəˈpɔpjuˌleitid] *adj* subpopulat, slab populat

underpressure [ˌʌndəˈpreʃəʳ] *s fiz* 1 presiune scăzută, subpresiune 2 vacuum, vid

underprice [ˌʌndəˈprais] *s* preţ scăzut/de nimic/derizoriu

under-privileged [ˌʌndəˈprivilidʒd] *adj* 1 oropsit, persecutat 2 defavorizat, pus în inferioritate 3 sărac, sărman; supus la privaţiuni

underproduce [ˌʌndəprəˈdjuːs] *vt* a produce în cantitate insuficientă, a fi în deficit cu producţia

underproduction [ˌʌndəprəˈdʌkʃən] *s ec* subproducţie

underproof spirit [ˌʌndəˈpruːfˈspirit] *s* alcool subgradat

underquote [ˌʌndəˈkwout] *vt ec* 1 a subevalua, a subestima, a subpreţui 2 a impune (la) mai puţin *(un imobil etc.)*

underrate [ˌʌndəˈreit] *vt v.* **underestimate**

under-rent [ˌʌndəˈrent] *vt* a subînchiria

under repair [ˌʌndəriˈpɛəʳ] *adj* în reparaţie/revizie

underripe [ˌʌndəˈraip] *adj* crud, necopt; imatur

underscore [ˌʌndəˈskɔːʳ] *vt v.* **underline**

underscoring [,ʌndə'skɔ:riŋ] *s* **1** *şi fig* subliniere **2** *fig* subliniere, accentuare

undersea [,ʌndə'si:] **I** *adj* submarin; din adâncul mărilor **II** *adv* în adâncul mărilor; (pe) sub mare

undersecretary [,ʌndə'sekrətri] *s* subsecretar (de stat); ministru adjunct

undersell [,ʌndə'sel] *vt com* a vinde sub preţ

underseller [,ʌndə'selə'] *s* negustor care vinde sub preţul de cost

underset ['ʌndə,set] **I** *s nav* curent submarin; curent contrar celui de la suprafaţă **II** *vt* a sprijini, a propti, a susţine *(o zidărie, o schelărie)*

undersheriff ['ʌndə'ʃerif] *s amer* ajutor de şerif

undershirt ['ʌndəʃə:t] *s* maiou, flanelă de corp

undershorts ['ʌndəʃɔ:ts] *s pl amer* chiloţi, izmene scurte; slip

undershot ['ʌndəʃɔt] *adj* **1** *(d. falcă)* proeminent, ieşit în afară **2** *(d. roţi de moară etc.)* mişcat de curentul apei pe dedesubt

underside ['ʌndə,said] *s* parte inferioară/de dedesubt

undersign ['ʌndə,sain] *vt* a subsemna, a subscrie (la)

undersigned, the ['ʌndə,saind, ðə] *s* **1** subsemnatul **2** subsemnaţii, cei de mai jos

undersized [,ʌndə'saizd] *adj* **1** mic, pitic **2** necrescut, nedezvoltat

underskirt ['ʌndə,skə:t] *s* jupon

underslung [,ʌndə'slʌn] *adj tehn* suspendat

underslung spring [,ʌndə'slʌn ,spriŋ] *s auto* arc montat sub osie

undersoil ['ʌndə,soil] *s* subsol

undersold [,ʌndə'sould] *pret şi ptc de la* **undersell**

undersong ['ʌndə,sɔŋ] *s* **1** acompaniament, refren, melodie secundară **2** *fig* sens ascuns

understaffed ['ʌndə'sta:ft] *adj (d. o instituţie)* cu personal insuficient, care duce lipsă de personal/cadre

understand [,ʌndə'stænd], *pret şi ptc* **understood** [,ʌndə'stud] **I** *vt* **1** a înţelege, a pricepe **2** a deduce **3** a subînţelege **4** a afla **5** a avea înţelegere/comprehensiune/compătimire pentru; a se înţelege cu; **to ~ one another** a se înţelege bine (între ei) **II** *vi* a înţelege, a pricepe

understandable [,ʌndə'stændəbəl] *adj* **1** de înţeles; logic **2** inteligibil, uşor de priceput *sau* înţeles

understanding [,ʌndə'stændiŋ] **I** *s* **1** înţelegere, pricepere **2** comprehensiune, înţelegere; compătimire **3** acord, înţelegere; **on this ~** cu condiţia asta; de comun acord **II** *adj* **1** înţelegător, plin de înţelegere **2** perspicace, pătrunzător, inteligent, deştept, ager (la minte) **3** înţelept; logic

understate ['ʌndə'steit] *vt* a spune numai pe jumătate *(un adevăr etc.)*; a micşora, a diminua, a reduce *(din importanţă)*

understatement ['ʌndə'steitmənt] *s* adevăr spus numai pe jumătate; afirmaţie modestă/discretă/moderată

understeer *auto* **I** [,ʌndə'stiə'] *vi (d. automobil)* a fi nemaniabil/leneş/refractar la întoarceri; a lua prost curbele **II** [,ʌndəstiə] *s* tendinţa *(automobilului)* de a lua prost curbele; nemaniabilitate, lipsă de maniabilitate

under-steward [,ʌndə'stju:əd] *s* subintendent

understock [,ʌndə'stɔk] *vt* **1** a furniza în stocuri prea mici **2** *tehn* a alimenta cu combustibil pe la partea inferioară

understood [,ʌndə'stud] **I** *pret şi ptc de la* **understand II** *adj* subînţeles, implicit, care se înţelege de la sine

understrapper [,ʌndə'stræpə'] *s F v.* **underling**

understrata [,ʌndə'streitə] *pl de la* **under-stratum**

understratum [,ʌndə'streitəm], *pl şi* **understrata** [,ʌndə'streitə] *s* strat inferior

understudy ['ʌndə,stʌdi] *teatru* **I** *vt* a dubla *(un actor)* **II** *s* dublură

undersurface ['ʌndə,sə:fis] *adv* în adânc, sub suprafaţa apei

undertablecloth [,ʌndə'teibəl,klɔθ] *s* faţă de masă de protecţie *(care se pune direct pe masă, sub cea de pânză)*

undertake [,ʌndə'teik], *pret* **undertook** [,ʌndə'tuk], *ptc* **undertaken** [,ʌndə'teikən] *vt* **1** a întreprinde, a iniţia, a face **2** a încerca, a experimenta, a proba **3** a prelua, a lua **4** a presupune, a lua drept bună; a afirma

undertaken [,ʌndə'teikən] *ptc de la* **undertake**

undertaker *s* **1** [,ʌndə'teikə'] antrepenor, întreprinzător **2** ['ʌndə,teikə'] antreprenor de pompe funebre; pompe funebre

undertaking *s* **1** [,ʌndə'teikiŋ] întreprindere, antrepriză **2** sarcină **3** promisiune, făgăduială **4** ['ʌndə,teikən] pompe funebre

undertenancy [,ʌndə'tenənsi] *s jur, ec* **1** subînchiriere **2** calitatea de subchiriaş **3** contract de subînchiriere

undertenant [,ʌndə'tenənt] *s jur ec* **1** subchiriaş **2** subarendaş

under-the-counter ['ʌndə ðə ,kauntə'] *adj (d. vânzare) (făcut)* pe sub tejghea/mână, clandestin, ilicit

under-the-table ['ʌndə ðə'teibl] *adj* tainic, secret, făcut în taină, clandestin, ilicit, ilegal, (făcut) pe sub mână

underthings ['ʌndəθiŋz] *s pl* desuuri, lenjerie intimă/de corp *(de damă)*

underthought ['ʌndəθɔ:t] *s* gând ascuns/tainic/secret

undertint [,ʌndətint] *s arte* nuanţă slabă, culoare ştearsă/estompată

undertone ['ʌndətoun] *s* **1** glas scăzut; şoaptă; vorbă/vorbire pe şoptite **2** nuanţă domoală **3** *fig* subtilitate

undertook [,ʌndə'tuk] *pret de la* **undertake**

undertow [,ʌndə'tou] *s nav* curent de fund/submarin; resac

undertype generator ['ʌndətaip dʒenə,reitə'] *s el* dinam de tip inferior

undervaluation ['ʌndə,vælju'eiʃən] *s* **1** subevaluare, subapreciere **2** depreciere

undervalue ['ʌndə,vælju:] *vt* **1** *v.* **underestimate 2** a deprecia

undervest ['ʌndəvest], **underwaist** ['ʌndəweist] *s* maiou, flanelă de corp

underwater ['ʌndə'wɔ:tə'] *adj, adv v.* **undersea**

underwater camera ['ʌndə,wɔ:tə'kæmərə] *s cin* aparat de filmat sub apă

underwater-to-surface missile ['ʌndə'wɔ:tə tə'sə:fis'mi,sail] *s nav mil* rachetă lansată de un submarin în imersiune

under way [,ʌndə'wei] **I** *adj pred* în curs; inițiat, început, în (plină) desfășurare **II** *adv* în/din mers

underwear ['ʌndə,wɛəʳ] *s* **1** *v.* **underclothes 2** indispensabili, izmene

underweight ['ʌndəweit] *s* greutate redusă/sub cea normală

underwent [,ʌndə'went] *pret de la* **undergo**

underwood ['ʌndə,wud] *s v.* **underbrush**

underwork [,ʌndə'wə:k] **I** *vi* **1** a nu (prea) lucra, a lucra prea puțin/ insuficient; a trage chiulul la lucru **2** a rasoli, a lucra de mântuială, a cârpăci **3** a lucra ieftin **II** *vt* **1** a executa/a face (*o lucrare*) la repezeală; a lucra de mântuială **2** a lucra mai ieftin decât (*cineva*) **III** *s* **1** muncă necalificată/inferioară **2** cârpăceală

underworld, the ['ʌndə,wə:ld, ðə] *s* **1** lumea cealaltă **2** iad, infern **3** lumea interlopă

underwrite ['ʌndərait], *pret* **underwrote** ['ʌndərout], *ptc* **underwritten** ['ʌndə,ritən] *vt* **1** a scrie dedesubtul (*cu gen*); a scrie sub **2** a scrie după/la sfârșitul (*cu gen*) **3** *ec* a gira **4** *ec* a-și face/ a-și scoate/a subscrie (*o poliță de asigurare*) **5** *fig* a subscrie la, a fi de acord cu (*o părere etc.*) **6** a sprijini (*financiar*); a întreține

underwriter ['ʌndə,raitəʳ] *s ec* **1** girant; garant **2** prețuitor **3** emitent (*al unui titlu*)

underwriting ['ʌndə,raitiŋ] *s fin, ec* **1** garanție de emisiune; subscripție forfetară **2** subscriere (*a unei polițe*) **3** asigurare maritimă

underwritten ['ʌndə,ritən] *ptc de la* **underwrite**

underwrote ['ʌndə,rout] *pret de la* **underwrite**

undescended [,ʌndi'sendid] *adj* **1** necoborât, nelăsat în jos; care nu a coborât; rămas sus **2** *anat* (*d. testicul*) rămas în abdomen

undescribable [,ʌndis'kraibəbəl] *adj* indescriptibil, de nedescris

undescribed [,ʌndis'kraibd] *adj* nedescris, nestudiat, necercetat

undescried [,ʌndis'kraid] *adj* neobservat

undeserved [,ʌndi'zə:vd] *adj* nemeritat, primit pe nedrept, necuvenit

undeservedly [,ʌndi'zə:vidli] *adv* (în mod) nemeritat; pe nedrept

undeserving [,ʌndi'zə:viŋ] *adj* nemeritat, care nu merită

undeservingly [,ʌndi'zə:viŋli] *adv* fără să fi meritat, fără (nici un) merit

undesignated ['ʌn'dezigneitid] *adj* nedesemnat, neidentificat

undesignatedly ['ʌn'dezigneitidli] *adv* fără intenție, involuntar, fără premeditare, (în mod) întâmplător

undesignedly [,ʌndi'zainidli] *adv* (în mod) neintenționat, fără intenție/voie; din greșeală/eroare; (în mod) involuntar; fără a fi stabilit dinainte *v.* **și unintentionally**

undesigning [,ʌndi'zainiŋ] *adj* simplu, sincer, neprefăcut; fără intenții rele/ascunse

undesirable [,ʌndi'zaiərəbəl] **I** *adj* indezirabil, nedorit **II** *s* persoană indezirabilă; intrus, nechemat

undesirableness [,ʌndi'zaiərəbəlnis] *s* inoportunitate

undesired [,ʌndi'zaiəd] *adj* nedorit; inoportun

undesirous ['ʌndi'zaiərəs] *adj* **1** lipsit de entuziasm/de dorință; pasiv, apatic, indiferent **2** refractar, care se opune

undesisting [,ʌndi'sistiŋ] *adj* **1** necurmat **2** tenace, perseverent

undespairing [,ʌndis'pɛəriŋ] *adj* care nu disperă, perseverent (în așteptarea realizării speranțelor)

undestroyed [,ʌndis'trɔid] *adj* intact, nedistrus

undetachable [,ʌndi'tætʃəbəl] *adj* nedetașabil, de nedespărțit; de nedezlipit

undetected [,ʌndi'tektid] *adj* nedescoperit, nedetectat

undeterminable [,ʌndi'tə:minəbəl] *adj* **1** greu de precizat/de determinat/de stabilit, de nedeterminat **2** (*d. persoană*) de neconvins

undetermined [,ʌndi'tə:mind] *adj* **1** nedeterminat; nedefinit **2** nehotărât, șovăielnic

undeterred [,ʌndi'tə:d] *adj v.* **unabated**

undeveloped [,ʌndi'veləpt] *adj v.* **underdeveloped**

undeviating [ʌn'di:vieitiŋ] *adj v.* **unabated**

undevout [,ʌndi'vaut] *adj* necucernic, nereligios

undid [ʌn'did] *pret de la* **undo**

undies ['ʌndiz] *s pl* lenjerie de corp (↓ *de damă*)

undifferentiated [,ʌndifə'renʃi,eitid] *adj* nediferențiat; luat de-a valma/la întâmplare

undiffused [,ʌndi'fju:zd] *adj* (*d. lumină*) directă, nedifuză

undigested [,ʌndi'dʒestid] *adj* **1** nemistuit, nedigerat **2** *fig* nedigerat, neasimilat; brut, crud

undigestible [,ʌndi'dʒestəbəl] *adj* indigest

undignified [ʌn'dignifaid] *adj* **1** lipsit de demnitate **2** nedemn **3** rușinos

undiluted [,ʌndi'lu:tid] *adj* **1** nediluat; integral **2** (*d. vin*) curat, nebotezat **3** (*d. acid*) concentrat

undiminished [,ʌndi'miniʃt] *adj* **1** întreg, deplin, plin; integral **2** întru nimic micșorat/domolit **3** *v.* **unabated**

undine [ʌn'di:n] *s mit* ondină, nimfă a apelor

undiplomatic ['ʌndiplɔ'mætik] *adj* nediplomatic; lipsit de diplomație/tact

undirected [,ʌndi'rektid] *adj* **1** nedirijat; neîndrumat **2** lipsit de călăuzire/îndrumare; dezorientat

undiscerned [,ʌndi'sə:nd] *adj* nevăzut, nezărit

undiscernible [,ʌndi'sə:nəbəl] *adj* imperceptibil; invizibil

undiscerning [,ʌndi'sə:niŋ] *adj* lipsit de discernământ *sau* perspicacitate

undischarged [,ʌndis'tʃɑ:dʒd] *adj* **1** (*d. vase, armă de foc, acumulator etc.*) nedescărcat **2** *jur, ec* (*d. falit*) nereabilitat **3** (*d. obligație morală*) neîndeplinit

undisciplined [ʌn'disiplind] *adj* **1** nedisciplinat **2** nepedepsit

undisclosed [,ʌndis'klouzd] *adj* nedezvăluit, nedat în vileag, (ținut) secret, ascuns; tainic

undiscomfited [,ʌndis'kʌmfitid] *adj rar* nedescurajat, nedemoralizat

undisconcerted [,ʌndiskən'sə:tid] *adj* netulburat, nedescumpănit; imperturbabil

undiscountable [,ʌndis'kauntəbəl] *adj com* fără (taxă de) scont

undiscouraged [,ʌndis'kʌridʒd] *adj* nedescurajat, neabătut

undiscoverable [ˌʌndis'kʌvərəbəl] *adj* nedescoperit, de negăsit

undiscovered [ˌʌndis'kʌvəd] *adj* **1** nedescoperit **2** inedit

undiscriminated [ˌʌndis'krimineitid] *adj* fără alegere, fără discernământ

undiscriminating [ˌʌndis'krimineitiŋ] *adj* **1** neselectiv, care nu distinge/alege; care nu face distincție; fără discernământ **2** care nu face discriminări, lipsit de exigențe; nepretențios

undiscussed [ˌʌndis'kʌst] *adj* rămas nediscutat

undisguised [ˌʌndiz'gaizd] *adj* **1** nedeghizat, nemascat **2** *(d. fire, caracter)* sincer, deschis, franc

undisguisedly [ˌʌndiz'gaizədli] *adv* **1** (în mod) sincer/deschis/franc; fără ascunzișuri/ocol **2** neabătut; nedescurajat

undisturbedly [ˌʌndis'təːbidli] *adv* netulburat; calm, fără emoție

undisillusioned [ˌʌndisi'luːʒənd] *adj* nedeziluzionat

undismayed [ˌʌndis'meid] *adj* neînfricat; ~ by fără să se sperie de

undispatched [ˌʌndis'pætʃt] *adj* neexpediat, netrimis

undispelled [ˌʌndis'peld] *adj* neîmprăștiat, nerisipit

undispersed [ˌʌndis'pəːst] *adj* **1** nedispersat, intact **2** *med (d. tumoare)* neresorbit

undisposed [ˌʌndis'pouzd] *adj v.* **indisposed**

undisposed of [ˌʌndis'pouzdəv] *adj cu prep* **1** nevândut **2** neînchiriat **3** *(d. fată)* nemăritată

undisputable [ˌʌndis'pjuːtəbəl] *adj v.* **indisputable**

undisputed [ˌʌndis'pjuːtid] *adj* necontestat, necontroversat

undissembling [ˌʌndi'sembliŋ] *adj* deschis, sincer, franc, neprefăcut

undissolved [ˌʌndi'sɔlvd] *adj* **1** *ch* nedizolvat, netopit **2** *(d. contract, căsătorie etc.)* nedesfăcut

undistinguishable [ˌʌndis'tiŋgwiʃəbəl] *adj* **1** (**from**) de nedeosebit (de) **2** imperceptibil abia sesizabil

undistinguished [ˌʌndi'stiŋwiʃt] *adj* **1** neremarcabil, mediocru, banal, cu nimic ieșit din comun, de rând **2** care nu se distinge/deosebește (de altul), asemănător, leit (cu altul)

undistinguishing [ˌʌndi'stiŋgwiʃiŋ] *adj v.* **undiscriminating**

undistracted [ˌʌndi'stræktid] *adj (d. persoană)* netulburat, neafectat

undistraught [ˌʌndi'strɔːt] *adj lit* sănătos (la minte)

undistressed [ˌʌndi'strest] *adj* neîntristat, neafectat, care nu e abătut

undistributed [ˌʌndis'tribjutid] *adj* nedistribuit, nerepartizat

undisturbed [ˌʌndi'stəːbd] *adj* **1** netulburat **2** nederanjat, ferit de deranj/tulburare **3** *v.* **unruffled**

undisturbedly [ˌʌndi'stəːbidli] *adv* **1** netulburat, (cu) calm, liniștit **2** fără întrerupere, neîntrerupt, încontinuu

undiversified [ˌʌndai'vəːsifaid] *adj* nediversificat; lipsit de diversitate; nenuanțat; monocrom, monocord

undiverted [ˌʌndai'vəːtid] *adj* **1** *(d. curent etc.)* neabătut, nedeviat **2** *(d. atenție)* neabătut, neclintit, fix **3** *(d. persoană)* care nu se distrează, neînveselit, neamuzat

undivided [ˌʌndi'vaidid] *adj* **1** neîmpărțit (cu nimeni) **2** *v.* **undiminished 1**

undivided property [ˌʌndi'vaidid 'prɔpəti] *s jur* proprietate indiviză

undivulged [ˌʌndi'vʌldʒd] *adj* nedivulgat, nedestăinuit

undo [ʌn'duː], *pret* **undid** [ʌn'did], *ptc* **undone** [ʌn'dʌn] *vt* **1** a desface **2** a dezlega **3** a strica, a distruge, a nimici **4** *și fig* a ruina, a distruge **5** *fig* a corupe; a nenoroci

undoable [ʌn'duːəbəl] *adj* **1** care nu se poate îndeplini/face **2** *(d. sarcină)* imposibil **3** detașabil, care se poate desface

undock [ʌn'dɔk] *nav* **I** *vt* a scoate *(o navă)* din docuri **II** *vi (d. navă)* a ieși din doc

undoer [ʌn'duːəʳ] *s* **1** persoană care distruge/nimicește/ruinează **2** corupător, stricător

undoing [ʌn'duːiŋ] *s* **1** desfacere; dezlegare **2** nimicire, distrugere, stricare **3** *și fig* ruinare, distrugere **4** *fig* corupere

undomestic [ˌʌndo'mestik] *adj (d. femeie)* proastă gospodină, care nu e gospodină; nepricepută la treburile casei

undone [ʌn'dʌn] **I** *adj* **1** desfăcut; dezlegat **2** distrus, nimicit, stricat

3 *și fig* ruinat, distrus **4** *fig* corupt, stricat, nenorocit **5** neterminat, nedesăvârșit **II** *vt ptc de la* **undo**

undouble [ʌn'dʌbəl] *vt rar* a dezdoi *(o hârtie)*

undoubted [ʌn'dautid] *adj* indiscutabil, mai presus de orice discuție/dispută, neîndoielnic, neîndoios; incontestabil; de necontestat

undoubtedly [ʌn'dautidli] *adv* fără îndoială, fără doar și poate; neîndoios, neîndoielnic, cu siguranță

undoubting [ʌn'dautiŋ] *adj* încrezător, care nu se îndoiește, care nu pune lucrurile la îndoială

undrainable [ʌn'dreinəbəl] *adj* **1** *(d. teren)* nedrenabil **2** *(d. mină, izvor)* inepuizabil

undrained [ʌn'dreind] *adj* nedrenat

undramatic [ˌʌndrə'mætik] *adj lit* prea puțin dramatic, lipsit de dramatism

undrape [ʌn'dreip] *vt* a scoate draperiile de la

undraw [ʌn'drɔː], *pret* **undrew** [ʌn'druː], *ptc* **undrawn** [ʌn'drɔːn] *vt* a deschide, a trage *(zăvorul, perdelele, cortina)*

undrawn [ʌn'drɔːn] *ptc de la* **undraw**

undreamed of [ʌn'dremtɔv] *adj cu prep* (de) nevisat; nesperat; la care nici nu te puteai aștepta; nemaipomenit

undreamt of *adj cu prep v.* **undreamed of**

undress [ʌn'dres] **I** *vt* **1** a dezbrăca, a despuia **2** *med* a scoate bandajul/pansamentul de pe, a debandaja *(o rană)* **II** *vi* a se dezbrăca, a se despuia, a-și scoate hainele **III** *s* **1** ținută de casă; neglijeu **2** *mil* mică ținută; in ~ a în neglijeu b *mil* în (uniformă de) mică ținută

undressed [ʌn'drest] *adj* **1** neîmbrăcat, dezbrăcat **2** *med (d. rană)* nebandajat, nepansat **3** *(d. piele etc.)* nepreparat, nelucrat; brut **4** *(d. vitrină)* nearanjat

undress uniform ['ʌndres 'juːnifɔːm] *s mil* uniformă de mică ținută

undrew [ʌn'druː] *pret de la* **undraw**

undried [ʌn'draid] *adj* neuscat

undrilled [ʌn'drild] *adj* **1** *mil* neinstruit **2** neperforat

undrinkable [ʌn'driŋkəbəl] *adj* nepotabil, de nebăut

UNDRO *presc de la* **United Nations Disaster Relief Organization** Organizația/Agenția Națiunilor Unite pentru asistență în caz de calamități naturale

undrunk [ʌn'drʌŋk] *adj* nebăut

unduluous ['ʌndjuləs] *adj* unduios; ondulat

unduteous [ʌn'dju:tiəs] *adj* care nu-și respectă obligațiile *(filiale, conjugale etc.)*

Undset ['unset], **Sigrid** *prozatoare norvegiană (1882-1949)*

undue [ʌn'dju:] *adj* **1** necuvenit **2** *v.* **undeserved 3** nepotrivit, inoportun **4** exagerat

undulate I ['ʌndju,leit] *vi* a se undui, a face valuri **II** ['ʌndjulit] *adj* ondulat, cu/în vălurele, unduios

undulated ['ʌndju,leitid] *adj v.* **undulate II**

undulating ['ʌndju,leitiŋ] *adj v.* **undulate II**

undulation ['ʌndju,leiʃən] *s* unduire, ondulare

undulatory ['ʌndju,leitəri] *adj* ondulatoriu

unduly [ʌn'dju:li] *adj* **1** în mod injust/nedrept/nejustificat; pe nedrept **2** în mod nemeritat

undutiful [ʌn'dju:tiful] *adj (d. copii)* ingrat, nerecunoscător; neascultător

undutifully [ʌn'dju:tifuli] *adv* **1** cu ingratitudine, fără recunoștință **2** fără respect pentru părinți

undutifulness [ʌn'dju:tifulnis] *s* **1** ingratitudine, nerecunoștință **2** lipsă de respect față de părinți; neascultare

undyed [ʌn'daid] *adj* **1** nevopsit, neboit **2** *(d. păr etc.)* necănit, nevopsit

undying [ʌn'daiiŋ] *adj* **1** nemuritor **2** nepieritor, peren

unearned [ʌn'ə:nd] *adj* **1** *(d. câștig etc.)* nemuncit; câștigat (în mod) necinstit **2** *v.* **undeserved**

unearth [ʌn'ə:θ] *vt și fig* a dezgropa; a deshuma

unearthliness [ʌn'ə:θlinis] *s* **1** caracter nefiresc/supranatural/nepământean **2** irealitate, caracter ireal, supranatural *sau* misterios

unearthly [ʌn'ə:θli] *adj* **1** nefiresc **2** supranatural, nepământean,

nepământesc; straniu **3** *F* mult prea devreme; inoportun; neconvenabil; nepotrivit; **what made you ring me up at this ~ hour?** ce-ți veni să mă suni la ora asta (imposibilă)?

uneasily [ʌn'i:zili] *adv* **1** stânjenit, stingherit, incomodat **2** jenat, cu jenă **3** neliniștit, tulburat; agitat

uneasiness [ʌn'i:zinis] *s* **1** stânjeneală, aer stânjenit **2** jenă, încurcătură **3** neliniște, tulburare

uneasy [ʌn'i:zi] **I** *adj* **1** neliniștit, tulburat **2** înfrigurat, nerăbdător **3** încurcat, jenat, stânjenit **4** speriat, agitat **5** instabil, nestatornic **II** *adj v.* **uneasily**

uneaten [ʌn'i:tən] *adj* nemâncat; **~ bread** resturi/firimituri de pâine

uneath [ʌn'i:θ] *adv* ← *înv* **1** (cu) greu, de-abia, cu (mare) greutate **2** (de-)abia, mai deloc, abia-abia

uneconomic [ʌn,i:kə'nɔmik] *adj* neeconomic; neeconomicos; nerentabil

uneconomical [ʌn,i:kə'nɔmikəl] *adj* **1** *v.* **uneconomic 2** neeconomic(os), costisitor

unedited [ʌn'editid] *adj* **1** inedit, needitat, nepublicat **2** *(d. text)* fără aparat critic, fără note și comentarii, necomentat

unedifying [ʌn'edifaii:ŋ] *adj* needificator, neconvingător; care nu aduce lumină *(într-o chestiune)*

uneducated [ʌn'edju,keitid] *adj* **1** *v.* **underbred 1, 2 2** *v.* **uncultivated 2**

uneffaced [ʌni'feist] *adj* neșters, intact

uneffected [ʌni'fektid] *adj* neîmplinit

unelected [ʌni'lektid] *adj (d. candidat)* neales, (care a) căzut în alegeri

uneliminated [ʌni'limineitid] *adj* neeliminat

unelucidated [ʌne'lu:sideitid] *adj* nelămurit, nelimpezit, neelucidat

unemancipated [ʌni'mænsipeitid] *adj* **1** *(d. minor)* neemancipat **2** *înv (d. sclav)* neeliberat, nedezrobit, neemancipat

unembarrassed [,ʌnim'bærəst] *adj* cu nimic stânjenit, la largul lui; degajat; netulburat, neafectat

unembellished [,ʌnim'beliʃt] *adj* **1** *v.* **undecorated 2** *fig* exact ca în realitate, redat întocmai; simplu

unembittered [,ʌnim'bitəd] *adj* neîntristat; cu inima deschisă, fără tristețe

unembodied [,ʌnim'bɔdid] *adj* **1** imaterial; fără corp **2** nematerializat, neîntrupat

unemotional [ʌni'mouʃənəl] *adj* lipsit de afecțiune, rece; neemotiv, insensibil

unemotionally [ʌni'mouʃənəli] *adv* impasibil, cu sânge rece

unemphatic [,ʌnim'fætik] *adj* **1** simplu, nesubliniat **2** spus pe un ton domol; neafectat

unemployable [,ʌnim'plɔiəbəl] *adj* care nu poate fi angajat (într-un post); incapabil

unemployed [,ʌnim'plɔid] **I** *adj* **1** șomer, fără lucru; neangajat **2** nefolosit, neutilizat **3** neuzitat **II** *s* **the ~** șomerii

unemployed relief station [,ʌnim'plɔid ri'li:f'steiʃən] *s* centru/oficiu/birou de ajutor pentru șomeri

unemployment [,ʌnim'plɔimənt] **I** *s* **1** șomaj **2** nefolosire, neutilizare **II** *adj atr* de șomaj

unemployment benefit ['ʌnim'plɔiment 'benifit] *a amer* ajutor de șomaj

unemployment compensation ['ʌnim'plɔiment ,kɔmpən'seiʃən] *s v.* **unemployment benefit**

unemployment fund ['ʌnim'plɔimənt 'fʌnd] *s* fond de asigurare împotriva șomajului

unemployment relief ['ʌnim'plɔimənt ri'li:f] *s* ajutor de șomaj

unemptied [ʌn'emptid] *adj* negolit; nedescărcat încă, plin

unenclosed [,ʌnin'klouzd] *adj* **1** *(d. câmp)* neîngrădit **2** *(d. călugăr)* învoit să iasă/care poate ieși din mănăstire **3** *tehn (d. instalație)* fără dispozitiv de protecție, neprotejat; *(d. angrenaj)* fără carter

unenclosed town [,ʌnin'klouzd'taun] *s* oraș deschis *(fără ziduri)*

unencountered [,ʌnin'kauntəd] *adj* nemaiîntâlnit; nemaivăzut

unencumbered [,ʌnin'kʌmbəd] *adj* neîmpovărat, neîncărcat; nestânjenit

unended [ʌn'endid] *adj* neterminat, neisprăvit

unending [ʌn'endiŋ] *adj* **1** nesfârșit, nemărginit, fără limite **2** interminabil, nesfârșit

unendorsed [ˌʌnin'dɔ:st] *adj* **1** *com, ec, fin (d. cec etc.)* neandosat **2** nesprijinit; nevalidat, nesancționat

unendowed [ˌʌnin'daud] *adj* **1** neînzestrat (cu calități spirituale *sau* cu capital) **2** *(d. logodnică)* fără zestre

unendurable [ˌʌnin'djuərəbəl] *adj* nesuportabil, (de) nesuportat; greu de suportat; chinuitor

unenduring [ˌʌnin'djuəriŋ] *adj* **1** care suportă greu *(uzura etc.)* **2** efemer, trecător, de scurtă durată; tranzitoriu

unenforceable [ˌʌnin'fɔ:səbəl] *adj (d. contract)* neexecutoriu

unenforced [ˌʌnin'fɔ:st] *adj (d. lege)* neaplicat, care nu e în vigoare

unengaged [ˌʌnin'geidʒd] *adj* **1** neangajat; neocupat **2** liber; disponibil

unengaging [ˌʌnin'geidʒiŋ] *adj* neatrăgător; antipatic, neplăcut la vedere, care nu e simpatic

un-English [ˌʌn'iŋgliʃ] *adj* **1** *(d. comportare etc.)* nedemn de un englez **2** *(d. expresie, construcție etc.)* neenglezesc, contrar/străin spiritului limbii engleze

unenlightened [ˌʌnin'laitənd] *adj* nelămurit, în dubiu; care nu a primit explicații suficiente

unenlightening [ˌʌnin'laitəniŋ] *adj* needificator, care aruncă prea puțină lumină asupra unei chestiuni

unenlivened [ˌʌnin'laivənd] *adj* **1** uniform, monoton **2** neînfrumusețat, neîmpodobit **3** neînsuflețit, neanimat

unentangled [ˌʌnin'tæŋgəld] *adj* **1** neîncâlcit, neîncurcat **2** liber, care nu are încurcături (amoroase)

unentered [ʌn'entəd] *adj* **1** unde nu se intră; unde nu s-a intrat, unde nu s-a pătruns **2** neînregistrat, nescris *(în condici etc.)*

unenterprising ['ʌn'entəpraiziŋ] *adj* **1** neîntreprinzător, lipsit de inițiativă **2** moale; timid, sfios, fricos

unentertaining [ˌʌnentə'teiniŋ] *adj* nedistractiv, puțin amuzant/fără haz, plictisitor

unenthusiastic [ˌʌninθju:zi'æstik] *adj* lipsit de entuziasm, indiferent, apatic

unenthusiastically [ˌʌninθju:zi'æstikəli] *adv* fără entuziasm, rece, cu răceală

unenviable [ʌn'enviəbəl] *adj* de neinvidiat

unenvious [ʌn'enviəs] *adj* ferit/lipsit de invidie/pizmă

unequable [ʌn'i:kwəbl] *adj* inegal, neregulat

unequal [ʌn'i:kwəl] *adj* **1** inegal, disproporționat **2** incapabil; ~ **to doing smth** incapabil de a face ceva **3** neregulat; lipsit de regularitate

unequality [ˌʌni:'kwoliti] *s* **1** inegalitate **2** lipsă de egalitate

unequalled [ʌn'i:kwəld] *adj* neegalat; inegalabil, fără pereche/seamăn/asemuire/rival, neasemuit

unequal-lengthed [ʌn'i:kwəl 'leŋθ] *adj* de lungime inegală

unequally [ʌn'i:kwəli] *adv* în mod inegal

unequal-sided [ʌn'i:kwəl,saidid] *adj* cu laturi inegale/neegale

unequipped [ˌʌni'kwipt] *adj* **1** neechipat **2** nepregătit, neadaptat împrejurărilor

unequivocal [ˌʌni'kwivəkəl] *adj* neechivoc, fără echivoc/ambiguitate; clar, răspicat

unequivocally [ˌʌni'kwivəkəli] *adv* fără (pic de) echivoc/ambiguitate; clar, răspicat; de la obraz

unerring [ʌn'ə:riŋ] *adj* **1** ferit de greșeală, infailibil **2** fără greșeală, corect **3** exact, corect, precis; ca un ceasornic

unerringly [ʌn'ə:riŋli] *adv* cu precizie; fără greșeală; infailibil

unerringness [ʌn'ə:riŋnis] *s* infailibilitate, siguranță, precizie

unescapable [ˌʌnis'keipəbəl] *adj* inevitabil, fatal, de neînlăturat

UNESCO [ju:'neskou] *s organizație internațională*

unescorted [ˌʌnes'kɔ:tid] *adj* neescortat, fără escortă

unessayed [ˌʌne'seid] *adj* neîncercat

unessential [ˌʌni'senʃəl] *adj* neesențial; de mai mică importanță

unessentially [ˌʌni'senʃəli] *adv* în mod neesențial/irelevant

unestablished [ˌʌnis'tæbliʃt] *adj* **1** *(d. biserică)* separat de stat; neconformist **2** *(d. personal etc.)* ajutător, auxiliar

uneven [ʌn'i:vən] *adj* **1** *v.* **unequal 2** *(d. suprafață, teren etc.)* accidentat, neregulat; cu asperități

uneven-aged [ʌn'i:vən ,eidʒd] *adj* de vârste diferite

unevenly [ʌn'i:vənli] *adv* **1** *v.* **unequally 2** cu asperități, inegal

unevenness [ʌn'i:vənnis] *s* **1** *v.* **unequality 1 2** asperitate, caracter accidental/neregulat *(al unei suprafețe etc.)*

uneventful [ˌʌni'ventful] *adj* **1** calm, tihnit, liniștit **2** lipsit de senzație/interes; neinteresant

unexamined [ˌʌnig'zæmind] *adj* neexaminat; neverificat

unexampled [ˌʌnig'za:mpəld] *adj* neasemuit, fără egal, unic

unexcelled [ˌʌnik'seld] *adj* neîntrecut, neasemuit

unexceptionable [ˌʌnik'sepʃənəbəl] *adj* ireproșabil, căruia nu i se pot aduce obiecții, mai presus de orice critică

unexceptionableness [ˌʌnik'sepʃənəbəlnis] *s* perfecțiune, desăvârșire; caracter ireproșabil

unexceptionably [ˌʌnik'sepʃənəbli] *adv* (într-un mod) desăvârșit/perfect/mai presus de orice critică; (în chip) ireproșabil

unexceptional [ˌʌnik'sepʃənəl] *adj* **1** *(d. regulă)* fără excepție **2** *v.* **unexceptionable**

unexciting [ˌʌnik'saitiŋ] *adj* insipid, searbăd; neinteresant, monoton

unexcused [ˌʌnik'skju:zd] *adj* neiertat

unexecuted [ʌn'eksekju:tid] *adj* **1** *(d. proiect etc.)* neexecutat, neîmplinit, neefectuat **2** *fig (d. acte)* nevalidat **3** *(d. condamnat)* neexecutat

unexemplified [ˌʌnig'zemplifaid] *adj* neexemplificat, fără exemple; neilustrat prin exemple

unexpansive [ˌʌnik'spænsiv] *adj* **1** *(d. gaz)* nedilatabil **2** *fig* rece, neexpansibil, lipsit de căldură *sau* expansivitate

unexpectant [ˌʌnik'spektənt] *adj* (of) care nu așteaptă *(cu ac)*, care nu se așteaptă (la)

unexpected [ˌʌnik'spektid] *adj* **1** neașteptat, brusc, (sur)venit pe neașteptate; subit **2** surprinzător

unexpectedly [ˌʌnik'spektidli] *adv* **1** pe neașteptate, brusc, dintr-o dată, subit **2** (în mod) surprinzător

unexpectedness [ˌʌnik'spektidnis] *s* **1** caracter neașteptat/brusc/subit **2** caracter surprinzător, surpriză

unexperienced [ˌʌnik'spiəriənst] *adj* **1** lipsit de experiență; crud, necopt *(fig)* **2** *(d. efect etc.)* care nu a (mai) fost încercat/experimentat, neexperimentat

unexplainable [ˌʌnik'spleinəbəl] *adj* **1** inexplicabil, imposibil de explicat **2** *v.* **unjustifiable**

unexplained [ˌʌnik'spleind] *adj* **1** neexplicat, (rămas) nelămurit; indescifrabil **2** *v.* **unexplainable 1**

unexplicables [ʌn'eksplikəblz] *s pl înv umor* indispensabili, *v.* **unexpressibles**

unexplicit [ʌn'eksplisit] *adj* neexplicit; neclar, obscur

unexploded [ˌʌniks'ploudid] *adj* **1** *(d. obuze etc.)* neexplodat **2** *fig (d. teorie)* încă valabil/actual, care mai stă în picioare

unexploited [ˌʌnik'sploitid] *adj* neexploatat

unexplored [ˌʌnik'splɔ:d] *adj* **1** neexplorat **2** *fig* neexplorat, necercetat, (încă) neabordat; virgin

unexposed [ˌʌnik'spouzd] *adj* ascuns, tăinuit; nedemascat; ~ **to** la adăpost de

unexpressed [ˌʌnik'sprest] *adj* neexprimat; nespus

unexpressibles [ˌʌnik'spresəblz] *s pl înv umor* inexprimabili, – indispensabili, izmene, chiloți

unexpressive [ˌʌnik'spresiv] *adj* inexpresiv, lipsit de expresie

unexpurgated [ʌn'ekspə:ˌgeitid] *adj* **1** necenzurat **2** (publicat) integral, fără tăieturi; neprescurtat

unextended [ˌʌnik'stendid] *adj* **1** neextins, fără extindere **2** *gram* nedezvoltat

unextinguishable [ˌʌnik'stingwiʃəbəl] *adj* **1** (de) nestins **2** *fig* (de) nepotolit

unextinguished [ˌʌnik'stingwiʃt] *adj* nestins; arzător; fierbinte

unfaded [ʌn'feidid] *adj* neofilit, neveștejit; proaspăt

unfading [ʌn'feidiŋ] *adj* **1** care nu se ofilește, care nu se decolorează **2** trainic, durabil, nepieritor, peren

unfailing [ʌn'feiliŋ] *adj* **1** constant; consecvent, statornic **2** credincios, de nădejde; care nu te lasă la nevoie **3** *v.* **unabated**

unfailingly [ʌn'feiliŋli] *adv* (în mod) constant/statornic/consecvent/neabătut

unfailingness [ʌn'feiliŋnis] *s* **1** constanță, consecvență, statornicie; caracter statornic **2** credință, loialitate **3** caracter neabătut

unfair [ʌn'fɛər] *adj* **1** nedrept, nejust **2** necinstit, neonest, lipsit de onestitate **3** lipsit de eleganță; nesportiv; nedemn (de un gentleman)

unfairly [ʌn'fɛəli] *adv* **1** în mod nedrept/nejust; pe nedrept; fără justificare **2** fără eleganță/sportivitate; în mod nedemn

unfairness [ʌn'fɛənis] *s* **1** nedreptate, lipsă de justețe/dreptate **2** lipsă de eleganță/sportivitate; caracter nedemn

unfaithful [ʌn'feiθful] **I** *adj* **1** *rel* necredincios; păgân **2** lipsit de credință/loialitate, necredincios, fals **3** *(d. soț etc.)* necredincios, infidel, *F* care pune coarne; **to be ~ one's husband** a-și înșela/a-și încornora bărbatul, a-i pune coarne soțului **II** *s* **the ~ 1** necredincioșii, păgânii **2** *(pt mahomedani)* ghiaurii, creștinii

unfaithfully [ʌn'feiθfuli] *adv* în mod necinstit/fals; fără credință/loialitate

unfaithfulness [ʌn'feiθfulnis] *s* **1** *rel* necredință, lipsă de credință; păgânătate **2** lipsă de credință/loialitate **3** necredință *(în căsnicie)*; infidelitate, *F* înșelare, încornorare *(a soțului)*

unfaltering [ʌn'fɔ:ltəriŋ] *adj* neșovăielnic, lipsit/ferit de ezitare/șovăială; care nu ezită niciodată

unfamiliar [ˌʌnfə'miliə'] *adj* **1** nefamiliar; nu îndeajuns de bine cunoscut **2** neobișnuit; ieșit din comun; straniu

unfamiliarity [ˌʌnfəmili'æriti] *s* **1** lipsă de familiaritate/familiarizare *(cu o situație etc.)* **2** caracter neobișnuit/straniu/ieșit din comun

unfamiliarly [ˌʌnfə'miliəli] *adv* **1** în mod nefamiliar **2** dovedind prea puțină cunoaștere *(a unui subiect etc.)*

unfashionable [ʌn'fæʃənəbəl] *adj* **1** lipsit de eleganță, neelegant **2** demodat, care nu ține pasul cu moda **3** ieșit din uz, demodat

unfasten [ʌn'fɑ:sən] *vt* **1** a descuia **2** a deschide *(zăvoare etc.)* **3** a dezlega, a desface, a detașa

unfathered [ʌn'fɑ:ðəd] *adj (d. copil)* nelegitim, din flori

unfatherly [ʌn'fɑ:ðəli] *adj* nedemn de un tată

unfathomable [ʌn'fæθəməbəl] *adj* **1** insondabil, imposibil de sondat **2** (prea) adânc/profund **3** *fig* de neînțeles/nepătruns; impenetrabil, insondabil

unfathomableness [ʌn'fæθəməbəlnis] *s* **1** adâncime/profunzime insondabilă/fără fund **2** caracter insondabil/foarte profund/de nepătruns; impenetrabilitate

unfavourable [ʌn'feivərəbəl] *adj* nefavorabil, (prea) puțin favorabil/propice, impropice

unfavourably [ʌn'feivərəbli] *adv* (în mod) nefavorabil *etc. v.* **unfavourable**

unfavoured [ʌn'feivəd] *adj v.* **unprivileged**

unfearful [ʌn'fiəful] *adj* (of) netemător/(de) neînfricoșat/neînspăimântat (de), fără teamă/frică (de)

unfeasible [ʌn'fi:zəbəl] *adj* de nerealizat, nerealizabil, irealizabil; nepractic, impracticabil

unfeathered [ʌn'feðəd] *adj v.* **unfledged**

unfed [ʌn'fed] *adj* **1** nehrănit; nenutrit; prost hrănit, subnutrit **2** *(d. motoare)* nealimentat, slab alimentat

unfeeling [ʌn'fi:liŋ] *adj* **1** nesimțitor, fără inimă; insensibil; cu inimă de piatră **2** crud, hain, feroce

unfeelingly [ʌn'fi:liŋli] *adv* fără inimă, hain, necruțător, fără crutare/îndurare

unfeelingness ['ʌn'fi:liŋnis] *s* **1** insensibilitate, lipsă de sensibilitate/sentiment, împietrire **2** ferocitate, sălbăticie, caracter hain

unfeigned [ʌn'feind] *adj* neprefăcut, autentic, sincer; fără falsitate; *F* fără fard

unfeignedly [ʌn'feinidli] *adv* (în mod) sincer, fără ascunzișuri *etc. v.* **unfeigned**

unfellowed [ʌn'feloud] *adj* **1** neînsoțit, neîntovărășit **2** *v.* **unparalleled**

unfelt [ʌn'felt] *adj* insensibil, impalpabil, nesimțit, care nu se face simțit

unfenced [ʌn'fenst] *adj* **1** *(d. teren)* neîngrădit; neîmprejmuit **2** *tehn (d. agregat)* neprotejat, fără carter, fără instalație de protecție

unfertilized [ʌn'fə:tilaizd] *adj* **1** *biol* nefecundat **2** *agr* neîngrășat, nefertilizat

unfetter [ʌn'fetəʳ] *vt* **1** a dezlega (din lanțuri) **2** a descătușa **3** a slobozi, a elibera

unfettered [ʌn'fetəd] *adj* neîncătușat, neînlănțuit, fără lanțuri; *(și fig)* liber, slobod

unfilial [ʌn'filiəl] *adj* **1** lipsit de sentimente filiale/de fiu **2** *v.* **undutiful**

unfinished [ʌn'finiʃt] *adj* neterminat, nedesăvârșit, necompletat; lăsat baltă/neterminat

unfinished game [ʌn'finiʃt ˌgeim] *s* *(la șah, joc de cărți etc.)* partidă întreruptă

unfired [ʌn'faiəd] *adj* **1** neincendiat **2** *(d. cărămidă etc.)* nears **3** *mil (d. armă)* nedescărcat, care nu a tras

unfit [ʌn'fit] **I** *adj* **1** nepotrivit, necorespunzător, neadecvat **2** inoportun **II** *vt* a răpi capacitatea *(de muncă etc. – gen); a face incapabil de muncă; a face invalid*

unfitly [ʌn'fitli] *adv* (în mod) nepotrivit/inoportun *etc. v.* **unfit**

unfitness [ʌn'fitnis] *s* **1** caracter nepotrivit, impropriu **2** caracter inoportun **3** *(și physical ~)* debilitate, constituție debilă; caracter firav

unfitted [ʌn'fitid] *adj* nepotrivit, impropriu *v. și* **unfit**

unfitting [ʌn'fitiŋ] *adj* nepotrivit, neconvenabil, impropriu; deplasat, inoportun

unfittingly [ʌn'fitiŋli] *adv* (în mod) nepotrivit *etc. v.* **unfitting**

unfittingness [ʌn'fitiŋnis] *s* caracter nepotrivit; inoportunitate

unfix [ʌn'fiks] *vt* **1** *v.* **unfasten 2** a dezechilibra

unflagging [ʌn'flægiŋ] *adj* **1** neslăbit, nediminuat, nemicșorat, neatenuat; total, întreg **2** continuu, neîntrerupt, necontenit, susținut, statornic **3** *v.* **unabated**

unflattering [ʌn'flætəriŋ] *adj* deloc măgulitor; neplăcut; defavorabil, nefavorabil; insultător, înjositor, ofensator

unfledged [ʌn'fledʒd] *adj* **1** *orn* cu penajul incomplet; cu puf **2** *fig* imatur, nedezvoltat, necopt; cu caș la gură, infantil

unfleshed [ʌn'fleʃt] *adj* **1** *(d. animal)* care n-a gustat carne; ~ **sword** sabie nefolosită/care încă n-a rănit pe nimeni **2** *F* neexperimentat, novice, ageamiu

unflinching [ʌn'flintʃiŋ] *adj* **1** neșovăitor, neșovăielnic, care nu șovăie/ezită **2** neclintit, neabătut, ferm

unflinchingly [ʌn'flintʃiŋli] *adv* **1** fără șovăială/ezitare **2** ferm, cu fermitate/hotărâre; în mod neabătut/neclintit

unflinchingness [ʌn'flintʃiŋnis] *s* **1** lipsă de șovăială/ezitare, hotărâre (totală) **2** dârzenie, fermitate, neclintire; caracter neabătut

unfold [ʌn'fould] **I** *vt* **1** a desfășura, a desface **2** a dezvălui, a da în vileag, a arăta **3** a extinde, a întinde; a dezvolta **4** a se desfășura, a duce, a întreprinde *(o activitate, o acțiune etc.)* **II** *vi* **1** a se desfășura, a se desface **2** a se dezvălui, a se revela, a se arăta **3** a se dezvolta, a se extinde **4** a fi în curs (de desfășurare), a se desfășura, a se petrece

unforesecable [ˌʌnfɔ:'si:əbəl] *adj* **1** imprevizibil, (de) neprevăzut, imposibil de prevăzut **2** *v.* **unforeseen**

unforesceableness [ˌʌnfɔ:'si:əbəlnis] *s* imprevizibilitate, caracter imprevizibil, impredictibil

unforeseeing [ˌʌnfɔ:'si:iŋ] *adj* neprevăzător, imprudent, lipsit de prevedere/precauție

unforeseen [ˌʌnfɔ:'si:n] *adj* neprevăzut; care depășește așteptările; neașteptat

unforgettable [ˌʌnfə'getəbəl] *adj* **1** de neuitat, care lasă o impresie/o amintire neștearsă **2** *v.* **unforgotten**

unforgettably [ˌʌnfə'getəbli] *adv* într-un mod de neuitat/care lasă o amintire/o impresie neștearsă

unforgetting [ˌʌnfə'getiŋ] *adj* cu ținere de minte, cu memorie bună, care nu uită ușor

unforgivable [ˌʌnfə'givəbəl] *adj* **1** de neiertat, impardonabil **2** nepermis, inadmisibil, intolerabil

unforgiving [ˌʌnfə'giviŋ] *adj* neiertător; neîndurător, (de) neînduplecat, necruțător, cu inimă de piatră

unforgotten [ˌʌnfə'gotən] *adj* **1** neuitat, adânc întipărit în amintire/memorie **2** *v.* **unforgettable 1**

unformed [ʌn'fɔ:md] *adj* **1** (încă) neformat, imatur, crud **2** *v.* **underdeveloped**

unfortunate [ʌn'fɔ:tʃənit] **I** *adj* **1** nenorocit, **2** *v.* **unhappy 1, 2 3** nenorocos, ghinionist **4** regretabil, cu ghinion, nefericit, nenorocit **II** *s* **1** nenorocit, nefericit; prăpădit **2** prostituată, femeie decăzută

unfortunately [ʌn'fɔ:tʃənitli] *adv* din nenorocire/nefericire/păcate; (în mod) regretabil; ~ **he couldn't come** ghinionul face că n-a putut veni; din păcate n-a putut veni

unfounded [ʌn'faundid] *adj* **1** neîntemeiat, nefondat, fără/lipsit de temei **2** neadevărat, fals, fără o bază reală **3** *v.* **unjustified**

unfreezable [ʌn'fri:zəbəl] *adj* **1** care nu îngheață/nu e supus înghețului, ferit de înghet **2** *nav (d. mare etc.)* liber de înghețuri **3** necongelabil, greu de congelat

unfrequent [ʌn'fri:kwənt] *adv* *v.* **infrequent**

unfrequented [ˌʌnfri:'kwentid] *adj* nefrecventat, frecventat/vizitat de prea puțină lume; rar vizitat

unfriended [ʌn'frendid] *adj* neagreat; *(d. oameni)*, antipatizat, care nu se bucură de simpatie, fără prieteni

unfriendliness [ʌn'frendlinis] *s* **1** caracter neprietenos/dezagreabil **2** caracter neospitalier/nefavorabil/ostil

unfriendly [ʌn'frendli] *adj* **1** neprietenos, dezagreabil; ostil; antipatic **2** neospitalier; nefavorabil; impropice **3** glacial, rece; împietrit

unfrock [ʌn'frɔk] *vt* **1** *bis* a răspopi **2** *fig* a demite, a concedia, a da afară din slujbă

unfrozen [ʌn'frouzən] *adj* **1** dezghețat **2** neînghețat, necongelat **3** *nav* liber de ghețuri

unfruitful [ʌn'fru:tful] *adj* **1** steril, fără roade, care nu dă roade, nerodnic; *și fig* infructuos **2** inutil, van **3** nefolositor, care nu duce la nimic

unfruitfully [ʌnˈfruːtfuli] *adv* în mod infructuos/zadarnic/inutil

unfruitfulness [ʌnˈfruːtfulnis] *s* 1 sterilitate, nerodnicie 2 inutilitate, zădărnicie

unfulfilled [ˌʌnfulˈfild] *adj* 1 neîmplinit, nerealizat 2 neadeverit (de practică)

unfunded [ʌnˈfʌndid] *adj fin (d. datorie)* neconsolidat

unfunny [ʌnˈfʌni] *adj (↓ d. glumă)* fără haz, nesărat, lipsit de haz, deloc amuzant

unfurl [ʌnˈfəːl] I *vt v.* **unfold** I 1 II *vi* a se dezvălui; a apărea

unfurnished [ʌnˈfəːniʃt] *adj* nemobilat; fără mobile/mobilier

ungainliness [ʌnˈgeinlinis] *s* stângăcie; lipsă de grație

ungainly [ʌnˈgeinli] *adj* 1 diform, urât, dizgrațios 2 greoi, mătăhălos 3 stângaci, inabil; greoi

ungear [ʌnˈgiəʳ] *vt tehn auto* a debreia, a scoate din viteză *(un motor),* a decupla, a deconecta *(un mecanism)*

ungenerous [ʌnˈdʒenərəs] *adj* 1 lipsit de mărinimie; zgârcit; meschin 2 ingrat 3 *(d. sol)* sterp, steril, neroditor, lipsit de fertilitate

ungentle [ʌnˈdʒentəl] *adj* aspru, dur, brutal; lipsit de gingășie/delicatețe *sau* tandrețe

ungentlemanlike [ʌnˈdʒentəlmən-ˌlaik] *adj* 1 nedelicat; mojic, prost crescut; vulgar 2 lipsit de eleganță; nelalocul lui, deplasat; nedemn de un gentleman

ungentlemanly [ʌnˈdʒentəlmənli] *adj v.* **ungentlemanlike**

unget-at-table [ˈʌngetˈætəbl] *adj* 1 *F* inaccesibil; greu de atins 2 *(d. persoană)* inaccesibil, inabordabil

ungird [ʌnˈgəːd], *pret și ptc* **ungirded** [ʌnˈgəːdid] *sau* **ungirt** [ʌnˈgəːt] I *vt lit* 1 a descinge 2 a scoate chinga de pe *(cal)* II *vr* a se descinge, a-și scoate *(centura, sabia, armura),* a-și scoate armura *etc.*

ungirt [ʌnˈgəːt] *pret și ptc de la* **ungird**

ungloved [ʌnˈglʌvd] *adj* dezmănușat, fără mănuși

unglue [ʌnˈgluː] I *vt* 1 a dezlipi 2 *fig* a-și dezlipi *(ochii)* II *vi* a se dezlipi

ungodliness [ʌnˈgodlinis] *s* 1 caracter profan/păgân/nereligios; păgânătate; lipsă de sfinţenie 2 lipsă de religiozitate/evlavie

ungodly [ʌnˈgodli] *adj* 1 păgân, nereligios 2 lipsit de evlavie/religiozitate 3 păcătos, ticălos, stricat 4 scandalos; supărător

ungovernable [ʌnˈgʌvənəbəl] *adj* 1 imposibil de guvernat/condus; refractar, nedisciplinat 2 *fig (de)* nestăpânit, greu de ţinut în frâu; neînfrânat

ungoverned [ʌnˈgʌvənd] *adj* 1 necârmuit, lipsit de cârmuire/guvernare *sau* călăuzire 2 *(d. patimă etc.)* nestăpânit, neînfrânat

ungraceful [ʌnˈgreisful] *adj* 1 dizgraţios, lipsit de graţie 2 lipsit de eleganţă, neelegant; necuviincios 3 *(făcut)* cu rea voinţă

ungracefully [ʌnˈgreisfuli] *adv* 1 fără graţie, (în mod) dizgraţios 2 fără eleganţă, neelegant; necuviincios 3 fără amabilitate/bunăvoinţă, cu rea voinţă

ungracefulness [ʌnˈgreifulnis] *s* 1 lipsă de graţie; caracter dizgraţios 2 neeleganţă, lipsă de eleganţă; necuviinţă 3 rea voinţă, lipsă de bunăvoinţă

ungracious [ʌnˈgreiʃəs] *adj* 1 *(d. muncă)* neplăcut, dezagreabil; ingrat 2 lipsit de cordialitate/căldură/amabilitate, rece, glacial; dezagreabil 3 *v.* **ungraceful**

ungraciously [ʌnˈgreiʃəsli] *adv* fără cordialitate/căldură/amabilitate, rece, glacial

ungraciousness [ʌnˈgreiʃəsnis] *s* lipsă de cordialitate/căldură/amabilitate; răceală (glacială)

ungraduated [ʌnˈgrædjueitid] *adj* 1 fără diplomă universitară, fără grad/titlu universitar, fără studii superioare 2 negradat, neprogresiv 3 *fiz, ch, med (d. recipient)* negradat

ungrammatical [ˌʌnrəˈmætikəl] *adj* negramatical, incorect (ca gramatică), agramat

ungrateful [ʌnˈgreitful] *adj* ingrat, nerecunoscător

ungratefully [ʌnˈgreitfuli] *adv* în mod ingrat, fără recunoştinţă, cu ingratitudine

ungratefulness [ʌnˈgreitfulnis] *s* ingratitudine, nerecunoştinţă

ungrounded [ʌnˈgraundid] *adj* 1 *v.* **unfounded** 1 2 fără/lipsit de învăţătură; ignorant

ungrudging [ʌnˈgrʌdʒiŋ] *adj* 1 generos, mărinimos, ferit de meschinărie 2 (făcut) din toată inima/cu dragă inimă 3 neprecupeţit

ungrudgingly [ʌnˈgrʌdʒiŋli] *adv* 1 (în mod) generos/mărinimos, fără meschinărie 2 cu dragă inimă, din toată inima 3 fără a precupeţi nimic

unguarded [ʌnˈgɑːdid] *adj* 1 nepăzit, fără/lipsit de pază 2 luat prin surprindere/pe neaşteptate

unguardedly [ʌnˈgɑːdidli] *adv* 1 din neatenţie, neatent; fără chibzuinţă 2 (în mod) inadvertent, din inadvertenţă/greşeală

unguardedness [ʌnˈgɑːdidnis] *s* 1 neatenţie; lipsă de atenţie 2 imprudenţă, lipsă de precauţie

unguent [ˈʌngwənt] *s* unguent, unsoare, alifie

unguided [ʌnˈgaidid] *adj v.* **undirected** 2

ungulate [ˈʌngjuleit] *adj zool etc.* (înzestrat) cu copite, copitat

unhackneyed [ʌnˈhæknid] *adj (d. subiect etc.)* inedit, neabordat (încă); nou, ieşit din comun, original

unhallowed [ʌnˈhæloud] *adj* 1 nesfinţit 2 mirean, laic; profan 3 imoral

unhampered [ʌnˈhæmpəd] *adj* 1 *v.* **unhindered** 1 2 *v.* **uninhibited**

unhand [ʌnˈhænd] *vt* a lăsa din mână; a da drumul la *sau* cu dat; a lua mâna de pe

unhandy [ʌnˈhændi] *adj* 1 neîndemânatic, stângaci 2 incomod, supărător, care deranjează 3 *nav* nemanevrabil, nemaniabil, greu de manevrat

unhang [ʌnˈhæŋ], *pret și ptc* **unhung** [ʌnˈhʌŋ] *vt* a scoate, a da jos *(din perete etc.)*

unhappily [ʌnˈhæpili] *adv* 1 teribil, groaznic, rău, grozav (de) 2 *v.* **unfortunately**

unhappiness [ʌnˈhæpinis] *s* nefericire, tristeţe; nenorocire; mizerie morală

unhappy [ʌnˈhæpi] *adj.* 1 nefericit, nenorocit 2 supărat, mâhnit; îndurerat 3 *v.* **unfortunate** 3, 4

unharmed [ʌnˈhɑːmd] *adj* 1 nevătămat 2 neatins, intact 3 scăpat cu bine

unharmonious [ˌʌnhɑːˈmounjəs] *adj* nearmonios, lipsit de armonie; neproporționat, prost proporționat

unharness [ʌnˈhɑːnis] *vt* 1 a deshăma 2 fig a dezlănțui; a slobozi, a elibera, a da drumul la *sau cu dat*

unhatted [ʌnˈhætid] *adj.* fără pălărie, (cu capul) descoperit, cu capul gol

unhealthful [ʌnˈhelθful] *adj v.* **unhealthy**

unhealthily [ʌnˈhelðili] *adv* (în mod) nesănătos/insalubru

unhealthiness [ʌnˈhelðinis] *s* 1 caracter nesănătos/bolnăvicios; sănătate precară/șubredă 2 caracter insalubru, lipsă de salubritate

unhealthy [ʌnˈhelði] *adj* 1 nesănătos, bolnăvicios 2 insalubru, nesănătos

unheard [ʌnˈhəːd] *adj* neauzit, (rostit *etc.*) prea încet pentru a putea fi auzit

unheard of [ʌnˈhəːd ɔv] *adj cu prep* nemaiauzit, nemaipomenit; fără precedent

unheard-of-ness [ʌnˈhəːdɔvnis] *s F* caracter nemaiauzit/nemaipomenit/excepțional; surpriză, caracter surprinzător

unheated [ʌnˈhiːtid] *adj* neîncălzit; (d. cameră etc.) fără încălzire

unheeded [ʌnˈhiːdid] *adj* nebăgat în seamă; căruia nu i se dă/acordă atenție

unheedful [ʌnˈhedful] *adj v.* **heedless**

unheeding [ʌnˈhiːdiŋ] *adj* 1 neatent; fără grijă, fără băgare de seamă; negrijuliu 2 nepăsător, nesimțitor

unhelped [ʌnˈhelpt] *adj* 1 neajutat, neajutorat 2 neservit (la masă)

unhelpful [ʌnˈhelpful] *adj* 1 (d. sfat *etc.*) nefolositor, (prea) puțin util, de prea puțin folos 2 zadarnic, inutil, van

unheroic [ˌʌnhiˈrouik] *adj* lipsit de eroism/bravură, întru nimic eroic/remarcabil

unhesitating [ʌnˈhezi,teitiŋ] *adj* 1 sigur (pe sine) 2 fără/lipsit de rezerve 3 *v.* **unflinching 1**

unhesitatingly [ʌnˈhezi,teitiŋli] *adv* fără șovăire, hotărât, decis, prompt; fără a ezita

unhewn [ʌnˈhjuːn] *adj* necioplit, netăiat, brut

unhindered [ʌnˈhindəd] *adj* 1 nestânjenit, neîmpiedicat (de nimic); ferit de piedici/obstacole 2 *v.* **unhesitating 2**

unhinge [ʌnˈhindʒ] *vt* 1 a scoate din țâțâni/balamale 2 a dezechilibra

unhintable [ʌnˈhintəbəl] I *adj* la care nu se poate face o aluzie/o referire II *s pl* înv *umor v.* **unexpressibles**

unholily [ʌnˈhoulili] *adv* fără sfințenie/evlavie/religiozitate; într-un mod păgân; fără credință în Dumnezeu

unholiness [ʌnˈhoulinis] *s v.* **ungodliness 1**

unholy [ʌnˈhouli] *adj* 1 profan, laic, mirean 2 *v.* **ungodly 1, 2**

unhook [ʌnˈhuk] I *vt* 1 a scoate/a da jos din cârlig/cui 2 a deshăma (un atelaj) 3 a descopcia (o rochie) 4 *sl* a șterpeli, a șparli, F a subtiliza, a o face la stânga cu II *vi* 1 (d. atelaj) a se desface, a se desprinde, a se deshăma 2 (d. rochie) a se descopcia, a se desface din copci/agrafe

unhooked [ʌnˈhukt] *adj.* (d. rochie *etc.*) desfăcut, descheiat; **to come ~** *v.* **unhook II**

unhoped for [ʌnˈhoupt fəʳ] *adj cu prep* (de) nesperat, în care e greu să speri; neașteptat, la care e greu să te aștepți

unhorse [ʌnˈhɔːs] *vt* a da jos de pe cal; a răsturna din șa

unhospitable [ʌnˈhɔspitəbəl] *adj* 1 neospitalier, lipsit de ospitalitate 2 *v.* **unfriendly 1**

unhospitableness [ʌnˈhɔːspitəbəlnis] *s* 1 lipsă de ospitalitate, caracter neospitalier 2 *v.* **unfriendliness 1**

unhoused [ʌnˈhauzd] 1 lipsit de/fără adăpost 2 descoperit, în aer liber

unhung [ʌnˈhʌŋ] *pret și ptc de la* **unhang**

unhurried [ʌnˈhʌrid] *adj* (făcut) fără grabă/lejer/alene/degajat/comod; tacticos

unhurt [ʌnˈhəːt] *adj* teafăr/întreg și nevătămat, intact; nelovit, neatins

uni- *pref* uni-: **uniaxial** uniaxial

Uniat [ˈjuːniæt] *adj. s v.* **Uniate**

Uniate [ˈjuːniit] *bis* I *adj* greco-catolic, unit II *s* greco-catolic, adept al bisericii unite

uniaxial [ˌjuːniˈæksiəl] *adj fiz, tehn* uniaxial, cu un singur ax/o singură axă

unicameral [ˌjuːniˈkæmərəl] *adj pol* unicameral, cu o singură cameră legislativă

UNICEF [ˈjuːni,sef] *s* U.N.I.C.E.F., Fondul Națiunilor Unite pentru Ajutorarea Copiilor

unicellular [ˌjuːniˈseljuləʳ] *adj* 1 *biol* monocelular, unicelular 2 *el* cu o singură celulă

unicoloured [ˌjuːniˈkʌːləd] *adj* monocolor, de o singură culoare

unicorn [ˈjuːni,kɔːn] I *adj* unicorn, cu un singur corn II *s* unicorn, inorog

unicorn-fish [ˈjuːni,kɔːnˈfiʃ], **unicorn whale** [ˈjuːni,kɔːn ˈweil] *s* zool narval (Monodon monoceros)

unicuspid [ˌjuːniˈkʌspid] *anat, zool* I *adj* (d. dinte) cu o singură rădăcină II *s* unicuspid, monocuspid, dinte cu o singură rădăcină

unicycle [ˈjuːni,saikəl] *s* monociclu, bicicletă pentru acrobați

unidea'd, unideaed [ˈʌnai'diəd] *adj* lipsit de/fără idei; care nu are nici o idee (originală)

unidentified [ˌʌnaiˈdentifaid] *adj* neidentificat

Unidentified Flying Object [ˌʌnaiˈdentifaid ˌflaiiŋ ɔbʒikt] *s* obiect zburător neidentificat, OZN

unidimensional [ˌjuːnidaiˈmenʃənəl] *adj* unidimensional, cu o singură dimensiune

unidirectional [ˌjuːnidaiˈrekʃənəl] *adj, fiz, tehn* unidirecțional, având o singură direcție/un singur sens; într-un singur sens, într-o singură direcție

UNIDO *presc de la* **United Nations Industrial Development Organization** Organizația/Agenția Națiunilor Unite pentru Dezvoltare Industrială, ONUDI

unifiable [ˌjuːniˈfaiəbəl] *adj* susceptibil de unificare/unire, care poate fi unificat/unit

unification [ˌjuːnifiˈkeifən] *s* 1 unificare, unire 2 uniformizare

unifier [ˌjuːniˈfaiəʳ] *s* unificator

uniform [ˈjuːni,fɔːm] I *adj* 1 uniform, omogen; unitar 2 consonant, armonios II *s* uniformă III *vt* a uniformiza, a omogeniza, a unifica

uniformed [ˌjuːniˈfɔːmd] *adj mil* (îmbrăcat) în uniformă

uniformity [ˌjuːniˈfɔːmiti] *s* uniformitate, omogenitate, caracter uniform/unitar

uniformly [ˈjuːniˌfɔːmli] *adv* (în mod) uniform/unitar/omogen; în mod armonios

uniformness [ˈjuːniˌfɔːmnis] *s v.* **uniformity**

unify [ˈjuːniˌfai] *vt* **1** a unifica, a uni, a reuni; a aduce laolaltă **2** a uniformiza, a omogeniza; a armoniza

unilateral [ˌjuːniˈlætərəl] *adj* unilateral

unilinear [ˌjuːniˈliniər] *adj* monolinear, unilinear

unilingual [ˌjuːniˈliŋgwəl] *adj lingv* monolingv, unilingv; pentru/despre o singură limbă

unillustrated [ˌʌnˈiləstreitid] *adj* **1** neilustrat, fără imagini **2** (*d. gramatică etc.*) fără exemple, neilustrat, neexemplificat

unillustrous [ˌʌniˈlʌstrəs] *adj* obscur, necunoscut, lipsit de strălucire/distincție; deloc ilustru/faimos

unilocular [ˌjuːniˈlɔkjulər] *adj bot, zool* unilocular, monolocular, cu o singură cameră

unimaginable [ˌʌniˈmædʒinəbəl] *adj* inimaginabil, (de) neînchipuit/neconceput

unimaginative [ˌʌniˈmædʒinətiv] *adj* lipsit de imaginație; îngust la minte, redus, obtuz

unimaginativeness [ˌʌniˈmædʒinətivnis] *adj* lipsit de imaginație; obtuzitate; minte proastă/obtuză; *F* cap pătrat; mărginire

unimpaired [ˌʌnimˈpɛəd] *adj* **1** neavariat, scăpat fără avarii **2** neștirbit **3** *v.* **unharmed**

unimpassioned [ˌʌnimˈpæʃənd] *adj* **1** fără/ferit de pasiune/patimă; calm, rece, indiferent; **2** imparțial, obiectiv, fără părtinire

unimpeachable [ˌʌnimˈpiːtʃəbəl] *adj* **1** mai presus de orice bănuială/suspiciune **2** *fig* curat ca lacrima, imaculat, pur

unimpeachably [ˌʌnimˈpiːtʃəbli] *adv* (în mod) ireproșabil

unimpeded [ˌʌnimˈpiːdid] *adj v.* **unhindered 1**

unimportance [ˌʌnimˈpɔːtəns] *s* lipsă de importanță/însemnătate

unimportant [ˌʌnimˈpɔːtənt] *adj* **1** fără/lipsit de importanță/însemnătate, neimportant **2** neînsemnat, de nimic **3** irelevant

unimpressed [ˌʌnimˈprest] *adj* neimpresionat, lăsat rece; placid, pasiv

unimprovable [ˌʌnimˈpruːvəbəl] *adj* neamendabil, care nu poate fi îndreptat/îmbunătățit/corijat

unimproved [ˌʌnimˈpruːvd] *adj* neameliorat, întru/cu nimic îmbunătățit/ameliorat

unincorporated [ˌʌninˈkɔːpəˌreitid] *adj* **1** *ec* (↓ *amer, d. societate, asociație etc.*) neconstituit, neautorizat **2** neîncorporat; neintegrat

unincorporated territories [ˌʌninˈkɔːpəˌreitid ˈteritəriz] *s pl amer pol* the ~ teritoriile neîncorporate în S.U.A.

uninflammable [ˌʌninˈflæməbəl] *adj* neinflamabil; ignifug

uninflated [ˌʌninˈfleitid] *adj (d. pneu, balon etc.)* **1** neumflat **2** dezumflat, slab, slăbit

uninflected [ˌʌninˈflektid] *adj gram* neflexionar, nesupus flexiunii

uninfluenced [ˌʌnˈinfluənst] *adj* **1** neinfluențat, ferit de orice înrâurire **2** neavertizat, neprevenit

uninfluential [ˌʌninˈfluˈenʃəl] *adj* lipsit de/fără influență, neinfluent, deloc influent

uninformed [ˌʌninˈfɔːmd] *adj* **1** neinformat; prost informat, care nu e la curent cu lucrurile **2** ignorant, neștiutor, incult

uninhabitable [ˌʌninˈhæbitəbəl] *adj* de nelocuit

uninhabited [ˌʌninˈhæbitid] *adj* nelocuit; nepopulat, fără populație; pustiu; părăsit

uninhibited [ˌʌninˈhibitid] *adj* neinhibat, ferit de inhibiții; fără/ferit de rezerve

uninitiated [ˌʌniˈniʃieitid] *adj* neinițiat; lipsit de inițiere/învățătură

uninjured [ʌnˈindʒəd] *adj v.* **unharmed**

uninquisitive [ˌʌninˈkwizitiv] *adj* (prea) puțin curios, lipsit de curiozitate

uninspired [ˌʌninˈspaiəd] *adj* neinspirat, lipsit de inspirație/de suflu poetic etc.

uninspiring [ˌʌninˈspaiəriŋ] *adj* care nu te inspiră (la nimic); neinteresant, lipsit de interes; care nu (te) entuziasmează

uninsured [ˌʌninˈʃuəd] *adj* (**against**) neasigurat (contra)

unintelligent [ˌʌninˈtelidʒənt] *adj* neinteligent, lipsit de inteligență/spirit, mărginit

unintelligible [ˌʌninˈtelidʒəbəl] *adj* **1** neinteligibil, ininteligibil **2** incomprehensibil, de neînțeles **3** *v.* **undecipherable**

unintelligibleness [ˌʌninˈtelidʒəblnis] *s* **1** ininteligibilitate, caracter ininteligibil/de neînțeles, incomprehensibilitate **2** caracter indescifrabil

unintelligibly [ˌʌninˈtelidʒəbli] *adv* **1** în mod neinteligibil, într-un mod/chip incomprehensibil/de neînțeles **2** (în mod) indescifrabil

unintended [ˌʌninˈtendid] *adj v.* **unintentional 1**

unintentional [ˌʌninˈtenʃənəl] *adj* **1** neintenționat, (făcut) fără voie, lipsit de (orice) intenție **2** involuntar, instinctiv

unintentionally [ˌʌninˈtenʃənəli] *adv* (în mod) neintenționat, fără (nici o) intenție, involuntar; din greșeală

uninteresting [ʌnˈintristiŋ] *adj* neinteresant, lipsit de (orice) interes; fără haz/interes

unintermitting [ˌʌnintəˈmitiŋ] *adj v.* **uninterrupted**

uninterrupted [ˌʌnintəˈrʌptid] *adj* neîntrerupt, necontenit, neîncetat, fără contenire/încetare, continuu

uninterruptedly [ˌʌnintəˈrʌptidli] *adv* neîntrerupt, necontenit, neîncetat, încontinuu, fără contenire/încetare

uninterruptedness [ˌʌnintəˈrʌptidnis] *s* caracter necontenit/neîntrerupt/neîncetat; caracter susținut; permanență; statornicie, constanță

uninuclear [ˌjuːniˈnjuːkliə], **uninucleate** [ˌjuːniˈnjuːkliit] *adj biol* mononucleic, mononuclear, monocelular, unicelular

uninvited [ˌʌninˈvaitid] *adj* **1** neinvitat, nepoftit; nechemat; **he came ~** a venit nechemat/fără invitație **2** nesolicitat, necerut **3** nechemat; inoportun

uninviting [ˌʌninˈvaitiŋ] *adj* neademenitor, neispititor, neatrăgător, deloc atrăgător/ademenitor/ispititor

union ['juːnjən] **I** *s* **1** unire **2** îmbinare; unificare **3** uniune **4** asociaţie **5** sindicat **6** azil de muncă **7** acord, înţelegere, convenţie **8** mariaj, căsătorie **II** *adj* **1** sindical **2** unionist

Union, the ['juːnjən, ðə] *s* Statele Unite ale Americii

union card ['juːnjən ,kaːd] *s* carnet de sindicat, legitimaţie de sindicalist

union cloth ['juːnjən 'klɒθ] *s* ţesătură din fibre amestecate

union down ['juːnjən 'daun] *adj (d. steag)* coborât, lăsat în jos *(ca semnal de alarmă)*

Union flag ['juːnjən ,flæg] *s v.* **Union Jack**

unionism ['juːnjənizəm] *s* **1** unionism; federalism; concepţii unioniste **2** sindicalism, concepţii prosindicale/favorabile sindicalizării

unionist ['juːnjənist] *s* **1** *(ist S.U.A.)* unionist, federalist, partizan al federalizării **2** sindicalist; partizan al sindicalizării

unionistic [,juːnjə'nistik] *adj* unionist, favorabil uniunii/unirii/unionismului

unionize ['juːnjə,naiz] *vt* a sindicaliza, a uni într-un sindicat

Union Jack, the [,juːnjən ,dʒæk, ðə] *s* steagul *sau* pavilionul britanic

union label ['juːnjən ,leibəl] *s* insignă de membru al unui sindicat

Union of South Africa, the ['juːnjən əv 'sauθ 'æfrikə, ðə] Uniunea Sud-Africană, Africa de Sud

Union of Soviet Socialist Republics, the ['juːnjən əv 'souvjət 'souʃəlist ri'pʌbliks, ðə] Uniunea Republicilor Sovietice Socialiste, Uniunea sovietică, U.R.S.S.

union regulations ['juːnjən ,regju'leiʃənz] *s pl* prevederi dintr-un statut al unui sindicat; reguli sindicale, regulament sindical

union shop ['juːnjən ,ʃɒp] *s ec* ↓ *amer* **1** întreprindere sindicalizată/ce impune sindicalizarea angajaţilor **2** întreprindere guvernată de contract colectiv **3** contract colectiv

union smashing ['juːnjən ,smæʃin] *s* eforturi de dizolvare a sindicatelor

union station ['juːnjən ,steiʃən] *s amer* gară (centrală)

union suit ['juːnjən ,suːt] *s amer* salopetă, barbotează, combinezon de lucru *(pentru bărbaţi)*

union workhouse ['juːnjən ,wəːkhaus] *s* azil de muncă

uniparous [juː'nipərəs] *adj* **1** *zool, biol* unipar **2** *bot* cu o singură axă *sau* ramură

uniped ['juːniped] **I** *adj* cu un singur picior; olog; invalid **II** *s* olog, infirm, invalid; persoană cu un singur picior; *elev* soliped

unipersonal [,juːni'pəːsənəl] *adj gram* unipersonal, cu/folosit la o singură persoană

uniphase [,juːni'feiz] *adj el* monofazic

unipod ['juːni,pɒd] *s* piedestal/suport cu un singur picior

unipolar [,juːni'poulə] *adj* **1** *biol (d. celulă etc.)* monopolar, unipolar, cu un singur pol **2** *el* monopolar, care prezintă unipolaritate/o singură polaritate

unique [juː'niːk] *adj* **1** unic, fără pereche/seamăn **2** ciudat, straniu **3** *F* remarcabil, nemaipomenit, nemaivăzut, neobişnuit; ciudat; **he is the most ~ man I ever met** e tipul cel mai ciudat/extraordinar pe care l-am cunoscut; eu n-am mai văzut om ca el/ăsta

uniquely [juː'niːkli] *adv* **1** în mod unic, ca o raritate **2** în mod ciudat/straniu

uniqueness [juː'niːknis] *s* **1** unicitate, caracter unic/ieşit din comun **2** ciudăţenie, caracter ciudat/straniu

uniquity [juː'nikwiti] *s v.* **uniqueness**

uniserial [,juːni'siəriəl] *adj* aşezat într-un singur şir/într-o singură serie

unisex [,juːni,seks] **I** *s* tendinţa de uniformizare a îmbrăcămintei *(celor două sexe)* **II** *adj (d. îmbrăcăminte)* unisex, pentru ambele sexe, atât pentru bărbaţi cât şi pentru femei

unisexual [,juːni'seksjuəl] *adj* **1** monosexual, unisexual **2** *bot* având fie stamine, fie pistil; unisexual

unisexuality [,juːni,seksju'æliti] *s* monosexualitate, unisexualitate; caracter monosexual

unison ['juːnisən] *s* **1** *muz* unison **2** *muz şi fig* armonie

unit ['juːnit] *s* **1** unitate *(de măsură etc.)* **2** element; factor

unitarian [,juːni'tɛəriən] *s adj rel* unitarian

unitarianism [,juːni'tɛəriənizəm] *s rel* unitarianism

unitary ['juːnitəri] *adj* unitar; omogen, uniform

unite [juː'nait] **I** *vt* **1** a uni **2** a aduce laolaltă, a lega, a uni; a îmbina **II** *vi* **1** a se uni **2** a se asocia, a se lega, a veni laolaltă **3** a colabora, a coopera

united [juː'naitid] *adj* **1** unit **2** unificat, unic **3** comun **4** asociat; federalizat **5** unitar

United Arab Republic, the [juː'naitid 'ærab ri'pʌblik, ðə] *od* Republica Arabă Unită, R.A.U.

United Kingdom (of Great Britain and Northern Ireland), the [juː'naitid 'kiŋdəm (əv 'greit 'britn ənd 'nɔːðən 'aiələnd, ðə] Regatul Unit (al Marii Britanii şi Irlandei de Nord)

unitedly [juː'naitidli] *adv* **1** în mod unic, în deplină uniune **2** de comun acord, în comun; în mod unitar; în asociaţie/asociere **3** în deplină armonie

United Nations, the [juː'naitid 'neiʃənz, ðə] *v.* **United Nations Organization**

United Nations Day, the [juː'naitid 'neiʃənz 'dei, ðə] Ziua Naţiunilor Unite *(24 octombrie)*

United Nations Organization, the [juː'naitid 'neiʃənz ,ɔːgənai'zeiʃən, ðə] Organizaţia Naţiunilor Unite, O.N.U.

United States of America, the [juː'naitid 'steits əv ə'merikə, ðə] Statele Unite (ale Americii), S.U.A.

unit furniture ['juːnit 'fəːnitʃə] *s* mobilă alcătuită din module (recombinabile), mobilier modular/din piese detaşabile

unit-holder ['juːnit ,houldə] *s ec* acţionar al unei (mici) societăţi pe acţiuni/de investiţii *v.* **unit trust**

unitive ['juːnitiv] *adj* solidar, manifestând tendinţe de solidaritate/unificare/unire; de colaborare/cooperare/unire; corporativ

unit price ['juːnit ,prais] *s com* preţ unitar/per unitate

unit quantity ['juːnit ,kwɔntiti] *s el* sarcină elementară

unit rule ['ju:nit ,ru:l] *s amer pol* regulă după care delegaţii statelor votează pentru candidaţii majorităţii

unit trust ['ju:nit ,trʌst] *s ec* (mică) societate corporativă/de investiţii (cu dividende proporţionale)

unit value ['ju:nit ,vælju:] *s ec* valoare unitară/per unitate

unit volume ['ju:nit ,vɔljum] *s fiz, mat, ch* unitate volumetrică

unit weight ['ju:nit ,weit] *s* greutate specifică

unity ['ju:niti] *s* 1 unitate, unire 2 înţelegere (reciprocă), consens 3 acord, armonie

Univ. *presc de la* 1 **universal** 2 **university**

univalence [,ju:ni'veiləns] *s* monovalenţă; valenţă unică

univalent [,ju:ni'veilənt] *adj* monovalent

univalve [,ju:ni'vælv] *adj (d. moluscă)* univalv

universal [,ju:ni'və:səl] *adj* 1 universal 2 general 3 unanim

universal agent [,ju:ni'və:səl 'eidʒənt] *s jur* mandatar general

universalism [,ju:ni'və:səlizəm] *s rel* universalism, doctrina mântuirii/salvării universale

universalist [,ju:ni'və:səlist] *s rel* adept al mântuirii/salvării universale

universality [,ju:nivə:'sæliti] *s* 1 universalitate, caracter universal 2 capacitate perfectă de adaptare

universalization [,ju:nivə:səlai'zeiʃən] *s* universalizare, generalizare

universalize [,ju:ni'və:sə,laiz] *vt* a generaliza

universally [,ju:ni'və:səli] *adv* (în mod) universal

universalness [,ju:ni'və:səlnis] *s v.* **universality** 1

universal suffrage [,ju:ni'və:səl 'sʌfridʒ] *s pol* vot/sufragiu universal

universe ['ju:ni,və:s] *s* 1 univers 2 lume; mapamond 3 sistem *(de gândire etc.)*

university [,ju:ni'və:siti] I *s* universitate II *adj* universitar; academic; superior

university education [,ju:ni'və:siti edju,keiʃən] *s* 1 studii superioare/academice/universitare 2 învăţământ superior, pregătire universitară

university extension (class/scheme) [,ju:ni'və:siti ik'stenʃən (kla:s/ski:m)] *s* curs popular organizat de o universitate, *aprox* universitate populară

university man [,ju:ni'və:siti ,mæn] *s* universitar, titrat, diplomat universitar, cadru cu studii superioare/universitare

university town [,ju:ni'və:siti ,taun] *s* oraş/centru universitar

univocal [,ju:ni'voukəl] *adj* 1 univoc 2 *înv* (rostit) într-un singur glas; unanim 3 clar, neambiguu, ferit de ambiguitate

univocally [,ju:ni'voukəli] *adv* 1 univoc; fără ambiguitate, clar, (în mod) neambiguu 2 *înv* (în mod) unanim, în unanimitate 3 într-un singur glas

unjoin [ʌn'dʒɔin] *vt* a despărţi, a separa, a desface

unjoint [ʌn'dʒɔint] *vt* a diseca, a dezmembra

unjoyous [ʌn'dʒɔiəs] *adj* trist, mohorât, fără/lipsit de bucurie/veselie

unjust [ʌn'dʒʌst] *adj* nedrept, injust, nejust

unjustifiable [ʌn'dʒʌsti,faiəbəl] *adj* 1 (de) nejustificat, imposibil de justificat 2 de neiertat, impardonabil 3 nepermis, inadmisibil

unjustifiably [ʌn'dʒʌsti,faiəbli] *adv* (în mod) nejustificabil; (într-un mod) de neiertat; fără nici un fel de scuză/justificare/motiv

unjustified [ʌn'dʒʌsti,faid] *adj* 1 nejustificat, neîndreptăţit 2 *v.* **unjust**

unjustly [ʌn'dʒʌstli] *adv* pe nedrept, în mod injust/nedrept/nejustificat

unjustness [ʌn'dʒʌstnis] *s* 1 injusteţe; nedreptate, caracter nedrept/nejustificat 2 incorectitudine

unkempt [ʌn'kempt] *adj* 1 zbârlit, vâlvoi 2 neţesălat, neîngrijit, şleampăt

unkind [ʌn'kaind] *adj* 1 hain, rău; împietrit, fără inimă 2 neomenos, inuman; sălbatic, feroce 3 nedrept; aspru

unkindness [ʌn'kaindnis] *s* 1 răutate; împietrire; lipsă de omenie; neomenie, caracter inuman 2 sălbăticie, ferocitate, cruzime; caracter hain 3 nedreptate; asprime

unkindly [ʌn'kaindli] I *adv* 1 în mod hain/rău, fără cruţare; neomenos, inuman 2 sălbatic, feroce, cu cruzime 3 (în mod) nedrept, pe nedrept; cu asprime (nejustificată) II *adj v.* **unkind**

unkingly [ʌn'kiŋli] *adj* nedemn de un rege, sub demnitatea unui rege

unkinlike [ʌn'kin,laik] *adj* nedemn de o rudă

unknightly [ʌn'naitli] *adj* nedemn de un cavaler, sub demnitatea unui cavaler

unknowable [ʌn'nouəbəl] *adj* incognoscibil, imposibil de aflat/cunoscut

unknowing [ʌn'nouiŋ] *adj* neştiutor; neavizat, nepus la curent

unknowingly [ʌn'nouiŋli] *adv* fără să ştie, fără ştirea lui; în necunoştinţă de cauză; fără să-şi dea seama

unknown [ʌn'noun] *adj* 1 necunoscut 2 obscur, neştiut, modest, necunoscut

Unknown Soldier/Warrior, the [ʌn'noun 'souldʒə/'wɔriə', ði] *s* Eroul/Soldatul necunoscut

unlabel(l)ed [ʌn'leibəld] *adj* neetichetat, fără etichetă; *(d. preţ)* neafişat

unlaboured [ʌn'leibəd] *adj înv (↓ d. stil)* firesc, natural, curgător, lipsit de artificialitate

unlace [ʌn'leis] *vt* a desface *(şireturi, legături, panglici)*

unlade [ʌn'leid] *pret* **unladed** [ʌn'leidid], *ptc* **unladen** [ʌn'leidən] *vt* a descărca

unladen [ʌn'leidən] *adj* 1 *nav* neîncărcat, fără încărcătură/caric; gol 2 *fig* neîmpovărat; ~ **with anxieties** scutit/ferit/uşurat de griji

unladylike [ʌn'leidi,laik] *adj* nedemn de o lady/doamnă; neelegant, lipsit de eleganţă *sau* demnitate

unlaid [ʌn'leid] *pret şi ptc de la* **unlay**

unlawful [ʌn'lɔ:ful] *adj* 1 ilegal, ilicit 2 *v.* **unjust**

unlawfully [ʌn'lɔ:fuli] *adv* 1 (în mod) ilegal/ilicit 2 *v.* **unjustly**

unlawfulness [ʌn'lɔ:fulnis] *s* 1 ilegalitate, caracter ilegal/ilicit 2 *v.* **unjustness**

unlay [ʌn'lei] *pret şi ptc* **unlaid** [ʌn'leid] *vt nav* a desface *(odgonul)*

unlearn [ʌn'lə:n], *pret și ptc* **unlearnt** [ʌn'lə:nt] *vt* **1** a uita ce a învățat, a da uitării **2** a se dezvăța de

unlearned [ʌn'lə:nid] *adj* **1** *v.* **unschooled 2** ignorant, incult

unlearnt [ʌn'lə:nt] *pret și ptc de la* **unlearn**

unleash [ʌn'li:ʃ] *vt* **1** a da drumul din lesă, a lăsa liber **2** *fig* a dezlănțui, a declanșa, a da drumul la *sau cu dat;* a slobozi

unless [ʌn'les] *conj* **1** dacă nu (cumva) **2** în afară de cazul când

unlettered [ʌn'letəd] *adj* analfabet, neștiutor de carte, fără (știință de) carte

unlicked [ʌn'likd] *adj* **1** neadus la forma potrivită; nerotunjit **2** *fig* nepedepsit (în scopuri educative); needucat *(prin bătaie)* **3** nepoliticos, necioplit, prost crescut

unlicensed [ʌn'laisənst] *adj v.* **unauthorized**

unlikable [ʌn'laikəbəl] *adj v.* **unlikeable**

unlike [ʌn'laik] *prep* spre deosebire de, în contrast cu; altfel decât

unlikeable [ʌn'laikəbəl] *adj* **1** antipatic, nesuferit **2** supărător, greu de suportat

unlikelihood [ʌn'laiklihud], **unlikeliness** [ʌn'laiklinis] *s* improbabilitate; neverosimil(itate)

unlikeness [ʌn'laiknis] *s* **(to)** lipsă de asemănare, neasemănare (cu); deosebire (mare) față de

unlikely [ʌn'laikli] *adj* **1** improbabil, (prea) puțin probabil, cu puține șanse *(de reușită etc.)* **2** neverosimil, greu de crezut

unlimited [ʌn'limitid] *adj* **1** nelimitat, nemărginit, fără margini/limite **2** enorm (de mare/mult); în cantitate/proporție foarte mare

unlimitedly [ʌn'limitidli] *adv* **1** fără limită/măsură; (în mod) nemăsurat/nelimitat **2** enorm (de mult); foarte mult, extrem de mult

unlimitedness [ʌn'limitidnis] *s* caracter nelimitat/nemăsurat/nemărginit; nemărginire

unline [ʌn'lain] *vt* a scoate căptușeala de la

unlined [ʌn'laind] *adj* **1** *(d. haină)* necăptușit **2** *(d. obraz)* neridat, fără riduri/crețuri, neted

unlink [ʌn'liŋk] *vt* a desface, a deznoda

unlisted [ʌn'lisitid] *adj* **1** necatalogat **2** *(d. preț etc.)* neinclus pe listă **3** *(d. număr de telefon)* netrecut în cartea de telefon; secret

unlit [ʌn'lit] *adj* neaprins; stins; care nu arde

unlive [ʌn'liv] *vt:* **to ~ the past** a schimba *sau* a șterge cu buretele trecutul; a face tabula rasa; a începe o viață nouă

unliveable [ʌn'livəbəl] *adj* **1** *(d. viață)* imposibil, insuportabil **2** *(și* ~ **in)** de nelocuit, impropriu pentru locuit

unload [ʌn'loud] **I** *vt* **1** a descărca **2** a preda, a remite **3** *fig* a despovăra de; a debarasa/a scăpa/a elibera de **4** *com* a vinde în cantități mari, a inunda piața cu **II** *vi* a descărca

unloaded [ʌn'loudid] *adj (d. armă de foc, camion etc.)* **1** descărcat **2** neîncărcat

unloading [ʌn'loudiŋ] *s* descărcare

unloading dock [ʌn'loudin ‚dɔk] *s nav* doc/dană de descărcare

unlock [ʌn'lɔk] *vt* a descuia; a deschide

unlocking [ʌn'lɔkiŋ] *s* **1** descuiere, deschidere, deszăvorâre *(a unei uși etc.)* **2** dezvăluire *(a unui secret)* **3** *ec* eliberare, deblocare *(de fonduri)* **4** deblocare *(a unui drum)* **5** *tehn* deblocare, declanșare *(a unui mecanism)*

unlooked at [ʌn'lukt ət] *adj* neglijat, nebăgat în seamă, uitat, care nu este luat în seamă

unlooked for [ʌn'lukt 'fər] *adj cu prep v.* **uncalled for**

unloose [ʌn'lu:s] *vt* **1** a slăbi (strânsoarea asupra) **2** *fig v.* **unleash 3** *v.* **unbind**

unloosen [ʌn'lu:sən] *vt v.* **unloose**

unlovable [ʌn'lʌvəbəl] *adj* antipatic, care nu inspiră dragoste/simpatie

unloveliness [ʌn'lʌvlinis] *s* lipsă de atracție/atracțiozitate, caracter neatrăgător/antipatic

unlovely [ʌn'lʌvli] *adj* neatrăgător, lipsit de atracție/drăgălășenie; antipatic (la vedere)

unloving [ʌn'lʌviŋ] *adj* neiubitor; neafectuos, lipsit de afecțiune

unluckily [ʌn'lʌkili] *adv v.* **unfortunately**

unluckiness [ʌn'lʌkinis] *s* nenoroc, lipsă de noroc/șansă, neșansă, ghinion

unlucky [ʌn'lʌki] *adj v.* **unfortunate**

unmade [ʌn'meid] *pret și ptc de la* **unmake**

unmake [ʌn'meik] *pret și ptc* **unmade** [ʌn'meid] *vt* **1** a nimici, a distruge, a face să dispară **2** a demite, a degrada, a declasa **3** a retrograda **4** a modifica, a schimba natura *(cu gen)*

unman [ʌn'mæn] *vt* **1** a emascula, a castra **2** *fig* a emascula, a lipsi de vlagă **3** a descuraja **4** a deprima, a întrista

unmanageable [ʌn'mænidʒəbəl] *adj* **1** *v.* **ungovernable 1 2** nărăvaș, greu de stăpânit; dificil

unmanliness [ʌn'mænlinis] *s* **1** lipsă de bărbăție/virilitate **2** lipsă de curaj/bravură/vitejie; lașitate, poltronerie

unmanly [ʌn'mænli] *adj* **1** lipsit de bărbăție/virilitate; ca o femeie **2** lipsit de curaj/vitejie/bravură; laș, poltron

unmannered [ʌn'mænəd] *adj v.* **unmannerly 1**

unmannerliness [ʌn'mænəlinis] *s* **1** lipsă de maniere/educație, nepolitețe, proastă creștere/educație; lipsa celor șapte ani de-acasă; necuviință **2** simplitate, lipsă de afectare; sinceritate; caracter simplu/neafectat

unmannerly [ʌn'mænəli] *adv* **1** lipsit de maniere, fără maniere/educație, fără cei șapte ani de-acasă; nepoliticos, necuviincios **2** simplu, neafectat; sincer

unmanufactured [ʌn'mænju-'fæktʃəd] *adj* neprelucrat, în stare brută; neconfecționat, brut

unmarked [ʌn'mɑ:kt] *adj* **1** nemarcat, fără marcă **2** neremarcat, neobservat

unmarketable [ʌn'mɑ:kitəbəl] *adj* nevandabil, de nevândut, greu de vândut/comercializat

unmarred [ʌn'mɑ:d] *adj (d. fericire etc.)* netulburat (de nimic), neîntinat

unmarriageable [ʌn'mæridʒəbəl] *adj* care nu se poate mărita/căsători *(neavând vârsta necesară, succes etc.)*, greu de urnit din casă; ~ **girl** piatra din casă

unmarried [ʌn'mærid] *adj* **1** necăsătorit; celibatar **2** nemăritată

unmarried state [ʌn'mærid 'steit] *s* celibat

unmarried woman [ʌn'mærid 'wumən] *s* femeie nemăritată/ necăsătorită, celibatară, fată bătrână

unmask [ʌn'mɑːsk] **I** *vt* **1** a smulge masca de pe **2** a demasca; a arăta în adevărata sa lumină **II** *vi* a se (auto)demasca, a-și da arama pe față

unmastered [ʌn'mɑːstəd] *adj* nestăpânit; greu de stăpânit; necontrolat

unmatched [ʌn'mætʃt] *adj* **1** fără pereche **2** fără rival/egal/seamăn; inegalabil; imbatabil **3** desperecheat, neasortat, prost/ rău asortat

unmeaning [ʌn'miːniŋ] *adj* **1** fără/ lipsit de inteligență **2** stupid, fără sens, lipsit de sens **3** fad, plat, neinteresant

unmeant [ʌn'ment] *adj v.* **unintentional**

unmeasured [ʌn'meʒəd] *adj* **1** nemăsurat **2** *v.* **unlimited 3** fără măsură, exagerat **4** scandalos, strigător la cer

unmeetly [ʌn'miːtli] *adv* ← *înv* (în mod) nepotrivit/necorespunzător/inoportun; cum nu se cuvine, așa cum nu trebuie

unmeetness [ʌn'miːtnis] *s* ← *înv (cu inf, sau* for *cu subst)* nepotrivire, caracter nepotrivit/inoportun/ necorespunzător; proastă potrivire

unmendable [ʌn'mendəbəl] *adj* **1** prea stricat ca să se mai poată repara; făcut praf, stricat rău, ferfeniță **2** *fig* ireparabil, de neîndreptat **3** *fig* (d. greșeală) de neiertat

unmentionable [ʌn'menʃənəbəl] *adj* **1** nedemn de a fi pomenit, care nu merită să fie menționat/ pomenit **2** imposibil de menționat/pomenit; care nu poate fi menționat (în public)

unmentionables [ʌn'menʃənəbəls] *s pl* **1** pantaloni **2** indispensabili, izmene

unmentioned [ʌn'menʃənd] *adj* **1** nepomenit, nemenționat; trecut sub tăcere **2** *v.* **unknown 2**

unmerciful [ʌn'məːsiful] *adj* **1** nemilos, fără/lipsit de milă **2** neîndurător, neiertător, fără/lipsit de îndurare; necruțător; împietrit la inimă

unmercifully [ʌn'məːsifuli] *adv* **1** fără milă, în mod nemilos **2** fără îndurare/cruțare (în mod) neîndurător/necruțător/neiertător; fără inimă/cruțare

unmercifulness [ʌn'məːsifulnis] *s v.* **mercilessness**

unmerited [ʌn'meritid] *adj v.* **undeserved**

unmetalled [ʌn'metəld] *adj* **1** *tehn* nemetalizat; fără metal; fără armătură metalică **2** *(d. drum)* nepavat, nepietruit; nemodernizat

unmethodical [ʌn'meˈθɔdikəl] *adj* fără metodă, lipsit de metodă; dezordonat, (făcut) la întâmplare

unmethodicalness [ʌn'meˈθɔdikəlnis] *s* lipsă de metodă; dezordine

unmindful [ʌn'maindful] *adj* **1** nepăsător; lipsit de grijă; negrijuliu **2** neatent, fără băgare de seamă

unmindful of [ʌn'maindful ɔv] *adj cu prep* nepăsător față de, fără să-i pese de

unmined [ʌn'maind] *adj* **1** *(d. canal, țărm etc.)* neminat **2** *(d. mină, bogății, resurse)* neexploatat; nefolosit, nevalorificat

unmingled [ʌn'miŋgld] *adj* **1** pur, neamestecat, neprefăcut **2** nealterat; neatacat

unminted [ʌn'mintid] *adj (d. aur etc.)* în lingouri, nemonetizat

unmirthful [ʌn'məːθful] *adj (d. râs)* forțat, amar; lipsit de veselie

unmissed [ʌn'mist] *adj* **1** neobservat, neluat/nebăgat în seamă, neremarcat **2** neregretat (de nimeni)

unmistakable ['ʌnmis'teikəbəl] *adj* **1** care nu poate fi confundat, clar, evident **2** sigur, precis, mai presus de orice îndoială

unmistakably ['ʌnmis'teikəbli] *adv* **1** fără posibilitate de confuzie; (în mod) clar/evident **2** sigur, cu siguranță, mai presus de orice îndoială

unmitigated [ʌn'miti,geitid] *adj* **1** *v.* **undiminished 2** total, întreg, complet **3** *v.* **unflinching**

unmixed [ʌn'mikst] *adj v.* **unmingled**

unmodified [ʌn'mɔdifaid] *adj* neschimbat; nealterat, neabătut, constant, statornic

unmolested [,ʌnmɔ'lestid] *adj* **1** *v.* **unharmed 2** ferit de (orice) primejdie; în condiții de siguranță

unmonkeyable [ʌn'mʌŋkiəbəl] *adj amer F* pe fază, cu ochii deschiși, treaz, care nu poate fi prostit/păcălit, care nu poate fi dus (de nas)/tras pe sfoară/în piept

unmoral [ʌn'mɔrəl] *adj v.* **unprincipled**

unmorality [,ʌnmɔ'ræliti] *s v.* **unprincipleness**

unmortgaged [ʌn'mɔːgidʒd] *adj ec, jur* neipotecat, liber de ipoteci

unmotherly [ʌn'mʌðəli] *adj* nedemn de o mamă, nematern, lipsit de sentimente materne; (care se poartă ca o mamă) denaturată

unmotivated [ʌn'mɔti,veitid] *adj* **1** nemotivat **2** *v.* **unjustified**

unmounted [ʌn'mauntid] *adj* **1** *(d. cal)* neîncălecat **2** *(d. giuvaer)* nemontat, fără montură **3** *(d. tablou)* neînrămat **4** *(d. persoană)* pedestru, pe jos, fără cal

unmoved [ʌn'muːvd] *adj* **1** impasibil, (pe care totul îl lasă) rece **2** nepăsător, neafectat, indiferent

unmurmuring [ʌn'məːməriŋ] *adj* **1** fără murmur, care nu crâcnește/ protestează **2** supus, docil

unmusical [ʌn'mjuːzikəl] *adj* **1** *(d. voce, melodie etc.)* nemuzical, nemelodios, nearmonios, discordant **2** lipsit de muzicalitate **3** *(d. persoană)* afon, fără ureche muzicală; nemuzical, căruia nu-i place muzica

unmusically [ʌn'mjuːzikəli] *adv* (în mod) nemuzical/nearmonios/ discordant/strident; supărător la ureche/pentru urechi

unmusicalness [ʌn'mjuːzikəlnis] *s* **1** nemuzicalitate, lipsă de muzicalitate **2** discordanță, caracter discordant/nearmonios/nemuzical/strident

unmuzzle [ʌn'mʌzəl] *vt* **1** a scoate botnița *(unui animal)* **2** *fig* a reda *(cuiva, presei)* libertatea cuvântului

unnamed [ʌn'neimd] *adj* **1** nenumit, al cărui nume nu se pomenește/ n-a fost pomenit **2** *v.* **unmentioned**

unnatural [ʌn'nætʃərəl] *adj* **1** nefiresc, nenatural **2** *v.* **unkind 2**

unnaturalized [ʌn'nætʃərəlaizd] *adj (d. cetăţean străin)* cu cetăţenie străină, neîmpământenit, nenaturalizat

unnaturally [ʌn'nætʃərəli] *adv* 1 în mod nefiresc/nenatural 2 *v.* **unkindly I 1**

unnaturalness [ʌn'nætʃərəlnis] *s* 1 lipsă de naturaleţe/firesc, caracter nefiresc/nenatural 2 *v.* **unkindness 1**

unnavigable [ʌn'nævigəbl] *adj* nenavigabil, nepotrivit pentru navigaţie

unnecessarily [ʌn'nesisərili] *adv* 1 (în mod) inutil/zadarnic, degeaba, în van, în mod superfluu/de prisos 2 fără nici un rost; într-un mod exagerat

unnecessary [ʌn'nesisəri] *adj* 1 inutil, zadarnic, van, fără rost 2 de prisos, superfluu, făcut degeaba; nedorit

unnegotiable ['ʌnni'gouʃjəbəl] *adj* 1 nenegociabil, non-negociabil, nesupus negocierii 2 de neschimbat; ferm, categoric

unneighbourliness [ʌn'neibəlinis] *s* 1 relaţii/raporturi proaste *(între vecini)* 2 atitudine neprietenoasă (faţă de vecini)

unneighbourly [ʌn'neibəli] *adj* 1 *(d. relaţii)* de proastă vecinătate; care nu caracterizează pe bunul vecin; caracteristic unui vecin rău 2 neprietenos, neamical; necordial

unnerve [ʌn'nə:v] *vt* 1 a slăbi, a lipsi de vlagă/vigoare 2 *v.* **unman 2, 4**

unnerved [ʌn'nə:vd] *adj* 1 demoralizat, descurajat 2 care şi-a pierdut curajul/sângele rece; speriat 3 fără vlagă; vlăguit

unnoted [ʌn'noutid] *adj* 1 *(d. fenomen etc.)* neobservat 2 *(d. persoană)* obscur, neînsemnat 3 *(d. lucruri)* neimportant, neînsemnat

unnoticeable [ʌn'noutisəbl] *adj* 1 care trece neobservat; neobservabil 2 infim, infinitezimal

unnoticed [ʌn'noutist] *adj* (care a trecut) neobservat; neluat în seamă

unnumbered [ʌn'nʌmbəd] *adj v.* **uncounted**

unobjectionable [,ʌnəb'dʒekʃənəbl] *adj* ireproşabil, căruia nu i se poate reproşa nimic; perfect (corect); care nu lasă nimic de dorit

unobliging [,ʌnə'blaidʒiŋ] *adj* deloc serviabil, neîndatoritor

unobservable [,ʌnəb'zə:vəbəl] *adj v.* **unnoticeable**

unobservant [,ʌnəb'zə:vənt] *adj v.* **unmindful**

unobservant of [,ʌnəb'zə:vənt ɔv] *adj cu prep v.* **unmindful of**

unobserved [,ʌnəb'zə:vd] *adj v.* **unnoticed**

unobserving [,ʌnəb'zə:viŋ] *adj v.* **unmindful**

unobstructed [,ʌnəb'strʌktid] *adj* 1 neîmpiedicat, fără obstacol, liber de obstacole/piedici 2 neînfundat; liber de obstrucţii

unobtainable [,ʌnəb'teinəbl] *adj* 1 *v.* **unavailable** 2 *v.* **unattainable**

unobtrusive [,ʌnəb'tru:siv] *adj* 1 la locul lui, care nu e deloc băgăreţ/înfipt; modest, urnil 2 care nu-ţi sare în ochi 3 *v.* **unknown 2**

unobtrusively [,ʌnəb'tru:sivli] *adv* fără să se bage/înfigă; discret; cuminte, modest, cuviincios; fără ostentaţie

unobtrusiveness [,ʌnəb'tru:sivnis] *s* 1 modestie, cuviinţă, cuminţenie; caracter modest 2 dorinţă de a trece neobservat; lipsă de ostentaţie

unoccupied [ʌn'ɔkju,paid] *adj* 1 neocupat, liber 2 *fig* nepreocupat (de altceva), liber, neangajat

unoffending [,ʌnə'fendiŋ] *adj* inofensiv; nevinovat; care nu supără pe nimeni

unofficial [,ʌnə'fiʃəl] *adj* 1 neoficial 2 neceremonios, neprotocolar

unofficially [,ʌnə'fiʃəli] *adv* 1 (în mod) neoficial 2 (în mod) neprotocolar, fără protocol/ceremonie

unorganized [ʌn'ɔ:gə,naizd] *adj* 1 neorganizat 2 nesistematizat

unoriginal [ʌn'ɔridʒinəl] *adj* lipsit de originalitate, neoriginal; banal, bătătorit, răsuflat

unoriginality [,ʌnɔridʒi'næliti] *s* lipsă de originalitate, neoriginalitate; banalitate

unoriginally [,ʌnɔ'ridʒinəli] *adv* (în mod) neoriginal/banal, fără pic de originalitate

unorthodox [ʌn'ɔ:θə,dɔks] *adj* 1 neortodox 2 eretic, neortodox, neconformist

unostentatious [ʌnɔsten'teiʃəs] *adj* 1 discret, fără ostentaţie, neos-

tentativ 2 simplu 3 *v.* **unobtrusive 1**

unostentatiousness [ʌnɔsten-'teiʃəsnis] *s* lipsă de ostentaţie; discreţie, simplitate, naturaleţe

unowned [ʌn'ound] *adj* 1 *(d. bunuri)* fără proprietar 2 *(d. operă literară)* a cărei paternitate e nerecunoscută/neatribuită/greu de atribuit cuiva 3 *(d. copil)* nerecunoscut (de tată)

unoxidizable [,ʌnɔksi'daizəbəl] *adj* inoxidabil; care nu rugineşte; ferit de rugină

unoxidized [ʌnɔksi'daizd] *adj* neoxidat

unpack [ʌn'pæk] **I** *vt* 1 a despacheta 2 a desface *(bagajele)* 3 *fig* a dezvălui, a da în vileag, a revela **II** *vi* a desface bagajele, a despacheta

unpacking [ʌn'pækiŋ] *s* despachetat, despachetare; dezasamblare; desfăcutul bagajelor

unpaged [ʌn'peidʒd] *adj (d. manuscris)* nepaginat

unpaid [ʌn'peid] *adj* 1 neplătit 2 prost plătit; nerentabil

unpaired [ʌn'pɛəd] *adj* desperecheat, căruia îi lipseşte perechea

unpalatable [ʌn'pælətəbəl] *adj* 1 de nemâncat; nedigerabil, indigest 2 *fig* insuportabil, imposibil, de nesuferit/nesuportat 3 fără/lipsit de haz/farmec, fad, insipid

unparalleled [ʌn'pærələld] *adj* 1 incomparabil 2 *v.* **unmatched 2**

unpardonable [ʌn'pɑ:dənəbəl] *adj v.* **unforgivable**

unparented [ʌn'pɛərəntid] *adj* fără părinţi, orfan

unparliamentary [,ʌnpɑ:lə'mentəri] *adj* neparlamentar

unpatented [ʌn'pætəntid] *adj* nebrevetat, nepatentat

unpatriotic [,ʌnpætri'ɔtik] *adj* lipsit de patriotism, nepatriotic; antipatriotic; antinaţional

unpatronized [ʌn'pætrənaizd] *adj* 1 fără protector/ocrotitor/patron 2 *com (d. magazin, cinematograf etc.)* fără clienţi, fără public; nefrecventat; fără dever

unpaved [ʌn'peivd] *adj* nepavat; nepietruit

unpeeled [ʌn'pi:ld] *adj (d. fruct)* necurăţat, necojit, cu coajă

unpenetrable [ʌn'penətrəbəl] *adj* şi *fig* impenetrabil, de nepătruns

unpeople [ʌn'pi:pəl] *vt* a depopula

unperceivable [ˌʌnpə'si:vəbəl] *adj* imperceptibil, (de) neobservat, greu de observat

unperformable [ˌʌnpə'fɔ:məbəl] *adj* **1** *(d. promisiune etc.)* de neînde-plinit **2** *(d. piesă etc.)* de nejucat; neteatral, nescenic **3** *(d. muzică etc.)* de neexecutat, greu de interpretat

unperishing [ʌn'periʃiŋ] *adj* nepie-ritor, nemuritor

unpersuadable [ˌʌnpə'sweidəbəl] *adj* de neconvins, greu/imposibil de convins, care se lasă greu (convins)

unperturbed [ˌʌnpə'tə:bd] *adj v.* **undisturbed**

unpick [ʌn'pik] *vt* a descoase, a desface *(o cusătură)*

unpicked [ʌn'pikt] *adj* **1** descusut **2** neales, neselectat **3** *(d. fruct)* necules

unpin [ʌn'pin] *vt* **1** a scoate acele din **2** a desface din ace **3** *v.* **unfasten 4** a lăsa liber/slobod; a slobozi, a elibera

unplait [ʌn'plæt] *vt* a despleti, a desface

unpleasant [ʌn'plezənt] *adj* **1** neplă-cut, dezagreabil; supărător **2** grețos, scârbos **3** antipatic

unpleasantly [ʌn'plezəntli] *adv* **1** într-un mod neplăcut/dezagrea-bil/supărător **2** într-un mod anti-patic **3** fără politețe/amabilitate, (într-un mod) nepoliticos, cu mojicie/brutalitate, brutal

unpleasantness [ʌn'plezəntnis] *s* **1** neplăcere, supărare, necaz; **the late ~** războiul trecut/recent, u-ltimul război **2** caracter neplăcut/supărător/antipatic/dezagreabil

unpoetic(al) [ˌʌnpou'etik(əl)] *adj* nepoetic, lipsit/fără de poezie; pro-zaic; pedestru

unpointed [ʌn'pointid] *adj* **1** bont, fără vârf **2** *(d. observație)* nespi-ritual; nelalocul său **3** *(d. obiect tăios sau ascuțit)* neascuțit, tocit; bont; care nu taie

unpoised [ʌn'pɔizd] *adj* neechili-brat; lipsit de echilibru

unpolarized [ʌn'poulə,raizd] *adj (d. lumină)* nepolarizat

unpolished [ʌn'poliʃt] *adj* **1** nelus-truit **2** neșlefuit **3** *fig* necioplit, needucat, nestilat; bădăran, gro-bian; grosolan, vulgar

unpolitical [ˌʌnpə'litikəl] *adj* apolitic

unpopular [ʌn'pɔpjulər] *adj* **1** nepo-pular, care nu se bucură de popularitate; fără/lipsit de popu-laritate **2** antipatizat, care stâr-nește animozitate/antipatie

unpopularity [ˌʌnpɔpju'læriti] *s* **1** lipsă de popularitate **2** caracter nepopular

unportrayable [ˌʌnpɔ:'treiəbəl] *adj* care nu poate fi zugrăvit/pictat/descris; de nezugrăvit, indes-criptibil

unposted [ʌn'poustid] *adj (d. poștă, corespondență)* neexpediat, netrimis, nepus la cutie

unpot [ʌn'pɔt] *vt* a muta *(plante, flori etc.)* dintr-un ghiveci în altul; a transplanta

unpractical [ʌn'præktikəl] *adj* **1** nepractic **2** lipsit de simț/spirit practic; nepractic **3** *v.* **uneco-nomic**

unpractised [ʌn'præktist] *adj* **1** nepracticat, neexersat; **~ virtues** virtuți nevalorificate **2** neexperi-mentat, lipsit de/fără experiență

unprecedented [ʌn'presidəntid] *adj* **1** fără precedent **2** nemaipo-menit **3** *v.* **unforgivable**

unprecedentedly [ʌn'presi,dentidli] *adv* într-un mod fără precedent/nemaipomenit; cum nu s-a mai văzut/pomenit

unprecise [ˌʌnpri'sais] *adj* neprecis, lipsit de precizie; vag

unpredictable [ˌʌnpri'diktəbəl] *adj v.* **unforeseeable**

unpredictably [ˌʌnpri'diktəbli] *adv* într-un mod imprevizibil/neaștep-tat/(de) neprevăzut

unprefaced [ʌn'prefist] *adj* **1** nepre-fațat, fără prefață **2** *fig* neaver-tizat, neprevenit

unprejudiced [ʌn'predʒudist] *adj* **1** ferit/lipsit de prejudecăți; fără prejudecăți **2** nepărtinitor, impar-țial; fără prejudecată/idei precon-cepute **3** echitabil, just, judicios; corect

unpremeditated [ˌʌnpri'medi,teitid] *adj* nepremeditat, fără preme-ditare, spontan

unprepared [ˌʌnpri'pɛəd] *adj v.* **unattractive**

unprepared translation [ˌʌnpri'pɛəd tra:n'sleiʃən] *s școl* traducere făcută pe loc/la prima vedere

unprepossessing [ˌʌnpripə'zesiŋ] *adj v.* **unattractive**

unpresuming [ˌʌnpri'zu:miŋ] *adj* **1** la locul lui, modest, care-și vede lungul nasului **2** *v.* **unobtrusive 1**

unpretending [ˌʌnpri'tendiŋ] *adj* **1** *v.* **unpresuming 1 2** *v.* **unobtru-sive 1 3** *v.* **unaffected 2**

unpretentious [ˌʌnpri'tenʃəs] *adj* **1** fără/lipsit de pretenții **2** *v.* **unpre-suming 1 3** *v.* **unobtrusive 1**

unpretentiously [ˌʌnpri'tenʃəsli] *adv* **1** fără (mari) pretenții **2** modest, cu modestie, cuminte

unpretentiousness [ˌʌnpri'tenʃəsnis] *s* **1** lipsă de pretenții **2** *v.* **unob-trusiveness 1**

unprevailing [ˌʌnpri'veiliŋ] *adj (d. argument etc.)* neconvingător, ineficace, firav, slab, fără putere de convingere; care nu duce la nimic

unpriced [ʌn'praist] *adj* **1** fără preț, neprețuit, neevaluat **2** *fig* nepre-țuit

unprincipled [ʌn'prinsipld] *adj* **1** fără/lipsit de scrupule **2** necinstit, neonest, lipsit de onestitate **3** neprincipial, lipsit de principii (morale/etice); imoral, amoral

unprintable [ʌn'printəbəl] *adj* **1** care nu poate fi tipărit **2** indecent, vulgar, obscen

unprivileged [ʌn'privildʒd] *adj* **1** neprivilegiat, întru nimic privile-giat **2** nefavorizat *(de soartă etc.)*

unprized [ʌn'praizd] *adj* fără va-loare; neapreciat; insuficient/slab/prea puțin prețuit/socotit, subestimat, subapreciat

unprobed [ʌn'proubd] *adj (d. adânc, mister etc.)* insondabil, de ne-sondat/nepătruns *v și* **unfatho-mable**

unprocessed [ˌʌnprə'sest] *adj* ne-prelucrat; brut, crud, în stare brută

unprocurable [ˌʌnprə'kjurəbəl] *adj* de negăsit/neobținut/neprocurat, care nu se poate procura/găsi/obține

unproductive [ˌʌnprə'dʌktiv] *adj* **1** neproductiv **2** nefertil, lipsit de fertilitate; arid **3** steril; van, nerodnic, infructuos

unprofessed [ˌʌnprə'fest] *adj* ne-mărturisit, nedezvăluit, nedes-tăinuit; tainic, ascuns

unprofessional [ˌʌnprə'feʃənəl] *adj* **1** (cu caracter) neprofesionist **2** (de) amator

unprofitable [ʌn'prɔfitəbəl] *adj* 1 nerentabil; nelucrativ 2 *v.* **unproductive 3**

unprofitableness [ʌn'prɔfitəbəlnis] *s* 1 lipsă de rentabilitate, nerentabilitate 2 *v.* **unfruitfulness 3** inutilitate, zădărnicie

unprofitably [ʌn'prɔfitəbli] *adv* 1 într-un mod nerentabil 2 *v.* **unfruitfully 3** (în mod) inutil/zadarnic

unprolific [ˌʌnprə'lifik] *adj* sterp, steril, nerodnic, neroditor, lipsit de fertilitate, nefertil, nefecund

unpromising [ʌn'prɔmisiŋ] *adj* 1 care nu (pare a) promite nimic 2 fără/lipsit de perspective/viitor 3 *v.* **unattractive**

unprompted [ʌn'prɔmptid] *adj* neforțat, spontan

unpropitious [ˌʌnprɔ'piʃəs] *adj v.* **unfavourable**

unprosperous [ʌn'prɔspərəs] *adj* 1 neînfloritor, deloc prosper, lipsit de prosperitate 2 neprielnic, nefavorabil

unprosperously [ʌn'prɔspərəsli] *adv* fără succes

unprotected [ˌʌnprə'tektid] *adj* 1 (d. oraș, persoană etc.) fără apărare, neocrotit 2 (d. oraș) deschis 3 *tehn* (d. curea de transmisie, mecanism în funcțiune etc.) neprotejat; fără carter

unprotesting [ˌʌnprə'testiŋ] *adj* 1 care nu protestează 2 supus, docil, umil, modest

unprovable [ʌn'pru:vəbəl] *adj* de nedovedit/nedemonstrat, care nu poate fi dovedit/demonstrat

unprovided [ˌʌnprə'vaidid] *adj* neaprovizionat; neprevăzut (cu cele necesare)

unprovoked [ˌʌnprə'voukt] *adj* 1 neprovocat 2 *v.* **unjustified**

unpublishable [ʌn'pʌbliʃəbəl] *adj* nepublicat, de nepublicat; care nu merită să fie publicat

unpublished [ʌn'pʌbliʃt] *adj* nepublicat, netipărit; inedit

unpunctual [ʌn'pʌŋktʃuəl] *adj* nepunctual, incapabil de punctualitate/să fie punctual

unpunished [ʌn'pʌniʃt] *adj* (rămas) nepedepsit

unpuzzle [ʌn'pʌzəl] *vt* a dezlega (o enigmă, un mister), a ghici (o ghicitoare)

unqualified [ʌn'kwɔlifaid] *adj* 1 necalificat; neinstruit 2 incompetent, necompetent; incapabil 3 *gram etc.* fără calificative/epitete; simplu; fără modificatori *sau* determinanți

unquenchable [ʌn'kwentʃəbəl] *adj v.* **unextinguishable**

unquenched [ʌn'kwentʃt] *adj v.* **unextinguished**

unquestionable [ʌn'kwestʃənəbəl] *adj* 1 indiscutabil, incontestabil, neîndoios, neîndoielnic, în afară de orice discuție 2 mai presus de orice îndoială/suspiciune, care nu poate fi suspectat/ bănuit/pus la îndoială

unquestioned [ʌn'kwestʃənd] *adj* 1 necontestat, incontestabil 2 *v.* **unquestionable 1, 2**

unquestioning [ʌn'kwestʃəniŋ] *adj* 1 care nu pune (nici un fel de) întrebări; discret, mut 2 încrezător, plin de încredere (implicită)

unquiet [ʌn'kwaiət] *adv* neliniștit, tulburat, agitat

unquietly [ʌn'kwaiətli] *adv* neliniștit, tulburat, agitat

unquietness [ʌn'kwaiətnis] *s* neliniște, tulburare, agitație, frământare

unquilt [ʌn'kwilt] *vt* a descoase (o haină)

unquotable [ʌn'kwoutəbəl] *adj* care nu poate fi citat

unquote [ʌn'kwout] *vi* a închide ghilimelele, a încheia citatul

unquoted [ʌn'kwoutid] *adj* 1 nemenționat, nepomenit, necitat 2 *ec, fin* (d. acțiuni, valori) necotat (la bursă)

unransomed [ʌn'rænsəmd] *adj* (d. păcat, prizonier etc.) nerăscumpărat

unratified [ʌn'rætifaid] *adj* neratificat

unrationed [ʌn'ræʃənd] *adj* neraționalizat; (care se vinde) la liber

unravel [ʌn'rævəl] *vt* 1 a descâlci, a descurca, a dezlega 2 *fig* a lămuri, a clarifica, a dezlega (un mister) 3 *fig* a rezolva, a soluționa (o problemă, o enigmă)

unread [ʌn'red] *adj* 1 necitit 2 *fig* incult, care n-a citit nimic (în viața lui)

unreadable [ʌn'ri:dəbəl] *adj* 1 de necitit, prost, mizerabil, sub orice nivel/critică 2 neciteț/ilizibil

unreadiness [ʌn'redinis] *s* 1 lipsă de pregătire 2 lipsă de promptitudine *sau* serviabilitate, rea voință; încetineală

unready [ʌn'redi] *adj* 1 nepregătit, care nu este gata 2 lipsit de promptitudine *sau* serviabilitate; neserviabil 3 nehotărât, șovăielnic, ezitant 4 *înv reg* dezbrăcat; îmbrăcat numai pe jumătate

unreal [ʌn'riəl] *adj* 1 ireal, nereal 2 imaginar, fantezist; fantastic 3 nefiresc, supranatural, nemaipomenit, de necrezut

unreality [ˌʌnri'æliti] *s* 1 irealitate, nerealitate, absență a realității; caracter imaginar/himeric 2 himeră; (pură) fantezie; fantasmă; nălucire; născocire

unrealizable [ˌʌnriə'laizəbəl] *adj* de neînfăptuit, de nerealizat; imposibil de realizat; de neatins, ireal

unreasonable [ʌn'ri:zənəbəl] *adj* 1 irațional, nerațional, fără/lipsit de rațiune 2 intratabil, cu care nu se poate discuta; lipsit de logică; care nu poate fi convins (cu argumente) 3 inexplicabil, de neînțeles

unreasonableness [ʌn'ri:zənəbəlnis] *s* 1 lipsă de rațiune/judecată/înțelepciune 2 iraționalitate, caracter nerațional 3 lipsă de înțelegere, obtuzitate 4 caracter inexplicabil/de neînțeles

unreasonably [ʌn'ri:zənəbli] *adv* 1 în mod nerațional/irațional/neînțelept; fără rațiune/înțelepciune 2 în mod nejustificat/inexplicabil/de neînțeles; fără motiv/justificare

unreasoned [ʌn'ri:zənd] *adj* necugetat

unreasoning [ʌn'ri:zəniŋ] *adj* 1 incapabil de judecată, care nu judecă 2 *v.* **unreasonable 1** 3 (d. animal) necuvântător, fără grai

unreasoningly [ʌn'ri:zəni:ŋli] *adv v.* **unreasonably 1**

unreceipted [ˌʌnri'si:tid] *adj ec, com* neachitat; pentru care nu s-a emis chitanță

unreciprocated [ˌʌnri'siprəkeitid] *adj* la care nu s-a răspuns; care nu se bazează pe reciprocitate

unrecking [ʌn'rekiŋ] *adj lit* nepăsător, căruia nu-i pasă; indiferent, neîngrijorat, deloc îngrijorat

unreclaimed [ˌʌnri'kleimd] *adj* 1 (d. ogor, pământ etc.) înțelenit, necultivat, rămas în paragină/părăsire 2 (d. păcătos etc.) nepocăit, nemântuit, neîndreptat, necorijat 3 (d. sălbatic etc.) necivilizat, (rămas) barbar

unrecognizable [ʌn'rekəgnaizəbəl] *adj* de nerecunoscut; imposibil de recunoscut, total schimbat

unrecognized [ʌn'rekəgnaizd] *adj* nerecunoscut

unreconcilable ['ʌn'rekənsailebəl] *adj* ireconciliabil, de neîmpăcat

unrecorded [ˌʌnri'kɔ:did] *adj* 1 neînregistrat în (acte/scripte), neînscris 2 neîndeplinit, neexecutat 3 *(d. amanet, gaj, captiv etc.)* nerăscumpărat 4 *ec (d. poliță)* nerăscumpărat; neachitat

unredeemed [ˌʌnri'di:md] *adj* 1 nerăscumpărat 2 *rel* nemântuit, care nu a obținut mântuirea

unreel [ʌn'ri:l] I *vt* a derula, a desfășura *(de pe un mosor etc.)* II *vi* a se derula, a se desfășura

unrefined [ˌʌnri'faind] *adj* 1 lipsit de rafinament/finețe 2 *v.* **unpolished** 3

unreflecting [ˌʌnri'flektiŋ] *adj* 1 *(d. lumină, căldură etc.)* nereflectat, care nu se reflectă 2 *(d. gest, acțiune etc.)* nechibzuit, necugetat, nesăbuit 3 fără consecințe, care nu se reflectă *(asupra reputației etc.)*

unregarded [ˌʌnri'ga:did] *adj* 1 nerespectat 2 *v.* **unobserved**

unregistered [ʌn'redʒistəd] *adj* 1 neînregistrat, neînmatriculat, neînscris 2 *(d. naștere)* nedeclarat 3 *(d. scrisoare)* nerecomandat, simplu

unregulated [ʌn'regjuˌleitid] *adj* 1 nesistematizat, neregularizat 2 nereglementat, nelegiferat

unrehearsed [ˌʌnri'hə:st] *adj* (*d. piesă etc.*) nerepetat, nepregătit

unrein [ʌn'rein] *vt* 1 a da drumul *(calului)* din frâu/hamuri 2 *fig* a da frâu liber *(cu dat)*

unrelated [ˌʌnri'leitid] *adj* fără legătură *(cu ceva)*, irelevant; nerelevant

unrelaxing [ˌʌnri'læksiŋ] *adj* neobosit, neostenit

unrelenting [ˌʌnri'lentiŋ] *adj* 1 *v.* **unmerciful** 1, 2 2 neîmpăcat, neînduplecat 3 sever, aspru

unrelentingly [ˌʌnri'lentiŋli] *adv* 1 *v.* **unmercifully** 1, 2 2 neîmpăcat, neînduplecat 3 sever, aspru, cu asprime/severitate

unreliability [ˌʌnrilaiə'biliti] *s* 1 caracter nestatornic/inconstant; caracter care nu prezintă încredere/

garanție/siguranță 2 neseriozitate, lipsă de seriozitate 3 *tehn* lipsă de fiabilitate

unreliable [ˌʌnri'laiebəl] *adj* 1 nestatornic, inconstant 2 care nu prezintă încredere/garanții/siguranță 3 pe care nu te poți bizui; în care nu poți avea încredere; **he is very ~ a** nu te poți încrede în el, nu e un om pe care te poți bizui/baza; nu te poți baza pe spusele lui **b** e neserios 4 nesigur

unrelieved [ˌʌnri'li:vd] *adj* 1 sever, auster, aspru 2 fără alinare 3 *fig* monoton, plat, șters, fără relief

unreligious [ˌʌnri'lidʒəs] *adj* nereligios; fără credință (în Dumnezeu); lipsit de evlavie, păgân; necredincios

unremarkable [ˌʌnri'ma:kəbəl] *adj* întru nimic remarcabil, cu nimic ieșit din comun

unremarked [ˌʌnri'ma:kd] *adj* 1 neobservat 2 necomentat, trecut sub tăcere

unremembered [ˌʌnri'membəd] *adj* uitat, dat uitării

unremembering [ˌʌnri'membəriŋ] *adj* uituc, cu memorie scurtă

unremitted [ˌʌnri'mitid] *adj* 1 *(d. păcat)* neiertat 2 *(d. muncă)* neîntrerupt, continuu

unremitting [ˌʌnri'mitiŋ] *adj* 1 *v.* **unmerciful** 1, 2 2 *v.* **unceasing** 3 perseverent, constant; persistent, insistent

unremittingly [ˌʌnri'mitiŋli] *adv* 1 *v.* **unmercifully** 1, 2 2 *v.* **unceasingly** 3 în mod perseverent/ constant/insistent/statornic; cu insistență

unremorseful [ˌʌnri'mɔ:sful] *adj* fără remușcări, nechinuit de remușcări

unremunerated [ˌʌnri'mju:nəˌreitid] *adj* 1 neremunerat, neplătit 2 *v.* **unpaid** 3 *v.* **unrewarded**

unremunerative [ˌʌnri'mju:nərətiv] *adj* 1 *v.* **unrewarding** 1 2 *v.* **unproductive** 1

unrenewed [ˌʌnri'nju:d] *adj* rămas nereînnoit

unrepaid [ˌʌnri'peid] *adj* 1 *(d. împrumut etc.)* nerambursat, neînapoiat 2 *(d. serviciu, persoană)* nerăsplătit, nerecompensat 3 *(d. rău)* nerăzbunat; nepedepsit

unrepealable [ˌʌnri'piləbəl] *adj* *jur* irevocabil

unrepentant [ˌʌnri'pentənt] *adj* care nu se căiește, care nu regretă nimic; nepocăit

unrepented [ˌʌnri'pentid] *adj (d. păcat)* neregretat, de care nu-ți pare rău

unrepresented [ˌʌnrepri'zentid] *adj* *jur* nereprezentat; fără reprezentant

unrepressed [ˌʌnri'prest] *adj* 1 *v.* **unmastered** 2 (lăsat) liber, slobod

unreproved [ˌʌnri'pru:vd] *adj* necenzurat; nereprimat; lăsat liber/ slobod

unrequested [ˌʌnri'kwestid] *adj* necerut, nesolicitat, spontan; **to do smth ~** a face ceva spontan/ fără a fi solicitat; **to speak ~** a vorbi fără a fi poftit/invitat; a vorbi neîntrebat

unrequited [ˌʌnri'kwaitid] *adj* 1 *v.* **unrewarded** 2 *(d. sentimente)* neîmpărtășit 3 *v.* **unrevenged** 4 nerecunoscut, neapreciat (cum se cuvine)

unreserve [ˌʌnri'zə:v] *s* lipsă de reținere, degajare; expansivitate, fire slobodă/expansivă

unreserved [ˌʌnri'zə:vd] *adj* 1 fără/ lipsit de rezerve 2 expansiv, deschis; sincer

unreservedly [ˌʌnri'zə:vidli] *adv* 1 fără (nici un fel de) rezerve 2 în mod expansiv, cu expansivitate/ entuziasm

unreservedness [ˌʌnri'zə:vidnis] *s* 1 lipsă de rezervă/rezerve 2 expansivitate, sinceritate; caracter deschis/entuziast/expansiv

unresisting [ˌʌnri'zistiŋ] *adj* 1 care nu opune rezistență, care nu se împotrivește 2 docil, supus; maleabil

unresolved [ˌʌnri'zɔlvd] *adj* 1 nehotărât, indecis 2 *(d. problemă)* fără soluție

unresponsive [ˌʌnris'ponsiv] *adj* 1 placid, rece, apatic, indiferent 2 *v.* **unmoved** 3 care nu reacționează în nici un fel; cu care nu poți comunica

unresponsively [ˌʌnris'ponsivli] *adj* 1 indiferent, cu indiferență/placiditate/răceală, în mod placid/ pasiv/apatic 2 fără a reacționa în nici un fel; neoferind posibilitatea de comunicare

unresponsiveness [,ʌnrɪs'pɒnsɪvnɪs] *s* **1** indiferență, placiditate, răceală, apatie **2** lipsa oricărei reacții; imposibilitate de comunicare

unrest [ʌn'rest] *s* **1** neliniște **2** *v.* **unquietness**

unrestful [ʌn'restful] *adj v.* **unquiet**

unresting [ʌn'restɪŋ] *adj* **1** îngrijorat, neliniștit **2** agitat, tulburat

unrestrained [,ʌnrɪs'treɪnd] *adj* **1** neîncorsetat, fără restricții **2** nestăpânit, neîncătușat, neținut în frâu **3** *v.* **unreserved 4** spontan

unrestricted [,ʌnrɪs'trɪktɪd] *adj v.* **unrestrained 1, 2**

unretentive [,ʌnrɪ'tentɪv] *adj* **1** *(d. memorie etc.)* slab, ca o sită, care nu reține nimic **2** *(d. persoane)* fără ținere de minte, cu memorie proastă, care nu ține minte nimic

unrevealable [,ʌnrɪ'viːləbəl] *adj* nedivulgabil, de nedezvăluit/ nemărturisit, greu de mărturisit

unrevenged [,ʌnrɪ'vendʒd] *adj* nerăzbunat

unrewarded [,ʌnrɪ'wɔːdɪd] *adj* nerăsplătit

unrewarding [,ʌnrɪ'wɔːdɪŋ] *adj* **1** nerentabil, neremunerativ; prost plătit **2** *fig* care nu-ți aduce/dă satisfacții (suficiente); lipsit de satisfacții

unrhymed [ʌn'raɪmd] *adj* nerimat, fără rimă, alb

unrhymed verse [ʌn'raɪmd'vəːs] *s* versuri albe

unriddle [ʌn'rɪdəl] *vt* a dezlega, a rezolva, a descifra *(o enigmă, o taină);* a ghici *(adevărul etc.)*

unrig [ʌn'rɪg] *vt* a dezechipa, a dezafecta *(un vas, o instalație marină etc.)*

unrighteous [ʌn'raɪtʃəs] *adj* **1** inechitabil, nedrept **2** nejust, injust, incorect

unrighteously [ʌn'raɪtʃəsli] *adv* **1** pe nedrept **2** în mod injust/nejustificat/incorect

unrighteousness [ʌn'raɪtʃəsnɪs] *s* **1** nedreptate, inechitate, injustiție **2** lipsă de justețe/echitate/corectitudine; inechitate **3** incorectitudine, necinste, caracter necinstit/incorect/veros

unrightful [ʌn'raɪtful] *adj* **1** lipsit de drepturi, fără drept; ilegal **2** ilegal, ilicit **3** *v.* **unrighteous 1 4** *v.* **unjustified**

unrimed [ʌn'raɪmd] *adj* înv *v.* **unrhymed**

unrip [ʌn'rɪp] *vt* a descoase *(o cusătură);* a desface *(ceva)* prin deșirare

unripe [ʌn'raɪp] *adj* **1** *(d. fruct etc.)* necopt, crud **2** *fig* imatur, necopt; cu caș la gură; neisprăvit **3** lipsit de înțelepciune, care n-a ajuns la vârsta înțelepciunii

unripeness [ʌn'raɪpnɪs] *s* **1** lipsă de maturitate, cruditate *(a unui fruct etc.)* **2** *fig* imaturitate, caracter necopt; vârstă fragedă; lipsă de înțelepciune

unrivalled [ʌn'raɪvəld] *adj* **1** fără rival/adversar **2** *v.* **unmatched 2**

unrobe [ʌn'roub] **I** *vt* a dezbrăca *(pe cineva)* de rochie; a scoate rochia *(cuiva)* **II** *vi* a-și scoate/ dezbrăca rochia, a se dezbrăca de rochie

unroll [ʌn'roul] *vt v.* **unfurl I**

unromantic ['ʌnrou'mæntɪk] *adj* **1** lipsit de romantism **2** lipsit de imaginație/fantezie **3** prozaic; plat, monoton

unroof [ʌn'ruːf] *vt* **to ~ a house** a scoate acoperișul *(unei case)*, a descoperi o casă scoțând acoperișul

unroot [ʌn'ruːt] *vt* a dezrădăcina, a smulge din rădăcină

unrounded [ʌn'raundɪd] *adj* **1** *(d. vocală)* nerotunjit, pronunțat cu buzele nerotunjite **2** *(d. trăsături)* colțuros, nerotunjit **3** *(d. propoziție etc.)* prost formulat, lipsit de armonie

unroyal [ʌn'rɔɪəl] *adj* nedemn de un rege, neregesc

unruffled [ʌn'rʌfəld] *adj* **1** imperturbabil, calm, impasibil, greu de tulburat **2** netulburat, liniștit, calm

unruled [ʌn'ruːld] *adj* **1** necârmuit, neguvernat, neadministrat **2** *(d. hârtie)* neliniat

unruly [ʌn'ruːli] *adj* **1** neascultător, nesupus, insubordonat **2** dezordonat **3** obraznic, neascultător **4** destrăbălat, stricat, detracat **5** *v.* **ungovernable**

UNRWA *presc de la* **United Nations Relief and Works Agency** Agenția/Organizația Națiunilor Unite pentru Ajutorare, **UNRRA** *(după al doilea război mondial)*

unsaddle [ʌn'sædl] *vt* **1** a deșeua, a scoate șaua de pe *(cal)*/samarul de pe *(măgar)* **2** a trânti din șa *(un călăreț)*

unsafe [ʌn'seɪf] *adj* **1** periculos, primejdios **2** nesigur, care nu prezintă garanții

unsafety [ʌn'seɪfti] *s* nesiguranță, insecuritate, lipsă de siguranță/ securitate

unsaid [ʌn'sed] **I** *pret și ptc de la* **unsay II** *adj* **1** nespus, nerostit **2** nedestăinuit, nedezvăluit

unsalable [ʌn'seɪləbəl] *adj com* nevandabil

unsalaried [ʌn'sælərɪd] *adj* nesalariat, neplătit, fără salariu

unsalted [ʌn'sɔːltɪd] *adj* **1** *(d. carne, pește etc.)* nesărat; proaspăt, neconservat **2** *(d. mâncare)* fără sare, nesărat; fără gust

unsalted butter [ʌn'sɔːltɪd 'bʌtər] *s* unt proaspăt/neconservat *(de la fermă)*

unsanitary [ʌn'sænɪtəri] *adj* insalubru; nesănătos

unsated [ʌn'seɪtɪd] *adj* **1** nesătul, flămând, înfometat **2** *fig* insațiabil; greu de satisfăcut; veșnic însetat

unsatisfactorily [,ʌnsætɪs'fæktərɪli] *adv* **1** (în mod) nesatisfăcător/ necorespunzător **2** insuficient, în insuficientă măsură; în prea mică măsură

unsatisfactoriness [,ʌnsætɪs'fæktərɪnɪs] *s* **1** caracter nesatisfăcător/necorespunzător **2** insuficiență, caracter insuficient/ neîndestulător

unsatisfactory [,ʌnsætɪs'fæktəri] *adj* **1** nesatisfăcător, necorespunzător, inadecvat **2** insuficient, neîndestulător

unsatisfied [ʌn'sætɪsfaɪd] *adj* **1** nesatisfăcut **2** nemulțumit

unsatisfiedness [,ʌnsætɪs'faɪdnɪs] *s* nesatisfacere, nemulțumire

unsatisfying [ʌn'sætɪsfaɪɪŋ] *adj* **1** nesatisfăcător, nemulțumitor **2** neconvingător **3** neîndestulător

unsaturable [ʌn'sætʃərəbəl] *adj ch* insaturabil

unsaturated [ʌn'sætʃəreɪtɪd] *adj* nesaturat

unsaved [ʌn'seɪvd] *adj* **1** nesalvat (încă) **2** *rel* nemântuit

unsavo(u)riness [ʌn'seɪvərɪnɪs] *s* **1** *gastr* lipsă de gust/savoare

2 caracter scârbos/imund/dezgustător *(al unui roman etc.)*; scârboşenie

unsavory [ʌn'seivəri] *adj v.* **unsavoury**

unsavoury [ʌn'seivəri] *adj* **1** fără/lipsit de gust/savoare **2** greţos, dezgustător, scârbos **3** *fig* de prost gust, de un gust dubios

unsawn [ʌn'sɔːn] *adj* netăiat cu ferăstrăul

unsay [ʌn'sei], *pret şi ptc* **unsaid** [ʌn'sed] *vt* **1** a nega **2** a renega; a-şi lua înapoi *(cuvântul dat etc.)*

unsayable [ʌn'seiəbəl] *adj* de nerostit, de nepronunţat; imposibil de rostit

unscal(e)able [ʌn'skeiləbəl] *adj (d. zid, munte etc.)* imposibil de trecut/de suit/de urcat; de neescaladat

unscaled [ʌn'skeild] *adj (d. munte, pisc)* neescaladat

unscandal(l)ed [ʌn'skændəld] *adj* nebârfit, necalomniat, ferit de clevetire/bârfeli

unscanned [ʌn'skænd] *adj* **1** necontemplat; necercetat (cu privirea) **2** *(d. vers)* nescandat

unscared [ʌn'skɛəd] *adj* nesperiat, neînfricoşat

unscarred [ʌn'skɑːd] *adj* fără cicatrice, neatins, nevătămat

unscathed [ʌn'skeiðd] *adj* **1** (viu şi) nevătămat **2** *v.* **unharmed 3** scăpat cu bine **4** *v.* **unpunished**

unscattered [ʌn'skætəd] *adj* neîmprăştiat, nerisipit

unscented [ʌn'sentid] *adj* fără parfum, nemirositor

unscept(e)red [ʌn'septəd] *adj* fără sceptru; detronat

unscheduled [ʌn'ʃedjuːld] *adj* **1** neprevăzut (în plan); neplanificat **2** netrecut pe o listă

unscholarly [ʌn'skɔləli] *adj* **1** nedemn de un savant **2** nesavant, necărturăresc; incult

unscholastic [ˌʌnskɔ'læstik] *adj* **1** *v.* **unscholarly 2** **2** nescolastic, ferit de scolasticism

unschooled [ʌn'skuːld] *adj* **1** neînvăţat, fără educaţie/cultură; neştiutor, ignorant **2** *v.* **uncouth 3** *v.* **untrained 4** firesc, natural; din fire

unscientific [ˌʌnsaiən'tifik] *adj* neştiinţific

unscientifically [ˌʌnsaiən'tifikəli] *adv* în mod neştiinţific

unscorned [ʌn'skɔːnd] *adj* nedispreţuit; apreciat

unscraped [ʌn'skreipt] *adj* nezgâriat

unscreened [ʌn'skriːnd] *adj* **1** *(d. teren, casă etc.)* expus, neadăpostit **2** *tehn* neprotejat, neblindat, neecranat **3** *tehn* nesortat, necernut

unscrew [ʌn'skruː] *vt* a deşuruba

unscriptural [ʌn'skriptʃərəl] *adj* nebiblic, apocrif, neconform cu Sfânta Scriptură

unscrupulosity [ʌnˌskru:pju'lɔsiti] *s* **1** lipsă de scrupule *sau* remuşcări **2** nedelicateţe **3** *v.* **unprincipledness**

unscrupulous [ʌn'skru:pjuləs] *adj* **1** *v.* **unprincipled 2** ticălos, stricat

unscrupulously [ʌn'skru:pjuləsli] *adv* fără scrupule/nici un scrupul; fără remuşcări

unscrupulousness [ʌn'skru:pjuləsnis] *s* **1** lipsă de scrupule **2** lipsă de remuşcări/căinţă **3** ticăloşie, stricăciune **4** imoralitate

unseal [ʌn'siːl] *vt* **1** a rupe sigiliul/pecetea de pe **2** a deschide, a desface

unsealed [ʌn'siːld] *adj* **1** desigilat, cu sigiliul rupt; cu peceţile rupte; *(d. scrisoare)* desfăcut; *(d. plic)* rupt, desfăcut **2** fără sigiliu, nesigilat

unseam [ʌn'siːm] *vt* a descoase, a desface cusăturile la

unseamanlike [ʌn'siːmənlaik] *adj* nemarinăresc, nepotrivit pentru un marinar

unsearchable [ʌn'səːtʃəbəl] *adj* de necercetat; impenetrabil, misterios, secret

unsearchableness [ʌn'səːtʃəbəlnis] *s* impenetrabilitate, caracter inscrutabil/impenetrabil *(al unui fenomen etc.)*

unseasonable [ʌn'siːzənəbəl] *adj* **1** inoportun, venit la un moment nepotrivit **2** nepotrivit, deplasat **3** de prost gust; şocant

unseasonableness [ʌn'siːzənəbəlnis] *s* **1** inoportunitate, caracter inoportun **2** caracter nepotrivit/deplasat **3** prost gust, gust îndoielnic

unseasonably [ʌn'siːzənəbli] *adv* **1** în mod inoportun, la un moment nepotrivit **2** cum nu trebuie, în mod greşit/deplasat/nepotrivit

unseasoned [ʌn'siːzənd] *adj* **1** necondimentat, fără condimente

2 fără gust, fără savoare, fad; fără sare şi piper **3** *(d. lemn)* verde, viu **4** *(d. vin)* nou, neînvechit **5** *(d. persoană)* fără experienţă, nedeprins; crud, verde, necopt

unseat [ʌn'siːt] *vt* **1** a răsturna, a arunca jos *(din şa, de pe scaun)* **2** *pol* a invalida *(un mandat de parlamentar)*, a anula alegerea *(cuiva)* **3** a da jos/afară/la o parte din post, a scoate din funcţie; a detrona, a destitui

unseaworthy [ʌn'siːwəːði] *adj nav (d. vas)* nepotrivit pentru călătorie pe mare, în proastă stare de navigabilitate, care nu poate pleca în cursă, care nu poate ieşi în larg

unseconded [ʌn'sekəndid] *adj* nesecondat; nesusţinut, nesprijinit

unsecured [ˌʌnsi'kjuəd] *adj* **1** *(d. uşă)* prost închis **2** *(d. scândură)* prost fixat **3** *ec, com* fără garanţie, negarantat

unsedentary [ʌn'sedentəri] *adj* neaşezat, nomad, rătăcitor, instabil, migrator

unseeded [ʌn'siːdid] *adj sport (d. tenisman etc.)* neselecţionat printre favoriţi

unseeing [ʌn'siːiŋ] *adj* **1** care nu vede nimic **2** *v.* **unmindful**

unseemliness [ʌn'siːmlinis] *s* indecenţă; caracter nepotrivit/necuviincios

unseemly [ʌn'siːmli] **I** *adj* **1** dizgraţios, urât, hâd **2** ruşinos, scandalos **3** indecent, obscen; lipsit de cuviinţă, care jigneşte buna cuviinţă; necuviincios **II** *adv* **1** în mod dizgraţios, urât **2** (în mod) scandalos/ruşinos **3** (în mod) neconvenabil/indecent

unseen [ʌn'siːn] **I** *adj* **1** nevăzut **2** invizibil; neobservabil **3** (care a trecut) neobservat **4** *(d. traducere)* la prima vedere, extemporaneu, improvizat **II** *s* **1** traducere improvizată/la prima vedere **2** the ~ lumea nevăzută; invizibilul; transcendentalul

unsegregated [ʌn'segrigeitid] *adj* desegregat, care nu apără segregaţia/dicriminarea rasială

unselfconscious [ˌʌnself'kɔnʃəs] *adj* degajat, natural firesc, nestingherit, în largul lui

unselfconsciousness [ˌʌnself'kɒn-
ʃəsnis] *s* degajare, lipsă de
stingghereală, naturalețe, com-
portare firească/naturală
unselfish [ʌn'selfiʃ] *adj* **1** mărinimos
2 lipsit de egoism, altruist **3**
dezinteresat **4** bun la suflet,
cumsecade, de treabă
unselfishly [ʌn'selfiʃli] *adv* **1** (în
mod) altruist, cu altruism; fără
egoism **2** (în mod) dezinteresat/
mărinimos, cu mărinimie **3** cu
bunătate, cu inimă largă
unselfishness [ʌn'selfiʃnis] *s* **1** al-
truism, lipsă de egoism **2** ca-
racter dezinteresat **3** bunătate,
inimă bună; mărinimie
unsent [ʌn'sent] *adj (d. scrisoare)*
neexpediat
unsent for [ʌn'sent fəʳ] *adj cu prep* **1**
nesolicitat, nechemat, după care
nu s-a trimis (ca să vină) **2** nepoftit
unsentenced [ʌn'sentənst] *adj (d.
inculpat)* neosândit, necondam-
nat, căruia nu i s-a dat încă
sentința
unsentimental [ˌʌnsenti'mentəl] *adj*
lipsit de romantism/sentimen-
talism, nesentimental; prozaic
unserviceable [ʌn'sə:visəbəl] *adj* **1**
(d. cadou etc.) inutilizabil; nefolo-
sitor, nepractic **2** *(d. persoană)*
pe care nu te poți bizui, nesigur,
care nu e de nădejde; nesta-
tornic **3** *mil, nav* inapt (pentru
serviciul militar)
unserviceableness [ʌn'sə:visəblnis]
s inutilitate, caracter inutilizabil
unsettle [ʌn'setəl] *vt* **1** a dezechilibra
2 a răsturna, a întoarce pe dos **3**
a tulbura **4** a dezorganiza
unsettled [ʌn'setəld] *adj* **1** dez-
echilibrat **2** răsturnat, întors pe
dos **3** neliniștit, tulburat **4** incon-
stant, inconsecvent, nestatornic
5 variabil, schimbător **6** neho-
tărât, șovăielnic; indecis **7** du-
bios, îndoielnic
unsettledness [ʌn'setəldnis] *s* **1**
nesiguranța, stare nesigură/
schimbătoare **2** nesiguranță,
nehotărâre, șovăială
unsettling [ʌn'setliŋ] *adj (d. veste
etc.)* tulburător, neliniștitor
unsew [ʌn'sou] *vt* a descoase
unsexual [ʌn'seksjuəl] *adj bot* asexual
unshackle [ʌn'ʃækəl] *vt* a desface
din legături; a elibera din lanțuri;
a descătușa

unshaded [ʌn'ʃeidid] *adj* **1** neum-
brit, neferit de soare, lipsit de
umbră **2** *(d. desen)* fără umbre;
neîntunecat **3** *(d. fereastră)* fără
storuri **4** *(d. lampă)* fără abajur **5**
fot fără parasol
unshakable [ʌn'ʃeikəbəl] *adj* **1** de
nezdruncinat **2** v. **unshaken 2**
unshakeable [ʌn'ʃeikəbəl] *adj v.*
unshakable
unshaken [ʌn'ʃeikən] *adj* **1** ne-
zdruncinat **2** ferm, neclintit
unshamefaced [ʌn'ʃeimfeist] *adj* **1**
nerușinat, neobrăzat, lipsit de
rușine **2** fără jenă, care nu se
jenează
unshapeliness [ʌn'ʃeiplinis] *s* lipsă
de grație *sau* armonie; diformitate
unshapely [ʌn'ʃeipli] *adj* **1** diform,
strâmb, scălâmb **2** v. **unseem-
ly I 1**
unshapen [ʌn'ʃeipən] *adj v.* **un-
shapely**
unshared [ʌn'ʃɛəd] *adj (d. bucurie,
necaz etc.)* neîmpărtășit
unshattered [ʌn'ʃætəd] *adj (d. nervi)*
nezdruncinat
unshaved [ʌn'ʃeivd], **unshaven**
[ʌn'ʃeivən] *adj* neras
unsheath [ʌn'ʃi:θ] *vt v.* **unsheathe**
unsheathe [ʌn'ʃi:ð] *vt* a scoate din
teacă, a trage afară *(sabia etc.)*
unshod [ʌn'ʃɒd] *adj* **1** neîncălțat,
descălțat; descult **2** nepotcovit
unshoe [ʌn'ʃu:], *pret și ptc* **unshod**
[ʌn'ʃɒd] *vt* **1** a despotcovi **2** a des-
călța, a lua încălțămintea *(cuiva)*
unshoed [ʌn'ʃu:d] *adj amer F*
(îmbrăcat) cam jerpelit și fără
gust, ponosit
unshorn [ʌn'ʃɔ:n] *adj* **1** netuns,
netăiat **2** *(d. păr)* (lăsat să creas-
că) lung
unshrinkable [ʌn'ʃriŋkəbəl] *adj text
(d. țesături)* care nu intră la apă
unshrinking [ʌn'ʃriŋkiŋ] *adj* nea-
bătut, neclintit, ferm, neînfricat;
care nu se dă înapoi (de la ni-
mic)
unshrinkingly [ʌn'ʃriŋkiŋli] *adv* fără
să se clintească; (în mod) nea-
bătut
unshroud [ʌn'ʃraud] *vt* a dezveli, a
scoate lințoliul de pe *(un mort)*
unshut [ʌn'ʃʌt] *adj (d. ușă, ochi etc.)*
neînchis, deschis
unshutter [ʌn'ʃʌtəʳ] *vt* a deschide
oblonul, a ridica jaluzelele *(unei
ferestre)*

unsifted [ʌn'siftid] *adj* **1** *(d. nisip,
cenușă etc.)* necernut **2** *fig (d.
informații etc.)* neverificat, ne-
examinat bine; nedrămuit
unsightly [ʌn'saitli] *adj* **1** v. **ingainly
1 2** urâcios, antipatic
unsigned [ʌn'saind] *adj* nesemnat;
anonim; fără semnătură
unsilt [ʌn'silt] *vt tehn* a curăți *(un
puț etc.)* de murdării; a decol-
mata *(canalizarea)*
unsingable [ʌn'siŋəbl] *adj* de necân-
tat; nemelodios; care nu se
pretează la interpretare
unsinkable [ʌn'siŋkəbəl] *adj nav*
care nu se poate scufunda;
nesubmersibil, insubmersibil
unsinning [ʌn'siniŋ] *adj* fără păcat/
prihană, neprihănit
unsized [ʌn'saizd] *adj tehn (d.
hârtie)* neapretat
unskilful [ʌn'skilful] *adj* **1** neînde-
mânatic, inabil, lipsit de înde-
mânare/dibăcie, nedibaci **2**
stângaci, greoi **3** nepriceput
unskilfully [ʌn'skilfuli] *adv* **1** stân-
gaci, fără îndemânare/dibăcie; în
mod inabil/nedibaci **2** greoi,
stângaci **3** fără pricepere
unskilfulness [ʌn'skilfulnis] *s* **1**
lipsă de îndemânare/abilitate/
dibăcie; stângăcie **2** caracter
stângaci/greoi **3** nepricepere,
lipsă de pricepere
unskilled [ʌn'skild] *adj* **1** v. **un-
skilful 1, 3 2** *(d. muncitor)* neca-
lificat, fără calificare
unskimmed [ʌn'skimd] *adj (d. lapte)*
nesmântânit; cu caimac, de pe
care nu s-a luat caimacul
unsleeping [ʌn'sli:piŋ] *adj* treaz,
neadormit, de veghe, care ve-
ghează (mereu)
unslept [ʌn'slept] *adj (d. pat)* în care
nu s-a dormit; nedesfăcut
unslip [ʌn'slip] *vt* **1** a deszăvorî **2** a
slobozi, a dezlănțui, a elibera
unsmiling [ʌn'smailiŋ] *adj* care nu
zâmbește niciodată; posomorât,
mohorât; sever, aspru; rigid *(la
înfățișare)*
unsmokable [ʌn'smoukəbəl] *adj* de
nefumat, care nu se poate fuma
unsmooth [ʌn'smu:ð] *adj* aspru,
care nu e neted; cu hârtoape
unsmotherable [ʌn'smʌðərəbəl] *adj
și fig* care nu poate fi înăbușit
unsnarl [ʌn'snɑ:l] *vt amer* a des-
curca, a descâlci

unsociability [,ʌnsouʃə'biliti] *s* caracter nesociabil/neprietenos/ antipatic, nesociabilitate, sălbăticie

unsociable [ʌn'souʃəbəl] *adj* **1** nesociabil; neprietenos **2** sălbatic, care se ferește de lume

unsociableness [ʌn'souʃəbəlnis] *s* v. **unsociability**

unsociably [ʌn'souʃəbli] *adv* într-un mod nesociabil/neprietenos/ sălbatic

unsocial [ʌn'souʃəl] *adj* **1** v. **unsociable 2** antisocial

unsold [ʌn'sould] *adj (d. marfă)* nevândut

unsolder [ʌn'sʌldər] *vt* a dezlipi, a desface *(o sudură)*

unsoldierlike [ʌn'souldʒəlaik] *adj* **1** nemilităresc, nedemn de un ostaș, neostășesc **2** nemarțial

unsoldierly [ʌn'souldʒəli] *adj* v. **unsoldierlike**

unsolicited [,ʌnsə'lisitid] *adj* benevol, nesolicitat; necerut; (făcut) spontan, din proprie inițiativă

unsolicitous [,ʌnsə'lisitəs] *adj* **1** (**to**) neinteresat (de), indiferent (la), pe care îl interesează prea puțin să **2** (**about**) căruia nu-i pasă de, care nu se sinchisește de **3** neospitalier; lipsit de amabilitate/solicitudine; rece, neprimitor

unsolid [ʌn'sɔlid] *adj* șubred, firav, netrainic, lipsit de soliditate

unsolvable [ʌn'sɔlvəbəl] *adj* de nerezolvat, fără soluție/rezolvare; inextricabil

unsolved [ʌn'sɔlvd] *adj* **1** nerezolvat, nesoluționat, nedescifrat **2** *(d. enigmă etc.)* nedezlegat

unsophisticated [,ʌnsə'fisti,keitid] *adj* **1** simplu, fără complicații **2** v. **unpretentious 3** nevinovat, inocent, candid

unsophisticatedness [,ʌnsə'fisti-'keitidnis] *s* **1** caracter natural, naturalețe; stare pură (nefalsificată) **2** naivitate, naturalețe, candoare, simplitate, inocență, nevinovăție

unsought (for) [ʌn'sɔːt (fər)] *adj (cu prep)* **1** necăutat, nedorit **2** v. **uncalled for**

unsound [ʌn'saund] *adj* **1** lipsit de înțelepciune, nesănătos; nerațional; nejustificat **2** greșit (conceput)

unsoundable [ʌn'saundəbəl] *adj* insondabil v. și **unfathonable**

unsounded [ʌn'saundid] *adj* **1** *lingv* nepronunțat, surd, mut **2** nemăsurat în adâncime, nesondat

unsoundly [ʌn'saundli] *adv* **1** într-un mod neînțelept/nesănătos **2** (în mod) greșit/nejustificat

unsoundness [ʌn'saundnis] *s* **1** lipsă de înțelepciune, caracter neînțelept/nerațional **2** caracter greșit; bază greșită

unsowed [ʌn'soud] *adj* v. **unsown**

unsown [ʌn'soun] *adj* **1** *(d. sămânță)* nesemănat **2** *(d. câmpie)* neînsămânțat

unspan [ʌn'spæn] *vt (în Africa de Sud)* a desjuga *(boii)*

unsparing [ʌn'spɛəriŋ] *adj* **1** v. **unmerciful 2** generos, mărinimos **3** care nu-și cruță eforturile, devotat, plin de abnegație/ de dăruire de sine

unsparingly [ʌn'spɛəriŋli] *adv* **1** v. **unmercifully 2** mărinimos, generos, cu generozitate/mărinimie **3** fără a-și cruța/precupeți eforturile, cu abnegație, cu dăruire de sine

unspeak [ʌn'spiːk] *pret* **unspoke** [ʌn'spouk], *ptc* **unspoken** [ʌn,spoukən] *vt* v. **unsay**

unspeakable [ʌn'spiːkəbəl] *adj* **1** (de) nespus/negrăit **2** indescriptibil **3** cumplit, teribil, îngrozitor

unspeakably [ʌn'spiːkəbli] *adv* **1** nespus (de) **2** cumplit, teribil, îngrozitor (de)

unspecialized [ʌn'speʃəlaizd] *adj* nespecializat, fără specializare

unspecific [,ʌnspi'sifik] *adj* nespecific, necaracteristic, atipic

unspecified [ʌn'spesi,faid] *adj* nespecificat; neprecizat

unspectacular [,ʌnspek'tækjulər] *adj* **1** care nu face impresie, nespectaculos **2** simplu, (care se îndeplinește) fără fast, nefastuos; neprotocolar

unspent [ʌn'spent] *adj* necheltuit; neatins, intact

unspiritual [ʌn'spirit∫uəl] *adj* **1** neavând nimic comun cu lumea spirituală **2** carnal, senzual, trupesc

unspoiled [ʌn'spoild] *adj* **1** v. **undamaged 2** nealterat, nestricat, intact **3** nepribănit, pur; necorupt, imaculat **4** bine crescut; cuminte, nerăsfățat

unspoilt [ʌn'spoilt] *adj* v. **unspoiled**

unspoke [ʌn'spouk] *pret de la* **unspeak**

unspoken [ʌn'spokən] **I** *ptc de la* **unspeak II** *adj* **1** nespus, negrăit **2** tăinuit, (ținut) ascuns/secret, tainic; nemărturisit

unspontaneous [,ʌnspɔn'teinjəs] *adj* **1** lipsit de spontaneitate, nespontan **2** constrâns, făcut la comandă

unsporting [ʌn'spɔːtiŋ] *adj* v. **unsportsmanlike**

unsportsmanlike [ʌn'spɔːtsmən-,laik] *adj* nesportiv, lipsit de sportivitate/eleganță

unspotted [ʌn'spɔtid] *adj* v. **unblemished**

unspottedness [ʌn'spɔtidnis] *s* curățenie, puritate; caracter imaculat, candoare

unsprung [ʌn'sprʌŋ] *adj* **1** *(d. vehicul)* fără arcuri **2** *(d. capcană mecanică)* nearmat

unspun [ʌn'spʌn] *adj (d. fir etc.)* deșirat, desfăcut

unsquared [ʌn'skwɛəd] *adj (d. lemn de construcție)* neecarisat

unstable [ʌn'steibəl] *adj* **1** (cu echilibru) instabil **2** șubred; nesigur **3** v. **unsettled 1, 4**

unstainable [ʌn'steinəbəl] *adj* **1** (de) nepictat **2** care nu se poate colora, care nu prinde culoare, care nu se poate păta, care nu prinde pete

unstained [ʌn'steind] *adj* v. **unspotted**

unstamped [ʌn'stæmpid] *adj* **1** *(d. scrisoare)* nemarcat, nefrancat, netimbrat, netaxat **2** neștampilat

unstated [ʌn'steitid] *adj* nemenționat

unstatesmanlike [ʌn'steitsmən,laik] *adj* nedemn de un om de stat; nepolitic

unstatutable [ʌn'stætjutəbəl] *adj* nestatutar, nediplomatic; lipsit de diplomație, în contradicție cu statutul, contrar regulamentului

unsteadfast [ʌn'stedfəst] *adj* instabil, inconstant

unsteadfastness [ʌn'stedfəstnis] *s* instabilitate, inconstanță

unsteadily [ʌn'stedili] *adv* **1** fără stabilitate/echilibru, în mod nestabil **2** în mod inconstant/ inconsecvent/nestatornic **3** fără siguranță (în picioare); șovăitor, șovăielnic; nesigur

unsteadiness [ˌʌn'stedinis] *s* **1** instabilitate, lipsă de stabilitate/echilibru **2** inconstanță, inconsecvență, nestatornicie **3** nesiguranță (în picioare); șovăială *(la mers etc.)*

unsteady [ʌn'stedi] **I** *adj* **1** inconstant, inconsecvent, nestatornic **2** *v.* **unstable 1 3** nesigur (pe picioare); șovăielnic *(la mers)* **II** *vt v.* **unsettled 1, 2**

unsteel [ʌn'sti:l] *vt* ← *poetic* a înduplecă, a îmbuna, a înmuia, a îndulci *(inima cuiva)*

unstick [ʌn'stik] *pret și ptc* **unstuck** [ʌn'stʌk] **I** *vt* a dezlipi **II** *vi av* a decola

unstinted [ʌn'stintid] *adj* **1** neprecupețit; mărinimos, generos **2** copios; bogat, abundent

unstinting [ʌn'stintiŋ] *adj v.* **unsparing 2, 3**

unstintingly [ʌn'stintiŋli] *adv* fără rezerve, din plin; cu abnegație, în mod neprecupețit

unstirred [ʌn'stə:d] *adj* **1** care nu a fost mișcat/clintit/urnit (din loc) **2** liniștit, calm, impasibil, netulburat, nemișcat

unstitch [ʌn'stitʃ] **I** *vt* a descoase *(o cusătură)* **II** *vi* a desface/a descoase o cusătură

unstockinged [ʌn'stokiŋd] *adj* fără ciorapi, desculț

unstop [ʌn'stop] *vt* **1** a deschide, a (e)libera *(de un obstacol)* **2** a desfunda, a debloca

unstoppable [ʌn'stopəbəl] *adj* **1** imposibil de oprit, de neoprit/nestăvilit **2** *(d. lovitură)* pe care nimic nu-l poate opri; *(la fotbal etc.)* imparabil, imposibil de parat

unstopped [ʌn'stopt] *adj* **1** destupat, deschis **2** *lingv (d. consoană)* spirant, fricativ

unstrained [ʌn'streind] *adj* **1** relaxat, destins; neîncordat, neforțat, necontractat a neconstrâns, liber/lipsit de constrângere **3** nestrecurat, nefiltrat

unstrap [ʌn'stræp] *vt* **1** a desface *(curele, legături)*, a scoate *(cureaua)* **2** a descheia *(nasturii)* **3** a dezlega *(un pachet)*

unstressed [ʌn'strest] *adj* **1** *lingv* neaccentuat **2** neîncordat

unstretch [ʌn'stretʃ] **I** *vt* a slăbi, a destinde *(un cablu etc.)* **II** *vi (d. cablu etc.)* a slăbi, a se destinde

unstring [ʌn'striŋ], *pret și ptc* **unstrung** [ʌn'strʌŋ] *vt* **1** a destinde strunele *(unui instrument)* sau coarda *(unui arc)* **2** a deșira *(mărgele etc.)* **3** a zdruncina *(nervii)*

unstrung [ʌn'strʌŋ] **I** *pret și ptc de la* **unstring II** *adj* **1** destins, neîncordat **2** *fig* slăbit, șubred; cu nervii slăbiți **3** *fig* pierdut, dărâmat

unstuck [ʌn'stʌk] **I** *pret și ptc de la* **unstick II** *adj* dezlipit, desprins, desfăcut; **to come ~ a** a se dezlipi **b** a se desface; *F (d. plan etc.)* a rămâne baltă; a se alege praful de el; a se alege praf și pulbere (de el)

unstudied [ʌn'stʌdid] *adj* **1** nestudiat, necercetat, neaprofundat **2** natural, firesc, neprefăcut, lipsit de afectare/artificialitate; nepreparat **3** neînvățat, neinstruit, ignorant; neșcolarizat

unstudious [ʌn'stju:diəs] *adj* nestudios, leneș la învățătură, neînclinat spre studiu/învățătură

unsubdued [ˌʌnsəb'dju:d] *adj* **1** *și fig* nesubjugat, nestăpânit **2** nepotolit, nedomolit

unsubmissive [ˌʌnsəb'misiv] *adj* nesupus, neascultător, rebel, refractar

unsubmissively [ˌʌnsəb'misivli] *adv* (în mod) insubordonat/rebel/refractar, cu nesupunere

unsubscribed [ˌʌnsəb'skraibd] *adj* **1** *(d. act)* nesemnat **2** *(d. capital)* nesubscris

unsubsidized [ˌʌnsʌb'sidaizd] *adj* nesubvenționat, nestipendiat; care nu primește subvenții/subsidii/stipendii

unsubstantial [ˌʌnsəb'stænʃəl] *adj* **1** insubstanțial, eteric **2** nu îndeajuns de substanțial, lipsit de substanță **3** șubred; firav **4** inconsistent, subțiratic, superficial

unsubstantiality [ˌʌnsəbˌstænʃi'æliti] *s* **1** caracter nesubstanțial/eteric **2** *rel* insubstanțialitate **3** șubrezenie, caracter firav **4** superficialitate, inconsistență, caracter subțiratic

unsubstantially [ˌʌnsəb'stænʃəli] *adv* **1** în mod nesubstanțial **2** firav, șubred **3** (în mod) inconsistent/superficial

unsubstantiated [ˌʌnsəb'stænʃiˌeitid] *adj* nedovedit, nesusținut/

nesprijinit de argumente/fapte; necoroborat de dovezi; nefondat, neîntemeiat

unsuccess [ˌʌnsək'ses] *s* insucces, nereușită, eșec

unsuccessful [ˌʌnsək'sesful] *adj* **1** neizbutit, nereușit, eșuat **2** care a dat greș/a eșuat/a căzut **3** falimentar

unsuccessfully [ˌʌnsək'sesfuli] *adv* **1** fără succes **2** inutil, degeaba, fără rost

unsuccessfulness [ˌʌnsək'sesfulnis] *s v.* **unsuccess**

unsugared [ʌn'ʃugəd] *adj (d. ceai etc.)* neîndulcit, fără zahăr

unsuitability [ˌʌnsju:tə'biliti] *s* **1** incapacitate **2** caracter inadecvat/impropriu; inoportunitate

unsuitable [ʌn'sju:təbəl] *adj* nepotrivit, necorespunzător, inadecvat

unsuitableness [ʌn'sju:təbəlnis] *s v.* **unsuitability**

unsuitably [ʌn'sju:təbli] *adv* (în mod) nepotrivit/necorespunzător, inadecvat; (așa) cum nu trebuie

unsuited [ʌn'sju:tid] *adj* **1** *v.* **unmatched 3 2** *v.* **unsuitable**

unsung [ʌn'sʌŋ] *adj* ← *poetic* necântat, nelăudat (prin cântec)

unsunned [ʌn'sʌnd] *adj* fără soare/neluminat *sau* neîncălzit de soare; umbrit; umbros

unsupportable [ˌʌnsə'pɔ:təbəl] *adj* insuportabil, intolerabil

unsupported [ˌʌnsə'pɔ:tid] *adj* nesprijinit, neîncurajat, nesusținut, neconfirmat

unsuppressed [ˌʌnsə'prest] *adj* **1** *(d. răscoală)* nepotolit, neînăbușit **2** nesuprimat

unsure [ʌn'ʃuə] *adj* nesigur (pe sine); șovăielnic, ezitant, șovăitor

unsurmountable [ˌʌnsə(:)'mauntəbəl] *adj* de netrecut, de neînvins

unsurpassable [ˌʌnsə(:)'pa:səbəl] *adj* **1** neîntrecut, imposibil de întrecut **2** *v.* **unmatched 2**

unsurpassed [ˌʌnsə(:)'pa:st] *adj* **1** neîntrecut, nedepășit **2** *v.* **unmatched 2**

unsusceptible [ˌʌnsə'septəbəl] *adj* **1** **(to)** insensibil, insensibil (la) **2** **(of)** incapabil (de); nesusceptibil (de)

unsuspected [ˌʌnsə'spektid] *adj* **1** nebănuit **2** *v.* **unbelievable 3** nesuspectat, mai presus de orice bănuială/suspiciune

unsuspectedly [,ʌnsə'spektidli] *adv* pe negândite, fără ca cineva să bănuiască, în mod neașteptat

unsuspecting [,ʌnsə'spektiŋ] *adj v.* **unsuspicious**

unsuspectingly [,ʌnsə'spektiŋli] *adv* fără să bănuiască *(ceva);* pe negândite

unsuspicious [,ʌnsəs'piʃəs] *adj* 1 încrezător, plin de încredere 2 nebănuitor, care nu bănuiește nimic; candid; nevinovat

unsustainable [,ʌnsəs'teinəbəl] *adj* neconvingător, de nesusținut; lipsit de valabilitate

unswathe [ʌn'sweið] *vt* 1 a desfășa *(un prunc etc.)* 2 a desbandaja *(o rană)*

unswayed [ʌn'sweid] *adj* 1 nedominat, nestăpânit; neguvernat *(de ceva/cineva)* 2 neînrâurit, neînsuflețit, neafectat

unsweetened [ʌn'swi:tənd] *adj* și *fig* fără zahăr; neîndulcit

unswept [ʌn'swept] *adj* nemăturat

unswerving [ʌn'swə:viŋ] *adj* 1 *v.* **unflunching** 2 credincios, statornic, fidel

unswervingly [ʌn'swə:viŋli] *adv* 1 (în mod) neabătut/constant, cu fermitate 2 fără să se abată din drum

unsworn [ʌn'swɔ:n] *adj jur* 1 nelegat prin jurământ, care nu a prestat jurământ 2 *(d. declarație)* făcută fără prestare de jurământ

unsymetrical [,ʌnsi'metrikəl] *adj* asimetric, nesimetric

unsympathetic [,ʌnsimpə'θetik] *adj* 1 neînțelegător, lipsit de înțelegere 2 lipsit de compătimire 3 rece, indiferent, nepăsător

unsympathetically [,ʌnsimpə-'θetikəli] *adv* indiferent, rece, necompătimitor, cu răceală/indiferență

unsystematic [,ʌnsisti'mætik] *adj* nesistematic, dezorganizat, lipsit de sistemă

untack [ʌn'tæk] *vt* 1 a desface, a scoate 2 a desprinde, a detașa 3 a pune în libertate, a (e)libera

untainted [ʌn'teintid] *adj* 1 *(d. alimente)* nealterat; proaspăt 2 *fig. v.* **unspoiled** 3

untaken [ʌn'teikən] *adj* neluat

untalented [ʌn'tælintid] *adj* netalentat, lipsit de/fără talent/har; nedotat, neînzestrat

untameable [ʌn'teiməbəl] *adj* sălbatic, (de) neîmblânzit/nesupus/nedomesticit; feroce

untamed [ʌn'teimd] *adj* neîmblânzit, nedomesticit; sălbatic, feroce, nesupus, nedomolit, nepotolit

untapped [ʌn'tæpd] *adj* neabordat, nefolosit, virgin; intact

untapped resources [ʌn'tæpd ri'sɔ:siz] *s pl ec* resurse neexploatate/nefolosite/neutilizate/ neexplorate

untarnished [ʌn'ta:niʃt] *adj* negudronat

untasted [ʌn'teistid] *adj* negustat; din care nu s-a gustat; ← *poetic* neînceput

untaught [ʌn'tɔ:t] *adj* 1 *v.* **unschooled 1, 4** 2 ignorant, neștiutor

untaxable [ʌn'tæksəbəl] *adj* neimpozabil; nesupus impozitului

untaxed [ʌn'tækst] *adj* neimpus, scutit de impozite/fisc/taxe

unteach [ʌn'ti:tʃ] *pret* și *ptc* **untaught** [ʌn'tɔ:t] *vt* a dezvăța; a face *(pe cineva)* să uite ce a învățat

unteachable [ʌn'ti:tʃəbəl] *adj* 1 slab/prost/incapabil la învățătură; incapabil de a învăța *(ceva);* **the ~ tail of the class** coada clasei, elevii înapoiați 2 *(d. artă etc.)* care nu se poate învăța, care cere doar talent 3 ineducabil, imposibil de educat

untechnical [ʌn'teknikəl] *adj* netehnic; *(d. carte)* de popularizare, nespecializat, pe înțelesul tuturor

untempted [ʌn'temptid] *adj* (**by**) neispitit/netentat (de)

untempting [ʌn'temptiŋ] *adj* neatrăgător, neispititor, care nu te atrage, care nu ispitește pe nimeni

untenability [,ʌntenə'biliti] *s* 1 imposibilitate de a apăra *(o fortăreață)* 2 inconsistență, lipsă de valabilitate *(a unei teorii),* imposibilitate de a fi susținut

untenable [ʌn'tenəbəl] *adj* 1 care nu poate fi apărat 2 care nu poate fi susținut; ușor de combătut 3 de neconceput

untenantable [,ʌn'tenəntəbəl] *adj* nelocuibil, de nelocuit, impropriu (pentru locuit); care nu se poate închiria

untenanted [,ʌn'tenəntid] *adj* 1 neocupat, liber, gol, fără chiriaș

2 nearendat, nedat în arendă; fără ocupanți

untended [ʌn'tendid] *adj* 1 nepăzit, nesupravegheat 2 *(d. bolnav)* neîngrijit, lăsat fără îngrijire

Unterwalden ['untər,valdən] *canton* în *Elveția*

untested [ʌn'testid] *adj* neverificat, netestat, neîncercat; nesupus la probă

unthankful [ʌn'θæŋkful] *adj* 1 *v.* **ungrateful** 2 *(d. operă etc.)* nerecunoscut

unthankfully [ʌn'θæŋkfuli] *adv* (în mod) ingrat, cu nerecunoștință

unthankfulness [ʌn'θæŋkfulnis] *s* nerecunoștință, ingratitudine

unthinkable [ʌn'θiŋkəbəl] *adj* 1 inimaginabil, de neînchipuit 2 de neconceput, imposibil de conceput 3 *v.* **unlikely**

unthinkably [ʌn'θiŋkəbli] *adv* 1 (într-un mod) de neconceput/greu de crezut 2 (într-un mod) inadmisibil/inacceptabil 3 *F* puțin probabil, improbabil

unthinking [ʌn'θiŋkiŋ] *adj* 1 nechibzuit; care nu se gândește la nimic 2 zăpăcit; pripit 3 lipsit de atenție, neatent 4 zevzec, găgăuță

unthinkingly [ʌn'θiŋkiŋli] *adv* 1 fără să se gândească la nimic 2 în mod necugetat, fără chibzuială 3 neatent, fără pic de atenție

unthought [ʌn'θɔ:t] *adj* 1 (**of**) neașteptat, neprevăzut, negândit, nevisat 2 uitat, lăsat în părăsire 3 nepremeditat, neintenționat, nedorit

unthoughtful [ʌn'θɔ:tful] *adj v.* **thoughtless**

unthread [ʌn'θred] *vt* 1 a răsfira 2 a descâlci, a descurca 3 *fig* a se descurca în

unthrifty [ʌn'θrifti] *adj* risipitor, cheltuitor, nechibzuit

unthrone [ʌn'θroun] *vt* a detrona, a da jos de pe tron

untidily [ʌn'taidili] *adv* 1 în mod dezordonat/neglijent 2 fără grijă/atenție 3 fără grijă, la întâmplare, cum se nimerește

untidiness [ʌn'taidinis] *s* 1 neglijență, lipsă de grijă/îngrijire 2 dezordine; răvășeală 3 murdărie, caracter șleampăt/neîngrijit/soios

untidy [ʌn'taidi] *adj* 1 neglijent, dezordonat 2 neîngrijit, în dezordine, în neorânduială

untie [ʌn'tai] *vt* **1** a dezlega, a desface **2** *v.* **unthread 2 3** a rezolva

untied [ʌn'taid] *adj* **1** dezlegat, deznodat, desfăcut **2** *(d. animal etc.)* nelegat, nepriponit

untight [ʌn'tait] *adj* neermetic, neetanș

until [ʌn'til] **I** *prep* până la; **not ~ now** deocamdată/până acum nu **II** *conj* până (ce)

untile [ʌn'tail] *vt* a da jos acoperișul de la, a descoperi *(o casă)*, a lua olanele de pe *(casă, acoperiș)*

untillable [ʌn'tiləbəl] *adj (d. pământ)* nearabil; necultivabil

untimeliness [ʌn'taimlinis] *s* **1** *v.* **unseasonableness 2** caracter prematur; apariție prea timpurie

untimely [ʌn'taimli] **I** *adj* **1** *v.* **unseasonable 2** prematur, prea timpuriu; făcut *etc.* înainte de a-i sosi vremea/prea devreme **II** *adv* **1** *v.* **unseasonably 2** prea devreme/timpuriu, înainte de a-i sosi vremea

untinged [ʌn'tindʒd] *adj* (**with**) neatins, nepătat (de)

untirable [ʌn'taiərəbəl] *adj* (de) neobosit, nesupus oboselii; fără odihnă

untiring [ʌn'taiəriŋ] *adj* **1** neobosit, neistovit, neodihnit; inepuizabil; neostoit, fără odihnă/răgaz **2** *v.* **unflinching**

untiringly [ʌn'taiəriŋli] *adv* neobosit, neostoit; fără odihnă/răgaz

untitled [ʌn'taitəld] *adj* **1** fără titlu, care nu poartă nici un titlu **2** fără titlu nobiliar *etc.*; nearistocratic

unto [ʌn'tu] *prep* **1** arată direcția spre, către, înspre **2** arată destinația la **3** arată relația față de **4** arată apropierea aproape de **5** *rel ←* înv pt dativ: **~ thee** ție

untold [ʌn'tould] *adj* **1** *v.* **unspoken II 1, 2 2** imens, colosal; incalculabil, nemăsurat

untorn [ʌn'tɔːn] *adj* nerupt, nesfâșiat; întreg, intact

untouchable [ʌn'tʌtʃəbəl] **I** *adj* **1** *v.* **unattainable 2** *v.* **unworthy 3** *v.* **unquestionable 2 4** mai presus de orice critică **5** incoruptibil **II** *s* paria

untouched [ʌn'tʌtʃt] *adj* **1** neatins, intact **2** *v.* **unspoiled 3**

untoward [ˌʌn'touəd] *adj* **1** dificil, nedisciplinat, refractar; zurbagiu **2** *v.* **unmanageable 3** *v.* **unruly 4** *v.* **unlucky 5** *v.* **unpropitious**

untowardly [ˌʌn'touədli] *adv* **1** (în chip) neîndemânatic, fără îndemânare, stângaci, cu stângăcie **2** necuviincios, fără politețe/bună cuviință **3** printr-o întâmplare nenorocită, din nenorocire/nefericire

untowardness [ˌʌn'touədnis] *s* **1** nesupunere, lipsă de loialitate **2** aspect/caracter nefavorabil, caracter puțin propice

untraceable [ʌn'treisəbəl] *adj* căruia nu i se poate da de urmă; nedetectabil, imposibil de găsit/detectat/depistat/descoperit

untracked [ʌn'trækt] *adj* **1** fără drum/potecă/pârtie **2** *(d. criminal etc.)* nedepistat, căruia nu i s-a dat de urmă, rămas nedescoperit

untrained [ʌn'treind] *adj* **1** neinstruit, neexperimentat, neînvățat **2** *(d. animal)* nedresat; *(d. cal)* neînvățat **3** *sport* neantrenat

untramelled [ʌn'træməld] *adj* neîmpiedicat, liber, nestingherit

untransferable [ˌʌntrəns'fəːrəbəl] *adj* netransferabil

untranslatable [ˌʌntræns'leitəbəl] *adj* intraductibil, imposibil de tradus

untranslated [ˌʌntræns'leitid] *adj* netradus (încă); în original

untransportable [ˌʌntræns'pɔːtəbəl] *adj* netransportabil

untravelled [ʌn'trævəld] *adj* **1** *(d. persoană)* neumblat, necălătorit **2** *(d. țară, ținut)* neexplorat, necunoscut; neumblat, necercetat; **an ~ corner of Africa** un colț necercetat al Africii; o pată albă pe harta Africii

untraversed [ˌʌntrə'vəːsd] *adj* nestrăbătut, netraversat

untried [ʌn'traid] *adj* **1** neîncercat, neexperimentat; **we have left no remedy ~** nu am lăsat nici un leac/remediu neîncercat; am încercat toate leacurile/remediile **2** nesupus la încercare; neverificat; **~ troops** trupe neintrate în foc, care nu au primit botezul focului **3** *(d. deținut)* nejudecat

untrimmed [ʌn'trimd] *adj* **1** nearanjat; nepus în ordine, dezordonat, în dezordine **2** neîmpodobit, fără podoabe/ornamente **3** *(d. barbă, păr)* netuns; nepotrivit, neîngrijit

untrodden [ʌn'trɔdən] *adj (d. potecă etc.)* necălcat, nebătut

untroubled [ʌn'trʌbəld] *adj v.* **unruffled**

untrue [ʌn'truː] *adj* **1** neadevărat, care nu corespunde adevărului **2** mincinos, certat cu adevărul, fals

untruly [ʌn'truːli] *adv* **1** fals; într-o lumină falsă **2** incorect, inexact

untrustworthiness [ʌn'trʌst,wəːðinis] *s* **1** lipsă de probitate; falsitate; neloialitate **2** caracter îndoielnic/dubios *(al unei informații etc.);* inexactitate, incorectitudine

untrustworthy [ʌn'trʌst,wəːði] *adj v.* **unreliable 2, 3, 4**

untruth [ʌn'truːθ] *s* **1** minciună, neadevăr **2** falsitate, rea credință

untruthful [ʌn'truːθful] *adj v.* **untrue**

untruthfully [ʌn'truːθfuli] *adv* **1** fals, neveridic, (în mod) neverificat **2** fără verificare (prealabilă)

untruthfulness [ʌn'truːθfulnis] *s* falsitate; lipsă de veridicitate/adevăr; caracter mincinos/fals

untuck [ʌn'tʌk] *vt* **1** a desface pliurile la *(rochie)*, a întinde o cută/o îndoitură de la **2** a lăsa în jos *(o mânecă suflecată etc.)*

untunable [ʌn'tjuːnəbəl] *adj* **1** *(d. instrument muzical)* imposibil de acordat, care nu se poate acorda; fals **2** *v.* **untuneful**

untune [ʌn'tjuːn] *vt* **1** *muz* a dezacorda **2** a tulbura (peste măsură); a lua mințile *(cuiva);* a-i tăia pofta *(cuiva);* **I was ~d to do it** mi-a tăiat pofta/cheful s-o (mai) fac

untuneful [ʌn'tjuːnful] *adj* nearmonios, nemelodios; lipsit de armonie/muzicalitate; fals, aspru, care supără la ureche

unturned [ʌn'təːnd] *adj* neatins; **to leave no stone ~** *fig* a încerca (absolut) toate mijloacele/metodele

untutored [ʌn'tjuːtəd] *adj v.* **unschooled**

untwine [ʌn'twain] *vt* **1** a desface, a destinde, a deznoda **2** a descurca, a descâlci

untypical [ʌn'tipikəl] *adj v.* **unspecific**

ununderstandable [ˌʌnʌndə'stændəbəl] *adj* (de) neînțeles, neinteligibil, ininteligibil

unurged [ʌn'ə:dʒd] *adj* spontan, făcut din proprie inițiativă, voluntar

unusable [ʌn'ju:zəbəl] *adj* inutilizabil, de nefolosit, inutil

unused [ʌn'ju:zd] *adj* 1 neuzitat, nefolosit 2 nefolosit, neconsumat, intact 3 (to) nedeprins, neobișnuit (cu)

unusual [ʌn'ju:ʒuəl] *adj* 1 neobișnuit, insolit 2 ieșit din comun, extraordinar; excepțional 3 nefiresc, nenatural

unusualness [ʌn'ju:ʒuəlnis] *s* caracter neobișnuit/excepțional/extraordinar/ieșit din comun

unutilized [ʌn'ju:tilaizd] *adj* (rămas) nefolosit/neutilizat

unutterable [ʌn'ʌtərəbəl] *adj* v. **unspeakable**

unutterably [ʌn'ʌtərəbli] *adv* v. **unspeakably**

unuttered [ʌn'ʌtəd] *adj* 1 nerostit, nepronunțat 2 tăcut, mut (fig); fără glas

unvalued [ʌn'vælju:d] *adj* 1 neglijat, disprețuit (pe nedrept) 2 neimportant, neînsemnat, lipsit de importanță 3 ← *înv* neprețuit

unvanquishable [ʌn'væŋkwiʃəbəl] *adj* de neînvins, neînfrânt; invincibil

unvanquished [ʌn'væŋkwiʃt] *adj* neînvins, neînfrânt

unvarnished [ʌn'vɑ:niʃt] *adj* 1 fără/lipsit de lustru/luciu/strălucire 2 neprefăcut, simplu; natural, firesc (ant artificial, artificios) 3 neterminat, neisprăvit; nedesăvârșit

unveil [ʌn'veil] *vt* 1 v. **uncover** 1 2 și *fig* a dezvălui, a ridica vălul de pe

unvendable [ʌn'vendəbəl] *adj* nevandabil, care nu este de vânzare; necomercial(izat)

unveracious [,ʌnvə'reiʃəs] *adj* v. **untrue** 2

unverifiable [ʌn'veri,faiəbəl] *adj* neverificabil, greu/imposibil de verificat

unversed [ʌn'və:st] *adj* (in) neversat, neexperimentat (în); lipsit de rutină/experiență/nerutinat; nespecializat

unviolated [ʌn'vaiəleitid] *adj* 1 (d. lege) neviolat, neîncălcat 2 intact, neatins, (exact) așa cum era

unvirtuous [ʌn'və:tʃuəs] *adj* stricat, necinstit, corupt; vicios, desfrânat, dezmățat, detracat; lipsit de virtute

unvisited [ʌn'vizitid] *adj* 1 nevizitat; necercetat 2 (by) neînsoțit (de); **he was ~ by sleep** a avut insomnie, n-a putut închide ochii toată noaptea

unvoiced [ʌn'vɔist] *adj* 1 (rămas) neexprimat/nepronunțat/fără glas; nerostit, mut (fig) 2 *fon* surd, mut

unvote [ʌn'vout] *vt* a invalida/a anula (o alegere) printr-o (nouă) punere la vot; a ține noi alegeri pentru

unvouched (for) [ʌn'vautʃt (fər)] *adj* (cu prep) negarantat, neconfirmat

unwalled [ʌn'wɔ:ld] *adj* fără ziduri (de apărare); neîntărit, nefortificat

unwanted [ʌn'wɔntid] *adj* 1 nedorit 2 indezirabil 3 inutil, care nu e necesar, de prisos

unwarily [ʌn'wɛərili] *adv* 1 cu prea multă încredere, prea încrezător, în mod naiv 2 (în mod) imprudent, fără precauție

unwariness [ʌn'wɛərinis] *s* 1 credulitate, naivitate 2 imprudență, lipsă de precauție

unwarned [ʌn'wɔ:nd] *adj* neprevenit, neavertizat, neînștiințat

unwarrantable [ʌn'wɔ:rəntəbəl] *adj* 1 inexplicabil, fără explicație 2 v. **unjustifiable** 3 v. **unexpected**

unwarrantably [ʌn'wɔ:rəntəbli] *adv* (în mod) nescuzabil, inadmisibil, (în mod) inexplicabil, fără explicație/justificare, de neiertat

unwarranted [ʌn'wɔ:rəntid] *adj* 1 v. **unjustified** 2 nemotivat, gratuit, nefondat, nesusținut, neîntemeiat 3 [ʌn'wɔ:rəntid] fără garanții, care nu prezintă garanții suficiente

unwary [ʌn'wɛəri] *adj* 1 (prea) încrezător, lesne crezător; naiv, credul 2 imprudent, lipsit de precauție 3 neavizat, neștiutor

unwashed [ʌn'wɔʃt] *adj* 1 nespălat 2 *fig* nespălat, ordinar, plebeu 3 *fig* ignorant

unwatched [ʌn'wɔtʃt] *adj* nepăzit; nesupravegheat

unwatered [ʌnwɔ:təd] *adj* 1 (d. grădină) neudat, nestropit 2 (d.

vin) curat, nebotezat, fără adaos de apă 3 (d. regiune) fără apă/irigație 4 (d. cal etc.) neadăpat 5 *text (d. mătase)* fără ape, nemoarat

unwavering [ʌn'weivəriŋ] *adj* 1 v. **unhesitating** 2 v. **unflinching**

unwearable [ʌn'wɛərəbəl] *adj* (d. haină) care nu se poate purta

unweariable [ʌn'wiəriəbəl] *adj* neobosit, inepuizabil, neistovit, neodihnit v. și **untiring**

unwearied [ʌn'wiərid] *adj* neobosit, neostenit

unwearying [ʌn'wiəriiŋ] *adj* v. **unweariable**

unweave [ʌn'wi:v] *pret* **unwove** [ʌn'wouv], *ptc* **unwoven** [ʌn'wouvən] *vt* 1 a destrăma, a desface (o țesătură) 2 a despleti

unwed [ʌn'wed] *adj* necununat; necăsătorit

unwedded [ʌn'wedid] *adj* v. **unwed**

unweeded [ʌn'wi:did] *adj* neplivit, năpădit de buruieni/bălării

unwelcome [ʌn'welkəm] *adj* 1 nepoftit, nechemat; venit ca un intrus 2 v. **unwanted** 3 v. **unseasonable**

unwelcomed [ʌn'welkəmd] *adj* 1 care nu a fost întâmpinat (cu onoruri) 2 v. **unwelcome**

unwell [ʌn'wel] *adj* 1 bolnav 2 indispus; **to be ~ a** a nu se simți prea bine, a nu fi în apele lui **b** a fi bolnav

unwept [ʌn'wept] *adj* ← *poetic* neplâns, nejelit, neregretat (de nimeni)

unwhisperable [ʌn'wispərəbəl] **I** *adj* despre care nu se poate sufla o vorbă/șopti un cuvânt **II** *s pl înv* umor v. **unmentionables**

unwholesome [ʌn'houlsəm] *adj* v. **unhealthy** 2

unwholesomeness [ʌn'houlsəmnis] *s* caracter insalubru, lipsă de salubritate

unwieldiness [ʌn'wi:ldinis] *s* 1 masivitate 2 caracter greoi 3 stângăcie, lipsă de abilitate

unwieldy [ʌn'wi:ldi] *adj* 1 masiv 2 greoi; mătăhălos 3 stângaci, greoi, care se mișcă greu

unwifely [ʌn'waifli] *adj* nedemn/nepotrivit pentru o soție

unwilling [ʌn'wiliŋ] *adj* 1 lipsit de chef/poftă, nedoritor 2 v. **unmanageable** 3 ostil, refractar

unwillingly [ʌn'wiliɲli] *adv* **1** fără voie **2** din greșeală; din nebăgare de seamă **3** cu neplăcere/rea voință; fără chef/poftă **4** în dușmănie

unwillingness [ʌn'wiliɲnis] *s* **1** lipsă de dorință/chef/poftă **2** caracter refractar/dificil; nesupunere **3** ostilitate, caracter ostil/neprietenos

unwind [ʌn'waind], *pret și ptc* **unwound** [ʌn'waund] **I** *vt* **1** a desfășura, a desface, a dezveli **2** a debobina; a descolăci **II** *vr* a se desfășura; a se dezveli, a se descolăci

unwinking [ʌn'wiŋkiŋ] *adj* **1** neadormit, treaz; care nu clipește **2** *fig* vigilent **3** neabătut, neșovăielnic, neșovăitor, care nu tremură/ezită

unwisdom [ʌn'wizdəm] *s* **1** lipsă de înțelepciune, neghiobie, prostie **2** nechibzuință, nesocotință, imprudență **3** ignoranță, stupiditate

unwise [ʌn'waiz] *adj* **1** nechibzuit, lipsit de înțelepciune **2** imprudent; temerar **3** greșit

unwisely [ʌn'waizli] *adv* **1** în mod nechibzuit/neînțelept, fără înțelepciune **2** în mod imprudent **3** (în mod) greșit

unwiseness [ʌn'waiznis] *s v.* **unwisdom**

unwished (for) [ʌn'wiʃt (fər)] *adj (cu prep)* nedorit; indezirabil, supărător

unwishful [ʌn'wiʃful] *adj* (**to**) puțin dispus (să), nedoritor (să)

unwitnessed [ʌn'witnəst] *adj* fără martor, nevăzut, neauzit

unwitting [ʌn'witiŋ] *adj* **1** neștiutor, neavizat **2** nevinovat, inocent, fără nici o vină

unwittingly [ʌn'witiɲli] *adv* **1** *v.* **unwillingly 1, 2 2** pe neștiute, fără să-și dea seama, fără să știe

unwomanly [ʌn'wumənli] *adj* lipsit de feminitate

unwonted [ʌn'wountid] *adj* **1** *v.* **unused 1 2** *v.* **unusual 1**

unwontedness [ʌn'wountidnis] *s* caracter neobișnuit/extraordinar/ieșit din comun *(al unui eveniment etc.)*

unwooded [ʌn'wudid] *adj* **1** neîmpădurit, fără păduri/arbori **2** defrișat

unwordable [ʌn'wə:dəbəl] *adj* inexprimabil *v. și* **unexpressible**

unworkable [ʌn'wə:kəbəl] *adj* **1** impracticabil; inaplicabil, de nefolosit **2** nepractic, fără sorți de izbândă

unworkableness [ʌn'wə:kəbəlnis] *s* **1** caracter nepractic/impracticabil **2** imposibilitate de exploatare *(a unei mine etc.)*; nerentabilitate

unworked [ʌn'wə:kt] *adj* nelucrat; neprelucrat; nefasonat

unworkmanlike [ʌn'wə:kmən‚laik] *adj* nedemn de/compromițător pentru un bun lucrător; *fig* cârpăcit, lucrat/făcut de mântuială

unworldliness [ʌn'wə:ldlinis] *s* **1** imaterialitate; caracter nelumesc **2** simpli(ci)tate, candoare, lipsă de artificii/artificialitate

unworldly [ʌn'wə:ldli] *adj* **1** nepământean, nepământesc **2** spiritual, sufletesc **3** nemercantil, nepractic **4** naiv, credul

unworn [ʌn'wɔ:n] *adj (d. haină)* nepurtat, neuzat; nou; în stare bună

unworthily [ʌn'wə:ðili] *adv* **1** în mod nedemn **2** în mod rușinos/scandalos

unworthiness [ʌn'wə:ðinis] *s* **1** caracter nedemn **2** caracter rușinos/scandalos **3** lipsă de merit

unworthy [ʌn'wə:ði] *adj* **1** (**of**) nedemn (de) **2** rușinos, scandalos **3** nemernic, nevrednic

unwound [ʌn'waund] *adj* derulat, desfăcut, deșirat

unwounded [ʌn'wundid] *adj* **1** nerănit, (scăpat) fără răni; neatins **2** nejignit; cu onoarea nepătată

unwove [ʌn'wouv] *pret de la* **unweave**

unwoven [ʌn'wouvən] *ptc de la* **unweave**

unwrap [ʌn'ræp] *vt* a desface, a despacheta

unwrinkled [ʌn'riŋkəld] *adj* neridat, fără riduri; neted; tânăr, proaspăt

unwritten [ʌn'ritən] *adj* **1** nescris **2** oral; tradițional

unwritten constitution [ʌn'ritən ‚konsti'tju:ʃən] *s* constituție/lege nescrisă

unwritten law [ʌn'ritən 'lɔ:] *s* lege nescrisă; cutumă, drept cutumiar; tradiție, obicei

unwrought [ʌn'rɔ:t] *adj* **1** ← *înv poetic* nesăvârșit, nefăptuit **2** nelucrat, neprelucrat, neșlefuit

unyielding [ʌn'ji:ldiŋ] *adj* **1** ferm, care nu e dispus să cedeze, care nu cedează ușor, de neînduplecat, imposibil de înduplecat/convins **2** inflexibil, rigid, ferm, (de) neclintit **3** încăpățânat **4** intratabil, cu care nu se poate discuta; intransigent **5** inebranlabil, de nezdruncinat

unyieldingly [ʌn'ji:ldiɲli] *adv* **1** cu fermitate (în mod) ferm **2** (în mod) intransigent **3** (în mod) categoric, cu convingere, convins **4** (în mod) neabătut

unyieldingness [ʌn'ji:ldiɲnis] *s* **1** inflexibilitate, fermitate, obstinație, încăpățânare **2** duritate

unyoke [ʌn'jouk] *vt* **1** a dejuga **2** a separa, a despărți

unyoked [ʌn'joukt] *adj* **1** dejugat, deshămat **2** *fig* liber, neconstrâns, eliberat

unzip [ʌn'zip] *vt* a deschide/a trage fermoarul de la *(bluză etc.)*; a se desface/descheia la *(o haină cu fermoar)*

UP *presc de la* **underproof**

U.P. *presc de la* **1 Uttar Pradesh** stat în India, fost **United Provinces 2** *sl* **up: it is all ~ with him** s-a zis cu el, e un om sfârșit; a dat în primire, i-am pus cruce

up [ʌp] **I** *adv* **1** sus, (drept) în sus; vertical; **hands ~!** sus mâinile; mâinile sus! **hands ~ if you know the answer** mâna sus, cine știe răspunsul; **can you lift that box ~ onto the shelf for me?** poți să-mi ridici cutia sau lada aceea (până) sus pe raft?; **the boy climbed ~ to a higher branch on the tree** băiatul s-a urcat (sus/mai sus) pe o creangă mai înaltă a copacului; **it gets hot quickly when the sun comes ~** (vremea) se încălzește repede când e soarele sus pe cer/când se înalță soarele pe cer; **~ you come!** hai(de) sus! (hai) vino sus! urcă (sus)! **my blood was ~** mi se suise sângele la cap; îmi fierbea sângele în vine **2** (foarte) sus, în înaltul cerului; acolo sus; **the balloon went (flying) ten thousand feet ~** balonul s-a înălțat/ridicat la peste trei mii de metri; **what's going on ~ there?** ce se întâmplă/petrece acolo; **the plane is ~**

avionul este în aer/a decolat **3** în picioare, sus; pe picioarele lui; vertical; **he lifted himself ~ from the ground/floor** s-a sculat/ ridicat de pe jos/podea/de la pământ; **4** *(indicând ridicarea de pe o suprafață)* sus, în aer *(de multe ori nu se traduce)*; **please pick that plate ~ (off the table)** te rog ia/ridică farfuria aceea de pe masă *(v. și pick up)* **5** *(indicând ridicarea la suprafață)* sus, la aer; din subteran; **he swam under water and then came ~ for air** a înotat pe sub apă și apoi a ieșit/s-a ridicat la suprafață să ia aer/să respire; *(v. și come up)*; **the miners climbed ~ out of mine** minerii au ieșit din subteran/șut *(v. și to climb up)* **6** *(indicând ridicarea de la pământ, de pe jos, de la fund)* în sus, sus; cât colo; **the sleeping dog jumped ~ when he saw his master** câinele dormea, dar a sărit în sus (cât colo) când și-a văzut stăpânul; **~ with you, lazy boy!** scoală-te/ridică-te leneșule (ce ești)! **7** spre/la/înspre nord; **he's flying ~ to Glasgow from London** o să ia avionul de la Londra (spre nord) până la Glasgow; **I'll go ~ North** plec/voi pleca (până departe) în/spre nord; **I'll be ~ in Scotland next month** luna viitoare mă voi afla la nord (tocmai) în Scoția **8** *(↓ brit d. Londra, Oxford sau Cambridge)* spre capitală *sau* orașul universitar; **we usually go ~ (to London) every Sunday** de obicei duminica mergem la Londra; **whatever you may see ~ in London** orice ai vedea în capitală/la Londra; **when is John coming ~ (to Oxford)?** când vine John la studii (la Oxford)? **9** spre vorbitor; încoace; spre mine; la mine; **come/ walk ~ (to me)** veniți încoace/ veniți spre/la mine; **he came right ~ (to me) and asked** my name s-a apropiat de mine/a venit (drept/direct) la mine și m-a întrebat cum mă cheamă **10** încolo, departe (de vorbitor); **will you walk ~ to the shop with me?** vii cu mine până la magazin? **he saw me ~ to the**

tube m-a condus până la stația de metrou **11** *(d. prețuri, cantități sau calitate, adesea nu se traduce)* în sus, în creștere, în urcare; **the quality of the spare parts has been up** a crescut calitatea pieselor de schimb **12** cu vioiciune/forță/vigoare; viguros, viu, vioi, tare, puternic; **the fire was burning ~ brightly** focul ardea intens/cu voiciune; **please turn the radio ~ a bit** fă te rog puțin mai tare radio-ul *(v. și to turn up)* **13** la un loc; împreună; în/per total; **please bring/pick ~ the odds and ends** te rog adună (la un loc) resturile; **he collected ~ the fallen apples** a strâns/adunat (laolaltă) merele căzute **14** *(cu o anumită parte)* în sus; ridicat; **he turned ~ his collar to keep his neck dry** și-a ridicat gulerul să nu-l bată/ude ploaia la gât *(v. și turn up)*; *(d. cutii etc.)* **this side ~** cu partea aceasta în sus; **the wrong end ~** cu fundul în sus; invers; cum nu trebuie **15** *(↓ ca exclamație)* trăiască! sus! vivat! **~ the workers!** trăiască/vivat/ bravo muncitorimea/muncitorii *(v. și up with)* **II** *part adv* **1** *(arată ridicarea sau trecerea la o poziție verticală, cu verbe ca:* **to climb ~** a se urca, a se ridica, a se cățăra; **to come ~ (in the world)** a se ridica, a se înălța (în societate); **to get ~** a se ridica, a se sălta (de pe scaun); a se trezi, a se scula, a se ridica, a se înălța; **to go ~** a se ridica, a se înălța; *(d. prețuri etc.)* a crește, a spori; **to sit ~** a se ridica/a sta în capul oaselor/*F* în fund; **to stand ~** a se scula/a se ridica în picioare **2** *(cu verbe care indică intensificarea, creșterea, sporirea):* **to burn ~** a arde mai tare/mai intens; **speak ~!** vorbește mai tare! *(v. și speak up)* **3** *(↓ ca expletiv sau intensificator, arată completarea, terminarea, sfârșitul etc.)* **to drink ~** a bea tot/ până la fund/până la ultima picătură *(v. și drink off/up)*; **drink ~ (your glasses)!** beți (paharele/băutura) până la fund! terminați-vă paharele! nu lăsați nici un strop/nimic pe fundul

paharelor! **he never eats ~ his plate** niciodată nu mănâncă tot(ul) din farfurie; totdeauna lasă o bucățică în farfurie; **eat ~!** mănâncă tot! nu lăsa nimic/nici o bucățică (în farfurie) **to eat ~** a mânca tot/până la ultima bucă- țică; **the candle burnt ~** lumâ- narea a ars până la capăt/până s-a stins **4** *(↓ ca întăritor pentru verbele* **to finish, to end** *etc.)* de tot, cu totul, complet, până la capăt, gata; în cele din urmă *(uneori nu se traduce);* **finish ~ your lessons** terminați-vă (de făcut) lecțiile; **finish ~ your drinks** beți-vă/goliți-vă paharele; **the party ended ~ with a song** petrecerea s-a încheiat/terminat cu cântece; **the adventure ended ~ in a great success** aventura s-a terminat/încheiat cu un frumos succes; **to follow smth ~** a urmări o chestiune (până la rezolvarea ei/până la capăt) **to follow smb ~** a urmări/ a nu slăbi pe cineva **5** *(arătând ruperea, sfărâmarea, desface- rea în bucăți)* în bucăți/bucățele; **he tore ~ the newspaper** a rupt ziarul în (mii de) bucăți *(v. și tear up);* **the examinations are divided ~ into three parts** examenele sunt împărțite în trei grupe/sunt grupate în trei secțiu- ni **6** *(cu verbele care arată fixa- rea, înțepenirea, legarea etc.)* strâns, ferm, tare; țeapăn; etanș; **I don't know how to tie ~ a parcel** nu știu să leg/fac un pachet; nu mă pricep să leg strâns un pachet; **they nailed ~ the door so nobody could open it** au bătut ușa în cuie ca să n-o poată deschide nimeni; **III** *prep* **1** în susul *(cu gen);* în sus; de-a lungul *(cu gen) (uneori nu se traduce);* **he climbed ~ the hill** a urcat dealul, s-a urcat pe deal/colină; a mers în susul dealului/pantei; **he climbed ~ the mountain** a urcat muntele/ s-a cățărat pe munte; a făcut ascesiunea muntelui, a urcat povârnișul muntelui; **I climbed ~ the stairs** am urcat scările/la etaj; **she climbed ~ the ladder** s-a urcat pe scară/scărița mobi- lă; **his office is ~ the stairs** biroul lui e (sus) la etaj; trebuie să urcați scara/scările pentru a ajunge la biroul lui **2** (mai) sus pe *(stradă etc.);* spre capătul celălalt al *(străzii etc.);* **they live just ~ the road** locuiesc/stau mai departe pe aceeași stradă/cale/șosea; casa lor e la capătul celălalt al străzii/căii/șoselei **3** (în)spre *(mine/vorbitor);* **he was coming/climbing ~ the street, while the girl was going down the street** el venea spre mine, iar fata se îndepărta **4** împotriva/în contra *(curentului);* în susul *(râului etc.)* **to go ~ the river a** a urca pe râu/fluviu (↓ Tamisa); **b** *amer sl* a intra la zdup/gros/pârnaie; **she was sailing ~ the Seine** vasul/vaporul urca pe Sena/mergea pe Sena în amonte/în susul Senei; **it is ~ the Mississippi** se află mai sus pe Mississippi/pe cursul fluviului Mississippi/pe Mississippi în amonte **5** ← *F* spre, până la, către, în; **I'm going ~ West End tonight** diseară mă duc (până) în (cartierul londonez) West End **6** împotriva, contra *(vântului, curentului etc.)* **IV** *adj* **1** de sus; în sus; înalt; superior; într-o poziție înaltă/superioară; **the flag is ~** steagul e ridicat/înălțat **2** *(d. casă etc.)* ridicat, înălțat, construit, în picioare; **his house hasn't been ~ long** casa lui e construită/clădită de puțină vreme/nu e construită de mult; **it wasn't ~ for a long time** n-a rămas multă vreme în picioare; s-a dărâmat curând **3** înălțat, sus (pe cer); în înaltul cerului; **the sun is ~** soarele a răsărit/e pe cer; *lit* soarele e de două sulițe pe cer **4** *(d. persoană)* în picioare, sculat, treaz; **nobody is ~ yet** deocamdată nu s-a sculat nimeni (din casă); **I've been ~ since 5 a.m.** sunt sculat/treaz/în picioare de la 5 (dimineața); **to be ~ all night** a fi/a sta treaz, a nu închide ochii toată noaptea *(v. și* **up and about***)* **5** care urcă/se înalță; în ascensiune; în sus; **the road ~** drumul/șoseaua care urcă **6** (↓ *brit, d. tren)* care merge la Londra/spre capitală *(sau spre alt centru important);* **I was**

taking the ~ train and he was waiting for the down train eu mă urcam în trenul de Londra, iar el aștepta trenul de provincie/din direcție opusă **7** (↓ *d. linie de transport în comun)* care merge spre centru, care face legătura cu centrul orașului **8** în creștere; în ridicare; în ascensiune; mai ridicat; **sales are ~** vânzările cresc/au crescut/sunt în creștere; **the temperature is ~ 5 degrees today** astăzi temperatura este cu 5 grade mai mare/a crescut cu 5 grade (față de ieri); sunt 5 grade în plus față de ieri/mai mult ca ieri **9** *și fig* încheiat, terminat, sfârșit; **(our) time's ~!** nu mai avem timp! răgazul/timpul *(de gândire etc.)* s-a încheiat/sfârșit; **it's all ~ with him now** s-a sfârșit cu el; e un om sfârșit; nu mai poate fi salvat; nimic nu-l mai poate scăpa/salva **10** *lit* gata (de luptă); pregătit (de luptă/război); **the whole country was ~, ready to drive out the enemy** țara întreagă (până la ultimul om) se ridicase cu arma în mână pentru a-l izgoni pe dușman; țara întreagă era sub drapel, gata să alunge dușmanul **11** *(d. drum, șosea)* în reparație; accidentat; în lucru; **"Road ~"** „Drum în lucru" *(ca semn de circulație)* **12** *(d. lichid)* spumos, spumant; **as ~ as sparkling champagne** (spumos/înspumat) ca șampania **13** *F* acuzat, pus sub acuzație; adus în fața tribunalului/la judecată; **he was ~ before the judge for stealing** a fost judecat/adus în fața tribunalului/judecătorului pentru furt *(v. și* **have up 2***)* **14** ← *F* în curs (de desfășurare); pe tapet; în acțiune; **what's ~?** care-i chestia? ce se întâmplă? despre ce e vorba? ce s-a întâmplat? **I knew smth was ~ when I saw the smoke** de cum am văzut fumul/că iese fum mi-am închipuit că s-a întâmplat ceva **15** *F fig* informat, la curent *(cu ceva);* priceput la/în materie de; **to be well ~ in/on something** a se pricepe la ceva; a fi la curent cu ceva; a ști cum stau lucrurile **16** *(d. jocheu, la curse)* în șa; înscris

(în curbă); **here comes the steed with Charles ~!** iată armăsarul călărit de Charles **17** (↓ *neg, la tenis etc.) (d. minge)* nevalabil; care a atins pământul de mai multe ori; **the ball is not ~** mingea nu mai poate fi jucată/e pierdută **V** *s* **1** suiș, urcare, pantă (ascensiune) **2** ridicătură (de pământ), movilă; *pl* accidente de teren *(v. și* **ups and downs***)* **3** *com* ridicare, sporire a prețului **4** *amer com* cumpărător virtual **5** *cu art hot sport* parte ascendentă/ridicare a voleului unei mingi; **he hit the ball on the ~** a lovit mingea după ce atinsese pământul **6** *brit* mijloc de transport *(autobuz etc.)* care merge spre centru **VI** *vt* **1** a ridica, a înălța *(bastonul etc.);* **2** *F* a spori, a ridica, a mări, a scumpi (↓ *prețurile)* **VII** *vi* (↓ *pentru intensificare sau pentru efect de surpriză)* a se ridica, a se scula (în picioare) (și *cu sensul de a începe acțiunea)* **I ~ped and told him what I thought of him** m-am ridicat și i-am spus/am început să-i spun ce gândesc despre el/ce părere am despre el; **he ~ ped and left** s-a ridicat (deodată) și a plecat **VIII** *interj* (hopa) sus!

up *presc de la* **upper**

up-a-daisy ['ʌpə'deizi] *interj* hop! hopa (sus)! copăcel!

up against ['ʌp ə,genst] *prep (indică opoziția, conflictul etc.)* de, față de, cu *(greutăți etc.);* **to be ~ difficulties** a se izbi/lovi de dificultăți, a întâmpina/a avea greutăți/dificultăți

up-anchor ['ʌp æŋkəʳ] *vi* a ridica ancora

up and about ['ʌp ənd ə'baut] *adj* **1** treaz, sculat (din pat); **I have been ~ for an hour or more** m-am sculat de vreo oră/sunt treaz/sculat de vreo oră (și mai bine) **2** ridicat din pat, sculat (după boală); sănătos, valid; **he has only been ~ for a few days** abia s-a ridicat de vreo câteva zile din pat/după boală

up-and-coming [,ʌp ən' kʌmiŋ], **up-and-doing** [,ʌp ən'du:iŋ] *adj* ↓ *amer* **1** energic, întreprinzător; vioi, argint viu, pus în priză **2** promițător, de viitor

up and down ['ʌp ən 'daun] **I** *prep* în susul și în josul; **his eyes moved ~ the rows of people** se uita (de la unul la altul) prin mulțimea de oameni; scruta/măsura oamenii cu privirea **II** *adv* **1** în sus și în jos **2** înainte și înapoi; **to walk ~ (in a room)** a se plimba în sus și în jos prin cameră

up-and-down ['ʌp ənd 'daun] *s* F mișcare (↓ *a ochilor*) în sus și în jos; **to give smb the ~** a măsura pe cineva cu privirea, a cântări pe cineva din ochi; **to give a letter** *etc.* **the ~** a-și arunca ochii pe o scrisoare etc.; a parcurge (repede) cu privirea o scrisoare

up-and-up ['ʌpənd'ʌp] *s* F **on the ~ a** *brit* în progres, tot mai bine, spre bine **b** *brit* de succes, la înălțime, F ca focul **c** *amer* cinstit, curat, onest

Upanishad [u:'pʌniʃəd] *s* carte de filosofie indiană, Upanișadele

upas ['ju:pəs] **1** *bot* antiar (*Antiaris toxicaria*) **2** *fig* influență ucigătoare/fatală/mortală

upas tree ['ju:pəs ,tri:] *s* v. **upas 1**

upbear [ʌp'bɛə'], *pret* **upbore** [ʌp'bɔ:'], *ptc* **upborne** [ʌp'bɔ:n] *vt lit* **1** a susține, a sprijini **2** a ridica, a înălța

upbore [ʌp'bɔ:'] *pret de la* **upbear**

upborne [ʌp'bɔ:n] *ptc de la* **upbear**

upbeat ['ʌp,bi:t] **I** *s muz* timp slab/ neaccentuat **II** *adj* **1** optimist, încrezător **2** jovial, vesel, bine dispus; în toane bune

upbraid [ʌp'breid] *vt* a ocărî, a critica, a ține de rău; a face reproșuri (*cu dat*)

upbraiding [ʌp'breidiŋ] *s* ocară, papară, perdaf

upbringing [ʌp'briŋiŋ] *s* educație/ creștere (*a copiilor*)

upburst ['ʌp,bə:st] *s* izbucnire, explozie

upcast ['ʌp,ka:st] *s* **1** *geol* falie inversă, înălțare de straturi **2** *mine* puț de aeraj

upcheck [ʌp'tʃek] *vt, vi amer sl* a da la rațe, a vărsa, – a vomita

upcountry ['ʌp'kʌntri] **I** *adv* F în(spre) interiorul țării, în partea centrală a țării **II** *adj* **1** (situat/ așezat) în(spre) interiorul țării *etc.* **2** (*d. regiune etc.*) fără ieșire la mare, neriveran, închis **III** *s* inima/centrul/interiorul țării,

regiune de interior (a țării)

update [ʌp'deit] *vt* **1** a moderniza, a aduce la zi, a pune de acord (*o lucrare etc.*) cu ultimele teorii sau realizări **2** a procura (*cuiva*) informații la zi, a pune (*pe cineva*) la curent

up-end [ʌp'end] **I** *vt* a ridica (*un butoi etc.*) în picioare (*făcându-l să stea pe fund*) **II** *vi* **1** F a se ridica (în picioare sau în capul oaselor) **2** a se îndrepta (din șale)

upgrade ['ʌpgreid] **I** *s* pantă; urcuș, suiș **II** *adj* ascendent, care urcă; în pantă **III** [ʌp'greid] *vt* **1** a urca (*o pantă*) **2** *fig* a înălța; a promova; a înnobila

upgrade line [ʌpgreid ,lain] *s ferov* linie de rampă

upgrowing [ʌp'grouiŋ] *adj* (*d. copil*) în creștere, care crește

upgrowth ['ʌp,grouθ] *s* **1** dezvoltare, evoluție **2** excrescență

up-hander ['ʌp,hændə'] *s mil sl înv* militar care se predă

upheaval [ʌp'hi:vəl] *s* **1** prefacere, schimbare (totală), transformare **2** răsturnare **3** mișcare (socială); revoluție

upheld [ʌp'held] *pret și ptc de la* **uphold**

uphill [ʌp'hil] **I** *adj* **1** în urcuș **2** dificil, greu, anevoios **3** ascendent **II** *adv* în sus; în susul dealului

uphold [ʌp'hould], *pret și ptc* **upheld** [ʌp'held] *vt* **1** a susține, a afirma cu tărie/convingere **2** a sprijini, a susține (moralmente) **3** a aproba **4** a încuraja **5** a confirma

upholder [ʌp'houldə'] *s* susținător, sprijinitor, partizan, adept

upholster [ʌp'houlstə'] *vt* a tapița

upholstered [ʌp'houlstəd] *adj* **1** capitonat; tapisat **2** *amer* F căptușit (*cu o boală*), molipsit

upholsterer [ʌp'houlstərə'] *s* tapițer

upholstery [ʌp'houlstəri] *s* tapițerie

UPI *presc de la* **United Press International**

upkeep ['ʌp,ki:p] *s* (bani de) întreținere

upland ['ʌplənd] **I** *adj* muntos, de munte **II** *s* ↓ *pl* ținut muntos, regiune muntoasă, parte muntoasă (a unei regiuni)

uplander [ʌp'lændə'] *s* muntean, om/locuitor de la munte

uplift [ʌp'lift] **I** *vt* **1** a ridica (de jos); a înălța de la pământ **2** *fig* a înălța/a înnobila sufletește **II** *s* **1** ridicare, înălțare **2** *fig* înnobilare, înălțare (sufletească) **3** *amer* sutien

upmost ['ʌpmoust] *adj, adv* v. **uppermost**

upon [ə'pɔn] *prep* pe (*numai dinamic*); **~ my honour** pe cuvântul meu (de onoare)

upper ['ʌpə'] **I** *adj* superior; de sus **II** *s* **1** parte superioară; **down on one's ~s** F sărac lipit (pământului) **2** carâmb **3** cușetă de sus (*la vagonul de dormit etc.*)

Upper Bench, the ['ʌpə 'bentʃ, ði] *s ist Angliei* tribunal suprem/ prezidat de rege sau regină; *aprox* Curte de casație

upper case ['ʌpə 'keis] **I** *s* **1** (caractere) verzale **2** casetă cu verzale **II** *vt* a tipări cu verzale

upper chamber ['ʌpə 'tʃeimbə'] *s pol* cameră superioară (*a parlamentului*); senat

upper circle ['ʌpə 'sə:kəl] *s teatru* balcon doi

upper class ['ʌpə 'kla:s] **I** *s* clasă dominantă **II** *adj* aristocratic, nobil; referitor la clasele dominante

upper classman ['ʌpə 'kla:smən] *s amer univ* student în anul III sau IV (de facultate) în ultimii ani

upper crust ['ʌpə 'krʌst] *s* v. **upper ten**

uppercut ['ʌpəkʌt] *s sport* upercut, lovitură de jos în sus

upper deck ['ʌpə ,dek] *s* **1** *nav* covertă **2** *sl* sâni, piept

upper forms ['ʌpə 'fɔ:mz] *s pl* v. **upper classes**

upper garret ['ʌpə 'gærit] *s înv* v. **upper storey**

upper hand ['ʌpə 'hænd] *s fig* dominație; **to gain/to get/to have the ~ of smb a** a domina pe cineva **b** a învinge pe cineva

Upper House, the ['ʌpə 'haus, ði] *s pol* Camera superioară (a Parlamentului); (*în Anglia*) Camera Lorzilor; (*în alte țări*) Senatul

upper jaw ['ʌpə 'dʒɔ:] *s anat* maxilar superior, falca de sus

upper lip ['ʌpə 'lip] *s anat* buza de sus; **to keep a stiff ~** a se ține bine/tare, a nu se lăsa, a nu se da bătut; a rezista (cu bine) la toate

uppermost [ˈʌpəˌmoust] I *adj* 1 superior 2 cel mai înalt 3 cel mai de sus 4 predominant 5 deosebit, ieșit din comun II *adv* 1 cel mai de sus 2 în/la vârf

upper partials [ˈʌpə ˈpɑːʃəlz] *s pl muz* armonice

upper plate [ˈʌpə ˌpleit] *s amer sl* babalâc, moșneag, boșorog *(în vocabularul adolescenților)*

upper regions [ˈʌpə ˈriːdʒənz] *s pl lit* cerul, bolta (cerească); cerurile, tăriile (cerului)

upper story/storey [ˈʌpə ˈstɔːri] *s* 1 ultimul etaj, mansardă 2 *sl* mansardă, bilă, cutiuță, – creier; **to be cracked/wrong in the ~** a fi scrântit la mansardă/bilă, a avea sticleți (în cap), a fi plecat/dus (bine)

upper ten [ˈʌpə ˈten] *s* 1 aristocrație (financiară) 2 clase dominante 3 magnați (ai finanțelor)

upper-tendom [ˈʌpə ˈtendəm] *s F* bogătașii, lumea aristocraților/bogătașilor

upper ten thousand [ˈʌpə ˈten ˈθauzənd] *s v.* upper ten

Upper Volta [ˈʌpə ˈvɔltə] *ist* Volta Superioară

upper works [ˈʌpə ˈwəːks] *s pl* 1 *nav* operă moartă, suprastructură 2 *sl* plămâni, – sâni, piept

uppish [ˈʌpiʃ] *adj* 1 băgăreț, înfigăreț 2 obraznic, impertinent 3 încrezut, înfumurat; închipuit

uppishly [ˈʌpiʃli] *adv* (cu un aer *sau* cu un ton) arogant, cu aroganță/semeție, luând oamenii de sus

uppishness [ˈʌpiʃnis] *s F* aere, înfumurare, orgoliu, aroganță; mutre

uppity [ˈʌpiti] *adj v.* uppish

Uppsala [ˈʌpsɑːlə] *v.* Upsala

upraise [ʌpˈreiz] *vt v.* uplift

uprear [ʌpˈriə] *vt* a educa, a crește *(copiii)*

upright [ˈʌpˌrait] I *adj* 1 drept, vertical; pe verticală 2 *fig* cinstit, onest, integru, corect II *adv* drept (ca lumânarea) III *s* 1 perpendiculară; verticală 2 *biol* stațiune bipedă 3 lucru drept/îndreptățit/justificat

uprightly [ˈʌpˌraitli] *adv* 1 *v.* upright II 2 cinstit, onest, cu onestitate

uprightness [ˈʌpˌraitnis] *s* 1 verticalitate, caracter vertical 2 perpendicularitate 3 *fig* corectitudine, integritate; onestitate, cinste

upright piano [ˈʌpˌrait piˈænou] *s* pianină

uprise [ʌpˈraiz] I *vi pret* **uprose** [ʌpˈrouz], *ptc* **uprisen** [ʌpˈrizən] 1 a se ridica *(de pe scaun, pat etc.)* 2 *(d. astru, constelație)* a se ridica (pe cer) 3 *(d. fum, strigăte etc.)* a se ridica, a se înălța II *s* 1 *lit* răsărit *(al soarelui, stelelor etc.)* 2 ascensiune *(a unui balon etc.)* 3 urcuș, coastă 4 ridicare, înălțare (în rang)

uprisen [ʌpˈrizən] *ptc de la* uprise

uprising [ʌpˈraizin] *s* răscoală, răzmeriță

up-river [ʌpˈrivə] *adv, adj v.* upstream

uproar [ˈʌpˌrɔːr] *s* 1 gălăgie, rumoare 2 tumult; zarvă

uproarious [ʌpˈrɔːriəs] *adj* 1 zgomotos, gălăgios 2 tumultuos 3 turbulent, zurbagiu

uproariously [ʌpˈrɔːriəsli] *adv* 1 în mod zgomotos, cu multă gălăgie, cu mult zgomot 2 în mod tumultuos, cu multă zarvă 3 în mod turbulent, *F* cu mare zurbă

uproariousness [ʌpˈrɔːriəsnis] *s v.* uproar

uproot [ʌpˈruːt] *vt* 1 *și fig* a dezrădăcina, a smulge din rădăcini 2 a eradica, a desființa

uprootal [ʌpˈruːtəl] *s* (**from**) dezrădăcinare, smulgere (din)

uprose [ʌpˈrouz] *pret de la* uprise

ups-a-daisy upsadaisy, [ˈʌpsəˈdeizi], *interj v.* up-a-daisy

upsaddle [ʌpˈsædəl] *vi* (în Africa de Sud) a înșeua (calul), a pune șaua pe (cal)

Upsala [ˈʌpsɑːlə] *oraș (universitar) în Suedia*

ups and downs [ˈʌps ən ˈdaunz] *s pl* capricii *(ale soartei etc.);* valurile vieții

upset [ʌpˈset] I *pret și ptc* **upset** [ʌpˈset] *vt* 1 a răsturna 2 a întoarce pe dos/cu susul în jos; a face să se răstoarne 3 *fig* a tulbura, a neliniști, a frământa, a agita 4 a tulbura, a deranja 5 a înfrânge, a învinge 6 a răsturna; a da peste cap *(planuri etc.)* II *(v. ~ I) vi* a se răsturna III *adj* 1 tulburat (peste măsură) 2 agitat, frământat, neliniștit; *F →* întors pe dos

upset price [ˈʌpset ˌprais] *s ec, fin, com* curs de deschidere (la

bursă); preț informativ/de pornire/cerere; **knocked down for £ 80 from an ~ of £ 40** adjudecat la 80 de lire față de un preț/curs de pornire/deschidere de 40 de lire

upsetter [ʌpˈsetər] *s* zurbagiu, persoană turbulentă/care produce tulburări/dezordini

upsey-daisy [ˈʌpsiˈdeizi] *interj v.* up-a-daisy

upshot [ˈʌpʃɔt] *s* consecință, rezultat, urmare; repercusiune; corolar

upsi-daisy [ˈʌpsiˈdeizi] *interj v.* up-a-daisy

upside [ˈʌpsaid] *s* partea de sus; susul, partea superioară

upside-down [ˈʌpsaidˈdaun] I *adj* 1 cu susul în jos; inversat; întors pe dos 2 dezordonat, în dezordine/neregulă/debandadă II *adv* 1 cu susul în jos, invers 2 în (mare) dezordine

upsides [ˈʌpsaidz] *adv F* **to get ~ with smb** a fi chit cu cineva, a-i plăti (cuiva) cu aceeași monedă, a-și lua revanșa

upsilon [jupˈsailən] *s* upsilon *(a 20-a literă a alfabetului grecesc)*

upsitting [ˈʌpsitin] *s* scot *înv* indiferență, nepăsare

upstage [ˈʌpsteidʒ] I *adj* teatru spre fundul scenei, spre fundal II *adj atr* 1 teatru referitor la fundul scenei 2 *fig* arogant, înfumurat; țanțoș, semeț

upstair [ˈʌpstɛər] *adj v.* upstairs II

upstairs [ˈʌpstɛəz] I *adv* 1 sus (pe scări) 2 la etaj II *adj* de sus; de la etaj III *s* partea de sus a casei; etajul/catul de sus

upstander [ʌpˈstændə] *s reg* paroh

upstanding [ʌpˈstændin] *adj* 1 drept (ca lumânarea/ca bradul); voinic; cu ținută frumoasă 2 *fig* onest, cinstit, integru 3 sincer, deschis

upstart [ˈʌpstɑːt] I *s* 1 parvenit; proaspăt îmbogățit 2 obraznic, neobrăzat, impertinent II *adj* 1 parvenit 2 obraznic, impertinent, insolent

upstate [ˈʌpsteit] *amer* I *adj* 1 din/în partea de nord a statului 2 din zona rurală/depărtată de marile orașe; din fundul provinciei II *adv* 1 în nordul statului/provinciei 2 departe de marile orașe, la țară, în fundul provinciei/statului

III *s* **1** partea de nord a unui stat **2** zona rurală (a unui stat) depărtată de marile orașe; fundul provinciei

upstay [ʌp'stei] *vt lit* a susține, a sprijini

upstream ['ʌp,striːm] **I** *adv* **1** în susul apei/râului *etc.* **2** *și fig* contra curentului **II** *adj* **1** care urcă în susul râului **2** *fig* care merge contra curentului

upstroke ['ʌp,strouk] *s* **1** linie/trăsătură în sus *(la scris)* **2** *tehn* cursă ascendentă *(a pistonului)*

upsurge [ʌp'səːdʒ] *s* **1** ridicare, înălțare **2** avânt, elan; dezvoltare, propășire, progres

upsweep ['ʌp,swiːp] **I** *pret și ptc* **upswept** ['ʌp,swept] *vi* a porni/a țâșni/a merge în sus; a se înălța (brusc) **II** *s* **1** înălțare (bruscă) **2** coafură montantă

upswept ['ʌp,swept] *adj* **1** ridicat/înălțat în sus; luat pe sus **2** *(d. coafură)* montant

upswing ['ʌp,swiŋ] *s amer* urcare, ascensiune, ridicare; suiș

upsy-daisy ['ʌpsi,deizi] *interj v.* **up-a-daisy**

upta ['ʌptə] *adj australian sl* (bun) de nimic/de aruncat, – inferior, fără valoare

uptake ['ʌp,teik] *s* **1** *biol* absorbție, absorbire; asimilare **2** *fig* înțelegere, asimilare; **to be slow in the** ~ a fi greu de cap, a înțelege greu lucrurile, a nu-l duce capul

uptear ['ʌp'tɛə'] *pret* **uptore** ['ʌp'tɔː'], *ptc* **uptorn** ['ʌp'tɔːn] *vt lit* a smulge *(copaci)*

upter ['ʌptə'] *adj australian sl v.* **upta**

upthrow ['ʌp,θrou] *s* **1** *geol* deplasare ascendentă **2** *v.* **upheaval**

upthrust ['ʌpθrʌst] *s v.* **upthrow 1**

uptight ['ʌp'tait] *adj* **F 1** încordat, nervos, crispat (de încordare); într-o stare de mare încordare/tensiune, cu nervii încordați, un pachet de nervi **2** furios, supărat, turbat, mânios (la culme); cu țâfnă

up till now ['ʌp til 'nau] *adv v.* **up to now**

up till then ['ʌp til 'ðen] *adv* până atunci/în ziua aceea

up to ['ʌp tə] **I** *prep* **1** *(spațial)* (în) spre, până la *(vorbitor etc.)*; **he came ~ me out of breath** a venit gâfâind/într-un suflet la mine; **walk ~ the door** veniți *sau* vino până la ușă **2** până la *(o cifră, vârstă etc.)*; **the hall seats ~ 1000 people** sala are o capacitate de (până la) 1000 de locuri; **~ 100 guests were present** erau până la/aproape vreo 100 de oaspeți; **~ the adulthood** până la maturitate/la vârsta maturității **3** *fig* până la *(un rang superior);* **from the rank and file ~ the leadership** de la membrii de rând până la conducere; de jos până sus/la vârf **4** *(temporal)* până la *(o oră etc.)* **II** *adj* cu *prep* **1** *(↓ neg sau inter)* pregătit/corespunzător pentru, gata de; în stare de; **I don't feel ~ it** nu mă simt în stare de asta/pregătit să fac; **he isn't really ~ that job** nu corespunde (cerințelor) postului; **my English isn't ~ this translation** nu știu destulă engleză ca să fac traducerea **2** pregătit de/gata la/pentru *(o poznă, ceva rău);* **what are you ~?** ce (poznă) vrei să faci? ce ai pus la cale? **the child is always (getting) ~ mischief** copilul e mereu pus/gata să facă prostii/pozne **3** *(d. hotărâre, chestiune etc.)* de competența *(cu gen);* **la latitudinea** *(cu gen);* **it is ~ you (to decide)** totul depinde/atârnă numai de tine/de hotărârea ta; rămâne să hotărăști tu; tu trebuie să decizi/hotărăști; totul e la latitudinea ta

up-to-date ['ʌptə'deit] **I** *adj* **1** modern **2** la modă, modern, după ultima modă **3** modern, nou, conform ultimelor progrese ale tehnicii; adus la zi **II** *adv* la zi; conform ultimelor noutăți

up-to-dately ['ʌptə'deitli] *adv v.* **up-to-date II**

up-to-dateness ['ʌptə'deitnis] *s* **1** caracter modern, modernitate; noutate **2** eleganță, caracter elegant/la modă; conformitate cu ultima modă

Upton ['ʌptən] *nume masc*

up to now ['ʌp tə 'nau] *adv* **1** până acum **2** până azi/astăzi/în zilele noastre

uptore [ʌp'tɔː'] *pret de la* **uptear**

uptorn [ʌp'tɔːn] *ptc de la* **uptear**

up-to-the-minute ['ʌptəθə'minit] *adj* de ultimă oră; foarte la modă; **an ~ song** ultimul șlagăr, ultimul răcnet în materie de șlagăre

uptown [ʌp'taun] **I** *s* **1** partea de sus a orașului **2** centru *(al orașului)* **3** *amer* suburbii, periferie; cartiere de locuit/rezidențiale **II** *adv* **1** în/spre centru **2** *amer* la/către periferie **III** *adj* **1** central, din centru, din inima orașului **2** *amer* suburban, de la periferie

up train ['ʌp ,trein] *s* tren care merge la Londra

upturn [ʌp'təːn] **I** *vi* **1** a ridica, a înălța **2** a îndrepta în sus **II** *vi* a se întoarce în sus **III** *s* **1** înălțare, ridicare; sporire **2** progres, propășire

up until now ['ʌp ʌn'til 'nau] *adv v.* **up to now**

UPU *presc de la* **Universal Postal Union**

upward ['ʌpwəd] **I** *adv v.* **upwards** **II** *adj* **1** ascendent; care se ridică/înalță, care merge în sus; de ridicare/înălțare **2** îndreptat în sus

upward of ['ʌpwəd əv] *prep v.* **upwards of**

upwards ['ʌpwədz] *adv* în sus; spre partea superioară; **and ~** și chiar mai mult (decât atât)

upwards of ['ʌpwədz əv] *prep* peste, mai bine/mult de; **~ one hundred** mai bine de o sută

ur-I *pref v.* **uro-** **II** *adj* inițial, originar, prim; **ur-Faust** versiunea/forma originală a tragediei lui Faust

up with ['ʌp wið] *prep (ca exclamație)* sus (!); **~ the workers!** trăiască/vivat/sus muncitorii/muncitorimea! ura/bravo pentru muncitori!

uraemia [ju'riːmiə] *s med* uremie

uraemic [ju'riːmik] *adj med* uremic, referitor la/pricinuit de uremie

uraeus [ju'riːəs] *s ist, mit* șarpe simbolic *(emblemă a puterii)* ce apare ca capul divinităților și suveranilor egipteni

Ural, the ['juərəl, ðə] *(râul)* Ural

Ural-Altaic ['juərəl æl'teiik] *adj* uralo-altaic

Uralian [ju'reiliən] *adj* **1** uralic **2** *lingv* din familia fino-ugrică

Urals, the ['juərəlz, ðə] *(munții)* Urali

Uralsk ['juərəlsk] *oraș în fosta U.R.S.S.*

uranalysis [,juərə'nælisis] *s v.* **urinalysis**

uranate [,juərə'neit] *s ch* uranat

Urania [ju'reiniə] *mit* muza astronomiei

uranic [ju'rænik] *adj* uranic, referitor la uraniu

uranide ['juərə,naid] *s* 1 *v.* **uranium** 2 element transuranic

uranium [ju'reiniəm] *s ch* uraniu

urano- *pref* urano-: **uranologic** uranologic

uranographer [,jurə'nogrəfəᵣ] *s astr* uranograf

uranographic(al) [,juərənə'græfik(əl)] *adj astr* uranografic

uranography [,'juərə'nogrəfi] *s astr* uranografie

Uranus [ju'reinəs] *s* 1 *mit* Uranus, Uran, tatăl titanilor 2 *astr* (planeta) Uranus

urate ['juəreiət] *s ch* urat, sare a acidului uric

Urban ['ə:bən] *numele mai multor papi*

urban ['ə:bən] *adj* urban; orăşenesc

urban guerilla ['ə:bən ge'rilə] *s* terorişti/organizaţie teroristă care acţionează în oraşe

urbanification [,ə:bənifi'keiʃən] *s* urbanizare

urbanism ['ə:bə,nizəm] *s* urbanism; amenajare/sistematizare urbană a oraşelor

urbanist ['ə:bənist] *s* (arhitect) urbanist; sistematizator, specialist în urbanistică/în sistematizarea oraşelor

urbane [ə:'bein] *adj* 1 politicos, bine crescut/educat 2 civilizat, urban 3 rafinat

urbanity [ə:'bæniti] *s* politeţe, bună cuviinţă, cei şapte ani de-acasă

urbanization [,ə:bənai'zeiʃən] *s* urbanizare, transformare urbană; orăşenizare

urbanize ['ə:bə,naiz] *vt* a urbaniza, a aduce la viaţa urbană

urban renewal ['ə:bən ri'nju:əl] *s amer arhit* demolarea şi sistematizarea cartierelor vechi/sărace

urban sprawl ['ə:bən ,spro:l] *s arhit* dezvoltare exagerată a metropolelor; expansiune urbană

urchin ['ə:tʃin] *s* 1 copil (neastâmpărat); drac de copil, ştrengar 2 golan; derbedeu

Urdu ['uədu:] *s lingv* limba urdu *(din India)*

-ure *suf* -ură: **legislature** legislatură

urea ['juəriə] *s ch* uree

ureal ['juəriəl] *adj ch* ureic

ureameter [,juəriə'mi:təᵣ], **uremeter** [,juəri'mi:təᵣ] *s med* ureometru

uremia [ju'ri:miə] *s v.* **uraemia**

ureter [ju'ri:təᵣ] *s anat* ureter

ureteral [ju'ri:tərəl] *adj anat* ureteral, referitor la ureter

ureteritis [,juə'ri:tə'raitis] *s med* ureterită, inflamaţie a ureterelor

ureterotomy [,juərətə'rotəmi] *s med* ureterotomie

urethane [,juəri'θein] *s ch* uretan

urethra [ju'ri:θrə] *s anat* uretră

urethral [ju'ri:θrəl] *adj anat* uretral, al uretrei

urethritis [,juəri:'θraitis] *s med* uretrită, inflamare a uretrei

urethrotomy [,juəri:'θrotəmi] *s med* uretrotomie

Urey ['juəri], **Harold (Clayton)** *chimist american (n. 1893)*

Urga ['ə:gə] *v.* **Ulan Bator**

urge [ə:dʒ] I *s* 1 îndemn 2 impuls 3 stimulent 4 chemare, apel; solicitare II *vt* 1 a îndemna 2 a solicita 3 a sili, a forţa; a determina; a impune; 4 a recomanda (insistent) 5 a mâna *(caii etc.)*

urgency ['ə:dʒənsi] *s* 1 urgenţă, caracter urgent 2 caracter imperios/presant/necesar 3 presiune, insistenţă

urgent ['ə:dʒənt] *adj* 1 important, de primă importanţă 2 (absolut) necesar 3 imperios, presant 4 urgent 5 insistent

-urgy *suf* -urgie: **thaumaturgy** taumaturgy

Uri ['u:ri] *canton în Elveţia*

U.R.I. *presc de la* **upper respiratory infection** infecţie a căilor respiratorii superioare

uri ['juərai] *pl de la* **urus**

-uria *suf* -urie: **haematuria** hematurie

uric ['juərik] *adj* uric

urium and thumim ['juərəm ən 'θʌməm] *s pl bibl* pectorale, podoabe purtate pe piept *(de marii preoţi ai evreilor)*

urinal ['ju:rinəl] *s* 1 vespasiană, closet (public) 2 ploscă, urinar *(pt bolnavi)*

urinalysis [,juəri'nælisis], *pl* **urinalyses** [,juəri'nælisi:z] *s med* analiză de urină/a urinei; sumar de urină

urinary {'juərinəri} *adj anat* urinar

urinary bladder [,juərinəri ,blædəᵣ] *s anat* vezica urinară; băşica udului

urinary system [,juərinəri 'sistim] *s anat* sistemul urinar/excretor

urinate [,juəri,neit] *vi* a urina *F* a lăsa udul

urination [,juəri'neiʃən] *s* urinare, micţiune

urine ['juərin] *s* urină

urinometer [,juəri'nomi:təᵣ] *s med* urinometru

urinoscopy [,juəri'noskəpi] *s med* uroscopie

urn [ə:n] *s* urnă

uro- *pref* uro-: **urogenital** urogenital

urobilin [,juərə'bailin] *s ch* urobilină

urogenital [,juərou'dʒenitəl] *adj anat* urogenital

urologic [,juərə'lodʒik] *adj* urologic

urology [ju'rolədʒi] *s med* urologie

uroscopy [ju'roskəpi] *s v.* **urinoscopy**

urotoxic [,juərə'toksik] *adj med* urotoxic

Urquhart ['ə:kət], **Sir Thomas** *scriitor scoţian (1611-1660)*

Ursa Major ['ə:sə 'meidʒəᵣ] *s astr* Ursa mare/Carul mare

Ursa Minor ['ə:sə 'mainəᵣ] *s astr* Ursa mică/Carul mic

ursine ['əsain] *adj* ursin, de urs

Ursula ['ə:sələ] *nume fem*

Ursuline ['ə:sju,lain] I *s* (călugăriţă) ursulină II *adj* ursulin

urticaria [,ə:ti'kɛəriə] *s med* urticarie

Uruguay ['juərə,gwai] *ţară în America de Sud*

Uruguayan [,juərə'gwaiən] *s, adj* uruguaian

Urundi [u'rundi] *regiune în Africa*

urus [' juərəs] *pl* **uri** [' juərai] *sau* **uruses** [juərəsiz] *s zool* bour, zimbru *(Bos primigenius)*

us [əs, ʌs] *pr pers (pt pers 1 pl, cazul acuzativ şi dativ de la* **we**) pe noi, ne, nouă, ne, ni

US ['ju:'es] I *adj* american, al Statelor Unite II *presc de la* 1 **United States of America** 2 **unserviceable**

U.S.A. *presc de la* 1 **United States of America** 2 **United States Army**

usability [,ju:zə'biliti] *s* caracter utilizabil, posibilitate de utilizare/folosire/întrebuinţare; utilitate

usable ['ju:zəbəl] *adj* utilizabil, care poate fi utilizat/folosit; util, folositor

usableness ['ju:zəbəlnis] *s v.* **usability**

usably ['ju:zəbli] *adv* într-un mod utilizabil/practic/util

U.S.A.E.C. *presc de la* **United States Atomic Energy Commission**

USAF *presc de la* **United States Air Forces** aviația militară americană

usage ['juːzidʒ] *s* **1** folosire, utilizare, întrebuințare **2** uzaj, uz; uzanță **3** obicei, datină

usance ['juːzəns] *s* **1** *v.* **usage 2** *com* uzanță; termen (obișnuit) de plată **3** *înv v.* **usury**

Usashima [juːsəˈʃiːmə] *s amer umor înv* Statele Unite

Usbeg [ʌsˈbeg] *s, adj v.* **Uzbek**

USC *presc de la* **United States Code**

USCG *presc de la* **United States Coast Guard**

USDA *presc de la* **United States Department of Agriculture**

use I [juːs] *s* **1** folos; utilitate, profit; **in ~** folosit; **out of ~** nefolosit; neîntrebuințat **2** folosire, întrebuințare, utilizare **3** *v.* **usability 4** valoare **5** scop, țel, țintă **6** datină, obicei; practică (curentă); **to come in ~** a fi la modă **II** [juːz] *vt* **1** a folosi, a utiliza, a întrebuința **2** a uza **3** a consuma; a lua din **4** a trata *(pe cineva)*, a se comporta/a se purta cu/față de

used [juːzd] *adj* **1** folosit, utilizat, întrebuințat **2** vechi, de ocazie

used-beer department ['juːzd,biə di'paːtmənt] *s canadian sl* toaletă/ WC într-o berărie

used-car lot ['juːz,kaːˈlɔt] *s amer* centru de desfacere a automobilelor de ocazie

used to ['juːstə] **I** *vi (la pret) cu particulă infinitivală* **1** a obișnui să, a avea obiceiul să/de a; **he ~ visit us every day last summer** vara trecută ne vizita zilnic **2** a fi fost în mod curent; **it ~ be very expensive** pe vremuri era foarte scump **II** *adj cu prep* deprins/ obișnuit cu/să; **I am quite ~ it** sunt (întru totul) deprins cu asta

used-to-be ['juːs tə ,biː] *s F v.* **has-been**

used-up ['juːzd,ʌp] *adj* **1** *(d. alimente, provizii etc.)* terminat, consumat, epuizat, sfârșit **2** *(d. persoană)* epuizat, sfârșit, obosit, mort, la capătul puterilor **3** *F* ruinat, sfârșit, terminat; pe dric/drojdie

useful ['juːsful] *adj* **1** folositor, util **2** bun, valoros **3** capabil, de nădejde, util

usefully ['juːsfuli] *adv* în mod util/ folositor; cu folos, nu în zadar, nu degeaba

usefulness ['juːsfulnis] *s* utilitate, caracter util/folositor/rodnic; rodnicie

useless ['juːslis] *adj* **1** inutil, nefolositor; zadarnic **2** inutil, lipsit de valoare; fără nici o valoare **3** fără (nici un) efect; zadarnic, van

uselessly ['juːslisli] *adv* **1** în mod inutil; fără rost **2** zadarnic, în zadar/van

uselessness ['juːslisnis] *s* **1** inutilitate, zădărnicie **2** lipsă de valoare **3** lipsă de efect

user ['juːzəʳ] *s* **1** consumator **2** persoană care folosește ceva, utilizator **3** *jur* uzufructuar **4** *jur* drept de uzufruct **5** persoană care se droghează/ia stupefiante, narcoman, toxicoman, drogat, consumator de droguri *F* drogoman

use up ['juːz 'ʌp] *vt cu part adv* a consuma complet, a folosi până la capăt/până la ultima picătură; a termina, a isprăvi

usher ['ʌʃəʳ] **I** *s* **1** aprod **2** plasator **II** *vt* **1** a conduce; a introduce **2** a anunța; a vesti **3** *fig* a deschide, a inaugura *(o eră etc.)*

usherette [ʌʃəˈret] *s* plasatoare

usher in ['ʌʃər 'in] *vt cu part adv v.* **usher II 2, 3**

ushering in ['ʌʃəriŋ 'in] *s* inaugurare, începere, introducere *(a unui element nou)*

U.S.I.A. *presc de la* **United States Information Agency**

U.S.I.S. *presc de la* **United States Information Service**

U.S.M. *presc de la* **United States Mail**

USN *presc de la* **United States Navy** marina militară americană

U.S.O. *presc de la* **United Service Organization**

u-speaker ['juː, spiːkəʳ] *s* persoană *(↓ aristocrat)* aparținând păturilor înalte ale societății, care vorbește o engleză afectată/cultă *(presc de la* **upper-class English speaker)**

usquebaugh ['ʌskwi,bɔː] *s* **1** un fel de whisky *(în Scoția și Irlanda)*

2 băutură irlandeză din rachiu de diverse arome

USS *presc de la* **1 United States Ship** vas militar american **2 Universities Superannuation Scheme**

USSR *presc de la* **Union of Soviet Socialist Republics**

usu. *presc de la* **1** usual **2** usually

usual ['juːʒuəl] *adj* obișnuit, curent; de uz curent; **as ~** ca de obicei; **as is but ~** după cum se obișnuiește

usually ['juːʒuəli] *adv* de obicei, în mod obișnuit

usualness ['juːʒuəlnis] *s* caracter obișnuit/normal/curent; curență

usufruct ['juːsjuː,frʌkt] *s jur* uzufruct

usufructuary [,juːsjuːˈfrʌktjuːəri] *adj jur* uzufructuar

usurer ['juːʒərəʳ] *s* cămătar

usurious [juːˈzjuːəriəs] *adj* cămătăresc

usuriousness [juːˈzjuːəriəsnis] *s v.* **usury**

usurp [juːˈzəːp] *vt* a uzurpa

usurpation [,juːzəːˈpeiʃən] *s* uzurpare

usurpatory [juːˈzəːpətəri] *adj* uzurpator

usurper [juːˈzəːpəʳ] *s* uzurpator

usurpress [juːˈzəːpris] *s* uzurpatoare

usury ['juːʒuri] *s* **1** camătă, dobândă cămătărească/exagerată **2** speculă cu bani

ut [ʌt] *s muz* (nota) ut, do

U.T. *presc de la* **University Time**

Utah ['juːtaː] *s stat în S.U.A.*

utensil [juːˈtensəl] *s* ustensilă, instrument, unealtă

uteri ['juːtərai] *s pl de la* **uterus**

uterine ['juːtə,rain] *adj* uterin

uterine brother ['juːtə,rain 'brʌðəʳ] *s* frate uterin/după mamă/de aceeași mamă

uterus ['juːtərəs], *pl și* **uteri** ['juːtərai] *s anat* uter, *P* mitră

Utica ['juːtikə] *oraș în S.U.A.*

utilitarian ['juːtiliˈtɛəriən] **I** *adj* utilitar **II** *s* utilitarist

utilitarianism ['juːtiliˈtɛəriənizəm] *s* utilitarism

utility [juːˈtiliti] *s* **1** utilitate, caracter folositor **2** lucru folositor **3** serviciu public *(de salubritate etc.)*; gospodărie comunală

utility car [juːˈtiliti ,kaːʳ] *s auto* autofurgonetă, autoutilitară

utility magnate [ju:'tiliti ,mægnit] *s amer* **1** mare comerciant **2** *ec* capital investit într-o întreprindere de utilitate publică

utility man [ju:'tiliti ,mæn] *s* **1** *teatru sl* (actor care interpretează roluri de) figurant **2** *amer* om bun la toate; factotum

utility program(me) [ju:'tiliti ,prougræm] *s automatică* algoritm; program

utility refuse [ju:'tiliti'refju:s] *s* deșeuri recuperabile/refolosibile

utility vehicle [ju:'tiliti ,vi:ikəl] *s v.* **utility car**

utility waste [ju:'tiliti ,weist] *s v.* **utility refuse**

utilizable ['ju:ti:,laizəbəl] *adj v.* **usable**

utilization [,ju:ti:lai'zeiʃən] *s v.* **use** I **2**

utilize ['ju:ti:,laiz] *vt v.* **use²** 1

utmost ['ʌtmoust] I *adj* **1** extrem **2** maxim **3** suprem II *s* **1** extrem **2** maximum (posibil); efort suprem; **to the ~** la maximum; **to do one's ~** a face tot posibilul, *F* a face pe dracu-n patru

utopia [ju:'toupiə] *s* utopie

utopian [ju:'toupiən] *adj* utopic

utopianism [ju:'toupiənizəm] *s* utopism; caracter utopic

utopian socialism [ju:'toupiən 'souʃəlizəm] *s ist* socialism utopic

utopism ['ju:toupizəm] *s v.* **u-topianism**

utopist ['ju:toupist] *s* utopist, vizionar utopic

utopistic [,ju:tou'pistik] *adj v.* **utopian**

Utrecht ['ju:trekt] *oraș în Olanda*

Utrecht velvet ['ju:trekt ,velvit] *s text* pluș de mohair *(folosit ca stofă de mobilă)*

utricle ['ju:trikəl] *s fiziol, bot* utriculă

utricular [,ju:'trikjulər] *adj fiziol, bot* utricular

Utrillo [ju:'tri:lou], **Maurice** *pictor francez (1883-1955)*

Uttar Pradesh ['utə prɑ:'deiʃ] *stat în India*

utter¹ ['ʌtər] *adj* **1** total, complet **2** cumplit, groaznic; fără cruțare; neînchipuit

utter² ['ʌtər] *vt* **1** a rosti; a pronunța **2** a exprima, a spune **3** a fabrica *(bani falși etc.);* **to ~ false coin** a falsifica bani

utterable ['ʌtərəbəl] *adj* exprimabil, care se poate rosti, care se poate pronunța; ușor de rostit

utterance¹ ['ʌtərəns] *s* capăt, sfârșit, extremitate

utterance² *s* **1** enunț, exprimare **2** declarație **3** rostire **4** glas, voce

utter barrister ['ʌtə ,bæristər] *s jur* avocat care pledează „în afara baroului"/care nu este King's Counsel/nu este membru al baroului

utterer ['ʌtərər] *s* **1** emițător *(de monede false)*, falsificator **2** *lingv* vorbitor, persoană care rostește *(un cuvânt etc.)*

utterly ['ʌtəli] *adv* **1** total, complet, absolut, pe de-a-ntregul, completamente; cu totul, din plin; **~ ruined** complet ruinat, la pământ **2** foarte, peste măsură de, extrem de, din cale afară de, extraordinar, excesiv de

uttermost ['ʌtəmoust] I *adj v.* **utter²** II *s v.* **utmost** II

utterness ['ʌtənis] *s* caracter absolut *(al mizeriei etc.);* totalitate; grad extrem

U.V. *presc de la* **ultra violet**

Uvedale ['ju:vdeil], **Nicholas** *v.* **Udall**

uvula ['ju:vjulə], *pl* **uvulae** ['ju:vjuli:] *s anat* vălul palatin; omușor

uvular ['ju:vjulər] *adj* **1** *anat* referitor la vălul palatin/la omușor **2** *lingv* rostit cu participarea/vibrația vălului palatin

U.W. *presc de la* **underwriter**

UB *presc de la* **unexploded bomb**

uxorial [ʌk'sɔ:riəl] *adj* referitor la soție/nevastă

uxorious [ʌk'sɔ:riəs] *adj* **1** supus nevestei/soției, sub papuc, în casa căruia cântă găina **2** îndrăgostit de nevastă; fidel, credincios; tandru cu nevasta

Uzbeg ['ʌzbeg] *adj, s v.* **Uzbek**

Uzbek ['ʌzbek] I *adj* Uzbec II *s* **1** Uzbec **2** *lingv* (limba) uzbecă

Uzbekistan [,ʌzbeki'stɑ:n] *una din fostele republici sovietice din Asia*

Uzbek Republic, the ['ʌzbek ri'pʌblik, ðə] RSS Uzbecă

V

V, v [viː] *s* litera V, v

V *presc de la* **1** vanadium **2** victory **3** volt **4** voltage

v. *presc de la* **1** vector **2** velocity **3** verb **4** verse **5** versus **6** very **7** vice **8** vide **9** voice **10** volume **11** vowel

VA *presc de la* **1** Veteran Administration **2** vicar apostolic **3** vice admiral **4** volt ampere

V.A. *presc de la* **Order of Victoria and Albert** Cavaler al ordinului Victoria și Albert

Va. *presc de la* **Virginia**

v.a. *presc de la* **verb active**

Vaal, the [vɑːl] *râu în Africa de Sud*

vac. *presc de la* **vacuum**

vacancy ['veikənsi] *s* **1** loc/post liber **2** spațiu/loc gol **3** lapsus; moment de uitare

vacant ['veikənt] *adj* **1** gol, liber, neocupat **2** vacant, neocupat, liber **3** neatent, absent; cu ochii în gol **4** (d. față) fără/lipsit de expresie, inexpresiv **5** uituc, zăpăcit

vacantly ['veikəntli] *adv* **1** neatent, fără atenție/grijă **2** în gol; fără expresie; cu gândurile aiurea

vacantness ['veikəntnis] *s* **1** *v.* **vacancy 1, 2** **2** neatenție, absență, lipsă de atenție **3** uitucenie, zăpăceală **4** caracter inexpresiv, lipsă de expresie

vacant posesssion ['veikənt pə'zeʃən] *s jur* luare în posesie (a unei proprietăți neocupate)

vacant run ['veikənt ‚rʌn] *s tehn* cursă moartă, cursă/parcurs în gol

vacatable [və'keitəbəl] *adj* **1** care poate fi eliberat; (d. locuință) disponibil, liberabil **2** *jur* care poate fi anulat, anulabil

vacate [və'keit] *vt* **1** a lăsa vacant, a elibera **2** a anula

vacating [və'keitiŋ] **I** *adj* demisionar; care părăsește funcția; în retragere **II** *s* eliberare; lăsare liberă (a unui post)

vacation [və'keiʃən] **I** *s* **1** eliberare (a unei case, a unui post); lăsare liberă **2** *amer* vacanță; concediu **II** *vi amer* a pleca în vacanță/ concediu, a-și petrece vacanța/ concediul

vacational [və'keiʃənəl] *adj* de vacanță

vacationer [və'keiʃənər] *s* **1** persoană care eliberează un post; demisionar **2** *v.* **vacationist**

vacationist [və'keiʃənist] *s* vilegiaturist; persoană în concediu/ vacanță; turist

vacation land [və'keiʃən ‚lænd] *s amer* zonă de agrement; zonă turistică; parc de vacanță

vacation pay [və'keiʃən ‚pei] *s* plata concediului; concediu plătit

vaccin ['væksiːn] *adj s v.* **vaccine**

vaccinal ['væksinəl] *adj* vaccinal, de vaccinare

vaccinate ['væksi‚neit] *vt med vet* a vaccina

vaccinated ['væksi‚neitid] *adj med* vaccinat; **to get ~** a se vaccina

vaccination [‚væksi'neiʃən] *s* **1** vaccinare **2** vaccin

vaccinationist [‚væksi'neiʃənist] *s* partizan al vaccinării

vaccinator [‚væksi'neitər] *s* **1** persoană care vaccinează **2** lanțetă pentru vaccinat

vaccine ['væksiːn] **I** *s* vaccin (↓ împotriva variolei) **II** *adj* **1** referitor la vaccinare **2** variolic

vaccine producing ['væksiːn prə‚djuːsiŋ] *adj med* vaccinogen

vaccine therapy ['væksiːn ‚θerəpi] *s med* vaccinoterapie

vaccinia [væk'siniə] *s med vet* variolă

vaccinogenic [‚væksinoˈdʒenik] *adj med* vaccinogen

vacillant ['væsilənt] *adj v.* **vacillating**

vacillate ['væsi‚leit] *vi* **1** a se clătina, a nu avea echilibru **2** a oscila; a se legăna **3** a fluctua **4** a șovăi, a ezita

vacillating ['væsi‚leitiŋ] *adj* **1** care se clatină, șubred **2** oscilant **3** fluctuant **4** șovăielnic, șovăitor, ezitant

vacillatingly ['væsi‚leitiŋli] *adv* **1** în mod oscilant **2** clătinându-se **3** cu șovăială/ezitare, în (mod) șovăielnic/șovăitor/ezitant

vacillation [‚væsi'leiʃən] *s* **1** clătinare

2 oscilație **3** șovăială, ezitare

vacillatory [‚væsi'leitəri] *adj v.* **vacillating**

vacua ['vækjuə] *pl de la* **vacuum**

vacuity [və'kjuːiti] *s* **1** *v.* **vacancy 1, 3** **2** absență, lipsă **3** neatenție, distracție, lipsă de atenție **4** lipsă de idei/gândire; tâmpenie

vacuolar [‚vækju'oulər] *adj biol* vacuolar, cu vacuole

vacuolation [‚vækjuə'leiʃən] *s biol* vacuolare, formarea vacuolelor

vacuous ['vækjuəs] *adj* **1** neatent, distrat **2** stupid, fără noimă; idiot **3** *v.* **vacant 1**

vacuousness [‚vækjuəsnis] *s v.* **vacuity**

vacuum ['vækjuəm] **I** *s* **1** vid **2** gol, lipsă **3** lapsus; scădere a memoriei **4** *v.* **vacuum cleaner** **II** *vt* a curăța cu aspiratorul **III** *vi* a da cu aspiratorul

vacuum air pump ['vækjuəm ‚eə 'pʌmp] *s tehn* pompă de vid

vacuum bottle ['vækjuəm ‚botəl] *s v.* **vacuum flask**

vacuum brake ['vækjuəm ‚breik] *s tehn* frână pneumatică

vacuum chamber ['vækjuəm ‚tʃeimbər] *s tehn* cameră de vid

vacuum clean ['vækjuəm ‚kliːn] *vt* a curăța cu aspiratorul

vacuum cleaner ['vækjuəm ‚kliːnər] *s* aspirator (de praf)

vacuum concrete ['vækjuəm ‚konkriːt] *s constr* beton vacuumat

vacuum dryer ['vækjuəm ‚draiər] *s constr* uscător cu vid

vacuum ejector ['vækjuəm i'dʒektər] *s tehn* ejector cu vid

vacuum filter ['vækjuəm ‚filtər] *s ch* filtru cu vid

vacuum flask ['vækjuəm ‚flɑːsk] *s* termos; sticlă izolantă

vacuum gauge ['vækjuəm ‚geidʒ] *s tehn* vacuum metru; indicator de vid

vacuum pump ['vækjuəm ‚pʌmp] *s tehn* pompă cu vid

vacuum tube ['vækjuəm ‚tjuːb] *s tel* tub electronic cu vid

vacuum valve ['vækjuəm ‚vælv] *s* **1** *v.* **vacuum tube** **2** *tehn* supapă cu vid

V.A.D. *presc de la* **(Member of) Voluntary Aid Detachment** (membru al unui) detaşament auxiliar voluntar

vade-mecum ['veidi'mi:kəm] *s* ghid, agendă, aide mémoire; memento

V. Adm. *presc de la* **vice-admiral**

vadose ['veidous] *adj geol* vados

Vaduz [fɑ'du:ts] *capitala statului Lichtenstein*

vagabond ['væɡə,bɔnd] **I** *s* vagabond, hoinar, *F* haimana, *P* bagabont **II** *adj* vagabond, hoinar **III** *vt* a vagabonda, a hoinări, *F* a umbla aiurea/haihui/creanga/lela

vagabondage ['væɡə,bɔndidʒ] *s* vagabondaj, hoinăreală

vagabonding ['væɡə,bɔndiŋ] *s v.* **vagabondage**

vagabondish ['væɡə,bɔndiʃ] *adj* (cam) vagabond/hoinar/haimana

vagabondism ['væɡə,bɔndizm] *s v.* **vagabondage**

vagabondize ['væɡə,bɔndaiz] *vi* a rătăci, a vagabonda, a hoinări

vagal ['veigəl] *s anat* vagal, referitor la nervul vag

vagarious [və'ɡɛəriəs] *adj* **1** inconstant, nestatornic **2** capricios, fantezist; excentric

vagariously [və'ɡɛəriəsli] *adv* **1** (în mod) inconstant, nestatornic **2** (în mod) capricios/fantezist/excentric

vagary ['veigəri] *s* **1** nestatornicie, inconstanţă **2** excentricitate, caracter fantezist/aiurit/flusturatic **3** capriciu; trăsnaie, ciudăţenie

vagina [və'dʒainə] *pl* şi **vaginae** [və'dʒaini:] *s* **1** *anat* vagin **2** *bot* teacă

vaginae [və'dʒaini:] *pl de la* **vagina**

vaginal [və'dʒainəl] *adj anat* vaginal

vaginate ['vædʒinit] *adj bot* vaginat, cu teacă

vaginismus [,vædʒi'nizməs] *s med* vaginism

vaginitis [,vædʒi'naitis] *s med* vaginită

vagitus ['vædʒitəs] *s* scâncet, vaiet (al nou-născutului)

vago- *pref* vago-: **vagotonia** vagotonie

vagrancy ['veigrənsi] *s* vagabondaj

vagrant ['veigrənt] **I** *adj* **1** vagabond, hoinar **2** rătăcitor **II** *s v.* **vagabond I**

vagrantly ['veigrəntli] *adv* ca un vagabond,/hoinar; *aprox* nomad, *P înv v.* **vagrant I**

vague [veig] *adj* **1** vag **2** nedesluşit, neclar, imprecis **3** nehotărât; nedecis

vaguely ['veigli] *adv* **1** (în mod) vag **2** (în mod) nedeslușit/neclar/imprecis **3** nedecis

vagueness ['veignis] *s* **1** caracter vag **2** caracter nedeslușit/neclar, neclaritate, lipsă de claritate **3** lipsă de hotărâre **4** imprecizie, lipsă de precizie

vaguish ['veigiʃ] *adj* destul de/cam/relativ vag/imprecis, nu prea precis

vagus nerve ['veigəs ,nə:v] *s anat* (nerv) vag

vail¹ [veil] *s* (↓ *pl presc de la* **avail**) *înv* bacşiş, mită, şperţ, ciubuc

vail² [veil] **I** *vt* **1** *înv poetic* a apleca *(arma, steagul)* **2** a scoate *(pălăria)* **3** a înclina *(capul);* a lăsa în jos, a pleca *(ochii);* **to ~ one's pride** a renunţa la mândrie; a se smeri **II** *vt* **(to)** a se pleca *(înaintea cuiva);* a ceda *(cuiva)*

vain [vein] *adj* **1** zadarnic, inutil **2** infructuos, nerodnic, steril; de prisos; **in ~** *v.* **vainly 1 3** prostesc, stupid **4** înfumurat, orgolios

vainglorious [vein'glɔ:riəs] *adj* **1** îngâmfat/închipuit (la culme); (mândru) ca un păun **2** lăudăros, fanfaron

vaingloriously [vein'glɔ:riəsli] *adv* **1** cu îngâmfare; pompos, emfatic **2** în mod lăudăros, cu lăudăroşenie/fanfaronadă

vaingloriousness [vein'glɔ:riəsnis] *s v.* **vainglory**

vainglory ['vein,glɔ:ri] *s* **1** îngâmfare, înfumurare, închipuire **2** caracter pompos, emfază **3** lăudăroşenie, fanfaronadă

vainly ['veinli] *adv* **1** zadarnic, inutil, în zadar, degeaba **2** din/cu orgoliu/înfumurare/îngâmfare

vainness ['veinnis] *s* **1** inutilitate, nimicnicie, lipsă de valoare **2** caracter infructuos/nerodnic, sterilitate; zădărnicie **3** prostie, stupiditate, lipsă de minte **4** *v.* **vainglory 1**

vair [vɛəʳ] *s* în *heraldică* fond de blană singipie

Vaisya ['vaisjə] *s* (în India) **1** casta a treia (a negustorilor şi agricul-

torilor) **2** membru al castei a treia; negustor sau agricultor

vaivode ['vaivoud] *s ist* voievod

Val [væl] *nume masc dim de la* **Valentine**

val. *presc de la* **value**

valance ['væləns] **I** *s* polog, baldachin, uranisc; draperie de pat **II** *vt* a împodobi cu draperii

Valdai [vɑ:l'dai] *podiş în fosta U.R.S.S.*

vale¹ [veil] *interj* adio! rămas bun! la revedere!

vale² [veil] *s* ← *poetic* vale, vâlcea; **this ~; the ~ of tears** lumea asta (chinuită) a noastră; *aprox* valea plângerii; lumea pământească; **~ of years** bătrâneţe (haine grele); vârstă înaintată

valediction [,væli'dikʃən] *s* rămas bun, adio

valedictorian [,væli'diktɔriən] *s amer* student, absolvent

valedictory [,væli'diktəri] **I** *adj* de rămas bun, de adio; de/la despărţire **II** *s* cuvântare/urare la despărţire

valence¹ ['veiləns] *s ch* şi *fig* valenţă

valence² ['veiləns] *s v.* **valance I**

Valencia [va'lenθja] *regiune în Spania*

Valenciennes [,vælənsi'en] *s* dantelă fină

valency ['veiləns] *s ch* valenţă

-valent *suf* -valent: **bivalent** bivalent

valentine ['vælən,tain] *s* **1** iubit sau iubită care se alege la 14 februarie *(ziua Sf. Valentin)* **2** felicitare sau scrisoare de dragoste sau versuri trimise de ziua Sf. Valentin

Valentine Day ['vælən,tain ,dei] *s* Ziua Sfântului Valentin *(14 februarie)*

Valentine State ['vælən,tain,steit] *s amer* statul Arizona *(S.U.A.)*

Valentinian [,vælən'tiniən] *numele mai multor împăraţi romani*

valerate ['vælə,reit] *s ch* valerianat, sare a acidului valerianic/valeric

valerian [və'lɛəriən] *s* **1** *bot* valeriană *(Valeriana officinalis)* **2** *ch* valeriană

valerianic [və,liəri'ænik] *adj ch* valeric, valerianic; derivat din valeriană

valerianic acid [və,liəri'ænik 'æsid] *s ch* acid valeric/valerianic (extras din rădăcină de valeriană)

Valerie ['væləri] *nume fem*

Valéry [vale'ri], **Paul (Ambroise)** *poet și filosof francez (1871-1945)*

valet ['vælit] **I** *s* valet; lacheu; servitor **II** *vt* a sluji (pe cineva) ca valet

valeta [və'li:tə] *s v.* **veleta**

Valetta [və'letə] *v.* **Valletta**

valetudinarian [,væli,tju:di'nɛəriən] **I** *adj* **1** bolnăvicios, valetudinar; firav, belaliu **2** ipohondru **II** *s* **1** bolnav; infirm; țintuit la pat **2** ipohondru

valetudinarianism [,væli,tju:di'nɛə-riənizəm] *s* caracter bolnăvicios/belaliu; sănătate șubredă/firavă

valetudinary [,væli'tju:dinəri] *adj v.* **valetudinarian I**

valgus ['vælgəs] *s anat, med* genu valgus, curbură a încheieturilor; picioare în O, *F* crăcănare

Valhalla [væl'hælə] *paradisul din mitologia scandinavă*

valiance ['væliəns] *adj v.* **valour**

valiancy ['væliənsi] *s v.* **valour**

valiant ['væliənt] *adj. v.* **valorous**

valiantly ['væliəntli] *adv v.* **valorously**

valiantness ['væliəntnis] *s v.* **valour**

valid ['vælid] *adj* **1** valabil **2** acceptat, autorizat **3** serios, (bine) întemeiat; justificat

validate ['væli,deit] *vt* a valida, a confirma

validation ['væli,dei∫ən] *s* validare, legalizare

validity [və'liditi] *s* **1** validitate **2** seriozitate, temei, justificare

validness ['vælidnis] *s v.* **validity**

valine ['veili:n] *s ch* valina, amino-acid cristalin cu valoare nutritivă

valise [və'li:z] *s* **1** valiză **2** raniță

Valkyr ['vælkiə], **Valkyria** [væl'kiəriə], **Valkyrie** [væl'kiəri] *s* Valkirie

Valladolid [,baləðo'lið] *provincie în Spania*

vallecula [və'lekjulə], *pl* **valleculae** [və'lekjuli:] *s anat, bot* brazdă, șanț, canal

vallecular [və'lekjulə], **valleculate** [və'lekjulit] *adj, anat bot* cu șan-țuri/brazde; brăzdat

Valletta [və'letə] *capitala Maltei*

valley ['væli] *s* vale; ~ **of the shadow of death** apropierea/umbra morții

valley floor ['væli flɔ:ʳ] *s geogr* fund de vale

valley pattern ['væli ,pætən] *s geol* tip de vale

valley train ['væli ,trein] *s geol* depozite fluvioglaciale

vallum ['væləm] *s ist* val/zid de apărare construit de romani

Valois [va'lwa:] *ist familie domni-toare din Franța*

valonia [və'louniə] *s bot* ceșcuțe de la ghinda arbustului oriental valonia oak

valonia oak [və'louniə ,ouk] *s bot* arbust oriental veșnic verde din care se extrag coloranți *(pt vopsitorie, tăbăcărie, cerneală) (Quercus aegilops)*

valor ['vælə] *s amer v.* **valour**

valorization [,vælorai'zei∫ən] *s* **1** *ec* subvenționare de către stat **2** *artă* valorație; punere în valoare a culorilor

valorize ['væləraiz] *vt* **1** *ec* a subven-ționa (vânzările) pentru menți-nerea prețurilor **2** *artă* a valoriza, a pune în valoare

valorous ['vælərəs] *adj* **1** viteaz, brav, curajos **2** valoros, de (mare) preț

valorously ['vælərəsli] *adv* **1** cu vitejie/bravură/curaj **2** vitejește

valour ['væləʳ] *s* vitejie, bravură, curaj; dârzenie

Valparaiso [,bɑlpara'isou] *oraș în Chile*

valse [vals] *s* vals

valuable ['væljuəbəl] **I** *adj* valoros, prețios, de (mare) preț **II** *s* lucru/obiect de valoare, valoare

valuableness ['væljuəbəlnis] *s* (mare) valoare, caracter prețios/valoros/de preț, mare preț

valuably ['væljuəbli] *adv* **1** în mod prețios; valoros **2** ca la ochii din cap

valuate ['vælju,eit] *vt* a prețui, a evalua, a estima

valuation [,vælju'ei∫ən] *s* **1** eva-luare, prețăluire, prețuire **2** apreciere, prețuire

valuation ring [,vælju'ei∫ən,riŋ] *s mat* inel de valuare

valuation survey [,vælju'ei∫ən,sə:vi] *s* taxare forestieră

valuator ['vælju,eitəʳ] *s* prețuitor, prețăluitor; persoană care face un deviz, calculator

value ['vælju:] **I** *s* **1** valoare, preț *fig* standard, etalon (valoric); *pl* crez **2** evaluare, prețăluire **3** impor-tanță, însemnătate, prețuire **4** deviz, estimație **5** preț; cost; tarif;

valoare **6** apreciere, prețuire **7** sens, valoare semantică **8** lumi-nozitate **9** *muz* valoare, durată **10** *mat* cantitate **II** *vt v.* **valuate**

value-added tax ['vælju:,ædid'tæks] *s ec* impozit de valoare netă/reală

valued ['vælju:d] *adj* **1** evaluat **2** apreciat; prețuit; valoros

value judg(e)ment ['vælju:,dʒʌdʒ-mənt] *s* judecată de valoare; apreciere (axiologică)

valueless ['vælju:lis] *adj* fără/lipsit de valoare; neînsemnat; neim-portant; lipsit de importanță; inutil

valuelessness ['vælju:lisnis] *s* lipsă de valoare

valuer ['vælju:əʳ] *s* prețuitor, pretă-luitor, calculator; taxator

valuta [və'lu:tə] *s it ec* valută; curs, schimb

valvar ['vælvəʳ], **valvate** ['vælveit] *adj bot, zool* valvar, cu valve/valvule

valve [vælv] *s* **1** supapă, valvă **2** lampă de radio

valve amplifier ['vælv 'æmpli,faiəʳ] *s tel* amplificator cu tuburi

valve bucket ['vælv ,bʌkit] *s tehn* piston de supape

valved [vælvd] *adj* **1** *tel* cu supapă sau supape **2** *bot, zool v.* **valvar**

valve gear ['vælv ,giəʳ] *s tehn* mecanism de supape

valve holder ['vælv ,houldəʳ] *s tel* soclu de tub

valveless ['vælvlis] *adj* **1** fără supape **2** fără lămpi; tranzis-torizat **3** *bot, zool* fără valve/valvule

valve relay ['vælv ,ri:lei] *s el etc.* releu electronic

valve rocker ['vælv ,rokəʳ] *s tehn* culbutor

valve rod ['vælv ,rod] *s* **1** *tehn* tija sertarului, tijă de sertar **2** *cf* bară de comandă a sertarului

valve seat ['vælv ,si:t] *s tehn* scaunul supapei

valve set ['vælv ,set] *s radio* radio (receptor) cu tuburi electronice/cu lămpi

valvula ['vælvjulə] *s bot, zool* valvulă

valvular ['vælvjulə] *adj* valvular

valvule ['vælvju:l] *s biol* valvulă

vambrace ['væmbreis] *s od* platoșă pentru antebraț

vamoose [və'mu:s] *F* **I** *vi* a o întinde, a o șterge, a o lua din loc **II** *interj* valea! șterge-o! întinde-o! cară-te!

vamose ['væmouz] *vi, interj v.* **vamoose**

vamp¹ [væmp] **I** *s* **1** căpută **2** petic **3** *muz* acompaniament improvizat **II** *vt* **1** a încăputa **2** a petici, a pune petic la **3** a repara **4** a face un acompaniament improvizat

vamp² **I** *s* vampă **II** *vt* a stoarce de bani *(pe un bărbat)*, a exploata; a trăi pe spinarea *(cu gen)* **III** *vi* a stoarce bani de la bărbați; a fi/ a duce o viață de damă/de femeie întreținută

vamper ['væmpə'] *s muz* improvizator

vampire ['væmpaiə'] *s și fig* vampir

vampiric ['væm'piric] *adj* vampiric, de vampir

vampirism ['væmpaiə,rizəm] *s* **1** atitudine/comportare de vampir **2** credință în vampiri

vamplate ['væm,pleit] *s od* gardă/platoșă pentru mâna care ține lancea

van¹ [væn] *s* **1** autodubă; camion de mobilă; furgonetă **2** vagon de marfă (acoperit) **3** căruță cu coviltir

van² *s* **1** *și fig* avangardă; **to be in the ~ of** a fi în avangarda/fruntea *(cu gen)* **2** parte din față, frunte

van³ *s* **1** *min* testare a calității mineralului prin spălare pe lopată sau cu mașina **2** *înv* vânturătoare **3** *înv* sau *poetic* aripă *(de pasăre)*

van⁴ *s sport* F avantaj *(la tenis)*

vanadate ['vænə,deit] *s ch* vanadat, sare a acidului vanadic

vanadic [və'nædik] *adj ch* vanadic, referitor la vanadiu sau la acidul vanadic

vanadinite [və'nædi,nait] *s minrl* vanadinit

vanadium steel [və'neidiəm ,sti:l] *s met* oțel (aliat cu) vanadiu

vanadous ['vænədəs] *adj v.* **vanadic**

Van Allen [væn 'ælən], **James Alfred** *fizician american (n. 1914)*

Van Allen (radiation) belt/layer [væn 'ælən (reidi'eiʃən) belt/,lejə'] *s astr* centura (de radiație) Van Allen

Vanbrugh ['vænbrə], **Sir John** *dramaturg englez (1664-1726)*

Vance [væns] *nume masc*

Vancouver [væn'ku:və'] **1** oraș în Canada **2** (**Mount ~**) *munte în Canada*

V. & A. *presc de la* **Victoria & Albert Museum** *(la Londra)*

vandal ['vændəl] **I** *s* vandal; barbar **II** *adj* (de) vandal, barbar

vandalism ['vændə,lizəm] *s* vandalism

vandalistic [,vændə'listik] *adj* sălbatic, barbar, de vandal

vandalize ['vændə,laiz] *vt* a devasta

Van Diemen's Land [væn 'di:mənz ,lænd] *înv* Tasmania

Van Dongen [væn 'dɔngən], **Cornelius** *pictor olandez (1877-1968)*

Van Doren [væn 'dɔ:rən] **1 Carl** *scriitor și critic american (1885-1950)* **2 Mark** *scriitor și critic american (1894-1972)*

Van Dyck [væn'daik] *v.* **Vandyke**

Vandyke [væn'daik], **Sir Anthony** *pictor englez de origine olandeză (1599-1641)*

vandyke *s* **1** *od* guler înalt încrețit **2** barbișon

Van Dyke beard [væn'daik ,biəd] *s* barbișon

vane [vein] *s* morișcă de vânt, giruetă, cucurigu

vanessa [və'nesə] *s ent* fluture stacojiu *(Vanessa sp.)*

Van Eyck [væn'aik] *v.* **Eyck, Jan van**

vang [væn] *s nav* palanc de gardă

Van Gogh [væn 'gɔk] *v.* **Gogh, Vincent van**

vanguard ['vænga:d] *s și fig* avangardă

vanilla [və'nilə] *s* vanilie

vanilla grass [və'nilə ,gra:s] *s bot* iarba Sfintei Marii *(Hierochloa borealis)*

vanillin ['vænilin] *s* vanilină

vanish ['væniʃ] **I** *vi* **1** a dispărea **2** a se șterge, a se estompa, a deveni invizibil **II** *s fon* detentă, sunet final (în descreștere); sunet tranzitoriu

vanishing ['væniʃin] *adj* care dispare, pieritor

vanishing cream ['væniʃin 'kri:m] *s* cremă de zi

vanishing fraction ['væniʃin 'frækʃən] *s mat* fracție care se reduce la zero

vanishing point ['væniʃin ,point] *s geom, artă* punct de fugă

vanitory ['vænitəri] *s* lavabou *(folosit și ca măsuță de toaletă)*

vanity ['væniti] *s* **1** *v.* **vainglory 1 2** inutilitate, zădărnicie, futilitate, lipsă de însemnătate/valoare **3** neseriozitate, lipsă de seriozitate; frivolitate **4** capriciu **5** *v.* **vanity bag 1 6** *amer* măsuță de toaletă

vanity bag ['væniti ,bæg] *s* săculeț pentru farduri

vanity case ['væniti ,keis] *s* poșetă-pudrieră

Vanity Fair ['væniti 'fɛə'] *s* **1** lumea plăcerilor **2** high-life, lumea bună

vanner ['vænə'] *s min* aparat de spălat minereu mărunt

vanquish ['vænkwiʃ] *vt* **1** a învinge, a înfrânge **2** a supune, a cuceri

vanquishable ['vænkwiʃəbəl] *adj* **1** care poate fi învins/înfrânt; vulnerabil **2** care poate fi supus/cucerit

vanquisher ['vænkwiʃə'] *s* cuceritor, învingător

vantage ['va:ntidʒ] *s* avantaj

vantage ground/point ['va:ntidʒ ,graund/,point] *s* poziție avantajoasă/favorabilă; poziție dominantă

vapid ['væpid] *adj* **1** fără gust, insipid **2** *fig* nesărat, insipid, fără haz **3** șters, estompat; monoton

vapidity ['væ'piditi] *s* **1** caracter insipid, lipsa oricărui gust **2** *fig* caracter nesărat, lipsă de haz

vapidly ['væpidli] *adv* (în mod) insipid/neinteresant/plictisitor; fără haz

vapidness ['væpidnis] *s v.* **vapidity**

vapor ['veipə'] *s amer v.* **vapour**

vaporescence [,veipə'resəns] *s* **1** caracter vaporescent **2** evaporare; vaporizare

vaporific [,veipə'rifik] *adj fiz* vaporos, sub formă de vapori

vaporiform [,veipə'ri'fɔ:m] *adj v.* **vaporific**

vaporimeter [,veipə'rimitə'] *s fiz* vaporimetru

vaporizable ['veipə,raizəbəl] *adj* evaporabil; vaporizabil

vaporization [,veipərai'zeiʃən] *s* vaporizare; evaporare

vaporize ['veipə,raiz] **I** *vt* a vaporiza, a evapora **II** *vi* a se vaporiza; a se evapora

vaporizer ['veipə,raizə'] *s* vaporizator

vaporous ['veipərəs] *adj* **1** vaporos; ușor ca un abur **2** cețos; încețoșat

vaporously ['veipərəsli] *adv* ca un abur, în chip de abur/vapori, vaporii

vapour ['veipə'] *s* **1** abur, vapori **2** abureală; aburire; încețoșare **3** *pl fig* aburi de beție; mahmureală **4** beție **5** nebunie

vapour bath ['veipə ‚bɑ:θ] *s* baie de aburi

vapourer ['veipərə'] *s* **1** vaporizator; spray **2** lăudăros, fanfaron

vapourer moth ['veipərə ‚mɔθ] *s ent* molie *(Lymantriidae sp.)* cu femelele fără aripi

vapour galvanizing ['veipə 'gælvə-‚naiziŋ] *s met* zincare (în vapori de zinc)

vapour hood ['veipə ‚hu:d] *s tehn* hotă/rușă de tiraj

vapourish ['veipəriʃ] *adj* **1** *v.* **vaporous 2** lăudăros, fanfaron **3** ipohondru, nevricos

vapour laden ['veipə ‚leidən] *adj (d. atmosferă)* încărcat de vapori, umed

vapour lock ['veipə ‚lɔk] *s auto* pungă de gaze (în conducta de benzină); dop de vapori

vapour pressure ['veipə ‚preʃə'] *s fiz* **1** presiune de vapori **2** presiune de evaporare

vapour space ['veipə ‚speis] *s tehn* spațiu de vapori

vapour tension ['veipə ‚tenʃən] *s fiz* presiune a aburului; presiune de vapori

vapour trail ['veipə ‚treil] *s av* dâră de condensare

vapour tube ['veipə ‚tju:b] *s tehn* țeavă de abur

vapoury ['veipəri] *adj* **1** aburit, încețoșat **2** trist, abătut, mâhnit, posomorât **3** vaporos, gazos, aerian **4** nevricos, ipohondru

vaquero [vɑ:'kerou] *s span amer* cow-boy; văcar

var. *presc de la* **1 variable 2 variant 3 variation 4 variety 5 various**

Varangian [və'rændʒiən] *ist* **I** *adj* varegian, al varegilor **II** *s* vareg

varanus ['værənəs] *s zool* varan, soi de șopârlă sauriană *(Varanus sp.)*

varec(h) ['værek] *s bot* vareh, alge (calcinate)

Varese [væ'reiz], **Edgar** *compozitor american de origine franceză (1885-1965)*

varia ['vɛəriə] *s* varia, miscelanea, opere diverse

variability [‚vɛəriə'biliti] *s* **1** variabilitate, caracter variabil **2** nestatornicie, inconstanță

variable ['vɛəriəbəl] **I** *adj* **1** variabil; schimbător **2** inconstant, nestatornic **II** *s mat etc.* variabilă

variable condenser ['vɛəriəbəl kən'densə'] *s el* condensator variabil

variable feed case [‚vɛəriəbəl ‚fi:d 'keis] *s tehn* cutie de avansuri

variableness ['vɛəriəbəlnis] *s v.* **variability**

variable quantity ['vɛəriəbəl 'kwɔntiti] *s mat* variabilă

variably ['vɛəriəbli] *adv* (în mod) variabil, schimbător; nestatornic

variance ['vɛəriəns] *s* **1** *v.* **variation 2** diversitate; multiplicitate **3** vrajbă, dușmănie, dihonie; **at ~** în dușmănie, în contradicție; care se bat cap în cap **4** *amer* permisiune de abatere de la regulă; excepție; permis; îngăduință

variant ['vɛəriənt] **I** *s* **1** variantă **2** versiune diferită **II** *adj* **1** *v.* **variable 1 2** diferit, altfel **3** facultativ, la alegere

variate ['vɛəriit] *s v.* **variable II**

variation [‚vɛəri'eiʃən] *s* **1** variație, schimbare **2** *astr* declinație **3** *muz* repetiție

variational [‚vɛəri'eiʃənəl] *adj* bazat pe variație, cu caracter de variație

varicella [‚væri'selə] *s med* varicelă, vărsat de vânt

varices ['væri‚si:z] *pl de la* **varix**

varicocele ['værikou‚si:l] *s med* varicocel

varicoloured ['vɛəri‚kʌləd] *adj v.* **variegated**

varicose ['vɛəri‚kous] *adj* **1** cu varice, suferind de varice **2** umflat, inflamat

varicosed ['vɛəri‚koust] *adj v.* **varicose**

varicosity [‚vɛəri'kɔsiti] *s* **1** varice **2** inflamație, umflătură, umflare

varied ['vɛərid] *adj* **1** variat **2** divers, diferit; multiplu **3** *v.* **variable I 1**

variedness ['vɛəridnis] *s* varietate, diversitate

variegate ['vɛəri‚geit] *vt* **1** a varia (culorile) **2** a bălța, împestrița

variegated ['vɛəri‚geitid] *adj* **1** multicolor, bălțat, în multe culori **2** *v.* **varied 1, 2**

variegation [‚vɛəri'geiʃən] *s* diversitate de culori; bălțare, împestrițare

varietal [və'raiitəl] *adj* secundar, nespecific; referitor la o varietate/

subspecie/variantă

varietist [və'raiitist] *s* persoană care face excepție de la regulă; persoană cu comportare aberantă; *F* excepție

variety [və'raiiti] *s* **1** varietate; soi; specie **2** diversitate, multiplicitate, varietate **3** *v.* **variety show**

variety entertainment [və'raiiti ‚entə‚teinmənt] *s v.* **variety show**

variety meat [və'raiiti ‚mi:t] *s* organe (de animale)

variety show [və'raiiti ‚ʃou] *s* (spectacol de) varieteu/music-hall

variety store [və'raiiti ‚stɔ:'] *s* magazin de mărunțișuri

variety theatre [və'raiiti ‚θiətə'] *s* teatru de varietăți/revistă; music-hall

variety turns [və'raiiti ‚tə:nz] *s* numere de music-hall

variform ['vɛəri‚fɔ:m] *adj* multiform; divers, de formă diferită/variabilă

variocoupler [‚vɛəriou'kʌplə'] *s tel* variocuplor

variola [və'raiələ] *s med vet* variolă

variolar [və'raiələ'] *adv med vet* referitor la variolă

variolite ['vɛəriə‚lait] *s min* variolit

variolitic [‚vɛəriə'litik] *adj minrl* variolitic

varioloid ['vɛəriə‚lɔid] *s, adj med* asemănător cu variola

varioloid ['vɛəriə‚lɔid] *adj v.* **variolar**

variometer [‚vɛəri'ɔmitə'] *s tehn* variometru

variorum [‚vɛəri'ɔ:rəm] **I** *s* **1** ediție comentată/adnotată **2** ediție cu variante **II** *adj* **1** din surse diferite **2** comentat, adnotat

various ['vɛəriəs] *adj* **1** divers; variat **2** diferit, deosebit; distinct **3** mulți, multe; numeroși, numeroase

variously ['vɛəriəsli] *adv* (în mod) variat/felurit/divers, în fel și chip

varlet ['vɑ:lit] *s* **1** ← *înv* valet, lacheu; paj **2** *F* mizerabil, prăpădit

varment, varmint ['vɑ:mint] *s* **1** dăunător, vermină **2** ticălos, bandit **3** ← *peior* tip, individ

Varna ['vɑ:nə] *oraș în Bulgaria*

varna ['vɑ:nə] *s* castă principală *(la hinduși)*

varnish ['vɑ:niʃ] **I** *s* **1** lac, vernis **2** smalț, email **3** *fig* spoială, lustru **II** *vt* **1** a lăcui **2** a vernisa **3** *fig* a spoi, a da o spoială/un lustru *(cu dat)* **4** a împodobi, a înfrumuseța

varnishing ['vɑːnɪʃɪŋ] *s* lăcuire, vernisaj

varnishing day ['vɑːnɪʃɪŋ ˌdeɪ] *s* artă vernisaj *(al unei expoziţii);* inaugurare

Varro ['værou], **Marcus Terentius** *scriitor latin (116-27 î.e.n)*

varsity ['vɑːsɪti] *s amer* ← F universitate, alma mater

varus ['vɛərəs] *s anat, med* genu varus, întoarcere a picioarelor spre exterior, *F* picioare cosite/ în X

varve [vɑːv] *s geol* strat de depuneri succesive de mâl *sau* noroi

varved [vɑːvd] *adj geol* (depus) în straturi succesive

vary ['vɛəri] **I** *vt* **1** a modifica, a schimba; a face să varieze **2** a diversifica, a face să difere/să se deosebească **3** a prezenta într-o formă nouă *(o bucată muzicală etc.)* **II** *vi* **1** a varia, a diferi **2** a se modifica, a se schimba **3** a se diversifica **4** a se abate, a devia

varying ['vɛəriɪŋ] **I** *adj* **1** variabil, care variază **2** variat, divers **II** *s* variaţie, variere, schimbare

vas [væs], *pl* **vasa** ['veɪsə] *s anat, bot* vas; canal

vasal ['veɪsəl] *adj anat* vazal, referitor la vase *(↓ la vas deferens)*

Vasari [vəˈsɑːri], **Giorgio** *pictor şi biograf italian (1511-1574)*

vascula ['væskjulə] *pl de la* **vasculum** ['væskjuləm]

vascular ['væskjulə^r] *adj* vascular

vascular bundle ['væskjulə^r 'bʌndl] *s bot* fascicul fibro-vascular

vascularity [væskjuˈlæriti] *s* vascularitate

vascularize ['væskjuləˌraɪz] *vt bot, anat, zool* a vasculariza, a prevedea cu vase

vascularly ['væskjuləli] *adv* prin vase/vascularizare; cu ajutorul vaselor; vascular

vascular plant ['væskjulə ˌplɑːnt] *s bot* plantă vascularizată *(cu vase de liber)*

vasculum ['væskjuləm], *pl* **vascula** ['væskjulə] *s* cutie de ierborizare; ierbar

vas deferens ['væs'defərənz] *s anat* vas deferens, canal deferent *(al spermei)*

vase [vɑːz] *s* vază, vas *(de flori sau ornamental)*

vasectomize [væˈsektəˌmaɪz] *vt med* a face vasectomie/vasotomie *(unui pacient);* a steriliza *(un bărbat)*

vasectomy [væˈsektəmi] *s anat* vasectomie, vasotomie, secţionare a canalelor deferente; sterilizare *(a unui bărbat)*

vaseline ['væsɪˌliːn] *s ch* vaselină

vase painting ['vɑːz ˌpeɪntɪŋ] *s* pictură pe vase/ceramică

vase-shaped ['vɑːzˌʃeɪpt] *adj* vasiform, în formă de vas

vasiform ['vɑːzɪˌfɔːm] *adj v.* **vase-shaped**

vaso- *pref* vaso-: **vasodilator** vasodilatator

vasoconstrictive [ˌveɪzoukənˈstriktɪv] *adj anat* vasoconstrictor

vasoconstrictory [ˌveɪzoukənˈstriktəri] *adj anat* vasoconstrictor

vasodilatation [ˌveɪzəudaɪlə'teɪʃən] *s anat* vasodilatare

vaso-dilator [ˌveɪzoudaɪ'leɪtə^r] *adj anat* vasodilatator

vasomotor [ˌveɪzou'moutə^r] *adj* vasomotor

vassal ['væsəl] **I** *s* vasal; supus (feudal) **II** *adj* **1** vasal, supus, aservit **2** (cu caracter) de vasal; referitor la vasalitate

vassalage ['væsəlidʒ] *s* **1** vasalitate **2** aservire, supunere

vast [vɑːst] *adj* **1** vast, mare **2** întins, răspândit, extins **3** uriaş, colosal, gigantic, enorm

vastitude ['vɑːstɪtjuːd] *s* **1** vastitate, caracter vast **2** întindere, extindere, răspândire (mare) **3** caracter gigantic/colosal

vastity ['vɑːstɪti] *s v.* **vastitude**

vastly ['vɑːstli] *adv* **1** vast, întins **2** mult, enorm, colosal **3** în mare măsură/parte

vastness ['vɑːstnɪs] *s v.* **vastitude**

V.A.T. *presc de la* **value added tax**

vat colours ['væt ˌkʌləz] *s pl ch* coloranţi de cadă

vatful ['vætful] *s* conţinutul unei căzi; cadă de baie; copaie; albie; troacă

vatic ['vætik] *adj lit* profetic, inspirat; vaticinar

Vatican, the ['vætikən, ðə] *s* **1** Vaticanul **2** papalitatea

Vatican City, the ['vætikən ˌsɪti, ðə] *s* Vaticanul, oraşul Vatican

vaticanism ['vætikənɪzəm] *s* ultramontanism, dogma autorităţii

papale suverane

Vatican State, the ['vætikən ˌsteɪt, ðə] Vaticanul, statul Vatican

vaticinal [væˈtɪsɪnəl] *adj* profetic, vaticinar; referitor la profeţie/ preziceri/proorociri

vaticinate [væˈtɪsɪˌneɪt] **I** *vt rel* a profeţi, a proroci, a prevesti **II** *vi* a face proorociri/profeţii/prevestiri

vaticination [ˌvætɪsɪˈneɪʃən] *s rel* prevestire, profeţie, prezicere

Vauban [vo'bɑ̃], **Sébastien** *constructor şi militar francez (1633-1707)*

vaudeville ['voudəvɪl] *s* **1** *amer* operetă **2** *v.* **variety show** **2** *înv* vodevil; piesă cu cântece **3** *înv* cântec(el) comic, cuplet

vaudevillist ['voudəvɪlɪst] *s* autor de vodeviluri

Vaudois ['voudwɑː] **I** *adj* **1** referitor la/din regiunea elveţiană Vaud **2** referitor la secta puritană medievală Waldenses **II** *s* (*pl* ~) **1** locuitor din regiunea elveţiană Vaud **2** *lingv* dialectul Vaud **3** *rel ist* membru al sectei puritane Waldenses

Vaughan [vɔːn], **Henry** *poet englez (1622-1695)*

Vaughan Williams ['vɔːn wiliəmz], **Ralph** *compozitor englez (1872-1958)*

vault [vɔːlt] **I** *s* **1** boltă **2** pivniţă **3** criptă, cavou **4** vistierie, trezorerie; tezaur **5** casă de bani, safe **6** salt, săritură, voltă *(cu prăjina etc.)* **II** *vt* **1** a bolti **2** a sări (peste) făcând o voltă **III** *vi* a sări cu voltă

vaultage ['vɔːltɪdʒ] *s arhit* (şir de) bolţi

vaulted ['vɔːltid] *adj* **1** boltit **2** arcuit, ca o arcadă **3** acoperit de o boltă

vaulter ['vɔːltə^r] *s* săritor; acrobat

vaulting ['vɔːltɪŋ] *s* **1** boltire, arcuire **2** boltă **3** *sport* săritură, salt (peste capră); *hipism* voltijă

vaulting horse ['vɔːltɪŋ ˌhɔːs] *s* capră *(la gimnastică)*

vaunt [vɔːnt] **I** *s* laudă (de sine), lăudăroşenie, fanfaronadă **II** *vi* a se lăuda, a face fanfaronadă **III** *vt* a se lăuda cu, a etala

vaunt-courier ['vɔːnt 'kuːrɪə^r] *s înv* premergător; înaintaş; vestitor/ herald care merge înainte

vaunter ['vɔːntə^r] *s* ← *înv* lăudăros, fanfaron

vauntful ['vɔːntful] *adj v.* **vainglorious**

vaunting ['vɔːntiŋ] **I** *adj v.* **vainglorious II** *s v.* **vainglory**

vauntingly ['vɔːntiŋli] *adv v.* **vaingloriously**

vaunty ['vɔːnti] *adj v.* **vainglorious**

vavasorial ['vævə,sɔːriəl] *adj ist* referitor la vavasouri/la vasali intermediari

vavasory ['vævə,sɔːri] *s ist*domeniu al unui vasal intermediar *v.* **vavasour**

vavasour ['vævə,sɔːʳ] *s ist* vasalul unui vasal, vasal intemediar

vb. *presc de la* **verb**

VC *presc de la* **1 valuation clause 2 veterinary corps 3 vice-chancellor 4 vice-consul 5 Victoria Cross**

VD *presc de la* **1 vapour density 2 various dates 3 veneral disease**

V. Day ['viː ,dei] *s* Ziua Victoriei

VE *presc de la* **Victory in Europe** *(după cel de-al doilea război mondial)*

veal [viːl] *s* carne de vițel

veal broth [viːl ,brɔθ] *s* supă (concentrată) bulion de/din carne de vițel

veal skin [viːl ,skin] *s med* vitiligo

vector ['vektəʳ] *s mat, fiz, biol* vector

vectorial [vek'tɔriəl] *adj mat, fiz* vectorial

vector potential ['vektər pou,tenʃəl] *s el* potențial vectorial

Veda ['veidə] *s* **1** *cărțile sfinte ale hindușilor* **2** *culegere de imnuri religioase și formule liturgice*

Vedanta [vi'dɑːntə] *s (în India)* **1** Upanișadele, tălmăcirea/explicarea Vedelor **2** filosofie monastică a hindușilor bazată pe explicarea Vedelor

Vedantic [vi'dɑːntik] *adj (în India)* referitor la Vedanta

Vedantist [vi'dɑːntist] *s (în India)* adept al Vedantei

VE day ['viːʼiː ,dei] *s* ziua Victoriei în Europa *(8 mai 1945)*

Vedda ['vedə] *s* băștinaș din Sri Lanka; ceilonez

vedette [vi'det] *s mil* sentinelă înaintată *(în fața unui avanpost)*

vedette boat [vi'det ,bout] *s nav mil* vedetă (rapidă), șalupă/navă de patrulare/pază

vedic ['veidik] **I** *adj* referitor la (cărțile sfinte) Vede **II** *s lingv* sanscrită veche, limba Vedelor

vee [viː] *s* (litera) V

veep [viːp] *s F v.* **vice-president**

veer [viəʳ] *vi* **1** a vira **2** a coti

veering ['viərin] *s* virare, viră; cotire, viraj

veg. *presc de la* **vegetable**

Vega ['viːgə] *s astr* Vega (din Lira)

Vega ['veigə], **Lope de** *dramaturg spaniol (1562-1635)*

vegan ['viːgən] **I** *adj* vegetarian (strict) **II** *s* vegetarian convins/ înrăit

vegetable ['vedʒtəbəl] **I** *s* **1** legumă **2** plantă **II** *adj* vegetal

vegetable colours ['vedʒtəbəl 'kʌləz] *s pl* culori vegetale

vegetable diet ['vedʒtəbəl 'daiət] *s* regim vegetal/vegetarian

vegetable garden ['vedʒtəbəl ,gɑːdn] *s* grădină de zarzavaturi/legume

vegetable gum ['vedʒtəbəl 'gʌm] *s bot* clei vegetal, rășină naturală

vegetable kingdom, the ['vedʒtəbəl 'kiŋdəm, ðə] *s* regnul vegetal

vegetable marrow ['vedʒtəbəl 'mærou] *s bot* dovlecel *(Cucurbita pepo orifera)*

vegetable oil ['vedʒtəbəl 'ɔil] *s* ulei vegetal; untdelemn

vegetable physiology ['vedʒtəbəl ,fizi'ɔlədʒi] *s* fiziologia plantelor

vegetable silk ['vedʒtəbəl 'silk] *s* mătase vegetală

vegetable sulphur ['vedʒtəbəl 'sʌlfəʳ] *s bot* pedicuță, brădișor *(Lycopodium annotinum)*

vegetable tar ['vedʒtəbəl 'tɑːʳ] *s* gudron de lemn, gudron vegetal

vegetal ['vedʒitəl] **I** *adj* vegetal **II** *s* plantă, vegetală

vegetal functions ['vedʒitəl 'fʌnkʃənz] *s fizl* funcții fiziologice, vegetative

vegetarian [,vedʒi'tɛəriən] **I** *s* **1** vegetarian **2** ierbivor **II** *adj* vegetarian

vegetarianism [,vedʒi'tɛəriənizəm] *s* vegetarianism

vegetate ['vedʒi,teit] *vi și fig* a vegeta

vegetation [,vedʒi'teiʃən] *s* **1** vegetație **2** vegetare, existență/viață vegetativă **3** *med* vegetație, polipi

vegetational [,vedʒi'teiʃənəl] *adj* referitor la vegetație

vegetative ['vedʒitətiv] *adj* vegetativ

vegetatively ['vedʒitətivli] *adv* (în mod) vegetativ; cu funcții vegetative/fiziologice

vegetativeness ['vedʒitətivnis] *s biol* caracter vegetativ; viață vegetativă

vegeto-animal ['vedʒitou 'æniməl] *s* vegeto-animal

vegeto-mineral ['vedʒitou 'minərəl] *adj* vegeto-mineral

vehemence ['viːiməns] *s* vehemență, caracter vehement; violență

vehement ['viːimənt] *adj* **1** vehement, **2** violent **3** puternic, viguros

vehemently ['viːiməntli] *adv* **1** vehement, cu vehemență **2** violent, cu violență **3** puternic, (în mod) viguros

vehicle ['viːikəl] *s* **1** vehicul **2** mod, mijloc, modalitate

vehicular ['vi'hikjuləʳ] *adj* vehicular

vehicular transport ['vi'hikjulə 'trænspɔːt] *s auto* transport, transport auto

vehmgericht ['feimgeriht] *s ist* **1** tribunal medieval secret *(↓ în Westfalia între 1200-1250)* **2** sistem de tribunale secrete

vehmgerichtic ['feimge,rihtik] *adj ist* referitor la tribunalele secrete *v.* **vehmgericht**

veil [veil] **I** *s* **1** văl, voal; **to take the ~** a se face maică, a se călugări **2** *fig* paravan, văl; camuflaj **3** voalare/îngroșare a vocii; voce voalată/răgușită **II** *vt* **1** a învălui **2** a voala **3** a ascunde, a tăinui

veiled [veild] *adj* **1** acoperit cu văl/ voal **2** *fig* voalat **3** tăinuit, ascuns, tainic, secret **4** deghizat

veiledly [veildli] *adv* (în chip) voalat, pe ocolite/ascuns; discret, în taină; cu perdea

veiling ['veiliŋ] *s* **1** învăluire **2** *și fig* voalare **3** ascundere; deghizare, camuflare

veilless ['veillis] *adj* **1** fără văl/voal **2** fățiș, deschis **3** descoperit, gol

vein [vein] **I** *s* **1** anat, zool vână **2** *bot, zool* nervură **3** *fig* dispoziție, toană; ton **II** *vt* **1** a stria, a prevedea cu vine **2** a ramifica

vein blanket [' vein ,blæŋkit] *s geol* filon orizontal/plan

veined [veind] *adj* **1** vânos, cu vine, plin de vine **2** filonian, cu filoane

veining ['veiniŋ] *s anat, zool, bot* reticulare, inervație cu vene

veinlet [' veinlit] *s anat* vinișoară, venulă

vein like ['vein ,laik] *adj* ca o vână; în formă de vână/venă

veinous ['veinəs] *adj biol* vânos, cu vine

vein rock ['vein ,rɔk] *s geol* rocă filoniană

veinstone ['vein,stoun] *s v.* **vein rock**

vein wood ['vein ,wud] *s* lemn de nervură

veiny ['veini] *adj* 1 *v.* **veined** 2 fibros, vânos; cu fibre/nervuri

vel. *presc de la* 1 **vellum** 2 **velocity**

vela ['vi:lə] *s pl de la* **velum**

velamen [və'leimən], *pl* **velamina** [və'læminə] *s bot* membrană care învelește (↓ *rădăcina aeriană a orhideii*)

velar ['vi:lə'] *adj anat, lingv* velar, legat de palatul moale, de vălul palatului

Velasquez [vi'læskwiz], **Diego Rodriguez** *pictor spaniol (1599-1660)*

Velazquez *v.* **Velasquez**

veld [feld] *s v.* **veldt**

veldt [velt] *s* stepă, savană *(în Africa de Sud)*

veld(t)schoen [' velt,skun] *s* mocasin (din piele netăbăcită); *aprox* opincă *(în Africa de Sud)*

veleta [və'litə] *s* dans (spaniol) de salon în ritm ternar

velitation ['veli'teiʃən] *s înv* 1 încăierare, bătaie; luptă 2 controversă, discuție, ceartă

velleity [ve'li:iti] *s* 1 dorință slabă 2 tendință, înclinație, înclinare

vellum ['veləm] I *s* 1 pergament 2 hârtie pergament II *adj* de pergament; ca pergamentul

vellum paper ['veləm ,peipə'] *s v.* **vellum I** 1

Velma ['velmə] *nume fem*

velocimeter [,velou'simitə'] *s tehn* tahimetru, vitezometru

velocipede [vi'lɔsi,pi:d] *s* 1 velociped 2 ← *înv* bicicletă 3 ← *înv* triciclu 4 drezină (de mână)

velocipede car [vi'lɔsi,pi:d ,kɑ:'] *s înv v.* **velocipede**

velocity head [vi'lɔsiti ,hed] *s tehn* presiune/înălțime dinamică

velocity of escape [vi'lɔsiti əvis-'keip] *s fiz, astr* viteză necesară ieșirii din sfera de gravitație a pământului

velocity of light [vi'lɔsiti əv,lait] *s* viteza luminii

velocity pressure [vi'lɔsiti ,preʃə'] *s v.* **velocity head**

velodrome ['vi:lə,droum] *s* velodrom

velour [və'luə'] *s v.* **velours**

velours [ve'luə'] *s* 1 *v.* **velvet 1 2** pâslă, fetru *(pt pălării)*

velouté [vəlu:'tei] *s gastr* (sos de) ciulama; sos alb

velskoon ['felt,skun] *s v.* **veld(t)schoen**

velutinous [və'lu:tinəs] *adj ent, bot* (moale și) pufos, catifelat

velum ['vi:ləm], *pl* **vela** ['vi:lə] *s anat* vălul palatului, S velum

velvet ['velvit] I *s* catifea; **on ~** *fig* pe roze; ca în sânul lui Avram II *adj* 1 de catifea 2 catifelat, cu aspect de catifea

velvet bean ['velvit ,bi:n] *s bot* fasole furajeră din sudul S.U.A. *(Mucuna deeringiana)*

velveteen [,velvi'ti:n] *s* 1 diftină 2 *pl* haine de diftină

velvety ['velviti] *adj* 1 *v.* **velvet II** 2 onctuos, mieros

ven. *presc de la* **venerable**

vena ['vi:nə], *pl* **venae** ['vi:ni:] *s anat* venă

vena cava ['vi:nə 'keivə], *pl* **venae cavae** ['vi:nii ,keivi:] *s anat* vena cavă

venal ['vi:nəl] *adj* venal, corupt

venality [vi:'næliti] *s* venalitate, corupție

venally [vi:'næli] *adv* în mod venal

venation [vi:'neiʃən] *s bot* poziția nervurilor

venatorial [,vi:nə'tɔ:riəl] *adj* cinegetic, vânătoresc, de vânătoare

vend [vend] *vt* a vinde, a scoate la vânzare

vendace ['vendeis] *s iht* peștișor din lacurile Angliei *(Coregonus albula)*

vendee [ven'di:] *s jur* cumpărător

vender ['vendə'] *s v.* **vendor**

vendetta [ven'detə] *s it* vendetă, răzbunare, spirit răzbunător

vendeuse [vɑ:də:z] *s fr* vânzătoare (↓ *în magazine de modă*)

vendibility [,vendə'biliti] *s com* vandabilitate, caracter vandabil

vendible ['vendəbəl] I *adj* vandabil II *s* articol vandabil

vending machine ['vendiŋ mə'ʃi:n] *s* automat *(pt vânzarea dulciurilor etc.)*

vendor ['vendə'] *s* vânzător (↓ *ambulant*)

vendor's lien ['vendəz ,li:ən] *s jur* privilegiu al vânzătorului

vendue ['vendju:] *s amer* licitație (publică)

veneer [vi'niə'] I *s* 1 furnir 2 *fig v.* **varnish I 3** II *vt* 1 a furnirui 2 *fig v.* **varnish II 3**

veneering [vi'niəriŋ] *s* 1 furniruire 2 *v.* **veneer I 1 3** *fig v.* **varnish I 3**

veneering wood [vi'niəriŋ ,wud] *s* lemn de placaj

veneering moth [vi'niəriŋ ,mɔθ] *s ent* molie de culoarea furnirului *(Crambidae sp.)*

veneer saw frame [vi'niə ,sɔ:'freim] *s tehn* gater pentru furnir

venepuncture [,veni'pʌŋktʃə'] *s med* 1 venepunctură, flebotomie *(pt luare de sânge)* 2 injecție intravenoasă

venerability [,venərə'biliti] *s* 1 caracter venerabil 2 onorabilitate, respectabilitate

venerable ['venərəbəl] *adj* 1 venerabil 2 onorabil, respectabil

venerableness ['venərəbəlnis] *s v.* **venerability**

venerably ['venərəbli] *adv* venerabil

venerate ['venə,reit] *vt* a venera, a adora

veneration [,venə'reiʃən] *s* 1 venerație 2 adorație

venerator [,venə'reitə'] *s* adorator, închinător

venereal [vi'niəriəl] *adj* veneric

venereal disease [vi'niəriəldi'zi:z] *s* boală venerică

venereology [vi'niəri'ɔlədʒi] *s med* venerologie

venerer [vi'niərə'] *s înv* vânător

venery¹ ['venəri] *s* 1 cinegetică, vânătoare 2 vânat, animale vânate

venery² *s* 1 raporturi/relații sexuale 2 desfrâu (sexual), destrăbălare, erotomanie

Venetes ['venəti:z] *s pl v.* **Veneti**

Veneti ['venətai] *s pl ist* 1 populație galică 2 populație din Italia de nord-est

Venetia [vi'ni:ʃə] *provicie italiană*

Venetian [vi'ni:ʃən] *adj* venețian

Venetian blind [vi'ni:ʃən 'blaind] *s* jaluzea

Venetian boat [vi'ni:ʃən 'bout] *s* gondolă

Venetian bolt [vi'ni:ʃən 'boult] *s* mâner de jaluzea

Venetian carpet [vi'ni:ʃən 'kɑ:pit] *s* covor ieftin, ordinar; *aprox* preș (↓ *pt scări*)

Venetian chalk [vi'ni:ʃən 'tʃɔ:k] *s ch* talc de Veneția

Venetian glass [vi'ni:ʃən 'glɑ:s] *s* sticlă fină *(de Murano)*

Venetian mast [vi'ni:ʃən 'mɑːst] *s* stâlp multicolor *(pt pavoazarea străzii)*

Venetian pearl [vi'ni:ʃən 'pəːl] *s* perlă artificială

Venetian red [vi'ni:ʃən 'red] *s* roșu venețian

Venetian window [vi'ni:ʃən 'window] *s arhit* fereastră triplă cu arcadă la mijloc

Venetic [vi'netik] *lingv* I *s* dialectul venet/veneților II *adj* referitor la dialectul venet

Veneto ['venetə] *s lingv v.* **Venetic I**

Venezia [ve'netsjɑ] *v.* **Venetia**

Venezia Giulia [və'netsjɑ 'dʒju:lja] *regiune în Italia*

Venezuela ['veni'zweilə] *țară în America de Sud*

Venezuelan [,veni'zweilən] *adj* venezuelean, din Venezuela

vengeance ['vendʒəns] *s* răzbunare; **to take ~ upon** a se răzbuna pe; **with a ~ a** din plin; și încă cum **b** strașnic, grozav

vengeful ['vendʒful] *adj* răzbunător, vindicativ

vengefully ['vendʒfuli] *adv* (în spirit) răzbunător

vengefulness ['vendʒfulnis] *s* caracter răzbunător/vindicativ

venial ['vi:niəl] *adj* ↓ *rel* scuzabil, (ușor) de iertat

veniality [,vi:ni'æliti] *s rel* caracter scuzabil, lipsă de gravitate, scuzabilitate

venially ['vi:niəli] *adv rel* (în mod) scuzabil/pardonabil

venialness ['vi:niəlnis] *s rel v.* **veniality**

Venice ['venis] *oraș în Italia* Veneția

Venice, the Gulf of ['venis, ðə'gʌlfəv] Golful Veneției

venipuncture ['veni,pʌŋktʃəʳ] *s v.* **venepuncture**

venire [vi'naiəʳ] *s jur v.* **venire facias 1, 2**

venire facias [vi'naiə 'feiʃiæs] *s jur* 1 citație, mandat de prezentare în instanță 2 *amer* citație colectivă pentru jurați 3 *amer* grup de persoane citate pentru a selecta dintre ele jurații într-un proces

venire man [vi'naiəmən] *s jur amer* jurat

venisection [,veni'sekʃən] *s v.* **venepuncture**

venison ['venzən] *s* carne de vânat (↓ *căprioară*)

venite [vi'naiti] *s minrl* venit, adergnais

Venizelos [,veni'zelos], **Eleutheros** *politician grec (1864-1936)*

venom ['venəm] *s și fig* venin

venomous ['venəməs] *adj* 1 veninos 2 otrăvitor 3 *fig* rău, hain, crud

venomously ['venəməsli] *adv* 1 în mod otrăvitor/veninos 2 *fig* cu răutate/maliție

venomousness ['venəməsnis] *s* 1 caracter veninos/otrăvitor 2 *fig* răutate, maliție, malițiozitate

venose ['vi:nous] *adj anat* venos

venous ['vi:nəs] *adj* 1 cu vine/ vinișoare 2 *anat v.* **venose**

vent [vent] I *s* 1 ieșire, scăpare; **to give ~ to** v. ~ II 2 2 *fig* ușurare 3 *tehn* supapă 4 *tehn* eșapament II *vt* 1 a da cep la 2 *fig* a slobozi, a da drumul la, a lăsa să izbucnească; a-și vărsa *(mânia, focul etc.)*; a da frâu liber *(cu dat)*

ventage ['ventidʒ] *s* 1 răsuflătoare 2 *muz* clapă *(la instrumentele de suflat)*

venter [' ventəʳ] *s* 1 *anat* pântece, abdomen, burtă 2 *jur* căsnicie, mariaj, căsătorie; **by one ~** din aceeași căsătorie; **she had two children by another ~** avea doi copii din altă căsătorie

vent hole ['vent ,houl] *s* răsuflătoare, supapă

ventiduct ['venti,dʌkt] *s constr* conductă de ventilație

ventifact ['venti,fækt] *s geol, minrl* piatră fasonată de viiturile cu nisip

ventil ['ventil] *s muz* 1 valvă a instrumentelor de suflat 2 clapă de reglare a aerului *(la orgă)*

ventilate ['venti,leit] *vt* 1 a ventila 2 a aerisi 3 a răspândi 4 *fig* a agita, a ventila, a răspândi *(o idee)*

ventilating fan ['venti,leitiŋ 'fæn] *s* ventilator

ventilating pipe ['venti,leitiŋ 'paip] *s tehn* conductă de aspirație

ventilation [,venti'leiʃən] *s* 1 ventilație 2 aerisire 3 discuție publică

ventilator ['venti,leitəʳ] *s* ventilator

ventilatory ['venti,leitəri] *adj* de/ referitor la ventilație

ventless ['ventlis] *adj tehn* fără supapă

vent peg ['vent ,peg] *s* vrană; cep; produf

vent pipe ['vent ,paip] *s constr* conductă de ventilație/respirație

ventral ['ventrəl] *adj* 1 ventral; abdominal 2 axial

ventral fins ['ventrəl 'finz] *s pl iht* aripioare ventrale

ventrally ['ventrəli] *adv* ventral

ventral rupture ['ventrəl 'rʌptʃəʳ] *s med* hernie abdominală

ventre à terre [,vɑ:ntrɑ:'tɛəʳ] *adv* mâncând pământul; în plină viteză; în fuga mare

ventricle ['ventrikəl] *s anat* ventricol

ventricose ['ventri,kous] *adj umor* pântecos, burduhănos

ventricular [ven'trikjuləʳ] *adj* ventricular

ventriloquial [,ventri'loukwiəl] *adj* (de) ventrilog

ventriloquism [ven'trilə,kwizəm] *s* vorbire din burtă, ventrilogie

ventriloquist [ven'triləkwist] *s* ventrilog

ventriloquistic [ven,trilə'kwistik] *adj* de ventrilog

ventriloquize [ven'trilə,kwaiz] *vt* a vorbi din burtă, a fi ventriloc

ventriloquy [ven'triləkwi] *s v.* **ventriloquism**

ventripotent [,ventri'poutənt] *adj lit* 1 pântecos, cu burtă mare, *F←* burtos, burduhănos 2 lacom, nesățios

venture ['ventʃəʳ] I *s* 1 aventură 2 risc, hazard; **at a ~ a** la risc **b** la întâmplare 3 speculație 4 *ec* ↓ *amer* societate pe acțiuni, companie II *vt* 1 a risca; a îndrăzni să facă *(o observație etc.)* 2 a exprima III *vi* 1 a îndrăzni 2 a se aventura; a risca

venturesome ['ventʃəsəm] *adj* 1 aventuros; temerar 2 riscant 3 nesăbuit, nechibzuit

venturesomely ['ventʃəsəmli] *adv* (în mod) aventuros

venturesomeness ['ventʃəsəmnis] *s* natură aventuroasă, spirit aventuros

venue ['venju:] *s* 1 loc de judecată 2 loc de întâlnire

venule ['venju:l] *s anat* venulă, vinișoară

Venus ['vi:nəs] 1 *mit* Venus, Venera, Zeița frumuseții și a dragostei 2 *astr* (planeta) Venus

Venusberg ['vi:nəs,bə:g] *munte în Gemania*

Venushair ['vi:nəs,hɛəʳ] *s bot* părul fetei *(Adiantum capillus-veneris)*

Venusian [vi'nju:ziən] *adj* referitor la planeta Venus

Venus's comb ['vi:nəsiz ,koum] *s bot* acul doamnei *(Scandix pecten Veneris)*

Venus's flytrap ['vi:nəsiz ,flaitræp] *s bot* dionea *(Dionaea muscipula)*

Venus's needle ['vi:nəsiz ,ni:dl] *s v.* **Venus's comb**

Venus's slipper ['vi:nəsiz ,slipəʳ] *s bot* papucul doamnei *(Cypripedium sp.)*

ver. *presc de la* **verse**

Vera ['viərə] *nume fem*

veracious [ve'reiʃəs] *adj* **1** adevărat **2** veridic **3** demn de încredere

veraciously [ve'reiʃəsli] *adv* în mod veridic, adevărat, cu mult adevăr

veraciousness [ve'reiʃəsnis] *s v.* **veracity**

veracity [ve'ræsiti] *s* **1** adevăr **2** veridicitate **3** sinceritate

Vera Cruz [,verə'kruz] *stat și oraș în Mexic*

Veracruz *v.* **Vera Cruz**

veranda [və'rændə] *s* verandă

verandah *s v.* **veranda**

verb [və:b] *s* verb

verb active ['və:b 'æktiv] *s gram* verb activ/tranzitiv

verbal ['və:bəl] **I** *adj* **1** verbal **2** cuvânt cu cuvânt **II** *s gram* formă nepersonală a verbului; mod nepersonal

verbalism ['və:bəlizəm] *s* **1** vorbărie; pălăvrăgeală **2** despicare a firului în patru, *F* pisălogeală **3** ← *înv* expresie, locuțiune

verbalist ['və:bəlist] *s* **1** lexicolog **2** creator/născocitor de cuvinte **3** critic care nu analizează decât cuvintele

verbalization [,və:bəlai'zeiʃən] *s* **1** *gram* verbalizare, transformare în verb **2** redare prin cuvinte *(a unei idei)*, exprimare verbală, formulare în cuvinte

verbalize ['və:bə,laiz] **I** *vt* **1** *gram* a verbaliza, a supune conversiunii, a preface *(o parte de vorbire)* în verb, a folosi *(un subst etc.)* ca verb **2** a formula, a exprima *(o idee)* prin cuvinte **II** *vi* a fi vorbăreț/guraliv, a trăncăni, a flecări

verbally ['və:bəli] *adv* **1** verbal, oral **2** literal, cuvânt cu cuvânt, mot-à-mot

verbal noun ['və:bəl ,naun] *s gram* substantiv verbal

verbatim [və'beitim] *adv* cuvânt cu cuvânt; exact (în aceleași cuvinte)

verbatim report [və'beitim ri'pɔ:t] *s* relatare cuvânt cu cuvânt

verb auxiliary ['və:b ɔ:g'ziliəri] *s gram* verb auxiliar

verbena [və:'bi:nə] *s bot* verbină, vervenă

verbiage ['və:biidʒ] *s* **1** verbiaj, prolixitate, poliloghie; limbuție **2** exprimare; dicțiune

verbicide ['və:bisaid] *s umor* persoană care masacrează cuvintele/limba; agramat, om care pocește *sau* folosește greșit cuvintele

verbid ['və:bid] *s v.* **verbal II**

verb neuter [və:b'nju:təʳ] *s lingv* verb intranzitiv

verbose ['və:bous] *adj* **1** limbut, guraliv **2** prolix, suferind de verbiaj **3** *fig* înflorit, cu înflorituri

verbosely ['və:bousli] *adv* **1** prolix, încâlcit **2** guraliv, vorbăreț

verboseness ['və:bousnis] *s v.* **verbosity**

verbosity [və:'bositi] *s* **1** *v.* **verbiage 1 2** limbuție, caracter guraliv **3** potop de cuvinte

verboten [fer'bɔ:tən] *adj germ* interzis, oprit, nepermis (↓ *de către autorități*)

verb. sap ['və:b 'sæp] *interj* și gata! atât! *F* atâta tot (și lada-n pod)! inutil să mai explic(i)!

verdancy ['və:dənsi] *s* **1** verdeață, verde crud, culoare verde (proaspătă) **2** vegetație verde **3** *fig* imaturitate, inocență, candoare, simpitate, naivitate

verdant ['və:dənt] *adj* **1** verde **2** proaspăt **3** nevinovat

verd antique [,və:dæn'ti:k] *s* **1** serpentină (verde) ornamentală **2** *artă* încrustație verde pe un bronz antic **3** *minrl* porfir verde

verdantly ['və:dəntli] *adv* **1** înspre verde, înverzind **2** candid, simplu, naiv, inocent; cu inocență/ naivitate/imaturitate

verderer ['və:dərəʳ] *s* pădurar șef, inspector silvic (↓ *al domeniilor regale/coroanei*)

Verdi ['vɛədi], **Giuseppe** *compozitor italian (1813-1901)*

verdict ['və:dikt] *s* **1** verdict; sentință **2** părere, opinie

verdigris ['və:digris] *s* cocleală

verditer ['və:ditəʳ] *s ch* carbonat bazic de cupru *(folosit ca pigment albastru sau verde)*

Verdun (sur Meuse) ['vɛədʌn] *localitate în Franța*

verdure ['və:dʒəʳ] *s* **1** *v.* **verdancy 2** tinerețe; prospețime

verdured ['və:dʒəd] *adj* înverzit, verde, acoperit de vegetație (verde), cu o vegetație luxuriantă; împădurit

verdurous ['və:dʒərəs] *adj v.* **verdured**

Vereschagin [verəʃ'tʃa:gin], **Vasili Vasilievich** *pictor rus (1842-1904)*

verge [və:dʒ] **I** *s* **1** margine **2** limită **II** *vi* a se îndoi

verge on ['və:dʒ ɔn] *vi cu prep* a se apropia de, a friza *(nebunia etc.)*

verger ['və:dʒəʳ] *s* paracliser; sacristan

Vergil ['və:dʒil], **Publius Vergilius Maro** *poet latin* Virgil, Virgiliu *(70-19 î.e.n.)*

Vergilian ['və:dʒiljən] *adj* virgilian, referitor la Virgiliu

verglas [və:gla:] *s* polei

veridical [vi'ridikəl] *adj* veridic, cu aparență de adevăr

veridically [vi'ridikəli] *adv* (în chip/ mod) veridic

veriest ['veriist] *adj superl de la* **very**

verifiable [,veri'faiəbəl] *adj* verificabil, ușor de/care poate fi verificat/confirmat/coroborat

verification [,veri'fikeiʃən] *s* **1** verificare **2** dovadă

verificatory [,veri'fikeitəri] *adj* (cu caracter) de verificare/control

verifier ['veri,faiəʳ] *s* verificator, controlor

verify ['veri,fai] *vt* **1** a verifica **2** a dovedi

verily ['verili] *adv* **1** cu siguranță, fără doar și poate, fără îndoială **2** cu adevărat **3** în mod (foarte) sincer, cu toată sinceritatea

verisimilar [,veri'similəʳ] *adj* **1** verosimil **2** veridic **3** probabil

verisimilitude [,verisi'mili,tju:d] *s* **1** caracter verosimil **2** veridicitate **3** probabilitate

verism ['viərizəm], **verismo** [və'rizmou] *s lit, muz* verism; *aprox* naturalism (viguros)

verist ['viərist] **I** *s* verist **II** *adj v.*
veristic

veristic [viə'ristik] *adj* verist

veritable ['veritəbəl] *adj* **1** veritabil
2 adevărat

veritableness ['veritəbəlnis] *s* carac-
ter veritabil

veritably ['veritəbli] *adv* în adevăr,
într-adevăr, cu adevărat

verity ['veriti] *s* **1** adevăr, realitate,
veracitate; veridicitate; **in all ~**;
înv **of a ~** cu adevărat, într- ade-
văr; desigur, cu siguranţă **2**
afirmaţie adevărată **3** sinceritate,
cinste, onestitate

verjuice ['və:,dʒu:s] *s* suc acru *(din
fructe crude);* **a look of ~** *fig*
privire/căutătură acră/strâmbă/
poncişă

verkrampte [fə:'kræmtə] *adj* (relativ)
reacţionar, împotriva progresului;
rasist, pornit contra negrilor *(în
Africa de Sud)*

Verlaine [ver'len], **Paul** *poet francez
(1844-1896)*

verligte [fə:'lihtə] *adj* (relativ) lumi-
nat, deschis la minte, liberal,
progresist *(↓ în atitudinea faţă de
negri, în Africa de Sud),* favorabil
negrilor

Vermeer [vɛə'miəʳ], **Jan** *pictor
olandez (1632-1675)*

vermeil ['və:meil] *adj, s v.* **vermilion
I, II**

vermian ['və:miən] *adj zool* **1** vermi-
form, vermicular; ca viermii **2**
referitor la viermi

vermicide ['və:mi,said] *s med* vermi-
cid

vermicular ['və:mikjuləʳ] *adj* **1** *v.*
vermiform 2 viermănos, cu
viermi, ros de viermi

vermicular action ['və:mikjulər
,ækʃən] *s fizl* mişcare peristaltică
(a intestinelor)

vermiculate ['və:mikju,leit] *adj* **1** *v.*
vermicular 2 *fig* ca viermii,
viermiform **3** plin/mâncat de
viermi, viermănos

vermiculation ['və:mikju,leiʃən] *s* **1**
infestare cu viermi **2** prefacere
în viermi **3** stare/condiţie viermă-
noasă, distrugere de către viermi

vermiculite ['və:mikju,lait] *s minrl*
silicat (spongios) de mică

vermiform ['və:mi,fo:m] *adj* ver-
miform, vermicular

vermiform appendix ['və:mi,fo:m
ə'pendiks] *s anat* apendic(e)

vermifuge ['və:mi,fju:dʒ] *s* vermifug

vermilion [və'miljən] **I** *adj* purpuriu;
împurpurat **II** *s* purpuriu, culoare
purpurie **III** *vt* a împurpura

vermin ['və:min] *s* **1** insecte *sau*
animale dăunătoare **2** *fig* paraziţi
3 *fig* scursori, drojdia societăţii

verminate ['və:mi,neit] *vi* **1** a face
viermi **2** a fi infestat de paraziţi

vermination ['və:mi'neiʃən] *s* **1**
dezvoltare a viermilor *sau* para-
ziţilor **2** infestare cu paraziţi

verminosis [,və:mi'nousis] *s med*
verminoză

verminous ['və:minəs] *adj* **1** infestat
de paraziţi; viermuind de insecte
sau animale dăunătoare **2** dău-
nător **3** pricinuit de viermi

vermivorous [və'mivərəs] *adj zool,
orn,* care se hrăneşte cu viermi

Vermont [və'mont] *stat în S.U.A.*

Vermonter [və'montəʳ] *s* locuitor din
(statul) Vermont *(S.U.A.)*

Vermontese [və'monti:z] **I** *adj* din
(statul) Vermont *(S.U.A.)* **II** *s v.*
Vermonter

vermouth ['və:məθ] *s* vermut

Vern [və:n] *nume masc*

Verna ['və:nə] *nume fem*

vernacular [və'nækjuləʳ] **I** *s* **1** limbă
naţională/autohtonă/a băşti-
naşilor **2** dialect local **3** argou
sau jargon profesional **II** *adj*
neaoş, autohton, băştinaş

vernacular architecture [və-
'nækjulər 'a:kitekt[əʳ] *s arhit* arhi-
tectură civilă, construcţii civile
(ant religios)

vernacularism [və'nækjulə,rizəm] *s*
1 cuvânt neaoş; expresie neao-
şă **2** *v.* **vernacularity**

vernacularity [,və:nækju'læriti] *s*
autohtonism, caracter nativ/
autohton/indigen/local/neaoş

vernacularize [və:'nækjulə:raiz] *vt* **1**
a autohtoniza; a localiza; a face
neaoş **2** a adapta *sau* traduce în
limba maternă/poporului/ţării

vernacularly [və'nækjulə:li] *adv* **1** în
stil *sau* spirit autohton/local/
indigen/nativ **2** în limba maternă
sau locală; în limbaj familiar;
idiomatic

vernal ['və:nəl] *adj* primăvaratic;
referitor la primăvară

vernal equinox ['və:nəl 'i:kwi,noks]
s echinocţiu de primăvară

vernal fever ['və:nəl 'fi:vəʳ] *s med*
paludism, malarie

vernalization [,və:nəlai'zeiʃən] *s*
iarovizare

vernally ['və:nəli] *adv* ca primăvara,
(în chip) primăvăratic

vernal sweets ['və:nəl 'swi:ts] *s*
farmecul/farmecele primăverii

vernation [və:'neiʃən] *s bot* poziţia
frunzelor în mugure

Verne [və:n], **Jules** *scriitor francez
(1828-1905)*

Verner's law ['və:nəz ,lo:] *s lingv*
legea lui Verner

vernide ['və:naid] *s v.* **veronica 1**

vernier ['və:niəʳ] *s tehn* vernier,
nonius

vernier cal(l)iper ['və:niə ,kælipəʳ]
s tehn şubler cu vernier

Vernon ['və:nən] *nume masc*

Verona [və'rounə] *oraş în Italia*

Veronese [,verə'ni:z] *s, adj* veronez

Veronese [,vero'neizi], **Paolo (Ca-
gliari)** *pictor italian (1528-1588)*

Veronica [və'ronikə] *nume fem*

veronica [və'ronikə] *s* **1** *bot* vero-
nică, bobornic, vintrilică *(Vero-
nica sp.)* **2** *bis* veronică, batistă
cu chipul lui Cristos

verricule ['verikju:l] *s ent* smoc de
peri

verruca [və'ru:kə], *pl* **verrucae**
[ve'ru:si:] *s med* neg

verruciform [,ve'ru:sifo:m] *adj* în
formă de neg

verrucose ['verukous] *adj* plin de
negi

verrucous ['verukəs] *adj v.* **ver-
rucose**

versable ['və:səbəl] *rar adj* **1** care
se învârteşte, învârtitor, de
învârtit **2** mlădios, flexibil, suplu

Versailles [vɛə'sai] *oraş în Franţa*

versal ['və:səl] *adj bis F* universal

versant ['və:sənt] *rar* **I** *adj* **1** *(aferză
de la* **conversant)** **(with)** fami-
liar(izat) cu, cunoscător/versat
în, tare/priceput în, la curent cu
2 *heraldică* cu aripile întinse **II** *s
geogr* versant, povârniş, încli-
naţie, pantă

versatile ['və:sə,tail] *adj* **1** multila-
teral **2** elastic; adaptabil, mobil
(din p. de v. spiritual) **3** nesta-
tornic, inconstant

versatilely ['və:sə,tailəli] *adv* **1** (în
mod) elastic/adaptabil, cu (mul-
tă) mobilitate, trecând uşor de la
una la alta, adaptându-se uşor
2 (în mod) multilateral **3** (în mod)
schimbător, inconstant

versatileness ['vəːsə,tailnis] *s* **1** caracter multilateral, multilateralitate **2** elasticitate, adaptabilitate, caracter adaptabil, mobilitate (↓ spirituală) **3** nestatornicie, inconstanță

versatility [vəːsə'tiliti] *s* v. **versatileness**

vers de société [ver də sɔsje'tei] *s fr* versuri ocazionale/de salon (↓ epigrame, răvașe)

verse [vəːs] *s* **1** versuri, poezie **2** strofă **3** vers **4** verset

versed[1] [vəːst] *adj* versat, priceput

versed[2] *adj* întors, inversat

versed sine ['vəːst 'sain] *s geom* versus

verselet ['vəːslit] *s peior* vers, stih, rimă

verse maker ['vəːs ,meikəʳ] *s* versificator, stihuitor

verseman ['vəːsmən], *s umor peior* poetastru, stihuitor, fabricant de versuri, poet de mâna a treia

verse monger ['vəːs ,mʌŋəʳ] *s* v. **verseman**

versicle ['vəːsikəl] *s rar* **1** vers scurt **2** bis verset rostit *sau* cântat alternativ de preot și credincioși; ison; refren

versicolour ['vəːsi,kʌləʳ] *adj* **1** de diferite culori; multicolor, pestriț, bălțat **2** care își schimbă culoarea

versicoloured ['vəːsi,kʌləd] *adj* **1** multicolor, viu/foarte colorat, bălțat **2** șanjant, care-și schimbă culoarea de la o lumină la alta; de culori schimbătoare

versicular [vəː'sikjuləʳ] *adj* referitor la versete (↓ biblice) *sau* la isoane v. **versicle**

versification ['vəːsifi'keiʃən] *s* **1** versificație **2** metru; metrică, prozodie

versificator [,vəːsifi'keitəʳ] *s rar* v. **versifier**

versifier ['vəːsi,faiəʳ] *s* versificator; stihuitor, poet

versify ['vəːsi,fai] *vt, vi* a versifica

versin, versine ['vəːsin] *s* v. **versed sine**

versional ['vəːʃənəl] *adj* de/referitor la traducere

versionist ['vəːʃənist] *s* traducător

vers libre [ver 'librʳ] *s* vers liber

vers-librist [ver'librist] *s lit* autor de versuri libere, poet care scrie în versuri libere

verso ['vəːsou] *s* verso, dosul paginii/foii

verst [vɛəst] *s* verstă, măsură rusească de lungime *(cca 1 km)*

versus ['vəːsəs] *prep* contra, împotriva *(cu gen)* (↓ jur și sport, presc **vs.**); **Crown/Queen/King/amer State ~ Smith** procesul penal al lui Smith

versute [vəː'suːt] *adj rar* șiret, viclean

Vert. *presc de la* **vertebrate**

vert. *presc de la* **1** vertebrate **2** vertical

vert[1] [vəːt] **I** *s* **1** copaci și arbuști verzi; material păduros verde **2** *od jur* dreptul de tăiere a materialului păduros cu frunze verzi **3** verde *(în heraldică)* **II** *adj (folosit în post-poziție)* verde

vert[2] **I** *vt (presc de la* **convert** *sau* **pervert)** *bis* a se converti, a trece la altă credință **II** *s* convertire

Vert, Cape [vəːt, keip] *peninsulă în Africa*

vertebra ['vəːtibrə], *pl și* **vertebrae** ['vəːtibriː] *s anat* vertebră; **false ~** osul sacru; **true ~** vertebră mobilă

vertebrae ['vəːtibriː] *pl de la* **vertebra: the ~** coloana vertebrală, șira spinării

vertebral ['vəːtibrəl] *adj* vertebral

vertebral column ['vəːtibrəl 'kɔləm] *s* coloana vertebrală; șira spinării

vertebrate ['vəːti,breitə] *s pl zool* (animale) vertebrate

vertebrata ['vəːti,breit] **I** *adj* vertebrat **II** *s* (animal) vertebrat

vertebrated ['vəːti,breitid] *adj* v. **vertebrate I**

vertex ['vəːteks], *pl și* **vertices** ['vəːtisiːz] *s* vârf, culme

vertical ['vəːtikəl] **I** *adj* **1** vertical **2** cel mai înalt; de la culme **3** suprem **II** *s* (linie) verticală; **out of the ~** oblic, strâmb, care nu este perfect vertical

vertical angles ['vəːtikəl 'æŋglz] *s mat* unghiuri opuse (la vârf)

vertical circle ['vəːtikəl 'səːkl] *s astr* verticala locului

vertical cliff ['vəːtikəl 'klif] *s* faleză abruptă

vertical deviation [vəːtikəl ,divi'eiʃən] *s nav mil* ecart în înălțime, deviație verticală

vertical elevation ['vəːtikəl eli'veiʃən] *s* altitudine, înălțime (față de nivelul mării)

vertical fin ['vəːtikəl 'fin] *s iht* aripioară verticală *(dorsală sau caudală)*

verticality [,vəːti'kæliti] *s* **1** verticalitate, caracter vertical; așezare/poziție verticală **2** *bot* dispoziție inelară a frunzelor

vertical joint ['vəːtikəl ,dʒɔint] *s constr* îmbinare/încheietură verticală

vertically ['vəːtikəli] *adv* vertical; pe verticală

verticalness ['vəːtikəlnis] *s* v. **verticality**

vertical plane ['vəːtikəl 'plein] *s geom* plan vertical; plan perpendicular pe orizont

vertical point ['vəːtikəl 'pɔint] *s* v. **vertex**

vertical section ['vəːtikəl 'sekʃən] *s arhit, constr* tăietură/secțiune verticală

vertical steam engine ['vəːtikəl 'stiːm ,endʒin] *s tehn* mașină cu aburi verticală

vertical take-off ['vəːtikəl 'teik,ɔːf] *s av* decolare (la) verticală

vertical trust ['vəːtikəl 'trʌst] *s ec* trust vertical

vertical union ['vəːtikəl 'juːniən] *s* sindicat vertical

verticel ['vəːtisəl] *s bot* dispoziție inelară a frunzelor

vertices ['vəːti,siːz] *pl de la* **vertex**

verticil ['vəːtisil] *s* v. **verticel**

verticillate [vəː'tisilit] *adj bot* (dispus) inelar

verticillated [vəː'tisileitid] *adj* v. **verticillate**

verticilli [,vəːti'silai] *pl de la* **verticillus**

verticillus [,vəːti'siləs], *pl* **verticilli** [,vəːti'silai] *s bot* verticil

vertigines [vəː'tidʒiniːz] *pl de la* **vertigo**

vertiginous [vəː'tidʒinəs] *adj* **1** amețitor **2** amețit **3** zăpăcit, aiurit; inconstant **4** vertiginos **5** rotativ, de rotație

vertiginous current [vəː'tidʒinəs 'kʌrənt] *s* vârtej, vâltoare

vertiginously [vəː'tidʒinəsli] *adv* vertiginos, rapid, cu o viteză amețitoare

vertiginousness [vəː'tidʒinəsnis] *s* amețeală

vertigo ['vəːti,gou], *pl* **vertigoes** ['vəːti,gouz] *sau* **vertigines** [vəː'tidʒiniːz] *s* **1** *med* vertigo, amețeală **2** amețeală, zăpăceală **3** *vet* capie

vertu [və:'tu:] *s v.* **virtu**

Verulam ['veruləm], **Lord** *v.* **Bacon, Francis**

Verulamian [,veru'leimiən] *adj* referitor la Verulam *(veche așezare romană în Anglia, azi St. Albans)*

vervain ['və:vein] *s bot* verbină, sporiș *(Verbena sp.)*

verve [və:v] *s* vervă

vervet ['və:vit] *s zool (specie de)* maimuță sud-africană *(Cercopithecus pygerythrus)*

very ['veri] **I** *adv* **1** chiar **2** foarte; extrem de; ~ **good a** foarte bun **b** foarte bine; prea bine **c** am înțeles; ~ **well a** foarte/prea bine **b** precum ziceți; mă rog **3** tocmai, aidoma **4** prea **II** *adj* **1** adevărat **2** tocmai acela/aceea/aceia/acelea; **the ~ thing** tocmai ceea ce trebuie; **in the ~ act** asupra faptului **3** precis, exact **4** aidoma

Very ['veri], **William** *inventator american (1847-1910)*

Very light ['veri ,lait] *s* rachetă luminoasă de semnalizare, semnal luminos

Very pistol ['veri ,pistəl] *s* pistol de semnalizare, pistol cu rachete (luminoase)

very reverend ['veri 'revərənd] *s* înalt prea Sfinția (Sa)

ves. *presc de la* **vessel**

vesania [vi'seinjə] *s* demență, alienație mintală

vesica ['vesikə] *s anat* vezică, *F* bășică

vesical ['vesikəl] *adj* vezical

vesicant ['vesikənt] *adj* vezicant

vesica piscis/piscium ['vesikə ,pistʃis/,pistʃiəm] *s art* aureolă ovală *(în sculptura și pictura medievală)*

vesicate ['vesi,keit] *vt med* a aplica un plasture vezicant la/pe *(sau cu dat)*

vesication [,vesi'keiʃən] *s med* vezicație

vesicatory [,vesi'keitəri] *adj* vezicant

vesicle ['vesikəl] *s* **1** *anat, biol* veziculă **2** *med* pustulă **3** *geol* cavitate (într-o rocă) **4** *bot* celulă de aer

vesicular [ve'sikjulə^r], **vesiculate** [ve'sikjuleit], **vesiculiform** [ve'sikjuli,fɔːm], **vesiculose** [ve'sikjulouz] *adj* vezicular

Vespasian [ves'peiʒiən], **Titus Flavius Sabinus** *împărat roman (domnie 69-79 e.n.)*

vesper ['vespə^r] **I** *s* **1** ↓ *pl* vecernie **2** ← *poetic* seară **II** *adj* de seară, vesperal

vesperal ['vespərəl] *adj* vesperal, de seară; de la vremea vecerniei

vesper bell ['vespə ,bel] *s bis* clopot de vecernie

vesper bird ['vespə ,bə:d] *s orn (varietate de)* presură *(Paecetes gramineus)*

vespertine ['vespə,tain] *adj* **1** *v.* **vesperal 2** *bot* care se deschide seara **3** *orn* de noapte **4** *rar* târzielnic, târziu

vespiary ['vespiəri] *s* viespar, cuib de viespi

Vespucci [ves'pu:tʃi], **Amerigo** *navigator italian (1451-1512)*

vessel ['vesəl] *s* **1** vas, receptacul **2** *bis* potir, vas **3** *fig* făptură, om, creatură, ființă; **weak ~** om schimbător/schimbăcios, om pe care nu te poți bizui; **weaker ~** *rel* femeie, vas prea slab *(aluzie biblică 1 Pet 3,7)*; **~s of wrath** *rel* păcătoși (care așteaptă pedeapsa divină) **4** *nav* vas, ambarcațiune; vapor **5** *anat, bot* vas; canal

vesselful ['vesəlful] *s* conținutul unui vas, vas plin (cu lichid), lichidul dintr-un vas

vessicnon ['vesiknon], **vesignon** ['vesinjon] *s vet* bolfă, umflătură apoasă, pungă cu lichid *(la genunchii cailor)*

vest ['vest] **I** *s* **1** vestă, jiletcă; **to lose one's ~** *sl* a-și pierde cheia, – a se înfuria, a se trece cu firea, a-și ieși din fire **2** *amer* flanelă de corp, maiou, **3** plastron, garnitură *(la rochie)* **4** *înv poetic* veșminte, straie, îmbrăcăminte; găteală **II** *vt* **1** (**in, with**) a îmbrăca, a înveșmânta (în, cu) **2** *jur fig* a învesti, a împuternici *(cu drepturi etc.)* **3** *com* a plasa, a investi **III** *vi* **1** a se înveșmânta, a se îmbrăca **2** *jur fig* a aparține, a reveni *(cu dat)* **3** *com* a investi, a face investiții, a-și plasa banii *(în ceva)*

Vesta ['vestə] *s* **1** *mit* Vesta *(zeiță a căminului și castității)* **2** *astr* Vesta *(planetoid)*

vesta ['vestə] *s* chibrit scurt (↓ de ceară)

vestal ['vestəl] **I** *s* **1** *od* vestală **2** fecioară, fată (mare), virgină; *peior*

fată bătrână **3** călugăriță **II** *adj* **1** feciorelnic, virginal, cast; virgin, neprihănit **2** *peior* de fată bătrână

vestal virgin ['vestəl 'və:dʒin] *s ist* vestală

vested ['vestid] *adj* **1** înveșmântat (în odăjdii) **2** legitim, legal, întemeiat

vested interests ['vestid 'intrists] *s pl* **1** titluri/drepturi de proprietate **2** investiții **3** persoane interesate; persoane investite cu drepturi; proprietari; financiari; magnați

vestee ['vesti:] *s* plastron (purtat de femei)

vester ['vestə^r] *s rar v.* **investor**

vestiary ['vestiəri] **I** *s* **1** vestiar, garderobă **2** *bis v.* **vestry II** *adj* ← *înv* vestimentar, referitor la îmbrăcăminte

vestibular [ves'tibjulə^r] *adj* vestibular

vestibule ['vesti,bju:l] *s* **1** vestibul **2** anticameră; antreu; hol **3** portic; prag

vestibule school ['vesti,bju:l ,sku:l] *s amer* școală de calificare, școală profesională *(pentru muncitori)*

vestibule train ['vesti,bju:l ,trein] *s amer* tren cu culoare acoperite între vagoane

vestige ['vestidʒ] *s* **1** vestigiu; rămășiță **2** semn, indiciu, urmă **3** dovadă

vestigial [ve'stidʒiəl] *adj* **1** cu caracter de vestigiu **2** rezidual, remanent

vestigial organs [ve'stidʒiəl 'ɔ:gənz] *s pl biol* organe rudimentare

vestigiary [ve'stdʒiəri] *adj v.* **vestigial**

vest in ['vest in] *vi cu prep* ↓ *jur (d. drept, proprietate)* a ajunge la sau în mâinile *(cu gen)*

vesting ['vestin] *s pl com* stofă de vestă, material pentru confecționat veste

vesting day ['vestin ,dei] *s jur* zi a intrării în posesie, zi de punere în posesie *sau* de învestire cu un drept *(de proprietate etc.)*

vestiture ['vestitʃə^r] *s* **1** învestitură, înscăunare, instaurare oficială **2** îmbrăcăminte, veșminte **3** îmbrăcare **4** *zool* păr, solzi *etc.* care acoperă pielea

vestment ['vestmənt] *s* **1** *poetic* veșminte, straie, haine **2** îmbrăcăminte, haine, ținută (de ceremonie) **3** *bis* odăjdii **4** *bis* acoperământ pentru altar

vest pocket ['vest ˌpɔkit] *s* buzunar de vestă

vestry ['vestri] *s bis* **1** sacristie **2** (sală de) adunare a enoriașilor **3** *amer* epitropie

vestry board ['vestri ˌbɔːd] *s v.* **vestry 3**

vestry cess ['vestri ˌses] *s* impozit clerical

vestry clerk ['vestri ˌklaːk] *s* secretar al epitropiei/eforiei

vestrydom ['vestridəm] *s* **1** *bis* administrare parohială **2** *peior* administrare/gospodărire proastă

vestry elder ['vestri ˌeldəʳ] *s v.* **vestryman**

vestry keeper ['vestri ˌkiːpəʳ] *s v.* **verger**

vestryman ['vestrimən] *s bis* efor, epitrop, membru al consiliului parohial

vestry meeting ['vestri ˌmiːtiŋ] *s bis v.* **vestry 2**

vesture ['vestʃəʳ] **I** *s* **1** *v.* **vest I, 4 2** înveliș, acoperământ, îmbrăcăminte **II** *vt* a înveșmânta, a îmbrăca (în odăjdii)

vestured ['vestʃəd] *adj poetic* **1** înveșmântat **2** învelit, înfășurat, acoperit

Vesuvian [vi'suːviən] **I** *adj* referitor la (vulcanul) Vezuviu **II** *s* **1** *minrl* mineral găsit în Vezuviu **2** chibrit de vânt

vet¹ [vet] **I** *s* ← *F* (medic) veterinar; agent veterinar **II** *vt* **1** *(d. doctor sau veterinar)* a examina; a trata, a lecui **2** *fig* a examina, a cerceta, a verifica, a considera *(un text etc.)* **3** a cenzura, a verifica **4** a verifica, a cerceta, a interoga *(o persoană)*

vet² *s amer F* veteran, fost combatant/luptător

vet³ *presc de la* **1** veteran **2** veterinarian **3** veterinary

vetch [vetʃ] *s bot* măzăriche *(Vicia sp.)*

vetchling ['vetʃliŋ] *s bot* lintea-pratului *(Lathyrus sativus)*

vetchy ['vetʃi] *adj rar* ca măzărichea *sau* ca lintea-pratului

veteran ['vetərən] **I** *s* **1** veteran; ostaș/soldat încărunțit în lupte; soldat bătrân **2** luptător, combatant **II** *adj atr* cu experiență, plin de experiență; îmbătrânit *(în lupte etc.)*

veteran car ['vetərən ˌkaːʳ] *s* automobil demodat *(dinainte de 1905 sau 1916)*

veteranize ['vetərənaiz] *mil* **I** *vt* a transforma în veteran **II** *vi amer F* a se înrola din nou; a servi mai departe/ a se reangaja în armată

Veteran's Day ['vetərənz ˌdei] *s amer* ziua veteranilor *(serbată la 11 noiembrie odată cu aniversarea armistițiului din 1918)*

veterinarian [ˌvetəri'nɛəriən] *adj, s v.* **veterinary**

veterinary ['vetərinəri] **I** *adj* (de) veterinar **II** *s* medic *sau* agent veterinar

veterinary surgeon ['vetərinəri 'səːdʒən] *s v.* **veterinary II**

vetiver ['vetivəʳ] *s* **1** *bot* iarbă parfumată/odoriferă *din Asia (Vetiveria zizanioides)* **2** rădăcină de vetiver *(folosită în cosmetică)*

vetmobile ['vetmoubail] *s* triciclu de invalid

veto ['viːtou] **I** *pl* **vetoes** ['viːtouz] *s* **1** veto; **pocket ~** ↓ *amer* (veto indirect prin) tergiversare; **suspensive ~** veto provizoriu; amânare a unei decizii **2** opoziție, împotrivire; interdicție, interzicere; **to put a ~ on** *v.* **II II** *vt* a opune un veto la, a interzice printr-un veto

vetoer ['viːtouəʳ] *s* persoană care-și exercită dreptul de veto

vetoist ['viːtouist] *s v.* **vetoer**

vettura [ve'tuːrə] *s it* trăsură de piață *(în Italia)*

vetust [vi'tʌst] *adj înv* vetust, străvechi, foarte vechi

vex [veks] **I** *vt* **1** a supăra, a necăji, a irita, a contraria **2** a importuna, a plictisi **3** a jigni, a vexa, a ofensa **4** a neliniști, a tulbura, a alarma **5** a agita, a răzvrăti **6** a necăji *(un animal)* **7** a contesta, a tăgădui; a dezbate, a discuta **8** ← *înv* a chinui, a tortura, a canoni **II** *vr* a se necăji, a se întrista, a se mâhni

vexation [vek'seiʃən] *s* **1** supărare, iritare, contrariere; importunare, necăjire **2** ofensă, jignire, vexație **3** neplăcere, dezagrement **4** persecuție, persecutare, prigoană; șicană **5** ciudă, necaz **6** agitație, neliniște, tulburare, zbucium **7** tachinerie, necăjire **8** *jur* daună

vexation of spirit [vek'seiʃən əv 'spirit] *s* tulburare *(a minții)*

vexatious [vek'seiʃəs] *adj* **1** supărător, enervant, iritant, contrariant **2** ofensator, jignitor, vexant **3** plictisitor, sâcâitor; șicanator

vexatiously [vek'seiʃəsli] *adv* **1** (în mod) supărător; iritant, enervant **2** (în chip) insultător/jignitor

vexatiousness [vek'seiʃəsnis] *s* **1** supărare, necăjire **2** necazuri **3** necaz, neplăcere

vexed [vekst] *adj* **1** supărat, iritat, enervat; **to be ~ with smb** a se supăra pe cineva **2** vexat, ofensat, jignit **3** *(d. problemă etc.)* mult/îndelung discutat, controversat **4** *(d. mare etc.)* agitat, cu valuri mari; în freamăt

vexed question ['vekst ˌkwestʃən] *s* chestiune/problemă controversată/mult disputată; controversă, chestiune litigioasă

vexer ['veksəʳ] *s* persoană care vexează/supără *etc. v.* **vex**

vexil ['veksil] *s* **1** *bot* petală mare de deasupra unei flori papilonacee **2** *orn* barba unei pene **3** *ist Romei* stegar

vexilla [vek'silə] *pl de la* **vexillum**

vexillology ['veksi'lɔlədʒi] *s* vexilologie, studiul steagurilor

vexillum [vek'siləm] *pl* **vexilla** [vek'silə] *s bis* prapur; steag *(la înmormântări etc.)*

vexing ['veksiŋ] *adj* **1** supărător, iritant **2** plictisitor, enervant **3** jignitor, ofensator

VF *presc de la* **1** very fair **2** very fine **3** vicar forane **4** video frequency **5** visual field

VFD *presc de la* **volunteer fire department**

VFW *presc de la* **veterans of foreign wars**

VG *presc de la* **1** very good **2** vicar general**

V.H.F., vhf *presc de la* **very high frequency**

VI *presc de la* **1** Virgin Islands **2** viscosity index **3** volume indicator**

vi *presc de la* **1** verb intransitive **2** vide infra**

via ['vaiə] **I** *prep* prin, via; **sent ~ my secretary** trimis(ă) prin secretară **II** *pl* **viae** ['vaiiː] *s* drum, cale

viability [ˌvaiə'biliti] *s med și fig* viabilitate

viable ['vaiəbəl] *adj med și fig* viabil

viaduct ['vaiə,dʌkt] *s* viaduct

viae ['vaii:] *pl de la* **via II**

vial [vaiəl] *s* 1 fiolă 2 sticluță *(pt medicament);* **to pour out the ~s of one's wrath on smb** a-și vărsa mânia asupra cuiva; a se răzbuna pe cineva

Via Lactea ['vaiə'læktiə] *s astr* Calea Lactee/Laptelui, drumul robilor

vialful ['vailful] *s* (conținutul unui) flacon; conținutul unei sticluțe *sau* fiole; sticluță, fiolă (↓ *din punctul de vedere al cantității)*

via media ['vaiə'mi:diə] *s lat* 1 cale de mijloc 2 poziția bisericii anglicane *(între catolicism și protestantism)*

viands ['vaiəndz] *s* 1 *pl* merinde, alimente, hrană 2 mijloace de trai

viaticum [vai'ætikəm] *s bis* 1 grijanie, sfânta împărtășanie/cuminecătură (dată muribunzilor) 2 altar portabil 3 *pl* bani de drum 4 *pl* merinde de drum

viator [vai'eitɔ:'], *pl* **viatores** [,vaiə'tɔ:riz] *s* drumeț, călător, trecător, pasager

vibes [vaibz] *s pl F* 1 *muz* vibrafon 2 freamăt, fiori *(de plăcere sau oroare)*

Viborg ['vi:bɔrg] *v.* **Vyborg**

vibracula [vai'brækjulə] *s pl de la* **vibraculum**

vibracular [vai'brækjulə'] *adj zool* legat de vibracule

vibraculum [vai'brækjuləm], *pl* **vibracula** [vai'brækjulə] *s zool* apendice vibratil la briozoare

vibrant ['vaibrənt] *adj* 1 vibrant, care vibrează, în vibrație, vibrator 2 oscilant, în oscilație 3 *(d. sunet)* cu rezonanță

vibrant with ['vaibrənt wið] *adj cu prep* tremurând/ palpitând de *(emoție etc.)*

vibrate [vai'breit] **I** *vi* 1 *fiz* a vibra; a oscila, a se legăna; a se agita, a se mișca 2 *fig* a palpita, a vibra, a tremura *(de emoție etc.);* a se cutremura 3 a răsuna *(în urechi etc.)* **II** *vt* a face să vibreze; a face să oscileze

vibratile ['vaibrə,tail] *adj v.* **vibratory**

vibratility [,vaibrə'tiliti] *s rar* capacitatea/posibilitatea de a vibra

vibrating [vai'breitiŋ] *adj v.* **vibratory**

vibrating diaphragm [vai'breitiŋ ,daiə'fræm] *s tel* membrană (vibratoare)

vibration [vai'breiʃən] *s* 1 vibrație 2 oscilație 3 tremurul frunzelor *(la plop etc.)*

vibrational [vai'breiʃənəl] *adj* vibrator, vibrativ, referitor la vibrații

vibration meter [vai'breiʃən ,mi:tə'] *s* vibrometru

vibration screen [vai'breiʃən ,skri:n] *s tehn* sită vibratoare

vibration strength [vai'breiʃən ,streŋθ] *s tehn* rezistență la vibrații

vibrative [vai'breitiv] *adj rar v.* **vibratory**

vibrato [vi'bra:tou] *s muz* vibrato; tremolo

vibrator [vai'breitə'] *s* 1 vibrator 2 oscilator 3 *tel* dipol 4 *muz* ancie *(la orgă)* 5 persoană sensibilă (care vibrează)

vibratory [vai'breitəri] *adj* 1 vibrator 2 oscilator, oscilant 3 vibrant

vibrio ['vibri,ou], *pl și* **vibriones** [,vibri'ouni:z] *s biol* vibrion

vibriones [,vibri'ouni:z] *pl de la* **vibrio**

vibrissae [vai'brisi:] *s pl* 1 (fire de) păr țepos *(în jurul gurii celor mai multe mamifere și în nas la om)* 2 *orn* pene zbârlite în jurul ciocului

vibrograph ['vaibrougra:f] *s fiz* vibrograf

vibroscope ['vaibrouskoup] *s fiz* vibroscop

viburnum [vai'bə:nəm] *s bot* călin *(Viburnum opulus)*

Vic. *presc de la* **Victoria**

vic. *presc de la* **vicinity**

vicar ['vikə'] *s* 1 *bis* preot (de țară); paroh; popă 2 *bis* vicar, locțiitor, înlocuitor, suplinitor; reprezentant

vicarage ['vikəridʒ] *s* 1 *bis* casă parohială; casa preotului 2 *bis* funcție/demnitate de preot (↓ *la țară)* 3 *bis* venit al parohiei 4 *bis* vicarat, funcție de vicar 5 *rar* înlocuire, suplinire

Vicar-Apostolic ['vikər æpəs'tɔlik] *s bis* vicar apostolic; episcop titular

vicarate ['vikəreit] *s bis* jurisdicția unui preot de țară/vicar

vicar choral ['vikə 'kɔrəl] *s bis* cantor, dascăl, cântăreț bisericesc, țârcovnic

vicaress ['vikəris] *s* 1 preoteasă 2 ajutoare de stareță

Vicar-General ['vikə 'dʒenərəl] *s bis* vicar general, ajutor de episcop

vicarial [vi'kɛəriəl] *adj* 1 preoțesc 2 parohial 3 *v.* **vicarious**

vicarious [vi'kɛəriəs] *adj* 1 delegat; mandatar 2 prin mandatar/delegat; făcut pentru altul/în locul altuia/ca locțiitor 3 interimar, provizoriu 4 indirect

vicarious atonement [vi'kɛəriəs 'ətounmənt] *s* ispășirea vinovăției/vinii altuia

vicariously [vi'kɛəriəsli] *adv* 1 prin delegat/mandatar/delegație; prin înlocuire/substituire 2 în locul altcuiva; indirect; **I rejoiced at it** ~ m-am bucurat indirect/pentru el *etc.*

vicariousness [vi'kɛəriəsnis] *s* 1 mandat, delegație 2 înlocuire, suplinire; substituire 3 caracter indirect

vicarious pleasure [vi'kɛəriəs 'pleʒə'] *s* plăcere/bucurie pentru alții; **to feel ~** a te bucura pentru altul/de bucuria altuia

vicarious suffering [vi'kɛəriəs 'sʌfəriŋ] *s rel* suferință pentru alții (↓ *a lui Cristos)*

Vicar of Bray ['vikər əv 'brei] *s fig* oportunist; renegat; om lipsit de principii

Vicar of (Jesus) Christ ['vikər əv ('dʒi:zəz) 'kraist] *s bis* locțiitorul lui Cristos (pe pământ), Papa de la Roma

vicarship ['vikəʃip] *s bis v.* **vicarage 2, 4**

vice¹ [vais] *s* 1 viciu; nărav 2 defect, cusur, imperfecțiune, lipsă; **he has no redeeming ~** *F* nu are și el vreun păcat (care să-l facă mai puțin pedant) 3 corupție, depravare; perversitate

vice² **I** *s tehn* menghină **II** *vt* 1 a prinde în menghină 2 *fig* a constrânge, a forța, a sili 3 *tehn* a înșuruba

vice³ *prep* în loc de, în locul *(cu gen)*

vice- *pref* vice-: **vice-president** vicepreședinte

vice-admiral [,vais 'ædmərəl] *s nav* viceamiral

vice-admiralship/admiralty [,vais-'ædmərəlʃip/'ædmərəlti] *s nav* vice-amiralitate

vice-admiralty court [ˌvais ˈædmərəlti ˈkɔːt] *s ist* tribunal maritim în coloniile britanice

vice-agent [ˌvais ˈeidʒənt] *s* **1** locţiitor **2** negociator, parlamentar, mijlocitor

vice-bench [ˌvais ˈbentʃ] *s tehn* banc de menghină

vice-cap [ˈvais ˌkæp] *s v.* **vice-clamp**

vice-chairman [ˌvais ˈtʃɛəmən] *s* vicepreşedinte

vice-chairmanship [ˌvaisˈtʃɛəmənʃip] *s* calitate/funcţie de vicepreşedinte

vice-chamberlain [ˌvaisˈtʃeimbəlin] *s* vice-şambelan

vice-chancellor [ˌvaisˈtʃɑːnsələʳ] *s* **1** vice-cancelar **2** *univ* rector; prorector

vice-chancellorship [ˌvaisˈtʃɑːnsləʃip] *s* **1** funcţie de vice-cancelar **2** *univ înv* rectorat

vice-clamp [ˈvaisˌklæmp] *s tehn* falcă de menghină

vice-consul [ˌvaisˈkɔnsəl] *s* vice-consul

vice-consulship [ˌvaisˈkɔnsəlʃip] *s* funcţie de vice-consul

vice-dean [ˌvais ˈdiːn] *s univ* prodecan

vice-doge [ˌvais ˈdoudʒ] *s* vice-doge

vice-doll [ˈvaisˌdɔl] *s* femeie stricată/de stradă/de moravuri uşoare, stricată, damă

vice-governor [ˌvais ˈɡʌvənəʳ] *s* vice-guvernator

vice-jaw [ˈvaisˌdʒɔː] *s v.* **vice-clamp**

vice-king [ˌvais ˈkiŋ] *s* **1** *v.* **viceroy 2** *amer* peşte, patron de bordel, patron al unei case de toleranţă

vice-marshal [ˌvais ˈmɑːʃəl] *s mil* vice-mareşal

vice-minister [ˌvais ˈministəʳ] *s* ministru adjunct, locţiitor de ministru

vicenary [ˈvisinəri] *adj mat* legat de cifra 20, care aparţine numărului douăzeci

vicennial [viˈseniəl] *adj* **1** din 20 în 20, care se petrece o dată la 20 de ani **2** care durează două decenii/20 de ani

vice-presidency [ˌvaisˈprezidənsi] *s* vice-preşedinţie, funcţie de vice-preşedinte

vice-president [ˌvaisˈprezidənt] *s* vice-preşedinte

vice-presidentship [ˌvaisˈprezidəntʃip] *s v.* **vice-presidency**

vice-principal [ˌvaisˈprinsipəl] *s şcol* subdirector (↓ *de liceu*)

vice-queen [ˌvaisˈkwiːn] *s v.* **vicereine**

vice racket [ˌvais ˈrækit] *s amer* organizaţie care exploatează bordelurile/casele de toleranţă

viceregal [ˌvaisˈriːgəl] *adj* vice-regal

viceregency [ˌvaisˈriːdʒənsi] *s* **1** locotenenţă, (vice) regenţă **2** guvernământ

viceregent [ˌvaisˈriːdʒənt] **I** *adj* interimar; suplinitor, girant **II** *s* **1** locţiitor, locotenent, girant, interimar **2** reprezentant, delegat

vicereine [ˌvaisˈre(i)n] *s* vice-regină, soţie de vice-rege

viceroy [ˈvaisrɔi] *s* vice-rege

viceroyal [ˌvaisˈrɔiəl] *adj* vice-regal, de vice-rege; legat de funcţia/rangul unui vice-rege

viceroyalship [ˌvaisˈrɔiəlʃip] *s* viceregenţă, rang de vice-rege

viceroyalty [ˌvaisˈrɔiəlti] *s* **1** *v.* **viceroyalship 2** vice-regele şi vice-regina

viceroyship [ˌvaisrɔiʃip] *s v.* **viceroyalship**

vicesheriff [ˌvaisˈʃerif] *s* ajutor/locţiitor de şerif

vicesimal [ˈvaisesiməl] *adj v.* **vigesimal**

vice-squad [ˌvaisˈskwɔd] *s amer* brigadă de moravuri (*la poliţie*)

vice versa [ˈvaisi ˈvəːsə] *adv* vice-versa; invers; contrariu, dimpotrivă

Vichy [ˈviːʃi] *s* staţiune balneară în Franţa (*renumită pentru apele sale minerale*)

vichyssoise [viʃiˈswaːz] *s gastr* supă de praz şi cartofi (*servită rece*)

Vichy water [ˈviːʃi ˌwɔtəʳ] *s* apă (minerală) de Vichy

vicinage [ˈvisinidʒ] *s rar, poetic* **1** vecinătate; împrejurimi **2** apropiere, proximitate, vecinătate **3** legături/relaţii de bună vecinătate

vicinal [ˈvisinəl] *adj rar* **1** vicinal, din vecinătate **2** apropiat, din vecinătate

vicinity [viˈsiniti] *s* **1** vecinătate; împrejurimi **2** *fig* apropiere, preajmă; **she is in the ~ of fifty** se apropie de cincizeci de ani

vicious [ˈviʃəs] *adj* **1** vicios, stricat, depravat, corupt **2** defectuos, greşit, incorect, vicios **3** (*d. aer*) viciat, stricat, nesănătos, impur

4 (*d. animal*) nărăvaş; rău **5** răutăcios, ranchiunos, maliţios; rău

vicious circle [ˈviʃəs ˈsəːkl] *s* cerc vicios

vicious dog [ˈviʃəs ˈdɔg] *s* câine rău

viciously [ˈviʃəsli] *adv* **1** în mod vicios/corupt/depravat **2** incorect, defectuos, greşit **3** răutăcios, maliţios, cu răutate/maliţie/ranchiună

vicious mood [ˈviʃəs ˈmuːd] *s* proastă dispoziţie, furie, *F* nacafale, hachiţe

viciousness [ˈviʃəsnis] *s* **1** ticăloşie, viciu, depravare, vicii, năravuri proaste/rele **2** răutate, maliţie, caracter răutăcios

vicious remarks [ˈviʃəs riˈmɑːks] *s pl* **1** critici (rău-voitoare), observaţii severe **2** bârfeli (răuvoitoare)

vicious spiral [ˈviʃəs ˈspairəl] *s ec* cursa de salarii şi preţuri, spirala inflaţiei

vicious tricks [ˈviʃəs ˈtriks] *s pl* **1** nărav (*la cai etc.*) **2** toane rele; răutate, ticăloşie

vicious weather [ˈviʃəs ˈweðəʳ] *s* vreme rea/proastă (↓ *rece, aspră*)

vicissitude [viˈsisitjuːd] *s* **1** vicisitudine **2** ← *poetic* schimbare; nestatornicie; variabilitate

vicissitudinary [ˌvisisiˈtjuːdinəri], **vicissitudinous** [ˌvisisiˈtjuːdinəs] *adj* **1** schimbător, nestatornic; variabil, instabil **2** alternativ

Vicki, Vickie, Vicky [ˈviki] **1** *nume masc* **2** *nume fem*

vicount [ˈvaikaunt] *s înv v.* **viscount**

victim [ˈviktim] *s* **1** victimă; **to fall a ~ to** a cădea victimă *cu dat* **2** jertfă, victimă; fiinţă jertfită

victimization [ˌviktimaiˈzeiʃən] *s* **1** persecutare, persecuţie; represalii; urmărire **2** concediere a participanţilor la o grevă

victimize [ˈviktiˌmaiz] *vt* **1** a persecuta, a urmări, a recurge la represalii împotriva (*cu gen*) **2** a înşela, a amăgi

Victor [ˈviktəʳ] *nume masc*

victor **I** *s* **1** învingător, biruitor; cuceritor **2** ← *poetic* distrugător **II** *adj* învingător, biruitor, victorios

Victor Emmanuel [ˈviktər iˈmænjuəl] *numele mai multor regi ai Italiei*

victoress [ˈviktəris] *s v.* **victress**

Victoria [vik'tɔ:riə] **1** *stat în Australia* **2** *(statul) Hong Kong* **3** *oraș în Canada*

Victoria, Alexandra [vikt'ɔriə, ˌælig'zændrə] *regină a Angliei (1819-1901, tron 1837-1901)*

Victoria Cross [vik'tɔ:riə ˌkrɔs] *s* ordinul Victoria/Victoriei

Victoria Falls [vik'tɔriə ˌfɔ:lz] Cascada Victoria *(în Africa)*

Victoria Land [vik'tɔ:riə ˌlænd] *regiune în Antarctica*

Victorian [vik'tɔ:riən] **I** *adj* **1** victorian, din timpul reginei Victoria **2** victorian, rigid, de o moralitate rigidă/închistată **II** *s* **1** victorian, reprezentant al epocii victoriene **2** scriitor victorian

Victorianism [vik'tɔ:riənizəm] *s* victorianism, spirit victorian, concepții rigide/puritane

victorine [ˌviktə'ri:n] *s* guler de blană pentru femei; boa

victorious [vik'tɔ:riəs] *adj* **1** victorios, biruitor, învingător, triumfător **2** vestitor al victoriei

Victorious Day [vik'tɔ:riəs ˌdei] *adj* Ziua Victoriei

victoriously [vik'tɔ:riəsli] *adv* (în mod) victorios/triumfător, biruitor

victoriousness [vik'tɔ:riəsnis] *s* triumf; caracter triumfător/victorios

victorious wreath [vik'tɔ:riəs ˌri:θ] *s* cununa victoriei

victor ludorum ['viktə lu'dɔ:rəm] *s sport* învingător, campion (↓ *în competițiile școlare*)

victory ['viktəri] *s* victorie, biruință, izbândă; **to chain ~ to one's car** a fi mereu victorios, a avea numai izbânzi

Victory Day ['viktəri ˌdei] *s* Ziua Victoriei

Victory gardens ['viktəri ˌga:dənz] *s* grădinile orășenilor din Anglia *(în timpul celui de-al doilea război mondial)*

victress ['viktris], *rar* **victrix** ['viktriks] *s* **1** învingătoare, cuceritoare **2** *sport* campioană, învingătoare

victrola [vik'troulə] *s amer* patefon

victual ['vitəl] **I** *s pl* hrană, merinde, alimente, mâncare; provizii **II** *vt* a aproviziona cu mâncare/merinde; a hrăni **III** *vr* a se hrăni

victualage ['vitəlidʒ] *s rar v.* **victual I**

victualler ['vitələr] *s* **1** furnizor/

negustor de alimente **2** ← *înv* cârciumar **3** *nav* cantinier **4** *nav* vas de aprovizionare

victualling ['vitəliŋ] *s* aprovizionare cu alimente

victualling bill ['vitəliŋ ˌbil] *s* certificat vamal pentru transportul proviziilor/alimentelor

victualling house ['vitəliŋ ˌhaus] *s* ospătărie, birt, bufet

victualling office ['vitəliŋ ˌofis] *s* **1** birou de aprovizionare **2** *sl* ladă, *F* ramazan, – stomac, burtă

victualling ship ['vitəliŋ ˌʃip] *s nav* vas de aprovizionare

victualling yard ['vitəliŋ ˌja:d] *s nav* doc pentru provizii

vicugna [vi'kju:nə], **vicuna** [vi'ku:nə] *s* **1** *zool* vicună *(animal din America de Sud asemănător cu lama) (Vicugna vicugna sau Auchenia vicunna)* **2** *text* lână de vicună **3** *text* stofă din lână de vicună

Vida ['vidə] *nume fem*

vide ['vaidi:] *vt (la imperativ)* vezi

vide infra ['vaidi 'infrə] vezi mai jos

videlicet [vi'di:liˌset] *adv* (↓ *presc* viz.) și anume, adică, cu alte cuvinte

video ['vidi,ou] *telev* **I** *pl* ~**s** ['vidi,ouz] *s* **1** frecvență video **2** *amer* televiziune **II** *adj* video (↓ *în compuși*)

video cassette ['vidi,ou kə'set] *s telev* video-casetă, casetă video, film imprimat pe bandă video *(pentru reproducerea prin televizor)*

video frequency ['vidi,ou 'fri:kwənsi] *s telev* videofrecvență, frecvență video

videophone ['vidi,ou'foun] *s tel* videotelefon, telefon cu imagine

video signal ['vidi,ou 'signəl] *s tel* semnal video, videosemnal

video tape ['vidi,ou ˌteip] *telev* **I** *s* bandă/înregistrare video, bandă magnetică pentru reproducerea prin televizor a înregistrărilor **II** *vt* a înregistra pe bandă video *(film etc.)*

vide supra ['vaidi ˌsu:prə] *interj* vezi mai sus

vidette [vi'det] *s v.* **vedette**

vidimus ['vidiməs] *s* **1** *jur* legalizare, înscriere de autentificare **2** schiță, rezumat, sumar; extras *(dintr-un registru)*

viduage ['vidjuidʒ] *s* **1** văduvie **2** *F* văduvă

viduity [vi'dju:iti] *s* văduvie, *jur* viduitate

viduous ['vidjuəs] *adj rar* văduv; rămas văduv

vie [vai], *part prez* **vying** ['vaiiŋ] **I** *vi* **(with)** a rivaliza (cu); a se lua la întrecere (cu); a concura (cu) **II** *vt* ← *înv* a întrece, a învinge, a bate *(la joc)*

vielle ['viel] *s înv* minavet, - flașnetă

Vienna [vi'enə] Viena

Vienna sausage [vi'enə ˌsɔ:sidʒ] *s* crenvurșt

Vienna steak [vi'enə ˌsteik] *s* pârjoală

Vienne, the ['vjen, ðə] *râu în Franța*

Viennese [ˌviə'ni:z] *s, adj* vienez

Vientiane [ˌvjenti'a:n] *capitala Laosului*

Vietnam [viet'næm] *v.* **Viet Nam**

Viet Nam Vietnam

Vietnamese [ˌvjetnə'mi:z] **I** *adj* vietnamez **II** *s* **1** vietnamez **2** limba vietnameză

vieux jeu [ˌvjə: 'ʒə:] *adj fr* de modă veche, demodat

view [vju:] **I** *s* **1** privire, ochire, căutătură; cercetare, scrutare; **at one ~** dintr-o ochire; **at first ~** la prima vedere **2** expunere (la vedere), vedere; vizionare; **hidden from ~** ascuns privirilor; tăinuit, tainic; **exposed to ~** expus (privirilor); la vedere; (etalat) în văzul tuturor; **land in ~!** pământ! **to be in ~ of (the village,** *etc.*) a vedea, a putea zări *(satul, etc.);* **in full ~ of the others** sub privirile celorlalți **3** perspectivă, priveliște, vedere; **with open ~** cu bună vizibilitate; **to get a beautiful ~** a avea o priveliște frumoasă **4** imagine, vedere, poză; fotografie **5** *arhit* plan, secțiune, ridicare **6** *fig* privire generală, schiță, rezumat; sâmbure, esență **7** atenție, vedere; memorie; **to keep smth in ~** a nu pierde din vedere ceva, a ține seama de ceva **8** *mil* recunoaștere, cercetare **9** *jur* anchetă/cercetare la fața locului; deschidere **10** punct de vedere, opinie, concepție; fel/mod de a vedea/de a privi lucrurile; **in my ~** după mine, după părerea/ opinia mea; **to make smb's ~s** a împărtăși părerile cuiva, a fi de aceeași părere cu cineva; a da cuiva perfectă dreptate; **to take a right ~ of things** a-și forma o concepție justă asupra lucrurilor, a vedea lucrurile cum trebuie/într-o lumină corespunzătoare **11** considerație, vedere, socoteală; **in ~ of all this/of these facts** ținând seama de toate acestea, având în vedere/luând în considerație/date fiind toate acestea **12** scop, țel, obiectiv, țintă; intenție, plan; **with a ~ to doing smth; with the ~ of doing smth** pentru/în scopul de a face ceva, ca să faci ceva; **to have smth in ~** a avea ceva în vedere, a plănui ceva; **it does not meet my ~s** nu corespunde intențiilor/vederilor mele; **with this (purpose) in ~** în acest scop, în vederea acestui lucru **II** *vt* **1** a vedea, a privi **2** a cerceta, a examina, a studia **3** a considera, a socoti, a privi **4** a vedea, a percepe, a discerne, a zări **5** a inspecta **6** a vizita

viewable ['vju:əbəl] *adj* **1** vizibil **2** care merită să fie văzut

view camera ['vju: ˌkæmərə] *s fot* aparat fotografic de turist

view day ['vju: ˌdei] *s* vernisaj/vizionare în cerc închis; avanpremieră

viewer ['vju:əʳ] *s* **1** privitor; spectator **2** telespectator **3** cercetător, examinator; supraveghetor; inspector **4** *artă* cunoscător

view finder ['vju:ˌfaindəʳ] *s* vizor; dispozitiv de vizare

view halloo ['vju:həˈlu:] *s (cinegetică)* strigătul vânătorului la vederea vulpii care-și părăsește ascunzătoarea/bârlogul

viewless ['vju:lis] *adj* **1** ← *poetic* orb, fără vedere **2** *poetic* nevăzut, invizibil; de neobservat **3** *(d. casă)* fără perspectivă/priveliște **4** *(d. persoană)* fără păreri/opinii proprii

viewly ['vju:li] *adj reg* **1** bătător la ochi, izbitor, frapant, surprinzător **2** drăguț, arătos, chipeș

viewpoint ['vju:point] *s* punct de vedere; considerație, opinie

viewy ['vju:i] *adj* **1** *F* fățos; de efect; frapant, izbitor, bătător la ochi **2** excentric, ciudat *(ca și concepții)*

Vigée-Lebrun [vi'ʒei lə'brə:n], **Marie** *pictoriță franceză (1755-1842)*

vigesimal [vai'dʒesiməl] *adj* **1** referitor la numărul 20 **2** referitor la perioade de două decenii/20 de ani **3** socotit din 20 în 20

vigesimally [vai'dʒesiməli] *adv* socotind din 20 în 20 (de ani)

vigil ['vidʒil] *s* **1** veghe, priveghi, priveghere; **to keep ~** a sta de veghe **2** ↓ *pl bis* (post în) ajun de sărbătoare

vigilance ['vidʒiləns] *s* **1** vigilență; atenție, grijă **2** circumspecție, precauție **3** *med* insomnie **4** ← *înv* veghe, gardă, strajă, pază

vigilance committee ['vidʒiləns kəˈmiti:] *s amer* comitet al vigilenței publice, organizație paramilitară ilegală (↓ rasistă)

vigilancy ['vidʒilənsi] *s v.* **vigilance**

vigilant ['vidʒilənt] *adj* **1** vigilent, atent **2** prudent, precaut, prevăzător; grijuliu, plin de grijă

vigilante [ˌvidʒiˈlænti] *s* **1** membru al unui comitet al vigilenței (publice) **2** *amer* membru al unei organizații paramilitare (↓ rasiste)

vigilantly ['vidʒiləntli] *adv* **1** cu vigilență, în mod vigilent; cu atenție, atent **2** cu precauție/grijă/prudență, prudent, grijuliu, precaut

vigneron ['vinjərɔ̃] *s* podgorean, viticultor

vignette [vi'njet] *s* **1** *poligr* vinietă **2** *fot* bust

vignetter [vi:'njetəʳ] *s fot* **1** aparat pentru fotografiat numai bustul **2** *v.* **vignettist**

vignettist [vi'njetist] *s fot* fotograf de viniete

Vigny [vi'nji], **Alfred de** *poet francez (1797-1863)*

vigone [vi'goun] *s v.* **vicugna**

vigor ['vigəʳ] *s amer v.* **vigour**

vigoroso [ˌvi:gou'rousou] *adv muz* vigoroso, viguros, cu vigoare

vigorous ['vigərəs] *adj* **1** viguros, puternic **2** voinic, robust **3** energic **4** curajos, viteaz; hotărât

vigorously ['vigərəsli] *adv* (în mod) viguros, cu vigoare

vigour ['vigəʳ] *s* **1** vigoare, putere, forță **2** vitalitate, energie, robustețe **3** eficacitate; efect, influență

vigour of mind ['vigər əv 'maind] *s* vioiciune a minții, pătrundere; capacitate mintală

vihara [vi'hɑːrə] *s* **1** templu budist **2** mănăstire budistă

Viipuri ['vi:puri] *v.* **Vyborg**

Viking ['vaikiŋ] *od* **I** *s* viking; rege al mărilor **II** *adj* (de) viking

vil. *presc de la* **village**

vilayet [vi'lɑːjet] *s turc ist* vilaiet, raia *(provincie a imperiului otoman)*

vile [vail] *adj* **1** ordinar, vulgar, de jos, de rând; plebeu **2** josnic, abject, netrebnic **3** mârșav, infam, ticălos **4** ← *F* respingător, scârbos, urâcios, detestabil; dezgustător, rușinos

vilely ['vaili] *adv* **1** în mod ordinar/vulgar **2** (în mod) josnic/mârșav/abject **3** ← *F* în mod urâcios/scârbos/dezgustător

vileness ['vailnis] *s* **1** vulgaritate, caracter ordinar **2** mișelie, ticăloșie, josnicie, infamie **3** ← *F* scârboșenie

viliaco ['vili'eikou] *s înv* mișel, ticălos, mizerabil, netrebnic

vilification [ˌvilifi'keiʃən] *s* **1** defăimare, calomniere; denigrare, discreditare **2** înjosire, desconsiderare

vilifier ['vili,faiəʳ] *s* **1** denigrator, calomniator, defăimător, detractor **2** bârfitor, bârfă; bârfitoare

vilify ['vili,fai] *vt* **1** a defăima, a calomnia, a denigra; a ocărî **2** a înjosi, a umili

vilipend ['vili,pend] *vt rar* a vorbi de rău, a ataca, a defăima, a disprețui, a vorbi cu dispreț despre, *F →* a face cu ou și cu oțet/de două parale

vill [vil] *s* **1** cătun, sătuc; sat, comună **2** parohie, enorie **3** moșie, domeniu

Villa ['vilə], **Pancho** *revoluționar mexican (1877-1923)*

villa ['vilə] *s* **1** vilă, casă de vacanță **2** *ist Romei* domeniu, moșie

villadom ['vilədəm] *s* **1** suburbie; orășel *sau* așezare în afara unui oraș mare **2** casă de vacanță *(↓ la mare)* **3** *rar (colectiv)* (grup de) vile

village ['vilidʒ] *s* **1** sat; comună **2** *amer* orășel, târg, localitate

villager ['vilidʒəʳ] *s* sătean, țăran

villain ['vilən] *s* **1** *od* iobag, șerb **2** ticălos, secătură, nemernic, păcătos **3** răufăcător **4** *umor* șmecher, pezevenghi

villainage ['vilənidʒ] *s od* iobăgie, șerbie

villain-like ['vilən,laik] *adv v.* **villainously**

villainous ['vilənəs] *adj* 1 *v.* **vile** 2, 3 2 *F* execrabil, mizerabil, abominabil, infam

villainously ['vilənəsli] *adv* 1 *v.* **vilely** 2 2 *F* groaznic, mizerabil, execrabil

villainy ['vileni] *s* 1 *v.* **vileness** 2 2 crimă, ticăloșie

villakin ['viləkin] *s rar* 1 vilișoară 2 sătuc, cătun, sătuleț

villalike ['vilə,laik] *adj* ca o vilă

villanage ['vilənidʒ] *s v.* **villainage**

villanelle [vilə'nel] *s it* vilanelă *(cântec sau poezie pastorală)*

villatic [vi'lætik] *adj inv* de la țară, câmpenesc, țărănesc

~ville *sufix F* umor pt formarea unor nume de localități fictive de ex. **Dullsville** orașul proștilor

villeggiatura [vi,lədʒæ'tu:rə] *s* 1 vilegiatură, vacanța/ședere la țară 2 casă de vacanță; reședință la țară

villein ['vilən] *s v.* **villain** 1

villeinage ['vilənidʒ] *s v.* **villainage**

Villeurbanne [vilær'ban] *localitate în* Franța

villiform ['vili,fɔ:m] *adj anat, bot, zool* viliform

Villon [vi'jõn], **François** *poet francez (1431-1462?)*

villose ['viləs] *adj v.* **villous**

villosity [vi'lositi] *s anat, bot, zool* vilozitate

villous ['viləs] *adj* 1 *anat* cu vilozități, vilos 2 păros, flocos 3 *bot* lânos, câlțos; flocos; catifelat

Vilna ['vilnə] *oraș în fosta U.R.S.S.*

vim [vim] *s* ← *F* 1 forță, energie, putere, vigoare, vitalitate 2 zel, hărnicie

Viminal ['viminəl] *colină din Roma*

vimineous [vi'miniəs] *adj rar* format din mlădițe subțiri

vinaceous [vai'neiʃəs] *adj* 1 privitor la vin, de vin 2 de culoarea vinului; roșu ca vinul

vinaigrette [,vinei'gret] *s* 1 sos de salată, untdelemn și oțet 2 sticluță/flacon cu săruri de amoniac/cu oțet aromatic

vinaigrette sauce [,vinei'gret ,sɔ:s] *s v.* **vinaigrette** 1

vinaigrous [vi'neigrəs] *adj* 1 acru (ca oțetul) 2 *fig* acru, posac, morocănos, indispus

Vincennes [vẽ'sen] *suburbie a Parisului*

Vincent ['vinsənt] *nume masc*

Vincent de Paul, Saint ['vinsənt də 'pɔ:l, 'seint] *prelat francez (1581?-1660)*

Vinci, da ['vintʃi, dʌ], **Leonardo** *pictor, sculptor, arhitect și inventator italian (1452-1519)*

vincibility [,vinsi'biliti] *s* posibilitate de a fi învins/biruit *sau* cucerit; vulnerabilitate

vincible ['vinsibəl] *adj* 1 lesne de biruit/învins *sau* cucerit; care poate fi învins/înfrânt/biruit *sau* cucerit 2 rezolvabil, care poate fi rezolvat/remediat, remediabil

vincible ignorance ['vinsibəl 'ignərəns] *s* neștiință/ignoranță remediabilă *(chiar de către persoana în cauză)*

vincibleness ['vinsibəlnis] *s v.* **vincibility**

vincula ['viŋkjulə] *pl de la* **vinculum**

vinculum [viŋkjuləm], *pl* **vincula** ['viŋkjulə] *s* 1 *anat etc.* ligament; fren 2 *mat* linie de legătură 3 *poligr* acoladă 4 *fig* lanț(uri); cătușe

vindemial [vin'di:miəl] *adj rar* referitor la culesul viilor

vindicability [,vindikə'biliti] *s* caracter justificabil/defensibil/scuzabil; justificabilitate

vindicable ['vindikəbəl] *adj* justificabil, motivabil; care poate fi justificat/apărat

vindicate ['vindi,keit] *vt* 1 a justifica; a motiva 2 a apăra, a dezvinovăți; a reabilita 3 a pretinde, a reclama, a revendica 4 a răzbuna

vindication ['vindi'keiʃən] *s* 1 justificare, motivare 2 dezvinovățire; reabilitare 3 revendicare, reclamare 4 răzbunare

vindicative [vin'dikətiv] *adj* 1 justificator, care motivează/justifică/susține 2 cu caracter de apărare 3 *înv v.* **vindictive** 1

vindicator [vindi'keitə'] *s* 1 apărător, susținător 2 protector, ocrotitor 3 răzbunător

vindicatory ['vindikətəri] *adj* 1 *v.* **vindicative** 1 2 punitiv, de pedeapsă/pedepsire

vindictive [vin'diktiv] *adj* 1 vindicativ, răzbunător 2 *v.* **vindicatory** 2

vindictiveness [vin'diktivnis] *s* caracter răzbunător, sete de răzbunare, vendetta

vine [vain] *s bot* 1 viță (↓ -de-vie); **under one's own ~ and figtree** *fig* în casa părintească 2 lujer/cârcel de viță

vine arbour ['vain ,a:bə'] *s* boltă de viță (-de-vie)

vine-bearing ['vain ,bɛəriŋ] *adj* vinicol, vinifer; producător de vin

vine-borer ['vain ,bɔ:rə'] *s* specie de insectă care distruge vița-de-vie, parazit al viței *(Prionus laticollis)*

vine branch ['vain ,bra:ntʃ] *s* 1 *bot* smicea de viță-de-vie 2 *arhit* ornament în formă de viță-de-vie

vine bud ['vain ,bʌd] *s bot* mugur de viță

vine-clad ['vain ,klæd] *adj poetic* înveșmântat în viță, încoronat de viță

vine culture ['vain ,kʌltʃə'] *s v.* **vine growing**

vined [vaind] *adj* (împodobit) cu frunze de viță

vine disease ['vain dizi:z] *s bot* boală a viței-de-vie *(mana etc.)*

vine dresser ['vain ,dresə'] *s* 1 *v.* **vine growing** 2 *v.* **vintager**

vine estate ['vain is,teit] *s* podgorie, vie

vine fretter ['vain ,fretə'] *s v.* **vine grub**

vinegar ['vinigə'] I *s* 1 oțet (de vin) 2 *F fig* acreală, caracter ursuz/morocănos 3 răspuns acru/antipatic II *vt* a acri, a oțeti

vinegar bottle ['vinigə ,bɔtəl] *s* sticluță de oțet; serviciu de oțet/salată, olivieră

vinegarish ['vinigəriʃ] *adj* 1 acru (ca oțetul) 2 *fig* acru, morocănos, ursuz, posac

vinegar of lead ['vinigər əv 'led] *s ch* ← *F* apă/acetat de plumb

vinegar of wood ['vinigər əv 'wud] *s ch F* oțet din lemn/surcele; *S* acid acetic lignos

vinegar plant ['vinigə ,pla:nt] *s bot* ciupercă de oțet *(Micoderma aceti)*

vinegar works ['vinigə ,wə:ks] *s* fabrică de oțet

vinegary ['vinigəri] *adj* 1 ca oțetul; de oțet; acetic 2 *și fig* acru (ca oțetul); oțetit

vine grower ['vain ,grouə'] *s* viticultor, podgorean

vine growing ['vain ,grouiŋ] *s* viticultură

vine grub ['vain ,grʌb] *s ent* păduche de viță-de-vie

vine knife ['vain ˌnaif] *s* cosor (de vie)

vine leaf ['vain ˌliːf] *s bot* 1 frunză/ foaie de viță 2 *pl* viță-de-vie

vine plot ['vain ˌplɔt] *s v.* **vineyard**

vine prop ['vain ˌprɔp] *s agr* arac (de viță)

vine reaper ['vain ˌriːpəʳ] *s v.* **vintager**

vinery ['vainəri] *s* 1 seră pentru viță-de-vie 2 fabrică de vinuri

vine shoot ['vain ˌʃuːt] *s bot* lăstar/ butaș de viță

vine stick ['vain ˌstik] *s v.* **vine prop**

vine stock ['vain ˌstɔk] *s* butuc/butaș de viță

vinewed ['vinjuːd] *adj* ← *înv* putregăios, putrezit, mucegăit

vineyard ['vinjəd] *s* 1 vie, podgorie 2 *fig* domeniu/ câmp/sferă de activitate

vingt-et-un [vĕtei'ŏe] *s fr* joc de cărți

viniculture ['vini,kʌltʃəʳ] *s v.* **vine growing**

viniculturist [,vin'kʌltʃərist] *s v.* **vine grower**

viniferous [vi'nifərəs] *adj v.* **vine-bearing**

vinificator ['vinifi'keitəʳ] *s* aparat pentru fabricarea vinului

Vinnitza ['vinitsa] *oraș în Ucraina* Vinița

vinometer [vi'nɔmitəʳ] *s* alcoolmetru, aparat pentru măsurarea alcoolului (din vin)

vin ordinaire [væn ɔːdi'nɛəʳ] *s* vin de masă, vin ieftin *(băut cu apă ↓ în Franța); aprox* tiraz, terasă, producător direct

vinose ['vainous] *adj v.* **vinous**

vinosity [vai'nɔsiti] *s* vinozitate

vinous ['vainəs] *adj* 1 de vin; ca vinul 2 deprins cu vinul/băutura, deprins să bea vin 3 *(d. ospăț etc.)* stropit (din belșug) cu vin

vinous eloquence ['vainəs,elɔkwəns] *s umor* limbuția/vorbăria bețivului

vinous fermentation ['vainəs ˌfəːmən'teiʃ ə n] *s* fermentația vinului, fermentație alcoolică

vinous flavour ['vainəs 'fleivəʳ] *s* miros de vin; buchet (al vinului)

vinous spirit ['vainəs 'spirit] *s* spirt de vin

vint[1] [vint] *vt* a face *(vin)*, a lăsa *(mustul)* să fermenteze

vint[2] [vint] *s rus* joc de cărți asemănător cu bridge-ul

vintage ['vintidʒ] *s* 1 culesul viilor 2 recoltă, producție (a unui an) 3 vin (de calitate) superioară

vintage car ['vintidʒkɑːʳ] *:* automobil din perioada 1917-1930; model vechi

vintager ['vintidʒəʳ] *s* vier; culegător de struguri

vintner ['vintnəʳ] *s înv* 1 podgorean; negustor de vinuri 2 cârciumar

vintnery ['vintnəri] *s* comerț cu vinuri

vintry ['vintri] *s rar* 1 cramă, pivniță (de vinuri); cârciumă 2 tavernă

viny ['vaini] *adj* 1 referitor la vița-de-vie; ca vița 2 de vin, referitor la vin 3 vinicol, vinifer, bogat în vinuri

vinyl plastic ['vainil ,plæstik] *s ch* vinilin

viol ['vaiəl] *s muz înv* violă

Viola ['vaiələ] *nume fem*

viola[1] *s bot* viorea, toporaș, violetă *(Viola odorata)*

viola[2] [vi'oulə] *s muz* 1 violă mare, alto 2 violă

violable ['vaiələbəl] *adj* 1 violabil 2 vulnerabil

violaceous [,vaiə'leiʃəs] *adj* 1 *bot* violaceu, referitor la violete 2 violaceu, vioriu; violet

viola da braccio [vi'oulə də 'brɑːtʃi,ou] *s muz* violă, viola da braccio

viola da gamba [vi'oulə də 'gæmbə] *s muz* viola da gamba, *aprox* violoncel

violascent [,vaiə'leisənt] *adj v.* **violescent**

violatable ['vaiəleitəbl] *adj* care poate fi violat, profanat *etc. v.* **violate**

violate ['vaiə,leit] *vt* 1 a viola, a călca, a încălca; a contraveni *(la sau cu dat)* 2 a sili, a viola, a necinsti 3 a profana *(un mormânt)* 4 a tulbura *(liniștea)*

violation [,vaiə'leiʃən] *s* 1 violare, încălcare; contravenire *(la o regulă etc.)* 2 siluire, viol, necinstire 3 profanare *(a unui mormânt)* 4 tulburare *(a liniștii etc.)*

violator ['vaiə,leitəʳ] *s* 1 contravenient; delicvent, infractor; persoană care încalcă legea *etc.* 2 siluitor, persoană vinovată de viol/ siluire 3 profanator; pângăritor

violence ['vaiələns] *s* 1 violență; intensitate/forță/furie (sălbatică) 2 violență, brutalitate, sălbăticie; **to resort to ~; to use ~** a face

uz de/a recurge la/ a se deda la violență; a face uz de forță fizică; **to die by ~** a fi asasinat, a nu muri de moarte bună; **to do ~ to** *fig* a încălca, a viola *(principii, reguli etc.);* **to do ~ to one's conscience** a-și călca pe inimă; a acționa împotriva propriei conștiințe

violent ['vaiələnt] *adj* 1 violent, intens, puternic, tare; sălbatic, aspru; brutal; **to lay ~ hands on smth a** a smulge/a lua ceva cu de-a sila/cu forța **b** *jur* a ataca proprietatea unui obiect; **to lay ~ hands upon oneself** a-și face (singur) seama, a se sinucide 2 furios, vehement, mânios, iute (la mânie); irascibil; **to be in a ~ temper** a avea un acces de furie; a fi furios/mânios la culme; **to become ~ a** a deveni violent, a se deda la acte de violență 3 *(d. culori)* țipător, ascuțit, viu, aprins 4 *jur* irefragabil, forte 5 vehement

violent death ['vaiələnt 'deθ] *s* moarte violentă *(ant* naturală*)*; asasinat; **to die a ~** a nu muri de moarte bună, a muri asasinat, a fi ucis

violently ['vaiələntli] *adv* 1 (în mod) violent, cu violență 2 intens, puternic, viguros, viu 3 extrem de, foarte, din cale afară (de)

violescent [,vaiə'lesənt] *adj* bătând în violet

Violet ['vaiəlit] *nume fem*

violet I *s* 1 *v.* **viola**[1] 2 violet, culoarea violetă **II** *adj v.* **violaceous** 2

violet-coloured ['vaiəlit ,kʌləd] *adj* violet, vioriu

violet powder ['vaiəlit ,paudəʳ] *s farm* pudră de violete, pudră parfumată cu rădăcină de iris *(folosită și în cosmetică)*

violin [,vaiə'lin] *s* 1 vioară, violină 2 *amer* ← *F* pistol-mitralieră *(al gangsterilor)*

violin bow [,vaiə'lin ,bou] *s muz* arcuș

violin case [,vaiə'lin ,keis] *s* cutie de vioară

violinist [,vaiə'linist] *s* violonist

violist ['vaiəlist] *s muz* violist; instrumentist care cântă la violă *sau* la un instrument vechi de tipul violei *v.* **viola da braccio, viola da gamba**

violoncellist [ˌvaiələn'tʃelist] *s muz* violoncelist

violoncello [ˌvaiələn'tʃelou] *s muz* violoncel

violone ['vaiə'loun] *s muz* vioară mare

VIP ['vi:'ai'pi:] *s F* ştab, grangur, – personaj important

viper ['vaipəʳ] *s* 1 *zool* viperă, năpârcă *(Pelias berus)* 2 *fig* viperă, năpârcă, şarpe; **to cherish a ~ in one's bosom** a încălzi un şarpe la sân 3 ← *F* drogoman, drogat, toxicoman, consumator de droguri 4 *amer F v.* **VIP**

viperess ['vaipris] *s fig* zgripţuroaică, scorpie, caţă, viperă

viperine [ˌvaipə'ri:n] *adj zool* viperin, de/ca o viperă

viperish ['vaipəriʃ] *adj şi fig* veninos, otrăvitor, înveninat

viperous ['vaipərəs] *adj* 1 *v.* **viperish** 2 *med* toxic, virulent 3 *fig* răutăcios, maliţios, rău

viper's grass ['vaipəz ˌgrɑːs] *s bot* luceafăr *(Scorzonera rosea)*

viraginian [viræ'dʒiniən] *adj* 1 *(d. femeie)* masculin(izat), bărbătos, (de) androgin 2 certăreţ, arţăgos, gâlcevitor

viraginity [viræ'dʒiniti] *s rar* hermafroditism, masculinizare a femeilor

virago [vi'rɑːgou] *s* 1 bărbătoi, femeie bărbătoasă; jandarm, matahală, huidumă 2 *v.* **viperess**

viral ['vaiərəl] *adj med* 1 viral, virotic, referitor la virusuri 2 virusologie, inframicrobiologie, virologie

virelay ['viri,lei] *s înv* rondel

virement ['vaiərəmənt] *s fin* virament, transfer dintr-un cont în altul; virare (a unei sume)

virent ['vaiərənt] *adj* 1 *înv* înverzit, verde, care înverzeşte 2 verde, proaspăt, viguros

vireo ['viriou], *pl* ~s ['viriouz] *s orn* pasăre cântătoare verzuie din America *(Vireonidae sp.)*

vires ['vaiəriːz] *pl de la* **vis**

virescence [vi'resəns] *s* 1 verde 2 *bot* culoare verde anormală a petalelor

virescent [vi'resənt] *adj* înverzit, virescent, care devine verde; verzui

virgate¹ ['vəːgit] *adj* 1 virgat, subţire şi înalt (ca o nuia) 2 *fig* tras prin inel

virgate² *s măsurătoare pentru pământ (variabilă; falcă, prăjină etc.)*

Virgil ['vəːdʒil] 1 *v.* **Vergil** 2 *nume masc* Virgil(iu)

Virgilian [vəː'dʒiliən] *adj* 1 referitor la Vergiliu 2 *lit* vergilian, virgilian, în stilul lui Vergiliu

Virgin, the ['vəːdʒin, θə] *s* 1 *rel* Sfânta Fecioară, Fecioara Maria 2 *v.* **Virgo**

virgin ['vəːdʒin] I *s* fecioară, fată (mare), virgină II *adj* 1 de fecioară, virgin, virginal, neprihănit, neîntinat, nepătat, pur 2 *fig* neumblat, nepătruns, virgin; nedeşelenit 3 *ent* nefecundat

virginal ['vəːdʒinəl] I *adj v.* **virgin** II 1, 2 II *s muz* virginal, tip de clavecin

virginally ['vəːdʒinəli] *adv* (în chip) feciorelnic, virginal

virgin birth ['vəːdʒin 'bəːθ] *s* 1 *biol* partenogeneză 2 *rel* partenogeneză, *doctrină a naşterii lui Christos numai din Fecioara Maria (fără un tată pământesc)*

virgin born ['vəːdʒin 'bɔːn] *adj rel* născut din fecioară/din imaculata concepţiune

virgin clay ['vəːdʒin 'klei] *s (ceramică)* argilă umedă/necoaptă

virgin comb ['vəːdʒin 'koum] *s (apicultură) stup care a fost folosit doar o dată pentru miere (şi niciodată pentru înmulţire)*

virgin honey ['vəːdʒin ˌhʌni] *s* miere curată scoasă din fagure prin centrifugare

virginhood ['vəːdʒinhud] *s v.* **virginity 1**

Virginia [vəː'dʒiniə] *s* 1 stat în S.U.A. 2 *nume fem* 3 tutun de Virginia

Virginia creeper [vəː'dʒiniə ˌkriːpəʳ] *s bot* viţă sălbatică *(Parthenocissus quinquefolia)*

Virginia fence [vəː'dʒiniə ˌfens] *s* gard în zigzag

Virginian [vəː'dʒiniən] I *adj* din Virginia II *s* virginian, locuitor din Virginia

Virginia reel [vəː'dʒiniə ˌriːl] *s amer* vechi contradanţ american

Virginia(n) stock [vəː'dʒiniə(n) 'stɔk] *s bot* micşunică/micsandră nord-americană *(Malcolmia maritima)*

virginity [vəː'dʒiniti] *s* 1 virginitate, feciorie, fetie 2 *fig* curăţenie, puritate, neprihănire, caracter imaculat 3 castitate, cinste, puritate, virtute 4 *fig* noutate, caracter inedit

virgin knot ['vəːdʒin 'nɔt] *s poetic v.* **virginity 1**

virgin land ['vəːdʒin'lænd] *s* pământ virgin/nedeşelenit

virgin-like ['vəːdʒinlaik] *adj rar* virginal, feciorelnic, (ca) de fecioară

Virgin Mary ['vəːdʒin'mɛəri] *s rel* Fecioara Maria, Sfânta Fecioară, Maica Domnului

virgin modesty ['vəːdʒin'mɔdisti] *s* sfială/sfioşenie/timiditate feciorelnică; purtări (sfioase/cuviincioase) de fecioară/feciorelnice

virgin queen ['vəːdʒin 'kwiːn] *s (apicultură)* matcă nefecundată

Virgin Queen, the ['vəːdʒin 'kwiːn, ðə] *s ist* regina fecioară *(Elisabeta I a Angliei)*

virgin's bower ['vəːdʒinz ˌbauəʳ] *s bot* viţă-de-pădure, clopoţei *(Clemans sp.)*

virgin soil ['vəːdʒin 'sɔil] *s agr* pământ virgin; ţarină, ţelină, pământ înţelenit

Virgo ['vəːgou] *s astr* Fecioara, Constelaţia Fecioarei

virgo intacta ['vəːgou in'tæktə] *s anat, med* virgo intacta, virgină, fecioară (cu himenul intact)

virgulate ['vəːgjuleit] *adj* ca o/în formă de vargă/nuia

virgule ['vəːgjuːl] *s* 1 bară oblică folosită (în prozodie) pentru despărţirea cuvintelor *sau* versurilor 2 *mat etc.* bară oblică folosită pentru scrierea fracţiilor *(ex. 3/4 = trei sferturi) sau a* raporturilor *(ex. kilometri/oră) sau od pentru despărţirea şilingilor de penny (ex. 7/6 = 7 shilingi şi 6 penny)* 3 bară oblică *pentru despărţirea alternativelor (ex. and/or = şi/sau)* 4 *rar* virgulă 5 nuieluşă, vargă/nuia mică

viridescence [ˌviri'desəns] *adj poetic* înverzire

viridescent [ˌviri'desənt] *adj* 1 înverzit 2 verzui

viridian [vi'ridiən] I *s* 1 *ch, minrl* oxid de crom albastru-verzui 2 culoarea verde-albăstrui/albastru-verzui II *adj* de culoare albastră-verzuie, verde-albăstruie

viridity [vi'riditi] *s* 1 *v.* **verdancy** 2 *fig* răcoare, prospeţime 3 *fig* vioiciune, vivacitate

virile ['virail] *adj* **1** viril, masculin, bărbătesc; bărbătos **2** curajos, îndrăzneț, brav **3** nubil, puber **4** *(d. inteligență etc.)* viguros; sclipitor, strălucit

virile member ['virail 'membə'] *s anat înv* membrum virile, membru bărbătesc, penis

viriliscent [vi'rilisənt] *adj (d. femei)* care capătă unele caractere bărbătești spre bătrânețe

virilism ['viri,lizəm] *s med* (semne de) masculinizare *(la femei sau adolescenți);* caractere secundare bărbătești; virilizare

virility [vi'riliti] *s* **1** virilitate, bărbăție, caracter masculin **2** vigoare

virological [,vaiərə'lɔdʒikəl] *adj med* virologic, virusologic, referitor la virusuri; inframicrobiologic

virologist [vai'rɔlədʒist] *s med* virolog, virusolog, inframicrobiolog; specialist în virusuri/în infecții virale

virology [vai'rɔlədʒi] *s med, biol* virologie, virusologie, inframicrobiologie, studiul virusurilor

virose ['vairous] *adj* **1** otrăvitor; virotic **2** *bot* urât mirositor

virosis [vai'rousis] *s med* viroză, infecție virală/datorită unui virus

virtu [və:'tu:] *s* **1** interes pentru artă, gust artistic; cultură artistică **2** obiecte de artă

virtual ['və:tʃuəl] *adj* **1** virtual, efectiv, real, de fapt **2** posibil

virtuality [,və:tʃu'æliti] *s* virtualitate

virtually ['və:tu'əli] *adv* **1** efectiv, realmente **2** de fapt, în fond; în principiu

virtue ['və:tju:] *s* **1** virtute; calitate; **the (seven) cardinal ~s/the natural ~s** virtuțile cardinale *(dreptatea, înțelepciunea, cumpătarea etc.);* **theological ~s** virtuțile religioase *(credința, speranța, caritatea);* **to make a ~ of necessity** a-și face un punct de glorie fără nici un merit; a fi merituos, virtuos de nevoie **2** puritate, virtute, castitate, cinste; **of easy ~** de moravuri ușoare, ușuratic **3** merit, valoare; iscusință, capacitate; destoinicie; **to have every ~** a fi plin de calități **~ is its own reward** *prov* virtutea în sine e o răsplată **4** forță, eficacitate, putere, acțiune; **by/ in ~ of a** în virtutea *cu gen;* pe

baza *cu gen* **b** mulțumită, datorită *cu dat* **5** ← *înv* vitejie, bravură **6** proprietate, însușire, calitate

virtueless ['və:tju:lis] *adj* **1** lipsit de virtute, stricat, imoral; vicios **2** fără efect, ineficace **3** fără valoare

virtuosa [,və:tju'ɔuzə], *pl* **virtuose** [,və:tju'ouzi] *s muz* virtuoză, virtuoasă, executantă desăvârșită

virtuosi [,və:tju'ouzi] *pl de la* **virtuoso**

virtuosic [[,və:tju'ouzik] *adj* ↓ *muz* **1** de virtuoz, caracteristic pentru un virtuoz **2** (cu caracter) de virtuozitate

virtuosity [,və:tju'ɔsiti] *s* **1** virtuozitate, măiestrie **2** *v.* **virtu 1**

virtuoso [,və:tju'ouzou], *pl și* **virtuosi** [,və:tju'ouzi] *s* **1** *muz* virtuoz **2** cunoscător/specialist/ expert în materie de artă; colecționar (de obiecte de artă)

virtuosoship [,və:tju'ouzəʃip] *s* **1** virtuozitate, măiestrie **2** gust artistic, pricepere/cunoaștere în materie de artă

virtuous ['və:tʃuəs] *adj* **1** virtuos; moral **2** cast, pur, neprihănit

virtuously ['və:tʃuəsli] *adj* **1** moral, etic, corect, drept **2** (în chip) virtuos/serios/cinstit, cast, fără prihană

virtuousness ['və:tʃuəsnis] *s* **1** *v.* **virginity 3 2** excelență, caracter excelent/suprem **3** decență; puritate; moralitate

virulence ['viruləns] *s* **1** virulență, agresivitate **2** *v.* **vehemence 3** toxicitate, caracter toxic/dăunător/periculos **4** *fig* ură, răutate, maliție; virulență, sarcasm

virulent ['virulənt] *adj* **1** virulent, agresiv **2** *v.* **vehement 3** *med* malign; toxic; periculos, primejdios, pernicios **4** *fig* răutăcios, malițios, rău; sarcastic; virulent, vehement

virulent abuse ['virulənt ə'bju:s] *s* insultă gravă/violentă, ultraj monstruos; *F* ocară cumplită

virulent animosity ['virulənt æni'mɔsiti] *s* animozitate/dușmănie profundă; dușmănie ireconciliabilă/de neîmpăcat

virulently ['viruləntli] *adv* cu virulență, (în mod) virulent, agresiv *etc. v.* **virulent**

virulent tone ['virulənt ,toun] *s* ton vehement/agresiv/violent; violență verbală; vehemență

viruliferous [,viru'lifərəs] *adj med* care conține un virus; care conține o materie otrăvitoare

virus ['vaiərəs] *s* **1** *med, biol* virus **2** *fig* microb, virus **3** *fig* (pericol de) molipsire/contagiune/infecție **4** *fig v.* **virulence 3**

Vis *presc de la* **Viscount**

vis [vis], *pl* **vires** ['vaiəri:z] *s lat* forță, putere; vigoare

vis. *presc de la* **1** **visibility 2** **visual**

visa ['vi:zə] **I** *s* viză *(↓ pe pașaport);* viză de ieșire *sau* intrare **II** *trec și ptc* **visaed** *sau* **visa'd** ['vi:zəd] *vt* a viza *(un pașaport etc.)*

visage ['vizidʒ] *s fr lit* față, figură; înfățișare, aer, expresie

vis-á-vis ['viza:'vi] **I** *adv fr* vizavi; față-n-față **II** *prep* față de; cu privire la; *elev* vizavi de **III** *s* **1** omolog, partener egal *(de discuții etc.)* **2** landou, trăsură în care pasagerii stau față în față

Visc *presc de la* **Viscount**

viscacha [vis'kætʃə] *s zool* vizcacha, viscacia *(rozător sud-american cu blană prețioasă) (Lagidium sp.)*

viscera ['visərə] *s pl anat* viscere; măruntaie; mațe, intestine

visceral ['visərəl] *adj* **1** visceral **2** *fig* intern, interior

visceral nerve ['visərəl 'nə:v] *s anat, med* nerv simpatic

viscerate ['visəreit] *vt v.* **eviscerate**

viscid ['visid] *adj v.* **viscous**

viscidity [vi'siditi] *s v.* **viscosity**

viscin ['visin] *s ch* viscină *(substanță lipicioasă extrasă din vâsc)*

viscometer [vis'kɔmitə'] *s fiz* viscometru

viscose ['viskous] *s ch, text* viscoză

viscosimeter [,viskə'simitə'] *s fiz* viscozimetru

viscosity [vis'kɔsiti] *s* **1** viscozitate **2** *fiz* fricțiune internă; forță de coeziune

viscount ['vaikaunt] *s* viconte

viscountey ['vaikauntsi] *s* rang de viconte

viscountess ['vaikauntis] *s* vicontesă, nevastă de viconte

viscountship ['vaikauntʃip], **viscounty** ['vaikaunti] *s* rang de viconte

viscous ['viskəs] *adj* viscos; lipicios, cleios

viscousness ['viskəsnis] *s v.* **viscosity**

viscus ['viskəs] *s anat folosit ↓ la pl* **viscera** ['visərə] viscer, organ intern moale

vise [vais] *s v.* **vice²** I

visé [ve:'zei] *fr* I *s* viză II *vt* a viza, a pune viza pe

visibility ['vizi'biliti] *s* vizibilitate

visible ['vizibəl] *adj* **1** vizibil **2** evident, vădit, vizibil; neîndoielnic **3** pregătit pentru musafiri; dispus să primească; **is your master ~?** domnul primeşte/e acasă?

visibleness ['vizibəlnis] *s v.* **visibility**

visible speech ['vizibəl 'spi:tʃ] *s fon şcol* diagramă fonologică *(reprezentare grafică a poziţiilor organelor vocale în pronunţarea diverselor sunete);* grafic fonetic/fonematic

visibly ['vizibli] *adv* **1** în mod vizibil/clar **2** în mod evident/vădit/vizibil

Visigoth ['vizi,goθ] *s ist* vizigot

Visigothic [,vizi'goθik] *adj* vizigotic, al vizigoţilor, referitor la vizigoţi

vis inertiae [vis i'nə:ʃii:] *s lat* forţă *sau* stare de inerţie

vision ['viʒən] I *s* **1** privelişte, spectacol; imagine **2** viziune, închipuire, imagine fictivă; ficţiune, himeră **3** vedenie, nălucă, fantomă, arătare **4** vedere, privire; **beyond ~** în afara vederii (cuiva); nevăzut; ascuns privirilor; prea departe pentru a fi văzut **5** perspicacitate, pătrundere (psihologică) II *vt* **1** a-şi imagina, a-şi închipui; a avea viziunea *(cu gen)* **2** a vedea în vis, a visa

visional ['viʒənəl] *adj* **1** referitor la vedere **2** cu caracter de viziune; imaginar, închipuit **3** imaginabil

visionariness ['viʒənərinis] *s* **1** caracter vizionar/profetic; caracter himeric; extravaganţă **2** halucinaţie; vedenie; stare de vis/visare

visionary ['viʒənəri] I *adj* **1** iluzoriu, imaginar, himeric, închipuit; fantastic **2** (de) vizionar, visător, nepractic **3** fantasmagoric, fantastic, himeric **4** *rar* profetic, vizionar, vatutinar II *s* **1** vizionar; profet **2** visător **3** exaltat

visioned ['viʒənd] *adj* **1** vizionar, inspirat **2** închipuit, visat, fantomatic, himeric

visionist ['viʒənist] *s v.* **visionary** II

visit ['vizit] I *s* **1** vizită *(↓ lungă, de cel puţin o zi);* **to pay smb a ~, to pay a ~ to smb** a veni în vizită la cineva, a sta la cineva, a vizita pe cineva; **to receive/to have a ~ from smb** a primi vizita cuiva, a fi vizitat de cineva **2** vizită *(a unui doctor etc.);* venire/vizită la domiciliu **3** inspecţie, cercetare; descindere; vizită; **right of ~** *nav* drept de inspectare *(a unui vas străin)* **4** *amer* taifas, conversaţie, trăncăneală II *vt* **1** a vizita, a veni în vizită la, a face o vizită *(cu dat)*, a veni să vadă *(pe cineva)* **2** a vizita *(un monument etc.)*, a se duce să vadă, a merge la; **it is not much ~ed by tourists** e puţin frecventat de turişti **3** *(d. doctor etc.)* a vizita, a trece pe la **4** *jur* a cerceta, a inspecta; a percheziţiona; a face o descindere la *(sau cu dat)* **5** *fig (d. urgie etc.)* a se abate asupra *(cu gen);* a pune la grea încercare **6** *rel* a pedepsi *(după cum merită)*, a face să ispăşească *(păcatele etc.);* **your sins will be ~ed upon you** ai să-ţi plăteşti/ispăşeşti toate păcatele, n-ai să scapi nepedepsit II *vi* **1** (with) a se duce în vizită (la); a fi în vizită/relaţii cu **2** *amer F* a sta la taifas/de vorbă, a tăifăsui, a sporovăi

visitable ['vizitəbəl] *adj* **1** vizitabil, care poate fi vizitat; care primeşte (musafiri) **2** care poate fi verificat/inspectat *sau* consultat

visitant ['vizitənt] I *adj* **1** care vizitează **2** *(d. pasăre)* călătoare, migratoare, vizitatoare II *s poetic* vizitator, oaspete, musafir

visitation [,vizi'teiʃən] *s* **1** *v.* **visit** I **1, 3 2** *nav* control vamal; percheziţionare *(a unui vas);* **right of ~** *nav* dreptul de inspectare *(a unui vas străin)* **3** *rel fig* pedeapsă (divină), pedepsire *(a păcatelor)*, încercare (grea) **4** *zool* migraţie în masă

visitatorial [,vizitə'tɔ:riəl] *adj* de vizită, de inspecţie

visit card ['vizit ,ka:d] *s v.* **visiting card**

visiter ['vizitə] *s v.* **visitor**

visiting book ['vizitiŋ ,buk] *s* **1** carte de onoare/aur/impresii; registrul vizitatorilor **2** agendă/listă a bolnavilor *(unui doctor)*

visiting card ['vizitiŋ ,ka:d] *s* carte de vizită

visiting day ['vizitiŋ ,dei] *s* zi de vizită/vizite

visiting professor ['visitiŋ prə'fesə'] *s univ* profesor invitat *(din străinătate sau de la altă universitate);* aprox lector străin

visiting round ['visitiŋ ,raund] *s mil* rondul/controlul santinelelor

visitorial [vizi'tɔriəl] *adj v.* **visitatorial**

visitor's book ['vizitəz ,buk] *s* **1** carte de onoare, registru al invitaţilor *(la o ambasadă etc.)* **2** registru de impresii *(pt vizitatori)*

visitress ['vizitris] *s rar* vizitatoare, musafiră

visit with ['vizit wið] *vi* cu prep *(d. persoană)* a fi în (relaţii de) vizită cu, a se vizita cu; a fi în relaţii (civilizate/de politeţe cu)

visive ['vaisiv] *adj* ← *înv* vizual

vis major ['vis 'meidʒə'] *s jur* forţă majoră, vis major

visor ['vaizə'] *s* **1** vizieră **2** cozoroc **3** *fig* mască

visored ['vaizəd] *adj* (prevăzut) cu vizor *sau* vizieră, apărat de un vizor *sau* o vizieră

visorless ['vaizəlis] *adj* fără vizor/vizieră, ne apărat de vizor *sau* vizieră

vista ['vistə] *s* **1** vedere, perspectivă, panoramă **2** *fig* perspectivă (de viitor) **3** amintire, şirag de amintiri **4** pârtie, culoar, alee, drum **5** luminiş, rarişte, poiană

vistadome ['vistədoum] *s ferov amer* platformă cu geamuri pe vagon *(pentru a contempla priveliştea)*

vistaed ['vistəd] *adj* care are perspectivă (frumoasă)

Vistula, the ['vistjulə, ðə] *fluviu* în Polonia

visual ['viʒuəl] *adj* **1** vizual; de vedere; optic **2** *v.* **visible** 2 **3** elocvent, ilustrativ, demonstrativ, grăitor

visual aids ['viʒuəl 'eidz] *s şcol* material didactic (auxiliar)

visual angle ['viʒuəl 'æŋgəl] *s opt* unghi vizual/de vedere

visual distance ['viʒuəl 'distəns] *s* distanţă vizuală

visual field ['viʒuəl 'fi:ld] *s opt* câmp vizual

visuality [viʒu'æliti] *s* **1** vizualitate, caracter vizual **2** caracter vădit/evident/vizibil

visualization [ˌviʒuəlai'zeiʃən] *s* **1** imagine vizuală/clară/precisă **2** *v.* **vision I 2 3** preconizare

visualize ['viʒuə,laiz] **I** *vt* **1** a-și reprezenta în mod clar, a avea reprezentarea/imaginea *(cu gen)*, a vedea în gând/minte/cu ochii minții **2** a preconiza **II** *vi* a-și face o imagine/idee/impresie clară

visual line ['viʒuəl 'lain] *s* linie vizuală

visually [viʒuəli] *adv* **1** în mod vizual **2** *v.* **visibly 1**

visual nerve ['viʒuəl 'nə:v] *s anat* nerv optic

visual point ['viʒuəl 'point] *s opt* poziție a ochiului; punct vizual

visual purple ['viʒuəl 'pə:pl] *s anat* pigment fotosensibil al retinei

visual ray ['viʒuəl 'rei] *s opt* rază vizuală

vita glass ['vaitə glɑːs] *s* sticlă de cuarț *(care permite trecerea razelor ultraviolete)*

vital ['vaitəl] **I** *adj* **1** vital; referitor la viață; cu viață în sine **2** arzător, urgent, presant; de importanță vitală, esențial **3** de viață și de moarte, vital; primejdios; periculos, fatal, mortal **4** *(d. stil)* vioi **II** *s v.* **vitals**

vital capacity ['vaitəl kə'pæsiti] *s med* capacitate pulmonară/a plămânilor

vital energies ['vaitəl 'enədʒiz] *s pl* energie/forță vitală; putere/sete de viață; vitalitate, energie

vital force ['vaitəl 'fɔːs] *s* elan vital, vitalitate, vitalism, energie, putere de viață

vital functions ['vaitəl 'fʌŋkʃənz] *s pl fizl* funcții vitale, funcționalitate *(a organismului)*

vitalist ['vaitəlist] *s biol, filos* vitalist, adept al vitalismului

vitality [vai'tæliti] *s* **1** vitalitate, putere de viață **2** viabilitate; caracter viabil/durabil **3** vioiciune *(a stilului etc.)*

vitalization [ˌvaitəlai'zeiʃən] *s v.* **vivification**

vitalize ['vaitə,laiz] *vt v.* **vivify**

vitally ['vaitəli] *adv* **1** în mod vital **2** în mod esențial/substanțial/fundamental; urgent, presant **3** mortal, fatal

vital part ['vaitəl 'pɑːt] *s* parte vitală/esențială a unui lucru *sau* a organismului

vitals ['vaitəlz] *s pl* **1** organe vitale **2** *fig* inimă, miez; esență, fond

vital statistics ['vaitəl stæ'tistiks] *s pl* **1** statistică demografică; date privitoare la evoluția populației **2** *F* măsurători ale bustului, taliei, șoldurilor *(la femei)*

vital thread ['vaitəl 'θred] *s* firul vieții

vitamin ['vitəmin] *s* vitamină

Vitebsk ['vitipsk] *oraș în fosta U.R.S.S.*

vitellary ['vitələri] *adj biol* vitelar, referitor la conținutul ovulului

vitellin [vi'telin] *s ch* vitelină

vitelline [vi'telin] *adj biol* vitelin

vitelline membrane [vi'telin 'membrein] *s* membrană vitelină *(în care este învelit gălbenușul)*

vitellus [vi'teləs] *s biol* gălbenuș de ou

vitiate ['viʃi,eit] *vt* **1** a vicia **2** *jur* a vicia (fundamental); a invalida, a lipsi de valoare; a anula **3** *fig* a strica, a corupe, a deprava **4** a polua, a strica

vitiated ['viʃi,eitid] *adj (d. aer, etc.)* viciat, stricat, poluat

vitiation [ˌviʃi'eiʃən] *s* **1** viciere **2** *jur* invalidare; viciere; anulare **3** *fig* corupere, depravare, stricare **4** poluare, stricare

vitiator ['viʃi,eitə'] *s* corupător

viticulture [ˌviti'kʌltʃə'] *s* viticultură

viticulturist [ˌviti'kʌltʃərist] *s* viticultor; podgorean

vitiosity [ˌviti'ɔsiti] *s* caracter vicios, stricăciune

vitlar ['vitlə'] *s v.* **victualler**

vitreous ['vitriəs] *adj* vitros; sticlos

vitreous body ['vitriəs 'bɔdi] *s anat* corp vitros/sticlos, vitros

vitreous degeneration ['vitriəs ˌdedʒenə'reiʃən] *s med* degenerescență vitroasă

vitreous electricity ['vitriəs ˌilek'trisiti] *s el* electricitate pozitivă/sticloasă

vitreous humour ['vitriəs 'hju:mə'] *s anat* umoare sticloasă/vitroasă, corp sticlos/vitros

vitreousness ['vitriəsnis] *s* vitrozitate

vitreous silver ['vitriəs 'silvə'] *s minr* argentit, sulfură de argint

vitrescence [vi'tresəns] *s v.* **vitreousness**

vitrescent [vi'tresənt] *adj* care se poate preface în sticlă

vitrifaction [ˌvitri'fækʃən] *s v.* **vitrification 1**

vitrifacture [ˌvitri'fæktʃə'] *s tehn* fabricare a sticlei

vitrifiable [ˌvitri'faiəbəl] *adj tehn* vitrificabil, care se poate preface în sticlă

vitrification [ˌvitrifi'keiʃən] *s* **1** vitrificare, prefacere în sticlă **2** *met* prefacere în zgură

vitriform ['vitri,fɔːm] *adj* vitriform, vitros, sticlos, ca sticla

vitrify ['vitri,fai] *tehn* **I** *vt* a transforma în sticlă, a vitrifica **II** *vi* a se preface în sticlă

vitriol ['vitriəl] *s ch* **1** vitriol, acid sulfuric **2** sulfat

vitriolate ['vitrio,leit] *vt ch* a vitriola, a trata cu acid sulfuric

vitriolation ['vitriə,leiʃən] *s ch* vitriolare

vitriolic [ˌvitri'ɔlik] *adj* **1** *ch* vitriolic, de vitriol; cu acid sulfuric **2** *fig* coroziv, sarcastic, mușcător, necruțător, biciuitor

vitriolic acid [ˌvitri'ɔlik ˌæsid] *s v.* **vitriol 1**

vitriolize ['vitriəlaiz] *vt* **1** *v.* **vitriolate 2** a arunca cu vitriol în **3** *fig* a ataca violent/vehement/cu violență

vitriol throwing ['vitriəl ˌθrouiŋ] *s* vitriolare *(a unei persoane)*, răzbunare cu vitriol, atentat împotriva integrității corporale (a unei persoane) prin aruncare cu vitriol

Vitruvian scroll [vi'truːviən 'skroul] *s arhit* (ornamentație cu) volută *(la friză etc.)*

Vitruvius [vi'truːviəs], **Marcus Pollio** *arhitect și constructor roman (sec. I î.e.n.)*

vitta ['vitə], *pl* **vittae** ['viti:] *s* **1** *bot* canal oleifer/deferent al uleiului *(la plantele oleaginoase)* **2** *zool* dungă colorată; *pl* vărgare **3** *od* cunună *(pt preoți, victime, statui)*

vittate ['viteit] *adj* **1** *bot (d. plantă)* cu tuburi/canale oleifere **2** *zool* vărgat, dungat, tărcat

vituline ['vitju,lain] *adj* (ca) de vițel

vituperable [vi'tjupərəbəl] *adj* condamnabil, blamabil, de condamnat

vituperate [vi'tjuː,pə,reit] *vt* **1** a condamna, a blama; a ține de rău; a dojeni, a mustra, a admonesta **2** a ocărî, a insulta; a face cu ou și cu oțet

vituperation [ˌvitjupəˈreiʃən] *s* **1** blamare, condamnare; dojană, mustrare, admonestare **2** ocară, insultă; ocărâre

vituperative [viˈtjuːpərətiv] *adj* **1** mustrător, de dojană, dojenitor **2** injurios, insultător

vituperator [ˌvitjuːpəˈreitəʳ] *s* persoană care dojenește; ofensator

viva¹ [ˈvaivə] **I** *interj* trăiască! ura! vivat! **II** *s* vivat; ura; ovație

viva² **I** *s* F *univ* (examen) oral, colocviu **II** *vi pret și ptc* **~ed** sau **~'d** a examina *(un candidat)* la oral, a asculta la examen

vivace [viˈvɑːtʃi] *adj, adv muz* vivace

vivacious [viˈveiʃəs] *adj* **1** vivace, vioi; în vervă, sprinten **2** trainic, durabil, de lungă durată

vivaciously [viˈveiʃəsli] *adv* vioi, sprinten, vivace; cu vervă/antren

vivaciousness [viˈveiʃəsnis] *s* **1** vivacitate, însuflețire, sprinteneală, vioiciune; vervă, antren **2** longevitate, viață lungă; trăinicie, durabilitate

vivacity [viˈvæsiti] *s v.* **vivaciousness 1**

Vivaldi [viˈvældi], **Antonio** *compozitor italian (1675?-1741)*

vivandière [vivɑ̃ˈdjɛːʳ] *s* vivandieră

vivaria [vaiˈvɛəriə] *pl de la* **vivarium**

vivarium [vaiˈvɛəriəm], *pl și* **vivaria** [vaiˈvɛəriə] *s* **1** acvariu **2** vivariu **3** eleșteu, piscină

vivary [ˈvaivəri] *s rar v.* **vivarium**

vivat [ˈvaivæt] *interj v.* **viva¹**

viva voce [ˈvaivə ˈvoutʃi] **I** *s* (examen) oral; colocviu **II** *adj* oral, verbal **III** *adv v.* **vocally 1 IV** *vt* a examina oral *(un candidat)*, a asculta la oral/examen

vivax [ˈvaivæks] *s ent, med* parazit al malariei care dă febra de trei zile *(Psalmodium vivax)*

vive [viːv] *fr interj, fr s* vivat! trăiască!

viverrine [vaiˈverain] *adj zool* din (sub)familia nevăstuicii, dihorului *etc.*

vivers [ˈviːvəz] *s P scot* hrană, merinde, mâncare

vives [ˈvaivz] *s pl vet* amigdalită, parotidită *(la cai)*

Vivian [ˈviviən] *nume fem*

vivianite [ˈviviənait] *s minrl* vivianit

vivid [ˈvivid] *adj* **1** însuflețit, plin de viață/vioiciune, vioi **2** *v.* **vivacious 2 3** *(d. culoare, lumină)* viu, intens; strălucitor

vividly [ˈvividli] *adv* **1** cu însuflețire/viață/vioiciune, viu **2** *v.* **vivaciously 3** cu strălucire/brio

vividness [ˈvividnis] *s* **1** însuflețire, viață, caracter viu **2** *v.* **vivaciousness 1**

vivification [ˌvivifiˈkeiʃən] *s* însuflețire, înviorare, vitalizare; impulsionare; animare

vivifier [ˈvivi,faiəʳ] *s* persoană care însuflețește/înviorează/animă

vivify [ˈvivi,fai] *vt* a anima, a însuflefi, a înviora; a da viață *(cu dat)*; a vitaliza; a impulsiona

viviparity [ˌviviˈpæriti] *s biol* viviparitate

viviparous [ˈviˈvipərəs] *adj biol* vivipar

viviparousness [viˈvipərəsnis] *s v.* **viviparity**

vivisect [ˈvivi,sekt] *vt* a supune vivisecției

vivisection [ˌviviˈsekʃən] *s* vivisecție

vivisectional [ˌviviˈsekʃənəl] *adj* (legat) de vivisecție; în legătură cu vivisecția

vivisectionist [ˌviviˈsekʃənist] *s* partizan al vivisecției, vivisecționist

vivisector [ˈvivi,sektəʳ] *s* persoană care face vivisecții

vixen [ˈviksən] *s* **1** *zool* vulpe, vulpoaică **2** *fig v.* **viperess**

vixenish [ˈviksəniʃ] *adj* **1** ca o vulpe, șiret, viclean **2** certăreț, țâfnos, gâlcevitor

vixenly [ˈviksənli] *adj v.* **vixenish**

viz. [ˈneimli sau vi'di:liset] *presc de la* **videlicet**

vizard [ˈvizəd] *s înv v.* **visor**

vizard-like [ˈvizəd,laik] *adj* (ca) de vizieră

vizcacha [visˈkætʃə] *s v.* **viscacha**

vizier [viˈziəʳ] *s ist* vizir; **the grand ~** marele vizir

vizor [ˈvaizəʳ] *s v.* **visor**

vizsla [ˈviʒlə] *s zool* câine de vânătoare roșcat din Ungaria

VJ *presc de la* **Victory over Japan** *(15 august 1945 sau, în America, 2 septembrie 1945)*

VJ day [viːˈdʒeiˈdei] *s* ziua victoriei asupra Japoniei în cel de-al doilea război mondial *(15 august 1945 în Anglia, 2 septembrie 1945 în S.U.A.)*

v.l. *presc de la* **varia lectio** altă lectură, variantă (a lecturii/citirii)

Vlach [vlɑːk] *s, adj* valah

Vladivostok [vlædiˈvɔstɔk] *oraș în fosta U.R.S.S.*

Vlaminck [vlaˈmɛ̃ːk], **Maurice de** *pictor francez (1876-1958)*

vlei [flei] *s* depresiune care băltește/se umple cu apă în sezonul ploios *(în Africa de Sud)*

vlf *presc de la* **very low frequency**

VLR *presc de la* **very low range**

Vltava, the [ˈvəltava, ðə] (râul) Vîltava, Moldova *(în Cehia)*

vn. *presc de la* **verb neuter** verb intranzitiv

VO *presc de la* **verbal order**

V.O. *presc de la* **Royal Victorian Order** înaltă decorație britanică

voc. *presc de la* **vocative**

vocab. *presc de la* **vocabulary**

vocable [ˈvoukəbəl] *s fig* vocabulă, cuvânt, verb, termen

vocabulary [vɔˈkæbjuləri] *s* **1** vocabular, cuvinte folosite (de cineva) **2** lexic, vocabular **3** listă de cuvinte folosite (de cineva) **4** listă de cuvinte, vocabular, glosar

vocabulist [vɔˈkæbjulist] *s* autor al unui vocabular

vocal [ˈvoukəl] *adj* **1** vocal; referitor la voce *sau* cântăreț **2** sonor; **to become ~ a** a începe să răsune **b** a-și ridica glasul **3** *fon* sonor, sonant **4** *fig* F gălăgios, zgomotos, protestatar; **he has very ~ about his rights** făcea multă gălăgie/mult tapaj/scandal pentru drepturile lui **5** *poetic (d. copaci, apă etc.)* vorbitor, care glăsuiește, sonor

vocal chords [ˈvoukəl ˈkɔːdz] *s pl anat* coarde vocale

vocalic [vouˈkælik] *adj* vocalic; referitor la vocale

vocalism [ˈvoukə,lizəm] *s* **1** caracter oral; folosirea vocii **2** *lingv* vocalism

vocalist [ˈvoukəlist] *s muz* solist vocal, cântăreț

vocality [vouˈkæliti] *s* **1** vocalitate, caracter vocal **2** *lingv* oralitate, caracter vocal **3** *lingv* sonoritate **4** caracter zgomotos *sau* răspicat; gălăgie

vocalization [ˌvoukəlaiˈzeiʃən] *s* vocalizare

vocalize [ˈvoukə,laiz] **I** *vt* **1** a cânta (cu vocea) **2** a pronunța, a articula, a rosti **3** *lingv* a vocaliza, a scrie cu marcarea vocalelor prin puncte *(în ebraică etc.)* **II** *vi* **1** *muz* a face vocalize **2** ← *F* a cânta **3** ← *umor* a striga, a face gălăgie, a vocifera; a cânta, a da glas

vocally ['voukəli] *adv* **1** oral, prin viu grai **2** muzical, vocal; prin cântec

vocal music ['voukəl 'mju:zik] *s muz* muzică vocală; cântece *etc.*, muzică destinată interpretării vocale *(cu sau fără acompaniament)*

vocalness ['voukəlnis] *s v.* **vocality**

vocal organ ['voukəl 'o:gən] *s* organe vocale; voce, glas

vocal performer ['voukəl pə'fo:mə^r] *s v.* **vocalist**

vocal score ['voukəl 'sko:^r] *s muz* partitură cu indicarea vocilor in extenso; partitură vocală/pentru cântăreți

vocation [vou'keiʃ ə n] *s* **1** vocație, chemare, menire **2** ocupație, meserie, profesie; carieră **3** înclinație, aptitudine, talent, aplicație

vocational [vou'keiʃ ə nəl] *adj* profesional; de meserie

vocationally [vou'keiʃ ə nəli] *adv* (din punct de vedere) profesional

vocative ['voukətiv] **I** *adj* vocativ **II** *s* (cazul) vocativ

vociferance [vou'sifərəns] *s rar v.* **vociferation**

vociferate [vou'sifə,reit] *vi* a vocifera, a face tărăboi/scandal/gură, a striga în gura mare

vociferation [ˌvousifə'reiʃ ə n] *s* vociferare, larmă, vacarm

vociferator [vou'sifə,reitə^r] *s* persoană care vociferează; scandalagiu, *înv* zavragiu

vociferous [vou'sifərəs] *adj* zgomotos, cu gura mare

vodka ['vodkə] *s* vodcă

voe [vou] *s dial* golf, sân de mare

vogue [voug] *s* vogă, modă; **to be (all) the ~, to have a great ~, to be in ~ a** a fi la modă/en vogue **b** a se purta **c** a face furori; a fi ultimul strigăt; **to come into ~** a ajunge la modă/să se poarte

vogue-word ['voug,wə:d] *s* cuvânt (foarte) la modă, cuvânt folosit de toată lumea, ultima noutate în materie de vocabular

voguish ['vougiʃ] *adj* **1** (foarte) la modă, pus la punct, după ultima modă; șic, elegant **2** la modă, popular

voice [vois] **I** *s* **1** voce; **in a loud ~** (cu voce/glas) tare; **in a low ~** (aproape) în șoaptă/pe șoptite; cu glas scăzut; încet; **a still, small ~** glasul conștiinței; **at the top of one's ~** cât te ține gura, cât poți de tare; **with one ~** într-un glas; în unanimitate, unanim; **to give ~ to** a da glas *sau* cu dat **2** *muz* voce, glas; **to be in (good) ~** a fi în voce/formă **3** cântăreț, voce **4** opinie, părere, glas; **a ~ in the wilderness a** predică în pustiu **b** om care își bate gura degeaba; **to raise one's ~ against smth** a-și ridica glasul împotriva unui lucru **5** vot, sufragiu; cuvânt; **to have no ~ in a matter** a nu avea nici un cuvânt/nici o putere într-o privință **6** *gram* diateză **7** *fon* sonoritate, vibrație a coardelor vocale **II** *vt* **1** a rosti, a articula, a pronunța **2** *fig* a exprima, a enunța, a da glas *sau* cu dat **3** *înv* a anunța, a proclama, a vesti **4** a alege, a vota pentru **5** *muz* a acorda; a armoniza

voice-box ['vois,boks] *s anat* laringe

voiced ['voist] *adj lingv (d. sunet)* sonor, cu vibrația coardelor vocale

voiceful ['voisful] *adj ← poetic* sonor, cu voce, răsunător

voiceless ['voislis] *adj* **1** fără glas/voce; care și-a pierdut vocea **2** mut, amuțit; tăcut; silențios **3** fără drept de vot, care nu votează; consultativ **4** *lingv (d. sunet)* surd, fără vibrația coardelor vocale

voicelessly ['voislisli] *adv* în tăcere, pe mutește; mut; tăcut

voicelessness ['voislisnis] *s* **1** tăcere; mutism **2** *lingv* surditate, caracter surd *(al unui sunet)*; lipsa vibrației coardelor vocale

voice-over ['vois,ouvə^r] *s cin* comentariu *sau* narațiune (fără imaginea vorbitorului)

voice part ['vois ,pa:t] *s muz* partidă/parte vocală

voice-print(ing) ['vois ,print(iŋ)] *s lingv, fiz* înregistrare vizuală a vorbirii *(frecvență, durată, amplitudine)*, vocogramă

voice-vote ['vois,vout] *s pol* vot deschis *(cu numărătoarea aproximativă a mulțimii exclamațiilor de da! sau nu!)*

void [void] **I** *adj* **1** gol, neocupat, liber; vacant **2** pustiu, nelocuit **3** *(d. post etc.)* vacant, liber **4** *jur*

nul (și neavenit), fără efect; lovit de nulitate; **to make ~** a anula; a desființa **5** fără valoare, ineficace, van **II** *s* (spațiu) gol, vid; lacună; lipsă; loc liber **III** *vt* **1** a goli, a deșerta **2** *jur* a anula, a lipsi de efect **3** *fig* a evacua, a părăsi **4** *fizl* a evacua, a elimina; a expulza *(fecale)*

voidable ['voidəbəl] *adj* **1** care poate fi golit **2** *jur* anulabil, (care poate fi) lovit de nulitate **3** evacuabil

voidance ['voidəns] *s* **1** golire, deșertare **2** *jur* anulare; desființare **3** expulzare; eliminare; scoatere; îndepărtare **4** *fig* subterfugiu, pretext, chichiță

voided ['voidid] *adj* **(of) 1** golit, vidat **2** lipsit (de), văduvit (de) **3** lăsat gol/liber/în paragină **4** *(în heraldică)* răscroit

voider ['voidə^r] *s înv* coș de masă/de debarasat *(pentru înlăturarea resturilor de mâncare)*

voidness ['voidnis] *s* **1** gol, vid **2** *jur* nulitate, lipsă de valabilitate/validitate **3** inexistență

voile [voil] *s text* (pânză de) voal

voir dire ['voa:r'diə^r] *s fr jur* jurământ preliminar al martorilor

voiture [vwa'tjuə] *s fr rar* vehicul, trăsură

voivode ['voivoud] *s od* voievod

voivodeship ['voivoudʃip] *s ist* voievodat

Voivodina ['voivo'di:nə] *regiune în Jugoslavia*

Vojvodina *v.* **Voivodina**

voker ['voukə^r] *vi ← rar* a vorbi, a grăi

vol. *presc de la* **1** volume **2** volunteer

volable ['voləbl] *adj înv* cu prezență de spirit, prompt în replică; spiritual în conversație

volant ['voulənt] *adj* **1** *zool* zburător **2** *fig* sprinten, iute **3** *(în heraldică)* în zbor, zburând

volapuk ['volə,puk] *s lingv* (limba) volapuk

volar ['voulə^r] *adj anat* palmar

volatile ['volətail] *adj* **1** *ch* volatil **2** *fig* ușuratic, flușturatic; nestatornic, schimbător

volatile alkali [volətail 'ælkə,lai] *s* amoniac, sare volatilă, *înv* spirt de țipirig

volatile disposition ['volətail ,dispə'ziʃ ə n] *s* dispoziție trecătoare, capriciu, moft(uri)

volatile liniment ['vɔlə,tail 'liniment] *s* liniment volatil

volatileness ['vɔlə,tailnis] *s v.* **volatility**

volatile oil ['vɔlə,tail 'ɔil] *s* ulei eteric

volatile wit ['vɔlə,tail 'wit] *s* minte iute/vioaie, duh, spirit, umor; minte vioaie

volatile writer ['vɔlə,tail 'raitəʳ] *s* scriitor multilateral/cu o operă diversă

volatility [,vɔlə'tiliti] *s* **1** volatilitate, caracter volatil/eteric **2** *fig* nestatornicie, inconstanță, caracter schimbător/ușuratic/flușturatic

volatilizable [vɔ'læti,laizəbəl] *adj ch* volatilizabil

volatilization [vɔ,lætilai'zeiʃən] *s* volatilizare

volatilize [vɔ'læti,laiz] *ch* **I** *vt* a volatiliza; a vaporiza **II** *vi* a se volatiliza, a se vaporiza, a se evapora

vol-au-vent [vɔlo'vã] *s fr gastr* vol-au-vent (financière) *(pateu umplut cu ciuperci etc. și sos alb)*

volcanic [vɔl'kænik] *adj* **1** vulcanic; eruptiv **2** *fig* vulcanic, năvalnic, aprins, înfierbântat; furtunos, impetuos

volcanically [vɔl'kænikəli] *adv* vulcanic, ca un vulcan, exploziv

volcanic bomb [vɔl'kænik 'bɔm] *s geol* bombă vulcanică, nucleu vulcanic

volcanic glass [vɔl'kænik 'glɑːs] *s minrl* obsidiană, piatră vulcanică

volcanicity [,vɔlkə'nisiti] *s* vulcanism, caracter vulcanic

volcanic lava [vɔl'kænik 'lɑːvə] *s geol minrl* lavă

volcanic rock [vɔl'kænik 'rɔk] *s geol minrl* rocă vulcanică/eruptivă

volcanism ['vɔlkə,nizəm] *s geol* vulcanism

volcanist ['vɔlkənist] *s geol* vulcanolog

volcanization [,vɔlkənai'zeiʃən] *s* vulcanizare

volcanize ['vɔlkə,naiz] *vt* a vulcaniza

volcano [vɔl'keinou] *pl* **volcanoes** [vɔl'keinouz] *s* **1** vulcan **2** *fig* refulare, sentiment refulat; patimă înăbușită *(care amenință să răbufnească)*

vole¹ [voul] *s zool* șoarece de câmp *(Arvicola sp.)*

vole² *s* **1** mare șlem *(la cărți)* **2** *fig* câștigul/lozul cel mare; **to go the ~** a juca totul pe o carte

volée ['vɔlei] *s fr muz* ruladă, tiradă

volery ['vɔləri] *s* ← *rar* **1** volieră **2** cârd, stol de păsări

volet ['vɔlei] *a artă* panou (la un triptic)

Volga, the ['vɔlgə, ðə] *fluviu în fosta U.R.S.S.*

Volgograd ['vɔlgə,græd] *oraș în fosta U.R.S.S. (od Țarițin, apoi Stalingrad)*

volitant ['vɔlitənt] *adj zool* zburător, capabil de zbor

volitation [,vɔli'teiʃən] *s* fluturat, fâlfâit (din aripi); zbor

volition [və'liʃən] *s* **1** volițiune, (putere de) voință **2** act de voință; hotărâre

volitional [və'liʃənəl] *adj* volițional, referitor la voință

volitive ['vɔlitiv] *adj* volitiv, volițional

Völkerwanderung ['fɔlkər,vandəruŋ] *s germ* migrația popoarelor (↓ germanice și slave), năvălirile barbare *(în Europa, secolele II-XI)*

Volkslied ['fɔlks,liːt] *s germ* cântec popular

volley ['vɔli] **I** *s* **1** *mil* salvă **2** *fig* potop, torent, grindină *(de insulte etc.);* **to discharge/to fire a ~ of insults** a da drumul la/a vărsa un potop de ocări, a face pe cineva albie de porci **3** *sport* voleu, minge prinsă din zbor **II** *vt* **1** *mil* a trage o salvă de *(proiectile)* **2** *fig* a bombarda cu/a arunca *(cu pietre etc.)* în **3** *fig* a revărsa, a da drumul la, a arunca *(vorbe grele etc.)* **4** *sport* a prinde/a lua *(mingea)* din voleu **III** *vi* **1** *mil* a se descărca simultan, a trage o salvă **2** ← *F* a detuna, a pocni, a răsuna **3** *sport* a prinde/a relua mingea din voleu

volley ball ['vɔli ,bɔːl] *s sport* volei

vol-plane ['vɔl,plein] *av* **I** *s* zbor planat **II** *vi* a coborî fără motor/în zbor planat

vols. *presc de la* **volumes**

Volscian ['vɔlskiən] *adj ist* al volscilor

volt¹ [voult] *s el* volt

volt² [vɔlt] *s* **1** voltă **2** *(la scrimă)* eschivă

Volta ['vɔltə], **Alessandro** *fizician italian (1745-1827)*

Volta, the ['vɔltə, ðə] *fluviu în Africa*

volta ['vɔltə], *pl* **volte** ['vɔlt] *s it* **1** dans vechi **2** *muz* dată; **prima ~** prima dată

Volta effect ['vɔltə i,fekt] *s el* efect Volta

voltage ['vɔltidʒ] *s el* voltaj

voltaic [vɔl'teiik] *adj el* **1** voltaic **2** galvanic **3** conducător

voltaic arc [vɔl'teiik 'ɑːk] *s el* arc voltaic

voltaic battery/pile [vɔl'teiik 'bætəri/'pail] *s el* element voltaic, pila lui Volta, element galvanic

Voltaic Republic, the [vɔl'teiik ri'pʌblik, ðə] *od țară în Africa* Volta Superioară

voltaic wire [vɔl'teiik 'waiəʳ] *s el* fir conducător

Voltaire [vɔl'tɛəʳ], **François Marie Arouet** *scriitor și filosof francez (1694-1778)*

Voltairean, Voltairian [vɔl'tɛəriən] *adj, s* voltairian

Voltairianism [vɔl'tɛəriənizəm], **Voltairism** [vɔl'tɛərizəm] *s* voltairianism

voltaism ['vɔltə,izəm] *s el* voltaism

voltameter [vɔl'tæmitəʳ] *s el* voltametru

volt-ampere [,voult'æmpɛəʳ] *s el* volt-amper

voltaplast ['vɔltəplæst] *s el* aparat galvanic

voltatype ['vɔltətaip] *s v.* **electrotype**

volte ['vɔlt] **1** *pl de la* **volta** **2** *(la scrimă)* voltă **3** *(la echitație)* voltă

volte-face ['vɔlt'fɑːs] *s fr mil* **1** întoarcere împrejur/de 180 grade **2** schimbare bruscă a frontului

voltigeur [,vɔlti'ʒəːʳ] *s fr* **1** voltijor, acrobat **2** *mil* soldat din infanteria ușoară

voltmeter ['voult,miːtəʳ] *s el* voltmetru

volubilate [vɔ'ljubi,leit] *adj bot* volubil

volubile ['vɔljubəl] *adj v.* **volubilate**

volubility [,vɔlju'biliti] *s* **1** volubilitate, locvacitate, limbuție; darul vorbirii **2** ← *înv* mobilitate, iuțeală, vioiciune

voluble ['vɔljubəl] *adj* **1** volubil, locvace, comunicativ, bun de gură **2** limbut, guraliv **3** *(d. stil etc.)* fluent, curgător, ușor

volubleness ['vɔljubəlnis] *s v.* **volubility**

volubly ['vɔljubli] *adv* volubil, locvace, vorbăreț; fluent, curent, ca apa

volume ['vɔlju:m] **I** *s* **1** volum, tom, carte; **to speak ~s** a fi foarte grăitor/expresiv; a spune foarte multe; **to speak ~s for smb** a fi (în mare măsură) spre lauda cuiva **2** *od* volumen, (sul de) pergament; manuscris pe pergament **3** *pl* rotocoale *(de fum)* **4** *pl* masă, cantitate, volum *(de apă)* **5** *fiz, ch* volum **6** volum, dimensiuni, mărime **7** *muz* amploare, volum; **to give ~ to the tone** a-și da drumul la voce **8** *rad* volum, intensitate **II** *vt* a strânge, a îngrămădi **III** *vi* a se umfla, a crește, a spori ca volum

volume control ['vɔlju:m kən'troul] *s rad* potenţiometru, volumetru

volumed ['vɔlju:md] *adj* **1** strâns la un loc/într-un volum **2** voluminos, enorm, întins

volumeter [vɔ'lju:mitəʳ] *s ch, fiz* volumetru

volumetric(al) [,vɔlju'metrik(əl)] *adj ch, fiz* volumetric

volumetrically [,vɔlju'metrikəli] *adv* (din punct de vedere) volumetric

volumetric analysis [,vɔlju'metrik ə'nælisis] *s fiz, ch* analiză volumetrică

volumetric capacity [,vɔlju'metrik kə'pæsiti] *s* capacitate volumetrică, volum

volumetric flask [,vɔlju'metrik 'fla:sk] *s ch* balon gradat

voluminal [vɔ'ljuminəl] *adj* referitor la conţinut

voluminous [və'lju:minəs] *adj* **1** voluminos; mare, de mari dimensiuni; gros **2** (format) din mai multe volume **3** *fig* prolix, difuz; încurcat **4** *(d. scriitor)* fecund, prolific **5** abundent, îmbelşugat

voluminously [vɔ'lju:minəsli] *adv* în mare cantitate, din belşug, abundent

voluminousness [və'lju:minəsnis] *s* **1** voluminozitate, caracter voluminos/amplu; volum mare **2** amploare, întindere **3** grămadă, masă

voluntarily ['vɔləntərili] *adv* de bună voie, în mod spontan/voluntar

voluntariness ['vɔləntərinis] *s* caracter spontan/voluntar, spontaneitate

voluntarism ['vɔləntərizəm] *s filos* voluntarism

voluntarist ['vɔləntərist] *s filos rel* adept al voluntarismului

voluntary ['vɔləntəri] **I** *adj* **1** voluntar, (făcut) de bună voie/din proprie iniţiativă; spontan; **to be a ~ agent** a acţiona în mod liber **2** benevol, susţinut prin contribuţii voluntare **3** *biol etc.* voluntar; voliţional **4** alcătuit pe bază voluntară, voluntar; din voluntari **5** *jur* voluntar; intenţionat **II** *s* **1** *muz* bis piesă pentru orgă; solo de orgă **2** *şcol* examen facultativ **3** partizan al separării bisericii de stat

voluntary Aid Detachment ['vɔləntəri ,eid di'tætʃmənt] *s* echipă/grupă de prim ajutor *(formată din muncitori)*

voluntary confession ['vɔləntəri kən'feʃən] *s jur* mărturisire voluntară/făcută de bună voie

voluntary consequence ['vɔləntəri 'kɔnsikwəns] *s v.* **voluntary conveyance**

voluntary conveyance ['vɔləntəri kən'veiəns] *s jur* transmitere/transmisiune (a unui bun) fără compensaţie materială *sau* de alt fel; înstrăinare, cesiune, transmitere

voluntary discipline ['vɔləntəri 'disiplin] *s* disciplină liber consimţită

voluntary disposition ['vɔləntəri dispə'ziʃən] *s v.* **voluntary conveyance**

voluntary homicide ['vɔləntəri 'hɔmisaid] *s jur* omor voluntar/intenţionat

voluntary hospital ['vɔləntəri 'hɔspitəl] *s* spital susţinut prin contribuţii voluntare

voluntaryism ['vɔləntəri,izəm] *s* **1** *v.* **voluntarism 2** opoziţie la obligativitatea serviciului militar

voluntary muscle ['vɔləntəri 'mʌsəl] *s fizl* muşchi voluntar/comandat prin voinţa subiectului

voluntary nerve ['vɔləntəri 'nə:v] *s fizl* nerv voluntar

voluntary nurse ['vɔləntəri 'nə:s] *s* infirmieră voluntară

voluntary oath ['vɔləntəri 'ouθ] *s jur* jurământ extrajudiciar

voluntary school ['vɔləntəri 'sku:l] *s* şcoală susţinută prin contribuţii voluntare

voluntary waste ['vɔləntəri 'weist] *s jur* distrugere intenţionată

volunteer [,vɔlən'tiəʳ] **I** *s* voluntar **II** *adj* **1** *mil* voluntar **2** *(d. vegetaţie)*

spontan, cu creştere spontană; repede crescător **III** *vt* a exprima, a rosti, a îndrăzni să spună/să facă *(o remarcă etc.)* **IV** *vi* **1** a se înrola ca voluntar; a sluji ca voluntar *(în armată)* **2** a se oferi în mod voluntar să facă ceva

Volunteer State [,vɔlən'tiə ,steit] *s amer* Statul Tenessee

voluptuary [və'lʌptjuəri] **I** *adj v.* **voluptuous II** *s* epicureu, epicurean, hedonist, amator de plăceri; sibarit

voluptuous [və'lʌptjuəs] *adj* voluptuos, senzual

voluptuously [və'lʌptjuəsli] *adv* cu voluptate, în mod voluptuos

voluptuousness [və'lʌptjuəsnis] *s* voluptate, plăceri, desfătare

volutation [,vɔlju:'teiʃən] *s* rotire *(a ochilor etc.)*

volute ['vɔlju:t] *s* **1** *arhit* volută, (ornament în) spirală **2** *zool* cochilie

volution [vɔ'lju:ʃən] *s* **1** spirală **2** *anat* circumvoluţiune

volva ['vɔlvə] *s bot* înveliş membranos al ciupercii imature

volvulus ['vɔlvjuləs] *s med* ocluzie intestinală, *F* încurcătură de maţe

vomer ['voumər] *s anat* (osul) vomer

vomica ['vɔmikə], *pl* **vomicae** ['vɔ:mi,si:] *s med* abces al plămânului

vomic nut ['vɔmik 'nʌt] *s farm* nucă vomică

vomit ['vɔmit] **I** *vi* a vomita, a voma, *F* a vărsa, a da afară **II** *vt* **1** a voma, a vomita, *F* a vărsa, a da afară **2** *fig* a scoate, a vărsa *(fum etc.)* **III** *s* **1** vărsat, vărsătură; materii date afară **2** *v.* **vomitory II 1**

vomit forth ['vɔmit 'fɔ:θ] *vt cu part adv v.* **vomit II**

vomiting gas ['vɔmitiŋ ,gæs] *s mil* gaz vomitiv

vomitive ['vɔmitiv] *adj* vomitiv, emetic

vomition [vɔ'miʃən] *s rar* vomitare, vărsătură

vomitorium [,vɔmi'tɔriəm], *pl* **vomitoria** [,vɔmi'tɔriə] *s v.* **vomitory II**

vomitory ['vɔmitəri] **I** *adj* vomitiv **II** *s* **1** *med* vomitiv, emetic **2** *arhit* vomitoriu, intrare în amfiteatru

vomit out/up ['vɔmit 'aut/'ʌp] *vt cu part adv v.* **vomit II**

vomiturition [,vɔmitju'riʃən] *s med* icnire/opintire pentru a vărsa, sforţare de a vărsa

voodoo ['vu:du:] **I** *s* **1** credință în vrăjitorie/farmece/magie **2** vrăjitor, magician **3** deochi, vrajă; farmece **II** *vt* a face farmece/vrăjitorii/vrăji *(cu dat)* **III** *vi* a vrăji, a face vrăji/farmece

voodooism ['vu:du:izəm] *s* vrăjitorie, descântece; practici vrăjitorești/de vraci *(la popoarele primitive)*

voodooist ['vu:du:ist] *s* adept al practicilor vrăjitorești/supranaturale; vraci, vrăjitor, exorcist *(la popoarele primitive)*

-vora *sufix pt pl:* **carnivora** (animale) carnivore

voracious [vo'reiʃəs] *adj* **1** *(d. poftă)* vorace, nepotolit, de lup, devorant **2** lacom, mâncăcios, vorace

voraciously [vo'reiʃəsli] *adv* cu lăcomie; ca un lup

voraciousness [vo'reiʃəsnis] *s* rapacitate, voracitate, lăcomie, poftă nestăpânită

-vore *sufix pt sg:* **herbivore** ierbivor

Voronezh [va'ronəʃ] *oraș în fosta U.R.S.S.* Voronej

-vorous *suf pt adj :* **carnivorous** carnivor

vortex ['vo:teks], *pl și* **vortices** ['vo:ti,si:z] *s și fig* vârtej, volbură, vâltoare

vortex motion ['vo:teks ,mouʃən] *s tehn* mișcare turbionară/rotațională

vortex wheel ['vo:teks ,wi:l] *s tehn* turbină

vortical ['vo:tikəl] *adj* vorticular, referitor la vârtej, volbură *etc. v.* **vortex**

vorticel ['vo:tisel] , *pl* **vorticella** [,vo:ti'selə] *sau* **vorticelae** [,vo:ti'seli:] *s zool* infuzor în formă de clopot

vorticella [,vo:ti'selə] *s v.* **vorticel**

vortices ['vo:tisi:z] *pl de la* **vortex**

vorticism ['vo:ti,sizəm] *s lit, artă* vorticism, curent futurist *(în 1910-1920 în Anglia)* care leagă arta și poezia de mecanicism și de civilizația industrială modernă

vorticist ['vo:tisist] *s* **1** *filos* vorticist, adept al vorticismului *(al propagării mișcării în cercuri)* **2** *artă* vorticist, pictor care folosește ca bază „vârtejurile civilizației moderne"

vorticose ['vo:ti,kous] *adj v.* **vortical**

vorticular [vo:'tikjulə'] *adj* în vârtejuri, rotațional

vortiginous [vo:'tidʒinəs] *adj v.* **vortical**

Vosges, the [vo:ʒ, ðə] *munții* Vosgi *(în Franța)*

votaress ['voutəris] *s* **1** admiratoare, adoratoare **2** partizană, sprijinitoare, adeptă, aderentă **3** iubită **4** călugăriță, maică, soră, monahă

votarist ['voutərist] *s v.* **votary I**

votary ['voutəri] **I** *s* **1** adorator, admirator **2** partizan, sprijinitor, susținător, adept, aderent **3** călugăr, monah, frate **II** *adj* sfințit, consfințit

vote [vout] **I** *s* **1** vot, sufragiu; scrutin; votare; **to cast a ~ (for)** a-și da votul *(cu dat)*; **to take a ~ on an issue** a supune o chestiune la vot; **to take a ~ by show of hands** a vota prin ridicare de mâini; **to take the ~** a proceda la vot; **to split one's ~** a-și împărți voturile între candidații mai multor partide; **to tell the ~s** a despuia scrutinul, a număra voturile **2** drept de vot, sufragiu; **to have a ~** a avea drept de vot **3** moțiune, rezoluție *(de mulțumiri, de încredere, de blam etc.)*; **to carry a (want-of-confidence) ~** a vota/a adopta o moțiune/rezoluție *(de neîncredere)* **4** *(în parlament)* credit **II** *vi* **(for)** a vota, a-și da votul (pentru); a lua parte/a participa la vot; **to ~ in the negative** a vota împotriva/contra; **to ~ by (a) show of hands** a vota prin ridicare de mâini **III** *vt* **1** *(în parlament)* a vota/a adopta/a aproba prin vot **2** a declara, a admite, a recunoaște **3** ← *F* a propune, a sugera

vote by ballot ['vout bai ,bælət] *s pol* vot/scrutin secret

vote down ['vout 'daun] *vt cu part adv pol* a respinge *(o moțiune etc.)*

votee [vou'ti:] *s amer pol* candidat

vote in ['vout 'in] *vt cu part adv* a alege *(într-un post etc.)*

vote into ['vout ,intə] *vt cu prep* a alege ca *(președinte etc.);* **to ~ the chair** a alege (ca) președinte

voteless ['voutlis] *adj* fără drept de vot, care nu participă la vot

vote of confidence ['vout əv 'konfidəns] *s pol* moțiune/vot de încredere

voter ['voutə'] *s* votant, alegător; participant la vot

vote through ['vout 'θru:] *vt cu part adv* a aproba prin vot

voting ['voutiŋ] **I** *adj* votant, care votează/are drept de vot **II** *s* **1** *v.* **vote I 1 2** participant la vot

voting machine ['voutiŋ mə,ʃi:n] *s pol* mașină de vot/pentru înregistrarea automată a voturilor exprimate

voting paper ['voutiŋ ,peipə'] *s* buletin de vot; **to return a blank ~** a se abține de la vot, a da votul alb

voting stock ['voutiŋ ,stɔk] *s pol* certificat de alegător; atestat al dreptului electoral

votive ['voutiv] *adj* votiv, dedicatoriu, de dedicație; consacrat, închinat

votive light ['voutiv 'lait] *s* candelă

votive medal ['voutiv 'medəl] *s* medalie votivă jubiliară *etc.*

votometer [,voutə'mi:tə'] *s* mașină pentru numărarea automată a buletinelor de vot

vou. *presc de la* **voucher**

vouch [vautʃ] **I** *vt* **1** a afirma, a susține **2** a garanta, a chezășui, a se pune chezaș pentru; a gira; **to ~ smb to warrant** a chema pe cineva în garanție **3** a dovedi, a confirma, a întări, a susține *(o afirmație)* **II** *s* **1** încredințare, asigurare; jurământ **2** mărturie, depoziție

vouchee [vau'tʃi:] *s jur v.* **voucher 1**

voucher ['vautʃə'] *s* **1** martor, garant, girant **2** certificat, adeverință, mărturie, dovadă; act/document justificativ **3** chitanță; bon

vouch for ['vautʃ fə'] *vi cu prep* a garanta pentru, a se pune chezaș pentru, a răspunde pentru/de; **to ~ smb's good honesty** a pune mâna în foc/a garanta pentru cinstea cuiva; **not to ~ the accuracy of smth** a avea rezerve în privința exactității unui lucru

vouchsafe [,vautʃ'seif] *vt* **1** a da, a acorda, a binevoi să acorde **2** a garanta

vouchsafement [,vautʃ'seifmənt] *s rar* **1** asentiment, încuviințare, consimțire **2** împlinire (a unui jurământ)

vouchsafe to [,vautʃ'seiftə] *vi cu inf* a catadicsi/a se învrednici/a consimți să; a se îndura/a se milostivi să

voussoir [vu:'swa:ʳ] *s arhit* boțar, voussoir, piatră de boltă

vow [vau] **I** *s* jurământ, legământ; promisiune, făgăduială; **to make a ~** a se jura, a face legământ; **to break a ~** a-și încălca jurământul/legământul; **to keep a ~** a-și ține jurământul/legământul, a rămâne credincios unei promisiuni; **to be under a ~ to do smth** a fi legat prin jurământ să faci ceva; **to take the ~ (s)** a se călugări **II** *vt* **1** a jura, a se lega să; **to ~ vengeance against smb** a jura cuiva răzbunare **2** ← *înv* a afirma, a declara, a susține **III** *vt* a jura, a se lega; a face jurăminte; **to ~ and protest** a se jura pe toți dumnezeii

vowel ['vauəl] **I** *s* vocală **II** *adj* vocalic

vowel gradation ['vauəl grə,deiʃən] *s v.* **ablaut**

vowelism ['vauəlizəm] *s lingv* vocalism

vowelize ['vauəlaiz] *vt* **1** a vocaliza **2** a pune puncte pentru vocale la *(un text)*

vowelled ['vauəld] *adj* **1** cu multe vocale **2** *(în cuvinte compuse)* cu vocale; **short-~** cu vocale scurte

vowelless ['vauəllis] *adj lingv* fără vocale; consonantic

vowel mutation ['vauəl mju,teiʃən] *s v.* **umlaut**

vowel point ['vauəl ,point] *s* semn care indică o vocală în limba ebraică și în alte limbi orientale

vower ['vauəʳ] *s* persoană care a făgăduit ceva solemn

vox [vɔks], *pl* **voces** ['vousi:z] *s* voce, opinie

vox angelica ['vɔks æn'dʒelikə] *s muz* pedală cu tonuri tremurătoare *(la orgă)*

vox humana ['vɔks hju:'ma:nə] *s* pedală cu tonuri asemănătoare vocii umane *(la orgă)*

vox populi ['vɔks 'pɔpjulai] *s* glasul poporului, vocea poporului, opinia publică, opinia/părerea generală; credința generală; *F←* gura lumii

voyage ['vɔiidʒ] **I** *s* călătorie/voiaj (pe apă), croazieră **II** *vt* a cutre-

iera, a străbate **III** *vi* a călători, a face o călătorie (pe mare)

voyageable ['vɔiidʒəbəl] *adj* practicabil, navigabil

voyager ['vɔiədʒəʳ] *s* călător (pe mare)

voyageur [vwa:ja:'ʒəːʳ] *s fr* navigator, luntraș, corăbier *(pe un fluviu, în Canada)*

voyeur [vwai'ə:] *s fr med* voyeur, maniac/obsedat sexual

voyeurism [,vwai'əri:zəm] *s fr med* curiozitate (sexuală) morbidă, aberație sexuală, voluptatea indecenței

VP *presc de la* **1 variable pitch 2 various places 3 vice president**

V.R. *presc de la* **1 Victoria Regina** Regina Victoria **2 variant reading** altă lectură/citire/lecțiune

vraic [vreik] *s bot, agr* algă din insulele normande, folosită ca îngrășământ sau combustibil

V.R.D. *presc de la* **Volunteer Reserve Decoration** decorație pentru merite militare ale voluntarilor în rezervă

V.R.I. *presc de la* **Victoria Regina et Imperatrix** Victoria, regină și împărăteasă

vrille [vril] *s av* vrilă, vrie

VS *presc de la* **veterinary surgeon**

vs. *presc de la* **1 verse 2 versus 3 vide supra**

V.S.O. *presc de la* **Voluntary Service Overseas** serviciu de voluntari pentru forțele din străinătate

V.S.O.P. *presc de la* **Very Special/ Superior Old Pale** *(d. coniac)* sortiment selecționat și foarte vechi

vss. *presc de la* **1 verses 2 versions**

VT *presc de la* **1 vacuum tube 2 variable time 3 voice tube**

Vt. *presc de la* **Vermont**

vt. *presc de la* **verb transitive**

V.T.O.(L.) *presc de la* **vertical take-off (and landing)** decolare (și aterizare) verticală

VU *presc de la* **volume unit**

vug(g), vugh [vʌg] *s geol* geodă, cavernă; gol

Vulcan ['vʌlkən] *mit* zeul focului

vulcanian [vʌl'keiniən] *adj geol* vulcanic, plutonic

vulcanic [vʌl'keinik] *adj v.***volcanic** *etc.*

Vulcanist ['vʌlkənist] *s geol* vulcanist, adept al teoriei plutonice

vulcanite ['vʌlkə,nait] *s ch* ebonit, cauciuc vulcanizat

vulcanizable ['vʌlkə,naizəbəl] *adj* vulcanizabil, care se poate vulcaniza

vulcanization [,vʌlkənai'zeiʃən] *s* vulcanizare

vulcanize ['vʌlkə,naiz] *vt* a vulcaniza

vulcanizer ['vʌlkə,naizəʳ] *s* vulcanizator

vulcanological [,vʌlkənə'lɔdʒikəl] *adj* vulcanologic, referitor la vulcani

vulcanologist [,vʌlkə'nɔlədʒist] *s* vulcanolog, specialist în vulcani

vulcanology [,vʌlkə'nɔlədʒi] *s* vulcanologie, studiul științific al vulcanilor

Vulg. *presc de la* **Vulgate**

vulgar ['vʌlgəʳ] **I** *adj* **1** vulgar **2** grosolan, ordinar, trivial; de rând, din topor; de prost gust; **to be ~ of speech** a vorbi urât/ordinar, a fi spurcat la gură **3** obișnuit, popular, comun, de rând **II** *s (colectiv)* **the ~** plebea, oamenii de rând/de jos

vulgar doggerel ['vʌlgə ,dɔgərəl] *s* versuri proaste/de duzină

vulgar era, the ['vʌlgər 'iərə, ðə] *s ist* era creștină

vulgar errors ['vʌlgər 'erəz] *s pl* greșeli omenești/obișnuite

vulgar fraction ['vʌlgə ,frækʃən] *s mat* fracție ordinară

vulgarian [vʌl'gɛəriən] **I** *s* **1** plebeu, om de rând **2** parvenit, ciocoi **II** *adj v.* **vulgar I 2**

vulgarism ['vʌlgərizəm] *s* **1** vulgaritate, caracter vulgar/ordinar/ grosolan; grosolănie **2** mojicie, bădărănie **3** vulgarism, expresie ordinară/vulgară

vulgarity [vʌl'gæriti] *s* **1** *v.* **vulgarism 1 2** trivialitate **3** banalitate

vulgarization [,vʌlgərai'zeiʃən] **1** vulgarizare; trivializare **2** banalizare **3** popularizare *(a științei etc.)*

vulgarize ['vʌlgə,raiz] *vt* **1** a vulgariza; a trivializa **2** a înjosi, a degrada **3** a banaliza **4** a populariza *(știința etc.)*

Vulgar Latin ['vʌlgə 'lætin] *s lingv ist* latina vulgară/populară

vulgarly ['vʌlgəli] *adv* (în mod) vulgar, ordinar, necioplit; mitocănește, fără eleganță *sau* distincție

vulgar rich, the ['vʌlgə 'ritʃ, ðə] *s* (colectiv) parveniții, noii îmbogățiți

vulgar tongue ['vʌlgə 'tʌŋ] *s* **1** *înv* limba națională *(în opoziție cu latina)* **2** limbaj popular/neaoș, limba poporului

Vulgate, the [vʌl'geit, ðə] *s ist* Vulgata, traducere latinească a Bibliei

vulgo ['vʌlgou] *adv lat* în general, îndeobște, (în mod) obișnuit

vulgus ['vʌlgəs] *s* **1** vulg, plebe, gloată, norod **2** *sl școl* compuneri în versuri latinești *sau* grecești

vulnerability [,vʌlnərə'biliti] *s* vulnerabilitate, caracter vulnerabil

vulnerable ['vʌlnərəbəl] *adj* **1** vulnerabil; care poate fi atacat/rănit **2** criticabil, care poate fi criticat

vulnerableness ['vʌlnərəbəlnis] *s v.* **vulnerability**

vulnerably ['vʌlnərəbli] *adv* (în mod) vulnerabil/periculos

vulnerary ['vʌlnərəri] **I** *adj* vindecător, de leac, care vindecă rănile; medicinal **II** *s med* balsam/leac/alifie pentru răni

vulnerary balsam ['vʌlnərəri 'bɔ:lsəm] *s med F* alifie/balsam pentru vindecarea rănilor

vulnerary herb ['vʌlnərəri 'hə:b] *s* plantă medicinală

vulpicide ['vʌlpisaid] *s* vânător care omoară vulpile fără câini

vulpine ['vʌlpain] *adj* **1** *zool* referitor la vulpe **2** *fig* șiret/viclean ca vulpea

vulture ['vʌltʃə'] *s* **1** *orn* vultur *(Aegyptiidae sp.)* **2** *și fig* pasăre rapace/de pradă, corb, hienă

vulturine ['vʌltʃə,rain] *adj orn și fig* vulturesc, ca de vultur; răpitor, rapace, de pradă

vulturish [vʌltʃəriʃ] *adj* **1** *v.* **vulturine 2** *fig* hrăpăreț, lacom

vulturous ['vʌltʃərəs] *adj v.* **vulturish**

vulva ['vʌlvə], *pl* **vulvae** ['vʌlvi:] *s anat* vulvă, partea externă a organului genital feminin

vulvae ['vʌlvi:] *pl de la* **vulva**

vulvar ['vʌlvə'] *adj anat* vulvar, referitor la vulvă

vum [vʌm] *vi amer P* a (se) jura

vv. *presc de la* **1** verses **2** vice versa

Vyborg ['vi:bɔ:g] *oraș în Danemarca*

vying ['vaiiŋ] **I** *adj* (with) în concurență, rivalizând, (care rivalizează (cu) **II** *s* rivalitate, luptă, concurență

W

W, w ['dʌbəl ˌjuː] *s* (litera) W, w

W. *presc de la* **1** Wales **2** Washington **3** Watt, watt **4** Wednesday **5** Welsh **6** West(ern), west(ern)

w. *presc de la* **1** warehouse **2** weight **3** west(ern) **4** width **5** week(s) **6** wife **7** wide **8** with

WAC [wæk] *s mil* membră a corpului auxiliar feminin al trupelor de uscat *(în S.U.A.)*

WACs, the [wæks, ðə] *presc de la* **the Women's Army Corps** *mil* corpul auxiliar feminin al trupelor de uscat *(în S.U.A.)*

wabble ['wɔbəl] *s, vt, vi v.* **wobble**

wabbly ['wɔbli] *adj v.* **wobbly**

wack [wæk] *s* **1** *reg sl* individ, cetățean, tip **2** ↓ *amer F* țăcănit, scrântit, – nebun

wackiness ['wækinis] *s* ↓ *amer F* țăcăneală, scrânteală

wacky ['wæki] *adj* ↓ *amer* **1** *F* sărit de pe fix, într-o ureche/doagă, sonat; aiurea, excentric **2** *(d. științi etc.) F* aiurea, neîntemeiat

wad [wɔd] **I** *s* **1** tampon; astupuș; cocoloș *(de hârtie etc.)* **2** dop de câlți **3** (bucată de) vată **4** sul *(de stofă);* teanc, pachet *(de scrisori etc.)* **5** teanc (mare) *(de bancnote);* **he has ~s of money** are bani, nu glumă; înoată în bani **II** *vt* **1** a tampona; a astupa cu un tampon *sau* cu un cocoloș de hârtie **2** a face sul *(o bucată de hârtie etc.)* **3** a face cocoloș, a cocoloși **4** a umple cu vată

wadable ['wɔdəbəl] *adj* care poate fi trecut în vad

wadded ['wɔdid] *adj* umplut cu vată; vătuit

wadding ['wɔdiŋ] *s* **1** vată, lână, puf, păr *etc. (ca material cu care se umple sau se căptușește ceva)* **2** *med* tampon **3** umplere, căptușire *(cu vată etc.)*

waddle ['wɔdəl] **I** *vi și* **~ along** a merge clătinându-se/bălăbănindu-se/legănându-se *(ca o rață);* a se împletici **II** *s* mers clătinat/legănat/bălăbănit

wade [weid] **I** *vi* **1** a se bălăci **2** a merge/a înainta cu greu prin apă, noroi, zăpadă *etc.;* **the moon ~d**

through clouds luna se strecura printre nori **II** *vt* a-și face cu greu drum prin *(apă etc.)*

wade in ['weid 'in] *vi cu part adv* **1** *F* a se așterne pe treabă; – a intra în acțiune; *F* a apuca taurul de coarne **2** a intra în apă **3** *F* a intra în vorbă

wade into ['weid ˌintə] *vi cu prep* **1** *F* a se așterne pe *(treabă),* – a se apuca energic de **2** *F* a lua în primire pe *cineva;* a lua în pumni pe *cineva* **3** *F* a sări cu gura la *(cineva),* a lua la zor pe *cineva* **4** ← *F* a porni, a începe *(o ceartă)*

wade through ['weid θruː] *vi cu prep* **1** a-și face cu greu drum prin *sau* printre; **to ~ slaughter** a călca peste cadavre **2** ← *F* a termina cu mare greutate *(lectura unui raport etc.)*

wadge [wɔdʒ] *s* **(of)** teanc, pachet; sul (de)

wadi ['wɔdiː] *s geogr* „wadi", râu secat, vale seacă *(↓ în Arabia și Africa de Nord)*

wading bird ['weidiŋ ˌbəːd] *s orn* pasăre de baltă, pasăre cu picioroange

wafer ['weifəʳ] *s* **1** vafelă, vafă, vaflă **2** *bis* hostie, agneț, azimă **3** pecete imprimată; timbru imprimat **4** casetă, capsulă

waferer ['weifərəʳ] *s* vânzător de vafele

wafery ['weifəri] **I** *adj* crocant; fărâmicios **II** *s* brutărie unde se fabrică vafele

waffle ['wɔfəl] **I** *s* **1** vafelă, vaf(l)ă *(cu unt sau melasă; se servește* ↓ *caldă)* **2** *F* limbă păsărească; – declarație ambiguă **3** *F* încuietoare, – problemă dificilă **II** *vi F* a vorbi păsărește; a trăncăni, a bate apa în piuă

waffle iron ['wɔfəl ˌaiən] *s* **1** dispozitiv pentru copt vafele **2** *amer sl* grătar *(pe stradă)*

waft [wɑːft] **I** *vi* **1** *și* **~ along** a pluti, a zbura lin; a adia; a flutura; a fi purtat de vânt **2** a adia, a sufla, a bate **3** *și* **~ along** a pluti (pe apă), a fi dus de apă **II** *vt* **1** *(d. vânt, apă)* a duce, a purta **2** *fig* a duce,

a purta; a aduce **3** ← *înv* a face semn *(cuiva)* **III** *s* **1** plutire *(în aer, pe apă);* fluturare; zbor lin **2** adiere, boare, suflu **3** ← *elev* miros brusc, dar nepersistent **4** unduire, mișcare unduioasă/unduitoare

wag [wæg] **I** *vt* **1** a mișca încoace și încolo *sau* în sus și în jos; a mătăhăi; **to ~ one's tail** *(d. câini)* a da din coadă; a se gudura; **the tail ~s the dog** *fig* ultimul cuvânt îl are cel mai puțin indicat, acuzatul *etc.* **2** a da/a clătina din *(cap)* **II** *s* **1** mișcare *(a cozii, capului etc.)* **2** om spiritual; ghiduș; mucalit

wage¹ ['weidʒ] *s* **1** ↓ *pl* salariu, leafă; plată săptămânală *sau* zilnică; plată conform volumului de muncă; **a living ~** *ec* minimum de existență **2** *pl ca sg* ← *înv* plată; – răsplată *sau* pedeapsă; **the ~s of sin is death** *bibl* plata păcatului este moartea **3** *ec* parte din beneficiu care revine muncitorilor **4** ← *înv* zălog, chezășie

wage² *vt* **(on, against)** a duce, a purta *(război)* (împotriva – *cu gen);* a duce *(o campanie)* (împotriva – *cu gen)*

wage cut ['weidʒ ˌkʌt] *s ec* reducere a salariilor

wage earner ['weidʒ ˌəːnəʳ] *s* salariat; muncitor salariat; muncitor

wage freeze ['weidʒ ˌfriːz] *s ec* înghețare a salariilor

wage fund ['weidʒ ˌfʌnd] *s ec* fond de salarii

wager ['weidʒəʳ] **I** *s* **1** *elev* pariu, – rămășag **2** obiect pe care se pariază **II** *vt elev* a paria pe, - a face pariu/rămășag pe; **to ~ that** *elev* a paria că, – a face rămășag/pariu că **III** *vi elev* a paria, – a face un rămășag

wager boat ['weidʒə ˌbout] *s nav* barcă de curse

wage scale ['weidʒ ˌskeil] *s ec* schemă *sau* plan de salarizare

wages freeze ['weidʒiz ˌfriːz] *s v.* **wage freeze**

wages fund ['weidʒiz ˌfʌnd] *s v.* **wage fund**

wage slave ['weidʒ ,sleiv] *s ec umor sau peior* rob salariat

wage worker ['weidʒ ,wə:kəʳ] *s v.* **wage earner**

waggery ['wægəri] *s* **1** antren, veselie, voioșie, bună dispoziție **2** glumă, *F* banc; festă, farsă, renghi

waggish ['wægiʃ] *adj* **1** mucalit, hâtru; poznaș; ștrengăresc **2** amuzant, nostim; distractiv; caraghios **3** vesel, voios, bine dispus

waggishly ['wægiʃli] *adv* **1** cu haz; (în mod) comic; nostim, caraghios, amuzant; vesel **2** ștrengărește **3** în glumă; fără răutate

waggishness ['wægiʃnis] *s* ștrengării, pozne; drăcii

waggle ['wægəl] **I** *vi* **1** a se clătina; a se legăna; a se bălăbăni, a se mătăhăi **2** a tremura, *F* a se bâțâi **II** *vt* a mișca, a agita; a da din (*coadă etc.*) **III** *s* legănare; clătinare; bălăbănire, mătăhăială; mișcare, agitare

waggly ['wægli] *adj* care se clatină *sau* se leagănă; instabil; nesigur

waggon ['wægən] **I** *s* **1** căruță; car; haraba **2** furgon; camion **3** cărucior **4** *ferov* vagon de marfă **5** *ferov* boghiu **6** *auto* (auto)camion **7** *auto* remorcă basculantă **8** *min* vagonet **9** ← *înv* trăsură// **on the (water)** ~ *sl* care nu mai vrea să bea; **off the (water)** ~ *sl* pus pe băutură **II** *vt* a transporta cu căruța *etc.* (*v.* **I, 1-4, 6-9**)

waggonage ['wægənidʒ] *s* **1** transport; cărăușie **2** vagonaj

waggoner ['wægənəʳ] *s* **1** cărutaș; cărăuș **2 the W**~ *astr* Carul/Ursa Mare

waggonette [,wægə'net] *s od* brec (*trăsură*)

waggon road ['wægən ,roud] *s* drum de care

waggon works ['wægən ,wə:ks] *s pl ca sg ferov* uzină de vagoane

Wagner ['vɑ:gnəʳ], **Richard** *compozitor german (1813-1883)*

wagnerite ['vɑ:gnə,rait] *adj, s* wagnerian

wagon... *amer v.* **waggon....**

wagon-lit ['vægɔ:n'li] *s fr ferov* vagon lit/de dormit

wagtail ['wæg,teil] *s* **1** *orn* codobatură (*Motacilla sp.*) **2** ← *înv* prostituată, târfă

waif [weif] *s* **1** ↓ *poetic* copil al nimănui; copil oropsit; hoinar, pribeag **2** obiect găsit **3** *jur* bun fără proprietar **4** animal fără stăpân// ~**s and strays** copii *sau* animale fără adăpost *sau* căpătâi

wail [weil] **I** *vi* **1** (**for, with**) a urla, a zbiera; a hohoti; a plânge; a (se) boci; a se tângui (pentru *sau* din cauza – *cu gen sau* de) **2** (*d. vânt*) a geme, a hohoti, < a urla **3** (**over, about**) *peior* a se văita, a se văicări (din cauza – *cu gen,* de) **II** *vt* **1** a jeli; a plânge, a deplânge (*nenorocirea etc.*) **2** ← *înv* a jeli, a plânge (*mortul etc.*) **III** *s* **1** urlet; hohotit; plânset; bocet; tânguire, jelire **2** hohote, < urlete (*ale vântului*)

wailer ['weiləʳ] *s* bocitoare (*la mort*)

wailful ['weilful] *adj* **1** *poetic* jalnic, tânguios, – trist **2** tânguitor, jelitor; hohotitor

wailfully ['weilfuli] *adv* **1** *poetic* (în chip) jalnic, tânguios, – trist **2** tânguindu-se, jelind

wailing ['weiliŋ] *adj* plângător; tânguitor, jelitor; **in a** ~ **voice** cu un glas plângător/plin de jale, pe un ton plângător

Wailing Wall, the ['weiliŋ ,wɔ:l, ðə] *s* Zidul Plângerii (*la Ierusalim*)

wailsome ['weilsəm] *adj v.* **wailful**

wain [wein] *s* **1** ← *înv* car, căruță **2 the W~** *astr* Carul/Ursa Mare

wainscot ['weinskət] **I** *s* **1** *constr* lambriu **2** *constr* panel **3** podul carului **II** *vt constr* a lambrisa; a placa cu panel

wainscot(t)ing ['weinskətiŋ] *s constr* **1** lambriu **2** lambrisare; placare cu panel

waist [weist] *s* **1** talie, mijloc **2** talie (*a rochiei etc.*); **to take in the** ~ a strâmta talia **3** (parte de) mijloc (*a viorii etc.*) **4** *amer* corsaj **5** *tehn* îngustare; gâtuire **6** *nav* punte superioară centru

waistband ['weist,bænd] *s* betelie

waist belt ['weist ,belt] *s* cingătoare; brâu; curea

waistcloth ['weist,klɔθ] *s* șorț (*de bucătărie sau tirolez*)

waistcoat ['weist,kout] *s* vestă, jiletcă

waist deck ['weist ,dek] *s v.* **waist 6**

waist-deep ['weist,di:p] *adj, adv* până la brâu

-waisted ['weistid] *adj* (*în cuvinte compuse*) de talie..., cu talia...; **short-**~ scurt în talie

waist-high ['weist,hai] *adj, adv* până la brâu

waistline ['weist,lain] *s* talie, linia taliei

wait [weit] **I** *vt* **1** a aștepta, *înv, reg* → a adăsta; a fi/a sta în așteptare; ~ **a minute** a așteaptă puțin/o clipă, o clipă, te rog **b** (stai) o clipă; nu te grăbi/pripi; ai puțină răbdare; **I** ~**ed to see what would happen** am așteptat să văd ce se întâmplă; **to** ~ **and see** a adopta o atitudine de expectativă, a aștepta ca să vadă ce se (mai) întâmplă; *cf* o să trăim și o să (mai) vedem; **I can't** ~ **a** nu pot aștepta/să aștept **b** *sl* ard de nerăbdare; **that work will have to** ~ lucrarea aceasta poate să (mai) aștepte/poate fi amânată; **they** ~**ed (for) 10 minutes** au așteptat zece minute; **don't keep him** ~**ing** nu-l lăsa/face să aștepte; **I** ~**ed for smth to happen** așteptam să se întâmple ceva **2** a aștepta; a fi gata/pregătit; **your coffee is** ~**ing** cafeaua e gata/te așteaptă **3** a servi (*ca vânzător etc.*), a fi vânzător *etc.*; **she will never learn to** ~ n-o să fie niciodată o bună ospătăriță; **to** ~ **at table** a servi la masă, a fi ospătar **II** *vt* **1** a aștepta (*rândul, prilejul, ordinul*); **to** ~ **one's turn** a aștepta să-i vină rândul **2** a servi la (*masă*); **to** ~ **table** a servi la masă **3** a întârzia cu, a amâna (↓ *masa*); **don't** ~ **dinner for me** nu mă așteptați cu cina *sau* masa **4** *elev* a asista la (*o ceremonie*), a participa la, – a lua parte la; **to** ~ **a funeral** a participa la funeralii **III** *s* **1** așteptare; expectativă **2** pândă; capcană; **to lie in** ~ a sta la pândă; **to lie in** ~ **for smb** a aștepta pe cineva în ambuscadă, a sta la pândă pentru a ataca pe cineva **3** *pl* colindători **4** *înv* strajă, – paznic, păzitor

wait-and-see policy ['weitənd'si:- ,pɔlisi] *s pol* politică de expectativă

waiter ['weitəʳ] *s* **1** chelner, ospătar **2** persoană care așteaptă; solicitant **3** *înv* strajă, străjer, – paznic **4** *înv* slugă, – servitor **5** tavă

wait for ['weit fəʳ] *vi cu prep* a aștepta *cu ac;* **to be waiting for the train** a aștepta trenul; **what are you waiting for?** ce aștepți?

waiting ['weitiŋ] **I** *s* **1** așteptare; expectativă; **the coach was in ~ șareta** era trasă; **"no ~"** „staționarea interzisă" **2 (upon)** servire *(a cuiva)* **3** serviciu; **officer in ~ a** ofițer care intră de serviciu a doua zi **b** ofițer care urmează să fie numit în funcție **4** serviciu/slujbă la curte/curtea regală; **in ~ de la curte** **II** *adj atr* **1** care așteaptă **2** de serviciu **3** de la curte

waiting girl ['weitiŋ ˌgəːl] *s* cameristă

waiting list ['weitiŋ ˌlist] *s* listă de solicitanți, cumpărători *etc.*

waiting maid ['weitiŋ ˌmeid] *s* cameristă

waiting room ['weitiŋ ˌruːm] *s* cameră *sau* sală de așteptare

waiting woman ['weitiŋ ˌwumən] *s* *înv* slujnică, slujitoare, – servitoare; femeie de serviciu

wait on ['weit ɔn] *vi cu prep* **1** a servi *(clienți etc.)* **2** a însoți ca slujitor, a sluji *(pe rege)* **3** *← rar* a face o vizită oficială *sau* formală *cuiva* **4** a face curte *(unei femei)* **5** a avea grijă de; a fi la ordinele *cuiva;* **he waits on his wife hand and foot** îndeplinește toate dorințele/satisface toate capriciile soției sale **6** *elev* a se prezenta la; a fi la dispoziția *(cuiva);* **our agent will ~ you next Wednesday** agentul nostru vă va vizita miercurea viitoare **7** *(d. succes etc.)* a întovărăși, a însoți *pe cineva;* **may success ~ you!** vă doresc succes! **8** a fi urmarea/rezultatul *cu gen,* a urma după; **ruin waits on such evil deeds** prăbușirea urmează după asemenea fapte rele

waitress ['weitris] *s* ospătăriță, chelneriță; servitoare *(la han)*

wait up ['weit ʌp] *vi cu part adv ← F* a nu se culca (la ora somnului); **don't ~ (for me): I shall be coming home very late** (voi) culcați-vă, să nu mă așteptați, – o să vin foarte târziu

waive [weiv] *vt* **1** ↓ *jur* a renunța la *(un drept, o pretenție etc.)* **2** a nu (mai) stărui/insista asupra *(cu*

gen) **3** a amâna (pentru un timp nedefinit)

waiver ['weivəʳ] *s* **1** ↓ *jur* renunțare *(la un drept etc.)* **2** *jur* declarație de renunțare **3** *jur* excepție; derogare *(de la lege etc.)*

waivode ['weivoud] *s ist* voievod

wake¹ [weik] **I** *pret și* **woke** [wouk], *ptc și* **woke(n)** ['woukən] *vi* **1** a se trezi, a se deștepta (din somn); a se dezmorți **2** a fi *sau* a rămâne treaz, a nu dormi *(↓ noaptea)* **3** *fig* a se trezi, a se deștepta; a deveni activ; a se pune în mișcare **4** *fig (d. vânt etc.)* a începe, a se stârni; a începe să bată **5** *fig (d. flacără)* a se aprinde; a izbucni **II** *(v. ~ I)* *vt* **1** a trezi, a deștepta; a dezmorți; **the shouts woke them from/out of their sleep** țipetele/strigătele i-au trezit din somn **2** *fig* a trezi, a deștepta; a stârni; **his condition woke my pity** situația în care se afla mi-a stârnit milă **3** *fig* a pune în mișcare, a face să se miște; a stârni; a agita; **the wind woke the waves** vântul stârni valuri **4** *fig* a strica liniștea *(cu gen)*; a face să răsune *(munții etc.)* **5** *← înv* a priveghea *(un mort)* **III** *s* **1** *← poetic* (stare de) veghe, trezie **2** veghe, priveghi *(la mort)* **3** *bis* hram; praznic *(la anglicani)*

wake² *s* **1** *nav* siaj de elice **2** *av* jet de curent al elicei **3** făgaș; urmă; **in the ~ of a** în urma *cu gen*; îndărătul *cu gen* **b** ca rezultat *cu gen,* datorită *cu dat,* în urma *cu gen*; pe urmele *cu gen*

wakeful ['weikful] *adj* **1** treaz, deștept, care nu doarme; neadormit **2** care nu poate dormi, care are insomnie **3** *(d. noapte)* fără somn, nedormit; de veghe **4** *fig* treaz, vigilent; atent

wakefully ['weikfuli] *adv* **1** în stare de veghe **2** *fig* cu vigilență; atent

wakefulness ['weikfulnis] *s* **1** (stare de) veghe, trezie **2** insomnie, nesomn, lipsă de somn **3** *fig* vigilență; atenție

wakeless ['weiklis] *adj (d. somn)* adânc, profund; fără vise

wakeman ['weikmən] *s înv* strajă, străjer, – paznic

waken ['weikən] **I** *vi* **1** *și ~ up ← poetic* a se trezi, a se deștepta

2 *înv* a veghea, – a fi treaz **II** *vt* **1** *și ~ up ← elev* a trezi, a deștepta (din somn) **2** *și ~ up* *fig* a trezi *(speranțe etc.);* a stârni *(furia cuiva etc.)* **3** *fig* a isca; a aprinde *(focul);* a stârni *(vântul);* a înteți

wakener ['weikənəʳ] *s* **1** *F* una (la ceafă), dupac; – pumn în ceafă; pumn **2** *fig F* bombă, trăsnet; – surpriză neplăcută; lovitură neașteptată

wakening ['weikəniŋ] *s și fig* deșteptare, trezire

waken to ['weikən tə] *vt cu prep fig* a trezi la *(acțiune etc.)*

wake to ['weik tə] **I** *vt cu prep* a face *(pe cineva)* să-și dea seama de, a trezi la *(realitate etc.);* a convinge de primejdia *(unui nou război etc.)* **II** *vi cu prep* a-și da seama *(↓ în sfârșit)* de, a deveni conștient de

wakey ['weiki] *interj F* **1** sus! scoală-te! *sau* sculați-vă! **2** *mil* deșteptarea!

waking ['weikiŋ] **I** *s* **1** trezire, deșteptare **2** ↓ *poetic* trezie, veghe; – nesomn, insomnie; noapte nedormită *sau* nopți nedormite **II** *adj rar* **1** treaz, deștept; nedormit *sau* neadormit **2** *fig* treaz; atent; vigilent **3** *fig* real, adevărat **4** *(d. nopți)* de nesomn/insomnie, nedormit

Walach ['wɔlək] *s* muntean, *înv* valah

Walachia [wɔ'leikiə] Muntenia, *înv* Valahia

Walachian [wɔ'leikiən] *s, adj* muntean, *înv* valah

Waldo ['wɔːldou] *nume masc*

wale [weil] **I** *s* **1** urmă, semn; crestătură *(de bici etc.)* **2** *constr* grindă de abataj **3** *nav* centură, brâu de acostare **4** *text* manșetă **II** *vt* a cresta *(cu biciul);* a șfichiui

walk [wɔːk] **I** *vi* **1** a umbla; a merge pe jos; a merge la pas; a se plimba, *rar ←* a se preumbla; a face o plimbare; a merge; **shall we go by car or ~?** (să) mergem cu mașina sau pe jos? **the baby has just learned to ~** copilașul de-abia a învățat să umble; **to ~ in step** a merge în cadență; **he ~ed (for) ten miles** a mers (pe jos) *sau* a străbătut zece mile; **to ~ in one's sleep** a umbla în somn, a fi somnambul **2** *poetic* a umbla, – a se purta, a se comporta *(umil etc.);* **to ~ with God** a fi un om cu frica lui Dumnezeu **3** a hoinări, a pribegi **4** *(d. duhuri)* a umbla, a ieși, a apărea **5** *F* a ridica ancora, – a pleca **II** *vt* **1** a duce/a mâna la pas *(calul)* **2** a umbla pe; a călca pe; a merge (la pas) pe; a se plimba pe; a măsura *(puntea etc.);* **to ~ the roads** a bate drumurile; **to ~ a tightrope** a merge pe sârmă **3** a inspecta; a cerceta/a examina *sau* a măsura *(un teren etc.)* umblând pe jos **4** a duce/a scoate la plimbare; a plimba *(pe cineva, câinele)* **5** a duce cu mâna *(bicicleta)* **6** a aduce *(pe cineva)* într-o anumită stare datorită mersului pe jos; **to ~ smb off his legs** a epuiza pe cineva de prea mult umblet **7** a muta/a deplasa *(o scară etc.)* într-un fel care amintește mersul (omenesc) **8** a conduce pe jos, a merge pe jos cu; **he ~ed her home** a condus-o/însoțit-o acasă (pe jos) **III** *s* **1** mers (pe jos), umblet; **a two hours' ~** to două ore de mers (pe jos) până la; **the post-office is only a short ~ from my house** poșta e numai la câțiva pași de casa mea; **in his ~ through the world** în peregrinările lui prin lume **2** plimbare, *rar ←* preumblare; **to go for a ~** a ieși la/a face o plimbare, a merge să se plimbe; **to take a ~** a face o plimbare, a se plimba; **to have a short ~** a face o plimbare scurtă, a se plimba puțin; **to take smb for a ~** a scoate pe cineva la plimbare/aer; **to go ~s with children** a duce copiii la plimbare **3** pas; **to go at a ~** a merge la pas **4** ieșire; drum; rond, tur **5** drum; alee; potecă **6** îngrăditură; loc îngrădit *(pt pășune etc.);* țarc; ogradă **7** mers, fel de a merge; călcătură **8** ritm lent/scăzut *(al producției etc.)* **9** poziție socială; pătură socială; carieră, profesi(un)e **10** domeniu, sferă (de preocupări), preocupare; competență **11** *constr* coridor, culoar

walkabout ['wɔːkə,baut] *s* **1** (perioadă de) călătorie pe jos prin țară *(↓ a indigenilor australieni)*

2 plimbare prin mulțime, contact direct cu populația *(al unui conducător)*

walk about ['wɔːkə'baut] *vi cu part adv* a umbla de colo până colo; a hoinări

walk along ['wɔːkə'lɔŋ] *vi cu part adv* a merge mai departe; a-și vedea de drum

walk aside ['wɔːkə'said] *vi cu part adv* a se da la o parte

walkaway ['wɔːkə,wei] *s sl ↓ amer* victorie câștigată ușor, „simplă plimbare"

walk away ['wɔːkə'wei] *vi cu part adv* **1** a pleca, a se duce **2** a ieși *(din sala de ședințe etc.)*, a părăsi *(sala etc.)* **3** *fig* a-și pierde firea, a se zăpăci

walk away from ['wɔːkə'weifrəm] *vi cu part adv și prep sl ↓ amer* **1** *sport* a alerga mai repede decât **2** a scăpa (> aproape) teafăr/nevătămat dintr-un accident

walk down ['wɔːk'daun] *vi cu part adv* a coborî, a se da jos

walker ['wɔːkə] *s* **1** persoană care merge pe jos, *înv ←* mergător; pieton; trecător; **he is an excellent ~** poate merge mult fără să obosească **2** persoană care se plimbă; plimbăreț **3** *sport* mărșăluitor

walkie-lookie ['wɔːki'luki] *s telev ← F* instalație TV mobilă

walkie-talkie ['wɔːki'tɔːki] *s tel* aparat portativ de emisie-recepție, walkie-talkie

walk-in ['wɔːk,in] *adj atr sl ↓ amer* **1** *(d. un dulap etc.)* încăpător, < în care poate intra un om **2** *(d. camere etc.)* cu intrare separată **3** întâmplător; accidental **4** *sport* victorie ușoară, „simplă plimbare"

walk in ['wɔːk'in] *vi cu part adv* a intra; a păși înăuntru

walking ['wɔːkiŋ] **I** *adj atr* **1** ambulant **2** de purtat pe jos **3** care poate fi străbătut pe jos **II** *s* mers, umblet

walking beam ['wɔːkiŋ,biːm] *s tehn* balansier

walking case ['wɔːkiŋ,keis] *s med* **1** bolnav ambulator **2** *mil* rănit cu leziuni ușoare

walking corpse ['wɔːkiŋ,kɔːps] *s fig* cadavru ambulant

walking dress ['wɔːkiŋ,dres] *s* rochie de stradă

walking encyclopaedia ['wɔːkiŋ en,saiklou'piːdiə] *s fig* enciclopedie ambulantă

walking-out ['wɔːkiŋ,aut] *s* (ieșire la) plimbare

walking papers ['wɔːkiŋ ,peipəz] *s pl F* „plic",„pașaport", – concediere

walking stick ['wɔːkiŋ ,stik] *s* **1** baston **2** *fig* stâlp, sprijin **3** *ent* bacil

walking ticket ['wɔːkiŋ ,tikit] *s v.* **walking papers**

walk into ['wɔːk,intə] *vi cu prep* **1** a căpăta/a obține foarte ușor *(un post)* **2** a nimeri (din neatenție) în *(capcană etc.)*

walk it ['wɔːkit] *vt cu pr F* a merge apostolește, – a merge pe jos

walk off ['wɔːk'ɔːf] **I** *vi cu part adv* a se duce, a pleca; a ieși **II** *vt cu part adv* **1** a scăpa de *(durere, obezitate etc.)* datorită mersului pe jos **2** a pleca din, a părăsi **3** *(d. polițiști etc.)* a duce cu sine *(pe cineva)*

walk off with ['wɔːk'ɔːfwið] *vi cu part adv și prep sl* **1** a șterpeli, a sfeterisi, a fura **2** a câștiga ușor *(un premiu etc.)*

walk of life ['wɔːk əv'laif] *s v.* **walk III, 9; people from all walks of life** oameni de toate categoriile/condițiile

walk-on ['wɔːk,ɔn] *s teatru* **1** rol secundar *(↓ mut)*; figurație **2** personaj secundar; figurant

walk-out ['wɔːk,aut] *s sl* **1** grevă **2** plecare de la o întrunire; ieșire dintr-o organizație *(în semn de protest)*

walk out ['wɔːk'aut] **I** *vi cu part adv* **1** a ieși (afară); a pleca; **to ~ (together) with smb** *fig* a ieși cu cineva; a se plimba cu cineva **2** a face grevă **3** *fig* a pleca *(de la o întrunire)*, a ieși *(dintr-o organizație)* **II** *vt cu part adv* a conduce (afară) *(pe cineva)*

walk out on ['wɔːk'autɔn] *vi cu part adv și prep sl* a lăsa, a părăsi *(pe cineva, ↓ într-un moment greu);* **he walked out on his family without saying a word** și-a părăsit familia fără să spună un cuvânt

walk-over ['wɔːk,ouvə] *s sl* victorie ușoară, „simplă plimbare"

walk over ['wɔ:k,ouvə'] *vi cu prep* **1** a păşi peste; a trece de partea cealaltă *(a drumului etc.)* **2** a trece prin; a se plimba prin *(grădină etc.)*, a colinda/a cutreiera tot *(oraşul etc.)* **3** *sl* a câştiga o victorie uşoară asupra *(cu gen)*; a se distanţa uşor de **4** *sl* a se purta urât cu; < a maltrata *pe cineva*

walk-up ['wɔ:k,ʌp] *amer* ← *F* **I** *s* **1** apartament (într-un bloc înalt) fără lift **2** bloc înalt fără lift **II** *adj atr* fără lift

walk up ['wɔ:k'ʌp] *vi cu part adv* ← *F* a pofti înăuntru *(la circ)*

walkway ['wɔ:k,wei] *s* **1** alee **2** *constr* culoar circular **3** *nav* pasarelă

walky-looky ['wɔ:ki'luki] *s v.* **walkie-lookie**

Walkyrie [væl'kiəri] *s mit* valkirie

walky-talky ['wɔ:ki'tɔ:ki] *s v.* **walkie-talkie**

wall [wɔ:l] **I** *s* **1** zid, perete; gard de piatră; **don't hang that picture on the ~** nu agăţa/atârna tabloul ăsta pe perete; **within the ~s** în oraş, în interiorul oraşului; **outside the ~s** în afara oraşului; **blank/dead ~** perete orb/plin; **to push to the ~** *fig* a încolţi, a strânge cu uşa; **to go to the ~, to be driven/pushed to the ~** *fig* a fi încolţit, a fi strâns cu uşa; **with one's back to the ~** *fig* luptând fără şanse de a scăpa; la strâmtoare, în impas; încolţit (din toate părţile); **up the ~ a** *F* turbat, supărat foc, mânios Dunăre **b** *F* ieşit din minţi, – înnebunit; **to turn one's face to the ~** a se pregăti de moarte, a-şi încheia socotelile cu viaţa; **to hang by the ~** ← *F* a fi îmbrăcat neglijent; **to bang/to run one's head against a (brick) ~** *F* a încerca marea cu degetul, – a încerca imposibilul; **between you, me, and the ~** între patru ochi, (numai) între noi (doi); **(even) (the) ~s have ears** *fig* zidurile au urechi; *F* vezi că poate ne aude cineva **2** zid, val, întăritură **3** zid, dig *(împotriva inundaţiilor)* **4** zid (de stâncă), stâncă masivă/de netrecut **5** *fig* zid *(de apă etc.)* **6** *fig* zid (de nepătruns); văl (de nepătruns); barieră, obstacol (de netrecut) **7**

perete interior *(al unui vas de sânge etc.)* **8** *min* front de abataj **9** *geol* flanc de falie **II** *vt* **1** a înconjura *sau* a întări *(un oraş etc.)* cu ziduri **2** a zidi, a astupa *(o deschizătură)* **3** (**from**) a despărţi printr-un zid *sau* perete (de) **4** a închide, a întemniţa, a zăvorî *(într-un castel etc.)*

wallaby ['wɔləbi] *s zool* specii mici *până la mijlociu de* cangur

Wallace ['wɔlis] *nume masc*

Wallach... *v.* **Wallach...**

wallah ['wɔlə] *s* om, individ, persoană *(în India şi Pakistan)*

wallboard ['wɔ:l,bɔ:d] *s tehn* placă de fibră

wall creeper ['wɔ:l,kri:pə'] *s* **1** *bot* plantă agăţătoare/volubilă **2** *orn* fluturaş purpuriu *(Tichodroma muraria)*

wall cress ['wɔ:l,kres] *s bot* găscariţă *(Arabis)*

walled [wɔ:ld] *adj* **1** cu ziduri **2** zidit **3** înconjurat de ziduri **4** *(d. un oraş etc.)* întărit, fortificat

wallet ['wɔlit] *s* **1** portofel **2** toc; cutie **3** mapă de piele *(pt. documente)* **4** ← *înv* traistă, desagă; sac; raniţă

wall eye ['wɔ:l,ai] *s med* **1** albeaţă (la ochi), leucom **2** ochi cu albeaţă

wall-eyed ['wɔ:l,aid] *adj* **1** *med* cu leucom, cu albeaţă (la ochi) **2** *sl* cu ochi bulbucaţi **3** *sl* afumat, cherchelit, beat **4** *med* cu strabism divergent, *F* cu un ochi la făină şi cu altul la slănină

wall fern ['wɔ:l,fə:n] *s bot* iarbă dulce *(Polypodium)*

wall flower ['wɔ:l,flauə'] *s* **1** *bot* floare agăţătoare/volubilă **2** *bot* mixandră (galbenă) *(Cheiranthus)* **3** ← *F* fată nedansată *(la bal etc.)*

wall off ['wɔ:l'ɔ:f] *vt cu part adv* **1** (**from**) a despărţi/a separa *sau* a izola printr-un zid/perete (de) **2** (**into**) a împărţi prin pereţi *(un spaţiu mare)* (în *camere mici etc.*) **3** a construi *sau* a amenaja din pereţi *(chilii etc. într-un spaţiu mare)*

Wallonian [wɔ'louniən], **Walloon** [wɔ'lu:n] *adj, s* valon

wallop ['wɔləp] **I** *vt* **1** *sl* a snopi/a zvânta în bătaie, a bate măr **2** *sl* a pocni, a atinge, a lovi **3** *F* a face praf, – a zdrobi, a nimici *(duşma-*

nul etc.); **I ~ed him at tennis** l-am dat gata la tenis **II** *vi* ← *rar* a clocoti, a fierbe în clocot **III** *s sl* scatoalcă; buşitură; lovitură puternică **2** *sl* bere **3** ← *F* impresie puternică; şoc **4** ← *F* senzaţie puternică *sau* tare; plăcere nemaipomenită

walloping ['wɔləpiŋ] *adj F* enorm, colosal, – gigantic, uriaş

wallow ['wɔlou] **I** *vi* **1** a se bălăci, a se tăvăli în noroi *etc.* **2** a umbla greoi, a merge şontâc-şontâc **3** *(d. o navă)* a se legăna, a fi aruncat într-o parte şi alta **4** *fig* a se bălăci/a se tăvăli în noroi; a fi viciat până în măduva oaselor; **to ~ in sin** a se bălăci în desfrâu **II** *s* **1** (**in**) bălăceală, tăvăleală (în) **2** loc unde se bălăcesc animalele, baltă, ştioalnă

wallow in ['wɔlou in] *vi cu prep* **1** şi *fig* a se bălăci în **2** *fig* a înota în *(bani)*; **to be ~ing in it** *sl* a înota/ a se scălda în bani **3** *fig* a mânca ceva după pofta inimii; a se desfăta/a se delecta cu **4** *fig* a trăi în *suferinţă etc.* ca în elementul său **5** *fig* a se îmbăta cu; a fi beat de succes *etc.*

wall painting ['wɔ:l,peintiŋ] *s pict* **1** pictură murală; frescă **2** pictură murală *(ca artă)*

wallpaper ['wɔ:l,peipə'] **I** *s* **1** tapet; tapete **2** *amer* bancnotă falsă **II** *vt* a tapeta

wall plate ['wɔ:l,pleit] *s constr* cosoroabă

wall rue ['wɔ:l,rju:] *s bot* ruginiţă, feriguţă *(Asplenium rutamuraria)*

Wall Street ['wɔ:l,stri:t] *s* **1** stradă din New York unde se află marile bănci **2** *fig* bursa din New York **3** *fig* marea finanţă americană

wall-to-wall ['wɔ:ltə'wɔ:l] *adj atr (d. un covor)* care acoperă toată duşumeaua

wall up ['wɔ:l 'ʌp] *vt cu part adv v.* **wall II, 2, 4**

walnut ['wɔ:l,nʌt] *s* **1** *bot* nuc *(Juglans regia)* **2** nucă **3** lemn de nuc **4** (culoare) maro, castaniu

Walpole ['wɔ:l,poul], **Horace** *scriitor englez (1717-1797)*

walrus ['wɔ:lrəs] *s zool* morsă *(Odobenus rosmarus)*

walrus moustache ['wɔ:lrəs məs'tɑ:ʃ] *s* mustaţă pleoştită

Walter ['wɔ:ltə] *nume masc*

Walton ['wɔːltən], **Izaak** *scriitor englez (1593-1683)*

waltz ['wɔːls] **I** *s* vals *(muzică, dans)* **II** *vi* **1** a valsa, a dansa un vals **2** *fig* a dansa, a ţopăi *(de bucurie)* **3** (**up to**) a înainta graţios (până la, spre) **II** *vt* **1** a duce *(pe cineva)* în ritm de vals *(într-un loc)* **2** a târî, a căra după sine *(ceva greu)*

walz off with ['wɔːlts 'ɔːf wið] *vi cu part adv şi prep v.* **walk off with**

wampum ['wɔmpəm] *s* salbă/colier de scoici *(folosit ca bani sau ornament de indienii nord-americani)*

wan [wɔn] *adj* **1** ↓ *poetic* pal, – palid, alb la faţă **2** *(d. zâmbet)* slab, şters

wand [wɔnd] *s* **1** vergea, baghetă; nuia **2** *muz* baghetă magică/ fermecată **3** *poetic* schiptru, – sceptru

wander ['wɔndəʳ] **I** *vi* **1** (**about**) a rătăci, a umbla, a cutreiera, a pribegi, a peregrina, a hoinări (prin); **they loved ~ing about the hills** le plăcea mult să cutreiere dealurile **2** (**through**) a şerpui, a curge şerpuit/şerpuind (prin) **3** a se încurca, a-şi pierde firul gândurilor **4** a vorbi fără şir; < a delira, a aiura; **the sick man's mind is ~ing** mintea bolnavului nu mai e întreagă/aiurează/*F* → a luat-o razna **5** *amer* a se rătăci, a pierde drumul **II** *vt* a cutreiera, a rătăci prin *(munţi etc.)* **III** *s poetic* cutreier, – pribegie, peregrinare

wander about ['wɔndəʳ ə'baut] *vi cu part adv* a umbla de colo până colo, a rătăci; a călători fără ţintă

wander away ['wɔndəʳ ə'wei] *vi cu part adv* a se răzleţi (de turmă etc.), a se rătăci

wandered ['wɔndəd] *adj* **1** (care s-a) rătăcit **2** *fig* rătăcit; pierdut

wanderer ['wɔndərəʳ] *s* **1** rătăcitor; pribeag; călător, drumeţ **2** *fig* dezertor; transfug; apostat; **he is a ~ from duty** s-a abătut de la datorie

wander forth ['wɔndə 'fɔːθ] *vi cu part adv* a se duce în lumea largă

wander forth to ['wɔndə 'fɔːθ tə] *vi cu part adv şi prep* a se îndrepta agale/alene spre

wander from ['wɔndə ˌfrəm] *vi cu prep* a se abate din *sau* de la, a se depărta de; **to ~ the subject/ the point** a se abate de la subiect; **to ~ proper conduct** a nu se purta corect/cum trebuie

wander in ['wɔndəʳ 'in] *vi cu part adv* a trece întâmplător (pe la cineva), a intra în treacăt

wandering ['wɔndəriŋ] **I** *adj atr* **1** *(d. un râu etc.)* şerpuit, cotit; neregulat **2** rătăcitor; ambulant; ~ **tribes** triburi migratoare/nomade **3** *(d. rinichi)* deplasat **4** *fig* rătăcit; delirant, aiurând **II** *s* **1** rătăcire, peregrinare; *pl* rătăciri, peregrinări; călătorii **2** *pl* (momente de) aiurare; accese de nebunie

Wandering Jew, the ['wɔndəriŋ ˌdʒuː, ðə] Jidovul rătăcitor, Ahasverus

wanderlust ['wɔndəˌlʌst] *s germ* plăcere de a călători; dor de ducă

wander off ['wɔndər ɔːf] *vi cu prep v.* **wander from**

wander year ['wɔndə ˌjəːʳ] *s* **1** *od* an de deplasare dintr-un loc în altul *(după perioada de ucenicie)* **2** *univ* an de călătorii *(după absolvire)*

wane [wein] **I** *vi* **1** *(d. lună)* a descreşte, a intra în declin **2** *(d. lumină)* a slăbi, a scădea în intensitate *sau* strălucire **3** *fig* a fi în declin; a apune, a scăpăta, a asfinţi; a se micşora, a slăbi **4** *(d. zi etc.)* a se apropia de sfârşit, a se sfârşi/**to ~ in power** a-şi pierde puterea **II** *s* declin, descreştere, micşorare, scădere; apus, scăpătat; **to be on the ~** a fi în declin *sau* descreştere; a slăbi, a se micşora, a scădea

wangle ['wæŋgəl] **I** *vt* **1** *F* a trage pe sfoară, a potcovi, – a înşela, a amăgi **2** *F* a face rost de *(ceva)* prin matrapazlâcuri **3** *F* a duce cu preşul; – a convinge prin vorbe frumoase *etc.* **4** *F* a sfeterisi, a şterpeli, – a fura **5** *F* a aranja, a umfla *(statistici etc.);* – a denatura, a falsifica; a escamota **II** *vi F* a se învârti, – a se descurca, a o scoate la capăt **III** *s* **1** *F* matrapazlâcuri **2** *F* gargară, – vorbe frumoase **3** *F* şmecherie; truc **4** *F* glagore, – minte, deşteptăciune

wangle into ['wæŋgəl ˌintə] *vt cu prep* **1** *F* a face (pe cineva) cu şoşele, cu momele să facă ceva, a duce *(pe cineva)* cu preşul ca să facă ceva; **I ~d her into giving me an invitation** am făcut ce-am făcut şi mi-a dat o invitaţie **2** *F* a face rost de *(ceva)* prin diverse scamatorii/ – trucuri; **I ~d him into a good job** am făcut ce-am făcut şi i-am găsit o slujbă bună

wangle oneself out of ['wæŋgəl wʌn'self ˌaut əv] *vr cu prep F* a umbla cu fel de fel de tertipuri ca să scape de *sau* din, a face pe dracul în patru ca să scape de *sau* din

wangle out of ['wæŋgəl 'aut əv] **I** *vt cu prep F* a face rost de *(ceva)* de la *(cineva)* prin diverse scamatorii/ – trucuri; **I ~d an invitation out of John** am făcut ce-am făcut şi am căpătat o invitaţie de la John **II** *vi cu prep F* a se face luntre şi punte ca să scape de *sau* din

wank [wæŋk] *sl* **I** *vi* a se masturba **II** *s* masturbaţie, onanism

wanker ['wæŋkəʳ] *s sl* **1** onomastic **2** amator, diletant, nepriceput

wanly ['wɔnli] *adv* stins, slab

wanness ['wɔnnis] *s* paloare, paliditate

want [wɔnt] **I** *vt* **1** a vrea, a dori; a pofti; a căuta; **he ~ed a better example** voia/dorea un exemplu mai bun; **he ~s adventure** e dornic/însetat de aventuri; **I don't ~ to go there** nu vreau să mă duc acolo; **what do you ~?** ce vrei/doreşti/pofteşti? **I ~ you to tell me the truth** vreau să-mi spui adevărul; **say what you ~, I still love her** spune ce vrei, eu tot o mai iubesc; **I ~ some short stories, please** vă rog, aş dori nişte nuvele; **I ~ a pound of sugar, please** o livră de zahăr, vă rog; **she was ~ed by the police** era căutată de poliţie **2** *neg* a nu vrea/dori, a nu putea suferi; a fi împotriva *(cu gen);* **I don't ~you playing the piano all day long** m-am săturat să te aud cântând la pian toată ziua **3** a avea nevoie de, a-i trebui; a necesita, a reclama, a cere; a-i lipsi; **my car ~s a repair** maşina mea are nevoie de reparații; **the job ~s doing** treaba trebuie făcută; **they ~ a good beating** le trebuie o bătaie bună/zdravănă; **the room ~s painting** camera trebuie zugrăvită; **he ~s judg(e)ment** îi lipsește judecata *sau* discernământul, nu are destulă minte; **your hair ~s cutting** ar trebui să te tunzi; **that sort of thing ~s some doing** *F* nu e treabă ușoară; **it ~s ten minutes to three** e (ora) trei fără zece minute; **he certainly does not ~ intelligence** nu este deloc lipsit de inteligență, nu e prost defel; **there ~s only a spark to set all aflame** e nevoie de o singură scânteie ca să izbucnească focul; **don't go, I ~ you** nu pleca, am nevoie de tine; **you won't be ~ed today** nu e nevoie de dumneata astăzi, poți lipsi astăzi **4** a fi neapărat nevoie să/ de, a avea neapărat nevoie de; a trebui să; **you ~ to see a doctor** trebuie neapărat să consulți un doctor/te vadă un doctor; **she doesn't ~ to work so hard** n-ar trebui să muncească atât de mult **5** a fi lipsit de, a suferi de; a duce lipsă de **II** *vi* **1** a duce lipsă, a fi strâmtorat; a-i lipsi cele de trebuință; a fi sărac **2** *(la aspectul continuu)* a lipsi, a fi lipsă; a nu fi prezent; **a few pages are ~ing** lipsesc câteva pagini, câteva pagini sunt lipsă **3** *(la aspectul continuu)* a nu corespunde, a nu fi corespunzător, a fi în defect/culpă; *v.* **wanting I, 2 III** *s* **1** lipsă, nevoie, necesitate; strâmto(r)are, < ananghie; sărăcie; > insuficiență; **~ of money** lipsă de bani; **for ~ of** din lipsă *cu gen,* din lipsă de ; **in ~** of care duce lipsă de, lipsit de, fără *(mijloace etc.:)* **a long-felt ~** o lipsă demult resimțită; **for/from ~ of** din lipsă de, datorită lipsei de **2** *pl* nevoi, necesități, pretenții; **a man of few ~s** un om cu puține pretenții/ care se mulțumește cu puțin **3** *com* cerere

want ad ['wɔnt ˌæd] *s* ↓ *amer* oferte de serviciu *(la „mica publicitate")*
wantage ['wɔntidʒ] *s* **1** lipsă, deficit; necesar, cerere **2** *ec* deficit

wanted ['wɔntid] *adj* **1** căutat de poliție **2** care se caută; necesar; **"~: a cook for a small family"** se caută/căutăm bucătăreasă la familie mică
want for ['wɔnt fəʳ] *vi cu prep* a-i lipsi, a avea nevoie de, a nu avea, a duce lipsă de; **he shall never ~ food while we have money left** n-o să-i lipsească niciodată mâncarea cât timp (mai) avem bani; **to ~ nothing** *(d. cineva)* a nu duce lipsă de/a nu-i lipsi nimic
want in I ['wɔnt 'in] *vi cu part adv* ← *F* a vrea să intre înăuntru; a se cere înăuntru *sau* în casă II ['ʌɔntin] *vi cu prep (la aspectul continuu)* a-i lipsi, a nu avea; a nu ști ce este *(politețea etc.)*
wanting ['wɔntin] I *adj* **1** *atr* (↓ în *postpoziție)* lipsă, care lipsește; **a coat with a few buttons ~** o haină cu câțiva nasturi lipsă; **there is a volume ~ to complete the set** lipsește un volum ca să completăm seria/setul **2** care nu e la înălțime; necorespunzător; **he was ~ to the occasion** nu a fost la înălțimea situației; **he was ~ to his duty** nu și-a îndeplinit datoria (cum trebuie); **to be found ~** a fi găsit vinovat/în culpă II *prep* fără; **~ mutual trust, friendship is impossible** fără încredere (reciprocă) prietenia nu este posibilă
wanton ['wɔntən] I *adj* **1** vioi, zburdalnic; nebunatic; vesel; jucăuș **2** zgomotos, gălăgios **3** furios, turbat **4** impetuos; nebunesc; nestăvilit; abundent, excesiv **5** *(d. priviri etc.,* ↓ *ale unei femei)* cu înțeles; nerușinat **6** nejustificat, absurd, nesăbuit; **~ waste of money** risipă (de bani) nesăbuită II *s* **1** *F* destrăbălată, stricată; depravată **2** poznaș; glumeț, mucalit
wantonly ['wɔntənli] *adv* **1** fără motiv/cauză; din senin **2** (în mod) absurd
wantonness ['wɔntənis] *s* **1** vioiciune; zburdălnicie **2** zgomot, gălăgie, larmă **3** furie, violență **4** stricăciune, dezmăț, destrăbălare **5** absurditate, lipsă de noimă
want out ['wɔnt 'aut] *vi cu part adv* *F* a vrea afară, – a vrea să iasă afară

want-wit ['wɔntˌwit] *s F* gogoman, mangafa, cretin, idiot
wapiti ['wɔpiti] *s zool* wapiti, cerb canadian *(Cervus canadensis)*
war [wɔːʳ] I *s și fig* război; luptă; **World War II** (cel de-) al doilea război mondial; **to put an end to ~** a pune capăt războiului *sau* războaielor; **to declare ~ (up)on** a declara război *cu dat;* **to be at ~ with** a fi în (stare de) război cu; **to go to ~ a** a intra în război; a începe războiul **b** a se duce la război/pe front; **to make/to wage ~ on/against/ upon a** *mil* a duce/a purta război împotriva *cu gen* **b** *fig* a declara război *(malariei etc.);* **~ to the knife** luptă pe viață și pe moarte; **to carry the ~ into the enemy's camp** a ataca pe cineva care urma să atace (primul); **having been in the ~s** ← *F* care a avut de suferit, care a pătimit II *vi* **1** (**against; with**) a purta război, a se război *(împotriva – cu gen,* cu); *și fig* a lupta *(împotriva – cu gen,* cu) **2** (**for**) *fig* a lupta (pentru); a se certa (pentru)
war baby ['wɔːˌbeibi] *s* **1** copil născut în timpul războiului *(↓ nelegitim)* **2** *mil* ← *F* ofiter din timpul războiului **3** *mil F* boboc, răcan, – recrut
warbird ['wɔːˌbəːd] *s av mil* ← *F* **1** avion de luptă **2** membru al echipajului unui avion de luptă
warble ['wɔːbəl] I *vi* **1** a cânta cu modulații *sau* melodios; a face triluri; a ciripi **2** a murmura, a susura II *vt* **1** a cânta melodios **2** a murmura, a susura **3** a cânta; a cânta în versuri III *s* **1** cântec (melodios) **2** tril **3** ciripit **4** murmur, susur
warble out ['wɔːbəl 'aut] *vt cu part adv v.* **warble II**
warbler ['wɔːbləʳ] *s* **1** pasăre cântătoare **2** cântăreață (care cântă cu modulații *sau* melodios)
war bride ['wɔː ˌbraid] *s* **1** femeie care se căsătorește cu un militar ce pleacă pe front **2** femeie care se căsătorește cu un militar *(↓ străin)* în vreme de război
war clouds ['wɔː ˌklaudz] *s pl fig* norii războiului; atmosferă amenințătoare de război

war correspondent ['wɔ: ˌkɔris-'pɔndənt] *s* corespondent de război

war council ['wɔ: ˌkaunsəl] *s* consiliu de război

war craft ['wɔ: ˌkra:ft] *s mil* **1** măiestrie militară **2** *av* avion militar *sau* avioane militare **3** *nav* navă militară/de război *sau* nave militare/de război

war crime ['wɔ: ˌkraim] *s jur* crimă de război

war cry ['wɔ: ˌkrai] *s* **1** strigăt de luptă **2** *fig* lozincă

ward [wɔ:d] **I** *s* **1** secție *(de spital etc.)*; pavilion; sală, salon **2** circumscripție electorală; cartier; district **3** tutelă, epitropie **4** *jur* pupil **5** loc sigur *sau* ferit; închisoare; prizoneriat; captivitate **6** ← *elev* pază, apărare; protecție; **to keep watch and ~ over smb** ← *înv* a apăra/a străjui/a păzi cu grijă/< strășnicie pe cineva **7** apărare; gardă *(la scrimă)* **8** *pol* teritoriu sub mandat *sau* tutelă **II** *vt* **1** a întemnița; a încarcera **2** a interna într-un salon de spital **3** a para, a respinge *(o lovitură);* a înlătura *(un pericol)*

-ward *suf (arată direcția)* spre, către; **northward a** spre nord **b** de nord

war dance ['wɔ: ˌda:ns] *s* dans de război

warden ['wɔ:dən] *s* **1** custode; îngrijitor; administrator **2** supraveghetor; păzitor al ordinii (publice); **traffic ~** agent (civil) de circulație *(care controlează parcarea mașinilor)* **3** director *(la unele școli și colegii mai vechi)* **4** temnicer; *amer* director de închisoare

warder ['wɔ:də'] *s* **1** paznic de închisoare, temnicer **2** custode *(la muzeu)* **3** *înv* strajă, străjer, – paznic

warding ['wɔ:diŋ] *s* apărare, protecție; pază

ward off ['wɔ:d 'ɔ:f] *vt cu part adv v.* **ward II, 3**

war dog ['wɔ: ˌdɔg] *s* **1** *mil* câine de front **2** *fig* luptător călit *sau* aprig **3** *amer* ațâțător la război; militarist

wardrobe ['wɔ:droub] *s* **1** garderob(ă), șifonier; dulap de haine *sau* rufe **2** garderobă *(a unei persoane)* **3** *teatru* garderobă, ↓ costume istorice

ward room ['wɔ:d ˌru:m] *s nav* popotă *(pe vasele de război)*

-wards *suf adv (arată direcția)* spre, către; **northwards** spre nord

wardship ['wɔ:dʃip] *s jur* **1** tutelă **2** aflare sub tutelă

ware[1] [wɛə'] *s* **1** (articole de) olărie; **Dutch ~** faianță **2** *(în cuvinte compuse)* articole, fabricate, produse; **silverware** argintărie; **glassware** sticlărie **3** *pl* produse, articole, mărfuri *(↓ care nu se vând în magazin);* **soft ~s** textile; **foreign ~s** articole de import

ware[2] **I** *adj* ← *înv, poetic* **1** prudent, precaut; vigilent; treaz; grijuliu **2** **(of)** conștient, care își dă seama (de) **II** *vt* ← *înv* a se feri de *(câini etc.)*

warehouse I ['wɛə,haus] *s* **1** depozit de mărfuri, magazie; antrepozit **2** depozit de materiale **3** magazin mare **II** ['wɛə,hauz] *vt* a depozita; a pune în depozit

warfare ['wɔ:ˌfɛə'] *s* **1** război; stare de război **2** *și fig* luptă; conflict

warhead ['wɔ:ˌhed] *s* **1** *mil* focos *(↓ de rachetă)* **2** *el* vârf de sarcină

warily ['wɛərili] *adv* cu grijă/precauție/prudență, precaut

wariness ['wɛərinis] *s* grijă, precauție, prudență

warlike ['wɔ:ˌlaik] *adj* **1** marțial, războinic **2** războinic, belicos

warlock ['wɔ:ˌlɔk] *s* vrăjitor *(în basme)*

warlord ['wɔ:ˌlɔ:d] *s* **1** dictator militar **2** tiran/despot războinic **3** *mil od* comandant suprem *(în Japonia etc.)* **4** militarist inveterat

warm [wɔ:m] **I** *adj* **1** cald; călduros; care ține de cald; **to get ~ by the fire** a se încălzi la foc; **~ milk** lapte cald; **~ clothes** haine călduroase; **to make things ~ for smb** *fig* a-i face cuiva zile fripte, a-i face cuiva viața de nesuportat/insuportabilă **2** încălzit, < înfierbântat; **~ from exercise** încălzit de mișcare; **it was a ~ climb** urcușul/ascensiunea ne-a încălzit serios/ne-a făcut să transpirăm **3** *fig* cald, călduros, cordial; prietenos; afectuos; **~ support for the first team** sprijin călduros pentru prima echipă; **a ~ supporter** un susținător înflăcărat/entuziast; **~ welcome** primire călduroasă/ cordială; **~ friendship** prietenie

strânsă **4** *fig (d. discuție, imaginație etc.)* aprins, înfierbântat **5** *fig (d. un text etc.)* indecent; fără perdea; piperat **6** *fig F* bine căptușit; **~ cu dare de mână; bogat 7** *(d. urme etc.)* proaspăt, recent **8** *(↓ în jocurile de copii)* „foc", aproape *(de un obiect ascuns, de răspunsul la o întrebare)* **9** *fig (d. culori etc.)* cald, vesel; plăcut; viu **II** *vt* **1** a încălzi *(mâncarea etc.);* **he ~ed his hands by the fire** și-a încălzit mâinile la foc **2** *fig* a încălzi; a aprinde; a înviora; a entuziasma **III** *vr (d. cineva)* a se încălzi **IV** *vi* **1** *(↓ d. lucruri)* a se încălzi; **the soup was ~ing over the fire** supa se încălzea la foc **2** a încălzi; a dezmorți; **a hot drink ~s on cold day** o băutură fierbinte (te) încălzește într-o zi rece **V** *s* **1** the ~ căldură; loc călduros; **come into the ~** vino la căldură **2** încălzire; **come and have a ~ by the fire** vino și-ncălzește-te la foc

warm-blooded ['wɔ:m ˌblʌdid] *adj* **1** *zool* cu sânge cald **2** *fig* aprins, înflăcărat, pasionat

warm-bloodedly [ˌwɔ:m 'blʌdidli] *adv fig* cu aprindere/înflăcărare, pasionat

warm-bloodedness [ˌwɔ:m 'blʌdidnis] *s fig* aprindere, înflăcărare, pasiune

warmer ['wɔ:mə'] *s* încălzitor, aparat de încălzire, termofor

warmer-upper ['wɔ:mər ˌʌpə'] *s sl* otravă, trăsnet, *reg* → trăscău, – băutură foarte tare

warm-hearted ['wɔ:m ˌha:tid] *adj* binevoitor, prietenos; săritor; inimos; cu suflet cald

warm-heartedly [ˌwɔ:m'ha:tidli] *adv* cu bunăvoință, binevoitor; cu căldură

warm-heartedness [ˌwɔ:m 'ha:tidnis] *s* bunăvoință; simpatie; căldură

warm house ['wɔ:m ˌhaus] *s* seră

warming ['wɔ:miŋ] *s* încălzire; încălzit

warming pan ['wɔ:miŋ ˌpæn] *s od* încălzitor *(metalic, cu cărbuni)*

warming-up ['wɔ:miŋ ˌʌp] *s sport* încălzire

warmish ['wɔ:miʃ] *adj* **1** *și fig* călduț **2** destul de călduros

warmly ['wɔ:mli] *adv* **1** cu căldură, călduros, afectuos

warmness ['wɔːmnis] *s v.* **warmth**

warmonger ['wɔːˌmʌŋgəʳ] *s* ↓ *amer* aţâţător la război

warm over ['wɔːm 'ouvəʳ] ↓ *amer* **1** *vt cu part adv* **1** a pune la încălzit, a încălzi (din nou) *(mâncarea)* **2** a relua, a repeta *(argumente etc.)* **II** *vi cu part adv (d. mâncare)* a fi pus la încălzit/să se încălzească

warmth ['wɔːmθ] *s* **1** căldură **2** *fig* căldură, cordialitate, prietenie **3** *fig* căldură, pasiune, înfocare, ardoare; entuziasm; zel, râvnă **4** *fig* caracter aprins *(al discuţiei etc.)*; fierbinţeală

warm-up ['wɔːm ʌp] *s v.* **warming-up**

warm up ['wɔːm 'ʌp] **I** *vt cu part adv* **1** a încălzi, a face cald *sau* mai cald; a pune la încălzit *(mâncarea)* **2** *tehn* a încălzi *(motorul etc.)* **3** a pregăti *(publicul)* pentru un spectacol **4** *fig* a învia *(o petrecere etc.)*, a învia atmosfera *(cu gen)* **II** *vi cu part adv* **1** (↓ *d. lucruri)* a se încălzi, a deveni cald *sau* mai cald; *(d. mâncare)* a fi pus la încălzit; a face încălzirea **3** *fig* a se încălzi; a se învia; **the speaker warmed up as he went on to his subject** vorbitorul se încălzea/înflăcăra pe măsură ce-şi dezvolta subiectul/tema

warn [wɔːn] *vt* **1** (**of, against**) a preveni, a avertiza, a pune în gardă (împotriva – *cu gen)* **2** a înştiinţa, a încunoştinţa (↓ *oficial)* **3** *jur* a cita; a notifica

Warner ['wɔːnəʳ] *nume masc*

warning ['wɔːniŋ] **I** *adj atr* de avertisment **II** *s* **1** prevenire, avertizare; avertisment; alarmă **2** înştiinţare, aducere la cunoştinţă **3** ← *înv* preaviz **4** semnal; semn, indiciu **5** *(d. cineva)* pildă grăitoare, exemplu elocvent *(de ceea ce nu trebuie să facă alţii)*

warning signal ['wɔːniŋ ˌsignəl] *s* **1** semnal de alarmă **2** *ferov* semn de atenţie **3** *min* semnal de avertizare

warn off I ['wɔːn 'ɔːf] *vt cu part adv* a îndepărta/a ţine la distanţă prin avertizări *sau* ameninţări; **after the accident the police were warning everyone off** după accident, poliţiştii îi obligau pe cei

de faţă să se ţină de o parte **II** ['wɔːn ɔːf] *vt cu prep* a avertiza *(pe cineva)*, a obliga *(pe cineva) sau* a cere *(cuiva)* să nu intre în *(grădină etc.) sau* pe *(un teren)*

war of nerves ['wɔːrəv 'nəːvz] *s* război al nervilor

warp [wɔːp] **I** *s* **1** *text* urzeală **2** strâmbare, încovoiere; sucire; deviere **3** deformare, denaturare; pervertire **4** nămol aluvionar **5** *nav* odgon de remorcă **II** *vt* **1** *text* a urzi *(fire)* **2** a încovoia, a strâmba; a suci; a răsuci; a scoroji **3** a deforma, a denatura; a perverti **III** *vi* **1** a se încovoia, a se îndoi, a se strâmba; a se scoroji **2** a se abate, a devia **3** a se deforma, a se denatura; a se perverti

war paint ['wɔː ˌpeint] *s* **1** vopsirea corpului înainte de război *(la sălbatici)* **2** *umor* sulemeneală; – ruj; rujare **3** *umor F* ţol festiv, – haină de sărbătoare **4** *mil* ← *umor* uniformă de paradă

warpath ['wɔːˌpɑːθ] *s* **1** *od* cărare/potecă folosită în vreme de război *(de indienii nord-americani)*; **on the ~ a** *fig* gata de luptă **b** pe picior de război **2** *fig* tactică de luptă; program de acţiune; **on the ~ to do smth** ← *F* ameninţând că va face ceva, gata de luptă pentru *sau* împotriva a ceva

warplane ['wɔːˌplein] *s mil, av* avion militar/de război

warrant ['wɔrənt] **I** *s* **1** motiv; justificare; autoritate morală, cădere; drept; **good intentions are no ~ for irregular actions** intenţiile bune/frumoase nu justifică acţiunile/faptele incorecte; **he had no ~ for saying so** nu avea dreptul/autoritatea morală să vorbească astfel **2** împuternicire; procură; mandat (↓ *de percheziţie etc.)* **3** ← *înv* chezăşie, garanţie; cauţiune **4** *com* (recipisă) varrant **II** *vt* **1** a îndreptăţi, a justifica; **nothing can ~ such insolence** nimic nu poate justifica o asemenea neobrăzare; **we are not ~ed in believing him guilty** nu avem motive să-l considerăm vinovat **2** a asigura; a garanta; **the grower ~ed these plants (to be) free from disease** cultivatorul

ne-a asigurat/încredinţat/garantat că aceste plante sunt sănătoase **3** (**that**) *F* a pune mâna în foc, a jura/a putea să jure (că), – a fi sigur (că) **4** *jur* a împuternici; a da dreptul la, a permite *(o procedură)*

warrantable ['wɔrəntəbəl] *adj* legitim, îndreptăţit, permis

warrantee ['wɔrənˈtiː] *s jur* persoană care primeşte o garanţie *sau* împuternicire; împuternicit

warranter ['wɔrəntəʳ] *s v.* **warrantor**

warrant officer ['wɔrənt ˌɔfisəʳ] *s* **1** *mil* grad intermediar între subofiţer şi ofiţer; ofiţer subaltern; subofiţer brevetat **2** *nav* miciman

warrantor ['wɔrəntɔː] *s jur* garant

warranty ['wɔrənti] *s* **1** *com* garanţie scrisă **2** *jur* condiţie, clauză *(într-un contract etc.)* **3** justificare, temei **4** autorizaţie; permis

Warren ['wɔrən] *nume masc*

warren ['wɔrən] *s* **1** crescătorie de animale mici, ↓ iepurărie, crescătorie de iepuri de casă **2** *fig (d. o clădire mare)* furnicar; *(d. străzi vechi)* labirint

warrior ['wɔriəʳ] *s* **1** luptător; ostaş, soldat *(încercat)* **2** războinic, luptător *(al tribului)*

Warsaw ['wɔːsɔː] *capitala Poloniei* Varşovia

warship ['wɔːˌʃip] *s nav, mil* navă/vas de război

Wars of the Roses, the ['wɔːz əv ðə 'rouziz, ðə] *s pl ist Angliei* Războaiele celor două Roze *(1455-1485)*

war-struck ['wɔːˌstrʌk] *adj (d. o ţară)* lovit de război

wart [wɔːt] *s* **1** *med* neg; **to paint ~s and all** *fig* a zugrăvi/a prezenta aşa cum este (în realitate) *(fără înfrumuseţări)* **2** *bot* buburuză, verucozitate **3** ← *rar sl* bărbat *sau* băiat hidos *sau* nesuferit

warthog ['wɔːtˌhɔg] *s zool* porc alergător *(Phacochoerus aethiopicus)*

wartime ['wɔːˌtaim] *s* timp/vreme de război

warty ['wɔːti] *adj* plin de negi

Warwick(shire) ['wɔrik, ˌʃiəʳ] *comitat* în Anglia

war-worn ['wɔːˌwɔːn] *adj* **1** epuizat din cauza războiului **2** care a suferit de pe urma războiului; distrus de război

wary ['wɛəri] *adj* precaut, prudent; grijuliu, atent; **a wild animal ~ of traps** un animal sălbatic care se ferește de capcane

was [wəz, wz *forme slabe*, wɒz *formă tare*] *pret pers 1 și 3 sg de la* **b**

wash [wɒʃ] **I** *vt* **1** a spăla; a curăța; a se spăla pe; **to ~ one's hands** *și fig* a se spăla pe mâini **to ~ one's eyes** a se spăla pe ochi **2** a spăla, a uda *(țărmul etc.);* a inunda **3** a decanta, a limpezi **4** a trata cu leșie; a leșia **5** *text* a albi, a înălbi **6** a stropi, a uda **7** *met* a placa **8** *fig* a spăla, a curăța, a purifica **9** *(d. valuri etc.)* a săpa, a scobi *(o adâncitură etc.).// **to ~ clean** a spăla (până când devine curat) **II** *vr (d. cineva)* a se spăla **III** *vi* **1** (with) a se spăla (cu) **2** *pas (d. rufe etc.)* a se spăla; **these shirts don't ~ easily** cămășile astea nu se spală ușor **3** *F* a se înghiți, a merge; – a fi crezut; **your story just won't ~ with me** ce-mi spui sunt baliverne, – nu mă prind **4** a spăla pietrișul *(în căutare de aur)* **IV** *s* **1** spălat, spălare; **have a ~** spală-te; **give the car a good ~** spală bine mașina; **in the ~** (dat) la spălat; **to come out in the ~ - a** *(d. ceva rușinos)* ← *F* a ieși la lumină, a fi dat în vileag **b** ← *F* a se sfârși/a se termina cu bine **2** udare, înmuiere, stropire **3** rufe spălate *sau* date la spălat **4** apă de spălat; leșie **5** zoaie; lături **6** zgomot, plescăit *(al valurilor)* **7** *nav* remuu; curent respins de elice; siaj **8** *nav* mustăți, valuri de însoțire prova **9** *nav* pana ramei **10** *fig F* apă chioară; „bragă" **11** *fig F* apă de ploaie, – vorbărie goală **12** *geol* aluviuni **V** *adj atr* care se poate spăla, lavabil

Wash. *presc de la* **Washington** *sau* **Washington Stat**

washability [ˌwɒʃə'biliti] *s* lavabilitate

washable ['wɒʃəbəl] *adj* care se poate spăla, lavabil

wash against ['wɒʃə'genst] *vi cu prep (d. valuri)* a se lovi/a se izbi de *(țărm etc.),* a scălda, a spăla *(țărmul etc.)*

wash away ['wɒʃə'wei] *vt cu part adv*

1 a spăla, a îndepărta prin spălare *(murdăria etc.)* **2** *fig* a curăța, a spăla *(păcatele etc.)*

wash basin ['wɒʃ ˌbeisn] *s* chiuvetă; lighean *(↓ fixat)*

wash basket ['wɒʃ ˌbɑːskit] *s* coș de/pentru rufe

wash board ['wɒʃ ˌbɔːd] *s* **1** scândură de spălat rufe **2** *constr* plintă, pervaz

wash bottle ['wɒʃ ˌbɒtl] *s ch* pisetă

wash bowl ['wɒʃ ˌboul] *s amer v.* **wash basin**

wash cloth ['wɒʃ ˌklɒθ] *s* **1** cârpă de spălat vase **2** *amer* șervețel (înflorat) de șters fața *(după spălat)*

washday ['wɒʃˌdei] *s* zi de spălat

wash down ['wɒʃ 'daun] *vt cu part adv* **1** a spăla *(mașina etc., ↓ cu un jet de apă)* **2** a înghiți cu apă *sau* alt lichid *(pilule)* **3** a înghiți cu vin *etc. (mâncare)*

wash drawing ['wɒʃ ˌdrɔːiŋ] *s pict* acuarelă (monocromă)

washed [wɒʃt] *adj* spălat; curățat

washed-out ['wɒʃtaut] *adj* **1** decolorat *(↓ din cauza spălatului)* **2** *fig F* sleit, frânt, la pământ; – palid, tras la față

washed-up ['wɒʃt˄p] *adj (d. cineva) sl* mort, terminat; fără șanse de succes

washer ['wɒʃə'] *s* **1** spălător, ↓ spălătoreasă **2** mașină de spălat **3** *tehn* șaibă **4** *ch* pisetă; scruber

washer woman ['wɒʃə ˌwumən] *s* spălătoreasă

wash house ['wɒʃ ˌhaus] *s* spălătorie

washing ['wɒʃiŋ] *s* **1** spălat; spălare **2** rufe spălate *sau* de spălat

washing day ['wɒʃiŋ ˌdei] *s* zi de spălat

washing machine ['wɒʃiŋ mə'ʃiːn] *s* mașină de spălat

Washington ['wɒʃiŋtən] *stat și oraș în S.U.A.*

wash off ['wɒʃ 'ɔːf] *vt cu part adv v.* **wash away**

wash-out ['wɒʃˌaut] *s* **1** spălare; spălătură **2** ← *F* anulare; amânare **3** *F* chix, – eșec, nereușită; prăbușire **4** *F* neisprăvit; – ratat; repetent

wash out ['wɒʃ 'aut] **I** *vt cu part adv* **1** a curăța prin spălare, a spăla, a îndepărta prin spălare **2** a clăti *(o ceașcă etc.)* **3** a decolora

(prin spălat) **4** *fig* a spăla *(o insultă etc. – cu sângele vărsat)* **5** *(d. ape)* a desfunda, a face impracticabil; a duce cu sine *(case etc.);* a scoate din rădăcini *(pomi)* **6** *F* a slei, a speti, a scoate din circulație, – a obosi grozav **7** ← *F* a anula, a renunța la *(un plan etc.)* **8** *F* a trânti *(la un examen)* **II** *vi cu part adv* **1** a ieși la spălat **2** a se decolora *(prin spălare)* **3** *fig* a-și pierde prospețimea *sau* frăgezimea

wash-proof ['wɒʃˌpruːf] *adj text* rezistent la spălare

washroom ['wɒʃˌruːm] *s amer* **1** lavabou; spălător **2** WC, toaletă *(↓ public)*

washstand ['wɒʃˌstænd] *s* lavoar, lavabou

wash tub ['wɒʃ ˌt˄b] *s* ciubăr; cadă

wash-up ['wɒʃ˄p] *s* **1** ← *F* spălat *(pe mâini etc.)* **2** ← *F* lavabou, spălător **3** ← *F* WC, toaletă **4** ceea ce aruncă marea pe uscat, *↓* cadavre

wash up ['wɒʃ '˄p] **I** *vt cu part adv* **1** a spăla *(vase)* **2** *(d. valuri)* a arunca pe țărm **II** *vi cu part adv* **1** a spăla vasele **2** *amer* a se spăla *(pe față și pe mâini)*

washwoman ['wɒʃˌwumən] *s* spălătoreasă

washy ['wɒʃi] *adj* ← *rar* **1** apos; slab; diluat **2** palid **3** fără putere, slab **4** *fig* insipid, searbăd **5** vag, nedeslușit

wasn't ['wɒzənt] *contras din* **was not**

wasp [wɒsp] *s ent* viespe *(Vespa)*

waspish ['wɒspiʃ] *adj* **1** (ca) de viespe; subțire **2** certăreț, arțăgos, pus pe ceartă **3** *(d. remarci etc.)* tăios, ascuțit; răutăcios

waspishly ['wɒspiʃli] *adv și fig* ca o viespe

wasp-waisted ['wɒsp,weistid] *adj* ← *rar* cu o talie ca de viespe

waspy ['wɒspi] *adj* **1** (ca) de viespe **2** *fig* iritabil, irascibil; veninos **3** plin de viespi

wassail ['wɒseil] **I** *s* **1** *od* petrecere (zgomotoasă) de Crăciun *(în Anglia)* **2** ← *înv* urare la un pahar, „noroc" **II** *vi:* **to go ~ing** *od* a merge cu colindul, a colinda *(de Crăciun)*

wast [wɒst] *pret pers 2 sg înv de la* **be**

wastage ['weistidʒ] *s* **1** pierdere, irosire; pierdere de timp; cheltuială inutilă **2** deșeuri; rebuturi **3** scurgere, pierdere *(a unui lichid)*

waste [weist] **I** *vt* **1** a irosi, a pierde (inutil) *(timp etc.);* a risipi, a toca *(bani etc.);* a irosi, a nu folosi (cum trebuie) *(talentul etc.);* **to ~ words/breath** a vorbi degeaba/ în vânt; a-și toci gura (degeaba); **all advice will be ~d on him** nu ascultă de nici un sfat, nu are rost să-i dai sfaturi; **her efforts were ~d** eforturile ei au fost zadarnice; **to ~ one's life** a-și irosi viața; a nu înțelege nimic din viață; a-și petrece viața numai în distracții, chefuri *etc.;* **to ~ an opportunity** a scăpa o ocazie **2** a pustii, a face ravagii în; a distruge, a nimici **3** a strica, a deteriora; a face neroditor *(pământul etc.)* **4** a slăbi, a emacia; a subrezi *(corpul etc.)* **5** *amer sl* a face felul *(cuiva)*, a ucide, a omorî **II** *vr.* *sport* a pierde din greutate **III** *vi* **1** a se irosi, a se pierde (inutil) **2** a irosi, a cheltui, a fi risipitor; **~ not, want not** *prov* cine adună la tinerețe are la bătrânețe; cine nu cruță când are va răbda la lipsă mare **3** a se micșora; a se reduce; a se împuțina **4** *(d. cineva)* a slăbi; a se ofili; < a se topi văzând cu ochii; < a muri **5** *(d. timp)* ← *rar* a se scurge, a trece **IV** *s* **1** *și la pl* întindere pustie, pustietate; pământ necultivat; pârloagă **2** irosire; pierdere (inutilă)/risipă de energie! **to go/ to run to ~a** a se irosi, a se pierde, a se cheltui, a fi irosit **b** a rămâne nefolosit, necultivat *etc.* **3** ↓ *pl* resturi; deșeuri, rebuturi; lături, zoaie; reziduuri **4** slăbire, emaciere; ofilire **5** *poligr* maculatură **6** *constr* moloz, dărâmături **7** *min* rostogol; haldă de steril **V** *adj atr* **1** *(d. terenuri etc.)* gol, pustiu; necultivat; sterp; deteriorat, degradat **2** nefolositor, (bun) de aruncat (la gunoi) **3** de scurgere a reziduurilor *etc.*

waste away ['weistə'wei] *vi cu part adv v.* **waste III, 4**

waste basket ['weist,ba:skit] *s amer* coș de hârtii

wasteful ['weistful] *adj* risipitor, cheltuitor; extravagant

wastefully ['weistfuli] *adv* fără chibzuială/economie; (în mod) extravagant

wastefulness ['weistfulnis] *s* risipă; extravaganță

waste land ['weist ,lænd] *s* pământ/ teren necultivat *etc (v.* **waste IV, 1***);* pustietate

waste paper ['weist ,peipə^r] *s* maculatură; hârtie de aruncat la coș

waste-paper basket ['weist,peipə 'ba:skit] *s* coș de hârtii

waste pipe ['weist ,paip] *s tehn* țeavă de scurgere; conductă de ape uzate

waster ['weistə^r] *s* **1** cheltuitor, risipitor **2** *F* pierde-vară, fluieră-vânt **3** persoană *sau* lucru care cauzează risipă *sau* pierdere de timp **4** animal care pierde din greutate **5** *poetic* stricător, — distrugător

wastrel ['weistrəl] *s v.* **waster 1-2**

watch¹ [wɒtʃ] *s* ceas *(de mână, de buzunar);* cronometru; *nav* ceas de bord; **by my ~** după ceasul meu

watch² [wɒtʃ] **I** *s* **1** pază, supraveghere; pândă; strajă; atenție; **to be on the ~ a** a fi de pază *sau* strajă **b** a fi atent/cu băgare de seamă, a avea grijă; **to keep ~ over a** a urmări (atent) *cu ac,* a nu pierde din ochi **b** a păzi, a străjui; **to keep (a) close/careful ~ on** a urmări atent/cu grijă *cu ac;* **to keep ~ for** a fi atent când vine *lăptarul etc.* **2** pază, paznici; gardă; **in spite of the ~ set on the house** cu toată paza sub care se afla casa, în ciuda polițiștilor *etc.* care păzeau/supravegheau casa **3** *od*strajă, străjeri, — paznici *(de noapte)* **4** *mil* santinelă; gardă; schimb **5** *nav* cart **II** *vt***1** a urmări *(un film etc.)* a se uita la **2** a urmări cu privirea, a se uita la; **they ~ed the sun set(ting) behind the mountains** priveau soarele care apunea/ asfințea îndărătul munților **3** a urmări, a păzi, a supraveghea, a nu pierde din ochi; a fi atent la *sau* cu; **~ him; I think he's a thief** urmărește-l/supraveghează-l — cred că e un hoț; **~ your words when you talk to her** vezi cum vorbești cu ea, cântărește-ți cuvintele când vorbești cu ea; **will**

you ~ my clothes while I have a swim? vrei să ai grijă de hainele mele cât mă scald? **to ~ one's step a** a merge/a păși cu grijă **b** *fig* a proceda cu grijă/ atenție; **~ it!** *F* fii atent! **~ it when you handle the glasses!** *F* fii atent când umbli cu paharele! **4** a aștepta *(prilejul)* **III** *vi* **1** a se uita, a fi spectator; a nu participa la joc *etc.* **2** a veghea, a sta de veghe; a priveghea **3** a fi treaz/deștept *sau* sculat **4** a fi atent/< cu ochii în patru; a supraveghea; a pândi; a fi vigilent

watchband ['wɒtʃ,bænd] *s* curea de ceas

watch bell ['wɒtʃ ,bel] *s nav* clopot de bord *(bate jumătățile de oră ale cartului)*

watch box ['wɒtʃ ,bɒks] *s mil* gheretă de santinelă

watch cap ['wɒtʃ ,kæp] *s nav amer* bonetă de lână

watch case ['wɒtʃ ,keis] *s* cutie de ceas

watch committee ['wɒtʃ kə'miti] *s* comitet orășenesc care se ocupă de iluminat și menținerea ordinii

watch dog ['wɒtʃ ,dɒg] *s* **1** câine de pază **2** supraveghetor; păzitor; controlor **3** *amer* cenzor

watcher ['wɒtʃə^r] *s* **1** *pol* observator *(la alegeri)* **2** *rel, poetic* înger de pază/păzitor **3** radiotelegrafist de serviciu

watch fire ['wɒtʃ ,faiə^r] *s* **1** foc de strajă/bivuac **2** foc de tabără

watch for ['wɒtʃ fə^r] *vi cu prep* a fi în așteptarea *cu gen,* a aștepta *cu ac;* a sta și a aștepta *cu ac;* **he watched for the bus to come along** aștepta autobuzul

watchful ['wɒtʃful] *adj* **(for)** atent (la); vigilent

watchfully ['wɒtʃfuli] *adv* cu atenție; vigilent

watchfulness ['wɒtʃfulnis] *s* atenție; vigilență

watch house ['wɒtʃ ,haus] *s mil* **1** cameră de gardă **2** gheretă de santinelă

watchless ['wɒtʃlis] *adj* **1** fără apărare, neapărat **2** indolent; nepăsător; nevigilent

watch light ['wɒtʃ ,lait] *s* **1** lampă, felinar *sau* lumină de noapte **2** lumânare de veghe *(la mort)*

watchmaker ['wɔtʃ͵meikəʳ] *s* ceasornicar

watchman ['wɔtʃmən] *s* **1** paznic; paznic de noapte **2** *mil* santinelă

watch night ['wɔtʃ ͵nait] *s* ultima noapte a anului, ajunul Anului nou

watch out ['wɔtʃ 'aut] *vi cu prep adv* ← *F* a fi atent/cu băgare de seamă, a avea grijă; **~!** *F* păzea! fereşte! – atenţie!

watch out for ['wɔtʃ 'aut fəʳ] *vi cu part adv şi prep* a se uita după *(cineva cu care şi-a dat întâlnire etc.)*

watch over ['wɔtʃ 'ouvəʳ] *vt cu part adv* a feri, a păzi, a proteja

watch spring ['wɔtʃ ͵spriŋ] *s* arc de ceas

watch strap ['wɔtʃ ͵stræp] *s* cureluşă/curea de ceas

watch tower ['wɔtʃ ͵tauəʳ] *s* ↓ *od* turn de pază; *înv* ← foişor

watchword ['wɔtʃ͵wə:d] *s* **1** *mil* parolă **2** parolă; cuvânt de ordine **3** lozincă

water ['wɔ:təʳ] **I** *s* **1** apă; **bread and ~** pâine şi apă; **fish live in (the) ~** peştii trăiesc în apă; **under ~** sub apă; inundat; **to turn/to cut off the ~** a opri/întrerupe apa; **to rinse in three ~s** a clăti în trei ape; **by ~** pe apă; pe mare *etc.*; **let's go on the ~** hai să ne plimbăm cu barca, şalupa *etc.*; **to keep one's head above ~** *fig* a face faţă, a se descurca, a se menţine pe linia de plutire; **like ~ (a cheltui etc.)** (în mod) nesăbuit, fără noimă, extravagant; *(vinul curgea etc.)* gârlă; **written in ~** *fig* **a** *(d. nume)* necunoscut; fără răsunet **b** *(d. slavă)* trecător; care este repede dat uitării; **in deep ~(s)** la strâmtoare, care a dat de greu; **to get into deep ~(s)** a da de greu/necaz, a ajunge la strâmtoare; **in hot ~** *sl* care a dat de dracul, căruia i s-a înfundat; **we'll get into hot ~ if he hears about this** *sl* dăm de dracul/am păţit-o/ne găsim beleaua/e cam albastru dacă aude (el) de asta; **to be in smooth ~** a ieşi la liman, a scăpa de greu(tăţi); **not to hold ~** *fig* a nu sta în picioare, a nu rezista, *F* a nu ţine; **to throw cold ~ on** *fig* a turna apă rece peste, a fi ca un

duş rece pentru; a descuraja *cu ac;* **to carry ~ in a sieve** a căra apă cu ciurul; **he is a scientist of the first ~** e un om de ştiinţă de prim rang/de prima mână; **~ bewitched** *a (d. ceai slab, spirtoase)* apă chioară; *(d. spirtoase)* poşircă **b** vorbe goale, poliloghie, *F* → apă de ploaie **2** ↓ *pl* apă minerală; **to take the ~s** a face cură de ape minerale **3** *şi la pl* mare; ape; **on the ~** pe mare *sau* pe vas; **in Spanish ~s** în apele spaniole; **by land and by ~** pe uscat şi (pe) apă; **to cross the ~(s)** a traversa/a străbate marea *sau* oceanul **4** nivelul apei; maree; **high ~** flux; **low ~** reflux **5** transpiraţie, sudoare, năduşeală **6** *pl* inundaţie; **the ~s have fallen** apele au scăzut **7** lacrimi **8** salivă **9** urină; **to make/to pass ~** a urina **10** apă *(a unui metal preţios etc.)* **11** *pict* acuarelă **II** *adj atr* **1** de apă; acvatic; hidric **2** pentru apă; de stropit **3** hidraulic; hidrotehnic **III** *vt* **1** a uda; a stropi; a umezi **2** a adăpa **3** *(d. râuri etc.)* a scălda; a uda **4** ← *rar* a subţia (cu apă) **5** a iriga **6** *text* a marmora *(mătasea)* **IV** *vi* **1** *(d. ochi etc.)* a lăcrima; a se umezi; *(d. gură)* a-i lăsa apă **2** *nav* a lua apă **3** a urina

waterage ['wɔ:təridʒ] *s* **1** transport pe apă **2** *com nav* navlu

water bearer ['wɔ:tə ͵bɛərəʳ] *s* sacagiu

Water Bearer, the ['wɔ:tə ͵bɛərəʳ, ðə] *s astr* Vărsătorul

water-bearing ['wɔ:tə ͵bɛəriŋ] *adj geol* acvifer

water bed ['wɔ:tə ͵bed] *s* **1** saltea de cauciuc (umplută) cu apă *(pt bolnavi)* **2** *geol* strat acvifer

water bird ['wɔ:tə ͵bə:d] *s orn* pasăre de apă

water blister ['wɔ:tə ͵blistəʳ] *s med* flictenă, veziculă

water boat ['wɔ:tə ͵bout] *s nav* tanc de apă

water boots ['wɔ:tə ͵bu:ts] *s pl* cizme de cauciuc

waterborne ['wɔ:tə͵bɔ:n] *adj* **1** *(d. mărfuri)* transportat pe apă **2** *nav* plutitor; de apă; maritim **3** *(d. boli)* transmis prin apă

water bottle ['wɔ:tə ͵bɔtl] *s* **1** cană de apă; garafă **2** bidon (de apă)

water buffalo ['wɔ:tə ͵bʌfəlou] *s zool* arni, bivol indian *(Bubalus bubalis)*

water butt ['wɔ:tə ͵bʌt] *s* ciubăr, hârdău

water can ['wɔ:tə ͵kæn] *s* bidon (de apă)

water carrier ['wɔ:tə ͵kæriəʳ] *s* sacagiu

Water Carrier, the ['wɔ:tə ͵kæriər, ðə] *s astr* Vărsătorul

water closet ['wɔ:tə ͵klɔzit] *s* closet, toaletă, WC

water colour ['wɔ:tə ͵kʌləʳ] *s* **1** *pl* acuarele *(vopsele)* **2** *pict* acuarelă *(tehnică sau pictură)*

water column ['wɔ:tə ͵kɔləm] *s* coloană de apă

water-cooled ['wɔ:tə ͵ku:ld] *adj* răcit cu apă

water cooler ['wɔ:tə ͵ku:ləʳ] *s* instalaţie pentru răcirea apei

watercourse ['wɔ:tə ͵kɔ:s] *s* **1** canal pentru scurgerea apei **2** curs de apă; râu; fluviu; pârâu subteran **3** *hidr* curent

watercraft ['wɔ:tə͵kra:ft] *s nav* ambarcaţiune *sau* ambarcaţiuni

watercress ['wɔ:tə͵kres] *s bot* bobâlnic, năsturel, măcriş de baltă *(Nasturtium officinale)*

water cure ['wɔ:tə ͵kjuəʳ] *s med* hidroterapie, cură de apă

water down ['wɔ:tə 'daun] *vt cu part adv* **1** a subţia/a îndoi cu apă **2** *fig* a atenua, a modera *(o declaraţie etc.)*

water drinker ['wɔ:tə ͵driŋkəʳ] *s* **1** băutor de apă; „nebăutor"; antialcoolic **2** băutor de ape minerale

water drop ['wɔ:tə ͵drɔp] *s* **1** strop/ picătură de apă **2** ← *poetic* lacrimă

watered silk ['wɔ:tə ͵silk] *s text* mătase marmorată

water exchange ['wɔ:tərik'stʃeindʒ] *s fizl* metabolism hidric

waterfall ['wɔ:tə͵fɔ:l] *s* **1** cădere de apă, cascadă **2** *fig* cascadă, torent; ploaie *(de sugestii etc.)*

waterfowl ['wɔ:tə͵faul] *s orn* pasăre de apă *(↓ de vânat)*

water front ['wɔ:tə ͵frʌnt] *s* **1** linia coastei; ţărm, mal, coastă **2** regiunea/zona portului; port; zona de coastă a unui oraş

water furrow ['wɔ:tə ͵fʌrou] *s* şanţ de scurgere a apei

water gas ['wɔːtə ˌgæs] *s* **1** gaz de apă **2** abur, vapor

watergate ['wɔːtəˌgeit] *s hidr* zăgaz; ecluză

water gauge ['wɔːtə ˌgeidʒ] *s tehn* apometru; acvametru

waterglass ['wɔːtəˌglɑːs] *s* **1** *ch* sticlă solubilă **2** indicator de nivel

water hammer ['wɔːtə ˌhæməʳ] *s tehn* **1** berbec hidraulic **2** lovitură de berbec hidraulic

waterhead ['wɔːtəˌhed] *s* **1** izvoare *(ale unui râu)* **2** *hidr* înălțimea coloanei de apă

water heater ['wɔːtə ˌhiːtəʳ] *s* boiler; încălzitor de apă

water hen ['wɔːtə ˌhen] *s orn* găinușă de baltă *(Gallinula chloropus)*

waterhole ['wɔːtəˌhoul] *s* **1** ochi de apă; baltă; eleșteu, iaz mic **2** adăpătoare *(pt animale sălbatice)* **3** bulboană, bulboacă, vârtej de apă **4** copcă *(în gheață)*

water ice ['wɔːtər ˌais] *s* **1** înghețată de fructe **2** gheață de apă curgătoare *sau* de mare

wateriness ['wɔːtərinis] *s* caracter apos; abundența de *sau* în apă; umiditate

watering can ['wɔːtəriŋ ˌkæn] *s* stropitoare

watering place ['wɔːtəriŋ ˌpleis] *s* **1** stațiune balneară/cu ape minerale **2** *v.* **waterhole 1-2**

waterish ['wɔːtəriʃ] *adj* apos; umed

water jacket ['wɔːtə ˌdʒækit] *s tehn* manta/cămașă de apă

water jump ['wɔːtə ˌdʒʌmp] *s sport* săritură peste apă *(șanț cu apă sau pârâu)*

water level ['wɔːtə ˌlevl] *s* **1** nivelul apei **2** cumpănă, nivelă **3** *constr* boloboc

water lily ['wɔːtə ˌlili] *s bot* nufăr *(Nuphar)*

waterline ['wɔːtəˌlain] *s nav* **1** conductă de apă **2** *nav* linie de plutire

water-logged ['wɔːtəˌlɔgd] *adj* **1** cufundat în apă, înecat; pe jumătate cufundat în apă **2** înnămolit **3** îmbibat de apă **4** *sl* beat criță/pulbere

Waterloo ['wɔːtəˈluː] *s* **1** *ist* bătălia de la Waterloo **2** *fig* luptă hotărâtoare, bătălie decisivă **3** *fig* prăbușire *(după succese neobișnuite)*

water main ['wɔːtə ˌmein] *s hidr* conductă principală de apă

waterman ['wɔːtəmən] *s* **1** locuitor de pe malul unei ape **2** barcagiu; luntraș **3** vâslaș, lopătar

water marigold ['wɔːtə ˈmæriˌgould] *s bot* dentiță *(Bidens sp.)*

watermark ['wɔːtəˌmɑːk] *s* **1** *hidr* semn al nivelului *sau* cotei apei **2** *pl* scară de pescaj **3** *poligr* filigran, timbru de apă

water meadow ['wɔːtə ˌmedou] *s* luncă ; câmpie inundabilă

watermelon ['wɔːtəˌmelən] *s bot* pepene verde *(Cucumis citrullus)*

watermill ['wɔːtəˌmil] *s* moară de apă

water parting ['wɔːtə ˌpɑːtiŋ] *s* cumpăna apelor

water plane ['wɔːtə ˌplein] *s* **1** *hidr* oglinda apei **2** *nav* hidroavion

water polo ['wɔːtəˌpoulou] *s sport* polo pe apă

waterpower ['wɔːtəˌpauəʳ] *s* energie hidraulică

waterpower plant ['wɔːtəˌpauə ˈplɑːnt] *s* centrală hidroelectrică

water pox ['wɔːtə ˌpɔks] *s med* varicelă, vărsat de vânt

waterproof ['wɔːtəˌpruːf] **I** *adj* impermeabil **II** *s* impermeabil, manta, haină de ploaie **III** *vt tehn* a impermeabiliza

water rat ['wɔːtə ˌræt] *s zool* șobolan de apă *(Arvicola terrestris)*

water rate ['wɔːtə ˌreit] *s* plată pentru apă; taxă municipală pentru apă

watershed ['wɔːtəˌʃed] *s* **1** cumpăna apelor **2** *fig* cumpănă; moment hotărâtor

watershoot ['wɔːtəˌʃuːt] *s* conductă de scurgere; canal de scurgere

waterside ['wɔːtəˌsaid] *s* **I** *s* **1** partea dinspre apă **2** marginea apei; țărm; mal; coastă **II** *adj atr* **1** de țărm *sau* coastă; costier **2** portuar, de port

water skier ['wɔːtə ˌskiːəʳ] *s sport* schior pe apă; acvaplanor

water skiing ['wɔːtə ˌskiiŋ] *s sport* schi pe apă

waterskin ['wɔːtəˌskin] *s* burduf *(pt apă)*

water-soak ['wɔːtəˌsouk] *vt* a înmuia în apă

water softener ['wɔːtə ˌsɔfnəʳ] *s ch* agent de dedurizare a apei

water-soluble ['wɔːtəˌsɔljubl] *adj* solubil în apă

water souchy ['wɔːtəˌsuːʃi] *s gastr* pește fiert în zeamă proprie

water spaniel ['wɔːtə ˌspæniəl] *s zool* spaniel înotător de aport

waterspout ['wɔːtəˌspaut] *s* **1** *meteor* trombă de apă **2** *meteor* rupere de nori, ploaie torențială **3** uluc, jgheab **4** gură de burlan

water supply ['wɔːtə səˈplai] *s* **1** alimentare cu apă **2** sistem de distribuire a apei *(într-un oraș etc.)*

water table ['wɔːtə ˌteibl] *s* **1** *hidr* oglinda apei **2** șanț *(la marginea drumului)*

watertight ['wɔːtətait] **I** *adj* **1** etanș, impermeabil **2** *fig* fără fisuri; ireproșabil; impecabil **3** *fig* cât se poate de clar, neechivoc **II** *s pl* cizme de cauciuc

water tower ['wɔːtə ˌtauəʳ] *s* **1** castel de apă **2** *amer* aparat de stins incendii; extinctor

water vapour ['wɔːtə ˌveipəʳ] *s* aburi de apă

water vole ['wɔːtə ˌvoul] *s v.* **water rat**

water waggon ['wɔːtə ˌwægən] *s* **1** saca **2** *ferov* cisternă de apă

water wave ['wɔːtə ˌweiv] *s* **1** val (de mare); talaz **2** ondulație la rece

waterway ['wɔːtəˌwei] *s* **1** cale navigabilă; canal navigabil **2** jgheab, jilip

water wheel ['wɔːtə ˌwiːl] *s* **1** roată hidraulică **2** *agr* roată de grădinărie

water witch ['wɔːtə ˌwitʃ] *s* sirenă; undină; știmă

water worker ['wɔːtə ˌwəːkəʳ] *s amer* docher

waterworks ['wɔːtəˌwəːks] *s pl* **1** *și ca sg* uzină de apă; sistem hidraulic; sistem de alimentare cu apă **2** *și ca sg* sistem de pompare a apei **3** ← *umor* lacrimi, plâns(et); **to turn on the ~** a începe să plângă; *F* a da apă la șoareci **4** *anat* ← *F* rinichi

watery ['wɔːtəri] *adj* **1** apos, cu multă apă **2** lichid; fluid **3** ud; umed **4** de apă; acvatic; marin **5** *(d. nori)* (aducător) de ploaie **6** apos; diluat, slab **7** *fig* searbăd, insipid, fără gust **8** *(d. soare etc.)* foarte palid // **~ grave** mormânt sub apă/în fundul apei

watt [wɔt] *s el* watt

wattage ['wɔtidʒ] *s el* putere/energie (exprimată) în wați

wattle¹ ['wɔtəl] *s* bărbie *(la unele păsări)*; moț *(la curcan)*

wattle² I *s* 1 nuia, vargă, vergea 2 împletitură; gard de nuiele II *vt* 1 a împleti *sau* a confecționa din nuiele 2 a îngrădi cu nuiele

wattle and daub [ˌwɒtələnˈdɔːb] *s od* vălătuc, lut amestecat cu nuiele

wattled [ˈwɒtəld] *adj* împletit din *sau* îngrădit cu nuiele

waul [wɔːl] *vi* 1 a urla 2 a mieuna, a miorlăi

wave [weiv] I *s* 1 val; > undă; < talaz; brizant; **the ~s rose and fell on the shore** valurile se ridicau și cădeau pe țărm; **in ~s** *și fig* valuri-valuri; în valuri 2 **the ~s ←** *poetic* marea 3 fluturare, semn; mișcare; **~ of the hand** fluturare a mâinii, semn cu mâna 4 creț; ondulație *(a părului)*; **permanent ~** permanent 5 *fig* val *(de căldură, teamă, violență etc.)* 6 *el etc.* undă; **short ~s** unde scurte II *vi* 1 a face valuri(-valuri), a se văluri, a se ondula, a se undui; **the grass ~d in the wind** iarba se unduia în/sub vânt 2 a face (semn) cu mâna; a flutura batista *etc.;* **to ~ at smb** a-i face cuiva (semn) cu mâna 3 *(d. un steag etc.)* a flutura, a fâlfâi III *vt* 1 a ondula; a undui; a încreți 2 a fâlfâi, a flutura; a agita, a mișca; **she ~d her hand** făcea (semn) cu mâna 3 a face *(cuiva)* (semn) cu mâna să se miște; **I ~d him away and went on with my work** l-am îndepărtat cu un gest și mi-am văzut de lucru mai departe; **the policeman ~d the traffic on** polițistul a făcut semn mașinilor să circule 4 a exprima *(ceva)* printr-un semn (cu mâna); **they ~d us good-bye** și-au luat bun rămas de la noi făcându-ne semn cu mâna

wave aside [ˈweiv əˈsaid] *vt cu part adv* a lăsa la o parte, a nu-i păsa de, a nu se sinchisi de *(necazuri etc.)*

wave band [ˈweiv ˌbænd] *s tel* bandă/gamă de frecvență

wavelength [ˈweiv ˌleŋθ] *s tel* lungime de undă; **they are on different ~s** *fig* au concepții total diferite; nu se potrivesc deloc unul cu altul

waveless [ˈweivlis] *adj* fără valuri, liniștit, calm

wavelet [ˈweivlit] *s* undă; val mic; creț, încrețitură

wave-like [ˈweivˌlaik] I *adj* ca un val/valurile; unduios; ondulator(iu) II *adv* asemenea unui val *sau* valurilor; asemenea undelor

wave mechanics [ˈweiv miˌkæniks] *s pl ca sg* mecanică ondulatorie

wavemeter [ˈweivˌmiːtər] *s tel* undametru; frecvențmetru

waver [ˈweivər] *vi* 1 *(d. flacără etc.)* a tremura; a pâlpâi; *(d. voce)* a tremura 2 a fluctua, a se schimba 3 **(between)** a șovăi, a ezita, a oscila (între)

waverer [ˈweivərər] *s* persoană șovăitoare

waveringly [ˈweivəriŋli] *adv* 1 tremurat, tremurător 2 șovăitor; nedecis

wavery [ˈweivəri] *adj* 1 *(d. flacără etc.)* tremurat, tremurător; pâlpâitor; *(d. voce)* tremurat, tremurător 2 fluturând *(în vânt)* 3 *fig* șovăitor, nedecis, nehotărât; nesigur; schimbător

wave theory [ˈweiv ˌθiəri] *s fiz* teoria ondulațiilor

waviness [ˈweivinis] *s* caracter ondulator(iu) *sau* unduios

wavy [ˈweivi] *adj* 1 de forma valurilor; (ca) de val 2 cu valuri 3 *(d. păr)* ondulat, creț, cârlionțat 4 unduios; vălurit; unduitor 5 *poligr etc.* ondulat 6 sinuos, șerpuit(or) 7 *fig v.* **wavery** 3

wax¹ [wæks] I *s* 1 ceară 2 parafină 3 *fizl* cerumen, ceară *(în urechi)* 4 smoală de cizmărie 5 plastelină 6 lumânare de ceară 7 *amer* sirop gros 8 **←** *F* placă de gramofon *sau* patefon 9 figură de ceară II *vt* a cerui; a da cu ceară; a trata cu ceară

wax² *vi* 1 *(↓ d. lună)* a crește, a fi în creștere; a se mări; a spori 2 **←** *înv* a se face; a deveni; **to ~ fat** a se îngrășa; **to ~ angry** a se supăra, a se înfuria

wax³ *s sl* **←** *înv* bâzdâc; supărare, < furie

wax cloth [ˈwæks ˌklɒθ] *s* mușama

wax doll [ˈwæks ˌdɒl] *s* 1 păpușă de ceară 2 *pl bot* fumăriță *(Fumaria officinalis)*

waxen [ˈwæksn] *adj* 1 de/din ceară 2 ceruit 3 ca ceara; plastic; moale 4 ca de ceară; foarte palid

wax paper [ˈwæks ˌpeipər] *s* 1 hârtie cerată 2 pânză ceruită

waxwork [ˈwæksˌwəːk] *s* 1 figură *sau* figurină de ceară 2 modelaj de

ceară 3 ↓ *la pl ca sg* (expoziție de) figuri de ceară, panoptic(um)

waxy¹ [ˈwæksi] *adj* 1 (ca) de ceară 2 ceruit; cerat

waxy² *adj sl* **←** *înv* cu bâzdâc; supărat, furios

way [wei] I *s* 1 **←** *rar* drum, cale *(în sens concret);* stradă, alee; **across/over the ~** peste drum, vizavi; **to pave the ~ for** *fig* a pregăti calea *sau* terenul pentru; a anticipa *cu ac;* **the ~ was rough** drumul era prost 2 ramură, braț *(al unei intersecții rutiere)* 3 drum, cale *(în sens abstract);* cale de urmat; direcție; **is this the ~ out?** pe aici se iese afară? **come this ~** veniți pe aici; **that ~** pe acolo; **to ask the/one's ~** a întreba care este drumul, a întreba pe unde trebuie să meargă; **to make one's ~** a-și face/croi drum; **to come/to fall in smb's ~** a ieși *sau* a apărea în calea cuiva; **to take one's ~ to** a se îndrepta spre/către; **under ~** a în mers b în (plină) desfășurare; **by the ~** a în/pe drum b apropo, printre altele; fiindcă veni vorba; **he is well on his ~** *și fig* a ajuns departe; **to put smb out of the ~** a a da pe cineva la o parte din drum b *fig* a înlătura pe cineva, a da pe cineva la o parte; a omorî pe cineva; **by ~ of** prin; pe la; via; **we lost our ~ in the dark** ne-am rătăcit în întuneric, din cauza întunericului ne-am rătăcit; **out of the ~** a la o parte din drum; pe marginea drumului b *fig* neobișnuit; remarcabil; < excepțional; **to lead he ~** a arăta drumul; a deschide calea; a fi în frunte, a conduce; **to give ~** a ceda; **to get one's own ~** a face *sau* a căpăta ce vrea; a-și impune voința; a face cum îl taie capul; a nu da socoteală nimănui; **he cannot punch his ~ out of a paper bag** a *F* e bun de trimis după popă, de-abia se ține pe picioare, n-are vlagă în el b nici în car, nici în căruță, nici în teleguță, – e un om nehotărât; **to come/to pass/to happen smb's ~** a i se întâmpla cuiva; a-i ieși cuiva în cale; a da peste cineva; **to put smth (in) smb's ~** a ajuta pe cineva să capete ceva *(o funcţie etc.);* **to give ~ to a** a ceda la *(rugăminţi etc.)* **b** a da frâu liber *(sentimentelor);* a izbucni în *(lacrimi);* a fi apucat de *(furie);* **to go out of one's ~ to do smth** *F* a se da peste cap ca să facă ceva; **nothing goes my ~ today** *F* toate îmi merg azi pe dos; **to know one's ~ (a)round** a fi familiarizat *(cu ceva),* a se descurca *(într-o bibliotecă etc.);* **to find out/to learn/to discover smth the hard ~** *F* a învăţa ceva pe propria sa piele/ – din propria sa experienţă; **not to know witch ~ to turn** a nu mai şti ce să facă; **on the/one's ~** pe drum; care este aşteptat *sau* se aşteaptă; pe cale de a se produce; **dearer sugar was on the ~** se aştepta scumpirea zahărului; **on the/one's ~ to a** *(cu subst)* pe calea spre *(succes etc.)* **b** *(cu -ing)* pe cale să *(devină şef etc.),* pe cale de *cu inf,* pe punctul de *cu inf;* **to pay one's ~** ← *F* a-şi plăti cheltuielile fără a face datorii; **if you could see your ~ clear to lend me some money** ← *F* dacă ai putea cumva să-mi împrumuţi nişte bani; **to see which ~ the wind blows** *F* a vedea cum stă treaba, a vedea dincotro bate vântul **right of ~** *auto* prioritate; **the exam is still a long ~ off** mai este mult până la examen **4** *fig* mod, fel, manieră, chip; fel de a fi; **he replied in a polite ~** a răspuns (într-un mod) politicos; **in this ~** în acest fel/mod, în felul acesta; **some ~ or other** cumva, într-un fel sau altul; **her ~ of acting** felul/modul/maniera ei de a juca/a interpreta; **by ~ of a** în chip de, ca; în loc de; ca un fel de; **by ~ of help** în chip de ajutor **b** cu intenţia de *(cu inf);* **by ~ of helping** cu intenţia de a ajuta, cu gând să ajute; **she had a ~ with her** era fermecătoare, te cucerea pur şi simplu; **you can't have it both ~s** şi una şi alta nu se poate, ori una ori alta; **no ~** *sl* da' de unde! nici vorbă! sub nici o formă! **set in one's ~s** *(↓ d. bătrâni)* cu tabieturi; **to my ~ of thinking** după mine/părerea mea/câte cred eu; **he has many strange ~s** se

comportă adesea într-un mod foarte neaşteptat; **it is not her ~** nu-i stă în obicei/fire **5** *fig* privinţă, punct de vedere; **his plan was defective in many ~s** planul lui păcătuia/era deficitar din mai multe puncte de vedere **6** condiţie, stare; stare a sănătăţii; **he's in a bad ~** o duce rău; îi merge prost **7** datină; obicei **8** domeniu, sferă *(de activitate);* competenţă **9** preajmă, vecinătate; **somewhere London ~** undeva lângă Londra **10** *tehn* canal; canelură **11** *text* traseu de comandă **II** *adv* departe; < foarte departe; **they are ~ ahead of us** ne-au luat-o cu mult înainte, sunt cu mult înaintea noastră

waybill ['wei,bil] *s* **1** listă de călători *sau* de colete; fraht; scrisoare de trăsură **2** itinerar, traseu *(turistic etc.)*

wayfarer ['wei,fɛərəʳ] *s* ← *înv* drumeţ, călător

wayfaring ['wei,fɛəriŋ] *adj atr* ← *înv* călător *(↓ pe jos);* **~ man** drumeţ

waylaid ['wei'leid] *pret şi ptc de la* **waylay**

waylay ['wei'lei], *pret şi ptc* **waylaid** ['wei'leid] *vt* **1** a opri; a acosta; **the teacher waylaid the boy after the lesson** profesorul l-a oprit pe băiat după lecţie *(ca să-i dea explicaţii etc.)* **2** a pândi **3** a atrage într-o cursă; a întinde o cursă *(cuiva)*

Wayne [wein] *nume masc*

way-out ['wei,aut] *adj sl* **1** grozav, clasa prima, extraordinar **2** drogat **3** de pe altă lume, straniu, ciudat; excentric

way post ['wei ,poust] *s* stâlp indicator *(de drum)*

-ways *suf (arată starea sau direcţia)* **: lengthways** în lungime; **sideways** lateral, într-o parte

ways and means ['weiz ənd 'mi:nz] *s pl* **1** căi şi mijloace; metode **2** trucuri; şiretlicuri **3** *amer* mijloace de a obţine bani *(↓ pt guvern sau cluburi)*

wayside ['wei,said] *s* marginea drumului, margine de drum; **to fall by the ~** a da greş şi a renunţa

way station ['wei ,steiʃən] *s ferov amer* haltă

waythorn ['wei,θɔ:n] *s bot* verigariu, părul ciutei *(Rhamnus cathartica)*

way train ['wei ,trein] *s ferov amer* cursă; (tren) personal *(care opreşte la toate staţiile)*

wayward ['weiwəd] *adj* **1** năbădăios, cu năbădăi/toane; capricios **2** încăpăţânat; îndărătnic; neascultător, nesupus, rebel **3** *(d. imaginaţie etc.)* nestăpânit, nestăvilit, neînfrânat **4** neaşteptat, plin de surprize **5** ursuz, posac; răutăcios

waywarden ['wei,wɔ:dn] *s* picher *(de şosele)*

waywardly ['weiwədli] *adv* **1** năbădăios, cu toane **2** cu încăpăţânare, îndărătnic

waywardness ['weiwədnis] *s* **1** caracter năbădăios/capricios **2** încăpăţânare, îndărătnicie **3** fire ursuză/morocănoasă

waywode ['weiwoud] *od* voievod

wayworn ['wei,wɔ:n] *adj* obosit de drum

W.B., W/B *presc de la* **waybill** fraht; scrisoare de trăsură

WC [,dʌbəlju:'si:] *s* **W.C.**, toaletă

w.c. *presc de la* **1 water closet 2 without charge** gratuit

we [wi *formă slabă,* wi: *formă tare*] *pr* noi; **here ~ are** iată-ne; am sosit/venit

weak [wi:k] *adj* **1** slab; fără putere, lipsit de putere/vlagă; neputincios, bicisnic; slăbit, care nu şi-a revenit; bolnav; **the ~er sex** sexul slab; **he is too ~ to walk** e prea slăbit ca să umble **2** *(d. organe etc.)* slab, sensibil, delicat, bolnăvicios; **~ constitution** constituţie fragilă **3** *fig (d. un argument etc.)* slab; neconvingător; vulnerabil, şubred; **the ~ point of the problem** punctul slab/vulnerabil al chestiunii **4** *(d. un jucător etc.)* slab, prost; nepriceput; incapabil **5** *gram (d. verbe)* slab; regulat **6** *fon (d. vocale)* slab **7** *(d. un lichid)* slab, apos; diluat, subţire **8** *(d. lumină)* slab, fără intensitate; difuz **9** slab, insuficient, neîndestulător, puţin (numeros); **~ forces** forţe insuficiente **10** *(d. un material)* slab, nerezistent, puţin rezistent **11** *metr* slab, neaccentuat **12** *(d. om, caracter)* slab, moale; şovăitor, nehotărât; lipsit de fermitate **13** slab, necorespunzător, care nu face faţă la; **he is ~ in/at mathematics** e slab la matematică

weak-brained ['wiːkˌbreind] *adj v.* **weak-minded 1**

weaken ['wiːkən] **I** *vt* **1** a slăbi, a reduce, a micșora *(puterile etc.)* **2** a slăbi, a atenua, a micșora, a reduce *(forța etc.)* **3** a slăbi, a potoli, a domoli *(intensitatea, durerea)* **4** a slăbi puterile *(cuiva)*, a slăbi, a debilita **II** *vi* **1** a slăbi; a se micșora; a se atenua; a se domoli, a se potoli **2** a slăbi, a se micșora, a se reduce; a se subția; a scădea **3** *(d. cineva)* a slăbi, a-i slăbi puterile; a se ofili **4** *(d. cineva)* a se înmuia; a deveni mai înțelegător; a începe să cedeze, *F →* a o lăsa mai moale

weaker sex, the ['wiːkəˌseks, ðə] *s* sexul slab

weak-eyed ['wiːkˌaid] *adj* cu vederea slabă

weak form ['wiːk ˌfɔːm] *s fon* formă slabă

weak-headed ['wiːkˌhedid] *adj* **1** *v.* **weak-minded 1 2** care se îmbată ușor **3** *v.* **weak-minded 2**

weak-hearted ['wiːkˌhɑːtid] *adj* **1** bun la inimă; milos; blajin **2** slab de înger, fricos; laș

weak-kneed ['wiːkˌniːd] *adj* **1** slab de picioare **2** *fig* slab, moale **3** *fig* lipsit de/fără caracter

weakliness ['wiːklinis] *s* slăbiciune; sănătate șubredă

weakling ['wiːkliŋ] *s* **1** ființă plăpândă/debilă; slăbănog **2** molâu, persoană lipsită de energie **3** persoană influențabilă *sau* fără voință *sau* fără personalitate; *F →* cârpă **4** debil mintal

weakly ['wiːkli] **I** *adj* **1** slab, debil; bolnăvicios; neputincios; bicisnic; infirm **2** lipsit de fermitate; șovăitor **II** *adv* **1** slab, fără putere; (cu glasul) slab, stins; în șoaptă **2** fără fermitate; șovăitor

weak-minded ['wiːkˌmaindid] *adj* **1** slab la minte; prost, < imbecil **2** șovăitor, nehotărât **3** lipsit de/ fără caracter

weakmindedness ['wiːkˌmaindidnis] *s* **1** slăbiciune a minții; prostie, < imbecilitate **2** lipsă de fermitate/ hotărâre; nehotărâre, șovăială, șovăire

weakness ['wiːknis] *s* **1** (stare de) slăbiciune; debilitate; neputință; infirmitate **2** moliciune, slăbiciune **3** punct slab, parte slabă; punct

nevralgic; slăbiciune; **her heart is her ~** stă prost cu inima **4** slăbiciune, defect, meteahnă, cusur; **drinking is his ~** are și el un cusur/un viciu, băutura **5** *fig* slăbiciune, lipsă de trăinicie *sau* soliditate, șubrezenie **6** *fig* slăbiciune, feblețe; înclinație, pornire; pasiune; **to have a ~ for smb** a avea o slăbiciune pentru cineva; **chocolate is a ~ of mine** ciocolata e o slăbiciune/o pasiune a mea

weak-sighted ['wiːkˌsaitid] *adj* cu vederea slabă; miop

weak-spirited ['wiːkˌspiritid] *adj* slab de înger, fricos

weak-willed ['wiːkˌwild] *adj* cu voință slabă; influențabil

weal [wiːl] *s* **1** ← *înv* bunăstare, bogăție, avere **2** *elev* bine, – fericire; **in ~ and woe** la bine și la rău

weald [wiːld] *s* **1** ← *poetic* ținut păduros/împădurit; pădure **2** câmpie, șes **3** **the W~** regiune agricolă din sud-estul Angliei *(altădată păduroasă)*

wealth [welθ] *s* **1** avere, bogăție **2** belșug, îndestulare; abundență **3** bogății *(naturale etc.)* **4** *fig* bogăție, număr mare, abundență *(de exemple etc.)*

wealthily ['welθili] *adv* (a trăi etc.) în bogăție; pe picior mare

wealthiness ['welθinis] *s* bogăție

wealthy ['welθi] **I** *adj* **1** bogat, avut; cu dare de mână; prosper **2** ← *înv* valoros, prețios **II** *s* **the ~** cei bogați, bogații, bogătașii

wealthy in ['welθiin] *adj cu prep fig* bogat în, plin de; **a language ~ nuances** o limbă bogată în nuanțe

wean [wiːn] *vt* a înțărca

wean from [wiːn frəm] *vt cu prep* a dezvăța/a dezobișnui de; a vindeca/a lecui de; a dezbăra de; **his mother tried to wean him (away) from such bad habits** mama sa a încercat să-l dezvețe de asemenea apucături (urâte); **how can we wean him (away) from their circle?** cum putem să-l smulgem din cercul lor?

weanling ['wiːnliŋ] *s* copil *sau* animal înțărcat de curând

wean of [wiːnəv] *vt cu prep v.* **wean from**

weapon ['wepən] **I** *s* **1** *mil* armă; mijloc de luptă; **~ of attrition**

mijloc de hărțuire **2** *mil* bombă atomică/nucleară **3** *biol* armă/ mijloc de autoapărare **4** *fig* armă, mijloc de luptă; mijloc; **to fight an adversary with/at his own ~(s)** a lupta contra unui adversar cu propriile sale arme **II** *vt mil* a înarma, a înzestra cu armament

weaponed ['wepənd] *adj* înarmat

weaponless ['wepənlis] *adj* neînarmat; lipsit de/fără apărare

weaponry ['wepənri] *s mil* arme, armament

wear¹ [weər] **I** *pret* **wore** [wɔːr], *ptc* **worn** [wɔːn] *vt* **1** a purta; a fi îmbrăcat cu; a fi încălțat cu; **he wore a black hat** purta (o) pălărie neagră; **what do they ~ this summer?** ce se (mai) poartă vara aceasta? **2** a purta *(păr, mustață etc.)*; a avea; **she wore her hair up** purta părul ridicat **3** a purta *(inel, pistol etc.)*; a avea asupra sa **4** a purta; a ține *(capul etc. – într-un anumit fel)* **5** a avea (întipărit) pe față; a avea *(o anumită înfățișare);* **to ~ a troubled look** a avea o mină/o expresie îngrijorată; **to ~ a sad smile** a surâde/a zâmbi trist; **to ~ a face of joy** a radia de bucurie; **the house wore a neglected look** casa părea lăsată în paragină; **the town ~s an empty look** orașul pare pustiu **6** a purta, a avea *(un nume etc.)* **7** a roade; a toci; a uza; **the water had worn the rocks** apa rosese stâncile; **to ~ a path across the field** a face/a bătători o potecă peste câmp; **the noise wore his nerves** *fig* zgomotul i-a slăbit/< tocit nervii **8** a face *(o gaură etc.)* de prea mult purtat *sau* ros/frecat **9** a istovi, a epuiza, a slei **10** a-și omorî *(vremea)* **11** *neg F* a nu înghiți, – a nu fi de acord cu, a nu aproba **II** *vi (v. ~ I)* **1** *(d. guler etc.)* a se micșora, a se strânge *(după purtat);* a se ponosi, a se strica; a se roade; **to ~ thin** a se subția **2** *(d. îmbrăcăminte etc.)* a se purta; a ține (la purtat); a rezista, a fi rezistent; **this cloth ~s well** e o stofă care se poartă bine; **the material won't ~** nu e un material rezistent; **clothes ~ to one's shape** hainele se ajustează pe măsură ce sunt purtate;

this red won't ~ roşul ăsta nu se decolorează uşor/repede **3** *(d. cineva)* a se ţine bine; **considering his age he has worn well** se ţine bine pentru anii lui **4** *(d. timp)* a se scurge, a trece **5** *(cu adj)* a deveni, a se face; **his courage wore thin** îi slăbise curajul **6** ← *înv* a se purta, a fi la modă **III** *s* **1** purtare, purtat *(al hainelor);* modă; fel de a se îmbrăca; **in ~** care se poartă; la modă; **a dress for summer ~** o rochie de vară; **clothes for everyday ~** haine de fiecare zi; **clothes for seaside ~** îmbrăcăminte de plajă; **there's a lot of ~ in these hats** pălăriile astea sunt foarte la modă **2** uzare; ponosire; frecare; roadere; **the worse for ~** *fig* **a** *F* sleit, stors, obosit frânt **b** *F* pe trei cărări, afumat, – beat; **look at the ~ on these shoes** uită-te şi tu în ce hal au ajuns pantofii ăştia **3** ↓ *com* confecţii; **men's ~** haine bărbăteşti // **footwear** încălţăminte

wear², *pret* **wore** [wɔ:ʳ], *ptc* **worn** [wɔ:n] *vi nav* a face volta sub vânt

wearable ['wɛərəbl] *adj (d. îmbrăcăminte)* care se poartă *sau* se poate purta

wear and tear ['wɛərən,tɛəʳ] *s* **1** uzură; frecare; roadere **2** *fig* frecuşuri, necazuri; vicisitudini

wear away ['wɛərə'wei] **I** *vt cu part adv (d. agenţi naturali)* a mânca, a roade; a distruge; a eroda **II** *vi cu part adv* a dispărea; a fi mâncat/ros *(sub acţiunea agenţilor naturali)*

wear down ['wɛə'daun] **I** *vt cu part adv* **1** a uza, a roade, a strica *(îmbrăcăminte)* **2** a roade, a eroda; a subţia **3** a înfrânge (prin perseverenţă) *(rezistenţa etc.);* a rezista mai mult decât; a învinge până la urmă **4** a plictisi; a obosi **II** *vi cu part adv* a slăbi *sau* a se subţia (treptat)

wearer ['wɛərəʳ] *s* purtător, proprietar *(al unei haine etc.)*

wearied ['wiərid] *adj* **1** obosit, ostenit **2** plictisit; cuprins de urât

weariful ['wiəriful] *adj* **1** obositor **2** plictisitor, plicticos **3** *v.* **wearied**

weariless ['wiərilis] *adj* neobosit

wearily ['wiərili] *adv* obosit; plictisit, cu plictiseală

wear-in ['wɛər,in] *s tehn* ajustare prin rodare

weariness ['wiərinis] *s* **1** oboseală; sfârşeală **2** plictiseală; urât **3** ← *rar* scârbă, silă, dezgust

wearing ['wɛəriŋ] **I** *adj* **1** *atr* de/ pentru purtat **2** obositor **3** plictisitor; plicticos **II** *s* **1** purtat *(↓ al îmbrăcăminţii);* **the worse for ~** uzat, ros **2** uzare; uzură; roadere, frecare

wearing apparel ['wɛəriŋ,pærəl] *s* ← *elev* îmbrăcăminte, haine; *com* confecţii

wearisome ['wiərisəm] *adj* **1** *(d. o zi)* obositor, greu; încărcat **2** *(d. un copil etc.)* obositor, greu de suportat; agasant **3** plictisitor; monoton

wear off ['wɛər'ɔ:f] **I** *vt cu part adv* **1** a înlătura, a îndepărta; **to ~ the stiffness of one's shoes** a lărgi pantofii prin purtat **2** a atenua, a face să slăbească *(o impresie etc.)* **II** *vi cu part adv* **1** *(d. asperităţi etc.)* a se şterge, a dispărea **2** *(d. supărare etc.)* a trece cu timpul, a se atenua, a se micşora, a slăbi

wear on ['wɛər'ɔn] *vi cu part adv (d. timp)* a trece greu, a se scurge încet

wear out ['wɛər'aut] **I** *vt cu part adv* **1** a purta până când se strică, a uza; a roade **2** a istovi, a epuiza; a îmbătrâni; **penury wore him out before his time** sărăcia l-a îmbătrânit înainte de vreme **3** a obosi; a plictisi **II** *vi cu part adv* **1** a se uza; a se roade **2** *(d. răbdare etc.)* a ajunge la capăt; a se termina

wear-proof ['wɛə:pru:f] *adj* rezistent la uzură

weary ['wiəri] **I** *adj* **1** foarte obosit, trudit, epuizat, frânt **2** obositor, greu; < epuizant **3** plictisitor; plicticos **II** *vt* (with) **1** a obosi (cu) **2** a plictisi (cu)

weary for ['wiəri fəʳ] *vi cu prep poetic* a-i fi dor de, a tânji după

wearying ['wiəriŋ] *adj v.* **wearisome**

weary of ['wiəriəv] **I** *adj cu prep* sătul de; plictisit de; **I'm ~ it** m-am săturat (de toate astea), mi-e lehamite; **to grow ~ smth** a se sătura *sau* a se dezgusta de

ceva **II** *vi cu prep* a se sătura/a se plictisi de

weasand ['wi:zənd] *s* **1** gâtlej; esofag **2** ← *înv* trahee

weasel ['wi:zəl] *s zool* nevăstuică *(Mustela vulgaris);* **to catch a ~ asleep** *fig* a surprinde pe cineva foarte vigilent într-o clipă de neatenţie; a fura ouăle de sub cloşcă

weasel-faced ['wi:zəl,feist] *adj* cu trăsături ascuţite (ale feţei)

weasel out of ['wi:zəl,autəv] *vi cu prep amer F* a trage chiulul de la; a se fofila de la; – a scăpa de, a se descotorosi de

weasel words ['wi:zəl,wə:dz] *s pl amer* cuvinte/vorbe cu două înţelesuri; expresii ambigui

weather ['weðəʳ] **I** *s* **1** stare atmosferică, vreme, timp, starea vremii/timpului; **good ~** vreme bună; **nice ~** timp frumos, vreme frumoasă; **wat was the ~ like at the seaside?** cum a fost timpul/ vremea la mare? **to keep one's/ a ~ eye open (for)** a fi atent (la) *sau* pregătit (de); **to make heavy ~ (out) of** *F* a-şi bate capul inutil cu; – a-şi face/crea probleme din; **above the ~ a** *(d. avion etc.)* la mare înălţime; (cu mult) deasupra norilor **b** *fig* înzdrăvenit, care şi-a revenit; **under the ~** *F* care nu e în apele lui; căruia nu îi sunt boii acasă; – bolnav; indispus **b** *F* în pom, în pană (de bani) **c** *F* cu chef, afumat, – ameţit (de băutură) **2** *pl* (diferite) stări ale vremii; **in all ~s** pe orice vreme, indiferent de vreme **3** vremuire; vreme urâtă; furtună; frig umed **II** *vt* **1** a aerisi, a aera; a usca la aer **2** *nav* a dubla în vânt **3** *fig* a scăpa din, a trece cu bine prin **4** *nav* a înfrunta *(o furtună)* **5** *constr* a înclina *(un acoperiş etc.)* **6** a decolora *(prin expunere la aer)* **III** *vi* **1** a se decolora, a se descompune *etc.* (prin expunere la aer) **2** a rezista fiind expus la aer

weather anchor ['weðər,æŋkəʳ] *s nav* ancoră din vânt

weather beam ['weðə,bi:m] *adv nav* la travers în vânt

weather-beaten ['weðə,bi:tn] *adj* **1** bătut de vânturi/furtuni, în voia (tuturor) vânturilor **2** *(d. faţă,* *piele)* bătut de vânt; bronzat **3** *fig* călit, oțelit, trecut prin multe; încercat, cu experiență **4** uzat; degradat; decolorat; dărăpănat **5** stors, frânt, sleit, extenuat

weatherboard ['weðə,bɔːd] *s* **1** *constr* șindrilă, draniță **2** *nav* copastie

weather-bound ['weðə,baund] *adj* **1** *(d. nave sau avioane)* reținut *sau* întârziat din cauza timpului nefavorabil **2** care nu poate pleca de acasă din cauza vremii

weather bureau ['weðəbjuə'rou] *s* institut *sau* serviciu meteorologic

weathercock ['weðə,kɔk] *s* **1** sfârlează de vânt, giruetă **2** *fig* cameleon, persoană care-și schimbă mereu părerile

weather conditions ['weðəkən'diʃənz] *s pl* condiții meteorologice/ atmosferice; starea timpului

weather forecast ['weðə'fɔː,kɑːst] *s* prognoza timpului; buletin meteorologic

weather gauge ['weðə ,geidʒ] *s* **1** barometru **2** *nav* poziție „în vânt"

weather glass ['weðə ,glɑːs] *s* ← *rar* barometru

weatherman ['weðəmən] *s* meteorolog

weather map ['weðə ,mæp] *s meteor* hartă sinoptică

weatherproof ['weðə,pruːf] **I** *adj* **1** *(d. îmbrăcăminte etc.)* rezistent la intemperii; care apără de vânt și ploaie **2** *fig* călit, oțelit; încercat **II** *vt* **1** a feri de vreme rea **2** a face impermeabil

weather report ['weðəri'pɔːt] *s* buletin meteorologic

weather ship ['weðə ,ʃip] *s nav* navă a serviciului meteorologic

weather station ['weðə,steiʃn] *s* stațiune meteorologică

weather vane ['weðə,vein] *s v.* **weathercock**

weather-wise ['weðə,waiz] *adj* **1** care știe să prevadă vremea/ starea vremii **2** *fig* care cunoaște pulsul opiniei publice *etc.;* care știe dincotro bate vântul

weather-worn ['weðə,wɔːn] *adj v.* **weather-beaten**

weave¹ ['wiːv] **I** *pret* **wove** [wouv], *ptc* **woven** ['wouvən] *vt* **1** a țese; croșeta; a împleti **2** a împleti *(un coș, o cunună etc.);* a lega; a pune; **to ~ flowers into/through**

one's hair a-și pune flori în păr; **they wove branches together to form a roof** au făcut împletituri din crengi în chip de acoperiș **3** *(d. păianjen)* a țese *(pânză)* **4** *fig* a urzi, a pune la cale *(un complot)* **5** *fig* a țese; a urzi; a ticlui; a compune *(↓ pe baza unei sugestii);* **to ~ a romance round an incident** a ticlui/a compune o idilă întreagă pe marginea unei întâmplări **II** *(v. ~ I)* *vi* **1** a țese, a croșeta; a împleti; a lucra la război; **to get weaving** *F* a-i da bătaie , – a se apuca energic de lucru **2** *și fig* a se împleti; a se întrepătrunde; a se uni **III** *s text* legătură; încrucișare; armură

weave² **I** *vt* a-și face/a-și croi *(drum);* **he weaved his way through the crowd** se strecură prin mulțime **II** *vi* **1** a merge schimbându-și mereu direcția; **she weaved in and out between the cars** se strecură printre mașini **2** *(d. drumuri)* a șerpui

weave into ['wiːv,intə] *vt cu prep* a strecura/a introduce *(propriile sale idei etc.)* în *(textul altuia etc.)*

weaver ['wiːvə'] *s text* țesător *sau* țesătoare

weaver bird ['wiːvə,bəːd] *s orn* pasărea țesător *(Ploceidae sp.)*

weaving ['wiːviŋ] *s* **1** țesut; croșetat; împletit; legat **2** *cin* instabilitate *(a imaginii)*

weaving mill ['wiːviŋ ,mil] *s text* țesătorie

weazen ['wiːzən] *vt, vi v.* **wizen**

web [web] *s* **1** *text* țesătură; pânză; văl, voal; fir; împletitură **2** *text* țesătură de chingi **3** *ent* pânză *(↓ de păianjen);* funigei **4** *zool, orn* membrană, pieliță; membrană palmară **5** *fig* țesătură, urzeală; rețea **6** *anat* țesut conjunctiv; albul ochiului, sclerotică **7** *poligr* bandă de hârtie **8** *tehn* disc de roată **9** *nav* perete separator, bară **10** *constr* inimă de grindă

webbed [webd] *adj zool, orn* palmat; membranat

webbing ['webiŋ] *s text* **1** țesătură de chingi **2** chingi

webby ['webi] *adj* **1** *v.* **webbed 2** cu păienjeniș **3** ca pânza de păianjen

web eye ['web ,ai] *s med* pterigion

web-fingered ['web'fiŋgəd] *adj med* cu sindactilie

web-footed ['web,futid] *adj zool, orn* cu picioare *sau* labe palmate

web offset ['web'ɔːf,set] *s poligr* offset cu hârtie în sul

web saw ['web ,sɔː] *s tehn* gater

Webster ['webstə'], **John** dramaturg englez *(1580?-1625?)*

wed [wed] **I** *pret și ptc* **wedded** ['wedid], *reg* **wed** *vt* **1** ← *înv sau poetic și în stilul gazetăresc* a cununa, – a căsători, a însura *sau* a mărita **2** *fig* a lega, a uni; a îmbina; a combina **II** *(v. ~ I)* *vi* ← *înv sau poetic* a se cununa, – a se căsători

we'd *contras din* **1** we should **2** we would **3** we had

Wed. *presc de la* **Wednesday**

wedded ['wedid] *adj* **1** (to) căsătorit (legal) (cu); **my ~ wife** soția mea prin lege **2** de soți; matrimonial; conjugal; **~ love** dragoste între soț și soție

wedded to ['wedid tə] *adj cu prep* **1** strâns legat de, unit cu; **beauty ~ truth** frumusețe îmbinată cu adevăr(ul) **2** fidel, credincios, devotat *unei cauze etc.;* legat de *(munca sa etc.);* care nu se poate despărți de

wedding ['wediŋ] **I** *s* nuntă, cununie **II** *adj atr* de nuntă, nupțial

wedding breakfast ['wediŋ ,brekfəst] *s* masă de nuntă *(după cununie)*

wedding feast ['wediŋ ,fiːst] *s* (petrecere de) nuntă

wedding guest ['wediŋ ,gest] *s* nuntaș

wedding march ['wediŋ ,mɑːtʃ] *s* marș nupțial

wedding ring ['wediŋ ,riŋ] *s* inel de cununie, verighetă

wedge [wedʒ] **I** *s* **1** pană, ic; falcă; **the thin end of the ~** *fig* primul pas; început modest dar promițător **2** *meteor* dorsală anticiclonică **3** *mat* produs **4** *mil* dispozitiv de luptă în triunghi cu vârful înainte; *av* dispozitiv de luptă în săgeată **II** *vt* **1** a fixa/a înțepeni cu o pană **2** a-și face/ a-și croi *(drum)* **3** a despica cu o pană

wedge bone ['wedʒ ,boun] *s anat* os sfenoid

wedged [wedʒd] *adj* țintuit locului; blocat

wedge in ['wedʒ 'in] **I** *vt cu part adv v.* **wedge II, 1 II** *vi cu part adv* **1** a se strecura/a se furișa înăuntru **2** a intra în vorbă, a se băga (în vorbă); a interveni

wedge oneself in ['wedʒ wʌn,self 'in] *vr cu part adv* a-și face loc, a se înghesui

wedge up ['wedʒˌʌp] *vt cu part adv v.* **wedge II, 1**

wedge writing ['wedʒ ˌraitiŋ] *s* scriere cuneiformă

Wedgwood ['wedʒwud] *s* porțelan Wedgwood

wedlock ['wedlɔk] *s* **1** ↓ *jur* căsătorie (legală); **children born in** ~ copii legitimi; **children born out of** ~ copii nelegitimi **2** viață conjugală

Wednesday ['wenzdi] *s* miercuri; **they will arrive (on)** ~ vor sosi miercuri; **he left (last)** ~ a plecat miercuri/miercurea trecută; ~**s** ↓ *amer* miercurea, în fiecare miercuri

wee[1] [wi:] *scot* **I** *adj* foarte mic, micuț, mititel; **a** ~ **bit** *F* un pic, – cam *(afumat etc.)* **II** *s* **to bide a** ~ a mai sta/rămâne puțin

wee[2] **(-wee)** ['wi: (wi:)] *(în limbajul copiilor)* **I** *vi* *F* a face pipi **II** *s* *F* pipi; **to have/to do a wee-wee** *v.* ~ **I**

weed[1] [wi:d] *s* **1** buruiană, bălărie, dudău; neghină; **to run to** ~ a fi năpădit de buruieni; **ill** ~**s grow apace** *prov* iarba rea crește repede (și cea bună cu încetul) **2 the** ~ *F* iarba dracului, – tutunul; țigările; țigara; trabucul **3 the** ~ ← *F* țigările cu marijuana **4** *F* prăjiină, lungan; – om înalt și slab; slăbănog, sfrijitură **5** *F* gloabă, mârțoagă, – cal prăpădit **II** *vt, vi* a plivi; a prăși

weed[2] *s* **1** ← *înv* îmbrăcăminte, haine **2** *pl* (îmbrăcăminte de) doliu **3** banderolă de doliu

weeder [wi:dəʳ] *s agr* **1** sapă de plivit **2** plivitor

weed-grown ['wi:d,groun] *adj* plin/ năpădit de buruieni

weeding machine ['wi:diŋ məˈʃi:n] *s agr* cultivator de plivit

weed out ['wi:d'aut] *vt cu part adv* **1** a plivi; a prăși **2** a rări *(semănături)* **3** *fig* a elimina, a înlătura, a scoate, a îndepărta; a curăța de *(lucruri de prisos)*

week [wi:k] *s* săptămână; **in a** ~ într-o *sau* peste o săptămână; **working** ~ săptămână de lucru; **the 5-day** ~ săptămâna de lucru de cinci zile; **this day** ~ **a** de azi într-o săptămână **b** ← *rar* acum o săptămână; ~ **in,** ~ **out** a fiecare săptămână; săptămâni în șir/de-a rândul **b** tot așa (și iar așa), fără schimbare *sau* odihnă; fără întrerupere; **he's coming on Sunday** ~/**a** ~ **on Sunday** vine de duminică într-o săptămână; **tomorrow** ~ de mâine într-o săptămână; **it will be a** ~ **on Saturday** sâmbătă se va împlini/ se împlinește o săptămână; **we are leaving two** ~**s next Friday** plecăm de vineri în/peste două săptămâni; **last** ~ săptămâna trecută; **next** ~ săptămâna viitoare; **what day of the** ~ **is it?** ce zi (a săptămânii) e astăzi?

weekday ['wi:kˌdei] *s* zi de lucru, zi lucrătoare; zi din săptămână *(fără duminică sau fără sâmbătă și duminică);* **on** ~**s,** *amer* ~**s** în zilele de lucru

weekend ['wi:k,end] **I** *s* week-end, sfârșit de săptămână *(sâmbăta și duminica, adesea inclusiv după-amiaza de vineri)* **II** *vi* a-și petrece week-end-ul

weekender ['wi:k,endəʳ] *s* persoană care-și petrece week-end-ul *sau* week-end-urile *într-un anumit loc*

weekly ['wi:kli] **I** *adj* săptămânal; *(d. publicații și)* hebdomadar **II** *adv* săptămânal, în fiecare săptămână **III** *s* săptămânal, hebdomadar

weeknight ['wi:k,nait] *s* noapte a unei zile lucrătoare

ween [wi:n] ← *înv* **I** *vt* **1 (that)** a se gândi, a crede, a socoti (că) **2 (that)** a-și închipui, a-și imagina (că) **II** *vi* **1** a spera, a nădăjdui; a fi în așteptare **2 (of, for)** a visa (la)

weenie ['wi:ni] *s amer* **1** *v.* **wiener 2** *sl* piedică, hop, obstacol; dificultate **3** *vulg* porc (de câine)

weeny ['wi:ni] **I** *adj* *F* mititel, – foarte mic; abia perceptibil **II** *s amer v.* **wiener**

weep [wi:p] *pret și ptc* **wept** [wept] **I** *vi* **1** a plânge, a vărsa lacrimi; **to** ~ **for** a plânge după; a plânge cu ac; **to** ~ **for joy** a plânge de bucurie; **to** ~ **with pain** a plânge de durere; **she wept over/for her failure** plângea din cauza insuccesului **2** *(d. răni)* a supura **3** *(d. sticlă)* a se aburi; *(d. ferestre etc.)* a se acoperi cu stropi de ploaie **4** a picura; a se prelinge **II** *vt* **1** a plânge (pentru *sau* după); a deplânge; **he wept his fate** își plângea soarta **2** a vărsa *(lacrimi);* **to** ~ **bitter tears** *fig* a vărsa lacrimi amare

weeper ['wi:pəʳ] *s* **1** plângăcios **2** bocitor *sau* ↓ bocitoare **3** văl de doliu

weeping ['wi:piŋ] **I** *adj atr* **1** plângător; plângăcios **2** înlăcrimat **II** *s* **1** plâns(et); lacrimi **2** *tehn* infiltrație; picurare **3** *nav* lăcrimare

weeping willow ['wi:piŋ ,wilou] *s bot* salcie plângătoare *(Salyx babylonica)*

weep oneself to ['wi:p wʌn'self tə] *vr cu prep:* **to** ~ **sleep** a plânge până când adoarme

weevil ['wi:vil] *s ent* gărgăriță *(Calandra granaria)*

weft [weft] *s* **1** *text* țesătură **2** *text* bătătură **3** *nav* pavilion înnodat

weigh [wei] **I** *vt* **1** a cântări; a cântări/ a cumpăni în mână **2** *fig* a cumpăni, a cântări; a evalua, a aprecia; a chibzui, a compara **3** *fig* a-și cântări, a-și măsura *(cuvintele)* **4** *nav* a ridica *(ancora)* **II** *vr* a se cântări **III** *vi* **1** a cântări; **the meat** ~**s 3 pounds** carnea cântărește 3 livre/are o greutate de 3 livre; **he** ~**ed less than he used to** cântărea mai puțin decât de obicei **2 (with)** a avea greutate/importanță, a conta (în ochii – *cu gen*, pentru)

weighbridge ['wei,bridʒ] *s hidr* pod-basculă

weigh down ['wei 'daun] *vt cu part adv* **1** a obosi *(prin greutate),* < a încovoia, a cocoșa; **the shopping weighed me down** de-abia am cărat/putut căra cumpărăturile, cumpărăturile m-au copleșit **2** a încărca, a împovăra **3** *(d. zăpadă etc.)* a încovoia, a îndoi, a apleca *(pomii etc.)* **4** *fig* a apăsa; a împila, a asupri **5** *fig (d. durere etc.)* a copleși, a covârși; a chinui

weigher ['weiə^r] *s* **1** cantaragiu **2** cântar; basculă

weigh in ['wei 'in] *vi cu part adv* **1** *sport* a se cântări *(înainte de competiţie)* **2** (**with**) a interveni (cu); **he weighed in with new information to prove her point** a intervenit aducând/cu noi date/ informaţii ca să demonstreze că (ea) are dreptate

weighing machine ['weiŋ mə'ʃi:n] *s* cântar; basculă

weigh on ['wei ɔn] *vi cu prep fig* a apăsa *cu ac;* a obseda, a chinui, a nu lăsa în pace *cu ac;* **the theft weighed on his mind** furtul îi apăsa conştiinţa

weigh out ['wei'aut] **I** *vt cu part adv* **1** *com* a cântări; a vedea cât cântăreşte *(o marfă)* **2** a împărţi, a distribui *(după cântărire)* **II** *vi sport* a se cântări *(după competiţie)*

weight [weit] **I** *s* **1** greutate (la cântar), *elev →* pondere; **to put on** ~ a se îngrăşa; **to loose** ~ a slăbi **2** greutate; încărcătură; sarcină, povară **3** greutate *(de metal pt măsurarea greutăţii)* **4** greutate *(cu care se preasează ceva);* **paper** ~ presse-papiers **5** *fig* greutate, valoare *sau* importanţă; **a man of** ~ un om cu greutate; **an idea which bears** ~ **with them** o idee care are importanţă pentru ei **6** greutate, obiect greu; **it's dangerous to lift** ~**s after an operation** este periculos să ridici greutăţi după o operaţie **7** *sport* greutate; halteră **8** *fig* povară, apăsare; sentiment de îngrijorare; **that's a great** ~ **off my heart** e o mare uşurare pentru mine, mi s-a luat o piatră de pe inimă; **she felt the** ~ **of years** simţea povara anilor **9** *fig* gravitate, seriozitate *(a învinuirii etc.)* **10** *sport* categorie *(în funcţie de greutate);* **light** ~ categorie uşoară **11** *fig* influenţă, înrâurire, greutate; cuvânt greu; **to carry** ~ a atârna în cumpănă, a avea importanţă/greutate **12** *mil* forţă *(a unei lovituri)* // **to pull one's** ~ ← *F* a-şi asuma partea (cuvenită) de activitate *sau* răspundere; **to throw one's** ~ **about/around** *F* a face pe grozavul/nebunul, a umbla cu nasul

pe sus; – a şti numai să dea ordine **II** *vt* **1** a îngreuna, a face mai greu *(năvodul etc.)* **2** a împovăra, a încărca **3** a stabili greutatea *cu gen,* a cântări **4** a orienta, a îndrepta; a dirija; **to** ~ **in favour of** a acorda avantaje *cu dat*

weight down ['weit 'daun] *vt cu part adv v.* **weigh down 1**

weighted ['weitid] *adj* avantajos; părtinitor; **the competition was** ~ **against the B team** competiţia a fost aranjată de aşa manieră încât să dezavantajeze echipa B

weightily ['weitili] *adv fig* cu greutate/autoritate; considerabil

weightiness ['weitinis] *s şi fig* greutate

weighting ['weitiŋ] *s* spor (de salariu); compensaţie

weightless ['weitlis] *adj* imponderabil, în stare de imponderabilitate

weightlessly ['weitlisli] *adv* în stare de imponderabilitate

weightlessness ['weitlisnis] *s* (stare de) imponderabilitate

weight lifter ['weit ˌliftə^r] *s sport* halterofil

weight lifting ['weit ˌliftiŋ] *s sport* ridicare de greutăţi; haltere

weighty ['weiti] *adj* **1** greu (la cântar), care atârnă greu **2** *fig* important, serios, < hotărâtor **3** *fig (d. cineva)* cu greutate, influent

weigh up ['wei 'ʌp] *vt cu part adv* a-şi forma *sau* a încerca să-şi formeze o părere despre; a caracteriza; a înţelege, a pricepe *(pe cineva)*

weigh upon ['wei ə,pɔn] *vi cu prep v.* **weigh on**

weir [wiə^r] *s* **1** *hidr* zăgaz, baraj, stăvilar; deversor; prag **2** leasă pentru prins peştele, gard

weird [wiəd] **I** *adj* **1** ciudat, straniu, nefiresc **2** *F* trăsnit, aiurea, – nebunesc **3** sorocit, scris, predestinat **4** nepământean, nepământesc; spectral, fantomatic **II** *s* **1** ← *înv* soartă, ursită **2** ← *înv* prevestire, semn **3** ← *înv* vrăjitoare *sau* vrăjitor **4** W~ *mit* Soarta, zeiţa soartei; una dintre cele trei parce, nornă

weirdie ['wiədi] *s* **1** *F* trăsnit, aiurit, – excentric **2** *F* nebunie curată, aiureală; „chestie tare"

weirdly ['wiədli] *adv* **1** (în mod) bizar, straniu **2** *F* aiurea, – nebuneşte

weirdness ['wiədnis] *s* **1** ciudăţenie, caracter straniu **2** *F* aiureală, – nebunie **3** caracter spectral/ fantomatic

weirdo ['wiədou] *s sl v.* **weirdie**

Weird Sisters, the ['wiəd 'sistəz, ðə] *s pl* **1** *scot* nornele, surorile destinului **2** vrăjitoarele *(în „Macbeth")*

welch [welʃ] *vi v.* **welsh**

welcher ['welʃə^r] *s v.* **welsher**

welcome ['welkəm] **I** *interj* bun venit! bine aţi venit! fii binevenit! ~ **to our home!** bine aţi venit în casa noastră! **II** *s* bun-venit; întâmpinare, salut; primire; **to give smb a warm** ~ a face cuiva o primire călduroasă **III** *vt* **1** a ura bun-venit *cuiva;* a întâmpina, a saluta; a întâmpina *(pe cineva, veşti etc.)* cu bucurie; **they ~d her with flowers** au întâmpinat-o /primit-o cu flori **2** a primi *(o idee etc.);* **little interest ~d his suggestion** propunerea/ sugestia lui a fost primită cu puţin interes; **I'm sure they will** ~ **the idea rudely** sunt sigur că vor primi ideea cu ostilitate **IV** *adj* binevenit; **you are** ~ eşti binevenit; **"Thank you very much."** – **"You're ~."** –Îţi mulţumesc foarte mult. – N-ai pentru ce; **to make smb** ~ a primi pe cineva cu bucurie *(ca musafir);* **you are always** ~ **at our house** sunteţi întotdeauna/oricând binevenit în casa noastră; **any other suggestion is** ~ orice altă propunere/sugestie este binevenită; vom saluta orice altă propunere/ sugestie

welcome to ['welkəmtə] **I** *adj cu inf* căruia i se permite/se îngăduie să; care poate să; care nu are decât să; **you are** ~ **use my car** maşina mea vă stă la dispoziţie; **you're** ~ **try, cut I'm sure you won't succeed** n-ai decât să încerci, dar sunt sigur că n-ai să reuşeşti **II** *adj cu prep* care poate dispune/să te foloseaşcă de; care nu trebuie să mulţumească pentru; **you are** ~ **any book in my library** oricare carte din biblioteca mea vă stă la dispoziţie, puteţi folosi orice carte din biblioteca mea; **anyone is ~ my share** renunţ bucuros la partea mea în favoarea oricui; **you are ~ your opinion** puteţi rămâne la părerea dvs; credeţi ce doriţi; **he is ~ any illusion** nu are decât să-şi facă (orice) iluzii

weld [weld] **I** *vt* **1** *met* a suda **2** *fig* a suda, a uni, a lega; a omogeniza **II** *vi* **1** *met* a se suda **2** *fig* a se suda, a se uni, a se lega; a se omogeniza **III** *s* **1** *met* sudură, cusătură (sudată) **2** *bot* rechie *(Reseda luteola)*

weldable ['weldəbəl] *adj met* sudabil, care se poate suda

welder ['weldəʳ] *s met* sudor

welfare ['wel,fɛəʳ] *s* **1** bunăstare; prosperitate; fericire; bine **2** asistenţă socială, ajutor social **3** beneficiu suplimentar *(în S.U.A.)*

welfare state ['wel,fɛə ,steit] *s* sistem *sau* ţară cu sistem de ajutor social *(gratuit)*

welfare work ['wel,fɛə ,wə:k] *s* (activitate de) asistenţă socială

welkin, the ['welkin, ðə] *s poetic* tării(le), înalt(uri), – cerul

well¹ [wel] **I** *s* **1** fântână, puţ; izvor; şipot; bazin; rezervor **2** *min* puţ, gaură; sondă **3** *fig* izvor, sursă; origine **4** *tehn* cavitate, scobitură **5** *constr* casa scării; cajă de ascensor **II** *vi* **1** (from) a curge (din); a ţâşni (din) **2** *(d. apă etc.)* a se ridica; **tears ~ed in her eyes** o podidiră lacrimile, i se umplură ochii de lacrimi

well² *comp* **better** ['betəʳ], *sup* **best** [best] *adv* **1** bine; satisfăcător, mulţumitor; cum trebuie, cum se cuvine; cum era de aşteptat; **very ~** foarte bine; **to do ~ in one's exam** a face bine la examen; **to do ~ a** a reuşi; a izbuti **b** a-i merge mai bine **c** *(numai cu forme în -ing)* a-i merge mai bine, a se simţi mai bine; a merge spre vindecare; **as ~ a** de asemenea, la fel, şi; **he's coming as ~** vine şi el **b** la fel de bine, tot atât de bine; nu mai puţin bine; **as ~ as a** *conj* (precum) şi; **she came as ~ as her sister** a venit şi ea şi sora ei, a venit atât ea, cât şi sora ei; **he gave me money as ~ as advice** mi-a dat bani (precum) şi sfaturi; **the man was kind as ~ as**

honest omul era binevoitor şi cinstit **b** *adv* la fel de bine ca şi **c** *prep (cu forme în -ing)* pe lângă că; **as ~ as being beautiful she is well-mannered** pe lângă că e frumoasă, e şi manierată; **to come off ~** a ieşi bine până la urmă; **just as ~** *(ca răspuns sau comentariu)* nu are importanţă; ei şi? n-am pierdut nimic *etc.* *(neducându-mă la teatru etc.)*; **pretty ~** aproape, ca şi *(terminat etc.)*; **I don't know that part of the country very ~** nu cunosc prea bine/destul de bine partea aceea a ţării; **~ and truly** *F* ce mai (încoace şi încolo); – de-a binelea, cu totul/desăvârşire *(beat etc.)* **2** bine, foarte bine; remarcabil; mai mult decât satisfăcător; **to do oneself ~** a avea grijă de sine, a nu-şi refuza nimic; **to do ~ by smb** a avea grijă de cineva, a avea grijă ca cineva să nu ducă lipsă de nimic; a trata foarte bine pe cineva; **to do ~ out of** a se alege cu un câştig din *(vânzarea casei etc.)*, a ieşi foarte bine în urma *(cu gen)*; **you did ~ to tell him** ai făcut (foarte) bine că i-ai spus; **~ done!** bravo! felicitări! **~ up in smth** (foarte) bine pus la punct în legătură cu ceva; foarte informat în legătură cu ceva; cât se poate de versat în ceva **3** *(a pedepsi etc.)* cum trebuie, zdravăn **4** *(cu* may*)* foarte bine; prea bine; prea; **it may ~ be true** se prea poate să fie adevărat, e foarte posibil să fie adevărat; **you might as ~ throw your money away** ai putea la fel de bine să-ţi arunci banii pe fereastră *(rezultatul e acelaşi);* **we may as ~ begin at once** putem foarte bine să începem imediat; **it may ~ rain tonight** s-ar prea putea să plouă diseară; **we might just as ~ have stayed at home!** am fi putut foarte bine să stăm acasă! **5** (în mod) considerabil; mult; cu mult; **he must be ~ past thirty** cred că a trecut de mult de treizeci (de ani); **~ away a** într-un stadiu avansat; **they're ~ away on the building of the house** au avansat mult cu construcţia casei **b** *sl* care a

început să se îmbete // **to be ~ out of** a avea norocul să scape de *(ceartă etc.)* **II** *comp* **better** ['betəʳ], *sup* **best** [best] *adj* **1** bine, sănătos; **I'm very ~, thank you** mă simt foarte bine, mulţumesc; **I'm not a ~ man** ↓ *amer* nu sunt un om sănătos; **he looks better now** acum arată mai bine **2** bun, perfect, în ordine, cum trebuie (să fie); **all is not ~ with him since she left him** de când (ea) l-a părăsit, nu mai este omul care a fost; **it's all very ~ to stay that, but can we change anything?** ceea ce spui dumneata este foarte adevărat, dar putem (oare) schimba ceva? **it's all very ~ for you to suggest that, but where can we get the money?** e frumos ce propui, dar de unde să facem rost de bani? **3** potrivit, nimerit, bine; **it would be (just) as ~ to write them a letter** n-ar strica să le scriem o scrisoare **III** *s* **1** bine(le); fericire; **I wish her ~** îi doresc fericire **2** **the ~** *pl* cei sănătoşi **IV** *interj* **1** *(exprimă surprinderea)* ei! ei poftim! ce surpriză! (ei) ce zici? asta-i bună! a! o! vai! **~, you of all people!** ei poftim *etc.*! numai pe tine nu te aşteptam! **2** *(introduce sintagme sau propoziţii exprimând diferite atitudini)* ei; păi; de(h); cum să zic? *etc.;* **~, what else did he tell you?** ei (bine), şi ce ţi-a mai spus? **~ then? a** şi? **b** şi atunci? **~, I am so glad!** vai/o/tii, ce bine-mi pare! **~ , it can't be helped** de(h), n-avem încotro/ce face; **~, as I was saying** ei/păi/aşadar, cum spuneam; **~, what news?** ei, ce mai (e) nou? **~, I declare!** asta-i bună! ei poftim! nemaipomenit!

we'll [wi:l] *contras din* **1** we shall **2** we will

well-a-day ['welə'dei] *interj înv* ale(le)i! – vai şi amar!

well-advised ['weləd'vaizd] *adj* **1** înţelept, cuminte; logic; raţional; **you would be ~ not to go there** bine/înţelept ar fi să nu te duci acolo **2** sănătos la minte, cu scaun la cap

well-affected ['welə'fektid] *adj* **1** binevoitor, amabil **2** bine intenţionat **3** afectat, prefăcut

well-balanced ['wel'bælənst] *adj* **1** echilibrat, judicios; cumpănit **2** *(d. regim alimentar)* rezonabil, judicios; adecvat, corespunzător

well-becoming ['welbi'kʌmiŋ] *adj* bun, potrivit, just, corespunzător

well-behaved ['welbi'heivd] *adj* bine-crescut, manierat

wellbeing ['wel'bi:iŋ] *s* **1** sănătate (înfloritoare) **2** bunăstare; prosperitate

well-born ['wel'bɔ:n] *adj* de familie bună; de neam ales/mare

well-bred ['wel'bred] *adj* **1** bine-crescut, manierat; politicos; educat; cultivat **2** *zool* pur sânge, de rasă **3** *(d. voce)* cultivat

well-chosen ['wel'tʃouzən] *adj* **1** ales/selectat cu grijă **2** *(d. expresii etc.)* nimerit, potrivit; bine ales

well-conditioned ['welkən'diʃənd] *adj* **1** drept, corect; cu o conduită morală fermă; echilibrat **2** *v.* **well-bred 1 3** sănătos, voinic **4** în bună stare (de funcționare) **5** *(d. acorduri etc.)* încheiat în condiții satisfăcătoare

well-connected ['welkə'nektid] *adj* *(d. cineva)* cu relații

well-contented ['welkən'tentid] *adj* cât se poate de mulțumit

well-cut ['wel'kʌt] *adj (d. haine)* bine croit

well-day ['wel,dei] *s med* stare subiectivă bună

well deck ['wel,dek] *s nav* punte cu puț

well-defined ['weldi'faind] *adj* bine definit, clar

well-deserved ['weldi'zə:vd] *adj* binemeritat

well-directed ['weldi'rektid] *adj* **1** care nu greșește ținta; exact, fără greș **2** *fig* care își atinge ținta/scopul

well-disposed ['weldis'pouzd] *adj* **1** bine/frumos aranjat **2** (**towards**) binevoitor (cu, față de); prietenos (cu, față de) **3** (**to**) receptiv (la)

well-doer ['wel'du:əʳ] *s* om cumsecade/de treabă; binefăcător

well-doing ['wel'du:iŋ] **I** *adj atr* **1** caritabil, care face fapte bune; cumsecade **2** prosper, înfloritor **II** *s* **1** purtare virtuoasă *sau* cinstită; omenie **2** facere de bine; fapte bune **3** succes; prosperitate, înflorire **4** sănătate (înfloritoare)

well-done ['wel'dʌn] *adj (d. carne)* bine fript

well-earned ['wel'ə:nd] *adj* binemeritat, pe deplin meritat

well-educated ['wel'edjukeitid] *adj* educat, cultivat

well-established ['welis'tæbliʃt] *adj* **1** *(d. principii etc.)* bine stabilit, ferm, precis **2** cu tradiție; cu vechime; cu bună reputație

well-favoured ['wel'feivəd] *adj (d. cineva)* *înv* arătos, – frumos

well-fixed ['wel'fikst] *adj F* cu cheag, chivernisit, – bine situat

well-formed ['wel'fɔ:md] *adj log, lingv* corect (construit)

well-found ['wel'faund] *adj tehn* prevăzut cu aparatura necesară

well-founded ['wel'faundid] *adj* întemeiat, bazat pe fapte

well-graced ['wel'greist] *adj* frumos, atrăgător; chipeș

well-groomed ['wel'gru:md] *adj* **1** *(d. cai)* bine țesălat **2** *(d. cineva)* aranjat, pus la punct; îngrijit; tuns și frezat

well-grounded ['wel'graundid] *adj* **1** *v.* **well-founded 2** (**in**) expert, versat, foarte priceput (în); bine pregătit

well-handled ['wel'hændld] *adj* **1** făcut cu grijă; bine organizat, plănuit *etc.* **2** bine condus; în mâini bune

wellhead ['wel,hed] *s* **1** izvor, șipot **2** *fig* izvor, sursă

well-heeled ['wel'hi:ld] *adj* **1** bogat, avut **2** înarmat până în dinți

well-hung ['wel'hʌŋ] *adj sl* cu sâni(i) mari

well-informed ['welin'fɔ:md] *adj* **1** bine documentat; cu o cultură vastă **2** *(d. surse etc.)* sigur; bine informat

Wellington ['weliŋtən] **1** Arthur Wellesley *general englez (1769-1852)* **2** oraș în Noua Zeelandă

wellingtons ['weliŋtənz] *s pl* cizme (↓ de cauciuc) *(până la genunchi)*

well-intentioned ['welin'tenʃənd] *adj* bine intenționat, cu intenții lăudabile

well-kept ['wel'kept] *adj* bine întreținut

well-knit ['wel'nit] *adj* **1** bine legat; solid, voinic **2** *fig* solid, de nădejde

well-known ['wel'noun] *adj* binecunoscut, vestit, renumit

well-lined ['wel'laind] *adj fig (d. buzunar, stomac)* bine căptușit

well-looking ['wel'lukiŋ] *adj* care arată bine; înfloritor

well-made ['wel'meid] *adj* **1** *(d. cineva)* bine făcut **2** *(d. haine)* bine croit **3** bine lucrat/executat

well-mannered ['wel'mænəd] *adj* manierat, bine crescut

well-meaning ['wel'mi:niŋ] *adj (d. persoane, eforturi)* bine intenționat

well-meant ['wel'ment] *adj* bine intenționat, spus *sau* făcut cu bune intenții; cinstit; sincer

well-natured ['wel'neitʃəd] *adj* bun la suflet

well-nigh ['wel,nai] *adv* ← *elev* aproape *(imposibil etc.)*

well-off ['wel'ɔ:f], *comp* **better-off** ['betə'ɔ:f], *sup* **best-off** ['best'ɔ:f] *adj* **1** înstărit, cu dare de mână; bogat; care dispune; **to be ~ for books** a avea multe cărți, a nu duce lipsă de cărți **2** *pred* norocos; **you don't know when you're ~** (nici) nu-ți dai seama cât de norocos ești

well-oiled ['wel'ɔild] *adj sl* pilit, afumat, aghesmuit, beat

well-ordered ['wel'ɔ:dəd] *adj* **1** bine întreținut; aranjat; pus în ordine **2** bine organizat; sistematic

well out ['wel 'aut] *vi cu part adv v.* **well¹ II, 1**

well over ['wel 'ouvəʳ] *vi cu part adv* a se revărsa

well-pleased ['wel'pli:zd] *adj* foarte mulțumit, încântat

well-preserved ['welpri'zə:vd] *adj (d. bătrâni)* care se ține bine

well-read ['wel'red] *adj* citit; cult; instruit

well ring ['wel ,riŋ] *s min* instalație de foraj

well-rounded ['wel'raundid] *adj* **1** *(d. cineva)* bine făcut **2** *(d. educație)* multilateral; complet **3** rotunjit **4** *fig* închegat, rotunjit; finisat; *(d. exprimare etc.)* bine adus din condei

Wells [welz], **Herbert George** *scriitor englez (1866-1946)*

well-seeming ['wel'si:miŋ] *adj* aspectuos, atrăgător ca aspect

well-set ['wel'set] *adj* **1** bine făcut, întocmit, ajustat, potrivit *etc.* **2** *(d. cineva)* bine făcut

well-spoken ['wel'spoukən] *adj* **1** care vorbește corect; care stăpânește limba literară **2** prevenitor, curtenitor **3** cu darul vorbirii; bun de gură **4** *(d. un cuvânt etc.)* nimerit, potrivit

wellspring ['wel,spriŋ] *s* **(of)** izvor nesecat (de)

well-thought-of ['wel'θɔ:təv] *adj atr* respectat de toată lumea; care se bucură de prestigiu

well-thought-out ['wel'θɔ:taut] *adj atr (d. un plan etc.)* bine gândit, judicios

well-timed ['wel'taimd] *adj* oportun, spus *sau* făcut la momentul oportun/prielnic *sau* când trebuie

well-to-do ['weltə'du:] *adj* bogat, avut, cu stare; **they are ~ in the world** o duc bine, le merge bine

well-tried ['wel'traid] *adj (d. metode etc.)* verificat, care a dat rezultate (bune)

well-turned ['wel'tə:nd] *adj (d. exprimare etc.)* ales, elegant; rafinat

well up ['wel'ʌp] *vi cu part adv (d. apă etc.)* a se umfla, a crește

well-wisher ['wel'wiʃəʳ] *s* binevoitor; prieten; simpatizant

well-worn ['wel'wɔ:n] *adj* **1** *(d. îmbrăcăminte)* uzat, posomorât; ros **2** *(d. expresii)* uzat, tocit; banalizat; perimat

welsh [welʃ] **I** *vt* **1** a trage pe sfoară, a înșela **2** a nu plăti, a nu onora *(un rămășag, datorii)* **3** a se eschiva de la *(o obligație)* **II** *vi* **1** a nu-și plăti datoria **2** a nu se ține de cuvânt

Welsh [welʃ] **I** *adj* galez, din Țara Galilor, velș **II** *s* **1** (limba) velșă **2 the ~** galezii, velșii

Welshman ['welʃmən] *s* galez, velș

welsh on ['welʃ'ɔn] *vt și vi cu part adv v.* **welsh**

Welsh rabbit/rarebit ['welʃ'ræbit/ 'rɛəbit] *s* brânză topită *(adesea amestecată cu bere) care se servește pe felii de pâine prăjită sau covrigi*

welt [welt] **I** *s* **1** urmă/crestătură de bici **2** lovitură de bici **3** *(la încălțăminte)* **4** *tehn* falț; margine; **5** *text* manșetă; bordură **II** *vt* **1** a biciui, a bate cu biciul **2** *F* a zvânta în bătaie, a cotonogi

Weltanschauung ['veltɑn,ʃauuŋ] *s germ* concepție despre lume; orizont

welter ['weltəʳ] **I** *vi* **1 (in)** și *fig* a se bălăci (în); a se tăvăli (în *noroi)* **2** *(d. mare)* a se zbuciuma, a fi neliniștit **II** *s* **1** zbucium *(al valurilor)* **2** zăpăceală, învălmășeală, haos; amestec, talmeș-balmeș

welterweight ['weltə,weit] *s* boxer cântărind între 135 și 147 livre *(= 61,29-67,73 kg)*, welter (-weight)

Weltschmerz ['velt,ʃmerts] *s germ* ↓ *lit* „Weltschmerz",„mal du siècle"; melancolie, pesimism; byronism

Wembley ['wembli] *suburbie a Londrei*

wen [wen] *s med* chist sebaceu

wench [wentʃ] **I** *s* **1** ← *peior sau umor* fată, fetișcană; femeie tânără **2** ← *înv sau reg* țărancă, țărăncuță, fată de la țară; *cf* lele, leliță **3** ← *înv* târfă, târâtură **II** *vi* ← *înv* a umbla din târfă în târfă

Wenchow [wen'tʃou] *oraș în R. P. Chineză* Venciou

wend [wend] **I** *vt:* **to ~ one's way** a a merge (↓ încet/agale); **to ~ one's way home** a se îndrepta (↓ încet/agale) spre casă **b** a pleca, a-și vedea de drum **II** *vi* ← *înv* a merge; a călători

Wendell ['wendl] *nume masc*

Wensleydale ['wenzli,deil] *s* **1** soi de brânză de vaci *(originară din Yorkshire)* **2** rasă de oi cu mița lungă

went [went] *pret de la* **go**

wept [wept] *pret și ptc de la* **weep**

were [wəʳ *formă slabă,* wə:ʳ *formă tare]* **v** *aux*, **vi I** *pret indicativ de la* **be**, *pers 2 sg și pl, 1 și 3 pl* ai fost *etc.* **II** *pret subjonctiv* aș fi; ai fi; ar fi *etc.* **if I ~ he** dacă aș fi în locul lui; **he speaks English as if he ~ English** vorbește englezește de parcă ar fi englez

we're [wiəʳ *formă slabă,* wi:əʳ *formă tare]* *contras din* **we are**

weren't [wə:nt] *contras din* **were not**

werewolf ['wiə,wulf] *s* vârcolac, pricolici

wert [wə:t] *înv pret cu* **thou** *de la* **be** *(pers 2 sg)*

Wesleyan ['wezliən] *adj, s rel* wesleian, metodist

west [west] **I** *s* **1** vest, apus; occident; *poetic* → soare-apune, asfințit **2 the W~** Occidentul, Apusul **3 the W~** *amer* statele apusene din S.U.A. *(la vest de Mississippi)* **II** *adj atr* **1** *(d. vânt)* de/ dinspre vest/apus **2** vestic, apusean; occidental

westbound ['west,baund] *adj* cu direcție vestică, călătorind spre vest

West Country, the ['west ,kʌntri, ðə] *s* Vestul Angliei

West End, the ['west 'end, ðə] *s partea de vest a centrului Londrei, în care se află cele mai mari magazine, teatre, birouri etc.*

westerly ['westəli] **I** *adj atr* **1** de vest, vestic; dinspre vest **2** îndreptat *etc.* spre vest **II** *adv* **1** dinspre vest **2** spre/către vest

western ['westən] **I** *adj* **1** de/din vest, vestic **2** vestic, dinspre vest **3 W~** occidental, apusean **II** *s* **1** occidental, apusean; locuitor din vest **2** *rel* romano-catolic **3** locuitor din statele vestice ale S.U.A. **4** (film *sau* roman) western

Western Church, the ['westən'tʃə:tʃ, ðə] *s rel* biserica romano-catolică

westerner ['westənəʳ] *s v.* **western** **II 1, 3**

westernism ['westənizəm] *s amer* cuvânt folosit numai de cowboy

westernization ['westənai'zeiʃən] *s* occidentalizare

Westernize ['westə,naiz] *vt* a occidentaliza

Westernmost ['westən,moust] *adj* cel mai de vest; din extremul occident

West Indian ['west 'indiən] *adj* din Indiile Vestice

West Indies, the ['west 'indiz, ðə] Indiile Vestice

Westminster ['west,minstəʳ] *s* **1** districtul Westminster *(în Londra)* **2** parlamentul englez

Westminster Abbey ['west,minstər 'æbi] *s biserică gotică londoneză, loc de încoronare și înmormântare a regilor Angliei*

Westphalia [west'feiliə] *ist provincie în Prusia* Westfalia

West Point ['west 'point] *academie militară în S.U.A.*

westward ['westwəd] **I** *adj* cu direcție vestică; îndreptat spre vest/apus **II** *adv amer v.* **westwards**

westwardly ['westwədli] **I** *adj* vestic, de vest; dinspre vest **II** *adv* spre vest

westwards ['westwədz] *adv* spre/ către vest/apus, în direcția vest

wet [wet] **I** *adj* **1** ud; umed; jilav; stropit; **to get ~** a se uda; **~ through**, **~ to the skin** ud leoarcă, ud până la piele; **~ behind the ears** *fig F* cu caș la gură, ageamiu, fără experiență; **~ paint** vopsea proaspătă; „proaspăt vopsit" **2** *(d. timp etc.)* umed; ploios; de ploaie; **~ day** zi ploioasă; **Scotland gave us a ~ welcome** Scoția ne-a întâmpinat cu ploaie **3** hidrofil **4** lichid; **~ mud** noroi amestecat cu apă, fleșcăraie **5** plângător; *(d. zâmbet)* printre lacrimi **6** *amer* cu licență de băuturi spirtoase; *(d. unele state din S.U.A.)* unde este permis comerțul cu băuturi spirtoase **7** *peior F* bătut în cap, prost de dă în gropi **8** *peior F* ageamiu, – nepriceput **9** *peior F* puturos, – molâu, moale **II** *vt* a uda; a umezi; a umecta; a înmuia; a stropi; **don't ~ your feet** să nu-ți uzi picioarele; **to ~ the bed** (↓ *d. copii)* a face (pipi) în pat; **to ~ a bargain** a bea aldămașul; **to ~ one's whistle** *fig* a-și drege gâtlejul, a lua un pahar **III** *s* **1** **the ~** vreme ploioasă **2** **the ~** umezeală; umiditate; igrasie **3** **the ~** pământ ud *(după ploaie);* fleșcăraie; apăraie **4** *sl* udătură, pileală, băutură **5** *amer sl* adversar al prohibiției

wet blanket ['wet ˌblæŋkit] *s* **1** persoană care strică plăcerea altora; om supărător *sau* plictisitor **2** *fig* duș rece

wet bob ['wet ˌbɔb] *s* persoană care învață un sport de apă

wet dock ['wet ˌdɔk] *s nav* bazin de maree; doc

wet dream ['wet ˌdri:m] *s* vis erotic

wet head ['wet ˌhed] *s amer sl* **1** boboc, începător **2** țărănoi, necioplit; prostalău, prostovan

wether ['weðə^r] *s* berbec castrat

wetness ['wetnis] *s* umezeală, umiditate

wet nurse ['wet ˌnə:s] *s* doică

wet suit ['wet ˌsu:t] *s* costum de cauciuc pentru scafandri (– fiind strâns lipit de corp, ține de cald)

wetting ['wetiŋ] *s* udat, udătură; udare; umectare

wetting agent ['wetiŋ 'eidʒənt] *s tehn* agent de udare/umectare

wettish ['wetiʃ] *adj* cam ud *sau* umed/jilav

we've [wiv *formă slabă*, wi:v *formă tare*] *contras din* we have

whack [wæk] **I** *vt* **1** *F* a cotonogi, a burduși, a buși, a cafti, – a bate zdravăn **2** *F* a trage o scatoalcă/ palmă *cuiva;* a lua la palme **3** *F* a face praf, a bate măr, – a învinge net *(într-o competiție)* **II** *s* **1** *F* scatoalcă, dupac, una, – lovitură puternică *sau* zgomotoasă **2** ← *F* parte (cuvenită cuiva) **3** ← *F* încercare; **have a ~ at the problem** încearcă să rezolvi problema **III** *interj* jap! poc! trosc!

whacked (out) ['wækt (ˌaut)] *adj F* frânt, sleit, stors, – foarte obosit

whacker ['wækə^r] *s* **1** *F* dihanie; monstru; – ceva foarte mare, colos **2** *F* gogoși de tufă, – minciună mare/sfruntată

whacking ['wækiŋ] **I** *adj F* grozav, strașnic; – colosal, uriaș **II** *s F* cotonogeală, burdușeală, bușeală, – bătaie zdravănă

whale [weil] **I** *s zool* balenă, înv → chit *(Balaenidae sp.);* **to have a ~ of a time** *F* a se distra colosal/ – grozav/de minune; **a ~ of a fellow** *F* un tip nemaipomenit/ extraordinar/de milioane; **very like a ~** *ironic* (așa) o fi, mai știi **II** *vi* a vâna balene

whale boat ['weil ˌbout] *s nav* balenieră

whalebone ['weil ˌboun] *s* os de balenă, fanon

whaleman ['weilmən] *s* vânător de balene

whaler ['weilə^r] *s* **1** *v.* **whaleman 2** *nav* balenieră

wham [wæm] *s F v.* **whack II, 1**

whammo ['wæmou] *interj* jap! poc! trosc!

whammy ['wæmi] *s sl* deochi; **to put a/the ~ on smb** a deochea pe cineva

whang [wæŋ] **I** *s* lovitură răsunătoare; pocnet; trosnet **II** *vt* a lovi cu zgomot; a pocni **III** *vi* a răsuna; a pocni; a trosni

wharf [wɔ:f] *pl și* **wharves** ['wɔ:vz] *s nav* **1** debarcader **2** chei de descărcare; platformă de depozitare **3** mol

wharfage ['wɔ:fidʒ] *s nav* **1** debarcader; cheiuri de descărcare **2** folosirea unui debarcader *sau* a unui chei de descărcare **3** taxă de platformă

wharve [wɔ:v] *s text* nuca fusului

what [wɔt] **I** *pr interog* ce? ce fel? cum? cât? **~ did you say?** ce-ai spus? cum? **W~?** **I don't believe it!** Cum/*F* Ce? Nu (pot să) cred! **~ is he?** ce e el *(ca profesie etc.)?* **~ for?** pentru ce? de ce? **~'s this thing for?** pentru ce e asta? la ce servește asta? **~ if?** (și) ce dacă? ce se întâmplă dacă *mergem etc.?* **~ is it like?** cum e? cum arată? **~ is the new teacher like?** cum e noua profesoară? **~ was the weather like?** cum a fost timpul/vremea? **~'s her name?** cum o cheamă? cum îi zice? **~ do you call it in Romanian?** cum îi spuneți pe românește? cum i se spune în limba română? **~'s the English for it?** cum e pe englezește? cum i se spune în limba engleză? **~ is it?** a ce e? ce s-a-ntâmplat? **b** ce e *(asta etc.)?* **she's gone with ~'s his name** a plecat cu ăla, cum îi spune/zice; **~ about....?** a ce-ai zice despre....? ce-ar fi să *(mergem etc.)?* **b** cum stăm cu....? ce mai (e) nou în legătură cu....? **~ the blazes, hell, devil etc.?** ce dracu/naiba? **~ though he has won?** și ce dacă a câștigat? chiar dacă a câștigat, nu are importanță! **so ~?** ei și? **~ did you pay for it?** cât ai plătit/ dat pe ea? **~'s the time?** cât e ceasul? **II** *pr nehot* ceva; **I'll tell you ~** să-ți spun ceva, ascultă-mă pe mine **III** *pr relativ-conjunctiv* (ceea) ce; **~ he says is not true** ceea ce spune nu este adevărat; **I think I know ~ you want** cred că știu ce vrei; **he's very clever, and, ~ is more, he is hard-working** e foarte deștept, și, mai mult (decât atât), e foarte muncitor; **she asked me ~ I was doing** m-a întrebat ce fac; **they told me ~ to do** mi-au spus ce să fac *sau* ce am făcut; **I hope you see ~ I mean** sper că-ți dai seama ce vreau să spun; **I gave her ~ I had** i-am dat ce aveam; **and ~ not** şi câte altele; **to give smb ~ for a** *F* a lua pe cineva la trei păzeşte, – a certa pe cineva **b** *F* a trage cuiva o chelfăneală, – a bate pe cineva; **and ~ you have** *F* şi câte şi mai câte, şi multe altele (de acelaşi fel); **to know ~'s ~** a se pricepe, a fi bine informat; a şti ceea ce e important; a cunoaşte situaţia, a şti cum stau lucrurile/ treburile; **to know ~ one is about** a şti ce are de făcut, a se descurca, a face faţă; **~ it takes a** pricepere, îndemânare; calită- ţile necesare *(pt a realiza un ţel)*; **he has (got) ~ it takes** stă în puterea lui; o să se descurce foarte bine **b** bani, mijloace financiare **c** tot ce-i trebuie *(unei femei ca să atragă bărbaţii)*; farmec, vino-ncoace **IV** *adj interog* care? ce? **~ map?** care/ ce hartă? **~ time will you come?** la ce oră o să vii? **~ kind of books does she like to read?** ce fel de cărţi îi place să ci- tească? **~ colour was it?** ce culoare avea? de ce culoare era? **~ size shoes do you take?** ce număr porţi la pantofi? **V** *adj exclamativ* ce (fel de); **~ a man!** ce om! **VI** *adj pronominal-relativ* **1** ce, care; **I cannot suspect ~ intentions he has** nu pot bănui ce intenţii are **2** ce; cât, câtă, câţi *sau* câte; **take ~ books you want** ia ce *sau* câte cărţi vrei (dumneata); **I gave her ~ money I had** i-am dat banii pe care-i aveam/ce bani aveam; **she told him ~ little she knew about it** i-a relatat puţinele lucruri pe care le ştia despre asta; **he never visited ~ few friends he had** nu vizita niciodată (nici măcar) puţinii prieteni pe care îi avea **VII** *adv* **1** ce; cât; în ce măsură; până la ce punct (anume); **~ does it matter?** ce contează? parcă are (vreo) importanţă? **2** ce; cât de; **~ a funny play!** ce piesă nosti- mă! **3** în parte, parţial, într-o anumită măsură; **~ with... and (~ with)...** ba cu..., ba cu...; atât din cauza *cu gen*... cât şi din cauza *cu gen*...; **~ with the rain and ~ with his insistence we**

had to stay mai din pricina ploii, mai din pricina insistenţelor lui a trebuit să (mai) rămânem **VIII** *conj← F* în măsura în care, (pe) cât; **he helped me ~ he could** m-a ajutat atât cât a putut *//* **but ~** *(după prop neg)* că; **never doubt but ~ he loves you** să nu te îndoieşti că te iubeşte **IX** *interj interog* **1** *F* cum? ce (face)? ce-ai spus? imposibil! **2** *F* nu? – nu-i aşa? **he's nice boy, ~?** e un băiat simpatic, nu?

what d'you call it ['wɔtdju ˌkɔːl it] *s* v. **what's it**

whate'er [wɔt'ɛəʳ] *adj, pr poetic* v. **whatever**

whatever [wɔt'evəʳ] **I** *adj* **1** oricare, orice, indiferent de; indiferent de ceea ce; **~ reasons he may have** orice motive poate avea, indiferent de motivele pe care le are; **they eat ~ (food) they can find** mănâncă tot ce găsesc/ orice (hrană) găsesc **2** *(ca întăritor al subst sau pr)* de vreun fel; de nici un fel; **he has no chance ~** nu are absolut nici o şansă; **if there is any hope ~** dacă există măcar o speranţă cât de mică **II** *pr interog* ce; ce anume; **~ shall I do?** ce (anume) să fac? ce să mă fac? cum (anume) să procedez? **III** *pr relativ-conjunctiv* orice; indife- rent ce; indiferent de ceea ce; **take ~ you like** ia (ori)ce-ţi place; **~ she said, he'd disagree** orice spunea ea, el nu era de acord **IV** *pr nehot* orice altceva; lucruri de felul acesta; **she'd have difficulty in learning any language – Latin, French, or ~** i-ar fi greu să înveţe orice limbă – latina, franceza sau oricare alta **V** *pr exclamativ* ce; **~ next!** cine ştie ce (mai) ur- mează după asta! (şi) după asta ce mai vine/urmează/la ce să ne mai aşteptăm?

whatness ['wɔtnis] *s filos ← rar* esenţă

whatnot ['wɔtˌnɔt] *s* **1** etajeră pentru bibelouri *(↓ în epoca victoriană)* **2** (diferite) lucruri, câte şi mai câte **3** fleacuri, nimicuri

whatsename ['wɔtsə'neim] *s F* (ăsta, asta, ăla *sau* aia) cum îi zice/ spune (?)

what's it ['wɔtsit] *s (d. un obiect mic, ↓ tehnic) F* drăcie, şmecherie; **I can't open the ~; will you try?** nu pot deschide drăcia asta – vrei să încerci (şi) tu?

whatsoe'er [ˌwɔtsou'ɛəʳ] *adj, pr poetic* v. **whatsoever**

whatsoever [ˌwɔtsou'evəʳ] *adj, pr* v. **whatever**

what with ['wɔt wið] *prep* din cauza/ pricina *cu gen*, datorită *cu dat*; în legătură cu; **~ summertime it was still broad daylight** fiind vară/întrucât era vară, era încă lumină ca ziua

wheal [wiːl] *s med* pustulă, bubuliţă, coş

wheat [wiːt] *s bot* grâu (Triticum sp.)

wheat ear ['wiːt ˌiəʳ] *s* **1** spic de grâu **2** *orn* pietrar sur (comun) (Oenanthe oenanthe)

wheaten ['wiːtən] *adj atr* de/din grâu

wheat flour ['wiːt ˌflauəʳ] *s* făină de grâu

wheat germ ['wiːt ˌdʒəːm] *s* germe- nele/embrionul bobului de grâu

wheat grass ['wiːt ˌgrɑːs] *s bot* pir (Triticum repens)

wheat land ['wiːt ˌlænd] *s agr* pământ bun pentru cultivarea grâului

wheat meal ['wiːt ˌmiːl] *s* făină de grâu

wheat rust ['wiːt ˌrʌst] *s bot* rugina grâului (Puccinia graminis)

wheedle ['wiːdəl] *vt* a linguşi; a flata; a se da bine pe lângă; **to ~ smb into doing smth** a face/a deter- mina prin linguşiri pe cineva să facă ceva

wheedle from/out of ['wiːdəl frəm/ ˌautəv] *vt cu prep* a căpăta/a obţine/a smulge de la *(cineva)* prin linguşiri/vorbe frumoase, a se da bine pe lângă *(cineva)* ca să capete/să obţină/să smulgă

wheedle out ['wiːdəl 'aut] *vt cu part adv* a căpăta/a obţine/a smulge prin linguşiri/vorbe frumoase

wheel [wiːl] **I** *s* **1** roată; rotiţă; **to put one's shoulder to the ~** *fig* a pune umărul; a da o mână de ajutor, a ajuta; **~s within ~s** *fig* rotiţe; maşinărie complicată, mecanism complicat; manevre de culise; dedesubturi; **on oiled ~s** *fig* ca pe unt; uşor, fără probleme; **big ~** *F* ştab; grangur; **to set/to put (the) ~s in motion**

fig F a pune o treabă *sau* treaba pe roate; a-i da drumul; **a sudden turn of the** ~ *fig* o întorsătură bruscă a soartei; **the ~ has come full circle** *fig* lucrurile au revenit la normal/exact la ceea ce au fost **2** *od* roată; tragere pe roată; **to break on the** ~ a trage pe roată; **to break a butterfly/a fly on the** ~ *fig* a fi mai mare daraua decât ocaua **3** *auto etc.* roată; volan; *nav* timonă, cârmă; **man at the** ~ a *auto* șofer **b** *nav* timonier, pilot, cârmaci **c** *fig* conducător; **to take the** ~ *fig* a lua cârma (treburilor *etc.*) în mână/mâna sa; **will you take the** ~? *auto* vrei să treci la volan? **4** rotire, învârtire; rotație; cerc **5** ← *înv* bicicletă **6** *tehn* rotilă; rotor **7** *ferov* roată alergătoare **II** *vt* **1** a învârti, a roti **2** a pune roți la **3** a duce cu roaba, bicicleta *etc.* **4** a împinge (*o masă pe rotile etc.*) **5** *od* a trage pe roată **III** *vi* **1** a se învârti, a se roti **2** a se mișca (pe roți) **3** a merge cu bicicleta **4** (*și* ~ **round/around/about**) a se întoarce brusc; a schimba direcția (↓ brusc)

wheelband ['wi:l‚bænd] *s tehn* bandaj de roată

wheelbarrow ['wi:l‚bærou] *s* roabă, tărăboanță

wheelbase ['wi:l‚beis] *s* **1** *auto* distanța între axe **2** *ferov* ampatament, distanța între osii

wheelchair ['wi:l‚tʃɛəʳ] *s* scaun pe rotile

wheeled [wi:ld] *adj* (prevăzut) cu roți; pe roți; **four** ~ cu patru roți

wheeler ['wi‚ləʳ] *s* **1** rotar **2** cal rotaș/ de hulube **3** ~ (*în cuvinte compuse*) având un anumit număr *sau* tip de roți; **a 3-**~ o mașină cu trei roți

wheelhorse ['wi:l‚hɔ:s] *s v.* **wheeler 2**

wheelhouse ['wi:l‚haus] *s nav* timonerie

wheeling ['wi:liŋ] *s* **1** ciclism **2** învârtire, rotire **3** stare a drumului *sau* a șoselei **4** *și* ~ **and dealing** *F* cotcării, potlogării, – mijloace necinstite; obținere pe căi necinstite

wheelman ['wi:lmən] *s* **1** ← *înv* biciclist *nav* timonier; pilot

wheelwright ['wil‚rait] *s* ← *od* rotar

wheep [wi:p] *s amer sl* cană de bere (*după o băutură tare*)

wheeze [wi:z] **I** *vi* a (ră)sufla/a respira greu *sau* astmatic; a hârâi, a hârcâi; a șuiera; a gâfâi; a fi răgușit **II** *vt și* ~ **out** a rosti hârâitor

wheezily ['wi:zili] *adv* (cu un suflet) hârâitor

wheeziness ['wi:zinis] *s* răsuflare/ respirație grea *sau* astmatică; hârâială, hârcăială; șuierat; gâfâit; răgușeală

wheezy ['wi:zi] *adj* hârâit, hârcâit; șuierat; răgușit; asmatic

whelk¹ [welk] *s zool* melc de mare (*Buccinum undatum*)

whelk² *s* **1** *v.* **wheal 2** *F* crestătură, – cicatrice

whelp [welp] **I** *s* **1** pui (*de leu, lup, câine etc.*); cățelandru **2** pici, *F* plod **3** *peior* progenitură, soi rău, copil *sau* tânăr prost crescut **4** *nav* nervură de cabestan **II** *vt, vi* (*d. animale*) *și peior* a făta

when [wen] **I** *adv* când; ~ **did that happen?** când (anume) s-a întâmplat aceasta? **say** ~! spune când e destul (*formulă folosită când servim ceai etc.*) **II** *conj* **1** (atunci) când; ori de câte ori; ~ **she saw him she turned her head** când îl vedea, întorcea capul; când l-a văzut, a întors capul; ~ **sleeping, I never hear a thing** când dorm, n-aud (absolut) nimic; ~ **I see him, I remember his brother** când/ori de câte ori îl văd, îmi aduc aminte de fratele lui **2** (atunci) când; în timp ce, în clipa când/în care; **I asked him** ~ **he entered** l-am întrebat când a intrat **3** (numai atunci) când, (numai) dacă; **you'll succeed** ~ **you work hard** vei reuși (numai) dacă vei lucra intens; **no one can build a house** ~ **they heaven't learnt how** nimeni nu poate construi o casă dacă nu a învățat cum; cum să facă/să construiască cineva o casă dacă nu a învățat? **4** când (de fapt); deși, cu toate că; **he sleeps** ~ **he should work** doarme când/ deși ar trebui să muncească **5** când, de vreme ce, din moment ce; **why should I stay** ~ **I don't feel well?** de ce să stau când nu mă simt bine? // **hardly/scarcely**...

~ ... de-abia... când/că; **I had hardly told him the news/ hardly had I told him the news** ~ **he sprang for joy** nici n-am terminat bine să-i spun vestea că el a și sărit în sus de bucurie **III** *pr relativ* când; în care; **on the day** ~ **I met her** în ziua când/în care am cunoscut-o; **next spring, by** ~ **the dictionary should be finished** la primăvară, înainte de a fi gata dicționarul **IV** *s:* **the** ~ **and where** timpul/ora și locul; **the** ~ **and how** timpul/ora și modalitatea

whence [wens] **I** *adv* de unde; ~ **is she?** de unde este ea? ~ **comes it that he doesn't know them?** cum se face/se întâmplă că (el) nu-i cunoaște? **II** *conj* **1** de unde (anume); **I told him** ~ **I had the news** i-am spus de unde (anume) dețin știrea **2** (acolo) de unde; **return** ~ **you came** întoarce-te de unde ai venit **III** *pr relativ* **the source** ~ **it derives** sursa de unde/din care provine

whene'er [wen'ɛəʳ] *adv, conj poetic v.* **whenever**

whenever [wen'evəʳ] **I** *adv* **1** când (anume) (*a fost, este sau va fi*); **about 1910 or** ~ **it was** pe la 1910 sau când a fost/o fi fost **2** când (anume), *F* când Dumnezeu; ~ **will you be a good boy?** *F* când Dumnezeu o să te faci băiat cuminte? **II** *conj* **1** (indiferent de momentul/clipa) când, în clipa în care/când; **I'll be here** ~ **he comes** voi fi aici, indiferent când vine **2** oricând; când; ori de câte ori; ~ **you want** oricând *sau* când vrei

whensoever [‚wensou'evəʳ] *adv, conj v.* **whenever**

where [wɛəʳ] **I** *adv* **1** unde; pe unde; încotro; ~ **do you go?** unde/ încotro te duci? ~ **can that be?** (cam) pe uned să fie (asta)? ~ **is she from?** de unde e (ea)? **ask them** ~ **to go** întreabă-i unde *sau* pe unde să mergem **2** *fig* cum; în ce fel; în ce poziție *etc.;* ~ **do you stand on this question?** ce crezi/ce punct de vedere ai în problema aceasta? ~ **shall we be, if** unde vom *sau* am ajunge dacă **3** (*în întrebări retorice*) care; unde; ~ **is the**

sense of it? care e sensul? ce rost are (asta)? e vreo rațiune (în asta)? **4** cum, în ce măsură; ~ **does this touch our interests?** în ce măsură afectează aceasta interesele noastre? **5** de unde; ~ **did you learn that?** de unde ai aflat asta? **II** *conj* **1** (acolo) unde; pe unde; încotro; de unde; **I cannot find** ~ **the puncture is** nu-mi dau seama/nu-mi pot da seama unde e pana/crăpătura **2** unde, oriunde, indiferent unde; **go** ~ **you like** du-te unde vrei **3** (atunci) când; (acolo) unde; **don't talk** ~ **you should be silent** nu vorbi (atunci) când trebuie să taci // ~**it's at** *sl* la înălțime, excelent **III** *pr relativ* (acolo) unde, în care; în locul în care; **that is (the place)** ~ **he was wounded** acolo a fost rănit, acesta este locul unde a fost rănit **IV** *s:* **the** ~ **and when** locul și timpul/ora; **the** ~ **and how** locul și modalitatea/modul

whereabouts ['wɛərə,bauts] **I** *adv* (cam) pe unde; unde; **I don't know** ~ **to look for it** nu știu (pe) unde s-o caut; ~ **are you going?** unde te duci? **II** *s pl și ca sg* reședință; locuință; domiciliu; locul unde se află cineva; **do you know his** ~? știi (cam) pe unde stă/locuiește? **the escaped prisoner's** ~ **was/were unknown** nu se știa pe unde ar putea fi evadatul

whereafter ['wɛər,ɑːftər] *adv* ← *înv* după care

whereas [wɛər'æz] *conj* **1** pe câtă vreme, în timp ce; pe de altă parte; când, de fapt; dar; **she wants a house,** ~ **I would rather live in a flat** ea (își) dorește o casă, dar eu aș prefera să trăiesc într-un apartament; **she is always ailing,** ~ **he is never ill** pe ea o doare mereu/veșnic câte ceva, în timp ce el nu e niciodată bolnav **2** deși, cu toate că; ~ **it is dangerous to draw conclusions, one cannot avoid being struck with some changes** deși e periculos să tragem concluzii, nu putem să nu semnalăm unele/anumite schimbări **3** ↓ *jur* având în vedere (faptul) că, ținând seama de

faptul că; întrucât; ~ **the aforesaid incidents have really occured** întrucât incidentele mai sus-menționate au avut întradevăr loc

whereat [wɛər'æt] ← *înv* **I** *adv* de/pentru ce; ~ **are you offended?** de ce te-ai supărat? ce te-a supărat/jignit? **II** *pr relativ* unde, în care; **the drawer** ~ **he kept his notebook** sertarul unde/în care își ținea carnetul (de însemnări) **III** *conj, adv, pr relativ* la care; după care; și (imediat) după aceea; **he turned to leave,** ~ **she began to cry** el se întoarse ca să plece, la care ea începu să plângă

whereaway [wɛərə'wei] *adv* ← *înv* unde, încotro

whereby [wɛə'bai] **I** *adv* ← *înv* cum, pe ce cale, prin ce mijloace; ~ **shall we know him?** cum/după ce o să-l recunoaștem? **II** *pr relativ* cu, în, din *sau* prin ce; cu ajutorul căruia; **a law** ~ **beggars were punished** o lege prin care cerșetorii erau pedepsiți

where'er [wɛər'ɛər] *adv, conj poetic v.* **wherever**

wherefor ['wɛə,fɔːr] *adv, pr relativ, conj înv v.* **wherefore I-III**

wherefore ['wɛə,fɔːr] | *înv* **I** *adv* de/pentru ce, din ce cauză, pentru care motiv; ~ **came she?** de ce a venit? **II** *pr relativ* pentru care, în vederea căruia; **the reason** ~ **we have met** motivul pentru care ne-am întrunit **III** *conj, adv, pr relativ* așa că, prin urmare, de aceea, pentru care motiv; **we ran out of water,** ~ **we surrendered** ni s-a terminat apa și (de aceea) a trebuit să ne predăm **IV** *s* **the** ~ motivul, cauza, rațiunea; **never mind the why(s) and** ~ **(s)** nu întreba de ce și pentru ce, nu întreba ce și cum

wherefrom [wɛə'frɔm] *adv, conj, pr relativ* de unde; din ce; din care

wherein [wɛər'in] **I** *adv* ↓ *elev* unde; în ce (anume); prin ce (anume); ~ **was I wrong?** unde (anume) am greșit? ~ **have I offended you?** cu ce (anume) te-am supărat *sau* jignit? **II** *pr relativ* ↓ *elev* unde, în care; **the room** ~ **he slept** camera în care dormea

whereness ['wɛənis] *s* ↓ *elev* poziție/loc/situare în spațiu

whereof [wɛər'ɔv] **I** *pr interog* ← *elev* din ce (anume) ~ **is it made?** din ce e făcut? **II** *pr relativ* ← *elev* despre care; **the person** ~ **he spoke** persoana despre care vorbea

whereon [wɛər'ɔn] ← *înv* **I** *pr interog* pe ce (anume); la ce (anume); unde (anume); ~ **do you look?** unde/la ce te uiți? **II** *pr relativ* pe care, unde; **the hill** ~ **we stand** dealul pe care ne aflăm

wheresoever [,wɛəsou'evər] *adv, conj v.* **wherever**

wherethrough ['wɛəθruː] ← *înv* **I** *conj* pentru că, fiindcă **II** *pr relativ* prin care

whereto [wɛə'tuː] ← *elev* **I** *adv interog* **1** de ce, în ce scop **2** unde, încotro, în ce direcție **II** *pr relativ* spre/către care; căruia

whereunto [wɛərʌntuː] *adv, pr relativ înv v.* **whereto**

whereupon [,wɛərə'pɔn] *conj, adv, pr relativ* la care; după care; și (imediat) după aceea; **I explained the matter,** ~ **he laughed heartily** când am explicat cum stau lucrurile, a râs din toată inima

wherever [wɛər'evər] **I** *adv* **1** *interog* unde; încotro; ~ **is he?** unde e el? *F* pe unde Dumnezeu umblă? ~ **did you get that idea?** *F* de unde (Dumnezeu) ți-a mai venit și ideea asta? **2** oriunde (în altă parte); **at school, in the street, or** ~ la școală, pe stradă sau oriunde în alt loc/sau cine știe cine unde **II** *conj* (acolo) unde; oriunde; indiferent unde; **he will get lost** ~ **he goes** oriunde s-ar duce, nu se poate să nu se rătăcească

wherewith [wɛə'wið] ← *înv* **I** *adv* cum, în ce fel (anume); cu ce (pot să-mi plătesc datoria etc.) **II** *pr relativ* cu care; prin care; **have you the money** ~ **to pay them?** ai bani cu care să-i plătești? banii necesari ca să-i plătești?

wherewithal, the ['wɛəwiðɔːl, ðə] *s* cele necesare (traiului etc.), cele de trebuință, ↓ banii (necesari)

wherry ['weri] *s nav* **1** barcă; luntre; șalupă **2** iolă

whet [wet] **I** *vt* **1** a ascuți *(un cuțit etc.)*, a da la tocilă *sau* gresie **2** *fig* a ațâța, a asmuți, a stimula; a excita; **to ~ smb's appetite** *și fig* a stârni/a ațâța pofta/apetitul cuiva **II** *s* **1** ascuțire *(a unui cuțit etc.)* **2** *fig* ațâțare, asmuțire, stimulare; stârnire; excitare; stimulent

whether ['weðə'] **I** *conj* dacă *(însă nu condiţional)*; **do you know ~ he's here** știi (cumva) dacă e aici? **she wondered ~ to come** se întreba dacă e cazul să vină; **it was uncertain ~ he would take the floor** nu era sigur dacă va lua cuvântul (sau nu); **she worried about ~ she had hurt his feelings** se întreba dacă nu (cumva) l-a jignit; **~ by accident or design** întâmplător sau nu/intenţionat/cu bună știință; **~ or not/no** dacă este așa sau nu; dacă da sau nu; **I am not interested in ~ you approve of it or not** nu mă interesează/puţin mă interesează dacă ești de acord sau nu (cu aceasta); **~ she comes or not, we shall leave** indiferent dacă vine sau nu, noi o să plecăm; fie că vine, fie că nu (vine), noi o să plecăm; **this is what I think, ~ right or wrong** fie că am sau nu (am) dreptate, asta este ceea ce gândesc/cred **II** *pr*← *înv* **1** *interog* care (↓ din doi); **~ is lighter, oil or water?** ce este mai ușor: untdelemnul sau apa? **2** *nehot* oricare din doi **III** *adj interog* ← *înv* care *sau* pe care (anume); **~ room do you prefer?** ce cameră preferaţi *(din mai multe)?*

whetstone ['wet,stoun] *s* **1** tocilă; cute, gresie, piatră de ascuţit **2** *fig* stimulent *(pt gândire etc.)*

whew [hwju:] *interj (exprimă diferite atitudini)* (ei) poftim! haiti! ptiu! na! asta-i bună! fir-ar să fie!

whey [wei] *s* zer

wheyey ['weii] *adj* zelos; apos

whey-faced ['wei,feist] *adj* cu faţa palidă, palid la faţă

wheyish ['weiiʃ] *adj* zeros; apos

which [witʃ] **I** *pr interog și relativ* care; pe care *(din mai mulţi)*; care, ce *sau* pe care anume; **~ of these books is yours?** care din aceste cărţi este a dumitale?

~ is more, fourteen or fifteen? care e mai mare/ce este mai mult, paisprezece sau cincisprezece? **~ of you did that?** care din voi a făcut asta? **~ would you like best?** pe care (anume) o preferi? **take the dictionary ~ is on the table** ia dicţionarul care e pe masă; **this fact, ~ I think you have forgotten, proves the contrary** faptul acesta, pe care cred că l-aţi uitat, dovedește contrariul; **the region of ~ I was speaking** regiunea despre care vorbeam; **he changed his mind, ~ made me very angry** și-a schimbat gândul, intenţia, hotărârea *etc.*, ceea ce m-a supărat profund/foarte tare; **he said he saw me there, was ~ a lie** a spus că m-a văzut acolo, ceea ce era o minciună; **he is a nice fellow and, ~ is more, an efficiency expert** e un om simpatic și, mai mult (decât atât), (un) specialist în organizarea muncii; **there not any argument so absurd, ~ was not daily received** nu existau argumente mai absurde decât cele pe care le auzeam în fiecare zi; **after ~** după care; iar după aceea; **~ is ~? a** care din ei este (cel pe care-l caut *etc.*)? **b** care e diferenţa/deosebirea dintre cei doi? prin ce (anume) se deosebesc cei doi? **they are so alike, I can never tell ~ is ~** seamănă atât de mult (între ei) încât nu-i deosebesc/pot deosebi **II** *adj interog și relativ* care (anume), ce (anume); **~ novel did you choose?** ce roman (ţi-)ai ales? **~ team won the prize?** care echipă a câștigat premiul? **he stayed here three weeks, during ~ time he never left the house** a stat aici trei săptămâni, în care timp nu a ieșit din casă; **~ shirt shall I wear?** ce cămașă *(din mai multe)* să-mi pun? **he was told to drive more carefully, ~ advice he followed** i s-a spus să conducă mai atent, sfat pe care l-a urmat/recomandare pe care și-a însușit-o

whichever [witʃ'evə'] **I** *pr relativ-conjunctiv* **1** oricare; care (anume); pe care (anume);

choose ~ of them you like best alege-l pe care-ţi place (cel mai mult); **~ comes in first receives the prize** (indiferent) cine sosește primul câștigă premiul; **I'll give it to ~ of you wants it** o să-l dau aceluia (dintre voi) care îl vrea *sau* care are nevoie de el **2** *interog (exprimând surprinderea)* care; pe care; **~ did you choose?** pe care l-ai ales? *F* tocmai pe ăsta l-ai ales? **II** *adj relativ* oricare, indiferent care *sau* pe care; **sing ~ song you please** cântă orice cântec vrei

whichsoever [,witʃsou'evə'] *pr, adj (intensiv)* v. **whichever**

whiff [wif] **I** *s* **1** adiere, boare, suflu; < răbufnire (de vânt), rafală (de vânt) **2** miros, iz, adiere, boare **3** pufăit **4** fum; rotocol *sau* trâmbă de fum **5** inhalare **II** *vt* **1** *(d. vânt etc.)* a sufla, a îndepărta; a mătura **2** a fuma din *(pipă)*; a pufăi din **3** a scoate rotocoale de *(fum)* sau a trage în piept rotocoale de *(fum)* **III** *vi* **1** *(d. vânt)* a adia, a sufla/a bate ușor **2** a pufăi; a scoate *sau* a trage în piept rotocoale de fum **3** *F* a puţi, – a duhni, a mirosi urât

whiffet ['wifit] *s amer* **1** slabă adiere **2** pufăit; pală *sau* rotocol de fum **3** căţel **4** *fig F* javră, jigodie, – om de nimic (↓ *d. un tânăr*)

whiffle ['wifəl] **I** *vi* **1** *(d. vânt)* a sufla slab/a adia din când în când **2** *(d. lumină)* a licări; a pâlpâi **3** *amer* a fi șovăitor; a șovăi, a ezita, a nu se hotărî **II** *vt* *(d. vânt etc.)* a risipi, a împrăștia **III** *s* **1** adiere, boare; < rafală (de vânt) **2** rotocol *sau* pală (de fum *etc.*)

whiffler ['wiflə'] *s* **1** om neserios; om care-și schimbă părerile **2** lăudăros, fanfaron, farfara

whiffy ['wifi] *adj F* împuţit, – rău mirositor

Whig [wig] *adj, s pol od* whig, liberal *(în Anglia)*

while [wail] **I** *conj* **1** pe când, în timp ce; cât timp; și; **~ there is life, there is hope** cât timp trăiești, speri; omul cât trăiește, nădăjduiește; **do not smoke ~ you eat** nu fuma când mănânci; **write ~ I dictate** tu scrii și eu dictez; **~ reading he fell asleep** citind/în timp ce citea a adormit

2 pe câtă vreme; dar, însă; **he likes sports, ~ she hates them** lui îi place sportul/îi plac sporturile, iar ea îl *sau* le urăște **3** *(în prop introductive)* deși, cu toate că; **~ I admit it is difficult, I do not think it impossible** deși recunosc că e greu, nu cred că e imposibil **II** *s* (răs)timp, interval (de timp); perioadă scurtă; câtva timp, câtăva vreme; **after a ~** după un/câtva timp, după o/câtăva vreme; **I'll be back in a ~** mă întorc numaidecât/peste puțin/curând; **a long ~ ago** cu mult (timp) în urmă, de mult; **the ~ poetic** în acest răstimp, într-acestea, – între timp; **all this ~ , this long ~** ← *înv* în tot acest timp, în tot timpul acesta; multă vreme, vreme îndelungată; **once in a ~** când și când, din când în când; rareori; **between ~s** din când în când, uneori, câteodată; **to be worth one's ~** a merita, a nu fi o pierdere de timp/vreme **III** *prep reg* până (la); **I don't think I'll see him ~ Monday** nu cred că-l văd până luni **IV** *vt* **1** *v.* **while away 2** ← *rar* a uita de, a îndepărta *(durerea etc.)* **V** *vi (d. timp) reg* a trece greu

while away ['wail ə'wei] *vt cu part adv* a-și petrece (↓ *în chip plăcut*) *(timpul, dimineața etc.)*

whiles [wailz] ← *înv* **I** *conj* în timp ce, pe când **II** *adv* uneori, câteodată

whilom ['wailəm] *adv înv* altcineva, – cândva, odinioară, altădată

whilst [wailst] *conj v.* **while I**

whim [wim] *s* **1** fantezie, capriciu; toană; poftă; moft **2** *tehn* troliu, vârtej

whimper ['wimpər] **I** *vi* **1** a scânci; a se smiorcăi, a se sclifosi **2** *(d. câini)* a scheuna; a scânci **3** *(d. vânt)* a vui, a se tângui **4** *(d. ape)* a murmura **II** *vt* a spune/a rosti pe un ton plângăreț **III** *s* **1** scâncet; smiorcăit; sclifosit **2** scheunat; scâncet

whimsey ['wimzi] *s v.* **whimsy**

whimsical ['wimzikəl] *adj* **1** capricios, năbădăios, cu toane **2** cu idei ciudate **3** fantastic, bizar; excentric, straniu, ciudat

whimsicality [ˌwimzi'kæliti] *s* **1** caracter capricios/năbădăios **2** caracter ciudat/straniu/bizar; excentricitate **3** *v.* **whim 1**

whimsically ['wimzikəli] *adv* **1** (în mod) capricios; cu toane **2** (în mod) bizar, straniu, ciudat

whimsy ['wimzi] *s* **1** ciudățenie, bizarerie **2** fantezie, închipuire, imaginație **3** umor ciudat/straniu

whin [win] *s* **1** *bot* ginistru de Anglia *(Ulex europaeus)* **2** *v.* **whinstone**

whine [wain] **I** *vi* **1** a scânci; a geme **2** *(d. câini)* a scheuna **3** *fig* a se văita, a se văicări, a se plânge, a se jelui **II** *vt v.* **whimper II**, **III** *s* **1** scâncet; geamăt **2** scheunat **3** *și fig* vaiet; vaier; plânset

whiner ['wainər] *s* (om) plângăcios, plângăreț; (om) văicăreț

whinny ['wini] **I** *vi* a necheza, a rânchéza, a mihoti *(ușor sau vesel)* **II** *s* nechezat, rânchezat, mihotit *(ușor sau vesel)*

whinstone ['win,stoun] *s geol* bazalt; rocă bazaltică

whiny ['waini] *adj* plângăreț, plângăcios

whip [wip] **I** *s* **1** bici; gârbaci; cnut, nagaică; cravașă; nuia, vergea; **to ride ~ and spur** a goni din răsputeri **2** vizitiu; birjar **3** hăitaș *(la o vânătoare de vulpi)* **4** *pol* organizator parlamentar *(al unui partid)* **5** *pol* convocare a parlamentarilor unui partid *(pt a participa la vot)* **6** aripă, braț *(al unei mori de vânt)* **7** albuș bătut spumă; frișcă **8** *tehn* scripete; troliu **9** *nav* mandar simplu **10** *nav* curent de mandar **II** *vt* **1** a bate cu biciul, a biciui; a lovi cu biciul, gârbaci *etc.* (v. **~ I, 1**); a cravașa **2** ↓ *înv* a bate tare, a burduși în bătaie **3** a bate *(lapte, albuș etc.)* **4** *fig F* a bate, – a învinge **5** a se mișca, a mânui, a scoate *etc.* repede; **she ~ed off her shoes** își scoase repede pantofii **6** a răsuci, a învârti *(titirezul etc.)* **7** *constr* a înfășura, a înveli **8** a arunca undița de mai multe ori în *(râu etc.)* **9** a tivi; a coase pe margine **10** *fig* a înțepa cu vorba **11** *nav* a patrona *(capătul unei parâme)* **12** *v.* **whip up III** *vi* **1** a se mișca, a trece, a merge *etc.* în goană, repede *etc.*; **he ~ped down the stairs** coborî scările în grabă **2** *(d. steaguri etc.)* a fâlfâi **3** *(d. ploaie)* a răpăi **4** *(d. vânt)* a se năpusti; a urla **5** a pescui cu undița

whip away ['wip ə'wei] **I** *vi cu part adv* a fugi brusc, a se face nevăzut, *F* a spăla putina **II** *vt cu part adv* **1** a alunga/a izgoni cu biciul **2** a smulge *(portofelul etc.)*

whipcord ['wip,kɔːd] *s* **1** sfoara/fișca biciului **2** un fel de catgut

whipgraft ['wip,grɑːft] *vt* a altoi (după sistemul englezesc)

whip hand ['wip ˌhænd] *s* mâna dreaptă *(cea care ține biciul);* **to have/to get the ~ of/over smb** a avea deplină stăpânire asupra cuiva, a avea pe cineva la ordinele sale, a dispune total de cineva; **they have the ~ in this situation** ei sunt stăpâni pe situație

whip in ['wip 'in] *vt cu part adv* **1** a mâna înăuntru *(vitele etc.)* **2** *pol* a convoca la ședință *(parlamentari)*

whip into ['wip ˌintə] *vt cu prep* a vârî/a băga repede în

whiplash ['wiplæʃ] *s* **1** sfichi, sfârc (de bici) **2** lovitură de bici, sfichi **3** *fig* zvâcnire; cutremurare; fior; lovitură de măciucă

whip off ['wip 'ɔːf] *vi sau vt cu part adv v.* **whip away**

whip out ['wip 'aut] **I** *vi cu part adv* a o zbughi afară, *F* a o șterge **II** *vt cu part adv* **1** a smulge *(o armă etc.)* **2** a alunga cu biciul **3** a rosti brusc și tăios; a trage *(o înjurătură etc.)*

whipped cream ['wipt ˌkriːm] *s* frișcă

whipper ['wipər] *s* biciuitor; călău

whipper-in ['wipər'in], *pl* **whippers-in** ['wipəz'in] *s v.* **whip I, 4**

whipper-snapper ['wipəˌsnæpər] *s* **1** pitic, barbă-cot **2** tânăr plin de ifose/sine, *F* mucos care face pe grozavul **3** nulitate, om de nimic

whippet ['wipit] *s zool* soi de ogar *(folosit la curse)*

whipping ['wipiŋ] **I** *s* **1** biciuire; bătaie **2** *F* bătaie, – înfrângere **3** funii; curele **4** *tehn* răsucire *(a unui mecanism)* **5** *nav* patroane **II** *adj* iute; rapid; fulgerător

whipping boy ['wipiŋ ˌbɔi] *s* **1** *od* băiat crescut o dată cu prințul sau cu fiul de nobil și biciuit în locul lui **2** *fig* țap ispășitor

whippoorwill ['wipu,wil] *s orn* caprimulgul țipător *(Caprimulgus vociferus)*

whippy ['wipi] *adj* elastic, ca un arc

whip-round ['wip,raund] *s* colectă *(în scopuri de binefacere etc.);* chetă

whip round ['wip 'raund] *vi cu part adv* a se întoarce/a se răsuci repede

whipsaw ['wip,sɔ:] *s* ferăstrău cu coadă

whip up ['wip 'ʌp] *vt cu part adv* **1** a smulge din mâna cuiva **2** a face în grabă, a încropi **3** a strânge, a face rost de *(spectatori etc.)* **4** a stimula *(interesul etc.),* a incita

whir [wə:ʳ] *vi, s interj v.* **whirr**

whirl [wə:l] **I** *vt* **1** a învârti, a roti; a învârteji **2** *(d. un vehicul)* a duce într-o goană **II** *vi* **1** a se învârti, a se roti; a se răsuci; a fi prins într-un vârtej; a se învârteji **2** a merge, a mâna, a se mișca *etc.* repede; a trece val-vârtej; a goni **3** *fig* a ameți; a se zăpăci; a se întuneca **III** *s* **1** învârtire, rotire; răsucire; vârtej, volbură; **to give smth a ~ ←** *F* a încerca (să facă) ceva *(ca să vadă dacă e bun etc.)* **2** *fig* (stare de) zăpăceală; confuzie; **his head was in a ~** nu-și mai putea aduna gândurile, nu mai știa pe ce lume trăiește; era complet zăpăcit/buimac/năuc **3** *fig* vârtej, vâltoare *(a vieții etc.);* zbucium; nebunie

whirl away ['wə:lə'wei] *vt cu part adv (d. un vehicul etc.)* a duce (departe) în goana mare

whirligig ['wə:li,gig] *s* **1** morișcă; titirez, sfârlează **2** călușei, căișori **3** *și fig* vâltoare, volbură; vârtej **the ~ of time** vicisitudinile soartei

whirlpool ['wə:l,pu:l] *s* **1** bulboană; vâltoare, vârtej, volbură **2** *fig* prăpastie, abis, genune

whirlwind ['wə:l,wind] *s* vârtej *(de vânt),* trâmbă, tromba; vifor; vijelie; **a ~ of applause** *fig* o furtună de aplauze; **~ of passion** *fig* volbură a pasiunii; **to come in like a ~** a intra ca o vijelie

whirlybird ['wə:li,bə:d] *s amer sl* elicopter

whirr [wə:ʳ] **I** *s* bâzâit, zumzet; zbârnâit; < (h)uruit **II** *vi* a bârâi, a zumzăi; a zbârnâi; a vibra;

< a (h)urui **III** *interj* zum (zum)! bâz (bâz)! < hur (hur)!

whirring ['wə:riŋ] *adj atr* bâzâitor, zumzăitor; zbârnâitor; < (h)uruitor

whish [wiʃ] *s* șuierat *(al glonțului etc.)*

whisk [wisk] **I** *s* **1** mișcare repede *(a mâinii etc.)* **2** mănunchi de fire, pene *etc.;* pămătuf; șomoiog; măturică **3** *tel (pt bătut ouăle etc.)* **4** clipă, moment; **in a ~** într-o clipă **II** *vt* **1** a goni *(muștele etc.);* a îndepărta; a scutura *(praful)* **2** a bate *(cu telul)* **3** a mișca, a scoate, a îndepărta *etc.* repede **III** *vi* **1** a trece repede **2** a se îndepărta repede; a se face nevăzut, a pieri (din fața ochilor); **the mouse ~ed into its hole** șoarecele dispăruse/se furișă în gaură

whisk away ['wisk ə'wei] *vt cu part adv* **1** a goni *(muștele etc.)* **2** a lua, a ridica, a îndepărta *etc.* repede; **she whisked the cups away** strânse repede ceștile (de pe masă)

whiskered ['wiskəd] *adj* **1** cu favoriți **2** *(d. pisică etc.)* cu mustăți

whiskers ['wiskəz] *s pl* **1** favoriți, cotleți **2** mustăți *(de pisică etc.)*

whiskey ['wiski] *s* whisky fabricat în S.U.A. *sau* Irlanda

whiskied ['wiskid] *adj* cu whisky; întărit cu whisky; mirosind a whisky

whisky ['wiski] *s* **1** whisky **2 a ~** un (pahar de) whisky

whisper ['wispəʳ] **I** *vi* **1** a șopti, a vorbi în șoaptă, a șușoti **2** *fig* a șușoti/a bârfi (prin colțuri) **3** *(↓ d. vânt)* a șopti, a murmura **II** *vt* a șopti, a șușoti; a spune la ureche; **it is ~ed that** se zvonește că **III** *s* **1** șoaptă; șușoit; **in a ~** în șoaptă, pe șoptite **2** șoptit, murmur **3** zvon **4** aluzie

whisperer ['wispərəʳ] *s* bârfitor; om care umblă cu vorbe; clevetitor

whispering ['wispəriŋ] *adj atr* **1** șoptit **2** șopotitor

whispering campaign ['wispəriŋ kəm'pein] *s* campanie de calomnii; răspândire de zvonuri

whist[1] [wist] *interj ←* *înv* ssst!

whist[2] *s* whist *(joc de cărți)*

whistle ['wisəl] **I** *s* **1** fluier; tilincă; **to pay (too dear) for one's ~** *fig*

a plăti (cu vârf și îndesat) (pentru o plăcere, distracție *etc.*) **2** fluierat, fluierătură; șuierat, șuierătură; chiot; **at smb's ~** la prima chemare a cuiva **3 ←** *F* gât(lej), beregată; **to wet one's ~** *F* a trage o dușcă, a-și uda gâtlejul **II** *vi* a fluiera; a șuiera; a chiui; **you can ~ for it** *F* pune-ți pofta în cui, poți să aștepți mult și bine *(↓ plata unor bani)* **III** *vt* a fluiera *(o melodie, pe cineva etc.)*

whistler ['wislə] *s* **1** persoană care fluieră *sau* chiuie **2** fluierar, fluieraș **3** *sl* informator *(al poliției)*

whistle-stop ['wisəl,stɔp] **I** *s ferov* haltă; stație facultativă **II** *adj atr (d. un turneu electoral)* cu opriri dese în localități mici

whistle up ['wisəl 'ʌp] *vt cu part adv* a încropi; a înșăila; a înjgheba

whit [wit] *s:* **not a ~** nici un pic, nici o iotă, defel, deloc

Whit *s v.* **Whitsun**

white [wait] **I** *adj* **1** alb, *poetic ←* dalb; **(as) ~ as snow** alb ca zăpada/neaua **2** alb, deschis, de culoare deschisă **3** alb, pal(id) **to turn ~** a se albi la față, a păli **4** alb, cu pielea albă **5** alb, sur, argintiu, cărunt **6 ←** *rar; poetic* bălai, – cu părul blond **7** curat; transparent; străveziu **8** *(d. cafea)* cu mult lapte *sau* multă frișcă **9** *fig* curat, pur; nepribănit; nevinovat, inocent **10** *fig ←* *F* cinstit, onest; de treabă, cumsecade; deschis, sincer, care nu are nimic de ascuns **11** *(d. școli etc.)* pentru albi **12** *pol* alb; reacționar; regalist **II** *s* **1** (culoarea) alb; albeață **2** material alb, rochie albă *etc.;* **the woman in ~** femeia în alb **3** albuș **4** *anat* albul ochiului **5** (spațiul) alb **6** *fig* puritate, curățenie; nevinovăție, nepribănire **7** (om) alb **8** *pol* alb; reacționar; regalist **III** *vt ←* *rar* **1** a vărui, a zugrăvi **2** a albi *(rufe)*

white ant ['wait ,ænt] *s ent* termită *(Termes bellicosa)*

white ash ['wait ,æʃ] *s bot* frasin alb/american *(Fraxinus alba)*

whitebait ['wait,beit] *s iht* plevușcă, pești mici

white bear ['wait ,bɛəʳ] *s zool* urs alb/polar *(Ursus maritimus)*

whitebeard ['wait,biəd] *s* moș (cu barbă albă)

white-bearded ['wait,biədid] *adj* cu barba albă

white birch ['wait ,bə:tʃ] *s bot* mesteacăn alb *(Betula pendula)*

white blood cell ['wait,blʌd 'sel] *s* v. **white corpuscle**

white-blooded ['wait,blʌdid] *adj* anemic

white book ['wait ,buk] *s pol* carte albă

white bread ['wait ,bred] *s* pâine albă

whitecap ['wait,kæp] *s nav* berbec, pată albă de spumă

white cedar ['wait ,si:də'] *s bot* tuie *(Thuja occidentalis)*

Whitechapel ['wait,tʃæpəl] *cartier* sărăcăcios din Londra

White Christmas ['wait 'kristməs] *s* Crăciun cu zăpadă

white-collar ['wait,kolə'] *adj atr* funcționăresc; intelectual; de birou

white corpuscle ['wait 'ko:pəsəl] *s anat* leucocită

white damp ['wait ,dæmp] *s ch* (mono)oxid de carbon

white sepulchre ['waitid 'sepəlkə'] *s bibl fig* mormânt văruit, – fățarnic

white dwarf ['wait ,dwo:f] *s astr* pitic alb

white elephant ['wait ,elifənt] *s* cadou stânjenitor/de care ai vrea să scapi; obiect/lucru de prisos

white ensign ['wait 'ensain] *s nav* pavilion național englez

white-faced ['wait,fɛist] *adj* 1 cu fața albă, alb la față 2 *(d. animale)* țintat, cu o pată albă în frunte

white feather ['wait ,feðə'] *s* 1 frică; lașitate; **to show the ~** a-i fi frică, a da bir cu fugiții 2 fricos; laș

whitefish ['wait,fiʃ] *s iht* pește alb/ cu carnea albă

white flag ['wait ,flæg] *s mil* steag alb

White Friar ['wait ,fraiə'] *s rel* călugăr carmelit

white frost ['wait ,frost] *s* chiciură

white-haired ['wait,hɛəd] *adj* cu părul alb/cărunt

Whitehall ['wait'ho:l] *s* 1 *od* palatul regal din Anglia *(Londra)* 2 Whitehall *(stradă din Londra unde se află ministerele)* 3 *fig* Whitehall, guvernul, conducerea; **has/have ~ taken any action on this matter?** a luat guvernul vreo măsură în această problemă?

white-handed ['wait,hændid] *adj* 1 cu mâini(le) albe 2 *fig* cu mâinile curate/nepătate, nevinovat

white-headed ['wait,hedid] *adj* cu capul alb; cărunt

white horses ['wait ,ho:siz] *s pl nav* berbeci, pete albe de spumă

white-hot ['wait,hot] *adj* 1 incandescent 2 *fig* supărat foc, turbat 3 *fig* extaziat; entuziasmat la culme

White House, the ['wait 'haus, ðə] *s* Casa Albă *(reședința oficială a președintelui S.U.A.)*

white iron ['wait 'aiən] *s met* tablă cositorită

white lac ['wait 'læk] *s* șerlac

white lady ['wait 'leidi] *s cocktail din* gin, lichior și albuș de ou

white lead ['wait 'led] *s* 1 *ch* alb/ ceruză de plumb 2 *minr* ceruit

white letter ['wait 'letə'] *s poligr* 1 literă negativă 2 caractere drepte 3 caractere latine

white lie ['wait ,lai] *s* minciună nevinovată; minciună necesară; minciună convențională

white light ['wait ,lait] *s* 1 *fiz* lumină albă 2 lumina zilei

white-like ['wait,laik] *adj* albicios, alburiu

white lime ['wait ,laim] *s minr* var alb/gras

white line ['wait ,lain] *s poligr* interlinie, dursuș; rând alb

white-livered ['wait'livəd] *adj* fricos, slab de înger, fără curaj

white magic ['wait ,mædʒik] *s* magie albă

white man ['wait ,mæn] *s* om alb

white meat ['wait ,mi:t] *s* carne albă *(de pasăre, vițel etc.; piept de găină etc.)*

white metal ['wait ,metl] *s met* compoziție; babbit; metal antifricțiune

whiten ['waitən] I *vt* 1 a albi, a înălbi 2 a vărui, a spoi, a zugrăvi 3 a pudra 4 a curăța *(piei)* de carne II *vi* 1 a se albi, a se înălbi; a deveni alb *sau* mai alb 2 a albi, a încărunți 3 a păli, a îngălbeni

whiteness ['waitnis] *s* 1 albeață; albiciune; paloare, paliditate 2 ← *înv* nevinovăție, curățenie, puritate

whitening ['waitəniŋ] *s* 1 albire, înălbire 2 vopsea albă; cremă albă *(de ghete etc.)*

white noise ['wait ,noiz] *s tel* zgomot alb

white note ['wait ,nout] *s muz* 1 notă întregă 2 doime

white paper ['wait ,peipə'] *s pol* carte albă

white pepper ['wait ,pepə'] *s* piper alb

white pine ['wait ,pain] *s bot* pin strob *(Pinus strobus)*

white poplar ['wait ,poplə'] *s bot* 1 plop alb *(Populus alba)* 2 liriodendron *(Liriodendron tulpifera)*

whites ['waits] *s pl ↓ sport* îmbrăcăminte de culoare albă

white sauce ['wait ,so:s] *s* sos alb

White Sea, the ['wait ,si:, ðə] Marea Albă

white slave ['wait ,sleiv] *s* „sclavă albă", prostituată *(↓ fără voie)*

white slaver ['wait ,sleivə'] *s* traficant de carne vie

white slavery ['wait ,sleivəri] *s* „sclavie albă", prostituție *(↓ silită); trafic de carne vie*

whitesmith ['wait,smiθ] *s* tinichigiu

white spirit ['wait ,spirit] *s ch* white spirit; terebentină de petrol

whitestone ['wait,stoun] *s minr* granulit

whitethorn ['wait,θo:n] *s bot* păducel, gherghin, mărăcine *(Crataegus oxyacantha)*

whitethroat ['wait,θrout] *s orn* silvia cap sur *(Sylvia sp.)*

white tie ['wait ,tai] *s* 1 papion alb *(pt frac)* 2 frac; ținută oficială

white vitriol ['wait 'vitriəl] *s ch* vitriol alb, suflat de zinc

whitewash ['wait,woʃ] I *s* 1 var stins; lapte de var 2 văruit, spoit 3 ← *F* lapte demachiant; cremă de față 4 albire, înălbire; lăcuire 5 pahar de Xeres *(după ce s-au consumat alte soiuri de vin)* 6 *fig* reabilitare 7 *fig* încercare de a trece cu vederea; mușamalizare; acoperire; minciună II *vt* 1 a vărui, a spoi, a zugrăvi 2 *fig* a reabilita 3 *fig* a căuta să treacă cu vederea; a mușamaliza; a acoperi; a scoate basma curată *(pe cineva)* 4 *sport* a câștiga *(o partidă)* fără ca adversarul să marcheze un singur punct

white willow ['wait ,wilou] *s bot* răchită albă *(Salix alba)*

white zinc ['wait ,ziŋk] *s ch* oxid/alb de zinc

whither ['wiðə^r] ← *înv, poetic* **I** *adv* **1** unde, încotro; ~ **are you going?** unde te duci? **2** unde, spre/către care; **the place ~ they went** locul unde/spre care s-au dus **II** *conj* unde; acolo unde; **let them go ~ they will** (n-au decât) să se ducă unde vor **III** *s* țel, destinație; **our whence and our ~** de unde venim și încotro ne ducem

whiting[1] ['waitiŋ] *s* **1** lapte de var **2** cretă

whiting[2] *s* iht merlan *(Gadus merlangus)*

whitish ['waitiʃ] *adj* alburiu, albicios

whitlow ['witlou] *s med* panarițiu, sugel

Whitman ['witmən], **Walt** *poet american (1892-1918)*

Whitsun ['witsən] *s* **1** *și* **Whit Sunday** ['wit ˌsʌndi] Duminica Rusaliilor, Rusalii **2** Duminica Rusaliilor și săptămâna ce urmează, săptămâna Rusaliilor

Whitsuntide ['witsən,taid] *s v.* **Whitsun 2**

Whittier ['witiə^r], **John Greenleaf** *poet american (1807-1892)*

whittle ['witəl] **I** *vt* **1** a ciopli, a tăia cu cuțitul *(lemn)*; a sculpta în *(lemn)*; a ciopli *(o figură)* **2** *fig v.* **whittle away II** *vi* a ciopli

whittle away ['witəl ə'wei] *vt cu part adv* **1** a reduce costul *cu gen;* a ajusta; a reduce **2** a slăbi *(puterile etc.);* a micșora

whittler ['witlə^r] *s* cioplitor

whiz(z) [wiz] **I** *s* **1** șuierat; zbârnâit; bâzâit **2** *amer sl* maestru, expert, specialist **II** *vi* **1** a șuiera; a vâjâi; a zbârnâi; a bâzâi **2** *fig* a trece repede; a trece val-vârtej; *(d. mașini etc.)* a trece vâjâind

whiz kid [wiz ˌkid] *s* ← *F* persoană care face carieră rapid *(mulțumită inteligenței)*

who [hu *formă slabă*, hu: *formă tare*] *pr* **1** *interog și relativ-conjunctiv* cine; ← *F* pe cine; ~ **is speaking?** cine vorbește? ~**'s there?** cine e acolo? ~ **did you give it to?** cui l-ai dat? ~ **with?** cu cine? ~ **did you see?** ← *F* pe cine ai văzut? **do you know ~ was here a couple of minutes ago?** știi cine a fost aici acum câteva minute? **I don't know ~ he is** nu știu cine e **2** *relativ* care; pe care;

the man ~ told me the whole story omul care mi-a spus toată povestea (asta); **the man ~ I spoke to** omul cu care am vorbit; **a man ~ I know** un om pe care-l cunosc; **a family ~ quarrel among themselves** o familie de oameni care se (tot) ceartă între ei **3** *relativ-conjunctiv* ← *înv* acel ce, – acela care, cel care/ce

WHO *presc de la* **the Wolrd Health Organization**

whoa [whou, hou] *interj (pt a opri caii)* ptrr!

who'd [hu:d] *contras din* **1** who had **2** who would

whodunit [hu:'dʌnit] *s* ← *F* roman, film *etc.* polițist

whoe'er [hu:'ɛə^r] *pr poetic v.* **whoever**

whoever [hu:'evə^r] *pr* **1** *relativ-conjunctiv* oricine, acela care/ce, cel care/ce; toți cei care/ce; ~ **comes will be welcome** oricine vine va fi binevenit, toți cei ce vin vor fi bineveniți; ~ **you may be, I am deeply grateful to you** oricine/indiferent cine ai fi, îți sunt profund recunoscător **2** *interog intensiv (în loc de* who*)* cine? cine oare? cine anume? *F* cine naiba? ~ **told you that?** cine ți-a mai spus-o și p-asta? **3** *relativ-conjunctiv (în loc de* whomever*)* ← *F* pe cine; pe oricine; **go and fetch ~ you like** adă pe cine vrei

whole [houl] **I** *adj* **1** *atr* întreg; tot; complet; **he's eaten the ~ loaf** a mâncat toată pâinea/franzela; **the ~ truth** tot adevărul, întregul adevăr; **the ~ world** lumea întreagă, întreaga lume; **with one's ~ heart** a din toată inima, din tot sufletul b sincer; **a ~ lot of** o mulțime de; mult, multă, mulți *sau* multe; **he talked a ~ lot of nonsense** a spus tot felul de prostii, a debitat nenumărate absurdități **2** întreg, nevătămat, teafăr; **to escape with a ~ skin** a scăpa teafăr, a scăpa cu pielea întreagă; **there is not a plate ~** n-a rămas întreagă nici o farfurie, n-a scăpat (neatinsă) nici o farfurie, s-au spart toate farfuriile **3** *atr în postpoziție* întreg, așa cum este, în întregime; **he swallowed the plum ~** a înghițit pruna întreagă; **to swallow**

smth ~ *fig* a accepta ceva fără să se gândească *(↓ ceva discutabil);* a lua ceva drept bun **4** *atr* nu mai puțin de; întreg; tot; plin; **a ~ hour** o oră întreagă/în cap, nu mai puțin de o oră; **for three ~ days** trei zile în șir **5** *atr* total; integral; ~ **blood** sânge total/integral; ~ **meal** făină integrală; ~ **pepper** piper boabe **6** *atr (d. frați)* bun, de sânge **7** *bibl și* ← *înv* sănătos **II** *s* întreg; tot; unitate; **two halves make a ~** două jumătăți fac un întreg; **the ~ of his money had been stolen** îi fuseseră furați toți banii; **the ~ of history** întrega istorie; **in (the) ~ a** în întregime **b** ← *rar* în total; **as a ~** în întregime/ansamblu/totalitate; în general; **(up)on the ~ a** în general/mare/linii mari **b** luând totul în considerare; până la urmă; la urma urmei **c** în total, cu totul

whole blood ['houl 'blʌd] *s* **1** descendență din aceiași părinți; **brothers of the ~** frați buni/de sânge **2** rasă pură **3** cal pur-sânge

whole-coloured ['houl ˌkʌləd] *adj* de o singură culoare, monocrom; uni

whole-heated ['houl'ha:tid] *adj* **1** *(d. cineva)* sincer, deschis; cald, apropiat **2** sincer; din toată inima; cordial **3** *(d. muncă)* serios, temeinic **4** *(d. atenție, interes)* maxim, deplin

whole-heartedly ['houl'ha:tidli] *adv* **1** din toată inima; cordial; cu căldură **2** temeinic, serios

whole-heartedness ['houl'ha:tidnis] *s* **1** căldură (sufletească); cordialitate **2** (deplină) sinceritate; onestitate; bună-credință **3** seriozitate

whole hog, the ['houl, hɔg, ðə] *adv sl* tot, până la capăt; **to go ~ a** a face ceva până la capăt, a duce ceva la bun sfârșit, a nu se opri la mijlocul drumului **b** a merge până în pânzele albe; **let's go ~** dacă-i bal, bal să fie!

whole-length ['houl,leŋθ] **I** *adj atr* **1** *(d. un portret)* în mărime naturală **2** integral **II** *s* portret în mărime naturală

wholemeal ['houl,mi:l] *s* făină integrală

whole milk ['houl ˌmilk] *s* lapte integral

wholeness ['houlnis] *s* caracter complet; deplinătate, integritate; plenitudine; totalitate

whole note ['houl ,nout] *s muz amer* notă întreagă

whole number ['houl ,nʌmbəʳ] *s mat* număr întreg

wholesale ['houl,seil] **I** *s com* gros, vânzare cu ridicata **II** *adv* **1** *com* angro, en gros, cu ridicata, *P* ← cu hurta/toptanul **2** *fig* în masă; fără deosebire, la întâmplare; cu toptanul; **to waste one's money** ~ a toca banii, a arunca banii pe fereastră; **they sent out invitations** ~ au trimis teancuri de invitații **III** *adj atr* **1** *com* de angro; cu ridicata **2** total, integral; deplin; în masă; ~ **slaughter** măcel în masă; ~ **liar** mincinos fără pereche

wholesaler ['houl,seiləʳ] *s com* angrosist

wholesome ['houlsəm] *adj* **1** bun (pentru sănătate), sănătos; salubru; folositor; priincios; nutritiv, hrănitor **2** bun, moral, folositor; **it isn't a** ~ **film for children** nu este un film educativ pentru copii; ~ **influence** influență pozitivă/binefăcătoare **3** înfloritor, mustind de sănătate; robust, viguros **4** *sl* ferit, sigur; **the place is not** ~ **for us** nu e sănătos să stăm aici

wholesomeness ['houlsəmnis] *s* **1** salubritate, sănătate **2** caracter nutritiv **3** folos, utilitate **4** caracter moral *sau* educativ

whole-souled ['houl ,sould] *adj rar* v. **whole-hearted**

whole-time ['houl ,taim] *adj atr* **1** care ocupă tot timpul cuiva **2** programat pentru întreaga zi *sau* săptămână de lucru; cu program complet de lucru; cu normă întreagă

whole-timer ['houl ,taiməʳ] *s* muncitor *sau* funcționar care lucrează ziua *sau* săptămâna întreagă (*de lucru*); muncitor *sau* funcționar permanent; salariat cu normă întreagă

who'll [hu:l] *contras din* **who will**

wholly ['houli] *adv* în întregime, total(mente), întru totul, pe de-a-ntregul

whom [hum *formă slabă*, hu:m *formă tare*] *pr dat și ac de la* **who** (*se*

foloseşte ↓ în scris şi în vorbirea îngrijită) cui; pe cine; căruia; pe care; **for** ~? pentru cine? **with** ~? cu cine? ~ **did you meet there?** pe cine ai întâlnit acolo? **a man** ~ **you may know of** un om despre care poate că ai auzit

whomever [hu:m'evəʳ] *pr dat şi ac poetic de la* **whoever**

whomsoe'er [,hu:msou'eəʳ] *pr dat şi ac poetic de la* **whosoever**

whoo [hu:] *interj* **1** (*exprimă surprindere*) haiti! a (a)! o (o)! **2** (*exprimă plăcere*) a (a)! o (o)! ei!

whoop [wu:p] **I** *s* **1** strigăt (↓ de bucurie); urlet; răcnet **2** strigăt de luptă **3** țipăt (*al bufniței*) **4** *med* inhalare convulsivă a aerului (*după un atac de tuse convulsivă*); tuse convulsivă **5** de-a v-ați ascunselea, mijoarca // **not worth a** ~ *F* care nu face o ceapă degerată/o para chioară **II** *vi* a striga (↓ de bucurie); a urla; a răcni **III** *vt*: **to** ~ **up** *F* a o face lată; – **a petrece/a se distra** grozav/strașnic **IV** *interj* ura! bravo! tii! grozav!

whoopee [wu:'pi:] **I** *interj v.* **whoop IV II** *s*: **to make** ~ *v.* **whoop III**

whooping cough ['hu:piŋ ,kɔf] *s med* tuse convulsivă/*P* ← măgărească

whoops [wups] *interj* (*folosită după ce ai alunecat şi te-ai ridicat etc.*) hop(a)! hopa sus!

whoosh [wu:ʃ] **I** *s* fâsâit; şuierat (*al aerului*) **II** *vi* **1** (*d. săgeată etc.*) a şuiera; a trece şuierând **2** (*d. o maşină etc.*) a trece ca o vijelie

whop [wɔp] **I** *vt* **1** *sl* a bate zdravăn, a burduşi în bătaie **2** *sl* a bate, a învinge **3** *sl* a distruge, a face praf **II** *s amer sl* lovitură zdravănă

whopper ['wɔpəʳ] *s* **1** *F* monstru, – obiect foarte mare **2** *F* minciună gogonată

whopping ['wɔpiŋ] *adj* **1** *F* gogeamite, – foarte mare, enorm **2** (*d. o minciună*) *F* gogonat

whore [hɔːʳ] **I** *s* **1** *vulg* târfă, haită, fleoarță **2** *bibl* desfrânată **II** *vi* **1** *vulg* a fi o târfă, – a face strada **2** *vulg* a umbla din târfă în târfă **III** *vt înv* a necinsti, – a dezvirga

who're ['hu:əʳ] *contras din* **who are**

whoredom ['hɔːdəm] *s* **1** prostituție **2** desfrâu, dezmăț **3** *bibl* închinare la idoli

whorehouse ['hɔː,haus] *s înv* lupanar, – bordel

whoremaster ['hɔː,mɑːstəʳ] *s* ← *înv*, *vulg* **1** stricat, dezfrânat; crai **2** mijlocitor, proxenet, *F* peşte

whoremonger ['hɔː,mʌŋgəʳ] *s* v. **whoremaster 1**

whoreson ['hɔːsən] ← *înv* **I** *s* **1** pui/fiu/fecior de lele, ticălos **2** bastard, fiu din flori **II** *adj atr* ticălos, nemernic

whoreish ['hɔːriʃ] *adj vulg* de târfă, – stricat, dezmăţat

whorl [wəl] *s* **1** *bot* verticil **2** spiră, parte dintr-o spirală **3** *text* rotița fusului

whortleberry ['wəːtəl,beri] *s bot* **1** afin (*Vaccinia myrtillus*) **2** afină

who's [hu:z] *contras din* **1** who is **2** who has **3** who does

whose [hu:z] **I** *adj* **1** *relativ-pronominal* al, a, ai, *sau* ale cărui, cărei *sau* căror; **a word** ~ **meaning escape me** un cuvânt al cărui înțeles/înțelesul căruia îmi scapă; **a book** ~ **leaves are torn** o carte ale cărei foi/foile căreia sunt rupte, o carte cu foile rupte **2** *interog şi relativ-conjunctiv* (al, a, ai *sau* ale) cui; ~ **friends are they?** ai cui prietenii/prietenii cui sunt (ei)? **now I know** ~ **friends they are** acum știu ai cui sunt prietenii/prietenii cui sunt (ei) **II** *pr interog şi relativ-conjunctiv* al, a, ai *sau* ale cui (?); ~ **is that hat?** a cui e pălăria aceea? **I know** ~ **it is** știu a cui este

whoso ['hu:sou] *pr înv v.* **whoever** şi **whosoever**

whosoever [,hu:sou'evəʳ] *pr* **1** *relativ-conjunctiv* (absolut) oricine, (absolut) toți cei care **2** *interog intensiv v.* **whoever**

Who's Who ['hu:z,hu:] *s* anuar *sau* indice biografic

who've [hu:v] *contras din* **who have**

why [wai] **I** *adv* **1** *interog* de ce? pentru ce? din ce cauză? pentru care motiv? cu ce scop? ~ **did you do that?** de ce ai făcut asta? ~ **so?** cum așa? **that/this is** ~ iată de ce, pentru acest motiv; ~ **not?** de ce nu? **2** *interog* dar de ce (întrebi *etc*.)? (dar) ce s-a întâmplat? **Are you ill? – No,** ~? – Ești bolnav? – Nu, dar de ce mă întrebi? **3** *atr* pentru care; **I can't see the reason** ~ **he was**

late nu-mi dau seama de motivul pentru care/nu înțeleg de ce a întârziat **II** *conj* de ce; pentru ce; din ce cauză, pentru care motiv; cu ce scop; **I can't see ~ he was late** *v.* **I, 3 III** *interj* **1** păi; păi cum? păi da, cred și eu; cum de/să nu; asta-i bună! desigur! bineînțeles! **how much is five and three? ~, eight!** cât fac cinci cu trei? opt, bineînțeles/se-nțelege! opt, cât să fie! **~, sure!** *F* ba bine că nu! **2** ei poftim! păi! ca să vezi! **~ what's the matter?** ei, ce s-a întâmplat? **~, this is the very book I want!** păi/ei, poftim/ca să vezi, e tocmai cartea care-mi trebuie **3** *(exprimă ezitare)* păi (, să vezi); mda; de(h); **Is it true? – Why, yes, I think so** E adevărat? – Păi (, cum să vă spun?) – (cam) așa e **4** și (ce)? și (ce) dacă? ei, foarte bine; **~, is there any harm in that?** și (ce?) – e vreun rău în asta? **5** (cum) se poate? păi (, vezi bine); **What, going out? Why, it's quite dark!** cum, vrei să ieși pe stradă? Nu vezi că s-a întunecat (de-a binelea)? **6** zău! pe cuvântul meu! p-onoarea mea! **~, he's crazy!** zău, e nebun! **IV** *pl* **whys** [waiz] *s* **1** problemă, întrebare; **the great ~s of life** marile probleme *sau* întrebări ale vieții **2** cauză, motiv, pricină; **the ~s and wherefores of** cauzele *cu gen*

why not [ˌwai 'nɔt] *adv* cu inf scurt de ce să nu *cu vb la conjunctiv;* **~ make your dress, instead of buying it?** de ce să nu-ți faci singură rochia în loc s-o cumperi?

W.I. *presc de la* the West Indies

wick [wik] *s* **1** fitil; muc; **to get on smb's ~** *F* a bate mereu la cap pe cineva **2** *med* tampon

wicked ['wikid] **I** *adj* **1** rău, hain, crud; **a ~ man** un om rău/hain/hapsân; **the ~ one** cel rău, diavolul **2** extrem, extraordinar, foarte mare; **~ cruelty** cruzime nemaipomenită **3** ← *înv* *F* rău, neascultător; **you ~ child!** copil rău ce ești! **4** rău, păcătos; imoral; vicios; netrebnic, nemernic **5** năravaș **6** primejdios, periculos, vătămător; care face rău **7** *(d. miros)* *F* groaznic, – urât, insuportabil **II** *s:* **the ~** *ca pl* cei răi

wickedly ['wikidli] *adv* cu răutate

wickedness ['wikidnis] *s* răutate; ticăloșie

wicker ['wikəʳ] *s* **1** nuia *sau* ramură de salcie **2** împletitură de răchită **3** coș din nuiele de răchită

wickerwork ['wikəˌwə:k] *s* împletituri; coșuri

wicket ['wikit] *s* **1** ghișeu; portiță; ochi; ferestruică **2** portiță; ușiță **3** turnichet, bară turnantă **4** portiță *(la crochet și crichet)* **5** *hidr* vană ridicătoare

wicket keeper ['wikit ˌki:pəʳ] *s* portar *(la crichet)*

wide [waid] **I** *adj* **1** larg; lat; spațios; **three feet ~** lat de trei picioare, având trei picioare lățime; **the skirt's too ~** fusta e prea largă **2** larg, mare; cuprinzător, întins; vast; **the ~ world** lumea largă; **over the ~ sea** dincolo de marea cea largă/mare; **a man of ~ interests** un om cu preocupări multiple/întinse **3** mare, considerabil, apreciabil, sensibil; **there is a ~ difference between them** e o mare diferență/e o deosebire considerabilă între ei **4** mare, larg deschis; **he looked at her with ~ eyes a** o privea mirat *sau* cu ochii holbați **b** făcu ochii mari când o văzu **5** *(d. prețuri)* nestabil, fluctuant, schimbător **6** *sport* depărtat de țintă **7** *sl* deștept; isteț; șmecher **II** *adv* **1** *sport* departe de țintă **2** larg, mult; **~ open, open ~** larg deschis; **to open one's eyes ~** a face ochii mari, a holba ochii; a deschide bine ochii **3** foarte, extrem de; **~ apart** foarte departe unul de altul, la mare depărtare

wide-angle ['waidˌæŋgl] *adj atr* cu unghi larg

wide-awake ['waidə'weik] *adj* **1** treaz de-a binelea **2** atent, vigilent; cu ochii în patru **3** *F* șmecher, pișicher; – descurcăreț **4** lichid

wide-awakeness ['waidə'weiknis] *s* **1** stare de veghe perfectă **2** vigilență; grijă, atenție; precauție **3** *F* șmecherie, șolticărie

wide-brimmed ['waidˌbrimd] *adj (d. pălării)* cu boruri largi

wide-eyed ['waidˌaid] *adj* cu ochii larg deschiși; mirat; holbat

wide gauge ['waid ˌgeidʒ] *s ferov* ecartament larg

widely ['waidli] *adv* **1** la (o) mare depărtare (unul de altul); **they are ~ separated** se află la o mare depărtare (unul de altul) **2** peste tot (locul); pe o mare suprafață; până departe; **a ~ distributed plant** o plantă răspândită pe mari/întinse suprafețe; **a man who is ~ known** un om cunoscut de foarte multă lume **3** în mare măsură, considerabil, simțitor, sensibil; foarte, extrem de; **to differ ~ a** a se deosebi considerabil/foarte mult **b** a avea păreri foarte diferite **4** considerabil, foarte mult; **he has read ~** a citit foarte mult

wide-mouthed ['waidˌmauðd] *adj* cu gura mare *sau* căscată

widen ['waidən] **I** *vt* **1** a lărgi; a lăți *(drumul etc.)* **2** a lărgi, a face mai larg, a mări; a dilata **3** *fig* a lărgi *(sfera de interese etc.);* a extinde; a întinde **II** *vi* **1** a se lărgi; a se lăți **2** a se lărgi, a se mări; a se dilata **3** *fig* a se lărgi; a se extinde; a crește

widener ['waidənəʳ] *s tehn* extensor; lărgitor

wide of ['waid əv] **I** *adj* cu prep depărtat de; **an estimate ~ the truth** o evaluare depărtată de adevăr/realitate; **his answer was quite ~ the mark/the purpose** răspunsul lui nu a fost deloc la subiect **II** *adv cu prep* departe de, la distanță de; **the arrow fell ~ the target** săgeata căzu departe de țintă

wide-open ['waidˌoupn] *adj atr* larg deschis

wide-range ['waidˌreindʒ] *adj atr* **1** cuprinzător **2** *fiz* cu bandă largă

wide-screen film ['waidˌskri:n 'film] *s cin* film pe ecran lat

wide-spread ['waidˌspred] *adj atr* **1** (larg) întins; **with ~ wings** cu aripile larg întinse **2** (larg) răspândit; < universal

widgeon ['widʒən] *s orn și ca pl mai multe specii de* rață sălbatică

widget ['widʒit] *s amer* **1** prostie, fleac, *F* moft; lucru netrebuincios **2** momeală pentru proști

widow ['widou] **I** *s* văduvă, *P* → vădană **II** *vt* a văduvi, a lăsa văduvă

widowed ['widoud] *adj* ← văduvit *sau* văduvită, rămas văduv *sau* rămasă văduvă

widowed of ['widoud əv] *adj cu prep* ← *rar* văduvit/lipsit de

widower ['widouəʳ] *s* văduv

widowhood ['widou,hud] *s* văduvie

widow maker ['widou ,meikəʳ] *s sl* ceva ce amenință viața oamenilor, primejdie de moarte *(un strung defect, o casă care stă să se prăbușească etc.)*

width [widθ] *s* **1** lărgime; lățime; întindere; **in** ~ (în) lățime **2** bucată dintr-un material având o anumită lățime; *text* lungime **3** *tehn* diametru **4** *fig* (lățime de) orizont, lărgime; amploare

wield [wi:ld] *vt* **1** a mânui *(o unealtă, o armă);* a folosi; a purta *(sceptrul);* **to** ~ **the pen** *fig* a mânui condeiul **2** a exercita *(puterea, influența etc.)*

wiener (wurst) ['wi:nə (,wə:st)] *s germ* crenvurșt afumat

wife [waif], *pl* **wives** [waivz] *s* **1** soție, nevastă, soață **2** ← *înv* femeie

wifedom ['waifdəm] *s* **1** v. **wifehood 2** soții, femei măritate

wifehood ['waif,hud] *s* situație de femeie măritată

wifeless ['waiflis] *adj* fără soție; necăsătorit, neînsurat

wife-like ['waif,laik] *adj* **1** de soție; conjugal **2** care șade bine unei femei măritate

wifely ['waifli] *adj v.* **wife-like**

wife-ridden ['waif,ridn] *adj (d. un bărbat)* sub papuc

wifie ['waifi] *s alintător* soțioară, nevestică

wig [wig] *s* **1** perucă **2** *amer* chică, – păr **3** persoană oficială cu perucă *(judecător etc.);* **a big** ~ *F* un mare mahăr, un ștab

wigged [wigd] *adj* cu/purtând perucă

wiggery ['wigəri] *s* peruci

wigging ['wigiŋ] *s F* săpuneală, muștruluială, – mustrare severă/ aspră

wiggle ['wigəl] **I** *vt* **1** a mișca din *(sprâncene etc.);* a da din *(coadă);* **to** ~ **one's finger a** a mișca din deget **b** a amenința cu

degetul **2** a merge șerpuind, în zigzag *etc.* pe *(un drum)* **II** *vi* **1** a merge șerpuind, în zigzag *etc.;* **to** ~ **through the crowd** a se strecura prin mulțime **2** a se clătina pe picioare; a se împletici, a se bălăbăni **3** *fig* a șovăi, a ezita

wiggle-waggle ['wigəl,wægəl] **I** *adj* **1** *F* bălăbănindu-se; – care se clatină/se împleticește **2** *fig F* nici în căruță, nici în teleguță, – șovăitor, ezitant **II** *vi* **1** *F* a se bălăbăni, a mătăhăi, – a se clătina, a se împletici **2** *F* a se fâțâi (de colo până colo) **3** *amer sl* a trăncăni pe socoteala cuiva, a bârfi

wiggly ['wigli] *adj* șerpuit, cotit, sinuos

wight [wait] *s* ← *înv* persoană, individ, ins; om; suflet

Wight, the Isle of ['wait, ði 'ailəv] Insula Wight *(în sudul Angliei)*

wig maker ['wig,meikəʳ] *s* peruchier

wigwag ['wig,wæg] **I** *vi* **1** *mil, nav* a semnaliza cu fanioane *sau* felinare **2** a umbla de colo până colo, *F* a se fâțâi **II** *adv* încoace și încolo

wigwam ['wig,wæm] *s* wigwam *(colibă a indienilor nord-americani)*

Wilbert ['wilbət] *nume masc*

Wilbur ['wilbəʳ] *nume masc*

wild [waild] **I** *adj* **1** sălbatic, nedomesticit, care trăiește *sau* crește în natură, sălbăticie, pustietate *etc.; (d. plante, arbori)* sălbatic, necultivat **2** *(d. oameni)* sălbatic, necivilizat; primitiv; barbar **3** *(d. oameni sau animale)* sălbatic, violent; crud; < feroce, fioros, crunt **4** *(d. locuri)* sălbatic, pustiu; nelocuit; *(d. un țărm)* bătut de vânturi, bântuit de furtuni, furtunos **5** *(d. păr)* răvășit; în neorânduială; despletit; nepieptănat; în vânt **6** *(d. stihii etc.)* violent, crunt, grozav **7** *(d. oameni)* furios (la culme); apucat; nestăpânit; nebun; **he felt so** ~ **when she hit the baby** își ieși din fire/ < minți când ea a lovit copilul **8** *(d. copii)* nebunatic, neastâmpărat **9** *(d. oameni)* dezmățat; desfrânat; stricat **10** *(d. idei, planuri etc.)* nebunesc; nerealist; fantezist; fantastic **11** *(d. acțiuni)*

nesăbuit, nebunesc; imprudent **12** fără legătură cu subiectul, care nu e la subiect **13** la întâmplare, negândit, nejudecat; **to make a** ~ **guess** a face o presupunere absurdă; **to make** ~ **statements** a face afirmații necontrolate/nesăbuite **14** *F* a-ntâia, – extraordinar, grozav; **that was a really** ~ **party** a fost o petrecere pe cinste **II** *s* **1** ↓ *pl* pustiu, pustietate, loc sălbatic **2 the** ~ natura (primitivă); sălbăticia; **the call of the** ~ chemarea naturii *sau* strămoșilor; chemarea naturii sălbatice **III** *adv* (în mod) sălbatic

wild about ['waild ə'baut] *adj cu prep F* nebun după, care se dă în vânt după

wild apple ['waild ,æpl] *s* măr pădureț/sălbatic; măr acru

wild beast ['waild ,bi:st] *s* **1** animal sălbatic, fiară **2** *fig* fiară, monstru

wild boar ['waild ,bɔ:ʳ] *s zool* mistreț, porc sălbatic *(Sus scrofa)*

wild camomile ['waild 'kæməmail] *s bot* mușețel, romaniță (medicinală) *(Matricaria chamomilla)*

wild cat ['waild ,kæt] **I** *s* **1** *zool* pisică sălbatică *(Felis silvestris)* **2** *fig* persoană impulsivă; tigroaică; megeră **3** întreprindere riscantă; aventură **4** persoană care se avântă în întreprinderi riscante; aventurier **5** grevă neoficială; grevă fără aprobarea sindicatului **6** tren care circulă în afara orașului; tren special *sau* suplimentar **7** *nav* barbotin **8** *min* sondă forată **II** *adj atr* **1** risca(n)t; nesigur; periculos **2** extravagant **3** *tehn* neverificat, necontrolat

wild cherry ['waild ,tʃeri] *s bot* vișin sălbatic *(Prunus demissa)*

wild cucumber ['waild 'kju:kəmbəʳ] *s bot* plesnitoare *(Echallium)*

wild dog ['waild ,dɔg] *s zool* **1** câine sălbatic *(↓ Cuon sp.)* **2** câine vagabond/fără stăpân

wild duck ['waild ,dʌk] *s orn* rață sălbatică *(Anas boschas etc.)*

Wilde [waild], **Oscar** *scriitor englez (1854-1900)*

wildebeest ['wildi,bi:st] *s și ca pl zool* gnu *(Connochaetes gnu)*

Wilder ['waildəʳ], **Thornton** *scriitor american (1897-1975)*

wilderness ['wildənis] *s* **1** *bibl*/pustiu, deșert **2** regiune sălbatică, pustietate, pustie **3** întindere pustie *(de ex. oceanul)* **4** teren/ pământ sterp **5** grădină (lăsată) în paragină **6** loc retras, singurătate, sihăstrie **7** mulțime, sumedenie, puzderie *(de oameni sau lucruri)* // in ~ scos din viața/activitatea politică *(↓ pt abateri)*

wild-eyed ['waild ˌaid] *adj* **1** cu privirea speriată *sau* rătăcită; cu ochii holbați **2** *(d. planuri etc.)* nebunesc; absurd

wildfire ['waildˌfaiəʳ] *s* **1** *od* foc grecesc **2** substanță ușor inflamabilă; foc mistuitor; **to spread like ~** a se lăți/a se răspândi/a se întinde cu iuțeala fulgerului **3** *fig* furtună *(de aplauze etc.);* **the ~ of his life** marea pasiune a vieții lui, dragostea lui pătimașă **4** lumină fosforescentă; *↓* flăcăruie, focul sf. Elmo **5** fulger de căldură **6** *vet* rujet **7** *med ← înv* brâncă, erizipel

wild fowl ['waild ˌfaul] *s ca pl* păsări sălbatice *(↓ de apă, pt vânat)*

wild goose ['waild ˌguːs] *s orn* gâscă sălbatică *(Anser cinereus)*

wild-goose chase ['waild ˌguːs 'tʃeis] *s* **1** vânătoare de gâște sălbatice **2** *fig* himeră; goană după himere; **to run a ~** a alerga după potcoave de cai morți; a clădi castele din nisip; **to lead smb a ~** a induce în eroare pe cineva; a crea cuiva iluzii false

wilding ['waildiŋ] *s* **1** *bot* plantă sălbatică *sau* sălbaticită **2** *bot* poamă pădureață; măr pădureț **3** *zool* animal sălbatic

wildish ['waildiʃ] *adj* cam sălbatic

wild lead ['waild ˌled] *s geol* blendă de zinc

wildlife ['waild'laif] *s* natură sălbatică; animale și plante sălbatice

wildly ['waildli] *adv* **1** (în mod) extravagant; nebunește; *(a aplauda etc.)* frenetic, cu frenezie **2** *(a trăi etc.)* în dezmăț, desfrânat **3** *(a răspunde etc.)* într-o doară, la întâmplare **4** *(a crește etc.)* sălbatic; pe câmp *etc.* **5** teribil/ grozav de

wildness ['waildnis] *s* **1** stare sălbatică, sălbăticie **2** cruzime,

ferocitate, sălbăticie **3** furie, violență; dezlănțuire **4** dezmăț, destrăbălare **5** nebunie, frenezie; delir **6** extravaganță, aiureală **7** purtare urâtă, totală lipsă de condescendență

wild oat *sau* **oats** ['waild 'out/outs] *s sg sau pl bot* odos, ovăz, sălbatic *(Avena fatua);* **to sow one's ~s** a-și face de cap în tinerețe *(↓ cu gândul la un viitor liniștit)*

wild rose ['waild ˌrouz] *s bot* măcieș, trandafir sălbatic *(Rosa canina)*

wild rye ['waild ˌrai] *s bot* orzișor *(Elymus arenarius)*

wild strawberry ['waild 'strɔːbəri] *s bot* frag(i) *(Fragaria vesca)*

wild vetch ['waild vetʃ] *s bot* măzăriche *(Vicia cracca)*

Wild West, the ['waild ˌwest, ðə] *ist* Vestul Sălbatic *(în America de Nord)*

wild wheat ['waild ˌwiːt] *s bot* grâu moale *(Triticum cicoccum)*

wildwood ['waild,wud] *s ↓ poetic* pădure virgină; pădure sălbatică *sau* naturală; desiș, hățiș; lăstăriș

wile [wail] **I** *s pl* șiretlicuri, trucuri, tertipuri *(↓ ca să convingă pe cineva)* **II** *vt* a ademeni, a momi; a înșela, a amăgi

wile away ['wail ə'wei] *vt cu part adv* a petrece *(timpul)*, a omorî *(vremea)*

Wilfred, Wilfrid ['wilfrid] *nume masc*

wilful ['wilful] *adj* **1** *(d. cineva)* voluntar; încăpățânat, îndărătnic **2** voit, deliberat, intenționat

wilfully ['wilfuli] *adv* **1** cu încăpățânare/îndărătnicire **2** (în mod) premeditat, intenționat; dinadins

wilfulness ['wilfulnis] *s* **1** încăpățânare, îndărătnicie **2** premeditare, intenție, bună știință

wilily ['wailili] *adv* (în mod) viclean, șiret, cu șiretenie

wiliness ['wailinis] *s* viclenie, șiretenie

will¹ [wil] **I** *pret* **would** [wud] *v aux* **1** *(pt formarea viitorului I la pers 1 și 2 sg și pl)* vei; veți; va; vor; o să; ai să; are să; aveți să; au să; **he ~ come tonight** va veni diseară; o să/are să vină diseară; **he said it would be fine, but it rained** zicea că va fi/o să fie

frumos, dar a plouat **2** *amer (pt formarea viitorului I la toate pers)* voi; vei; va; vom; veți; vor; o/am să; o/ai să; o/are să; o/avem să; o/aveți să; o/au să; **I ~ speak to him** voi vorbi cu el; o/am să vorbesc cu el **3** *(pt formarea viitorului II, în condițiile de la* **I,** *1-2)* voi; vei; va; vom; veți; vor; **he ~ have spoken** (el) va fi vorbit; **we ~ have seen it** *amer* (noi) o vom fi văzut **4** *(în prop interog, pt formarea viitorului ↓ la pers 1 sg și pl)* voi; vom; o/am să; o/ avem să; **~I do it?** voi face (oare) aceasta? o/am s-o fac? **II** *(v. ~* **I***)* *v aux modal (pt formarea viitorului, pers 1 sg și pl, exprimând voința, dorința, hotărârea)* voi; vei; va; vom; veți; vor; o/am să; o/ai să; o/are să; o/avem să; o/ aveți să; o/au să; **I ~ come** voi veni, o/am să vin *negreșit etc.* **III** *(v. ~* **I***)* *v modal* **1** *(în prop interog la pers 2 sg și pl și, mai rar, la pers 3 sg și pl când exprimăm o rugăminte sau vrem să aflăm intenția, preferința, dorința etc. pers respective; de obicei întrebarea este politicoasă)* vrei; vreți; vrea; vor; dorești; doriți; dorește; doresc; **~ you have another glass?** mai vrei/dorești un pahar? **won't you have a smoke?** nu vrei să fumezi? **~ you open the window?** vrei să deschizi fereastra? deschide fereastra, te rog; **shut your book, ~ you?** închideți cărțile (vă rog; *dar și:* se-aude?) **2** *(exprimând o dorință, voința etc.)* vreau; vrei; vrea; vrem; vreți; vor; **let her do what she ~** (n-are decât) să facă ce vrea/poftește; **if you ~** dacă vrei; n-ai decât **3** *(la pers 3 sg și pl. d. lucruri)* vrea; vor; **the door won't shut** ușa nu vrea să se închidă **4** *(la toate pers. exprimând dorința insistentă)* vreau să; vrei să; vrea să; vrem să; vreți să; vor să; înțeleg; înțelegi să *etc.;* țin foarte mult *etc.;* **he ~ have his own way** vrea să fie/înțelege să fie lăsat în pace, nu înțelege să se amestece alții *etc.* **5** *(la toate pers, exprimând probabilitatea sau îndoiala) (traducerile depind de context)* **these ~ be the scissors you're looking for,**

I think probabil/cred/bănuiesc că asta e foarfeca pe care o cauți; n-o fi asta foarfeca pe care o cauți? **~ we do?** suntem noi (oare) oamenii potriviți (pentru așa ceva)? **that'll be his wife** *F* aia trebuia să fie nevastă-sa **6** *(la toate pers, exprimând capacitatea, putința)* pot; poți; poate; putem; puteți; pot; **it ~ hold another litre** poate să mai încapă un litru; **this car ~ hold 5 people comfortably** în mașina asta intră confortabil/comod cinci persoane **IV** *(v. ~ I)* *v* frecventativ obișnuiesc să, am obiceiul să/de a; obișnuiesc să *etc.;* **he ~ lie in the sun for hours together** stă culcat la soare ore întregi; **he would go to the beach every morning** se ducea/obișnuia să se ducă la plajă în fiecare dimineață **V** *s* **1** voință, vrere, voie, plac; **of one's own free ~** din proprie voință, nesilit de nimeni, de bună voie; **against my own ~** împotriva voinței mele; **with a ~ a** cu voință/hotărâre **b** intenționat, cu bună știință **c** cu energie, energic **d** cu zel, zelos **e** cu dragă inimă, bucuros; **where's a ~ there's a way** *prov* e destul să vrei; cine vrea scoate apă și din piatră seacă; **he has a strong ~** are o voință puternică/dârză; **to do the ~ of smb** a face după voia cuiva; **to do God's ~** a face voia Domnului/Celui de Sus **2** dorință, vrere, poftă; înclinație; **at ~** după dorință; după placul inimii **3** voință, conștiință; liber arbitru **4** atitudine *(față de cineva);* sentiment; **I bear him no ill-~** nu am nimic împotriva lui; nu-i port nici un fel de pică; nu sunt pornit împotriva lui **5** *jur* testament, legat, *înv →* diată

will² *vt ← rar sau înv* **1** a vrea, a hotărî; **fate ~ed it** așa a vrut/hotărât soarta, așa a fost să fie **2** a vrea, a intenționa, a avea de gând **3** a porunci, a ordona **4** a dori stăruitor, a râvni (la); **he who ~s success is half way to it** este de ajuns să dorești ca să izbutești, cel ce dorește (cu înfocare) să izbutească a și străbătut o jumătate din cale

Will [wil] *nume masc dim de la* **William**

willable ['wiləbəl] *adj* de dorit, dezirabil

Willard ['wila:d] *nume masc*

willed [wild] *adj* **1** *(d. cineva)* voluntar; încăpățânat **2** voluntar, (făcut) de bună voie **3** volitiv; volițional **4** *jur* testamentar **5** *(în cuvinte compuse)* cu voință ...; **strong-~** cu voință puternică/dârză

willful ... v. willful ...

William ['wiliəm] *nume masc* William; Wilhelm

willies ['wiliz] *s pl;* **to give smb the ~** *F* a băga pe cineva în sperieți; – a înfiora pe cineva

willing ['wiliŋ] *adj* **1** dispus; gata; pregătit; bucuros; înclinat; **I'm not ~ to pay so much** nu sunt dispus să plătesc atât(a); **I am ~ to believe that you have done your best** sunt dispus să cred/accept ideea că ai făcut tot ce ți-a stat în putință; **~ to oblige** amabil; serviabil; **he was always ~ to give a helping hand** era gata/bucuros întotdeauna să dea o mână de ajutor **2** benevol; voluntar **3** (to) binevoitor (față de, cu); favorabil (față de) **4** harnic; inimos **5** de voință, al voinței; volitiv

willingly ['wiliŋli] *adj* **1** de bună voie, nesilit (de nimeni) **2** bucuros, din toată inima, cu plăcere **3** (în mod) spontan

willingness ['wiliŋnis] *s* **1** bunăvoință; amabilitate; plăcere; **with the utmost ~** cu cea mai mare plăcere; din toată inima **2** asentiment, consimțire; aprobare

Willis ['wilis] *nume masc*

will-less ['wilis] *adj ← rar* lipsit de/fără voință; fără caracter

will-o'-the-wisp [ˌwiləðə'wisp] **I** *s* **1** flăcăruie, foc rătăcitor, focul Sf. Elmo **2** *fig* himeră, iluzie; miraj **II** *adj atr* himeric; iluzoriu

willow ['wilou] *s* **1** *bot* salcie, răchită *(Salix);* **to wear the (green) ~,** **to sting ~** a jeli pierderea, absența *sau* indiferența iubitului *sau* soțului **2** *text* lup (bătător)

willow herb ['wilou ˌhə:b] *s bot* răscoage *(Epilobium)*

willow pattern ['wilou ˌpætən] *s* **1** desen în culoare albastră, stil

chinezesc *(pe porțelanuri)* **2** porțelan cu desen în culoare albastră, stil chinezesc

willowy ['wiloui] *adj* **1** cu sălcii; umbrit de sălcii **2** *fig* subțire și mlădios (ca trestia); delicat; suplu, mlădios; zvelt

will power ['wil ˌpauəʳ] *s* putere a voinței *sau* a spiritului; hotărâre; putere de stăpânire (de sine)

will worship ['wil ˌwə:ʃip] *s rel* slujbă/ceremonie religioasă fantezistă

Willy-boy ['wili ˌbɔi] *s amer sl (d. un băiat)* fată; fetiță; băiatul/puiul mamei

willy goat ['wili ˌgout] *s ← F* țap

willy-nilly ['wili ˌnili] *adv* vrând-nevrând; vrei-nu vrei

Wilma ['wilmə] *nume fem*

wilt¹ [wilt] **I** *vt* a ofili, a veșteji **II** *vi* **1** a se ofili, a se veșteji **2** *fig* a se ofili; a lâncezi; a slăbi; a se topi **3** *fig* a se pierde cu firea; a-i fi frică; a tremura

wilt² *pers 2 sg prez înv de la* **will¹** **I-IV**

Wilts [wilts] *v.* **Wiltshire**

Wiltshire ['wiltʃiəʳ] *comitat în Anglia*

wily ['waili] *adj* viclean, șiret

wimble ['wimbəl] *s tehn* burghiu cu coarbă

Wimbledon ['wimbəldən] *oraș în Anglia (vestit pt. campionatele de tenis)*

wimple ['wimpəl] *s* **1** văl, broboadă *(și a călugărițelor);* basma; testemel **2** cot, cotitură; meandră **II** *vt* a acoperi *(capul, fața)* cu un văl, o broboadă, o basma, o năframă *etc.*

win [win] **I** *pret și ptc* **won** [wʌn] *vi* a câștiga, a învinge, a ieși câștigător *sau* învingător *(↓ într-o competiție);* a birui; a izbândi; a reuși; **to ~ on points** *sport* a câștiga la puncte; **to ~ hands down** *fig* a câștiga ușor/fără greutate; **to ~ to the shore** a ajunge *sau* a reuși să ajungă la țărm; **to ~ at home** a ajunge acasă *sau* a reuși să ajungă acasă; **to ~ at cards** a câștiga la cărți **II** *(v. ~ I)* *vt* **1** a câștiga *(o competiție, un război, un joc, un premiu, etc.);* **he won first place** a câștigat locul întâi; **he won £ 100** a câștigat o sută de lire; **to ~ a bet** a câștiga un pariu/un rămășag;

to ~ the day a câştiga (victoria), a ieşi victorios **2** a câştiga *(pâinea, existenţa, etc.);* a lupta pentru **3** a ajunge (cu greutate) la; a atinge (în cele din urmă); **at dawn he won the bank of the river** în zori am ajuns (în sfârşit) la ţărmul fluviului **4** *fig* a câştiga; a dobândi, a căpăta *(prietenia cuiva, faimă, etc.);* **by his hard work he won a reputation** muncind stăruitor şi-a câştigat un nume bun **5** a câştiga de partea sa; a convinge (până la urmă) **6** *min* a extrage; a tăia **III** *s* **1** ↓ *sport* victorie; succes **2** câştig, profit

win across ['win ə'krɔs] *vi cu part adv* a ajunge/a trece de partea cealaltă, pe malul celălalt, *etc.*

win away ['win ə'wei] *vt cu part adv* **(from)** a despărţi *(soţia, etc.)* (de)

win back ['win 'bæk] *vt cu part adv* a recâştiga; a lua înapoi

wince [wins] **I** *vi* **1** a se da/a se trage înapoi; a sări înapoi, într-o parte, *etc. (atingând ceva neplăcut, etc.);* a sări ca ars **2** a se cutremura, a se înfiora; a tresări **II** *s* **1** săritură înapoi, *etc.* **2** cutremurare, înfiorare, fior; tresărire

winceyette [,winsi'et] *s text* un fel de flaneletă

winch [wintʃ] **I** *s* **1** *tehn* vinci, troliu; gruie; macara **2** mulinetă *(la undiţă)* **3** *text* vârtelniţă **II** *vt tehn* a ridica cu un vinci *etc. (v. ~ I)*

winch barrel ['wintʃ ,bærəl] *s nav* tambur de vinci

Winchester ['wintʃistər] puşcă Winchester

wind[1] [wind] **I** *s* **1** vânt; > adiere, boare, suflu; < furtună; **like the ~** (iute) ca vântul; **to flying/to cast/to throw to the ~s** *fig* a lăsa la o parte *(prudenţa, etc.)*, a nu mai ţine seama/cont de; a da încolo; **to see how the ~ blows** *fig* a vedea dincotro bate vântul; a afla părerea generală; a vedea cum stau lucrurile; **there's smth in the ~** *fig* se întâmplă/se pregăteşte ceva; pluteşte ceva în aer; **in the teeth of the ~, in the ~'s eye** cu vântul (drept) în faţă, în contra vântului; **to take the ~ out of smb's sails** *fig* **a** a lua cuiva apa de la moară **b** a dejuca planurile cuiva; **to fly/**

to go to the ~s *fig* a se spulbera, a se risipi (ca fumul); a dispărea fără urmă; **to talk to the ~** *fig* a vorbi în deşert/vânt, F a-şi bate gura degeaba; **it's an ill ~ (that blows no good/nobody any good)** orice rău cu partea lui bună; omul cât trăieşte învaţă; **to get/to have the ~ up** F a fi cu gheaţa în spate, a-i intra frica în oase, a-l trece răcorile, a-i tremura balamalele; **to put the ~ up smb** F a-i vârî cuiva un cui în inimă, a-i băga cuiva frica în oase, a băga pe cineva în friguri/ sperieţi; **to raise the ~** ← *înv* a face rost de bani; **to sail close to the ~** a-i lipsi puţin ca să facă o gafă, o greşeală, un act imoral, *etc.;* F a fi cât pe ce s-o scrân-tească; **he that sows the ~ will reap the whirlwind** *prov* cine seamănă vânt culege furtună; **the ~ in one's face makes one wise** *prov* nevoia te învaţă/învaţă pe om; **gone with the ~** plecat/ pe dispărut fără urmă; **to be (three sheets) in the ~** *înv sl* a fi beat/băut/cherchelit/criţă/cocă **2** suflu, răsuflare, respiraţie; **to lose one's ~** a-şi pierde răsuflarea, a gâfâi; **a bad ~** o respiraţie proastă/neregulată; **to get/ to recover/to fetch one's ~** a răsufla; a-şi veni în fire; **sound in ~ and limb** perfect sănătos, într-o condiţie fizică excelentă, în formă; **second ~** *sport* a doua respiraţie, starea de revenire a „punctului mort" **b** *fig* perseve-renţă, tăria de a o lua de la început **3** *med* vânt; vânturi, gaze intestinale; **to break ~** a trage vânturi **4** curent; suflu *(al unei explozii, etc.)* **5 the ~** *muz* suflătorii, instrumentele de suflat **6** F vorbe goale, apă de ploaie; prostii, fleacuri **II** *vt* **1** a (ex)pune la vânt *sau* aer; a aerisi **2** a adulmeca, a simţi *(vânatul)* **3** a tăia *sau* a îngreuna respiraţia cuiva **4** a lăsa *(calul, etc.)* să respire *sau* să se odihnească

wind[2] [waind] **I** *pret şi ptc* **wound** [waund] *vi* **1** a se răsuci, a se învârti; a se încolăci; a fi răsucit **2** a şerpui; a coti; a fi cotit; a face meandre **3** *(d. păreri, etc.)* a se schimba **II** *(v. I) vt* **1** a înfăşura,

a încolăci; a bobina; **to ~ thread on a reel** a înfăşura aţa pe mosor **2** a învârti, a roti; a răsuci; a suci; **to ~ smb round one's little finger** *fig* a purta/a învârti/a juca pe cineva pe degete; **to ~ one's way into smb's affections** a intra sub pielea cuiva, a i se băga cuiva (pe) sub piele **3** *fig* a rula *(sume de bani)* **4** a întoarce, a răsuci *(ceasul, un mecanism)* **5** *nav* a pilota, a cârmi **6** *tehn* a urca, a ridica; a scoate *(cu macaraua)* **III** *s* **1** îndoire; curbare; încovoiere **2** apăsare *(pe mâner, etc.)* **3** şerpuitură; cot; meandră **4** strâmbare *(a lemnului, etc.)*

wind[3] [waind] *pret şi ptc* **wound** [waund] *sau rar* **winded** ['waindid] *vt* **1** a sufla din *(corn, etc.)* **2** a da *(un semnal, etc.)* suflând din corn *etc.*

wind about ['waind ə'baut] *vi cu prep* a înconjura, a încinge *cu ac*

windage ['windidʒ] *s* **1** *tehn* deviere *sau* grad de deviere *(din cauza vântului)* **2** *fiz* rezistenţa aerului **3** *el* frecare cu aerul, ventilaţie **4** *nav* partea expusă vântului *(la o navă)* **5** *tehn* joc, spaţiu liber **6** *med* contuzie

windbag ['wind,bæg] *s* **1** rezervor de aer **2** sac cu aer **3** burduf de cimpoi **4** *fig* F gură-spartă, far-fara, treanca-fleanca, meliţă

wind-blown ['wind ,bloun] *adj* bătut de vânt; suflat de vânt

windbreak ['wind,breik] *s* paravânt

windbreaker ['wind,breikər] *s amer* v. **windcheater**

windcheater ['wind,tʃi:tər] *s* ← *rar* hanorac

wind down ['waind 'daun] **I** *vi cu part adv* **1** *(d. ceasuri)* a merge (din ce în ce) mai încet **2** *(d. cineva)* a se odihni, a se relaxa **II** *vt cu part adv* a înceta *(↓ treptat) (o activitate)*

wind engine ['wind ,endʒin] *s* **1** *tehn* motor eolian **2** moară de vânt

winder ['waindər] *s* **1** cheie de întors ceasornicul **2** treaptă *(a unei scări în spirală)* **3** *text* maşină de bobinat **4** *text* depănător **5** *bot* plantă agăţătoare

windfall ['wind,fɔ:l] *s* **1** fruct scuturat de vânt; fruct căzut din pom **2** pom doborât de vânt; căzătură de arbori **3** *fig* cadou neaşteptat; ↓ moştenire neaşteptată; chilipir

windfallen ['wind,fɔ:lən] *adj atr* doborât de vânt

wind flower ['wind ,flauə'] *s bot* anemonă *(Anemone)*

wind gauge ['wind ,geidʒ] *s meteor* anemometru; anemograf

windily ['windili] *adv* ca vântul

windiness ['windinis] *s* **1** (vreme cu) vânt; aspect/caracter furtunos **2** *fig* fleacuri, prostii, nimicuri

winding ['waindiŋ] **I** *adj atr* șerpuit, cotit, sinuos; întortocheat **II** *s* **1** cot(itură); șerpuitură; sinuozitate; meandră; spirală **2** *anat* circumvoluțiune **3** *el* bobinaj

winding sheet ['waindiŋ ,ʃi:t] *s* giulgiu, lințoliu

wind instrument ['wind ,instrumənt] *s muz* instrument de suflat

wind jammer ['wind ,dʒæmə'] *s* **1** *v.* **windcheater 2** *nav* navă cu vele pătrate

windlass ['windləs] *s* **1** *tehn* troliu; vinci; vârtej **2** *nav* vinci de ancoră

windless ['windlis] *adj* fără vânt

windmill ['wind,mil] *s* **1** moară de vânt; **to tilt at/to fight ~s** a se lupta cu morile de vânt **2** *av* mulinet, morișcă **3** *tehn* motor eolian **4** morișcă *(jucărie)*

wind off ['waind 'ɔ:f] **I** *vt cu part adv* a desfășura, a debobina, a derula **II** *vi cu part adv (d. mosor, etc.)* a se desfășura, a se debobina, a se derula

window ['windou] *s* **1** fereastră; ferestruică; geam **2** ghișeu; ferestruică **3** vitrină **4** deschizătură; orificiu; **the ~s of heaven opened** *poetic* s-au desfăcut/s-au destrămat beznele cerului **5** *pl s(* iavașale, ochelari

window box ['windou ,bɔks] *s* jardinieră; ghiveci

window dresser ['windou ,dresə'] *s* **1** decorator de vitrine, vitrinier **2** *fig* mistificator

window dressing ['windou ,dresiŋ] *s* **1** arta aranjării vitrinelor **2** *fig* mistificare; **that is all mere ~** nu este decât praf în ochii oamenilor *sau* proștilor **3** *fig* reclamă atrăgătoare

window envelope ['windou ,enviloup] *s* plic cu ferestruică

window frame ['windou ,freim] *s* **1** ramă/toc de fereastră **2** *auto* rama geamului

window pane ['windou ,pein] *s* geam *(la fereastră)*

window raiser ['windou ,reizə'] *s* *auto* ridicător/macara de geam

window sash ['windou ,sæʃ] *s* ramă/toc de fereastră

window screen ['windou ,skri:n] *s* plasă *(la fereastră)*

window shade ['windou ,ʃeid] *s* *amer* jaluzele

window-shop ['windou ,ʃɔp] *vi* a se uita la vitrine *(adesea fără intenția de a cumpăra)*

window shopper ['windou ,ʃɔpə'] *s* persoană care se uită la vitrine *(adesea fără intenția de a cumpăra)*

window shopping ['windou ,ʃɔpiŋ] *s* uitat (pe) la vitrine; **to go ~** a merge să se uite (pe) la vitrine *(adesea fără intenția de a cumpăra)*

window shutter ['windou ,ʃʌtə'] *s* oblon

window sill ['windou ,sil] *s* pervaz, polița ferestrei

windpipe ['windpaip] *s anat* trahee

windrow ['windrou] **I** *s* **1** brazdă de iarbă cosită **2** margine de câmp arat; hat **3** *drumuri* cordon rutier **4** șir de arbori doborâți de vânt **II** *vt agr* a se așeza în brazde *sau* rânduri/șiruri

windscreen ['wind,skri:n] *s auto* parbriz

windscreen wiper ['wind,skri:n 'waipə'] *s auto* ștergător (de parbriz)

windscreen wiper arm ['wind,skri:n 'waipər ,ɑ:m] *s auto* brațul ștergătorului (de parbriz)

windshield ['wind,ʃi:ld] *s* **1** *ferov* paravânt **2** apărătoare de vânt *(la motocicletă)* **3** *amer v.* **windscreen**

wind sleeve/sock ['wind ,sli:v/,sɔk] *s meteor* con de vânt

Windsor ['winzə'] *oraș în Anglia*

Windsor bean ['winzə ,bi:n] *s bot* bob *(Vicia faba)*

Windsor soap ['winzə ,soup] *s* săpun de toaletă ieftin *(asemănător cu săpunul de baie)*

wind spout ['wind ,spaut] *s meteor* trombă de praf

windstorm ['wind,stɔ:m] *s* furtună, vijelie *(cu puțină ploaie)*

wind-swept ['wind ,swept] *adj* **1** *(d. un ținut)* care nu este apărat

împotriva vântului; bătut de vânturi **2** neîngrijit, dezordonat; în neorânduială; răvășit

wind tunnel ['wind ,tʌnl] *s av* tunel aerodinamic

wind-up ['waind ,ʌp] *s* sfârșit, încheiere

wind up ['waind 'ʌp] **I** *vt cu part adv* **1** a învârti, a răsuci; a încolăci **2** a învârti, a răsuci *(ceasul)* **3** *muz* a întinde *(coarda)* **4** *fig* a întărâta, a stârni; a excita **5** (**with**) *fig* a încheia, a sfârși, a termina *(un discurs, etc.)* (cu; prin) **6** *fig* a întări, a consolida *(disciplina, etc.)* **7** *fig* a lichida *(baze, o întreprindere, etc.)* **II** *vi cu part adv* **1** *(d. o poveste, etc.)* a se termina, a se isprăvi, a se încheia; **how does the play ~?** cum se sfârșește piesa? care e deznodământul piesei? **2** *F* a se pomeni, a se trezi; **you'll ~ in hospital, if you drive so fast** ai să ajungi la spital dacă (mai) conduci atât de repede **3** *(d. drum)* a urca șerpuind, a șerpui în pantă

windward ['winwəd] **I** *s* **1** parte expusă vântului **2** *nav* direcție în vânt **II** *adj* **1** opus vântului, în contra vântului **2** *nav* din vânt; în vânt **III** *adv ↓ nav* **1** în contra/împotriva vântului **2** în direcția din care bate vântul

windy ['windi] *adj* **1** vântos, cu mult vânt; bătut de vânt(uri) **2** *fig* vorbăreț, flecar, care vorbește mult; bun de gură; neserios **3** *fig* gol, fără conținut; **~ logic** logică subredă **4** *fig sl* fricos, sperios; laș **5** *(d. hrană)* care provoacă gaze (intestinale)

Windy City, the ['windi ,siti, ðə] „Orașul vânturilor", Chicago

wine [wain] **I** *s* **1** vin; **green/new ~** vin nou; **thin ~** vin prost, poșircă; **to take ~ with smb** a bea a ciocni un pahar de vin cu cineva; **warm with ~** încălzit de vin; ameţit **2** băutură, ameţeală; **in ~** ameţit, beat, afumat **3** lichior; **made ~** lichior făcut în casă; **cherry ~** vişinată **4** a ~ ← *F* un pahar de vin **II** *vi:* **to ~ and dine** a mânca/a se ospăta şi a bea **III** *vt:* **to ~ and dine smb** a da cuiva să mănânce şi să bea

winebibber ['wain,bibə'] *s* băutor de vin; băutor; beţiv(an)

wine-bibbing ['wain ˌbibiŋ] *s* beţie

wine cellar ['wain ˌseləʳ] *s* pivniţă cu/ de vinuri; cramă

wine district ['wain ˌdistrikt] *s* regiune vinicolă

wine glass ['wain ˌglɑːs] *s* **1** pahar de/pentru vin **2** pahar cu vin **3** *med* pahar *(măsură egală cu 4 linguri de masă)*

wine grower ['wain ˌgrouəʳ] *s* viti-cultor

wine-growing ['wain ˌgrouiŋ] **I** *adj atr* vinicol; viticol **II** *s* viniculturǎ; viticulturǎ

wine press ['wain ˌpres] *s* teasc de struguri

wine skin ['wain ˌskin] *s* burduf pentru vin

wine stone ['wain ˌstoun] *s* tartru

wine vault ['wain ˌvɔːlt] *s* pivniţă de vinuri; cramă

Winfred ['winfrid] *nume masc*

wing [wiŋ] **I** *s* **1** aripă *(de pasăre, avion, de clădire, etc.)*; **the east ~ of the school-building** aripa de est a şcolii; **on the ~** *(d. păsări)* în zbor, zburând; **to be on the ~ a** *(d. păsări)* a zbura, a fi în zbor **b** *fig* a se muta dintr-un loc în altul; a călători, a voiaja, a hoinări; a pribegi; **to take ~** a-şi lua zborul, a zbura; **to take ~s** *fig (d. timp)* a zbura, a trece fără să-ţi dai seama; **to take ~(s) a** *fig* a prinde aripi/avânt; a se dezvolta rapid **b** ← *înv* a dispă-rea repede; a se face nevăzut; **to lend ~s to** *fig* a da aripi/avânt *cu dat*; a grăbi *cu ac*; **to take smb under one's ~** *fig* a lua pe cineva sub aripa sa (ocrotitoare); **to clip smb's ~s** *fig* a (mai) tăia/ reteza aripile cuiva; a (mai) înfrâna/struni pe cineva; a (mai) reduce pretenţiile, *etc.* cuiva; **to singe one's ~** *fig F* a o băga pe mânecă, a o încurca, a intra la apă; **to spread/to try one's ~s** *fig* a încerca să se descurce singur, a-şi încerca propriile puteri **2** *umor* aripă, aripioară, — mână, braţ **3** *constr* batant, canat **4** *av numele mai multor unităţi de aviaţie:* aripă de aviaţie; grup (de aviaţie) (↓ de 3 escadrile); regiment **5** *mil, nav, sport, etc.* aripă, flanc; parte **6** *pl teatru* culise; **in the ~s** în culise; **to wait in the ~s a** *teatru* a-şi aştepta

rândul în culise **b** *fig* a aştepta să-i vină rândul; a aştepta mo-mentul favorabil **7** sfârleazǎ de vânt **8** fel de a zbura; zbor **9** *sport* atac pe extremă *(la fotbal, etc.)* **II** *vt* **1** a da aripi/avânt *cu dat*; a grăbi *cu ac* **2** a împăna *(o să-geată)* **3** a străbate în zbor, a zbura prin, printre *sau* peste **4** *constr* a construi aripi la *(o clădire)* **5** a răni la braţ *sau* în aripă **III** *vi* a zbura

wing beat ['wiŋ ˌbiːt] *s* bătaie din aripi/a aripilor

wing case ['wiŋ ˌkeis] *s ent* elitră

wing chair ['wiŋ ˌtʃɛəʳ] *s* fotoliu cu rezemători laterale pentru cap

wing commander ['wiŋ kəˈmɑːndəʳ] *s av* **1** comandantul aripii de aviaţie **2** locotenent-colonel de aviaţie

wing-ding ['wiŋ ˌdiŋ] *s amer sl* **1** zaiafet, bairam, petrecere zgo-motoasă **2** nebunie, chestie nemaipomenită **3** hărmălaie, zarvă, larmă, scandal

winged [wiŋd] *adj* **1** *(şi în cuvinte compuse)* cu aripi; înaripat; **two-~** cu două aripi **2** *fig* înaripat, avântat; înflăcărat **3** *fig* măreţ; sublim **4** *fig* care zboară/trece repede; iute ca gândul

winger ['wiŋəʳ] *s sport* **1** înaintaş **2** extremă (dreapta *sau* stânga)

wing-footed ['wiŋ ˌfutid] *adj* **1** iute de picior **2** *mit (d. zei)* cu aripi la picioare, cu picioarele înaripate

wingless ['wiŋlis] *adj* fără aripi; apter

wing nut ['wiŋ ˌnʌt] *s tehn* piuliţă-fluture

wing-over ['wiŋ ˌouvəʳ] *s av* tonou

wing span ['wiŋ ˌspæn] *s av* anver-gura aripii

wing spar ['wiŋ ˌspɑː] *s av* lonjeron

wing-weary ['wiŋ ˌwiəri] *adj* **1** *(d. păsări)* obosit de zbor, cu aripi obosite **2** *fig* obosit de drum/ călătorie

wingy ['wiŋi] *adj* **1** cu aripi, înaripat **2** *v.* **winged 4**

Winifred ['winifrid] *nume fem*

wink [wiŋk] **I** *vi* **1** (**at**) a clipi (din ochi) (la); **to ~ at smb** a face cuiva cu ochiul; **to ~ at an abuse** *fig* a închide ochii la un abuz **2** *(d. stele, etc.)* a clipi, a licări; a pâlpâi **3** ← *înv* a miji, a se închide de somn **II** *vt* **1** a clipi din *(ochi)* **2** a semnaliza cu *(farurile, etc.)*

III *s* **1** clipire (din ochi); **she gave me a ~** mi-a făcut semn cu ochiul; **a nod's as good as a ~ (to a blind man)** un semn, o aluzie, *etc.* e de ajuns ca să pricepi (despre ce este vorba); **to tip smb the ~** ← *F* a da cuiva de veste, a informa pe cineva, a anunţa pe cineva; a da cuiva să înţeleagă **2** clipă, clipită; **to vanish in a ~** a dispărea dintr-o clip(it)ă; **I didn't get a ~ of sleep** n-am dormit nici o clipă, n-am închis ochii; **forty ~s** somn scurt (după amiază), *F* pui de somn **3** licărire, sclipire; pâlpâit

wink away ['wiŋk əˈwei] *vt cu part adv* a-şi opri, a-şi stăpâni *(lacrimile)*

winkers ['wiŋkəz] *s pl auto* ← *F* semnalizatoare

winkle ['wiŋkəl] *s zool* diferite specii de melc de mare *(Littorina; Busycon)*

winkle out ['wiŋkəl 'aut] *vt cu part adv* **1** ← *F* a smulge, a scoate; a afla *(adevărul, etc.)* **2** ← *F* a scoate, a da afară *(pe cineva)*

wink out of ['wiŋk ˌaut əv] *vt cu prep* a scoate *(o murdărie, etc.)* (din ochi) clipind

winner ['winəʳ] *s* **1** câştigător; învingător **2** (mare) succes **3** persoană care s-a realizat

winning ['winiŋ] *adj atr* **1** câştigător; învingător; biruitor; **to play a ~ game a** a juca impecabil/fără greş **b** *fig* a acţiona/a proceda infailibil/fără greş; a merge la sigur **2** atrăgător, captivant, încântător, cuceritor; **~ ways** fel de a fi cuceritor **3** *(d. o lovitură)* de graţie, decisiv

winning post ['winiŋ ˌpoust] *s sport* potou/linie de sosire

winnings ['winiŋz] *s pl* câştig, bani câştigaţi *(la curse, etc.)*

Winnipeg ['winiˌpeg] *oraş şi lac în Canada*

winnow ['winou] **I** *vt* **1** a vântura *(grâu)* **2** *(d. vânt, etc.)* a spulbera; a împrăştia, a risipi **3** *fig* a cerne; a cerceta cu grijă, a verifica; a despărţi, a deosebi; **to ~ truth from falsehood** a distinge/a discerne adevărul de minciună **4** *fig* a alege, a selecta, a selec-ţiona **5** *poetic* a bate *(aerul)* cu aripile **II** *vi agr* a vântura (grâu) **III** *s agr* vânturătoare

winnower ['wɪnouəʳ] *s agr* **1** vânturătoare **2** vânturător

win over/round ['wɪn 'ouvəʳ/'raund] *vt cu part adv* a câştiga de partea sa; a convinge; **I'm sure we can win him over/round to our point of view** sunt sigur că-l putem aduce la punctul nostru de vedere/că-l putem face să-şi însuşească punctul nostru de vedere

winsome ['wɪnsəm] *adj v.* **winning 2**

winsomely ['wɪnsəmlɪ] *adv* (în mod) cuceritor, fermecător

winsomeness ['wɪnsəmnɪs] *s* farmec, atracţie; vino-ncoace

winter ['wɪntəʳ] **I** *s* **1** iarnă; **green ~** iarnă fără zăpadă; **in (the) ~** iarna, în timpul iernii; **last ~** iarna trecută; astă iarnă **2** *poetic* iarnă, – an; **a man of eighty ~s** un om de optzeci de ani **3** perioadă grea/de restrişte *etc.* **II** *vi* a ierna; a hiberna **III** *vt* a îngriji *(animale, plante)* pe/în timpul iernii

winterberry ['wɪntə,berɪ] *s bot* ilice *(Ilex sp.)*

winterbourne ['wɪntə,bɔːn] *s* izvor *sau* pârâu care curge numai iarna

winter cherry ['wɪntə ,tʃerɪ] *s bot* păpălău *(Physalis alkekengi)*

winter corn/crop ['wɪntə ,kɔːn/,krɔp] *s agr* culturi de toamnă

winter garden ['wɪntə ,gɑːdn] *s bot* seră cu plante ornamentale *(ca loc de recreaţie iarna)*

wintergreen ['wɪntə,griːn] *s bot* perişor *(Pyrola minor)*

winterize ['wɪntə,raɪz] *vt* a adapta la condiţiile de iarnă

winterly ['wɪntəlɪ] *adj v.* **wintry**

winter sports ['wɪntə ,spɔːts] *s pl* sporturi de iarnă

wintertime ['wɪntə,taɪm] *s* (timp/vreme de) iarnă; **in (the) ~** iarna, în timpul iernii

winter wheat ['wɪntə ,wiːt] *s bot* grâu de toamnă *(Triticum sativum)*

wintery ['wɪntərɪ] *adj v.* **wintry**

win through ['wɪn 'θruː] *vi cu part adv* a ieşi cu bine (până la urmă); a reuşi în cele din urmă; a depăşi o dificultate; a se însănătoşi

wintry ['wɪntrɪ] *adj atr* **1** de iarnă, hibernal **2** *fig* rece, glacial, de gheaţă

winy ['waɪnɪ] *adj atr* ca vinul; ca de vin; cu gust *sau* miros de vin

winze [wɪnz] *s min* puţ orb *(suitor de la un orizont la altul)*

wipe [waɪp] **I** *vt* **1** a şterge *(cu cârpa, buretele, etc.);* a curăţa; a freca; **to ~ the floor with smb** *F* a da de pământ cu cineva, a face praf pe cineva, a desfiinţa pe cineva *(mustrându-l sau într-o discuţie)* **2** a-şi şterge *(picioarele, etc.);* **~ your nose on/with your handkerchief** şterge-ţi nasul cu batista **3** a face curat; **~ the floor dry** freacă duşumeaua până când se usucă; **~ your face clean** şterge-ţi bine faţa **4** *sl* a pocni, a lovi; **to ~ smb's face with a stick** a-i trage cuiva una cu băţul peste faţă **II** *vi* (at) *sl* a lovi *(cu ac)* **III** *s* **1** ştergere; curăţare; frecare; **give your nose a good ~** şterge-ţi bine nasul **2** *telev* tranziţie cinematică a imaginii **3** *sl* batistă

wipe away ['waɪp ə'weɪ] *vt cu part adv* a şterge, a îndepărta *(praful, lacrimile, etc.)*

wipe down ['waɪp 'daun] *vt cu part adv* a curăţa/a şterge cu o cârpă umedă *(pereţii, etc.)*

wipe off ['waɪp 'ɔːf] *vt cu part adv* **1** a şterge *(ce s-a scris pe tablă, etc.)* **2** *fig* a scăpa de, a lichida, a achita *(o datorie)*

wipe out ['waɪp 'aut] *vt cu part adv* **1** a nimici, a distruge, a desfiinţa *(populaţia, etc.)* **2** a îndepărta cu totul, a rade, a şterge temeinic **3** a curăţa pe dinăuntru *(un ulcior, etc.)* **4** *fig* a şterge; a uita *(certurile, etc.)* **5** *v.* **wipe off 2**

wipe-out area ['waɪp ,aut 'ɛərɪə] *s tel* zonă de proastă recepţie

wiper ['waɪpəʳ] *s* **1** *auto* ştergător (de parbriz) **2** ştergător, prosop **3** *el* cursor, perie de contact **4** *tehn* pieptene de ungere; racletă **5** cârpă (de praf) **6** *sl* batistă

wipe up ['waɪp 'ʌp] *vt cu part adv* **1** a şterge *(lichid, murdărie)* **2** a şterge cu cârpa uscată *(vesela, etc.)*

wire ['waɪəʳ] **I** *s* **1** sârmă; fir de sârmă; **to pull (the) ~s** *fig* a trage sforile **2** laţ *(pt prinderea păsărilor)* **3** fir, aţă *(pt tăiatul untului, etc.)* **II** *vt* **1** *el* a bobina; a conecta **2** *tehn* a cupla, a lega **3** a lega/a fixa cu sârmă **4** a telegrafia, a înştiinţa despre *(ceva)* printr-o

telegramă; **he ~d her** she had passed i-a telegrafiat că (ea) a reuşit; **he ~d me the results of the examination** mi-a comunicat telegrafic/prin telegramă rezultatele examenului **5** *mil, etc.* a îngrădi cu sârmă **6** a prinde în laţ *(o pasăre)* **III** *vi* a telegrafia; **he ~d me about it** mi-a trimis o telegramă în legătură cu asta

wire basket ['waɪə ,bɑːskɪt] *s* coş de sârmă; sită metalică

wirecutters ['waɪə,kʌtəz] *s pl* foarfece/cleşte de tăiat sârmă

wire dancer ['waɪə ,dɑːnsəʳ] *s* echilibrist/acrobat pe sârmă; dansator pe sârmă

wire-drawn ['waɪə ,drɔːn] *adj* **1** *met* trefilat **2** *(d. un argument)* tras de păr **3** *(d. stil)* contorsionat; încurcat

wire-haired ['waɪə:hɛəd] *adj* cu părul ca sârma; *(d. focşi)* sârmoşi

wire in ['waɪər 'ɪn] *vi cu part adv* ← *rar* *F* a-i da drumul, – a se apuca de treabă (serios)

wireless ['waɪəlɪs] *tel* **I** *adj atr* fără fir; (de) radio **II** *s* radio; **on the ~** la radio; prin radio

wireless apparatus ['waɪəlɪs æpə'reɪtəs] *s tel* radioaparataj

wireless telegram ['waɪəlɪs 'telɪgræm] *s* radiotelegramă

wireless telegraph ['waɪəlɪs 'telɪgrɑːf] *s* radiotelegrafie

wireman ['waɪəmən] *s* **1** *el*/instalator, montor, electrician **2** *tel* telegrafist

wire netting ['waɪə ,netɪŋ] *s* reţea *sau* reţele de sârmă

wire puller ['waɪə ,puləʳ] *s* **1** *teatru* păpuşar **2** *fig* persoană care trage sforile, sforar, trăgător de sfori; eminenţă cenuşie

wire pulling ['waɪə ,pulɪŋ] *s fig* maşinaţii, sforării

wire rope ['waɪə ,roup] *s met* cablu de sârmă

wire-tap ['waɪə ,tæp] **I** *vt* a intercepta *(convorbiri telefonice);* a conecta la linia de legătură prin fir **II** *vi* a intercepta convorbiri telefonice

wire tapping ['waɪə ,tæpɪŋ] *s* interceptarea convorbirilor telefonice

wire wool ['waɪə ,wuːl] *s* burete de sârmă *(pt curăţat vesela)*

wireworm ['waɪə,wəːm] *s ent specii* de gândac săritor *(Elateridae)*

wire-wove paper ['waiə ,wouv 'peipəʳ] *s poligr* hârtie velină

wiring ['waiəriŋ] *s el* **1** traseu de linie, conexiune **2** instalație electrică

wiry ['waiəri] *adj* **1** ca sârma; ca de sârmă; subțire și flexibil, sârmos **2** *(d. păr)* ca sârma, sârmos, țepos, aspru **3** slab și musculos; vânos; rezistent **4** de sârmă **5** *(d. sunet)* metalic

wis [wis] *vt* ← *înv* a socoti, a crede; a ști

Wisconsin [wis'kɔnsin] *stat în S.U.A.*

wisdom ['wizdəm] *s* **1** înțelepciune; judecată; cumințenie; sagacitate; **years bring ~** vârsta/ bătrânețea îl înțelepțește pe om **2** lucru înțelept *sau* cuminte; **I doubt the ~ of trusting him** mă îndoiesc că e (lucru) înțelept să ne încredem în el **3** experiența vieții; experiența omenirii **4** ← *înv* filosofie **5** știință, învățătură, cunoștințe

wisdom tooth ['wizdəm ,tu:θ] *s anat* măsea de minte, al treilea molar

wise¹ [waiz] *adj* **1** înțelept, cu judecată, cu scaun la cap; chibzuit, prevăzător; serios, cuminte; așezat; **you will get ~r as you get older** (o dată) cu anii/vârsta o să devii mai înțelept; **the child is ~ for his age** copilul știe prea multe pentru vârsta lui *sau* e prea serios pentru vârsta lui; **you were ~ not to go** bine ai făcut că nu te-ai dus; **you should have been ~r not to do that** era mai bine să nu faci asta; n-ai procedat înțelept; **~ after the event** care dă sfaturi și soluții după ce s-a comis greșeala; *cf* după război mulți viteji se-arată; *cf* după ce frângi carul, mulți se găsesc să-ți arate drumul; *cf* după ploaie nu mai trebuie căciulă; *cf* tot pățitu-i priceput; **the Three W~ Men** *bibl* Cei trei magi (de la răsărit) **2** știutor, cunoscător, avizat, informat; **to get ~ to a fact** a se sesiza de un fapt, a-și da seama de un fapt; **I've got ~ to him and his game** m-am dumirit ce fel de om este și ce trucuri/pungășii folosește; **he came away as ~ as he went** s-a întors cum a plecat; nu a aflat nimic; *cf* s-a dus bou și s-a întors

vacă; **none the ~r for** care nu s-a ales cu nimic în urma *cu gen*, care nu a avut nimic de câștigat de pe urma *cu gen* **3** cu puteri oculte

wise² *s* ← *înv* chip, fel, mod, manieră; **in no ~** deloc, defel, în nici un chip; **in this ~** în felul acesta; **in some ~** oarecum, într-un fel oarecare

-wise *suf adj și adv* **1** *(arată direcția sau poziția):* **sidewise** lateral; **lenghtwise** în lungime, de-a lungul **2** *(arată modul caracteristic):* **crabwise** ca racul **3** cu privire la, în ceea ce privește: **taxwise** cu privire la impozite

wiseacre ['waiz,eikəʳ] *s peior* deștept, atoateștiutor

wisecrack ['waiz,kræk] *s F* banc; ~ spirit, vorbă de duh; glumă

wise guy ['waiz ,gai], **wisehead** ['waiz,hed] *s v.* **wiseacre**

wisely ['waizli] *adv* înțelept, cu înțelepciune; cu judecată; chibzuit; cuminte

wisent ['wi:zənt] *s zool* zimbru *(Bison bonasus)*

wise up ['waiz 'ʌp] *vt cu part adv* ↓ *amer* ← *F* **1** a informa, a încunoștința **2** a ști, a cunoaște; a pricepe

wish [wiʃ] **I** *vt* **1** *(cu pret și subj)* a dori, a vrea *(ceva ce nu este posibil acum);* **I ~ I had a terrier** aș dori să am un fox(terrier), mi-aș dori un fox; **I ~ (that) it would rain** aș vrea să plouă, ce păcat că nu plouă; **I ~ he were here** ar fi bine să fie aici, păcat/îmi pare rău că nu este aici; **I ~ I knew what is happening** aș vrea să știu ce se întâmplă **2** *(cu Past Perfect)* a fi păcat că *(că nu s-a întâmplat ceva în trecut)* etc.; **I ~ I had never been born** mai bine nu m-aș fi născut; **she ~ed she'd stayed at home** îi părea rău că n-a stat/rămas acasă **3** *(cu inf lung sau ac cu inf)* *elev* a dori, – a vrea; **do you ~ to eat alone?** doriți să mâncați singur? domnul dorește să mănânce singur? **do you ~ me to come back later?** doriți să revin mai târziu? **I ~ you to understand that** doresc/vreau să înțelegeți că; **I ~ it to be**

done at once doresc să se facă neîntârziat **4** *(cu compl direct și circumstanțial);* **they ~ed the work complete, but it wasn't** doreau/ar fi dorit lucrarea terminată, dar nu s-a putut/dar nu a fost așa; **we ~ed him anywhere except there** preferam să fie oriunde numai acolo nu; **they ~ed the voyage at an end** ar fi dorit să se termine călătoria, de-abia așteptau să se sfârșească voiajul; **she could have ~ed him further** îi părea rău că este acolo, ar fi dorit mult ca el să nu fie acolo; **I ~ed him at the devil** în gândul meu/sinea mea îl trimiteam la dracul **5** *(cu dat)* a dori, a ura (cuiva); a spune (cuiva); **to ~ smb a safe journey** a ura cuiva drum bun; **to ~ smb good morning** a spune cuiva bună dimineața; **to ~ smb sweet dreams** a dori cuiva vise plăcute; **we ~ you good luck** vă dorim/urăm noroc; **to ~ smb well** a dori cuiva numai bine; **to ~ smb welcome** a ura cuiva bun venit; **I ~ nobody ill** nu vreau răul nimănui; **to ~ smb joy of it, him** *etc.* a ura cuiva să aibă parte de el *etc.*, a spera că cineva/a-i plăcea să creadă că cineva se va bucura de el *etc.* (mai mult decât se propune/așteaptă); **if you ~ it** dacă așa doriți (dvs.) **II** *vr (cu compl circumstanțial);* **she ~ed herself home again** dorea să fie din nou acasă, ar fi vrut să fie acasă iar **III** *vi* **1** a avea o dorință *sau* dorințe; a năzui; a aspira; **let us ~!** să râvnim/ aspirăm! **2** a vrea, a dori; **if you ~** dacă doriți/vreți **3** a-și dori ceva (în gând) **IV** *s* **1** dorință; plăcere; vrere; dor; poftă; **a ~ to be alone** dorința de a fi singur; **to grant smb's ~** a îndeplini dorința cuiva; a face pe voia cuiva; **she had no ~ to stay** nu dorea deloc să (mai) rămână; **it was done against my ~es** aceasta s-a făcut împotriva voinței/dorinței mele; **you shall have your ~** dorința dvs. va fi îndeplinită/satisfăcută;

she got her ~ a căpătat ce-a vrut; **i s-a făcut pe voie; a ~ for peace** dorință de pace; **in obedience to your ~es** *(în stil oficial)* în conformitate cu dorința exprimată de dvs.; **if ~es were horses, beggars would ride** *prov* când ar face toate muștele miere, ar fi pe toți pereții faguri 2 dorință, obiect al dorinței; **his last ~** ultima sa dorință *(înainte de a muri)* 3 dorință *(în gând)*; **to make a ~** a-și dori ceva în gând 4 dorință, urare; **with best ~es for a happy New Year** cu cele mai bune urări de Anul Nou; **with the author's best ~es** cu cele mai bune urări ale autorului

wishbone ['wiʃ,boun] *s* (osul) iadeș *(la păsări)*

wish for ['wiʃ fər] *vi cu prep* a-și dori cu ac, a visa la; a se ruga pentru; **she had everything a woman can ~** avea tot ce-și poate dori o femeie; **how he wished for a trip to the mountains!** cât (de mult) visa la o călătorie în munți!

wishful ['wiʃful] *adj* doritor, dornic; însetat

wishfully ['wiʃfuli] *adv* cu dor; cu pasiune

wishful thinking ['wiʃful ,θiŋkiŋ] *s* gânduri inspirate de dorințe, iluzii, dorințe deșarte, luarea dorințelor drept realitate

wishing ['wiʃiŋ] *s* 1 dorire; dorință; vrere 2 urare; urări

wishing bone ['wiʃiŋ ,boun] *s v.* **wishbone**

wishing cap ['wiʃiŋ ,kæp] *s* tichie fermecată *(care îndeplinește toate dorințele)*

wishing well ['wiʃiŋ ,wel] *s* fântână fermecată *sau* izvor fermecat *(care ghicește dorințele)*

wish on/upon ['wiʃ ɔn/ə,pɔn] *vt cu prep* 1 a dori ca *altcineva* să aibă parte de; **she's a difficult person; I wouldn't wish her on my worst enemy** este o persoană dificilă; n-aș dori să aibă parte de ea nici cel mai mare dușman al meu; **we had their children wished on us for the weekend** ne-am pomenit cu copiii lor la sfârșitul săptămânii 2 a sili să accepte, *F* a vârî pe gât; **another task was wished on him** i-au

mai dat o sarcină (că n-avea destule)

wishy-washy ['wiʃi ,wɔʃi] *adj* 1 fără gust, searbăd, fad 2 *(d. ceai, etc.)* slab; apos 3 *(d. stil)* dezlânat; insipid; incolor 4 *fig* fără miez/conținut 5 *fig* șovăitor, ezitant, nehotărât; neprecis

wisp [wisp] *s* 1 mănunchi, mână, legătură *(de fân, etc.)*; funie; răsucitură; șomoiog *(de paie)* 2 smoc *(de păr)* 3 măturică // **a little ~ of a man** o fărâmă/o bucățică de om

wispy ['wispi] *adj* 1 în mănunchi, înmănuncheat 2 *(d. un fir de iarbă, etc.)* subțire

wist [wist] *pret și ptc de la* **wit²**

wistaria [wis'tɛəriə], **wisteria** [wi'stiəriə] *s bot* glicină *(Wisteria sinensis)*

wistful ['wistful] *adj* nostalgic, plin de dor/alean; melancolic; visător, gânditor, meditativ

wistfully ['wistfuli] *adv* cu nostalgie/dor; cu melancolie, melancolic; meditativ, gânditor

wistfulness ['wistfulnis] *s* nostalgie, dor, alean; melancolie; visare; reverie

wit¹ [wit] *s* 1 *pl* ← *înv* simțuri; **the five ~s** cele cinci simțuri 2 *și la pl* spirit, inteligență; (putere de) judecată; rațiune; discernământ; (putere de) înțelegere; voiciune a minții; istețime; deșteptăciune; **to have the ~ to call the doctor** a avea destulă minte/judecată ca să cheme doctorul; **at one's ~s end** a nu (mai) ști ce să facă, *F* a i se opri mintea în loc; a nu-l tăia capul; **to have/to keep one's ~s about one** a nu-și pierde cumpătul, a nu se pierde cu firea; a ști ce are de făcut; **to live by one's ~s** a trăi din expediente, a se descurca într-un fel; a trăi din venituri/câștiguri dubioase; **she has quick ~s** este iute de minte, îi merge mintea, pricepe repede; **out of one's ~s** scos din minți, înnebunit; nebun; **to frighten/to scare smb out of his ~s** a speria îngrozitor pe cineva, a umple pe cineva de groază, a băga spaima în cineva, a băga pe cineva în toți speriații 3 exprimare inteligentă și spirituală (a ideilor);

spirit; duh; umor; ironie; „sare" 4 persoană spirituală; *P →* mucalit; hâtru bun de glume 5 ← *rar* înțelepciune; simț practic 6 ← *înv* intelect; rațiune; logică

wit² *pret și ptc* **wist** [wist] *vt, vi* ← *înv* a ști; a învăța, a afla; **to ~ cu** alte cuvinte, adică

witan ['witən] *s ist* sfatul *sau* sfetnicii regelui *(la anglo-saxoni)*

witch [witʃ] **I** *s* 1 vrăjitoare, *P →* fermecătoare, farmazoană 2 ← *înv* vrăjitor, *P →* fermecător, farmazon, solomonar 3 *fig* femeie *sau* fată seducătoare, sirenă 4 cotoroanță, baba-cloanța, hârcă **II** *vt și fig* a vrăji

witch broom ['witʃ ,bru:m] *s* mătură de vrăjitoare

witchcraft ['witʃ,kra:ft] *s* 1 vrăjitorie, farmece, *P →* solomonie 2 *fig* farmec, vrajă

witch doctor ['witʃ ,dɔktər] *s* vraci *(la primitivi)*

witchery ['witʃəri] *s v.* **witchcraft**

with [wið] *prep* 1 cu; împreună cu; **to go for a walk ~ a friend** a se duce la plimbare cu un prieten; **he lives ~ his parents** locuiește (împreună) cu părinții lui; **your name was mentioned ~ others** printre celelalte nume a fost amintit și al dumitale; **he bought the chairs (together) ~ the table** a cumpărat scaunele împreună cu masa; **~ one another, ~ each other** unul cu altul; unii cu alții 2 cu, alături de; de partea *cu gen*; **he fought ~ the American navy during the war** în timpul războiului a luptat în marina americană; **I'm ~ you in what you say** sunt de acord cu ceea ce spui 3 *(exprimă amestecul, îmbinarea)* cu; **mix it ~ water** amestecă-l cu apă; to-pește-l în apă; **do you want sugar ~ your tea?** doriți zahăr la ceai? 4 *(exprimă includerea)* cu; la; **the whale is sometimes mistakenly included ~ the fishes** în mod eronat balena este uneori inclusă printre pești; **she acted ~ another company** a jucat într-o altă trupă; **to belong ~ amer** a ține de; a avea legături cu; **the rent is £ 30 a week ~ attendance** chiria, inclusiv serviciile, este de 30 de lire pe săptămână 5 cu; care are; având; **a coat ~ two pockets** o haină cu două buzunare; **a man ~ a gun in his hand** un om cu o pușcă în mână; **a telegram ~ a bad news** o telegramă cu vești proaste; **a mountain covered ~ snow** un munte acoperit cu zăpadă; **a child ~ a dirty face** un copil cu fața murdară 6 cu; cu ajutorul *cu gen*; prin; datorită *cu dat*; **to cut ~ a knife** a tăia cu cuțitul/un cuțit; **~ his help** cu ajutorul lui; mulțumită/datorită lui; **what will you buy ~ the money?** ce vrei să cumperi cu banii? 7 cu; în sprijinul *cu gen*; în favoarea *cu gen*; de partea *cu gen*; pentru; **you are either ~ me or against me** ori ești cu mine, ori împotriva mea; **the whole country was ~ him** întreaga țară era cu el/alături de el/de partea lui 8 cu; împotriva, în contra *cu gen*; **to fight ~ smb** a (se) lupta cu cineva/împotriva cuiva; **to quarrel ~ smb** a se certa cu cineva; **to have an argument ~ smb** a se certa cu cineva; a avea o dispută cu cineva; **at war ~** în (stare de) război cu; **have a race ~ me** hai să ne întrecem la fugă 9 cu, în aceeași direcție cu; **to sail ~ a quartering wind** *nav* a naviga cu vânt larg; **carried along ~ the crowd** dus de mulțime 10 (o dată) cu; în același timp cu; **her hair became grey ~ the passing of the years** părul îi încărunți (o dată) cu trecerea anilor 11 (*exprimă comparabilitatea*) cu; ca și; la fel cu; la fel ca și; **the same ~ the second** la fel cu cel de al doilea; **level ~ the road** la același nivel cu drumul; **Mary's blue dress goes ~ her eyes** rochia albastră a lui Mary se potrivește de minune cu culoarea ochilor 12 (*exprimă separarea*) cu; de; **to break ~ the past** a o rupe cu trecutul; **she parted ~ her family** s-a despărțit de familie/familia ei/ai ei 13 în ciuda *cu gen*, cu tot; **~ all my efforts** în ciuda tuturor eforturilor mele, cu toate eforturile mele; **~ all his advantages, I'm sure he can't win** cu toate avantajele pe care le are, sunt

sigur că nu poate câștiga 14 de; din cauza/pricina *cu gen*; datorită *cu dat*; **to tremble ~ fear** a tremura de frică; **to die ~ hunger** a muri de foame; **she was singing ~ joy** cânta de bucurie; **I can't go out ~ all that dishes to wash** nu pot să ies când am atâtea vase de spălat; cu atâtea vase de spălat, cum să plec? 15 (*exprimă modul*) cu; plin de; **~ courage** cu curaj, curajos; **he received me ~ open arms** m-a primit cu brațele deschise 16 la; **~ us** la noi; în țara noastră; **he lives ~ his parents** locuiește la părinții lui (*cf ~ I*) 17 la; asupra *cu gen*; **I haven't it ~ me** n-o am la mine/asupra mea 18 la; pentru; **~ him it's all a matter of money** pentru el totul este o chestie de bani; **~ her problem of conscience is of paramount importance** pentru ea problema conștiinței este de extremă importanță 19 la; în grija/seama *cu gen*; **leave the child ~ me** lasă copilul la sau cu mine sau în grija mea; **the decisions rests ~ you** dumneata hotărăști, dumneata ești cel care hotărăște; **to trust smb ~ a secret** a încredința cuiva un secret 20 cu; față de; în ceea ce privește, cât privește, privitor la; de; **to be patient ~ smb** a fi răbdător/a avea răbdare cu cineva; **to be in love ~ smb** a fi îndrăgostit de cineva; **what's wrong ~ her?** ce are? ce i s-a întâmplat? ce-i cu ea? **be careful ~ the mirror** fii atent cu oglinda aia 21 (*exprimă legătura, conexiunea*) cu; de; **connected ~ a** legat de **b** conectat la **c** înrudit cu 22 (*în porunci, comenzi, imprecații, etc.*) cu; **off to bed ~ you!** la culcare cu tine! **down ~ ...!** jos cu ...! **away ~ such ideas!** afară cu asemenea idei! **down ~ the door!** spargeți ușa! **away ~ it!** afară cu el! ia-l de aici! // **to be in ~ smb** a se înhăita cu cineva; **are you still ~ me?** mă (mai) urmărești? (mai) urmărești ce vreau să spun?

withal [wi'ðɔːl] ← *înv* I *adv* 1 în plus, în afară de acestea, pe lângă acestea; unde mai pui; de ase-

menea, pe de altă parte 2 prin aceasta, astfel 3 la acestea II *prep (la finele prop)* cu; **they had nothing to feed themselves ~** nu aveau nimic de mâncare

withdraw [wið'drɔː], *pret* **withdrew** [wið'druː], *ptc* **withdrawn** [wið'drɔːn] I *vt* 1 a retrage, a lua înapoi *(banii de la bancă, etc.)*; a scoate 2 a retrage, a retracta 3 *mil* a retrage; a scoate din luptă II *vr* ← *rar* a se retrage III *vi* 1 a se da înapoi (puțin), a se trage; a se retrage; **the child withdrew against the wall as the car passed by** copilul se lipi de zid când trecu mașina 2 *mil* a se retrage; a bate în retragere; a se replia; 3 a se retrage, a pleca; **after dinner the ladies withdrew** după masă doamnele s-au retras; **the jury withdrew** jurații s-au retras 4 **(from)** a se retrage, a ieși (din); a renunța (la); **to ~ from business** a se retrage din afaceri 5 a retracta, a-și lua vorba îndărăt/înapoi // **to ~ into oneself** a se retrage în sine

withdrawal [wið'drɔːəl] *s* 1 retragere; dare înapoi 2 retractare 3 *mil* retragere; repliere

withdrawal chamber/room [wið-'drɔːəl ˌtʃeimbə/'ruːm] *s* ← *înv* salon

withdrawn [wið'drɔːn] I *ptc de la* **withdraw** II *adj atr (d. cineva)* retras în sine, închis

withdrew [wið'druː] *pret de la* **withdraw**

withe [wiθ] *s* nuia *(de împletit coșuri, etc.)*, lozie, răchită

wither ['wiðəʳ] I *vt* 1 a veșteji, a ofili; a usca 2 *fig* a slăbi, a emacia; a istovi; a îmbătrâni 3 *fig* a face să tacă, a reduce la tăcere 4 *fig* a spulbera, a distruge *(speranțe, etc.)* II *vi* 1 a se veșteji, a se ofili; a se usca; a trece; a păli 2 *fig* a se ofili; a îmbătrâni; a se trece; a slăbi 3 *fig* a se ofili, a nu mai putea de dor, a tânji

withering ['wiðəriŋ] *adj atr* 1 care veștejește, ofilește, usucă, *etc.* 2 *fig (d. o remarcă, etc.)* paralizant; distrugător, nimicitor

witheringly ['wiðəriŋli] *adv* însoțindu-și vorbele *etc.* cu o privire nimicitoare/ucigătoare

withers ['wiðəz] *s pl* gârbiță, greabăn *(la cai)*

withheld [wið'held] *pret şi ptc de la* **withhold**

withhold [wið'hould], *pret şi ptc* **withheld** [wið'held] **I** *vt* **1** a refuza; a se abţine de la; a renunţa la; **to ~ one's consent** a nu-şi da consimţământul; a nu fi de acord; **to ~ comment** a se abţine de la comentarii; **to ~ fire** *mil* a nu deschide focul; **one cannot ~ admiration from this painting** nu poţi să nu-ţi exprimi admiraţia faţă de această pictură **2** a reţine; a opri; **to ~ payment** a opri plata, a nu plăti; **to ~ one's hand** a se abţine (în ultima clipă) să lovească; **to ~ smb to doing smth** a opri pe cineva să facă ceva **3** a ascunde, a tăinui, a nu da în vileag *(adevărul, o informaţie, etc.);* **the facts were withheld from him** i s-au ascuns faptele, nu i s-au arătat faptele **II** *(v. ~ I) vr, vi* **(from)** a se abţine (de la)

within [wi'ðin] **I** *adv ← elev* **1** înăuntru; în interior **2** în casă **3** în sinea sa; **to be pure ~** a avea un suflet curat **II** *s ← elev* interior, parte interioară; **the ~ of a box** interiorul unei cutii **III** *prep* **1** înăuntru *cu gen*, în interiorul *cu gen*, în; în cuprinsul *cu gen*; în raza *cu gen*; **~ the house** în casă, în interiorul casei; **~ the city** în oraş, în interiorul oraşului; în cuprinsul oraşului; **~ the walls of** între zidurile *cu gen*; **~ four walls a** între patru pereţi **b** *fig* între patru pereţi, în taină/secret; pe ascuns **2** *(d. sentimente, etc.)* din; dinăuntrul, din interiorul *cu gen*; înăuntrul, în interiorul *cu gen*; **a voice ~ me said** un glas lăuntric/o voce interioară mi-a spus; **hope sprang ~ her** îi încolţi speranţa în suflet; **~ oneself** în sinea sa **3** în; până în; nu mai târziu de; **~ a week** (până) într-o săptămână; până la sfârşitul săptămânii; **~ ten minutes they were dressed** în zece minute erau îmbrăcaţi; **the letters came ~ a few days of each other** scrisorile soseau la un interval de (numai) câteva zile **4** în raza *cu gen*, nu mai departe de(cât); **~ a few miles from London** la o depărtare de (numai)

câteva mile depărtare de Londra; **to remain ~ call/reach** a rămâne în/prin apropiere; **he was ~ a couple of paces of us** era la (o depărtare de) câţiva paşi (de noi); **are we ~ walking distance of the post-office?** putem ajunge pe jos (până) la poştă? **they were ~ sight** se puteau/îi puteam vedea; nu erau departe **5** în cadrul/limitele *cu gen*; în conformitate cu; conform *cu dat*; **~ (the) law** în cadrul legii, în cadrul legal; în conformitate cu prevederile legale; **keep ~ the speed limit!** nu depăşi viteza legală! **6** cu o precizie/exactitate care merge până la/care atinge, până la; **they are ~ a few months of the same age** diferenţa de vârstă între ei este de (numai) câteva luni // **~ an ace of** *fig* la un pas de

without [wi'ðaut] **I** *adv ← elev* **1** la exterior, pe din afară; la suprafaţă; **the house looked attractive enough ~** privită din afară, casa părea destul de atrăgătoare **2** afară; în aer liber; pe stradă; **the visitor stands ~** vizitatorul este pe stradă **3** după înfăţişare, după expresia chipului/feţei *(părea vesel, etc.)* **II** *prep* **1** fără; lipsit de; care nu are; **~ means** lipsit de/fără mijloace; **to do ~** a nu avea nevoie de; a se lipsi de; a se descurca (şi) fără; **~ doubt** fără îndoială, neîndoios; **~ fail** negreşit, neapărat, categoric **2** *(cu forme în -ing)* fără (să *sau* cu *inf*); **~ knowing** fără să ştiu, etc./ a şti; **it goes ~ saying** se înţelege de la sine, nu mai trebuie spus *sau* amintit; **you can't move ~ everybody knowing** nu poţi face o mişcare fără să ştie toţi/toată lumea **3** *← înv* în afara *cu gen*, dincolo de; **~ the gate** dincolo de poartă; cum treci dincolo de poartă **4** *fig* dincolo de; depăşind cadrul *cu gen*; **it is ~ the compass of my design** nu intră în intenţiile mele **5** fără a (mai) pune la socoteală, (şi) fără; **you are too many ~ me** (chiar) şi fără mine sunteţi prea mulţi **III** *conj ← P* dacă nu; fără să; **I shan't go ~ I get the telegram** nu mă duc dacă nu primesc telegrama

withstand [wið'stænd], *pret şi ptc* **withstood** [wið'stud] **I** *vt* **1** a rezista la *sau* cu *dat*, a ţine piept *cu dat;* **to ~ an attack** a rezista unui atac **2** a se opune, a se împotrivi *cu dat* **II** *(v. ~ I) vi* a rezista, a opune rezistenţă, a nu ceda

withstood [wið'stud] *pret şi ptc de la* **withstand**

withy ['wiði] **I** *s v.* **withe II** *adj* **1** rezistent şi elastic, ca o vergea **2** *(d. cineva)* musculos

witless ['witlis] *adj* **1** prost, neghiob **2** prostesc, absurd **3** (of) neştiutor, ignorant (în privinţa – *cu gen);* **he was ~ of what was happening** nu ştia ce se întâmplă

witlessly ['witlisli] *adv* **1** prosteşte; nechibzuit **2** fără să ştie

witlessness ['witlisnis] *s* **1** prostie **2** neştiinţă **3** nepricepere

witling ['witlin] *s peior* deştept, caraghios, – om care se crede spiritual

witness ['witnis] **I** *s* **1** ↓ *jur* martor; martor ocular; **the ~es of the accident** martorii accidentului; **to hear/to examine a ~** a audia un martor; **~ to a signature** *jur* persoană care poate confirma autenticitatea unei semnături; martor la depunerea unei semnături; **God is my ~ that** Dumnezeu mi-e martor că; **to call/to take smb to ~** a lua pe cineva ca/drept martor **2** mărturie; dovadă; probă; **to bear ~ to a** *jur* a depune mărturie pentru *sau* cu privire la **b** *fig* a sta/a fi mărturie *cu dat*, a adeveri, a atesta *cu ac*; a dovedi, a demonstra *cu ac*; **false ~** mărturie mincinoasă; **to bear smb ~ a** a adeveri/a confirma spusele cuiva **b** a fi martor al faptelor cuiva; **in ~ whereof** *(în stilul oficial)* întru adeverirea căreia **3** dovadă; astfel; de pildă/exemplu; **a friend in need is a friend indeed; ~ John** prietenul la nevoie se cunoaşte – de exemplu John **II** *vt* **1** a fi martor/a asista la; a observa; **we ~ed a strange change in him** am observat la el o schimbare ciudată **2** *jur* a fi prezent ca martor la; a atesta/a adeveri/a confirma ca martor; a subscrie ca martor *(un document)*

3 *fig* a trăda, a dovedi; **her tears ~ed the shame she felt** lacrimile ei trădau rușinea pe care o simțea **III** *vi* (**against; for**) *jur* a depune mărturie (contra – *cu gen*; pentru)

witness box/*amer* **stand** ['witnis ˌbɔks/ˌstænd] *s jur* banca/boxa martorilor

witness to ['witnis tə] *vi cu prep* **1** ↓ *jur* a depune mărturie în legătură cu; a susține în calitate de martor că; **she witnessed to having seen the defendant near the scene of the crime** susținea că l-a văzut pe acuzat aproape de locul crimei **2** *fig* a atesta, a dovedi; a trăda; a fi un semn de

-witted ['witid] *adj* (*în cuvinte compuse*) cu mintea ..., la minte; cu intenții ...; **half-~** care nu e întreg la minte; sărac cu duhul; **evil-~** rău intenționat

witticism ['witiˌsizəm] *s* remarcă spirituală; vorbă/cuvânt de spirit; glumă

wittily ['witili] *adv* cu mult spirit, spiritual

wittiness ['witinis] *s* spirit, duh, „sare"

witting ['witiŋ] *adj atr* ← *rar* intenționat, deliberat; premeditat

wittingly ['witiŋli] *adv* intenționat, cu intenție; cu premeditare

witty ['witi] *adj* **1** (*d. cineva*) spiritual, plin de duh; ghiduș, mucalit **2** (*d. remarci, etc.*) spiritual, (plin) de duh, de spirit **3** ← *înv* șiret, viclean; abil

wive [waiv] ← *înv* **I** *vi* a se căsători, a se însura **II** *vt* a se căsători/a se însura cu; a lua de nevastă/soție

wives [waivz] *s pl de la* **wife**

wizard ['wizəd] *s* **1** (↓ *în basme*) vrăjitor, magician, *P* → fermecător, farmazon, solomonar **2** șaman; vraci **3** *fig* vrăjitor, artist, *etc.* excepțional **4** scamator, prestidigitator

wizardly ['wizədli] *adj* ← *rar* (ca) de vrăjitor

wizardry ['wizədri] *s* vrăji; vrăjitorie; magie

wizen ['wizən] **I** *vt* a veșteji, a ofili; a usca; a seca **II** *vi* a se ofili; a se usca; a seca

wizened ['wizənd] *adj* **1** ofilit; uscat; secat **2** zbârcit; cu riduri

wk. *presc de la* **1 week 2 work**

woad [woud] *s bot* drobușor, cardamă (*Isatis tinctoria*)

wobble ['wɔbəl] **I** *vi* **1** a merge cu pași nesiguri; a se împletici, a se bălăbăni; a șchiopăta, a șontâcăi **2** a da din coadă **3** a se agita, a se fâțâi (de colo până colo) **4** (*d. masă, etc.*) a se clătina; a se hâțâna **5** *fig* a șovăi, a ezita **II** *vt* **1** a clătina, a hâțâna, a mișca **2** a clătina (din) (*cap*); a mătăhăi; a da din (*coadă*) **III** *s* șovăială, nesiguranță (*a vocii, etc.*)

wobbly ['wɔbli] *adj* **1** care se împleticește; care șchioapătă; nesigur **2** *fig* șovăitor, șovăielnic **3** *fig* nestabil, nestatornic; inegal

Wodan, Woden ['woudən] *mit* Wodan; Odin

woe [wou] **I** *s* **1** suferință, durere; < nenorocire; **a tale of ~** poveste tristă, șir de nenorociri (în viața cuiva); **~ is me!** *înv* vai mie! **~ betide him! a** îl pot aștepta multe neplăceri *sau* nenorociri **b** *înv* blestemat să fie! **~ worth the day/the while** *înv* blestemată fie ziua, blestemat fie ceasul (acela) **2** *pl* necazuri, < nenorociri; **poverty, illness and other ~s** sărăcia, boala și alte nenorociri/calamități **II** *interj* vai! of! vai de mine! vai și amar!

woebegone ['woubiˌgɔn] *adj* **1** cu înfățișare jalnică; copleșit de durere/jale; jalnic; > trist **2** ← *înv* trist, întristător; jalnic; dureros

woeful ['woufəl] *adj* **1** plin/copleșit de jale/durere, nespus de trist; **~ eyes** ochi plini de tristețe **2** trist, întristător, dureros; vrednic de plâns; **~ sight** priveliște jalnică *sau* cumplită; **~ ignorance** ignoranță crasă/cumplită **3** tânguios; tânguitor

woefully ['woufəli] *adv* (în mod) jalnic; dureros de; teribil de

woefulness ['woufəlnis] *s* jale, durere; nenorocire

wog [wɔg] *s* ← *peior* asiatic *sau* negru

woke [wouk] *pret de la* **wake I-II**

woken ['woukən] *ptc de la* **wake I-II**

wold [would] *s și la pl ca sg* ținut deluros *sau* șes lipsit de vegetație

wolf [wulf] **I** *pl* **wolves** [wulvz] *s* **1** *zool* lup (*Canis lupus*); **to cry ~** a striga „lupul", a da o alarmă

falsă; **to keep the ~ from the door** *fig* a trăi de la mână până la gură, a o duce de azi pe mâine, a lega două în curmei; **a ~ in sheep's clothing** *fig* un lup (îmbrăcat) în piele de oaie; **to see a ~** *fig* a i se încleșta limba în gură, a nu fi în stare să scoată o vorbă/un cuvânt, a-i pieri glasul, a i se lega limba **2** *text* lup **3** *fig* om hrăpăreț, uliu, pasăre de pradă **4** *fig* (mare) crai, donjuan, *înv* ← craidon **5** *med* ← *înv* lupus **II** *vi* a vâna lupi **III** *vt* și **~ down** a înfuleca, a mânca lacom

wolf cub ['wulf ˌkʌb] *s* pui de lup

wolf dog ['wulf ˌdɔg] *s* v. **wolf hound**

wolf hound ['wulf ˌhaund] *s* **1** câine-lup **2** câine ciobănesc

wolfish ['wulfiʃ] *adj* **1** (ca) de lup, lupesc **2** *fig* (h)răpitor; prădalnic; lacom, rapace **3** *fig* crud, hain, hapsân

wolfing ['wulfliŋ] *s* pui de lup

wolfman ['wulfmən] *s* vârcolac

wolf pack ['wulf ˌpæk] *s* haită de lupi

wolfram ['wulfrəm] *s ch* wolfram, tungsten

wolframite ['wulfəˌmait] *s minr* wolframit

wolfsbane ['wulfsˌbein] *s bot* om(e)ag galben (*Aconitum lycoctonum*)

wolfskin ['wulfˌskin] *s* piele/blană de lup

wolf's milk ['wulfs ˌmilk] *s bot* laptele câinelui (*Euphorbia*)

wolf whistle ['wulf ˌwisl] *s* fluierat de admirație (*la vederea unei femei frumoase*)

wolverine ['wulvəˌriːn] *s zool* polifag american (*Gulo luscus*)

woman ['wumən], *pl* **women** ['wimin] *s* **1** femeie, *P sau peior* → muiere; **young ~ a** femeie tânără **b** fată; domnișoară; **little ~ a** femeiușcă; fetișcană **b** (*ca adresare*) domnișoară; fetițo **c** (*idem soție – alintător*) nevestico, soțioară; **single ~** femeie nemăritată; celibatară; fată bătrână; **the new ~** femeia modernă/zilelor noastre; **~ of the world a** femeie de lume **b** femeie cu experiență **c** ← *înv* femeie măritată; **~ of the town/the street(s)** femeie de stradă; **there's a ~ in it** este o femeie la mijloc, (în chestiunea aceasta) este amestecată o femeie, *fr* „cherchez la femme"; **my good ~ F** draga/scumpa mea (nevastă), nevestico; **old ~** femeie bătrână, babă; **one's young ~** iubita/drăguța/*P←* mândra cuiva **2** femeie (în casă); femeie de serviciu; fată în casă; slujnică, servitoare **3** femeie, soție *sau* concubină/*P→* ibovnică

woman-grown ['wumən ˌgroun] *adj atr (d. o fată)* maturizată, formată

woman hater ['wumən ˌheitəʳ] *s* misogin

womanhood ['wumən ˌhud] *s* **1** condiția de femeie; **she has now grown to ~** a devenit/s-a făcut (o adevărată) femeie **2** feminitate **3** *← rar* femeile, sexul slab, neamul femeiesc

womanish ['wuməniʃ] *adj* **1** de femeie, femeiesc, feminin **2** (ca) de femeie; efeminat; *peior* muieresc, de muiere; **he has a ~ walk** merge (legănându-se) ca o femeie

womanize ['wuməˌnaiz] **I** *vi* a-și petrece tot timpul cu femeile; a fi un dezmățat **II** *vt* a feminiza, a efemina; a emascula

womankind ['wumənˌkaind] *s v.* **womanhood 3; one's ~** femeile din familia cuiva, partea feminină a familiei

womanlike ['wumənˌlaik] *adj* (ca) de femeie; femeiesc, feminin

womanliness ['wumənlinis] *s* feminitate, grație *sau* modestie feminină

womanly ['wumənli] **I** *adj* feminin, de femeie, caracteristic unei femei **II** *adv ← înv* ca o femeie, femeiește

womb [wu:m] *s* **1** *anat S* uter, – matcă, mitră; **from ~ to tomb ←** *umor* din leagăn până la mormânt **2** *fig poetic* matcă; beznă; haos; început(uri); izvor; **through the ~ of night** prin bezna nopții; **the ~ of time** începătura vremii/vremilor; **it still lies in the ~ of time** viitorul este încă învăluit în beznă/bezne

wombat ['wɔmbæt] *s zool* urs marsupial *(Phascolomys ursinus)*

women ['wimin] *s pl de la* **woman**

womenfolk ['wiminˌfouk] *s ca pl* **1** femeile, sexul slab, neamul

femeiesc **2** femeile din familia cuiva, partea feminină a familiei

won [wʌn] *pret și ptc de la* **win I-II**

wonder ['wʌndəʳ] **I** *s* **1** uimire, mirare, surprindere (↓ și admirație); minunare; **in ~** cuprins de uimire, minunându-se; **to look in open-mouthed ~** a privi cu gura căscată *(de uimire, admirație, etc.);* a nu se mai sătura privind; **he has filled with ~** era cuprins/stăpânit de uimire; **for a ~ ←** *rar* în mod surprinzător; pe neașteptate, (ca) din senin, ca prin minune; **it's a ~ (that)** este surprinzător/de mirare (că); **(it's) no ~ (that), it's little/small ~ (that)** nu e de mirare (că), să nu ne surprindă (că); **what ~?** e ceva surprinzător în asta? e de mirare? **what ~ if** n-ar fi de mirare dacă; să nu te mire dacă **2** minune, miracol, minunăție; **to work/to do ~s** a face minuni; **the ~s of modern science** minunile științei moderne; **the seven ~s of the world** cele șapte minuni ale lumii; **his holiday has worked ~s in him/has done ~s for him** vacanța *sau* concediul a fost o adevărată minune pentru el; **he's a ~** este o minune de om, e un om – o minune **II** *adj atr* năzdrăvan; – minune; **a ~ horse** un cal năzdrăvan; **a ~ child** un copil-minune **III** *vi* **1** (at) a se mira, a fi uimit/mirat/surprins (de); **I ~ at him** mă mir de el, mă surprinde; **I ~ed at her saying that** m-am mirat când am auzit-o spunând asta; **can you ~ at it?** (nu înțeleg) de ce te miri (?); **I ~ he did not kill you** mă mir că nu te-a omorât; **that the criminal was caught is not to be ~ed at** nu e de mirare că l-au prins pe criminal; **I shouldn't ~ if he went here** nu m-aș/nu m-ar mira dacă ar pleca acolo **2** a se întreba; **I ~ who they are** mă întreb cine sunt (ei); **I ~ what time it is?** (cam) cât să fie ceasul? (cam) ce oră să fie? **I ~ whether you can tell me** n-ați putea să-mi spuneți (?); **I ~ (about that)** mă îndoiesc (că este așa)

wonder book ['wʌndə ˌbuk] *s* carte cu povestiri minunate *(pt copii)*

wonder-child ['wʌndə ˌtʃaild] *s* copil-minune

wonderer ['wʌndərəʳ] *s* persoană uimită; admirator

wonderful ['wʌndəful] *adj* minunat, uimitor, < nemaipomenit, extraordinar; **there is a ~ likeness between them** seamănă extraordinar de mult între ei; **she's got a ~ memory** are o memorie extraordinară/ieșită din comun; **how ~!** minunat! extraordinar! nemaipomenit! **he was ~ to me** s-a purtat extraordinar de frumos cu mine

wonderfully ['wʌndəfuli] *adv* **1** (în mod) extraordinar; minunat, nemaipomenit de frumos, *etc.* **2** extraordinar/nemaipomenit de *(bun, etc.)*

wonderingly ['wʌndəriŋli] *adv* **1** cu uimire, cu un aer surprins, mirat **2** încurcat, nedumerit; gânditor

wonderland ['wʌndə ˌlænd] *s* țara minunilor; țară de basm

wonderment ['wʌndəmənt] *s →* *elev* **1** (sentiment de) mirare, uimire, surprindere; minunare **2** minunăție, minune, lucru uimitor

wonder story ['wʌndə ˌstɔri] *s* poveste fantastică; basm cu zâne

wonder-stricken/struck ['wʌndə ˌstrikn/ˌstrʌk] *adj* uimit, < copleșit de uimire; entuziasmat

wonderwork ['wʌndə ˌwə:k] *s* minune, miracol

wonder-worker ['wʌndə ˌwə:kəʳ] *s* făcător de minuni

wonder-working ['wʌndə ˌwə:kiŋ] *adj atr* făcător de minuni; miraculos; *P→* năzdrăvan

wondrous ['wʌndrəs] **I** *adj poetic* minunat; nemaipomenit; de toată minunea; **~ beauty** frumusețe răpitoare **II** *adv poetic* nespus; nemaipomenit de *(bun, etc.)*

wonky ['wɔŋki] *adj F* rablagit, șubred, care de-abia se ține pe picioare; **~ legs** picioare care se bâțâie/cotonogite; **~ table** masă rablagită

wont [wount] **I** *adj pred ← rar* obișnuit, cum îi este obiceiul; **he was ~ to rise late** era obișnuit/obișnuia să scoale târziu; **as she was ~ to say** (după) cum îi era obiceiul să spună **II** *s ← elev* obicei, obișnuință, deprindere;

he came home earlier than was his ~ veni acasă mai devreme decât obișnuia/îi stătea în obicei **III** *pret* **wont** [wount], *ptc* **wont** [wount] *sau* **wonted** ['wountid] *vi* ← *înv* a fi obișnuit/deprins, a obișnui

won't *contras din* **will not**

wonted ['wountid] *adj atr* obișnuit, uzual; normal

wonted to ['wountid tə] *adj cu inf* obișnuit/deprins să

wont to [wount tə] **I** *vt cu inf* a obișnui/a deprinde să *(facă ceva)* **II** *vi cu inf* a se deprinde/a se obișnui să *(facă ceva)*

woo [wu:] **I** *vt* **1** a face curte *cuiva*; a peți **2** a căuta să câștige/să obțină/să dobândească; a umbla după; a căuta să-și câștige simpatia, *etc.* alegătorilor *etc.* **3** a ruga stăruitor/fierbinte, a implora **II** *vi* **1** a face curte; a peți **2** a stărui, a insista

wood [wud] **I** *s* **1** pădure; loc împădurit; regiune/zonă păduroasă; codru; **not to see the ~ for the trees** a nu vedea pădurea din pricina/cauza copacilor; **out of the ~** în afara primejdiei; care a lăsat în urmă/a depășit greutățile; **we are not out of the ~ yet** n-am scăpat încă de primejdii *sau* ne mai așteaptă încă (niște) greutăți; n-am ieșit încă la liman **2** lemn, material lemnos **3** lemne (de foc); **put some more ~ on the fire** mai pune (niște) lemne pe foc; **small~** vreascuri **4** vas de lemn; butoi; **wine from the ~** vin de la/din butoi **5 the ~** *muz* suflătorii, instrumentele de suflat *(din lemn)* **II** *adj atr* de/din lemn

wood alcohol ['wud ˌælkə‚hɔl] *s ch* alcool metilic

wood anemone ['wud ə'neməni] *s bot* floarea Paștilor *(Anemone nemorosa)*

woodbine ['wu:d‚bain] *s bot* **1** plantă volubilă **2** caprifoi *(Lonicera caprifolium)*

wood bit ['wud ‚bit] *s* sfredel de dulgher

woodblock ['wud‚blɔk] *s* **1** știrț, pavea de lemn **2** butuc; buștean **3** gravură în lemn **4** *poligr* clișeu de lemn

wood borer ['wud ‚bɔ:rəʳ] *s ent* gândac de scoarță

wood burner ['wud ‚bə:nəʳ] *s* cărbunar *(care face cărbuni)*

wood carver ['wud ‚ka:vəʳ] *s v.* **wood engraver**

wood carving ['wud ‚ka:viŋ] *s v.* **wood engraving**

wood coal ['wud ‚koul] *s* cărbune de lemn, lignit

woodcock ['wud ‚kɔk] *s orn* sitar *(Scolopax rusticola)*

wood copper ['wud ‚kɔpəʳ] *s minr* olivenit

woodcraft ['wud‚kra:ft] *s* **1** simț de orientare în păduri **2** meseria de tâmplar, dulgher, *etc.*; arta de a fasona lemnul **3** cunoașterea pădurii **4** gravură în lemn; xilogravură

woodcut ['wud‚kʌt] *s* **1** *v.* **woodcraft 4 2** *v.* **woodlock 4**

woodcutter ['wud‚kʌtəʳ] *s* **1** tăietor de lemne (din pădure), muncitor forestier **2** gravor în lemn, xilograf

wooded ['wudid] *adj* **1** cu păduri, împădurit, păduros **2** cu pomi/arbori

wooden ['wudən] *adj atr* **1** de/din lemn **2** *fig* (ca) de lemn; țeapăn, rigid; împietrit **3** *fig* negrăitor, inexpresiv **4** *fig* fără duh, nesărat, searbăd; < prostesc

wood engraver ['wud in'greivəʳ] *s* gravor/sculptor în lemn, xilograf

wood engraving ['wud in'greiviŋ] *s* gravură/sculptură în lemn, xilografie

wooden head ['wudən ‚hed] *s F* cap pătrat/de lemn, nătâng, neghiob, par în ochi

wooden-headed ['wudən ‚hedid] *adj F* cu capul pătrat; bătut în cap; tare de cap

woodenly ['wudənli] *adv* **1** (în mod) negrăitor, inexpresiv **2** fără sare, searbăd

woodeness ['wudənis] *s* caracter lemnos, inexpresiv, *etc.* (v. **wooden**)

wooden spoon ['wudən ‚spu:n] *s* **1** lingură de lemn **2** ← *F* premiu de consolare pentru cei mai slabi concurenți

woodenware ['wudən‚wεəʳ] *s* obiecte/articole de/din lemn *(vase, farfurii, etc.)*

wood flour ['wud ‚flauəʳ] *s* rumeguș/făină de lemn

wood frog ['wud ‚frɔg] *s zool* broască de pădure *(Rana silvatica)*

wood hewer ['wud ‚hju:əʳ] *s v.* **woodcutter 1**

woodhouse ['wud‚haus] *s* șopron pentru lemne; magazie pentru lemne

woodiness ['wudinis] *s* **1** caracter lemnos **2** caracter păduros

woodland ['wud‚lænd] **I** *s* ținut păduros; pădure *sau* păduri **II** *adj atr* de pădure

woodland choir ['wud‚lænd 'kwaiəʳ] *s* păsări cântătoare

wood lath ['wud ‚la:θ] *s* șipcă

wood lily ['wud ‚lili] *s bot* lăcrămioară, mărgăritar *(Convallaria maialis)*

woodlouse ['wud‚laus] *pl* **woodlice** ['wud‚lais] *s zool* câinele-babei *(Oniscus sp.)*

woodman ['wudmən] *s* **1** pădurar **2** *v.* **woodcutter 1**

woodnote ['wud‚nout] *s* **1** *poetic* glasul pădurii; cântecul păsărilor, ciripit **2** cântec simplu/nemeștesugit; poezie simplă/nemeștesugită

wood nymph ['wud ‚nimf] *s* (hama)driadă

woodpecker ['wud‚pekəʳ] *s orn* ciocănitoare, ghionoaie *(Picidae sp.)*

woodpile ['wud‚pail] *s* grămadă/stivă de lemne; **nigger in the ~** *fig F* hibă; – piedică, obstacol; parte *sau* persoană care provoacă dificultăți

wood pitch ['wud ‚pitʃ] *s* rășină naturală

woodprint ['wud‚print] *s* gravură/sculptură în lemn, xilografie

wood pulp ['wud ‚pʌlp] *s* celuloză/pastă de lemn

Woodrow ['wudrou] *nume masc*

woodshed ['wud‚ʃed] *s v.* **woodhouse**

woodside ['wud‚said] *s* margine/lizieră de pădure

woodsman ['wudzmən] *s* **1** pădurar **2** pădurean

wood spirit ['wud ‚spirit] *s* **1** duh *sau* geniu al pădurii **2** faun **3** *ch* alcool etilic

woodsy ['wudzi] *adj atr amer* **1** de pădure; silvic; forestier **2** pădurean, care trăiește în pădure

wood tin ['wud ‚tin] *s minr* casiterit

wood turner ['wud ‚tə:nəʳ] *s tehn* strungar în lemn

woodwind ['wud,wind] *s și ca pl muz* suflători *(instrumente sau executanți);* **the ~ is/are too loud** suflătorii cântă prea tare

woodwork ['wud,wə:k] *s constr* **1** tâmplărie; dulgherie **2** piese/articole de lemn **3** tâmplărie, parte de lemn *(a unei construcții)*

woodworker ['wud,wə:kər] *s* **1** tâmplar; dulgher; strungar în lemn **2** sculptor/gravor în lemn, xilograf

woodworm ['wud,wə:m] *s ent* denumire *generică pentru larvele unor insecte care trăiesc în lemn (Anobiidae)*

woody ['wudi] *adj* **1** cu pădure *sau* păduri, împădurit, păduros **2** de pădure **3** de lemn; lemnos; ~ **stems** tulpini lemnoase

wooer ['wuə:ʳ] *s* ← *înv* pețitor; pretendent; curtezan; amorez

woof[1] [wu:f] *s text* bătătură; fir de bătătură

woof[2] [wu:f] **I** *s* lătrat, hămăit **II** *interj* hau (-hau)!

woofer ['wu:fər] *s rad* amplificator de tonuri joase

wool [wul] *s* **1** lână; **out of the ~** *(d. oaie)* tunsă; **against the ~** *și fig* în răspăr; **keep your ~ on!** *F* calmează-te! – nu-ți ieși din fire! stăpânește-te! **to pull the ~ over smb's eyes** a păcăli *sau* a minți pe cineva; a ascunde cuiva adevărul; a induce pe cineva în eroare; a arunca praf în ochii cuiva; **dyed in the ~** inveterat, înrăit; **to go for ~ and come home shorn** a umbla după câștig și a pierde și ce a avut; *cf* „a plecat călare și se întoarce cu șaua în spinare"; **all ~ and a yard wide** *amer* veritabil, de cea mai bună calitate, excelent **2** fir de lână **3** stofă de lână **4** îmbrăcăminte de lână **5** *umor* lână, păr ca lâna

wool clip ['wul ,klip] *s* producție anuală de lână

woolen ['wulən] *adj atr amer v.* **woollen**

Woolf [wulf], **Virginia** *scriitoare engleză (1882-1941)*

wool fat ['wul ,fæt] *s ch* lanolină

woolgather ['wul,gæðər] *vi:* **to be ~ing** a fi cu capul în nori; a visa

woolgathering ['wul,gæðəriŋ] *s* neatenție; (stare de) visare,

reverie; gânduri; **to go/to run ~** a cădea pradă visării/gândurilor

wool grower ['wul ,grouəʳ] *s* crescător de oi

woolen ['wulən] **I** *adj atr* de/din lână **II ~s** *s pl* confecții de lână

wooly ['wuli] **I** *adj* **1** cu lână; lânos **2** *fig (d. idei, gânduri)* confuz, neclar, încurcat, vag **3** *(d. voce)* răgușit; voalat **4** mițos; pufos; *(d. păr)* des și creț **5** *amer* grosolan, aspru **II** *s* **1** ↓ *la pl* ← *F* îmbrăcăminte de lână (tricotată); tricotaj **2** pulover de lână

wooly-headed ['wuli ,hedid] *adj* zăpăcit, confuz, cu idei confuze/neclare

woolsack ['wul,sæk] *s* **1** balot de lână; sac cu lână **2** *pernă de lână pe care șade lordul cancelar (în Anglia)*

Woolwich ['wulwitʃ] *district londonez*

wooly ['wuli] *adj v.* **woolly**

woozy ['wu:zi] *adj* **1** *F* afumat, cherchelit, – beat **2** *v.* **Worcestershire**

Worcester sauce ['wustər ,so:s] *s sos picant din oțet, condimente și ulei de soia*

Worcestershire ['wustə,ʃiəʳ] *od comitat în Anglia*

word [wə:d] **I** *s* **1** cuvânt; vorbă; **in a/one ~** într-un cuvânt; pe scurt; **in a few ~s** în câteva cuvinte; pe scurt; **in other ~s** cu alte cuvinte, altfel spus; **in so many ~s** tocmai așa (și nu altfel); fără dublu înțeles, fără echivoc; **to put into ~s** a exprima prin cuvinte; **not a ~!** *F* gura! vorba! nici un cuvânt! **to have the last ~** *fig* a avea ultimul cuvânt; **to waste ~s** a vorbi degeaba; a-și irosi cuvintele, *F →* a-și bate/a-și răci/a-și toci gura degeaba; **~ for ~** cuvânt cu cuvânt, literal, ad litteram; **by ~ of mouth** oral, pe cale orală, prin viu grai; **big ~s** vorbe mari; lăudăroșenie; **to eat one's ~s** a-și lua vorba înapoi, a retracta, a recunoaște că a greșit; **to have a ~ with smb** a schimba o vorbă cu cineva; **to have ~s (with smb)** a se certa (cu cineva), a avea un schimb de cuvinte (cu cineva); **to take smb at his ~** a crede pe cineva pe cuvânt, a da crezare cuiva;

this car is the last ~ in comfort această mașină este ultimul cuvânt în materie de confort; **to put in/to say a good ~ for smb** *fig* a pune o vorbă bună pentru cineva; **a man of few ~s** un om care vorbește puțin/nu vorbește mult; **not to have a good ~ (to say) for** a nu avea un cuvânt bun (de spus) pentru; **not to get a ~ in edgeways** a nu putea spune/strecura un cuvânt, a nu izbuti și el să spună ceva *(din cauza altor vorbitori);* **to suit the action to the ~** a-și potrivi fapta cu vorba; a se ține de cuvânt; **good ~s cost nothing and are worth much** *prov aprox* vorba dulce mult aduce, vorba bună mult adună **2** cuvânt de onoare; **upon my ~!** pe cuvântul meu (de onoare)! **3** cuvânt, promisiune, făgăduință; **to give one's ~** a făgădui, a-și da cuvântul; **to keep one's ~ to smb** a-și ține cuvântul dat cuiva, a se ține de cuvânt față de cineva; **to break one's ~ to smb** a-și călca cuvântul dat cuiva, a nu se ține de cuvânt față de cineva; **as good as his ~** care se ține de cuvânt **4** vorbă, știre, veste; **to leave ~** a lăsa vorbă; **to send ~ that** a trimite vorbă că, a înștiința că; **~ came of her success** sosiră vești despre succesul ei; s-a aflat despre succesul ei **5** ordin; poruncă; **on his ~** la ordinul lui **6** **the ~** cuvântul de ordine; parola; **he gave the ~ and they let him in** rosti/spuse parola și fu lăsat să intre **7** **the W~** *bibl* Cuvântul, Logosul **II** *vt* a exprima prin cuvinte; a redacta; a formula

word-blind ['wə:d ,blaind] *adj med* suferind de cecitate verbală

word book ['wə:d ,buk] *s* **1** dicționar; vocabular; glosar **2** libret

word-bound ['wə:d ,baund] *adj* **1** care își caută/găsește cu greu cuvintele **2** *fig* gângav; împiedicat la limbă **3** *fig* rușinos, timid

word building/formation ['wə:d ,bildiŋ/fɔ:'meiʃən] *s ling* formarea cuvintelor

word class ['wə:d ,kla:s] *s* clasă de cuvinte; parte de vorbire

word deafness ['wə:d ,defnis] *s med* surditate verbală

word-for-word ['wəːd fə 'wəːd] *adj atr* cuvânt cu cuvânt, literal

word hoard ['wəːd ˌhɔːd] *s lingv* tezaur; fond lexical

wordily ['wəːdili] *adv* cu multe cuvinte, prolix

wordiness ['wəːdinis] *s* prolixitate, verbozitate

wording ['wəːdiŋ] *s* **1** (mod de) exprimare *(în scris)*; redactare; formulare **2** legendă *(sub o gravură, etc.)*

wordless ['wəːdlis] *adj* **1** fără cuvinte, neexprimat prin cuvinte **2** *fig (d. durere, etc.)* mut; tacit **3** nespus de

wordlessly ['wəːdlisli] *adv* **1** fără cuvinte **2** mut; tacit

wordlessness ['wəːdlisnis] *s* **1** absență a cuvintelor **2** *fig* muțenie

word lore ['wəːd ˌlɔːᵊ] *s lingv* **1** studiul cuvintelor; lexicologie **2** morfologie

wordman ['wəːdmən] *s* maestru al cuvântului

word monger ['wəːd ˌmʌŋ gᵊ] *s peior* frazeolog; iubitor de cuvinte frumoase *sau* sforăitoare

word of honour ['wəːd əv 'ɔnᵊ] *s* cuvânt de onoare/cinste

word order ['wəːd ˌɔːdᵊ] *s gram* topică, ordinea cuvintelor

word-paint ['wəːd ˌpeint] *vt* a zugrăvi prin/în/cu cuvinte, a descrie plastic

word painter ['wəːd ˌpeintᵊ] *s* maestru al cuvântului (plastic)

word painting ['wəːd ˌpeintiŋ] *s* descriere plastică

word-perfect ['wəːd ˌpəːfikt] *adj* care știe pe dinafară un text, perfect stăpân pe text *sau* rol

wordplay ['wəːdˌplei] *s* joc de cuvinte, calambur

word splitting ['wəːd ˌsplitiŋ] *s* discuție pentru nimicuri; despicarea firului în patru; sofistică bazată pe subtilități verbale

word square ['wəːd ˌskwɛᵊ] *s* pătrat magic *(cuvinte încrucișate)*

word stock ['wəːd ˌstɔk] *s lingv* fond lexical/de cuvinte

Wordsworth ['wəːdz ˌwəθ], **William** *poet englez (1770-850)*

wordy ['wəːdi] *adj* **1** prolix, cu multe cuvinte **2** de cuvinte, al vorbelor; **~ warfare** război al vorbelor

wore [wɔːᵊ] *pret de la* **wear¹** **I-II** și **wear²**

---

work [wəːk] **I** *s* **1** muncă, lucru, activitate; treabă; preocupare, îndeletnicire; ocupație; **at ~** la muncă/lucru; **to be at ~ a** a fi la muncă, a munci **b** a avea de lucru, a nu șoma; **to be out of ~** a fi șomer *sau* fără ocupație; a nu avea de lucru; **all in the day's ~** potrivit așteptărilor; ceea ce era de așteptat; obișnuit; prin nimic neobișnuit; **to get/to set to ~ (on)** a se apuca de lucru (la), a începe să lucreze (la); a se așterne pe lucru/treabă; **to make short ~ of smb** a termina repede/iute cu ceva, a expedia ceva rapid/*F* în doi timpi și trei mișcări; **to have one's ~ cut out (for one)** a trebui să facă ceva într-un anumit timp; a avea o problemă grea/dificilă de rezolvat; **he's in ~** are de lucru, este angajat, nu șomează; **to make hard ~ of smth** a se descurca greu la/în ceva (ușor), a i se părea ceva foarte greu; **I have ~ to do** sunt ocupat/prins, am de lucru; **I have some ~ to do in the garden** am câte ceva de făcut în/prin grădină **2** acțiune; funcțiune; **factory at ~** fabrică în funcțiune; **the forces at ~** forțele în acțiune **3** faptă; lucru, treabă; chestiune; **what has happened was none of his ~** (el) nu este câtuși de puțin vinovat de cele întâmplate; **dirty ~** murdărie, mârșăvie, ticăloșie, faptă ticăloasă; **mighty ~s** minuni **4** treabă, sarcină, obligație; însărcinare; datorie **5** lucru (de mână) **6** ↓ *pl* operă, lucrare; **Shakespeare's complete ~s** operele complete ale lui Shakespeare **7** *pl* mecanism; **the ~s of a watch** mecanismul unui ceasornic **8** *pl* și *ca sg* uzină; fabrică; **a brick ~s** o fabrică de cărămidă **9** *fiz, etc.* lucru; lucru mecanic **10** *tehn* produs; rezultat; fabricat; piesă **11** *pl mil* fortificații **II** *vi* **1** a munci, a lucra, a fi ocupat/prins, a avea de lucru; a fi în activitate; **he isn't ~ing now** nu (mai) lucrează acum; este șomer, pensionar, *etc.*; **he's ~ing at mathematics** studiază matematica; **she's ~ing on a book** lucrează la/scrie o carte; **to ~ at a question** a lucra la o problemă; **to ~ to rule**

---

a frâna munca respectând absolut toate normele, regulile, *etc.*; a face grevă perlată **2** *tehn, etc.* a funcționa; a lucra; a merge; **the clock hasn't been ~ing for days** ceasul nu (mai) merge de zile întregi; **it ~s by electricity** este acționat electric, funcționează cu ajutorul electricității **3** *fig (d. un plan, etc.)* a fi bun; a funcționa; a merge; a izbuti, a reuși; **your idea won't ~ in practice** ideea dumitale nu poate fi pusă în practică; **it's useless, it doesn't ~** degeaba, nu merge **4** *(d. un medicament, etc.)* a avea efect, a fi eficace; a face mișcări violente; a tremura; **the child was very angry; his mouth ~ed and he started to cry** copilul era furios – îi tremurau buzele și începu să plângă; **his face ~ed** i se strâmbă/contorsionă fața **6** *(d. drojdie, etc.)* a fermenta **7** *(d. o idee, etc.)* a-și face efectul/lucrarea; a avea un (anumit) rezultat **8** a lucra; a tricota; a broda; a coase **9** *nav* a naviga (cu vele/pânze) (↓ în contra vântului) **10** a-și schimba locul **11** a-și face loc cu greu; a pătrunde cu greu(tate) **III** *vt* **1** a pune/a face/a obliga/a sili să muncească; < a istovi, a epuiza; **they ~ed us too hard in that office** în biroul acela ne puneau să muncim prea mult **2** a lucra la; a face, a fabrica, a confecționa; a prelucra **3** a mișca, a pune în mișcare; a acționa; a manipula **4** a produce; a determina; a cauza *(o schimbare, etc.)* **5** a bate *(untul)* **6** a modela; a da o anumită formă *cu dat* **7** a lucra *(un pulover, etc.)*; a tricota, a împleti; a broda; a coase **8** a face să fermenteze **9** a-și croi/a-și face (cu greu) *(drum)*; **he ~ed his way through college** a trebuit să muncească pentru a termina colegiul **10** a munci/a lucra în *(o zonă mare)* (↓ deplasându-se); **he ~ed the whole country singing folk songs** a cutreierat întreaga țară cântând cântece populare **11** *F* a face, a aranja, a ticlui; **we'll ~ it so that we can all go together** (o să) aranjăm (noi) în așa fel încât să mergem împreună 12 a modela *(argila, etc.)* 13 *fig* a influența, a înrâuri; a convinge; ~ **him to your way of thinking** caută să-l aduci la modul dumitale de gândire/la punctul dumitale de vedere 14 a folosi în propriile sale scopuri 15 a cultiva, a lucra *(pământul)* 16 *F* a pune în funcțiune *(legăturile pe care le are cineva, etc.),* – a recurge la, a se folosi de (serviciile *cuiva*) 17 *F* a trage pe sfoară, – a păcăli, a înșela 18 *nav* a obosi *(nava)* **IV** *vr cu diferite compliniri:* **to ~ free** a se elibera/ a se dezlega cu greu; **the rope has ~ed itself loose** funia s-a dezlegat/s-a desprins/s-a desfă-cut; **the nut has ~ed itself free** piulița s-a deșurubat/desfăcut

workability [ˌwəːkəˈbiliti] *s* 1 aplica-bilitate 2 utilitate, folos 3 *tehn* capacitate de a fi prelucrat; uzinabilitate

workable [ˈwəːkəbəl] *adj* 1 *(d. o mașinărie, etc.)* care funcțio-nează *sau* poate fi pusă în miș-care 2 *(d. un plan, etc.)* aplicabil; realizabil; realist 3 *tehn* prelu-crabil; uzinabil 4 *(d. lut, etc.)* care poate fi modelat

workableness [ˈwəːkəbəlnis] *s v.* **workability**

workaday [ˈwəːkəˌdei] *adj atr* cenu-șiu, prozaic; de fiecare zi, obiș-nuit

work away at [ˈwəːk əˈwei ət] *vi part adv și prep* a continua să lucreze/muncească intens la

workbag [ˈwəːkˌbæg] *s* trusă de/cu unelte/scule; săculeț de lucru *(pt tricotat, etc.)*

work basket [ˈwəːk ˌbaːskit] *s* coș de lucru (de mână)

workbench [ˈwəːkˌbentʃ] *s tehn* 1 masă de tâmplărie 2 banc/masă de lucru/montaj

workbook [ˈwəːkˌbuːk] *s* 1 manual; îndreptar; instrucțiuni *(broșură explicând modul de funcționare al unui aparat, etc.)* 2 culegere de exerciții 3 agendă, bloc notes

workboot [ˈwəːkˌbuːt] *s* bocanc; sabot

workbox [ˈwəːkˌbɔks] *s v.* **work basket**

workday [ˈwəːkˌdei] *s* zi lucrătoare/ de lucru

worked [wəːkt] *adj atr* 1 lucrat; brodat 2 prelucrat

worked up [ˈwəːkt ˌʌp] *adj pred* surescitat, nervos

worker [ˈwəːkə] *s* 1 lucrător; mun-citor; **he's a real ~** muncește, nu glumă 2 *pl* muncitori; proletari 3 *pl* echipă; efectiv; mână de lucru 4 muncitor manual

worker bee [ˈwəːkə ˌbiː] *s ent* albină lucrătoare

Worker's Party [ˈwəːkəz ˌpaːti] *s pol* partid muncitoresc

work farm [ˈwəːk ˌfaːm] *s* colonie de reeducare prin muncă *(pt minori)*

work fellow [ˈwəːk ˌfelou] *s* tovarăș de muncă; coleg

work folk [ˈwəːk ˌfouk] *s ca pl* muncitori, muncitorime

work force [ˈwəːk ˌfɔːs] *s* forță de muncă/lucru

workhorse [ˈwəːkˌhɔːs] *s* 1 cal de povară 2 *fig* cal de bătaie, per-soană care duce greul *(într-un grup de lucru)* 3 *fig* mașină sau unealtă de bază *(care face operațiunile obișnuite în mod continuu)*

workhouse [ˈwəːkˌhaus] *s* 1 *od* azil de săraci *(↓ bătrâni incapabili de muncă)* 2 *amer* casă de corecție 3 ← *înv* atelier

work-in [ˈwəːk ˌin] *s* ocupare forțată a unei fabrici *etc. (de către muncitori nemulțumiți de condi-țiile de muncă, etc.)*

work in [ˈwəːk ˈin] **I** *vt cu part adv* a introduce, a insera *(abil, într-un text),* a strecura **II** *vi cu part adv (d. cuvinte, idei)* a se strecura, a fi inserat *(într-un text)*

working [ˈwəːkiŋ] **I** *adj atr* 1 *(d. o vizită, etc.)* de lucru 2 muncitor; activ; harnic 3 *(d. zi, etc.)* lucră-tor, de lucru, în care se lucrează 4 *(d. unelte, etc.)* de lucru, cu care se lucrează 5 în activitate, care (mai) lucrează 6 *(d. ani-male)* de muncă; de povară 7 activ, în vigoare 8 *tehn* care funcționează; în funcțiune 9 *(d. idei, etc.)* care poate constitui o bază de lucru; promițător; care nu este de lepădat **II** *s* 1 muncă, lucru; activitate 2 funcționare; exploatare; cultivare; cultură 3 *fizl, etc.* lucru, activitate 4 *mat* calcul 5 contracție, crispare *(a feței)* 6 *fig* lucrare, activitate; **the ~s of conscience** influența *sau* glasul conștiinței 7 *min* lucrare

(minieră); abataj 8 *tehn* regim de exploatare 9 fermentație, fer-mentare

working capacity [ˈwəːkiŋ kəˈpæsiti] *s* 1 capacitate de muncă 2 *tehn* capacitate de lucru; capacitate utilă; randament

working capital [ˈwəːkiŋ ˈkæpitəl] *s ec, fin* fond de rulment

working class [ˈwəːkiŋ ˌklaːs] **I** *s* **the ~** clasa muncitoare **II** *adj* al clasei muncitoare; care ține de clasa muncitoare; din rândurile clasei muncitoare; ~ **family** familie de muncitori; **they are ~** sunt mun-citori, aparțin clasei muncitoare

working day [ˈwəːkiŋ ˌdei] *s v.* **workday**

working knowledge [ˈwəːkiŋ ˌnɔlidʒ] *s* cunoștințe practice

working man [ˈwəːkiŋ mæn] *s* mun-citor (↓ industrial)

working order [ˈwəːkiŋ ˌɔːdə] *s* stare de (bună) funcționare

working-out [ˈwəːkiŋ ˌaut] *s* 1 elaborare amănunțită *(a unui plan, etc.)* 2 calcul exact 3 *min* exploatare masivă; epuizare

working party [ˈwəːkiŋ ˌpaːti] *s* 1 comisie/comitet de lucru 2 grup de lucru *(la O.N.U., etc.)*

working shoes [ˈwəːkiŋ ˌʃuːz] *s pl tehn* încălțăminte de protecție

working week [ˈwəːkiŋ ˌwiːk] *s* săptămână de lucru

working woman [ˈwəːkiŋ ˌwumən] *s* muncitoare (↓ industrială)

work into [ˈwəːk ˌintə] *vt cu prep* a introduce/a insera *(abil)* în *(un text),* a strecura

work in with [ˈwəːk ˈin wið] *vi cu part adv și prep* a se încadra în muncă alături de

workman [ˈwəːkmən] *s* muncitor, lucrător; truditor

workmanlike [ˈwəːkmənˌlaik] **I** *adj* măiestrit, artistic 2 *atr* mun-citoresc, de muncitor **II** *adv* cu meșteșug/măiestrie/artă, artistic

workmanship [ˈwəːkmənˌʃip] *s* 1 măiestrie, meșteșug, pricepere, artă 2 execuție, executare 3 operă, lucrare *sau* opere, lucrări

work master [ˈwəːk ˌmaːstə] *s* ← *rar* 1 șef de echipă; suprave-ghetor 2 **the W~ M~** Ziditorul, Creatorul

work mate [ˈwəːk ˌmeit] *s* tovarăș de muncă; coleg; colaborator

work off ['wəːk 'ɔːf] *vt cu part adv* a scăpa de *(supărare, datorii, etc.)* muncind/lucrând

work oneself into ['wəːk wʌn,self 'intə] *vr cu prep:* **to ~ a rage** a se ambala, a se înfuria

work-out ['wəːk ,aut] *s* **1** *sport* antrenament; încălzire **2** termen de probă/încercare

work out ['wəːk 'aut] **I** *vi cu part adv* **1** *(d. un rezultat, etc.)* a corespunde, a fi conform/corespunzător; **the sum won't/doesn't ~** suma nu este suficientă **2** (**for**) a fi bun/corespunzător (pentru); **I hope the new job works out for her** sper că noua muncă/noul serviciu îi convine/o aranjează **3** *(d. o idee, etc.)* a se aplica, a da un rezultat **4** ← *F* a exersa, a face exerciții *(de gimnastică, etc.)* **II** *vt cu part adv* **1** a calcula *(rezultatul – cu gen)* **2** a rezolva *(o problemă)* **3** a prelucra; a revizui; a îmbunătăți **4** a elabora în amănunt **5** a redacta *(un document)* **6** a cerceta/a studia temeinic **7** a realiza, a efectua; a duce la bun sfârșit **III** *vr* **1** *(d. un sentiment)* a se stinge, a dispărea **2** *(d. ceva)* a se termina/a sfârși cu bine

work out at/to ['wəːk 'aut ət/tə] *vi cu part adv și prep* a se ridica la; a totaliza *(o cifră)*

work over ['wəːk 'ouvə'] *vt cu part adv* ↓ *amer F* a tăbărî asupra *cuiva*, a ataca violent

workpeople ['wəːk ,piːpl] *s ca pl* muncitori (↓ industriali)

workroom ['wəːk,ruːm] *s* cameră de lucru; atelier; laborator

works council ['wəːks ,kaunsl] *s ec* comitet de întreprindere *(format din muncitori și conducere)*

workship ['wəːkʃip] *s nav* navă-atelier

workshop ['wəːk,ʃɔp] *s* **1** atelier; secție *(într-o uzină);* atelier de reparații **2** *fig* atelier (de lucru); șantier **3** *univ* grupă; seminar; cerc **4** *teatru* studio

work-shy ['wəːk ,ʃai] *adj* care fuge de lucru; leneș; chiulangiu

work table ['wəːk ,teibl] *s* **1** masă *sau* măsuță de lucru **2** *v.* **workbench**

work-to-rule ['wəːk tə 'ruːl] *s un fel de* grevă perlată; încetinirea lucrului cu respectarea întocmai a normelor, regulilor, *etc.*

work up ['wəːk ʌp] **I** *vt cu part adv* **1** a urca (↓ cu greu); a face să avanseze/înainteze; a urni **2** a da o formă anumită *cu dat*, a modela **3** a dezvolta; a elabora **4** a cerceta/a studia temeinic **5** a dezvolta; a promova; a face să crească *(pofta de mâncare, etc.)* **6** a dobândi cu greu **7** a agita, a stârni *(masele, etc.)*, a specula sentimentele *cu gen* **8** a-și crea, a-și cuceri *(un nume, etc.)* **II** *vr fig* a se monta, a se ambala, a se aprinde **III** *vi* **1** (**to, towards**) a se apropia de punctul culminant, ideea fundamentală, *etc. (cu gen)* **2** a (se) urca, a (se) cățăra

work up to ['wəːk ,ʌp 'tə] *vi cu part adv și prep* **1** a se apropia de; a ajunge la *(o viteză, o cifră)* **2** a se pregăti *(o furtună, etc.)*

workwoman ['wəːk,wumən] *s* muncitoare, lucrătoare; truditoare

world [wəːld] **I** *s* **1** lume; pământ; omenire, oameni; univers, cosmos; **a journey round the ~** o călătorie în jurul lumii/pământului; **to the ~'s end** până la capătul pământului; **all the/the whole ~ knows that** toată lumea/o lume întreagă știe că; **all over the ~, throughout the ~** în toată lumea, în întreaga lume; de la un capăt la celălalt al lumii; **to make a noise in the ~** a face vâlvă, a face să se vorbească despre el, a deveni celebru; **to come into the ~** a veni pe lume, a se naște; **to bring into the ~** a aduce pe lume, a naște; **to have the best of both ~s** a-i merge bine oricum/și într-o situație și în alta; **where, who, when,** *etc.* **in the ~ ...?** *F* unde, cine, când, *etc.* Dumnezeu? **dead to the ~** *F* mort, dus (pe altă lume) *(fiind beat sau adormit)*; **for all the ~ as if** exact ca și cum, exact de parcă; **not for the ~** pentru nimic în lume, în ruptul capului; **nothing in the ~** absolut nimic; **to carry the ~ before one** a-i merge din plin (în toate); a avea succes deplin; a reuși în viață; **on top of the ~** în culmea fericirii, în al nouălea cer; **it is all the ~ to me** înseamnă/este totul pentru mine; **out of this ~** a *(d. înfățișare, etc.)* ca din altă lume

b *F* extraordinar, nemaipomenit, grozav; **to think the ~ of smb** a iubi nespus de/foarte mult pe cineva; a-i fi drag cineva ca lumina ochilor; **~s apart** cu totul diferiți/deosebiți, neavând nimic în comun unul cu altul; **~ without end** a veșnic, pe vecie, pentru totdeauna **b** *bis* în vecii vecilor; **a ~ of** *fig* o mare de; un noian de; fără sfârșit; **2** lume, oameni; societate, sferă, cercuri; **what will the ~ say?** ce-o să zică/spună lumea? **the ~ of sport** lumea sportului **3** lume, loc de existență; **the sea is the fishes' ~** marea este lumea/patria peștilor **4** lume, viață, treburi lumești; oameni; **take the ~ as it is** ia lumea/viața așa cum este, ia oamenii așa cum sunt; **how is the ~ using you? how goes the ~ with you?** *F* cum o (mai) duci? cum îți merg treburile? **to give up the ~** a renunța la lume, a se lepăda de lume **5** lume, sistem planetar; **is there life on other ~s?** există viață pe alte planete? **6** lume, (stare de) existență, viață; **the other/the next ~** lumea de dincolo, viața viitoare **7** *biol* lume, regn; **the vegetable ~** regnul vegetal **II** *adj atr* mondial; universal

World Bank, the ['wəːld ,bæŋk, ðə] *s fin* Banca Internațională (de reconstrucție și dezvoltare)

world beater ['wəːld ,biːtə'] *s* **1** *sport* campion mondial **2** ← *F* artist, interpret, *etc.* de talie mondială **3** *F* extra, prima, – ceva excepțional de bun *etc.*

world-class ['wəːld ,klɑːs] *adj sport* de talie mondială

world congress ['wəːld ,kɔŋgres] *s* congres internațional

world history ['wəːld ,histəri] *s* istoria universală

worldlike ['wəːld,laik] *adj* de lume

worldliness ['wəːldlinis] *s* **1** caracter lumesc/laic/secular **2** deșertăciune lumească **3** lăcomie, cupiditate

world literature ['wəːld 'litritʃə'] *s* literatură universală

worldly ['wəːldli] *adj* **1** lumesc, pământesc; material **2** practic, de viață; cu experiență; versat **3** lumesc, laic; secular **4** monden

worldly-minded/-wise ['wə:ldli ,maindid/,waiz] *adj* cu experiență de viață, trecut prin multe

world-old ['wə:ld ,ould] *adj* vechi de când lumea; străvechi

world policy ['wə:ld ,polisi] *s* politică internațională

world power ['wə:ld ,pauə^r] *s pol* mare putere *(stat)*

world series ['wə:ld ,siəri:z] *s sport* competiție anuală de baseball *(în S.U.A.)*

world-shaking ['wə:ld ,ʃeikiŋ] *adj* care a cutremurat lumea, de importanța excepțională

world soul ['wə:ld ,soul] *s filos* sufletul lumii, suflet universal

world war ['wə:ld ,wo:^r] *s* război mondial; **W~ W~ I** primul război mondial; **W~ W~ II** (cel de-) al doilea război mondial

world weariness ['wə:ld ,wiərinis] *s* dezgust/silă de viață; neîncredere în sine

world-weary ['wə:ld ,wiəri] *adj* dezgustat/plictisit/sătul de lume *sau* de viață; neîncrezător în sine

worldwide ['wə:ldwaid] **I** *adj atr* răspândit în lumea întreagă; universal; mondial **II** *adv* în lumea întreagă, în întreaga lume, peste tot

worm [wə:m] **I** *s* **1** *zool* vierme *(Lumbricus)*; omidă; larvă; vierme intestinal; **the dog has ~s** câinele are viermi; **to be food/ meat for ~s** a fi hrană pentru viermi; a fi mort; **the ~ of conscience** mustrările de conștiință, remușcările; **to have a ~ in his tongue** *fig* a fi pus pe arțag/ ceartă, a umbla cu țâfna în nas; **I am a ~ today** *fig* azi nu mă simt deloc în apele mele, mă simt mizerabil astăzi; **even a ~ will turn, tread on a ~ and it will turn** *prov* furnica cât e de mică, și dacă o calci pe picior se întoarce și ea să te muște **2** *fig* vierme (târâtor), târâtură, lepădătură, mizerabil **3** *tehn* melc; spirală; șurub fără sfârșit **4** *tehn* serpentină *(de alambic)* **II** *vt* **1** a scăpa de viermi (↓ *prin mijloace chimice)* **2** *fig* a smulge *(un secret, etc.);* a obține cu greu; a realiza pe căi întortocheate // **to ~ one's way into society** a pătrunde (cu greu) în societate, a-și face drum (cu greu) în

societate **III** *vi* a se târî, a merge, a înainta, *etc.* ca un vierme

worm cast ['wə:m ,ka:st] *s* pământ dat afară de un vierme

worm-eaten ['wə:m ,i:tn] *adj* **1** mâncat de viermi *sau* carii; viermănos **2** *fig* îmbătrânit; învechit; perimat

worm gear ['wə:m ,giə^r] *s* **1** *tehn* angrenaj cu melc, transmisie cu șnec **2** *auto* direcție cu șurub fără sfârșit

wormhole ['wə:m,houl] *s* gaură săpată de un vierme; carie

worm in ['wə:m 'in] *vt cu part adv:* **to worm one's way in** a pătrunde/a se strecura/a se furișa înăuntru (cu greu)

wormlike ['wə:m,laik] *adj* vermiform, vermicular

wormling ['wə:mliŋ] *s* **1** viermușor **2** *fig* vierme (târâtor), om de nimic, mizerabil

worm oneself into ['wə:m wʌn'self ,intə] *vr cu prep și fig* a intra/a pătrunde (cu greu) în; a răzbate prin; **he wormed himself into the conversation** (făcu de făcu și) intră și el/se băgă în vorbă; **to ~ a movement** a intrat (pe căi ocolite *etc.*) într-o mișcare; **he wormed himself into her heart** i s-a vârât în suflet (pe nesimțite), i-a cucerit inima (pe nesimțite)

worm oneself out of ['wə:m wʌn'self ,aut əv] *vr cu prep și fig* a se furișa/a se strecura afară din

worm out of ['wə:m ,aut əv] *vt cu prep* a smulge *(un secret, etc.)* cu greutate de la

wormseed ['wə:m,si:d] *s bot* **1** pelin *(Artemisia sp.)* **2** tămâiță *(Chenopodium sp.)*

wormwheel ['wə:m,wi:l] *s tehn* roată dințată elicoidală

wormwood ['wə:m,wud] *s* **1** *bot* pelin *(Artemisia sp.)* **2** *fig* (cauză de) amărăciune; **it is ~ to me** mă amărăște/întristează/mâhnește mult

wormwood wine ['wə:m,wud 'wain] *s* absint; pelin; vermut

wormy ['wə:mi] *adj* **1** vermiform, vermicular, (ca) de vierme **2** cu viermi, viermănos **3** învechit, perimat, scos din uz; demodat

worried ['wʌrid] *adj* (**about**) neliniștit, îngrijorat (de; din cauza – *cu gen*)

worriedly ['wʌridli] *adv* cu îngrijorare, neliniștit

worriment ['wʌrimənt] *s amer* **1** îngrijorare, neliniștire; nervozitate **2** necaz, neplăcere

worry ['wʌri] **I** *s* **1** îngrijorare, grijă, neliniște; nervozitate; tulburare; **she was showing signs of ~** dădea semne de neliniște/îngrijorare **2** ↓ *pl* neplăceri, necazuri; griji; **money worries** necazuri bănești/financiare; **what's your ~?** *F* ce te supără/necăjește? ce necaz ai? **3** *fig F* belea, pacoste, năpastă, bătaie de cap; **what a ~ that child is!** mare belea este copilul ăsta! **II** *vt* **1** a neliniști; a supăra; a da bătaie de cap cuiva; a îngrijora; **her late hours ~ me** faptul că vine târziu (regulat) mă supără *sau* mă îngrijorează *sau* îmi dă de gândit **2** a da bătaie de cap cuiva; a supăra, a deranja; a nu lăsa în pace; a bate la cap; **to ~ smb with foolish questions** a pisa pe cineva cu întrebări prostești; **she was always ~ing him to buy a car** îl bătea mereu la cap să cumpere o mașină; **don't ~ her!** (mai) las-o în pace! **3** a chinui, a nu lăsa în pace; a nu da pace cuiva; **his old wound worries him** îl doare/ supără/chinuiește vechea rană **4** *(d. animale)* a se juca cu *(prada)*; a sfâșia, a rupe (bucăți) **III** *vi* **1** (**about, over**) a se neliniști, a-și face griji (despre; din cauza – *cu gen);* a-i fi teamă (de); **don't (you) ~!** a liniștește-te! calmează-te! nu te agita! **b** fii pe pace! n-avea grijă! **2** a se supăra; a se enerva

worry along ['wʌri ə'loŋ] *vi cu part adv* a se descurca; a ieși dintr-o încurcătură

worry at ['wʌri ət] *vi cu prep* **1** a se chinui cu *(o problemă, etc.),* a-și bate capul ca să rezolve *ceva* **2** *(cu inf)* a pisa, a pisălogi, a bate la cap *pe cineva (ca să)*

worry out ['wʌri 'aut] *vt cu part adv* **1** a plictisi, a pisa, a bate la cap, a nu lăsa în pace **2** a rezolva *(o problemă);* a învinge *(dificultăți)*

worse [wə:s] **I** *comp de la* **bad** *și* **ill** *adj* mai rău, mai prost, mai slab, mai bolnav *etc.;* **John is bad but his brother is ~** John este un om rău dar fratele lui este (și) mai rău;

what is ~ ... (iar) ceea ce este (şi) mai rău ...; **we couldn't have had ~ weather** nici nu se putea o vreme mai urâtă/proastă; **so much the ~ for you** cu atât mai rău pentru tine; **to go from bad to ~** a merge din rău în mai rău; **he's none the ~ for the experience** experienţa nu i-a stricat; **you'd be non the ~ for a walk** nu ţi-ar strica o plimbare; **he escaped with nothing ~ than a fright** s-a ales (doar) cu spaima; **to look the ~ for wear** a arăta mai rău, mai uzat *etc. (după trecerea vremii, a întrebuinţării, etc.);* **to make matters ~** *F* culmea, colac peste pupăză; **the patient was ~ yesterday** bolnavul s-a simţit mai rău *sau* arăta mai prost ieri **II** *s* ceva mai rău; **a change/a turn for the ~** o schimbare în rău; **~ cannot happen** ceva mai rău nu se poate întâmpla; **~ was to follow** ceva şi mai rău urma să vină/să se întâmple **III** *comp de la* **badly** şi **ill** *adv* **1** (şi) mai rău *sau* mai prost; (şi) mai slab, mai urât, *etc.;* **she's working ~ than I expected** lucrează mai prost/rău decât mă aşteptam; **he behaves ~ than ever** se poartă mai rău/urât decât oricând; **the remedy is ~ than useless** medicamentul nu este numai inutil, este şi periculos **2** (şi) mai mult, mai rău, mai tare, *etc.;* **she hated him ~ than before** îl ura (şi) mai mult decât înainte

worsen ['wə:sən] **I** *vt* **1** a înrăutăţi, a agrava **2** a prezenta într-o lumină nefavorabilă; a umbri **II** *vi* a se înrăutăţi, a se agrava

worship ['wə:ʃip] **I** *s* **1** *rel* închinare, *înv* ← închinăciune; cult; adorare; **freedom of ~** libertatea cultelor; **~ images a** închinare la icoane **b** idolatrie, închinare la idoli; **forms of ~** forme de ritual, ritual (religios) **2** *rel* serviciu divin, slujbă **3** *fig* cult, venerare; idolatrizare; adorare; veneraţie; **hero ~** cultul/venerarea eroilor **II** *vt* **1** *rel* a se închina la; a adora **2** *fig* a venera; a idolatriza, a se închina la; a adora **III** *vi* **1** *rel* a se ruga, a se închina (↓ *în biserică*) **2** *fig* a-şi exprima admiraţia; a se prosterna

Worship *s* **Your** *sau* **His ~** Domnia ta/voastră *sau* sa/lui *(formulă de adresare unui magistrat sau primar)*

worst [wə:st] **I** *sup de la* **bad** *adj* ↓ **the ~** cel mai rău, cel mai prost, *etc.;* **the ~ weather in years** vremea cea mai rea/urâtă de ani (şi ani) de zile; **his ~ mistake** cea mai mare greşeală a lui; **our ~ enemy** cel mai aprig/înverşunat duşman al nostru; **the ~ kind of** *F* ultima speţă de; **to come off ~** a fi învins/înfrânt/bătut **II** *s* cel mai mare rău; partea cea mai rea/proastă; **the ~ of it is we came late** partea cea mai proastă este că am venit târziu; **at (the) ~** în cazul cel mai rău; **he was prepared for the ~** era pregătit pentru tot ce putea fi mai rău; **the ~ of it is that** partea cea mai proastă este că; **to do one's ~** a face tot răul de care este în stare (↓ *fără rezultat*), a nu avea decât să se dea peste cap, să-şi arate puterile, colţii, *etc.;* **do your ~!** fă ce vrei/n-ai decât dar este degeaba/dar nu mi-e frică! **if the ~ comes to the ~** în cel mai rău caz; la o adică; chiar dacă se întâmplă ceva foarte rău; **to get the ~ of it a** a suferi o înfrângere grozavă **b** a fi într-o situaţie îngrozitoare **c** a duce tot greul; **to give smb the ~ of it** ← *înv* a învinge/a bate pe cineva **b** a păcăli/a înşela pe cineva; **to make the ~ of** a lua partea proastă *cu gen* **III** *adv* cel mai rău, prost, *etc.;* **he played (the) ~** el a jucat cel mai prost/slab; **we were the ~ treated** cu noi s-au purtat cel mai prost/rău/urât, noi am fost cel mai prost trataţi **IV** *vt* ~ *înv* a învinge, a înfrânge, a bate

worsted ['wustid] **I** *s* **1** lână pieptănată **2** stofă de lână pieptănată; camgarn **II** *adj atr* de/din lână pieptănată; de/din camgarn

wort [wə:t] *s* (↓ *în cuvinte compuse)* iarbă; plantă

wort (beer) ['wə:t (,biər)] *s* must de bere

worth [wə:θ] **I** *s* şi *fig* valoare, preţ; **a book of little ~** o carte de mică valoare; **of no ~** fără (nici o) valoare; **to know smb's ~** a şti

a cunoaşte valoarea cuiva; **to sell smth for a fifth part of its ~** a vinde ceva la a cincea parte din valoare **2** cantitate *sau* număr corespunzător unui preţ; **give me a shilling's ~ of stamps** daţi-mi timbre (în valoare) de un şiling; **he always gives you your money's ~** nu-l înşală niciodată pe cumpărător **II** *adj pred* **1** (↓ *după* **to be***)* care valorează/costă/face, valorând; care are preţul de; **it's ~ fives dollars** valorează/costă/face cinci dolari; **it's ~ much more than I paid for** valorează/face mult mai mult decât am plătit pentru ea; **what is it ~?** cât costă? cât valorează? **what is the franc ~?** cât valorează/cum este cotat francul? **2** care dispune de/are *(o sumă de bani);* **he is ~ a hundred thousand dollars** are (un capital de) o sută de mii de dolari; **he is ~ £ 1000 a month** are un venit de/câştigă o mie de lire pe lună **3** *fig* care merită; vrednic de *(amintiri, etc.);* **it isn't ~ the trouble** nu merită osteneala; **the poem is well ~ reading** poemul merită cu prisosinţă să fie citit; **for all one is ~** din răsputeri, cât îl ţin puterile; **I give you this for what it is ~** îţi spun şi eu ce am auzit, poţi să crezi sau nu, „vând şi eu ce am cumpărat"; **it was ~ it** a meritat; a meritat osteneala; nu-mi pare rău (că a ieşit aşa, *etc.);* **don't lock the door; it isn't ~ it** nu zăvorî uşa – n-are rost, nu te deranja, la ce bun? *etc.;* **to be ~ one's while** a merita (osteneala), a nu fi o pierdere de timp/vreme **III** *vi* ← *înv* a fi; a deveni; **woe ~ the day!** blestemată fie ziua!

-worth [wə:θ] *suf* valoare de: **a poundsworth** o valoare de o liră

worthful ['wə:θful] *adj* ← *rar* **1** destoinic, vrednic **2** onorabil, vrednic de stimă **3** valoros, preţios

worthily ['wə:ðili] *adv* **1** după merit **2** pe bună dreptate **3** cu demnitate, demn

worthiness ['wə:ðinis] *s* **1** demnitate **2** valoare **3** respectabilitate

worthless ['wə:θlis] *adj* **1** fără valoare, lipsit de valoare; inutil, fără rost; **~ arguments** argumente neconvingătoare/fără valoare; **a ~ action** o acțiune fără rost/ inutilă **2** *(d. cineva)* de nimic; fără caracter; ticălos, mizerabil

worthlessly ['wə:θlisli] *adv* (în mod) inutil

worthlessness ['wə:θlisnis] *s* lipsă de valoare; inutilitate

worthwhile ['wə:θ˛wail] *adj* **1** care merită să fie făcut; care merită osteneala; care are valoare *sau* sens **2** *(d. cineva)* valoros; de toată lauda

worthy ['wə:θi] **I** *adj* **1** (**of;** *cu inf*) bun (de; să); **~ of praise** demn/ vrednic de laudă, lăudabil; **a ~ enemy** un inamic cu care merită să lupți; un dușman de temut; **~ life** viață demnă/ireproșabilă; **not ~ to be elected** care nu merită să fie ales; **it is ~ of note that** merită atenție faptul că; este de remarcat că **2** după merit, corespunzător, adecvat; **a ~ reward** o răsplată meritată; **a ~ speech ~ of the occasion** o cuvântare pe măsura evenimentului **3** *ironic* vrednic, destoinic; **give our ~ friend a shilling** dă-i un șiling distinsului nostru prieten, *înv →* dă-i stimabilului/onorabilului un șiling **II** *s* **1** ← *înv azi* ↓ ← *umor* personalitate (proeminentă), somitate, om de treabă; **who is the ~ who has just arrived?** *F* ăsta care a venit acum ce țtab o mai fi? **2** ← *înv* erou

-worthy *suf* vrednic/demn de; **praiseworthy** vrednic de laudă

wot [wɔt] *vt, vi* ← *înv* a ști, a cunoaște; **places whitch we ~ not of** locuri despre care nu am auzit

wotcher ['wɔtʃər] *interj sl rar* hei! ascultă!

would [wud] *pret și cond prez de la* **will I-IV I** *v aux* **1** *(pt formarea cond prez la pers II și III sg și pl; uneori și la pers I sg și pl)* ai; ați; aș; ar; am; **he ~ go there tonight if he had some spare time** s-ar duce acolo diseară dacă ar avea puțin timp liber **2** *amer (pt formarea cond prez la toate pers)* aș; ai; ar; am; ați; ar **3** *(pt formarea cond trecut, în condițiile de la* **I, 1-2)**: **she ~ have come** (ea) ar fi venit; **~n't you have told him the whole truth if you had seen**

him? nu i-ai fi spus întregul adevăr dacă l-ai fi văzut/întâlnit? **4** *(pt formarea viitorului în trecut la pers II și III sg și pl, uneori și la pers I sg și pl; amer la toate pers)* vei; va; veți; vor; o să, am să; vom, o să, *P →* avem să; *P → (ei, ele)* or să; **she said she ~ return in a minute** spunea că se (va) întoarce într-o clipă **II** *v modal* **1** *(la toate pers, exprimă dorința, voința, rugămintea, invitația, etc.; traduceri contextuale);* **you ~ not be late?** n-ai să întârzii, nu-i așa? ai să cauți să nu întârzii, nu? **I ~ it were otherwise!** aș fi vrut să fie altfel; păcat că nu este altfel! **(I) ~ I were in his place!** aș vrea să fiu în locul lui! păcat că nu sunt în locul lui! **come when you ~** vino când vrei, când îți face plăcere, când ești dispus, *etc.;* **~ to Heaven!** de-ar da Dumnezeu! **~ you please lend me your pen?** vrei să-mi împrumuți stiloul tău? **I ~n't do it for anything** n-aș face (una ca) asta pentru nimic în lume; cum (o) să fac una ca asta? **I ~ have stayed there forever** aș fi rămas bucuros acolo pentru totdeauna; **~ rather** *cu inf scurt* aș, ai, am, *etc.* prefera să; **witch ~ you rather do, go to the theatre or stay at home?** ce ai prefera (să faci) − să mergi la teatru sau să stai acasă? **I ~ rather not speak about it** aș prefera să nu vorbesc despre asta; **I'd rather you didn't tell him** aș prefera să nu-i spui; **~ better** *cu inf scurt amer* ar fi mai bine să; **~ that** ← *rar* ce bine ar fi *sau* ar fi fost dacă *sau* să; **~ I had spoken to her before** (ce) bine ar fi fost să vorbesc cu ea mai înainte, păcat că nu am vorbit cu ea mai înainte **2** *pret* voiam; am vrut; voiai; ai vrut; voia; a vrut; voiam; am vrut; voiați; ați vrut; voiau; au vrut; **he ~n't give the names of his friends** n-a vrut *sau* nu voia să spună numele prietenilor săi **3** *(exprimă supărare, ciudă, etc. din partea vorbitorului):* **that's exactly like her − she ~ lose the keys!** asta este ea (și n-ai ce-i face) − trebuia să piardă cheile/

nu se putea să nu piardă cheile!/ se putea să nu piardă cheile? **III** *v frecventativ* obișnuiam să; obișnuiați să; obișnuiau să; *(se traduce și cu imperfectul verbului noțional):* **he ~ often call on us** obișnuia să treacă deseori pe la noi **IV** *s* ← *elev* **1** înclinație, tendință, aplecare; dorință **2** **the ~** dorința; voința (*ant* obligația, necesitatea)

would-be ['wud ˛bi] **I** *adj atr* **1** pretins, așa-zis; imaginar; închipuit; **~ poets** așa-ziși poeți; **a ~ musician** un așa-zis muzician **2** prefăcut; afișat; de paradă; teatral **II** *s F* om care se dă mare/ care face pe grozavul, deștept, − încrezut

would-have-been ['wud ˛hæv 'bi:n] *adj atr* ratat, care nu s-a realizat

wouldn't ['wudənt] *F contras din* **would not**

wound[1] [wu:nd] **I** *s* **1** rană; plagă; **flesh ~** rană superficială/de suprafață; **green ~** rană proaspătă/care nu s-a închis; **~ of entry** *med* orificiu de intrare (a proiectilului); **to rub salt in smb's ~s** *fig* a pune sare pe rana cuiva; **to inflict/to make a ~ a** răni, a face o rană; **~ in the leg** rană la picior **2** *fig* rană; rănire; jignire, ofensă; afront; **a ~ to his pride** o atingere a mândriei lui **3** cicatrice **4** tăietură; crestătură *(în lemn, etc.)* **II** *vt* **1** a răni; **to ~ smb to death** a răni pe cineva mortal/ de moarte; **~ed in the head** rănit la cap **2** *fig* a răni; a jigni; a ofensa; a lovi în; **she was ~ed in her deepest affections** a fost rănită în cele mai frumoase/ alese/profunde sentimente (ale ei) **3** *agr* a sacrifica

wound[2] [waund] *pret și ptc de la* **wind**[2] **I-II**

woundable ['wu:ndəbəl] *adj* vulnerabil

wounded ['wu:ndid] **I** *adj* **1** rănit **2** *fig* rănit; jignit, ofensat **II** *s* **the ~** răniții

wounding power ['wu:ndiŋ ˛pauər] *s mil* forță omorâtoare

woundwort ['wu:nd˛wə:t] *s bot* **1** vătămătoare *(Anthyllis Linnaei)* **2** jaleș de mlaștină *(Stachys palustris)*

wove [wouv] *pret de la* **weave I-II**

woven ['wouvən] **I** *ptc de la* **weave I-II II** *adj* țesut

woven hair ['wouvən ‚hɛəʳ] *s text* țesătură de păr

wove paper ['wouv ‚peipəʳ] *s poligr* hârtie de velină

wow [wau] **I** *interj (exprimă uimire și admirație)* F uliu(u)! haiti! fiu! **II** *s* **1** F casație, – succes nemaipomenit **2** *tel* variații în viteza imprimării

WRAC [ræk] *s mil* membră a corpului auxiliar feminin al trupelor de uscat **(Women's Royal Army Corps)** *(în Anglia)*

wrack [ræk] *s* **1** *bot* algă marină aruncată pe țărm, ↓ iarbă de mare *(Zostera marina)* **2** ← *înv* nimicire, distrugere, ruină; *(păstrat în)*: ~ **and ruin** nimicire, distrugere totală; **to bring/to put to** ~ a nimici, a distruge; **to go/ to run to** ~ a se distruge; a pieri **3** brac **4** vrac **5** *nav* obiect aruncat pe coastă

wraith [reiθ] *s* spectru; dublu spectral; fantomă *(a unei persoane,* ↓ *înainte de moarte)*

wraithlike ['reiθ‚laik] *adj* spectral; fantomatic; foarte slab

Wrangel Island ['ræŋgəl 'ailənd] Insula Vranghel

wrangle ['ræŋgəl] **I** *s* ceartă, sfadă; ciondăneală; discuție aprinsă; altercație **II** *vi* (with) a se certa zgomotos (cu); a se ciondăni; a se ciorovăi (cu); a discuta aprins (cu)

wrangler ['ræŋgləʳ] *s* **1** certăreț, gâlcevitor; participant la o discuție aprinsă **2** *univ* student care s-a distins la examenul de matematică *(la Cambridge)*

wrap [ræp] **I** *vt* **1** a înfășura, a înveli; a împacheta; a înfofoli **2** *și fig* a ascunde; a tăinui **3** *fig* a învălui, a acoperi; ~**ed in slumber** cufundat în somn **II** *vi* **1** a se înfășura; a se înveli; a se acoperi **2** (around, over) a se încolăci (în jurul – *cu gen*); a se acoperi **III** *s* **1** învelitoare **2** manta; palton; șal; fular // **under** ~**s** ← F ținut în secret, tăinuit

wrap around ['ræp ə‚raund] *vt cu prep* a-și încolăci *(brațele, etc.)* în jurul *cu gen*

wrap oneself up ['ræp wʌn‚self 'ʌp] *vr cu part adv* a se înfofoli; a se îmbrăca călduros

wrappage ['ræpidʒ] *s* **1** învelitoare; înveliș; copertă **2** sul; pachet **3** obiect împachetat

wrapped in ['ræpt in] *adj cu prep* amestecat/implicat în *(intrigi, etc.)*

wrapped up in ['ræpt 'ʌp in] *adj cu part adv și prep* **1** cufundat/ afundat în *(muncă, etc.);* absorbit de; până peste cap în **2** amestecat/implicat în

wrapper ['ræpəʳ] *s* **1** înveliș, învelitoare **2** *poligr* supracopertă **3** *poligr* banderolă, șuviță, rădăcină **4** dosar **5** *tehn* mașină de înfășurat **6** husă **7** halat, capot; haină de casă **8** *bot* valvă

wrapping ['ræpiŋ] *s* **1** împachetare; învelire; înfășurare **2** ↓ *pl* învelitoare; înveliș **3** material de împachetat

wrapping paper ['ræpiŋ ‚peipəʳ] *s* hârtie de împachetat

wrapt [ræpt] *pret și ptc rar, poetic de la* **wrap I-II**

wrap up ['ræp 'ʌp] **I** *vt cu part adv* **1** *v.* **wrap I, 1, 2** a ascunde, a masca; a învălui; **he wrapped up his meaning in allegory** și-a învăluit gândurile în alegorii, a folosit alegorii pentru a-și ascunde intențiile **3** a încheia *(un armistițiu);* a încheia, a termina *(un proces)* **II** *vi* **1** a se îmbrăca cu haine groase/călduroase; a se înfofoli **2** *sl* a tăcea din gură, a-și ține fleanca

wrasse [ræs] *s iht* pește *(marin)* buzat, comestibil *(Labrus sp.)*

wrath [rɔθ] *s poetic* urgie, – furie, mânie; pedeapsă

wrathful ['rɔθful] *adj* furios la culme, cu o falcă în cer și cu alta în pământ; plin de urgie

wrathfully ['rɔθfuli] *adv* mânios la culme, înfuriat la culme

wrathfulness ['rɔθfulnis] *s v.* **wrath**

wreak [riːk] *vt* **1** a da frâu liber *(mâniei, etc.);* a-și vărsa *(mânia, etc.);* **to ~ vengeance (up)on** a se răzbuna pe **2** ← *înv* a răzbuna

wreath [riːθ] *s* **1** cunună; ghirlandă; coroană; coroniță; **laurel** ~ cunună de lauri **2** rotocol, șuviță *(de fum, etc.);* trâmbă **3** *constr* coroană

wreathe [riːð] **I** *vt* **1** a împleti, a răsuci,; a înfășura **2** a înveli, a învălui, a acoperi; **mist** ~**d the hills** ceața învăluia dealurile **3** a

încolăci; a înconjura; **to ~ one's arms round** a-și încolăci brațele în jurul *cu gen* **II** *vr și* ~ **(a)round** a se încolăci; a se răsuci **III** *vi* **1** *și* ↓ ~ **(a)round** a se încolăci; a se răsuci **2** *(d. aburi, ceață, etc.)* a face rotocoale; a se ridica în rotocoale/spirale

wreathed [riːðd] *adj* împletit; încolăcit

wreathed in ['riːðd in] *adj cu prep* acoperit cu, plin de; **a face ~ wrinkles** o față plină/brăzdată de riduri

wreck [rek] **I** *s* **1** *nav* epavă; varec **2** *nav* eșuare; naufragiu **3** *fig* năruire *(a speranțelor, etc.).* prăbușire, spulberare **4** resturi, rămășițe **5** avarie; accident **6** *fig* ruină; **the building was a ~** clădirea era o ruină; **my plan's a ~** planul meu este un eșec, n-a ieșit nimic din planul meu **7** *fig* epavă; **he was a ~ after his illness** după boală nu mai era decât o epavă **II** *vt* **1** a sfărâma, a sparge; a distruge, a nimici **2** *nav, av* a avaria; a cauza pierderea/distrugerea *cu gen; nav* a face să eșueze *sau* să naufragieze **3** *tehn* a demola, a dărâma, a demonta **4** *fig* a distruge *(planuri, etc.);* a spulbera, a nimici; a dărâma; a strica; a da peste cap

wreckage ['rekidʒ] *s* **1** *nav* sfărâmături, rămășițe de vas *(după naufragiu);* epavă **2** sfărâmături, resturi *(de mașină distrusă, etc.)* **3** *constr* dărâmături; ruine **4** frânturi din viața de odinioară; relicve; amintiri **5** oameni sfârșiți

wreck buoy ['rek ‚bɔi] *s nav* geamandură de epavă

wrecked [rekt] *adj* naufragiat; avariat

wrecker ['rekəʳ] *s* **1** ↓ *od* jefuitor de vase avariate *sau* naufragiate; criminal care provoca eșuarea vaselor **2** *nav* salvator **3** *tehn* lucrător reparator **4** distrugător; spărgător **5** *ist* distrugător de mașini *(în Anglia)* **6** *constr* muncitor *sau* tehnician specializat în demolări **7** *amer auto* autocamion de depanare **8** *pol* dușman ascuns

wrecking ['rekiŋ] *s* **1** sfărâmare, spargere; distrugere; nimicire **2** *fig* zădărnicie; stricare; năruire **3** *tehn* demontare; demolare, dărâmare

wreck master ['rek ˌmɑːstə'] *s nav* **1** comandantul salvării **2** custode de epave

wren [ren] *s orn* pitulice, bourel, panțăruș *(Troglodytes troglodytes)*

wrench [rentʃ] **I** *vt* **1** a smulge; a scoate cu forța; **to ~ the door open** a deschide ușa cu forța, a forța ușa **2** a scrânti; a luxa *(mâna, etc.)*; a răsuci **3** *fig* a denatura; a răstălmăci **II** *s* **1** smulgere; tragere; apucare (violentă) **2** scrântire, luxare; răsucire; luxație, scrântitură; **to give one's ankle a ~** a-și scrânti/a-și luxa glezna **3** *fig* durere (profundă); strângere de inimă; **his leaving home was a ~** îi venea foarte greu să se despartă de casă **4** *tehn* cheie fixă/de piulițe

wrench away/off ['rentʃ ə'wei/'ɔːf] *vt cu part adv v.* **wrench I, 1**

wrest [rest] *vt* **1** a smulge (cu forța) **2** a denatura; a interpreta *(o lege, etc.)* în favoarea sa **3** *fig* a smulge *(consimțământul, etc.)*; a scoate cu greutate *(o mărturie, etc.)*; a stoarce *(lacrimi)*

wrestle ['resəl] **I** *vi* **1** **(with)** a (se) lupta (cu); a se împotrivi *(cu dat)* **2** *fig* **(with)** a se lupta, a duce o luptă/o bătălie (cu); a căuta să învingă, să înfrângă, să doboare etc. *(dificultăți, etc.)*; **he was wrestling with a difficult problem** se chinuia cu o problemă dificilă **3** *sport* a participa la lupte greco-romane/corp la corp, a se lupta corp la corp **II** *vt* **1** a (se) lupta cu **2** ↓ *sport* a se lupta corp la corp cu; **she ~d her attacker to the ground** luându-se la trântă cu atacatorul l-a doborât la pământ **III** *s* **1** *sport* luptă greco-romană/corp la corp; trântă **2** *fig* luptă; bătălie

wrestler ['reslə'] *s sport* luptător; atlet

wrestling ['resliŋ] *s sport* luptă greco-romană/corp la corp; lupte greco-romane

wrest pin ['rest ˌpin] *s muz* căluș

wretch [retʃ] *s* **1** nenorocit; prăpădit; nefericit; obidit; sărac **2** *F* nenorocit, mizerabil; **you ~!** nenorocitule! > pungașule!

wretched ['retʃid] *adj* **1** *(d. cineva)* distrus, nenorocit, nefericit; obidit; necăjit; sărman, biet; într-o

stare de plâns, vrednic de plâns **2** jalnic, deprimant; (într-o stare) de plâns; mizerabil; ca vai de el/lume; **a ~ life** o viață jalnică/mizerabilă/plină de mizerii/ca vai de el; **a ~ headache** o durere de cap cumplită/nenorocită/păcătoasă; **~ poverty** sărăcie lucie/cu lustru/cumplită; **~ food** mâncare mizerabilă; **~ weather** o vreme mizerabilă/cumplită; o căței de vreme; **a ~ writer** un scriitor ca vai de el/lume **3** *(d. cineva)* mizerabil, nenorocit, ticălos, abject, infam

wretchedly ['retʃidli] *adv* (în mod) mizerabil

wretchedness ['retʃidnis] *s* **1** (stare de) nefericire; mizerie; sărăcie **2** stare jalnică/de plâns; caracter insuportabil *(al tratamentului, etc.)* **3** ticăloșie, infamie

wrick [rik] *med* **I** *vt* a întinde **II** *s* întindere, entorsă

wriggle ['rigəl] **I** *vi* **1** a merge *sau* a înainta șerpuit *sau* în zigzaguri; a se încolăci; a se suci; a se răsuci; a se bâțâi; a se fâțâi; a se strecura **2** a se zvârcoli **3** *fig* a umbla cu tertipuri; a da din colț în colț **II** *vt* a suci, a răsuci; a mișca dintr-o parte în alta; *(d. câini)* a da din *(coadă)* **III** *vr* a se încolăci; a se face ghem **IV** *s* **1** încovoiere; răsucire; contorsiune **2** șerpuitură; șerpuire, cotire **3** zvârcolire

wriggle out of ['rigəl ˌaut əv] *vi cu prep* ← *F* a scăpa *(prin trucuri, etc.)* de; a se eschiva de la

wriggler ['riglə'] *s* **1** lingușitor, *F* periuță, lingău **2** intrigant; ticălos, hahaleră **3** om care caută să scape de obligații *sau* răspunderi; *F* chiulangiu

wriggly ['rigli] *adj* **1** șerpuit(or), sinuos; încolăcit **2** care se zvârcolește

wright [rait] *s* ← *înv* meșter; constructor; *(azi în cuvinte compuse)*: **playwright** autor dramatic; **wheelwright** rotar

wring [riŋ] **I** *pret și ptc* **wrung** [run] *vt* **1** a suci (↓ gâtul, *provocând moartea)*; a-și frânge *(mâinile)*; **I'll ~ his neck if** îi sucesc gâtul dacă; **she was ~ing her hands in sorrow** își frângea mâinile de durere **2** *fig* a frânge *(inima)* **3** a

strânge cu putere *(mâna cuiva)* **4** a stoarce *(rufele, etc.)*; a scoate *(apa) (din rufe, etc.)* (prin stoarcere); **you can't ~ blood from a stone** *fig* nu poți scoate nimic/↓ bani de la un om hapsân **5** *fig* a smulge *(consimțământul, etc.)*, a scoate/a căpăta cu greu; a forța până la urmă să spună *(adevărul, etc.)* **6** a chinui, a tortura **7** a denatura; a răstălmăci **II** *(v. ~ I)* *vi* a se (ră)suci; a se zvârcoli **III** *s* **1** sucire; răsucire **2** stoarcere; presare; tescuire **3** presă; teasc; *alim* storcător

wringer ['riŋə'] *s* storcător (de rufe)

wrinkle ['riŋkəl] **I** *s* **1** zbârcitură, încrețitură, cută **2** *F* chichiță, șmecherie; − dedesubt **II** *vt* a zbârci, a încreți, a cuta **III** *vi* a se zbârci, a se încreți; a se cuta

wrinkled ['riŋkld], **wrinkly** ['riŋkli] *adj* cu zbârcituri/încrețituri *sau* cute; zbârcit; încrețit; cutat

wrist [rist] *s* **1** *anat* încheietura mâinii, carp; articulația radio-carpiană **2** manșetă

wristband ['ristˌbænd] *s* **1** manșetă (↓ la cămăși bărbătești) **2** brățară (↓ de ceas) **3** *pl* cătușe

wristlet ['ristlit] *s* **1** brățară de ceas *(din metal)* **2** *pl sl* cătușe

wrist pin ['rist ˌpin] *s tehn* bolț de piston

wristwatch ['ristˌwotʃ] *s* ceas de mână, ceas-brățară

writ [rit] **I** *s* **1** *jur* ordonanță; hotărâre judecătorească; dispoziție **2** *înv* scriptură, − scriere **II** *pret și ptc înv de la* **write**

write [rait], *pret* **wrote** [rout], *înv* **writ** [rit], *ptc* **written** ['ritən], *înv* **writ** [rit] **I** *vt* **1** a scrie; a redacta; a compune; **to ~ a letter** a scrie o scrisoare; **Dickens wrote „David Copperfield"** Dickens a scris „D. C."/este autorul romanului „D. C."; **he wrote me that he couldn't come** mi-a scris că nu poate veni; **to be written on all over** a fi exprimat clar/a se putea citi clar pe *(fața cuiva)*; **writ large a** clar, exprimat clar/cu claritate **b** și/încă mai rău **2** a completa *(un cec)* **// to ~ one's name** a semna, a iscăli, a-și pune semnătura **II** *vr* a se (auto)intitula, a-și spune *(„profesor", etc.)* **III** *vi* a scrie; a redacta, a compune; a fi scriitor; **to ~ plain** a scrie citeț/deslușit/clar; **to ~ large** a scrie cu litere (destul de) mari; **to ~ small** a scrie cu litere (prea) mici; **to ~ in ink** a scrie cu cerneală; **to ~ in pencil/with a pencil** a scrie cu creionul; **to ~ with a pen** a scrie cu stiloul *sau* condeiul/tocul; **to ~ from dictation** a scrie după dictare; **to ~ for a paper** a colabora la un ziar

write away for ['rait ə'wei fə^r] *vi cu part adv și prep* a comanda *o carte, etc.* în străinătate *sau* într-o localitate îndepărtată

write back ['rait 'bæk] *vi cu part adv* a răspunde la o scrisoare

write down ['rait 'daun] *vt cu part adv* **1** a scrie, a nota, a însemna; a înregistra *(spusele cuiva, etc.)* **2** a reproduce (în scris) **3** a considera, a socoti, a califica; **I wrote him down as a fool** îl socotesc un prost **4** a se exprima nefavorabil la adresa *cuiva (în ziar)*, a nu aprecia favorabil

write-in ['rait ,in] *s amer* vot acordat prin scrierea numelui candidatului

write in ['rait 'in] **I** *vi cu part adv* a se adresa unei firme; **I wrote in for a copy of the book, but the firm never replied** am solicitat firmei un exemplar din carte dar nu mi s-a răspuns **II** *vt cu part adv* **1** *amer* a vota pentru *cineva* scriindu-i numele pe buletinul de vot **2** *amer* a adăuga *(un nume)* pe un buletin de vot

write-off ['rait 'ɔ:f] *s* **1** anulare în scris; refuz scris **2** *com* reducere a prețului **3** *(d. o mașină, etc.) F* rablă, hârb

write off ['rait 'ɔ:f] **I** *vi cu part adv:* **to ~ for** *v.* **write away for II** *vt cu part adv* **1** a anula, a renunța la; a decomanda; a accepta pierderea, întârzierea, eșecul, *etc. cu gen* **2** a anula, a șterge *(o datorie);* a prescrie

write out ['rait 'aut] *vt cu part adv* **1** a șterge, a scoate, a elimina *(dintr-un text)* **2** a transcrie, a copia; **to ~ fair** a transcrie pe curat **3** a scrie complet; a descifra *(o stenogramă, etc.)* **4** a redacta, a scrie *(ceva formal);* a completa; **to ~ a report** a întocmi un raport amănunțit

writer ['raitə^r] *s* **1** scriitor; autor **2** autor *(al unei scrisori, etc.)* **3** secretar; copist **4** the ~ *(în stilul oficial)* subsemnatul; **the ~ will be glad if** subsemnatul ar fi bucuros dacă

writer-in-residence ['raitər in 'rezidəns] *s amer* scriitor care predă literatură la universitate

write-up ['rait ,ʌp] *s* recenzie favorabilă; articol favorabil; reclamă

write up ['rait 'ʌp] *vt cu part adv* **1** a transcrie în formă completă *(note, etc.)* **2** a recenza favorabil; a scrie un articol favorabil *cu dat;* a face reclamă *cu dat (în ziar)*

write up to ['rait 'ʌp tə] *vi cu part adv și prep* a se adresa (în scris) *unei firme, instituții, etc.*

writhe [raið] **I** *vi* **1** a se contorsiona, a se zgârci; a se crispa; a se zvârcoli **2** a suferi grozav **II** *vt* **1** a contorsiona; a suci; a răsuci; a zgârci **2** *fig* a denatura; a răstălmăci

writting ['raitiŋ] *s* **1** scris, scriere; caligrafie; fel de a scrie; **in ~** în scris, în formă scrisă **2** scris, activitate scriitoricească **3** scriere, operă, lucrare **4** inscripție **5** stil, mod de a scrie

writing block ['raitiŋ ,blɔk] *s* bloc notes, carnet de note/notițe

writing book ['raitiŋ ,buk] *s* **1** caiet dictando **2** rezervă de foi *(de scris);* bloc de foi

writing case ['raitiŋ ,keis] *s* trusă cu cele necesare scrisului; mapă de scrisori

writing desk ['raitiŋ ,desk] *s* birou; masă de scris *(↓ cu sertare)*

writing ink ['raitiŋ ,iŋk] *s* cerneală (de scris)

writing master ['raitiŋ ,mɑ:stə^r] *s* profesor de caligrafie

writing materials ['raitiŋ mə'tiəriəlz] *s pl* rechizite, furnituri de birou

writing pad ['raitiŋ ,pæd] *s* **1** bloc-notes **2** sugativă **3** *v.* **writing book**

writing paper ['raitiŋ ,peipə^r] *s* hârtie de scris/concept

writing school ['raitiŋ ,sku:l] *s univ* sală pentru examene scrise *(la Oxford)*

writing set ['raitiŋ ,set] *s* garnitură de birou

writing table ['raitiŋ ,teibl] *s v.* **writing desk**

written ['ritən] **I** *ptc de la* **write II** *adj atr* **1** scris; în formă scrisă; ~ **invitation** invitație scrisă; **to put a ~ question** a pune o întrebare în formă scrisă **2** *(d. scris)* de mână

wrnt. *presc de la* **warrant**

wrong [rɔŋ] **I** *adj* **1** greșit, incorect, eronat; fals; prost; ~ **answer** răspuns greșit/incorect; ~ **statement** afirmație falsă/care nu corespunde adevărului; ~ **note** *muz* notă falsă; **things were all ~** toate mergeau prost; **to be ~ a** *(d. cineva)* a nu avea dreptate, a fi greșit **b** *(d. ceas)* a nu merge bine, a merge prost, a nu arăta ora exactă; **to be caught on the ~ foot** a fi prins pe picior greșit, a nu fi pregătit (când trebuie); **to get out of bed on ~ side** $F \rightarrow$ a se scula cu fața la cearșaf, – a fi prost dispus; **to have/to get hold of the ~ end of the stick** a înțelege greșit *sau* de-a-ndoaselea; **not far ~** aproape corect; **you are not ~** ai mai mult sau mai puțin dreptate, nu greșești prea mult; da, este aproape exact; ~ **side up** cu susul în jos; **on the ~ side of forty** trecut de patruzeci (de ani); **to get off on the ~ foot** a (o) începe prost; a face o impresie proastă; a călca cu stângul; **to come/to go to the ~ shop** *fig* a greși adresa; **to swallow the ~ way** a înghiți prost; **to drive on the ~ side of the road** *auto* a merge pe partea inversă a drumului *(pe stânga; în Anglia pe dreapta)* **2** în neregulă; rău; **what's ~ with it?** ce este în neregulă? ce are? ce s-a întâmplat? **what's ~ with you?** ce ai? ce este cu tine? ce (ți) s-a întâmplat? **what's ~ with a cup of coffee?** *F* ce-ai zice de o ceașcă cu cafea? parcă n-ar strica o cafea **3** nepotrivit, inoportun; **this is the ~ time for visit** este o oră nepotrivită pentru vizite **4** nefavorabil, neprielnic **5** rău; imoral; greșit; urât; cum nu trebuie; **it was ~ of him** a procedat urât, n-a procedat bine/urât din partea lui; **it's ~ to tell lies** e urât să minți **II** *adv* **1** greșit, eronat, incorect; în mod fals *etc.*; **to get it** ~ a înțelege greșit; **to answer** ~ a da un răspuns greșit; **you have spelt the word** ~ ai scris/ortografiat greșit cuvântul; **to go** ~ a *(d. un mecanism, etc.)* a merge/funcționa prost, a nu merge bine **b** a se rătăci, a pierde drumul **c** a ajunge prost/rău **d** *(d. o metodă, etc.)* a nu fi bun; a nu da rezultate **e** a se termina prost/urât **f** a greși, a face o greșeală *(de calcul, etc.)* **2** pe nedrept; incorect, injust; în mod imoral, *etc.*; **to go** ~ a apuca pe căi greșite, a o lua alăturea cu drumul; a cădea/a intra în păcat(e) **III** *s* **1** rău; nedreptate; **to commit a** ~ a săvârși/a comite o nedreptate; **to know right from** ~ a deosebi binele de rău; **to do smb** ~ a nedreptăți pe cineva, a face cuiva o nedreptate; **can two ~s make a right?** se poate (oare) îndrepta răul prin rău? **to right a** ~ a îndrepta un rău; a repara o nedreptate; **to make ~ right** a da dovadă de orbire morală; a spune că negrul este alb; **to be in the** ~ a greși; a proceda greșit **2** greșeală; eroare; **to be in the** ~ a greși, a face o greșeală; a nu avea dreptate **3** *jur* delict; crimă **4** ← *rar* vătămare; prejudiciu **IV** *vt* **1** a nedreptăți; a face o nedreptate *cuiva* **2** a face un rău *cuiva*; a jigni, a ofensa **3** a silui, a viola *(o femeie)* **4** a bârfi; a calomnia; a ponegri, a defăima

wrongdoer ['wrɔŋ,duːəʳ] *s* **1** *jur* răufăcător; criminal; delicvent **2** vinovat **3** nelegiuit, ticălos, păcătos **4** persoană care ofensează, jignește, *etc.*; calomniator; defăimător; bârfitor

wrongdoing ['wrɔŋ,duːiŋ] *s* **1** *jur* crimă; delict **2** fărădelege **3** vină, greșeală; păcat

wrongful ['rɔŋful] *adj* **1** nedrept, incorect, injust, nejust **2** ilegal **3** vinovat, culpabil

wrongfully ['rɔŋfuli] *adv* (în mod) greșit; pe nedrept

wrongfulness ['rɔŋfulnis] *s* rău, nedreptate; nedreptățire

wronghead ['rɔŋ,hed] *s* zăpăcit, aiurit; încurcă-lume

wrongheaded ['rɔŋ,hedid] *adj* **1** zăpăcit, aiurit; cu idei greșite, fantastice, aiurite, *etc.*; care își închipuie că poate răsturna lumea (pe dos); cu idei fixe *(d. idei, etc.)* **2** greșit; aiurit; fantastic; confuz, neclar

wrongheadedly ['rɔŋ,hedidli] *adv* (în mod) greșit, aiurit, confuz, *etc.*

wrongheadedness ['rɔŋ,hedidnis] *s* **1** zăpăceală, aiureală **2** idei fantastice

wrote [rout] *pret de la* write

wroth [rouθ] *adv, înv, bibl sau poetic* v. **wrathful**

wrought [rɔːt] **I** *pret și tpc înv de la* **work II-IV II** *adj* ↓ *atr* **1** fasonat, lucrat **2** *text* înflorat **3** *tehn* forjat **4** lucrat *sau* elaborat cu multă grijă/migală **5** împodobit, ornamentat; ~ **by hand** lucrat cu mâna *sau* de mână

wrought iron ['rɔːt ,aiən] *s met* fier forjat

wrought-up ['rɔːt ,ʌp] *adj fig* ambalat; montat; nervos; F → cu capsa pusă

wrung [rʌŋ] *pret și ptc de la* **wring I-II**

wry [rai] *adj* **1** strâmb(at); sucit; diform; pocit; crispat, contractat; ~ **nose** nas strâmb; ~ **smile** zâmbet silit/*P* → mânzesc; **to make a ~ face** a se strâmba *(de dezgust)*, a strâmba din nas; **to put a ~ sense on** a denatura înțelesul/sensul *cu gen* **2** *(d. idei, etc.)* încâlcit, confuz; ambiguu **3** ascuns, prefăcut, fals

wryly ['raili] *adv* **1** (în mod) strâmb **2** (în mod) confuz **3** (în mod) fals, cu prefăcătorie

wryneck ['rai,nek] *s* **1** *med* torticolis **2** *orn* capîntortură *(Jynx torquilla)*

wryness ['rainis] *s* asimetrie *(a trăsăturilor);* strâmbăciune

W. S. *presc de la* **West Saxon**

wt *presc de la* **weight**

wurst [wəːst] *s germ* cârnat

Wyatt ['waiət], **Sir Thomas** *poet englez (1503?-1542)*

wych elm ['witʃ ,elm] *s bot* velniș *(Ulmus montana)*

Wycherley ['witʃəli], **William** *autor dramatic englez (1640?-1716)*

Wyclif(fe) ['wiklif], **John** *reformator religios englez (1320?-1384)*

wye [wai] *s* (litera) Y, y

Wyoming ['wai'oumiŋ] *stat în S.U.A.*

wyvern ['waivən] *s mit* balaur cu două picioare și aripi

X

X, x [eks], *pl* **X's, x's** *sau* **Xs, xs**
['eksiz] *s* **1** (litera) X, x **2** X, x *(cifra
10 în sistemul roman)* **3** x mat x,
mărime necunoscută **4** X X, per-
soană necunoscută *sau* oare-
care **5** X *presc de la* **Christ:**
Xmas Crăciun **6** X *film interzis
pt copiii sub 16 ani* **7** sărutare *(în
scrisori)* **8** X *amer* (bancnotă de)
10 dolari
Xanthippe [zæn'θipi] *s* Xantipă,
femeie rea și cicălitoare, megeră
xebec ['zi:bek] *s nav od* șebec *(navă
cu vele și 3 arbori)*
xenia ['zi:niə] *s* **1** *biol* xenie **2** *pl*
xenii, daruri oferite oaspeților *(în
vechea Grecie și Romă)*

Xenocrates [ze'nɔkrə,ti:z] *filosof
grec* Zenocrate *(396-314 î.e.n.)*
xenolith ['zenəliθ] *s geol* xenolit
xenon ['zenɔn] *s ch* xenon
xenophobe ['zenə,foub] *s* xenofob
xenophobia [,zenə'foubiə] *s* xeno-
fobie
xenophobic [,zenə'foubik] *adj* xeno-
fob
Xenophon ['zenəfən] *istoric grec*
Xenofon *(434?-355? î.e.n.)*
Xeres ['zeris] *oraș în Spania*
xerox ['ziərɔks] *poligr* I *s* xerox II *vt*
a xeroxa, a multiplica la xerox
Xerxes ['zə:ksi:z] *numele a doi regi
ai Persiei*
Xmas, X-mas ['eksməs, 'krisməs]
presc de la **Christmas**

X-ray ['eks ,rei] *fot* I *s* **1** rază *sau*
radiație X **2** radiografie Roent-
gen, roentgenogramă **3** radio-
grafiere Roentgen II *vt* a cerceta,
a examina, a trata *sau* a fotogra-
fia cu raze X
xylan ['zailæn] *s ch* xilan
xylene ['zaili:n] *s ch* xilen
xylograph ['zailə,grɑ:f] *s poligr*
xilogravură, clișeu gravat în lemn
xylographer [zai'lɔgrəfəʳ] *s poligr*
xilograf, gravor în lemn
xylographic [,zailə'græfik] *adj poligr*
xilografic
xylography [zai'lɔgrəfi] *s poligr* **1**
xilografie **2** *v.* **xylograph**
xylophone ['zailə,foun] *s muz*
xilofon

Y

Y, y [wai] *s* (litera) Y, y

-y [i] *suf* **1** *adjectival* cu, plin de; acoperit cu: **sleepy** somnoros; **hairy** plin de păr, păros **2** *adjectival* ca, asemănător cu; caracteristic pentru: **a wintry day** o zi de iarnă **3** *(formează substantive abstracte)* -ie; -te, *etc.:* **glory** glorie; **liberty** libertate **4** *diminutival:* **daddy** tăticu; **aunty** mătuşică; **Johnny** *cf* Ionică

yacht [jɔt] *nav* **I** *s* iaht, yacht **II** *vi* a călători *sau* a se plimba cu iahtul/ yachtul

yachting ['jɔtiŋ] *s nav* **1** *sport* iahting, yachting, sportul ambarcaţiunilor cu vele *sau* concurs de iahturi/yachturi **2** navigare, călătorie *sau* plimbare cu iahtul/ yachtul

yachtsman ['jɔtsmən] *s nav* **1** proprietar de iaht/yacht *sau* iahturi **2** *sport* iahtman, yachtman

yager ['jeigə'] *s* vânător

yah [ja:] *interj* daa? ha ha! ei asta-i! ce vorbeşti! fugi de-aici!

yahoo [jə'hu:] *s* **1** *peior* vită; porc **2** *amer peior* ţărănoi, mocofan

Yahwe(h) ['ja:wei] *s rel* Iehova, Iahveh

yak¹ [jæk] *s zool* iac, yak *(Bos grunniens)*

yak², *pret şi ptc* **yakked** [jækt] *vi F* a trăncăni, – a flecări

Yakut [jæ'kut], *pl* **Yakut** *sau* **Yakuts** [jæ'kuts] *s* iakut

Yale [jeil] Universitatea (din) Yale *(S.U.A.)*

Yalta ['jaltə] *oraş în fosta U.R.S.S.* Ialta

yam [jæm] *s bot* **1** ignamă *sau* rădăcină de ignamă *(Dioscorea batatas)* **2** *amer* batat *sau* rădăcină de batat *(Ipomoea batatas)* **3** *scot* cartof

yammer ['jæmə'] *amer* **I** *vi* **1** a scânci; a geme; < a urla **2** a se văita, a se văicări **3** a vorbi mult şi zgomotos **II** *vt* a spune *sau* a cere pe un ton plângăreţ **III** *s* scâncet; geamăt *sau* gemete; văicăreală

yang [jæŋ] *s filos chineză* principiu masculin activ

Yangtze, the ['jæŋksi:, ðə] *fluviu în China* langtze, Fluviul Albastru

yank [jæŋk] **I** *vt* **1** ← *F* a smulge, a scoate/a extrage brusc **2** *amer F* a vârî la zdup, – a întemniţa; – a aresta **II** *s* **1** ← *F* smulgere, scoatere bruscă **2** ↓ **Y~** *v.* **Yankee**

Yankee ['jæŋki] *s* **1** *F* yankeu, american din statele de nord *sau* nord-est **2** *F* yankeu, – american

Yankee Doodle ['jæŋki ˌdu:dl] *titlul unui cântec american din perioada Războiului de independenţă*

Yankeeism ['jæŋkiizəm] *s lingv* americanism *(intrat în engleza britanică)*

yap [, jæp] **I** *s* **1** lătrat scurt, chefnit **2** *sl* vorbărie, pălăvrăgeală (zgomotoasă) **3** *sl* lioarbă, gură **II** *vi* **1** a lătra scurt, a chefni **2** şi ~ **away/on** *sl* a pălăvrăgi zgomotos

yard¹ [ja:d] **I** *s* **1** curte, ogradă **2** depozit, magazie *(de lemne, etc.)* **3** *nav* şantier (naval) **4** *amer* curte în spatele casei (↓ *cu iarbă*) **5** cimitir **6** ocol de vite **7** *ferov* depou; parc de vagoane; triaj **8** **the Y~** Scotland Yard **II** *vt* a vârî *(vitele)* în ocol *sau* curte

yard² *s* **1** iard, yard *(0, 9144 m)* **2** *nav* vergă

yardage ['ja:didʒ] *s* lungime, suprafaţă *sau* volum exprimat în iarzi

yard arm ['ja:d ˌɑ:m] *s nav* verfafor, capăt de vergă

yard goods ['ja:d ˌgudz] *s pl* produse textile vândute cu iardul

yard line ['ja:d ˌlain] *s ferov* linie de depou

yardman ['ja:dmən] *s ferov* muncitor la depou *sau* triaj

yard master ['ja:d ˌmɑ:stə'] *s ferov* şef de mişcare/manevră

yardstick ['ja:d,stik] *s* **1** riglă de un iard/iard **2** *fig* măsură, etalon, unitate de măsură

yare [jɛə'] ← *înv* **I** *adj* **1** pregătit, gata **2** repede, iute; activ **II** *adv* repede, iute, cu grabă

Yarmouth ['ja:məθ] *oraş în Anglia*

yarn [ja:n] **I** *s* **1** *text* fir, tort **2** *nav* sfilată **3** *F* istoric, poveste lungă

(↓ *d. o călătorie);* poveste, basme, – născocire **II** *vi F* a spune poveşti, a înşira vrute şi nevrute

yarn-dyed ['ja:n ,daid] *adj text* vopsit în fir

Yaroslavl [jira'slavlj] *regiune şi oraş în fosta U.R.S.S.*

yarovize ['jærəvaiz] *vt agr* a iaroviza

yarrow ['jærou] *s bot* coada şoricelului *(Achillea millefolium)*

yashmak ['jæʃmæk] *s* iaşmac *(basma purtată peste gură de femeile musulmane)*

Yassy ['jæsi] *oraş în România* Iaşi

yatag(h) an ['jætəgən] *s od* iatagan

yaw [jɔ:] **I** *vi nav, av* a deriva, a devia, a se abate; *nav* a ambarda **II** *vt* **1** *nav, av* a devia, a abate **2** *nav* a gira/a evita pe ancoră/ geamandură **III** *s* **1** *nav, av* derivă, deviere **2** *nav* ambardee **3** *nav* girare/evitare pe ancoră/ geamandură

yawl [jɔ:l] *s nav* **1** iolă **2** iolă de sport **3** iolă cu rame

yawn [jɔ:n] **I** *vi* **1** a căsca *(de somn, plictiseală etc.)* **2** *(d. o prăpastie etc.)* a se căsca, a se deschide **II** *vt* a spune „noapte bună" *etc.)* căscând **III** *s* **1** căscat **2** deschizătură mare; râpă; prăpastie

yawp [jɔ:p] *vi* a striga tare, a zbiera, a urla

yaws [jɔ:z] *s med* framboesia

yaw-yaw ['jɔ: ,jɔ:] *vi* a se grozăvi, a face pe grozavul, a-şi da aere

yclad [i'klæd] *adj* ← *înv* îmbrăcat, înveşmântat

ycleped, yclept [i'klept] *adj* ← *înv* numit, chemat, zis

yd. *presc de la* **yard** *sau* **yards** *ca măsură*

ye¹ [ji:] *pr* (↓ *ca subiect)* ← *înv* voi; dumneavoastră

ye² *art hot* (↓ *înaintea numelui unui han sau a unei prăvălii, pt a-i sublinia vechimea) v.* **the**

yea [jei] **I** *adv* ← *înv* **1** da **2** ce zic, mai mult decât atât; pe deasupra **II** *s* **1** vot pentru **2** persoană care a votat pentru **3** ← *înv* aprobare, încuviinţare, acord

yeah [jɛə] *adv F* aha, îhî, – da

yean ['ji:n] *vt, vi (d. oi sau capre)* a făta

yeanling ['ji:nliŋ] *s* 1 miel 2 ied

year [jiə'] *s* 1 an *(calendaristic, astronomic, etc.) înv →* leat; ~ **in**, ~ **out** an după an, în fiecare an, ani de-a rândul, ani la rând; **all the ~ round** tot anul, tot timpul anului, cât e anul de mare/lung; **three ~s ago** acum trei ani, trei ani în urmă; **he is fifteen ~s old** are cincisprezece ani, e în vârstă de cincisprezece ani; **a 15-~-old boy** un băiat (în vârstă) de 15 ani 2 *pl* ani, vârstă; **he seems old for his ~s** pare mai în vârstă (decât este); pare mai bătrân pentru anii lui

yearbook ['jiə,buk] *s* anuar

yearling ['jiəliŋ] *s* 1 animal între 1-2 ani, ↓ noatin; cârlan 2 *bot* butaș 3 adolescent, tinerel

yearlong ['jiə'lɔŋ] *adj atr* 1 de un an, care ține un an; valabil timp de un an 2 îndelungat; de o veșnicie

yearly ['jiəli] I *adj* anual, de fiecare an; care are loc în fiecare an II *adv* anual, în fiecare an; an de an

yearn [jə:n] I *vi* a tânji, a fi cuprins de dor II *vt impers ←* rar a durea, a chinui; **it ~s me** mă doare, sufăr

yearn after/for ['jə:n ,ɑ:ftə'/fə'] *vi cu prep* a tânji după; a-i fi tare dor de; a dori cu înfocare *cu ac;* a nu mai putea de dorul *cu gen*

yearning ['jə:niŋ] I *s* 1 **(for, after)** dor (de); dorință arzătoare (de); *P ←* foc 2 jale, durere II *adj atr* 1 *(d. dor etc.)* mistuitor, chinuitor; viu; aprins 2 chinuit de dor, tânjitor 3 îndurerat, în suferință

yearningly ['jə:niŋli] *adv* cu dor, tânjind, tânjitor

yearn to ['jə:n tə] *vt cu inf* a-i fi tare dor să, a nu mai putea de dorul de a; **I ~ hear from you** de-abia aștept să primesc vești de la tine

yeast [ji:st] *s* 1 drojdie; ferment 2 spumă 3 *fig* sămânță

yeast cake ['ji:st ,keik] *s* 1 calup de drojdie uscată 2 maia, plămădeală

yeasty ['ji:sti] *adj* 1 de drojdie; ca drojdia; conținând drojdie 2 care fermentează, în fermentație 3 spumos, cu spumă 4 *(d. vorbe etc.)* gol, fără miez; găunos 5 ușuratic; frivol 6 neliniștit, agitat

Yeast [jeits], **William Butler** *scriitor irlandez (1865-1939)*

yegg [jeg] *s amer sl* spărgător de seifuri; bandit, gangster

yell [jel] I *s* 1 urlet, răcnet; țipăt; vociferare 2 *amer* aclamații; urale; strigăt de luptă; lozincă scandată *(a studenților sau elevilor pt a sprijini o echipă favorită)* II *vi* **(at)** a răcni (la); a țipa (la) III *vt și* ~ **out** a rosti/a spune răcnind *sau* țipând; **he ~ed (out) orders at everyone** dădea ordine în dreapta și în stânga zbierând

yellow ['jelou] I *adj* 1 galben, de culoare galbenă; auriu; chihlimbariu 2 îngălbenit; gălbejit 3 *(d. rasă)* galben 4 ← *F* fricos, laș; ticălos 5 *(d. ziare)* bulevardier, ieftin, de scandal II *s* 1 galben, culoare galbenă; auriu 2 gălbenuș (de ou) 3 vopsea galbenă 4 *pl ←* peior rasa galbenă 5 ziar bulevardier 6 ← *F* frică; lașitate; ticăloșie III *vt* a îngălbeni IV *vi* a se îngălbeni

yellow amber ['jelou ,æmbə'] *s* chilimbar, chihlimbar

yellowback ['jelou,bæk] *s* 1 roman franțuzesc *(cu copertă galbenă)* 2 ← *înv* roman bulevardier

yellow-bellied ['jelou ,belid] *adj sl v.* **yellow** I, 4

yellow fever ['jelou ,fi:və'] *s med* friguri galbene

yellowish ['jelouiʃ] *adj* gălbui, gălbiu

yellow jack ['jelou ,dʒæk] *s* 1 **yellow fever** 2 *nav* pavilion de carantină

yellow jaundice ['jelou ,dʒɔ:ndis] *s med* icter, gălbinare

yellow metal ['jelou ,metl] *s* 1 *met* alamă forjabilă 2 aur

yellow press, the ['jelou ,pres, ðə] *s* presa galbenă/bulevardieră

Yellow River, the ['jelou ,rivə', ðə] Fluviul Galben, Huanghe *(în China)*

Yellow Sea, the ['jelou si:, ðə] Marea Galbenă, Huang Hai

yellow spot, the ['jelou ,spot, ðə] *s anat* pata galbenă, Macula lutea

Yellowstone ['jelou,stoun] *platou în S.U.A.*

yellowy ['jeloui] *adj* gălbui, gălbiu

yelp [jelp] I *vi* a scheuna, a scânci; a chefni, a lătra scurt II *s* scheunat, scâncet; chefnit, lătrat scurt

Yemen ['jemən] *țară în Peninsula Arabia;* **the People's Democratic Republic of** ~ Republica Popular-Democrată Yemen; **the ~ Arab Republic** Republica Arabă Yemen

Yemenite ['jemənait] *adj, s* yemenit

yen[1] [jen] *s și ca pl* yen *(unitate monetară japoneză)*

yen[2] *s* **(for)** chef, poftă, dorință puternică (de)

yeoman ['joumən] *s* 1 *od* yeoman: **a** servitor la o curte regală *sau* seniorială **b** ajutor al unui dregător sau funcționar **c** om liber dintr-o comunitate; fermier liber; răzeș *(în Anglia)* **d** *mil (și azi)* membru al unui corp de gardă *(în Anglia)* **e** *nav amer* ofițer îndeplinind îndatoriri clericale **f** *mil* călăraș voluntar *(în Anglia și Scoția)* 2 ← *rar* mic proprietar rural *(care-și lucrează singur pământul – în Anglia)*

yeomanly ['joumənli] I *adj* 1 (ca) de yeoman 2 *fig* brav, curajos; credincios, loial II *adv* ca un yeoman; (în chip) curajos, brav; cu credință

yeoman of the (royal) guard ['joumən əv ðə (,rɔiəl) ,gɑ:d] *s mil* yeoman/membru al corpului de gardă regală *(format din o sută de oameni; înființat în 1485 de Henric al VII-lea)*

yeomanry ['joumənri] *s* 1 *od* yeomani 2 *mil od* călărași voluntari *(în Anglia și Scoția, organizați în 1761; în 1907 au fost încorporați în armata teritorială)* 3 **the ~** micii proprietari rurali

yep [jep] *adv amer sl* îhî, aha, da

yes [jes] I *adv* 1 da; desigur, bineînțeles, firește; cum de nu; **to say „yes"** a spune „da"; a fi de acord; a aproba 2 *(exprimând un acord parțial)* da (da); înțeleg; așa este; **Yes, (yes), what she says is right, but ...** Da, (da,); Așa este; înțeleg/Cum de nu, *etc.* ceea ce spune ea este corect, dar ... 3 *(arată că vorbitorul a auzit ce i s-a spus sau că va îndeplini un ordin, o rugăminte, etc.)* da; da!; da?; *(uneori)* ascult; aud? ~, **sir a** da, domnule; ascult, domnule **b** *mil* ordonați! 4 *(ca răspuns prin care se exprimă dezacordul față de o negație)* ba da; cum de nu;

"Wouldn't you like to meet him?" "Yes, I would" – N-ai vrea să-l cunoşti? – Ba da/Cum să nu! **5** *interog* da? ce-ai spus? ce vrei să spui? serios? cum adică? *etc.* II *s* **1** răspuns afirmativ, acord, consimţire, asentiment **2** vot pentru/favorabil

yes man [ˈjes ˌmæn] *s* persoană care spune „da" la toate/care este de acord cu tot ce i se spune; persoană care „ţine hangul"; linguşitor

yes please [ˈjes ˌpliːz] *adv* (da,) vă rog; cu plăcere

yesterday [ˈjestə,di] I *s* **1** (ziua de) ieri; **of ~** de ieri; **~'s paper** ziarul de ieri; **the day before ~** (ziua de) alaltăieri **2** *fig* ieri, trecutul apropiat; **an invention of ~** o invenţie recentă II *adj atr* de ieri; **~ morning** dimineaţa de ieri, ieri dimineaţă III *adv* **1** (în timpul/cursul zilei de) ieri; **did you speak to him ~?** ai vorbit cu el ieri? **~ morning** ieri dimineaţă; **the day before ~** alaltăieri, acum două zile **2** *fig* ieri, de curând, recent, în trecutul apropiat; **I wasn't born ~** nu sunt de ieri de alaltăieri; cunosc lumea, problema, dedesubturile *etc.*; lasă că ştiu eu *etc.*

yestereve(ning) [ˈjestər,iːv(niŋ)] ← *înv sau poetic* I *s* seara de ieri II *adv* aseară

yestermorn(ing) [ˈjestə,mɔːn(iŋ)] ← *înv sau poetic* I *s* dimineaţa de ieri, ieri dimineaţă II *adv* ieri dimineaţă, în cursul dimineţii de ieri

yesternight [ˈjestər,nait] ← *înv sau poetic* I *s* noaptea trecută II *adv* astă noapte

yesteryear [ˈjestər,jəːʳ] *s, adv* ← *poetic* anul trecut

yestreen [jeˈstriːn] *s, adv poetic* v. **yestereve(ning)**

yet [jet] I *adv* **1** (în *prop neg*) încă; **not ~** încă nu; nu încă; **she hasn't come ~** nu a venit încă, încă nu a venit; **hasn't she come ~?** nu a venit încă? **2** (în *prop interog, condiţionale, dubitative*) deja; şi; **have you finished ~?** ai şi terminat? **I wonder whether he has finish the work ~** mă întreb dacă a terminat lucrul (până acum)

3 (în *expresii*) acum; **not just ~** nu chiar acum, nu chiar în clipa asta; **as ~** până acum; deocamdată **4** încă, în continuare, ca mai înainte, ca şi până acum; mai; **he is ~ alive** mai trăieşte/este în viaţă **5** (în *prop afirm*, înainte de *comparative*) încă, şi; **this problem is ~ more difficult** problema aceasta este şi mai grea **6** (ca posibilitate în viitor) mai; încă; **he may win ~** mai poate să câştige (încă); nu a pierdut încă toate şansele **7** (concesiv) totuşi, cu toate acestea; **it is strange and ~ true** este straniu şi totuşi adevărat **8** măcar, cel puţin; **sing it ~ once more** mai cântă-l măcar o dată (cel puţin a treia oară) // **nor ~** (şi) nici, dar nici; **I don't like the pink stuff nor ~ the yellow** nu-mi place stofa roz, dar nici cea galbenă II *adj atr* **the ~** prezentul, de acum/astăzi; **the ~ conditions** condiţiile existente/de faţă/prezente/actuale III *conj* totuşi, cu toate acestea; dar; **he worked hard, ~ he failed in the examination** a muncit foarte mult, totuşi a căzut la examen; **she is old, ~ energetic** este bătrână, dar energică

yeti [ˈjeti] *s* yeti, omul zăpezilor

yew [juː] *s bot* tisă (*Taxus baccata*)

yid [jid] *s* ← *peior* evreu

Yiddish [ˈjidiʃ] *s* (limba) idiş

yield [jiːld] I *vt* **1** a produce (*o recoltă etc.*), a da; a scoate; **his business ~ed big profits** realiza profituri mari de pe urma întreprinderii (comerciale); afacerea i-a adus profituri mari; **the research ~ed no result** cercetarea s-a dovedit (a fi) infructuoasă/n-a dus la nici un rezultat **2** *elev* a oferi, – a da; **the empty house ~ed us shelter** casa pustie ne-a oferit adăpost; **to ~ due praise to smb** a recunoaşte meritele cuiva, a lăuda pe cineva pe merit **3** *ec* a livra **4** *ec* a aduce un beneficiu de (*atâtea procente, etc.*) **5** şi **~ up** a ceda, a renunţa la; **they ~ed (up) their position to the enemy** au cedat poziţia inamicului; **to ~ up the ghost** a-şi da duhul; **to ~ a point** a face o concesie (*într-o discuţie*); **to ~**

consent a-şi da asentimentul (până la urmă) **6** ← *înv* a răsplăti, a recompensa II *vr* a se preda; a ceda; **to ~ oneself prisoner** a se preda; a se da prins III *vi* **1** a produce, a da randament; a fi profitabil, a aduce profit(uri); **the mine ~s poorly** mina are un randament scăzut, mina produce puţin/este puţin productivă **2** (**to**) a ceda (*cu dat*, în faţa – *cu gen*), a nu rezista (*cu dat;* la); a se preda (*inamicului, etc.*); **we will never ~** nu vom ceda/nu ne vom preda (sub nici o formă); **to ~ to superior force** a ceda în faţa unor forţe superioare; **to ~ to entreaties** a ceda (în faţa) rugăminţilor; **to ~ to temptation** a ceda (în faţa) ispitei, a se lăsa ispitit **3** a ceda, a se prăbuşi, a se deschide *etc.*; **the roof began to ~ under the heavy snow** acoperişul începu să cedeze sub apăsarea zăpezii; **the ground ~ed under him** terenul cedă sub el IV *s* **1** producţie; debit; randament; productivitate **2** *agr* recoltă **3** *ec* profit, venit, câştig; beneficiu; grad de valorificare; eficienţă **4** cedare; retragere, dare înapoi

yielding [ˈjiːldiŋ] I *adj atr* **1** (*d. un material*) elastic, flexibil; moale; maleabil; ductil **2** supus, ascultător **3** lipsit de fermitate, moale, care cedează uşor; influenţabil; maleabil; înţelegător II *s* **1** producere, formare **2** producţie; productivitate; debit; randament **3** supunere; cedare; docilitate **4** *tehn* lăsare în jos; tasare; deformare

yin [jin] *s filos chineză* principiu feminin

yip [jip] *vi, s amer F v.* **yelp**

yippee [jiˈpiː] *interj F* hii! bravo! ura!

YMCA *presc de la* **Young Men's Christian Association**

yob(bo) [ˈjɔbou] *s* tânăr băgăcios şi obraznic

yodel [ˈjoudəl] I *s* iodel, cântec *sau* strigăt al tirolezilor (*cu falset*) II *vi* a cânta *sau* a striga ca tirolezii/cu falset

yoga [ˈjougə] *s filos hindusă* yoga

yogh(o)urt [ˈjɔgət] *s* iaurt

yogi [ˈjougi] *s* yoghin

yogurt [ˈjɔgət] *s* iaurt

yoke [jouk] **I** *s* **1** jug **2** *fără pl fig* jug; lanțuri; cătușe; robie, sclavie; **under the ~ of colonialism** sub jugul colonialismului; **to shake/ to throw off the ~** a scutura jugul **3** *pl și ca sg* pereche de boi de jug; **5 ~(s) of oxen** 5 perechi de boi **4** *agr* pogon, înv → jugăr, jug **6** platcă *(la cămașă)* **7** *auto* furcă **8** *el* buclă de cuplaj **9** *tehn* jug; travee; etrier; colier; bridă **10** *nav* eche rotundă **II** *vt* **1** a înjuga **2** *fig* a uni; a lega; a combina; a îmbina **3** *fig* a supune *(forțele naturii, etc.)*; a subjuga **III** *vi* ← *rar* a se potrivi (unul cu altul), a fi potrivit (unul cu altul)

yoke fellow ['jouk ˌfelou] *s* **1** tovarăș; coleg; partener; asociat **2** ← *umor* tovarăș *sau* tovarășă de viață

yokel ['joukəl] *s* **1** țărănoi, bădăran, necioplit **2** prostovan, prostălău (de la țară)

Yokohama [ˌjoukou'hɑːmə] *oraș în Japonia*

yolk [jouk] *s* gălbenuș (de ou)

yon [jɔn] **I** *adj, adv v.* **yonder II** *pr* ← *înv, poetic* cel, cea, cei *sau* cele de colo; acela, aceea; aceia *sau* acelea

yond [jɔnd] *adj, adv v.* **yonder**

yonder ['jɔndəʳ] ← *înv, poetic* **I** *adj* de colo, acel(a), ace(e)a, acei(a) *sau* acele(a); **on ~ hill** pe dealul de colo, pe dealul acela, pe acel deal; **on the ~ side** de/pe cealaltă parte **II** *adv* acolo; dincolo

yonks [jɔnks] *s pl F* veșnicie, car de ani; **I haven't seen her for ~** n-am mai văzut-o de un car de ani/de nu mai știu când

yonside ['jɔnˌsaid] *adv* ← *înv* dincolo; de cealaltă parte; departe

yoo-hoo ['juːˌhuː] *interj amer* hei! alo! auzi?

yore [jɔːʳ] *s* ← *poetic:* **of ~ a** *adj* de demult/altădată, din vremuri străvechi **b** *adv* în vremuri(le) de demult; *cf* e mult de atunci; **legends of ~** legende de demult/ de altădată; **in days of ~** *v.* **of ~ b**

York [jɔːk] **1** *oraș în Anglia* **2** *v.* **Yorkshire 3** *dinastie engleză (1465-1485)*

Yorkshire ['jɔːkʃiəʳ] *comitat în Anglia*

Yorkshire pudding ['jɔːkʃiə ˌpudiŋ] *s* un fel de sufleu care se servește de obicei cu carne de vacă prăjită

you [ju, jə *forme slabe*, juː *formă tare*] *pr* **1** tu; mata; dumneata; dumneavoastră; voi; *dat* ție; îți; ți; matale; dumitale; dumneavoastră; vouă, vă, vi; *ac* pe tine, te; pe mata; pe dumneata; pe dumneavoastră; pe voi, vă; **should go there** ar trebui să te duci *sau* să vă duceți acolo; **I'll give ~ another example** o să-ți *sau* o să vă dau un alt exemplu; **I didn't see ~ in the park** nu te-am *sau* nu v-am văzut în parc **2** omul; se; *(adesea nu se traduce);* **~ never can tell** nu poți să știi, nu se știe niciodată; **~ cannot predict your fate** nu-ți poți prevedea soarta, nu știi ce soartă te așteaptă, omul nu știe niciodată ce soartă îl așteaptă **3** tu (de colo, *etc.*); voi; măi; *(uneori nu se traduce);* **~ there!** (hei,) tu *sau* voi de colo! **~ in the corner!** (hei,) tu ăla din colț!

you-all [juː 'ɔːl] *pr amer (în sudul S.U.A.)* voi *etc. (v.* **you 1***)*

you'd [jud, jəd *forme slabe*, juːd *formă tare]* contras din **1 you had 2 you would**

you'll [jul, jəl *forme slabe,* juːl *formă tare]* contras din **1 you will 2 you shall**

young [jʌŋ] **I** *adj* **1** tânăr, *rar* → june; mic; de curând născut; nedezvoltat încă; **a ~ man** un (om) tânăr; **a ~ plant** o plantă tânără, nedezvoltată încă, plăpândă *etc.*; **a ~ country** o țară tânără **2** (aflat) la început; **the night is still ~** noaptea de-abia a început, de-abia s-a înnoptat **3** *(înaintea unui nume)* junior; tânărul; **Y~ Smith** Smith junior **4** tineresc, de tânăr; de tinerețe; **~ love** dragoste de tinerețe; **~ manner** comportare tinerească **5** tânăr; neexperimentat, fără experiență; începător, novice; nedeprins; **~ in crime** care a apucat de curând pe calea delictelor/infracțiunii **6** *(d. legume etc.)* proaspăt **II** *s* **1** tineri, tineret; **old and ~** bătrâni și tineri; **the ~** tinerii, tineretul; **this music is very popular with the ~** muzica aceasta se bucură de multă popularitate în rândul tinerilor, tineretului îi place foarte mult muzica aceasta **2** pui *(de animale);*

the ~ of the lion puii de leu; **the bitch tried to protect her ~** cățeaua încercă să-și apere puii/ cățeii; **with ~** cu pui, cu vițel *etc.*

younger, the ['jʌŋgəʳ, ðə] *adj (înainte sau după numele cuiva)* tânărul, junior; **the ~ Smith, Smith the ~** tânărul Smith, Smith junior

youngling ['jʌŋliŋ] *s* **1** *v.* **youngster 2** ← *rar* începător, novice **3** *bot* pomișor, pom tânăr; arbust

youngster ['jʌŋstəʳ] *s* **1** băiat; adolescent; tinerel; flăcăuaș; flăcău; tânăr **2** copil; **are the ~s all right?** copiii (dumneavoastră *etc.*) sunt bine, sănătoși? **3** pui (de animal)

Youngstown ['jʌŋztaun] *oraș în S.U.A.*

younker ['jʌŋkəʳ] *s amer* **1** *rar v.* **youngster 2** *înv* domnișor, – tânăr aristocrat

your [jəʳ, juʳ *forme slabe,* jɔːʳ, juəʳ *forme tari*] *adj pos* **1** tău, ta, tăi *sau* tale; matale; dumitale; dumneavoastră; vostru, vouă, voștri *sau* voastre; **~ books** cărțile tale *etc.* **2** *(pt accentuare)* ← *F sau* o, *art hot*; **~ typical postage stamp is square** timbrul tipic este pătrat **3** *peior* tău *etc.*; **acest** *etc.*...., al tău *etc.*; **~ expert in handwriting** specialistul tău în grafologie; acest grafolog al dumitale

you're [jəʳ, juʳ *forme slabe,* juəʳ, jɔːʳ *forme tari*] *contras din* **you are**

yours [jɔːz, juəz] *pr pos* **1** al tău, a ta, ai tăi *sau* ale tale; al, a, ai *sau* ale matale *sau* dumitale *sau* dumneavoastră; al vostru, a voastră, ai voștri *sau* ale voastre; **I bought a book of ~** am cumpărat o carte (de-)a ta, dumitale *etc.*; **~ truly a** cu stimă, rămân al dvs. *(ca formulă de încheiere în scrisori)* **b** *F* subsemnatul, – eu **2** ↓ **Y~** al tău; a ta *etc. (ca formulă de încheiere în scrisori);* **~ faithfully** cu (deosebită) stimă, al dvs.; **~ sincerely, sincerely ~** al dvs. *sau* al dumitale devotat; **~ ever** al tău devotat; al tău cu dragoste // **what's ~?** *F* tu ce bei?

yourself *pr* **I** [jɔːˌself, juəˌself] *refl* te; *(politicos, pr pers corespunzător fiind* dumneavoastră*)* vă; **did you hurt ~?** te-ai rănit? *sau* v-ați rănit? **II** [jɔ:'self, juə'self] *de întărire* (tu) însuți *sau fem* însăți; (dumneavoastră) înșivă; singur, *fem* singură; **did you see him ~?** l-ai văzut tu însuți? l-ai văzut cu ochii tăi? l-ați văzut dvs. înșivă? **(all) by ~ a** singur, neînsoțit **b** singur, neajutorat (de nimeni); **you don't seem ~ today** azi nu prea ești în apele tale; arăți prost astăzi; pari schimbat astăzi; **you ~ know how to do it** știi singur cum s-o faci/să procedezi **III** [jɔ:'self ,juə'self] *pers* tu; mata; dumneata; dumneavoastră; **what will you do with ~ tonight?** ce (ai de gând să) faci diseară? **look at ~** uită-te la tine, privește-te (ca să vezi cum arăți); **how's ~?** cum o mai duci? *F* cum te (mai) lauzi? **she has invited Victor and ~** *(preferabil* **you***)* l-a invitat pe Victor și pe tine

yourselves *pr* **I** [jɔ:,selvz, juə,selvz] *refl* vă **II** [jɔ:'selvz, juə'selvz] *de întărire* (voi *sau* dumneavoastră) înșivă; singuri, *fem* singure

youth [ju:θ] *s* **1** tinerețe; ani de tinerețe; **in his ~** în tinerețea lui, când era tânăr **2 the ~** tineretul,

cei tineri, tinerii **3** *pl* **youths** [ju:ðz] *adesea peior* tânăr; *peior* imberb; **three ~s** trei tineri

youthful ['ju:θful] *adj* **1** tineresc; de tinerețe; de om tânăr; **a ~ skin** o piele de om tânăr *sau* femeie tânără; **~ follies** nebuniile tinereții; **~ sports** sporturi îndrăgite de tineret **2** tânăr **3** *fig* vioi, energic, plin de viață; activ **4** *fig* puternic, viguros; înfloritor **5** *fig* nou; proaspăt; timpuriu; **the ~ season of the year** începutul anului, perioada de început a anului

youthfully ['ju:θfuli] *adv* tinerește

youthfulness ['ju:θfulnis] *s* tinerețe; prospețime; vioiciune

Youth Hostel ['ju:θ ,hɔstəl] *s* casă de odihnă (ieftină) pentru tinerii aflați în vacanță *(plata se face prin Asociația națională sau internațională a caselor de odihnă pentru tineri)*

you've [juv *formă slabă*, ju:v *formă tare*] *contras din* **you have**

yowl [jaul] **I** *s* urlet *(al animalelor)* **II** *vi (d. animale)* a urla

yo-yo ['joujou] *s* yo-yo *(jucărie)*

yperite ['i:pərait] *s ch* iperită

ytterbium [i'tə:biəm] *s ch* yterbiu

yttrium ['itriəm] *s ch* ytriu

Yucatan [,ju:kə'ta:n] **1** *peninsulă în America de Nord* **2** *stat mexican*

yucca ['jʌkə] *s bot* yucca *(Yucca filamentosa)*

Yugoslav ['ju:gou,sla:v] **I** *adj* iugoslav, sârb(esc) **II** *s* iugoslav, sârb

Yugoslavia [,ju:gou'sla:viə] *lugoslavia*

Yugoslavian [,ju:gou'sla:viən] *adj, s v.* **Yugoslav**

Yukon ['ju:kɔn] **1** *teritoriu în Canada* **2 the ~** *fluviu în Canada*

yule, Yule [ju:l] *s ← rar* Crăciun

yule log ['ju:l ,lɔg] *s* **1** *od* buștean/ butuc care se aprindea în cadrul ceremoniei focului în Ajunul Crăciunului **2** prăjitură având forma acestuia *v.* **~ 1**

yuletide, Yuletide ['ju:l,taid] *s* Crăciun, vremea/perioada Crăciunului

Yuma ['ju:mə] *s trib de indieni nord-americani*

yummy ['jʌmi] *adj* **1** *F* să-ți lingi degetele, nu alta; foarte gustos, delicios **2** *← F* plăcut la vedere, frumos

yum-yum ['jʌm ,jʌm] *s în limbajul copiilor* bobo, – bomboană

Yunnan [ju:'næn] *provincie în China*

Z

Z, z [zed] *s* (litera) Z, z

Zachariah [ˌzækəˈraiə] *nume masc* Zaharia

Zagreb [ˈzɑːgreb] *oraş în Iugoslavia*

Zambezi, the [zæmˈbiːzi, ðə] *fluviu în Africa*

Zambia [ˈzæmbiə] *ţară în Africa*

zany [ˈzeini] **I** *s* **1** *od* măscărici, nebun **2** ← *rar* caraghios, bufon, paiaţă **II** *adj* de clovn, caraghios

Zanzibar [ˌzænziˈbɑː] *insulă în estul Africii*

zeal [ziːl] *s* zel, râvnă; interes; stăruinţă

zealot [ˈzelət] *s* **1** adept *sau* sprijinitor fanatic; fanatic **2** entuziast; fanatic **3** bigot; habotnic

zealotry [ˈzelətri] *s* **1** fanatism **2** entuziasm **3** bigotism; habotnicie

zealous [ˈzeləs] *adj* **1** zelos, stăruitor **2** dornic; doritor; râvnitor; ~ **for fame** însetat de faimă; ~ **to succeed** doritor *sau* hotărât să reuşească

zealously [ˈzeləsli] *adv* cu zel/râvnă, stăruitor

zealousness [ˈzeləsnis] *s v.* zeal

zebra [ˈziːbrə] *s* **1** *pl şi ca sg zool* zebră *(Equus zebra)* **2** *v.* **zebra crossing**

zebra crossing [ˈziːbrə ˌkrɔsiŋ] *s* zebră *(marcaj de traversare pt pietoni)*

zebu [ˈziːbuː] *s pl şi ca sg zool* (boul) zebu *(Bos indicus)*

zec(c)hin [ˈzekin] *s od* ţechin

zed [zed] *s* zet, denumirea literei Z, z

zee [ziː] *s amer v.* zed

Zeeland [ˈzeːlɑːnt] *provincie în Olanda*

zeitgeist, Zeitgeist [ˈtsaitˌgaist] *s germ* spiritul vremii/epocii

zelotic [ziˈlɔtik] *adj* fanatic

Zen [zen] *s rel* zen, zenbudism *(formă japoneză a budismului)*

zenana [zeˈnɑːnə] *s* **1** *od* partea locuinţei rezervată femeilor; harem *(în India şi Persia)* **2** *text* zenana

Zend [zend] *s ling od* (limba) zend

Zend-Avesta [ˌzend əˈvestə] *s rel* Zend-Avesta

zenith [ˈzeniθ] *s* **1** *astr* zenit **2** *fig* culme, apogeu

zenithal [ˈzeniθəl] *adj* **1** *astr* zenital **2** *fig* culminant

zenith distance [ˈzeniθ ˌdistəns] *s astr* distanţă zenitală

Zeno [ˈziːnou] *filosofi greci* Zenon **1** *(336-264 î.e.n.)* **2** *(490-430 î.e.n.)*

Zenobia [ziˈnoubiə] *nume fem* Zenobia, cf Zenovia, Zoe

zephyr [ˈzefəʳ] *s* **1** zefir, vânt de apus **2** *poetic* zefir, boare, adiere

zeppelin [ˈzepəlin] *s* zepelin, dirijabil

zero [ˈziərou] *s* **1** *mat* zero; nulă **2** *fiz* (punct) zero; **it was 3 below ~ last night** noaptea trecută au fost 3 grade sub zero **3** *sport amer* zero **4** nimic, zero; **to reduce to ~** a reduce la zero **5** *fig* nulitate; om de nimic

zero hour [ˈziərou ˌauəʳ] *s mil* ora C, ora H

zero in on [ˈziərou ˈin ɔn] *vi cu part adv şi prep* **1** *mil* a ochi direct în *sau* spre **2** *fig* a-şi îndrepta atenţia direct asupra *cu gen*

zero-zero [ˈziərou ˌziərou] *s av* vizibilitate nulă

zest [zest] *s* **1** mirodenie; condiment **2** lucru picant, picanterie **3** *fig* sare; farmec; interes; atracţie deosebită **4** *fig* interes, însufleţire, suflet; participare; energie; vioiciune **5** (to) *fig* înclinaţie, aplecare (spre, către)

zestful [ˈzestful] *adj şi fig* picant

zeugma [ˈzjuːgmə] *s ret* zeugma

Zeus [ˈzjuːs] *mit* Zeus, cf Jupiter

zibel(l)ine [ˈzibəˌlain] *s* zibelină, samur

ziggurat [ˈziguˌræt] *s od* zigurat *(templu piramidal în Mesopotamia)*

zigzag [ˈzigˌzæg] **I** *s* zigzag; **to go in a ~** a merge în zigzag **II** *adj atr* zigzagat, în formă de zigzag **III** *adv* în zigzag **IV** *vi* a merge în zigzag

zillion [ˈziljən] *s amer* ← *F* mii şi mii; sute de mii; noian; potop

zinc [ziŋk] *s ch* zinc

zincate [ˈziŋkeit] *s ch* zincat

zinc blende [ˈziŋk ˌblend] *s minr* blendă

zinc carbonate [ˈziŋk ˌkɑːbəneit] *s ch* carbonat de zinc

zinc chloride [ˈziŋk ˌklɔːraid] *s ch* clorură de zinc

zincify [ˈziŋkifai] *vt met* a zinca

zincograph [ˈziŋkəˌgrɑːf] *s poligr* zincogravură

zincographer [ziŋˈkɔgrəfəʳ] *s poligr* zincograf

zincography [ziŋˈkɔgrəfi] *s poligr* zincografie

zincous [ˈziŋkəs] *adj ch* de zinc

zinc oxide [ˈziŋk ˌɔksaid] *s ch* oxid de zinc

zinc white [ˈziŋk ˌwait] *s ch* alb de zinc

zing [ziŋ] **I** *s* şuierat; fluierat; vâjâit **II** *vi* (d. glonţ etc.) a şuiera

zinked [ziŋkt] *adj* zincat

zinky [ˈziŋki] *adj* de zinc; cu zinc

zinnia [ˈziniə] *s bot* cârciumărese *(Zinnia elegans)*

Zion [ˈzaiən] *s* **1** *bibl* (Muntele) Sion **2** evreii, poporul evreu **3** Ierusalim **4** *rel* cerul, cerurile

zionism [ˈzaiəˌnizəm] *s* sionism

Zionist [ˈzaiənist] *adj, s* sionist

Zionistic [ˌzaiəˌnistik] *adj* sionist

zip [zip] **II I** *s* **1** fermoar **2** şuierat de glonte **3** pârâit **4** *fig* energie, vioiciune, viaţă, temperament **II** *vt* a trage fermoarul *cu gen*, a închide *sau* a deschide fermoarul de la **III** *vi* **1** (d. gloanţe) a trece şuierând, a şuiera **2** (d. stofe) a pârâi, a plesni **3** a trece glonţ, ca o săgeată *etc.* **4** *fig* a fi plin de viaţă

zip code [ˈzip ˌkoud] *s amer* cod poştal

zip fastener [ˈzip ˌfɑːsnəʳ] *s* fermoar

zipper [ˈzipəʳ] *s* **1** *amer* fermoar **2** *pl* pantofi *sau* ghete cu fermoar

zippered [ˈzipəd] *adj* cu fermoar

zippy [ˈzipi] *adj* plin de viaţă, iute, vioi, energic

zip up [ˈzip ʌp] *vt cu part adv* a încheia cu fermoarul

zircon [ˈzəːkɔn] *s minr* zircon

zirconium [zəːˈkouniəm] *s ch* zirconiu

zither [ˈziðəʳ] *s muz* ţiteră, citeră

zizz [ziz] *s F* somnuleţ, pui de somn, – somn scurt; **to have/to take a ~** *F* a trage un pui de somn

zloty [ˈzlɔti] *s* zlot *(unitate monetară poloneză)*

zoa ['zouə] *pl de la* **zoon**

zodiac ['zoudi,æk] *s astr şi astrologie* zodiac

zodiacal [zou'daiəkəl] *adj astr* zodiacal

zodiacal light [zou'daiəkəl ,lait] *s astr* lumină zodiacală

Zoe ['zoui] *nume fem* Zoe, Zoia

Zola ['zoulə], **Emile** *scriitor francez (1840-1902)*

zombi(e) ['zɔmbi] *s* **1** zombi, mort înviat; fantomă, umbră, stafie *(la unele popoare africane)* **2** *peior* mortăciune; putoare; om care abia-abia se mişcă **3** *amer* cocktail *din rom, suc de fructe şi sifon*

zonal ['zounəl] *adj* zonal, de zonă

zonary ['zounəri] *adj v.* **zonal**

zonation [zou'neiʃən] *s* zonare, zonificare

zone [zoun] **I** *s* **1** zonă, regiune; **the temperate ~** zona temperată **2** diviziune; parte; sector **3** *cib* memorie specială **4** *poetic* cingătoare, brâu **II** *vt* **1** a zona; a împărţi pe zone/regiuni **2** *poetic* a încinge, – a înconjura

zonked [zɔnkt] *adj ↓ amer sl* beat; drogat

zoo [zu:] *s* grădină zoologică

zoochemistry [,zouə'kemistri] *s* zoochimie

zooculture [,zouə'kʌltʃəʳ] *s* zootehnie

zoogene ['zouə,dʒi:n] *adj geol* zoogen

zoogeography [,zouədʒi'ɔgrəfi] *s* zoogeografie

zoolatry [zou'ɔlətri] *s* zoolatrie, cultul animalelor

zoologic(al) [,zouə'lɔdʒik(əl)] *adj* zoologic

zoological gardens [,zouə'lɔdʒikəl ,ga:dənz] *s pl* grădină zoologică

zoologist [zou'ɔlədʒist] *s* zoolog

zoologize [zou'ɔlədʒaiz] *vi* a se ocupa cu zoologia

zoology [zou'ɔlədʒi] *s* zoologie

zoom [zu:m] **I** *s* **1** uruit; bâzâit; zumzet; zbârnâit **2** *av* şandelă **3** *tel* zoom; schimbare rapidă de plan *(a camerei de televiziune)* **II** *vi* **1** a urui; a bâzâi; a zumzăi; a zbârnâi **2** a merge cu zgomot, a urui în mers **3** *(d. preţuri etc.)* a se urca, a creşte vertiginos

zoometry [zou'ɔmitri] *s* zoometrie

zoom lens ['zu:m ,lenz] *s tel* transfocator

zoomorphic [,zouə'mɔ:fik] *adj rel, arte* zoomorf(ic)

zoomorphism [,zouə'mɔ:fizəm] *s rel* zoomorfism

zoon ['zouən], *pl* **zoa** ['zouə] *s biol* zoon, fiinţă cu organism complex pe deplin dezvoltată

zoophyte ['zouə,fait] *s biol* zoofit, fitozoar

Zoroaster [,zɔrou'æstəʳ] *rel* Zoroastru

Zouave [zu:'ɑ:v] *s mil od* zuav

zounds [zaundz] *interj ← înv* la naiba! fir-ar să fie!

Zulu ['zu:lu:] **I** *s, pl şi ca sg* zulus **II** *adj* zulus

Zurich, Zürich ['zjuərik] *oraş în Elveţia* Zürich

zwieback ['zwi:,bæk] *s germ* un fel de biscuit *sau* pesmet *(pâine dulce, tăiată felii care se prăjesc)*

zymase ['zaimeis] *s ch* zimază

zymosis [zai'mousis] *s* **1** *← înv ch* fermentare, fermentaţie **2** *med* infecţie

zymotic [zai'mɔtik] *adj* **1** *ch* zimotic, de fermentaţie **2** *med* infecţios